Inhalt und Aufbau

Alle **Stichwörter** sind durch Fettdruck hervorgehoben.

Die **Tilde** ~ ersetzt in den Redewendungen und Beispielen das unmittelbar vorhergehende fettgedruckte Stichwort ohne die am Ende in Klammern stehenden Buchstaben.

Hochzahlen unterscheiden Homographen (Wörter mit gleicher Schreibung, aber verschiedener Herkunft und Bedeutung).

Die **römischen Ziffern** dienen zur Unterscheidung der verschiedenen Wortarten, denen ein Stichwort angehört, und zur Gliederung der Verben (*vt, vi, vr, vi impers* etc.).

Grundlegend verschiedene Bedeutungen eines Stichworts sind durch **arabische Ziffern** differenziert.

Die **Lautschrift** steht in eckigen Klammern hinter dem Stichwort in den Fällen, wo die Aussprache von den allgemeinen Regeln abweicht, oder wo mehrere Aussprachen möglich sind.

Bei allen anderen Stichwörtern sind Betonung und Länge des betonten Vokals gekennzeichnet. Ein langer betonter Vokal ist mit einem Strich, eine kurzer betonter Vokal mit einem Punkt unter dem betreffenden Vokal gekennzeichnet.

Der feine senkrechte Strich in einem Stichwort kennzeichnet den Knacklaut.

Unregelmäßige Pluralformen sind bei der Singularform angegeben. **Unregelmäßige Verbformen** sind bei der Grundform angegeben. Sie sind außerdem an der entsprechenden Stelle in der alphabetischen Reihenfolge aufgeführt und mit einem Verweis auf die Singular- bzw. Grundform versehen.

Regelmäßige Verben, die das Partizip Perfekt ohne *ge-* bilden, sind mit einem Sternchen* gekennzeichnet.

Es werden zahlreiche Hinweise für die Verwendung des Stichworts und seiner Übersetzungen im Satzzusammenhang gegeben, z. B. durch

- **Erklärungen** zur Unterscheidung mehrerer Übersetzungen,

- **typische Kollokationen** (Verbindungen),

- Angabe von **typischen Subjekten**

und **typischen Objekten,**

- **Angabe des Sachgebiets** bei fachsprachlichen Begriffen,

- **Kennzeichnung von Stilebenen,** die von der Schriftsprache abweichen (*poet, liter, inf, sl* etc.),

- **Kennzeichnung von regionalen Ausdrücken** (*Aus, Sw, S Ger, N Ger* etc.).

Globalwörterbuch
Deutsch-Englisch

German-English
Dictionary

COLLINS

GERMAN-ENGLISH DICTIONARY

by

Roland Breitsprecher , Peter Terrell
Veronika Schnorr , Wendy V.A. Morris

Second Edition 1993

HarperCollins*Publishers*

Globalwörterbuch

Deutsch-Englisch

von

Roland Breitsprecher , Peter Terrell
Veronika Schnorr , Wendy V.A. Morris

Neubearbeitung 1993

Ernst Klett Verlag für Wissen und Bildung
Stuttgart · Dresden

PONS Globalwörterbuch Deutsch-Englisch

1. Auflage/First Edition
Bearbeitet von/Edited by:
Veronika Schnorr u.a.
Neubearbeitung/New Edition 1993: Bearbeitet von/Edited by:
Gudrun Küper, Anke Müller, Karin Friemel-Teuscher,
Eckhard Böhle, Dorothee Meister
unter Mitwirkung und Leitung der Verlagsredaktion PONS Wörterbücher/in
collaboration with and under the supervision of the PONS dictionary department
Auf der Basis von/based on:
PONS-COLLINS Großwörterbuch
von/by Peter Terrell, Veronika Schnorr, Wendy V.A .Morris,
Roland Breitsprecher, Neubearbeitung/revised edition 1991

Warenzeichen
Wörter, die unseres Wissens eingetragene Warenzeichen darstellen,
sind als solche gekennzeichnet. Es ist jedoch zu beachten, daß weder
das Vorhandensein noch das Fehlen derartiger Kennzeichnungen die Rechtslage
hinsichtlich eingetragener Warenzeichen berührt.

Trademarks
Words which we have reason to believe constitute registered trademarks are designated
as such. However, neither the presence nor the absence of such designation
should be regarded as affecting the legal status of any trademarks.

Die Deutsche Bibliothek - CIP - Einheitsaufnahme

PONS-Globalwörterbuch   . - Stuttgart ; Dresden :
Klett Verlag für Wissen und Bildung
NE: Globalwörterbuch
Deutsch-englisch = Teil 2 / von Roland Breitsprecher ...
- 2., neubearb. Aufl., Nachdr. - 1995
ISBN 3-12-517142-3
NE: Breitsprecher, Roland

Gedruckt auf Papier, das aus chlorfrei gebleichtem Zellstoff hergestellt wurde.

2. Auflage 1993 - Nachdruck 1995

Redaktion/Editors: Andrea Ender, Astrid Proctor, Stuttgart
Einbandgestaltung/Cover design: Erwin Poell, Heidelberg
Fotosatz/Computer typeset by Morton Word Processing Ltd, Scarborough, England
Druck/Printed by: W. Söderström Osakeyhtiö, Helsinki
Printed in Finland
ISBN 3-12-517142-3

Contents   Inhalt

Appendix   Anhang

Guide to the dictionary   Erläuterungen

1. Type faces

1. Schriftarten

primary bold for headwords, irregular verb and plural forms;

Fettdruck für Stichworteinträge, unregelmäßige Verb- und Pluralformen;

Secondary bold for illustrative and idiomatic phrases and for Roman and Arabic numerals, direct cross-references where no translation is given for the headword;

Halbfett-druck für die Anwendungsbeispiele und Redewendungen und für die römischen und arabischen Ziffern, Verweise, bei denen keine Übersetzung zum Stichwort gegeben wird;

Bold italics in a source language phrase indicate that the word is stressed;

Halbfette kursiv in ausgangssprachlichen Wendungen bezeichnet betonte Wörter oder Silben;

italics for parts of speech and gender markings, for indicating and explanatory material, for field and style labels, to indicate emphasis on a word in the translation of a phrase;

Kursivschrift für Angaben von Wortarten und Genus etc., für erklärende Zusätze, für Bezeichnungen des Sachgebiets und der Sprachebene, um ein betontes Wort in der Übersetzung eines Beispielsatzes hervorzuheben;

roman for the target language equivalent (translation).

Grundschrift für die Entsprechungen in der Zielsprache (Übersetzungen).

example: *Beispiel:*

lesen[1] *pret* **las,** *ptp* **gelesen I** *vti* **1.** to read; *(Eccl) Messe* to say. **hier/in der Zeitung steht** *or* **ist zu ~, daß ...** it says here/in the paper that ...; **die Schrift ist kaum zu ~** the writing is scarcely legible.
2. *(deuten) Gedanken* to read. **jdm (sein Schicksal) aus der Hand ~** to read sb's palm; **in den Sternen ~** to read *or* see in the stars; **aus ihren Zeilen habe ich einen Vorwurf gelesen** I could tell from what she had written that she was reproaching me; **etw in jds Augen/Miene** *(dat)* **~** to see sth in sb's eyes//from sb's manner; **es war in ihrem Gesicht zu ~** it was written all over her face, you could see it in her face.

II *vi (Univ)* to lecture (*über + acc* on).
III *vr (Buch, Bericht etc)* to read. **bei
diesem Licht liest es sich nicht gut** this
light isn't good for reading (in).

2. Order of headwords and layout of entries

2. Stichwortanordnung und Gliederung der Stichworteinträge

All headwords in bold type are in alphabetical order. If two variant spellings are not alphabetically adjacent each is treated as a separate headword and there is a cross-reference to the form treated in depth. Where a letter occurs in brackets in a headword, this letter is counted for the alphabetical order, e. g. **Beamte(r)** will be found in the place of **Beamter, vierte(r, s)** in the place of **vierter.**

Alle fettgedruckten Stichwörter sind alphabetisch angeordnet. Wo zwei verschiedene Schreibweisen alphabetisch nicht unmittelbar benachbart sind, wird jede als eigenes Stichwort behandelt. Es erfolgt ein Querverweis zu der ausführlich dargestellten Variante. In Klammern stehende Buchstaben in einem Stichwort unterliegen ebenfalls der Alphabetisierung, so findet man z. B. **Beamte(r)** an der Stelle von **Beamter, vierte(r, s)** unter **vierter.**

Abbreviations, acronyms and proper nouns will be found in their alphabetical place in the word list.

Abkürzungen, Akronyme und Eigennamen sind in alphabetischer Ordnung im Wörterverzeichnis zu finden.

Superior numbers are used to differentiate between words of like spelling.

Hochgestellte Ziffern werden verwendet, um zwischen Wörtern gleicher Schreibung zu unterscheiden.

übersetzen[1], übersetzen[2]

Nouns which are always used in the plural are entered in the plural form.

Substantive, die stets im Plural verwendet werden, sind in der Pluralform angegeben.

Ferien *pl*, Kosten *pl*

Compounds will be found in their alphabetical place in the word list. The term „compound" ist taken to cover not only solid compounds but also set collocations consisting of several elements (e. g. **a conto, summa summarum** ect). Where the alphabetical order permits, compounds are run on in blocks.

Zusammengesetzte Wörter stehen an ihrer Stelle im Alphabet. Der Begriff „zusammengesetzte Wörter" bezeichnet nicht nur zusammengeschriebene Komposita, sondern auch aus mehreren einzelnen Elementen bestehende feste Verbindungen (z. B. **a conto, summa summarum** etc.). Wo die alphabetische Reihenfolge es gestattet, werden Zusammensetzungen in Nestern angeordnet.

Idioms and set phrases will normally be found under the first meaningful element of the first word in the phrase which remains constant despite minor variations in the phrase itself. Certain very common verbs such as *bringen, haben, geben, machen, tun* which form the basis of a great many phrases e. g. *etw in Ordnung bringen, etw in Gang bringen,*

Redensarten und feste Wendungen sind im allgemeinen unter dem ersten bedeutungstragenden Element oder dem ersten Wort der Wendung, das trotz leichter Abwandlungen in der Wendung selbst unverändert bleibt, zu finden. Bei als Funktionsverben gebrauchten Verben wie *bringen, haben, geben, machen, tun* werden die meisten festen

have been considered as having a diminished meaning and in such cases the set phrase will be found under the most significant element in the phrase.

Roman numerals are used to distinguish between the different parts of speech of the headword and to subdivide verbs (*vt, vi, vr, vi impers, vt impers, vi + prep obj* etc).

Wendungen, wie z. B. *etw in Ordnung bringen, etw in Gang bringen,* unter dem bedeutungtragenden Bestandteil der Wendung behandelt.

Die *römischen Ziffern* dienen zur Unterscheidung der verschiedenen Wortarten, denen ein Stichwort angehört, und zur Gliederung der Verben (*vi, vi, vr, vi impers, vt impers, vi + prep obj* etc.).

example: *Beispiel:*

nördlich I *adj* northern; *Kurs, Wind, Richtung* northerly. **der ~e Polarkreis** the Arctic Circle; **der ~e Wendekreis** the Tropic of Cancer; **N~es Eismeer** Arctic Ocean; **52 Grad ~er Breite** 52 degrees north.
II *adv* (to the) north. **~ von Köln (gelegen)** north of Cologne; **es liegt ~er** *or* **weiter ~** it is further (to the) north.
III *prep + gen* (to the) north of.

Arabic numerals are used to distinguish meanings which are fundamentally different.

Grundlegend verschiedene Bedeutungen eines Stichworts sind durch *arabische Ziffern* differenziert.

example: *Beispiel:*

Drachen *m* **-s, -** **1.** *(Papier~)* kite; *(Sport: Fluggerät)* hang-glider. **einen ~ steigen lassen** to fly a kite. **2.** *(inf: zänkisches Weib)* dragon *(inf),* battleaxe *(inf).* **3.** *(Wikingerschiff)* longship; *(Segelschiff)* dragon class yacht.

3. Indicating material

3. Erklärende Zusätze

Wherever translations are not interchangeable the differences in meaning and usage are indicated in the following ways:

Bei nicht austauschbaren Übersetzungen sind die Unterschiede in Gebrauch und Bedeutung in der folgenden Form dargestellt:

Indicators in parentheses:

In Klammern stehende Zusätze (Indikatoren):

synonyms and partial definitions,

Synonyme und Teildefinitionen,

Bildung *f* **1.** *(Erziehung)* education. **zu seiner ~ macht er Abendkurse/liest er viel/reist er** he does evening classes to try and educate himself/reads to improve his mind/travels to broaden his mind; **~ haben** to be educated.

2. *no pl (das Formen)* formation, forming; *(von Figuren auch)* fashioning; *(fig: von Charakter auch)* shaping. **zur ~ des Passivs** to form the passive. **3.** *(Form: von Baum, Hand, Ling: Wort)* form. **4.** *no pl (Entstehung)* formation. **5.** *no pl (Einrichtung)* setting-up. **6.** *no pl (Zusammenstellung) (von Kabinett, Regierung)* formation, forming; *(von Ausschuß, Gruppe auch)* setting-up; *(von Vermögen)* acquisition.

within verb entries, typical subjects of the headword,	typische Subjekte in Verbeinträgen,

ạnsteigen *vi sep irreg aux sein* to rise; *(Weg auch, Mensch)* to ascend; *(Temperatur, Preis, Zahl auch)* to go up, to increase.

within noun entries, typical noun complements of the headword.	typische Substantivergänzungen des Stichworts in Substantiveinträgen.

Ạnstieg *m* **-(e)s, -e 1.** *(Aufstieg)* climb, ascent; *(Weg)* ascent. **2.** *(von Straße)* incline; *(von Temperatur, Kosten, Preisen)* rise, increase.

Collocators, not in parentheses:	**Kollokatoren, die nicht in Klammern stehen:**
within transitive verb entries, typical objects of the headword,	typische Objekte des Stichworts bei transitiven Verbeinträgen,

ạbgewöhnen* *vt sep* jdm etw ~ *Gewohnheiten, schlechte Manieren* to cure sb of sth; *das Rauchen, Trinken* to get sb to give up *or* stop sth; **sich** *(dat)* **etw/das Trinken** ~ to give sth up/give up *or* stop drinking; **noch eins/einen zum A~** *(hum)* one last one; *(von Alkohol auch)* one for the road; **das/die ist ja zum A~** *(sl)* that/she is enough to put anyone off.

within adjective entries, typical nouns modified by the headword,	typische, durch das Stichwort näher bestimmte Substantive in Adjektiveinträgen,

ạllgemẹin I *adj* general; *Ablehnung, Zustimmung auch* common; *Feiertag* public; *Regelungen, Wahlrecht* universal; *Wehrpflicht* compulsory; *(öffentlich auch)* public . . .

within adverb entries, typical verbs or adjectives modified by the headword.	typische, durch das Stichwort näher bestimmte Verben oder Adjektive bei Adverbeinträgen.

dar<u>au</u>f *adv (emph* **d<u>a</u>rauf)** **1.** *(räumlich)* on
it/that/them *etc; (in Richtung)* towards it/
that/them *etc; schießen, zielen, losfahren*
at it/that /them *etc; (fig) fußen, basieren,
aufbauen* on it/that; *zurückführen, beziehen* to it/that.

Field labels are used to differentiate
various meanings of the headword and
when the meaning in the source language is clear but may be ambiguous in
the target language.

Sachgebietsangaben (z. B. *Med, Bot
etc.*) werden verwendet, um die verschiedenen Bedeutungen des Stichworts zu unterscheiden, und wenn die
Bedeutung in der Ausgangssprache klar
ist, in der Zielsprache jedoch mehrdeutig sein könnte.

J<u>u</u>ngfrau *f* virgin *f; (Astron, Astrol)* Virgo.

Style labels are used to mark all words
and phrases which are not neutral in
style level or which are no longer current in the language. This labelling is
given for both source and target languages and serves primarily as an aid
to the non-native speaker. When a style
label is given at the beginning of an
entry or category it covers all meanings
and phrases in that entry or category.

Stilangaben werden verwendet zur
Kennzeichnung aller Wörter und Wendungen, die keiner neutralen Stilebene
oder nicht mehr dem modernen Sprachgebrauch angehören. Die Angaben erfolgen sowohl in der Ausgangs- als
auch in der Zielsprache und sollen in erster Linie dem Nichtmuttersprachler
helfen. Stilangaben zu Beginn eines
Eintrages oder einer Kategorie beziehen
sich auf alle Bedeutungen und Wendungen innerhalb dieses Eintrages oder dieser Kategorie.

(inf) denotes colloquial language typically used in an
informal conversational
context or a chatty letter,
but which would be inap-
propriate in more formal
speech or writing.

(inf) bezeichnet umgangs-
sprachlichen Gebrauch,
wie er für eine formlose
Unterhaltung oder einen
zwanglosen Brief typisch
ist, in förmlicherer Rede
oder förmlicherem Schriftverkehr jedoch unange-
bracht wäre.

(sl) indicates that the word or
phrase is highly informal
and is only appropriate in
very restricted contexts, for
example among members
of a particular age group.
When combined with a
field label eg *(Mil sl), (Sch
sl)* it denotes that the expression belongs to the jargon of that group.

(sl) soll anzeigen, daß das Wort
oder die Wendung äußerst
salopp ist und nur unter
ganz bestimmten Umstän-
den, z. B. unter Mitgliedern
einer besonderen Alters-
gruppe, verwendet wird. In
Verbindung mit einer
Sachgebietsangabe, z. B.
(Mil sl), (Sch sl), wird auf
die Zugehörigkeit des Ausdrucks zum Jargon dieser
Gruppe hingewiesen.

(vulg)	denotes words generally regarded as taboo which are likely to cause offence.
(geh)	denotes an elevated style of spoken or written German such as might be used by an educated speaker choosing his words with care.
(form)	denotes formal language such as that used on official forms, for official communications and in formal speeches.
(spec)	indicates that the expression is a technical term restricted to the vocabulary of specialists.
(dated)	indicates that the word or phrase, while still occasionally being used especially by older speakers, now sounds somewhat old-fashioned.
(old)	denotes language no longer in current use but which the user will find when reading.
(obs)	denotes obsolete words which the user will normally only find in classical literature.
(liter)	denotes language of a literary style level. It should not be confused with the field label *(Liter)* which indicates that the expression belongs to the field of literary studies, or with the abbreviation *(lit)* which indicates the literal as opposed to the figurative meaning of a word.

A full list of field and style labels is given on the end-papers at the back of the dictionary.

(vulg)	Bezeichnet Wörter, die allgemein als tabu gelten und an denen vielfach Anstoß genommen wird.
(geh)	bezeichnet einen gehobenen Stil, sowohl im gesprochenen wie geschriebenen Deutsch, wie er von gebildeten, sich gewählt ausdrückenden Sprechern verwendet werden kann.
(form)	bezeichnet förmlichen Sprachgebrauch, wie er uns auf Formularen, im amtlichen Schriftverkehr oder in förmlichen Ansprachen begegnet.
(spec)	gibt an, daß es sich um einen Fachausdruck handelt, der ausschließlich dem Wortschatz von Fachleuten angehört.
(dated)	weist darauf hin, daß das Wort bzw. die Wendung heute recht altmodisch klingt, obwohl sie besonders von älteren Sprechern noch gelegentlich benutzt werden.
(old)	bezeichnet nicht mehr geläufiges Wortgut, das dem Benutzer jedoch noch beim Lesen begegnet.
(obs)	bezeichnet veraltete Wörter, die der Benutzer im allgemeinen nur in der klassischen Literatur antreffen wird.
(liter)	bezeichnet literarischen Sprachgebrauch. Es sollte nicht mit der Sachgebietsangabe *(Liter)* verwechselt werden, die angibt, daß der betreffende Ausdruck dem Gebiet der Literaturwissenschaften angehört, und ebensowenig mit der Abkürzung *(lit)*, die die wörtliche im Gegensatz zur übertragenden Bedeutung eines Wortes bezeichnet.

Eine vollständige Liste der Abkürzungen befindet sich auf den hinteren Vorsatzblättern.

Grammatical Information

Grammatische Angaben

Nouns

Substantive

All German nouns are marked for the gender.

Alle deutschen Substantive sind mit einer Geschlechtsangabe versehen.

The genitive and plural endings are given for all noun headwords except for certain regular noun endings. A complete list of these is given on page XXII.

Bei allen Substantiv-Stichwörtern sind Genitivendung und Plural angegeben, mit Ausnahme bestimmter regelmäßiger Endungen. Diese sind in einer vollständigen Liste auf S. XXII erfaßt.

The genitive and plural endings for German compound nouns are only given where the final element does not exist as a headword in its own right.

Die Genitivendung und der Plural sind bei zusammengesetzten Substantiven nur angegeben, wenn das letzte Element der Zusammensetzung nicht als Einzelwort vorkommt.

The genitive of proper names takes two forms.

Der Genitiv von Eigen-, Länder- und Städtenamen etc. kann zwei Formen haben.

1. When used with an article the word remains unchanged:

1. Das Substantiv bleibt in Verbindung mit einem Artikel unverändert:

des Aristoteles, der Anna, des schönen München

2. When used without an article an 's' is added to the noun:

2. Beim Gebrauch ohne Artikel wird ein ‚s' angefügt:

Annas Buch, Münchens Frauen, die Politik Deutschlands

When the noun ends in s, ß, x or z an apostrophe is added:

Bei Namen, die auf s, ß, x oder z enden, wird ein Apostroph angefügt:

Aristoteles' Schriften, die Straßen Calais'

In most cases in this dictionary the genitive form given for the proper names of people is that which is correct for use with an article. For the proper names of countries and cities the form of use without an article is given.

Bei Eigennamen ist meist die Genitivform, die beim Gebrauch mit dem Artikel steht, angeführt. Bei Länder- und Städtenamen steht die Genitivangabe für den Gebrauch ohne Artikel.

Nouns marked *no pl* are not normally used in the plural or with an indefinite article or with numerals; *no pl* is used:

Substantive mit der Angabe *no pl* werden im allgemeinen nicht im Plural, mit dem unbestimmten Artikel oder mit Zahlwörtern verwendet; *no pl* dient:

1. to give a warning to the non-native speaker who might otherwise use the word wrongly;

1. Als Warnung an den Nicht-Muttersprachler, der das Wort sonst falsch benutzen könnte;

2. as an indicator to distinguish the uncountable meanings of a headword in the source language.

2. zur Unterscheidung der unzählbaren und zählbaren Bedeutungen in der Ausgangssprache.

Nouns marked *no art* are not normally used with either a definite or an indefinite article except when followed by a relative clause.

Mit *no art* bezeichnete Substantive stehen im allgemeinen weder mit dem unbestimmten noch mit dem bestimmten Artikel, außer wenn ein Relativsatz von ihnen abhängig ist.

Nouns of the form **Reisende(r)** *mf decl as adj* can either be masculine or feminine and take the same declensional endings as adjectives. They are listed in the alphabetical place of -er.

Substantive des Typs **Reisende(r)** *mf decl as adj* können sowohl männlich wie weiblich sein und haben die gleichen Deklinationsendungen wie Adjektive. Sie sind alphabetisch unter -er eingeordnet.

m der Reisende, ein Reisender, die Reisenden *pl*
f die Reisende, eine Reisende, die Reisenden *pl*

Nouns of the form **Beamte(r)** *m decl as adj* take the same declensional endings as adjectives. They, too, are listed in the alphabetical place of -er.

Substantive nach dem Muster **Beamte(r)** *m decl as adj* haben die gleichen Deklinationsendungen wie Adjektive. Auch sie sind alphabetisch unter -er eingeordnet.

Nouns of the form **Schüler(in** *f)* *m* are only used in the bracketed form in the feminine.

Substantive des Typs **Schüler(in** *f)* *m* werden nur im Femininum in der eingeklammerten Form benutzt.

der/ein Schüler
die/eine Schülerin

The feminine forms are shown, where relevant, for all noun headwords; unless otherwise indicated, the English translation will be the same as for the masculine form.

Where the feminine form is separated alphabetically from the masculine form but has the same translation it is given as a separate headword with a cross-reference to the masculine form.

Where the feminine form requires a different translation in English it is given as a separate headword.

Where there is no distinction between the translations given for the masculine and feminine forms and yet the context calls for a distinction, the user should prefix the translation with 'male/female *or* woman *or* lady ...'

Für alle Substantive, die ein natürliches Geschlecht haben, wird die weibliche neben der männlichen Form angegeben. Wenn nicht anders angegeben, lautet die englische Form für beide gleich.

Wo die weibliche Form in der alphabetischen Reihenfolge nicht unmittelbar auf die männliche folgt, aber die gleiche Übersetzung hat, wird sie als eigenes Stichwort angegeben, wobei ein Querverweis auf die männliche Form erfolgt.

Wenn die weibliche Form im Englischen eine andere Übersetzung hat, wird sie als eigenes Stichwort angegeben.

Wo die für die männliche und für die weibliche Form angegebene Übersetzung dieselbe ist, im entsprechenden Zusammenhang aber betont werden soll, daß es sich um einen Mann bzw. eine Frau handelt, sollte der Benutzer der Übersetzung „male/female *or* woman *or* lady ..." voranstellen.

male teacher, female *or* **woman** *or* **lady teacher**

Verbs

Tables of verb declensions can be found in the Guide to German grammar in the appendix.

Irregular forms of verbs are given in the dictionary section in their alphabetical place and with the infinitive. They are also listed in the appendix.

All verbs which form the past participle without *ge-* are marked with an asterisk in the text.

umarmen* *vt insep* – *ptp* **umarmt**
manövrieren* *vi* – *ptp* **manövriert**

All verbs beginning with a prefix which can allow separability are marked *sep* or *insep* as appropriate.

überrieseln* *vt insep* **ein Schauer überrieselte ihn**
umschmeißen *vt sep irreg* **das schmeißt alle meine Pläne um**

Separable verbs form their past participle by adding *ge-* between the prefix and the stem.

umschmeißen – umgeschmissen
auftischen – aufgetischt

Inseparable verbs do not add *ge-*.

überrieseln* – überrieselt
durchtanzen* – durchtanzt
zerfließen* – zerflossen

Verbs beginning with the prefixes *be-, emp-, ent-, er-, ver-, zer-* are always inseparable.

Irregular verbs composed of prefix and verb are marked *irreg,* and the forms can be found under the simple verb.

All verbs which take 'sein' as the auxiliary are marked *aux sein.*

gehen *pret* **ging,** *ptp* **gegangen** *aux sein*

Where the auxilliary is not stated, 'haben' is used.

If the present or past participle of a verb has adjectival value it is treated as a separate headword in its alphabetical place.

abgeschlafft *adj (inf)* whacked *(inf).*

Verben

Konjugationstabellen zu Verben finden sich in der deutschen Kurzgrammatik im Anhang.

Unregelmäßige Verbformen sind im Wörterbuchteil an der entsprechenden alphabetischen Stelle und beim Infinitiv aufgeführt. Eine separate Liste der unregelmäßigen Verben befindet sich im Anhang.

Alle Verben, die das 2. Partizip ohne *ge-* bilden, sind im Text durch Sternchen gekennzeichnet.

Alle Verben, die mit einer oft abtrennbaren Vorsilbe beginnen, werden durch *sep* oder *insep* (= trennbar/untrennbar) bezeichnet.

Zur Bildung des 2. Partizips wird bei trennbaren Verben *ge-* zwischen Vorsilbe und Simplex eingefügt.

Bei untrennbaren Verben steht kein *ge-*.

Verben mit den Vorsilben *be-, emp-, ent-, er-, ver-, zer-* sind immer untrennbar.

Zusammengesetzte unregelmäßige Verben sind durch *irreg* bezeichnet, ihre Stammformen sind beim Simplex angegeben.

Alle Verben, die die zusammmengesetzten Zeiten mit „sein" bilden, sind durch *aux sein* gekennzeichnet.

Erfolgt keine Angabe, ist „haben" zu verwenden.

Wenn 1. oder 2. Partizip eines Verbs den Status eines Adjektivs haben, werden sie wie eigenständige Stichwörter in alphabetischer Reihenfolge aufgeführt.

ạbgeschlagen *adj* washed out *(inf)*, shattered *inf)*.
bez<u>ei</u>chnend *adj* (*für* of) characteristic, typical.

Adjectives and adverbs

Adjektive und Adverbien

Adjectives are given in their undeclined form.

Adjektive sind in ihrer unflektierten Form angegeben.

Adjectives of the form **letzte(r, s)** do not exist in an undeclined form and are only used attributively.

Adjektive nach dem Muster **letzte(r, s)** haben keine unflektierte Form und werden nur attributiv verwendet.

der letzte Mann, ein letzter Mann
die letzte Frau, eine letzte Frau
das letzte Kind, ein letztes Kind

These adjectives are given in the alphabetical place of -er.

Diese Adjektive sind an der alphabetischen Stelle von -er eingeordnet.

As a general rule, adjective translations of more than one word should be used postnominally or adverbially, but not before the noun.

Grundsätzlich sollen Übersetzungen von Adjektiven, die aus mehreren Wörtern bestehen, nur nachgestellt oder adverbial gebraucht und nicht dem Substantiv vorangestellt werden.

nacheifernswert *adj* worth emulating, worthy of emulation.

Adverbs have only been treated as separate grammatical entries distinct from adjective entries:
when their use is purely adverbial,

Adverbien sind als selbständige grammatische Einträge von Adjektiven nur dann unterschieden worden:
wenn es sich um echte Adverbien handelt,

höchst, wohl, sehr

when the adverbial use is as common as the adjective use,

wenn der adverbiale Gebrauch genauso häufig ist wie der adjektivische,

ordentlich

when the English translation of the adverbial use cannot be derived from the adjectival translations by the rules of adverb formation.

wenn die englische Übersetzung eines adverbial verwendeten Adjektivs nicht mit Hilfe der Regeln erschlossen werden kann, nach denen im Englischen Adverbien aus Adjektiven gebildet werden.

gut, schnell

Where no separate entry is given for the adverbial use of a German adjective, the user should form the English adverb from the translations given according to the following rules:

Wo für den adverbialen Gebrauch eines deutschen Adjektivs kein gesonderter Eintrag vorliegt, ist es dem Benutzer selbst überlassen, aus den angegebenen Übersetzungen die englischen Adverbien nach den nachstehenden Regeln zu bilden:

1. most adverbs are formed by adding -*ly* to the adjective:

1. Die meisten Adjektive bilden das Adverb durch Anhängen von -*ly:*

strange -ly, odd -ly, beautiful -ly

2. Adjectives which end in -y change the final -y into i and then add -ly:

2. Adjektive, die auf Konsonant + y enden, wandeln das auslautende -y in -i um und erhalten dann die Endung -ly:

happy – happily
merry – merrily

3. Adjectives which end in -ic normally add -ally:

3. Adjektive, die auf -ic enden, bilden normalerweise das Adverb durch Anhängen von -ally:

scenic -ally
linguistic -ally

Prepositions

Prepositions used in combination with verbs, nouns and adjectives are given in brackets together with their translations.

Präpositionale Ergänzungen

Bei Verben, Substantiven und Adjektiven, die mit bestimmten Präpositionen verbunden werden, ist die zugehörige Präposition und ihre Übersetzung in Klammern angegeben.

example: *Beispiel:*

nachsinnen *vi sep irreg* to ponder (*über + acc* over, about).

Pronunciation

German pronunciation is largely regular, and a knowledge of the basic patterns is assumed.
A full list of the IPA symbols used is given on page XXIII.

Stress
1. The stress and the length of the stressed vowel are shown for every German headword.
2. The stressed vowel is usually marked in the headword, either with a dot if it is a short vowel
e.g. **sofort, Aorta**
or a dash if it is a long vowel or diphthong
e.g. **hochmütig, algebraisch, kaufen**

Glottal Stop
1. A glottal stop *(Knacklaut)* occurs at the beginning of any word starting with a vowel.
2. When a glottal stop occurs elsewhere it is marked by a hairline before the vowel
e.g. **Be|amte(r)**

Vowel length

1. When phonetics are given for the headword a long vowel is indicated in the transcription by the length mark after it

e.g. **Chemie** [çeˈmiː]

2. Where no phonetics are given a short stressed vowel is marked with a dot in the headword

e.g. **Mu̇tter**

and a long stressed vowel is marked with a dash

e.g. **Va̱ter**

3. Unstressed vowels are usually short; where this is not the case, phonetics are given for that vowel

e.g. **Almosen** [-oː-]

Diphthongs and double vowels

1. Where phonetics are not given, vowel combinations which represent a stressed diphthong or a stressed long vowel are marked with an unbroken dash in the headword

e.g. **be̱iderlei, Ha̱ar, sie̱ben**

2. *ie*

Stressed *ie* pronounced [iː] is marked by an unbroken line

e.g. **sie̱ben**

When the plural ending *-n* is added, the pronunciation changes to [-iːən]

e.g. **Allegorie̱**, *pl* **Allegorien** [-iːən]

When *ie* occurs in an unstressed syllable the pronunciation of that syllable is given

e.g. **Horte̱nsie** [-iə]

3. *ee* is pronounced [eː].

When the plural ending *-n* is added, the change in pronunciation is shown

e.g. **Alle̱e** *f* **-, -n** [-eːən]

Consonants

Where a consonant is capable of more than one pronunciation the following rules have been assumed:

1. *v*

v is generally pronounced [f]

e.g. **Vater** [ˈfaːtə]

Where this is not the case phonetics are given

e.g. **Alkoven** [alˈkoːvn, ˈalkoːvn]

Words ending in *-iv* are pronounced [iːf] when undeclined, but when an ending is added the pronunciation changes to [iːv]. This also applies to derivatives.

e.g. **aktiv** [akˈtiːf]
    aktive (as in **'der aktive Sportler'**) [akˈtiːvə]
    Aktiva [akˈtiːva]
    Aktivität [aktiviˈtɛːt]

2. *ng*

ng is generally pronounced [ŋ]

e.g. **Finger** [ˈfiŋə]

Where this is not the case phonetics are given

e.g. **Angora** [aŋˈgoːra]

In compound words where the first element ends in *-n* and the second element begins with *g-* the two sounds are pronounced individually

e.g. **Eingang** [ˈaingaŋ]
    ungeheuer [ˈungəhɔyə]

3. *tion* is always pronounced [-tsioːn] at the end of a word and [-tsion-] in the middle of a word

e.g. **Nation** [naˈtsioːn]
    national [natsioˈnaːl]

4. *st, sp*

Where *st* or *sp* occurs in the middle or at the end of a word the pronunciation is [st], [sp]

e.g. Fest [fɛst], **Wespe** ['vɛspə]

At the beginning of a word or at the beginning of the second element of a compound word the standard pronunciation is [ʃt] [ʃp].

e.g. **Stand** [ʃtant], **sperren** ['ʃpɛrən]

    Abstand ['ap-ʃtant], **absperren** ['ap-ʃpɛrən]

5. *ch*

ch is pronounced [ç] after *ä-, e-, i-, ö-, ü-, y-, ai-, ei-, äu-, eu-* and after consonants

e.g. **ich** [ɪç],

    Milch [mɪlç]

ch is pronounced [x] after *a-, o-, u-, au-*

e.g. **doch** [dɔx], **Bauch** [baux]

Phonetics are given for all words beginning with *ch*.

6. *ig* is pronounced [ɪç] at the end of a word.

e.g. **König** ['kø:nɪç]

When an ending beginning with a vowel is added, it is pronounced [ɪg]

e.g. **Könige** ['kø:nɪgə]

7. *h* is pronounced [h]

at the beginning of a word,

between vowels in interjections,

e.g. **oho** [o'ho:]

in words such as **Ahorn** ['a:hɔrn] and **Uhu** ['uh:u].

It is mute in the middle and at the end of non-foreign words

e.g. **leihen** ['laiən], **weh** [ve:].

Where *h* is pronounced in words of foreign origin, this is shown in the text.

8. *th* is pronounced [t].

9. *qu* is pronounced [kv].

10. *z* is pronounced [ts].

Phonetics are given where these rules do not apply and for foreign words which do not follow the German pronunciation patterns.

Where more than one pronunciation is possible this is also shown.

Partial phonetics are given where only part of a word presents a pronunciation difficulty.

Where the pronunciation of a compound or derivative can be deduced from the simplex no phonetics are given.

9. Punctuation and Symbols

,   between translations indicates that the translations are interchangeable:
between source language phrases indicates that the phrases have the same meaning.

;   between translations indicates a difference in meaning which is clarified by indicating material unless:
1. the distinction has already been made within the same entry;
2. in the case of some compounds the distinction is made unter the simple form;
3. the distinction is self-evident.

:   between a headword and a phrase indicates that the headword is normally only used in that phrase.

/   between translations indicates parallel structure but different meanings. e.g. to feel good/bad.

1. in a source language phrase it will normally be paralleled in the translation; where this is not the case, the translation covers both meanings.

2. in a target language phrase where it is not paralleled by an oblique in the source language the distinction will either be made clear earlier in the entry or will be self-evident;

3. in compounds it may be used to reflect a distinction made under the simple form.

9. Satzzeichen und Symbole

,   zwischen Übersetzungen zeigt an, daß die Übersetzungen gleichwertig sind:
zwischen Wendungen in der Ausgangssprache zeigt an, daß die Wendungen die gleiche Bedeutung haben.

;   zwischen Übersetzungen zeigt einen Bedeutungsunterschied an, der durch erklärende Zusätze erläutert ist, außer:
1. wenn die Unterscheidung innerhalb desselben Eintrags schon gemacht worden ist;
2. bei Komposita, wo die Unterscheidung schon unter dem Simplex getroffen wurde;
3. wenn die Unterscheidung offensichtlich ist.

:   zwischen Stichwort und Wendung gibt an, daß das Stichwort im allgemeinen nur in der aufgeführten Wendung vorkommt.

/   zwischen Übersetzungen zeigt an, daß es sich um analoge Strukturen, aber verschiedene Übersetzungen handelt, z. B. to feel good/bad.

1. der Schrägstrich in einer ausgangssprachlichen Wendung wird im allgemeinen seine Entsprechung in der Übersetzung finden; wo das nicht der Fall ist, gilt die Übersetzung für beide Bedeutungen.

2. hat ein Schrägstrich in der Zielsprache kein Äquivalent in der Ausgangssprache, geht die getroffene Unterscheidung entweder aus in dem Eintrag bereits Gesagten hervor, oder sie ist offensichtlich.

3. bei Zusammensetzungen kann der Schrägstrich verwendet werden, um an eine für das Simplex getroffene Unterscheidung anzuknüpfen.

~	replaces the immediately preceding headword without the bracketed letters at the end in the following phrases.	~	ersetzt in den Redewendungen und Beispielen das unmittelbar vorhergehende fettgedruckte Stichwort ohne die am Ende in Klammern stehenden Buchstaben.
–	separates two speakers.	–	unterscheidet zwischen zwei Sprechern.
≃	indicates that the translations is the cultural equivalent of the term and may not be exactly the same in every detail.	≃	soll darauf hinweisen, daß es sich bei der Übersetzung zwar um eine Entsprechung handelt, daß aber auf Grund kultureller Unterschiede Deckungsgleichheit nicht in allen Aspekten gegeben ist.
or	is used to separate parts of a word or phrase which are semantically interchangeable.	*or*	wird verwendet, um Bestandteile einer Wendung zu unterscheiden, die semantisch austauschbar sind.
also, auch	used after indicating material denotes that the translations following it can be used in addition to the first translation or set of interchangeable translations given in the respective entry, category or phrase.	*also, auch*	nach erklärenden Zusätzen gibt an, daß die folgende(n) Übersetzung(en) zusätzlich zu der ersten Übersetzung oder Folge von austauschbaren Übersetzungen, die in dem Eintrag oder der Kategorie angegeben sind, benutzt werden kann/können.
*	past participle without 'ge-'.	*	Partizip Präsens ohne „ge-".

Regular Noun Endings
Regelmäßige Substantivendungen

nom		gen	pl
-ade	*f*	-ade	-aden
-ant	*m*	-anten	-anten
-anz	*f*	-anz	-anzen
-ar	*m*	-ars	-are
-är	*m*	-ärs	-äre
-at	*nt*	-at(e)s	-ate
-atte	*f*	-atte	-atten
-chen	*nt*	-chens	-chen
-ei	*f*	-ei	-eien
-elle	*f*	-elle	-ellen
-ent	*m*	-enten	-enten
-enz	*f*	-enz	-enzen
-esse	*f*	-esse	-essen
-ette	*f*	-ette	-etten
-eur [-øːɐ]	*m*	-eurs	-eure
-eurin [-øːrɪn]	*f*	-eurin	-eurinnen
-euse [-øːzə]	*f*	-euse	-eusen
-graph [-graːf]	*m*	-graphen	-graphen
-heit	*f*	-heit	-heiten
-ie	*f*	-ie	-ien
-ik	*f*	-ik	-iken
-in	*f*	-in	-innen
-ine	*f*	-ine	-inen
-ion	*f*	-ion	-ionen
-ist	*m*	-isten	-isten
-ium	*nt*	-iums	-ien [-iən]
-ius	*m*	-ius	-iusse
-ive [-iːvə]	*f*	-ive	-iven
-ivum [-iːvʊm]	*nt*	-ivums	-iva
-keit	*f*	-keit	-keiten
-lein	*nt*	-leins	-lein
-ling	*m*	-lings	-linge
-ment	*nt*	-ments	-mente
-mus	*m*	-mus	-men
-nis	*f*	-nis	-nisse
-nis	*nt*	-nisses	-nisse
-nom	*m*	-nomen	-nomen
-oge	*m*	-ogen	-ogen
-or [-ɔr]	*m*	-ors	-oren [-oːrən]
-rich	*m*	-richs	-riche
-schaft	*f*	-schaft	-schaften
-sel	*nt*	-sels	-sel
-tät	*f*	-tät	-täten
-tiv [tiːf]	*nt, m*	-tivs	-tive [-tiːvə]
-tum	*nt*	-tums	-tümer
-ung	*f*	-ung	-ungen
-ur	*f*	-ur	-uren

Phonetic Symbols

Liste der Laut-schriftzeichen

Vowels
Vokale

[a]	matt, hat
[a:]	haben, Fahne
[e]	Vater, Bauer
[ã]	Chanson
[ã:]	Gourmand, Balance
[e]	Etage, Geologe
[e:]	Seele, Mehl
[ɛ]	Wäsche, Bett
[ɛ:]	zählen, quälen
[ɛ̃]	timbrieren
[ɛ̃:]	Timbre, Teint
[ə]	mache, Gepäck
[ɪ]	Kiste, mit
[i]	privat, Biologe
[i:]	Ziel, prima
[o]	Oase, Projekt
[o:]	ohne, oben
[õ]	Fondue
[õ:]	Chanson
[ɔ]	Most, oft
[ø]	ökonomisch
[ø:]	blöd, Höhle
[œ]	Götter, öffnen
[œ̃:]	Parfum
[u]	zuletzt, Purist
[u:]	Mut, gut
[ʊ]	Mutter, Putte
[y]	Typ, Zypresse
[y:]	Kübel, Zyklus
[ʏ]	Sünde, Zyste

Diphthongs
Diphthonge

[ai]	weit, bei
[au]	Haus, laufen
[ɔy]	Heu, Häuser

Consonats
Konsonanten

[b]	Ball, Nebel
[ç]	mich, ächten
[d]	denn, bedenken
[f]	Frevel, Vielfalt
[g]	gern, gegen
[h]	Hand
[j]	ja, Million
[k]	Kind, Schick
[l]	links, Pult
[m]	matt, Mumm
[n]	Nest, nennen
[ŋ]	lang, fangen
[p]	Paar, Pappe
[r]	rennen
[s]	fassen, Mars
[ʃ]	Stein, Schlag
[t]	Tafel, Hütte
[v]	wer
[x]	Loch, Bach
[z]	singen, Sense
[ʒ]	genieren, Garage

|	glottal stop / Knacklaut
[']	main stress / Hauptton
[,]	secondary stress / Nebenton

A

A, a [a:] *nt* -, - *or* (*inf*) **-s, -s** A, a. **das A und (das) O** (*fig*) the essential thing(s), the be-all and end-all; (*eines Wissensgebietes*) the basics *pl*; **von A bis Z** (*fig inf*) from beginning to end, from A to Z; **wer A sagt, muß auch B sagen** (*prov*) in for a penny, in for a pound (*prov*); (*moralisch*) if you start something, you should see it through.

à [a] *prep* (*esp Comm*) at.

Ä, ä [ɛ:] *nt* -, - *or* (*inf*) **-s, -s** Ae, ae, A/a umlaut.

Aa [a'|a] *nt* -, *no pl* (*baby-talk*) ~ **machen** to do big jobs (*baby-talk*) *or* number two (*baby-talk*).

AA [a:'|a:] *m* **-s, -s** *abbr of* **Anonyme Alkoholiker** AA.

Aal *m* **-(e)s, -e** eel. **sich (drehen und) winden wie ein** ~ (*aus Verlegenheit*) to wriggle like an eel; (*aus Unaufrichtigkeit*) to try and wriggle out of it; **glatt wie ein** ~ (*fig*) (as) slippery as an eel.

aalen *vr* (*inf*) to stretch out. **sich in der Sonne** ~ to bask in the sun.

aalglatt *adj* (*pej*) slippery (as an eel), slick; **er verstand es meisterhaft, sich** ~ **herauszureden** he very slickly *or* smoothly managed to talk himself out of it; **Aalsuppe** *f* eel soup.

a.a.O. *abbr of* **am angegebenen** *or* **angeführten Ort** loc cit.

Aas *nt* **-es, -e** **1.** (*Tierleiche*) carrion, rotting carcass. **2.** *pl* **Äser** (*inf: Luder*) bugger (*sl*), devil (*inf*). **kein** ~ not a single bloody person (*inf*).

aasen *vi* (*inf*) to be wasteful. **mit etw** ~ to waste sth; **mit Geld, Gütern** *auch* to squander sth, to be extravagant *or* wasteful with sth; *mit Gesundheit* to ruin sth.

Aasfresser *m* scavenger, carrion-eater; **Aasgeier** *m* (*lit, fig*) vulture.

aasig *adv* (*inf: sehr*) abominably (*inf*).

Aaskäfer *m* burying *or* sexton beetle.

ab [ap] **I** *adv* off, away; (*Theat*) exit *sing*, exeunt *pl*. **die nächste Straße rechts** ~ the next street (off) to *or* on the right; ~ **Zoologischer Garten** from Zoological Gardens; ~ **Hamburg** after Hamburg; **München** ~ **12²⁰ Uhr** (*Rail*) leaving Munich 12.20; ~ **wann?** from when?, as of when?; ~ **nach Hause** go *or* off you go home; ~ **ins Bett mit euch!** off to bed with you *or* you go; **Mütze/Helm** ~! caps/hats off; **Tell** → exit Tell; **N und M** ~ (*Theat*) exeunt N and M; ~ **durch die Mitte** (*inf*) beat it! (*inf*), hop it! (*inf*); ~ **und zu** *or* (*N Ger*) **an** from time to time, now and again, now and then.

II *prep* +*dat* **1.** (*räumlich*) from; (*zeitlich*) from, as of, as from. **Kinder** ~ **14 Jahren** children from (the age of) 14

up; **alle** ~ **Gehaltsstufe 4** everybody from grade 4 up; ~ **Werk** (*Comm*) ex works; ~ **sofort** as of now/then. **2.** (*Sw: in Zeitangaben*) past; **Viertel** ~ **7** a quarter past 7.

Abakus *m* -, - abacus.

ab|ändern *vt sep* to alter (*in* +*acc* to); (*überarbeiten auch*) to revise; *Gesetzentwurf* to amend (*in* +*acc* to); *Strafe, Urteil* to revise (*in* +*acc* to).

Ab|änderung *f siehe vt* alteration (*gen* to); revision; amendment.

Ab|änderungsantrag *m* (*Parl*) proposed amendment; **einen** ~ **einbringen** to submit an amendment.

ab|arbeiten *sep* **I** *vt* **1.** *Schuld* to work off; *Überfahrt* to work; (*hinter sich bringen*) *Vertragszeit* to work. **2.** (*Comput*) *Programme* to run; *Befehle* to execute. **II** *vr* to slave (away), to work like a slave; *siehe* **abgearbeitet.**

Ab|art *f* variety (*auch Biol*); (*Variation*) variation (*gen* on).

ab|artig I *adj* **1.** abnormal, deviant, unnatural. **2.** (*widersinnig*) perverse. **II** *adv* (*inf*) **das tut** ~ **weh** that hurts like hell (*inf*).

Ab|artigkeit *f* abnormality, deviancy.

Abbau *m* **-(e)s, *no pl* 1.** (*Förderung*) (*über Tage*) quarrying; (*unter Tage*) mining.
2. (*lit, fig: Demontage*) dismantling.
3. (*Chem*) decomposition; (*im Körper auch*) breakdown; (*fig: Verfall*) decline; (*der Persönlichkeit*) disintegration.
4. (*Verringerung*) (*von Personal, Produktion*) reduction (*gen* in, of), cutback (*gen* in); (*von überflüssigen Vorräten*) gradual elimination (*gen* of); (*von Privilegien*) reduction (*gen* of), stripping away (*gen* of); (*von Vorurteilen*) gradual collapse (*gen* of). **der** ~ **von Beamtenstellen** the reduction in the number of civil service posts.

abbauen *sep* **I** *vt* **1.** (*fördern*) (*über Tage*) to quarry; (*unter Tage*) to mine.
2. (*demontieren*) *Gerüst, System* to dismantle; *Maschine auch* to strip down; *Gerüst auch* to take down; *Kulissen* to take down, to strike; *Zelt* to strike; *Lager* to break, to strike. **ein System allmählich** ~ to phase out a system.
3. (*Chem*) to break down, to decompose.
4. (*verringern*) *Produktion, Personal* to cut back, to reduce, to cut down on; *Arbeitsplätze, -kräfte* to reduce the number of; *Privilegien* to cut back, to strip away.
II *vi* (*inf*) (*Sportler*) to go downhill; (*erlahmen*) to flag, to wilt.

Abbauprodukt *nt* (*Chem*) by-product.

abbeißen *sep irreg* **I** *vt* to bite off. **eine Zigarre** ~ to bite the end off a cigar; **sich**

(*dat*) **die Zunge** ~ to bite one's tongue off. **II** *vi* to take a bite.

abbeizen *vt sep* to strip.

Abbeizmittel *nt* paint stripper.

abbekommen* *vt sep irreg* **1.** to get. **etwas** ~ to get some (of it); (*beschädigt werden*) to get damaged; (*verletzt werden*) to get hurt; (*Prügel* ~) to catch *or* cop it (*inf*); **das Auto/er hat dabei ganz schön was** ~ (*inf*) the car/he really copped it (*inf*); **nichts** ~ not to get any (of it); (*nicht beschädigt werden*) not to get damaged; (*nicht verletzt werden*) to come off unscathed; **sein(en) Teil** ~ (*lit, fig*) to get one's fair share. **2.** (*abmachen können*) to get off (*von etw* sth).

abberufen* *vt sep irreg* Diplomaten, Minister to recall. **(von Gott)** ~ **werden** (*euph*) to be called to one's maker.

abbestellen* *vt sep* to cancel; *jdn auch* to tell not to call *or* come; *Telefon* to have disconnected.

Abbestellung *f siehe vt* cancellation; disconnection.

abbetteln *vt sep jdm etw* ~ to scrounge sth off *or* from sb (*inf*).

abbezahlen* *sep* **I** *vt* Raten, Auto to pay off. **II** *vi* (*auf Raten*) to pay in instalments; (*Raten* ~) to pay sth off.

abbiegen *sep irreg* **I** *vt* **1.** to bend; (*abbrechen*) to bend off. **2.** (*inf: verhindern*) Frage, Thema to head off, to avoid; Frage to deflect. **das Gespräch** ~ to change the subject; **zum Glück konnte ich das** ~ luckily I managed to stop that. **II** *vi aux sein* to turn off (*in +acc* into); (*bei Gabelungen auch*) to fork off; (*Straße*) to bend. **nach rechts** ~ to turn (off to the) right; to fork right; to bend (to the) right.

Abbiegespur *f* (*Mot*) filter lane.

Abbiegung *f* turning, curve.

Abbild *nt* (*Nachahmung, Kopie*) copy, reproduction; (*Spiegelbild*) reflection; (*Wiedergabe*) picture, portrayal, representation; (*von Mensch*) image, likeness.

abbilden *vt sep* (*lit, fig*) to depict, to portray, to show; Verhältnisse auch to reflect; (*wiedergeben*) to reproduce. **auf der Titelseite ist ein Teddybär abgebildet** there's a picture of a teddy bear on the front page; **auf dem Foto ist eine Schulklasse abgebildet** there's a school class (shown) in the photo.

Abbildung *f* **1.** (*das Abbilden*) depiction, portrayal; (*Wiedergabe*) reproduction. **2.** (*Illustration*) illustration; (*Schaubild*) diagram. **siehe** ~ **S.12** see the illustration on p12; **das Buch ist mit zahlreichen** ~**en versehen** the book is copiously illustrated *or* has numerous illustrations.

abbinden *sep irreg* **I** *vt* **1.** to undo, to untie. **sich** (*dat*) **die Schürze** ~ to take off one's apron. **2.** (*Med*) Arm, Bein to ligature. **3.** (*Cook*) to bind. **II** *vi* (*Beton, Mörtel*) to set; (*Cook*) to bind.

Abbitte *f* (*form*) apology. **(bei jdm wegen etw)** ~ **tun** *or* **leisten** to make *or* offer one's apologies *or* to apologize (to sb for

sth).

abblasen *sep irreg* **I** *vt* **1.** Staub, Schmutz to blow off (*von etw* sth); Tisch, Buch to blow the dust off, to blow clean; Gas to release, to let off. **2.** (*Tech*) Hochofen to let burn down. **3.** (*inf*) Veranstaltung, Feier, Streik to call off.

II *vi* (*Tech: Hochofen*) to burn down.

abblättern *vi sep aux sein* (*Putz, Farbe*) to flake *or* peel (off).

abbleiben *vi sep irreg aux sein* (*N Ger inf*) to get to (*inf*). **wo ist er abgeblieben?** where has he got to?; **irgendwo muß er/es abgeblieben sein** he/it must be somewhere.

abblendbar *adj* Rückspiegel anti-dazzle.

Abblende *f* (*Film*) fade(-out).

abblenden *sep* **I** *vt* Lampe to shade, to screen; (*Aut*) Scheinwerfer to dip (*Brit*), to dim (*US*). **II** *vi* (*Phot*) to stop down; (*Film*) to fade out; (*Aut*) to dip (*Brit*) *or* dim (*US*) one's headlights. **dann wurde abgeblendet** the scene (was) faded out.

Abblendlicht *nt* (*Aut*) dipped (*Brit*) *or* dimmed (*US*) headlights *pl*. **mit** ~ **fahren** to drive on dipped *or* dimmed headlights.

abblitzen *vi sep aux sein* (*inf*) to be sent packing (*bei* by) (*inf*). **jdn** ~ **lassen** to send sb packing (*inf*).

abblocken *sep* **I** *vt* Gegner to stall. **II** *vi* to stall.

Abbrand *m* (*Kernenergie*) burn-up.

abbrausen *sep* **I** *vt* to give a shower. **sich** ~ to have *or* take a shower, to shower. **II** *vi aux sein* (*inf*) to roar off *or* away.

abbrechen *sep irreg* **I** *vt* **1.** to break off; Zweig, Ast auch to snap off; Bleistift to break, to snap. **etw von etw** ~ to break sth off sth; **(nun) brich dir (mal) keinen ab!** (*sl*) don't make such a palaver (*inf*) *or* song and dance (*inf*); **sich** (*dat*) **einen** ~ (*sl*) (*Umstände machen*) to make heavy weather of it (*inf*); (*sich sehr anstrengen*) to go to a lot of bother. **2.** (*abbauen*) Zelt to strike; Lager auch to break; (*niederreißen*) to demolish; Gebäude to demolish, to pull *or* tear down. **3.** (*beenden*) to break off; Raumflug, Experiment, (*Comput*) Operation to abort; Veranstaltung to stop; Streik to call off; Schwangerschaft to terminate; siehe abgebrochen.

II *vi* **1.** aux sein to break off; (*Ast, Zweig auch*) to snap off; (*Bleistift, Fingernagel*) to break. **2.** (*aufhören*) to break off, to stop.

Abbrecher(in *f*) *m* **-s,** **-** (*Student*) dropout.

abbremsen *sep* **I** *vt* Motor to brake; (*fig*) to curb. **auf 30** ~ to brake down to 30. **II** *vi siehe* bremsen.

abbrennen *sep irreg* **I** *vt* Böschung to burn off *or* away the scrub on; Gehöft, Dorf to burn down; Feuerwerk, Rakete to let off; Kerze to burn; (*wegbrennen*) Lack to burn off; (*Tech: abbeizen*) to pickle, to scour; Stahl to blaze off. **ein Feuerwerk** ~ to have fireworks *or* a firework display.

II *vi aux sein* to burn down. **unser Ge-**

höft ist/wir sind abgebrannt our farm was/we were burnt down.

abbringen *vt sep irreg* **1. jdn davon ~, etw zu tun** to stop sb doing sth; (*abraten auch*) to persuade sb not to do sth, to dissuade sb from doing sth; **jdn von etw ~** to make sb change his/her mind about sth; **ich lasse mich von meiner Meinung nicht ~** you won't get me to change my mind, nothing will make me change my mind; **jdn vom Thema ~** to get sb off the subject; **jdn/einen Hund von der Spur ~** to throw *or* put sb/a dog off the scent; **jdn/etw vom Kurs ~** to throw *or* put sb/ sth off course.
2. (*inf: lösen esp S Ger*) to get off.

abbröckeln *vi sep aux sein* to crumble away; (*fig*) to fall off (*auch St Ex*), to drop off. **die Aktienkurse sind am A~** the share prices are falling (off).

Abbruch *m, no pl* **1.** (*das Niederreißen*) demolition; (*von Gebäuden auch*) pulling down. **auf ~ verkaufen** to sell for demolition.
2. (*Beendigung*) (*von Schwangerschaft*) termination; (*von Beziehungen, Verhandlungen, Reise*) breaking off; (*von Raumflug*) abortion, aborting; (*von Veranstaltung*) stopping. **einem Land mit ~ der diplomatischen Beziehungen drohen** to threaten to break off diplomatic relations with a country; **es kam zum ~ des Kampfes** the fight had to be stopped.
3. (*Schaden*) harm, damage. **einer Sache** (*dat*) **~ tun** to harm *or* damage sth, to do (some) harm *or* damage to sth; **das tut der Liebe keinen ~** it doesn't harm their/our relationship; **das tut unseren Interessen ~** that is detrimental to our interests.

Abbrucharbeiten *pl* demolition work; **Abbruchfirma** *f* demolition firm; **abbruchreif** *adj* only fit for demolition; (*zum Abbruch freigegeben*) condemned.

abbrühen *vt sep* to scald; *Mandeln* to blanch; *siehe* **abgebrüht.**

abbrummen *sep* **I** *vt* (*inf*) *Zeit* to do (*inf*). **eine Strafe ~** to do time (*inf*). **II** *vi aux sein* (*inf*) to roar *or* away.

abbuchen *vt sep* (*von* to, against); (*durch Dauerauftrag*) to pay by standing order (*von* from); (*fig: abschreiben*) to write off. **einen Betrag ~ lassen** to pay an amount of money by direct debit; **für das A~ erhebt die Bank Gebühren** the bank makes a charge for each debit/for a standing order.

Abbuchung *f siehe vt* debit; (payment by) standing order; writing off.

abbummeln *vt sep* (*inf*) *Stunden* to take off. **Überstunden ~** to take time off for overtime done.

abbürsten *vt sep* **1.** *Staub* to brush off (*von etw* sth); *Kleid, Mantel, Jacke* to brush (down); *Schuhe* to brush. **2.** (*inf: heruntermachen*) **jdn ~** to give sb the brush-off, to brush sb aside.

abbüßen *vt sep Strafe* to serve.

Abbüßung *f* serving. **nach ~ der Strafe** after serving *or* having served the

sentence.

Abc [abeːˈtseː, aːbeːˈtseː] *nt* **-, -** (*lit, fig*) ABC. **Wörter/Namen nach dem ~ ordnen** to arrange words/names in alphabetical order *or* alphabetically.

ABC *in cpds* (*Mil*) atomic, biological and chemical, Abc.

abchecken [ˈaptʃɛkn] *vt sep* to check; (*abhaken*) to check off (*US*), to tick off (*Brit*).

Abc-Schütze *m* (*hum*) school-beginner. **dies Bild zeigt mich als ~n** this picture shows me when I was starting school.

Abdampf *m* exhaust steam.

abdampfen *sep* **I** *vi aux sein* **1.** (*Speisen*) to dry off. **2.** (*Chem: verdunsten*) to evaporate. **3.** (*Zug*) to steam off; (*fig inf: losgehen, -fahren*) to hit the trail (*inf*) *or* road (*inf*), to push off (*inf*). **II** *vt* (*Chem: verdunsten lassen*) to evaporate.

abdanken *sep vi* to resign; (*König*) to abdicate.

Abdankung *f* **1.** (*Thronverzicht*) abdication; (*Rücktritt*) resignation. **jdn zur ~ zwingen** to force sb to abdicate/resign. **2.** (*Dienstentlassung*) retirement. **3.** (*Sw: Trauerfeier*) funeral service.

abdecken *vt sep* **1.** (*herunternehmen*) *Bettdecke* to turn back *or* down.
2. (*freilegen*) *Tisch* to clear; *Bett* to turn down; *Haus* to tear the roof off.
3. (*zudecken*) *Grab, Loch* to cover (over); (*verdecken auch*) to hide.
4. (*schützen, ausgleichen, einschließen*) to cover; (*Ftbl auch*) to mark.
5. (*fig*) *Bereich, Thema* to cover.

Abdecker(in *f*) *m* **-s,** - knacker.

Abdeckerei *f* knacker's yard.

Abdeckung *f* **1.** cover. **2.** *no pl* (*Vorgang*) covering.

abdichten *vt sep* (*isolieren*) to insulate; (*verschließen*) *Loch, Leck, Rohr* to seal (up); *Ritzen* to fill, to stop up. **gegen Luft/Wasser ~** to make airtight/ watertight; **gegen Feuchtigkeit/Zugluft ~** to damp-proof/(make) draughtproof; **gegen Lärm/Geräusch/Schall ~** to soundproof.

Abdichtung *f* (*Isolierung*) insulation; (*das Isolieren auch*) insulating; (*Verschluß, Dichtung*) seal; (*das Verschließen*) sealing; (*von Ritzen*) filling, stopping up. **~ gegen Zugluft/Feuchtigkeit/Wasser** draughtproofing/damp-proofing/waterproofing; **~ gegen Lärm/Geräusch/ Schall** soundproofing.

abdorren *vi sep aux sein* (*Zweig*) to dry up, to wither.

abdrängen *vt sep* to push away (*von* from) *or* out of the way (*von* of). **einen Spieler vom Ball ~** to push *or* barge a player off the ball; **vom Winde abgedrängt werden** to be blown off course (by the wind).

abdrehen *sep* **I** *vt* **1.** *Gas, Wasser, Hahn* to turn off; *Licht, Radio auch* to switch off.
2. *Film* to shoot, to film.
3. *Hals* to wring. **er drehte dem Huhn/der Blume den Kopf ab** he wrung the chicken's neck/he twisted the head off the flower; **jdm den Hals** *or* **die Gur-**

gel ~ to wring sb's neck (*inf*); (*sl: ruinieren*) to strangle sb, to bankrupt sb.
II *vi aux sein or haben* (*Richtung ändern*) to change course; (*zur Seite auch*) to veer off *or* away. **nach Osten** ~ to turn east.

abdriften *vi sep aux sein* (*Naut, Aviat, fig*) to drift off.

abdrosseln *vt sep Motor* to throttle back *or* (*gänzlich auch*) down; (*fig*) *Produktion* to cut back, to cut down on.

Abdruck¹ *m* -(e)s, **Abdrücke** imprint, impression; (*Stempel*~) stamp; (*von Schlüssel*) impression, mould; (*Finger*~, *Fuß*~) print; (*Gebiß*~) mould, cast, impression; (*Gesteins*~) imprint, impression, cast. **einen** ~ **abnehmen** *or* **machen** (*inf*) to take *or* make an impression.

Abdruck² *m* -(e)s, -e (*das Nachdrucken*) reprinting; (*das Kopieren*) copying; (*Kopie*) copy; (*Nachdruck*) reprint. **der** ~ **dieses Romans wurde verboten** it was forbidden to reprint this novel.

abdrucken *vt sep* to print. **wieder** ~ to reprint.

abdrücken *sep* I *vt* 1. *Gewehr* to fire.
2. (*inf*) *jdn* to squeeze, to hug.
3. (*nachbilden*) to make an impression of.
4. *Vene* to constrict. **jdm die Luft** ~ (*inf*) (*lit*) to squeeze all the breath out of sb; (*fig*) to squeeze the lifeblood out of sb.
II *vi* to pull *or* squeeze the trigger.
III *vr* to leave an imprint *or* impression. **sich** (**durch etw**) ~ to show through (sth).

abducken *vi sep* (*Boxen*) to duck.

abdunkeln *vt sep Lampe* to dim; *Zimmer auch* to darken; *Farbe* to darken, to make darker.

abduschen *vt sep siehe* **abbrausen** 1.

ab|ebben *vi sep aux sein* to die *or* fade away; (*Zorn, Lärm auch*) to abate.

abend *adv* **heute/gestern/morgen/Mittwoch** ~ this/yesterday/tomorrow/Wednesday evening, tonight/last/tomorrow/Wednesday night.

Abend *m* -s, -e 1. evening. **am** ~ in the evening; (*jeden* ~) in the evening(s); **am** ~ **des 4. April** on the evening *or* night of April 4th; **die Vorstellung wird zweimal pro** ~ **gegeben** there are two performances every night *or* evening; **jeden** ~ every evening *or* night; **gegen** ~ towards (the) evening; ~ **für** *or* **um** (*geh*) ~ every evening *or* night, night after night; **am nächsten** *or* **den nächsten** ~ the next evening; **eines** ~s one evening; **den ganzen** ~ **über** the whole evening; **es wird** ~ it's getting late, evening is drawing on; **es wurde** ~ evening came; **jdm guten** ~ **sagen** to say good evening to sb, to bid sb good evening (*form*); **guten** ~ good evening; **des** ~s (*geh*) in the evening(s), of an evening; **zu** ~ **essen** to have supper *or* dinner; **je später der** ~, **desto schöner** *or* **netter die Gäste** (*prov*) the best guests always come late; **es ist noch nicht aller Tage** ~ it's early days still *or* yet; **man soll den Tag nicht vor dem** ~ **loben** (*Prov*) don't count your

chickens before they're hatched (*Prov*).
2. (*Vor*~) eve. **am** ~ **vor der Schlacht** on the eve of the battle.
3. (*liter: Ende*) close. **am** ~ **des Lebens** in the twilight *or* evening of one's life (*liter*).

Abend in *cpds* evening; **Abendandacht** *f* evening service; **Abendanzug** *m* dinner jacket *or* suit, DJ (*inf*), tuxedo (*US*); **im** ~ **erscheinen** to come in a dinner jacket/dinner jackets *etc*; **Abendblatt** *nt* evening (news)paper; **Abendbrot** *nt* supper, tea (*Scot, N Engl*); ~ **essen** to have (one's) supper/tea; **Abenddämmerung** *f* dusk, twilight.

abendelang *adj attr* night after *or* upon night, evening after *or* upon evening.

Abendessen *nt* supper, evening meal, dinner; **mit dem** ~ **auf jdn warten** to wait with supper *or* dinner *or* one's evening meal for sb; **abendfüllend** *adj* taking up the whole evening; *Film, Stück* full-length; ~ **sein** to take up *or* fill the whole evening; **Abendgesellschaft** *f* soirée; **Abendgymnasium** *nt* night school (*where one can study for the Abitur*); **Abendkasse** *f* (*Theat*) box office; **Abendkleid** *nt* evening dress *or* gown; **Abendkurs(us)** *m* evening course, evening classes *pl* (*für* in); **Abendland** *nt, no pl* (*geh*) West, western world, Occident (*liter*); **das christliche** ~ the Christian West; **abendländisch** (*geh*) I *adj* western, occidental (*liter*); II *adv* in a western way *or* fashion.

abendlich *adj no pred* evening *attr*. **die** ~e **Stille** the quiet *or* still of evening; **die** ~e **Kühle** the cool of the evening; **es war schon um drei Uhr** ~ **kühl** at three it was already as cool as (in the) evening.

Abendmahl *nt* 1. (*Eccl*) Communion, Lord's Supper. **das** ~ **nehmen** *or* **empfangen** to take *or* receive Communion, to communicate (*form*); **das** ~ **spenden** *or* **reichen** *or* **erteilen** to administer (Holy) Communion, to communicate (*form*); **zum** ~ **gehen** to go to (Holy) Communion.
2. **das** (**Letzte**) ~ the Last Supper.

Abendmahlsgottesdienst *m* (Holy) Communion, Communion service; **Abendmahlswein** *m* Communion wine.

Abendmahlzeit *f* evening meal; **Abendprogramm** *nt* (*Rad, TV*) evening('s) programmes *pl*; **damit ist unser heutiges** ~ **beendet** and that ends our programmes for this evening; **Abendrot** *nt*, **Abendröte** *f* (*geh*) sunset; **die Felder lagen im** ~ the fields lay bathed in the glow of the sunset *or* the light of the setting sun.

abends *adv* in the evening; (*jeden Abend*) in the evening(s). **spät** ~ late in the evening; ~ **um neun** at nine in the evening.

Abendschule *f* night school; **Abendschüler(in** *f*) *m* night-school student; **Abendstern** *m* evening star; **Abendstunde** *f* evening (hour); **zu dieser späten** ~ at this late hour of the evening; **die frühen/schönen ~n** the early hours of the evening/the beautiful evening hours; **sich bis in die ~n hinziehen** to go on (late) into the evening; **Abendvorstellung** f evening performance; (*Film auch*) evening showing; **Abendzeit** f **zur ~** in the evening; **Abendzeitung** f evening paper.

Abenteuer nt **-s, -** adventure; (*Liebes~ auch*) affair. **ein militärisches/politisches/verbrecherisches ~** a military/ political/criminal venture; **auf ~ ausgehen/aussein** to go out in search of adventure/to be looking for adventure; **die ~ des Geistes** (*liter*) intellectual adventure.

Abenteuer in cpds adventure.

abenteuerlich adj **1.** adventurous; (*erlebnishungrig auch*) adventuresome. **2.** (*phantastisch*) bizarre; *Gestalten, Verkleidung auch* eccentric; *Erzählung auch* fantastic.

Abenteuerlust f thirst for adventure; **von der ~ gepackt werden** to be seized with a thirst for adventure; **Abenteuerroman** m adventure story; **Abenteuerspielplatz** m adventure playground; **Abenteuerurlaub** m adventure holiday.

Abenteurer m **-s, -** adventurer (*auch pej*).

Abenteu(r)erin f adventuress (*auch pej*).

Abenteurernatur f adventurous person, adventurer.

aber I conj **1.** but. **~ dennoch** or **trotzdem** but still; **es regnete, ~ dennoch haben wir uns köstlich amüsiert** it was raining, but we still had a great time or but we had a great time though or all the same; **schönes Wetter heute, was? — ja, ~ etwas kalt** nice weather, eh? — yes, a bit cold though or yes but it's a bit cold; **komm doch mit! — ~ ich habe keine Zeit** or **ich habe ~ keine Zeit!** come with us! — but I haven't got the time!; **da er ~ nicht wußte ...** but since he didn't know ..., since, however, he didn't know ..., **oder ~** or else.

2. (*zur Verstärkung*) **~ ja!** oh, yes!; (*sicher*) but of course; **~ selbstverständlich** or **gewiß (doch)!** but of course; **~ nein!** oh, no!; (*selbstverständlich nicht*) of course not!; **~ Renate!** but Renate!; **~, ~!** now, now!, tut, tut!, come, come!; **~ ich kann nichts dafür!** but I can't help it!; **~ das wollte ich doch gar nicht!** but I didn't want that!; **das ist ~ schrecklich!** but that's awful!; **das mach' ich ~ nicht!** I will not do that!; **dann ist er ~ wütend geworden** then he really got mad, (God), did he get mad!; **das ist ~ heiß/schön!** that's really hot/nice; **du hast ~ einen schönen Ball** you've got a nice ball, haven't you?; **bist du ~ braun!** aren't you brown!; **das geht ~ zu weit!** that's just or really going too far!; **schreib das noch mal ab, ~ sauber!** write it out again, and make it tidy!

II adv (*liter*) **~ und ~mals** again and again, time and again; **tausend und ~ tausend** thousands and or upon thousands.

Aber nt **-s, -** or (*inf*) **-s** but. **kein ~!** no buts (about it); **die Sache hat ein ~**

there's just one problem or snag.

Aberglaube(n) m superstition; (*fig auch*) myth. **zum ~n neigen** to be superstitious.

abergläubisch adj superstitious.

ab|erkennen* vt sep or (*rare*) insep irreg **jdm etw ~** to deprive or strip sb of sth.

abermalig adj attr repeated; **abermals** adv once again or more.

ab|ernten vti sep to harvest.

Ab|erration f (*Astron*) aberration.

Abertausend num (*esp Aus*) thousands upon thousands of; **Abertausende** pl (*esp Aus*) thousands upon thousands pl.

Aberwitz m (*geh*) lunacy.

aberwitzig adj (*geh*) crazy.

Abessinien [-iən] nt **-s** Abyssinia.

Abessinier(in f) [-iɐ, -iərin] m **-s, -** Abyssinian.

abfackeln vt Gas to burn off.

abfahrbereit adj siehe **abfahrtbereit.**

abfahren sep irreg aux sein **I** vi **1.** to leave, to depart (*form*); (*Schiff auch*) to sail; (*Ski: zu Tal fahren*) to ski down. **~!** (*Rail*) order given to a train driver to pull out; **der Zug fährt um 8⁰⁰ in** or **von Bremen ab** the train leaves Bremen or departs from Bremen at 8 o'clock; **der Zug fährt in Kürze ab** the train will be leaving or will depart shortly; **der Zug ist abgefahren** (*lit*) the train has left or gone; (*fig*) we've/you've *etc* missed the boat.

2. (*inf: abgewiesen werden*) **jdn ~ lassen** to tell sb to push off (*inf*) or get lost (*inf*); **er ist bei ihr abgefahren** she told him to push off (*inf*) or get lost (*inf*).

3. (*sl*) **auf jdn/etw ~** to go for sb/sth (*inf*), to be into sb/sth (*inf*); **sie fährt voll auf ihn ab** she's into him in a big way (*inf*).

II vt **1.** Güter to take away, to remove, to cart off (*inf*).

2. Körperteil to cut off, to sever; Stück von Mauer to knock off. **der Trecker hat ihm ein Bein abgefahren** the tractor cut off or severed his leg.

3. aux sein or haben Strecke (*bereisen*) to cover, to do (*inf*); (*überprüfen, ausprobieren*) to go over. **er hat ganz Belgien abgefahren** he travelled or went all over Belgium; **wir mußten die ganze Strecke noch einmal ~, um ... zu suchen** we had to go over the whole stretch again to look for ...

4. (*abnutzen*) Schienen, Skier to wear out; Reifen auch to wear down; (*benutzen*) Fahrkarte to use; (*ausnutzen*) Zeitkarte, Fahrkarte to get one's money's worth for. **abgefahrene Reifen/ Schienen** worn tyres/rails.

5. (*Film, TV: beginnen*) Kamera to roll; Film to start. **bitte ~!** roll 'em!

III vr (*Reifen*) to wear out or down.

Abfahrt f **1.** (*von Zug, Bus*) departure. **Vorsicht bei der ~ des Zuges!** stand clear, the train is about to leave! **2.** (*Ski*) (*Talfahrt*) descent; (*~sstrecke*) (ski-) run. **3.** (*inf: Autobahn~*) exit. **die ~ Gießen** the Gießen exit, the exit for Gießen.

abfahrtbereit adj ready to leave.

Abfahrtslauf m (*Ski*) downhill; **Abfahrts-**

zeit f departure time.

Abfall m -s, **Abfälle 1.** no pl (Müll) refuse; (Haus~) rubbish (Brit), garbage (US); (Straßen~) litter, trash (US). **in den ~ kommen** to be thrown away or out, to go into the dustbin or trashcan (US); (**Fleisch-/Stoff)abfälle** scraps (of meat/material).

2. (Rückstand) waste no pl.

3. no pl (Lossagung) break (von with); (von Partei) breaking away (von from). **seit ihrem ~ von der Kirche** since they broke with or since their break with the Church.

4. no pl (Rückgang) drop (gen in), fall (gen in), falling off; (Verschlechterung auch) deterioration.

Abfallbeseitigung f refuse or garbage (US) disposal; **Abfallbewirtschaftung** f waste management; **Abfalleimer** m rubbish bin, waste bin, garbage or trashcan (US); (auf öffentlichen Plätzen) litter bin (Brit), trashcan (US).

abfallen vi sep irreg aux sein **1.** (herunterfallen) to fall or drop off; (Blätter, Blüten) to fall. **von etw ~** to fall or drop off (from) sth.

2. (sich senken: Gelände) to fall or drop away; (sich vermindern: Druck, Temperatur) to fall, to drop. **der Weg talwärts verläuft leicht ~d** the path down to the valley slopes gently or falls gently away.

3. (fig: übrigbleiben) to be left (over).

4. (schlechter werden) to fall or drop off, to go downhill; (Sport: zurückbleiben) to drop back. **gegen etw ~** to compare badly with sth.

5. (fig: sich lösen) to melt away. **alle Unsicherheit/Furcht fiel von ihm ab** all his uncertainty/fear left him, all his uncertainty/fear melted away (from him) or dissolved.

6. (von einer Partei) to break (von with), to drop out (von of); (Fraktion) to break away (von from).

7. (inf: herausspringen) **wieviel fällt bei dem Geschäft für mich ab?** how much do I get out of the deal?; **es fällt immer ziemlich viel Trinkgeld ab** you/they always get quite a lot of tips (out of it).

Abfallgrube f rubbish pit.

Abfallhaufen m rubbish or refuse dump or tip.

abfällig adj Bemerkung, Kritik disparaging, derisive; Lächeln derisive; Urteil adverse. **über jdn ~ reden/sprechen** to be disparaging of or about sb, to speak disparagingly of or about sb; **über jdn ~ urteilen** to be disparaging about sb; **etw ~ beurteilen** to be disparaging about sth.

Abfallprodukt nt waste-product; (von Forschung) by-product, spin-off; **Abfallschacht** m waste or (US) garbage disposal chute; **Abfallvermeidung** f waste reduction; **Abfallverwertung** f recycling of waste.

abfälschen vti sep (Sport) to deflect.

abfangen vt sep irreg **1.** Flugzeug, Funkspruch, Brief, Ball to intercept; Menschen auch to catch (inf); Schlag to block; (inf: anlocken) Kunden to catch (inf), to lure or draw away.

2. (abstützen) Gebäude to prop up, to support.

3. (bremsen) Fahrzeug to bring under control; Flugzeug auch to pull out; Aufprall to absorb; Trend to check.

Abfangjäger m (Mil) interceptor.

abfärben vi sep **1.** (Wäsche) to run. **das rote Handtuch hat auf die weißen Tischdecken abgefärbt** the colour has come out of the red towel onto the white tablecloths. **2.** (fig) **auf jdn ~** to rub off on sb.

abfassen vt sep (verfassen) to write; Erstentwurf to draft.

Abfassung f siehe vt writing; drafting.

abfaulen vi sep aux sein to rot away or off.

abfedern sep **I** vt Sprung, Stoß to cushion. **II** vi to absorb the shock; (Sport) (beim Abspringen) to push off; (beim Aufkommen) to bend at the knees. **er ist** or **hat schlecht abgefedert** he landed stiffly.

abfegen vt sep Schmutz to sweep away or off; Balkon, Hof to sweep. **den Schnee vom Dach ~** to sweep the snow off the roof.

abfeiern vt sep (inf) **Überstunden ~** to take time off in lieu of (overtime).

abfeilen vt sep to file off or (glättend) down.

abfertigen sep **I** vt **1.** (versandfertig machen) Pakete, Waren to prepare or make ready or get ready for dispatch, to process (form); Gepäck to check (in); (be- und entladen) Flugzeug to service, to make ready for take-off; Schiff to make ready to sail. **die Hafenarbeiter fertigen keine Schiffe aus Chile mehr ab** the dockers won't handle any more ships from Chile.

2. (bedienen) Kunden, Antragsteller to attend to, to deal with; (inf: Sport) Gegner to deal with. **jdn kurz** or **schroff ~** (inf) to snub sb; **ich lasse mich doch nicht mit 10 Mark ~** I'm not going to be fobbed off with 10 marks.

II vti (kontrollieren) Waren, Reisende to clear. **die Zöllner fertigten (die Reisenden) sehr zügig ab** the customs officers dealt with the travellers very quickly.

Abfertigung f **1.** siehe vt **1.** making ready for dispatch, processing (form); checking; servicing, making ready for take-off; making ready to sail.

2. (Bedienung) (von Kunden) service; (von Antragstellern) dealing with; (fig: Abweisung) rebuff, snub. **die geschickte ~ des Gegners** (Sport) the skilful way of dealing with his opponent.

3. (von Waren, Reisenden) clearance. **die ~ an der Grenze** customs clearance.

4. (~sstelle) (für Waren) dispatch office; (im Flughafen) check-in.

Abfertigungsschalter m dispatch counter; (im Flughafen) check-in desk.

abfeuern vt sep to fire; (Ftbl inf) to let fire with.

abfinden sep irreg **I** vt to pay off; Gläubiger auch to settle with; (entschädigen) to compensate. **er wurde von der Versicherung mit 20.000 DM abgefunden** he was paid 20,000 DM (in) compensation by the insurance company; **jdn mit leeren Versprechungen ~** to fob sb off with empty promises.

II *vr* **sich mit jdm/etw ~** to come to terms with sb/sth; **sich mit jdm/etw nicht ~ können** to be unable to accept sb/sth *or* to come to terms with sb/sth; **er konnte sich nie damit ~, daß ...** he could never accept the fact that ...; **sich mit jdm/ etw schwer ~** to find it hard to accept sb/sth; **mit allem kann ich mich ~, aber nicht ...** I can put up with most things, but not ...

Abfindung *f* **1.** (*von Gläubigern*) paying off; (*Entschädigung*) compensation; (*bei Entlassung*) severance pay; (*wegen Rationalisierung*) redundancy payment. **2.** *siehe* **Abfindungssumme.**

Abfindungssumme *f* payment, (sum in) settlement; (*Entschädigung*) compensation *no pl*, indemnity.

abfischen *vt sep* to fish dry.

abflachen *sep* **I** *vt* to level (off), to flatten (out). **II** *vr* (*Land*) to flatten out, to grow *or* get flatter; (*fig: sinken*) to drop *or* fall (off). **III** *vi aux sein* (*fig: sinken*) to drop *or* fall (off), to decline.

Abflachung *f* flattening out; (*fig*) dropping off, falling off.

abflauen *vi sep aux sein* **1.** (*Wind*) to drop, to die away *or* down, to abate. **nach (dem) A~ des Windes** when the wind had dropped *or* died down *or* abated.

2. (*fig*) (*Empörung, Erregung*) to fade, to die away; (*Interesse auch*) to flag, to wane; (*Börsenkurse*) to fall, to drop; (*Geschäfte*) to fall *or* drop off.

abfliegen *sep irreg vi aux sein* (*Aviat*) to take off (*nach* for); (*Zugvögel*) to migrate, to fly off *or* away; (*inf: sich lösen*) to fly off. **sie sind gestern nach München/von Hamburg abgeflogen** they flew to Munich/from Hamburg yesterday.

abfließen *vi sep irreg aux sein* (*wegfließen*) to drain *or* run *or* flow away; (*durch ein Leck*) to leak away. **ins Ausland ~** (*Geld*) to flow out of the country.

Abflug *m* take-off; (*von Zugvögeln*) migration; (*inf: ~stelle*) departure point. **~ Glasgow 8⁰⁰** departure Glasgow 8.00 a.m.

abflugbereit *adj* ready for take-off; **Abflughafen** *m* departure airport; **Abflughalle** *f* departure lounge; **Abflugschalter** *m* check-in desk.

Abfluß *m* **1.** (*Abfließen*) draining away; (*durch ein Leck*) leaking away; (*fig: von Geld*) draining away. **dem ~ von Kapital ins Ausland Schranken setzen** to impose limits on the (out)flow of capital out of the country.

2. (*~stelle*) drain; (*von Teich*) outlet; (*~rohr*) drainpipe; (*von sanitären Anlagen auch*) wastepipe.

Abflußgraben *m* drainage ditch; **Abflußhahn** *m* tap, drain-cock; **Abflußrinne** *f* gutter; **Abflußrohr** *nt* outlet; (*im Ge-*

bäude) waste pipe; (*außen am Gebäude*) drainpipe; (*unterirdisch*) drain, sewer.

Abfolge *f* (*geh*) sequence, succession.

abfordern *vt sep* **jdm etw ~** to demand sth from sb; **jdm den Ausweis ~** to ask to see sb's papers.

Abfrage *f* (*Comput*) query. **eine ~ eingeben** to key in a query.

abfragen *vt sep* **1.** (*Comput*) *Information* to call up; *Datenbank* to query, to interrogate. **2.** (*esp Sch*) **jdn** *or* **jdm etw ~** to question sb on sth; (*Lehrer*) to test sb orally on sth; **eine Lektion ~** to give an oral test on a lesson.

abfressen *vt sep irreg Blätter* to eat; *Gras auch* to crop; *Metall, Schicht* to eat away, to corrode. **das Aas bis auf die Knochen ~** to strip the carcass to the bones; **die Giraffe frißt die Blätter von den Bäumen ab** the giraffe strips the leaves off the trees.

abfrieren *sep irreg* **I** *vi aux sein* to get frostbitten. **ihm sind die Füße abgefroren** his feet got frostbite; **abgefroren sein** (*Körperteil*) to be frostbitten. **II** *vr* **sich** (*dat*) **etw ~** to get frostbite in sth; **sich** (*dat*) **einen ~** (*sl*) to freeze to death (*inf*).

abfrottieren* *vt sep* to towel down *or* dry.

Abfuhr *f* **-, -en 1.** *no pl* (*Abtransport*) removal. **2.** (*inf: Zurückweisung*) snub, rebuff. **jdm eine ~ erteilen** to snub *or* rebuff sb, to give sb a snub *or* rebuff; (*Sport*) to thrash sb (*inf*), to give sb a thrashing (*inf*); **sich** (*dat*) **eine ~ holen** to meet with a snub *or* a rebuff, to be snubbed; **sich** (*dat*) (**gegen jdn**) **eine ~ holen** (*Sport*) to be given a thrashing *or* be thrashed (by sb) (*inf*).

abführen *sep* **I** *vt* **1.** (*wegführen*) to lead *or* take away; (*ableiten*) *Gase etc* to draw off. **~!** away with him/her *etc*, take him/ her *etc* away!; **das führt uns vom Thema ab** that will take us away *or* divert us from our subject.

2. (*abgeben*) *Betrag* to pay (*an +acc* to).

II *vi* **1.** (*wegführen*) **der Weg führt hier (von der Straße) ab** the path leaves the road here; **das würde vom Thema ~** that would take us off the subject.

2. (*den Darm anregen*) to have a laxative effect.

abführend *adj* laxative *no adv*, aperient *no adv* (*form*). **~ wirken** to have a laxative effect.

Abführmittel *nt* laxative.

Abfüllanlage *f* bottling plant; **Abfüllbetrieb** *m* bottling factory.

abfüllen *vt sep* **1.** (*abziehen*) *Wein* to draw off (*in +acc* into); (*in Flaschen*) to bottle; *Flasche* to fill. **Wein in Flaschen ~** to bottle wine. **2.** **jdn ~** (*inf*) to get sb pickled (*inf*) *or* sloshed (*inf*).

abfüttern *vt sep Vieh*, (*hum*) *Menschen* to feed.

Abgabe *f* **1.** *no pl* (*Abliefern*) handing *or* giving in; (*von Gepäck auch*) depositing; (*Übergabe*) delivery, handing over. **zur ~ von etw aufgefordert werden** to be told to hand sth in.

2. *no pl* (*Verkauf*) sale. **~ (von Pro-**

spekten) kostenlos leaflets given away free.
3. *no pl (von Wärme)* giving off, emission.
4. *no pl (von Schuß, Salve)* firing. **nach ~ von vier Schüssen** after firing four shots.
5. *no pl (von Erklärung, Urteil)* giving; *(von Gutachten)* submission, submitting; *(von Stimme)* casting.
6. *(Sport) (Abspiel)* pass. **nach ~ von zwei Punkten ...** after conceding two points.
7. *(Steuer)* tax; *(auf Tabak auch)* duty; *(soziale ~)* contribution.

abgabe(n)frei *adj, adv* tax-free, exempt from tax; **Abgabe(n)ordnung** *f (Jur)* tax law; **abgabe(n)pflichtig** *adj* liable to taxation.

Abgabetermin *m* closing date; *(für Dissertation)* submission date.

Abgang *m* **1.** *no pl (Absendung)* dispatch. **vor ~ der Post** before the post goes.
2. *no pl (Abfahrt)* departure.
3. *no pl (Ausscheiden) (aus einem Amt)* leaving, departure; *(Schul~)* leaving.
4. *no pl (Theat, fig)* exit. **sich *(dat)* einen guten/glänzenden ~ verschaffen** to make a grand exit.
5. *(Sport)* dismount. **einen guten/schwierigen ~ turnen** to do a good/difficult dismount from the apparatus.
6. *(Med: Ausscheidung)* passing; *(von Eiter)* discharging; *(Fehlgeburt)* miscarriage, abortion *(form)*.
7. *(Person) (Schul~)* leaver; *(Med Mil sl)* death.
8. *(sl: Ejakulation)* ejaculation.
9. *(Comm)* waste; *(Aus: Fehlbetrag)* missing amount.

Abgänger(in *f)* *m* **-s, -** *(Sch)* (school) leaver.

abgängig *adj (Aus Admin)* missing *(aus* from). **ein A~er** a missing person.

Abgangszeugnis *nt* leaving certificate.

Abgas *nt* exhaust *no pl*, exhaust fumes *pl*, waste gas *(esp Tech)*. **Luftverschmutzung durch ~e** exhaust gas pollution.

abgasarm *adj Fahrzeug* low-pollution; **das Auto ist ~** the car has a low level of exhaust emissions; **abgasfrei** *adj Motor, Fahrzeug* exhaust-free; **~ verbrennen** to burn without producing exhaust; **Abgasreinigung** *f (Aut)* purification of exhaust gases; **Abgasrückführung** *f (Aut)* exhaust gas recirculation, EGR; **Abgassonderuntersuchung** *f (Aut)* compulsory annual test of a car's emission levels; **Abgaswolke** *f* cloud of exhaust.

abgaunern *vt sep (inf)* **jdm etw ~** to con *or* trick sb out of sth *(inf)*.

abge|arbeitet *adj (verbraucht)* workworn; *(erschöpft)* worn out, exhausted.

abgeben *sep irreg* **I** *vt* **1.** *(abliefern)* to hand *or* give in; *(hinterlassen)* to leave; *Gepäck, Koffer* to leave, to deposit; *(übergeben)* to hand over, to deliver.
2. *(weggeben)* to give away; *(verkaufen)* to sell; *(an einen anderen Inhaber)* to hand over. **Kinderwagen preisgünstig**

abzugeben pram for sale at (a) bargain price.
3. *(verschenken)* to give away. **jdm etw ~** to give sth to sb; **jdm etw von seinem Kuchen ~** to give sb some of one's cake.
4. *(überlassen) Auftrag* to hand *or* pass on *(an +acc* to); *(abtreten) Posten* to relinquish, to hand over *(an +acc* to).
5. *(Sport) Punkte, Rang* to concede; *(abspielen)* to pass.
6. *(ausströmen) Wärme, Sauerstoff* to give off, to emit.
7. *(abfeuern) Schuß, Salve* to fire.
8. *(äußern) Erklärung* to give; *Gutachten* to submit; *Meinungsäußerung auch* to express; *Stimmen* to cast.
9. *(darstellen) Rahmen, Hintergrund,* *(liefern) Stoff, Material etc* to give, to provide, to furnish. **den Vermittler ~** *(inf)* to act as mediator.
10. *(verkörpern)* to make. **er würde einen guten Schauspieler ~** he would make a good actor.

II *vr* **sich mit jdm/etw ~** *(sich beschäftigen)* to bother *or* concern oneself with sb/sth; *(sich einlassen)* to associate with sb/sth.

III *vi (Sport)* to pass.

abgebrannt *adj pred (inf)* broke *(inf)*. **völlig ~ sein** to be flat *or* stony broke *(inf)*.

abgebrochen *adj (nicht beendet) Studium* uncompleted; *Worte* disjointed. **mit einem ~en Studium kommt man nicht sehr weit** you don't get very far if you haven't finished university *or* your university course; **er ist ~er Mediziner** *(inf)* he broke off his medical studies.

abgebrüht *adj (inf) (skrupellos)* hardboiled *(inf)*, hardened; *(frech)* cool.

abgedankt *adj Offizier, Dienstbote* discharged.

abgedroschen *adj (inf)* hackneyed, wellworn; *Witz auch* corny *(inf)*. **eine ~e Phrase/Redensart** a cliché/a hackneyed saying.

abgefeimt *adj* cunning, wily.

abgegriffen *adj Buch* (well-)worn; *(fig) Klischees, Phrasen* well-worn, hackneyed.

abgehackt *adj* clipped. **~ sprechen** to clip one's words, to speak in a clipped manner.

abgehalftert *adj* haggard; **ein ~er Politiker** a political has-been.

abgehangen *adj (gut) ~* well-hung.

abgehärmt *adj* careworn.

abgehärtet *adj* tough, hardy; *(fig)* hardened. **gegen Erkältungen ~ sein** to be immune to colds.

abgehen *sep irreg aux sein* **I** *vi* **1.** *(abfahren)* to leave, to depart *(nach* for); *(Schiff auch)* to sail *(nach* for). **der Zug ging in** *or* **von Frankfurt ab** the train left from Frankfurt.
2. *(Sport: abspringen)* to jump down. **er ging gekonnt mit einem Doppelsalto vom Barren ab** he did a skilful double somersault down from *or* off the bars.
3. *(Theat: abtreten)* to exit, to make one's exit. **Othello geht ab** exit Othello.

4. (*ausscheiden*) (*von der Schule, old: aus einem Amt*) to leave. **von der Schule ~** to leave school.

5. (*Med sl: sterben*) to die.

6. (*sich lösen*) to come off; (*herausgehen: Farbe auch*) to come out. **an meiner Jacke ist ein Knopf abgegangen** a button has come off my jacket.

7. (*abgesandt werden*) to pass out; (*Eiter*) to be discharged; (*Fötus*) to be aborted. **ihm ist einer abgegangen** (*vulg*) he shot *or* came off (*vulg*).

8. (*losgehen: Schuß*) to be fired.

9. (*abgesandt werden*) to be sent *or* dispatched; (*Funkspruch*) to be sent. **etw ~ lassen** to send *or* dispatch sth.

10. (*inf: fehlen*) **jdm geht Taktgefühl ab** sb lacks tact.

11. (*abgezogen werden*) (*vom Preis*) to be taken off; (*von Verdienst auch*) to be deducted; (*vom Gewicht*) to come off. (**von etw**) **~** (*von Preis*) to be taken off (sth); (*von Verdienst auch*) to be deducted (from sth); (*von Gewicht*) to be taken off (sth); **davon gehen 5% ab** 5% is taken off that.

12. (*abzweigen*) to branch off; (*bei Gabelung auch*) to fork off.

13. (*abweichen*) **von einem Plan/einer Forderung ~** to give up *or* drop a plan/ demand; **von seiner Meinung ~** to change *or* alter one's opinion; **davon kann ich nicht ~** I must insist on that; (*bei Versprechungen*) I can't go back on that.

14. (*verlaufen*) to go. **gut/glatt/friedlich ~** to go well/smoothly/peacefully; **es ging nicht ohne Streit ab** there was an argument.

15. (*sl*) **das geht gut ab** that's really great; **da geht aber was ab** things are really happening; **gestern ging es gar nicht ab** it was really boring yesterday.

II *vt* **1.** (*entlanggehen*) to go *or* walk along; (*hin und zurück*) to walk *or* go up and down; (*Mil*) *Gebäudekomplex, Gelände* to patrol.

2. (*messen*) to pace out.

3. (*Sch inf: verweisen*) **abgegangen werden** to be thrown *or* chucked (*inf*) out.

abgehend *adj Post* outgoing; *Zug, Schiff* departing.

abgehetzt *adj* out of breath.

abgekämpft *adj* exhausted, shattered (*inf*), worn-out.

abgeklärt *adj* serene, tranquil.

abgelagert *adj Wein* mature; *Holz, Tabak* seasoned.

abgelebt *adj* **1.** (*verbraucht*) decrepit. **2.** (*altmodisch*) *Tradition, Vorstellung* antiquated.

abgelegen *adj* (*entfernt*) *Dorf, Land* remote; (*einsam*) isolated.

abgeleiert *adj* (*pej*) *Melodie* banal, trite; *Redensart auch* hackneyed; *Schallplatte* worn out, crackly.

abgelten *vt sep irreg Ansprüche* to satisfy; *Verlust* to make up, to compensate for; *Schuld* to wipe out. **sein Urlaub wurde durch Bezahlung abgegolten** he was given payment in lieu of holiday.

abgemacht I *interj* OK, that's settled; (*bei Kauf*) it's a deal, done. **II** *adj* **eine ~e Sache** a fix (*inf*).

abgemagert *adj* (*sehr dünn*) thin; (*ausgemergelt*) emaciated. **er war bis zum Skelett ~** he was nothing but skin and bones, he was a walking skeleton.

abgemessen *adj Schritt, Takt, Worte* measured.

abgeneigt *adj* averse *pred* (*dat* to). **ich wäre gar nicht ~** (*inf*) actually I wouldn't mind; **der allem Neuen ~e Direktor** the headmaster, who objected to anything new; **jdm ~ sein** to dislike sb.

abgenutzt *adj* worn, shabby; *Bürste, Besen* worn-out; *Reifen* worn-down; (*fig*) *Klischees, Phrasen* hackneyed, well-worn.

Abge|ordnetenbank *f* bench.

Abge|ordnetenhaus *nt* parliament.

Abge|ordnete(r) *mf decl as adj* member (of parliament). **Herr ~r/Frau ~** the honourable Member.

abgerissen *adj* **1.** (*zerlumpt*) *Kleidung, Eindruck* ragged, tattered. **2.** (*unzusammenhängend*) *Worte, Gedanken* disjointed, incoherent.

Abgesandte(r) *mf decl as adj* envoy.

Abgesang *m* (*Poet*) abgesang, *concluding section of the final strophe of the minnesang*; (*fig liter*) farewell.

abgeschabt *adj* (*abgewetzt*) *Kleider* threadbare.

abgeschieden *adj* **1.** (*geh: einsam*) secluded. **~ leben/wohnen** to live a secluded life/in seclusion. **2.** (*liter: tot*) departed.

Abgeschiedenheit *f* seclusion.

abgeschlafft *adj* (*inf*) whacked (*inf*). **~e Typen** lazy bums (*inf*).

abgeschlagen *adj* **1.** (*erschöpft*) washed out (*inf*), shattered (*inf*). **2.** (*zurück*) behind; (*besiegt*) defeated. **weit ~ liegen** to be way behind; **er landete ~ auf dem 8. Platz** he finished up way down in 8th place.

Abgeschlagenheit *f* (feeling of) exhaustion.

abgeschlossen I *ptp of* abschließen. **II** *adj* (*einsam*) isolated; (*attr: geschlossen*) *Wohnung* self-contained; *Grundstück, Hof* enclosed. **~ leben** to live in isolation.

abgeschmackt *adj* fatuous; *Witz auch* corny; *Preis* outrageous.

Abgeschmacktheit *f* (*geh*) fatuousness; (*von Witz auch*) corniness; (*Bemerkung*) platitude.

abgesehen I *ptp of* absehen. **es auf jdn ~ haben** to have it in for sb (*inf*); **es auf jdn/etw ~ haben** (*interessiert sein*) to have one's eye on sb/sth; **du hast es nur darauf ~, mich zu ärgern** you're only trying to annoy me. **II** *adv*: **~ von jdm/etw** apart from sb/sth; **~ davon, daß ...** apart from the fact that ...

abgesondert *adj* isolated.

abgespannt *adj* weary, tired.

abgespielt *adj Schallplatte* worn.

abgestanden *adj Luft, Wasser* stale; *Bier, Limonade* flat; (*fig*) *Witz, Redensart* hackneyed.

abgestorben adj Glieder numb; Pflanze, Ast, Gewebe dead. **von der Kälte war mein Arm wie** ~ my arm was numb with cold.

abgestumpft adj (gefühllos) Person insensitive; Gefühle, Gewissen dulled, blunted.

abgetakelt adj (pej inf) worn out, shagged out (sl).

abgetan adj pred finished or done with. **damit ist die Sache** ~ that settles the matter, that's the matter done with; **damit ist es (noch) nicht** ~ that's not the end of the matter.

abgetragen adj worn. ~**e Kleider** old clothes.

abgewinnen vt sep irreg **1.** (lit) **jdm etw** ~ to win sth from sb.

2. (fig) **jdm Achtung** ~ to win respect from sb or sb's respect; **jdm ein Lächeln** ~ to persuade sb to smile; **dem Meer Land** ~ to reclaim land from the sea; **jdm/einer Sache keinen Reiz** ~ **können** to be unable to see anything attractive in sb/sth; **einer Sache** (dat) **Geschmack** ~ to acquire a taste for sth.

abgewirtschaftet adj (pej) rotten; Firma auch run-down. **einen total** ~**en Eindruck machen** to be on its last legs.

abgewogen I ptp of **abwägen. II** adj Urteil, Worte balanced.

abgewöhnen vt sep **jdm etw** ~ Gewohnheiten, schlechte Manieren to cure sb of sth; das Rauchen, Trinken to get sb to give up or stop sth; **sich** (dat) **etw/das Trinken** ~ to give sth up/give up or stop drinking; **noch eins/einen zum A**~ (hum) one last one; (von Alkohol auch) one for the road; **das/die ist ja zum A**~ (sl) that/she is enough to put anyone off.

abgewrackt adj (pej) rotten; (abgetakelt) Mensch washed-up.

abgezehrt adj emaciated.

abgießen vt sep irreg **1.** Flüssigkeit to pour off or away; Kartoffeln, Gemüse to strain. **2.** (Art, Metal) to cast.

Abglanz m reflection (auch fig). **nur ein schwacher** or **matter** ~ (fig) a pale reflection.

Abgleich m -s, no pl (von Dateien, Einträgen) comparison.

abgleichen vt sep irreg **1.** (Build) to level out. **2.** (Elec) to tune; (fig) Termine, Vorgehensweise to coordinate; Dateien, Einträge to compare.

abgleiten vi sep irreg aux sein (geh) **1.** (abrutschen) to slip; (Gedanken) to wander; (Fin: Kurs) to drop, to fall. **von etw** ~ to slip off sth; **in Nebensächlichkeiten** ~ to wander off or go off into side issues; **in Anarchie** ~ to descend into anarchy.

2. (fig: abprallen) **an/von jdm** ~ to bounce off sb.

Abgott m, **Abgöttin** f idol. **Abgötter dienen** to worship false gods; **jdn zum** ~ **machen** to idolize sb.

abgöttisch adj idolatrous. ~**e Liebe** blind adoration; **jdn** ~ **lieben** to idolize sb; (Eltern, Ehepartner auch) to dote on sb; **jdn** ~ **verehren** to idolize sb, to worship sb (like a god).

abgraben vt sep irreg Erdreich to dig away. **jdm das Wasser** ~ (fig inf) to take the bread from sb's mouth, to take away sb's livelihood.

abgrasen vt sep Feld to graze; (fig inf) Ort, Geschäfte to scour, to comb; Gebiet, Thema to do to death (inf).

abgrätschen vi sep aux sein (Sport) to straddle off.

abgreifen sep irreg **I** vt **1.** Strecke, Entfernung to measure off. **2.** Buch, Heft to wear; siehe **abgegriffen. 3.** siehe **abtasten. II** vr to wear or become worn.

abgrenzen sep **I** vt Grundstück to fence off; (fig) Rechte, Pflichten, Einflußbereich, Begriff to delimit (gegen, von from). **etw durch einen Zaun/ein Seil/ eine Mauer/Hecke** ~ to fence/rope/wall/ hedge sth off; **diese Begriffe lassen sich nur schwer (gegeneinander)** ~ it is hard to distinguish (between) these two concepts.

II vr to dis(as)sociate oneself (gegen from).

Abgrenzung f **1.** no pl siehe vt fencing/ roping/walling/hedging off; (fig) delimitation; distinguishing. **2.** siehe vr dis(as)sociation (gegen from). **3.** (Umzäunung, Zaun) fencing no pl.

Abgrund m precipice; (Schlucht, fig) abyss, chasm. **sich am Rande eines** ~**es befinden** (fig) to be on the brink (of disaster); **in einen** ~ **von Verrat/ Gemeinheit blicken** (fig) to stare into a bottomless pit of treason/baseness; **der** ~ **der menschlichen Seele** the blackest depths of the human soul.

abgrundhäßlich adj loathsome, incredibly hideous.

abgründig adj Humor, Ironie cryptic.

abgrundtief adj profound.

abgucken vti sep to copy. **jdm etw** ~ to copy sth from sb; **bei jdm (etw)** ~ (Sch) to copy (sth) from or off (inf) sb; **ich guck' dir nichts ab!** (inf) don't worry, I've seen it all before.

Abguß m **1.** (Art, Metal) (Vorgang) casting; (Form) cast. **2.** (dial: Ausguß) sink.

abhaben vt sep irreg (inf) (abbekommen) to have. **willst du ein Stück/etwas (davon)** ~? do you want a bit/some (of it)?

abhacken vt sep to chop off, to hack off; siehe **Rübe, abgehackt.**

abhaken vt sep (markieren) to tick or (esp US) check off; (fig) to cross off.

abhalftern vt sep Pferd to take the halter off; siehe **abgehalftert.**

abhalten vt sep irreg **1.** (fernhalten) Kälte, Hitze to keep off; Mücken, Fliegen auch to keep off or away; (draußen halten) to keep out.

2. (hindern) to stop, to prevent. **jdn von etw/vom Trinken/von der Arbeit** ~ to keep sb from sth/drinking/working; **jdn davon** ~, **etw zu tun** to stop sb doing sth, to prevent sb from doing sth; **laß dich nicht** ~! don't let me/us stop you.

3. (veranstalten) Versammlung, Wahlen, Gottesdienst to hold.

Abhaltung f, no pl (Durchführung) holding. **nach** ~ **der Wahlen** after the elections (were held).

abhandeln vt sep **1.** Thema to treat, to deal with. **2.** (abkaufen) jdm etw ~ to do or strike a deal with sb for sth; **sie wollte sich** (dat) **das Armband nicht ~ lassen** she didn't want to let her bracelet go. **3.** (vom Preis ~) jdm 8 Mark ~ to beat sb down 8 marks, to get sb to knock 8 marks off (the price); **er ließ sich von seinen Bedingungen nichts ~** he wouldn't give up any of his conditions.

abhanden adv ~ **kommen** to get lost; **jdm ist etw ~ gekommen** sb has lost sth.

Abhandenkommen nt -s, no pl loss.

Abhandlung f **1.** treatise, discourse (über +acc (up)on). ~en (einer Akademie) transactions. **2.** (das Abhandeln) treatment.

Abhang m slope, incline.

abhängen sep I vt **1.** (herunternehmen) Bild to take down; (abkuppeln) Schlafwagen, Kurswagen to uncouple; Wohnwagen, Anhänger to unhitch. **2.** (inf: hinter sich lassen) jdn to shake off (inf). II vi **1.** irreg (Fleisch) to hang; siehe **abgehangen**. **2.** irreg aux haben or (S Ger, Aus) sein von etw ~ to depend (up)on sth, to be dependent (up)on sth; **das hängt ganz davon ab** it all depends; **davon hängt viel/zuviel ab** a lot/too much depends on it; **von jdm** (finanziell) ~ to be (financially) dependent on sb. **3.** (inf: Telefon auflegen) to hang up (inf).

abhängig adj **1.** (bedingt durch) dependent (auch Math); Satz auch subordinate; Rede indirect; Kasus oblique. **von etw ~ sein** (Gram) to be governed by sth. **2.** (angewiesen auf, euph: süchtig) dependent (von on). **gegenseitig** or **voneinander ~ sein** to be dependent on each other or mutually dependent or interdependent.

Abhängige(r) mf decl as adj dependent, dependant.

Abhängigkeit f **1.** no pl (Bedingtheit) dependency no pl (von on). **2.** (Angewiesensein, euph: Sucht) dependence (von on). **gegenseitige ~** mutual dependence, interdependence.

Abhängigkeitsverhältnis nt relationship of dependence; (gegenseitig) interdependence.

abhärmen vr sep to pine away (um for); siehe **abgehärmt**.

abhärten sep I vt to toughen up. II vi **das härtet dich** (gegen Erkältung) **ab** that toughens you up (and stops you catching cold). III vr to toughen oneself up. **sich gegen etw ~** to toughen oneself against sth; (fig) to harden oneself to sth; siehe **abgehärtet**.

Abhärtung f siehe vb toughening up; hardening.

abhaspeln vt sep Garn, Wolle to unwind; (fig) Rede, Gedicht to reel or rattle off.

abhauen sep I ptp **abgehauen** vi aux sein (inf) to clear off; (verschwinden auch) to push off. **hau ab!** beat it! (inf), get lost! (inf).
II vt **1.** pret **hieb** or (inf) **haute ab**, ptp **abgehauen** Kopf to chop or cut off; Baum auch to chop or cut down. **2.** pret **haute ab**, ptp **abgehauen** (wegschlagen) Verputz, Schicht to knock off.

abheben sep irreg I vti **1.** (anheben) to lift (up), to raise; (abnehmen) to take off; Telefonhörer to pick up, to lift (up); Telefon to answer; (beim Stricken) Masche to slip. **laß es doch klingeln, du brauchst nicht abzuheben** let it ring, you don't have to answer (it). **2.** vt only (Cards) to take, to pick up. **3.** Geld to withdraw. **wenn Sie ~ wollen** if you wish to make a withdrawal.
II vi **1.** (Flugzeug) to take off; (Rakete) to lift off. **2.** auf etw (acc) ~ (form, Jur) to emphasize sth. **3.** (Cards) (vor Spielbeginn) to cut; (Karte nehmen) to take a card.
III vr **sich von jdm/etw** or **gegen jdn/etw ~** to stand out from/against sb/sth; **nur um sich von anderen** or **gegen andere abzuheben** just to be different (from other people), just to make oneself stand out.

abheften vt sep **1.** Schriftverkehr to file away. **2.** (Sew) to tack, to baste.

abheilen vi sep aux sein to heal (up).

abhelfen vi sep irreg +dat to remedy; einem Fehler auch to rectify, to correct. **dem ist leicht abzuhelfen** that can be or is easily remedied etc.

abhetzen sep I vt Tiere to exhaust, to tire out. **hetz' mich nicht so ab!** (inf) stop hustling me like that! (inf). II vr to wear or tire oneself out; siehe **abgehetzt**.

abheuern sep (Naut) I vi to be paid off. II vt to pay off.

Abhilfe f -, no pl remedy, cure. ~ **schaffen** to take remedial action; **in einer Angelegenheit ~ schaffen** to remedy a matter.

abhin adv (Sw) **vom 18.9.90 ~** from 18.9.90 onwards.

abhobeln vt sep Holz to plane down. **wir müssen noch 2 cm ~** we need to plane another 2 cms off.

abhold adj +dat (old liter) **jdm/einer Sache ~ sein** to be averse or ill-disposed to(wards) sb/averse to sth.

abholen vt sep to collect (bei from); Bestelltes auch to call for (bei at); Fundsache to claim (bei from); jdn to call for; (mit dem Wagen auch) to pick up; (euph: verhaften) to take away. **jdn am Bahnhof/Flughafen ~** to collect sb from or meet sb at the station/airport; (mit dem Wagen auch) to pick sb up from the station/airport; **ich hole dich heute abend ab** I'll call for you or pick you up this evening; **er kam und wollte mich zu einem Spaziergang ~** he called and asked me to go for a walk; **etw ~ lassen** to have sth collected; ,,**Geldbörse gefunden, abzuholen bei ...**'' "purse found, claim from ..."

Abholmarkt m -s, -märkte cash and carry.

Abholung f collection. **zur** ~ **bereit** ready for or awaiting collection.

abholzen vt sep Wald to chop down; Baumreihe to fell, to cut down.

Abholzung f deforestation.

Abhöraktion f bugging operation; **Abhöranlage** f bugging system.

abhorchen sep vt to sound, to listen to; Patienten auch to auscultate (form); Boden to put one's ear to.

Abhör|einrichtung f bugging device; (System) bugging system.

abhören vt sep **1.** (auch vi: überwachen) Gespräch to bug; (mithören) to listen in on; Telefon to tap. **abgehört werden** (inf) to be bugged; **der Geheimdienst darf (Telefone)** ~ **the Secret Service are allowed to tap telephones. 2.** Sender, Schallplatte to listen to. **3.** (Med) to sound, to listen to. **4.** (Sch) siehe **abfragen.**

Abhörgerät nt bugging device; **abhörsicher** adj bugproof.

abhungern vr sep **er mußte sich** (dat) **sein Studium** ~ he had to starve himself to pay for his studies; **sich** (dat) **10 Kilo** ~ to lose 10 kilos by going on a starvation diet.

Abi nt -s, -s (Sch inf) abbr of **Abitur.**

ab|irren vi sep aux sein (geh) to lose one's way; (fig: abschweifen) (Gedanken) to wander. **vom Weg(e)** ~ to wander off the path, to stray from the path; **vom rechten Weg** ~ (fig) to stray or wander or err from the straight and narrow.

Ab|irrung f (geh) **1.** (Verirrung) lapse, aberration. **2.** (Astron) aberration.

Abitur nt -s, (rare) -e school-leaving exam and university entrance qualification, ≈ A-levels pl (Brit), Highers pl (Scot). **(sein** or **das)** ~ **machen** to do or take (one's) school-leaving exam or A-levels or Highers; **sein** or **das** ~ **ablegen** (form) to obtain one's school-leaving exam or A-levels or Highers, ≈ to graduate from high school (US).

Abiturfeier f school-leaver's party, graduation ball (US).

Abiturient(in f) m person who is doing/ has done the Abitur.

Abiturklasse f final year class at school who will take the Abitur, ≈ sixth form (Brit), senior grade (US); **Abiturzeugnis** nt certificate of having passed the Abitur, ≈ A-level (Brit) or Highers (Scot) certificate.

abjagen sep **I** vt **1.** siehe **abhetzen 1. 2.** jdm etw ~ to get sth off sb. **II** vr (inf) to wear oneself out.

Abk. abbr of **Abkürzung** abbreviation, abbr.

abkämmen vt sep (fig) to comb, to scour.

abkämpfen sep vr to fight hard; siehe **abgekämpft.**

abkanzeln vt sep (inf) jdn ~ to give sb a dressing-down.

abkapseln vr sep (lit) to become encapsulated; (fig) to shut or cut oneself off, to isolate oneself.

Abkaps(e)lung f (lit) encapsulation; (fig) isolation.

abkarren vt sep to cart away; (fig) Menschen to cart off.

abkarten vt sep to rig (inf), to fix. **die Sache war von vornherein abgekartet** the whole thing was a put-up job (inf).

abkassieren* vti sep (inf) to cash up (inf). **jdn** or **bei jdm** ~ to get sb to pay; **darf ich mal (bei Ihnen)** ~? could I ask you to pay now?

abkauen vt sep Fingernägel to bite; Bleistift to chew.

abkaufen vt sep jdm etw ~ to buy sth from or off (inf) sb; (inf: glauben) to buy sth (inf).

Abkehr f -, no pl turning away (von from); (von Glauben, von der Welt etc) renunciation (von of); (von der Familie) estrangement (von from). **die** ~ **vom Materialismus** turning away from or rejecting materialism.

abkehren sep **I** vt (geh) (abwenden) Blick, Gesicht to avert, to turn away. **sie mußte den Blick (davon)** ~ she had to look away (from it). **II** vr (fig) to turn away (von from); (von Gott etc auch) to renounce; (von einer Politik) to give up. **die von uns abgekehrte Seite des Mondes** the side of the moon away from us, the far side of the moon.

abkippen sep **I** vt (abladen) Abfälle, Baustoffe to tip; (herunterklappen) to let down. **II** vi aux sein to tilt; (Flugzeug) to nosedive.

abklappern vt sep (inf) Läden, Gegend, Straße to scour, to comb (nach for); Kunden, Museen to do (inf).

abklären vt sep **1.** (klarstellen) Angelegenheit to clear up, to clarify. **2.** siehe **abgeklärt.**

Abklatsch m -(e)s, -e (Art) cast, casting; (fig pej) poor imitation or copy.

abklatschen sep **I** vt **er klatschte sie ab** he got to dance with her during the excuseme. **II** vi **beim A**~ during the excuseme.

abklemmen vt sep to clamp.

abklingen vi sep irreg aux sein **1.** (leiser werden) to die or fade away. **2.** (nachlassen) to wear off, to abate; (Erregung, Fieber auch) to subside.

abklopfen sep **I** vt **1.** (herunterklopfen) to knock off; (klopfend säubern) to brush down; Staub to brush off; Teppich, Polstermöbel to beat. **er klopfte die Asche von der Zigarre ab** he tapped or knocked the ash off his cigar; **sich** (dat) **die Schuhe** ~ to knock the mud etc off one's shoes; **den Staub nicht abbürsten, sondern** ~ do not brush the dust off, pat it off.

2. (beklopfen) to tap; (Med) to sound, to percuss (spec).

3. (fig inf: untersuchen) to look into. **etw auf etw** (acc) ~ to trace sth (back) to sth.

II vi (Mus) **der Dirigent klopfte ab** the conductor stopped the orchestra (by rapping his baton).

abknabbern vt sep (inf) to nibble off; Knochen to gnaw at.

abknallen vt sep (sl) to shoot down (inf).

abknappen, abknapsen vt sep (inf) **sich** (dat) **etw** ~ to scrape together sth; **sich**

(*dat*) **jeden Pfennig ~ müssen** to have to scrimp and save; **er hat mir 20 Mark abgeknapst** he got 20 marks off me.

abkneifen *vt sep irreg* to nip off; (*mit Zange auch*) to clip off.

abknicken *sep* **I** *vt* (*abbrechen*) to break *or* snap off; (*einknicken*) to break. **II** *vi aux sein* (*abzweigen*) to fork *or* branch off. **~de Vorfahrt** traffic turning left/right has priority; **in den Knien ~** to bend at the knees.

abknipsen *vt sep* (*inf*) to snip off; *Film* to finish.

abknöpfen *vt sep* 1. (*abnehmen*) to unbutton. 2. (*inf: ablisten*) **jdm etw ~** to get sth off sb; **jdm Geld ~** to get money out of sb.

abknutschen *vt sep* (*inf*) to canoodle with (*inf*). **sich ~** to canoodle (*inf*).

abkochen *sep* **I** *vt* (*gar kochen*) to boil; (*durch Kochen keimfrei machen*) to sterilize (by boiling); *Milch auch* to scald. **jdn ~** (*sl*) to rook *or* fleece sb (*inf*). **II** *vi* to cook a meal in the open air, to have a cookout (*US*).

abkommandieren* *vt sep* (*Mil*) (*zu anderer Einheit*) to post; (*zu bestimmtem Dienst*) to detail (*zu* for).

abkommen *vi sep irreg aux sein* 1. (*Sport: wegkommen*) to get away. **schlecht/gut ~** (*wegkommen*) to get away to *or* to make a bad/good start.
2. (*beim Schießen*) to aim. **wie ist sie abgekommen?** how well did she shoot?, how was her shot?
3. **von etw ~** (*abweichen*) to leave sth; (*abirren*) to wander off sth, to stray from sth; **vom Kurs ~** to deviate from *or* leave one's course; (**vom Thema**) **~** to get off the subject, to digress; **vom rechten Weg ~** (*fig*) to stray *or* wander from the straight and narrow.
4. (*aufgeben*) **von etw ~** to drop sth, to give sth up; (*von Angewohnheit*) to give sth up; (*von Idee, Plan*) to abandon *or* drop sth; **von einer Meinung ~** to revise one's opinion, to change one's mind; **von diesem alten Brauch kommt man immer mehr ab** this old custom is dying out more and more.

Abkommen *nt* **-s, -** agreement (*auch Pol*).

abkömmlich *adj* available. **nicht ~ sein** to be unavailable.

Abkömmling *m* (*Nachkomme*) descendant; (*fig*) adherent. **~e** *pl* (*Jur*) issue *no pl*; **er war (der) ~ einer Bankiersfamilie** he came from a banking family.

abkönnen *vt sep irreg* (*sl*) 1. (*trinken*) **der kann ganz schön was ab** he can knock it back (*inf*) *or* put it away (*inf*); **er kann nicht viel ab** he can't take much (drink).
2. (*mögen*) **das kann ich überhaupt nicht ab** I can't stand or abide it.

abkoppeln **I** *vt sep* (*Rail*) to uncouple; *Pferd* to untie; *Raumfähre* to undock; *Anhänger* to unhitch.
II *vr sep* (*inf: sich lösen*) to sever one's ties (*von* with).

Abkopplung *f siehe vt* uncoupling; untying; unbuckling, taking off; undocking; unhitching.

abkratzen *sep* **I** *vt Schmutz* to scratch off;

(*mit einem Werkzeug*) to scrape off; *Wand, Gegenstand* to scratch; to scrape. **die Schuhe ~** to scrape the mud/snow *etc* off one's shoes. **II** *vi aux sein* (*sl: sterben*) to kick the bucket (*sl*), to croak (*sl*).

abkriegen *vt sep* (*inf*) *siehe* **abbekommen.**

abkühlen *sep* **I** *vt* to cool; *Speise auch* to cool down; (*fig*) *Freundschaft, Zuneigung* to cool; *Zorn, Leidenschaft* to cool, to calm.
II *vi aux sein* to cool down; (*fig: Freundschaft*) to cool off; (*Begeisterung*) to cool.
III *vr* to cool down *or* off; (*Wetter*) to become cool(er); (*fig*) to cool; (*Beziehungen auch*) to become cool(er).

Abkunft *f* **-, no pl** (*liter*) descent, origin; (*Nationalität auch*) extraction.

abkupfern *vt sep* (*inf*) to crib (*inf*), to copy.

abkürzen *sep* **I** *vt* 1. (*abschneiden*) **den Weg ~** to take a short cut.
2. (*verkürzen*) to cut short; *Verfahren* to shorten; *Aufenthalt, Urlaub auch* to curtail.
3. (*verkürzt schreiben*) *Namen* to abbreviate. **Millimeter wird mm abgekürzt** millimetres is abbreviated as mm, mm is the abbreviation for millimetres.
II *vi* 1. (*abschneiden*) to take a short cut; (*Weg*) to be a short cut.
2. (*verkürzt schreiben*) to abbreviate, to use abbreviations.

Abkürzung *f* 1. (*Weg*) short cut.
2. (*von Aufenthalt*) curtailment, cutting short; (*von Verfahren*) shortening; (*von Vortrag*) shortening, cutting short.
3. (*von Wort*) abbreviation.

Abkürzungsverzeichnis *nt* list of abbreviations.

abküssen *vt sep* to smother with kisses. **sie küßten sich stundenlang ab** they kissed away for hours.

abladen *vti sep irreg Last, Wagen* to unload; *Schutt* to dump; (*esp Comm*) *Passagiere, Ware* to off-load; (*fig inf*) *Kummer, Ärger auch* to vent (*bei jdm* on sb); *Verantwortung* to off-load, to shove (*inf*) (*auf +acc* onto). **sie lud ihren ganzen Kummer bei ihrem Mann ab** (*inf*) she unburdened herself *or* all her worries to her husband.

Ablage *f* **-, -n** 1. (*Gestell*) place to keep/ put sth. **wir brauchen eine ~ für die Akten** we need somewhere for our files *or* where we can keep our files; **der Tisch dient als ~ für ihre Bücher** her books are kept on the table; **etw als ~ benutzen** (*für Akten, Bücher*) to use sth for storage; **sie haben das Bett als ~ benutzt** they put everything on the bed; **gibt es hier irgendeine ~ für Taschen und Schirme?** is there anywhere here where bags and umbrellas can be left *or* for bags and umbrellas?
2. (*Aktenordnung*) filing.
3. (*Sw*) *siehe* **Annahmestelle, Zweigstelle.**

Ablagekorb *m* filing tray.

ablagern *sep* **I** *vt* 1. (*anhäufen*) to deposit.

2. (*deponieren*) to leave, to store.
II *vi aux sein or haben* (*ausreifen*) to mature; (*Holz auch*) to season. ~ **lassen** to allow to mature; *Holz auch* to (allow to) season; *siehe* **abgelagert.**
III *vr* to be deposited. **in einem Wasserkessel lagert sich Kalk ab** a chalk deposit forms *or* builds up in a kettle.

Ablagerung *f* (*Vorgang*) depositing, deposition; (*von Wein*) maturing, maturation; (*von Holz*) maturing, seasoning; (*abgelagerter Stoff*) deposit.

Ablaß *m* **-sses, Ablässe 1.** (*Eccl*) indulgence. **2.** *no pl* (*das Ablassen*) letting out; (*von Dampf*) letting off; (*Entleerung*) drainage, draining.

Ablaßbrief *m* (*Eccl*) letter of indulgence.

ablassen *sep irreg* **I** *vt* **1.** *Wasser, Luft* to let out; *Motoröl auch* to drain off; *Dampf* to let off; (*Zug, Kessel*) to give *or* let off. **die Luft aus den Reifen ~** to let the tyres down.
2. (*leerlaufen lassen*) *Teich, Schwimmbecken* to drain, to empty.
3. (*ermäßigen*) to knock off (*inf*). **er hat mir 20 Mark (vom Preis) abgelassen** he knocked 20 marks off (the price) for me (*inf*), he reduced the price by 20 marks for me.
II *vi* (*liter*) **1.** (*mit etw aufhören*) to desist. **von einem Vorhaben ~** to abandon a plan.
2. (*jdn in Ruhe lassen*) **von jdm ~** to leave sb alone.

Ablaßhandel *m* (*Eccl*) selling of indulgences; **Ablaßventil** *nt* outlet valve.

Ablativ *m* ablative (case).

ablatschen *sep* (*sl*) *vt Schuhe* to wear out. **abgelatscht** (*fig*) worn-out, down at heel.

Ablauf *m* **1.** (*Abfluß*) drain; (~*stelle*) outlet; (~*rohr*) drain(pipe); (*im Haus*) wastepipe; (*Rinne*) drainage channel.
2. (*Ablaufen*) draining *or* running away.
3. (*Verlauf*) course; (*von Empfang, Staatsbesuch*) order of events (*gen* in); (*von Verbrechen*) sequence of events (*gen* in); (*von Handlung im Buch*) development. **er hat den ~ des Unglücks geschildert** he described the way the accident happened; **der ~ der Ereignisse** the course of events; **nach ~ der Vorstellung** ... after the performance (was over) ...; **es gab keinerlei Störungen im ~ des Programms** the programme went off without any disturbances.
4. (*von Frist*) expiry. **nach ~ der Frist** after the deadline had passed *or* expired.
5. (*von Zeitraum*) passing. **nach ~ von 4 Stunden** after 4 hours (have/had passed *or* gone by); **nach ~ des Jahres/dieser Zeit** at the end of the year/this time.

Ablaufbrett *nt* (*an Spüle*) draining board.

ablaufen *sep irreg* **I** *vt* **1.** (*abnützen*) *Schuhsohlen, Schuhe* to wear out; *Absätze* to wear down. **sich** (*dat*) **die Beine** *or* **Hacken** *or* **Absätze** *or* **Schuhsohlen nach etw ~** (*inf*) to walk one's legs off looking for sth.
2. *aux sein or haben* (*entlanglaufen*)

Strecke to go *or* walk over; (*hin und zurück*) to go *or* walk up and down; *Stadt, Straßen, Geschäfte* to comb, to scour (round).
II *vi aux sein* **1.** (*abfließen: Flüssigkeit*) to drain *or* run away *or* off; (*sich leeren: Behälter*) to drain (off), to empty (itself); (*trocken werden: Geschirr*) to dry off. **aus der Badewanne ~** to run *or* drain out of the bath; **bei ~dem Wasser** (*Naut*) with an outgoing tide; **an ihm läuft alles ab** (*fig*) he just shrugs everything off; **jede Kritik läuft an ihm ab** (*fig*) with him criticism is just like water off a duck's back.
2. (*vonstatten gehen*) to go off. **... aber dann ist die Sache doch glimpflich abgelaufen** ... but it was all right in the end.
3. (*sich abwickeln: Seil, Kabel*) to wind out, to unwind; (*sich abspulen: Film, Tonband*) to run; (*Schallplatte*) to play. **eine Platte/einen Film/Tonband ~ lassen** to play a record/to run *or* show a film/to run *or* play a tape; **ein Programm ~ lassen** (*Comput*) to run a program; **abgelaufen sein** (*Film etc*) to have finished, to have come to an end.
4. (*ungültig werden: Paß, Visum*) to expire, to run out; (*enden: Frist, Vertrag auch*) to run out, to be up. **die Frist ist abgelaufen** the period has run out *or* is up.
5. (*Zeitraum*) to pass, to go by.

Ablaut *m* (*Gram*) ablaut.

ablauten *vi sep* (*Gram*) to undergo ablaut, to change by ablaut.

ableben *sep* (*old*) **I** *vi aux sein* to pass away, to decease (*form*). **II** *vt Zeit* to live out; *siehe* **abgelebt.**

Ableben *nt* **-s**, *no pl* (*form*) demise (*form*), decease (*form*).

ablecken *vt sep* to lick; *Teller, Löffel, Finger* to lick (clean); *Blut, Marmelade* to lick off. **sich** (*dat*) **etw von der Hand ~** to lick sth off one's hand.

abledern *vt sep Fenster, Auto* to leather (off), to polish with a leather.

ablegen *sep* **I** *vt* **1.** (*niederlegen*) to put down; *Last, Waffen auch* to lay down; (*Zool*) *Eier* to lay.
2. (*abheften*) *Schriftwechsel* to file (away); (*Comput*) *Daten* to store.
3. (*ausziehen*) *Hut, Mantel, Kleider* to take off, to remove (*form*).
4. (*nicht mehr tragen*) *Anzug, Kleid* to discard, to cast off; *Trauerkleidung, Ehering* to take off; *Orden, Auszeichnungen* to renounce. **abgelegte Kleider** cast-off *or* discarded clothes.
5. (*aufgeben*) *Mißtrauen, Scheu, Stolz* to lose, to shed; *schlechte Gewohnheit* to give up, to get rid of; *kindische Angewohnheit* to put aside; *Namen* to give up.
6. (*ableisten, machen*) *Schwur, Eid* to swear; *Gelübde auch* to make; *Zeugnis* to give; *Bekenntnis, Beichte, Geständnis* to make; *Prüfung* to take, to sit; (*erfolgreich*) to pass.
7. (*Cards*) to discard, to throw down.
II *vi* **1.** (*abfahren*) (*Schiff*) to cast off; (*Space auch*) to separate.

2. (*Schriftwechsel* ~) to file. **3.** (*Garderobe* ~) to take one's things off. **4.** (*Cards*) to discard.

Ableger *m* **-s,** - (*Bot*) layer; (*fig: Zweigunternehmen*) branch, subsidiary; (*iro: Sohn*) son, offspring *no pl.* **durch** ~ by layering.

ablehnen *vt sep* **1.** *auch vi* (*zurückweisen, nein sagen*) to decline, to refuse; *Antrag, Angebot, Vorschlag, Bewerber, Stelle* to turn down, to reject; (*Parl*) *Gesetzentwurf* to throw out. **eine** ~**de Antwort** a negative answer; **ein** ~**der Bescheid** a rejection; **es** ~, **etw zu tun** to decline *or* refuse to do sth; **dankend** ~ to decline with thanks. **2.** (*mißbilligen*) to disapprove of. **jede Form von Gewalt** ~ to be against any form of violence.

Ablehnung *f* **1.** (*Zurückweisung*) refusal; (*von Antrag, Bewerber etc*) rejection. **niemand hatte mit seiner** ~ **gerechnet** nobody had expected him to refuse/ reject it. **2.** (*Mißbilligung*) disapproval. **auf** ~ **stoßen** to meet with disapproval.

ableiern *vt sep Melodie* to churn out; (*inf*) *Gedicht* to reel off; *siehe* **abgeleiert.**

ableisten *vt sep* (*form*) *Zeit* to complete.

ableiten *sep* **I** *vt* **1.** (*herleiten*) to derive; (*logisch folgern auch*) to deduce (*aus* from); (*Math*) *Gleichung* to differentiate. **2.** (*umleiten*) *Bach, Fluß* to divert; (*herausleiten*) *Rauch, Dampf, Flüssigkeit* to draw off *or* out; (*ablenken*) *Blitz* to conduct. **II** *vr* (*sich herleiten*) to be derived (*aus* from); (*logisch folgen auch*) to be deduced (*aus* from).

Ableitung *f* **1.** *siehe vt* derivation; deduction; differentiation; diversion; drawing off *or* out; conduction. **2.** (*Wort, Math*) derivative.

ablenken *sep* **I** *vt* **1.** (*ab-, wegleiten*) to deflect (*auch Phys*), to turn aside *or* away; *Wellen, Licht* to refract; *Schlag* to parry. **2.** (*zerstreuen*) to distract. **er ließ sich durch nichts** ~ he wouldn't let anything distract him; **wir mußten die Kinder** ~ we had to find something to take the children's minds off things; **jdn von seinem Schmerz/seinen Sorgen** ~ to make sb forget his pain/worries, to take sb's mind off his pain/worries. **3.** (*abbringen*) to divert; *Verdacht* to avert. **jdn von der Arbeit** ~ to distract sb from his work. **II** *vi* **1.** (*ausweichen*) (*vom Thema*) ~ to change the subject; (*bei einem Gespräch auch*) to turn the conversation. **2.** (*zerstreuen*) to create a distraction. **sie geht jede Woche ins Kino, das lenkt ab** she goes to the cinema every week, which takes her mind off things. **III** *vr* to take one's mind off things.

Ablenkung *f* **1.** (*Ab-, Wegleitung*) deflection (*auch Phys*); (*von Wellen, Licht*) refraction. **2.** (*Zerstreuung*) diversion, distraction. ~ **brauchen** to need something to take one's mind off things; **sich** (*dat*) ~

verschaffen to provide oneself with a distraction *or* with something to take one's mind off things. **3.** (*Störung*) distraction.

Ablenkungsmanöver *nt* diversionary tactic; (*um vom Thema, Problem abzulenken auch*) red herring.

ablesen *vt sep irreg* **1.** (*auch vi: vom Blatt*) to read. **er muß (alles/seine Rede)** ~ he has to read everything/his speech (from notes); (**jdm**) **etw von den Lippen** ~ to lip-read sth (that sb says). **2.** (*auch vi: registrieren*) *Meßgeräte, Barometer, Strom* to read; *Barometerstand* to take. **nächste Woche wird abgelesen** the meter(s) will be read next week. **3.** (*herausfinden, erkennen, folgern*) to see. **jdm etw vom Gesicht/von der Stirn** ~ to see *or* tell sth from sb's face, to read sth in sb's face; **das konnte man ihr vom Gesicht** ~ it was written all over her face; **aus der Reaktion der Presse war die Stimmung im Volke deutlich abzulesen** the mood of the people could be clearly gauged *or* read from the press reaction; **jdm jeden Wunsch an** *or* **von den Augen** ~ to anticipate sb's every wish.

Ableser(in *f*) *m* meter-reader.

ableuchten *vt sep* to light up, to illuminate.

ableugnen *sep* **I** *vt Schuld, Tat* to deny; *Verantwortung auch* to disclaim; *Glauben* to renounce. **II** *vi* **er hat weiter abgeleugnet** he continued to deny it.

ablichten *vt sep* (*form*) to photocopy; (*fotografieren*) to photograph.

Ablichtung *f* (*form*) *siehe vt* photocopy; photograph; (*Vorgang*) photocopying; photographing.

abliefern *vt sep* (*bei einer Person*) to hand over (*bei* to); *Examensarbeit auch* to hand in; (*bei einer Dienststelle*) to hand in (*bei* to); (*liefern*) to deliver (*bei* to); (*inf*) *Kinder, Freundin* to deposit (*inf*); (*nach Hause bringen*) to bring/take home.

Ablieferung *f siehe vt* handing-over *no pl*; handing-in *no pl*; delivery.

abliegen *vi sep irreg* **1.** (*entfernt sein*) to be at a distance; (*fig*) to be removed. **das Haus liegt weit ab** the house is a long way off *or* away *or* is quite a distance away; *siehe* **abgelegen. 2.** (*S Ger: lagern*) (*Obst*) to ripen; (*Fleisch*) to hang.

ablisten *vt sep jdm etw* ~ to trick sb out of sth.

ablocken *vt sep jdm etw* ~ to get sth out of sb; **diese Äußerung lockte ihm nur ein müdes Lächeln ab** this statement only drew a tired smile from him *or* got a tired smile out of him.

ablöschen *vt sep* **1.** (*mit dem Löschblatt*) to blot. **2.** *Tafel* to wipe, to clean. **3.** (*Cook*) to add water to.

Ablöse *f* **-,** **-n 1.** (*Abstand*) key money. **2.** (*Ablösungssumme*) transfer fee.

ablösen *sep* **I** *vt* **1.** (*abmachen*) to take off, to remove; *Etikett, Briefmarke auch* to detach; *Pflaster auch* to peel off. **2.** (*Fin*) (*kapitalisieren*) *Rente* to get paid in a lump sum; *(auszahlen)* to pay (off) in a lump sum; *(tilgen) Schuld, Hypothek* to pay off, to redeem.

3. *(ersetzen) Wache* to relieve; *Kollegen auch* to take over from. **drei Minister wurden abgelöst** *(euph)* three ministers were relieved of their duties.

4. *(fig: an Stelle treten von)* to take the place of; *(Methode, System)* to supersede. **Regen hat jetzt das schöne Wetter abgelöst** the fine weather has now given way to rain.

II *vr* **1.** *(abgehen)* to come off; *(Lack auch)* to peel off; *(Netzhaut)* to become detached.

2. *(auch einander ~)* to take turns; *(Fahrer, Kollegen auch, Wachen)* to relieve each other. **wir lösen uns alle drei Stunden beim Babysitten ab** we each do three-hour shifts of babysitting, we take turns at babysitting, doing three hours each.

3. *(auch einander ~: alternieren)* to alternate. **bei ihr lösen sich Fröhlichkeit und Trauer ständig ab** she constantly alternates between being happy and being miserable.

Ablösesumme *f (Sport)* transfer fee.

Ablösung *f* **1.** *(Fin) (von Rente)* lump payment; *(von Hypothek, Schuld)* paying off, redemption.

2. *(Wachwechsel)* relieving; *(Wache)* relief; *(Entlassung)* replacement. **er kam als ~** he came as a replacement; **bei dieser Arbeit braucht man alle zwei Stunden eine ~** you need relieving every two hours in this work.

3. *(das Ablösen)* removal, detachment; *(von Pflaster auch)* peeling off; *(das Sichablösen)* separation; *(von Lack)* peeling off; *(von Netzhaut)* detachment.

Ablösungssumme *f (Sport)* transfer fee.

ablotsen, abluchsen *vt sep (inf)* **jdm etw ~** to get or wangle *(inf)* sth out of sb.

Abluft *f -, no pl (Tech)* used air.

ablutschen *vt sep* to lick. **das Blut/den Honig (von etw) ~** to lick the blood/honey off (sth); **sich** *(dat)* **die Finger ~** to lick one's fingers (clean); **jdm einen ~** *(vulg)* to suck sb off *(vulg)*, to give sb a blowjob *(sl)*.

ABM [aːbeː'|ɛm] *abbr of* **1. Antiballistic Missile** ABM. **2. Arbeitsbeschaffungsmaßnahme** job creation scheme.

abmachen *vt sep* **1.** *(inf: entfernen)* to take off; *(Schnur, Kette auch* to undo; *(herunternehmen)* to take down. **er machte dem Hund die Leine ab** he took the dog's lead off.

2. *(vereinbaren) Termin, Erkennungszeichen* to agree (on). **wir haben abgemacht, daß wir das tun werden** we've agreed to do it, we've agreed on doing it; *siehe* **abgemacht**.

3. *(besprechen)* to sort out, to settle. **etw mit sich allein ~** to sort sth out for oneself, to come to terms with sth oneself.

4. *(inf: ableisten) Zeit* to do.

Abmachung *f* agreement.

abmagern *vi sep aux sein* to get thinner,

to lose weight. **sehr ~** to lose a lot of weight; *siehe* **abgemagert**.

Abmagerung *f, no pl (Auszehrung)* emaciation; *(Gewichtsverlust)* slimming.

Abmagerungskur *f* diet. **eine ~ machen** to be on a diet, to be dieting; *(anfangen)* to go on a diet, to diet.

abmahnen *vt sep (form)* to caution.

Abmahnschreiben *nt siehe* **Abmahnungsschreiben**.

Abmahnung *f (form)* caution.

Abmahnungsschreiben *nt (form)* formal letter of caution.

abmähen *vt sep* to mow.

abmalen *vt sep (abzeichnen)* to paint.

abmarkten *vt sep (geh)* **davon lassen wir uns** *(dat)* **nichts ~** we will cede nothing on this point.

Abmarsch *m* departure; *(von Soldaten auch)* march-off; *(von Demonstranten auch)* moving off. **zum ~ antreten** *(Mil)* to fall in (ready) for the march-off.

abmarschbereit *adj* ready to set out or off or move off; *(Mil)* ready to move off or march.

abmarschieren* *vi sep aux sein* to set out or off, to move off; *(Mil)* to march off.

abmelden *sep* **I** *vt* **1.** *Zeitungen* to cancel; *Telefon* to have disconnected; *(bei Verein) jdn* to cancel the membership of. **sein Auto ~** to take one's car off the road; **seinen Fernsehapparat ~** to cancel one's television licence; **ein Kind von einer Schule ~** to take a child away from or remove a child from a school; **seine Familie polizeilich ~** to inform or notify the police that one's family is moving away.

2. *(inf)* **abgemeldet sein** *(Sport)* to be outplayed/outboxed/outdriven; **jd/etw ist bei jdm abgemeldet** sb has lost interest in sb/sth; **er/sie ist bei mir abgemeldet** I don't want anything to do with him/her.

II *vr* to ask for permission to be absent; *(vor Abreise)* to say one is leaving, to announce one's departure; *(im Hotel)* to check out. **sich bei jdm ~** to tell sb that one is leaving.

Abmeldung *f (von Zeitungen)* cancellation; *(von Telefon)* disconnection; *(beim Einwohnermeldeamt)* cancellation of one's registration; *(inf: Formular) form to be filled in so that one's registration with the local authorities is cancelled.* **seit der ~ meines Autos** since I took my car off the road; **die ~ meines Fernsehapparats** the cancellation of my television licence.

abmergeln *vr sep* to slave away; *siehe* **abgemergelt**.

abmessen *vt sep irreg* **1.** *(ausmessen)* to measure; *(genaue Maße feststellen von)* to measure up; *(fig) Worte* to weigh; *(abschätzen) Verlust, Schaden* to measure. **er maß seine Schritte genau ab** *(fig)* he walked with great deliberation or very deliberately.

2. *(abteilen)* to measure off.

Abmessung *f usu pl* measurement; *(Ausmaß)* dimension.

abmildern *vt sep Geschmack* to tone

down; *Äußerung auch* to moderate; *Aufprall* to cushion, to soften; *Schock* to lessen.

abmontieren* *vt sep Räder, Teile* to take off (*von etw* sth); *Maschine* to dismantle.

ABM-Stelle [ɑːbeːˈ|ɛm-] *f* temporary post (through job creation scheme).

abmühen *vr sep* to struggle (away). **sich mit jdm/etw** ~ to struggle *or* slave away with sb/sth.

abmurksen *vt sep* (*dated sl*) *jdn* to do in (*inf*); (*schlachten*) to kill; *Motor* to stall.

abmustern *sep* (*Naut*) **I** *vt Besatzung* to pay off. **II** *vi* to sign off, to leave the ship.

ABM-Vertrag [ɑːbeːˈ|ɛm-] *m* (*Pol*) ABM treaty.

abnabeln *sep* **I** *vt* **ein Kind** ~ to cut a baby's umbilical cord. **II** *vr* to cut oneself loose, to make the break. **sich vom Elternhaus** ~ to leave the parental home, to leave the nest (*inf*); **abgenabelt vom Chef** independent of the boss.

abnagen *vt sep* to gnaw off; *Knochen* to gnaw.

abnähen *vt sep* to take in.

Abnäher *m* **-s,** - dart.

Abnahme *f* **-, -n 1.** (*Wegnahme*) removal; (*Herunternahme*) taking down; (*Amputation*) amputation. **die** ~ **vom Kreuz(e)** the Descent from the Cross, the Deposition (*form*).

2. (*Verringerung*) decrease (*gen* in); (*bei Anzahl, Menge auch*) drop (*gen* in); (*von Niveau auch*) decline (*gen* in); (*von Kräften, Energie*) decline (*gen* in); (*von Interesse, Nachfrage*) falling off, decline; (*von Aufmerksamkeit*) falling off, flagging, waning; (*Verlust*) loss.

3. (*von Prüfung*) holding; (*von Neubau, Fahrzeug etc*) inspection; (*von TÜV*) carrying out; (*von Eid*) administering. **die** ~ **der Parade** the taking of the parade, the review of the troops; **die** ~ **der Prüfung kann erst erfolgen, wenn** … the exam can only be held if …

4. (*Comm*) purchase. **bei** ~ **von 50 Exemplaren** if you/we *etc* purchase *or* take 50 copies.

abnehmen *sep irreg* **I** *vt* **1.** (*herunternehmen*) to take off, to remove; *Hörer* to lift, to pick up; *Obst* to pick; (*lüften*) *Hut* to raise; *Vorhang, Bild, Wäsche* to take down; *Maschen* to decrease; (*abrasieren*) *Bart* to take *or* shave off; (*amputieren*) to amputate; (*Cards*) *Karte* to take from the pile. **das Telefon** ~ to answer the telephone.

2. (*an sich nehmen*) **jdm etw** ~ to take sth from sb, to relieve sb of sth (*form*); (*fig*) *Arbeit, Sorgen* to take sth off sb's shoulders, to relieve sb of sth; **kann ich dir etwas** ~? (*tragen*) can I take something for you?; (*helfen*) can I do anything for you?; **jdm ein Versprechen** ~ to make sb promise something; **jdm einen Weg** ~ to save sb a journey; **jdm eine Besorgung** ~ to do some shopping for sb.

3. (*wegnehmen*) to take away (*jdm* from sb); (*rauben, abgewinnen*) to take

(*jdm* off sb); (*inf: abverlangen*) to take (*jdm* off sb).

4. (*begutachten*) *Gebäude, Wohnung, Auto* to inspect; (*abhalten*) *Prüfung* to hold; *TÜV* to carry out.

5. (*abkaufen*) to take (*dat* off), to buy (*dat* from, off).

6. *Fingerabdrücke* to take; *Totenmaske* to make (*dat* of).

7. (*fig inf: glauben*) to buy (*inf*). **dieses Märchen nimmt dir keiner ab!** nobody'll buy that tale!

II *vi* **1.** (*sich verringern*) to decrease; (*Vorräte auch*) to go down, to diminish; (*zahlenmäßig, mengenmäßig auch*) to drop; (*Unfälle, Diebstähle*) to decrease (in number); (*Niveau*) to go down, to decline; (*Kräfte, Energie*) to fail, to decline; (*Fieber*) to lessen, to go down; (*Interesse, Nachfrage*) to fall off, to decline; (*Aufmerksamkeit*) to fall off, to flag, to wane; (*Mond*) to wane; (*Tage*) to grow *or* get shorter; (*beim Stricken*) to decrease. (**an Gewicht**) ~ to lose weight; **in letzter Zeit hast du im Gesicht abgenommen** your face has got thinner recently.

2. (*Hörer, Telefon* ~) to answer.

Abnehmer *m* **-s,** - (*Comm*) buyer, purchaser, customer. **keine/viele/wenige** ~ **finden** not to sell/to sell well/badly.

Abneigung *f* dislike (*gegen* of); (*Widerstreben*) aversion (*gegen* to).

abnorm, abnormal *adj* abnormal.

Abnormität *f* abnorm(al)ity; (*Monstrum auch*) freak.

abnötigen *vt sep* (*geh*) **jdm etw** ~ to wring *or* force sth from sb; **jdm Bewunderung** ~ to win *or* gain sb's admiration; **jdm Respekt** ~ to gain sb's respect.

abnutzen, abnützen *sep* **I** *vt* to wear out. **dieser Begriff ist schon sehr abgenutzt worden** this idea is pretty well-worn *or* has become hackneyed; *siehe* **abgenutzt**. **II** *vr* to wear out, to get worn out.

Abnutzung, Abnützung *f* wear (and tear). **die jahrelange** ~ **der Reifen** the years of wear (and tear) on the tyres.

Abnutzungserscheinung *f* sign of wear (and tear).

Abo *nt* **-s, -s** (*inf*) *abbr of* **Abonnement**.

Abo-Kündigung *f* (*inf*) cancellation of subscription.

Abonnement [abɔnəˈmãː] *nt* **-s, -s** *or* **-e 1.** (*Zeitungs*~) subscription. **eine Zeitung im** ~ **beziehen** to subscribe to a newspaper, to have a subscription for a newspaper; **ein** ~ **kündigen** to cancel a subscription.

2. (*Theater*~) season ticket, subscription.

Abonnent(in f) *m* (*Zeitungs*~) subscriber; (*Theater*~) season-ticket holder.

abonnieren* **I** *vt Zeitung* to subscribe to, to have a subscription for; *Theater* to have a season ticket *or* subscription for.

II *vi* **auf eine Zeitung abonniert sein** to subscribe to *or* to have a subscription for a newspaper; **auf eine Konzertreihe abonniert sein** to have a season ticket *or* subscription for a concert series.

Abo-pegel *f* (*inf*) level of subscriptions.

ablordnen *vt sep* to delegate. **jdn zu einer**

Versammlung ~ to send sb as a delegate to a meeting.

Ab|ordnung f delegation; (*Delegation auch*) deputation.

Abort[1] m -s, -e (*dated*) lavatory, toilet.

Abort[2] m -s, -e, **Ab|ortus** m -, - (*spec*) (*Fehlgeburt*) miscarriage, abortion (*form*); (*Abtreibung*) abortion.

Abo-Werbung f (*inf*) subscription promotion.

abpacken vt sep to pack. **ein abgepacktes Brot** a wrapped loaf.

abpassen vt sep **1.** (*abwarten*) *Gelegenheit, Zeitpunkt* to wait for; (*ergreifen*) to seize. **den richtigen Augenblick** or **Zeitpunkt** ~ (*abwarten*) to bide one's time, to wait for the right time; (*ergreifen*) to move at the right time; **etw gut** ~ to manage or arrange sth well; (*zeitlich auch*) to time sth well.
2. (*auf jdn warten*) to catch; (*jdm auflauern*) to waylay.

abpausen vt sep to trace, to make a tracing of.

abperlen vi sep aux sein to drip off (*von etw* sth); (*Tautropfen*) to fall.

abpfeifen sep irreg (*Sport*) **I** vi (*Schiedsrichter*) to blow one's whistle. **II** vt **das Spiel/die erste Halbzeit** ~ to blow the whistle for the end of the game/for half-time.

Abpfiff m (*Sport*) final whistle. ~ **zur Halbzeit** half-time whistle, whistle for half-time.

abpflücken vt sep to pick.

abplacken (*inf*), **abplagen** vr sep to struggle (away). **sich sein ganzes Leben lang (mit etw)** ~ to slave away one's whole life (at sth).

abplatten vt sep to flatten (out).

abplatzen vi sep aux sein (*Lack, Ölfarbe*) to flake or crack off; (*Knopf*) to fly or burst off.

Abprall m (*von Ball*) rebound; (*von Geschoß, Kugel*) ricochet (*von* off).

abprallen vi sep aux sein (*Ball*) to bounce off; (*Kugel*) to ricochet (off). **von** or **an etw** (*dat*) ~ to bounce/ricochet off sth; **an jdm** ~ (*fig*) to make no impression on sb; (*Beleidigungen*) to bounce off sb.

abpressen vt sep jdm etw ~ to wring sth from sb; *Geld* to extort sth from sb.

abprotzen sep **I** vti (*Mil*) *Geschütz* to unlimber. **II** vi (*Mil sl*) to crap (*sl*).

abpumpen vt sep *Teich, Schwimmbecken* to pump dry, to pump the water out of; *Wasser, Öl* to pump off; *Muttermilch* to express.

abputzen vt sep to clean; *Schmutz* to clean off or up. **sich** (*dat*) **die Nase/den Mund/die Hände/den Hintern** ~ to wipe one's nose/mouth/hands/to wipe or clean one's bottom; **putz dir die Schuhe ab!** wipe your feet!

abquälen sep **I** vr to struggle (away).
II vt **sich** (*dat*) **ein Lächeln** ~ to force (out) a smile; **sich** (*dat*) **eine Erklärung/Antwort** ~ to finally manage to produce an explanation/answer; **er quält sich immer noch mit seiner Doktorarbeit ab** he's still struggling with or sweating away over (*inf*) his PhD.

abqualifizieren* vt sep to dismiss, to write off.

abquetschen vt sep to crush. **sich** (*dat*) **den Arm** ~ to get one's arm crushed; **sich** (*dat*) **ein paar Tränen** ~ to force or squeeze out a couple of tears; **sich** (*dat*) **ein Gedicht/eine Rede** ~ to deliver oneself of a poem/speech (*iro*).

abrackern vr sep (*inf*) to struggle. **sich für jdn** ~ to slave away for sb; **sich im Garten** ~ to sweat away in the garden (*inf*).

Abraham m -s Abraham. **sicher wie in** ~ **Schoß** safe and secure.

abrahmen vt sep *Milch* to skim.

Abrakadabra nt -s, no pl (*Zauberwort*) abracadabra.

abrasieren* vt sep to shave off; (*inf*) *Gebäude* to flatten, to raze to the ground.

abraten vti sep irreg **jdm (von) etw** ~ to advise sb against sth; **jdm davon** ~, **etw zu tun** to warn or advise sb against doing sth.

Abraum m (*Min*) overburden, overlay shelf.

abräumen vti sep **1.** to clear up or away. **den Tisch** ~ to clear the table. **2.** (*Min*) to clear.

Abraumhalde f (*Min*) slag heap.

abrauschen vi sep aux sein (*inf*) to roar away or off; (*Aufmerksamkeit erregend*) to sweep away; (*aus Zimmer*) to sweep out.

abreagieren* sep **I** vt *Spannung, Wut* to work off, to get rid of, to abreact (*Psych*). **seinen Ärger an anderen** ~ to take it out on others.
II vr to work it off. **er war ganz wütend, aber jetzt hat er sich abreagiert** he was furious, but he's simmered down or cooled down now.

abrechnen sep **I** vi **1.** (*Kasse machen*) to cash up. **der Kellner wollte** ~ the waiter was wanting us/them to pay our/their bill (*Brit*) or check (*US*); **darf ich** ~? would you like to settle your bill or check now?
2. mit jdm ~ to settle up with sb; (*fig*) to settle (the score with) sb, to get even with sb.
II vt **1.** (*abziehen*) to deduct, to take off; (*berücksichtigen*) to allow for, to make allowance(s) for.
2. die Kasse ~ to cash up.

Abrechnung f **1.** (*Aufstellung*) statement (*über* +acc for); (*Rechnung*) bill, invoice; (*Bilanz*) balancing, reckoning up; (*das Kassemachen*) cashing up; (*fig: Rache*) revenge. **wieviel mußten Sie ausgeben?** — **ich bin gerade dabei, die** ~ **zu machen** or **ich bin gerade bei der** ~ how much did you have to spend? — I'm just working it out now; **er muß noch die ganzen** ~**en machen** he still has to do all the accounts or the bookwork; **der Tag der** ~ (*fig*) the day of reckoning.
2. (*Abzug*) deduction. **nach** ~ **von** after the deduction of; **in** ~ **bringen** or **stellen** (*form*) to deduct.

Abrechnungszeitraum m accounting period.

Abrede f (*form*). **etw in** ~ **stellen** to deny or dispute sth.

abregen vr sep (*inf*) to calm or cool or

simmer down. **reg dich ab!** relax!, cool it! (*inf*).

abreiben *vt sep irreg Schmutz, Rost* to clean *or* rub off; (*säubern*) *Fenster, Schuhe* to wipe; (*trocknen*) to rub down, to give a rub-down; (*Cook*) to grate.

Abreibung *f* (*Med*) rub-down; (*inf: Prügel*) hiding, beating, thrashing.

abreichern *vt sep siehe* **abgereichert**.

Abreise *f* departure (*nach* for). **bei meiner ~** when I left/leave, on my departure.

abreisen *vi sep aux sein* to leave (*nach* for). **wann reisen Sie ab?** when will you be leaving?

abreißen *sep irreg* **I** *vt* **1.** (*abtrennen*) to tear *or* rip off; *Tapete, Blätter auch* to strip off; *Pflanzen* to tear out. **er hat sich** (*dat*) **den Knopf abgerissen** he's torn his button off; **er wird dir nicht (gleich) den Kopf ~** (*inf*) he won't bite your head off (*inf*). **2.** (*niederreißen*) *Gebäude* to pull down, to demolish. **3.** (*sl: absitzen*) *Haftstrafe* to do. **II** *vi aux sein* (*sich lösen*) to tear *or* come off; (*Schnürsenkel*) to break (off); (*fig: unterbrochen werden*) to break off. **das reißt nicht ab** (*fig*) there is no end to it; **den Kontakt** *etc* **nicht ~ lassen** to stay in touch.

Abreißkalender *m* tear-off calendar.

abreiten *sep irreg* **I** *vi aux sein* to ride off *or* away. **II** *vt aux sein or haben* (*inspizieren*) *Front* to ride along; (*hin und zurück*) to ride up and down.

abrennen *sep irreg* (*inf*) **sich** (*dat*) **die Hacken** *or* **Beine (nach etw) ~** to run one's legs off (looking for sth).

abrichten *vt sep* (*dressieren*) *Tier, Menschen* to train. **der Hund ist nur auf Einbrecher abgerichtet** the dog is trained to go only for burglars; **darauf abgerichtet sein, etw zu tun** to be trained to do sth.

Abrichter(in *f*) *m* **-s, -** trainer.

abriegeln *vt sep* (*verschließen*) *Tür* to bolt; (*absperren*) *Straße, Gebiet* to seal *or* cordon *or* block off.

abringen *vt sep irreg* **jdm etw ~** to wring *or* force sth from *or* out of sb; **sich** (*dat*) **ein Lächeln ~** to force a smile; **sich** (*dat*) **eine Entscheidung/ein paar Worte ~** to force oneself into (making) a decision/to manage to produce a few words.

Abriß *m* **1.** (*Abbruch*) demolition. **2.** (*Übersicht*) outline, summary. **3.** (*von Eintrittskarte*) tear-off part.

Abrißbirne *f* wrecking ball; **Abrißliste** *f* (*inf*) demolition list; **auf der ~ stehen** to be condemned; **abrißreif** *adj* only fit for demolition; (*zum Abriß freigegeben*) condemned.

abrollen *sep* **I** *vt Papier, Stoff* to unroll; *Film, Bindfaden* to unwind, to unreel; *Kabel, Tau* to uncoil, to unwind. **II** *vi aux sein* **1.** (*Papier, Stoff*) to unroll, to come unrolled; (*Film, Bindfaden*) to unwind, to come unwound; (*Kabel, Tau*) to uncoil, to come uncoiled. **2.** (*Sport*) to roll. **3.** (*abfahren*) (*Züge, Waggons*) to roll off *or* away; (*Flugzeug*) to taxi off. **4.** (*inf*) (*vonstatten gehen*) (*Pro-*

gramm) to run; (*Veranstaltung*) to go off; (*Ereignisse*) to unfold. **etw rollt vor jds Augen ab** sth unfolds *or* unfurls before sb's (very) eyes; **mein ganzes Leben rollte noch einmal vor meinen Augen ab** my whole life passed before me again.

abrücken *sep* **I** *vt* (*wegschieben*) to move away. **etw von der Wand ~** to move sth away from *or* out from the wall. **II** *vi aux sein* **1.** (*wegrücken*) to move away; (*fig: sich distanzieren*) to dissociate oneself (*von* from). **2.** (*abmarschieren*) to move out.

Abruf *m* **1.** **sich auf ~ bereit halten** to be ready to be called (for); **Ihr Wagen steht jederzeit auf ~ bereit** your car will be ready at any time; **auf ~ zur Verfügung stehen** to be available on call. **2.** (*Comm*) **etw auf ~ bestellen/kaufen** to order/buy sth (to be delivered) on call. **3.** (*Comput*) retrieval. **auf ~ bereit** readily retrievable.

abrufbar *adj* **1.** (*Comput*) *Daten* retrievable; **2.** (*Fin*) ready on call; **3.** (*fig*) accessible; **abrufbereit** *adj* **1.** *Mensch* ready to be called (for); (*einsatzbereit*) ready (and waiting); (*abholbereit*) ready to be called for; **2.** (*Comm, Fin*) ready on call.

abrufen *vt sep irreg* **1.** (*wegrufen*) to call away. **jdn aus dem Leben ~** (*euph*) to gather sb to his fathers (*euph*). **2.** (*Comm*) to request delivery of; (*Fin: abheben*) to withdraw; **staatliche Zuschüsse** to call. **3.** *Daten* to call up, to retrieve.

abrunden *vt sep* (*lit, fig*) to round off. **eine Zahl nach unten ~** to round a number down; **DM 13,12, also abgerundet DM 13,10** 13 marks 12, so call it 13 marks 10; **die abgerundete, endgültige Form einer Sonate/eines Gedichts** the final polished *or* rounded form of a sonata/poem.

Abrundung *f* (*lit, fig*) rounding off. **zur ~ von etw** to round sth off.

abrupfen *vt sep Gras, Blumen* to rip *or* pull out; *Laub* to strip off; *Blätter* to pull *or* strip off.

abrupt *adj* abrupt.

Abruptheit *f* abruptness.

abrüsten *sep* **I** *vi* **1.** (*Mil, Pol*) to disarm. **2.** (*Build*) to take down *or* remove the scaffolding. **II** *vt* **1.** (*Mil, Pol*) to disarm. **2.** *Gebäude* to take down *or* remove the scaffolding from *or* on.

Abrüstung *f*, *no pl* **1.** (*Mil, Pol*) disarmament. **2.** (*Build*) removal of the scaffolding.

Abrüstungs- *in cpds* disarmament.

abrutschen *vi sep aux sein* (*abgleiten*) to slip; (*nach unten*) to slip down; (*Wagen*) to skid; (*Aviat*) to sideslip; (*fig*) (*Mannschaft, Schüler*) to drop (down) (*auf +acc* to); (*Leistungen*) to drop off, to go downhill; (*moralisch*) to let oneself go, to go downhill.

ABS [a:be:'|εs] *nt* **-,** *no pl* (*Aut*) *abbr of* **Antiblockiersystem** ABS.

Abs. *abbr of* **Absatz; Absender.**

absäbeln *vt sep* (*inf*) to hack *or* chop off.

absacken *vi sep aux sein* (*sinken*) to sink;

(*Boden, Gebäude auch*) to subside; (*Flugzeug, Blutdruck*) to drop, to fall; (*fig inf: nachlassen*) to fall or drop off; (*Schüler*) to go down; (*verkommen*) to go to pot (*inf*). **sie ist in ihren Leistungen sehr abgesackt** her performance has dropped off a lot.

Absage *f* -, **-n** refusal; (*auf Einladung auch*) negative reply. **das ist eine ~ an die Demokratie** that's a denial of democracy; **jdm/einer Sache eine ~ erteilen** to reject sb/sth.

absagen *sep* **I** *vt* (*rückgängig machen*) *Veranstaltung, Besuch* to cancel, to call off; (*ablehnen*) *Einladung* to decline, to turn down, to refuse. **er hat seine Teilnahme abgesagt** he decided against taking part. **II** *vi* to cry off. **jdm ~** to tell sb that one cannot come.

absägen *vt sep* **1.** (*abtrennen*) to saw off. **2.** (*fig inf*) to chuck or sling out (*inf*); *Minister, Beamten* to oust; *Schüler* to make fail.

Absahne *f* -, *no pl* (*inf*) bonanza.

absahnen *sep* **I** *vt Milch* to skim; (*fig inf*) *Geld* to rake in; (*sich verschaffen*) to cream off; *das Beste* to take. **den Markt ~** to take the cream, to take the pick of the bunch. **II** *vi* to skim milk; (*fig*) to take the best; (*in bezug auf Menschen auch*) to take the cream; (*in bezug auf Geld*) to clean up (*inf*).

absatteln *vti sep* to unsaddle.

Absatz *m* **-es, Absätze 1.** (*Abschnitt*) paragraph; (*Typ*) indention; (*Jur*) section. **einen ~ machen** to start a new paragraph/to indent.
2. (*Treppen~*) half-landing; (*Mauer~*) overhang; (*herausragend*) ledge.
3. (*Schuh~*) heel. **spitze Absätze** stilettos, stiletto heels; **sich auf dem ~ (her)umdrehen, auf dem ~ kehrtmachen** to turn on one's heel.
4. (*Verkauf*) sales *pl*. **um den/unseren ~ zu steigern** to increase sales/our sales; **~ finden** or **haben** to sell; **guten/begeisterten** or **starken** or **reißenden ~ finden** to sell well/like hot cakes.

absatzfähig *adj* marketable, saleable; **Absatzflaute** *f* slump in sales or in the market; **Absatzgebiet** *nt* sales area; **Absatzgenossenschaft** *f* marketing cooperative; **Absatzland** *nt* customer, buyer; **Absatzmarkt** *m* market; **Absatzplanung** *f* sales planning; **Absatzschwierigkeiten** *pl* sales problems *pl*; **auf ~ stoßen** to meet with sales resistance; **Absatzsteigerung** *f* increase in sales, sales increase; **absatzweise** *adj* in paragraphs.

absaufen *vi sep irreg aux sein* (*sl: ertrinken*) to drown; (*inf: Motor, Min: Grube*) to flood; (*sl: Schiff*) to go down.

absaugen *vt sep Flüssigkeit, Gas, Staub* to suck out or off; (*mit Staubsauger*) to hoover (*Brit* ®) or vacuum up; *Teppich, Sofa* to hoover ®, to vacuum.

ABS- [a:be:'|ɛs-]: **ABS-Bremse** *f* ABS brakes *pl*; **ABS-Bremssystem** *nt* ABS braking system.

abschaben *vt sep* to scrape off; (*säubern*) to scrape (clean); *Stoff* to wear thin; *siehe* **abgeschabt.**

abschaffen *sep vt* **1.** (*außer Kraft setzen*) to abolish, to do away with. **2.** (*nicht länger halten*) to get rid of.

Abschaffung *f siehe vt* **1.** abolition. **2.** getting rid of; giving up.

abschälen *sep* **I** *vt Haut, Rinde* to peel off; *Baumstamm* to strip. **die Rinde eines Baumes ~** to strip or peel the bark off a tree.
II *vr* to peel off.

abschalten *sep* **I** *vt* to switch off; *Kontakt* to break. **II** *vi* (*fig*) to unwind. **III** *vr* to switch itself off.

Abschaltung *f* switching off; (*von Kontakt*) breaking.

abschatten, abschattieren* *vt sep* (*lit*) to shade; (*fig*) to give a slight nuance to.

Abschattung, Abschattierung *f* (*lit*) shading; (*fig*) nuance.

abschätzen *vt sep* to estimate, to assess; *Menschen, Fähigkeiten* to assess, to appraise. **seine Lage ~** to take stock of or assess one's position; **ein ~der Blick** an appraising look; **jdn mit einer ~den Miene betrachten** to look at sb appraisingly.

abschätzig I *adj* disparaging; *Bemerkung auch* derogatory. **II** *adv* disparagingly. **sich ~ über jdn äußern** to make disparaging or derogatory remarks about sb.

Abschaum *m*, *no pl* scum. **der ~ der Menschheit** or **der menschlichen Gesellschaft** the scum of the earth.

abscheiden *sep irreg* **I** *vt* **1.** (*ausscheiden*) to give off, to produce; (*Biol auch*) to secrete; (*Chem*) to precipitate.
2. *siehe* **abgeschieden.**
II *vr* (*Flüssigkeit*) to be given off or produced; (*Biol auch*) to be secreted; (*Chem*) to be precipitated.

abscheren *vt sep Haare, Wolle* to shear off; *Bart* to shave off; *Kopf, Kinn* to shave.

Abscheu *m* **-(e)s**, *no pl* or *f* -, *no pl* repugnance, repulsion, abhorrence (*vor +dat* at). **vor jdm/etw ~ haben** or **empfinden** to loathe or detest or abhor sb/sth.

abscheuern *sep* **I** *vt* **1.** (*reinigen*) *Fußboden, Wand* to scrub (down); *Schmutz* to scrub off. **2.** (*abschürfen*) *Haut* to rub or scrape off. **3.** (*abwetzen*) *Kleidung, Stoff* to rub or wear thin; *Ellbogen* to wear out or through. **ein abgescheuerter Kragen** a worn collar. **II** *vr* (*Stoff*) to wear thin; (*Tierfell*) to get rubbed or scraped off.

abscheulich *adj* abominable, atrocious, loathsome; *Verbrechen auch* heinous; *Anblick auch* repulsive; (*inf*) awful, terrible (*inf*). **wie ~!** how ghastly or awful or terrible!; **es ist ~ kalt** it's hideously cold.

Abscheulichkeit *f* (*Untat*) atrocity, abomination; (*no pl: Widerwärtigkeit*) loathsomeness, atrociousness; (*von Verbrechen auch*) heinousness; (*von Geschmack, Anblick*) repulsiveness.

abschicken *vt sep* to send; *Paket, Brief* to send off, to dispatch; (*mit der Post auch*) to post, to mail (*esp US*).

Abschiebehaft *f* (*Jur*) remand pending deportation. **jdn in ~ nehmen** to put sb on remand pending deportation.

abschieben *sep irreg* **I** *vt* **1.** (*wegschieben*) *Schrank* to push out *or* away (*von* from); (*fig*) *Verantwortung, Schuld* to push *or* shift (*auf +acc* onto). **er versucht immer, die Verantwortung auf andere abzuschieben** he always tries to pass the buck. **2.** (*ausweisen*) *Ausländer, Häftling* to deport. **3.** (*inf: loswerden*) to get rid of. **jdn in eine andere Abteilung ~** to shunt sb off to another department.
II *vi aux sein* (*sl*) to push *or* clear off (*inf*). **schieb ab!** shove off! (*inf*).

Abschiebung *f*, *no pl* (*Ausweisung*) deportation.

Abschied *m* -(**e**)**s**, (*rare*) -**e 1.** (*Trennung*) farewell, parting. **von jdm/etw ~ nehmen** to say goodbye to sb/sth, to take one's leave of sb/sth; **ein Kuß zum ~** a farewell *or* goodbye kiss; **zum ~ überreichte er ihr einen Blumenstrauß** on parting, he presented her with a bunch of flowers; **ein trauriger ~** a sad farewell; **es war ein ~ für immer** *or* **fürs Leben** it was goodbye for ever; **beim ~ meinte er, ...** as he was leaving he said ...; **der ~ von der Heimat fiel ihm schwer** it was hard for him to say goodbye to the land of his birth; **ihr ~ von der Bühne/vom Film** her farewell from the stage/from films; (*letzte Vorstellung*) her farewell performance; **ihre Heirat bedeutete für sie den ~ von der Kindheit** her marriage marked the end of her childhood; **der ~ von der Vergangenheit** breaking *or* the break with the past. **2.** (*Rücktritt*) (*von Beamten*) resignation; (*von Offizieren*) discharge. **seinen ~ nehmen** *or* **einreichen** to tender *or* hand in one's resignation/to apply for a discharge; **seinen ~ erhalten** *or* **bekommen** to be dismissed/discharged.

Abschieds- *in cpds* farewell; **Abschiedsbesuch** *m* farewell *or* goodbye visit; **Abschiedsbrief** *m* letter of farewell, farewell letter; **Abschiedsfeier** *f* farewell *or* going-away *or* leaving party; **Abschiedsgesuch** *nt* (*Pol*) letter of resignation; **sein ~ einreichen** to tender one's resignation; **Abschiedsgruß** *m* farewell; (*Wort zum Abschied*) word of farewell; **Abschiedskuß** *m* farewell *or* parting *or* goodbye kiss; **Abschiedsrede** *f* farewell speech, valedictory (speech) (*form*); **Abschiedsschmerz** *m* pain of parting; **Abschiedsstunde** *f* time *or* hour of parting, time to say goodbye; **Abschiedsszene** *f* farewell scene; **Abschiedsträne** *f* tear at parting.

abschießen *sep irreg* **I** *vt* **1.** *Geschoß, Gewehr*, to fire; *Pfeil* to shoot (off), to loose off; *Rakete* to launch; (*auf ein Ziel*) to fire; (*fig*) *Blick* to shoot.
2. (*außer Gefecht setzen*) *Flugzeug, Pilot* to shoot down; *Panzer* to knock out; (*wegschießen*) *Bein* to shoot off.

3. (*totschießen*) *Wild* to shoot; (*sl: Menschen*) to shoot down; *siehe* **Vogel**.
4. (*fig inf: abschieben*) to get rid of.
II *vi* (*Sport*) to kick off.

abschilfern *vi sep aux sein* to peel off.

abschinden *vr sep irreg* (*inf*) to knacker oneself (*sl*); (*schwer arbeiten*) to work one's fingers to the bone. **sich mit Gartenarbeit/einem schweren Koffer ~** to knacker oneself gardening/carrying a heavy suitcase.

Abschirmdienst *m* (*Mil*) counterespionage service.

abschirmen *sep* **I** *vt* to shield; (*schützen auch*) to protect; (*vor Licht auch*) to screen; *Lampe* to cover. **jdn vor etw** (*dat*) **~** to shield *or* protect sb from sth; **etw gegen die Sonne ~** to screen *or* shield sth from the sun.
II *vr* to shield oneself (*gegen* from); (*sich schützen*) to protect oneself (*gegen* from *or* against); (*sich isolieren*) to isolate oneself, to cut oneself off (*gegen* from).

Abschirmung *f*, *no pl* **1.** *siehe vt* shielding; protection; screening; covering. **2.** (*fig*) (*Selbstschutz, Pol*) protection; (*Isolierung*) isolation.

abschlachten *vt sep* to slaughter; *Menschen auch* to butcher.

abschlaffen *sep* (*inf*) **I** *vi aux sein* to flag.
II *vt* to whack (*inf*).

Abschlag *m* **1.** (*Preisnachlaß*) reduction; (*Abzug*) deduction. **2.** (*Zahlung*) part payment (*auf +acc* of). **3.** (*Ftbl*) kickout, punt; (*Hockey*) bully(-off); (*Golf*) tee-off; (*~fläche*) tee. **4.** (*Abholzung*) felling.

abschlagen *sep irreg* **I** *vt* **1.** (*mit Hammer*) to knock off; (*mit Schwert*) to cut off; (*mit Beil*) to cut *or* chop off; *Baum, Wald* to cut *or* chop down; (*herunterschlagen*) to knock down.
2. (*ablehnen*) to refuse; *Einladung, Bitte auch, Antrag* to turn down. **jdm etw ~** to refuse sb sth; **sie/er kann niemandem etwas ~** she/he can never refuse anybody anything.
3. (*zurückschlagen*) *Angriff, Feind* to beat *or* drive off; *siehe auch* **abgeschlagen**.
4. *auch vi* (*Ftbl*) to punt; (*Hockey*) to bully off; (*Golf*) to tee off.
5. **sein Wasser ~** (*dated inf*) to relieve oneself.
II *vr* (*Dampf*) to condense.

abschlägig *adj* negative. **jdm/etw ~ bescheiden** (*form*) to reject sb/sth.

Abschlag(s)zahlung *f* part payment.

abschlecken *vt sep* (*S Ger, Aus*) *siehe* **ablecken**.

abschleifen *sep irreg* **I** *vt Kanten, Ecken* to grind down; *Rost* to polish off; *Messer* to grind; *Holzboden* to sand (down).
II *vr* to get worn off, to wear down; (*fig*) (*Angewohnheit*) to wear off; (*Mensch*) to have the rough edges taken off. **das schleift sich (noch) ab** (*fig*) that'll wear off.

Abschleppdienst *m* breakdown service, (vehicle) recovery service.

abschleppen *sep* **I** *vt* **1.** (*wegziehen*) to drag *or* haul off *or* away; *Fahrzeug,*

Schiff to tow, to take in tow; *(Behörde)* to tow away.

2. *(inf) Menschen* to drag along; *(sich aneignen)* to get one's hands on *(inf)*; *(aufgabeln)* to pick up *(inf)*.

II *vr* **sich mit etw ~** *(inf)* to struggle with sth.

Abschleppfahrzeug *nt* breakdown *or* recovery vehicle; **Abschleppöse** *f* tow loop; **Abschleppstange** *f* towbar; **Abschleppseil** *nt* towrope.

abschließbar *adj* lockable.

abschließen *sep irreg* **I** *vt* **1.** *(zuschließen)* to lock; *Auto, Raum, Schrank* to lock (up). **etw luftdicht ~** to put an airtight seal on sth.

2. *(beenden) Sitzung, Vortrag etc* to conclude, to bring to a close; *(mit Verzierung)* to finish off; *Kursus* to complete. **sein Studium ~** to take one's degree, to graduate; **mit abgeschlossenem Studium** with a degree.

3. *(vereinbaren) Geschäft* to conclude, to transact; *Versicherung* to take out; *Wette* to place. **einen Vertrag ~** *(Pol)* to conclude a treaty; *(Jur, Comm)* to conclude a contract.

4. *(Comm: abrechnen) Bücher* to balance; *Konto auch* to settle; *Geschäftsjahr* to close; *Inventur* to complete; *Rechnung* to make up.

II *vr (sich isolieren)* to cut oneself off, to shut oneself away.

III *vi* **1.** *(zuschließen)* to lock up. **sieh mal nach, ob auch abgeschlossen ist** will you see if everything's locked?

2. *(enden)* to close, to come to a close, to conclude; *(mit Verzierung)* to be finished off.

3. *(Comm) (Vertrag schließen)* to conclude the deal; *(Endabrechnung machen)* to do the books.

4. *(Schluß machen)* to finish, to end. **mit allem/dem Leben ~** to finish with everything/life; **mit der Vergangenheit ~** to break with the past.

abschließend I *adj* concluding. **II** *adv* in conclusion, finally.

Abschluß *m* **1.** *(Beendigung)* end; *(inf: ~prüfung)* final examination; *(Univ)* degree. **zum ~ von etw** at the close *or* end of sth; **zum ~ möchte ich ...** finally *or* to conclude I would like ...; **seinen ~ finden** *(geh)*, **zum ~ kommen** to come to an end; **etw zum ~ bringen** to finish sth; **kurz vor dem ~ stehen** to be in the final stages; **die Universität ohne ~ verlassen** to leave the university without taking a degree; *siehe* **krönen**.

2. *no pl (Vereinbarung)* conclusion; *(von Wette)* placing; *(von Versicherung)* taking out. **bei ~ des Vertrages** on completion of the contract.

3. *(Comm: Geschäft)* business deal. **zum ~ kommen** to make a deal.

4. *no pl (Comm: der Bücher)* balancing; *(von Konto)* settlement; *(von Geschäftsjahr)* close; *(von Inventur)* completion.

5. *(Rand, abschließender Teil)* border.

Abschlußball *m (von Tanzkurs)* final ball;

Abschlußfeier *f (Sch)* speech *or* prize-giving day; **Abschlußklasse** *f (Sch)* final class *or* year; **Abschlußkommuniqué** *nt* final communiqué; **Abschlußprüfung** *f* **1.** *(Sch)* final examination; *(Univ auch)* finals *pl*; **2.** *(Comm)* audit; **Abschlußzeugnis** *nt (Sch)* leaving certificate, diploma *(US)*.

abschmälzen, abschmalzen *(Aus) vt sep* to gratinate.

abschmatzen *vt sep (inf)* to slobber over *(inf)*.

abschmecken *sep* **I** *vt (kosten)* to taste, to sample; *(würzen)* to season. **II** *vi (kosten)* to taste; *(nachwürzen)* to add some seasoning.

abschmelzen *vti sep irreg (vi: aux sein)* to melt (away); *(Tech)* to melt down.

abschmettern *vt sep (inf) (Sport)* to smash; *(fig inf: zurückweisen)* to throw out. **mit seinem Antrag wurde er abgeschmettert** his application was thrown *or* flung out; **er wurde abgeschmettert** he was shot down *(inf)*.

abschmieren *sep* **I** *vt* **1.** *(Tech) Auto* to grease, to lubricate. **2.** *(inf: abschreiben)* to crib *(inf)*. **II** *vi aux sein (Aviat)* to go down.

Abschmierpresse *f* grease gun.

abschminken *vt sep* **1.** *Gesicht, Haut* to remove the make-up from. **sich ~** to take off *or* remove one's make-up. **2.** *(sl: aufgeben) sich (dat)* **etw ~** to get sth out of one's head.

abschmirgeln *vt sep* to sand down.

abschnallen *sep* **I** *vt* to unfasten, to undo. **II** *vr* to unfasten one's seat belt. **III** *vi (sl)* **1.** *(nicht mehr folgen können)* to give up. **2.** *(fassungslos sein)* to be staggered *(inf)*. **da schnallste ab!** it blows your mind!

abschneiden *sep irreg* **I** *vt (lit, fig)* to cut off; *Flucht, Ausweg auch* to block off; *Blumen, Scheibe* to cut (off); *Zigarre* to cut the end off; *Fingernägel, Haar* to cut; *Rock, Kleid* to cut the seam off. **jdm die Rede/das Wort ~** to cut sb short.

II *vi bei etw gut/schlecht ~** *(inf)* to come off well/badly in sth.

abschnippeln *vt sep (inf)* **etw von etw ~** to cut a bit off sth; *(mit Schere auch)* to snip sth off sth.

Abschnitt *m* **1.** section; *(Math)* segment; *(Mil)* sector, zone; *(Geschichts~, Zeit~)* period. **2.** *(Kontroll~) (von Scheck etc)* counterfoil; *(von Karte)* section; *(von Papier)* slip.

abschnitt(s)weise *adv* in sections.

abschnüren *vt sep* to cut off *(von* from); *(Med) Glied* to put a tourniquet on. **jdm das Blut ~** to cut off sb's circulation; **jdm die Luft ~** *(lit)* to stop sb breathing; *(fig)* to bankrupt *or* ruin sb.

abschöpfen *vt sep* to skim off; *Kaufkraft* to absorb. **den Rahm** *or* **das Fett ~** *(fig)* to cream off the best part; **den Gewinn ~** to siphon off the profits.

Abschöpfung *f (Fin: von Kaufkraft)* absorption. **sparen Sie durch ~** save by automatic transfer.

abschotten *vt sep (Naut)* to separate with a bulkhead, to bulk head off. **sich gegen etw ~** *(fig)* to cut oneself off from sth;

etw ~ to shield *or* screen sth.

Abschottung *f* walling off.

abschrägen *vt sep* to slope; *Holz, Brett* to bevel. **ein abgeschrägtes Dach** a sloping roof.

Abschrägung *f* slope; *(von Brett)* bevel.

abschrauben *vt sep* to unscrew.

abschrecken *sep* **I** *vt* **1.** *(fernhalten)* to deter, to put off; *(verjagen: Hund, Vogelscheuche)* to scare off. **jdn von etw ~** to deter sb from sth, to put sb off sth; **ich lasse mich dadurch nicht ~** that won't deter me, I won't be deterred by that. **2.** *(Cook)* to rinse with cold water. **II** *vi* *(Strafe)* to act as a deterrent.

abschreckend *adj* **1.** *(warnend)* deterrent. **ein ~es Beispiel** a warning; **eine ~e Wirkung haben, ~ wirken** to act as a deterrent. **2.** *Häßlichkeit* repulsive.

Abschreckung *f* **1.** *(das Fernhalten, Mil)* deterrence; *(das Verjagen)* scaring off; *(~smittel)* deterrent. **2.** *(Cook)* rinsing with cold water.

Abschreckungsmaßnahme *f* deterrent; **Abschreckungsmittel** *nt* deterrent; **Abschreckungstheorie** *f* *(Jur)* theory of deterrence; **Abschreckungswaffe** *f* deterrent weapon.

abschreiben *sep irreg* **I** *vt* **1.** *(kopieren)* to copy out; *(Sch: abgucken)* to copy, to crib *(inf)*; *(plagiieren)* to copy *(bei, von* from*)*. **2.** *(schreibend abnutzen)* to use up. **3.** *(Comm: absetzen, abziehen)* to deduct. **4.** *(verloren geben)* to write off. **er ist bei mir abgeschrieben** I'm through *or* finished with him.

II *vi* **1.** *(Sch)* to copy, to crib *(inf)*. **2.** **jdm ~** to write to sb to tell him that one cannot come.

III *vr* *(Bleistift, Farbband)* to get used up; *(Kugelschreiber, Filzstift auch)* to run out.

Abschreibung *f* *(Steuer~)* tax write-off; *(Comm)* deduction; *(Wertverminderung)* depreciation.

Abschreibungsprojekt *nt* tax avoidance scheme.

abschreiten *vt sep irreg* **1.** *(entlanggehen)* to walk along; *(hin und zurück)* to walk up and down; *Gelände* to patrol; *(inspizieren) Front* to inspect. **2.** *(messen)* to pace out.

Abschrift *f* copy.

abschrubben *vt sep* *(inf) Schmutz* to scrub off *or* away; *Rücken, Kleid, Fußboden* to scrub (down). **schrubbt euch richtig ab!** give yourselves a good scrub!

abschuften *vr sep* *(inf)* to slog one's guts out *(inf)*.

abschuppen *sep* **I** *vt Fisch* to scale. **II** *vr* to flake off.

abschürfen *vt sep* to graze.

Abschürfung *f* *(Wunde)* graze.

Abschuß *m* **1.** *(das Abfeuern)* firing, shooting; *(von Pfeil auch)* loosing off; *(von Rakete)* launch(ing); *(auf ein Ziel)* firing. **2.** *(das Außer-Gefecht-Setzen)* shooting down; *(von Panzer)* knocking out. **sie erzielten zwölf Abschüsse** they shot *or*

brought down twelve planes. **3.** *(von Wild)* shooting. **Fasanen sind jetzt zum ~ freigegeben** pheasant-shooting is now permitted; **die Zahl der Abschüsse** the number of kills. **4.** *(Sport)* (goal) kick.

Abschußbasis *f* launching base.

abschüssig *adj* sloping. **eine sehr ~e Straße** a steep road, a steeply sloping road.

Abschußliste *f* *(inf)* **er steht auf der ~** his days are numbered; **jdn auf die ~ setzen** to put sb on the hit list *(inf)*; **auf jds ~ stehen** to be on sb's hit list *(inf)*.

Abschußrampe *f* launching pad.

abschütteln *vt sep* Staub, Schnee to shake off; *Decke, Tuch* to shake (out); *(fig) Verfolger* to shake off, to lose *(inf)*; *Gedanken, Ärger* to get rid of *(fig: Joch)* throw off.

abschütten *vt sep* Flüssigkeit, Mehl, Sand to pour off; *(Cook)* Flüssigkeit to drain off; *Kartoffeln* to drain; *Eimer* to empty.

abschwächen *sep* **I** *vt* to weaken; *Behauptung, Formulierung, Foto* to tone down; *Schock, Aufprall* to lessen; *Wirkung, Einfluß auch* to lessen; *Stoß, Eindruck* to soften.

II *vr* to drop *or* fall off, to diminish; *(Lärm)* to decrease; *(Met: Hoch, Tief)* to disperse; *(Preisauftrieb, Andrang)* to ease off; *(St Ex: Kurse)* to weaken.

Abschwächung *f* *siehe vb* weakening; toning down; lessening; softening; decrease; dispersal; easing off; reduction.

abschwatzen, abschwätzen *(S Ger) vt sep* *(inf)* jdm etw ~ to talk sb into giving one sth; **das habe ich mir von meinem Bruder ~ lassen** I let my brother talk me into giving it to him.

abschweifen *vi sep aux sein* *(lit, fig)* to stray, to wander (off *or* away); *(Redner auch)* to digress. **er schweifte vom Thema ab** he deviated from the subject.

Abschweifung *f* *siehe vi* digression; deviation.

abschwellen *vi sep irreg aux sein* *(Entzündung, Fluß)* to go down; *(Lärm)* to die *or* fade *or* ebb away. **der Fuß ist abgeschwollen** the swelling in his foot has gone down.

abschwenken *sep* **I** *vi aux sein* to turn away; *(Kamera)* to swing round, to pan. **(von der Straße)** ~ to turn off (the road); **er ist nach links abgeschwenkt** *(lit)* he turned off to the left; *(fig)* he swung (over) to the left; **(nach rechts) ~** *(Mil)* to wheel (right).

II *vt Kartoffeln, Gemüse* to drain (off).

abschwindeln *vt sep* jdm etw ~ to swindle sb out of sth.

abschwingen *vi sep irreg* *(Ski)* to do a downhill turn.

abschwirren *vi sep aux sein* to whirr off; *(fig inf: weggehen)* to buzz off *(inf)*. **die Vögel schwirrten plötzlich ab** with a flutter of wings the birds suddenly flew off.

abschwören *sep irreg vi* *(old, liter)* to renounce *(dat* sth). **dem Glauben/Teufel ~** to renounce one's faith/the devil; **dem Alkohol ~** *(inf)* to give up drinking.

Abschwung m (*Sport*) dismount; (*Ski*) downhill turn; (*Comm*) downward trend, recession.

absegeln sep vi **1.** aux sein (*lossegeln*) to sail off or away, to set sail; (*inf: weggehen*) to sail off. **der Schoner segelte von Bremen ab** the schooner sailed from Bremen or set sail from Bremen. **2.** (*Sport: die Saison beenden*) to have one's last sail.

absegnen vt sep (*inf*) Vorschlag, Plan to give one's blessing to. **von jdm abgesegnet sein** to have sb's blessing.

absehbar adj foreseeable. **in ~er/auf ~e Zeit** in/for the foreseeable future; **das Ende seines Studiums ist noch nicht ~** the end of his studies is not yet in sight; **die Folgen sind noch gar nicht ~** there's no telling what the consequences will be.

absehen sep irreg **I** vt **1.** (*abgucken*) (**bei**) **jdm etw ~** to pick sth up from sb; (*abschreiben*) to copy sth from sb. **2.** (*voraussehen*) to foresee. **es ist noch gar nicht abzusehen, wie lange die Arbeit dauern wird** there's no telling yet how long the work will last; **es ist ganz klar abzusehen, daß ...** it's easy to see that ...; **das Ende läßt sich noch nicht ~** the end is not yet in sight; *siehe* **abgesehen 1.**

II vi **von etw ~** (*verzichten*) to refrain from sth; (*nicht berücksichtigen*) to disregard sth, to leave sth out of account or consideration; **davon ~, etw zu tun** to dispense with or to refrain from doing sth; *siehe* **abgesehen 2.**

abseifen vt sep to soap down. **jdm den Rücken ~** to soap sb's back.

abseilen sep **I** vt to let or lower down on a rope. **II** vr to let or lower oneself down on a rope; (*Bergsteiger*) to abseil (down); (*fig inf*) to skedaddle (*inf*).

absein vi sep irreg aux sein (*inf*) **1.** (*weg sein*) to be off. **die Farbe/der Knopf ist ab** the paint/button has come off. **2.** (*erschöpft sein*) to be knackered (*sl*). **3.** (*abgelegen sein*) to be far away.

abseitig adj (*geh: abseits liegend*) remote.

abseits I adv to one side; (*abgelegen*) out of the way, remote; (*Sport*) offside. ~ **liegen** to be out of the way or remote; ~ **vom Wege** off the beaten track; ~ **von der Straße** away from the road; ~ **stehen** (*fig*) to be on the outside; (*Sport*) to be offside; **nicht ~** (*Sport*) onside, not offside; ~ **bleiben, sich ~ halten** (*fig*) to hold or keep to oneself.

II prep +gen away from. ~ **des Weges** off the beaten track.

Abseits nt -, - (*Sport*) offside. **im ~ stehen** to be offside; **ein Leben im ~ führen, im ~ leben** (*fig*) to live in the shadows; **ins politische ~ geraten** to end up on the political scrapheap.

Abseitsfalle f (*Ftbl*) offside trap; **Abseitsposition, Abseitsstellung** f offside position.

absenden vt sep to send; Brief, Paket to send off, to dispatch; (*mit der Post auch*) to post, to mail (*esp US*).

Absender(in f) m -s, - sender; (*Adresse*) (sender's) address.

absengen vt sep to singe off.

absenken sep **I** vt **1.** (*Build*) Grundwasserstand to lower; Fundamente to sink. **2.** (*Agr*) Weinstöcke to layer. **II** vr to subside. **das Gelände senkt sich zum Seeufer ab** the terrain slopes down towards the shore.

absentieren* vr sep (*old, hum*) to absent oneself.

abservieren* sep **I** vi to clear the table. **II** vt **1.** Geschirr, Tisch to clear. **2.** (*inf: entlassen, kaltstellen*) jdn ~ to push sb out, to get rid of sb. **3.** (*sl: umbringen*) to do in (*inf*). **4.** (*Sport sl: besiegen*) to thrash (*inf*).

absetzbar adj Ware saleable; Betrag deductible.

absetzen sep **I** vt **1.** (*abnehmen*) Hut, Brille to take off, to remove; (*hinstellen*) Gepäck, Glas to set or put down; Geigenbogen, Feder to lift; Gewehr to unshoulder.

2. (*aussteigen lassen*) Mitfahrer, Fahrgast to set down, to drop; Fallschirmjäger to drop. **wo kann ich dich ~?** where can I drop you?

3. Theaterstück, Oper to take off; Fußballspiel, Turnier to cancel. **etw vom Spielplan ~** to take sth off the programme.

4. (*entlassen*) to dismiss; Minister, Vorsitzenden auch to remove from office; König, Kaiser to depose.

5. (*entwöhnen*) Jungtier to wean; (*Med*) Medikament, Tabletten to come off, to stop taking; Behandlung to break off, to discontinue; (*Mil*) Ration to stop. **die Tabletten mußten abgesetzt werden** I/she etc had to stop taking the tablets or come off the tablets.

6. (*Comm: verkaufen*) Waren to sell. **sich gut ~ lassen** to sell well.

7. (*abziehen*) Betrag, Summe to deduct. **das kann man ~** that is taxdeductible.

8. (*ablagern*) Geröll to deposit.

9. (*kontrastieren*) to contrast. **etw gegen etw ~** to set sth off against sth.

10. (*Typ*) Manuskript to (type)set, to compose. (**eine Zeile**) ~ to start a new line.

II vr **1.** (*Chem, Geol*) to be deposited; (*Feuchtigkeit, Staub*) to collect.

2. (*inf: weggehen*) to get or clear out (*aus* of) (*inf*); (*Sport: Abstand vergrößern*) to pull ahead. **sich nach Brasilien ~** to clear off to Brazil.

3. sich gegen jdn/etw ~ to stand out against sb/sth; **sich vorteilhaft gegen jdn/etw ~** to contrast favourably with sb/sth.

III vi to put one's glass down. **er trank das Glas aus, ohne abzusetzen** he emptied his glass in one.

Absetzung f **1.** (*Entlassung*) (*von Beamten*) dismissal; (*von Minister, Vorsitzenden auch*) removal from office; (*von König*) deposing, deposition.

2. (*von Theaterstück*) withdrawal; (*von Fußballspiel, Termin*) cancellation.

absichern sep **I** vt to safeguard; (*garantieren*) to cover; Bauplatz, Gefahren-

stelle to make safe; *Dach* to support; (*Comput*) *Daten* to store; (*schützen*) to protect. **jdn über die Landesliste ~** (*Pol*) ≈ to give sb a safe seat.

II *vr* (*sich schützen*) to protect oneself; (*sich versichern*) to cover oneself.

Absicht *f* -, **-en** (*Vorsatz*) intention; (*Zweck*) purpose; (*Jur*) intent. **in der besten ~** with the best of intentions; **in der ~, etw zu tun** with a view to doing sth, with the intention of doing sth; **die ~ haben, etw zu tun** to intend to do sth; **eine ~ mit etw verfolgen** to have something in mind with sth; **ernste ~en haben** (*inf*) to have serious intentions; **das war nicht meine ~!** I didn't intend that; **das war doch keine ~!** (*inf*) it wasn't deliberate *or* intentional; **etw mit/ohne ~ tun** to do/not to do sth on purpose *or* deliberately.

absichtlich *adj* deliberate, intentional. **etw ~ tun** to do sth on purpose *or* deliberately *or* intentionally.

Absichtserklärung *f* declaration of intent.

absiedeln *vt sep* 1. (*Admin*) *Bürger* to resettle. 2. (*Med*) *Tochtergeschwulst* to form.

absingen *vt sep irreg* 1. (*vom Blatt*) to sight-read. 2. (*bis zu Ende*) to sing (right) through.

absinken *vi sep irreg aux sein* (*Schiff*) to sink; (*Boden auch*) to subside; (*Temperatur, Wasserspiegel, Kurs*) to fall, to go down; (*Interesse, Leistungen*) to fall *or* drop off; (*fig: moralisch ~*) to go downhill.

Absinth *m* **-(e)s, -e** absinth.

absitzen *sep irreg* I *vt* 1. (*verbringen*) *Zeit* to sit out; (*verbüßen*) *Strafe* to serve.

2. (*abnutzen*) *Hose* to wear thin (at the seat); *Sessel, Polster* to wear (thin).

II *vi aux sein* (**vom Pferd**) ~ to dismount (from a horse); **abgesessen!** dismount!

absolut *adj* (*alle Bedeutungen*) absolute; (*völlig auch*) complete, total. **~ nicht/nichts** absolutely not/nothing; **das ist ~ unmöglich** that's quite *or* absolutely impossible; **~ genommen** *or* **betrachtet** considered in the absolute.

Absolute(s) *nt decl as adj* (*Philos*) Absolute, absolute.

Absolutheit *f*, *no pl* absoluteness.

Absolutheits|anspruch *m* claim to absolute right. **einen ~ vertreten** to claim absoluteness.

Absolution *f* (*Eccl*) absolution. **jdm die ~ erteilen** to grant *or* give sb absolution.

Absolutismus *m*, *no pl* absolutism.

absolutistisch *adj* absolutist.

Absolvent(in *f*) [apzɔl'vɛnt(ɪn)] *m* (*Univ*) graduate. **die ~en eines Lehrgangs** the students who have completed a course.

absolvieren* [apzɔl'viːrən] *vt insep* 1. (*durchlaufen*) *Studium, Probezeit* to complete; *Schule* to finish, to graduate from (*US*); *Prüfung* to pass. 2. (*ableisten*) to complete.

Absolvierung *f siehe vt* 2., 3. completion; finishing; graduation (*gen* from); passing.

absonderlich *adj* peculiar, strange.

Absonderlichkeit *f* 1. *no pl* strangeness. 2. (*Eigenart*) peculiarity.

absondern *sep* I *vt* 1. (*trennen*) to separate; (*isolieren*) to isolate. 2. (*ausscheiden*) to secrete. II *vr* 1. (*Mensch*) to cut oneself off. **sie sondert sich immer sehr ab** she always keeps herself very much to herself; *siehe auch* **abgesondert**. 2. (*ausgeschieden werden*) to be secreted.

Absonderung *f* 1. *siehe vt* separation; isolation; secretion. 2. *siehe vr* segregation; secretion. 3. (*abgeschiedener Stoff*) secretion.

Absorber [ap'zɔrbɐ] *m* **-s, -** (*Tech*) absorber.

absorbieren* *vt insep* (*lit, fig*) to absorb.

Absorption *f* absorption.

abspalten *vtr sep* to split off; (*Chem*) to separate (off).

Abspann *m* **-s, -e** (*TV, Film*) final credits *pl*.

abspannen *sep* I *vt* 1. (*ausspannen*) *Pferd, Wagen* to unhitch; *Ochsen* to unyoke. 2. (*Build*) to anchor. II *vi* (*fig: entspannen*) to relax; *siehe auch* **abgespannt**.

Abspannung *f* 1. (*Erschöpfung*) *siehe* **Abgespanntheit**. 2. (*Build*) anchoring; (*Spannseil*) anchor (cable).

absparen *vt sep* **sich** (*dat*) **ein Auto vom Lohn ~** to save up for a car from one's wages; **sich** (*dat*) **etw vom Munde ~** to scrimp and save for sth.

abspecken *sep* (*inf*) I *vt* to shed; (*fig: verkleinern*) to slim down, to trim. II *vi* to lose weight.

abspeichern *vt sep Daten* to store (away).

abspeisen *vt sep* 1. (*inf: beköstigen*) to feed. 2. (*fig: abfertigen*) **jdn mit etw ~** to fob sb off with sth.

abspenstig *adj* **jdm jdn/etw ~ machen** to lure sb/sth away from sb; **jdm die Freundin ~ machen** to pinch sb's girlfriend (*inf*); **jdm seine Kunden ~ machen** to lure *or* draw sb's customers away from him.

absperren *sep* I *vt* 1. (*versperren*) to block *or* close off. 2. (*abdrehen*) *Wasser, Strom, Gas* to turn *or* shut off. 3. (*S Ger: zuschließen*) to lock. II *vi* (*S Ger*) to lock up.

Absperrgitter *nt* barrier; **Absperrkette** *f* chain.

Absperrung *f* 1. (*Abriegelung*) blocking *or* closing off. 2. (*Sperre*) barrier; (*Kordon*) cordon.

Abspiel *nt* (*das Abspielen*) passing; (*Schuß*) pass.

abspielen *sep* I *vt* 1. *Schallplatte, Tonband* to play (through); *Nationalhymne* to play; (*vom Blatt*) *Musik* to sight-read; *siehe auch* **abgespielt**. 2. (*Sport*) *Ball* to pass; (*beim Billard*) to play. II *vr* (*sich ereignen*) to happen; (*stattfinden*) to take place. **wie mein Leben sich abspielt** what my life is like; **da spielt sich (bei mir) nichts ab!** (*inf*) nothing doing! (*inf*).

absplittern *sep vti* (*vi: aux sein*) to chip off; *Holz auch* to splinter off. II *vr* to split *or* splinter off.

Absprache *f* arrangement. **eine ~ treffen**

to make *or* come to an arrangement; **ohne vorherige** ~ without prior consultation.

absprachegemäß *adv* as arranged.

absprechen *sep irreg* **I** *vt* **1. jdm etw** ~ (*verweigern*) *Recht* to deny *or* refuse sb sth; (*in Abrede stellen*) *Begabung* to deny *or* dispute sb's sth.

2. (*verabreden*) *Termin* to arrange. **die Zeugen hatten ihre Aussagen vorher abgesprochen** the witnesses had agreed on what to say in advance.

II *vr* **sich mit jdm** ~ to make an arrangement with sb; **die beiden hatten sich vorher abgesprochen** they had agreed on what to do/say in advance; **ich werde mich mit ihr** ~ I'll arrange *or* fix things with her.

abspreizen *vt sep* to extend; (*Build*) to brace.

abspringen *vi sep irreg aux sein* **1.** (*herunterspringen*) to jump down (*von* from); (*herausspringen*) to jump out (*von* of); (*Aviat*) to jump (*von* from); (*bei Gefahr*) to bale out; (*Sport*) to dismount; (*losspringen*) to take off. **mit dem rechten Bein** ~ to take off on the right leg.

2. (*sich lösen*) to come off; (*Farbe, Lack auch*) to flake *or* peel off; (*abprallen*) to bounce off (*von etw* sth).

3. (*fig inf: sich zurückziehen*) to get out; (*von Partei, Kurs etc*) to back out. **von etw** ~ to get *or* back out of sth.

abspritzen *sep* **I** *vt* **etw/jdn/sich** ~ to spray sth/sb/oneself down; *Schmutz* to spray off (*von etw* sth); (*Cook*) to sprinkle. **2.** (*NS euph sl: töten*) to give a lethal injection to. **II** *vi aux sein* to spray off.

Absprung *m* jump (*auch Aviat*), leap; (*Sport*) take-off; (*Abgang*) dismount. **den** ~ **schaffen** (*fig*) to make the break (*inf*), to make it (*inf*); **er hat den** ~ **gewagt** (*fig*) he took the jump; **den** ~ (**ins Berufsleben**) **verpassen** (*fig*) to miss the boat.

abspulen *vt sep Kabel, Garn* to unwind; (*inf*) (*filmen*) to shoot; (*vorführen*) to show; (*fig*) to reel off.

abspülen *sep* **I** *vt Hände, Geschirr* to rinse; *Fett* to rinse off. **II** *vi* to wash up, to do the washing up.

abstammen *vi sep no ptp* to be descended (*von* from); (*Ling*) to be derived (*von* from).

Abstammung *f* descent; (*Abkunft auch*) origin, extraction; (*Ling*) origin, derivation. **ehelicher/unehelicher** ~ (*Jur*) of legitimate/illegitimate birth; **französischer** ~ of French extraction *or* descent.

Abstammungslehre,
  Abstammungstheorie *f* theory of evolution.

Abstand *m* **1.** (*Zwischenraum*) distance; (*kürzerer* ~) gap, space; (*Zeit*~) interval; (*Punkte*~) gap; (*fig*) (*Distanz*) distance; (*Unterschied*) difference. **mit** ~ by far, far and away; ~ **von etw gewinnen** (*fig*) to distance oneself from sth; **in regelmäßigen Abständen/Abständen von 10 Minuten** at regular/10 minute intervals; ~ **halten** to keep one's distance;

mit großem ~ **führen/gewinnen** to lead/win by a wide margin.

2. (*form: Verzicht*) **von etw** ~ **nehmen** to dispense with sth; **davon** ~ **nehmen, etw zu tun** to refrain from doing sth, to forbear to do sth (*old, form*).

3. (*Abfindung*) indemnity.

Abstandssumme *f* (*form*) indemnity.

abstatten *vt sep* (*form*) **jdm einen Besuch** ~ to pay sb a visit; **jdm seinen Dank** ~ to give thanks to sb.

abstauben *vti sep* **1.** *Möbel* to dust. **2.** (*inf*) (*wegnehmen*) to pick up; (*schnorren*) to cadge (*von, bei, dat* off, from). **er will immer nur** ~ he's always on the scrounge. **3.** (*Ftbl inf*) (**ein Tor** *or* **den Ball**) ~ to put the ball into the net, to tuck the ball away.

Abstauber *m* -s, - (*Ftbl inf*) **1.** (*auch* ~**tor**) easy goal. **2.** (*Spieler*) goal-hanger (*inf*).

abstechen *sep irreg* **I** *vt* **1. ein Tier** ~ to cut an animal's throat.

2. (*abtrennen*) *Torf* to cut; *Rasen* to trim (the edges of).

3. (*ablaufen lassen*) *Hochofen, Metall* to tap; *Gewässer* to drain; *Wein* to rack.

II *vi* **gegen jdn/etw** ~, **von jdm/etw** ~ to stand out against sb/sth.

Abstecher *m* -s, - (*Ausflug*) excursion, trip; (*Umweg*) detour; (*fig*) sortie.

abstecken *vt sep* **1.** *Gelände, Grenze, Trasse* to mark out; (*mit Pflöcken auch*) to peg *or* stake out; (*fig*) *Verhandlungsposition, Programm* to work out. **2.** *Kleid, Naht* to pin.

abstehen *sep irreg* **I** *vi* (*entfernt stehen*) to stand away; (*nicht anliegen*) to stick out. ~**de Ohren** ears that stick out; *siehe* **abgestanden.**

II *vt* (*inf*) **sich** (*dat*) **die Beine** ~ to stand for hours and hours.

Absteige *f* -, -**n** (*inf pej*) dosshouse (*inf*), flophouse (*US inf*); cheap hotel.

absteigen *vi sep irreg aux sein* **1.** (*heruntersteigen*) to get off (*von etw* sth); (*vom Pferd, Rad auch*) to dismount. **von einem Pferd/Rad** ~ to dismount, to get off a horse/bicycle; **Radfahrer** ~**!** no cycling, cycling prohibited.

2. (*abwärts gehen*) to make one's way down; (*Bergsteiger auch*) to climb down. **in** ~**der** *or* **der** ~**den Linie** in the line of descent; **auf dem** ~**den Ast sein** (*inf*) to be going downhill, to be on the decline.

3. (*einkehren*) to stay; (*im Hotel auch*) to put up (*in + dat* at).

4. (*Sport: Mannschaft*) to go down, to be relegated. **aus der ersten Liga** ~ to be relegated from the first division.

Absteigequartier *nt siehe* **Absteige.**

Absteiger *m* -s, - (*Sport*) relegated team; team facing relegation. **gesellschaftlicher** ~ (*fig*) someone who has come down in the world.

Abstellbahnhof *m* railway yard.

abstellen *sep* **I** *vt* **1.** (*hinstellen*) to put down.

2. (*unterbringen*) to put; (*Aut: parken auch*) to park.

3. (*abrücken*) to put away from. **das Klavier von der Wand** ~ to leave the piano out from *or* away from the wall.

4. (*abkommandieren*) to order off, to detail; *Offizier auch* to second; (*fig: abordnen*) to assign; (*Sport*) *Spieler* to release.

5. (*ausrichten auf*) etw auf jdn/etw ~ to gear sth to sb/sth.

6. (*abdrehen*) to turn off; *Geräte, Licht auch* to switch off; (*Zufuhr unterbrechen*) *Gas, Strom* to cut off; *Telefon* to disconnect. **den Haupthahn für das Gas** ~ to turn the gas off at the mains.

7. (*sich abgewöhnen*) to give up, to stop.

8. (*unterbinden*) *Mangel, Unsitte* to bring to an end. **das läßt sich nicht/läßt sich** ~ nothing/something can be done about that; **läßt sich das nicht** ~? couldn't that be changed?

II *vi* **auf etw** (*acc*) ~ to be geared to sth; (*etw berücksichtigen*) to take sth into account.

Abstellgleis *nt* siding; **jdn aufs** ~ **schieben** (*fig*) to push *or* cast sb aside; **auf dem** ~ **sein** *or* **stehen** (*fig*) to have been pushed *or* cast aside; **Abstellkammer** *f* boxroom; **Abstellraum** *m* storeroom.

abstempeln *vt sep* to stamp; *Post* to postmark; (*fig*) to stamp, to brand (*zu, als* as).

absteppen *vt sep* to stitch, to sew; *Wattiertes, Daunendecke* to quilt; *Kragen* to topstitch.

absterben *vi sep irreg aux sein* (*eingehen, Med*) to die; (*gefühllos werden: Glieder*) to go *or* grow numb; (*fig*) (*Gefühle*) to die; (*Sitten*) to die out. **mir sind die Zehen abgestorben** my toes have gone *or* grown numb; *siehe* **abgestorben.**

Abstieg *m* **-(e)s, -e** (*das Absteigen*) way down, descent; (*Weg*) descent; (*Niedergang*) decline; (*Sport*) relegation. **vom** ~ **bedroht** (*Sport*) threatened by relegation, in danger of being relegated.

abstillen *sep* **I** *vt Kind* to wean, to stop breastfeeding. **II** *vi* to stop breastfeeding.

abstimmen *sep* **I** *vi* to take a vote. **über etw** (*acc*) ~ to vote *or* take a vote on sth; **über etw** (*acc*) ~ **lassen** to put sth to the vote; **geheim** ~ to have a secret ballot.

II *vt* (*harmonisieren*) *Instrumente* to tune (*auf +acc* to); *Radio* to tune (in) (*auf +acc* to); (*in Einklang bringen*) *Farben, Kleidung* to match (*auf +acc* with); *Termine* to coordinate (*auf +acc* with); (*anpassen*) to suit (*auf +acc* to); (*Comm*) *Bücher* to balance. **gut auf etw** (*acc*)/**aufeinander abgestimmt sein** (*Instrumente*) to be in tune with sth/with each other; (*Farben, Speisen etc*) to go well with sth/with each other *or* together; (*Termine*) to fit in well with sth/with each other; (*einander angepaßt sein*) to be well-suited to sth/(to each other); **etw miteinander** ~ (*vereinbaren*) to settle sth amongst ourselves/themselves *etc*.

III *vr* **sich** ~ (*mit jdm/miteinander*) to come to an agreement (with sb/amongst ourselves/themselves *etc*).

Abstimmung *f* **1.** (*Stimmabgabe*) vote;

(*geheime* ~) ballot; (*das Abstimmen*) voting. **zur** ~ **kommen** *or* **schreiten** (*form*) to come to the vote; **eine** ~ **durchführen** *or* **vornehmen** to take a vote/to hold a ballot. **2.** *siehe* **vt** tuning; matching; coordination; suiting; balancing. **3.** (*Vereinbarung*) agreement.

Abstimmungsergebnis *nt* result of the vote; **Abstimmungsniederlage** *f* **eine** ~ **erleiden** to be defeated in a/the vote; **Abstimmungssieg** *m* **einen** ~ **erringen** to win a/the vote.

abstinent *adj* teetotal; (*geschlechtlich*) abstinent, continent, not indulging in sex. ~ **leben** to live a life of abstinence.

Abstinenz *f, no pl* teetotalism, abstinence; (*geschlechtlich*) abstinence.

Abstinenzler(in *f*) *m* **-s, -** teetotaller.

abstoppen *sep* **I** *vt* **1.** *Auto, Maschine, Verkehr* to stop, to bring to a standstill *or* halt; (*drosseln*) to halt. **2.** (*Sport*) *Ball* to stop; (*mit Stoppuhr*) to time. **jds Zeit** ~ to time sb. **II** *vi* to stop, to come to a halt.

Abstoß *m* **1.** (*Ftbl*) goal kick; (*nach Fangen des Balls*) clearance. **2. der** ~ **vom Ufer war so kräftig, daß ...** the boat was pushed away *or* out from the shore so forcefully that ...

abstoßen *sep irreg* **I** *vt* **1.** (*wegstoßen*) *Boot* to push off *or* away *or* out; (*abschlagen*) *Ecken* to knock off; *Möbel* to batter; (*abschaben*) *Ärmel* to wear thin. **sich** (*dat*) **die Ecken und Kanten** ~ (*fig*) to have the rough edges knocked off one; *siehe* **Horn.**

2. (*zurückstoßen*) to repel; (*Comm*) *Ware, Aktien* to get rid of, to sell off; (*Med*) *Organ* to reject; (*fig: anwidern*) to repulse, to repel. **dieser Stoff stößt Wasser ab** this material is water-repellent.

3. (*Ftbl*) **den Ball** ~ to take the goal kick; (*nach Fangen*) to clear (the ball).

II *vr* **1.** (*abgeschlagen werden*) to get broken; (*Möbel*) to get battered.

2. (*esp Sport: Mensch*) **sich mit den Füßen vom Boden** ~ to push oneself off.

III *vi* **1.** *aux sein or haben* (*weggestoßen werden*) to push off.

2. (*anwidern*) to be repulsive. **sich von etw abgestoßen fühlen** to be repelled by sth, to find sth repulsive.

3. (*Ftbl*) to take a goal kick; (*nach Fangen*) to clear (the ball).

abstoßend *adj* *Aussehen, Äußeres* repulsive. **sein Wesen hat etwas A~es** there's something repulsive about him.

Abstoßung *f* (*Phys*) repulsion.

abstottern *vt sep* (*inf*) to pay off.

abstrafen *vt sep siehe* **bestrafen.**

abstrahieren* [apstra'hi:rən] *vti insep* to abstract (*aus* from).

abstrahlen *vt sep* **1.** *Wärme, Energie, Programm* to emit. **2.** *Fassade* (*mit Sandstrahlgebläse*) to sandblast.

abstrakt [ap'strakt] *adj* abstract. **etw zu** ~ **ausdrücken** to express sth too abstractly *or* too much in the abstract.

Abstraktion [-st-] *f* abstraction.

Abstraktionsvermögen [-st-] *nt* ability to abstract.

Abstraktum [-st-] *nt* **-s, Abstrakta** (*Begriff*) abstract (concept); (*Ling: Substantiv*) abstract noun.

abstrampeln *vr sep* (*inf*) to kick the bedclothes off; (*fig*) to sweat (away) (*inf*), to flog one's guts out (*sl*).

abstreichen *sep irreg vt* **1.** (*wegstreichen*) to wipe off *or* away; *Asche* to knock *or* tap off; (*säubern*) to wipe. **den Hals/die Zunge ~** (*Med*) to take a throat/tongue swab. **2.** (*fig*) to discount. **davon kann/muß man die Hälfte ~** (*fig*) you have to take it with a pinch of salt. **3.** (*Mil*) *Gebiet, Himmel* to sweep.

abstreifen *vt sep* **1.** (*abtreten*) *Schuhe, Füße* to wipe; *Schmutz* to wipe off. **2.** (*abziehen*) *Kleidung, Schmuck* to take off; (*entfernen*) *Haut* to cast, to shed; (*fig*) *Gewohnheit, Fehler* to get rid of.

abstreiten *vt sep irreg* (*streitig machen*) to dispute; (*leugnen*) to deny. **das kann man ihm nicht ~** you can't deny it.

Abstrich *m* **1.** (*Kürzung*) cutback. **~e machen** to cut back (*an +dat* on), to make cuts (*an +dat* in); (*weniger erwarten*) to lower one's sights.
2. (*Med*) swab; (*Gebärmutter~*) smear. **einen ~ machen** to take a swab/smear.
3. (*Mus, beim Schreiben*) downstroke. **zu dicke ~e machen** to make one's downstrokes too thick.

abströmen *vi sep aux sein* to flow away *or* off; (*Wasser auch*) to run away *or* off; (*Menschenmassen*) to stream out.

abstrus [ap'stru:s] *adj* (*geh*) abstruse.

abstufen *sep* **I** *vt Gelände* to terrace; *Haare* to layer; *Farben* to shade; *Gehälter, Steuern, Preise* to grade. **II** *vr* to be terraced. **der Weinberg stuft sich zum Fluß hin ab** the vineyard goes down in terraces to the river.

Abstufung *f siehe vt* terracing; layering; (*Nuancierung*) shading; (*Nuance*) shade; (*Staffelung*) grading; (*Stufe*) grade.

abstumpfen *sep* **I** *vt* **1.** (*lit rare*) *Ecken, Kanten* to blunt; *Messer, Schneide auch* to take the edge off, to dull.
2. *Menschen* to dull; *Sinne auch* to deaden; *Gerechtigkeitssinn, Gewissen, Urteilsvermögen auch* to blunt; *siehe* **abgestumpft**.
II *vi aux sein* (*fig: Geschmack*) to become dulled. **wenn man ewig dasselbe machen muß, stumpft man nach und nach ab** always having to do the same thing dulls the mind; **gegen etw ~** to become inured to sth.

Absturz *m siehe vi* crash; fall. **ein Flugzeug zum ~ bringen** to bring a plane down.

abstürzen *vi sep aux sein* **1.** (*Flugzeug*) to crash; (*Bergsteiger*) to fall. **2.** (*schroff abfallen*) to fall *or* drop away. **3.** (*inf: hereinfallen*) to back a loser. **4.** (*sl: betrunken werden*) to go on a bender (*inf*).

Absturzstelle *f* location of a/the crash; (*beim Bergsteigen*) location of a/the fall. **die Rettungsarbeiten an der ~** the rescue work at the scene of the crash.

abstützen *sep* **I** *vt* to support (*auch fig*), to prop up; *Haus, Mauer auch* to shore up. **II** *vr* to support oneself, to prop oneself up; (*bei Bewegung*) to support oneself.

absuchen *vt sep* **1.** to search; *Gegend auch* to comb, to scour; *Himmel, Horizont* to scan; (*Scheinwerfer*) to sweep. **wir haben den ganzen Garten abgesucht** we searched all over the garden.
2. (*suchend absammeln*) *Raupen* to pick off; *Strauch* to pick clean.

Absud ['apzu:t] *m* **-(e)s, -e** (*old*) decoction.

absurd *adj* absurd, preposterous. **~es Drama** *or* **Theater** theatre of the absurd; **das A~e** the absurd.

Absurdität *f* absurdity (*auch Philos*), preposterousness.

Abszeß *m* **-sses, -sse** abscess.

Abszisse *f* **-, -n** abscissa.

Abt *m* **-(e)s, ⁓e** abbot.

Abt. *abbr of* **Abteilung** dept.

abtakeln *vt sep Schiff* to unrig; (*außer Dienst stellen*) to lay up; *siehe* **abgetakelt**.

abtasten *vt sep* to feel; (*Med auch*) to palpate; (*Elec*) to scan; (*bei Durchsuchung*) to frisk (*auf +acc* for); (*fig: erproben*) *jdn* to sound out, to suss out (*sl*); (*Sport*) to get the measure of, to size up, to suss out (*sl*).

abtauchen *vi sep aux sein* **1.** (*U-Boot*) to dive. **2.** (*inf*) to go underground.

abtauen *sep* **I** *vt* to thaw out; *Kühlschrank* to defrost. **II** *vi aux sein* to thaw. **der Schnee ist vom Dach abgetaut** the snow has thawed off the roof.

Abtausch *m* **-(e)s, ⁓e** (*Chess, Sw: Tausch*) exchange.

abtauschen *vt sep* (*Chess, Sw: tauschen*) to exchange.

Abtei *f* abbey.

Abteikirche *f* abbey (church).

Abteil *nt* **-(e)s, -e** compartment. **~ erster Klasse** first-class compartment; **~ für Mutter und Kind** compartment reserved *for mothers with young children.*

abteilen *vt sep* **1.** (*einteilen*) to divide up. **fünf Stücke ~** to cut off five pieces. **2.** (*abtrennen*) to divide off; (*mit Wand auch*) to partition off.

Abteilung¹ *f, no pl siehe vt* dividing up; cutting off; dividing off; partitioning off.

Abteilung² *f* (*in Firma, Kaufhaus, Hochschule*) department; (*in Krankenhaus, Jur*) section; (*Mil*) unit, section.

Abteilungsleiter(in *f*) *m* head of department; (*in Kaufhaus*) department manager.

abtelefonieren* *vi sep* to telephone *or* ring *or* call to say one can't make it *or* come.

abteufen *vt sep Schacht* to sink.

abtippen *vt sep* (*inf*) to type out.

Äbtissin *f* abbess.

abtönen *vt sep Farbe* to tone down.

Abtönung *f* (*von Farbe*) toning down; (*Farbton*) tone, shade.

abtöten *vt sep* (*lit, fig*) to destroy, to kill (off); *Nerv* to deaden; *sinnliche Begierde* to mortify. **in mir ist jedes Gefühl abgetötet** I am dead to all feeling.

Abtrag m -(e)s, no pl (old) harm. **einer Sache** (dat) ~ **tun** to harm sth.

abtragen vt sep irreg **1.** (auch vi: abräumen) Geschirr, Speisen to clear away. **2.** (einebnen) Boden, Gelände to level down. **3.** (abbauen) Gebäude, Mauer to dismantle, to take down; (Fluß) Ufer to erode, to wear away. **4.** (abbezahlen) Schulden to pay off. **5.** (abnutzen) Kleider, Schuhe to wear out; siehe **abgetragen.**

abträgig (Sw), **abträglich** adj detrimental, harmful, injurious; Bemerkung, Kritik adverse, unfavourable.

Abtragung f **1.** (Geol) erosion. **2.** (Abbau) dismantling, taking down. **3.** (Tilgung) paying off.

Abtransport m transportation; (aus Katastrophengebiet) evacuation. **beim** ~ **der Gefangenen** when the prisoners were being taken away or transported.

abtransportieren* vt sep Waren to transport; Personen auch to take off or away; (aus Katastrophengebiet) to evacuate.

abtreiben sep irreg **I** vt **1. vom Kurs** ~ Flugzeug to send or drive off course; Boot auch, Schwimmer to carry off course. **2.** (zu Tal treiben) Vieh to bring down. **3.** Kind, Leibesfrucht to abort. **sie hat das ~ Kind abgetrieben** or ~ **lassen** she had an abortion. **4.** (Aus, S Ger: Cook) to whisk.
II vi **1. aux sein (vom Kurs)** ~ (Flugzeug) to be sent or driven off course; (Boot auch, Schwimmer) to be carried off course. **2.** (Abort vornehmen) to carry out an abortion; (generell) to carry out or do abortions; (Abort vornehmen lassen) to have an abortion.

Abtreibung f abortion. **eine** ~ **vornehmen lassen/vornehmen** to have/carry out an abortion.

Abtreibungsgegner(in f) m antiabortionist; **Abtreibungsparagraph** m abortion laws pl; **Abtreibungsversuch** m attempt at an abortion; **einen** ~ **vornehmen** to try to give oneself an abortion, to attempt an abortion.

abtrennen vt sep **1.** (lostrennen) to detach; Knöpfe, Besatz to remove, to take off; (abschneiden) to cut off; Bein, Finger (durch Unfall) to sever, to cut off. „hier ~" "detach here". **2.** (abteilen) to separate off; (räumlich auch) to divide off; (mit Zwischenwand etc auch) to partition off.

Abtrennung f siehe vt 2. separation; division; partitioning.

abtreten sep irreg **I** vt **1.** Teppich to wear; (völlig) to wear out; Schnee, Schmutz to stamp off. **sich** (dat) **die Füße** or **Schuhe** ~ to wipe one's feet. **2.** (überlassen) (jdm or an jdn to sb) to hand over; Gebiet, Land auch to cede (form); Rechte, Ansprüche to transfer, to cede (form); Haus, Geldsumme to transfer, to assign (form).
II vr (Teppich) to wear, to get

worn; (völlig) to wear out.
III vi aux sein (Theat) to go off (stage), to make one's exit; (Mil) to dismiss; (inf: zurücktreten) (Politiker) to step down (inf), to resign; (Monarch) to abdicate, to step down (inf); (euph: sterben) to make one's last exit. ~**!** (Mil) dismiss!

Abtreter m -s, - (Fuß~) doormat.

Abtretung f (an +acc to) transfer; (von Rechten, Ansprüchen auch, von Gebiet) ceding, cession (form); (von Haus, Geldsumme auch) assignment (form).

Abtrieb m -(e)s, -e **1.** (Vieh~) **im Herbst beginnt der** ~ **des Viehs von den Bergweiden** in autumn they start to bring the cattle down from the mountain pastures. **2.** (Tech) output. **3.** (Aus) mixture.

abtrinken vt sep irreg to drink. **einen Schluck** ~ to have or take a sip.

Abtritt m (Theat) exit; (Rücktritt) (von Minister) resignation; (von Monarch) abdication.

Abtrockentuch nt tea or dish (US) towel.

abtrocknen sep **I** vt to dry (off); Geschirr to dry, to wipe. **II** vi to dry up, to do the drying-up.

abtropfen vi sep aux sein to drip; (Geschirr) to drain. **etw** ~ **lassen** Wäsche to let sth drip; Salat to drain sth; Geschirr to let sth drain.

abtrotzen vt sep jdm etw ~ (geh) to wring sth out of sb.

abtrünnig adj renegade, apostate (form, esp Eccl); (rebellisch) rebel; (treulos auch) disloyal. **jdm/einer Gruppe** ~ **werden** to desert sb/a group; (sich erheben gegen) to rebel against sb/a group; **er ist dem Glauben** ~ **geworden** he has left or deserted the faith, he has apostatized (form).

Abtrünnigkeit f apostasy (form); (Treulosigkeit auch) disloyalty; (rebellische Gesinnung) rebelliousness.

abtun vt sep irreg (fig: beiseite schieben) to dismiss. **etw mit einem Achselzucken/ einem Lachen** ~ to shrug/laugh sth off; **etw kurz** ~ to brush sth aside; siehe **abgetan.**

abtupfen vt sep Tränen, Blut to dab away; Gesicht, Mundwinkel to dab; Wunde to swab, to dab.

ab|urteilen vt sep to pass sentence or judgement on; (fig: verdammen) to condemn.

Ab|urteilung f sentencing; (fig) condemnation. **bei der** ~ **des Täters** when sentence was/is being passed on the accused.

Abverkauf m (Aus) sale.

abverlangen* vt sep siehe **abfordern.**

abwägen vt sep irreg to weigh up; Worte to weigh. **er wog beide Möglichkeiten gegeneinander ab** he weighed up the two possibilities; siehe **abgewogen.**

Abwägung f weighing up; (von Worten) weighing.

Abwahl f voting out. **es kam zur** ~ **des gesamten Vorstands** the whole committee was voted out.

abwählbar adj **der Präsident ist nicht** ~ the president cannot be voted out (of office).

abwählen *vt sep* to vote out (of office); (*Sch*) *Fach* to give up.

abwälzen *vt sep Schuld, Verantwortung* to shift (*auf +acc* onto); *Arbeit* to unload (*auf +acc* onto); *Kosten* to pass on (*auf +acc* to). **die Schuld von sich** ~ to shift the blame onto somebody else.

abwandeln *vt sep Melodie* to adapt; *Thema auch* to modify.

abwandern *vi sep aux sein* to move (away) (*aus* from); (*Bevölkerung: zu einem anderen Ort auch*) to migrate (*aus* from); (*Kapital*) to be transferred (*aus* out of); (*inf: aus einer Veranstaltung*) to wander away *or* off (*inf*). **viele Spieler/ Abonnenten wandern ab** a lot of players/subscribers are transferring.

Abwanderung *f siehe vi* moving away; migration; transference.

Abwanderungsverlust *m* (*Sociol*) population drain.

Abwandlung *f* adaptation, variation; (*von Thema auch*) modification.

Abwärme *f* waste heat.

Abwart(in *f*) *m* (*Sw*) concierge, janitor/ janitress.

abwarten *sep* I *vt* to wait for. **das Gewitter** ~ to wait till the storm is over, to wait the storm out; **er kann es nicht mehr** ~ he can't wait any longer; **das bleibt abzuwarten** that remains to be seen.

    II *vi* to wait. **warten Sie ab!** just wait a bit!; ~ **und Tee trinken** (*inf*) to wait and see; **im Moment können wir gar nichts tun, wir müssen** ~ we can't do anything at the moment, we'll have to bide our time; **eine ~de Haltung einnehmen** to play a waiting game, to adopt a policy of wait-and-see.

abwärts *adv* down; (*nach unten auch*) downwards. **den Fluß/Berg** ~ down the river/mountain; „,~!" (*im Fahrstuhl*) "going down!"; **vom Abteilungsleiter** ~ from the head of department down(wards).

Abwärtsfahrt *f* journey down.

abwärtsgehen *vi impers sep aux sein* (*fig*) **mit ihm/dem Land geht es abwärts** he/ the country is going downhill.

Abwärtstrend *m* downwards *or* downhill trend.

Abwasch[1] *m* **-s**, *no pl* washing-up (*Brit*), dirty dishes *pl*. **den** ~ **machen** to do the washing-up, to wash up (*Brit*), to wash the dishes (*US*); **... dann kannst du das auch machen, das ist (dann) ein** ~ (*inf*) ... then you could do that as well and kill two birds with one stone (*prov*).

Abwasch[2] *f* **-, -en** (*Aus*) sink.

abwaschbar *adj Tapete* washable.

abwaschen *sep irreg* I *vt Gesicht* to wash; *Geschirr* to wash (up); *Farbe, Schmutz* to wash off; *Pferd, Auto* to wash down. **den Schmutz (vom Gesicht)** ~ to wash the dirt off (one's face). II *vi* to wash up, to do the washing-up.

Abwaschbecken *nt* sink; **Abwaschlappen** *m* dishcloth, washing-up cloth; **Abwaschwasser** *nt* washing-up water, dishwater; (*fig inf*) dishwater (*inf*).

Abwasser *nt* sewage *no pl*. **industrielle Abwässer** industrial effluents *pl or* waste *sing*.

Abwasseraufbereitung *f* reprocessing of sewage/effluents; **Abwasserkanal** *m* sewer; **Abwasserreinigung** *f* purification of sewage/effluents.

abwechseln *vir sep* to alternate. **sich** *or* **einander** ~ to alter- nate; (*Menschen auch*) to take turns; **sich mit jdm** ~ to take turns with sb; (**sich**) **miteinander** ~ to alternate (with each other *or* one another); to take turns; **Regen und Schnee wechseln (sich) miteinander ab** first it rained and then it snowed.

abwechselnd *adv* alternately. **wir haben** ~ **Klavier gespielt** we took turns playing the piano; **er war** ~ **fröhlich und traurig** he alternated between being happy and sad, he was by turns happy and sad.

Abwechs(e)lung *f* change; (*Zerstreuung*) diversion. **eine angenehme/schöne** ~ a pleasant/nice change; **zur** ~ for a change; **für** ~ **sorgen** to provide entertainment; **dort ist reichlich für** ~ **gesorgt** there's quite a variety of things going on there; **hier haben wir wenig** ~ there's not much variety in life here.

abwechslungshalber *adv* for a change, to make a change; **abwechslungslos** *adj* monotonous; **abwechslungsreich** *adj* varied.

Abweg ['apve:k] *m* (*fig*) mistake, error. **jdn auf** ~e **führen** to mislead sb, to lead sb astray (*auch moralisch*); **auf** ~e **geraten** *or* **kommen** to go astray; (*moralisch auch*) to stray from the straight and narrow.

abwegig ['apve:gɪç] *adj* (*geh*) erroneous; (*bizarr*) eccentric, off-beat; *Verdacht* unfounded, groundless.

Abwehr *f*, *no pl* **1.** (*Biol, Psych, Med*) defence (*gen* against); (*Schutz*) protection (*gen* against). **Mechanismen der** ~ defence mechanisms; **der** ~ **von etw dienen** to provide *or* give protection against sth.

    2. (*Zurückweisung*) repulse; (*Abweisung*) rejection; (*Spionage~*) counterintelligence (service). **die** ~ **des Feindes** the repulsing *or* repelling of the enemy; **bei der** ~ **sein** to be with *or* in counterintelligence; **auf** ~ **stoßen** to be repulsed, to meet with a response.

    3. (*Sport*) defence; (*~aktion*) piece of defence (work); (*abgewehrter Ball*) clearance; (*gefangen auch*) save. **er ist besser in der** ~ he's better in *or* at defence.

abwehrbereit *adj* (*Mil*) ready for defence; **Abwehrdienst** *m* counterintelligence service.

abwehren *sep* I *vt* **1.** *Gegner* to fend *or* ward off; *Angriff, Feind auch* to repulse, to repel; *Ball* to clear; *Schlag* to parry, to ward off. **hervorragend, wie der Torwart den Ball abwehrte** that was a really good save the goalkeeper made there.

    2. (*fernhalten*) to keep away; *Krankheitserreger* to protect against; *Gefahr, üble Folgen* to avert.

    3. (*abweisen*) *Anschuldigung* to dismiss. **eine** ~**de Geste** a dismissive wave

of the hand.
II *vi* **1.** (*Sport*) to clear; (*Torwart auch*) to make a save. **mit dem Kopf** ~ to head clear; **zur Ecke** ~ to clear a corner.
2. (*ablehnen*) to refuse. **nein, wehrte sie ab** no, she said in refusal.

Abwehrkampf *m* (*Mil, Sport*) defence; **Abwehrkräfte** *pl* (*Physiol*) (the body's) defences; **Abwehrmechanismus** *m* (*Psych*) defence mechanism; **Abwehrreaktion** *f* (*Psych*) defence reaction; **Abwehrspieler** *m* defender.

abweichen[1] *vi sep irreg aux sein* (*sich entfernen*) to deviate; (*sich unterscheiden*) to differ; (*zwei Theorien, Auffassungen*) to differ, to diverge. **vom Kurs** ~ to deviate *or* depart from one's course; **vom Thema** ~ to digress, to go off the point; **ich weiche erheblich von seiner Meinung ab** I hold quite a different view from him; ~**des Verhalten** (*Psych, Sociol*) deviant behaviour.

abweichen[2] *vti sep* *Briefmarke* to soak off.

Abweichler(in *f*) *m* **-s, -** deviant.
abweichlerisch *adj* (*Pol*) deviant.
Abweichung *f* *siehe* **abweichen**[1] deviation; difference; divergence; (*von Magnetnadel*) declination. ~ **von der Wahrheit** departure from the truth; ~ **von der Parteilinie** failure to toe the party line, deviation from the party line; **zulässige** ~ (*Tech*) tolerance; (*zeitlich, zahlenmäßig*) allowance.

abweisen *vt sep irreg* to turn down, to reject; (*wegschicken*) to turn away; *Bitte auch* to refuse; (*Jur*) *Klage* to dismiss. **er läßt sich nicht** ~ he won't take no for an answer.

abweisend *adj* *Ton, Blick* cold.
Abweisung *f* *siehe vt* rejection; turning away; refusal; dismissal.
abwendbar *adj* avoidable.
abwenden *sep reg or irreg* **I** *vt* **1.** (*zur Seite wenden*) to turn away; *Blick* to avert; *Kopf* to turn. **er wandte das Gesicht ab** he looked away. **2.** (*verhindern*) *Unheil, Folgen* to avert. **II** *vr* to turn away.

abwerben *vt sep irreg* to woo away (*dat* from).

abwerfen *sep irreg* **I** *vt* to throw off; *Reiter* to throw; *Bomben, Flugblätter etc* to drop; *Ballast* to jettison; *Geweih* to shed, to cast; *Blätter, Nadeln* to shed; (*Cards*) to discard, to throw away; (*Comm*) *Gewinn* to yield, to return, to show; *Zinsen* to bear, to yield.
II *vti* (*Sport*) (*Ftbl*) *Ball* to throw out; *Speer etc* to throw; *Latte* to knock off *or* down.

abwerten *vt sep* **1.** *auch vi Währung* to devalue. **2.** (*fig*) *Ideale* to debase, to cheapen. **diese Tugend ist heute vollkommen abgewertet** this virtue is no longer valued today.

abwertend *adj* pejorative.
Abwertung *f siehe vt* **1.** (*von Währung*) devaluation. **eine** ~ **vornehmen** to devalue (the currency). **2.** (*fig*) debasement, cheapening.

abwesend *adj* absent; (*iro: zerstreut*

auch) far away; *Blick* absent-minded. **die A**~**en** the absentees.

Abwesenheit *f* absence; (*fig: Geistes*~) abstraction. **in** ~ (*Jur*) in absence; **durch** ~ **glänzen** (*iro*) to be conspicuous by one's absence.

abwetzen *sep* **I** *vt* (*abschaben*) to wear smooth. **II** *vi aux sein* (*inf*) to hare off (*inf*), to bolt (*inf*).

abwichsen *vt sep*: **sich/jdm einen** ~ (*vulg*) to jerk *or* wank off (*sl*)/jerk sb off (*sl*).

abwickeln *sep* **I** *vt* **1.** (*abspulen*) to unwind; *Verband auch* to take off, to remove.
2. (*fig: erledigen*) to deal with; *ein Geschäft* to complete, to conclude; *Kontrolle* to carry out; *Veranstaltung* to run; (*Comm: liquidieren*) to wind up.
II *vr* to unwind; (*vonstatten gehen*) to go *or* pass off.

Abwicklung *f siehe vt* **1.** unwinding; taking off, removal. **2.** completion, conclusion; carrying out; running; winding up. **die Polizei sorgte für eine reibungslose** ~ **der Veranstaltung** the police made sure that the event went *or* passed off smoothly.

abwiegeln *sep* **I** *vt* to appease; *wütende Menge auch* to calm down. **II** *vi* to calm things down. **das A**~ appeasement.

abwiegen *vt sep irreg* to weigh out.
Abwiegler(in *f*) *m* **-s, -** appeaser, conciliator.

abwimmeln *vt sep* (*inf*) *jdn* to get rid of (*inf*); *Auftrag* to get out of (*inf*). **die Sekretärin hat mich abgewimmelt** the secretary turned me away; **laß dich nicht** ~ don't let them get rid of you.

Abwind *m* (*Aviat*) downwash; (*Met*) down current.

abwinkeln *vt sep* *Arm* to bend. **mit abgewinkelten Armen** (*in den Hüften*) with arms akimbo.

abwinken *sep* **I** *vi* (*inf*) (*abwehrend*) to wave it/him *etc* aside; (*resignierend*) to groan; (*fig: ablehnen*) to say no. **als er merkte, wovon ich reden wollte, winkte er gleich ab** when he realised what I wanted to talk about he immediately put me off *or* stopped me; **wenn Bonn abwinkt ...** if the (German) government turns us/them *etc* down *or* says no ...; *siehe* **müde**.
II *vti* (*bei Zug*) to give the "go" signal. **ein Rennen** ~ to wave the chequered flag; (*nach Unfall*) to stop the race; **einen Rennfahrer** ~ to wave a driver down.

abwirtschaften *vi sep* (*inf*) to go downhill. **abgewirtschaftet haben** to have reached rock bottom; *siehe* **abgewirtschaftet.**

abwischen *vt sep* *Staub, Schmutz* to wipe off *or* away; *Hände, Nase* to wipe; *Augen, Tränen* to dry. **er wischte sich** (*dat*) **den Schweiß/die Stirn ab** he mopped (the sweat from) his brow.

abwohnen *vt sep* **1.** *Möbel* to wear out; *Haus, Zimmer* to make shabby. **2.** *Baukostenzuschuß* to pay off with the rent.

abwracken *vt sep* *Schiff, Auto, technische Anlage* to break (up); *siehe* **abgewrackt.**

Abwurf *m* throwing off; (*von Reiter*) throw; (*von Bomben*) dropping; (*von Ballast*) jettisoning; (*von Geweih*) casting; (*Comm: von Zinsen, Gewinn*) yield; (*Sport*) (*der Latte*) knocking down or off; (*des Speers etc*) throwing. **ein ~ vom Tor** a goal-throw, a throw-out.

abwürgen *vt sep* (*inf*) to scotch; *Motor* to stall. **etw von vornherein ~** to nip sth in the bud.

abzahlen *vt sep* to pay off.

abzählen *sep* I *vt* to count. **er zählte zwanzig Hundertmarkscheine ab** he counted out twenty hundred-mark notes; **das läßt sich an den (zehn** or **fünf) Fingern ~** (*fig*) that's plain to see, any fool can see that (*inf*); **bitte das Fahrgeld abgezählt bereithalten** please tender exact or correct fare (*form*).
II *vi* to number off.

Abzählreim, Abzählvers *m* counting-out rhyme (*such as "eeny meeny miney mo"*, *for choosing a person*).

Abzahlung *f* 1. (*Rückzahlung*) repayment, paying off. 2. (*Ratenzahlung*) hire purchase (*Brit*), HP (*Brit*), instalment plan (*US*); (*Rate*) (re)payment, instalment. **etw auf ~ kaufen** to buy sth on HP (*Brit*) or on hire purchase (*Brit*) or on the instalment plan (*US*).

Abzahlungsgeschäft *nt* hire purchase (*Brit*), HP (*Brit*), instalment plan (*US*); **Abzahlungskredit** *m* consumer credit.

abzapfen *vt sep* to draw off. **jdm Blut ~** (*inf*) to take blood from sb; **jdm Geld ~** to get some money out of sb.

abzäunen *vt sep* to fence off.

Abzäunung *f* fencing.

abzehren *sep* I *vt* (*liter*) to emaciate; *siehe* **abgezehrt.** II *vr* to waste or pine away.

Abzeichen *nt* badge; (*Mil*) insignia *pl*; (*Orden, Auszeichnung*) decoration.

abzeichnen *sep* I *vt* 1. to draw. 2. (*signieren*) to initial. II *vr* to stand out; (*Unterwäsche*) to show; (*fig*) (*deutlich werden*) to emerge, to become apparent; (*drohend bevorstehen*) to loom (on the horizon).

abzgl. *abbr of* **abzüglich.**

Abziehbild *nt* transfer.

abziehen *sep irreg* I *vt* 1. to skin; *Fell, Haut* to remove, to take off; *grüne Bohnen* to string.
2. *Bett* to strip; *Bettzeug* to strip off.
3. (*Sw: ausziehen*) *Mantel, Schürze, Ring* to take off; *Hut* to raise.
4. *Schlüssel* to take out, to remove; *Abzugshahn* to press, to squeeze; *Pistole* to fire.
5. (*zurückziehen*) *Truppen, Kapital* to withdraw; (*subtrahieren*) *Zahlen* to take away, to subtract; *Steuern* to deduct. **DM 20 vom Preis ~** to take DM 20 off the price; **man hatte mir zuviel abgezogen** they'd deducted or taken off too much, I'd had too much deducted.
6. (*abfüllen*) *Wein* to bottle. **Wein auf Flaschen ~** to bottle the wine.
7. (*Typ: vervielfältigen*) to run off; *Korrekturfahnen auch* to pull; (*Phot*) *Bilder* to make prints of, to print. **etw zwanzigmal ~** to run off twenty copies

of sth.
8. (*schleifen*) to sharpen; *Rasiermesser auch* to strop; *Parkett* to sand (down).
9. (*Cook*) *Suppe, Sauce* to thicken.
II *vi* 1. **aux sein** (*sich verflüchtigen*) (*Rauch, Dampf*) to escape, to go away; (*Sturmtief*) to move away.
2. **aux sein** (*Soldaten*) to pull out (*aus* of), to withdraw (*aus* from); (*inf: weggehen*) to go off or away. **zieh ab!** (*inf*) clear off! (*inf*), beat it! (*inf*).
3. (*abdrücken*) to pull or squeeze the trigger, to fire.

Abziehpresse *f* proof press.

abzielen *vi sep* **auf etw** (*acc*) **~** (*Mensch*) to aim at sth; (*in Rede*) to get at sth; (*Bemerkung, Maßnahme*) to be aimed or directed at sth; **ich merkte sofort, worauf sie abzielte** I saw immediately what she was driving or getting at.

abzinsen *vt insep* (*Fin*) to discount; **abgezinste Sparbriefe** savings certificates sold at discounted interest.

Abzinsung *f* (*Fin*) discounting.

abzirkeln *vt sep* (*rare: mit Zirkel abmessen*) to measure (off) with compasses; (*fig: vorausplanen*) to calculate very carefully; *Worte, Bewegungen* to measure.

abzotteln *vi sep* **aux sein** (*inf*) to toddle off (*inf*).

Abzug ['aptsuːk] *m* 1. *no pl* (*Weggang*) departure; (*Met: von Tief*) moving away; (*Wegnahme: von Truppen, Kapital*) withdrawal. **jdm freien ~ gewähren** to give or grant sb a safe conduct.
2. (*usu pl: vom Lohn*) deduction; (*Rabatt*) discount. **ohne ~** (*Comm*) net terms only; **er verdient ohne Abzüge ...** before deductions or stoppages he earns ...; **etw in ~ bringen** (*form*) to deduct sth.
3. (*Typ*) copy; (*Korrekturfahne*) proof; (*Phot*) print.
4. (*Öffnung für Rauch, Gas*) flue. **es muß für hinreichenden ~ gesorgt werden** there must be sufficient means for the gas/smoke to escape or to be drawn off.
5. (*am Gewehr*) trigger.

abzüglich *prep* +*gen* (*Comm*) minus, less.

abzugsfähig *adj* (*Fin*) (tax-)deductible; **abzugsfrei** *adj* tax-free; **Abzugshaube** *f* extractor hood; **Abzugsrohr** *nt* flue (pipe).

abzupfen *vt sep* to pull or pluck off (*von etw* sth); (*S Ger: pflücken*) to pick.

abzwacken *vt sep* (*dial*) 1. (*abkneifen*) to pinch off. 2. *siehe* **abknapsen.**

abzwecken *vi sep* **auf etw** (*acc*) **~** to be aimed at sth.

Abzweig *m* (*form*) junction. **der ~ nach Saarbrücken** the turn-off to or for Saarbrücken.

Abzweigdose *f* junction box.

abzweigen *sep* I *vi* **aux sein** to branch off. II *vt* (*inf*) to set or put on one side.

Abzweigung *f* junction, turn-off (*Nebenstrecke*) turn-off; (*Gabelung*) fork; (*Rail: Nebenlinie*) branch line; (*Elec*) junction.

abzwicken *vt sep* to pinch *or* nip off.

abzwingen *vt sep irreg* jdm Respekt ~ to gain sb's respect; **er zwang sich** (*dat*) **ein Lächeln ab** he forced a smile.

abzwitschern *vi sep aux sein* (*inf*) to go off, to take oneself off.

Accessoires [aksɛ'soaːɐ(s)] *pl* accessories *pl*.

Acetat [atse'taːt] *nt* **-s, -e** acetate.

Aceton [atse'toːn] *nt* **-s, -e** acetone.

Acetylen [atsety'leːn] *nt* **-s**, *no pl* acetylene.

ach [ax] **I** *interj* oh; (*poet auch*) O. ~ **nein!** oh no!; (*überrascht*) no!, really!; (*ablehnend*) no, no!; ~ **nein, ausgerechnet der!** well, well, him of all people! ~ **so!** I see!, aha!; (*ja richtig*) of course!; ~ **was** *or* **wo!** of course not; ~ **was** *or* **wo, das ist doch nicht so schlimm!** come on now, it's not that bad; ~ **was** *or* **wo, das ist nicht nötig!** no, no that's not necessary; ~ **wirklich?** oh really?, do you/ does he *etc* really?; ~ **je!** oh dear!, oh dear(ie) me!

II *adv* (*geh*) ~ **so schnell/schön** oh so quickly/lovely.

Ach *nt*: **mit** ~ **und Krach** (*inf*) by the skin of one's teeth (*inf*); **eine Prüfung mit** ~ **und Krach bestehen** to scrape through an exam (by the skin of one's teeth); **ich habe die Behandlung überstanden, aber nur mit** ~ **und Weh** I had the treatment but I screamed blue murder (*inf*).

Achat *m* **-(e)s, -e** agate.

Achill(es) *m* Achilles.

Achillesferse *f* Achilles heel.

Ach-Laut *m* voiceless velar fricative (*the sound "ch" in the Scottish "loch"*).

Achsabstand *m* wheelbase; **Achsdruck** *m* axle weight.

Achse ['aksə] *f* **-, -n 1**. axis. **die** ~ (**Rom-Berlin**) (*Hist*) the (Rome-Berlin) Axis. **2**. (*Tech*) axle; (*Propeller*~) shaft. **auf** (**der**) ~ **sein** (*fig inf*) to be out (and about); (*Kraftfahrer, Vertreter etc*) to be on the road.

Achsel ['aksl] *f* **-, -n 1**. shoulder. **die** ~**n** *or* **mit den** ~**n zucken** to shrug (one's shoulders). **2**. (~*höhle*) armpit.

Achselgriff *m* underarm grip; **Achselhaare** *pl* **die** ~ underarm hair, the hair under one's arms; **Achselhöhle** *f* armpit; **Achselklappe** *f*, **Achselstück** *nt* epaulette; **Achselzucken** *nt* shrug; **mit einem** ~ **with a shrug** (of one's shoulders); **achselzuckend** *adj* shrugging; **er stand** ~ **da** he stood there shrugging his shoulders.

Achsenbruch *m* broken axle; **Achsenkreuz** *nt* coordinate system; **Achsenmächte** *pl* (*Hist*) Axis powers *pl*.

Achslast *f* axle weight; **Achsschenkel** *m* stub axle, steering knuckle (*US*); **Achsstand** *m* wheelbase.

acht *num* eight. **für** *or* **auf** ~ **Tage** for a week; **in** ~ **Tagen** in a week's time; **heute/morgen in** ~ **Tagen** a week today/tomorrow, today/tomorrow week; **heute vor** ~ **Tagen war ich** ... a week ago today I was ...; *siehe auch* **vier.**

Acht¹ *f* **-, -en** eight; (*bei Fahrrad*) buckled

wheel; (*beim Eislaufen*) figure (of) eight; *siehe auch* **Vier.**

Acht² *f*: **sich in a~ nehmen** to be careful, to take care, to watch *or* look out; **etw außer a~ lassen** to leave sth out of consideration, to disregard sth; **etw außer aller** ~ **lassen** (*geh*) to pay no attention *or* heed whatsoever to sth, not to heed sth; *siehe* **achtgeben.**

Acht³ *f* **-**, *no pl* (*Hist*) outlawry, proscription. **jdn in** ~ **und Bann tun** to outlaw *or* proscribe sb; (*Eccl*) to place sb under the ban; (*fig*) to ostracize sb.

achtbar *adj* (*geh*) worthy.

Achtbarkeit *f* (*geh*) worthiness.

Acht|eck *nt* octagon.

acht|eckig *adj* octagonal, eight-sided.

achtel *adj* eighth; *siehe auch* **viertel.**

Achtel *nt* **-s, -** eighth; *siehe auch* **Viertel¹ 1..**

Achtelfinale *nt* round before the quarter-final, 2nd/3rd *etc* round; **ein Platz im** ~ a place in the last sixteen; **Achtelnote** *f* quaver *or* eighth note (*US*); **Achtelpause** *f* quaver *or* eighth note (*US*) rest.

achten I *vt* **1.** (*schätzen*) to respect, to think highly of, to hold in high regard. **geachtete Leute** respected people. **2.** (*respektieren*) *Gesetze, Bräuche, jds Gesinnung* to respect. **3.** (*geh: betrachten*) to regard. **etw (für) gering** ~ to have scant regard for sth.

II *vi* **auf etw** (*acc*) ~ to pay attention to sth; **auf die Kinder** ~ to keep an eye on the children; **darauf** ~, **daß** ... to be careful *or* to see *or* to take care that ...

ächten *vt* (*Hist*) to outlaw, to proscribe; (*fig*) to ostracize.

achtens *adv* eighthly, in the eighth place.

achtenswert *adj* *Person* worthy; *Bemühungen, Handlung auch* commendable.

achte(r, s) *adj* eighth; *siehe auch* **vierte(r, s).**

Achte(r) *mf decl as adj* eighth; *siehe auch* **Vierte(r).**

Achter *m* **-s, -** (*Rudern*) eight; (*Eislauf*) figure (of) eight; *siehe auch* **Vierer.**

achteraus *adv* (*Naut*) astern; **Achterbahn** *f* big dipper (*Brit*), roller coaster (*US*), switchback; **Achterdeck** *nt* (*Naut*) afterdeck; **achterlastig** *adj* (*Naut*) *Schiff* stern-heavy.

achtern *adv* aft, astern. **nach** ~ **gehen/abdrehen** to go aft/to turn astern; **von** ~ from astern.

achtfach I *adj* eightfold; **in** ~**er Ausfertigung** with seven copies; *siehe auch* **vierfach**; **II** *adv* eightfold, eight times.

achtgeben *vi sep irreg* to take care, to be careful (*auf* +*acc* of); (*aufmerksam sein*) to pay attention (*auf* +*acc* to). **auf jdn/ etw** ~ (*beaufsichtigen*) to keep an eye on *or* to look after sb/sth; **wenn man im Straßenverkehr nur einen Augenblick nicht achtgibt,** ... if your attention wanders for just a second in traffic ...; **„O Mensch, gib acht!"** "O man, take heed".

achthaben *vi sep irreg* (*geh*) *siehe* **achtgeben.**

achthundert *num* eight hundred; *siehe auch* **vierhundert**; **Achtkampf** *m* gymnastic competition with eight events; **achtkantig** *adj* (*lit*) eight-sided; ~ **rausfliegen** (*sl*) to be flung out on one's ear (*inf*) *or* arse over tit (*sl*).

achtlos *adj* careless, thoughtless. **viele gehen** ~ **daran vorbei** many people just pass by without noticing them/it *etc*.

Achtlosigkeit *f* carelessness, thoughtlessness.

achtmal *adv* eight times.

achtsam *adj* (*geh*) attentive; (*sorgfältig*) careful. **mit etw ~ umgehen** to be careful with sth.

Achtsamkeit *f* attentiveness; (*Sorgfalt*) care.

Achtstundentag *m* eight hour day; **achttägig** *adj* lasting a week, weeklong; **mit ~er Verspätung** a week late; **der ~e Streik ist ...** the week-old *or* week-long strike is ...; **achttäglich** *adj*, *adv* weekly; **achttausend** *num* eight thousand; *siehe auch* **viertausend**.

Achtung *f*, *no pl* **1.** ~! watch *or* look out!; (*Mil: Befehl*) attention!; ~, ~! (your) attention please!; „~ Hochspannung!" "danger, high voltage"; „~ Lebensgefahr!" "danger"; „~ Stufe!" "mind the step"; ~, **fertig, los!** ready, steady *or* get set, go!
2. (*Wertschätzung*) respect (*vor* +*dat* for). **die ~ vor sich selbst** one's self-respect *or* self-esteem; **bei aller ~ vor jdm/etw** with all due respect to sb/sth; **in hoher ~ bei jdm stehen** to be held in high esteem *or* be highly esteemed by sb; **jdm ~ einflößen** to command *or* gain sb's respect; **sich** (*dat*) **~ verschaffen** to make oneself respected, to gain respect for oneself; **jdm die nötige ~ entgegenbringen** to give sb the respect due to him/her *etc*; **alle ~!** good for you/him *etc*!

Ächtung *f*, *no pl* (*Hist, des Krieges*) proscription, outlawing; (*fig: gesellschaftlich*) ostracism.

achtunggebietend *adj* (*geh*) awe-inspiring.

Achtungsapplaus *m* polite applause; **Achtungserfolg** *m* succès d'estime; **achtungsvoll** *adj* (*rare*) respectful.

achtzehn *num* eighteen; *siehe auch* **vierzehn**.

achtzig *num* eighty. **auf ~ sein** (*inf*) to be livid, to be hopping mad (*inf*); **da war er gleich auf ~** (*inf*) then he got livid; *siehe auch* **vierzig**.

Achtziger(in *f*) *m* **-s,** - (*Mensch*) eighty-year-old, octogenarian; *siehe auch* **Vierziger**.

ächzen *vi* to groan (*vor* +*dat* with); (*Brücke, Baum etc auch*) to creak. ~ **und stöhnen** to moan and groan.

Ächzer *m* **-s,** - groan.

Acker *m* **-s,** ∸ **1.** (*Feld*) field. **den ~/die ∼ bestellen** to till the soil/plough the fields. **2.** (*old: Feldmaß*) ≈ acre.

Ackerbau *m* **-s,** *no pl* agriculture, farming; ~ **betreiben** to farm the land; ~ **und Viehzucht** farming; **ackerbautreibend** *adj attr* farming; **Ackerfläche** *f* area of

arable land; **Ackerfurche** *f* furrow; **Ackergaul** *m* (*pej*) farm horse, old nag (*pej*); *siehe* **Rennpferd**; **Ackergerät** *nt* farm *or* agricultural implement; **Ackerkrume** *f* topsoil; **Ackerland** *nt* arable land.

ackern I *vi* **1.** (*inf*) to slog away (*inf*). **2.** (*old*) to till the soil. **II** *vt* (*old: pflügen*) to till.

Ackersalat *m* (*S Ger*) lamb's lettuce.

Ackerwalze *f* (*land*) roller; **Ackerwinde** *f* (*Bot*) field bindweed.

a conto *adv* (*Comm*) on account.

Acryl *in cpds* acrylic; **Acrylfarbe** *f* acrylic paint; **Acrylglas** *nt* acrylic glass; **Acrylplatte** *f* acrylic tile.

Action ['ækʃən] *f* -, *no pl* action.

A.D. *abbr of* **Anno Domini** AD.

a.D. [aː'deː] *abbr of* **außer Dienst** ret(d).

Adabei ['aːdabaɪ] *m* **-s,** **-s** (*Aus inf*) limelighter (*inf*).

ad absurdum *adv* ~ **führen** to make a nonsense of; *Argument* to reduce to absurdity *or* absurdum.

ADAC [aːdeːaˈtseː] *abbr of* **Allgemeiner Deutscher Automobil-Club** ≈ AA (*Brit*), RAC (*Brit*), AAA (*US*).

ad acta *adv*: **etw ~ legen** (*fig*) to consider sth finished; *Frage, Problem* to consider sth closed.

Adam *m* **-s** Adam. **seit ~s Zeiten** (*inf*) since the year dot (*inf*); **das stammt noch von ~ und Eva** (*inf*) it's out of the ark (*inf*); **bei ~ und Eva anfangen** (*inf*) to start right from scratch (*inf*) *or* from square one (*inf*); *siehe* **Riese**[1].

Adamsapfel *m* (*inf*) Adam's apple; **Adamskostüm** *nt* (*inf*) birthday suit; **im ~** in one's birthday suit, as nature made one.

Adap(ta)tion *f* adaptation.

Adapter *m* **-s,** - adapter, adaptor.

Adapterkarte *f* (*Comput*) adapter card.

adaptieren* *vt* **1.** to adapt. **2.** (*Aus: herrichten*) to fix up.

adäquat *adj* (*geh*) *Bemühung, Belohnung, Übersetzung* adequate; *Stellung, Verhalten* suitable; *Kritik* valid. **einer Sache** (*dat*) ~ **sein** to be adequate to sth.

Adäquatheit *f* (*geh*) *siehe adj* adequacy; suitability; validity.

addieren* *I vt* to add (up). **II** *vi* to add.

Addiermaschine *f* adding machine.

Addition *f* addition; (*fig*) agglomeration.

Additionsmaschine *f* adding machine.

Additiv *nt* **-s,** -e additive.

ade *interj* **1.** (*S Ger*) bye (*inf*). **2.** (*old*) farewell (*old, liter*). **jdm ~ sagen** to bid sb farewell.

Adebar *m* **-s,** -e (*N Ger*) stork.

Adel *m* **-s,** *no pl* **1.** nobility; (*Brit auch*) peerage; (*hoher auch*) aristocracy. **von ~ sein** to be a member of the nobility, to be of noble birth; **er stammt aus altem ~** he comes from an old aristocratic family; **der niedere ~** the lesser nobility, the gentry; **der hohe ~** the higher nobility, the aristocracy; **das ist verarmter ~** they are impoverished nobility; ~ **verpflichtet** nobility oblige.
2. (*~stitel*) title; (*des hohen Adels auch*) peerage. **erblicher/persönlicher ~**

hereditary/non-hereditary title; hereditary/life peerage.

3. (*liter: edle Gesinnung*) nobility. ~ der Seele/des Herzens/des Geistes nobility of the soul/of the heart/of mind.

adelig *adj siehe* **adlig.**

Adelige(r) *mf decl as adj siehe* **Adlige(r).**

adeln I *vt* to bestow a peerage on, to make a (life) peer (*Brit*), to ennoble; (*den Titel ,,Sir'' verleihen*) to knight; (*niedrigen Adel verleihen*) to bestow a title on. II *vi* etw adelt (*geh*) sth ennobles the soul.

Adelsbrief *m* patent of nobility; **Adelsprädikat** *nt* mark of nobility (*in a name*); **Adelsstand** *m* nobility; (*Brit auch*) peerage; (*hoher auch*) aristocracy; **in den** ~ **erheben** *siehe* **adeln;** **Adelsstolz** *m* pride in one's noble birth; **Adelstitel** *m* title.

Adelung *f siehe* **vt** raising to the peerage; ennoblement; knighting; bestowing a title (*gen on*).

Adept(in *f*) *m* **-en, -en** (*old: der Geheimwissenschaften*) initiate; (*iro geh*) disciple.

Ader *f* -, **-n** (*Bot, Geol*) vein; (*Physiol*) blood vessel; (*Elec: Leitungsdraht*) core; (*fig: Veranlagung*) bent. **das spricht seine künstlerische/musikalische** ~ **an** that appeals to the artist/musician in him; **eine/keine** ~ **für etw haben** to have feeling/no feeling for sth; **eine poetische/musikalische** ~ **haben** to have a feeling for poetry/music, to be of *or* have a poetic/musical bent; **sich** (*dat*) **die** ~**n öffen** (*geh*) to slash one's wrists; **jdn zur** ~ **lassen** (*old, fig inf*) to bleed sb.

Äderchen *nt dim of* **Ader.**

Aderlaß *m* **-lasses, -lässe** (*old Med*) blood-letting (*auch fig*), bleeding. **bei jdm einen** ~ **machen** to bleed sb; **die Abwanderung der Akademiker ist ein** ~, **den sich das Land nicht länger leisten kann** the country can no longer afford the bleeding of its resources through the exodus of its academics.

Adhäsion *f* (*Phys*) adhesion.

Adhäsionskraft *f* adhesive power, power of adhesion; **Adhäsionsverschluß** *m* adhesive seal.

ad hoc *adv* (*geh*) ad hoc.

Ad-hoc- *in cpds* ad hoc; **Ad-hoc-Maßnahme** *f* ad hoc measure.

adieu [adi'ø:] *interj* (*old, dial*) adieu (*obs*), farewell (*old*). **jdm** ~ **sagen** to bid sb farewell (*old*), to say farewell *or* adieu to sb.

Adjektiv *nt* adjective.

adjektivisch *adj* adjectival.

Adjunkt *m* **-en, -en** (*Aus, Sw*) junior civil servant.

adjustieren* *vt* **1.** (*Tech*) *Werkstück* to adjust; *Meßgerät* to set. **2.** (*Aus*) to issue with uniforms/a uniform.

Adjutant *m* adjutant; (*von General*) aide(-de-camp).

Adlatus *m* -, **Adlaten** *or* **Adlati** (*old, iro*) assistant.

Adler *m* **-s,** - eagle.

Adlerauge *nt* (*fig*) eagle eye; ~**n haben** to have eyes like a hawk, to be eagle-eyed; **Adlerblick** *m* (*fig*) eagle eye; **Adlerfarn**

m bracken; **Adlerhorst** *m* (eagle's) eyrie; **Adlernase** *f* aquiline nose.

adlig *adj* (*lit, fig*) noble. ~ **sein** to be of noble birth.

Adlige(r) *mf decl as adj* member of the nobility, nobleman/-woman; (*Brit auch*) peer/peeress; (*hoher auch*) aristocrat.

Administration *f* administration.

administrativ *adj* administrative.

Administrator(in *f*) [-'to:rɪn] *m* administrator.

administrieren* *vi* (*geh: verwalten*) to administrate.

Admiral *m* **-s, -e** *or* **Admiräle 1.** admiral. **2.** (*Zool*) red admiral.

Admiralität *f* **1.** (*die Admirale*) admirals *pl*. **2.** (*Marineleitung*) admiralty.

Admiralsrang *m* rank of admiral.

Adoleszenz *f* (*form*) adolescence.

Adonis *m* -, **-se** (*geh*) Adonis.

adoptieren* *vt* to adopt.

Adoption *f* adoption.

Adoptiveltern *pl* adoptive parents *pl*; **Adoptivkind** *nt* adopted child.

Adr. *abbr of* **Adresse.**

Adrenalin *nt* **-s,** *no pl* adrenalin.

Adrenalinspiegel *m*, *no pl* adrenalin level; **Adrenalinstoß** *m* surge of adrenalin.

Adressat(in *f*) *m* **-en, -en** (*geh*) addressee; (*Comm auch*) consignee (*form*). ~**en** (*fig*) target group.

Adressatengruppe *f* target group.

Adreßbuch *nt* directory; (*privat*) address book.

Adresse *f* -, **-n** (*Anschrift, Comput*) address. **eine Warnung an jds** ~ (*acc*) **richten** (*fig*) to address a warning to sb; **dieser Vorwurf geht an Ihre eigene** ~ this reproach is directed at *or* addressed to you (personally); **sich an die richtige** ~ **wenden** (*inf*) to go/come to the right place *or* person/people; **an die falsche** *or* **verkehrte** ~ **kommen** *or* **geraten** (*all inf*) to go/come to the wrong person (*inf*); **an der falschen** ~ **sein** (*inf*) to have gone/come to the wrong person, to be knocking at the wrong door (*inf*).

Adressenaufkleber *m* address label; **Adressenverwaltung** *f* (*Comput*) address filing system.

adressieren* *vt* to address (*an* +*acc* to).

Adressiermaschine *f* addressograph.

adrett *adj* (*dated*) neat.

Adria *f* - Adriatic (Sea).

Adriatisches Meer *nt* (*form*) Adriatic Sea.

Advent [at'vɛnt] *m* **-s, -e** Advent. **im** ~ in Advent; **erster/vierter** ~ first/fourth Sunday in Advent.

Adventist [-ven-] *m* (*Rel*) (Second) Adventist.

Adventskalender *m* Advent calendar; **Adventskranz** *m* Advent wreath; **Adventssonntag** *m* Sunday in Advent; **Adventszeit** *f* (season of) Advent.

Adverb [at'vɛrp] *nt* **-s, -ien** adverb.

adverbial *adj* adverbial.

Adverbialbestimmung *f* adverbial qualification; **mit** ~ qualified adverbially; **Adverbialsatz** *m* adverbial clause.

adversativ [atvɛrza'ti:f] *adj* (*Gram*)

adversative.
Adversativsatz m adversative clause.
Advocatus diaboli m - -, **Advocati** - (geh)
devil's advocate.
Advokat(in f) [atvo'ka:t] m -en, -en (old
Jur, fig) advocate; (Aus, Sw, auch pej)
lawyer.
Advokatur [-vo-] f 1. legal profession. 2.
(Büro) lawyer's office.
Advokaturbüro nt (Sw), **Advoka-
turskanzlei** f (Aus) lawyer's office.
Aero- [aero] in cpds aero.
Aerobic [ae'rɔbɪk] nt -(s), no pl aerobics
sing.
Aerodynamik f aerodynamics; **aerody-
namisch** adj aerodynamic; **Aero-
gramm** nt air-letter, aerogramme;
Aerosol nt -s, -e aerosol.
Affäre f -, -n 1. (Angelegenheit) affair,
business no pl; (Liebesabenteuer) affair.
in eine ~ verwickelt sein to be mixed up or
involved in an affair; **sich aus der ~ ziehen**
(inf) to get (oneself) out of it (inf). 2.
(Zwischenfall) incident, episode.
Äffchen nt dim of **Affe**.
Affe m -n, -n 1. monkey; (Menschen~)
ape. **der Mensch stammt vom ~n ab**
man is descended from the apes; **klettern wie ein ~** to climb like a monkey;
siehe **lausen, Schleifstein**.
 2. (sl: Kerl) clown (inf), berk (Brit sl),
twit (Brit sl). **ein eingebildeter ~** a conceited ass (inf); **du (alter) ~!** (sl) you
(great) berk or twit (sl).
 3. (Mil inf) knapsack.
Affekt m -(e)s, -e emotion, affect (form).
ein im ~ begangenes Verbrechen a crime
committed under the effect of emotion
or in the heat of the moment; **im ~ handeln** to act in the heat of the moment.
affektgeladen adj (geh) impassioned,
passionate; **Affekthandlung** f act
committed under the influence of emotion.
affektiert adj (pej) affected. **sich ~ benehmen** to be affected, to behave affect-
edly.
Affektiertheit f affectation, affectedness.
affektiv adj (Psych) affective.
Affektstau m (Psych) emotional block.
affenartig adj like a monkey; (men-
schen~) apelike; **mit ~er Geschwindigkeit** (inf) like greased lightning (inf),
like or in a flash (inf); **Affenbrotbaum**
m monkey-bread (tree), baobab; **affen-
geil** adj (sl) wicked (sl), right on (sl);
Affengeschwindigkeit f (inf) siehe
Affentempo; **Affenhaus** nt ape house;
Affenhitze f (inf) sweltering heat (inf);
gestern war eine ~ yesterday was a
scorcher (inf) or it was sweltering (inf);
Affenjäckchen nt, **Affenjacke** f (Mil
inf) monkey jacket; **Affenkäfig** m
monkey's/ape's cage; **Affenliebe** f blind
adoration (zu of); **Affenmensch** m (inf)
ape-man; **Affenpinscher** m griffon
(terrier); **Affenschande** f (inf) crying
shame (inf); **Affenschaukel** f (inf) (Mil)
fourragère; (usu pl: Frisur) looped plait;
Affentempo nt (inf) breakneck speed
(inf); **in** or **mit einem ~** at breakneck
speed (inf); (laufen auch) like the

clappers (sl); **Affentheater** nt (inf) to-
do (inf), carry-on (inf), fuss; **ein ~ aufführen** to make a fuss; **Affenzahn** m (sl)
siehe **Affentempo**.
affig adj (inf) (eitel) stuck-up (inf), conceited; (geziert) affected; (lächerlich) ridiculous, ludicrous. **sich ~ anstellen** or
haben to be stuck-up (inf)/affected/
ridiculous or ludicrous.
Äffin f female monkey/ape.
Affinität f affinity.
Affirmation f (geh) affirmation.
affirmativ adj (geh) affirmative.
Affix nt -es, -e (Ling) affix.
Affront [a'frõ:] m -s, -s (geh) affront, in-
sult (gegen to).
Afghane m -n, -n, **Afghanin** f Afghan.
afghanisch adj Afghan. **~er Windhund**
Afghan (hound).
Afghanistan nt -s Afghanistan.
Afrika nt -s Africa.
Afrikaans nt - Afrikaans.
Afrikaner(in f) m -s, - African.
afrikanisch adj African.
Afrikanistik f African studies pl.
Afroamerikaner(in f) m Afro-American;
afroasiatisch adj Afro-Asian; **Afro-
Look** m -s Afro-look.
After m -s, - (form) anus.
AG [a:'ge:] f -, -s abbr of **Aktiengesell-
schaft** plc (Brit), corp., inc. (US).
Ägäis [ε'gε:ɪs] f - Aegean (Sea).
ägäisch [ε'gε:ɪʃ] adj Aegean. **Ä~es Meer**
Aegean Sea.
Agave [a'ga:və] f -, -n agave.
Agens nt -, **Agenzien** [a'gεntsɪen]
(Philos, Med, Ling) agent.
Agent m agent; (Spion) secret or foreign
agent.
Agentennetz nt spy network; **Agenten-
ring** m spy ring; **Agententätigkeit** f
espionage; **ihre ~** her activity as a secret
or foreign agent.
Agentin f secret or foreign agent.
Agentur f agency.
Agenturbericht m (news) agency report.
Agglomerat nt (Tech, Geol) agglomerate;
(fig geh auch) agglomeration, conglomeration.
Agglutination f (Ling) agglutination.
agglutinieren* vi (Ling) to agglutinate.
~d agglutinative; Sprache auch aggluti-
nating.
Aggregat nt (Geol) aggregate; (Tech)
unit, set of machines.
Aggregatzustand m state. **die drei Ag-
gregatzustände** the three states of
matter.
Aggression f aggression (gegen towards).
~en gegen jdn empfinden to feel aggressive or aggression towards sb.
aggressionslüstern adj (pej) belligerent,
bellicose; **Aggressionstrieb** m (Psych)
aggressive impulse.
aggressiv adj aggressive.
Aggressivität f aggression, aggressiveness.
Aggressor m aggressor.
Ägide f -, no pl (liter): **unter jds ~** (dat)
(Schutz) under the aegis of sb; (Schirmherrschaft auch) under sb's patronage.
agieren* vi to operate, to act; (Theat) to

act. **als jd ~** (*Theat*) to act or play the part of sb.

agil *adj* (*körperlich*) agile, nimble. **(geistig)** ~ sharp, nimble-minded, mentally agile.

Agilität *f siehe adj* agility, nimbleness; sharpness, nimble-mindedness.

Agio ['aːdʒo] *nt* -, **Agien** ['aːdʒən] (*Fin*) (*von Wertpapier*) premium; (*von Geldsorte*) agio.

Agitation *f* (*Pol*) agitation. ~ **treiben** to agitate.

Agitator(in *f*) [-'toːrɪn] *m* (*Pol*) agitator.

agitatorisch *adj* (*Pol*) agitative; *Rede* inflammatory, agitating *attr*.

agitieren* *vi* to agitate.

Agitprop *f* -, *no pl* agitprop.

Agnostiker(in *f*) *m* -s, - agnostic.

agnostisch *adj* agnostic.

Agnostizismus *m* agnosticism.

Agonie *f* (*lit, fig geh*) throes *pl* of death, death pangs *pl*. **in (der) ~ liegen** to be in the throes of death.

Agrar- *in cpds* agrarian; **Agrargesellschaft** *f* agrarian society.

agrarisch *adj* agrarian.

Agrarland *nt* agrarian country; **Agrarmarkt** *m* agricultural commodities market; **Agrarpolitik** *f* agricultural policy; **Agrarstaat** *m* agrarian state; **Agrarwirtschaft** *f* agricultural economy; **Agrarzoll** *m* import tariff (*on produce*).

Agrément [agre'mãː] *nt* -s, -s (*Pol*) agrément.

Agrikultur *f* (*form*) agriculture.

Agrochemie *f* agricultural chemistry.

Agronom(in *f*) *m* agronomist.

Agronomie *f* agronomy.

Agrotechnik *f* (*DDR*) agricultural technology.

Ägypten *nt* -s Egypt.

Ägypter(in *f*) *m* -s, - Egyptian.

ägyptisch *adj* Egyptian.

Ägyptologie *f* Egyptology.

ah [aː] *interj* (*genießerisch*) ooh, ah, mmm; (*überrascht, bewundernd, verstehend*) ah, oh.

äh [ɛː] *interj* (*beim Sprechen*) er, um; (*Ausdruck des Ekels*) ugh.

aha *interj* aha; (*verstehend auch*) I see.

Aha-Erlebnis *nt* sudden insight, aha-experience (*Psych*).

Ahle *f* -, -n awl; (*Typ*) bodkin.

Ahn *m* -(e)s *or* -en, -en (*geh*) ancestor, for(e)father (*liter*); (*fig*) for(e)bear (*liter*).

ahnden *vt* (*liter*) *Freveltat, Verbrechen* to avenge; (*form*) *Übertretung, Verstoß* to punish.

Ahndung *f siehe vt* avengement; punishment.

Ahne¹ *m* -n, -n (*liter*) *siehe* **Ahn**.

Ahne² *f* -, -n (*geh*) (*weiblicher Vorfahr*) ancestress; (*fig*) for(e)bear (*liter*).

ähneln *vi* +*dat* to be like, to be similar to, to resemble. **sich** *or* **einander** (*geh*) ~ to be alike, to be similar, to resemble one another; **in diesem Punkt ähnelt sie sehr ihrem Vater** she's very like her father *or* very similar to her father *or* she greatly resembles her father in this respect; **die**

beiden Systeme ~ einander nicht sehr/~ sich wenig the two systems are not very similar *or* alike/have little in common.

ahnen I *vt* (*voraussehen*) to foresee, to know; *Gefahr, Tod etc* to have a presentiment *or* premonition *or* foreboding of; (*vermuten*) to suspect; (*erraten*) to guess. **das kann ich doch nicht ~!** I couldn't be expected to know that!; **nichts Böses ~** to have no sense of foreboding, to be unsuspecting; **nichts Böses ~d** unsuspectingly; **ohne zu ~, daß ...** without dreaming *or* suspecting (for one minute) that ...; **ohne es zu ~** without suspecting, without having the slightest idea; **davon habe ich nichts geahnt** I didn't have the slightest inkling of it, I didn't suspect it for one moment; **so etwas habe ich doch geahnt** I did suspect something like that; **(ach), du ahnst es nicht!** (*inf*) would you believe it! (*inf*); **du ahnst es nicht, wen ich gestern getroffen habe!** you'll never guess *or* believe who I met yesterday!; **die Umrisse waren/der Nußgeschmack war nur zu ~** the contours could only be guessed at/there was only the merest hint *or* suspicion of a nutty flavour.

II *vi* (*geh*) **mir ahnt etwas Schreckliches** I have a dreadful foreboding; **mir ahnt nichts Gutes** I have a premonition that all is not well.

Ahnenbild *nt* ancestral portrait; (*auch* **Ahnenfigur**) ancestral figure; **Ahnenforschung** *f* genealogy; **Ahnengalerie** *f* ancestral portrait gallery; **Ahnenkult** *m* ancestor worship *or* cult; **Ahnenreihe** *f* ancestral line; **Ahnentafel** *f* genealogical tree *or* table, genealogy, pedigree; **Ahnenverehrung** *f* ancestor worship.

Ahnfrau *f* (*liter*) ancestress; (*Stammmutter*) progenitrix (*form, liter*); **Ahnherr** *m* (*liter*) ancestor; (*Stammvater*) progenitor (*form, liter*).

ähnlich I *adj* similar (+*dat* to). **ein dem Rokoko ~er Stil** a style similar to rococo, a similar style to rococo; ~ **wie er/sie** like him/her; ~ **wie damals/vor 10 Jahren** as then/10 years ago; **sie sind sich** ~ they are similar *or* alike; **ein ~ aussehender Gegenstand** a similar-looking object; **eine ~ komplizierte Sachlage** a similarly complicated state of affairs; **ich denke** ~ my thinking is similar, I think likewise; **jdm ~ sehen** to be like sb, to resemble sb; **das sieht ihm (ganz) ~!** (*inf*) that's just like him!, that's him all over! (*inf*); **(etwas) Ä~es** something similar, something like it/that.

II *prep* +*dat* similar to, like.

Ähnlichkeit *f* (*mit* to) (*Vergleichbarkeit*) similarity; (*ähnliches Aussehen*) similarity, resemblance. **mit jdm/etw ~ haben** to resemble sb/sth, to be like sb/sth.

Ahnung *f* 1. (*Vorgefühl*) hunch, presentiment; (*düster*) foreboding, premonition. 2. (*Vorstellung, Wissen*) idea; (*Vermutung*) suspicion, hunch. **keine ~!** (*inf*) no idea! (*inf*), I haven't a clue! (*inf*); **er hat keine blasse *or* nicht die geringste ~** he hasn't a clue *or* the foggiest, he hasn't the faintest idea (*all* *inf)*; **ich hatte keine ~, daß ...** I had no idea that ...; **hast du eine ~, wo er sein könnte?** have you any *or* an idea where he could be?; **hast du eine ~!** *(iro inf)* a (fat) lot you know (about it)! *(inf)*, that's what *you* know (about it)!

ahnungslos I adj *(nichts ahnend)* unsuspecting; *(unwissend)* clueless *(inf)*; **II** adv unsuspectingly, innocently; **Ahnungslosigkeit** f *(Unwissenheit)* cluelessness *(inf)*, ignorance; **ahnungsvoll** adj *(geh)* full of presentiment or *(Böses ahnend)* foreboding.

ahoi [a'hɔy] interj *(Naut)* **Schiff ~!** ship ahoy!

Ahorn m **-s, -e** maple.

Ahornblatt nt maple leaf.

Ähre f **-, -n** *(Getreide~)* ear; *(allgemeiner, Gras~)* head. **~n lesen** to glean (corn).

Ährenkranz m garland of corn; **Ährenlese** f gleaning.

AHV [ɑːhɑː'fau] *(Sw)* abbr of **Alters- und Hinderungsversicherung** age and disability insurance.

Aids [eɪdz] no art **-, no pl** Aids.

Aids- in cpds Aids; **Aids-Erreger** m Aids virus; **Aids-infiziert** adj infected with Aids; **Aids-Infizierte(r)** mf decl as adj person infected with Aids; **Aids-krank** adj suffering from Aids; **Aids-Kranke(r)** mf Aids sufferer; **Aids-Test** m Aids test.

Air [ɛːɐ] nt **-(s), -s** *(geh)* air, aura.

Air-bag ['ɛːɐbɛːg] m **-s, -s** *(Aut)* airbag; **Airbus** ['ɛːɐbʊs] m *(Aviat)* airbus.

ais, Ais ['aːɪs] nt **-, -** A sharp.

Aischylos ['aɪsçylɔs] m - Aeschylus.

Ajatollah m **-(s), -s** ayatollah.

Akademie f academy; *(Fachschule)* college, school.

Akademiker(in f) m **-s, -** person with a university education; *(Student)* (university) student; *(Hochschulabsolvent)* (university) graduate; *(Universitätslehrkraft)* academic; *(rare: Akademiemitglied)* academician.

akademisch adj *(lit, fig)* academic. **die ~e Jugend** (the) students pl; **das ~e Proletariat** (the) jobless graduates pl; **das ~e Viertel** *(Univ)* the quarter of an hour allowed between the announced start of a lecture etc and the actual start; **~ gebildet sein** to have (had) a university education, to be a graduate.

Akanthus m **-, -, Akanthusblatt** nt acanthus (leaf).

Akazie [-iə] f acacia.

Akklamation f *(form, Aus)* acclaim, acclamation. **Wahl per** *or* **durch ~ election** by acclamation.

akklamieren* *(form, Aus)* **I** vi to applaud *(jdm sb)*. **II** vt Schauspieler, Szene to acclaim, to applaud; *(wählen)* to elect by acclamation.

Akklimatisation f *(form)* acclimatization.

akklimatisieren* vr *(lit, fig)* *(in +dat* to) to become acclimatized, to acclimatize oneself/itself.

Akkord m **-(e)s, -e 1.** *(Mus)* chord. **2.** *(Stücklohn)* piece rate. **im** *or* **in** *or* **auf ~ arbeiten** to do piecework. **3.** *(Jur)* settlement.

Akkordarbeit f piecework; **Akkordarbeiter(in** f) m piece-worker.

Akkordeon [-ɔɔn] nt **-s, -s** accordion.

Akkordeonist(in f), **Akkordeonspieler(in** f) m accordionist.

Akkordlohn m piece wages pl, piece rate; **Akkordsatz** m piece rate.

akkreditieren* vt **1.** *(Pol)* to accredit *(bei* to, at).
   2. *(Fin)* **jdn ~** to give sb credit facilities; **akkreditiert sein** to have credit facilities; **jdn für einen Betrag ~** to credit an amount to sb or sb's account.

Akkreditierung f **1.** *(Pol)* accrediting, accreditation *(bei* to, at). **2.** *(Fin)* provision of credit facilities *(gen* to); *(von Betrag)* crediting.

Akkreditiv nt **1.** *(Pol)* credentials pl. **2.** *(Fin)* letter of credit.

Akku ['aku] m **-s, -s** *(inf)* abbr of **Akkumulator** accumulator.

Akkumulation f accumulation.

Akkumulator m accumulator.

akkumulieren* vtir to accumulate.

akkurat I adj precise; *(sorgfältig auch)* meticulous. **II** adv precisely, exactly; *(tatsächlich)* naturally, of course.

Akkusativ m accusative. **im ~ stehen** to be in the accusative.

Akkusativ|objekt nt accusative object.

Akne f **-, -n** acne.

Akontozahlung f payment on account.

akquirieren* [akvi'riːrən] **I** vt **1.** Spenden to collect. **Inserate/Kunden ~** to sell advertising space/to canvass for customers. **2.** *(old: erwerben)* to acquire. **II** vi *(Comm)* to canvass for custom.

Akquisiteur(in f) [akvizi'tøːɐ, -tøːrɪn] m agent, canvasser.

Akquisition [akvizitsi'oːn] f *(old)* acquisition; *(Comm)* (customer) canvassing.

Akribie f, no pl *(geh)* meticulousness.

akribisch adj *(geh)* meticulous, precise.

Akrobat(in f) m **-en, -en** acrobat.

Akrobatik f, no pl acrobatics pl; *(Geschicklichkeit)* acrobatic abilities pl or skill.

akrobatisch adj acrobatic.

Akronym nt **-s, -e** acronym.

Akt[1] m **-(e)s, -e 1.** *(Tat)* act; *(Zeremonie)* ceremony, ceremonial act. **2.** *(Theat, Zirkus~)* act. **3.** *(Art: ~bild)* nude. **4.** *(Geschlechts~)* sexual act, coitus no art *(form)*.

Akt[2] m **-(e)s, -en** *(Aus)* siehe **Akte.**

Aktaufnahme f nude (photograph); **Aktbild** nt nude (picture or portrait).

Akte f **-, -n** file, record. **die ~ Schmidt** the Schmidt file; **das kommt in die ~n** this goes on file *or* record; **etw zu den ~n legen** to file sth away, to put sth on file; *(fig)* Fall to drop.

Aktenberg m *(inf)* mountain of files *or* records *(inf)*; **Aktendeckel** m folder; **Akteneinsicht** f *(form)* inspection of records *or* files; **Aktenkoffer** m attaché case, executive case; **aktenkundig** adj on record; **~ werden** to be put on record; **Aktenmappe** f **1.** *(Tasche)* briefcase, portfolio; **2.** *(Umschlag)* folder, file; **Aktennotiz** f memo(randum); **Aktenordner** m file; **Aktenschrank**

filing cabinet; **Aktentasche** f siehe **Aktenmappe 1.**; **Aktenzeichen** nt reference.

Akteur(in f) [ak'tøːɐ, tøːrɪn] m (geh) participant, protagonist.

Aktfoto nt nude (photograph); **Aktfotografie** f nude photography; (Bild) nude photograph.

Aktie ['aktsiə] f (~nschein) share certificate. **in ~n anlegen** to invest in (stocks and) shares; **die ~n fallen/steigen** share prices are falling/rising; **die ~n stehen gut** share prices are looking good, shares are buoyant; (fig) things or the prospects are looking good; **wie stehen die ~n?** (hum inf) how are things?; (wie sind die Aussichten) what are the prospects?

Aktienbesitz m shareholdings pl, shares pl held; **Aktienbörse** f stock exchange; **Aktiengesellschaft** f joint-stock company; **Aktienindex** m (Fin) share index; **Aktienkapital** nt share capital; (von Gesellschaft auch) (capital) stock; **Aktienkurs** m share price; **Aktienmarkt** m stock market.

Aktinium nt, no pl (abbr **Ac**) actinium.

Aktion f (Handlung) action (auch Mil); (Kampagne) campaign; (Werbe~) promotion; (geplantes Unternehmen, Einsatz) operation (auch Mil); (Art) action painting. **in ~** in action; **sie muß ständig in ~ sein** she always has to be active or on the go (inf); **in ~ treten** to go into action.

Aktionär(in f) m shareholder, stockholder (esp US).

Aktionärsversammlung f shareholders' meeting.

Aktionsart f (Gram) aspect; **Aktionsausschuß** m action committee; **Aktionseinheit** f (Pol) unity in action, working unity; **aktionsfähig** adj capable of action; **Aktionskomitee** nt action committee; **Aktionspreis** m (Werbung) special-offer price; **Aktionsradius** m (Aviat, Naut) range, radius; (fig: Wirkungsbereich) scope (for action); **aktionsunfähig** adj incapable of action.

aktiv adj active; (Econ) Bilanz positive, favourable; (Mil) Soldat on active service. **sich ~ an etw** (dat) **beteiligen** to take an active part in sth; **~ dienen** (Mil) to be on active duty or service.

Aktiv[1] nt (Gram) active.

Aktiv[2] nt -s, -s or -e (esp DDR) work team.

Aktiva pl assets pl. **~ und Passiva** assets and liabilities.

Aktive f -n, -n (sl) fag (esp Brit sl), butt (US sl).

Aktive(r) mf decl as adj (Sport) active participant.

Aktivgeschäft nt (Fin) lending business.

aktivieren* [akti'viːrən] vt (Sci) to activate; (fig) Arbeit, Kampagne to step up; Mitarbeiter to get moving; (Comm) to enter on the assets side.

Aktivismus m, no pl activism.

Aktivist(in f) m activist.

Aktivität f activity.

Aktivposten m (lit, fig) asset; **Aktivsaldo** m credit balance; **Aktivseite** f assets side; **Aktivvermögen** nt realizable assets pl.

Aktmalerei f nude painting; **Aktmodell** nt nude model.

Aktstudie f nude study.

aktualisieren* vt to make topical; Datei, Nachschlagewerk to update.

Aktualisierung f updating.

Aktualität f relevance (to the present or current situation), topicality. **Aktualitäten** pl (geh: neueste Ereignisse) current events.

aktuell adj relevant (to the current situation); Frage auch topical; Buch, Film auch of topical interest; Thema topical; (gegenwärtig) Problem, Theorie, Thema current; (Fashion: modern) Mode latest attr, current; Stil auch the (latest or current) fashion pred, fashionable; (Econ) Bedarf, Kaufkraft actual. **von ~em Interesse** or **~er Bedeutung** of topical interest/of relevance to the present situation; **dieses Problem ist nicht mehr ~** this is no longer a (current) problem; **das Buch ist wieder ~ geworden** the book has become relevant again or has regained topicality; **eine ~e Sendung** (Rad, TV) a current-affairs programme.

Aktzeichnung f nude (drawing), drawing of a nude.

Akupressur f, no pl acupressure.

akupunktieren* I vt to acupuncture. II vi to perform acupuncture.

Akupunktur f acupuncture.

Akustik f, no pl (von Gebäude) acoustics pl; (Phys: Lehre) acoustics sing.

Akustikkoppler m -s, - (Comput) acoustic coupler.

akustisch adj acoustic. **ich habe dich rein ~ nicht verstanden** I simply didn't catch what you said (properly).

akut adj (Med, fig) acute; Frage auch pressing, urgent.

Akut m -(e)s, -e acute (accent).

AKW [aːkaːveː] nt -s, -s abbr of **Atomkraftwerk**.

Akzent m -(e)s, -e (Zeichen, Aussprache) accent; (Betonung auch) stress; (fig auch) emphasis, stress. **den ~ auf etw** (acc) **legen** (lit, fig) to emphasize sth; **dieses Jahr liegen die (modischen) ~e bei ...** this year the accent or emphasis is on ...; **~e setzen** (fig) to bring out or emphasize the main points or features; **dieses Jahr hat neue ~e gesetzt** this year has seen the introduction of new trends.

Akzentbuchstabe m accented letter; **akzentfrei** adj without any or an accent.

akzentuieren* vt to articulate, to enunciate; (betonen) to stress; (fig: hervorheben) to accentuate.

Akzentverschiebung f (Ling) stress shift; (fig) shift of emphasis.

Akzept nt -(e)s, -e (Comm) acceptance.

akzeptabel adj acceptable.

Akzeptanz f -, no pl (Comm) acceptance. **unsere Produkte haben keine ~ auf dem deutschen Markt** our products have not been accepted by the German market; **um die ~ unserer Produkte zu erhöhen**

to make our products more acceptable.
akzeptieren* *vt* to accept.
AL [aːˈlɛl] *f* -, -s *abbr of* **Alternative Liste**.
à la [a la] *adv* à la.
alaaf *interj* (*dial*) Kölle ~! up Cologne! (*used in carnival procession*).
Alabaster *m* -s, - 1. alabaster. 2. (*dial: Murmel*) marble.
Alarm *m* -(e)s, -e (*Warnung*) alarm; (*Flieger*~) air-raid warning; (*Zustand*) alert. **bei** ~ following an alarm/air-raid warning; (*während* ~) during an alert; ~! fire!/air-raid! *etc*; ~ **schlagen** to give *or* raise *or* sound the alarm.
Alarmanlage *f* alarm system; **alarmbereit** *adj* on the alert; *Feuerwehr, Polizei auch* standing by; **sich** ~ **halten** to be on the alert/standing by; **Alarmbereitschaft** *f siehe adj* alert; stand-by; **in** ~ **sein** *or* **stehen** to be on the alert/standing by; **in** ~**bereitschaft versetzen** to put on the alert, to alert; **Alarmglocke** *f* alarm bell.
alarmieren* *vt Polizei* to alert; (*fig: beunruhigen*) to alarm. ~**d** (*fig*) alarming; **aufs höchste alarmiert** (*fig*) highly alarmed.
Alarmruf *m* warning cry; **Alarmsignal** *nt* alarm signal; **Alarmstufe** *f* alert stage; **Alarmübung** *f* practice exercise *or* drill; **Alarmvorrichtung** *f* alarm; **Alarmzustand** *m* alert; **im** ~ **sein** to be on the alert.
Alaska *nt* -s Alaska.
Alaun *m* -s, -e alum.
Alaunstein *m* styptic pencil.
Alb[1] *m* -(e)s, -en (*Myth*) elf.
Alb[2] *f* -, *no pl* (*Geog*) mountain region.
Albaner(in *f*) *m* -s, - Albanian.
Albanien [-iən] *nt* -s Albania.
albanisch *adj* Albanian.
Albatros *m* -, -se albatross.
Albe *f* -, -n (*Eccl*) alb.
Alben *pl of* **Alb**[1], **Albe, Album**.
Alberei *f* silliness; (*das Spaßmachen*) fooling about *or* around; (*Tat*) silly prank; (*Bemerkung*) inanity.
albern I *adj* silly, stupid, foolish; (*inf: lächerlich*) stupid, silly, ridiculous. **sich** ~ **benehmen** to act silly; (*Quatsch machen*) to fool about *or* around; ~**es Zeug** (silly) nonsense.
　II *vi* to fool about *or* around.
Albernheit *f* 1. *no pl* (*albernes Wesen*) silliness, foolishness; (*Lächerlichkeit*) ridiculousness. 2. (*Tat*) silly prank; (*Bemerkung*) inanity.
Albino *m* -s, -s albino.
Album *nt* -s, **Alben** album.
Albumin *nt* -s, -e albumen.
Alchemie (*esp Aus*), **Alchimie** *f* alchemy.
Alchemist(in *f*) (*esp Aus*), **Alchimist (in** *f*) *m* alchemist.
alchemistisch (*esp Aus*), **alchimistisch** *adj* alchemic(al).
Alemanne *m* -n, -n, **Alemannin** *f* Alemannic.
alemannisch *adj* Alemannic.
alert *adj* (*geh*) vivacious, lively.
Alexandriner *m* -s, - (*Poet*) alexandrine.
Alge *f* -, -n alga.
Algebra *f* -, *no pl* algebra.

algebraisch *adj* algebraic(al).
Algerien [-iən] *nt* -s Algeria.
Algerier(in *f*) [-iɐ, -iərin] *m* -s, - Algerian.
algerisch *adj* Algerian.
Algier [ˈalʒiːɐ] *nt* -s Algiers.
Algol *nt* -(s), *no pl* Algol.
algorithmisch *adj* algorithmic.
Algorithmus *m* algorithm.
alias *adv* alias, also *or* otherwise known as.
Alibi *nt* -s, -s (*Jur, fig*) alibi.
Alibi- Alibifrau *f* token woman; **Alibifunktion** *f* (*fig*) ~ **haben** to be used as an alibi.
Alimente *pl* maintenance *sing*.
Alk *m* -(e)s, -en (*Orn*) auk.
Alkali *nt* -s, **Alkalien** [-iən] alkali. **mit** ~ **düngen** to fertilize with an alkali.
alkalisch *adj* alkaline.
Alkaloid *nt* -(e)s, -e alkaloid.
Alkohol [ˈalkohoːl, alkoˈhoːl] *m* -s, -e alcohol; (*alkoholische Getränke auch*) drink. **seinen Kummer im** ~ **ertränken** to drown one's sorrows; **unter** ~ **stehen** to be under the influence (of alcohol *or* drink).
alkoholarm *adj* low in alcohol (content); **Alkoholausschank** *m* sale of alcohol(ic drinks); **Alkoholeinfluß** *m*, **Alkoholeinwirkung** *f* influence of alcohol *or* drink; **unter Alkoholeinfluß** under the influence of alcohol *or* drink; **Alkoholfahne** *f* (*inf*) smell of alcohol; **eine** ~ **haben** to smell of alcohol *or* drink; **alkoholfrei** *adj* non-alcoholic; *Getränk auch* soft; *Gegend, Stadt* dry; **Alkoholgegner(in** *f*) *m* opponent of alcohol; (*selbst abstinent*) teetotaller; (*Befürworter des* ~*Alkoholverbots*) prohibitionist; **Alkoholgehalt** *m* alcohol(ic) content; **Alkoholgenuß** *m* consumption of alcohol; **alkoholhaltig** *adj* alcoholic, containing alcohol.
Alkoholika *pl* alcoholic drinks *pl*, liquor *sing*.
Alkoholiker(in *f*) *m* -s, - alcoholic.
alkoholisch *adj* alcoholic.
alkoholisiert *adj* (*betrunken*) inebriated. **in** ~**em Zustand** in a state of inebriation.
Alkoholismus *m* alcoholism.
Alkoholkonsum *m* consumption of alcohol; **Alkoholkontrolle** *f* drink-driving check; **Alkoholmißbrauch** *m* alcohol abuse; **Alkoholpegel** (*inf*), **Alkoholspiegel** *m* jds Alkoholpegel *or* ~ the level of alcohol in sb's blood; **alkoholsüchtig** *adj* addicted to alcohol, suffering from alcoholism; **Alkoholsteuer** *f* duty *or* tax on alcohol; **Alkoholsünder(in** *f*) *m* (*inf*) drunk(en) driver; **Alkoholtest** *m* breath test; **Alkoholverbot** *nt* ban on alcohol; **der Arzt hat ihm** ~ **verordnet** the doctor told him not to touch alcohol; **Alkoholvergiftung** *f* alcohol(ic) poisoning.
Alkoven [alˈkoːvn, ˈalkoːvn] *m* -s, - alcove.
all *indef pron* ~ **das/mein …** all the/my; *siehe* **alle(r, s)**.
All *nt* -s, *no pl* (*Sci, Space*) space *no art*; (*außerhalb unseres Sternsystems*) outer space. **Spaziergang im** ~ space walk,

walk in space; **das weite ~** the immense universe.

allabendlich I *adj* (which takes place) every evening; **der ~e Spaziergang** the regular evening walk; **II** *adv* every evening; **allbekannt** *adj* known to all *or* everybody, universally known; **alldem** *pron siehe* **alledem; alldieweil** (*old, hum*) *adv* (*währenddessen*) all the while; **II** *conj* (*weil*) because.

alle I *pron siehe* **alle(r, s). II** *adv* (*inf*) all gone. **die Milch ist ~** the milk's all gone, there's no milk left; **etw/jdn ~ machen** (*inf*) to finish sth/sb off; **ich bin ganz ~** I'm all in; **~ werden** to be finished.

alledem *pron* **bei/trotz ~** with/in spite of all that; **von ~ stimmt kein Wort** there's no truth in any of that *or* it; **zu ~** moreover.

Allee *f* **-, -n** [-ɛːən] avenue.

Allegorie *f* allegory.

allegorisch *adj* allegorical.

Allegro *nt* **-s, -s** *or* **Allegri** allegro.

allein I *adj* **pred** (*esp inf auch* **alleine**) alone; *Gegenstand, Wort auch* by itself, on its own; (*ohne Gesellschaft, Begleitung, Hilfe auch*) by oneself, on one's own; (*einsam*) lonely, lonesome. **für sich ~** by oneself, on one's own, alone; **sie waren endlich ~** they were alone (together) *or* on their own at last; **von ~ by** oneself/itself; **ich tue es schon von ~e** I'll do that in any case; **das weiß ich von ~(e)** you don't have to tell me (that); **ganz ~** (*einsam*) quite *or* all alone; (*ohne Begleitung, Hilfe*) all by oneself, all on one's own; **jdm ganz ~ gehören** to belong to sb alone, to belong completely to sb; **auf sich** (*acc*) **~ angewiesen sein** to be left to cope on one's own, to be left to one's own devices.

II *adv* (*nur*) alone. **das ist ~ seine Verantwortung** that is his responsibility alone, that is exclusively *or* solely his responsibility; **nicht ~, ... sondern auch** not only ... but also; **~ schon der Gedanke, (schon) der Gedanke ~ ...** the very *or* mere thought ..., the thought alone ...; **das Porto ~ kostet ...** the postage alone costs ..., just the postage is ...

III *conj* (*old: jedoch*) however, but.

Alleinerbe *m*, **Alleinerbin** *f* sole *or* only heir; **alleinerziehend** *adj* Mutter, Vater single, unmarried; **Alleinerziehende(r)** *mf decl as adj* single parent; **Alleinflug** *m* solo flight; **im ~** solo; **Alleingang** *m* (*inf*) (*Sport*) solo run; (*von Bergsteiger*) solo climb; (*fig: Tat*) solo effort; **etw im ~ machen** (*fig*) to do sth on one's own; **die Möglichkeit eines ~s** the possibility of going it alone; **Alleinherrschaft** *f* autocratic rule, absolute dictatorship; (*fig*) monopoly; **Alleinherrscher(in** *f*) *m* autocrat, absolute dictator.

alleinig *adj attr* sole, only; (*Aus, S Ger*) (*ohne Begleitung*) unaccompanied.

Alleinsein *nt* being on one's own *no def art*, solitude; (*Einsamkeit*) loneliness; **alleinseligmachend** *adj* **die ~e Kirche** the only true church; **er betrachtet seine Lehre als die ~e** he considers his doctrine to be the only true one; **allein-**

stehend *adj* living on one's own, living alone; **Alleinstehende(r)** *mf decl as adj* single person; **Alleinunterhalter(in** *f*) *m* solo entertainer; **Alleinuntermiete** *f* (*Aus*) subletting (*where main tenant lives elsewhere*); **in ~ wohnen ≈** to live in a furnished flat.

Alleinvertretung *f* (*Comm*) sole agency; (*Pol*) sole representation.

Alleinvertrieb *m* sole *or* exclusive marketing *or* distribution rights *pl*.

alleluja *interj siehe* **halleluja.**

allemal *adv* every *or* each time; (*ohne Schwierigkeit*) without any problem *or* trouble. **was er kann, kann ich noch ~** anything he can do I can do too; **~!** no problem *or* trouble! (*inf*); **ein für ~** once and for all.

allenfalls *adv* (*nötigenfalls*) if need be, should the need arise; (*höchstens*) at most, at the outside; (*bestenfalls*) at best. **es waren ~ 40 Leute da** there were at most 40 people there, there were 40 people there at the outside; **das schaffen wir ~ in 3 Stunden/bis übermorgen** we'll do it in 3 hours/by the day after tomorrow at best.

allenthalben *adv* (*liter*) everywhere, on all sides.

alle(r, s) I *indef pron* **1.** *attr* all; (*bestimmte Menge, Anzahl*) all the; (*auf eine Person bezüglich: all sein*) Geld, Liebe, Freunde, Erfahrungen all one's. **~ Kinder unter 10 Jahren** all children under 10; **~ Kinder dieser Stadt** all the children in this town; **im Geschäft war ~s Brot ausverkauft** all the bread in the shop was sold out; **~ meine Kinder** all (of) my children; **wir haben ~n Haß vergessen** we have forgotten all (our *or* the) hatred; **~ Anwesenden/Betroffenen** all those present/affected; **~s erforderliche Material** all the required material; **mit ~m Nachdruck** with every emphasis; **trotz ~r Mühe** in spite of every effort; **ohne ~n Grund** without any reason, with no reason at all; **mit ~r Deutlichkeit** quite distinctly; **ohne ~n Zweifel** without any doubt; *siehe auch* **all.**

2. (*substantivisch*) **~s** sing everything; (*inf: alle Menschen*) **~s** everybody, everyone; **~s, was ...** all *or* everything that/everybody *or* everyone who ...; **das ~s** all that; **~s Schöne** everything beautiful, all that is beautiful; **,,~s für das Baby/den Heimwerker''** "everything for baby/the handyman"; **(ich wünsche Dir) ~s Gute** (I wish you) all the best; **~s und jedes** anything and everything; **in ~m** (*in jeder Beziehung*) in everything; **~s in ~m** all in all; **trotz ~m** in spite of everything; **über ~s** above all else; (*mehr als alles andere*) more than anything else; **vor ~m** above all; **du bist mein ein und (mein) ~s** you are everything to me, you are my everything *or* all; **das ist ~s, das wäre ~s** that's all, that's it (*inf*); **das ist ~s andere als ...** that's anything but ...; **das ist mir ~s gleich** it's all the same to me; **was soll das ~s?** what's all this supposed to mean!; **~s klar?** (*inf*) everything all right? **~s**

schon mal dagewesen! (*inf*) it's all been done before!; es hat ~s keinen Sinn mehr nothing makes sense any more, it has all become meaningless; was habt ihr ~s gemacht? what did you get up to?; wer war ~s da? who was there?; was er (nicht) ~s weiß/kann! the things he knows/can do!; was es nicht ~s gibt! well (now) I've seen everything!, well I never (*inf*).

3. (*substantivisch*) ~ *pl* all; (*alle Menschen auch*) everybody, everyone; sie sind ~ alt they're all old; die haben mir ~ nicht gefallen I didn't like any of them; ich habe (sie) ~ verschenkt I've given them all *or* all of them away; ~ beide/drei both of them/all three of them; ~ drei/diejenigen, die ... all three/(those) who ...; diese ~ all (of) these; der Kampf ~r gegen ~ the free-for-all; ~ für einen und einer für ~ all for one and one for all; sie kamen ~ they all came, all of them came; sie haben ~ kein Geld mehr none of them has any money left; redet nicht ~ auf einmal! don't all talk at once!

4. (*mit Zeit-, Maßangaben*) *usu pl* every. ~ fünf Minuten/fünf Meter every five minutes/five metres; ~ Jahre wieder year after year.

II *adv siehe* **alle.**

aller *in cpds mit superl* (*zur Verstärkung*) by far; das ~größte/prettiest ~hübscheste by far the biggest/prettiest, the biggest/prettiest by far.

aller|aller *in cpds mit superl* (*inf: zur Verstärkung*) far and away; das ~größte/die ~hübscheste far and away the biggest/prettiest.

allerbeste(r, s) *adj* very best, best of all, best ... of all; (*exquisit*) *Waren, Qualität* very best; ich wünsche Dir das A~ (I wish you) all the best; der/die/das A~ the very best/the best of all; es ist das ~ *or* am ~n, zu .../wenn ... the best thing would be to .../if ...; **allerdings** *adv* **1.** (*einschränkend*) though, mind you; ich komme mit, ich muß ~ erst zur Bank I'm coming but I must go to the bank first though; das ist ~ wahr, aber ... that may be true, but ..., (al)though that's true ...; **2.** (*bekräftigend*) certainly; ~! (most) certainly!; **allererste(r, s)** *adj* very first; **allerfrühestens** *adv* at the very earliest.

Allergie *f* (*Med*) allergy; (*fig*) aversion (*gegen* to). eine ~ gegen etw haben to be allergic to sth (*auch fig hum*); (*fig auch*) to have an aversion to sth.

Allergiker(in *f*) *m* -s, - person suffering from an allergy.

allergisch *adj* (*Med, fig*) allergic (*gegen* to). auf etw (*acc*) ~ reagieren to have an allergic reaction to sth.

Allergologe *m*, **Allergologin** *f* allergist.

allerhand *adj inv* (*substantivisch*) (*allerlei*) all kinds of things; (*ziemlich viel*) rather a lot; (*attributiv*) all kinds *or* sorts of; rather a lot of; das ist ~! (*zustimmend*) that's quite something!, not bad at all! (*inf*); das ist ja *or* doch ~! (*empört*) that's too much!, that's the limit!;

Allerheiligen *nt* -s All Saints' Day, All Hallows (Day); **Allerheiligste(s)** *nt decl as adj* (*Rel*) inner sanctum; (*jüdisch, fig*) Holy of Holies; (*katholisch*) Blessed Sacrament; **allerhöchste(r, s)** *adj* Berg highest of all, highest ... of all, very highest; *Betrag, Belastung, Geschwindigkeit* maximum; *Funktionäre* highest, top *attr*; *Instanz, Kreise* very highest; es wird ~ Zeit, daß ... it's really high time that ...; **allerhöchstens** *adv* at the very most; **allerlei** *adj inv* (*substantivisch*) all sorts *or* kinds of things; (*attributiv*) all sorts *or* kinds of; **allerletzte(r, s)** *adj* very last; (*allerneueste*) very latest; (*inf: unmöglich*) most awful *attr* (*inf*); in ~ Zeit very recently; der/die/das A~ the very last (person)/thing; der/das ist (ja) das ~ (*inf*) he's/it's the absolute end! (*inf*); **allerliebst** *adj* (*old: reizend*) enchanting, delightful; **allerliebste(r, s)** *adj* (*Lieblings-*) most favourite *attr*; sie ist mir die A~ she's my absolute favourite; es wäre mir das ~ *or* am ~n, wenn ... I would much prefer it if ...; am ~ geh' ich ins Kino I like going to the cinema most *or* best of all; **Allerliebste(r)** *mf decl as adj* (*old, hum*) beloved, love of one's life; (*Frau auch*) ladylove; **allermeiste(r, s)** *adj* most of all, most ... of all; (*weitaus beste*) by far the most; am ~n most of all; die A~ the vast majority; **allernächste(r, s)** *adj* (*in Folge*) very next; (*räumlich*) nearest of all; *Verwandte* very closest; *Route* very shortest; in ~ Nähe right nearby, right close by; in ~ Zeit *or* Zukunft in the very near future; **allerneu(e)ste(r, s)** *adj* very latest; **allerorten, allerorts** *adv* (*old*) everywhere; **Allerseelen** *nt* -s All Souls' Day; **allerseits** *adv* on all sides, on every side; guten Abend ~! good evening everybody *or* everyone *or* all; vielen Dank ~ thank you all *or* everybody *or* everyone; **allerspätestens** *adv* at the very latest.

Allerwelts- *in cpds* (*Durchschnitts-*) common; (*nichtssagend*) commonplace; **Allerweltskerl** *m* Jack of all trades.

allerwenigstens *adv* at the very least; **allerwenigste(r, s)** *adj* least of all, least ... of all; (*pl*) fewest of all, fewest ... of all; (*äußerst wenig*) very little; (*pl*) very few; (*geringste*) Mühe least possible; die ~n Menschen wissen das very (very) few people know that; das ist noch das A~! that's the very least of it; er hat von uns allen das ~ *or* am ~n Geld he has the least money of any of us; das am ~n! least of all that!; **Allerwerteste(r)** *m decl as adj* (*hum*) posterior (*hum*).

alles *indef pron siehe* **alle(r, s)..**

allesamt *adv* all (of them/us *etc*), to a man. ihr seid ~ Betrüger! you're all cheats!, you're cheats, all *or* the lot of you!

Allesfresser *m* omnivore; **Alleskleber** *m* all-purpose adhesive *or* glue; **Alleswisser(in** *f*) *m* -s, - (*iro*) know-all (*US inf*), know-it-all (*inf*).

allgegenwärtig *adj* omnipresent, ubiquitous.

allgemein I *adj* general; *Ablehnung, Zustimmung auch* common; *Feiertag* public; *Regelungen, Wahlrecht* universal; *Wehrpflicht* compulsory; *(öffentlich auch)* public. **im ~en** in general, generally; **im ~en Interesse** in the common interest; in the public interest; **von ~em Interesse** of general interest; **~e Redensarten** *(idiomatische Ausdrücke)* set expressions; *(Phrasen)* commonplaces; **auf ~en Wunsch** by popular *or* general request; **die ~e Meinung** the generally held opinion; public opinion; **das A~e und das Besondere** the general and the particular.
II *adv (überall, bei allen, von allen)* generally; *(ausnahmslos von allen)* universally; *(generell auch)* in the main, for the most part; *(nicht spezifisch)* in general terms. **seine Thesen sind so ~ abgefaßt, daß ...** his theses are worded in such general terms that ...; **es ist ~ bekannt** it's common knowledge; **es ist ~ üblich, etw zu tun** it's the general rule that we/they *etc* do sth, it's commonly *or* generally the practice to do sth; **~ verbreitet** widespread; **~ zugänglich** open to all, open to the general public.
Allgemeinbefinden *nt* general condition, general state of being; **allgemeinbildend** *adj* providing (a) general *or* all-round education; *Studium auch* with general educational value; **Allgemeinbildung** *f* general *or* all-round education; **allgemeingültig** *adj attr* general, universal, universally *or* generally applicable *or* valid; **Allgemeingültigkeit** *f* universal *or* general validity, universality; **Allgemeingut** *nt (fig)* common property; **Allgemeinheit** *f* **1.** *(no pl: Öffentlichkeit)* general public, public at large; *(alle)* everyone, everybody; **2.** *(no pl: Unbestimmtheit)*, *(Unspezifisches)* generality; **Allgemeinmedizin** *f* general medicine; **Arzt für ~** general practitioner, GP; **allgemeinverbindlich** *adj attr* generally binding; **allgemeinverständlich** *adj* generally intelligible, intelligible to all; **Allgemeinwohl** *nt* public good *or* welfare.
Allheilmittel *nt* universal remedy, cure-all, panacea *(esp fig)*.
Allianz *f* **1.** alliance. **2.** *(NATO)* Alliance.
Allianzpartner *m* partner in the alliance; *(bei NATO)* partner in NATO, NATO partner.
Alligator *m* alligator.
alliieren* *vr (geh)* to form an alliance. **sich mit jdm ~** to ally (oneself) with sb.
alliiert *adj attr* allied; *(im 2. Weltkrieg)* Allied.
Alliierte(r) *mf decl as adj* ally. **die ~n** *(im 2. Weltkrieg)* the Allies.
Alliteration *f (Poet)* alliteration.
alljährlich I *adj* annual, yearly; **II** *adv* annually, yearly, every year; **Allmacht** *f (esp von Gott)* omnipotence; *(von Konzern)* all-pervading power; **allmächtig** *adj* all-powerful, omnipotent; *Gott auch* almighty; **Allmächtige(r)** *m decl as adj (Gott)* **der ~** Almighty God, God (the) Almighty, the Almighty; **~r!**

good Lord!, heavens above!
allmählich I *adj attr* gradual.
II *adv* gradually; *(schrittweise auch)* bit by bit, step by step; *(inf: endlich)* at last. **es wird ~ Zeit** *(inf)* it's about time; **~ verstand er, daß ...** it gradually dawned on him that ..., he realized gradually that ...; **ich werde ~ müde** *(inf)* I'm beginning to get tired; **wir sollten ~ gehen** *(inf)* shall we think about going?
Allmende *f -, -n* common land.
allmonatlich I *adj* monthly; **II** *adv* every month, monthly; **allmorgendlich I** *adj* which takes place every morning; **die ~e Eile** the regular morning rush; **II** *adv* every morning; **allnächtlich I** *adj* nightly; **II** *adv* nightly, every night.
Allopathie *f* allopathy.
Allophon *nt (Ling)* allophone.
Allotria *nt -(s), no pl (inf) (Unfug)* monkey business *(inf) no indef art*; *(ausgelassen, freudig)* skylarking *(inf) no indef art*, fooling around *or* about *(inf) no indef art*; *(Lärm)* racket *(inf)*, din. **~ treiben** *(inf)* to lark about *(inf)*, to fool around *or* about *(inf)*.
Allrad|antrieb *m* all-wheel drive.
Allround- ['ɔːl'raʊnd] *in cpds* all-round.
allseitig *adj (allgemein)* general; *(ausnahmslos)* universal; *(vielseitig)* all-round *attr*. **~ begabt sein** to have all-round talents, to be an all-rounder; **jdn ~ ausbilden** to provide sb with a general *or* an all-round education; **zur ~en Zufriedenheit** to the satisfaction of all *or* everyone.
allseits *adv (überall)* everywhere, on all sides; *(in jeder Beziehung)* in every respect.
Allstromempfänger *m (Rad)* all-mains *or* AC-DC receiver; **Allstromgerät** *nt (Rad)* all-mains *or* AC-DC appliance.
Alltag *m* **1.** *(Werktag)* weekday. **am ~, an ~en** on weekdays; **mitten im ~** in the middle of the week. **2.** *(fig)* everyday life. **der ~ der Ehe** the mundane side of married life.
alltäglich *adj* **1.** *(tagtäglich)* daily. **2.** *(üblich)* everyday *attr*, ordinary, mundane *(pej)*; *Gesicht, Mensch* ordinary; *Bemerkung* commonplace. **es ist ganz ~** it's nothing unusual *or* out of the ordinary; **das ist nichts A~es, daß/wenn ...** it doesn't happen every day that ..., it's not every day that ...
Alltäglichkeit *f no pl siehe adj* ordinariness; commonplaceness.
alltags *adv* on weekdays. **etw ~ tragen** to wear sth for every day.
Alltags- *in cpds* everyday; **Alltagsleben** *nt* everyday life; **danach begann wieder das ~** after that life got back to normal again; **Alltagsmensch** *m* ordinary person; **Alltagstrott** *m (inf)* daily round, treadmill of everyday life.
all|über|all *adv (old, poet)* everywhere.
all|umfassend *adj* all-embracing, global.
Allüren *pl* behaviour; *(geziertes Verhalten)* affectations *pl*; *(eines Stars)* airs and graces *pl*.
allwissend *adj* omniscient; **(Gott,) der A~e** God the Omniscient; **ich bin nicht**

~! I don't know everything!, I'm not omniscient!; **Allwissenheit** f omniscience; **allwöchentlich I** adj weekly; **II** adv every week; **allzeit** adv (geh) always; ~ **bereit!** be prepared!

allzu adv all too; (+neg) too. ~ **viele Fehler** far too many mistakes; **nur** ~ only or all too.

allzufrüh adv far too early; (+neg) too early; **allzugern** adv mögen only too much; (bereitwillig) only too willingly; (+neg) all that much/willingly, too much/willingly; **etw (nur)** ~/**nicht** ~ **machen** to like doing sth only too much/not like doing sth all that much or too much or overmuch; **allzusehr** adv too much; mögen all too much; (+neg) too much, all that much, overmuch; sich freuen, erfreut sein only too; (+neg) too); versuchen too hard; sich ärgern, enttäuscht sein too; ... — **nicht** ~ ... — not too much or all that much; **sie war** ~/**nicht** ~**in ihn verliebt** she was too much/wasn't too in love with him; **allzuviel** adv too much; ~ **ist ungesund** (Prov) you can have too much of a good thing (prov).

Allzweck- in cpds general purpose; **Allzweckhalle** f multi-purpose hall.

Alm f -, -en alpine pasture.

Almanach m -s, -e almanac.

Almosen [-o:-] nt -s, -. 1. (geh: Spende) alms pl (old). — pl (fig) charity. 2. (geringer Lohn) pittance.

Almrausch m, **Almrose** f siehe **Alpenrose**.

Aloe ['a:loe] f -, -n aloe.

Alp¹ f -, siehe **Alm**.

Alp² m -(e)s, -e (old: Nachtmahr) demon believed to cause nightmares; (fig geh: Bedrückung) nightmare. **wie ein** ~ **auf jdm lasten** (fig geh) to lie or weigh heavily (up)on sb.

Alpaka nt -s, -s 1. (Lamaart) alpaca. 2. no pl (auch ~**wolle**) alpaca (wool). 3. no pl (Neusilber) German or nickel silver.

Alpdruck m (lit, fig) nightmare; **wie ein** ~ **auf jdm lasten** to weigh sb down, to oppress sb.

Alpen pl die ~ the Alps pl.

Alpen- in cpds alpine; **Alpenglühen** nt -s, - alpenglow; **Alpenland** nt alpine country; **a**~**ländisch** adj alpine; **Alpenpaß** m alpine pass; **Alpenrose** f Alpine rose or rhododendron; **Alpenrot** nt -s, no pl red snow; **Alpenveilchen** nt cyclamen; **Alpenvorland** nt foothills pl of the Alps.

Alpha nt -(s), -s alpha.

Alphabet nt -(e)s, -e alphabet. **nach dem** ~ alphabetically, in alphabetical order; **das** ~ **lernen/aufsagen** to learn/say the or one's alphabet.

alphabetisch adj alphabetical. ~ **geordnet** arranged in alphabetical order or alphabetically.

alphabetisieren* vt to make literate.

Alphabetisierung f **ein Programm zur** ~ **Indiens** a programme against illiteracy in India; **die** ~ **Kubas ist abgeschlossen** the population of Cuba is now largely literate.

alphanumerisch adj alphanumeric; **Alphastrahlen** pl alpha rays pl; **Alphateilchen** nt alpha particle.

Alphorn nt alp(en)horn.

alpin adj alpine.

Alpinist(in f) m alpinist.

Alpinistik f alpinism.

Älpler(in f) m -s, - inhabitant of the Alps.

Alptraum m (lit, fig) nightmare.

Alraun m -(e)s, -e, **Alraune** f -, -n mandrake.

als I conj 1. (nach comp) than. **ich kam später** ~ **er** I came later than he (did) or him; **Hans ist größer** ~ or ~ **wie** (strictly incorrect) **sein Bruder** Hans is taller than his brother; **mehr** ~ **arbeiten kann ich nicht** I can't do more than work.

2. (bei Vergleichen) **so** ... ~ ... **as** ... **as** ...; **soviel/soweit** ~ **möglich** as much/far as possible; ~ **wie** as; **nichts/niemand/nirgend anders** ~ nothing/nobody/nowhere but; **eher** or **lieber** ... ~ rather ... than; **ich würde eher sterben** ~ **das zu tun** I would rather die than do that or die rather than do that; **anders sein** ~ to be different from; **das machen wir anders** ~ **ihr** we do it differently to you; **alles andere** ~ anything but.

3. (in Modalsätzen) as if or though. **es sieht aus,** ~ **würde es bald schneien** it looks as if or though it will snow soon; **sie sah aus,** ~ **ob** or **wenn sie schliefe** she looked as if or though she were asleep; ~ **ob ich das nicht wüßte!** as if I didn't know!

4. (in Aufzählung) (old) ~ (da sind) ... that is to say, ..., to wit, ... (old, form).

5. (in Konsekutivsätzen) **sie ist zu alt,** ~ **daß sie das noch verstehen könnte** she is too old to understand that; **die Zeit war zu knapp,** ~ **daß wir** ...the time was too short for us to ...; **das ist um so trauriger,** ~ **es nicht das erste Mal war** that's all the sadder in that it wasn't the first time.

6. (in Temporalsätzen) when; (gleichzeitig) **as. gleich,** ~ **as soon as; damals,** ~ (in the days) when; **gerade,** ~ just as.

7. (in der Eigenschaft) as. ~ **Beweis** as proof; ~ **Antwort/Warnung** as an answer/a warning; **sich** ~ **wahr/falsch erweisen** to prove to be true/false; ~ **Held/Revolutionär** as a hero/revolutionary; ~ **Kind/Mädchen** as a child/girl; ~ **Rentner will er ein Buch schreiben** when he retires he is going to write a book.

II adv (dial inf) (immer); **gehen Sie** ~ **geradeaus** keep going straight ahead.

alsbaldig adj (form) immediate; ,,**zum** ~**en Verbrauch bestimmt"** "do not keep", "for immediate use only"; **alsdann** adv 1. (old liter: dann) then; 2. (dial) well then, well ... then.

also I conj 1. (folglich) so, therefore.

2. (old: so, folgendermaßen).

II adv so; (nach Unterbrechung anknüpfend) well; (zusammenfassend, erklärend) that is. ~ **doch** so ... after all; **du machst es** ~? so you'll do it then?; ~ **wie ich schon sagte** well (then), as I said before.

III *interj* (*verwundert, entrüstet, auffordernd*) well; (*drohend*) just. ~, **daß du dich ordentlich benimmst!** (you) just see that you behave yourself!; ~ **doch!** so he/they *etc* did!; **na** ~**!** there you are!, you see?; ~, **ich hab's doch gewußt!** I knew it!; ~ **nein!** (oh) no!; ~ **nein, daß sie sich das gefallen läßt** my God, she can't put up with that!; ~ **gut** *or* **schön** well all right then; ~ **gut** right then!; ~ **so was/so eine Frechheit!** well (I never)/what a cheek!

Alster(wasser) *nt* (*N Ger*) shandy (*Brit*), beer and lemonade.

alt *adj, comp* ⁻**er**, *superl* ⁻**este(r, s)** *or adv* **am** ⁻**esten** **1.** old; (*sehr* ~) *Mythos, Sage, Aberglaube auch, Griechen, Geschichte* ancient; *Sprachen* classical. **das** ~**e Rom** ancient Rome; **das A**~**e Testament** the Old Testament; **die A**~ **Welt** the Old World; **der** ~**e Herr** (*inf: Vater*) the *or* one's old man (*inf*); **die** ~**e Dame** (*inf: Mutter*) the old lady (*inf*); ~**er Junge** *or* **Freund** old boy (*dated*) *or* fellow (*dated*); ~ **und jung** (everybody) old and young; **ein drei Jahre** ~**es Kind** a three-year-old child, a child of three years of age; **wie** ~ **bist du?** how old are you?; **man ist so** ~, **wie man sich fühlt** (*prov*) you're only as old as you feel (*prov*); **ich werde heute nicht** ~ (**werden**) (*inf*) I won't last long today/tonight *etc* (*inf*); **hier werde ich nicht** ~ (*inf*) this isn't my scene (*inf*); **aus** ~ **mach neu** (*Prov inf*) make do and mend (*Prov*).

2. (*vertraut, gewohnt*) same old. **sie ist ganz die** ~**e** (**Ingrid**) she's the same old Ingrid, she hasn't changed a bit; **wir bleiben die** ~**en** we stay the same; **er ist nicht mehr der** ~**e** he's not what he was *or* the man he was; **es ist nicht mehr das** ~**e** (**Glasgow**) it's not the (same old) Glasgow I/we *etc* knew; **alles bleibt beim** ~**en** everything stays as it was.

3. (*lange bestehend*) old. ~**e Liebe rostet nicht** (*Prov*) true love never dies (*prov*); **in** ~**er Freundschaft, dein ...** yours as ever ...

4. ~ **aussehen** (*sl: dumm dastehen*) to look a right fool.

Alt¹ *m* -**s**, -**e** (*Mus*) alto; (*von Frau auch*) contralto; (*Gesamtheit der Stimmen*) altos *pl*; contraltos *pl*.

Alt² *nt* -**s**, - *siehe* **Altbier**.

Altan *m* -(**e**)**s**, -**e** balcony.

altangesehen *adj Familie* old and respected; *Firma* old-established; **altangesessen, altansässig** *adj* old-established.

Altar *m* -**s**, **Altäre** altar. **eine Frau zum** ~ **führen** (*geh*) to lead a woman to the altar.

Altar- *in cpds* altar; **Altarbild** *nt* altarpiece, reredos; **Altargemälde** *nt* altarpiece; **Altargerät** *nt* altar furniture; **Altarraum** *m* chancel.

altbacken *adj* **1.** stale; **2.** (*fig*) *Mensch* old-fashioned; *Ansichten auch* outdated, out of date; **Altbatterie** *f* used battery; **Altbau** *m* old building; **Altbau-**

wohnung *f* flat in an old building; **altbekannt** *adj* well-known; **altbewährt** *adj Mittel, Methode* well-tried; *Sitte, Tradition, Freundschaft* long-standing *usu attr*, of long standing; **Altbier** *nt* top-fermented German dark beer; **Altbundeskanzler** *m* former German/Austrian Chancellor; **Altbürger(in** *f*) *m* senior citizen; **altdeutsch** *adj* old German; *Möbel, Stil* German Renaissance.

Alte *siehe* **Alte(r), Alte(s)**.

altehrwürdig *adj* venerable; *Bräuche* time-honoured; **alteingeführt** *adj* introduced long ago; **alteingesessen** *adj* old-established **Alteisen** *nt* scrap metal; **altenglisch** *adj* old English; **Altenglisch(e)** *nt* Old English, Anglo-Saxon.

Altenheim *nt siehe* **Altersheim**; **Altenhilfe** *f* old people's welfare; **Altenpfleger(in** *f*) *m* old people's nurse; **Altentagesstätte** *f* old people's day centre; **Altenteil** *nt* cottage or part of a farm reserved for the farmer when he hands the estate over to his son; **sich aufs** ~ **setzen** *or* **zurückziehen** (*fig*) to retire *or* withdraw from public life.

Alte(r) *mf decl as adj* (*alter Mann, inf: Ehemann, Vater*) old man; (*alte Frau, inf: Ehefrau, Mutter*) old woman; (*inf: Vorgesetzter*) boss. **die** ~**n** (*Eltern*) the folk(s) *pl* (*inf*); (*Tiereltern*) the parents *pl*; (*ältere Generation*) the old people *pl* or folk *pl*; (*aus klassischer Zeit*) the ancients *pl*; **wie die** ~**n sungen, so zwitschern auch die Jungen** (*prov*) like father like son (*prov*); **komischer** ~**r** (*Theat*) comic old man.

Alter *nt* -**s**, - age; (*letzter Lebensabschnitt, hohes* ~) old age. **im** ~ in one's old age; **im** ~ **wird man weiser** one grows wiser with age; **in deinem** ~ at your age; **er ist in deinem** ~ he's your age; **im** ~ **von 18 Jahren** at the age of 18; **von mittlerem** ~ middle-aged; **er hat keinen Respekt vor dem** ~ he has no respect for his elders; ~ **schützt vor Torheit nicht** (*Prov*) there's no fool like an old fool (*prov*).

älter *adj* **1.** *comp of* **alt** older; *Bruder, Tochter auch* elder. **werden Frauen** ~ **als Männer?** do women live longer than men? **2.** *attr* (*nicht ganz jung*) elderly. **die** ~**en Herrschaften** the older members of the party.

Ältere(r) *mf decl as adj* **1.** (*älterer Mensch*) older man/woman. **die** ~**n** the older ones. **2.** (*bei Namen*) **der/die** ~ the Elder. **Holbein der** ~ Holbein the Elder.

alt|erfahren *adj* experienced, of long experience.

altern **I** *vi aux sein or* (*rare*) **haben** to age; (*Mensch auch*) to get older; (*Wein*) to mature. **vorzeitig** ~ to grow old before one's time; ~**d** ageing. **II** *vt* to age; *Wein* to mature; *Metall* to age-harden.

alternativ *adj* (*geh*) alternative. ~ **leben** to live an alternative lifestyle; **A**~**e Liste** (*Pol*) electoral pact of alternative political groupings.

Alternativ- *in cpds* alternative.

Alternative *f* alternative (*etw zu tun* of doing sth).

Alternative(r) *mf decl as adj* person with alternative views. **die ~n** those who favour the alternative society.

alternieren* *vi* to alternate.

alternierend *adj* alternate; *Strom, Verse* alternating; *Fieber* intermittent.

alt|erprobt *adj* well-tried.

alters *adv (geh)* **von** *or* **seit ~ (her)** from time immemorial.

Altersasyl *nt (Sw) siehe* **Altersheim;**
altersbedingt *adj* related to a particular age; related to *or* caused by old age; **Altersbeschwerden** *pl* complaints *pl* of old age, geriatric complaints *pl*; **Alterserscheinung** *f* sign of old age; **Altersfleck** *m* age mark, blotch; **Altersforschung** *f* gerontology; **Altersfürsorge** *f* care of the elderly; **Altersgenosse** *m*, **Altersgenossin** *f* contemporary; *(Kind)* child of the same age; *(Psych, Sociol)* peer; **wir sind ja Altersgenossen** we are the same age; **Altersgliederung** *f* age structure; **Altersgrenze** *f* age limit; *(Rentenalter)* retirement age; **flexible ~** flexible retirement age; **Altersgründe** *pl* **aus ~n** for reasons of age; **Altersgruppe** *f* age-group; **Altersheim** *nt* old people's home; **Altersklasse** *f (Sport)* age-group; **Alterskrankheit** *f* geriatric illness; **Alterspräsident(in** *f)* *m* president by seniority; **Altersprozeß** *m* ageing process, senescence *(spec)*; **Alterspyramide** *f* age pyramid *or* diagram; **Altersrente** *f* old age pension; **Altersruhegeld** *nt* retirement benefit; **altersschwach** *adj Mensch* old and infirm; *Tier* old and weak; *Auto, Möbel* decrepit; **Altersschwäche** *f siehe adj* infirmity; weakness; decrepitude; **Alterssitz** *m* **sein ~ war München** he spent his retirement in Munich; **Alterssoziologie** *f* sociology of old age; **Altersstarrsinn** *m* senile stubbornness; **Altersstufe** *f* age-group; *(Lebensabschnitt)* age, stage in life; **Altersversicherung** *f* retirement insurance; **Alterswerk** *nt* later works *pl*.

Altertum *nt, no pl* antiquity *no art*. **das deutsche ~** early German history.

Altertümelei *f* antiquarianism.

altertümeln *vi* to antiquarianize.

Altertümer *pl* antiquities *pl*.

altertümlich *adj (aus dem Altertum)* ancient; *(veraltet)* antiquated.

Altertümlichkeit *f siehe adj* ancientness; antiquated nature.

Altertumsforscher(in *f)* *m* archeologist; **Altertumsforschung** *f* archeology, archeological research; **Altertumskunde** *f* archeology; **Altertumswert** *m* **das hat schon ~** *(hum)* it has antique value *(hum)*.

Alterung *f* 1. *siehe* **altern** I ageing; maturation. 2. *siehe* **altern** II ageing; maturation; age-hardening.

Alte(s) *nt decl as adj* **das ~** *(das Gewohnte, Traditionelle)* the old; *(alte Dinge)* old things *pl*; **er hängt sehr am ~n** he clings to the past; **das ~ und das Neue** the old and the new, old and new.

Ältestenrat *m* council of elders; *(BRD*

Pol) parliamentary advisory committee, ≈ think-tank *(Brit)*.

Älteste(r) *mf decl as adj* oldest; *(Sohn, Tochter auch)* eldest; *(Eccl)* elder.

älteste(r, s) *adj superl of* **alt** oldest; *Bruder auch* eldest. **der ~ Junge** *(Skat)* the jack of clubs.

Altflöte *f* treble recorder; *(Querflöte)* bass *or* alto flute; **altfränkisch** *adj* quaint; *Stadt auch* olde-worlde *(inf)*; **Altfranzösisch(e)** *nt* Old French; **Altgerät** *nt* old appliance; **Altglascontainer** *m* bottle bank; **Altgold** *nt* old gold; *(Goldart)* artificially darkened gold; **altgriechisch** *adj* ancient Greek; *(Ling)* classical Greek; **Altgriechisch(e)** *nt* classical Greek; **althergebracht**, **althergkömmlich** *adj (old)* traditional; **Altherrenfußball** *m* veterans' football; **Altherrenmannschaft** *f (Sport)* team of players over thirty; **althochdeutsch** *adj*, **Althochdeutsch(e)** *nt* Old High German.

Altist(in *f)* *m (Mus)* alto.

altjüngferlich *adj* old-maidish, spinsterish; **Altkanzler** *m* former chancellor; **Altkatholik(in** *f)* *m*, **altkatholisch** *adj* Old Catholic; **Altkleiderhändler(in** *f)* *m* second-hand clothes dealer; **altklug** *adj* precocious; **Altlast** *f (Ökologie)* dangerous waste from the past.

ältlich *adj* oldish.

Altmaterial *nt* scrap; **Altmeister(in** *f)* *m* doyen; *(Sport)* ex-champion; **Altmetall** *nt* scrap metal; **altmodisch** *adj* old-fashioned; *(rückständig)* outmoded; **Altpapier** *nt* wastepaper; **Altpapiersammlung** *f* wastepaper collection; **Altphilologe**, **Altphilologin** *f m* classical philologist; **Altphilologie** *f* classical philology; **altphilologisch** *adj Abteilung* of classical philology; *Bücher, Artikel* on classical philology; **altrenommiert** *adj* old-established; **altrosa** *adj* old rose.

Altruismus *m, no pl (geh)* altruism.

Altruist(in *f)* *m (geh)* altruist.

altruistisch *adj (geh)* altruistic.

altsächsisch *adj* old Saxon; **Altsängerin** *f* contralto (singer); **Altschlüssel** *m (Mus)* alto clef; **Altschnee** *m* old snow; **Altsein** *nt* being old *no art*; **Altsilber** *nt* old silver; *(Silberart)* artificially darkened silver; **Altsprachler(in** *f)* *m* **-s, -** classicist; *(Sprachwissenschaftler)* classical philologist; **altsprachlich** *adj Zweig, Abteilung* classics *attr*; **~es Gymnasium** grammar school *(Brit)*, *school teaching classical languages*; **Altstadt** *f* old *(part of a/the)* town; **die Ulmer ~** the old part of Ulm; **Altstadtsanierung** *f* renovation of the old part of a/the town; **Altsteinzeit** *f* Palaeolithic Age, Old Stone Age; **altsteinzeitlich** *adj* Palaeolithic; **Altstimme** *f (Mus)* alto; *(von Frau auch)* contralto, contralto voice; *(Partie)* alto/contralto part; **Altstoffcontainer** *m* recycling container; **Altstoffe** *mpl* recyclable materials; **alttestamentarisch**, **alttestamentlich** *adj* Old Testament *attr*; **altväterisch,**

altväterlich adj Bräuche, Geister ancestral; (altmodisch) old-fashioned no adv; Erscheinung patriarchal; **Altverschuldung** f old debts; **Altwähler** m hardened voter; **Altwarenhändler** m second-hand dealer.

Altweibergeschwätz nt old woman's talk; **Altweibersommer** m 1. (Nachsommer) Indian summer; 2. (Spinnfäden) gossamer.

Alu nt -s, no pl siehe **Aluminium**.

Alufolie f tin or aluminium foil.

Aluminium nt -s, no pl (abbr Al) aluminium (Brit), aluminum (US).

Aluminiumfolie f tin or aluminium foil; **Aluminium(staub)lunge** f (Med) aluminosis (form).

Alzheimer-Krankheit f Alzheimer's disease.

am prep 1. contr of an dem.
    2. (zur Bildung des Superlativs) **er war ~ tapfersten** he was (the) bravest; **sie hat es ~ schönsten gemalt** she painted it (the) most beautifully; **~ besten machen wir das morgen** we'd do best to do it tomorrow, the best thing would be for us to do it tomorrow; **~ seltsamsten war ...** the strangest thing was ...
    3. (als Zeitangabe) on. **~ letzten Sonntag** last Sunday; **~ 8. Mai** on the eighth of May, on May (the Brit) eighth; (geschrieben) on May 8th; **~ Morgen/Abend** in the morning/evening; **~ Tag darauf/zuvor** (on) the following/previous day.
    4. (als Ortsangabe) on the; (bei Gebirgen) at the foot of the; siehe auch an I 1..
    5. (inf: als Verlaufsform) **ich war gerade ~ Weggehen** I was just leaving.
    6. (Aus: auf dem) on the.
    7. (Comm) **~ Lager** in stock.
    8. in Verbindung mit n siehe auch dort **du bist ~ Zug** it's your turn; **~ Ball sein/bleiben** to be/keep on the ball.

Amalgam nt -s, -e amalgam.

amalgamieren* vtr (lit, fig) to amalgamate.

Amaryllis f -, **Amaryllen** amaryllis.

Amateur(in f) [-'tø:ɐ] m amateur.

Amateur in cpds amateur; **Amateurfunker(in** f) m radio amateur or ham (inf); **amateurhaft** adj amateurish.

Amazonas m - Amazon.

Amazone f -, -n 1. (Myth) Amazon; (fig) amazon.
    2. (Sport) woman show-jumper.

Amber m -s, -(n) ambergris.

Ambiente nt -, no pl (geh) ambience.

Ambition f (geh) ambition. **~en auf etw** (acc) **haben** to have ambitions of getting sth.

ambivalent [-va'lɛnt] adj ambivalent.

Ambivalenz [-va'lɛnts] f ambivalence.

Amboß m -sses, -sse anvil; (Anat auch) incus.

Ambrosia f -, no pl ambrosia.

ambulant adj 1. (Med) Versorgung, Behandlung out-patient attr. **~e Patienten** out-patients; **~ behandelt werden** (Patient) to receive out-patient treatment; (Fall) to be treated in the out-patient department.

    2. (wandernd) itinerant.

Ambulanz f 1. (Klinikstation) out-patient department, out-patients sing (inf). 2. (~wagen) ambulance.

Ambulanzhubschrauber m ambulance helicopter; **Ambulanzwagen** m ambulance.

Ameise f -, -n ant.

Ameisenbär m anteater; (größer) ant-bear, great anteater; **ameisenhaft** adj ant-like; Treiben beaver-like; **Ameisenhaufen** m anthill; **Ameisensäure** f formic acid; **Ameisenstaat** m ant colony.

amen interj amen; siehe **ja**.

Amen nt -s, - amen. **sein ~ zu etw geben** to give one's blessing to sth; **das ist so sicher wie das ~ in der Kirche** (inf) you can bet your bottom dollar on that (inf).

Americium [-tsiʊm] nt, no pl (abbr Am) americium.

Amerika nt -s America.

Amerikaner m -s, - 1. (**~in** f) American. 2. (Gebäck) flat iced cake.

amerikanisch adj American.

amerikanisieren* vt to Americanize.

Amerikanismus m Americanism.

Amerikanist(in f) m specialist in American studies.

Amerikanistik f American studies pl.

Amethyst m -s, -e amethyst.

Ami m -s, -s (inf) Yank (inf); (sl: Soldat) GI (inf).

Aminosäure f amino acid.

Ammann m (Sw) 1. mayor. 2. (Jur) local magistrate.

Amme f -, -n (old) foster-mother; (Nährmutter) wet nurse.

Ammenmärchen nt fairy tale or story.

Ammer f -, -n (Orn) bunting.

Ammoniak nt -s, no pl ammonia.

Ammonit m -en, -en (Archeol) ammonite.

Ammonshorn nt 1. (Anat) hippocampus major (spec). 2. (Archeol) ammonite.

Amnesie f (Med) amnesia.

Amnestie f amnesty.

amnestieren* vt to grant an amnesty to.

Amöbe f -, -n (Biol) amoeba.

Amöbenruhr f (Med) amoebic dysentery.

Amok ['a:mɔk, a'mɔk] m: **~ laufen** to run amok or amuck.

Amokfahrer m mad or lunatic driver; **Amokfahrt** f mad or crazy ride; **Amokläufer** m madman; **Amokschütze** m crazed gunman.

Amor m - Cupid.

amoralisch adj 1. (unmoralisch) immoral. 2. (wertfrei) amoral.

amorph adj (geh) amorphous.

Amortisation f amortization.

amortisieren* I vt (Econ) **eine Investition ~** to ensure that an investment pays for itself. II vr to pay for itself.

Amouren [a'mu:rən] pl (old, hum) amours pl (old, hum).

amourös [amu'rø:s] adj (geh) amorous.

Ampel f -, -n 1. (Verkehrs~) (traffic) lights pl. **er hat eine ~ umgefahren** he knocked a traffic light over; **halte an der nächsten ~** stop at the next (set of) (traffic) lights. 2. (geh) (Hängelampe) hanging lamp; (*Hängeblumentopf*) hanging flowerpot.

Ampelanlage *f* (set of) traffic lights; **Ampelkoalition** *f coalition formed by members of the SPD, FDP and the Green Party*; **Ampelkreuzung** *f* (*inf*) junction controlled by traffic lights; **Ampelphase** *f* traffic light sequence; **die langen ~n an dieser Kreuzung** the length of time the lights take to change at this junction.

Ampere [am'pɛːɐ, am'pɛːɐ] *nt* -(s), - amp, ampere (*form*).

Amperemeter *nt* ammeter; **Amperesekunde** *f* ampere-second; **Amperestunde** *f* ampere-hour.

Ampfer *m* -s, - (*Bot*) dock; (*Sauer~*) sorrel.

Amphetamin *nt* -s, -e amphetamine.

Amphibie [-iə] *f* (*Zool*) amphibian.

Amphibienfahrzeug *nt* amphibious vehicle.

amphibisch *adj* amphibious.

Amphitheater *nt* amphitheatre.

Amphora *f* -, **Amphoren** amphora.

Amplitude *f* -, -n (*Phys*) amplitude.

Ampulle *f* -, -n **1.** (*Behälter*) ampoule. **2.** (*Anat*) ampulla.

Amputation *f* amputation.

amputieren* *vt* to amputate. **jdm den Arm ~** to amputate sb's arm; **amputiert werden** (*Mensch*) to have an amputation.

Amsel *f* -, -n blackbird.

Amsterdam *nt* -s Amsterdam.

Amsterdamer *adj attr* Amsterdam.

Amsterdamer(in *f*) *m* native of Amsterdam; (*Einwohner*) inhabitant of Amsterdam.

Amt *nt* -(e)s, ⸚er **1.** (*Stellung*) office; (*Posten*) post. **im ~ sein** to be in *or* hold office; **jdn aus einem ~ entfernen** to remove sb from office; **in ~ und Würden** in an exalted position; **von ~s wegen** (*aufgrund von jds Beruf*) because of one's job; **kraft seines ~es** (*geh*) by virtue of one's office. **2.** (*Aufgabe*) duty, task. **seines ~es walten** (*geh*) to carry out one's duties. **3.** (*Behörde*) (*Friedhofs~, Fürsorge~, Sozial~*) department; (*Einwohnermelde~, Paß~, Finanz~*) office; (*Stadtverwaltung*) offices *pl*; (*Oberschul~*) authority. **zum zuständigen ~ gehen** to go to the relevant authority; **die ⸚er der Stadt** the town authorities; **von ~s wegen** (*auf behördliche Anordnung hin*) officially. **4.** (*Telefon~*) operator; (*Zentrale*) exchange; **geben Sie mir bitte ein ~ könnten** could you give me a line, please?

Ämterkauf *m* buying one's way into office; **Ämterpatronage** *f* autocratic distribution of offices.

amtieren* *vi* **1.** (*Amt innehaben*) to be in office. **~d** incumbent; **der ~de Bürgermeister/Weltmeister** the (present) mayor/the reigning world champion; **als Minister/Bürgermeister ~** to hold the post of minister/to have a position as a teacher/to hold the office of mayor. **2.** (*Amt vorübergehend*

wahrnehmen) to act. **er amtiert als Bürgermeister** he is acting mayor. **3.** (*fungieren*) **als ... ~** to act as ...

amtlich *adj* official; (*wichtig*) Miene, Gebaren officious; (*inf: sicher*) certain. **~es Kennzeichen** registration (number), license number (*US*).

Amtmann *m*, *pl* -männer *or* -leute, **Amtmännin** *f* **1.** (*Admin*) senior civil servant. **2.** (*Jur*) local magistrate.

Amtsadel *m* (*Hist*) non-hereditary nobility *who were created peers because of their office*; **Amtsanmaßung** *f* unauthorized assumption of authority; (*Ausübung eines Amtes*) fraudulent exercise of a public office; **Amtsantritt** *m* assumption of office/one's post; **Amtsanwalt** *m*, **Amtsanwältin** *f* prosecuting counsel in *relatively minor cases*; **Amtsapparat** *m* official machinery; **Amtsarzt** *m*, **Amtsärztin** *f* medical officer; **amtsärztlich** *adj* Zeugnis from the medical officer; *Untersuchung* by the medical officer; **~ untersucht werden** to have an official medical examination; **Amtsbereich** *m* area of competence; **Amtsblatt** *nt* gazette; **Amtsbote** *m*, **Amtsbotin** *f* official messenger; **Amtsbruder** *m* (*Eccl*) fellow clergyman; **Amtsdauer** *f* term of office; **Amtsdeutsch(e)** *nt* officialese; **Amtsdiener** *m* clerk; (*Bote*) messenger; **Amtseid** *m* oath of office; **den ~ ablegen** to be sworn in, to take the oath of office; **Amtseinführung, Amtseinsetzung** *f* instalment, inauguration; **Amtsenthebung, Amtsentsetzung** (*Sw, Aus*) *f* dismissal *or* removal from office; **Amtserschleichung** *f* obtaining office by devious means; **Amtsgeheimnis** *nt* **1.** (*geheime Sache*) official secret; **2.** (*Schweigepflicht*) official secrecy; **Amtsgericht** *nt* ≃ county (*Brit*) *or* district (*US*) court; **Amtsgerichtsrat** *m* ≃ county (*Brit*) *or* district (*US*) court judge; **Amtsgeschäfte** *pl* official duties *pl*; **Amtshandlung** *f* official duty; **seine erste ~bestand darin, ...** the first thing he did in office was ...; **Amtshilfe** *f* cooperation between authorities; **Amtskette** *f* chain of office; **Amtskleidung** *f* robes *pl* of office; **Amtskollege** *m*, **Amtskollegin** *f* opposite number; **Amtsmiene** *f* official air; **seine ~aufsetzen** to get *or* go all official (*inf*); **Amtsmißbrauch** *m* abuse of one's position; **Amtsniederlegung** *f* resignation; **Amtsperiode** *f* term of office; **Amtsperson** *f* official; **Amtsrichter(in** *f*) *m* ≃ county (*Brit*) *or* district (*US*) court judge; **Amtsschimmel** *m* (*hum*) officialdom; **den ~ reiten** to do everything by the book; **der ~ wiehert** officialdom rears its ugly head; **Amtssprache** *f* official language; **Amtsstube** *f* (*dated*) office; **Amtsstunden** *pl* hours *pl* open to the public; **Amtstracht** *f* robes *pl* of office; (*Eccl*) vestments *pl*; **Amtsträger(in** *f*) *m* office bearer; **Amtsvergehen** *nt* malfeasance (*form*); **Amtsvormund** *m* (*Jur*) public guardian; **Amtsvormundschaft** *f* (*Jur*) public guardianship; **Amtsvorstand, Amtsvorsteher(in** f) m head or chief of a/the department etc; **Amtsweg** m official channels pl; **den ~ beschreiten** to go through the official channels; **Amtszeichen** nt (Telec) dialling tone (Brit), dial tone (US); **Amtszeit** f period of office; **Amtszimmer** nt office.

Amulett nt -(e)s, -e amulet, charm.

amüsant adj amusing; Film, Geschichte auch funny. **~ plaudern** to talk in an amusing way.

Amüsement [amyzə'mā:] nt -s, -s (geh) amusement, entertainment.

Amüsierbetrieb m (inf) nightclub; (Spielhalle etc) amusement arcade. **der ~ in Las Vegas** the pleasure industry in Las Vegas.

amüsieren* I vt to amuse. **was amüsiert dich denn so?** what do you find so amusing or funny?; **lassen Sie sich ein bißchen ~** have some fun; **amüsiert zuschauen** to look on amused or with amusement. II vr (sich vergnügen) to enjoy oneself, to have a good time, to have fun. **sich mit etw ~** to amuse oneself with sth; (iro) to keep oneself amused with sth; **sich über etw** (acc) **~** to find sth funny; (über etw lachen) to laugh at sth; (unfreundlich) to make fun of sth; **sich darüber ~, daß ...** to find it funny that ...; **sich mit jdm ~** to have a good time with sb; **amüsiert euch gut** have fun, enjoy yourselves.

Amüsierlokal nt nightclub; **Amüsierviertel** nt nightclub district.

amusisch adj unartistic.

an I prep +dat 1. (räumlich: wo?) at; (~ etw dran) on. **am Haus/Bahnhof** at the house/station; **~ dieser Schule** at this school; **~ der Wand stehen** to stand by the wall; **am Fenster sitzen** to sit at or by the window; **am Tatort** at the scene of the crime; **~ der Tür/Wand** on the door/wall; **~ der Donau/Autobahn/am Ufer** by or (direkt ~ gelegen) on the Danube/motorway/bank; **Frankfurt ~ der Oder** Frankfurt on (the) Oder; **etw hängen** (lit) to hang from or on sth; **zu nahe ~ etw stehen** to be too near to sth; **etw ~ etw festmachen** to fasten sth to sth; **jdn ~ der Hand nehmen** to take sb by the hand; **oben am Berg** up the mountain; **unten am Fluß** down by the river; **sie wohnen Tür ~ Tür** they live next door to one another, they are next-door neighbours; **Haus ~ Haus/Laden ~ Laden** one house/shop after the other; **~ etw vorbeigehen** to go past sth, to pass sth.

2. (zeitlich) on. **~ diesem Abend** (on) that evening; **am Tag zuvor** the day before, the previous day; **~ dem Abend, als ich ...** the evening I ...; **~ Ostern/Weihnachten** (dial) at Easter/Christmas.

3. (sonstige Verwendungen) siehe auch Substantive, Adjektive, Verben **jung ~ Jahren sein** to be young in years; **fünf ~ der Zahl** five in number; **jdn ~ etw erkennen** to recognize sb by sth; **der Mangel/das Angebot ~ Waren** the lack/choice of goods; **~ etw arbeiten/schreiben/kauen** to be working on/

writing/chewing sth; **~ etw sterben/leiden** to die of/suffer from sth; **was haben Sie ~ Weinen da?** what wines do you have?; **~ etw schuld sein** to be to blame for sth; **~ der ganzen Sache ist nichts** there is nothing in it; **es ~ der Leber haben** (inf) to have trouble with one's liver, to have liver trouble; **was findet sie ~ dem Mann?** what does she see in that man?; **es ist ~ dem** (es stimmt) that's right; **sie hat etwas ~ sich, das ...** there is something about her that ...; **es ist ~ ihm, etwas zu tun** (geh) it's up to him to do something.

II prep +acc 1. (räumlich: wohin?) to; (gegen) on, against. **etw ~ die Wand/Tafel schreiben** to write sth on the wall/blackboard; **die Zweige reichten (bis) ~ den Boden/mein Fenster** the branches reached down to the ground/up to my window; **etw ~ etw hängen** to hang sth on sth; **er ging ~s Fenster** he went (over) to the window; **A~ den Vorsitzenden ...** (bei Anschrift) The Chairman ...; **~s Telefon gehen** to answer the phone.

2. (zeitlich: woran?) **~ die Zukunft/Vergangenheit denken** to think of the future/past; **bis ~ mein Lebensende** to the end of my days.

3. (fig) siehe auch Substantive, Adjektive, Verben **~ die Arbeit gehen** to get down to work; **~ jdn/etw glauben** to believe in sb/sth; **ich habe eine Bitte/Frage ~ Sie** I have a request to make of you/question to ask you; **~ (und für) sich** actually; **eine ~ (und für) sich gute Idee** actually quite a good idea, as such quite a good idea; **wie war es? — ~ (und für) sich ganz schön** how was it? — on the whole it was quite nice; siehe ab.

III adv 1. (ungefähr) about. **~ (die) hundert** about a hundred.

2. (Ankunftszeit) **Frankfurt ~: 18.30** (Rail) arriving Frankfurt 18.30.

3. **von diesem Ort ~** from here onwards; **von diesem Tag/heute ~** from this day on(wards)/from today onwards.

4. (inf: angeschaltet, angezogen) on. **Licht ~!** lights on!; **ohne etwas ~** with nothing on, without anything on; siehe ansein.

Anabolikum nt -s, -bolika anabolic steroid.

Anachronismus [-kr-] m (geh) anachronism.

anachronistisch [-kr-] adj (geh) anachronistic.

anaerob adj anaerobic. **~e Vergärung** anaerobic digestion.

Anakoluth nt -s, -e anacoluthon.

Anakonda f -, -s anaconda.

anal adj (Psych, Anat) anal.

analog adj 1. analogous (+dat, zu to). 2. (Telec, Comput) analogue (Brit), analog (US, esp Comput).

Analogie f analogy.

Analogiebildung f (Ling) analogy; **Analogieschluß** m (Philos, Jur) argument by analogy.

Analogrechner m analog computer; **Analoguhr** f analogue clock.

Analphabet(in *f) m* **-en, -en 1.** illiterate (person). **2.** (*pej: Unwissender*) ignoramus, dunce.
Analphabetentum *nt,* **Analphabetismus** *m* illiteracy.
analphabetisch *adj* illiterate.
Analverkehr *m* anal intercourse.
Analyse *f* -, -n analysis (*auch Psych*).
analysieren* *vt* to analyze.
Analysis *f* -, *no pl* (*Math*) analysis.
Analytiker(in *f) m* **-s,** - analyst; (*analytisch Denkender*) analytical thinker.
analytisch *adj* analytical.
Anämie *f* anaemia.
anämisch *adj* anaemic.
Anamnese *f* -, -n case history.
Ananas *f* -, - *or* -se pineapple.
Anarchie *f* anarchy.
anarchisch *adj* anarchic.
Anarchismus *m* anarchism.
Anarchist(in *f) m* anarchist.
anarchistisch *adj* anarchistic; (*den Anarchismus vertretend auch*) anarchist *attr*.
Anarcho *m* -s, -s (*pej*) anarchist.
Anästhesie *f* ana(e)sthesia.
anästhesieren* *vt* to an(a)esthetize.
Anästhesist(in *f) m* an(a)esthetist (*Brit*), anesthesiologist (*US*).
Anästhetikum *nt* -s, **Anästhetika** an(a)esthetic.
anästhetisch *adj* an(a)esthetic; (*unempfindlich auch*) an(a)esthetized.
Anatolien [-iən] *nt* -s Anatolia.
Anatom(in *f) m* -en, -en anatomist.
Anatomie *f* **1.** (*Wissenschaft, Körperbau*) anatomy. **2.** (*Institut*) anatomical institute.
Anatomiesaal *m* anatomical *or* anatomy lecture theatre.
anatomisch *adj* anatomical.
anbahnen *sep* **I** *vt* to initiate. **II** *vr* (*sich andeuten*) to be in the offing; (*Unangenehmes*) to be looming; (*Möglichkeiten, Zukunft*) to be opening up. **zwischen den beiden bahnt sich etwas an** (*Liebesverhältnis*) there is something going on between those two.
anbandeln (*S Ger, Aus*), **anbändeln** *vi sep* **1.** (*Bekanntschaft schließen*) to take up (*mit* with). **2.** (*Streit anfangen*) to start an argument (*mit* with).
Anbau[1] *m* -(e)s, *no pl* **1.** (*Anpflanzung*) cultivation, growing. **2.** (*von Gebäuden*) building. **den ~ einer Garage planen** to plan to build on a garage.
Anbau[2] *m* -(e)s, -ten (*Nebengebäude*) extension; (*freistehend*) annexe; (*Stallungen*) outhouse, outbuilding.
anbauen *sep* **I** *vt* **1.** to cultivate, to grow; (*anpflanzen*) to plant; (*säen*) to sow. **2.** (*Build*) to add, to build on. **etw ans Haus ~** to build sth onto the house. **II** *vi* to build an extension. **Möbel zum A~** unit furniture.
anbaufähig *adj* **1.** *Boden* cultivable; *Gemüse* growable; **2.** (*Build*) extendible; **Anbaufläche** *f* (area of) cultivable land; (*bebaute Ackerfläche*) area under cultivation; **Anbaugebiet** *nt* cultivable area; **ein gutes ~ für etw** a good area for cultivating sth; **Anbaumöbel** *pl* unit furniture; **Anbauschrank** *m* cupboard

unit; **Anbautechnik** *f,* **Anbauverfahren** *nt* (*Agr*) growing methods *pl*.
anbefehlen* *vt sep irreg* (*geh*) **1.** (*befehlen*) to urge (*jdm etw* sth on sb). **2.** (*anvertrauen*) to commend (*jdm etw* sth to sb).
Anbeginn *m* (*geh*) beginning. **von ~ (an)** from the (very) beginning; **seit ~ der Welt** since the world began.
anbehalten* *vt sep irreg* to keep on.
anbei *adv* (*form*) enclosed. **~ schicken wir Ihnen ...** please find enclosed ...
anbeißen *sep irreg* **I** *vi* (*Fisch*) to bite; (*fig*) to take the bait. **II** *vt Apfel etc* to bite into. **ein angebissener Apfel** a half-eaten apple; **sie sieht zum A~ aus** (*inf*) she looks nice enough to eat.
anbekommen* *vt sep irreg* (*inf*) to (manage to) get on; *Feuer* to (manage to) get going.
anbelangen* *vt sep* to concern. **was das/mich anbelangt ...** as far as that is/I am concerned ...
anbellen *vt sep* to bark at.
anbequemen* *vr sep* (*geh*) **sich einer Sache** (*dat*) **~** to adapt (oneself) to sth.
anberaumen* *vt sep or* (*rare*) *insep* (*form*) to arrange, to fix; *Termin, Tag auch* to set; *Treffen auch* to call.
anbeten *vt sep* to worship; *Menschen auch* to adore; *siehe* **Angebetete(r)**.
Anbetracht *m*: **in ~** (+*gen*) in consideration *or* view of; **in ~ dessen, daß ...** in consideration *or* view of the fact that ...
anbetreffen* *vt sep irreg siehe* **anbelangen**.
anbetteln *vt sep jdn ~* to beg from sb; **jdn um etw ~** to beg sth from sb.
Anbetung *f siehe* **anbeten** *vt* worship; adoration.
anbiedern *vr sep* (*pej*) **sich (bei jdm) ~** to try to get pally (with sb), to curry favour (with sb).
Anbiederungsversuch *m* attempt to curry favour with sb.
anbieten *sep irreg* **I** *vt* to offer (*jdm etw* sb sth); (*Comm*) *Waren* to offer for sale; *seinen Rücktritt* to tender. **haben wir etwas zum A~ da?** have we anything to offer our guests?; **jdm das Du ~** *to suggest sb uses the familiar form of address.*
  II *vr* **1.** (*Mensch*) **sich (als etw) ~** to offer one's services (as sth); (*Ftbl*) to be in position; **sich für die Arbeit ~, sich ~, die Arbeit zu tun** to offer to do the work; **der Ort bietet sich für die Konferenz an** that is the obvious place for the conference.
  2. (*in Betracht kommen: Gelegenheit*) to present itself. **das bietet sich als Lösung an** that would provide a solution; **es bietet sich an, das Museum zu besuchen** the thing to do would be to visit the museum.
Anbieter(in *f) m* **-s,** - supplier.
anbinden *sep irreg vt* (*an +acc or dat* to) **1.** to tie (up); *Pferd auch* to tether; *Boot auch* to moor. **jdn ~** (*fig*) to tie sb down. **2.** (*verbinden*) to connect; (*verketten*) to link; *siehe* **angebunden**.
Anbindung *f* (*Verbindung*) connection; (*Verkettung*) linkage.
anblaffen *vt sep* (*inf*) (*lit, fig*) to bark at.

anblasen vt sep irreg **1.** (blasen gegen) to blow at; (anfachen) to blow on. **jdn mit Rauch** ~ to blow smoke at sb. **2. die Jagd** ~ to sound the horn for the start of the hunt.

anblecken vt sep (lit, fig) to bare one's teeth at.

anblenden vt sep to flash at; (fig: kurz erwähnen) to touch on.

Anblick m sight. **beim ersten** ~ at first sight; **beim** ~ **des Hundes** when he etc saw the dog; **in den** ~ **von etw versunken sein** to be absorbed in looking at sth; **du bist ein** ~ **für die Götter** you really look a sight.

anblicken vt sep to look at. **jdn lange/ feindselig** ~ to gaze/glare at sb.

anblinken vt sep **jdn** ~ (Fahrer, Fahrzeug) to flash (at) sb; (Lampe) to flash in sb's eyes; (Gold) to shine before sb's very eyes.

anblinzeln vt sep **1.** (blinzelnd ansehen) to squint at. **2.** (zublinzeln) to wink at.

anbohren vt sep irreg **1.** (teilweise durchbohren) to bore into; (mit Bohrmaschine auch) to drill into. **2.** (zugänglich machen) Quellen to open up (by boring/ drilling).

Anbot ['anboːt] nt -(e)s, -e (Aus) siehe **Angebot.**

anbranden vi sep aux sein to surge.

anbraten vt sep irreg to brown; Steak to sear. **etw zu scharf** ~ to brown sth too much.

anbrauchen vt sep to start using. **eine angebrauchte Schachtel/Flasche** an opened box/bottle; **das ist schon angebraucht** that has already been used/worn/ opened.

anbräunen vt sep (Cook) to brown (lightly).

anbrausen vi sep aux sein to roar up. **angebraust kommen** to come roaring up.

anbrechen sep irreg I vt **1.** Packung, Flasche to open; Vorrat to broach; Ersparnisse, Geldsumme, Geldschein to break into; siehe **angebrochen.**
2. (teilweise brechen) Brett, Gefäß, Knochen to crack. **angebrochen sein** to be cracked.
II vi aux sein (Epoche) to dawn; (Tag auch) to break; (Nacht) to fall; (Jahreszeit) to begin; (Winter) to close in.

anbremsen vti sep (den Wagen) ~ to brake, to apply the brakes.

anbrennen sep irreg I vi aux sein to start burning, to catch fire; (Holz, Kohle) to catch light; (Essen) to burn, to get burnt; (Stoff) to scorch, to get scorched. **mir ist das Essen angebrannt** I burnt the food, I let the food get burnt.
II vt to light.

anbringen vt sep irreg **1.** (hierherbringen) to bring (with one); (nach Hause) to bring home (with one).
2. (befestigen) to fix, to fasten (an +dat on/to); (aufstellen, aufhängen) to put up; Telefon, Feuermelder to put in, to install; Stiel an Besen to put on; Beschläge, Hufeisen to mount.
3. (äußern) Bemerkung, Bitte, Ge-

such, Beschwerde to make (bei to); Kenntnisse, Wissen to display; Argument to use. **er konnte seine Kritik/seinen Antrag nicht mehr** ~ he couldn't get his criticism/motion in; siehe **angebracht.**
4. (inf: loswerden) Ware to get rid of (inf).
5. (inf) siehe **anbekommen.**

Anbruch m, no pl (geh: Anfang) beginning; (von Zeitalter, Epoche) dawn(ing). **bei** ~ **des Tages/Morgens** at daybreak, at break of day; **bei** ~ **der Nacht/ Dunkelheit** at nightfall.

anbrüllen sep I vt (Löwe) to roar at; (Kuh, Stier) to bellow at; (inf: Mensch) to shout or bellow at. **II** vi **gegen etw** ~ to shout above (the noise of) sth.

anbrummen sep I vt to growl at; (fig) to grumble at. **II** vi aux sein **angebrummt kommen** to come roaring along or (auf einen zu) up.

anbrüten vt sep to begin to sit on.

Anchovis [anˈçoːvɪs, anˈʃoːvɪs] f -, - siehe **Anschovis.**

Andacht f -, -en **1.** no pl (das Beten) (silent) prayer or worship. ~ **halten** to be at one's devotions; **in tiefer** ~ **versunken sein** to be sunk in deep devotion.
2. (Gottesdienst) prayers pl.
3. (Versenkung) rapt interest; (Ehrfurcht) reverence. **in tiefe(r)** ~ **versunken sein** to be completely absorbed; **er trank den Wein mit** ~ (hum) he drank the wine reverently; **etw voller** ~ **tun** to do sth reverently.

andächtig adj **1.** (im Gebet) in prayer. **die** ~**en Gläubigen** the worshippers at their devotions or prayers. **2.** (versunken) rapt; (ehrfürchtig) reverent.

Andalusien [-iən] nt -s Andalusia.

andampfen vi sep aux sein (inf) **angedampft kommen** (lit, fig) to steam or come steaming along or (auf einen zu) up; (Mensch) to charge or come charging along or (auf einen zu) up.

Andauer f, no pl **bei langer** ~ **des Fiebers** if the fever continues for a long time.

andauern vi sep to continue; (anhalten) to last. **das dauert noch an** that is still going on or is continuing; **der Regen dauert noch an** the rain hasn't stopped yet; **das schöne Wetter wird nicht** ~ the fine weather won't last.

andauernd adj (ständig) continuous; (anhaltend) continual. **die bis in den frühen Morgen** ~**en Verhandlungen** the negotiations which went on or continued till early morning; **wenn du mich** ~ **unterbrichst ...** if you keep on interrupting me ...

Anden pl Andes pl.

Andenken nt -s, no pl **1.** memory. **das** ~ **von etw feiern** to commemorate sth; **jdn in freundlichem** ~ **behalten** to have fond memories of sb; **zum** ~ **an jdn/etw** (an Verstorbenen) in memory or remembrance of sb/sth; (an Freunde/Urlaub) to remind you/us etc of sb/sth. **2.** (Reise~) souvenir (an +acc of); (Erinnerungsstück) memento, keepsake (an +acc from).

ander(e)nfalls adv otherwise; **ander(e)n-**

orts adv (geh) elsewhere.

andere(r, s) indef pron **I** (adjektivisch) **1.**
different; (weiterer) other. **ein ~r
Mann/~s Auto/eine ~ Frau** a different
man/car/woman; (ein weiterer etc)
another man/car/woman; **jede ~ Frau
hätte ...** any other woman would have
...; **haben Sie noch ~ Fragen?** do you
have any more questions?; **ich habe eine
~ Auffassung als sie** my view is different
from hers, I take a different view from
her; **das machen wir ein ~s Mal** we'll do
that another time; **das ~ Geschlecht** the
other sex; **er ist ein ~r Mensch geworden** he is a changed or different man; **~
Länder, ~ Sitten** different countries
have different customs.
2. (folgend) next, following.

II (substantivisch) **1.** (Ding) **ein ~r** a
different one; (noch einer) another one;
etwas ~s something or (jedes, in Fragen)
anything else; **alle ~n** all the others; **er
hat noch drei ~** he has three others or
(von demselben) more; **ja, das ist etwas
~s** yes, that's a different matter; **das ist
etwas ganz ~s** that's something quite
different; **hast du etwas ~s gedacht?** did
you think otherwise?; **ich muß mir etwas
~s anziehen** I must put on something
else or different; **einen Tag um den ~n/
ein Mal ums ~** every single day/time; **ich
habe ~s gehört** I heard differently;
nichts ~s nothing else; **nichts ~s als ...**
nothing but ...; **es blieb mir nichts ~s
übrig, als selbst hinzugehen** I had no
alternative but to go myself; **und vieles
~ mehr** and much more besides; **alles ~
als zufrieden** anything but pleased, far
from pleased; **bist du müde? — nein, alles ~ als das** are you tired? — no, far
from it or anything but; **unter ~m**
among other things; **und ~s mehr** and
more besides; **es kam eins zum ~n** one
thing led to another; **... man kann doch
eines tun, ohne das ~ zu lassen ...** but
you can have the best of both worlds; **sie
hat sich eines ~n besonnen** she changed
her mind; **von einem Tag zum ~n** overnight; **von etwas ~m sprechen** to change
the subject; **eines besser als das ~** each
one better than the next.
2. (Person) **ein ~r/eine ~** a different
person; (noch einer) another person; **jeder ~/kein ~r** anyone/no-one else; **es
war kein ~r als ...** it was none other
than ...; **niemand ~s** no-one else; **das
haben mir ~ auch schon gesagt** other
people or others have told me that too;
die ~n the others; **alle ~n** all the others,
everyone else; **jemand ~s** or **~r** (S Ger)
somebody or (jeder, in Fragen) anybody
else; **wer ~s?** who else?; **wir/ihr ~n** the
rest of us/you; **sie hat einen ~n** she has
someone else; **der eine oder der ~ von
unseren Kollegen** one or other of our
colleagues; **es gibt immer den einen oder
den ~n, der faulenzt** there is always
someone who is lazy; **der eine ..., der ~
...** this person ..., that person...; **einer
nach dem ~n** one after the other; **eine
schöner als die ~** each one more beautiful than the next; **der eine kommt, der ~**

geht as one person comes another goes;
(man geht ein und aus) people are coming and going; **das kannst du ~n erzählen!** (inf) who are you kidding! (inf).

and(e)rerseits adv on the other hand.

andermal adv: **ein ~** some other time.

ändern I vt to change, to alter; Meinung,
Richtung to change; Kleidungsstück to
alter. **das ändert die Sache** that changes
things, that puts a different complexion
on things; **ich kann es nicht ~** I can't do
anything about it; **das ist nicht zu ~, das
läßt sich nicht (mehr) ~** nothing can be
done about it; **das ändert nichts an der
Tatsache, daß ...** that doesn't alter the
fact that ...
II vr **1.** to change, to alter; (Meinung,
Richtung) to change. **hier ändert sich
das Wetter oft** the weather here is very
changeable; **es hat sich nichts/viel geändert** nothing/a lot has changed.
2. (Mensch) to change; (sich bessern) to
change for the better. **wenn sich das nicht
ändert ...** if things don't improve ...

ändern- in cpds siehe **ander(e)n-**.

anders adv **1.** (sonst) else. **jemand/
niemand ~** somebody or anybody/
nobody else; **wer/wo ~?** who/where
else?; **irgendwo ~** somewhere else.
2. (verschieden, besser, schöner)
differently; (andersartig) sein, aussehen,
klingen, schmecken different (als to). **~
als jd denken/reagieren/aussehen** to
think/react differently/look different
from sb; **~ als jd** (geh: im Gegensatz zu)
unlike sb; **es** or **die Sache verhält sich
ganz ~** things or matters are quite
different; **~ geartet sein als jd** to be
different from or to sb; **~ ausgedrückt**
to put it another way, in other words;
das machen wir so und nicht ~ we'll do
it this way and no other; **das hat sie nicht
~ erwartet** she expected nothing else;
wie nicht ~ zu erwarten as was to be
expected; **sie ist ~ geworden** she has
changed; **wie könnte es ~ sein?** how
could it be otherwise?; **es geht nicht ~**
there's no other way; **ich kann nicht ~**
(kann es nicht lassen) I can't help it;
(muß leider) I have no choice; **es sich
(dat) ~ überlegen** to change one's mind;
da wird mir ganz ~ I start to feel funny
or (übel auch) peculiar; **ich kann auch ~**
(inf) you'd/he'd etc better watch it (inf);
das klingt schon ~ (inf) now that's more
like it.
3. (inf: anderenfalls) otherwise, or
else.

andersartig adj, no comp different;
Andersartigkeit f (des Lebens) different quality; **jdn wegen seiner ~ nicht
verstehen** not to understand sb because
he/she is different; **andersdenkend** adj
attr dissident, dissenting; **Andersden-
kende(r)** mf decl as adj dissident, dis-
senter; **die Freiheit des ~n** the freedom
to dissent.

anderseits adv siehe **and(e)rerseits**.

andersfarbig adj of a different colour;
andersgeschlechtlich adj of the other
or opposite sex; **andersgesinnt** adj of a
different opinion; **~ sein** to have a

different opinion, to disagree (*in* +*dat* on); **Andersgesinnte(r)** *mf* decl as adj person of a different opinion; **andersgläubig** *adj* of a different faith *or* religion *or* creed; ~ **sein** to be of *or* have a different faith *etc*; **Andersgläubige(r)** *mf* decl as adj person of a different faith *or* religion *or* creed; **anders(he)rum** *I adv* the other way round; ~ **gehen** to go the other way round; **dreh die Schraube mal** ~ turn the screw the other way; **II** *adj* (*sl: homosexuell*) ~ **sein** to be bent (*inf*); **anderslautend** *adj attr* (*form*) contrary; ~**e Berichte** contrary reports, reports to the contrary; **andersrum** (*inf*) *adv, adj* siehe **anders(he)rum**; **anderssprachig** *adj Literatur* foreign(-language); **anderswie** *adv* (*inf*) (*auf andere Weise*) some other way; (*unterschiedlich*) differently; **anderswo** *adv* elsewhere; **das gibt es nicht** ~ you don't get that anywhere else; **anderswoher** *adv* from elsewhere; **anderswohin** *adv* elsewhere; **ich gehe nicht gerne** ~ I don't like going anywhere else.

anderthalb *num* one and a half. ~ **Pfund Kaffee** a pound and a half of coffee; ~ **Stunden** an hour and a half; **das Kind ist** ~ **Jahre alt** the child is eighteen months old *or* one and a half.

anderthalbfach *adj* one and a half times; **nimm die ~e Menge/das A~e** use half as much again; siehe auch **vierfach**; **anderthalbmal** *adv* one and a half times; ~ **soviel/so viele** half as much/ many again.

Änderung *f* change, alteration (*an* +*dat*, *gen* in, to); (*in jdm*) change (*in* +*dat* in); (*an Kleidungsstück, Gebäude*) alteration (*an* +*dat* to); (*der Gesellschaft, der Politik*) change (*gen* in).

Änderungsantrag *m* (*Parl*) amendment; **Änderungsschneider(in f)** *m* tailor (who does alterations); **Änderungsvorschlag** *m* suggested change *or* alteration; **einen** ~ **machen** to suggest a change *or* an alteration; **Änderungswunsch** *m* wish to make changes *or* alterations; **haben Sie Änderungswünsche?** are there any changes *or* alterations you would like made?

anderwärts *adv* (*geh*) elsewhere, somewhere else; **anderweitig I** *adj attr* (*andere, weitere*) other; ~**e Ölvorkommen** (*an anderer Stelle*) other oil strikes, oil strikes elsewhere; **II** *adv* (*anders*) otherwise; (*an anderer Stelle*) elsewhere; ~ **vergeben/besetzt werden** to be given to/ filled by someone else; **etw** ~ **verwenden** to use sth for a different purpose.

andeuten *sep* I *vt* (*zu verstehen geben*) to hint, to intimate (*jdm etw* sth to sb); (*kurz erwähnen*) *Problem* to mention briefly; (*Art, Mus*) to suggest; (*erkennen lassen*) to indicate. **der Wald war nur mit ein paar Strichen angedeutet** a few strokes gave a suggestion of the wood.

II *vr* to be indicated; (*Melodie*) to be suggested; (*Gewitter*) to be in the offing.

Andeutung *f* (*Anspielung, Anzeichen*) hint; (*flüchtiger Hinweis*) short *or* brief

mention; (*Art, Mus*) suggestion *no pl*; (*Spur*) sign, trace; (*Anflug eines Lächelns auch*) faint suggestion. **eine** ~ **machen** to hint (*über* +*acc* at), to drop a hint (*über* +*acc* about); **versteckte** ~**en machen** to drop veiled hints.

andeutungsweise I *adv* (*als Anspielung, Anzeichen*) by way of a hint; (*als flüchtiger Hinweis*) in passing. **jdm** ~ **zu verstehen geben, daß ...** to hint to sb that ...; **man kann die Mauern noch** ~ **erkennen** you can still see traces of the walls. **II** *adj attr* (*rare*) faint.

andichten *vt sep* **1. jdm etw** ~ (*inf*) to impute sth to sb; *Fähigkeiten* to credit sb with sth; **alles kann man ihm** ~, **aber ...** you can say what you like about him but ... **2. jdn** ~ to write a poem/poems to sb; **jdn in Sonetten** ~ to write sonnets to sb.

andicken *vt sep Suppe, Soße* to thicken.

andienen *sep* (*pej*) **I** *vt* **jdm etw** ~ to press sth on sb; **man diente ihm einen hohen Posten im Ausland an, um ihn loszuwerden** they tried to get rid of him by palming him off with a high position abroad. **II** *vr* **sich jdm** ~ to offer sb one's services (*als* as).

Andienungsstraße *f* (*Mot*) service road.

andiskutieren* *vt sep* to discuss briefly, to touch on.

andocken *vti sep* (*Space*) to dock.

andonnern *sep* (*inf*) **I** *vi aux sein* (*usu angedonnert kommen*) to come thundering *or* roaring along. **II** *vt jdn* to shout *or* bellow at.

Andorra *nt* Andorra.

Andorraner(in f) *m* Andorran.

andorranisch *adj* Andorran.

Andrang *m* **-(e)s**, *no pl* **1.** (*Zustrom, Gedränge*) crowd, crush. **es herrschte großer** ~ there was a great crowd *or* crush. **2.** (*von Blut*) rush; (*von Wassermassen*) onrush.

andrängen *vi sep aux sein* to push forward; (*Menschenmenge auch*) to surge forward; (*Wassermassen*) to surge. **die** ~**de Menschenmenge** the surging crowd.

Andreas *m* - Andrew.

Andreaskreuz *nt* diagonal cross; (*Rel*) St Andrew's cross.

andrehen *vt sep* **1.** (*anstellen*) to turn on. **2.** (*festdrehen*) to screw on; *Schraube* to screw in. **3. jdm etw** ~ (*inf*) to palm sth off on sb.

andren- *in cpds siehe* **ander(e)n-**.

andre(r, s) *adj siehe* **andere(r, s)**.

andrerseits *adv siehe* **and(e)rerseits**.

Androgen *nt* (*Med*) **-s, -e** androgen.

androgyn *adj* androgynous.

androhen *vt sep* to threaten (*jdm etw* sb with sth).

Androhung *f* threat. **unter** ~ **der** *or* **von Gewalt** with the threat of violence; **unter der** ~, **etw zu tun** with the threat of doing sth; **unter** ~ (*Jur*) under penalty (*von, gen* of).

Android(e) *m* **-en, -en** android.

Andruck *m* **1.** (*Typ*) proof. **2.** *no pl* (*Space*) g-force, gravitational force.

andrucken *sep* (*Typ*) **I** *vt* to pull a proof of. **II** *vi* to pull proofs; (*mit dem Druck beginnen*) to start *or* begin printing.

andrücken vt sep **1.** Pflaster to press on (an +acc to). **als ich kräftiger andrückte** when I pressed or pushed harder. **2.** (beschädigen) Obst to bruise.

andünsten vti sep (Cook) to braise lightly.

Äneas m - Aeneas.

an|ecken vi sep aux sein (inf) (bei jdm/ allen) ~ to rub sb/everyone up the wrong way; **mit seinen** or **wegen seiner Bemerkungen ist er schon oft angeeckt** his remarks have often rubbed people up the wrong way.

an|eifern vt sep (Aus) siehe anspornen.

an|eignen vr sep sich (dat) etw ~ (etw erwerben) to acquire sth; (etw wegnehmen) to appropriate sth; (sich mit etw vertraut machen) to learn sth; (sich etw angewöhnen) to pick sth up.

An|eignung f siehe vr acquisition; appropriation; learning; picking up. **widerrechtliche** ~ (Jur) misappropriation.

an|einander adv **1.** (gegenseitig, an sich) ~ **denken** to think of each other; **sich** ~ **gewöhnen** to get used to each other; **sich** ~ **halten** to hold on to each other; **sich** ~ **stoßen** (lit) to knock into each other; **Freude** ~ **haben** to enjoy each other's company.

2. (mit Richtungsangabe) ~ **vorüber-/ vorbeigehen** to go past each other; ~ **vorbeireden** to talk or be at crosspurposes.

3. (einer am anderen, zusammen) befestigen together. **die Häuser stehen zu dicht** ~ the houses are built too close together.

an|einander- in cpds together; **an|einanderbauen** vt sep to build together; **die Häuser waren ganz dicht aneinandergebaut** the houses were built very close together; **an|einanderfügen** sep I vt to put together; **II** vr to join together; **an|einandergeraten*** vi sep irreg aux sein to come to blows (mit with); (streiten) to have words (mit with); **an|einandergrenzen** vi sep to border on each other; **in Istanbul grenzen Orient und Okzident aneinander** in Istanbul East and West meet; **an|einanderhalten** vt sep irreg to hold against each other; **an|einanderhängen** sep irreg I vi **1.** (zusammenhängen) to be linked (together); **2.** (fig: Menschen) to be attached to each other; **II** vt to link together; **an|einanderkoppeln** vt sep to couple; Raumschiffe to link up; **an|einanderlehnen** vr sep to lean on or against each other; **an|einanderliegen** vi sep irreg to be adjacent (to each other), to be next to each other; **an|einanderprallen** vt sep aux sein to collide; (fig) to clash; **an|einanderreihen** sep I vt to string together; **II** vr to be strung together; (zeitlich: Tage) to run together; **an|einanderschmiegen** vr sep to snuggle up; **an|einandersetzen** vt sep to put together; **an|einanderstellen** vt sep to put together; **an|einanderstoßen** sep irreg I vt to bang together; **II** vi aux sein to collide; (Fahrzeuge, Köpfe auch,

Menschen) to bump into each other; (aneinandergrenzen) to meet.

Äneis [ε'neːɪs] f - Aeneid.

Anekdote f -, -n anecdote.

anekdotenhaft adj anecdotal.

an|ekeln vt sep (anwidern) to disgust, to nauseate. **die beiden ekeln sich nur noch an** they just find each other nauseating or make each other sick.

Anemone f -, -n anemone.

an|empfehlen* vt sep or insep irreg (geh) to recommend.

an|empfunden adj (geh) artificial, spurious, false.

an|erbieten* vr sep or insep irreg (geh) to offer one's services. **sich** ~, **etw zu tun** to offer to do sth.

an|erkannt I ptp of anerkennen. **II** adj recognized; Tatsache auch established; Werk standard; Bedeutung accepted; Experte acknowledged.

an|erkanntermaßen adv **diese Mannschaft ist** ~ **besser** it is generally acknowledged that this team is better.

an|erkennen* vt sep or insep irreg Staat, König, Rekord to recognize; Forderung auch, Rechnung to accept; Vaterschaft to accept, to acknowledge; (würdigen) Leistung, Bemühung to appreciate; Meinung to respect; (loben) to praise. **..., das muß man** ~ (zugeben) admittedly, ..., ... you can't argue with that; (würdigen) ... one has to appreciate that; **als gleichwertiger Partner anerkannt sein** to be accepted as an equal partner; **ihr** ~**der Blick** her appreciative look.

an|erkennenswert adj commendable.

An|erkenntnis nt (Jur) acknowledgement.

An|erkennung f siehe vt recognition; acceptance; acknowledgement; appreciation; respect; praise.

An|erkennungsschreiben nt letter of appreciation or commendation.

an|erziehen* vt insep irreg: **jdm etw** ~ (Kindern) to instil sth into sb; (neuen Angestellten auch) to drum sth into sb; **sich** (dat) **etw** ~ to train oneself to do sth.

an|erzogen adj acquired. **das ist alles** ~ he etc has just been trained to be like that.

Anf. abbr of Anfang.

anfachen vt sep (geh) **1.** Glut, Feuer to fan. **2.** (fig) to arouse; Leidenschaft auch to inflame; Haß auch to inspire.

anfahren sep irreg I vi aux sein **1.** (losfahren) to start (up). **angefahren kommen** (herbeifahren) (Wagen, Fahrer) to drive up; (Zug) to pull up; (ankommen) to arrive; **beim A**~ when starting (up); **das A**~ **am Berg üben** to practise a hill start.

2. (inf) **laß mal noch eine Runde** ~ let's have another round.

II vt **1.** (liefern) Kohlen, Kartoffeln to deliver.

2. (inf: spendieren) to lay on.

3. (ansteuern) Ort to stop or call at; Hafen auch to put in at; (Aut) Kurve to approach. **die Insel wird zweimal wö-**

chentlich von der Fähre angefahren the ferry calls twice a week at the island.

4. (*anstoßen*) *Passanten, Baum etc* to run into, to hit; (*fig: ausschelten*) to shout at.

Anfahrt f (~*sweg*, ~*szeit*) journey; (*Zufahrt*) approach; (*Einfahrt*) drive. „**nur ~ zum Krankenhaus**" "access to hospital only".

Anfall m **1.** attack; (*Wut*~, *epileptischer*) fit. **einen ~ haben/bekommen** (*lit*) to have an attack or fit; (*fig inf*) to have or throw a fit (*inf*); **da könnte man Anfälle kriegen** (*inf*) it's enough to send or drive you round the bend (*inf*); **in einem ~ von** (*fig*) in a fit of.

2. (*Ertrag, Nebenprodukte*) yield (*an* +*dat* of); (*von Zinsen auch*) accrual.

3. (*von Reparaturen, Kosten*) amount (*an* +*dat* of); (*form: Anhäufung*) accumulation. **bei ~ von Reparaturen** if repairs are necessary.

anfallen sep irreg **I** vt (*überfallen*) to attack; (*Sittenstrolch*) to assault.

II vi aus sein (*sich ergeben*) to arise; (*Zinsen*) to accrue; (*Nebenprodukte*) to be obtained; (*sich anhäufen*) to accumulate. **die ~den Kosten/Reparaturen/ Probleme** the costs/repairs/problems incurred; **die ~de Arbeit** the work which comes up.

anfällig adj (*nicht widerstandsfähig*) delicate; *Motor, Maschine* temperamental. **gegen** or **für etw/eine Krankheit ~ sein** to be susceptible to sth/prone to an illness.

Anfälligkeit f siehe adj delicateness; temperamental nature; susceptibility; proneness.

Anfang m -(e)s, **Anfänge** (*Beginn*) beginning, start; (*erster Teil*) beginning; (*Ursprung*) beginnings pl, origin. **zu** or **am ~** to start with; (*anfänglich*) at first; **gleich zu ~ darauf hinweisen, daß ...** to mention right at the beginning or outset that ...; **im ~ war das Wort** (*Bibl*) in the beginning was the Word; **~ Fünfzig** in one's early fifties; **~ Juni/1978** at the beginning of June/1978; **vom ~ an** (right) from the beginning or start; **von ~ bis Ende** from start to finish; **den ~ machen** to start or begin; (*den ersten Schritt tun*) to make the first move; **einen neuen ~ machen** to make a new start; (*im Leben*) to turn over a new leaf; **ein ~ ist gemacht** it's a start; **seinen ~ nehmen** (*geh*) to commence; **aller ~ ist schwer** (*Prov*) the first step is always the most difficult; **aus kleinen/bescheidenen Anfängen** from small/humble beginnings; **der ~ vom Ende** the beginning of the end.

anfangen sep irreg **I** vt **1.** (*beginnen*) *Arbeit, Brief, Gespräch* to start, to begin; *Streit, Verhältnis, Fabrik* to start.

2. (*anstellen, machen*) to do. **das mußt du anders ~** you'll have to go about it differently; **was soll ich damit ~?** what am I supposed to do with that?; (*was nützt mir das?*) what's the use of that?; **damit kann ich nichts ~** (*nützt mir nichts*) that's no good to me; (*verstehe ich nicht*) it doesn't mean a thing to me;

nichts mit sich/jdm anzufangen wissen not to know what to do with oneself/sb; **mit dir ist heute (aber) gar nichts anzufangen!** you're no fun at all today!

II vi to begin, to start. **wer fängt an?** who's going to start or begin?; **fang (du) an!** (you) begin or start!; **du hast angefangen!** you started!; (*bei Streit*) you started it!; **es fing zu regnen an** or **an zu regnen** it started raining or to rain; **das fängt ja schön** or **heiter an!** (*iro*) that's a good start!; **jetzt fängt das Leben erst an** life is only just beginning; **fang nicht wieder davon** or **damit an!** don't start all that again!, don't bring all that up again!; **mit etw ~** to start sth; **klein/ unten ~** to start small/at the bottom; **er hat als kleiner Handwerker angefangen** he started out as a small-time tradesman; **bei einer Firma ~** to start with a firm or working for a firm.

Anfänger(in f**)** m -s, - beginner; (*Neuling*) novice; (*Aut*) learner; (*inf: Nichtskönner*) amateur (*pej*). **du ~!** (*inf*) you amateur; **sie ist keine ~in mehr** (*hum*) she's certainly no beginner.

Anfängerkurs(us) m beginners' course; **Anfängerübung** f (*Univ*) introductory course.

anfänglich I adj attr initial. **II** adv at first, initially.

anfangs I adv at first, initially. **wie ich schon ~ erwähnte** as I mentioned at the beginning; **gleich ~ auf etw** (*acc*) **hinweisen** to mention sth right at the beginning or outset.

II prep +gen **~ der zwanziger Jahre/ des Monats** in the early twenties/at the beginning of the month.

Anfangs- in cpds initial; **Anfangsbuchstabe** m first letter; **kleine/große ~n** small/large or capital initials; **Anfangsgehalt** nt initial or starting salary; **Anfangsgeschwindigkeit** f starting speed; (*esp Phys*) initial velocity; **Anfangsgründe** pl rudiments pl, elements pl; **Anfangskapital** nt starting capital; **Anfangskurs** m (*Fin*) opening price; **Anfangsstadium** nt initial stage; **im ~ dieser Krankheit/dieses Projekts** in the initial stages of this illness/project; **meine Versuche sind schon im ~ steckengeblieben** my attempts never really got off the ground; **Anfangszeit** f starting time.

anfassen sep **I** vt **1.** (*berühren*) to touch. **faß mal meinen Kopf an** just feel my head.

2. (*bei der Hand nehmen*) jdn **~** to take sb's hand or sb by the hand; **sich** or **einander** (*geh*) **~** to take each other by the hand; **faßt euch an!** hold hands!; **angefaßt gehen** to walk holding hands.

3. (*fig*) (*anpacken*) *Problem* to tackle, to go about; (*behandeln*) *Menschen* to treat.

II vi **1.** (*berühren*) to feel. **nicht ~!** don't touch!

2. (*mithelfen*) **mit ~, (mit) ~ helfen** to give a hand.

3. (*fig*) **zum A~** (*Mensch, Sache*) accessible; (*Mensch auch*) approach-

able; **Politik zum A~** grassroots politics.
III *vr (sich anfühlen)* to feel. **es faßt
sich weich an** it feels *or* is soft (to the
touch).

anfauchen *vt sep (Katze)* to spit at; *(fig
inf)* to snap at.

anfaulen *vi sep aux sein* to begin to go
bad; *(Holz)* to start rotting. **angefault**
half-rotten.

anfechtbar *adj* contestable.

Anfechtbarkeit *f* contestability.

anfechten *vt sep irreg* **1.** *(nicht anerkennen)* to contest; *Meinung, Aussage
auch* to challenge; *Urteil, Entscheidung*
to appeal against; *Vertrag* to dispute;
Ehe to contest the validity of. **2.** *(beunruhigen)* to trouble; *(in Versuchung
bringen)* to tempt, to lead into temptation. **das ficht mich gar nicht an** that
doesn't concern me in the slightest.

Anfechtung *f* **1.** *siehe vt 1.* contesting;
challenging; appeal *(gen* against); disputing; *(von Ehe)* action for nullification
or annulment. **2.** *(Versuchung)* temptation; *(Selbstzweifel)* doubt.

anfeinden *vt sep* to treat with hostility.

Anfeindung *f* hostility. **trotz aller ~en**
although he had aroused so much animosity.

anfertigen *vt sep* to make; *Arznei* to make
up; *Schriftstück* to draw up; *Hausaufgaben, Protokoll* to do. **jdm etw ~** to make
sth for sb; **sich** *(dat)* **einen Anzug ~ lassen** to have a suit made.

Anfertigung *f siehe vt* making; making
up; doing. **die ~ dieser Übersetzung/der
Arznei hat eine halbe Stunde gedauert** it
took half an hour to do the translation/
to make up the prescription.

Anfertigungskosten *pl* production costs
pl. **die ~ eines Smokings** the cost of
making a dinner jacket/having a dinner
jacket made.

anfeuchten *vt sep* to moisten; *Schwamm,
Lippen auch* to wet; *Bügelwäsche auch*
to damp.

anfeuern *vt sep Ofen* to light; *(Ind)* to
fire; *(fig: ermutigen)* to spur on.

Anfeuerung *f (fig)* spurring on.

Anfeuerungsruf *m* cheer; *(esp Pol)*
chant; *(Anfeuerungswort)* shout of encouragement.

anflehen *vt sep* to beseech, to implore
(um for). **ich flehe dich an, tu das nicht!** I
beg you, don't!

anfletschen *vt sep* to bare one's teeth at.

anfliegen *sep irreg* **I** *vi aux sein (auch an-
geflogen kommen) (Flugzeug)* to come in
to land; *(Vogel, Geschoß, fig geh: Pferd,
Fuhrwerk, Reiter)* to come flying up.
II *vt* **1.** *(Flugzeug) Flughafen, Piste,
(Mil) Stellung* to approach; *(landen)* to
land *(in/auf* in/on). **diese Fluggesellschaft fliegt Bali an** this airline flies *or*
operates a service to Bali. **2.** *(geh: befallen)* to overcome.

anflitzen *vi sep aux sein (inf) (usu ange-
flitzt kommen)* to come racing along *or*
(auf einen zu) up *(inf)*.

Anflug *m* **1.** *(Flugweg)* flight; *(das Her-
anfliegen)* approach. **wir befinden uns im
~ auf Paris** we are now approaching

Paris. **2.** *(Spur)* trace; *(fig: Hauch auch)*
hint.

anflunkern *vt sep (inf)* to tell fibs/a fib to.

anfordern *vt sep* to request, to ask for.

Anforderung *f* **1.** *no pl (das Anfordern)*
request *(gen, von* for). **bei der ~ von Er-
satzteilen** when requesting spare parts.
2. *(Anspruch)* requirement; *(Belastung)* demand. **große ~en an jdn/etw
stellen** to make great demands on sb/sth;
hohe/zu hohe ~en stellen to demand a
lot/too much *(an +acc* of); **den ~en im
Beruf/in der Schule gewachsen sein** to be
able to meet the demands of one's job/of
school.
3. ~en *pl (Niveau)* standards *pl*.

Anfrage *f (auch Comput)* inquiry; *(Parl)*
question. **kleine ~** *Parliamentary question dealt with in writing*; **große ~** *Parliamentary question dealt with at a meeting of the Lower House*.

anfragen *vi sep* to inquire *(bei jdm* of sb),
to ask *(bei jdm* sb). **um Erlaubnis/
Genehmigung ~** to ask for permission/
approval.

anfreunden *vr sep* to make *or* become
friends. **sich mit etw ~** *(fig)* to get to like
sth.

anfrieren *sep irreg vi aux sein (leicht gefrieren)* to start to freeze; *(Pflanze)* to
get a touch of frost; *(haften bleiben)* to
freeze on *(an +acc* -to); *(fig: Mensch)* to
freeze stiff.

anfügen *vt sep* to add.

Anfügung *f* addition; *(zu einem Buch)*
addendum.

anfühlen *sep* **I** *vt* to feel. **II** *vr* to feel. **sich
glatt/weich ~** to feel smooth/soft, to be
smooth/soft to the touch.

Anfuhr *f* -, **-en** transport(ation).

anführen *vt sep* **1.** *(vorangehen, befehligen)* to lead.
2. *(zitieren)* to quote, to cite; *Tatsachen, Beispiel, Einzelheiten auch* to give;
Umstand to cite, to refer to; *Grund, Beweis* to give, to offer; *(benennen) jdn* to
name, to cite.
3. *(Typ)* to indicate *or* mark with
(opening) quotation marks *or* inverted
commas.
4. jdn ~ *(inf)* to have sb on *(inf)*, to
take sb for a ride *(inf)*; **der läßt sich
leicht ~** he's easily taken in *or* had on
(inf).

Anführer(in *f)* *m (Führer)* leader; *(pej:
Anstifter)* ringleader.

Anführung *f* **1.** *(das Vorangehen)* leadership; *(Befehligung auch)* command.
unter ~ von ... under the leadership of
..., led by ... **2.** *(das Anführen) siehe vt
2.* quotation, citation; giving; citing, referring to; giving, offering; naming; citing; *(Zitat)* quotation. **die ~ von
Zitaten/Einzelheiten** giving quotations/
details.

Anführungsstrich *m*, **Anführungs-
zeichen** *nt* quotation *or* quote mark, inverted comma; **in Anführungsstrichen**
or **~** in inverted commas, in quotation
marks, in quotes; **Anführungsstriche** *or*
~ unten/oben quote/unquote; **das habe
ich in ~ gesagt** I was saying that in in-

verted commas.

anfüllen vt sep to fill (up). **mit etw ange-
füllt sein** to be full of sth, to be filled
with sth.

anfunkeln vt sep to flash at.

anfuttern vr sep (inf) **sich** (dat) **einen
Bauch~** to acquire or develop a paunch.

Angabe ['anga:-] f -, **-n 1.** usu pl
(Aussage) statement; (Anweisung) instruction; (Zahl, Detail) detail. **~n über
etw** (acc) machen to give details about
sth; **laut ~n** (+gen) according to; **nach
Ihren eigenen ~n** by your own account;
nach ~n des Zeugen according to (the
testimony of) the witness; **~n zur Person** (form) personal details or
particulars.

2. (Nennung) giving. **wir bitten um ~
der Einzelheiten/Preise** please give or
quote details/prices; **er ist ohne ~ seiner
neuen Adresse verzogen** he moved without informing anyone of or telling anyone his new address; **ohne ~ von Gründen** without giving any reasons.

3. no pl (inf: Prahlerei) showing-off;
(Reden auch) bragging, boasting.

4. (Sport: Aufschlag) service, serve.
wer hat ~? whose service or serve is it?,
whose turn is it to serve?

angaffen ['anga-] vt sep (pej) to gape at.

angähnen ['angɛ:-] vt sep to yawn at.

angaloppieren* ['anga-] vi sep aux sein to
gallop up. **angaloppiert kommen** to
come galloping up.

angängig ['angɛ-] adj (form) feasible; (erlaubt auch) permissible.

angeben ['ange:-] sep irreg **I** vt **1.**
(nennen) to give; (als Zeugen) to name,
to cite; (schriftlich) to indicate; (erklären) to explain; (beim Zoll) to declare;
(anzeigen) Preis, Temperatur etc to indicate; (aussagen) to state; (behaupten) to
maintain.

2. (bestimmen) Tempo, Kurs to set;
(Mus) Tempo, Note to give. **den Takt ~**
(klopfen) to beat time; siehe **Ton²**.

II vi **1.** (prahlen) to show off, to pose
(inf); (durch Reden auch) to boast, to
brag (mit about).

2. (Tennis etc) to serve.

Angeber(in f) ['ange:-] m -s, - (Prahler)
show-off, poser (inf); (durch Reden
auch) boaster.

Angeberei [ange:-] f (inf) **1.** no pl
(Prahlerei) showing-off, posing (inf)
(mit about); (verbal auch) boasting,
bragging (mit about). **2.** usu pl
(Äußerung) boast.

angeberisch ['ange:-] adj Reden boastful;
Aussehen, Benehmen, Tonfall pretentious, posy (inf).

Angebetete(r) ['anga-] mf decl as adj
(hum, geh) (verehrter Mensch) idol;
(Geliebte(r)) beloved.

angeblich ['ange:-] **I** adj attr so-called,
alleged. **II** adv supposedly, allegedly. **er
ist ~ Musiker** he says he's a musician.

angeboren ['anga-] adj innate, inherent;
(Med, fig inf) congenital (bei to). **an seine Faulheit mußt du dich gewöhnen, die
ist ~** (inf) you'll have to get used to his
laziness, he was born that way.

Angebot ['anga-] nt **1.** (Anerbieten, ange-
botener Preis) offer; (bei Auktion) bid;
(Comm: Offerte auch) tender (über
+acc, für for); (Kostenvoranschlag
auch) quote. **im ~** (preisgünstig) on
special offer. **2.** no pl (Comm, Fin) supply (an +dat, von of); (Sonder~) special
offer. **~ und Nachfrage** supply and demand.

Angebots- ['anga-]: **Angebotslücke** f
gap in the market; **Angebotspreis** m
asking price; **Angebotsüberhang** m
surplus supply.

angebracht ['anga-] **I** ptp of **anbringen. II**
adj appropriate; (sinnvoll) reasonable.
schlecht ~ uncalled-for.

angebrannt ['anga-] **I** ptp of **anbrennen.
II** adj burnt. **~ riechen/schmecken** to
smell/taste burnt; **es riecht hier so ~**
there's a smell of burning here.

angebrochen ['anga-] adj Packung, Flasche open(ed). **wieviel ist von den ~en
hundert Mark übrig?** how much is left
from the 100 marks we'd started using?;
ein ~er Abend/Nachmittag/Urlaub
(hum) the rest of an evening/afternoon/a
holiday; **das Parken kostet für jede ~e
Stunde eine Mark** parking costs one
mark for every hour or part of an hour.

angebunden ['anga-] adj (beschäftigt) tied
(down). **kurz ~ sein** (inf) to be abrupt
or curt or brusque.

angedeihen* ['anga-] vt sep irreg **jdm etw
~ lassen** (geh) to provide sb with sth.

Angedenken ['anga-] nt **-s,** no pl (geh) remembrance. **mein Großvater seligen ~s**
my late lamented grandfather.

angeduselt ['anga-] adj (inf) tipsy, merry
(inf).

angeekelt ['anga-] adj disgusted.

angegeben ['anga-] adj am **~en Ort** loco
citato.

angegilbt ['anga-] adj yellowed.

angegossen ['anga-] adj **wie ~ sitzen** or
passen to fit like a glove.

angegraut ['anga-] adj grey; Schläfen,
Haar auch greying.

angegriffen ['anga-] **I** ptp of **angreifen. II**
adj Gesundheit weakened; Mensch,
Aussehen frail; (erschöpft) exhausted;
(nervlich) strained. **sie ist nervlich/
gesundheitlich immer noch ~** her nerves
are still strained/health is still weakened.

angehalten ['anga-] adj **~ sein, etw zu
tun/unterlassen** to be required or
obliged to do/refrain from doing sth;
zu Pünktlichkeit ~ sein to be required to
be punctual.

angehaucht ['anga-] adj **links/rechts ~
sein** to have or show left-/right-wing
tendencies or leanings.

angeheiratet ['anga-] adj related by
marriage. **ein ~er Cousin** a cousin by
marriage.

angeheitert ['anga-] adj (inf) merry (inf),
tipsy.

angehen ['ange:-] sep irreg **I** vi aux sein **1.**
(inf: beginnen) (Schule, Theater) to
start; (Feuer) to start burning, to catch;
(Radio) to come on; (Licht) to come or
go on.

2. (entgegentreten) **gegen jdn ~** to

fight sb, to tackle sb; **gegen etw ~** to fight sth; **gegen Flammen, Hochwasser** to fight sth back, to combat sth; **gegen Mißstände, Zustände** to take measures against sth; **dagegen muß man ~** something must be done about it.

II vt **1.** aux haben or (S Ger) sein (anpacken) Aufgabe, Schwierigkeiten, Hindernis to tackle; Gegner auch to attack; Kurve to take.

2. aux haben or (S Ger) sein (bitten) to ask (jdn um etw sb for sth).

3. aux sein (in bezug auf Personen), aux haben (in bezug auf Sachen) (betreffen) to concern. **was mich angeht** for my part; **was geht das ihn an?** (inf) what's that got to do with him?; **das geht ihn gar nichts or einen Dreck** (inf) or **einen feuchten Staub an** (inf) that's none of his business.

III vi impers aux sein **das geht nicht/ keinesfalls an** that won't do, that's not on, that's quite out of the question.

angehend ['ange:-] adj Musiker, Künstler budding; Lehrer, Ehemann, Vater prospective. **mit 16 ist sie jetzt schon eine ~e junge Dame** at 16 she's rapidly becoming or is almost a young lady; **er ist ein ~er Sechziger** he's approaching sixty.

angehören* ['ange-] vi sep +dat to belong to; (einer Partei, einer Familie auch) to be a member of. **jdm/einander ~** (liter) to belong to sb/one another or each other.

angehörig ['ange-] adj belonging (dat to). **keiner Partei ~e Bürger** citizens who do not belong to any party.

Angehörige(r) ['ange-] mf decl as adj **1.** (Mitglied) member. **2.** (Familien~) relative, relation. **der nächste ~** the next of kin.

Angeklagte(r) ['ange-] mf decl as adj accused, defendant.

angeknackst ['ange-] adj (inf) Mensch (seelisch) uptight (inf); Selbstvertrauen, Selbstbewußtsein weakened. **er/seine Gesundheit ist ~** he is in bad shape or a bad way; **sie ist noch immer etwas ~** she still hasn't got over it yet.

angekränkelt ['ange-] adj (geh) sickly, frail.

angekratzt ['ange-] adj (inf) seedy (inf), the worse for wear.

Angel f -, -n **1.** (Tür~, Fenster~) hinge. **etw aus den ~n heben** (lit) to lift sth off its hinges; (fig) to revolutionize sth completely; **die Welt aus den ~n heben** (fig) to turn the world upside down. **2.** (Fischfanggerät) (fishing) rod and line, fishing pole (US); (zum Schwimmenlernen) swimming harness. **die ~ auswerfen** to cast (the line).

angelegen ['ange-] adj sich (dat) etw ~ **sein lassen** (form) to concern oneself with sth.

Angelegenheit ['ange-] f matter; (politisch, persönlich) affair; (Aufgabe) concern. **das ist meine/nicht meine ~** that's my/not my concern or business; **sich um seine eigenen ~en kümmern** to mind one's own business; **in einer dienstlichen ~** on official business; **in eigener ~** on a private or personal matter.

angelegentlich ['ange-] adj (geh) Bitte, Frage pressing, insistent; (dringend) pressing, urgent; Bemühung enthusiastic; Empfehlung warm, eager. **sich ~ nach jdn erkundigen** to ask particularly about sb.

angelegt ['ange-] adj calculated (auf +acc for).

angelernt ['ange-] adj Arbeiter semiskilled. **der Lohn für A~e** the wage for semi-skilled workers.

Angelgerät nt fishing tackle no pl; **Angelhaken** m fish-hook; **Angelleine** f fishing line.

angeln I vi **1.** to angle, to fish. **~ gehen** to go angling or fishing; **nach etw** or **auf etw** (acc) (form) ~ (lit) to fish for sth. **2.** (zu greifen versuchen, hervorziehen) to fish. **nach etw ~** to fish (around) for sth.

II vt Fisch to fish for; (fangen) to catch. **sich** (dat) **einen Mann ~** (inf) to catch (oneself) a man.

Angeln pl (Hist) Angles pl.

Angelpunkt m crucial or central point; (Frage) key or central issue; **Angelrute** f fishing rod.

Angelsachse m decl as adj Anglo-Saxon.

angelsächsisch adj Anglo-Saxon.

Angelschein m fishing permit; **Angelschnur** f fishing line; **Angelsport** m angling, fishing.

angemessen ['ange-] adj (passend, entsprechend) appropriate (dat to, for); (adäquat) adequate (dat for); Preis reasonable, fair. **eine der Leistung ~e Bezahlung** payment commensurate with performance.

Angemessenheit ['ange-] f siehe adj appropriateness; adequacy; fairness, reasonableness.

angenehm ['ange-] adj pleasant, agreeable. **das wäre mir sehr ~** I should be very or most grateful, I should greatly appreciate it; **es ist mir gar nicht ~, wenn ich früh aufstehen muß/daß er mich besuchen will** I don't like getting up early/the idea of him wanting to visit me; **ist es Ihnen so ~?** is that all right for you?, is it all right like that for you?; **wenn Ihnen das ~er ist** if you prefer; **~e Ruhe/Reise!** have a good or pleasant rest/journey; **(sehr) ~!** (form) delighted (to meet you); **das A~e mit dem Nützlichen verbinden** to combine business with pleasure.

angenommen ['ange-] **I** adj assumed; Name auch, Kind adopted. **II** conj assuming.

angepaßt ['ange-] adj conformist.

Angepaßtheit ['ange-] f conformism.

Anger m -s, - (dial) (Dorf~) village green; (old: Wiese) pasture, meadow.

Angerdorf nt village built around a village green.

angeregt ['ange-] adj lively, animated. **~ diskutieren** to have a lively or an animated discussion.

angereichert ['ange-] adj Uran enriched.

angesäuselt ['ange-] adj (inf) tipsy, merry (inf).

angeschissen ['angə-] *adj* (*sl*) buggered (*sl*). ~ **sein** to be buggered (*sl*).

angeschlagen ['angə-] *adj* (*inf*) *Mensch, Aussehen, Nerven* shattered (*inf*); *Gesundheit* poor (*inf*); (*betrunken*) sloshed (*inf*). **von etw** ~ **sein** to be shattered by sth (*inf*).

angeschlossen ['angə-] *adj* affiliated (*dat* to *or* (*US*) with), associated (*dat* with).

angeschmiert ['angə-] *adj pred* (*inf*) in trouble. **mit dem/der Waschmaschine bist du ganz schön** ~ he/the washing machine is not all he/it is cracked up to be (*inf*); **der/die A~e sein** to have been had (*inf*).

angeschmutzt ['angə-] *adj* soiled; (*Comm*) shop-soiled.

angeschossen ['angə-] *adj* (*inf*) **wie ein A~er** like a scalded cat (*inf*); **wie** ~ like a chicken with no head (*inf*).

angeschrieben ['angə-] *adj* (*inf*) **bei jdm gut/schlecht** ~ **sein** to be in sb's good/ bad books, to be well in/not very well in with sb (*inf*).

Angeschuldigte(r) ['angə-] *mf decl as adj* suspect.

angesehen ['angə-] **I** *ptp of* ansehen. **II** *adj* respected.

Angesicht ['angə-] *nt* -(**e)s**, **-er** *or* (*Aus*) **-e** (*geh*) face, countenance (*liter*). **jdn von** ~ (**zu** ~) **sehen** to see sb face to face; **jdn von** ~ **kennen** to know sb by sight; **im** ~ +*gen* (*fig*) in the face of.

angesichts ['angə-] *prep* +*gen* in the face of; (*im Hinblick auf*) in view of. ~ **des Todes** in the face of death.

angesoffen ['angə-] *adj* (*sl*) pissed (*sl*), sloshed (*inf*). **im** ~**em Zustand Auto fahren** to drive (a car) (when) sloshed (*inf*).

angespannt ['angə-] *adj* **1.** (*angestrengt*) *Nerven* tense, strained; *Aufmerksamkeit* close, keen. **aufs höchste** ~ **sein** to be very *or* highly tense; ~ **zuhören** to listen attentively *or* closely. **2.** (*bedrohlich*) *politische Lage* tense, strained; (*Comm*) *Markt, Lage* tight, overstretched.

angestammt ['angə-] *adj* (*überkommen*) traditional; (*ererbt*) *Rechte* hereditary, ancestral; *Besitz* inherited.

angestellt ['angə-] *adj pred* ~ **sein** to be an employee *or* on the staff (*bei* of); **fest** ~ **sein** to be on the permanent staff; **ich bin nicht beamtet, sondern nur** ~ I don't have permanent tenure in my job.

Angestellte(r) ['angə-] *mf decl as adj* (*salaried*) employee; (*Büro*~) office-worker, white-collar worker; (*Behörden*~) public employee (without tenure).

Angestellten- ['angə-]: **Angestelltengewerkschaft** *f* white-collar union; **Angestelltenverhältnis** *nt* employment (without permanent tenure); **im** ~ **in** non-tenured employment; **Angestelltenversicherung** *f* (salaried) employees' insurance.

angestochen ['angə-] *adj* (*inf*) **wie** ~ like a stuck pig (*inf*).

angestrengt ['angə-] *adj Gesicht* strained; *Arbeiten, Denken* hard. ~ **diskutieren** to have an intense discussion.

angetan ['angətan] **I** *ptp of* antun. **II** *adj pred* **1. von jdm/etw** ~ **sein** to be taken with sb/sth; **es jdm** ~ **haben** to have made quite an impression on sb; **das Mädchen hat es ihm** ~ he has fallen for that girl.

2. danach *or* **dazu** ~ **sein, etw zu tun** (*geh*) to be suitable for doing sth; (*Wesen, Atmosphäre, Benehmen*) to be apt *or* calculated to do sth.

Angetraute(r) ['angə-] *mf decl as adj* (*hum*) spouse, better half (*hum*).

angetrunken ['angə-] *adj Mensch, Zustand* inebriated, intoxicated.

angewandt ['angə-] *adj attr Wissenschaft* applied.

angewiesen ['angə-] *adj* **auf jdn/etw** ~ **sein** to have to rely on sb/sth, to be dependent on sb/sth; **auf sich selbst** ~ **sein** to have to fend for oneself; (*Kind*) to be left to one's own devices; **darauf bin ich nicht** ~ I can get along without it, I don't need it; **ich bin selbst auf jede Mark** ~ I need every mark myself.

angewöhnen* ['angə-] *vt sep* **jdm etw** ~ to get sb used to sth, to accustom sb to sth; **sich** (*dat*) **etw** ~ **/es sich** (*dat*) ~, **etw zu tun** to get into the habit of sth/of doing sth.

Angewohnheit ['angə-] *f* habit.

angezeigt ['angə-] *adj* (*form*) advisable; (*angebracht*) appropriate.

angiften ['angı-] *vt sep* (*pej inf*) to snap at, to let fly at.

Angina [aŋ'giːna] *f* -, **Anginen** (*Med*) angina. ~ **pectoris** angina (pectoris).

angleichen ['angl-] *sep irreg* **I** *vt* to bring into line, to align (*dat, an* +*acc* with). **II** *vr* (*gegenseitig: Kulturen, Geschlechter, Methoden*) to grow closer together. **sich jdm/einer Sache** ~ (*einseitig*) to become like sb/sth; **die beiden haben sich (aneinander) angeglichen** the two of them have become more alike.

Angleichung *f* **1.** *siehe vt* alignment (*an* +*acc* with). **2.** *siehe vr* **die zunehmende** ~ **der Kulturen** the increasing similarity between the cultures.

Angler(in *f*) *m* -**s**, - angler.

angliedern ['angl-] *vt sep* (*Verein, Partei*) to affiliate (*dat, an* +*acc* to *or* (*US*) with); *Land* to annexe (*dat, an* +*acc* to).

Angliederung *f siehe vt* affiliation; annexation.

anglikanisch [aŋli-] *adj* Anglican. **die A~e Kirche** the Anglican Church, the Church of England.

Anglikanismus [aŋli-] *m* anglicanism.

anglisieren* [aŋli-] *vt* to anglicize.

Anglisierung [aŋli-] *f* anglicizing.

Anglist(in *f*) [aŋ'glı-] *m* English specialist, Anglicist; (*Student*) student of English; (*Professor etc*) lecturer in/professor of English.

Anglistik [aŋ'glı-] *f* English (language and literature).

Anglizismus [aŋgli-] *m* anglicism.

Anglo- [-ŋg-] *in cpds* Anglo; **Anglo-Amerikaner(in** *f*) *m* Anglo-Saxon, member of the English-speaking world; **Angloamerikaner(in** *f*) *m* Anglo-American; **anglophil** *adj* anglophil(e);

anglophob *adj* anglophobe.
anglotzen ['angl-] *vt sep* (*inf*) to gawp *or* gape at (*inf*).
Angola [aŋ'go:la] *nt* **-s** Angola.
Angolaner(in *f*) [aŋgo-] *m*, **-s**, - Angolan.
Angora- [aŋ'go:ra] *in cpds* Angora; **Angorakaninchen** *nt* Angora rabbit; **Angorakatze** *f* Angora cat; **Angorawolle** *f* Angora (wool).
angreifbar ['angr-] *adj Behauptung, Politiker* open to attack.
angreifen ['angr-] *sep irreg* I *vt* **1.** (*überfallen, Sport, kritisieren*) to attack.
  2. (*schwächen*) *Organismus, Organ, Nerven* to weaken; *Gesundheit, Pflanzen* to affect; (*ermüden, anstrengen*) to strain; (*schädlich sein für, zersetzen*) *Lack, Farbe* to attack. **seine Krankheit hat ihn sehr angegriffen** his illness weakened him greatly; **das hat ihn sehr angegriffen** that affected him greatly; *siehe* **angegriffen**).
  3. (*anbrechen*) *Vorräte, Geld* to break into, to draw on.
  4. (*dial: anfassen*) to touch.
  5. unternehmen, anpacken) to attack, to tackle.
  II *vi* **1.** (*Mil, Sport, fig*) to attack.
  2. (*geh: ansetzen*) to proceed *or* start (*an* +*dat* from).
  III *vr* (*dial: sich anfühlen*) to feel.
Angreifer(in *f*) ['angr-] *m* **-s**, - attacker (*auch Sport, fig*).
angrenzen ['angr-] *vi sep* **an etw** (*acc*) ~ to border on sth, to adjoin sth.
angrenzend *adj attr* adjacent (*an* +*acc* to), adjoining (*an etw* (*acc*) sth).
Angriff ['angr-] *m* (*Mil, Sport, fig*) attack (*gegen, auf* +*acc* on); (*Luft*~) (air) raid. ~ **ist die beste Verteidigung** (*prov*) attack is the best means of defence; **zum** ~ **übergehen** to go over to the attack, to take the offensive; **zum** ~ **blasen** (*Mil, fig*) to sound the charge; **etw in** ~ **nehmen** to tackle sth.
angriffig ['angr-] *adj* (*Sw*) aggressive.
Angriffsfläche *f* target; **jdm/einer Sache eine** ~ **bieten** (*lit, fig*) to provide sb/sth with a target; **eine** ~ **bieten** to present a target; **Angriffskrieg** *m* war of aggression; **Angriffslust** *f* aggressiveness, aggression; **angriffslustig** *adj* aggressive; **Angriffspunkt** *m* target; **Angriffsspiel** *nt* (*Sport*) aggressive *or* attacking game; **Angriffsspieler(in** *f*) *m* (*Sport*) attacking player; (*Ftbl*) forward; **Angriffswaffe** *f* offensive weapon.
angrinsen ['angr-] *vt sep* to grin at.
Angst *f* -, ⸚e (*innere Unruhe, Psych*) anxiety (*um* about); (*Sorge*) worry (*um* about); (*Befürchtung*) fear (*um* for, *vor* +*dat* of); (*stärker: Furcht, Grauen*) fear, dread (*vor* +*dat* of); (*Existenz*~) angst. ~ **haben** to be afraid *or* scared; ~ **vor Spinnen/vorm Fliegen haben** to be afraid *or* scared of spiders/flying; ~ **um jdn/etw haben** to be anxious *or* worried about sb/sth; ~ **bekommen** *or* **kriegen** to get *or* become afraid *or* scared; (*erschrecken*) to take fright; **aus** ~, **etw zu tun** for fear of doing sth; **keine** ~! don't be afraid; **keine** ~, **ich sage es ihm schon** don't you

worry, I'll tell him; **jdm** ~ **einflößen** *or* **einjagen** to frighten sb; **in tausend ⸚en schweben** to be terribly worried *or* anxious.
angst *adj pred* afraid. **ihr wurde** ~ **(und bange)** she became worried *or* anxious; **das machte ihm** ~ **(und bange)** that worried him *or* made him anxious.
angsterfüllt *adj* frightened; **Angstgefühl** *nt* feeling of anxiety; **Angsthase** *m* (*inf*) scaredy-cat (*inf*).
ängstigen I *vt* to frighten; (*unruhig machen*) to worry. II *vr* to be afraid; (*sich sorgen*) to worry. **sich vor etw** (*dat*) ~ to be afraid of sth; **sich wegen etw** ~ to worry about sth.
Angstkauf *m* panic buying *no pl.*
ängstlich *adj* **1.** (*verängstigt*) anxious, apprehensive; (*schüchtern*) timid. **2.** (*übertrieben genau*) particular, scrupulous, fastidious. ~ **darauf bedacht sein, etw zu tun** to be at pains to do sth; **ein** ~ **gehütetes Geheimnis** a closely guarded secret.
Ängstlichkeit *f siehe adj* **1.** anxiety, apprehension; timidity. **2.** particularity, scrupulousness, fastidiousness.
Angstmache *f* (*inf*) scaremongering *no pl*; **Angstmacher** *m* (*inf*) scaremonger; **Angstneurose** *f* anxiety neurosis; **Angstparole** *f* (*inf*) scaremongering *no pl*; ~**n verbreiten** to spread alarm, to scaremonger; **Angstpsychose** *f* anxiety psychosis; **Angstschrei** *m* cry of fear; **Angstschweiß** *m* cold sweat; **mir brach der** ~ **aus** I broke out in a cold sweat; **Angsttraum** *m* nightmare; **angstvoll** *adj* apprehensive, fearful; **Angstzustand** *m* state of panic.
angucken *vt sep* to look at.
angurten *vt sep siehe* **anschnallen.**
anhaben *vt sep irreg* **1.** (*angezogen haben*) to have on, to wear.
  2. (*zuleide tun*) to do harm. **jdm etwas** ~ **wollen** to want to harm sb; **die Kälte kann mir nichts** ~ the cold doesn't worry *or* bother me.
  3. (*am Zeuge flicken*) **Sie können/die Polizei kann mir nichts** ~! (*inf*) you/the police can't touch me.
anhaften *vi sep* **1.** (*lit*) to stick (*an* +*dat* to), to cling (*an* +*dat* to). ~**de Farbreste** bits of paint left sticking on. **2.** (*fig*) +*dat* to stick to, to stay with; (*zugehören: Risiko etc*) to be attached to.
anhalten *sep irreg* I *vi* **1.** (*stehenbleiben*) to stop. **im Sprechen** ~ to stop talking.
  2. (*fortdauern*) to last.
  3. (*werben*) (**bei jdm**) **um ein Mädchen** *or* **um die Hand eines Mädchens** ~ to ask (sb) for a girl's hand in marriage.
  II *vt* **1.** (*stoppen*) to stop; *siehe* **Atem, Luft.**
  2. (*anlegen*) *Lineal* to use. **sie hielt mir/sich das Kleid an** she held the dress up against me/herself.
  3. (*anleiten*) to urge, to encourage; *siehe* **angehalten.**
anhaltend *adj* continuous, incessant.
Anhalter(in *f*) *m* **-s**, - hitch-hiker, hitcher (*inf*). **per** ~ **fahren** to hitch-hike, to hitch (*inf*).
Anhaltspunkt *m* (*Hinweis*) clue (*für*

about); (*für Verdacht*) grounds *pl*. **ich habe keinerlei ~e** I have no idea.

anhand, an Hand *prep* +*gen siehe* **Hand**.

Anhang *m* -(e)s, **Anhänge** 1. (*Nachtrag*) appendix; (*von Testament*) codicil. 2. *no pl* (*Gefolgschaft*) following; (*Angehörige*) family. **Witwe, 62, ohne ~** widow, 62, no family.

anhängen *sep* I *vt* 1. (*ankuppeln*) to attach (*an* +*acc* to); (*Rail auch*) to couple on (*an* +*acc* -to); *Anhänger* to hitch up (*an* +*acc* to); (*fig: anfügen*) to add (*dat, an* +*acc* to).

2. (*inf*) **jdm ~ Krankheit** to pass sth on to sb; (*nachsagen, anlasten*) to blame sb for sth, to blame sth on sb; *schlechten Ruf, Spitznamen* to give sb sth; *Verdacht, Schuld* to pin sth on sb; **ich weiß nicht, warum er mir unbedingt etwas ~ will** I don't know why he always wants to give me a bad name.

II *vr* (*lit*) to hang on (*dat, an* +*acc* to); (*fig*) to tag along (*dat, an* +*acc* with); (*jdm hinterherfahren*) to follow (*dat, an* +*acc* sth).

III *vi irreg* (*fig*) 1. (*anhaften*) **jdm ~** to stay with sb; (*schlechter Ruf, Gefängnisstrafe auch*) to stick with sb.

2. (*sich zugehörig fühlen*) +*dat* to adhere to, to subscribe to.

Anhänger *m* -s, - 1. (**~in** *f*) supporter; (*von Sportart auch*) fan; (*von Partei auch*) follower; (*von Verein*) member. 2. (*Wagen*) trailer; (*Straßenbahn~*) second car. **die Straßenbahn hatte zwei ~** the tram had two extra cars. 3. (*Schmuckstück*) pendant. 4. (*Koffer~ etc*) tag, label.

Anhängerschaft *f siehe* **Anhänger** 1. supporters *pl*; fans *pl*; following, followers *pl*; membership, members *pl*; **Anhängerzahl** *f siehe* **Anhänger** 1. number of supporters/fans/followers/ members.

anhängig *adj* (*Jur*) sub judice; *Zivilverfahren* pending. **etw ~ machen** to start legal proceedings over sth.

anhänglich *adj* Kind, Freund clinging (*pej*); *Haustier* devoted. **mein Sohn/ Hund ist sehr ~** my son/dog hardly leaves my side.

Anhänglichkeit *f siehe adj* tendency to cling to one; devotion.

Anhängsel *nt* 1. (*Überflüssiges, Mensch*) appendage (*an* +*dat* to); (*von Gruppe, Partei*) hanger-on.

2. (*Schildchen*) tag; (*rare: Schmuckstück*) pendant; (*an Armband*) charm; (*an Uhrenkette*) fob.

3. (*Zusatz*) addition; (*Nachtrag*) appendix.

Anhauch *m* (*geh*) aura; (*in Stimme*) trace, tinge.

anhauchen *vt sep* to breathe on; *siehe* **angehaucht**.

anhauen *vt sep* 1. (*auch irreg*) Baum to cut a notch in. 2. (*sl: ansprechen*) to accost (*um* for). **jdn um etw ~** to be on the scrounge for sth from sb (*inf*); *um Geld auch* to touch sb for sth (*inf*).

anhäufen *sep* I *vt* to accumulate, to amass; *Vorräte, Geld* to hoard. II *vr* to

pile up, to accumulate; (*Zinsen*) to accumulate, to accrue.

Anhäufung *f siehe vt* accumulation, amassing; hoarding.

anheben¹ *sep irreg* I *vt* 1. (*hochheben*) to lift (up); *Glas* to raise. 2. (*erhöhen*) to raise. II *vi* to lift.

anheben² *pret* **hob** *or* (*obs*) **hub an**, *ptp* **angehoben** *vi sep irreg* (*old*) to commence, to begin. **zu singen ~** to begin singing; **...**, **hub er an** (*obs*) **...**, quoth he (*old*).

Anhebung *f* increase (*gen, von* in); (*das Anheben auch*) raising (*gen, von* of); (*Betrag, Größe auch*) rise (*gen, von* in). **eine ~ der Gehälter um 15%** an increase *or* a rise of 15% in salaries.

anheften *vt sep* (*an* +*acc or dat* to) to fasten (on), to attach. **jdm einen Orden ~** to pin a medal on sb; **etw mit Heftklammern/Büroklammern/Stichen ~** to staple/paperclip sth on (*an* +*acc or dat* to).

anheilen *vi sep aux sein* to heal (up); (*Knochen*) to set, to mend.

anheimelnd *adj* (*geh*) homely; *Klänge* familiar.

anheimfallen *vi sep irreg aux sein* +*dat* (*liter*) to pass *or* fall to; *einer Krankheit* to fall prey to; *einem Betrug* to fall victim to; **der Vergessenheit ~** to sink into oblivion; **anheimgeben** *vt sep irreg* +*dat* (*liter*) to commit *or* entrust to; **etw den Flammen ~** to commit sth to the flames; **etw der Entscheidung eines anderen ~** to entrust the decision about sth to somebody else; **anheimstellen** *vt sep* +*dat* (*geh*) **jdm etw ~** to leave sth to sb's discretion.

anheischig *adv* **sich ~ machen, etw tun zu können** (*form*) to assert that one can do sth; **niemand kann sich ~ machen zu behaupten, alles zu wissen** no-one can claim to know *or* allege that they know everything.

anheizen *vt sep* 1. Ofen to light. 2. (*fig inf*) (*ankurbeln*) Wirtschaft, Wachstum to stimulate; (*verschlimmern*) Krise to aggravate.

anherrschen *vt sep* to bark at.

anhetzen *vi sep aux sein* **angehetzt kommen** to come rushing along *or* (*auf einen zu*) up.

anheuern *vti sep* (*Naut, fig*) to sign on *or* up.

Anhieb *m*: **auf (den ersten) ~** (*inf*) straight *or* right away, straight off (*inf*), first go (*inf*); **das kann ich nicht auf ~ sagen** I can't say offhand.

Anhimmelei *f* (*inf*) adulation, idolization; (*schwärmerische Blicke*) adoring gaze.

anhimmeln *vt sep* (*inf*) to idolize, to worship; (*schwärmerisch ansehen*) to gaze adoringly at.

Anhöhe *f* hill.

anhören *sep* I *vt* 1. (*Gehör schenken*) to hear; *Schallplatten, Konzert* to listen to. **jdn ganz ~** to hear sb out; **ich kann das nicht mehr mit ~** I can't listen to that any longer.

2. (*zufällig mithören*) to overhear.

3. (*anmerken*) **man konnte ihr/ihrer**

Stimme die Verzweiflung ~ one could hear the despair in her voice; **das hört man ihm aber nicht an!** you can't tell that from his accent *or* from hearing him speak; **man hört ihm sofort den Ausländer an** you can hear at once that he's a foreigner.

II *vr* **1. sich** (*dat*) **etw ~** to listen to sth; **das höre ich mir nicht mehr länger mit an** I'm not going to listen to that any longer; **können Sie sich mal einen Moment ~, was ich zu sagen habe?** can you just listen for a moment to what I have to say? **2.** (*klingen*) to sound. **das hört sich ja gut an** (*inf*) that sounds good.

Anhörtermin *m* date for a hearing.

Anhörung *f* hearing.

Anhörungsverfahren *nt* hearing.

anhupen *vt sep* to hoot at, to sound one's horn at.

anhusten *vt sep* to cough at; *jdn* to cough in sb's face.

Anilin *nt* **-s,** *no pl* aniline.

Anilinfarbe *f siehe* **Teerfarben.**

animalisch *adj* animal; (*pej auch*) bestial, brutish.

Animateur(in *f)* [-'tøːɐ, -'tøːrɪn] *m* host/ hostess.

Animation *f* (*Film*) animation.

Animationsfilm *m* (animated) cartoon (film).

Animator, Animatorin *mf* (*Film*) animator.

Animierdame *f* nightclub *or* bar hostess.

animieren* *vt* **1.** (*anregen*) to encourage. **jdn zu einem Streich ~** to put sb up to a trick; **sich animiert fühlen, etw zu tun** to feel prompted to do sth; **durch das schöne Wetter animiert** encouraged *or* prompted by the good weather. **2.** (*Film*) to animate.

animierend *adj* (*geh*) stimulating.

Animierlokal *nt* hostess bar, clipjoint (*pej*); **Animiermädchen** *nt siehe* **Animierdame.**

Animosität *f* (*geh*) (*gegen* towards) (*Feindseligkeit*) animosity, hostility; (*Abneigung*) hostility.

Animus *m* **-,** *no pl* **1.** (*Psych*) animus. **2.** (*inf, hum*) hunch (*inf*), feeling.

Anion ['anǀioːn] *nt* **-s, -en** (*Chem*) anion.

Anis [a'niːs, (*S Ger, Aus*) 'aːnɪs] *m* **-(es), -e** (*Gewürz*) aniseed; (*Schnaps*) aniseed brandy; (*Pflanze*) anise.

Anislikör, *m* **-s, -e** anisette, aniseed liqueur.

ankämpfen *vi sep* **gegen etw ~** *gegen die Elemente, Strömung* to battle with sth; *gegen Gefühle, Versuchungen, Müdigkeit* to fight sth; *gegen Inflation, Mißbrauch, Ideen* to fight (against) sth; **gegen jdn ~** to fight (against) sb, to (do) battle with sb; **gegen die Tränen ~** to fight back one's tears.

ankarren *vt sep* (*inf*) to cart along.

Ankauf *m* purchase, purchasing. **An- und Verkauf von ...** we buy and sell ...; **An- und Verkaufs-Geschäft** ≃ second-hand shop.

ankaufen *sep* **I** *vti* to purchase, to buy. **II** *vr* **sich (an einem Ort) ~** to buy one-

self a place (somewhere).

Ankäufer(in *f)* *m* purchaser, buyer.

ankeifen *vt sep* (*inf*) to scream *or* holler (*inf*) at.

Anker *m* **-s, -** (*Naut, Archit, fig*) anchor; (*Elec*) armature; (*von Uhr*) anchor. **~ werfen** to drop anchor; **vor ~ gehen** to drop anchor; (*fig*) (*hum: heiraten*) to settle down (*bei* with); (*inf: Rast machen*) to stop over; **vor ~ liegen** *or* **treiben** to lie *or* ride *or* be at anchor; **ein Schiff vor ~ legen** to bring a ship to anchor; **den/die ~ hieven** *or* **lichten** to weigh anchor.

Ankerboje *f* anchor buoy; **Ankergrund** *m* anchorage; **Ankerkette** *f* anchor cable.

ankern *vi* (*Anker werfen*) to anchor; (*vor Anker liegen*) to be anchored.

Ankerplatz *m* anchorage; **Ankerwinde** *f* capstan.

anketten *vt sep* to chain up (*an +acc or dat* to). **angekettet sein** (*fig*) to be tied up.

ankeuchen *vi sep* **aux sein** (*inf*) **angekeucht kommen** to come panting along *or* (*auf einen zu*) up.

ankitten *vt sep* to stick on (with putty) (*an +acc* -to).

ankläffen *vt sep* (*pej*) to bark at; (*kleiner Hund*) to yap at.

Anklage *f* **1.** (*Jur*) charge; (*~vertretung*) prosecution. **gegen jdn ~ erheben** to bring *or* prefer charges against sb; **jdn unter ~ stellen** to charge sb (*wegen* with); (*wegen etw*) **unter ~ stehen** to have been charged (with sth). **2.** (*fig*) (*Verurteilung*) condemnation (*gegen, gen of*); (*Beschuldigung*) accusation; (*Anprangerung*) indictment (*an +acc* of). **ihr Blick war voller ~** her eyes were full of reproach.

Anklagebank *f* dock; **auf der ~ (sitzen)** (*lit, fig*) (to be) in the dock; **jdn auf die ~ bringen** to put sb in the dock; **Anklageerhebung** *f* preferral of charges.

anklagen *sep* **I** *vt* **1.** (*Jur*) to charge, to accuse. **jdn einer Sache** (*gen*) *or* **wegen etw ~** to charge sb with sth, to accuse sb of sth. **2.** (*fig*) (*verurteilen*) to condemn; (*Buch, Rede*) to be a condemnation of; (*anprangern*) to be an indictment of. **jdn einer Sache** (*gen*) **~** (*beschuldigen*) to accuse sb of sth; **jdn ~, etw getan zu haben** to accuse sb of having done sth. **II** *vi* to cry out in protest *or* accusation; (*Buch, Bilder*) to cry out in condemnation.

anklagend *adj Ton* accusing, accusatory; *Blick* reproachful; *Buch, Bild* that cries out in condemnation.

Anklagepunkt *m* charge.

Ankläger(in *f)* *m* **-s, -** (*Jur*) prosecutor.

anklägerisch *adj siehe* **anklagend.**

Anklageschrift *f* indictment; **Anklagevertreter(in** *f)* *m* (public) prosecutor, counsel for the prosecution.

anklammern *sep* **I** *vt* **1.** (*mit Büroklammer*) to clip (*an +acc or dat* (on)to); (*mit Heftmaschine*) to staple (*an +acc or dat* on(to), to); *Wäsche* to peg (*an +acc or dat* on). **II** *vr* **sich an etw** (*acc or dat*) **~**

to cling (on)to sth, to hang onto sth.

Anklang m 1. no pl (Beifall) approval. ~ **(bei jdm) finden** to meet with (sb's) approval, to be well received (by sb); **großen/wenig/keinen ~ finden** to be very well/poorly/badly received.
2. (Reminiszenz) **die Anklänge an Mozart sind unverkennbar** the echoes of Mozart are unmistakable; **Anklänge an etw** (acc) **enthalten** to be reminiscent of sth.

anklatschen sep (inf) **I** vt Plakat to slap or bung up (inf). **II** vi aux sein **seine Haare sind angeklatscht** his hair is plastered down.

ankleben sep **I** vt to stick up (an +acc or dat on). **II** vi aux sein to stick.

ankleckern vi sep aux sein (inf) **angeklekkert kommen** to come drifting along or (auf einen zu) up; (nach und nach eintreffen) to come in dribs and drabs (inf).

Ankleidekabine f changing cubicle.

ankleiden vtr sep (geh) to dress.

Ankleider(in f) m -s, - (Theat) dresser.

Ankleideraum m, **Ankleidezimmer** nt dressing-room; (im Schwimmbad, Geschäft) changing room.

anklicken vti (Comput) to click on.

anklingeln vti sep (inf) to ring or phone (up) (Brit), to call (up) (US). **jdn** or **bei jdm ~** to give sb a ring or a buzz (inf) (Brit), to ring or phone sb (up) (Brit), to call sb (up) (US).

anklingen vi sep aux sein (erinnern) to be reminiscent (an +acc of); (angeschlichen werden) to be touched (up)on; (spürbar werden) to be discernible. **in diesem Lied klingt etwas von Sehnsucht an** there is a suggestion or hint or note of longing (discernible) in this song.

anklopfen vi sep to knock (an +acc or dat at, on). **bei jdm wegen etw ~** (fig inf) to go/come knocking at sb's door for sth.

anknabbern vt sep (inf) (annagen) to gnaw or nibble (at). **zum A~** (aussehen) (fig) (to look) good enough to eat.

anknacksen vt sep (inf) 1. Knochen to crack; Fuß, Gelenk to crack a bone in. 2. (fig) Gesundheit to affect; Stolz to injure, to deal a blow to. **sein Selbstvertrauen/Stolz wurde dadurch angeknackst** that was a blow to his self-confidence/pride; siehe **angeknackst**.

anknattern vi sep aux sein (inf) **angeknattert kommen** to come roaring along or (auf einen zu) up.

anknipsen vt sep to switch or put on.

anknöpfen vt sep to button on (an +acc or dat -to).

anknoten vt sep to tie on (an +acc or dat -to).

anknüpfen sep **I** vt to tie on (an +acc or dat -to); Beziehungen to establish; Verhältnis to form, to start up; Gespräch to start up, to enter into. **II** vi **an etw** (acc) ~ to take sth up.

Anknüpfung f (fig) siehe vt establishing; forming; starting up. **in ~ an etw** (acc) following on from sth.

Anknüpfungspunkt m link.

anknurren vt sep (lit, fig) to growl at.

ankohlen vt sep 1. Holz to char. 2. (inf: belügen) to have on (inf).

ankommen sep irreg aux sein **I** vi **1.** to arrive; (Brief, Paket auch) to come; (Zug, Bus auch) to get in, to arrive. **bist du gut angekommen?** did you arrive safely or get there all right?; **bei etw angekommen sein** to have reached sth, to have got to sth; **wir sind schon beim Dessert angekommen** we've already reached the dessert stage; **das Kind soll in 6 Wochen ~** the baby is due (to arrive) in 6 weeks.
2. (Anklang, Resonanz finden) (bei with) to go down well; (Mode, Neuerungen) to catch on. **dieser Witz kam gut an** the joke went down very well; **mit deinem dummen Gerede kommst du bei ihm nicht an!** you won't get anywhere with him with your stupid talk!; **ein Lehrer, der bei seinen Schülern ausgezeichnet ankommt** a teacher who is a great success or who hits it off marvellously with his pupils.
3. (inf) (auftreten, erscheinen) to come along; (wiederholt erwähnen) to come up (mit with). **jdm mit etw ~** to come to sb with sth; **komm mir nachher nicht an, und verlange, daß ich …** don't come running to me afterwards wanting me to …; **komm mir nur nicht wieder damit an, daß du Astronaut werden willst** don't start up again with this business about (your) wanting to be an astronaut.
4. (sich durchsetzen) **gegen etw ~** gegen Gewohnheit, Sucht to be able to fight sth; **gegen diese Konkurrenz kommen wir nicht an** we can't fight this competition; **er ist zu stark, ich komme gegen ihn nicht an** he's too strong, I'm no match for him.
II vi impers **1.** (wichtig sein) **es kommt auf etw** (acc) **an** sth matters; **darauf kommt es (uns) an** that is what matters (to us); **es kommt darauf an, daß wir …** what matters is that we …; **auf eine halbe Stunde kommt es jetzt nicht mehr an** it doesn't matter about the odd half-hour, an extra half-hour is neither here nor there (inf); **darauf soll es mir nicht ~** that's not the problem.
2. (abhängig sein) to depend (auf +acc on). **es kommt darauf an** it (all) depends; **es käme auf einen Versuch an** we'd have to give it a try; **es kommt (ganz) darauf an, in welcher Laune er ist** it (all) depends (on) what mood he's in.
3. (inf) **es darauf ~ lassen** to take a chance, to chance it; **laß es nicht drauf ~!** don't push your luck! (inf); **lassen wir's darauf ~** let's chance it; **er ließ es auf einen Streit/einen Versuch ~** he was prepared to argue about it/to give it a try; **laß es doch nicht deswegen auf einen Prozeß ~** for goodness sake don't let it get as far as the courts.
III vt (sein, erscheinen) **etw kommt jdn schwer/hart an** sth is difficult/hard for sb; **das Rauchen aufzugeben, kommt ihn sauer an** he's finding it difficult to give up smoking.

Ankömmling m (new) arrival.

ankoppeln vt sep to hitch up (an +acc to)

or on (*an +acc* -to); (*Rail*) to couple up (*an +acc* to) *or* on (*an +acc* -to); (*Space*) to link up (*an +acc* with, to).

ankotzen *vt sep* (*anwidern*) to make sick (*inf*).

ankratzen *sep vt* to scratch; (*fig*) *jds Ruf* to damage; *siehe* **angekratzt**.

ankrausen *vt sep* to gather.

ankreiden *vt sep* (*fig*) *jdm etw* (*dick or übel*) ~ to hold sth against sb; *jdm sein Benehmen als Frechheit/Schwäche* ~ to regard sb's behaviour as an impertinence/as weakness.

Ankreis *m* (*Math*) escribed circle.

ankreuzen *vt sep* **1.** to mark with a cross, to put a cross beside. **2.** *aux sein or haben* (*Naut*) *gegen den Wind* ~ to sail against *or* into the wind.

ankünden *vtr sep* (*old*) *siehe* **ankündigen**.

ankündigen *sep* **I** *vt* **1.** (*ansagen, anmelden*) to announce; (*auf Plakat, in Zeitung*) to advertize. **heute kam endlich der angekündigte Brief** today the letter I/we had been expecting arrived; **er besucht uns nie, ohne sich (nicht) vorher anzukündigen** he never visits us without letting us know in advance *or* without giving us advance notice.
2. (*auf etw hindeuten*) to be a sign of.
II *vr* (*fig*) to be heralded (*durch* by). **der Frühling kündigt sich an** spring is in the air; **diese Krankheit kündigt sich durch ... an** this illness is preceded by ...

Ankündigung *f* announcement; (*vorherige Benachrichtigung*) advance notice. **Preisänderungen nur nach vorheriger** ~ price changes will be announced in advance, advance notice will be given of price changes.

Ankunft *f* -, **Ankünfte** arrival. **bei** *or* **nach** ~ on arrival.

Ankunftshalle *f* arrivals lounge; **Ankunftstafel** *f* arrivals (indicator) board; **Ankunftszeit** *f* time of arrival.

ankuppeln *vt sep siehe* **ankoppeln**.

ankurbeln *vt sep Maschine* to wind up; (*Aut*) to crank; (*fig*) *Wirtschaft, Konjunktur* to boost, to reflate.

Ankurbelung *f* (*fig*) reflation.

ankuscheln *vr sep* **sich bei jdm** *or* **an jdn** ~ to snuggle up to sb.

anlächeln *vt sep* to smile at; (*fig: Schicksal, Glück*) to smile (up)on. **jdn** ~ to smile at sb, to give sb a smile.

anlachen *vt sep* to smile at; (*fig: Himmel, Sonne*) to smile (up)on. **sich** (*dat*) **jdn** ~ (*inf*) to pick sb up (*inf*).

Anlage *f* -, **-n** **1.** (*Fabrik*~) plant.
2. (*Grün*~, *Park*~) (public) park; (*um ein Gebäude herum*) grounds *pl*.
3. (*Einrichtung*) (*Mil, Elec*) installation(s); (*Sport*~) facilities *pl*.
4. (*inf: Stereo*~) (stereo) system *or* equipment; (*EDV*-~) system.
5. (*Plan, Grundidee*) conception; (*eines Dramas*) structure.
6. (*Veranlagung*) *usu pl* aptitude, gift, talent (*zu* for); (*Neigung*) predisposition, tendency (*zu* to).
7. (*das Anlegen*) (*von Park*) laying out; (*von Stausee*) construction, building. **die Stadt hat die** ~ **von weiteren**

Grünflächen beschlossen the town has decided to provide more parks.
8. (*Kapital*~) investment.
9. (*Beilage zu einem Schreiben*) enclosure. **als** ~ *or* **in der** ~ **erhalten Sie ...** please find enclosed ...

anlagebedingt *adj* inherent. **Krampfadern sind** ~ some people have an inherent tendency *or* a predisposition to varicose veins.

Anlageberater(in *f*) *m* investment advisor; **Anlagepapier** *nt* long-term investment bond.

anlagern *sep* **I** *vt* to take up. **II** *vr* (*Chem*) to be taken up (*an +acc* by).

Anlagevermögen *nt* fixed assets *pl*.

anlanden *sep* **I** *vi aux sein* (*Naut*) to land. **II** *vt* to land.

anlangen *sep* **I** *vi aux sein* (*an einem Ort*) to arrive. **in der Stadt/am Gipfel angelangt sein** to have reached the town/summit, to have arrived in *or* at the town/at the summit. **II** *vt* **1.** (*betreffen*) to concern. **2.** (*S Ger: anfassen*) to touch.

Anlaß *m* **-sses, Anlässe** **1.** (*Veranlassung*) (immediate) cause (*zu* for). **zum** ~ **von etw werden** to bring sth about, to trigger sth off; **das war zwar nicht der Grund, aber der** ~ that wasn't the real reason but that's what finally brought it about *or* triggered it off; **welchen** ~ **hatte er, das zu tun?** what prompted him to do that?; **er hat keinen** ~ **zur Freude** he has no cause *or* reason *or* grounds for rejoicing; **es besteht kein** ~ **...** there is no reason ...; **das ist kein** ~ **zu feiern** that doesn't call for a celebration; **etw zum** ~ **nehmen, zu ...** to use sth as an opportunity to ...; **beim geringsten/bei jedem** ~ for the slightest reason/at every opportunity; **jdm** ~ **zu Beschwerden geben, jdm** ~ **geben, sich zu beschweren** to give sb reason *or* cause *or* grounds for complaint *or* for complaining.
2. (*Gelegenheit*) occasion. **aus** ~ (*+gen*) on the occasion of; **aus diesem** ~ on this occasion; **dem** ~ **entsprechend** as befits the occasion, as is befitting to the occasion.

anlassen *sep irreg* **I** *vt* **1.** (*in Gang setzen*) *Motor, Wagen* to start (up).
2. (*inf*) *Schuhe, Mantel* to keep on; *Wasserhahn, Motor* to leave running *or* on; *Licht, Radio* to leave on; *Kerze* to leave burning; *Feuer* to leave in *or* burning.
II *vr* **sich gut/schlecht** ~ to get off to a good/bad start; (*Lehrling, Student, Geschäft auch*) to make a good/bad start *or* beginning; **das Wetter läßt sich gut an** the weather looks promising.

Anlasser *m* **-s, -** (*Aut*) starter.

anläßlich *prep +gen* on the occasion of.

anlasten *vt sep* **jdm etw** ~ to blame sb for sth, to lay the blame for sth on sb; **jdm etw als Schwäche** ~ to regard *or* see sth as a weakness on sb's part.

anlatschen *vi sep aux sein* (*usu* **angelatscht kommen**) (*inf*) to come slouching along *or* (*auf einen zu*) up.

Anlauf m -(e)s, **Anläufe 1.** (*Sport*) run-up; (*Ski*) approach run; **mit/ohne ~** with a run-up/from standing; **Sprung mit/ohne ~** running/standing jump; **~ nehmen** to take a run-up; **~ zu etw nehmen** (*fig*) to pluck up courage to do sth. **2.** (*fig: Versuch*) attempt, try. **beim ersten/zweiten ~** at the first/second attempt, first/second go (*Brit inf*); **noch einen ~ nehmen** or **machen** to have another go (*Brit inf*) or try, to make another attempt. **3.** (*Beginn*) start.

anlaufen sep irreg **I** vi aux sein **1.** (*beginnen*) to begin, to start; (*Saison auch, Film*) to open; (*Motor*) to start. **2.** (*usu* **angelaufen kommen**) to come running along or (*auf einen zu*) up. **3.** (*sich ansammeln*) to mount up (*auf* +acc to); (*Zinsen auch*) to accrue; (*dial: auch* **dick ~**) to swell (up). **4.** (*beschlagen*) (*Brille, Spiegel*) to steam or mist up; (*Metall*) to tarnish. **rot/blau ~** to turn or go red/blue. **5.** (*Sport*) (*zu laufen beginnen*) to start off; (*Anlauf nehmen*) to take a run-up. **II** vt **1.** (*Naut*) *Hafen* to put into, to call at. **2.** (*Sport*) *Rennen* to start off; *Strecke* to run.

Anlaufphase f (*Comm*) start-up phase; **Anlaufstelle** f shelter, refuge; **Anlaufzeit** f (*Aut*) warming-up time or period; (*fig*) time to get going or started; (*Film, Theat*) (time of the) first few performances; **ein paar Wochen ~** a few weeks to get going or started.

Anlaut m (*Phon*) initial sound. **im ~ stehen** to be in initial position.

anlauten vi sep to begin.

anläuten vti sep (*dial: anrufen*) **jdn** or **bei jdm ~** to ring sb (up), to phone or call sb.

anlautend adj attr initial.

anlecken vt sep to lick.

Anlegebrücke f landing stage, jetty.

anlegen sep **I** vt **1.** *Leiter* to put up (*an* +acc against); *Brett, Karte, Dominostein* to lay (down) (*an* +acc next to, beside); *Holz, Kohle* to put or lay on; *Lineal* to position, to set. **das Gewehr ~** to raise the gun to one's shoulder; **das Gewehr auf jdn/etw ~** to aim the gun at sb/sth; **strengere Maßstäbe ~** to impose or lay down stricter standards (*bei* in). **2.** (*geh: anziehen*) to don (*form*). **3.** (*anbringen*) **jdm etw ~** to put sth on sb; **jdm/einer Sache Zügel ~** to take sb in hand/to contain or control sth. **4.** *Kartei, Akte* to start; *Vorräte* to lay in; *Garten, Gelände, Aufsatz, Bericht* to lay out; *Liste, Plan, Statistiken* to draw up; *Roman, Drama* to structure. **5.** (*investieren*) *Geld, Kapital* to invest; (*ausgeben*) to spend (*für* on). **6. es darauf ~, daß ...** to be determined that ...; **du legst es wohl auf einen Streit mit mir an** you're determined to have a fight with me, aren't you? **7.** *siehe* **angelegt.** **II** vi **1.** (*Naut*) to berth, to dock.

2. (*Cards*) to lay down cards/a card (*bei jdm* on sb's hand). **3.** (*Gewehr ~*) to aim (*auf* +acc at). **III** vr **sich mit jdm ~** to pick an argument or quarrel or fight with sb.

Anlegeplatz m berth.

Anleger(in f) m -s, - (*Fin*) investor.

Anlegesteg m jetty, landing stage; **Anlegestelle** f mooring.

anlehnen sep **I** vt to lean or rest (*an* +acc against); *Tür, Fenster* to leave ajar or slightly open. **angelehnt sein** (*Tür, Fenster*) to be ajar or slightly open. **II** vr (*lit*) to lean (*an* +acc against). **sich an etw** (acc) **~** (*fig*) to follow sth.

Anlehnung f **1.** (*Stütze*) support (*an* +acc of); (*Anschluß*) dependence (*an* +acc on). **~ an jdn suchen** to seek sb's support. **2.** (*Imitation*) following (*an jdn/etw* sb/sth). **in ~ an jdn/etw** following sb/sth.

Anlehnungsbedürfnis nt need of loving care; **anlehnungsbedürftig** adj needing loving care.

anleiern vt sep (*inf: in die Wege leiten*) to get on the road.

Anleihe f -, -n, **Anleihen** m -s, - (*Sw*) **1.** (*Fin*) (*Geldaufnahme*) loan; (*Wertpapier*) bond. **eine ~ aufnehmen** to take out a loan; **bei jdm eine ~ machen** to borrow (money) from sb. **2.** (*von geistigem Eigentum*) borrowing. **bei jdm eine ~ machen** (*hum inf*) to borrow from sb.

anleimen vt sep to stick on (*an* +acc or *dat*-to).

anleinen vt sep (*festmachen*) to tie up. **den Hund ~** to put the dog's lead on, to put the dog on the lead; **den Hund an etw** (acc or dat) **~** to tie the dog to sth.

anleiten vt sep **1.** (*unterweisen*) to show, to teach, to instruct. **jdn bei einer Arbeit ~** to teach sb a job, to show sb how to do a job. **2.** (*erziehen*) **jdn zu etw ~** to teach sb sth; **jdn zu selbständigem Denken ~** to teach sb to think for himself/herself.

Anleitung f (*Erklärung, Hilfe*) instructions pl. **unter der ~ seines Vaters** under his father's guidance or direction.

Anlernberuf m semi-skilled job.

anlernen vt sep **1.** (*ausbilden*) to train; *siehe* **angelernt. 2.** (*oberflächlich lernen*) **sich** (dat) **etw ~** to learn sth up.

Anlernling m trainee.

anlesen vt sep irreg **1.** *Buch, Aufsatz* to begin or start reading. **das angelesene Buch** the book I have/she has started reading. **2.** (*aneignen*) **sich** (dat) **etw ~** to learn sth by reading; **angelesenes Wissen** knowledge which comes straight out of books.

anleuchten vt sep **jdn ~** to shine a light/lamp etc at sb; **jdn mit etw ~** to shine sth at sb.

anliefern vt sep to deliver.

Anlieferung f delivery.

Anliegen nt -s, - **1.** (*Bitte*) request. **2.** (*wichtige Angelegenheit*) matter of concern.

anliegen sep irreg **I** vi **1.** (*anstehen, vorliegen*) to be on. **2.** (*Kleidung*) to fit closely or tightly (*an etw* (dat) sth); (*Haar*) to lie flat (*an* +*dat* against, on). **II** *vt* (*Naut*) (*zusteuern*) to be headed for; *Kurs* to be (headed) on.

anliegend *adj* **1.** *Ohren* flat. (*eng*) ~ *Kleidung* tight- *or* close-fitting. **2.** (*in Briefen*) enclosed. **3.** *Grundstück* adjacent.

Anlieger *m* **-s, -** (*Anwohner*) (local) resident. ~ **frei, frei für** ~ no thoroughfare — residents only.

Anliegerstaat *m* **die** ~**en des Schwarzen Meers** the countries bordering (on) the Black Sea; **Anliegerverkehr** *m* (local) residents' vehicles; „~ **frei**" "residents only".

anlinsen *vt sep* (*inf*) to take a sly look at. **jdn aus den Augenwinkeln** ~ to look at sb out of the corner of one's eye.

anlocken *vt sep Touristen* to attract; *Vögel, Tiere auch* to lure.

Anlockung *f* attraction.

anlöten *vt sep* to solder on (*an* +*acc or dat* -to).

anlügen *vt sep irreg* to lie *or* tell lies to.

anluven *vt sep* (*Naut*) to luff.

Anm. *abbr of* **Anmerkung.**

Anmache *f* **-, *no pl* (*sl*) pick-up (*inf*); (*Belästigung*) harassment.

anmachen *vt sep* **1.** (*inf: befestigen*) to put up (*an* +*acc or dat* on). **2.** (*zubereiten*) to mix; *Salat* to dress. **3.** (*anstellen*) *Radio, Licht, Heizung* to put *or* turn on; *Feuer* to light. **4.** (*sl: ansprechen*) to chat up (*inf*); (*belästigen*) to harass. **mach mich nicht an!** leave me alone! **5.** (*sl: begeistern*) to drive wild; (*sexuell*) to turn on (*inf*). **das Publikum** ~ to get the audience going (*inf*); **der Typ macht mich total an** that guy really turns me on (*inf*). **6.** (*sl: kritisieren*) to slam (*inf*).

anmahnen *vt sep* to send a reminder about.

anmalen *sep* **I** *vt* **1.** (*bemalen*) *Wand, Gegenstand* to paint; (*ausmalen*) to colour in. **2.** (*anzeichnen*) to paint (*an* +*acc* on). **3.** (*schminken*) **sich** (*dat*) **die Lippen/ Lider** ~ to paint one's lips/eyelids. **II** *vr* (*pej: schminken*) to paint one's face *or* oneself.

Anmarsch *m, no pl* (*Weg*) walk (there); (*Mil*) advance. **im** ~ **sein** to be advancing (*auf* +*acc* on); (*hum inf*) to be on the way.

anmarschieren* *vi sep aux sein* (*Mil*) to advance. **anmarschiert kommen** to come marching along *or* (*auf einen zu*) up.

Anmarschweg *m* walk.

anmaßen *vr sep* **sich** (*dat*) **etw** ~ *Befugnis, Recht* to claim sth (for oneself); *Kritik* to take sth upon oneself; *Titel, Macht, Autorität* to assume sth; **sich** (*dat*) **ein Urteil/eine Meinung über etw** (*acc*) ~ to presume to pass judgement on/have an opinion about sth; **sich** (*dat*) ~, **etw zu tun** to presume to do sth.

anmaßend *adj* presumptuous.

Anmaßung *f* presumption, presumptuousness. **es ist eine** ~ **zu meinen, ...** it is presumptuous to maintain that ...

anmeckern *vt sep* (*inf*) to keep on at (*inf*).

Anmeldeformular *nt* application form; **Anmeldefrist** *f* registration period; **Anmeldegebühr** *f* registration fee.

anmelden *sep* **I** *vt* **1.** (*ankündigen*) *Besuch* to announce. **einen Freund bei jdm** ~ to let sb know that a friend is coming to visit. **2.** (*bei Schule, Kurs*) to enrol (*bei* at, *zu* for). **3.** (*eintragen lassen*) *Patent* to apply for; *neuen Wohnsitz, Auto, Untermieter* to register (*bei* at); *Fernseher* to get a licence for. **Konkurs** ~ to declare oneself bankrupt. **4.** (*vormerken lassen*) to make an appointment for. **5.** (*Telec*) **ein Gespräch nach Deutschland** ~ to book a call to Germany. **6.** (*geltend machen*) *Recht, Ansprüche,* (*zu Steuerzwecken*) to declare; *Bedenken, Zweifel, Protest* to register; *Wünsche, Bedürfnisse* to make known. **ich melde starke Bedenken an** I have serious doubts about that, I'm rather doubtful *or* dubious about that.

II *vr* **1.** (*ankündigen*) (*Besucher*) to announce one's arrival; (*im Hotel*) to book (in); (*fig*) (*Baby*) to be on the way; (*Probleme, Zweifel*) to appear on the horizon. **sich bei jdm** ~ to tell sb one is coming. **2.** (*an Schule, zu Kurs*) to enrol (oneself) (*an* +*dat* at, *zu* for). **sich polizeilich** ~ to register with the police. **3.** (*sich einen Termin geben lassen*) to make an appointment. **sich beim Arzt** ~ to make an appointment at the doctor's *or* with the doctor.

anmeldepflichtig *adj* **a**~ **sein** (*Fernsehgerät, Hund*) to have to be licensed; (*Auto, Untermieter, Ausländer*) to have to be registered; (*Einfuhr, Waffenbesitz*) to be notifiable.

Anmeldung *f* **1.** *siehe vt* announcement; declaration; registration; making known (*von etw* sth); enrolment; application (*von, gen* for); licensing; making an appointment (*gen* for); (*Konkurs*~) bankruptcy petition. **die** ~ **eines Gespräches** booking a call. **2.** (*Ankündigung*) announcement of one's arrival; (*im Hotel*) booking; (*an Schule, zu Kurs*) enrolment (*an* +*dat* at, *zu* for); (*bei Polizei*) registration; (*beim Arzt*) making an appointment. **nur nach vorheriger** ~ by appointment only. **3.** (*Anmelderaum*) reception.

anmerken *vt sep* (*sagen*) to say; (*anstreichen*) to mark; (*als Fußnote*) to note. **sich** (*dat*) **etw** ~ to make a note of sth, to note sth down; **jdm seine Verlegenheit** ~ to notice sb's embarrassment *or* that sb is embarrassed; **sich** (*dat*) **etw** ~ **lassen** to let sth show; **man merkt ihm nicht an, daß ...** you wouldn't know *or* can't tell that ...

Anmerkung *f* (*Erläuterung*) note; (*Fußnote*) (foot)note; (*iro: Kommentar*) remark, comment.

anmieten *vt sep* to rent; *Auto auch* to

hire.

anmit *adv* (*Sw*) herewith.

anmontieren* *vt sep* to fix on (*an* +*acc or dat* -to).

anmustern *vti* (*Naut*) to sign on.

Anmut *f* -, *no pl* grace; (*Grazie auch*) gracefulness; (*Schönheit*) beauty, loveliness; (*von Landschaft, Gegenständen*) charm, beauty.

anmuten *sep* **I** *vt* (*geh*) to appear, to seem (*jdn* to sb). **jdn seltsam ~** to appear *or* seem odd to sb; **es mutete ihn wie ein Traum an** it seemed like a dream to him. **II** *vi* **es mutet sonderbar an** it is *or* seems curious; **eine eigenartig ~de Geschichte** a story that strikes one as odd.

anmutig *adj* (*geh*) (*geschmeidig, behende*) *Bewegung* graceful; (*hübsch anzusehen*) lovely, charming.

annageln *vt sep* to nail on (*an* +*acc or dat* -to). **er stand wie angenagelt da** he stood there rooted to the spot.

annagen *vt sep* to gnaw (at).

annähen *vt sep* to sew on (*an* +*acc or dat* -to); *Saum* to sew up.

annähern *sep* **I** *vt* to bring closer (*dat, an* +*acc* to); (*in größere Übereinstimmung bringen auch*) to bring more into line (*dat, an* +*acc* with). **zwei Länder/ Standpunkte soweit als möglich ~** to bring two nations as close (to each other)/two points of view as much into line (with each other) as possible. **II** *vr* **1.** (*lit, fig: sich nähern*) to approach (*einer Sache dat*) sth). **2.** (*sich angleichen, näherkommen*) to come closer (*dat, an* +*acc* to).

annähernd I *adj* (*ungefähr*) approximate, rough. **II** *adv* (*etwa*) roughly; (*fast*) almost. **können Sie mir den Betrag ~ nennen?** can you give me an approximate *or* a rough idea of the amount?; **nicht ~** not nearly, nothing like; **nur ~ soviel** only about this/that much; **nicht ~ soviel** not nearly as much, nothing like as much.

Annäherung *f* (*lit: Näherkommen, fig: Angleichung*) approach (*an* +*acc* towards); (*von Standpunkten*) convergence (*dat, an* +*acc* with). **eine ~ an die Wirklichkeit** an approximation of reality; **die ~ zwischen Ost und West** the rapprochement of East and West; **die ~ von zwei Menschen** when two people come close (together); **die ~ an den Partner** coming closer to one's partner.

Annäherungsversuch *m* overtures *pl*; **plumpe ~e** very obvious advances; **annäherungsweise** *adv* approximately.

Annahme *f* -, -**n 1.** (*Vermutung, Voraussetzung*) assumption. **in der ~, daß ...** on the assumption that ...; **gehe ich recht in der ~, daß ...?** am I right in assuming *or* in the assumption that ...?; **der ~ sein, daß ...** to assume that ...; **von einer ~ ausgehen** to work on *or* from an assumption. **2.** *siehe* **annehmen** *vt 1.-5.*, *7.* acceptance; taking; taking on; taking up; approval; passing; adoption; picking up; acquisition; assuming. **~ an Kindes**

Statt (*child*) adoption. **3.** *siehe* **Annahmestelle.**

Annahmefrist *f* **~ bis zum 17. Juli** closing date 17th July; **die ~ einhalten** to meet the deadline for applications/bets *etc*; **die ~ für die Bewerbung ist schon vorbei** applications can no longer be accepted; **Annahmeschluß** *m* closing date; **Annahmestelle** *f* (*für Wetten, Lotto, Toto*) place where bets *etc* are accepted; (*für Reparaturen*) reception; (*für Material*) delivery point; **die ~ für das Altmaterial ist ...** please bring your jumble to ...; jumble will be taken at ...; **Annahmeverweigerung** *f* refusal; **bei ~** when delivery *or* when a parcel/letter *etc* is refused.

Annalen *pl* annals *pl*. **in die ~ eingehen** (*fig*) to go down in the annals *or* in history.

annehmbar I *adj* acceptable; (*nicht schlecht*) reasonable, not bad. **sein altes Auto hat noch einen ~en Preis erzielt** he didn't get a bad price *or* he got a reasonable price for his old car. **II** *adv* reasonably well.

annehmen *sep irreg* **I** *vt* **1.** (*entgegennehmen, akzeptieren*) to accept; *Geld auch, Nahrung, einen Rat, Telegramm, Gespräch, Lottoschein, Reparaturen* to take; *Arbeit, Auftrag, Wette auch* to take on; *Herausforderung, Angebot auch* to take up. **2.** (*billigen*) to approve; *Gesetz* to pass; *Resolution* to adopt; *Antrag* to accept. **3.** (*sich aneignen*) to pick up; *Gewohnheit auch* to pick up; *Staatsangehörigkeit auch* to take on; *Akzent, Tonfall* to acquire, to take on; *Gestalt, Namen* to assume, to take on. **ein angenommener Name** an assumed name. **4.** (*zulassen*) *Patienten, Bewerber* to accept, to take on. **5.** (*adoptieren*) to adopt. **jdn an Kindes Statt ~** to adopt sb. **6.** (*aufnehmen*) *Farbe* to take. **dieser Stoff/das Gefieder nimmt kein Wasser an** this material is/the feathers are water-repellent. **7.** (*Sport*) to take. **8.** (*vermuten*) to presume, to assume. **von jdm etw ~** (*erwarten*) to expect sth of sb; (*glauben*) to believe sth of sb; **er ist nicht so dumm, wie man es von ihm ~ könnte** he's not as stupid as you might think *or* suppose. **9.** (*voraussetzen*) to assume. **wir wollen ~, daß ...** let us assume that ...; **etw als gegeben** *or* **Tatsache ~** to take sth as read *or* for granted; **das kann man wohl ~** you can take that as read; *siehe* **angenommen.** **II** *vr* **sich jds/einer Sache ~** to look after a person/to see to *or* look after a matter.

Annehmlichkeit *f* (*Bequemlichkeit*) convenience; (*Vorteil*) advantage. **~en** *pl* comforts *pl*.

annektieren* *vt* to annex.

Annex *m* **-es, -e** (*Archit*) annex(e); (*Jur*) annex, appendix.

Annexion f annexation.

annieten vt sep to rivet on (an +acc or dat -to).

Anno, anno (Aus) adv in (the year). **der härteste Winter seit ~ zwölf** the coldest winter since 1912; **ein harter Winter, wie ~ 81** a cold winter, like the winter of '81; **von ~ dazumal** or **dunnemals** or **Tobak** (all inf) from the year dot (inf); **ein Überbleibsel von ~ dazumal** (inf) a hangover from the olden days.

Anno Domini adv in the year of Our Lord.

Annonce [a'nõːsə] f -, -n advertisement, advert (Brit inf), ad (inf).

annoncieren* [anõ'siːrən] I vi to advertise. II vt to advertise; (geh: ankündigen) Veröffentlichung, Heirat to announce.

annullieren* vt (Jur) to annul.

Annullierung f annulment.

Anode f -, -n anode.

an|öden vt sep (inf) (langweilen) to bore stiff (inf) or to tears (inf).

anomal adj (regelwidrig) unusual, abnormal; (nicht normal) strange, odd.

Anomalie f anomaly; (Med: Mißbildung) abnormality.

anonym adj anonymous. **A~e Alkoholiker** Alcoholics Anonymous.

anonymisieren* vt (Admin) Daten, Fragebögen to make anonymous.

Anonymität f anonymity. **er wollte die ~ wahren** he wanted to preserve his anonymity.

Anonymus m -, **Anonymi** or **Anonymen** anonym (rare), anonymous artist/author etc.

Anorak m -s, -s anorak.

an|ordnen vt sep **1.** (befehlen, festsetzen) to order. **2.** (nach Plan ordnen, aufstellen) to arrange; (systematisch) to order.

An|ordnung f **1.** (Befehl) order. **laut (polizeilicher) ~** by order (of the police); **auf ~ des Arztes** on doctor's orders; **~en treffen** to give orders.

2. (Aufstellung) arrangement; (systematische ~) order; (Formation) formation.

an|organisch adj **1.** (Chem) inorganic. **2.** (rare) haphazard; **Wachstum** random attr. **die Stadt ist ~ gewachsen** the town has grown in a haphazard way.

anormal adj (inf) siehe **anomal**.

anpacken sep (inf) I vt **1.** (anfassen) to take hold of, to grab; (angreifen: Hund) to grab. **2.** (handhaben, beginnen) to tackle, to set about. **3.** (umgehen mit) jdn to treat. II vi (helfen) (auch **mit ~**) to lend a hand.

anpassen sep I vt **1.** Kleidung to fit (dat on); Bauelemente to fit (dat to).

2. (abstimmen) **etw einer Sache** (dat) **~** to suit sth to sth.

3. (angleichen) **etw einer Sache** (dat) **~** to bring sth into line with sth.

II vr to adapt (oneself) (dat to); (gesellschaftlich) to conform. **gesellschaftlich angepaßt** conformist; **Kinder passen sich leichter an als Erwachsene** children adapt (themselves) more easily

or are more adaptable than adults; **wir mußten uns (ihren Wünschen) ~** we had to fit in with their wishes or them; siehe **angepaßt.**

Anpassung f (an +acc to) adaptation; (von Gehalt etc) adjustment; (an Gesellschaft, Normen) conformity.

anpassungsfähig adj adaptable; **Anpassungsfähigkeit** f adaptability; **Anpassungsschwierigkeiten** pl difficulties pl in adapting.

anpeilen vt sep (ansteuern) to steer or head for; (mit Radar, Funk) to take a bearing on. **etw ~** (fig inf) to set or have one's sights on sth; **jdn ~** (inf) to eye sb.

anpeitschen vt sep to push (hard).

anpesen vi sep aux sein (inf) (usu angepest kommen) to come belting along or (auf einen zu) up (inf).

anpfeifen sep irreg I vi (Sport) to blow the whistle. II vt **1.** (Sport) **das Spiel ~** to start the game (by blowing one's whistle). **2.** (inf) to bawl out (inf).

Anpfiff m **1.** (Sport) (starting) whistle; (Spielbeginn) kick-off. **2.** (inf) bawling out (inf).

anpflanzen vt sep (bepflanzen) to plant; (anbauen) to grow.

Anpflanzung f **1.** siehe vt planting; growing. **2.** (Fläche) cultivated area. **eine ~ anlegen** to lay out an area for cultivation.

anpflaumen vt sep (inf) (verulkend) to poke fun at; (anzüglich) to make lewd remarks to.

anpflocken vt sep to tie up; Tier auch to tether.

anpinkeln vt sep (inf) to pee on (inf).

anpinnen vt sep (N Ger inf) to pin up (an +acc or dat on).

anpinseln vt sep to paint; Parolen to paint (up).

anpirschen sep I vt to stalk. II vr to creep up (an +acc on).

anpissen vt sep (sl) to piss on (sl).

Anpöbelei f (inf) abuse no pl.

anpöbeln vt sep (inf) to abuse.

anpochen vi sep to knock (an +acc on, at).

Anprall m impact. **beim ~ gegen** on impact with.

anprallen vi sep aux sein to crash (an or gegen jdn/etw into sb/against sth).

anprangern vt sep to denounce. **jdn als Betrüger/etw als Korruption ~** to denounce sb as a fraud/sth as corrupt.

Anprangerung f denunciation.

anpreisen vt sep irreg to extol (jdm etw sth to sb). **sich (als etw) ~** to sell oneself as sth.

anpreschen vi sep aux sein (usu angeprescht kommen) to come hurrying along or (auf einen zu) up.

anpressen vt sep to press on (an +acc - to).

Anprobe f **1.** fitting. **2.** (Raum) (im Kaufhaus) changing room; (beim Schneider) fitting room.

anprobieren* sep I vt to try on. **jdm etw ~** (inf) to try sth on sb. II vi (beim Schneider) to have a fitting. **kann ich mal ~?** can I try this/it etc on?

anpumpen *vt sep* (*inf*) to borrow from. **jdn um 50 Mark ~** to touch sb for 50 marks (*inf*), to borrow 50 marks from sb.

anpusten *vt sep* (*inf*) to blow at; *Feuer* to blow on.

anquasseln *vt sep* (*inf*) to speak to.

anquatschen *vt sep* (*inf*) to speak to; *Mädchen* to chat up (*inf*).

Anrainer *m* -s, - **1.** neighbour. **die ~ der Nordsee** the countries bordering (on) the North Sea. **2.** (*esp Aus*) *siehe* **Anlieger.**

anranzen *vt sep* (*inf*) to bawl out (*inf*).

Anranzer *m* -s, - (*inf*) bawling-out (*inf*).

anrasen *vi sep aux sein* (*usu* **angerast kommen**) to come tearing *or* rushing along *or* (*auf einen zu*) up.

anraten *vt sep irreg* **jdm etw ~** to recommend sth to sb; **auf A~ des Arztes** on the doctor's advice *or* recommendation.

anrattern *vi sep aux sein* (*usu* **angerattert kommen**) to come clattering *or* rattling along *or* (*auf einen zu*) up.

anrauhen *vt sep* to roughen; *Stimme* to make hoarse. **angerauht sein** to be rough.

anraunzen *vt sep* (*inf*) to tell *or* tick off (*inf*).

anrauschen *vi sep aux sein* (*usu* **angerauscht kommen**) to come rushing *or* hurrying along *or* (*auf einen zu*) up.

anrechenbar *adj* countable. **auf etw** (*acc*) **~ sein** to count towards sth.

anrechnen *vt sep* **1.** (*in Rechnung stellen*) to charge for (*jdm* sb). **das wird Ihnen später angerechnet** you'll be charged for that later, that will be charged to you later.
    2. (*gutschreiben*) to count, to take into account (*jdm* for sb). **das alte Auto rechnen wir (Ihnen) mit DM 500 an** we'll allow (you) DM 500 for the old car.
    3. (*bewerten*) **jdm etw hoch ~** to think highly of sb for sth; **jdm etw als Fehler ~** (*Lehrer*) to count sth as a mistake (for sb); (*fig*) to consider sth as a fault on sb's part; **ich rechne es ihm als Verdienst an, daß ...** I think it is greatly to his credit that ..., I think it says a lot for him that ...; **ich rechne es mir zur Ehre an** (*form*) I consider it an honour, I consider myself honoured.

Anrechnung *f* allowance; (*fig: Berücksichtigung*) counting, taking into account (*auf +acc* towards).

Anrecht *nt* **1.** (*Anspruch*) right, entitlement (*auf +acc* to). **ein ~ auf etw** (*acc*) **haben** *or* **besitzen** *auf Respekt, Ruhe* to be entitled to sth; *auf Geld, Land auch* to have a right to sth; **sein ~ (auf etw) geltend machen** to enforce one's right (to sth).
    2. (*Abonnement*) subscription.

Anrede *f* form of address.

anreden *sep* **I** *vt* to address. **jdn mit „du"** **~** to address sb as "du", to use the "du" form (of address) to sb; **jdn mit seinem Titel ~** to address sb by his/her title. **II** *vi* **gegen jdn/etw ~** to argue against sb/to make oneself heard against sth.

anregen *vt sep* **1.** (*ermuntern*) to prompt (*zu* to). **jdn zum Denken ~** to make sb think.
    2. (*geh: vorschlagen*) *Verbesserung* to propose, to suggest.
    3. (*beleben*) to stimulate; *Appetit auch* to whet, to sharpen. **Kaffee regt an** coffee is a stimulant *or* has a stimulating effect; *siehe* **angeregt.**
    4. (*Phys*) to activate.

anregend *adj* stimulating. **ein ~es Mittel** a stimulant; **die Verdauung/den Kreislauf ~e Mittel** stimulants to the digestion/ circulation.

Anregung *f* **1.** (*Antrieb, Impuls*) stimulus. **jdm eine ~ zum Denken geben** to make sb think. **2.** (*Vorschlag*) idea. **auf ~ von** *or* **+gen** at *or* on the suggestion of. **3.** (*Belebung*) stimulation.

Anregungsmittel *nt* stimulant.

anreichern *sep* **I** *vt* (*gehaltvoller machen*) to enrich; (*vergrößern*) *Sammlung* to enlarge, to increase. **das Gemisch mit Sauerstoff ~** (*zufügen*) to add oxygen to the mixture; **angereichert werden** (*Chem: gespeichert werden*) to be accumulated; **mit Rauch angereicherte Luft** smoky air; *siehe* **angereichert.** **II** *vr* (*Chem*) to accumulate.

Anreicherung *f* (*Bereicherung*) enrichment; (*Vergrößerung*) enlargement; (*Speicherung*) accumulation.

anreihen *sep* **I** *vt* **1.** (*einer Reihe anfügen*) to add (*an +acc* to). **2.** (*anheften*) to tack on; *Saum* to tack (up). **II** *vr* to follow (*einer Sache (dat)* sth).

Anreise *f* **1.** (*Anfahrt*) journey there/here. **die ~ zu diesem abgelegenen Ort ist sehr mühsam** it is very difficult to get to this remote place. **2.** (*Ankunft*) arrival. **Tag der ~ war Sonntag** the day of arrival was Sunday.

anreisen *vi sep aux sein* **1.** (*ein Ziel anfahren*) to make a/the journey *or* trip (there/here). **über welche Strecke wollen Sie ~?** which route do you want to take (there/here)? **2.** (*eintreffen*) (*auch* **angereist kommen**) to come.

anreißen *vt sep irreg* **1.** (*einreißen*) to tear, to rip. **2.** (*inf: anbrechen*) to start, to open. **3.** *Außenbordmotor* to start (up). **4.** (*Tech*) to mark (out). **5.** (*kurz zur Sprache bringen*) to touch on. **6.** (*pej inf*) *Kunden* to draw, to attract. **7.** *Streichholz* to strike.

Anreißer *m* -s, - (*pej inf*) (*Kundenfänger*) tout; (*Gegenstand*) bait.

anreißerisch *adj* (*pej inf*) attention-grabbing *attr*.

anreiten *sep irreg* **I** *vi aux sein* (*usu* **angeritten kommen**) to come riding along *or* (*auf einen zu*) up. **II** *vt Pferd* to break in.

Anreiz *m* incentive. **ein ~ zum Lernen** an incentive to learn or for learning.

anreizen *sep* **I** *vt* **1.** (*anspornen*) to encourage. **jdn zum Kauf/zu großen Leistungen ~** to encourage sb to buy/to perform great feats. **2.** (*erregen*) to stimulate, to excite. **II** *vi* to act as an incentive (*zu* to). **dazu ~, daß jd etw tut** to act as an incentive for sb to do sth.

anrempeln *vt sep* **1.** (*anstoßen*) to bump

into; (*absichtlich*) *Menschen* to jostle. **2.** (*fig: beschimpfen*) to insult.

anrennen *vi sep irreg aux sein* **1.** **gegen etw** ~ **gegen Wind** to run against sth; (*Mil*) to storm sth; (*Sport*) to attack sth; (*sich stoßen*) to run into sth; (*fig: bekämpfen*) to fight against sth. **2.** **angerannt kommen** (*inf*) to come running.

Anrichte *f* -, -n **1.** (*Schrank*) dresser; (*Büfett*) sideboard. **2.** (*Raum*) pantry.

anrichten *vt sep* **1.** (*zubereiten*) *Speisen* to prepare; (*servieren*) to serve; *Salat* to dress. **es ist angerichtet** (*form*) dinner *etc* is served (*form*). **2.** (*fig: verursachen*) *Schaden*, *Unheil* to cause, to bring about. **etwas** ~ (*inf: anstellen*) to get up to something (*inf*); **da hast du aber etwas angerichtet!** (*inf*) (*verursachen*) you've started something there all right; (*anstellen*) you've really made a mess there.

anritzen *vt sep* to slit (slightly).

anrollen *sep* **I** *vi aux sein* (*zu rollen beginnen*) to start to roll; (*heranrollen*) to roll up; (*Aviat*) to taxi. **angerollt kommen** to roll along *or* (*auf einen zu*) up. **II** *vt* to roll; (*heranrollen*) to roll up.

anrosten *vi sep aux sein* to get (a bit) rusty.

anrüchig *adj* **1.** (*von üblem Ruf*) of ill repute; (*berüchtigt*) *Lokal* notorious. **2.** (*anstößig*) offensive; (*unanständig*) indecent.

Anrüchigkeit *f siehe adj* ill repute; notoriety; offensiveness; indecency.

anrücken *sep* **I** *vi aux sein* **1.** (*Truppen*) to advance; (*Polizei*) to move in; (*hum: Essen*, *Besuch*) to turn up. **2.** (*weiter heranrücken*) to move up *or* closer. **II** *vt* to move up. **etw an etw** (*acc*) ~ to push sth against sth.

Anruf *m* call; (*Mil: eines Wachtpostens*) challenge. **etw auf** ~ **tun** to do sth when called; **ohne** ~ **schießen** to shoot without warning.

Anrufbe|antworter *m* -s, - (telephone) answering machine, answerphone.

anrufen *sep irreg* **I** *vt* **1.** to shout to; (*Telec*) to ring, to phone, to call; (*Mil: Posten*) to challenge. **darf ich dich** ~? can I give you a ring?, can I call you? **2.** (*fig: appellieren an*) (*um* for) to appeal to; *Gott* to call on. **II** *vi* (*telefonieren*) to phone, to make a (phone) call/phone calls. **bei jdm** ~ to phone sb; **kann man hier bei Ihnen** ~? can I make a (phone) call from here?; **kann man Sie** *or* **bei Ihnen** ~? are you on the phone?; **ins Ausland/nach Amerika** ~ to phone abroad/America.

Anrufer(in *f*) *m* caller.

Anrufung *f* (*Gottes, der Heiligen*) invocation; (*Jur*) appeal (*gen* to).

anrühren *vt sep* **1.** (*berühren, sich befassen mit*) to touch; (*fig*) *Thema* to touch upon. **er rührt kein Fleisch/keinen Alkohol an** he doesn't touch meat/alcohol. **2.** (*fig liter: rühren*) to move, to touch. **3.** (*mischen*) *Farben* to mix; *Sauce* to blend; (*verrühren*) to stir.

anrührend *adj* touching.

ans *contr of* **an das. sich** ~ **Arbeiten machen** *or* **begeben** to set to work; **wenn es**

~ **Sterben geht** when it comes to dying.

ansäen *vt sep* to sow.

Ansage *f* -, -n announcement; (*Cards*) bid. **er übernimmt bei diesem Programm die** ~ he is doing the announcements for this programme; **er hat die** ~ (*Cards*) it's his bid.

ansagen *sep* **I** *vt* **1.** to announce. **jdm den Kampf** ~ to declare war on sb. **2.** (*diktieren*) to dictate. **3.** (*Cards*) (*Bridge*) to bid; (*Skat*) to declare. **4.** (*inf*) **angesagt sein** (*modisch sein*) to be in; (*erforderlich sein*) to be called for; (*auf dem Programm stehen*) to be the order of the day; **Spannung ist angesagt** we are in for a bit of excitement.

II *vr* (*Besuch ankündigen*) to say that one is coming; (*Termin vereinbaren*) to make an appointment; (*Zeit, Frühling*) to announce oneself (*liter*).

III *vi* **1.** (*old, liter*) **sag an, Fremdling ...** pray tell, stranger ... (*old, liter*). **2.** **sie sagt im Radio an** she's an announcer on the radio.

ansägen *vt sep* to saw into.

Ansager(in *f*) *m* -s, - (*Radio*) announcer; (*im Kabarett*) compère.

ansammeln *sep* **I** *vt* **1.** (*anhäufen*) to accumulate; *Reichtümer* to amass; *Vorräte* to build up; *Zinsen* to build up, to accrue (*form*). **2.** (*zusammenkommen lassen*) to gather together; *Truppen* to concentrate.

II *vr* **1.** (*sich versammeln*) to gather, to collect. **2.** (*aufspeichern, aufhäufen*) to accumulate; (*Staub, Wasser auch, Fragen*) to collect; (*Druck, Stau, fig: Wut*) to build up; (*Zinsen*) to build up, to accrue (*form*).

Ansammlung *f* **1.** (*Anhäufung*) accumulation; (*Sammlung*) collection; (*von Druck, Stau, Wut*) build-up; (*Haufen*) pile. **2.** (*Auflauf*) gathering, crowd; (*von Truppen*) concentration.

ansässig *adj* (*form*) resident. **alle in diesem Ort A~en** all local residents.

Ansatz *m* **1.** (*von Hals, Arm, Henkel*) base; (*an Stirn*) hairline. **2.** (*Tech*) (*Zusatzstück*) attachment; (*zur Verlängerung*) extension; (*Naht*) join. **3.** (*das Ansetzen: von Rost, Kalk*) formation, deposition; (*Schicht*) coating, layer. **4.** (*erstes Anzeichen, Beginn*) first sign(*s pl*), beginning(*s pl*); (*Versuch*) attempt (*zu etw* at sth); (*Ausgangspunkt*) starting-point. **den** ~ **zu etw zeigen** to show the first signs *or* the beginnings of sth; **einen neuen** ~ **zu etw machen** to make a fresh attempt at sth; **die ersten Ansätze** the initial stages; **im** ~ basically. **5.** (*esp Philos, Liter*) approach. **6.** (*Math*) formulation. **7.** (*Mus*) intonation; (*Lippenstellung*) embouchure. **8.** (*Econ form*) estimate; (*Fonds für Sonderzwecke*) appropriation. **außer** ~

bleiben to be excluded, to be left out of account; **etw für etw in ~ bringen** to appropriate sth for sth.

Ansatzpunkt *m* starting-point; **Ansatzstück** *nt* (*Tech*) attachment; (*zur Verlängerung*) extension.

ansaufen *vr sep irreg* (*sl*) **sich** (*dat*) **einen (Rausch)** ~ to get plastered *or* sloshed (*sl*).

ansaugen *sep* **I** *vt* to suck *or* draw in; (*anfangen zu saugen*) to start to suck. **II** *vr* to attach itself (*by suction*).

ansäuseln *vr sep* **sich** (*dat*) **einen** ~ (*hum*) to have a tipple (*inf*); *siehe* **angesäuselt.**

anschaffen *sep* **I** *vt* (**sich** *dat*) **etw** ~ to get oneself sth; (*kaufen*) to buy sth; **sich** (*dat*) **Kinder** ~ (*inf*) to have children.

II *vi* **1.** (*Aus, S Ger*) to give orders. **jdm** ~ to order sb about, to give sb orders.

2. (*sl: durch Prostitution*) ~ **gehen** to be on the game (*inf*); **für jdn** ~ **gehen** to go on the game for sb (*inf*).

Anschaffung *f* **1.** *no pl* acquisition; (*das Kaufen auch*) buying. **ich habe mich zur ~ eines Autos entschlossen** I have decided to get *or* buy a new car.

2. (*angeschaffter Gegenstand*) acquisition; (*gekaufter Gegenstand auch*) purchase, buy. **~en machen** to acquire things; (*kaufen*) to make purchases.

Anschaffungskosten *pl* cost *sing* of purchase; **Anschaffungspreis** *m* purchase price; **Anschaffungswert** *m* value at the time of purchase.

anschalten *vt sep* to switch on.

anschauen *vt sep* (*esp dial*) to look at; (*prüfend*) to examine. **sich** (*dat*) **etw** ~ to have a look at sth; (**da**) **schau einer an!** (*inf*) well I never!

anschaulich *adj* clear; (*lebendig, bildhaft*) vivid; *Beschreibung* graphic; *Beispiel* concrete. **etw** ~ **machen** to illustrate sth; **den Unterricht sehr** ~ **machen** to make teaching come alive.

Anschaulichkeit *f* *siehe adj* clearness; vividness; graphicness; concreteness.

Anschauung *f* (*Ansicht, Auffassung*) view; (*Meinung*) opinion; (*Vorstellung*) idea, notion; (*innere Versenkung*) contemplation; (*~svermögen*) ability to visualize things. **nach neuerer** ~ according to the current way of thinking; **in** ~ **+gen** (*geh*) in view of; **aus eigener** ~ from one's own experience.

Anschauungsmaterial *nt* illustrative material, visual aids *pl*; **Anschauungsunterricht** *m* visual instruction; **Anschauungsvermögen** *nt* ability to visualize things; **Anschauungsweise** *f* (*geh*) view.

Anschein *m* appearance; (*Eindruck*) impression. **allem** ~ **nach** to all appearances, apparently; **den** ~ **erwecken, als ...** to give the impression that ...; **sich** (*dat*) **den** ~ **geben, als ob man informiert sei** to pretend to be informed; **es hat den ~, als ob ...** it appears that *or* seems as if ...

anscheinen *vt sep irreg* to shine (up)on.

anscheinend *adj* apparent.

anscheißen *vt sep irreg* (*fig sl*) **1.** (*betrü-*

gen) **jdn** ~ to do the dirty on sb (*sl*); **da hast du dich aber** ~ **lassen** you were really done there; *siehe* **angeschissen. 2.** (*beschimpfen*) **jdn** ~ to give sb a bollocking (*sl*).

anschesen *vi sep aux sein* **angeschest kommen** (*N Ger inf*) to come tearing (*inf*) along *or* (*auf einen zu*) up.

anschicken *vr sep* **sich** ~, **etw zu tun** (*geh*) (*sich bereit machen*) to get ready *or* prepare to do sth; (*im Begriff sein, etw zu tun*) to be on the point of doing sth, to be about to do sth.

anschieben *vt sep irreg* *Fahrzeug* to push. **können Sie mich mal** ~? can you give me a push?

anschießen *sep irreg* **I** *vt* **1.** (*verletzen*) to shoot (and wound); *Vogel* (*in Flügel*) to wing; *siehe* **angeschossen.**

2. *Gewehr* to test-fire.

3. *Tor* to shoot at; *Latte, Pfosten, Spieler* to hit.

4. (*inf: kritisieren*) to hit out at (*inf*).

II *vi aux sein* (*inf*) (*heranrasen*) to shoot up. **angeschossen kommen** to come shooting along *or* (*auf einen zu*) up.

anschimmeln *vi sep aux sein* to (start to) go mouldy.

anschirren *vt sep* to harness.

Anschiß *m* **-sses, -sse** (*sl*) bollocking (*sl*). **einen** ~ **bekommen** to get a bollocking.

Anschlag *m* **1.** (*Plakat*) poster, bill, placard; (*Bekanntmachung*) notice. **einen ~ machen** to put up a poster/notice.

2. (*Überfall*) attack (*auf* +acc on); (*Attentat*) attempt on sb's life; (*Verschwörung*) plot (*auf* +acc against). **einen** ~ **auf jdn verüben** to make an attempt on sb's life; **einem** ~ **zum Opfer fallen** to be assassinated.

3. (*Kosten~*) estimate. **etw in** ~ **bringen** (*form*) to take sth into account; **eine Summe in** ~ **bringen** (*form*) to calculate an amount.

4. (*Aufprall*) impact; (*von Wellen auch*) beating.

5. (*Sport*) (*beim Schwimmen*) touch; (*beim Versteckspiel*) home.

6. (*von Klavier(spieler), Schreibmaschine*) touch. **200 Anschläge in der Minute** ≃ 40 words per minute.

7. (*in Strickanleitung*) ~ **von 20 Maschen** cast on 20 stitches.

8. (*von Hund*) bark.

9. (*bei Hebel, Knopf*) stop. **etw bis zum** ~ **durchdrücken/drehen** to push sth right down/to turn sth as far as it will go.

10. (*Mil*) aiming *or* firing position. **ein Gewehr im** ~ **haben** to have a rifle at the ready.

Anschlagbrett *nt* notice-board (*Brit*), bulletin board (*US*).

anschlagen *sep irreg* **I** *vt* **1.** (*befestigen*) to fix on (*an* +acc -to); (*mit Nägeln*) to nail on (*an* +acc -to); (*aushängen*) *Plakat* to put up, to post (*an* +acc on).

2. *Stunde, Taste, Akkord* to strike; (*anstimmen*) *Melodie* to strike up; *Gelächter* to burst into; (*Mus*) to play. **eine schnellere Gangart** ~ (*fig*) to strike up a faster pace, to speed up; **ein anderes**

Thema/einen anderen Ton ~ (*fig*) to change the subject/one's tune; **einen weinerlichen/frechen Ton** ~ to adopt a tearful tone/cheeky attitude.
3. (*beschädigen, verletzen*) *Geschirr* to chip. **sich** (*dat*) **den Kopf** *etc* ~ to knock one's head *etc*; *siehe* **angeschlagen.**
4. (*Sport*) *Ball* to hit. **den Ball seitlich** ~ to chip the ball.
5. (*Aus: anzapfen*) *Faß* to tap.
6. *Gewehr* to aim, to level (*auf* +acc at).
7. (*aufnehmen*) *Maschen* to cast on.
II *vi* **1.** (*Welle*) to beat (*an* +acc against). **mit etw gegen/an etw** (*acc*) ~ to strike *or* knock sth against/on sth.
2. (*Sport*) (*Tennis*) to serve; (*beim Schwimmen*) to touch.
3. (*Glocke*) to ring.
4. (*Taste betätigen*) to strike the keys.
5. (*Laut geben*) (*Hund*) to give a bark; (*Vogel*) to give a screech.
6. (*wirken: Arznei*) to work, to take effect.
7. (*inf: dick machen*) **bei jdm** ~ to make sb put on weight.

anschleichen *sep irreg* **I** *vi aux sein* to creep along *or* (*auf einen zu*) up. **angeschlichen kommen** (*inf*) to come creeping along/up. **II** *vr* **sich an jdn/etw** ~ to creep up on sb/sth; (*sich anpirschen*) to stalk sth.

anschlendern *vi sep aux sein* to stroll *or* saunter along *or* (*auf einen zu*) up.

anschleppen *vt sep* **1.** *Auto* to tow-start.
2. (*inf*) (*unerwünscht mitbringen*) to bring along; (*nach Hause*) to bring home; *Freund auch* to drag along (*inf*); (*mühsam herbeibringen*) to drag along (*inf*); (*hum: hervorholen, anbieten*) to bring out.

anschließen *sep irreg* **I** *vt* **1.** (*an* +acc to) to lock; (*mit Schnappschloß*) to padlock; (*anketten*) to chain (up).
2. (*an* +acc to) (*Tech, Elec, Telec: verbinden*) to connect; (*in Steckdose*) to plug in.
3. (*fig: hinzufügen*) to add; *siehe* **angeschlossen.**
II *vr* **sich jdm** *or* **an jdn** ~ (*folgen*) to follow sb; (*zugesellen*) to join sb; (*beipflichten*) to side with sb; **sich einer Sache** (*dat*) *or* **an etw** (*acc*) ~ (*folgen*) to follow sth; (*beitreten, sich beteiligen*) to join sth; (*beipflichten*) to endorse sth; (*angrenzen*) to adjoin sth; **sich anderen leicht** ~ to make friends easily; **dem Vortrag** *or* **an den Vortrag schloß sich ein Film an** the lecture was followed by a film.
III *vi* **an etw** (*acc*) ~ to follow sth.

anschließend I *adv* afterwards. **II** *adj* following; *Ereignis, Diskussion auch* ensuing. **Essen mit** ~**em Tanz** dinner with a dance afterwards.

Anschluß *m* **1.** (*Verbindung*) connection; (*Beitritt*) entry (*an* +acc into); (*an Klub*) joining (*an* +acc of); (*Hist euph*) Anschluss. ~ **haben nach** (*Rail*) to have a connection to; **den** ~ **verpassen** (*Rail*) to miss one's connection; (*fig*) to miss the boat *or* bus; (*keine(n) Ehepartner(in)*

finden) to be left on the shelf; **ihm gelang der** ~ **an die Spitze** (*Sport*) he managed to catch up with the leaders.
2. (*Telec, Comput*) connection; (*Anlage*) telephone (connection); (*weiterer Apparat*) extension; (*Wasser*~) supply point; (*für Waschmaschine*) point. **elektrischer** ~ power point; ~ **bekommen** to get through; **der** ~ **ist besetzt** the line is engaged *or* busy (*esp US*); **kein** ~ **unter dieser Nummer** number unobtainable.
3. **im** ~ **an** (+acc) (*nach*) subsequent to, following; (*mit Bezug auf*) in connection with, further to; (*in Anlehnung an*) following, after.
4. (*fig*) (*Kontakt*) contact (*an* +acc with); (*Bekanntschaft*) friendship, companionship; (*Aufnahme*) integration. ~ **finden** to make friends (*an* +acc with); **er sucht** ~ he wants to make friends.

Anschlußdose *f* **1.** (*Elec*) junction box; (*Steckdose*) socket; **2.** (*Telec*) connection box; **anschlußfertig** *adj* fully wired; **Anschlußfinanzierung** *f* follow-up financing; **Anschlußflug** *m* connecting flight; **Anschlußnummer** *f* extension; **Anschlußschnur** *f* extension lead; **Anschlußstelle** *f* (*Mot*) junction; **Anschlußzug** *m* (*Rail*) connecting train, connection.

anschmieden *vt sep* to forge on (*an* +acc -to); (*anketten*) to chain (*an* +acc to); (*fig inf: fesseln*) to rivet (*an* +acc to).

anschmiegen *sep* **I** *vt* to nestle (*an* +acc against). **II** *vr* **sich an jdn/etw** ~ (*Kind, Hund*) to snuggle *or* nestle up to *or* against sb/sth; (*Kleidung*) to cling to sb/sth; (*geh: Dorf an Berg*) to nestle against sth.

anschmiegsam *adj Wesen* affectionate; *Material* smooth.

anschmieren *sep* **I** *vt* **1.** (*bemalen*) to smear.
2. **jdn/sich mit etw** ~ (*inf*) (*beschmutzen*) to get sth all over sb/oneself; (*pej: schminken*) to smear sth over sb's/one's lips/face *etc*.
3. (*inf*) (*betrügen*) to con (*inf*), to take for a ride (*inf*); (*Streiche spielen*) to play tricks on; *siehe* **angeschmiert.**
II *vr* **sich bei jdm** ~ (*inf*) to make up to sb (*inf*), to be all over sb (*inf*).

anschmoren *vt sep* (*Cook*) to braise lightly.

anschnallen *sep* **I** *vt* **1.** *Rucksack* to strap on; *Skier* to clip on.
2. *jdm* to strap up; (*in etw*) to strap in; (*Aviat, Aut*) to fasten sb's seat belt.
II *vr* (*Aviat, Aut*) to fasten one's seat belt. **bitte** ~! fasten your seat belts, please!; **hast du dich** *or* **bist du angeschnallt?** have you fastened your seat belt?, are you strapped in?

Anschnallpflicht *f* obligatory wearing of seat belts. **für Kinder besteht** ~ children must wear seat belts.

anschnaufen *vi sep aux sein:* **angeschnauft kommen** to come panting along *or* (*auf einen zu*) up.

anschnauzen *vt sep* (*inf*) to yell at.

Anschnauzer *m* -s, - (*inf*) **sich** (*dat*) **einen**

~ **holen, einen** ~ **kriegen** to get yelled at (*inf*).

anschneiden *vt sep irreg* **1.** *Brot* to (start to) cut. **2.** (*fig*) *Frage, Thema* to touch on. **3.** (*Aut*) *Kurve*, (*Sport*) *Ball* to cut.

Anschnitt *m* (*Schnittfläche*) cut part; (*erstes Stück*) first slice; (*Ende*) cut end.

anschnorren *vt sep* (*pej inf*) to (try to) tap (*inf*). **jdn um etw** ~ to cadge sth from sb, to tap sb for sth (*inf*).

Anschovis [anˈʃoːvɪs] *f* -, - anchovy.

anschrauben *vt sep* to screw on (*an* +*acc* -to); (*festschrauben*) to screw tight *or* up.

anschreiben *sep irreg* **I** *vt* **1.** (*aufschreiben*) to write up (*an* +*acc* on). **etw mit Kreide** ~ to chalk sth up; **angeschrieben stehen** to be written up; *siehe* **angeschrieben.**

2. (*inf: in Rechnung stellen*) to chalk up (*inf*).

3. *Behörde, Versandhaus* to write to. **es antworteten nur 20% der Angeschriebenen** only 20% of the people written to replied.

II *vi* (*inf*) **unser Kaufmann schreibt nicht an** our grocer doesn't give anything on tick (*inf*); **sie läßt immer** ~ she always buys on tick (*inf*).

anschreien *vt sep irreg* to shout *or* yell at.

Anschrift *f* address. **ein Brief ohne** ~ an unaddressed letter.

Anschubfinanzierung *f* injection of cash.

anschuldigen *vt sep* to accuse (*gen* of).

Anschuldigung *f* accusation.

anschüren *vt sep* to stoke up; (*fig*) *Streit* to stir up, to kindle.

anschwärzen *vt sep* (*fig inf*) **jdn** ~ to blacken sb's name (*bei* with); (*denunzieren*) to run sb down (*bei* to).

anschweben *vi sep aux sein* **1.** (*Aviat*) to come in to land. **2.** (*fig*) **sie kam angeschwebt** she came floating along *or* (*auf einen zu*) up.

anschweigen *vt sep irreg* to say nothing to; (*demonstrativ*) to refuse to speak to.

anschweißen *vt sep* to weld on (*an* +*acc* -to).

anschwellen *vi sep irreg aux sein* to swell (up); (*Wasser auch, Lärm*) to rise. **dick angeschwollen** very swollen.

anschwemmen *sep* **I** *vt* to wash up *or* ashore. **angeschwemmtes Land** alluvial land. **II** *vi aux sein* to be washed up *or* ashore.

Anschwemmung *f* (*in Fluß, Hafen*) silting up.

anschwimmen *sep irreg* **I** *vt Ziel* to swim towards. **II** *vi* **1.** *aux sein* **angeschwommen kommen** (*Schwimmer, Wasservogel*) to come swimming along *or* (*auf einen zu*) up; (*Flasche*) to come floating along *or* (*auf einen zu*) up. **2.** *aux sein* **gegen etw** ~ to swim against sth.

anschwindeln *vt sep* (*inf*) **jdn** ~ to tell sb fibs (*inf*).

ansegeln *sep* **I** *vt* (*zusegeln auf*) to sail for *or* towards, to make for; (*anlegen in*) *Hafen* to put into. **II** *vi aux sein* **angesegelt kommen** (*inf, fig*) to come sailing along *or* (*auf einen zu*) up.

ansehen *vt sep* **1.** (*betrachten*) to look at. **er sah mich ganz verwundert/ groß/böse an** he looked at me with great surprise/stared at me/gave me an angry look; **hübsch/schrecklich anzusehen** pretty/terrible to look at; **jdn nicht mehr** ~ (*fig inf*) not to want to know sb any more; **sieh mal einer an!** (*inf*) well, I never! (*inf*).

2. (*fig*) to regard, to look upon (*als, für* as). **ich sehe es als meine Pflicht an** I consider it to be my duty; **sie sieht ihn nicht für voll an** she doesn't take him seriously.

3. (*sich dat*) **etw** ~ (*besichtigen*) to (have a) look at sth; *Fernsehsendung* to watch sth; *Film, Stück, Sportveranstaltung* to see sth; **sich** (*dat*) **jdn/etw gründlich** ~ (*lit, fig*) to take a close look at sb/ sth; **sich** (*dat*) **die Welt** ~ to see something of the world.

4. **das sieht man ihm an/nicht an** he looks it/doesn't look it; **das sieht man ihm an der Gesichtsfarbe an** you can tell (that) by the colour of his face; **man kann ihm die Strapazen der letzten Woche** ~ he's showing the strain of the last week; **man sieht ihm sein Alter nicht an** he doesn't look his age; **jdm etw (an den Augen** *or* **an der Nasenspitze** *hum*) ~ to tell *or* guess sth by looking at sb; **jeder konnte ihm sein Glück** ~ everyone could see that he was happy.

5. **etw (mit)** ~ to watch sth, to see sth happening; **das kann man doch nicht mit** ~ you can't stand by and watch that; **ich kann das nicht länger mit** ~ I can't stand it any more; **das habe ich (mir) lange genug (mit) angesehen!** I've had enough of that!

Ansehen *nt* **-s,** *no pl* **1.** (*Aussehen*) appearance. **ein anderes** ~ **gewinnen** to take on a different appearance *or* (*fig*) aspect; **jdn vom** ~ **kennen** to know sb by sight.

2. (*guter Ruf*) (good) reputation, standing; (*Prestige*) prestige. **jdn zu** ~ **bringen** to bring sb standing *or* a good reputation; **großes** ~ **genießen** to enjoy a good reputation, to have a lot of standing; **zu** ~ **kommen** to acquire standing *or* a good reputation; **(bei jdm) in hohem** ~ **stehen** to be held in high regard *or* esteem (by sb); **an** ~ **verlieren** to lose credit *or* standing.

3. (*Jur*) **ohne** ~ **der Person** without respect of person.

ansehnlich *adj* (*beträchtlich*) considerable; *Leistung* impressive; (*dated: gut aussehend, stattlich*) handsome. **ein ~es Sümmchen/~er Bauch** (*hum*) a pretty *or* tidy little sum/quite a stomach.

anseilen *vt sep* **jdn/sich** ~ to rope sb/ oneself up; **etw** ~ **und herunterlassen** to fasten sth with a rope and let it down.

ansein *vi sep irreg aux sein* (*Zusammenschreibung nur bei infin und ptp*) (*inf*) to be on.

ansengen *vti sep* (*vi: aux sein*) to singe. **es riecht angesengt** there's a smell of singeing.

ansetzen *sep* **I** *vt* **1.** (*anfügen*) to attach (*an* +*acc* to), to add (*an* +*acc* to), to put on (*an* +*acc* -to); (*annähen*) to sew on.

2. (*in Ausgangsstellung bringen*) to place in position. **eine Leiter an etw** (*acc*) ~ to put a ladder up against sth; **den Bleistift/die Feder** ~ to put pencil/pen to paper; **die Flöte/Trompete** *etc* ~ to raise the flute/trumpet to one's mouth; **das Glas** ~ to raise the glass to one's lips; **an welcher Stelle muß man den Wagenheber** ~? where should the jack be put *or* placed?

3. (*mit, auf* +*acc* at) (*festlegen*) *Kosten, Termin* to fix; (*veranschlagen*) *Kosten, Zeitspanne* to estimate, to calculate.

4. (*einsetzen*) *jdn auf jdn/etw* ~ to put sb on(to) sb/sth; **Hunde (auf jdn/jds Spur)** ~ to put dogs on sb/sb's trail.

5. (*entstehen lassen*) *Blätter* to put out; *Frucht* to form, to produce. **Fett** ~ to put on weight; **Rost** ~ to get rusty.

6. (*Cook*) (*vorbereiten*) to prepare; *Bowle* to start; (*auf den Herd setzen*) to put on.

II *vr* (*Rost*) to form; (*Kalk*) to be deposited; (*Gekochtes*) to stick.

III *vi* **1.** (*beginnen*) to start, to begin. **mit der Arbeit** ~ to start *or* begin work; **zur Landung** ~ (*Aviat*) to come in to land; **zum Trinken/Sprechen** ~ to start to drink/speak; **er setzte immer wieder an, aber ...** he kept opening his mouth to say something but ...; **zum Sprung/Spurt** ~ to prepare *or* get ready to jump/to start one's spurt.

2. (*hervorkommen*) (*Knospen*) to come forth; (*Früchte*) to set; (*Blätter*) to sprout.

3. (*Cook: sich festsetzen*) to stick.

Ansicht *f* -, -en **1.** view. ~ **von hinten/vorn** rear/front view; ~ **von oben/unten** view from above/below, top/bottom view.

2. (*das Betrachten, Prüfen*) inspection. **zur** ~ (*Comm*) for (your/our *etc*) inspection; **jdm Waren zur** ~ **schicken** (*Comm*) to send sb goods on approval.

3. (*Meinung*) opinion, view. **nach** ~ +*gen* in the opinion of; **meiner** ~ **nach** in my opinion *or* view; **ich bin der** ~, **daß ...** I am of the opinion that ...; **anderer/der gleichen** ~ **sein** to be of a different/the same opinion, to disagree/agree; **über etw** (*acc*) **anderer** ~ **sein** to take a different view of sth, to have a different opinion about sth; **ich bin ganz Ihrer** ~ I entirely agree with you; **die ~en sind geteilt** *or* **verschieden** opinions differ, opinion is divided.

ansichtig *adj* **jds/einer Sache** ~ **werden** (*dated, geh*) to set eyes on sb/sth.

Ansichts(post)karte *f* picture postcard; **Ansichtssache** *f* **das ist** ~ that is a matter of opinion.

ansiedeln *sep* **I** *vt* to settle; *Tierart* to introduce; *Vogelkolonie, Industrie* to establish. **dieser Begriff ist in der Literaturkritik angesiedelt** this term belongs to the field of literary criticism.

II *vr* to settle; (*Industrie*) to get established; (*Bakterien*) to establish themselves.

Ansiedler(in *f*) *m* settler.

Ansiedlung *f* **1.** settlement. **2.** (*das Ansiedeln*) settling; (*Kolonisierung von Tieren*) colonization; (*von Betrieben*) establishing.

Ansinnen *nt* (*dated, geh*) (*Gedanke*) notion, idea; (*Vorschlag*) suggestion.

Ansitz *m* (*Hunt*) raised hide.

ansonsten *adv* (*im anderen Fall, inf: im übrigen*) otherwise. ~ **gibt's nichts Neues** (*inf*) there's nothing new apart from that; ~ **hast du nichts auszusetzen?** (*iro*) have you any more complaints?

anspannen *sep* **I** *vt* **1.** (*straffer spannen*) to tauten, to tighten; *Muskeln* to tense.

2. (*anstrengen*) to strain, to tax; *Geduld, Mittel auch* to stretch. **jdn zu sehr** ~ to overtax sb; **alle seine Kräfte** ~ to strain every nerve, to exert all one's energy; *siehe* **angespannt**.

3. *Wagen* to hitch up; *Pferd auch* to harness; *Ochsen auch* to yoke up (*zu* for).

II *vi* (*Pferde/Wagen* ~) to hitch up. ~ **lassen** to get a/the carriage ready; **es ist angespannt!** the carriage is ready.

Anspannung *f* (*fig*) strain; (*körperliche Anstrengung auch*) effort. **unter** ~ **aller Kräfte** by exerting all one's energies.

anspazieren* *vi sep aux sein* (*usu* **anspaziert kommen**) to come strolling along *or* (*auf einen zu*) up.

anspeien *vt sep irreg* to spit at.

Anspiel *nt* (*Sport*) start of play; (*Cards*) lead; (*Chess*) first move.

anspielen *sep* **I** *vt* **1.** (*Sport*) to play the ball *etc* to; *Spieler* to pass to.

2. (*Mus*) *Stück* to play part of; *Instrument* to try out (for the first time).

II *vi* **1.** (*Spiel beginnen*) to start; (*Ftbl*) to kick off; (*Cards*) to lead, to open; (*Chess*) to open.

2. auf jdn/etw ~ to allude to sb/sth; **worauf wollen Sie** ~? what are you driving at?, what are you insinuating?; **spielst du damit auf mich an?** are you getting at me?

Anspielung *f* allusion (*auf* +*acc* to); (*böse*) insinuation, innuendo (*auf* +*acc* regarding).

anspinnen *sep irreg* **I** *vt Faden* to join; (*fig*) *Verhältnis, Thema* to develop, to enter into. **II** *vr* (*fig*) to develop, to start up. **da spinnt sich doch etwas an!** (*inf*) something is going on there!

anspitzen *vt sep* **1.** *Bleistift etc* to sharpen. **2.** (*inf: antreiben*) to have a go at. **jdn** ~, **daß er etw tut** to have a go at sb to do sth.

Ansporn *m* -(e)s, *no pl* incentive. **ihm fehlt der innere** ~ he has no motivation.

anspornen *vt sep Pferd* to spur (on); (*fig auch*) to encourage (*zu* to); *Mannschaft* to cheer on. **Kinder zum Lernen** ~ to encourage children to learn.

Ansprache *f* **1.** (*Rede*) address, speech. **eine** ~ **halten** to hold an address, to make a speech. **2.** (*Beachtung*) attention.

ansprechbar *adj* (*bereit, jdn anzuhören*) open to conversation; (*gut gelaunt*) amenable; *Patient* responsive. **er ist beschäftigt/wütend und zur Zeit nicht** ~

he's so busy/angry that you can't talk to him just now; **auf etw** (*acc*) ~ **sein** to respond to sth.

ansprechen *sep irreg* **I** *vt* **1.** (*anreden*) to speak to; (*die Sprache an jdn richten, mit Titel, Vornamen etc*) to address; (*belästigend*) to accost. **jdn auf etw** (*acc*)/**um etw** ~ to ask *or* approach sb about/for sth; **es kommt darauf an, wie man die Leute anspricht** it depends on how you talk to people; **damit sind Sie alle angesprochen** this is directed at all of you. **2.** (*gefallen*) to appeal to; (*Eindruck machen auf*) to make an impression on. **3.** (*erwähnen*) to mention.

II *vi* **1.** (*auf +acc* to) (*reagieren*) (*Patient, Gaspedal*) to respond; (*Meßgerät auch*) to react. **diese Tabletten sprechen bei ihr nicht an** these tablets don't have any effect on her; **leicht ~de Bremsen** very responsive brakes. **2.** (*Anklang finden*) to go down well, to meet with a good response.

ansprechend *adj* (*reizvoll*) *Äußeres, Verpackung* attractive, appealing; (*angenehm*) *Umgebung etc* pleasant.

Ansprechpartner(in *f*) *m* (*form*) contact; **Ansprechzeit** *f* (*Aut, Tech*) response *or* operating time.

anspringen *sep irreg* **I** *vt* **1.** (*anfallen*) to jump; (*Raubtier*) to pounce (up)on; (*Hund: hochspringen*) to jump up at. **2.** (*Sport*) *Gerät, Latte* to jump at; *Rolle, Überschlag* to dive into.

II *vi aux sein* **1. angesprungen kommen** to come bounding along *or* (*auf einen zu*) up; **auf etw** (*acc*) ~ (*fig inf*) to jump at sth (*inf*); **gegen etw** ~ to jump against sth. **2.** (*Sport*) to jump. **3.** (*Motor*) to start.

anspritzen *sep vt* (*bespritzen*) to splash; (*mit Spritzpistole, -düse etc*) to spray.

Anspruch *m* -(e)s, **Ansprüche 1.** (*esp Jur*) claim; (*Recht*) right (*auf +acc* to). ~ **auf Schadenersatz erheben** to make a claim for damages; ~ **auf etw** (*acc*) **haben** to be entitled to sth, to have a right to sth. **2.** (*Anforderung*) demand; (*Standard*) standard, requirement. **an jdn dauernd Ansprüche stellen** to make constant demands on sb; **große** *or* **hohe Ansprüche stellen** to be very demanding; (*hohes Niveau verlangen*) to demand high standards; **den Ansprüchen gerecht werden** to meet the necessary requirements. **3.** (*Behauptung*) claim, pretension. **diese Theorie erhebt keinen** ~ **auf Unwiderlegbarkeit** this theory does not claim to be irrefutable, this theory lays no claim to irrefutability. **4. etw in** ~ **nehmen** *Recht* to claim sth; *jds Hilfe, Dienste* to enlist sth; *Möglichkeiten, Kantine* to take advantage of sth; *Zeit, Aufmerksamkeit, Kräfte* to take up sth; **jdn völlig in** ~ **nehmen** to take up all of sb's time; (*jds Aufmerksamkeit, Gedanken*) to engross *or* preoccupy sb completely; **sehr in** ~ **genommen** very busy/preoccupied; **darf ich Ihre Aufmerksamkeit in** ~ **nehmen?** may I have

your attention?

anspruchslos *adj* (*ohne große Ansprüche*) unpretentious; (*bescheiden*) modest, unassuming; (*schlicht*) plain, simple; (*geistig nicht hochstehend*) lowbrow; *Roman* light; (*minderwertig*) *Produkte* downmarket; (*wenig Pflege, Geschick erfordernd*) undemanding.

Anspruchslosigkeit *f siehe adj* unpretentiousness; modesty, unassuming nature; plainness, simplicity; lowbrow character; lightness; undemanding nature.

anspruchsvoll *adj* (*viel verlangend*) demanding; (*übertrieben* ~) hard to please, fastidious; (*wählerisch*) discriminating; (*kritisch*) critical; (*hohe Ansprüche stellend*) *Stil, Buch* ambitious; *Geschmack, Musik* highbrow; (*kultiviert*) sophisticated; (*hochwertig*) high-quality, superior, upmarket. **eine Zeitung/der Füllhalter für A~e** a newspaper for the discriminating reader/the pen for people with discrimination.

anspucken *vt sep* to spit at *or* on.

anspülen *vt sep* to wash up *or* ashore.

anstacheln *vt sep* to spur (on); (*antreiben*) to drive *or* goad on.

Anstalt *f* -, **-en 1.** institution (*auch euph*); (*Institut*) institute. **eine** ~ **öffentlichen Rechts** a public institution. **2.** ~**en** *pl* (*Maßnahmen*) measures *pl*; (*Vorbereitungen*) preparations *pl*; **für** *or* **zu etw** ~ **treffen** to take measures/make preparations for sth; ~**/keine** ~ **machen, etw zu tun** to make a/no move to do sth.

Anstaltsarzt *m*, **Anstaltsärztin** *f* resident physician; **Anstaltsgeistliche(r)** *m* resident chaplain; **Anstaltskleidung** *f* institutional clothing; (*in Gefängnis*) prison clothing.

Anstand[1] *m* **1.** *no pl* (*Schicklichkeit*) decency, propriety; (*Manieren*) (good) manners *pl*. **keinen** ~ **haben** to have no sense of decency/no manners; **den** ~ **verletzen** to offend against decency; **sich mit** ~ **zurückziehen** to withdraw with good grace. **2.** (*geh: Einwand*) **ohne** ~ without demur (*form*) *or* hesitation; ~**/keinen** ~ **an etw** (*dat*) **nehmen** to object/not to object to sth, to demur/not to demur at sth (*form*); **keinen** ~ **nehmen, etw zu tun** not to hesitate to do sth. **3.** (*esp S Ger: Ärger*) trouble *no pl*.

Anstand[2] *m* (*Hunt*) raised hide.

anständig **I** *adj* decent; *Witz auch* clean; (*ehrbar*) respectable; (*inf: beträchtlich*) sizeable, large. **das war nicht** ~ **von ihm** that was pretty bad of him; **bleib** ~! behave yourself!; **eine** ~**e Tracht Prügel** (*inf*) a good hiding.

II *adv* decently. **sich** ~ **benehmen** to behave oneself; **sich** ~ **hinsetzen** to sit properly; **jdn** ~ **bezahlen** (*inf*) to pay sb well; ~ **essen/ausschlafen** (*inf*) to have a decent meal/sleep.

anständigerweise *adv* out of decency. **du könntest ihm die zerbrochene Vase** ~ **bezahlen** you could in all decency pay him for the broken vase.

Anständigkeit *f* decency; (*Ehrbarkeit*) respectability.

Anstandsbesuch m formal call; (*aus Pflichtgefühl*) duty visit; **Anstandsdame** f chaperon(e); **anstandshalber** adv out of politeness; **Anstandshappen** m (*inf*) einen ~ übriglassen to leave something for manners; **anstandslos** adv without difficulty; **Anstandsunterricht** m lessons pl in deportment; **Anstandswauwau** m (*hum inf*) chaperon(e); den ~ spielen to play gooseberry.

anstarren vt sep to stare at.

anstatt I prep +gen instead of. II conj ~ zu arbeiten instead of working; ~, daß er das tut, ... instead of doing that ...

anstauben vi sep aux sein to become or get dusty.

anstauen sep I vt Wasser to dam up; Gefühle to bottle up. II vr to accumulate; (*Blut in Adern*) to congest; (*fig auch: Gefühle*) to build up. **angestaute Wut** pent-up rage.

anstaunen vt sep to gaze or stare at in wonder, to marvel at; (*bewundern*) to admire. **was staunst du mich so an?** what are you staring at me like that for?

anstechen vt sep irreg to make a hole in, to pierce; Kartoffeln, Fleisch to prick; Reifen to puncture; Blase to lance, to pierce; Faß to tap, to broach.

anstecken sep I vt 1. (*befestigen*) to pin on; Ring to put or slip on.
2. (*anzünden*) to light; (*in Brand stecken*) to set fire to, to set alight.
3. (*Med, fig*) to infect. **ich will dich nicht** ~ I don't want to give it to you.
II vr sich (mit etw) ~ to catch sth (*bei* from).
III vi (*Med, fig*) to be infectious or catching; (*durch Berührung, fig*) to be contagious.

ansteckend adj (*Med, fig*) infectious, catching pred (*inf*); (*durch Berührung, fig*) contagious.

Anstecknadel f pin, badge.

Ansteckung f (*Med*) infection; (*durch Berührung*) contagion.

Ansteckungsgefahr f risk of infection; **Ansteckungsherd** m centre of infection.

anstehen vi sep irreg aux haben or (S Ger) sein 1. (*in Schlange*) to queue (up) (*Brit*), to stand in line (*nach* for).
2. (*auf Erledigung warten*) to be due to be dealt with; (*Verhandlungspunkt*) to be on the agenda. ~de Probleme problems facing us/them etc; etw ~ lassen to put off or delay or defer sth; eine Schuld ~ lassen to put off paying a debt, to defer payment of a debt (*form*).
3. (*Jur: Termin etc*) to be fixed or set (*für* for).
4. (*geh: geziemen*) jdm ~ to become or befit sb (*form, old*); das steht ihm schlecht an that ill becomes or befits him.

ansteigen vi sep irreg aux sein to rise; (*Weg auch, Mensch*) to ascend; (*Temperatur, Preis, Zahl auch*) to go up, to increase.

anstelle prep +gen instead of, in place of.

anstellen sep I vt 1. to place; (*anlehnen*)

to lean (*an* +acc against).
2. (*dazustellen*) to add (*an* +acc to).
3. (*beschäftigen*) to employ, to take on.
4. (*anmachen, andrehen*) to turn on; (*in Gang setzen auch*) to start.
5. Betrachtung, Vermutung to make; Vergleich auch to draw; Verhör, Experiment to conduct. (neue) Überlegungen ~ (, wie ...) to (re)consider (how ...).
6. (*machen, unternehmen*) to do; (*fertigbringen*) to manage. ich weiß nicht, wie ich es ~ soll or kann I don't know how to do or manage it.
7. (*inf: Unfug treiben*) to get up to, to do. etwas ~ to get up to mischief; was hast du da wieder angestellt! what have you done now?, what have you been up to now?
II vr 1. (*Schlange stehen*) to queue (up) (*Brit*), to stand in line.
2. (*inf: sich verhalten*) to act, to behave. sich dumm/ungeschickt ~ to act stupid/clumsily, to be stupid/clumsy; sich geschickt ~ to go about sth well.
3. (*inf: sich zieren*) to make a fuss, to act up (*inf*). stell dich nicht so an! don't make such a fuss!; (*sich dumm ~*) don't act so stupid!

Anstellerei f (*inf*) 1. (*Ziererei*) fuss. laß diese ~! don't make such a fuss! 2. (*Schlangestehen*) queueing (*Brit*), standing in line.

anstellig adj (*dated*) able, clever.

Anstellung f employment; (*Stelle*) position, employment.

Anstellungsverhältnis nt contractual relationship between employer and employee; (*Vertrag*) contract. im ~ sein to have a contract, to be under contract.

ansteuern vt sep to make or steer or head (*auch hum*) for; (*lit, fig*) Kurs to head on, to follow; (*fig*) Thema to steer onwards.

Anstich m (*von Faß*) tapping, broaching; (*erstes Glas*) first draught; (*erster Spatenstich*) digging the first sod.

anstiefeln vi sep aux sein angestiefelt kommen (*inf*) to come marching along or (*auf einen zu*) up.

Anstieg m -(e)s, -e 1. (*Aufstieg*) climb, ascent; (*Weg*) ascent. 2. (*von Straße*) incline; (*von Temperatur, Kosten, Preisen*) rise, increase (+gen in).

anstieren vt sep (*pej*) to stare at.

anstiften vt sep (*anzetteln*) to instigate; (*verursachen*) to bring about, to cause. jdn zu etw ~ to incite sb to (do) sth, to put sb up to sth (*inf*); jdn zu einem Verbrechen ~ to incite sb to commit a crime.

Anstifter(in f**)** m instigator (+gen, zu of); (*Anführer*) ringleader.

Anstiftung f (*von Mensch*) incitement (*zu* to); (*von Tat*) instigation.

anstimmen sep I vt 1. (*singen*) to begin singing; (*Chorleiter*) Grundton to give; (*spielen*) to start playing; (*Kapelle*) to strike up, to start playing.
2. (*fig*) ein Geheul/Geschrei/Proteste ~ to start whining/crying/protesting; ein Gelächter ~ to burst out laughing.

II *vi* to give the key-note.

anstinken *sep irreg (fig inf)* I *vt* **das stinkt mich an** I'm sick of that. II *vi (nicht ankommen)* **dagegen/gegen ihn kannst du nicht ~** you can't do anything about it/ him.

anstolzieren* *vi sep aux sein* **anstolziert kommen** to come strutting *or* swaggering along *or* (*auf einen zu*) up; (*Pfau*) to come strutting along/up.

Anstoß *m* **1.** **den (ersten) ~ zu etw geben** to initiate sth, to get sth going; **den ~ zu weiteren Forschungen geben** to give the impetus to *or* to stimulate further research; **jdm den ~ geben, etw zu tun** to give sb the inducement *or* to induce sb to do sth; **der ~ zu diesem Plan/der ~ ging von ihr aus** she originally got this plan/things going; **den ~ zu etw bekommen, den ~ bekommen, etw zu tun** to be prompted *or* encouraged to do sth; **es bedurfte eines neuen ~es** new impetus *or* a new impulse was needed.

2. (*Sport*) kick-off; (*Hockey*) bully-off.

3. (*Ärgernis*) annoyance (*für* to). **~ erregen** to cause offence (*bei* to); **ein Stein des ~es** (*umstrittene Sache*) a bone of contention; **die ungenaue Formulierung des Vertrags war ein ständiger Stein des ~es** the inexact formulation of the contract was a constant obstacle *or* stumbling block; **das ist mir ein Stein des ~es** *or* **ein Stein des ~es für mich** that really annoys me.

4. (*Hindernis*) difficulty. **ohne jeden ~** without a hitch *or* any difficulty.

anstoßen *sep irreg* I *vi* **1.** aux sein (*an etw acc*) **~** to bump into sth; **paß auf, daß du nicht anstößt** take care that you don't bump into anything; **mit dem Kopf an etw** (*acc*) **~** to bump *or* knock one's head on sth; **mit der Zunge ~** to lisp.

2. (*mit den Gläsern*) **~** to touch *or* clink glasses; **auf jdn/etw ~** to drink to sb/sth.

3. (*Sport*) to kick off; (*Hockey*) to bully off.

4. (*angrenzen*) **an etw** (*acc*) **~** to adjoin sth; (*Land auch*) to border on sth.

II *vt* **jdn** to knock (into); (*mit dem Fuß*) to kick; (*in Bewegung setzen*) to give a push; **Kugel, Ball** to hit. **sich** (*dat*) **den Kopf/Fuß ~** to bang *or* knock one's head/foot.

anstößig *adj* offensive; **Kleidung** indecent.

Anstößigkeit *f siehe adj* offensiveness; indecency.

anstrahlen *vt sep* to floodlight; (*im Theater*) to spotlight; (*strahlend ansehen*) to beam at. **das Gebäude wird rot/von Scheinwerfern angestrahlt** the building is lit with a red light/is floodlit; **sie strahlte/ihre Augen strahlten mich an** she beamed at me.

anstreben *vt sep* to strive for.

anstrebenswert *adj* worth striving for.

anstreichen *vt sep irreg* **1.** (*mit Farbe etc*) to paint. **2.** (*markieren*) to mark. (**jdm**) **etw als Fehler ~** to mark sth wrong (for

sb); **er hat das/nichts angestrichen** he marked it wrong/didn't mark anything wrong. **3.** (*Mus*) **Saite** to bow. **4.** (*streichen*) **Zündholz** to strike, to light.

Anstreicher(in *f*) *m* **-s, -** (house) painter.

anstrengen *sep* I *vt* **1.** to strain; **Muskel, Geist** to exert; (*strapazieren*) **jdn** to tire out; *esp* **Patienten** to fatigue. **das viele Lesen strengt meine Augen/mich an** all this reading is *or* puts a strain on my eyes/is a strain (for me); **sein Gedächtnis ~** to rack one's brains; **streng doch mal deinen Verstand ein bißchen an** think hard; *siehe* **angestrengt.**

2. (*Jur*) **eine Klage ~** to initiate *or* institute proceedings (*gegen* against).

II *vr* to make an effort; (*körperlich auch*) to exert oneself. **sich mehr/sehr ~** to make more of an effort/a big effort; **sich übermäßig ~** to make too much of an effort; to overexert oneself; **sich ~, etw zu tun** to make an effort *or* try hard to do sth; **unsere Gastgeberin hatte sich sehr angestrengt** our hostess had gone to *or* taken a lot of trouble.

anstrengend *adj* (*körperlich*) strenuous; (*geistig*) demanding, taxing; **Zeit** taxing, exhausting; (*erschöpfend*) exhausting, tiring. **das ist ~ für die Augen** it's a strain on the eyes.

Anstrengung *f* effort; (*Strapaze*) strain. **große ~en machen** to make every effort; **~en machen, etw zu tun** to make an effort to do sth; **mit äußerster/letzter ~** with very great/one last effort.

Anstrich *m* **1.** (*das Anmalen, Tünchen*) painting; (*Farbüberzug*) paint; (*fig*) (*Anflug*) touch; (*Anschein*) air. **ein zweiter ~** a second coat of paint.

2. (*Mus*) first touch.

3. (*beim Schreiben*) upstroke.

anstricken *vt sep* to knit on (*an* +*acc* -to); **Strumpf** to knit a piece onto.

anströmen *vi sep aux sein* (*Menschenmassen*) to stream along; (*Wasser*) to flow in. **angeströmt kommen** to come streaming *or* rushing along *or* (*auf einen zu*) up; **~de Kaltluft** a stream of cold air.

anstückeln, anstücken *vt sep* **Stück** to attach (*an* +*acc* to). **etw (an etw** *acc*) **~** to add sth (onto sth).

Ansturm *m* onslaught; (*Andrang*) (*auf Kaufhaus etc*) rush; (*auf Bank*) run; (*Menschenmenge*) crowd.

anstürmen *vi sep aux sein* **gegen etw ~** (*Mil*) to attack *or* storm sth; (*Wellen, Wind*) to pound sth; (*fig: ankämpfen*) to attack sth; **angestürmt kommen** to come storming along *or* (*auf einen zu*) up.

anstürzen *vi sep aux sein* **angestürzt kommen** to charge along *or* (*auf einen zu*) up.

Ansuchen *nt* **-s, -** (*dated, Aus*) request; (*Gesuch*) application. **auf jds ~** (*acc*) at sb's request.

Antagonismus *m* antagonism.

Antagonist(in *f*) *m* antagonist.

antagonistisch *adj* antagonistic.

antanzen *vi sep aux sein* (*fig inf*) to turn *or* show up (*inf*). **er kommt jeden Tag angetanzt** (*inf*) he turns up here every day.

Antarktika f -, *no pl* Antarctica.
Antarktis f -, *no pl* Antarctic.
antarktisch *adj* antarctic.
antasten *vt sep* 1. (*verletzen*) Ehre, Würde to offend; *Rechte* to infringe, to encroach upon; (*anbrechen*) Vorräte, Ersparnisse to break into. 2. (*berühren*) to touch.
antauen *vti sep* (*vi: aux sein*) to begin to defrost.
antäuschen *vi sep* to feint; (*Ftbl auch*) to dummy; (*Tennis*) to disguise one's shot. **links** ~ to feint/dummy to the left.
Anteil m -(e)s, -e 1. share; (*von Erbe auch*) portion; (*Fin*) share, interest. **er hat bei dem Unternehmen** ~**e von 30%** he has a 30% interest *or* share in the company.
2. (*Beteiligung*) ~ **an etw** (*dat*) **haben** (*beitragen*) to contribute to sth, to make a contribution to sth; (*teilnehmen*) to take part in sth.
3. (*Teilnahme: an Leid*) sympathy (*an* +*dat* with). **an etw** (*dat*) ~ **nehmen** *an Leid* to be deeply sympathetic over sth; *an Freude* to share in sth; **sie nahmen alle an dem Tod seiner Frau/an seinem Leid** ~ they all felt deeply for him when his wife died/felt for him in his sorrow.
4. (*Interesse*) interest (*an* +*dat* in), concern (*an* +*dat* about). **regen** ~ **an etw** (*dat*) **nehmen/zeigen** *or* **bekunden** (*geh*) to take/show a lively interest in sth.
anteilig, anteilmäßig *adj* proportionate, proportional.
Anteilnahme f -, *no pl* 1. (*Beileid*) sympathy (*an* +*dat* with). **mit** ~ **zuhören** to listen sympathetically. 2. (*Beteiligung*) participation (*an* +*dat* in).
antelefonieren* *vti sep* (*inf*) to phone. **bei jdm** ~ to phone sb up.
Antenne f -, -n (*Rad*) aerial; (*Zool*) feeler, antenna. **eine/keine** ~ **für etw haben** (*fig inf*) to have a/no feeling for sth.
Anthologie f anthology.
Anthrazit m -s, (*rare*) -e anthracite.
anthrazit(farben, -farbig) *adj* charcoal-grey, charcoal.
Anthropologe m, **Anthropologin** f anthropologist.
Anthropologie f anthropology.
anthropologisch *adj* anthropological.
anthropomorph *adj* anthropomorphous.
Anthroposoph(in f) m -en, -en anthroposophist.
Anthroposophie f anthroposophy.
anthroposophisch *adj* anthroposophic.
anthropozentrisch *adj* anthropocentric.
Anti- *pref* anti; **Antialkoholiker(in** f) m teetota(l)ler; **Antiamerikanismus** m -, *no pl* anti-Americanism; **antiautoritär** *adj* antiauthoritarian; **Antibabypille, Anti-Baby-Pille** f (*inf*) contraceptive pill; **Antibeschlagtuch** nt (*Aut*) anti-mist cloth; **Antibiotikum** nt -s, **Antibiotika** antibiotic; **Antiblockier-(brems)system** nt (*Aut*) anti-lock braking system; **Antichrist** m 1. -(s) Antichrist; 2. -en, -en opponent of Christianity, antichristian; **antichristlich** *adj* antichristian; **Antidepressivum** nt -s,

Antidepressiva antidepressant; **Antifaschismus** m antifascism; **Antifaschist(in** f) m antifascist; **antifaschistisch** *adj* antifascist.
Antigen nt -s, -e (*Med, Biol*) antigen.
Antiheld m antihero; **Antiheldin** f antiheroine; **Antihistamin** nt -s, -e antihistamine.
antik *adj* 1. (*Hist*) ancient. **der** ~**e Mensch** man in the ancient world. 2. (*Comm, inf*) antique.
Antike f -, -n 1. *no pl* **die** ~ antiquity. **die Kunst der** ~ the art of the ancient world. 2. (*Kunstwerk*) antiquity.
Antikernkraftbewegung f anti-nuclear movement; **antiklerikal** *adj* anticlerical; **Antiklerikalismus** m anticlericalism; **Antiklopfmittel** nt (*Tech*) antiknock (mixture); **Antikommunismus** m anticommunism; **antikommunistisch** *adj* anticommunist; **Antikörper** m (*Med*) antibody.
Antilope f -, -n antelope.
Antimilitarismus m antimilitarism; **antimilitaristisch** *adj* antimilitaristic.
Antimon nt -s, *no pl* (*abbr* Sb) antimony.
antimonarchisch *adj* antimonarchist; **Antipathie** f antipathy (*gegen* to); **Antipode** m -n, -n antipode; **die Engländer sind die** ~**n Australiens** the English live on the opposite side of the world from Australia.
antippen *vt sep* to tap; *Pedal, Bremse* to touch; (*fig*) *Thema* to touch on. **jdn** ~ to tab sb on the shoulder/arm *etc*.
Antiqua f -, *no pl* (*Typ*) roman (type).
Antiquar(in f) m antiquarian *or* (*von moderneren Büchern*) second-hand bookseller.
Antiquariat nt (*Laden*) antiquarian *or* (*modernerer Bücher*) second-hand bookshop; (*Abteilung*) antiquarian/second-hand department; (*Handel*) antiquarian/second-hand book trade. **modernes** ~ remainder bookshop/department.
antiquarisch *adj* antiquarian; (*von moderneren Büchern*) second-hand. **ein Buch** ~ **kaufen** to buy a book second-hand.
antiquiert *adj* (*pej*) antiquated.
Antiquität f -, -en *usu pl* antique.
Antiquitätengeschäft nt antique shop; **Antiquitätenhandel** m antique business *or* trade; **Antiquitätenhändler(in** f) m antique dealer; **Antiquitätensammler(in** f) m antique collector.
Anti(raketen)rakete f anti(-missile)-missile; **Anti-Satelliten-Waffe** f antisatellite weapon; **Antisemit** m antisemite; **antisemitisch** *adj* antisemitic; **Antisemitismus** m antisemitism; **antiseptisch** *adj* antiseptic.
Antistatik in *cpds* antistatic.
antistatisch *adj* antistatic; **Antiteilchen** nt (*Phys*) antiparticle.
Antiterror in *cpds* antiterrorist.
Antithese f antithesis; **antithetisch** *adj* antithetical; **Antitranspirant** nt -s, -e *or* -s (*form*) antiperspirant.
Antizipation f (*geh*) anticipation *no pl*.
antizipieren* *vt insep* to anticipate.

antizyklisch *adj* anticyclical.

Antlitz *nt* **-es, -e** (*poet*) countenance (*liter*), face.

Antonym *nt* **-s, -e** antonym.

antörnen *vt sep siehe* **anturnen.**

antraben *vi sep aux sein* to start trotting, to go into a trot. **angetrabt kommen** to come trotting along *or* (*auf einen zu*) up.

Antrag *m* **-(e)s, Anträge 1.** (*auf* +*acc* for) application; (*Gesuch auch*) request; (*Formular*) application form. **einen ~ auf etw** (*acc*) **stellen** to make an application for sth; **auf ~** +*gen* at the request of.
  2. (*Jur*) petition; (*Forderung bei Gericht*) claim. **einen ~ auf etw** (*acc*) **stellen** to file a petition/claim for sth.
  3. (*Parl*) motion. **einen ~ auf etw** (*acc*) **stellen** to propose a motion for sth.
  4. (*dated: Angebot*) proposal. **jdm unzüchtige Anträge machen** to make improper suggestions to sb.

antragen *vt sep irreg* (*geh*) to offer (*jdm etw* sb sth).

Antragsformular *nt* application form.

Antragsteller(in *f*) *m* **-s,** - claimant; (*für Kredit*) applicant.

antrauen *vt sep* (*old*) **jdn jdm ~** to marry sb to sb; **mein angetrauter Ehemann** my lawful wedded husband.

antreffen *vt sep irreg* to find; *Situation auch* to meet; (*zufällig auch*) to come across. **er ist schwer anzutreffen** it's difficult to catch him in; **ich habe ihn in guter Laune angetroffen** I found him in a good mood.

antreiben *sep irreg* **I** *vt* **1.** (*vorwärtstreiben*) *Tiere, Gefangene, Kolonne* to drive; (*fig*) to urge; (*veranlassen: Neugier, Liebe, Wunsch*) to drive on. **jdn zur Eile/Arbeit ~** to urge sb to hurry up/to work; **ich lasse mich nicht ~** I won't be pushed.
  2. (*bewegen*) *Rad, Fahrzeug* to drive; (*mit Motor auch*) to power.
  3. (*anschwemmen*) to wash up *or* (*an Strand auch*) ashore. **etw ans Ufer ~** to wash sth (up) on to the bank.
  II *vi aux sein* to wash up *or* (*an Strand auch*) ashore.

Antreiber(in *f*) *m* (*pej*) slave-driver (*pej*).

antreten *sep irreg* **I** *vt* **1.** *Reise, Strafe* to begin; *Stellung* to take up; *Amt* to take up, to assume; *Erbe, Erbschaft* to come into. **den Beweis ~** to offer proof; **den Beweis ~, daß ...** to prove that ...; **seine Lehrzeit ~** to start one's apprenticeship; **seine Amtszeit ~** to take office; **die Regierung ~** to come to power.
  2. *Motorrad* to kickstart.
  3. (*festtreten*) *Erde* to press *or* tread down firmly.
  II *vi aux sein* **1.** (*sich aufstellen*) to line up; (*Mil*) to fall in.
  2. (*erscheinen*) to assemble; (*bei einer Stellung*) to start; (*zum Dienst*) to report.
  3. (*zum Wettkampf*) to compete; (*spurten*) to put on a spurt; (*Radfahrer*) to sprint.

Antrieb *m* **1.** impetus *no pl*; (*innerer*) drive. **jdm ~/neuen ~ geben, etw zu tun** to give sb the/a new impetus to do sth; **aus eigenem ~** on one's own initiative, off one's own bat (*inf*).
  2. (*Triebkraft*) drive. **Auto mit elektrischem ~** electrically driven *or* powered car.

Antriebsachse *f* (*Aut*) propeller shaft; **Antriebskraft** *f* (*Tech*) power; **Antriebsrad** *nt* drive wheel; **antriebsschwach** *adj* (*Psych*) lacking in drive; **antriebsstark** *adj* (*Psych*) full of drive; **Antriebswelle** *f* driveshaft, half-shaft.

antrinken *vt sep irreg* (*inf*) to start drinking. **sich** (*dat*) **einen** *or* **einen Rausch/Schwips ~** to get (oneself) drunk/tipsy; **sich** (*dat*) **Mut ~** to give oneself Dutch courage; **eine angetrunkene Flasche** an opened bottle; *siehe* **angetrunken.**

Antritt *m* **-(e)s, no pl 1.** (*Beginn*) beginning, commencement (*form*). **bei ~ der Reise** when beginning one's journey; **nach ~ der des Amtes/der Erbschaft/der Regierung** after taking up *or* assuming office/coming into the inheritance/ coming to power. **2.** (*Sport: Spurt*) acceleration *no indef art*.

Antrittsrede *f* inaugural speech; (*Parl*) maiden speech; **Antrittsvorlesung** *f* inaugural lecture.

antrocknen *vi sep aux sein* to dry on (*an, in* +*dat* -to); (*trocken werden*) to begin *or* start to dry.

antuckern *vi sep aux sein* (*inf*) (*usu* **angetuckert kommen**) to chug along *or* (*auf einen zu*) up.

antun *vt sep irreg* **1.** (*erweisen*) **jdm etw ~** to do sth for sb; **jdm etwas Gutes ~** to do sb a good turn; **tun Sie mir die Ehre an, und speisen Sie mit mir** (*geh*) do me the honour of dining with me.
  2. (*zufügen*) **jdm etw ~** to do sth to sb; **das könnte ich ihr nicht ~** I couldn't do that to her; **sich** (*dat*) **ein Leid ~** to injure oneself; **sich** (*dat*) **etwas ~** (*euph*) to do away with oneself; **jdm Schaden/Unrecht ~** to do sb an injury/injustice; **tu mir keine Schande an!** don't bring shame upon me; **tun Sie sich** (*dat*) **keinen Zwang an!** (*inf*) don't stand on ceremony; **darf ich rauchen? — tu dir keinen Zwang an!** may I smoke? — feel free *or* please yourself.
  3. (*Sympathie erregen*) **es jdm ~** to appeal to sb; *siehe* **angetan.**
  4. (*Aus*) **sich** (*dat*) **etwas ~** (*sich aufregen*) to get excited *or* het-up (*inf*).
  5. *Kleid* to put on; *siehe* **angetan.**

anturnen ['antœrnən] *sep* (*sl*) **I** *vt* (*Drogen, Musik*) to turn on (*sl*). **II** *vi* to turn you on (*sl*). **III** *vr* to turn oneself on (*sl*). **sich angeturnt haben** to be turned on (*sl*); **sich** (*dat*) **einen ~** to get stoned (*sl*).

Antwort *f* **-, -en 1.** answer, reply; (*Lösung, bei Examen, auf Fragebogen*) answer. **sie gab mir keine ~** she didn't reply (to me) *or* answer (me); **sie gab mir keine ~ auf die Frage** she didn't reply *or* answer my question; **das ist doch keine ~** that's no answer; **in ~ auf etw** (*acc*) (*form*) in reply to sth; **um umgehende ~ wird gebeten** please reply by return; **um ~ wird gebeten** (*auf Einladungen*) RSVP; **keine ~ ist auch eine ~** (*Prov*) your silence is answer enough; *siehe* **Rede.** **2.** (*Reaktion*) response. **als ~ auf etw** (*acc*) in response to sth.

Antwortbrief *m* reply, answer.

antworten *vi* **1.** to answer, to reply. **jdm ~** to answer sb, to reply to sb; **auf etw** (*acc*) **~** to answer sth, to reply to sth; **was soll ich ihm ~?** what answer should I give him?, what should I tell him?; **jdm auf eine Frage ~** to reply to *or* answer sb's question; **mit Ja/Nein ~** to answer yes/no *or* in the affirmative/negative. **2.** (*reagieren*) to respond (*auf +acc* to, *mit* with).

Antwortkarte *f* reply card; **Antwortschein** *m* (international) reply coupon; **Antwortschreiben** *nt* reply, answer.

anvertrauen* *sep* **I** *vt* **1.** (*übergeben, anheimstellen*) **jdm etw ~** to entrust sth to sb *or* sb with sth. **2.** (*vertraulich erzählen*) **jdm etw ~** to confide sth to sb; **etw seinem Tagebuch ~** to confide sth to one's diary.
II *vr* **sich jdm ~** (*sich mitteilen*) to confide in sb; (*sich in jds Schutz begeben*) to entrust oneself to sb; **sich jds Führung** (*dat*)**/Schutz** (*dat*) **~** to entrust oneself to sb's leadership/protection.

Anverwandte(r) *mf decl as adj* (*geh*) relative, relation.

anvisieren* ['anvi-] *vt sep* (*lit*) to sight; (*fig*) to set one's sights on; *Entwicklung, Zukunft* to envisage.

anwachsen *vi sep irreg aux sein* **1.** (*festwachsen*) to grow on; (*Haut*) to take; (*Nagel*) to grow; (*Pflanze*) to take root. **auf etw** (*dat*) **~** to grow onto sth. **2.** (*zunehmen*) (*auf +acc* to) to increase; (*Lärm auch*) to grow.

Anwachsen *nt siehe vi* **1.** growing on; taking; growing; taking root. **2.** increase; growth. **im ~ (begriffen) sein** to be on the increase, to be growing.

anwackeln *vi sep aux sein* (*usu angewackelt kommen*) to come waddling along *or* (*auf einen zu*) up; (*fig inf*) to come wandering up.

anwählen *vt sep* to dial; *jdn* to call.

Anwalt *m* -(e)s, **Anwälte**, **Anwältin** *f* **1.** *siehe* **Rechtsanwalt. 2.** (*fig: Fürsprecher*) advocate; (*der Armen auch*) champion.

Anwaltsbüro *nt* **1.** lawyer's office; **2.** (*Firma*) firm of lawyers *or* solicitors (*Brit*).

Anwaltschaft *f* **1.** (*Vertretung*) **eine ~ übernehmen** to take over a case; **die ~ für jdn übernehmen** to accept sb's brief, to take over sb's case. **2.** (*Gesamtheit der Anwälte*) solicitors *pl*, legal profession.

Anwaltskammer *f* professional association of lawyers ≃ Law Society (*Brit*); **Anwaltskosten** *pl* legal expenses *pl*; **Anwaltspraxis** *f* legal practice; (*Räume*) lawyer's office.

anwandeln *vi sep* (*geh*) to come over. **jdn wandelt die Lust an, etw zu tun** sb feels the desire to do sth.

Anwandlung *f* (*von Furcht*) feeling;

(*Laune*) mood; (*Drang*) impulse. **aus einer ~ heraus** on (an) impulse; **in einer ~ von Freigebigkeit** in a fit of generosity; **dann bekam er wieder seine ~en** (*inf*) then he had one of his fits again.

anwärmen *vt sep* to warm up.

Anwärter(in *f*) *m* (*Kandidat*) candidate (*auf +acc* for); (*Sport*) contender (*auf +acc* for); (*Thron~*) heir (*auf +acc* to). **der ~ auf den Thron** the pretender *or* (*Thronerbe*) heir to the throne.

Anwartschaft *f*, *no pl* candidature; (*Sport*) contention. **seine ~ auf die Titel anmelden** to say one is in contention for the title; **~ auf den Thron** claim to the throne.

Anwartschaftszeit *f* (*Admin*) minimum period between registering as unemployed *and* receiving unemployment benefit, waiting days *pl*.

anwehen *sep* **I** *vt Sand* to blow; *Schnee* to drift; *jdn* (*fig geh: Gefühl*) to come over. **warme Luft wehte ihn/sein Gesicht an** warm air blew over him/his face. **II** *vi aux sein* to drift.

anweisen *vt sep irreg* **1.** (*anleiten*) *Schüler, Lehrling* to instruct; (*beauftragen, befehlen auch*) to order. **2.** (*zuweisen*) (*jdm etw* sb sth) to allocate; *Zimmer auch* to give. **jdm einen Platz ~** to show sb to a seat. **3.** *Geld* to transfer.

Anweisung *f* **1.** (*Fin*) payment; (*auf Konto*) transfer; (*Formular*) payment slip; (*Post~*) postal order.
2. (*Anordnung*) instruction, order. **eine ~ befolgen** to follow an instruction, to obey an order; **~ haben, etw zu tun** to have instructions to do sth; **auf ~ der Schulbehörde** on the instructions of *or* on instruction from the school authorities.
3. (*Zuweisung*) allocation.
4. (*Anleitung*) instructions *pl*; (*Gebrauchs~ auch*) set of instructions.

anwendbar *adj Theorie, Regel* applicable (*auf +acc* to). **die Methode ist auch hier ~** the method can also be applied *or* used here; **das ist in der Praxis nicht ~** that is not practicable.

Anwendbarkeit *f* applicability (*auf +acc* to).

anwenden *vt sep auch irreg* **1.** (*gebrauchen*) *Methode, Mittel, Technik, Gewalt* to use (*auf +acc* on); *Sorgfalt, Mühe* to take (*auf +acc* over). **etw gut** *or* **nützlich ~** to make good use of sth.
2. *Theorie, Prinzipien, Regel* to apply (*auf + acc* to); *Erfahrung, Einfluß* to use, to bring to bear (*auf +acc* on). **sich auf etw** (*acc*) **~ lassen** to be applicable to sth.

Anwender(in *f*) *m* -s, - (*Comput*) user.

Anwender-: (*Comput*) **Anwenderprogramm** *nt* user *or* application program; **Anwendersoftware** *f* user *or* applications software.

Anwendung *f siehe vt* **1.** use (*auf +acc* on); application; taking. **etw in ~ (acc) *or* zur ~ bringen** (*form*) to use/apply sth; **zur ~ gelangen** *or* **kommen, ~ finden** (*all form*) to be used/applied. **2.** application (*auf +acc* to); using, bringing to bear (*auf* +*acc* on).

Anwendungsgebiet *nt* area of application; **Anwendungsmöglichkeit** *f* possible application; **Anwendungsvorschrift** *f* instructions *pl* for use.

anwerben *vt sep irreg* to recruit (*für* to); (*Mil auch*) to enlist (*für* in). **sich ~ lassen** to enlist.

Anwerbung *f siehe vt* recruitment; enlistment.

anwerfen *sep irreg* **I** *vt* (*Tech*) to start up; *Propeller* to swing; (*inf*) *Gerät* to switch on. **II** *vi* (*Sport*) to take the first throw.

Anwesen *nt* **-s, -** (*geh*) estate.

anwesend *adj* present. **~ sein** to be present (*bei, auf* +*dat* at); **ich war nicht ganz ~** (*hum inf*) my thoughts were elsewhere.

Anwesende(r) *mf decl as adj* person present. **die ~n** those present; **jeder ~/alle ~n** everyone/all those present.

Anwesenheit *f* presence. **in ~** +*gen or* **von** in the presence of.

Anwesenheitsliste *f* attendance list; **Anwesenheitspflicht** *f* obligation to attend.

anwidern *vt sep* **jdn ~** (*Essen, Anblick*) to make sb feel sick, to disgust sb; **es/er widert mich an** I can't stand *or* I detest it/him.

anwinkeln *vt sep* to bend.

Anwohner(in *f)* *m* **-s, -** resident. **die ~ des Rheins** the people who live on the Rhine.

Anwohnerschaft *f, no pl* residents *pl.*

Anwurf *m* (*Sport*) first throw.

anwurzeln *vi sep aux sein* to take root. **wie angewurzelt dastehen/stehenbleiben** to stand rooted to the spot.

Anzahl *f, no pl* number. **in ungleicher ~ vertreten** not represented in equal numbers; **eine ganze ~** quite a number.

anzahlen *vt sep Ware* to pay a deposit on, to make a down payment on. **einen Betrag/100 DM ~** to pay an amount/100 DM as a deposit.

Anzahlung *f* deposit, down payment (*für, auf* +*acc* on); (*erste Rate*) first instalment. **eine ~ machen** *or* **leisten** (*form*) to pay a deposit.

anzapfen *vt sep Faß* to broach; *Baum, Telefon, Leitung* to tap. **jdn (um Geld) ~** (*inf*) to touch sb (for money); **jdn ~** (*inf*) (*ausfragen*) to pump sb; (*Telec*) to tap sb's phone.

Anzeichen *nt* sign; (*Med auch*) symptom. **alle ~ deuten darauf hin, daß ...** all the signs are that ...; **wenn nicht alle ~ trügen** if all the signs are to be believed.

anzeichnen *vt sep* to mark; (*zeichnen*) to draw (*an* +*acc* on).

Anzeige *f* **1.** (*bei Behörde*) report (*wegen* of); (*bei Gericht*) legal proceedings *pl.* **wegen einer Sache (eine) ~ bei der Polizei erstatten** *or* **machen** to report sth to the police; **wegen einer Sache (eine) ~ bei Gericht erstatten** *or* **machen** to institute legal proceedings over sth sth; **jdn/etw zur ~ bringen** (*form*) (*bei Polizei*) to report sb/sth to the police; (*bei Gericht*) to take sb/bring sth to court.

2. (*Bekanntgabe*) (*Karte, Brief*)

announcement; (*in Zeitung auch*) notice; (*Inserat, Reklame*) advertisement.

3. (*das Anzeigen: von Temperatur, Geschwindigkeit*) indication; (*Instrument*) indicator; (*Meßwerte*) reading; (*auf Informationstafel*) information. **auf die ~ des Spielstands warten** to wait for the score to be shown *or* indicated.

4. (*Tafel, Comput*) display.

anzeigen *sep* **I** *vt* **1.** **jdn ~** (*bei der Polizei*) to report sb (to the police); (*bei Gericht*) to institute legal proceedings against sb; **sich selbst ~** to give oneself up.

2. (*bekanntgeben*) *Heirat, Verlobung etc* to announce; (*ausschreiben auch, Reklame machen für*) to advertise.

3. (*mitteilen*) to announce; *Richtung* to indicate. **jdm etw ~** (*durch Zeichen*) to signal sth to sb.

4. (*angeben*) *Spielstand, Temperatur, Zeit, Geschwindigkeit* to show, to indicate; *Datum* to show; (*fig: deuten auf*) to indicate, to show.

5. (*Comput*) to display.

II *vi* (*Zeiger, Kompaßnadel*) to register.

Anzeigenblatt *nt* advertiser, freesheet; **Anzeigenteil** *m* advertisement section; **Anzeigenwerbung** *f* newspaper and magazine advertising.

Anzeigepflicht *f, no pl* **der ~ unterliegen** (*form*) (*Krankheit*) to be notifiable. **anzeigepflichtig** *adj* notifiable.

Anzeiger *m* **1.** (*bei Polizei*) person reporting offence etc to the police. **2.** (*Tech*) indicator. **3.** (*Zeitung*) advertiser, gazette.

Anzeigerin *f siehe* **Anzeiger 1.**.

Anzeigetafel *f* indicator board; (*Sport*) scoreboard.

anzetteln *vt sep* to instigate; *Unsinn* to cause.

anziehen *sep irreg* **I** *vt* **1.** *Kleidung* to put on. **sich** (*dat*) **etw ~** to put sth on; (*fig inf*) to take sth personally.

2. (*straffen*) to pull (tight); *Bremse* (*betätigen*) to apply, to put on; (*härter einstellen*) to adjust; *Zügel* to pull; *Saite, Schraube* to tighten; (*dial*) *Tür* to pull to.

3. (*an den Körper ziehen*) to draw up.

4. (*lit*) *Geruch, Feuchtigkeit* to absorb; (*Magnet, fig*) to attract; *Besucher* to attract, to draw. **sich von etw angezogen fühlen** to feel attracted to *or* drawn by sth.

5. (*obs: zitieren*) to quote, to cite.

II *vi* **1.** (*sich in Bewegung setzen*) (*Pferde*) to start pulling *or* moving; (*Zug, Auto*) to start moving; (*beschleunigen*) to accelerate.

2. (*Chess etc*) to make the first move.

3. (*Fin: Preise, Aktien*) to rise.

4. *aux sein* (*heranziehen*) to approach. **aus vielen Ländern angezogen kommen** to come from far and near.

III *vr* **1.** (*sich kleiden*) to get dressed.

2. (*fig*) (*Menschen*) to be attracted to each other; (*Gegensätze*) to attract.

anziehend *adj* (*ansprechend*) attractive; (*sympathisch*) pleasant.

Anziehung *f* attraction. **die Stadt hat eine**

große ~ für sie she is very attracted to the town.

Anziehungskraft f (Phys) force of attraction; (fig) attraction, appeal. **eine große ~ auf jdn ausüben** to attract sb strongly.

anzischen sep I vt (lit, fig inf) to hiss at. II vi aux sein **angezischt kommen** to come whizzing along or (auf einen zu) up.

anzockeln vi sep aux sein (usu **angezockelt kommen**) (inf) to dawdle along or (auf einen zu) up; (Pferd) to plod along/up.

Anzug m -(e)s, **Anzüge** 1. (Herren~) suit. **aus dem ~ kippen** (inf) to be bowled over (inf) or flabbergasted (inf); (ohnmächtig werden) to pass out; siehe **hauen.**

2. (das Heranrücken) approach. **im ~ sein** to be coming; (Mil) to be advancing; (fig) (Gewitter, Gefahr) to be in the offing; (Krankheit) to be coming on.

3. (Chess) opening move. **Weiß ist im ~** white has first move.

5. (von Auto etc) acceleration.

anzüglich adj lewd suggestive. **~ werden** to get personal; **er ist mir gegenüber immer so ~** he always makes lewd or suggestive remarks to me.

Anzüglichkeit f lewdness, suggestiveness. **~en** personal or lewd or suggestive remarks.

anzünden vt sep Feuer to light. **das Haus ~** to set fire to the house, to set the house on fire.

Anzünder m lighter.

anzweifeln vt sep to question, to doubt.

anzwinkern vt sep to wink at.

anzwitschern sep (inf) I vr sich (dat) einen ~ to get tipsy. II vi aux sein (usu **angezwitschert kommen**) to come strolling along or (auf einen zu) up.

AOK [a:lo:'ka:] f -, -s abbr of **Allgemeine Ortskrankenkasse.**

Äolsharfe ['ɛːɔls-] f aeolian harp.

Äon [ɛ'oːn, 'ɛːɔn] m -s, -en usu pl (geh) (a)eon.

Aorta f -, **Aorten** aorta.

Apanage [-'naːʒə] f -, -n appanage (obs), (large) allowance (auch fig).

apart I adj distinctive, unusual; Mensch, Aussehen, Kleidungsstück auch striking. II adv (old) separately, individually.

Apartheid [a'paːɛthait] f -, no pl apartheid.

Apartheidpolitik f policy of apartheid, apartheid policy.

Apartment [a'partmənt] nt -s, -s flat (Brit), apartment (esp US).

Apartmenthaus nt block of flats (Brit), apartment house (esp US), condominium (US), condo (US inf); **Apartmentwohnung** f siehe **Apartment.**

Apathie f apathy; (von Patienten) listlessness.

apathisch adj apathetic; Patient listless.

Aperitif m -s, -s or -e aperitif.

apern vi (Sw, Aus, S Ger) **es apert/die Hänge ~** the snow/the snow on the slopes is going.

Apfel m -s, ⁀ apple. **in den sauren ~ beißen** (fig inf) to bite the bullet, to swallow the bitter pill; **etw für einen ~ (und ein**

Ei) kaufen (inf) to buy sth dirt cheap (inf) or for a song (inf); **der ~ fällt nicht weit vom Stamm** (Prov) like father like son (prov), an apple doesn't fall far from the tree (US).

Apfel- in cpds apple; **Apfelbaum** m apple tree; **Apfelblüte** f 1. apple blossom; 2. (das Blühen) blossoming of the apple trees; **zur Zeit der ~ geboren** born when the apple trees were in blossom.

Äpfelchen nt dim of **Apfel.**

Apfelklare(r) m clear apple schnapps; **Apfelkompott** nt stewed apple, apple purée; **Apfelkuchen** m apple cake; **Apfelmost** m apple juice; **Apfelmus** nt apple purée or (als Beilage) sauce; **Apfelsaft** m apple juice; **Apfelschimmel** m dapple-grey (horse).

Apfelsine f 1. orange. 2. (Baum) orange tree.

Apfelstrudel m apfelstrudel; **Apfeltasche** f apple turnover; **Apfelwein** m cider.

Aphasie f (Psych) aphasia.

Aphorismus m aphorism.

aphoristisch adj aphoristic.

Aphrodisiakum nt -s, **Aphrodisiaka** aphrodisiac.

Apo, APO ['aːpo] f -, no pl abbr of **außerparlamentarische Opposition.**

apodiktisch adj apod(e)ictic.

Apokalypse f -, -n apocalypse.

apokalyptisch adj apocalyptic.

apolitisch adj non-political, apolitical.

Apoll m -s, (rare) -s 1. (Myth) siehe **Apollo.** 2. (fig geh: schöner Mann) **er ist nicht gerade ein ~** he doesn't exactly look like a Greek god.

apollinisch adj (geh) apollonian.

Apollo m -s Apollo.

Apostel m -s, - apostle.

Apostelbrief m epistle; **Apostelgeschichte** f Acts of the Apostles pl.

a posteriori adj (Philos, geh) a posteriori.

apostolisch adj apostolic. **der A~e Stuhl** the Holy See; **das A~e Glaubensbekenntnis** the Apostles' Creed.

Apostroph m -s, -e apostrophe.

apostrophieren* vt 1. (Gram) to apostrophize. 2. (bezeichnen) **jdn als etw (acc) ~** to call sb sth, to refer to sb as sth.

Apotheke f -, -n 1. dispensing chemist's (Brit), pharmacy (US). 2. (Haus~) medicine chest or cupboard; (Reise~, Auto~) first-aid box. 3. (pej, inf) expensive shop.

apothekenpflichtig adj available only at a chemist's shop (Brit) or pharmacy.

Apotheker(in f**)** m -s, - pharmacist, (dispensing) chemist (Brit).

Apothekergewicht nt apothecaries' weight; **Apothekerwaage** f (set of) precision scales.

Apotheose f -, -n apotheosis.

Appalachen pl (Geog) Appalachian Mountains pl, Appalachians pl.

Apparat m -(e)s, -e 1. apparatus no pl, appliance; (kleineres, technisches, mechanisches Gerät auch) gadget; (Röntgen~ etc) machine.

2. (Radio) radio; (Fernseher) set; (Rasier~) razor; (Foto~) camera.

3. (*Telefon*) (tele)phone; (*Anschluß*) extension. **am** ~ on the phone; (*als Antwort*) speaking; **wer war am** ~? who did you speak to?; **bleiben Sie am** ~! hold the line. **4.** (*sl*) (*nicht bestimmter Gegenstand*) thing; (*großer Gegenstand*) whopper (*inf*). **5.** (*Personen und Hilfsmittel*) set-up; (*Verwaltungs*~, *Partei*~) machinery, apparatus; (*technischer*) equipment, apparatus. **6.** (*Zusammenstellung von Büchern*) collection of books to be used in conjunction with a particular course. **7.** (*Liter*) (**text**)**kritischer** ~ critical apparatus.

Apparatebau *m* instrument-making, machine-making; **Apparatemedizin** *f* (*pej*) high-tech medicine.

Apparatschik *m* -s, -s (*pej*) apparatchik.

Apparatur *f* equipment *no pl*, apparatus *no pl*. ~**en/eine** ~ pieces/a piece of equipment.

Appartement [apartə'mã:] *nt* -s, -s **1.** *siehe* **Apartment. 2.** (*Zimmerflucht*) suite.

Appartementhaus *nt* block of flats (*Brit*), condominium (*US*).

Appell *m* -s, -e **1.** (*Aufruf*) appeal (*an* +*acc* to, *zu* for). **einen** ~ **an jdn richten** to (make an) appeal to sb. **2.** (*Mil*) roll call. **zum** ~ **antreten** to line up for roll call.

Appellation *f* (*Jur: obs, Sw*) appeal.

Appellativ, Appellativum [-'ti:vʊm] *nt* -s, **Appellativa** [-'ti:va] (*Ling*) appellative.

appellieren* *vi* to appeal (*an* + *acc* to).

Appendix *m* -, **Appendizes** appendix; (*fig: Anhängsel*) appendage.

Appetit *m* -(e)s, *no pl* (*lit, fig*) appetite. ~ **auf etw** (*acc*) **haben** (*lit, fig*) to feel like sth; **guten** ~! enjoy your meal (*usually nothing said*); **jdm den** ~ **verderben** to spoil sb's appetite; (*inf: Witz*) to make sb feel sick; **jdm den** ~ **an etw** (*dat*) **verderben** (*fig*) to put sb off sth; **der** ~ **kommt beim** ~ **mit dem Essen** (*prov*) appetite grows with the eating (*prov*).

appetitanregend *adj Speise* appetizing; ~**es Mittel** appetite stimulant; **Appetithappen** *m* canapé; **appetithemmend** *adj* appetite suppressant; ~**es Mittel** appetite suppressant; **appetitlich** *adj* (*lecker*) appetizing; (*verlockend aussehend, riechend*) tempting; (*hygienisch*) hygienic, savoury; (*fig*) *Mädchen* attractive; ~ **verpackt** hygienically packed; **appetitlos** *adj* without any appetite; ~ **sein** to have lost one's appetite; **Appetitlosigkeit** *f* lack of appetite; **Appetitzügler** *m* -s, - appetite suppressant.

Appetizer ['apətaɪzɐ] *m* -s, -s (*Pharm*) appetite stimulant.

applaudieren* *vti* to applaud. **jdm/einer Sache** ~ to applaud sb/sth.

Applaus *m* -es, *no pl* applause.

Applikation *f* **1.** (*geh, Med*) (*Anwendung*) application; (*von Heilmethode*) administering. **2.** (*Sew*) appliqué.

applizieren* *vt* **1.** (*geh: anwenden*) to apply; (*Med*) *Heilmethode* to administer.

2. (*Sew: aufbügeln*) to apply; (*aufnähen auch*) to appliqué.

Apport *m* -s, -e **1.** (*Hunt*) retrieving, fetching. **2.** (*Parapsychologie*) apport.

apportieren* *vti* to retrieve, to fetch.

Apportierhund *m* retriever.

Apposition *f* apposition.

appretieren* *vt* (*Tex*) to starch; (*imprägnieren*) to waterproof; *Holz* to dress, to finish; *Papier* to glaze.

Appretur *f* **1.** (*Mittel*) finish; (*Tex*) starch; (*Wasserundurchlässigkeit*) waterproofing; (*für Papier auch*) glaze. **2.** *siehe* **appretieren** starching; waterproofing; dressing, finishing; glazing.

Approbation *f* (*von Arzt, Apotheker*) certificate (*enabling a doctor etc to practise*). **einem Arzt die** ~ **entziehen** to take away a doctor's licence to practise, to strike a doctor off (the register) (*Brit*).

approbiert *adj Arzt, Apotheker* registered, certified.

Approximation *f* (*Math*) approximation, approximate value.

Après-Ski [aprɛ'ʃi:] *nt* -, -s après-ski; (*Kleidung*) après-ski clothes.

Aprikose *f* -, -n apricot.

Aprikosen *im cpds* apricot.

April *m* -s, *no pl* April. ~, ~! April fool!; **der 1.** ~ April *or* All Fools' Day; **jdn in den** ~ **schicken** to make an April fool of sb; *siehe* **März.**

Aprilscherz *m* April fool's trick; **das ist doch wohl ein** ~ (*fig*) you/they *etc* must be joking; **Aprilwetter** *nt* April weather.

a priori *adv* (*Philos, geh*) a priori.

apropos [apro'po:] *adv* by the way, that reminds me. ~ **Afrika** talking about Africa.

Apsis *f* -, **Apsiden 1.** (*Archit*) apse. **2.** (*von Zelt*) bell.

Aquädukt *nt* -(e)s, -e aqueduct.

Aquamarin *nt* -s, -e aquamarine; **aquamarinblau** *adj* aquamarine; **Aquanaut(in** *f*) *m* -en, -en aquanaut; **Aquaplaning** *nt* -s, *no pl* (*Aut*) aquaplaning.

Aquarell *nt* -s, -e watercolour (painting). ~ **malen** to paint in watercolours.

Aquarellfarbe *f* watercolour; **Aquarellmaler(in** *f*) *m* watercolourist; **Aquarellmalerei** *f* **1.** (*Bild*) watercolour (painting); **2.** (*Vorgang*) painting in watercolours, watercolour painting.

Aquarien- [-iən] *in cpds* aquarium.

Aquarium *nt* aquarium.

Aquatinta *f* -, **Aquatinten** aquatint.

Äquator *m* -s, *no pl* equator.

äquatorial *adj* equatorial.

Äquatortaufe *f* (*Naut*) crossing-the-line ceremony.

Aquavit [akva'vi:t] *m* -s, -e aquavit.

Äquilibrist(in *f*) *m* juggler; (*Seiltänzer*) tight-rope walker.

Äquinoktium *nt* equinox.

Äquivalent [-va'lɛnt] *nt* -s, -e equivalent; (*Ausgleich*) compensation.

äquivalent [-va'lɛnt] *adj* equivalent.

Äquivalenz [-va'lɛnts] *f* equivalence.

Ar *nt or m* -s, -e (*Measure*) are (100 m²).

Ära *f* -, **Ären** era. **die** ~ **Adenauer** the

Adenauer era.

Araber [*auch* 'aː-] *m* **-s**, - (*auch Pferd*), **Araberin** *f* Arab.

Arabeske *f* -, **-n** arabesque; (*Verzierung*) flourish.

Arabien [-iən] *nt* **-s** Arabia.

arabisch *adj* Arab; *Ziffer, Sprache, Schrift* Arabic. **die A~e Halbinsel** (*Geog*) the Arabian Peninsula, Arabia.

Arabisch(e) *nt* Arabic; *siehe auch* **Deutsch(e).**

Arabistik *f*, *no pl* Arabic studies *pl*.

aramäisch *adj* Aramaic.

Arbeit *f* **1.** (*Tätigkeit, Phys, Sport*) work; (*das Arbeiten auch*) working; (*Pol, Econ, Lohn für ~*) labour. **~ und Kapital** capital and labour; **Tag der ~** Labour Day; **die ~en an der Autobahn** the work on the motorway; **bei der ~ mit Kindern** when working with children; **viel ~ machen** to be a lot of work (*jdm* for sb); **das ist/kostet viel ~** it's a lot of work *or* a big job; **an** *or* **bei der ~ sein** to be working; **sich an die ~ machen, an die ~ gehen** to get down to work, to start working; **an die ~!** to work!; **jdm bei der ~ zusehen** to watch sb working; **etw ist in ~** work on sth has started *or* is in progress; **etw in ~ haben** to be working on sth; **etw in ~ geben** to have sth done/made; **jdm etw in ~ geben** to get sb to do/make sth; **die ~ läuft dir nicht davon** (*hum*) the work will still be there when you get back; **erst die ~, dann das Vergnügen** (*prov*) business before pleasure (*prov*); **~ schändet nicht** (*Prov*) work is no disgrace.

2. *no pl* (*Ausführung*) work. **ganze** *or* **gründliche ~ leisten** (*lit, fig iro*) to do a good job.

3. *no pl* (*Mühe*) trouble, bother. **jdm ~ machen** to put sb to trouble; **machen Sie sich keine ~!** don't go to any trouble *or* bother; **das war vielleicht eine ~!** what hard work *or* what a job that was!; **die ~ zahlt sich aus** it's worth the trouble *or* effort.

4. (*Berufstätigkeit, inf: Arbeitsplatz, -stelle, -zeit*) work *no indef art*; (*Arbeitsverhältnis auch*) employment; (*Position*) job. **eine ~ als etw** work *or* a job as sth; **(eine) ~ suchen/finden** to look for/find work *or* a job; **einer (geregelten) ~ nachgehen** to have a (steady) job; **ohne ~ sein** to be out of work *or* unemployed; **zur** *or* **auf (*inf*) ~ gehen/von der ~ kommen** to go to/come back from work.

5. (*Aufgabe*) job. **seine ~ besteht darin, zu ...** his job is to ...

6. (*Produkt*) work; (*handwerkliche*) piece of work; (*Prüfungs~*) (examination) paper; (*wissenschaftliche*) paper; (*Buch*) work.

7. (*Sch*) test. **~en korrigieren** to mark test papers; **eine ~ schreiben/schreiben lassen** to do/set a test.

arbeiten I *vi* **1.** to work (*an* +*dat* on); (*sich anstrengen auch*) to labour (*old, liter*), to toil (*liter*). **~ wie ein Pferd/Wilder** (*inf*) to work like a Trojan *or* horse/like mad (*inf*); **die Zeit arbeitet für/gegen uns** we have time on our side, time is on our side/against us; **er arbeitet**

für zwei (*inf*) he does the work of two *or* enough work for two; **er arbeitet über Schiller** he's working on Schiller; **er arbeitet mit Wasserfarben** he works in *or* uses watercolours.

2. (*funktionieren*) (*Organ*) to function, to work; (*Maschine, Anlage etc auch*) to operate. **die Anlage arbeitet automatisch** the plant is automatic; **die Anlage arbeitet elektrisch/mit Kohle** the plant runs *or* operates on electricity/coal.

3. (*berufstätig sein*) to work. **seine Frau arbeitet auch** his wife works *or* is working *or* goes out to work too; **für eine/bei einer Firma/Zeitung ~** to work for a firm/newspaper; **die ~de Bevölkerung/Jugend** the working population/youth.

4. (*in Bewegung sein*) to work; (*Most auch*) to ferment; (*Holz*) to warp. **in meinem Magen arbeitet es** my stomach's rumbling; **in seinem Kopf arbeitet es** his mind is at work; **in ihm begann es zu ~** he started to react, it began to work on him.

II *vr* **1.** **sich krank/müde/krüpplig ~** to make oneself ill/tire oneself out with work/to work oneself silly (*inf*); **sich zu Tode ~** to work oneself to death; **sich** (*dat*) **die Hände wund ~** to work one's fingers to the bone.

2. (*sich fortbewegen*) to work oneself (*in* +*acc* into, *durch* through, *zu* to). **sich in die Höhe** *or* **nach oben/an die Spitze ~** (*fig*) to work one's way up/(up) to the top.

3. *impers* **es arbeitet sich gut/schlecht** you can't/can work well; **mit ihr arbeitet es sich angenehm** it's nice working with her.

III *vt* **1.** (*herstellen*) to make; (*aus Ton auch*) to work, to fashion.

2. (*tun*) to do. **was arbeitest du dort?** what are you doing there?; (*beruflich*) what do you do there?; **ich habe heute noch nichts gearbeitet** I haven't done anything *or* any work today; **du kannst auch ruhig mal was ~!** (*inf*) it wouldn't hurt you to do something *or* a bit of work either!

Arbeiter *m* **-s**, - worker; (*im Gegensatz zum Angestellten*) blue-collar worker; (*auf Bau, Bauernhof*) labourer; (*bei Straßenbau, im Haus*) workman. **die ~** (*Proletariat, Arbeitskräfte*) the workers; **~ und Arbeiterinnen** male and female workers.

Arbeiterameise *f* worker (ant); **Arbeiteraufstand** *m* workers' revolt; **Arbeiterbewegung** *f* labour movement; **Arbeiterbiene** *f* worker (bee); **Arbeiterdemonstration** *f* workers' demonstration; **Arbeiterdenkmal** *nt* **1.** (*lit*) monument erected to the labouring *or* working classes; **2.** (*hum*) statue/monument to inactivity (*hum*); **Arbeiterdichter(in** *f*) *m* poet of the working class; **Arbeiterfamilie** *f* working-class family; **arbeiterfeindlich** *adj* anti-working-class; **arbeiterfreundlich** *adj* pro-working-class;

Arbeiterführer(in *f)* *m* (*Pol*) leader of the working classes; **Arbeitergewerkschaft** *f* blue-collar (trade) union, labor union (*US*).

Arbeiterin *f* **1.** *siehe* **Arbeiter. 2.** (*Zool*) worker.

Arbeiterjugend *f* young workers *pl*; **Arbeiterkampfgruß** *m* clenched-fist salute; **Arbeiterkind** *nt* child from a working-class family *or* background; **Arbeiterklasse** *f* working class(es *pl*); **Arbeiterlied** *nt* workers' song; **Arbeitermilieu** *nt* working-class environment; **Arbeiterorganisation** *f* association of workers, labour organization; **Arbeiterpartei** *f* workers' party; **Arbeiterpriester** *m* worker-priest; **Arbeiterrat** *m* workers' council; **Arbeiterschaft** *f* work force; **Arbeiterschriftsteller(in** *f)* *m* working-class writer; **Arbeitersiedlung** *f* workers' housing estate; **Arbeitersohn** *m* son of a working-class family; **Arbeiterstadt** *f* working-class town; **Arbeiterstudent(in** *f)* *m* (*DDR*) mature student who was previously a factory worker; **Arbeiter-und-Bauern-Fakultät** *f* (*DDR*) university department responsible for preparing young factory and agricultural workers for university; **Arbeiter-und-Bauern-Staat** *m* (*DDR*) workers' and peasants' state; **Arbeiter-und-Soldaten-Rat** *m* workers' and soldiers' council; **Arbeiterunruhen** *pl* worker unrest, unrest among the workers; **Arbeiterviertel** *nt* working-class area; **Arbeiterwohlfahrt** *f* workers' welfare association.

Arbeitgeber(in *f)* *m* employer.

Arbeitgeberanteil *m* employer's contribution; **Arbeitgeberseite** *f* employers' side; **Arbeitgeberverband** *m* employers' federation.

Arbeitnehmer(in *f)* *m* employee.

Arbeitnehmeranteil *m* employee's contribution; **Arbeitnehmerschaft** *f* employees *pl*; **Arbeitnehmerseite** *f* employees' side.

Arbeits|ablauf *m* work routine; (*von Fabrik*) production *no art*.

arbeitsam *adj* industrious, hard-working.

Arbeitsamt *nt* employment exchange, job centre (*Brit*); **Arbeitsanfall** *m* workload; **Arbeitsanleitung** *f* instructions *pl*; **Arbeitsantritt** *m* commencement of work (*form*); **bei ~** when starting work; **Arbeitsanzug** *m* working suit; **Arbeitsatmosphäre** *f* work(ing) atmosphere, work climate; **Arbeitsauffassung** *f* attitude to work; **Arbeitsaufwand** *m* expenditure of energy; (*Ind*) labour; **mit geringem/großem ~** with little/a lot of work; **arbeitsaufwendig** *adj* energy-consuming; (*Ind*) labour-intensive; **~/nicht sehr ~ sein** to involve a lot of/not much work/labour; **Arbeitsausfall** *m* loss of working hours; **Arbeitsausschuß** *m* working party; **Arbeitsbedingungen** *pl* working conditions *pl*; **Arbeitsbeginn** *m* start of work; **bei ~** when one starts work; **Arbeitsbelastung** *f* workload; **Arbeits-**

bereich *m* (*Arbeitsgebiet*) field of work; (*Aufgabenbereich*) area of work; **das gehört nicht in meinen ~** that's not my job. **Arbeitsbericht** *m* work report; **Arbeitsbeschaffung** *f* **1.** (*Arbeitsplatzbeschaffung*) job creation; **2.** (*Auftragsbeschaffung*) getting *or* bringing work in *no art*; **Arbeitsbeschaffungsmaßnahme** *f* (*Admin*) job creation scheme; **Arbeitsbescheinigung** *f* certificate of employment; **Arbeitsbesuch** *m* working visit; **Arbeitsblatt** *nt* (*Comput*) worksheet, spreadsheet; **Arbeitsdatei** *f* (*Comput*) scratch file; **Arbeitsdienst** *m* (*NS*) labour service; **Arbeitsdirektor(in** *f)* *m* personnel manager; **Arbeitsdisziplin** *f* discipline at work *no art*; **Arbeitseifer** *m* enthusiasm for one's work; **Arbeitseinkommen** *nt* earned income; **Arbeitseinstellung** *f* **1.** *siehe* **Arbeitsauffassung; 2.** (*Arbeitsniederlegung*) walkout; **die Belegschaft reagierte mit ~** the work force reacted by downing tools *or* walking out; **Arbeitsemigrant(in** *f)* *m* emigrant worker; **Arbeitsende** *nt* *siehe* **Arbeitsschluß; Arbeitserlaubnis** *f* (*Recht*) permission to work; (*Bescheinigung*) work permit; **Arbeitserleichterung** *f* **das bedeutet eine große ~** that makes the work much easier; **Arbeitsessen** *nt* (*esp Pol*) working lunch/dinner; **Arbeitsethos** *nt* work ethic; **Arbeitsexemplar** *nt* desk copy; **arbeitsfähig** *adj* Person able to work; (*gesund*) fit for *or* to work; *Regierung etc* viable; **Arbeitsfähigkeit** *f* *siehe adj* ability to work; fitness for work; viability; **Arbeitsfeld** *nt* (*geh*) field of work; **Arbeitsfläche** *f* work surface, worktop; **Arbeitsfriede(n)** *m* peaceful labour relations *pl, no art*; **Arbeitsgang** *m* **1.** (*Abschnitt*) operation; **2.** *siehe* **Arbeitsablauf; Arbeitsgebiet** *nt* field of work; **Arbeitsgemeinschaft** *f* team; (*Sch, Univ*) study-group; (*in Namen*) association; **Arbeitsgericht** *nt* industrial tribunal (*Brit*), labor court (*US*); **Arbeitsgruppe** *f* team; **Arbeitshaltung** *f* attitude to work; **Arbeitshaus** *nt* (*old*) workhouse; **Arbeitshilfe** *f* aid; **Arbeitshypothese** *f* working hypothesis; **Arbeitsinspektion** *f* (*Aus, Sw*) factory supervision; **arbeitsintensiv** *adj* labour-intensive; **Arbeitskampf** *m* industrial action; **Arbeitskampfmaßnahmen** *pl* industrial action *sing*; **Arbeitskleidung** *f* working clothes *pl*; **Arbeitsklima** *nt* work climate, work(ing) atmosphere; **Arbeitskollege** *m* (*bei Angestellten*) colleague; (*bei Arbeitern*) workmate; **Arbeitskollektiv** *nt* (*DDR*) team; **Arbeitskosten** *pl* labour costs *pl*.

Arbeitskraft *f* **1.** *no pl* capacity for work; **die menschliche ~ ersetzen** to replace human labour; **seine ~ verkaufen** to sell one's labour; **2.** (*Arbeiter*) worker.

Arbeitskräfte *pl* work force.

Arbeitskräftemangel *m* labour shortage; **Arbeitskräfteüberhang** *m* labour surplus.

Arbeitskreis m siehe **Arbeitsgemeinschaft**; **Arbeitslager** nt labour or work camp; **Arbeitslärm** m industrial noise; **Arbeitslast** f burden of work; **Arbeitsleben** nt working life; **Arbeitsleistung** f (quantitativ) output, performance; (qualitativ) performance; **Arbeitslohn** m wages pl, earnings pl.

arbeitslos adj 1. unemployed, out of work. 2. Einkommen unearned.

Arbeitslosengeld nt earnings-related benefit; **Arbeitslosenheer** nt army of unemployed; **Arbeitslosenhilfe** f unemployment benefit; **Arbeitslosenquote** f rate of unemployment; **Arbeitslosenunterstützung** f (dated) unemployment benefit, dole money (Brit inf); **Arbeitslosenversicherung** f ≃ National Insurance (Brit), social insurance (US); **Arbeitslosenzahlen** pl, **Arbeitslosenziffer** f unemployment figures pl.

Arbeitslose(r) mf decl as adj unemployed person/man/woman etc. die ~n the unemployed; **die Zahl der** ~n the number of unemployed or of people out of work.

Arbeitslosigkeit f unemployment.

Arbeitsmangel m lack of work; **Arbeitsmarkt** m labour market; **arbeitsmäßig** adj with respect to work; **Arbeitsmaterial** nt material for one's work; (Sch) teaching aids pl; **Arbeitsmedizin** f industrial medicine; **Arbeitsmensch** m (hard) worker; **Arbeitsmerkmale** pl job characteristics pl; **Arbeitsmethode** f method of working; **Arbeitsminister(in** f) m Employment Secretary (Brit), Labor Secretary (US); **Arbeitsmittel** nt siehe **Arbeitsmaterial**; **Arbeitsmoral** f siehe **Arbeitsethos**; **Arbeitsnachweis** m 1. employment agency; (amtlich) employment exchange; 2. (Bescheinigung) certificate of employment; **Arbeitsniederlegung** f walkout; **Arbeitsnorm** f 1. average work rate; 2. (DDR) time per unit of production; **Arbeitsorganisation** f organization of the/one's work; **Arbeitsort** m place of work; **Arbeitspapier** nt working paper; **Arbeitspapiere** pl cards, employment papers (form) pl; **Arbeitsplatte** f worktop.

arbeitsparend adj labour-saving.

Arbeitspause f break; **Arbeitspensum** nt quota of work; **Arbeitspferd** nt (lit) workhorse; (fig) slogger (inf), hard worker; **Arbeitspflicht** f requirement to work; **Arbeitsplan** m work schedule; (in Fabrik) production schedule.

Arbeitsplatz m 1. (Arbeitsstätte) place of work, workplace. **am** ~ at work; (in Büro auch) in the office; (in Fabrik auch) on the shop floor; **Demokratie am** ~ industrial democracy.
2. (in Fabrik) work station; (in Büro) workspace. **die Bibliothek hat 75 Arbeitsplätze** the library has room for 75 people to work or has working space for 75 people; **das Kind braucht einen richtigen** ~ the child needs a proper place to work.
3. (Stelle) job. **freie Arbeitsplätze** vacancies.

Arbeitsplatzabbau m job cuts pl; **Arbeitsplatzbeschreibung** f job description; **Arbeitsplatzgarantie** f guaranteed job; **eine** ~ **aussprechen** to offer guaranteed employment or a job guarantee; **Arbeitsplatzsicherung** f safeguarding of jobs; **Arbeitsplatzteilung** f job sharing; **Arbeitsplatzwechsel** m change of jobs or employment (form).

Arbeitsprobe f sample of one's work; **Arbeitsproduktivität** f productivity per man-hour worked; **Arbeitsprozeß** m work process; **Arbeitspsychologie** f industrial psychology; **Arbeitsraum** m workroom; (für geistige Arbeit) study; **Arbeitsrecht** nt industrial law; **arbeitsrechtlich** adj Streitfall, Angelegenheit concerning industrial law; Literatur on industrial law; **arbeitsreich** adj full of or filled with work, busy; **Arbeitsrhythmus** m work rhythm; **Arbeitsrichter(in** f) m judge in an industrial tribunal; **Arbeitsruhe** f (kurze Zeit) break from work; **gestern herrschte** ~ **die factories and offices were closed yesterday**; **arbeitsscheu** adj workshy; **Arbeitsschluß** m end of work; ~ **ist um 17⁰⁰** work finishes at 5 p.m.; **nach** ~ after work.

Arbeitsschutz m maintenance of industrial health and safety standards.

Arbeitsschutzbestimmung f health and safety regulation; **Arbeitsschutzgesetzgebung** f legislation concerning health and safety at work; **Arbeitsschutzvorschriften** pl health and safety regulations pl.

Arbeitssitzung f working session; **Arbeitssklave** m (fig) slave to one's job; **Arbeitssoziologie** f industrial sociology; **Arbeitsspeicher** m (Comput) working store, scratch pad; **Arbeitsstätte** f place of work; **Arbeitsstelle** f 1. place of work; 2. (Stellung) job; 3. (Abteilung) section; **Arbeitsstil** m workstyle, style of working; **Arbeitsstimmung** f **in der richtigen** ~ **sein** to be in the (right) mood for work; **Arbeitsstudie** f time and motion study; **Arbeitsstunde** f man-hour; ~n **werden extra berechnet** labour will be charged separately; **Arbeitssuche** f search for work or employment or a job; **auf** ~ **sein** to be looking for a job or be jobhunting; **Arbeitstag** m working day; **ein harter** ~ a hard day; **Arbeitstagung** f conference, symposium; **Arbeitstakt** m (Tech) 1. (von Motor) power stroke; 2. (bei Fließbandarbeit) time for an/the operation, phase time; **Arbeitsteam** nt team; **Arbeitstechnik** f technique of working; **arbeitsteilig** I adj based on the division of labour; II adv on the principle of the division of labour; **Arbeitsteilung** f division of labour; **Arbeitstempo** nt rate of work; **Arbeitstherapie** f work therapy; **Arbeitstier** nt 1. (lit) working animal; 2. (fig) glutton for work; (Geistesarbeiter *auch*) workaholic (*inf*); **Arbeitstisch** *m* work-table; (*für geistige Arbeit*) desk; (*für handwerkliche Arbeit*) workbench; **Arbeitstitel** *m* provisional *or* draft title; **Arbeitsüberlastung** *f* (*von Mensch*) overworking; (*von Maschine*) overloading; **wegen ~ ist es uns nicht möglich, ...** pressure of work makes it impossible for us to ...

Arbeitsuche *f* siehe **Arbeitssuche**; **arbeitsuchend** *adj attr* looking for work *or* a job, seeking employment; **Arbeitsuchende(r)** *mf decl as adj* person *etc* looking for a job.

arbeitsunfähig *adj* unable to work; (*krank*) unfit for *or* to work; *Regierung etc* non-viable; **Arbeitsunfähigkeit** *f siehe adj* inability to work; unfitness for work; non-viability; **dauernde ~** permanent disability; **Arbeitsunfall** *m* industrial accident, accident at work; **Arbeitsunterlage** *f* work paper; (*Buch*) source for one's work; **arbeitsunwillig** *adj* reluctant *or* unwilling to work; **Arbeitsurlaub** *m* working holiday; **Arbeitsverdienst** *m* earned income; **Arbeitsvereinfachung** *f* simplification of the/one's work; **Arbeitsverfahren** *nt* process; **Arbeitsverhältnis** *nt* employee-employer relationship; **ein ~ eingehen** to enter employment; **Arbeitsverhältnisse** *pl* working conditions *pl*; **Arbeitsvermittlung** *f* **1.** (*Vorgang*) arranging employment; **2.** (*Amt*) employment exchange; (*privat*) employment agency; **Arbeitsvertrag** *m* contract of employment; **Arbeitsverweigerung** *f* refusal to work; **Arbeitsvorbereitung** *f* **1.** preparation for the/one's work; **2.** (*Ind*) production planning; **Arbeitsvorgang** *m* work process; **Arbeitsvorhaben** *nt* project; **Arbeitsvorlage** *f* sketch/plan/model to work from; **Arbeitsweise** *f* (*Praxis*) way *or* method of working, working method; (*von Maschine*) mode of operation; **die ~ dieser Maschine** the way this machine works; **Arbeitswelt** *f* working world; **die industrielle ~** the world of industry; **arbeitswillig** *adj* willing to work; **Arbeitswillige(r)** *mf decl as adj* person willing to work; **Arbeitswissenschaft** *f* industrial science, manpower studies *sing* (*US*); **Arbeitswoche** *f* working week; **Arbeitswut** *f* work mania; **ihn hat die ~ gepackt** he's turned into a workaholic; **arbeitswütig** *adj* **er ist ~** he's a workaholic (*inf*).

Arbeitszeit *f* **1.** working hours *pl*. **während der ~** in *or* during working hours. **2.** (*benötigte Zeit*) **die ~ für etw** the time spent on sth; (*in Fabrik*) the production time for sth; **er ließ sich die ~ bezahlen** he wanted to be paid for his time.

Arbeitszeitordnung *f* working-time regulations *pl*; **Arbeitszeitverkürzung** *f* reduction in working hours.

Arbeitszimmer *nt* study; **Arbeitszwang** *m* requirement to work.

Arbitrage [-aːʒə] *f* -, **-n** (*St Ex*) arbitrage *no art*; (*~geschäft*) arbitrage business.

arbiträr *adj* (*geh*) arbitrary.

Arboretum *nt* -s, **Arboreten** (*Bot*) arboretum.

Archaikum, Archäikum *nt* (*Geol*) arch(a)ean period.

archaisch *adj* archaic.

Archaismus *m* archaism.

Archäologe *m*, **Archäologin** *f* archaeologist.

Archäologie *f* archaeology.

archäologisch *adj* archaeological.

Arche *f* -, **-n die ~ Noah** Noah's Ark.

Archetyp *m* -s, **-en** archetype.

archetypisch *adj* archetypal.

Archipel *m* -s, **-e** archipelago.

Architekt(in *f*) *m* **-en, -en** (*lit, fig*) architect.

Architektenbüro *nt* architect's office; **Architektenkollektiv** *nt* team of architects.

Architektonik *f* architecture; (*geh: Aufbau von Kunstwerk*) structure, architectonics *sing* (*form*).

architektonisch *adj siehe n* architectural; structural, architectonic (*form*).

Architektur *f* architecture (*auch Comput*); (*Bau*) piece of architecture.

Archiv *nt* archives *pl*.

Archivalien [-ˈvaːliən] *pl* records *pl*.

Archivar(in *f*) [-ˈvaːɐ, -ˈvaːrɪn] *m* archivist.

Archivbild *nt* library photo, photo from the archives; **Archivexemplar** *nt* file copy.

archivieren* [-ˈviːrən] *vt* to archive.

ARD [ˈaːɛrˈdeː] *f* -, *no pl abbr of* **Arbeitsgemeinschaft der Rundfunkanstalten Deutschlands.**

Are *f* -, **-n** (*Sw*) siehe **Ar.**

Areal *nt* -s, **-e** area.

areligiös *adj* areligious.

Ären *pl of* **Ära.**

Arena *f* -, **Arenen** (*lit, fig*) arena; (*Zirkus~, Stierkampf~*) ring.

arg I *adj, comp* **⁻er**, *superl* **⁻ste(r, s)** (*esp S Ger*) **1.** (*old: böse*) evil, wicked. **~ denken** to think evil thoughts.

2. (*schlimm*) bad; *Wetter auch, Gestank, Katastrophe, Verlust, Blamage, Verlegenheit, Schicksal* terrible; *Enttäuschung, Feind* bitter; *Säufer, Raucher* confirmed, inveterate. **sein ärgster Feind** his worst enemy; **etw noch ärger machen** to make sth worse; **das Ärgste befürchten** to fear the worst; **etw liegt im ~en** sth is at sixes and sevens.

3. *attr* (*stark, groß*) terrible; (*dial*) *Freude, Liebenswürdigkeit* tremendous.

II *adv, comp* **⁻er**, *superl* **am ⁻sten** (*schlimm*) badly; (*dial inf: sehr*) terribly (*inf*). **es geht ihr ~ schlecht** (*inf*) she's in a really bad way; **er hat sich ~ vertan** (*inf*) he's made a bad mistake; **sie ist ~ verliebt** (*inf*) she is very much *or* terribly in love; **es zu ~ treiben** to go too far, to take things too far.

Argentinien [-iən] *nt* -s Argentina, the Argentine.

Argentinier(in *f*) [-iɐ, iərɪn] *m* -s, - Argentine, Argentinean.

argentinisch *adj* Argentine, Argentinean.

ärger *comp of* **arg.**

Ärger *m* -s, *no pl* **1.** annoyance; (*stärker*)

anger. ~ **über etw** (acc) **empfinden** to feel annoyed about sth; **zu jds** ~ or **jdm zum** ~ to sb's annoyance.

2. (*Unannehmlichkeiten, Streitigkeiten*) trouble; (*ärgerliche Erlebnisse auch*) bother; (*Sorgen*) worry. **jdm** ~ **machen** or **bereiten** to cause sb a lot of trouble or bother; **der tägliche** ~ **im Büro** the hassle (*inf*) in the office every day; ~ **bekommen** or **kriegen** (*inf*) to get into trouble; ~ **mit jdm haben** to be having trouble with sb; **mach keinen** ~**!** (*inf*) don't make or cause any trouble!, cool it (*sl*); **mach mir keinen** ~ (*inf*) don't make any trouble for me; **so ein** ~**!** (*inf*) how annoying!, what a nuisance!; **es gibt** ~ (*inf*) there'll be trouble.

ärgerlich *adj* **1.** (*verärgert*) annoyed, cross. ~ **über** or **auf jdn/über etw** (acc) **sein** to be annoyed or cross with sb/about sth, to be angry or infuriated with or mad (*inf*) at sb/about sth.

2. (*unangenehm*) annoying; (*stärker*) maddening, infuriating. **eine** ~**e Tatsache** an unpleasant fact.

ärgern I *vt* **1.** to annoy, to irritate; (*stärker*) to make angry. **jdn krank/zu Tode** ~ to drive sb mad; **über so etwas könnte ich mich krank/zu Tode** ~ that sort of thing drives me mad; **das ärgert einen doch!** but it's so annoying!

2. (*necken*) to torment.

II *vr* (*ärgerlich sein/werden*) to be/get annoyed; (*stärker*) to be/get angry or infuriated (*über jdn/etw* with sb/about sth). **du darfst dich darüber nicht so** ~ you shouldn't let it annoy you so much; **nicht** ~, **nur wundern!** (*inf*) that's life.

Ärgernis *nt* **no pl** (*Anstoß*) offence, outrage. ~ **erregen** to cause offence; ~ **an etw** (*dat*) **nehmen** (*old*) to be offended by sth; **bei jdm** ~ **erregen** to offend sb; **wegen Erregung öffentlichen** ~**ses angeklagt werden** to be charged with offending public decency.

2. (*etwas Anstößiges*) outrage; (*etwas Ärgerliches*) terrible nuisance. **es ist ein** ~ **für sie, wenn …** it annoys her (terribly) when …; **um** ~**se zu vermeiden** to avoid upsetting anybody.

3. (*Ärgerlichkeit, Unannehmlichkeit*) trouble.

Arglist *f* -, **no pl** (*Hinterlist*) cunning, guile, craftiness; (*Boshaftigkeit*) malice; (*Jur*) fraud.

arglistig *adj* cunning, crafty; (*böswillig*) malicious. ~**e Täuschung** fraud.

Arglistigkeit *f* **siehe adj** cunning, craftiness; maliciousness.

arglos *adj* innocent; (*ohne Täuschungsabsicht*) guileless.

Arglosigkeit *f* **siehe adj** innocence; guilelessness.

Argon *nt* -s, **no pl** (*abbr* **Ar**) argon.

ärgste(r, s) *superl* **of arg.**

Argument *nt* argument. **das ist kein** ~ that's no argument; (*wäre unsinnig*) that's no way to go about things; (*keine Entschuldigung*) that's no excuse.

Argumentation *f* **1.** argument; (*Darlegung*) argumentation **no pl.** **2.** (*Sch: Aufsatz*) critical analysis.

Argumentationshilfe *f* (*form*) advice on how to present one's case.

argumentativ (*geh*) *adj* ~ **ist er sehr schwach** his argumentation is weak; **etw** ~ **erreichen/bekämpfen** to achieve sth by (force of) argument/to fight sth with arguments.

argumentieren* *vi* to argue. **mit etw** ~ to use sth as an argument.

Argusauge *nt* (*geh*) Argus eye. **mit** ~**n** Argus-eyed.

Argwohn *m* -s, **no pl** suspicion. **jds** ~ **erregen/zerstreuen** to arouse/allay sb's suspicions; ~ **gegen jdn hegen/schöpfen** (*geh*) to have/form doubts about sb, to be/become suspicious of sb; **mit** or **voller** ~ suspiciously.

argwöhnen *vt insep* (*geh*) to suspect.

argwöhnisch *adj* suspicious.

arid *adj* (*Geog*) arid.

Arie [-iə] *f* (*Mus*) aria.

Arier(in *f*) [-iɐ, -iərɪn] *m* -**s**, - (*NS*) Aryan.

Aries ['aːriɛs] *m* (*Astron*) Aries.

arisch *adj* **1.** (*Ling*) Indo-European, Indo-Germanic. **2.** (*NS*) Aryan.

arisieren* *vt* (*NS sl*) to Aryanize.

Aristokrat(in *f*) *m* -**en**, -**en** aristocrat.

Aristokratie *f* aristocracy.

aristokratisch *adj* aristocratic.

Aristoteles *m* - Aristotle.

aristotelisch *adj* Aristotelian.

Arithmetik *f* -, **no pl** arithmetic.

Arithmetiker(in *f*) *m* -**s**, - arithmetician.

arithmetisch *adj* arithmetic(al).

Arkade *f* (*Bogen*) arch(way). ~**n** *pl* (*Bogengang*) arcade.

Arkadien [-iən] *nt* Arcadia.

Arktis *f* -, **no pl die** ~ the Arctic.

arktisch *adj* arctic.

arm *adj, comp* **⁼er**, *superl* **⁼ste(r, s)** or *adv* **am ⁼sten** (*lit, fig*) poor; (*gering*) Vegetation, Wachstum sparse. ~ **und reich** rich and poor; **die A~en** the poor *pl*; **du ißt mich noch mal** ~**!** (*inf*) you'll eat me out of house and home!; **du machst mich noch mal** ~ (*inf*) you'll ruin me yet; ~ **an etw** (*dat*) **sein** to be somewhat lacking in sth; **der Boden ist** ~ **an Nährstoffen** the soil is poor in nutrients; ~ **an Vitaminen** low in vitamins; **um jdn/etw ⁼er werden/sein** to lose/have lost sb/sth; **um 55 Mark ⁼er sein** to be 55 marks worse off or poorer; **ach, du/Sie A~er!** (*iro*) you poor thing!, poor you!; **ich A~er!** (*poet*) woe is me! (*poet*); ~ **dran sein** (*inf*) to have a hard time of it; ~**es Schwein** (*inf*) poor so-and-so (*inf*); ~**er Irrer** (*sl*) mad fool (*inf*); (*bedauernswert*) poor fool.

Arm *m* -(**e**)**s**, -**e 1.** (*Anat, Tech, fig*) arm; (*Fluß*~ *auch*, *Baum*~) branch; (*Waage*~) beam; (*Ärmel*) sleeve. ~ **in** ~ arm in arm; **über/unter den** ~ over/under one's arm; **die** ~**e voll haben** to have one's arms full; **jds** ~ **nehmen** to take sb's arm or sb by the arm; **jdm den** ~ **bieten** (*geh*) or **reichen** to offer sb one's arm; **jdn im** ~ or **in den** ~**en halten** to hold sb in one's arms; **jdn am** ~ **führen** to lead sb by the arm; **jdn in die** ~**e nehmen** to take sb in one's arms; **jdn in die** ~**e schließen** to take or clasp sb in

an embrace; **sich in den ~en liegen** to lie in each other's arms; **sich aus jds ~en lösen** (*geh*) to free oneself from sb's embrace; **jdn auf den ~ nehmen** to take sb onto one's arm; (*fig inf*) to pull sb's leg (*inf*); **jdm unter die ~e greifen** (*fig*) to help sb out; **jdm in die ~e laufen** (*fig inf*) to run *or* bump (*inf*) into sb; **jdn mit offenen ~en empfangen** (*fig*) to welcome sb with open arms; **jdm in den ~ fallen** (*fig*) to put a spoke in sb's wheel, to spike sb's guns; **jdn jdm/einer Sache in die ~e treiben** (*fig*) to drive sb into sb's arms/to sth; **der ~ des Gesetzes** the long arm of the law; **der ~ der Gerechtigkeit** (*fig*) justice; **einen langen/den längeren ~ haben** (*fig*) to have a lot of/more pull (*inf*) *or* influence; **jds verlängerter ~** an extension of sb.
2. (*euph hum*) *siehe* **Arsch.**

Armada *f* -, **-s** *or* **Armaden** (*lit, fig*) armada.

Armageddon *nt* **-(s)** Armageddon.

Arm *in cpds* arm; **armamputiert** *adj* with an arm amputated; **~ sein** to have had an arm amputated; **Armarbeit** *f* (*Boxen*) fist work.

Armatur *f, usu pl* (*Tech*) (*Hahn, Leitung*) fitting; (*Instrument*) instrument.

Armaturenbeleuchtung *f* (*Aut*) dash light; **Armaturenbrett** *nt* instrument panel; (*Aut*) dashboard.

Armband *nt* bracelet; (*von Uhr*) (watch)strap; **Armbanduhr** *f* wristwatch; **Armbeuge** *f* 1. inside of one's elbow; 2. (*Sport*) arm bend; **Armbinde** *f* armband; (*Med*) sling; **Armbruch** *m* (*Med*) broken *or* fractured arm; **Armbrust** *f* crossbow.

Ärmchen *nt dim of* **Arm.**

armdick *adj* as thick as one's arm.

Armee *f* -, **-n** [-ɛ:ən] (*Mil, fig*) army; (*Gesamtheit der Streitkräfte*) (armed) forces *pl.* **bei der ~** in the army/forces.

Armee- *in cpds* army.

Ärmel *m* **-s,** - sleeve. **sich** (*dat*) **die ~ hoch-** *or* **aufkrempeln** (*lit, fig*) to roll up one's sleeves; **etw aus dem ~ schütteln** to produce sth just like that.

Ärmel|aufschlag *m* cuff.

Ärmel|euteessen *nt* poor man's food; **Armel|euteegeruch** *m* smell of poverty.

Ärmelkanal *m* (English) Channel.

ärmellos *adj* sleeveless.

Armenhaus *nt* (*old*) poorhouse.

Armenien [-iən] *nt* Armenia.

Armenier(in *f*) [-iɐ, -iərɪn] *m* Armenian.

Armenkasse *f* (*Hist*) poor box; **Armenrecht** *nt* (*Jur*) legal aid.

Armensünder- *in cpds* (*Aus*) *siehe* **Armsünder-.**

Armenviertel *nt* poor district *or* quarter.

ärmer *comp of* **arm.**

Armeslänge *f* arm's length. **um zwei ~n** by two arms' length.

Armesünder- *in cpds siehe* **Armsünder-.**

Armflor *m* black armband; **Armgelenk** *nt* elbow joint; **Armhebel** *m* (*Sport*) arm lever.

armieren* *vt* 1. (*old Mil*) to arm. 2. (*Tech*) *Kabel* to sheathe; *Beton* to reinforce.

armlang *adj* arm-length; **Armlänge** *f* arm length; **Armlehne** *f* armrest; (*von Stuhl auch*) arm; **Armleuchter** *m* 1. chandelier; 2. (*pej inf: Mensch*) twit (*Brit inf*), fool, twirp (*inf*).

ärmlich *adj* (*lit, fig*) poor; *Kleidung, Wohnung* shabby; *Essen* meagre; *Verhältnisse* humble. **einen ~en Eindruck machen** to look poor/shabby; **aus ~en Verhältnissen** from a poor family.

Ärmlichkeit *f siehe adj* poorness; shabbiness; meagreness; humbleness.

Ärmling *m* oversleeve.

Armloch *nt* 1. armhole; 2. (*euph: Arschloch*) bum (*sl*); **Armmuskel** *m* biceps; **Armprothese** *f* artificial arm; **Armreif(en)** *m* bangle; **Armschlüssel** *m* (*Sport*) armlock, hammerlock (*US*); **Armschutz** *m* (*Sport*) arm guard.

armselig *adj* (*dürftig*) miserable; (*mitleiderregend*) pathetic, pitiful, piteous; *Feigling* pathetic, miserable, wretched; *Summe, Ausrede* paltry. **für ~e zwei Mark** for a paltry two marks, for two paltry marks.

Armseligkeit *f siehe adj* miserableness; pitifulness, piteousness; wretchedness.

Armsessel, Armstuhl (*old*) *m* armchair.

ärmste(r, s) *superl of* **arm.**

Armstumpf *m* stump of one's arm; **Armstütze** *f* armrest.

Armsünderglocke *f knell* tolled during an execution; **Armsündermiene** *f* (*hum*) hangdog expression.

Armut *f* -, *no pl* (*lit, fig*) poverty. **geistige ~** intellectual poverty; (*von Mensch*) lack of intellect.

Armutsgrenze *f, no pl* poverty line; **Armutszeugnis** *nt* (*fig*) **jdm/sich (selbst) ein ~ ausstellen** to show *or* prove sb's/one's (own) shortcomings; **das ist ein ~ für ihn** that shows him up.

Armvoll *m* -, - armful. **zwei ~ Holz** two armfuls of wood.

Arnika *f* -, **-s** arnica.

Aroma *nt* **-s, Aromen** *or* **-s** *or* (*dated*) **-ta** 1. (*Geruch*) aroma. 2. (*Geschmack*) flavour, taste. 3. *no pl* flavouring.

Aromatherapie *f* aroma therapy.

aromatisch *adj* 1. (*wohlriechend*) aromatic. 2. (*wohlschmeckend*) savoury.

aromatisieren* *vt* to give aroma to. **aromatisiert** aromatic; **zu stark aromatisiert sein** to have too strong an aroma.

Aron(s)stab *m* (*Bot*) arum.

Arrak *m* **-s, -s** *or* **-e** arrack.

Arrangement [arãʒəˈmãː] *nt* **-s, -s** (*alle Bedeutungen*) arrangement.

Arrangeur(in *f*) [arãˈʒøːɐ, -ʒøːrɪn] *m* (*geh*) organizer; (*Mus*) arranger.

arrangieren* [arãˈʒiːrən] **I** *vti* (*alle Bedeutungen*) to arrange (*jdm* for sb). **II** *vr* **sich mit jdm ~** to come to an arrangement with sb; **sich mit etw ~** to come to terms with sth.

Arrest *m* **-(e)s, -s** 1. (*Sch, Mil, Jur: Jugend~*) detention.
2. (*Econ, Jur*) (*auch persönlicher ~*) attachment; (*auch dinglicher ~*) distress (*form*), distraint. **~ in jds Vermögen** distress upon sb's property.

Arrestant [-st-] *m* (*dated Jur*) detainee.

Arrestlokal nt (dated) detention room; (Mil) guardroom; **Arrestzelle** f detention cell.

arretieren* vt 1. (dated) jdn to take into custody. 2. (Tech) to lock (in place).

Arretierung f 1. siehe vt taking into custody; locking. 2. (Vorrichtung) locking mechanism.

arrivieren* [-'viː-] vi aux sein to make it (inf), to become a success. **zu etw ~** to rise to become sth.

arriviert [-'viːet] adj successful; (pej) upstart. **er ist jetzt ~** he has arrived, he has made it (inf).

Arrivierte(r) mf decl as adj arrivé; (pej) parvenu.

arrogant adj arrogant.

Arroganz f, no pl arrogance.

arrondieren* vt (geh) 1. Grenze to re-align, to adjust; Grundstück to realign or adjust the boundaries of. 2. Kanten etc to round off.

Arsch m -(e)s, ¨e 1. (vulg) arse (vulg), ass (sl), bum (sl), fanny (US sl), butt (US sl). **jdm** or **jdn in den ~ treten** to give sb a kick up the arse (vulg) or ass (sl); **auf den ~ fallen** (fig: scheitern) to fall flat on one's face; **den ~ voll kriegen** to get a bloody good hiding (sl); **leck mich am ~!** (laß mich in Ruhe) get stuffed! (inf), fuck off! (vulg); (verdammt noch mal) bugger! (sl), fuck it! (vulg); **er kann mich (mal) am ~ lecken** he can get stuffed (inf) or fuck off (vulg); **jdm in den ~ kriechen** to lick sb's arse (vulg) or ass (sl); **du hast wohl den ~ offen!** (sl) you're out of your tiny mind (inf); **~ mit Ohren** (sl) silly bugger (sl); **am ~ der Welt** (sl) in the back of beyond; **im** or **am ~ sein/in den ~ gehen** (sl) to be/get fucked up (vulg); **jdn am ~ kriegen** (sl) to get sb by the short and curlies (inf); **den ~ zukneifen** (sl) to snuff it (inf); **jdm den ~ aufreißen** (esp Mil) to work the shit out of sb (sl); **ihm geht der ~ mit Grundeis** (sl) he's got the shits (sl), he's shit-scared (sl); **Schütze ~** (Mil) simple private; **sich auf den** or **seinen ~ setzen** (lit) to park one's arse (vulg) or fanny (US sl); (fig sl) (sich Mühe geben) to get one's arse in gear (vulg), to get one's finger out (sl); (aus Überraschung) to be knocked out (sl).
2. (sl: Mensch) bastard, bugger, sod (all sl); (Dummkopf) stupid bastard etc (sl).

Arschbacke f (vulg) buttock, cheek; **Arschficker** m (vulg) 1. (lit) bumfucker (vulg); 2. (fig) slimy bastard (sl); **Arschgeige** f (sl) siehe Arsch 2.; **Arschkriecher** m (sl) ass-kisser (sl).

ärschlings adv (old) backwards, arse first (vulg).

Arschloch nt (vulg) 1. (lit) arse-hole (vulg), ass-hole (sl); 2. siehe Arsch 2.; **Arschtritt** m (sl) kick up the arse (vulg) or behind (inf).

Arsen nt -s, no pl (abbr As) arsenic.

Arsenal nt -s, -e (lit, fig) arsenal.

arsenhaltig adj arsenic.

Arsenik nt -s, no pl arsenic, arsenic trioxide (form).

Art. abbr of Artikel.

Art f -, -en 1. kind, sort, type; (von Pflanze, Insekt etc auch) variety. **diese ~ Leute/Buch** people/books like that, that kind or sort of person/book; **jede ~ (von) Terror** any kind etc of terrorism, terrorism in any form; **alle möglichen ~en von Büchern, Bücher aller ~** all kinds or sorts of books, books of all kinds or sorts; **einzig in seiner ~ sein** to be the only one of its kind, to be unique; **aus der ~ schlagen** not to take after anyone in the family.
2. (Biol) species.
3. (Methode) way. **auf die ~** in that way or manner; **auf die ~ geht es am schnellsten** that is the quickest way; **auf merkwürdige/grausame ~** in a strange/cruel way; **die einfachste ~, etw zu tun** the simplest way to do sth or of doing sth; **auf diese ~ und Weise** in this way.
4. (Wesen) nature; (übliche Verhaltensweise) way. **es entspricht nicht meiner ~** it's not my nature; **das ist eigentlich nicht seine ~** it's not like him; **von lebhafter ~ sein** to have a lively nature; to have a lively way (with one).
5. (Stil) style. **Schnitzel nach ~ des Hauses** schnitzel à la maison.
6. (Benehmen) behaviour. **das ist doch keine ~!** that's no way to behave!; **was ist das (denn) für eine ~?** what sort of a way to behave is that?

Artangabe f (Gram) adverb of manner; (Adverbialbestimmung) adverbial phrase of manner.

art|eigen adj characteristic (of the species).

arten vi aux sein (geh) **nach jdm ~** to take after sb; siehe auch geartet.

artenreich adj with a large number of species; **diese Tierklasse ist sehr ~** this class of animal contains a large number of species; **Artenschutz** m protection of species; **Artenschwund** m extinction of species; **Artenvielfalt** f biological diversity, biodiversity.

arterhaltend adj survival attr; **Arterhaltung** f survival of the species.

Arterie [-iə] f artery.

arteriell adj arterial.

Arterienverkalkung [-iən-] f (inf) hardening of the arteries.

Arteriosklerose f arteriosclerosis.

artesisch adj **~er Brunnen** artesian well.

artfremd adj foreign; **Artgenosse** m animal/plant of the same species; (Mensch) person of the same type; **artgleich** adj of the same species; Mensch of the same type.

Arthritis f -, **Arthritiden** arthritis.

arthritisch adj arthritic.

artig adj 1. Kind, Hund good, well-behaved no adv. **sei schön ~** be a good boy/dog! etc, be good! 2. (old: galant) courteous, civil. 3. (old: anmutig) charming.

Artigkeit f 1. siehe adj (Wohlerzogenheit) good behaviour; courtesy, courteousness, civility; charm. 2. (old) (Kompliment) compliment; (höfliche Bemerkung) pleasantry.

Artikel m -s, - (*alle Bedeutungen*) article; (*Lexikon~ auch*) entry; (*Comm auch*) item.

Artikulation f articulation; (*deutliche Aussprache auch*) enunciation; (*Mus*) phrasing.

artikulationsfähig adj articulate; (*Phon*) able to articulate; **Artikulationsfähigkeit** f siehe adj articulateness; ability to articulate.

artikulatorisch adj (*Phon*) articulatory.

artikulieren* I vti to articulate; (*deutlich aussprechen auch*) to enunciate; (*Mus*) to phrase. **sich artikuliert ausdrücken** to be articulate. II vr (*fig geh*) to express oneself.

Artillerie f artillery.

Artillerie- in cpds artillery; **Artilleriebeschuß** m artillery fire.

Artillerist m artilleryman.

Artischocke f -, -n (globe) artichoke.

Artist(in f) m (circus/variety) artiste or performer.

Artistik f artistry; (*Zirkus-, Varietékunst*) circus/variety performing.

artistisch adj 1. sein ~es Können his ability as a performer; **eine ~e Glanzleistung/~ einmalige Leistung** a miraculous/unique feat of circus *etc* artistry; **eine ~e Sensation** a sensational performance. 2. (*geschickt*) masterly no adv. 3. (*formalkünstlerisch*) artistic.

Artothek f -, -en picture (lending) library.

Artur m -s Arthur.

Artus m - (*Hist, Myth*) (King) Arthur.

Artverschieden adj of different species; **Artverwandt** adj generically related; **Artwort** nt (*Gram*) adjective.

Arznei f (*lit, fig*) medicine. **das war für ihn eine bittere/heilsame ~** (*fig*) that was a painful/useful lesson for him.

Arzneibuch nt pharmacopoeia; **Arzneifläschchen** nt medicine bottle; **Arzneikunde** f pharmacology.

Arzneimittel nt drug.

Arzneimittelforschung f pharmacological research; **Arzneimittelgesetz** nt law governing the manufacture and prescription of drugs; **Arzneimittelhersteller** m drug manufacturer or company; **Arzneimittellehre** f pharmacology; **Arzneimittelmißbrauch** m drug abuse.

Arzneipflanze f medicinal plant; **Arzneischränkchen** nt medicine cupboard.

Arzt m -es, -e doctor, physician (*old, form*), medical practitioner (*form*); (*Fach~*) specialist; (*Chirurg*) surgeon. **praktischer ~** general practitioner, GP abbr.

Arztberuf m medical profession.

Ärztebesteck nt set of surgical instruments; **Ärztekammer** f ≃ General Medical Council (*Brit*), State Medical Board of Registration (*US*); **Ärztekollegium** nt, **Ärztekommission** f medical advisory board; **Ärztemangel** m shortage of doctors; **Ärzteschaft** f medical profession; **Ärztevertreter(in** f) m pharmaceutical consultant.

Arztfrau f doctor's wife; **Arzthelferin, Arzthilfe** f siehe **Sprechstundenhilfe**.

Ärztin f woman doctor; *siehe auch* **Arzt.**

ärztlich adj medical. **er ließ sich ~ behandeln** he went to a doctor for treatment, he got medical treatment; **~ empfohlen** recommended by the medical profession.

Arztpraxis f doctor's practice; **Arztrechnung** f doctor's bill.

As¹ nt -ses, -se (*lit, fig*) ace. **alle vier ~se** (*lit*) all the aces.

As² nt (*Mus*) A flat.

Asbest nt -(e)s, no pl asbestos.

Asbest- in cpds asbestos.

Aschantinuß f (*Aus*) siehe **Erdnuß.**

Aschbecher m siehe **Aschenbecher**; **aschblond** adj ash-blonde.

Asche f -, no pl (*es pl*); (*von Zigarette, Vulkan*) ash; (*fig*) (*sterbliche Überreste*) ashes pl; (*Trümmer*) ruins pl; (*nach Feuer*) ashes pl. **zu ~ werden** to turn to dust; **sich** (*dat*) **~ aufs Haupt streuen** (*fig geh*) to wear sackcloth and ashes.

Aschenbahn f cinder track; **Aschenbecher** m ashtray; **Aschenbrödel** nt -s, - (*Liter, fig*) Cinderella, Cinders (*inf*); **Aschenbrödeldasein** nt Cinderella existence; **Ascheneimer** m ash can (*esp US*) or bin; **Aschenkasten** m ash pan; **Aschenputtel** nt -s, - siehe **Aschenbrödel**; **Aschenregen** m shower of ash.

Ascher m -s, - (*inf*) ashtray.

Aschermittwoch m Ash Wednesday.

aschfahl adj ashen; **aschfarben, aschfarbig** adj ash-coloured; **aschgrau** adj ash-grey.

ASCII- ['aski:-] (*Comput*): **ASCII-Code** m ASCII code; **ASCII-Datei** f ASCII file.

Ascorbinsäure [askɔr'bi:n-] f ascorbic acid.

A-Seite f (*von Schallplatte*) A-side.

äsen (*Hunt*) I vir to graze, to browse. II vt to graze on.

aseptisch adj aseptic.

Äser¹ pl of **Aas.**

Äser² m -s, - (*Hunt*) mouth.

Aserbaidschan nt -s Azerbaijan.

asexuell adj asexual.

Ashram m -s, -s ashram.

Asiat(in f) m -en, -en Asian.

asiatisch adj Asian, Asiatic. **~e Grippe** Asian or Asiatic (*US*) flu.

Asien [-iən] nt -s Asia.

Askese f -, no pl asceticism.

Asket m -en, -en ascetic.

asketisch adj ascetic.

Askorbinsäure f ascorbic acid.

Äskulapschlange f snake of Aesculapius; **Äskulapstab** m staff of Aesculapius.

Äsop m -s Aesop.

äsopisch adj Aesopic. **eine Ä~e Fabel** one of Aesop's Fables.

asozial adj antisocial.

Asoziale(r) mf decl as adj (*pej*) antisocial man/woman *etc*. **~ pl** antisocial elements.

Aspekt m -(e)s, -e aspect. **unter diesem ~ betrachtet** looking at it from this aspect or this point of view; **einen neuen ~ bekommen** to take on a different complexion.

Asphalt m -(e)s, -e asphalt.

Asphaltdecke f asphalt surface.

asphaltieren vt to asphalt, to tarmac.
asphaltiert adj asphalt.
Asphaltstraße f asphalt road.
Aspik m or (Aus) nt **-s, -e** aspic.
Aspirant(in f) m **1.** (geh) candidate (für, auf +acc for). **2.** (DDR Univ) research assistant.
Aspirantur f (esp DDR) research assistantship.
Aspirata f -, **Aspiraten** (Phon) aspirate.
Aspiration f **1.** usu pl (geh) aspiration. ~en auf etw (acc) or nach etw haben to have aspirations towards sth, to aspire to sth. **2.** (Phon) aspiration.
aspirieren* I vi (geh) to aspire (auf +acc to); (Aus) to apply (auf +acc for). II vt (Phon) to aspirate.
aß pret of **essen.**
Aß nt (Aus) siehe **As¹.**
Assekuranz f (old) assurance; (Gesellschaft) assurance company.
Assel f -, **-n** isopod (spec); (Roll~, Keller~, Land~ auch) woodlouse.
Assembler m **-s, -** (Comput) assembler.
Assemblersprache f (Comput) assembly language.
Asservat [-'va:t] nt (court) exhibit.
Asservatenkammer f room where court exhibits are kept.
Assessor(in f) m graduate civil servant who has completed his/her traineeship.
Assimilation f assimilation; (Anpassung) adjustment (an +acc to).
assimilatorisch adj assimilatory, assimilative.
assimilieren* I vti to assimilate. II vr to become assimilated. **sich an etw** (acc) ~ (Mensch) to adjust to sth.
Assistent(in f) [-st-] m assistant.
Assistenz [-st-] f assistance. **unter** ~ **von** ... with the assistance of ...
Assistenzarzt m houseman (Brit), intern (US); **Assistenzprofessor(in** f) m assistant professor.
assistieren* [-st-] vi to assist (jdm sb).
Assonanz f (Poet) assonance.
Assoziation f association.
assoziativ adj (Psych, geh) associative.
assoziieren* (geh) I vr **mit Grün assoziiere ich Ruhe** I associate green with peace.
II vi to make associations. **frei** ~ to make free associations.
III vr **1.** (Vorstellungen etc) to have associations (in +dat, bei for).
2. (an-, zusammenschließen) **sich mit jdm** ~ to join with sb; **sich an jdn/etw** ~ to become associated to sb/sth.
assoziiert adj associated.
Assuan(stau)damm m Aswan (High) Dam.
Assyrer(in f) m **-s, -** Assyrian.
Assyrien [-ion] nt **-s** Assyria.
assyrisch adj Assyrian.
Ast m **-(e)s, ¨e 1.** branch, bough; (fig: von Nerv) branch. **sich in ¨e teilen** to branch; **den** ~ **absägen, auf dem man sitzt** (fig) to dig one's own grave; **einen** ~ **durchsägen** (hum) to snore like a grampus (inf), to saw wood (US inf); siehe **absteigen 2..**
2. (im Holz) knot.
3. (inf) (Rücken) back; (Buckel)

hump(back), hunchback. **sich** (dat) **einen** ~ **lachen** (inf) to double up (with laughter).
AStA ['asta] m **-s, Asten** (Univ) abbr of **Allgemeiner Studentenausschuß** student's union.
Astat, Astatin nt, no pl (abbr **At**) astatine.
asten (inf) I vi **1.** (sich anstrengen) to slog (inf). **2.** (büffeln) to swot. **3.** aux sein (sich fortbewegen) to drag oneself. II vt to hump (inf), to lug (Brit inf).
Aster f -, **-n** aster, Michaelmas daisy.
Astgabel f fork (in a branch). **eine** ~ **the** fork of a branch.
Asthet(in f) m **-en, -en** aesthete.
Ästhetik f **1.** (Wissenschaft) aesthetics sing. **2.** (Schönheit) aesthetics pl. **3.** (Schönheitssinn) aesthetic sense.
Ästhetiker(in f) m **-s, -** aesthetician.
ästhetisch adj aesthetic.
ästhetisieren* (usu pej, geh) I vt to aestheticize. II vi to talk about aesthetics.
Ästhetizismus m (pej geh) aestheticism.
Ästhetizist(in f) m aestheticist.
Asthma nt **-s,** no pl asthma.
Asthmatiker(in f) m **-s, -** asthmatic.
asthmatisch adj asthmatic.
astig adj Holz knotty, gnarled.
Astloch nt knothole.
astral adj astral.
Astralkörper m (Philos) astral body; (iro inf) beautiful or heavenly body.
astrein adj **1.** Holz, Brett free of knots. **2.** (fig inf: moralisch einwandfrei) straight (inf), on the level (inf). **3.** (fig inf: echt) genuine. **4.** (inf: prima) fantastic.
Astrologe m, **Astrologin** f astrologer; **Astrologie** f astrology; **astrologisch** adj astrological; **Astronaut(in** f) m **-en, -en** astronaut; **Astronautik** f astronautics sing; **astronautisch** adj astronautic(al); **Astronom(in** f) m astronomer; **Astronomie** f astronomy; **astronomisch** adj (lit) astronomical; (fig auch) astronomic.
astrophisch adj (Poet) not divided into strophes.
Astrophysik f astrophysics sing; **Astrophysiker(in** f) m astrophysicist.
Astwerk nt branches pl.
ASU ['asu] f -, no pl abbr of **Abgassonderuntersuchung.**
Äsung f (Hunt) grazing.
ASW [a:ɛs've:] no art -, no pl abbr of **außersinnliche Wahrnehmung** ESP.
Asyl nt **-s, -e 1.** (Schutz) sanctuary no art (liter); (politisches ~) (political) asylum no art. **jdm** ~ **gewähren** to grant sb sanctuary (liter)/(political) asylum; **um** ~ **bitten** or **nachsuchen** (form) to ask or apply (form) for (political) asylum.
2. (old: Heim) home, asylum.
Asylant(in f) m person seeking political asylum, asylum-seeker.
Asylantenwohnheim nt home for people seeking political asylum.
Asylantrag m application for political asylum; **asylberechtigt** adj entitled to political asylum; **Asylbewerber(in** f) m applicant for political asylum; **Asyl-**

recht *nt* (*Pol*) right of (political) asylum;
Asylsuchende(r) *mf decl as adj* person seeking (political) asylum; **Asylverfahren** *nt* procedure to determine *a person's right to political asylum.*

Asymmetrie *f* lack of symmetry, asymmetry.

asymmetrisch *adj* asymmetric(al).

Asymptote *f* -, **-n** asymptote.

asynchron [-kro:n] *adj* asynchronous (*form, Comput*), out of synchronism.

Asyndeton *nt* **-s, Asyndeta** (*Ling*) parataxis.

Aszendent *m* **1.** (*Astrol*) ascendant. **2.** (*Vorfahr*) ancestor, ascendant (*form*).

aszendieren* *vi* **1.** *aux sein* (*Astron*) to be in the ascendant. **2.** *aux sein or haben* (*obs*) to be promoted (*zu* to).

at ['a:'te:] *abbr of* **Atmosphäre** (*Phys*).

A.T. *abbr of* **Altes Testament** OT.

ata *adv* (*baby-talk*) ~ (~) **gehen** to go walkies (*baby-talk*).

Atavismus [-vis-] *m* atavism.

atavistisch [-vis-] *adj* atavistic.

Atelier [-'lie:] *nt* **-s, -s** studio.

Atelieraufnahme *f* **1.** (*Produkt*) studio shot; **2.** *usu pl* (*Vorgang*) studio work *no pl*; **Atelierfenster** *nt* studio window; **Atelierfest** *nt* studio party; **Atelierwohnung** *f* studio apartment.

Atem *m* **-s,** *no pl* **1.** (*das Atmen*) breathing. **den ~ anhalten** (*lit, fig*) to hold one's breath; **mit angehaltenem ~** (*lit*) holding one's breath; (*fig*) with bated breath; **einen kurzen ~ haben** to be short-winded; **wieder zu ~ kommen** to get one's breath back; **einen langen/den längeren ~ haben** (*fig*) to have a lot of/more staying power; **jdn in ~ halten** to keep sb in suspense *or* on tenterhooks; **das verschlug mir den ~** that took my breath away.

2. (*lit, fig: ~luft*) breath. **~ holen** *or* **schöpfen** (*lit*) to take *or* draw a breath; (*fig*) to get one's breath back.

3. (*fig geh: Augenblick*) **in einem/im selben ~** in one/the same breath.

Atembeklemmung *f* difficulty in breathing; **atemberaubend** *adj* breathtaking; **atembeschwerden** *pl* trouble in breathing; **Atemgerät** *nt* breathing apparatus; (*Med*) respirator; **Atemgeräusch** *nt* respiratory sounds *pl*; **Atemgymnastik** *f* breathing exercises *pl*; **Atemholen** *nt* **-s,** *no pl* breathing; **man kommt nicht mehr zum ~** (*fig*) you hardly have time to breathe; **Atemlähmung** *f* respiratory paralysis; **atemlosa** *adj* (*lit, fig*) breathless; **Atemluft** *f* unsere ~ the air we breathe; **Atemmaske** *f* breathing mask; **Atemnot** *f* difficulty in breathing; **Atempause** *f* (*fig*) breathing time *no art*, breathing space; **eine ~ einlegen** to take a breather; **Atemschutzgerät** *nt* breathing apparatus; **Atemtechnik** *f* breathing technique; **Atemübung** *f* (*Med*) breathing exercise; **Atemwege** *pl* (*Anat*) respiratory tracts *pl*; **Atemzug** *m* breath; **in einem/im selben ~** (*fig*) in one/the same breath.

Atheismus *m* atheism.

Atheist(in *f*) *m* atheist.

atheistisch *adj* atheist(ic).

Athen *nt* **-s** Athens.

Athener *adj* Athenian.

Athener(in *f*) *m* **-s, -** Athenian.

Äther *m* **-s,** *no pl* **1.** ether. **2.** (*poet*) (a)ether (*poet*); (*Rad*) air. **etw in den ~ schicken** to put sth on the air; **über den ~** over the air.

ätherisch *adj* (*Liter, Chem*) ethereal.

ätherisieren* *vt* to etherize.

Äthernarkose *f* etherization; **Ätherwellen** *pl* (*Rad*) radio waves *pl*.

Äthiopien [ɛ'tio:piən] *nt* **-s** Ethiopia, Abyssinia.

Äthiopier(in *f*) [-piɐ, -iərɪn] *m* **-s, -** Ethiopian, Abyssinian.

Athlet(in *f*) *m* **-en, -en** athlete.

Athletik *f* -, *no pl* athletics *sing*.

athletisch *adj* athletic.

Äthylalkohol *m* ethyl alcohol.

Äthyläther *m* ethyl ether.

Atlant *m* atlas.

Atlanten *pl of* **Atlas**[1].

Atlantik *m* **-s der** ~ the Atlantic.

atlantisch *adj* Atlantic. **ein ~es Hoch** a high-pressure area over/from the Atlantic; **der A~e Ozean** the Atlantic Ocean.

Atlas[1] *m* **- or -ses, Atlanten** *or* **-se** atlas.

Atlas[2] *m* -, *no pl* (*Myth*) Atlas.

Atlas[3] *m* **-ses, -se** (*Seiden~*) satin; (*Baumwolle*) sateen.

Atlas[4] *m* **-** (*Geog*) Atlas Mountains *pl*.

atmen I *vt* (*lit, fig geh*) to breathe. II *vi* to breathe, to respire (*form*). **frei ~** (*fig*) to breathe freely.

Atmosphäre *f* -, **-n** (*Phys, fig*) atmosphere.

Atmosphärendruck *m* atmospheric pressure; **Atmosphärenüberdruck** *m* **1.** atmospheric excess pressure; **2.** (*Maßeinheit*) atmosphere (of pressure) above atmospheric pressure.

atmosphärisch *adj* atmospheric. **~e Störungen** atmospherics *pl*.

Atmung *f* -, *no pl* breathing; (*Eccl, Med*) respiration.

Atmungsorgane *pl* respiratory organs *pl*.

Atoll *nt* **-s, -e** atoll.

Atom *nt* **-s, -e** atom.

Atom- *in cpds* atomic; *siehe auch* **Kern-**; **Atomangriff** *m* nuclear attack; **Atomanlage** *f* atomic plant; **Atomantrieb** *m* nuclear *or* atomic propulsion; **ein U-Boot mit ~** a nuclear-powered submarine.

atomar *adj* atomic, nuclear; **Struktur** atomic; **Drohung** nuclear.

Atombombe *f* atomic *or* atom bomb; **Atombombenexplosion** *f* atomic *or* nuclear explosion; **atombombensicher** *adj* atomic *or* nuclear blast-proof; **Atombombenversuch** *m* atomic *or* nuclear test; **Atombomber** *m* nuclear bomber; **Atombunker** *m* atomic *or* nuclear blast-proof bunker; **Atomenergie** *f siehe* **Kernenergie; Atomexplosion** *f* atomic *or* nuclear explosion; **Atomforscher(in** *f*) *m* nuclear scientist; **Atomforschung** *f* atomic *or* nuclear research; **Atomforschungszentrum** *nt* atomic *or* nuclear research centre;

atomgetrieben adj nuclear-powered; **Atomgewicht** nt atomic weight; **Atomindustrie** f nuclear industry.

atomisieren* vt to atomize; (fig) to smash to pieces or smithereens.

Atomismus m atomism.

Atomkern m atomic nucleus; **Atomklub** m (Press sl) nuclear club; **Atomkraft** f atomic or nuclear power or energy; **Atomkraftwerk** nt atomic or nuclear power station; **Atomkrieg** m atomic or nuclear war; **Atommacht** f nuclear power; **Atommeiler** m siehe **Kernreaktor; Atommodell** nt model of the atom; **Atommüll** m atomic or nuclear or radioactive waste; **Atomphysik** f atomic or nuclear physics sing; **Atomphysiker(in** f) m nuclear physicist; **Atompilz** m mushroom cloud; **Atomrakete** f nuclear-powered rocket; (Waffe) nuclear missile; **Atomreaktor** m atomic or nuclear reactor; **Atomrüstung** f nuclear armament; **Atomspaltung** f nuclear fission; **die erste** ~ the first splitting of the atom; **Atomsperrvertrag** m siehe **Atomwaffensperrvertrag; Atomsprengkopf** m atomic or nuclear warhead; **Atomstaat** m nuclear power; **Atomstopp** m nuclear ban; **Atomstrahlung** f nuclear radiation; **Atomstreitmacht** f nuclear capability; **Atomstrom** m (inf) electricity generated by nuclear power; **Atomtechnik** f nuclear technology, nucleonics sing.

Atomtest m nuclear test.

Atomteststopp m -s, no pl nuclear test ban; **Atomteststoppabkommen** nt nuclear test ban treaty.

Atomtod m (Press sl) nuclear death; **Atomtriebwerk** nt nuclear engine; **Atom-U-Boot** nt nuclear submarine; **Atomuhr** f atomic clock; **Atomversuch** m nuclear test; **Atomversuchsstopp** m nuclear test ban.

Atomwaffe f nuclear or atomic weapon.

atomwaffenfrei adj nuclear-free; **Atomwaffensperrvertrag** m nuclear or atomic weapons non-proliferation treaty; **Atomwaffentest, Atomwaffenversuch** m nuclear test.

Atomwissenschaftler(in f) m nuclear or atomic scientist; **Atomzeitalter** nt atomic or nuclear age; **Atomzerfall** m atomic disintegration or decay; **Atomzertrümmerung** f splitting of the atom.

atonal adj atonal.

Atonalität f atonality.

atoxisch adj (form) non-toxic.

Atrium nt (Archit, Anat) atrium.

Atriumhaus nt house built around an atrium or open court.

Atrophie f (Med) atrophy.

atrophisch adj atrophied.

ätsch interj (inf) ha-ha.

Attaché [ata'ʃeː] m -s, -s attaché.

Attacke f -, -n (Angriff) attack; (Mil Hist) (cavalry) charge. **eine** ~ **gegen jdn/etw reiten** (lit) to charge sb/sth; (fig) to attack sb/sth.

attackieren* vt (angreifen) to attack; (Mil Hist) to charge.

Attentat [-taːt] nt -(e)s, -e assassination; (~sversuch) assassination attempt. **ein** ~ **auf jdn verüben** to assassinate sb; to make an attempt on sb's life; **ich habe ein** ~ **auf dich vor** (hum) listen, I've got a great idea.

Attentäter(in f) m -s, - assassin; (bei gescheitertem Versuch) would-be assassin.

Attest nt -(e)s, -e certificate.

attestieren* vt (form) to certify. **jdm seine Dienstuntauglichkeit** ~ to certify sb as unfit for duty.

Attitüde f -, -n (geh) 1. attitude. 2. (Geste) gesture.

Attraktion f attraction.

attraktiv adj attractive.

Attraktivität f attractiveness.

Attrappe f -, -n dummy; (fig: Schein) sham. **die** ~ **eines ...** a dummy ...; **bei ihr ist alles** ~ everything about her is false.

Attribut nt -(e)s, -e (geh, Gram) attribute.

Attributsatz m (Gram) relative clause.

atü [aˈtyː] abbr of **Atmosphärenüberdruck.**

Atü nt -s, - atmospheric excess pressure.

atypisch adj (geh) atypical.

ätzen vti 1. to etch. 2. (Säure) to corrode. 3. (Med) to cauterize.

ätzend adj 1. (lit) Säure corrosive; (Med) caustic. 2. Geruch pungent; Rauch choking; Spott caustic. 3. (sl) (furchtbar) lousy (inf); **der Typ ist echt** ~ that guy really grates on you.

Ätzmittel nt (Chem) corrosive; (Med) cautery, caustic; **Ätznatron** nt caustic soda; **Ätzstift** m (Med) cautery.

Ätzung f (Hunt, hum) (Vorgang) feeding; (Futter) food, fodder.

Ätzung f, no pl siehe vti etching; corrosion; cauterization, cautery.

Au f -, -en (S Ger, Aus) siehe **Aue.**

au interj 1. ow, ouch. ~, **das war knapp!** oh or God, that was close! 2. (Ausdruck der Begeisterung) oh.

aua interj ow, ouch.

aubergine [obɛrˈʒiːnə] adj pred, **auberginefarben** adj aubergine.

Aubergine [obɛrˈʒiːnə] f aubergine, eggplant.

auch adv 1. (zusätzlich, gleichfalls) also, too, as well. **die Engländer müssen** ~ **zugeben, daß ...** the English must admit too or as well or must also admit that ...; ~ **die Engländer müssen ...** the English too must ...; **das kann ich** ~ I can do that too or as well; **das ist** ~ **möglich** that's possible too or as well, that's also possible; **ja, das** ~ yes, that too; ~ **gut** that's OK too; **du** ~? you too?, you as well?; ~ **nicht** not ... either; **das ist** ~ **nicht richtig** that's not right either; **er kommt — ich** ~ he's coming — so am I or me too; **ich will eins — ich** ~ I want one — so do I or me too; **er kommt aber — ich** ~ **nicht** he's not coming — nor or neither am I or I'm not either or me neither; **nicht nur ..., sondern** ~ not only ... but also ..., not only ... but ... too or as well; ~ **das noch!** that's all I needed!

2. (*tatsächlich*) too, as well. **und das tue/meine ich** ~ and I'll do it/I mean it too *or* as well; **Frechheit! — ja, das ist es** ~ what a cheek! — you can say that again; **du siehst müde aus — das bin ich** ~ you look tired — (so) I am; **das ist er ja** ~ (and so) he is; **so ist es** ~ (so) it is.
3. (*sogar*) even. ~ **wenn du Vorfahrt hast** even if you (do) have right of way; **ohne** ~ **nur zu fragen** without even asking.
4. (*emph*) **den Teufel** ~! damn it (all)!; **so was Ärgerliches aber** ~! it's really too annoying!; **wozu** ~? what on earth *or* whatever for?
5. (~ *immer*) **wie dem** ~ **sei** be that as it may; **was er** ~ **sagen mag** whatever he might say; **so schnell er** ~ **laufen mag** however fast he runs *or* may run, no matter how fast he runs; *siehe* **immer.**

Audienz f (*bei Papst, König*) audience.
Audienzsaal m audience chamber.
Audimax nt -, *no pl* (*Univ sl*) main lecture hall.
audiovisuell adj audiovisual.
auditiv adj auditory.
Auditorium nt **1.** (*Hörsaal*) lecture hall. ~ **maximum** (*Univ*) main lecture hall. **2.** (*geh: Zuhörerschaft*) audience.
Aue f -, **-n 1.** (*dial, poet*) meadow, pasture, lea (*poet*), mead (*poet*). **2.** (*dial: Insel*) island.
Auerhahn m **-(e)s, Auerhähne** or (*Hunt*) **-en** capercaillie.
Auerhenne f, **Auerhuhn** nt capercaillie (hen).
Auer|ochse m aurochs.
Auf nt inv: **das** ~ **und Ab** or **Nieder** the up and down; (*fig*) the ups and downs.
auf I prep (*siehe auch Substantive, Verben etc*) **1.** +*dat* on; (*esp Schriftsprache auch*) upon. ~ (**der Insel**) **Skye** on the island of Skye; ~ **See** at sea; ~ **meinem Zimmer** in my room; ~ **dem Markt** on the market; ~ **der Bank/Post** at the bank/post office; **mein Geld ist** ~ **der Bank** my money is in the bank; ~ **der Straße** on or in the street.
2. ~ **der Geige spielen** to play the violin; **etw** ~ **der Geige spielen** to play sth on the violin; ~ **einem Ohr taub/einem Auge kurzsichtig sein** to be deaf in one ear/short-sighted in one eye; **das hat nichts** ~ **sich** (*inf*) it does not mean anything; **was hat es damit** ~ **sich?** what does it mean?; **die Tachonadel steht** ~ **105** the speedometer is at *or* on 105; ~ **der Fahrt/dem Weg** on the journey/way; **Greenwich liegt** ~ **0 Grad** Greenwich lies at 0 degrees.
3. +*acc* on, onto. **etw** ~ **etw heben** to lift sth onto sth; **etw** ~ **etw stellen** to put sth on(to) *or* on top of sth; **sich** ~ **etw setzen/legen** to sit/lie (down) on sth; **sich** ~ **die Straße setzen** to sit down on *or* in the road; **das Wrack ist** ~ **den Meeresgrund gesunken** the wreck sank to the bottom of the sea; **jdm** ~ **den Rücken klopfen** to slap sb on the back; **etw** ~ **einen Zettel schreiben** to write sth on a piece of paper; **er ist** ~ **die Orkneyinseln gefahren** he has gone to the Orkney

Islands; **er segelt** ~ **das Meer hinaus** he is sailing out to sea; **geh mal** ~ **die Seite** go to the side; **Geld** ~ **die Bank bringen** to take money to the bank; (*einzahlen*) to put money in the bank; ~ **sein Zimmer/die Post/die Polizei gehen** to go to one's room/the post office/the police; ~s **Gymnasium gehen** to go to (the) grammar school; **die Uhr** ~ **10 stellen** to put *or* set the clock to 10; **Heiligabend fällt** ~ **einen Dienstag** Christmas Eve falls on a Tuesday; **die Sitzung** ~ **morgen legen/verschieben** to arrange the meeting for tomorrow/to postpone the meeting until tomorrow; ~ **eine Party gehen** to go to a party; ~ **ihn!** at him!, get him!
4. +*acc* ~ **10 km/drei Tage** for 10 km/three days; ~ **eine Tasse Kaffee/eine Zigarette(nlänge)** for a cup of coffee/a smoke.
5. +*acc* (*Häufung*) **Niederlage** ~ **Niederlage** defeat after *or* upon defeat; **Beleidigung** ~ **Beleidigung** insult upon insult; **einer** ~ **den anderen** one after another.
6. +*acc* (*im Hinblick auf*) for. **ein Manuskript** ~ **Fehler prüfen** to check a manuscript for errors.
7. +*acc* (*als Reaktion, auch*: **auf ... hin**) at. ~ **seinen Vorschlag (hin)** at his suggestion; ~ **meinen Brief hin** because of *or* on account of my letter; ~ **seine Bitte (hin)** at *or* upon his request.
8. (*inf: in einer bestimmten Art*) ~ **die billige Tour** on the cheap; **komm mir bloß nicht** ~ **die wehleidige Tour!** just don't try the sad approach with me.
9. (*sonstige Anwendungen*) **es geht** ~ **Weihnachten zu** Christmas is approaching; **er kam** ~ **mich zu und sagte ...** he came up to me and said ...; **während er** ~ **mich zukam** as he was coming towards me; **die Nacht (von Montag)** ~ **Dienstag** Monday night; **das Bier geht** ~ **mich** (*inf*) the beer's on me; ~ **wen geht das Bier?** (*inf*) who's paying for the beer?; ~ **das** *or* ~s **liebenswürdigste** (*geh*) most kindly; ~ **einen Polizisten kommen 1.000 Bürger** there is one policeman for *or* to every 1,000 citizens; ~ **jeden kamen zwei Flaschen Bier** there were two bottles of beer (for) each; ~ **den Millimeter/die Sekunde genau** precise to the *or* to within one millimetre/second; ~ **unseren Egon/ein glückliches Gelingen** here's to Egon/a great success; ~ **deine Gesundheit** (your very) good health; ~ **morgen/bald** till tomorrow/soon; **die Dauer** ~ **ein Jahr reduzieren** to reduce the duration to one year; **ein Brett** ~ **einen Meter absägen** to saw a plank down to one metre.
II adv **1.** (*offen*) open. **Mund/Fenster** ~! open your mouth/the window.
2. (*hinauf*) up. ~ **und ab** *or* **nieder** (*geh*) up and down.
3. (*sonstige Anwendungen*) **Helm/Brille** ~! helmets/glasses on; **ich war die halbe Nacht** ~ I've been up half the night; **nachmittags Unterricht, und dann noch soviel** ~! (*inf*) school in the after-

noon, and all that homework too!; **Handschuhe an, Wollmütze ~, so wird er sich nicht erkälten** with his gloves and woollen hat on he won't catch cold; **~ nach Chicago!** let's go to Chicago; **~ geht's!** let's go!; **~ und davon** up and away, off; **~, an die Arbeit!** come on, let's get on with it; **Sprung ~! marsch, marsch!** (*Mil*) jump to it!, at the double!; *siehe* **aufsein.**

III *conj* (*old, liter*) **~ daß** that (*old, liter*); **~ daß wir niemals vergessen mögen** lest we should ever forget, that we might never forget.

auf|addieren *vtr sep* to add up.

auf|arbeiten *vt sep* **1.** (*erneuern*) to refurbish, to do up; *Möbel auch* to recondition. **2.** (*auswerten*) *Literatur* to incorporate critically; *Vergangenheit* to reappraise. **3.** (*erledigen*) *Korrespondenz, Liegengebliebenes* to catch up with *or* on, to clear.

Auf|arbeitung *f siehe vt* refurbishing; reconditioning; critical incorporation; reappraisal; catching up.

auf|atmen *vi sep* (*lit, fig*) to breathe *or* heave a sigh of relief. **ein A~** a sigh of relief.

aufbacken *vt sep* to warm *or* crisp up.

aufbahren *vt sep Sarg* to lay on the bier; *Leiche* to lay out. **einen Toten feierlich ~** to put a person's body to lie in state.

Aufbahrung *f* laying out; (*feierlich*) lying in state.

Aufbau *m* **1.** *no pl* (*das Aufbauen*) construction, building; (*das Wiederaufbauen*) reconstruction. **der wirtschaftliche ~** the building up of the economy. **2.** *pl* **-ten** (*Aufgebautes, Aufgesetztes*) top; (*von Auto, LKW*) coachwork *no pl*, body. **3.** *no pl* (*Struktur*) structure.

Aufbau|arbeit *f* construction (work); (*Wiederaufbau*) reconstruction (work).

aufbauen *sep* **I** *vt* **1.** (*errichten*) to put up; *zusammensetzbare Möbel, Lautsprecheranlage auch* to fix up; (*hinstellen*) *Ausstellungsstücke, kaltes Buffet, Brettspiel* to set *or* lay out; (*inf*) *Posten* to post; (*zusammenbauen*) *Motor etc* to put together, to assemble.

2. (*daraufbauen*) *Stockwerk* to add (on), to build on; *Karosserie* to mount.

3. (*fig: gestalten*) *Organisation, Land, Armee, Geschäft, Angriff, Druck, Spannung, Verbindung, Eiweiß* to build up; *Zerstörtes* to rebuild; *Theorie, Plan, System* to construct. **sich** (*dat*) **eine (neue) Existenz ~** to build (up) a new life for oneself.

4. (*fig: fördern*) *Gesundheit, Kraft* to build up; *Star etc auch* to promote; *Beziehung* to build. **jdn/etw zu etw ~** to build sb/sth up into sth.

5. (*fig: gründen*) **etw auf etw** (*dat or acc*) **~** to base *or* found sth on sth.

6. (*strukturieren, konstruieren*) to construct; *Maschine auch* to build; *Rede, Organisation auch* to structure.

II *vi* **1.** (*sich gründen*) to be based *or* founded (*auf + dat or acc* on).

2. wir wollen ~ und nicht zerstören we

want to build and not destroy.

III *vr* **1.** (*inf: sich postieren*) to take up position. **er baute sich vor dem Lehrer auf und ...** he stood up in front of the teacher and ...; **sich vor jdm drohend ~** to plant oneself in front of sb (*inf*).

2. (*sich bilden: Wolken, Hochdruckgebiet*) to build up.

3. (*bestehen aus*) **sich aus etw ~** to be built up *or* composed of sth.

4. (*sich gründen*) **sich auf etw** (*dat or acc*) **~** to be based *or* found on sth.

aufbäumen *vr sep* (*Tier*) to rear. **sich gegen jdn/etw ~** (*fig*) to rebel *or* revolt against sb/sth; **sich vor Schmerz ~** to writhe with pain.

Aufbauprinzip *nt* structural principle. **die Motoren sind alle nach demselben ~ konstruiert** the engines are all constructed on the same principle.

aufbauschen *sep* **I** *vt* to blow out; *Segel auch* to (make) billow out, to belly out; (*fig*) to blow up, to exaggerate. **II** *vr* to blow out; (*Segel auch*) to billow (out), to belly (out); (*fig*) to blow up (*zu* into).

Aufbaustudium *nt* (*Univ*) research studies *pl*; **Aufbaustufe** *f* (*Sch*) school class leading to university entrance, ≈ sixth form (*Brit*).

Aufbauten *pl* (*Naut*) superstructure.

aufbegehren *vi sep* (*geh*) to rebel, to revolt (*gegen* against).

aufbehalten *vt sep irreg Hut, Brille* to keep on.

aufbeißen *vt sep irreg Verpackung* to bite open; *Nuß* to crack with one's teeth. **sich** (*dat*) **die Lippe ~** to bite one's lip (and make it bleed).

aufbekommen *vt sep irreg* (*inf*) **1.** (*öffnen*) to get open. **2.** *Aufgabe* to get as homework. **habt ihr keine Hausarbeiten ~?** didn't you get any homework? **3.** *Essen* to (manage to) eat up.

aufbereiten *vt sep* to process; *Erze, Kohlen* to prepare, to dress; *Trinkwasser auch* to purify; *Daten* to edit; *Text etc* to work up. **etw literarisch/dramaturgisch ~** to turn sth into literature/to adapt sth for the theatre.

Aufbereitung *f siehe vt* processing; preparation; dressing; purification; editing; working up; adaptation.

Aufbereitungs|anlage *f* processing plant.

aufbessern *vt sep* to improve; *Gehalt etc auch* to increase.

Aufbesserung, Aufbeßrung *f siehe vt* improvement; increase.

aufbewahren *vt sep* to keep; *Lebensmittel auch* to store; (*behalten*) *alte Zeitungen etc auch* to save; *Wertsachen etc* to look after. **ein Dokument gut ~** to keep a document in a safe place; **jds Dokumente ~** to be looking after sb's documents, to have sb's documents in one's keeping; **kann ich hier mein Gepäck ~ lassen?** can I leave my luggage here?

Aufbewahrung *f* **1.** *siehe vt* keeping; storage; saving. **jdm etw zur ~ übergeben** to give sth to sb for safekeeping, to put sth in(to) sb's safekeeping; **einen Koffer in ~ geben** to deposit a suitcase (at the left-luggage).

2. (*Stelle*) left-luggage (office) (*Brit*), check room (*US*).

Aufbewahrungs|ort *m* place where sth is kept, home (*inf*). **etw an einen sicheren ~ bringen** to put sth in a safe place; **das ist kein geeigneter ~ für Medikamente** that is not the right place to keep medicines.

Aufbewahrungsschein *m* left-luggage receipt *or* ticket (*Brit*), check room ticket (*US*).

aufbiegen *sep irreg* **I** *vt* to bend open. **II** *vr* (*Ring etc*) to bend open; (*sich hochbiegen: Zweig etc*) to bend itself upright.

aufbieten *vt sep irreg* **1.** *Menschen, Mittel* to muster; *Kräfte, Fähigkeiten auch* to summon (up); *Militär, Polizei* to call in. **2.** *Brautpaar* to call the banns of. **3.** (*bei Auktionen*) to put up.

Aufbietung *f siehe vt 1.* mustering; summoning (up); calling in. **unter** *or* **bei ~ aller Kräfte ...** summoning (up) all his/her *etc* strength ...

aufbinden *vt sep irreg* **1.** (*öffnen*) *Schuh etc* to undo, to untie.

2. (*hochbinden*) *Haare* to put up *or* tie; *Zweige etc* to tie (up) straight.

3. (*befestigen*) to tie on. **etw auf etw** (*acc*) **~** to tie sth on(to) sth.

4. laß dir doch so etwas nicht ~ (*fig*) don't fall for that; *siehe* **Bär.**

5. (*Typ*) *Buch* to bind.

aufblähen *sep* **I** *vt* to blow out; *Segel auch* to fill, to billow out, to belly out; (*Med*) to distend, to swell; (*fig*) to inflate.

II *vr* to blow out; (*Segel auch*) to billow *or* belly out; (*Med*) to become distended *or* swollen; (*fig pej*) to puff oneself up.

Aufblähung *f* (*Med*) distension.

aufblasbar *adj* inflatable.

aufblasen *sep irreg* **I** *vt* **1.** to blow up; *Reifen auch* to inflate; *Backen* to puff out, to blow out. **2.** (*hochblasen*) to blow up. **II** *vr* (*fig pej*) to puff oneself up; *siehe* **aufgeblasen.**

aufbleiben *vi sep irreg aux sein* **1.** to stay up. **wegen jdm ~** to wait *or* stay up for sb. **2.** (*geöffnet bleiben*) to stay open.

Aufblende *f* (*Film*) fade-in.

aufblenden *sep* **I** *vi* (*Phot*) to open up the lens, to increase the aperture; (*Film*) to fade in; (*Aut*) to turn the headlights on full (beam). **er fährt aufgeblendet** he drives on full beam. **II** *vt* (*Aut*) *Scheinwerfer* to turn on full (beam); (*Film*) *Einstellung* to fade in.

aufblicken *vi sep* to look up. **zu jdm/etw ~** (*lit, fig*) to look up to sb/sth.

aufblinken *vi sep* (*lit, fig*) to flash; (*Aut inf: kurz aufblenden*) to flash (one's headlights).

aufblitzen *vi sep* **1.** to flash. **2.** *aux sein* (*fig*) (*Emotion, Haß etc*) to flare up; (*Gedanke, Erinnerung*) to flash through one's mind.

aufblühen *vi sep aux sein* **1.** (*Knospe*) to blossom (out); (*Blume auch*) to bloom. **2.** (*fig*) (*Mensch*) to blossom out; (*Wissenschaft, Kultur auch*) to (begin to) flourish; (*Gesicht*) to take on a rosy bloom.

aufbocken *vt sep Auto* to jack up; *Motorrad* to put on its stand.

aufbohren *vt sep* to bore *or* drill a hole in.

aufbranden *vi sep aux sein* (*geh*) to surge; (*fig: Beifall*) to burst forth. **Beifall brandete immer wieder auf** there was wave upon wave of applause.

aufbraten *vt sep irreg Essen* to warm up; (*in der Pfanne auch*) to fry up.

aufbrauchen *sep* **I** *vt* to use up. **II** *vr* (*sich verbrauchen*) to get used up.

aufbrausen *vi sep aux sein* **1.** (*Brandung*) to surge; (*Brausetablette, Brause*) to fizz up; (*fig: Beifall, Jubel*) to break out, to burst forth. **2.** (*fig: Mensch*) to flare up, to fly off the handle (*inf*).

aufbrausend *adj Temperament* irascible; *Mensch auch* quick-tempered.

aufbrechen *sep irreg* **I** *vt* to break *or* force open; *Deckel* to prise off; *Tresor auch, Auto* to break into; *Boden, Oberfläche* to break up; (*geh*) *Brief* to break open; (*fig*) *System, soziale Struktur etc* to break down.

II *vi aux sein* **1.** (*sich öffnen*) (*Straßenbelag etc*) to break up; (*Knospen*) to (burst) open; (*Wunde*) to open.

2. (*fig: Konflikte, Haß etc*) to break out.

3. (*sich auf den Weg machen*) to start *or* set out *or* off.

aufbrennen *sep irreg* **I** *vt* **einem Tier ein Zeichen ~** to brand an animal; **jdm eins ~** (*inf*) (*schlagen*) to wallop *or* clout sb (one) (*inf*); (*anschießen*) to shoot sb, to put a slug into sb (*sl*).

II *vi aux sein* (*lit, fig*) (*Feuer, Leidenschaft*) to flare up.

aufbringen *vt sep irreg* **1.** (*beschaffen*) to find; *Geld auch* to raise; *Kraft, Mut, Energie auch* to summon up.

2. (*erzürnen*) to make angry, to irritate. **jdn gegen jdn/etw ~** to set sb against sb/sth; *siehe* **aufgebracht.**

3. (*ins Leben rufen*) to start; *Gerücht auch* to set going, to put about.

4. (*Naut*) *Schiff* to seize; (*in Hafen zwingen*) to bring in.

5. (*auftragen*) *Farbe* to put on, to apply. **etw auf etw** (*acc*) **~** to put sth on sth, to apply sth to sth.

6. (*dial: aufbekommen*) *Tür* to get open.

Aufbruch *m* **1.** *no pl* (*Abreise, das Losgehen*) departure. **das Zeichen zum ~ geben** to give the signal to set out *or* off; **eine Zeit des ~s** a time of new departures. **2.** (*aufgebrochene Stelle*) crack.

aufbruchsbereit *adj* ready to set off *or* go *or* depart; **Aufbruchssignal** *nt* signal to set off; **Aufbruchsstimmung** *f* **hier herrscht schon ~** (*bei Party etc*) it's all breaking up; (*in Gastwirtschaft*) they're packing up; **bist du schon in ~?** are you wanting *or* ready to go already?

aufbrühen *vt sep* to brew up.

aufbrummen *sep* **I** *vt* (*inf*) **jdm etw ~** to give sb sth; **jdm die Kosten ~** to land sb with the costs (*inf*). **II** *vi* **1.** to roar out. **2.** *aux sein* (*Aut inf*) to bang *or* prang (*inf*) (*auf +acc* into); (*Naut sl*) to run aground, to hit the bottom.

aufbügeln vt sep **1.** Kleidungsstück to iron out; (fig inf) to vamp up (inf). **2.** Flikken, Bild to iron on.

aufbumsen vi sep (inf) aux sein to bang. **mit dem Hinterkopf ~** to bump or bang the back of one's head.

aufbürden vt sep (geh) **jdm etw ~** (lit) to load sth onto sb; (fig) to encumber sb with sth.

aufbürsten vt sep etw **~** to give sth a brush, to brush sth up.

aufdämmern vi sep aux sein (geh) (Morgen, Tag) to dawn, to break; (fig: Verdacht) to arise. **der Gedanke/die Einsicht dämmerte in ihm auf** the idea/realization dawned on him.

auf daß conj siehe **daß** III.

aufdecken sep **I** vt **1.** jdn to uncover; Bett(decke) to turn down; Gefäß to open; Spielkarten to show.

    2. (fig) Wahrheit, Verschwörung, Zusammenhänge to discover, to uncover; Verbrechen auch to expose; Schwäche to lay bare; Rätsel to solve; wahren Charakter to disclose, to lay bare, to expose.

    3. (auf den Eßtisch stellen) to put on the table.

    II vi to lay (Brit) or set the table.

Aufdeckung f siehe vt **2.** uncovering; exposing, exposure; laying bare; solving; disclosing, disclosure.

aufdonnern vr sep (pej inf) to tart oneself up (pej inf), to get dolled up (inf) or tarted up (pej inf); siehe **aufgedonnert.**

aufdrängen sep **I** vt **jdm etw ~** to impose or force sth or push sth on sb.

    II vr to impose. **sich jdm ~** (Mensch) to impose oneself or one's company on sb; (fig: Erinnerung) to come involuntarily to sb's mind; **dieser Gedanke/Verdacht drängte sich mir auf** I couldn't help thinking/suspecting that.

aufdrehen sep **I** vt **1.** Wasserhahn, Wasser to turn on; Ventil to open; Schraubverschluß to unscrew; Schraube to loosen, to unscrew; Radio to turn up; (Aus: einschalten) Licht, Radio to turn or switch on.

    2. (inf: aufziehen) Uhr to wind up.

    3. (aufrollen) Haar to put in rollers.

    II vi (inf) (beschleunigen) to put one's foot down hard, to open up; (fig) to get going, to start going like the clappers (Brit inf); (fig: ausgelassen werden) to get going, to let it all hang out (sl); siehe **aufgedreht.**

aufdringlich adj Benehmen, Tapete obtrusive; Geruch, Parfüm powerful; Farbe auch loud, insistent; Mensch insistent, pushing, pushy (inf), importunate (liter). **die ~e Art meines Mitreisenden** the way my fellow-passenger forced himself or his company upon me; **beim Tanzen wurde er ~** when we/they were dancing he kept trying to get fresh (inf).

Aufdringlichkeit f siehe adj obtrusiveness; powerfulness; loudness, insistence; pushiness, importunateness (liter); (aufdringliche Art) pushy way or nature.

aufdröseln vt sep (lit, fig) to unravel;

Strickarbeit to undo.

Aufdruck m (Aufgedrucktes) imprint; (auf Briefmarke) overprint.

aufdrucken vt sep **etw auf etw** (acc) **~** to print sth on sth.

aufdrücken sep **I** vt **1.** etw (auf etw acc) **~** to press sth on (sth); **den Bleistift nicht so fest ~!** don't press (on) your pencil so hard.

    2. (aufdrucken) **etw auf etw** (acc) **~** to stamp sth on sth; **jdm einen ~** (inf) to give sb a kiss or a quick peck (inf); siehe **Stempel.**

    3. (öffnen) Tür to push open; Ventil auch to force open; Pickel etc to squeeze.

    4. (inf: durch Knopfdruck öffnen) Tür to open (by pressing the button). **er drückte die Tür auf** he pressed or pushed the button and the door opened.

    II vi **1.** to press.

    2. (inf: die Tür elektrisch öffnen) to open the door (by pressing a button).

    III vr leave an impression (auf +acc on).

auf|einander adv **1.** on (top of) each other or one another. **2.** sich **~ verlassen können** to be able to rely on each other or one another; **~ zufahren** to drive towards each other.

auf|einanderbeißen vt sep irreg Zähne to clench, to bite together; **auf|einanderdrücken** vt sep to press together; **Auf|einanderfolge** f, no pl sequence; (zeitlich auch) succession; **auf|einanderfolgen** vi sep aux sein to follow each other or one another, to come after each other or one another; **die beiden Söhne/Termine folgten unmittelbar ~** the two sons/appointments followed or came one immediately after the other, one son/appointment came immediately after the other; **auf|einanderfolgend** adj successive; **drei schnell ~e Tore** three goals in quick succession; **auf|einanderhängen** sep **I** vi irreg (inf: Leute) to hang around together (inf); **die beiden Autos hängen zu nah aufeinander** the two cars are sticking too close (together); **in einer kleinen Wohnung hängt man immer zu eng aufeinander** in a small flat you're always too much on top of each other (inf). **II** vt to hang on top of each other; **aufeinanderhetzen** vt sep to set on or at each other; **aufeinanderhocken** vi sep (inf) siehe **aufeinanderhängen I; aufeinanderknallen** sep (inf) **I** vi aux sein (lit, fig) to collide; **II** vt to bang together; **aufeinanderlegen** sep **I** vt to lay on top of each other, to lay one on top of the other; **II** vr to lie on top of each other; **aufeinanderliegen** vi sep irreg aux sein or haben to lie on top of each other; **aufeinanderpassen** vi sep to fit on top of each other; **aufeinanderprallen** vi sep aux sein (Autos) to collide; (Truppen etc, Meinungen) to clash; **aufeinanderpressen** vt sep to press together; **aufeinanderschichten** vt sep to put in layers one on top of the other; **aufeinanderschlagen** sep irreg **I** vi aux sein to knock *or* strike against each other; **II** *vt* to knock *or* strike together; **aufeinandersetzen** *sep* **I** *vt* to put on top of each other; **II** *vr* (*Gegenstände*) to be placed one on top of the other *or* on top of each other; (*Bienen*) to settle on each other; **aufeinandersitzen** *vi sep irreg aus sein or haben* **1.** (*Gegenstände*) to lie on top of each other; **2.** (*inf: Menschen*) to sit on top of each other (*inf*); (*eng wohnen*) to live on top of each other (*inf*); **aufeinanderstellen** *sep* **I** *vt* to put *or* place on top of each other; **II** *vr* to get on top of each other; **aufeinanderstoßen** *vi sep irreg aus sein* to bump into each other, to collide; (*fig: Meinungen, Farben*) to clash; **aufeinandertreffen** *vi sep irreg aus sein* (*Mannschaften, Gruppen*) to meet; (*Meinungen*) to clash, to come into conflict; (*Kugeln, Gegenstände*) to hit each other.

Auf|enthalt *m* **-(e)s, -e 1.** (*das Sich-Aufhalten*) stay; (*das Wohnen*) residence. **der ~ im Aktionsbereich des Krans ist verboten** do not stand within the radius of the crane, keep well clear of the crane.
2. (*Aufenthaltszeit*) stay, sojourn (*liter*).
3. (*esp Rail*) stop; (*bei Anschluß*) wait. **der Zug hat 20 Minuten ~** the train stops for 20 minutes; **wie lange haben wir ~?** how long do we stop for *or* do we have to wait?
4. (*geh: Verzögerung*) delay, wait.
5. (*geh: Aufenthaltsort*) abode (*form*), domicile, place of residence. **~ nehmen** to take up residence.

Auf|enthalter(in *f*) *m* **-s, -** (*Sw*) foreign resident, resident alien (*form*).

Auf|enthaltsberechtigung *f* right of residence; **Auf|enthaltsdauer** *f* length *or* duration of stay; **Auf|enthaltserlaubnis, Auf|enthaltsgenehmigung** *f* residence permit; **Auf|enthaltsort** *m* whereabouts *sing or pl*; (*Jur*) abode, residence; **Auf|enthaltsraum** *m* day room; (*in Betrieb*) recreation room; (*auf Flughafen*) lounge; **Auf|enthaltsverbot** *nt* **jdm ~ erteilen** to ban sb from staying (in a country *etc*).

auf|erlegen* *vt sep or insep* (*geh*) to impose (*jdm etw* sth on sb); **Strafe auch** to inflict.

Auf|erstandene(r) *m decl as adj* (*Rel*) risen Christ.

auf|erstehen* *vi sep or insep irreg aux sein* to rise from the dead, to rise again (*esp Rel*). **Christus ist auferstanden** Christ is arisen.

Auf|erstehung *f* resurrection. **(fröhliche) ~ feiern** (*hum*) to have been resurrected.

Auf|erstehungsfest *nt* (*geh*) Feast of the Resurrection.

auf|erwecken* *vt sep or insep* (*geh*) to raise from the dead; (*fig*) to reawaken.

Auf|erweckung *f* raising from the dead.

auf|essen *sep irreg* **I** *vt* to eat up. **II** *vi* to eat (everything) up.

auffächern *sep* **I** *vt* to fan out; (*fig*) to arrange *or* order neatly. **II** *vr* to fan out.

auffädeln *vt sep* to thread *or* string (together).

auffahren *sep irreg* **I** *vi aux sein* **1.** (*aufprallen*) **auf jdn/etw ~** to run *or* drive into sb/sth; **auf eine Sandbank ~** to run onto *or* run aground on a sandbank.
2. (*näher heranfahren*) to drive up, to move up. **zu dicht ~** to drive too close behind (the car in front); **mein Hintermann fährt dauernd so dicht auf** the car behind me is right on my tail all the time.
3. (*nach oben fahren*) (*Bergleute*) to go up; (*Rel*) to ascend.
4. (*hinauffahren*) **auf etw** (*acc*) **~** to drive onto sth; (*auf Autobahn*) to enter sth.
5. (*aufschrecken*) to start. **aus dem Schlaf ~** to awake with a start.
6. (*aufbrausen*) to flare up, to fly into a rage.
II *vt* **1.** (*herbeischaffen*) *Geschütze* to bring up; *Sand, Erde* to put down; (*inf*) *Getränke* to serve up; *Speisen, Argumente* to dish (*inf*) *or* serve up.
2. (*aufwühlen*) to churn *or* dig up.

auffahrend *adj Temperament* irascible, hasty; *Mensch auch* quick-tempered.

Auffahrt *f* **1.** (*das Hinauffahren*) climb, ascent. **2.** (*Zufahrt*) approach (road); (*bei Autobahn*) slip road; (*bei Haus*) drive; (*Rampe*) ramp. **3.** (*von Fahrzeugen*) driving up. **4.** (*Sw*) *siehe* **Himmelfahrt.**

Auffahr|unfall *m* (*von zwei Autos*) collision; (*von mehreren Autos*) pile-up.

auffallen *sep irreg* **I** *vi aux sein* **1.** (*sich abheben*) to stand out; (*unangenehm ~*) to attract attention; (*sich hervortun*) to be remarkable (*durch* for). **er fällt durch seine roten Haare auf** his red hair makes him stand out; **er ist schon früher als unzuverlässig/Extremist aufgefallen** it has been noticed before that he is unreliable/an extremist; **angenehm/ unangenehm ~** to make a good/bad impression; **nur nicht ~!** just don't be conspicuous!, keep a low profile. just don't make yourself noticed.
2. (*bemerkt werden*) **jdm fällt etw auf** sb notices sth, sth strikes sb; **so etwas fällt doch sofort/nicht auf** that will be noticed immediately/that will never be noticed; **der Fehler fällt nicht besonders auf** the mistake is not all that noticeable *or* does not show all that much; **fällt es/ der Fleck auf?** does it/the stain show?, is it/the stain noticeable?; **das muß dir doch aufgefallen sein!** surely you must have noticed (it).
3. (*auftreffen: Regen, Licht*) **auf etw** (*acc*) **~** to fall onto sth, to strike sth; **er fiel mit dem Knie (auf einen Stein) auf** he fell and hurt his knee (on a stone).
II *vr* (*rare*) **sich** (*dat*) **etw ~** to fall and hurt sth, to fall onto sth.

auffallend *adj* conspicuous, noticeable; *Schönheit, Ähnlichkeit, Farbe, Kleider* striking. **das A~ste an ihr sind die roten Haare** her most striking feature *or* the most striking thing about her is her red hair; **er ist ~ intelligent** he is strikingly *or* remarkably intelligent; **stimmt ~!** (*hum*) too true!, how right you are!

auffällig *adj* conspicuous; *Farbe, Kleidung* loud. **er hat ~ wenig mit ihr geredet** it was conspicuous how little he talked with her; **~er geht's nicht mehr** they/he *etc* couldn't make it more obvious *or* conspicuous if they/he *etc* tried.

auffalten *vtr sep* to unfold; (*Fallschirm*) to open; (*Geol*) to fold upward.

Auffangbecken *nt* collecting tank; (*fig*) gathering place; (*für Flüchtlinge*) focal point.

auffangen *vt sep irreg* **1.** *Ball, Gesprächs- fetzen* to catch; *Wagen, Flugzeug* to get *or* bring under control; *Flugzeug* to pull out; (*Telec*) *Nachricht* to pick up. **jds Blick ~** to catch sb's eye.
2. (*abfangen*) *Aufprall* to cushion, to absorb; *Faustschlag* to block; (*fig*) *Preis- steigerung* to offset, to counterbalance.
3. (*sammeln*) *Regenwasser etc* to collect, to catch; (*fig*) *Flüchtlinge etc* to assemble.

Auffanggesellschaft *f* (*Fin*) rescue com- pany; **Auffanglager** *nt* reception camp *or* centre.

auffassen *sep* **I** *vt* **1.** to interpret, to understand. **etw als etw** (*acc*) **~** to take sth as sth; **das Herz als (eine Art) Pumpe ~** to think *or* conceive of the heart as a (kind of) pump; **etw falsch/richtig ~** to take sth the wrong way/in the right way.
2. (*geistig aufnehmen*) to take in, to grasp. **II** *vi* to understand.

Auffassung *f* **1.** (*Meinung, Verständnis*) opinion, view; (*Begriff*) conception, view. **nach meiner ~** in my opinion, to my mind; **nach christlicher ~** according to Christian belief. **2.** (*Auffassungsgabe*) perception.

Auffassungsgabe *f* intelligence, grasp; **Auffassungssache** *f* (*inf*) question of interpretation; (*Ansichtssache*) matter of opinion.

auffegen *sep vti* to sweep up.

auffindbar *adj* **es ist nicht/ist ~** it isn't/is to be found, it can't/can be found.

auffinden *vt sep irreg* to find, to discover.

auffischen *vt sep* **1.** to fish up; (*inf*) *Schiff- brüchige* to fish out. **2.** (*fig inf*) to find; *Menschen auch* to dig up (*inf*).

aufflackern *vi sep aux sein* (*lit, fig*) to flare up.

aufflammen *vi sep aux sein* (*lit, fig: Feuer, Unruhen*) to flare up. **in seinen Augen flammte Empörung auf** his eyes flashed in indignation.

auffliegen *vi sep irreg aux sein* **1.** (*hochfliegen*) to fly up.
2. (*sich öffnen*) to fly open.
3. (*fig inf: jäh enden*) (*Konferenz*) to break up; (*Rauschgiftring, Verbrecher*) to be busted (*inf*). **einen Schmuggler- ring/eine Konferenz ~ lassen** to bust a ring of smugglers/to bust up (*inf*) *or* break up a meeting.

auffordern *vt sep* **1.** to ask. **wir fordern Sie auf, ...** you are required to ... **2.** (*bitten*) to ask, to invite; (*zum Wettkampf*) to challenge. **3.** (*zum Tanz bitten*) to ask to dance.

auffordernd *adj* inviting.

Aufforderung *f* request; (*nachdrück- licher*) demand; (*Einladung*) invitation; (*Jur*) incitement. **eine ~ zum Tanz** (*fig*) a challenge.

Aufforderungscharakter *m* (*Psych*) stimulative nature; **Aufforderungssatz** *m* (*Gram*) (*Hauptsatz*) imperative sentence, command (sentence); (*Teilsatz*) imperative clause.

aufforsten *sep* **I** *vt Gebiet* to reafforest; *Wald* to retimber, to restock. **II** *vi* **man ist dabei, aufzuforsten** they are doing some reafforesting/retimbering.

Aufforstung *f siehe vt* reafforestation; re- timbering, restocking.

auffressen *sep irreg* **I** *vt* (*lit, fig*) to eat up. **ich könnte dich ~** (*inf*) I could eat you; **er wird dich deswegen nicht gleich ~** (*inf*) he's not going to eat you (*inf*). **II** *vi* (*Tier*) to eat all its food up; (*inf: auf- essen*) to finish eating.

auffrischen *sep* **I** *vt* to freshen (up); *An- strich, Farbe auch* to brighten up; *Möbel* to renovate, to refurbish; (*ergänzen*) *Vorräte* to replenish; (*fig*) *Erinnerungen* to refresh; *Kenntnisse* to polish up; *Sprachkenntnisse* to brush up; *persönli- che Beziehungen* to renew; *Impfung* to boost.
II *vi aux sein or haben* (*Wind*) to freshen.
III *vi impers aux sein* to get fresher *or* cooler.

Auffrischung *f siehe vt* freshening (up); brightening up; renovation, refurbish- ment; replenishment; refreshing; polish- ing up; brushing up; renewal; boosting.

Auffrischungsimpfung *f* booster.

aufführbar *adj* (*Mus*) performable; (*Theat auch*) stageable. **Faust II ist praktisch gar nicht ~** it is practically impossible to perform *or* stage Faust II.

aufführen *sep* **I** *vt* **1.** to put on; *Drama, Oper auch* to stage, to perform; *Musik- werk, Komponist* to perform. **ein Thea- ter ~** (*fig*) to make a scene; **sie führte einen wahren Freudentanz auf** she danced with joy.
2. (*auflisten*) to list; (*nennen*) *Zeugen, Beispiel* to cite; *Beispiel* to give, to quote, to cite. **einzeln ~** to itemize.
II *vr* to behave. **sich wie ein Betrunke- ner ~** to act like a drunkard; **wie er sich wieder aufgeführt hat!** what a per- formance!

Aufführung *f* **1.** *siehe vt 1.* putting on; staging, performance. **etw zur ~ bringen** (*form*) to perform sth; **zur ~ kommen** *or* **gelangen** (*form*) to be performed. **2.** (*Auflistung*) listing; (*Liste*) list. **einzelne ~** itemization.

Aufführungsrecht *nt* performing rights *pl*; **aufführungsreif** *adj* ready to be performed.

auffüllen *vt sep* **1.** (*vollständig füllen*) to fill up; (*nachfüllen*) to top up; *Mulde auch* to fill in.
2. (*ergänzen*) *Flüssigkeit* to dilute; *Vorräte* to replenish; *Öl* to top up. **Ben- zin ~** to tank up, to fill up with petrol (*Brit*) *or* gas (*US*).

3. *auch vi Suppe, Essen* to serve. (*Glas* ~) can I top you up?

auffuttern *vt sep* (*inf*) to eat up, to polish off.

Aufgabe *f* 1. (*Arbeit, Pflicht*) job, task. **es ist deine ~, ...** it is your job *or* task *or* responsibility to ...; **es ist nicht ~ der Regierung, ...** it is not the job *or* task *or* responsibility of the government to ...; **sich** (*dat*) **etw zur ~ machen** to make sth one's job *or* business. 2. (*Zweck, Funktion*) purpose, job. 3. (*esp Sch*) (*Problem*) question; (*Math auch*) problem; (*zur Übung*) exercise; (*usu pl: Haus~*) homework *no pl.* 4. (*Abgabe, Übergabe*) (*von Koffer, Gepäck*) registering, registration; (*Aviat*) checking(-in); (*von Brief*) handing in; (*von Anzeige*) placing *no pl*, insertion. 5. (*Verzicht auf weiteren Kampf*) (*Sport*) retirement; (*Mil*) surrender. **er hat das Spiel durch ~ verloren** he lost the game by retiring; **die Polizei forderte die Geiselnehmer zur ~ auf** the police appealed to the kidnappers to give themselves up *or* to surrender. 6. (*von Gewohnheit, Geschäft*) giving up; (*von Plänen, Forderungen auch*) dropping; (*von Hoffnung, Studium*) abandoning, abandonment. 7. (*das Verlorengeben*) giving up for lost. 8. (*Volleyball, Tennis*) service, serve.

aufgabeln *vt sep Heu, Mist* to fork up; (*fig inf*) **jdn** to pick up (*inf*). **wo hat er denn die aufgegabelt?** (*inf*) where did he dig her up?

Aufgabenbereich *m*, **Aufgabengebiet** *nt* area of responsibility; **Aufgabenheft** *nt* (*Sch*) homework book; **Aufgabensammlung** *f* set of exercises *or* problems; maths (*Brit*) *or* math (*US*) question book; **Aufgabenstellung** *f* 1. (*Formulierung*) formulation; 2. (*Aufgabe*) type of problem; **Aufgabenverteilung** *f* allocation of responsibilities *or* tasks.

Aufgabeort *m* place where a letter *etc* was posted; **Aufgabestempel** *m* postmark.

Aufgang *m* 1. (*von Sonne, Mond*) rising; (*von Stern auch*) ascent; (*fig: von Stern*) appearance, emergence. 2. (*Treppen~*) stairs *pl*, staircase. **im ~ on the stairs** *or* staircase. 3. (*Aufstieg*) ascent. 4. (*Sport*) opening, beginning, start.

Aufgangspunkt *m* (*Astron*) **der ~ eines Sterns** the point at which a star rises.

aufgeben *sep irreg* **I** *vt* 1. *Hausaufgaben* to give, to set; *schwierige Frage, Problem* to pose (*jdm* for sb). **jdm viel/ nichts ~** (*Sch*) to give *or* set sb a lot of/ no homework. 2. (*übergeben, abgeben*) *Koffer, Gepäck* to register; *Luftgepäck* to check in; *Brief* to post; *Anzeige* to put in, to place; *Bestellung* to place. 3. *Kampf, Hoffnung, Arbeitsstelle, Freund etc* to give up. **gib's auf!** why don't you give up? 4. (*verloren geben*) *Patienten* to give

up; (*fig*) *Sohn, Schüler* to give up (with *or* on). **II** *vi* (*sich geschlagen geben*) to give up *or* in.

aufgeblasen *adj* (*fig*) puffed-up, self-important.

Aufgebot *nt* 1. (*Jur*) public notice. 2. (*zur Eheschließung*) notice of intended marriage; (*Eccl*) banns *pl*. **das ~ bestellen** to give notice of one's intended marriage; (*Eccl*) to put up the banns. 3. (*Ansammlung*) (*von Menschen*) contingent; (*von Material*) array.

aufgebracht *adj* outraged, incensed.

aufgedonnert *adj* (*pej inf*) tarted up (*pej inf*).

aufgedreht *adj* (*inf*) in high spirits.

aufgedunsen *adj* swollen, bloated; *Gesicht auch* puffy.

aufgehen *vi sep irreg aux sein* 1. (*Sonne, Mond, Sterne*) to come up, to rise; (*Tag*) to break, to dawn. 2. (*sich öffnen*) to open; (*Theat: Vorhang*) to go up; (*Knopf, Knoten*) to come undone. 3. (*aufkeimen, Med: Pocken*) to come up. 4. (*Cook*) to rise; (*Hefeteig auch*) to prove. 5. (*klarwerden*) **jdm geht etw auf** sb realizes sth, sth dawns on sb, sth becomes apparent to sb. 6. (*Math*) (*Rechnung etc*) to work out, to come out; (*fig*) to come off, to work (out). **wenn man 20 durch 6 teilt, geht das nicht auf** 20 divided by 6 doesn't go. 7. (*seine Erfüllung finden*) **in etw** (*dat*) **~** to be wrapped up in sth, to be taken up with sth; **er geht ganz in der Familie auf** his whole life revolves around his family. 8. (*sich auflösen*) **in Flammen ~** to go up in flames; **in der Masse ~** to disappear *or* merge into the crowd.

aufgehoben *adj* (*bei jdm*) **gut/schlecht ~ sein** to be/not to be in good keeping *or* hands (with sb).

aufgeilen *vt sep* (*sl*) **jdn ~** to get sb worked up (*inf*). **er geilt sich an diesen Fotos auf** he gets off on these photos (*sl*).

aufgeklärt *adj* 1. enlightened (*auch Philos*). **der ~e Absolutismus** (*Hist*) Benevolent Despotism. 2. (*sexualkundlich*) **~ sein** to know the facts of life.

aufgeknöpft *adj* (*inf*) chatty (*inf*).

aufgekratzt *adj* (*inf*) in high spirits, full of beans (*inf*), boisterous.

Aufgeld *nt* (*dial: Zuschlag*) extra charge; (*old: Anzahlung*) deposit, earnest (money) (*old*).

aufgelegt *adj* **gut/schlecht ~** in a good/ bad mood; (*dazu*) **~ sein, etw zu tun** to feel like doing sth; **zum Musikhören ~ sein** to be in the mood for *or* to feel like listening to music.

aufgelöst *adj* 1. (*außer sich*) beside oneself (*vor +dat* with), distraught; (*bestürzt*) upset. **in Tränen ~** in tears. 2. (*erschöpft*) exhausted, drained, shattered (*inf*).

aufgeräumt *adj* (*geh*) blithe, lighthearted.

aufgeregt adj (erregt) excited; (sexuell auch) (nervös) nervous; (durcheinander) flustered.

aufgeschlossen adj (nicht engstirnig) open-minded (für, gegenüber about, as regards); (empfänglich) receptive, open (für, gegenüber to). **einer Sache** (dat) ~ **gegenüberstehen** to be open-minded about or as regards sth.

Aufgeschlossenheit f, no pl siehe adj open-mindedness; receptiveness, openness.

aufgeschmissen adj pred (inf) in a fix (inf), stuck (inf).

aufgeschossen adj (hoch or lang) ~ who/that has shot up; **ein lang ~er Junge** a tall lanky lad.

aufgeschwemmt adj bloated, swollen; Mensch bloated.

aufgetakelt adj (pej) dressed up to the nines (inf).

aufgeweckt adj bright, quick, sharp.

Aufgewecktheit f intelligence, quickness, sharpness.

aufgewühlt adj (geh) agitated, in a turmoil pred; Gefühle auch turbulent; Wasser, Meer churning, turbulent.

aufgießen vt sep irreg 1. etw (auf etw acc) ~ to pour sth on (sth). 2. Kaffee to make; Tee auch to brew.

aufglänzen vi sep aux sein (lit, fig) to light up; (Mond, Sonne, Sterne) to come out; (Strahlen reflektierend) to (begin to) gleam.

aufgliedern sep I vt (in +acc into) to split up, to (sub)divide; (analysieren auch) to break down, to analyse; (in Kategorien auch) to categorize, to break down. II vr (in +acc into) to (sub)divide, to break down.

Aufgliederung f siehe vt division; breakdown, analysis; categorization.

aufglimmen vi sep irreg aux sein to light up, to begin to glow; (fig) to glimmer.

aufglühen vi sep aux sein or haben to light up, to begin to glow; (fig) (Gesicht) to light up, to glow; (Haß, Neid) to (begin to) gleam; (Leidenschaft, Liebe) to awaken.

aufgraben vt sep irreg to dig up.

aufgreifen vt sep irreg 1. (festnehmen) to pick up, to apprehend (form). 2. (weiterverfolgen) Thema, Gedanken to take up, to pick up; (fortsetzen) Gespräch to continue, to take up again.

aufgrund prep +gen, **auf Grund** on the basis of; (wegen) because of.

aufgucken vi sep (inf) to look up (von from).

Aufguß m brew, infusion (auch Sci); (fig pej) rehash.

Aufgußbeutel m sachet (containing coffee/herbs etc) for brewing; (Teebeutel) tea bag.

aufhaben sep irreg I vt 1. Hut, Brille to have on, to wear. **sie hat ihre Brille nicht aufgehabt** she didn't have her glasses on, she wasn't wearing her glasses.
2. Tür, Augen, Laden, Jacke to have open.
3. (Sch: als Hausaufgabe) **etw** ~ to

have sth (to do); **ich habe heute viel auf** I've got a lot of homework today.
4. (inf: aufgemacht haben) to have got or gotten (US) open.
5. (inf: aufgegessen haben) to have eaten up.
II vi (Laden etc) to be open.

aufhacken vt sep Straße to break up; (Vogel) to break or peck open.

aufhalsen vt sep (inf) **jdm/sich etw** ~ to saddle or land sb/oneself with sth (inf), to land sth on sb/oneself (inf).

aufhalten sep irreg I vt 1. (zum Halten bringen) Fahrzeug, Entwicklung to stop, to halt; Vormarsch auch, Inflation etc to check, to arrest; (verlangsamen) to hold up, to delay; (abhalten, stören) (bei from) to hold back, to keep back. **ich will dich nicht länger** ~ I don't want to keep or hold you back any longer.
2. (inf: offenhalten) to keep open. **die Hand** ~ to hold one's hand out.
II vr 1. (an einem Ort bleiben) to stay.
2. (sich verzögern) to stay on, to linger; (bei der Arbeit) to take a long time (bei over).
3. (sich befassen) **sich bei etw** ~ to dwell on sth, to linger over sth; **sich mit jdm/etw** ~ to spend time dealing with sb/sth.

aufhängen sep I vt 1. to hang up; (Aut) Rad to suspend.
2. (töten) to hang (an +dat from).
3. (inf) **jdm etw** ~ (aufschwatzen) to palm sth off on sb; (glauben machen) to talk sb into believing sth; (aufbürden) to land or saddle sb with sth (inf).
4. **etw an einer Frage/einem Thema** ~ (fig: entwickeln) to use a question/theme as a peg to hang sth on.
II vr (sich töten) to hang oneself (an +dat from); (hum: seine Kleider ~) to hang one's things up.

Aufhänger m tag, loop. **ein** ~ (**für etw**) (fig inf) a peg to hang sth on (fig).

Aufhängung f (Tech) suspension.

aufharken vt sep to rake up.

aufhauen sep I vt reg or (geh) irreg (öffnen) to knock open, to hew open (liter).
II vi aux sein (inf: auftreffen) **mit dem Kopf auf etw** (acc or dat) ~ to bash (inf) or bump one's head against or on sth.

aufhäufen sep I vt to pile up, to accumulate; (fig auch) to amass. II vr to accumulate, to pile up.

aufheben sep irreg I vt 1. (vom Boden) to pick up; größeren Gegenstand auch to lift up; (in die Höhe heben) to raise, to lift (up); Deckel to lift off.
2. (nicht wegwerfen) to keep. **jdm etw** ~ to put sth aside for sb, to keep sth (back) for sb; siehe **aufgehoben**.
3. (ungültig machen) to abolish, to do away with; Gesetz auch to repeal, to rescind; Vertrag to cancel, to annul, to revoke; Urteil to reverse, to quash; Verlobung to break off. **dieses Gesetz hebt das andere auf** this law supersedes the other.
4. (beenden) Blockade, Belagerung to raise, to lift; Beschränkung to remove, to lift; Sitzung to close; siehe **Tafel**.

5. (*ausgleichen*) to offset, to make up for; *Widerspruch* to resolve; *Schwerkraft* to neutralize, to cancel out.

II *vr* (*sich ausgleichen*) to cancel each other out, to offset each other; (*Math*) to cancel (each other) out.

Aufheben *nt* -s, *no pl* fuss. **viel ~(s) (von etw) machen** to make a lot of fuss (about *or* over sth); **ohne (jedes) ~/ohne viel** *or* **großes ~** without any/much *or* a big fuss.

Aufhebung *f* **1.** *siehe vt* **3.** abolition; repeal, rescinding; cancellation, annulment, revocation; dissolving; reversal, quashing; breaking off.
2. *siehe vt* **4.** raising, lifting; removal; closing.
3. (*von Widerspruch*) resolving, resolution; (*von Schwerkraft*) neutralization, cancelling out.

aufheitern *sep* **I** *vt jdn* to cheer up; *Rede, Leben* to brighten up (*jdm* for sb). **II** *vr* (*Himmel*) to clear, to brighten (up); (*Wetter*) to clear up, to brighten up.

aufheiternd *adj* (*Met*) becoming brighter, brightening up.

Aufheiterung *f* *siehe vt* cheering up; brightening up; (*Met*) brighter period. **zunehmende ~** gradually brightening up.

aufheizen *sep* **I** *vt* to heat (up); (*fig*) *Zuhörer* to inflame, to stir up. **die Stimmung ~** to whip *or* stir up feelings. **II** *vr* to heat up; (*fig*) to hot up (*inf*), to intensify, to build up.

aufhelfen *vi sep irreg* (*lit: beim Aufstehen*) to help up (*jdm* sb). **einer Sache** (*dat*) **~** (*aufbessern*) to help sth (to) improve; (*stärker*) to help strengthen sth.

aufhellen *sep* **I** *vt* to brighten (up); *Haare* to lighten; (*fig: klären*) to throw *or* shed light upon.
II *vr* (*Himmel, Wetter, fig: Miene*) to brighten (up); (*fig: Sinn*) to become clear.

Aufheller *m* -s, - (*in Reinigungsmitteln*) colour-brightener; (*für Haare*) lightener.

Aufhellung *f* *siehe vb* brightening; lightening; clarification.

aufhetzen *vt sep* to stir up, to incite. **jdn gegen jdn/etw ~** to stir up sb's animosity against sb/sth; **jdn zu etw ~** to incite sb to (do) sth.

aufhetzerisch *adj* inflammatory, rabble-rousing.

Aufhetzung *f* incitement, agitation.

aufheulen *vi sep* to give a howl (*vor* of), to howl (*vor* with); (*Sirene*) to (start to) wail; (*Motor, Menge*) to (give a) roar; (*weinen*) to start to howl.

aufholen *sep* **I** *vt* **1.** *Zeit, Verspätung, Vorsprung* to make up; *Lernstoff* to catch up on; *Strecke* to make up, to catch up. **Versäumtes ~** to make up for lost time.
2. (*Naut*) to haul up, to raise.
II *vi* (*Wanderer, Mannschaft, Schüler, Arbeiter*) to catch up; (*Läufer, Rennfahrer auch*) to make up ground; (*Zug*) to make up time; (*Versäumtes ~*) to make up for lost time, to catch up.

aufhorchen *vi sep* to prick up one's ears,

to sit up (and take notice).

aufhören *vi sep* to stop; (*bei Stellung*) to finish; (*Musik, Lärm, Straße auch, Freundschaft*) to (come to an) end. **nicht ~/~, etw zu tun** to keep on/stop doing sth; **hör doch endlich auf!** (will you) stop it!; **mit etw ~** to stop sth; **da hört sich doch alles auf!** (*inf*) that's (the absolute) limit!; **da hört bei ihm der Spaß auf** (*inf*) he's not amused by that.

aufjagen *vt sep* (*lit*) to disturb; (*fig*) to chase away.

aufjauchzen *vi sep* to shout (out) (*vor* with).

aufjaulen *vi sep* to give a howl (*vor* of), to howl (*vor* with).

aufjubeln *vi sep* to shout (out) with joy, to cheer.

aufjuchzen *vi sep* to whoop with joy, to give a whoop of joy.

Aufkauf *m* buying up.

aufkaufen *vt sep* to buy up.

Aufkäufer(in *f*) *m* buyer.

aufkeimen *vi sep aux sein* to germinate, to sprout; (*fig*) (*Hoffnung, Liebe, Sympathie*) to bud, to burgeon (*liter*); (*Zweifel*) to (begin to) take root. **~der Zweifel** growing *or* nascent (*liter*) doubt.

aufklaffen *vi sep aux sein or haben* to gape; (*Abgrund auch*) to yawn.

aufklappbar *adj Fenster, Tafel* hinged; *Truhe* which opens up; *Klappe* which lets down; *Verdeck* which folds back, fold-back.

aufklappen *sep* **I** *vt* to open up; *Klappe* to let down; *Verdeck* to fold back; *Messer* to unclasp; *Fenster, Buch* to open; (*hochschlagen*) *Kragen* to turn up. **II** *vi aux sein* to open.

aufklaren *sep* (*Met*) **I** *vi impers* to clear (up), to brighten (up) (*auch fig*). **II** *vi* (*Wetter*) to clear *or* brighten (up); (*Himmel*) to clear, to brighten (up).

aufklären *sep* **I** *vt* **1.** *Mißverständnis, Irrtum* to clear up, to resolve; *Verbrechen, Rätsel auch* to solve; *Ereignis, Vorgang* to throw *or* shed light upon, to elucidate.
2. *jdn* to enlighten. **Kinder ~** (*sexualkundlich*) to explain the facts of life to children, to tell children the facts of life; (*in der Schule*) to give children sex education; **jdn über etw** (*acc*) **~** to inform sb about sth.
3. (*Mil*) to reconnoitre.
II *vr* (*Irrtum, Geheimnis*) to resolve itself, to be cleared up; (*Himmel*) to clear, to brighten (up); (*fig: Miene, Gesicht*) to brighten (up).

Aufklärer *m* -s, - **1.** (*Philos*) philosopher of the Enlightenment. **2.** (*Mil*) reconnaissance plane; (*klein*) scout (plane).

aufklärerisch *adj* (*Philos*) (of the) Enlightenment; (*freigeistig*) progressive, striving to enlighten the people; (*erzieherisch, unterrichtend*) informative; (*Pol*) educational.

Aufklärung *f* **1.** (*Philos*) **die ~** the Enlightenment.
2. *siehe vt* **1.** clearing up, resolution; solution; elucidation.

3. (*Information*) enlightenment; (*von offizieller Stelle*) informing (*über* +acc about); (*Pol*) instruction.

4. (**sexuelle**) ~ (*in Schulen*) sex education.

5. (*Mil*) reconnaissance.

Aufklärungsarbeit *f* instructional *or* educational work; **Aufklärungsbuch** *nt* sex education book; **Aufklärungsfilm** *m* sex education film; **Aufklärungsflugzeug** *nt siehe* **Aufklärer 2.**; **Aufklärungskampagne** *f* information campaign; **Aufklärungspflicht** *f* (*Jur*) judge's duty to ensure that all the relevant facts of a case are clearly presented; (*Med*) duty to inform the patient of the possible dangers of an operation/a course of treatment etc; **Aufklärungsquote** *f* (*in Kriminalstatistik*) success rate (in solving cases), percentage of cases solved; **Aufklärungssatellit** *m* spy satellite; **Aufklärungsschiff** *nt* (*Mil*) reconnaissance ship; **Aufklärungsschrift** *f* information pamphlet; (*Pol*) educational pamphlet; (*sexualkundlich*) sex education pamphlet.

aufklatschen *vi sep aux sein* (*auf* +acc on) to land with a smack; (*auf Wasser auch*) to land with a splash.

aufklauben *vt sep* (*dial*) (*lit, fig*) to pick up.

aufkleben *vt sep* (*auf* +acc -to) to stick on; (*mit Leim, Klebstoff auch*) to glue on; (*mit Kleister*) to paste on; *Briefmarke auch* to affix (*form*) (*auf* +acc to), to put on.

Aufkleber *m* sticker.

aufklingen *vi sep irreg aux sein* to ring out; (*fig*) to echo.

aufklopfen *sep* **I** *vt* (*öffnen*) to crack open; (*aufschütteln*) *Kissen* to fluff up. **II** *vi* to (give a) knock (*auf* +acc on).

aufknacken *vt sep Nüsse* to crack (open); (*inf*) *Tresor* to break into, to break open, to crack (*inf*); *Auto* to break into.

aufknallen *sep* (*inf*) **I** *vi* **1.** (*öffnen*) to bang (open).

2. (*als Strafe*) to give.

II *vi aux sein* (*Auto*) to crash; (*Gegenstand, Mensch*) to crash down. **auf etw** (*acc*) ~ (*gegen etw knallen*) to crash into sth; (*auf etw fallen*) to crash (down) onto sth; **mit dem Kopf** (**auf etw** *acc*) ~ to bang *or* hit one's head on sth.

aufknöpfen *vt sep* (*öffnen*) to unbutton, to undo. **etw auf etw** (*acc*) ~ to button sth to sth.

aufknoten *vt sep* to untie, to undo.

aufknüpfen *sep* **I** *vt* **1.** (*aufhängen*) to hang (*an* +dat from), to string up (*inf*) (*an* +dat).

2. (*aufknoten*) to untie, to undo.

II *vr* to hang oneself (*an* +dat from).

aufkochen *sep* **I** *vt* **1.** (*zum Kochen bringen*) to bring to the boil. **2.** (*erneut kochen lassen*) to boil up again. **II** *vi* **1.** *aux sein* to come to the boil; (*fig*) to begin to boil *or* seethe. **etw** ~ **lassen** to bring sth to the boil. **2.** (*Aus*) to prepare a fine spread.

aufkommen *vi sep irreg aux sein* **1.** (*lit, fig: entstehen*) to arise; (*Nebel*) to come

down; (*Wind*) to spring *or* get up; (*auftreten: Mode auch*) to appear (on the scene). **etw** ~ **lassen** (*fig*) *Zweifel, Kritik* to give rise to sth; *üble Stimmung* to allow to develop.

2. ~ **für** (*Kosten tragen*) to bear the costs of, to pay for; (*Verantwortung tragen*) to carry the responsibility for, to be responsible for; (*Haftung tragen*) to be liable for; **für die Kinder** ~ (*finanziell*) to pay for the children's upkeep; **für die Kosten** ~ to bear *or* defray (*form*) the costs; **für den Schaden** ~ to make good the damage, to pay for the damage.

3. **gegen jdn/etw** ~ to prevail against sb/sth; **gegen jdn nicht** ~ **können** to be no match for sb.

4. **er läßt niemanden neben sich** (*dat*) ~ he won't allow anyone to rival him.

5. (*aufsetzen, auftreffen*) to land (*auf* +dat on).

6. (*dated*) (*sich erheben*) to rise, to get up; (*sich erholen*) to recover.

7. (*Naut: herankommen*) to come up; (*Sport: Rückstand aufholen*) (*bei Match*) to come back; (*bei Wettlauf, -rennen*) to catch up, to make up ground.

8. (*dial: Schwindel, Diebstahl*) to come out, to be discovered.

Aufkommen *nt* -s, - **1.** *no pl* (*das Auftreten*) appearance; (*von Methode, Mode auch*) advent, emergence. ~ **frischer Winde gegen Abend** fresh winds will get up towards evening.

2. (*Fin*) (*Summe, Menge*) amount; (*von Steuern*) revenue (*aus*, +gen from).

3. (*DDR: Plansoll*) target.

aufkorken *vt sep* to uncork.

aufkratzen *sep* **I** *vt* (*zerkratzen*) to scratch; (*öffnen*) *Wunde* to scratch open; (*hum: rauh machen*) *Kehle* to make rough *or* raw; (*fig inf: aufheitern*) to liven up; *siehe* **aufgekratzt.** **II** *vr* to scratch oneself sore.

aufkreischen *vi sep* (*Mensch*) to (give a) scream *or* shriek; (*Bremsen, Maschine*) to (give a) screech.

aufkrempeln *vt sep* (*jdm/sich*) **die Ärmel** ~ to roll up sb's/one's sleeves.

aufkreuzen *vi sep* **1.** *aux sein* (*inf: erscheinen*) to turn *or* show up (*inf*). **2.** *aux sein or haben* **gegen den Wind** ~ (*Naut*) to tack.

aufkriegen *vt sep* (*inf*) *siehe* **aufbekommen.**

aufkünden (*geh*), **aufkündigen** *vt sep Vertrag* to revoke, to terminate. **jdm den Dienst** ~ to hand in one's notice to sb, to give notice to sb that one is leaving (one's employment); **jdm die Freundschaft** ~ (*geh*) to terminate one's friendship with sb; **jdm den Gehorsam** ~ to refuse obedience to sb.

Aufkündigung *f* termination, revocation; (*von Freundschaft*) termination.

auflachen *vi sep* to (give a) laugh; (*schallend*) to burst out laughing.

aufladbar *adj* chargeable; (*neu* ~) rechargeable.

aufladen *sep irreg* **I** *vt* **1.** **etw** (**auf etw** *acc*) ~ to load sth on(to) sth; **jdm/sich etw** ~

to load sb/oneself down with sth, to burden sb/oneself with sth; *(fig)* to saddle sb/oneself with sth.

2. *(elektrisch)* to charge; *(neu ~)* to recharge. **emotional aufgeladen** *(fig)* emotionally charged.

II *vr (Batterie etc)* to be charged; *(neu)* to be recharged; *(elektrisch/ elektrostatisch geladen werden)* to become charged.

Auflage *f* **1.** *(Ausgabe)* edition; *(Druck)* impression; *(~ höhe)* number of copies; *(von Zeitung)* circulation. **das Buch/die Zeitung hat hohe ~n erreicht** a large number of copies of this book have been published/this paper has attained a large circulation. **2.** *(Econ: Fertigungsmenge)* production. **3.** *(Bedingung)* condition. **jdm etw zur ~ machen** to impose sth on sb as a condition; **jdm zur ~ machen, etw zu tun** to make it a condition for sb to do sth, to impose a condition on sb that he do sth; **mit der ~, etw zu tun** on condition that one does sth; **die ~ haben, etw zu tun** to be obliged to do sth. **4.** *(Stütze)* support, rest. **5.** *(Überzug)* plating *no pl*, coating; *(Polsterung)* pad, padding *no pl*. **eine ~ aus Silber** silver plating *or* coating. **6.** *(DDR: Plansoll)* target.

Auflagefläche *f* supporting surface; **Auflage(n)höhe** *f (von Buch)* number of copies published; *(von Zeitung)* circulation; **das Buch/die Zeitung hatte eine ~ von 12.000** 12,000 copies of the book were published/the paper had a circulation of 12,000; **Auflagepunkt** *m* point of support; **auflage(n)schwach** *adj* low-circulation *attr*; **auflage(n)stark** *adj* high-circulation *attr*; **Auflage(n)ziffer** *f* circulation (figures *pl*); *(von Buch)* number of copies published.

auflassen *vt sep irreg* **1.** *(inf) (offenlassen)* to leave open; *(aufbehalten) Hut* to keep *or* leave on. **das Kind länger ~ lassen** to let the child stay up (longer). **2.** *(schließen) (Min) Grube, (Aus, S Ger) Betrieb* to close *or* shut down. **eine aufgelassene Grube** a closed-down *or* an abandoned mine. **3.** *(Jur) Grundstück* to convey *(form)*, to transfer, to make over *(form)*.

Auflassung *f* **1.** *(Min, Aus, S Ger: von Geschäft)* closing down, shut-down. **2.** *(Jur)* conveyancing *(form)*, conveyance *(form)*, transference.

auflauern *vi sep +dat* to lie in wait for; *(und angreifen, ansprechen)* to waylay.

Auflauf *m* **1.** *(Menschen~)* crowd. **2.** *(Cook)* (baked) pudding *(sweet or savoury)*.

auflaufen *vi sep irreg aux sein* **1.** *(auf Grund laufen: Schiff)* to run aground *(auf +acc or dat* on). **2.** *(aufprallen)* **auf jdn/etw ~** to run into sb/sth, to collide with sb/sth; **jdn ~ lassen** *(Ftbl)* to bodycheck sb. **3.** *(sich ansammeln)* to accumulate, to mount up. **4.** *(Wasser: ansteigen)* to rise. **~des**

Wasser flood tide, rising tide.

Auflaufform *f (Cook)* ovenproof dish.

aufleben *vi sep aux sein* to revive; *(munter, lebendig werden)* to liven up, to come to life again; *(neuen Lebensmut bekommen)* to find a new lease of life. **Erinnerungen wieder ~ lassen** to revive memories.

auflecken *vt sep* to lick up.

auflegen *sep* **I** *vt* **1.** to put on; *Gedeck* to lay; *Kompresse auch* to apply; *Hörer* to put down, to replace. **jdm die Hand ~** *(Rel)* to lay hands on sb. **2.** *(herausgeben) Buch* to bring out, to publish, to print. **ein Buch neu ~** to reprint a book; *(neu bearbeitet)* to bring out a new edition of a book. **3.** *(zur Einsichtnahme)* to display, to put up. **4.** *(Econ) Serie* to launch. **5.** *(Fin) Aktien* to issue, to float. **6.** *(Naut) Schiff* to lay up. **II** *vi* **1.** *(Telefonhörer ~)* to hang up, to ring off *(Brit)*. **2.** *(Feuerholz etc ~)* to put on more firewood/coal *etc*.

auflehnen *sep* **I** *vr* **sich gegen jdn/etw ~** to revolt *or* rebel against sb/sth. **II** *vt (dial)* **den Arm ~** to lean on one's arm; **die Arme auf etw** *(acc or dat)* **~** to lean one's arms on sth.

Auflehnung *f* revolt, rebellion.

aufleimen *vt sep* to glue on *(auf +acc - to)*.

auflesen *vt sep irreg (lit, fig inf)* to pick up. **jdn/etw von der Straße ~** to pick sb/ sth up off the street.

aufleuchten *vi sep aux sein or haben (lit, fig)* to light up.

auflichten *sep* **I** *vt* **1.** *Wald, Gebüsch* to thin out. **2.** *(aufhellen) Bild, Raum* to brighten up; *(fig) Hintergründe, Geheimnis* to clear up, to get to the bottom of. **II** *vr (Himmel)* to clear; *(fig: Hintergründe)* to be cleared up, to become clear.

Auflieferer *m (form)* sender; *(von Fracht)* consignor.

aufliefern *vt sep (form)* to dispatch; *Fracht* to consign (for delivery).

Auflieferung *f siehe vt (form)* dispatch; consignment (for delivery).

aufliegen *sep irreg* **I** *vi* **1.** to lie *or* rest on top; *(Schallplatte)* to be on the turntable; *(Hörer)* to be on; *(Tischdecke)* to be on (the table). **auf etw** *(dat)* **~** to lie *or* rest/be on sth. **2.** *(ausliegen) (zur Ansicht)* to be displayed; *(zur Benutzung)* to be available. **3.** *(erschienen sein: Buch)* to be published. **4.** *(Naut)* to be laid up. **II** *vr (inf) (Patient)* to get bedsores. **sich** *(dat)* **den Rücken ~** to get bedsores on one's back.

auflisten *vt sep* to list.

Auflistung *f (auch Comput)* listing; *(Liste)* list.

auflockern *sep* **I** *vt* **1.** *Boden* to break up, to loosen (up). **2. die Muskeln ~** to loosen up (one's muscles); *(durch Bewegung auch)* to limber up.

3. (*abwechslungsreicher machen*) *Unterricht, Stoff, Vortrag* to make less monotonous, to give relief to (*durch* with); (*weniger streng machen*) to make less severe; *Frisur, Muster* to soften, to make less severe.

4. (*entspannen, zwangloser machen*) to make more relaxed; *Verhältnis, Atmosphäre auch* to ease. **in aufgelockerter Stimmung** in a relaxed mood.

II *vr* **1.** (*Sport*) to limber *or* loosen up.

2. (*Bewölkung*) to break up, to disperse.

Auflockerung *f* **1.** (*von Boden*) breaking up, loosening (up); (*von Muskeln*) loosening up. ... **trägt zur ~ des strengen Musters bei** ... helps to make the pattern less severe.

2. *siehe vr* limbering *or* loosening up; breaking up, dispersal, dispersing.

auflodern *vi sep aux sein* (*Flammen*) to flare up; (*in Flammen aufgehen*) to go up in flames; (*lodernd brennen*) to blaze; (*fig: Kämpfe, Haß*) to flare up.

auflösen *sep* **I** *vt* **1.** (*in Flüssigkeit*) to dissolve; (*in Bestandteile zerlegen, Phot*) to resolve (*in* +*acc* into); (*Math*) *Klammern* to eliminate; *Gleichung* to (re)solve; (*Mus*) *Vorzeichen* to cancel; *Dissonanz* to resolve (*in* +*acc* into).

2. (*aufklären*) *Widerspruch, Mißverständnis* to clear up, to resolve; *Rätsel auch* to solve.

3. (*zerstreuen*) *Wolken, Versammlung* to disperse, to break up.

4. (*aufheben*) to dissolve (*auch Parl*); *Einheit, Gruppe* to disband; *Firma* to wind up; *Verlobung* to break off; *Vertrag* to cancel; *Konto* to close; *Haushalt* to break up.

5. (*geh*) *Haar* to let down; *geflochtenes Haar* to let loose; *Knoten* to undo. **mit aufgelösten Haaren** with one's hair loose.

II *vr* **1.** (*in Flüssigkeit*) to dissolve; (*sich zersetzen: Zellen, Ordnung*) to disintegrate; (*Probleme etc*) to disappear. **all ihre Probleme haben sich in nichts aufgelöst** all her problems have dissolved into thin air *or* have disappeared.

2. (*sich zerstreuen*) to disperse; (*Wolken auch*) to break up; (*Nebel auch*) to lift.

3. (*auseinandergehen*) (*Verband*) to disband; (*Firma*) to cease trading; (*esp Parl*) to dissolve.

4. (*sich aufklären*) (*Mißverständnis, Problem*) to resolve itself, to be resolved; (*Rätsel auch*) to be solved.

5. sich in etw (*acc*) **~** (*verwandeln*) to turn into sth; (*undeutlich werden*) to dissolve into sth.

6. (*geh: Schleife, Haar*) to become undone.

7. (*Phot*) to be resolved.

Auflösung *f siehe vt 1.-4.* **1.** dissolving; resolution; elimination; (re)solving; cancellation.

2. clearing up, resolving; solving.

3. dispersal.

4. dissolving; disbanding; winding up;

breaking off; cancellation; closing; breaking up.

5. *siehe vr* dissolving; disintegration; disappearance; dispersal; disbandment; dissolution; resolution; solution (*gen, von* to).

6. (*Verstörtheit*) distraction.

Auflösungserscheinung *f* sign of breaking up; **Auflösungszeichen** *nt* (*Mus*) natural.

aufmachen *sep* **I** *vt* **1.** (*öffnen*) to open; (*lösen, aufknöpfen, aufschnallen*) to undo; *Haar* to loosen; (*inf: operieren*) to open up (*inf*), to cut open (*inf*).

2. (*eröffnen, gründen*) *Geschäft, Unternehmen* to open (up).

3. (*gestalten*) *Buch, Zeitung* to make *or* get up; (*zurechtmachen*) *jdn* to dress, to get up (*pej*); (*in Presse*) *Ereignis, Prozeß* to feature.

4. (*dial: anbringen*) *Plakat, Vorhänge* to put up, to hang (up).

II *vi* (*Tür öffnen*) to open up, to open the door; (*Geschäft (er)öffnen*) to open (up).

III *vr* **1.** (*sich zurechtmachen*) to get oneself up.

2. (*sich anschicken*) to get ready, to make preparations; (*aufbrechen*) to set out, to start (out). **sich zu einem Spaziergang ~** to set out on a walk.

Aufmacher *m* (*Press*) lead.

Aufmachung *f* **1.** (*Kleidung*) turn-out, rig-out (*inf*). **in großer ~ erscheinen** to turn up in full dress.

2. (*Gestaltung*) presentation, style; (*von Buch*) presentation, make-up; (*von Seite, Zeitschrift*) layout. **der Artikel erschien in großer ~** the article was given a big spread *or* was featured prominently.

3. (*Press: Artikel auf Titelseite*) lead feature.

aufmalen *vt sep* to paint on (*auf etw* (*acc*) sth); (*inf*) to scrawl (*auf* +*acc* on).

Aufmarsch *m* **1.** (*Mil*) (*das Aufmarschieren*) marching up; (*in Stellung, Kampflinie*) deployment; (*Parade*) marchpast.

2. (*Sw*) attendance.

aufmarschieren* *vi sep aux sein* (*heranmarschieren*) to march up; (*Mil: in Stellung gehen*) to deploy; (*vorbeimarschieren*) to march past. **~ lassen** (*Mil: an Kampflinie*) to deploy; (*fig hum*) to have march up/past.

Aufmaß *nt* (*Build*) dimension.

aufmeißeln *vt sep* (*Med*) to trephine.

aufmerken *vi sep* (*aufhorchen*) to sit up and take notice; (*geh: achtgeben*) to pay heed *or* attention (*auf* +*acc* to).

aufmerksam *adj* **1.** *Zuhörer, Beobachter, Schüler* attentive; *Blicke auch, Augen* keen; (*scharf beobachtend*) observant. **jdn auf etw** (*acc*) **~ machen** to draw sb's attention to sth; **auf etw** (*acc*) **~werden** to become aware of sth; **~ werden** to sit up and take notice.

2. (*zuvorkommend*) attentive. (**das ist**) **sehr ~ von Ihnen** (that's) most kind of you.

Aufmerksamkeit *f* **1.** *no pl* attention, attentiveness. **das ist meiner ~ entgan-**

gen I failed to notice that, that slipped my notice or escaped my attention.
2. no pl (*Zuvorkommenheit*) attentiveness.
3. (*Geschenk*) token (gift). **(nur) eine kleine ~** (just) a little something or gift; **kleine ~en** little gifts.

aufmischen vt sep (inf) (*provozieren*) to stir up; (*agitieren*) to shake up.

aufmöbeln vt sep (inf) Gegenstand to do up (inf); Kenntnisse to polish up (inf); jdn (*beleben*) to buck up (inf), to pep up (inf); (*aufmuntern*) to buck up (inf), to cheer up.

aufmontieren* vt sep to mount, to fit (on).

aufmotzen sep (inf) **I** vt to zap up (inf); Theaterstück auch to revamp. **II** vi to get cheeky (esp Brit) or fresh (esp US).

aufmucken, aufmucksen vi sep (inf) to protest (gegen at, against).

aufmuntern vt sep (*aufheitern*) to cheer up; (*beleben*) to liven up, to ginger up (inf); (*ermutigen*) to encourage. **jdn zu etw ~** to encourage sb to do sth; **ein ~des Lächeln** an encouraging smile.

Aufmunterung f siehe vt cheering up; livening up, gingering up (inf); encouragement.

aufmüpfig adj (inf) rebellious.

Aufmüpfigkeit f (inf) rebelliousness.

aufnageln vt sep to nail on (auf + acc -to).

aufnähen vt sep to sew on (auf + acc -to).

Aufnahme f -, -n **1.** (*Empfang, fig: Reaktion*) reception; (*Empfangsraum*) reception (area). **bei jdm freundliche ~ finden** (lit, fig) to meet with a warm reception from sb; **die ~ in ein Krankenhaus** admission (in)to hospital; **wie war die ~ beim Publikum?** how did the audience receive it or react?
2. (*in Verein, Orden*) admission (in + acc to); (*Aufgenommener*) recruit.
3. no pl (lit, fig: *Absorption*) absorption; (*Nahrungs~*) taking, ingestion (form).
4. no pl (*Einbeziehung*) inclusion, incorporation; (in Liste) inclusion.
5. no pl (von Kapital) raising.
6. no pl (*Aufzeichnung: von Protokoll, Diktat*) taking down; (von Personalien) taking (down); (von Telegramm) taking. **die ~ eines Unfalls** taking down details of an accident.
7. no pl (*Beginn*) (von Gespräch) start, commencement; (von Tätigkeit auch) taking up; (von Beziehung, Verbindung auch) establishment.
8. no pl (das Fotografieren) taking, photographing; (das Filmen) filming, shooting. **Achtung, ~!** action!
9. (*Fotografie*) photo(graph), shot (inf); (*Schnappschuß*) snap (inf). **eine ~ machen** to take a photo(graph) etc.
10. (auf Tonband) recording.

Aufnahmeantrag m application for membership or admission; **Aufnahmebedingung** f condition of admission; **aufnahmebereit** adj Boden ready for planting; Kamera ready to shoot; (fig) receptive, open (für to); **Aufnahmebereitschaft** f (fig) receptiveness, re-

ceptivity; **aufnahmefähig** adj **1. für etw ~ sein** to be able to take sth in; **ich bin nicht mehr ~** I can't take anything else in; **2.** Markt active; **Aufnahmefähigkeit** f ability to take things in; **Aufnahmegebühr** f enrolment fee; (in Verein) admission fee; **Aufnahmegerät** nt (Film) (film) camera; (Tonband~) recorder; **Aufnahmelager** nt reception camp; **Aufnahmeland** nt host country (für to); **Aufnahmeleiter(in f)** m (Film) production manager; (Rad, TV) producer; **Aufnahmeprüfung** f entrance examination; **Aufnahmestopp** m (für Flüchtlinge etc) ban on immigration; **Aufnahmestudio** nt (film/recording) studio; **Aufnahmewagen** m (Rad) recording van; **aufnahmewürdig** adj (für Verein) worthy of admittance; (für Wörterbuch etc) worth including.

Aufnahmsprüfung f (Aus) siehe **Aufnahmeprüfung**.

aufnehmen vt sep irreg **1.** (vom Boden) to pick up; (heben) to lift up.
2. (lit: empfangen, fig: reagieren auf) to receive.
3. (unterbringen) to take (in); (fassen) to take, to hold; Arbeitskräfte, Einwanderer to absorb.
4. (in Verein, Orden) to admit (in + acc to); (Schule auch) to take on.
5. (absorbieren) to absorb, to take up; (im Körper ~) to take; (fig: eindringen lassen) Eindrücke to take in; (begreifen auch) to grasp. **etw in sich (dat) ~** to take sth in; **er nimmt (alles) schnell auf** he takes things in or grasps things quickly, he's quick on the uptake.
6. (mit einbeziehen) to include, to incorporate; (in Liste, Bibliographie) to include; (fig: aufgreifen) to take up.
7. (esp Ftbl) Ball to take, to receive.
8. (dial) (aufwischen) to wipe up; (mit Stück Brot auch) to mop or soak up.
9. (beginnen) to begin, to commence; Verbindung, Beziehung to establish; Tätigkeit, Studium auch to take up. **den Kampf ~** to commence battle; (fig auch) to take up the struggle; **Kontakt or Fühlung mit jdm ~** to contact sb.
10. Kapital, Summe, Gelder, Hypothek to raise; Kredit auch to get.
11. (niederschreiben) Protokoll, Diktat to take down; Personalien to take (down); Telegramm to take.
12. (fotografieren) to take (a photograph or picture of), to photograph; (filmen) to film, to shoot (inf).
13. (auf Tonband) to record, to tape.
14. (beim Stricken) Maschen to increase, to make.
15. es mit jdm/etw ~ können to be a match for sb/sth, to be able to match sb/sth; **es mit jdm/etw nicht ~ können** to be no match for sb/sth.

aufnehmenswert adj siehe **aufnahmewürdig**.

Aufnehmer m (dial) **1.** (N. Ger: Scheuertuch) cloth. **2.** (dial: Müllschaufel) shovel.

äufnen vt (Sw) Geld to accumulate.

aufnesteln vt sep (inf) Knoten, Schnur to undo; Bluse, Haken auch to unfasten.

aufnotieren* vt sep (sich dat) etw ~ to note sth down, to make a note of sth.

aufnötigen vt sep jdm etw ~ Geld, Essen to force or press sth on sb; Entscheidung, Meinung to force or impose sth on sb.

auf|oktroyieren* vt sep jdm etw ~ (geh) to impose or force sth on sb.

auf|opfern sep I vr to sacrifice oneself. II vt to sacrifice, to give up.

auf|opfernd adj Mensch self-sacrificing; Liebe, Tätigkeit, Arbeit devoted.

Auf|opferung f 1. (Aufgabe) sacrifice. 2. (Selbst~) self-sacrifice.

auf|opferungsvoll adj self-sacrificing.

aufpacken vt sep jdm etw ~ to load sth onto sb/an animal, to load sb with sth; jdm etw ~ (fig) to burden or saddle (inf) sb with sth; er packte sich (dat) den Rucksack auf he put on his rucksack.

aufpäppeln vt sep (inf) (mit Nahrung) to feed up (inf); (durch Pflege) to nurse back to health.

aufpassen vi sep 1. (beaufsichtigen) auf jdn/etw ~ to watch sb/sth, to keep an eye on sb/sth; (hüten) to look after or to mind sb/sth; (Aufsicht führen) to supervise sb/sth.
2. (aufmerksam sein, achtgeben) to pay attention. paß auf!, aufgepaßt! look, watch; (sei aufmerksam) pay attention; (Vorsicht) watch out, mind (out).

Aufpasser(in f) m -s, - (pej: Aufseher, Spitzel) spy (pej), watchdog (inf); (für VIP) minder; (Beobachter) supervisor; (Wächter) guard.

aufpeitschen vt sep Meer, Wellen to whip up; (fig) Sinne to inflame, to fire; Menschen to inflame, to work up; (stärker) to whip up into a frenzy. eine ~de Rede a rabble-rousing (pej) or inflammatory speech.

aufpeppen vt sep (inf) to jazz up (inf).

aufpflanzen sep I vt to plant; (Mil) Bajonett to fix. II vr sich vor jdm ~ to plant oneself in front of sb.

aufpflügen vt sep to plough up.

aufpfropfen vt sep (lit) to graft on (+dat - to); (fig) to superimpose (+dat on).

aufpicken vt sep 1. to peck up; (fig) to glean, to pick up. 2. (öffnen) to peck open.

aufpinseln vt sep (inf) (hinschreiben) to scrawl (auf +acc on); (auftragen) Lack to slap on (inf) (auf etw (acc) sth).

aufplatzen vi sep aux sein to burst open; (Wunde) to open up, to rupture; (Knopf) to pop open.

aufplustern sep I vt Federn to ruffle up; (fig) Vorfall, Ereignis to blow up, to exaggerate. II vr (Vogel) to ruffle (up) its feathers, to puff itself up; (Mensch) to puff oneself up.

aufpolieren* vt sep (lit, fig) to polish up.

aufprägen vt sep to emboss, to stamp. jdm/einer Sache seinen/einen gewissen Stempel ~ (fig) to leave one's/its mark on sb/sth.

Aufprall m -(e)s, (rare) -e impact.

aufprallen vi sep aux sein auf etw (acc) ~ to strike or hit sth; (Fahrzeug auch) to collide with sth, to run into sth.

Aufpreis m extra or additional charge. gegen ~ for an extra or additional charge.

aufpressen vt sep to press on (auf +acc - to); (öffnen) to press open.

aufprobieren* vt sep to try (on).

aufpulvern vt sep (inf) to pep or buck up (inf); Moral to lift, to boost.

aufpumpen sep I vt Reifen, Ballon to pump up, to inflate; Fahrrad to pump up or inflate the tyres of. II vr (Vogel, fig: sich aufspielen) to puff oneself up; (fig: wütend werden) to work oneself up (inf).

aufpusten vt sep (inf) siehe aufblasen.

aufputschen sep I vt 1. (aufwiegeln) to rouse; Gefühle, öffentliche Meinung auch to whip or stir up (gegen against). 2. (durch Reizmittel) to stimulate. ~de Mittel stimulants. II vr to pep oneself up (inf), to dope oneself (Sport inf).

Aufputschmittel nt stimulant.

Aufputz m get-up (inf), rig-out (inf); (festlich geschmückt) finery (iro), attire (iro).

aufputzen vt sep 1. (schmücken) Haus, Buch to decorate; (schön machen) jdn to dress up, to deck out; (fig: aufpolieren) Gegenstand to do up; Image to polish or brush up; 2. (dial: aufwischen) Boden to clean (up); Flüssigkeit to mop or wipe up.

aufquellen vi sep irreg aux sein 1. (anschwellen) to swell (up). aufgequollen swollen; Gesicht auch puffy, bloated; Mensch bloated(-looking); etw ~ lassen to soak sth (to allow it to swell up). 2. (geh: aufsteigen) (Rauch) to rise; (Flüssigkeit auch, fig) to well or spring up.

aufraffen sep I vr to pull oneself up; (vom Boden auch) to pick oneself up. sich ~, etw zu tun, sich zu etw ~ (inf) to rouse oneself to do sth. II vt Rock, Papiere, Eigentum to gather up; (schnell aufheben) to snatch up.

aufragen vi sep aux sein (in die Höhe ~) to rise; (sehr hoch, groß auch) to tower (up) (über +dat above, over). die hoch ~den Türme the soaring towers; die hoch ~den Tannen the towering fir trees.

aufrappeln vr sep (inf) 1. siehe aufraffen I. 2. (wieder zu Kräften kommen) to recover, to get over it.

aufrauchen vt sep (zu Ende rauchen) to finish (smoking); (aufbrauchen) to smoke, to get through.

aufrauhen vt sep to roughen (up); (Tex) Stoff to nap; Haut, Hände to roughen, to make rough.

aufräumen sep I vt to tidy or clear up; (wegräumen auch) to clear or put away. II vi mit etw ~ to do away with sth.

Aufräumungs|arbeiten pl clear(ing)-up operations pl.

aufrechnen vt sep 1. jdm etw ~ to charge sth to sb or to sb's account; (fig: vorwerfen) to throw sth in sb's face. 2. etw gegen etw ~ to set sth off or offset sth against sth.

aufrecht adj (lit, fig) upright; Körperhaltung erect. ~ **gehen** to walk upright or erect; ~ **sitzen** to sit up(right); **etw** ~ **hinstellen** to place sth upright or in an upright position.

aufrecht|erhalten* vt sep irreg to maintain; Kontakt, Bräuche auch to keep up; Behauptung auch to stick to; Entschluß, Glauben auch to keep or adhere to, to uphold; Verein to keep going; (moralisch stützen) jdn to keep going, to sustain.

Aufrecht|erhaltung f siehe vt maintenance, maintaining; keeping up; sticking (gen to); adherence (gen to), upholding; keeping going.

aufreden vt sep siehe **aufschwatzen**.

aufregen sep I vt (ärgerlich machen) to irritate, to annoy; (nervös machen) to make nervous or edgy (inf); (beunruhigen) to agitate, to disturb; (bestürzen) to upset; (erregen) to excite. **du regst mich auf!** you're getting on my nerves; **er regt mich auf** he drives me mad (inf).

II vr to get worked up (inf) or excited (über +acc about); siehe **aufgeregt**.

aufregend adj exciting.

Aufregung f excitement no pl; (Beunruhigung) agitation no pl. **nur keine** ~**!** don't get excited, don't get worked up (inf) or in a state (inf)**!**; **die Nachricht hat das ganze Land in** ~ **versetzt** the news caused a great stir throughout the country; **jdn in** ~ **versetzen** to put sb in a flurry, to get sb in a state (inf); **alles war in heller** ~ everything was in utter confusion, there was complete bedlam.

aufreiben sep irreg I vt 1. (wundreiben) Haut to chafe, to rub sore. **sich** (dat) **die Hände/Haut** ~ to chafe one's hands/oneself, to rub one's hands/oneself sore.

2. (fig: zermürben) to wear down or out.

3. (Mil: völlig vernichten) to wipe out, to annihilate.

II vr (durch Sorgen) to wear oneself out; (durch Arbeit auch) to work oneself into the ground.

aufreibend adj (fig) wearing, trying; (stärker) stressful. **nervlich** ~ stressful.

aufreihen sep I vt (in Linie) to line up, to put in a line/lines or a row/rows; Perlen to string; (fig) (aufzählen) to list, to enumerate. II vr to line up, to get in a line/lines or a row/rows.

aufreißen sep irreg I vt 1. (durch Reißen öffnen, aufbrechen) to tear or rip open; Straße to tear or rip up.

2. Tür, Fenster to fling open; Augen, Mund to open wide.

3. (beschädigen) Kleidung to tear, to rip; Haut to gash (open).

4. (Sport inf) Abwehr to open up.

5. (in großen Zügen darstellen) Thema to outline.

6. (sl) Mädchen to pick up (inf); (sich verschaffen) Job, Angebot to land (oneself) (inf), to get.

II vi aux sein (Naht) to split, to burst; (Hose) to tear, to rip; (Wunde) to tear open; (Wolkendecke) to break up.

aufreizen vt sep 1. (herausfordern) to provoke; (aufwiegeln) to incite. 2. (erregen) to excite; (stärker) to inflame.

aufreizend adj provocative.

aufribbeln vt sep (inf) to unpick.

Aufrichte f -, -n (Sw) siehe **Richtfest**.

aufrichten sep I vt 1. (in aufrechte Lage bringen) Gegenstand to put or set upright; jdn to help up; Oberkörper to raise (up), to straighten (up).

2. (aufstellen) to erect, to put up; (fig) to set up.

3. (fig: moralisch) to put new heart into, to give fresh heart to, to lift.

II vr (gerade stehen) to stand up (straight); (gerade sitzen) to sit up (straight); (aus gebückter Haltung) to straighten up; (fig: moralisch) to pick oneself up, to get back on one's feet. **sich im Bett** ~ to sit up in bed; **sich an jdm** ~ (fig) to find new strength in sb, to take heart from sb.

aufrichtig adj sincere (zu, gegen towards); (ehrlich auch) honest.

Aufrichtigkeit f siehe adj sincerity; honesty.

aufriegeln vt sep to unbolt.

Aufriß m 1. (Tech) elevation. **etw im** ~ **zeichnen** to draw the side/front elevation of sth. 2. (fig: Abriß) outline, sketch.

aufritzen vt sep (öffnen) to slit open; (verletzen) to cut (open).

aufrollen sep I vt 1. (zusammenrollen) Teppich, Ärmel to roll up; Kabel to coil or wind up; (auf Rolle) to wind up.

2. (entrollen) to unroll; Fahne to unfurl; Kabel to uncoil, to unwind; (von Rolle) to unwind, to reel off.

3. (fig) Problem to go into. **einen Fall/Prozeß wieder** ~ to reopen a case/trial.

II vr (sich zusammenrollen) to roll up.

aufrücken vi sep aux sein 1. (weiterrücken) to move up or along. 2. (befördert werden) to move up, to be promoted; (Schüler) to move or go up. **zum Geschäftsleiter** ~ to be promoted to manager.

Aufruf m 1. appeal (an +acc to). 2. (von Namen) nach ~ on being called, when called; **letzter** ~ **für Flug LH 1615** last call for flight LH 1615. 3. (Comput) call. 4. (Fin: von Banknoten) calling in.

aufrufen sep irreg I vt 1. Namen to call; Wartenden to call (the name of). **Sie werden aufgerufen** your name or you will be called; **einen Schüler** ~ to ask a pupil (to answer) a question.

2. (auffordern) jdn zu etw ~ (zu Mithilfe, Unterstützung etc) to appeal to or call upon sb for sth; jdn ~, etw zu tun to appeal to or call upon sb to do sth; **Arbeiter zum Streik** ~ to call upon workers to strike.

3. (Jur) Zeugen to summon; Erben to give notice to.

4. (Comput) to call up.

5. (Fin: einziehen) Banknoten to call in.

II vi **zum Streik** ~ to call for a strike, to call upon people to strike.

Aufruhr m -(e)s, -e 1. (Auflehnung) revolt, rebellion, uprising. 2. (Bewegtheit, fig: Erregung) tumult, turmoil; (in Stadt,

Publikum auch) pandemonium (*gen* in). **in ~ sein** to be in a tumult *or* turmoil; (*Gefühle, Stadt auch*) to be in a tumult; **in ~ geraten** to be in a turmoil; **jdn in ~ versetzen** to throw sb into a turmoil.

aufrühren *vt sep* to stir up; (*fig auch*) *Gefühle* to rouse. **alte Geschichten wieder** ~ to rake *or* stir up old stories.

Aufrührer(in *f*) *m* **-s, -** rabble-rouser.

aufrührerisch *adj* **1.** (*aufwiegelnd*) *Rede, Pamphlet* rabble-rousing, inflammatory. **2.** *attr* (*in Aufruhr*) rebellious; (*meuternd*) mutinous.

aufrunden *vt sep Betrag, Zahl* to round up (*auf* +*acc* to).

aufrüsten *vti sep* to arm. **ein Land atomar** ~ to give a country nuclear arms; **wieder** ~ to rearm.

Aufrüstung *f* arming. **atomare** ~ acquiring nuclear armaments.

aufrütteln *vt sep* to rouse (*aus* from); (*aus Lethargie auch*) to shake up (*aus* out of). **jdn/jds Gewissen** ~ to stir sb/sb's conscience.

aufs *contr of* **auf das.**

aufsagen *vt sep* **1.** *Gedicht* to recite, to say. **2.** (*geh: für beendet erklären*) **jdm die Freundschaft** ~ to break off one's friendship with sb; **jdm den Dienst/Gehorsam** ~ to refuse to serve/obey sb.

aufsammeln *vt sep* (*lit, fig*) to pick up.

aufsässig *adj* rebellious; *esp Kind auch* recalcitrant, obstreperous.

Aufsässigkeit *f siehe adj* rebelliousness; recalcitrance, obstreperousness.

aufsatteln *vt sep* **1.** *Pferd* to saddle (up). **2.** (*Tech*) *Anhänger* to hitch (up), to couple (on) (*an* +*acc* to).

Aufsatz *m* **1.** (*Abhandlung*) essay; (*Schul~ auch*) composition. **2.** (*oberer Teil*) top *or* upper part; (*zur Verzierung*) bit on top; (*von Kamera*) attachment.

Aufsatzsammlung *f* collection of essays; **Aufsatzthema** *nt* essay subject.

aufsaugen *vt sep irreg Flüssigkeit* to soak up; (*Sonne auch*) to absorb; (*fig*) to absorb. **etw mit dem Staubsauger** ~ to vacuum sth up.

aufschauen *vi sep* (*dial*) *siehe* **aufblicken.**

aufschaufeln *vt sep* **1.** (*aufhäufen*) to pile up. **2.** (*aufgraben*) to dig up.

aufschaukeln *vr sep* (*fig inf*: *Haß, Emotionen*) to build up.

aufschäumen *sep* **I** *vi aux sein* (*Meer*) to foam; (*Getränke*) to foam *or* froth up. **II** *vt Kunststoff* to foam.

aufscheinen *vi sep irreg aux sein* **1.** (*geh: aufleuchten*) to light up; (*Licht*) to appear; (*fig liter*) to shine out. **2.** (*Aus: erscheinen*) to appear.

aufscheuchen *vt sep* to startle; (*inf*) *Öffentlichkeit* to startle, to shock. **jdn aus etw** ~ to jolt sb out of sth; **jdn von seiner Arbeit/Lektüre** ~ to disturb sb when he is working/reading.

aufscheuern *sep* **I** *vt Fuß etc* to rub sore; *Haut* to chafe. **II** *vr* to rub oneself sore. **sich** (*dat*) **die Hände/Füße** ~ to take the skin off one's hands/feet.

aufschichten *vt sep* to stack, to pile up; *Stapel* to build up.

aufschieben *vt sep irreg Fenster, Tür* to

slide open; *Riegel* to push *or* slide back; (*fig: verschieben*) to put off. **aufgeschoben ist nicht aufgehoben** (*prov*) putting something off does not mean it's solved.

aufschießen *sep irreg* **I** *vi aux sein* **1.** (*Saat, Jugendlicher*) to shoot up; (*Flammen, Fontäne auch*) to leap up. **2.** (*emporschnellen, hochfahren*) to shoot *or* leap up. **II** *vt* (*Naut*) *Tau* to coil.

aufschimmern *vi sep aux sein or haben* (*geh*) to glow, to flash.

Aufschlag *m* **1.** (*das Aufschlagen*) impact; (*Geräusch*) crash.

   2. (*Tennis*) service, serve. **wer hat ~?** whose service *or* serve (is it)?; **sie hat ~** she's serving, it's her service *or* serve.

   3. (*Preis~*) surcharge, extra charge.

   4. (*Ärmel~*) cuff; (*Hosen~*) turn-up (*Brit*), cuff (*US*); (*Mantel~ etc*) lapel.

aufschlagen *sep irreg* **I** *vi* **1.** *aux sein* (*auftreffen*) **auf etw** (*dat*) ~ to hit sth; **das Flugzeug schlug in einem Waldstück auf** the plane crashed into a wood; **mit dem Kopf auf etw** (*acc or dat*) ~ to hit one's head on sth; **dumpf** ~ to thud (*auf* +*acc* onto).

   2. *aux sein* (*sich öffnen*) to open.

   3. *aux sein* (*Flammen*) to leap *or* blaze up (*aus* out of).

   4. *aux haben or* (*rare*) *sein* (*Waren, Preise*) to rise, to go up (*um* by).

   5. (*Tennis*) to serve.

   II *vt* **1.** (*durch Schlagen öffnen*) to crack; *Nuß* to crack (open); *Eis* to crack a hole in. **jdm/sich den Kopf** ~ to crack *or* cut open sb's/one's head.

   2. (*aufklappen*) to open; (*zurückschlagen*) *Bett, Bettdecke* to turn back; (*hochschlagen*) *Kragen* to turn up; **schlagt Seite 11 auf** open your books at page 11.

   3. *Augen* to open.

   4. (*aufbauen*) *Bett, Liegestuhl* to put up; *Zelt auch* to pitch; (*Nacht*)*lager* to set up, to pitch. **er hat seinen Wohnsitz in Wien aufgeschlagen** he has taken up residence in Vienna.

   5. (*Comm*) *Preise* to put up, to raise. **10% auf etw** (*acc*) ~ to put 10% on sth.

Aufschläger(in *f*) *m* (*Tennis*) server.

Aufschlagfehler *m* service fault; **Aufschlagspiel** *nt* service game; **Aufschlagzünder** *m* (*Mil*) percussion fuse.

aufschließen *sep irreg* **I** *vt* **1.** (*öffnen*) to unlock; (*geh: erschließen*) to elucidate (*jdm* to sb). **jdm die Tür** *etc* ~ to unlock the door *etc* for sb.

   2. (*geh: offenbaren*) **jdm sein Herz/ Innerstes** ~ to open one's heart to sb/tell sb one's innermost thoughts.

   3. (*Chem, Biol*) to break down.

   4. *Rohstoff, Bauland* to develop.

   II *vr* (*geh*) **sich jdm** ~ to be open *or* frank with sb.

   III *vi* **1.** (*öffnen*) (**jdm**) ~ to unlock the door (for sb).

   2. (*heranrücken*) to close up; (*Sport*) to catch up (*zu* with).

aufschlitzen *vt sep* to rip (open); (*mit Messer auch*) to slit (open); *Gesicht* to slash; *Bauch* to slash open.

aufschluchzen vi sep (geh) to sob convulsively.

Aufschluß m 1. (Aufklärung) information no pl. (jdm) ~ über etw (acc) geben to give (sb) information about sth. 2. (Chem, Biol) breaking down. 3. (Min: Erschließung) development.

aufschlüsseln vt sep to break down (nach into); (klassifizieren) to classify (nach according to).

aufschlußreich adj informative, instructive.

aufschmieren vt sep (inf) to spread on; Farbe to smear on.

aufschnallen vt sep 1. (befestigen) to buckle or strap on (auf etw (acc) (-to) sth). 2. (lösen) to unbuckle, to unstrap.

aufschnappen sep I vt to catch; (inf) Wort to pick up. II vi aux sein to snap or spring open.

aufschneiden sep irreg I vt 1. to cut open; (tranchieren) Braten to carve; Buch to cut; (Med) Geschwür to lance; siehe Pulsader. 2. (in Scheiben schneiden) to slice. II vi (inf: prahlen) to brag, to boast.

Aufschneider(in f) m (inf) braggart, boaster.

Aufschneiderei f (inf) bragging no pl, boasting no pl.

aufschneiderisch adj (inf) boastful.

aufschnellen vi sep aux sein (hochschnellen) to leap or jump up; (Schlange) to rear up.

Aufschnitt m, no pl (assorted) sliced cold meat or (rare: Käse) cheese.

aufschnüren vt sep 1. (lösen) to untie, to undo; Schuh auch to unlace. 2. (rare: befestigen) to tie on (auf +acc -to).

aufschrammen vt sep siehe aufschürfen.

aufschrauben vt sep 1. Schraube etc to unscrew; Flasche etc to take the top off. 2. (festschrauben) to screw on (auf +acc -to).

aufschrecken sep pret **schreckte auf**, ptp **aufgeschreckt** I vt to startle; (aus Gleichgültigkeit) to rouse (aus from), to jolt (aus out of).
II vi pret auch **schrak auf** aux sein to start (up), to be startled. aus dem Schlaf ~ to wake up with a start; aus seinen Gedanken ~ to start.

Aufschrei m (lit; schriller ~) scream, shriek. ein ~ der Empörung/Entrüstung (fig) an outcry.

aufschreiben vt sep irreg 1. (niederschreiben) etw ~ to write or note sth down.
2. (notieren) sich (dat) etw ~ to make a note of sth.
3. (als Schulden anschreiben) to put on the slate (inf), to chalk up (inf).
4. (inf: verordnen) to prescribe.
5. (inf: polizeilich ~) jdn ~ to take sb's particulars.

aufschreien vi sep irreg to yell out; (schrill) to scream or shriek out.

Aufschrift f (Beschriftung) inscription; (Etikett) label. eine Flasche mit der ~ „Vorsicht Gift" versehen to label a bottle "Danger — Poison".

Aufschub m (Verzögerung) delay; (Vertagung) postponement. die Sache duldet or leidet (old) keinen ~ (geh) the matter brooks no delay (liter); jdm ~ gewähren (Zahlungs~) to give sb an extension of the payment deadline, to allow sb grace.

aufschürfen vt sep sich (dat) die Haut/das Knie ~ to graze or scrape oneself/one's knee.

aufschütteln vt sep Kissen to shake or plump up.

aufschütten vt sep 1. Flüssigkeit to pour on. Wasser auf etw (acc) ~ to pour water on or over sth; Kaffee ~ to make coffee. 2. (nachfüllen) Kohle to put on (the fire). 3. Stroh, Steine to spread; Damm, Deich to throw up; Straße to raise. 4. (Geol) to deposit.

Aufschüttung f 1. (Damm) bank of earth. 2. (Geol) deposit.

aufschwatzen, aufschwätzen (dial) vt sep (inf) jdm etw ~ to talk sb into taking sth.

aufschweißen vt sep to cut open (with an oxyacetylene torch).

aufschwellen sep I vi irreg aux sein to swell (up). II vt reg to swell; (fig) Satz, Buch to pad out (inf).

aufschwemmen vti sep (jdn) ~ to make sb bloated.

aufschwingen vr sep irreg to swing oneself up; (Vogel) to soar (up); (fig: Gedanken) to rise to higher realms. sich zu etw ~ (sich aufraffen) to bring oneself to do sth; (sich hocharbeiten) to work one's way up to be(come) sth.

Aufschwung m 1. (Antrieb) lift; (der Phantasie) upswing; (der Wirtschaft) upturn, upswing (gen in). das gab ihr (einen) neuen ~ that gave her a lift. 2. (Turnen) swing-up.

aufsehen vi sep irreg siehe aufblicken.

Aufsehen nt -s, no pl sensation. großes ~ erregen to cause a sensation or stir; um etw viel ~ machen to make a lot of fuss about sth; ohne großes ~ without any to-do (inf) or fuss; ich möchte jedes ~ vermeiden I want to avoid any fuss.

aufsehen|erregend adj sensational.

Aufseher(in f) m (allgemein) supervisor; (bei Prüfung) invigilator; (Sklaven~) overseer; (Gefängnis~) warder (Brit), guard (US); (Park~, Museums~) attendant.

aufsein vi sep irreg aux sein (Zusammenschreibung nur bei infin und ptp) 1. (aufgestanden sein) to be up. 2. (geöffnet sein) to be open.

aufsetzen sep I vt 1. (auf etw setzen) Brille, Topf, Essen to put on; Kegel to set up; Knöpfe, Flicken to put on; Steine to lay; Tonarm to lower; Fuß to put on the ground or down; (fig) Lächeln, Miene to put on. ich kann den Fuß nicht richtig ~ I can't put any weight on my foot. sich (dat) den Hut ~ to put on one's hat.
2. Flugzeug to land, to bring down; Boot to pull up, to beach; (unabsichtlich) to ground, to run aground.
3. (aufrichten) Kranken to sit up.
4. (verfassen) to draft; (ein Konzept machen für auch) to make a draft of.
II vr to sit up.
III vi (Flugzeug) to touch down, to

land; (*Tonarm*) to come down.

Aufsetzer *m* **-s**, **-** (*Sport*) bouncing ball.

aufseufzen *vi sep* (**tief/laut**) ~ to heave a (deep/loud) sigh.

Aufsicht *f* -, **-en** 1. *no pl* (*Überwachung*) supervision (*über* +*acc* of); (*Obhut*) charge. **unter jds** ~ (*dat*) under the supervision of sb; in the charge of sb; **unter polizeilicher/ärztlicher** ~ under police/medical supervision; ~ **über jdn/ etw führen** to be in charge of sb/sth; **bei einer Prüfung** ~ **führen** to invigilate an exam; **im Pausenhof** ~ **führen** to be on duty during break; **jdn ohne** ~ **lassen** to leave sb unsupervised *or* without supervision; **der Kranke darf niemals ohne** ~ **sein** the patient must be kept under constant supervision.

2. (~*führender*) person in charge; (*Aufseher*) supervisor. **die** ~ **fragen** (~*sschalter*) to ask at the office.

3. (*Math: Draufsicht*) top view.

aufsichtführend *adj attr Behörde* supervisory; *Beamter* supervising; **Aufsichtführende(r)** *mf decl as adj siehe* **Aufsicht 2.**

Aufsichtsbeamte(r) *m* (*in Museum, Zoo*) attendant; **Aufsichtsbehörde** *f* supervisory authority *or* body; **Aufsichtspersonal** *nt* supervisory staff; **Aufsichtpflicht** *f* (*Jur*) legal responsibility to care for sb *esp children*; **die** ~ **der Eltern** (legal) parental responsibility; **Aufsichtsrat** *m* (supervisory) board; (*Mitglied*) member of the board; **im** ~ **einer Firma sitzen** to be *or* sit on the board of a firm; **Aufsichtsratsvorsitzende(r)** *mf* chairperson of the board.

aufsitzen *vi sep irreg* 1. (*aufgerichtet sitzen, aufbleiben*) to sit up.

2. *aux sein* (*auf Reittier*) to mount; (*auf Fahrzeug*) to get on. **aufs Pferd** ~ to mount the horse; **aufgesessen!** (*Mil*) mount!

3. (*ruhen auf*) to sit on (*auf etw* (*dat*) sth).

4. (*Naut*) to run aground (*auf* +*dat* on).

5. *aux sein* (*inf: hereinfallen*) **jdm/ einer Sache** ~ to be taken in by sb/sth.

6. *aux sein* (*inf*) **jdn** ~ **lassen** (*im Stich lassen*) to leave sb in the lurch, to let sb down.

aufspalten *vtr sep* to split; (*fig auch*) to split up. **eine Klasse in drei Gruppen** ~ to split up *or* divide up a class into three groups.

Aufspaltung *f* splitting; (*fig auch*) splitting-up.

aufspannen *vt sep* 1. *Netz, Sprungtuch* to stretch *or* spread out; *Schirm* to put up, to open. 2. (*aufziehen*) *Leinwand* to stretch (*auf* +*acc* onto); *Saite* to put on (*auf etw* (*acc*) sth).

aufsparen *vt sep* to save (up), to keep.

aufspeichern *vt sep* to store (up); *Energie auch* to accumulate; (*fig*) *Zorn* to build up.

aufsperren *vt sep* 1. (*S Ger, Aus: aufschließen*) *Tür* to unlock. 2. (*aufreißen*) *Tür, Schnabel* to open wide.

die Ohren ~ to prick up one's ears.

aufspielen *sep* I *vi* (*Sport*) to play. II *vr* (*inf*) 1. (*sich wichtig tun*) to give oneself airs. 2. (*sich ausgeben als*) **sich als etw** ~ to set oneself up as sth; **sich als Boß** ~ to play the boss.

aufspießen *vt sep* to spear; (*durchbohren*) to run through; (*mit Hörnern*) to gore; *Schmetterlinge* to pin; *Fleisch* (*mit Spieß*) to skewer; (*mit Gabel*) to prong. **sie schien mich mit Blicken** ~ **zu wollen** she looked daggers at me.

aufsplittern *sep* I *vti* (*vi: aux sein*) (*Holz*) to splinter; (*Gruppe*) to split (up). II *vr* (*Gruppe etc*) to split (up).

aufspringen *vi sep irreg aux sein* 1. (*hochspringen*) to jump *or* leap to one's feet *or* up. **auf etw** (*acc*) ~ to jump onto sth.

2. (*auftreffen*) to bounce; (*Ski*) to land.

3. (*sich öffnen*) (*Tür*) to burst *or* fly open; (*platzen*) to burst; (*Rinde, Lack*) to crack; (*Haut, Lippen*) to crack, to chap; (*Knospen*) to burst open.

aufspritzen *sep* I *vt* **etw** (**auf etw** *acc*) ~ to spray sth on (sth). II *vi aux sein* to spurt (up).

aufsprudeln *vi sep aux sein* to bubble up.

aufsprühen *sep* I *vt* **etw** (**auf etw** *acc*) ~ to spray sth on (sth). II *vi aux sein* to spray up.

Aufsprung *m* (*Sport*) landing; (*von Ball*) bounce.

aufspulen *vt sep* to wind on a spool; *Angelschnur, Garn auch* to wind on a reel.

aufspülen *vt sep* 1. (*anspülen*) *Sand, Schlick* to wash up. 2. (*aufwirbeln*) *Sand, Schlamm* to whirl up.

aufspüren *vt sep* (*lit, fig*) to track down.

aufstacheln *vt sep siehe* **anstacheln.**

aufstampfen *vi sep* to stamp. **mit dem Fuß** ~ to stamp one's foot.

Aufstand *m* rebellion, revolt. **im** ~ in rebellion *or* revolt; **den** ~ **proben** (*fig*) to flex one's muscles.

aufständisch *adj* rebellious, insurgent.

Aufständische(r) *mf decl as adj* rebel, insurgent.

aufstapeln *vt sep* to stack *or* pile up.

aufstauen *sep* I *vt Wasser* to dam. **etw in sich** (*dat*) ~ (*fig*) to bottle sth up inside (oneself). II *vr* to accumulate, to collect; (*fig: Ärger*) to be/become bottled up.

aufstechen *vt sep irreg* to puncture; (*Med*) to lance.

aufstecken *sep* I *vt* 1. (*auf etw stecken*) to put on (*auf* +*acc* -to); *Fahne, Gardinen* to put up (*auf* +*acc* on). **sich/jdm einen Ring** ~ to put on a ring/put a ring on sb's finger; **Kerzen auf einen Leuchter/den Baum** ~ to put candles in a candlestick/ on the tree.

2. *Haar* to put up.

3. (*inf: aufgeben*) to pack in (*inf*).

II *vi* (*inf: aufgeben*) to pack it in (*inf*); (*bei Rennen auch*) to retire.

aufstehen *vi sep irreg aux sein* 1. (*sich erheben*) to get *or* stand up; (*morgens aus dem Bett*) to get up; (*fig: Persönlichkeit*) to arise. **aus dem Sessel/ Bett** ~ to get up out of the chair/to get out of bed; **vor jdm/für jdn** ~ to stand

up for sb; ~ **dürfen** (*Kranker*) to be allowed (to get) up; **da mußt du früher** *or* **eher ~!** (*fig inf*) you'll have to do better than that!
2. (*inf: offen sein*) to be open.
3. (*sich auflehnen*) to rise (in arms).
4. *aux haben* (*auf dem Boden stehen*) to stand (*auf* +*dat* on). **der Tisch steht nicht richtig auf** the table is not standing firmly.

aufsteigen *vi sep irreg aux sein* **1.** (*auf Berg, Leiter*) to climb (up); (*Vogel, Drachen*) to soar (up); (*Flugzeug*) to climb; (*Stern, Sonne, Nebel*) to rise; (*Gewitter, Wolken*) to gather; (*Gefühl*) to rise; (*geh: aufragen*) to tower, to rise up; (*drohend*) to loom. **zum Gipfel ~** to climb (up) to the summit; **einen Ballon ~ lassen** to release a balloon; **in einem Ballon ~** to go up in a balloon; **an die Oberfläche ~** to rise to the surface; **~de Linie** ascending line; **in jdm ~** (*Haß, Verdacht*) to well up in sb.
2. (*auf Fahrrad*) to get on (*auf etw* (*acc*) (-to) sth); (*auf Pferd auch*) to mount (*auf etw* (*acc*) sth).
3. (*fig: im Rang*) to rise (*zu* to); (*beruflich auch*) to be promoted; (*Sport*) to go up, to be promoted (*in* +*acc* to). **zum Abteilungsleiter ~** to rise to be head of department.

Aufsteiger *m* **1.** (*Sport*) league climber; (*in höhere Liga*) promoted team. **2.** (*auch ~in f*) (*sozialer*) ~ social climber.

aufstellen *sep* **I** *vt* **1.** (*aufrichten, aufbauen*) to put up (*auf* +*dat* on); *etw Liegendes* to stand up; *Zelt auch* to pitch; *Schild, Mast, Denkmal auch* to erect; *Kegel* to set up; *Verkehrsampel auch* to install; *Maschine* to put in, to install; *Falle* to set; (*Mil*) to deploy; (*postieren*) *Wachposten* to post, to station; *Wagen* to line up; (*aufrichten*) *Ohren, Stacheln* to prick up.
2. *Essen* (*auf Herd*) to put on.
3. (*fig: zusammenstellen*) *Truppe* to raise; (*Sport*) *Spieler* to select, to pick; *Mannschaft* to draw up.
4. (*benennen*) *Kandidaten* to nominate; (*erzielen*) *Rekord* to set (up).
5. *Forderung, Behauptung, Vermutung* to put forward; *System* to establish; *Programm, Satzungen, Rechnung* to draw up; *Liste auch* to make.
II *vr* **1.** (*sich postieren*) to stand; (*hintereinander*) to line up; (*Soldaten*) to fall into line. **sich im Karree/Kreis ~** to form a square/circle.
2. (*Ohren*) to prick up.

Aufstellung *f* **1.** *no pl* (*das Aufstellen*) putting up; (*von Zelt*) pitching; (*von Schild, Mast, Denkmal auch*) erection; (*von Maschine*) putting in, installation; (*von Falle*) setting; (*Mil*) deployment; (*von Wachposten*) posting, stationing; (*von Wagen*) lining up. **~ nehmen** (*Mil*) to take up position.
2. *no pl* (*das Aufstellen*) (*von Truppen*) raising; (*von Spielern*) selecting, picking; (*von Mannschaft*) drawing up; (*Mannschaft*) line-up (*inf*), team.
3. *siehe vt* **4.** nominating; setting.

4. *no pl siehe vt* **5.** putting forward; establishing; drawing up.
5. (*Liste*) list; (*Tabelle*) table; (*Inventar*) inventory.

aufstemmen *vt sep* to force *or* prise open (with a chisel *etc*).

aufstempeln *vt sep* to stamp on. **etw auf etw** (*acc*) ~ to stamp sth on sth.

aufsteppen *vt sep* to sew *or* stitch on (*auf etw* (*acc*) (-to) sth).

aufstieben *vi sep irreg aux sein* to fly up.

Aufstieg *m* **-(e)s, -e 1.** *no pl* (*auf Berg*) climb, ascent; (*von Flugzeug, Rakete*) climb; (*von Ballon*) ascent.
2. (*fig*) (*Aufschwung*) rise; (*beruflich, politisch, sozial*) advancement; (*Sport: von Mannschaft*) climb, rise; (*in höhere Liga*) promotion (*in* +*acc* to). **den ~ zu etw/ins Management schaffen** to rise to (become) sth/to work one's way up into the management.
3. (*Weg*) way up (*auf etw* (*acc*) sth), ascent (*auf* +*acc* of).

Aufstiegschance, Aufstiegsmöglichkeit *f* prospect of promotion; **Aufstiegsrunde** *f* (*Sport*) round deciding promotion; **Aufstiegsspiel** *nt* (*Sport*) match deciding promotion.

aufstöbern *vt sep* *Wild* to start, to flush; *Rebhühner auch* to put up; (*fig: stören*) to disturb; (*inf: entdecken*) to run to earth.

aufstocken *sep* **I** *vt* **1.** *Haus* to build another storey onto. **2.** *Kapital, Kredit, Armee* to increase (*um* by); *Vorräte* to build *or* stock up. **II** *vi* to build another storey.

aufstöhnen *vi sep* to groan loudly, to give a loud groan.

aufstören *vt sep* to disturb; *Wild* to start. **jdn aus dem** *or* **im Schlaf ~** to disturb sb while he is sleeping.

aufstoßen *sep irreg* **I** *vt* (*öffnen*) to push open; (*mit dem Fuß*) to kick open.
II *vi* **1.** *aux sein* **auf etw** (*acc*) ~ to hit (on *or* against) sth.
2. *aux haben* (*rülpsen*) to burp.
3. *aux sein or haben* (*Speisen*) to repeat. **Radieschen stoßen mir auf** radishes repeat on me; **das ist mir sauer aufgestoßen** (*fig inf*) it left a nasty taste in my mouth.
4. *aux sein* (*fig: auffallen*) to strike (*jdm* sb).
III *vr* to graze oneself. **sich** (*dat*) **das Knie ~** to graze one's knee.

Aufstoßen *nt* **-s**, *no pl* burping.

aufstreben *vi sep aux sein* (*geh: aufragen*) to soar, to tower.

aufstrebend *adj* (*fig*) *Land, Volk* striving for progress, aspiring; *Stadt* up-and-coming, striving.

aufstreuen *vt sep* to sprinkle on. **etw auf etw** (*acc*) ~ to sprinkle sth on(to) *or* over sth.

Aufstrich *m* **-(e)s, -e 1.** (*auf Brot*) spread. **was möchten Sie als ~?** what would you like on your bread/toast *etc*? **2.** (*Mus*) up-bow. **3.** (*beim Schreiben*) upstroke.

aufstülpen *vt sep* **1.** (*draufstülpen*) to put on. **etw auf etw** (*acc*) ~to put sth on sth.
2. (*umstülpen*) *Ärmel, Kragen* to turn

up.

aufstützen sep I vt Kranken to prop up; Ellbogen, Arme to rest (auf +acc or dat on). den Kopf ~ to rest one's head on one's hand. II vr to support oneself; (im Bett, beim Essen) to prop oneself up. sich auf die or der Hand ~ to support oneself with one's hand.

aufsuchen vt sep 1. Bekannten to call on; Arzt, Ort, Toilette to go to. das Bett ~ (geh) to retire to bed. 2. (aufsammeln) to pick up.

auftafeln vti sep to serve (up).

auftakeln vt sep (Naut) to rig up. sich ~ (pej inf) to tart oneself up (inf); siehe aufgetakelt.

Auftakt m 1. (Beginn) start; (Vorbereitung) prelude. den ~ von or zu etw bilden to mark the beginning or start of sth/to form a prelude to sth. 2. (Mus) upbeat; (Poet) arsis (form).

auftanken vti sep to fill up; (Aviat) to refuel. Benzin ~ to fill up with petrol (Brit) or gas (US).

auftauchen vi sep aux sein 1. (aus dem Wasser) to surface; (Taucher auch) to come up.

2. (fig) (sichtbar werden) to appear; (aus Nebel auch) to emerge; (Zweifel, Problem) to arise.

3. (gefunden werden, sich zeigen, kommen) to turn up.

auftauen sep I vi aux sein to thaw; (fig auch) to unbend. II vt Eis to thaw; Tiefkühlkost, Wasserleitung to thaw (out).

aufteilen vt sep 1. (aufgliedern) to divide or split up (in +acc into). 2. (verteilen) to share out (an +acc between).

Aufteilung f siehe vt division; sharing out.

auftippen vi sep aux sein to bounce.

auftischen vt sep to serve up; (fig inf) to come up with. jdm etw ~ (lit) to give sb sth, to serve sb (with) sth; jdm Lügen ~ (inf) to give sb a lot of lies.

Auftrag m -(e)s, **Aufträge** 1. no pl (Anweisung) orders pl, instructions pl; (zugeteilte Arbeit) job, task; (Jur) brief. jdm den ~ geben, etw zu tun to give sb the job of doing sth, to instruct sb to do sth; einen ~ ausführen to carry out an order; ich habe den ~, Ihnen mitzuteilen ... I have been instructed to tell you ...; in jds ~ (dat) (für jdn) on sb's behalf; (auf jds Anweisung) on sb's instructions; die Oper wurde im ~ des Königs komponiert the opera was commissioned by the king; im ~ or i.A.: G. W. Kurz pp G. W. Kurz.

2. (Comm) order (über +acc for); (bei Künstlern, Freischaffenden) commission (über +acc for). etw in ~ geben to order/commission sth (bei from); im ~ und auf Rechnung von by order and for account of.

3. no pl (geh: Mission, Aufgabe) task.

4. (von Farbe) application.

auftragen sep irreg I vt 1. (servieren) to serve. es ist aufgetragen! (geh) lunch/dinner etc is served!

2. Farbe, Salbe, Schminke to apply, to put on. etw auf etw (acc) ~ to apply sth to sth, to put sth on sth.

3. jdm etw ~ (form) to instruct sb to do sth; er hat mir Grüße an Sie aufgetragen he has asked me to give you his regards.

4. Kleider to wear out.

II vi 1. (Kleider) to make sb look fat. die Jacke trägt auf the jacket is not very flattering to your/her figure.

2. (übertreiben) dick or stark ~ (inf) to lay it on thick (inf) or with a trowel (inf).

Auftraggeber(in f) m client; (von Firma, Freischaffenden) customer; **Auftragnehmer(in** f) m (Comm) firm accepting the order; (Build) contractor.

Auftragsbestätigung f confirmation of order; **Auftragsbuch** nt order book; **auftragsgemäß** adj, adv as instructed; (Comm) as per order; **Auftragslage** f order situation, situation concerning orders; **Auftragspolster** nt wir haben ein dickes ~ our order books are well-filled; **Auftragsrückgang** m drop in orders.

auftreffen vi sep irreg aux sein auf etw (dat or acc) ~ to hit or strike sth; (Rakete) to land on sth; ~de Strahlen incident rays.

auftreiben sep irreg I vt 1. (Teig to make rise; Leib to distend, to bloat.

2. (inf: ausfindig machen) to find, to get hold of (inf).

3. Vieh (zum Verkauf) to drive to market; (auf die Alm) to drive up the (Alpine) pastures.

II vi aux sein (Teig) to rise; (Bauch) to become distended or bloated.

auftrennen vt sep to undo.

auftreten sep irreg I vi aux sein 1. (lit) to tread. der Fuß tut so weh, daß ich (mit ihm) nicht mehr ~ kann my foot hurts so much that I can't walk on it.

2. (erscheinen) to appear. als Zeuge/Kläger ~ to appear as a witness/as plaintiff; zum ersten Mal (im Theater) ~ to make one's début or first (stage) appearance; gegen jdn/etw ~ to stand up or speak out against sb/sth; geschlossen ~ to put up a united front.

3. (fig: eintreten) to occur; (Schwierigkeiten) to arise.

4. (sich benehmen) to behave. bescheiden/arrogant ~ to have a modest/arrogant manner.

5. (handeln) to act. als Vermittler ~ to act as intermediary.

II vt Tür to kick open.

Auftreten nt -s, no pl 1. (Erscheinen) appearance. 2. (Benehmen) manner. sie hat ein sicheres ~ she is self-confident. 3. (Vorkommen) occurrence. bei ~ von Schwellungen ... in case swelling occurs ..., in the event of swelling ...

Auftrieb m, no pl 1. (Phys) buoyancy (force); (Aviat) lift.

2. (fig: Aufschwung) impetus; (Preis~) upward trend (gen in); (Ermunterung) lift. das wird ihm ~ geben that will give him a lift.

3. no pl (des Alpenviehs) der ~ findet Anfang Mai statt the cattle are driven up to the (Alpine) pastures at the beginning

of May.

4. *no pl* (*von Marktvieh*) **der ~ an Vieh** the number of cattle (at the market).

Auftriebskraft *f* buoyancy force; (*Aviat*) lift.

Auftritt *m* **1.** (*Erscheinen*) entrance. **ich habe meinen ~ erst im zweiten Akt** I don't go *or* come on until the second act. **2.** (*Theat: Szene*) scene. **3.** (*Streit*) row.

Auftrittsverbot *nt* stage ban. **~ bekommen/haben** to be banned from making a public appearance.

auftrumpfen *vi sep* to be full of oneself (*inf*); (*sich schadenfroh äußern*) to crow; (*seine Leistungsstärke zeigen*) to show how good one is.

auftun *sep irreg* I *vt* **1.** (*dated: öffnen*) to open. **tu den Mund auf, wenn du was willst** say when you want something. **2.** (*inf: servieren*) **jdm/sich etw ~** to put sth on sb's/one's plate, to help sb/oneself to sth. **3.** (*inf: ausfindig machen*) to find. II *vr* (*sich öffnen*) to open (up).

auftürmen *sep* I *vt* to pile *or* stack up; (*Geol*) to build up (in layers). II *vr* (*Gebirge*) to tower *or* loom up; (*Schwierigkeiten*) to pile *or* mount up.

aufwachen *vi sep aux sein* (*lit, fig*) to wake up. **aus einer Narkose ~** to come out of an anaesthetic.

aufwachsen *vi sep irreg aux sein* to grow up.

aufwallen *vi sep aux sein* to bubble up; (*Cook*) to boil up; (*Leidenschaft etc*) to surge up. **die Soße einmal ~ lassen** bring the sauce to the boil.

Aufwand *m* **-(e)s**, *no pl* **1.** (*von Geld*) expenditure (*an +dat* of). **das erfordert einen ~ von 10 Millionen Mark** that will cost *or* take 10 million marks; **das erfordert einen großen ~ an Zeit/Energie/ Geld** that requires a lot of time/energy/ money; **der ~ war umsonst, das war ein unnützer ~** that was a waste of money/ time/energy *etc*; **der dazu nötige ~ an Konzentration/Zeit** the concentration/ time needed. **2.** (*Luxus, Prunk*) extravagance. (**großen**) **~ treiben to be (very) extravagant; was da für ~ getrieben wurde!** the extravagance!

Aufwands|entschädigung *f* expense allowance.

aufwärmen *sep* I *vt* to heat *or* warm up; (*inf: wieder erwähnen*) to bring up, to drag up (*inf*). II *vr* to warm oneself up; (*Sport*) to warm *or* limber up.

Aufwartefrau *f* char(woman).

aufwarten *vi sep* **1.** (*geh: bedienen*) to serve (*jdm* sb). (**bei Tisch**) **~** to wait at table; **uns wurde mit Sekt aufgewartet** we were served champagne. **2.** (*zu bieten haben*) **mit etw ~** to offer sth.

aufwärts *adv* up, upward(s); (*bergauf*) uphill. **die Ecken haben sich ~ gebogen** the corners have curled up; **den Fluß ~** upstream; **von einer Million ~** from a million up(wards); **vom Feldwebel ~** from sergeant up.

Aufwärtsbewegung *f* upward movement; (*Tech*) upstroke; **Aufwärtsentwicklung** *f* upward trend (*gen* in); **aufwärtsgehen** *vi impers sep irreg aux sein* **mit dem Staat/der Firma geht es aufwärts** things are looking up *or* getting better *or* improving for the country/firm; **mit ihm geht es aufwärts** (*finanziell, beruflich*) things are looking up for him; (*in der Schule, gesundheitlich*) he's doing *or* getting better; **mit seinen Leistungen geht es aufwärts** he's doing better; **Aufwärtshaken** *m* (*Boxen*) uppercut; **Aufwärtstrend** *m* upward trend.

Aufwartung *f* **1.** *no pl* (*dated: Bedienung*) waiting at table; (*Reinemachen*) cleaning. **2.** (*geh: Besuch*) **jdm seine ~ machen** to wait (up)on sb (*old*), to visit sb.

Aufwasch *m* **-(e)s**, *no pl* (*dial*) *siehe* **Abwasch¹**.

aufwaschen *vti sep irreg* (*dial*) *siehe* **abwaschen**.

aufwecken *vt sep* to wake (up), to waken; (*fig*) to rouse; *siehe* **aufgeweckt**.

aufwehen *sep* I *vt* **1.** (*in die Höhe wehen*) to blow up; (*auftürmen*) to pile up. **der Wind hat Dünen aufgeweht** the wind has blown the sand into dunes. **2.** (*öffnen*) to blow open. II *vi aux sein* to blow up.

aufweichen *sep* I *vt* to make soft; *Weg, Boden* to make sodden; *Brot* to soak; (*durch Wärme*) to soften; (*fig: lockern*) to weaken; *Doktrin, Gesetz* to water down; *Gegner* to soften up. II *vi aux sein* to become *or* get soft; (*Weg, Boden*) to become *or* get sodden; (*fig: sich lockern*) to be weakened; (*Doktrin*) to become *or* get watered down.

aufweisen *vt sep irreg* to show. **die Leiche wies keinerlei Verletzungen auf** the body showed no signs of injury; **das Buch weist einige Fehler auf** the book contains some mistakes *or* has some mistakes in it; **etw aufzuweisen haben** to have sth to show for oneself.

aufwenden *vt sep irreg* to use; *Zeit, Energie* to expend; *Mühe* to take; *Geld* to spend. **viel Mühe/Zeit ~, etw zu tun** to take a lot of trouble/spend a lot of time doing sth; **das wäre unnütz aufgewandte Zeit/Energie** that would be a waste of time/energy.

aufwendig *adj* costly; (*üppig*) lavish.

Aufwendung *f* **1.** *no pl siehe vt* using; expenditure; taking; spending. **unter ~ von ...** by using/expending/taking/ spending ... **2.** **~en** *pl* expenditure.

aufwerfen *sep irreg* I *vt* **1.** (*nach oben werfen*) to throw up; (*aufhäufen*) to pile up; *Damm etc* to build (up). **2.** *Kopf* to toss; *Lippen* to purse. **ein aufgeworfener Mund** pursed lips. **3.** *Tür* to throw open. **4.** (*zur Sprache bringen*) *Frage, Probleme* to raise, to bring up. II *vr sich zu etw ~* to set oneself up as sth.

aufwerten *vt sep* **1.** (*auch vi*) *Währung* to revalue, revaluate (*US*). **2.** (*fig*) to increase the value of; *Menschen, Ideal auch* to enhance the status of.

Aufwertung *f* (*von Währung*) revaluation; (*fig*) increase in value.

aufwickeln *vt sep* **1.** (*aufrollen*) to roll up; (*inf*) *Haar* to put in curlers.
2. (*lösen*) to untie; *Windeln, Verband* to take off.

auf Wiedersehen, auf Wiederschauen (*geh, S Ger, Aus, Sw*) *interj* goodbye.

aufwiegeln *vt sep* to stir up. **jdn zum Streik/Widerstand** ~ to incite sb to strike/resist.

aufwiegen *vt sep irreg* (*fig*) to offset. **das ist nicht mit Geld aufzuwiegen** that can't be measured in terms of money.

Aufwiegler(in *f*) *m* -s, - agitator; (*Anstifter*) instigator.

aufwieglerisch *adj* seditious; *Rede, Artikel auch* inflammatory.

Aufwind *m* (*Aviat*) upcurrent; (*Met*) upwind. **guter** ~ good upcurrents *pl*; (**durch etw**) **neuen** ~ **bekommen** (*fig*) to get new impetus (from sth); **sich im** ~ **fühlen** to feel one is on the way up *or* in the ascendant.

aufwirbeln *sep* **I** *vi aux sein* (*Staub, Schnee*) to swirl *or* whirl up. **II** *vt* to swirl *or* whirl up; *Staub auch* to raise. (**viel**) **Staub** ~ (*fig*) to cause a (big) stir.

aufwischen *sep* **I** *vt Wasser* to wipe *or* mop up; *Fußboden* to wipe. **die Küche** (**feucht**) ~ to wash the kitchen floor; **das Bier vom Boden** ~ to mop the beer up off the floor. **II** *vi* to wipe the floor(s). **feucht** ~ to wash the floor(s).

aufwühlen *vt sep* **1.** (*lit*) *Erde, Meer* to churn (up). **2.** (*geh*) to stir; (*schmerzhaft*) to churn up; *Leidenschaften* to rouse. **das hat seine Seele zutiefst aufgewühlt** that stirred him to the depths of his soul; **~d** stirring.

aufzahlen *vt sep* (*S Ger, Aus*) **100 Schilling/einen Zuschlag** ~ to pay an additional 100 schillings/a surcharge (on top).

aufzählen *vt sep* (*aufsagen*) to list; *Gründe, Namen etc auch* to give (*jdm* sb); (*aufführen auch*) to enumerate; *Geld* to count out (*jdm* for sb). **er hat mir alle meine Fehler aufgezählt** he told me all my faults.

Aufzahlung *f* (*S Ger, Aus*) additional charge.

Aufzählung *f* list; (*von Gründen, Fehlern auch*) enumeration.

aufzäumen *vt sep* to bridle. **etw verkehrt** ~ (*fig*) to go about sth the wrong way.

aufzehren *sep* **I** *vt* to exhaust; (*fig*) to sap. **II** *vr* to burn oneself out.

aufzeichnen *vt sep* **1.** *Plan* to draw, to sketch. **2.** (*notieren, Rad, TV*) to record.

Aufzeichnung *f* **1.** (*Zeichnung*) sketch. **2.** *usu pl* (*Notiz*) note; (*Niederschrift auch*) record. **3.** (*Magnetband~, Film~*) recording.

aufzeigen *vt* to show; (*nachweisen auch*) to demonstrate.

aufziehen *sep irreg* **I** *vt* **1.** (*hochziehen*) to pull *or* draw up; *schweren Gegenstand auch* to haul up; (*mit Flaschenzug*) to hoist up; *Schlagbaum, Zugbrücke* to raise; *Flagge, Segel* to hoist; *Jalousien* to let up; (*Med*) *Spritze* to fill; *Flüssigkeit* to draw up.

2. (*öffnen*) *Reißverschluß* to undo; *Schleife auch* to untie; *Schublade* to (pull) open; *Flasche* to uncork; *Gardinen* to draw (back).

3. (*aufspannen*) *Foto* to mount; *Leinwand, Stickerei* to stretch; *Landkarte* to pull up; *Saite, Reifen* to fit, to put on. **Saiten/neue Saiten auf ein Instrument** ~ to string/restring an instrument; *siehe* **Saite.**

4. (*spannen*) *Feder, Uhr* to wind up.

5. (*großziehen*) to raise; *Kind auch* to bring up; *Tier auch* to rear.

6. (*inf*) (*veranstalten*) to set up; *Fest* to arrange; (*gründen*) *Unternehmen* to start up.

7. (*verspotten*) **jdn** ~ (*inf*) to make fun of sb, to tease sb (*mit* about).

II *vi aux sein* (*dunkle Wolke*) to come up; (*Gewitter, Wolken auch*) to gather; (*aufmarschieren*) to march up. **die Wache zog vor der Kaserne auf** the soldiers mounted guard in front of the barracks.

III *vr* to wind. **sich von selbst** ~ to be self-winding.

Aufzucht *f* **1.** *no pl* (*das Großziehen*) rearing, raising. **2.** (*Nachwuchs*) young family.

Aufzug *m* **1.** (*Fahrstuhl*) lift (*Brit*), elevator (*US*); (*Güter~ auch*) hoist.

2. (*Phot*) wind-on.

3. (*Marsch*) parade; (*Festzug auch*) procession.

4. (*von Gewitter*) gathering.

5. (*Turnen*) pull-up.

6. (*Theat*) act.

7. *no pl* (*pej inf: Kleidung*) get-up (*inf*).

Aufzug *in cpds* lift (*Brit*), elevator (*US*); **Aufzugführer** *m* lift *or* elevator operator.

aufzwingen *sep irreg* **I** *vt* **jdm etw/seinen Willen** ~ to force sth on sb/impose one's will on sb. **II** *vr* to force itself on one. **sich jdm** ~ to force itself on sb; (*Gedanke*) to strike sb forcibly; **das zwingt sich einem doch förmlich auf** the conclusion is unavoidable.

Augapfel *m* eyeball. **jdn/etw wie seinen** ~ **hüten** to cherish sb/sth like life itself.

Auge *nt* -s, -n **1.** (*Sehorgan*) eye. **gute/ schlechte ~n haben** to have good/bad eyesight *or* eyes; **die ~n aufmachen** *or* **aufsperren** (*inf*) *or* **auftun** (*inf*) to open one's eyes; **mit den ~n zwinkern/ blinzeln** to wink/blink; **jdm in die ~n sehen** to look sb in the eye(s); **jdn mit** *or* **aus großen ~n ansehen** to look at sb wide-eyed; **etw mit eigenen ~n gesehen haben** to have seen sth with one's own eyes; **die ~n schließen** (*lit*) to close one's eyes; (*euph*) to fall asleep; **mit bloßem** *or* **nacktem** ~ with the naked eye; **~n rechts/links!** (*Mil*) eyes right/left!; **mit verbundenen ~n** (*lit, fig*) blindfold; **etw im** ~ **haben** (*lit*) to have sth in one's eye; (*fig*) to have one's eye on sth; **ein sicheres** ~ **für etw haben** to have a good eye for sth; **da muß man seine ~n überall** *or* **hinten und vorn** (*inf*) **haben** you need eyes in the back of your head; **ich kann doch meine ~n nicht überall haben** I can't look everywhere at once; **ich hab' doch hinten keine ~n!** I don't have eyes in the back of my head; **haben Sie keine ~n im Kopf?** (*inf*) haven't you got any eyes in your head?, use your eyes!; **große ~n machen** to be wide-eyed; **jdm schöne** *or* **verliebte ~n machen** to make eyes at sb; **ich konnte kaum aus den ~n sehen** *or* **gucken** I could hardly see straight; **die ~n offen haben** *or* **offenhalten** to keep one's eyes open *or* skinned (*inf*) *or* peeled (*inf*); **wenn du mir noch einmal unter die ~n kommst, ...** if you let me see you *or* catch sight of you again ...; **geh mir aus den ~n!** get out of my sight!; **er guckte** *or* **schaute** (*inf*) **sich** (*dat*) **die ~n aus dem Kopf** (*inf*) his eyes were popping out of his head (*inf*) *or* coming out on stalks (*inf*); **dem fallen bald die ~n raus** (*sl*) his eyes will pop out of his head in a minute (*inf*); **unter jds ~n** (*dat*) (*fig*) before sb's very eyes; **vor aller ~n** in front of everybody; **jdn/ etw mit anderen ~n (an)sehen** to see sb/ sth in a different light; **etwas fürs ~ sein** to be a delight to the eyes, to be a treat to look at; **nur fürs ~** good to look at but not much else (*inf*); **die ~n sind größer als der Magen** *or* **Bauch** (*inf*) his *etc* eyes are bigger than his *etc* stomach; **aus den ~n, aus dem Sinn** (*Prov*) out of sight, out of mind (*Prov*); **das ~ des Gesetzes** the law; **soweit das ~ reicht** *or* **blicken kann** as far as the eye can see; **er hatte nur ~n für sie** he only had eyes for her; **ich habe kein ~ zugetan** I didn't sleep a wink; **da blieb kein ~ trocken** (*hum*) there wasn't a dry eye in the place; **ein ~ auf jdn/etw haben** (*aufpassen*) to keep an eye on sb/sth; **ein ~ auf jdn/etw (geworfen) haben** to have one's eye on sb/sth; **jdm etw aufs ~ drücken** (*inf*) to force *or* impose sth on sb; **die ~n vor etw** (*dat*) **verschließen** to close one's eyes to sth; **ein ~/beide ~n zudrücken** (*inf*) to turn a blind eye; **jdn im ~ behalten** (*beobachten*) to keep an eye on sb; (*vormerken*) to keep *or* bear sb in mind; **etw im ~ behalten** to keep *or* bear sth in mind; **sie ließen ihn nicht aus den ~n** they didn't let him out of their sight; **jdn/etw aus den ~n verlieren** to lose sight of sb/sth; (*fig*) to lose touch with sb/sth; **ins ~ stechen** (*fig*) to catch the eye; **das springt** *or* **fällt einem gleich ins ~** it hits you right in the face; **jdm etw vor ~n führen** (*fig*) to make sb aware of sth; **etw steht** *or* **schwebt jdm vor ~n** sb has sth in mind; **etw ins ~ fassen** to contemplate sth; **etw noch genau** *or* **lebhaft vor ~n haben** to remember sth clearly *or* vividly; **das muß man sich** (*dat*) **mal vor ~n führen!** just imagine it!; **es führt sich offenbar niemand richtig vor ~n, ...** obviously nobody is really aware ...; **jdm die ~n öffnen** (*fig*) to open sb's eyes; **ein ~ riskieren** (*hum*) to have a peep (*inf*); **das kann leicht ins ~ gehen** (*fig inf*) it might easily go wrong; **in den ~n der Leute/Öffentlichkeit** in the eyes of most people/the public; **in meinen ~n** in my opinion *or* view; **ein Ge-**

spräch unter vier ~n a private conversation; **mit offenen ~n schlafen** (*fig*) to daydream; **ganz ~ und Ohr sein** to be all ears; **mit einem lachenden und einem weinenden ~** with mixed feelings; **~ in ~** face to face; **~ um ~, Zahn um Zahn** (*Bibl*) an eye for an eye and a tooth for a tooth; **vor meinem geistigen** *or* **inneren ~** in my mind's eye; **dem Tod ins ~ sehen** to look death in the face.

2. (*Knospenansatz*) (*bei Kartoffel*) eye; (*bei Zweig*) bud.

3. (*Punkt, Tupfen*) eye; (*Fett~*) globule of fat; (*Punkt bei Spielen*) point.

4. (*Rad*) **magisches ~** magic eye.

äugen *vi* to look.

Augenarzt *m*, **Augenärztin** *f* eye specialist, ophthalmologist; **augenärztlich** *adj attr Gutachten* ophthalmological; *Behandlung* eye *attr*, ophthalmic; **Augenaufschlag** *m* look; **Augenbinde** *f* eye bandage; (*Augenklappe*) eye patch.

Augenblick *m* moment. **alle ~e** constantly, all the time; **jeden ~** any time *or* minute *or* moment; **einen ~, bitte** one moment please!; **~ mal!** (*inf*) just a minute *or* second *or* sec! (*inf*); **im ~** at the moment; **im letzten/richtigen ~** at the last/right moment; **im ersten ~** for a moment; **im nächsten ~** the (very) next moment; **er ist gerade im ~ gegangen** he just left this very moment; **er zögerte keinen ~** he didn't hesitate for a moment.

augenblicklich I *adj* **1.** (*sofortig*) immediate. **2.** (*gegenwärtig*) present, current. **die ~e Lage** the present *or* current situation, the situation at the moment. **3.** (*vorübergehend*) temporary; (*einen Augenblick dauernd*) momentary. **II** *adv* **1.** (*sofort*) at once, immediately, instantly. **2.** (*zur Zeit*) at the moment, presently.

augenblicks *adv* at once, immediately, instantly.

Augenblickserfolg *m* short-lived success. **Augenblinzeln** *nt* **~s**, *no pl* wink; **Augenbraue** *f* eyebrow; **Augenbrauenstift** *m* eyebrow pencil; **Augendeckel** *m siehe* **Augenlid**; **augenfällig** *adj* conspicuous; (*offensichtlich*) obvious; **Augenfarbe** *f* colour of eyes; **augenfreundlich** *adj* Bildschirm easy on the eyes; **Augengläser** *pl* (*esp Aus*) glasses *pl*, spectacles *pl*; **Augengymnastik** *f* eye exercises *pl*; **Augenheilkunde** *f* ophthalmology; **Augenhöhe** *f* **in ~** at eye level; **Augenhöhle** *f* eye socket, orbit (*form*); **Augenklappe** *f* **1.** eye patch; **2.** (*für Pferde*) blinker, blinder (*US*); **Augenkrankheit** *f* eye disease; **Augenlicht** *nt*, *no pl* (eye)sight; **Augenlid** *nt* eyelid; **Augenmaß** *nt* eye; (*für Entfernungen*) eye for distance(s); (*fig*) perceptiveness; **nach ~** by eye; **~ haben** (*lit*) to have a good eye (for distance(s)); (*fig*) to be able to assess *or* gauge things *or* situations; **ein gutes/ schlechtes ~ haben** to have a good eye/ no eye (for distance(s)); **ein ~ für etw haben** (*fig*) to have an eye for sth; **Augenmerk** *nt* **-s**, *no pl* (*Aufmerksam-*

keit) attention; **jds/sein ~ auf etw** *(acc)*
lenken *or* **richten** to direct sb's/one's
attention to sth; **Augennerv** *m* optic
nerve; **Augenoperation** *f* eye operation; **Augenoptiker(in** *f)* *m* optician;
Augenpaar *nt* pair of eyes;
Augenränder *pl* rims of the/one's eyes;
er hatte rote ~, seine ~ waren gerötet
the rims of his eyes were red;
Augenringe *pl* rings round *or* under
the/one's eyes; **Augenschatten** *pl* shadows *pl* under *or* round the/one's eyes;
Augenschein *m* **-(e)s,** *no pl* **1.**
(Anschein) appearance; **dem ~ nach** by
all appearances, to judge by appearances; **der ~ trügt** appearances are deceptive; **nach dem ~ urteilen** to judge by
appearances; **2. jdn/etw in ~ nehmen** to
look closely at sb/sth, to have a close
look at sb/sth; **augenscheinlich** *adj* obvious, evident; **die beiden sind ~ zerstritten** the two have obviously *or* clearly
had a quarrel; **Augenschmaus** *m*
(hum) feast for the eyes; **Augenspiegel**
m ophthalmoscope; **Augenspiegelung**
f ophthalmoscopy; **Augenstern** *m (liter:
Pupille)* pupil, orb *(poet)*; *(fig: Liebstes)*
apple of one's eye, darling;
Augentropfen *pl* eyedrops *pl*;
Augenweide *f* feast *or* treat for the
eyes; **nicht gerade eine ~** *(iro)* a bit of an
eyesore; **Augenwimper** *f* eyelash;
Augenwinkel *m* corner of the/one's
eye; **Augenwischerei** *f (fig)* eyewash;
Augenzahl *f (Cards etc)* number of
points; **Augenzahn** *m* eyetooth;
Augenzeuge *m*, **Augenzeugin** *f* eyewitness *(bei* to); **Augenzeugenbericht**
m eyewitness account; **Augenzwinkern**
nt **-s,** *no pl* winking; **augenzwinkernd**
adj winking *attr*; *(fig)* sly; **jdm etw ~ zu
verstehen geben** to give sb to understand
sth with a wink.

Augiasstall *m (fig geh)* dunghill, Augean
stables *pl (liter)*.

Augur *m* **-s** *or* **-en, -en** *(Hist, fig geh)* augur.

August¹ *m* **-(e)s, -e** August; *siehe* **März.**

August² *m* **-s** Augustus. **der dumme ~**
(inf) the clown; **den dummen ~ spielen**
to play *or* act the clown *or* fool.

Augustfeier *f (Sw)* August public holiday.

Augustiner(mönch) *m* **-s,** - Augustinian
(monk).

Auktion *f* auction.

Auktionator(in *f)* [-'to:rɪn] *m* auctioneer.

Auktionshaus *nt* auction house *or*
company, auctioneers *pl*.

Aula *f* **-, Aulen** *(Sch, Univ etc)* (assembly)
hall; *(Atrium)* atrium.

Au-pair- [o'pɛ:r]: **Au-pair-Mädchen** *nt*
au-pair (girl); **als ~ arbeiten** to work (as
an) au-pair; **Au-pair-Stelle** *f* au-pair
job.

Aura *f* **-,** *no pl (Med, geh)* aura.

Aureole *f* **-, -n** *(Art)* aureole, halo; *(Met)*
corona, aureole.

Aurikel *f* **-, -n** *(Bot)* auricula.

Aurora *f* **-s** *(Myth, liter)* Aurora.

aus I *prep* +*dat* **1.** *(räumlich)* from; *(aus
dem Inneren von)* out of. **~ dem**

Fenster/der Tür out of the window/door;
~ unserer Mitte from our midst; **~ der
Flasche trinken** to drink from *or* out of
the bottle; **jdm ~ einer Verlegenheit helfen** to help sb out of a difficulty.
2. *(Herkunft, Quelle bezeichnend)*
from. **~ dem Deutschen** from (the) German; **~ ganz Frankreich** from all over
France; **~ guter Familie** from *or* of a
good family; **ein Wort ~ dem Zusammenhang herausgreifen** to take a word
out of (its) context.
3. *(auf Ursache deutend)* out of. **~
Haß/Mitleid** out of hatred/sympathy; **~
Erfahrung** from experience; **~ Furcht
vor/Liebe zu** for fear/love of; **~ dem
Grunde, daß ...** for the reason that ...;
~ einer Laune heraus on (an) impulse;
~ Spaß for fun, for a laugh *(inf)*; **~
Unachtsamkeit** due to carelessness; **~
Versehen** by mistake; **~ sich heraus** of
one's own accord, off one's own bat
(inf); **ein Mord** *or* **ein Verbrechen ~
Leidenschaft** a crime of passion.
4. *(zeitlich)* from. **~ dem Barock** from
the Baroque period.
5. *(beschaffen ~)* (made out) of. **ein
Herz ~ Stein** a heart of stone.
6. *(Herstellungsart)* out of, from; *(fig:
Ausgangspunkt)* out of. **einen anständi-
gen Menschen ~ jdm machen** to make sb
into a decent person; **was ist ~ ihm/
dieser Sache geworden?** what has become of him/this?; **~ der Sache ist nichts
geworden** nothing came of it; **~ ihm
wird einmal ein guter Arzt** he'll make a
good doctor one day; **~ mir ist nichts geworden** I never got anywhere (in life).
7. **~ dem Gleichgewicht** out of
balance; *(Mensch, Gegenstand)* off
balance; **~ der Mode** out of fashion.
II *adv siehe auch* **aussein 1.** *(Sport)*
out; *(Ftbl, Rugby auch)* out of play, in
touch.
2. *(inf: vorbei, zu Ende)* over. **~ jetzt!**
that's enough!, that'll do now! *(inf)*; **~
und vorbei** over and done with.
3. *(gelöscht)* out; *(an Geräten)* off.
Licht ~! lights out!
4. *(in Verbindung mit von)* **vom Fenster ~** from the window; **von München
~** from Munich; **von sich** *(dat)* **~** off
one's own bat *(inf)*, of one's own
accord; **von ihm ~** as far as he's concerned; **ok, von mir ~** OK, if you like;
no pl siehe **ein.**

Aus *nt* **-, -. 1.** *no pl (Ftbl, Rugby)* touch *no
art.* **ins ~ gehen** to go out of play;
(seitlich) to go into touch; **ins politische
~ geraten** to end up on the political
scrapheap. **2.** *no pl (Ausscheiden)* exit
(für of). **3.** *(Ende)* end. **das ~ für die
Firma ist unabwendbar** the company is
doomed to close down.

aus|arbeiten *sep* **I** *vt* to work out; *(errich-
ten, entwerfen auch)* System, Gedankengebäude to elaborate, to draw up;
(vorbereiten) to prepare; *(formulieren
auch)* to formulate, to compose. **II** *vr* to
work until one is fit to drop; *(Sport)* to
have a work-out.

Aus|arbeitung *f siehe vt* working out;

elaboration, drawing up; preparation; formulation, composition.

aus|arten *vi sep aux sein* **1.** (*Party*) to get out of control. ~ **in** (+*acc*) *or* **zu** to degenerate into.

2. (*ungezogen etc werden*) to get out of hand, to become unruly; (*pöbelhaft, ordinär werden*) to misbehave; to use bad language.

aus|atmen *vti sep* to breathe out, to exhale.

ausbacken *vt sep irreg* **1.** (*in Fett backen*) to fry. **2.** (*zu Ende backen*) to bake (for) long enough; (*durchbacken*) to bake (right) through.

ausbaden *vt sep* (*inf*) to carry the can for (*inf*), to pay for. **ich muß jetzt alles ~ I** have to carry the can (*inf*).

ausbaggern *vt sep Graben* to excavate; *Fahrrinne, Schlamm* to dredge (out).

ausbalancieren* *sep* (*lit, fig*) **I** *vt* to balance (out). **II** *vr* to balance (each other out).

ausbaldowern* *vt sep* (*inf*) to scout *or* nose out (*inf*).

Ausball *m* (*Sport*) **bei ~** when the ball goes out of play.

Ausbau *m* **-(e)s, -ten** *siehe vt* removal; extension (*zu* into); reinforcement; conversion (*zu* (in)to); fitting out; building up, cultivation; elaboration; consolidation, strengthening.

ausbauen *vt sep* **1.** (*herausmontieren*) to remove (*aus* from).

2. (*lit, fig: erweitern, vergrößern*) to extend (*zu* into); *Befestigungsanlagen* to reinforce; (*umbauen*) to convert (*zu* (in)to); (*innen ~*) to fit out; *Beziehungen, Freundschaft* to build up, to cultivate; *Plan* to elaborate; (*festigen*) *Position, Vorsprung* to consolidate, to strengthen.

ausbaufähig *adj Position* with good prospects; *Produktion, Markt, Computer* expandable; *Beziehungen* that can be built up; *Machtstellung* that can be consolidated; (*inf*) *Schüler, Mitarbeiter* promising.

ausbedingen *vr sep irreg* **sich** (*dat*) **etw ~** to insist on sth, to make sth a condition; **sich** (*dat*) **~, daß ...** to stipulate that ..., to make it a condition that ...; **sich** (*dat*) **das Recht ~, etw zu tun** to reserve the right to do sth.

ausbeißen *vr sep irreg* **sich** (*dat*) **einen Zahn ~** to break *or* lose a tooth (*when biting into sth*); **sich** (*dat*) **an etw** (*dat*) **die Zähne ~** (*fig*) to have a tough time of it with sth.

ausbekommen* *vt sep irreg* (*inf*) *Schuhe* to get off.

ausbessern *vt sep* to repair; *Gegenstand, Wäsche auch* to mend; *Roststelle* to remove; *Fehler* to correct.

Ausbesserung *f siehe vt* repair; mending; removal; correction.

Ausbesserungsarbeiten *pl* repair work *sing*; **ausbesserungsbedürftig** *adj* in need of repair *etc*; **Ausbesserungswerk** *nt* (*Rail*) repair shop.

ausbetonieren* *vt sep* to concrete.

ausbeulen *sep* **I** *vt* **1.** *Kleidung* to make baggy; *Hut* to make floppy. **2.** (*Beule entfernen*) to remove a dent/dents in; (*Tech: durch Hämmern*) to beat out. **II** *vr* (*Hose*) to go baggy; (*Hut*) to go floppy.

Ausbeute *f* (*Gewinn*) profit, gain; (*Ertrag einer Grube*) yield (*an* + *dat* in); (*fig*) result(s); (*Einnahmen*) proceeds *pl*.

ausbeuten *vt sep* (*lit, fig*) to exploit; (*Min*) *eine Grube auch* to work; (*Agr*) *Boden* to overwork, to deplete.

Ausbeuter(in *f*) *m* **-s, -** exploiter.

Ausbeuterei *f* (*pej*) exploitation.

Ausbeutergesellschaft *f* society based on exploitation.

ausbeuterisch *adj* exploitative (*form*); *Firma* which exploits.

Ausbeutung *f siehe vt* exploitation; working; overworking, depletion.

ausbezahlen* *vt sep Geld* to pay out; *Arbeitnehmer* to pay off; (*abfinden*) *Erben* to buy out, to pay off. **in bar ausbezahlt** paid in cash; **wieviel kriegst du pro Woche ausbezahlt?** what is your weekly take-home pay?

Ausbezahlung *f* payment; (*von Erben etc*) buying out, paying off.

ausbieten *vt sep irreg* to put on offer, to offer (for sale). **ausgeboten werden** to be on offer; (*bei Versteigerung auch*) to be up for auction.

ausbilden *sep* **I** *vt* **1.** (*beruflich, Sport, Mil*) to train; (*unterrichten auch*) to instruct; (*akademisch*) to educate. **sich in etw** (*dat*)/**als** *or* **zu etw ~ lassen** (*esp Arbeiter, Lehrling*) to train in sth/as sth; (*studieren*) to study sth/to study to be sth; (*Qualifikation erwerben*) to qualify in sth/as sth; **sich am Klavier** *etc* **~ lassen** to have piano *etc* tuition; **jdn als Sänger ~ lassen** to have sb trained as a singer; **ein ausgebildeter Übersetzer** a trained/qualified translator.

2. *Fähigkeiten* to develop, to cultivate; (*Mus*) *Stimme* to train.

3. (*formen*) to form; (*gestalten*) to shape; (*entwickeln*) to develop. **etw oval ~** to give sth an oval shape; (*Designer*) to design sth with an oval shape.

II *vr* **1.** (*sich entwickeln*) to develop; (*sich bilden*) to form.

2. (*sich schulen*) **sich in etw** (*dat*) **~** (*esp Arbeiter, Lehrling*) to train in sth; (*studieren*) to study sth; (*Qualifikation erwerben*) to qualify in sth.

Ausbilder(in *f*) *m* **-s, -** instructor/instructress.

Ausbildung *f siehe vt* training; instruction; education; development, cultivation; formation; shaping/shape.

Ausbildungsbeihilfe *f* (*für Schüler*) (education) grant; (*für Lehrling*) training allowance; **Ausbildungsberuf** *m* occupation that requires training; **Ausbildungsbetrieb** *m* company that takes on trainees; **Ausbildungsförderung** *f* promotion of training/education; (*Stipendium*) grant; **Ausbildungsgang** *m* training; **Ausbildungsjahr** *nt* year of training; **Ausbildungskompanie** *f* training unit (*for weapons training*); **Ausbildungslehrgang** *m* training course; **Ausbildungsmethode** f training method, method of training; **Ausbildungsplatz** m; (Stelle) vacancy for an apprentice; **er bewarb sich um einen ~** he applied for an apprenticeship; **Ausbildungsstand** m level of training; **Ausbildungsstätte** f place of training; **Ausbildungsversicherung** f education insurance; **Ausbildungsvertrag** m articles pl of apprenticeship; **Ausbildungszeit** f period of training; **nach zweijähriger ~** after a two-year period of training or training period; **Ausbildungsziel** nt aims pl of education.

ausbitten vr sep irreg **sich** (dat) (von jdm) etw ~ (geh) to ask (sb) for sth, to request sth (from sb) (form); **das möchte ich mir (auch) ausgebeten haben!** I should think so too!; **ich bitte mir Ruhe aus!** I must or will have silence!

ausblasen vt sep irreg to blow out; Hochofen to shut down, to extinguish; Ei to blow.

ausbleiben vi sep irreg aux sein (fortbleiben) to stay out; (nicht erscheinen: Gäste, Schüler, Schneefall) to fail to appear; (nicht eintreten: Erwartung, Befürchtung) to fail to materialize; (überfällig sein) to be overdue; (aufhören: Puls, Atmung) to stop. **die Strafe/ein Krieg wird nicht ~** punishment/a war is inevitable; **es konnte nicht ~, daß ...** it was inevitable that ...; **bei manchen Patienten bleiben diese Symptome aus** in some patients these symptoms are absent or do not appear.

Ausbleiben nt -s, no pl (Fehlen) absence; (Nichterscheinen) non-appearance. **bei ~ von ...** in the absence of ...; **bei ~ der Periode** if your period doesn't come.

ausbleichen vti sep irreg (vi: aux sein) to fade, to bleach.

ausblenden sep I vti (TV) to fade out; (plötzlich) to cut out. II vr **sich (aus einer Übertragung) ~** to leave a transmission.

Ausblick m 1. view (auf +acc of), outlook (auf +acc over, onto). **ein Zimmer mit ~ aufs Meer** a room with a view of the sea or overlooking the sea. 2. (fig) prospect, outlook (auf +acc, in +acc for). **einen ~ auf etw** (acc) **geben** to give the prospects for sth.

ausblicken vi sep (geh) **nach jdm ~** to look for sb.

ausbluten sep I vi 1. aux sein (verbluten) to bleed to death; (fig) to be bled white. **ein Schwein ~ lassen** to bleed a pig dry. 2. (Wunde) to stop bleeding. II vt (fig) to bleed white.

ausbohren vt sep to bore; (mit Bohrgerät, Med) to drill; (herausbohren) to bore/drill out.

ausbomben vt sep to bomb out. **die Ausgebombten** people who have been bombed out (of their homes).

ausbooten sep I vt 1. (inf) jdn to kick or boot out (inf). 2. (Naut) to disembark (in boats); (abladen) to unload. II vi (Naut) to disembark (in boats).

ausborgen vt sep (inf) **sich** (dat) **etw (von jdm)** ~ to borrow sth (from sb); **jdm etw ~** to lend sb sth, to lend sth (out) to sb.

ausbraten sep irreg I vt (auslassen) Speck to fry the fat out of. II vi aux sein (Fett) to run out (aus of). **ausgebratenes Fett** melted bacon etc fat.

ausbrechen sep irreg I vt 1. (herausbrechen) Steine, Zahn to break off (aus from); Mauer to break up; Tür, Fenster to put in. 2. (erbrechen) to bring up, to vomit (up).
II vi aux sein 1. (lit, fig: sich befreien) to break out (aus of) (auch Mil), to escape (aus from); (herausbrechen) to break or come away. 2. (Richtung ändern: Pferd, Wagen) to swerve; (Auto auch) to career out of control. 3. (Krieg, Seuche, Ausschlag, Feuer, Schweiß) to break out; (Jubel, Zorn) to erupt, to explode; (Vulkan) to erupt. **in Gelächter/Tränen** or **Weinen ~** to burst into laughter/tears, to burst out laughing/crying; **in Jubel ~** to erupt with jubilation; **in Schweiß ~** to break out in a sweat; **bei dir ist wohl der Wohlstand ausgebrochen** (fig inf) have you struck it rich?

ausbreiten sep I vt Landkarte, Handtuch to spread (out); Flügel, Äste to spread (out), to extend; Arme to stretch out, to extend; (ausstellen, fig: zeigen) to display; Licht, Wärme to spread. **einen Plan/sein Leben vor jdm ~** to unfold a plan to sb/to lay one's whole life before sb.
II vr 1. (sich verbreiten) to spread. 2. (sich erstrecken) to extend, to stretch (out), to spread out. 3. (inf: sich breitmachen) to spread oneself out. 4. **sich über etw** (acc) ~ (fig) to dwell on sth.

Ausbreitung f (das Sichausbreiten) spread; (das Ausbreiten) spreading.

ausbrennen sep irreg I vi aux sein 1. (zu Ende brennen) to burn out. 2. (völlig verbrennen) to be burnt out, to be gutted. **er ist ausgebrannt** (fig) he's burnt out. II vt to burn out; (Sonne: ausdörren) to scorch; (Med) to cauterize.

ausbringen vt sep irreg 1. Trinkspruch to propose. 2. (Naut) Boot, Anker to lower. 3. (Typ) Zeile to space out.

Ausbruch m 1. (aus from) (aus Gefängnis) break-out (auch Mil), escape (auch fig). 2. (Beginn) outbreak; (von Vulkan) eruption. **zum ~ kommen** to break out. 3. (fig) (Gefühls~, Zorn~) outburst; (stärker) eruption, explosion.

Ausbruchsversuch m (aus from) attempted break-out (auch Mil) or escape, break-out or escape attempt; (fig) attempt at escape.

ausbrüten vt sep to hatch; (esp in Brutkasten) to incubate; (fig inf) Plan to cook up (inf), to hatch (up).

ausbuchen vt sep siehe **ausgebucht**.

ausbüchsen vi sep (N Ger: ausreißen) to break out, to run away.

ausbuchten *sep* **I** *vt Ufer* to hollow out; *Straße* to make a curve in the side of; *Wand* to round out. **II** *vr* to bulge *or* curve out.

Ausbuchtung *f* bulge; (*von Strand*) (small) cove.

ausbuddeln *vt sep* (*inf, auch fig*) to dig up.

ausbügeln *vt sep* to iron out; (*inf*) *Fehler, Verlust, Mängel* to make good; *Mißverständnis, Angelegenheit* to iron out (*inf*).

ausbuhen *vt sep* (*inf*) to boo.

Ausbund *m* -(e)s, *no pl.* **ein ~ von Tugend** a paragon *or* model of virtue, the epitome of virtue; **er ist ein ~ an** *or* **von Frechheit** he is cheek itself *or* personified.

ausbürgern *vt sep* **jdn ~** to expatriate sb.

Ausbürgerung *f* expatriation.

ausbürsten *vt sep* to brush out (*aus* of); *Anzug* to brush.

ausbüxen *vi sep aux sein* (*hum inf*) to run off, to scarper (*sl*). **jdm ~** to run away from sb.

Ausdauer *f* -, *no pl* staying power, stamina; (*im Ertragen*) endurance; (*Beharrlichkeit*) perseverance, persistence, tenacity; (*Hartnäckigkeit*) persistence. **beim Lernen keine ~ haben** to have no staying power when it comes to learning.

ausdauernd *adj* **1.** (*Mensch*) with staying power, with stamina; (*im Ertragen*) with endurance; (*beharrlich*) persevering, tenacious; (*hartnäckig*) persistent; *Bemühungen, Anstrengungen* untiring. **~ lernen** to apply oneself to learning. **2.** (*Bot: Pflanze*) perennial.

ausdehnbar *adj* expandable; (*dehnbar*) *Gummi* elastic; (*fig*) extendable (*auf +acc* to), extensible.

ausdehnen *sep* **I** *vt* **1.** (*vergrößern*) to expand; (*dehnen*) to stretch, to extend; (*länger machen*) to elongate, to stretch. **2.** (*fig*) to extend; (*zeitlich auch*) to prolong (*auf +acc* to).
II *vr* **1.** (*größer werden*) to expand; (*durch Dehnen*) to stretch; (*sich erstrecken*) to extend, to stretch (*bis* as far as). **die Seuche/der Krieg dehnte sich über das ganze Land aus** the epidemic/the war spread over the whole country. **2.** (*fig*) to extend (*über +acc* over, *bis* as far as, to); (*zeitlich*) to go on (*bis* until), to extend (*bis* until); *siehe* **ausgedehnt.**

Ausdehnung *f* **1.** (*das Ausdehnen*) *siehe vt* expansion; stretching; extension; elongation; extension; prolongation. **2.** (*Umfang*) expanse; (*Math: von Raum*) extension. **eine ~ von 10.000 km² haben** to cover an area of 10,000 sq km.

ausdehnungsfähig *adj* (*esp Phys*) capable of expansion, expansile, expansible; **Ausdehnungsfähigkeit** *f* ability to expand.

ausdenken *vt sep irreg* **sich** (*dat*) **etw ~** (*erfinden*) to think sth up; *Idee, Plan auch* to devise sth; (*in Einzelheiten*) to think sth out, to devise sth; *Wunsch* to think of sth; *Entschuldigung auch* to contrive sth; *Überraschung* to plan sth;

Geschichte auch to make sth up; (*sich vorstellen*) to imagine sth; (*durchdenken*) to think sth through; **eine ausgedachte Geschichte** a made-up story; **das ist nicht auszudenken** (*unvorstellbar*) it's inconceivable; (*zu schrecklich*) it doesn't bear thinking about; **da mußt du dir schon etwas anderes ~!** (*inf*) you'll have to think of something better than that!

ausdeuten *vt sep* to interpret; *Äußerung, Wort auch* to construe. **falsch ~** to misinterpret; to misconstrue.

ausdeutschen *vt sep* (*Aus inf*) **jdm etw ~** to explain sth to sb in words of one syllable *or* ≈ in plain English.

ausdienen *vi sep* **ausgedient haben** (*Mil old*) to have finished one's military service; (*im Ruhestand sein*) to have been discharged; (*fig inf*) to have had its day; (*Kugelschreiber*) to be used up *or* finished.

ausdiskutieren* *sep* **I** *vt Thema* to discuss fully. **II** *vi* (*zu Ende diskutieren*) to finish discussing *or* talking.

ausdorren *vi sep aux sein siehe* **ausdörren II.**

ausdörren *sep* **I** *vt* to dry up; *Kehle* to parch; *Pflanzen* to shrivel. **II** *vi aux sein* to dry up; (*Boden auch*) to become parched; (*Pflanze auch*) to shrivel up.

ausdrehen *vt sep* (*ausschalten*) to turn *or* switch off; *Licht auch* to turn out; (*Tech*) *Bohrloch* to drill, to bore; *Gelenk* to dislocate.

Ausdruck[1] *m* -(e)s, **Ausdrücke 1.** *no pl* (*Gesichts~*) expression. **der ~ ihrer Gesichter** the expression(s) on their faces.
2. *no pl* **als ~ meiner Dankbarkeit** as an expression of my gratitude; **mit dem ~ des Bedauerns** (*form*) expressing regret, with an expression of regret; **ohne jeden ~ singen/spielen** to sing/play without any expression; **etw zum ~ bringen**, **einer Sache** (*dat*) **~ geben** *or* **verleihen** (*form*) to express sth, to give expression to sth; **in seinen Worten kam Mitleid zum ~** his words expressed his sympathy.
3. (*Wort*) expression; (*Math, Fach~ auch*) term. **das ist gar kein ~!** that's not the word for it; **sich im ~ vergreifen** to use the wrong word.

Ausdruck[2] *m* -(e)s, **-e** (*von Computer etc*) print-out; (*Typ*) proof of printing.

ausdrucken *sep* **I** *vt* **1.** (*Typ*) (*fertig drucken*) to finish printing; (*ungekürzt drucken*) to print in full *or* out. **ausgedruckte Exemplare** fully printed copies. **2.** (*Telec, Comput*) to print out. **II** *vi* (*Buchstaben*) to come out.

ausdrücken *sep* **I** *vt* **1.** to press out, to squeeze out; *Pickel* to squeeze; (*ausmachen*) to put out; *Zigarette* to stub out. **den Saft einer Zitrone ~** to press juice out of a lemon, to squeeze a lemon.
2. (*zum Ausdruck bringen*) to express (*jdm* to sb); (*Verhalten, Gesicht auch*) *Trauer* to reveal. **um es anders/gelinde auszudrücken** to put it another way/ mildly; **anders ausgedrückt** in other words; **einfach ausgedrückt** put simply,

in simple terms.
II vr (Mensch) to express oneself; (Emotion) to be expressed or revealed. **in ihrem Gesicht/Verhalten drückte sich Verzweiflung aus** her face/behaviour showed her despair; **er kann sich gewandt** ~ he is very articulate.

ausdrücklich I adj attr Wunsch, Genehmigung express. **II** adv expressly, explicitly; (besonders) particularly. **etw** ~ **betonen** to emphasize sth particularly or specifically.

ausdrucksfähig adj expressive; (gewandt) articulate; **Ausdrucksform** f form of expression; **Ausdruckskraft** f, no pl expressiveness; (von Schriftsteller) articulate- ness, word-power; **ausdrucksleer** adj expressionless; **ausdruckslos** adj inexpressive; Gesicht, Blick auch expressionless; **Ausdruckslosigkeit** f siehe adj inexpressiveness; expressionlessness; **Ausdrucksmittel** nt means of expression; **Ausdrucksmöglichkeit** f mode of expression; **ausdrucksschwach** adj inexpressive; **ausdrucksstark** adj expressive; **Ausdruckstanz** m free dance; **ausdrucksvoll** adj expressive; **Ausdrucksweise** f way of expressing oneself, mode of expression; **was ist denn das für eine** ~! what sort of language is that to use!

ausdünnen vt sep I vt 1. Pflanzen, Haare to thin out. 2. Verkehr, Kapital to reduce. **II** vr (Kursus) to thin out.

ausdünsten sep vt Geruch to give off; (Med, Bot auch) to transpire.

Ausdünstung f 1. (das Ausdünsten) evaporation; (von Körper, Pflanze) transpiration. 2. (Dampf) vapour; (Geruch) fume, smell; (von Tier) scent; (von Mensch) smell; (fig) emanation.

aus|einander adv 1. (voneinander entfernt, getrennt) apart. **weit** ~ far apart; Augen, Beine wide apart; Zähne widely spaced; Meinungen very different; **etw** ~ **schreiben** to write sth as two words; **zwei Kinder** ~ **setzen** to separate two children; **sich** ~ **setzen** to sit apart; **die beiden sind (im Alter) ein Jahr** ~ there is a year between the two of them; ~ **sein** (inf: Paar)to have broken or split up.
2. (jedes aus dem anderen) from one another. **diese Begriffe kann man nur** ~ **erklären** one can only explain these concepts in relation to one another.

aus|einanderbekommen* vt sep irreg to be able to get apart; **aus|einanderbiegen** vt sep irreg to bend apart; **aus|einanderbrechen** sep irreg I. vt to break in two; **II** vi aux sein (lit, fig) to break up; **aus|einanderdividieren*** vt sep to divide. **eine Gruppe** ~ to create divisions within a group; **aus|einanderentwickeln*** vr sep to grow apart (from each other); (Partner) to drift apart; **aus|einanderfallen** vi sep irreg aux sein 1. (zerfallen) to fall apart; (fig auch) to collapse; 2. (fig: sich gliedern) to divide up (in +acc into); **aus|einanderfalten** vt sep to unfold; **aus|einanderfliegen** vi sep irreg aux

sein to fly apart; (nach allen Seiten) to fly in all directions; **aus|einanderfließen** vi sep irreg aux sein (nach allen Seiten) to flow in all directions; (zerfließen) to melt; (Farben) to run; **aus|einandergehen** vi sep irreg aux sein 1. (lit, fig: sich trennen) (Menschen, Vorhang) to part, to separate; (Menge) to disperse; (Versammlung, Ehe) to break up; (auseinanderfallen: Schrank) to fall apart; 2. (sich verzweigen: Weg) to divide, to branch, to fork; (zwei Wege) to diverge; (fig: Ansichten) to diverge, to differ; 3. (inf: dick werden) to get fat; **aus|einanderhalten** vt sep irreg to keep apart; (unterscheiden) Begriffe to distinguish between; esp Zwillinge to tell apart; **aus|einanderjagen** vt sep to scatter; **aus|einanderklaffen** vi sep aux sein to gape open; (fig: Meinungen) to be far apart, to diverge (wildly); **aus|einanderkriegen** vt sep (inf) siehe auseinanderbekommen; **aus|einanderlaufen** vi sep irreg aux sein 1. (zerlaufen) to melt; (Farbe) to run; (sich ausbreiten) to spread; 2. (inf: sich trennen) to break up; (Menge) to disperse; (sich auseinanderentwickeln) to go their separate ways; 3. (Wege) to divide, to fork, to diverge; **aus|einanderleben** vr sep to drift apart (mit from); **aus|einandermachen** vt sep (inf) 1. (auseinandernehmen) to take apart; 2. (auseinanderfalten) to unfold; 3. (spreizen) Arme, Beine to spread (apart), to open; **aus|einandernehmen** vt sep irreg to take apart; Maschine auch to dismantle; (kritisch) to tear apart or to pieces; **aus|einanderreißen** vt sep irreg to tear or rip apart; (fig) Familie to tear apart; **aus|einanderschlagen** vt sep irreg (zerschlagen) to hack apart; (öffnen) Mantel, Vorhang to fling open; **aus|einanderschrauben** vt sep to unscrew; **aus|einandersetzen** sep I vt (fig) (jdm to sb) to explain; (schriftlich auch) to set out; **II** vr sich mit etw ~ (sich befassen) to have a good look at sth; sich kritisch mit etw ~ to have a critical look at sth; sich damit ~, was/weshalb … to tackle the problem of what/why …; sich mit jdm ~ to talk or (sich streiten) to argue with sb; sich mit jdm gerichtlich ~ to take sb to court.

Aus|einandersetzung f 1. (Diskussion) discussion, debate (über +acc about, on); (Streit) argument; (feindlicher Zusammenstoß) clash (wegen over). 2. (das Befassen) examination (mit of); (kritisch) analysis (mit of).

aus|einandersprengen sep I vt 1. (sprengen) to blow up; (zerbersten lassen) to burst (apart); 2. (auseinanderjagen) to scatter; Demonstranten auch to disperse; **II** vi aux sein to scatter; **aus|einanderspringen** vi sep aux sein to shatter; **aus|einanderstieben** vi sep irreg aux sein to scatter; **aus|einanderstreben** vi sep aux sein (lit) to splay; (fig: Meinungen, Tendenzen) to diverge; **aus|einandertreiben** sep irreg I vt (trennen) to drive apart; (*auseinanderjagen*) to scatter; *Demonstranten* to disperse; **II** *vi aux sein* to drift apart; **aus|einanderziehen** *sep irreg* **I** *vt* **1.** (*dehnen*) to stretch; **2.** (*trennen*) to pull apart; *Gardinen auch* to pull open; **II** *vr* to spread out; (*Kolonne auch*) to string out.

aus|erkoren *adj* (*liter*) chosen, selected. **zu etw auserkoren (worden) sein** to be chosen *or* selected for sth.

aus|erlesen **I** *adj* (*ausgesucht*) select; *Speisen, Weine auch* choice *attr.* **II** *ptp* **zu etw ~ (worden) sein** to be chosen *or* selected for sth. **III** *adv* (*verstärkend*) particularly, especially.

aus|ersehen* *vt sep irreg* (*geh*) to choose; (*für Amt auch*) to designate (*zu* as). **dazu ~ sein, etw zu tun** to be chosen to do sth.

aus|erwählen* *vt sep* (*geh*) to choose. **das auserwählte Volk** the Chosen People.

Aus|erwählte(r) *mf decl as adj* (*geh*) chosen one. **die ~n** the elect, the chosen (ones); **seine ~/ihr ~r** (*hum*) his/her intended (*inf*).

aus|essen *sep irreg* **I** *vt Speise* to eat up, to finish (eating); *Schüssel* to empty, to clear. **II** *vi* to finish eating.

ausfädeln *vr sep* **sich ~ aus** (*Aut*) to slip out of *or* from.

ausfahrbar *adj* extensible, extendable; *Antenne, Fahrgestell* retractable.

ausfahren *sep irreg* **I** *vt* **1.** *jdn* (*im Kinderwagen/Rollstuhl*) to take for a walk (in the pushchair (*Brit*) *or* stroller (*US*)/wheelchair); (*im Auto*) to take for a drive or ride. **2.** (*ausliefern*) *Waren* to deliver. **3.** (*abnutzen*) *Weg* to rut, to wear out. **sich in ausgefahrenen Bahnen bewegen** (*fig*) to keep to well-trodden paths. **4.** (*Aut*) *Kurve* to (drive) round; (*mit aux sein*) *Rennstrecke* to drive round. **5.** (*austragen*) *Rennen* to hold. **6. ein Auto (voll) ~** to drive a car flat out. **7.** (*Tech*) to extend; *Fahrgestell auch* to lower.

II *vi aux sein* **1.** (*spazierenfahren*) to go for a ride *or* (*im Auto auch*) drive. **mit dem Baby ~** to take the baby out in the pushchair (*Brit*) *or* stroller (*US*). **2.** (*abfahren*) (*Zug*) to pull out (*aus* of), to leave; (*Schiff*) to put to sea, to sail. **aus dem Hafen ~** to sail out of the harbour, to leave harbour. **3.** (*Min: aus dem Schacht*) to come up. **4.** (*Straße verlassen*) to turn off, to leave a road/motorway. **5.** (*Tech: Fahrgestell, Gangway*) to come out. **6.** (*eine heftige Bewegung machen*) to gesture. **7.** (*böser Geist*) to come out (*aus* of).

Ausfahrt *f* **1.** *no pl* (*Abfahrt*) departure; (*Min: aus Schacht*) ascent (*aus* from). **der Zug hat keine ~** the train has not been cleared for departure. **2.** (*Spazierfahrt*) drive, ride. **eine ~ machen** to go for a drive *or* ride. **3.** (*Ausgang, Autobahn~*) exit. **~ Gütersloh** Gü-

tersloh exit, exit for Gütersloh; „**~ freihalten**" "keep clear".

Ausfahrt(s)schild *nt* exit sign; **Ausfahrt(s)signal** *nt* (*Rail*) departure signal; **Ausfahrt(s)straße** *f* exit road.

Ausfall *m* **1.** *no pl* (*das Herausfallen*) loss. **2.** (*Verlust, Fehlbetrag, Mil*) loss; (*das Versagen*) (*Tech, Med*) failure; (*von Motor*) breakdown; (*Produktionsstörung*) stoppage. **bei ~ des Stroms ...** in case of a power failure. **3.** *no pl* (*von Sitzung, Unterricht*) cancellation. **4.** *no pl* (*das Ausscheiden*) dropping out; (*im Rennen*) retirement; (*Abwesenheit*) absence. **5.** (*Ling*) dropping, omission. **6.** (*Mil: Ausbruch*) sortie, sally. **7.** (*Sport*) (*Fechten*) thrust, lunge; (*Gewichtheben*) jerk. **8.** (*fig: Angriff*) attack.

Ausfallbürgschaft *f* (*Econ*) fine, penalty.

ausfallen *vi sep irreg aux sein* **1.** (*herausfallen*) to fall out; (*Chem*) to be precipitated; (*Ling*) to be dropped *or* omitted. **mir fallen die Haare aus** my hair is falling out. **2.** (*nicht stattfinden*) to be cancelled. **etw ~ lassen** to cancel sth; **die Schule fällt morgen aus** there's no school tomorrow. **3.** (*nicht funktionieren*) to fail; (*Motor*) to break down. **4.** (*wegfallen: Verdienst*) to be lost. **5.** (*ausscheiden*) to drop out; (*während Rennen auch*) to retire; (*fernbleiben*) to be absent. **6. gut/schlecht ~** to turn out well/badly; **die Rede ist zu lang ausgefallen** the speech turned out to be too long; **die Bluse fällt zu eng aus** the blouse is too tight. **7.** (*Mil*) to fall, to be lost (*bei* in); (*old: einen Ausfall machen*) to make a sortie. **8.** (*Fechten*) to thrust, to lunge.

ausfällen *vt sep* (*Chem*) to precipitate.

ausfallend, ausfällig *adj* abusive.

Ausfallstraße *f* main road leading out of a city.

Ausfall(s)winkel *m* (*Phys*) angle of reflection.

Ausfallzeit *f* (*Insur*) time which counts towards pension although no payments were made.

ausfechten *vt sep irreg* (*fig*) to fight (out).

ausfegen *vt sep Schmutz* to sweep up; *Zimmer* to sweep out.

ausfeilen *vt sep* to file (out); (*glätten*) to file down; (*fig*) to polish.

ausfertigen *vt sep* (*form*) **1.** *Dokument* to draw up; *Rechnung, Lieferschein* to make out; *Paß* to issue. **2.** (*unterzeichnen*) to sign.

Ausfertigung *f* (*form*) **1.** *no pl siehe vt* drawing up; making out; issuing; signing. **2.** (*Abschrift*) copy. **die erste ~** the top copy; **in doppelter/dreifacher ~** in duplicate/triplicate; **Zeugnisse in vierfacher** *etc* **~** four *etc* copies of references.

Ausfertigungsdatum *nt* (*von Paß, Urkunde*) date of issue.

ausfindig adj: ~ **machen** to find, to discover; (Aufenthaltsort feststellen) to locate, to trace.

ausfliegen sep irreg I vi aux sein (wegfliegen) to fly away or off; (aus Gebiet) to fly out (aus of); (flügge werden) to leave the nest; (fig: weggehen) to go out. **ausgeflogen sein** (fig inf) to be out, to have gone out; **der Vogel ist ausgeflogen** (fig inf) the bird has or is flown.
II vt (Aviat) 1. Verwundete to evacuate (by air), to fly out (aus from).
2. Flugzeug to fly full out.

ausfliesen vt sep to tile.

ausfließen vi sep irreg aux sein (herausfließen) to flow out (aus of); (auslaufen: Öl, Faß) to leak (aus out of); (Eiter) to be discharged.

ausflippen vi sep aux sein (sl) to freak out (sl); siehe **ausgeflippt**.

ausflocken vti sep (Chem) to precipitate.

Ausflucht f -, **Ausflüchte** excuse; (geh: Flucht) escape (in +acc into). **Ausflüchte machen** to make excuses.

Ausflug m 1. trip, outing; (esp mit Reisebüro) excursion; (Betriebs~, Schul~) outing; (Wanderung) walk, hike; (fig) excursion. **einen ~ machen** to go on or for a trip; **einen ~ in die Politik machen** to make an excursion into politics.
2. (von Vögeln) flight; (von Bienen) swarming.
3. (am Bienenstock) hive exit.

Ausflügler(in f) m -s, - tripper.

Ausflugsdampfer m pleasure steamer; **Ausflugslokal** nt tourist café; (am Meer) seaside café; **Ausflugsort** m place to go for an outing; **Ausflugsverkehr** m (an Feiertagen) holiday traffic; (am Wochenende) weekend holiday traffic; **Ausflugsziel** nt destination (of one's outing).

Ausfluß m 1. (das Herausfließen) outflow; (das Auslaufen) leaking. 2. (~stelle) outlet. 3. (Med) discharge. 4. (fig geh) product, result.

ausfolgen vt sep (Aus form) to hand over (jdm to sb).

ausformen sep I vt to mo(u)ld, to shape (zu into); Manuskript to polish, to refine. II vr to take shape, to be formed.

ausformulieren* vt sep to formulate; Rede to tidy up.

Ausformung f 1. siehe vt mo(u)lding, shaping; polishing, refining. 2. (Form) shape, form.

ausforschen vt sep 1. Sache to find out; (erforschen) to investigate. 2. (Aus) Täter to apprehend.

ausfragen vt sep to question, to quiz (inf) (nach about); (strenger) to interrogate. **so fragt man die Leute aus** (inf) that would be telling (inf).

ausfransen sep I vir (vi: aux sein) to fray, to become frayed. II vt to fray.

ausfressen vt sep irreg 1. siehe **auffressen**.
2. (ausspülen: Wasser, Fluß) to erode, to eat away. 3. (inf: anstellen) **etwas ~** to do something wrong; **was hat er denn wieder ausgefressen?** what's he (gone and) done now? (inf).

Ausfuhr f -, **-en** 1. no pl (das Ausführen)

export; (~handel) exports pl. 2. ~**en** pl (~güter) exports pl.

Ausfuhr|artikel m export.

ausführbar adj 1. Plan feasible, practicable, workable. **schwer ~** difficult to carry out. 2. (Comm) exportable.

Ausführbarkeit f feasibility, practicability.

Ausfuhr- in cpds siehe auch **Export-** export; **Ausfuhrbestimmungen** pl export regulations pl.

ausführen vt sep 1. (zu Spaziergang, ins Theater) to take out; Hund to take for a walk; (hum) Kleid to parade.
2. (durchführen) to carry out; Aufgabe, (Med) Operation auch to perform; Auftrag, Plan, Befehl, (Mil) Operation auch to execute; Anweisung auch, Gesetz to implement; Bauarbeiten to undertake; (Sport) Freistoß to take. **die ~de Gewalt** (Pol) the executive.
3. (gestalten) Entwurf, Bild to execute.
4. (erklären) to explain; (darlegen) to set out; (argumentierend) to argue.
5. (Comm) Waren to export.

Ausführende(r) mf decl as adj 1. (Spieler) performer. 2. (Handelnder) executive.

Ausfuhrgüter pl export goods pl, exports pl; **Ausfuhrhafen** m port of exportation; **Ausfuhrland** nt 1. (Land, das ausführt) exporting country; **ein ~ für Jute** a jute-exporting country; 2. (Land, in das ausgeführt wird) export market.

ausführlich I adj detailed; Informationen, Gespräche, Katalog auch full. II adv in detail, in full. **sehr ~** in great detail; **~er** in more or greater detail.

Ausführlichkeit f siehe adj detail; fullness. **in aller ~** in (great) detail, in full.

Ausfuhrprämie f export premium; **Ausfuhrsperre** f export ban or embargo; **Ausfuhrüberschuß** m export surplus.

Ausführung f 1. no pl siehe vt 2. carrying out; performance; execution; implementation; undertaking; taking. **zur ~ gelangen** or **kommen** to be carried out.
2. siehe vt 3. execution.
3. (Erklärung) explanation; (von Thema) exposition; (Bemerkung) remark; (usu pl: Bericht) report.
4. (von Waren) design; (Qualität) quality; (Modell) model.

Ausfuhrwaren pl exports pl, export goods pl.

ausfüllen vt sep to fill; Loch to fill (up or out); Ritze to fill in; Platz to take up; Formular to fill in (Brit) or out; Posten to fill. **jdn (voll or ganz) ~** (befriedigen) to give sb (complete) fulfilment, to satisfy sb (completely); (Zeit in Anspruch nehmen) to take (all) sb's time; **er füllt den Posten nicht/gut aus** he is not fitted/well-fitted for the post; **seine Zeit mit etw ~** to pass one's time doing sth, to fill up one's time with sth; **ein ausgefülltes Leben** a full life.

ausfüttern vt sep (Sew) to line.

Ausgabe f -, **-n** 1. no pl (Austeilung) (von Proviant, Decken) distribution, giving out; (von Befehl, Fahrkarten, Doku-

menten) issuing; (*von Essen*) serving; (*Ausdruck*) print-out.
2. (*Schalter*) issuing counter; (*in Bibliothek*) issue desk; (*in Kantine*) serving counter; (*Stelle, Büro*) issuing office.
3. (*von Buch, Zeitung, Sendung*) edition; (*von Zeitschrift auch, Aktien*) issue.
4. (*Ausführung*) version.
5. (*Geldaufwand*) expense, expenditure *no pl*. **~n** *pl* (*Geldverbrauch*) expenditure *sing* (*für* on); (*Kosten*) expenses *pl*, costs *pl*.
6. (*Datenverarbeitung*) print-out.
Ausgabedaten *pl* (*Comput*) output data; **Ausgabegerät** *nt* (*Comput*) output device; **Ausgabekurs** *m* (*Fin*) rate of issue.

Ausgabe(n)beleg *m* receipt for expenditure; **Ausgabe(n)buch** *nt* cashbook.

Ausgabenpolitik *f* expenditure policy; **Ausgabenseite** *f* expenditure column.

Ausgabeschalter *m* issuing counter; (*in Bibliothek*) issue desk.

Ausgang *m* **1.** (*Erlaubnis zum Ausgehen*) permission to go out; (*Mil*) pass. **~ haben** to have the day off *or* (*am Abend*) the evening off; (*Mil*) to have a pass; **bis 10 Uhr ~ haben** to be allowed out/to have a pass till 10 o'clock.
2. (*Spaziergang*) walk (*under supervision*).
3. (*Auslaß, Weg nach draußen*) exit, way out (*gen, von* from); (*Dorf~*) end; (*von Wald*) edge; (*Med: von Organ*) opening (*gen* out of); (*Aviat*) gate.
4. *no pl* (*Ende*) end; (*von Epoche auch*) close; (*von Roman, Film auch*) ending; (*Ergebnis*) outcome, result. **ein Unfall mit tödlichem ~** a fatal accident.
5. *no pl* (*Ausgangspunkt*) starting point, point of departure; (*Anfang*) beginning. **von hier nahm diese Bewegung ihren ~** this was where this movement started.
6. *no pl* (*Abschicken von Post*) mailing, sending off.
7. Ausgänge *pl* (*Post*) outgoing mail *sing*; (*Waren*) outgoing goods *pl*.

ausgangs *prep* +*gen* (*auch adv ~ von*) at the end of; (*der Schlußkurve*) coming out of. **eine Frau ~ der Siebziger** a woman in her late seventies.

Ausgangsbasis *f* starting point, basis; **Ausgangsmaterial** *nt* source material; **Ausgangsposition** *f* initial *or* starting position; **Ausgangspunkt** *m* starting point; (*von Reise auch*) point of departure; **Ausgangssperre** *f* ban on going out; (*esp bei Belagerungszustand*) curfew; (*für Soldaten*) confinement to barracks; **Ausgangssprache** *f* source language; **Ausgangsstellung** *f* (*Sport*) starting position; (*Mil*) initial position; **Ausgangstür** *f* exit (door); **Ausgangsverbot** *nt* *siehe* **Ausgangssperre**; **Ausgangszeile** *f* (*Typ*) club-line, widow.

ausgebaut *adj* Schul-, Verkehrssystem fully developed. **gut/nicht gut ~** well/

badly planned.
ausgeben *sep irreg* **I** *vt* **1.** (*austeilen*) Proviant, Decken to distribute, to give out; (*aushändigen*) Dokumente, Fahrkarten, Aktien to issue; Befehl to issue, to give; Essen to serve; (*Cards*) to deal; (*ausdrucken*) Text to print out.
2. Geld to spend (*für* on). **eine Runde ~** to stand a round (*inf*); **ich gebe heute abend einen aus** (*inf*) it's my treat this evening; **unser Chef hat einen ausgegeben** our boss treated us; **darf ich dir einen/einen Whisky ~?** may I buy you a drink/a whisky?; **er gibt nicht gern einen aus** he doesn't like buying people drinks.
3. jdn/etw als *or* **für jdn/etw ~** to pass sb/sth off as sb/sth; **sich als jd/etw ~** to pose as sb/sth, to pass oneself off as sb/sth.
II *vr* to exhaust oneself; (*sein Geld ganz ~*) to spend all one's money.

ausgebeult *adj* Kleidung baggy; Hut battered.

Ausgebeutete(r) *mf decl as adj* **die ~n** the exploited *pl*.

ausgebucht *adj* Reise etc, (*inf*) Person booked up, fully booked.

ausgebufft *adj* (*sl*) **1.** (*erledigt*) washed-up (*inf*); (*erschöpft*) knackered (*sl*). **2.** (*trickreich*) shrewd, fly (*sl*).

Ausgeburt *f* (*pej*) (*der Phantasie etc*) monstrous product *or* invention; (*Geschöpf, Kreatur, Institution*) monster. **eine ~ der Hölle** a fiend from hell, a fiendish monster; **sie ist eine ~ von Eitelkeit und Dummheit** she is a monstrous combination of vanity and stupidity.

ausgedehnt *adj* Gummiband (over-) stretched; (*breit, groß, fig: weitreichend*) extensive; (*zeitlich*) lengthy, extended; Spaziergang long, extended.

ausgedient *adj* **1.** (*dated*) **ein ~er Soldat** a veteran, an ex-serviceman. **2.** (*inf: unbrauchbar*) Auto, Maschine clapped-out (*inf*). **meine ~en Sachen/Bücher** etc the things/books etc I don't have any further use for.

ausgedörrt *adj* dried up; Boden, Kehle parched; Pflanzen shrivelled; Land, Gebiet arid; (*fig*) Hirn ossified, dull. **mein Hirn ist völlig ~** (*fig*) I can't think straight any more.

ausgefallen *adj* (*ungewöhnlich*) unconventional; (*übertrieben*) extravagant; Mensch eccentric; (*überspannt*) odd, weird.

Ausgefallenheit *f siehe adj* unusualness; extravagance; eccentricity; oddness, weirdness.

ausgefeilt *adj* (*fig*) polished; Schrift stylized.

Ausgefeiltheit *f* polish; (*von Schrift*) stylized character.

ausgeflippt *adj* (*sl*) freaky (*sl*), freaked-out (*sl*), flipped-out (*sl*); (*aus der Gesellschaft*) drop-out (*inf*). **er ist ein richtig ~er Typ** he's really freaky (*sl*) *or* freaked out (*sl*)/a real drop-out (*inf*).

Ausgeflippte(r) *mf decl as adj* (*sl*) freak (*sl*); (*aus der Gesellschaft*) drop-out (*inf*).

ausgefuchst adj (inf) clever; (listig) crafty (inf); Kartenspieler cunning.

ausgeglichen adj balanced; Spiel, Klima even; Torverhältnis equal; (gleichbleibend) consistent.

Ausgeglichenheit f siehe adj balance; evenness; consistency. **ihre** ~ her balanced nature or character.

ausgegoren adj Most fully fermented; (fig inf) Pläne worked out. **wenig** ~ halfbaked (inf).

ausgehen sep irreg aux sein **I** vi **1.** (weggehen, zum Vergnügen) to go out; (spazierengehen auch) to go (out) for a walk. **2.** (ausfallen: Haare, Federn, Zähne) to fall out; (Farbe) to run; (dial: Stoff) to fade. **ihm gehen die Haare/Zähne aus** his hair is falling out/he is losing his teeth. **3.** (seinen Ausgang nehmen) to start (von at); (herrühren: Idee, Anregung) to come (von from). **von dem Platz gehen vier Straßen aus** four streets lead off (from) the square; **etw geht von jdm/etw aus** (wird ausgestrahlt) sb/sth radiates sth. **4.** (abgeschickt werden: Post) to be sent off. **die ~de Post** the outgoing mail. **5.** (zugrunde legen) to start out (von from). **gehen wir einmal davon aus, daß ...** let us assume that ..., let us start from the assumption that ...; **davon kann man nicht** ~ you can't go by that. **6.** **auf etw** (acc) ~ to be intent on sth; **auf Eroberungen** ~ (hum inf) to be out to make a few conquests. **7.** (einen bestimmten Ausgang haben: esp Sport) to end; (ausfallen) to turn out. **gut/schlecht** ~ to turn out well/badly; (Film) to end happily/unhappily; (Abend, Spiel) to end well/badly. **8.** (Ling: enden) to end. **9.** **straffrei** or **straflos** ~ to receive no punishment; to get off scot-free (inf); **leer** ~ (inf) to come away emptyhanded. **10.** (zu Ende sein: Vorräte) to run out; (dial: Vorstellung, Schule) to finish. **mir ging die Geduld/das Geld aus** I lost (my) patience/ran out of money; **ihm ist die Luft** or **die Puste** or **der Atem ausgegangen** (inf) (lit) he ran out of breath/puff (inf); (fig) he ran out of steam (inf); (finanziell) he ran out of funds. **11.** (aufhören zu brennen) to go out. **12.** (inf: sich ausziehen lassen) to come off. **die nassen Sachen gehen so schwer aus** these wet things are so hard to take off. **II** vr (Aus) **es geht sich aus** it works out all right; (Vorräte, Geld) there is enough.

ausgehend adj attr **im** ~**en Mittelalter** towards the end of the Middle Ages; **das** ~**e 20. Jahrhundert** the end or close of the 20th century.

Ausgeh|**erlaubnis** f permission to go out; (Mil) pass.

~gehungert adj starved; (abgezehrt) Mensch emaciated. **nach etw** ~ **sein** (fig) 'o be starved of sth.

~gehuniform f walking-out uniform;

~sgehverbot nt jdm ~ **erteilen** to for-

bid sb to go out; (Mil) to confine sb to barracks; ~ **haben/bekommen** to be forbidden to go out; (Mil) to be confined to barracks.

ausgeklügelt adj (inf) System cleverly thought-out; (genial) ingenious.

ausgekocht adj (pej inf) (durchtrieben) cunning.

ausgelassen adj (heiter) lively; Stimmung happy; (wild) Kinder boisterous; Stimmung, Party mad.

Ausgelassenheit f siehe adj liveliness; happiness; boisterousness; madness.

ausgelastet adj Mensch fully occupied; Maschine, Anlage working to capacity. **mit dem Job ist er nicht (voll)** ~ he is not fully stretched in that job; **mit den vier Kindern ist sie voll** ~ her four children keep her fully occupied; **unsere Kapazitäten sind voll** ~ we're working at full capacity.

ausgelatscht adj (inf) Schuhe worn. **meine Schuhe sind völlig** ~ my shoes have gone completely out of shape.

ausgeleiert adj Gummiband, Feder worn; Pullover baggy.

ausgelernt adj (inf) qualified.

ausgemacht adj **1.** (abgemacht) agreed. **es ist eine** ~**e Sache, daß ...** it is agreed that ... **2.** attr (inf: vollkommen) complete, utter.

ausgemergelt adj Körper, Gesicht emaciated, gaunt.

ausgenommen conj except, apart from. **niemand/alle,** ~ **du, niemand/alle, du** or **dich** ~ no-one/everyone except (for) you or apart from or save yourself; **täglich** ~ **sonntags** daily except for or excluding Sundays; **Anwesende** ~ present company excepted; ~ **wenn/daß ...** except when/that ...

ausgepicht adj (inf) (raffiniert) Mensch, Plan cunning; (verfeinert) Geschmack refined.

ausgepowert [-pavɐt] adj (inf) washed out (inf), done in (inf).

ausgeprägt adj Gesicht distinctive; Eigenschaft distinct; Charakter, Interesse marked, pronounced. **ein (stark)** ~**er Sinn für alles Schöne** a well-developed sense for everything beautiful.

ausgepumpt adj (inf) whacked (inf).

ausgerechnet adv ~ **du/er** you/he of all people; ~ **mir muß das passieren** why does it have to happen to me (of all people)?; ~ **heute/gestern** today/yesterday of all days; **muß das** ~ **heute sein?** does it have to be today (of all days)?; ~ **jetzt kommt er** he would have to come just now; ~ **dann kam er** he would have to come just at that moment; ~**, als wir spazierengehen wollten,** ... just when we wanted to go for a walk ...

ausgeruht adj (well) rested.

ausgeschamt adj (dial) siehe **unverschämt**.

ausgeschlossen adj pred (unmöglich) impossible; (nicht in Frage kommend) out of the question. **es ist nicht** ~**, daß ...** it's just possible that ...; **diese Möglichkeit ist nicht** ~ it's not impossible;

jeder Irrtum ist ~ there is no possibility of a mistake.

ausgeschnitten *adj Bluse, Kleid* low-cut. **sie geht heute tief** ~ *(inf)* she's wearing a very low-cut dress/blouse *etc* today; **ein weit** *or* **tief** ~**es Kleid** a dress with a plunging neckline.

ausgeschrieben *adj Schrift* bold.

ausgespielt *adj* ~ **haben** to be finished; **er hat bei mir** ~ *(inf)* he's had it as far as I am concerned *(inf)*, I'm finished *or* through with him.

ausgesprochen I *adj (besonders) Schönheit, Qualität, Vorliebe* definite; *(ausgeprägt) Trinkernase auch* pronounced; *Begabung* particular; *Ähnlichkeit auch* marked; *Geiz, Großzügigkeit* extreme; *(groß) Pech, Freundlichkeit, Hilfsbereitschaft* real. **eine** ~**e Frohnatur** a very sunny person; ~**es Pech haben** to have really bad luck, to be really unlucky.

II *adv* really; *schön, begabt, hilfsbereit auch* extremely; *geizig, frech auch* terribly.

ausgesprochenermaßen *adv siehe* **ausgesprochen II.**

ausgestalten* *vt sep (künstlerisch, musikalisch)* to arrange; *(planend gestalten)* to organize; *(dekorieren, einrichten)* to decorate; *(ausbauen) Theorie, Begriff, Methode* to build up.

Ausgestaltung *f* **1.** *siehe vt* arranging; organizing; decorating; building up. **2.** *(Gestalt, Form)* form.

ausgestellt *adj Rock* flared.

ausgestorben *adj Tierart* extinct; *(fig)* deserted. **der Park war wie** ~ the park was deserted.

Ausgestoßene(r) *mf decl as adj* outcast.

ausgesucht I *adj* **1.** *(besonders groß)* extreme, exceptional.

2. *(erlesen) Wein* choice, select; *Gesellschaft* select; *Worte* well-chosen.

II *adv (überaus, sehr)* extremely, exceptionally.

ausgetreten *adj Schuhe* well-worn; *Pfad auch* well-trodden; *Stufe* worn down. ~**e Wege gehen** *(fig)* to tread a beaten track.

ausgewachsen *adj* fully-grown; *(inf) Blödsinn* utter, complete; *Skandal* huge.

ausgewählt *adj* select; *Satz* well-chosen; *Werke* selected.

Ausgewanderte(r) *mf decl as adj* emigrant.

Ausgewiesene(r) *mf decl as adj* expellee.

ausgewogen *adj* balanced; *Maß* equal. **ein** ~**es Kräfteverhältnis** a balance of powers.

Ausgewogenheit *f* balance.

ausgezeichnet *adj* excellent. **sie kann** ~ **schwimmen/tanzen** she is an excellent swimmer/dancer; **es geht mir** ~ I'm feeling marvellous.

ausgiebig I *adj Mahlzeit* substantial, large; *Mittagsschlaf* long; *Gebrauch* extensive. ~**en Gebrauch von etw machen** to make full *or* good use of sth. **II** *adv* ~ **frühstücken** to have a substantial breakfast; ~ **schlafen/schwimmen** to have a good (long) sleep/swim; **etw** ~ **gebrauchen** to use sth extensively.

ausgießen *vt sep irreg* **1.** *(aus einem Be-*

hälter) to pour out; *(weggießen)* to pour away; *Behälter* to empty; *(verschütten)* to spill; *(über jdn/etw gießen)* to pour *(über +acc* over). **seinen Spott/Hohn über jdn** ~ *(geh)* to pour scorn on/to mock sb.

2. *(füllen) Gußform* to fill; *Ritzen, Fugen* to fill in.

Ausgleich *m* **-(e)s,** *(rare)* **-e 1.** *(Gleichgewicht)* balance; *(von Konto)* balancing; *(von Schulden)* settling; *(von Verlust, Fehler, Mangel)* compensation; *(von Abweichung, Unterschieden)* balancing out; *(von Meinungsverschiedenheiten, Konflikten)* evening out. **zum/als** ~ **für etw** in order to compensate for sth; **er treibt zum** ~ **Sport** he does sport for exercise; **Tennisspielen ist für mich ein guter** ~ I like playing tennis, it gives me a change; **zum** ~ **Ihres Kontos** to balance your account.

2. *no pl (Ballspiele)* equalizer; *(Tennis)* deuce.

ausgleichen *sep irreg* **I** *vt Ungleichheit, Unterschiede* to even out; *Unebenheit* to level out; *Konto* to balance; *Schulden* to settle; *Verlust, Fehler* to make good; *Verlust, Mangel* to compensate for; *Meinungsverschiedenheiten, Konflikte* to reconcile. **etw durch etw** ~ to compensate for sth with sth/by doing sth; ~**de Gerechtigkeit** poetic justice.

II *vi* **1.** *(Sport)* to equalize. **zum 1:1** ~ to equalize the score at 1 all.

2. *(vermitteln)* to act as a mediator. ~**des Wesen** conciliatory manner.

III *vr* to balance out; *(Einnahmen und Ausgaben)* to balance. **das gleicht sich wieder aus** it balances itself out; **das gleicht sich dadurch aus, daß ...** it's balanced out by the fact that ...

Ausgleichssport *m* keep-fit activity; **als** ~ to keep fit; **Ausgleichstreffer** *m* equalizer, equalizing goal; **Ausgleichszahlung** *f* compensation.

ausgleiten *vi sep irreg aux sein* **1.** *(ausrutschen)* to slip *(auf +dat* on). **es ist ihm ausgeglitten** it slipped from his hands *or* grasp. **2.** *(Boot, Skifahrer)* to coast in.

ausgliedern *vt sep* to exclude.

ausglühen *sep* **I** *vt* **1.** *Metall* to anneal; *(Med)* to sterilize *(by heating)*. **2.** *(ausdörren) Land* to scorch. **II** *vi aux sein* to burn out.

ausgraben *vt sep irreg* to dig up; *Grube, Loch* to dig out; *Altertümer auch* to excavate; *(fig)* to dig up; *(hervorholen)* to dig out; *alte Geschichten* to bring up.

Ausgrabung *f (das Ausgraben)* excavation; *(Ort)* excavation site; *(Fund)* (archaeological) find.

ausgreifen *vi sep irreg (Pferd)* to lengthen its stride; *(beim Gehen)* to stride out; *(fig: Redner)* to go far afield. **weit** ~**d Schritte** long, lengthy; *Bewegung* striding.

ausgrenzen *vt sep* to exclude; **jdn** ~ to ostracize sb.

Ausgrenzung *f* exclusion.

ausgründen *vt sep (Econ)* to establish.

Ausguck *m* **-(e)s, -e** lookout. ~ **halten** to

keep a lookout.

ausgucken sep (inf) **I** vi **1.** (Ausschau halten) to look out (nach for). **2.** (auskundschaften) to have a look. **II** vr sich (dat) die Augen nach jdm ~ to look everywhere for sb. **III** vt (aussuchen, entdecken) sich jdn ~ to set one's sights on sb, to pick sb out.

Ausguß m **1.** (Becken) sink; (Abfluß) drain; (Tülle) spout. **2.** (Tech) tap hole.

aushaben sep irreg (inf) **I** vt (ausgezogen haben) to have taken off. **II** vi (Arbeit, Schule beendet haben) to finish.

aushacken vt sep **1.** Unkraut to hoe; Rüben to hoe out. **2.** (Vogel) Augen to peck out; Federn to tear out; siehe **Krähe.**

aushaken sep **I** vt Fensterladen, Kette to unhook; Reißverschluß to undo. **II** vi (inf) es hat bei ihm ausgehakt (nicht begreifen) he gave up (inf); (wild werden) something in him snapped (inf).

aushalten sep irreg **I** vt **1.** (ertragen können) to bear, to stand, to endure; (standhalten) Gewicht to bear; Druck to stand, to withstand; jds Blick to return. den Vergleich mit etw ~ to bear comparison with sth; es läßt sich ~ it's bearable; hier läßt es sich ~ this is not a bad place; das ist nicht auszuhalten or zum A~ it's unbearable; ich halte es vor Hitze/zu Hause nicht mehr aus I can't stand the heat/being at home any longer; er hält es in keiner Stellung lange aus he never stays in one job for long; wie kann man es bei der Firma bloß ~? how can anyone stand working for that firm?; es bis zum Ende ~ (auf Party) to stay until the end; hältst du's noch bis zur nächsten Tankstelle aus? (inf) can you hold out till the next garage?; er hält viel/nicht viel aus he can take a lot/can't take much; ein Stoff, der viel ~ muß a material which has to take a lot of wear (and tear). **2.** Ton to hold. **3.** (inf: unterhalten) to keep. sich von jdm ~ lassen to be kept by sb. **II** vi **1.** (durchhalten) to hold out. hältst du noch aus? can you hold out (any longer)? **2.** auf einem Ton ~ to hold a note.

aushandeln vt sep Vertrag, Lösung to negotiate; bessere Bedingungen, Löhne to negotiate for; (erfolgreich) to negotiate.

aushändigen vt sep jdm etw/einen Preis ~ to hand sth over to sb/give sb a prize; wann können Sie mir die Schlüssel ~? when can you hand over the keys?

Aushändigung f handing over; die ~ der Preise nimmt der Direktor vor the headmaster will be giving out the prizes.

Aushang m -(e)s, **Aushänge** (Bekanntmachung) notice, announcement; (das Aushängen) posting. etw durch ~ bekanntgeben to put up a notice about sth.

Aushängekasten m (glass-fronted) noticeboard.

aushängen sep **I** vt **1.** (bekanntmachen) Nachricht to put up; Plakat auch to post; (inf: ausstellen) to show. **2.** (herausheben) Tür to unhinge; Ha-

ken to unhook. **II** vi irreg (Anzeige, Aufgebot) to have been put up; (inf: Brautleute) to have the banns up. am schwarzen Brett ~ to be on the noticeboard. **III** vr (sich glätten: Falten, Locken) to drop out. das Kleid wird sich ~ the creases will drop or hang out of the dress.

Aushänger m (von Buch) folded section.

Aushängeschild nt (lit: Reklametafel) sign; (fig: Reklame) advertisement.

ausharren vi sep (geh) to wait. auf seinem Posten ~ to stand by one's post.

aushauchen vt sep (geh) Atem, Rauch to exhale; (fig) Worte, Seufzer to breathe; (ausströmen) Geruch, Dünste to emit. sein Leben ~ to breathe one's last.

aushauen vt sep irreg **1.** Loch, Stufen to cut out; Weg, Durchgang to hew out; Statue to carve out. **2.** (roden) Wald, Weinberg to clear; (einzelne Bäume fällen) to cut down.

aushäusig adj (außer Haus) outside the home; (unterwegs) away from home. du warst doch letzte Woche wieder ~? you were out gallivanting again last week, weren't you?

aushebeln vt sep (form) to annul, to cancel.

ausheben vt sep irreg **1.** Tür to take off its hinges. **2.** Erde to dig out; Graben, Grab to dig; Baum to dig up. **3.** Vogelnest to rob; Vogeleier, Vogeljunge to steal; (fig) Diebesnest to raid; Bande to make a raid on; (Aus: leeren) Briefkasten to empty. **4.** (old) Truppen to levy (old).

aushecken vt sep (inf) Plan to cook up (inf), to hatch. neue Streiche ~ to think up new tricks; sich (dat) etw ~ to think sth up.

ausheilen sep **I** vt Krankheit to cure; Organ, Wunde to heal. **II** vi aux sein (Krankheit, Patient) to be cured; (Organ, Wunde) to heal. **III** vr to recover.

aushelfen vi sep irreg to help out (jdm sb).

ausheulen sep (inf) **I** vi (aufhören) to stop crying; (Sirene) to stop sounding. **II** vr to have a good cry. sich bei jdm ~ to have a good cry on sb's shoulder.

Aushilfe f **1.** help, aid; (Notbehelf) temporary or makeshift substitute. jdn zur ~ haben to have sb to help out; Stenotypistin zur ~ gesucht shorthand typist wanted for temporary work. **2.** (Mensch) temporary worker; (esp im Büro auch) temp (inf). als ~ arbeiten to help out; (im Büro auch) to temp (inf).

Aushilfskraft f temporary worker; (esp im Büro auch) temp (inf); **Aushilfslehrer(in** f) m supply teacher; **Aushilfspersonal** nt temporary staff; **aushilfsweise** adv on a temporary basis; (vorübergehend) temporarily.

aushöhlen vt sep to hollow out; Ufer, Steilküste to erode; (fig) (untergraben) to undermine; (erschöpfen) to weaken.

ausholen vi sep **1.** (zum Schlag) to raise

one's hand/arm; (*zum Wurf*) to reach back; (*mit Schläger, Boxer*) to take a swing. **weit ~** (*zum Schlag, beim Tennis*) to take a big swing; (*zum Wurf*) to reach back a long way; (*fig: Redner*) to go far afield; **bei einer Erzählung weit ~** to go a long way back in a story; **mit dem Arm/ der Hand zum Wurf/Schlag ~** to raise one's arm/hand ready to throw/strike.
   2. (*ausgreifen*) to stride out. **er ging mit weit ~den Schritten** he walked with long strides.

ausholzen *vt sep* **1.** (*lichten*) to thin (out). **2.** (*abholzen*) *Schneise* to clear.

aushorchen *vt sep* (*inf*) *jdn* to sound out.

aushülsen *vt sep Erbsen* to shell, to pod.

aushungern *vt sep* to starve out; *siehe* **ausgehungert.**

aushusten *sep* **I** *vt* to cough up. **II** *vi* (*zu Ende husten*) to finish coughing. **III** *vr* to finish coughing. **er hustete sich aus, bis ...** he coughed and coughed until ...

aus|ixen *vt sep* (*inf*) to cross *or* ex out.

ausjammern *vr sep* to have a good moan.

ausjäten *vt sep Blumenbeet* to weed. **im Garten Unkraut ~** to weed the garden.

auskämmen *vt sep* **1.** (*entfernen*) *Staub, Haare* to comb out. **2.** (*frisieren*) to comb out. **3.** (*fig*) (*heraussuchen*) to weed out; (*durchsuchen*) to comb.

auskauen *vti sep* to finish chewing.

auskehren *sep* **I** *vt Schmutz* to sweep away; *Zimmer* to sweep out. **II** *vi* to do the sweeping.

auskeilen *vi sep* **1.** (*ausschlagen*) to kick out. **2.** (*keilförmig auslaufen*) to taper off.

auskeimen *vi sep aux sein* (*Getreide*) to germinate; (*Kartoffeln*) to sprout.

auskennen *vr sep irreg* (*an einem Ort*) to know one's way around; (*auf einem Gebiet*) to know a lot (*auf or in +dat* about). **sich in der Stadt ~** to know one's way around the town; **man kennt sich bei ihm nie aus** you never know where you are with him.

auskernen *vt sep Obst* to stone.

auskippen *vt sep* (*inf*) to empty (out); *Flüssigkeit* to pour out.

ausklammern *vt sep Problem* to leave aside, to ignore; (*Math*) *Zahl* to put outside the brackets.

ausklamüsern* *vt sep* (*inf*) to work out.

Ausklang *m* (*geh*) conclusion, end; (*esp Mus*) finale. **zum ~ des Abends ...** to conclude the evening ...

ausklappbar *adj* folding. **dieser Tisch/ diese Fußstütze ist ~** this table can be opened out/this footrest can be pulled out.

ausklappen *vt sep* to open up; *Fußstütze* to pull out.

auskleiden *sep* **I** *vt* **1.** (*geh: entkleiden*) to undress. **2.** (*beziehen*) to line. **II** *vr* (*geh*) to get undressed.

Auskleidung *f* lining.

ausklingen *vi sep irreg* **1.** (*Glocken*) to finish ringing.
   2. *aux sein* (*Lied*) to finish; (*Abend, Feier*) to end (*in +dat* with).

ausklinken *sep* **I** *vt* to release. **II** *vi* to release; (*sl: durchdrehen*) to flip one's lid

(*inf*), to blow one's top (*inf*). **III** *vr* to release (itself); (*sl: sich absetzen*) to split (*sl*).

ausklopfen *vt sep Teppich* to beat; *Pfeife* to knock out; *Kleider* to beat the dust out of.

Ausklopfer *m* carpet beater.

ausklügeln *vt sep* to work out; *siehe* **ausgeklügelt.**

auskneifen *vi sep irreg aux sein* (*inf*) to run away (*dat, von* from).

ausknipsen *vt sep* (*inf*) *Licht, Lampe* to turn out *or* off, to switch out *or* off.

ausknobeln *vt sep* **1.** (*inf*) *Plan* to figure (*inf*) *or* work out. **2.** (*durch Knobeln entscheiden*) ≃ to toss for.

ausknöpfbar *adj Futter* detachable.

auskochen *vt sep* **1.** (*Cook*) *Knochen* to boil; (*dial: Fett, Speck*) to melt. **2.** *Wäsche* to boil; (*Med*) *Instrumente* to sterilize (*in boiling water*); (*fig inf: sich ausdenken*) to cook up (*inf*); *siehe* **ausgekocht.**

auskommen *vi sep irreg aux sein* **1.** (*genügend haben, zurechtkommen*) to get by (*mit*, on), to manage (*mit* on, with). **das Auto kommt mit wenig Öl aus** the car doesn't need much oil; **ohne jdn/etw ~** to manage *or* do without sb/sth.
   2. **mit jdm (gut) ~** to get on *or* along well with sb; **mit ihm ist nicht auszukommen** he's impossible to get on *or* along with.

Auskommen *nt* **-s,** *no pl* (*Einkommen*) livelihood. **sein ~ haben/finden** to get by.

auskömmlich *adj Gehalt* adequate; *Verhältnisse* comfortable. **~ leben** to live comfortably.

auskosten *vt sep* **1.** (*genießen*) to make the most of; *Leben* to enjoy to the full. **2.** (*geh: erleiden*) *etw ~ müssen* (*geh*) to have to suffer sth.

auskotzen *sep* (*sl*) **I** *vt* to throw up (*inf*). **II** *vr* to throw up (*inf*).

auskramen *vt sep* (*inf*) **1.** to dig out, to unearth; (*fig*) *alte Geschichten* to bring up; *Schulkenntnisse* to dig up. **2.** (*leeren*) to turn out.

auskratzen *sep vt* to scrape out; (*Med*) *Gebärmutter* to scrape; *Patientin* to give a scrape. **jdm die Augen ~** to scratch sb's eyes out.

Auskratzung *f* (*Med*) scrape.

auskriechen *vi sep irreg aux sein* to hatch out.

auskriegen *vt sep* (*inf*) *Buch* to finish; *Flasche* to empty; *Schuhe* to get off.

auskristallisieren* *sep vtir* (*vi: aux sein*) to crystallize.

auskugeln *vr sep* **sich** (*dat*) **den Arm/die Schulter ~** to dislocate one's arm/shoulder.

auskühlen *sep* **I** *vt Speise* to cool; *Ofen* to cool down; *Körper, Menschen* to chill through. **II** *vi aux sein* (*abkühlen*) to cool down; (*Körper, Menschen*) to chill through. **etw ~ lassen** to leave sth to cool.

Auskühlung *f* cooling; (*von Mensch*) loss of body heat.

auskundschaften *vt sep Weg, Lage* to

find out; *Versteck* to spy out; *Geheimnis* to ferret out; (*esp Mil*) to reconnoitre, to scout.

Auskunft *f* -, **Auskünfte 1.** (*Mitteilung*) information *no pl* (*über* +*acc* about). **nähere** ~ more information, further details; **jdm eine** ~ **erteilen** *or* **geben** to give sb some information; **wo bekomme ich** ~? where can I get some information?; **eine** ~ *or* **Auskünfte einholen** *or* **einziehen** to make (some) enquiries (*über* +*acc* about).
2. (*Schalter*) information office/desk; (*am Bahnhof auch*) enquiry office/desk; (*Fernsprech*~) directory enquiries *no art.*

Auskunftei *f* credit enquiry agency.

Auskunftsbeamte(r) *m* information officer; (*am Bahnhof*) information clerk; **Auskunftsperson** *f* informer; (*Beamter*) information clerk; **Auskunftspflicht** *f* (*Jur*) obligation to give information; **Auskunftsschalter** *m* information desk; (*am Bahnhof*) enquiry desk; **Auskunftsstelle** *f* information office.

auskuppeln *vi sep* to disengage the clutch.

auskurieren* *sep* (*inf*) **I** *vt* to cure; *Krankheit auch* to get rid of (*inf*). **II** *vr* to get better.

auslachen *sep* **I** *vt jdn* to laugh at. **laß dich nicht** ~ don't make a fool of yourself. **II** *vi* to stop laughing.

ausladen *sep irreg* **I** *vt* **1.** *Ware, Ladung* to unload; (*Naut auch*) to discharge. **2.** (*inf*) **jdn** ~ to tell sb not to come, to uninvite sb (*hum*). **II** *vi* (*Äste*) to spread; (*Dach, Balkon*) to protrude, to jut out.

ausladend *adj Kinn* protruding; *Dach* overhanging, projecting; *Gebärden, Bewegung* sweeping.

Auslage *f* **1.** (*von Waren*) display; (*Schaufenster*) (shop) window; (*Schaukasten*) showcase. **2.** (*Sport*) basic stance; (*Fechten*) on guard position. **3.** *usu pl* expense. **seine** ~**n für Verpflegung** his outlay for food.

auslagern *vt sep* to evacuate; (*aus dem Lager bringen*) to take out of store.

Ausland *nt* -(e)s, *no pl* foreign countries *pl*; (*fig: die Ausländer*) foreigners *pl*. **ins/im** ~ abroad; **aus dem** *or* **vom** ~ from abroad; **wie hat das** ~ **darauf reagiert?** what was the reaction abroad?; **Handel mit dem** ~ foreign trade, trade with other countries; **das feindliche/ nichtkapitalistische** ~ enemy/non-capitalist countries.

Ausländer(in *f***)** *m* -s, - foreigner; (*Admin, Jur*) alien.

Ausländerbeauftragte(r) *mf* official looking after foreign immigrants.

ausländerfeindlich *adj* hostile to foreigners, xenophobic.

Ausländerfeindlichkeit *f* hostility to foreigners, xenophobia.

ausländisch *adj* **1.** *attr* foreign; *Erzeugnisse, Freunde auch* from abroad; (*Bot*) exotic. **2.** (*fig: fremdländisch*) exotic.

Auslands- *in cpds* foreign; **Auslandsanleihe** *f* foreign loan;

Auslandsaufenthalt *m* stay abroad; **Auslandsbeziehungen** *pl* foreign relations *pl*; **Auslandsbrief** *m* letter going/ from abroad, overseas letter (*Brit*); **Auslandsdeutsche(r)** *mf* expatriate German, German national (living abroad); **Auslandsgeschäft** *nt* foreign business *or* trade; **Auslandsgespräch** *nt* international call; **Auslandsinvestition** *f* foreign investment; **Auslandskorrespondent(in** *f***)** *m* foreign correspondent; **Auslandskrankenschein** *m* (*Med*) certificate of entitlement to benefits in kind (*during a stay abroad*); **Auslandsreise** *f* journey *or* trip abroad; **Auslandsschulden** *pl* foreign exchange debts; **Auslandsschule** *f* British/ German *etc* school (abroad); **die** ~**n in Brüssel** the foreign schools in Brussels; **Auslandsschutzbrief** *m* international travel cover; (*Dokument*) certificate of entitlement for international travel cover; **Auslandsvertretung** *f* agency abroad; (*von Firma*) foreign branch.

auslassen *sep irreg* **I** *vt* **1.** (*weglassen, aussparen, übergehen*) to leave *or* miss out; (*versäumen*) *Chance, Gelegenheit* to miss. **er läßt kein Geschäft aus** he doesn't miss a chance to make a deal.
2. (*abreagieren*) to vent (*an* +*dat* on). **seine Gefühle** ~ to vent one's feelings, to let off steam (*inf*).
3. *Butter, Fett* to melt; *Speck auch* to render (down).
4. *Kleider* to let out; *Saum* to let down.
5. (*inf*) *Radio, Motor, Ofen* to leave off; *Licht auch* to leave out; (*nicht anziehen*) *Kleidung* to leave off.
6. *Hund* to let out.
7. (*Aus*) (*los-, freilassen*) to let go.
8. *siehe* **ausgelassen.**
II *vr* to talk (*über* +*acc* about). **sich über jdn/etw** ~ (*pej*) to go on about sb/ sth (*pej*); **er hat sich nicht näher darüber ausgelassen** he didn't say any more about it.
III *vi* (*Aus: loslassen*) to let go.

Auslassung *f* **1.** (*Weglassen*) omission. **2.** ~**en** *pl* (*pej: Äußerungen*) remarks *pl*.

Auslassungspunkte *pl* suspension points *pl*, ellipsis *sing*; **Auslassungszeichen** *nt* apostrophe.

auslasten *vt sep* **1.** *Fahrzeug* to make full use of; *Maschine auch* to use to capacity. **2.** *jdn* to occupy fully; *siehe* **ausgelastet.**

Auslastung *f* (*von Maschine*) full *or* capacity utilization.

auslatschen *vt sep* (*inf*) to wear out of shape; *siehe* **ausgelatscht.**

Auslauf *m* **1.** *no pl* (*Bewegungsfreiheit*) exercise; (*für Kinder*) room to run about.
2. (*Gelände*) run.
3. (*Sport*) (*Leichtathletik*) slowing down; (*Ski: Strecke*) out-run.
4. *no pl* (*das Auslaufen*) discharge; (*das Lecken*) leakage.
5. (*Stelle*) inlet.

auslaufen *sep irreg* **I** *vi aux sein* **1.** (*Flüssigkeit*) to run out (*aus* of); (*Behälter*) to empty; (*undicht sein*) to leak;

(*Wasserbett, Blase, Auge*) to drain; (*Eiter*) to drain, to discharge.
2. (*Naut: Schiff, Besatzung*) to sail.
3. (*nicht fortgeführt werden: Modell, Serie*) to be discontinued; (*ausgehen: Vorräte, Lager*) to run out; **etw ~ lassen** *Produkt* to phase sth out.
4. (*aufhören: Straße, Vertrag*) to run out.
5. (*ein bestimmtes Ende nehmen*) to turn out.
6. (*zum Stillstand kommen*) (*Motor, Förderband*) to come to a stop; (*Sport*) (*Läufer*) to ease off, to slow down; (*Skifahrer*) to coast to a stop.
7. (*übergehen in*) to run; (*fig: Streit*) to turn (*in +acc* into). **die Berge laufen in die Ebene aus** the mountains run into the plain; **in eine Bucht ~** to open out into a bay.
8. (*Farbe, Stoff*) to run.
II *vr* to have some exercise. **sich ~ können** (*Kinder*) to have room to run about.
Ausläufer *m* **1.** (*Bot*) runner. **2.** (*Met*) (*von Hoch*) ridge; (*von Tief*) trough. **3.** (*Vorberge*) foothill *usu pl.* **4.** (*von Stadt*) suburb. **5.** (*Sw: Bote*) delivery boy/man.
Auslaufmodell *nt* **-s, -e** (*Comm*) phase-out model.
auslaufsicher *adj* leakproof.
auslaugen *vt sep* (*lit*) *Boden* to exhaust; (*Regen*) to wash the goodness out of; *Haut* to dry out; (*fig*) to exhaust, to wear out.
Auslaut *m* (*Ling*) final position.
auslauten *vi sep* to end (*auf +dat* in). **~der Konsonant** final consonant.
ausläuten *vi sep* to finish *or* cease ringing.
ausleben *sep* **I** *vr* (*Mensch*) to live it up; (*Phantasie*) to run free. **II** *vt* (*geh*) to realize.
auslecken *vt sep* to lick out.
ausleeren *vt sep Flüssigkeit* to pour out, to empty; *Gefäß* to empty; (*austrinken auch*) to drain.
auslegen *vt sep* **1.** (*ausbreiten*) to lay out; *Waren auch* to display; *Köder* to put down; *Reusen* to drop; *Kabel, Minen* to lay; *Saatgut* to sow; *Kartoffeln* to plant.
2. (*bedecken*) to cover; (*auskleiden*) to line; (*mit Einlegearbeit*) to inlay. **den Boden/das Zimmer (mit Teppichen) ~** to carpet the floor/room; **das Gebiet mit Minen ~** to lay mines in *or* to mine the area.
3. (*erklären*) to explain; (*deuten*) to interpret. **etw richtig/falsch ~** to interpret sth correctly/wrongly *or* misinterpret sth; **jds Scherz/Tat übel ~** to take sb's joke/action badly.
4. *Geld* to lend (*jdm etw* sb sth). **sie hat die 5 Mark für mich ausgelegt** she paid the 5 marks for me.
5. (*Tech*) to design (*auf +acc, für* for). **straff ausgelegt sein** (*Federung*) to be tightly set.
Ausleger *m* **-s, -.** **1.** (*von Kran*) jib, boom. **2.** (*an Ruderboot*) rowlock; (*Kufe gegen Kentern*) outrigger. **3.** (*auch ~in f*) (*Deuter*) interpreter.
Auslegung *f* (*Deutung*) interpretation;

(*Erklärung*) explanation (*zu* of). **falsche ~** misinterpretation.
Auslegungsfrage *f* question *or* matter of interpretation; **Auslegungssache** *f* matter of interpretation.
ausleiden *vi sep irreg* **sie hat ausgelitten** her suffering is at an end.
ausleiern *sep* **I** *vt* (*inf*) **etw ~** *Gummiband, Feder* to wear sth out; *Pullover* to make sth go baggy. **II** *vi aux sein* to wear out; (*Pullover*) to go baggy.
Ausleihbibliothek, Ausleihbücherei *f* lending library.
Ausleihe *f* (*das Ausleihen*) lending; (*Schalter*) issue desk. **eine ~ ist nicht möglich** it is not possible to lend out anything.
ausleihen *vt sep irreg* (*verleihen*) to lend (*jdm, an jdn* to sb); (*von jdm leihen*) to borrow. **sich** (*dat*) **etw ~** to borrow sth (*bei, von* from).
auslernen *vi sep* (*Lehrling*) to finish one's apprenticeship; (*inf: Schüler, Student*) to finish school/college. **man lernt nie aus** (*prov*) you live and learn (*prov*); *siehe* **ausgelernt.**
Auslese *f* **-, -n 1.** *no pl* (*Auswahl*) selection; (*Liter: verschiedener Autoren*) anthology. **natürliche ~** natural selection; **eine ~ treffen** *or* **vornehmen** to make a selection. **2. die ~** the élite. **3.** (*Wein*) high-quality wine made from selected grapes.
auslesen *vt sep irreg* **1.** (*auswählen*) to select; (*aussondern*) *Schlechtes* to pick out; *Erbsen, Linsen* to pick over.
2. (*auch vi*) (*inf*) *Buch* to finish reading. **hast du bald ausgelesen?** will you finish (reading) it soon?
Ausleseprozeß *m* selection process; **Ausleseverfahren** *nt* selection procedure.
ausleuchten *vt sep* to illuminate; (*fig*) to throw light on.
ausliefern *vt sep* **1.** *Waren* to deliver.
2. *jdn* to hand over (*an +acc* to); (*an anderen Staat*) to extradite (*an +acc* to); (*fig: preisgeben*) to leave (*jdm* in the hands of). **jdm/einer Sache ausgeliefert sein** to be at sb's mercy/the mercy of sth.
Auslieferung *f siehe vt* **1.** delivery. **2.** handing over; (*von Gefangenen*) extradition.
Auslieferungslager *nt* (*Comm*) distribution centre; **Auslieferungsvertrag** *m* (*Jur*) extradition treaty.
ausliegen *vi sep irreg* (*Waren*) to be displayed; (*Zeitschriften, Liste*) to be available (to the public); (*Schlinge, Netz*) to be down.
Auslinie *f* (*Sport*) (*Ftbl*) touchline; (*bei Tennis, Hockey*) sideline.
ausloben *vt sep* (*form*) (*als Belohnung aussetzen*) *Geldbetrag* to offer as a reward; (*als Preis aussetzen*) to offer as a prize.
auslöffeln *vt sep Suppe* to eat up completely; *Teller* to empty. **~ müssen, was man sich eingebrockt hat** (*inf*) to have to take the consequences.
auslöschen *vt sep* **1.** *Feuer* to put out, to extinguish; *Kerze auch* to snuff out;

(geh) Licht to extinguish. **2.** *(auswischen) Spuren* to obliterate; *(mit Schwamm)* to wipe out; *Schrift* to erase *(an +dat* from); *Erinnerung, Schmach* to blot out. **ein Menschenleben ~** *(geh)* to destroy *or* blot out a human life.

auslosen *vt sep* to draw lots for; *Preis, Gewinner* to draw. **es wurde ausgelost, wer beginnt** lots were drawn to see who would start.

auslösen *vt sep* **1.** *Mechanismus, Alarm, Reaktion* to set *or* trigger off, to trigger; *Kameraverschluß, Bombe* to release; *(fig) Wirkung* to produce; *Begeisterung, Mitgefühl, Überraschung* to arouse; *Aufstand, Beifall* to trigger off. **2.** *(dated: einlösen) Gefangene* to release; *(durch Geld)* to ransom; *Wechsel, Pfand* to redeem. **3.** *(dial) Knochen* to take out.

Auslöser *m* **-s, -** **1.** trigger; *(für Bombe)* release button; *(Phot)* shutter release. **2.** *(Anlaß)* cause. **der ~ für etw sein** to trigger sth off. **3.** *(Psych)* trigger mechanism.

Auslosung *f* draw.

Auslösung *f* **1.** *siehe vt 1.* setting *or* triggering off, triggering; release, releasing; producing; arousing; triggering off. **2.** *(von Gefangenen)* release; *(von Wechsel, Pfand)* redemption; *(Lösegeld)* ransom. **3.** *(Entschädigung)* travel allowance.

ausloten *vt sep (Naut) Fahrrinne* to sound the depth of; *Tiefe* to sound; *(Tech) Mauer* to plumb; *(fig geh) jds Wesen, Charakter* to plumb the depths of.

auslüften *sep vti* to air.

auslutschen *vt sep (inf) Saft* to suck out; *(fig)* to suck dry. **ausgelutscht** *(Thema, Streit)* stale.

ausmachen *vt sep* **1.** *Feuer, Kerze, Zigarette* to put out; *elektrisches Licht auch, Radio, Gas* to turn off.

2. *(ermitteln, sichten)* to make out; *(ausfindig machen)* to locate; *(feststellen)* to determine. **es läßt sich nicht mehr ~, warum ...** it can no longer be determined why ...

3. *(vereinbaren)* to agree; *Streitigkeiten* to settle. **einen Termin ~** to agree (on) a time; **wir müssen nur noch ~, wann wir uns treffen** we only have to arrange when we should meet; **etw mit sich selbst ~ (müssen)** to (have to) sort sth out for oneself; *siehe* **ausgemacht.**

4. *(bewirken, darstellen)* (to go) to make up. **alles, was das Leben ausmacht** everything that is a part of life; **all der Luxus, der ein angenehmes Leben ausmacht** all the luxuries which go to make up a pleasant life.

5. *(betragen) Summe* to come to; *Unterschied auch* to make; *(zeitlich)* to make up.

6. *(bedeuten)* **viel/wenig** *or* **nicht viel ~** to make a big/not much difference; **das macht nichts aus** that doesn't matter; *(ist egal auch)* that doesn't make any difference.

7. *(stören)* to matter *(jdm* to). **macht es Ihnen etwas aus, wenn ...?** would you mind if ...?; **es macht mir nichts aus, den Platz zu wechseln** I don't mind changing places.

ausmalen *vt sep* **sich** *(dat)* **etw/sein Leben ~** to imagine sth/picture one's life.

ausmanövrieren* *vt sep* to outmanoeuvre.

Ausmaß *nt (Größe: von Gegenstand, Fläche)* size; *(Umfang: von Katastrophe)* extent; *(Grad)* degree, extent; *(meiner Liebe)* extent; *(Größenordnung: von Änderungen, Verlust)* scale. **~e** *pl* proportions *pl*; **ein Verlust in diesem ~** a loss on this scale.

ausmergeln *vt sep Gesicht, Körper* to emaciate; *Boden* to exhaust; *siehe* **ausgemergelt.**

ausmerzen *vt sep (ausrotten) Ungeziefer, Unkraut* to eradicate; *(aussondern) schwache Tiere* to cull; *(fig) schwache Teilnehmer* to sort *or* weed out; *Fehler, Mißstände* to eradicate; *Erinnerungen* to obliterate.

ausmessen *vt sep irreg Raum, Fläche* to measure (out). **das Zimmer ~** *(fig)* to pace up and down the room.

Ausmessung *f* **1.** *siehe vt* measuring (out). **2.** *(Maße)* dimensions *pl*.

ausmisten *sep* **I** *vt Stall* to muck out; *(fig inf) Schrank* to tidy out; *Zimmer* to clean out. **II** *vi (lit)* to muck out; *(fig)* to have a clean-out.

ausmustern *vt sep Maschine, Fahrzeug* to take out of service; *(Mil: entlassen)* to invalid out.

Ausnahme *f* **-, -n** exception. **mit ~ von ihm** *or* **seiner** *(geh)* with the exception of him, except (for) him; **ohne ~** without exception; **~n bestätigen die Regel** *(prov)*, **keine Regel ohne ~** *(prov)* the exception proves the rule *(prov)*.

Ausnahmebestimmung *f* special regulation; **Ausnahmeerscheinung** *f* exception; **Ausnahmefall** *m* exception, exceptional case; **Ausnahmegenehmigung** *f* special (case) authorization; **Ausnahmeregelung** *f* exemption; **Ausnahmesituation** *f* special *or* exceptional situation; **Ausnahmestellung** *f* special position; **Ausnahmezustand** *m* *(Pol)* state of emergency; **den ~ verhängen** to declare a state of emergency.

ausnahmslos **I** *adv* without exception. **II** *adj Bewilligung, Zustimmung* unanimous. **das ~e Erscheinen der ganzen Belegschaft** the appearance of all the staff without exception.

ausnahmsweise *adv* **darf ich das machen? — ~** may I do that? — just this once; **wenn er ~ auch mal einen Fehler macht** when he makes a mistake too just for once; **sie hat es mir ~ einmal erlaubt** she let me do it as a special exception; **er darf heute ~ früher von der Arbeit weggehen** as an exception he may leave work earlier today.

ausnehmen *sep irreg* **I** *vt* **1.** *(fig) Diebesnest* to raid; *(Mil) Stellung* to take out. **das Nest ~** to remove the eggs from the nest.

2. *Fisch, Kaninchen* to gut, to dress; *Geflügel* to draw; *Hammel, Rind* to dress; *Eingeweide, Herz* to take out, to remove.

3. *(ausschließen) jdn* to make an exception of; *(befreien)* to exempt. **ich nehme keinen aus** I'll make no exceptions.

4. *(inf) jdn* to fleece; *(beim Kartenspiel)* to clean out.

5. *(Aus: erkennen)* to make out.

II *vr (geh: wirken)* **sich schön** or **gut/ schlecht ~** to look good/bad.

ausnehmend *adj (geh)* exceptional. **das gefällt mir ~ gut** I like that very much indeed.

ausnüchtern *vtir sep* to sober up.

Ausnüchterungszelle *f* drying-out cell.

ausnutzen, ausnützen *(esp S Ger, Aus) vt sep* to use, to make use of; *(ausbeuten)* to exploit; *Gelegenheit* to make the most of; *jds Gutmütigkeit, Leichtgläubigkeit* to take advantage of.

Ausnutzung, Ausnützung *(esp S Ger, Aus) f* use; *(Ausbeutung)* exploitation.

auspacken *sep* **I** *vti Koffer* to unpack; *Geschenk* to unwrap. **II** *vi (inf: alles sagen)* to talk *(inf)*; *(seine Meinung sagen)* to speak one's mind.

auspeitschen *vt sep* to whip.

auspellen *sep (inf)* **I** *vt* to peel; *Nuß, Erbsen* to shell. **II** *vr* to strip off.

Auspendler(in *f)* *m* commuter.

auspennen *vir sep (inf)* to have a (good) kip *(inf)*.

auspfeifen *vt sep irreg* to boo or hiss at; *Stück, Schauspieler* to boo off the stage.

auspflanzen *vt sep (Hort)* to plant out.

Auspizium *nt, usu pl (geh)* auspice.

ausplappern *vt sep (inf)* to blurt out *(inf)*.

ausplaudern *vt sep* to let out.

ausplündern *vt sep Dorf* to plunder, to pillage; *Kasse, Laden, (hum) Speisekammer* to raid; *jdn* to plunder *(inf)*, to clean out *(inf)*.

ausposaunen* *vt sep (inf)* to broadcast *(inf)*.

auspowern [-poːvɐn] *vt sep* to impoverish; *(ausbeuten) Massen, Boden* to exploit.

ausprägen *vr sep (Begabung, Charaktereigenschaft)* to reveal or show itself. **die Erziehung prägt sich im Charakter/ Verhalten aus** one's upbringing shapes or stamps one's character/behaviour or leaves its stamp on one's character/ behaviour; *siehe* **ausgeprägt.**

Ausprägung *f* **1.** *no pl (von Charakter)* shaping, moulding. **2.** *no pl (das Ausgeprägtsein)* markedness. **in einer derart starken ~ ist mir diese Krankheit noch nicht begegnet** I have never come across this illness to such a marked degree. **3.** *(Ausdruck)* expression.

auspreisen *vt sep Waren* to price.

auspressen *vt sep* **1.** *(herauspressen) Saft, Schwamm* to squeeze out; *Zitrone* to squeeze. **2.** *(fig: ausbeuten)* to squeeze dry, to bleed white. **3.** *(fig: ausfragen)* to press. **jdn wie eine Zitrone ~** to squeeze sb like a lemon (for information).

ausprobieren* *vt sep* to try out; *Auto auch* to test-drive.

Auspuff *m* **-(e)s, -e** exhaust.

Auspuffgase *pl* exhaust fumes *pl*; **Auspuffrohr** *nt* exhaust pipe; **Auspufftopf** *m* silencer *(Brit)*, muffler *(US)*.

auspumpen *vt sep* to pump out; *siehe* **ausgepumpt.**

auspunkten *vt sep (Boxen)* to outpoint, to beat on points.

auspusten *vt sep (inf)* to blow out. **die Luft kräftig ~** to blow out hard; **jdm das Lebenslicht ~** to snuff out sb's life.

ausputzen *sep* **I** *vt* **1.** *(esp S Ger, Aus: reinigen)* to clean out; *Kleider* to clean; *Flecken* to get out. **2.** *(Ftbl) Ball* to clear. **II** *vi (Ftbl)* (to clear the ball); *(Ausputzer sein)* to act as or be the sweeper.

Ausputzer(in *f)* *m* **-s, -** *(Ftbl)* sweeper.

ausquartieren* *vt sep* to move out; *(Mil)* to billet out.

ausquatschen *sep (sl)* **I** *vt* to blurt out *(inf)*. **II** *vr* to have a heart-to-heart *(bei jdm* with sb), to get a load off one's chest.

ausquetschen *vt sep Saft* to squeeze out; *Zitrone* to squeeze; *(inf: ausfragen) (Polizei)* to grill *(inf)*; *(aus Neugier)* to pump *(inf)*.

ausradieren* *vt sep* to rub out, to erase; *(fig: vernichten)* to wipe out. **etw aus dem Gedächtnis ~** to erase sth from one's mind or memory.

ausrangieren* *vt sep Kleider* to throw out; *Maschine, Auto* to scrap. **ein altes ausrangiertes Auto** an old disused car.

ausrasieren* *vt sep* to shave; *Koteletten* to trim. **jdm/sich die Haare im Nacken ~** to shave sb's/one's neck.

ausrasten *sep* **I** *vi aux sein* **1.** *(Tech)* to come out. **2.** *(hum inf: zornig werden)* to blow one's top *(inf)*, to do one's nut *(inf)*. **II** *vi impers (inf)* **es rastet bei jdm aus** something snaps in sb *(inf)*.

ausrauben *vt sep* to rob.

ausräubern *vt sep (auch hum)* to plunder, to raid. **jdn ~** to clean sb out *(inf)*.

ausrauchen *sep* **I** *vt Zigarette* to finish (smoking). **II** *vi* **1.** *(zu Ende rauchen)* to finish smoking. **2.** *aux sein (Aus) (verdunsten)* to evaporate; *(Geschmack verlieren)* to lose its taste.

ausräuchern *vt sep Zimmer* to fumigate; *Tiere, (fig) Schlupfwinkel, Bande* to smoke out.

ausraufen *vt sep* to tear or pull out. **ich könnte mir die Haare ~** I could kick myself.

ausräumen *vt sep* to clear out; *Möbel auch* to move out; *Magen, Darm* to purge; *(fig) Mißverständnisse, Konflikt* to clear up; *Vorurteile, Bedenken* to dispel; *(inf: ausrauben)* to clean out *(inf)*.

ausrechnen *vt sep* to work out; *(ermitteln) Gewicht, Länge etc* to calculate. **sich (dat) etw ~ können** *(fig)* to be able to work sth out (for oneself); **sich (dat) große Chancen/einen Vorteil ~** to reckon or fancy that one has a good chance/an advantage; *siehe* **ausgerech-**

net.

Ausrechnung *f siehe vt* working out; calculation.

Ausrede *f* excuse.

ausreden *sep* I *vi* to finish speaking. **er hat mich gar nicht erst ~ lassen** he didn't even let me finish (speaking).

II *vt* **jdm etw ~** to talk sb out of sth.

III *vr* (*esp Aus*) (*sich aussprechen*) to have a heart-to-heart; (*Ausflüchte machen*) to make excuses.

ausreiben *vt sep irreg Fleck* to rub out; *Topf* to scour; *Gläser* to wipe out. **sich** (*dat*) **die Augen ~** to rub one's eyes.

ausreichen *vi sep* to be sufficient *or* enough. **die Zeit reicht nicht aus** there is not sufficient time; **mit etw ~** (*dial*) to manage on sth.

ausreichend I *adj* sufficient, enough; (*Sch*) satisfactory. II *adv* sufficiently.

ausreifen *vi sep aux sein* to ripen; (*fig auch*) to mature.

Ausreise *f* **bei der ~** on leaving the country; (*Grenzübertritt*) on crossing the border; **jdm die ~ verweigern** to prohibit sb from leaving the country.

Ausreiseantrag *m* application for an exit visa; **Ausreiseerlaubnis**, **Ausreisegenehmigung** *f* exit permit.

ausreisen *vi sep aux sein* to leave (the country). **ins Ausland/nach Frankreich ~** to go abroad/to France.

Ausreisevisum *nt* exit visa; **Ausreisewelle** *f* exodus; **Ausreisewillige(r)** *mf decl as adj* prospective emigrant.

ausreißen *sep irreg* I *vt Haare, Blatt* to tear out; *Unkraut, Blumen, Zahn* to pull out. **einem Käfer die Flügel/Beine ~** to pull a beetle's wings/legs off; **er hat sich** (*dat*) **kein Bein ausgerissen** (*inf*) he didn't exactly overstrain himself *or* tear a gut (*sl*); **ich könnte Bäume ~** (*inf*) I feel full of beans.

II *vi aux sein* 1. (*sich lösen*) (*Ärmel*) to come away; (*Knopf, Griff*) to come off; (*einreißen*) (*Naht*) to come out; (*Knopfloch*) to tear.

2. (+*dat* from) (*inf: davonlaufen*) to run away; (*Sport*) to break away.

Ausreißer(in *f*) *m* **-s, -** (*inf*) runaway; (*Mil*) stray bullet; (*Sport*) runner/cyclist who breaks away.

ausreiten *sep irreg* I *vi aux sein* to ride out, to go riding *or* for a ride. II *vt Pferd* to take out, to exercise. **ein Pferd voll ~** to ride a horse to its limit.

ausreizen *vt sep Karten* to bid up to strength; *Kontrahenten* to outbid; (*fig: ausschöpfen*) to drain, to use up, to exhaust.

ausrenken *vt sep* to dislocate. **sich/jdm den Arm ~** to dislocate one's/sb's arm; **sich** (*dat*) **(fast) den Hals ~** (*inf*) to crane one's neck.

ausrichten *sep* I *vt* 1. (*aufstellen*) to line up, to get *or* bring into line; *Arbeitsstück etc auch, Gewehre* to align. **jdn/etw nach etw** (*acc*) **~** (*einstellen*) to orientate sb/ sth to sth, to align sb/sth with sth; (*abstellen*) to gear sb/sth to sth.

2. (*veranstalten*) to organize; *Hoch-*

zeit, Fest to arrange.

3. (*erreichen*) to achieve. **ich konnte bei ihr nichts ~** I couldn't get anywhere with her.

4. (*übermitteln*) to tell; *Nachricht* to pass on. **jdm ~, daß ...** to tell sb (that) ...; **jdm etwas ~** to give sb a message; **kann ich etwas ~?** can I give him/her *etc* a message?; **bitte richten Sie ihm einen Gruß aus** please give him my regards.

5. (*Aus: schlechtmachen*) to run down.

II *vr* to line up in a straight row; (*Mil*) to dress ranks. **sich nach dem Nebenmann/Vordermann/Hintermann ~** to line up (exactly) with the person next to/in front of/behind one; **ausgerichtet in einer Reihe stehen** to stand next to one another in a straight line; **sich an etw** (*dat*) **~** (*fig*) to orientate oneself to sth.

Ausrichtung *f siehe vt* 1. lining up; alignment. 2. organization; arrangement. 3. (*fig*) (*auf Ideologie*) orientation (*auf +acc* towards), alignment (*auf +acc* with); (*auf Bedürfnisse*) gearing (*auf +acc* to); (*an einer Ideologie*) orientation (*an +dat* to).

Ausritt *m* ride (out); (*das Ausreiten*) riding out.

ausrollen *sep* I *vt Teig, Teppich* to roll out; *Kabel auch* to run *or* pay out. II *vi aux sein* (*Flugzeug*) to taxi to a standstill *or* stop; (*Fahrzeug*) to coast to a stop.

ausrotten *vt sep* to wipe out; *Wanzen* to destroy; *Tiere, Volk auch* to exterminate; *Religion, Ideen auch* to stamp out, to eradicate.

Ausrottung *f siehe vt* wiping out; destruction; extermination; stamping out, eradication.

ausrücken *sep* I *vi aux sein* 1. (*Mil*) to move *or* set out; (*Polizei, Feuerwehr*) to turn out.

2. (*inf: ausreißen*) to make off; (*von zu Hause*) to run away; (*aus Gefängnis*) to run away, to get out.

II *vt* 1. (*Tech*) to disengage, to release.

2. (*Typ*) *Zeilen* to reverse-indent (*spec*), to move out.

Ausruf *m* 1. (*Ruf*) exclamation. 2. (*Bekanntmachung*) proclamation. **etw durch ~ bekanntmachen** to proclaim sth.

ausrufen *vt sep irreg* to exclaim; *Schlagzeilen* to cry out; *Waren* to cry; (*auf Auktion*) to start; (*verkünden*) to call out; *Haltestellen, Streik* to call. **jdn zum** *or* **als König ~** to proclaim sb king; **jdn** *or* **jds Namen ~** (**lassen**) (*über Lautsprecher*) to put out a call for sb; (*im Hotel*) to page sb.

Ausrufer *m* **-s, -** (*Hist*) (town) crier; (*von Waren*) crier.

Ausrufesatz *m* exclamation; **Ausrufezeichen** *nt* exclamation mark.

Ausrufung *f* proclamation. **die ~ eines Streiks** calling of a strike.

Ausrufungszeichen *nt* exclamation mark.

ausruhen *vtir sep* to rest; (*Mensch auch*)

to take *or* have a rest. **meine Augen müssen (sich) ein wenig** ~ I shall have to rest my eyes a little.

ausrupfen *vt sep* to pull out; *Federn auch* to pluck out.

ausrüsten *vt sep* (*lit, fig*) to equip; *Fahrzeug, Schiff* to fit out. **ein Fahrzeug mit etw** ~ to fit a car with sth.

Ausrüstung *f* 1. *no pl siehe vt* equipping; fitting-out. 2. (~*sgegenstände*) equipment; (*esp Kleidung*) outfit.

Ausrüstungsgegenstand *m*, **Ausrüstungsstück** *nt* piece of equipment.

ausrutschen *vi sep aux sein* to slip; (*Fahrzeug*) to skid; (*fig inf*) (*sich schlecht benehmen*) to drop a clanger (*inf*); (*straffällig werden*) to get into trouble. **das Messer/die Hand ist mir ausgerutscht** my knife/my hand slipped.

Ausrutscher *m* -s, - (*inf*) (*lit, fig*) slip; (*schlechte Leistung auch*) slip-up.

Aussaat *f* 1. *no pl* (*das Säen*) sowing. 2. (*Saat*) seed.

aussäen *vt sep* (*lit, fig*) to sow.

Aussage *f* -, -n statement; (*Behauptung*) opinion; (*Bericht*) report; (*Jur*) (*eines Beschuldigten, Angeklagten*) statement; (*Zeugen~*) evidence *no pl*, testimony; (*fig: von Roman*) message. **eine eidliche/schriftliche** ~ a sworn/written statement; **hier steht** ~ **gegen** ~ it's one person's word against another's; **der Angeklagte/Zeuge verweigerte die** ~ the accused refused to make a statement/the witness refused to give evidence *or* testify; **eine** ~ **machen** to make a statement; to give evidence; **nach** ~ **seines Chefs** according to his boss.

Aussagekraft *f* meaningfulness; **aussagekräftig** *adj* meaningful.

aussagen *sep* **I** *vt* to say (*über* +acc about); (*behaupten*) to state; (*unter Eid*) to testify. **was will der Roman** ~? what message does this novel try to convey?; **etw über jdn** ~ (*Jur*) to give sth in evidence about sb.

II *vi* (*Jur*) (*Zeuge*) to give evidence; (*Angeklagter, schriftlich*) to make a statement; (*unter Eid auch*) to testify. **eidlich** *or* **unter Eid** ~ to give evidence under oath; **für/gegen jdn** ~ to give evidence *or* to testify for/against sb; **schriftlich** ~ to make a written statement.

aussägen *vt sep* to saw out.

Aussagesatz *m* statement; **aussagestark** *adj* powerful; **Aussageverweigerung** *f* (*Jur*) refusal to give evidence *or* to testify; **ein Recht auf** ~ **haben** to have a right to refuse to give evidence *or* to testify.

Aussatz *m* -es, *no pl* (*Med*) leprosy; (*fig*) pestilence.

aussätzig *adj* (*Med*) leprous.

Aussätzige(r) *mf decl as adj* (*lit, fig*) leper.

aussaufen *sep irreg* **I** *vt* (*Tier*) *Wasser* to drink up; *Napf* to empty; (*sl: Mensch*) *Flüssigkeit* to swill down (*inf*); *Glas* to empty. **wer hat mein Glas/meinen Whisky ausgesoffen?** (*sl*) who's drunk my drink/whisky?

II *vi* (*sl*) **sauf endlich aus!** come on, get that down you!

aussaugen *vt sep Saft* to suck out; *Frucht* to suck (dry); *Wunde* to suck the poison out of; (*leersaugen*) *Glasglocke* to evacuate; (*fig: ausbeuten*) to drain dry. **jdn bis aufs Blut** *or* **Mark** ~ to bleed sb white.

ausschaben *vt sep* to scrape out; (*Med auch*) to curette.

Ausschabung *f* (*Med*) curettage, scrape.

ausschachten *vt sep* to dig, to excavate; *Erde* to dig up; *Brunnen* to sink.

Ausschachtungs|arbeiten *pl* excavation work.

ausschälen *vt sep* to remove, to cut out; *Nüsse, Hülsenfrüchte* to shell.

Ausschaltautomatik *f* auto *or* automatic stop.

ausschalten *vt sep* 1. (*abstellen*) to switch off, to turn off. **sich (automatisch)** ~to switch *or* turn (itself) off (automatically). 2. (*fig*) to eliminate.

Ausschaltung *f siehe vt* 1. switching off, turning off. 2. elimination.

Ausschank *m* 1. (*Schankraum*) bar, pub (*Brit*); (*Schanktisch*) bar, counter.

2. (*no pl: Getränkeausgabe*) serving of drinks. „,~ **von** 9⁰⁰ **bis** 14⁰⁰" "open from 9.00 to 14.00"; ~ **über die Straße** off-sales *pl*; „,kein ~ **an Jugendliche unter 16 Jahren"** "drinks not sold to persons under the age of 16".

Ausschank|erlaubnis *f* licence (*Brit*), license (*US*).

Ausschau *f, no pl*: ~ **halten** (*nach* for) to look out, to be on the *or* keep a look-out.

ausschauen *vi sep* 1. (*geh*) (*nach* for) to look out, to be on the *or* keep a look-out. 2. (*dial*) *siehe* **aussehen. wie schaut's aus?** (*inf*) how's things? (*inf*).

ausschaufeln *vt sep Grube, Grab* to dig; *Erde* to dig out; *Leiche* to dig up.

ausschäumen *vt sep* (*Tech*) to foam.

Ausscheid *m* -(e)s, -e (*DDR*) *siehe* **Ausscheidungskampf.**

ausscheiden *sep irreg* **I** *vt* (*aussondern*) to take out; *esp Menschen* to remove; (*Physiol*) to excrete.

II *vi aux sein* 1. (*aus einem Amt*) to re-tire (*aus* from); (*aus Club, Firma*) to leave (*aus etw* sth); (*Sport*) to be elim-inated; (*in Wettkampf*) to drop out. **wer unfair kämpft, muß** ~ whoever cheats will be disqualified.

2. (*nicht in Betracht kommen: Plan, Möglichkeit*) to be ruled out. **das/er scheidet aus** that/he has to be ruled out.

Ausscheidung *f* 1. *no pl* (*das Aus-sondern*) removal; (*Physiol*) excretion. 2. (*Med*) ~**en** *pl* excretions *pl*. 3. (*Sport*) (*Vorkampf*) qualifying contest.

Ausscheidungs- *in cpds* (*Physiol*) excre-tory; (*Sport*) qualifying; **Ausscheidungskampf** *m* (*Sport*) qualifying con-test; (*Leichtathletik, Schwimmen*) heat; **Ausscheidungsorgan** *nt* excretory organ; **Ausscheidungsprodukt** *nt* excretory product; **Ausscheidungsspiel** *nt* qualifying match *or* game.

ausschelten *vt sep irreg* (*geh*) to scold.

ausschenken *vti sep* to pour (out); (*am Ausschank*) to serve.

ausscheren *vi sep aux sein* (*aus Kolonne*) (*Soldat*) to break rank; (*Fahrzeug, Schiff*) to leave the line *or* convoy; (*Flugzeug*) to break formation, to peel off; (*zum Überholen*) to pull out; (*ausschwenken, von gerader Linie abweichen*) to swing out; (*fig*) to step out of line. **aus der Parteilinie ~** to deviate from the party line.

ausschicken *vt sep* to send out.

ausschießen *sep irreg* I *vt* 1. to shoot out. **jdm ein Auge ~** to shoot out sb's eye. 2. (*in Wettbewerb*) to shoot for. 3. (*Typ*) to impose. II *vi aux sein* 1. (*Pflanzen*) to shoot up. 2. (*S Ger, Aus: verbleichen*) to fade.

ausschiffen *sep* I *vt* to disembark; *Ladung, Waren* to unload, to discharge. II *vr* to disembark.

Ausschiffung *f siehe vb* disembarkation; unloading, discharging.

ausschildern *vt sep* to signpost.

ausschimpfen *vt sep* to tell off.

ausschirren *vt sep Pferd* to unharness; *Ochsen* to unyoke.

ausschl. *abbr of* **ausschließlich** excl.

ausschlachten *vt sep* 1. to gut, to dress. 2. (*fig*) *Fahrzeuge, Maschinen* to cannibalize. 3. (*fig inf: ausnutzen*) *Skandal, Ereignis* to exploit; *Buch, Werk* to get everything out of.

ausschlafen *sep irreg* I *vt Rausch* to sleep off. II *vir* to have a good sleep.

Ausschlag *m* 1. (*Med*) rash. (**einen**) **~ bekommen** to come out in a rash. 2. (*von Zeiger*) swing; (*von Kompaßnadel*) deflection. 3. (*fig*) decisive factor. **den ~ geben** (*fig*) to be the decisive factor; **die Stimme des Vorsitzenden gibt den ~** the chairman has the casting vote.

ausschlagen *sep irreg* I *vt* 1. (*herausschlagen*) to knock out; (*dial: ausschütteln*) *Staubtuch* to shake out. **jdm die Zähne ~** to knock sb's teeth out. 2. *Feuer* to beat out. 3. (*auskleiden*) to line. 4. (*ablehnen*) to turn down; *Erbschaft* to waive. **jdm etw ~** to refuse sb sth. II *vi* 1. *aux sein or haben* (*Baum, Strauch*) to come out, to start to bud. 2. (*los-, zuschlagen*) to hit *or* lash out; (*mit Füßen*) to kick (out); (*Pferd*) to kick. 3. *aux sein or haben* (*Zeiger*) to swing; (*Kompaßnadel*) to be deflected; (*Wünschelrute*) to dip. 4. **ausgeschlagen haben** (*Turmuhr*) to have finished striking; (*liter: Herz*) to have beat its last (*liter*). 5. *aux sein* **günstig/nachteilig ~** to turn out well *or* favourably/badly; **zum Guten ~** to turn out all right.

ausschlaggebend *adj* decisive; *Stimme auch* deciding. **~ sein** to be the decisive factor; **das ist von ~er Bedeutung** that is of prime importance.

ausschließen *vt sep irreg* 1. (*aussperren*) to lock out. 2. (*ausnehmen*) to exclude; (*aus Gemeinschaft*) to expel; (*vorübergehend*) to suspend; (*Sport*) to disqualify; (*Typ*) to justify; *Panne, Fehler, Möglichkeit* to

rule out. **das eine schließt das andere nicht aus** the one does not exclude the other; **ich will nicht ~, daß er ein Dieb ist, aber ...** I don't want to rule out the possibility that he's a thief but ...; **die Öffentlichkeit ~** (*Jur*) to exclude the public.

ausschließlich I *adj attr* exclusive; *Rechte auch* sole. II *adv* exclusively. III *prep +gen* exclusive of, excluding.

Ausschließlichkeit *f* exclusiveness.

Ausschließlichkeits|anspruch *m* claim to sole rights.

ausschlüpfen *vi sep aux sein* to slip out; (*aus Ei, Puppe*) to hatch out.

Ausschluß *m siehe* **ausschließen** 2. exclusion; expulsion; suspension; disqualification; (*Typ*) spacing material. **mit ~ von** (*dated*) with the exception of; **unter ~ der Öffentlichkeit stattfinden** to be closed to the public; *siehe* **Rechtsweg**.

ausschmücken *vt sep* to decorate; (*fig*) *Erzählung* to embroider, to embellish. **~de Details** embellishments.

Ausschmückung *f siehe vt* decorating, decoration; embroidery, embellishment.

Ausschneidebogen *m* cut-out sheet.

ausschneiden *vt sep irreg* 1. (*herausschneiden*) to cut out; *Zweige* to cut away. 2. *Baum* to prune.

Ausschnitt *m* 1. (*Zeitungs~*) cutting, clipping. 2. (*Math*) sector. 3. (*Kleid~*) neck. **ein tiefer ~** a low neckline; **er versuchte, ihr in den ~ zu schauen** he was trying to look down her dress. 4. (*fig: Teil*) detail; (*aus einem Bild*) detail; (*aus einem Roman*) excerpt, extract; (*aus einem Film*) clip. **ich kenne das Buch/den Film nur in ~en** I only know parts of the book/film.

ausschnittweise *adj* partial; *Veröffentlichung* in extracts.

ausschnitzen *vt sep* to carve out.

ausschnüffeln *vt sep* (*inf*) to ferret *or* nose out (*inf*).

ausschöpfen *vt sep* 1. (*herausschöpfen*) *Wasser* to ladle out (*aus of*); (*aus Boot*) to bale out (*aus of*). 2. (*leeren*) to empty; *Faß auch* to drain; *Boot* to bale out; (*fig*) to exhaust. **die Kompetenzen voll ~** to do everything within one's power.

ausschreiben *vt sep irreg* 1. to write out; (*ungekürzt schreiben*) to write (out) in full; *siehe* **ausgeschrieben**. 2. (*ausstellen*) *Rechnung* to make out; *Formular* to fill in (*Brit*) *or* out. 3. (*bekanntmachen*) to announce; *Versammlung, Wahlen* to call; *Projekt* to invite tenders for; *Stellen* to advertise; *Steuern* to impose.

Ausschreibung *f siehe vt* 1. making out; filling in (*Brit*) *or* out. 2. announcement; calling; invitation of tenders (*gen* for); advertising; imposition.

ausschreien *sep irreg* I *vt* 1. *siehe* **ausrufen**. 2. (*ausbuhen*) to shout down. II *vr* 1. (*inf: zu Ende schreien*) to finish shouting. 2. **sich** (*dat*) **die Kehle/Lunge ~** (*inf*) to shout one's head off (*inf*). III *vi* to finish shouting.

ausschreiten sep irreg **I** vi aux sein (geh) to stride out, to step out. **II** vt to pace.

Ausschreitung f usu pl (Aufruhr) riot, rioting no pl.

Ausschuß m **1.** no pl (Comm) rejects pl; (fig inf) trash. **2.** (Komitee) committee. **3.** (eines Geschosses) exit point; (Wunde) exit wound.

Ausschußmitglied nt committee member; **Ausschußöffnung** f point of exit, exit point/wound; **Ausschußsitzung** f committee meeting; **Ausschußware** f (Comm) rejects pl.

ausschütteln vt sep to shake out.

ausschütten sep **I** vt **1.** (auskippen) to tip out; Eimer, Glas, Füllhorn to empty. **jdm sein Herz ~** (fig) to pour out one's heart to sb; siehe **Kind. 2.** (verschütten) to spill. **3.** (Fin) Dividende to distribute. **II** vr sich (vor Lachen) **~** (inf) to split one's sides laughing.

Ausschüttung f **1.** (Fin) distribution; (Dividende) dividend. **2.** (Phys) fall-out.

ausschwärmen vi sep aux sein (Bienen, Menschen) to swarm out; (Mil) to fan out.

ausschwefeln vt sep to sulphur, to fumigate (with sulphur).

ausschweifen sep **I** vi aux sein (Redner) to digress; (Phantasie) to run riot; (in Lebensweise) to lead a dissipated life. **II** vt Möbelstück to curve.

ausschweifend adj Leben dissipated; Phantasie wild.

Ausschweifung f (Maßlosigkeit) excess; (in Lebensweise) dissipation.

ausschweigen vr sep irreg to remain silent (über +acc, zu about). **sich eisern ~** to maintain a stony silence.

ausschwemmen vt sep to wash out; Giftstoffe to flush out (aus of); (aushöhlen) to hollow out.

ausschwenken sep **I** vt **1.** (ausspülen) to rinse out. **2.** Kran to swing out. **II** vi aux sein (Mil) to wheel. **nach links/rechts ~** to wheel left/right.

ausschwitzen sep **I** vt to sweat out; (Wände) to sweat. **II** vi aux sein to sweat.

aussegnen vt sep (Eccl) Toten to give the last blessing to.

aussehen vi sep irreg to look. **gut ~** to look good; (hübsch) to be good looking; (gesund) to look well; **gesund/elend ~** to look healthy/wretched; **es sieht nach Regen aus** it looks like rain or as if it's going to rain; **wie jd/etw ~** to look like sb/sth; **weißt du, wie ein Gnu aussieht?** do you know what a gnu looks like?; **wie sieht's aus?** (inf: wie steht's) how's things? (inf); **wie siehst du denn (bloß) aus?** what do you look like!, just look at you!; **ich habe (vielleicht) ausgesehen!** you should have seen me!; **es soll nach etwas ~** it's got to look good; **es sieht danach or so aus, als ob …** it looks as if …; **ihr seht mir danach aus** (iro) I bet!; **seh' ich so or danach aus?** (inf) what do you take me for?; **so siehst du (gerade) aus!** (inf) that's what you think!; **er sieht ganz so or danach aus** he looks it; **bei mir**

sieht es gut aus I'm doing fine.

Aussehen nt **-s**, no pl appearance. **dem ~ nach** to go by appearances, by the looks of it; **etw dem ~ nach beurteilen** to judge sth by appearances.

aussein sep irreg aux sein (Zusammenschreibung nur bei infin und ptp) **I** vi (inf) **1.** (zu Ende sein) (Schule) to be out, to have finished; (Krieg, Stück) to have ended; (nicht ansein) (Feuer, Ofen) to be out; (Radio, Fernseher) to be off; (Sport) (außerhalb sein: Ball) to be out (of play); (ausgeschieden sein: Spieler) to be out.

2. auf etw (acc) **~** to be (only) after sth or interested in sth or out for sth; **auf jdn ~** to be after sb (inf); **nur auf Männer/auf eins ~** to be interested only in men/one thing; **ich war gestern abend (mit ihr) aus** I went out (with her) last night.

II vi impers **es ist aus** (und vorbei) zwischen uns it's (all) over between us; **es ist aus mit ihm** he is finished, he has had it (inf); **es ist aus (und vorbei) mit dem bequemen Leben** the life of leisure is (all) over; **daraus ist nichts geworden, damit ist es aus** nothing came of it, it's finished or all over.

außen adv **1. die Tasse ist ~ bemalt** the cup is painted on the outside; **~ an der Windschutzscheibe** on the outside of the windscreen; **von ~ sieht es gut aus** outwardly or on the outside it looks good; **er läuft ~** he's running on the outside; **er spielt ~** he's playing on the wing; **das Fenster geht nach ~ auf** the window opens outwards; **nach ~ hin** (fig) outwardly. **2. ~ vor sein** to be left out; **etw ~ vor lassen** (etw ausschließen) to leave sth out, to exclude sth. **3.** (Aus) siehe **draußen.**

Außen[1] m **-, -** (Sport) wing. **~ spielen** to play on the wing.

Außen[2] nt **-,** no pl outside.

Außenabmessung f external dimensions pl; **Außenansicht** f exterior, view of the outside; **Außenantenne** f outdoor aerial; **Außenarbeiten** pl work on the exterior; **Außenaufnahme** f outdoor shot, exterior; **Außenbahn** f outside lane; **Außenbeleuchtung** f exterior lighting; **Außenbezirk** m outlying district; **Außenborder** m (inf) outboard; **Außenbordmotor** m outboard motor; **außenbords** adv (Naut) outboard.

aussenden vt sep irreg to send out.

Außendienst m external duty. **~ machen** or **haben** to work outside the office; **im ~ tätig sein** to work as a sales representative.

Außendienstmitarbeiter(in f) m sales representative.

Außenhandel m foreign trade.

Außenhandelsbilanz f balance of trade; **Außenhandelsmonopol** nt foreign trade monopoly; **Außenhandelspolitik** f foreign trade policy.

Außenhaut f outer skin; **Außenkurve** f outside bend; **Außenlinie** f (Sport) boundary (line); **Außenminister(in** f) m foreign minister, foreign secretary

(*Brit*), secretary of state (*US*); **Außenministerium** *nt* foreign ministry, foreign office (*Brit*), state department (*US*); **Außennetz** *nt* (*Ftbl*) side netting; **Außenpolitik** *f* (*Gebiet*) foreign politics *sing*; (*bestimmte*) foreign policy/policies; **Außenpolitiker(in** *f*) *m* foreign affairs politician; **außenpolitisch** *adj Debatte* foreign policy *attr*; *Fehler* as regards foreign affairs; *Berichterstattung* of foreign affairs; *Schulung, Erfahrung* in foreign affairs; *Sprecher* on foreign affairs; ~ **gesehen, aus** ~**er Sicht** from the point of view of foreign affairs; ~ **sinnvoll sein** to be sensible foreign policy; **Außenseite** *f* outside; **die vordere** ~ **des Hauses** the front exterior of the house.

Außenseiter(in *f*) *m* **-s, -** (*Sport, fig*) outsider.

Außenseiterrolle *f* role as an outsider; **eine** ~ **spielen** to play the role of an outsider.

Außenspiegel *m* (*Aut*) outside mirror; **Außenstände** *pl* (*esp Comm*) outstanding debts *pl*, arrears *pl*; **wir haben noch 2.000 Mark** ~ we still have *or* there are still 2,000 marks outstanding; **Außenstehende(r)** *mf decl as adj* outsider; **Außenstelle** *f* branch; **Außenstürmer(in** *f*) *m* (*Ftbl*) wing; **Außentasche** *f* outside pocket; **Außentemperatur** *f* outside temperature; (*außerhalb Gebäude*) outdoor temperature; **wir haben 20°** ~ **die** temperature outdoors is 20°; **Außentoilette** *f* outside toilet; (*auf dem Flur*) shared toilet; **Außentreppe** *f* outside staircase; **Außenwand** *f* outer wall; **Außenwelt** *f* outside world; **Außenwert** *m* purchasing power abroad; **Außenwinkel** *m* (*Math*) exterior angle; **Außenwirtschaft** *f* foreign trade; **Außenzoll** *m* external tariff.

außer I *prep* +*dat or* (*rare*) *gen* **1.** (*räumlich*) out of. ~ **Sicht/Gefecht/Kurs** out of sight/action/circulation; ~ **sich** (*acc*) **geraten** to go wild; ~ **sich** (*dat*) **sein** to be beside oneself; ~ **Haus** *or* **Hauses sein/essen** to be/eat out; ~ **Atem** out of breath.

2. (*ausgenommen*) except (for); (*abgesehen von*) apart from, aside from (*esp US*). ~ **ihm habe ich keine Verwandten mehr** I have no relatives left apart from him *or* but him.

3. (*zusätzlich zu*) in addition to.

II *conj* except. ~ **daß** ... except that ...; ~ **wenn** ... except when...; ~ **sonntags** except Sundays.

außerachtlassen *nt*, **Außerachtlassung** *f* disregard; **unter** ~ **der Regeln** in total disregard of *or* with total disregard for the rules.

außerdem *adv* besides; (*dazu*) in addition, as well; (*überdies*) anyway. **ich kann ihn nicht leiden, (und)** ~ **lügt er immer** I can't stand him and besides *or* anyway he always tells lies; **er ist Professor und** ~ **noch Gutachter** he's a professor and a consultant besides *or* as well.

außerdienstlich *adj* (*nicht dienstlich*) *Telefonat, Angelegenheit* private; (*außerhalb der Arbeitszeit*) social. **ich bin heute** ~ **unterwegs** I'm not on business today.

außer|ehelich I *adj* extramarital; *Kind* illegitimate. **II** *adv* outside marriage.

äußere(r, s) *adj* (*außerhalb gelegen, Geog*) outer; *Durchmesser, Verletzung, (außenpolitisch*) external; *Schein, Eindruck* outward.

Äußere(s) *nt decl as adj* exterior; (*fig: Aussehen auch*) outward appearance. **das** ~ **täuscht oft** appearances are often deceptive.

außereuropäisch *adj attr* non-European; *Raum* outside Europe; **außerfahrplanmäßig** *adj* non-scheduled; **außergerichtlich** *adj* out of court; **außergewöhnlich I** *adj* unusual, out of the ordinary; (*sehr groß auch*) remarkable; ~**es leisten** to do some remarkable things; **II** *adv* (*sehr*) extremely.

außerhalb I *prep* +*gen* outside. ~ **der Stadt** outside the town, out of town; ~ **der Dienststunden** outside *or* out of office hours; ~ **der Legalität** outside the law.

II *adv* (*außen*) outside; (~ *der Stadt*) out of town. ~ **wohnen/arbeiten** to live/work out of town; **nach** ~ outside/out of town; **von** ~ from outside/out of town; ~ **stehen** (*fig*) to be on the outside.

außerirdisch *adj* extraterrestrial; **Außerkraftsetzung** *f* repeal; **Außerkurssetzung** *f* (*von Währung*) withdrawal (from circulation); rejection.

äußerlich *adj* **1.** external. **2.** (*fig*) (*oberflächlich*) superficial; (*scheinbar*) outward; (*esp Philos*) *Wahrnehmung* external. „**nur** ~**!**", „**nur zur** ~**en Anwendung!**" for external use only; **rein** ~ **betrachtet** on the face of it; **einer Sache** (*dat*) ~ **sein** (*geh*) to be extrinsic to sth.

Äußerlichkeit *f* **1.** (*fig*) triviality; (*Oberflächlichkeit*) superficiality; (*Formalität*) formality. **2.** (*lit*) external characteristic. ~**en** (outward) appearances.

äußern I *vt* (*sagen*) to say; *Wunsch* to express; *Worte* to utter; *Kritik* to voice. **seine Meinung** ~ to give one's opinion *or* views. **II** *vr* (*Mensch*) to speak; (*Krankheit, Symptom*) to show *or* manifest itself. **sich dahin gehend** ~**, daß** ... to make a comment to the effect that ...; **ich will mich dazu nicht** ~ I don't want to say anything about that.

außerordentlich I *adj* extraordinary; (*ungewöhnlich auch*) exceptional; (*bemerkenswert auch*) remarkable, exceptional; *Professor* associate; ~**es leisten** to achieve some remarkable things; **II** *adv* (*sehr*) exceptionally, extremely, extraordinarily; **außerorts** *adv* (*Sw, Aus*) out of town; **außerparlamentarisch** *adj* extraparliamentary; **außerplanmäßig** *adj Besuch, Treffen* unscheduled; *Mahlzeit* additional; *Ausgaben* non-budgetary; **außerschulisch** *adj Aktivitäten, Interessen* extracurricular; **außersinnlich** *adj* ~**e Wahr-**

nehmung extrasensory perception.

äußerst adv extremely, exceedingly.

außerstande adv (unfähig) incapable; (nicht in der Lage) unable. ~ sein, etw zu tun to be incapable of doing sth; to be unable to do sth.

äußerstenfalls adv at most.

äußerste(r, s) adj, superl of **äußere(r, s)** (räumlich) furthest; Planet, Schicht outermost; Norden extreme; (zeitlich) latest possible; (fig) utmost, extreme. der ~ Preis the last price; mein ~s Angebot my final offer; im ~n Falle if the worst comes to the worst; mit ~r Kraft with all one's strength; von ~r Dringlichkeit of (the) utmost urgency.

Äußerste(s) nt decl as adj bis zum ~n gehen to go to extremes; er geht bis zum ~n he would go to any extreme; er hat sein ~s gegeben he gave his all; das ~ wagen to risk everything; ich bin auf das ~ gefaßt I'm prepared for the worst.

außertariflich adj Regelung non-union; Zuschlag supplementary ~ to agreed union rates; ~ bezahlt werden to be paid non-union rates; **außertourlich** [-'tu:r-] adj (Aus, S Ger) additional; ein ~er Bus a special; und ich mache ~ noch Überstunden and I do overtime as well or on top.

Äußerung f (Bemerkung) remark, comment; (Ling, Behauptung) statement; (Zeichen) expression. als ~ der Trauer as an expression of mourning.

Äußerungsform f manifestation.

aussetzen sep I vt 1. Kind, Haustier to abandon; Wild, Fische to release; Pflanzen to plant out; (Naut) Passagiere to maroon; Boot to lower.

2. (preisgeben) jdn/etw einer Sache (dat) ~ to expose sb/sth to sth; jdm/ einer Sache ausgesetzt sein (ausgeliefert) to be at the mercy of sb/sth; jdn dem Gelächter ~ to expose sb to ridicule.

3. (festsetzen) Belohnung, Preis to offer; (in Testament) to bequeath, to leave. auf jds Kopf (acc) 1000 Dollar ~ to put 1,000 dollars on sb's head.

4. (unterbrechen) to interrupt; Debatte, Prozeß to adjourn; Zahlung to break off.

5. (vertagen) Strafvollstreckung, Verfahren to suspend; Urteilsverkündung to defer. eine Strafe zur Bewährung ~ to give a suspended sentence.

6. an jdm/etw etwas auszusetzen haben to find fault with sb/sth; daran ist nichts auszusetzen there is nothing wrong with it; daran habe ich nur eines auszusetzen I've only one objection to make to that; was haben Sie daran auszusetzen? what don't you like about it?

7. Billardkugel to place.

8. (Eccl) to expose.

II vi (aufhören) to stop; (Mensch auch) to break off; (bei Spiel) to sit out; (Herz) to stop (beating); (Motor auch) to fail; (versagen) to give out. mit etw ~ to stop sth; mit der Pille/Behandlung ~ to stop taking the pill/to interrupt the treatment; zwei Wochen mit der Arbeit ~ to interrupt one's work for two

weeks; ich setze besser mal aus I'd better have a break; (bei Spiel) I'd better sit this one out; einen Tag ~ to take a day off; ohne auszusetzen without a break.

Aussetzung f 1. siehe vt 1. abandonment; releasing; planting out; marooning; lowering.

2. siehe vt 3. offer; bequest. durch ~ einer Belohnung by offering a reward, by the offer of a reward.

3. siehe vt 4. interruption; adjournment; breaking off.

4. (Jur) siehe vt 5. suspension; deferment. die ~ der Strafe zur Bewährung war in diesem Falle nicht möglich it was impossible to give a suspended sentence in this case.

5. (Eccl: des Allerheiligsten) exposition.

Aussicht f 1. (Blick) view (auf +acc of). ein Zimmer mit ~ auf den Park a room overlooking the park; jdm die ~ nehmen/verbauen to block or obstruct sb's view.

2. (fig) prospect (auf +acc of). die ~, daß etw geschieht the chances of sth happening; gute ~en haben to have good prospects; unser Plan hat große ~en auf Erfolg our plan has every prospect or chance of succeeding; keine or nicht die geringste ~ no or not the slightest prospect or chance; etw in ~ haben to have good prospects of sth; jdm etw in ~ stellen to promise sb sth; in ~ stehen to be expected; das sind ja schöne ~en! (iro inf) what a prospect!

aussichtslos adj hopeless; (zwecklos) pointless; (völlig hoffnungslos) desperate; eine ~e Sache a lost cause; **Aussichtspunkt** m vantage point; **aussichtsreich** adj promising; Stellung with good prospects; **Aussichtsturm** m observation or lookout tower; **Aussichtswagen** m (Rail) observation car.

aussieben vt sep (lit, fig) to sift out; (Rad) Störungen to filter out.

aussiedeln vt sep to resettle; (evakuieren) to evacuate.

Aussiedler(in f) m (Auswanderer) emigrant; (Evakuierter) evacuee.

Aussiedlung f resettlement; (Evakuierung) evacuation.

aussitzen vt sep irreg Problem to sit out.

aussöhnen sep I vt jdn mit jdm/etw ~ to reconcile sb with sb/to sth; jdn ~ to appease sb. II vr sich mit jdm/etw ~ to become reconciled with sb/to sth; wir haben uns wieder ausgesöhnt we have made it up again. III vi mit etw ~ to compensate for.

Aussöhnung f reconciliation (mit jdm with sb, mit etw to sth).

aussondern vt sep to select; Schlechtes to pick out; (euph) Menschen auch to single out. die ausgesonderte Ware wird billig abgegeben the reject goods are sold cheaply.

aussorgen vi sep: ausgesorgt haben to have no more money worries, to be set up for life.

aussortieren* vt sep to sort out.

ausspähen *sep* I *vi* **nach** jdm/etw ~ to look out for sb/sth. II *vt* to spy out; (*Mil*) to reconnoitre.

ausspannen *sep* I *vt* 1. *Tuch, Netz* to spread out; *Schnur, Leine* to put up.
2. (*ausschirren*) to unharness, to unhitch; *Ochsen* to unyoke; (*aus Schreibmaschine*) *Bogen* to take out.
3. (*fig inf*) jdm etw ~ to do sb out of sth (*inf*); jdm die Freundin ~ to pinch sb's girlfriend (*inf*).
II *vi* 1. (*sich erholen*) to relax.
2. (*Pferde* ~) to unharness the horses; (*Ochsen* ~) to unyoke the oxen.

Ausspannung *f, no pl* (*fig*) relaxation.

aussparen *vt sep Fläche* to leave blank; (*fig*) to omit.

Aussparung *f* (*Lücke*) gap; (*unbeschriebene Stelle*) blank space.

ausspeien *sep irreg* (*geh*) I *vt* (*ausspucken*) to spit out; (*erbrechen*) to bring up, to disgorge (*form*); (*fig: herausschleudern*) to spew out *or* forth. II *vi* to spit out.

aussperren *vt sep* to lock out.

Aussperrung *f* (*Ind*) lockout. **mit** ~ **drohen** to threaten (the workers with) a lockout; **die** ~ **sollte verboten werden** lockouts should be made illegal.

ausspielen *sep* I *vt* 1. *Karte* to play; (*am Spielanfang*) to lead with. **seinen letzten/einen Trumpf** ~ (*lit, fig*) to play one's last card/a *or* one's trump card.
2. *Rolle, Szene* to act out. **er hat (seine Rolle) ausgespielt** (*fig*) he's finished *or* through (*inf*), he's played out (*fig*).
3. (*zu Ende spielen*) to finish playing.
4. (*fig: einsetzen*) *Überlegenheit* to display.
5. (*fig*) **jdn/etw gegen jdn/etw** ~ to play sb/sth off against sth/sth.
6. (*Sport*) *Pokal, Meisterschaft* to play for; *Gegner* to outplay.
7. *Gewinne* to give as a prize/as prizes.
II *vi* 1. (*Cards*) to play a card; (*als erster*) to lead. **wer spielt aus?** whose lead is it?
2. (*zu Ende spielen*) to finish playing.

Ausspielung *f* (*im Lotto*) pay-out.

ausspinnen *vt sep irreg* to spin out; (*sich ausdenken*) to think up.

ausspionieren* *vt sep Pläne* to spy out; *Person* to spy (up)on.

Aussprache *f* 1. pronunciation; (*Art des Artikulierens auch*) articulation; (*Akzent*) accent.
2. (*Meinungsaustausch*) discussion; (*Gespräch auch*) talk. **es kam zu einer offenen** ~ **zwischen den beiden** they talked things out; **eine** ~ **herbeiführen** to bring things out into the open.

Ausspracheangabe, Aussprachebezeichnung *f* (*Ling*) phonetic transcription; **Aussprachewörterbuch** *nt* dictionary of pronunciation, pronouncing dictionary.

aussprechbar *adj* pronounceable. **leicht/ schwer/nicht** ~ easy/difficult to pronounce/unpronounceable.

aussprechen *sep irreg* I *vt Wörter, Urteil* to pronounce; *Scheidung* to grant; (*zu Ende sprechen*) *Satz* to finish; (*äußern*) to express (jdm to sb); *Verdächtigung* to

voice; *Warnung* to give, to deliver. **jdm ein Lob** ~ to give sb a word of praise; **der Regierung sein Vertrauen** ~ to pass a vote of confidence in the government.
II *vr* 1. (*Partner*) to talk things out; (*sein Herz ausschütten, seine Meinung sagen*) to say what's on one's mind. **sich mit jdm (über etw** *acc*) ~ to have a talk with sb (about sth); (jdm sein Herz ausschütten) to have a heart-to-heart with sb (about sth); **sich für/gegen etw** ~ to declare *or* pronounce oneself in favour of/against sth; **sich lobend über jdn/etw** ~ to speak highly of sb/sth.
2. (*Wort*) to be pronounced. **dieses Wort spricht sich leicht/schwer aus** this word is easy/difficult to pronounce.
III *vi* (*zu Ende sprechen*) to finish (speaking); *siehe* **ausgesprochen**.

aussprengen *vt sep* (*mit Sprengstoff*) to blast out.

ausspringen *sep irreg* I *vi aux sein* (*Feder, Kette*) to jump out. II *vt* (*Ski*) **eine Schanze voll** ~ to jump the maximum length on a ski-jump.

ausspritzen *vt sep* 1. *Flüssigkeit* to squirt out; (*sprühend*) to spray out; (*fig*) *Gift* to pour out. 2. *Bottich* to flush (out); (*Med*) *Zahn* to rinse out; *Ohr* to syringe. 3. *Feuer* to put out.

Ausspruch *m* remark; (*geflügeltes Wort*) saying.

ausspucken *sep* I *vt* to spit out; (*fig*) *Produkte* to pour *or* spew out; (*hum inf*) *Geld* to cough up (*inf*); *Gelerntes* to regurgitate. II *vi* to spit. **vor jdm** ~ to spit at sb's feet; (*fig*) to spit upon sb.

ausspülen *vt sep* to rinse (out); (*kräftiger*) to flush (out); (*Med, Geol*) to wash out. **sich** (*dat*) **den Mund** ~ to rinse one's mouth (out.)

Ausspülung *f* (*Med*) irrigation.

ausstaffieren* *vt sep* (*inf*) to equip, to fit out; jdn to rig *or* kit out; (*herausputzen*) to dress up.

Ausstaffierung *f* (*inf*) equipment, fittings *pl*; (*Kleidung*) rig(-out) (*inf*), outfit.

Ausstand *m* 1. (*Streik*) strike, industrial action. **im** ~ **sein** to be on strike; **in den** ~ **treten** to (go on) strike, to take industrial action. 2. *usu pl* (*Comm*) outstanding debt. 3. **seinen** ~ **geben** to hold a leaving party.

ausständig *adj sep Metallteil* to stamp out; *Loch* to punch (out).

ausstatten *vt sep* to equip; (*versorgen*) to provide, to furnish; (*mit Rechten*) to vest (*esp Jur*); (*möblieren*) to furnish; *Buch* to produce. **mit Humor/Intelligenz ausgestattet sein** to be endowed with humour/intelligence; **ein Zimmer neu** ~ to refurbish a room.

Ausstattung *f* 1. *siehe vt* equipping; provision; vesting; furnishing; production.
2. (*Ausrüstung*) equipment; (*Tech auch*) fittings *pl*; (*Kapital*) provisions *pl*; (*von Zimmer*) furnishings *pl*; (*Theat*) décor and costumes; (*Mitgift*) dowry; (*von Buch*) presentation.

ausstechen *vt sep irreg* 1. *Pflanzen, Unkraut* to dig up; *Torf, Plätzchen* to cut out; *Apfel* to core; *Graben* to dig (out).

2. *Augen* (*esp als Strafe*) to gouge out, to put out.

3. (*fig*) *jdn* (*verdrängen*) to push out; (*übertreffen*) to outdo. **jdn bei einem Mädchen/beim Chef ~** to take sb's place in a girl's affections/push sb out of favour with the boss.

Ausstechform *f* (*Cook*) cutter.

ausstehen *sep irreg* **I** *vt* (*ertragen*) to endure; (*erdulden auch*) to put up with; *Sorge, Angst* to go through, to suffer. **ich kann ihn/so etwas nicht ~** I can't bear *or* stand him/anything like that; **jetzt ist es ausgestanden** now it's all over; **mit jdm viel auszustehen haben** to have to go through a lot with sb *or* put up with a lot from sb.

II *vi* **1.** to be due; (*Antwort*) to be still to come; (*Buch*) to be still to appear; (*Entscheidung*) to be still to be taken; (*Lösung*) to be still to be found; (*noch zu erwarten sein*) to be still to be expected.

2. (*Schulden*) to be owing. **Geld ~ haben** to have money owing; **~de Forderungen** outstanding demands.

aussteigen *vi sep irreg aux sein* **1.** to get out (*aus* of); (*aus Bus, Zug auch*) to get off (*aus etw* sth), to alight (*aus* from) (*form*); (*Aviat sl*) to bale *or* bail out (*aus* of); (*fig: aus Gesellschaft*) to opt out. **alles ~!** everybody out!; (*von Schaffner*) all change!

2. (*Sport: aufgeben*) to give up, to retire (*aus* from); (*bei Wettrennen auch*) to drop out (*aus* of). **einen Gegenspieler ~ lassen** (*esp Ftbl*) to outplay an opponent.

3. (*inf: aus Geschäft*) to get out (*aus* of).

Aussteiger(in *f*) *m* **-s, -** (*aus Gesellschaft*) person who opts out, dropout (*esp pej*).

ausstellen *sep* **I** *vt* **1.** (*zur Schau stellen*) to display; (*auf Messe, in Museum*) to exhibit.

2. (*ausschreiben*) to make out (*jdm* to sb), to write (out) (*jdm* sb); (*behördlich ausgeben*) to issue (*jdm etw* sb with sth, sth to sb). **einen Scheck auf jdn ~** to make out a cheque to sb, to make a cheque payable to sb; **eine Rechnung über DM 100 ~** to make out a bill for DM 100.

3. (*ausschalten*) *Gerät* to turn *or* switch off; *siehe* **ausgestellt.**

II *vi* to exhibit.

Aussteller(in *f*) *m* **-s, - 1.** (*auf Messe*) exhibitor. **2.** (*von Dokument*) issuer; (*von Scheck*) drawer.

Ausstellfenster *nt* (*Aut*) quarterlight.

Ausstellung *f* **1.** (*Kunst~, Messe*) exhibition; (*Blumen~, Hunde~*) show. **2.** *no pl* (*von Scheck, Rezept, Rechnung*) making out; (*behördlich*) issuing.

Ausstellungsdatum *nt* date of issue; **Ausstellungsfläche** *f* exhibition area; **Ausstellungsgelände** *nt* exhibition site *or* area; **Ausstellungsstück** *nt* (*in Ausstellung*) exhibit; (*in Schaufenster*) display item; **Ausstellungstag** *m* day of issue.

Ausstelbe|etat *m* (*hum*) **auf dem ~ stehen** *or* **sein** to be being phased out; **etw auf den ~ setzen** to phase sth out.

Aussterben *nt* **-s,** *no pl* extinction. **im ~ begriffen** dying out, becoming extinct; **vom ~ bedroht sein** to be threatened by extinction.

aussterben *vi sep irreg aux sein* to die out; (*Spezies, Geschlecht auch*) to become extinct. **die Dummen sterben nie aus** there's one born every minute.

Aussteuer *f* **-, -n** dowry.

aussteuern *vt sep* **1.** *Tochter* to provide with a dowry. **2.** (*Insur*) to disqualify.

Aussteuerung *f* (*Insur*) disqualification.

Aussteuerversicherung *f* endowment insurance (*for one's daughter's wedding*).

Aussteuerungsautomatik *f* automatic tuning.

Ausstieg *m* **-(e)s, -e 1.** *no pl* (*das Aussteigen*) climbing out (*aus* of); (*aus Bus, Zug*) getting out *or* off, alighting (*aus* from) (*form*); (*fig*) (*aus Gesellschaft*) opting out (*aus* of). **der ~ aus der Kernenergie** abandoning nuclear energy; **der ~ aus einer Organisation** withdrawal from an organization. **2.** (*Ausgang*) exit. **3.** (*auch ~luke*) escape hatch.

Ausstiegsklausel *f* opt-out clause.

ausstopfen *vt sep Kissen, Tiere* to stuff; *Ritzen* to fill. **sich** (*dat*) **den Bauch ~** to pad one's stomach.

Ausstoß *m* **1.** (*Phys, Tech: das Ausstoßen*) expulsion, ejection, discharge; (*von Torpedo, Geschoß*) firing. **2.** (*Ausschluß von Verein*) expulsion. **3.** (*Produktion*) output, production.

ausstoßen *vt sep irreg* **1.** (*herausstoßen*) to eject, to discharge; *Atem, Plazenta* to expel; *Gas* to give off, to emit; (*Naut*) *Torpedo* to fire; (*herstellen*) *Teile, Stückzahl* to put *or* turn out, to produce.

2. sich (*dat*) **ein Auge/einen Zahn ~** to lose an eye/a tooth; **jdm ein Auge/einen Zahn ~** to put sb's eye out/to knock sb's tooth out.

3. (*ausschließen*) (*aus Verein, Armee*) to expel (*aus from*); (*verbannen*) to banish (*aus* from). **jdn aus der Gesellschaft ~** to banish sb *or* cast sb out from society; *siehe* **Ausgestoßene(r).**

4. (*äußern*) to utter; *Schrei* to give; *Seufzer* to heave.

5. (*Ling*) *Laut* to drop.

Ausstoßung *f* **-,** *no pl* (*aus* from) (*Ausschließung*) expulsion; (*aus der Gesellschaft*) banishment; (*aus einer Gemeinschaft auch*) exclusion.

ausstrahlen *sep* **I** *vt* to radiate (*auch fig*); *Licht, Wärme* to give off; (*Rad, TV*) to transmit, to broadcast.

II *vi aux sein* to radiate; (*esp Licht, Wärme auch*) to be given off; (*Schmerz*) to extend, to spread (*bis in +acc* as far as). **seine Freude strahlte auf die Zuhörer aus** his joy was communicated to the listeners.

Ausstrahlung *f* radiation; (*Rad, TV*) transmission, broadcast(ing); (*fig: von Ort*) aura; (*von Mensch*) charisma.

ausstrecken *sep* **I** *vt* to extend (*nach towards*); *Fühler auch* to put out; *Hand auch, Beine* to stretch out; *Zunge* to stick out (*nach* at). **mit ausgestreckten Armen** with arms extended. **II** *vr* to stretch (oneself) out.

ausstreichen *vt sep irreg* **1.** *Geschriebenes* to cross *or* strike out, to delete; *(fig)* to obliterate. **jds Namen auf einer Liste** ~ to cross *or* strike sb's name off a list. **2.** *(glätten) Falten* to smooth out. **3.** *(breit streichen) Teig* to spread out. **4.** *Backform (mit Fett)* to grease. **5.** *(ausfüllen) Risse* to fill, to smooth over.

ausstreuen *vt sep* to scatter, to spread; *(fig) Gerücht* to spread, to put about. **etw mit etw** ~ to cover sth with sth.

ausströmen *sep* **I** *vi aux sein* **1.** *(herausfließen)* to stream *or* pour out *(aus* of); *(entweichen)* to escape *(aus* from). **2.** *(ausstrahlen)* **die Hitze, die vom Ofen ausströmt** the heat which is radiated from the stove; **etw strömt von jdm/etw aus** *(fig)* sb/sth radiates sth.
II *vt Duft, Gas* to give off; *(ausstrahlen) Wärme, Ruhe* to radiate.

aussuchen *vt sep (auswählen)* to choose; *(esp iro)* to pick. **such dir was aus!** choose *or* pick what you want, take your pick.

austarieren* *vt sep* **1.** *(ins Gleichgewicht bringen)* to balance. **2.** *(Aus: Leergewicht feststellen)* to determine the tare weight of.

Austausch *m* exchange; *(von Gedanken auch)* interchange; *(Ersatz)* replacement; *(Sport)* substitution. **im** ~ **für** *or* **gegen** in exchange for.

austauschbar *adj* exchangeable; *(untereinander ~)* interchangeable; *(ersetzbar)* replaceable.

austauschen *vt sep (lit, fig)* to exchange *(gegen* for); *(untereinander ~)* to interchange; *(ersetzen)* to replace *(gegen* with).

Austauschmotor *m* replacement engine; **Austauschschüler(in** *f)* *m* exchange student *or* pupil; **Austauschstudent(in** *f)* *m* exchange student; **austauschweise** *adv* as part of an exchange; *(bei Studenten)* on an exchange basis.

austeilen *vt sep* to distribute *(unter +dat, an +acc* among); *(aushändigen auch)* to hand out *(unter +dat, an +acc* to); *Spielkarten* to deal (out); *Essen* to serve; *Sakrament* to administer, to dispense; *Befehle* to give, to issue; *Prügel* to hand out, to administer.

Austeilung *f* distribution; *(Aushändigung auch)* handing out; *(von Essen)* serving; *(von Sakrament)* administration, dispensation.

Auster *f* -, -n oyster.

Austernbank *f* oyster bed *or* bank; **Austernfischer** *m (Orn)* oyster catcher; **Austernpilz** *m* Chinese mushroom; **Austernschale** *f* oyster shell; **Austernzucht** *f* oyster farm; *(Austernzüchtung)* oyster farming.

austilgen *vt sep (geh)* to eradicate *(auch fig)*; *Schädlinge auch, Menschen* to exterminate; *Erinnerung* to obliterate.

austoben *sep* **I** *vt* to work off *(an +dat* on).
II *vr (Mensch)* to let off steam; *(sich*

müde machen) to tire oneself out; *(ein wildes Leben führen)* to have one's fling. **ein Garten, wo sich die Kinder** ~ **können** a garden where the children can romp about; **hat sie sich jetzt ausgetobt?** has she cooled down now?

austollen *vr sep (umherspringen)* to have a good romp.

Austrag *m* **-(e)s,** *no pl (form)* settlement, resolution; *(Sport: von Wettkampf)* holding. **zum** ~ **kommen/gelangen** to be up for settlement/to be settled *or* decided.

austragen *sep irreg* **I** *vt* **1.** *Problem, Frage* to deal with; *Duell, Wettkampf* to hold. **einen Streit mit jdm** ~ to have it out with sb. **2.** *Waren, Post* to deliver. **3. ein Kind** ~ to carry a child (through) to the full term; *(nicht abtreiben)* to have a child. **4.** *Zahlen, Daten* to take out; *(aus Liste, bei Buchung) jdn* to cancel sb's name.
II *vr* to sign out.

Austräger(in *f)* *m* delivery man/boy; *(von Zeitungen)* newspaper man/boy. **wir suchen Studenten als** ~ we are looking for students to deliver newspapers.

Austragung *f (Sport)* holding.

Austragungs|ort *m (Sport)* venue.

Australide(r) *mf decl as adj* Australoid.

Australien [-iən] *nt* **-s** Australia. ~ **und Ozeanien** Australasia.

Australier(in *f)* [-iɐ, -iərɪn] *m* **-s,** - Australian.

australisch *adj* Australian. **A~er Bund** the Commonwealth of Australia.

austräumen *vt sep* to finish dreaming. **sein Traum von Reichtümern ist ausgeträumt** *(fig)* his dream of riches is over.

austreiben *sep irreg* **I** *vt* **1.** *Vieh* to drive *or* turn out. **2.** *(vertreiben)* to drive out; *Teufel auch* to exorcise, to cast out *(esp old, liter)*. **jdm etw** ~ to cure sb of sth; *(esp durch Schläge)* to knock sth out of sb. **3.** *(Typ) Zeilen* to space out.
II *vi (sprießen)* to sprout.

Austreibung *f* expulsion; *(von Teufel)* exorcism, driving out, casting out *(esp old, liter)*.

austreten *sep irreg* **I** *vi aux sein* **1.** *(herauskommen)* to come out *(aus* of); *(Blut auch)* to issue *(aus* from); *(entweichen: Gas)* to escape *(aus* from, through). **2.** *(Med: bei Bruch)* to protrude. **3.** *(inf: zur Toilette gehen)* to go to the loo *or* john *(US) (inf)*; *(Sch)* to be excused *(euph)*. **4.** *(ausscheiden)* to leave *(aus etw* sth); *(formell)* to resign *(aus* from); *(aus politischer Gemeinschaft)* to withdraw *(aus* from).
II *vt Spur, Feuer* to tread out; *Schuhe* to wear out (of shape).

austricksen *vt sep (inf: Sport, fig)* to trick.

austrinken *vti sep irreg* to finish. **trink (deine Milch) aus!** drink (your milk) up.

Austritt *m* **1.** *no pl (das Heraustreten) (von Flüssigkeit)* outflow; *(das Entweichen)* escape; *(von Kugel)* exit; *(esp* *von Eiter*) discharge; (*von Blut*) issue; (*Med: von Bruch*) protrusion.

2. (*das Ausscheiden*) leaving *no art* (*aus etw* sth); (*formell*) resignation (*aus* from); (*aus politischer Gemeinschaft*) withdrawal (*aus* from). **die ~e aus der Kirche häufen sich** there are more and more people leaving the church.

Austritts|erklärung *f* (notice of) resignation.

Austro *in cpds* Austro-.

austrocknen *sep* **I** *vi aux sein* to dry out; (*Fluß*) to dry up; (*Kehle*) to become parched. **II** *vt* to dry out; *Fluß* to dry up; *Kehle* to make parched; (*trockenlegen*) *Sumpf auch* to drain.

austrompeten* *vt sep siehe* **ausposaunen**.

austüfteln *vt sep* (*inf*) to work out; (*ersinnen*) to think up.

aus|üben *vt sep* **1.** *Beruf, Kunst* to practise; *Gewerbe auch* to carry on; *Aufgabe, Funktion, Amt* to perform; (*innehaben*) *Amt* to hold. **eine Praxis ~** to have a practice, to be in practice.
2. *Druck, Einfluß* to exert (*auf +acc* on); *Macht, Recht* to exercise; *Wirkung* to have (*auf +acc* on). **einen Reiz auf jdn ~** to have *or* hold an attraction for sb.

aus|übend *adj Arzt, Rechtsanwalt, Künstler* practising; *Gewalt* executive.

Aus|übung *f siehe vt* **1.** practice; performance; holding. **die ~ einer Praxis** having a practice; **in ~ seines Dienstes/seiner Pflicht** (*form*) in the execution of his duty; **in ~ seines Berufs** (*form*) in pursuance of one's profession (*form*). **2.** exertion; exercise.

aus|ufern *vi sep aux sein* (*lit rare: Fluß*) to burst *or* break its banks; (*fig*) to get out of hand; (*Konflikt*) to escalate (*zu* into).

Ausverkauf *m* (clearance) sale; (*wegen Geschäftsaufgabe*) closing-down sale; (*fig: Verrat*) sell-out. **etw im ~ kaufen** to buy sth at the sale(s).

ausverkaufen* *vt sep* to sell off, to clear.

ausverkauft *adj* sold out. **vor ~em Haus spielen** to play to a full house.

auswachsen *sep irreg* **I** *vi aux sein* **1.** **das ist (ja) zum A~** (*inf*) it's enough to drive you mad *or* round the bend (*inf*).
2. (*Getreide*) to sprout.
3. (*Narbe*) to grow over; (*Mißbildung auch*) to right itself.
II *vr* **1.** (*verschwinden*) to disappear; (*Narbe auch*) to grow over; (*sich verbessern*) to right itself.
2. sich zu etw ~ (*fig: Streit*) to turn into sth.

Auswahl *f* -, *no pl* selection (*an +dat* of); (*Angebot auch*) range; (*Wahl*) choice; (*die Besten*) pick; (*Vielfalt*) variety; (*Sport*) representative team. **ohne ~** indiscriminately; **viel/eine reiche ~** a large/wide selection *or* range; **viele Sachen zur ~ haben** to have many things to choose from; **drei Bewerber stehen zur ~** there are three applicants to choose from; **eine ~ treffen** (*eines auswählen*) to make a choice; (*einige auswählen*) to make a selection.

Auswahlband *m* selection.

auswählen *vt sep* to select, to choose (*unter +dat* from among). **sich** (*dat*) **etw ~** to select *or* choose sth (for oneself).

Auswahlmannschaft *f* representative team; **Auswahlmöglichkeit** *f* choice; **Auswahlprinzip** *nt* selection principle, criterion; **Auswahlspieler(in** *f*) *m* representative player; **Auswahlverfahren** *nt* selection procedure.

auswalzen *vt sep* **1.** *Metall* to roll out. **2.** (*fig*) to go to town on; *Thema auch* to drag out.

Auswanderer *m* emigrant.

Auswandererschiff *nt* emigrant ship; **Auswanderervisum** *nt* emigration visa.

Auswanderin *f* emigrant.

auswandern *vi sep aux sein* to emigrate (*nach, in +acc* to); (*Volk*) to migrate.

Auswanderung *f* emigration; (*Massen~*) migration.

auswärtig *adj attr* **1.** (*nicht ansässig*) non-local; *Schüler, Mitglied* from out of town. **2.** (*Pol*) foreign. **das A~e Amt** the foreign service; **das A~e Amt** the Foreign Office (*Brit*), the State Department (*US*); **der Minister des A~en** (*form*) the Foreign Minister (*Brit*), the Secretary of State (*US*).

auswärts *adv* **1.** (*nach außen*) outwards. **2.** (*außerhalb des Hauses*) away from home; (*außerhalb der Stadt*) out of town; (*Sport*) away. **von ~ anrufen** to call long distance. **~ essen** to eat out.

Auswärtsspiel *nt* (*Sport*) away (game).

auswaschen *sep irreg* **I** *vt* to wash out; (*spülen*) to rinse (out); (*Geol auch*) to erode. **II** *vr* (*Farbe*) to wash out.

auswechselbar *adj* (ex)changeable; (*untereinander ~*) interchangeable; (*ersetzbar*) replaceable.

auswechseln *sep* **I** *vt* to change; (*esp gegenseitig*) to exchange; (*ersetzen*) to replace; (*Sport*) to substitute (*gegen* for). **er ist wie ausgewechselt** (*fig*) he's a changed *or* different person. **II** *vi* (*Sport*) to bring on a substitute, to make a substitution.

Auswechselspieler(in *f*) *m* substitute.

Auswechs(e)lung *f* exchange; (*Ersatz*) replacement; (*Sport*) substitution.

Ausweg *m* way out; (*fig: Lösung auch*) solution. **der letzte ~** a last resort; **er sieht keinen anderen ~, als ... zu** he can see no other way out but to ...; **sich** (*dat*) **einen ~ offenlassen** *or* **offenhalten** to leave oneself an escape route *or* a way out.

ausweglos *adj* (*fig*) hopeless; **Ausweglosigkeit** *f* (*fig*) hopelessness.

ausweichen *vi sep irreg aux sein* **1.** (*Hindernis, Gefahr umgehen*) to get out of the way (*+dat* of); (*Platz machen*) to make way (*+dat* for). **nach rechts ~** to make way by going to the right.
2. (*zu entgehen versuchen*) (*lit*) to get out of the way; (*fig*) to evade the point/issue. **einer Sache** (*dat*) **~** (*lit*) to avoid sth; (*fig*) to evade *or* dodge (*inf*) sth; **jdm/einer Begegnung ~** to avoid sb/a meeting; **dem Feind ~** to avoid (contact with) the enemy; **eine ~de Antwort** an evasive answer.

3. auf etw (acc) ~ (fig) to switch to sth.

Ausweichflughafen m alternative airport; **Ausweichmanöver** nt evasive action or manoeuvre; **Ausweichmöglichkeit** f (fig) alternative; (lit) possibility of getting out of the way; **Ausweichstelle** f (auf Straßen) passing place.

ausweiden vt sep (Hunt) to break up; Opfertier to disembowel.

ausweinen sep I vr to have a (good) cry. **sich bei jdm** ~ to have a cry on sb's shoulder; **sich** (dat) **die Augen** ~ to cry one's eyes or heart out (nach over). **II** vi to finish crying. **III** vt **seinen Kummer** ~ to weep (bei jdm on sb's shoulder).

Ausweis m **-es, -e 1.** (Mitglieds~/ Leser~/Studenten~) (membership/ library/student) card; (Personal~) identity card; (Berechtigungsnachweis) pass. ~, **bitte** your papers please.
2. (Beleg) proof; (von Identität) proof of identity, identification. **nach** ~ +gen (form) according to.
3. (Bank~) bank return.

ausweisen sep irreg **I** vt **1.** (aus dem Lande) to expel, to deport.
2. (Identität nachweisen) to identify.
3. (zeigen) to reveal.
II vr **1.** to identify oneself. **können Sie sich** ~? do you have any means of identification?
2. sich als etw ~ (sich erweisen) to prove oneself to be sth.

Ausweiskarte f siehe **Ausweis 1.**; **Ausweiskontrolle** f identity check; **Ausweispapiere** pl identity papers pl; **Ausweispflicht** f obligation to carry an identity card.

Ausweisung f expulsion, deportation.

Ausweisungsbefehl m expulsion or deportation order.

ausweiten sep **I** vt to widen; esp Dehnbares to stretch; (fig) to expand (zu into). **II** vr to widen; (esp Dehnbares) to stretch; (fig) (Thema, Bewegung) to expand (zu into); (sich verbreiten) to spread.

Ausweitung f widening; (Ausdehnung) stretching; (fig) expansion; (von Konflikt auch) widening; (Verbreitung) spreading.

auswendig adv by heart, from memory. **etw** ~ **können/lernen** to know/learn sth (off) by heart; **das kann ich schon** ~ (fig inf) I know it backwards (inf) or by heart; **ein Musikstück** ~ **spielen** to play a piece (of music) from memory; siehe **inwendig**.

Auswendiglernen nt **-s**, no pl (von Geschichtszahlen, Fakten) learning by heart, memorizing. **ein Gedicht zum** ~ **a** poem to learn by heart.

auswerfen vt sep irreg **1.** Anker, Netz, Leine to cast.
2. Lava, Asche to throw out, to eject; Geschoßhülsen to eject.
3. (Schleim, Blut) to cough up.
4. (herausschaufeln) to shovel out; Graben to dig out.
5. (verteilen) Dividende to pay out;

(zuteilen) Mittel, Summen to allocate.
6. (Comm) Posten to set out.

auswerten vt sep **1.** (bewerten) to evaluate; (analysieren) to analyse. **2.** (nutzbar machen) to utilize.

Auswertung f siehe vt **1.** evaluation; analysis. **2.** utilization.

auswetzen vt sep to grind out.

auswickeln vt sep Paket, Bonbon to unwrap. **ein Kind** ~ to take a child out of its blankets

auswiegen vt sep irreg to weigh (out).

auswirken vr sep to have an effect (auf +acc on). **sich günstig/negativ** ~ to have a favourable/negative effect; **sich in etw** (dat) ~ to result in sth; **sich zu jds Vorteil** ~ to work or turn out to sb's advantage.

Auswirkung f (Folge) consequence; (Wirkung) effect; (Rückwirkung) repercussion.

auswischen vt sep to wipe out; Glas, Wunde to wipe clean; Schrift to rub or wipe out. **sich** (dat) **die Augen** ~ to rub or wipe one's eyes; **jdm eins** ~ (inf) to get one over on sb (inf); (aus Rache) to get one's own back on sb.

auswringen vt sep irreg to wring out.

Auswuchs m **1.** (out)growth; (Med, Bot auch) excrescence (form); (Mißbildung) deformity. **2.** (fig) (Mißstand, Übersteigerung) excess.

auswuchten vt sep Räder to balance.

Auswurf m, no pl **1.** (von Lava) ejection, eruption; (ausgeworfene Lava auch) ejecta pl (Geol).
2. (Med) sputum. ~/**blutigen** ~ **haben** to bring up phlegm/be coughing up blood.

auswürfeln sep **I** vi to throw dice; (das Glück entscheiden lassen) to draw lots. **II** vt to (throw) dice for.

auszacken vt sep to serrate.

auszahlen sep **I** vt Geld etc to pay out; Arbeiter, Gläubiger to pay off; Kompagnon to buy out. **er bekommt DM 400 die Woche ausgezahlt** his net pay is DM 400 a week. **II** vr (sich lohnen) to pay (off).

auszählen sep **I** vt Stimmen to count (up); (durch Zählen wählen) Person to choose or select (by counting); (Boxen) to count out. **II** vi (bei Kinderspielen) to count out.

Auszahlung f siehe vt paying out; paying off; buying out. **zur** ~ **kommen** (form) or **gelangen** (form) to be paid out.

Auszählung f (von Stimmen etc) counting (up), count.

auszehren vt sep to drain, to exhaust. ~**de Krankheit** wasting disease.

Auszehrung f **1.** (Kräfteverfall) emaciation. **unter personeller** ~ **leiden** (fig) to be short-staffed. **2.** (obs Med) consumption (old).

auszeichnen sep **I** vt **1.** (mit Zeichen versehen) to mark; Waren to label; (Typ) Manuskript to mark up; Überschrift to display. **etw mit einem Preis(schild)** ~ to price sth.
2. (ehren) to honour. **jdn mit einem Orden** ~ to decorate sb (with a medal);

jdn mit einem Preis/Titel ~ to award a prize/title to sb. **3.** (*hervorheben*) to distinguish (from all others); (*kennzeichnen*) to be a feature of. **II** *vr* to stand out (*durch* due to), to distinguish oneself (*durch* by) (*auch iro*). **dieser Wagen zeichnet sich durch gute Straßenlage aus** one of the remarkable features of this car is its good road-holding, what makes this car stand out is its good road-holding.

Auszeichnung *f* **1.** (*no pl: das Auszeichnen*) (*von Baum*) marking; (*von Waren*) labelling; (*mit Preisschild*) pricing; (*Typ: von Manuskript*) mark up. **2.** (*no pl: das Ehren*) honouring; (*mit Orden*) decoration. **seine ~ mit einem Preis** his being awarded a prize. **3.** (*Markierung*) marking (+*gen, an* +*dat* on); (*an Ware*) ticket; (*Typ: auf Manuskript*) mark up. **4.** (*Ehrung*) honour, distinction; (*Orden*) decoration; (*Preis*) award, prize. **mit ~ bestehen** to pass with distinction.

Auszeit *f* (*Sport*) time out.

ausziehbar *adj* extendible, extensible; *Antenne* telescopic. **ein ~er Tisch** a pull-out table.

ausziehen *sep irreg* **I** *vt* **1.** (*herausziehen*) to pull out; (*verlängern auch*) to extend; *Metall* (*zu Draht*) to draw out (*zu* into). **2.** *Kleider* to take off, to remove; *jdn* to undress. **jdm die Jacke ~** to take off sb's jacket; **sich** (*dat*) **etw ~** to take off sth; **die Uniform ~** (*fig*) to retire from the services; **das zieht einem ja die Schuhe** *or* **Socken** *or* **Stiefel aus!** (*sl*) it's enough to make you cringe! **3.** (*nachzeichnen*) *Linie* to trace (*mit Tusche* in ink). **II** *vr* (*sich entkleiden*) to undress, to take off one's clothes. **III** *vi aux sein* (*aufbrechen, abreisen*) to set out; (*demonstrativ*) to walk out; (*aus einer Wohnung*) to move (*aus* out of). **auf Abenteuer/Raub ~** to set off *or* out in search of adventure/to rob and steal; **zur Jagd ~** to set off for the hunt; **zum Kampf ~** to set off to battle.

Ausziehfeder *f* drawing pen; **Ausziehleiter** *f* extension ladder; **Ausziehplatte** *f* (*von Tisch*) leaf; **Ausziehtisch** *m* extending *or* pull-out table; **Ausziehtusche** *f* drawing ink.

auszischen *vt sep* (*Theat*) to hiss (off).

Auszubildende(r) *mf decl as adj* trainee.

Auszug *m* **1.** (*das Weggehen*) departure; (*demonstrativ*) walk-out; (*zeremoniell*) procession; (*aus der Wohnung*) move. **der ~ der Kinder Israel** (*Bibl*) the Exodus (of the Children of Israel). **2.** (*Ausschnitt, Exzerpt*) excerpt; (*aus Buch auch*) extract; (*Zusammenfassung*) abstract, summary; (*Konto~*) statement; (*Chem*) extract; (*Mus*) arrangement. **etw in Auszügen drucken** to print extracts of sth.

auszugsweise *adv* in extracts *or*

excerpts; (*gekürzt*) in an/the abridged version; **a~ aus etw lesen** to read extracts from sth.

autark *adj* self-sufficient (*auch fig*), autarkical (*Econ*).

Autarkie *f* self-sufficiency (*auch fig*), autarky (*Econ*).

authentisch *adj* authentic; (*Mus*) *Kadenz* perfect.

Authentizität *f* authenticity.

Autismus *m* autism.

autistisch *adj* autistic.

Auto *nt* **-s, -s** car, automobile (*esp US, dated*). **~ fahren** (*selbst*) to drive (a car); (*als Mitfahrer*) to go by car; **mit dem ~ fahren** to go by car; **er guckt wie ein ~** (*inf*) his eyes are popping out of his head (*inf*).

Autoapotheke *f* first-aid kit (for the car); **Autoatlas** *m* road atlas.

Autobahn *f* motorway (*Brit*), expressway (*US*), freeway (*US*).

Autobahn *in cpds* motorway *etc*; **Autobahnausfahrt** *f* motorway *etc* exit; **Autobahndreieck** *nt* motorway *etc* merging point; **Autobahngebühr** *f* motorway toll; **Autobahnkreuz** *nt* motorway *etc* intersection; **Autobahnrasthof** *m*, **Autobahnraststätte** *f* motorway *etc* service area *or* services *pl*; **Autobahnring** *m* motorway ring road; **Autobahnzubringer** *m* motorway *etc* approach road *or* feeder.

Autobatterie *f* car battery; **Autobiograph(in** *f*) *m* autobiographer; **Autobiographie** *f* autobiography; **autobiographisch** *adj* autobiographical; **Autobombe** *f* car bomb.

Autobus *m* bus; (*Reiseomnibus*) coach (*Brit*), bus. **einstöckiger/zweistöckiger ~** single-decker/double-decker (bus).

Autocamping *nt* driving and camping; **Autocar** *m* **-s, -s** (*Sw*) coach (*Brit*), bus; **Autodidakt(in** *f*) *m* **-en, -en** autodidact (*form*), self-educated person; **autodidaktisch** *adj* autodidactic (*form*), self taught *no adv*; **sich ~ bilden** to educate oneself; **Autodieb(in** *f*) *m* car thief; **Autodiebstahl** *m* car theft; **Autodrom** *nt* **-s, -e 1.** motor-racing circuit; **2.** (*Aus*) dodgems *pl*; **elektrikAuto** *f* (car) electrics *pl*; **Autoerotik** *f* autoeroticism; **Autofähre** *f* car ferry; **Autofahren** *nt* driving (a car); (*als Mitfahrer*) driving in a car; **Autofahrer(in** *f*) *m* (car) driver; **Autofahrergruß** *m* (*iro auch*) **jdm den ~ bieten** ≃ to give sb a V (*Brit*) *or* the finger (*US*) sign; **Autofahrt** *f* drive; **Autofalle** *f* (*bei Überfällen*) road trap; (*Radarkontrolle*) speed *or* radar trap; **Autofocuskamera** *f* autofocus camera; **Autofriedhof** *m* (*inf*) car dump; **Autogas** *nt* liquefied petroleum gas.

autogen *adj* autogenous. **~es Training** (*Psych*) relaxation through self-hypnosis.

Autogenschweißen *nt* autogenous welding.

Autogramm *nt* **-s, -e** autograph.

Autogrammjäger(in *f*) *m* autograph hunter; **Autogrammstunde** *f* autograph(ing) session.

Autoindustrie f car industry; **Autokarte** f road map; **Autokino** nt drive-in cinema (*Brit*) or movie theater (*US*); **Autoknacker** m (*inf*) car burglar; **Autokolonne** f line of cars; **Autokrat(in** f) m -en, -en autocrat; **Autokratie** f autocracy; **autokratisch** adj autocratic; **Autolenker(in** f) m (*Sw*) (car) driver; **Automarder** m (*sl*) siehe **Autoknacker**; **Automarke** f make (of car).

Automat m -en, -en (*auch fig: Mensch*) machine; (*Verkaufs*) vending machine; (*Roboter*) automaton, robot; (*Musik~*) jukebox; (*Spiel~*) slot-machine; (*Rechen~*) calculator; (*rare: Telefon~*) pay-phone; (*Elec: selbsttätige Sicherung*) cut-out.

Automatenbuffet nt (*esp Aus*) automat; **Automatenknacker** m (*inf*) vandal (*who breaks into vending machines*); **Automatenrestaurant** nt siehe **Automatenbuffet**.

Automatic, Automatik[1] m -s, -s (*Aut*) automatic.

Automatik[2] f automatic mechanism (*auch fig*); (*Gesamtanlage*) automatic system; (*Rad*) automatic frequency control, AFC; (*Aut*) automatic transmission.

Automatikgurt nt inertia(-reel) seat belt; **Automatikschaltung** f automatic transmission; **Automatikwagen** m automatic.

Automation f automation.

automatisch adj automatic.

automatisieren* vt to automate.

Automatisierung f automation.

Automatismus m automatism.

Automechaniker m car or motor mechanic; **Autominute** f minute by car, minute's drive.

Automobil nt -s, -e (*dated, geh*) motorcar, automobile (*esp US, dated*).

Automobilausstellung f motor show; **Automobilbau** m -s, no pl car or automobile (*US*) manufacture; **Automobilclub** m automobile association.

Automobilist m (*Sw, geh*) (car) driver.

Automobilklub m siehe **Automobilclub**; **Automobilsalon** m motor show.

Automodell nt (car) model; (*Miniaturauto*) model car; **autonom** adj autonomous (*auch fig*); *Nervensystem* autonomic; **Autonome(r)** mf decl as adj (*Pol*) independent; **Autonomie** f autonomy (*auch fig*); **Autonomist(in** f) m autonomist; **Autonummer** f (car) number; **Autoöl** nt motor oil; **Autopilot** m (*Aviat*) autopilot.

Autopsie f (*Med*) autopsy.

Autor m [au'to:rən] author.

Autoradio nt car radio; **Autoreifen** m car tyre; **Autoreisezug** m ≃ motorail train; **mit dem ~ fahren** to go by motorail.

Autorenkollektiv nt team of authors.

Autorennbahn f motor-racing circuit; **Autorennen** nt (motor) race; (*Rennsport*) motor racing; **Autorennsport** m motor racing.

Autorenregister nt index of authors.

Autoreparaturwerkstatt f garage, car repair shop.

Autorin f authoress.

autorisieren* vt to authorize.

autoritär adj authoritarian.

Autorität f (*alle Bedeutungen*) authority.

autoritativ adj (*geh*) authoritative.

autoritätsgläubig adj trusting in authority; **Autoritätsgläubigkeit** f trust in authority; **autoritätshörig** adj slavishly following authority.

Autorkorrektur f (*Korrekturfahne*) author's proof; (*Änderung*) author's correction; **Autorschaft** f authorship.

Autoschalter m drive-in counter; **Autoschlange** f queue (*Brit*) or line of cars; **Autoschlosser(in** f) m car mechanic; **Autoschlosserei** f garage; **Autoskooter** m dodgem or bumper car; **Autospengler(in** f) m (*S Ger, Aus, Sw*) siehe **Autoschlosser**; **Autostellplatz** m (car) parking space; **Autostop(p)** m (*esp S Ger*) hitch-hiking, hitching; **~ machen**, **per ~ fahren** to hitch(-hike); **Autostraße** f main road, highway (*esp US*); **Autostrich** m (*inf*) prostitution to cardrivers; (*Gegend*) kerb-crawling area (*inf*); **Autostunde** f hour's drive; **Autosuggestion** f autosuggestion; **Autotelefon** nt car phone; **Autotypie** f autotypy; **Autounfall** m car accident; **Autoverkehr** m motor traffic; **Autoverleih** m, **Autovermietung** f car hire or rental; (*Firma*) car hire or rental firm; **Autoversicherung** f car or motor insurance; **Autowerkstatt** f garage, car repair shop (*US*); **Autowrack** nt (car) wreck, wrecked car; **Autozoom** nt (*Phot*) automatic zoom (lens); **Autozubehör** nt car or motor accessories pl; **Autozug** m siehe **Autoreisezug**.

autsch interj (*inf*) ouch, ow.

auweh, auwei(a) interj oh dear.

Avance [a'vã:sə] f -, -n **jdm ~n machen** (*geh*) to make approaches to sb.

avancieren* [avã'si:rən] vi aux sein (*dated, geh*) to advance (*zu* to).

Avant- [avã]: **Avantgarde** f (*geh*) (*Art*) avant-garde; (*Pol*) vanguard; **Avantgardismus** m avant-gardism; **Avantgardist** m member of the avant-garde, avant-gardist; **avantgardistisch** adj avant-garde.

AvD [a:fau'de:] abbr of **Automobilclub von Deutschland.**

Ave-Maria ['a:vema'ri:a] nt -(s), -(s) Ave Maria; (*Gebet auch*) Hail Mary.

Avers [a'vɛrs] m -es, -e face, obverse.

Aversion [avɛr'zio:n] f aversion (*gegen* to).

Aviarium [a'via:rium] nt (*geh*) aviary.

Avis [a'vi:] m or nt -, -, **Avis** [a'vi:s] m or nt -es, -e (*Comm*) advice (*Comm*); (*schriftlich*) advice-note.

avisieren* [avi'zi:rən] vt to send notification of, to advise of.

Aviso [a'vi:zo] nt -s, -s (*Aus*) siehe **Avis.**

Avitaminose [avitami'no:zə] f -, -n (*Med*) avitaminosis.

Avocado, Avocato [avo'ka:do, -to] f -, -s avocado.

Axel m -s, - (*Sport*) axel.

axial adj axial.

Axiom nt -s, -e axiom.

axiomatisch adj axiomatic.

Axt f -, ⁻e axe (*Brit*), ax (*US*). **sich wie eine**
or **die ~ im Wald benehmen** (*fig inf*) to
behave like a peasant *or* boor; **die ~ im**
Haus erspart den Zimmermann (*Prov*)
self-help is the best help; **die ~ an etw/**
an die Wurzel einer Sache legen (*fig*) to
tear up the very roots of sth.

Axthieb m blow of the/an axe.

Ayatollah m -s, -s ayatollah.

Azalee, Azalie [-iə] f -, -n (*Bot*) azalea.

Azimut nt -s, -e (*Astron*) azimuth.

Azoren pl (*Geog*) **die ~** the Azores pl.

Azteke m -n, -n **Aztekin** f Aztec.

Azubi [aːˈtsuːbiː] m -s, -s abbr of **Auszu-**
bildende(r) trainee.

Azur m -s, no pl (*poet*) azure sky; (*Farbe*)
azure.

azurblau, azurn (*poet*) adj azure(-blue).

azyklisch adj acyclic.

B

B, b [beː] *nt* -, - B, b; (*Mus*) (*Ton*) B flat; (*Versetzungszeichen*) flat. **B-dur/b-Moll** (the key of) B flat major/minor.

babbeln *vi* (*inf*) to babble; (*Schwätzer auch*) to chatter.

Babel *nt* -s (*Bibl*) Babel; (*fig*) (*Sünden~*) sink of iniquity; (*von Sprachen*) melting pot.

Baby ['beːbi] *nt* -s, -s baby.

Baby- *in cpds* baby; **Babyausstattung** *f* layette; **Babydoll** *nt* -(s), -s baby-dolls *pl*, baby-doll pyjamas *pl*; **Babykorb** *m* bassinet.

Babylon ['baːbylɔn] *nt* -s Babylon.

babylonisch *adj* Babylonian. **eine ~e Sprachverwirrung** a Babel of languages; **der B~e Turm** the Tower of Babel; **die B~e Gefangenschaft** Babylonian captivity.

Babynahrung *f* baby food; **babysitten** *vi insep* to babysit; **Babysitter(in** *f*) *m* -s, - babysitter; **Babyspeck** *m* (*inf*) puppy fat; **Babystrich** *m* child prostitution *no art*; (*Gegend*) pick-up place for child prostitutes; **Babytragetasche** *f* carrycot; **Babywaage** *f* scales *pl* for weighing babies.

bacchantisch [ba'xantɪʃ] *adj* (*geh*) bacchanalian.

Bacchus ['baxus] *m* - (*Myth*) Bacchus. **dem ~ huldigen** (*geh*) to imbibe (*form*).

Bach *m* -(e)s, ⁻e stream (*auch fig*), brook; (*Naut, Aviat sl: Gewässer*) drink (*inf*).

bach|ab *adv* (*Sw*) downstream.

Bache *f* -, -n (wild) sow.

Bachforelle *f* brown trout.

Bächlein *nt dim of* **Bach** (small) stream, brooklet. **ein ~ machen** (*baby-talk*) to do a wee-wee (*baby-talk*).

Bachstelze *f* -, -n wagtail.

back *adv* (*Naut*) back.

Back *f* -, -en (*Naut*) **1.** (*Deck*) forecastle, fo'c'sle. **2.** (*Schüssel*) dixie, mess-tin, mess kit (*US*); (*Tafel*) mess table.

Backblech *nt* baking tray.

Backbord *nt* -(e)s, *no pl* (*Naut*) port (side). **von ~ nach Steuerbord** from port to starboard; **über ~** over the port side.

backbord(s) *adv* (*Naut*) on the port side. **(nach) ~** to port.

Bäckchen *nt* (little) cheek.

Backe *f* -, -n **1.** (*Wange*) cheek. **mit vollen ~n kauen** to chew *or* eat with bulging cheeks; (*mit Genuß*) to eat heartily; **au ~!** (*dated inf*) oh dear! **2.** (*inf: Hinter~*) buttock, cheek. **3.** (*von Schraubstock*) jaw; (*Brems~*) (*bei Auto*) shoe; (*bei Fahrrad*) block; (*von Skibindung*) toepiece; (*von Gewehr*) cheek-piece.

backen¹ *pret* **backte** *or* (*old*) **buk**, *ptp* **gebacken I** *vt* to bake; *Brot, Kuchen auch* to make; (*braten*) *Fisch, Eier* to fry; (*dial: dörren*) *Obst* to dry. **frisch/ knusprig gebackenes Brot** fresh crusty bread; **wir ~ alles selbst** we do all our own baking; **gebackener Fisch** fried fish; (*im Ofen*) baked fish.

II *vi* (*Brot, Kuchen*) to bake; (*dial: braten*) to fry; (*dial: dörren*) to dry. **der Kuchen muß noch 20 Minuten ~** the cake will have to be in the oven *or* will take another 20 minutes.

backen² (*dial inf*) *vi* (*kleben: Schnee*) to stick (*an* +*dat* to).

Backenbart *m* sideboards *pl*, sideburns *pl*, (side) whiskers *pl*; **Backenbremse** *f* (*bei Auto*) shoe brake; (*bei Fahrrad*) block brake; **Backenknochen** *m* cheekbone; **Backentasche** *f* (*Zool*) cheek pouch; **Backenzahn** *m* molar.

Bäcker(in *f*) *m* -s, - baker. **~ lernen** to learn the baker's trade, to be an apprentice baker; **~ werden** to be *or* become a baker; **beim ~** at the baker's; **zum ~ gehen** to go to the baker's.

Back|erbsen *pl* small round noodles eaten in soup.

Bäckerei *f* **1.** (*Bäckerladen*) baker's (shop); (*Backstube*) bakery. **2.** (*Gewerbe*) bakery, baking trade. **3.** (*Aus*) (*Gebäck*) pastries *pl*; (*Kekse*) biscuits *pl*.

Bäckergeselle *m*, **Bäckergesellin** *f* baker; **Bäckerjunge** *m* baker's boy; (*Lehrling*) baker's apprentice; **Bäckerladen** *m* baker's (shop); **Bäckermeister(in** *f*) *m* master baker.

Bäckersfrau *f* baker's wife.

backfertig *adj* oven-ready; **Backfett** *nt* cooking fat; **Backfisch** *m* **1.** fried fish; **2.** (*dated*) teenager, teenage girl; **Backform** *f* baking tin; (*für Kuchen auch*) cake tin.

Backhähnchen, Backhendl (*S Ger, Aus*), **Backhuhn** *nt* roast chicken; **Backobst** *nt* dried fruit; **Backofen** *m* oven; **es ist heiß wie in einem ~** it's like an oven; **Backpfeife** *f* (*dial*) slap on *or* round (*inf*) the face; **Backpflaume** *f* prune; **Backpulver** *nt* baking powder; **Backrohr** *nt* (*Aus*), **Backröhre** *f* oven.

Backstein *m* brick.

Backsteinbau *m* brick building; **Backsteingotik** *f* Gothic architecture built in brick.

Backstube *f* bakery; **Backtrog** *m* kneading *or* dough trough; **Backvorschrift** *f* baking instructions *pl*; **Backwaren** *pl* bread, cakes and pastries *pl*; **Backwerk** *nt* (*old*) cakes and pastries *pl*; **Backzeit** *f* baking time.

Bad *nt* -(e)s, ⁻er **1.** (*Wannen~, Badewanne, Phot*) bath; (*das Baden*) bathing. **ein ~ nehmen** to have *or* take a bath; (**sich** *dat*) **ein ~ einlaufen lassen** to run (oneself) a bath; **jdm ~er verschreiben** (*Med*) to prescribe sb a course of (therapeutic) baths; **~ in der Menge** (*fig*) walkabout; **ein ~ in der Menge nehmen** to go (on a) walkabout.

2. (*im Meer*) bathe, swim; (*das Baden*) bathing, swimming.

3. (*Badezimmer*) bathroom. **Zimmer mit ~** room with (private) bath.

4. (*Schwimm~*) (swimming) pool *or* bath(s). **die städtischen ~er** the public baths.

5. (*Heil~*) spa; (*See~*) (seaside) resort.

Badeanstalt *f* (public) swimming baths *pl*; **Badeanzug** *m* swimsuit, bathing suit (*US*); **Badegast** *m* **1.** (*im Kurort*) spa visitor; **2.** (*im Schwimmbad*) bather, swimmer; **Badegelegenheit** *f* **gibt es dort eine ~?** can one swim *or* bathe there?; **Bade(hand)tuch** *nt* bath towel; **Badehaube** *f* (*dated*) *siehe* Badekappe; **Badehose** *f* (swimming *or* bathing) trunks *pl*; **eine ~** a pair of (swimming *or* bathing) trunks; **Badekabine** *f* changing cubicle; **Badekappe** *f* swimming cap *or* hat, bathing cap; **Badekostüm** *nt* (*geh*) swimming *or* bathing costume; **Badelaken** *nt* bath sheet; **Bademantel** *m* beach robe; (*Morgenmantel*) bathrobe, dressing gown (*Brit*); **Badematte** *f* bathmat; **Bademeister(in** *f*) *m* (*im Schwimmbad*) (pool) attendant; (*am Strand*) lifeguard; **Bademütze** *f* *siehe* Badekappe.

baden I *vi* **1.** to have a bath, to bath. **hast du schon gebadet?** have you had your bath already?; **warm/kalt ~** to have a hot/cold bath.

2. (*im Meer, Schwimmbad*) to swim, to bathe. **sie hat im Meer gebadet** she swam *or* bathed *or* had a swim in the sea; **die B~den** the bathers; **~ gehen** to go swimming *or* (*einmal*) for a swim.

3. (*inf*) **~ gehen** to come a cropper (*inf*); **wenn das passiert, gehe ich ~** I'll be for it if that happens (*inf*).

II *vt* **1.** *Kind* to bath. **er ist als Kind zu heiß gebadet worden** (*hum*) he was dropped on the head as a child (*hum*); **in Schweiß gebadet** bathed in sweat.

2. *Augen, Wunde* to bathe.

III *vr* to bathe, to have a bath.

Baden *nt* -s (*Geog*) Baden.

Badenixe *f* (*hum*) bathing beauty *or* belle.

Baden-Württemberg *nt* -s Baden-Württemberg.

Badeofen *m* boiler; **Badeort** *m* (*Kurort*) spa; (*Seebad*) (seaside) resort; **Badeplatz** *m* place for bathing.

Bader *m* -s, - (*old*) barber (*old*); (*dial: Arzt*) village quack (*hum*).

Badesachen *pl siehe* Badezeug; **Badesaison** *f* swimming season; (*in Kurort*) spa season; **Badesalz** *nt* bath salts *pl*; **Badeschaum** *m* bubble bath; **Badeschuh** *m* bathing shoe; **Badeschwamm** *m* sponge; **Badestrand** *m* (*bathing*) beach; **Badetuch** *nt siehe* Bade(hand)tuch; **Badewanne** *f* bath(tub); **Badewasser** *nt* bath water; **Badewetter** *nt* weather warm enough for bathing *or* swimming; **Badezeit** *f* bathing *or* swimming season; **Badezeug** *nt* swimming gear, swimming *or* bathing things *pl*; **Badezimmer** *nt* bathroom; **Badezusatz** *m* bath salts,

bubble bath *etc.*

badisch *adj* Baden *attr.*

Badminton ['bɛtmɪntən] *nt* -, *no pl* badminton.

baff *adj pred* (*inf*) **~ sein** to be flabbergasted.

Bafög ['ba:føk] *nt* -, *no pl abbr of* **Bundesausbildungsförderungsgesetz. er kriegt ~** he gets a grant.

Bagage [ba'ga:ʒə] *f* -, *no pl* **1.** (*old, Sw, inf: Gepäck*) luggage, baggage. **2.** (*dated inf*) (*Gesindel*) crowd, crew (*inf*), gang (*inf*); (*Familie*) pack (*inf*). **die ganze ~** the whole bloody lot (*sl*).

Bagatelldelikt *nt* petty *or* minor offence.

Bagatelle *f* trifle, bagatelle; (*Mus*) bagatelle.

bagatellisieren* I *vt* to trivialize, to minimize. **II** *vi* to trivialize.

Bagatellsache *f* (*Jur*) petty *or* minor case; **Bagatellschaden** *m* minor *or* superficial damage; **Bagatellsteuer** *f* nuisance tax.

Bagger *m* -s, - excavator; (*für Schlamm*) dredger.

Baggerführer(in *f*) *m* driver of an/the excavator/dredger.

baggern I *vt Graben* to excavate, to dig; *Fahrrinne* to dredge. **II** *vi* (*sl: arbeiten*): **~ wie blöde** to slog one's guts out (*sl*).

Baggersee *m artificial lake in gravel pit.*

bah, bäh *interj* **1.** (*aus Schadenfreude*) hee-hee (*inf*); (*vor Ekel*) ugh. **2. ~ machen** (*baby-talk: Schaf*) to baa, to go baa.

Bahamalinseln *pl*, **Bahamas** *pl* Bahamas *pl.*

Bahn *f* -, **-en 1.** (*Weg*) path, track; (*von Fluß*) course; (*fig*) path; (*Fahr~*) carriageway. **~ frei!** make way!, (get) out of the way!; **jdm/einer Sache die ~ ebnen/frei machen** (*fig*) to pave/clear the way for sb/sth; **die ~ ist frei** (*fig*) the way is clear; **sich** (*dat*) **~ brechen** (*lit*) to force one's way; (*fig*) to make headway; (*Mensch*) to forge ahead; **einer Sache** (*dat*) **~ brechen** to blaze the trail for sth; **sich auf neuen ~en bewegen** to break new *or* fresh ground; **in gewohnten ~en verlaufen** (*fig*) to go on in the same old way, to continue as before; **von der rechten ~ abkommen** (*geh*) to stray from the straight and narrow; **jdn auf die rechte ~ bringen** (*fig*) to put sb on the straight and narrow; **etw in die richtigen ~en lenken** (*fig*) to channel sth properly; **jdn aus der ~ werfen** to throw sb off the track; (*fig*) to shatter sb.

2. (*Eisen~*) railway, railroad (*US*); (*Straßen~*) tram, streetcar (*US*); (*Zug*) (*der Eisen~, U~*) train; (*der Straßen~*) tram, streetcar (*US*); (*~hof*) station; (*Verkehrsnetz, Verwaltung*) railway *usu pl*, railroad (*US*). **mit der** *or* **per ~** by train *or* rail/tram; **frei ~** (*Comm*) carriage free to station of destination; **er ist** *or* **arbeitet bei der ~** he's with the railways *or* railroad (*US*), he works for *or* on the railways.

3. (*Sport*) track; (*für Pferderennen auch*) course; (*in Schwimmbecken*) pool; (*Kegel*) (bowling) alley; (*für ein-*

zelne Teilnehmer) lane; *(Schlitten~, Bob~)* run.
4. *(Astron)* orbit, path; *(Raketen~, Geschoß~)* (flight) path, trajectory.
5. *(Stoff~, Tapeten~)* length, strip.
Bahnanschluß *m* railway *or* railroad *(US)* connection *or* link; ~ **haben** to be connected *or* linked to the railway *or* railroad *(US)* (system); **Bahnarbeiter(in** *f)* *m* railwayman, railroader *(US);* **Bahnbeamte(r)** *m,* **Bahnbeamtin** *f* railway *or* railroad *(US)* official; **bahnbrechend** *adj* pioneering; **B~es leisten** to pioneer new developments; ~ **sein/wirken** to be pioneering; *(Erfinder)* to be a pioneer; **Bahnbrecher(in** *f)* *m* pioneer; **Bahnbus** *m* bus run by railway company.
Bahndamm *m* (railway) embankment.
bahnen *vt Fluß* to clear; *Flußbett* to carve *or* channel out. **jdm/einer Sache den/ einen Weg** ~ to clear the/a way for sb/ sth; *(fig)* to pave *or* prepare the way for sb/sth; **sich** *(dat)* **einen Weg** ~ to fight one's way.
Bahnfahrt *f* rail journey; **Bahnfracht** *f* rail freight; **bahnfrei** *adj (Comm)* carriage free to station of destination; **Bahngelände** *nt* railway *or* railroad *(US)* area; **Bahngleis** *nt* railway *or* railroad *(US)* line; *(von Straßenbahn)* tram *or* streetcar *(US)* line.
Bahnhof *m* (railway *or* railroad *(US)*/bus/ tram *or* streetcar *US)* station; *(dated: Straßen~)* tram *or* streetcar *(US)* depot. **am** *or* **auf dem** ~ at the station; ~ **Schöneberg** Schöneberg station; **ich verstehe nur** ~ *(hum inf)* it's as clear as mud (to me) *(inf)*, it's all Greek to me *(inf)*; **er wurde mit großem** ~ **empfangen** he was given the red carpet treatment, they rolled the red carpet out for him.
Bahnhof- *(esp S Ger, Aus, Sw)*, **Bahnhofs-** *in cpds* station; **Bahnhofsbuffet** *nt (esp Aus, Sw)* station buffet; **Bahnhofsgaststätte** *f* station restaurant; **Bahnhofshalle** *f (station)* concourse; **in der Bahnhofshalle** in the station; **Bahnhofsmission** *f* traveller's aid; **Bahnhofsplatz** *m* station square; **Bahnhofsuhr** *f* station clock; **Bahnhofsvorplatz** *m* station forecourt; **Bahnhofsvorstand** *(Aus, Sw)*, **Bahnhofsvorsteher(in** *f)* *m* stationmaster *(dated)*, station manager; **Bahnhofswirtschaft** *f* station bar.
Bahnkörper *m* track; **bahnlagernd** *adj* *(Comm)* to be collected from the station.
Bahnlinie *f (railway or railroad US)* line *or* track; **Bahnnetz** *nt* rail(way) *or* railroad *(US)* network; **Bahnpolizei** *f* railway *or* railroad *(US)* police; **Bahnschranke** *f,* **Bahnschranken** *m* *(Aus)* level *or* grade *(US)* crossing barrier *or* gate; **Bahnsteig** *m* platform; **Bahnstrecke** *f* railway *or* railroad *(US)* route *or* line; **Bahntransport** *m* rail transport; *(Güter)* consignment sent by rail; **Bahnüberführung** *f* railway *or* railroad *(US)* footbridge; **Bahnübergang** *m* level *or* grade *(US)* crossing;

beschrankter/unbeschrankter ~ level crossing with gates/unguarded level crossing; **Bahnunterführung** *f* railway *or* railroad *(US)* underpass; **Bahnwärter(in** *f)* *m* gatekeeper, *(level crossing)* attendant.
Bahre *f -, -n (Krankentrage)* stretcher; *(Toten~)* bier.
Bahrein *nt* **-s** Bahrain.
Bahrtuch *nt* pall.
Bai *f* **-, en** bay.
bairisch *adj (Hist, Ling)* Bavarian.
Baiser [bɛˈzeː] *nt* **-s, -s** meringue.
Baisse [ˈbɛːs(ə)] *f* **-, -n** *(St Ex)* fall; *(plötzliche)* slump. **auf (die)** ~ **spekulieren** to bear.
Baissier [bɛˈsieː] *m* **-s, -s** bear.
Bajazzo *m* **-s, -s** clown.
Bajonett *nt* **-(e)s, -e** bayonet.
Bajonettfassung *f (Elec)* bayonet fitting; **Bajonettverschluß** *m* *(Elec)* bayonet socket.
Bajuware *m* **-n, -n, Bajuwarin** *f (old, hum)* Bavarian.
Bake *f* **-, -n** *(Naut)* marker buoy; *(Aviat)* beacon; *(Verkehrszeichen)* distance warning signal; *(vor Bahnübergang, an Autobahn auch)* countdown marker.
Bakkarat [ˈbakara(t)] *nt* **-s,** *no pl (Cards)* baccarat.
Bakschisch *nt* **-s, -e** *or* **-s** baksheesh; *(Bestechungsgeld)* bribe, backhander *(inf).* ~ **geben** to give baksheesh/a bribe *or* backhander.
Bakterie [-riə] *f* **-, -n** *usu pl* germ, bacterium *(spec).* **~n** germs *pl,* bacteria *pl.*
bakteriell *adj* bacterial, bacteria *attr.* ~ **verursacht** caused by germs *or* bacteria.
Bakterien- *in cpds* bacteria; **Bakterienkultur** *f* bacteria culture; **Bakterienträger** *m* carrier; **Bakterienzüchtung** *f* growing *or* culturing of bacteria.
Bakteriologe *m,* **Bakteriologin** *f* bacteriologist.
Bakteriologie *f* bacteriology.
bakteriologisch *adj* Forschung, Test bacteriological; *Krieg* biological.
Bakterium *nt (form) siehe* **Bakterie**.
bakterizid *adj* germicidal, bactericidal.
Balalaika *f* **-, -s** *or* **Balalaiken** balalaika.
Balance [baˈlãs(ə)] *f* **-, -n** balance, equilibrium. **die** ~ **halten/verlieren** to keep/ lose one's balance.
Balance|akt [baˈlãs(ə)-] *m (lit)* balancing *or* tightrope *or* high-wire act; *(fig)* balancing act.
balancieren* [balãˈsiːrən] **I** *vi aux sein* to balance; *(fig)* to achieve a balance *(zwischen +dat* between). **über etw** *(acc)* ~ to balance one's way across sth. **II** *vt* to balance.
Balancierstange *f* (balancing) pole.
balbieren* *vt (inf):* **jdn über den Löffel** ~ to pull the wool over sb's eyes, to lead sb by the nose *(inf).*
bald I *adv, comp* **eher** *or* **=er** *(old, dial),* *superl* **am ehesten 1.** *(schnell, in Kürze)* soon. **er kommt** ~ he'll be coming soon; ~ **ist Weihnachten** it will soon be Christmas; ~ **darauf** soon afterwards, a little later; **(all)zu** ~ (all) too

soon; **so ~ wie** or **als möglich, möglichst ~** as soon as possible; **wirst du wohl ~ ruhig sein?** will you just be quiet!; **wird's ~?** get a move on; **bis ~!** see you soon. **2.** (*fast*) almost, nearly. **das ist ~ nicht mehr schön** that is really beyond a joke.

II *conj* (*geh*) **~ ..., ~ ...** one moment ..., the next ..., now ..., now ...; **~ hier, ~ da** now here, now there; **~ so, ~ so** now this way, now that.

Baldachin [-xi:n] *m* **-s, -e** canopy, baldachin; (*Archit*) baldachin, baldaquin.

Bälde *f*: **in ~** in the near future.

baldig *adj attr, no comp* quick, speedy; *Antwort, Wiedersehen* early. **wir hoffen auf Ihr ~es Kommen** we hope you will come soon; **auf ~es Wiedersehen!** (hope to) see you soon!

baldigst *adv superl of* **baldig** (*form*) as soon as possible, without delay.

baldmöglichst *adv* as soon as possible.

Baldrian *m* **-s, -e** valerian.

Baldriantropfen *pl* valerian (drops *pl*).

Balearen *pl* **die ~** the Balearic Islands *pl*.

Balg[1] *m* **-(e)s, ¨e 1.** (*Tierhaut*) pelt, skin; (*von Vogel*) skin; (*inf: Bauch*) belly (*inf*); (*einer Puppe*) body. **einem Tier den ~ abziehen** to skin an animal; **sich** (*dat*) **den ~ vollschlagen** (*inf*) to stuff oneself (*inf*); **ich habe eine Wut im ~** (*inf*) I'm mad or livid. **2.** (*Blase~, Phot, Rail*) bellows *pl*. **die ¨e treten** to work the bellows.

Balg[2] *m* or *nt* **-(e)s, ¨er** (*pej inf: Kind*) brat (*pej inf*).

Balgen *m* **-s, -** (*Phot*) bellows *pl*.

balgen *vr* to scrap (*um* over).

Balgerei *f* scrap, tussle. **hört jetzt auf mit der ~!** stop scrapping!

Balkan *m* **-s 1.** (*~halbinsel, ~länder*) **der ~** the Balkans *pl*; **auf dem ~** in the Balkans; **dort herrschen Zustände wie auf dem ~** (*fig inf*) things are in a terrible state there. **2.** (*~gebirge*) Balkan Mountains *pl*.

Balkanhalbinsel *f* Balkan Peninsula.

Balkanländer *pl* Balkan States.

Balken *m* **-s, - 1.** (*Holz~, Schwebe~*) beam; (*Stütz~*) prop, shore; (*Quer~*) joist, crossbeam; (*Sport: bei Hürdenlauf*) rail. **der ~ im eigenen Auge** (*Bibl*) the beam in one's own eye; **lügen, daß sich die ~ biegen** (*inf*) to lie through one's teeth, to tell a pack of lies; **Wasser hat keine ~** (*Prov*) not everyone can walk on water. **2.** (*Strich*) bar; (*Her auch*) fess(e); (*Uniformstreifen*) stripe. **3.** (*an Waage*) beam.

Balkenbrücke *f* girder bridge; **Balkendecke** *f* ceiling with wooden beams; **Balkendiagramm** *nt* bar chart; **Balkenkode** *m* bar code; **Balkenkonstruktion** *f* timber-frame construction; **Balkenüberschrift** *f* (*Press*) banner headline; **Balkenwaage** *f* (beam) balance; **Balkenwerk** *nt* timbering, timbers *pl*, beams *pl*.

Balkon [bal'kɔŋ, bal'ko:n] *m* **-s, -s** or **-e** balcony; (*Theat*) (dress) circle. **~ sitzen** (*Theat*) to have seats in the (dress) circle.

Balkonmöbel *pl* garden furniture *sing*; **Balkonpflanze** *f* balcony plant; **Balkontür** *f* French window(s); **Balkonzimmer** *nt* room with a balcony.

Ball[1] *m* **-(e)s, ¨e** ball. **~ spielen** to play (with a) ball; **am ~ sein** (*lit*) to have the ball, to be in possession of the ball; **immer am ~ sein** (*fig*) to be on the ball; **am ~ bleiben** (*lit*) to keep (possession of) the ball; (*fig: auf dem neuesten Stand bleiben*) to stay on the ball; **bei jdm am ~ bleiben** (*fig*) to keep in with sb; **er bemüht sich, bei ihr am ~ zu bleiben** he is trying to keep in the running with her; **hart am ~ bleiben** to stick at it; **jdm den ~ zuspielen** (*lit*) to pass (the ball) to sb; **jdm/sich gegenseitig die ¨e zuspielen** or **zuwerfen** (*fig*) to feed sb/each other lines; **einen ~ machen** (*Billard*) to pocket a ball; **der glutrote ~ der Sonne** (*poet*) the sun's fiery orb (*poet*).

Ball[2] *m* **-(e)s, ¨e** (*Tanzfest*) ball. **auf dem ~** at the ball.

balla-balla *adj pred* (*dated inf*) mad, crazy, nuts (*inf*).

Ballade *f* ballad.

balladenhaft, balladesk I *adj* balladic, ballad-like. **II** *adv* in a balladic or ballad-like way or manner.

Balladensänger(in *f*) *m* balladier, balladsinger.

Ballast [or -'-] *m* **-(e)s,** (*rare*) **-e** (*Naut, Aviat*) ballast; (*fig*) burden, encumbrance; (*in Büchern*) padding. **~ abwerfen** or **über Bord werfen** (*lit*) to discharge or shed ballast; (*fig*) to get rid of a burden or an encumbrance; **jdn/etw als ~ empfinden** to find sb/sth (to be) a burden or an encumbrance.

Ballaststoffe *pl* (*Med*) roughage *sing*.

Ballen *m* **-s, - 1.** bale; (*Kaffee~*) sack. **in ~ verpacken** to bale. **2.** (*Anat: an Daumen, Zehen*) ball; (*an Pfote*) pad. **3.** (*Med: am Fußknochen*) bunion.

ballen I *vt* *Faust* to clench; *Papier* to crumple (into a ball); *Lehm* to press (into a ball); *siehe* **geballt, Faust.**
II *vr* (*Menschenmenge*) to crowd; (*Wolken*) to gather, to build up; (*Verkehr*) to build up; (*Faust*) to clench.

ballenweise *adv* in bales.

Ballerei *f* (*inf*) shoot-out (*inf*), shoot-up (*inf*).

Ballerina[1] *f* **-, Ballerinen** ballerina, ballet dancer.

Ballerina[2] *m* **-s, -s** (*Schuh*) pump.

Ballermann *m* **-s, Ballermänner** (*sl*) iron (*sl*), gun.

ballern I *vi* (*inf*) to shoot, to fire; (*Schuß*) to ring out. **gegen die Tür ~** to hammer on the door. **II** *vt* **jdm eine ~** (*sl*) to sock sb one (*inf*).

Ballett *nt* **-(e)s, -e** ballet. **beim ~ sein** (*inf*) to be (a dancer) with the ballet, to be a ballet dancer; **zum ~ gehen** to become a ballet dancer.

Balletttänzer(in *f*) *m* getrennt: **Balletttänzer(in** *f*) ballet dancer.

Balletteuse [-'tø:zə] *f* (*usu pej*) ballet dancer.

Ballett- *in cpds* ballet; **Ballettmeister(in**

m ballet master, maître de ballet; **Ballettröckchen** *nt* tutu; **Balletttänzer** *m* *siehe* **Ballettänzer; Balletttruppe** *f* ballet (company).

ballförmig *adj* ball-shaped; round; **Ballführung** *f* (*Sport*) ball control; **Ballgefühl** *nt* (*Sport*) feel for the ball.

Ballistik *f*, *no pl* ballistics *sing*.

ballistisch *adj* ballistic.

Balljunge *m* (*Tennis*) ball boy; **Ballkleid** *nt* ball dress *or* gown; **Ballkönigin** *f* belle of the ball; **Ballkünstler** *m* (*Ftbl*) artist with the ball; **Ballmädchen** *nt* (*Tennis*) ball girl.

Ballon [baˈlɔŋ, baˈloːn] *m* -s, -s *or* -e 1. balloon. 2. (*Chem*) carboy, demijohn. 3. (*sl: Kopf*) nut (*inf*). **einen roten ~ kriegen** to go bright red.

Ballonmütze *f* baker's boy cap; **Ballonreifen** *m* balloon tyre.

Ballsaal *m* ballroom; **Ballschuh** *m* evening *or* dancing shoe; **Ballspiel** *nt* ball game; **Ballspielen** *nt* -s, *no pl* playing ball; „~ verboten" "no ball games"; **Balltechnik** *f* (*Sport*) technique with the ball; **Balltreter** *m* -s, - (*inf*) footballer.

Ballung *f* concentration; (*von Truppen auch*) massing.

Ballungsgebiet *nt*, **Ballungsraum** *m* conurbation; **Ballungszentrum** *nt* centre (*of population, industry*).

Ballwechsel *m* (*Sport*) rally.

Balneologie *f* balneology.

Bal paradox *m* - -, -s - *ball at which women ask men to dance.*

Bal paré *m* - -, -s -s grand ball.

Balsaholz *nt* balsa wood.

Balsam *m* -s, -e balsam, balm (*liter*); (*fig*) balm. **~ in jds Wunden** (*acc*) **träufeln** (*liter*) to pour balm on sb's wounds.

balsamisch *adj* (*duftend*) fragrant.

Balte *m* -n, -n, **Baltin** *f* Baltic.

Baltikum *nt* -s **das** ~ the Baltic States *pl*.

baltisch *adj* Baltic *attr*.

Balustrade *f* balustrade.

Balz *f* -, -en 1. (*Paarungsspiel*) courtship display. 2. (*Paarungszeit*) mating season.

balzen *vi* to perform the courtship display.

Balzruf *m* mating call *or* cry; **Balzzeit** *f* *siehe* **Balz** 2.

Bambule *f* -, -n (*sl*) ructions *pl*. ~ **machen** to go on the rampage.

Bambus *m* -ses *or* -, -se bamboo.

Bambus- *in cpds* bamboo; **Bambusrohr** *nt* bamboo cane; **Bambussprossen** *pl* bamboo shoots *pl*; **Bambusstab** *m* (*Sport*) bamboo (vaulting) pole; **Bambusvorhang** *m* (*Pol*) bamboo curtain.

Bammel *m* -s, *no pl* (*inf*) (**einen**) ~ **vor jdm/etw haben** to be nervous *or* (*stärker*) scared of sb/sth.

banal, trite.

banalisieren* *vt* to trivialize.

Banalität *f* 1. *no pl* banality, triteness. 2. *usu pl* (*Äußerung*) platitude.

Banane *f* -, -n banana.

Bananendampfer *m* banana boat; **Bananenrepublik** *f* (*Pol pej*) banana republic; **Bananenschale** *f* banana skin;

Bananenstecker *m* jack plug.

Banause *m* -n, -n (*pej*) peasant (*inf*); (*Kultur~ auch*) philistine.

banausenhaft *adj* philistine; **Banausentum** *nt*, *no pl* (*pej*) philistinism.

band *pret of* **binden**.

Band¹ *nt* -(e)s, ⁻er 1. (*Seiden~*) ribbon; (*Isolier~, Maß~, Ziel~*) tape; (*Haar~, Hut~*) band; (*Schürzen~*) string; (*Tech: zur Verpackung*) (metal) band; (*Faß~*) hoop; (*Art: Ornament*) band. **das Blaue** ~ the Blue Riband.
2. (*Ton~*) (recording) tape. **etw auf ~ aufnehmen** to tape *or* (*tape-*)record sth; **etw auf ~ sprechen/diktieren** to record sth on tape/dictate sth onto tape.
3. (*Fließ~*) conveyor belt; (*als Einrichtung*) production line; (*Montage~*) assembly line; (*in Autowerk*) track (*inf*). **am ~ arbeiten** *or* **stehen** to work on the production line *etc*; **vom ~ laufen** to come off the conveyor belt *etc*; **am laufenden ~** (*fig*) non-stop, continuously; **es gab Ärger am laufenden ~** there was non-stop *or* continuous trouble; **etw am laufenden ~ tun** to keep on doing sth.
4. (*Rad*) wavelength, frequency band. **auf dem 44m-~ senden** to broadcast on the 44m band.
5. (*Anat*) *usu pl* ligament.
6. (*Baubeschlag*) hinge.

Band² *nt* -(e)s, -e (*liter*) 1. **das ~ der Freundschaft/Liebe** the bonds *or* ties of friendship/love; **familiäre ~e** family ties; **mit jdm freundschaftliche ~e anknüpfen** to become *or* make friends with sb; **zarte ~e knüpfen** to start a romance.
2. ~**e** *pl* (*Fesseln*) bonds *pl*, fetters *pl*; (*fig auch*) shackles *pl*; **jdn in ~e schlagen** to clap *or* put sb in irons.

Band³ *m* -(e)s, ⁻e (*Buch~*) volume. **ein gewaltiger** ~ a mighty tome; **darüber könnte man ~e schreiben/erzählen** you could write volumes *or* a book about that; **mit etw ~e füllen** to write volumes about sth; **das spricht ~e** that speaks volumes.

Band⁴ [bɛnt] *f* -, -s (*Mus*) band; (*Beat~ auch*) group.

Bandage [-ˈdaːʒə] *f* -, -n bandage. **mit harten ~n kämpfen** (*fig inf*) to fight with no holds barred.

bandagieren* [-ˈʒiːrən] *vt* to bandage (up).

Bandaufnahme *f* tape-recording; **Bandaufnahmegerät** *nt* tape-recorder; **Bandbreite** *f* 1. (*Rad*) waveband, frequency range; 2. (*fig*) range; 3. (*Fin*) (range of) fluctuation *or* variation.

Bändchen *nt dim of* **Band¹** 1., **Band³**.

Bande¹ *f* -, -n gang; (*Schmuggler~*) band; (*inf: Gruppe*) bunch (*inf*), crew (*inf*).

Bande² *f* -, -n (*Sport*) (*von Eisbahn*) barrier; (*von Reitbahn auch*) fence; (*Billard*) cushion; (*von Kegelbahn*) edge. **die Kugel an die ~ spielen** to play the ball off the cushion/edge.

Bandeisen *nt* metal hoop.

Bandenbekämpfung *f* (*Mil sl*) guerilla warfare; **Bandenchef(in** *f*) *m* (*inf*) gang-leader; **Bandendiebstahl** *m* (*Jur*)

gang robbery; **Bandenführer(in** *f)* *m*
siehe **Bandenchef**; **Bandenkrieg** *m* gang
war; **Bandenwerbung** *f* pitch-perim-
eter advertising.

Banderole *f*, **-n** tax *or* revenue seal.

Bänderriß *m* (*Med*) torn ligament;
Bänderzerrung *f* (*Med*) pulled ligament.

Bandfilter *m or nt* (*Rad*) band-pass filter;
Bandförderer *m* conveyor belt.

bändigen *vt* (*zähmen*) to tame; *Brand* to
bring under control; (*niederhalten*) *Menschen, Tobenden* to (bring under) control, to subdue; (*zügeln*) *Leidenschaften*
to (bring under) control, to master; *Wut*
to control; *Naturgewalten* to harness;
Kinder to (bring under) control.

Bändigung *m, no pl siehe* **vt** taming; controlling, subduing; mastering; harnessing.

Bandit(in *f)* *m* **-en, -en** bandit, brigand;
(*fig pej*) brigand. **einarmiger** ~ one-
armed bandit.

Banditentum *nt* banditry.

Bandkeramik *f* (*Archeol*) ribbon ware,
band ceramics *pl*.

Bandlaufwerk *nt* (*Comput*) tape streamer.

Bandmaß *nt* tape measure; **Bandnudeln**
pl ribbon noodles *pl*.

Bandoneon, Bandonion *nt* **-s, -s** bandoneon, bandonion.

Bandsäge *f* band-saw; **Bandsalat** *m* (*inf*)
dann bekommen Sie ~ then your tape
gets tangled up *or* gets into a tangle;
Bandscheibe *f* (*Anat*) (intervertebral)
disc; **er hat's an** *or* **mit der** ~ (*inf*) he has
slipped a disc *or* has a slipped disc;
**Bandscheibenschaden, Bandschei-
benvorfall** *m* slipped disc; **Bandstahl** *m*
strip *or* band steel; **Bandwurm** *m* tape-
worm; **Bandwurmsatz** *m* (*inf*) long *or*
lengthy sentence.

Bangbüx *f* **-, -en** (*N Ger inf*) scaredy-cat
(*inf*).

bang(e) *adj, comp* **-er** *or* **-er**, *superl* **-ste(r,
s)** *or* **-ste(r, s)** **1.** *attr* (*ängstlich*) scared,
frightened; (*vor jdm auch*) afraid. **mir
ist** ~**e vor ihm** I'm scared *or* afraid of
him; **das wird schon klappen, da ist mir
gar nicht** ~**(e)** it will be all right, I am
quite sure of it; **jdm** ~**e machen** to scare
or frighten sb; ~**e machen gilt nicht** (*inf*)
you can't scare me, you won't put the
wind up me (*inf*); *siehe* **angst**.
  2. (*geh: beklommen*) uneasy; *Augenblicke, Stunden auch* anxious, worried
(*um* about). **es wurde ihr** ~ **ums Herz**
her heart sank, she got a sinking feeling;
ihr wurde ~ **und** ~**er** she became more
and more afraid; **eine** ~**e Ahnung** a
sense of foreboding.

Bange *f* **-, no pl** (*esp N Ger*) ~ **haben** to be
scared *or* frightened (*vor* +*dat* of); **nur
keine** ~! (*inf*) don't worry *or* be afraid.

Bangemachen *nt* scaremongering; ~ **gilt
nicht** (*inf*) you can't scare me, you won't
put the wind up me (*inf*); **Bange-
macher** *m* scaremonger.

bangen (*geh*) **I** *vi* **1.** (*Angst haben*) to be
afraid (*vor* +*dat* of). **es bangt mir, mir
bangt vor ihm** I'm afraid *or* frightened of
him, I fear him.

  2. (*sich sorgen*) to worry, to be
worried (*um* about). **um jds Leben** ~ to
fear for sb's life.
  II *vr* to be worried *or* anxious (*um*
about).

Bangigkeit *f* (*Furcht*) nervousness;
(*Sorge*) anxiety; (*Beklemmung*) apprehension.

bänglich *adj* (*geh*) nervous.

Banjo ['banjo, 'bɛndʒo, 'bandʒo] *nt* **-s, -s**
banjo.

Bank¹ *f* **-, ⁻e 1.** bench; (*mit Lehne auch*)
seat; (*Schul*~, *an langem Tisch auch*)
form; (*Kirchen*~) pew; (*Parlaments*~)
bench; (*Anklage*~) dock. **auf** *or* **in der
ersten/letzten** ~ on the front/back bench
etc; **er predigte vor leeren** ~**en** he
preached to an empty church; **die Debatte fand vor leeren** ~**en statt** the debate
took place in an empty house; **(alle)
durch die** ~ (*inf*) every single *or* last
one, the whole lot (of them) (*inf*); **etw
auf die lange** ~ **schieben** (*inf*) to put sth
off.
  2. (*Arbeitstisch*) (work) bench;
(*Dreh*~) lathe.
  3. (*Sand*~) sandbank, sandbar; (*Nebel*~, *Wolken*~) bank; (*Austern*~) bed;
(*Korallen*~) reef; (*Geol*) layer, bed.
  4. (*Wrestling*) crouch (position).

Bank² *f* **-, -en 1.** (*Comm*) bank. **Geld auf
der** ~ **liegen haben** to have money in the
bank; **ein Konto bei einer** ~ **eröffnen** to
open an account with a bank; **bei der** ~
arbeiten *or* **sein** (*inf*) to work for the
bank, to be with the bank.
  2. (*bei Glücksspielen*) bank. **(die)** ~
halten (*inf*) to hold *or* be the bank; **die** ~
sprengen to break the bank.

Bankangestellte(r) *mf*, **Bankbeamte(r)**
m (*dated*) bank employee; **Bankanwei-
sung** *f* banker's order; **Bankautomat** *m*
cash dispenser.

Bänkchen *nt dim of* **Bank¹** 1.

Bankdirektor(in *f)* *m* director of a/the
bank; **Bankeinbruch** *m* bank raid;
Bankeinlage *f* (*Comm*) bank deposit.

Bänkellied *nt* street ballad; **Bänkelsang**
m ballad; **Bänkelsänger** *m* balladsinger, minstrel.

Bankenviertel *nt* banking area.

Banker(in *f)* *m* **-s, -** (*inf*) banker.

Bankett¹ *nt* **-(e)s, -e, Bankette** *f* **1.** (*an
Straßen*) verge (*Brit*), shoulder (*US*);
(*an Autobahnen*) (hard) shoulder. „~**e
nicht befahrbar", „weiche** ~**e"** "soft
verges (*Brit*) *or* shoulder (*US*)". **2.**
(*Build*) footing.

Bankett² *nt* **-(e)s, -e** (*Festessen*) banquet.

Bankfach *nt* **1.** (*Beruf*) banking, banking
profession; **im** ~ in banking *or* the
banking profession; **2.** (*Schließfach*)
safe-deposit box; **Bankfiliale** *f* branch of
a bank; **Bankgebäude** *nt* bank;
Bankgebühr *f* bank charge;
Bankgeheimnis *nt* confidentiality in
banking; **Bankgeschäft** *nt* **1.** banking
transaction; **2.** *no pl* (*Bankwesen*) banking world; **Bankguthaben** *nt* bank
balance; **Bankhalter** *m* (*bei Glücksspielen*) bank, banker; **Bankhaus** *nt* ~
Grün & Co Grün & Co., Bankers.

Bankier [-'kiɛ:] *m* -s, -s banker.

Bankkauffrau *f*, **Bankkaufmann** *m* (qualified) bank clerk; **Bankkonto** *nt* bank account; **Bankkredit** *m* bank loan; **Bankleitzahl** *f* bank code number, bank sorting code; **Banknote** *f* banknote, bill (*US*); **Bankraub** *m* bank robbery; **Bankräuber(in** *f)* *m* bank robber.

bankrott *adj* bankrupt; *Mensch, Politik* discredited; *Kultur* debased; *(moralisch)* bankrupt. ~ **gehen** *or* **machen** to go *or* become bankrupt; **jdn** ~ **machen** to make sb (go) bankrupt, to bankrupt sb; **er ist politisch/innerlich** ~ he is a politically discredited/a broken man.

Bankrott *m* -(e)s, -e bankruptcy; *(fig)* breakdown, collapse; *(moralisch)* bankruptcy. ~ **machen** to become *or* go bankrupt; **den** ~ **anmelden** *or* **ansagen** *or* **erklären** to declare oneself bankrupt.

Bankrott|erklärung *f* declaration of bankruptcy; *(fig)* sell-out *(inf)*.

Bankrotteur(in *f)* [-'tø:ɐ, -'tø:rɪn] *m* (*lit*, *fig*) bankrupt.

Bankscheck *m* cheque; **Banküberfall** *m* bank raid; **Banküberweisung** *f* bank transfer; **Bankverbindung** *f* banking arrangements *pl*; **geben Sie bitte Ihre** ~ **an** please give your account details;

Bann *m* -(e)s, -e 1. *no pl (geh: magische Gewalt)* spell. **im** ~ **eines Menschen/ einer Sache stehen** *or* **sein** to be under sb's spell/the spell of sth; **jdn in seinen** ~ **schlagen** to captivate sb; **sie zog** *or* **zwang ihn in ihren** ~ she cast her spell over him.

   2. *(Hist: Kirchen~)* excommunication. **jdn in den** ~ **tun, jdn mit dem** ~ **belegen** to excommunicate sb; **jdn vom** ~ **lösen** to absolve sb.

Bannbrief *m*, **Bannbulle** *f (Hist)* letter of excommunication.

bannen *vt* 1. *(geh: bezaubern)* to bewitch, to captivate, to entrance. **(wie) gebannt** fascinated, in fascination; *(stärker)* spellbound; **jdn/etw auf die Platte** *(inf)/* **die Leinwand** ~ *(geh)* to capture sb/sth on film/canvas. 2. *(vertreiben) böse Geister, Teufel* to exorcize; *(abwenden) Gefahr* to avert, to ward off. 3. *(Hist)* to excommunicate.

Banner *nt* -s, - *(geh)* banner; *(fig auch)* flag. **das** ~ **des Sozialismus hochhalten** to wave the banner *or* fly the flag of socialism.

Bannerträger *m (geh)* standard-bearer; *(fig)* vanguard *no pl*.

Bannfluch *m (Hist)* excommunication.

bannig *adv (N Ger inf)* terribly, really; *(mit adj auch)* ever so *(inf)*. **das hat** ~ **Spaß gemacht** that was great fun.

Bannkreis *m (fig)* **in jds** ~ *(dat)* **stehen** to be under sb's influence; **Bannmeile** *f* inviolable precincts *pl (of city, Parliament)*; **Bannspruch** *m* excommunication; **Bannstrahl** *m (Hist)* excommunication; **Bannwald** *m (Aus, Sw)* forest *for protection against avalanches etc*.

Bantamgewicht *nt* bantamweight; **Bantamgewichtler** *m* -s, - bantamweight; **Bantam(huhn)** *nt* bantam.

Baptist(in *f)* *m* Baptist.

Baptisterium *nt (Eccl)* baptistry; *(Taufbecken)* font.

bar *adj, no comp* 1. cash. ~**es Geld** cash; **(in)** ~ **bezahlen** to pay (in) cash; ~ **auf die Hand** cash on the nail; **(Verkauf) nur gegen** ~ cash (sales) only; **etw für** ~**e Münze nehmen** *(fig)* to take sth at face value.

   2. *attr (rein) Zufall* pure; *Unsinn auch* utter, absolute.

   3. *pred +gen (liter)* devoid of, utterly *or* completely without. ~ **aller Hoffnung, aller Hoffnung** ~ devoid of hope, completely *or* utterly without hope.

   4. *(old: bloß)* bare. ~**en Hauptes** bareheaded.

Bar¹ *f* -, **-s** 1. *(Nachtlokal)* nightclub, bar. 2. *(Theke)* bar.

Bar² *nt* -s, -s *(Met)* bar.

Bär *m* -en, -en 1. bear. **stark wie ein** ~ *(inf)* (as) strong as an ox *or* a horse; **der Große/Kleine** ~ *(Astron)* the Great/ Little Bear, Ursa Major/Minor; **jdm einen** ~**en aufbinden** *(inf)* to have sb on *(inf)*.

   2. *(Tech) (Schlag~)* hammer; *(Ramm~)* rammer.

barabern* *vi (Aus inf)* to labour.

Baracke *f* -, -n hut, shack.

Barackenlager *nt*, **Barackensiedlung** *f* camp (made of huts); *(für Flüchtlinge)* refugee camp.

Barbar(in *f)* *m* -en, -en 1. *(pej)* barbarian; *(Rohling auch)* brute. 2. *(Hist)* Barbarian.

Barbarei *f (pej)* 1. *(Unmenschlichkeit)* barbarity. 2. *(no pl: Kulturlosigkeit)* barbarism.

barbarisch *adj* 1. *(pej) (unmenschlich) Grausamkeit, Folter, Sitten* barbarous, savage, brutal; *(ungebildet) Benehmen, Mensch* barbaric, uncivilized. 2. *(Hist) Volk, Stamm* barbarian.

Barbe *f* -, -n *(Zool)* barbel.

bärbeißig *adj (inf) Miene, Mensch* grouchy *(inf)*, grumpy; *Antwort auch* gruff.

Barbier *m* -s, -e *(old, hum)* barber.

barbieren* *vt (old, hum)* **jdn** ~ to shave sb; *(Bart beschneiden)* to trim sb's beard; *(die Haare schneiden)* to cut sb's hair; **sich** *(dat)* ~ **lassen** to go to the barber's.

Barbiturat *nt* barbiturate.

Barbitursäure *f* barbituric acid.

barbrüstig, barbusig *adj* topless.

Bardame *f* barmaid; *(euph: Prostituierte)* hostess *(euph)*.

Barde *m* -n, -n *(Liter)* bard; *(iro)* minstrel.

Bärendienst *m* **jdm/einer Sache einen** ~ **erweisen** to do sb/sth a bad turn *or* a disservice; **Bärenführer(in** *f)* *m (old)* bear trainer; *(hum) (tourist)* guide; **Bärenhatz** *f siehe* **Bärenjagd**; **Bärenhaut** *f*: **auf der** ~ **liegen, sich auf die** ~ **legen** *(dated)* to laze *or* loaf about; **Bärenhunger** *m (inf)* **einen** ~ **haben** to be famished *(inf) or* ravenous *(inf)*; **Bärenjagd** *f* bear hunt/hunting; **Bärenkräfte** *pl* the strength *sing* of an ox; **Bärenmütze** *f* bearskin, busby;

Bärennatur f eine ~ haben (inf) to be (physically) tough; **bärenstark** adj 1. strapping, strong as an ox; 2. (inf) terrific; **ein ~es Buch** an amazing book; **Bärenzwinger** m bear cage.

Barett nt -(e)s, -e or -s cap; (für Geistliche, Richter) biretta; (Univ) mortarboard; (Baskenmütze) beret.

barfuß adj pred barefoot(ed). ~ gehen to go/walk barefoot(ed); **ich bin ~** I've got nothing on my feet, I am barefoot(ed).

barfüßig adj barefooted.

barg pret of **bergen**.

Bargeld nt cash; **bargeldlos I** adj cashless, without cash; **~er Zahlungsverkehr** payment by money transfer; **II** adv without using cash; **barhäuptig** adj (geh) bareheaded; **Barhocker** m (bar) stool.

bärig adj (Aus inf) great.

Bärin f (she-)bear.

Bariton [-tɔn] m -s, -e [-toːnə] baritone.

Barium nt, no pl (abbr Ba) barium.

Bark f -, -en (Naut) barque.

Barkarole f -, -n (Mus) barcarol(l)e.

Barkasse f -, -n launch; (Beiboot auch) longboat.

Barkauf m cash purchase. ~ **ist billiger** it is cheaper to pay (in) cash.

Barke f -, -n (Naut) skiff; (liter) barque (liter).

Barkeeper ['baːɛkiːpɐ] m -s, - barman, bartender.

Barkredit m cash loan.

Bärlapp m -s, -e (Bot) lycopod(ium).

Barmann m barman.

barmen I vi (dial) to moan, to grumble (über +acc about). **II** vt (liter) **er barmt mich** I feel pity for him.

barmherzig adj (liter, Rel) merciful; (mitfühlend) compassionate. **~er Himmel!** (old) good heavens above!; **der ~e Samariter** (lit, fig) the good Samaritan.

Barmherzigkeit f (liter, Rel) mercy, mercifulness; (Mitgefühl) compassion. ~ **(an jdm) üben** to show mercy (to sb)/compassion (towards sb).

Barmittel pl cash (reserves pl).

Barmixer(in f) m barman/barmaid.

barock adj baroque; (fig) (überladen auch, verschnörkelt) ornate; Sprache florid; (seltsam) Einfälle bizarre, eccentric.

Barock nt or m -(s), no pl baroque. **das Zeitalter des ~** the baroque age.

Barock in cpds baroque; **Barockzeit** f baroque period.

Barometer nt -s, - (lit, fig) barometer. **das ~ steht auf Sturm** the barometer is on stormy; (fig) things look stormy.

Barometerstand m barometer reading.

Baron m -s, -e 1. baron. ~ **(von) Schnapf** Baron or Lord Schnapf; **Herr ~** my lord. 2. (fig: Industrie~) baron, magnate.

Baroneß f -, -ssen (dated), **Baronesse** f daughter of a baron. **Fräulein ~** my lady.

Baronin f baroness. **Frau ~** my lady.

Barras m -, no pl (sl) army. **beim ~** in the army; **zum ~ gehen** to join up (inf).

Barrel ['bɛrəl] nt -s, -s or - barrel.

Barren m -s, - 1. (Metall~) bar; (esp Gold~) ingot. 2. (Sport) parallel bars pl.

Barrengold nt gold bullion.

Barriere f -, -n (lit, fig) barrier.

Barrikade f barricade. **auf die ~n gehen** (lit, fig) to go to the barricades.

Barrikadenkampf m street battle; (das Kämpfen) street fighting no pl; **Barrikadenstürmer** m (fig) revolutionary.

barrikadieren* vt siehe **verbarrikadieren**.

Barsch m -(e)s, -e perch.

barsch adj brusque, curt; Befehl auch peremptory. **jdm eine ~e Abfuhr erteilen** to give sb short shrift; **jdn ~ anfahren** to snap at sb.

Barschaft f, no pl cash. **meine ganze ~ bestand aus 10 Mark** all I had on me was 10 marks.

Barscheck m open or uncrossed cheque.

Barsortiment nt book wholesaler's.

barst pret of **bersten**.

Bart m -(e)s, ~e 1. (von Mensch, Ziege, Vogel, Getreide) beard; (von Katze, Maus, Robbe) whiskers pl. **sich** (dat) **einen ~ wachsen** or **stehen lassen** to grow a beard; **ein drei Tage alter ~** three days' growth.
2. (fig inf) (sich dat) **etwas in den ~ murmeln** or **brumme(l)n** to murmur or mutter sth in one's boots or beard (inf); **jdm um den ~ gehen, jdm Honig um den ~ schmieren** to butter sb up (inf); **der Witz hat einen ~** that's a real oldie (inf) or an old chestnut; **der ~ ist ab** that's that!, that's the end of it or that.
3. (Schlüssel~) bit.

Bärtchen nt (Kinn~) (small) beard; (Oberlippen~) toothbrush moustache; (Menjou~) pencil moustache.

Bartenwal m whalebone or baleen whale.

Bartfäden pl (Zool) barbels pl; **Bartflechte** f 1. (Med) sycosis, barber's itch; 2. (Bot) beard lichen or moss; **Barthaar** nt facial hair; (Bart auch) beard.

Bartholomäus m - Bartholomew.

Bartholomäusnacht f (Hist) Massacre of St. Bartholomew.

bärtig adj bearded.

bartlos adj beardless; (glattrasiert) cleanshaven; Jüngling auch smooth-faced; **Bartnelke** f sweet william; **Bartstoppeln** pl stubble sing; **Barttasse** f moustache cup; **Barttracht** f beard/moustache style; **Bartwuchs** m beard; (esp weiblicher) facial hair no indef art; **er hat starken ~** he has a strong or heavy growth of beard; **Bartzotteln** pl wispy beard sing.

Barverkauf m cash sales pl; **Barvermögen** nt cash or liquid assets pl; **Barzahlung** f payment by or in cash; (Verkauf) **nur gegen ~** cash (sales) only; **bei ~ 3% Skonto** 3% discount for cash.

Basalt m -(e)s, -e basalt.

Basar m -s, -e 1. (orientalischer Markt) bazaar. **auf dem ~** in the bazaar. 2. (Wohltätigkeits~) bazaar. 3. (Einkaufszentrum) department store.

Base¹ f -, -n (old) cousin; (Tante) aunt.

Base² f -, -n (Chem) base.

Baseball ['be:sbo:l] *m* -s, *no pl* baseball.
Basedow [-do] *m* -s, *no pl* (*inf*),
Basedowsche Krankheit *f* (exoph-
thalmic) goitre.
Basel *nt* -s Basle, Basel.
Basen *pl of* Basis, Base.
basieren* I *vi* (*auf* +*dat* on) to be based,
to rest. II *vt* to base (*auf* +*acc* on).
Basilika *f* -, **Basiliken** basilica.
Basilikum *nt* -s, *no pl* basil.
Basilisk *m* -en, -en basilisk.
Basis *f* -, **Basen** basis; (*Archit, Mil, Math*)
base. **auf breiter** ~ on a broad basis; **auf
einer festen** *or* **soliden** ~ **ruhen** to be
firmly established; **sich auf gleicher** ~
treffen to meet on an equal footing *or* on
equal terms; ~ **und Überbau** (*Pol, Sociol*) foundation and superstructure; **die**
~ (*inf*) the grass roots (level); (*die
Leute*) (those at the) grass roots.
Basisarbeit *f* (*Pol*) groundwork; **Basis-
camp** *nt* base camp.
basisch *adj* (*Chem*) basic.
Basisdemokratie *f* grass-roots democracy; **basisdemokratisch** *adj* grass-
roots; **Basisgruppe** *f* action group.
Baske *m* -n, -n, **Baskin** *f* Basque.
Baskenland *nt* Basque region; **Baskenmütze** *f* beret.
Basketball *m* -s, *no pl* basketball.
baskisch *adj* Basque.
Basrelief ['barelief] *nt* (*Archit, Art*) bas-
relief.
Baß *m* -sses, ⁻sse 1. (*Stimme, Sänger*)
bass. **hoher/tiefer** *or* **schwarzer** ~ basso
cantante/profundo; **einen hohen/tiefen** ~
haben to be a basso cantante/profundo.
2. (*Instrument*) double bass; (*im Jazz
auch*) bass. 3. (~*partie*) bass (part).
baß *adv* (*old, hum*): ~ **erstaunt** much *or*
uncommonly (*old*) amazed.
Baßbariton *m* bass baritone.
Bassetthorn *nt* basset horn.
Baßgeige *f* (*inf*) (double) bass.
Bassin [ba'sɛ̃:] *nt* -s, -s (*Schwimm*~)
pool; (*Garten*~) pond.
Bassist(in *f*) *m* 1. (*Sänger*) bass (singer).
2. (*im Orchester*) (double) bass player.
~ **sein** to be a (double) bass player, to
play the (double) bass.
Baßklarinette *f* bass clarinet; **Baßpartie** *f*
bass part; **Baßsänger** *m* bass (singer);
Baßschlüssel *m* bass clef; **Baßstimme**
f bass (voice); (*Partie*) bass (part).
Bast *m* -(e)s, (*rare*) -e 1. (*zum Binden,
Flechten*) raffia; (*Bot*) bast, phloem.
2. (*an Geweih*) velvet.
basta *interj* (**und damit**) ~! (and) that's
that.
Bastard *m* -(e)s, -e 1. (*Hist: uneheliches
Kind*) bastard. 2. (*Biol: Kreuzung*)
(*Pflanze*) hybrid; (*Tier*) cross-breed,
cross; (*Mensch*) half-caste, half-breed.
bastardieren* *vt Pflanzen* to hybridize;
Tiere, Arten to cross.
Bastei *f* bastion.
Bastel|arbeit *f* piece of handcraft; (*das
Basteln*) (doing) handcraft *or* handicrafts.
Bastelei *f* (*inf*) handcraft; (*Stümperei*)
botched job (*inf*).
basteln I *vi* 1. (*als Hobby*) to make things

with one's hands; (*Handwerksarbeiten
herstellen auch*) to do handcraft *or* handicrafts. **sie kann gut** ~ she is good with
her hands.
2. **an etw** (*dat*) ~ to make sth, to work
on sth; (*an Modellflugzeug*) to build *or*
make sth; (*an etw herumbasteln*) to mess
around *or* tinker with sth.
II *vt* to make; *Geräte auch* to build.
Basteln *nt* -s, *no pl* handicraft, handicrafts
pl.
Bastelraum *m* workroom.
Bastfaser *f* bast fibre.
Bastille [bas'ti:jə, -tɪljə] *f* - (*Hist*) **der
Sturm auf die** ~ the storming of the
Bastille.
Bastion *f* bastion, ramparts *pl*; (*fig*)
bastion, bulwark.
Bastler(in *f*) *m* -s, - (*von Modellen*) mod-
eller; (*von Möbeln*) do-it-yourselfer. **ein
guter** ~ **sein** to be good *or* clever with
one's hands, to be good at making
things.
Bastseide *f* wild silk, shantung (silk).
BAT ['be:|a:'te:] *abbr of* **Bundesangestell-
tentarif.**
bat *pret of* **bitten.**
Bataillon [batal'jo:n] *nt* -s, -e (*Mil, fig*)
battalion.
**Bataillonsführer, Bataillonskomman-
deur** *m* battalion commander.
Batate *f* -, -n sweet potato, yam (*esp US*),
batata.
Batik *f* -, -en *or* *m* -s, -en batik.
batiken I *vi* to do batik. II *vt* to decorate
with batik. **eine gebatikte Bluse** a batik
blouse.
Batist *m* -(e)s, -e batiste, cambric.
Batterie *f* (*Elec, Mil, Lege*~) battery;
(*Misch*~ *etc*) regulator; (*Reihe von Flaschen auch*) row.
batteriebetrieben *adj* battery-powered;
Batteriegerät *nt* battery-powered
radio.
Batzen *m* -s, - 1. (*dated: Klumpen*) clod,
lump. 2. (*obs: Münze*) batz (*silver coin*).
ein (**schöner**) ~ **Geld** (*inf*) a tidy sum
(*inf*), a pretty penny (*inf*).
Bau *m* 1. -(e)s, *no pl* (*das Bauen*) building, construction. **im** *or* **in** ~ under construction; **sich im** ~ **befinden** to be under
construction; **der** ~ **des Hauses dauerte
ein Jahr** it took a year to build the
house; **mit dem** ~ **beginnen** to begin
building *or* construction; **mit dem** ~ **fertig sein** to have finished building, to have
completed construction.
2. -(e)s, *no pl* (*Auf*~) structure; (*von
Satz, Maschine, Apparat auch*) construction. **von kräftigem/schwächlichem** ~
sein (*Körper*~) to be powerfully/
slenderly built, to have a powerful/
slender build *or* physique.
3. -s, *no pl* (~*stelle*) building site. **auf
dem** ~ **arbeiten, beim** ~ **sein** to be a
building worker, to work on a building
site; **vom** ~ **sein** (*fig inf*) to know the
ropes (*inf*).
4. -(e)s, -ten (*Gebäude*) building;
(~*werk*) construction. ~**ten** (*Film*) sets.
5. -(e)s, -e (*Erdhöhle*) burrow, hole;
(*Biber*~) lodge; (*Fuchs*~) den;

(*Dachs~*) set(t). **heute gehe ich nicht aus dem ~** (*inf*) I'm not sticking my nose out of doors today (*inf*). **6. -(e)s, -e** (*Min*) workings *pl*. **im ~ sein** to be down the pit *or* mine. **7. -(e)s, no pl** (*Mil sl*) guardhouse. **4 Tage ~** 4 days in the guardhouse.

Bauabschnitt *m* stage *or* phase of construction; **Bauamt** *nt* planning department and building control office; **Bauarbeiten** *pl* building *or* construction work *sing*; (*Straßen~*) roadworks *pl*; **Bauarbeiter(in** *f*) *m* building *or* construction worker, building labourer; **Bauausführung** *f* construction, building; **~ Firma Meyer** builders *or* constructors Meyer and Co; **Baubehörde** *f* planning department and building control office; **Baubude** *f* building workers' hut.

Bauch *m* **-(e)s, Bäuche 1.** (*von Mensch*) stomach, tummy (*inf*); (*Anat*) abdomen; (*von Tier*) stomach, belly; (*Fett~*) paunch, potbelly (*inf*). **ihm tat der ~ weh** he had stomach-ache *or* tummy-ache (*inf*); **sich** (*dat*) **den ~ vollschlagen** (*sl*) to stuff oneself (*inf*); **ein voller ~ studiert nicht gern** (*Prov*) you can't study on a full stomach; **sich** (*dat*) **(vor Lachen) den ~ halten** (*inf*) to split one's sides (laughing) (*inf*); **einen dicken ~ haben** (*sl: schwanger sein*) to have a bun in the oven (*inf*); **vor jdm auf dem ~ rutschen** (*inf*) **or kriechen** (*inf*) to grovel *or* kowtow to sb (*inf*); **mit etw auf den ~ fallen** (*inf*) to come a cropper with sth (*inf*). **2.** (*Wölbung, Hohlraum*) belly; (*Innerstes: von Schiff auch, von Erde*) bowels *pl*.

Bauchansatz *m* beginning(s) of a paunch; **Bauchbinde** *f* **1.** (*für Frack*) cummerbund; (*Med*) abdominal bandage *or* support; **2.** (*um Zigarre, Buch*) band; **Bauchdecke** *f* abdominal wall; **Bauchfell** *nt* **1.** (*Anat*) peritoneum; **2.** (*Fell am Bauch*) stomach *or* belly fur; **Bauchfell|entzündung** *f* peritonitis; **Bauchfleck** *m* (*Aus inf*) siehe **Bauchklatscher**; **Bauchflosse** *f* ventral fin; **Bauchgrimmen** *nt* **-s, no pl** (*inf*) stomach- *or* tummy- (*inf*) ache; **Bauchhöhle** *f* abdominal cavity, abdomen; **Bauchhöhlenschwangerschaft** *f* ectopic pregnancy.

bauchig *adj Gefäß* bulbous.

Bauchklatscher *m* **-s, -** (*inf*) belly-flop (*inf*); **Bauchladen** *m* sales tray; **Bauchlandung** *f* (*inf*) (*Aviat*) belly landing; (*inf*) belly-flop; **mit dem neuen Stück/mit der neuen Firma haben wir eine ~ gemacht** (*fig*) the new play/the new company was a flop.

Bäuchlein *nt* tummy (*inf*); (*hum: Fett~*) bit of a stomach *or* tummy (*inf*).

bäuchlings *adv* on one's front, face down.

Bauchmuskel *m* stomach *or* abdominal muscle; **Bauchnabel** *m* navel, belly-button (*inf*); **bauchpinseln** *vt* (*inf*) siehe **gebauchpinselt**; **bauchreden** *vi sep*

infin, ptp only to ventriloquize; **Bauchredner(in** *f*) *m* ventriloquist; **Bauchschmerzen** *pl* stomach- *or* tummy- (*inf*) ache; **Bauchschuß** *m* shot in the stomach; (*Verletzung*) stomach wound; **einen ~ abbekommen** to be shot in the stomach; **Bauchspeck** *m* (*Cook*) belly of pork; (*hum*) spare tyre (*inf*); **Bauchspeicheldrüse** *f* pancreas; **Bauchtanz** *m* belly-dance/dancing; **Bauchtänzerin** *f* belly-dancer; **Bauchweh** *nt* (*inf*) tummy (*inf*) ache.

Baudenkmal *nt* historical monument.

Baud-Rate *f* (*Comput*) baud rate.

Bau|element *nt* component part.

bauen I *vt* **1.** to build, to construct; (*anfertigen auch*) to make; *Satz* to construct; *Höhle* to dig, to make. **sich** (*dat*) **ein Haus/Nest ~** to build oneself a house/ make *or* build oneself a nest (*auch fig*); **die Betten ~** (*esp Mil*) to make the beds. **2.** (*inf: verursachen*) *Unfall* to cause. **da hast du Mist** (*inf*) *or* **Scheiße** (*sl*) **gebaut** you really messed (*inf*) *or* cocked (*Brit sl*) that up; **bleib ruhig, bau keine Scheiße** (*sl*) cool it, don't make trouble (*inf*). **3.** (*inf: machen, ablegen*) *Prüfung* to pass. **den Führerschein ~** to pass one's driving test; **seinen Doktor ~** to get one's doctorate.

II *vi* **1.** to build. **wir haben neu/auf Sylt gebaut** we built a new house/a house on Sylt; **nächstes Jahr wollen wir ~** we're going to build *or* start building next year; **an etw** (*dat*) **~** to be working on sth, to be building sth (*auch fig*); **hier wird viel gebaut** there is a lot of building *or* development going on round here; **hoch ~** to build high-rise buildings. **2.** (*vertrauen*) to rely, to count (*auf +acc* on).

Bau|entwurf *m* building plans *pl*.

Bauer¹ *m* **-n** *or* (*rare*) **-s, -n 1.** (*Landwirt*) farmer; (*als Vertreter einer Klasse*) peasant; (*pej: ungehobelter Mensch*) (country) bumpkin, yokel. **die dümmsten ~n haben die größten** *or* **dicksten Kartoffeln** (*prov inf*) fortune favours fools (*prov*); **was der ~ nicht kennt, das frißt er nicht** (*prov inf*) you can't change the habits of a lifetime. **2.** (*Chess*) pawn; (*Cards*) jack, knave.

Bauer² *nt or* (*rare*) *m* **-s, -** (bird-)cage.

Bäuerchen *nt* **1.** dim of **Bauer¹**. **2.** (*baby-talk*) burp. **(ein) ~ machen** to (do a) burp.

Bäuerin *f* **1.** (*Frau des Bauern*) farmer's wife. **2.** (*Landwirtin*) farmer; (*als Vertreterin einer Klasse*) peasant (woman).

Bäuerlein *nt* (*liter, hum*) farmer.

bäuerlich *adj* rural; (*ländlich*) *Fest, Bräuche, Sitten* rustic, country *attr*. **~e Klein- und Großbetriebe** small and large farms.

Bauernaufstand *m* peasants' revolt *or* uprising; **Bauernbrot** *nt* coarse rye bread; **Bauerndorf** *nt* farming *or* country village; **Bauernfang** *m:* **auf ~ ausgehen** (*inf*) to play con tricks; **Bauernfänger** *m* (*inf*) con-man (*inf*), swindler; **Bauernfängerei** *f* (*inf*) con (*inf*), swindle; **Bauernfrühstück** *nt* bacon and potato omelette; **Bauerngut** *nt* farm(stead); **Bauernhaus** *nt* farmhouse; **Bauernhochzeit** *f* country wedding; **Bauernhof** *m* farm; **Bauernjunge** *m* country lad; **Bauernkalender** *m* country almanac; **Bauernkriege** *pl* (*Hist*) Peasant War(s); **Bauernmagd** *f* farmer's maid; **Bauernopfer** *nt* (*fig*) (*Mensch*) fall guy; (*Sache*) necessary sacrifice; **Bauernpartei** *f* country party; **Bauernregel** *f* country saying; **Bauernschaft** *f*, *no pl* farming community; (*ärmlich*) peasantry; **Bauernschläue** *f* native *or* low cunning, craftiness, shrewdness; **Bauernstand** *m* farming community, farmers *pl*; **Bauernstube** *f* farmhouse parlour; (*in Gasthaus*) ploughman's bar; **Bauerntheater** *nt* rural folk theatre; **Bauerntölpel** *m* (*pej*) country bumpkin, yokel; **Bauernverband** *m* farmers' organization.

Bauersfrau *f* farmer's wife; **Bauersleute** *pl* farm(ing) folk, farmers *pl*.

Bauerwartungsland *nt* (*Admin*) development area; **Baufach** *nt* construction industry; **baufällig** *adj* dilapidated; *Decke, Gewölbe* unsound, unsafe; **Baufälligkeit** *f* dilapidation; **wegen ~ gesperrt** closed because building unsafe; **Baufirma** *f* building contractor *or* firm; **Bauflucht** *f* line; **Bauform** *f* form *or* shape (of a building); **Baugelände** *nt* land for building; (*Baustelle*) building site; **Baugeld** *nt* building capital; **Baugenehmigung** *f* planning and building permission; **Baugenossenschaft** *f* housing association; **Baugerüst** *nt* scaffolding; **Baugeschäft** *nt* building firm; **Baugesellschaft** *f* property company; **Baugewerbe** *nt* building and construction trade; **Bauglied** *nt* (*Archit*) part of a building; **Baugrube** *f* excavation; **Baugrundstück** *nt* plot of land for building; **Bauhandwerk** *nt* building trade; **Bauhandwerker** *m* (trained) building worker; **Bauherr(in** *f*) *m* client (*for whom sth is being built*); **seitdem er ~ ist** ... since he has been having a house built ...; **der ~ ist die Stadt** the clients are the town authorities; **~: Ministerium des Innern** under construction for Ministry of the Interior; **Bauherrenmodell** *nt* scheme by which *tax relief is obtained on investment in building projects*; **Bauholz** *nt* building timber; **Bauindustrie** *f* building and construction industry; **Bauingenieur(in** *f*) *m* civil engineer; **Baujahr** *nt* year of construction; (*von Gebäude auch*) year of building; (*von Auto*) year of manufacture; **VW ~ 93** VW 1993 model, 1993 VW; **welches ~?** what year?; **Baukasten** *m* building *or* construction kit; (*mit Holzklötzchen*) box of bricks; (*Chemie~*) set; **Baukastensystem** *nt* (*Tech*) modular *or* unit construction system; **Bauklotz** *m* (building) brick *or* block; **Bauklötze(r) staunen** (*inf*) to gape (in astonishment); **Bauklötzchen** *nt* (building) block; **Baukolonne** *f* gang of building workers *or* (*bei Straßenbau*) navvies;

Baukosten *pl* building *or* construction costs *pl*; **Baukostenzuschuß** *m* building subsidy *or* grant; **Baukunst** *f* (*geh*) architecture; **Bauland** *nt* building land; (*für Stadtplanung*) development area; **einen Acker als ~ verkaufen** to sell a field for building; **Bauleiter(in** *f*) *m* (building) site manager; **Bauleitung** *f* **1.** (*Aufsicht*) (building) site supervision; (*Büro*) site office; **2.** (*die Bauleiter*) (building) site supervisory staff; **baulich** *adj* structural; **in gutem/schlechtem ~em Zustand** structurally sound/unsound; **Baulöwe** *m* building speculator; **Baulücke** *f* empty site.

Baum *m* **-(e)s, Bäume** tree. **auf dem ~ in** the tree; **der ~ der Erkenntnis** (*Bibl*) the tree of knowledge; **er ist stark wie ein ~** he's as strong as a horse; **zwischen ~ und Borke stecken** *or* **stehen** to be in two minds; **die Bäume wachsen nicht in den Himmel** (*prov*) all good things come to an end; **einen alten ~ or alte Bäume soll man nicht verpflanzen** (*prov*) you can't teach an old dog new tricks (*prov*).

Baumarkt *m* property market; (*Geschäft*) builder's yard; (*für Heimwerker*) DIY superstore; **Baumaschine** *f* piece of building machinery; **Baumaschinen** *pl* building machinery *or* plant *sing*; **Baumaterial** *nt* building material.

Baumbestand *m* tree population *no pl*, stock of trees; **Baumblüte** *f* blossom.

Bäumchen *nt* small tree; (*junger Baum auch*) sapling. **~, wechsle dich spielen** to play tag; (*hum: Partnertausch*) to swap partners.

Baumeister(in *f*) *m* **1.** master builder; (*Bauunternehmer*) building contractor; (*Architekt*) architect. **2.** (*Erbauer*) builder.

baumeln *vi* to dangle (*an* +*dat* from). **die Haarsträhnen baumelten ihm ins Gesicht** the strands of hair hung in his face; **jdn ~ lassen** (*sl*) to let sb swing (*inf*).

Baumfarn *m* tree fern; **Baumgrenze** *f* tree *or* timber line; **Baumgruppe** *f* coppice, cluster of trees; **baumhoch** *adj* tree-high; **Baumkrone** *f* treetop; **baumlang** *adj* **ein b~er Kerl** (*inf*) a beanpole (*inf*); **Baumläufer** *m* tree creeper; **baumlos** *adj* treeless; **baumreich** *adj* wooded; **Baumriese** *m* (*liter*) giant tree; **Baumrinde** *f* tree bark; **Baumschere** *f* (tree) pruning shears *pl*, secateurs *pl*; **Baumschule** *f* tree nursery; **Baumstamm** *m* tree-trunk; **baumstark** *adj* **Arme** massive; *Mann* beefy (*inf*), hefty; **Baumsteppe** *f* scrub; **Baumsterben** *nt* dying (off) of trees; **Baumstruktur** *f* (*Comput*) tree structure; **Baumstrunk, Baumstumpf** *m* tree stump; **Baumwipfel** *m* treetop.

Baumwoll- *in cpds* cotton.

Baumwolle *f* cotton. **ein Hemd aus ~** a cotton shirt.

baumwollen *adj attr* cotton.

Baumwuchs *m* tree growth.

Bauordnung *f* building regulations *pl*; **Bauplan** *m* building plan *or* (*Vorhaben auch*) project; **Bauplanung** *f* planning (of a building); **Bauplastik** *f* architectural sculpture; **Bauplatz** m site (for building); **Baupolizei** f building control department; **Baupreis** m building price; **Baurecht** nt planning and building laws and regulations; **baureif** adj *Grundstück* available for building.

bäurisch adj (pej) boorish, rough.

Bauruine f (inf) unfinished building; **Bausachverständige(r)** mf decl as adj quantity surveyor; **Bausatz** m kit.

Bausch m -es, **Bäusche** or -e 1. (*Watte~*) ball; (*Med auch*) swab. 2. (*Krause*) (*an Vorhang*) pleat; (*an Kleid*) bustle; (*an Ärmel*) puff. 3. **in ~ und Bogen** lock, stock and barrel.

Bauschaffende(r) mf decl as adj (*DDR*) *person working in the construction industry.*

bauschen I vr 1. (*sich aufblähen*) to billow (out). 2. (*Kleidungsstück*) to puff out; (*ungewollt*) to bunch (up). II vt 1. *Segel, Vorhänge* to fill, to swell. 2. (*raffen*) to gather. **gebauschte Ärmel** puffed sleeves. III vi (*Kleidungsstück*) to bunch (up), to become bunched.

Bauschen m -s, - (*S Ger, Aus*) siehe **Bausch 1.**

bauschig adj 1. (*gebläht*) billowing. 2. *Rock, Vorhänge* full.

Bauschlosser(in f) m fitter on a building site; **Bauschutt** m building rubble; **Bauschuttmulde** f skip.

bausparen vi sep usu infin to save with a building society (*Brit*) or building and loan association (*US*).

Bausparer(in f) m saver with a building society (*Brit*) or building and loan association (*US*).

Bausparkasse f building society (*Brit*), building and loan association (*US*); **Bausparvertrag** m savings contract with a building society (*Brit*) or building and loan association (*US*).

Baustahl m mild or structured steel; **Baustein** m stone (for building); (*Spielzeug*) brick; (*elektronischer ~*) chip; (*fig: Bestandteil*) building block; (*Tech*) module; **Baustelle** f building or construction site; (*bei Straßenbau*) roadworks pl; (*bei Gleisbau*) railway construction site; ,,**Achtung, ~!''** ''danger, men at work''; ,,**Betreten der ~ verboten''** ''unauthorized entry prohibited'', ''trespassers will be prosecuted''; **die Strecke ist wegen einer ~ gesperrt** the road/line is closed because of roadworks/(railway) construction work; **Baustellenverkehr** m heavy traffic (from a building site); ,,**Achtung, ~!''** ''heavy plant crossing''; **Baustil** m architectural style; **Baustoff** m siehe **Baumaterial**; **Baustopp** m **einen ~ verordnen** to impose a halt on building (projects); **Bausubstanz** f fabric, structure; **die ~ ist gut** the house is structurally sound; **Bautätigkeit** f building; **eine rege ~** a lot of building; **Bautechniker(in** f) m site engineer; **bautechnisch** adj structural; **eine ~e Glanzleistung** a superb feat of structural engineering; **Bauteil** m prefabricated part (of a building).

Bauten pl of **Bau 4.**

Bautischler(in f) m joiner; **Bauträger** m builder, building contractor; **Bauunternehmen** nt building contractor; **Bauunternehmer(in** f) m building contractor, builder; **Bauvolumen** nt volume of building; **Bauvorhaben** nt building project or scheme; **Bauweise** f type or method of construction; (*Stil*) style; **in konventioneller ~** built in the conventional way/style; **offene/geschlossene ~** detached/terraced houses; **Bauwerk** nt construction; (*Gebäude auch*) edifice, building; **Bauwesen** nt building and construction industry; **ein Ausdruck aus dem ~** a building term; **Bauwich** m -(e)s, -e (*Archit*) space between two neighbouring buildings; **Bauwirtschaft** f building and construction industry.

Bauxit m -s, -e bauxite.

bauz interj wham, crash, bang. **~ machen** (*baby-talk*) to go (crash bang) wallop.

Bauzaun m hoarding, fence, fencing; **Bauzeichnung** f building plan usu pl; **Bauzeit** f time taken for building or construction; **die ~ betrug drei Jahre** it took three years to build.

Bayer(in f) ['baie, -ərɪn] m -n, -n Bavarian.

bay(e)risch ['bai(ə)rɪʃ] adj Bavarian. **der B~e Wald** the Bavarian Forest.

Bayern ['baiɐn] nt -s Bavaria.

Bazi m -, - (*S Ger, Aus inf*) rogue.

Bazille f -, -n (incorrect) siehe **Bazillus.**

Bazillenträger m carrier.

Bazillus m -, **Bazillen** 1. bacillus, microbe; (*Krankheitserreger auch*) germ. 2. (*fig*) cancer, growth.

Bazooka [ba'zu:ka] f -, -s (*Mil*) bazooka.

Bd. abbr of **Band.**

BDA [be:de:'|a:] f abbr of **Bundesvereinigung der Arbeitgeberverbände** ≃ CBI (*Brit*); **Bund deutscher Architekten.**

Bde. abbr of **Bände.**

BDI ['be:de:'|ɪ:] m -, no pl abbr of **Bundesverband der Deutschen Industrie** ≃ CBI (*Brit*).

be|absichtigen * vti to intend. **eine Reise/ Steuererhöhung ~** (*form*) to intend to go on a journey/to increase taxes; **das hatte ich nicht beabsichtigt** I didn't mean it or intend that to happen; **das war beabsichtigt** that was deliberate or intentional; **die beabsichtigte Wirkung** the desired or intended effect.

be|achten * vt 1. (*befolgen*) to heed; *Ratschlag auch* to follow; *Vorschrift, Verbot, Verkehrszeichen* to observe, to comply with; *Regel* to observe, to follow; *Gebrauchsanweisung* to follow. **etw besser ~** to pay more attention to sth; *siehe* **Vorfahrt.**

2. (*berücksichtigen*) to take into consideration or account. **es ist zu ~, daß ...** it should be taken into consideration or account that ...

3. (*Aufmerksamkeit schenken*) jdn to notice, to pay attention to; (*bei (Bild)erklärungen, Reiseführung etc*) to observe. **jdn nicht ~** to ignore sb, to take no notice of sb; **von der Öffentlich-**

keit kaum beachtet scarcely noticed by the public; **das Ereignis wurde in der Öffentlichkeit kaum/stark beachtet** the incident aroused little/considerable public attention; „**bitte Stufe ~!**" "mind the step".

be|achtenswert adj noteworthy, remarkable.

be|achtlich I adj 1. (beträchtlich) considerable; Verbesserung, Zu- or Abnahme auch marked; Erfolg notable; Talent auch remarkable, notable.

2. (bedeutend) Ereignis significant; (lobenswert) Leistung considerable, excellent; (zu berücksichtigend) relevant. **~!** (dated) well done; **er hat im Leben/Beruf B~es geleistet** he has achieved a considerable amount in life/his job.

II adv (sehr) significantly, considerably.

Be|achtung f siehe vt 1. heeding; following; observance, compliance (gen with). **die ~ der Vorschriften** observance of or compliance with the regulations.

2. consideration. **unter ~ aller Umstände** considering or taking into consideration all the circumstances.

3. notice, attention (gen to). „**zur ~**" please note; **~ finden** to receive attention; **jdm/einer Sache ~ schenken** to pay attention to or take notice of sb/sth; **jdm keine ~ schenken** to ignore sb, to take no notice of sb.

be|ackern* vt 1. Feld to till, to work. 2. (inf) Thema, Wissensgebiet to go into, to examine.

Be|amte m siehe **Beamte(r)**.

Be|amtenanwärter m civil service trainee; **Be|amtenapparat** m bureaucracy; **Be|amtenbeleidigung** f insulting an official; **Be|amtenbestechung** f bribing an official; **Be|amtendeutsch** nt (pej) officialese; **Be|amtenlaufbahn** f career in the civil service; **die ~ einschlagen** to enter or join the civil service; **Be|amtenmentalität** f bureaucratic mentality; **Be|amtenrecht** nt civil service law; **Be|amtenschaft** f civil servants pl, civil service; **Be|amtentum** nt, no pl civil service; (Beamtenschaft auch) civil servants pl; **Be|amtenverhältnis** nt **im ~ stehen/ins ~ übernommen werden** to be/become a civil servant.

Be|amte(r) m decl as adj official; (Staats~) civil servant; (Zoll~ auch, Polizei~) officer; (dated~ Büro~, Schalter~) clerk. **politischer ~r** politically-appointed civil servant; **er ist ~r** (bei Land, Bund) he is a civil servant or in the civil service; **er ist ein typischer ~r** he is a typical petty official or bureaucrat; **ein kleiner ~r** a minor or (esp pej) petty official.

be|amtet adj (form) established, appointed on a permanent basis (by the state).

Be|amtin f siehe **Beamte(r)**.

be|ängstigen* vt (geh) to alarm, to frighten, to scare.

be|ängstigend adj alarming, frightening.

sein Zustand ist ~ his condition is giving cause for concern.

Be|ängstigung f alarm, fear. **in großer ~** in (a state of) great alarm.

be|anspruchen* vt 1. (fordern) to claim; Gebiet auch to lay claim to. **etw ~ können** to be entitled to sth.

2. (erfordern) to take; Zeit auch to take up; Platz auch to take up, to occupy; Kräfte auch, Aufmerksamkeit to demand; (benötigen) to need.

3. (ausnützen) to use; jds Gastfreundschaft to take advantage of; jds Geduld to demand; jds Hilfe to ask for. **ich möchte Ihre Geduld nicht zu sehr ~** I don't want to try your patience.

4. (strapazieren) Maschine to use; jdn to occupy, to keep busy. **etw/jdn stark or sehr ~** to put sth under a lot of stress etc/keep sb very busy or occupied; **ihr Beruf beansprucht sie ganz** her job is very demanding or takes up all her time and energy.

Be|anspruchung f 1. (Forderung) claim (gen to); (Anforderung) demand. 2. (Ausnutzung: von jds Geduld, Hilfe) demand (von on). 3. (Belastung, Abnutzung) use; (von Beruf auch) demands pl.

be|anstanden* vt to query, to complain about. **das ist beanstandet worden** there has been a query or complaint about that; **er hat an allem etwas zu ~** he has complaints about everything; **die beanstandete Ware** the goods complained about or queried.

Be|anstandung f complaint (gen about). **zu ~en Anlaß geben** (form) to give cause for complaint; **er hat jahrelang ohne jede ~ seine Pflicht getan** for years he did his duty without giving any cause for complaint.

be|antragen* vt to apply for (bei to); (Jur) Strafe to demand, to ask for; (vorschlagen: in Debatte) to move, to propose. **er beantragte, versetzt zu werden** he applied for a transfer or to be transferred.

be|antworten* vt to answer; Anfrage, Brief auch to reply to; Gruß, Beleidigung, Herausforderung auch to respond to. **jdm eine Frage ~** to answer sb's question; **eine Frage mit Nein ~** to answer a question in the negative; **leicht zu ~** easily answered.

Be|antwortung f siehe vt (gen to) answer; reply; response.

be|arbeiten* vt 1. (behandeln) to work on; Stein, Holz to work, to dress. **etw mit dem Hammer/Meißel ~** to hammer/chisel sth.

2. (sich befassen mit) to deal with; Fall auch to handle; Bestellungen to process.

3. (redigieren) to edit; (neu ~) to revise; (umändern) Roman to adapt; Musik to arrange. **etw für die Drucklegung ~** to prepare sth for press.

4. (inf: einschlagen auf); Klavier, Trommel to hammer or bash away at; Geige to saw away at. **jdn mit Fußtritten/Fäusten ~** to kick sb about/thump sb.

5. (*inf: einreden auf*) jdn to work on.
6. *Land* to cultivate.
7. (*EDV*) to process.

Be|arbeiter(in *f*) *m* **1.** *siehe vt 2.* person dealing with *etc* sth. **wer war der ~ der Akte?** who dealt with the file? **2.** *siehe vt 3.* editor; reviser; adapter; arranger.

Be|arbeitung *f siehe vt* **1.** working (on); dressing; treating.
    2. dealing with; handling; processing. **die ~ meines Antrags hat lange gedauert** it took a long time to deal with my claim.
    3. editing; revising; adapting; arranging; (*bearbeitete Ausgabe*) edition; revision, revised edition; adaptation; arrangement. **neue ~** (*von Film*) new version; **die deutsche ~** the German version.

Be|arbeitungsgebühr *f* handling charge.
be|argwöhnen* *vt* to be suspicious of.
Beat [bi:t] *m* **-(s)**, *no pl* **1.** (*Musik*) beat *or* pop music. **2.** (*Rhythmus*) beat.
Beatband *f* beat *or* pop group.
be|atmen* *vt Ertrunkenen* to give artificial respiration to. **jdn künstlich ~** to keep sb breathing artificially.
Be|atmung *f* artificial respiration.
Beatnik ['bi:tnɪk] *m* **-s**, **-s** beatnik.
Beau [bo:] *m* **-**, **-s** good looker (*inf*).
be|aufsichtigen* *vt Arbeit, Bau* to supervise; *Klasse, Schüler, Häftlinge auch* to keep under supervision; *Kind* to mind; *Prüfung* to invigilate at. **jdn bei einer Arbeit/beim Arbeiten ~** to supervise sb's work/sb working; **staatlich beaufsichtigt** state-controlled, under state control.
Be|aufsichtigung *f siehe vt* supervision, supervising; minding; invigilation.
be|auftragen* *vt* **1.** (*heranziehen*) to engage; *Firma auch* to hire; *Architekten, Künstler, Forschungsinstitut* to commission; *Ausschuß* to appoint, to set up. **jdn mit etw ~** to engage *etc* sb to do sth; **mit der Wahrnehmung beauftragt** temporarily in charge. **2.** (*anweisen*) *Untergebenen* to instruct. **wir sind beauftragt, das zu tun** we have been instructed to do that.
Be|auftragte(r) *mf decl as adj* representative.
be|äugen* *vt* (*inf*) to gaze *or* look at.
bebaubar *adj* **1.** *Boden* cultiv(at)able. **2.** *Grundstück* suitable for building; (*zum Bau freigegeben*) available for building.
bebauen* *vt* **1.** *Grundstück* to build on, to develop. **das Grundstück ist jetzt mit einer Schule bebaut** the piece of land has had a school built on it; **das Viertel war dicht bebaut** the area was heavily built-up.
    2. (*Agr*) to cultivate; *Land* to farm.
Bebauung *f*, *no pl* **1.** (*Vorgang*) building (*gen* on); (*von Gelände*) development; (*Bauten*) buildings *pl*. **2.** (*Agr*) cultivation; (*von Land*) farming.
Bebauungsdichte *f* density of building *or* development; **Bebauungsplan** *m* development plan *or* scheme.
Bébé [be'be:] *nt* **-s**, **-s** (*Sw*) baby.
beben *vi* to shake, to tremble; (*Stimme auch*) to quiver (*vor +dat* with). **am gan-**

zen **Leib** *or* **an allen Gliedern ~** to tremble *or* shake all over; **um jdn ~** (*liter*) to tremble for sb.
Beben *nt* **-s**, **-** (*Zittern*) shaking, trembling; (*von Stimme auch*) quivering; (*Erd~*) earthquake.
bebildern* *vt Buch, Vortrag* to illustrate.
bebrillt *adj* (*hum inf*) bespectacled.
bebrüten* *vt Eier* to incubate. **die Lage ~** (*fig inf*) to brood over the situation.
Becher *m* **-s**, **-**. cup; (*old: Kelch auch*) goblet; (*Glas~*) glass, tumbler; (*esp Porzellan~, Ton~ auch*) mug; (*Plastik~ auch*) beaker; (*Joghurt~*) carton, tub; (*Eis~*) (*aus Pappe*) tub; (*aus Metall*) sundae dish. **ein ~ Eis** a tub of icecream/an icecream sundae. **2.** (*Bot: Eichel~*) cup, cupule (*spec*).
becherförmig *adj* cup-shaped; **Becherglas** *nt* **1.** (*Trinkglas*) glass, tumbler; **2.** (*Chem*) glass, beaker.
bechern *vi* (*hum inf*) to have a few (*inf*).
becircen* [bə'tsɪrtsn] *vt* (*inf*) to bewitch.
Becken *nt* **-s**, **-**. **1.** (*Brunnen~, Hafen~, Wasch~, Geol*) basin; (*Abwasch~*) sink; (*Toiletten~*) bowl, pan; (*Schwimm~*) pool; (*Stau~*) reservoir; (*Fisch~*) pond; (*Tauf~*) font. **2.** (*Anat*) pelvis, pelvic girdle. **ein breites ~** broad hips. **3.** (*Mus*) cymbal.
Beckenbruch *m* fractured pelvis, pelvic fracture; **Beckenendlage** *f* breech position *or* presentation; **Beckenknochen** *m* hip-bone.
Beckmesser *m* **-s**, **-** (*pej*) caviller, carper.
Beckmesserei *f* (*pej*) cavilling, carping.
Becquerel [bekə'rɛl] *nt* **-(s)**, **-** becquerel.
bedachen* *vt* to roof.
bedacht¹ *ptp of* **bedenken, bedachen.**
bedacht² *adj* **1.** (*überlegt*) prudent, careful, cautious. **2. auf etw** (*acc*) **~ sein** to be concerned about sth; **darauf ~ sein, etw zu tun** to be concerned about doing sth *or* to do sth.
Bedacht *m* **-s**, *no pl* (*geh*) **mit ~** (*vorsichtig*) prudently, carefully, with care; (*absichtlich*) deliberately; **voll ~** very prudently *or* carefully, with great care; **ohne ~** without thinking, imprudently; **etw mit (gutem) ~ tun** to do sth (quite) deliberately.
Bedachte(r) *mf decl as adj* (*Jur*) beneficiary.
bedächtig *adj* (*gemessen*) *Schritt, Sprache* measured *no adv*, deliberate; *Wesen* deliberate, steady; (*besonnen*) thoughtful, reflective. **mit ~en Schritten** with measured *or* deliberate steps; **langsam und ~ sprechen** to speak in slow, measured tones.
Bedächtigkeit *f*, *no pl siehe adj* measuredness, deliberateness; steadiness; thoughtfulness, reflectiveness. **etw mit großer ~ tun** to do sth with great deliberation/very thoughtfully *or* reflectively.
bedachtsam *adj* (*geh*) careful, deliberate.
Bedachung *f* roofing; (*Dach auch*) roof.
bedanken* **I** *vr* **1.** to say thank-you, to express one's thanks (*form*). **sich bei jdm (für etw) ~** to thank sb (for sth), to say thank-you to sb (for sth); **ich bedan-**

ke mich herzlich thank you very much, (very) many thanks; dafür können Sie sich bei Herrn Weitz ~ (*iro inf*) you've got Mr Weitz to thank for that (*iro*). 2. (*iro inf*) ich bedanke mich, dafür bedanke ich mich (bestens) no thank you (very much); dafür/für dergleichen wird er sich ~ he'll love that (*iro*). II *vt* (*form*) seien Sie (herzlich) bedankt! please accept my/our (grateful *or* deepest) thanks (*form*).

Bedarf *m* -(e)s, *no pl* 1. (*Bedürfnis*) need (*an* +*dat* for); (~*smenge*) requirements *pl*, requisites *pl*. bei ~ as *or* when required; bei dringendem ~ in cases of urgent need; der Bus hält hier nur bei ~ the bus stops here only on request; Dinge des täglichen ~s basic *or* everyday necessities; alles für den häuslichen ~ all household requirements *or* requisites; seinen ~ an Wein/Lebensmitteln einkaufen to buy one's supply of wine/food or the wine/food one needs; einem ~ abhelfen to meet a need; an etw (*dat*) ~ haben to need sth, to be in need of sth; danke, kein ~ (*iro inf*) no thank you, not on your life (*inf*). 2. (*Comm: Nachfrage*) demand (*an* +*dat* for). (je) nach ~ according to demand; den ~ übersteigen to exceed demand; über ~ in excess of demand.

Bedarfsbefriedigung, Bedarfsdeckung *f* satisfaction of the/sb's needs; **Bedarfsfall** *m* (*form*) need; im ~ if necessary; (*wenn gebraucht*) as necessary *or* required; für den ~ vorsorgen to provide for a time of need; **Bedarfsgüter** *pl* consumer goods *pl*; **Bedarfshaltestelle** *f* request (bus/tram) stop; **Bedarfsträger** *m* (*Comm*) consumer; **Bedarfsweckung** *f* stimulation of demand.

bedauerlich *adj* regrettable, unfortunate. ~! how unfortunate.

bedauerlicherweise *adv* regrettably, unfortunately.

bedauern* *vt* 1. etw ~ to regret. einen Irrtum ~ to regret one's mistake *or* having made a mistake; wir ~, Ihnen mitteilen zu müssen, ... we regret to have to inform you ...; er hat sehr bedauert, daß ... he was very sorry that ...; er schüttelte ~d den Kopf he shook his head regretfully; (ich) bedau(e)re! I am sorry. 2. (*bemitleiden*) jdn ~ to feel *or* be sorry for. sich selbst ~ to feel sorry for oneself; er ist zu ~ he is to be pitied, one *or* you should feel sorry for him; er läßt sich gerne ~, er will immer bedauert sein he always wants people to feel sorry for him.

Bedauern *nt* -s, *no pl* regret. (sehr) zu meinem ~ (much) to my regret; zu meinem ~ kann ich nicht kommen I regret that *or* to my regret I will not be able to come; zu meinem größten ~ muß ich Ihnen mitteilen ... it is with the deepest regret that I must inform you ...; mit ~ habe ich ... it is with regret that I ...

bedauernswert, bedauernswürdig (*geh*) *adj* Mensch pitiful; Zustand deplorable.

bedecken* I *vt* 1. to cover. von etw bedeckt sein to be covered in sth; mit einem Tuch/mit Papieren/Staub bedeckt sein to be covered with a cloth/with *or* in papers/dust; sich bedeckt halten (*fig*) to keep a low profile. 2. (*Astron*) Stern to eclipse, to occult (*spec*). II *vr* 1. (*sich zudecken*) to cover oneself. 2. (*Himmel*) to become overcast, to cloud over.

bedeckt *adj* 1. covered. 2. (*bewölkt*) overcast, cloudy. bei ~em Himmel when the sky *or* it is overcast *or* cloudy.

Bedecktsamer [-za:-] *m pl* (*Bot*) angiospermae *pl*.

bedenken* *irreg* I *vt* 1. (*überlegen*) Sache, Lage, Maßnahme to consider, to think about. das will wohl bedacht sein (*geh*) that calls for careful consideration; wenn man es recht bedenkt, ... if you think about it properly ... 2. (*in Betracht ziehen*) Umstand, Folgen to consider, to take into consideration. man muß ~, daß ... one must take into consideration the fact that ...; das hättest du früher *or* vorher ~ sollen you should have thought about that sooner *or* before; ich gebe zu ~, daß ... (*geh*) I would ask you to consider that ... 3. (*in Testament*) to remember. jdn mit einem Geschenk ~ (*geh*) to give sb a present; jdn reich ~ (*geh*) to be generous to sb; mit etw bedacht werden to receive sth; auch ich wurde bedacht I was not forgotten (either), there was something for me too. II *vr* (*geh*) to think (about it), to reflect. bedenke dich gut, ehe du ... think well before you ...; ohne sich lange zu ~ without stopping to think *or* reflect.

Bedenken *nt* -s, - 1. usu *pl* (*Zweifel, Einwand*) doubt, reservation, misgiving. moralische ~ moral scruples; ~ haben *or* tragen (*geh*) to have one's doubts (*bei* about); ihm kommen ~ he is having second thoughts; ohne ~ vorgehen to act relentlessly *or* unrelentingly. 2. *no pl* (*das Überlegen*) consideration (*gen* of), reflection (*gen* (up)on). nach langem ~ after much thought; ohne ~ without thinking.

bedenkenlos *adj* 1. (*ohne Zögern*) Zustimmung unhesitating, prompt. ich würde ~ hingehen I would not hesitate to go *or* would have no hesitation in going; ~ zustimmen to agree without hesitation. 2. (*skrupellos*) heedless of others; (*unüberlegt*) thoughtless. etw ~ tun to do sth without thinking.

Bedenkenlosigkeit *f*, *no pl* 1. (*Bereitwilligkeit*) readiness, promptness. 2. (*Skrupellosigkeit*) unscrupulousness, lack of scruples; (*Unüberlegtheit*) thoughtlessness, lack of thought.

bedenkenswert *adj* worth thinking about *or* considering.

bedenklich *adj* 1. (*zweifelhaft*) Geschäfte, Mittel dubious, questionable. 2. (*besorgniserregend*) Lage, Verschlimmerung serious, disturbing, alarming; *Gesundheitszustand* serious. **der Zustand des Kranken ist** ~ the patient's condition is giving cause for concern.

3. (*besorgt*) apprehensive, anxious. **ein ~es Gesicht machen** to look apprehensive; **jdn** ~ **stimmen** to make sb (feel) apprehensive.

Bedenkzeit f **jdm zwei Tage/bis Freitag** ~ **geben** to give sb two days/until Friday to think about it; **sich** (*dat*) (**eine**) ~ **ausbitten** or **erbitten, um** ~ **bitten** to ask for time to think about it.

bedeppert adj (*inf*) **1.** (*ratlos*) dazed, stunned. **2.** (*trottelig*) dopey (*inf*), daft.

bedeuten* vt **1.** (*gleichzusetzen sein mit, heißen, bezeichnen*) to mean; (*Math, Ling*) to stand for, to denote; (*versinnbildlichen*) to signify, to symbolize. **was bedeutet dieses Wort?** what does this word mean?, what's the meaning of this word?; **was soll das ~?** what does that mean?; **was soll denn das ~!** what's the meaning of that?; **das hat nichts zu ~** it doesn't mean anything; (*macht nichts aus*) it doesn't matter.

2. (*ankündigen, zur Folge haben*) to mean. **diese Wolken ~ schlechtes Wetter** these clouds mean or spell bad weather; **das bedeutet nichts Gutes** that spells trouble, that bodes ill.

3. (*gelten*) to mean (*dat, für* to); (*sein, gelten als auch*) to. **Geld bedeutet mir nichts** money doesn't mean anything or means nothing to me.

4. (*geh: einen Hinweis geben*) to indicate, to intimate; (*mit Geste*) to indicate, to gesture; *Abneigung, Zustimmung auch* to signify. **ich bedeutete ihm, das zu tun** I indicated or intimated that he should do that; **man bedeutete mir, daß ...** I was given to understand that ...

bedeutend I adj **1.** (*wichtig, bemerkenswert*) *Persönlichkeit* important, distinguished, eminent; *Leistung, Rolle* significant, important. **etwas B~es leisten** to achieve something important or significant. **2.** (*groß*) *Summe, Erfolg* considerable, significant. **II** adv (*beträchtlich*) considerably.

bedeutsam adj **1.** (*vielsagend*) meaningful, significant; *Rede, Blick auch* eloquent. **jdm** ~ **zulächeln** to smile meaning(ful)ly at sb. **2.** (*wichtig*) *Gespräch, Fortschritt* important; (*folgenschwer*) significant (*für* for).

Bedeutung f **1.** (*Sinn, Wortsinn*) meaning. **in wörtlicher/übertragener** ~ in the literal/figurative sense.

2. (*Wichtigkeit*) importance, significance; (*Tragweite*) significance. **von** ~ **sein** to be important or significant or of significance; **von** (**großer** or **tiefer/geringer**) ~ **sein** to be of (great/little) importance or (very/not very) important; **ein Mann von** ~ an important figure; **nichts von** ~ nothing of any importance; **ohne** ~ of no importance; **große** ~ **besitzen** to be of great importance.

Bedeutungserweiterung f (*Ling*) extension of meaning; **Bedeutungslehre** f (*Ling*) semantics *sing*; **bedeutungslos** adj **1.** (*unwichtig*) insignificant, unimportant; **2.** (*nichts besagend*) meaningless; **Bedeutungslosigkeit** f insignificance, unimportance; **zur** ~ **verurteilt sein** to be condemned to insignificance; **bedeutungsschwer** adj (*geh*) meaningful; **Bedeutungsvereng(er)ung** f (*Ling*) narrowing of meaning; **Bedeutungsverschiebung** f (*Ling*) shift of meaning, sense or semantic shift; **bedeutungsverwandt** adj (*Ling*) semantically related; **bedeutungsvoll** adj siehe **bedeutsam**; **Bedeutungswandel** m change in meaning, semantic change; **Bedeutungswörterbuch** nt (*defining*) dictionary.

bedienbar adj **leicht/schwer** ~ easy/hard to use.

Bedienbarkeit f, no pl usability. **leichte** ~ ease of use.

bedienen* I vt **1.** (*Verkäufer*) to serve, to attend to; (*Kellner auch*) to wait on; (*Handlanger*) to assist; (*Diener*) to serve, to wait on. **werden Sie schon bedient?** are you being attended to or served?; **hier wird man gut bedient** the service is good here; **er läßt sich gern** ~ he likes to be waited on; **mit diesem Ratschlag war ich schlecht bedient** I was illserved by that advice; **mit dieser Ware/damit sind Sie sehr gut bedient** this goods/that should serve you very well; **ich bin bedient!** (*inf*) I've had enough, I've had all I can take.

2. (*Verkehrsmittel*) to serve. **diese Flugroute wird von X bedient** X operate (on) this route; **Concorde soll demnächst New York** ~ Concorde is due to operate to New York soon.

3. (*handhaben*) *Maschine, Geschütz* to operate; *Telefon* to answer.

4. (*Sport*) to pass or feed (the ball) to.

5. (*Cards*) **eine Farbe/Karo** ~ to follow suit/to follow suit in diamonds.

II vi **1.** to serve; (*Kellner auch*) to wait (at table); (*als Beruf*) to wait, to be a waiter/waitress.

2. (*Cards*) **du mußt** ~ you must follow suit; **falsch** ~ to revoke, to fail to follow suit.

III vr **1.** (*bei Tisch*) to help or serve oneself (*mit* to). **bitte** ~ **Sie sich** please help or serve yourself.

2. (*geh: gebrauchen*) **sich jds/einer Sache** ~ to use sb/sth.

Bediener(in f**)** m **-s, -** (*Comput*) operator.

bedienerfreundlich adj user-friendly; **Bedienerführung** f, no pl (*Comput*) context-sensitive help.

bedienstet adj: **bei jdm** ~ **sein** to be in service with sb; ~ **sein** (*Aus: im öffentlichen Dienst*) to be in the civil service.

Bedienstete(r) mf decl as adj **1.** (*im öffentlichen Dienst*) public employee. **2.** (*old: Diener*) servant.

Bedienung f **1.** no pl (*in Restaurant*) service; (*von Maschinen*) operation. **die** ~ **der Kunden** serving the customers; **eine Tankstelle/ein Restaurant mit** ~ a petrol station with forecourt service/a

restaurant with waiter service; **zur freien ~** please take one *or* help yourself; **die ~ des Geräts erlernen** to learn how to operate the machine.
2. (~*sgeld*) service (charge).
3. (~*spersonal*) staff; (*Kellner*) waiter/waitress. **kommt denn hier keine ~?** isn't anyone serving here?; **hallo, ~!, ~ bitte!** waiter/waitress!
4. (*Mil:* ~*smannschaft*) crew.

Bedienungsanleitung, Bedienungsanweisung *f* operating instructions *pl or* directions *pl*; **Bedienungsaufschlag** *m*, **Bedienungsgeld** *nt* service charge; **Bedienungsfehler** *m* mistake in operating a/the machine; **Bedienungsmannschaft** *f* (*Mil*) crew; **Bedienungsvorschrift** *f* operating instructions *pl*; **Bedienungszuschlag** *m* service charge.

bedingen *pret* **bedingte,** *ptp* **bedingt** *vt*
1. (*bewirken*) to cause; (*notwendig machen*) to necessitate; (*Psych, Physiol*) to condition; (*logisch voraussetzen*) to presuppose. **sich gegenseitig ~** to be mutually dependent. **2.** (*voraussetzen, verlangen*) to call for, to demand.

bedingt *adj* **1.** (*eingeschränkt*) limited; *Lob auch* qualified. **(nur) ~ richtig** (only) partly *or* partially right; **(nur) ~ gelten** to be (only) partly *or* partially valid; **~ tauglich** (*Mil*) fit for limited duties.
2. (*an Bedingung geknüpft*) *Annahme, Straferlaß, Strafaussetzung* conditional.
3. (*Physiol*) *Reflex* conditioned.

Bedingtheit *f* **1.** (*von Lob, Anerkennung*) limitedness. **2.** (*von Existenz*) determinedness.

Bedingung *f* **1.** (*Voraussetzung*) condition; (*Erfordernis*) requirement. **die erste ~ für etw** the basic requirement for sth; **mit** *or* **unter der ~, daß ...** on condition *or* with the proviso that ...; **unter keiner ~ in** *or* under no circumstances, on no condition; **(nur) unter einer ~** (only) on one condition; **unter jeder anderen ~** in any other circumstances; **von einer ~ abhängen** *or* **abhängig sein** to be conditional on one thing; **~ (für meine Zustimmung) ist, daß ...** it is a condition (of my consent) that ...; **es zur ~ machen, daß ...** to stipulate that ...
2. (*Forderung*) term, condition. **zu günstigen ~en** (*Comm*) on favourable terms.
3. **~en** *pl* (*Umstände*) conditions *pl*; **unter guten/harten ~en arbeiten** to work in good/under *or* in difficult conditions.

bedingungslos *adj Kapitulation* unconditional; *Hingabe, Gehorsam, Gefolgschaft* unquestioning; **~ für etw eintreten** to support sth without reservation; **Bedingungssatz** *m* conditional clause.

bedrängen* *vt Feind* to attack; *gegnerische Mannschaft* to put pressure on, to pressurize; (*belästigen*) to plague, to badger; *Schuldner* to press (for payment); *Passanten, Mädchen* to pester; (*bedrücken: Sorgen*) to beset; (*heimsuchen*) to haunt. **sich in einer bedrängten Lage finden** to be in dire *or* de-

sperate straits; **die Bedrängten und Verzweifelten** people in distress and despair.

Bedrängnis *f* (*geh*) (*seelische ~*) distress, torment. **in arger** *or* **großer ~** in dire *or* desperate straits; **jdn/etw in ~ bringen** to get sb/sth into trouble; **in ~ geraten** to get into difficulties.

bedrohen* *vt* to threaten; (*gefährden*) to endanger. **den Frieden ~** to be a threat to peace; **vom Tode/von Überschwemmung bedroht** in mortal danger/in danger of being flooded; **vom Aussterben bedroht** threatened with extinction, in danger of becoming extinct.

bedrohlich *adj* (*gefährlich*) dangerous, alarming; (*unheilverkündend*) ominous, menacing, threatening. **sich ~ verschlechtern** to deteriorate alarmingly; **in ~e Nähe rücken** *or* **kommen** to get dangerously *or* perilously close.

Bedrohung *f* threat (*gen* to); (*das Bedrohen auch*) threatening (*gen* of). **in ständiger ~ leben** to live under a constant threat.

bedrucken* *vt* to print on. **ein bedrucktes Kleid** a print dress; **bedruckter Stoff** print, printed fabric; **etw mit einem Muster ~** to print a pattern on sth.

bedrücken* *vt* to depress. **jdn ~** to depress sb, to make sb feel depressed; **was bedrückt dich?** what is (weighing on) your mind?; **Sorgen bedrückten ihn** cares were weighing upon him.

bedrückend *adj Anblick, Nachrichten, Vorstellung* depressing; (*lastend*) oppressive; *Sorge, Not* pressing.

bedrückt *adj* (*niedergeschlagen*) depressed, dejected; *Schweigen* oppressive.

Beduine *m* **-n, -n, Beduinin** *f* Bedouin.

bedungen *ptp of* bedingen 2.

bedürfen* *vi irreg* +*gen* (*geh*) to need, to require. **das bedarf keiner weiteren Erklärung** there's no need for any further explanation; **es hätte nur eines Wortes bedurft, um ...** it would only have taken a word to ...; **es bedarf nur eines Wortes von Ihnen** you only have to *or* need to say the word; **es bedarf einiger Mühe** some effort is called for *or* required; **ohne daß es eines Hinweises bedurft hätte, ...** without having to be asked ...

Bedürfnis *nt* **1.** (*Notwendigkeit*) need; (*no pl: Bedarf auch*) necessity. **die ~se des täglichen Lebens** everyday needs; **dafür liegt kein ~ vor** *or* **besteht kein ~** there is no need *or* necessity for that.
2. *no pl* (*Verlangen*) need; (*form: Anliegen*) wish, desire. **es war ihm ein ~, ...** it was his wish *or* desire to ...; **ich hatte das ~/das dringende ~, das zu tun** I felt the need/an urgent need to do that; **das ~ nach Schlaf haben** to be in need of sleep.
3. (*old: Notdurft*) call of nature. **(s)ein ~ verrichten** to relieve oneself.

Bedürfnisanstalt *f* (*dated form, hum*) öffentliche ~ public convenience *or* restroom (*US*); **Bedürfnisbefriedigung** *f* satisfaction of one's/sb's needs; **bedürfnislos** *adj Mensch* undemanding, modest in one's needs; *Leben* humble, simple.

bedürftig adj 1. (hilfs~) needy, in need. **die B~en** the needy pl, those in need. 2. **einer Sache** (gen) ~ **sein** (geh) to be or stand in need of sth, to have need of sth.

Bedürftigkeit f, no pl need. **jds ~** (amtlich) **feststellen** to give sb a means test.

beduselt adj (inf) (angetrunken) sozzled (inf), tipsy (inf); (benommen) bemused, befuddled.

Beefsteak ['bi:fste:k] nt steak. **deutsches ~** hamburger, beefburger.

beehren* I vt (geh) to honour. **wann ~ Sie uns (mit einem Besuch)?** when will you honour us with a visit?; **bitte ~ Sie uns bald wieder** (Kellner) I hope you'll do us the honour of coming again soon.

II vr sich ~, etw zu tun (form) to have the honour or privilege of doing sth (form).

beeiden* vt (beschwören) Sache, Aussage to swear to.

beeilen* vr to hurry (up), to get a move on (inf). **sich sehr** or **mächtig** (inf) ~ to get a real move on (inf); **er beeilte sich hinzuzufügen …** (form) he hastened to add …

Beeilung interj (inf) get a move on (inf), step on it (inf).

beeindrucken* vt to impress; (Eindruck hinterlassen auch) to make an impression on. **davon lasse ich mich nicht ~** I won't be impressed by that.

beeindruckend adj impressive.

beeinflußbar adj Mensch impressionable, suggestible. **er ist nur schwer ~** he is hard to influence or sway; **diese Vorgänge sind nicht ~** these events cannot be influenced or changed.

beeinflussen* vt jdn to influence; Urteil, Meinung, Aussage auch to sway; Ereignisse, Vorgänge auch to affect. **jdn günstig/nachhaltig ~** to have a favourable or good/lasting influence on sb; **er ist leicht/schwer zu ~** he is easily influenced/hard to influence; **kannst du deinen Freund nicht ~?** can't you persuade your friend?; **durch etw beeinflußt sein** to be or to have been influenced or affected by sth.

Beeinflussung f (das Beeinflussen) influencing; (Einfluß) influence (durch of).

beeinträchtigen* vt (stören) to spoil; Vergnügen, Genuß auch to detract from; Konzentration auch to disturb; Rundfunkempfang to interfere with, to impair; (schädigen) jds Ruf to damage, to harm; (vermindern) Qualität, Wert, Absatz, Energie, Appetit to reduce; Sehvermögen to impair; Reaktionen, Leistung to reduce, to impair; (hemmen) Entscheidung to interfere with; Freiheit, Entschlußkraft to restrict, to interfere with, to curb. **dadurch wird der Wert erheblich beeinträchtigt** that reduces the value considerably; **sich (gegenseitig) ~** to have an adverse effect on one another; (Empfangsgeräte) to interfere with one another; **jdn in seiner Freiheit** or **jds Freiheit ~** to restrict or interfere with or curb sb's freedom.

Beeinträchtigung f siehe vt spoiling; detracting (gen from); disturbance; interference (gen with), impairment; damage, harm (gen to); reduction (gen of, in); restriction, curbing.

beejelenden* vt (Sw) to upset, to distress.

Beelzebub [be'ɛltsabu:p, 'be:l-] m -s (Bibl) Beelzebub; siehe **Teufel**.

beejenden* vt etw Arbeit, Aufgabe to finish, to complete; Vortrag, Brief, Schulstunde, Versammlung auch to bring to an end, to conclude; Streik, Streit, Krieg, Verhältnis auch to bring to an end; Studium to complete; (Comput) to terminate. **der Abend wurde mit einer Diskussion beendet** the evening ended with or finished with a discussion; **etw vorzeitig ~** to cut sth short; **sein Leben ~** (geh) to end one's days; (durch Selbstmord) to take one's life; **damit ist unser Konzert/unser heutiges Programm beendet** that concludes or brings to an end our concert/our programmes for today.

Beendigung f, no pl ending; (Ende) end; (Fertigstellung) completion; (Schluß) conclusion. **zur ~ dieser Arbeit** to finish this piece of work; **nach ~ des Unterrichts** after school (ends).

beejengen* vt (lit) Bewegung to restrict, to cramp; (Möbel etc) Zimmer to make cramped; (fig) to stifle, to inhibit. **das Zimmer/Kleid beengt mich** the room is too cramped/the dress is too tight for me; **~de Kleidung** tight or restricting clothing.

beengt adj cramped, confined; (fig auch) stifled. **~ wohnen** to live in cramped conditions; **sich ~ fühlen** to feel confined etc; **~e Verhältnisse** (fig) restricted circumstances.

Beengtheit f (Eingeschränktheit) restriction, confinement; (von Räumen) cramped conditions pl. **ein Gefühl der ~ haben** to feel restricted or confined or (fig auch) stifled.

beejerben* vt jdn ~ to inherit sb's estate, to be heir to sb.

beejerdigen* vt to bury. **jdn kirchlich ~** to give sb a Christian burial.

Beerdigung f burial; (~sfeier) funeral. **auf der falschen ~ sein** (hum sl) to have come to the wrong place.

Beerdigungs- in cpds siehe auch **Bestattungs-** funeral; **Beerdigungsfeier** f funeral service.

Beere f -, -n berry; (Wein~) grape. **~n tragen** to bear fruit; **~n sammeln, to go berry-picking.**

Beerenauslese f (Wein) wine made from specially selected grapes; **Beerenlese** f fruit picking; **Beerenobst** nt soft fruit.

Beet nt -(e)s, -e (Blumen~, Spargel~) bed; (Gemüse~) patch; (Rabatte) border (mit of).

Beete f -, -n siehe **Bete**.

befähigen* vt to enable; (Ausbildung) to qualify, to equip. **jdn zu etw ~** to enable sb to do sth; to qualify or equip sb to do sth.

befähigt adj capable, competetent; (durch Ausbildung) qualified. **sie ist zum**

Richteramt ~ she is qualified to be or become a judge; **zu etw** ~ **sein** to be capable of doing sth or competent to do sth.

Befähigung f, no pl **1.** (durch Ausbildung, Voraussetzung) qualifications pl. **die** ~ **zum Richteramt** the qualifications to be or become a judge.

2. (Können, Eignung) capability, ability. **er hat nicht die** ~ **dazu** he does not have the ability to do that.

Befähigungsnachweis m certificate of qualifications.

befahl pret of **befehlen**.

befahrbar adj Straße, Weg passable; Seeweg, Fluß navigable. ~ **sein** (Straße) to be open to traffic; **nicht** ~ **sein** (Straße, Weg) to be closed (to traffic); (wegen Schnee etc auch) to be impassable; (Seeweg, Fluß) to be unnavigable or not navigable.

befahren [1]* vt irreg **1.** Straße, Weg to use, to drive on or along; Paßstraße to drive over; Gegend, Land to drive or travel through; Kreuzung, Seitenstreifen to drive onto; Eisenbahnstrecke to travel on. **der Paß kann nur im Sommer** ~ **werden** the pass is only open to traffic or passable in summer; **die Strecke darf nur in einer Richtung** ~ **werden** this stretch of road is only open in one direction; **die Straße wird von Panzern** ~ tanks use this road; **diese Straße wird stark/wenig** ~ there is a lot of/not much traffic on this road.

2. (Schiff, Seemann) to sail; Fluß auch to sail up/down; Seeweg auch to navigate; Küste to sail along. **der See wird von vielen Booten** ~ many boats sail on or use this lake; **diese Route wird nicht mehr von Schiffen** ~ ships no longer sail this route.

3. (Min) Schacht to go down. **die Grube wird nicht mehr** ~ the mine is not worked any more.

befahren [2] adj Straße, Seeweg, Kanal used. **eine viel** or **stark/wenig** ~**e Straße** a much/little used road.

Befahren nt -s, no pl use (gen of); (Vorgang) using. **beim** ~ **der Brücke** when using the bridge; „~ **verboten**" "road closed"; „~ **der Brücke verboten**" "bridge closed".

Befall m -(e)s, no pl attack; (mit Schädlingen) infestation. **es kam zum** ~ **aller Organe** all organs were affected; **der** ~ **(des Kohls) mit Raupen** the blight of caterpillars (on the cabbage).

befallen [1]* vt irreg **1.** (geh: überkommen) to overcome; (Angst auch) to grip, to seize; (Durst, Hunger auch) to assail; (Fieber, Krankheit, Seuche) to attack, to strike; **eine Schwäche/eine Ohnmacht befiel sie** she felt faint/she fainted. **2.** (angreifen, infizieren) to affect; (Schädlinge, Ungeziefer) to infest.

befallen [2] adj affected (von by); (von Schädlingen) infested (von with).

befangen adj **1.** Mensch, Lächeln bashful, diffident; Schweigen, Stille awkward.

2. (esp Jur: voreingenommen) Richter, Zeuge prejudiced, bias(s)ed. **als** ~ **gel-**

ten to be considered (to be) prejudiced etc or (Jur auch) an interested party; **sich für** ~ **erklären** (Jur) to declare one's interest; **jdn als** ~ **ablehnen** (Jur) to object to sb on grounds of interest.

3. (geh: verstrickt) **in der Vorstellung** ~ **sein, daß ... or ... zu ...** to have the impression that ...; **in einem Irrtum** ~ **sein** to labour under a misapprehension.

Befangenheit f, no pl siehe adj **1.** bashfulness, diffidence; awkwardness. **2.** bias, prejudice; (Jur) interest. **jdn wegen (Besorgnis der)** ~ **ablehnen** (Jur) to object to sb on grounds of interest.

befassen* I vr **1.** (sich beschäftigen) **sich mit etw** ~ to deal with sth; mit Problem, Frage auch to look into sth; mit Fall, Angelegenheit auch to attend to sth; mit Arbeit auch, Forschungsbereich to work on sth; **damit haben wir uns jetzt lange genug befaßt** we have spent long enough on or over that; **mit solchen Kleinigkeiten hat er sich nie befaßt** he has never bothered with or concerned himself with such trivialities.

2. (sich widmen) **sich mit jdm** ~ to deal with sb, to attend to sb; mit Kindern auch to see to sb; **sich mit jdm sehr** ~ to give sb a lot of attention.

II vt (form) **jdn mit etw** ~ to get sb to deal with sth; **mit etw befaßt sein** to be dealing with sth; **die mit diesem Fall befaßten Richter** the judges engaged on this case.

befehden* I vt (Hist) to be feuding with; (fig) to attack. II vr to be feuding. **sich mit Worten** ~ to attack each other verbally.

Befehl m -(e)s, -e **1.** (Anordnung) instruction, order, command (an +acc to, von from); (Physiol) command; (Comput) command. **einen** ~ **verweigern** to refuse to obey an order etc; **er gab (uns) den** ~, **... he ordered us to ...; wir hatten den** ~, **... we had orders or were ordered to ...; wir haben** ~, **Sie festzunehmen** we have orders or have been ordered to arrest you; **auf seinen** ~ **(hin)** on his orders, at his command; **auf** ~ to order; (sofort) at the drop of a hat (inf); **auf** ~ **handeln** to act under or according to orders; **auf höheren** ~ on orders from above; **zu** ~, **Herr Hauptmann** (Mil) yes, sir; (nach erhaltenem Befehl auch) very good, sir; **zu** ~, **Herr Kapitän** aye-aye, sir; ~ **ausgeführt!** mission accomplished; ~ **ist** ~ orders are orders; **vom Chef!** boss's orders; **dein Wunsch ist mir** ~ (hum) your wish is my command.

2. (Befehlsgewalt) command. **den** ~ **haben** or **führen** to have command, to be in command (über +acc of); **den** ~ **übernehmen** to take or assume command.

befehlen pret **befahl**, ptp **befohlen** vti **1.** to order; (vi: Befehle erteilen) to give orders. **er befahl Stillschweigen** or **zu schweigen** he ordered them/us etc to be silent; **sie befahl ihm Stillschweigen** or **zu schweigen** she ordered him to keep quiet; **er befahl, den Mann zu erschießen**

or **die Erschießung des Mannes** he ordered the man to be shot; **sie befahl, daß ...** she ordered *or* gave orders that ...; **du hast mir gar nichts zu ~, von dir lasse ich mir nichts ~** I won't take orders from you; **er befiehlt gern** he likes giving orders; **hier habe nur ich zu ~** I give the orders around here; **wie Sie ~** as you wish; **wer ~ will, muß erst gehorchen lernen** (*prov*) if you wish to command you must first learn to obey.

2. (*beordern*) (*an die Front*) to order, to send; (*zu sich auch*) to summon.

3. *vi only* (*Mil: den Befehl haben*) to be in command, to have command (*über* +*acc* of).

4. (*liter: anvertrauen*) to entrust, to commend (*liter*). **seine Seele Gott ~** to commend *or* entrust one's soul to God/ into God's hands.

befehligen* *vt* (*Mil*) to command, to be in command of, to have command of *or* over.

Befehlsausgabe *f* (*Mil*) issuing of orders; **Befehlscode** *m* (*Comput*) command code; **Befehlsempfängerin**(*f*) *m* recipient of an order; **~ sein** to follow orders (*gen* from); **jdn zum ~ degradieren** (*fig*) to lower sb to the level of just following orders; **Befehlsfolge** *f* (*Comput*) command sequence; **Befehlsform** *f* (*Gram*) imperative; **befehlsgemäß** *adj* as ordered, in accordance with (sb's) orders; **Befehlsgewalt** *f* (*Mil*) command; **jds ~** (*dat*) **unterstehen** to be under sb's command; **Befehlshaber** *m* **-s, -** (*Mil*) commander; **Befehlsnotstand** *m* (*Jur*) compulsion *or* necessity to obey orders; **unter ~ handeln** to be acting under orders; **Befehlssatz** *m* (*Gram*) imperative, command; **Befehlssprache** *f* (*Comput*) command language; **Befehlston** *m* peremptory tone; **Befehlsverweigerung** *f* (*Mil*) refusal to obey orders.

befeinden* **I** *vt* (*geh*) *Land* to be hostile towards; *Ideologie, Schriften, Schriftsteller* to be hostile to.

II *vr* to be hostile (towards each other).

befestigen* *vt* **1.** (*an* +*dat* to) (*anbringen*) to fasten; (*festmachen auch*) to secure; *Boot* to tie up. **etw durch Nähen/ Kleben ~** to sew/glue sth; **etw an der Wand/Tür ~** to attach *or* fix sth to the wall/door; **die beiden Enden/Teile werden (aneinander) befestigt** the two ends/ parts are fastened together; **ein loses Brett ~** to fasten down *or* secure a loose board.

2. (*fest, haltbar machen*) *Böschung, Deich* to reinforce; *Fahrbahn, Straße* to make up; (*fig: stärken*) *Herrschaft, Ruhm* to consolidate.

3. (*Mil: mit Festungsanlagen versehen*) to fortify.

Befestigung *f* **1.** (*das Befestigen*) fastening; (*das Festmachen auch*) securing; (*von Boot*) tying up. **zur ~ des Plakats ...** in order to attach the poster ...

2. (*Vorrichtung zum Befestigen*) fastening, catch.

3. (*das Haltbarmachen*) reinforcement; (*fig: Stärkung*) consolidation. **zur ~ der Macht des ...** in order to consolidate the power of ...

4. (*Mil*) fortification.

Befestigungsanlage *f*, **Befestigungsbau** *m*, **Befestigungswerk** *nt* fortification, defence.

befeuchten* *vt* to moisten; *Finger auch* to wet; *Wäsche* to damp(en).

befeuern* *vt* **1.** (*beheizen*) to fuel. **2.** (*Naut, Aviat*) *Wasserstraße, Untiefen* to light *or* mark with beacons; *Start- und Landebahn* to light, to mark with lights.

3. (*lit, fig: mit Geschossen*) to bombard.

4. (*geh: anspornen*) to fire with enthusiasm.

Befeuerung *f* (*Aviat, Naut*) lights *pl*, beacons *pl*.

Beffchen *nt* Geneva band.

befiehl *imper sing of* **befehlen**.

befinden* *irreg* **I** *vr* **1.** (*sein*) to be; (*liegen auch*) to be situated; (*esp in Maschine, Körper auch*) to be located. **sich auf Reisen ~** to be away; **unter ihnen befanden sich einige, die ...** there were some amongst them who ...; **sich in Verwirrung im Irrtum ~** to be confused/ mistaken; **sich auf dem Weg der Besserung ~** to be on the road to recovery; **wenn man sich in schlechter Gesellschaft befindet ...** if you find yourself in bad company ...

2. (*form: sich fühlen*) to feel. **wie ~ Sie sich heute?** how are you (feeling) *or* how do you feel today?

II *vt* (*form: erachten*) to deem (*form*), to find. **etw für nötig/für** *or* **als gut ~** to deem *or* find sth (to be) necessary/good; **Ihre Papiere wurden in Ordnung befunden** your papers were found to be in order; **jdn für schuldig ~** to find sb guilty.

III *vi* (*geh: entscheiden*) to come to *or* make a decision, to decide (*über* +*acc* about, *in* +*dat* on). **darüber hat der Arzt zu ~/habe ich nicht zu ~** that is for the doctor/not for me to decide; **über jdn/ etw ~** to pass judgement *or* reach a verdict on sb/sth.

Befinden *nt* **-s**, *no pl* **1.** (*form: Gesundheitszustand*) (state of) health; (*eines Kranken*) condition. **seelisches ~** mental state *or* condition; **wie ist Ihr ~?** (*form*) how are you (feeling)?

2. (*geh: das Dafürhalten*) view, opinion. **nach meinem ~** in my view *or* opinion; **nach eigenem ~ entscheiden** to decide according to one's own judgement.

befindlich *adj usu attr* (*form*) **1.** (*an einem Ort*) *Gebäude, Park* situated, located; (*in Behälter*) contained. **der hinter dem Hause ~e Garten** the garden (situated) behind the house; **alle in der Bibliothek ~en Bücher** all the books in the library.

2. (*in einem Zustand*) **das im Umbau ~e Hotel** the hotel which is being renovated; **das im Umlauf ~e Geld** the money in circulation; **die in Kraft ~e Verordnung** the regulation which is in force.

befingern* *vt* (*inf*) (*betasten*) to finger.

beflaggen* vt Häuser to (be)deck or decorate with flags; Schiff to dress. **die beflaggten Straßen** the flag-decked streets, the streets (be)decked or decorated with flags; **anläßlich seines Todes wurden alle öffentlichen Gebäude beflaggt** flags were flown on all public buildings to mark his death.

Beflaggung f 1. (das Beflaggen) (von Gebäuden) decoration with flags; (von Schiffen) dressing. 2. (Fahnenschmuck) flags pl.

beflecken* vt 1. (lit) to stain. **er hat seinen Anzug mit Farbe befleckt** he got paint on his suit; **er hat sich or seine Hände mit Blut befleckt** (fig) he has blood on his hands.
2. (fig geh) Ruf, Ehre to cast a slur on, to besmirch, to sully; Heiligtum to defile, to desecrate.

befleckt adj 1. stained. **sein mit Blut ~er Anzug** his blood-stained suit. 2. Ruf, Ehre sullied, besmirched.

befleißigen* vr (geh) **sich einer Sache** (gen) ~ to cultivate sth; **sich ~, etw zu tun** to make a great effort to do sth; **sich größter or der größten Höflichkeit ~** to go out of one's way to be polite.

befliegen* vt irreg (Aviat) Strecke to fly, to operate (on); Gegend to fly over; Raum to fly through or in. **eine viel beflogene Strecke** a heavily used route.

beflissen adj (geh) (bemüht) zealous, keen; (pej: unterwürfig) obsequious. **um etw ~ sein** to be concerned for sth; **~ sein, etw zu tun** to be concerned to do sth; **ängstlich ~** anxious.

Beflissenheit f siehe adj zeal, keenness; obsequiousness.

beflügeln* vt (geh) to inspire, to fire. **der Gedanke an Erfolg beflügelte ihn** the thought of success spurred him on.

befohlen ptp of befehlen.

befolgen* vt Vorschrift, Befehl to obey, to comply with; grammatische Regel to follow, to obey; Rat(schlag) to follow.

Befolgung f siehe vt obeying, compliance (gen with); following. **~ der Vorschriften** obeying the rules, compliance with the rules.

Beförderer m (form) carrier.

befördern* vt 1. Waren, Gepäck to transport, to carry; Personen to carry; Post to handle. **etw mit der Post/per Luftpost/Bahn/Schiff ~** to send sth by post/airmail/rail/ship; to ship sth; **jdn/etw von A nach B ~** to transport or convey sb/sth from A to B; **jdn an die (frische) Luft or zur Tür hinaus ~** (fig) to fling or chuck sb out (inf); **jdn ins Jenseits ~** (inf) to bump sb off (inf), to do sb in (inf).
2. (dienstlich aufrücken lassen) to promote. **er wurde zum Major befördert** he was promoted to (the rank of) major.

Beförderung f siehe vt 1. transportation, carriage; carriage; handling. **die ~ der Post/eines Briefes dauert drei Tage** the post/a letter takes three days (to arrive); **für die ~ von 35 Personen zugelassen** permitted to carry 35 persons; **~ zu Lande/zur Luft/per Bahn** land/air/rail

transportation. 2. promotion.

Beförderungsbedingungen pl terms pl or conditions pl of carriage; **Beförderungsmittel** nt means of transport; **Beförderungspflicht** f obligation of taxis, buses etc to accept passengers; **Beförderungstarif** m transportation or (Post~) postage charge.

befrachten* vt Fahrzeug, Schiff to load; (fig geh auch) to burden. **ein schwer befrachtetes Schiff** a heavily laden ship; **seine übermäßig mit Emotionen befrachtete Rede** his speech, overladen with emotion.

Befrachter m -s, - shipper, freighter.

Befrachtung f loading.

befrackt adj in tails, tail-coated.

befragen* I vt 1. (über +acc, zu, nach about) to question; Zeugen auch to examine. **jdn im Kreuzverhör ~** to cross-question or (esp Jur) to cross-examine sb; **auf B~** when questioned.
2. (um Stellungnahme bitten) to consult (über +acc, nach about). **jdn um Rat/nach seiner Meinung ~** to ask sb for advice/his opinion, to ask sb's advice/opinion; **jdn in einer Angelegenheit ~** to consult sb about or on a matter.
II vr (dated) to make enquiries. **sich bei jdm/etw ~** to consult sb/sth.

Befragte(r) mf decl as adj person asked; (in Umfrage auch) interviewee. **alle ~n** all those asked.

Befragung f siehe vt 1. questioning; examining, examination. 2. consultation (gen with or of). 3. (Umfrage) survey.

befreien* I vt 1. (frei machen) to free, to release; Volk, Land to liberate, to free; (freilassen) Gefangenen, Tier, Vogel to set free, to free. **jdn aus einer schwierigen Lage ~** to rescue sb from or get sb out of a tricky situation.
2. (freistellen) (von from) to excuse; (von Militärdienst, Steuern) to exempt; (von Eid) to absolve; (von Pflicht auch) to release. **sich vom Religionsunterricht ~ lassen** to be excused religious instruction.
3. (erlösen: von Schmerz) to release, to free. **jdn von einer Last ~** to take a weight off sb's mind.
4. (reinigen) (von of) (von Ungeziefer) to rid; (von Schnee, Eis) to free. **seine Schuhe von Schmutz ~** to remove the dirt from one's shoes; **ein ~des Lachen** a healthy or an unrepressed laugh.
II vr 1. (Volk, Land) to free oneself; (entkommen) to escape (von, aus from). **sich aus einer schwierigen Lage ~** to get oneself out of a difficult situation.
2. (erleichtern) to rid oneself (von of), to free oneself (von from).

Befreier(in f) m -s, - liberator.

befreit adj (erleichtert) relieved. **~ aufatmen** to sigh or breathe a sigh of relief.

Befreiung f siehe vt 1. freeing, releasing; liberation, freeing; setting free, freeing. 2. excusing; exemption; absolving; releasing. **um ~ von etw bitten** to ask to be excused/exempted from sth. 3. releasing; (Erleichterung) relief. 4. ridding;

freeing.

Befreiungsbewegung f liberation movement; **Befreiungsfront** f liberation front; **Befreiungskampf** m struggle for liberation; **Befreiungskrieg** m war of liberation; **Befreiungsorganisation** f liberation organization; **Befreiungsschlag** m (Eishockey, Ftbl) clearance; (fig) coup; **Befreiungsversuch** m escape attempt.

befremden* I vt to disconcert. **es befremdet mich, daß ...** I'm rather taken aback that ...; **das befremdet mich an ihr** that (side of her) disconcerts me. II vi to cause disconcertment.

Befremden nt -s, no pl disconcertment. **nicht ohne ~ ...** it is with some disconcertment that ...

befremdend adj disconcerting.

befremdet adj disconcerted, taken aback.

befremdlich adj (geh) disconcerting.

befreunden* vr 1. (sich anfreunden) to make or become friends. **ich habe mich schnell mit ihm befreundet** I quickly made friends with him, he and I quickly became friends.
2. (fig: mit einem Gedanken) to get used to, to get or grow accustomed to.

befreundet adj **wir/sie sind schon lange (miteinander) ~** we/they have been friends or friendly for a long time; **gut** or **eng ~ sein** to be good or close friends; **ein uns ~er Staat** a friendly nation; **das ~e Ausland** friendly (foreign) countries; **ein uns ~er Arzt** a doctor (who is a) friend of ours.

befrieden* vt (geh) to pacify.

befriedigen* I vt to satisfy; Gläubiger auch to pay; Gelüste auch to gratify; Ansprüche, Forderungen, Verlangen auch to meet. **jdn (sexuell) ~** to satisfy sb (sexually); **er ist leicht/schwer zu ~** he's easily/not easily satisfied, he's easy/hard to satisfy.
II vi to be satisfactory. **Ihre Leistung hat nicht befriedigt** your performance was unsatisfactory.
III vr **sich (selbst) ~** to masturbate.

befriedigend adj satisfactory; Verhältnisse, Leistung, Arbeit, Antwort auch adequate; Gefühl auch satisfying; Lösung auch acceptable; (Schulnote) fair. **nicht ~ sein** to be unsatisfactory/inadequate/unacceptable.

befriedigt adj satisfied, contented. **bist du nun endlich ~?** are you satisfied at last?; **er lächelte ~** he smiled with satisfaction.

Befriedigung f 1. siehe vt satisfaction, satisfying; payment; gratification; meeting. **sexuelle ~** sexual satisfaction; **zur ~ deiner Neugier ...** to satisfy your curiosity ... 2. (Genugtuung) satisfaction. **seine ~ in etw** (dat) **suchen** to look for or seek satisfaction in sth.

Befriedung f (geh) pacification.

befristen* vt to limit, to restrict (auf +acc to); Aufgabe, Projekt to put a time limit on.

befristet adj Genehmigung, Visum restricted, limited (auf +acc to); Arbeitsverhältnis temporary. **mein Arbeitsverhältnis ist auf zwei Jahre ~** my appointment is limited or restricted to two years; **~ sein/auf zwei Jahre ~ sein** (Paß etc) to be valid for a limited time/ for two years.

Befristung f limitation, restriction (auf +acc to).

befruchten* vt 1. (lit) Eizelle to fertilize; (schwängern auch) to impregnate (form); Blüte to pollinate. **künstlich ~** to inseminate artificially. 2. (fig: fruchtbar machen) to make fertile. 3. (geh fig: geistig anregen) to stimulate, to have a stimulating effect on.

Befruchtung f siehe vt fertilization; impregnation; pollination. **künstliche ~** artificial insemination.

befugen* vt (form) to authorize. **wer hat Sie dazu befugt?** who authorized you to do that?

Befugnis f (form) authority no pl; (Erlaubnis) authorization no pl. **eine ~ erhalten/erteilen** to receive/give authorization or authority; **besondere ~se erhalten** to receive or be given special authority.

befugt adj (form) **~ sein(, etw zu tun)** to have the authority or (ermächtigt worden sein) be authorized (to do sth).

befühlen* vt to feel; (hinstreichen über auch) to run one's hands over.

befummeln* vt (inf) (betasten) to paw.

Befund m -(e)s, -e results pl, findings pl; (med) diagnosis. **der ~ war positiv/ negativ** (Med) the results were positive/ negative; **ohne ~** (Med) (results) negative.

befürchten* vt to fear, to be afraid of. **ich befürchte das Schlimmste** I fear the worst; **es ist zu ~, daß ...** it is (to be) feared that ...; **dabei sind Komplikationen/ist gar nichts zu ~** it is feared there may be complications/ there's nothing to fear with that.

Befürchtung f fear usu pl. **~en or die ~ haben, daß ...** to fear or be afraid that ...; **die schlimmsten ~en haben** or **hegen** (geh) to fear the worst.

befürworten* vt to approve.

Befürworter(in f) m -s, - supporter; (von Idee auch) advocate.

Befürwortung f approval, support.

begabt adj talented; (esp geistig, musisch auch) gifted. **für etw ~ sein** to be talented at sth; **für Musik, Kunst auch** to have a gift for sth.

Begabte(r) mf decl as adj talented or gifted person/man/woman etc.

Begabung f 1. (Anlage) talent; (geistig, musisch auch) gift. **er hat eine ~ dafür, immer das Falsche zu sagen** he has a gift for or a knack of always saying the wrong thing; **mangelnde ~** a lack of talent, insufficient talent.
2. (geh: begabter Mensch) talented person. **sie ist eine musikalische ~** she has a talent for music.

begaffen* vt (pej inf) to gape or goggle at (inf).

begann pret of **beginnen**.

begasen* vt (Agr) to gas.

begatten* (esp Zool) I vt to mate or copulate with; (geh, hum) to copulate with. II *vr* to mate, to copulate; *(geh, hum)* to copulate.

Begạttung *f (esp Zool)* mating, copulation; *(geh, hum)* copulation.

Begạttungs *in cpds* mating.

begẹben* *irreg* I *vr* 1. *(geh: gehen)* to betake oneself *(liter)*. **sich nach Hause** *or* **auf den Heimweg ~** to wend *(liter)* *or* make one's way home; **sich auf eine Reise ~** to undertake a journey; **sich zu Bett/zur Ruhe ~** to repair to one's bed *(liter)*/to retire; **sich an seinen Platz ~** to take one's place; **sich in ärztliche Behandlung ~** to undergo medical treatment; **sich an die Arbeit ~** to commence work.

2. *(sich einer Sache aussetzen)* **sich in Gefahr ~** to expose oneself to *or* put oneself in danger; **sich in jds Schutz** *(acc)***~** to place oneself under sb's protection.

3. *(old liter: geschehen)* to come to pass *(old liter)*. **es begab sich aber zu der Zeit, daß ...** *(Bibl)* and it came to pass at that time that ....

4. *(geh: aufgeben)* +gen to relinquish, to renounce.

II *vt (Fin)* to issue.

Begẹbenheit *f (geh)* occurrence, event.

begẹgnen* *vi aux sein +dat* 1. *(treffen)* to meet. **sich** *or* **einander** *(geh)* **~** to meet; **ihre Augen** *or* **Blicke begegneten sich** their eyes met.

2. *(stoßen auf)* to encounter; *Schwierigkeiten auch* to run into. **dieses Wort wird uns später noch einmal ~** we will encounter this word again later.

3. *(widerfahren)* **jdm** *ist etw* begegnet sth has happened to sb; **es war mir schon einmal begegnet, daß ...** it had happened to me once already that ...

4. *(geh: behandeln)* to treat. **man begegnete mir nur mit Spott** I only met with derision.

5. *(geh) (entgegentreten)* *einer Krankheit, der Not* to combat; *einem Übel, Angriff auch* to oppose, to resist; *(überwinden)* *einer Gefahr, Schwierigkeiten* to confront, to meet, to face; *(reagieren auf)* *einem Wunsch, einer Ansicht* to meet, to respond to. **man begegnete seinen Vorschlägen mit Zurückhaltung** his suggestions met with reserve.

6. *(geh: einwenden gegen)* *Behauptungen* to counter.

Begẹgnung *f* 1. *(Treffen)* meeting, encounter. **bei der ersten ~ der beiden** at the first meeting between the two; **ein Ort internationaler ~** an international meeting place.

2. *(Sport)* encounter, match. **die ~ Spanien-Italien findet nächsten Monat statt** Spain and Italy meet next month.

Begẹgnungsstätte *f* meeting place.

begẹhen* *vt irreg* 1. *(verüben)* *Selbstmord, Ehebruch, Sünde* to commit; *Verbrechen auch* to perpetrate *(form)*; *Fehler* to make. **eine Indiskretion (gegenüber jdm) ~** to be indiscreet (about sb); **einen Mord an jdm ~** to murder sb; **eine Taktlosigkeit/Unvorsichtigkeit ~** to do something tactless/careless; **die**

Taktlosigkeit/Unvorsichtigkeit ~, ... to be so tactless/careless as to ...; **an jdm ein Unrecht ~** to wrong sb, to be unjust to sb; **Verrat an jdm/etw ~** to betray sb/sth.

2. *(entlanggehen)* *Weg* to use. „B~ der Brücke auf eigene Gefahr" "persons using this bridge do so at their own risk".

3. *(abschreiten)* *Bahnstrecke, Felder* to inspect (on foot).

4. *(geh: feiern)* to celebrate; *(Eccl)* *Fest auch* to observe.

begẹhren* *vt* 1. *(liter: Verlangen haben nach)* to desire, to crave; *Frau* to desire; *Gegenstände, Besitz eines andern* to covet. **ein Mädchen zur Frau ~** to desire a girl's hand in marriage; **du sollst nicht ~ ...** *(Bibl)* thou shalt not covet ....

2. *(old: wollen)* to desire.

Begẹhren *nt* **-s**, *(rare)* - 1. *(geh: Verlangen)* desire *(nach* for). **das ~ fühlen** *or* **haben, etw zu tun** to feel the *or* a desire to do sth. 2. *(old: Wunsch, Forderung)* wish. **nach jds ~ fragen** to inquire after sb's wishes, to ask what sb wants; **auf mein ~ (hin)** at my request.

begẹhrenswert *adj* desirable, attractive; *Frau* desirable.

begẹhrlich *adj (geh)* covetous.

Begẹhrlichkeit *f (geh)* covetousness.

begẹhrt *adj* much *or* very sought-after, in demand; *(Ort)* coveted, desirable; *Ferienziel* popular; *Junggeselle* eligible; *Posten auch* desirable.

Begẹhung *f (das Abschreiten)* inspection (on foot).

begẹistern* I *vt* jdn to fill with enthusiasm; *(inspirieren)* to inspire. **er begeistert alle durch sein** *or* **mit seinem Talent** everybody is enthusiatic about his talent; **er ist für nichts zu ~** he's never enthusiastic about anything. II *vr* to be *or* feel enthusiastic *(an +dat, für* about).

begẹisternd *adj* inspiring; *Rede auch* stirring.

begẹistert *adj* enthusiastic *(von* about).

Begẹisterung *f, no pl* enthusiasm *(über +acc* about, *für* for). **etw mit ~ tun** to do sth enthusiastically *or* with enthusiasm; **in ~ geraten** to become enthusiastic *or* be filled with enthusiasm.

begẹisterungsfähig *adj* able to get enthusiastic; *Publikum etc* quick to show one's enthusiasm; **sie ist zwar ~, aber ...** her enthusiasm is easily aroused but ...; **Begẹisterungsfähigkeit** *f* capacity for enthusiasm; **Begẹisterungssturm** *m* storm of enthusiasm.

Begịer *f* **-**, *no pl* *(liter)*, **Begịerde** *f* **-, -n** *(geh)* desire *(nach* for); *(Sehnsucht)* longing, yearning. **vor ~ brennen, etw zu tun** to be longing *or* burning to do sth.

begịerig *adj* *(voll Verlangen)* hungry, greedy; *(gespannt)* eager, keen; *Leser* avid. **auf etw** *(acc)* **~ sein** to be eager for sth; **~ (darauf) sein, etw zu tun** to be eager *or* keen to do sth.

begịeßen* *vt irreg* 1. *(mit Wasser)* to pour water on; *Blumen, Beet* to water; *(mit Fett)* *Braten* to baste; *siehe* **begossen. 2.**

(fig inf) freudiges Ereignis to celebrate. **das muß begossen werden!** that calls for a drink!

beging *pret of* **begehen.**

Beginn *m* **-(e)s,** *no pl* beginning, start. **am** *or* **bei** *or* **zu ~** at the beginning; **mit ~ der Ferien** at the beginning *or* start of the holidays, when the holidays begin *or* start; **gleich zu ~** right at the beginning *or* start, at the very beginning *or* start.

beginnen *pret* **begann,** *ptp* **begonnen I** *vi* **1.** to start, to begin, to commence *(form); (in Beruf auch)* to start off. **mit einer Arbeit ~** to start *or* begin (to do) a job; **mit der Arbeit ~** to start *or* begin work; **es beginnt zu regnen** it's starting *or* beginning to rain; **er hat als Lehrling/mit nichts begonnen** he started (off) *or* began as an apprentice/with nothing. **II** *vt* **1.** *(anfangen)* to start, to begin; *Gespräch, Verhandlungen, Rede auch* to open. **~, etw zu tun** to start *or* begin to do sth, to start doing sth. **2.** *(anpacken) Aufgabe etc* to tackle, to go *or* set about. **3.** *(geh: unternehmen)* to do. **ich wußte nicht, was ich ~ sollte** I didn't know what to do.

beginnend *adj attr* incipient *(form).* **eine ~e Erkältung** the beginnings of a cold; **bei ~er Dämmerung/Nacht** at dusk/nightfall; **im ~en 19. Jahrhundert** in the early 19th century.

beglaubigen* *vt* **1.** *Testament, Unterschrift* to witness; *Zeugnisabschrift* to authenticate; *Echtheit* to attest (to). **etw behördlich/notariell ~ lassen** to have sth witnessed *etc* officially/by a notary. **2.** *Botschafter* to accredit *(bei* to).

Beglaubigung *f siehe vt* **1.** witnessing; authentication; attestation. **2.** accrediting, accreditation *(form).*

Beglaubigungsschreiben *nt* credentials *pl.*

begleichen* *vt irreg (lit: bezahlen) Rechnung* to settle, to pay; *Schulden auch* to discharge *(form); (fig) Schuld* to pay (off), to discharge. **mit Ihnen habe ich noch eine Rechnung zu ~** *(fig)* I've a score to settle with you.

Begleitbrief *m* covering letter.

begleiten* *vt* **1.** to accompany; *(zu Veranstaltung auch)* to go/come with; *(zum Schutz auch)* to escort; *esp Schiff auch* to escort, to convoy. **er wurde stets von seinem Hund begleitet** his dog always went everywhere with him. **2.** *(fig)* to accompany; *(Glück, Erfolg auch)* to attend. **meine Wünsche ~ Sie** my best wishes go with you; **~de Umstände** attendant *or* accompanying circumstances *(form).* **3.** *(Mus)* to accompany *(an or auf +dat* on).

Begleiter(in *f) m* **-s, -** **1.** companion; *(zum Schutz)* escort; *(von Reisenden)* courier. **ständiger ~** constant companion. **2.** *(Mus)* accompanist.

Begleiterscheinung *f* concomitant *(form); (Med)* side effect; **Begleitinstrument** *nt* accompanying instrument; **Begleitmusik** *f* accompaniment; *(in Film)* incidental music; **Begleitperson** *f* escort; **die ~ eines Jugendlichen** the person accompanying a minor; **Begleitpersonal** *nt* escort; **Begleitschreiben** *nt* covering letter; *(für Waren auch)* advice note; **Begleittext** *m* (accompanying) text; **Begleitumstände** *pl* attendant circumstances *pl.*

Begleitung *f* **1.** *no pl* company. **er bot ihr seine ~ an** he offered to accompany *or (zum Schutz auch)* escort her; **in ~ seines Vaters/in Peters ~** accompanied by his father/Peter; **ich bin in ~ hier** I'm with someone. **2.** *(Begleiter)* companion; *(zum Schutz)* escort; *(Gefolge)* entourage, retinue. **ohne ~** unaccompanied. **3.** *(Mus) (Begleitmusik)* accompaniment; *(das Begleiten auch)* accompanying; *(Begleitstimme)* harmony. **ohne ~ spielen** to play unaccompanied.

beglotzen* *vt (inf)* to goggle *or* gawp *or* gape at *(all inf).*

beglücken* *vt (geh)* **jdn ~** to make sb happy; **Casanova hat Tausende von Frauen beglückt** *(hum)* Casanova bestowed his favours upon thousands of women; **ein ~des Gefühl/Erlebnis** a cheering feeling/experience; **er ist sehr beglückt darüber** he's very happy *or* pleased about it; **beglückt lächeln** to smile happily.

beglückwünschen* *vt* to congratulate, to offer one's congratulations *(form) (zu* on). **laß dich ~!** congratulations!

begnaden* *vt (liter)* to bless *(liter),* to endow. **ein begnadeter Künstler/Musiker** a gifted artist/musician.

begnadigen* *vt* to reprieve; *(Strafe erlassen)* to pardon. **einen zum Tode verurteilten zu lebenslanger Haft ~** to commute sb's death sentence to life imprisonment.

Begnadigung *f siehe vt* reprieve; pardon. **um (jds) ~ ersuchen** to seek a reprieve (for sb).

Begnadigungsgesuch *nt* plea for (a) reprieve.

begnügen* *vr* **sich mit etw ~** to be content *or* satisfied with sth, to content oneself with sth; **sich damit ~, etw zu tun** to be content *or* satisfied with doing sth *or* to do sth, to content oneself with doing sth; **damit begnüge ich mich nicht** that doesn't satisfy me, I'm not satisfied with that.

Begonie [-niə] *f* begonia.

begonnen *ptp of* **beginnen.**

begossen *adj* **er stand da wie ein ~er Pudel** *(inf)* he looked that small, he looked so sheepish.

begraben* *vt irreg* **1.** *(beerdigen)* to bury. **der kann sich ~ lassen** *(inf)* he is worse than useless; **damit kannst du dich ~ lassen** *(inf)* you can stuff that *(sl).* **2.** *(verschütten)* to bury. **beim Einsturz begrub das Gebäude alle Bewohner unter sich** when the building collapsed all the residents were buried. **3.** *(aufgeben) Hoffnung, Wunsch* to abandon, to relinquish; *(beenden) Streit,*

Feindschaft to end. **ein längst ~er Wunsch** a long-abandoned wish; **diese Angelegenheit ist längst ~** this matter was over (and done with) long ago.

Begräbnis *nt* burial; (*~feier*) funeral.

begradigen* *vt* to straighten.

Begradigung *f* straightening.

begrast *adj* grassy, grass-covered.

begreifbar *adj* conceivable.

begreifen* *irreg* **I** *vt* **1.** (*verstehen*) to understand; *Aufgabe, Problem(stellung), Zusammenhang auch* to grasp, to comprehend; *jdn, jds Handlung or Haltung auch* to comprehend; *Sinn, Notwendigkeit auch* to see, to appreciate. **~, daß ...** (*einsehen*) to realize that ...; **er begriff nicht, worum es ging** he didn't understand *or* comprehend what it was about; **hast du mich begriffen?** did you understand what I said?; **es ist kaum zu ~** it's almost incomprehensible; **es läßt sich leicht ~, daß ...** it's easy to understand that ...; **wie kann man Gott/die Unendlichkeit ~?** how can one comprehend God/infinity?; **ich begreife mich selbst nicht** I don't understand myself.

2. (*auffassen, interpretieren*) to view, to see.

3. (*geh: einschließen*) **etw in sich** (*dat*) **~** to encompass *or* include sth.

4. (*dial: anfassen*) to touch.

II *vi* to understand, to comprehend. **schnell/langsam ~** to be quick/slow on the uptake.

III *vr* to be understandable. **eine solche Tat läßt sich nicht leicht ~** such an action cannot be easily understood.

begreiflich *adj* understandable. **es wird mir allmählich ~, warum ...** I'm beginning to understand why ...; **ich kann mich ihm nicht ~ machen** I can't make myself clear to him; **ich habe ihm das ~ gemacht** I've made it clear to him.

begreiflicherweise *adv* understandably.

begrenzen* *vt* **1.** (*Grenze sein von*) to mark *or* form the boundary of *no pass; Horizont* to mark; *Straße* to line. **das Gebiet wird durch *or* von einem Wald begrenzt** a forest marks *or* forms the boundary of the area. **2.** (*beschränken*) to restrict, to limit (*auf +acc* to).

begrenzt *adj* (*beschränkt*) restricted, limited; (*geistig beschränkt*) limited. **mein Aufenthalt ist nicht zeitlich ~** there's no time limit on (the length of) my stay; **eine genau ~e Aufgabe** a clearly defined task.

Begrenztheit *f, no pl* (*von Möglichkeiten, Talent*) limitedness; (*von Menschen*) limitations *pl.*

Begrenzung *f* **1.** (*das Begrenzen*) (*von Gebiet, Straße*) demarcation; (*von Horizont*) marking; (*von Geschwindigkeit, Redezeit*) restriction. **2.** (*Grenze*) boundary.

begriff *pret of* **begreifen.**

Begriff *m* **-(e)s, -e 1.** (*objektiv: Bedeutungsgehalt*) concept; (*Terminus*) term. **etw in ~en ausdrücken** *or in* **~e fassen** to put sth into words; **sein Name ist mir ein/kein ~** his name means something/

doesn't mean anything to me; **ein ~ für Qualität!** a byword for quality.

2. (*subjektiv: Vorstellung, Eindruck*) idea. **sein ~ von** *or* **der Freiheit** his idea *or* conception of freedom; **sich** (*dat*) **einen ~ von etw machen** to imagine sth; **du machst dir keinen ~ (davon)** (*inf*) you've no idea (about it) (*inf*); **das geht über meine ~e** that's beyond me; **nach unseren heutigen ~en** by today's standards; **nach menschlichen ~en** in human terms; **für meine ~e** in my opinion.

3. **im ~ sein** *or* **stehen** (*form*), **etw zu tun** to be on the point of doing sth, to be about to do sth.

4. **schwer** *or* **langsam/schnell von ~ sein** (*inf*) to be slow/quick on the uptake.

begriffen *adj* : **in etw** (*dat*) **~ sein** (*form*) to be in the process of doing sth; **ein noch in der Entwicklung ~er Plan** a plan still in the process of being developed.

begrifflich *adj* **1.** *attr* (*bedeutungsmäßig*) conceptual. **~e Klärung** clarification of one's terms; **~ bestimmen** to define (in clear terms); **~ ordnen** to arrange according to conceptual groups. **2.** (*gedanklich, abstrakt*) abstract. **etw ~ erfassen** to understand sth in the abstract.

Begriffsbestimmung *f* definition; **Begriffsbildung** *f* formation of a concept/ concepts; **Begriffsinhalt** *m* meaning; (*in der Logik*) connotation; **begriffsmäßig** *adj* conceptual; **begriffsstutzig, begriffsstützig** (*Aus*) *adj* (*inf*) dense (*inf*); **Begriffsstutzigkeit** *f* (*inf*) denseness; **Begriffsvermögen** *nt* understanding; **das ging über ihr ~** that was beyond her grasp *or* understanding; **Begriffsverwirrung** *f* confusion of concepts/ terms; **Begriffswelt** *f* (*einer Person*) conceptual range.

begründen* *vt* **1.** (*Gründe anführen für*) to give reasons for; (*rechtfertigend*) *Forderung, Meinung, Ansicht* to justify; *Verhalten* to account for; *Verdacht, Behauptung* to substantiate. **wie** *or* **womit begründete er seine Ablehnung?** how did he account for *or* justify his refusal?, what reason(s) did he give for his refusal?; **etw eingehend/näher ~** to give detailed/specific reasons for sth.

2. (*beginnen, gründen*) to establish; *Schule, Verein, Geschäft auch* to found; *Hausstand* to set up.

Begründer(in *f)* *m* founder.

begründet *adj* well-founded; (*berechtigt*) justified; (*bewiesen*) *Tatsache* proven. **es besteht ~e/keine ~e Hoffnung, daß ...** there is reason/no reason to hope that ...; **das halte ich für nicht ~** I think that's unfounded/unjustified; **sachlich ~** founded on fact; **etw liegt** *or* **ist in etw** (*dat*) **~** sth has its roots in sth.

Begründung *f* **1.** reason (*für, gen* for), grounds *pl* (*für, gen* for); (*von Anklage, Behauptung*) grounds *pl* (*gen* for). **etwas zur** *or* **als ~ sagen** to say something in explanation. **2.** (*Gründung*) establishment; (*von Schule, Verein, Geschäft auch*) foundation; (*von Hausstand*) setting up.

Begründungssatz m (Gram) causal clause.

begrünen* vt Hinterhöfe, Plätze to cover with greenery, to landscape.

Begrünung f planting with trees and grass, landscaping.

begrüßen* vt 1. to greet; (als Gastgeber auch) to welcome. jdn herzlich ~ to greet sb heartily, to give sb a hearty welcome; es ist mir eine große Ehre, Sie bei mir ~ zu dürfen (form) it's a great honour to (be able to) welcome you here; wir würden uns freuen, Sie bei uns ~ zu dürfen (form) we would be delighted to have the pleasure of your company (form). 2. (gut finden) Kritik, Entschluß to welcome; (esp iro, form) to appreciate. es ist zu ~, daß ... it's a good thing that ... 3. (Sw: um Erlaubnis fragen) to ask (um for, wegen about).

begrüßenswert adj welcome. es wäre ~, wenn ... it would be desirable if ...

Begrüßung f greeting; (der Gäste) (das Begrüßen) welcoming; (Zeremonie) welcome. er nickte zur ~ mit dem Kopf he nodded his head in greeting; jdm einen Blumenstrauß zur ~ überreichen to welcome sb with a bouquet of flowers; jdm die Hand zur ~ reichen to hold out one's hand to sb in welcome.

Begrüßungs- in cpds welcoming; **Begrüßungsgeld** nt welcome money.

begucken* vt (inf) to look at. laß dich mal ~ let's (have or take a) look at you!

begünstigen* vt 1. (förderlich sein für) to favour; Wachstum, Handel to encourage; Pläne, Beziehungen to further; (Jur) to aid and abet. vom Schicksal begünstigt smiled upon by fate; durch die Dunkelheit begünstigt assisted by the darkness. 2. (bevorzugen) jdn ~ to favour sb; von jdm begünstigt werden to be favoured or shown favour by sb.

Begünstigung f 1. (Jur) aiding and abetting. ~ im Amt connivance. 2. (Bevorzugung) preferential treatment; (Vorteil) advantage. 3. (Förderung) favouring; (von Wachstum, Handel) encouragement; (von Plänen, Beziehungen) furthering.

begut|achten* vt (beurteilen, Gutachten abgeben) to give expert advice about; Kunstwerk, Stipendiaten to examine; Projekte, Leistung to judge; Gelände, Haus to survey; (inf: ansehen) to have or take a look at. etw ~ lassen to get or obtain expert advice about sth.

Begut|achtung f (expert) assessment; (von Haus, Gelände) survey; (das Begutachten) surveying. assessment.

begütert adj 1. (dated: Landgüter besitzend) landed attr, propertied. 2. (reich) wealthy, affluent. die ~e Klasse/Schicht the rich pl.

begütigen* vt to placate, to appease.

begütigend adj Worte soothing. ~ auf jdn einreden to calm sb down.

behaart adj hairy, hirsute. stark/dicht/schwarz ~ very hairy/(thickly) covered with hair/covered with black hair.

Behaarung f covering of hair, hairs pl (+gen, an +dat on).

behäbig adj 1. Mensch portly; (phlegmatisch, geruhsam) stolid; (fig) Möbel, Auto comfortable; Architektur solid; Sprache, Ton complacent. 2. (old liter, Sw: wohlhabend) well-to-do, affluent.

Behäbigkeit f, no pl siehe adj 1. portliness; stolidity; comfortableness; solidness; complacency.

behaftet adj: mit etw ~ sein mit Krankheit etc to be afflicted with sth; mit Fehlern/Vorurteilen to be full of sth; mit einer schweren Last/Sorgen/Schulden to be encumbered with sth; mit Makel to be tainted with sth.

Behagen nt -s, no pl contentment. mit sichtlichem ~ with visible or obvious pleasure; mit ~ essen to eat with relish; er findet sein ~ daran or darin it gives him pleasure.

behagen* vi etw behagt jdm sth pleases sb, sb likes sth; etw behagt jdm nicht (nicht gefallen) sth doesn't please sb, sb doesn't like sth; (beunruhigen) sb feels uneasy about sth; er behagt ihr nicht she doesn't like him.

behaglich adj cosy; (heimelig auch) snug, homely; (bequem) comfortable; (zufrieden) contented. ~ warm comfortably warm; es sich (dat) ~ machen to make oneself comfortable.

Behaglichkeit f, no pl siehe adj cosiness; snugness, homeliness; comfortableness; contentment.

behalten* vt irreg 1. (nicht weggeben, nicht zurückgeben) to keep. 2. (lassen, wo es ist) to keep. ~ Sie (doch) Platz! please don't get up!; den Hut auf dem Kopf ~ to keep one's hat on; der Kranke kann nichts bei sich ~ the patient can't keep anything down. 3. (nicht verlieren) to keep; Wert auch to retain. die Ruhe/Nerven ~ to keep one's cool/nerve; wenn wir solches Wetter ~ if this weather lasts. 4. (nicht vergessen) to remember. im Gedächtnis/im Kopf ~ to remember, to keep in one's head; er behielt die Melodie im Ohr he kept the tune in his head; ich habe die Zahl/seine Adresse nicht ~ I've forgotten the number/his address. 5. (nicht weitersagen) etw für sich ~ to keep sth to oneself. 6. (nicht weggehen lassen) to keep; Mitarbeiter auch to keep on. jdn bei sich ~ to keep sb with one. 7. (nicht aufgeben) Stellung, Namen, Staatsangehörigkeit to keep. sie muß immer ihren Willen ~ she always has to have her own way. 8. (aufbewahren, versorgen) Kinder, Katze, Gegenstand to look after; (nicht wegwerfen) Briefe etc to keep. jdn/etw in guter/schlechter Erinnerung ~ to have happy/unhappy memories of sb/sth. 9. (zurückbehalten, nicht loswerden) to be left with; Schock, Schaden to suffer. vom Unfall hat er ein steifes Knie ~ after the accident he was left with a stiff knee.

Behälter *m* -s, - **1.** container, receptacle (*form*). **2.** (*Container*) container.

behämmert *adj* (*sl*) screwy (*sl*).

behandeln* *vt* **1.** *Material, Stoff* to treat. **2.** *Thema, Antrag* to deal with. **3.** (*in bestimmter Weise umgehen mit*) to treat; (*verfahren mit*) to handle. **jdn/ etw gut/schlecht ~** to treat sb/sth well/ badly; **er weiß, wie man Kinder ~ muß** he knows how to handle children; **eine Angelegenheit diskret ~** to treat *or* handle a matter with discretion; **jdn/etw ungeschickt ~** to handle sb/sth clumsily. **4.** (*ärztlich*) *Patienten, Krankheit* to treat; *Zähne* to attend to. **jdn/etw operativ ~** to operate on sb/sth; **der ~de Arzt** the doctor in attendance.

Behandlung *f siehe vt* **1.** treatment. **2.** treatment. **wir sind jetzt bei der ~ dieses Themas** we are now dealing with this theme; **um schnelle ~ des Antrags wird gebeten** please deal with the application as quickly as possible. **3.** treatment; handling. **die schlechte ~ seiner Frau und Kinder** the ill-treatment *or* maltreatment of his wife and children. **4.** treatment; attention (*gen* to). **waren Sie deswegen schon früher in ~?** have you had treatment *or* been treated for this before?; **bei wem sind Sie in ~?** who's treating you?

behandlungsbedürftig *adj* in need of treatment; **Behandlungskosten** *pl* cost *sing* of treatment; **Behandlungs- methode** *f* (method of) treatment; **Be- handlungsraum** *m* treatment room; **Behandlungsstuhl** *m* doctor's/dentist's chair; **Behandlungsverfahren** *nt* therapy; **Behandlungsweise** *f* treatment.

behandschuht *adj* gloved.

Behang *m* -(e)s, ⸚e curtain; (*Wand~*) hanging; (*Schmuck*) decorations *pl*.

behangen *adj* laden.

behängen* I *vt* to decorate; *Wände auch* to hang. II *vr* (*pej*) to deck oneself out (*mit in or* with).

beharren *vi* **1.** (*hartnäckig sein*) to insist (*auf* +*dat* on); (*nicht aufgeben*) to persist, to persevere (*bei* in). **2.** (*bleiben*) **in etw** (*dat*) **~** (*in Zustand*) to persist in sth; (*an Ort*) to remain in sth.

beharrlich *adj* (*hartnäckig*) insistent; (*ausdauernd*) persistent; *Glaube, Liebe* steadfast, unwavering. **~er Fleiß** perseverance; **~ fortfahren, etw zu tun** to persist in doing sth.

Beharrlichkeit *f siehe adj* insistence; persistence; steadfastness.

Beharrungsvermögen *nt* (*Phys*) inertia.

behauen* *vt irreg Holz* to hew; *Stein* to cut; (*mit dem Meißel*) to carve.

behaupten* I *vt* **1.** (*sagen*) to claim; (*bestimmte Aussage aufstellen auch*) to maintain; (*Unerwiesenes ~ auch*) to assert. **steif und fest ~** to insist; **von jdm ~, daß ...** to say (of sb) that ...; **es wird behauptet, daß ...** it is said *or* claimed that ...

2. (*erfolgreich verteidigen*) *Stellung, Recht* to maintain; *Meinung* to assert; *Markt* to keep one's share of.

II *vr* to assert oneself; (*bei Diskussion*) to hold one's own *or* one's ground (*gegenüber, gegen* against). **sich auf dem Markt ~** to maintain one's hold on the market.

Behauptung *f* **1.** claim; (*esp unerwiesene ~*) assertion. **2.** (*Aufrechterhaltung*) assertion; (*von Stellung*) successful defence. **3.** (*das Sich-Behaupten*) assertion. **die ~ der Firma auf dem Markt** the firm's ability to maintain its hold on the market.

Behausung *f* **1.** *no pl* (*liter: das Behausen*) accommodation, housing. **2.** (*geh, hum: Wohnung*) dwelling.

Behaviorismus [bihevjo'rɪsmʊs] *m, no pl* behaviourism.

Behaviorist(in *f*) [bihevjə'rɪst(ɪn)] *m* behaviourist.

behavioristisch [bihevjə'rɪstɪʃ] *adj* behaviouristic.

beheben* *vt irreg* **1.** (*beseitigen*) to remove; *Mißstände* to rectify, to remedy; *Schaden* to repair, to put right; *Störung* to clear. **2.** (*Aus: abheben*) *Geld* to withdraw.

Behebung *f, no pl siehe vt* **1.** removal; rectification, remedying; repairing; putting right; clearing. **2.** (*Aus*) withdrawal.

beheimatet *adj* (*ansässig*) resident (*in* +*dat* in); (*heimisch*) indigenous, native (*in* +*dat* to). **wo sind Sie ~?** where is your home?

beheizbar *adj* heatable; *Heckscheibe* heated.

beheizen* *vt* to heat.

Behelf *m* -(e)s, -e **1.** (*Ersatz*) substitute; (*Notlösung*) makeshift. **als ~ dienen** to serve *or* act as a substitute/makeshift. **2.** (*Jur: Rechtsbehelf*) (legal) remedy.

behelfen* *vr irreg* **1.** (*Ersatz verwenden*) to manage, to make do. **sich mit Ausreden/Ausflüchten ~** to resort to excuses/to be evasive. **2.** (*auskommen*) to manage, to get by. **er weiß sich allein nicht zu ~** he can't manage *or* get by alone.

Behelfs- *in cpds* temporary; **Behelf- sausfahrt** *f* (*auf Autobahn*) temporary exit; **behelfsmäßig** *adj* makeshift; (*zeitlich begrenzt*) *Straßenbelag, Ausweis* temporary.

behelligen* *vt* to bother.

behelmt *adj* helmeted.

behend(e) *adj* (*geh*) (*flink*) swift, quick; (*gewandt*) nimble, agile.

Behendigkeit *f, no pl siehe adj* swiftness, quickness; nimbleness, agility.

beherbergen* *vt* (*lit, fig*) to house; *Gäste* to accommodate; *Flüchtlinge auch* to give shelter to.

beherrschen* I *vt* **1.** (*herrschen über*) to rule, to govern; (*fig: Gefühle, Vorstellungen*) to dominate. **2.** (*fig: das Übergewicht haben*) *Stadtbild, Landschaft, Ebene, Markt* to dominate. **3.** (*zügeln*) to control; *Zunge* to curb. **4.** (*gut können*) *Handwerk, Sprache, Instrument, Tricks, Spielregeln* to master; (*bewältigen*) *Fahrzeug, Situation* to have control of.

II vr to control oneself. **ich kann mich ~!** (*iro inf*) not likely! (*inf*).

Beherrscher(in f**)** m (*liter*) ruler.

beherrscht adj (*fig*) self-controlled.

Beherrschtheit f, no pl (*fig*) self-control.

Beherrschung f, no pl control; (*Selbst~*) self-control; (*des Markts*) domination; (*eines Fachs*) mastery. **die ~ verlieren** to lose one's temper.

beherzigen* vt to take to heart, to heed.

Beherzigung f heeding. **dies zur ~!** (*old*) heed this!, take heed!

beherzt adj (*geh*) courageous, brave.

behilflich adj helpful. **jdm (bei etw) ~ sein** to help sb (with sth).

behindern* vt to hinder; *Sicht* to impede; (*bei Sport, im Verkehr*) to obstruct. **jdn bei etw ~** to hinder sb in sth; **eine behinderte Person** a handicapped person.

Behinderte(r) mf decl as adj disabled or handicapped person. **die ~n** the handicapped pl or disabled pl.

behindertengerecht adj suitable for the handicapped; **Behindertenwerkstatt** f sheltered workshop.

Behinderung f hindrance; (*im Sport, Verkehr*) obstruction; (*körperlich, Nachteil*) handicap. **mit ~en muß gerechnet werden** delays or hold-ups are likely to occur.

Behörde f -, -n authority usu pl; (*Amtsgebäude*) office usu pl. **die ~n** the authorities; **die zuständige ~** the appropriate or proper authorities.

behördlich adj official.

Behuf m -(e)s, -e (*old form*) **zu diesem ~** to this end, for this purpose.

behuft adj hoofed.

behüten* vt (*beschützen, bewachen*) to look after; (*esp Engel etc*) to watch over; *Geheimnis* to keep. **jdn vor etw** (*dat*) **~** to save or protect sb from sth; **(Gott) behüte!** (*inf*) God or Heaven forbid!; **behüt' dich Gott!** (*old, S Ger*) (may) God be with you!

Behüter(in f**)** m -s, - (*geh*) protector.

behütet adj *Mädchen* carefully brought up; *Jugend* sheltered. **~ aufwachsen** to have a sheltered upbringing.

behutsam adj cautious, careful; (*zart auch*) gentle. **man muß es ihr ~ beibringen** it will have to be broken to her gently.

Behutsamkeit f, no pl care(fulness), cautiousness; (*Zartheit auch*) gentleness; (*Feingefühl*) delicacy.

bei prep +dat **1.** (*räumlich*) (*in der Nähe von*) near; (*zum Aufenthalt*) at, with; (*Tätigkeitsbereich angebend, in Institutionen*) at; (*in Werken*) in; (*jdn betreffend*) with; (*Teilnahme bezeichnend*) at; (*unter, zwischen Menge*) among; (*Ort der Berührung bezeichnend*) by. **die Schlacht ~ Leipzig** the Battle of Leipzig; **dicht ~ dem Ort, wo ...** very near the place where ...; **ich stand/saß ~ ihm** I stood/sat beside him or next to him; **der Wert liegt ~ tausend Mark** the value is around a thousand marks; **~ seinen Eltern wohnen** to live with one's parents; **ich war ~ meiner Tante** I was at my aunt's; **~ Müller** (*auf Briefen*) care of or c/o Müller; **~ uns** at our place; **~ uns in Deutschland** in Germany; **~ uns zu Hause** (*im Haus*) at our house; (*im Land, in Familie*) back or at home; **~ Tisch** at table; **er ist** or **arbeitet ~ der Post** he works for the post office; **~ jdm Unterricht haben/Vorlesungen hören** to have lessons with or from sb/lectures from sb; **~m Militär** in the army; **~m Fleischer** at the butcher's; **ein Konto ~ der Bank** an account at the bank; **~ Shakespeare liest man ...** in Shakespeare it says ...; **~ Collins erschienen** published by Collins; **~ mir hast du damit kein Glück** you're wasting your time with me; **~ ihm ist es 8 Uhr** he makes it or he has (*esp US*) 8 o'clock; **das war ~ ihm der Fall** that was the case with him; **man weiß nicht, woran man ~ ihm ist** (*inf*) one never knows where one is with him; **~ einer Hochzeit sein** to be at a wedding; **er hat ~ der Aufführung mitgewirkt** he took part in the performance; **er nahm mich ~ der Hand** he took me by the hand; **jdn ~ sich haben** to have sb with one; **ich habe kein Geld ~ mir** I have no money on me.

2. (*zeitlich*) (*Zeitspanne: während*) during; (*Zeitpunkt*) (up)on; (*bestimmten Zeitpunkt betreffend*) at. **~m letzten Gewitter** during the last storm; **~ meiner Ankunft** on my arrival; **~m Erwachen** (up)on waking; **~m Erscheinen der Königin ...** when the queen appeared ...; **~ Beginn und Ende der Vorstellung** at the beginning and end of the performance; **~ Tag/Nacht** by day/at night; **~ Tag und Nacht** day and night.

3. (*Tätigkeit, Geschehen ausdrückend*) in, during. **~ reiflicher Überlegung** upon mature reflection; **ich habe ihm ~m Arbeiten/~ der Arbeit geholfen** I helped him with the work; **~m Arbeiten/~ der Arbeit** when I'm etc working; **~m Lesen** (*dieses Artikels*) ... when reading (this article) ...; **~ dem Zugunglück starben viele Menschen** a lot of people died in the train crash; **er verliert ~m Kartenspiel immer** he always loses at cards.

4. (*Zustand, Umstand bezeichnend*) in. **~ Kerzenlicht essen** to eat by candlelight; **etw ~ einer Flasche Wein bereden** to discuss sth over a bottle of wine; **~ guter Gesundheit sein** to be in good health; **~ zehn Grad unter Null** when it's ten degrees below zero; **~ Regen** in the rain; **das Schönste ~ der Sache** the best thing about it; **nicht ~ sich sein** (*inf*) to be out of one's mind (*inf*); **~ offenem Fenster schlafen** to sleep with the window open; **~ alledem ...** in spite of everything, for all that.

5. (*konditionaler Nebensinn*) in case of. **~ Feuer Scheibe einschlagen** in case of fire break glass; **~ Nebel und Glatteis muß man vorsichtig fahren** when there is fog and ice one must drive carefully.

6. (*kausaler Nebensinn*) with. **~ dieser Sturheit/so vielen Schwierigkeiten** with this stubbornness/so many difficulties; **~**

solcher Hitze/solchem Wind in such heat/such a wind; ~ seinem Talent with his talent.

7. (*konzessiver Nebensinn*) in spite of, despite. ~ aller Vorsicht in spite of *or* despite all one's caution; es geht ~m besten Willen nicht with the best will in the world it's not possible; ~ all seinen Bemühungen hat er es trotzdem nicht geschafft in spite of *or* despite *or* for all his efforts he still didn't manage it.

8. (*in Schwurformeln*) by. ~ Gott by God; ~ meiner Ehre upon my honour.

beibehalten* *vt sep irreg* to keep; *Bräuche, Regelung auch* to retain; *Leitsatz, Richtung* to keep to; *Gewohnheit* to keep up.

Beibehaltung *f, no pl siehe vt* keeping; retention; keeping to; keeping up.

beibiegen *vt sep irreg* jdm etw ~ (*inf*) to get sth through to sb (*inf*).

Beiblatt *nt* (*Press*) insert, supplement.

Beiboot *nt* (*Naut*) dinghy.

beibringen *vt sep irreg* **1.** jdm etw ~ (*mitteilen*) to break sth to sb; (*zu verstehen geben*) to get sth across to sb, to get sb to understand sth.

2. (*unterweisen in*) to teach (*jdm etw* sb sth).

3. (*zufügen*) *Verluste, Wunde, Niederlage, Schläge* to inflict (*jdm etw* sth on sb).

4. (*herbeischaffen*) to produce; *Dokumente, Beweis, Geld* to furnish, to supply.

Beichte *f -, -n* confession. zur ~ gehen to go to confession; (bei jdm) die ~ ablegen to make one's confession (to sb); eine ~ ablegen (*fig*) to make a confession; jdm die ~ abnehmen to hear sb's confession.

beichten *vti* (*lit, fig*) to confess (*jdm etw* sth to sb). ~ gehen to go to confession.

Beichtgeheimnis *nt* seal of confession *or* of the confessional; **Beichtstuhl** *m* confessional; **Beichtvater** *m* father confessor.

beidarmig *adj* with both arms; *Lähmung* of *or* in both arms; **beidbeinig** *adj* with both legs; *Lähmung* of *or* in both legs; *Absprung* double-footed; ~ abspringen to take off with both feet.

beide *pron* **1.** (*adjektivisch*) (*ohne Artikel*) both; (*mit Artikel*) two. alle ~n Teller both plates; seine ~n Brüder both his brothers, his two brothers.

2. (*als Apposition*) both. ihr ~(n)/euch ~ you two; euch ~n herzlichen Dank many thanks to both of you.

3. (*substantivisch*) (*ohne Artikel*) both (of them); (*mit Artikel*) two (of them). alle ~ both (of them); alle ~ wollten gleichzeitig Urlaub haben both of them *or* they both wanted holidays at the same time; keiner/keines *etc* von ~n neither of them; ich habe ~ nicht gesehen I haven't seen either of them.

4. ~s (*substantivisch: zwei verschiedene Dinge*) both, either; (alles) ~s ist erlaubt both are permitted.

beidemal *adv* both times.

beiderlei *adj attr inv* both; das Abendmahl in *or* unter ~ Gestalt Communion of

bread and wine; **beiderseitig** *adj* (*auf beiden Seiten*) on both sides; (*gegenseitig*) Abkommen, Vertrag bilateral; *Versicherungen, Einverständnis* mutual; **beiderseits I** *adv* on both sides; sie haben ~ versichert ... they have given mutual assurances *or* assurances on both sides ...; **II** *prep* +gen on both sides of.

beidfüßig *adj* two-footed; *Absprung* double-footed; ~ abspringen to take off with both feet; **beidhändig** *adj* (*mit beiden Händen gleich geschickt*) ambidextrous; (*mit beiden Händen zugleich*) two-handed.

beidrehen *vi sep* (*Naut*) to heave to.

beidseitig I *adj* (*auf beiden Seiten*) on both sides; (*gegenseitig*) mutual; ~e Zufriedenheit satisfaction on both sides/ mutual satisfaction; **II** *adv* on both sides; **beidseits** *prep* +gen (*Sw, S Ger*) on both sides of.

bei|einander *adv* together.

bei|einander- *pref* together; **bei|einanderhaben** *vt sep irreg* (*inf*) to have together; du hast sie nicht richtig *or* alle ~ you can't be all there (*inf*); **bei|einanderhalten** *vt sep irreg* to keep together; **bei|einandersein** *vi sep irreg* aux sein (*inf*) (*gesundheitlich*) to be in good shape (*inf*); (*geistig*) to be all there (*inf*); gut ~ to be in good shape/to be all there; (*S Ger: dick*) to be a bit chubby (*inf*).

Beifahrer(in *f*) *m* (*Aut*) (front-seat) passenger; (*bei einem Motorrad*) (*im Beiwagen*) sidecar passenger; (*auf dem Soziussitz*) pillion rider *or* passenger; (*berufsmäßiger Mitfahrer, Sport*) co-driver; (*bei einem LKW*) co-driver, driver's mate.

Beifahrersitz *m* passenger seat; (*auf Motorrad*) pillion.

Beifall *m* -(e)s, no pl (*Zustimmung*) approval; (*Händeklatschen*) applause; (*Zuruf*) cheering, cheers pl. ~ finden to meet with approval; ~ spenden/ klatschen/klopfen *etc* to applaud.

beifallheischend *adj* looking for approval/applause.

beifällig *adj* approving. ~e Worte/Laute words/noises of approval; er nickte ~ mit dem Kopf he nodded his head approvingly *or* in approval; dieser Vorschlag wurde ~ aufgenommen this suggestion was favourably received *or* met with approval.

Beifallsbekundung *f* show *or* demonstration of (one's) approval.

Beifallsruf *m* cheer; **Beifallssturm** *m* storm of applause.

Beifilm *m* supporting film.

beifügen *vt sep* (*mitschicken*) to enclose (*dat* with); (*beiläufig sagen*) to add.

Beifügung *f* **1.** no pl (*form*) enclosure. unter ~ eines Schecks enclosing a cheque. **2.** (*Gram*) attribute.

Beifuß *m* -es, no pl (*Bot*) mugwort.

Beigabe *f* **1.** (*das Beigeben*) addition. eine ~ von etw empfehlen to recommend adding sth *or* the addition of sth; unter ~ eines Löffels Senf adding a spoonful of mustard.

2. (*Beigefügtes, Begleiterscheinung*) addition; (*Beilage: Gemüse, Salat etc*) side-dish; (*Comm: Zugabe*) free gift; (*Grab~*) burial gift.

beige [beːʃ, ˈbɛːʒə] *adj* (*geh: inv*) beige.

Beige¹ [beːʃ, ˈbɛːʒə] *nt* -, - *or* (*inf*) -s beige.

Beige² *f* -, -n (*S Ger, Aus, Sw*) pile.

beigeben *sep irreg* **I** *vt* (*zufügen*) to add (*dat* to); (*mitgeben*) jdn to assign (*jdm* to sb). **II** *vi:* **klein ~** (*inf*) to give in.

beigefarben [ˈbeːʃ, ˈbɛːʒə-] *adj* beige(-coloured).

beige|ordnet *adj* (*Gram*) Nebensatz co-ordinate.

Beige|ordnete(r) *mf decl as adj* (town) councillor.

Beigeschmack *m* aftertaste; (*fig: von Worten*) flavour. **es hat einen unangenehmen ~** (*lit, fig*) it has a nasty *or* an unpleasant taste (to it).

Beignet [bɛnˈjeː] *m* -s, -s (*Cook*) fritter.

Beiheft *nt* supplement; (*Lösungsheft*) answer book.

beiheften *vt sep* to append, to attach.

Beihilfe *f* **1.** (*finanzielle Unterstützung*) financial assistance *no indef art*; (*Zuschuß, Kleidungs ~*) allowance; (*für Arztkosten*) contribution; (*Studien~*) grant; (*Subvention*) subsidy. **2.** (*Jur*) abetment. **wegen ~ zum Mord** because of being an *or* acting as an accessory to the murder.

Beiklang *m* (*lit*) (accompanying) sound; (*fig*) overtone *usu pl*.

beikommen *vi sep irreg aux sein* jdm **~** (*zu fassen bekommen*) to get hold of sb; (*fertig werden mit*) to get the better of sb; **einer Sache** (*dat*) **~** (*bewältigen*) to deal with sth.

Beikost *f* supplementary diet.

Beil *nt* -(e)s, -e axe; (*kleiner*) hatchet; (*Fleischer~*) cleaver; (*Richt~*) axe; (*Fall~*) blade (of a/the guillotine).

beiladen *vt sep irreg* **1.** to add (*dat* to). **2.** (*Jur*) to call in.

Beiladung *f* **1.** (*das Beiladen*) additional loading; (*zusätzliche Ladung*) extra *or* additional load. **2.** (*Jur*) calling in.

Beilage *f* -, -n **1.** (*Gedrucktes*) insert; (*Beiheft*) supplement.

2. (*das Beilegen*) enclosure; (*in Buch*) insertion; (*Aus: Anlage zu Brief*) enclosure.

3. (*Cook*) side-dish; (*Gemüse~*) vegetables *pl*; (*Salat~*) side-salad.

beiläufig *adj* **1.** casual; *Bemerkung, Erwähnung auch* passing *attr*. **etw ~ erwähnen** to mention sth in passing *or* casually. **2.** (*Aus: ungefähr*) approximate.

Beiläufigkeit *f* (*von Bemerkung, in Benehmen*) casualness; (*Nebensächlichkeit*) triviality. **~en** trivia *pl*.

beilegen *vt sep* **1.** (*hinzulegen*) to insert (*dat* in); (*einem Brief, Paket*) to enclose (*dat* with, in).

2. (*beimessen*) to attribute, to ascribe (*dat* to). **einer Sache** (*dat*) **Bedeutung** *or* **Gewicht/Wert ~** to attach importance/value to sth.

3. (*schlichten*) to settle.

4. (*Naut: anlegen*) to moor.

beileibe *adv:* **~ nicht!** certainly not; **das darf ~ nicht passieren** that mustn't happen under any circumstances; **~ kein ...** by no means a ..., certainly no ...

Beileid *nt* -(e)s, *no pl* condolence(s), sympathy. **jdm sein ~ aussprechen** *or* **ausdrücken** to offer sb one's condolences, to express one's sympathy with sb.

Beileids- *in cpds* of condolence *or* sympathy; **Beileidsbekundung** *f siehe* **Beileidsbezeigung**; **Beileidsbesuch** *m* visit of condolence; **Beileidsbezeigung**, **Beileidsbezeugung** *f* expression of sympathy; (*Brief, Telegramm*) condolence; **Beileidskarte** *f* sympathy *or* condolence card.

Beilhieb *m* blow with *or* from an axe.

beiliegen *vi sep irreg* **1.** (*beigefügt sein*) to be enclosed (*dat* with, in); (*einer Zeitschrift etc*) to be inserted (*dat* in). **2.** (*Naut*) to lie to.

beiliegend *adj* enclosed. **~ senden wir Ihnen ...** please find enclosed ...

beim *contr of* **bei dem**.

beimengen *vt sep* to add (*dat* to).

beimessen *vt sep irreg* jdm/einer Sache **Bedeutung** *or* **Gewicht/Wert ~** to attach importance/value to sb/sth.

beimischen *vt sep* to add (*dat* to). **unserer Freude war eine leichte Traurigkeit beigemischt** (*fig*) our joy was tinged with sadness.

Beimischung *f* addition. **eine leichte ~ von ...** (*fig*) a touch of ...

Bein *nt* -(e)s, -e **1.** leg. **mit übereinandergeschlagenen ~en** cross-legged; **von einem ~ aufs andere treten** to shift from one leg *or* foot to the other; **sich kaum auf den ~en halten können** to be hardly able to stay on one's feet; **er ist noch gut auf den ~en** he's still sprightly; **jdm ein ~ stellen** (*lit, fig*) to trip sb up; **jdm wieder auf die ~e helfen** (*lit, fig*) to help sb back on his feet; **auf den ~en sein** (*nicht krank, in Bewegung*) to be on one's feet; (*unterwegs sein*) to be out and about; **sich auf die ~e machen** (*inf*) to make tracks (*inf*); **jdm ~e machen** (*inf*) (*antreiben*) to make sb get a move on (*inf*); (*wegjagen*) to make sb clear off (*inf*); **die ~e unter den Arm** *or* **in die Hand nehmen** (*inf*) to take to one's heels; **sich** (*dat*) **die ~e in den Bauch** *or* **Leib stehen** (*inf*) to stand about until one is fit to drop (*inf*); **mit beiden ~en im Leben** *or* **auf der Erde stehen** (*fig*) to have both feet (firmly) on the ground; **mit einem ~ im Grab/im Gefängnis stehen** (*fig*) to have one foot in the grave/to be likely to end up in jail; **auf eigenen ~en stehen** (*fig*) to be able to stand on one's own two feet; **er fällt immer wieder auf die ~e** (*fig*) he always falls on his feet; **wieder auf die ~e kommen** (*fig*) to get back on one's feet again; **jdn/etw wieder auf die ~e bringen** *or* **stellen** (*fig*) to get sb/sth back on his/its feet again; **etw auf die ~e stellen** (*fig*) to get sth off the ground; **sich** (*dat*) **etw ans ~ binden** (*fig*) to saddle oneself with sth; **jdn/etw am ~ haben** (*fig inf*) to have sb/sth round one's neck (*inf*).

2. (*Knochen*) bone. **der Schreck ist ihm in die ~e gefahren** the shock went right through him.
3. (*dial: Fuß*) foot.

beinah(e) *adv* almost, nearly. **~ in allen Fällen, in ~ allen Fällen** in almost *or* nearly every case; **das kommt ~ auf dasselbe heraus** that comes to almost *or* nearly the same thing.

Beinahezusammenstoß *m* near miss; (*Flugzeuge*) air miss.

Beiname *m* epithet; (*Spitzname*) nickname.

Beinamputation *f* leg amputation; **beinamputiert** *adj* with an amputated leg/amputated legs; **Beinarbeit** *f* (*Sport*) footwork; (*beim Schwimmen*) legwork; **Beinbruch** *m* fracture of the leg; **das ist kein ~** (*fig inf*) it could be worse (*inf*).

beinern *adj* (*aus Knochen*) made of bone; (*aus Elfenbein*) ivory.

bei|inhalten* *vt insep* to comprise.

beinhart *adj* **Mensch** hard as nails; *Erde, Piste, Kuchen* rock-hard; *Wettstreit, Kampf* fierce; *Druck, Streß* intense; *Argument, Bemerkung* scathing; **die Gewerkschaft ging den Minister ~ an** the union gave the minister a rough ride; **Beinhaus** *nt* charnel-house.

Beinkleid *nt usu pl* (*old, hum*) breeches *pl* (*old*); **Beinling** *m* leg; **Beinprothese** *f* artificial leg; **Beinschiene** *f* (*Hist*) greave; (*Sport*) shin pad; (*bei Cricket*) (leg)pad; (*Med*) splint; **Beinstumpf** *m* stump.

bei|ordnen *vt sep* **1.** (*Gram*) to coordinate. **2.** (*beigeben*) **jdm/einer Sache beigeordnet sein** to be assigned to sb/appointed to sth.

Beipack *m* additional consignment *or* order; (*Frachtgut*) part load (*zu* with).

beipacken *vt sep* to enclose; *Frachtgut* to add (*dat* to).

Beipackzettel *m* instruction leaflet; (*Inhaltsverzeichnis*) list of contents.

beipflichten *vi sep* **jdm/einer Sache in etw** (*dat*) ~ to agree with sb/sth on sth.

Beiprogramm *nt* supporting programme.

Beirat *m* (*Person*) adviser; (*Körperschaft*) advisory council *or* committee *or* body.

bei|irren* *vt* (*verwirren*) to disconcert. **sich nicht in etw** (*dat*) ~ **lassen** not to let oneself be shaken *or* swayed in sth; **sich (durch etw) ~/nicht ~ lassen** to let/not to let oneself be put off (by sth); **er läßt sich nicht ~** he won't be put off; **nichts konnte ihn (in seinem Vorhaben) ~** nothing could shake him (in his intentions).

beisammen *adv* together.

beisammen- *pref* together; **beisammenhaben** *vt sep irreg* (*inf*) *Geld, Leute* to have got together; **seinen Verstand** *or* **seine fünf Sinne ~** to have all one's wits about one; **(sie) nicht alle ~** not to be all there; **beisammensein** *vi sep irreg aux sein* (*Zusammenschreibung nur bei infin und ptp*) (*fig*) (*körperlich*) to be in good shape; (*geistig*) to be all there; **gut ~** to be in good shape; **Beisammensein** *nt* get-together.

Beisatz *m* (*Gram*) appositive.

Beischlaf *m* (*Jur*) sexual intercourse *or* relations *pl*.

beischlußen *vi sep irreg* (*form*) to have sexual intercourse *or* relations *pl* (*dat* with).

Beisein *nt* presence. **in/ohne jds ~** in sb's presence/without sb being present.

beiseite *adv* aside (*auch Theat*); *treten, gehen, stehen auch* to one side; *legen,* (*fig*) *lassen auch* on one side; *setzen,* (*fig*) *schieben auch* to *or* on one side. **Spaß** *or* **Scherz ~!** joking aside *or* apart!; **jdn/etw ~ schaffen** *or* **bringen** to get rid of sb/sth.

Beis(e)l *nt* **-s, -n** (*Aus inf*) pub (*Brit*).

beisetzen *vt sep* (*geh*) (*beerdigen*) to inter (*form*), to bury; *Urne* to install (in its resting place).

Beisetzung *f* funeral; (*von Urne*) installing in its resting place.

Beisitzer(in *f)* *m* **-s, -. 1.** (*Jur*) assessor. **2.** (*Ausschußmitglied*) committee member; (*bei Prüfung*) observer.

Beispiel *nt* **-(e)s, -e** example. **zum ~** for example *or* instance; **wie zum ~** such as; **jdm als ~ dienen** to be an example to sb; **jdm ein ~ geben** to set sb an example; **sich** (*dat*) **ein ~ an jdm/etw nehmen** to take a leaf out of sb's book/to take sth as an example; **mit gutem ~ vorangehen** to set a good example.

beispielgebend *adj* exemplary; **~ für etw sein** to serve as an example for sth; **beispielhaft** *adj* exemplary; **beispiellos** *adj* unprecedented; (*unerhört*) outrageous; **Beispielsatz** *m* example.

beispielsweise *adv* for example *or* instance.

beißen *pret* **biß**, *ptp* **gebissen I** *vti* to bite; (*brennen: Geschmack, Geruch, Schmerzen*) to sting; (*kauen*) to chew. **in den Apfel ~** to bite into *or* take a bite out of the apple; **der Hund hat mich** *or* **mir ins Bein gebissen** the dog has bitten my leg *or* me in the leg; **der Rauch/Wind beißt in den Augen** the smoke/wind makes one's eyes sting; **er wird dich schon nicht ~** he won't eat *or* bite you; **nichts zu ~** (*inf: essen*) nothing to eat; **an etw** (*dat*) **zu ~ haben** (*fig*) to have sth to chew over.

II *vr* (*Farben*) to clash. **sich** (*acc or dat*) **auf die Zunge/Lippen ~** to bite one's tongue/lips; **sich in den Arsch** (*vulg*) *or* **Hintern** (*sl*) ~ to kick oneself (*inf*).

beißend *adj* (*lit, fig*) biting; *Wind auch, Bemerkung* cutting; *Geschmack, Geruch* pungent, sharp; *Schmerz* gnawing; *Ironie, Hohn, Spott* bitter.

Beißerchen *pl* (*baby-talk, hum*) toothy-pegs *pl* (*baby-talk*).

Beißring *m* teething ring; **Beißzange** *f* (pair of) pincers *or* pliers.

Beistand *m* **-(e)s, ̈-e 1.** *no pl* (*Hilfe*) help, assistance; (*Unterstützung*) support; (*von Priester*) attendance, presence. **jdm ~ leisten** to give sb help *or* assistance/give *or* lend sb one's support/attend sb.

2. (*Jur*) legal adviser *or* representative; (*in Duell*) aid, representative, second.

Beistandspakt *m* mutual assistance pact; **Beistandsvertrag** *m* treaty of mutual assistance.

beistehen *vi sep irreg* **jdm** ~ to stand by sb.

beistellen *vt sep* **1.** to put *or* place beside. **2.** (*Aus: zur Verfügung stellen*) (*dat* for) to make available, to provide. **3.** (*Rail: bereitstellen*) to put on.

Beistell *in cpds* side; **Beistellherd** *m* auxiliary cooker; **Beistellmöbel** *pl* occasional furniture *sing*; **Beistelltisch** *m* occasional table.

beisteuern *vt sep* to contribute.

beistimmen *vi sep siehe* **zustimmen**.

Beistrich *m* (*esp Aus*) comma.

Beitel *m* **-s,** **-** chisel.

Beitrag *m* **-(e)s,** ⸚e **1.** (*Anteil*) contribution; (*Aufsatz auch*) article. **einen** ~ **zu etw leisten** to make a contribution to sth, to contribute to sth. **2.** (*Betrag*) contribution; (*Versicherungs*~) premium; (*Mitglieds*~) fee.

beitragen *vti sep irreg* to contribute (*zu* to); (*mithelfen auch*) to help (*zu* to). **das trägt nur dazu bei, die Lage zu verschlimmern** that only helps to make the position worse.

beitragsfrei *adj* non-contributory; **Beitragsgruppe, Beitragsklasse** *f* insurance group; (*bei Verein etc*) class of membership; **Beitragsmarke** *f* stamp; **beitragspflichtig** *adj* contributory; ~ **sein** (*Mensch*) to have to pay contributions; **Beitragssatz** *m* membership rate; **Beitragszahlende(r)** *mf decl as adj* fee-paying member.

beitreiben *vt sep irreg* **Steuern** to collect; **Schulden** *auch* to recover; (*esp Jur*) to enforce (the) payment of.

beitreten *vi sep irreg* **aux sein** +*dat* to join; **einem Pakt, Abkommen** to enter into; **einem Vertrag** to accede to.

Beitritt *m* joining (*zu etw* sth); (*zu einem Pakt, Abkommen*) agreement (*zu* to); (*zu einem Vertrag*) accession (*zu* to). **seinen** ~ **erklären** to become a member.

Beitrittserklärung *f* confirmation of membership; **Beitrittsgebiet** *nt* former East Germany which acceded to the Grundgesetz after Reunification. **Beitrittsgesuch** *nt* application for membership.

Beiwagen *m* **1.** (*beim Motorrad*) sidecar. **2.** (*dated: Anhänger*) carriage.

Beiwerk *nt* additions *pl*; (*bei Aufsatz*) details *pl*; (*modisch*) accessories *pl*.

beiwohnen *vi sep* +*dat* (*geh*) **1.** (*dabeisein*) to be present at. **einem Treffen** ~ to attend a meeting. **2.** (*dated euph*) to have sexual relations with.

Beiwort *nt* **-(e)s,** ⸚er **1.** (*Adjektiv*) adjective. **2.** (*beschreibendes Wort*) epithet.

Beiz *f* **-,** **-en** (*Sw, S Ger inf*) pub (*Brit*).

Beize¹ *f* **-,** **-n 1.** (*Beizmittel*) corrosive fluid; (*Metall*~) pickling solution, pickle; (*Holz*~) stain; (*zum Gerben*) lye; (*Tabak*~) sauce; (*Agr*) disinfectant; (*Färbemittel, Typ*) mordant; (*Cook*) marinade. **2.** (*das Beizen*) steeping in a/ the corrosive fluid *etc*. **3.** (*Hunt*) hawking.

Beize² *f* **-,** **-n** (*dial*) pub (*Brit*).

beizeiten *adv* in good time.

beizen *vt* **1.** to steep in corrosive fluid; (*Metal*) to pickle; **Holz** to stain; **Häute** to bate, to master; **Tabak** to steep in sauce; **Saatgut** to disinfect, to treat; **Kupfer** to etch; (*Cook*) to marinate. **2.** (*Hunt*) to hawk.

Beizmittel *nt siehe* **Beize¹ 1.**; **Beizvogel** *m* falcon, hawk.

bejahen* *vti* to answer in the affirmative; (*gutheißen*) to approve of. **das Leben** ~ to have a positive attitude towards life.

bejahend *adj* positive, affirmative; **Einstellung** positive.

bejahrt *adj* elderly, advanced in years.

Bejahung *f* affirmative answer (*gen* to); (*Gutheißung*) approval.

bejammern* *vt* to lament; **Schicksal, Los** *auch* to bewail (*liter*); **jdn** to lament for.

bejammernswert, bejammernswürdig (*rare*) *adj* deplorable, lamentable; **Mensch** pitiable; **Schicksal** pitiable, dreadful.

bejubeln* *vt* to cheer; **Ereignis** to rejoice at. **sie wurden als Befreier bejubelt** they were acclaimed as liberators.

bekacken* (*vulg*) **I** *vt* to shit on (*sl*). **II** *vr* to shit oneself (*sl*).

bekakeln* *vt* (*NGer inf*) to talk over, to discuss.

bekämpfen* *vt* to fight; (*fig auch*) to combat; **Ungeziefer** to control. **sich gegenseitig** ~ to fight one another.

Bekämpfung *f* fight, battle (*von, gen* against); (*von Ungeziefer*) controlling. **zur** ~ **der Terroristen** to fight *or* combat the terrorists.

bekannt *adj* **1.** (*allgemein gekannt, gewußt*) well-known (*wegen* for); **Mensch** *auch* famous. **die** ~**eren/**~**esten Spieler** the better-/best-known *or* more/most famous players; **wie ist er** ~ **geworden?** how did he become famous?; **sie ist in Wien** ~ **sie** is (well-)known in Vienna; **er ist** ~ **dafür, daß er seine Schulden nicht bezahlt** he is well-known for not paying his debts; **das/sie ist mir** ~ I know about that/I know her, she is known to me; **es ist allgemein/durchaus** ~, **daß** ... it is common knowledge/a known fact that ...; **ich darf diese Tatsachen als** ~ **voraussetzen** I assume that these facts are known.
2. (*nicht fremd*) familiar. **jdn mit etw** ~ **machen** *mit Aufgabe* to show sb how to do sth; *mit Gebiet, Fach* to familiarize sb to sth; *mit Problem* to familiarize sb with sth; **sich mit etw** ~ **machen** to familiarize *or* acquaint oneself with sth; **jdn/ sich (mit jdm)** ~ **machen** to introduce sb/oneself (to sb); **wir sind miteinander** ~ we already know each other, we have already met.

Bekanntenkreis *m* circle of acquaintances.

Bekannte(r) *mf decl as adj* friend; (*entfernter* ~**r**) acquaintance.

bekanntermaßen *adv* (*form*) as is known.

Bekanntgabe *f* announcement; (*in Zei-*

tung etc) publication.

bekanntgeben *vt sep irreg* to announce; *(in Zeitung etc)* to publish. **ihre Verlobung geben bekannt ...** the engagement is announced between ...

Bekanntheit *f* fame; *(von Fakten)* knowledge. **aufgrund der ~ dieser Tatsachen** because these facts are known.

Bekanntheitsgrad *m* **einen hohen/niedrigen ~ haben** to be well-/little-known.

bekanntlich *adv* **~ gibt es ...** it is known that there are ...; **er hat ~ eine Schwäche für Frauen** he is known to have a weakness for women; **Berlin ist ~ die Hauptstadt Deutschlands** Berlin is known to be the capital of Germany.

bekanntmachen *vt sep* to announce; *(der Allgemeinheit mitteilen)* to publicize; *(in Zeitung auch)* to publish; *(durch Rundfunk, Fernsehen auch)* to broadcast; *siehe auch* **bekannt 2.**

Bekanntmachung *f* **1.** *(das Bekanntmachen)* siehe *vt* announcement; publicizing; publication; broadcasting. **2.** *(Anschlag)* announcement, notice.

Bekanntschaft *f* **1.** *(das Bekanntwerden)* acquaintance; *(mit Materie, Gebiet)* knowledge *(mit* of). **jds ~ machen** to make sb's acquaintance; **mit etw ~ machen** to come into contact with sth; **bei näherer ~** on closer acquaintance.

    2. *(inf: Bekannte)* acquaintance. **meine ganze ~** all my acquaintances; **ich habe gestern eine nette ~ gemacht** I met a nice person yesterday.

bekanntwerden *vi sep irreg aux sein* to become known; *(Geheimnis)* to leak out.

bekehren* I *vt* to convert *(zu* to). II *vr* to be(come) converted *(zu* to). **er hat sich endlich bekehrt** *(fig)* he has finally turned over a new leaf *or* mended his ways.

Bekehrer(in *f) m* **-s, -** apostle *(gen* to); *(Missionar)* missionary *(gen* to); *(fig)* proselytizer.

Bekehrte(r) *mf decl as adj* convert, proselyte.

Bekehrung *f* conversion.

bekennen* *irreg* I *vt* to confess, to admit; *Sünde* to confess; *Wahrheit* to admit; *(Rel) Glauben* to bear witness to. **Farbe ~** *(fig)* to put one's cards on the table.

    II *vr* **sich (als *or* für) schuldig ~** to admit *or* confess one's guilt; **sich zum Christentum/zu einem Glauben/zu Jesus ~** to profess Christianity/a faith/one's faith in Jesus; **sich zu jdm/etw ~** to declare oneself *or* one's support for sb/sth; **sich nicht zu jdm ~** to deny sb; **die B~de Kirche** (the German) Confessional Church.

Bekenner(in *f) m* **-s, -** confessor.

Bekenneranruf *m* call claiming responsibility; **Bekennerbrief** *m* letter claiming responsibility; **Bekennermut** *m* courage of one's convictions.

Bekenntnis *nt* **1.** *(Geständnis)* confession *(zu* of); *(zum religiösen Glauben auch)* profession *(zu* of). **ein ~ zu den Menschenrechten** a declaration of belief in

human rights; **sein ~ zum Sozialismus** his declared belief in socialism; **ein ~ zur Demokratie/zum Christentum ablegen** to declare one's belief in democracy/profess one's Christianity.

    2. *(Rel: Konfession)* denomination.

Bekenntnisfreiheit *f* freedom of religious belief; **bekenntnislos** *adj* uncommitted to any religious denomination; **Bekenntnisschule** *f* denominational school.

bekieken* *(N Ger inf)* I *vt* to look at. II *vr* to (have a) look at oneself; *(gegenseitig)* to look at each other.

bekiffen* *vr (sl)* to get stoned *(sl).* **bekifft sein** to be stoned *(sl).*

beklagen* I *vt* to lament; *Los* to bewail; *Tod, Verlust* to mourn. **Menschenleben sind nicht zu ~** there are no casualties.

    II *vr* to complain *(über +acc, wegen* about). **sich bei jdm über etw (*acc*) ~** to complain *or* make a complaint to sb about sth; **ich kann mich nicht ~** I can't complain, I've nothing to complain about.

beklagenswert, beklagenswürdig *(geh) adj Mensch* pitiful; *Zustand* lamentable, deplorable; *Mißerfolg, Vorfall, Scheitern* regrettable, unfortunate; *Unfall* terrible.

beklagt *adj (Jur)* **die ~e Partei** the defendant; *(bei Scheidung)* the respondent; **der ~e Ehegatte** the respondent.

Beklagte(r) *mf decl as adj (Jur)* defendant; *(bei Scheidung)* respondent.

beklatschen* *vt (applaudieren)* to clap, to applaud.

beklauen* *vt (inf) jdn* to rob.

bekleben* *vt* **etw (mit Papier/Plakaten) ~** to stick paper/posters on(to) sth; **etw mit Etiketten ~** to stick labels on(to) *or* to label sth.

bekleckern* *(inf)* I *vt* to stain. **ich habe mir das Kleid bekleckert** I've made a mess on my dress.

    II *vr* **sich (mit Saft) ~** to spill juice all down *or* over oneself; **er hat sich nicht gerade mit Ruhm bekleckert** *(fig)* he didn't exactly cover himself with glory.

beklecksen* I *vt (inf)* to splatter *(mit* with). **etw (mit Tinte/Farbe) ~** to splatter ink/paint on sth; **ein bekleckstes Heft** an ink-/paint- *etc* besplattered exercise book.

    II *vr* to splatter oneself with ink/paint *etc.*

bekleiden* *(geh)* I *vt* **1.** *(anziehen)* to dress *(mit* in); *(Kleidung geben)* to clothe. **er war nur mit einer Hose bekleidet** he was only wearing a pair of trousers; **etw mit etw ~** *(geh)* to cover sth in sth.

    2. *(innehaben) Amt etc* to occupy, to hold. **jdn mit einem Amt/einer Würde ~** to bestow an office/a title on sb.

    II *vr* to get dressed.

bekleidet *adj* dressed, clad *(mit* in). **sie war nur leicht ~** she was only lightly *or* *(spärlich)* scantily dressed *or* clad; **nur mit einer Hose ~ sein** to be clad in *or* wearing only a pair of trousers.

Bekleidung f 1. (*Kleider*) clothes pl, clothing; (*Aufmachung*) dress, attire. **ohne ~** without any clothes on. 2. (*form: eines Amtes*) tenure.

Bekleidungsgegenstand m garment, article of clothing; **Bekleidungsgewerbe** nt clothing or garment (*esp US*) trade; **Bekleidungsindustrie** f clothing or garment (*esp US*) industry; **Bekleidungsstück** nt garment, article of clothing.

bekleistern* vt (*inf*) 1. *Tapete* to paste. 2. (*pej*) (*bekleben*) **eine Wand (mit Plakaten) ~** to stick posters all over a wall.

beklemmen* vt (*fig*) to oppress; (*Schuld auch*) to weigh upon.

beklemmend adj (*beengend*) oppressive, constricting; (*beängstigend*) tormenting, oppressive.

Beklemmung f usu pl feeling of oppressiveness; (*Gefühl der Angst*) feeling of apprehension or trepidation. **~en bekommen/haben** to start to feel/to feel oppressed/full of apprehension or trepidation.

beklommen adj apprehensive, anxious; *Mensch auch* full of trepidation.

Beklommenheit f trepidation, apprehensiveness.

beklopfen* vt to tap; *Brust auch* to sound.

bekloppt adj (*sl*) *Mensch* loony, crazy, mad (*all inf*); *Sache* lousy (*inf*), stupid (*inf*), crappy (*sl*).

beknackt adj (*sl*) siehe **bekloppt**.

beknien* vt (*inf*) jdn to beg.

bekochen* vt (*inf*) to cook for.

bekommen* irreg I vt 1. to get; *Genehmigung, Stimmen, Nachricht auch* to obtain; *Geschenk, Brief, Lob, Belohnung auch* to receive; *Zug, Bus, Krankheit auch* to catch; *gutes Essen, Verpflegung auch, Schlaganfall, Junges, ein Kind, Besuch* to have; *Spritze, Tadel* to be given. **ein Jahr Gefängnis ~** to be given one year in prison; **wir ~ Kälte/anderes Wetter** the weather is turning cold/is changing; **wir ~ Regen/Schnee** we're going to have rain/snow; **einen Stein/Ball an den Kopf ~** to be hit on the head by a stone/ball; **kann ich das schriftlich ~?** can I have that in writing?; **wir haben das große Bett nicht nach oben ~** we couldn't get the big bed upstairs; **jdn ins/aus dem Bett ~** to get sb into/out of bed; **was bekommt der Herr?** what will you have, sir?; **ich bekomme bitte ein Glas Wein** I'll have a glass of wine, please; **was ~ Sie dafür/von mir?** how much is that/how much do I owe you for that?; **jdn dazu ~, etw zu tun** to get sb to do sth; **er bekam es einfach nicht über sich, ...** he just could not bring himself to ... 2. (*entwickeln*) *Fieber, Schmerzen, Komplexe* to get, to develop; *Zähne* to get, to cut; *Übung, neue Hoffnung* to gain. *Rost/Flecken/Risse ~* to get or become rusty/spotty/cracked, to develop rust/spots/cracks; *Heimweh ~* to get or become homesick; *Sehnsucht ~* to develop a longing (*nach* for); *graue Haare/*

eine Glatze **~** to go grey/bald; **Hunger/ Durst ~** to get or become hungry/ thirsty; **Angst ~** to get or become afraid. 3. *mit Infinitivkonstruktion* to get. **etw zu essen ~** to get sth to eat; **etw zu sehen/hören ~** to get to see/hear sth; **es mit jdm zu tun ~** to get into trouble with sb; **etw zu fassen ~** to catch hold of sth; **wenn ich ihn zu fassen bekomme ...** if I get my hands on him ... 4. *mit ptp oder adj siehe auch dort* **etw gemacht ~** to get or have sth done; **seine Arbeit fertig** or **gemacht** (*inf*) **~** to get one's work finished or done; **etw geschenkt ~** to be given (as a present); **ich habe das Buch geliehen ~** I have been lent the book; **etw bezahlt ~** to get paid for sth; **einen Wunsch erfüllt ~** to have a wish fulfilled. 5. *in Verbindung mit n siehe auch dort* **Lust ~, etw zu tun** to feel like doing sth; **es mit der Angst ~** to become afraid; **Ärger ~** to get into trouble; **eine Ohrfeige** or **eine** (*inf*) **~** to catch it (*inf*); **Prügel ~** to be given or to get a hiding.

II vi 1. *aux sein +dat* (*zuträglich sein*) **jdm (gut) ~** to do sb good; (*Essen*) to agree with sb; **jdm nicht** or **schlecht ~** not to do sb any good; (*Essen*) to disagree or not to agree with sb; **wie ist Ihnen das Bad ~?** how was your bath?; **wie bekommt ihm die Ehe?** how is he enjoying married life?; **wohl bekomm's!** your health! 2. (*bedient werden*) **~ Sie schon?** are you being attended to or served?

bekömmlich adj *Speisen* (easily) digestible; *Klima* beneficial. **leicht/schwer ~ sein** to be easily digestible/difficult to digest.

Bekömmlichkeit f siehe adj digestibility; beneficial quality.

beköstigen* vt to cater for.

Beköstigung f (*das Beköstigen*) catering (*gen* for); (*Kost*) food.

bekotzen* (*vulg*) vt to spew or puke over (*sl*).

bekräftigen* vt to confirm; *Vorschlag* to support, to back up. **etw nochmals ~** to reaffirm sth; **seine Aussage mit einem Eid ~** to reinforce one's evidence by swearing an oath; **eine Vereinbarung mit einem Handschlag ~** to seal an agreement by shaking hands; **jdn in etw ~** to strengthen s.o. in sth.

Bekräftigung f confirmation; (*Versicherung*) assurance. **zur ~ seiner Worte** to reinforce his words.

bekränzen* vt to crown with a wreath; (*mit Blumen*) to garland.

bekreuzigen* vr to cross oneself.

bekriegen* vt to wage war on; (*fig*) to fight. **sie ~ sich (gegenseitig) schon seit Jahren** they have been at war with one another for years; **bekriegt werden** to be attacked.

bekritteln* vt (*pej*) to criticize; *Arbeit auch* to find fault with.

bekritzeln* vt to scribble over. **das Buch mit Bemerkungen ~** to scribble comments over the book.

bekucken* vt (*N Ger*) siehe **begucken**.

bekümmern* I *vt* to worry. **das braucht dich nicht zu** ~ there is no need for you to worry about that. II *vr* **sich über etw** (*acc*) ~ to worry about sth; **sich um etw** ~ to concern oneself with sth.

bekümmert *adj* worried (*über* +*acc* about).

bekunden* I *vt* to show, to express; (*in Worten auch*) to state; (*Jur: bezeugen*) to testify to. ~, **daß ...** (*Jur*) to testify that ... II *vr* (*geh*) to manifest itself.

Bekundung *f* expression, manifestation; (*in Worten auch*) statement; (*Jur*) testimony.

belabern* *vt* (*inf*) **jdn** ~ to keep on at sb; (*überreden*) **er hat mich belabert** he talked me into it.

belächeln* *vt* to smile at.

beladen* *irreg* I *vt Schiff, Zug* to load (up); (*fig: mit Sorgen*) **jdn** to burden. **etw mit Holz** ~ to load sth with wood, to load wood onto sth; **ein Tier mit einer schweren Last** ~ to put a heavy load on an animal.

II *vr* (*mit Gepäck*) to load oneself up. **sich mit Verantwortung/Sorgen** ~ to take on responsibilities/worries; **sich mit Schuld** ~ to incur guilt.

III *adj* loaded; *Mensch* laden; (*mit Schuld*) laden, burdened. **mit etw** ~ **sein** to be loaded with sth; (*Mensch*) to be loaded down *or* laden with sth; (*mit Schuld etc*) to be weighed down *or* laden *or* burdened with sth.

Belag *m* **-(e)s, =e** coating; (*Schicht*) layer; (*Ölfilm etc*) film; (*auf Pizza, Brot*) topping; (*auf Tortenboden, zwischen zwei Brotscheiben*) filling; (*auf Zahn*) film; (*Zungen~*) fur; (*Brems~*) lining; (*Fußboden~*) covering; (*Straßen~*) surface.

Belagerer *m* **-s,** - besieger.

belagern* *vt* (*Mil*) to besiege (*auch fig*), to lay siege to.

Belagerung *f* siege.

Belagerungszustand *m* state of siege. **den** ~ **ausrufen** to declare a state of siege.

Belang *m* **-(e)s, -e 1.** (*no pl: Wichtigkeit*) importance, significance. **von/ohne** ~ (**für jdn/etw**) **sein** to be of importance/of no importance (to sb/for *or* to sth). **2.** ~**e** *pl* interests. **3.** (*form: Sache*) matter.

belangen* *vt* **1.** (*Jur*) to prosecute (*wegen* for); (*wegen Beleidigung, Verleumdung*) to sue. **dafür kann man belangt werden** you could be prosecuted for that. **2.** (*dated: betreffen*) **was mich belangt** as far as I am concerned.

belanglos *adj* inconsequential, trivial. **das ist für das Ergebnis** ~ that is irrelevant to the result.

Belanglosigkeit *f* **1.** *no pl* inconsequentiality, triviality. **2.** (*Bemerkung*) triviality.

belangvoll *adj* relevant (*für* to).

belassen* *vt irreg* to leave. **wir wollen es dabei** ~ let's leave it at that; **jdn in dem Glauben** ~, **daß ...** to allow sb to go on believing that ...; **jdn in seinem Amt** ~ to allow sb to remain in office; **etw an seinem Ort** ~ to leave sth in its place;

das muß ihm ~ **bleiben** that must be left up to him.

belastbar *adj* **1.** (*mit Last, Gewicht*) **bis zu 500 Kilogramm** ~ **sein** to have a maximum load of *or* load-bearing capacity of 500 kilogrammes; **wie hoch ist diese Brücke** ~? what is the maximum load of this bridge? **2.** (*fig*) **daran habe ich bemerkt, wie** ~ **ein Mensch ist** that made me see how much a person can take. **3.** (*beanspruchbar*) (*Med*) *Mensch, Körper, Organe, Kreislauf* resilient. **der Steuerzahler ist nicht weiter** ~ the tax payer cannot be burdened any more; **die Atmosphäre ist nicht unbegrenzt (durch Schadstoffe)** ~ the atmosphere cannot stand an unlimited degree of contamination; **da wird sich zeigen, wie** ~ **das Stromnetz/unser Wasserhaushalt ist** that will show how much pressure our electricity/water supply will take. **4. wie hoch ist mein Konto** ~? what is the limit on my account?; **der Etat ist nicht unbegrenzt** ~ the budget is not unlimited.

Belastbarkeit *f* **1.** (*von Brücke, Aufzug*) load-bearing capacity. **2.** (*von Menschen, Nerven*) ability to take stress; (*von Gedächtnis*) capacity. **3.** (*von Stromnetz etc*) maximum capacity; (*von Menschen, Organ*) maximum resilience. **die höhere physische** ~ **eines Sportlers** an athlete's higher degree of physical resilience. **4.** (*von Haushalt*) (maximum) limit (*gen* of, on).

belasten* I *vt* **1.** (*lit*) (*mit Gewicht*) *Brücke, Balken, Träger, Ski* to put weight on; (*mit Last*) *Fahrzeug, Fahrstuhl* to load. **etw mit 50 Tonnen** ~ to put a 50 ton load on sth, to put a weight of 50 tons on sth; **den Träger gleichmäßig** ~ to distribute weight evenly over the girder; **die Brücke/das Fahrzeug** *etc* **zu sehr** ~ to put too much weight on the bridge/to overload the vehicle. **2.** (*fig*) **jdn mit etw** ~ *mit Arbeit* to load sb with sth; *mit Verantwortung, Sorgen, Wissen* to burden sb with sth; **das Gedächtnis mit unnützem Wissen** ~ to burden one's memory with useless knowledge; **jdn** ~ (*mit Arbeit, Verantwortung, Sorgen*) to burden sb; (*nervlich, körperlich anstrengen*) to put a strain on sb; **jdn mit zu viel Arbeit/ Verantwortung** ~ to overload/ overburden sb with work/responsibility. **3.** (*fig: bedrücken*) **jdn/jds Gewissen/ Seele mit etw** ~ (*Mensch*) to burden sb/ sb's conscience/soul with sth; **jdn/jds Gewissen** ~ (*Schuld*) to weigh upon sb *or* sb's mind/conscience; **das belastet ihn sehr** that is weighing heavily on his mind; **mit einer Schuld belastet sein** to be burdened (down) by guilt; **von Sorgen belastet** weighed down with cares. **4.** (*beanspruchen*) *Wasserhaushalt, Stromnetz, Leitung* to put pressure on, to stretch; *Atmosphäre* to pollute; (*Med*) *Kreislauf, Organe, Körper, Menschen* to put a strain on, to strain; *Ner-*

ven to strain, to tax; *Steuerzahler* to burden. **jdn/etw zu sehr** *or* **stark ~** to overstrain sb/sth; *Wasserhaushalt etc* to put too much pressure on *or* to overstretch sth.

5. (*Jur*) *Angeklagten* to incriminate. **~des Material** incriminating evidence.

6. (*Fin*) *Konto* to charge; *Etat* to be a burden on; (*steuerlich*) *jdn* to burden. **etw (mit einer Hypothek) ~** to mortgage sth; **das Konto mit einem Betrag ~** to debit a sum from the account; **jdn mit den Kosten ~** to charge the costs to sb.

II *vr* **1. sich mit etw ~** *mit Arbeit* to take sth on; *mit Verantwortung* to take sth upon oneself; *mit Sorgen* to burden oneself with sth; **sich mit Schuld ~** to incur guilt; **damit belaste ich mich nicht** (*mit Arbeit, Verantwortung*) I don't want to take that on.

2. (*Jur*) to incriminate oneself.

belästigen* *vt* (*zur Last fallen*) to bother; (*zudringlich werden*) to pester; (*körperlich*) to molest; (*Licht, Geräusch, Geruch*) to irritate.

Belästigung *f* annoyance; (*durch Lärm*) irritation; (*Zudringlichkeit auch*) pestering; (*körperlich*) molesting. **sexuelle ~** sexual harassment; **etw als eine ~ empfinden** to find sth an annoyance *or* a nuisance.

Belastung *f siehe vt* **1.** (*das Belasten*) putting weight on; loading; (*Last, Gewicht*) weight; (*in Fahrzeug, Fahrstuhl*) load. **die erhöhte ~ der Brücke** the increased weight put on the bridge; **maximale ~ der Brücke/des Fahrstuhls** weight limit of the bridge/maximum load of the lift.

2. (*fig*) (*das Belasten*) (*mit Arbeit*) loading; (*mit Verantwortung etc*) burdening; (*Anstrengung*) strain; (*Last*) burden.

3. burden (*gen* on).

4. pressure (*gen* on); pollution (*gen* of); strain (*gen* on).

5. incrimination.

6. (*Fin*) charge (*gen* on); (*von Etat, steuerlich*) burden (*gen* on); (*mit Hypothek*) mortgage (*gen* on).

Belastungsgrenze *f* (*von Brücke, Fahrzeug, Balken*) weight limit; (*von Atmosphäre, Wasserhaushalt*) maximum capacity; (*seelisch, physisch*) limit; (*Elec*) level of peak load; **Belastungsmaterial** *nt* (*Jur*) incriminating evidence; **Belastungsprobe** *f* endurance test; **Belastungsspitze** *f* (*Elec*) peak load; **Belastungszeuge** *m*, **Belastungszeugin** *f* (*Jur*) witness for the prosecution.

Belaubung *f, no pl* (*Laub*) leaves *pl*, foliage; (*das Sichbelauben*) coming into leaf.

belauern* *vt* to eye; *Wild* to observe secretly, to keep under observation; (*fig: Gefahr*) to menace.

belaufen* *irreg* **I** *vr* **sich auf etw** (*acc*) **~** to come *or* amount to sth. **II** *vt* (*rare: begehen*) to walk. **ein viel ~er Weg** a well-trodden path.

belauschen* *vt* to eavesdrop on; (*genau beobachten*) to observe.

beleben* **I** *vt* **1.** (*anregen*) to liven up; (*neu ~*) *Natur* to revive; (*aufmuntern auch*) to brighten up; *Absatz, Konjunktur, jds Hoffnungen* to stimulate. **eine kalte Dusche wird dich ~** a cold shower will refresh you.

2. (*lebendiger gestalten*) to brighten up; *Unterhaltung auch* to animate.

3. (*zum Leben erwecken*) to bring to life.

II *vr* (*Konjunktur*) to be stimulated; (*Augen, Gesicht*) to light up; (*Natur, Stadt*) to come to life; (*geschäftiger werden*) to liven up.

III *vi* **das belebt** that livens you up.

belebend *adj* invigorating.

belebt *adj* **1.** *Straße, Stadt* busy, crowded. **2.** (*lebendig*) living. **die ~e Natur** the living world; **~er Schlamm** activated sludge.

Belebtheit *f siehe adj* **1.** bustle. **2.** life.

Belebung *f* revival; (*der Wirtschaft, Konjunktur*) stimulation. **zur ~ trank er einen starken Kaffee** to revive himself he drank a cup of strong coffee.

belecken* *vt* to lick.

Beleg *m* **-(e)s, -e 1.** (*Beweis*) instance, piece of evidence; (*Quellennachweis*) reference. **~e für den Gebrauch eines Wortes** instances of the use of a word. **2.** (*Quittung*) receipt.

Beleg|arzt *m*, **Beleg|ärztin** *f* general practitioner, who also looks after a certain number of patients in a hospital.

belegbar *adj* verifiable.

Belegbett *nt* hospital bed at the disposal of a general practitioner, GP bed.

belegen* *vt* **1.** (*bedecken*) to cover; *Brote, Tortenboden* to fill. **etw mit Fliesen/ Teppich ~** to tile/carpet sth; **mit Beschuß/Bomben ~** to bombard/bomb *or* bombard; *siehe* **belegt**.

2. (*besetzen*) *Wohnung, Hotelbett* to occupy; (*reservieren*) to reserve, to book; (*Univ*) *Fach* to take; *Seminar, Vorlesung* to enrol for. **den fünften Platz ~** to take fifth place, to come fifth.

3. (*beweisen*) to verify.

4. (*auferlegen*) **jdn mit etw ~** to impose sth on sb; **jdn mit dem Bann ~** to proscribe sb; (*Eccl*) to excommunicate sb; **etw mit einem Namen ~** to give sth a name.

Belegexemplar *nt* specimen copy; **Belegfrist** *f* (*Univ*) enrolment period; **Belegleser** *m* (*Comp*) OCR reader; **Belegmaterial** *nt* documentation.

Belegschaft *f* **1.** (*Beschäftigte*) staff; (*esp in Fabriken*) workforce. **2.** (*inf: die Anwesenden*) **die ganze ~** the whole mob (*inf*) *or* gang (*inf*).

Belegschaftsaktien *pl* employees' shares; **Belegschaftsmitglied** *nt* employee.

belegt *adj Zunge* furred; *Stimme* hoarse; *Zimmer, Bett, Wohnung* occupied. **~e Brote** open sandwiches.

Belegung *f* **die ~ eines Krankenhauses** the number of hospital beds that are occupied.

belehnen* *vt* **1.** (*Hist*) to enfeoff. **2.** (*Sw*) *Haus* to mortgage.

belehrbar adj teachable.

belehren* vt (unterweisen) to teach, to instruct; (aufklären) to inform, to advise (form) (über +acc of). **jdn eines anderen** ~ to teach sb otherwise; **sich eines anderen** ~ **lassen** to learn or be taught otherwise; **da mußte ich mich** ~ **lassen** I realized I was wrong; **er ist nicht zu** or **läßt sich nicht** ~ he won't be told; **ich bin belehrt!** I've learned my lesson.

belehrend adj didactic.

Belehrung f explanation, lecture (inf); (Anweisung) instruction (über +acc about); (von Zeugen, Angeklagten) caution. **deine ~en kannst du dir sparen** there's no need to lecture me.

beleibt adj stout, corpulent, portly.

Beleibtheit f corpulence, stoutness.

beleidigen* vt jdn to insult; (Verhalten, Anblick, Geruch) to offend; (Jur) (mündlich) to slander; (schriftlich) to libel.

beleidigt adj insulted; (gekränkt) offended; Gesicht, Miene auch hurt. ~ **weggehen** to go off in a huff (inf); **er fühlt sich in seiner Ehre** ~ he feels his honour has been insulted; **die ~e Leberwurst spielen** (inf) to be in a huff (inf); **bist du jetzt** ~? have I offended you?; **jetzt ist er** ~ now he's in a huff (inf).

Beleidigung f insult; (Jur) (mündliche) slander; (schriftliche) libel. **eine** ~ **für den Geschmack/das Auge** an insult to one's taste/an eyesore; **etw als** ~ **auffassen** to take sth as an insult, to take offence at sth.

Beleidigungsklage f (Jur) slander/libel action, action for slander/libel; **Beleidigungsprozeß** m (Jur) slander/libel trial.

beleihen* vt irreg (Comm) to lend money on; Haus, Grundstück auch to mortgage, to give a mortgage on.

belemmert adj (inf) (betreten) sheepish; (niedergeschlagen) miserable; (scheußlich) Wetter, Angelegenheit lousy (inf).

belesen adj well-read.

Belesenheit f wide reading. **eine gewisse** ~ a certain degree of erudition.

Beletage [bɛle'ta:ʒə] f (old) first floor (Brit), second floor (US).

beleuchten* vt (Licht werfen auf) to light up, to illuminate; (mit Licht versehen) Straße, Bühne to light; (fig: betrachten) to examine.

Beleuchter(in f) m -s, - lighting technician.

Beleuchtung f 1. (das Beleuchten) lighting; (das Bestrahlen) illumination; (fig) examination, investigation. 2. (Licht) light; (das Beleuchtetsein) lighting; (Lichter) lights pl. **die** ~ **der Straßen/Fahrzeuge** street lighting/lights pl on vehicles.

Beleuchtungskörper m lighting appliance; **Beleuchtungsstärke** f intensity of light; **Beleuchtungstechnik** f lighting engineering.

beleumdet, beleumundet adj gut/schlecht ~ **sein** to have a good/bad reputation; **ein schlecht ~es Etablissement** an establishment with a bad reputation.

belfern vti (inf) to bark; (Kanone) to boom.

Belgien [-iən] nt -s Belgium.

Belgier(in f) [-iɐ, -iərɪn] m -s, - Belgian.

belgisch adj Belgian.

Belgrad nt -s Belgrade.

Belgrader(in f) m native of Belgrade; (Einwohner) inhabitant of Belgrade.

belichten* vt (Phot) to expose. **wie lange muß ich das Bild** ~? what exposure should I give the shot?

Belichtung f (Phot) exposure.

Belichtungsautomatik f automatic exposure; **Belichtungsmesser** m light meter; **Belichtungszeit** f exposure (time).

Belieben nt -s, no pl nach ~ just as you/they etc like, any way you etc want (to); **das steht** or **liegt in Ihrem** ~ that is up to you or left to your discretion.

belieben* I vi impers (geh) **wie es Ihnen beliebt** as you like or wish; **was beliebt?** (old: wird gewünscht) what can I do for you?

II vt (old, iro) **es beliebt jdm, etw zu tun** (hat Lust) sb feels like doing sth; (iro) sb deigns or condescends to do sth; **er beliebt zu scherzen** (iro) he must be joking.

beliebig I adj any. **(irgend)eine/jede ~e Farbe** any colour at all or whatever or you like; **nicht jede ~e Farbe** not every colour; **jeder B~e** anyone at all; **eine ganz ~e Reihe von Beispielen** a quite arbitrary series of examples; **in ~er Reihenfolge** in any order whatever; **die Auswahl ist** ~ the choice is open or free.

II adv as you etc like. **Sie können** ~ **lange bleiben** you can stay as long as you like; **die Farben können** ~ **ausgewählt werden** you can choose any colour you like.

beliebt adj popular (bei with). **sich bei jdm** ~ **machen** to make oneself popular with sb.

Beliebtheit f popularity.

beliefern* vt to supply. **jdn (mit etw)** ~ to supply sb with sth.

Belieferung f supplying.

Belladonna f -, **Belladonnen** deadly nightshade, belladonna; (Extrakt) belladonna.

bellen I vi to bark; (Kanonen) to boom; (Maschinengewehr) to crack. II vt to bark; Befehle to bark out.

bellend adj Husten hacking; Stimme gruff; Maschinengewehre cracking; Kanonen booming.

Belletristik f fiction and poetry, belles lettres pl.

belletristisch adj Zeitschrift, Neigung literary. ~**e Literatur/Bücher** fiction and poetry/books of fiction and poetry; ~**e Abteilung** department for fiction and poetry.

belobigen* vt to commend, to praise.

Belobigung f (form) commendation.

Belobigungsschreiben nt commendation.

belohnen*, belöhnen* (Sw) vt to reward; jds Treue, gute Tat auch to repay. **starker Beifall belohnte den Schauspieler** the actor received hearty applause.

Belohnung, Belöhnung (*Sw*) *f* reward; (*das Belohnen*) rewarding. **zur ~ als ~ (für)** as a reward (for); **eine ~ aussetzen** to offer a reward; **zur ~ der Kinder für ihr gutes Benehmen** in order to reward the children for their good behaviour.

belüften* *vt* to ventilate; *Kleider* to air.

Belüftung *f* 1. (*das Belüften*) ventilating; airing. 2. (*inf: die Anlage*) ventilation.

belügen* *vt irreg* to lie *or* tell lies/a lie to. **sich selbst ~** to deceive oneself.

belustigen* I *vt* to amuse. II *vr* (*geh*) **sich über jdn/etw ~** to make fun of sb/sth; **sich mit etw ~** to amuse oneself by (doing) sth.

belustigt I *adj Gesichtsausdruck, Ton, Stimme* amused. II *adv* in amusement.

Belustigung *f* (*geh: Veranstaltung*) entertainment; (*das Belustigtsein*) amusement.

bemächtigen* *vr* (*geh*) 1. (*in seine Gewalt bringen*) **sich eines Menschen/einer Sache ~** to take *or* seize hold of sb/sth; **sich des Thrones ~** to seize *or* take the throne; (*durch Intrige*) to usurp the throne. 2. (*Gefühl, Gedanke*) **sich jds ~** to come over sb.

bemäkeln* *vt* to find fault with, to pick holes in.

bemalen* *vt* 1. to paint; (*verzieren auch*) to decorate. **etw mit Blumen ~** to paint flowers on sth; **bemalt sein** (*pej*) to be heavily made up. II *vr* to paint oneself; (*pej: schminken*) to put on one's war paint (*inf*).

Bemalung *f siehe vt* painting; decoration.

bemängeln* *vt* to find fault with, to fault. **was an dem Kritikern an dem Buch ~, ist ...** the fault the critics find with the book is ...

Bemängelung *f* finding fault (*gen* with), faulting (*gen* of).

bemannen* *vt U-Boot, Raumschiff* to man. **sie ist seit neuestem wieder bemannt** (*inf*) she has just recently got herself a man again *or* a new boyfriend.

Bemannung *f* manning; (*rare: Mannschaft*) crew.

bemänteln* *vt* to cover up.

Bemäntelung *f* covering-up.

Bembel *m* -s, - (*dial*) pitcher.

bemerkbar *adj* noticeable, perceptible. **sich ~ machen** (*sich zeigen*) to make itself felt, to become noticeable; (*auf sich aufmerksam machen*) to draw attention to oneself, to attract attention; **mach dich ~, wenn du etwas brauchst** let me know if you need anything.

bemerken* *vt* 1. (*wahrnehmen*) to notice; *Schmerzen auch* to feel. **er bemerkte rechtzeitig/zu spät, daß ...** he realized in time/too late that ...
   2. (*äußern*) to remark, to comment (*zu* on). **hör auf, bemerkte sie** stop that, she said; **nebenbei bemerkt** by the way; **ich möchte dazu ~, daß ...** I would like to say *or* add, that ...; **er hatte einiges zu ~** he had a few comments *or* remarks to make.

bemerkenswert *adj* remarkable.

Bemerkung *f* remark, comment (*zu* on).

bemessen* *irreg* I *vt* (*zuteilen*) to allo-

cate; (*einteilen*) to calculate. **reichlich/ knapp ~** generous/not very generous; **meine Zeit ist kurz or knapp ~** my time is limited *or* restricted.
   II *vr* (*form*) to be proportionate (*nach* to).

Bemessung *f siehe vt* allocation; calculation.

Bemessungsgrundlage *f* (*Fin*) basis of assessment.

bemitleiden* *vt* to pity, to feel pity *or* feel sorry for. **er ist zu ~** he is to be pitied; **sich selbst ~** to feel sorry for oneself.

bemitleidenswert *adj* pitiable, pitiful.

bemittelt *adj* well-to-do, well-off.

Bemme *f* -, -n (*dial*) slice of buttered bread; (*zusammengeklappt*) sandwich.

bemoost *adj* mossy. **~es Haupt** (*inf*) old fogey; (*Student*) perpetual student.

Bemühen *nt* -s, *no pl* (*geh*) efforts *pl*, endeavours *pl* (*um* for).

bemühen* I *vt* to trouble, to bother; *Rechtsanwalt* to engage. **jdn zu sich ~** to call in sb, to call upon the services of sb.
   II *vr* 1. (*sich Mühe geben*) to try hard, to endeavour. **sich um gute Beziehungen/eine Stelle ~** to try to get good relations/a job; **sich um jds Wohl/ jds Vertrauen/jds Gunst ~** to take trouble over sb's well-being/try to win sb's trust/court sb's favour; **sich um eine Verbesserung der Lage ~** to try to improve the situation; **sich um jdn ~** (*für eine Stelle*) to try to get sb; (*um Kranken*) to look after sb; (*um jds Gunst*) to court sb; **bitte ~ Sie sich nicht** please don't trouble yourself *or* put yourself out; **sich redlich ~** to make a genuine effort.
   2. (*geh: gehen*) to go, to proceed (*form*). **sich ins Nebenzimmer ~** to proceed to the next room (*form*); **sich zu jdm ~** to go to sb.

bemüht *adj* **~ sein, etw zu tun** to try hard *or* endeavour to do sth; **um etw ~ sein, darum ~ sein, etw zu tun** to endeavour *or* be at pains to do sth.

Bemühung *f* effort, endeavour. **vielen Dank für Ihre (freundlichen) ~en** (*form*) thank you for your efforts *or* trouble.

bemüßigt *adj* **sich ~ fühlen/sehen/finden** (*geh, usu iro*) to feel called upon *or* obliged.

bemuttern* *vt* to mother.

bemützt *adj* wearing a cap/hat.

benachbart *adj* neighbouring *attr*; *Haus, Familie auch* next door; *Staat auch* adjoining.

benachrichtigen* *vt* to inform (*von* of); (*amtlich auch*) to notify (*von* of).

Benachrichtigung *f* (*Nachricht*) notification; (*Comm*) advice note. **die ~ der Eltern ist in solchen Fällen vorgeschrieben** the parents must be notified in such cases.

Benachrichtigungsschreiben *nt* letter of notification.

benachteiligen* *vt* to put at a disadvantage; (*wegen Geschlecht, Klasse, Rasse, Glauben auch*) to discriminate against; (*körperliches Leiden auch*) to handicap. **benachteiligt sein** to be at a disadvantage/discriminated against/handicapped.

Benachteiligte(r) *mf decl as adj* victim. **der/die ~ sein** to be at a disadvantage.

Benachteiligung *f siehe vt (das Benachteiligen)* disadvantaging; discrimination (*gen* against); (*Zustand*) disadvantage; discrimination *no pl.*

benähen* *vt* **das Kleid** *etc* **mit etw ~** to sew sth onto the dress.

Bendel *m or nt* **-s,** *- siehe* **Bändel.**

benebeln* *vt* (*inf*) **jdn/jds Sinne/jds Kopf ~** to make sb's head swim *or* reel; (*Narkose, Sturz*) to daze sb, to make sb feel dazed; **benebelt sein** to be feeling dazed *or* (*von Alkohol auch*) muzzy (*inf*).

benedeien *vt* (*Eccl*) to bless; *Gott* to glorify.

Benediktiner(in *f*) *m* **-s,** - Benedictine (friar/nun).

Benefiz *nt* **-es, -e** benefit.

Benefizspiel *nt* benefit match; **Benefizvorstellung** *f* charity performance.

Benehmen *nt* **-s,** *no pl* **1.** behaviour. **kein ~ haben** to have no manners, to be bad-mannered. **2. sich mit jdm ins ~ setzen** (*form*) to get in touch with sb.

benehmen* *irreg* **I** *vt* (*geh*) **1.** (*rauben*) to take away. **jdm den Atem ~** to take sb's breath away.

2. (*rare: die Sinne trüben*) **jdn/jdm die Sinne ~** to make sb feel dazed.

II *vr* to behave; (*in bezug auf Umgangsformen auch*) to behave oneself. **benimm dich!** behave yourself!; **sich gut ~** to behave oneself, to behave well; **sich schlecht ~** to behave (oneself) badly, to misbehave.

beneiden* *vt* to envy. **jdn um etw ~** to envy sb sth; **er ist nicht zu ~** I don't envy him.

beneidenswert *adj* enviable. **~ naiv** (*iro*) amazingly naïve.

BENELUX *abbr of* **Belgien, Niederlande, Luxemburg.**

Benelux- [*auch* - -' -]: **Beneluxländer, Beneluxstaaten** *pl* Benelux countries *pl.*

benennen* *vt irreg* to name; *jdn auch* to call. **jdn/etw nach jdm ~** to name *or* call sb/sth after *or* for (*US*) sb.

Benennung *f* (*das Benennen*) naming; (*von Mensch auch*) calling; (*Bezeichnung*) name, designation (*form*).

benetzen* *vt* (*geh*) to moisten; (*Tau, Tränen auch*) to cover.

Bengale *m* **-n, -n, Bengalin** *f* Bengalese, Bengali.

Bengalen *nt* **-s** Bengal.

bengalisch *adj* **1.** Bengalese; *Mensch, Sprache auch* Bengali. **2.** **~es Feuer** *brightly coloured flames from burning certain substances*, Bengal light; **~e Beleuchtung** subdued multicoloured lighting.

Bengel *m* **-s, -(s)** boy, lad; (*frecher Junge*) rascal. **ein süßer ~** (*inf*) a dear little boy.

Benimm *m* **-s,** *no pl* (*inf*) manners *pl.*

Benin *m* **-s** Benin.

Benjamin [-mi:n] *m* **-s, -e** Benjamin. **er ist der ~** he is the baby of the family.

benommen I *ptp of* **benehmen. II** *adj*

dazed; (*von Ereignissen auch*) bemused. **Benommenheit** *f* daze, dazed state.

benoten* *vt* to mark. **etw mit „gut" ~** to mark sth "good".

benötigen* *vt* to need, to require. **das benötigte Geld** the necessary money, the money needed.

Benotung *f* mark; (*das Benoten*) marking.

benutzbar *adj* usable; *Weg* passable.

benutzen*, benützen* (*dial*) *vt* (*verwenden*) to use; *Literatur* to consult; *Gelegenheit auch* to make use of, to take advantage of. **etw als Schlafzimmer/Vorwand ~** to use sth as a bedroom/an excuse; **das benutzte Geschirr** the dirty dishes.

Benutzer(in *f*)**, Benützer(in** *f*) (*dial*) *m* **-s,** - user; (*von Leihbücherei*) borrower.

benutzerfreundlich *adj* *Computer, Telefonsystem* user-friendly; **etw ~ gestalten** to make sth user-friendly; **Benutzerfreundlichkeit** *f* user-friendliness; **Benutzerhandbuch** *nt* user's guide, user handbook; **Benutzeroberfläche** *f* (*Comput*) user *or* system interface; **Benutzersprache** *f* (*Comput*) user language.

Benutzung, Benützung (*dial*) *f* use. **etw in ~ haben/nehmen** to be/start using sth; **jdm etw zur ~ überlassen** to put sth at sb's disposal; **etw zur ~ freigeben** *or* **bereitstellen** to open sth.

Benutzungsgebühr *f* charge; (*Leihgebühr*) hire charge.

benzen *vi* (*Aus inf*) **1.** (*betteln*) to beg. **2.** (*klagen*) to complain.

Benzin *nt* **-s, -e** (*für Auto*) petrol (*Brit*), gasoline (*US*), gas (*US*); (*Reinigungs~*) benzine; (*Feuerzeug~*) lighter fuel.

Benzinabscheider *m* **-s,** - petrol separator; **Benzineinspritzung** *f* fuel injection.

Benziner *m* **-s,** - (*inf*) car which runs on petrol (*Brit*) *or* gasoline (*US*).

Benzinfeuerzeug *nt* petrol/gasoline lighter; **Benzingutschein** *m* petrol/gasoline coupon; **Benzinhahn** *m* fuel cock; **den ~ zudrehen** (*fig*) to stop the supply of petrol; **Benzinkanister** *m* petrol/gasoline can; **Benzinleitung** *f* fuel *or* petrol/gasoline pipe; **Benzinmotor** *m* petrol/gasoline engine; **Benzinpumpe** *f* (*Aut*) fuel pump; (*an Tankstellen*) petrol/gasoline pump; **Benzinuhr** *f* fuel gauge; **Benzinverbrauch** *m* fuel *or* petrol/gasoline consumption.

Benzoe [-tsoe] *f* -, *no pl* benzoin.

Benzoesäure *f* benzoic acid.

Benzol *nt* **-s, -e** benzol(e).

beobachtbar *adj* observable.

beobachten* *vt* to observe; (*bemerken auch*) to notice, to see; (*genau verfolgen, betrachten auch*) to watch. **etw an jdm ~** to notice sth in sb; **jdn ~ lassen** (*Polizei* *etc*) to put sb under surveillance; **er wird von der Polizei beobachtet** he's under police surveillance.

Beobachter(in *f*)* m* **-s,** - observer.

Beobachtung *f* observation; (*polizeilich*) surveillance. **die ~ habe ich oft gemacht** I've often noticed that; **bei der ~ der**

Vorgänge ... as I *etc* observed *or* watched these developments ...

Be|obachtungsballon *m* observation balloon; **Be|obachtungsgabe** *f* talent for observation; **er hat eine gute ~** he has a very observant eye; **Be|obachtungsposten** *m* (*Mil*) observation post; (*Mensch*) lookout; **auf ~sein** to be on lookout duty; **Be|obachtungssatellit** *m* (*Mil*) observation satellite; **Be|obachtungsstation** *f* 1. (*Med*) observation ward; (*nach Operation*) post-operative ward; 2. (*Met*) weather station.

be|ölen* *vr* (*sl*) to piss (*sl*) *or* wet (*inf*) oneself (laughing).

be|ordern* *vt* to order; (*kommen lassen*) to summon, to send for; (*an andern Ort*) to instruct *or* order to go. **jdn zu sich ~** to send for sb.

bepacken* I *vt* to load (up). **jdn/etw mit etw ~** to load sb/sth up with sth. II *vr* to load oneself up.

bepflanzen* *vt* to plant. **das Blumenbeet mit etw ~** to plant sth in the flower bed.

Bepflanzung *f* 1. (*das Bepflanzen*) planting. 2. (*Gesamtheit der Pflanzen*) plants *pl* (*gen* in).

bepflastern* *vt* 1. *Straße* to pave; (*fig: behängen*) to plaster. 2. (*inf*) *Wunde etc* to put a plaster on. 3. (*Mil sl: bombardieren*) to plaster (*inf*); (*fig: bewerfen*) to bombard.

bepinkeln* (*inf*) I *vt* to pee on (*inf*). II *vr* to wet oneself (*inf*).

bepinseln* *vt* to paint (*auch fig*); (*Cook, Med*) to brush; *Zahnfleisch* to paint; *Wand* to brush down; (*vollschreiben*) to scribble on.

bepissen* (*vulg*) I *vt* to piss on (*sl*). II *vr* to piss oneself (*sl*).

Beplankung *f* (*Tech*) planking.

bepudern* *vt* to powder (*auch fig*).

bequasseln* *vt* (*inf*) to talk over.

bequatschen* *vt* (*sl*) 1. *etw* to talk over. 2. (*überreden*) *jdn* to persuade. **wir haben sie bequatscht, daß sie kommt** we talked her into coming.

bequem *adj* (*angenehm*) comfortable; (*leicht, mühelos*) *Weg, Methode* easy; *Ausrede* convenient; (*träge*) *Mensch* idle. **es ~ haben** to have an easy time of it; **es sich** (*dat*) **~ machen** to make oneself comfortable; **machen Sie es sich ~** make yourself at home.

bequemen* *vr* **sich zu etw ~, sich (dazu) ~, etw zu tun** to bring oneself to do sth; **endlich bequemten sie sich nach Hause** they finally forced themselves to go home.

Bequemlichkeit *f* 1. *no pl* (*Behaglichkeit*) comfort; (*Trägheit*) idleness. 2. (*Einrichtung*) convenience.

berappen* *vti* (*inf*) to fork *or* shell out (*inf*). **er mußte schwer ~** he had to fork out a lot.

beraten* *irreg* I *vt* 1. *jdn* **~** to advise sb, to give sb advice; **gut/schlecht ~ sein** to be well-/ill-advised; **jdn gut/schlecht ~** to give sb good/bad advice; **sich von jdm ~ lassen(, wie ...)** to ask sb's advice (on how ...), to consult sb (about how ...).

2. (*besprechen*) to discuss.

II *vi* to discuss. **mit jdm über etw** (*acc*) **~** to discuss sth with sb; **sie ~ noch** they are still discussing it.

III *vr* to give each other advice; (*sich besprechen*) to discuss. **sich mit jdm ~** to consult (with) sb (*über* +*acc* about); **das Kabinett tritt heute zusammen, um sich zu ~** the cabinet meets today for talks.

beratend *adj* advisory, consultative; *Ingenieur* consultant. **jdm ~ zur Seite stehen** to act in an advisory capacity to sb; **er hat nur eine ~e Stimme** he is only in an advisory capacity.

Berater(in *f*) *m* **-s, -** adviser.

Beratervertrag *m* consultative contract.

beratschlagen* *vti insep* to discuss.

Beratschlagung *f* discussion.

Beratung *f* 1. (*das Beraten*) advice; (*bei Rechtsanwalt, Arzt*) consultation. 2. (*Besprechung*) discussion. **eine ~ haben/abhalten** to have *or* hold talks *or* discussions.

Beratungsstelle *f* advice centre; **Beratungszimmer** *nt* consultation room.

berauben* *vt* to rob. **jdn einer Sache** (*gen*) **~** to rob sb of sth; *seiner Freiheit, seines Rechtes* to deprive sb of sth; **aller Hoffnung beraubt** having lost all hope.

berauschen* I *vt* (*trunken machen*) to intoxicate; (*Alkohol auch*) to inebriate; (*Droge auch*) to make euphoric; (*in Verzückung versetzen*) to intoxicate, to enrapture (*liter*); (*Geschwindigkeit*) to exhilarate. **von Glück/Leidenschaft berauscht ...** in transports of happiness/passion ...; **berauscht von dem Wein/der Poesie/den Klängen** intoxicated by the wine/intoxicated *or* enraptured by the poetry/the sounds.

II *vr* **sich an etw** (*dat*) **~ an Wein, Drogen** to become intoxicated with sth; (*in Ekstase geraten*) to be intoxicated *or* enraptured (*liter*) *or* **an Geschwindigkeit** exhilarated by sth; **an Blut, Greueltat** to be in a frenzy over sth.

berauschend *adj* *Getränke, Drogen* intoxicating. **das war nicht sehr ~** (*iro*) that wasn't very enthralling *or* exciting.

Berber *m* **-s, -** 1. Berber. 2. (*auch ~teppich*) Berber carpet. 3. (*inf: Obdachloser*) tramp.

Berberitze *f* **-, -n** (*Bot*) berberis.

berechenbar *adj* *Kosten* calculable; *Verhalten* predictable.

Berechenbarkeit *f* *siehe adj* calculability; predictability.

berechnen* *vt* 1. (*ausrechnen*) to calculate; *Umfang auch* to estimate; *Worte, Gesten* to calculate the effect of.

2. (*in Rechnung stellen*) to charge. **das ~ wir Ihnen nicht** we will not charge you for it; **das hat er mir mit DM 75 berechnet** he charged me 75 marks for it.

3. (*vorsehen*) to intend, to mean. **alle Rezepte sind für 4 Personen berechnet** all the recipes are (calculated) for 4 persons.

berechnend *adj* (*pej*) *Mensch* calculating.

Berechnung *f* *siehe vt* 1. calculation; estimation. **meiner ~ nach, nach meiner ~** according to my calculations, by my reckoning; **aus ~ handeln** to act calculatingly *or* in a calculating manner; **mit kühler ~ vorgehen** to act in a cool and calculating manner; **es war alles genaue ~ it** was all calculated exactly. **2.** charge. **ohne ~** without any charge.

berechtigen* *vti* to entitle. **(jdn) zu etw ~** to entitle sb to sth; **diese Karte berechtigt nicht zum Eintritt** this ticket does not entitle the bearer to admittance; **seine Begabung berechtigt zu den größten Hoffnungen** his talent gives grounds for the greatest hopes; **das berechtigt zu der Annahme, daß ...** this justifies the assumption that ...

berechtigt *adj* justifiable; *Frage, Hoffnung* legitimate; *Anspruch* legitimate, rightful; *Vorwurf auch* just; *Forderung, Einwand auch* justified. **~ sein, etw zu tun** to be entitled to do sth; **einen ~en Anspruch auf etw** (*acc*) **haben** to have a legitimate *or* rightful claim to sth.

berechtigterweise *adv* legitimately; (*verständlicherweise*) justifiably.

Berechtigung *f* **1.** (*Befugnis*) entitlement; (*Recht*) right. **die ~/keine ~ haben, etw zu tun** to be entitled/not to be entitled to do sth. **2.** (*Rechtmäßigkeit*) legitimacy; (*Verständlichkeit*) justifiability.

Berechtigungsschein *m* authorization; (*zum Einlaß*) pass.

bereden* **I** *vt* **1.** (*besprechen*) to discuss, to talk over.
   2. (*überreden*) **jdn zu etw ~** to talk sb into sth; **jdn dazu ~, etw zu tun** to talk sb into doing sth; **bleib bei deiner Entscheidung, laß dich nicht ~** stick to your decision, don't let anybody talk you out of it.
   3. (*inf: beklatschen*) to gossip about.
   II *vr* **sich mit jdm über etw** (*acc*) **~** to talk sth over with sb, to discuss sth with sb.

beredsam *adj* (*liter*) eloquent; (*iro: redefreudig*) talkative.

Beredsamkeit *f* *siehe adj* eloquence; talkativeness.

beredt *adj* (*geh*) eloquent. **mit ~en Worten** eloquently.

Beredtheit *f* eloquence.

beregnen* *vt* to water, to sprinkle; (*vom Flugzeug aus*) to spray (with water). **beregnet werden** to be watered *etc*; (*natürlich*) to get rain.

Beregnungs|anlage *f* sprinkler.

Bereich *m* **-(e)s, -e 1.** area. **in nördlicheren ~en** in more northerly regions; **im ~ der Kaserne** inside the barracks; **im ~ des Domes** in the precincts of the cathedral; **im ~ der Innenstadt** in the town centre (area).
   2. (*Einfluß~, Aufgaben~*) sphere; (*Sach~*) area, sphere, field; (*Sektor*) sector. **im ~ des Möglichen liegen** to be within the realms *or* bounds of possibility; **in jds ~** (*acc*) **fallen** to be within sb's province.

bereichern* **I** *vt* (*lit, fig*) to enrich; *Sammlung etc auch* to enlarge. **das Gespräch hat mich sehr bereichert** I gained a great deal from the conversation. **II** *vr* to make a lot of money (*an +dat* out of).

sich auf Kosten anderer ~ to feather one's nest at the expense of other people.

Bereicherung *f* **1.** (*das Bereichern*) enrichment; (*von Sammlung auch*) enlargement.
   2. (*das Reichwerden*) moneymaking. **seine eigene ~** making money for oneself.
   3. (*Gewinn*) boon. **das Gespräch mit Ihnen war mir eine ~** I gained a lot from my conversation with you; **das ist eine wertvolle ~** that is a valuable addition.

bereifen* *vt Wagen* to put tyres on; *Rad* to put a tyre on; *Faß* to hoop. **richtig bereift sein** (*Auto*) to have the right tyres.

Bereifung *f* set of tyres. **eine neue ~** new tyres, a new set of tyres; **die ~ bei diesem Auto** the tyres on this car.

bereinigen* *vt* to clear up, to resolve; *Meinungsverschiedenheiten auch* to settle. **ich habe mit ihr noch etwas zu ~** I have something to clear up with her; **die Sache hat sich von selbst bereinigt** the matter resolved itself *or* cleared itself up.

Bereinigung *f siehe vt* clearing up, resolving; settlement.

bereisen* *vt ein Land* to travel around; (*Comm*) *Gebiet* to travel, to cover. **die Welt/fremde Länder ~** to travel the world/in foreign countries.

bereit *adj usu pred* **1.** (*fertig*) ready; (*vorbereitet auch*) prepared. **es ist alles zum Essen/Aufbruch ~** the meal is all ready *or* prepared/we're all ready to go; **zum Einsatz ~e Truppen** troops ready *or* prepared to go into action; **sich ~ halten** to be ready *or* prepared; **eine Antwort/ Ausrede ~ haben** to have an answer/ excuse ready *or* a ready answer/excuse.
   2. (*willens*) willing, prepared. **zu Zugeständnissen/Verhandlungen ~ sein** to be prepared to make concessions/to negotiate; **~ sein, etw zu tun** to be willing *or* prepared to do sth; **sich ~ erklären, etw zu tun** to agree to do sth; **sich zu etw ~ finden** to be willing *or* prepared to do sth; **sich zur Ausführung einer Arbeit ~ finden** to be willing *or* prepared to carry out a piece of work.

bereiten* *vt* **1.** (*zu~*) (*dat* for) to prepare; *Arznei* to make up; *Bett* to make (up).
   2. (*verursachen*) to cause; *Überraschung, Empfang, Freude, Kopfschmerzen* to give. **jdm Kummer/Ärger ~** to cause sb grief/trouble; **er hat mir Schwierigkeiten bereitet** he made difficulties for me; **das bereitet mir Schwierigkeiten** it causes me difficulties; **einer Sache** (*dat*) **ein Ende ~** to put an end to sth; **es bereitet mir** (**viel** *or* **ein großes**) **Vergnügen** (*form*) it gives me (the greatest) pleasure.

bereithalten *vt sep irreg Fahrkarten* to have ready; (*für den Notfall*) to keep ready; *Überraschung* to have in store; **bereitlegen** *vt sep* to lay out ready; **bereitliegen** *vi sep irreg* to be ready; **bereitmachen** *vt sep* to get ready.

bereits *adv* already. **~ vor drei Wochen/ vor 100 Jahren/damals** even three weeks/100 years ago/then; **das haben wir ~ gestern** *or* **gestern ~ gemacht** we did that yesterday; **er ist ~ vor zwei Stunden angekommen** he arrived two hours ago; **ich warte ~ seit einer Stunde** I've (already) been waiting for an hour; **der Bus ist ~ abgefahren** the bus has already left; **das hat man mir ~ gesagt** I've been told that already; **~ am nächsten Tage** on the very next day.

Bereitschaft f 1. *no pl* readiness; (*Bereitwilligkeit auch*) willingness, preparedness. **in ~ sein** to be ready; (*Polizei, Feuerwehr, Soldaten*) to be on stand-by; (*Arzt*) to be on call *or* (*im Krankenhaus*) on duty; **etw in ~ haben** to have sth ready *or* in readiness.
  2. *no pl* (*~sdienst*) **~ haben** (*Arzt*) to be on call *or* (*im Krankenhaus*) on duty; (*Apotheke*) to provide emergency *or* after-hours service; (*Polizei*) to be on stand-by.
  3. (*Mannschaft*) squad.

Bereitschaftsarzt m, **Bereitschaftsärztin** f doctor on call; (*im Krankenhaus*) duty doctor; **Bereitschaftsdienst** m emergency service; **~ haben** *siehe* Bereitschaft 2.; **Bereitschaftspolizei** f riot police.

bereitstehen vi sep irreg to be ready; (*Flugzeug auch, Truppen*) to stand by; **die Truppen stehen bereit** the troops are standing by; **Ihr Wagen steht bereit** your car is waiting; **zur Abfahrt ~** to be ready to depart; **bereitstellen** vt sep to get ready; *Material, Fahrzeug, Mittel* to provide, to supply; (*Rail*) to make available; *Truppen* to put on stand-by; **Bereitstellung** f preparation; (*von Auto, Material, Mitteln*) provision, supply; (*von Truppen*) putting on stand-by.

Bereitung f preparation.

bereitwillig adj (*entgegenkommend*) willing; (*eifrig*) eager; **~ Auskunft erteilen** to give information willingly; **Bereitwilligkeit** f siehe adj willingness; eagerness.

berenten* vt (*Admin sl*) **berentet werden** to retire and receive a pension; **sich ~ lassen** to retire with a pension.

bereuen* I vt to regret; *Schuld, Sünden* to repent of. **~, etw getan zu haben** to regret having done sth; **das wirst du noch ~!** you will be sorry (for that)! II vi to repent.

Berg m -(e)s, -e 1. hill; (*größer*) mountain. **wenn der ~ nicht zum Propheten kommt, muß der Prophet zum ~ kommen** (*Prov*) if the mountain won't come to Mahomet, then Mahomet must go to the mountain (*Prov*); **~e versetzen (können)** to (be able to) move mountains; **mit etw hinterm ~ halten** (*fig*) to keep sth to oneself, to keep quiet about sth; **über ~ und Tal** up hill and down dale; **über den ~ sein** (*inf*) to be out of the woods; **über alle ~e sein** (*inf*) to be long gone *or* miles away (*inf*); **die Haare standen ihm zu ~e** his hair stood on end; **da stehen einem ja die Haare zu ~e** it's enough to make your hair stand on end.

2. (*große Menge*) heap, pile; (*von Sorgen*) mass; (*von Papieren auch*) mountain.
  3. **im ~ arbeiten** to work down the pit.

Berg- in cpds mountain; (*Bergbau-*) mining; **bergab(wärts)** adv downhill; **es geht mit ihm bergab** (*fig*) he is going downhill; **Bergabhang** m side of a mountain, mountainside; **Berghorn** m sycamore (tree); **Bergakademie** f mining college.

Bergamotte f -, -n bergamot.

Bergamt nt mining authority; **bergan** adv siehe bergauf; **Bergarbeiter** m miner; **bergauf(wärts)** adv uphill; **es geht wieder bergauf** (*fig*) things are getting better *or* looking up; **es geht mit seinem Geschäft/seiner Gesundheit wieder bergauf** his business/health is looking up; **Bergbahn** f mountain railway; (*Seilbahn auch*) cable railway; **Bergbau** m mining; **Bergbewohner(in** f**)** m mountain dweller.

Bergelohn m (*Naut*) salvage (money).

bergen pret barg, ptp geborgen vt 1. (*retten*) *Menschen* to save, to rescue; *Leichen* to recover; *Ladung, Fahrzeug* to salvage; *Ernte* to get *or* gather (in). **aus dem Wasser/brennenden Haus tot/lebend geborgen werden** to be brought out of the water/burning house dead/alive.
  2. (*geh: enthalten*) to hold; *Schätze auch* to hide. **das birgt viele Gefahren in sich** that holds many dangers; **diese Möglichkeit birgt die Gefahr/das Risiko in sich, daß ...** this possibility involves the danger/risk that ...
  3. (*liter: verbergen*) *Gesicht* to hide; *Verfolgten* to shelter. **sie barg ihren Kopf an seiner Schulter** she buried her face on his shoulder; *siehe* geborgen.

Bergfahrt f 1. mountaineering *or* climbing expedition; **2.** (*auf Fluß*) upstream passage; (*von Seilbahn*) uphill *or* upward journey; **Bergfried** m keep; **Bergführer(in** f**)** m mountain guide; **Berggeist** m mountain troll; **Berggipfel** m mountain top/peak; **Berggrat** m mountain ridge; **Berghang** m mountain slope; **berghoch** adj *Wellen, Haufen* mountainous; **Berghütte** f mountain hut *or* refuge, bothy (*Scot*).

bergig adj hilly; (*hoch~*) mountainous.

Bergingenieur(in f**)** m mining engineer; **Bergkamm** m mountain crest; **Bergkessel** m cirque, corrie; **Bergkette** f mountain range *or* chain, range *or* chain of mountains; **Bergkrankheit** f mountain sickness; **Bergkristall** m rock crystal; **Bergkuppe** f (round) mountain top; **Bergland** nt hilly *or* (*Gebirgsland*) mountainous country/region; (*Landschaft*) hilly *etc* scenery.

Bergmann m, pl Bergleute miner.

bergmännisch adj miner's attr.

Bergmannsgruß m miner's greeting; **Bergmannssprache** f mining terminology.

Bergnot f **in ~ sein/geraten** to be in/get into difficulties while climbing; **jdn aus ~ retten** to rescue sb who was in difficulties while climbing; **Bergplateau** *nt* mountain plateau; **Bergpredigt** *f* (*Bibl*) Sermon on the Mount; **Bergrettungsdienst** *m* mountain rescue service; **Bergriese** *m* gigantic mountain; **Bergrücken** *m* mountain ridge *or* crest; **Bergrutsch** *m* landslide (*auch fig*), landslip; **Bergsattel** *m* (mountain) saddle, col; **Bergschuh** *m* climbing boot; **Bergspitze** *f* mountain peak; **Bergsport** *m* mountaineering, mountain climbing; **Bergstation** *f* top station, summit station; **bergsteigen** *vi sep irreg aux sein or haben, infin and ptp only* to go mountain climbing *or* mountaineering, to mountaineer; **(das)** ~ mountaineering, mountain climbing; **Bergsteiger(in** *f) m* mountaineer, mountain climber; **Bergsteigerei** *f (inf)* mountaineering, mountain climbing; **Bergstock** *m* 1. alpenstock; 2. (*Geol*) massif; **Bergstraße** *f* mountain road; **Bergsturz** *m siehe* **Bergrutsch**; **Bergtour** *f* trip round the mountains; (*Bergbesteigung*) (mountain) climb; **Berg-und-Tal-Bahn** *f* big dipper, roller-coaster (*esp US*), switchback; **Berg-und-Tal-Fahrt** *f* ride on the big dipper *etc.*

Bergung *f, no pl* 1. *siehe* **bergen** 1. saving, rescue; recovery; salvage, salvaging; gathering (in). 2. (*liter: von Verfolgten*) sheltering.

Bergungsarbeit *f* rescue work; (*bei Schiffen*) salvage work; **Bergungsdampfer** *m* salvage vessel; **Bergungskommando** *nt (esp Mil*), **Bergungsmannschaft** *f*, **Bergungstrupp** *m* rescue team.

Bergvolk *nt* mountain race; **Bergwacht** *f* mountain rescue service; **Bergwand** *f* mountain face; **Bergwanderung** *f* walk *or* hike in the mountains; **bergwärts** *adv* uphill; **Bergwelt** *f* mountains *pl*; **Bergwerk** *nt* mine; **im** ~ **arbeiten** to work down the mine; **Bergwiese** *f* mountain pasture; **Bergzinne** *f* (*geh*) mountain pinnacle.

Beriberi *f -, no pl* (*Med*) beriberi.

Bericht *m* -(e)s, -e report (*über* +*acc* about, on, *von* on); (*Erzählung auch*) account; (*Zeitungs*~ *auch*) story; (*Sch: Aufsatzform*) commentary. **der** ~ **eines Augenzeugen** an eyewitness account; ~**e zum Tagesgeschehen** news reports; **eigener** ~ from our correspondent; (**über** **etw** *acc*) ~ **erstatten** to report *or* give a report (on sth); **jdm über etw** (*acc*) ~ **erstatten** to give sb a report (on sth).

berichten* *vti* to report; (*erzählen*) to tell. **jdm über etw** (*acc*) ~ to report to sb about sth; to tell sb about sth; **mir ist (darüber) berichtet worden, daß …** I have received reports *or* been told that …; **uns wird soeben berichtet, daß …** (*Rad, TV*) news is just coming in that …; **wie unser Korrespondent berichtet** according to our correspondent; **wie soeben berichtet wird, sind die Verhandlungen abgebrochen worden** we are just receiving reports that negotiations have been broken off; **gibt es Neues zu** ~**?** has

anything new happened?; **sie berichtete, daß … she said *or* reported that …; **sie hat bestimmt vieles zu** ~ she is sure to have a lot to tell us.

Berichterstatter(in *f) m* reporter; (*Korrespondent*) correspondent; ~ **ist …** (*bei Jahresversammlung*) the report will be given by …; **Berichterstattung** *f* reporting; ~ **durch Presse/Rundfunk** press/radio reporting; **die** ~ **über diese Vorgänge in der Presse** press coverage of these events; **zur** ~ **zurückgerufen werden** to be called back to report *or* make a report.

berichtigen* *vt* to correct; *Fehler auch*, (*Jur*) to rectify; *Text, Aussage auch* to amend.

Berichtigung *f siehe vt* correction; rectification; amendment.

Berichtsjahr *nt* (*Comm*) year under review *or* report.

beriechen* *vt irreg* to sniff at, to smell. **sich (gegenseitig)** ~ (*fig inf*) to size each other up.

berieseln* *vt* 1. to spray with water *etc*; (*durch Sprinkleranlage*) to sprinkle. 2. (*fig inf*) **von etw berieselt werden** (*fig*) to be exposed to a constant stream of sth; **sich von Musik** ~ **lassen** to have a constant stream of) music going on in the background.

Berieselung *f* watering. **die ständige** ~ **der Kunden mit Musik/Werbung** exposing the customers to a constant stream of music/advertisements; **die** ~ **mit** *or* **durch etw** (*fig*) the constant stream of sth.

Berieselungsanlage *f* sprinkler (system).

beringen* *vt* to put a ring on; *Vogel auch* to ring. **mit Diamanten beringte Finger** fingers ringed with diamonds.

Beringmeer *nt* Bering Sea.

Beringung *f siehe vt* putting a ring on; ringing; (*Ring*) ring.

beritten *adj* mounted, on horseback. ~**e Polizei** mounted police.

Berkelium *nt, no pl* (*abbr* **Bk**) berkelium.

Berlin *nt* -s Berlin.

Berliner[1] *m* -s, - doughnut.

Berliner[2] *adj attr* Berlin. ~ **Weiße (mit Schuß)** light, fizzy beer (*with fruit juice added*).

Berliner(in *f) m* -s, - Berliner.

berlinerisch *adj* (*inf*) *Dialekt* Berlin *attr*. **er spricht B**~ he speaks the Berlin dialect.

berlinern* *vi* (*inf*) to speak in the Berlin dialect.

berlinisch *adj* Berlin *attr*.

Bermuda-Dreieck *nt* Bermuda triangle.

Bermudainseln, Bermudas *pl* Bermuda *sing, no def art*. **auf den** ~ in Bermuda *or* the Bermudas.

Bermudas, Bermudashorts *pl* Bermuda shorts *pl*, Bermudas *pl*.

Bern *nt* -s Bern(e).

Berner *adj attr* Berne(se).

Berner(in *f) m* -s, - Bernese.

Bernhardiner *m* -s, - Saint Bernard (dog).

Bernstein *m, no pl* amber.

bernsteinfarben, bernsteingelb *adj*

amber(-coloured).

berockt adj (hum) (dressed) in a skirt.

Berserker m -s, - (Hist) berserker. **wie ein ~ arbeiten/kämpfen** to work/fight like mad or fury; **wie ein ~ toben** to go berserk.

bersten pret **barst**, ptp **geborsten** vi aux sein (geh) to crack; (auf~, zerbrechen) to break; (aufplatzen) to burst; (fig: vor Wut etc) to burst (vor with). **die Erde barst** the earth broke asunder (liter); **vor Ungeduld/Neugier/Zorn ~** to be bursting with impatience/curiosity/anger; **zum B~ voll** (auch inf) full to bursting.

Berstschutz m (im Kernreaktor) safety containment.

berüchtigt adj notorious, infamous.

berückend adj charming, enchanting. **das ist nicht gerade ~** (iro inf) it's not exactly stunning.

berücksichtigen* vt (beachten, bedenken) to take into account or consideration; Mangel, Alter, geringe Erfahrung, körperliches Leiden to make allowances for; (in Betracht ziehen) Antrag, Bewerbung, Bewerber to consider. **das ist zu ~** that must be taken into account or consideration; **meine Vorschläge wurden nicht berücksichtigt** my suggestions were disregarded.

Berücksichtigung f consideration. **in** or **unter ~ der Umstände/der Tatsache, daß ...** in view of the circumstances/the fact that ...

Beruf m -(e)s, -e (Tätigkeit) occupation; (akademischer auch) profession; (handwerklicher) trade; (Stellung) job. **was sind Sie von ~?** what is your occupation etc?, what do you do for a living?; **von ~ Arzt/Bäcker/Hausfrau sein** to be a doctor by profession/baker by trade/ housewife by occupation; **ihr stehen viele ~e offen** many careers are open to her; **seinen ~ verfehlt haben** to have missed one's vocation; **im ~ stehen** to be working; **von ~s wegen** on account of one's job.

berufen* irreg I vt 1. (ernennen, einsetzen) to appoint. **jdn auf einen Lehrstuhl/zu einem Amt ~** to appoint sb to a chair/an office.
2. (inf: beschwören) **ich will/wir wollen** etc **es nicht ~** touch wood (inf); **ich will/wir wollen ~, aber ...** I don't want to tempt fate, but ...
II vr **sich auf jdn/etw ~** to refer to sb/ sth.
III vi (Aus Jur: Berufung einlegen) to appeal.
IV adj 1. (befähigt) Kritiker competent, capable. **von ~er Seite, aus ~em Mund** from an authoritative source; **zu etw ~ sein, ~ sein, etw zu tun** to be competent to do sth.
2. (ausersehen) **zu etw ~ sein** to have a vocation for sth; (esp Rel) to be called to sth; **viele sind ~** (Bibl) many are called; **sich zu etw ~ fühlen** to feel one has a mission to be/do sth.

beruflich adj (esp auf akademische Berufe bezüglich) professional; Weiterbildung auch job or career orientated. **sein ~er**

Werdegang his career; **im ~en Leben** in my etc working life, in my etc career; **meine ~en Probleme** my problems at work or in my job; **~ ist sie sehr erfolgreich** she is very successful in her career; **sich ~ weiterbilden** to undertake further job or career orientated or professional training; **er ist ~ viel unterwegs** he is away a lot on business.

Berufs- in cpds professional; **Berufsausbildung** f training (for an occupation); (für Handwerk) vocational training; **Berufsaussichten** pl job prospects pl; **Berufsbeamtentum** nt civil service with tenure; **Berufsbeamte(r)** m civil servant with tenure; **berufsbedingt** adj occupational, caused by one's occupation; **Berufsberater(in** f) m careers adviser; **Berufsberatung** f careers guidance; **Berufsbezeichnung** f job title; **berufsbezogen** adj relevant to one's job; Unterricht vocationally orientated; **Berufsbild** nt job outline; **Berufsboxen** nt professional boxing; **Berufserfahrung** f (professional) experience; **Berufsethos** nt professional ethics pl; **Berufsfachschule** f training college (attended full-time); **Berufsfeuerwehr** f fire service; **Berufsfreiheit** f freedom to choose and carry out one's career; **berufsfremd** adj unconnected with one's occupation; Mensch without relevant experience; **eine ~e Tätigkeit** a job outside one's profession/trade. **Berufsfußball** m professional football; **Berufsgeheimnis** nt professional secret; (Schweigepflicht) professional secrecy, confidentiality; **das ~ wahren** to observe professional secrecy or confidentiality; **Berufsgenossenschaft** f professional/trade association; **Berufsgruppe** f occupational group; **Berufsheer** nt professional or regular army; **Berufskleidung** f working clothes pl; **Berufskrankheit** f occupational disease; **Berufskriminalität** f professional crime; **Berufsleben** nt working or professional life; **im ~ stehen** to be working or in employment; **berufslos** adj without a profession/trade; **berufsmäßig** adj professional; **etw ~ betreiben** to do sth professionally or on a professional basis; **Berufsoffizier** m regular officer; **Berufspflicht** f professional duty; **Berufsrevolutionär** m (esp pej) professional revolutionary; **Berufsrisiko** nt occupational hazard or risk; **Berufsschule** f vocational school, ≃ technical college (Brit); **Berufsschüler(in** f) m student at vocational school; **Berufssoldat** m regular or professional soldier; **Berufsspieler(in** f) m professional player; **Berufssportler(in** f) m professional sportsman/-woman; **Berufsstand** m profession, professional group; (Gewerbe) trade; **berufstätig** adj working; **~ sein** to be working, to work; **halbtags ~ sein** to work part-time; **ich bin auch ~** I go out to work too; **nicht mehr ~ sein** to have left work; **Berufstätige(r)** mf decl as adj working person; **berufsunfähig** *adj* unable to work; **Berufsunfähigkeit** *f* inability to work; **Berufsunfall** *m* occupational accident; **Berufsverband** *m* professional/trade organization *or* association; **Berufsverbot** *m* exclusion from *a civil service profession by government ruling*; **jdm ~ erteilen** to ban sb from a profession; **Berufsverbrecher(in** *f)* *m* professional criminal; **Berufsverkehr** *m* commuter traffic; **Berufswahl** *f* choice of occupation/profession/trade; **Berufswechsel** *m* change of occupation; **Berufsziel** *nt* profession one is aiming for.

Berufung *f* **1.** *(Jur)* appeal. **in die ~ gehen/~ einlegen** to appeal *(bei* to). **2.** *(in ein Amt)* appointment *(auf or an +acc* to). **3.** *(innerer Auftrag)* vocation; *(Rel auch)* mission, calling. **die ~ zu etw in sich** *(dat)* **fühlen** to feel one has a vocation *etc* to be sth. **4.** *(form)* **die ~ auf jdn/etw** reference to sb/sth; **unter ~ auf etw** *(acc)* with reference to sth.

Berufungsfrist *f* period in which an appeal must be submitted; **Berufungsgericht** *nt* appeal court, court of appeal; **Berufungsinstanz** *f* court of appeal; **Berufungsklage** *f* appeal; **Berufungskläger(in** *f)* *m* appellant.

beruhen* *vi* to be based *or* founded *(auf +dat* on). **das beruht auf Gegenseitigkeit** the feeling is mutual; **etw auf sich ~ lassen** to let sth rest.

beruhigen* **I** *vt* to calm (down); *Baby* to quieten; *(trösten)* to soothe, to comfort; *(versichern)* to reassure; *Magen* to settle; *Nerven auch* to soothe; *Gewissen* to soothe, to salve; *Schmerzen* to ease, to relieve. **na, dann bin ich ja beruhigt** well I must say I'm quite relieved; **dann kann ich ja beruhigt schlafen/nach Hause gehen** then I can go to sleep/go home with my mind at rest; **~d** *(körperlich, beschwichtigend)* soothing; *(tröstlich)* reassuring; **es ist ~d zu wissen, daß ...** it is reassuring to know that ...

II *vr* to calm down; *(Krise auch)* to ease off, to lessen; *(Gewissen)* to be eased; *(Andrang, Verkehr, Kämpfe)* to subside, to lessen; *(Börse, Preise, Magen)* to settle down; *(Krämpfe, Schmerzen)* to lessen, to ease; *(Meer)* to become calm; *(Sturm)* to die down, to abate. **sie konnte sich gar nicht darüber ~, daß ...** she could not get over the fact that ...; **beruhige dich doch!** calm down!

Beruhigung *f, no pl* **1.** *siehe vt* calming (down); quietening; soothing, comforting; reassuring; settling; placating, appeasing; soothing; soothing, salving; easing, relieving. **zu Ihrer ~ kann ich sagen ...** you'll be reassured to know that ... **2.** *siehe vr* calming down; easing off, lessening; easing; subsiding, lessening; settling down; settling; lessening, easing; calming; abatement. **ein Gefühl der ~** a reassuring feeling.

Beruhigungsmittel *nt* sedative, tranquil-

lizer; **Beruhigungspille, Beruhigungstablette** *f* sedative (pill), tranquillizer, downer *(sl)*; **Beruhigungsspritze** *f* sedative (injection).

berühmt *adj* famous. **wegen** *or* **für etw ~ sein** to be famous *or* renowned for sth; **das war nicht ~** *(inf)* it was nothing to write home about *(inf)*.

berühmt-berüchtigt *adj* infamous, notorious.

Berühmtheit *f* **1.** fame. **~ erlangen** to become famous; **zu trauriger ~ gelangen** to become notorious *or* infamous. **2.** *(Mensch)* celebrity.

berühren* **I** *vt* **1.** *(anfassen, streifen, Math)* to touch; *(grenzen an)* to border on; *(auf Reise streifen)* Länder to touch; *Hafen* to stop at, to put in *or* call at; *(erwähnen)* Thema, Punkt to touch on. **B~ verboten** do not touch. **2.** *(seelisch bewegen)* to move; *(auf jdn wirken)* to affect; *(betreffen)* to affect, to concern. **das berührt mich gar nicht!** that's nothing to do with me; **von etw peinlich/schmerzlich berührt sein** to be embarrassed/pained by sth; **es berührt mich angenehm/seltsam, daß ... I** am pleased/surprised that ...

II *vr* to touch; *(Menschen auch)* to touch each other; *(Drähte auch)* to be in/come into contact; *(Ideen, Vorstellungen, Interessen)* to coincide.

Berührung *f* touch; *(zwischen Drähten, menschlicher Kontakt)* contact; *(Erwähnung)* mention. **mit jdm/etw in ~ kommen** to come into contact with sb/sth; **körperliche ~** physical *or* bodily contact; **bei ~ Lebensgefahr!** danger! do not touch!; **Ansteckung durch ~** contagion, infection by contact.

Berührungsangst *f (Psych)* fear of contact; **bei diesem Thema haben viele Leute noch Berührungsängste** there is still reluctance to deal with this subject; **Berührungspunkt** *m* point of contact; *(Math auch)* tangential point; **unsere Interessen haben keinerlei ~e** there are no points of contact between our interests.

Beryllium *nt, no pl (abbr* Be) beryllium.

bes. *abbr of* **besonders.**

besabbern* *(inf)* **I** *vt* to slobber on *or* all over. **II** *vr* to slobber all over oneself.

besagen* *vt* to say; *(bedeuten)* to mean, to imply. **das besagt nichts/viel** that does not mean anything/that means a lot; **das besagt nicht, daß ...** that does not mean (to say) that ...

besagt *adj attr (form)* said *(form)*, aforementioned *(form)*.

besaiten* *vt* to string. **etw neu ~** to restring sth; *siehe* **zart.**

besamen* *vt* to fertilize; *(künstlich)* to inseminate; *(Bot)* to pollinate.

besammeln* *vr (esp Sw)* to assemble, to gather.

Besammlung *f (esp Sw)* assembly.

Besamung *f siehe vt* fertilization; insemination; pollination.

Besan *m* **-s, -e** *(Naut)* mizzen (sail/mast).

besänftigen* **I** *vt* to calm down, to soothe; *Menge auch* to pacify; *jds Zorn, Erregung, Gemüt* to soothe. **er war nicht**

zu ~ it was impossible to calm him down. **II** *vr (Mensch)* to calm down; *(Meer, Elemente)* to become calm.

Besänftigung *f siehe vt* calming (down), soothing; pacifying; soothing.

besaß *pret of* besitzen.

besät *adj* covered; *(mit Blättern)* strewn; *(iro: mit Orden)* studded. **der mit Sternen ~e Himmel** the star-spangled sky.

Besatz *m -es, ⁻e* **1.** edging, trimming; *(an Tischtuch auch)* border. **einen ~ aus etw haben** to be trimmed with sth. **2.** *(Bestand)* stock.

Besatzer *m -s, -* *(pej inf)* occupying forces *pl.*

Besatzung *f* **1.** *(Mannschaft)* crew; *(Verteidigungstruppe)* garrison. **2.** *(~sarmee)* occupying army *or* forces *pl.*

Besatzungsarmee *f* occupying army, army of occupation; **Besatzungsmacht** *f* occupying power; **Besatzungstruppen** *pl* occupying forces *pl*; **Besatzungszone** *f* occupation zone; **die amerikanische ~** the American (-occupied) zone.

besaufen* *vr irreg (sl)* to get plastered *(sl)*.

Besäufnis *nt (inf)* booze-up *(inf)*.

(inf) to get tipsy *or*

besäuselt tipsy, merry.

beschädigen* *vt* to damage. **beschädigt** damaged; *Schiff auch* disabled.

Beschädigung *f* damage *(von* to). **das Auto hat mehrere ~en** the car is damaged in several places.

beschaffen* **I** *vt* to procure *(form)*, to get (hold of), to obtain. **jdm etw ~** to get (hold of) *or* obtain sth for sb; **jdm/sich eine Stelle ~** to get sb/oneself a job; **das ist schwer zu ~** that is difficult to get (hold of).

II *adj (form)* **mit jdm/damit ist es gut/ schlecht ~** sb/it is in a good/bad way; **so ~ sein wie ...** to be the same as ...

Beschaffenheit *f, no pl* composition; *(von Mensch) (körperlich)* constitution; *(seelisch)* nature, qualities *pl*. **die glatte ~ des Steins** the smoothness of the stone; **er hat für diesen Beruf nicht die seelische/körperliche ~** he doesn't have the right sort of psychological make-up/ physique for this job; **je nach ~ der Lage** according to the situation.

Beschaffung *f, no pl* procuring, obtaining.

Beschaffungskriminalität *f* drug-related crime.

beschäftigen* **I** *vr* **sich mit etw ~** to occupy oneself with sth; *(sich befassen, abhandeln)* to deal with sth; **sich mit dem Tod ~** to think about death; **sich mit Literatur ~** to study literature; **sich mit der Frage ~, ob ...** to consider the question of whether ...; **sich mit jdm ~** to devote one's attention to sb; **sie beschäftigt sich viel mit den Kindern** she devotes a lot of her time to the children.

II *vt* **1.** *(innerlich ~)* **jdn ~** to be on sb's mind; **die Frage beschäftigt sie sehr** she is very preoccupied with that question, that question has been on her mind a lot.

2. *(anstellen)* to employ.

3. *(eine Tätigkeit geben)* to occupy, to keep occupied. **jdn mit etw ~** to give sb sth to do.

beschäftigt *adj* **1.** busy, occupied. **mit dem Nähen/jdm ~ sein** to be busy sewing/with sb; **mit sich selbst/seinen Problemen ~ sein** to be preoccupied with oneself/one's problems. **2.** *(angestellt)* employed *(bei* by).

Beschäftigte(r) *mf decl as adj* employee.

Beschäftigung *f* **1.** *(berufliche Arbeit)* work *no indef art*, job; *(Anstellung, Angestelltsein)* employment. **eine ~ suchen** to be looking for work *or* a job, to seek employment *(form)*; **einer ~ nachgehen** *(form)* to be employed; **ohne ~ sein** to be unemployed *or* out of work.

2. *(Tätigkeit)* activity, occupation. **jdm eine ~ geben** to give sb something to do; **~ haben** to have something to do.

3. *(geistige ~)* preoccupation; *(mit Frage)* consideration; *(mit Thema)* treatment; *(mit Literatur)* study *(mit* of); *(mit sich, seinen Problemen)* preoccupation.

4. *(von Kindern, Patienten)* occupying, keeping occupied.

Beschäftigungsgesellschaft *f* ≃ Training Agency, Manpower Services Commission *(Brit)*; **beschäftigungslos** *adj* unoccupied; *(arbeitslos)* unemployed, out-of-work; **Beschäftigungsprogramm** *nt* job creation scheme; **Beschäftigungstherapeut(in** *f)* *m* occupational therapist; **Beschäftigungstherapie** *f* occupational therapy.

beschälen* *vt (form)* to cover, to serve.

Beschäler *m -s, - (form)* stallion, stud.

beschämen* *vt* to shame; *(jds Großzügigkeit)* to embarrass. **es beschämt mich, zu sagen ...** I feel ashamed to have to say ...

beschämend *adj* **1.** *(schändlich)* shameful. **es war ~ für seine ganze Familie** it brought shame on *or* to his whole family. **2.** *Großzügigkeit* embarrassing. **3.** *(demütigend)* humiliating, shaming.

beschämt *adj* ashamed, abashed. **ich fühle mich durch deine Großzügigkeit ~** I am embarrassed by your generosity.

Beschämung *f* shame; *(Verlegenheit)* embarrassment. **zu meiner ~** to my shame; **seine Güte war eine ~ für uns alle** his kindness put us all to shame.

beschatten* *vt* **1.** *(geh: Schatten geben)* to shade; *(fig: trüben)* to overshadow. **2.** *(überwachen)* to shadow, to tail. **jdn ~ lassen** to have sb shadowed *or* tailed. **3.** *(Sport)* to mark closely.

Beschatter(in *f)* *m -s, -* **1.** *(Polizist)* tail. **2.** *(Sport)* marker.

Beschattung *f siehe vt* **1.** shading; overshadowing. **2.** shadowing, tailing. **3.** marking.

beschauen* *vt* **1.** *Fleisch* to inspect. **2.** *(dial: betrachten)* to look at. **sich *(dat)* etw ~** to look at sth.

Beschauer(in *f)* *m -s, -* **1.** inspector. **2.** *(Betrachter)* spectator; *(von Bild)* viewer.

beschaulich *adj* **1.** *(geruhsam) Leben,*

Abend quiet, tranquil; *Charakter, Mensch* pensive, contemplative. **~ dasitzen** to sit contemplating. **2.** (*Rel*) contemplative.

Beschaulichkeit *f siehe adj* **1.** quietness, tranquillity; pensiveness, contemplation. **2.** (*Rel*) contemplativeness.

Bescheid *m* **-(e)s, -e 1.** (*Auskunft*) information; (*Nachricht*) notification; (*Entscheidung auf Antrag*) decision. **wir erwarten Ihren ~** we look forward to hearing from you; **ich warte noch auf ~** I am still waiting to hear, I still have not heard anything; **jdm** (**über etw** *acc or* **von etw**) **~ sagen/geben** to let sb know (about sth), to tell sb (about sth); **jdm ordentlich ~ sagen** *or* **gründlich ~ stoßen** (*inf*) to tell sb where to get off (*inf*). **2.** (**über etw** *acc or* **in etw** *dat*) **~ wissen** to know (about sth); **weißt du ~ wegen Samstagabend?** do you know about Saturday evening?; **ich weiß hier nicht ~** I don't know about things around here; **er weiß gut ~** he is well informed; **auf dem Gebiet weiß ich nicht ~** I don't know much about that sort of thing; **weißt du schon ~?** do you know?, have you heard?; **sag ihr, Egon habe angerufen, dann weiß sie schon ~** if you tell her Egon phoned she'll understand.

bescheiden¹ *pret* **beschied,** *ptp* **beschieden I** *vt* **1.** (*form: bestellen*) to summon (*form*) (*zu jdm* to sb).
2. (*form: entscheiden*) *Gesuch, Antrag* to decide upon. **etw abschlägig ~** to turn sth down.
3. (*form: informieren*) **jdn dahin gehend ~, daß ...** to inform *or* notify sb that ...
4. (*geh: zuteil werden lassen*) **jdm etw ~** to grant sb sth; **es war ihr nicht beschieden, den Erfolg zu genießen** she was not granted the opportunity to *or* it was not given to her to (*liter*) enjoy the success.
II *vr* (*geh*) to be content. **sich mit wenigem ~** to be content *or* to content oneself with little.

bescheiden² *adj* **1.** modest; *Mensch, Verhalten auch* unassuming. **~ or in ~en Verhältnissen leben** to live modestly; **darf ich mal ~ fragen, ob ...** may I venture to ask whether ...; **eine ~e Frage** one small question; **aus ~en Anfängen** from humble beginnings.
2. (*euph: beschissen*) awful, terrible; (*inf: mäßig*) mediocre.

Bescheidenheit *f siehe adj* **1.** modesty; unassumingness. **nur keine falsche ~** no false modesty now; **~ ist eine Zier, doch weiter kommt man ohne ihr** (*hum inf*) modesty is fine but it doesn't get you very far.

bescheinen* *vt irreg* to shine on; (*Feuer*) to light up. **vom Mond/von der Sonne beschienen** moonlit/sunlit.

bescheinigen* *vt* to certify; *Gesundheit, Tauglichkeit* to confirm in writing; *Empfang* to confirm, to acknowledge; (*durch Quittung*) to sign *or* give a receipt for; (*inf: mündlich bestätigen*) to confirm. **sich** (*dat*) **die Arbeit/Überstunden ~ las**

sen to get written confirmation of having done the work/overtime; **können Sie mir ~, daß ...** can you confirm in writing that ... *or* give me written confirmation that ...; **hiermit wird bescheinigt, daß ...** this is to certify that ...

Bescheinigung *f siehe vt* (*das Bescheinigen*) certification; confirmation; (*Schriftstück*) certificate; written confirmation; (*Quittung*) receipt.

bescheißen* *irreg* **I** *vt* (*sl*) **jdn** to swindle, to cheat, to do (*um* out of). **II** *vi* (*sl*) to cheat.

beschenken* *vt* **jdn** to give presents/a present to. **jdn mit etw ~** to give sb sth (as a present); **sich** (**gegenseitig**) **~** to give each other presents; **jdn reich ~** to shower sb with presents; **damit bin ich reich beschenkt** that's very generous.

bescheren* *vti* **1. jdn ~** to give sb a Christmas present/presents; **jdn mit etw ~** to give sb sth for Christmas; **um 5 Uhr wird beschert** the Christmas presents will be given out at 5 o'clock; **jdm eine Überraschung ~** to give sb a nice surprise.
2. (*zuteil werden lassen*) **jdm etw ~** to grant sb sth, to bestow sth upon sb; (*Gott*) to bless sb with sth.

Bescherung *f* **1.** (*Feier*) giving out of Christmas presents. **2.** (*iro inf*) **das ist ja eine schöne ~!** this is a nice mess; **die** (**ganze**) **~** the (whole) mess; **da haben wir die ~!** I told you so, what did I tell you!

bescheuert *adj* (*inf*) stupid; *Mensch auch* dumb (*inf*).

beschichten* *vt* (*Tech*) to coat, to cover. **mit Kunststoff beschichtet** laminated; **PVC-beschichtet** PVC coated.

beschicken* *vt* **1.** (*Vertreter schicken auf*) to send representatives to; (*Exemplare schicken auf*) to send exhibits to. **eine Ausstellung mit jdm/etw ~** to send sb/sth to an exhibition; **die Firma hat die Messe beschickt** the firm exhibited at the fair; **der Kongreß wurde von den meisten Ländern beschickt** most countries sent representatives to the congress.
2. (*Tech*) *Hochofen* to charge; *Kessel* to fire.

beschickert *adj* (*inf*) tipsy.

Beschickung *f* (*Tech*) (*von Hochofen*) charging; (*von Kessel*) firing; (*Ladung*) load.

beschied *pret of* **bescheiden¹.**

beschieden *ptp of* **bescheiden¹.**

beschießen* *vt irreg* **1.** to shoot at, to fire on *or* at; (*mit Geschützen*) to bombard; (*aus Flugzeug auch*) to strafe; (*fig: mit Fragen, Vorwürfen, Argumenten*) to bombard. **2.** (*Phys*) *Atomkern* to bombard.

Beschießung *f siehe vt* **1.** shooting (*gen* at), firing (*gen on, at*); bombardment (*gen* of); strafing (*gen* of). **2.** bombarding.

beschildern* *vt* to put a sign *or* notice/ signs *or* notices on; (*mit Schildchen*) *Ausstellungsgegenstand, Käfig* to label; (*mit Verkehrsschildern*) to signpost.

Beschilderung *f siehe vt* putting a sign *etc*

(*von* on); labelling; signposting; (*Schilder*) signs *pl*; labels *pl*; signposts *pl*.

beschimpfen* *vt jdn* to swear at, to abuse; *Ruf, guten Namen* to slander.

Beschimpfung *f* **1.** (*das Beschimpfen*) abusing, swearing (*gen* at); (*Jur*) slander (*gen* on). **2.** (*Schimpfwort*) insult.

beschirmen* *vt* **1.** (*geh: beschützen*) to shield, to protect. **2.** (*geh: sich breiten über*) to shade. **3.** (*mit Schirm versehen*) *Lampe* to put a shade on.

Beschiß *m* **-sses, -sse** (*sl*) swindle, rip off (*sl*). **das ist ~** it's a swindle *or* swizz (*inf*).

beschissen *adj* (*sl*) bloody awful (*Brit inf*), lousy (*inf*), shit-awful (*sl*).

Beschlag *m* **-(e)s, -e 1.** (*an Koffer, Truhe, Buch*) (ornamental) fitting; (*an Tür, Fenster, Möbelstück, Sattel*) (ornamental) mounting; (*Scharnier/Schließe*) ornamental hinge/clasp; (*von Pferd*) shoes *pl*.

  2. (*das Beschlagen: von Pferd*) shoeing.

  3. *jdn/etw mit ~ belegen, jdn/etw in ~ nehmen* to monopolize sb/sth; *mit ~ belegt sein* to be being used; (*Mensch*) to be occupied.

beschlagen* *irreg* **I** *vt* **1.** (*mit Beschlägen versehen*) *Truhen, Möbel, Türen* to put (metal) fittings on; *Huftiere* to shoe; *Schuhe* to put metal tips on; (*mit Ziernägeln*) to stud. **ein Faß mit Reifen ~** to put hoops on a barrel, to hoop a barrel; **ist das Pferd ~?** is the horse shod?

  2. (*Hunt*) *Wild* to cover, to serve.

  4. (*Sw: betreffen*) to concern.

  II *vir* (*vi: aux sein*) (*Brille, Glas, Fenster*) to steam up, to get steamed up, to mist up *or* over; (*Wand*) to get covered in condensation, to get steamed up; (*Silber*) to tarnish; (*einen Pilzbelag bekommen*) to go mouldy.

  III *adj* (*erfahren*) well-versed. **in etw** (*dat*) (**gut**) **~ sein** to be (well-)versed in sth; **auf einem Gebiet ~ sein** to be well-versed in a subject.

Beschlagenheit *f, no pl* sound knowledge *or* grasp (*in +dat* of).

Beschlagnahme *f* **-, -n** confiscation, seizure, impounding.

beschlagnahmen* *vt insep* **1.** to confiscate, to seize, to impound. **2.** (*inf: in Anspruch nehmen*) (*Mensch*) to monopolize, to hog (*inf*); (*Arbeit*) *Zeit* to take up.

beschleichen* *vt irreg* to creep *or* steal up to *or* up on; *Wild* to stalk; (*fig*) to creep over.

beschleunigen* **I** *vt* to accelerate, to speed up; *Arbeit, Lieferung auch* to expedite; *Tempo auch* to increase; *Atem, Puls auch* to quicken; *Verfall, wirtschaftlichen Zusammenbruch* to precipitate, to hasten, to accelerate. **die Angst beschleunigte ihre Schritte** fear quickened *or* hastened her steps.

  II *vr siehe vt* to accelerate, to speed up; to increase; to quicken; to be precipitated *or* hastened.

  III *vi* (*Fahrzeug, Fahrer*) to accelerate.

Beschleuniger *m* **-s, -** (*Phys, Chem*) accelerator.

beschleunigt *adj* faster. **~es Verfahren** (*Jur*) summary proceedings *pl*.

Beschleunigung *f* **1.** acceleration (*auch Aut, Phys*), speeding up; (*von Tempo auch*) increase; (*von Atem, Puls auch*) quickening; (*von Verfall*) precipitation, hastening. **wir tun alles, was zur ~ der Arbeit führen könnte** we are doing everything we can towards speeding up *or* in order to speed up the work. **2.** (*Eile*) speed.

Beschleunigungsspur *f* acceleration lane; **Beschleunigungsvermögen** *nt* accelerating power, acceleration; **Beschleunigungswert** *m* (*Aut*) acceleration ratio.

beschließen* *irreg* **I** *vt* **1.** (*Entschluß fassen*) to decide on; *Gesetz* to pass; *Statuten* to establish. **~, etw zu tun** to decide *or* resolve to do sth. **2.** (*beenden*) to end; *Brief, Abend, Programm auch* to conclude, to wind up. **II** *vi* **über etw** (*acc*) **~** to decide on sth.

beschlossen **I** *ptp of* **beschließen**. **II** *adj* (*entschieden*) decided, agreed. **das ist ~e Sache** that's settled.

Beschluß *m* **-sses, -sse 1.** (*Entschluß*) decision, resolution. **einen ~ fassen** to pass a resolution; **auf ~ des Gerichts** by order of the court; **wie lautete der ~ des Gerichts?** what was the court's decision? **2.** (*obs: Schluß*) conclusion, end.

beschlußfähig *adj* **~ sein** to have a quorum; **Beschlußfähigkeit** *f, no pl* quorum; **beschlußunfähig** *adj* **~ sein** not to have a quorum.

beschmeißen* *vt irreg* (*inf*) to pelt, to bombard.

beschmieren* **I** *vt* **1.** (*bestreichen*) *Brot* to spread; *Körperteil, Maschinenteil* to smear, to cover. **Brot mit Butter/Käse ~** to butter bread/to spread cheese on the bread.

  2. *Kleidung* to (be)smear; *Wand auch* to bedaub; *Tafel* to scrawl all over.

  II *vr* to get (all) dirty, to get oneself in a mess. **sich von oben bis unten mit etw ~** to get sth all over oneself, to cover oneself with sth.

beschmutzen* **I** *vt* to (make *or* get) dirty, to soil; (*fig*) *Ruf, Namen* to besmirch, to sully; *Ehre* to stain; *siehe* **Nest**. **II** *vr* to make *or* get oneself dirty.

Beschmutzung *f siehe vt* dirtying, soiling; besmirching, sullying; staining.

beschneiden* *vt irreg* **1.** (*zurechtschneiden, stutzen*) to trim; *Sträucher, Reben* to prune; *Bäume auch* to lop; *Flügel* to clip; *Fingernägel auch* to cut, to pare. **2.** (*Med, Rel*) to circumcise. **3.** (*fig: beschränken*) to cut back, to curtail.

Beschneidung *f, no pl siehe vt* **1.** trimming; pruning; lopping; clipping; cutting, paring. **2.** circumcision. **3.** (*von Unterstützung*) cut-back; (*von Rechten*) curtailing, curtailment.

beschneit *adj* snow-covered; *Berge auch* snow-capped.

beschnüffeln* **I** *vt* to sniff at; (*fig*) (*vor-*

sichtig untersuchen) to sniff out, to suss out (*sl*); *jdn* to size up; (*bespitzeln*) to spy out. **II** *vr* (*Hunde*) to have a sniff at each other, to sniff each other; (*fig*) to size each other up.

beschnuppern* *vtr siehe* **beschnüffeln.**

beschönigen* *vt* to gloss over. **~der Ausdruck** euphemism; **... sagte er ~d ...** he said, trying to make things seem better.

Beschönigung *f* glossing over. **was er zur ~ angeführt hat, ...** what he said to make things seem better ...

beschranken* *vt* Bahnübergang to provide with gates, to put gates on.

beschränken* **I** *vt* (*auf +acc* to) to limit, to restrict; *Anzahl, Ausgaben, Bedeutung eines Wortes auch* to confine.

II *vr* (*auf +acc* to) to limit *or* restrict; (*esp Jur, Rede, Aufsatz auch*) to confine oneself; (*sich einschränken*) to restrict oneself.

beschrankt *adj siehe* **Bahnübergang.**

beschränkt *adj* **1.** (*eingeschränkt, knapp*) limited; *Gebrauch auch* restricted. **wir sind räumlich/zeitlich/finanziell ~** we have only a limited amount of space/time/money; **~e Haftung** limited liability; **Gesellschaft mit ~er Haftung** limited company (*Brit*), corporation (*US*). **2.** (*pej*) (*geistig*) *Mensch, Intelligenz* limited; (*engstirnig auch*) narrow. **wie kann man nur so ~ sein?** how can anyone be so dim *or* stupid?

Beschränktheit *f siehe adj* **1.** limitedness; restriction. **2.** limitedness, limited intelligence; (*Engstirnigkeit*) narrowness. **er konnte in seiner ~ nicht begreifen ...** his simple mind could not grasp ...

Beschränkung *f* **1.** *siehe vt* limitation, restriction; confinement. **eine ~ der Teilnehmerzahl scheint unvermeidbar zu sein** it seems unavoidable that the number of participants will have to be limited *or* restricted. **2.** *siehe vr* (*auf +acc* to) limitation, restriction; confinement. **3.** (*Maßnahme*) restriction, limitation. **jdm ~en auferlegen** to impose restrictions on sb.

beschreiben* *vt irreg* **1.** (*darstellen*) to describe, to give a description of. **sein Glück/Schmerz war nicht zu ~** his happiness/pain was indescribable *or* beyond (all) description; **ich kann dir nicht ~, wie erleichtert ich war** I can't tell you how relieved I was. **2.** (*vollschreiben*) to write on. **3.** *Kreis, Bahn* to describe.

Beschreibung *f* **1.** description. **2.** (*Gebrauchsanweisung*) instructions *pl*.

beschreien* *vt irreg* (*inf*) *siehe* **berufen I 2.**

beschreiten* *vt irreg* (*lit geh*) *Pfad* to walk *or* step along; *Brücke* to walk *or* step across; (*fig*) *neue Wege* to follow, to pursue, to take; *neue Methode* to follow, to pursue.

beschriften* *vt* to write on; *Grabstein, Sockel* to inscribe; (*mit Aufschrift*) to label; *Umschlag* to address. **etw mit seinem Namen ~** to write one's name on sth; **die Funde waren mit Tusche beschriftet** the finds were marked with ink.

Beschriftung *f siehe vt* **1.** (*das Beschriften*) inscribing; labelling; addressing; giving a caption to; marking. **bei der ~ der Etiketten** while filling in the labels. **2.** (*Aufschrift*) writing; inscription; label; caption.

beschuht *adj* wearing shoes, shod.

beschuldigen* *vt* to accuse; (*esp Jur auch, liter*) to charge. **jdn einer Sache** (*gen*) **~** to accuse sb of sth; to charge sb with sth.

Beschuldigte(r) *mf decl as adj* accused.

Beschuldigung *f* accusation; (*esp Jur auch, liter*) charge.

beschummeln*, beschuppen* *vti* (*inf*) to cheat. **jdn um etw ~** to cheat *or* diddle (*inf*) sb out of sth.

beschuppt *adj* scaly. **dick ~** thick-scaled, with thick scales.

beschupsen* *vti* (*inf*) *siehe* **beschummeln.**

Beschuß *m* **-sses,** *no pl* (*Mil*) fire; (*mit Granaten auch*) shelling, bombardment; (*Phys*) bombardment, bombarding. **jdn/etw unter ~ nehmen** (*Mil*) to (start to) bombard *or* shell sb/sth; *Stellung auch* to fire on sth; (*fig*) to attack sb/sth, to launch an attack on sb/sth; **unter ~ stehen/geraten** (*Mil, fig*) to be/come under fire.

beschütten* *vt* (*mit Sand*) to cover. **jdn/etw (mit Wasser** *etc*) **~** to pour water *etc* on *or* over sb/sth; **die Straße mit Sand ~** to throw *or* put sand on the road.

beschützen* *vt* to protect, to shield, to shelter (*vor +dat* from). **~d** protective; **~de Werkstätte** sheltered workshop.

Beschützer(in *f*) *m* **-s,** **-** protector/ protectress.

beschwatzen*, beschwätzen* (*dial*) *vt* (*inf*) **1.** (*überreden*) to talk over. **jdn zu etw ~** to talk sb into sth; **sich zu etw ~ lassen** to get talked into sth. **2.** (*bereden*) to chat about, to have a chat about.

Beschwerde *f* **-, -n 1.** (*Mühe*) hardship. **2. ~n** *pl* (*Leiden*) trouble; **das macht mir immer noch ~n** it's still causing *or* giving me trouble; **mit etw ~n haben** to have trouble with sth; **wenn Sie wieder ganz ohne ~n sind** when the trouble's cleared up completely. **3.** (*Klage*) complaint; (*Jur*) appeal. **eine ~ gegen jdn** a complaint about sb; **wenn Sie eine ~ haben** if you have a complaint *or* grievance; **~ führen** *or* **einlegen** *or* **erheben** (*form*) to lodge a complaint.

Beschwerdebuch *nt* complaints book; **beschwerdefrei** *adj* (*Med*) fit and healthy; **er war nie wieder ganz ~ the** symptoms never completely disappeared; **Beschwerdefrist** *f* (*Jur*) period of time during which an appeal may be lodged *or* filed; **Beschwerdeführende(r)** *mf decl as adj*, **Beschwerdeführer(in** *f*) *m* (*form*) person who lodges a complaint, complainant; (*Jur*) appellant; **Beschwerdeschrift** *f* written (*or* formal) complaint, petition; **Beschwerdeweg** *m* (*form*) *possibility of lodging a complaint with sb (in authority)*; **auf dem ~** by (means of) lodging *or* making a complaint; **den ~ beschreiten**

to lodge a complaint.

beschweren* I vt (*mit Gewicht*) to weigh(t) down; (*fig: belasten*) (*Problem, Kummer*) to weigh on; (*Mensch*) to burden. **von Kummer beschwert** weighed down with sorrow.

II vr 1. (*sich belasten*) (*lit*) to weigh oneself down; (*fig*) to encumber oneself. 2. (*sich beklagen*) to complain.

beschwerlich adj laborious, arduous; *Reise* arduous. **jdm ~ fallen** (*old*)/ **werden** to be/become a burden to sb; **das Gehen/Atmen ist für ihn ~** he finds walking/breathing hard work.

Beschwerlichkeit f difficulty; (*von Reise, Aufgabe auch*) laboriousness *no pl*, arduousness *no pl*.

Beschwernis f or nt (geh) (*Mühsal*) hardship.

beschwichtigen* vt jdn to appease, to pacify; *Kinder* to calm down, to soothe; *jds Zorn, Gewissen* to soothe, to appease.

Beschwichtigung f siehe vt appeasement, pacification; calming down, soothing; soothing, appeasement; (*beschwichtigende Worte*) calming or soothing words pl.

Beschwichtigungspolitik f policy of appeasement.

beschwindeln* vt (inf) 1. (*belügen*) jdn ~ to tell sb a lie or a fib (inf). 2. (*betrügen*) to cheat, to swindle, to do (inf).

beschwingen* vt to exhilarate, to elate.

beschwingt adj elated, exhilarated; *Musik, Mensch* vibrant. **sich ~ fühlen** to walk on air; **ein ~es Gefühl** a feeling of elation or exhilaration; **~en Schrittes** (geh) or *Fußes* (liter) with a spring or bounce in one's step, lightly tripping (liter).

Beschwingtheit f siehe adj elation, exhilaration; vibrancy.

beschwipsen* (inf) I vt to make tipsy, to go to sb's head. II vr to get tipsy.

beschwipst adj (inf) tipsy.

beschwören* vt irreg 1. (*beeiden*) to swear to; (*Jur auch*) to swear on oath. 2. (*anflehen*) to implore, to beseech. **sie hob ~d die Hände** she raised her hands imploringly or beseechingly. 3. (*erscheinen lassen*) to conjure up; *Verstorbene auch* to raise, to call up; (*bannen*) böse Geister to exorcise, to lay; *Schlangen* to charm. 4. (geh: *hervorrufen*) Erinnerungen to conjure up.

Beschwörung f 1. (*das Flehen*) entreaty. 2. siehe vt 3. conjuring up, conjuration; raising, calling up; exorcising, exorcism, laying; charming. 3. (*auch ~sformel*) incantation.

beseelen* vt 1. (*lit: mit Seele versehen*) to give a soul to; *Natur, Kunstwerk* to breathe life into. 2. (*erfüllen*) to fill. **neuer Mut beseelte ihn** he was filled or imbued with fresh courage; **ein neuer Geist beseelt unser Jahrhundert** a new spirit pervades or informs (liter) our century.

besehen* irreg I vt (auch: sich dat ~) to

take a look at, to look at. II vr to (take a) look at oneself.

beseitigen* vt 1. (*entfernen*) to remove, to get rid of; *Abfall, Schnee auch* to clear (away); *Atommüll* to dispose of; *Schwierigkeiten auch* to sort or smooth out; *Fehler auch* to eliminate; *Mißstände* to get rid of, to do away with. 2. (*euph: umbringen*) to eliminate.

Beseitigung f, no pl siehe vt 1. removal, getting rid of; clearing (away); disposal; sorting or smoothing out; elimination; doing away with. 2. elimination.

beseligen* vt to make blissfully happy. **~d/beseligt** blissful.

Besen m -s, - 1. (*Kehr~*) broom; (*Reisig~*) besom; (*von Hexe*) broomstick. **ich fresse einen ~, wenn das stimmt** (inf) if that's right, I'll eat my hat (inf); **neue ~ kehren gut** (Prov) a new broom sweeps clean (Prov). 2. (pej inf: *Frau*) old bag (inf), old boot (inf), besom (dial inf).

Besenkammer f broom cupboard; **besenrein** adj well-swept; **eine Wohnung ~ verlassen** to leave a flat in a clean and tidy condition (for the next tenant); **Besenschrank** m broom cupboard; **Besenstiel** m broom-stick, broom-handle; **steif wie ein ~ as stiff as a poker; er sitzt da/tanzt als hätte er einen ~ verschluckt** (inf) he's sitting there as stiff as a poker/he dances so stiffly.

besessen I ptp of besitzen. II adj (*von bösen Geistern*) possessed (*von* by); (*von einer Idee, Leidenschaft*) obsessed (*von* with). **wie ~** like a thing or like one possessed.

Besessene(r) mf decl as adj one possessed no art. **die ~n** the possessed.

Besessenheit f, no pl siehe adj possession; obsession.

besetzen* vt 1. (*dekorieren*) to trim; (*mit Edelsteinen*) to stud. 2. (*belegen*) to occupy; (*reservieren*) to reserve; (*füllen*) Plätze, Stühle to fill. **ist hier or dieser Platz besetzt?** is this place taken? 3. (esp Mil) to occupy; (*Hausbesetzer*) to squat in. 4. (*mit Person*) Stelle, Amt, Posten to fill; (*Theat*) Rolle to cast; (*mit Tieren*) to stock. **eine Stelle neu ~** to find a new person to fill a job.

Besetzer(in f) m (Haus~) squatter.

besetzt adj (*belegt*) Telefon, Nummer, Leitung engaged (Brit), busy (esp US); WC occupied, engaged; *Abteil, Tisch* taken; *Hörsaal* being used; (*vorgebucht*) booked; (*voll*) Bus, Wagen, Abteil full (up); (*anderweitig beschäftigt, verplant*) Mensch busy. **Freitag ist schon ~** Friday I'm/he's etc busy, Friday's out.

Besetztton m, **Besetztzeichen** nt (Telec) engaged (Brit) or busy (esp US) tone.

Besetzung f 1. (*das Besetzen*) (von Stelle) filling; (von Rolle) casting; (mit Tieren) stocking; (*Theat: Schauspieler*) cast; (*Sport: Mannschaft*) team, side. **die Nationalelf in der neuen ~** the new line-up for the international side; **das Stück in der neuen ~** the play with the new cast.

2. (*esp Mil*) occupation.

besichtigen* *vt* (*ansehen*) *Stadt, Kirche* to have a look at, to visit; *Betrieb* to tour, to have a look over *or* round; (*zur Prüfung*) *Haus* to view, to have a look at, to look over; *Ware* to have a look at, to inspect; *Schule auch* to inspect; (*inspizieren*) *Truppen* to inspect, to review; (*hum*) *Baby, zukünftigen Schwiegersohn etc* to inspect.

Besichtigung *f* (*von Sehenswürdigkeiten*) sight-seeing tour; (*von Museum, Kirche, Betrieb*) tour; (*zur Prüfung*) (*von Haus*) viewing; (*von Waren, Schule, Baby*) inspection; (*von Truppen*) inspection, review. **nach einer kurzen ~ der Kirche/ des Museums/Betriebs** after a short look round the church/museum/factory; **die Waren liegen zur ~ aus** the goods are on display.

Besichtigungszeiten *pl* hours *pl* of opening.

besiedeln* *vt* (*ansiedeln*) to populate, to settle (*mit* with); (*sich niederlassen in*) to settle; (*kolonisieren*) to colonize; (*Tiere*) to populate, to inhabit; (*Pflanzen*) to be found in, to inhabit. **dicht/dünn/schwach besiedelt** densely/thinly/sparsely populated.

Besied(e)lung *f, no pl siehe vt* settlement; colonization. **dichte/dünne/schwache ~** dense/thin/sparse population.

Besiedlungsdichte *f* population density.

besiegeln* *vt* to seal.

Besiegelung *f* sealing.

besiegen* *vt* (*schlagen*) to defeat, to beat; *Feind auch* to conquer, to vanquish (*liter*); (*überwinden*) to overcome, to conquer. **sich selbst ~** to overcome one's fears/doubts *etc*; (*seine Triebe ~*) to repress the urge.

Besiegte(r) *mf decl as adj* defeated *or* vanquished person, loser.

besingen* *vt irreg* **1.** (*rühmen*) to sing of, to sing (*poet*). **jdn/etw ~** to sing the praises of sb/sth. **2.** *Schallplatte, Tonband* to record.

besinnen* *irreg vr* (*überlegen*) to reflect, to think; (*erinnern*) to remember (*auf jdn/etw* sb/sth); (*es sich anders überlegen*) to have second thoughts. **besinne dich, mein Kind!** take thought, my child; **sich anders** *or* **eines anderen/eines Besseren ~** to change one's mind/into think better of sth; **er hat sich besonnen** he has seen the light; **ohne sich (viel) zu ~, ohne langes B~** without a moment's thought *or* hesitation; **wenn ich mich recht besinne** if I remember correctly.

besinnlich *adj* contemplative. **eine ~e Zeit** a time of contemplation; **~ werden** to become thoughtful *or* pensive.

Besinnlichkeit *f, no pl* contemplativeness, thoughtfulness.

Besinnung *f, no pl* **1.** (*Bewußtsein*) consciousness. **bei/ohne ~ sein** to be conscious/unconscious; **die ~ verlieren** to lose consciousness; (*fig*) to lose one's head; **wieder zur ~ kommen** to regain consciousness, to come to; (*fig*) to come to one's senses; **jdn zur ~ bringen** to bring sb round; (*fig*) to bring sb to his

senses.

2. (*das Sich-Besinnen*) contemplation (*auf +acc* of), reflection (*auf +acc* upon).

3. (*das Nachdenken*) reflection. **ich brauche Zeit, zur ~ zu kommen** I need time to reflect *or* for reflection.

Besinnungsaufsatz *m* discursive essay; **besinnungslos** *adj* unconscious, insensible; (*fig*) blind; *Wut* blind, insensate; **~ werden** to lose consciousness; **Besinnungslosigkeit** *f, no pl* (*lit*) unconsciousness.

Besitz *m* **-es**, *no pl* **1.** (*das Besitzen*) possession. **im ~ von etw sein** to be in possession of sth; **ich bin im ~ Ihres Schreibens** I am in receipt of your letter; **etw in ~ nehmen** to take possession of sth; **von etw ~ ergreifen** to seize possession of sth; **von jdm ~ ergreifen** to take *or* seize hold of sb; (*Zweifel, Wahnsinn etc*) to take possession of sb's mind; **in privatem ~** in private ownership.

2. (*Eigentum*) property; (*Landgut*) estate.

Besitzanspruch *m* claim of ownership; (*Jur*) title; **einen ~ auf etw** (*acc*) **haben** to have a claim to sth; **seine Besitzansprüche (auf etw** *acc*) **anmelden** to make one's claims (to sth), to lay claim to sth; **besitzanzeigend** *adj* (*Gram*) possessive; **Besitzbürgertum** *nt* middle-class property owners *pl*, property-owning bourgeoisie.

besitzen* *vt irreg* to have, to possess; *käufliche Güter auch* to own; *Vermögen* to possess, to own; *Wertpapiere auch* to hold; *Narbe, grüne Augen* to have; *Rechte, jds Zuneigung auch* to enjoy. **große Schönheit/Fähigkeiten ~** to be possessed of great beauty/abilities; **die ~den Klassen** the propertied classes.

Besitzer(in *f*) *m* **-s, -** owner; (*von Wertpapieren auch, von Führerschein*) holder; (*Inhaber auch*) proprietor. **den ~ wechseln** to change hands.

Besitz|ergreifung *f* seizure.

Besitzgier *f* acquisitive greed, acquisitiveness; **besitzlos** *adj* having no possessions; **sie ist nicht völlig ~** she is not completely without possessions; **Besitztum** *nt* (*Eigentum*) possession, property *no pl*; (*Grundbesitz*) estate(s *pl*) property.

Besitzung *f* possession; (*privater Land- und Grundbesitz*) estate(s *pl*).

Besitzverhältnisse *pl* property situation *or* conditions *pl*.

besoffen *adj* (*sl*) (*betrunken*) pissed (*Brit*), stoned, smashed (*all sl*).

Besoffene(r) *mf decl as adj* (*inf*) drunk.

besohlen* *vt* to sole; (*neu ~*) to resole.

besolden* *vt* to pay.

Besoldung *f* pay.

Besoldungsgruppe *f* pay *or* salary group; **Besoldungsordnung** *f* pay *or* salary regulations *pl*.

besondere(r, s) *adj* **1.** (*ungewöhnlich, eine Ausnahme bildend*) special; (*hervorragend*) *Qualität, Schönheit* exceptional. **es ist eine ~ Freude** it is a special *or* particular pleasure; **das sind ~**

Umstände those are special circumstances; **das ist eine ganz ~ Augenfarbe** that is a very unusual eye colour. **2.** (*speziell*) special, particular; (*bestimmt*) particular. **unser ~s Interesse gilt ...** we are particularly or (e)specially interested in ...; **wir legen ~n Wert auf ...** we place particular or special emphasis on ...; **ohne ~ Begeisterung** without any particular enthusiasm; **es ist mein ganz ~r Wunsch, daß ...** it is my very special wish that ..., I particularly wish that ...; **keine ~n Vorlieben** no special or particular preferences; **das ist von ~r Bedeutung** it is of (e)special or particular importance. **3.** (*zusätzlich, separat, gesondert*) special, separate.

Besondere(s) nt decl as adj **1. das ~ und das Allgemeine** the particular and the general; **im b~n** (*im einzelnen*) in particular cases; (*vor allem*) in particular. **2. etwas/nichts ~s** something/nothing special; **er möchte etwas ~s sein** he thinks he's something special; **das ist doch nichts ~s** that's nothing special or out of the ordinary, what's special about that?; **das ~ daran** the special thing about it.

Besonderheit f exceptional or unusual quality or feature; (*besondere Eigenschaft*) peculiarity.

besonders adv gut, hübsch, teuer particularly, (e)specially; (*ausdrücklich, vor allem*) particularly, in particular, (e)specially; (*gesondert*) separately, individually; (*speziell*) anfertigen etc especially. **~ du müßtest das wissen** you particularly or in particular or especially should know that; **nicht ~** (*lustig/kalt*) not particularly or not (e)specially (funny/cold); **nicht ~ viel Geld** not a particularly or not a(n) (e)specially large amount of money; **das Essen/der Film war nicht ~** (*inf*) the food/film was nothing special or nothing to write home about (*inf*); **wie geht's dir? — nicht ~** (*inf*) how are you? — not too hot (*inf*); **~ wenig Fehler** an exceptionally or a particularly low number of mistakes; **er hat ~ viel/wenig gearbeitet/gegessen** he did a particularly large/small amount of work/he ate a particularly large amount of food/he ate particularly little.

besonnen I ptp of **besinnen. II** adj considered, level-headed. **ihre ruhige, ~e Art** her calm and collected way; **die Polizei ist ~ vorgegangen** the police proceeded in a careful and thoughtful way.

Besonnenheit f, no pl level-headedness, calm. **durch seine ~ hat er eine Katastrophe verhindert** by staying calm and collected he avoided a disaster.

besonnt adj sunny.

besorgen* vt **1.** (*kaufen, beschaffen*) to get; (*euph inf: stehlen*) to acquire (*euph inf*). **jdm/sich etw ~** to get sth for sb/oneself, to get sb/oneself sth; **jdm eine Stelle ~** to get or find a job for sb or to fix sb up with a job. **2.** (*erledigen*) to attend or see to. **was**

du heute kannst ~, das verschiebe nicht auf morgen (*Prov*) never put off until tomorrow what you can do today. **3.** (*versorgen*) to take care of, to look after. **4.** (*inf*) **es jdm ~** to sort sb out (*inf*), to fix sb (*inf*). **5.** (*sl: sexuell*) **es jdm ~** to have it off with sb (*sl*), to give sb one (*inf*).

Besorgnis f anxiety, worry, apprehension.

besorgnis|erregend adj alarming, disquieting, worrying.

besorgt adj **1.** (*voller Sorge*) anxious, worried (*wegen* about). **2. um jdn/etw ~ sein** to be concerned about sb/sth.

Besorgtheit f, no pl concern, solicitude.

Besorgung f **1.** (*das Kaufen*) purchase. **er wurde mit der ~ von ... beauftragt** he was asked to get ... **2.** (*Erledigung*) **jdn mit der ~ seiner Geschäfte betrauen** to entrust sb with looking after one's affairs. **3.** (*Einkauf*) errand (*dial*). **~en machen** to do some shopping.

bespannen* vt **1.** (*überziehen*) (*mit Material*) to cover; (*mit Saiten, Fäden*) to string. **2.** (*mit Zugtieren*) Wagen to harness up. **den Wagen mit zwei Pferden ~** to harness two horses to the cart.

Bespannung f **1.** no pl (*das Bespannen*) covering; (*mit Saiten etc*) stringing; (*mit Pferden*) harnessing. **2.** (*Material*) covering; (*Saiten, Fäden*) strings pl.

bespeien* vt irreg (*geh*) to spit at or (up)on.

bespicken* vt (*mit Fett*) to lard; (*mit Nägeln*) to stud, to spike; (*fig: dicht bestecken*) to cover. **seine mit Orden bespickte Brust** his chest bristling with medals.

bespiegeln* **I** vr (*lit: im Spiegel*) to look at oneself in a/the mirror; (*fig: Selbstbetrachtung machen*) to contemplate oneself or one's own navel (*hum*). **II** vt (*geh*) **das eigene Ich** to contemplate; (*darstellen, verarbeiten*) Vergangenheit, Gefühle, Nöte to portray, to give a picture of.

bespielbar adj Rasen playable; Kassette capable of being recorded on.

bespielen* vt **1.** Schallplatte, Tonband to record on, to make a recording on. **das Band ist mit klassischer Musik bespielt** the tape has a recording of classical music on it. **2.** (*Theat*) Ort to play. **3.** (*Sport*) to play on.

bespitzeln* vt to spy on.

Bespitz(e)lung f spying.

bespötteln* vt to mock (at), to scoff at, to ridicule.

besprechen* irreg **I** vt **1.** (*über etw sprechen*) to discuss, to talk about. **wie besprochen** as arranged. **2.** (*rezensieren*) to review. **3.** Schallplatte, Tonband to make a recording on. **ein besprochenes Band** a tape of sb's voice or of sb talking. **4.** (*beschwören*) to (attempt a) cure by magic or incantation. **II** vr **sich mit jdm ~** to confer with sb, to consult (with) sb (*über +acc* about);

sich über etw (*acc*) ~ to discuss sth.
Besprechung *f* 1. (*Unterredung*) discussion, talk; (*Konferenz*) meeting. **nach** ~ **mit ...** after discussion with ..., after talking with ...; **er ist bei einer** ~, **er hat eine** ~ he's in a meeting. 2. (*Rezension*) review, notice. 3. (*von Tonbändern, Schallplatten*) recording. 4. (*Beschwörung*) conjuring away.
Besprechungsexemplar *nt* review copy; **Besprechungszimmer** *nt* boardroom.
besprengen* *vt* to sprinkle.
besprenkeln* *vt* (*mit Farbe, Schmutz*) to speckle; (*fig: übersäen*) to stud.
bespringen* *vt irreg* (*Tier*) to mount, to cover.
bespritzen* I *vt* to spray; (*beschmutzen*) to (be)spatter, to splash. II *vr* to spray oneself; (*sich beschmutzen*) to (be)spatter oneself, to splash oneself.
besprühen* I *vt* to spray. II *vr* to spray oneself.
bespucken* *vt* to spit at *or* (up)on.
bespülen* *vt* (*Wellen*) to wash against.
besser *adj, adv, comp of* **gut, wohl** 1. better. ~**e Kreise/Gegend** better circles/ neighbourhood; ~**e Leute** better class of people; **er hat** ~**e Tage** *or* **Zeiten gesehen** (*iro*) he has seen better days; **soll es etwas B**~**es sein?** did you have something of rather better quality in mind?; ~ **ist** ~ (it is) better to be on the safe side; **um so** ~! (*inf*) so much the better!; ~ (**gesagt**) or rather, or better; ~ **werden** to improve, to get better; **sie will immer alles** ~ **wissen** she always thinks she knows better; **das ist auch** ~ **so** it's better that way; **es kommt noch** ~ there's worse *or* more to come *or* follow; **es** ~ **haben** to have a better life; **B**~**es zu tun haben** (*inf*) to have better things to do; **eine Wendung zum B**~**en nehmen** to take a turn for the better; **jdn eines B**~**en belehren** to teach sb otherwise *or* better.
2. **laß das** ~ **bleiben** you had better leave well alone; **das solltest du** ~ **nicht tun** you had better not do that; **du tätest** ~ **daran ...** you would do better to ..., you had better ...; **dann geh ich** ~ **then** I'd better go.
3. **das Essen war nur ein** ~**er Imbiß** the meal was just a glorified snack.
bessergehen *vi impers sep irreg aux sein* **es geht jdm besser** sb is feeling better; **jetzt geht's der Firma wieder besser** the firm is doing better again now, things are going better again for the firm now; **bessergestellt** *adj* better-off.
bessern I *vt* 1. to improve, to (make) better; *Verbrecher etc* to reform. 2. (*old*) (*verbessern*) to improve. II *vr* (*moralisch, im Benehmen*) to mend one's ways. **bessere dich** (*hum inf*) mend your ways!
besserstehen *vr sep irreg* (*inf*) to be better off; **besserstellen** *sep* I *vt* **jdn** ~ to improve sb's financial position; II *vr* to be better off.
Besserung *f, no pl* improvement; (*von Verbrecher etc*) reformation; (*Genesung*) recovery. (**ich wünsche dir**) **gute** ~! I wish you a speedy recovery, I hope

you get better soon; **auf dem Wege der** ~ **sein** to be getting better, to be improving; (*Patient auch*) to be on the road to recovery.
Besserungsanstalt *f* (*dated*) reformatory, approved school.
Besserwisser(in *f*) *m* **-s,** **-** (*inf*) know-all, know-it-all (*US*); **Besserwisserei** *f* (*inf*) know-all manner; **besserwisserisch** *adj* (*inf*) *Einstellung, Art* know-all.
best- *in cpds mit adj* best.
bestallen* *vt* (*form*) to install, to appoint (*zu* as).
Bestallung *f* (*form*) installation, appointment.
Bestallungs|urkunde *f* certificate of appointment.
Bestand *m* **-(e)s,** **-e** 1. (*Fortdauer*) continued existence, continuance. **von** ~ **sein/**~ **haben** to be permanent, to endure; **zum 100-jährigen** ~ **des Vereins** (*Aus*) on the (occasion of the) 100th anniversary of the society.
2. (*vorhandene Menge, Tiere*) stock (*an* +*dat* of); (*Forst*~ *auch*) forest *or* timber stand (*US*). ~ **aufnehmen** to take stock.
bestanden I *ptp of* **bestehen.**
II *adj* 1. (*bewachsen*) covered with trees; *Allee* lined with trees. **die mit Bäumen** ~**en Alleen/Abhänge** the tree-lined avenues/tree-covered slopes.
2. **nach** ~**er/mit „sehr gut"** ~**er Prüfung** after passing the/an exam/after getting a "very good" in the exam; **sie feiert die** ~**e Prüfung** she's celebrating passing her exam.
beständig *adj* 1. *no pred* (*dauernd*) constant, continual. **ich mache mir** ~ **Sorgen** I am constantly *or* continually worried. 2. (*gleichbleibend*) constant; *Mitarbeiter* steady; *Wetter* settled. 3. *no adv* (*widerstandsfähig*) resistant (*gegen* to); *Farbe* fast; (*dauerhaft*) *Freundschaft, Beziehung* lasting, durable.
Beständigkeit *f, no pl siehe adj* 1. continualness. 2. constancy; steadiness; settledness. 3. resistance; fastness; lastingness, durability.
Bestands|aufnahme *f* stock-taking.
Bestandteil *m* component, part, element; (*fig*) essential *or* integral part. **sich in seine** ~**e auflösen** to fall to pieces, to come apart; **etw in seine** ~**e zerlegen** to take sth apart *or* to pieces.
Best|arbeiter *m* (*DDR*) worker with the highest output.
bestärken* *vt* to confirm; *Verdacht auch* to reinforce. **jdn in seinem Vorsatz/ Wunsch** ~ to confirm sb in his intention/desire, to make sb's intention/ desire firmer *or* stronger; **das hat mich nur darin bestärkt, es zu tun** that merely made me all the more determined to do it.
Bestärkung *f* confirmation; (*von Verdacht auch*) reinforcement.
bestätigen* I *vt* 1. to confirm; *Theorie, Beweise, Alibi* to bear out; (*corroborate*; (*Jur*) *Urteil* to uphold. **sich in etw** (*dat*) **bestätigt finden** to be confirmed in sth; ~**d** confirmative, confirmatory; **ein**

~**des Kopfnicken** a nod of confirmation; **... sagte er** ~**d** ... he said in confirmation.

2. (*Comm*) *Empfang, Brief* to acknowledge (receipt of).

3. (*beurkunden*) to confirm, to certify, to attest. **hiermit wird bestätigt, daß ...** this is to confirm *or* certify that ...

4. (*anerkennen*) to acknowledge, to recognize. **jdn (im Amt)** ~ to confirm sb's appointment.

II *vr* to be confirmed, to prove true, to be proved true. **das tut er nur, um sich selbst zu** ~ he only does it to boost his ego.

Bestätigung *f siehe vt* **1.** confirmation (*auch Dokument*); bearing out, corroboration; upholding. **2.** (*auch Dokument*) acknowledgement (of receipt). **3.** (*auch Dokument*) confirmation, certification, attestation. **4.** recognition, confirmation of appointment.

Bestätigungsschreiben *nt* letter of confirmation.

bestatten* *vt* (*geh*) to bury. **bestattet liegen** to be *or* lie buried (*in* +*dat* in); **wann wird er bestattet?** when is the funeral (service)?

Bestatter(in *f*) *m* **-s**, - undertaker, mortician (*US*).

Bestattung *f* burial; (*Feuer*~) cremation; (*Feier auch*) funeral.

Bestattungsinstitut, ~**unternehmen** *nt* undertaker's, mortician's (*US*); **Bestattungsunternehmer(in** *f*) *m* undertaker, funeral director, mortician (*US*).

bestäuben* *vt* to dust (*auch Cook*), to sprinkle; (*Bot*) to pollinate; (*Agr*) to dust, to spray.

Bestäubung *f* dusting, sprinkling; (*Bot*) pollination; (*Agr*) dusting, spraying.

bestaunen* *vt* to marvel at, to gaze at in wonder *or* admiration; (*verblüfft*) to gape at, to stare at in astonishment. **laß dich** ~ let's have a good look at you; **sie wurde von allen bestaunt** they all gazed at her in admiration/gaped at her.

bestbezahlt *adj attr* best-paid.

beste *siehe* **beste(r, s).**

bestechen* *irreg* **I** *vt* **1.** (*mit Geld, Geschenken*) to bribe; *Beamte auch* to corrupt. **ich lasse mich nicht** ~ I'm not open to bribery; (*mit Geld etc auch*) I don't take bribes.

2. (*beeindrucken*) to captivate.

II *vi* (*Eindruck machen*) to be impressive (*durch* because of). **ein Mädchen, das durch Schönheit besticht** a girl of captivating beauty.

bestechend *adj Schönheit, Eindruck* captivating; *Angebot* tempting, enticing; *Klarheit* irresistible; *Geist, Kondition* winning.

bestechlich *adj* bribable, corruptible, venal.

Bestechlichkeit *f, no pl* corruptibility, venality.

Bestechung *f* bribery; (*von Beamten etc auch*) corruption. **aktive** ~ (*Jur*) offering of bribes/a bribe (to an official); **passive** ~ (*Jur*) taking of bribes/a bribe (by an official).

Bestechungsgeld *nt usu pl* bribe; **Bestechungssumme** *f* bribe; **Bestechungsversuch** *m* attempted bribery.

Besteck *nt* **-(e)s, -e 1.** (*Eß*~) knives and forks *pl*, cutlery *sing* (*esp Brit*), flatware *sing* (*US*); (*Set, für ein Gedeck*) set of cutlery/flatware. **ein silbernes** ~ a set of silver cutlery/flatware.

2. (*Instrumentensatz*) set of instruments. **chirurgisches** ~ (set of) surgical instruments.

3. (*Naut*) reckoning, ship's position.

bestecken* *vt* to decorate.

Besteckkasten *m* cutlery tray; (*mit Deckel*) cutlery canteen, flatware chest (*US*); **Besteck(schub)fach** *nt* cutlery drawer.

bestehen* *irreg* **I** *vt* **1.** *Examen, Probe* to pass. **eine Prüfung mit Auszeichnung/ „sehr gut"** ~ to get a distinction/"very good" (in an exam), to pass an exam with distinction/"very good".

2. (*durchstehen*) *Schicksalsschläge* to withstand; *schwere Zeit* to come through, to pull through; *Gefahr* to overcome; *Kampf* to win.

II *vi* **1.** (*existieren*) to exist, to be in existence; (*Zweifel, Hoffnung, Aussicht, Gefahr, Probleme etc*) to exist; (*Brauch auch*) to be extant. ~ **bleiben** (*Frage, Hoffnung etc*) to remain; **die Universität/Firma besteht seit hundert Jahren** the university/firm has been in existence *or* has existed for a hundred years; **es besteht die Hoffnung/die Aussicht/der Verdacht, daß ...** there is (a) hope/a prospect/a suspicion that ...

2. (*Bestand haben*) to continue to exist; (*Zweifel, Problem etc auch*) to persist.

3. (*sich zusammensetzen*) to consist (*aus* of). **in etw** (*dat*) ~ to consist in sth; (*Aufgabe*) to involve sth; **seine einzige Chance besteht darin, ...** his only chance is to ...; **die Schwierigkeit besteht darin, daß ...** the difficulty *or* lies in the fact that ..., the difficulty is that ...; **das Problem besteht darin, zu zeigen ...** the problem consists in showing ...

4. (*standhalten*) to hold one's own (*in* +*dat* in). **vor etw** (*dat*) ~ to stand up to *or* against sth.

5. (*durchkommen*) to pass. (**in einer Prüfung) mit „sehr gut"** ~ to get a "very good" (in an exam).

6. auf etw (*dat*) ~ to insist on sth; **ich bestehe darauf** I insist.

Bestehen *nt* **-s,** *no pl* **1.** (*Vorhandensein, Dauer*) existence. **seit** ~ **der Firma/des Staates** ever since the firm/state came into existence *or* has existed; **das 100-jährige** ~ **von etw feiern** to celebrate the hundredth anniversary *or* first hundred years of (the existence of) sth.

2. (*Beharren*) insistence (*auf* +*dat* von).

3. *siehe vt* **1., 2.** passing; withstanding; coming *or* pulling through; overcoming.

bestehenbleiben *vi sep irreg aux sein* to last, to endure; (*Hoffnung*) to remain; (*Vereinbarungen*) to hold good.

bestehend *adj* existing; *Gesetze auch* present, current; *Preise* current; *Umstände, Verhältnisse auch* prevailing. **die seit 1887 ~en Gesetze** the laws which have existed since 1887.

bestehenlassen *vt sep irreg* to keep, to retain.

bestehlen* *vt irreg* to rob. **jdn (um etw) ~** (*lit, fig*) to rob sb of sth.

besteigen* *vt irreg Berg, Turm, Leiter* to climb (up); *Fahrrad, Pferd* to mount, to get *or* climb on(to); *Bus, Flugzeug* to get on, to enter; *Auto, Segelflugzeug, Hubschrauber* to get into; *Schiff* to go on *or* aboard; *Thron* to ascend.

Besteigung *f* (*von Berg*) climbing, ascent; (*von Thron*) accession (*gen* to).

bestellen* I *vt* 1. (*anfordern, in Restaurant*) to order; (*abonnieren auch*) to subscribe to. **sich** (*dat*) **etw ~** to order sth; **das Material ist bestellt** the material has been ordered *or* is on order; **wie bestellt und nicht abgeholt** (*hum inf*) like orphan Annie (*inf*).

2. (*reservieren*) to book, to reserve.

3. (*ausrichten*) **bestell ihm (von mir), daß ...** tell him (from me) that ...; **soll ich irgend etwas ~?** can I take a message?, can I give him/her a message?; **~ Sie ihm schöne Grüße von mir** give him my regards.

4. (*kommen lassen*) *jdn* to send for, to summon. **jdn zu jdm/an einen Ort ~** to summon sb to sb/a place, to ask sb to go/come to sb/a place; **ich bin um** *or* **für 10 Uhr bestellt** I have an appointment for *or* at 10 o'clock.

5. (*einsetzen, ernennen*) to nominate, to appoint.

6. (*bearbeiten*) *Land* to till; (*old*) *Haus* to set in order.

7. (*fig*) **er hat nicht viel/nichts zu ~** he doesn't have much/any say here; **es ist schlecht um ihn/mit seinen Finanzen bestellt** he is/his finances are in a bad way; **damit ist es schlecht bestellt** that's rather difficult.

II *vi* (*in Restaurant*) to order.

Besteller(in *f*) *m* **-s, -** customer; (*Abonnent*) subscriber. **Hinweise für den ~** ordering instructions, instructions on how to order.

Bestelliste *f getrennt:* **Bestell-liste** order list.

Bestellkarte *f* order form; **Bestellmenge** *f* order quantity; **Bestellnummer** *f* order number *or* code; **Bestellschein** *m* order form *or* slip.

Bestellung *f siehe vt 1.-3., 5., 6.* 1. (*Anforderung, das Angeforderte*) order; (*das Bestellen*) ordering; subscription. 2. booking, reservation. 3. message. 4. nomination, appointment. 5. tilling.

Bestellzettel *m siehe* **Bestellschein.**

besten *adv:* **am ~** *siehe* **beste(r, s) II.**

bestenfalls *adv* at best.

bestens *adv* (*sehr gut*) very well; (*herzlich*) *danken* very warmly. **sie läßt ~ grüßen** she sends her best regards.

beste(r, s) I *adj, superl of* **gut, wohl** 1. *attr* best. **im ~n Fall** at (the) best; **im ~n Alter, in den ~n Jahren** in the prime of

(one's) life; **mit (den) ~n Grüßen/Wünschen** with best wishes; **in ~n Händen** in the best of hands; **aus ~m Hause sein** to come from the very best of homes; **das kommt in den ~n Familien vor** (*hum*) that can happen in the best of families.

2. **der/die/das erste** *or* **nächste ~** the first (person/job *etc*) that comes along; the first (hotel/cinema *etc*) one comes to; **ich hielte es für das ~, wenn ...** I thought it (would be) best if ...; **das ~ wäre, wir ...** the best thing would be for us to ..., it would be best for us to ...; **aufs** *or* **auf das ~** very well; **zum ~n** for the best; **es steht nicht zum ~n** it does not look too promising *or* good *or* hopeful; **jdn zum ~n haben** *or* **halten** to pull sb's leg, to have sb on (*inf*); **etw zum ~n geben** (*erzählen*) to tell sth.

3. **der/die/das B~** the best; **der/die B~ sein** to be the best; (*in der Klasse auch*) to be top (of the class); **meine B~/mein B~r!** (*dated inf*) (my) dear lady/my dear fellow; **zu deinem B~n** for your good; **ich will nur dein B~s** I've your best interests at heart; **sein B~s tun** to do one's best; **sein B~s geben** to give of one's best; **wir wollen das B~ hoffen** let's hope for the best.

II *adv* **am ~n** best; **ich hielt es für am ~n, wenn ...** I thought it (would be) best if ...; **am ~n würden wir gleich gehen** we'd be best to go immediately; **am ~n gehe ich jetzt** I'd *or* I had best go *or* be going now.

Beste(s) *nt siehe* **beste(r, s) I 3.**

besteuern* *vt* to tax. **Luxusartikel sind sehr hoch besteuert** there is a high tax on luxury goods, luxury goods are heavily taxed.

Besteuerung *f* taxation; (*Steuersatz*) tax.

Bestform *f* (*esp Sport*) top *or* best form; **bestgehaßt** *adj attr* (*iro*) most hated.

bestialisch *adj* bestial; (*inf*) awful, beastly (*inf*). **~ kalt** beastly cold; **~ stinken** to stink to high heaven (*inf*).

Bestialität *f* bestiality.

besticken* *vt* to embroider.

Bestie [-tiə] *f* beast; (*fig*) animal.

bestimmbar *adj* determinable.

bestimmen* I *vt* 1. (*festsetzen*) to determine; *Grenze, Ort, Zeit auch* to fix, to set; (*entscheiden auch*) to decide. **sie will immer alles ~** she always wants to decide the way things are to be done.

2. (*prägen*) *Stadtbild, Landschaft* to characterize; (*beeinflussen*) *Preis, Anzahl* to determine; *Entwicklung, Werk, Stil* to have a determining influence on; (*Gram*) *Kasus, Tempus* to determine. **näher ~** (*Gram: Adverb*) to qualify.

3. (*wissenschaftlich feststellen*) *Alter, Standort* to determine, to ascertain; *Pflanze, Funde* to classify.

4. (*vorsehen*) to intend, to mean (*für* for). **jdn zu etw ~** to choose *or* designate sb as sth; **er ist zu Höherem bestimmt** he is destined for higher things; **wir waren füreinander bestimmt** we were meant for each other.

II *vi* 1. to decide (*über +acc* on). **du**

hast hier nicht zu ~ you don't make the decisions here.

2. (*verfügen*) **er kann über sein Geld allein** ~ it is up to him what he does with his money; **du kannst nicht über ihn/seine Zeit** ~ it's not up to you to decide what he's going to do/how his time is to be spent.

III *vr* **sich nach etw** ~ to be determined by sth.

bestimmend *adj* (*entscheidend*) Faktor, Einfluß determining, decisive, determinant. **für etw** ~ **sein** to be characteristic of sth; (*entscheidend*) to have a determining influence on sth.

bestimmt I *adj* **1.** (*gewiß, nicht genau genannt*) Leute, Dinge, Vorstellungen, Aussagen certain; (*speziell, genau genannt*) particular, definite; (*festgesetzt*) Preis, Tag set, fixed; (*klar, deutlich*) Angaben, Ausdruck definite, precise; (*Gram*) Artikel, Zahlwort definite. **suchen Sie etwas B~es?** are you looking for anything in particular?

2. (*entschieden*) Auftreten, Ton, Mensch firm, resolute, decisive. **höflich, aber** ~ polite but firm.

II *adv* **1.** (*sicher*) definitely, certainly. **ich weiß ganz** ~, **daß ...** I know for sure *or* for certain that ...; **kommst du? — ja — ~?** are you coming? — yes — definitely?; **ich schaffe es** ~ I'll manage it all right; **er schafft es** ~ **nicht** he definitely won't manage it.

2. (*wahrscheinlich*) no doubt. **das hat er** ~ **verloren** he's bound to have lost it; **er kommt** ~ **wieder zu spät** he's bound to be late again.

Bestimmtheit *f* **1.** (*Sicherheit*) certainty. **ich kann mit** ~ **sagen, daß ...** I can say with certainty *or* definitely that ...; **ich weiß aber mit** ~, **daß ...** but I know for sure *or* for certain that ... **2.** (*Entschiedenheit*) firmness. **in** *or* **mit aller** ~ quite categorically.

Bestimmung *f* **1.** (*Vorschrift*) regulation. **gesetzliche** ~**en** legal requirements.

2. *no pl* (*Zweck*) purpose. **eine Brücke/Straße/Anlage ihrer** ~ **übergeben** to open a new bridge/road/plant officially.

3. (*Schicksal*) destiny.

4. (*old: Ort*) destination.

5. (*Gram*) modifier.

6. (*das Bestimmen*) determination, determining; (*von Grenze, Zeit*) fixing, setting; (*Gram von Preis, Anzahl*) determining, determination; (*von Alter, Standort*) determining, determination, ascertaining, ascertainment; (*von Pflanze, Funden*) classification; (*Definition*) definition. **nähere** ~ (*durch Adverb*) qualifying, qualification.

Bestimmungsbahnhof *m* (station of) destination; **Bestimmungshafen** *m* (port of) destination; **Bestimmungsland** *nt* (country of) destination; **Bestimmungsort** *m* (place of) destination; **Bestimmungswort** *nt* (Gram) modifier.

Bestleistung *f* (*esp Sport*) best performance; **seine persönliche** ~ his

personal best; **Bestmarke** *f* record; **bestmöglich** *adj no pred* best possible; **wir haben unser B~es getan** we did our (level) best.

bestochen *ptp of* bestechen.

bestrafen* *vt* to punish; (*Jur*) jdn to sentence (*mit* to); (*Sport*) to penalize.

Bestrafung *f siehe vt* punishment; sentencing; penalization. **wir fordern eine strengere** ~ **von ...** we demand more severe punishments *or* (*Jur auch*) sentences for ...

bestrahlen* *vt* to shine on; (*beleuchten*) Gebäude, Bühne to light up, to illuminate; (*Med*) to give ray *or* radiation treatment *or* radiotherapy to.

Bestrahlung *f* illumination; (*Med*) ray *or* radiation treatment, radiotherapy. **15 ~en verordnen** to prescribe (a course of) 15 doses of ray treatment *etc*.

Bestreben *nt* -s, *no pl* endeavour. **im** *or* **in seinem** ~, **dem Fußgänger auszuweichen** in his efforts *or* attempts *or* endeavours to avoid the pedestrian.

bestrebt *adj* ~ **sein, etw zu tun** to endeavour to do sth; **wir waren immer** ~, **...** we have always endeavoured ..., it has always been our endeavour ...

Bestrebung *f usu pl* endeavour, effort.

bestreichen* *vt irreg* **1.** to spread; (*Cook*) (*mit Milch etc*) to coat; (*mit Butter auch*) to butter; (*mit Farbe*) to paint. **etw mit Butter/Fett/Öl** ~ to butter/grease/oil sth; **etw mit Butter/Salbe/Klebstoff** ~ to spread butter/ointment/glue on sth; **etw mit Farbe** ~ to put a coat of paint on sth.

2. (*Mil*) to rake, to sweep.

3. (*Scheinwerfer, Strahl*) to sweep (over); (*in der Elektronik: abtasten*) to scan.

bestreiken* *vt* to black. **bestreikt** strikebound; **die Fabrik wird zur Zeit bestreikt** there's a strike on in the factory at the moment; **,,dieser Betrieb wird bestreikt"** "please do not cross the picket line".

bestreitbar *adj* disputable, contestable.

bestreiten* *vt irreg* **1.** (*abstreiten*) to dispute, to contest, to challenge; (*leugnen*) to deny. **jdm das Recht auf ...** ~ to dispute *etc* sb's right to ...; **das möchte ich nicht** ~ I'm not disputing *or* denying it.

2. (*finanzieren*) to pay for, to finance; Kosten to carry, to defray (*form*).

3. (*tragen, gestalten*) to provide for, to carry. **er hat das ganze Gespräch allein bestritten** he did all the talking.

bestreuen* *vt* to cover (*mit* with); (*Cook*) to sprinkle.

bestricken* *vt* (*fig*) to charm, to captivate. ~**der Charme** alluring charms.

bestrumpft *adj* in stockings; Beine stockinged.

Bestseller ['bɛst-] *m* -s, - best-seller.

Bestsellerautor(in *f*) *m* best-selling author, best-seller; **Bestsellerliste** *f* best-seller list; (*von Schallplatten*) charts *pl*.

bestsituiert ['bɛst-] *adj attr* (*esp Aus*) well-to-do, well-off.

bestücken* *vt* to fit, to equip; (*Mil*) to

arm; *Lager* to stock.
Bestückung *f* **1.** *siehe* *vt* fitting, equipping; arming; stocking. **2.** (*Ausstattung*) equipment; (*Geschütze*) guns *pl*, armaments *pl*.
Bestuhlung *f* seating *no indef art*.
bestürmen* *vt* to storm; (*mit Fragen, Bitten*) to bombard; (*mit Anfragen, Briefen, Anrufen*) to inundate.
Bestürmung *f* *siehe* *vt* storming; bombardment; inundation.
bestürzen* *vt* to shake, to fill with consternation.
bestürzend *adj* alarming. **ich finde es ∼, wie wenig die Schüler wissen** it fills me with consternation *or* it dismays me to see how little the children know.
bestürzt *adj* filled with consternation. **sie machte ein ∼es Gesicht** a look of consternation came over her face; **er sah mich ∼ an** he looked at me in consternation.
Bestürzung *f* consternation.
Bestzeit *f* (*esp Sport*) best time; **Bestzustand** *m* perfect condition.
Besuch *m* **-(e)s, -e 1.** (*das Besuchen*) visit (*des Museums* to the museum); (*von Schule, Veranstaltung*) attendance (*gen* at). **ein ∼ (von) meiner Tante** a visit from my aunt; **zu seinen Aufgaben gehört auch der ∼ der Klienten** his jobs include visiting clients; **bei jdm auf** *or* **zu ∼ sein** to be visiting sb; (**von jdm**) **∼ erhalten** to have *or* get a visit (from sb); **jdm einen ∼ abstatten** to pay sb a visit. **2.** (*Besucher*) visitor; visitors *pl*. **er hat ∼** he has company *or* visitors/a visitor; **er bekommt viel ∼** he has a lot of visitors, he often has visitors.
besuchen* *vt* jdn to visit, to pay a visit to; (*Arzt*) *Patienten* to visit; *Vortrag, Schule, Seminar, Gottesdienst* to attend, to go to; *Kino, Theater, Lokal* to go to; *Bordell, Museum* to go to, to visit.
Besucher(in *f*) *m* **-s, -** visitor; (*von Kino, Theater*) patron (*form*). **etwa 1.000 ∼ waren zu der Veranstaltung/der Ausstellung gekommen** about 1,000 people attended *or* went to the function/visited the exhibition; **ein regelmäßiger ∼ der Oper** a regular opera-goer, an habitué of the opera.
Besucherritze *f* (*hum inf*) crack between the two mattresses of twin beds; **Besucherzahl** *f* attendance figures *pl*; (*bei Schloß, Museum, Ausstellung*) number of visitors.
Besuchserlaubnis *f* visitor's card; (*für Land*) visitor's visa; **∼ haben/bekommen** to be allowed to receive visitors/to obtain permission to visit sb; **Besuchstag** *m* visiting day; **Besuchszeit** *f* visiting time; **Besuchszimmer** *nt* visitor's room.
besucht *adj* **gut/schlecht/schwach ∼ sein** to be well/badly/poorly attended; (*Schloß*) to get a lot of/not many/only a handful of visitors.
besudeln* (*geh*) **I** *vt* *Wände* to besmear; *Kleidung, Hände* to soil; (*fig*) *Andenken, Namen, Ehre* to besmirch, to sully. **II** *vr* **sich mit Blut ∼** to get blood on

one's hands.
Beta *nt* **-(s), -s** beta.
Betablocker *m* **-s, -** (*Med*) beta-blocker.
betagt *adj* (*geh*) aged, well advanced in years.
Betagtheit *f, no pl* (*geh*) old age, advancing years *pl*.
betanken* *vt* *Fahrzeug* to fill up; *Flugzeug* to refuel.
betasten* *vt* to feel; (*Med auch*) to palpate (*form*).
Betastrahlen *pl* beta rays *pl*; **Betastrahlung** *f* beta radiation; **Betateilchen** *nt* beta particle.
betätigen* **I** *vt* to operate, to work; *Muskeln, Gehirn, Darm* to activate; *Bremse auch* to apply, to put on; *Mechanismus auch* to activate, to actuate (*form*); *Knopf auch* to press; (*drehen*) to turn; *Schalter auch* to turn on; *Hebel* to move, to operate; *Sirene* to operate, to sound.
II *vr* to busy oneself; (*körperlich*) to get some exercise. **sich politisch ∼** to be active in politics; **sich literarisch/künstlerisch ∼** to do some writing/painting; **sich geistig und körperlich ∼** to stay active in body and mind; **wenn man sich längere Zeit nicht geistig betätigt hat** if you haven't used your mind for months.
Betätigung *f* **1.** (*Tätigkeit*) activity. **an ∼ fehlt es mir nicht** I've no lack of things to do.
2. *siehe* *vt* operation; activation; applying, application; actuation; pressing; turning; turning on; moving; sounding. **etw zur ∼ der Muskeln tun** to do sth to exercise one's muscles; **die ∼ des Mechanismus erfolgt durch Knopfdruck** pressing the button activates the mechanism *or* sets the mechanism in motion.
Betätigungsfeld *nt* sphere *or* field of activity.
Betatron *nt* **-s, -e** betatron.
betatschen* *vt* (*inf*) to paw (*inf*).
betäuben* *vt* (*unempfindlich machen*) *Körperteil* to (be)numb, to deaden; *Nerv, Schmerzen* to deaden; *Schmerzen* to kill; (*durch Narkose*) to anaesthetize; (*mit einem Schlag*) to stun, to daze; (*fig*) *Kummer, Gewissen* to ease; (*fig: benommen machen*) to stun. **er versuchte, seinen Kummer mit Alkohol zu ∼** he tried to drown his sorrows with alcohol; **∼der Lärm** deafening noise; **ein ∼der Duft** an overpowering smell.
Betäubung *f* **1.** *siehe* *vt* (be)numbing, deadening; killing; anaesthetization; stunning, dazing; easing. **2.** (*Narkose*) anaesthetic. **örtliche** *or* **lokale ∼** local anaesthetic.
Betäubungsmittel *nt* anaesthetic.
Betbank *f* kneeler; **Betbruder** *m* (*pej inf*) churchy type, holy Joe (*pej inf*).
Bete *f* **-, -** (*rare*) **-n** beet. **rote ∼** beetroot.
beteilen* *vt* (*Aus*) to give presents to; *Flüchtlinge etc* to give gifts to.
beteiligen* **I** *vt* **jdn an etw** (*dat*) **∼** to let sb take part in sth, to involve sb in sth; (*finanziell*) to give sb a share in sth.
II *vr* to take part, to participate (*an +dat* in); (*finanziell*) to have a share (*an*

+*dat* in). **sich an den Unkosten** ~ to contribute to the expenses; **ich möchte mich bei** *or* **an dem Geschenk** ~ I would like to put something towards the present.

beteiligt *adj* **an etw** (*dat*) ~ **sein/werden** to be involved in sth, to have a part in sth; (*finanziell*) to have a share in sth; **am Gewinn** *auch* to have a slice of sth; **an einem Unfall/einer Schlägerei** ~ **sein** to be involved in an accident/a fight; **an einer Tat/Sache** ~ **sein** to be party to a deed/cause; **er war am dem Gelingen der Aktion maßgeblich** ~ he made a major contribution to the success of the campaign; **er ist an dem Geschäft (mit 500.000 Mark)** ~ he has a (500,000-mark) share in the business.

Beteiligte(r) *mf decl as adj* person involved; (*Jur*) party. **die an der Diskussion** ~**n** those taking part in *or* involved in the discussion; **die am Unfall** ~**n** those involved in the accident; **an alle** ~**n** to all concerned.

Beteiligung *f*, *no pl* **1.** (*Teilnahme*) (*an* +*dat* in) participation; (*finanziell*) share; (*an Unfall*) involvement. **2.** (*das Beteiligen*) involvement (*an* +*dat* in). **die** ~ **der Arbeiter am Gewinn** giving the workers a share in the profits. **3.** (*Anteil*) share, interest.

Betelnuß *f* betel nut.

beten I *vi* to pray (*um, für* for, *zu* to), to say one's prayers; (*bei Tisch*) to say grace. **II** *vt* to say.

beteuern* *vt* to declare, to aver; *Unschuld auch* to protest, to affirm. **er beteuerte mir seine Liebe** he declared his love to me, he professed his love for me.

Beteuerung *f siehe vt* declaration, averment; protestation.

betexten* *vt Bild* to write a caption for; *Lied* to write the words *or* lyric(s) for.

Bethaus *nt* temple.

betiteln* *vt* to entitle; (*anreden*) *jdn* to address as, to call; (*beschimpfen*) to call. **die Sendung ist betitelt ...** the broadcast is entitled ...; **er betitelte seinen Beitrag ...** he called his article *or* gave his article the title ... *or* entitled his article ...

Betitelung *f* (*Titel*) title; (*Anrede*) form of address; (*Benennung*) name. **ich verbitte mir eine solche** ~ I refuse to be called names like that.

Beton [be'tɔŋ, be'tõ:, (*esp Aus*) be'to:n] *m* **-s**, (*rare*) **-s** concrete.

Beton- *in cpds* concrete; **Betonbau** *m* **1.** concrete building *or* structure; **2.** *no pl* (*Bauweise*) concrete construction; **Betonburg** *f* (*pej*) pile of concrete, concrete blockhouse; **Betondecke** *f* concrete ceiling; (*von Straße*) concrete surface.

betonen* *vt* **1.** (*hervorheben*) to emphasize; *Hüften, Augen auch* to accentuate; (*Gewicht legen auf auch*) to stress. **ich möchte noch einmal** ~**, daß ...** I want to stress *or* emphasize once again that ...

2. (*Ling, Mus: einen Akzent legen auf*) to stress; (*Tonfall gebrauchen*) to intonate (*form*). **ein Wort falsch** ~ to give a word the wrong stress, to stress a word wrongly; **du mußt den Satz anders** ~ you

must stress the sentence differently; (*mit Tonfall*) you must say the sentence with a different intonation.

betonieren* *vti* to concrete. **betoniert** concrete.

Betonierung *f* (*das Betonieren*) concreting; (*Betondecke auch*) concrete surface.

Betonklotz *m* (*lit*) block of concrete, concrete block; (*fig pej*) concrete block; **Betonmischmaschine** *f* concrete-mixer; **Betonsilo** *m* (*pej inf*) high-rise block, concrete block (*pej*).

betont I *ptp of* **betonen.** **II** *adj Höflichkeit* emphatic, deliberate; *Kühle, Sachlichkeit* pointed; *Eleganz* pronounced. **sich** ~ **einfach kleiden** to dress with marked *or* pronounced simplicity.

Betonung *f* **1.** *no pl siehe vt* emphasis; accentuation; stressing; intonation. **2.** (*Akzent*) stress; (*fig: Gewicht*) emphasis, stress, accent. **die** ~ **liegt auf der ersten Silbe** the stress is on the first syllable.

Betonungszeichen *nt* stress mark.

Betonwüste *f* (*pej*) concrete jungle.

betören* *vt* to bewitch, to beguile.

Betörer(in *f*) *m* **-s, -** (*geh*) bewitcher, beguiler.

Betörung *f* bewitchment.

Betpult *nt* prie-dieu, kneeler.

Betr. *abbr of* **Betreff, betrifft.**

betr. *abbr of* **betreffend, betrifft, betreffs.**

Betracht *m* **-(e)s**, *no pl* **außer** ~ **bleiben** to be left out of consideration, to be disregarded; **etw außer** ~ **lassen** to leave sth out of consideration, to disregard sth; **in** ~ **kommen** to be considered; **nicht in** ~ **kommen** to be out of the question; **jdn in** ~ **ziehen** to take sb into consideration, to consider sb; **etw in** ~ **ziehen** to take sth into account *or* consideration.

betrachten* *vt* **1.** (*sehen, beurteilen*) to look at; *Verhältnisse, Situation auch* to view. **sich** (*dat*) **etw** ~ to have a look at sth; **bei näherem B**~ on closer examination.

2. (*halten für*) **als jd** *or* **jdn/etw** ~ to regard *or* look upon *or* consider as sb/sth; **ich betrachte ihn als Freund** I regard *etc* him as a friend.

Betrachter(in *f*) *m* **-s, -** (*von Anblick*) observer, beholder (*liter*); (*von Situation*) observer. **der aufmerksame** ~ **wird bei diesem Bild festgestellt haben ...** to the alert eye it will have become apparent that in this picture ...

beträchtlich *adj* considerable. **um ein** ~**es** considerably.

Betrachtung *f* **1.** (*das Betrachten*) contemplation. **bei näherer** ~ on closer examination, when you look more closely.

2. (*Überlegung, Untersuchung*) reflection. **über etw** (*acc*) ~**en anstellen** to reflect on *or* contemplate sth; **in** ~**en versunken** lost in thought *or* meditation.

Betrachtungsweise *f* **verschiedene** ~**n der Lage** different ways of looking at the situation; **er hat eine völlig andere** ~ he has a completely different way of looking at things.

Betrag *m* **-(e)s**, **¨e** amount, sum. **der ge-**

samte ~ the total (amount); ~ **dankend erhalten** (payment) received with thanks.

betragen* *irreg* **I** *vi* to be; (*Kosten, Rechnung auch*) to come to, to amount to. **die Entfernung betrug 25 km** the distance was 25 km; **der Unterschied beträgt 100 DM** the difference is *or* amounts to 100 DM.

II *vr* to behave. **sich gut/schlecht/unhöflich ~** to behave (oneself) well/badly/to behave impolitely.

Betragen *nt* **-s**, *no pl* behaviour; (*esp im Zeugnis*) conduct.

betrauen* *vt* **jdn mit etw ~** to entrust sb with sth; **jdn damit ~, etw zu tun** to give sb the task of doing sth; **jdn mit einem öffentlichen Amt ~** to appoint sb to public office.

betrauern* *vt* to mourn; *jdn auch* to mourn for.

beträufeln* *vt* **den Fisch mit Zitrone ~** to sprinkle lemon juice over the fish; **die Wunde mit der Lösung ~** to put drops of the solution on the wound.

Betrauung *f* entrustment, entrusting.

Betreff *m* **-(e)s, -e** (*form*) ~: **Ihr Schreiben vom ...** re your letter of ...; **den ~ angeben** to state the reference *or* subject matter; **in ~ dieser Frage** with respect *or* regard to this question.

betreffen* *vt irreg* **1.** (*angehen*) to concern. **das betrifft dich** it concerns you; **von dieser Regelung werde ich nicht betroffen** this rule does not concern *or* affect me; **was mich betrifft ...** as far as I'm concerned ...; **was das betrifft ...** as far as that goes *or* is concerned ...; **betrifft** re.

2. (*geh: widerfahren*) to befall.

3. (*geh: seelisch treffen*) to affect, to touch. **jdn schwer ~** to affect sb deeply; *siehe auch* **betroffen.**

betreffend *adj attr* (*erwähnt*) in question; (*zuständig, für etw relevant*) relevant. **das ~e Wort richtig einsetzen** to insert the appropriate word in the right place.

Betreffende(r) *mf decl as adj* person concerned. **die ~n** those concerned.

betreffs *prep +gen* (*form*) concerning, re (*esp Comm*).

betreiben* *vt irreg* **1.** (*vorantreiben*) to push ahead *or* forward; *Geschäft, Untersuchung, Angelegenheit auch* to prosecute. **auf jds B~** (*acc*) **hin** at sb's instigation.

2. (*ausüben*) *Gewerbe, Handwerk* to carry on; *Geschäft auch* to conduct; *Handel auch, Sport* to do; *Politik* to pursue.

3. (*Tech*) to operate.

Betreiber(in *f*) *m* **-s**, **-** operating authority; runner.

Betreibung *f siehe vt* 2. carrying on; conduct; pursuit.

betreten¹* *vt irreg* (*hineingehen in*) to enter, to go/come into; (*auf etw treten*) *Rasen, Spielfeld* to walk on; *feuchten Zementboden* to step *or* walk on; *Bühne, Brücke* to walk *or* step onto; *Podium* to step (up) onto; (*fig*) *Zeitalter* to enter. **wir ~ damit ein noch unerforschtes Ge-**

biet we are here entering unknown *or* unexplored territory; **„B~ (des Rasens) verboten!"** "keep off (the grass)"; **„B~ für Unbefugte verboten"** "no entry to unauthorized persons".

betreten² *adj* embarrassed.

Betretenheit *f* embarrassment.

betreuen* *vt* to look after; *Reisegruppe, Abteilung auch* to be in charge of.

Betreuer(in *f*) *m* **-s**, **-** person who is in charge of *or* looking after sb; (*von alten Leuten, Kranken*) nurse. **wir suchen noch ~ für ...** we are still looking for people to look after *or* take charge of ...; **der medizinische ~ der Nationalelf** the doctor who looks after the international team.

Betreuung *f* looking after; (*von Patienten*) care. **er wurde mit der ~ der Gruppe beauftragt** he was put in charge of the group, the group was put in his care.

Betrieb *m* **-(e)s, -e 1.** (*Firma*) business, concern; (*DDR auch*) enterprise; (*Fabrik*) factory, works *sing or pl*; (*Arbeitsstelle*) place of work. **wir kommen um 5 Uhr aus dem ~** we leave work at 5 o'clock; **der Direktor ist heute nicht im ~** the director isn't at work *or* in (the office) today.

2. (*Tätigkeit*) work; (*von Maschine, Fabrik*) working, operation; (*von Eisenbahn*) running; (*von Bergwerk*) working. **den ~ stören** to be disruptive, to cause disruption; **er hält den ganzen ~ auf** he's holding everything up; **der ganze ~ stand still** everything stopped *or* came to a stop; **außer ~** out of order; **die Maschinen sind in ~** the machines are running; **eine Maschine in/außer ~ setzen** to start a machine up/to stop a machine; **eine Fabrik außer ~ setzen** to put a factory out of operation; **eine Maschine/Fabrik in ~ nehmen** to put a machine/factory into operation, to start operating a machine/in a factory; **einen Bus in ~ nehmen** to put a bus into service; **etw dem ~ übergeben** to open sth.

3. (*Betriebsamkeit*) bustle. **in den Geschäften herrscht großer ~** the shops are very busy; **auf den Straßen ist noch kein ~** there is nobody about in the streets yet.

4. (*inf*) **ich habe den ganzen ~ satt!** I'm fed up with the whole business! (*inf*).

betrieblich *adj attr* internal company *attr*; *Nutzungsdauer etc* operational. **eine Sache ~ regeln** to settle a matter within the company.

Betriebs- *in cpds* (*Fabrik-*) factory, works; (*Firmen-*) company.

betriebsam *adj* busy, bustling *no adv*. **seine Assistenten huschten ~ herum** his assistants bustled around.

Betriebsamkeit *f* bustle; (*von Mensch*) active nature.

Betriebsangehörige(r) *mf* employee; **Betriebsanleitung** *f* operating instructions *pl*; **Betriebsarzt** *m*, **Betriebsärztin** *f* company doctor; **Betriebsart** *f* operating mode; **Betriebsausflug** m company outing; **Betriebsbegehung** f (DDR) round of inspection; **betriebsbereit** adj operational; **betriebsblind** adj blind to the shortcomings of one's company; **Betriebsblindheit** f organizational blindness or myopia; **Betriebsdaten** pl operational data sing; operating or trading results pl; **betriebseigen** adj company attr; **Betriebsferien** pl (annual) holiday, vacation close-down (US); **wegen ~ geschlossen** closed for holidays; **betriebsfremd** adj outside; **~e Personen** non-company employees; **Betriebsführung** f management; **Betriebsgeheimnis** nt trade secret; **Betriebsgewerkschaftsleitung** f (DDR) company trade union committee; (in Industrie) works trade union committee; **Betriebsingenieur(in** f) m production engineer; **betriebsintern** adj internal company attr; **etw ~ regeln** to settle sth within the company; **Betriebskampfgruppe** f (DDR) workers' militia branch; **Betriebskapital** nt (laufendes Kapital) working capital; (Anfangskapital) initial capital; **Betriebsklima** nt atmosphere at work, working atmosphere; **Betriebskollektivvertrag** m (DDR) union agreement; **Betriebskosten** pl (von Firma) overheads pl, overhead expenses pl; (von Maschine) running costs pl; **Betriebsleiter(in** f) m (works or factory) manager; **Betriebsleitung** f management; **Betriebsnudel** f (inf) live wire (inf); (Frau auch) busy Lizzie (inf); (Witzbold) office/club etc clown; **Betriebsprüfung** f (government) audit; **Betriebspsychologie** f industrial psychology; **Betriebsrat** m 1. (Gremium) works or factory committee; 2. (auch **Betriebsrätin** f) (Person) works or factory committee member; **Betriebsratsvorsitzende(r)** mf decl as adj chair of works or factory committee; **Betriebsruhe** f shutdown; **Betriebsschluß** m (von Firma) end of business hours; (von Fabrik) end of factory hours; **nach ~** after business/factory hours; **Betriebsschutz** m (von Anlagen) factory or works security; (Arbeitsschutz) industrial safety; **betriebssicher** adj safe (to operate); **Betriebssicherheit** f 1. (operational) safety; 2. (von Betrieb) factory or works security; **Betriebssoziologie** f industrial sociology; **Betriebsstoff** m (Rohstoff) raw or working materials pl; **Betriebsstörung** f breakdown; **Betriebssystem** nt (Comput) operating system; **Betriebstreue** f faithful service to the company; **Betriebsunfall** m industrial accident; (hum sl) accident; **Betriebsvereinbarung** f internal agreement; **Betriebsverfassung** f regulations governing industrial relations; **Betriebsverfassungsgesetz** nt Industrial Constitution Law; **Betriebsversammlung** f company meeting; **Betriebswirt(in** f) m management expert; **Betriebswirtschaft** f business management; **betriebswirtschaftlich** adj business management attr.

betrinken* vr irreg to get drunk; siehe **betrunken.**

betroffen adj 1. affected (von by). 2. (bestürzt) full of consternation; Schweigen embarrassed, awkward. **jdn ~ ansehen** to look at sb in consternation.

Betroffene(r) mf decl as adj person affected. **schließlich sind wir die ~n** after all we are the ones who are affected or on the receiving end (inf).

Betroffenheit f consternation. **stumme ~** embarrassed or awkward silence.

betrüben* I vt to sadden, to distress. **es betrübt mich sehr ...** it grieves or saddens me greatly ... II vr (dated, hum) to grieve (über +acc over).

betrüblich adj sad, distressing; Zustände, Unwissenheit, Unfähigkeit deplorable. **die Lage sieht ~ aus** things look bad.

betrüblicherweise adv lamentably.

Betrübnis f (geh) grief, sadness no pl, distress no pl. **~se** sorrows.

betrübt adj saddened, distressed.

Betrübtheit f sadness, distress, grief.

Betrug m -(e)s, no pl deceit, deception; (Jur) fraud. **das ist ja (alles) ~** it's (all) a cheat or fraud; **das ist ja ~, du hast geguckt!** that's cheating, you looked!

betrügen irreg I vt to deceive; (geschäftlich auch) to cheat; Freund(in), Ehepartner auch to be unfaithful to, to cheat (on); (Jur) to defraud. **jdn um etw ~** to cheat or swindle sb out of sth; (Jur) to defraud sb of sth; **sie betrügt mich mit meinem besten Freund** she is having an affair with my best friend; **ich fühle mich betrogen** I feel betrayed; **sich um etw betrogen sehen** to feel deprived of or done out of sth; **sich in seinen Hoffnungen/ seinem Vertrauen betrogen sehen** to be disappointed in one's hopes/to be proved wrong in trusting sb.

II vr to deceive oneself.

Betrüger(in f) m -s, - (beim Spiel) cheat; (geschäftlich) swindler; (Jur) defrauder; (Hochstapler) confidence trickster, con-man.

Betrügerei f deceit; (geschäftlich) cheating no pl, swindling no pl; (von Ehepartner) deceiving no pl; (Jur) fraud. **seine Frau ist nie hinter seine ~en gekommen** (inf) his wife never found out that he was deceiving her or being unfaithful to her.

betrügerisch adj deceitful; (Jur) fraudulent. **in ~er Absicht** with intent to defraud.

betrunken adj drunk no adv, drunken attr. **er torkelte ~ nach Hause** he staggered home drunk; he staggered drunkenly home.

Betrunkene(r) mf decl as adj drunk.

Betrunkenheit f drunkenness.

Betschemel m siehe Betbank; **Betschwester** f (pej) churchy type; **Betstuhl** m siehe Betpult.

Bett nt -(e)s, -en (alle Bedeutungen) bed; (Feder~) (continental) quilt, duvet. **Frühstück ans ~** breakfast in bed; **an jds ~ (dat) sitzen** to sit at sb's bedside or by sb's bed; **im ~ in** bed; **jdn ins** or **zu ~ bringen** to put sb to bed; **mit jdm ins ~ gehen/steigen** (inf) to go to/jump into bed with sb; **mit jdm das ~ teilen** to share sb's bed.

Bẹttbank f (Aus) siehe **Bẹttcouch**; **Bẹttbezug** m duvet or (continental) quilt cover; **Bẹttcouch** f bed settee; **Bẹttdecke** f blanket; (gesteppt) (continental) quilt, duvet; **sich unter der ~ verstecken** to hide under the bedclothes.

Bẹttel m -s, no pl (inf) (Gerümpel) rubbish, lumber, junk.

bẹttelạrm adj destitute; **Bẹttelbrief** m begging letter.

Bẹttelei f begging.

Bẹttelmönch m mendicant or begging monk.

bẹtteln vi to beg. **um ein Almosen ~** to beg (for) alms; „**B~ verboten**" "no begging"; (**bei jdm) um etw ~** to beg (sb) for sth.

Bẹttelorden m mendicant order; **Bẹttelstab** m: **an den ~ kommen** to be reduced to beggary; **jdn an den ~ bringen** to reduce sb to beggary; **Bẹttelweib** nt (old) beggarwoman (dated).

bẹtten I vt (legen) to make a bed for, to bed down; Unfallopfer to lay or bed down; Kopf to lay. **jdn weich/flach ~** to put sb on a soft bed/to lay sb down flat; **das Dorf liegt ins** or **im Tal gebettet** (liter) the village nestles or lies nestling in the valley.

II vr to make a bed for oneself, to bed oneself down. **wie man sich bettet, so liegt man** (Prov) as you make your bed so you must lie on it (Prov); **er hat sich schön weich gebettet** (mit Heirat) he's feathered his nest very nicely; (in Stellung) he's got a nice cushy little number for himself (inf).

Bẹttfeder f bedspring; **Bẹttfedern** pl (Daunen) bed feathers pl; **Bẹttflasche** f hot-water bottle; **Bẹttgeflüster** nt pillow talk; **Bẹttgeschichte** f (love) affair; **Bẹttgestell** nt bedstead; **Bẹtthäschen** nt, **Bẹtthase** m (inf) sexy piece (inf); **Bẹtthimmel** m canopy; **Bẹtthupferl** nt -s, - (S Ger) bed-time sweets; **Bẹttkante** f edge of the bed; **Bẹttkasten** m linen drawer; **Bẹttlade** f (S Ger, Aus) bedstead; **bẹttlägerig** adj bedridden, confined to bed; **Bẹttlägerigkeit** f, no pl confinement to bed; **Bẹttlaken** nt sheet; **Bẹttlektüre** f bedtime reading.

Bẹttler(in f) m -s, - beggar, mendicant (form).

Bẹttnachbar(in f) m neighbour, person in the next bed; **Bẹttnässen** nt -s, no pl bed-wetting; **Bẹttnässer(in** f) m -s, - bed-wetter; **Bẹttpfanne** f bedpan; **Bẹttpfosten** m bedpost; **Bẹttplatz** m (Rail) sleeping berth; **Bẹttrand** m edge of the bed; **bẹttreif** adj ready for bed; **Bẹttrost** m (bed) base; **Bẹttruhe** f confinement to bed, bed rest; **der Arzt hat eine Woche ~ verordnet** the doctor ordered him etc to stay in bed for one week; **Bẹttschüssel** f bedpan; **Bẹttschwere** f (inf) **die nötige ~**

haben/bekommen to be/get tired enough to sleep; **Bẹttstatt, Bẹttstelle** f bed; **Bẹttszene** f bedroom scene; **Bẹttüberwurf** m bedspread, counterpane.

Bẹttuch nt getrennt: **Bett-tuch** sheet.

Bẹttumrandung f bed surround.

Bẹttvorleger m bedside rug; **Bẹttwanze** f bedbug; **Bẹttwäsche** f bed linen; **Bẹttzeug** nt bedding; **Bẹttzipfel** m corner of the bed cover; **nach dem ~ schielen** (hum) to be longing for one's bed.

betụcht adj (inf) well-to-do.

betụlich adj **1.** (übertrieben besorgt) fussing attr; Redeweise twee. **sei doch nicht so ~** don't be such an old mother hen (inf). **2.** (beschaulich) leisurely no adv.

Betụlichkeit f siehe adj **1.** fussing nature; tweeness. **2.** leisureliness.

betụpfen* vt to dab; (Med) to swab.

betụppen* vt (dial inf) to cheat, to trick.

betụtert adj (N Ger inf) (betrunken) tipsy; (verwirrt) dazed.

beugbar adj (Gram) Substantiv, Adjektiv etc declinable; Verb conjugable.

Beuge f -, -n (Bend; (von Arm auch) crook; (Rumpf~) forward bend; (seitlich) sideways bend; (Knie~) kneebend. **in die ~ gehen** to bend.

Beugehaft f (Jur) coercive detention.

Beugel m -s, - (Aus) croissant.

Beugemuskel m flexor.

beugen I vt **1.** (krümmen) to bend; (Kopf) to bow, to incline; (Phys) Wellen to diffract; Strahlen, Licht to deflect; (fig) Stolz, Starrsinn to break. **das Recht ~** to pervert the course of justice; **vom Alter gebeugt** bent or bowed by age; **von der Last gebeugt** bowed down with the weight; **von Kummer/Gram gebeugt** bowed down with grief/sorrow.

2. (Gram) to inflect. Substantiv, Adjektiv etc to decline; Verb to conjugate.

II vr to bend; (fig) to submit, to bow (dat to). **sich nach vorn ~** to bend or lean forward; **sich aus dem Fenster ~** to lean out of the window; **er beugte sich zu mir herüber** he leant across to me; **über seine Bücher/seinen Teller gebeugt** hunched over his books/his plate; **sich der Mehrheit ~** to bow or submit to the will of the majority.

Beuger m -s, - (Anat) flexor.

Beugung f siehe vt **1.** (Krümmung) bending; diffraction; deflection; breaking. **eine ~ des Rechts** a perversion of (the course of) justice. **2.** (Gram) declension; conjugation.

Beule f -, -n (von Stoß) bump; (eiternd) boil; (Delle) dent.

beulen vi to bag.

Beulenpest f bubonic plague.

be|unruhigen* I vt to worry; (Nachricht auch) to disquiet, to disturb; (Mil) to harass. **über etw** (acc) **beunruhigt sein** to be worried or disturbed about sth; **es ist ~d** it's worrying or disturbing, it gives cause for concern. **II** vr to worry (oneself) (über +acc, um, wegen about).

Be|unruhigung f concern, disquiet; (Mil) harassment.

be|urkunden* vt to certify; Vertrag to record; Geschäft to document.

Be|urkundung f **1.** siehe vt **1.** certification; recording; documentation. **2.** (Dokument) documentary proof or evidence no indef art no pl.

be|urlauben* vt to give or grant leave (of absence); (Univ) Studenten to give time off; Lehrpersonal auch to give or grant sabbatical leave; (von Pflichten befreien) to excuse (von from). **beurlaubt sein** to be on leave, to have leave of absence; to have time off; to be on sabbatical leave; (suspendiert sein) to have been relieved of one's duties; **sich ~ lassen** to take leave (of absence)/time off/sabbatical leave.

Be|urlaubung f siehe vt (gen to) granting of leave (of absence); giving time off; granting of sabbatical leave; (Beurlaubtsein) leave (of absence); time off; sabbatical leave. **seine ~ vom Dienst** (Befreiung) his being excused (from) his duties; (Suspendierung) his being relieved of his duties.

be|urteilen* vt to judge (nach by, from); Leistung, Wert to assess; Buch, Bild auch to give an opinion of. **etw richtig/falsch ~** to judge sth correctly/to misjudge sth; **du kannst das doch gar nicht ~** you are not in a position to judge.

Be|urteilung f siehe vt judging, judgement; assessing, assessment; (Urteil) assessment; (Kritik: von Stück) review.

Be|urteilungsgespräch nt appraisal interview; **Be|urteilungsmaßstab** m criterion.

Beuschel nt -s, - (Aus) **1.** dish made of offal. **2.** (sl) lungs pl; (Eingeweide) entrails pl.

Beute¹ f -, no pl **1.** (Kriegs~, fig hum) spoils pl, booty, loot no indef art; (Diebes~) haul, loot (inf); (von Raubtieren) prey; (getötete) kill; (Jagd~) bag; (beim Fischen) catch. **~ machen** to capture booty/make a haul/kill/get a bag/catch; **ohne ~/mit reicher ~** (Hunt) empty-handed/with a good bag.
2. (liter: Opfer) prey. **eine leichte ~** easy prey.

Beute² f -, -n (Bienenkasten) (bee)hive.

beutegierig adj Tier eager for the kill, ravening attr; (fig) eager for booty or a haul.

Beutel m -s, - **1.** (Behälter) bag; (Tasche) (draw-string) bag or purse; (Tragetasche) carrier bag; (Tabaks~, Zool) pouch.
2. (inf: Geld~) (von Frau) purse; (von Mann) wallet. **tief in den ~ greifen** to put one's hand in one's pocket, to dig deep into one's pocket(s); **die Hand auf dem ~ haben, den ~ zuhalten** (dated) to be tight-fisted.

beuteln I vt (dial) to shake; (fig) to shake about. **II** vi (sich bauschen) to bag.

Beutelratte f opossum; **Beutelschneider** m (obs: Gauner) cutpurse (obs), pickpocket; (dated geh: Wucherer) swindler; **Beutelschneiderei** f (obs) theft, thievery (old); (geh: Nepp) swindling; **Beuteltier** nt marsupial.

Beutestück nt booty; **Beutezug** m raid (auch fig); **auf ~ durch die Geschäfte gehen** (fig) to go on a foray of the shops.

Beutler m -s, - (Zool) marsupial.

bevölkern* I vt **1.** (bewohnen) to inhabit; (beleben) to crowd, to fill. **schwach/stark or dicht bevölkert** thinly or sparsely/densely or thickly populated; **Tausende bevölkerten den Marktplatz** the marketplace was crowded with thousands of people. **2.** (besiedeln) to populate. **II** vr to become inhabited; (fig) to fill up.

Bevölkerung f **1.** (die Bewohner) population. **2.** no pl (das Bevölkern) peopling, populating.

Bevölkerungsabnahme f fall or decrease in population; **Bevölkerungsdichte** f density of population, population density; **Bevölkerungsexplosion** f population explosion; **Bevölkerungsgruppe** f section of the population; **Bevölkerungsschicht** f class of society, social stratum or class; **Bevölkerungsstatistik** f population statistics pl; **Bevölkerungszahl** f (total) population; **Bevölkerungszunahme** f rise or increase in population.

bevollmächtigen* vt to authorize (zu etw to do sth).

Bevollmächtigte(r) mf decl as adj authorized representative; (Pol) plenipotentiary.

Bevollmächtigung f authorization (durch from).

bevor conj before. **~ Sie (nicht) die Rechnung bezahlt haben** until you pay or you have paid the bill.

bevormunden* vt to treat like a child. **jdn ~** to make sb's decisions (for him/her), to make up sb's mind for him/her; **ich lasse mich von niemandem ~** I shan't let anyone make my decisions (for me) or make up my mind for me.

Bevormundung f seine Schüler/Untergebenen wehren sich gegen die ständige ~ his pupils/subordinates object to his constantly making up their minds for them; **unsere ~ durch den Staat** the State's making up our minds for us.

bevorrechtigt adj (privilegiert) privileged; (wichtig) high-priority.

bevorstehen vi sep irreg to be imminent; (Winter) to be near, to approach. **jdm ~** to be in store for sb; **ihm steht eine Überraschung bevor** there's a surprise in store for him; **das Schlimmste steht uns noch bevor** the worst is yet or still to come.

bevorstehend adj forthcoming; Gefahr, Krise imminent; Winter approaching.

bevorzugen* vt to prefer; (begünstigen) to favour, to give preference or preferential treatment to. **keines unserer Kinder wird bevorzugt** we don't give preference to any of our children; **hier wird niemand bevorzugt** there's no favouritism here.

bevorzugt I adj preferred; Behandlung preferential; (privilegiert) privileged. **die von mir ~en Bücher** the books I prefer.

II *adv* jdn ~ **abfertigen/bedienen** to give sb preferential treatment; etw ~ **abfertigen/bedienen** to give sth priority.

Bevorzugung *f* preference (*gen* for); (*vorrangige Behandlung*) preferential treatment (*bei* in).

bewachen* *vt* to guard; (*Sport*) *Tor* to guard; *Spieler* to mark.

Bewacher(in *f*) *m* **-s,** - guard; (*Sport: von Spieler*) marker.

bewachsen* **I** *vt irreg* to grow over, to cover. **II** *adj* overgrown, covered (*mit* in, with).

Bewachung *f* guarding; (*Wachmannschaft*) guard; (*Sport*) marking. jdn **unter** ~ **halten/stellen** to keep/put sb under guard.

bewaffnen* **I** *vt* to arm. **II** *vr* (*lit, fig*) to arm oneself.

bewaffnet *adj* armed. **bis an die Zähne** ~ armed to the teeth; **~e Organe** (*DDR*) armed forces.

Bewaffnete(r) *mf decl as adj* armed man/woman/person *etc.*

Bewaffnung *f* **1.** *no pl* (*das Bewaffnen*) arming. **2.** (*Waffen*) weapons *pl.*

bewahren* *vt* **1.** (*beschützen*) to protect (*vor* +*dat* from). jdn **vor etw** ~ to protect *or* save *or* preserve sb from sth; (**Gott) bewahre!** (*inf*) heaven *or* God forbid!, heaven *or* saints preserve us!

2. (*geh: auf*~) to keep. **jdn/etw in guter Erinnerung** ~ to have happy memories of sb/sth.

3. (*beibehalten*) to keep, to retain, to preserve. **sich** (*dat*) **etw** ~ to keep *or* retain *or* preserve sth.

bewähren* *vr* to prove oneself/itself, to prove one's/its worth; (*Methode, Plan, Investition, Sparsamkeit, Fleiß*) to pay off, to prove (to be) worthwhile; (*Auto, Gerät*) to prove (to be) a good investment. **sich im Leben** ~ to make something of one's life; **die Methode/das Gerät hat sich gut/schlecht bewährt** the method proved/didn't prove (to be) very worthwhile/the appliance proved/didn't prove (to be) a very good investment; **es bewährt sich immer, das zu tun** it's always worthwhile doing that; **ihre Freundschaft hat sich bewährt** their friendship stood the test of time.

bewahrheiten* *vr* (*Befürchtung, Hoffnung*) to prove (to be) well-founded; (*Prophezeiung*) to come true.

bewährt I *ptp* of **bewähren. II** *adj* proven, tried and tested, reliable; *Geldanlage* worthwhile; *Rezept* tried and tested. **vielfach/seit langem** ~ tried and tested/well-established.

Bewahrung *f siehe vt* **1.** protection. **2.** keeping. **3.** keeping, retaining, preservation; conservation.

Bewährung *f* **1.** *siehe vr* proving oneself/itself, proving one's/its worth; proving oneself/itself worthwhile. **bei** ~ **der Methode ...** if the method proves (to be) worthwhile ...

2. (*Jur*) probation. **eine Strafe zur** ~ **aussetzen** to impose a suspended sentence; **ein Jahr Gefängnis mit** ~ a suspended sentence of one year with probation.

Bewährungsauflage *f* (*Jur*) probation order; **Bewährungsfrist** *f* (*Jur*) probation(ary) period, (period of) probation; **Bewährungshelfer(in** *f*) *m* probation officer; **Bewährungshilfe** *f* probation service; **Bewährungsprobe** *f* test; **etw einer** ~ (*dat*) **unterziehen** to put sth to the test; **Bewährungszeit** *f* time spent on probation.

bewalden* **I** *vt* to plant with trees, to afforest (*form*). **II** *vr* **allmählich bewaldet sich das Gebiet** trees are gradually beginning to grow in the area.

bewaldet *adj* wooded.

Bewaldung *f* (*das Bewalden*) planting with trees, afforestation (*form*); (*Baumbestand*) trees *pl*, woodlands *pl.* **spärliche/dichte** ~ few trees/dense woodlands.

bewältigen* *vt* (*meistern*) *Schwierigkeiten* to cope with; *Arbeit, Aufgabe auch, Strecke* to manage; (*überwinden*) *Vergangenheit, Erlebnis* to get over; *Schüchternheit auch* to overcome; (*erledigen, beenden*) to deal with.

Bewältigung *f siehe vt* **die** ~ **der Schwierigkeiten/der Arbeit/eines Erlebnisses** coping with the difficulties/managing the work/getting over an experience.

bewandert *adj* experienced, knowledgeable. **in etw** (*dat*)/**auf einem Gebiet** ~ **sein** to be familiar with *or* well-versed in sth/to be experienced *or* well-versed in a field.

Bewandtnis *f* reason, explanation. **das hat** *or* **damit hat es eine andere** ~ there's another reason *or* explanation for that; **das hat** *or* **damit hat es seine eigene** ~ that's a long story; **das hat** *or* **damit hat es folgende** ~ the fact/facts of the matter is/are this/these.

bewässern* *vt* to irrigate; (*mit Sprühanlage*) to water.

Bewässerung *f siehe vt* irrigation; watering.

Bewässerungsanlage *f* irrigation plant; **Bewässerungsgraben** *m* irrigation channel, feeder; **Bewässerungskanal** *m* irrigation canal; **Bewässerungssystem** *nt* irrigation system.

bewegen[1]* **I** *vt* **1.** (*Lage verändern, regen*) to move; *Erdmassen, Möbelstück auch* to shift; *Hund, Pferd* to exercise.

2. (*innerlich* ~) to move; (*beschäftigen, angehen*) to concern. **dieser Gedanke bewegt mich seit langem** this has been on my mind a long time; **~d** moving.

3. (*bewirken, ändern*) to change.

II *vr* **1.** to move. **beide Reden bewegten sich in den gleichen Richtung** both speeches were along the same lines.

2. (*Bewegung haben: Mensch*) to get some exercise; (*inf: spazierengehen*) to stretch one's legs, to take some exercise.

3. (*fig*) (*variieren, schwanken*) to vary, to range (*zwischen* between). **der Preis bewegt sich um die 50 Mark** the price is about 50 marks; **die Verluste** ~ **sich in den Tausenden** losses are in the thousands.

4. (*sich ändern, Fortschritte machen*) to change. **es bewegt sich etwas** things are beginning to happen. **5.** (*auftreten, sich benehmen*) to behave, to act.

bewegen[2] *pret* **bewog**, *ptp* **bewogen** *vt* **jdn zu etw ~** to induce *or* persuade sb to do sth; **was hat dich dazu bewogen?** what induced you to do that?; **sich dazu ~ lassen, etw zu tun** to allow oneself to be persuaded to do sth.

Beweggrund *m* motive.

beweglich *adj* **1.** (*bewegbar*) movable; *Hebel, Griff auch* mobile; *Truppe* mobile. **2.** (*wendig*) agile; *Fahrzeug* manoeuvrable; (*geistig ~*) agile-minded, nimble-minded; (*fig*) *Geist auch* nimble. **mit einem Kleinwagen ist man in der Stadt ~er** you're more mobile in town with a small car.

Beweglichkeit *f*, *no pl siehe adj* **1.** movability; mobility. **2.** agility; manoeuvrability; agility *or* nimbleness of mind; nimbleness.

bewegt I *ptp of* **bewegen**[1]. **II** *adj* **1.** (*unruhig*) *Wasser, See* choppy; *Zeiten, Vergangenheit, Leben* eventful; *Jugend* eventful, turbulent. **die See war stark ~/kaum ~** the sea was rough/fairly calm. **2.** (*gerührt*) *Stimme, Worte, Stille* emotional. **~ sein** to be moved.

Bewegung *f* **1.** movement; (*Hand~ auch*) gesture; (*Sci, Tech auch*) motion. **eine falsche ~!** one false move!; **keine ~!** freeze!; (*inf*) don't move!; **in ~ sein** (*Fahrzeug*) to be moving, to be in motion; (*Menge*) to mill around; **sich in ~ setzen** to start moving, to begin to move; **etw in ~ setzen/bringen** to set sth in motion, to start sth moving; **jdn in ~ bringen** to get sb moving; **alle Hebel** *or* **Himmel und Hölle in ~ setzen** to move heaven and earth; **jdn in ~ halten** to keep sb moving, to keep sb on the go (*inf*).
2. (*körperliche ~*) exercise. **sich** (*dat*) **~ verschaffen** *or* **machen** to get (some) exercise.
3. (*Unruhe*) agitation. **in ~ geraten** to get into a state of agitation.
4. (*Entwicklung*) progress. **etw kommt in ~** sth gets moving; **endlich kam ~ in die Verhandlungen** at last there was some progress in the negotiations.
5. (*Ergriffenheit*) emotion.
6. (*Pol, Art*) movement.

Bewegungsenergie *f* kinetic energy; **bewegungsfähig** *adj* mobile; **Bewegungsfreiheit** *f* freedom of movement; (*fig*) freedom of action; **Bewegungskrieg** *m* mobile warfare; **bewegungslos** *adj* motionless, immobile; **Bewegungslosigkeit** *f* motionlessness, immobility; **Bewegungsmangel** *m* lack of exercise; **Bewegungsnerv** *m* motor nerve; **Bewegungsspiel** *nt* (*Sport*) active game; **Bewegungsstudie** *f* (*Art*) study in movement; **Bewegungstherapie** *f* (*aktiv*) therapeutic exercise; (*passiv*) manipulation; **bewegungsunfähig** *adj* unable to move; (*gehunfähig*) unable to move or

get about.

bewehren* (*old*) **I** *vt* to fortify; (*bewaffnen*) to arm. **II** *vr* (*auch iro*) to arm oneself.

Bewehrung *f* **1.** *siehe vt* fortifying; arming. **2.** (*Wehranlagen*) fortifications *pl*; (*Waffen*) arms *pl*.

beweihräuchern* *vt* to (in)cense; (*fig*) to praise to the skies. **sich** (*selbst*) **~** to indulge in self-adulation.

beweinen* *vt* to mourn (for), to weep for.

Beweis *m* **-es, -e** proof (*für* of); (*Zeugnis*) evidence *no pl*. **als** *or* **zum ~** as proof *or* evidence; **ein eindeutiger ~** clear evidence; **sein Schweigen ist ein ~ seines Schuldgefühls** his silence is proof *or* evidence of his feeling of guilt; **den ~ antreten** to offer evidence *or* proof; **einen/den ~ führen** to offer evidence *or* proof; **den ~ für etw/seiner Unschuld erbringen** to produce *or* supply evidence *or* proof of sth/one's innocence; **~ erheben** (*Jur*) to hear *or* take evidence; **jdm einen ~ seiner Hochachtung geben** to give sb a token of one's respect.

Beweisantrag *m* (*Jur*) motion to take *or* hear evidence; **Beweisaufnahme** *f* (*Jur*) taking *or* hearing of evidence; **beweisbar** *adj* provable, demonstrable, capable of being proved.

beweisen* *irreg* **I** *vt* **1.** (*nachweisen*) to prove. **was zu ~ war** QED, quod erat demonstrandum; **was noch zu ~ wäre** that remains to be seen. **2.** (*erkennen lassen, dated: erweisen*) to show. **II** *vr* to prove oneself/itself.

Beweisführung *f* (*Jur*) presentation of one's case; (*Math*) proof; (*Argumentation*) (line of) argumentation *or* reasoning; **Beweisgegenstand** *m* (*esp Jur*) point at issue; **Beweisgrund** *m* argument; **Beweiskette** *f* chain of proof; (*Jur auch*) chain of evidence; **Beweiskraft** *f* evidential value, value as evidence; **beweiskräftig** *adj* evidential, probative (*form*); **Beweislage** *f* (*Jur*) body of evidence; **Beweislast** *f* (*Jur*) onus, burden of proof; **Beweismaterial** *nt* (body of) evidence; **Beweismittel** *nt* evidence *no pl*; **Beweisnot** *f* (*Jur*) lack of evidence; **in ~ sein** to be lacking evidence; **Beweispflicht** *f* (*Jur*) onus, burden of proof; **Beweisstück** *nt* exhibit.

bewenden *vt impers*: **es bei** *or* **mit etw ~ lassen** to be content with sth; **wir wollen es dabei ~ lassen** let's leave it at that.

Bewenden *nt*: **damit hatte es sein/die Angelegenheit ihr ~** the matter rested there, that was the end of the matter.

Bewerb *m* **-(e)s, -e** (*Aus Sport*) *siehe* **Wettbewerb**.

bewerben* *irreg* **I** *vr* to apply (*um* for, *als* for the post/job of). **sich bei einer Firma ~** to apply to a firm (for a job); **sich um jdn ~** (*dated*) to ask for sb's hand in marriage. **II** *vt Produkte, Firmen* to promote.

Bewerber(in *f*) *m* **-s, -** applicant; (*dated: Freier*) suitor (*dated*).

Bewerbung *f* application; (*dated: um*

Mädchen) wooing (*dated*), courting (*dated*).

Bewerbungsbogen *m*, **Bewerbungsformular** *nt* application form; **Bewerbungsgespräch** *nt* (job) interview; **Bewerbungsschreiben** *nt* (letter of) application; **Bewerbungsunterlagen** *pl* application documents *pl*; **Bewerbungsverfahren** *nt* application procedure.

bewerfen* *vt irreg* **1.** jdn/etw mit etw ~ to throw sth at sb/sth; *mit Steinen, Pfeilen auch* to pelt sb with sth; (*fig*) to hurl sth at sb/sth; **jdn/jds guten Namen mit Schmutz** *or* **Dreck** ~ to throw *or* sling mud at sb/sb's good name.
2. (*Build*) to face, to cover; (*mit Rauhputz auch*) to roughcast; (*mit Gips auch*) to plaster; (*mit Zement auch*) to cement. **mit Kies beworfen** pebbledashed.

bewerkstelligen* *vt* to manage; *Geschäft* to effect, to bring off. **es ~, daß jd etw tut** to manage *or* contrive to get sb to do sth.

Bewerkstelligung *f*, *no pl* managing.

bewerten* *vt* jdn to judge; *Gegenstand* to value, to put a value on; *Leistung auch, Schularbeit* to assess. **etw zu hoch/niedrig** ~ to overvalue/undervalue sth; **jdn/etw nach einem Maßstab** ~ to judge sb/measure sth against a yardstick; **etw mit der Note 5** ~ to give sth a mark of 5; **eine Arbeit mit (der Note) „gut"** ~ to mark a piece of work "good", to give a "good" for a piece of work.

Bewertung *f siehe vt* judgement; valuation; assessment.

bewies *pret of* beweisen.

bewiesen *ptp of* beweisen.

bewiesenermaßen *adv* was er sagt, ist ~ unwahr it has been proved that *or* there is evidence to show that what he is saying is untrue; **er ist** ~ **ein Betrüger** he has been proved to be a fraud.

bewilligen* *vt* to allow; *Planstelle auch, Etat, Steuererhöhung* to approve; *Mittel, Geld, Darlehen auch* to grant; *Stipendium* to award. **jdm etw** ~ to allow/grant/award sb sth.

Bewilligung *f siehe vt* allowing; approving, approval; granting; awarding; (*Genehmigung*) approval. **dafür brauchen Sie eine** ~ you need approval for that; **die** ~ **für einen Kredit bekommen** to be allowed *or* granted credit.

Bewilligungsbescheid *m* approval; **bewilligungspflichtig** *adj* subject to approval.

bewimpert *adj* (*Zool*) ciliate(d) (*spec*).

bewirken* *vt* **1.** (*verursachen*) to cause, to bring about, to produce. ~, **daß etw passiert** to cause sth to happen.
2. (*erreichen*) to achieve. **damit bewirkst du bei ihm nur das Gegenteil** that way you'll only achieve the opposite effect.

bewirten* *vt* jdn ~ to feed sb; (*bei offiziellem Besuch*) to entertain sb to a meal; **wir wurden während der ganzen Zeit köstlich bewirtet** we were very well fed all the time, we were given excellent

food all the time; **jdn mit Kaffee und Kuchen** ~ to entertain sb to coffee and cakes; **wenn man so viele Leute zu** ~ **hat** if you have so many people to cater for *or* feed.

bewirtschaften* *vt* **1.** *Betrieb* to manage, to run. **die Berghütte wird im Winter nicht/wird von Herrn und Frau X bewirtschaftet** the mountain hut is not serviced in the winter/is managed *or* run by Mr and Mrs X.
2. *Land* to farm, to cultivate, to work.
3. (*staatlich kontrollieren*) *Waren* to ration; *Devisen, Wohnraum* to control.

Bewirtschaftung *f siehe vt* **1.** management, running; servicing. **2.** farming, cultivation, working. **3.** rationing; control.

Bewirtung *f* (*das Bewirten*) hospitality; (*im Hotel*) (food and) service; (*rare: Essen und Getränke*) food (and drink). **die** ~ **so vieler Gäste** catering for *or* feeding so many guests.

bewog *pret of* bewegen[2].

bewogen *ptp of* bewegen[2].

bewohnbar *adj* **1.** *Gegend, Land* habitable. **2.** *Haus, Wohnung* habitable, fit to live in; (*beziehbar*) habitable, ready to live in.

Bewohnbarkeit *f* habitability.

bewohnen* *vt* to live in; *Haus, Zimmer, Bau, Nest auch* to occupy; (*Volk*) to inhabit; (*Krankheit*) to be carried by. **das Zimmer/das Haus war jahrelang nicht bewohnt** the room was unoccupied/the house was uninhabited *or* unoccupied for years.

Bewohner(in *f*) *m* **-s**, - (*von Land, Gebiet*) inhabitant; (*von Haus*) occupier. **dieser Vogel ist ein** ~ **der Wälder** this bird is a forest-dweller *or* a denizen of the forest (*liter*).

Bewohnerschaft *f* occupants *pl*.

bewohnt *adj* *Land, Gebiet* inhabited; *Haus auch* occupied.

bewölken* *vr* (*lit, fig*) to cloud over.

bewölkt *adj* cloudy. ~ **bis bedeckt** (*Met*) cloudy, perhaps overcast.

Bewölkung *f* (*das Sich-Bewölken*) clouding over, darkening; (*das Bewölktsein*) cloud. **wechselnde bis zunehmende** ~ (*Met*) variable amounts of cloud, becoming cloudier.

Bewölkungsauflockerung *f* break-up of the cloud; **Bewölkungszunahme** *f* increase in cloud.

Bewuchs *m*, *no pl* vegetation.

Bewund(e)rer(in *f*) *m* **-s**, - admirer.

bewundern* *vt* to admire (*wegen* for). ~**d** admiring; **ein überall bewunderter Künstler** a universally admired artist.

bewundernswert, bewundernswürdig *adj* admirable.

Bewunderung *f* admiration.

Bewurf *m* (*Build*) facing, covering; (*Rauhputz*) roughcast; (*Kies*~) pebble dash.

bewurzeln* *vr* to root, to grow roots.

bewußt **I** *adj* **1.** *usu attr* (*Philos, Psych*) conscious.
2. *attr* (*überlegt*) conscious; *Mensch* self-aware. **er führte ein sehr** ~**es Leben**

he lived a life of total awareness.

3. *pred* **sich** (*dat*) **einer Sache** (*gen*) ~ **sein/werden** to be/become aware *or* conscious of sth, to realize sth; **etw ist jdm** ~ sb is aware *or* conscious of sth; **es wurde ihm allmählich ~, daß ...** he gradually realized (that) ..., it gradually dawned on him (that) ...

4. *attr* (*willentlich*) deliberate, intentional; *Lüge* deliberate.

5. *attr* (*überzeugt*) convinced.

6. *attr* (*bekannt, besagt*) in question; *Zeit* agreed. **die** ~e **Kreuzung** the crossroads in question.

II *adv* **1.** consciously; *leben* in total awareness.

2. (*willentlich*) deliberately, intentionally.

Bewußtheit *f, no pl siehe adj 1., 2., 4., 5.* **1.** consciousness. **2.** consciousness; self-awareness. **3.** deliberate *or* intentional nature. **4.** conviction.

bewußtlos *adj* unconscious, senseless; ~ **werden** to lose consciousness, to become unconscious; ~ **zusammenbrechen** to fall senseless; **Bewußtlose(r)** *mf decl as adj* unconscious man/woman/person *etc*; **die** ~**n** the unconscious; **Bewußtlosigkeit** *f* unconsciousness; **bis zur** ~ (*inf*) ad nauseam; **bewußtmachen** *vt sep* **jdm etw** ~ to make sb aware *or* conscious of sth, to make sb realize sth; **sich** (*dat*) **etw** ~ to realize sth.

Bewußtsein *nt* **-s**, *no pl* **1.** (*Wissen*) awareness, consciousness. **etw kommt jdm zu(m)** ~ sb becomes aware *or* conscious of sth *or* realizes sth; **jdm etw zu** ~ **bringen/ins** ~ **rufen** to make sb (fully) conscious *or* aware of sth; **im** ~ **+gen/ daß ...** in the knowledge of/that ...

2. (*Philos, Psych, Med*) consciousness. **das** ~ **verlieren/wiedererlangen** to lose/regain consciousness; **bei** ~ **sein** to be conscious; **zu(m)** ~ **kommen** to regain consciousness; **bei vollem** ~ fully conscious.

3. **er tat es mit (vollem)/ohne** ~ he was (fully) aware/he was not aware of what he was doing.

4. (*Anschauungen*) convictions *pl*.

Bewußtseinsbildung *f* (*Pol*) shaping of political ideas; **bewußtseinserweiternd** *adj* ~e **Drogen** mind-expanding drugs, drugs that heighten (one's) awareness; **Bewußtseinserweiterung** *f* heightening of (one's) awareness; **Bewußtseinsinhalt** *m usu pl* (*Philos*) content of consciousness; **Bewußtseinslage** *f* (*Pol*) state of political awareness; **Bewußtseinslenkung** *f* (*Sociol*) manipulation of consciousness; **Bewußtseinsschwelle** *f* (*Psych*) threshold of consciousness; **Bewußtseinsspaltung** *f* (*Med, Psych*) splitting of the consciousness; **Bewußtseinsstörung** *f* (*Psych*) disturbance of consciousness; **Bewußtseinsstrom** *m* (*Liter*) stream of consciousness; **Bewußtseinstrübung** *f* (*Psych*) dimming of consciousness; **bewußtseinsverändernd** *adj* (*Psych*) ~e Dro-

gen drugs which alter one's (state of) awareness; ~e **Erfahrungen** experiences which alter one's outlook; **Bewußtseinsveränderung** *f siehe adj* change in the state of mind; change in outlook; (*politische*) ~ change in political outlook.

Bewußtwerdung *f* dawning of consciousness.

bez. *abbr of* **1.** **bezahlt** paid. **2.** **bezüglich** with reference to, re.

bezahlbar *adj* payable. **das ist zwar recht teuer, aber für die meisten doch durchaus** ~ although it's quite expensive most people can certainly afford it.

bezahlen* **I** *vt* **1.** to pay; *Rechnung, Schuld auch* to pay off, to settle. **jdm 10 Mark** ~ to pay sb 10 marks; **etw an jdn** ~ to pay sb sth.

2. *Sache, Leistung, Schaden* to pay for; *Zeche* to pay, to foot (*inf*). **etw bezahlt bekommen** *or* **kriegen** (*inf*)/**für etw nichts bezahlt bekommen** *or* **kriegen** (*inf*) to get/not to get paid for sth; **jdm etw** ~ (*für jdn kaufen*) to pay for sth for sb; (*Geld geben für*) to pay sb for sth; **laß mal, ich bezahl' das** it's OK, I'll pay for that *or* I'll get that; **er hat seinen Fehler mit dem Leben bezahlt** he paid for his mistake with his life; ... **als ob er es bezahlt bekäme** (*inf*) like mad *or* crazy (*inf*), like hell (*sl*).

II *vi* to pay. **Herr Ober,** ~ **bitte!** waiter, the bill *or* check (*esp US*) please!

bezahlt *adj* paid. **sich** ~ **machen** to be worth it, to pay off.

Bezahlung *f* **1.** *siehe vt* payment; paying off, settlement; paying for (*einer Sache* (*gen*) sth). **2.** (*Lohn, Gehalt*) pay; (*für Dienste*) payment. **ohne/gegen/für** ~ without/for/for payment.

bezähmen* **I** *vt* **1.** (*fig geh*) *Begierden, Leidenschaften* to master, to control, to curb. **II** *vr* to control *or* restrain oneself.

bezaubern* **I** *vt* (*fig*) to charm, to captivate. **II** *vi* to be bewitching *or* captivating.

bezaubernd *adj* enchanting, charming.

Bezauberung *f* bewitchment, captivation; (*Entzücken*) enchantment, delight.

bezechen* *vr* (*inf*) to get drunk.

bezecht (*inf*) *adj* drunk. **völlig** ~ dead drunk (*inf*).

bezeichnen* *vt* **1.** (*kennzeichnen*) (*durch, mit* by) to mark; *Takt, Tonart* to indicate.

2. (*genau beschreiben*) to describe. **er bezeichnete uns den Weg** he described the way to us.

3. (*benennen*) to call, to describe. **ich weiß nicht, wie man das bezeichnet** I don't know what that's called; **das würde ich schlicht als eine Unverschämtheit** ~ I would describe that as *or* call that sheer effrontery; **so kann man es natürlich auch** ~ of course, you can call it that *or* describe it that way too; **jd/etw wird mit dem Wort ... bezeichnet** sb/sth is described by the word ..., the word ... describes sb/sth; **er bezeichnet sich gern als Künstler** he likes to call himself an artist.

4. (*bedeuten*) to mean, to denote.
5. (*geh: typisch sein für*) to epitomize.
bezeichnend *adj* (*für* of) characteristic, typical.
bezeichnenderweise *adv* typically (enough).
Bezeichnung *f* **1.** siehe *vt 1.*, **2.** marking, indication; description. **2.** (*Ausdruck*) expression, term.
Bezeichnungslehre *f* (*Ling*) onomastics *sing.*
bezeugen* *vt* **1.** (*Sache*) to attest; (*Person auch*) to testify to. **~, daß ...** to attest the fact that ...; to testify that ... **2.** (*geh*) **jdm etw ~** to show sb sth.
bezichtigen* *vt* to accuse. **jdn einer Sache** (*gen*) **~** to accuse sb of sth, to charge sb with sth; **jdn ~, etw getan zu haben** to accuse sb of having done sth.
Bezichtigung *f* accusation, charge.
beziehbar *adj* **1.** (*bezugsfertig*) **Wohnung** ready to move into. **2.** (*erhältlich*) **Waren** obtainable.
beziehen* *irreg* **I** *vt* **1.** (*überziehen*) **Polster, Regenschirm** to (re)cover; **Bettdecke, Kissen** to put a cover on; (*mit Saiten*) **Geige** to string. **die Betten frisch ~** to put clean sheets on *or* to change the beds.
    2. **Wohnung** to move into.
    3. (*esp Mil*) **Posten, Position, Stellung** to take up; (*old*) **Universität** to enter, to go up to; (*fig*) **Standpunkt** to take up, to adopt. **ein Lager ~** to encamp; **Wache ~** to mount guard, to go on guard.
    4. (*sich beschaffen*) to obtain; **Zeitungen etc** to take, to get.
    5. (*erhalten*) to get, to receive; **Einkommen, Rente** *auch* to draw; **Prügel** to get.
    6. (*in Beziehung setzen*) **etw auf jdn/etw ~** to apply sth to sb/sth; **warum bezieht er (bloß) immer alles auf sich?** why does he always take everything personally?
    II *vr* **1.** (*sich bedecken*) (*Himmel*) to cloud over, to darken.
    2. (*betreffen*) **sich auf jdn/etw ~** to refer to sb/sth; **diese Bemerkung bezog sich nicht auf dich/auf den gestrigen Vorfall** this remark wasn't meant to refer to you *or* wasn't intended for you/wasn't meant to refer to what happened yesterday.
    3. (*sich berufen*) **sich ~ auf** (+*acc*) to refer to.
Bezieher(in *f*) *m* **-s, -** (*von Zeitung*) regular reader; (*Abonnent, von Aktien*) subscriber; (*von Waren*) purchaser; (*von Einkommen, Rente*) drawer.
Beziehung *f* **1.** (*Verhältnis*) relationship; (*Philos, Math*) relation.
    2. *usu pl* (*Kontakt*) relations *pl.* **diplomatische ~en aufnehmen/abbrechen** to establish/break off diplomatic relations; **intime ~en zu jdm haben** to have intimate relations with sb; **menschliche ~en** human relations *or* intercourse.
    3. (*Zusammenhang*) connection (*zu* with), relation. **etw zu etw in ~ setzen** to relate sth to sth; **zwischen den beiden Dingen besteht keinerlei ~** there is absolutely no connection between the two

(things), the two (things) are totally unconnected *or* unrelated; **etw hat keine ~ zu etw** sth has no bearing on sth *or* no relationship to sth; **jd verliert die ~ zur Wirklichkeit** sb feels cut off from reality.
    4. *usu pl* (*Verbindung*) connections *pl* (*zu* with). **er hat die Stelle durch ~en bekommen** he got the post through his connections *or* through knowing the right people; **seine ~en spielen lassen** to pull strings; **~en muß/müßte man haben** you need to know the right people, you need to be able to pull strings.
    5. (*Sympathie*) (*zu etw*) feeling (*zu* for); (*zu jdm*) affinity (*zu* for), rapport (*zu* with). **ich habe keine ~ zu abstrakter Malerei** I have no feeling for abstract art, abstract painting doesn't do anything for me; **er hat überhaupt keine ~ zu seinen Kindern** he just doesn't relate to his children, he has no affinity for his children.
    6. (*Hinsicht*) **in einer/keiner ~** in one/no respect *or* way; **in jeder ~** in every respect, in all respects; **in mancher ~** in some *or* certain respects.
Beziehungskiste *f* (*inf*) affair, relationship; **beziehungslos** *adj* unrelated, unconnected; **Beziehungslosigkeit** *f* unrelatedness, unconnectedness; **beziehungsreich** *adj* having many associations; **beziehungsvoll** *adj* suggestive.
beziehungsweise *conj* **1.** (*oder aber*) or.
    2. (*im anderen Fall*) and ... respectively. **zwei Briefmarken, die 50 ~ 70 Pfennig kosten** two stamps costing 50 and 70 Pfennig respectively; **geben Sie in Ihrer Bestellung rot ~ blau als gewünschte Farbe an** state your choice of colour in your order: red or blue.
    3. (*genauer gesagt*) or rather, or that is to say.
Beziehungswort *nt* (*Gram*) antecedent.
beziffern* **I** *vt* **1.** to number.
    2. (*angeben*) to estimate (*auf* +*acc, mit* at). **man bezifferte den Schaden auf 750.000 Mark** the damage was estimated at *or* was put at 750,000 marks.
    II *vr* **sich ~ auf** (+*acc*) (*Verluste, Schaden, Gewinn*) to amount to, to come to; (*Teilnehmer, Besucher*) to number.
beziffert *adj* (*Mus*) *Baß* figured.
Bezifferung *f* **1.** (*das Beziffern*) numbering. **2.** (*Zahlen*) numbers *pl*, figures *pl.*
Bezirk *m* **-(e)s, -e 1.** (*Gebiet*) district; (*fig: Bereich*) sphere, realm. **2.** (*Verwaltungseinheit*) (*Stadt*) ≈ district; (*von Land*) ≈ region.
Bezirksgericht *nt* **1.** (*DDR*) state court; **2.** (*Aus, Sw*) district court; **Bezirkshauptmann** *m* (*Aus*) chief officer of local government; **Bezirksklasse** *f* (*Sport*) regional division; state administration; **Bezirksliga** *f* (*Sport*) regional league; **Bezirksspital** *nt* (*esp Sw*) district hospital; **Bezirksstadt** *f* ≈ county town; **Bezirkstag** *m* (*DDR*) state parliament (*operating at regional level*).
bezirzen* *vt siehe* **becircen.**
bezogen *adj* **auf jdn/etw ~** referring to sb/sth.

Bezogene(r) *mf decl as adj* (*Fin*) (*von Scheck*) drawee; (*von Wechsel*) acceptor.

bezug *siehe* **Bezug 8.**

Bezug *m* **-(e)s, -̈e 1.** (*Überzug*) (*für Kissen, Polster*) cover; (*für Kopfkissen*) pillow-case, pillow-slip.
2. (*Bespannung*) strings *pl*.
3. (*Erwerb*) (*von Waren*) buying, purchase; (*von Zeitung*) taking. **der ~ der diversen Magazine kostet uns ...** the various magazines we take cost (us) ...
4. (*Erhalt*) (*von Einkommen, Rente*) drawing.
5. **Bezüge** *pl* (*Einkünfte*) income, earnings *pl*; **Bezüge aus Nebenerwerb** income *or* earnings from secondary sources.
6. (*Zusammenhang*) *siehe* **Beziehung 3.**
7. (*form: Berufung*) reference. **~ nehmen auf** (*+acc*) to refer to, to make reference to; **~ nehmend auf** (*+acc*) referring to, with reference to; **mit** *or* **unter ~ auf** (*+acc*) with reference to.
8. (*Hinsicht*) **in b~ auf** (*+acc*) regarding, with regard to, concerning; **in b~ darauf** regarding that.

Bezüger(in *f*) *m* **-s, -** (*Sw*) **1.** *siehe* **Bezieher(in). 2.** (*von Steuern*) collector.

bezüglich I *prep +gen* (*form*) regarding, with regard to, concerning, re (*Comm*). **II** *adj* (*sich beziehend*) **das ~e Fürwort** (*Gram*) the relative pronoun; **auf etw** (*acc*) **~ relating to sth; alle darauf ~en Fragen** all questions relating to that.

Bezugnahme *f* **-, -n** (*form*) reference. **unter ~ auf** (*+acc*) with reference to.

Bezugsbedingungen *pl* (*von Zeitschriften*) terms of delivery *or* subscription; (*bei Katalogbestellungen*) conditions of purchase; **bezugsberechtigt** *adj* entitled to draw; **Bezugsberechtigte(r)** *mf* (*von Rente*) authorized drawer; (*von Versicherung*) beneficiary; **bezugsbereit, bezugsfertig** *adj* **Haus** *etc* ready to move in, ready for occupation.

Bezugsperson *f* **die wichtigste ~ des Kleinkindes** the person to whom the small child relates most closely; **Bezugspreis** *m* (*von Zeitungsabonnement*) subscription charge; **Bezugspunkt** *m* (*lit, fig*) point of reference; **Bezugsquelle** *f* source of supply; **Bezugsrahmen** *m* terms *pl* of reference; **Bezugsrecht** *nt* (*Fin*) option (on a new share issue), subscription right; **Bezugsschein** *m* (ration) coupon; **Bezugssystem** *nt* frame of reference; (*Statistiken*) reference system.

bezuschussen* *vt* to subsidize.

Bezuschussung *f* subsidizing; (*Betrag*) subsidy.

bezwecken* *vt* to aim at; (*Regelung, Maßnahme auch*) to have as its object. **etw mit etw ~** (*Mensch*) to intend sth by sth; **was soll das ~?** what's the point of that?

bezweifeln* *vt* to doubt, to question, to have one's doubts about. **das ist nicht zu ~** that's unquestionable *or* beyond

question; **~, daß ...** to doubt that ..., to question whether ...

bezwingbar *adj siehe vt* conquerable; defeatable; beatable; that can be conquered/defeated/overcome/beaten *etc*.

bezwingen* *irreg* **I** *vt* to conquer; *Feind auch* to defeat, to overcome, to vanquish (*liter*); (*Sport*) to beat, to defeat; *Festung* to capture; *Zorn, Gefühle* to master, to overcome; *Berg* to conquer, to vanquish (*liter*); *Strecke* to do. **II** *vr* to overcome *or* master one's emotions/desires *etc*.

bezwingend *adj* compelling.

Bezwinger(in *f*) *m* **-s, -** (*von Berg, Feind*) conqueror, vanquisher (*liter*); (*Sport*) winner (*gen* over); (*von Festung, Burg*) captor.

Bezwingung *f siehe vt* conquering, conquest; defeat(ing), overcoming; vanquishing (*liter*); beating, defeat(ing); capture, capturing; mastering, overcoming; conquering, vanquishing (*liter*).

BGB ['beːgeː'beː] *nt* **-**, *no pl abbr of* **Bürgerliches Gesetzbuch.**

BGH [beːgeː'haː] *m* **-s** *abbr of* **Bundesgerichtshof.**

BH [beː'haː] *m* **-(s), -(s)** *abbr of* **Büstenhalter** bra.

Bhagwan *m* **-s**, *no pl* Bhagwan.

bi [biː] *adj pred* (*sl*) ac/dc (*sl*), bi (*sl*).

Biathlon *nt* **-s, -s** (*Sport*) biathlon.

bibbern *vi* (*inf*) (*vor Angst*) to tremble, to shake; (*vor Kälte*) to shiver.

Bibel *f* **-, -n** (*lit*) Bible; (*fig*) bible.

Bibelauslegung *f* interpretation of the Bible.

bibelfest *adj* well versed in the Bible; **Bibelforscher(in** *f*) *m* (*dated*) Jehovah's witness; **Bibelsprache** *f* biblical language; **Bibelspruch** *m* biblical saying, quotation from the Bible; **Bibelstelle** *f* passage *or* text from the Bible; **Bibelstunde** *f* Bible study *no pl*; **Bibeltext** *m* text of the Bible; (*Auszug*) text *or* passage from the Bible; **Bibelvers** *m* verse from/of the Bible; **Bibelwort** *nt*, *pl* **Bibelworte** biblical saying.

Biber *m* **-s, - 1.** (*Tier, Pelz, Tuch*) beaver. **2.** *auch nt* (*Tuch*) flannelette.

Biberbau *m*, *pl* **Biberbaue** beaver's lodge; **Biberbettuch** *nt* flannelette; **Biberburg** *f* beaver's lodge; **Bibergeil** *nt* **-(e)s**, *no pl* castor(eum); **Biberpelz** *m* beaver (fur); **Biberschwanz** *m* **1.** beaver's tail; **2.** (*Build: Dachziegel*) flat tile, plain tile; **Bibertuch** *nt* flannelette.

Bibliograph(in *f*) *m* bibliographer; **Bibliographie** *f* bibliography; **bibliographieren*** *insep* **I** *vt* **1.** (*verzeichnen*) to record in a/the bibliography; **2.** (*einordnen*) to take (the) bibliographical details of; **II** *vi* to take bibliographical details; **bibliographisch** *adj* bibliographic(al); **Bibliomanie** *f* bibliomania; **bibliophil** *adj* **Mensch** bibliophilic (*form*), bibliophil(e) (*form*), book-loving *attr*; *Ausgabe* for bibliophil(e)s *or* book-lovers; **Bibliophilie** *f* love of books, bibliophily (*form*).

Bibliothek f -, -en library.
Bibliothekar(in f) m librarian.
bibliothekarisch adj library attr. **~e Ausbildung** training in librarianship or as a librarian.
Bibliothekskatalog m library catalogue; **Bibliothekskunde** f librarianship; **Bibliothekswesen** nt, no pl libraries pl; (als Fach) librarianship; **Bibliothekswissenschaft** f librarianship.
biblisch adj biblical. **ein ~es Alter** a great age, a ripe old age.
Bickbeere f (N Ger) bilberry, blueberry (esp US, Scot).
Bidet [bi'de:] nt -s, -s bidet.
bieder adj 1. (rechtschaffen) honest; Mensch, Leben auch upright. 2. (pej) conventional, conservative; Miene worthy (iro).
Biederkeit f siehe adj 1. honesty; uprightness. 2. conventionality, conservatism, conservativeness; worthiness.
Biedermann m, pl **Biedermänner** 1. (dated, iro) honest man; 2. (pej geh) petty bourgeois; **biedermännisch** adj 1. (dated) honest; 2. (pej geh) petty bourgeois; Geschmack, Gesinnung auch philistine.
Biedermeier nt -s, no pl Biedermeier period.
Biedermeiersträußchen nt posy (with paper frill).
Biedermiene f (geh) worthy air; **Biedersinn** m (geh) 1. (dated) honest mentality; 2. (pej) middle-class or petty-bourgeois mentality.
biegbar adj Lampenarm, Metall flexible; Material auch pliable.
biegen irreg I vt 1. to bend; Glieder auch to flex; (fig: manipulieren) to wangle (inf). **auf B~ oder Brechen** (inf) by hook or by crook (inf), come hell or high water (inf); **es geht auf B~ oder Brechen** (inf) it's do or die.
2. (Aus Gram: flektieren) to inflect.
II vi aux sein (Mensch, Wagen) to turn; (Weg, Straße auch) to curve. **der Fahrer bog zur Seite** the driver turned; (als Ausweichmanöver) the driver pulled over to one side.
III vr to bend; (sich verziehen) (Schallplatte, Holz) to warp; (Metall) to buckle. **sich vor Lachen ~** (fig) to double up or crease up (inf) with laughter.
biegsam adj flexible; Holz auch pliable; Stock auch pliant; Metall auch malleable, ductile; Glieder, Körper supple, lithe; Einband limp; (fig) pliable, pliant.
Biegsamkeit f siehe adj flexibility; pliability; pliancy; malleability, ductility; suppleness, litheness.
Biegung f 1. bend; (von Weg, Fluß auch, Wirbelsäule) curve (gen in). **der Fluß/die Straße macht eine ~** the river/road curves or bends.
2. (Aus Gram) inflection.
Biene f -, -n 1. bee.
2. (dated sl: Mädchen) bird (Brit sl), chick (esp US sl).
Bienenfleiß m bustling industriousness;

bienenfleißig adj industrious; **Bienengift** nt bee poison; **Bienenhaltung** f beekeeping; **Bienenhaus** nt apiary; **Bienenhonig** m real or natural honey; **Bienenkasten** m (bee)hive; **Bienenkönigin** f queen bee; **Bienenkorb** m (bee)hive; **Bienenschwarm** m swarm (of bees); **Bienensprache** f language of bees; **Bienenstaat** m bee colony; **Bienenstich** m 1. bee sting; 2. (Cook) cake coated with sugar and almonds filled with custard or cream; **Bienenstock** m (bee)hive; **Bienenvolk** nt bee colony, colony of bees; **Bienenwachs** nt beeswax; **Bienenzucht** f beekeeping, apiculture; **Bienenzüchter(in** f) m beekeeper, apiarist.
Biennale [biɛ'naːlə] f -, -n biennial film/art festival.
Bier nt -(e)s, -e beer. **zwei ~, bitte!** two beers, please; **zwanzig verschiedene ~e** twenty different kinds of beer, twenty different beers; **das ist mein** etc ~ (fig inf) that's my etc business.
Bier- in cpds beer; **Bierarsch** m (sl) fat arse (sl); **Bierbaß** m (inf) deep bass voice; **Bierbauch** m (inf) beer gut (inf), beer belly (inf), pot-belly; **Bierbrauerei** f (das Brauen) (beer-)brewing; (Betrieb) brewery.
Bierchen nt inf (glass of) beer.
Bierdeckel m beer mat; **Bierdose** f beer can; **Biereifer, Bierernst** m (inf) deadly seriousness; **Bierfaß** nt keg; **Bierfilz** m beer mat; **Bierflasche** f beer bottle; **Biergarten** m beer garden; **Bierglas** nt beer glass; **Bierkasten** m beer crate; **Bierkeller** m (Lager) beer cellar; (Gaststätte auch) bierkeller; **Bierkrug** m tankard, beer mug; (aus Steingut) (beer) stein; **Bierkutscher** m 1. brewer's drayman; 2. (inf) beer-lorry (Brit) or -truck (US) driver; **Bierlaune** f (inf) **in einer ~, aus einer ~ heraus** after a few beers; **Bierleiche** f (inf) drunk; **Bierreise** f (hum) pub-crawl; **Bierruhe** f (inf) cool (inf); **Bierschinken** m ham sausage; **Bierseidel** nt tankard; **bierselig** adj Mensch boozed up (inf); **Biertrinker(in** f) m beer drinker; **Bierverlag, Biervertrieb** m beer wholesaler's; **Bierwärmer** m beer-warmer; **Bierwurst** f ham sausage; **Bierzeitung** f (inf) comic newspaper; **Bierzelt** nt beer tent.
Biese f -, -n 1. (an Hose) braid. 2. (Sew) tuck; (an Schuh) decorative seam.
Biest nt -(e)s, -er (pej inf) 1. (Tier) creature; (Insekt auch) bug. 2. (Mensch) (little) wretch; (Frau) bitch (sl), cow (sl). **sie ist ein süßes ~** she looks a sweet little thing but she can be a bitch at times (sl). 3. (Sache) beast (of a thing) (inf).
Biet nt -(e)s, -e (Sw) area.
bieten pret **bot**, ptp **geboten** I vt 1. (anbieten) to offer (jdm etw sth sb, sth to sb); (bei Auktion) to bid (auf + acc for); Möglichkeit, Gelegenheit auch to give (jdm etw sb sth, sth to sb); **jdm die Hand ~** to hold out one's hand to sb, to offer sb one's hand; (fig auch) to make a conciliatory gesture to sb; **jdm die Hand zur**

Versöhnung ~ *(fig)* to hold out the olive branch to sb; **jdm den Arm** ~ to offer sb one's arm; **wer bietet mehr?** will anyone offer me *etc* more?; *(bei Auktion)* any more bids? **diese Stadt/dieser Mann hat nichts zu** ~ this town/man has nothing to offer.

2. *(geben)* to give *(jdm etw* sb sth*); Gewähr, Sicherheit, Anlaß etc auch* to provide *(etw* sth, *jdm etw* sb with sth*); Asyl* to grant *(jdm etw* sb sth*).*

3. *(haben, aufweisen)* to have; *Problem, Schwierigkeit* to present. **das Hochhaus bietet fünfzig Familien Wohnung/Wohnungen für fünfzig Familien** the tower block provides accommodation/flats for fifty families.

4. *(zeigen, darbieten) Anblick, Bild* to present; *Film* to show; *Leistung* to give. **die Mannschaft bot ein hervorragendes Spiel** the team put on an excellent game.

5. *(zumuten)* **sich** *(dat)* **etw** ~ **lassen** to stand for sth; **so etwas könnte man mir nicht** ~ I wouldn't stand for that sort of thing.

6. *(geh: sagen)* **jdm einen Gruß** ~ to greet sb; *siehe* **Paroli, geboten.**

II *vi (Cards)* to bid; *(bei Auktion auch)* to make a bid *(auf +acc* for*).*

III *vr (Gelegenheit, Lösung, Anblick)* to present itself *(jdm* to sb*).* **ein grauenhaftes Schauspiel bot sich unseren Augen** a terrible scene met our eyes.

Bieter(in *f) m* **-s,** - bidder.

Bigamie *f* bigamy.

Bigamist(in *f) m* bigamist.

bigamistisch *adj* bigamous.

bigott *adj* overly pious.

Bigotterie *f (pej)* **1.** *no pl* excessive piousness. **2.** *(Handlung)* overly pious behaviour *no pl.*

Bijouterie [biʒutə'ri:] *f* **1.** *(Schmuck)* jewellery. **2.** *(Sw, obs: Geschäft)* jeweller's shop.

Bikarbonat *nt* bicarbonate.

Bikini *m* **-s, -s** bikini.

bikonkav *adj* biconcave.

bikonvex *adj* biconvex.

Bilanz *f* **1.** *(Econ, Comm: Lage)* balance; *(Abrechnung)* balance sheet. **eine** ~ **aufstellen** to draw up a balance sheet; ~ **machen** *(fig inf)* to check one's finances. **2.** *(fig: Ergebnis)* end result. **(die)** ~ **ziehen** to take stock *(aus* of*).*

Bilanzbuchhalter(in *f) m* accountant.

bilanzieren* *vti* to balance; *(fig)* to assess.

Bilanzprüfer(in *f) m* auditor; **Bilanzsumme** *f* balance.

bilateral *adj* bilateral.

Bild *nt* **-(e)s, -er** **1.** *(lit, fig)* picture; *(Fotografie auch)* photo; *(Film)* frame; *(Art: Zeichnung)* drawing; *(Gemälde)* painting; *(Cards)* court *or* face *(US)* card, picture card *(inf).* ~ **oder Wappen** heads or tails; **ein** ~ **machen** to take a photo *or* picture; **etw im** ~ **festhalten** to photograph/paint/draw sth as a permanent record; **sie ist ein** ~ **von einer Frau** she's a fine specimen of a woman; **ein** ~ **des Elends** a picture of misery; ~**: Hans Schwarz** *(TV, Film)* camera: Hans Schwarz.

2. *(Abbild)* image; *(Spiegel*~ *auch)* reflection.

3. *(Anblick, Ansicht)* sight. **das äußere** ~ **der Stadt** the appearance of the town.

4. *(Opt)* image.

5. *(Theat: Szene)* scene; *siehe* **lebend.**

6. *(Metapher)* metaphor, image. **um mit einem** *or* **im** ~ **zu sprechen ...** to use a metaphor ...; **im** ~ **bleiben** to use the same metaphor.

7. *(Erscheinungs*~*)* character. **sie gehören zum** ~ **dieser Stadt** they are part of the scene in this town.

8. *(fig: Vorstellung)* image, picture. **im** ~**e sein** to be in the picture *(über +acc* about*);* **jdn ins** ~ **setzen** to put sb in the picture *(über +acc* about*);* **sich** *(dat)* **von jdm/etw ein** ~ **machen** to get an idea of sb/sth; **du machst dir kein** ~ **davon, wie schwer das war** you've no idea *or* conception how hard it was; **das** ~ **des Deutschen** the image of the German.

Bildauflösung *f (TV, Comput)* resolution; **Bildarchiv** *nt* picture library; **Bildatlas** *m* pictorial atlas; **Bildausfall** *m (TV)* loss of vision; **Bildautor(in** *f) m* photographer; **Bildband** *m* illustrated book, coffee-table book.

bildbar *adj (lit, fig)* malleable.

Bildbeilage *f* colour supplement; **Bildbericht** *m* photographic report; **Bildbeschreibung** *f (Sch)* description of a picture; **Bildbetrachtung** *f* art appreciation.

Bildchen *nt, pl auch* **Bilderchen** *dim of* **Bild.**

Bilddokument *nt* photograph/painting/drawing of documentary value; **Bildempfänger(in** *f) m (Tech)* picture receiver.

bilden I *vt* **1.** *(formen)* to form; *Figuren auch* to fashion; *(fig) Charakter auch* to shape, to mould; *Körper, Figur* to shape. **sich** *(dat)* **ein Urteil/eine Meinung** ~ to form a judgement/an opinion.

2. *(hervorbringen, Gram)* to form.

3. *(einrichten) Fond, Institution* to set up.

4. *(zusammenstellen) Kabinett, Regierung* to form; *Ausschuß, Gruppe auch* to set up; *Vermögen* to acquire.

5. *(ausmachen) Höhepunkt, Regel, Ausnahme, Problem, Gefahr* to constitute; *Dreieck, Kreis* to form. **die Teile** ~ **ein Ganzes** the parts make up *or* form a whole; **die drei** ~ **ein hervorragendes Team** the three of them make (up) an excellent team.

6. *(erziehen)* to educate.

II *vr* **1.** *(entstehen)* to form, to develop.

2. *(lernen)* to educate oneself; *(durch Lesen)* to improve one's mind; *(durch Reisen)* to broaden one's mind.

III *vi siehe vr* **2.** to be educational; to improve the *or* one's mind; to broaden the *or* one's mind.

bildend *adj:* **die** ~**e Kunst** art; **die** ~**en Künste** the fine arts; ~**er Künstler** artist.

Bilderbogen *m* illustrated broadsheet.

Bilderbuch *nt* picture book. **eine Land-**

schaft wie im ~ a picturesque landscape.
Bilderbuch- in cpds (lit) picture-book;
(fig) perfect. **eine ~landung** a textbook
landing.

Bildergeschichte f 1. picture story; 2. (in
Comic, Zeitung) strip cartoon; (lustig
auch) comic strip; **Bilderrahmen** m
picture-frame; **Bilderrätsel** nt picture-
puzzle; **bilderreich** adj Buch full of
pictures; (fig) Sprache rich in imagery;
~ **sprechen** to use a lot of images;
Bilderschrift f pictographic writing
system; **Bildersprache** f metaphorical
language; **Bilderstreit** m (Eccl Hist)
controversy over image-worship, icono-
graphic controversy; **Bildersturm** m
(Eccl Hist) iconoclasm; **Bilder-
stürmer(in** f) m (lit, fig) iconoclast;
bilderstürmerisch adj (lit, fig) icono-
clastic.

Bildfernsprecher m video-phone; **Bild-
fläche** f 1. (Leinwand) projection surface; (von Fotoapparat) film plane; 2.
(fig inf) **auf der** ~ **erscheinen** to appear
on the scene; **von der** ~ **verschwinden** to
disappear (from the scene); **Bildfolge** f
sequence of pictures; (Film) sequence of
shots; **Bildfrequenz** f filming speed;
Bildfunk m radio photography; **Bild-
geschichte** f strip cartoon; **bildhaft**
adj pictorial; Beschreibung, Vorstellung,
Sprache vivid; **Bildhauer** m sculptor;
Bildhauerei f sculpture; **Bildhauerin** f
sculptress; **bildhauerisch** adj sculptur-
al; **Bildhauerkunst** f sculpture; **bild-
hauern** vti insep (inf) to sculpt; **bild-
hübsch** adj Mädchen (as) pretty as a picture; Kleid, Garten really lovely; **Bild-
journalist(in** f) m photojournalist; **Bild-
karte** f court or face (US) card, picture
card (inf); **Bildkonserve** f film record
ing.

bildlich adj pictorial; Ausdruck metaphorical, figurative. **sich** (dat) **etw** ~
vorstellen to picture sth in one's mind's
eye; **stell dir das mal** ~ **vor!** just picture
it.

Bildlichkeit f (von Sprache) figurative-
ness; (von Beschreibung) graphicness.

Bildmaterial nt pictures pl; (für Vortrag)
visual material, photographic and film
material; (für Buch) pictorial material;
(Sch) visual aids pl; **Bildmischer(in** f) m
-s, - (TV) vision mixer.

Bildner(in f) m **-s, -** (geh: Schöpfer) creator.

bildnerisch adj Begabung, Fähigkeit, Wille artistic; Element, Mittel, Gestaltung
visual.

Bildnis nt (liter) portrait.

Bildplatte f video disc; **Bildplattenspie-
ler** m video disc player; **Bildpunkt** m
pixel; **Bildqualität** f (TV, Film) picture
quality; (Phot) print quality; **Bildredak-
teur(in** f) m picture editor; **Bildröhre** f
(TV) picture tube; **Bildschärfe** f definition no indef art.

Bildschirm m (TV, Comput) screen.

Bildschirmabstrahlung f, no pl screen
radiation; **Bildschirmarbeit** f on-screen
work; **Bildschirmarbeiter(in** f) m VDU
operator; **Bildschirmarbeitsplatz** m

work station; **Bildschirmgerät** nt visual
display unit, VDU; **Bildschirmschoner**
m screen-saver; **Bildschirmtext** m
viewdata sing, Prestel ®.

Bildschnitzer(in f) m wood-carver;
Bildschnitzerei f (wood) carving;
bildschön adj beautiful; **Bildseite** f 1.
face, obverse (form); 2. (von Buch)
picture page; **Bildstelle** f educational
film hire service; **Bildstock** m 1. wayside shrine; 2. (Typ) block; **Bildstörung**
f (TV) interference (on vision or the
picture); **bildsynchron** adj (Film, TV)
synchronized (with the picture);
Bildtafel f plate; **Bildtelefon** nt video-
phone; **Bildtelegramm** nt
phototelegram; **Bildtext** m caption.

Bildung f 1. (Erziehung) education;
(Kultur) culture. **zu seiner** ~ **macht er
Abendkurse/liest er viel/reist er** he does
evening classes to try and educate
himself/reads to improve his mind/
travels to broaden his mind; ~ **haben** to
be educated.

2. no pl (das Formen) formation,
forming; (von Figuren auch) fashioning;
(fig: von Charakter auch) shaping. **zur** ~
des Passivs to form the passive.

3. (Form: von Baum, Hand, Ling:
Wort) form.

4. no pl (Entstehung) formation.

5. no pl (Einrichtung) setting-up.

6. no pl (Zusammenstellung) (von Kabinett, Regierung) formation, forming;
(von Ausschuß, Gruppe auch) setting-
up; (von Vermögen) acquisition.

Bildungsanstalt f (form) educational
establishment; **Bildungsarbeit** f work
in the field of education; **bildungs-
beflissen** adj eager to improve one's
mind; **Bildungsbürger** m member of
the educated classes; **Bildungs-
bürgertum** nt educated classes pl;
Bildungschancen pl educational opportunities pl; **Bildungseinrichtung** f
educational institution; (Kulturstätte)
cultural institution; **bildungsfähig** adj
educable; **bildungsfeindlich** adj anti-
education; **Bildungsgang** m school
(and university/college) career; **Bil-
dungsgrad** m level of education;
Bildungsgut nt established part of one's
general education; **Bildungshunger** m
thirst for education; **Bildungsideal** nt
educational ideal; **Bildungsinstitut** nt
siehe **Bildungseinrichtung**; **Bildungs-
lücke** f gap in one's education;
Bildungsmonopol nt monopoly on
education; **Bildungsniveau** nt standard
or level of education; **Bildungsplanung**
f education(al) planning no indef art;
Bildungspolitik f education policy;
Bildungspolitiker(in f) m politician with
a special interest in or responsibility for
education; **bildungspolitisch** adj
politico-educational; **Bildungsreform** f
educational reform; **Bildungsreise** f
educational trip or journey; **Bildungsroman** m (Liter) Bildungsroman
(form), novel concerned with the intellectual or spiritual development of the main
character; **Bildungsstand** m level of

education, educational level; **Bildungs-
stätte** f (geh) place or seat of learning;
Bildungsstreben nt striving after education; **Bildungsstufe** f level of education; **eine hohe/niedrige ~ haben** to be
highly/not very educated; **Bildungs-
urlaub** m educational holiday; (in
Firma) study leave; **Bildungsweg** m jds
~ the course of sb's education; **auf dem
zweiten ~** through night school;
Bildungswesen nt education system.
Bildunterschrift f caption; **Bildwand** f
projection wall; **Bildwerfer** m projector; **Bildwinkel** m (Opt, Phot) angle
of view; **Bildwörterbuch** nt pictorial or
picture dictionary; **Bildzuschrift** f reply
enclosing photograph.
Bilge f -, -n (Naut) bilge.
bilingual [bilɪŋ'gua:l] adj (form) bilingual.
Bilirubin nt -s, no pl bilirubin.
Billard ['bɪljart] nt -s, -e or (Aus) -s 1.
(Spiel) billiards sing. 2. (inf: Spieltisch)
billiard table.
Billard- in cpds billiard; **Billardkugel** f
billiard ball; **Billardstock** m billiard
cue; **Billardtisch** m billiard table.
Billet(t) [bɪl'jɛt] nt -(e)s, -e or -s 1. (Sw,
dated: Fahr~, Eintrittskarte) ticket. 2.
(Aus, obs: Schreiben) note; (Briefkarte)
letter-card.
Billet(t)eur [bɪljɛ'tøːɐ] m 1. (Aus:
Platzanweiser) usher. 2. (Sw: Schaffner)
conductor.
Billet(t)eurin [bɪljɛ'tøːrɪn] f (Aus) usher-
ette.
Billet(t)euse [bɪljɛ'tøːzə] f (Sw) conductress.
Billiarde f -, -n thousand trillion.
billig adj 1. (preisgünstig) cheap; Preis
low; (minderwertig auch) cheapjack attr.
~ **abzugeben** going cheap; **~es Geld**
(inf: leicht verdient) easy money; **etw für
~es Geld kaufen** to buy sth cheap; ~ **davonkommen** (inf) to get off lightly.
2. (pej: primitiv) cheap; Trick, Masche auch shabby; Ausrede feeble. **ein
~er Trost** cold comfort.
3. (old) (angemessen) proper, meet
(old); (gerecht, berechtigt) just, fair; siehe **recht.**
Billiganbieter m supplier of cheap goods.
billigen vt to approve. **etw stillschweigend
~** to condone sth; **~, daß jd etw tut** to
approve of sb's doing sth.
billigerweise adv (old) (mit Recht) rightly; (gerechterweise) by rights.
Billigflagge f (Naut, Comm) flag of convenience.
Billigkeit f siehe adj 1. cheapness; lowness. 2. cheapness; shabbiness; feebleness; cheapjack nature. 3. (old) proper-
ness, meetness (old); justness, fairness.
Billigland nt country with low production
costs; **Billigpreis** m low price.
Billigung f approval. **jds ~ finden** to meet
with sb's approval.
Billion f trillion.
bimbam interj ding-dong.
Bimbam m: **ach, du heiliger ~!** (inf) hell's
bells! (inf).
Bimetall nt (Material) bimetal; (~streifen)
bimetal strip.

Bimmel f -, -n (inf) bell.
Bimmelbahn f (inf) small train with a
warning bell.
Bimmelei f (pej) ringing.
bimmeln vi (inf) to ring.
Bimse f -, no pl (inf) ~ **kriegen** to get a
walloping (inf).
bimsen vt (inf) 1. (drillen) to drill. 2. (ein-
üben) Vokabeln to swot (inf), to cram
(inf); Griffe to practise.
Bimsstein m 1. pumice stone. 2. (Build)
breezeblock.
bin 1. pers sing present of **sein.**
binar, binär, binarisch adj binary.
Binärcode [-koːd] m binary code.
Binde f -, -n 1. (Med) bandage; (Schlinge)
sling. 2. (Band) strip of material;
(Schnur) cord; (Arm~) armband; (Au-
gen~) blindfold. 3. (Monats~) (sanitary) towel or napkin (US). 4. (dated:
Krawatte) tie. **sich** (dat) **einen hinter die
~ gießen** or **kippen** (inf) to put a few
drinks away.
Bindegewebe nt (Anat) connective
tissue; **Bindeglied** nt connecting link;
Bindehaut f (Anat) conjunctiva;
Bindehautentzündung f conjunctivitis;
Bindemittel nt binder.
binden pret **band**, ptp **gebunden** I vt 1.
(zusammen~) to tie; (fest~) to bind; (fig
geh) to bind, to unite. **etw zu etw** or **in
etw** (acc) ~ to tie or bind sth into sth.
2. (durch Binden herstellen) to bind;
Strauß, Kranz to make up; Knoten to
tie; Faß to hoop.
3. (zu~) Schal to tie; Krawatte to
knot. **sich** (dat) **die Schuhe ~** to tie (up)
one's shoelaces.
4. (fesseln, befestigen) (an +acc to) to
tie (up); Menschen auch to bind; Ziege,
Pferd auch to tether; Boot auch to
moor; (fig) Menschen to bind, to tie; (an
einen Ort) to tie; (Versprechen, Vertrag,
Eid) to bind. **jdn an Händen und Füßen
~** to tie or bind sb hand and foot; **jdm
die Hände auf den Rücken ~** to tie sb's
hands behind his back; **mir sind die Hände gebunden** (fig) my hands are tied; **sie
versuchte, ihn an sich zu ~** she tried to
tie him to her.
5. (festhalten) Staub, Erdreich to bind;
(Chem) (aufnehmen) to absorb; (sich
verbinden mit) to combine with.
6. (zusammenhalten, Cook) Farbe,
Soße to bind.
7. (verbinden) (Poet) to bind; (fig geh
auch) to unite; (Mus) Töne to slur; gleiche Note to bind. **was Gott gebunden hat,
soll der Mensch nicht trennen** what God
has joined together let no man put
asunder.
II vi (Mehl, Zement, Soße) to bind;
(Klebstoff) to bond; (fig) to be tying, to
tie one down.
III vr (sich verpflichten) to commit
oneself (an +acc to). **ich will mich nicht
~** I don't want to get involved.
bindend adj binding (für on); Zusage
definite.
Binder m -s, - 1. (Krawatte) tie. 2. (Agr)
(Bindemaschine) binder; (Mähbinder)
reaper-binder. 3. (Build) (Stein) header;

(*Balken*) truss beam. **4.** (*Bindemittel*) binder.

Binderei *f* (*Buch~*) bindery; (*Blumen~*) wreath and bouquet department.

Bindestrich *m* hyphen; **Bindevokal** *m* thematic vowel; **Bindewort** *nt* (*Gram*) conjunction.

Bindfaden *m* string. **es regnet ~** (*inf*) it's sheeting down (*inf*).

Bindung *f* **1.** (*Beziehung zu einem Partner*) relationship (*an +acc* with); (*Verbundenheit mit einem Menschen, Ort*) tie, bond (*an +acc* with); (*Verpflichtung: an Beruf, durch Vertrag*) commitment (*an +acc* to). **seine enge ~ an die Heimat** his close ties with his home country. **2.** (*Ski~*) binding. **3.** (*Chem*) bond. **4.** (*Tex*) weave.

binnen *prep +dat or* (*geh*) *gen* (*form*) within. **~ kurzem** shortly.

Binnendeich *m* inner dyke; **binnendeutsch** *adj Ausdruck, Wort* used in Germany; *Sprache, Dialekt* spoken in Germany; **Binnenfischerei** *f* freshwater fishing; **Binnengewässer** *nt* inland water; **Binnenhafen** *m* river port; **Binnenhandel** *m* domestic trade; **Binnenland** *nt* **1.** (*Landesinneres*) interior; **2.** (*N Ger: eingedeichtes Gebiet*) dyked land; **Binnenländer** *m* - inlander; **binnenländisch** *adj* inland; **Binnenmarkt** *m* home market; **europäischer ~** single European market; **Binnenmeer** *nt* **1.** inland sea; **2.** *siehe* **Binnensee**; **Binnenreim** *m* (*Poet*) internal rhyme; **Binnenschiffahrt** *f* inland navigation; **Binnenschiffer** *m* sailor on inland waterways; (*auf Schleppkahn*) bargeman; **Binnensee** *m* lake, continental lake (*form*); **Binnenstaat** *m* landlocked country *or* state; **Binnenverkehr** *m* inland traffic; **Binnenwährung** *f* internal currency; **Binnenwasserstraße** *f* inland waterway; **Binnenwirtschaft** *f* domestic economy; **Binnenzoll** *m* internal duty.

Binom *nt* **-s, -e** binomial.

binomisch *adj* binomial.

Binse *f* **-, -n** *usu pl* rush. **in die ~n gehen** (*fig inf*) (*mißlingen*) to be a wash-out (*inf*); (*verlorengehen*) to go west (*inf*), to go for a burton (*inf*); (*kaputtgehen*) to give out (*inf*).

Binsenwahrheit, Binsenweisheit *f* truism.

Bio *f* **-,** *no pl* (*Sch sl*) biol (*sl*), bio (*esp US sl*), bilge (*hum sl*).

Bio- *in cpds* bio-; **bioaktiv** *adj Waschmittel* biological; **Biochemie** *f* biochemistry; **biodynamisch** *adj* biodynamic; **Biogas** *nt* methane gas; **Biogenese** *f* biogenesis; **biogenetisch** *adj* biogenetic.

Biograph(in *f*) *m* biographer.

Biographie *f* biography.

biographisch *adj* biographical.

Bioladen *m* (*inf*) whole-food shop.

Biologe *m*, **Biologin** *f* biologist.

Biologie *f* biology.

biologisch *adj* biological. **~ abbaubar** biodegradable; **~-technische Assi-**

stentin, **~-technischer Assistent** laboratory technician.

Biomasse *f*, *no pl* (*Chem*) organic substances *pl*; **Biomüll** *m* (*inf*) organic waste; **Biophysik** *f* biophysics *sing*; **biophysikalisch** *adj* biophysical.

Biopsie *f* (*Med*) biopsy.

Biorhythmus *m* biorhythm; **Biotechnik** *f* biotechnology; **biotechnisch** *adj* biotechnological; **Biotonne** *f* (*inf*) dustbin for organic waste; **Biotop** *nt* **-s, -e** biotope; **Bio-Waschmittel** *nt* (*inf*) biological detergent; **Biowissenschaft** *f* biological science.

Birchermüesli (*Sw*), **Birchermüsli** *nt* muesli (*with fresh fruit*).

Birke *f* **-, -n** birch; (*Baum auch*) birch tree.

Birkenwald *m* birch wood *or* forest; **Birkenwasser** *nt* hair lotion (*made from birch sap*).

Birkhahn *m* black cock; **Birkhuhn** *nt* black grouse.

Birma *nt* **-s** Burma.

Birmane *m* **-n, -n, Birmanin** *f* Burmese.

birmanisch *adj* Burmese.

Birnbaum *m* (*Baum*) pear tree; (*Holz*) pear-wood.

Birne *f* **-, -n** **1.** pear. **2.** (*Glühlampe*) (light) bulb. **3.** (*inf: Kopf*) nut (*inf*). **eine weiche ~ haben** (*sl*) to be soft in the head (*inf*).

birnenförmig *adj* pear-shaped.

bis¹ *adv* (*Mus*) bis, twice.

bis² I *prep +acc* **1.** (*zeitlich*) until, till; (*die ganze Zeit über bis zu einem bestimmten Zeitpunkt auch*) up to, up until, up till; (*bis spätestens, nicht später als*) by. **das muß ~ Ende Mai warten** that will have to wait until *or* till the end of May; **~ Ende Mai bin ich wieder in Berlin/damit fertig** I'll be in Berlin again/I'll have finished it by the end of May; **~ 5 Uhr mache ich Hausaufgaben, und dann ...** I do my homework until 5 o'clock, and then ...; **~ jetzt hat er nichts gesagt** up to now *or* so far he has said nothing; **~ dato** (*form*) to date; **~ dahin** *or* **dann** until *etc*/up to *etc*/by then; **~ dahin bin ich alt und grau** I'll be old and grey by then; **~ wann gilt der Fahrplan/ist das fertig/können Sie das machen?** when is the timetable valid till/will that be finished by/can you do that for me by?; **~ wann?** when till/by?, till/by when?; **~ wann bleibt ihr hier?** how long are you staying here?, when are you staying here till?; **~ dann!** see you then!; **~ bald/später/morgen!** see you soon/later/tomorrow!; **von ... ~ ... (einschließlich) ...** from ... to *or* till *or* through (*US*) *or* thru (*US*) ...; **von ... ~ ...** (*mit Uhrzeiten*) from ... till *or* to ...; **Montag ~ Freitag** Monday to *or* thru (*US*) Friday; **~ einschließlich 5. Mai** up to and including 5th May; **~ spätestens Montag brauche ich das Geld** I need the money by Monday at the latest; **~ spätestens Montag darfst du es behalten** you can keep it until Monday at the latest; **die Wäsche ist frühestens ~ nächsten Montag fertig** the laundry won't be ready until *or* before next Monday at the earliest *or* will be ready by next Monday at the earliest; **ich kann nur (noch) ~ nächste Woche warten** I can only wait until *etc* next week, no longer.

2. (*räumlich*) to; (*in Buch, Film auch*) up to. **ich fahre nur ~ München** I'm only going to *or* as far as Munich; **ich habe das Buch nur ~ Seite 35 gelesen** I've only read up to *or* as far as page 35; **~ wo/ wohin ...?** where ... to?; **~ dort/ dorthin/dahin** (to) there; **~ dorthin sind es nur 5 km** it's only 5 km there; **~ hierher** (*lit*) (to) here; (*fig*) this *or* so *or* thus far; **~ hierher und nicht weiter** (*lit, fig*) this far and no further; **~ einschließlich** up to and including.

3. (*bei Alters-, Maß-, Mengen-, Temperaturangaben*) (*bis zu einer oberen Grenze von*) up to; (*bis zu einer unteren Grenze von*) to. **Kinder ~ sechs Jahre** children up to the age of six.

II *adv* **1.** (*zeitlich*) until, till; (*bis spätestens*) by. **~ zu diesem Zeitpunkt war alles ...** up to this time everything was ...; **das sollte ~ zum nächsten Sommer fertig sein** that should be finished by next summer; **dieser Brauch hat sich ~ ins 19. Jh. gehalten** this custom continued *or* till into the 19th century; **~ in den Sommer/die Nacht hinein** (until *or* till) into the summer/night; **er ist ~ gegen 5 Uhr noch da** he'll be there (up) until *or* till about 5 o'clock; **~ auf weiteres** until further notice.

2. (*räumlich*) to; *durch, über, unter* right. **~ an unser Grundstück** (right *or* up) to our plot; **~ vor den Baum** (up) to the tree; **es sind noch 10 km ~ nach Schlüchtern** it's another 10 km to Schlüchtern; **~ ins letzte/kleinste** (right) down to the last/smallest detail.

3. (*bei Alters-, Maß-, Mengen-, Temperaturangaben*) **~ zu** (*bis zu einer oberen Grenze von*) up to; (*bis zu einer unteren Grenze von*) (down) to; **Gefängnis ~ zu 8 Jahren** a maximum of 8 years' imprisonment.

4. **~ auf** (+*acc*) (*außer*) except (for); (*einschließlich*) (right) down to.

III *conj* **1.** (*beiordnend*) to. **zehn ~ zwanzig Stück** ten to twenty; **bewölkt ~ bedeckt** cloudy or overcast.

2. (*unterordnend: zeitlich*) until, till; (*nicht später als*) by the time. **ich warte noch, ~ es dunkel wird,** I'll wait until *or* till it gets dark; **~ es dunkel wird, möchte ich zu Hause sein** I want to get home by the time it's dark; **~ daß der Tod euch scheide(t)** (*form*) until *or* till death you do part (*form*); **~ das einer merkt!** it'll be ages before anyone realizes (*inf*); **du gehst hier nicht weg, ~ das (nicht) gemacht ist** you're not leaving until *or* before that's done.

Bisam *m* -s, -e *or* -s **1.** (*Pelz*) musquash.

2. *no pl siehe* **Moschus.**

Bisamratte *f* muskrat (beaver).

Bischof *m* -s, ̈-e bishop.

bischöflich *adj* episcopal.

Bischofs- *in cpds* episcopal; **Bischofsamt** *nt* episcopate; **Bischofsmütze** *f* (bishop's) mitre; **Bischofssitz** *m* diocesan town; **Bischofsstab** *m* crosier, (bishop's) crook.

bisexuell *adj* bisexual.

bisher *adv* until *or* till now, hitherto; (*und immer noch*) up to now. **~ nicht** not until *or* till now, not before; (*und immer noch nicht*) not as yet; **das wußte ich ~ nicht** I didn't know that before; **~ habe ich es ihm nicht gesagt** I haven't told him as yet; **ein ~ unbekannter Stern** a hitherto *or* previously unknown star, a star unknown until *or* till now; **alle ~ bekannten Sterne** all the known stars.

bisherig *adj attr* (*vorherig*) previous; (*momentan*) present, up to now. **der ~e Außenminister wird jetzt Kanzler** the present minister for foreign affairs *or* the person who was minister for foreign affairs up to now will become chancellor; **wir müssen unsere ~en Anschauungen revidieren** we will have to revise our present views; **die ~en Bestimmungen gelten seit letzter Woche/ab nächster Woche nicht mehr** the regulations previously/presently in force ceased to be valid last week/cease to be valid next week.

Biskaya [bɪsˈkaːja] *f* **die ~** (the) Biscay; **Golf von ~** Bay of Biscay.

Biskuit [bɪsˈkviːt, bɪsˈkuiːt] *nt or m* -(e)s, -s *or* -e (fatless) sponge.

Biskuitgebäck *nt* sponge cake/cakes; **Biskuitrolle** *f* Swiss roll; **Biskuitteig** *m* sponge mixture.

bislang *adv siehe* **bisher.**

Bismarckhering *m* Bismarck herring (*filleted pickled herring*).

Bison *m* -s, -s bison.

biß *pret of* **beißen.**

Biß *m* -sses, -sse bite; (*Zahnmedizin auch*) occlusion; (*fig*) vigour, spirit. **mit einem ~ war das Törtchen verschwunden** the tart disappeared in one mouthful; **Spaghetti/Bohnen mit ~** spaghetti/ beans al dente; **~ haben** (*fig sl*) to have punch; **einer Sache den ~ nehmen** to take the sting out of sth.

Bißchen *nt dim of* **Biß, Bissen.**

bißchen I *adj inv* **ein ~ Geld/Liebe/ Wärme** a bit of *or* a little money/love/ warmth; **ein ~ Milch/Wasser** a drop *or* bit of milk/water, a little milk/water; **ein klein ~ ...** a little bit/drop of ...; **kein ~ ...** not one (little) bit/not a drop of ...; **das ~ Geld/Whisky** that little bit of money/drop of whisky; **ich habe kein ~ Hunger** I'm not a bit hungry.

II *adv* **ein ~** a bit, a little; **ein klein ~** a little bit; **ein ~ wenig** not very much; **ein ~ mehr/viel/teuer** a bit more/much/ expensive; **ein ~ sehr** (*inf*) a little bit too much.

III *nt inv*: **ein ~** a bit, a little; (*Flüssigkeit*) a drop, a little.

Bissen *m* -s, - mouthful; (*Imbiß*) bite (to eat). **er will keinen ~ anrühren** he won't eat a thing; **einen ~ zu sich nehmen** to have a bite to eat; **sich** (*dat*) **jeden ~ vom** *or* **am Munde absparen** to go short onself/to watch every penny one spends.

bissenweise *adv* mouthful by mouthful; (*fig*) bit by bit.

bissig *adj* 1. (*lit, fig*) vicious. ~ **sein** to bite; „**Vorsicht, ~er Hund**" "beware of the dog". 2. (*übellaunig*) waspish. **du brauchst nicht gleich ~ zu werden** there's no need to bite my *etc* head off.

Bissigkeit *f siehe* **adj** 1. viciousness; (*Bemerkung*) vicious remark. 2. waspishness; (*Bemerkung*) waspish remark.

Bißwunde *f* bite.

bist 2. *pers sing present of* **sein**.

Bistro *nt* -s, -s bistro.

Bistum ['bɪstuːm] *nt* diocese, bishopric.

bisweilen *adv* (*geh*) from time to time, now and then.

Bit *nt* -(s), -(s) (*Comput*) bit.

Bittbrief *m* petition.

Bitte *f* -, -n request; (*inständig*) plea. **auf seine ~ hin** at his request; **ich habe eine große ~ an dich** I have a (great) favour to ask you; **sich mit einer ~ an jdn wenden** to make a request to sb; **er kann ihr keine ~ ausschlagen** he can't refuse her anything; **er gab den ~n der Kinder nach** he gave in to the children's pleas.

bitte *interj* 1. (*bittend, auffordernd*) please. ~ **schön** please; **nun hör mir doch mal ~ zu** listen to me please; ~ **sei so gut und ruf mich an** would you phone me, please *or* please phone me; **wo ist ~ das nächste Telefon?** could you please tell me where the nearest telephone is?; ~ **nicht!** no, please!, please don't!; **ja ~!** yes please; ~ ~ **machen** (*inf*) (*Kind*) ≃ to say pretty please (*inf*); (*Hund*) to (sit up and) beg; ~ **zahlen, zahlen ~!** (could I/we have) the bill, please; ~ **nach Ihnen!** after you.

2. (*bei höflicher Frage, Aufforderung*) *meist nicht übersetzt* ~ **schön?**, ~(, **was darf es sein)?** (*in Geschäft*) can I help you?; (*in Gaststätte*) what would you like?; ~(, **Sie wünschen)?** what can I do for you?; ~ (**schön** *or* **sehr**)(, **Ihr Bier/ Kaffee)?** *meist nicht übersetzt* your beer/ coffee, here you are (*inf*); **ja ~?** yes?; ~(, **treten Sie ein)!** come in!, come!; ~ (, **nehmen Sie doch Platz)!** (*form*) please *or* do sit down; ~ **hier, hier** ~! (*over*) here, please; **Entschuldigung! —** ~! I'm sorry! — that's all right; **aber** ~! sure (*inf*), go (right) ahead (*inf*), please do; ~, **nur zu!** help yourself; **na** ~! there you are!

3. (*sarkastisch: nun gut*) all right. ~, **wie du willst** (all right,) just as you like.

4. (*Dank erwidernd*) you're welcome, not at all (*Brit*), sure (*US inf*). ~ **sehr** *or* **schön** you're welcome, not at all (*Brit*); ~(, **gern geschehen**) (not at all,) my pleasure; **aber** ~! there's no need to thank me.

5. (*nachfragend*) (**wie**) ~? (I beg your) pardon? (*auch iro*), sorry(, what did you say)?

bitten *pret* **bat**, *ptp* **gebeten** I *vt* 1. to ask; (*inständig*) to beg; (*Eccl*) to beseech. **jdn um etw ~** to ask/beg/beseech sb for sth; **jdn (darum) ~, etw zu tun** *or* **daß er etw tut** to ask *etc* sb to do sth; **jdn etw** (*acc*) ~ (*dated*) to ask sth of sb; **darf ich Sie um Ihren Namen ~?** might I ask your name?; **um Ruhe wird gebeten** si-

lence is requested; (*auf Schild*) silence please; **darf ich Sie um den nächsten Tanz ~?** may I have the pleasure of the next dance?; **wir ~ dich, erhöre uns!** (*Eccl*) we beseech Thee to hear us; (*katholisch*) Lord hear us; **ich bitte dich um alles in der Welt** I beg *or* implore you; **er läßt sich gerne ~** he likes people to keep asking him; **er läßt sich nicht (lange) ~** you don't have to ask him twice; **aber ich bitte dich!** not at all; **wenn ich ~ darf** (*form*) if you please, if you wouldn't mind; **ich bitte darum** (*form*) I'd be glad if you would, if you wouldn't mind; (**keineswegs,**) **ich bitte sogar darum** (*form*) (not at all,) I should be glad; **darum möchte ich doch sehr gebeten haben!** (*form*) I should hope so indeed; **ich muß doch (sehr)** ~! well I must say!

2. (*einladen*) to ask, to invite. **jdn auf ein Glas Wein ~** to invite sb to have a glass of wine; **jdn zum Abendessen (zu sich)** ~ to ask *or* invite sb to dinner; **jdn zu Tisch ~** to ask sb to come to table; **jdn ins Zimmer ~** to ask *or* invite sb to come in.

3. (*bestellen*) **jdn an einen Ort ~** to ask sb (to come) somewhere; **jdn zu sich ~** to ask sb to come and see one.

II *vi* 1. to ask; (*inständig*) to plead, to beg. **um etw ~** to ask (for) *or* request sth; to plead *or* beg for sth; **bei jdm um etw ~** to ask sb for sth; ~ **und betteln** to beg and plead.

2. (*einladen*) **der Herr Professor läßt** ~ the Professor will see you now; **ich lasse** ~ he/she can come in now, would you ask him/her to come in now?; **darf ich (um den nächsten Tanz)** ~? may I have the pleasure (of the next dance)?

Bitten *nt* -s, *no pl* pleading. **sich aufs** ~ **verlegen** to resort to pleas *or* pleading; **auf** ~ **von** at the request of.

bittend *adj* pleading. **mit ~en Augen** with a look of pleading.

bitter *adj* 1. bitter; *Schokolade* plain; (*fig*) *Geschmack* nasty.

2. (*fig*) *Enttäuschung, Erfahrung, Ironie* bitter; *Wahrheit, Lehre, Verlust* hard, painful; *Zeit, Schicksal* hard; *Ernst, Feind* deadly; *Hohn, Spott* cruel. **bis zum ~en Ende** to the bitter end.

3. (*fig: verbittert*) bitter. ~**e Klagen führen** to complain bitterly.

4. (*stark*) *Kälte, Frost, Reue, Tränen* bitter; *Not, Notwendigkeit* dire; *Leid, Unrecht* grievous. **jdn/etw ~ entbehren/ vermissen** to miss sb/sth sadly; **etw ~ nötig haben** to be in dire need of sth; **solche Fehler rächen sich ~** one pays dearly for mistakes like that.

Bitter *m* -s, - bitters *pl*.

bitterböse *adj* furious.

Bittere(r) *m decl as adj siehe* **Bitter**.

bitterernst *adj* *Situation* extremely serious; *Mensch* deadly serious; **damit ist es mir ~** I am deadly serious *or* in deadly earnest; **bitterkalt** *adj attr* bitterly cold, bitter; **Bitterkeit** *f* (*lit, fig*) bitterness; **bitterlich** I *adj* bitter; II *adv* bitterly; **Bittermandel** *f* bitter almond.

Bitternis *f* (*geh*) bitterness *no pl*; (*fig: von Mensch auch*) embitterment *no pl*; (*Leiden*) adversity, hardship.

Bittersalz *nt* Epsom salts *pl*; **bittersüß** *adj* (*lit, fig*) bitter-sweet.

Bitteschön *nt* **-s, -s** (*bittend, auffordernd*) please; (*Dank erwidernd*) not at all; (*anbietend*) (*von Verkäufer*) can I help you?; (*von Kellner*) what would you like?

Bittgang *m* **1.** (*geh*) einen ~ zu jdm machen to go to sb with a request; (*Bittprozession*) rogation procession; **Bittgebet** *nt* (prayer of) supplication; **Bittgesuch** *nt* petition; **Bittgottesdienst** *m* rogation service.

Bittschrift *f* (*dated*) *siehe* **Bittgesuch; Bittsteller(in** *f*) *m* **-s, -** petitioner, supplicant.

Bitumen *nt* **-s, -** *or* **Bitumina** bitumen.

bivalent [-va-] *adj* bivalent.

Biwak *nt* **-s, -s** *or* **-e** bivouac.

biwakieren* *vi* to bivouac.

bizarr *adj* bizarre; *Form, Gestalt auch* fantastic.

Bizeps *m* **-(es), -e** biceps.

Bj. *abbr of* Baujahr.

blabla *interj* (*inf*) blah blah blah (*inf*).

Blabla *nt* **-s,** *no pl* (*inf*) waffle (*inf*).

blaffen, bläffen *vi* (*inf*) to yelp; (*schimpfen*) to snap.

Blag *nt* **-s, -en, Blage** *f* **-, -n** (*pej inf*) brat.

blähen I *vt* to swell; *Segel auch* to belly (out), to fill; *Anorak, Gardine, Windsack* to fill; *Nüstern* to dilate; *Bauch* to swell, to distend (*form*). **voller Stolz blähte er seine Brust** his chest swelled with pride.

II *vr* to swell; (*Segel auch*) to belly out, to billow; (*Anorak, Gardine*) to billow; (*Nüstern*) to dilate; (*fig: Mensch*) to puff oneself up (*inf*).

III *vi* to cause flatulence *or* wind.

blähend *adj* (*Med*) flatulent (*form*).

Blähung *f usu pl* (*Med*) wind *no pl*, flatulence *no pl*. **eine ~ abgehen lassen** to break wind.

blakig *adj* (*NGer*) (*verrußt*) sooty; (*rußend*) smoky.

blamabel *adj* shameful, disgraceful.

Blamage [bla'ma:ʒə] *f* **-, -n** disgrace.

blamieren* **I** *vt* to disgrace. **II** *vr* to make a fool of oneself; (*durch Benehmen*) to disgrace oneself.

blanchieren* [blɑ̃'ʃiːrən] *vt* (*Cook*) to blanch.

blank *adj* **1.** (*glänzend, sauber*) shiny, shining; (*abgescheuert*) *Hosenboden* shiny. **etw ~ scheuern/polieren, etw scheuern/polieren, bis es ~ wird** to clean/polish sth till it shines; **der ~e Hans** (*poet*) the wild North Sea.

2. (*poet: strahlend*) *Licht* bright; *Augen auch* shining. **der ~e Tag** broad daylight.

3. (*nackt*) bare; *Schwert auch* naked; (*Aus: ohne Mantel*) coatless; (*inf: ohne Geld*) broke; (*Cards: einzeln*) single. **eine Karte ~ haben** to have only one card of a suit; **die Herzzehn habe ich ~** the ten of hearts is the only heart I have.

4. (*rein*) pure, sheer; *Hohn* utter.

Blankett *nt* **-s, -e** (*Fin*) blank form.

blankgewetzt *adj attr* shiny, worn shiny.

blanko *adj pred* **1.** *Papier* plain. **2.** *Scheck* blank.

Blanko- *in cpds* blank; **Blankoscheck** *m* blank cheque; **jdm einen ~ ausstellen** (*fig*) to give sb carte blanche; **Blankovollmacht** *f* carte blanche.

blankpoliert *adj attr* brightly polished.

Blankvers *m* blank verse.

blankziehen *sep irreg* **I** *vt* to draw. **II** *vi* (*sl*) to draw (one's gun).

Bläschen *nt* **1.** *dim of* Blase. **2.** (*Med*) vesicle (*form*), small blister.

Bläschen|ausschlag *m* herpes *sing*, blistery rash (*inf*).

Blase *f* **-, -n 1.** (*Seifen~, Luft~*) bubble; (*Sprech~*) balloon. **~n werfen** *or* **ziehen** (*Farbe*) to blister; (*Teig*) to become light and frothy.

2. (*Med*) blister; (*Fieber~ auch*) vesicle (*form*). **sich** (*dat*) **~n laufen** to get blisters from walking.

3. (*Anat*) bladder. **sich** (*dat*) **die ~ erkälten** to get a chill on the bladder.

4. (*pej inf: Clique*) gang (*inf*), mob (*inf*).

Blasebalg *m* (pair of) bellows.

blasen *pret* **blies**, *ptp* **geblasen I** *vi* to blow; (*Posaunenbläser etc*) to play; (*auf Essen*) to blow on it; (*auf Wunde*) ≈ to kiss it better. **zum Rückzug ~** (*lit, fig*) to sound the retreat; **zum Aufbruch ~** (*lit*) to sound the departure; (*fig*) to say it's time to go; **es bläst** (*inf*) it's blowy (*inf*) *or* windy, there's a wind blowing.

II *vt* **1.** to blow.

2. *Melodie, Posaune* to play.

3. (*inf: mitteilen*) to tell. **jdm etw ins Ohr ~** to whisper sth in sb's ear.

4. (*sl: fellieren*) **jdm einen ~** to give sb a blow-job (*sl*).

Blasenbildung *f* formation of bubbles; (*bei Anstrich, am Fuß etc*) blistering; **Blasenentzündung** *f*, **Blasenkatarrh** *m* cystitis; **Blasenleiden** *nt* bladder trouble *no art*; **Blasenstein** *m* bladder stone; **Blasentee** *m* herb tea beneficial in cases of bladder trouble.

Bläser(in *f*) *m* **-s, -** (*Mus*) wind player. **die ~** the wind (section).

Bläserquartett *nt* wind quartet.

blasiert *adj* (*pej geh*) blasé.

Blasiertheit *f* (*pej geh*) blasé character; (*von Mensch*) blasé attitude.

blasig *adj* full of bubbles; *Flüssigkeit* aerated; *Teig* light and frothy; (*Med*) blistered.

Blasinstrument *nt* wind instrument; **Blaskapelle** *f* brass band; **Blasmusik** *f* brass band music.

Blasphemie *f* blasphemy.

blasphemisch *adj* blasphemous.

Blasrohr *nt* **1.** (*Waffe*) blow-pipe. **2.** (*Tech*) blast pipe.

blaß *adj* **1.** *Gesicht, Haut* pale. **~ werden** to go *or* grow pale, to pale; (*vor Schreck auch*) to blanch; **~ vor Neid werden** to go green with envy.

2. *Farbe, Schrift* pale.

3. (*geh*) *Licht, Mond* pale, wan.

4. (*fig*) faint; *Ahnung, Vorstellung*

auch vague; *Erinnerung auch* dim, vague; *Ausdruck, Sprache, Schilderung* colourless. **ich habe keinen blassen Schimmer** *or* **Dunst (davon)** (*inf*) I haven't a clue *or* the faintest (idea) (about it) (*inf*).

Blässe *f* -, **-n 1.** paleness; (*von Haut, Gesicht auch*) pallor; (*von Licht auch*) wanness; (*fig: von Ausdruck, Schilderung*) colourlessness. **2.** *siehe* **Blesse.**

Bläßhuhn *nt* coot.

bläßlich *adj* palish, rather pale.

Blatt *nt* -(e)s, ¨er **1.** (*Bot*) leaf. **kein ~ vor den Mund nehmen** not to mince one's words.

2. (*Papier*) sheet. **ein ~ Papier** a sheet of paper; **(noch) ein unbeschriebenes ~ sein** (*unerfahren*) to be inexperienced; (*ohne Image*) to be an unknown quantity; **er ist kein unbeschriebenes ~** he's been around (*inf*); (*Krimineller*) he's got a record; *siehe* **fliegend.**

3. (*Seite*) page. **das steht auf einem anderen ~** (*fig*) that's another story.

4. (*Noten~*) sheet. **vom ~ singen/ spielen** to sight-read.

5. (*Kunst~*) print; (*Reproduktion*) reproduction.

6. (*bei Landkartenserien*) sheet.

7. (*Zeitung*) paper.

8. (*von Messer, Ruder, Propeller*) blade.

9. (*Cards*) hand; (*Einzelkarte*) card. **das ~ hat sich gewendet** (*fig*) the tables have been turned.

10. (*Hunt, Cook*) shoulder.

Blatt|ader *f* (*Bot*) leaf vein.

Blättchen *nt dim of* **Blatt** (*pej: Zeitung*) rag (*inf*).

Blatter *f* -, **-n** (*dated Med*) (*Pocke*) pock, pustule. **Blattern** *pl* (*Krankheit*) smallpox.

blätt(e)rig *adj Teig* flaky; *Farbe* flaking. **~ werden** (*Farbe*) to start flaking.

Blättermagen *m* (*Zool*) omasum (*spec*).

blättern I *vi* **1.** (*in Buch*) to leaf *or* (*schnell*) flick through it/them; (*Comput*) to scroll. **in etw** (*dat*) **~** to leaf *or* flick through sth.

2. *aux sein* (*rare*) (*in Schichten zerfallen*) to flake; (*abblättern*) to flake off.

II *vt Geldscheine, Spielkarten* to put down one by one. **er blätterte mir die 100 Mark auf den Tisch** he put the 100 marks down note by note on the table for me.

Blatternarbe *f* (*dated*) pockmark; **blatternarbig** *adj* (*dated*) pockmarked.

Blätterpilz *m* agaric; **Blätterteig** *m* puff pastry *or* paste (*US*); **Blätterteiggebäck** *nt* puff pastry; (*Backwaren*) puff pastries *pl*; **Blätterwald** *m* (*Press hum*) press; **es rauscht im deutschen ~** there are murmurings in the German press; **Blätterwerk** *nt, no pl siehe* **Blattwerk.**

Blattfeder *f* (*Tech*) leaf spring; **Blattform** *f* (*Bot*) leafshape; **blattförmig** *adj* leafshaped, foliar (*form*); **Blattgemüse** *nt* greens *pl*, green *or* leaf (*form*) vegetables *pl*; **ein ~** a leaf vegetable; **Blattgewächs** *nt siehe* **Blattpflanze;**

Blattgold *nt* gold leaf; **Blattgrün** *nt* chlorophyll; **Blattknospe** *f* leafbud; **Blattlaus** *f* greenfly, aphid; **blattlos** *adj* leafless; **Blattpflanze** *f* foliate plant; **Blattrippe** *f* (*Bot*) (leaf) rib *or* vein; **Blattsalat** *m* green salad; **Blattschuß** *m* (*Hunt*) shot through the shoulder to the heart; **Blattsilber** *nt* silver leaf; **Blattwerk** *nt, no pl* foliage.

blau *adj* **1.** blue. **Forelle** *etc* **~** (*Cook*) trout *etc* au bleu; **~er Anton** (*inf*) boilersuit; **~es Auge** (*inf*) a black eye; **ich tu das nicht wegen deiner schönen ~n Augen** (*fig*) I'm not doing it for the sake of your bonny blue eyes; **mit einem ~en Auge davonkommen** (*fig*) to get off lightly; **die ~e Blume** (*Liter*) the Blue Flower; **~es Blut in den Adern haben** to have blue blood in one's veins; **ein ~er Brief** (*Sch*) letter informing parents that their child must repeat a year; (*von Hauswirt*) notice to quit; (*von der Firma*) one's cards; **ein ~er Fleck** a bruise; **~e Flecken haben** to be bruised; **die ~en Jungs** (*inf*) the boys in blue (*inf*), the navy; **~er Lappen** (*sl*) hundred mark note *or* bill (*US*), blue one (*inf*); **der ~e Planet** the blue planet; **der B~e Reiter** (*Art*) the Blaue Reiter; **die ~e Stunde** (*poet*) the twilight hour; **er wird sein ~es Wunder erleben** (*inf*) he won't know what's hit him (*inf*).

2. *usu pred* (*inf: betrunken*) drunk, tight (*inf*), canned (*inf*).

3. (*inf: geschwänzt*) **einen ~en Montag machen** to skip work on Monday (*inf*); **der letzte Freitag war für mich ~** I skipped work last Friday (*inf*).

Blau *nt* -s, - *or* (*inf*) **-s** blue.

blauäugig *adj* blue-eyed; (*fig*) naïve; **Blauäugigkeit** *f* (*lit*) blue eyes *pl*; (*fig*) naïvety; **Blaubart** *m* (*geh*) Bluebeard; **Blaubeere** *f siehe* **Heidelbeere; blaublütig** *adj* blue-blooded.

Blaue¹ *m*: **der ~** *siehe* **Blaue(r).**

Blaue² *nt* -n, *no pl* **1.** **das ~** (*Farbe*) the blue; **es spielt ins ~** it has a touch of blue in it; **das ~ vom Himmel (herunter) lügen** (*inf*) to tell a pack of lies; **jdm das ~ vom Himmel (herunter) versprechen** (*inf*) to promise sb the moon.

2. (*ohne Ziel*) **ins ~ hinein** (*inf*) at random; *arbeiten* with no particular goal; **wir wollen ins ~ fahren** we'll just set off and see where we end up; **eine Fahrt ins ~** a trip to nowhere in particular; (*Veranstaltung*) a mystery tour.

Bläue *f* -, *no pl* blueness; (*des Himmels auch*) blue.

blauen *vi* (*liter*) (*Himmel*) to turn blue.

bläuen *vt* **1.** to dye blue; *Lackmuspapier* to turn blue. **2.** *Wäsche* to blue. **II** *vr* to turn *or* go blue.

Blaue(r) *m decl as adj* **1.** (*dated inf: Polizist*) cop (*inf*), copper (*inf*). **2.** (*sl: Geldschein*) blue one (*inf*). **ein kleiner/ großer ~r** a ten/hundred mark note.

Blaufelchen *m* whitefish, powan (*spec*); **Blaufilter** *m or nt* (*Phot*) blue filter; **Blaufuchs** *m* arctic fox; **blaugrau** *adj* blue-grey, bluish *or* bluey grey; **blaugrün** *adj* blue-green, bluish *or* bluey green; **Blauhelm** m (Press sl) UN soldier; **Blauhemd** nt (DDR) 1. blue shirt (worn by members of the Free German Youth); 2. (inf: Mensch) member of the Free German Youth; **Blaujacke** f (inf) bluejacket (inf), sailor; **Blaukraut** nt (S Ger, Aus) siehe Rotkohl; **Blaukreuz(l)er(in** f) m -s, - member of the Blue Cross Temperance League.

bläulich adj bluish, bluey.

Blaulicht nt (von Polizei etc) flashing blue light; (Lampe) blue light; **mit** ~ with its blue light flashing; **blaumachen** sep (inf) I vi to skip work; II vt den Freitag/zwei Tage ~ to skip work on Friday/for two days; **Blaumann** m, pl **Blaumänner** (inf) boilersuit; **Blaumeise** f bluetit; **Blaupapier** nt carbon paper; **Blaupause** f blueprint; **blaurot** adj purple; **Blausäure** f prussic or hydrocyanic acid; **Blauschimmelkäse** m blue cheese; **blauschwarz** adj blue-black, bluey black; **Blaustich** m (Phot) blue cast; **blaustichig** adj (Phot) with a blue cast; **Blaustift** m blue pencil; (zum Malen) blue crayon; **Blaustrumpf** m bluestocking; **blaustrümpfig** adj bluestocking attr; **Blautanne** f blue or colorado spruce; **blauviolett** adj (dark) bluish or bluey purple; **Blauwal** m blue whale.

Blazer ['ble:zɐ] m -s, - blazer.

Blech nt -(e)s, -e 1. no pl (sheet) metal; (von Auto) body. **eine Dose aus** ~ a tin (Brit), a metal container; **das ist doch nur** ~ it's just ordinary metal.
2. (Blechstück) metal plate.
3. (Backblech) (baking) tray.
4. no pl (inf: Blechinstrumente) brass.
5. no pl (pej inf: Orden) gongs pl (inf), fruit salad (US inf).
6. no pl (inf: Unsinn) rubbish no art (inf), trash no art (inf). **red' kein** ~ don't talk crap (sl).

Blechbläser(in f) m brass player; **die Blechbläser** the brass (section); **Blechblasinstrument** nt brass instrument; **Blechbüchse** f tin (Brit), can; **Blechdose** f tin container; (esp für Konserven) tin (Brit), can.

blechen vti (inf) to cough or pay up (inf), to fork out (inf).

blechern adj 1. attr metal. 2. Geräusch, Stimme tinny; (fig: hohl) hollow, empty.

Blechgeschirr nt metal pots and pans pl or utensils pl (form); **Blechinstrument** nt brass instrument; **Blechkanister** m metal can; **Blechkiste** f (pej inf) (old) crate (inf); **Blechlawine** f (pej inf) vast column of cars; **Blechmusik** f (usu pej) brass (band) music; **Blechnapf** m metal bowl; **Blechschaden** m damage to the bodywork; **Blechschere** f (pair of) metal shears; (Maschine) metal shearer; **Blechtrommel** f tin drum.

blecken I vt die Zähne ~ to bare or show one's teeth. II vi (rare) to flash; (Flammen) to dart, to leap.

Blei nt -(e)s, -e 1. no pl (abbr Pb) lead. **jdm wie** ~ **in den Gliedern** or **Knochen liegen** (Schreck) to paralyse sb; (Depression) to weigh sb down; **die Müdigkeit**

lag ihm wie ~ in den Gliedern or Knochen his whole body ached with tiredness.
2. (Lot) plumb, (plumb-)bob.
3. (Munition) lead; (Typ) hot metal.

Blei- in cpds lead; **Bleiader** f lead vein.

Bleibe f -, -n 1. (Unterkunft) place to stay. **keine** ~ **haben** to have nowhere to stay. 2. (Institution) remand home.

bleiben pret **blieb**, ptp **geblieben** vi aux sein 1. (sich nicht verändern) to stay, to remain. **unbeachtet** ~ to go unnoticed, to escape notice; **unbeantwortet** ~ to be left or to remain unanswered; **unvergessen** ~ to continue to be remembered; **an Samstagen bleibt unser Geschäft geschlossen** this shop is closed on Saturdays; **in Verbindung** ~ to keep or stay or remain in touch; **in Übung/Form** ~ to keep in practice/form; **jdm in** or **in jds Erinnerung** ~ to stay or remain in sb's mind; **ruhig/still** ~ to keep calm/quiet; **wach** ~ to stay or keep awake; **Freunde** ~ to stay or remain friends, to go on being friends.
2. (sich nicht bewegen, zu Besuch ~) to stay; (nicht weggehen, nicht zurückkommen auch) to remain. **sitzen/stehen** ~ to stay sitting down/standing up, to remain seated/standing; **bitte,** ~ **Sie doch sitzen** please don't get up; **jdn zum B~ einladen** or **auffordern** to invite sb to stay; **wo bleibst du so lange?** (inf) what's keeping you (all this time)?; **wo bleibt er so lange?** (inf) where has he got to?; **wo sind denn all die alten Häuser geblieben?** what (has) happened to all the old houses?, where have all the old houses gone (to)?; **bleibe im Lande und nähre dich redlich** (Prov) east, west, home's best (prov); **hier ist meines B~s nicht (mehr** or **länger)** (geh) I cannot remain here (any longer).
3. (fig) **bei etw** ~ to keep or stick (inf) to sth; **das bleibt unter uns** that's (just) between ourselves; **wir möchten für** or **unter uns** ~ we want to keep ourselves to ourselves.
4. (übrigbleiben) to be left, to remain. **es blieb mir/es blieb keine andere Wahl** I had/there was no other choice.
5. (sein) **es bleibt abzuwarten** it remains to be seen; **es bleibt zu hoffen/wünschen, daß ...** I/we can only hope that ...
6. (inf: versorgt werden) **sie können (selber) sehen, wo sie** ~ they'll just have to look out for themselves (inf); **sieh zu, wo du bleibst!** you're on your own! (inf), you'd better look out for yourself! (inf).
7. (euph: umkommen) **er ist auf See/im Krieg geblieben** he died at sea/didn't come back from the war.

bleibend adj Wert, Erinnerung lasting; Schaden, Zähne permanent.

bleibenlassen vt sep irreg (inf) 1. (unterlassen) **etw** ~ to give sth a miss (inf); **das werde ich/wirst du ganz schön** ~ I'll/you'll do nothing of the sort! 2. (aufgeben) to give up. **das Rauchen** ~ to give up or stop smoking.

bleich adj pale; (fig) Grauen, Entsetzen

sheer. ~ **wie der Tod** deathly pale, pale as death.

bleichen I vt to bleach. **II** vi pret **bleichte**, ptp **gebleicht** to be or become bleached. **in der Sonne** ~ to be bleached by the sun.

Bleichgesicht nt 1. (inf: blasser Mensch) pasty-face (inf), pale-faced person; 2. (Weißer) paleface; **bleichgesichtig** adj (inf) pale-faced, pasty-faced (inf); **Bleichmittel** nt bleach, bleaching agent; **Bleichsucht** f (old Med) anaemia; **bleichsüchtig** adj (old Med) anaemic.

bleiern adj 1. attr (aus Blei) lead; (fig) Farbe, Himmel leaden. **wie eine ~e Ente schwimmen** (hum) to swim like a brick. 2. (fig) leaden; Verantwortung onerous. **die Verantwortung lastete ~ auf ihm/seiner Seele** the responsibility weighed heavily upon him.

Bleierz nt lead ore; **Bleifarbe** f lead paint; **bleifarbig**, **bleifarben** adj leadcoloured, lead-grey; Himmel leaden; **bleifrei** adj Benzin lead-free, unleaded; ~ **fahren** to drive on lead-free petrol; **Bleifuß** m: **mit ~ fahren** (inf) to keep one's foot down; **Bleigehalt** m lead content; **Bleigewicht** nt lead weight; (Angeln) sinker; **Bleigießen** nt New Year's Eve custom of telling fortunes by the shapes made by molten lead dropped into cold water; **Bleiglanz** m galena, galenite; **bleigrau** adj lead-grey; **bleihaltig** adj containing lead; Erz, Gestein plumbiferous (spec); Benzin etc leaded; **~/zu ~ sein** to contain lead/ too much lead; **Bleihütte** f lead works (pl); **Bleikristall** nt lead crystal; **Bleikugel** f lead bullet; lead ball; **Bleioxid**, **Bleioxyd** nt lead oxide; **gelbes ~** lead monoxide; **rotes ~** red lead; **Bleisatz** m (Typ) hotmetal setting; **Bleischürze** f lead apron; **bleischwer** adj siehe bleiern 2.; **Bleisoldat** m ≈ tin soldier.

Bleistift m pencil; (zum Malen) crayon. **mit/in ~** with a pencil.

Bleistiftabsatz m stiletto heel; **Bleistiftspitzer** m pencil sharpener.

Bleivergiftung f lead poisoning; **bleiverglast** adj leaded; **Bleiverglasung** f lead glazing; **bleiverseucht** adj lead-polluted; **Bleiweiß** nt white lead.

Blende f -, -n 1. (Lichtschutz) shade, screen; (Aut) (sun) visor; (an Fenster) blind. 2. (Opt) filter. 3. (Phot) (Öffnung) aperture; (Einstellungsposition) f-stop; (Vorrichtung) diaphragm. **die ~ schließen** to stop down; **bei** or **mit ~ 2.8** at (an aperture setting of) f/2.8. 4. (Film, TV, Tontechnik: Aufblende, Abblende) fade. 5. (Archit) blind window/arch etc. 6. (Sew) trim. 7. (Verkleidung) cover. 8. (Geol) blende.

blenden I vt 1. (lit, fig: bezaubern) to dazzle; (fig geh: täuschen auch) to blind, to hoodwink. 2. (blind machen) to blind. **II** vi 1. to be dazzling. **~d weiß**

sein to be shining or dazzling white. 2. (fig: täuschen) to dazzle.

Blenden|automatik f (Phot) automatic diaphragm.

blendend I prp of blenden. **II** adj splendid; Pianist, Schüler brilliant; Laune, Stimmung sparkling. **es geht mir ~** I feel wonderful; **sich ~ amüsieren** to have a splendid or wonderful time.

blendendweiß adj attr shining or dazzling white.

Blendeneinstellung f (Phot) aperture (setting); (Vorrichtung) aperture control; **Blendenöffnung** f (Phot) aperture.

Blender(in f) m -s, - phoney (inf).

blendfrei adj dazzle-free; Glas, Fernsehschirm non-reflective; **Blendlaterne** f signalling lantern; **Blendrahmen** m 1. (Art) canvas-stretcher; 2. (Build) frame; **Blendschutz** m 1. protection against dazzle; 2. (Vorrichtung) anti-dazzle device; **Blendschutzgitter** nt, **Blendschutzzaun** m anti-dazzle barrier.

Blendwerk nt (liter) illusion; (Vortäuschung) deception; **Blendzaun** m antidazzle barrier.

Blesse f -, -n 1. (Fleck) blaze. 2. (Tier) horse with a blaze.

Blessur f (old) wound.

bleu [blø:] adj inv (Fashion) light blue.

bleuen vti siehe prügeln.

Blick m -(e)s, -e 1. (das Blicken) look; (flüchtiger ~) glance. **auf den ersten ~** at first glance; **Liebe auf den ersten ~** love at first sight; **auf den zweiten ~** when one looks (at it) again, the second time one looks (at it); **mit einem ~** at a glance; **jds ~** (dat) **ausweichen** to avoid sb's eye; **jds ~ erwidern** to return sb's gaze; **~e miteinander wechseln** to exchange glances; **jdn mit seinen ~en verschlingen** to devour sb with one's eyes; **sie zog alle ~e auf sich** everybody's eyes were drawn to her; **einen ~ auf etw** (acc) **tun** or **werfen** to throw a glance at sth; **einen ~ hinter die Kulissen tun** or **werfen** (fig) to take a look behind the scenes; **sie würdigte ihn keines ~es** she did not deign to look at him; **jdm einen/keinen ~ schenken** to look at sb/not to spare sb a glance; **wenn ~e töten könnten!** if looks could kill!

2. (~richtung) eyes pl. **mein ~ fiel auf sein leeres Glas** my eye fell on his empty glass; **von hier aus fällt der ~ auf den Dom** from here one can see the cathedral; **den ~ heben** to raise one's eyes, to look up; **den ~ senken** to look down.

3. (Augenausdruck) expression or look in one's eyes. **den bösen ~ haben** to have the evil eye; **in ihrem ~ lag Verzweiflung** there was a look of despair in her eyes; **er musterte sie mit finsterem ~** he looked at her darkly.

4. (Ausblick) view. **ein Zimmer mit ~ auf den Park** a room with a view of the park, a room overlooking the park; **dem ~ entschwinden** to disappear from view or sight, to go out of sight.

5. (Verständnis) **seinen ~ für etw schärfen** to increase one's awareness of

sth; **einen klaren ~ haben** to see things clearly; **einen (guten) ~ für etw haben** to have an eye *or* a good eye for sth; **er hat keinen ~ dafür** he doesn't see that sort of thing.

blickdicht *adj Strümpfe* opaque.

blicken *vi* (*auf* + *acc* at) to look; (*flüchtig* ~) to glance; (*fig: hervorsehen*) to peep. **sich ~ lassen** to put in an appearance; **laß dich hier ja nicht mehr ~!** don't let me see you here again!, don't show your face here again!; **laß dich doch mal wieder ~!** why don't you drop in some time?; **das läßt tief ~** that's very revealing.

Blickfang *m* eye-catcher; **als ~ to** catch the eye; **Blickfeld** *nt* field of vision; **ins ~ (der Öffentlichkeit) rücken** to become the focus of (public) attention; **Blickkontakt** *m* visual contact; **Blickpunkt** *m* **1.** (*Zentrum der Aufmerksamkeit*) centre of one's field of vision; (*fig*) limelight; **im ~ der Öffentlichkeit stehen** to be in the public eye; **2.** (*fig: Standpunkt*) viewpoint, point of view; **Blickrichtung** *f* line of vision *or* sight; (*fig*) outlook; **in ~ (nach) links** looking to the left; **Blickwechsel** *m* exchange of glances; (*fig*) change in one's viewpoint; **Blickwinkel** *m* angle of vision; (*fig*) viewpoint.

blind *adj* **1.** (*lit, fig*) blind (*für* to); *Zufall* pure, sheer; *Alarm* false. **~ für etw** *or* **in bezug auf etw** (*acc*) **sein** (*fig*) to be blind to sth; **ich bin doch nicht ~!** (*fig*) I'm not blind; **jdn ~ machen** (*lit, fig*) to blind sb, to make sb blind; **ein ~es Huhn findet auch mal ein Korn** (*Prov*) anyone can be lucky now and again; **jdm ~ gehorchen** to obey sb blindly; **~ landen** (*Aviat*) to make a blind landing, to land blind; **~er Fleck** (*Anat*) blind spot; **ihr Blick war von** *or* **vor Tränen ~** she was blinded with tears; **~er Eifer** blind enthusiasm; **~er Eifer schadet nur** (*Prov*) it's not a good thing to be over-enthusiastic; **etw ~ herausgreifen** to take *or* pick sth at random; **~ in etw** (*acc*) **hineingreifen** to put one's hand in sth without looking.
2. (*getrübt*) dull; *Spiegel* clouded; *Metall auch* tarnished; *Fleck* blind.
3. (*verdeckt*) *Naht* invisible; (*vorgetäuscht*) *Archit* false; *Fenster* blind, false. **ein ~er Passagier** a stowaway.

Blindband *m* (*Typ*) dummy.

Blinddarm *m* (*Anat*) caecum; (*inf: Wurmfortsatz*) appendix.

Blinddarmentzündung *f* appendicitis; **Blinddarmoperation** *f* append(ic)ectomy; **Blinddarmreizung** *f* grumbling appendix.

Blindekuh(spiel *nt*) *f no art* blind man's buff.

Blindenhund *m* guide-dog; **Blindenschrift** *f* braille.

Blinde(r) *mf decl as adj* blind person/man/woman *etc.* **die ~n** the blind; **die ~n und die Lahmen** (*Bibl*) the lame and the blind; **das sieht doch ein ~r (mit dem Krückstock)** (*hum inf*) any fool can see that; **unter den ~n ist der Einäugige König** (*Prov*) in the country of the blind the

one-eyed man is king; **von etw reden, wie der ~ von der Farbe** (*prov*) to talk about sth when one knows nothing about it.

blindfliegen *vi sep irreg aux sein* to fly blind; **Blindflug** *m* blind flight; (*das Blindfliegen*) blind flying; **Blindgänger** *m* (*Mil*) dud (shot); (*inf: Versager*) dud (*inf*), dead loss (*inf*); **blindgeboren** *adj attr* blind from birth; **Blindgeborene(r)** *mf decl as adj* person blind from birth; **blindgläubig** *adj* credulous; **Blindheit** *f* (*lit, fig*) blindness; **wie mit ~ geschlagen** (*fig*) as though blind; **mit ~ geschlagen sein** (*fig*) to be blind; **Blindlandung** *f* blind landing; **blindlings** *adv* blindly; **Blindmaterial** *nt* (*Typ*) leads *pl*; **Blindschleiche** *f* slow-worm; **blindschreiben** *vti sep irreg* to touch-type; **Blindschreibverfahren** *nt* touch-typing; **Blindspiel** *nt* (*Chess*) blind game; **blindspielen** *vi sep* to play blind; **Blindstart** *m* (*Aviat*) blind take-off; **blindwütig** *adj* in a blind rage.

blinken I *vi* **1.** (*funkeln*) to gleam.
2. (*Blinkzeichen geben*) (*Boje, Leuchtturm*) to flash; (*Aut*) to indicate.
II *vt Signal* to flash. **SOS ~** to flash an SOS (signal); **rechts/links ~** to indicate right/left.

Blinker *m* **-s, - 1.** (*Aut*) indicator, winker (*inf*). **2.** (*Angeln*) spinner.

blinkern *vi* **1.** (*inf: blinken*) to flash. **er blinkerte mit den Augen** he blinked. **2.** (*Angeln*) to use a spinner.

Blinkfeuer *nt* flashing light; **Blinkleuchte** *f* indicator; **Blinklicht** *nt* flashing light; (*inf: Blinkleuchte*) indicator, winker (*inf*); **Blinkzeichen** *nt* signal.

blinzeln, blinzen (*dated*) *vi* to blink; (*zwinkern*) to wink; (*geblendet*) to squint.

Blitz *m* **-es, -e 1.** (*das Blitzen*) lightning *no pl, no indef art*; (*~strahl*) flash of lightning; (*Lichtstrahl*) flash (of light). **vom ~ getroffen/erschlagen werden** to be struck by lightning; **wie vom ~ getroffen** (*fig*) thunderstruck; **aus ihren Augen schossen** *or* **sprühten ~e** her eyes flashed; **einschlagen wie ein ~** (*fig*) to be a bombshell; **wie ein ~ aus heiterem Himmel** (*fig*) like a bolt from the blue; **wie der ~** (*inf*) like lightning; **laufen wie ein geölter ~** (*inf*) to run like greased lightning.
2. (*Phot inf*) flash; (*Blitzlichtgerät auch*) flashgun.

Blitz- *in cpds* (*esp Mil: schnell*) lightning; **Blitzableiter** *m* lightning conductor; **jdn als ~ benutzen** to vent one's anger on sb; **Blitzaktion** *f* lightning operation; **Blitzangriff** *m* (*Mil*) lightning attack; **der ~ auf London** the London Blitz; **blitzartig I** *adj* lightning *attr*; **II** *adv* (*schnell*) *reagieren* like lightning; (*plötzlich*) *verschwinden* in a flash; **blitz(e)blank** *adj* (*inf*) spick and span.

blitzen I *vi impers* **es blitzt** there is lightning; (*mehrmals auch*) there are flashes of lightning; **es blitzt und donnert** there is thunder and lightning; **hat es eben geblitzt?** was that (a flash of) lightning?;

bei dir blitzt es (*hum inf*) your slip is showing, Charlie's dead (*Brit inf*). **II** *vi* 1. (*strahlen*) to flash; (*Gold, Zähne*) to sparkle. **vor Sauberkeit ~** to be sparkling clean; **Zorn blitzte aus seinen Augen** his eyes flashed with anger. 2. (*inf: unbekleidet flitzen*) to streak. 3. (*Phot inf*) to use (a) flash. **III** *vt* (*Phot inf*) to take a flash photograph of.

Blitzer(in *f*) *m m* -s, - (*inf*) streaker.

Blitzesschnelle *f* lightning speed. **mit ~** at lightning speed; **in ~** in a flash.

Blitzgerät *nt* (*Phot*) flash(gun); **blitzgescheit** *adj* (*inf*) brilliant; **Blitzgespräch** *nt* special priority telephone call; **Blitzkarriere** *f* rapid rise; **eine ~ machen** to rise rapidly; **Blitzkrieg** *m* blitzkrieg.

Blitzlicht *nt* (*Phot*) flash(light).

Blitzlichtbirne *f* flashbulb; **Blitzlichtgewitter** *nt* popping of flashbulbs.

Blitzmerker(in *f*) *m* -s, - (*inf: usu iro*) bright spark (*inf*); **Blitzreise** *f* flying visit; **blitzsauber** *adj* spick and span; **Blitzschaden** *m* damage caused by lightning; **Blitzschlag** *m* flash of lightning; **vom ~ getroffen** struck by lightning; **blitzschnell I** *adj* lightning *attr*; **II** *adv* like lightning; (*plötzlich*) *verschwinden* in a flash; **Blitzsieg** *m* lightning victory; **Blitzstrahl** *m* flash of lightning; **Blitzumfrage** *f* quick poll; **Blitzwürfel** *m* (*Phot*) flashcube.

Blizzard ['blɪzɐt] *m* -s, -s blizzard.

Bloch *m or nt* -(e)s, -e *or* ⸚er (*S Ger, Aus*) log.

Block *m* -(e)s, ⸚e 1. block (*von, aus* of); (*von Seife, Schokolade*) bar.
  2. *pl auch* -s (*Häuser~, Haus*) block.
  3. *pl auch* -s (*Papier~*) pad; (*Briefmarken~*) block; (*von Fahrkarten*) book.
  4. *pl* -s (*Rail*) block.
  5. (*Zusammengefaßtes*) block. **etw im ~ kaufen** to buy sth in bulk.
  6. *pl auch* -s (*Pol Staaten~*) bloc; (*Fraktion*) faction.
  7. (*NS*) smallest organizational unit of Nazi party based on a block of houses.
  8. (*Sport*) wall.
  9. *pl auch* -s (mental) block.
  10. (*Folter~*) stocks *pl*.
  11. (*Comput*) block.

Blockade *f* (*Absperrung*) blockade. **eine ~ brechen** to run or break a blockade.

Blockbau *m* 1. (*Gebäude*) log cabin; 2. (*auch ~weise*) method of building houses from logs; **Blockbildung** *f* (*Pol*) formation of blocs/factions; **Blockbuchstabe** *m* block letter *or* capital.

blocken *vti* 1. (*Rail*) to block. 2. (*Hunt*) to perch. 3. (*abfangen*) to block, to stop. 4. (*Sport: sperren*) to block. 5. (*Comput*) to block.

Blockflöte *f* recorder; **blockfrei** *adj* non-aligned; **Blockfreiheit** *f* non-alignment; **Blockhaus** *nt*, **Blockhütte** *f* log cabin.

blockieren* I *vt* 1. (*sperren, hemmen*) to block; *Verkehr, Verhandlung* to obstruct; *Flugverkehr* to halt; *Gesetz* to block the passage of; *Rad, Lenkung* to

lock. 2. (*mit Blockade belegen*) to block-ade. **II** *vi* to jam; (*Bremsen, Rad*) to lock.

Blockleiter *m* (*NS*) block leader; **Blockmalz** *nt* type of cough sweet; **Blockpartei** *f* (*esp DDR*) party in a faction; **Blockpolitik** *f* joint policy; **Blocksatz** *m* (*Typ*) justification; **Blockschokolade** *f, no pl* cooking chocolate; **Blockschrift** *f* block capitals *pl or* letters *pl*; **Blockstelle** *f* (*Rail*) block signal; **Blockstunde** *f* (*Sch*) double period; **Blocksystem** *nt* 1. (*Rail*) block system; 2. (*Pol*) system of factions; **Blockunterricht** *m* (*Sch*) teaching by topics; **Blockwart** *m* (*NS*) block leader; **Blockwerk** *nt* (*Rail*) block signal.

blöd(e) *adj* (*inf*) 1. (*dumm*) silly, stupid, idiotic; *Wetter* terrible; *Gefühl* funny. 2. (*Med: schwachsinnig*) imbecilic. 3. (*Sw: schüchtern*) shy. 4. (*S Ger: abgescheuert*) worn.

Blödel *m* -s, - (*inf*) idiot (*inf*).

Blödelei *f* (*inf*) (*Albernheit*) messing (*inf*) *or* fooling about *or* around; (*Witz*) joke; (*dumme Streiche*) pranks *pl*.

blödeln *vi* (*inf*) to mess (*inf*) *or* fool about *or* around; (*Witze machen*) to make jokes. **mit jdm ~** to have fun with sb.

blöderweise *adv* (*inf*) stupidly.

Blödhammel *m* (*sl*) bloody fool (*Brit sl*), jerk (*US sl*).

Blödheit *f* 1. (*Dummheit*) stupidity. 2. (*blödes Verhalten*) stupid thing; (*alberne Bemerkung*) silly *or* stupid remark. 3. (*Med: Schwachsinnigkeit*) imbecility.

Blödian *m* -(e)s, -e (*inf*) idiot.

Blödmann *m, pl* -männer (*inf*) stupid fool (*inf*).

Blödsinn *m, no pl* 1. (*Unsinn*) nonsense, rubbish; (*Unfug*) stupid tricks *pl*. **so ein ~** what nonsense *or* rubbish/how stupid; **das ist doch ~** that's nonsense *or* rubbish/stupid; **~ machen** to fool *or* mess about; **mach keinen ~** don't fool *or* mess about. 2. (*Schwachsinn*) imbecility.

blödsinnig *adj* 1. stupid, idiotic. 2. (*Med*) imbecilic.

Blödsinnigkeit *f* (*inf*) 1. (*Eigenschaft*) stupidity, idiocy. 2. (*Verhalten*) stupid thing. **laß diese ~en** stop being stupid.

blöken *vi* (*Schaf*) to bleat; (*geh: Rinder*) to low.

blond *adj* 1. (*blondhaarig*) fair(-haired); (*bei Frauen auch*) blonde; (*bei Männern, Menschenrasse auch*) blond. **~es Gift** (*hum inf*) blonde bombshell (*inf*). 2. (*hum inf: hellfarbig*) light-coloured; *Bier* light, pale.

Blond *nt* -s, *no pl* blonde; blond.

Blonde(s) *nt decl as adj* (*inf: Bier*) lager.

blondgefärbt *adj attr* dyed blonde/blond; **blondgelockt** *adj* with fair curly hair; *Haar* fair curly *attr*; **~ sein** to have fair curly hair; **blondhaarig** *adj* fair-haired, blonde/blond.

blondieren* *vt* to bleach. **blondiert** *Haare* bleached.

Blondine *f* blonde.

Blondkopf *m* 1. (*Haare*) fair *or* blonde/

blond hair *or* head; **2.** (*Mensch*) fair-haired *or* blonde/blond person/girl/boy *etc*; **blondlockig** *adj* with fair *or* blonde/blond curly hair; **Blondschopf** *m siehe* **Blondkopf**.

bloß I *adj* **1.** (*unbedeckt*) bare. **etw auf der ~en Haut tragen** to wear sth without anything on underneath; **mit ~en Füßen** bare-footed, barefoot; **mit der ~en Hand** with one's bare hand; *siehe* **Oberkörper**.
2. *attr* (*alleinig*) mere; *Neid, Dummheit* sheer; (*allein schon auch*) *Gedanke, Anblick* very. **er kam mit dem ~en Schrecken davon** he got off with no more than a fright.
II *adv* only. **wie kann so etwas ~ geschehen?** how on earth can something like that happen?; **was er ~ hat?** what on earth *or* whatever is wrong with him?; **tu das ~ nicht wieder!** don't you dare do that again; **geh mir ~ aus dem Weg** just get out of my way; **nicht ~ ...**, **sondern auch ...** not only ... but also ...

Blöße *f* -, **-n 1.** (*geh*) (*Unbedecktheit*) bareness; (*Nacktheit*) nakedness. **2.** (*im Wald*) clearing. **3.** (*Sport*) opening. **jdm eine ~ bieten** (*lit*) to drop one's guard; (*fig*) to show sb one's ignorance; **sich** (*dat*) **eine ~ geben** (*fig*) to reveal *or* show one's ignorance.

bloßlegen *vt sep* to uncover; (*ausgraben auch, Med*) to expose; (*fig*) *Geheimnis* to reveal; *Hintergründe* to bring to light; **bloßliegen** *vi sep irreg aux sein* to be *or* lie uncovered; (*Ausgegrabenes auch, Med*) to be exposed; (*fig geh: Geheimnis*) to be revealed; **bloßstellen** *sep* **I** *vt* *jdn* to show up; *Lügner, Betrüger* to unmask, to expose; **II** *vr* to show oneself up; to expose oneself; **bloßstrampeln** *vr sep* to kick one's covers off.

Blouson [blu'zõ:] *m or nt* **-(s), -s** blouson, bomber jacket.

blubbern *vi* (*inf*) to bubble; (*dial: undeutlich sprechen*) to gabble; (*inf: Blödsinn reden*) to waffle (*inf*).

Blücher *m*: **er geht ran wie ~** (*inf*) he doesn't hang about (*inf*).

Blue jeans ['blu:dʒi:ns] *pl* (pair of) (blue) jeans *or* denims.

Blues [blu:s] *m* -, - blues *sing or pl.* **(einen) ~ tanzen** to smooch (*inf*).

Bluff [bluf, (*dated*) blœf] *m* **-(e)s, -s** bluff.

bluffen ['blufn, (*dated*) 'blœfn] *vti* to bluff.

blühen I *vi* **1.** (*Blume*) to be in flower *or* bloom, to bloom, to flower; (*Bäume*) to be in blossom, to blossom; (*Garten, Wiese*) to be full of flowers; (*fig: gedeihen*) to flourish, to prosper, to thrive. **weiß ~** to have *or* bear white flowers.
2. (*inf: bevorstehen*) to be in store (*jdm* for sb). **... dann blüht dir aber was** ... then you'll be in for it (*inf*); **das kann mir auch noch ~** that may happen to me too.
II *vi impers* **es blüht** there are flowers.

blühend *adj Baum* blossoming; *Pflanze* blooming; *Frau, Aussehen* radiant; *Ge-*

sichtsfarbe, Gesundheit glowing; *Garten, Wiese* full of flowers; (*fig*) *Geschäft, Stadt* flourishing, thriving; *Unsinn* absolute; *Phantasie* vivid, lively. **im ~en Alter von 18 Jahren** at the early age of 18; **wie das ~e Leben** *or* **~ aussehen** to look the very picture of health.

Blümchen *nt dim of* **Blume**.

Blümchenkaffee *m* (*hum*) weak coffee.

Blume *f* -, **-n 1.** (*Blüte, Pflanze*) flower; (*Topfblume*) (flowering) pot plant; (*poet: Frau*) pearl. **vielen Dank für die ~n** (*iro*) thanks for nothing, thank you very much (*iro*); **jdm etw durch die ~ sagen/zu verstehen geben** to say/put sth in a roundabout way to sb.
2. (*von Wein, Weinbrand*) bouquet; (*von Bier*) head.
3. (*Hunt*) (*von Kaninchen, Hasen*) scut; (*von Fuchs*) tag.

Blumen- *in cpds* flower; **Blumenbank** *f* (*am Fenster*) windowsill; (*Blumenständer*) flower stand; **Blumenbeet** *nt* flowerbed; **Blumenbinder(in** *f*) *m* florist; **Blumenblatt** *nt* petal; **Blumendraht** *m* florist's wire; **Blumenerde** *f* potting compost; **Blumenfenster** *nt* window full of flowers; (*Archit*) window for keeping and displaying flowers and pot plants; **Blumenfrau** *f* flower woman; **Blumengeschäft** *nt* florist's, flower shop; **blumengeschmückt** *adj* adorned with flowers; **Blumengruß** *m* **jdm einen ~ übermitteln** to send sb flowers; **Blumenigel** *m* pinholder; **Blumenkasten** *m* window box; **Blumenkind** *nt* (*inf*) flower child, hippie; **Blumenkohl** *m* **-s**, *no pl* cauliflower; **Blumenkohlohr** *nt* (*inf*) cauliflower ear; **Blumenkorso** *m* flower carnival; **Blumenkranz** *m* floral wreath; **Blumenkübel** *m* flower tub; **Blumenmädchen** *nt* flower girl; **Blumenmeer** *nt* sea of flowers; **Blumenmuster** *nt* floral pattern; **Blumenrabatte** *f* herbaceous border; **blumenreich** *adj* full of flowers, flowery; (*fig*) *Stil, Sprache* flowery, ornate; **Blumensprache** *f* language of flowers; **Blumenständer** *m* flower stand; **Blumenstock** *m* flowering plant; **Blumenstrauß** *m* bouquet *or* bunch of flowers; **Blumenstück** *nt* (*Art*) flower painting; **Blumenteppich** *m* carpet of flowers; **Blumentopf** *m* flowerpot; (*Pflanze*) flowering plant; **damit ist kein ~ zu gewinnen** (*inf*) that's nothing to write home about (*inf*); **Blumenvase** *f* (flower) vase; **Blumenzucht** *f* growing of flowers, floriculture (*form*); **Blumenzwiebel** *f* bulb.

blümerant *adj* (*inf*) Gefühl queer. **jdm wird es ~** sb feels queer.

blumig *adj Parfüm* flowery; *Wein* with a flowery bouquet; (*fig*) *Stil, Sprache auch* ornate.

Bluse *f* -, **-n** blouse. **ganz schön was in** *or* **unter der ~ haben** (*sl*) to have a nice pair (*sl*).

Blut *nt* **-(e)s,** *no pl* (*lit, fig*) blood. **er lag in seinem ~** he lay in a pool of blood; **es ist viel ~ vergossen worden** *or* **geflossen** there was a lot of bloodshed; **er kann**

kein ~ sehen he can't stand the sight of blood; **~ lecken** (*lit: Hund*) to taste blood; (*fig*) to develop a taste *or* liking for it; **böses ~ machen** *or* **schaffen** *or* **geben** to cause bad blood *or* ill feeling; **jdm steigt das ~ in den Kopf** the blood rushes to sb's head; **ihnen gefror** *or* **stockte** *or* **gerann das ~ in den Adern** their blood froze; **vor Scham/Zorn schoß ihr das ~ ins Gesicht** she blushed with shame/went red with anger; **heißes** *or* **feuriges ~ haben** to be hot-blooded; **kaltes ~ bewahren** to remain unmoved; **(nur) ruhig ~** keep your shirt on (*inf*); **frisches ~** (*fig*) new blood; **~ und Boden** (*NS*) blood and soil, *idea that political stability and power depend on unification of race and territory*; **~ und Wasser schwitzen** (*inf*) to sweat blood; **die Stimme des ~es** the call of the blood; **das liegt mir/ihm im ~** that's in my/his blood; **es geht (einem) ins ~** it gets into your blood.

Blutacker m (*Bibl*) field of blood; **Blutader** f vein; **Blutalkohol(gehalt)** m blood alcohol level *or* content; **Blutandrang** m congestion; **Blutapfelsine** f blood orange; **blutarm** adj ['blu:t-] (*Med*) anaemic; (*fig auch*) colourless; **Blutarmut** f (*Med*) anaemia; **Blutauffrischung** f blood replacement; **Blutaustausch** m (*Med*) exchange transfusion; **Blutbad** nt bloodbath; **Blutbahn** f bloodstream; **Blutbank** f blood bank; **Blutbann** m power over life and death; **blutbefleckt** adj bloodstained; **blutbeschmiert** adj smeared with blood; **Blutbild** nt blood count; **blutbildend** adj haematinic (*spec*); *Nahrung* full of iron; **Blutblase** f blood blister; **Blutbuche** f copper beech; **Blutdruck** m blood pressure; **Blutdruckmeßgerät** nt sphygmomanometer; **blutdrucksenkend** adj hypotensive; *Mittel* anti-hypertensive; **Blutdurst** m (*geh*) blood lust; **blutdürstig** adj (*geh*) bloodthirsty.

Blüte f -, -n 1. (*Bot: Pflanzenteil*) (*von Blume*) flower, bloom; (*von Baum*) blossom. **~n treiben** to be in flower *or* bloom, to be flowering *or* blooming; (*Baum*) to be blossoming *or* in blossom; **merkwürdige ~n treiben** to produce strange effects; (*Phantasie, Angst*) to produce strange fancies.
2. (*das Blühen, Blütezeit*) **zur ~ des Klees/der Kirschbäume** when the clover is in flower *or* bloom/cherry trees are blossoming *or* in blossom; **die ~ beginnt** the flowers/trees are coming into bloom/blossom; **in (voller) ~ stehen** to be in (full) flower/blossom; (*Kultur, Geschäft*) to be flourishing; **sich zur vollen ~ entfalten** to come into full flower; (*Mädchen, Kultur*) to blossom; **seine ~ erreichen** *or* **erleben** (*Kultur*) to reach its peak; **ein Zeitalter kultureller ~** an age of cultural ascendency; **in der ~ seiner Jahre** in his prime, in the prime of his life; **eine neue ~ erleben** to undergo a revival.
3. (*Med: Ausschlag*) rash.

4. (*inf: gefälschte Note*) dud (*inf*).
Blut|egel m leech.
bluten vi to bleed (*an +dat, aus* from). **mir blutet das Herz** my heart bleeds; **~den Herzens** with heavy heart.
Blütenblatt nt petal; **Blütenhonig** m honey (*made from flowers*); **Blütenkelch** m calyx; **Blütenknospe** f flower bud; **blütenlos** adj non-flowering; **Blütenstand** m inflorescence; **Blütenstaub** m pollen.
Blut|entnahme f taking of a blood sample.
Blütenzweig m flowering twig.
Bluter m -s, - (*Med*) haemophiliac.
Blut|erguß m haematoma (*spec*); (*blauer Fleck*) bruise.
Bluterkrankheit f haemophilia.
Blütezeit f 1. **während der ~ der Kirschbäume** while the cherries were in blossom. 2. (*fig*) heyday; (*von Mensch*) prime.
Blutfarbstoff m haemoglobin; **Blutfaserstoff** m fibrin; **Blutfleck** m bloodstain; **Blutgefäß** nt blood vessel; **Blutgeld** nt blood money; **Blutgerinnsel** nt blood clot; **Blutgerinnung** f clotting of the blood; **Blutgier** f blood lust; **blutgierig** adj bloodthirsty.
Blutgruppe f blood group. **die ~ O haben** to be blood group O; **jds ~ bestimmen** to type *or* group sb's blood.
Blutgruppenbestimmung f blood-typing.
Bluthochdruck m high blood pressure; **Bluthund** m (*lit, fig*) bloodhound.
blutig adj 1. (*lit, fig*) bloody. **jdn ~ schlagen** to beat sb to a pulp; **sich ~ machen** to get blood on oneself.
2. (*inf*) *Anfänger* absolute; *Ernst* deadly.
blutjung adj very young; **Blutkonserve** f unit *or* pint of stored blood; **Blutkontakt** m contact through blood; **Blutkörperchen** nt blood corpuscle; **Blutkrankheit** f blood disease; **Blutkrebs** m leukaemia; **Blutkreislauf** m blood circulation; **Blutlache** f pool of blood; **blutleer** adj bloodless; **blutlos** adj bloodless; (*fig*) *Stil* colourless, anaemic; **Blutopfer** nt 1. (*Opferung*) blood sacrifice; 2. (*Geopferter*) victim; (*fig*) casualty; **Blutorange** f blood orange; **Blutpaß** m card giving blood group; **Blutpfropf** m clot of blood; **Blutplasma** nt blood plasma; **Blutplättchen** nt platelet; **Blutprobe** f blood test; **Blutrache** f blood feud; **Blutrausch** m frenzy; **blutreinigend** adj blood-cleansing, depurative (*spec*); **blutrünstig** adj bloodthirsty; **Blutsauger** m (*lit, fig*) bloodsucker; (*Vampir*) vampire.
Blutsbruder m blood brother; **Blutsbrüderschaft** f blood brotherhood.
Blutschande f incest; **Blutschuld** f (*liter*) blood guilt; **Blutschwamm** m (*Med*) strawberry mark; **Blutsenkung** f (*Med*) sedimentation of the blood; **eine ~ machen** to test the sedimentation rate of the blood; **Blutserum** nt blood serum; **Blutspende** f unit *or* pint of blood (*given by a donor*); **Blutspenden** nt giv-

ing blood *no art*; **zum ~ aufrufen** to appeal for blood donors; **Blutspender(in** *f)* *m* blood donor; **Blutspur** *f* trail of blood; **~en** traces of blood; **Blutstauung** *f* congestion; **blutstillend** *adj* styptic; **Blutstrom** *m* bloodstream; *(aus Wunde)* stream of blood.

Blutstropfen ['bluːts-] *m* drop of blood.

Blutstuhl *m* (*Med*) blood in the faeces; **Blutsturz** *m* haemorrhage.

blutsverwandt *adj* related by blood; **Blutsverwandte(r)** *mf* blood relation *or* relative; **Blutsverwandtschaft** *f* blood relationship.

Bluttat *f* bloody deed; **Bluttransfusion** *f* blood transfusion; **blutüberströmt** *adj* streaming with blood; **Blutübertragung** *f* blood transfusion.

Blutung *f* bleeding *no pl*; *(starke)* haemorrhage; *(monatliche)* period.

blutunterlaufen *adj* suffused with blood; *Augen* bloodshot; **Blutuntersuchung** *f* blood test; **Blutvergießen** *nt* -s, *no pl* bloodshed *no indef art*; **Blutvergiftung** *f* blood-poisoning *no indef art*; **Blutverlust** *m* loss of blood; **blutverschmiert** *adj* bloody, smeared with blood; **blutvoll** *adj* vivid, lively; **Blutwallung** *f* congestion; *(bei Frau)* hot flush; **Blutwäsche** *f* (*Med*) detoxification of the blood; **Blutwurst** *f* blutwurst (*US*), blood sausage; *(zum Warmmachen)* black pudding (*Brit*); **Blutzelle** *f* blood corpuscle *or* cell; **Blutzirkulation** *f* blood circulation; **Blutzoll** *m* (*geh*) toll (of lives); **Blutzucker** *m* blood sugar; **Blutzuckerspiegel** *m* blood sugar level; **Blutzufuhr** *f* blood supply.

BLZ [beːʔɛlˈtsɛt] *f* -, -s *abbr of* **Bankleitzahl.**

BND [beːʔɛnˈdeː] *m* -s *or* - *abbr of* **Bundesnachrichtendienst.**

Bö *f* -, -en gust (of wind); *(stärker, mit Regen)* squall.

Boa *f* -, -s *(Schlange, Schal)* boa.

Bob *m* -s, -s bob(sleigh).

Bobbahn *f* bob(sleigh) run; **Bobfahrer(in** *f)* *m* bobber.

Boccia ['bɔtʃa] *nt* -(s) *or f* -, *no pl* bowls *sing.*

Bock¹ *m* -(e)s, ⁻e **1.** (*Reh~, Kaninchen~*) buck; *(Schafs~)* ram; *(Ziegen~)* he-goat, billy-goat. **alter ~** (*inf*) old goat (*inf*); **sturer/geiler ~** (*inf*) stubborn old devil (*inf*)/randy (*Brit*) *or* horny old goat (*inf*); **wie ein ~ stinken** to smell like a pig (*inf*), to stink to high heaven (*inf*); **die ⁻e von den Schafen scheiden** *or* **trennen** (*fig*) to separate the sheep from the goats; **den ~ zum Gärtner machen** (*fig*) to be asking for trouble; **ihn stößt der ~** (*inf*) he's (just) being awkward *or* difficult; **einen ~ schießen** (*fig inf*) to (make a) boob (*inf*); *(Faux-pas auch)* to drop a clanger (*inf*).

2. (*inf: Trotz*) stubbornness. **(s)einen ~ haben** to be awkward *or* difficult, to play up (*inf*).

3. (*Gestell*) stand; *(Stützgerät)* support; *(für Auto)* ramp; *(aus Holzbalken, mit Beinen)* trestle; *(Säge~)* sawhorse.

4. (*Sport*) vaulting horse.

5. (*Schemel*) (high) stool.

6. (*Kutsch~*) box (seat).

7. (*Ramme*) (battering) ram.

8. (*sl: Lust, Spaß*) **null ~!** couldn't be buggered! (*sl*); **(einen) ~ auf etw** (*acc*) **haben** to fancy sth (*inf*); **(einen) ~ haben, etw zu tun** to fancy doing sth; **keinen** *or* **null ~ haben, etw, zu tun** not to feel like doing sth; **null ~ auf nichts** pissed off with everything (*sl*).

Bock² *nt* -s, - *siehe* **Bockbier.**

bockbeinig *adj* (*inf*) contrary, awkward; **Bockbier** *nt* bock (beer) *(type of strong beer).*

bocken *vi* **1.** (*Zugtier*) to refuse to move; *(nicht springen wollen: Pferd)* to refuse; *(fig inf: Auto, Motor)* to refuse to start/go properly. **vor einer Hürde ~** to refuse a jump. **2.** (*inf: trotzen*) to play *or* act up (*inf*).

bockig *adj* (*inf*) stubborn, awkward.

Bockleiter *f* stepladder; **Bockmist** *m* (*inf*) *(dummes Gerede)* bullshit (*sl*); **~ machen** to make a balls-up (*sl*).

Bocksbeutel *m* wide, rounded bottle containing Franconian wine; **Bockshorn** *nt*: **jdn ins ~ jagen** to put the wind up sb (*inf*); **sie ließ sich nicht ins ~ jagen** she didn't let herself get into a state.

Bockspringen *nt* -s leapfrog; (*Sport*) vaulting; **~ machen** to play leapfrog; **Bocksprung** *m* **1.** (*Sprung über Menschen*) leapfrog; (*Sport*) vault; **2.** (*ungeschickter Sprung*) leap, bound; **Bockwurst** *f* bockwurst *(type of sausage).*

Boden *m* -s, ⁻ **1.** (*Erde, Grundfläche*) ground; (*Erdreich auch*) soil; (*Fuß~*) floor; (*Grundbesitz*) land; (*no pl: Terrain*) soil. **auf spanischem ~** on Spanish soil; **zu ~ fallen** to fall to the ground; **jdn zu ~ schlagen** *or* **strecken** to knock sb down, to floor sb; **festen ~ unter den Füßen haben, auf festem ~ sein** to be *or* stand on firm ground, to be on terra firma; *(fig) (finanziell abgesichert)* to be secure; *(fundierte Argumente haben)* to be on firm ground; **den ~ unter den Füßen verlieren** (*lit*) to lose one's footing; *(fig: in Diskussion)* to get out of one's depth; **ihm wurde der ~ (unter den Füßen) zu heiß** (*fig*) things were getting too hot for him; **jdm den ~ unter den Füßen wegziehen** (*fig*) to cut the ground from under sb's feet; **ich hätte (vor Scham) im ~ versinken können** (*fig*) I was so ashamed that I wished the ground would (open and) swallow me up; **am ~ zerstört sein** (*inf*) to be shattered (*fig inf*); **(an) ~ gewinnen/verlieren** (*fig*) to gain/lose ground; **~ gutmachen** *or* **wettmachen** (*fig*) to make up ground, to catch up; **etw aus dem ~ stampfen** (*fig*) to conjure sth up out of nothing; *Häuser auch* to build overnight; **auf fruchtbaren ~ fallen** (*fig*) to fall on fertile ground; **jdm/einer Sache den ~ bereiten** (*fig*) to prepare the ground for sb/sth.

2. (*von Behälter*) bottom; (*von Hose*) seat; (*Torten~*) base.

3. (*Raum*) (*Dach~*, *Heu~*) loft; (*Trocken~*) (*für Getreide*) drying floor/ room; (*für Wäsche*) drying room.
4. (*fig: Grundlage*) **auf dem ~ der Wirklichkeit stehen** to base oneself on reality; (*Behauptung*) to be based *or* founded on reality; **auf dem ~ der Tatsachen bleiben** to stick to the facts; **sich auf unsicherem ~ bewegen** to be on shaky ground.

Bodenbelag *m* floor covering; **Bodenbelastung** *f* soil pollution; **Bodenbeschaffenheit** *f* condition of the ground; (*von Acker*) condition of the soil; **Bodenerhebung** *f* elevation; **Bodenertrag** *m* (*Agr*) crop yield; **Bodenfeuchtigkeit** *f* (*Hort, Agr*) soil *or* ground humidity; **Bodenfläche** *f* (*Agr*) area of land; (*von Zimmer*) floor space *or* area; **Bodenfrost** *m* ground frost; **bodengestützt** *adj Flugkörper* ground-launched; **Bodenhaftung** *f* (*Aut*) road holding *no indef art*; **Bodenheizung** *f* underfloor (central) heating; **Bodenkammer** *f* attic; **Bodenkontrolle** *f* (*Space*) ground control; **Bodenleger** *m* -s, - floor layer; **bodenlos** *adj* bottomless; (*inf: unerhört*) indescribable, incredible; **ins B~e fallen** to fall into an abyss; **Bodennebel** *m* ground mist; **Bodennutzung** *f* land utilization; **Bodenpersonal** *nt* (*Aviat*) ground personnel *pl or* staff *pl*; **Bodenreform** *f* land *or* agrarian reform; **Bodensatz** *m* sediment; (*von Kaffee*) grounds *pl*, dregs *pl*; **Bodenschätze** *pl* mineral resources *pl*; **Bodenschicht** *f* layer of soil; (*Geol*) stratum; **Bodensee** *m*: **der ~** Lake Constance; **Bodensenke** *f* depression, hollow; **Bodensicht** *f* (*Aviat*) ground visibility; **Bodenspekulation** *f* land speculation; **bodenständig** *adj* (*einheimisch*) native (*in* +*dat* to); (*lang ansässig*) long-established; (*fig: mit dem Boden verwurzelt*) rooted in the soil; **Bodenstation** *f* (*Space*) ground station; **Bodenturnen** *nt* floor exercises *pl*; **Bodenübung** *f* (*Sport*) floor exercise; **Bodenvase** *f* floor vase; **Bodenwelle** *f* 1. bump; 2. (*Rad*) ground wave.

Bodmerei *f* (*Naut*) bottomry.
Body ['bɔdɪ] *m* -, **Bodies** body stocking *or* suit.
Bodybuilder(in *f)* *m* ['bɔdibɪldɐ, -ərɪn] bodybuilder.
Bodybuilding ['bɔdibɪldɪŋ] *nt* -s, *no pl* bodybuilding. **~ machen** to do bodybuilding exercises.
Bodycheck ['bɔdɪtʃɛk] *m* -s, -s (*Sport*) bodycheck.
Bodysuit ['bɔdɪsuːt] *m* -, -s *siehe* Body.
Böe *f* -, -n *siehe* Bö.
bog *pret of* biegen.
Bogen *m* -s, - *or* ⸚ 1. (*gekrümmte Linie*) curve; (*Kurve*) bend; (*Umweg*) detour; (*Math*) arc; (*Mus*) (*zwischen zwei Noten gleicher Höhe*) tie; (*zur Bindung von verschiedenen Noten*) slur (mark); (*Ski*) turn. **einen ~ fahren** (*Ski*) to do *or* execute a turn; **den ~ heraushaben** (*inf*) to have got the hang of it (*inf*); **einen ~ ma-**

chen (*Fluß*) to curve, to describe a curve (*form*); (*einen Umweg machen*) to make a detour; **einen großen ~ um jdn/etw machen** (*meiden*) to keep well clear of sb/sth, to give sb/sth a wide berth; **jdn in hohem ~ hinauswerfen** (*inf*) to send sb flying out.
2. (*Archit*) arch.
3. (*Waffe, Mus: Geigen~*) bow. **den ~ überspannen** (*fig*) to overstep the mark, to go too far.
4. (*Papier~*) sheet (of paper).

Bogenfenster *nt* bow window; **bogenförmig** *adj* arched; **Bogenführung** *f* (*Mus*) bowing; **Bogengang** *m* 1. (*Archit*) arcade; 2. (*Anat: von Ohr*) semicircular canal; **Bogenlampe** *f* arc lamp *or* light; **Bogenschießen** *nt* archery; **Bogenschütze** *m*, **Bogenschützin** *f* archer; **Bogensehne** *f* bowstring; **Bogenstrich** *m* (*Mus*) bowing.
Boheme [bo'eːm, bo'ɛːm] *f* -, *no pl* bohemian world.
Bohemien [boe'miɛ̃ː, bohe'miɛ̃ː] *m* -s, -s bohemian.
Bohle *f* -, -n (thick) board; (*Rail*) sleeper.
böhmakeln* *vi* (*Aus pej*) to speak with a dreadful accent.
Böhme *m* -n, -n, Bohemian (*inhabitant of Bohemia*).
Böhmen *nt* -s Bohemia.
Böhmerwald *m* Bohemian Forest.
Böhmin *f siehe* Böhme.
böhmisch *adj* Bohemian. **das sind für mich ~e Dörfer** (*inf*) that's all Greek to me (*inf*); **das kommt mir ~ vor** (*inf*) that sounds a bit Irish to me (*inf*); **~ einkaufen** (*Aus inf*) to shoplift.
Bohne *f* -, -n bean; (*inf: Kot des Kaninchens, Rehs*) droppings *pl*. **dicke/grüne/weiße ~** broad/green *or* French *or* runner/haricot beans; **blaue ~** (*dated Mil sl*) bullet; **nicht die ~** (*inf*) not a scrap (*inf*), not one little bit; **das kümmert mich nicht die ~** I don't care a fig about that (*inf*); **du hast wohl ~n in den Ohren** (*inf*) are you deaf?
Bohneneintopf *m* bean stew; **Bohnenkaffee** *m* real coffee; **gemahlener ~** ground coffee; **Bohnenkraut** *nt* savo(u)ry; **Bohnenstange** *f* bean support; (*fig inf*) beanpole (*inf*); **Bohnenstroh** *nt*: **dumm wie ~** (*inf*) (as) thick as two (short) planks (*inf*); **Bohnensuppe** *f* bean soup.
Bohner *m* -s, -, **Bohnerbesen** *m*, **Bohnerbürste** *f* floor-polishing brush.
bohnern *vti* to polish.
Bohnerwachs *nt* floor polish *or* wax.
Bohr|arbeiten *pl* drillings *pl*.
bohren I *vt* to bore; (*mit Bohrer, Bohrmaschine auch*) to drill; *Brunnen* to sink; (*hineindrücken*) *Stange, Pfahl, Schwert* to sink (*in* +*acc* into). **ein Schiff in den Grund ~** to send a ship to the bottom (of the sea).
II *vi* 1. to bore (*in* +*dat* into); to drill (*nach* for). **in einem Zahn ~** to drill a tooth; **in der Nase ~** to pick one's nose.
2. (*fig*) (*drängen*) to keep on; (*peinigen: Schmerz, Zweifel*) to gnaw.

III *vr* **sich in/durch etw** (*acc*) ~ to bore its way into/through sth.

bohrend *adj* (*fig*) *Blick* piercing; *Schmerz, Zweifel, Hunger, Reue* gnawing; *Frage* probing.

Bohrer *m* **-s, -** 1. (*elektrisch, Drill*~) drill; (*Hand*~) gimlet, auger. 2. (*Arbeiter*) driller.

Bohrfutterschlüssel *m* chuck key; **Bohrinsel** *f* drilling rig; (*für Öl auch*) oilrig; **Bohrloch** *nt* borehole; (*in Holz, Metall*) drill-hole; **Bohrmaschine** *f* drill; **Bohrprobe** *f* drilling; **Bohrturm** *m* derrick.

Bohrung *f* 1. *siehe vt* boring; drilling; sinking. 2. (*Loch*) bore(-hole); (*in Holz, Metall*) drill-hole.

böig *adj* gusty; (*stärker, mit Regen*) squally.

Boiler ['bɔylɐ] *m* **-s, -** (*hot-water*) tank. **den ~ anstellen** to put the water heater on.

Boje *f* **-, -n** buoy.

Bolero *m* **-s, -s** (*Tanz, Jäckchen*) bolero.

Bolivianer(in *f*) [bolivi'a:nɐ, -ərɪn] *m* Bolivian.

Bolivien [bo'li:viən] *nt* **-s** Bolivia.

Böller *m* **-, -** (small) cannon (*for ceremonial use*).

böllern *vi aux sein* (*dial: poltern*) to thud.

böllern *vi* to fire. **es böllert** there is firing.

Böllerschuß *m* gun salute. **5 Böllerschüsse** 5 shots from the cannon.

Bollwerk *nt* (*lit, fig*) bulwark (*usu fig*), bastion, stronghold; (*Kai*) bulwark.

Bolschewik *m* **-en, -en** *or* **-i** Bolshevik.

Bolschewismus *m* Bolshevism.

Bolschewist(in *f*) *m* Bolshevist.

bolschewistisch *adj* Bolshevist, Bolshevik *attr*.

Bolzen *m* **-s, -** 1. (*Tech*) pin; (*esp mit Gewinde*) bolt. 2. (*Geschoß*) bolt.

bolzen (*inf*) **I** *vi* to kick about. **II** *vt Ball* to slam.

Bolzenschneider *m* bolt croppers *pl*.

Bombardement [bɔmbardə'mã:, (*Aus*) bɔmbard'mã:] *nt* **-s, -s** bombardment; (*mit Bomben*) bombing. **ein ~ von** (*fig*) a deluge *or* shower of.

bombardieren* *vt* (*mit Bomben belegen*) to bomb; (*mit Granaten beschießen, fig*) to bombard.

Bombardierung *f* (*mit Bomben*) bombing; (*mit Granaten, fig*) bombardment.

Bombast *m* **-(e)s,** *no pl* bombast.

bombastisch *adj Sprache* bombastic; *Kleidung, Architektur, Hauseinrichtung* overdone *pred*.

Bombay ['bɔmbeɪ] *nt* **-s** Bombay.

Bombe *f* **-, -n** bomb; (*dated: Könner*) ace (*in +dat* at); (*Sport inf: Schuß*) cracker (*inf*). **mit ~n belegen** to bomb; **wie eine ~ einschlagen** to come as a (real) bombshell; **eine/die ~ platzen lassen** (*fig*) to drop a/the bombshell.

bomben *vt* (*Sport inf*) *Ball* to smash (*inf*), to slam (*inf*).

Bomben- *in cpds* (*Mil*) bomb; (*inf: hervorragend*) fantastic (*inf*), great (*inf*); **Bombenalarm** *m* bomb scare; **Bombenangriff** *m* bomb attack *or* raid; **Bombenanschlag** *m* bomb attack;

Bombenbesetzung *f* (*inf*) fantastic *or* great cast (*inf*); **Bombenerfolg** *m* (*inf*) smash hit (*inf*); **bombenfest** *adj* 1. (*Mil*) bombproof; 2. (*inf*) *Klebestelle, Naht* absolutely secure; *Entschluß* unshakeable; **Bombenflugzeug** *nt* bomber; **Bombengeschäft** *nt* (*inf*) **ein ~ machen** to do a roaring trade (*inf*) (*mit* in); **Bombengeschwader** *nt* bomber squadron; **Bombenkrater** *m* bomb crater; **Bombenleger(in** *f*) *m* bomber; **Bombennacht** *f* night of bombing; **Bombenschaden** *m* bomb damage; **Bombenschuß** *m* (*inf*) unstoppable shot; **bombensicher** *adj* 1. (*Mil*) bombproof; 2. (*inf*) dead certain (*inf*); **Bombensplitter** *m* bomb fragment; **Bombenstellung** *f* (*inf*) job in a million (*inf*), fantastic job (*inf*); **Bombenteppich** *m* **einen ~ legen** to blanket-bomb an/the area; **Bombenterror** *m* terror bombing; **Bombentrichter** *m* bomb crater.

Bomber *m* **-s, -** bomber.

Bommel *f* **-, -n** bobble.

Bon [bɔŋ] *m* **-s, -s** voucher, coupon; (*Kassenzettel*) receipt, (sales) slip.

Bonbon [bɔŋ'bɔŋ] *nt or m* **-s, -s** sweet (*Brit*), candy (*US*); (*fig*) treat.

bonbonfarben, bonbonfarbig *adj* candy-coloured.

Bonbonniere [bɔŋbɔ'nie:rə] *f* **-, -n** box of chocolates.

Bonbonpapier *nt* sweet *or* candy (*US*) wrapper.

bongen *vt* (*inf*) *Betrag* to ring up. **das ist gebongt** (*inf*) okey-doke, righto (*inf*).

Bongo ['bɔŋgo] *nt* **-s, -s**, *f* **-, -s**, **Bongotrommel** *f* bongo (drum).

Bonität *f* **-,** *no pl* (*Fin*) financial standing, creditworthiness.

Bonitätsprüfung *f* (*Fin*) credit investigation.

Bonmot [bõ'mo:] *nt* **-s, -s** bon mot.

Bonn *nt* **-s** Bonn.

Bonner *adj attr* Bonn.

Bonner(in *f*) *m* **-s, -** native of Bonn; (*Einwohner*) inhabitant of Bonn.

Bonsai *nt* **-s, -s** bonsai.

Bonus *m* **- or -ses, - or -se** (*Comm, bei Versicherung*) bonus; (*Univ, Sport: Punktvorteil*) bonus points *pl*.

Bonze *m* **-n, -n** 1. (*Rel*) bonze. 2. (*pej*) bigwig (*inf*), big shot (*inf*).

Boogie(-Woogie) ['bugi('vugi)] *m* **-(s), -s** boogie-woogie.

Boom [bu:m] *m* **-s, -s** boom.

boomen ['bu:mən] *vi* to boom.

Boot *nt* **-(e)s, -e** boat. **~ fahren** to go out in a boat; (*zum Vergnügen*) to go boating; **wir sitzen alle in einem** *or* **im selben ~** (*fig*) we're all in the same boat.

Bootsbauer *m* boatbuilder; **Bootsfahrt** *f* boat trip; **Bootsflüchtlinge** *pl* boat people; **Bootshaus** *nt* boathouse; **Bootslänge** *f* (*Sport*) (boat's) length; **Bootsmann** *m*, *pl* **Bootsleute** (*Naut*) bo'sun, boatswain; (*Dienstgrad*) petty officer; **Bootssteg** *m* landing-stage; **Bootsverleih** *m* boat hire business.

Bor *nt* **-s,** *no pl* (*abbr* **B**) boron.

Borax *m* **-(es),** *no pl* borax.

Bord¹ m -(e)s, no pl an ~ (eines Schiffes/
der „Bremen") aboard or on board (a
ship/the "Bremen"); **alle Mann an ~!** all
aboard!; **frei an ~** (Comm) free on
board, f.o.b.; **an ~ gehen** to board or go
aboard (the ship/plane), to go on board;
Mann über ~! man overboard!; **über ~
gehen** to go overboard; (fig) to go by the
board; **über ~ werfen** (lit, fig) to throw
overboard, to jettison; **von ~ gehen** to
leave (the) ship/the plane; (esp Passagiere am Ziel) to disembark.
Bord² nt -(e)s, -e (Wandbrett) shelf.
Bord³ nt -(e)s, -e (Sw) (Rand) ledge,
raised edge; (Böschung) embankment.
Bordbuch nt log(book); **Bordcomputer**
m on-board computer.
Bordell nt -s, -e brothel.
Bordellier [-'lie:] m -s, -s brothel-keeper.
Bordellwirtin f brothel-keeper, madam.
Bordfunk m (Naut) (ship's) radio; (Aviat)
(aircraft) radio equipment; **Bord-
funker(in** f) m (Naut, Aviat) radio operator.
bordieren* vt (Sew) to edge, to border.
Bordkante f kerb; **Bordkarte** f boarding
pass or card; **Bordmechaniker(in** f) m
ship's/aircraft mechanic; **Bordstein** m
kerb; **den ~ mitnehmen** (inf) to hit the
kerb; **Bordsteinkante** f, **Bordstein-
rand** m kerb.
Bordüre f -, -n edging, border.
Bordwaffen pl (Mil) aircraft/tank/ship
armaments pl; **Bordwand** f (Naut)
ship's side; (Aviat) side of the aircraft.
borgen vti 1. (erhalten) to borrow (von
from). 2. (geben) to lend, to loan (jdm
etw sb sth, sth to sb).
Borke f -, -n bark.
Borkenkäfer m bark beetle; **Borken-
krepp** m (Tex) crepe.
borniert adj bigoted, narrow-minded.
Bor(r)etsch m -(e)s, no pl borage.
Borsalbe f boric acid ointment.
Börse f -, -n 1. (Geld~) (für Frauen)
purse; (für Männer) wallet. 2. (Wertpapierhandel) stock market; (Ort) stock
exchange.
Börsenbeginn m opening of the stock
market; **bei ~** when the stock market
opens/opened; **Börsenbericht** m stock
market report; **Börsengeschäft** nt
(Wertpapierhandel) stockbroking;
(Transaktion) stock market transaction;
Börsenkrach m stock market crash;
Börsenkurs m stock market price;
Börsenmakler(in f) m stockbroker;
börsennotiert adj Firma listed;
Börsennotierung f quotation (on the
stock exchange); **Börsenplatz** m stock
exchange; **Börsenschluß** m, no pl close
of the stock market; **Börsen-
spekulant(in** f) m speculator on the
stock market; **Börsenspekulation** f
speculation on the stock market;
Börsensturz m collapse of the market;
Börsentendenz f stock market trend;
Börsentip m market tip.
Börsianer(in f) m -s, - (inf) (Makler) broker; (Spekulant) speculator.
Borste f -, -n bristle.
Borstentier nt pig, swine; **Borstenvieh** nt

pigs pl, swine pl.
borstig adj bristly; (fig) snappish.
Borte f -, -n braid trimming.
Borwasser nt boric acid lotion.
bös adj siehe **böse**.
bösartig adj malicious, nasty; Tier, (stärker) Mensch, Wesen vicious; (Med) Geschwür malignant.
Bösartigkeit f siehe adj maliciousness,
nastiness; viciousness; malignancy.
Böschung f (von Straße) bank, embankment; (von Bahndamm) embankment;
(von Fluß) bank.
Böschungswinkel m gradient.
böse adj 1. (sittlich schlecht) bad; (stärker)
evil, wicked; (inf: unartig auch)
naughty. **die ~ Fee/Stiefmutter** the
Wicked Fairy/Stepmother; **ein ~r Geist**
an evil spirit; **das war keine ~ Absicht**
there was no harm intended; **das war
nicht ~ gemeint** I/he etc didn't mean it
nastily; **eine ~ Zunge** or **ein ~s Mundwerk haben** to have a malicious or
wicked tongue; siehe **Blick**.
2. no pred (unangenehm, übel)
Traum, Angelegenheit, Krankheit bad;
Überraschung, Streich, Geschichte
nasty. **ein ~s Erwachen** a rude awakening; **~ Folgen** dire consequences; **~ Zeiten** bad times; **er ist ~ dran** life's not
easy for him; (gesundheitlich) he's in a
bad way; **das/es sieht ~ aus** things look/it
looks bad; siehe **Blut, Ende, Wetter**².
3. (verärgert) angry, cross (+dat, auf
+acc, mit with). **ein ~s Gesicht machen**
to scowl; **im ~n auseinandergehen** to
part on bad terms.
4. (inf) (schmerzend, entzündet) bad
attr, sore; (krank, schlimm) bad; Wunde, Husten nasty, bad.
5. (inf: verstärkend) real (inf); Enttäuschung, Gewitter, Sturz bad, terrible.
Böse(r) mf decl as adj wicked or evil
person; (Film, Theat) villain, baddy
(inf). **die ~n** the wicked; **der ~** (Teufel)
the Evil One.
Böse(s) nt decl as adj evil; (Schaden, Leid)
harm. **jdm ~s antun** to do sb harm; **ich
will dir doch nichts ~s** I don't mean you
any harm; **mir schwant ~s** it sounds/
looks ominous (to me); **ich dachte an
gar nichts ~s, als ...** I was quite unsuspecting when ...
Bösewicht m -(e)s, -e or -er (old, hum)
villain.
boshaft adj malicious, spiteful, nasty;
Bosheit f malice, nastiness; (Bemerkung, Handlung) malicious or nasty
remark/thing to do; **er hat es mit kon-
stanter ~ getan** maliciously he kept on
doing it.
Boskop m -s, - ≃ russet.
Bosnien-Herzegowina nt -s Bosnia-
Herzegovina.
Bosnier(in f) m Bosnian.
bosnisch adj Bosnian.
Boß m **Bosses, Bosse** (inf) boss (inf).
bosseln (inf) **I** vi to tinker or fiddle about
(inf) (an +dat with). **II** vt (zusam-
menbasteln) to rig up (inf) (jdm for sb).
böswillig adj malicious; (Jur auch) wilful.
in ~er Absicht with malicious intent.

Böswilligkeit *f* malice, maliciousness.

bot *pret of* **bieten.**

Botanik *f* botany.

Botaniker(in *f*) *m* **-s, -** botanist.

botanisch *adj* botanic.

botanisieren* *vi* to botanize.

Botanisiertrommel *f* (botanist's) specimen container.

Bote *m* **-n, -n 1.** (*usu mit Nachricht*) messenger; (*Kurier*) courier; (*Post~*) postman; (*Zeitungs~*) paperboy; (*Laufbursche*) errand boy; (*Gerichts~*) messenger-at-arms. **2.** (*fig: Anzeichen*) herald, harbinger (*liter*).

Botendienst *m* errand; (*Einrichtung*) messenger service; **Botengang** *m* errand; **einen ~ machen** to run an errand; **Botenlohn** *m* delivery fee; (*Bezahlung des Boten*) messenger's/errand boy's fee.

Botin *f siehe* **Bote 1.** messenger; courier; postwoman; papergirl; errand girl.

botmäßig *adj* (*old, geh*) (*untertänig*) compliant, submissive; (*gehorsam*) obedient. **jdm ~ sein** to be at sb's command.

Botmäßigkeit *f*, *no pl* (*old, geh*) (*Herrschaft*) dominion, rule.

Botschaft *f* **1.** (*Mitteilung*) message; (*esp amtlich*) communication; (*Neuigkeit*) piece of news, news *no indef art or pl*. **ein freudige ~** good news; **die ~ in ihren Protestliedern** the message in her protest songs; **die Frohe ~** the Gospel. **2.** (*Pol: Vertretung*) embassy.

Botschafter *m* **-s, -** ambassador.

Botschafter|ebene *f*: **auf ~** at ambassadorial level.

Botschafterin *f* ambassador; (*Ehefrau*) ambassadress.

Böttcher *m* **-s, -** cooper.

Böttcherei *f* (*no pl: Gewerbe*) cooper's trade, cooperage; (*Werkstatt*) cooper's (work)shop, cooperage.

Bottich *m* **-(e)s, -e** tub.

Bottle-Party ['bɔtl-] *f* bottle party.

Bouclé [bu'kle:] *nt* **-s, -s** bouclé (yarn).

Boudoir [bu'doaːɐ̯] *nt* **-s, -s** (*dated geh*) boudoir.

Bouillon [bʊl'jɔŋ, bʊl'jõː, (*Aus*) bu'jõː] *f* **-, -s** stock, bouillon; (*auf Speisekarte*) bouillon, consommé.

Bouillonwürfel *m* stock *or* bouillon cube.

Boulevard [bulə'vaːɐ̯, (*Aus*) bul'vaːɐ̯] *m* **-s, -s** boulevard.

Boulevardblatt *nt* (*inf*) popular daily, tabloid; **Boulevardpresse** *f* (*inf*) popular press; **Boulevardtheater** *nt* light theatre; **Boulevardzeitung** *f siehe* **Boulevardblatt.**

Bouquet [bu'keː] *nt* **-s, -s** *siehe* **Bukett.**

Bourgeois [bur'ʒoa] *m* **-, -** (*geh pej*) bourgeois.

bourgeois [bur'ʒoa] *adj* (*geh*) bourgeois, middle-class.

Bourgeoisie [burʒoa'ziː] *f* (*geh*) bourgeoisie.

Boutique [bu'tiːk] *f* **-, -n** boutique.

Bovist [*auch* 'boːvɪst] *m* **-s, -e** (*Bot*) puffball, bovista (*spec*).

Bowle ['boːlə] *f* **-, -n 1.** (*Getränk*) punch. **eine ~ ansetzen** to prepare (some) punch. **2.** (*Gefäß, Schüssel*) punchbowl.

Bowlenglas *nt* punch-glass.

Bowling ['boːlɪŋ] *nt* **-s, -s** (*Spiel*) (tenpin) bowling; (*Ort*) bowling alley. **~ spielen gehen** to go bowling.

Bowlingkugel *f* bowl.

Box *f* **-, -en 1.** (*abgeteilter Raum*) compartment; (*für Pferde*) box; (*in Großgarage*) (partitioned-off) parking place; (*für Rennwagen*) pit; (*bei Ausstellungen*) stand. **2.** (*Kamera*) box camera. **3.** (*Behälter*) box. **4.** (*Lautsprecher~*) speaker (unit).

Boxen *nt* **-s,** *no pl* (*Sport*) boxing.

boxen I *vi* (*Sport*) to box; (*zur Übung*) to spar; (*mit Fäusten zuschlagen*) to hit out, to punch. **um einen Titel ~** to fight for a title; **gegen jdn ~** to fight sb.

II *vt* **1.** (*schlagen*) *jdn* to punch, to hit. **2.** (*Sport sl: antreten gegen*) to fight. **3.** (*mit der Faust*) *Ball* to punch. **4.** (*fig: durchsetzen*) to push, to force. **ein Produkt auf den Markt ~** to push a product.

III *vr* **1.** (*inf: sich schlagen*) to have a punch-up (*inf*) *or* a fight. **2.** (*sich einen Weg bahnen*) to fight one's way. **sich durchs Leben/nach oben ~** (*fig inf*) to fight one's way through life/up.

Boxer *m* **-s, -** (*Sportler, Hund*) boxer.

Boxeraufstand *m* (*Hist*) Boxer Rebellion; **Boxermotor** *m* (*Tech*) opposed cylinder engine; **Boxernase** *f* boxer's nose, broken nose; **Boxer-Shorts** [-'ʃoːɐ̯ts, -'ʃɔrts] *pl* boxer shorts.

Boxhandschuh *m* boxing glove; **Boxkalf** *nt* **-s,** *no pl* box calf; **Boxkampf** *m* (*Disziplin*) boxing *no art*; (*Einzelkampf*) fight, bout, (boxing) match; **Boxring** *m* boxing ring; **Boxsport** *m* (sport of) boxing.

Boy [bɔy] *m* **-s, -s** pageboy (*Brit*), bellhop (*esp US*).

Boykott [bɔy'kɔt] *m* **-(e)s, -e** *or* **-s** boycott.

boykottieren* [bɔykɔ'tiːrən] *vt* to boycott.

brabbeln *vi* (*inf*) to mumble, to mutter; (*Baby*) to babble.

brach¹ *pret of* **brechen.**

brach² *adj attr* (*old*) fallow.

Brache *f* **-, -n** (*old*) (*Land*) fallow (land); (*Zeit*) fallow period.

brachial *adj* **mit ~er Gewalt** by brute force.

Brachialgewalt *f* brute force.

Brachland *nt* fallow (land); **brachlegen** *vt sep* to leave fallow; **brachliegen** *vi sep irreg* to lie fallow; (*fig*) to be left unexploited; **~de Kenntnisse** unexploited knowledge.

brachte *pret of* **bringen.**

Brachvogel *m* curlew.

Brack *nt* **-s, -s** *siehe* **Brackwasser.**

brackig *adj* brackish.

Brackwasser *nt* brackish water.

Brahmane *m* **-n, -n, Brahmanin** *f* Brahman, Brahmin.

brahmanisch *adj* Brahminical, Brahman *attr*.

bramarbasieren* *vi* (*geh*) to brag (*von* about), to boast (*von* about), to swagger.

Bramsegel *nt* topgallant sail; **Bramstenge** *f* topgallant stay.

Branche ['brãːʃə] *f* -, -n (*Fach*) field, department; (*Gewerbe*) trade; (*Geschäftszweig*) area of business, trade; (*Wirtschaftszweig*) (branch of) industry.

branchenfremd *adj* Waren foreign to the trade/industry; Kollege not familiar with the trade; **Branchenführer** *m* market leader; **Branchenkenner(in** *f*) *m* er ist ~ he knows the trade/industry, he has a good knowledge of the trade/industry; **Branchenkenntnis** *f* knowledge of the trade/industry; **branchenkundig** *adj* experienced *or* well-versed in the trade/industry; **branchenüblich** *adj* usual in the trade/industry; **branchenunüblich** *adj* not usual in the trade/industry; **Branchenverzeichnis** *nt* yellow pages.

Brand *m* -(e)s, ⁻e 1. (*Feuer*) fire; (*lodernd auch*) blaze, conflagration (*liter*). in ~ **geraten** to catch fire; (*in Flammen aufgehen*) to burst into flames; **etw in ~ setzen** *or* **stecken** to set fire to sth, to set sth alight *or* on fire.
2. *usu pl* (*brennendes Holz*) firebrand.
3. (*das Brennen, von Porzellan*) firing.
4. (*fig inf: großer Durst*) raging thirst.
5. (*dial inf*) (*Brennstoff*) fuel; (*Holz auch*) firewood.
6. (*Med*) gangrene *no art.*
7. (*Pflanzenkrankheit*) blight.

brandaktuell *adj* (*inf*) Thema, Frage red-hot (*inf*); Buch hot from the presses; Platte the latest thing (*inf*); **Brandanschlag** *m* arson attack; **Brandbekämpfung** *f* firefighting; **Brandbinde** *f* bandage for burns; **Brandblase** *f* (burn) blister; **Brandbombe** *f* firebomb, incendiary bomb *or* device; **Branddirektor(in** *f*) *m* ≃ fire chief; **brandeilig** *adj* (*inf*) extremely urgent.

branden *vi* to surge (*auch fig*). **an** *or* **gegen etw** (*acc*) ~ to break against sth.

Brandenburg *nt* -s Brandenburg.

Brandenburger(in *f*) *m* -s, - inhabitant of Brandenburg.

brandenburgisch *adj* Brandenburg *attr*.

Brandfackel *f* firebrand; **Brandfleck** *m* burn; **Brandgans** *f* shelduck; **Brandgefahr** *f* danger of fire; **Brandgeruch** *m* smell of burning; **Brandherd** *m* source of the fire *or* blaze; (*fig*) source.

brandig *adj* 1. (*Bot*) suffering from blight; (*Med*) gangrenous. 2. ~ **riechen** to smell of burning; (*bei ausgegangenem Brand*) to have a burnt smell.

Brandkasse *f* fire insurance company; **Brandkatastrophe** *f* fire disaster; **Brandleger** *m* -s, - (*esp Aus*) siehe Brandstifter; **Brandloch** *nt* burn hole; **Brandmal** *nt* -s, -e brand; (*fig auch*) stigma; **brandmarken** *vt insep* to brand; (*fig*) to denounce; **jdn als etw** ~ (*fig*) to brand sb (as) sth; **Brandmauer** *f* fire(proof) wall; **Brandmeister(in** *f*) *m* fire chief; **brandneu** *adj* (*inf*) brand-new, spanking new (*inf*); **Brandopfer** *nt*

1. (*Rel*) burnt offering; 2. (*Mensch*) fire victim; **Brandrede** *f* harangue; **Brandrodung** *f* slash-and-burn; **Brandsalbe** *f* ointment for burns; **Brandsatz** *m* incendiary compound; **Brandschaden** *m* fire damage; **brandschatzen** *vt insep* to sack, to lay waste to; **die ~den Horden** the pillaging mob; **Brandschatzung** *f* (*Hist*) sack, pillage; **Brandsohle** *f* insole; **Brandstelle** *f* (*Ort des Brandes*) fire, blaze; (*verbrannte Stelle*) burnt patch; **Brandstifter(in** *f*) *m* fire-raiser, arsonist (*esp Jur*), incendiary (*Jur*); **Brandstiftung** *f* arson (*auch Jur*), fire-raising; **Brandteig** *m* choux pastry.

Brandung *f* surf, breakers *pl*; (*fig geh*) surge.

Brandungswelle *f* breaker.

Brandursache *f* cause of a/the fire *or* blaze; **Brandwache** *f* 1. (*Überwachung der Brandstelle*) firewatch; 2. (*Personen*) firewatch team; **Brandwunde** *f* burn; (*durch Flüssigkeit*) scald; **Brandzeichen** *nt* brand.

brannte *pret* of **brennen**.

Branntwein *m* spirits *pl*. **jede Art von** ~ all types *or* every type of spirit(s); **Whisky ist ein** ~ whisky is a (type of) spirit.

Branntweinbrennerei *f* distillery; (*Branntweinbrennen*) distilling *or* distillation of spirits; **Branntweinschank** *f* -, -en (*Aus*) ≃ public house (*Brit*), bar; **Branntweinsteuer** *f* tax on spirits.

Brasil[1] *f* -, -(s) Brazil cigar.

Brasil[2] *m* -s, -e *or* -s (*Tabak*) Brazil(ian) tobacco.

Brasilholz *nt* brazilwood.

Brasilianer(in *f*) *m* -s, - Brazilian.

brasilianisch *adj* Brazilian.

Brasilien [-iən] *nt* -s Brazil.

Brasse *f* -, -n 1. (*Naut*) brace. 2. (*Fisch*) bream.

brassen *vt* (*Naut*) to brace.

Brät *nt* -s, *no pl* sausage meat.

Bratapfel *m* baked apple.

braten *pret* **briet**, *ptp* **gebraten** I *vti* (*am Spieß, im Ofen: mit Fett*) to roast; (*im Ofen: ohne Fett*) to bake; (*in der Pfanne*) to fry. **etw braun/knusprig** ~ to roast/fry sth until it is brown/crispy. II *vi* (*inf: in der Sonne*) to roast (*inf*). **sich** ~ **lassen** to roast oneself (*inf*).

Braten *m* -s, - ≃ pot-roast meat *no indef art, no pl*; (*im Ofen gebraten*) joint, roast, roast meat *no indef art, no pl*. **kalter** ~ cold meat; **ein fetter** ~ (*fig*) a prize catch; **den** ~ **riechen** *or* **schmecken** (*inf*) to smell a rat (*inf*), to get wind of it/something.

bratfertig *adj* oven-ready; **Bratfett** *nt* fat for frying/roasting; **Bratfisch** *m* fried fish; **Brathähnchen** *nt*, **Brathendl** *nt* -s, -(n) (*Aus, S Ger*) roast chicken; **Brathering** *m* fried herring (*sold cold*); **Brathuhn** *nt*, **Brathühnchen** *nt* roast chicken; (*Huhn zum Braten*) roasting chicken; **Bratkartoffeln** *pl* fried *or* sauté potatoes; **Bratkartoffelverhältnis** *nt* (*hum*) **er hat ein** ~ **mit ihr** he treats her as his meal ticket; **Bratofen** *m* oven; **Bratpfanne** *f* frying pan; **Bratröhre** *f* oven; **Bratrost** m grill; (*über offenem Feuer auch*) gridiron.

Bratsche f -, -n viola.

Bratscher m -s, -, **Bratschist(in** f) m violist, viola player.

Bratspieß m skewer; (*Teil des Grills*) spit; (*Gericht*) kebab; **Bratwurst** f (*zum Braten*) (frying) sausage; (*gebraten*) (fried) sausage.

Bräu nt -(e)s, -e (*esp SGer*) (*Biersorte*) brew, beer; (*Brauerei*) brewery.

Brauch m -(e)s, **Bräuche** custom, tradition. **nach altem ~** according to (established) custom *or* tradition; **etw ist ~** sth is traditional, sth is the custom; **so ist es ~, so will es der ~** that's the tradition *or* custom; **das ist bei uns so ~** (*inf*) that's traditional with us.

brauchbar adj 1. (*benutzbar*) useable; *Plan* workable; (*nützlich*) useful. 2. (*ordentlich*) *Schüler, Idee* decent, reasonable; *Arbeit, Arbeiter* auch useful *attr* (*inf*).

brauchen I vt 1. (*nötig haben*) to need, to require (*form*) (*für, zu* for).

2. (*bei Zeitangaben*) **Zeit/zwei Minuten ~** to need time/two minutes *etc*; **normalerweise brauche ich zwei Stunden dafür** I normally take two hours to do it; **es braucht alles seine Zeit** everything takes time; **wie lange braucht man, um ...?** how long does it take to ...?; **er hat zwei Tage dafür gebraucht** he took two days over it, he needed two days to do it.

3. (*inf: nützlich finden*) **das könnte ich ~** I could do with *or* use that; **wir können das/ihn nicht ~** we could *or* can do without that/him, we don't need that/ him; **kannst du die Sachen ~?** have you any use for the things?, are the things of any use to you?; **er ist zu allem zu ~** (*inf*) he's a really useful type (to have around) (*inf*); **heute bin ich zu nichts zu ~** (*inf*) I'm useless today (*inf*).

4. (*benutzen*) *Verstand, Gerät* to use.

5. (*inf: verbrauchen*) to use (up); *Strom* to use.

II v aux to need. **du brauchst es ihm nicht (zu) sagen** you needn't tell *or* don't need to tell him that; (*er weiß das schon*) you don't need to tell him that; **du hättest das nicht (zu) tun ~** you needn't have done that, you didn't need to *or* had no need to do that; **du brauchst nur an(zu)rufen** you only have *or* need to call, you need only call; **es hätte nicht sein ~** there was no need for that; (*das hätte nicht geschehen müssen*) that needn't have happened.

Brauchtum nt customs pl, traditions pl.

Braue f -, -n (eye)brow.

brauen I vti Bier to brew; (*inf: zubereiten*) Tee to brew up; Kaffee to make; (*Zaubertrank, Punsch*) to concoct. II vi (*old liter*) (*Nebel*) to build up.

Brauer(in f) m -s, - brewer.

Brauerei f 1. brewery. 2. no pl (*das Brauen*) brewing.

Brauereiwesen nt brewing trade *or* industry.

Brauhaus nt brewery; **Braumeister(in** f) m master brewer.

braun adj brown; (*von Sonne auch*) *Mensch, Haut* (sun-)tanned; (*inf: ~haarig*) brown-haired; (*pej: Nazi~*) Nazi. **~ werden** (*Mensch*) to get a (sun-)tan, to go *or* get brown, to tan; **von der Sonne ~ gebrannt sein** to be tanned (by the sun); **die B~en** (*old: Pferde*) the brown *or* bay horses; (*Nazis*) the Brownshirts.

Braun nt -s, - brown.

braunäugig adj brown-eyed; **Braunbär** m brown bear.

Bräune f -, no pl (*braune Färbung*) brown(ness); (*von Sonne*) (sun-)tan. **nahtlose ~** all-over tan.

bräunen I vt (*Cook*) to brown; (*Sonne*) to tan. II vi (*Cook*) to go *or* turn brown; (*Mensch*) to tan, to go brown; (*Sonne*) to tan. **sich in der Sonne ~ lassen** to get a (sun-)tan. III vr (*Haut*) to go brown; (*Mensch auch*) to tan.

braungebrannt adj attr (sun-)tanned, bronzed, brown; **braunhaarig** adj brown-haired; *Frau auch* brunette; **Braunkohle** f brown coal.

bräunlich adj brownish, browny.

braunrot adj reddish brown.

Braunschweig nt -s Brunswick.

Bräunung f browning; (*von Haut*) bronzing. **eine tiefe ~ der Haut** a deep (sun-)tan.

Braus m siehe Saus.

Brause f -, -n 1. (*Dusche, Duschvorrichtung*) shower. **sich unter die ~ stellen** to have a shower. 2. (*~aufsatz*) shower attachment; (*an Schlauch, Gießkanne*) rose, spray (attachment). 3. (*inf dated*) (*Getränk*) pop; (*Limonade*) (fizzy) lemonade; (*~pulver*) lemonade powder.

Brausebad nt shower(bath); **Brausekopf** m (*dated*) hothead.

brausen vi 1. (*tosen*) to roar; (*Orgel, Beifall*) to thunder; (*Jubel*) to ring out; (*sprudeln*) (*Wasser, Brandung*) to foam; (*geh: Blut*) to pound. **~der Beifall** thunderous applause.

2. aux sein (*rasen, rennen, schnell fahren*) to race; (*Mensch auch*) to storm.

3. (*dated*) auch vr (*duschen*) to (have a) shower.

Brausepulver nt sherbet; **Brausetablette** f lemonade tablet.

Braut f -, **Bräute** bride; (*dated*) (*Verlobte*) fiancée, betrothed (*old*), bride-to-be. **~ Christi** bride of Christ.

Brautführer m person who gives away the bride; **Brautgemach** nt (*Hist*) nuptial chamber.

Bräutigam m -s, -e (bride)groom; (*dated: Verlobter*) fiancé, betrothed (*old*), husband-to-be.

Brautjungfer f bridesmaid; **Brautkleid** nt wedding dress; **Brautkranz** m headdress of myrtle leaves traditionally worn by a bride; **Brautleute** pl siehe Brautpaar; **Brautmutter** f bride's mother; **Brautpaar** nt bride and (bride)groom, bridal pair *or* couple; (*dated: Verlobte*) engaged couple; **Brautschau** f: **auf (die) ~ gehen/auf ~ sein** to go looking/be looking for a bride *or* wife; (*hum sl*) to be out to make a kill (*inf*); **Br<u>au</u>tschleier** m wedding *or* bridal veil; **Br<u>au</u>tstand** m, *no pl* (*dated*) engagement; **Br<u>au</u>tunterricht** m *in RC church, religious instruction of engaged couple prior to marriage;* **Br<u>au</u>tvater** m bride's father; **Br<u>au</u>twerbung** f courtship, wooing.

br<u>a</u>v *adj* 1. (*gehorsam*) *Kind* good, well-behaved. **sei schön ~!** be a good boy/girl; **~ (gemacht)!** (*zu Tier*) good boy!, well done.

2. (*rechtschaffen*) upright, worthy, (good) honest; (*bieder*) *Frisur, Kleid* plain. **~ seine Pflicht tun** to do one's duty worthily; **etw ~ spielen** to give an uninspired rendition of sth.

bravo ['braːvo] *interj* well done; (*für Künstler*) bravo.

Br<u>a</u>voruf m cheer.

Bravour [braˈvuːɐ] f -, *no pl* (*geh*) bravura; (*old: Kühnheit*) bravery, daring. **mit ~** with style.

Brav<u>ou</u>rleistung f (*geh*) brilliant performance.

bravour<u>ö</u>s [bravuˈrøːs] *adj* 1. (*meisterhaft*) brilliant. 2. (*forsch*) **mit ~em Tempo** with verve.

Brav<u>ou</u>rstück nt (*geh*) brilliant coup; (*Mus*) bravura.

BRD [beːˌɛrˈdeː] f - *abbr of* **Bundesrepublik Deutschland** FRG.

Breakdance m break-dancing.

br<u>e</u>chbar *adj* breakable; **Br<u>e</u>chbohnen** pl French beans pl; **Br<u>e</u>chdurchfall** m diarrhoea and sickness; **Br<u>e</u>cheisen** nt crowbar; (*von Dieb*) jemmy, jimmy (*US*).

br<u>e</u>chen *pret* **br<u>a</u>ch,** *ptp* **gebr<u>o</u>chen** I *vt* 1. to break; *Schiefer, Stein, Marmor* to cut; *Widerstand, Trotz auch* to overcome; *Licht* to refract; (*geh*) *pflücken*) *Blumen* to pluck, to pick. **sich/jdm den Arm ~** to break one's/sb's arm; **einer Flasche den Hals ~** to crack (open) a bottle; **das wird ihm das Genick** *or* **den Hals ~** (*fig*) that will bring about his downfall; **jdm die Treue ~** to break trust with sb.

2. (*inf: erbrechen*) to vomit up, to bring up.

II *vi* 1. *aux sein* to break. **mir bricht das Herz** it breaks my heart; **zum B~** *or* **~d voll sein** to be full to bursting.

2. **mit jdm/etw ~** to break with sb/sth.

3. (*sich erbrechen*) to be sick, to throw up.

III *vr* (*Wellen*) to break; (*Lichtstrahl*) to be refracted; (*Schall*) to rebound (*an +dat* off).

Br<u>e</u>cher m -s, - 1. (*Welle*) breaker. 2. (*Tech*) crusher.

Br<u>e</u>chmittel nt emetic; **er/das ist das reinste ~ (für mich)** he/it makes me feel ill; **Br<u>e</u>chreiz** m nausea; **Br<u>e</u>chstange** f crowbar.

Br<u>e</u>chung f 1. (*der Wellen*) breaking; (*des Lichts*) refraction; (*des Schalls*) rebounding. 2. (*Ling*) mutation.

Br<u>e</u>chungswinkel m angle of refraction.

Bredouille [breˈduljə] f (*inf*) **in der ~ sein** *or* **sitzen/in die ~ geraten** *or* **kommen** to

be in/get into a scrape (*inf*).

Brei m -(e)s, -e mush, paste, goo (*inf*); (*für Kinder, Kranke*) mash, semi-solid food; (*Hafer~*) porridge; (*Grieß~*) semolina; (*Reis~*) rice pudding; (*Papier~*) pulp. **verrühren Sie die Zutaten zu einem dünnen ~** mix the ingredients to a thin paste; **die Lava fließt wie ein zäher ~** the lava flows like a sluggish pulp; **jdn zu ~ schlagen** (*inf*) to beat sb to a pulp (*inf*); **um den heißen ~ herumreden** (*inf*) to beat about the bush (*inf*); **jdm ~ ums Maul schmieren** (*inf*) to soft-soap sb (*inf*).

br<u>ei</u>ig *adj* mushy. **eine ~e Masse** a paste, a paste-like substance.

breit I *adj* broad; (*esp bei Maßangabe*) wide; *Bekanntenkreis, Publikum, Interessen auch* wide; *Schrift* spaced, sprawling. **etw ~er machen** to broaden *or* widen sth; **~es Lachen** guffaw; **er hat ein ~es Lachen** he guffaws; **die ~e Masse** the masses *pl*, the broad mass of the population; **ein ~es Angebot** a broad *or* wide selection; **~e Streuung des Eigentums** widespread distribution of property, distribution of property on a broad basis; **er hat einen ~en Rücken** *or* **Buckel** (*fig inf*) he has a broad back, his shoulders are broad.

II *adv* **~ lachen** to guffaw; **~ sprechen** to speak with a broad accent; **~ gebaut** sturdily built; **die Schuhe ~ treten** to wear one's shoes out of shape; **sich ~ hinsetzen** to sit down squarely.

Br<u>ei</u>tbandkabel nt broadband cable; **Br<u>ei</u>tbandverteiler** m broadband distributor.

br<u>ei</u>tbeinig I *adj* **in ~er Stellung** with one's legs apart; **~er Gang** rolling gait; II *adv* with one's legs apart; **breitdrücken** *vt sep* to press flat.

Br<u>ei</u>te f -, -n 1. breadth; (*von Dialekt, Aussprache*) broadness; (*esp bei Maßangaben*) width; (*von Angebot*) breadth; (*von Interessen*) breadth, wide range. **der ~ nach** widthways; **etw in aller ~ erklären** to explain sth in great detail; **in voller ~ vor jdm** smack in front of sb; **in die ~ gehen** to go into detail; (*inf: dick werden*) to put on weight, to put it on a bit (*inf*).

2. (*Geog*) latitude; (*Gebiet*) part of the world. **in südlichere ~n fahren** (*inf*) to travel to more southerly climes *or* parts; **es liegt (auf) 20° nördlicher ~** it lies 20° north.

br<u>ei</u>ten *vtr* to spread. **sich über das Tal/jds Gesicht ~** to spread across the valley/across *or* over sb's face.

Br<u>ei</u>tenarbeit f broader *or* more general work; **Br<u>ei</u>tengrad** m (*degree of*) latitude; **Br<u>ei</u>tenkreis** m parallel; **Br<u>ei</u>tensport** m popular sport; **Br<u>ei</u>tenwirkung** f (*von Roman etc*) large *or* widespread impact.

br<u>ei</u>tflächig *adj* *Gesicht* wide; **~ malen** to paint with broad strokes; **breitgefächert** *adj* **ein ~es Angebot** a wide range; **breitkrempig** *adj* broad-brimmed; **breitmachen** *vr sep* (*inf*) **wenn er sich auf dem Sofa breitmacht...**

when he plants himself on the sofa ...; **mach dich doch nicht so breit!** don't take up so much room; **die Touristen haben sich im Hotel breitgemacht** the tourists in the hotel behaved as if they owned the place; **breitrandig** *adj Hut* broad-brimmed; *Schwimmbecken, Gefäß, Brille* broad-rimmed; **breitschlagen** *vt sep irreg* (*inf*) **jdn (zu etw)** ~ to talk sb round (to sth); **sich** ~ **lassen** to let oneself be talked round; **breitschult(e)rig** *adj* broad-shouldered; **Breitschwanz** *m, no pl* caracul; **Breitseite** *f* (*Naut*) broadside; (*von Tisch*) short end; **eine** ~ **abgeben** to fire a broadside; **Breitspurbahn** *f* broad-gauge railway; **breitspurig** *adj* broad-gauge *attr*; **breittreten** *vt sep irreg* (*inf*) to go on about (*inf*); *Thema, Witz* to flog to death (*inf*); **Breitwand** *f* wide screen; **Breitwandfilm** *m* film for the wide screen.

Bremen *nt* **-s** Bremen.

Bremer *adj attr* Bremen.

Bremer(in *f*) *m* **-s,** - native of Bremen; (*Einwohner*) inhabitant of Bremen.

bremisch *adj* Bremen *attr*.

Bremsbacke *f* brake block; **Bremsbelag** *m* brake lining.

Bremse¹ *f* -, **-n** (*bei Fahrzeugen*) brake. **auf die** ~(**n**) **treten/steigen** (*inf*) *or* **latschen** (*sl*) to put on *or* apply/slam on (*inf*) the brake(s).

Bremse² *f* -, **-n** (*Insekt*) horsefly.

bremsen I *vi* 1. to brake; (*Vorrichtung*) to function as a brake. **der Dynamo/Wind bremst** the dynamo acts as a brake/the wind slows you *etc* down.

2. (*inf: zurückstecken*) to ease off, to put on the brakes (*inf*). **mit etw** ~ to cut down (on) sth; **jetzt sollten wir mit den Ausgaben** ~ it's time to apply the (financial) brakes.

II *vt* 1. *Fahrzeug* to brake.

2. (*fig*) to restrict, to limit; *Entwicklung* to slow down; *Begeisterung* to dampen; (*inf*) *jdn* to check. **er ist nicht zu** ~ (*inf*) there's no stopping him.

III *vr* (*inf*) **sich in seiner Ausdrucksweise** ~ to moderate one's language; **ich kann** *or* **werd' mich** ~ not likely!, no fear!

Bremser *m* **-s,** - (*Rail, Sport*) brakeman.

Bremsfallschirm *m* brake parachute; **Bremsflüssigkeit** *f* brake fluid; **Bremshebel** *m* brake lever; **Bremsklappe** *f* (*Aviat*) brake flap; **Bremsklotz** *m* (*Aut*) brake pad; **Bremskraft** *f* braking power; **Bremskraftverstärker** *m* servo brake; **Bremsleuchte** *f*, **Bremslicht** *nt* brake light; **Bremspedal** *nt* brake pedal; **Bremsprobe** *f* brake test; **eine** ~ **machen** to test one's brakes; **Bremsrakete** *f* retro-rocket; **Bremsschlauch** *m* brake hose; **Bremsschlupfregler** *m* (*Aut*) anti-block braking system; **Bremsschuh** *m* brake shoe; **Bremsspur** *f* skid mark *usu pl*.

Bremsung *f* braking.

Bremsvorrichtung *f* brake mechanism; **Bremsweg** *m* braking distance.

brennbar *adj* combustible, inflammable, flammable; **leicht** ~ highly combustible *or* inflammable; **Brennelement** *nt* fuel element.

brennen *pret* **brannte,** *ptp* **gebrannt I** *vi* to burn; (*Haus, Wald auch*) to be on fire; (*elektrisches Gerät, Glühbirne*) to be on; (*Zigarette, Sparflamme*) to be alight; (*Stich*) to sting; (*Füße*) to hurt, to be sore. **das Streichholz/Feuerzeug brennt nicht** the match/lighter won't light; **auf der Haut/in den Augen** ~ to burn *or* sting the skin/eyes; **das Licht** ~ **lassen** to leave the light on; **im Zimmer brennt noch Licht** the light is still on in the room; **es brennt!** fire, fire!; (*fig*) it's urgent; **wo brennt's denn?** (*inf*) what's the panic?; **darauf** ~, **etw zu tun** to be dying to do sth; **es brennt mir unter den Nägeln ...** (*fig*) I am itching *or* dying ...

II *vt* to burn; *Branntwein* to distil; *Mandeln, Kaffee* to roast; *Porzellan, Ton, Ziegel* to fire, to bake; *Tier* to brand. **sich** (*dat*) **Locken ins Haar** ~ to curl one's hair with curling tongs; **ein gebranntes Kind scheut das Feuer** (*Prov*) once bitten, twice shy (*Prov*).

III *vr* (*lit*) to burn oneself (*an* +*dat* on).

brennend *adj* (*lit, fig*) burning; *Zigarette* lighted; *Durst* raging; *Haß* consuming. **das interessiert mich** ~ (*inf*) I would be incredibly interested; **ich wüßte ja** ~ **gern ...** (*inf*) I'm dying *or* itching to know ... (*inf*).

Brenner *m* **-s,** - 1. (*Tech*) burner. 2. (*Branntwein*~) distiller; (*Kaffee*~) coffee-roaster; (*Ziegel*~) brick-firer.

Brennerei *f* distillery; (*Kaffee*~) coffee-roasting plant; (*Ziegel*~) brickworks *sing or pl*.

Brennessel *f getrennt:* **Brenn-nessel** stinging nettle.

Brennglas *nt* burning glass; **Brennholz** *nt* firewood; **Brennkammer** *f* combustion chamber; **Brennmaterial** *nt* fuel (for heating); **Brennofen** *m* kiln; **Brennpunkt** *m* (*Math, Opt*) focus; **im** ~ **des Interesses stehen** to be the focus *or* focal point of attention; **Brennschere** *f* curling tongs *pl*; **Brennspiegel** *m* burning glass; **Brennspiritus** *m* methylated spirits *sing or pl*; **Brennstab** *m* fuel rod; **Brennstoff** *m* fuel; **Brennweite** *f* (*Opt*) focal length.

brenzlig *adj* 1. **ein** ~**er Geruch** a smell of burning. 2. (*inf*) *Situation, Angelegenheit* precarious, dicey (*Brit inf*). **die Sache/die Lage wurde ihm zu** ~ things got too hot for him.

Bresche *f* -, **-n** breach, gap. **in etw** (*acc*) **eine** ~ **schießen** to breach sth; **in die** ~ **springen** (*fig*) to step into *or* fill the breach; **für jdn/etw eine** ~ **schlagen** (*fig*) to stand up for sb/sth.

Bretagne [bre'tanjə] *f* **die** ~ Brittany.

Bretone *m* **-n, -n, Bretonin** *f* Breton.

bretonisch *adj* Breton.

Brett *nt* **-(e)s, -er** 1. (*Holzplatte*) board; (*länger und dicker*) plank; (*Spiel*~, *Sprung*~) board; (*Bücher*~, *Gewürz*~) shelf; (*inf: Tablett*) tray; (*Frühstücks*~)

platter, wooden plate. **Schwarzes ~** noticeboard (*Brit*), bulletin board (*US*); **etw mit ~ern vernageln** to board sth up; **hier ist die Welt mit ~ern vernagelt** this is a parochial little place; **ich habe heute ein ~ vor dem Kopf** (*inf*) I can't think straight today.

2. ~er *pl* (*fig*) (*Bühne*) stage, boards *pl*, planks *pl* (*inf*); (*Boden des Boxrings*) floor, canvas; (*Skier*) planks *pl* (*sl*); **die ~er, die die Welt bedeuten** the stage; **auf den ~ern (stehen)** (to be) on the stage; (*auf Skiern*) to ski.

Brettchen *nt* (*inf*) platter, wooden plate; (*zum Schneiden*) board.

Bretterboden *m* wooden floor (*made from floorboards*); **Bretterbude** *f* booth; (*pej*) shack; **Bretterwand** *f* wooden wall; (*Trennwand*) wooden partition; (*Zaun, für Reklame*) hoarding; **Bretterzaun** *m* wooden fence; (*an Baustellen auch*) hoarding.

Brettspiel *nt* board game.

Brevier [bre'vi:ɐ] *nt* -s, -e **1.** (*Eccl*) breviary. **2.** (*dated*) (*Auswahl von Texten*) extracts *pl*; (*Leitfaden*) guide (*gen* to).

Brezel *f* -, -n pretzel.

brich *imper sing of* **brechen**.

Bridge [brɪtʃ] *nt* -, *no pl* (*Cards*) bridge.

Brief *m* -(e)s, -e **1.** letter; (*Bibl*) epistle. **aus seinen ~en** from his letters *or* correspondence; **etw als ~ schicken** to send sth (by) letter post; **jdm ~ und Siegel auf etw** (*acc*) **geben** to give sb one's word. **2.** (*St Ex*) *siehe* **Briefkurs**.

Brief- *in cpds* letter; **Briefbeschwerer** *m* **-s, -** paperweight; **Briefblock** *m* writing *or* letter pad; **Briefbogen** *m* (sheet of) writing *or* letter *or* note paper; **Briefbombe** *f* letter bomb.

Briefchen *nt* **1.** note. **2. ein ~ Streichhölzer** a book of matches; **ein ~ Nadeln** a packet *or* paper of needles/pins.

Briefdrucksache *f* circular; **Briefeinwurf** *m* (*in Tür*) letter-box; (*in Postamt*) post-box; **Brieffach** *nt* pigeon-hole; **Brieffreund(in** *f***)** *m* penfriend, pen-pal (*inf*); **Brieffreundschaft** *f* correspondence with a penfriend; **eine ~ mit jdm haben** to be penfriends with sb; **Briefgeheimnis** *nt* privacy of the post; **Briefkarte** *f* correspondence card.

Briefkasten *m* (*am Haus*) letter box, mail box (*US*); (*der Post*) post- *or* pillar-box, mail box (*US*); (*in Zeitungen*) problem column, agony column. **elektronischer ~** (*Comput*) electronic mailbox.

Briefkastenfirma *f* **das ist nur eine ~** that firm is just an accommodation address; **Briefkastenonkel** *m* (*inf*) agony columnist; **Briefkastentante** *f* (*inf*) agony columnist *or* aunt (*inf*).

Briefkopf *m* letterhead; (*handgeschrieben*) heading; **Briefkurs** *m* (*St Ex*) selling rate, offer price.

brieflich I *adj* by letter. **wir bitten um ~e Mitteilung** please inform us by letter. **II** *adv* by letter. **mit jdm ~ verkehren** to correspond with sb.

Briefmarke *f* stamp.

Briefmarken- *in cpds* stamp; **Briefmar-**

kenautomat *m* stamp machine; **Briefmarkenbogen** *m* sheet of stamps; **Briefmarkenkunde** *f* philately; **Briefmarkensammler(in** *f***)** *m* stamp collector, philatelist; **Briefmarkensammlung** *f* stamp collection.

Brieföffner *m* letter opener, paper knife; **Briefpapier** *nt* letter *or* writing *or* note paper; **Briefporto** *nt* postage; (*Gebühr*) postage rate for letters, letter rate; **Briefpost** *f* letter post; **Briefqualität** *f* (*Comput*) letter quality; **Briefroman** *m* epistolary novel, novel in letter form; **Briefsendung** *f* letter, item sent by letter post; **Brieftasche** *f* wallet, billfold (*US*); **Brieftaube** *f* carrier pigeon; **Briefträger(in** *f***)** *m* postman/-woman, mailman/-woman (*US*); **Briefumschlag** *m* envelope; **Briefwaage** *f* letter scales *pl*; **Briefwahl** *f* postal vote; **seine Stimme durch ~ abgeben** to use the postal vote, to vote by post; **Briefwähler(in** *f***)** *m* postal voter; **Briefwechsel** *m* correspondence; **im ~ mit jdm stehen, einen ~ mit jdm führen** to be in correspondence *or* corresponding with sb; **Briefzusteller(in** *f***)** *m* (*form*) postman/-woman, mailman/-woman (*US*).

Briekäse *m* brie.

Bries *nt* -es, -e (*Physiol*) thymus; (*Cook*) sweetbread.

briet *pret of* **braten**.

Brigade *f* **1.** (*Mil*) brigade. **2.** (*DDR*) (work) team *or* group.

Brigadegeneral *m* brigadier (*Brit*), brigadier general (*US*); (*in Luftwaffe*) air commodore (*Brit*).

Brigadier [-'die:] *m* -s, -e (*DDR*) (work) team leader.

Brigg *f* -, -s (*Naut: Schiff*) brig.

Brikett *nt* -s, -s *or* (*rare*) -e briquette.

Brikettzange *f* fire tongs *pl*.

brillant [brɪl'jant] *adj* brilliant.

Brillant [brɪl'jant] *m* brilliant, diamond.

Brillant- *in cpds* diamond; **Brillantkollier** *nt* diamond necklace; **Brillantschmuck** *m* diamonds *pl*.

Brillanz [brɪl'jants] *f* brilliance.

Brille *f* -, -n **1.** (*Opt*) glasses *pl*, spectacles *pl*, specs (*inf*) *pl*; (*Schutz~*) goggles *pl*; (*Sonnen~*) glasses *pl*. **eine ~** a pair of glasses *or* spectacles; **eine ~ tragen** to wear glasses. **2.** (*Klosett~*) (toilet) seat.

Brillenetui *nt*, **Brillenfutteral** *nt* glasses *or* spectacle case; **Brillenglas** *nt* lens; **Brillenschlange** *f* (*pej*) four-eyes (*pej inf*); **Brillenträger(in** *f***)** *m* person who wears glasses; **er ist ~** he wears glasses.

Brilli *m* -s, -s (*inf*) diamond, rock (*inf*).

brillieren* [brɪl'ji:rən] *vi* (*geh*) to be brilliant. **sie brillierte mit ihrem Gesang** her singing was brilliant.

Brimborium *nt* (*inf, pej*) fuss.

bringen *pret* **brachte**, *ptp* **gebracht** *vt* **1.** (*her~*) to bring; (*holen auch*) to get (*jdm* for sb); (*mitnehmen*) to take. **wir haben der Gastgeberin Blumen gebracht** we took our hostess flowers; **alle Gäste hatten Blumen gebracht** all the guests had taken *or* brought flowers; **sich** (*dat*) **etw ~ lassen** to have sth brought to one; **das Essen auf den Tisch ~** to serve the food; **jdm eine Nachricht ~** to give sb some news; **was für Nachricht ~ Sie?** what news have you got?; **der letzte Sommer brachte uns viel Regen** last summer brought us a lot of rain; **jdn/etw unter** *or* **in seine Gewalt ~** to gain control over *or* of sb/sth; **er bringt es nicht übers Herz** *or* **über sich** he can't bring himself to do it; **etw an sich** (*acc*) **~** to acquire sth; **etw mit sich ~** to involve *or* imply *or* mean sth; **etw hinter sich** (*acc*) **~** to get sth over and done with, to get sth behind one; **diese Wolken ~ schönes Wetter** these clouds mean fine weather; **(jdm) Glück/Unglück ~** to bring sb good/bad luck.

2. (*weg~, begleiten*) to take; (*im Auto mitnehmen auch*) to give a lift. **bring das Auto in die Garage** put the car in the garage; **jdn ins Krankenhaus/zum Bahnhof/nach Hause ~** to take sb to hospital/to the station/home; **die Kinder zu** *or* **ins Bett ~** to put the children to bed.

3. (*ein~*) *Geld, Gewinn* to bring in, to make, to earn; (*Boden, Mine*) to produce; (*Ärger*) to cause; *Freude* to give, to bring; *Vorteile* to bring. **das Bild brachte DM 100** the picture went for *or* fetched 100 marks; **das bringt nichts** (*fig inf*) it's pointless.

4. (*lenken, bewirken*) to bring. **etw in die richtige Form ~** to get *or* put sth in the right form/shape; **etw zum Stehen ~** to bring sth to a stop; **das bringt dich vors Gericht/ins Gefängnis** you'll end up in court/prison if you do that; **das Gespräch/die Rede auf etw** (*acc*) **~** to bring the conversation/talk round to sth; **jdn auf die schiefe Bahn/auf den rechten Weg ~** (*fig*) to lead sb astray/to bring *or* get sb back on the straight and narrow; **jdn in Gefahr ~** to put sb in danger; **jdn zum Lachen/Weinen ~** to make sb laugh/cry; **jdn zur Verzweiflung ~** to drive sb to despair; **jdn außer sich** (*acc*) **~** to upset sb; **jdn dazu ~, etw zu tun** to get sb to do sth; **jdn so weit** *or* **dahin ~, daß ...** to force sb to ...; **du wirst es noch so weit** *or* **dahin ~, daß man dich hinauswirft** you will make them throw you out.

5. (*leisten, erreichen*) **es auf 80 Jahre ~** to reach the age of 80; **der Motor hat es auf 180.000 km gebracht** the engine has kept going for 180,000 km; **das Auto bringt 180 km/h** (*inf*) the car can do 180 km/h; **er hat es auf 25 Punkte gebracht** he got *or* received 25 points; **es zu etwas/nichts ~** to get somewhere/nowhere *or* achieve something/nothing; **es weit (im Leben) ~** to do very well (for oneself), to get far; **er hat es bis zum Direktor gebracht** he became a director, he made it to director.

6. (*darbieten*) *Opfer* to offer. **welche Sprünge bringst du in deiner Übung?** what leaps are you doing in your exercise?

7. (*senden*) *Bericht* to broadcast; *Sonderbericht* to present; (*im Fernsehen auch*) to show. **das Fernsehen brachte nichts darüber** there was nothing on

television about it; **wir ~ Nachrichten!** here is the news; **um zehn Uhr ~ wir Nachrichten** at ten o'clock we have the news; **was bringt das Radio/Fernsehen heute abend?** what's on television/the radio tonight?

8. (*veröffentlichen*) (*Verlag*) to publish; (*Zeitung*) to print, to publish. **etw in die Zeitung ~** to publish *or* put sth in the paper; *Verlobung, Angebot* to announce *or* put in the paper; **die Zeitung brachte einen Artikel darüber** there was nothing/an article in the paper about it; **alle Zeitungen brachten es auf der ersten Seite** all the papers had it on the front page.

9. (*aufführen*) *Stück* to do.

10. **jdn um etw ~** to make sb lose sth, to do sb out of sth; **das bringt mich noch um den Verstand** it's driving me mad; **der Lärm hat mich um den Schlaf gebracht** the noise stopped me getting any sleep; **jdn ums Leben ~** to kill sb.

11. (*sl: schaffen, können*) **das bringt er nicht** he's not up to it; **er bringt's** he's got what it takes; **der Motor bringt's nicht mehr** the engine has had it (*inf*); **das bringt's doch nicht!** that's no damn use (*inf*)!; **das kannst du doch nicht ~** that's not on (*inf*).

Bringschuld f (*Jur*) obligation to be performed at creditor's habitual residence.

brisant *adj* (*lit, fig*) explosive.

Brisanz f explosive force; (*fig*) explosive nature. **ein Thema von äußerster ~** an extremely explosive subject.

Brise f -, -n breeze.

Britannien [-iən] *nt* -s (*Hist*) Britain, Britannia (*Hist*).

britannisch *adj* (*Hist*) Britannic.

Brite *m* -n, -n, **Britin** f Briton, Britisher (*US*), Brit (*inf*). **er ist ~** he is British; **die ~n** the British.

britisch *adj* British. **die B~en Inseln** the British Isles.

Bröckchen *nt dim of* **Brocken**.

bröckelig *adj* crumbly; *Mauer* crumbling. **~ werden** to (start to) crumble.

bröckeln *vti* to crumble; (*Gestein auch*) to crumble away.

Brocken *m* -s, - lump, chunk; (*fig: Bruchstück*) scrap; (*Hunt*) bait; (*inf: Person*) lump (*inf*). **das Baby ist ein richtiger ~** the baby's a regular little dumpling (*inf*); **ein paar ~ Spanisch/Psychologie** a smattering of Spanish/psychology; **er schnappte den anderen die besten ~ weg** (*inf*) he snapped up all the best titbits; **das ist ein harter ~** (*inf*) that's a tough nut to crack.

brocken *vt Brot* to break.

brockenweise *adv* bit by bit.

brodeln *vi* (*Wasser, Suppe*) to bubble; (*in Krater auch*) to seethe; (*Dämpfe, liter: Nebel*) to swirl, to seethe. **es brodelt** (*fig*) there is seething unrest.

Broiler ['brɔylɐ] *m* -s, - (*dial*) roast chicken.

Brokat *m* -(e)s, -e brocade.

Brokkoli *pl* broccoli *sing*.

Brom *nt* -s, no pl (*abbr* **Br**) bromine.

Brombeere f blackberry, bramble.

Brombeerstrauch m bramble or blackberry bush.

Bromsilber nt silver bromide.

bronchial adj bronchial.

Bronchialasthma nt bronchial asthma; **Bronchialkatarrh** m bronchial catarrh.

Bronchie [-iə] f usu pl bronchial tube, bronchus (form).

Bronchitis f -, **Bronchitiden** bronchitis.

Brontosaurus m -, -se, **Brontosaurier** m brontosaurus.

Bronze ['brõːsə] f -, -n bronze.

Bronzemedaille ['brõːsə-] f bronze medal.

bronzen ['brõːsn] adj bronze.

Bronzezeit ['brõːsə-] f, no pl Bronze Age.

Brosche f -, -n brooch.

broschiert adj Ausgabe paperback; (geheftet) sewn; (geklammert) wire-stitched.

Broschur f -, -en (Typ) cut flush binding.

Broschurarbeit f (Typ) cut flush work.

Broschüre f -, -n brochure.

Broschureinband m (Typ) cut flush binding.

Brösel m -s, - (S Ger, Aus) crumb.

brös(e)lig adj crumbly. ~ **werden** to (start to) crumble.

bröseln vi (Kuchen, Stein) to crumble; (Mensch) to make crumbs.

Brot nt -(e)s, -e bread; (Laib) loaf (of bread); (Scheibe) slice (of bread); (Stulle) sandwich; (fig: Unterhalt) daily bread (hum), living. **ein ~ mit Käse** a slice of bread and cheese; **das ist ein hartes** or **schweres ~** (fig) that's a hard way to earn one's living; **wes ~ ich ess', des Lied ich sing'** (Prov) he who pays the piper calls the tune (Prov); **der Mensch lebt nicht vom ~ allein** (Prov) man does not live by bread alone.

Brotaufstrich m spread (for bread); **Brotbelag** m topping (for bread); **Brotbeutel** m haversack.

Brötchen nt roll. (**sich** dat) **seine ~ verdienen** (inf) to earn one's living or one's daily bread (hum); **kleine ~ backen** (inf) to set one's sights lower.

Brötchengeber(in f) m (inf) employer, provider (hum).

Broteinheit f carbohydrate exchange (Brit), bread unit (US); **Broterwerb** m (way of earning one's living; **etw zum ~ betreiben** to do sth for a living; **Brotkasten** m bread bin; **Brotkorb** m bread basket; **jdm den ~ höher hängen** (fig) to keep sb short; **Brotkrume** f breadcrumb; **Brotkruste** f crust; **brotlos** adj unemployed, out of work; **jdn ~ machen** to put sb out of work; siehe **Kunst; Brotmaschine** f bread slicer; **Brotmesser** nt bread knife; **Brotneid** m envy of other people's incomes/jobs; **das ist der reine ~** he etc is just jealous of your salary/job; **Brotrinde** f crust; **Brotschnitte** f slice of bread; **Brotsuppe** f soup made from bread, stock; **Brotteig** m bread dough; **Brotzeit** f 1. (SGer: Pause) tea break; 2. (Essen) sandwiches pl.

brr interj (Befehl an Zugtiere) whoa; (Zeichen des Ekels) ugh, yuck; (bei Kälte) brr.

Bruch¹ m -(e)s, ⁻e 1. (~stelle) break; (in Porzellan auch) crack; (im Damm) breach; (das Brechen) breaking; (von Fels) breaking-off; (von Damm) breaching. **zu ~ gehen** to get broken; **zu ~ fahren** to smash; ~ **machen** (inf) (mit Flugzeug, Auto) to crash (mit etw sth); (beim Abwaschen) to break something.

2. (fig) (von Vertrag, Eid) breaking; (von Gesetz, Abkommen auch) violation, infringement; (mit Vergangenheit, Partei, in einer Entwicklung) break; (des Vertrauens) breach; (von Freundschaft) break-up; (im Stil) discontinuity, break; (von Verlöbnis) breaking-off. **in die ⁻e gehen** (Ehe, Freundschaft) to break up; **es kam zum ~ zwischen ihnen** they broke up.

3. (zerbrochene Ware) broken biscuits/chocolate etc; (Porzellan) breakage.

4. (Med) (Knochen~) fracture, break; (Eingeweide~) hernia, rupture. **sich** (dat) **einen ~ heben** to rupture oneself (by lifting something), to give oneself a hernia.

5. (Stein~) quarry.

6. (Geol) fault.

7. (Math) fraction.

8. (sl: Einbruch) break-in. (**einen**) ~ **in einem Geschäft machen** to break into a shop; **einen ~ machen** to do a break-in.

Bruch² m or nt -(e)s, ⁻e marsh(land), bog.

Bruchband nt truss; **Bruchbude** f (pej) hovel; **Bruchfläche** f surface of the break; **die ⁻n zusammendrücken** press the two broken edges together.

brüchig adj brittle, fragile; Gestein, Mauerwerk crumbling; Leder cracked, split; (fig) Stimme cracked, rough; Verhältnisse, Ehe, Moral crumbling. ~ **werden** (Gestein, Macht) to (begin to) crumble; (Ehe, Verhältnisse auch) to (begin to) break up; (Leder) to crack or split.

Bruchkante f edge (of break/split); **Bruchlandung** f crash-landing; **eine ~ machen** to crash-land; **bruchrechnen** vi infin only to do fractions; **Bruchrechnen** nt fractions sing or pl; **Bruchrechnung** f fractions sing or pl; (Aufgabe) sum with fractions; **Bruchstein** m rough, undressed stone; **Bruchstelle** f break; (von Knochen auch) fracture; **Bruchstrich** m (Math) line (of a fraction); **Bruchstück** nt fragment; (von Lied, Rede auch) snatch; **bruchstückhaft** adj fragmentary; **ich kenne die Geschichte nur ~** I only know parts or fragments of the story; **Bruchteil** m fraction; **im ~ einer Sekunde** in a split second; **Bruchzahl** f (Math) fraction.

Brücke f -, -n 1. (lit, fig) bridge. **alle ~n hinter sich** (dat) **abbrechen** (fig) to burn one's bridges or boats behind one; **jdm eine ~ bauen** (fig) to give sb a helping hand; **jdm goldene ~n bauen** to make things easy for sb; **~n schlagen** (fig) to forge links.

2. (*Turnen*) crab; (*Ringen*) bridge.
3. (*Anat*) pons Varolii.
4. (*Naut*) bridge; (*Landungs~*) gangway, gangplank.
5. (*Zahn~*) bridge.
6. (*Elec*) bridge.
7. (*Teppich*) rug.

Brückenbau m **1.** no pl bridge-building;
2. (*Brücke*) bridge; **Brückenbogen** m arch (of a/the bridge); **Brückengebühr** f toll; **Brückengeländer** nt parapet; **Brückenkopf** m (*Mil*, *fig*) bridgehead; **Brückenpfeiler** m pier (of a/the bridge); **Brückenschlag** m (*fig*) **das war der erste ~** that forged the first link; **Brückenzoll** m bridge toll.

Bruder m **-s,** ⁼ **1.** brother. **der große ~** (*fig*) Big Brother; **die ~ Müller/Grimm** the Müller brothers/the Brothers Grimm; **~** (*Rel*) brothers pl, brethren pl; **unter ~n** (*inf*) between friends.
2. (*Mönch*) friar, brother. **~ Franziskus** (*als Anrede*) Brother Francis; **die ~** the brothers/pl, the brethren pl.
3. (*inf: Mann*) guy (*inf*), bloke (*Brit inf*). **ein warmer ~** (*dated*) a poof (*sl*), a pansy (*sl*); **ein zwielichtiger ~** a shady character or customer (*inf*); **euch ~ kenn' ich** (*pej*) I know you lot.

Bruderbund m (*geh*, *esp DDR*) (link of) comradeship, fraternal or brotherly link.
Brüderchen nt little brother, baby brother.
Bruderherz nt (*hum*) dear brother; **na ~, wie geht's?** well, brother dear or dear brother, how are you?; **Bruderkrieg** m war between brothers, fratricidal war; **Bruderkuß** m (*fig*) fraternal or brotherly kiss; **Bruderland** nt (*DDR*) brother nation.
Brüderlein nt siehe **Brüderchen**.
brüderlich adj fraternal, brotherly no adv. **~ teilen** to share and share alike; **mit jdm ~ teilen** to share generously with sb.
Brudermord m fratricide; **Bruderpartei** f (*DDR*) brother party.
Brüderschaft, Bruderschaft (*esp Eccl*) f **1.** (*Eccl*) brotherhood. **2.** (*Freundschaft*) close or intimate friendship (*in which the familiar 'du' is used*). **mit jdm ~ trinken** to agree to use the familiar 'du' (*over a drink*).
Brudervolk nt (*geh*) sister people; **unser ~ in Kuba** our Cuban brothers; **Bruderzwist** m (*liter*) fraternal feud.
Brügge nt **-s** Bruges.
Brühe f **-, -n** (*Suppe*) (clear) soup; (*als Suppengrundlage*) stock; (*dial: von Gemüse*) vegetable water; (*pej*) (*schmutzige Flüssigkeit*) sludge; (*Getränk*) dishwater (*inf*), muck (*inf*).
brühen vt **1.** to blanch, to pour boiling water over. **2.** *Tee* to brew; *Kaffee* to make in the jug or pot.
Brühkartoffeln pl potatoes boiled in meat stock; **brühwarm** adj (*inf*) hot from the press (*inf*); **er hat das sofort ~ weitererzählt** he promptly went straight off and spread it around; **Brühwürfel** m stock cube; **Brühwurst** f sausage (*to be heated in water*).

Brüllaffe m howling monkey, howler.
brüllen vti to shout, to roar; (*pej: laut weinen*) to yell, to bawl; (*Stier*) to bellow; (*Elefant*) to trumpet. **brüll doch nicht so!** don't shout; **er brüllte vor Schmerzen** he screamed with pain; **~des Gelächter** roars or howls or screams of laughter (*all pl*); **~ wie am Spieß** to cry or scream blue murder (*inf*); **das ist zum B~** (*inf*) it's a scream (*inf*).
Brummbär m (*inf*) **1.** (*baby-talk*) teddy bear (*baby-talk*); **2.** (*brummiger Mann*) crosspatch (*inf*), grouch (*inf*); **Brummbaß** m (*inf*) (*Baßgeige*) (double) bass; (*Baßstimme*) deep bass (voice).
brummeln vti (*inf*) to mumble, to mutter.
brummen vti **1.** (*Insekt*) to buzz; (*Bär*) to growl; (*Motor*, *Baß*) to drone; (*Kreisel*) to hum. **mir brummt der Kopf or Schädel** my head is throbbing.
2. (*beim Singen*) to drone.
3. (*murren*) to grumble, to grouch (*inf*), to grouse (*inf*).
4. (*brummeln*) to mumble, to mutter.
5. (*inf*) (*in Haft sein*) to be locked up (*inf*); (*Sch: nachsitzen*) to be kept in. **vier Monate ~** to do four months (*inf*).
Brummer m **-s, -** **1.** (*Schmeißfliege*) bluebottle. **2.** (*inf*) (*etwas Großes*) whopper (*inf*); (*Lastwagen*) juggernaut.
Brummi m **-s, -s** (*inf: Lastwagen*) lorry (*Brit*), truck.
brummig adj grumpy, grouchy (*inf*), sour-tempered.
Brummkreisel m (*inf*) humming-top; **Brummschädel** m (*inf*) thick head (*inf*).
brünett adj dark(-haired). **~es Mädchen** dark-haired girl, brunette; **sie ist ~** she is (a) brunette.
Brünette f brunette.
Brunft f **-,** ⁼**e** (*Hunt*) rut; (*~zeit auch*) rutting season. **in der ~ sein** to be rutting.
brunftig adj (*Hunt*) rutting.
Brunftplatz m rutting ground; **Brunftschrei** m bell, mating or rutting call (*auch fig*); **Brunftzeit** f rutting season, rut.
Brunnen m **-s, -** **1.** well; (*fig liter*) fountain, fount (*liter*). **den ~ erst zudecken, wenn das Kind hineingefallen ist** (*fig*) to lock the stable door after the horse has bolted (*prov*).
2. (*Spring~*) fountain.
3. (*Heilquelle*) spring. **~ trinken** to take the waters.
Brunnenbecken nt basin (of a well/fountain); **Brunnenfigur** f (*decorative*) sculpture on a fountain; **Brunnenhaus** nt pump room; **Brunnenkresse** f watercress; **Brunnenkur** f (*course of*) spa treatment, cure; **Brunnenschacht** m well shaft; **Brunnenvergifter(in** f**)** m **-s, -** (*fig pej*) (*political*) trouble-maker; **Brunnenvergiftung** f; **politische ~** political calumny; **Brunnenwasser** nt well water.
Brünnlein nt dim of **Brunnen**.
Brunst f **-,** ⁼**e** (*von männlichen Tieren*) rut;

(*von weiblichen Tieren*) heat; (~*zeit*) rutting season/heat. **in der ~** rutting/on *or* in heat.

brünstig *adj siehe* **Brunst** rutting/on *or* in heat; (*hum: von Mensch*) (feeling) sexy (*hum*).

Brunstschrei *m* mating call; **Brunstzeit** *f siehe* **Brunst**.

brunzen *vi* (*S Ger sl*) to (have a) piss (*sl*).

brüsk *adj* brusque, abrupt, curt. **sich ~ abwenden** to turn away abruptly *or* brusquely.

brüskieren* *vt* to snub.

Brüskierung *f* snub.

Brüssel *nt* -s Brussels.

Brüsseler, Brüßler *adj attr* Brussels. **~ Spitzen** Brussels lace.

Brüsseler(in *f*), **Brüßler(in** *f*) *m* -s, - inhabitant *or* (*gebürtiger*) native of Brussels.

Brust *f* -, -̈e 1. (*Körperteil*) chest; (*fig: Inneres*) breast, heart. **einen zur ~ nehmen** (*inf*) to have a quick drink *or* quick one *or* quickie (*inf*); **~ (he)raus!** chest out!; **~ an ~** face to face; **sich an jds ~** (*dat*) **ausweinen** to weep on sb's shoulder; **sich** (*dat*) **an die ~ schlagen** (*fig*) to beat one's breast; **sich in die ~ werfen** (*fig*) to puff oneself up; **mit geschwellter ~** (*fig*) as proud as Punch *or* a peacock; **schwach auf der ~ sein** (*inf*) to have a weak chest; (*hum: an Geldmangel leiden*) to be a bit short (*inf*).
2. (*weibliche ~*) breast. **einem Kind die ~ geben, ein Kind an die ~ legen** to feed a baby (*at the breast*), to nurse a baby.
3. (*Cook*) breast.
4. (~*schwimmen*) breast-stroke.

Brustbein *nt* (*Anat*) breastbone, sternum; **Brustbeutel** *m* money bag (*worn around the neck*); **Brustbild** *nt* half-length portrait; **Brustbreite** *f* **um ~** by a whisker.

Brustdrüse *f* mammary gland.

brüsten *vr* to boast, to brag (*mit* about).

Brustfell *nt* (*Anat*) pleura; **Brustfellentzündung** *f* pleurisy; **Brustflosse** *f* pectoral fin; **Brustgegend** *f* thoracic region; **Brusthaar** *nt* hair on the chest, chest hair; **Brustharnisch** *m* breastplate; **brusthoch** *adj* chest-high; **Brusthöhe** *f*: **in ~** chest high; **Brusthöhle** *f* thoracic cavity; **Brustkasten** (*inf*), **Brustkorb** *m* (*Anat*) thorax; **Brustkrebs** *m* breast cancer, cancer of the breast; **Brustkreuz** *nt* (*Eccl*) pectoral cross; **Brustlage** *f* prone position; **in ~ schwimmen** to swim in the prone position; **Brustmuskel** *m* pectoral muscle; **Brustpanzer** *m* breastplate; **Brustplastik** *f* cosmetic breast surgery; **Brustschutz** *m* (*esp Fechten*) breast *or* chest protector, plastron; **brustschwimmen** *vi infin only* to swim *or* do the breast-stroke; **Bruststimme** *f* chest-voice; **Bruststück** *nt* (*Cook*) breast; **Brusttasche** *f* breast pocket; (*Innentasche*) inside (breast) pocket; **Brusttee** *m* herbal tea (*for infections of the respiratory tract*); **Brustton** *m* (*Mus*) chest note; **im ~ der Überzeugung,**

(*daß ...*) in a tone of utter conviction (that ...); **Brustumfang** *m* chest measurement; (*von Frau*) bust measurement.

Brüstung *f* parapet; (*Balkon~ auch*) balustrade; (*Fenster~*) breast.

Brustwarze *f* nipple; **Brustwehr** *f* (*Mil*) breastwork; (*Hist*) parapet; **Brustweite** *f siehe* **Brustumfang**; **Brustwickel** *m* chest compress; **Brustwirbel** *m* thoracic *or* dorsal vertebra.

Brut *f* -, -en 1. *no pl* (*das Brüten*) brooding, sitting, incubating. 2. (*die Jungen*) brood; (*pej*) lot, mob (*inf*). 3. (*bei Pflanzen*) offset, offshoot.

brutal *adj* brutal; (*gewalttätig auch*) violent. **das tut ~ weh** (*inf*) that hurts like hell (*inf*).

brutalisieren* *vt* to brutalize.

Brutalität *f* 1. *no pl siehe adj* brutality; violence. 2. (*Gewalttat*) act of violence *or* brutality.

brüten I *vi* to brood, to sit, to incubate; (*fig*) to ponder (*über +dat* over). **~de Hitze** oppressive *or* stifling heat. **II** *vt* 1. (*künstlich*) to incubate; (*Tech*) to breed. 2. (*geh*) **Rache, Verrat** to plot.

brütendheiß *adj attr* sweltering, boiling (hot) (*inf*).

Brüter *m* -s, - (*Tech*) breeder (reactor). **schneller ~** fast-breeder (reactor).

Bruthenne *f* sitting hen; **Bruthitze** *f* (*inf*) stifling *or* sweltering heat; **Brutkasten** *m* (*Med*) incubator; **hier ist eine Hitze wie in einem ~** (*inf*) it's like an oven *or* a furnace in here (*inf*); **Brutofen** *m* (*fig*) furnace; **Brutpflege** *f* care of the brood; **Brutplatz** *m* breeding ground; **Brutreaktor** *m* breeder (reactor); **Brutstätte** *f* breeding ground (*gen* for); (*fig auch*) hotbed (*gen* of).

brutto *adv* gross. **~ 1000 DM, 1000 DM ~** DM 1000 gross.

Bruttoeinkommen *nt* gross *or* before-tax income; **Bruttoertrag** *m* gross *or* before-tax profit; **Bruttogehalt** *nt* gross salary; **Bruttolohn** *m* gross *or* before-tax wage(s); **Bruttoregistertonne** *f* register ton; **Bruttosozialprodukt** *nt* gross national product, GNP; **Bruttoverdienst** *m* gross *or* before-tax earnings *pl*.

Brutzeit *f* incubation (period).

brutzeln (*inf*) **I** *vi* to sizzle (away). **II** *vt* to fry (up).

Bruyère [bry'jɛːr] *nt* -s, *no pl*, **Bruyèreholz** *nt* briar *or* brier (wood).

Bruyère(pfeife) *f* -, -s briar *or* brier (pipe).

B-Seite ['beː-] *f* (*von Schallplatte*) B-side.

BTA [beːteː'ʔaː] *mf abbr of* **biologisch-technische Assistentin, biologisch-technischer Assistent**.

Btx [beːteː'ʔiks] *m* -, *no pl abbr of* **Bildschirmtext**.

Bub *m* -en, -en (*S Ger, Aus, Sw*) boy, lad.

Bübchen *nt dim of* **Bub**.

Bube *m* -n, -n (*Cards*) jack, knave.

Bubenstreich *m*, **Bubenstück** *nt*, **Büberei** *f* 1. (*old*) piece of knavery (*old*) *or* villainy, knavish trick (*old*). 2. childish prank.

Bubi *m* -s, -s (*inf*) little boy *or* lad, laddie (*inf*); (*pej inf*) (school)boy; (*als Anrede*) laddie (*inf*).

Bubikopf *m* bobbed hair *no pl*, bob; **sich** (*dat*) **einen ~ machen lassen** to have one's hair bobbed *or* cut in a bob.

bübisch *adj* (*verschmitzt*) roguish, mischievous.

Buch *nt* -(e)s, ¨-er **1.** book; (*Band*) volume; (*Dreh~*) script. **über den ¨-ern sitzen** to pore over one's books; **er redet wie ein ~** (*inf*) he never stops talking; **ein Gentleman, wie er im ~e steht** a perfect example of a gentleman; **das ~ der ¨-er** the Book of Books; **die ¨-er Mose** the Pentateuch; **das erste/zweite/dritte/vierte/fünfte ~ Mose** Genesis/Exodus/Leviticus/Numbers/Deuteronomy; **ein ~ mit sieben Siegeln** (*fig*) a closed book; **er ist für mich ein offenes** *or* **aufgeschlagenes ~** I can read him like a book; **~ machen** (*Pferderennen*) to make a book.
2. *usu pl* (*Comm: Geschäfts~*) books *pl*, accounts *pl*. **über etw** (*acc*) **~ führen** to keep a record of sth; **jdm die ¨-er führen** to keep sb's accounts *or* books; **zu ~(e) schlagen** to make a (significant) difference; **das schlägt mit 1000 DM zu ~(e)** that gives you DM 1000; **zu ~ stehen mit** to be valued at.

Buchbesprechung *f* book review; **Buchbinder(in** *f*) *m* bookbinder; **Buchbinderei** *f* (*Betrieb*) bookbindery; (*Handwerk*) bookbinding; **Buchblock** *m* -s, -s book block; **Buchclub** *m* book club; **Buchdeckel** *m* book cover; **Buchdruck** *m*, *no pl* letterpress (printing); **Buchdrucker(in** *f*) *m* printer; **Buchdruckerei** *f* (*Betrieb*) printing works *sing or pl*; (*Handwerk*) printing; **Buchdruckerkunst** *f* art of printing.

Buche *f* -, -n beech (tree).
Buch|ecker *f* -, -n beechnut.
Buch|einband *m* binding, (book) cover.
buchen¹ *vt* **1.** (*Comm*) to enter, to post (*spec*); (*Kasse*) to register; (*fig: registrieren*) to register, to record. **einen Erfolg für sich ~** to chalk (*inf*) *or* mark up a success (for oneself); **etw als Erfolg ~** to put sth down as a success.
2. (*vorbestellen*) to book, to reserve.
buchen² *adj* (*rare*) (made) of beech(wood), beech.

Buchenholz *nt* beech wood.
Bücherbord, Bücherbrett *nt* bookshelf; **Bücherbus** *m* mobile library.
Bücherei *f* (lending) library.
Bücherfreund(in *f*) *m* book-lover, bibliophile; **Büchergestell** *nt* bookcase; **Büchergutschein** *m* book token; **Büchernarr** *m* **Büchernärrin** *f* bookfan, book-freak (*inf*); **Bücherreff** *nt* case for transporting books; **Bücherregal** *nt* bookshelf; **Bücherrevision** *f* audit; **Bücherschrank** *m* bookcase; **Büchersendung** *f* consignment of books; (*im Postwesen*) books (sent) at printed paper rate; **Bücherstube** *f* bookshop; **Bücherstütze** *f* book-end; **Bücherverbrennung** *f* (*NS*) burning of books; **Bücherverzeichnis** *nt* bibliog-raphy; **Bücherwand** *f* wall of book shelves; (*als Möbelstück*) (large) set of book shelves; **Bücherweisheit** *f* book learning; **Bücherwurm** *m* (*lit, fig hum*) bookworm.

Buchfink *m* chaffinch.
Buchform *f*: **in ~** in book form; **Buchformat** *nt* format for a book; **Buchführung** *f* book-keeping, accounting; **einfache/doppelte ~** single/double entry book-keeping; **Buchgeld** *nt* (*Fin*) bank deposit money; **Buchgemeinschaft** *f* book club; **Buchhalter(in** *f*) *m* book-keeper; **buchhalterisch** *adj* book-keeping; **Buchhaltung** *f* **1.** *siehe* **Buchführung; 2.** (*Abteilung einer Firma*) accounts department; **Buchhandel** *m* book trade; **im ~ erhältlich** available *or* on sale in bookshops; **Buchhändler(in** *f*) *m* bookseller; **buchhändlerisch** *adj* of *or* connected with the book trade; **Buchhandlung** *f* bookshop, bookstore (*US*); **Buchhülle** *f* dust jacket *or* cover; **Buchkritik** *f* **1.** (*das Rezensieren*) book reviewing; (*Rezension*) book review; **2.** *no pl* (*die Rezensenten*) book reviewers *pl or* critics *pl*.

Buchladen *m* bookshop, bookstore (*US*); **Buchmacher(in** *f*) *m* bookmaker, bookie (*inf*); **Buchmalerei** *f* illumination; **Buchmesse** *f* book fair; **Buchprüfer(in** *f*) *m* auditor; **Buchprüfung** *f* audit; **Buchrücken** *m* spine.

Buchs ['bʊks] *m* -es, -e, **Buchsbaum** *m* box(tree).
Buchse ['bʊksə] *f* -, -n (*Elec*) socket; (*Tech*) (*von Zylinder*) liner; (*von Lager*) bush.
Büchse ['byksə] *f* -, -n **1.** tin; (*Konserven~*) can, tin (*Brit*); (*Sammel~*) collecting box. **2.** (*Gewehr*) rifle, (shot)gun.

Büchsenfleisch *nt* canned *or* tinned (*Brit*) meat; **Büchsenmacher** *m* gunsmith; **Büchsenmilch** *f* tinned (*Brit*) *or* evaporated milk; **Büchsenöffner** *m* can *or* tin (*Brit*) opener.

Buchstabe *m* -n(s), -n letter; (*esp Druck~*) character. **kleiner ~** small letter; **großer ~** capital (letter); **ein fetter ~** a bold character, a character in bold (face); **in fetten ~n** in bold (face); **Betrag in ~n** amount in words; **dem ~n nach** (*fig*) literally; **auf den ~n genau** (*fig*), **bis auf den letzten ~n** (*fig*) to the letter; **nach dem ~n des Gesetzes ist das verboten, aber ...** according to the letter of the law that's illegal but ...; *siehe* **vier.**

buchstabengetreu *adj* literal; **etw ~ befolgen** to follow sth to the letter; **Buchstabenkombination** *f* combination (of letters); **Buchstabenrätsel** *nt* word-puzzle, anagram; **Buchstabenschrift** *f* alphabetic script.

buchstabieren* *vt* **1.** to spell. **2.** (*mühsam lesen*) to spell out.

Buchstabiermethode *f* alphabetical method; **Buchstabiertafel** *f* word spelling alphabet.

buchstäblich *adj* literal.

Buchstütze f siehe **Bücherstütze.**

Bucht f -, -en **1.** (im Meer) bay; (kleiner) cove. **2.** (für Schweine etc) stall.

Buchteln pl (Aus Cook) jam-filled yeast dumplings.

Buchtitel m (book) title; **Buchumschlag** m dust jacket or cover.

Buchung f (Comm) entry; (Reservierung) booking, reservation.

Buchungskarte f charge card; **Buchungsmaschine** f accounting machine; **Buchungssystem** nt booking system.

Buchweizen m buckwheat.

Buchwert m (Comm) book value; **Buchwissen** nt (pej) book learning.

Buckel m -s, - **1.** hump(back), hunchback; (inf: Rücken) back. **einen ~ machen** (Katze) to arch its back; **steh gerade, mach nicht so einen ~!** stand up (straight), don't hunch your back or shoulders like that!; **einen krummen ~ machen** (fig inf) to bow and scrape, to kowtow; **den ~ voll kriegen** (inf) to get a good hiding, to get a belting (inf); **er kann mir den ~ (he)runterrutschen** (inf) he can (go and) take a running jump, he can get lost or knotted (all inf); **viel/genug auf dem ~ haben** (inf) to have a lot/enough on one's plate (inf); **den ~ voll Schulden haben** (inf) to be up to one's neck or eyes in debt (inf); **seine 80 Jahre auf dem ~ haben** (inf) to be 80 (years old), to have seen 80 summers. **2.** (inf: Hügel) hummock, hillock. **3.** (inf: Auswölbung) bulge, hump. **4.** (von Schild) boss.

buck(e)lig adj hunchbacked, humpbacked; (inf) Straße bumpy; Landschaft undulating, hilly.

Buck(e)lige(r) mf decl as adj hunchback, humpback.

buckeln vi (pej) to bow and scrape, to kowtow. **nach oben ~ und nach unten treten** to bow to superiors and tread inferiors underfoot.

Buckelrind nt zebu.

bücken vr to bend (down), to stoop. **sich nach etw ~** to bend down or to stoop to pick sth up.

Bückling m **1.** (Cook) smoked herring. **2.** (hum inf: Verbeugung) bow.

Budapest nt -s Budapest.

Buddel f -, -n (N Ger inf) bottle.

Buddelei f (im Sand) digging; (inf: Tiefbauarbeiten) constant digging (up) (of road).

Buddelkasten m (dial) sand-box.

buddeln I vi (inf) to dig. **in der Straße wird dauernd gebuddelt** they're always digging up the road. II vt (dial) (ausgraben) Kartoffeln to dig up; Loch to dig.

Buddha ['buda] m -s, -s Buddha.

Buddhismus m Buddhism.

Buddhist(in f) m Buddhist.

buddhistisch adj Buddhist(ic).

Bude f -, -n **1.** (Bretterbau) hut; (Bau~) (workmen's) hut; (Markt~, Verkaufs~) stall, stand, booth; (Zeitungs~) kiosk. **2.** (pej inf: Laden) dump (inf). **3.** (inf) (Zimmer) room, bedsit(ter); (von Untermieter auch) digs pl (inf);

(Wohnung) pad (inf). **Leben in die ~ bringen** to liven or brighten up the place; **jdm die ~ einrennen** or **einlaufen** to pester or badger sb; **jdm auf die ~ rücken** (als Besucher) to drop in on sb, to land on sb (inf); (aus einem bestimmten Grund) to pay sb a visit, to go/come round to sb's place; **jdm die ~ auf den Kopf stellen** to turn sb's place upside down.

Budenbesitzer(in f) m (market) stallholder; **Budenzauber** m (dated inf) knees-up (dated sl), jamboree (dated inf).

Budget [by'dʒeː] nt -s, -s budget.

budgetär [bydʒe'tɛːɐ] adj budgetary.

Budgetberatung f budget debate; **Budgetentwurf** m draft budget; **Budgetvorlage** f presentation of the budget.

Budike f -, -n (dial) bar, pub (Brit), saloon (US).

Budiker(in f) m -s, - (dial) bar keeper, landlord (Brit).

Buenos Aires nt Buenos Aires.

Büfett nt -(e)s, -e or -s **1.** (Geschirrschrank) sideboard. **2.** (Schanktisch) bar; (Verkaufstisch) counter. **3. kaltes ~** cold buffet.

Büfettdame f, **Büfettfräulein** nt (in Gastwirtschaft) barmaid; (in Konditorei) (counter) assistant.

Büfettier [byfe'tieː] m -s, -s barman.

Büffel m -s, - buffalo.

Büffelherde f herd of buffalo; **Büffelleder** nt buff (leather), buffalo skin.

Büffelei f (inf) swotting (inf), cramming (inf).

büffeln (inf) I vi to swot (inf), to cram (inf). II vt Lernstoff to swot up (inf).

Buffet, Büffet [by'feː] (esp Aus) nt -s, -s siehe **Büfett.**

Buffo m -s, -s or **Buffi** buffo.

Bug m -(e)s, -e or -e **1.** (Schiffs~) bow usu pl; (Flugzeug~) nose. **jdm eins vor den ~ knallen** (sl) to sock sb one (sl). **2.** (Cook: Schultergegend) shoulder.

Bügel m -s, - **1.** (Kleider~) (coat-)hanger. **2.** (Steig~) stirrup. **3.** (Stromabnehmer) bow (collector). **4.** (von Säge) frame; (von Handtasche) frame; (Brillen~) side or ear-piece, bow; (von Gewehr) trigger-guard; (für Einweckgläser) clip, clamp; (am Lift) T-bar.

Bügelautomat m rotary iron; **Bügelbrett** nt ironing board; **bügelecht** adj ironable; **Bügeleisen** nt iron; **Bügelfalte** f crease in one's trousers; **bügelfertig** adj ready for ironing; **bügelfrei** adj noniron; **Bügelmaschine** f rotary iron.

bügeln I vt Wäsche to iron; Hose to press; (Sport sl) to lick, to hammer, to thrash (all inf); siehe **gebügelt.** II vi to iron.

Bügler(in f) m -s, - ironer.

Bugmann m (Sport) bow(man); **Bugrad** nt (Aviat) nose wheel.

Bugsierdampfer m (Naut) tug(boat).

bugsieren* I vt **1.** (Naut) to tow. **2.** (inf) Möbelstück to manoeuvre, to edge. **jdn aus dem Zimmer ~** to steer or hustle sb out of the room. **3.** (inf: lancieren) **jdn in**

einen Posten ~ to wangle *or* fiddle a job for sb (*inf*). **II** *vi* (*Naut*) to tow. **Schlepper, die im Hafen ~** tugs that do the towing in the port.

Bugsiertrosse *f* (*Naut*) towline, towrope.

Bugspriet *nt* (*Naut*) bowsprit; **Bugwelle** *f* (*Naut*) bow wave.

buh *interj* boo.

buhen *vi* (*inf*) to boo.

Buhle *m* -n, -n (*old liter*) paramour (*obs, liter*), lover.

buhlen *vi* (*pej: werben*) **um jdn/ Anerkennung ~** to woo sb/recognition; **um jds Gunst ~** to woo *or* court sb's favour.

Buhler(in *f*) *m* -s, - (*pej: Werbender*) wooer.

Buhmann *m*, *pl* -männer (*inf*) bogeyman (*inf*).

Bühne *f* -, -n **1.** (*lit, fig*) stage; (*von Konzertsaal, Aula auch*) platform. **über die ~ gehen** (*inf*) to go *or* pass off; **etw über die ~ bringen** (*inf*) to stage sth; **hinter der ~** (*lit, fig*) behind the scenes; **von der ~ abtreten** *or* **verschwinden** (*inf*), **die ~ verlassen** to make one's exit, to leave the scene.
2. (*Theater*) theatre; (*als Beruf*) stage. **Städtische ~n** Municipal Theatres; **zur ~ gehen** to go on the stage, to go into the theatre; **sie steht seit zwanzig Jahren auf der ~** she has been on the stage *or* in the theatre for twenty years; **das Stück ging über alle ~n** the play was put on *or* staged everywhere *or* in all the theatres.
3. (*Tech: Hebe~*) ramp.

Bühnenanweisung *f* stage direction; **Bühnenarbeiter(in** *f*) *m* stagehand; **Bühnenausbildung** *f* dramatic training; **Bühnen(aus)sprache** *f* standard; **Bühnenausstattung** *f* stage property *or* props *pl*; **Bühnenautor(in** *f*) *m* playwright, dramatist; **Bühnenbearbeitung** *f* stage adaptation; **Bühnenbeleuchter(in** *f*) *m* lighting man/woman; **Bühnenbeleuchtung** *f* stage lighting; **Bühnenbild** *nt* (stage) set; **Bühnenbildner(in** *f*) *m* set-designer; **Bühnendichtung** *f* dramatic verse; **Bühneneffekt** *m* stage effect; **Bühnenerfolg** *m* success; (*Stück auch*) (stage) hit; **Bühnenfassung** *f* stage adaptation; **bühnengerecht** *adj* suitable for the stage; **etw ~ bearbeiten** to adapt sth for the stage; **Bühnenhaus** *nt* fly tower; **Bühnenhimmel** *m* cyclorama; **Bühnenmaler(in** *f*) *m* scene painter; **Bühnenmalerei** *f* scene painting; **Bühnenmeister(in** *f*) *m* stage manager; **Bühnenmusik** *f* incidental music; **Bühnenpersonal** *nt* theatre staff; **Bühnenraum** *m* stage and backstage area; **bühnenreif** *adj* ready for the stage; **Bühnentechniker(in** *f*) *m* stagetechnician; **Bühnenwerk** *nt* stage entertainment, dramatic work; **bühnenwirksam** *adj* effective on the stage; **läßt sich dieser Stoff ~ gestalten?** would this material be effective on the stage?

Buhruf *m* boo, catcall; **Buhrufer(in** *f*) *m* **der Redner wurde von ~n empfangen** the speaker was booed *or* greeted by boos *or* booing.

buk (*old*) *pret of* **backen.**

Bukarest *nt* -s Bucharest.

Bukett *nt* -s, -s *or* -e (*geh*) **1.** (*Blumen~*) bouquet.
2. (*von Wein*) bouquet, nose.

Bukolik *f* (*Liter*) bucolic *or* pastoral poetry.

Bulette *f* (*dial*) meat ball. **ran an die ~n** (*inf*) go right ahead!

Bulgare *m* -n, -n, **Bulgarin** *f* Bulgarian.

Bulgarien [-iən] *nt* -s Bulgaria.

bulgarisch *adj* Bulgarian.

Bulgarisch(e) *nt decl as adj* Bulgarian; *siehe* **Deutsch(e).**

Bulimie *f* -, *no pl* (*Med*) bulimia (*spec*).

Bullauge *nt* (*Naut*) porthole.

Bulldogge *f* bulldog.

Bulldozer ['buldo:zɐ] *m* -s, - bulldozer.

Bulle¹ *m* -n, -n **1.** bull. **2.** (*inf: starker Mann*) great ox of a man. **3.** (*pej sl: Polizist*) cop (*inf*). **die ~n** the fuzz (*pej sl*), the cops (*inf*).

Bulle² *f* -, -n (*Hist, Eccl*) bull.

Bullenbeißer *m* -s, - **1.** (*fig pej*) cantankerous *or* sour-tempered character; **2.** (*lit: Bulldogge*) bulldog; **Bullenhitze** *f* (*inf*) sweltering *or* boiling (*inf*) heat; **bullenstark** *adj* (*inf*) beefy (*inf*), brawny, strong as an ox.

bull(e)rig *adj* (*dial*) sour-tempered, cantankerous.

bullern *vi* (*inf*) **1.** (*poltern*) to thud, to rumble; (*Wasser, Flüssigkeit*) to bubble; (*Ofen*) to roar. **2.** (*dial: schimpfen*) to bellyache (*inf*), to moan and groan (*inf*).

Bulletin [byl'tɛ̃:] *nt* -s, -s bulletin.

bullig *adj* (*inf*) **1.** brawny, beefy (*inf*). **2.** *Hitze* sweltering, boiling (*inf*).

Bullterrier *m* bull-terrier.

bum *interj* bang; (*tiefer*) boom.

Bumerang *m* -s, -s *or* -e (*lit, fig*) boomerang.

Bumerangeffekt *m* boomerang effect.

Bummel *m* -s, - stroll; (*durch Lokale*) wander (*durch* around), tour (*durch* of). **einen ~ machen, auf einen ~ gehen** to go for *or* take a stroll; **einen ~ durch die Stadt/Nachtlokale machen** to go for *or* take a stroll round (the) town, to go for a) wander round (the) town/to take in a few nightclubs.

Bummelant(in *f*) *m* (*inf*) **1.** (*Trödler*) slowcoach (*Brit inf*), slowpoke (*US inf*), dawdler. **2.** (*Faulenzer*) loafer (*inf*), idler.

Bummelantentum *nt* (*pej*) absenteeism.

Bummelei *f* (*inf, pej*) (*Trödelei*) dawdling; (*Faulenzerei*) loafing about (*inf*), idling.

Bummelfritze *m* (*inf, pej*) loafer (*inf*), idler.

bumm(e)lig *adj* (*inf, pej*) (*trödelnd*) slow; (*faul*) idle.

Bummelleben *nt* (*inf*) life of idleness.

bummeln *vi* **1.** *aux sein* (*spazierengehen*) to stroll; (*Lokale besuchen*) to go round the pubs/bars; (*ausgehen*) to go out on the town. **im Park ~ gehen** to go for *or* take a stroll in the park. **2.** (*trödeln*) to dawdle, to hang about (*inf*). **3.** (*faulenzen*) to idle *or* fritter one's time away,

to take it easy.
Bummelstreik *m* go-slow; **Bummelzug** *m* (*inf*) slow *or* stopping train.
Bummler(in *f*) *m* **-s, -** **1.** (*Spaziergänger*) stroller. **2.** *siehe* **Bummelant.**
bums *interj* thump, thud. **~, da fiel der Kleine hin** bang! down went the little one.
Bums *m* **-es, -e** (*inf*) **1.** (*Schlag*) bang, thump; (*Ftbl sl*) kick. **2.** (*pej sl*) (*Tanzvergnügen*) hop (*inf*); (*Tanzlokal*) dance hall.
bumsen I *vi impers* (*inf: dröhnen*) **...**, **daß es bumste** ... with a bang; **er schlug gegen die Tür, daß es bumste** he hammered *or* thumped on the door; **es hat gebumst** (*von Fahrzeugen*) there's been a smash-up (*inf*) *or* crash.
  II *vi* **1.** (*schlagen*) to thump, to hammer; (*Ftbl sl*) to kick.
  2. *aux sein* (*prallen, stoßen*) to bump, to bang, to clout (*inf*); (*fallen*) to fall with a bang *or* bump. **mit dem Kopf gegen etw ~** to bump *or* bang *or* clout (*inf*) one's head on sth.
  3. (*sl: koitieren*) to have it off (*Brit sl*), to have sex.
  III *vt* **1.** (*Ftbl sl*) *Ball* to thump, to bang.
  2. (*sl*) **jdn** — to lay sb, to have it off with sb (*Brit sl*), to have sex with sb; **gebumst werden** to get laid (*sl*).
Bumslokal *nt* (*pej inf*) (low) dive; **Bumsmusik** *f* (*inf*) loud (vulgar) music; **bumsvoll** *adj* (*inf*) full to bursting.
Bund¹ *m* **-(e)s, ⁼e 1.** (*Vereinigung, Gemeinschaft*) bond; (*Bündnis*) alliance. **mit jdm im ~e stehen** *or* **sein** to be in league with sb; **sich** (*dat*) **die Hand zum ~e reichen** (*geh*) to enter into a bond of friendship; **den ~ der Ehe eingehen** to enter (into) the bond of marriage; **ein ~ der Freundschaft** a bond of friendship; **den ~ fürs Leben schließen** to take the marriage vows.
  2. (*Organisation*) association, (con)federation; (*Staaten~*) league, alliance.
  3. (*Pol: Bundesstaat*) Federal Government. **~ und Länder** the Federal Government and the/its Länder.
  4. (*inf: Bundeswehr*) **der ~** the army, the services *pl*.
  5. (*an Kleidern*) waist-band.
  6. (*Mus: bei Saiteninstrumenten*) fret.
Bund² *nt* **-(e)s, -e** (*von Stroh, Flachs, Reisig*) bundle; (*von Radieschen, Spargel*) bunch.
Bündchen *nt* neck- *or* sleeve-band.
Bündel *nt* **-s, -** bundle, sheaf; (*Stroh~*) sheaf; (*von Banknoten auch*) wad; (*von Karotten, Radieschen*) bunch; (*Opt: Strahlen~*) pencil; (*Math*) sheaf; (*fig*) (*von Fragen, Problemen*) cluster; (*von Vorschlägen*) set. **ein hilfloses/schreiendes ~** a helpless/howling (little) bundle; **sein ~ schnüren** *or* **packen** (*dated*) to pack one's bags; **jeder hat sein ~ zu tragen** everybody has his cross to bear.
bündeln *vt Zeitungen* to bundle up; *Gar-*

ben, Stroh to sheave; *Karotten* to tie into bunches/a bunch; (*Opt*) *Strahlen* to focus, to concentrate.
bündelweise *adv* by the bundle, in bundles. **er holte ~ Banknoten aus der Tasche** he pulled wads of banknotes out of his pocket.
Bundes- *in cpds* federal; **Bundesamt** *nt* Federal Office; **Bundesangestelltentarif** *m* (*BRD*) statutory salary scale; **Bundesanleihe** *f* government bond; **Bundesanstalt** *f* Federal Institute; **Bundesanwalt** *m*, **Bundesanwältin** *f* **1.** (*BRD*) attorney of the Federal Supreme Court; **2.** (*Sw*) ≃ Public Prosecutor; **Bundesanwaltschaft** *f* (*BRD*) Federal German Prosecutor's Office; (*Gesamtheit der Anwälte*) Federal German bar; **Bundesanzeiger** *m* (*BRD*) Federal legal gazette; **Bundesärztekammer** *f* professional organization of German doctors; **Bundesaufsicht** *f* (*BRD*) Government supervision; **Bundesausbildungsförderungsgesetz** *nt* law regarding grants for higher education; **Bundesautobahn** *f* (*BRD, Aus*) Federal autobahn (*maintained by the Federal Government*); **Bundesbahn** *f* (*BRD, Aus, Sw*) Federal Railway(s *pl*); **Bundesbank** *f* Federal bank; **Deutsche ~** Federal Bank of Germany; **Bundesbehörde** *f* Federal authority; **Bundesblatt** *nt* (*Sw*) Federal Law gazette; **Bundesbürger(in** *f*) *m* German, citizen of Germany; **bundesdeutsch** *adj* German; **Bundesdeutsche(r)** *mf* German; **Bundesebene** *f*: **auf ~** at a national level; **bundeseigen** *adj* Federal(-owned), national; **bundeseinheitlich** *adj* Federal, national; **Bundesfernstraße** *f* trunk road (*maintained by the Federal Government*); **Bundesgebiet** *nt* (*BRD*) Federal territory; **Bundesgenosse** *m*, **Bundesgenossin** *f* ally, confederate; **Bundesgericht** *nt* **1.** Federal Court; **2.** (*Sw*) Federal Appeal Court; **Bundesgerichtshof** *m* (*BRD*) Federal Supreme Court; **Bundesgesetzblatt** *nt* (*BRD, Aus*) Federal Law Gazette; **Bundesgrenzschutz** *m* (*BRD*) Federal Border Guard; **Bundeshauptstadt** *f* Federal capital; **Bundeshaus** *nt* (*BRD, Sw*) Federal Houses of Parliament; **Bundeshaushalt** *m* Federal budget; **Bundesheer** *nt* (*Aus*) services *pl*, army, (federal) armed forces; **Bundeskabinett** *nt* Federal cabinet; **Bundeskanzler(in** *f*) *m* **1.** (*BRD, Aus*) Federal Chancellor; **2.** (*Sw*) Head of the Federal Chancellery; **Bundeskanzleramt** *nt* (*BRD, Aus*) Federal Chancellery; **Bundeskriminalamt** *nt* (*BRD*) Federal Criminal Police Office; **Bundeslade** *f* (*Bibl*) Ark of the Covenant; **Bundesland** *nt* **1.** state; **2.** Land of the Federal Republic of Germany; **Bundesliga** *f* (*BRD Sport*) national league; **Bundesligist** *m* (*BRD Sport*) national league team; **Bundesminister(in** *f*) *m* (*BRD, Aus*) Federal Minister; **Bundesministerium** *nt* (*BRD, Aus*) Federal

Ministry; **Bundesmittel** *pl* Federal funds *pl*; **Bundesnachrichtendienst** *m* (*BRD*) Federal Intelligence Service; **Bundespost** *f*: **die (Deutsche) ~** the (German) Federal Post (Office); **Bundespräsident(in** *f*) *m* (*BRD*, *Aus*) (Federal) President; (*Sw*) President of the Federal Council; **Bundespresseamt** *nt* Federal Government's Press and Information Office; **Bundesrat** *m* Bundesrat *upper house of the German Parliament*; (*Sw*) Council of Ministers; (*Sw Beamter*) Minister of State; **Bundesrechnungshof** *m* Federal Audit Office, Federal Accounting Office; **Bundesrecht** *nt* Federal law; **Bundesregierung** *f* (*BRD*, *Aus*) Federal Government; **Bundesrepublik** *f* Federal Republic; **~ Deutschland** Federal Republic of Germany; **Bundesrepublikaner(in** *f*) *m* citizen of the Federal Republic of Germany; **bundesrepublikanisch** *adj* German; **Bundesschatzbrief** *m* (*Fin*) Federal treasury bill; **Bundesstaat** *m* (*Staatenbund*, *Gliedstaat*) Federal state; **Bundesstraße** *f* Federal road (*maintained by the Federal Government*).

Bundestag *m* Bundestag, (*lower house of the*) German Parliament; (*Hist*) Diet of the German Confederation.

Bundestagsabgeordnete(r) *mf* (*BRD*) German member of Parliament, member of the *Bundestag*; **Bundestagsfraktion** *f* (*BRD*) group *or* faction in the *Bundestag*; **Bundestagspräsident(in** *f*) *m* (*BRD*) President of the *Bundestag or* German Parliament; **Bundestagswahl** *f* (*BRD*) (federal) parliamentary elections *pl*.

Bundestrainer(in *f*) *m* (*BRD Sport*) national coach; **Bundesverdienstkreuz** *nt* (*BRD*) order of the Federal Republic of Germany, ≃ OBE (*Brit*); **Bundesverfassung** *f* Federal constitution; **Bundesverfassungsgericht** *nt* (*BRD*) Federal Constitutional Court; **Bundesversammlung** *f* 1. (*BRD*) Federal Convention; 2. (*Sw*) Federal Assembly; **Bundesverwaltungsgericht** *nt* (*BRD*) Supreme Administrative Court; **Bundeswehr** *f* (*BRD*) services *pl*, army, (German) Federal Armed Forces *pl*; **bundesweit** *adj* nationwide.

Bundfaltenhose *f* pleated trousers *pl*; **Bundhose** *f* knee breeches *pl*.

bündig *adj* 1. (*schlüssig*) conclusive; (*kurz*, *bestimmt*) concise, succinct, terse. 2. (*in gleicher Ebene*) flush *pred*, level.

Bündigkeit *f* (*Schlüssigkeit*) conclusiveness; (*Kürze*, *Bestimmtheit*) conciseness, succinctness, terseness.

Bündnis *nt* alliance.

Bündnisblock *m* allied bloc; **Bündnispolitik** *f* policy vis-à-vis one's allies; **Bündnissystem** *nt* system of alliances; **Bündnistreue** *f* loyalty to the alliance; **Bündnisverpflichtung** *f*

commitment to one's allies; **Bündnisvertrag** *m* pact of alliance.

Bundweite *f* waist measurement.

Bungalow ['bʊŋgalo] *m* **-s**, **-s** bungalow.

Bunker *m* **-s**, **-** 1. (*Mil*) bunker; (*Luftschutz~*) air-raid shelter. 2. (*Sammelbehälter*) bin; (*Kohlen~*) bunker; (*Getreide~*) silo. 3. (*Golf*) bunker. 4. (*Mil sl: Gefängnis*) clink (*sl*).

bunkern *vti* 1. *Kohle* to bunker; *Öl* to refuel. 2. (*sl: verstecken*) to stash (away) (*sl*).

Bunsenbrenner *m* Bunsen burner.

bunt *adj* 1. (*farbig*) coloured; (*mehrfarbig*) colourful; (*vielfarbig*) multi-coloured, many-coloured; (*gefleckt*) mottled, spotted. **~ gestreift** *pred* colourfully striped; **zu ~e Kleidung** loud *or* gaudy clothing; **~e Farben** bright *or* gay colours; **~es Glas** stained glass; **etw ~ anstreichen** to paint sth colourfully; **etw ~ bekleben** to stick coloured paper on sth; **~ gekleidet sein** to be colourfully *or* brightly dressed, to have colourful clothes on; **~ fotografieren** (*inf*) to photograph in colour.

2. (*fig: abwechslungsreich*) varied. **eine ~e Menge** an assorted *or* a motley crowd; **ein ~es Bild** a colourful picture; **in ~er Reihenfolge** in a varied sequence; **ein ~er Teller** a plate of cakes and sweets (*Brit*) *or* candy (*US*); **ein ~er Abend** a social; (*Rad*, *TV*) a variety programme.

3. (*fig: wirr*) confused, higgledypiggledy. **jetzt wird's mir aber zu ~!** (*inf*) that's going too far!, that's too much; **es zu ~ treiben** (*inf*) to carry things *or* go too far, to overstep the mark.

buntbemalt *adj attr* colourfully *or* brightly *or* gaily painted, painted in bright colours; **Buntdruck** *m* colour print; **buntfarbig** *adj* colourful, brightly coloured; **Buntfilm** *m* (*inf*) *siehe* **Farbfilm**; **buntgeblümt** *adj attr Stoff* with a colourful flower design *or* pattern; **buntgefärbt** *adj attr* multicoloured, many-coloured; **buntgefiedert** *adj attr* with multicoloured *or* bright feathers *or* plumage; **buntgefleckt** *adj attr Tier* spotted, mottled; **buntgemischt** *adj attr Programm* varied; **buntgestreift** *adj attr* with coloured stripes; **Buntheit** *f* colourfulness, gay *or* bright colours *pl*; **buntkariert** *adj attr* with a coloured check (pattern); **Buntmetall** *nt* non-ferrous metal; **Buntpapier** *nt* coloured paper; **Buntsandstein** *m* new red sandstone; **buntscheckig** *adj* spotted; *Pferd* dappled; **buntschillernd** *adj attr* 1. iridescent; 2. (*fig*) colourful; *Vergangenheit auch* chequered (*Brit*) *or* checkered (*US*); **Buntspecht** *m* spotted woodpecker; **Buntstift** *m* coloured pencil; **Buntwäsche** *f* coloureds *pl*.

Bürde *f* **-**, **-n** (*geh*) load, weight; (*fig*) burden. **jdm eine ~ aufladen** (*fig*) to impose a burden on sb.

Bure *m* -n, -n, **Burin** *f* Boer.

Burenkrieg *m* Boer War.

Burg *f* -, -en **1.** castle; (*Strand~*) wall of sand (*built on beach by holiday-maker to demarcate his chosen spot*). **2.** (*Biberbau*) (beaver's) lodge.

Burganlage *f* castle buildings *pl* or complex; **Burgberg** *m* castle hill *or* mound.

Bürge *m* -n, -n guarantor; (*für* of). **für jdn ~ sein** to be sb's guarantor, to stand surety for sb; **einen ~n stellen** (*Fin*) to offer surety.

bürgen *vi* **für etw ~** to guarantee sth, to vouch for sth; (*fig*) to guarantee sth, to be a guarantee of sth; **für jdn ~** (*Fin*) to stand surety for sb; (*fig*) to vouch for sb.

Bürger(in *f*) *m* -s, - (*von Staat, Gemeinde*) citizen, burgher (*Hist*); (*Sociol, pej*) bourgeois; (*im Gegensatz zu Landbewohner*) town/city-dweller. **die ~ von Ulm** the townsfolk of Ulm.

Bürgerbeauftragte(r) *mf* ombudsman; **Bürgerbegehren** *nt* (*BRD*) public petition; **Bürgerblock** *m* conservative alliance; **Bürgerentscheid** *m* (*BRD*) citizens' *or* public decision; **Bürgerfamilie** *f* merchant family; **bürgerfern** *adj* non-populist; **Bürgerhaus** *nt* **1.** town house *or* residence; **2.** (*dated: Bürgerfamilie*) merchant family; **Bürgerinitiative** *f* citizens' initiative *or* action group; **Bürgerkomitee** *nt* citizens' committee; **Bürgerkrieg** *m* civil war.

bürgerlich *adj* **1.** *attr* **Ehe**, *Recht* civil; *Pflicht* civic. **B~es Gesetzbuch** Civil Code.

2. (*dem Bürgerstand angehörend*) middle-class (*auch pej*), bourgeois (*esp pej*); (*Hist*) bourgeois. **aus guter ~er Familie** from a good respectable *or* middle-class family; **~es Essen/Küche** good plain food/cooking; **~es Trauerspiel** (*Liter*) domestic tragedy.

Bürgerliche(r) *mf decl as adj* commoner.

Bürgermeister *m* mayor; **Bürgermeisteramt** *nt* **1.** (*Aufgabe*) office of mayor; **2.** (*Behörde, Gebäude*) town hall; **Bürgermeisterei** *f* (*old*) **1.** district council; (*Gebäude*) district council offices *pl*; **2.** (*dial*) *siehe* **Bürgermeisteramt** 2.; **Bürgermeisterin** *f* mayor(ess); **bürgernah** *adj* populist, (*Politiker*) close to the people; **Bürgernähe** *f* populism; **Bürgerpflicht** *f* civic duty; **Ruhe ist die erste ~** law and order is the citizen's first duty, the first duty of the citizen is law and order; **Bürgerrecht** *nt* *usu pl* civil rights *pl*; **jdm die ~e aberkennen** *or* **entziehen** to strip sb of his civil rights; **Bürgerrechtler(in** *f*) *m* -s, - civil rights campaigner.

Bürgerrechtsbewegung *f* civil rights movement.

Bürgerschaft *f* citizens *pl*; (*Vertretung*) City Parliament; **Bürgerschaftswahl** *f* metropolitan council election (*in Hamburg and Bremen*); **Bürgerschreck** *m* bog(e)y of the middle classes.

Bürgersfrau *f* (*old*) middle-class woman, bourgeoise (*Hist*).

Bürgersmann *m*, *pl* -leute (*old*) citizen,

bourgeois (*Hist*).

Bürger(s)sohn *m* (*usu iro*) son of the middle classes.

Bürgerstand *m* (*old*) middle class(es), bourgeoisie (*Hist*).

Bürgersteig *m* pavement (*Brit*), sidewalk (*US*).

Bürgerstochter *f* (*usu iro*) daughter of the middle classes.

Bürgertum *nt, no pl* (*Hist*) bourgeoisie (*Hist*); **Bürgerwehr** *f* (*Hist*) militia.

Burgfräulein *nt* damsel of the/a castle (*old*); **Burgfried** *m* -(e)s, -e keep; **Burgfriede(n)** *m* (*Hist, and fig*) truce; **Burgherr** *m* lord of the/a castle.

Bürgschaft *f* (*Jur*) (*gegenüber Gläubigern*) security, surety; (*Haftungssumme*) penalty. **~ für jdn leisten** to stand surety for sb, to act as guarantor for sb; (*fig*) to vouch for sb.

Bürgschaftserklärung *f* declaration of suretyship.

Burgund *nt* -(s) Burgundy.

Burgunder *m* -s, - **1.** (**~in** *f*) (*Einwohner(in) Burgunds*) Burgundian. **2.** (*auch:* **~wein**) burgundy.

burgundisch *adj* Burgundian. **die B~e Pforte** the Belfort Gap.

Burgverlies *nt* (castle) dungeon.

burlesk *adj* burlesque *no adv*.

Burleske *f* -, -n burlesque.

Burma *nt* - *siehe* Birma.

burmesisch *adj siehe* birmanisch.

Burnus *m* - *or* -ses, -se burnous(e).

Büro *nt* -s, -s office.

Büro- *in cpds* office; **Büroangestellte(r)** *mf* office worker; **Büroarbeit** *f* office work; **Büroartikel** *m* item of office equipment; *pl* office supplies *pl or* equipment; **Büroautomation** *f* office automation; **Bürobedarf** *m* office supplies *pl or* equipment; **Bürogehilfe** *m*, **Bürogehilfin** *f* (office) junior, office boy/office girl; **Bürohaus** *nt* office block; **Bürohengst** *m* (*pej inf*) office worker; **Bürokauffrau** *f*, **Bürokaufmann** *m* office administrator; **Büroklammer** *f* paper clip; **Bürokommunikation** *f* office communications *pl*; **Bürokommunikationssystem** *nt* (*Comput*) office communications system; **Bürokraft** *f* (office) clerk.

Bürokrat *m* -en, -en bureaucrat.

Bürokratie *f* bureaucracy.

bürokratisieren* *vt* to bureaucratize.

Bürokratismus *m, no pl* bureaucracy.

Büromaschine *f* office machine; **Büromensch** *m* (*inf*) office worker, pen pusher (*pej inf*); **Büroschluß** *m* office closing time; **nach ~** after office hours; **Bürostunden** *pl* office hours *pl*; **Bürotätigkeit** *f* office work; **Bürotechnik** *f* office technology; **Büroturm** *m* office block; **Bürovorsteher** *m* (*dated*) senior *or* chief clerk.

Bürschchen *nt dim of* **Bursche** little lad *or* fellow. **freches ~** cheeky little devil; **mein ~!** laddie!

Bursche *m* -n, -n **1.** (*old, dial*) boy, lad. **ein toller ~** quite a lad.

2. (*inf: Kerl*) fellow, guy (*inf*), so-

and-so (*pej inf*). **ein übler** ~ a bad lot.
3. (*Lauf~*) boy.
4. (*old Mil*) batman (*Brit*), orderly.
Burschenschaft *f* student fraternity; **Burschenschaft(l)er** *m* -s, - member of a student fraternity; **burschenschaftlich** *adj attr* of a/the (student) fraternity.
burschikos *adj* **1.** (*jungenhaft*) (tom)boyish. **benimm dich nicht so** ~ stop behaving like a tomboy. **2.** (*unbekümmert*) casual.
Bürste *f* -, -n brush; (*inf: Bürstenfrisur*) crew cut.
bürsten *vt* to brush; (*vulg: koitieren*) to screw (*sl.*).
Bürstenbinder *m* (*old*) brushmaker; **wie ein** ~ (*inf*) like mad (*inf*); *siehe* **saufen**; **Bürstenfrisur** *f*, **Bürsten(haar)schnitt** *m* crew cut; **Bürstenmassage** *f* brush massage.
Burundi *nt* -s Burundi.
Burundier(in *f*) [-iɐ, -iərɪn] *m* -s, - Burundian.
burundisch *adj* Burundian.
Bürzel *m* -s - **1.** (*Orn*) rump. **2.** (*Hunt*) tail. **3.** (*Cook*) parson's nose.
Bus¹ *m* -ses, -se bus; (*Privat- und Überland~ auch*) coach (*Brit*).
Bus² *m* -, -se (*Elec*) bus.
Busbahnhof *m* bus/coach (*Brit*) station.
Busch *m* -(e)s, ⁻e **1.** (*Strauch*) bush, shrub. **etwas ist im** ~ (*inf*) there's something up; **mit etw hinter dem** ~ **halten** (*inf*) to keep sth quiet *or* to oneself; **auf den** ~ **klopfen** (*inf*) to fish (about) for information (*inf*); **jdn auf den** ~ **klopfen** (*inf*) to sound sb out; **sich** (*seitwärts*) **in die** ⁻e **schlagen** (*inf*) to slip away; (*euph hum*) to go behind a tree (*euph hum*).
2. (*Geog: in den Tropen*) bush; (*inf: Wildnis*) jungle.
3. (*Strauß*) bunch; (*rare: Büschel*) tuft.
Buschbohne *f* dwarf bean.
Büschel *nt* -s, - (*von Gras, Haaren*) tuft; (*von Heu, Stroh*) bundle; (*von Blumen, Rettichen*) bunch. **in** ~**n wachsen** to grow in tufts; (*Blumen*) to grow in clumps.
büsch(e)lig *adj* in tufts; (*Blüten*) in clusters.
büscheln *vt* (*S Ger, Sw*) to tie into bunches.
büschelweise *adv siehe n* in tufts/bundles/bunches/clumps.
Buschenschenke *f* (*Aus*) inn.
buschig *adj* bushy.
Buschmann *m*, *pl* -männer bushman; **Buschmesser** *nt* machete; **Buschwerk** *nt* bushes *pl*; **Buschwindröschen** *nt* (wood) anemone.
Busen *m* -s, - (*von Frau*) bust, bosom; (*fig geh: Innerstes, von Natur*) bosom (*liter*). **ein Geheimnis in seinem** ~ **wahren** to keep a secret deep in one's heart (*liter*).
busenfrei *adj* topless; **Busenfreund** *m* (*iro*) bosom friend; **Busenstar** *m* (*inf*) busty filmstar (*inf*).
Busfahrer(in *f*) *m* bus/coach (*Brit*) driver; **Busfahrt** *f* bus/coach (*Brit*) ride; **Bushaltestelle** *f* bus stop; **Buslinie** *f*

bus route; **welche** ~ **fährt zum Bahnhof?** which bus goes to the station?
Bussard *m* -s, -e buzzard.
Buße *f* -, -n **1.** (*Rel*) (*Reue*) repentance, penitence; (*Bußauflage*) penance; (*tätige* ~) atonement. ~ **tun** to do penance; **zur** ~ **als** a penance; **zur** ~ **bereit sein** to be ready to do penance *or* to atone; **das Sakrament der** ~ the sacrament of penance.
2. (*Jur*) (*Schadenersatz*) damages *pl*; (*Geldstrafe*) fine. **eine** ~ **von DM 100** a 100 mark fine; **jdn zu einer** ~ **verurteilen** to make sb pay (the) damages; to fine sb, to impose a fine on sb.
büßen I *vt* to pay for; *Sünden* to atone for, to expiate. **das wirst** *or* **sollst du mir** ~ I'll make you pay! you'll pay for that. **II** *vi* **für etw** ~ (*auch Rel*) to atone for sth; (*wiedergutmachen*) to make amends for sth; *für Leichtsinn* to pay for sth; **schwer (für etw)** ~ **müssen** to have to pay dearly (for sth).
Büßer(in *f*) *m* -s, - penitent.
Büßergewand, Büßerhemd, Büßerkleid *nt* penitential robe, hairshirt.
Busse(r)l *nt* -s, -(n) (*S Ger, Aus*) kiss.
busse(r)ln *vi* (*S Ger, Aus*) to kiss.
Büßerschnee *m* (*spec*) penitent snow (*spec*).
bußfertig *adj* repentant, contrite; (*Rel auch*) penitent; **Bußgang** *m* penitential pilgrimage; **einen** ~ **antreten** (*fig*) to don sackcloth and ashes; **Bußgebet** *nt* prayer of repentance.
Bußgeld *nt* fine.
Bußgeldbescheid *m* notice of payment due (*for traffic offence*); **Bußgeldkatalog** *m* list of offences punishable by fines; **Bußgeldverfahren** *nt* fining system.
Bußgesang *m*, **Bußlied** *nt* penitential hymn.
Bußpredigt *f* sermon calling to repentance; **Bußsakrament** *nt* sacrament of penance; **Bußtag** *m* day of repentance; **Bußübung** *f* act of penance; **Buß- und Bettag** *m* day of prayer and repentance.
Büste *f* -, -n bust; (*Schneider~*) tailor's dummy; (*weibliche*) dressmaker's dummy.
Büstenhalter *m* bra, brassière (*dated*).
Busverbindung *f* bus connection.
Butan *nt* -s, -e, **Butangas** *nt* butane (gas).
Butt *m* -(e)s, -e flounder, butt. **die** ~e the bothidae (*form*), flounders.
Bütt *f* -, -en (*dial*) speaker's platform. **in die** ~ **steigen** to mount the platform.
Butte *f* -, -n **1.** *siehe* **Bütte**. **2.** grape container.
Bütte *f* -, -n vat; (*dial: Wanne*) tub.
Büttel *m* -s, - (*old*) bailiff; (*pej*) henchman (*pej*); (*Polizist*) cop(per) (*inf*). **die** ~ the law (*inf*), the cops (*inf*).
Bütteldienst *m* dirty work (*pej inf*).
Bütten(papier) *nt* -s, *no pl* handmade paper (*with deckle edge*).
Büttenrand *m* deckle edge; **Büttenrede** *f* carnival speech.
Butter *f* -, *no pl* butter. **braune** ~ browned (melted) butter; **gute** ~ real butter; **es**

schmolz wie ~ in der Sonne it vanished into thin air; **alles (ist) in ~** (*inf*) everything is fine *or* OK *or* hunky-dory (*inf*); **sein Herz ist weich wie ~** his heart is as soft as butter; **jdm die ~ auf dem Brot nicht gönnen** (*fig inf*) to begrudge sb the very air he breathes; **wir lassen uns** (*dat*) **nicht die ~ vom Brot nehmen** (*inf*) we're not going to let somebody put one over on us (*inf*), we're going to stick up for our rights.

Butter- *in cpds* butter; **Butterberg** *m* (*inf*) butter mountain; **Butterblume** *f* buttercup; **Butterbrot** *nt* bread and butter *no art, no pl*, slice *or* piece of bread and butter; (*inf: Sandwich*) sandwich; **für ein ~** (*inf*) for next to nothing; *kaufen, verkaufen auch for a song;* **das mußt du mir nicht ständig aufs ~ streichen** *or* **schmieren** there's no need to keep rubbing it in; **Butterbrotpapier** *nt* greaseproof paper; **Buttercreme** *f* butter cream; **Buttercremetorte** *f* cream cake; **Butterdose** *f* butterdish; **Butterfaß** *nt* butter churn; **Butterfett** *nt* butterfat; **Butterflöckchen** *nt* (*Cook*) (small knob of) butter.

Butterfly(stil) ['bʌtəflaɪ-] *m* **-s**, *no pl* butterfly (stroke).

Buttergelb *nt* 1. (*Farbe*) butter yellow; 2. (*Farbstoff*) butter colour; **buttergelb** *adj* butter yellow.

butt(e)rig *adj* buttery.

Butterkäse *m* (full fat) soft cheese;

Butterkeks *m* ≃ Rich Tea ® biscuit; **Buttermilch** *f* buttermilk.

buttern **I** *vt* 1. *Brot* to butter. 2. *Milch* to make into butter. 3. (*inf: investieren*) to put (*in +acc* into). 4. (*Sport sl*) to slam (*inf*). **II** *vi* to make butter.

Butterpilz *m* boletus luteus (*form*); **Buttersäure** *f* butyric acid; **Butterschmalz** *nt* clarified butter; **butterweich** *adj* *Frucht, Landung* beautifully soft; (*Sport sl*) *Abgabe, Paß, Aufschlag* gentle.

Büttner *m* **-s**, - (*dial*) *siehe* **Böttcher**.

Button ['batn] *m* **-s**, **-s** badge.

Butzenscheibe *f* bulls'-eye (window) pane.

Bux *f* **-**, **-en**, **Buxe** *f* **-**, **-n** (*N Ger*) trousers *pl* (*Brit*), pants *pl*.

Buxtehude *nt* 1. Buxtehude (*town near Hamburg*). 2. (*inf*): **aus/nach ~** from/to the back of beyond (*inf*).

BVG [beːfauˈgeː] *nt* - *abbr of* **Bundesverfassungsgericht.**

b.w. *abbr of* **bitte wenden** pto.

Bypass-Operation ['baɪpaːs-] *f* bypass operation.

Byte ['baɪt] *nt* **-s**, **-s** byte.

Byzantiner(in *f*) *m* **-s**, - Byzantine.

byzantinisch *adj* 1. Byzantine. 2. (*üppig*) extravagant.

Byzantinistik *f* Byzantine studies *pl*.

Byzanz *nt* -' Byzantium.

bzgl. *abbr of* **bezüglich.**

bzw. *abbr of* **beziehungsweise.**

C

(siehe auch **K, Z;** *für* **CH** *siehe auch* **SCH**)

C, c [tseː] *nt* -, - C, c. **C-Schlüssel** *m* alto *or* C clef.

C *abbr of* **Celsius.**

ca. *abbr of* **circa** approx.

Cabrio *nt* -s, -s *siehe* **Kabrio.**

Cabriolet [-'leː] *nt* -s, -s *siehe* **Kabriolett.**

CAD [kat] *nt* -s, *no pl abbr of* **computer aided design** CAD.

Cadmium *nt, no pl (abbr* Cd) cadmium.

Café [ka'feː] *nt* -s, -s café.

Cafeteria *f* -, -s cafeteria.

cal *abbr of* **(Gramm)kalorie** (gramme-) calorie.

Calais [ka'leː] *nt* -' Calais. **die Straße von** ~ the Straits of Dover.

Calcium ['kaltsiʊm] *nt, no pl siehe* **Kalzium.**

Californium *nt, no pl (abbr* Cf) californium.

Callboy ['kɔːlbɔy] *m* -s, -s male prostitute.

Callgirl ['kɔːlgøːɐl] *nt* -s, -s callgirl.

Calvados [kalva'dɔːs] *m* -, - calvados.

Calypso *m* -(s), -s calypso.

CAM [kam] *nt* -s, *no pl abbr of* **computer-aided manufacture** CAM.

Camcorder *m* -s, - camcorder.

Camembert ['kamᵊmbɛːɐ] *m* -s, -s Camembert.

Camion [ka'miõː] *m* -s, -s (*Sw*) *siehe* **Last-wagen.**

Camouflage [kamu'flaːʒə] *f* -, -n (*dated, geh*) camouflage.

Camp [kɛmp] *nt* -s, -s camp; (*Gefangenenlager auch*) compound.

campen ['kɛmpn] *vi* to camp.

Camper(in *f*) ['kɛmpɐ, -ərɪn] *m* -s, - camper.

campieren* [kam'piːrən] *vi* 1. *siehe* **kampieren.** 2. (*Aus, Sw*) *siehe* **campen.**

Camping ['kɛmpɪŋ] *nt* -s, *no pl* camping *no art.* **zum** ~ **fahren** to go camping.

Camping- *in cpds* camping; **Campingartikel** *m* piece or item of camping equipment; *pl* camping equipment *sing*; **Campingbus** *m* dormobile ® (*Brit*), camper (*esp US*); **Campingführer** *m* camping *or* camper's guide(book); **Campingplatz** *m* camp site; **Campingzubehör** *nt* camping equipment.

Campus *m* -, *no pl* (*Univ*) campus. **auf dem** ~ on (the) campus.

Canasta *nt* -s, *no pl* canasta.

Cancan [kã'kãː] *m* -s, -s cancan.

cand. *abbr of* **candidatus** *siehe* **Kandidat.** ~ **phil./med.** final year arts/medical student.

Cannabis *m* -, *no pl* cannabis.

Cannelloni *pl* cannelloni *sing or pl.*

Cañon ['kanjɔn] *m* -s, -s canyon.

Canossa *nt* -(s) *siehe* **Kanossa.**

Cape [keːp] *nt* -s, -s cape.

Capriccio [ka'prɪtʃo] *nt* -s, -s (*Mus*) ca-price, capriccio.

Capuccino [kapu'tʃiːno] *m* -s, -s cappuccino.

Car *m* -s, -s (*Sw*) coach (*Brit*), bus.

Caravan ['ka(ː)ravan] *m* -s, -s 1. (*Kombiwagen*) estate car (*Brit*), station wagon. 2. (*Wohnwagen*) caravan (*Brit*), trailer (*US*).

CARE-Paket ['kɛə-] *nt* CARE packet *or* parcel.

Cartoon [kar'tuːn] *m or nt* cartoon; (*Bildergeschichte auch*) strip cartoon.

cartesianisch *adj etc siehe* **kartesianisch.**

Casanova [kaza'noːva] *m* -(s), -s (*fig*) Casanova.

Cäsar¹ ['tsɛːzar] *m* -s Caesar.

Cäsar² ['tsɛːzar] *m* -en, -en [tsɛ'zaːrən] (*Titel*) Caesar.

Cäsarenwahn(sinn) *m* megalomania.

Cäsarismus [tsɛza'rɪsmʊs] *m* Caesarism, autocracy.

Cashewnuß ['kɛʃu-] *f* cashew (nut).

Cash-flow ['kɛʃfloː] *m* -s, *no pl* cash flow.

Cäsium ['tsɛːziʊm] *nt, no pl (abbr* Cs) caesium (*Brit*), cesium (*US*).

Catch-as-catch-can ['kɛtʃ əz 'kɛtʃ'kæn] *nt*, *no pl* (*lit*) catch-as-catch-can, all-in wrestling; (*fig*) free-for-all.

catchen ['kɛtʃn] *vi* to do catch(-as-catch-can)-wrestling, to do all-in wrestling. **er catcht gegen X** he has an all-in *or* catch bout against X; **er catcht gut** he's a good all-in *or* catch wrestler.

Catcher(in *f*) ['kɛtʃɐ, -ərɪn] *m* -s, - all-in wrestler, catch(-as-catch-can) wrestler.

Cayennepfeffer [ka'jɛn-] *m* cayenne (pepper).

CB-Funk [tseː'beː-] *m* -s, *no pl* citizens' band, CB.

cbm *abbr of* **Kubikmeter** cubic metre.

ccm *abbr of* **Kubikzentimeter** cc, cubic centimetre.

CD [tseː'deː] *f* -, -s *abbr of* **Compact Disc** CD.

CD- *in cpds* CD; **CD-Gerät** *nt* CD player; **CD-ROM** [-rɔm] *f* -, -s CD ROM; **CD-Spieler** *m* CD player.

CDU [tseː'deː'uː] *f* - *abbr of* **Christlich-Demokratische Union** Christian Democratic Union.

CD-Video *f* video disc; **CD-Videogerät** *nt* video disc player, CD-video.

Cedille [se'diːjə] *f* -, -n cedilla.

Celesta [tʃe'lɛsta] *f* -, -s *or* **Celesten** celeste, celesta.

Cellist(in *f*) [tʃɛ'lɪst(ɪn)] *m* cellist.

Cello ['tʃɛlo] *nt* -s, -s *or* **Celli** cello.

Cellophan ® [tsɛlo'faːn] *nt* -s, *no pl,* **Cellophanpapier** *nt* (*inf*) cellophane (paper).

Celsius ['tsɛlziʊs] *no art, inv* centigrade.

Celsiusskala *f* centigrade scale.

Cembalo ['tʃɛmbalo] *nt* -s, -s cembalo,

harpsichord.

Cent [tsɛnt] *m* **-(s)**, **-(s)** cent.

cerise [səˈriːz] *adj* (*Fashion*) cerise, cherry.

ces, Ces [tsɛs] *nt* -, - (*Mus*) C flat.

Ceylon [ˈtsailɔn] *nt* -s Ceylon.

Ceylonese [tsai-] *m* -n, -n, **Ceylonesin** *f* Ceylonese, Sin(g)halese.

ceylonesisch [tsai-] *adj* Ceylonese, Sin(g)halese.

Cha-Cha-Cha [ˈtʃaˈtʃaˈtʃa] *m* **-(s)**, **-s** cha-cha(-cha).

Chagrinleder [ʃaˈgrɛ̃ː-] *nt* shagreen.

Chaise [ˈʃɛːzə] *f* -, **-n 1.** (*old*) (*Kutsche*) (post)chaise (*old*); (*Stuhl*) chair. **2.** (*inf*) jaloppy (*inf*), banger (*Brit inf*).

Chaiselongue [ʃɛːzəˈlɔŋ] *f* -, **-s** chaise longue.

Chalet [ʃaˈleː] *nt* -s, **-s** chalet.

Chamäleon [kaˈmɛːleɔn] *nt* -s, **-s** (*lit, fig*) chameleon.

Chamois [ʃaˈmoa] *nt* -, *no pl* **1.** (*Farbe*) buff (colour), chamois, (light) tan (colour). **2.** (*auch* ~**leder**) chamois (leather).

Champagner [ʃamˈpanjɐ] *m* **-s**, - champagne.

Champignon [ˈʃampɪnjɔŋ] *m* **-s**, **-s** mushroom.

Champion [ˈtʃɛmpiən] *m* **-s**, **-s** champion; (*Mannschaft*) champions *pl*.

Chance [ˈʃãːsə, (*Aus*) ˈʃãːs] *f* -, **-n 1.** chance; (*bei Wetten*) odds *pl*. **keine ~ haben** not to have *or* stand a chance; **nicht die geringste ~ haben** not to have an earthly (chance) (*inf*); **jdm eine (letzte) ~ geben** to give sb one (last) chance; **die ~n stehen 100:1** the odds are a hundred to one; **die ~n steigen/ verringern sich** the odds are shortening/ lengthening; (*fig auch*) the chances are improving/getting worse. **2. ~n** *pl* (*Aussichten*) prospects *pl*; **im Beruf ~n haben** to have good career prospects; (**bei jdm**) **~n haben** (*inf*) to stand a chance (with sb) (*inf*).

Chancengleichheit *f* equal opportunities *pl*; **chancenlos** *adj* Spieler, Partei bound to lose; Plan, Produkt bound to fail.

changieren* [ʃãˈʒiːrən] *vi* **1.** (*schillern*) to be iridescent. **changierende Seide** shot silk. **2.** (*Pferd*) to change step.

Chanson [ʃãˈsõː] *nt* **-s**, **-s** (political *or* satirical) song.

Chanson(n)ette [ʃãsoˈnɛtə] *f*, **Chansonnier** [ʃãsoˈnieː] *m* **-s**, **-s** political/satirical song-writer; singer of political/satirical songs.

Chaos [ˈkaːɔs] *nt* -, *no pl* chaos. **ein einziges ~ sein** to be in utter chaos.

Chaot(in *f*) [kaˈoːt(ɪn)] *m* **-en**, **-en** (*Pol pej*) anarchist (*pej*); (*unordentlicher Mensch*) scatterbrain (*pej*). **er ist ein richtiger ~** he's completely chaotic.

chaotisch [kaˈoːtɪʃ] *adj* chaotic. **~e Zustände** a state of (utter) chaos; **es geht ~ zu** there is utter chaos.

Chapeau claque [ʃapoˈklak] *m* - -, **-x -s** opera hat.

Charakter [kaˈraktɐ] *m* **-s**, **-e** [-ˈteːrə] **1.** (*Wesen, Eigenart*) character. **er ist ein Mann von ~** he is a man of character;

etw prägt den ~ sth is character-forming; **keinen ~ haben** (*ohne Prägung*) to have no *or* to lack character; (*nicht ehrenhaft auch*) to have no principles; **die Party bekam immer mehr den ~ einer Orgie** the party became more and more like an orgy; **seine Warnung hatte mehr den ~ einer Drohung** his warning was more like a threat; **der vertrauliche ~ dieses Gespräches** the confidential nature of this conservation. **2.** (*Person*) character, personality; (*Liter, Theat*) character. **sie sind ganz gegensätzliche ~e** their characters are entirely different, they have entirely different personalities.

Charakteranlage *f* characteristic, trait; **angeborene ~n** innate characteristics; **Charakterbild** *nt* character (image); (*Charakterschilderung*) character study; **charakterbildend** *adj* character-forming; **Charakterdarsteller(in** *f*) *m* character actor/actress; **Charaktereigenschaft** *f* character trait; **Charakterfehler** *m* character defect; **charakterfest** *adj* strong-minded, of firm *or* strong character; **ein ~er Mann** a man of firm *or* strong character; **Charakterfestigkeit** *f* strength of character, strong-mindedness.

charakterisieren* [ka-] *vt* to characterize. **jdn als etw ~** to portray *or* characterize sb as sth.

Charakterisierung *f* characterization.

Charakteristik [ka-] *f* **1.** description; (*typische Eigenschaften*) characteristics *pl*. **2.** (*Tech*) characteristic curve.

Charakteristikum [ka-] *nt* **-s**, **Charakteristika** (*geh*) characteristic (feature).

charakteristisch [ka-] *adj* characteristic (*für* of).

charakteristischerweise *adv* characteristically.

Charakterkopf *m* (*Kopf*) distinctive *or* striking features *pl*; **charakterlich I** *adj* (of) character, personal; **~e Stärke/ Mängel/Qualitäten** strength of character/character defects/personal qualities; **II** *adv* in character; **sie hat sich ~ sehr verändert** her character has changed a lot; **jdn ~ stark prägen** to have a strong influence on sb's character; **charakterlos** *adj* **1.** (*niederträchtig*) Mensch, Verhalten unprincipled; **~ handeln** to act in an unprincipled way; **2.** (*ohne Prägung*) character-less; Spiel, Vortrag colourless, insipid; **Charakterlosigkeit** *f* **1.** (*Niederträchtigkeit*) lack of principle; (*Handlung*) unprincipled behaviour *no pl*; **2.** (*Prägungslosigkeit*) characterlessness; colourless; insipidity; **Charaktermerkmal** *nt* characteristic.

Charakterologe [ka-] *m*, **Charakterologin** *f* characterologist.

Charakterologie [karakteroloˈgiː] *f* characterology.

charakterologisch [ka-] *adj* characterological.

Charakterrolle *f* character part *or* role; **Charaktersache** *f* (*inf*) **das ist ~** it's a matter of character; **charakterschwach**

adj weak, of weak character; **Charakterschwäche** f weakness of character; **Charakterschwein** nt (inf) unprincipled character; **charakterstark** adj strong, of strong character; **Charakterstärke** f strength of character; **Charakterstudie** f character study; **charaktervoll** adj **1.** (anständig) Verhalten which shows character; **dazu ist er zu** ~ he has too much character for that; **2.** (ausgeprägt) full of character; **Charakterzug** m characteristic; (von Menschen auch) trait; **es ist kein sehr schöner** ~ **von ihm, ...** it is not very nice of him ...

Charge ['ʃarʒə] f -, -n **1.** (Mil, fig: Dienstgrad, Person) rank. **2.** (Theat) minor character part.

chargieren* [ʃar'ʒiːrən] vi (Theat) (übertreiben) to overact, to ham (inf); (eine Charge spielen) to play a minor character part.

Charisma ['çaːrɪsma] nt -s, **Charismen** or **Charismata** (Rel, fig) charisma.

charismatisch [ça-] adj charismatic.

Charleston ['tʃaːlstn] m -, -s charleston.

charmant [ʃar'mant] adj charming.

Charme [ʃarm] m -s, no pl charm.

Charmeur [ʃar'møːɐ] m charmer; (Schmeichler) flatterer. **du alter** ~! you old smoothy! (inf).

Charmeuse [ʃar'møːz] f, no pl (Tex) charmeuse.

Charta ['karta] f -, -s charter. **Magna** ~ Magna Carta.

Charterflug m charter flight; **Charter(flug)gesellschaft** f charter(flight) company; **Chartermaschine** f charter plane.

chartern ['tʃartən] vt Schiff, Flugzeug to charter; (fig inf) Arbeitskräfte to hire.

Chassis [ʃa'siː] nt -, - [-iː(s), -iːs] (Aut, Rad, TV) chassis.

Chauffeur [ʃɔ'føːɐ] m chauffeur.

chauffieren* [ʃɔ-] vti (dated) to chauffeur, to drive.

Chaussee [ʃo'seː] f -, -n [-eːən] (dated) high road; (in Straßennamen) Avenue.

Chauvi(e) ['ʃoːvi] m -s, -s (inf) male chauvinist pig, MCP.

Chauvinismus [ʃovi-] m chauvinism, jingoism; (männlicher ~) male chauvinism; (Benehmen, Äußerung) chauvinist(ic) action/remark.

Chauvinist(in f) m (Pol) chauvinist; (männlicher ~) male chauvinist (pig).

chauvinistisch [ʃovi-] adj (Pol) chauvinist(ic). **er ist sehr** ~ he is a real chauvinist.

checken ['tʃɛkn] **I** vt **1.** (überprüfen) to check.
 2. (sl: verstehen) to get (it) (inf).
 3. (sl: merken) to cotton on to (inf), to wise up to (sl). **er hat das nicht gecheckt** he didn't cotton on (inf).
 II vti (Eishockey) to block; (anrempeln) to barge.

Check- ['tʃɛk-]: **Checkliste** f check list; **Checkpoint** [-pɔynt] m -s, -s checkpoint.

Chef [ʃɛf, (Aus) ʃeːf] m -s, -s boss; (von Bande, Delegation) leader; (von Organisation, inf: Schuldirektor) head; (der Polizei) chief; (Mil: von Kompanie) commander. **er ist der** ~ **vom ganzen** he's in charge or the boss here; **hallo** ~! (inf) hey, gov(ernor) or chief or squire (all Brit inf) or mac (US inf).

Chefarzt m, **Chefärztin** f senior consultant; **Chefetage** f management or executive floor.

Chef|ideologe m (inf) chief ideologist.

Chefin ['ʃefɪn, (Aus) 'ʃeːfɪn] f **1.** boss; (Sch) head; (von Delegation etc) head. **2.** (inf: Frau des Chefs) boss's wife. **Frau** ~! ma'am (US), ≈ excuse me.

Chefkoch m, **Chefköchin** f chef, head cook; **Chefredakteur(in** f) m editor-in-chief; (einer Zeitung) editor; **Chefredaktion** f **1.** (Aufgabe) (chief) editorship; **2.** (Büro) main editorial office; siehe **Redaktion**; **Chefsekretärin** f personal assistant/secretary; **Chefvisite** f (Med) consultant's round.

chem. abbr of **chemisch**.

Chemie [çe'miː, (esp S Ger) ke'miː] f -, no pl (lit, fig) chemistry; (inf: Chemikalien) chemicals pl. **was die so essen, ist alles** ~ they just eat synthetic food.

Chemiearbeiter(in f) m chemical worker; **Chemiefaser** f synthetic or man-made fibre; **Chemieunfall** m chemical accident; **Chemieunterricht** m chemistry; **Chemiewaffe** f chemical weapon; **chemiewaffenfrei** adj free of chemical weapons; ~e **Zone** chemical-weapon free zone.

Chemikalie [çemi'kaːliə] f -, -n usu pl chemical.

Chemiker(in f) ['çeː-, (esp S Ger) 'keː-] m -s, - chemist.

Cheminée ['ʃmine] nt -s, -s (Sw) fireplace.

chemisch ['çeː-, (esp S Ger) 'keː-] adj chemical; siehe **Reinigung**.

chemisieren* [çe-] vti (DDR) to make increasing use of chemistry (in).

Chemo- [çemo-]: **Chemotechnik** f chemical engineering, technochemistry; **Chemotechniker(in** f) m chemical engineer; **Chemotherapie** f chemotherapy.

-chen nt suf dim little.

Cherub ['çeːrup] m -s, -im ['-biːm] or -inen [-'biːnən] cherub.

Chiasmus ['çiasmus] m (Ling) chiasmus.

chic [ʃik] adj siehe **schick**.

Chicorée [ʃiko'reː] f - or m -s, no pl chicory.

Chiffon ['ʃifõ(ː)] m -s, -s chiffon.

Chiffre ['ʃifə, 'ʃifrə] f -, -n **1.** cipher. **2.** (in Zeitung) box number.

Chiffreschrift f cipher, code.

chiffrieren* [ʃif-] vti to encipher, to code. **chiffriert** coded.

Chile ['tʃiːlə] nt -s Chile.

Chilene [tʃi'leːnə] m -n, -n, **Chilenin** f Chilean.

chilenisch [tʃi-] adj Chilean.

Chilesalpeter m chile saltpetre, sodium nitrate.

Chili ['tʃiːli] m -s, no pl chil(l)i (pepper).

China ['çiːna, (esp S Ger) 'kiːna] nt -s China.

Chinakohl *m* Chinese cabbage; **Chinakracher** *m* banger (*Brit*); fire-cracker (*US*); **Chinakrepp** *m* crêpe de Chine; **Chinarestaurant** *nt* Chinese restaurant.

Chinchilla¹ [tʃɪn'tʃɪla] *f* -, -s (*Tier*) chinchilla.

Chinchilla² [tʃɪn'tʃɪla] *nt* -s, -s **1.** (*Pelz*) chinchilla. **2.** (*auch* ~**kaninchen**) chinchilla rabbit.

Chinese [çi-, (*esp S Ger*) ki-] *m* -n, -n Chinaman; (*heutig auch*) Chinese.

Chinesin [çi-, (*esp S Ger*) ki-] *f* Chinese woman; (*heutig auch*) Chinese.

chinesisch [çi-, (*esp S Ger*) ki-] *adj* Chinese. **die C~e Mauer** the Great Wall of China; **das ist ~ für mich** (*inf*) that's all Greek *or* Chinese to me (*inf*).

Chinesisch(e) [çi-, (*esp S Ger*) ki-] *nt decl as adj* Chinese; *siehe auch* **Deutsch(e)**.

Chinin [çi'niːn] *nt* -s, *no pl* quinine.

Chip [tʃɪp] *m* -s, -s **1.** (*Spiel~*) chip. **2.** *usu pl* (*Kartoffel~*) (potato) crisp (*Brit*), potato chip (*US*). **3.** (*Comput*) chip.

Chiro- [çiro-]: **Chiropraktik** *f* chiropractic; **Chiropraktiker(in** *f*) *m* chiropractor.

Chirurg(in *f*) [çi'rʊrg(ɪn)] *m* -en, -en surgeon.

Chirurgie [çirʊr'giː] *f* surgery. **er liegt in der ~** he's in surgery.

chirurgisch [çi-] *adj* surgical. **ein ~er Eingriff** surgery.

Chitin [çi'tiːn] *nt* -s, *no pl* chitin.

Chlor [kloːɐ] *nt* -s, *no pl* (*abbr* **Cl**) chlorine.

Chlorakne ['kloːɐ|aknə] *f* chloracne.

chloren, chlorieren* [klo-] *vt* to chlorinate.

chlorig ['kloː-] *adj* (*Chem*) chlorous.

Chloro- [kloro-]: **Chloroform** *nt* -s, *no pl* chloroform; **chloroformieren*** *vt insep* to chloroform; **Chlorophyll** *nt* -s, *no pl* chlorophyll.

Chlorwasser *nt* **1.** (*Chem*) chlorine water. **2.** (*im Hallenbad*) chlorinated water.

Choke [tʃoːk] *m* -s, -s, **Choker** ['tʃoːkɐ] *m* -s, - choke.

Cholera ['koːlera] *f* -, *no pl* cholera.

Choleriker(in *f*) [ko-] *m* -s, - choleric person; (*fig*) irascible *or* hot-tempered person.

cholerisch [ko-] *adj* choleric.

Cholesterin [ko-] *nt* -s, *no pl* cholesterol.

Cholesterinspiegel *m* cholesterol level.

Chor¹ [koːɐ] *m* -(e)s, ⁼e **1.** (*Sänger~*) choir; (*Bläser~*) section. **im ~ singen** to sing in the choir; (*zusammen singen*) to sing in chorus, to chorus; **im ~ sprechen/rufen** to speak/shout in chorus; **ja, riefen sie im ~** yes, they chorused.

    2. (*Theat*) chorus.

    3. (*Komposition*) choral work *or* composition.

    4. (*bei Orgel*) rank.

    5. (*bei Klavier, Laute*) group of strings tuned in unison *or* to the same pitch.

Chor² [koːɐ] *m or* (*rare*) *nt* -(e)s, -e *or* ⁼e (*Archit*) **1.** (*Altarraum*) chancel, choir. **2.** (*Chorempore*) loft, gallery.

Choral [ko'raːl] *m* -s, **Choräle** (*Mus*) **1.** (*Gregorianischer*) chant, plainsong. **2.**

(*Kirchenlied*) hymn.

Choreo- [koreo-]: **Choreograph(in** *f*) *m* choreographer; **Choreographie** *f* choreography; **choreographisch** *adj* choreographic(al).

Chor- ['koːɐ]: **Chorfrau** *f* (*Eccl*) canoness; **Chorgebet** *nt* Divine office; **Chorgesang** *m* (*Lied*) choral music; (*das Singen*) choral singing; **Chorgestühl** *nt* choir stalls *pl*; **Chorherr** *m* (*Eccl*) canon.

chorisch ['koː-] *adj* choral.

Chorist(in *f*) [ko-] *m siehe* **Chorsänger(in)**.

Chor- ['koːɐ]: **Chorknabe** *m* choirboy; **Chorleiter** *m* choirmaster; **Chorsänger(in** *f*) *m* member of a choir; (*im Kirchenchor*) chorister; (*im Opernchor*) member of the chorus; **Chorstuhl** *m* choirstall.

Chorus ['koːrʊs] *m* -, -se (*Jazz: Variationsthema*) chorus.

Chose ['ʃoːzə] *f* -, -n (*inf*) **1.** (*Angelegenheit*) business, thing. **2.** (*Zeug*) stuff. **die ganze ~** the whole lot.

Chow-Chow [tʃau'tʃau] *m* -s, -s chow.

Chr. *abbr of* **Christus.**

Christ [krɪst] *m* -en, -en Christian.

Christbaum *m* Christmas tree; (*Mil inf*) flares *pl.*

Christbaumkugel *f* Christmas tree ball; **Christbaumschmuck** *m* Christmas tree decorations *pl.*

Christ- ['krɪst]: **Christdemokrat(in** *f*) *m* Christian Democrat; **christdemokratisch** *adj* Christian Democratic.

Christen- ['krɪstn-]: **Christengemeinde** *f* Christian community; **Christenglaube(n)** *m* Christian faith; **Christenheit** *f* Christendom; **Christenpflicht** *f* (one's) duty as a Christian, (one's) Christian duty; **Christentum** *nt*, *no pl* Christianity; **Christenverfolgung** *f* persecution of the Christians.

Christfest *nt* (*dated, dial*) *siehe* **Weihnachtsfest.**

Christi *gen of* **Christus.**

christianisieren* [krɪ-] *vt* to convert to Christianity, to christianize.

Christianisierung *f* conversion to Christianity, Christianization.

Christin ['krɪstɪn] *f* Christian.

Christ- ['krɪst-]: **Christkind(chen)** *nt*, *no pl* baby *or* infant Jesus, Christ Child; (*Sinnbild für Weihnachten*) Christmas; (*das Geschenke bringt*) Father Christmas.

christlich ['krɪ-] **I** *adj* Christian. **er ist bei der ~en Seefahrt** (*hum*) he is a seafaring man; **C~er Verein Junger Männer** Young Men's Christian Association.

    II *adv* like *or* as a Christian. **~ leben** to live a Christian life; **~ handeln** to act like a Christian; **~ aufwachsen/jdn ~ erziehen** to grow up/bring sb up as a Christian.

Christlichkeit *f* Christianity.

Christ- ['krɪst-]: **Christmesse** *f* Midnight Mass; **Christmette** *f* (*katholisch*) Midnight Mass; (*evangelisch*) Midnight Service.

Christoph ['krɪ-] *m* -s Christopher.

Christophorus [krɪ-] *m* - Saint Christopher.

Christrose ['krɪst-] *f* Christmas rose.

Christus ['krɪstʊs] *m* **Christi**, *dat - or (form)* **Christo**, *acc - or (form)* **Christum** Christ; (**~figur** *auch*) figure of Christ. **vor Christi Geburt, vor Christo** *(form) or* **~** before Christ, BC; **nach Christi Geburt, nach Christo** *(form)* AD, Anno Domini, in the year of our Lord *(liter)*; **Christi Himmelfahrt** the Ascension of Christ; *(Himmelfahrtstag)* Ascension Day.

Chrom [kro:m] *nt* **-s**, *no pl* chrome; *(Chem: abbr* **Cr)** chromium.

Chromatik [kro-] *f* **1.** *(Mus)* chromaticism. **2.** *(Opt)* chromatics *sing*.

chromatisch [kro-] *adj* (*Mus, Opt*) chromatic.

chromblitzend *adj* gleaming with chrome.

Chromosom [kro-] *nt* **-s**, **-en** chromosome.

Chromosomensatz *m* set of chromosomes.

Chronik ['kro:-] *f* chronicle. **etw in einer ~ aufzeichnen** to chronicle sth, to record sth in a chronicle.

chronisch [kro:-] *adj* (*Med, fig*) chronic.

Chronist(in *f)* [kro-] *m* chronicler.

Chronologie [kronolo'gi:] *f* chronology.

chronologisch [kro-] *adj* chronological.

Chronometer [kro-] *nt* **-s**, - chronometer.

Chrysantheme [kryzan'te:mə] *f* -, **-n** chrysanthemum.

Chuzpe ['xʊtspə] *f* -, *no pl* (*sl pej*) chutzpa(h) (*sl*), audacity.

CIA ['si:ai'ei] *f or m* **-s** CIA.

Cicero[1] ['tsi:tsero] *m* **-s** Cicero.

Cicero[2] ['tsi:tsero] *f or m* -, *no pl* (*Typ*) twelve-point type, pica.

Cicerone [tʃitʃe'ro:nə] *m* **-(s)**, **-s** *or (geh)* **Ciceroni 1.** (*Mensch*) cicerone (*form*), guide. **2.** (*Buch*) (travel) guide(book).

Cie. *abbr of* **Kompanie.**

Cineast(in *f)* [sine'ast(ɪn)] *m* **-en**, **-en** cineast(e).

circa ['tsɪrka] *adv siehe* **zirka.**

Circe ['tsɪrtsə] *f* -, **-n** (*Myth*) Circe; (*fig geh*) femme fatale.

Circulus vitiosus ['tsɪrkulus vi'tsio:zʊs] *m* - -, **Circuli vitiosi** (*geh*) (*Teufelskreis*) vicious circle; (*Zirkelschluß auch*) circular argument, petitio principii (*form*).

cis, Cis [tsɪs] *nt* -, - (*Mus*) C sharp.

City ['sɪti] *f* -, **-s** city centre.

City-Bahn ['sɪti-] *f* express commuter train.

Clair-obscur [klɛrɔps'ky:ɐ] *nt* **-s**, *no pl* (*Art*) chiaroscuro.

Clan [kla:n] *m* **-s**, **-s** *or (rare)* **-e** (*lit, fig*) clan.

Claqueur [kla'kø:ɐ] *m* hired applauder, claqueur.

Clavicembalo [klavi'tʃɛmbalo] *nt* **-s**, **-s** *or* **Clavicembali** clavicembalo, harpsichord.

clean [kli:n] *adj pred* (*sl*) off drugs. **~ werden** to kick (the habit) (*sl*).

Clementine *f* clementine.

clever ['klɛvɐ] *adj* (*intelligent*) clever, bright; (*raffiniert*) sharp, shrewd; (*ge-*rissen) crafty, cunning; (*geschickt*) clever.

Cleverness, Cleverneß ['klɛvɐnɛs] *f* -, *no pl siehe adj* cleverness, brightness; sharpness, shrewdness; craftiness, cunning.

Clinch [klɪntʃ] *m* **-(e)s**, *no pl* (*Boxen, fig*) clinch. **in den ~ gehen** (*lit, fig*) to go into a clinch; (*fig: Verhandlungspartner*) to get stuck into each other (*inf*); **mit jdm im ~ liegen** to be locked in dispute with sb; **sich aus dem ~ lösen, den ~ lösen** to break the clinch.

Clip *m* **-s**, **-s** (*Haar~, am Füller*) clip; (*Brosche*) clip-on brooch; (*Ohr~*) (clip-on) earring.

Clips *m* -, **-e** *siehe* **Clip.**

Clique ['klɪkə] *f* -, **-n 1.** (*Freundeskreis*) group, set. **wir fahren mit der ganzen ~ in Urlaub** the whole gang *or* crowd of us are going on holiday together; **Thomas und seine ~** Thomas and his set. **2.** (*pej*) clique.

Cliquenbildung *f* forming of cliques; **Cliquen(un)wesen** *nt* (*pej*) cliquishness; **Cliquenwirtschaft** *f* (*pej inf*) cliquey set-up (*inf*).

Clochard [klɔ'ʃa:r] *m* **-s**, **-s** tramp.

Clou [klu:] *m* **-s**, **-s** (*von Geschichte*) (whole) point; (*von Show*) highlight, high spot; (*von Begebenheit*) showstopper; (*Witz*) real laugh (*inf*). **und jetzt kommt der ~ der Geschichte** and now, wait for it, ...; **das ist doch gerade der ~** but that's just it, but that's the whole point.

Clown [klaun] *m* **-s**, **-s** (*lit, fig*) clown. **den ~ spielen** to clown around, to play the fool; **sich/jdn zum ~ machen** to make a clown of oneself/sb.

Clownerie [klaunə'ri:] *f* clowning (around) *no pl*.

Club *m* **-s**, **-s** club.

cm *abbr of* **Zentimeter** cm.

Co. *abbr of* **Kompagnon; Kompanie** Co.

Coach [ko:tʃ] *m* **-(s)**, **-s** (*Sport*) coach.

coachen ['ko:tʃn] *vti* (*Sport*) to coach.

Coca *f* -, **-s** (*inf*) Coke ® (*inf*).

Cockerspaniel *m* cocker spaniel.

Cockpit *nt* **-s**, **-s** cockpit.

Cocktail ['kɔkte:l] *m* **-s**, **-s 1.** (*Getränk*) cocktail. **2.** (*DDR: Empfang*) reception. **3.** (**~party**) cocktail party. **jdn zum ~ einladen** to invite sb for cocktails.

Cocktailkleid *nt* cocktail dress; **Cocktailparty** *f* cocktail party.

Cocom *nt* - Cocom.

Code [ko:t] *m* **-s**, **-s** code.

Codex *m* **-es** *or* -, **-e** *or* **Codizes** ['ko:ditse:s] *siehe* **Kodex.**

Cognac ® ['kɔnjak] *m* **-s**, **-s** cognac.

Coiffeur [koa'fø:ɐ] *m*, **Coiffeuse** [koa'fø:zə] *f* (*Sw*) hairdresser; (*geh*) hair stylist.

Coiffure [koa'fy:ɐ] *f* -, **-n 1.** (*geh*) hairstyling. **2.** (*Sw*) hairdressing salon.

Cola *f* -, **-s** (*inf*) Coke ® (*inf*).

Colanuß *f* cola nut.

Collage [kɔ'la:ʒə] *f* -, **-n** (*Art, fig*) collage; (*Musik*) medley.

Collie *m* **-s**, **-s** collie.

Collier [kɔ'lie:] *nt* **-s**, **-s** necklace.

Color *in cpds* colour.
Colt ® *m* -s, -s Colt ®.
Combo *f* -, -s combo.
Comeback [kam'bɛk] *nt* -(s), -s comeback.
Comecon, COMECON ['kɔmekɔn] *m or nt* - Comecon.
Comicheft *nt* comic.
Compact Disc *f* -, -s, **Compact Platte** *f* compact disc.
Compiler [kɔm'pailɐ] *m* -s, - (*Comput*) compiler.
Computer [kɔm'pjuːtɐ] *m* -s, - computer; **auf** ~ on computer; **per** ~ by computer.
Computer *in cpds* computer-; **Computerarbeitsplatz** *m* computer work station; **Computerblitz** *m* (*Phot*) *siehe* **Elektronenblitz**; **Computerdiagnostik** *f* (*Med*) computer diagnosis; **Computerfreak** *m* -s, -s computer freak; **Computergeneration** *f* computer generation; **computergerecht** *adj* (ready) for the computer; **computergesteuert** *adj* controlled by computer, computer-controlled; **Computergraphik** *f* computer graphics *pl*.
computerisieren* [kɔmpjutəri'ziːrən] *vti* to computerize.
Computerkriminalität *f* computer crime; **computerlesbar** *adj* machine-readable; **Computerlinguistik** *f* computational linguistics *sing*; **Computersatz** *m* computer typesetting; **Computersimulation** *f* computer simulation; **Computerspiel** *nt* computer game; **Computersprache** *f* computer language; **Computertomographie** *f* -, -n computer tomography; **Computervirus** *nt or m* computer virus.
Comtesse *f* countess.
Conférencier [kõferã'sieː] *m* -s, -s compère, MC.
Confiserie [kõfizə'riː] *f* cake shop.
Connaisseur [kɔnɛ'søːɐ] *m* (*geh*) connoisseur.
Container [kɔn'teːnɐ] *m* -s, - container; (*Bauschutt*~) skip; (*Müll*~) waste container; (*Transport*~) container; (*Wohn*~) prefabricated hut, Portakabin ®.
Container- *in cpds* container; **Containerbahnhof** *m* container depot; **Containerdorf** *nt* village of prefabricated huts; **Containerhafen** *m* container port; **Containerschiff** *nt* container ship; **Containerterminal** *m or nt* -s, -s container terminal; **Containerverkehr** *m* container traffic; **auf** ~ **umstellen** to containerize.
Containment [kɔn'teːnmənt] *nt* -s, -s containment.
Contenance [kõtə'nãːs(ə)] *f* -, *no pl* (*geh*) composure.
Contergan ® *nt* -s thalidomide.
Contergankind *nt* (*inf*) thalidomide child/baby.
Contra *m* -s, -s (*Pol*) Contra.
cool ['kuːl] *adj* (*sl*) **1.** (*gefaßt*) cool, laid-back (*sl*). **du mußt** ~ **bleiben** you must keep your cool (*inf*) *or* stay cool (*inf*).
  2. (*angenehm*) cool (*sl*). **die Party war** ~ the party was (real) cool (*sl*).

  3. (*ungefährlich*) safe.
  4. (*fair*) on the level (*inf*), fair. **er ist ein** ~**er Dealer** as a dealer he is on the level.
Copyright ['kɔpirait] *nt* -s, -s copyright.
Cord *m* -s, -e *or* -s (*Tex*) cord, corduroy.
Cord *in cpds* cord, corduroy; **Cordjeans** *pl* cords *pl*.
Cordon bleu [kɔrdõ'blø] *nt* - -, -s -s (*Cook*) veal cordon bleu.
Corner ['kɔːɐnɐ] *m* -s, - (*Aus Sport*) corner.
Corn-flakes, Corn Flakes ® ['kɔːɐnfleːks] *pl* cornflakes *pl*.
Cornichon [kɔrni'ʃõ] *nt* -s, -s gherkin.
Corps [koːɐ] *nt* -, - (*Mil*) corps.
Corpus delicti *nt* - -, **Corpora** - corpus delicti; (*hum*) culprit (*inf*).
cos. *abbr of* **Kosinus** cos.
Costa Rica *nt* -s Costa Rica.
Costaricaner(in *f*) *m* -s, - Costa Rican.
costaricanisch *adj* Costa Rican.
Couch [kautʃ] *f or* (*Sw*) *m* -, -es *or* -en couch.
Couchgarnitur *f* three-piece suite; **Couchtisch** *m* coffee table.
Couleur [ku'løːɐ] *f* -, -s **1.** (*geh*) kind, sort. **Faschisten/Sozialisten jeder** ~ Fascists/Socialists of every shade. **2.** (*Univ*) colours *pl*.
Countdown ['kaunt'daun] *m or nt* -s, -s (*Space, fig*) countdown.
Coup [kuː] *m* -s, -s coup. **einen** ~ (**gegen jdn/etw**) **landen** to bring *or* pull (*inf*) off a coup (against sb/sth).
Coupé [ku'peː] *nt* -s, -s coupé.
Couplet [ku'pleː] *nt* -s, -s political/cabaret/ music-hall song.
Coupon [ku'põ] *m* -s, -s **1.** (*Zettel*) coupon. **2.** (*Fin*) (interest) coupon. **3.** (*Stoff*~) length (of material).
Courage [ku'raːʒə] *f* -, *no pl* (*geh*) courage, pluck.
couragiert [kura'ʒiːɐt] *adj* (*geh*) courageous, plucky.
Courtage [kʊr'taːʒə] *f* -, -n (*Fin*) commission.
Cousin [ku'zɛ̃ː] *m* -s, -s, **Cousine** [ku'ziːnə] *f* cousin.
Cover ['kavɐ] *nt* -s, -s cover.
Crack¹ [kræk] *m* -s, -s (*Sportler*(in *f*)) ace.
Crack² [kræk] *nt* -, *no pl* (*Droge*) crack.
Cracker ['krɛkɐ] *m* -s, -(s) **1.** (*Keks*) cracker. **2.** (*Feuerwerkskörper*) banger (*Brit*), fire-cracker (*US*).
Craquelé [krakə'leː] *nt* -s, -s crackle.
Crash-Kurs ['kræʃ-] *m* crash course.
Credo *nt* -s, -s (*lit, fig*) creed.
Creme [kreːm] *f* -, -s (*Haut*~, *Cook, fig*) cream. **die** ~ **der Gesellschaft** the cream of society, the crème de la crème (*liter*).
creme [kreːm] *adj pred* (*Fashion*) cream.
cremefarben *adj* cream-coloured.
Crème fraîche [krɛm'frɛʃ] *f* -, *no pl* (*Cook*) crème fraîche.
Cremetorte *f* cream gateau.
cremig *adj* creamy.
Crêpe de Chine [krɛpdə'ʃin] *m* - - -, -s - - crêpe de Chine.
Crescendo [krɛ'ʃɛndo] *nt* -s, -s *or* **Crescendi** **1.** (*Mus*) crescendo. **2.** (*Sport*) final spurt.

Crew [kruː] *f* -, **-s** crew; (*Kadettenjahrgang*) cadets of the same year/age.

Croissant [kroa'sãː] *nt* **-s, -s** croissant.

Cromargan ® [kro-] *nt* **-s**, *no pl* stainless steel.

Croupier [kru'pieː] *m* **-s, -s** croupier.

Crux *f* -, *no pl* **1.** (*Last*) nuisance. **2.** (*Schwierigkeit*) trouble, problem. **die ~ bei der Sache ist, ...** the trouble *or* problem (with that) is ...

CS-Gas [tseː'|ɛs-] *nt* CS gas.

CSSR [tʃeː|ɛs|ɛs'|ɛr] *f* - = **Tschechoslowakei.**

CSU [tseː|ɛs'|uː] *f* - *abbr of* **Christlich-Soziale Union** Christian Social Union.

c.t. ['tseː'teː] *abbr of* **cum tempore** *adv* within fifteen minutes of the time stated. **18.30 ~ 6.30** for 6.45.

cum grano salis *adv* (*geh*) with a pinch of salt.

cum laude *adv* (*Univ*) cum laude (*form*), with distinction.

Cup [kap] *m* **-s, -s** (*Sport*) cup.

Cupido *m* **-s** Cupid.

Curie [ky'riː] *nt* -, - (*abbr* **Ci**) Curie.

Curium *nt*, *no pl* (*abbr* **Cu**) curium.

Curling ['køːʀlɪŋ] *nt* **-s**, *no pl* curling.

Curricula (*geh*) *pl of* **Curriculum.**

curricular *adj attr* (*geh*) curricular.

Curriculum *nt* **-s, Curricula** (*geh*) curriculum.

Curry ['kari] *m or nt* **-s**, *no pl* curry.

Currywurst *f* curried sausage.

Cursor ['køːrsɐ] *m* **-s, -s** (*Comput*) cursor.

Cut [kœt], **Cutaway** ['kœtəve] *m* **-s, -s** (*dated*) cutaway.

cutten ['katn] *vti* (*Film, Rad, TV*) to cut, to edit.

Cutter(in *f*) ['katɐ, -ərɪn] *m* **-s, -** (*Film, Rad, TV*) editor.

C.V.J.F. [tseː:faujɔt'|ɛf] *m* **-s** *abbr of* **Christlicher Verein Junger Frauen** YWCA.

C.V.J.M. [tseː:faujɔt'|ɛm] *m* **-s** *abbr of* **Christlicher Verein Junger Männer** YMCA.

C-Waffe ['tseː-] *f abbr of* **chemische Waffe.**

D

D, d [de:] *nt* -, - D, d.
d.Ä. *abbr of* **der Ältere** sen.

da I *adv* 1. (*örtlich*) (*dort*) there; (*hier*) here. **es liegt ~ draußen/drinnen/drüben/vorn** it's out there/in there/over there/there in front; **geh ~ herum** go round there; **~ und ~** what's-its-name (*inf*); **hier und ~, ~ und dort** here and there; **wer ~?** who goes there?; **he, Sie ~!** hey, you there!; **die Frau ~** that woman (over) there; **~ bin ich/sind wir** here I am/we are; **~ bist du ja!** there you are!; **~ kommt er ja** here he comes; **~, wo ...** where ...; **wo die Straße über den Fluß geht, ~ fängt Schottland an** where the road crosses the river, that's where Scotland begins; **ach, ~ war der Brief!** so that's where the letter was; **~ möchte ich auch einmal hinfahren** (*inf*) I'd like to go there one day; **geben Sie mir ein halbes Pfund von dem ~** give me half a pound of that one (there); **~ haben wir's** *or* **den Salat** (*inf*) that had to happen; **~ hast du deinen Kram/dein Geld!** (there you are,) there's your stuff/money; **~, nimm schon!** here, take it!
2. (*zeitlich: dann, damals*) then. **ich ging gerade aus dem Haus, ~ schlug es zwei** I was just going out of the house when the clock struck two; **vor vielen, vielen Jahren, ~ lebte ein König** (*liter*) long, long ago there lived a king; **~ kommen Sie mal gleich mit** (*inf*) you just come along with me; **~ siehst du, was du angerichtet hast** now see what you've done.
3. (*daraufhin*) *sagen* to that; *lachen* at that. **sie weinte, ~ ließ er sich erweichen** when she started to cry he softened, she started to cry, whereupon he softened (*liter*); **als er das Elend der Leute sah, ~ nahm er sich vor ...** when he saw the people's suffering he decided ...
4. (*folglich*) then. **es war niemand im Zimmer, ~ habe ich ...** there was nobody in the room, so I ...; **wenn ich schon gehen muß, ~ gehe ich lieber gleich** if I have to go, (then) I'd rather go straight away.
5. (*inf: in diesem Fall*) there. **~ haben wir aber Glück gehabt!** we were lucky there!; **~ muß man vorsichtig sein** you've got to be careful there; **was gibt's denn ~ zu lachen/fragen?** what's funny about that?/what is there to ask?; **~ kann man nichts mehr machen** there's nothing more to be done (there *or* about it); **~ kann man** *or* **läßt sich nichts machen** nothing can be done about it; **~ kann man nur lachen/sich nur fragen, warum/sich nur wundern** you can't help laughing/asking yourself why/being amazed; **~ kann man nur den Kopf schütteln** you can only shake your head

in despair/bewilderment; **und ~ fragst du noch?** and you still have to ask?; **und ~ soll einer** *or* **ein Mensch wissen, warum!** and you're meant to know why!; **~ fragt man sich (doch), ob der Mann noch normal ist** it makes you wonder if the man's normal; **~ hat doch jemand gelacht/alle Kekse gegessen** somebody laughed/has eaten all the biscuits.
6. (*zur Hervorhebung*) **wir haben ~ eine neue Mitschülerin** we've got this new girl in our school; **~ fällt mir gerade ein ...** it's just occurred to me ...
7. (*N Ger*) *siehe* **dabei, dafür** *etc.*
II *conj* 1. (*weil*) as, since, seeing that.
2. (*liter: als*) when. **die Stunde, ~ du ...** the hour when you ...; **nun** *or* **jetzt, ~** now that.

DAAD [de:|a:|a:'de:] *m* - *abbr of* **Deutscher Akademischer Austauschdienst** German Academic Exchange Service.

dabehalten* *vt sep irreg* to keep (here/there); (*in Haft auch*) to detain (there); *Schüler* to keep behind.

dabei *adv* 1. (*örtlich*) with it; (*bei Gruppe von Menschen, Dingen*) there. **ein Häuschen mit einem Garten ~** a little house with a garden (attached to it *or* attached); **ist die Lösung ~?** is the solution given (there)?; **nahe ~** nearby.
2. (*zeitlich*) (*gleichzeitig*) at the same time; (*währenddessen, wodurch*) in the course of this. **er aß weiter und blätterte ~ in dem Buch** he went on eating, leafing through the book as he did so *or* at the same time; **Sie können doch auch ~ sitzen** you can sit down while you're doing it; **nach der Explosion entstand eine Panik; ~ wurden drei Kinder verletzt** there was a general panic after the explosion, in the course of which *or* during which three children were injured; **... orkanartige Winde; ~ kam es zu schweren Schäden ...** gale-force winds, which have resulted in serious damage.
3. (*außerdem*) as well, into the bargain (*inf*), with it (*inf*). **sie ist schön und ~ auch noch klug** she's pretty, and clever as well.
4. (*wenn, während man etw tut*) in the process; *ertappen, erwischen* at it. **er wollte helfen und wurde ~ selbst verletzt** he wanted to help and got injured in the process *or* (in) doing so *or* while he was about it (*inf*); **du warst bei einem Vortrag? hast du denn ~ etwas gelernt?** you were at a lecture? did you learn anything there *or* from it?; **~ darf man nicht vergessen, daß ...** it shouldn't be forgotten that ...; (*Einschränkung eines Arguments*) it should not be forgotten here that ...; **die ~ entstehenden Kosten** the expenses arising from this/that; **als er das tat, hat er ~ ...** when he did that he

...; **wenn man das tut, muß man ~ ...** when you do that you have to ...; **wir haben ihn ~ ertappt, wie er über den Zaun stieg** we caught him in the act of climbing over the fence.

5. (*in dieser Angelegenheit*) **das Schwierigste ~** the most difficult part of it; **wichtig ~ ist ...** the important thing here *or* about it is ...; **mir ist nicht ganz wohl ~** I don't really feel happy about it; **~ kann man viel Geld verdienen, da kann man viel Geld bei verdienen** (*N Ger*) there's a lot of money in that; **er hat ~ einen Fehler gemacht** he's made a mistake; **es kommt doch nichts ~ heraus** nothing will come of it.

6. (*einräumend: doch*) (and) yet. **er hat mich geschlagen, ~ hatte ich gar nichts gemacht** he hit me and I hadn't even done anything *or* and yet I hadn't done anything; **ich habe fünf Stück gegessen, ~ hatte ich gar keinen Hunger** I've eaten five pieces, and I wasn't even hungry.

7. du gehst sofort nach Hause, und ~ bleibt es! you're going straight home and that's that *or* that's the end of it!; **es bleibt ~, daß ihr morgen alle mitkommt** we'll stick to that *or* keep it like that, you're all coming tomorrow; **ich bleibe ~** I'm not changing my mind; **er bleibt ~, daß er es nicht gewesen ist** he still insists *or* he's still sticking to his guns that he didn't do it; **aber ~ sollte es nicht bleiben** but it shouldn't stop there *or* at that; **lassen wir es ~** let's leave it at that!; **was ist schon ~?** so what? (*inf*), what of it? (*inf*); **was ist schon ~, wenn man das tut?** what harm is there in doing that?; **ich finde gar nichts ~** I don't see any harm in it; **es ist nichts ~** *or* (*N Ger*) **da ist nichts bei, wenn man das tut** (*schadet nichts*) there's no harm in doing that; (*will nichts bedeuten*) doing that doesn't mean anything; **nimm meine Bemerkung nicht so ernst, ich habe mir nichts ~ gedacht** don't take my remark so seriously, I didn't mean anything by it; **was hast du dir denn ~ gedacht?** what were you thinking of?

dabeibleiben *vi sep irreg aux sein* to stay *or* stick (*inf*) with it; (*bei Firma, Stelle, Armee*) to stay on; *siehe auch* **dabei 7.**

dabeihaben *vt sep irreg* (*Zusammenschreibung nur bei infin und ptp*) (*inf*) to have with one; *Geld, Paß, Schirm auch* to have on one.

dabeisein *vi sep irreg aux sein* (*Zusammenschreibung nur bei infin und ptp*) **1.** to be there (*bei* at); (*mitmachen*) to be involved (*bei* in). **ich bin dabei!** count me in!; **er war bei der Flugzeugentführung dabei** he was there when the plane was hijacked, he was there at the hijacking; **ein wenig Furcht ist immer dabei** I'm/you're *etc* always a bit scared; **er will überall ~** he wants to be in on everything.

2. (*im Begriff sein*) **~, etw zu tun** to be just doing sth; **ich bin (gerade) dabei** I'm just doing it.

dabeisitzen *vi sep irreg aux haben or* (*S*

Ger, Aus, Sw) *sein* to sit there. **bei einer Besprechung ~** to sit in on a discussion.

dabeistehen *vi sep irreg aux haben or* (*S Ger, Aus, Sw*) *sein* to stand there.

dableiben *vi sep irreg aux sein* to stay (on); (*nachsitzen*) to stay behind. **(jetzt wird) dageblieben!** (you just) stay right there!

da capo *adv* da capo. **~ ~ rufen** to call for an encore.

Dach *nt* **-(e)s, ¨er 1.** roof; (*Aut auch*) top. **das ~ der Welt** the roof of the world; **ein/kein ~ über dem Kopf haben** (*inf*) to have a/no roof over one's head; **mit jdm unter einem ~ wohnen** to live under the same roof as sb; **jdm das ~ überm Kopf anzünden** to burn down sb's house; **unterm ~ juchhe** (*inf*) right under the eaves; **unterm ~ wohnen** (*inf*) to live in an attic room/flat (*Brit*) *or* apartment; (*im obersten Stock*) to live right on the top floor; **unter ~ und Fach sein** (*abgeschlossen*) to be all wrapped up *or* in the bag (*inf*); (*Vertrag, Geschäft auch*) to be signed and sealed; (*in Sicherheit*) to be safely under cover; (*Ernte*) to be safely in.

2. (*fig inf*) **jdm eins aufs ~ geben** (*schlagen*) to smash sb on the head (*inf*); (*ausschimpfen*) to give sb a (good) talking-to; **eins aufs ~ bekommen** *or* **kriegen** (*geschlagen werden*) to get hit on the head; (*ausgeschimpft werden*) to be given a (good) talking-to; **jdm aufs ~ steigen** (*inf*) to get onto sb (*inf*).

Dach *in cpds* roof; **Dachausbau** *m* attic conversion; **Dachbalken** *m* roof joist *or* beam; **Dachboden** *m* attic, loft; (*von Scheune*) loft; **auf dem ~** in the attic; **Dachdecker(in** *f*) *m* **-s,** - roofer; (*mit Ziegeln*) tiler; (*mit Schiefer*) slater; (*mit Stroh*) thatcher; **das kannst du halten wie ein ~** (*fig inf*) it doesn't matter one jot (*inf*); **Dachdeckerarbeiten** *pl* roofing; tiling; slating; thatching; **Dacherker** *m* dormer window; **Dachfenster** *nt* skylight; (*ausgestellt*) dormer window; **Dachfirst** *m* ridge of the roof; **Dachgarten** *m* roof garden; **Dachgebälk** *nt* roof timbers *pl*; **Dachgepäckträger** *m* (*Aut*) roof rack; **Dachgeschoß** *nt* attic storey; (*oberster Stock*) top floor *or* storey; **Dachgesellschaft** *f* parent/holding company; **Dachgesims** *nt* (roof) cornice; **Dachgestühl** *nt* roof truss; **Dachgiebel** *m* gable; **Dachglei-che(nfeier)** *f* **-, -n** (*Aus*) topping-out ceremony; **Dachhase** *m* (*hum*) cat; **Dachkammer** *f* attic room, garret (*dated*); **Dachlatte** *f* tile *or* roof batten; **Dachluke** *f* skylight; **Dachorganisation** *f* umbrella *or* (*Comm*) parent organization; **Dachpappe** *f* roofing felt; **Dachpfanne** *f* (roof) tile; **Dachreiter** *m* (*Archit*) roof *or* ridge turret; **Dachrinne** *f* gutter.

Dachs *m* **-es, -e 1.** (*Zool*) badger. **schlafen wie ein ~** (*inf*) to sleep like a log (*inf*). **2.** (*inf: Mensch*) **ein frecher ~!** a cheeky devil!; **ein junger ~** a young whippersnapper.

Dạchsbau *m* badger's sett.

Dạchschaden *m* **1.** (*lit*) damage to the roof; **2.** (*inf*) **einen (kleinen) ~ haben** to have a slate loose (*inf*); **Dạchschiefer** *m* roofing slate; **Dạchschindel** *f* (roof) shingle.

Dạchsparren *m* rafter; **Dạchstein** *m* (*cement*) roofing slab; **Dạchstroh** *nt* thatch; **Dạchstube** *f*, **Dạchstübchen** *nt* attic room, garret (*dated*); **Dạchstuhl** *m* roof truss.

dạchte *pret of* **denken**.

Dạchterrasse *f* roof terrace; **Dạchträger** *m* (*Aut*) roof rack; **Dạchtraufe** *f* rain spout; (*dial: ~rinne*) gutter; **Dạchverband** *m* umbrella organization; **Dạchwohnung** *f* attic flat (*Brit*) *or* apartment; **Dạchziegel** *m* roofing tile; **Dạchzimmer** *nt* attic room, garret.

Dạckel *m* **-s, -** dachshund, sausage dog (*inf*); (*inf: Person*) silly clot (*inf*).

Dạckelbeine *pl* (*inf*) short stumpy legs *pl*.

Dadaịsmus *m* Dadaism, Dada.

Dadaist(in *f*) *m* Dadaist. **die ~en** the Dada group, the Dadaists.

Dạddelhalle *f* (*N Ger inf*) amusement arcade.

dạddeln *vi* (*N Ger inf*) to play the fruit machines.

dadụrch *adv* (*emph* **dạdurch**) **1.** (*örtlich*) through there; (*wenn Bezugsobjekt vorher erwähnt*) through it.

2. (*kausal*) thereby (*form*); (*mit Hilfe von, aus diesem Grund auch*) because of this/that, through this/that; (*durch diesen Umstand, diese Tat auch*) by or with that; (*auf diese Weise*) in this/that way. **was willst du ~ gewinnen?** what do you hope to gain by *or* from that?; **meinst du, ~ wird alles wieder gut?** do you think that will make everything all right again?; **~ kam es, daß er nicht dabeisein konnte** that was why he couldn't be there.

3. ~, daß er das tat, hat er ... (*durch diesen Umstand, diese Tat*) by doing that he ...; (*deswegen, weil*) because he did that he ...; **~, daß ich das tat, hat er ...** by my doing that he ..., because I did that he ...; **~, daß er den zweiten Satz gewonnen hat, sind seine Chancen wieder gestiegen** his chances improved again with him *or* his winning the second set; **~, daß das Haus isoliert ist, ist es viel wärmer** the house is much warmer because it's insulated *or* for being insulated.

dafür *adv* (*emph* **dạfür**) **1.** (*für das, diese Tat*) for that/it. **wir haben kein Geld ~** we've no money for that; **~ haben wir kein Geld, da haben wir kein Geld für** (*N Ger inf*) we've no money for that sort of thing; **der Grund ~ ist, daß ...** the reason for that is (that) ...; **warum ist er so böse? er hat doch keinen Grund ~** why is he so angry? there's no reason for it *or* he has no reason to be; **ich bin nicht ~ verantwortlich, was mein Bruder macht** I'm not responsible for what my brother does; **~ bin ich ja hier** that's what I'm here for, that's why I'm here; **er ist ~ bestraft worden, daß er frech**

zum Lehrer war he was punished for being cheeky to the teacher.

2. (*Zustimmung*) for that/it, in favour (of that/it). **ich bin ganz ~** I'm all for it (*inf*), I'm all in favour; **ich bin (ganz) ~, daß wir/sie das machen** I'm (all) for *or* in favour of doing that/them doing that; **~ stimmen** to vote for it.

3. (*als Ersatz*) instead, in its place; (*als Bezahlung*) for that/it; (*bei Tausch*) in exchange; (*als Gegenleistung*) in return. **... ich mache dir ~ deine Hausaufgaben** ... and I'll do your homework in return.

4. (*zum Ausgleich*) but ... to make up. **in Mathematik ist er schlecht, ~ kann er gut Fußball spielen** he's very bad at maths but he makes up for it at football *or* but he's good at football to make up; **ich hatte diesmal immer nur Kurzferien, ~ habe ich um so mehr gesehen** I've only had short holidays this time but I've seen a lot more for all that.

5. (*im Hinblick darauf*) **der Junge ist erst drei Jahre, ~ ist er sehr klug** the boy is only three, (so) considering that he's very clever; **~, daß er erst drei Jahre ist, ist er sehr klug** seeing *or* considering that he's only three he's very clever.

6. *in Verbindung mit, vb etc siehe auch dort* **er interessiert sich nicht ~** he's not interested in that/it; **er gibt sein ganzes Geld ~ aus** he spends all his money on that/it; **ein Beispiel ~ wäre ...** an example of that would be ...; **ich kann mich nicht ~ begeistern** I can't get enthusiastic about it, I can't rouse any enthusiasm for it; **sie ist dreißig/sehr intelligent — ~ hätte ich sie nicht gehalten** she's thirty/very intelligent — I would never have thought she was; **ich werde ~ sorgen, daß ...** I'll see to it that ...

dafürhalten *vi sep irreg* (*geh*) to be of the opinion; **nach meinem D~** in my opinion; **dafürkönnen** *vt sep irreg* **er kann nichts dafür** he can't help it, it's not his fault; **er kann nichts dafür, daß er dumm ist** he can't help being stupid, it's not his fault that he's stupid; **was kann ich dafür, daß es heute regnet?** it's not my fault (that) *or* I can't help that it's raining today; **als ob ich da was für könnte!** (*N Ger inf*) as if I could help it!, as if it were my fault!; **dafürstehen** *vir sep irreg* (*Aus*) to be worth it *or* worthwhile.

DAG [deːʔaːˈgeː] *f* - *abbr of* **Deutsche Angestellten-Gewerkschaft** *German trade union for private-sector employees.*

dagegen *adv* (*emph* **dạgegen**) **1.** (*örtlich*) against it. **es stand ein Baum im Weg und der Vogel/Wagen prallte ~** there was a tree in the way and the bird/car crashed into it; **die Tür war verschlossen, also pochte er ~** the door was locked, so he hammered on it; **mache das Licht an und halte das Dia ~** put the light on and hold the slide up to it *or* against it.

2. (*als Einwand, Ablehnung*) against that/it. **~ sein** to be against it *or* opposed (to it); **etwas/nichts ~ haben** to object/ not to object; **ich habe etwas ~, da habe**

ich was gegen (N Ger inf) I object to that; **was hat er ~, daß wir früher anfangen?** what has he got against us starting earlier?, why does he object to us or our starting earlier?; **haben Sie was ~, wenn ich rauche?** do you mind if I smoke?, would you mind or object if I smoked?; **sollen wir ins Kino gehen? — ich hätte nichts ~ (einzuwenden)** shall we go to the cinema? — that's okay by me (inf); **ich hätte nichts ~, wenn er nicht kommen würde** I wouldn't mind at all if he didn't come; **ich werde ~ protestieren** I will protest against that/it; **ich werde ~ protestieren, daß das gemacht wird** I will protest against that being done.

3. (als Gegenmaßnahme) tun, unternehmen about it; (Medikamente einnehmen) for it. **~ läßt sich nichts machen** nothing can be done about it; **bei mir regnet es herein, aber ich kann nichts ~ machen** the rain comes in, but I can't do anything to stop it or about it.

4. (verglichen damit) compared with that/it/them, in comparison. **die Stürme letztes Jahr waren furchtbar, ~ sind die jetzigen nicht so schlimm** the gales last year were terrible, compared with them or these, these aren't so bad or these aren't so bad in comparison.

5. (als Ersatz, Gegenwert) for that/it/them.

II conj (im Gegensatz dazu) on the other hand, however. **er sprach fließend Französisch, ~ konnte er kein Deutsch** he spoke French fluently, but (on the other hand) he could not speak any German.

dagegenhalten vt sep irreg **1.** (vergleichen) to compare it/them with; **2.** (einwenden) siehe **dagegensetzen**; **dagegensetzen** vt sep (fig) **seine eigene Meinung ~** to put forward one's own opinion in opposition; **das einzige, was Sie ~ könnten, wäre ...** the only objection you could put forward would be ...; **dagegensprechen** vi sep irreg to be against it; **was spricht dagegen?** what is there against it?; **was spricht dagegen, daß wir es so machen?** why shouldn't we do it that way?; **es spricht nichts dagegen, es so zu machen** there's no reason not to do it that way; **dagegenstellen** vr sep to oppose it; **warum mußt du dich immer ~?** why must you always oppose everything?; **dagegenstemmen** vr sep (fig) to fight it, to oppose it bitterly; **dagegenwirken** vi sep to act against it.

dahaben vt sep irreg (Zusammenschreibung nur bei infin und ptp) **1.** (vorrätig haben) to have here/there; (in Geschäft) to have in stock. **2.** (zu Besuch haben) to have here/there; (zum Essen) to have in.

daheim adv at home; (nach prep) home. **bei uns ~** back home (where I/we come from); **das Buch liegt bei mir ~ or ~ bei mir** I've got the book at home; **wir haben bei mir ~ or ~ bei mir gefeiert** we had a celebration at my place; **~ sein** (lit, fig) to be at home; (nach Reise) to be home; **wo bist du ~?** where's your home?; **ich bin für niemanden ~** I'm not

at home to anybody; **~ ist ~** (Prov) east, west, home's best (prov), there's no place like home (prov).

Daheim nt -s, no pl home.

Daheimgebliebene(r) mf decl as adj person/friend/son etc (left) at home; **die/alle ~** those/all those at home.

daher I adv (auch **daher**) **1.** (von dort) from there. **von ~** from there; **~ habe ich das** that's where I got it from.

2. (dial: hierher) here.

3. (durch diesen Umstand) that is why. **~ weiß ich das** that's how or why I know that; **~ die große Eile/all der Lärm** that's why there's or that's the reason for all this hurry/noise; **~ der Name X** that's why it's called X; **~ kommt es, daß ...** that is (the reason) why ...; **das kommt or rührt ~, daß ...** that is because ...

II conj (deshalb) that is why. **~ die Verspätung** that's what is causing the delay, hence the delay.

daherbringen vt sep irreg (Aus) to produce, to bring along; **dahergelaufen** adj jeder D~e, jeder ~e Kerl any Tom, Dick or Harry, any guy who comes/came along; **diese ~en Kerle in der Politik** these jumped-up nobodies in politics; **sie hat so einen ~en Kerl geheiratet** she married some fellow who just happened along (inf); **daherkommen** vi sep irreg aux sein to come along; **da kommt so einer daher ...** this guy comes along (inf); **wie kann man nur so schlampig ~?** (inf) how can anybody go around looking so scruffy?; **daherlaufen** vi sep irreg aux sein (gehen) to walk up; (laufen) to run up; **dahergelaufen kommen** to come running up; **daherreden** sep I vi to talk away; **red doch nicht so (dumm) daher!** don't talk such rubbish!; **II** vt to say without thinking; **was er alles/für ein blödes Zeug daherredet** the things/the rubbish he comes out with! (inf); **das war nur so ~geredet** I/he etc just said that; **dahersagen** vt sep to say without thinking.

daherum adv round there.

dahin I adv (emph **dahin**) **1.** (räumlich) there; (hierhin) here. **kommst du auch ~?** are you coming too?; **~ und dorthin blicken** to look here and there; **~ gehe ich nie wieder, da gehe ich nie wieder hin** (inf) I'm never going there again; **bis ~** as far as there, up to that point; **ist es noch weit bis ~?** is it still a long way?; **es steht mir bis ~** I've had it up to here (inf).

2. (fig: so weit) **~ kommen** to come to that, to reach such a pass; **es ist ~ gekommen, daß ...** things have got to the stage where or have reached such a pass that ...; **du wirst es ~ bringen, daß ...** you'll bring things to such a pass that ...

3. (in dem Sinne, in die Richtung) **er äußerte sich ~ gehend, daß ...** he said something to the effect that ...; **eine ~ gehende Aussage/Änderung** a statement/change to that effect; **wir sind ~ gehend verblieben, daß ...** we agreed that ...; **er hat den Bericht ~ (gehend) interpretiert, daß ...** he interpreted the report as saying ...; **wir haben uns ~ geeinigt/abgesprochen, daß ...** we have agreed that ...; **alle meine Hoffnungen/ Bemühungen gehen ~, daß ich dieses Ziel bald erreiche** all my hopes/efforts are directed towards (my) reaching this goal soon.

4. (*zeitlich*) then; *siehe* **bis²**.

II *adj pred* ~ **sein** to have gone; **sein Leben** *or* **er ist** ~ (*geh*) his life is over; **das Auto ist** ~ (*hum inf*) the car has had it (*inf*).

dahinab *adv siehe* **dorthinab**; **dahinauf** *adv siehe* **dorthinauf**; **dahinaus** *adv* there; *transportieren, bringen* out that way; ~ **muß der Dieb entkommen sein** that must be where the thief escaped; ~ **will er also!** (*fig*) so that's what he's getting at!

dahinbewegen* *vr sep* to move on one's way; (*Fluß*) to flow on its way; **dahindämmern** *vi sep aux sein* to lie/sit there in a stupor; **dahineilen** *vi sep aux sein* (*liter*) to hurry along; (*Zeit*) to pass swiftly.

dahinein *adv siehe* **dorthinein**.

dahinfliegen *vi sep irreg aux sein* (*liter*) (*wegfliegen*) to fly off; (*fig*) (*schnell fahren, vergehen*) to fly along *or* past; **dahingeben** *vt sep irreg* (*liter*) *Leben, Gut, Besitz* to give up; **Dahingegangene(r)** *mf decl as adj* (*liter*) departed.

dahingegen *adv* on the other hand.

dahingehen *vi sep irreg aux sein* (*geh*) **1.** (*vergehen*) (*Zeit, Jahre*) to pass (*jdm* for sb). **2.** (*vorbeigehen, entlanggehen*) to pass. **3.** (*sterben*) to pass away *or* on.

dahingehend *adv siehe* **dahin I 3**.

dahingestellt *adj* ~ **sein lassen, ob ...** to leave it open whether ...; **es bleibt** *or* **sei** ~, **ob ...** it is an open question whether ...; **dahinleben** *vi sep* to exist, to vegetate (*pej*); **dahinraffen** *vt sep* (*liter*) to carry off; **dahinreden** *vi sep* to say the first thing that comes into one's head; **dahinsagen** *vt sep* to say without (really) thinking; **das war nur so dahingesagt** I/he *etc* just said that (without thinking); **dahinscheiden** *vi sep irreg aux sein* (*geh*) to pass away; **dahinschleppen** *vr sep* (*lit: sich fortbewegen*) to drag oneself along; (*fig: Verhandlungen, Zeit*) to drag on; **dahinschwinden** *vi sep irreg aux sein* (*geh*) (*Vorräte, Geld, Kraft*) to dwindle (away); (*Interesse, Gefühle*) to dwindle; (*vergehen: Zeit*) to go past; **dahinsiechen** *vi sep aux sein* (*geh*) to waste away; **vor Kummer** ~ to pine away; **jahrelang siechte er in einem dunklen Keller dahin** for years he languished in a dark cellar; **dahinstehen** *vi sep irreg* to be debatable.

dahinten *adv* (*emph* **dahinten**) over there; (*hinter Sprecher*) back there. **ganz weit** ~ right *or* way (*inf*) over there.

dahinter *adv* (*emph* **dahinter**) **1.** (*räumlich*) behind (it/that/him *etc*). **was sich wohl** ~ **verbirgt?** (*lit, fig*) I wonder what's behind that?; **da ist schon etwas** ~ (*fig*) there's something in that; **(da ist)**

nichts ~ (*fig*) there's nothing behind it. **2.** (*danach*) beyond.

dahinterher *adj*: ~ **sein** (*inf*) to push (*daß* to see that); **die Polizei ist** ~, **die Jugendkriminalität einzudämmen** the police are pretty hot on trying to keep juvenile delinquency under control (*inf*).

dahinterklemmen, dahinterknien *vr sep* (*inf*) to put one's back into it, to get *or* pull one's finger out (*sl*); **klemm'** *or* **knie dich mal ein bißchen dahinter** make a bit of an effort; **dahinterkommen** *vi sep irreg aux sein* (*inf*) to find out; (*langsam verstehen*) to get it (*inf*); **dahinterstecken** *vi sep* (*inf*) to be behind it/that; **da steckt doch etwas dahinter** there's something behind it; **da werden die Eltern** ~, **daß er nicht mehr kommen will** his parents must be behind his *or* him not wanting to come any more; **er redet viel, es steckt aber nichts dahinter** he talks a lot but there's nothing behind it; **dahinterstehen** *vi sep irreg* **1.** (*unterstützen*) to back it/that, to be behind it/that; **2.** (*zugrunde liegen*) to underlie it/that.

dahinunter *adv siehe* **dorthinunter**.

dahinvegetieren* *vi sep* to vegetate.

Dahlie [-iə] *f* dahlia.

DAK [deːˈaˈkaː] *f* - *abbr of* **Deutsche Angestellten-Krankenkasse** health insurance company for private-sector employees in Germany.

Dakapo *nt* **-s, -s** encore.

Daktylogramm *nt* (*von einem Finger*) fingerprint; (*von ganzer Hand*) fingerprints *pl*; **Daktylographie** *f* (*Sw*) typing; **Daktyloskopie** *f* fingerprinting.

Daktylus *m* -, **Daktylen** (*Poet*) dactyl.

dalassen *vt sep irreg* to leave (here/ there); **daliegen** *vi sep irreg* to lie there; **... sonst liegst du nachher da mit einer schweren Grippe** (*inf*) otherwise you'll be in bed with a bad dose of flu.

dalli *adv* (*inf*) ~, ~! on the double! (*inf*), look smart! (*inf*); **mach ein bißchen** ~! get a move on! (*inf*); **verzieh dich, aber** ~! beat it, go on, quick!

Dalmatiner *m* -s, - (*Hund*) dalmatian.

damalig *adj attr* at that *or* the time; *Inhaber eines Amtes auch* then *attr*; *Sitten auch* in those days.

damals *adv* at that time, then. **seit** ~ since then, since that time; **von** ~ of that time; ~, **als ...** at the time when ...; **wenn ich daran denke, was** ~ **war** when I think of that time *or* of what things were like then.

Damast *m* **-(e)s, -e** damask.

Dämchen *nt* (*pej*) precocious young madam; (*Dirne*) tart (*inf*).

Dame *f* -, **-n 1.** lady. **sehr verehrte** (*form*) *or* **meine ~n und Herren!** ladies and gentlemen!; ,,**~n**" (*Toilette*) "Ladies"; **die** ~ **wünscht?** (*old*) can I be of assistance, madam? (*form*); **ganz** ~ **sein** to be the perfect lady *or* every inch a lady.

2. (*allgemein gesehen: Tanzpartnerin, Begleiterin*) lady; (*auf einen bestimmten Herrn bezogen*) partner; (*bei Cocktailparty, Theaterbesuch*) (lady) companion;

seine ~ ist eben mit einem anderen weggegangen the lady he came with has just left with someone else; **bringen Sie ruhig Ihre ~n mit** do by all means bring your wives and girlfriends.
3. (*Sport*) woman, lady. **Hundert-Meter-Staffel der ~n** women's *or* ladies' hundred metre relay.
4. (*Spiel*) draughts *sing*, checkers *sing* (*US*); (*Doppelstein*) king.

Damebrett *nt* draught(s)board, checkerboard (*US*).

Damen- *in cpds* ladies'; **Damenbart** *m* facial hair; **Damenbegleitung** *f* ~ erwünscht please bring a lady *or* (*bei Ball*) partner; **in ~** in the company of a lady; **Damenbekanntschaft** *f* female acquaintance (*inf*); **eine ~ machen** to make the acquaintance of a lady/young lady; **Damenbesuch** *m* lady visitor/visitors; **Damenbinde** *f* sanitary towel *or* napkin (*US*); **Damendoppel** *nt* (*Tennis*) ladies' doubles *sing*; **Dameneinzel** *nt* (*Tennis*) ladies' singles *sing*; **Damen(fahr)rad** *nt* ladies' bicycle *or* bike (*inf*); **Damengesellschaft** *f* **1.** *no pl* (*Begleitung von Dame*) company of ladies/a lady; **2.** (*gesellige Runde*) ladies' gathering; **damenhaft** *adj* ladylike *no adv*; **sich ~ benehmen/kleiden** to behave/dress in a ladylike way; **Damenkonfektion** *f* ladies' wear (department); **Damenmangel** *m* shortage of ladies; **Damenoberbekleidung** *f* ladies' wear; **Damensattel** *m* side-saddle; **im ~ reiten** to ride side-saddle; **Damenschneider(in** *f*) *m* dressmaker; **Damenschneiderei** *f* **1.** dressmaking; **2.** (*Werkstatt*) dressmaker's; **Damensitz** *m* side-saddle style of riding; **im ~** side-saddle; **Damentoilette** *f* **1.** (*WC*) ladies, ladies' toilet *or* restroom (*US*); **2.** (*Kleidung*) ladies' toilette; **Damenunterwäsche** *f* ladies' underwear, lingerie; **Damenwahl** *f* ladies' choice.

Damespiel *nt* draughts *sing*, checkers *sing* (*US*); **Damestein** *m* draughtsman, checker (*US*).

Damhirsch *m* fallow deer.

damisch (*S Ger, Aus*) **I** *adj* **1.** (*dämlich*) daft (*inf*). **2.** (*pred: schwindelig*) dizzy, giddy. **II** *adv* (*sehr*) terribly (*inf*).

damit I *adv* (*emph auch* **damit**) *siehe auch* **mit,** *vbs* +*mit* **1.** (*mit diesem Gegenstand, dieser Tätigkeit, mit Hilfe davon*) with it/that. **sie hatte zwei Koffer und stand ~ am Bahnhof** she had two cases and was standing there with them in the station; **was will er ~?** what does he want that for?, what does he want with that?; **was soll ich ~?** what am I meant to do with that?; **ist Ihre Frage ~ beantwortet?** does that answer your question?; **~ kann er mich ärgern, da kann er mich mit ärgern** (*N Ger inf*) I get really annoyed when he does that.
2. (*mit, in dieser Angelegenheit*) **meint er mich ~?** does he mean me?; **weißt du, was er ~ meint?** do you know what he means by that?; **was ist ~?** what about it?; **wie wäre es ~?** how about it?; **er**

konnte mir nicht sagen, was es ~ **auf sich hat** he couldn't tell me what it was all about; **wie sieht es ~ aus?** what's happening about it?; **muß er denn immer wieder ~ ankommen?** (*davon reden*) must he keep on about it?; (*mit Bitten, Forderungen*) must he keep coming back about it?; **das/er hat gar nichts ~ zu tun** that/he has nothing to do with it; **~ ist nichts** (*inf*) it's no go (*inf*); **hör auf ~!** (*inf*) lay off! (*inf*); **~ hat es noch Zeit** there's no hurry for that.
3. (*bei Verben*) *siehe* *vb* +*mit* **was willst du ~ sagen?** what's that supposed *or* meant to mean?; **~ will ich nicht sagen, daß ...** I don't mean to say that ...; **sind Sie ~ einverstanden?** do you agree to that?; **er hatte nicht ~ gerechnet** he hadn't reckoned on *or* with that; **~, daß du dich jetzt aufregst, machst du den Schaden auch nicht wieder gut** you're not making anything better by getting excited; **sie fangen schon ~ an** they're already starting on it; **sie fangen schon ~ an, das Haus abzureißen** they're already starting to pull down the house; **~ fing der Streit an** the argument started with that; **der Streit fing ~ an, daß er behauptete ...** the argument started when he said ...; **er fing ~ an, daß er ... sagte** he began by saying that ...
4. (*bei Befehlen*) with it. **weg/heraus ~!** away/out with it; **her ~!** give it here! (*inf*); **Schluß/genug ~!** that's enough (of that)!
5. (*begründend*) because of that. **er verlor den zweiten Satz und ~ das Spiel** he lost the second set and because of that the match; **~ ist es klar, daß er es war** from that it's clear that it was he (*form*) *or* him.
6. (*daraufhin, dann, jetzt*) with that. **~ schließe ich für heute** I'll close with that for today; **~ kommen wir zum Ende des Programms** that brings us to the end of our programmes.
II *conj* so that. **~ er nicht fällt** so that he does not fall, lest he (should) fall (*old*).

dämlich *adj* (*inf*) stupid, dumb (*inf*). **komm mir nicht so ~!** don't give me that! (*inf*), don't come that with me! (*inf*); **er ist mir vielleicht ~ gekommen** he acted really dumb (*inf*) *or* stupid; **~ fragen** to ask stupid *or* dumb (*inf*) questions.

Dämlichkeit *f* **1.** stupidity, dumbness (*inf*). **2.** (*dumme Handlung*) stupid *or* dumb (*inf*) thing.

Damm *m* -(e)s, ⁻e **1.** (*Deich*) dyke; (*Stau~*) dam; (*Hafen~*) wall; (*Ufer~*) embankment, levee (*esp US*); (*Verkehrsverbindung zu Insel*) causeway; (*fig*) barrier. **wenn wir das kleinste bißchen nachgeben, werden alle ⁻e brechen** if we give way at all, the floodgates will open wide.
2. (*Bahn~, Straßen~*) embankment.
3. (*dial: Fahr~*) road.
4. (*Anat*) perineum.
5. (*fig inf*) **wieder auf dem ~ sein** to be back to normal; **nicht recht auf dem ~**

sein not to be up to the mark (*inf*).
Dammbruch *m* breach in a/the dyke *etc*.
dämmen *vt* 1. (*geh*) (*lit*) to dam; (*fig*) to check; *Tränen, Gefühle* to (hold in) check; *Umtriebe, Gefühle, Seuche* to curb, to check. 2. (*Tech*) *Wärme* to keep in; *Schall* to absorb.
Dämmer *m* -s, *no pl* 1. (*poet*) *siehe* **Dämmerung.** 2. (*fig geh*) nebulousness.
dämm(e)rig *adj Licht* dim, faint; *Stunden* twilight *attr.* **es wird** ~ (*abends*) dusk is falling; (*morgens*) dawn is breaking.
Dämmerlicht *nt* twilight; (*abends auch*) dusk; (*Halbdunkel*) half-light, gloom.
dämmern I *vi* 1. (*Tag, Morgen*) to dawn; (*Abend*) to fall. **als der Tag** or **Morgen/ Abend dämmerte ...** as dawn was breaking/dusk was falling; **die Erkenntnis/es dämmerte ihm, daß ...** (*inf*) he began to realize that ... 2. (*im Halbschlaf sein*) to doze; (*Kranker*) to be dopey. **vor sich hin** ~ (*im Halbschlaf sein*) to doze; (*nicht bei klarem Verstand sein*) to be dopey.
II *vi impers* **es dämmert** (*morgens*) dawn is breaking; (*abends*) dusk is falling; **jetzt dämmert's (bei) mir!** (*inf*) now it's dawning (on me)!
Dämmerschein *m* (*liter*) glow; **Dämmerschlaf** *m* doze; **ich war nur im** ~ I was only dozing; **Dämmerschoppen** *m* early evening drink; **Dämmerstunde** *f* twilight, dusk.
Dämmerung *f* twilight; (*Abend*~ *auch*) dusk; (*Morgen*~ *auch*) dawn; (*Halbdunkel*) half-light. **bei** or **mit Anbruch der** ~ when dusk began/begins to fall/dawn began/begins to break; **in der** ~ at dusk/dawn.
Dämmerzustand *m* (*Halbschlaf*) dozy state; (*Bewußtseinstrübung*) dopey state.
dämmrig *adj siehe* **dämm(e)rig.**
Dammriß *m* (*Med*) tear of the perineum; **Dammschnitt** *m* (*Med*) episiotomy.
Dämmstoffe *pl* insulating materials *pl*.
Dämmung *f* insulation.
Dammweg *m* causeway.
Damnum *nt* -s, **Damna** (*Fin*) debt discount.
Damoklesschwert *nt* (*lit, fig*) sword of Damocles.
Dämon *m* -s, **Dämonen** demon. **ein böser** ~ an evil spirit, a demon.
Dämonie *f* demonic nature.
dämonisch *adj* demonic.
dämonisieren* *vt* to demonize.
Dampf *m* -(e)s, -e 1. vapour; (*Wasser*~) steam. ~ **ablassen** or **abblasen** (*lit, fig*) to let off steam; **unter** ~ **sein** or **stehen** to have (its) steam up; **aus dem Schornstein quoll der** ~ **in weißen Wolken** clouds of white smoke poured from the chimney.
2. (*inf: Schwung*) force. **jdm** ~ **machen** (*inf*) to make sb get a move on (*inf*); **mit** ~ (*inf*) at full tilt; **vorm Chef hat sie unheimlich** ~ the boss really puts the wind up her (*inf*); ~ **drauf haben** (*dated inf*) to be going at full steam.
Dampf *in cpds* steam; **Dampfantrieb** *m* steam drive; **Maschine mit** ~ steam-driven engine; **Dampfbad** *nt* steam

bath; **Dampfboot** *nt* steamboat; **Dampfbügeleisen** *nt* steam iron; **Dampfdruck** *m* steam pressure.
dampfen *vi* 1. (*Dampf abgeben*) to steam; (*Badezimmer*) to be full of steam; (*Pferd*) to be in a lather. **ein** ~**des Bad/ Essen** a steaming hot bath/meal.
2. *aux sein* (*Zug, Schiff*) to steam.
dämpfen *vt* 1. (*abschwächen*) to muffle; *Geräusch, Schall auch* to deaden, to dampen; *Geige, Trompete, Farbe* to mute; *Licht, Stimme* to lower; *Wut* to calm; *Freude, Stimmung* to dampen; *Aufprall* to deaden; (*fig*) *jdn* to subdue; *Konjunktur* to depress.
2. (*Cook*) to steam.
3. (*bügeln*) to press with a damp cloth/steam iron.
Dampfer *m* -s, - steamer, steamship. **auf dem falschen** ~ **sein** or **sitzen** (*fig inf*) to have got the wrong idea.
Dämpfer *m* -s, - (*Mus: bei Klavier*) damper; (*bei Geige, Trompete*) mute. **dadurch hat er/sein Optimismus einen** ~ **bekommen** that dampened his spirits/ optimism; **jdm einen** ~ **aufsetzen** to dampen sb's spirits; **einer Sache** (*dat*) **einen** ~ **aufsetzen** (*inf*) to put a damper on sth (*inf*).
Dampferanlegestelle *f* steamer jetty; **Dampferfahrt** *f* boat trip; **Dampferlinie** *f* steamship line.
dampfförmig *adj* vaporous; **Dampfheizung** *f* steam heating.
dampfig *adj* steamy.
Dampfkessel *m* (*Tech*) steam-boiler; (*Cook*) steamer; **Dampfkocher, Dampf(koch)topf** *m* pressure cooker; **Dampfkraft** *f* steam power; **Dampfkraftwerk** *nt* steam power station; **Dampflokomotive, Dampflok** (*inf*) *f* steam engine or locomotive; **Dampfmaschine** *f* steam(-driven) engine; **Dampfnudel** *f* (*Cook*) sweet yeast dumpling cooked in milk and sugar; **aufgehen wie eine** ~ (*fig inf*) to blow up like a balloon (*inf*); **Dampfpfeife** *f* steam whistle; (*von Schiff*) siren; **Dampfschiff** *nt* steamship, steamer; **Dampfschiffahrt** *f* steam navigation; **Dampfschiffahrtgesellschaft** *f* steamship company; **Dampfturbine** *f* steam turbine.
Dämpfung *f* (*Mus*) damping; (*Phys, Rad, TV*) attenuation.
Dampfwalze *f* steamroller.
Damwild *nt* fallow deer.
danach *adv* (*emph auch* **danach**) 1. (*zeitlich*) after that/it; (*nachher auch*) afterwards, after (*inf*). **ich habe einen Whisky getrunken,** ~ **fühlte ich mich schon besser** I had a whisky and felt better after that or afterwards or after (*inf*); **ich las das Buch zu Ende, erst** ~ **konnte ich einschlafen** only when I had finished reading the book could I get to sleep; **zehn Minuten** ~ **war sie schon wieder da** ten minutes later she was back.
2. (*in der Reihenfolge*) (*örtlich*) behind (that/it/him/them *etc*); (*zeitlich*) after that/it/him/them *etc*. **als erster ging**

der Engländer durchs Ziel und gleich ~ der Russe the Englishman finished first, immediately followed by the Russian *or* and the Russian immediately after him.

3. (*dementsprechend*) accordingly; (*laut diesem*) according to that; (*im Einklang damit*) in accordance with that; **wir haben hier einen Bericht; ~ war die Stimmung damals ganz anders** we have a report here, according to which the atmosphere at the time was quite different; **~ sein** (*Wetter, Bedingungen, Stimmung*) to be right; **er hat den Aufsatz in zehn Minuten geschrieben — ~ ist er auch** (*inf*) he wrote the essay in ten minutes — it looks like it too; **sie sieht auch/nicht ~ aus** she looks/doesn't look (like) it; (*als ob sie so was getan hätte*) she looks/doesn't look the type; **~ siehst du gerade aus** (*iro*) I can just see that (*iro*); **~ zu urteilen** judging by *or* from that; **mir war nicht ~** (*inf*) *or* **~ zumute** I didn't feel like it; **mir steht der Sinn nicht ~** (*geh*) I don't feel inclined to.

4. (*in bestimmte Richtung*) towards it. **er griff schnell ~** he grabbed at it, he made a grab for it; **hinter ihm war etwas, aber er hat sich nicht ~ umgesehen** there was something behind him, but he didn't look round to see what it was.

5. *in Verbindung mit n, vb etc siehe auch dort* **sie sehnte sich ~** she longed for that/ it; **sie sehnte sich ~, ihren Sohn wiederzusehen** she longed to see her son again; **er hatte großes Verlangen ~** he felt a great desire for it; **er hatte großes Verlangen ~, wieder einmal die Heimat zu sehen** he felt a great desire to see his home again; **~ kann man nicht gehen** you can't go by that; **wenn es ~ ginge, was ich sage/was mir Spaß macht, dann …** if it were a matter of what I say/enjoy then …

Danaergeschenk ['da:naɐ-] *nt* (*fig*) two-edged gift.

Dandy ['dɛndi] *m* **-s, -s** dandy.

Däne *m* **-n, -n** Dane, Danish man/boy.

daneben *adv* (*emph auch* **daneben**) **1.** (*räumlich*) (*in unmittelbarer Nähe von jdm/etw*) next to him/her/that/it *etc*; (*seitlich von jdm/etw auch, zum Vergleich*) beside him/her/that/it *etc*. **links/rechts ~** (*neben Sache*) to the left/ right of it; (*neben Mensch*) to his/her *etc* left/right; **ich stand direkt ~, als die Bombe losging** the bomb went off right next to me; **wir wohnen im Haus ~** we live in the house next door.

2. (*verglichen damit*) compared with that/it/him/them *etc*, in comparison.

3. (*außerdem*) besides that, as well as that, in addition (to that); (*gleichzeitig*) at the same time.

danebenbenehmen* *vr sep irreg* (*inf*) to make an exhibition of oneself; **danebengehen** *vi sep irreg aux sein* **1.** (*verfehlen: Schuß*) to miss; **2.** (*inf: scheitern*) to go wrong; (*Witz*) to fall flat; **danebengeraten*** *vi sep irreg aux sein* to go wrong; (*Übersetzung*) not to hit the mark; **danebengreifen** *vi sep irreg* **1.** (*verfehlen*) (*auf dem Klavier*) to play a wrong note/some wrong notes; (*beim*

Fangen) to miss (the mark), to be wide of the mark; **2.** (*fig inf*) (*mit Schätzung, Prognose*) to be wide of the mark *or* way out (*inf*); **im Ton ~** to strike the wrong note; **mit seiner Bemerkung hat er aber ganz schön danebengegriffen** he really put his foot in it with that remark (*inf*); **danebenhauen** *vi sep irreg* **1.** (*beim Schlagen*) to miss; (*beim Klavierspielen*) to play a wrong note/some wrong notes; **2.** (*inf: sich irren*) to miss the mark, to be wide of the mark; (*beim Berechnen, Raten, Schätzen auch*) to be way out (*inf*); **danebenliegen** *vi sep irreg* (*inf: sich irren*) to be quite wrong *or* way out (*inf*); **danebenraten** *vi sep irreg* (*inf*) to guess wrong; **danebenschießen** *vi sep irreg* **1.** (*verfehlen*) to miss; **2.** (*absichtlich vorbeischießen*) to shoot to miss; **danebensein** *vi sep irreg aux sein* (*Zusammenschreibung nur bei infin und ptp*) (*inf*) (*verwirrt sein*) to be completely confused; (*sich nicht wohl fühlen*) not to feel up to it (*inf*); **danebentippen** *vi sep* (*inf*) to guess wrong; **danebentreffen** *vi sep irreg siehe* **danebenschießen 1.**; **danebenzielen** *vi sep* to aim to miss.

Dänemark *nt* **-s** Denmark.

daniederliegen *vi sep irreg* **1.** (*old liter: krank sein*) to be laid low, to be ill. **2.** (*fig geh: schwach sein*) to be depressed.

Dänin *f* Dane, Danish woman/girl.

dänisch *adj* Danish.

Dänisch(e) *nt decl as adj* Danish; *siehe auch* **Deutsch(e)**.

Dank *m* **-(e)s**, *no pl* (*ausgedrückt*) thanks *pl*; (*Gefühl der Dankbarkeit*) gratitude. **besten** *or* **herzlichen** *or* **schönen** *or* **vielen ~** many thanks, thank you very much, thanks a lot (*inf*); **vielen herzlichen/ tausend ~!** many/very many thanks!, thanks a million! (*inf*); **haben Sie/hab ~!** (*geh*) thank you!; (*für Hilfe auch*) I'm much obliged to you; **jdm für etw ~ sagen** (*liter*) to express one's *or* give (*esp Eccl*) thanks to sb for sth; **~ sagen** (*Aus*) to express one's thanks; (*Eccl*) to give thanks; **jdm ~ schulden** (*form*), **jdm zu ~ verpflichtet sein** (*form*) to owe sb a debt of gratitude; **etw mit ~ annehmen** to accept sth with thanks; **mit bestem ~ zurück!** many thanks for lending it/them to me; (*iro: Retourkutsche*) thank you — the same to you!; **das war ein schlechter ~ that was poor thanks; das ist der (ganze) ~ dafür** that's all the thanks one gets; **als ~ für seine Dienste** in grateful recognition of his service; **zum ~ (dafür)** as a way of saying thank you; **der ~ des Vaterlandes ist dir gewiß** (*iro*) you'll get a medal for that.

dank *prep* +*gen or dat* thanks to.

Dank|adresse *f* official letter of thanks.

dankbar *adj* **1.** (*dankerfüllt*) grateful; (*erleichtert, froh*) thankful; *Publikum, Zuhörer* appreciative. **jdm ~ sein** to be grateful to sb (*für* for); (*für Rat, Hilfe auch*) to be indebted to sb (*für* for); **sich ~ erweisen** *or* **zeigen** to show one's gratitude (*gegenüber* to); **ich wäre dir ~, wenn du …** I would be grateful *or* I

would appreciate it if you ...
2. (*lohnend*) *Arbeit, Aufgabe, Rolle* rewarding; *Stoff* easy-care *attr*; (*haltbar*) hard-wearing. **eine ~e Pflanze** a plant which doesn't need much attention.

Dankbarkeit *f* gratitude (*gegen, gegenüber* to); (*Gefühl der Erleichterung*) thankfulness.

danke *interj* **1.** thank you, thanks (*inf*), ta (*Brit sl*); (*ablehnend*) no thank you. **~ ja, ja, ~** yes please, yes, thank you; **~ nein, nein, ~** no thank you; **~ schön** *or* **sehr** thank you *or* thanks (*inf*) very much; (**zu jdm**) **~** (**schön**) **sagen** to say thank you (to sb); **~ vielmals** many thanks; (*iro*) thanks a million (*inf*); **~ der Nachfrage** (*form*) thank you for your concern; **wie geht's?** — **~, ich kann nicht klagen** how's it going? — (I) can't complain; **soll ich helfen?** — **~, ich glaube, ich komme allein zurecht** can I help? — thanks (all the same), but I think I can manage.
2. (*inf*) **mir geht's ~** I'm OK (*inf*); **sonst geht's dir** (**wohl**) **~!** (*iro*) are you feeling all right?

danken I *vi* **1.** (*Dankbarkeit zeigen*) to express one's thanks. **jdm ~** to thank sb (*für* for); **mit überschwenglichen Worten/einem Strauß Blumen ~** to be effusive in one's thanks/to express one's thanks with a bunch of flowers; **ich danke dir für das Geschenk/die Gastfreundschaft** thank you for your *or* the present/your hospitality; (**ich**) **danke!** yes please; (*ablehnend*) no thank you, no thanks (*inf*); (**ich**) **danke bestens** (*iro*) thanks a million (*inf*), thanks for nothing (*inf*); **man dankt** (*inf*) thanks (*inf*), ta (*Brit inf*); **jdm ~ lassen** to send sb one's thanks; **bestellen Sie bitte Ihrem Vater, ich lasse herzlich ~** please give your father my thanks; **nichts zu ~** don't mention it, not at all, you're welcome; **dafür** *or* **für so was danke ich** (*iro*) not on your life!, not a chance! (*inf*); **na, ich danke** (*iro*) no thank you; **~d erhalten/ annehmen/ablehnen** to receive/accept/ decline with thanks.
2. (*ablehnen*) to decline.
3. (*Gruß erwidern*) to return a/the greeting.

II *vt* **1.** (*geh: verdanken*) **jdm/einer Sache etw ~** to owe sth to sb/sth; **ihm danke ich es, daß ...** I owe it to him that ...; **nur dem rechtzeitigen Erscheinen der Feuerwehr ist es zu ~, daß ...** it was only thanks to the prompt turn-out of the fire brigade that ...
2. **jdm etw ~** (*jdm dankbar sein für*) to thank sb for sth; (*jdm etw lohnen*) to repay sb for sth; **man wird es dir nicht ~/nicht zu ~ wissen** you won't be thanked for it/it won't be appreciated; **sie werden es mir später einmal ~, daß ich das getan habe** they'll thank me for doing that one day; **man hat es mir schlecht gedankt, daß ich das getan habe** I got small thanks *or* I didn't get a lot of thanks for doing it; **wie kann ich Ihnen das jemals ~?** how can I ever thank you?

dankenswert *adj Bemühung, Hingabe* commendable; *Hilfe* kind; (*lohnenswert*) *Aufgabe, Arbeit* rewarding. **in ~er Weise** (*löblich*) (most) commendably; (*freundlicherweise*) very kindly.

dankenswerterweise *adv* generously.

dank|erfüllt *adj* (*liter*) grateful.

Dankeschön *nt* -s, *no pl* thank-you.

Dankesworte *pl* words *pl* of thanks; (*von Redner*) vote *sing* of thanks.

Dankgebet *nt* prayer of thanksgiving; **Dankgottesdienst** *m* service of thanksgiving; **Dankopfer** *nt* thanksoffering; **danksagen** *pret* **danksagte**, *ptp* **danksgesagt**, *infin auch* **dankzusagen** *vi* (*geh*) to express one's thanks (*jdm* to sb); (*Eccl*) to give thanks (*jdm* to sb); **Danksagung** *f* **1.** (*Eccl*) thanksgiving; **2.** (*Brief*) note of thanks; **Dankschreiben** *nt* letter of thanks.

dann *adv* **1.** (*Reihenfolge ausdrückend, später*) then. **~ und ~** round about then; **~ und wann** now and then; **gerade ~, wenn ...** just when ...; **wenn das gemacht ist, ~ kannst du gehen** when that's done you can go; **noch eine Woche, ~ ist Weihnachten** another week till Christmas, another week and (then) it's Christmas; *siehe* **bis²**.
2. (*unter diesen Umständen*) then. **wenn ..., ~ ~** if ..., (then); **wenn du was brauchst, ~ sag's mir** just tell me if you need anything; **ja, selbst ~** yes, even then; **nein, selbst ~ nicht** no, not even then; **selbst ~/selbst ~ nicht, wenn ...** even/not even if ...; **erst ~, wenn ...** only when ...; **ja, ~!** (oh) well then!; **ich habe keine Lust mehr** — **~ hör doch auf!** I'm not in the mood any more — well stop then!; **wenn er seine Gedichte selbst nicht versteht, wer ~?** if he can't understand his own poems, who else could (understand them)?; **wenn man nicht einmal in Schottland echten Whisky bekommt, wo ~?** if you can't get real whisky in Scotland, where *can* you expect to find it?; **~ eben nicht** well, in that case (there's no more to be said); **~ erst recht nicht!** in that case no way (*sl*) *or* not a chance (*inf*)!; **~ ist ja alles in Ordnung** (oh well,) everything's all right then, in that case everything 's all right; **~ will ich lieber gehen** well, I'd better be getting along (then); **ja ~, auf Wiedersehen** well then, good-bye; **also ~ bis morgen** right then, see you tomorrow, see you tomorrow then.
3. (*außerdem*) **~ ... noch** on top of that; **strohdumm und ~ auch noch frech** as thick as they come and cheeky into the bargain.

dannen *adv*: **von ~** (*obs: von woher*) thence (*old*), from thence (*Eccl*); (*liter: weg*) away.

daran *adv* (*auch* **dran**) **1.** (*räumlich: an dieser Stelle, diesem Ort, Gegenstand*) on it/that; *schieben, lehnen, stellen* against it/that; *legen* next to it/that; *kleben, befestigen, machen, gehen* to it/that; *sich setzen* at it/that. **nahe** *or* **dicht ~** right up against *or* up close against it; **nahe ~ sein** (*fig*) to be on the point of it, to be just about to; **nahe ~ sein, etw zu tun** to be on the point of doing sth *or* just about to do sth; **zu nahe ~** too close (to it); **~ vorbei** past it; **er hat dicht ~ vorbeigeschossen** his shot just missed it; **~ kommen** *or* **fassen/riechen/schlagen** to touch/smell/hit it/that; **er hielt seine Hand ~** he touched it with his hand; **die Kinder sind wieder ~ gewesen** (*inf*) the children have been at it again.

2. (*zeitlich: danach anschließend*) **im Anschluß ~, ~ anschließend** following that/this; **im Anschluß ~ findet eine Diskussion statt** it/this/that will be followed by a discussion; **erst fand ein Vortrag statt, ~ schloß sich eine Diskussion** first there was a lecture which was followed by a discussion *or* and after that a discussion.

3. (*inf*) **er ist schlecht/gut ~** (*gesundheitlich, finanziell*) he's in a bad way (*inf*)/he's OK (*inf*); **ich weiß nie, wie ich (bei ihm) ~ bin** I never know where I am with him; **sie sind sehr arm ~** (*haben wenig Geld*) they're not at all well-off; (*sind bedauernswert*) they are poor creatures.

4. *in Verbindung mit n, adj, vb siehe auch dort;* arbeiten *on* it/that; *sterben, erinnern, Bedarf, Mangel of* it/that; *interessieren, sich beteiligen, arm, reich in* it/that; *sich klammern to* it/that. **~ sticken/bauen** to embroider/build it/that; **was macht der Aufsatz? — ich bin zur Zeit ~** how's the essay doing? — I'm (working) on it now; **~ wird er zugrunde gehen** that will be the ruin of him; **wir haben großen Anteil ~ genommen** we sympathized deeply; **wird sich etwas ~ ändern?** will that change at all?; **wir können nichts ~ machen** we can't do anything about it; **~ sieht man, wie ...** there you (can) see how ...; **Sie würden gut ~ tun,** dieses Angebot anzunehmen you would do well *or* would be well-advised to accept this offer; **das Beste/ Schönste/Schlimmste ~** the best/nicest/ worst thing about it; **es ist kein wahres Wort ~** there isn't a word of truth in it, not a word of it is true; **an den Gerüchten ist nichts ~** there's nothing in those rumours; **es ist nichts ~** (*ist nicht fundiert*) there's nothing in it; (*ist nichts Besonderes*) it's nothing special; *siehe auch* **dran.**

darangeben *vt sep irreg* (*geh*) to sacrifice; **darangehen** *vi sep irreg aux sein* to set about it; **~, etw zu tun** to set about doing sth; **daranmachen** *vr sep* (*inf*) to set about it; (*endlich in Angriff nehmen*) to get down to it; **sich ~, etw zu tun** to set about doing sth/to get down to doing sth; **daransetzen** *sep* I *vt* (*einsetzen*) to exert; (*aufs Spiel setzen*) to stake, to risk; **seine ganzen Kräfte ~, etw zu tun** to spare no effort to do sth; II *vr* to sit down to it.

darauf *adv* (*emph* **dạrauf**) **1.** (*räumlich*) on it/that/them *etc*; (*in Richtung*) towards it/that/them *etc*; **schießen, zielen, losfahren** at it/that/them *etc*; (*fig*) *fußen, basieren, aufbauen* on it/that; *zurück-*

führen, beziehen to it/that. **er hielt den Nagel fest und schlug mit dem Hammer ~** he held the nail in place and hit it with the hammer; **seine Behauptungen stützen sich ~, daß der Mensch von Natur aus gut ist** his claims are based on the supposition that man is naturally good.

2. (*Reihenfolge: zeitlich, örtlich*) after that. **die Tage, die ~ folgten** the days which followed; **~ folgte ... that** was followed by ..., after that came ...; **zuerst kam der Wagen des Premiers, ~ folgten Polizisten** the prime minister's car came first, followed by policemen; **am Tag/Abend/Jahr ~** the next day/ evening/year, the day/evening/year after (that).

3. (*infolgedessen*) because of that. **er hat gestohlen und wurde ~ von der Schule verwiesen** he was caught stealing and because of that was expelled.

4. (*als Reaktion*) *sagen, reagieren* to that. **~ antworten** to answer that; **eine Antwort ~** an answer to that; **er hat ein Gedicht ~ geschrieben** that prompted him to write a poem; **~ haben sich viele Interessenten gemeldet** a lot of people have shown an interest in it/that; **~ steht die Todesstrafe/stehen mindestens fünf Jahre Gefängnis** that carries the death penalty/a minimum sentence of five years' imprisonment.

5. *in Verbindung mit n, adj, vb siehe auch dort;* bestehen, verlassen, wetten, Zeit/Mühe *verschwenden, Einfluß on* that/it; *hoffen, warten, sich vorbereiten, gefaßt sein, reinfallen for* that/it; *stolz* to that/it; *stolz sein of* that/it. **ich bin stolz ~, daß sie gewonnen hat** I'm proud that she won *or* of her winning; **ich bestehe ~, daß du kommst** I insist that you come *or* on your coming; **wir müssen ~ Rücksicht nehmen/Rücksicht ~ nehmen, daß ...** we must take that into consideration/take into consideration that ...; **gib mir die Hand ~** shake on it; **~ freuen wir uns schon** we're looking forward to it already; **~ kommen** (*auffinden*) to come (up)on that/it; (*sich erinnern*) to think of that/it; **wir kamen auch ~ zu sprechen** we talked about that too; **~ willst du hinaus!** that's what you're getting at!; **er war nur ~ aus, möglichst viel Geld zu verdienen** he was only interested in earning as much money as possible.

darauffolgend *adj attr* after him/it/that *etc*; *Tag* following; *Wagen* behind *pred*.

daraufhin *adv* (*emph* **dạraufhin**) **1.** (*aus diesem Anlaß, deshalb*) as a result (of that/this); (*danach*) after that, thereupon. **2.** (*im Hinblick darauf*) with regard to that/this. **wir müssen es ~ prüfen, ob es für unsere Zwecke geeignet ist** we must test it with a view to whether it is suitable for our purposes.

daraus *adv* (*emph* **dạraus**) **1.** (*räumlich*) out of that/it/them.

2. (*aus diesem Material*) from *or* out of that/it/them. **~ kann man Wein herstellen** you can make wine from that.

3. (*aus dieser Sache, Angelegenheit*)

from that/it/them; *in Verbindung mit n, vb siehe auch dort.* ~ **ergibt sich/folgt, daß ...** it follows from that that ...; ~ **sieht man ...** from this it can be seen ...

darben *vi (geh) (entbehren)* to live in want; *(hungern)* to starve.

darbieten *sep irreg* **I** *vt (geh)* **1.** *(vorführen) Tänze, Schauspiel* to perform; *(vortragen) Lehrstoff* to present. **2.** *(anbieten)* to offer; *Speisen* to serve; *(reichen) Hand, Geschenk etc auch* to proffer.

II *vr* to present itself; *(Gelegenheit, Möglichkeit auch)* to arise. **dort bot sich (ihnen) ein schauerlicher Anblick dar** a horrible sight met their eyes, they were faced with a horrible sight.

Darbietung *f (das Darbieten)* performance; *(das Dargebotene)* act.

darbringen *vt sep irreg (geh) Opfer* to offer.

Dardanellen *pl* **die** ~ the Dardanelles *pl.*

darein *adv (emph auch* **darein**). **1.** *(räumlich: hinein)* in there; *(wenn Bezugsobjekt vorher erwähnt)* in it/them. **hierein? — nein,** ~! in there? — no, in there. **2.** *(old: in diese Lage)* einwilligen, sich ergeben to that. **wir müssen uns** ~ **fügen** we must accept that *or* bow to that.

darein- *pref siehe auch* **drein-**; *traurig* **dareinblicken** to look sad; **dareinfinden** *vr sep irreg (geh)* to come to terms with it, to learn to accept it; **sich** ~, **etw zu tun** to come to terms with *or* learn to accept doing sth; **dareinreden** *vi sep (in Angelegenheiten)* to interfere *(jdm* in sb's affairs); **dareinsetzen** *vt sep (fig geh) Energie* to put into it, to devote to it; **seine ganze Energie** ~, **etw zu tun** to put all one's energy into *or* devote all one's energy to doing sth; **er setzte seinen ganzen Stolz darein** it was a matter of pride with him.

darin *adv (emph auch* **darin**). **1.** *(räumlich)* in there; *(wenn Bezugsobjekt vorher erwähnt)* in it/them; *(fig)* in that/ it. ~ **liegt ein Widerspruch** there is a contradiction in that. **2.** *(in dieser Beziehung)* in that respect. ~ **ist er ganz groß** *(inf)* he's very good at that; ~ **unterscheiden sich die beiden** the two of them differ in that *(respect)*; **die beiden unterscheiden sich** ~, **daß ...** the two of them differ in that ...; ~ **liegt der Unterschied** that is the difference, that is where the difference is; **der Unterschied liegt** ~, **daß ...** the difference is that ...; **wir stimmen** ~ **überein, daß ...** we agree that ...; *in Verbindung mit vb siehe auch dort.* **3.** *(old: worin)* in which.

darinnen *adv (old)* therein *(old).*

darlegen *vt sep* to explain *(jdm* to sb); *Theorie, Plan, Ansichten auch* to expound *(jdm* to sb).

Darlegung *f* explanation.

Darleh(e)n *nt* **-s, -** loan. **als** ~ as a loan.

Darleh(e)nsgeber(in *f)* *m* lender; **Darleh(e)nskasse** *f* credit bank; **Darleh(e)nskonto** *nt* loan account; **Darleh(e)nsnehmer(in** *f)* *m* borrower; **Darleh(e)nsschuld** *f* loan; **Darle-**

h(e)nssumme *f* **die** ~ the amount of the/a loan; **eine** ~ a loan.

Darm *m* **-(e)s, ¨e** intestine(s *pl*), bowel(s *pl*), gut(s *pl*); *(für Wurst)* (sausage) skin *or* case; *(Material: für Saiten, Schläger)* gut. **Wurst in echtem/künstlichem** ~ sausage in real/synthetic skin.

Darm- *in cpds* intestinal; **Darmausgang** *m* anus; **Darmbewegung** *f* peristalsis *no art, no pl,* peristaltic movement; **Darmentleerung** *f* evacuation of the bowels; **Darmgrippe** *f* gastric influenza *or* 'flu; **Darmkatarrh** *m* enteritis; **Darmkrebs** *m* cancer of the intestine; **Darmleiden** *nt* intestinal trouble *no art*; **Darmsaite** *f* gut string; **Darmspülung** *f* enema; **Darmtätigkeit** *f* peristalsis *no art*; **die** ~ **fördern/regulieren** to stimulate/regulate the movement of the bowels; **Darmträgheit** *f* under-activity of the intestines; **Darmverschlingung** *f* volvulus *(form)*, twisting of the intestine; **Darmverschluß** *m* obstruction of the bowels *or* intestines.

darob *adv (old)* **er war** ~ **sehr erstaunt** he was very surprised by that; **er wurde** ~ **sehr bewundert** he was much admired for that *or* on that account.

Darre *f* **-, -n** drying kiln *or* oven; *(Hopfen~, Malz~)* oast.

darreichen *vt sep (liter) (anbieten)* to offer *(jdm etw* sb sth, sth to sb); *(reichen auch)* to proffer *(jdm etw* sth to sb).

darren *vt* to (kiln-)dry; *Malz, Hopfen* to (oast-)dry.

darstellbar *adj (in Literaturwerk)* portrayable; *(in Bild auch)* depictable; *(durch Diagramm)* representable; *(beschreibbar)* describable. **schwer/leicht** ~ hard/easy to portray/depict/show/ describe; **dieses Phänomen ist graphisch** ~ this phenomenon can be shown on a graph.

darstellen *sep* **I** *vt* **1.** to show; *(ein Bild entwerfen von)* to portray, to depict; *(Theat)* to portray; *Rolle* to play; *(beschreiben)* to describe. **etw in einem möglichst günstigen Licht** ~ to show sth in the best possible light; **etw kurz** *or* **knapp** ~ to give a short description of sth; **was sollen diese verworrenen Striche** ~? what are these confused lines supposed to show *or* (*in Zeichnung*) be?; **die** ~**den Künste** *(Theater)* the dramatic *or* performing arts; *(Malerei, Plastik)* the visual arts; **er stellt etwas/ nichts dar** *(fig)* he has a certain air/ doesn't have much of an air about him. **2.** *(Math) Funktion* to plot; *(Chem)* to produce. ~**de Geometrie** projective geometry. **3.** *(bedeuten)* to constitute, to represent.

II *vr (Eindruck vermitteln)* to appear *(jdm* to sb); *(sich erweisen)* to show oneself.

Darsteller *m* **-s, -** *(Theat)* actor. **der** ~ **des Hamlet** the actor playing Hamlet; **ein** ~ **tragischer Rollen** an actor in tragic roles.

Darstellerin *f (Theat)* actress; *siehe auch* **Darsteller.**

darstellerisch *adj* dramatic. **eine** ~**e**

Höchstleistung a magnificent piece of acting.

Darstellung f 1. portrayal; (in Buch, Bild auch) depiction; (durch Diagramm) representation; (Beschreibung) description; (Bericht) account. **an den Wänden fand man ~en der Heldentaten des Königs** on the walls one could see the King's heroic deeds depicted; **eine falsche ~ der Fakten** a misrepresentation of the facts; **er gab eine großartige ~ des Hamlet** his performance as Hamlet was superb. **2.** (Math) graphische ~ graph. **3.** (Chem) preparation.

Darstellungsform f form of expression; (Theat) dramatic art form; **Darstellungskunst** f skills pl of portrayal; (von Schauspieler) acting technique; **Darstellungsmittel** nt technique (of representation).

dartun vt sep irreg (geh) to set forth; Überlegenheit to demonstrate.

darüber adv (emph **darüber**) **1.** (räumlich) over that/it/them; (quer ~) across or over there; (wenn Bezugsobjekt vorher erwähnt) across or over it/them; (höher als etw) above (there/it/them); (direkt auf etw) on top of (it/them). geh ~, **nicht hierüber!** go across or over there, not here!; **die Aufgabe war sehr schwer, ich habe lange ~ gesessen** the exercise was very difficult, I sat over it for a long time; **~ hinweg sein** (fig) to have got over it; **jetzt ist er ~ hinaus** (fig) he is past that now. **2.** (deswegen, in dieser Beziehung) about that/it. **~ sich beschweren/beklagen** to complain/moan about it; **sich ~ beschweren/beklagen, daß ...** to complain/moan that ...; **wir wollen nicht ~ streiten, ob ...** we don't want to argue or disagree about whether ... **3.** (davon) about that/it. Rechenschaft **~ ablegen** to account for it; **sie führt eine Liste ~** she keeps a list of it; in Verbindung mit n, vb siehe auch dort. **4.** (währenddessen) in the meantime. **Wochen gingen ~ hin** meanwhile or in the meantime weeks went past. **5.** (mehr, höher) above or over that. **21 Jahre/4 DM und ~** 21 years/4 DM and above or over; **kein Pfennig ~** not a penny over (that) or more; **~ hinaus** over and above that; **es geht nichts ~** there is nothing to beat it.

darüberfahren vi sep irreg aux sein (fig) to run over it; **wenn du mit der Hand darüberfährst, ...** if you run your hand over it ...; **darüberliegen** vi sep irreg (fig) to be higher; **darübermachen** vr sep (inf) to get to work on it (inf), to set about it (inf); **darüberstehen** vi sep irreg (fig) to be above such things.

darum adv (emph **darum**) **1.** (räumlich) round that/it/him/her/them. **~ herum** round about (it/him/her/them); **~, wo ...** round where ... **2.** (um diese Angelegenheit) in Verbindung mit n, vb siehe auch dort. **es geht ~, daß ...** the thing is that ...; **~ geht es gar nicht** that isn't the point; **~**

geht es that is what it is about, that's it; **~ geht es mir/geht es mir nicht** that's my point/that's not the point for me; **es geht mir ~, Ihnen das klarzumachen** I'm trying to make it clear to you; **wir kommen leider nicht ~ herum, die Preise heraufzusetzen** unfortunately we cannot avoid raising prices; **wir wollen nicht lange ~ herumreden** we don't want to spend a long time talking around the subject; **ich gäbe viel ~, die Wahrheit zu erfahren** I would give a lot to learn the truth; **ich habe ihn schon ein paarmal ~ gebeten, aber ...** I've asked him a few times (for it/to do it), but ...; **könntest du ihn ~ bitten, zu mir zu kommen?** could you ask him to to come to me?; **sie haben sich ~ gestritten** they argued over it; **sie haben sich ~ gestritten, wer ...** they argued over who ... **3.** (liter: darüber, davon) about that/it. **nur wenige wissen ~, wie ...** (geh) few people know how ... **4.** (deshalb) that's why, because of that. **~, daß** or **weil ...** because of that; **eben ~** that is exactly why; **ach ~!** so that's why!; **~?** because of that?; **warum willst du nicht mitkommen? — ~!** (inf) why don't you want to come? — (just) 'cos! (inf); siehe auch **drum.**

darumstehen vi sep irreg aux haben or sein to stand around.

darunter adv (emph auch **darunter**) **1.** (räumlich) under that/it/them, underneath or beneath (that/it/them); (niedriger als etw auch) below (that/it/them). **~ hervorkommen** to appear from underneath. **2.** (weniger) under that. **Leute im Alter von 35 Jahren und ~** people aged 35 and under; **der Preis beträgt 50 DM, ~ kann ich die Ware nicht abgeden** the price is 50 marks, I can't sell for less; **kein Pfennig ~** not a penny under that or less; **~ macht sie's nicht** (inf) she won't do it for less. **3.** (dabei) among them. **~ waren viele Ausländer** there were a lot of foreigners among them. **4.** (unter dieser Angelegenheit) in Verbindung mit n, vb siehe auch dort. **was verstehen Sie ~?** what do you understand by that/it?; **~ kann ich mir nichts vorstellen** that doesn't mean anything to me; siehe auch **drunter.**

darunterfallen vi sep irreg aux sein (fig) (dazugerechnet werden) to be included; (davon betroffen werden) to come or fall under it/them; **daruntergehen** vi sep irreg aux sein (darunterpassen) to fit underneath; **darunterliegen** vi sep irreg aux haben or sein (lit) to lie underneath; **daruntermischen** sep I vt Mehl etc to mix in; II vr (Mensch) to mingle with them; **daruntersetzen** vt sep Unterschrift to put to it.

das art etc siehe der².

Dasein nt -s, no pl (Leben, Existenz, Philos) existence; (Anwesendsein) presence. **der Kampf ums ~** the struggle for existence; **etw ins ~ rufen** (liter) to bring sth into existence, to call sth into being.

dasein vi sep irreg aux sein (Zusammenschreibung nur bei infin und ptp) (lit, fig inf) to be there. **noch** ~ to be still there; (übrig sein auch) to be left; **wieder** ~ to be back; **ich bin gleich wieder da** I'll be right or straight back; **sind Sie schon lange da?** have you been here/ there long?; **ist Post/sind Besucher für mich da?** is there any mail/are there visitors for me?; **war der Briefträger schon da?** has the postman been yet?; **für jdn** ~ to be there or available for sb; **ein Arzt, der immer für seine Patienten da ist** a doctor who always has time for his patients; **voll** ~ (inf) to be all there (inf); **so etwas ist noch nie dagewesen** it's quite unprecedented; **es ist alles schon mal dagewesen** it's all been done before; **das übertrifft alles bisher Dagewesene** that beats everything; **ein nie dagewesener Erfolg** an unprecedented success.

Daseinsbedingungen pl living conditions pl; **Daseinsberechtigung** f siehe **Existenzberechtigung**; **Daseinsform** f form of life or existence; **Daseinsfreude** f zest for life, joie de vivre; **Daseinskampf** m struggle for survival; **Daseinsweise** f mode of being.

daselbst adv (old) in said place; (bei Quellenangaben) ibidem, ibid abbr. **geboren 1714 zu Florenz, gestorben 1768** ~ born in Florence 1714, died there 1768.

dasitzen vi sep irreg aux haben or sein to sit there. **ohne Hilfe/einen Pfennig** ~ (inf) to be left without any help/without a penny.

dasjenige dem pron siehe **derjenige**.

daß conj 1. (mit Subjektsatz) that. ~ **wir alle sterben müssen, ist sicher** it is certain (that) we all must die.

2. (mit Objektsatz) (that). **ich bin überzeugt,** ~ **du das Richtige getan hast** I'm sure (that) you have done the right thing; **ich verstehe nicht,** ~ **man ihn als Bewerber abgelehnt hat** I don't understand why he was turned down; **ich sehe nicht ein,** ~ **wir hungern sollen** I don't see why we should starve.

3. (mit Attributivsatz) that. **vorausgesetzt,** ~ ... provided that ...; **ich bin mir dessen bewußt,** ~ ... I am aware (that) or of the fact that ...; **unter der Bedingung,** ~ ... on (the) condition that ...

4. (mit Kausalsatz) that. **ich war böse,** ~ ... I was annoyed that ...; **ich freue mich darüber,** ~ ... I'm glad (that) ...; **das kommt daher,** ~ ... that comes because ...; **das liegt daran,** ~ ... that is because ...; **das kommt davon,** ~ **er niemals aufpaßt** that comes from him or his never paying attention.

5. (mit Konsekutivsatz) that. **er fuhr so schnell,** ~ **er sich überschlug** he drove so fast that he overturned.

6. (geh: mit Finalsatz) so that. **ich gab ihm den Brief,** ~ **er ihn selbst lesen konnte** I gave him the letter so that he could read it himself.

7. (als Einleitung eines Instrumentalsatzes) **er verbringt seine Freizeit damit,**

~ **er Rosen züchtet** he spends his free time breeding roses.

8. (geh) (mit Wunschsatz) if only, would that (liter); (in Befehl) see that. ~ **er immer da wäre!** would that he were always there (liter), if only he were always there; ~ **du es mir nicht verlierst!** see that you don't lose it!

9. siehe **als, auf, außer, ohne, so** etc.

dasselbe, dasselbige dem pron siehe **derselbe**.

dastehen vi sep irreg aux haben or sein 1. to stand there. **wie stehst denn du wieder da!** what sort of a way do you call that to stand!; **steh nicht so dumm da!** don't just stand there looking stupid.

2. (fig) **anders/glänzend/gut/schlecht** ~ to be in a different/splendid/good/bad position; **die Firma/Regierung steht wieder gut da** the company/government is doing all right again (inf) or is in a good position again; **allein** ~ to be on one's own; **einzig** ~ to be unique or unparalleled; **jetzt stehe ich ohne Mittel/als Lügner da** now I'm left with no money/ looking like a liar; **wie stehe ich jetzt da!** (Selbstlob) just look at me now!; (Vorwurf) what kind of fool do I look now!

DAT [de:|a:'te:] nt -, -s abbr of **digital audio tape** DAT.

Datei f (Comput) file. **Dateiname** m file name.

Daten 1. pl of **Datum**. 2. (Comput) data sing.

Daten- in cpds data; **Datenabruf** m data retrieval; **Datenaufbereitung** f data preparation; **Datenaustausch** m data exchange or interchange; **Datenbank** f (Zentralstelle) data bank; **Datenbankverwaltung** f database management; **Datenbasis** f database; **Datenbestand** m database; **Dateneingabe** f data input; **Datenerfassung** f data capture; **Datenfernübertragung** f data transmission; **Datenfernverarbeitung** f teleprocessing; **Datenmißbrauch** m misuse of data, data abuse; **Datennetz** nt data network; **Datensatz** m record; **Datenschutz** m data protection; **Datenschutzbeauftragte(r)** mf data protection official; **Datenschützer(in** f) m data protectionist; **Datenschutzgesetz** nt data protection act; **Datensichtgerät** nt visual display unit; **Datenträger** m data carrier; **Datentransfer** m data transfer; **Datentypist(in** f) m keyboarder; **Datenübertragung** f data transmission; **Datenverarbeitung** f data processing; **Datenverarbeitungsanlage** f data processing equipment; **Datenverbund** m data network; **Datenzentrale** f, **Datenzentrum** nt data centre.

datieren* I vt Brief, Fund to date. **der Brief ist vom 20. April datiert** the letter is dated 20th April.

II vi (stammen) to date (aus from). **dieser Brief datiert vom 1. Januar** this letter is dated January 1st; **unsere Freundschaft datiert seit einem Urlaub vor zehn Jahren** our friendship dates from *or* dates back to a holiday ten years ago.

Dativ *m* (*Gram*) dative (case).

Dativ|objekt *nt* (*Gram*) indirect object.

DAT-Kassette *f* DAT *or* digital audio tape cassette.

dato *adv*: **bis ~** (*Comm, inf*) to date.

Datowechsel *m* (*Comm*) time bill.

DAT-Recorder *m* DAT *or* digital audio tape recorder.

Datscha *f* -, **Datschen, Datsche** *f* -, **-n** (*esp DDR*) country cottage. **auf seiner ~** in his country cottage.

Dattel *f* -, **-n** date.

Dattel *in cpds* date; **Dattelpalme** *f* date palm.

Datum *nt* **-s, Daten** 1. date. **was für ein ~ haben wir heute?** what is the date today?; **das heutige/gestrige/morgige ~** today's/yesterday's/tomorrow's date; **sich im ~ irren** to get the date wrong; **ein Brief gleichen ~s** a letter of the same date; **etw mit dem ~ versehen** to date sth; **der Brief trägt das ~ vom 1. April** the letter is dated 1st April; **ein Brief ohne ~** an undated letter; **~ des Poststempels** date as postmark; **ein Nachschlagewerk neueren ~s** a recent reference work.
   2. *usu pl* (*Faktum*) fact; (*statistische Zahlenangabe etc*) datum (*form*), piece of data. **technische Daten** technical data *pl.*

Datumsgrenze *f* (*Geog*) (international) date line; **Datumsstempel** *m* date stamp.

Daube *f* -, **-n** stave; (*beim Eisschießen*) tee.

Dauer *f* -, *no pl* (*das Andauern*) duration; (*Zeitspanne*) period, term; (*Länge: einer Sendung etc*) length. **während der ~ des Krieges** for the duration of the war; **für die ~ eines Monats** for a period of one month; **ein Gefängnisaufenthalt von zehnjähriger ~** a ten-year term of imprisonment; **von ~ sein** to be long-lasting; **keine ~ haben** to be short-lived; **von langer/kurzer ~ sein** to last a long time/ not to last long; **auf die ~** in the long term; **auf die ~ wird das langweilig** it gets boring in the long run; **das kann man auf die ~ nicht ertragen** you can't stand it for any length of time; **das kann auf die ~ nicht so weitergehen** it can't go on like that indefinitely; **auf ~ permanently**; **auf ~ gearbeitet** made to last; **für die ~ Ihres Aufenthaltes in unserem Hause** as long as you stay with us, for the period *or* duration of your stay with us (*form*).

Dauer- *in cpds* permanent; **Dauerarbeitslose(r)** *mf* long-term unemployed person; **die ~en** the long-term unemployed; **Dauerauftrag** *m* (*Fin*) standing order; **Dauerausweis** *m* (permanent) identity card; (*Fahrkarte etc*) season ticket; **Dauerbelastung** *f* continual pressure *no indef art*; (*von Maschine*) constant load; **unter ~** under continual pressure/a constant load; **Dauerbeschäftigung** *f* (*Stellung*) permanent position; **Dauerbetrieb**

m continuous operation; **Dauerbeziehung** *f* permanent relationship; **Dauerbrandofen** *m* slow-burning stove; **Dauerbrenner** *m* 1. *siehe* **Dauerbrandofen**; 2. (*inf: Dauererfolg*) long runner; (*hum: Kuß*) long passionate kiss; **Dauereinrichtung** *f* permanent institution; **Daueremittent** *m* **-en, -en** (*Fin*) constant issuer; **Dauererfolg** *m* long-running success; **Dauerflug** *m* (*Aviat*) long haul flight; **Dauerfrostboden** *m* permafrost; **Dauerfunktion** *f* (*bei Schreibmaschine*) locking function; **Dauergast** *m* permanent guest; (*häufiger Gast*) regular visitor, permanent fixture (*hum*); **er scheint sich hier als ~ einrichten zu wollen** (*iro inf*) he seems to be settling down for a long stay; **Dauergeschwindigkeit** *f* cruising speed.

dauerhaft *adj* Zustand, Einrichtung, Farbe permanent; Bündnis, Frieden, Beziehung lasting *attr*, long-lasting, durable. **durch eine Impfung sind Sie gegen diese Krankheit ~ geschützt** one vaccination gives you lasting immunity to this disease.

Dauerhaftigkeit *f* permanence; (*von Material*) durability.

Dauerkarte *f* season ticket; **Dauerlauf** *m* (*Sport*) jog; (*das Laufen*) jogging; **im ~** at a jog *or* trot; **einen ~ machen** to jog, to go jogging *or* for a jog; **Dauerlutscher** *m* lollipop; **Dauermarsch** *m* (*Mil*) forced march; **Dauermieter(in** *f*) *m* long-term tenant; **Dauermilch** *f* long-life milk.

dauern[1] *vi* 1. (*an~*) to last, to go on. **das Gewitter dauerte zwei Stunden** the thunderstorm lasted (for) *or* went on for two hours; **die Verhandlungen ~ schon drei Wochen** the negotiations have already been going on for three weeks; **wie lange soll dieser Zustand noch ~?** how long will this situation last *or* go on (for) *or* continue?
   2. (*Zeit benötigen*) to take a while *or* some time; (*lange*) to take a long time. **das dauert noch** (*inf*) it'll be a while *or* some time yet; **warum dauert das Anziehen bei dir immer so lange?** why do you always take so long to get dressed?; **es dauerte lange, bis er sich befreit hatte** it took him a long time to get free; **das dauert mir zu lange** it takes too long for me; **muß das so lange ~?** does it have to take so long?; **das dauert und dauert** (*inf*) it takes forever (*inf*); **es dauert jetzt nicht mehr lange** it won't take much longer; **das dauert heute vielleicht wieder einmal** (*inf*) it's taking ages again today.
   3. (*geh: dauerhaft sein*) to last.

dauern[2] *vt* (*old, liter*) etw dauert jdn sb regrets sth; **er/sie dauert mich** I feel sorry for him/her; **es dauert mich, daß ...** I regret *or* I'm sorry that ...; **das arme Tier kann einen ~** you can't help feeling sorry for the poor animal.

dauernd I *adj* (*anhaltend*) Frieden, Regelung lasting; (*ständig*) Wohnsitz, Ausstellung permanent; (*fortwährend*)

Unterbrechung, Nörgelei, Sorge constant, perpetual.

II *adv* etw ~ **tun** to keep doing sth; *(stärker)* to be always *or* forever *(inf)* doing sth; **sie mußte ~ auf die Toilette** she had to keep going to the toilet; **er beschwert sich ~ darüber** he's always *or* forever *(inf)* complaining about it, he complains about it the whole time *(inf)*; **frag nicht ~ so dumm!** don't keep asking stupid questions.

Dauerobst *nt* fruit suitable for storing; **Dauerparker(in** *f)* *m* **-s, -** long-stay parker; **Parkplatz für ~** long-stay car park; **Dauerredner(in** *f)* *m* *(pej)* interminable speaker; **Dauerregen** *m* continuous rain; **ein mehrtägiger ~** several days of continuous rain; **Dauerschlaf** *m* prolonged sleep; **ich fiel in einen 24-stündigen ~** I fell asleep for 24 hours solid; **Dauersitzung** *f* prolonged *or* lengthy session; **Dauerspeicher** *m* *(Comput)* permanent memory; **Dauerstellung** *f* permanent position; **in ~ beschäftigt** employed in a permanent capacity; **Dauerstreit** *m* permanent conflict; **Dauerstreß** *m* **im ~ sein** to be in a state of permanent stress; **Dauerstrom** *m* *(Elec)* constant current; **Dauertest** *m* long-term test; **Dauerton** *m* continuous tone; **Dauerwald** *m* permanent forest; **Dauerwelle** *f* perm, permanent wave; **Dauerwirkung** *f* (long-)lasting effect; **Dauerzustand** *m* permanent state of affairs; **ich möchte das nicht zum ~ werden lassen** I don't want that to become permanent.

Däumchen *nt* **1.** *dim of* **Daumen. 2.** *(inf)* **~ drehen** to twiddle one's thumbs; **und da mußten wir ~ drehen** and we were left twiddling our thumbs.

Daumen *m* **-s, -** thumb. **am ~ lutschen** to suck one's thumb; **jdm** *or* **für jdn die Daumen drücken** *or* **halten** to keep one's fingers crossed for sb; **den ~ auf etw** *(acc)* **halten** *(inf)* to hold on to sth.

Daumenabdruck *m* thumbprint; **Daumenballen** *m* ball of the/one's thumb; **daumenbreit** *adj* as broad as your thumb; **Daumenbreite** *f* thumb's width; **Daumenlutscher(in** *f)* *m* thumb-sucker; **Daumennagel** *m* thumbnail; **Daumenregister** *nt* thumb index; **Daumenschraube** *f* *(Hist)* thumbscrew; **jdm die ~n anlegen** *(lit, fig inf)* to put the (thumb)screws on sb.

Däumling *m* **1.** *(im Märchen)* **der ~** Tom Thumb. **2.** *(von Handschuh)* thumb.

Daune *f* **-, -n** down feather. **~n** down *sing*; **ich schlief dort wie auf ~n** it was like sleeping on air; **weich wie ~n** as soft as thistledown.

Daunenbett *nt*, **Daunendecke** *f* (down-filled) duvet; **Daunenfeder** *f* down feather; **Daunenjacke** *f* quilted jacket; **Daunenkissen** *nt* down-filled cushion; *(Kopfkissen)* down pillow; **daunenweich** *adj* soft as down.

Daus *m:* **(ei) der ~!** *(old)*, **was der ~!** *(old)* what the devil or deuce! *(dated)*.

David(s)stern *m* star of David.

Davis- ['deɪvɪs]: **Daviscup** [-kap], **Davis-**

pokal *m* Davis cup.

davon *adv* *(emph* **davon)* **1.** *(räumlich)* from there; *(wenn Bezugsobjekt vorher erwähnt)* from it/them; *(mit Entfernungsangabe)* away (from there/it/ them). **weg ~!** *(inf)* get away from there/it/them; **~ zweigt ein Weg ab** a path branches off it.

2. *(fig)* in Verbindung mit n, vb siehe auch dort **es unterscheidet sich ~ nur in der Farbe** it only differs from it in the colour; **nein, weit ~ entfernt!** no, far from it!; **ich bin weit ~ entfernt, Ihnen Vorwürfe machen zu wollen** the last thing I want to do is reproach you; **wenn wir einmal ~ absehen, daß ...** if for once we overlook the fact that ...; **wir möchten in diesem Fall ~ absehen, Ihnen den Betrag zu berechnen** in this case we shall not invoice you; **in ihren Berechnungen sind sie ~ ausgegangen, daß ...** they made their calculations on the basis that ...

3. *(fig: dadurch)* leben, abhängen on that/it/them; sterben of that/it; krank/ braun werden from that/it/them. **... und ~ kommt die rote Farbe ...** and that's where the red colour comes from, ... and the red colour comes from that; **die rote Farbe kommt ~, daß das Holz im Wasser gelegen hat** the red colour comes from the wood lying in the water; **das kommt ~!** that's what you get; **das hängt ~ ab, ob ...** that depends on whether ...; **~ hat man nur Ärger** you get nothing but trouble with it; **~ wird man müde** that makes you tired; **~ kann sie doch nicht satt werden** give her a bit more, that won't fill her up; **~ stirbst du nicht** it won't kill you; **was habe ich denn ~?** what do I get out of it?; **was habe ich denn ~?** why should I?; **was hast du denn ~, daß du so schuftest?** what do you get out of slaving away like that?

4. *(mit Passiv)* by that/it/them. **~ betroffen werden** *or* **sein** to be affected by it/them.

5. *(Anteil, Ausgangsstoff)* of that/it/ them. **~ essen/trinken/nehmen** to eat/ drink/take some of that/it/them; **die Hälfte ~** half of that/it/them; **das Doppelte ~** twice *or* double that; **zwei/ein Viertelpfund ~, bitte!** would you give me two of those/a quarter of a pound of that/those, please; **früher war er sehr reich, aber nach dem Krieg ist ihm nichts ~ geblieben** he used to be very rich but after the war nothing was left of his earlier wealth.

6. *(darüber)* hören, wissen, sprechen about that/it/them; verstehen, halten of that/it/them. **genug ~!** enough of this!; **ich habe keine Ahnung ~** I've no idea about that/it; **nichts mehr ~!** no more of that!; **nichts ~ halten** not to think much of it; **ich halte viel ~** I think it is quite good; **was wissen Sie ~?** what do you know about it anyway?; *in Verbindung mit n, vb siehe auch dort.*

davoneilen *vi sep aux sein* *(geh)* to hurry *or* hasten away; **davonfahren** *vi sep irreg aux sein* **1.** to drive away; *(auf Fahr-*

rad etc) to ride away; (*Zug*) to pull away; **2.** jdm ~ to pull away from sb; **davonfliegen** *vi sep irreg aux sein* to fly away; **davongehen** *vi sep irreg aux sein* (*geh*) to walk away; **davonjagen** *vt sep* to chase off *or* away; **davonkommen** *vi sep irreg aux sein* (*entkommen*) to get away, to escape; (*nicht bestraft werden*) to get away with it; (*freigesprochen werden*) to get off; **mit dem Schrecken/dem Leben/einer Geldstrafe ~** to escape with no more than a shock/with one's life/to get off with a fine; **davonlassen** *vt sep irreg* **die Finger ~** (*inf*) to leave it/them well alone; **du sollst die Finger ~** keep your hands *or* fingers off (it/them); **davonlaufen** *vi sep irreg aux sein* **1.** to run away (*jdm/vor jdm* from sb); (*verlassen*) to walk out (*jdm* on sb); **von zu Hause ~** to run away from home; **ihr Mann ist ihr davongelaufen** (*inf*) her husband walked out on her; **es ist zum D~!** (*inf*) it's all too much!; **2.** (*außer Kontrolle geraten*) to get out of hand; **die Preise sind davongelaufen** prices have run away with themselves *or* have got out of hand; **die Preise sind uns/den Löhnen davongelaufen** prices are beyond our control/have outstripped wages; **davonmachen** *vr sep* to make off; **davonrennen** *vi sep irreg aux sein* (*inf*) siehe davonlaufen; **davonschleichen** *vir sep irreg* (*vi: aux sein*) to creep *or* slink away *or* off; **davonstehlen** *vr sep irreg* (*geh*) to steal away; **davontragen** *vt sep irreg* **1.** (*wegtragen*) Gegenstände, Verletzte to carry away; *Preis* to carry off; *Sieg, Ruhm* to win; **2.** (*erleiden*) Schaden, Verletzung to suffer; **davonziehen** *vi sep irreg aux sein* (*liter*) to leave; (*Prozession etc*) to move off; (*Sport inf*) to pull away (*jdm* from sb).

davor *adv* (*emph* **davor**) **1.** (*räumlich*) in front (of that/it/them); (*wenn Bezugsobjekt vorher erwähnt*) in front of it/them. **ein Haus mit einem großen Rasen ~** a house with a big front lawn *or* with a big lawn in front.

2. (*zeitlich*) (*vor einem bestimmten Datum*) before that; (*bevor man etw tut*) beforehand. **ist er 1950 ausgewandert? — nein, schon ~** did he emigrate in 1950? — no, before that.

3. *in Verbindung mit n, vb siehe auch dort;* bewahren, schützen from that/it; warnen von of that/it; *Angst haben* of that/it; *sich ekeln* by that/it. **ich habe Angst ~, das zu tun** I'm afraid of doing that; **ich habe Angst ~, daß der Hund beißen könnte** I'm afraid that the dog might bite; **sein Ekel ~** his disgust of it; **ich warne Sie ~!** I warn you!; **ich habe ihn ~ gewarnt, sich in Gefahr zu begeben** I warned him not to get into danger.

davorliegen *vi sep irreg aux haben or sein* to lie in front of it/them; **davorstehen** *vi sep irreg aux haben or sein* to stand in front of it/them; **davorstellen** *sep* **I** *vt* to put in front of it/them; **II** *vr* to stand in front of it/them.

dawider *adv* (*old*) against it. **dafür und ~** for and against.

dazu *adv* (*emph* **dazu**) **1.** (*räumlich*) there. **wozu gehört das? — ~!** where does that belong? — there!

2. (*dabei, damit*) with it; (*außerdem, obendrein auch*) into the bargain (*inf*), at the same time. **er ist dumm und ~ auch noch faul** he's stupid and lazy with it *or* into the bargain (*inf*) *or* as well; **noch ~** as well, too; **noch ~, wo ...** when ... too; **~ reicht** *or* **serviert man am besten Reis** it's best to serve rice with it; **sie singt und spielt Gitarre ~** she sings and accompanies herself on the guitar.

3. (*dahin*) to that/it. **auf dem besten Wege ~ sein, etw zu tun** to be well on the way to doing sth; **das führt ~, daß weitere Forderungen gestellt werden** that will lead to further demands being made; **~ führt das dann** that's what it leads to; **wie konnte es nur ~ kommen?** how could that happen?; **wer weiß, wie er ~ gekommen ist** (*zu diesem Auto*) who knows how she came by it; **wie komme ich ~?** (*empört*) why on earth should I?; **... aber ich bin nicht ~ gekommen** ... but I didn't get round to it; *in Verbindung mit n, vb siehe auch dort.*

4. (*dafür, zu diesem Zweck*) for that/it. **~ bin ich zu alt** I'm too old for that; **ich bin zu alt ~, noch tanzen zu gehen** I'm too old to go dancing; **~ habe ich dich nicht studieren lassen, daß du ...** I didn't send you to university so that you could *or* for you to ...; **ich habe ihm ~ geraten** I advised him to (do that); **Sie sind ~ wie geschaffen** it's as if you were made for it; **~ fähig/bereit sein, etw zu tun** to be capable of doing sth/prepared to do sth; **er war nicht ~ fähig/bereit** he wasn't capable of it/prepared to; **~ gehört viel Geld** that takes a lot of money; **~ ist er da** that's what he's there for, that's why he's there; **die Erlaubnis/die Mittel/das Recht ~** permission/the means/the right to do it; **ich habe keine Lust ~** I don't feel like it; **~ habe ich keine Zeit, da habe ich keine Zeit ~** (*N Ger inf*) I haven't the time (for that); **ich bin nicht ~ in der Lage** I'm not in a position to; *in Verbindung mit n, vb siehe auch dort.*

5. (*darüber, zum Thema*) about that/it. **was sagst/meinst du ~?** what do you say to/think about that?; **meine Gedanken/Meinung ~** my thoughts about/opinion of that; **..., ~ hören Sie jetzt einen Kommentar** ... we now bring you a commentary; **er hat sich nur kurz ~ geäußert** he only commented briefly on that/it.

6. (*in Wendungen*) **im Gegensatz/Vergleich ~** in contrast to/comparison with that; **er war nicht immer Lord, er wurde erst ~ gemacht** he wasn't born a Lord, he was made *or* created one; **~ wird man nicht gewählt, sondern ernannt** one is appointed rather than elected to that; *in Verbindung mit n, vb siehe auch dort.*

dazugeben *vt sep irreg* to add; **dazugehören*** *vi sep* to belong (to it/us *etc*); (*als Ergänzung*) to go with it/them;

(*eingeschlossen sein*) to be included (in it/them); **bei einer Familienfeier gehört Onkel Otto auch dazu** Uncle Otto should be part of any family gathering too; **das gehört mit dazu** that belongs to/goes with/is included in it; (*versteht sich von selbst*) it's all part of it; **es gehört schon einiges dazu** that takes a lot; **dazugehörig** *adj attr* which goes/go with it/them; *Schlüssel* belonging to it/them; (*zu dieser Arbeit gehörend*) *Werkzeuge, Material* necessary; (*gebührlich*) obligatory; **dazukommen** *vi sep irreg aux sein* 1. (*ankommen*) to arrive (on the scene); **er kam zufällig dazu** he happened to arrive on the scene; 2. (*hinzugefügt werden*) to be added; **es kommen laufend neue Bücher dazu** new books are always being added; **es kamen noch mehrere Straftaten dazu** there were several other offences; **kommt noch etwas dazu?** is there *or* will there be anything else?; **es kommt noch dazu, daß er faul ist** on top of that *or* in addition to that he's lazy; 3. (*Aus, Sw: Zeit dafür finden*) to get round to it; **dazulegen** *sep* I *vt* to add to it; **jdm/sich noch ein Stückchen Fleisch ~** to give sb/oneself another piece of meat; **leg die Sachen ruhig dazu** just put the things with it/them; II *vr* to lie down with him/them *etc*; **dazulernen** *vti sep* **viel/nichts ~** to learn a lot more/nothing new; **man kann immer was dazu** there's always something to learn; **schon wieder was dazu gelernt!** you learn something (new) every day!

dazumal *adv* (*old*) in those days; *siehe* **Anno.**

dazurechnen *vt sep* 1. *Kosten, Betrag, Zahl* to add on; 2. (*mit berücksichtigen*) to consider also; **dazusetzen** *sep* I *vt* 1. **können wir den Jungen hier noch ~?** could the boy sit here too?; 2. (*dazuschreiben*) to add; II *vr* to join him/us *etc*; **komm, setz dich doch dazu** come and sit with *or* join us; **dazutun** *vt sep irreg* (*inf*) to add.

Dazutun *nt* **er hat es ohne dein ~ geschafft** he managed it without your doing/saying anything; **ohne dein ~ hätte er es nicht geschafft** he wouldn't have managed it if you hadn't done/said something *or* without your doing/saying anything.

dazwischen *adv* (*räumlich, zeitlich*) in between; (*in der betreffenden Menge, Gruppe*) amongst them, in with them. **die Betten standen dicht nebeneinander, es hing nur ein Vorhang ~** the beds were very close together, there was only a curtain between them.

dazwischenfahren *vi sep irreg aux sein* 1. (*eingreifen*) to step in and put a stop to things, to intervene; 2. (*unterbrechen*) to break in, to interrupt; **dazwischenfunken** *vi sep* (*inf: eingreifen*) to put one's oar in (*inf*); (*etw vereiteln*) to put a spoke in it (*inf*); **dazwischenkommen** *vi sep irreg aux sein* 1. **mit der Hand/der Hose ~** to get one's hand/trousers caught in it/them; 2. (*störend erscheinen*) to get in the way; ... **wenn nichts dazwischenkommt!** ... if all

goes well; **leider ist** *or* **mir ist leider etwas dazwischengekommen, ich kann nicht dabeisein** something has come *or* cropped up, I'm afraid I can't be there; **dazwischenliegend** *adj attr* **die ~en Seiten/Monate/Bahnhöfe** *etc* the pages/months/stations in between; **dazwischenreden** *vi sep* (*unterbrechen*) to interrupt (*jdm* sb); **dazwischenrufen** *vti sep irreg* to yell out; **dazwischenschlagen** *vi sep irreg* to wade in, to lam in (*esp US inf*); **dazwischenstehen** *vi sep irreg aux haben or sein* 1. (*lit*) to be amongst *or* (*zwischen zweien*) between them; 2. (*zwischen den Parteien*) to be neutral; 3. (*geh: hindern*) to be in the way; **dazwischentreten** *vi sep irreg aux sein* 1. (*schlichtend*) to intervene; **sein D~** his intervention; 2. (*geh: störend*) to come between them.

DB [deːˈbeː] *f* - *abbr of* **Deutsche Bundesbahn.**

DDR [deːdeːˈ|ɛr] *f* - *abbr of* **Deutsche Demokratische Republik** GDR, German Democratic Republic, East Germany.

DDR-Bürger(in *f*) *m* East German, citizen of the German Democratic Republic.

DDT Ⓡ [deːdeːˈteː] *nt* - *abbr of* **Dichlordiphenyltrichloräthan** DDT.

Deal [diːl] *m* **-s, -s** (*Geschäft etc, inf: Drogen*) deal.

dealen ['diːlən] (*inf*) I *vt Drogen* to push. **er kann alles für dich ~** he can fix you up with anything. II *vi* **er dealt** he is a dealer; **mit Kokain ~** to deal in *or* to push cocaine.

Dealer(in *f*) ['diːlɐ, -ərɪn] *m* **-s, -** (*inf*) (drug) dealer, pusher; (*international auch*) trafficker.

Debakel *nt* **-s, -** - debacle. **ein ~ erleiden** (*Stück*) to be a debacle; **damit hat die Regierung ein ~ erlitten** that turned into something of a debacle for the government.

Debatte *f* -, **-n** debate. **etw in die ~ werfen** to throw sth into the discussion; **etw zur ~ stellen** to put sth up for discussion *or* (*Parl*) debate; **was steht zur ~?** what is being discussed *or* is under discussion?; (*Parl*) what is being debated?; **das steht hier nicht zur ~** that's not the issue; **sich in eine ~ (über etw** *acc***) einlassen** to enter into a discussion (about sth).

debattieren* *vti* to debate. **über etw** (*acc*) (**mit jdm**) **~** to discuss sth (with sb); **mit ihm kann man schlecht ~** you can't have a good discussion with him.

Debattierklub *m* debating society.

Debet *nt* **-s, -s** (*Fin*) debits *pl*.

debil *adj* (*Med*) feeble-minded.

Debilität *f* (*Med*) feeble-mindedness.

debitieren* *vt* (*Fin*) to debit. **jdn mit einem Betrag ~** to debit an amount to sb, to debit sb with an amount.

Debitor *m* (*Fin*) debtor.

Debüt [deˈbyː] *nt* **-s, -s** debut. **sein ~ als etw geben** to make one's debut as sth.

Debütant *m* person making his debut; (*fig: Anfänger, Neuling*) novice.

Debütantin *f* 1. *siehe* **Debütant.** 2. (*in der Gesellschaft*) debutante, deb.

Debütantinnenball *m* debutantes' ball.

debütieren* *vi* (*Theat, fig*) to make one's debut.

Dechant *m* (*Eccl*) dean.

dechiffrieren* [deʃɪˈfriːrən] *vt* to decode; *Text, Geheimschrift auch* to decipher.

Dechiffrierung *f siehe vt* decoding; deciphering.

Deck *nt* **-(e)s, -s** deck; (*in Parkhaus*) level. **auf ~** on deck; **an ~ gehen** to go on deck; **alle Mann an ~!** all hands on deck!; **nicht ganz auf ~ sein** (*inf*) to feel under the weather (*inf*).

Deckadresse *f* accommodation *or* cover (*US*) address; **Deckanstrich** *m* top *or* final coat; **Deckaufbauten** *pl* (*Naut*) superstructure *sing*; **Deckbett** *nt* feather quilt; **Deckblatt** *nt* (*Bot*) bract; (*von Zigarre*) wrapper; (*Schutzblatt*) cover; (*Einlageblatt*) overlay.

Deckchen *nt* mat; (*auf Tablett*) traycloth; (*Torten~*) doily; (*auf Sessel*) antimacassar; (*für Lehne*) arm-cover.

Decke *f* **-, -n 1.** cloth; (*Woll~*) blanket; (*kleiner*) rug; (*Stepp~*) quilt; (*Bett~*) cover; (*fig: Schnee~, Staub~ etc*) blanket. **unter die ~ kriechen** to pull the bedclothes up over one's head; **sich nach der ~ strecken** (*fig*) to cut one's coat according to one's cloth; **mit jdm unter einer ~ stecken** (*fig*) to be in league *or* in cahoots (*inf*) *or* hand in glove with sb.

2. (*Zimmer~*) ceiling; (*Min*) roof. **es tropft von der ~** there's water coming through the ceiling; **an die ~ gehen** (*inf*) to hit the roof (*inf*); **vor Freude an die ~ springen** (*inf*) to jump for joy; **mir fällt die ~ auf den Kopf** (*fig inf*) I feel really claustrophobic *or* shut in.

3. (*Schicht*) layer; (*Straßen~*) surface; (*Reifen~*) outer tyre *or* cover *or* casing.

4. (*Hunt*) skin.

Deckel *m* **-s, -** lid; (*von Schachtel, Glas auch, von Flasche*) top; (*Buch~, Uhr~*) cover; (*inf: Hut, Mütze*) titfer (*Brit inf*), hat. **eins auf den ~ kriegen** (*inf*) (*geschlagen werden*) to get hit on the head; (*ausgeschimpft werden*) to be given a (good) talking-to (*inf*); **jdm eins auf den ~ geben** (*inf*) (*schlagen*) to smash sb on the head; (*ausschimpfen*) to give sb a (good) talking-to (*inf*).

Deckel- *in cpds* with lid.

decken I *vt* **1.** (*zu~*) to cover. **ein Dach mit Schiefer/Ziegeln ~** to roof a building with slate/tiles; **ein Dach mit Stroh/Reet ~** to thatch a roof (with straw/reeds).

2. (*zurechtmachen*) *Tisch, Tafel* to set, to lay. **es ist für vier Personen gedeckt** the table is laid *or* set for four (people); **sich an einen gedeckten Tisch setzen** (*lit*) to find one's meal ready and waiting; (*fig*) to be handed everything on a plate.

3. (*breiten*) **die Hand/ein Tuch über etw** (*acc*) **~** to cover sth with one's hand/a cloth.

4. (*schützen*) to cover; (*Ftbl*) *Spieler auch* to mark; *Komplizen* to cover up for.

5. *Kosten, Schulden, Bedarf* to cover, to meet. **mein Bedarf ist gedeckt** I have all I need; (*fig inf*) I've had enough (to

last me some time); **damit ist unser Bedarf gedeckt** that will meet *or* cover our needs.

6. (*Comm, Fin: absichern*) *Scheck, Darlehen* to cover; *Defizit* to offset. **der Schaden wird voll durch die Versicherung gedeckt** the cost of the damage will be fully met by the insurance.

7. (*begatten*) *Stute, Ziege* to cover.

II *vi* to cover; (*Boxen*) to guard; (*Ftbl: Spieler ~ auch*) to mark; (*Tisch~*) to lay a/the table. **es ist gedeckt** luncheon/dinner is served.

III *vr* **1.** (*Standpunkte, Interessen, Begriffe*) to coincide; (*Aussagen*) to correspond, to agree; (*Math: Dreiecke, Figur*) to be congruent. **sich ~de Dreiecke** congruent triangles; **sich ~de Begriffe/Interessen** concepts/interests which coincide.

2. (*sich schützen*) to defend oneself; (*mit Schild*) to protect oneself; (*Boxer*) to cover oneself; (*sich absichern*) to cover oneself.

Deckengemälde *nt* ceiling fresco; **Deckengewölbe** *nt* (*Archit*) vaulting; **Deckenheizung** *f* overhead heating; **Deckenlampe** *f* ceiling light; **Deckenmalerei** *f* ceiling fresco; **Deckenträger** *m* ceiling girder.

Deckfarbe *f* opaque water colour; **Deckflügel** *m* (*Zool*) wing case; **Deckgeld** *nt* (*Agr*) stud fee; **Deckglas** *nt* (*Opt*) cover glass; **Deckhaar** *nt* top hair; **Deckhaus** *nt* (*Naut*) deckhouse; **Deckhengst** *m* stud(horse), stallion; **Deckmantel** *m* (*fig*) mask, blind; **unter dem ~ von ...** under the guise of ...; **Deckname** *m* assumed name; (*Mil*) code name; **Deckoffizier** *m* (*Naut*) ≃ warrant officer; **Deckpassagier** *m* (*Naut*) first-class passenger; **Deckplane** *f* (*Aut*) tarpaulin; **Deckplatte** *f* (*Build*) slab; (*von Mauer*) coping stone; (*von Grab*) covering stone *or* slab; **Decksalon** *m* (*Naut*) first-class lounge; **Deckschicht** *f* surface layer; (*von Straße*) surface; (*Geol*) top layer *or* stratum; **Deckstation** *f* stud (farm); **Deckstein** *m* (*Build*) coping stone; (*von Grab*) covering stone.

Deckung *f* **1.** (*Schutz*) cover; (*Ftbl, Chess*) defence; (*Boxen, Fechten*) guard. **in ~ gehen** to take cover; **volle ~!** (*Mil*) take cover!; **jdm ~ geben** to cover sb; (*Feuerschutz auch*) to give sb cover.

2. (*Verheimlichung*) **die ~ von etw** covering up for sth; **er kann mit ~ durch den Minister rechnen** he can count on the minister covering up for him.

3. (*Comm, Fin*) (*von Scheck, Wechsel*) cover; (*das Decken*) covering; (*von Darlehen*) security; (*das Begleichen*) meeting. **der Scheck ist ohne ~** the cheque is not covered; **zur ~ seiner Schulden** to meet his debts; **als ~ für seine Schulden** as security *or* surety for his debts; **dafür ist auf meinem Konto keine ~** there are no funds to cover that in my account; **die Versicherung übernahm die ~ des Schadens** the insurance company agreed to meet the cost of the damage.

4. (*Befriedigung*) meeting. **eine ~ der Nachfrage ist unmöglich** demand cannot possibly be met. **5.** (*Übereinstimmung*) (*Math*) congruence. **zur ~ bringen** (*Math*) to make congruent; **lassen sich diese Standpunkte/Interessen zur ~ bringen?** can these points of view/interests be made to coincide?; **diese beiden Zeugenaussagen lassen sich schwer ~ bringen** these two statements can't be made to agree.

Deckungsauflage *f* (*Typ*) break-even quantity; **deckungsgleich** *adj* (*Math*) congruent; **~ sein** (*fig*) to coincide; (*Aussagen*) to agree; **Deckungsgleichheit** *f* (*Math*) congruence; **wegen der ~ der Ansichten/Aussagen** because of the degree to which these views coincide/ these statements agree; **Deckungsgraben** *m* (*Mil*) shelter trench; **Deckungskapital** *nt* (*Insur*) covering funds *pl*; **Deckungsloch** *nt* (*Mil*) foxhole; **Deckungszusage** *f* (*von Versicherung*) cover note.

Deckweiß *nt* opaque white; **Deckwort** *nt* code word.

Decoder [de'ko:dɐ, dɪ'koʊdə] *m* -s, - decoder.

decodieren* *vt* to decode.

Décolleté [dekɔl'te:] *nt* -s, -s *siehe* **Dekolleté.**

Decrescendo [dekre'ʃɛndo] *nt* -s, -s *or* **Decrescendi** (*Mus*) diminuendo.

Dedikations|exemplar *nt* presentation copy.

dedizieren* *vt* (*geh*) **1.** (*widmen*) to dedicate. **2.** (*schenken*) **jdm etw ~** to present sth to sb.

Deduktion *f* deduction.

deduktiv *adj* deductive.

deduzieren* *vt* to deduce (*aus* from).

Deern [de:ɐn] *f* -, -s (*N Ger inf*) lass(ie).

De|eskalation *f* (*Mil*) de-escalation.

de facto *adv* de facto.

De-facto-Anerkennung *f* (*Pol*) de facto recognition.

Defätismus *m*, *no pl* defeatism.

Defätist *m* defeatist.

defätistisch *adj* defeatist *no adv*.

defekt *adj* Gerät etc faulty, defective; (*beschädigt*) damaged.

Defekt *m* -(e)s, -e fault, defect; (*Med*) deficiency. **körperlicher/geistiger ~** physical defect/mental deficiency; **einen ~ haben** to be faulty *or* defective; (*inf: von Mensch*) to be a bit lacking (*inf*).

defektiv *adj* (*Gram*) defective.

Defektivum *nt* -s, **Defektiva** (*Gram*) defective.

defensiv *adj* Maßnahmen, Taktik defensive; Fahrweise auch (*US*) nonaggressive. **sich ~ verhalten** to be on the defensive.

Defensivbündnis *nt* defence alliance.

Defensive [-'zi:və] *f*, *no pl* defensive. **in der ~ bleiben** to remain on the defensive; **jdn in die ~ drängen** to force sb onto the defensive.

Defensiv- in *cpds* defensive; **Defensivkrieg** *m* defensive warfare; **Defensivspiel** *nt* defensive game; **Defen-**

sivstellung *f* defensive position, position of defence.

Defilee [defi'le:] *nt* -s, -s *or* -n [-e:ən] (*Mil*) march-past; (*fig*) parade.

defilieren* *vi aux haben or sein* (*Mil*) to march past; (*fig*) to parade past.

definierbar *adj* definable. **schwer/leicht ~** hard/easy to define.

definieren* *vt* to define. **etw neu ~** to redefine sth.

Definition *f* definition.

definitiv *adj* definite. **etw ~ abklären** *to clear sth up once and for all.*

definitorisch *adj* (*geh*) Frage, Problem of definition. **ein ~ schwieriges Problem** a problem which is hard to define.

Defizit *nt* -s, -e (*Fehlbetrag*) deficit; (*Mangel*) deficiency (*an* +*dat* of).

defizitär *adj* in deficit. **das Bahnwesen entwickelt sich immer ~er** the railways have a larger deficit every year; **die ~e Entwicklung der Organisation** the trend in the organization to run to a deficit; **eine ~e Haushaltspolitik führen** to follow an economic policy which can only lead to deficit.

Deflation *f* (*Econ*) deflation.

deflationär, deflationistisch *adj* deflationary *no adv*.

Deflationspolitik *f* deflationary policy.

Deformation *f* deformation, distortion; (*Mißbildung*) deformity; (*Entstellung*) disfigurement.

deformieren* *vt* (*Tech*) to deform, to contort; (*lit, fig: mißbilden*) to deform; (*entstellen*) to disfigure. **eine deformierte Nase** a misshapen nose.

Deformierung *f* **1.** (*das Deformieren*) deformation; (*Entstellung*) disfigurement. **2.** *siehe* **Deformation.**

Defroster *m* -s, - (*Aut*) heated windscreen; (*Sprühmittel*) de-icer; (*im Kühlschrank*) defroster.

deftig *adj* **1.** (*derb, urwüchsig*) Witz, Humor ribald.

2. (*kräftig*) Lüge whopping (*inf*), huge; Mahlzeit solid; Wurst etc substantial, good solid *attr;* Ohrfeige cracking (*inf*). **er hat sich ganz ~ ins Zeug gelegt** he really got going (*inf*); **dann langten die Kinder ~ zu** then the kids really got stuck in (*inf*).

Deftigkeit *f*, *no pl siehe adj* **1.** ribaldry. **2.** hugeness; solidness; substantialness; soundness.

Degen *m* -s, - rapier; (*Sportfechten*) épée. **mit bloßem** *or* **nacktem ~** with one's rapier drawn.

Degeneration *f* degeneration.

Degenerations|erscheinung *f* sign of degeneration.

degenerativ *adj* Schäden degenerative.

degenerieren* *vi aux sein* to degenerate (*zu* into).

degeneriert *adj* degenerate.

Degenfechten *nt* épée fencing; **Degenklinge** *f* rapier blade; **Degenknauf** *m* pommel; **Degenkorb** *m* guard.

degoutant [degu'tant] *adj* (*geh*) distasteful, disgusting.

degoutieren* [degu'ti:rən] *vt* (*geh*) to disgust.

degradieren* vt (Mil) to demote (zu to); (fig: herabwürdigen) to degrade. **jdn/etw zu etw ~** (fig) to lower sb/sth to the level of sth.

Degradierung f (Mil) demotion (zu to); (fig) degradation. **diese Behandlung empfand er als (eine) ~** he felt such treatment to be degrading.

Degression f (Fin) degression.

degressiv adj (Fin) degressive.

degustieren* vti (esp Sw) Wein to taste.

dehnbar adj (lit) elastic; (fig auch) flexible; Stoff stretch attr, stretchy (inf), elastic; Metall ductile.

Dehnbarkeit f, no pl siehe adj elasticity; flexibility; stretchiness (inf), elasticity; ductility. **Eisen hat eine geringere ~ als Blei** iron is less ductile than lead; **die ~ der Vokale** the degree or extent to which the vowels can be lengthened.

dehnen I vt to stretch; (Med auch) to dilate; Laut, Silbe to lengthen. **seine gedehnte Sprechweise** his drawling way of speaking; **Vokale gedehnt aussprechen** to pronounce one's vowels long.

II vr to stretch. **er dehnte und streckte sich** he had a good stretch; **vor ihnen dehnte sich der Ozean** (geh) the ocean stretched out before them; **der Weg dehnte sich endlos** the road seemed to go on for ever.

Dehnung f siehe vt stretching; dilation; lengthening.

Dehnungs- (Ling): **Dehnungs-h** nt h with a lengthening effect on the preceding vowel; **Dehnungsstrich** m length mark.

dehydrieren* vt (Chem) to dehydrate.

Dehydrierung f (Chem) dehydration.

Deibel m -s, - (N Ger inf) siehe Teufel, pfui.

Deich m -(e)s, -e dyke, dike (esp US).

Deichbau m dyke; (das Bauen) dyke building; **Deichgraf, Deichhauptmann** m dyke warden; **Deichkrone** f dyke top.

Deichsel [-ks-] f -, -n shaft, whiffletree (US); (Doppel~) shafts pl. **ein Pferd in der ~** a horse in or between the shafts.

Deichselbruch m broken shaft/shafts; **Deichselkreuz** nt 1. handle; 2. (Rel) Y-shaped cross.

deichseln [-ks-] vt (inf) to wangle (inf). **das werden wir schon ~** we'll wangle it somehow.

Deichvogt m (old) dyke reeve (old). **Deichvorland** nt land to the seaward side of a dyke.

dein I poss pron 1. (adjektivisch) (in Briefen: D~) your, thy (obs, dial); **~ schönes Gesicht** that beautiful face of yours, your beautiful face; **rauchst du immer noch ~e 20 Zigaretten pro Tag?** are you still smoking your 20 cigarettes a day?; **herzliche Grüße, D~e Elke** with best wishes, yours or (herzlicher) love Elke; **stets** or **immer D~ Otto** yours ever, Otto; **D~ Wille geschehe** (Bibl) Thy will be done. 2. (old: substantivisch) yours. **behalte, was ~ ist** keep what is yours.

II pers pron gen of du (old, poet) **ich werde ewig ~ gedenken** I shall remember you forever.

deiner pers pron gen of du (geh) of you. **wir werden ~ gedenken** we will remember you.

deine(r, s) poss pron (substantivisch) yours. **der/die/das ~** (geh) yours; **tu du das D~** (geh) you do your bit; **stets** or **immer der D~** (form) yours ever; **die D~n** (geh) your family, your people; **du und die D~n** (geh: Familie) you and yours; **das D~** (geh: Besitz) what is yours.

deinerseits adv (auf deiner Seite) for your part; (von deiner Seite) on your part. **den Vorschlag hast du ~ gemacht** you made the suggestion yourself.

deinesgleichen pron inv people like you or yourself; (pej auch) your sort, the likes of you. **an Schönheit ist keine ~** (liter) in beauty there is none to equal you (liter).

deinethalben (dated), **deinetwegen** adv (wegen dir) because of you, on account of you, on your account; (dir zuliebe) for your sake; (um dich) about you; (für dich) on your behalf; **deinetwillen** adv **um ~** for your sake.

deinige poss pron (old, geh) der/die/das ~ yours; **die D~n** your family or people; **das D~** (Besitz) what is yours; **tu du das D~** you do your bit.

deins poss pron yours.

Deismus m, no pl (Philos) deism.

Deiwel (N Ger), **Deixel** (S Ger) m -s, - siehe Teufel.

Déjà-vu-Erlebnis [deʒa'vy:-] nt (Psych) sense or feeling of déjà vu.

de jure adv de jure.

De-jure-Anerkennung f de jure recognition.

Dekade f (10 Tage) ten days, ten-day period; (10 Jahre) decade.

dekadent adj decadent.

Dekadenz f, no pl decadence.

dekadisch adj Zahlensystem decimal. **~er Logarithmus** common logarithm.

Dekaeder m -s, - decahedron; **Dekagon** nt -s, -e decagon; **Dekagramm** [(Aus) 'dɛka-] nt decagram(me); **10 ~gramm Schinken** (Aus) 100 grams of ham; **Dekaliter** m decalitre.

Dekalog m -(e)s (Bibl) decalogue.

Dekameron [de'ka:merɔn] nt -s Decameron.

Dekameter m decametre.

Dekan m -s, -e (Univ, Eccl) dean.

Dekanat nt 1. (Univ, Eccl: Amt, Amtszeit) deanship. 2. (Amtssitz) (Univ) office of the dean; (Eccl) deanery.

Dekanei f (Eccl) deanery.

Deklamation f declamation. **~en** (pej) (empty) rhetoric sing.

deklamatorisch adj declamatory, rhetorical.

deklamieren* vti to declaim.

Deklaration f declaration.

deklarieren* vt to declare.

Deklarierung f declaration.

deklassieren* vt 1. to downgrade. 2. (Sport: weit übertreffen) to outclass.

Deklassierung f siehe vt downgrading; outclassing.

Deklination f 1. (Gram) declension. 2.

(*Astron, Phys*) declination.

deklinierbar *adj* (*Gram*) declinable.

deklinieren* *vt* (*Gram*) to decline.

dekodieren* *vt siehe* **decodieren**.

Dekolleté [dekɔl'te:] *nt* -s, -s low-cut *or* décolleté neckline, décolletage. **ein Kleid mit einem tiefen/gewagten ~** a very/daringly low-cut *or* décolleté dress; **ihr ~ war so tief, ...** she was wearing such a low-cut *or* plunging neckline ...

dekolletiert [dekɔl'ti:ɐt] *adj Kleid* low-cut, décolleté. **eine ~e Dame** a woman in a low-cut dress.

Dekolonisation *f* decolonization.

dekolonisieren* *vt* to decolonize.

Dekomposition *f* decomposition.

Dekompression *f* decompression.

Dekompressionskammer *f* decompression chamber.

dekontaminieren* *vt* to decontaminate.

Dekor *m or nt* -s, -s *or* -e 1. decoration; (*von Raum auch*) décor; (*Muster*) pattern. 2. (*Theat, Film*) décor.

Dekorateur(in *f*) [dekɔra'tø:ɐ, -ø:rɪn] *m* (*Schaufenster~*) window-dresser; (*von Innenräumen*) interior designer.

Dekoration *f* 1. *no pl* (*das Ausschmücken*) decorating, decoration.
　　2. (*Einrichtung*) décor *no pl*; (*Fenster~*) window dressing *or* decoration; (*Theat: Bühnenbild*) set. **zur ~ dienen** to be decorative; **zu Weihnachten haben viele Kaufhäuser schöne ~en** many department stores have beautifully decorated windows for Christmas.
　　3. (*Orden, Ordensverleihung*) decoration.

Dekorationsarbeiten *pl* decorating *no pl*; **Dekorationsmaler(in** *f*) *m* (interior) decorator; (*Theat*) scene-painter; **Dekorationsstoff** *m* (*Tex*) furnishing fabric; **Dekorationsstück** *nt* piece of the décor; **das ist nur ein ~** that's just for decoration.

dekorativ *adj* decorative.

dekorieren* *vt* to decorate; *Schaufenster* to dress.

Dekorierung *f siehe vt* decoration; dressing.

Dekorum *nt* -s, *no pl* (*liter*) propriety, decorum. **das ~ wahren** to maintain *or* observe the proprieties.

Dekostoff *m siehe* **Dekorationsstoff**.

Dekret *nt* -(e)s, -e decree.

dekretieren* *vt* to decree.

dekuvrieren* [deku'vri:rən] (*geh*) **I** *vt Skandal, Betrüger* to expose. **II** *vr* to reveal oneself.

Deleatur(zeichen) *nt* -s, - (*Typ*) deletion mark.

Delegat *m* -en, -en delegate.

Delegation *f* delegation.

Delegationschef(in *f*) *m* head of a delegation.

delegieren* *vt* to delegate (*an* +*acc* to).

Delegiertenkonferenz, Delegiertenversammlung *f* delegates' conference.

Delegierte(r) *mf decl as adj* delegate.

delektieren* (*geh*) **I** *vr* **sich an etw** (*dat*) **~** to delight in sth. **II** *vt* **jdn mit etw ~** to delight sb with sth.

Delfter *adj attr Porzellan* Delft.

delikat *adj* 1. (*wohlschmeckend*) exquisite, delicious. 2. (*behutsam*) delicate; *Andeutung auch* gentle. 3. (*heikel*) *Problem, Frage* delicate, sensitive; (*gewagt*) risqué. 4. (*geh: empfindlich*) delicate.

Delikateß *in cpds* top-quality.

Delikatesse *f* 1. (*Leckerbissen, fig*) delicacy. **ein Geschäft für Obst und ~n** a fruit shop and delicatessen *sing*. 2. *no pl* (*geh: Feinfühligkeit*) delicacy, sensitivity.

Delikatessengeschäft *nt*, **Delikatessenhandlung** *f* delicatessen, deli (*inf*).

Delikt *nt* -(e)s, -e (*Jur*) offence; (*schwerer*) crime.

Delinquent [delɪŋ'kvɛnt] *m* (*geh*) offender.

delinquent [delɪŋ'kvɛnt] *adj* (*Sociol, Psych*) delinquent.

Delinquenz [delɪŋ'kvɛnts] *f* (*Sociol, Psych*) delinquency.

delirieren* *vi* (*geh, Med*) to be delirious. **er delirierte im Fieber** he was delirious with fever.

Delirium *nt* delirium. **im ~ sein** to be delirious *or* in a state of delirium; (*inf: betrunken*) to be paralytic (*inf*); **im ~ redete der Kranke wirr und konfus** the sick man raved deliriously; **~ tremens** delirium tremens, the DT's.

deliziös *adj* (*liter*) most delectable.

Delle *f* -, -n 1. (*inf*) dent. **eine ~ bekommen** to get a dent, to get *or* be dented. 2. (*Boden~*) hollow, dip.

delogieren* [delo'ʒi:rən] *vt* (*Aus*) *Mieter* to evict.

Delphi *nt* -s Delphi. **das Orakel von ~** the Delphic oracle, the oracle of Delphi.

Delphin[1] *m* -s, -e (*Zool*) dolphin.

Delphin[2] *nt* -s, *no pl siehe* **Delphinschwimmen**.

Delphinarium *nt* dolphinarium.

Delphinschwimmen *nt* butterfly.

Delta[1] *nt* -s, -s *or* **Delten** (*Geog*) delta.

Delta[2] *nt* -(s), -s (*Buchstabe*) delta.

deltaförmig *adj* delta-shaped, deltaic (*rare*); **Deltamündung** *f* delta estuary; **Deltamuskel** *m* deltoid; **Deltastrahlen** *pl* (*Phys*) delta rays *pl*.

de Luxe [də'lyks] *adj* (*Comm*) de luxe.

De-Luxe-Ausführung *f* (*Comm*) de-luxe version.

dem I *dat of def art* **der, das** 1. to the; (*mit Präposition*) the.
　　2. **es ist nicht an ~** that is not the case *or* how it is; **wenn ~ so ist** if that is the way it is; **wie ~ auch sei** be that as it may.
　　II *dat of* **dem** *pron* **der, das** 1. *attr* to that; (*mit Präposition*) that.
　　2. (*substantivisch*) to that one; that one; (*Menschen*) to him; him; (*von mehreren*) to that one; that one.
　　III *dat of rel pron* **der, das** to whom, that *or* who(m) ... to; (*mit Präposition*) who(m); (*von Sachen*) to which, which *or* that ... to; which.

Demagoge *m*, **Demagogin** *f* demagogue.

Demagogentum *nt*, **Demagogie** *f* demagogy, demagoguery.

demagogisch *adj Rede etc* demagogic. **er hat in seiner Rede die Tatsachen ~ verzerrt** in his speech he twisted the facts to demagogic ends.

Demarche [de'marʃə] *f* -, **-n** (*Pol*) (diplomatic) representation, démarche. **eine ~ unternehmen** to lodge a diplomatic protest.

Demarkation *f* demarcation.

Demarkationslinie *f* (*Pol, Mil*) demarcation line.

demarkieren *vt Grenze, Bereiche* to demarcate.

demaskieren* I *vt* to unmask, to expose. **jdn als etw ~** to expose sb as sth. II *vr* to unmask oneself, to take off one's mask. **sich als etw ~** to show oneself to be sth.

Dementi *nt* -**s**, **-s** denial.

dementieren I *vt* to deny. II *vi* to deny it.

Dementierung *f* denial, denying.

dem|entsprechend I *adv* correspondingly; (*demnach*) accordingly; *bezahlt* commensurately. II *adj* appropriate; *Bemerkung auch* apposite; *Gehalt* commensurate. **er nennt sich Sozialist, aber sein Verhalten ist nicht ~** he says he is a socialist but he does not behave accordingly.

Demenz *f* (*Med*) dementia.

demgegenüber *adv* (*wohingegen*) on the other hand; (*im Vergleich dazu*) in contrast; **demgemäß** *adv, adj siehe* **dementsprechend.**

demilitarisieren* *vt* to demilitarize.

Demilitarisierung *f* demilitarization.

Demission *f* (*Pol*) (*Rücktritt*) resignation; (*Entlassung*) dismissal. **um seine ~ bitten** to ask to be relieved of one's duties; **er wurde zur ~ gezwungen** he was forced to resign.

demissionieren *vi* (*Pol, Sw: kündigen*) to resign.

Demiurg *m* -**en** *or* -**s**, *no pl* (*Myth, liter*) demiurge.

demnach *adv* therefore; (*~entsprechend*) accordingly; **demnächst** *adv* soon; **~nächst (in diesem Kino)** coming soon.

Demo *f* -, **-s** (*inf*) demo (*inf*).

demobilisieren* I *vt* to mobilize; *Soldaten auch* to demob (*Brit inf*). II *vi* to demobilize; (*Soldat auch*) to get *or* be demobbed (*Brit inf*).

Demobilisierung *f* demobilization; (*von Soldaten auch*) demob (*Brit inf*).

Demodiskette *f* (*Comput*) demo disk.

Demograph(in *f*) *m* demographer.

Demographie *f* demography.

demographisch *adj* demographic.

Demokrat(in *f*) *m* -**en**, **-en** democrat.

Demokratie *f* democracy.

Demokratieverständnis *nt* understanding of (the meaning of) democracy.

demokratisch *adj* democratic.

demokratisieren* *vt* to democratize, to make democratic.

Demokratisierung *f* democratization.

demolieren* *vt* to wreck, to smash up; (*Rowdy auch*) to vandalize. **nach dem Unfall war das Auto total demoliert** after the accident the car was a complete wreck.

Demolierung *f siehe vt* wrecking, smashing-up; vandalizing.

Demonstrant(in *f*) *m* demonstrator.

Demonstration *f* (*alle Bedeutungen*) demonstration. **zur ~ seiner Friedfertigkeit ...** as a demonstration of *or* to demonstrate his peaceful intentions ...; **eine ~ für/gegen etw** a demonstration in support of/against sth.

Demonstrationsmarsch *m* march; **Demonstrationsmaterial** *nt* teaching material *or* aids *pl*; **Demonstrationsobjekt** *nt* teaching aid; **Demonstrationsrecht** *nt* right to demonstrate *or* hold demonstrations; **Demonstrationszug** *m* demonstration, (protest) march.

demonstrativ *adj* demonstrative (*auch Gram*); *Beifall* acclamatory; *Protest, Fehlen* pointed; *Beispiel* clear. **der Botschafter verließ während der Rede ~ den Saal** during the speech the ambassador pointedly left the room.

Demonstrativ- *in cpds* (*Gram*) demonstrative.

demonstrieren* *vti* (*alle Bedeutungen*) to demonstrate. **für/gegen etw ~** to demonstrate in support of/against sth; **die Regierung hat ihre Entschlossenheit demonstriert** the government gave a demonstration of *or* demonstrated its determination.

Demontage [-'ta:ʒə] *f* -, **-n** (*lit, fig*) dismantling.

demontieren* *vt* (*lit, fig*) to dismantle; *Räder* to take off.

Demoralisation *f* (*Entmutigung*) demoralization; (*Sittenverfall*) moral decline.

demoralisieren* *vt* (*entmutigen*) to demoralize; (*korrumpieren*) to corrupt. **die römische Gesellschaft war am Ende so demoralisiert, daß ...** ultimately Roman society had suffered such a moral decline that ...

Demoralisierung *f siehe* **Demoralisation.**

Demoskop(in *f*) *m* -**en** **-en** (opinion) pollster.

Demoskopie *f, no pl* (public) opinion research.

demoskopisch *adj* **~es Institut** (public) opinion research institute; **alle ~en Voraussagen waren falsch** all the predictions in the opinion polls were wrong; **eine ~e Untersuchung** a (public) opinion poll.

demselben *dat of* **derselbe, dasselbe.**

Demut *f* -, *no pl* humility. **in ~** with humility.

demütig *adj Bitte, Blick* humble.

demütigen I *vt Gefangenen, Besiegten, Volk* to humiliate; (*eine Lektion erteilen*) *stolzen Menschen* to humble. II *vr* to humble oneself (*vor* +*dat* before).

Demütigung *f* humiliation. **jdm ~en/eine ~ zufügen** to humiliate sb.

Demutsgebärde, Demutshaltung *f* (*esp Zool*) submissive posture.

demzufolge *adv* therefore.

den I **1.** *acc of def art* **der** the. **2.** *dat pl of def art* **der, die, das** the; to the. II *acc of dem pron* **der 1.** *attr* that. **2.** (*substantivisch*) that one; (*Menschen*) him; (*von mehreren*) that one. III *acc of rel pron*

der who(m), that; (*von Sachen*) which, that.

denaturalisieren* *vt* to denaturalize.

denaturieren* I *vt* to denature. II *vi* zu etw ~ (*fig geh*) to degenerate into sth.

Dendrit *m* **-en, -en** (*Geol, Med*) dendrite.

denen 1 *dat pl of dem pron* **der, die, das** to them; (*mit Präposition*) them. II *dat pl of rel pron* **der, die, das** to whom, that *or* who(m) ... to; (*mit Präposition*) whom; (*von Sachen*) to which, that *or* which ... to; which.

dengeln *vt Sense* to sharpen, to hone.

Denkansatz *m* starting point; **Denkanstoß** *m* something to start one thinking; **jdm Denkanstöße geben** to give sb something to think about, to give sb food for thought; **Denkart** *f* way of thinking; **eine edle/niedrige** ~ high-mindedness/low-mindedness;

Denkaufgabe *f* brain-teaser; **denkbar** I *adj* conceivable; **es ist durchaus ~, daß er kommt** it's very possible *or* likely that he'll come; II *adv* extremely; (*ziemlich*) rather; **den ~ schlechtesten/besten Eindruck machen** to make the worst/best possible impression.

Denken *nt* **-s**, *no pl* **1.** (*Gedankenwelt*) thought; (*Denkweise*) thinking. **im ~ Goethes/der Aufklärung** in Goethe's thought/in the thinking of the Enlightenment; **klares ~** clear thinking, clarity of thought.
2. (*Gedanken*) thoughts *pl*, thinking.
3. (*Denkvermögen*) mind.

denken *pret* **dachte**, *ptp* **gedacht** I *vi* **1.** (*überlegen*) to think. **bei sich ~** to think to oneself; **wo ~ Sie hin!** what an idea!; **ich denke, also bin ich** I think, therefore I am; **der Mensch denkt, (und) Gott lenkt** (*Prov*) man proposes, God disposes (*Prov*); **das gibt mir/einem zu ~** it starts you thinking, it makes you think; **langsam/schnell ~** to be a slow/quick thinker.
2. (*urteilen*) to think (*über* +*acc* about, of). **wie ~ Sie darüber?** what do you think about it?; **schlecht von jdm ~** to think badly of sb; **ich denke genauso** I think the same (way); **wieviel soll ich spenden? — wie Sie ~** how much should I donate? — it's up to you *or* as much as you think fit.
3. (*gesinnt sein*) to think. **edel ~** to be of a noble frame of mind, to be noble-minded; **kleinlich ~** to be petty-minded; **alle, die damals liberal gedacht haben,** ... all those who were thinking along liberal lines ...
4. (*im Sinn haben*) **an jdn/etw ~** to think of sb/sth, to have sb/sth in mind; **daran ist gar nicht zu ~** that's (quite) out of the question; **ich denke nicht daran!** no way! (*inf*), not on your life!; **ich denke nicht daran, das zu tun!** there's no way I'm going to do that! (*inf*).
5. (*besorgt sein*) **an jdn/etw ~** to think of *or* about sb/sth; **an die bevorstehende Prüfung denke ich mit gemischten Gefühlen** I'm looking ahead to the coming exam with mixed feelings.
6. (*sich erinnern*) **an jdn/etw ~** to

think of sb/sth; **solange ich ~ kann** (for) as long as I can remember *or* recall; **denk daran!** don't forget!; **an das Geld habe ich gar nicht mehr gedacht** I had forgotten about the money; **~ Sie zum Beispiel an England im 19. Jahrhundert** look at *or* think of England in the 19th century, for example; **wenn ich so an früher denke** when I cast my mind back, when I think back; **die viele Arbeit, ich darf gar nicht daran ~** all that work, it doesn't bear thinking about.
7. (*Einfall haben*) **an etw** (*acc*) ~ to think of sth; **das erste, woran ich dachte** the first thing I thought of, the first thing that came *or* sprang to (my) mind.

II *vt* **1.** *Gedanken* to think; (*sich vorstellen*) to conceive of. **er war der erste, der diesen Gedanken gedacht hat** he was the first to conceive of this idea; **was denkst du jetzt?** what are you thinking (about)?; **... das wage ich kaum zu ~ ...** I hardly dare think; **sagen, was man denkt** to say what one thinks, to speak one's mind.
2. (*annehmen, glauben*) to think. **(nur) Schlechtes/Gutes von jdm ~** to think ill/well of sb; **wer hätte das (von ihr) gedacht!** who'd have thought *or* believed it (of her)!; **was sollen bloß die Leute ~!** what will people think!; **ich dächte, ...** I would have thought ...; **ich denke schon** I think so; **ich denke nicht** I don't think so, I think not; **denkste!** (*inf*) that's what you think!
3. (*vorsehen*) **für jdn/etw gedacht sein** to be intended *or* meant for sb/sth; **so war das nicht gedacht** that wasn't what I/he *etc* had in mind.

III *vr* **1.** (*vorstellen*) **sich** (*dat*) **etw ~** to imagine; **das kann ich mir ~** I can imagine; **wieviel soll ich Ihnen dafür zahlen? — was Sie sich** (*dat*) **so gedacht haben** what shall I pay you? — whatever you had in mind; **wie denkst du dir das eigentlich?** (*inf*) what's the big idea? (*inf*); **ich habe mir das so gedacht: ...** this is what I had in mind: ..., this is what I'd thought: ...; **das habe ich mir gleich gedacht** I thought that from the first; **das habe ich mir gedacht** I thought so; **das habe ich mir beinahe gedacht** I thought as much; **dachte ich mir's doch!** I knew it!; **ich denke mir mein Teil** I have my own thoughts on the matter; **das läßt sich ~!** that's very likely.
2. (*beabsichtigen*) **sich** (*dat*) **etw bei etw ~** to mean sth by sth; **ich habe mir nichts Böses dabei gedacht** I meant no harm in it); **was hast du dir bei dieser Bemerkung bloß gedacht?** what were you thinking of when you made that remark?; **sie läuft zu Hause immer nackt herum und denkt sich nichts dabei** she runs around the house with nothing on and doesn't think anything of it.

Denker(in *f*) *m* **-s**, **-** thinker. **das Volk der Dichter und ~** the nation of poets and philosophers.

Denkerfalte *f usu pl* (*hum*) furrow on one's brow. **er zog seine Stirn in ~n** (*acc*) he furrowed his brow.

denkerisch *adj* intellectual.

Denkerstirn *f (hum)* lofty brow.

Denkfabrik *f* think tank; **denkfaul** *adj* (mentally) lazy; **sei nicht so ~!** get your brain working!; **Denkfehler** *m* mistake in the/one's logic, flaw in the/one's reasoning; **ein ~ in der Beurteilung der Lage** an error in the assessment of the situation; **Denkgewohnheit** *f usu pl* thought habit, habitual way of thinking; **Denkhemmung** *f* mental block; **Denkhilfe** *f* clue, hint; *(Merkhilfe)* reminder; **Denkhorizont** *m* mental horizon.

Denkmal [-ma:l] *nt* -s, ̈er *or (liter)* -e 1. *(Gedenkstätte)* monument, memorial *(für* to); *(Standbild)* statue. **die Stadt hat ihm ein ~ gesetzt** the town put up *or* erected a memorial/statue to him; **er hat sich** *(dat)* **ein ~ gesetzt** he has left a memorial (to himself). 2. *(Zeugnis: literarisch)* monument *(gen* to).

Denkmal(s)pflege *f* preservation of historical monuments; **Denkmal(s)-pfleger(in** *f)* *m* curator of monuments; **Denkmal(s)schändung** *f* defacing a monument *no art*; **Denkmal(s)schutz** *m* protection of historical monuments; **etw unter ~ stellen** to classify sth as a historical monument; **unter ~ stehen** to be listed *or* under a preservation order *or* classified as a historical monument.

Denkmodell *nt (Entwurf)* plan for further discussion; *(wissenschaftlich)* working hypothesis; *(Denkmuster)* thought pattern; **Denkmuster** *nt* pattern of thought; **Denkpause** *f* break, adjournment; **eine ~ einlegen** to have a break *or* to adjourn to think things over; **Denkprozeß** *m* thought-process; **Denkpsychologie** *f* psychology of thought; **Denkschablone** *f (pej)* (set *or* hackneyed) thought pattern; **Denkschema** *nt* thought pattern; **Denkschrift** *f* memorandum; **Denkspiel** *nt* mental *or* mind game; **Denksport** *m* mental exercise; **Denksportaufgabe** *f* brain-teaser; **Denkspruch** *m* motto.

denkste *interj siehe* **denken** II 2.

Denkübung *f* mental exercise.

Denkvermögen *nt* capacity for thought, intellectual capacity; **Denkvers** *m* mnemonic (verse); **Denkweise** *f siehe* **Denkart**; **denkwürdig** *adj* memorable, notable; **Denkzentrum** *nt* thought centre; **Denkzettel** *m (inf)* warning; **jdm einen ~ verpassen** to give sb a warning.

denn I *conj* 1. *(kausal)* because, for *(esp liter)*.

2. *(geh: vergleichend)* than. **schöner ~ je** more beautiful than ever.

3. *(konzessiv)* **es sei ~, (daß)** unless.

II *adv* 1. *(verstärkend)* **wann/woran/wer/wie/wo ~?** when/why/who/how/where?; **ich habe ihn gestern gesehen — wo ~?** I saw him yesterday — oh, where?; **wieso ~?** why?, how come?; **warum ~ nicht?** why not?; **wie geht's ~?** how are you *or* things then?, how's it going then? **wo bleibt er ~?** where has he got to?; **was soll das ~?** what's all this

then?

2. *(N Ger inf: dann)* then. **na, ~ man los!** right then, let's go!; **na, ~ prost!** well, cheers (then).

dennoch *adv* nevertheless, nonetheless, still. **~ liebte er sie** yet he still loved her *or* he loved her nevertheless; **er hat es ~ getan** (but *or* yet) he still did it, he did it nonetheless *or* nevertheless; **und ~, ...** and yet ...

Denominativ *nt (Ling)* denominative.

Denotat *nt (Ling)* denotation.

Denotation *f (Ling)* denotation.

denselben 1 *acc* **of derselbe. II** *dat* **of dieselben.**

dental *adj (Med, Ling)* dental.

Dentist(in *f)* *m (dated)* dentist.

Denunziant(in *f)* *m (pej)* informer.

Denunziantentum *nt (pej)* informing.

Denunziation *f (pej)* informing *no pl (von* on, against); *(Anzeige)* denunciation *(von* of).

denunzieren* *vt (pej)* 1. *(verraten)* to inform on *or* against, to denounce *(bei* to). 2. *(geh: verunglimpfen)* to denounce, to condemn.

Deo *nt* -(s), -s *abbr of* **Deodorant.**

Deodorant *nt* -s, -s *or* -e deodorant.

Deodorantspray *nt or m* deodorant spray.

deodorierend *adj* deodorant.

Deoroller *m* roll-on (deodorant); **Deospray** *nt or m* deodorant spray; **Deostift** *m* stick deodorant.

Departement [departə'mã:] *nt* -s, -s *(esp Sw)* department.

Dependance [depã'dã:s] *f* -, -n (a) *(geh)* branch. 2. *(Hotel~)* annexe.

Dependenz *f (Philos)* dependence.

Dependenzgrammatik *f* dependence grammar.

Depesche *f* -, -n *(dated)* dispatch.

deplaciert [depla'si:ɐt], **deplaziert** *adj* out of place.

Deponie *f* dump, disposal site.

deponieren* *vt (geh)* to deposit.

Deportation *f* deportation.

deportieren* *vt* to deport.

Deportierte(r) *mf decl as adj* deportee.

Depositar, Depositär *m (Fin)* depositary.

Depositen *pl (Fin)* deposits *pl.*

Depositen- *(Fin)*: **Depositenbank** *f* deposit bank; **Depositengelder** *pl* deposits *pl,* deposit(ed) money; **Depositengeschäft** *nt* deposit banking; **Depositenkonto** *nt* deposit account.

Depot [de'po:] *nt* -s, -s depot; *(Aufbewahrungsort auch)* depository; *(in Bank)* strong room; *(aufbewahrte Gegenstände)* deposits *pl;* *(Schließfach)* safety deposit box; *(Med)* depot.

Depotbehandlung *f (Med)* depot treatment; **Depotfett** *nt (Med)* adipose fat; **Depotgeschäft** *nt (Fin)* security deposit business.

Depp *m* -en *or* -s, -e(n) *(S Ger, Aus, Sw pej)* twit *(inf)*.

deppert *adj (S Ger, Aus inf)* dopey *(inf)*.

Depression *f (alle Bedeutungen)* depression. **~en haben** to suffer from depression.

depressiv *adj* depressive; *(Econ)* depressed.

Depressivität f depressiveness.

deprimieren* vt to depress.

deprimierend adj depressing.

deprimiert adj depressed.

Deprivation [depriva'tsio:n] f (Psych) deprivation.

deprivieren* [-'vi:rən] vt (Psych) to deprive.

Deputat nt 1. (esp Agr) payment in kind. 2. (Sch) teaching load.

Deputation f deputation.

deputieren* vt to deputize.

Deputierte(r) mf decl as adj deputy.

Deputiertenkammer f (Pol) Chamber of Deputies.

der¹ I 1. gen of def art **die** sing, pl of the. **das Miauen ~ Katze** the miaowing of the cat, the cat's miaowing.

2. dat of def art **die** sing to the; (mit Präposition) the.

II dat of dem pron **die** sing 1. (adjektivisch) to that; (mit Präpositionen) that. 2. (substantivisch) to her; her.

III dat of rel pron **die** sing to whom, that or who(m) ... to; (mit Präposition) who(m); (von Sachen) to which, which ... to; which.

der², **die**, **das**, pl **die** I def art gen **des**, **der**, **des**, pl **der**; dat **dem**, **der**, **dem**, pl **den**; acc **den**, **die**, **das**, pl **die** the. **der/die Arme!** the poor man/woman or girl!; **die Toten** the dead pl; **die Engländer** the English pl; **der Hans** (inf)/**der Faust** Hans/Faust; **der kleine Hans** little Hans; **der Rhein** the Rhine; **der Michigansee** Lake Michigan; **die Domstraße** Cathedral Street; **die „Bismarck"** the "Bismarck"; **der Lehrer/die Frau** (im allgemeinen) teachers pl/women pl; **der Tod/die Liebe/das Leben** death/love/life; **der Tod des Sokrates** the death of Socrates; **das Viktorianische England** Victorian England; **er liebt den Jazz/die Oper/das Kino** he likes jazz/(the) opera/ the cinema; **das Singen macht ihm Freude** singing gives him pleasure; **mir fiel das Atmen schwer** I found breathing difficult; **das Herstellen von Waffen ist ...** manufacturing weapons is ..., the manufacturing of weapons is ...; **die Callas** Callas; **der spätere Wittgenstein** the later Wittgenstein; **er war nicht mehr der Hans, den ...** he was no longer the Hans who ...; **er hat sich den Fuß verletzt** he has hurt his foot; **wascht euch** (dat) **mal das Gesicht!** wash your face!; **eine Mark das Stück** one mark apiece or each; **10 Mark die Stunde** 10 marks an or per hour.

II dem pron gen **dessen** or (old) **des**, **deren**, **dessen**, pl **deren**; dat **dem**, **der**, **dem**, pl **denen**; acc **den**, **die**, **das**, pl **die** 1. (attr) (jener, dieser) that; pl those, them (inf). **zu der und der Zeit** at such and such a time; **an dem und dem Ort** at such and such a place.

2. (substantivisch) he/she/it; pl those, them (inf). **der/die war es** it was him/her; **der/die mit der großen Nase** the one or him/her (inf) with the big nose; **die** (pl) **mit den roten Haaren** those or them (inf)

with red hair; **der und schwimmen?** him, swimming?, swimming?, (what) him?; **der/die hier/da** (von Menschen) he/she, this/that man/woman; (von Gegenständen) this/that (one); (von mehreren) this one/that one; **die hier/da** pl they, these/those men/women etc; these/ those, them (inf); **der, den ich meine** the one I mean; **der und der/die und die** so-and-so; **das und das** such and such.

III rel pron (decl as II) (Mensch) who, that; (Gegenstand, Tier) which, that.

IV rel +dem pron (decl as II) **der/die dafür verantwortlich war, ...** the man/ woman who was responsible for it; **die so etwas tun, ...** those or people who do that sort of thing ...

der|art adv 1. (Art und Weise) in such a way. **er hat sich ~ benommen, daß ...** he behaved so badly that ...; **sein Benehmen war ~, daß ...** his behaviour was so bad that ...; **~ vorbereitet, ...** thus prepared ...

2. (Ausmaß) (vor adj) so; (vor vb) so much, to such an extent. **ein ~ unzuverlässiger Mensch** such an unreliable person, so unreliable a person; **er hat mich ~ geärgert, daß ...** he annoyed me so much that ...; **es hat ~ geregnet, daß ...** it rained so much that ...

der|artig I adj such, of that kind. **bei ~en Versuchen** in such experiments, in experiments of that kind; **(etwas) D~es** something like that or of the kind. II adv siehe **derart**.

derb adj 1. (kräftig) strong; Stoff, Leder auch tough; Schuhe auch stout; Kost coarse; **jdn ~ anfassen** to manhandle sb; (fig) to be rough with sb.

2. (grob) coarse; Manieren, Kerl auch uncouth; Witz, Sprache, Ausdrucksweise auch earthy, crude (pej). **um mich einmal ~ auszudrücken ...** to put it crudely ...

3. (unfreundlich) gruff.

Derbheit f siehe adj 1. strength; toughness; stoutness; coarseness. 2. coarseness; uncouthness; earthiness, crudeness. **~en** crudities. 3. gruffness.

Derby ['dɛrbi] nt **-s**, **-s** horse-race for three-year-olds, derby (US); (fig: sportliche Begegnung) derby. **das (englische) ~** the Derby.

der|einst adv (liter) 1. (in der Zukunft) one day. 2. (rare: früher) at one time, once.

der|einstig adj (liter) 1. (künftig) future, tomorrow's. **im ~en vereinten Europa** in tomorrow's united Europe, in the united Europe of tomorrow. 2. (damalig) of former times.

deren 1 gen pl of dem pron **der**, **die**, **das** their. II 1. gen sing of rel pron **die** whose. 2. gen pl of rel pron **der**, **die**, **das** whose, of whom; (von Sachen) of which.

der|enthalben (dated), **derentwegen** adv (weswegen) because of whom, on whose account; (von Sachen) because of which, on account of which; (welcher zuliebe auch) for whose sake; for the sake of which; (um welche) about whom; (von

Sachen) about which; (*für welche*) on whose behalf; **derentwillen** *adv* um **derentwillen 1.** (*rel*) for whose sake; (*von Sachen*) for the sake of which; **2.** (*dem*) *sing* for her/its sake; *pl* for their sake.

derer *gen pl of dem pron* **der, die, das** of those. **das Geschlecht ~ von Hohenstein** (*geh*) the von Hohenstein family.

deret- *in cpds siehe* **derent-**.

dergestalt *adv* (*geh*) in such a way; (*Ausmaß*) so much; to such an extent. **~ ausgerüstet, ...** thus equipped ...

dergleichen *inv* I *dem pron* **1.** (*adjektivisch*) of that kind, such, like that. **~ Dinge** things of that kind *or* like that, such things.

2. (*substantivisch*) that sort of thing. **nichts ~** nothing of that kind *or* like it; **er tat nichts ~** he did nothing of the kind; **und ~ (mehr)** and suchlike.

II *rel pron* (*old*) of the kind that. **Juwelen, ~ man selten sieht** jewels whose like *or* the like of which one rarely sees.

Derivat [-'va:t] *nt* (*Chem, Ling*) derivative.

Derivativ *nt* (*Ling*) derivative.

derjenige, diejenige, dasjenige, *pl* **diejenigen** *dem pron* **1.** (*substantivisch*) the one; *pl* those. **sie ist immer diejenige, welche** (*inf*) it's always her; **du warst also derjenige, welcher!** (*inf*) so it was you!, so you're the one! **2.** (*adjektivisch*) the; *pl* those.

derlei *dem pron inv* **1.** (*adjektivisch*) such, like that, that kind of. **~ Probleme** problems like that, that kind of *or* such problems. **2.** (*substantivisch*) that sort *or* kind of thing. **und ~ (mehr)** and suchlike.

dermaßen *adv* (*mit adj*) so; (*mit vb*) so much. **~ dumm** so stupid; **ein ~ dummer Kerl** such a stupid fellow; **sie hatte ~ Angst, daß ...** she was so afraid that ...; **er hat sich geärgert, und zwar ~, daß ...** he was angry, so much so that ...

Dermatologe *m*, **Dermatologin** *f* dermatologist; **Dermatologie** *f* dermatology.

derselbe, dieselbe, dasselbe, *pl* **dieselben** *dem pron*

1. (*substantivisch*) the same; (*old: er, sie, es*) he/she/it; (*inf: der, die, das gleiche*) the same. **er sagt in jeder Vorlesung dasselbe** he says the same (thing) in every lecture; **jedes Jahr kriegen dieselben mehr Geld** every year the same people get more money; **sie/er ist immer noch ganz dieselbe/derselbe** she/he is still exactly the same; **es sind immer dieselben** it's always the same ones *or* people; **noch mal dasselbe, bitte!** (*inf*) same again, please.

2. (*adjektivisch*) the same. **ein und derselbe Mensch** one and the same person.

derselbige *etc dem pron* (*old*) *siehe* **derselbe** *etc*.

derweil(en) I *adv* in the meantime, meanwhile. II *conj* (*old*) whilst, while.

Derwisch *m* **-es, -e** dervish.

derzeit *adv* **1.** (*jetzt*) at present, at the moment. **2.** (*dated: damals*) at that *or* the time, then.

derzeitig *adj attr* **1.** (*jetzig*) present, current. **2.** (*dated: damalig*) of that *or* the time.

des¹ 1. *gen of def art* **der, das** of the. **das Bellen ~ Hundes** the barking of the dog, the dog's barking. **2.** (*old*) *siehe* **dessen**.

des², Des *nt* **-, no pl** (*Mus*) D flat.

Desaster [de'zastɐ] *nt* **-s, -** disaster.

desavouieren* [dɛsavu'i:rən] *vt* (*geh*) to disavow; *Bemühungen, Pläne* to compromise.

Desensibilisator *m* (*Phot*) desensitizer.

desensibilisieren* *vt* (*Phot, Med*) to desensitize.

Deserteur(in *f*) [-'tø:ɐ, -'tø:rɪn] *m* (*Mil, fig*) deserter.

desertieren* *vi aux sein or* (*rare*) *haben* (*Mil, fig*) to desert.

Desertion *f* (*Mil, fig*) desertion.

desgleichen I *adv* (*ebenso*) likewise, also. **er ist Vegetarier, ~ seine Frau** he is a vegetarian, as is his wife. II *dem pron inv* (*old: dasselbe*) the same. **~ habe ich noch nie gehört** I have never heard the like.

deshalb *adv, conj* therefore; (*aus diesem Grunde, darüber*) because of that; (*dafür*) for that. **es ist schon spät, ~ wollen wir anfangen** it is late, so let us start; **~ bin ich hergekommen** that is what I came here for, that is why I came here; **ich bin ~ hergekommen, weil ich dich sprechen wollte** what I came here for was to speak to you, the reason I came here was that I wanted to speak to you; **~ also!** so that's why *or* the reason!; **~ muß er nicht dumm sein** that does not (necessarily) mean (to say) he is stupid; **~ frage ich ja** that's exactly why I'm asking.

Desiderat *nt*, **Desideratum** *nt* **-s, Desiderata** desideratum; (*Anschaffungsvorschlag*) suggestion.

Design [di'zaɪn] *nt* **-s, -s** design.

Designat [dezɪ'gna:t] *nt* (*Philos, Ling*) referendum.

Designation [dezɪgna'tsio:n] *f* designation.

designen* [di'zaɪnən] to design.

Designer(in *f*) [di'zaɪnɐ, -ərɪn] *m* **-s, -** designer.

Designer-Jeans *pl* designer jeans *pl*; **Designer-Mode** *f* designer fashion.

designieren* [dezɪ'gni:rən] *vt* to designate (*jdn zu etw* sb as sth).

designiert [dezɪ'gni:rt] *adj attr* **der ~e Vorsitzende** the chairman elect *or* designate.

desillusionieren* *vt* to disillusion.

Desillusionierung *f* disillusionment.

Desinfektion *f* disinfection.

Desinfektionslösung *f* antiseptic solution; **Desinfektionsmittel** *nt* disinfectant.

desinfizieren* *vt Zimmer, Bett etc* to disinfect; *Spritze, Gefäß etc* to sterilize.

Desinfizierung *f siehe vt* disinfection; sterilization.

Desinformation *f* (*Pol*) disinformation *no pl*.

Desinformationskampagne *f* campaign of disinformation.

Des|integration f (Sociol, Psych) disintegration.

Des|interesse nt lack of interest (an +dat in).

des|interessiert adj uninterested; Gesicht bored.

Deskription f (geh) description.

deskriptiv adj descriptive.

Desktop publishing ['dɛsktɔp 'pablɪʃɪŋ] nt -, no pl desktop publishing, DTP.

Desodorant nt -s, -s or -e siehe **Deodorant**.

desolat adj (geh) desolate; Zustand, wirtschaftliche Lage desperate.

Des|organisation f disorganization; (Auflösung auch) disruption. **auf der Tagung herrschte eine völlige ~** there was complete chaos at the conference.

des|organisieren* vt to disorganize.

des|orientieren* vt to disorient(ate).

Des|orientiertheit, Des|orientierung f disorientation.

Desoxyribonukleinsäure f (abbr DNS) deoxyribonucleic acid, DNA.

Desperado [dɛspe'ra:do] m -s, -s desperado.

desperat [dɛspe'ra:t] adj (geh) desperate.

Despot [dɛs'po:t] m -en, -en despot.

Despotie [dɛspo'ti:] f despotism.

despotisch [dɛs'po:tɪʃ] adj despotic.

Despotismus [dɛspo-] m, no pl despotism.

desselben gen of derselbe, dasselbe.

dessen I gen of dem pron **der²**, das his; (von Sachen, Tieren) its. II gen of rel pron **der²**, das whose; (von Sachen) of which, which ... of.

dessentwillen adv: **um ~ 1.** (rel) for whose sake; **2.** (dem) for his/its sake.

des(sen)|unge|achtet adv (geh) nevertheless, notwithstanding (this).

Dessert [dɛ'se:ɐ] nt -s, -s dessert.

Dessin [dɛ'sɛ̃:] nt -s, -s (Tex) pattern, design.

Dessous [dɛ'su:] nt -, - [dɛ'su:s] usu pl (dated) undergarment, underwear no pl.

destabilisieren* vt to destabilize.

Destabilisierung f destabilization.

Destillat [dɛstɪ'la:t] nt (Chem) distillation, distillate; (fig) distillation.

Destillation [dɛstɪla'tsio:n] f **1.** (Chem) distillation. **2.** (Branntweinbrennerei) distillery. **3.** (dated dial: Großgaststätte) drinking establishment.

Destille [dɛs'tɪlə] f -, -n (a) (dial inf: Gaststätte) (big) pub (Brit), bar. **2.** (Brennerei) distillery.

destillieren* [dɛstɪ'li:rən] vt to distil; (fig) to condense.

Destillierkolben [dɛstɪ'li:ɐ-] m (Chem) retort.

desto conj **~ mehr/besser** all the more/better; **~ grausamer/schneller** all the more cruel/all the faster; **~ wahrscheinlicher ist es, daß wir ...** that makes it all the more probable that we ...; siehe **je**.

Destruktion [dɛstrʊk'tsio:n] f destruction.

Destruktionstrieb m (Psych) destructive instinct.

destruktiv [dɛstrʊk'ti:f] adj destructive.

Destruktivität f destructiveness.

deswegen adv siehe **deshalb**.

Deszendent m im **~en sein** (Astrol) to be in the descendent.

Deszendenz f **1.** (Abstammung) descent; (Nachkommenschaft) descendants pl. **2.** (Astron) descendence (spec), setting.

Deszendenztheorie f (Biol) theory of evolution.

Detail [de'tai, de'taj] nt -s, -s detail; (Filmeinstellung) big close-up. **ins ~ gehen** to go into detail(s); **im ~** in detail; **in allen ~s** in the greatest detail; **etw mit allen ~s berichten** to report sth in full detail, to give a fully detailed account of sth; **die Schwierigkeiten liegen im ~** it is the details that are most difficult.

Detailfrage f question of detail; **Detailhandel** m (dated) siehe **Einzelhandel**; **Detailkenntnisse** pl detailed knowledge no pl.

detaillieren* [deta'ji:rən] vt (genau beschreiben) to specify, to give full particulars of. **etw genauer ~** to specify sth more precisely.

detailliert [deta'ji:ɐt] adj detailed.

detailreich adj fully detailed; **etw ~ schildern** to describe sth in great detail; **Detailschilderung** f detailed account; **Detailzeichnung** f detail drawing.

Detektei f (private) detective agency, firm of (private) investigators. **,,~ R.B. von Halske"** "R.B. von Halske, private investigator".

Detektiv(in f) m private investigator or detective or eye (inf).

Detektivbüro nt siehe **Detektei**.

detektivisch adj in **~er Kleinarbeit** with detailed detection work; **bei etw ~ vorgehen** to go about sth like a detective.

Detektivroman m detective novel.

Detektor m (Tech) detector.

Detektor|empfänger m (Rad) crystal set.

Détente [de'tã:t] f -, no pl (rare) (Pol) détente.

Determinante f -, -n (Math, Biol) determinant.

determinieren* vt to (pre)determine; (Gram) to govern.

Determinismus m, no pl (Philos) determinism.

deterministisch adj (Philos) deterministic.

Detonation f explosion, blast. **etw (acc) zur ~ bringen** to detonate sth.

detonieren* vi aux sein to explode, to go off.

deucht 3rd pers sing of dünken.

Deut m **um keinen ~** not one iota or jot; **seine Ratschläge sind keinen ~ wert** his advice is not worth tuppence; **er versteht nicht einen ~ davon** he does not know the first thing about it; **daran ist kein ~ wahr** there is not a grain of truth in it; **du bist keinen ~ besser** you're not one jot or iota or whit better.

deutbar adj interpretable. **nicht/schwer ~** impossible/difficult to interpret; **es ist nicht anders ~** it cannot be explained in any other way.

Deutelei f (pej geh) quibbling, quibbles pl, cavilling.

deuteln vi (geh) to quibble, to cavil. **an**

jedem Wort ~ to quibble over every word; **daran gibt es nichts zu ~!** there are no ifs and buts about it!

deuten I vt (*auslegen*) to interpret; *Zukunft auch* to read. **sich** (*dat*) **etw ~** (*geh*) to understand sth; **etw falsch ~** to misinterpret sth.

II vi 1. (*zeigen*) (**mit dem Finger**) **auf etw** (*acc*) **~** to point (one's finger) at sth. 2. (*fig: hinweisen*) to indicate. **alles deutet auf Regen/Schnee** all the signs are that it is going to rain/snow, everything points to rain/snow; **alles deutet darauf, daß ...** all the indications are that ..., everything indicates that ...

Deuter m -s, - 1. interpreter. 2. (*Aus: Wink*) sign.

deutlich adj 1. (*klar*) clear. **~ erkennbar/ sichtbar/hörbar/wahrnehmbar** clearly or plainly recognizable/visible/audible/ perceptible; **~ sehen** to see clearly; **~ fühlen** to feel distinctly; **ich fühle ~, daß ...** I have the distinct feeling ...; **~ unterscheiden** to distinguish clearly.

2. (*unmißverständlich*) clear, plain. **jdm etw ~ vor Augen führen** to make sth perfectly clear or plain to sb; **eine ~e Sprache mit jdm reden** to speak plainly or bluntly with sb; **sich ~ ausdrücken, ~ werden** to make oneself clear or plain; **das war ~!** (*taktlos*) that was clear or plain enough; **muß ich noch ~er werden?** have I not made myself clear or plain enough?; **ich muß es einmal ~ sagen** let me make myself clear or plain; **jdm ~ zu verstehen geben, daß** to make it clear or plain to sb that.

Deutlichkeit f clarity. **etw mit aller ~ sagen** to make sth perfectly clear or plain; **seine Antwort ließ an ~ nichts zu wünschen übrig** his answer was perfectly clear or plain and left no possible doubt.

deutlichkeitshalber adv for the sake of clarity.

deutsch adj 1. German. **~e Schrift** Gothic script; **~er Schäferhund** Alsatian (*Brit*), German shepherd; **~e Gründlichkeit** etc German or Teutonic efficiency; **die D~e Bucht** the German Bight; **D~e Mark** deutschmark, German mark; **der D~e Orden** (*Hist*) the Teutonic Order (of Knights).

2. (*in bezug auf Sprache*) German. **er hat ~, nicht englisch gesprochen** he spoke German not English; **sich (auf) ~ unterhalten** to speak (in) German; **auf or zu ~ heißt das ...** in German it means ...; **der Text ist (in) ~ geschrieben** the text is written in German; **der Vortrag wird in** or **auf ~ gehalten** the lecture will be given in German; **etw ~ aussprechen** to pronounce sth in a German(ic) way, to give sth a German pronunciation; **~ denken** to think in German; **mit jdm ~ reden** (*fig inf: deutlich*) to speak bluntly with sb; **auf gut ~ (gesagt)** (*fig inf*) in plain English.

Deutsch nt -(**s**), dat -, no pl German. **das ~ Thomas Manns** Thomas Mann's German; **gut(es) ~ sprechen** to speak good German; (*Ausländer auch*) to speak German well; **~ lernen/verstehen** to learn/understand German; **der Unterricht/die Schulnote in ~** German lessons pl/school mark in or for German; *siehe auch* **deutsch2**..

Deutschamerikaner(in f) m German American; **deutschamerikanisch** adj German-American; **deutsch-deutsch** adj intra-German.

Deutsch(e) nt -n, dat -n, no pl (*Sprache*) German. **aus dem ~en/ins ~e übersetzt** translated from (the)/into (the) German; **das ~ des Mittelalters** medieval German, the German of the Middle Ages; **die Aussprache des ~en** the pronunciation of German, German pronunciation.

Deutsche Demokratische Republik f (*abbr* DDR) (*Hist*) German Democratic Republic, East Germany no art, GDR.

deutsch-|englisch adj 1. (*Pol*) Anglo-German. 2. (*Ling*) German-English.

Deutsche(r) mf decl as adj **er ist ~r** he is (a) German; **die ~n** the Germans.

deutschfeindlich adj anti-German, Germanophobic; **deutsch-französisch** adj 1. (*Pol*) Franco-German; **der D~- Französische Krieg** the Franco-Prussian war; 2. (*Ling*) German-French; **deutschfreundlich** adj pro-German, Germanophile; **Deutschherrenorden** m (*Hist*) Teutonic Order of Knights.

Deutschland nt -s Germany. **die beiden ~(s)** the two Germanys.

Deutschlandfrage f (*Pol*) German question; **Deutschlandlied** nt (West) German national anthem; **Deutschland- politik** f (*Hist*) West Germany's policy towards East Germany; (*von fremdem Staat*) policy on or towards Germany; **Deutschlandtournee** f tour of Germany.

Deutschlehrer(in f) m German teacher; **deutschnational** adj (*Hist*) German National; **Deutschordensritter** m (*Hist*) Teutonic Knight; **Deutsch- schweiz** f die ~ German-speaking Switzerland; **Deutschschweizer(in** f) m German Swiss; **deutschschweize- risch** adj German-Swiss; **deutsch- sprachig** adj Bevölkerung, Gebiete German-speaking; Zeitung, Ausgabe German language; Literatur German; **deutschsprachlich** adj German (-language); **deutschsprechend** adj German-speaking; **deutschstämmig** adj of German origin or stock; **Deutsch- stämmige(r)** mf decl as adj ethnic German; **Deutschstunde** f German lesson; **Deutschtum** nt, no pl German- ness; (*die Deutschen*) Germans pl; **Deutschtümelei** f (*pej*) hyper-German- ness.

Deutung f interpretation. **eine falsche ~** a misinterpretation.

Deutungsversuch m attempt at an inter- pretation. **er unternimmt einen neuen ~ des ...** he attempts a new interpretation of ...

Devise [de'vi:zə] f -, -n 1. (*Wahlspruch*) maxim, motto; (*Her auch*) device. 2. (*Fin*) **Devisen** pl foreign exchange or currency.

Devisenabkommen nt foreign exchange agreement; **Devisenbeschränkungen** pl foreign exchange restrictions pl; **Devisenbestimmungen** pl foreign exchange control regulations pl; **Devisenbewirtschaftung** f foreign exchange control; **Devisenbilanz** f foreign exchange balance; **Devisenbörse** f foreign exchange market; **Devisenbringer** m -s, - bringer or (Geschäft etc) earner of foreign exchange or currency; **Devisengeschäft** nt foreign exchange dealing; **Devisenhandel** m foreign currency or exchange dealings pl, sale and purchase of currencies; **Devisenknappheit** f shortage of foreign exchange; **Devisenkurs** m exchange rate, rate of exchange; **Devisenmarkt** m foreign exchange market; **Devisenschmuggel** m currency smuggling; **devisenschwach** adj ~e Länder countries with limited foreign currency reserves; **Devisentermingeschäft** nt forward exchange; **Devisenvergehen** nt breach of exchange control regulations.

devot [de'voːt] adj (geh) 1. (pej: unterwürfig) obsequious. 2. (old: demütig) humble.

Devotion [devo'tsioːn] f siehe adj (geh) 1. obsequiousness. 2. humility.

Dextrose f -, no pl (Chem) dextrose.

Dez m -es, -e (dial inf) bonce (inf).

Dezember m -s, - December; siehe auch **März**.

dezent adj discreet.

dezentral adj decentralized.

dezentralisieren* vt to decentralize.

Dezentralisierung f siehe **Dezentralisation**.

Dezenz f, no pl (geh) (von Geschmack, Kleidung) discreetness; (von Benehmen auch) discretion.

Dezernat nt (Admin) department.

Dezernent(in f) m (Admin) head of department.

Dezibel ['deːtsibel, -'bɛl] nt -s, - (Phys) decibel.

dezidiert adj (geh) firm, determined.

Dezi- [(esp Aus) 'deːtsi-]: **Dezigramm** nt decigram(me); **Deziliter** m or nt decilitre.

dezimal adj decimal.

Dezimalbruch m decimal fraction.

Dezimale f decimal.

dezimalisieren* vt to decimalize. **als in Großbritannien dezimalisiert wurde** when Great Britain went decimal.

Dezimalisierung f decimalization.

Dezimalklassifikation f decimal classification; **Dezimalmaß** nt decimal measure; **Dezimalrechnung** f decimals pl; **Dezimalstelle** f decimal place; **auf zwei ~n genau** correct to two decimal places; **Dezimalsystem** nt decimal system; **Dezimalwaage** f decimal balance; **Dezimalzahl** f decimal number.

Dezime f -, -n (Mus) tenth.

Dezimeter m or nt decimetre.

dezimieren* (fig) I vt to decimate. II vr to be decimated.

Dezimierung f (fig) decimation.

DFB [deːʔɛf'beː] m -s abbr of **Deutscher Fußball-Bund** German Football Association.

DFÜ [deːʔɛf'yː] - abbr of **Datenfernübertragung**.

DGB [deːgeː'beː] m -s abbr of **Deutscher Gewerkschaftsbund** Federation of German Trade Unions.

dgl. abbr of **dergleichen, desgleichen** the like.

d. Gr. abbr of **der Große**.

d.h. abbr of **das heißt** i.e.

d.i. abbr of **das ist** i.e.

Dia nt -s, -s (Phot) slide, transparency.

Diabetes [dia'beːtes] m -, no pl diabetes.

Diabetiker- in cpds diabetic.

Diabetiker(in f) m -s, - diabetic.

diabetisch adj diabetic.

Diabetrachter m slide viewer.

diabolisch adj (geh) diabolical, fiendish.

Diachronie [diakro'niː] f (Ling) diachrony.

diachron(isch) [-kr-] adj (Ling) diachronic.

Diadem nt -s, -e diadem.

Diadochen pl (Hist) diadochi pl; (fig) rivals pl in a power struggle.

Diadochenkämpfe pl (fig) power struggle.

Diagnose f -, -n diagnosis. **eine ~ stellen** to make a diagnosis.

Diagnosestand m diagnostic test bay; **Diagnoseverfahren** nt diagnostic method, method of diagnosis; **Diagnosezentrum** nt diagnostic centre.

Diagnostik f diagnosis.

Diagnostiker(in f) m -s, - diagnostician.

diagnostisch adj diagnostic.

diagnostizieren* vti (Med, fig) to diagnose. **(auf) etw** (acc) **~** to diagnose sth.

diagonal adj diagonal. **ein Buch ~ lesen** (inf) to skim or flick through a book.

Diagonale f -, -n diagonal.

Diagonalreifen m (Aut) cross-ply (tyre).

Diagramm nt -s, -e diagram.

Diakon [dia'koːn, (Aus) 'diːako:n] m -s or -en, -e(n) (Eccl) deacon.

Diakonat nt (Eccl) 1. (Amt) deaconry, deaconship, diaconate. 2. (Wohnung) deacon's house.

Diakonie f (Eccl) social welfare work.

Diakonisse f -, -n, **Diakonissin** f (Eccl) deaconess.

diakritisch adj diacritic. **~e Zeichen** diacritics, diacritic(al) marks or signs.

Dialekt m -(e)s, -e dialect.

dialektal adj dialectal.

Dialekt- in cpds dialect; **Dialektfärbung** f accent, dialect features pl; **Dialektforscher(in** f) m dialectologist, dialectician; **Dialektforschung** f dialect research, dialectology; **dialektfrei** adj without a trace of dialect.

Dialektik f (Philos) dialectics sing or pl.

Dialektiker(in f) m -s, - (Philos) dialectician.

dialektisch adj 1. (Philos) dialectic(al). **~er Materialismus** dialectical materialism. 2. (Ling) siehe **dialektal**.

Dialektismus m (Ling) dialecticism.

Dialog m -(e)s, -e dialogue, dialog (US).

Dialogautor(in f) m (Film) script-writer; **Dialogbetrieb** m (Comput) conversation mode; **Dialogfähig** adj (Comput) ~ sein to be capable of two-way communication; **Dialogform** f dialogue form.

Dialogregie f (Film) script supervision; **Dialogstück** nt (Theat) dialogue play.

Dialyse f -, -n (Med) dialysis.

Diamant¹ m -en, -en diamond.

Diamant² f -, no pl (Typ) four-point, diamond (4½ point).

diamanten adj attr diamond. von ~er Härte as hard as diamond; ~er Glanz adamantine lustre (liter).

Diamantnadel f 1. diamond brooch; 2. (an Tonarm) diamond (stylus); **Diamantschleifer(in** f) m diamond polisher; **Diamantschliff** m diamond polishing; **Diamantstahl** m diamond plate; **Diamantstaub** m diamond dust.

diametral adj diametral; (fig) Ansichten diametrically opposed. ~ entgegengesetzt sein, sich ~ gegenüberliegen to be diametrically opposite; ~ entgegengesetzt (fig) diametrically opposed.

Diaphragma [dia'fragma] nt -s, **Diaphragmen** (Tech, Med) diaphragm.

Dia- (Phot): **Diapositiv** nt slide, transparency; **Diaprojektor** m slide projector; **Diarahmen** m slide frame.

Diarrhöe [dia'rø:] f -, -en (Med) diarrhoea.

Diaspora f -, no pl (Eccl) diaspora.

Diastole [di'astole, dia'sto:lə] f -, -n (Med) diastole.

diät adv kochen, essen according to a diet; leben on a special diet.

Diät f -, -en (Med) diet. ~ halten to keep to or observe a strict diet; nach einer ~ leben to be on a diet or (wegen Krankheit) special diet; jdn auf ~ setzen (inf) to put sb on a diet.

Diätassistent(in f) m dietician; **Diätbier** nt diabetic beer.

Diäten pl (Parl) parliamentary allowance.

Diätetik f dietetics sing.

diätetisch adj dietetic.

Diätfahrplan m (hum) dieting course or schedule.

Diathek f slide collection or library.

Diätist(in f) m dietician.

Diätkost f dietary foods pl; ~ bekommen to be on a special diet; **Diätkur** f dietary or dietetic treatment.

diatonisch adj (Mus) diatonic.

Diavortrag m slide presentation.

dich I pers pron acc of du you; (obs, dial) thee. II refl pron yourself. wie fühlst du ~? how do you feel?

Dichotomie f dichotomy.

dicht I adj 1. Gefieder, Haar, Hecke thick; Laub, Nebel auch, Wald, (Menschen)menge, Gewühl dense; Verkehr auch heavy, dense; Gewebe close; Stoff closely-woven; (fig: konzentriert) Stil dense; Szene full, compact. in ~er Folge in rapid or quick succession; sie standen in ~en Reihen they were standing row upon row close together.

2. (undurchlässig) watertight; airtight;

Vorhänge thick, heavy; Rolladen heavy. ~ machen to seal, to make watertight/airtight; Fenster to seal; ~ halten to be watertight; ~ schließen to shut tightly; ~ verhängen to curtain heavily; er ist nicht ganz ~ (inf) he's crackers (inf).

3. (inf: zu) shut, closed.

II adv 1. (nahe) closely. (~ an) ~ stehen to stand close together; ~ gefolgt von closely followed by.

2. (sehr stark) bevölkert densely; bewaldet auch thickly. ~ mit Efeu bewachsen with ivy growing thickly over it; ~/~er behaart sein to be very hairy/have more hair.

3. (mit Präpositionen) ~ an/bei close to; ~ dahinter/darüber/davor right behind/above/in front; ~ daneben right or close beside it; ~ bevor right before; ~ daran hard by it; ~ hintereinander close(ly) or right behind one another; ~ beieinander or beisammen close together; ~ am Winde halten (Naut) to sail close to or to hug the wind; ~ hinter jdm her sein to be right or hard or close behind sb.

dichtauf adv closely; **dichtbehaart** adj attr (very) hairy; **dichtbelaubt** adj attr thick with leaves, densely foliated; **dichtbevölkert** adj attr densely populated; **dichtbewölkt** adj attr heavily overcast.

Dichte f -, -n 1. no pl siehe adj 1. thickness; denseness; heaviness; closeness; close weave; fullness, compactness. 2. (Phys) density. 3. (Comput) **Diskette mit einfacher/doppelter** ~ single-density/double-density diskette.

Dichtemesser m -s, - (Phys) densimeter.

dichten¹ I vt to write, to compose. sein Glückwunsch war gedichtet his congratulations were (written) in verse. II vi to write poems/a poem.

dichten² vt (undurchlässig machen) to seal, to make watertight/airtight; (Naut auch) to caulk.

Dichter m -s, - poet; (Schriftsteller) writer, author.

Dichterfürst m prince among poets.

Dichterin f poet(ess); (Schriftstellerin) writer, author(ess).

dichterisch adj poetic; (schriftstellerisch) literary. ~e Freiheit poetic licence.

Dichterkreis m circle of poets; **Dichterlesung** f reading (by a poet/writer from own works); **Dichterling** m (pej) rhymester (pej), poetaster (pej); **Dichtersprache** f poetic language; **Dichterwort** nt, pl **Dichterworte** (literary) quotation.

dichtgedrängt adj attr closely packed; **dichthalten** vi sep irreg (inf) to hold one's tongue (inf), to keep one's mouth shut (inf).

Dichtkunst f art of poetry; (Schriftstellerei) creative writing.

dichtmachen vti sep (inf) Laden to shut up, to close; Fabrik, Betrieb to close or shut down. (den Laden) ~ to shut up shop (and go home) (inf); er hat (sich) völlig dichtgemacht (fig inf) he's pulled down the shutters (inf).

Dichtung¹ *f* **1.** *no pl* (*Dichtkunst, Gesamtwerk*) literature; (*in Versform*) poetry. **~ und Wahrheit** (*Liter*) poetry and truth; (*fig*) fact and fantasy *or* fiction. **2.** (*Dichtwerk*) poem, poetic work; literary work. **dramatische ~** dramatic poem.

Dichtung² *f* (*Tech*) seal; (*in Wasserhahn*) washer; (*Aut: von Zylinder, Vergaser*) gasket; (*das Abdichten*) sealing.

Dichtungsmanschette *f* seal; **Dichtungsmasse** *f* sealant; **Dichtungsmittel** *nt* sealing compound; **Dichtungsring** *m*, **Dichtungsscheibe** *f* seal, sealing ring; (*in Wasserhahn*) washer.

dick *adj* **1.** thick; *Mensch, Körperteil, Band, Buch, Brieftasche* fat; *Baum, Stamm* big, large, thick; (*inf*) *Gehalt, Belohnung, Rechnung, Gewinn* fat, hefty; (*inf*) *Tränen, Geschäft* big. **einen ~en Mercedes fahren** (*inf*) to drive a big Mercedes; **eine ~e Zigarre** a big fat cigar; **die ~e Berta** Big Bertha; **ein ~er Brocken** (*inf*) a hard *or* tough nut (to crack); **~ machen** (*Speisen*) to be fattening; **~ werden** (*Mensch: zunehmen*) to get fat; **sich/jdn ~ anziehen** to wrap up/ sb up warmly; **~(e) kommen** (*inf*) to come thick and fast; **etw ~ unterstreichen** to underline sth heavily; **~e** (*inf: ausreichend*) easily; **er hat es ~(e)** (*inf*) (*satt*) he's had enough of it; (*viel*) he's got enough and to spare. **2.** (*nach Maßangaben*) thick; *Erdschicht* deep. **3m ~e Wände** walls 3 metres thick, 3 metre thick walls. **3.** (*inf: schwerwiegend*) *Fehler, Verweis* big. **das ist ein ~er Tadel/ein ~es Lob** that's heavy criticism/high praise; **ach, du ~es Ei!** (*inf*) bloody hell! (*Brit sl*); **das ist ein ~er Hund** (*inf*) that's a bit much (*inf*); **das ~e Ende kommt noch** (*prov*) the worst is yet to come. **4.** (*geschwollen*) *Backe, Beine, Finger, Mandeln* swollen; *Beule* big. **ein ~er Kopf** (*inf*) a thick head (*inf*). **5.** (*zähflüssig, dicht*) thick. **eine ~e Suppe** (*inf: Nebel*) a real pea-souper (*inf*); **~e Milch** sour milk; **durch ~ und dünn** through thick and thin. **6.** (*inf: herzlich*) *Freundschaft, Freund* close. **mit jdm ~ befreundet** *or* **~e sein** to be thick with sb (*inf*).

dickbauchig *adj Vase, Krug* bulbous; **dickbäuchig** *adj Mensch* potbellied; (*krankhaft auch*) swollen-bellied; **Dickdarm** *m* (*Anat*) colon.

Dicke *f* **-, -n 1.** (*Stärke, Durchmesser*) thickness; (*bei Maßangaben auch*) depth. **2.** (*von Menschen, Körperteilen*) fatness.

dicke *adv* (*inf*) *siehe* **dick 1., 6.**

Dicke(r) *mf decl as adj* (*inf*) fatty (*inf*).

Dickerchen *nt* (*inf*) chubby chops (*inf*).

dicketun *vr sep irreg siehe* **dicktun.**

dickfellig *adj* (*inf*) thick-skinned; **Dickfelligkeit** *f* (*inf*) insensitivity, rhinoceros hide (*inf*); **dickflüssig** *adj* thick, viscous; **Dickflüssigkeit** *f* thickness, viscosity; **Dickhäuter** *m* **-s, -** pachyderm; (*fig*) thick-skinned person;

dickhäutig *adj* (*fig*) thick-skinned.

Dickicht *nt* **-(e)s, -e** (*Gebüsch*) thicket; (*fig*) jungle, maze.

Dickkopf *m* **1.** (*Starrsinn*) obstinacy, stubbornness, mulishness; **einen ~ haben** to be obstinate *or* stubborn *or* mulish; **sie setzt ihren ~ immer durch** she always gets what she wants; **2.** (*Mensch*) mule (*inf*); **dickköpfig** *adj* (*fig*) stubborn; **dickleibig** *adj Buch* massive; *Mensch* corpulent; **Dickleibigkeit** *f siehe* **dick** *adj* massiveness; corpulence; **dicklich** *adj* plump; *Mensch auch* plumpish, tubby (*inf*); **Dickmilch** *f* (*Cook*) sour milk; **Dickschädel** *m* (*inf*) *siehe* **Dickkopf; dickschalig** *adj* thick-skinned, with a thick skin *or* peel.

dick ~tun *vir sep irreg* (*inf*) to swank; **(sich) mit etw ~tun** to go swanking around (the place) with sth (*inf*); **dickwandig** *adj Gebäude, Bunker* with thick walls, thick-walled; *Gefäß, Schale* with thick sides, thick; **Dickwanst** *m* (*pej inf*) fatso (*inf*).

Didaktik *f* didactics (*form*), teaching methods *pl*.

Didaktiker(in *f*) *m* **-s, -** (*Univ*) lecturer in teaching methods. **er ist ein miserabler ~** his teaching methods are terrible.

didaktisch *adj* didactic.

die *art etc siehe* **der².**

Dieb *m* **-(e)s, -e** thief. **haltet den ~!** stop thief!; **sich wie ein ~ davonschleichen** to steal *or* slink away like a thief in the night.

Dieberei *f* thievery *no pl*, thieving *no pl*.

Diebesbande *f* gang of thieves; **Diebesgesindel** *nt siehe* **Diebespack; Diebesgut** *nt* stolen property *or* goods *pl*; **Diebeshöhle** *f* thieves' den; **Diebesnest** *nt* den of thieves; **Diebespack** *nt* (*pej*) thieving riff-raff (*pej*) *or* trash (*pej*).

Diebin *f* thief.

diebisch *adj* **1.** (*Gesindel*) thieving *attr*. **2.** (*inf*) *Freude, Vergnügen* impish, mischievous.

Diebstahl ['di:p-ʃta:l] *m* **-(e)s, ⁻e** theft; (*Jur auch*) larceny. **einfacher/schwerer ~** petty/grand larceny; **bewaffneter ~** armed robbery; **geistiger ~** plagiarism.

diebstahlsicher *adj* theft-proof; **Diebstahlsicherung** *f* (*Aut*) anti-theft device; **Diebstahlversicherung** *f* insurance against theft.

diejenige *dem pron siehe* **derjenige.**

Diele *f* **-, -n 1.** (*Fußbodenbrett*) floorboard. **2.** (*Vorraum*) hall, hallway.

Dielenbrett *nt* floorboard.

dienen *vi* **1.** (*Dienste tun, sich einsetzen*) to serve (*jdm* sb); (*old: angestellt sein*) to be in service (*bei* with). **bei Hof ~** to serve *or* wait at court; **bei der Messe** *or* **am Altar ~** to serve at mass. **2.** (*Mil*) (*beim Militär sein*) to serve; (*Militärdienst leisten*) to do (one's) military service. **bei der Kavallerie/unter jdm ~** to serve in the cavalry/under sb; **ein gedienter Soldat** an ex-soldier; *siehe* **Pike. 3.** (*fördern*) (*einer Sache* (*dat*) sth) to serve; **dem Fortschritt, der Erforschung**

to aid; **dem Verständnis** to promote; (**nützlich sein**) to be of use *or* service (**jdm** to sb). **es dient einem guten Zweck/einer guten Sache** it serves a useful purpose/it is in a good cause; **der Verbesserung der Arbeitsbedingungen ~** to serve to improve working conditions.

4. (**behilflich sein**) to help (**jdm** sb), to be of help *or* service (**jdm** to sb). **womit kann ich Ihnen ~?** what can I do for you?; (**im Geschäft auch**) can I help you?; **damit kann ich leider nicht ~** I'm afraid I can't help you there; **damit ist mir wenig gedient** that's no use *or* good to me.

5. (**verwendet werden**) **als/zu etw ~** to serve *or* be used as/for sth; **laß dir das als Warnung ~!** let that serve as *or* be a warning to you!

Diener m **-s, -** 1. (**Mensch**) (*lit, fig*) servant; (**Lakai auch**) valet. **~ Gottes** servant of God; **Ihr ergebenster ~** (*old*) (**in Briefen**) your (most) obedient servant. 2. (*inf: Verbeugung*) bow.

Dienerin f maid(-servant *old*).

dienern vi (**vor** +*dat* to) (*lit*) to bow; (*fig pej*) to bow and scrape.

Dienerschaft f servants *pl*, domestic staff.

dienlich adj useful, helpful; (*ratsam*) expedient, advisable. **jdm/einer Sache ~ sein** to help sb/sth, to be of use *or* help to sb/sth.

Dienst m **-(e)s, -e** 1. (*Arbeitsverhältnis, Tätigkeitsbereich*) service; (*Arbeitsstelle*) position. **diplomatischer/öffentlicher ~** diplomatic /civil service; **bei jdm in ~(en) *or* in jds ~(en)** (*dat*) **sein *or* stehen** to be in sb's service; **jdn in (seinen) ~ nehmen** to engage sb; **in jds ~(e)** (*acc*) **treten** to enter sb's service; **Oberst außer ~** (*abbr* **a.D.**) retired colonel; **den ~ quittieren, aus dem ~ (aus)scheiden** to resign one's post; (*Mil*) to leave the service; **~ mit der Waffe** (*Mil*) armed service; **nicht mehr im ~ sein** to have left the service.

2. (*Berufsausübung, Amtspflicht*) duty; (*Arbeit, Arbeitszeit*) work. **im ~ sein, ~ haben** (*Arzt, Feuerwehrmann*) to be on duty; (*Apotheke*) to be open; **im ~ sein** (*Angestellter*) to be working; **außer ~ sein** to be off duty; **nach ~** after work; **zum ~ gehen** to go to work; **~ tun** to serve (*bei* in, *als* as); **jdn vom ~ beurlauben** to grant sb leave of absence; **jdn vom ~ befreien** to exempt sb from his duties; **~ nach Vorschrift** work to rule; **~ ist ~ und Schnaps ist Schnaps** (*Prov inf*) you can't mix business with pleasure, there's a time for everything.

3. (*Tätigkeit, Leistung, Hilfe*) service. **im ~(e) einer Sache/der Menschheit** in the service of sth/humanity; **sich in den ~ der Sache stellen** to embrace the cause; **jdm einen ~/einen schlechten ~ erweisen** to do sb a good/bad turn *or* a service/disservice; **jdm gute ~e leisten *or* tun** to serve sb well; **die Stimme versagte ihr den ~** her voice failed (her) *or* gave way; **~ am Vaterland** service to one's country; **~ am Kunden** customer service; **etw in ~ stellen** to put sth into

commission *or* service; **jdm zu ~en *or* zu jds ~en stehen** to be at sb's disposal; (*Mensch auch*) to be at sb's service; (**ich stehe**) **zu ~en!** (*old*) at your service!; **was steht zu ~en?** (*old*) you wish, sir/ madam?

4. (*Einrichtung: oft in cpds*) service.

5. (*Archit*) engaged column *or* shaft.

Dienstabteil nt (*Rail*) ≈ guard's compartment, conductor's car (*US*).

Dienstag m Tuesday. **~ abend/morgen/ nachmittag** (on) Tuesday evening/ morning/afternoon; **~ abends/nachts/ vormittags** on Tuesday evenings/nights/ mornings; **am ~** on Tuesday; **hast du ~ Zeit?** have you time on Tuesday?; **heute ist ~, der 10. Juni** today is Tuesday the tenth of June *or* Tuesday June the tenth; **jeden ~** every Tuesday; **eines ~s** one Tuesday; **des ~s** (*geh*) on Tuesdays; **die Nacht von ~ auf *or* zum Mittwoch** the night of Tuesday to Wednesday; **den (ganzen) ~ über** all (day) Tuesday, the whole of Tuesday; **ab nächsten *or* nächstem ~** from next Tuesday; **~ in 8 Tagen *or* in einer Woche** a week on Tuesday, Tuesday week; **seit letzten *or* letztem ~** since last Tuesday; **~ vor einer Woche *or* acht Tagen** a week (ago) last Tuesday.

Dienstagabend m Tuesday evening; **Dienstagnachmittag** m Tuesday afternoon.

dienstags adv on Tuesdays, on a Tuesday. **~ abends** on Tuesday evenings, on a Tuesday evening.

dienstagsnachmittags adv on Tuesday afternoons.

Dienstalter nt length of service; **Dienstälteste(r)** mf (most) senior member of staff; **dienstälteste(r, s)** adj longest-serving, most senior; **Dienstantritt** m assumption of one's duties; (*jeden Tag*) commencement of work; **bei ~** on taking up one's duties/on commencing work; **Dienstanweisung** f instructions *pl*, regulations *pl*; **Dienstauffassung** f conception of one's duties; **was ist denn das für eine ~?** have you no sense of duty!; **Dienstaufsicht** f supervision; **die ~ über etw** (*acc*) **haben** to be in charge of sth; **Dienstaufsichtsbeschwerde** f complaint about a ruling; **dienstbar** adj 1. (*Hist*) subject; 2. (*fig: helfend*) **~er Geist** helpful soul; **~e Geister** willing hands; **Dienstbarkeit** f 1. (*Jur*) servitude; 2. (*Hist: Leibeigenschaft*) servitude; **etw in seine ~ bringen** (*fig geh*) to utilize sth; 3. (*Gefälligkeit*) service; **dienstbeflissen** adj zealous, assiduous; **Dienstbeflissenheit** f zealousness, assiduousness, assiduity; **Dienstbefreiung** f (*Mil*) leave, furlough (*US*); **dienstbereit** adj 1. (*geöffnet*) Apotheke open pred; Arzt on duty; 2. (*hilfsbereit*) willing to be of service, obliging; **Dienstbereitschaft** f 1. **im ~ sein** to be on standby duty; **welche Apotheke hat dieses Wochenende ~?** which chemist is open this weekend?; 2. willingness to be of service; **Dienstbezüge** pl salary *sing*;

Dienstbote m servant; **Dienstboteneingang** m tradesmen's or service entrance; **Diensteid** m oath of service; **Diensteifer** m zeal; **diensteifrig** adj zealous, assiduous; **dienstfrei** adj free; **~er Tag** day off, free day; **Dienstgebrauch** m (Mil, Admin) **nur für den ~** for official use only; **Dienstgeheimnis** nt official secret; **Dienstgespräch** nt business call; (von Beamten) official call; **Dienstgrad** m (Mil) 1. (Rangstufe) rank; 2. (Mensch) **ein höherer ~** a person of higher rank, a higher ranking person; **Dienstgradabzeichen** nt (Mil) insignia; **diensthabend** adj attr Arzt, Offizier duty attr, on duty; **der ~e** (Mil) the duty officer; **Dienstherr** m employer; **Dienstjahr** nt usu pl (Mil, Admin) year of service; **Dienstkleidung** f working dress; uniform; (Mil) service dress; **Dienstleistung** f service; **Dienstleistungsabend** m late-closing night; **Dienstleistungsberuf** m job in the services sector; **Dienstleistungsbetrieb** m service industry; **Dienstleistungsgewerbe** nt services trade; **dienstlich** I adj Angelegenheiten business attr; Schreiben, Befehl official; **~ werden** (inf) to become businesslike; II adv on business; **wir haben hier ~ zu tun** we have business here; **Dienstmädchen** nt maid; **Dienstmann** m pl -männer or -leute (Gepäckträger) porter; **Dienstmütze** f uniform cap; **Dienstordnung** f (Admin) official regulations pl; (Mil) service regulations pl; **Dienstpersonal** nt staff, personnel; **Dienstpflicht** f compulsory service; **dienstpflichtig** adj liable for compulsory service; **Dienstpistole** f service revolver or pistol; **Dienstplan** m duty rota; **Dienstrang** m grade; (Mil) rank; **Dienstreise** f business trip; **auf ~** on a business trip; **Dienstschluß** m end of work; **nach ~** (von Arbeiter) after work; (von Büro, Firma auch) after working hours; **wir haben jetzt ~** we finish work now; **Dienstsiegel** nt, **Dienststempel** m official stamp; **Dienststelle** f (Admin) department; (Mil) section; **Dienststunden** pl working hours pl; **diensttauglich** adj (Mil) fit for service; **diensttuend** adj Arzt duty attr, on duty; **dienstunfähig** adj unfit for work; (Mil) unfit for duty; **dienstuntauglich** adj (Mil) unfit for service; **Dienstvergehen** nt breach of duty; **dienstverpflichten*** vt insep to call up or draft (US) for essential service; **Dienstvertrag** m contract of employment; **Dienstvorschrift** f official regulations pl; (Mil) service regulations pl; **Dienstwagen** m company car; (von Beamten) official car; (Mil) staff car; (Rail) ≃ guard's carriage, conductor's car (US); **Dienstweg** m **auf dem ~** through the proper or official channels pl; **dienstwillig** adj willing to be of service; (Mil) willing to do one's duty; **Dienstwohnung** f police/army etc house, house provided by the police/

army etc; **Dienstzeit** f 1. period of service; 2. (Arbeitszeit) working hours pl; (Mil) hours pl of duty; **Dienstzeugnis** nt testimonial.

dies dem pron inv this; pl these. **~ sind** these are; siehe auch **dieser**.

diesbezüglich adj (form) relating to or regarding this. **sich ~ äußern** to give one's views regarding this or on this matter.

diese dem pron siehe **dieser**.

Diesel m -s, - (inf) diesel.

dieselbe, dieselbige dem pron siehe **derselbe**.

dieselelektrisch adj diesel-electric; **Diesellok(omotive)** f diesel locomotive; **Dieselmotor** m diesel engine; **Dieselöl** nt diesel oil.

dieser, diese, dies(es), pl **diese** dem pron 1. (substantivisch) this; (~ dort, da) that; pl these; (~ dort, da) those. **diese(r, s) hier** this (one); **diese(r, s) da** that (one); **dieser ist es!** this/that is the one!; **dieser ..., jener ...** the latter ..., the former ...; **schließlich fragte ich einen Polizisten; dieser sagte mir ...** in the end I asked a policeman, he told me ...; **dies und das, dieses und jenes** this and that; **dieser und jener** this person and that; **dieser oder jener** someone or other.

2. attr this; (~ dort, da) that; pl these; (~ dort, da) those. **gib mir dieses Buch** give me that book; **dies(es) Jahr/dieser Monat** this year/month; **Anfang dieses Jahres/Monats** at the beginning of the or this or the current (form) year/month; **in diesen Wochen/Jahren habe ich viel erlebt** I experienced a lot in those weeks/years; **ich fahre diese Woche/dieses Jahr noch weg** I'm going away this week/year; **am 5. dieses Monats** on the 5th of this month; (in Briefen auch) on the 5th inst. (form); **dieser Tage** (vergangen) the other day; (zukünftig) one of these days; **(nur) dieses eine Mal** just this/that once; **dies alles, alles dies** all this/that; **dieser Maier** (inf) that or this Maier; siehe **Nacht**.

dieserart adv (Aus, old) thus, in this way.

dieses dem pron siehe **dieser**.

diesig adj Wetter, Luft hazy, misty.

diesjährig adj attr this year's; **die ~e Ernte** this year's harvest; **diesmal** adv this time; **diesseitig** adj 1. Ufer near(side) attr, (on) this side; 2. (irdisch) of this world; Leben in this world; **diesseits** prep +gen on this side of; **Diesseits** nt -, no pl das **D~** this life; **im D~** in this life, on earth.

Dietrich m -s, -e picklock, skeleton key.

diffamieren* vt to defame.

diffamierend adj defamatory.

Diffamierung f (das Diffamieren) defamation (of character); (Bemerkung) defamatory statement.

Diffamierungskampagne f smear campaign.

Differential [-'tsia:l] nt -s, -e (a) (Math) differential. 2. (Aut: auch **~getriebe** nt) differential (gear).

Differential- in cpds (Tech, Math) differential; **Differentialrechnung** f (Math) differential calculus.

Differenz f 1. (*Unterschied, fehlender Betrag, Math*) difference; (*Abweichung*) discrepancy. 2. (*usu pl: Meinungsverschiedenheit*) difference (of opinion), disagreement.

Differenzbetrag m difference, balance.

differenzieren* I vt 1. to make distinctions/a distinction in; (*Behauptung, Urteil*) to be discriminating in; (*abändern*) to make changes/a change in, to modify. **zwischen zwei Dingen ~** to differentiate between two things. 2. (*Math*) to differentiate.

II vi to make distinctions/a distinction (*zwischen +dat* between, *bei* in); (*den Unterschied verstehen*) to differentiate (*zwischen +dat* between, *bei* in); (*bei Behauptung, Urteil*) to be discriminating, to discriminate (*bei* in). **genau ~** to make a precise distinction.

III vr to become sophisticated; (*sich auseinanderentwickeln*) to become differentiated.

differenziert adj (*fein unterscheidend*) subtly differentiated; (*verfeinert*) sophisticated; *Charakter, Mensch, Gefühlsleben* complex; (*verschiedenartig*) *Farbgebung, Anschauungen* subtly diversified; *Warenangebot* diverse.

Differenzierung f 1. *siehe vt* 1. distinction; modification; differentiation. 2. (*Math*) differentiation. 3. *siehe vr* sophistication; differentiation.

differieren* vi to differ.

diffizil adj (*geh*) difficult, awkward; *Mensch* complicated.

diffus adj *Licht* diffuse; *Gedanken, Ausdrucksweise* confused.

Diffusion f diffusion.

digital adj digital.

Digital- in cpds digital; **Digitalband** nt digital tape; **Digitalbaustein** m integrated circuit element.

digitalisieren* vt to digitalize.

Digitalisierung f -, *no pl* digitalization.

Digitalrechner m (*Comput*) digital calculator; **Digitaltechnik** f (*Comput*) digital technology; **Digitaltonband** nt (*abbr* DAT) digital audio tape; **Digitaluhr** f digital clock/watch.

Diktaphon nt -s, -e dictaphone ®.

Diktat nt 1. dictation. **etw nach ~ schreiben** to write sth from dictation; **nach ~ verreist** dictated by X and signed in his absence. 2. (*fig: Gebot*) dictate; (*Pol auch*) diktat.

Diktator(in f) m dictator.

diktatorisch adj dictatorial.

Diktatur f dictatorship.

diktieren* vt *Brief,* (*fig*) *Bedingungen* to dictate.

Diktiergerät nt, **Diktiermaschine** f dictating machine.

Diktion f style.

Diktionär [dɪktsioˈnɛːɐ] nt or m -s, -e (*old*) dictionary.

Dilemma nt -s, -s or (*geh*) -ta dilemma.

Dilettant(in f) m amateur; (*pej auch*) dilettante.

dilettantisch adj amateurish.

Dilettantismus m amateurism.

dilettieren* vi (*geh*) to dabble (*in +dat* in).

Dill m -(e)s, -e (*Bot, Cook*) dill.

Diluvium nt (*Geol*) glacial epoch, ice age.

Dimension f (*Phys, Math, fig*) dimension.

diminutiv adj *Form, Endung* diminutive (*zu, von* of).

Diminutivform f diminutive form.

Diminutiv(um) nt diminutive (*zu, von* of).

Dimmer m -s, - dimmer (switch).

DIN¹ ® [dɪn, diːn] f -, *no pl abbr of* **Deutsche Industrie-Norm** German Industrial Standard. **~ A4** A4; **~-Format** German standard paper size.

DIN² [diːn] nt -(s), *no pl* (*Phot*) DIN. **~-Grad** DIN-speed.

dinarisch adj *Rasse* Dinaric.

Diner [diˈneː] nt -s, -s (*form*) (*Mittagessen*) luncheon; (*Abendessen*) dinner.

Ding¹ nt -(e)s, -e or (*inf*) -er 1. (*Sache, Gegenstand*) thing. **die Welt der ~e** (*Philos*) the world of material objects; **das ~ an sich** (*Philos*) the thing-in-itself; **das ist ein ~ der Unmöglichkeit** that is quite impossible; **guter ~e sein** (*geh*) to be in good spirits or of good cheer (*old*); **die ~e beim (rechten) Namen nennen** to call a spade a spade (*prov*); **jedes ~ hat zwei Seiten** (*Prov*) there are two sides to everything; **gut ~ will Weile haben** (*Prov*) it takes time to do a thing well. 2. (*Gegebenheit*) thing; (*Angelegenheit, Thema auch*) matter; (*Ereignis auch*) event. **in diesen ~en** about these things or matters; **vergangene/berufliche ~e** past years/professional matters; **reden wir von andern ~en** let's talk about something else; **wir harrten der ~e, die da kommen sollten** we waited to see what would happen; **die ~e sind nun mal nicht so** things aren't like that; **so wie die ~e liegen** as things are, as matters lie; **wie ich die ~e sehe** as I see things or matters; **über den ~en stehen** to be above things; **nach Lage der ~e** the way things are; **vor allen ~en** above all (things), first and foremost; **es müßte nicht mit rechten ~en zugehen, wenn ...** it would be more than a little strange if ....

3. (*inf*) auch **~s** (*unbestimmtes Etwas*) thing; (*Vorrichtung auch*) gadget; **was ist das für ein ~?** what's that thing?; **das ~(s) da** (*inf*) that thing (*over*) there; **das ist ein ~!** now there's a thing! (*inf*); **ein tolles ~!** great! (*inf*); **das ~ ist gut!** that's a good one! (*inf*).

4. pl **-er** (*sl: Verbrechen*) job; **sich** (*dat*) **ein ~ leisten** to get up to something; **da hast du dir aber ein ~ geleistet** that was quite something you got up to (*inf*); **~er machen** to get up to all sorts of tricks (*inf*); **was macht ihr bloß für ~er?** the things you do! (*inf*); **das war vielleicht ein ~** (*inf*) that was quite something (*inf*).

5. (*inf: Mädchen*) thing, creature.

6. (*sl: Penis*) tool (*sl*), dong (*US sl*).

Ding² nt -(e)s, -e (*Hist*) thing.

dingen pret **dingte**, ptp **gedungen** vt (*old*) *Diener* to hire, to engage. **gedungener Mörder** hired assassin.

Dingens nt -, - (*dial inf*) *siehe* **Ding¹**.

dingfest *adj* jdn ~ **machen** to take sb into custody, to arrest sb.

Dingi ['dɪŋgi] *nt* -s, -s dinghy.

dinglich I *adj* material. ~**er Anspruch/ Klage** (*Jur*) claim/action in rem. **II** *adv* (*Fin*) ~ **gesicherte Forderungen** claims covered by assets.

Dinglichkeit *f* materiality.

Dings, Dingsbums, Dingsda *nt* -, *no pl* (*inf*) (*Sache*) what'sit, doo-dah, thingummy(-bob *or* -jig) (*all inf*); (*Person: auch* der/die ~) what's-his-/-hername (*inf*).

dinieren* *vi* (*geh*) to dine (*form*).

Dinosaurier *m* dinosaur.

Diode *f* -, -n diode.

dionysisch *adj* Dionysian.

Dioptrie *f* -, -n (*Opt: abbr* dpt) diopter.

Dioskuren *pl* (*Myth*) heavenly twins (*auch fig*), Dioscuri (*form*).

Dioxin *nt* -s, -e dioxin.

dioxinhaltig *adj* dioxinated.

Dioxyd *nt* -s, -e dioxide.

Diözesan *m* -en, -en diocesan.

Diözese *f* -, -n diocese. **die ~ Münster** the diocese of Münster.

Diphtherie [dɪfte'riː] *f* diphtheria.

Diphthong [dɪf'tɔŋ] *m* -s, -e diphthong.

diphthongisch [dɪf'tɔŋɪʃ] *adj* diphthongized. **~ aussprechen** to pronounce as a diphthong.

Dipl. *abbr of* **Diplom**.

Dipl.-Ing. *abbr of* **Diplomingenieur** academically trained engineer.

Dipl.-Kfm. *abbr of* **Diplomkaufmann**.

Diplom *nt* -s, -e diploma; (*Zeugnis auch*) certificate. **ein ~ machen** to take *or* do one's diploma.

Diplom- *in cpds* (*vor Berufsbezeichnung*) qualified.

Diplomand(in *f*) *m* -en, -en student about to his diploma.

Diplomarbeit *f* dissertation (*submitted for a diploma*).

Diplomat(in *f*) *m* -en, -en diplomat.

Diplomatenkoffer *m* executive case.

Diplomatie *f* (*lit, fig*) diplomacy.

diplomatisch *adj* (*Pol, fig*) diplomatic.

diplomiert *adj* qualified.

Diplomkauffrau *f*, **Diplomkaufmann** *m* business school graduate.

Dipol ['diːpoːl] *m* -s, -e **1.** (*Phys*) dipole. **2.** (*auch* ~**antenne**) dipole (aerial *or* antenna).

dippen *vt* (*Naut*) Flagge to dip.

DIP-Schalter *m* (*Comput*) dip-switch.

Dir. *abbr of* **Direktion; Direktor; Dirigent**.

dir *pers pron dat of* **du** to you; (*obs, dial*) to thee; (*nach Präpositionen*) you; (*obs, dial*) thou; *siehe* **ihm**.

direkt I *adj* **1.** (*unmittelbar, gerade*) direct; *Erledigung* immediate. **eine ~e Verbindung** a through train/direct flight; ~**e Rede** direct speech.

2. (*unverblümt*) *Mensch, Frage, Ausdrucksweise* direct, blunt; (*genau*) *Hinweis* plain; *Vorstellungen, Antwort* clear.

3. (*inf: ausgesprochen*) perfect, sheer. **es war keine ~e Katastrophe** it wasn't exactly a catastrophe.

II *adv* **1.** (*unmittelbar*) directly; (*geradewegs auch*) straight. ~ **aus** *or* **von/zu** *or* **nach** straight *or* direct from/to; ~ **an/ neben/unter/über** directly *or* right by/ next to/under/over; ~ **gegenüber** right *or* directly *or* straight opposite; **jdm ~ ins Gesicht/in die Augen sehen** to look sb straight in the face/the eyes; ~ **übertragen** *or* **senden** to transmit live; **ich kann von hier nicht ~ telefonieren** I can't dial direct from here.

2. (*unverblümt*) bluntly. **jdm etw ~ ins Gesicht sagen** to tell sb sth (straight) to his face; ~ **fragen** to ask outright *or* straight out.

3. (*inf: geradezu*) really. **nicht ~** not exactly *or* really.

Direkt- *in cpds* direct; (*Rad, TV*) live.

Direktion *f* **1.** (*Leitung*) management, administration; (*von Schule*) headship (*Brit*), principalship (*US*). **2.** (*Direktoren, Vorstand*) management. **3.** (*Direktionsbüro*) manager's office.

Direktionsrecht *nt* right to give directives.

Direktive *f* (*geh*) directive.

Direktmandat *nt* (*Pol*) direct mandate.

Direktor *m* director; (*von Gefängnis*) governor, warden (*US*); (*von Krankenhaus*) ≃ senior consultant; (*von Hochschule*) principal; (*von Schule*) head (teacher), headmaster/mistress, principal (*esp US*). **geschäftsführender ~** (*Univ*) head of department; ~ **der Bank von England** governor of the Bank of England.

Direktorat *nt* **1.** (*Amt*) directorship; (*von Schule*) headship, principalship (*esp US*).

2. (*Diensträume*) (*von Schule*) head(master/mistress)'s *or* principal's (*esp US*) study *or* room.

Direktorin *f siehe* **Direktor**.

Direktorium *nt* **1.** board of directors, directorate. **2.** (*Hist*) Directory, Directoire.

Direktrice [dirɛk'triːsə] *f* -, -n design manageress in the textile industry.

Direktstrahlung *f* direct radiation; **Direktübertragung** *f* (*Rad, TV*) live broadcast; **Direktverbindung** *f* (*Rail*) through train; (*Aviat*) direct flight; **Direktvertrieb** *m* direct marketing; **Direktzugriff** *m* direct access; **Direktzugriffsspeicher** *m* random access memory, RAM.

Direx *m* -, -e (*Sch sl*) head, principal (*esp US*).

Dirigent(in *f*) *m* (*Mus*) conductor; (*fig*) leader.

Dirigentenstab, Dirigentenstock (*inf*) *m* (conductor's) bâton.

dirigieren* *vt* **1.** (*auch vi*) (*Mus*) to conduct; (*fig*) to lead. **2.** (*leiten, einweisen*) *Verkehr* to direct.

Dirigismus *m* (*Pol*) dirigism.

dirigistisch *adj* Maßnahmen dirigiste.

Dirn *f* -, -en **1.** (*S Ger, Aus: Magd*) maid. **2.** (*N Ger: Mädchen*) girl, lass (*dial inf*).

Dirndl *nt* -s, - **1.** (*auch* ~**kleid**) dirndl. **2.** (*S Ger, Aus: Mädchen*) girl, lass (*dial inf*).

Dirne *f* -, -n **1.** (*Prostituierte*) prostitute, hooker (*US inf*). **2.** (*obs: Mädchen*) lass (*old, dial*).

Dirnenviertel nt red-light district.

Dis, Dis nt -, - (*Mus*) D sharp.

Disagio [dɪsˈ|aːdʒo] nt -s, -s or **Disagien** (*Fin*) discount.

Disc-Kamera f disc camera.

Disco f -, -s disco.

Discount- [dɪsˈkaunt] in cpds discount.

Discounter m -s, - (*Mus*) **1.** siehe **Discounthändler. 2.** siehe **Discountladen.**

Discounthändler(in f) m discount dealer; **Discountladen** m discount shop.

Disharmonie f (*Mus*) discord, dissonance, disharmony; (*fig: Unstimmigkeit*) discord no pl, friction no pl, disagreement; (*von Farben*) clash.

disharmonieren* vi (*geh*) (*Mus*) to be discordant or dissonant; (*Farben*) to clash; (*Menschen*) to be at variance, to disaccord (*form*).

disharmonisch adj Akkord discordant, dissonant, disharmonious; Farbzusammenstellung clashing; Ehe, Verbindung, Atmosphäre discordant.

Diskant m -s, -e (*Stimmlage*) treble; (*Gegenstimme*) descant.

Diskantschlüssel m soprano clef.

Diskette f disk, diskette.

Diskettenlaufwerk nt disk drive.

Diskjockey [ˈdɪskdʒɔke] m -s, -s disc jockey, deejay (*inf*), DJ (*inf*).

Disko f -, -s disco.

Diskont m -s, -e (*Fin*) discount.

Diskonten pl (*Fin*) discounted bills pl.

diskontieren* vt (*Fin*) to discount.

diskontinuierlich adj (*geh*) discontinuous.

Diskontinuität f (*geh*) discontinuity.

Diskontsatz m (*Fin*) minimum lending rate.

Diskothek f -, -en **1.** (*Tanzbar*) discotheque. **2.** (*Plattensammlung*) record collection.

diskreditieren* vt (*geh*) to discredit.

Diskrepanz f discrepancy.

diskret adj **1.** (*taktvoll, unaufdringlich*) discreet; (*vertraulich*) Angelegenheit, Gespräch confidential. er ist sehr ~ (*verschwiegen*) he's not one to betray a confidence; du mußt lernen, etwas ~er zu sein you must learn to be more discreet about confidential matters.
2. (*Math*) discrete.

Diskretion f discretion; (*vertrauliche Behandlung*) confidentiality. ~ **üben** to be discreet; **strengste ~ wahren** to preserve the strictest confidence; **jdn um ~ in einer Angelegenheit bitten** to ask sb to treat an affair as a matter of confidence; **~ ist Ehrensache!** you can count on my discretion.

Diskriminante f -, -n (*Math*) discriminant.

diskriminieren* vt to discriminate against.

diskriminierend adj discriminatory.

Diskriminierung f discrimination.

Diskurs m -es, -e (*geh*) discourse.

Diskus m -, -se or **Disken** discus.

Diskussion f discussion. **zur ~ stehen** to be under discussion; **etw zur ~ stellen** to put or bring sth up for discussion; **sich mit jdm auf eine ~ einlassen** to be drawn

or to get into discussion with sb.

Diskussionsbeitrag m contribution to the discussion; **Diskussionsredner(in** f) m speaker (in a discussion); **Diskussionsteilnehmer(in** f) m participant (in a discussion).

Diskuswerfen nt -s, no pl throwing the discus; **Diskuswerfer(in** f) m discusthrower.

diskutabel, diskutierbar adj worth discussing. **das ist überhaupt nicht ~** that's not even worth talking about.

diskutieren* vti to discuss. **über etw** (*acc*) **~** to discuss sth; **darüber läßt sich ~** that's debatable; **wir haben stundenlang diskutiert** we've spent hours in discussion; **was gibt's denn da zu ~?** what is there to talk about or to discuss?

dispensieren* [dɪspɛnˈziːrən] vt jdn to excuse (*von* from); (*Eccl*) to dispense.

Dispersion [dɪspɛrˈzioːn] f (*Chem, Opt*) dispersion.

Dispersionsfarbe f emulsion paint.

Display [dɪsˈpleɪ] nt -s, -s (*Comput, Waren*) display.

Dispo-Kredit m (*Fin inf*) siehe **Dispositionskredit.**

disponibel adj available.

disponieren* [dɪspoˈniːrən] vi (*geh*) **1.** (*verfügen*) **über jdn** or zu jds **~ stehen** to command sb's services (*form*); **über etw** (*acc*) (*frei*) **~** to do as one wishes or likes with sth; **über etw** (*acc*) **~ können** (*zur Verfügung haben*) to have sth at one's disposal; **ich kann über meine Zeit frei ~** my time is my own (to do with as I wish).
2. (*planen*) to make arrangements or plans.

disponiert [dɪspoˈniːɐt] adj (*geh*) gut/schlecht ~ sein to be on/off form or in good/bad form; **zu** or für etw ~ sein (*Med*) to be prone to sth; **so ~e Leute** people with this kind of disposition.

Disposition [dɪspoziˈtsioːn] f (*geh*) **1.** (*Verfügung*) jdm zur or zu jds **~ stehen** to be at sb's disposal; **jdm etw zur ~ stellen** to place sth at sb's disposal.
2. (*Anordnung*) arrangement, provision. **seine ~en treffen** to make (one's) arrangements or plans.
3. (*Gliederung*) layout, plan.
4. (*Med: Anlage*) susceptibility, proneness (*zu* to).

Dispositionskredit m (*Fin*) drawing credit.

disproportioniert [dɪspropɔrtsioˈniːɐt] adj ill-proportioned.

Disput [dɪsˈpuːt] m -(e)s, -e (*geh*) dispute.

disputieren* [dɪspuˈtiːrən] vi (*geh*) to dispute (*über etw* (*acc*) sth).

Disqualifikation f disqualification.

disqualifizieren* vt to disqualify.

Disqualifizierung f disqualification.

Dissens m -es, -e (*Jur*) dissent, disagreement no indef art.

Dissertation f dissertation; (*Doktorarbeit*) thesis.

dissertieren* vi to write a dissertation/thesis (*über* +acc on).

Dissident(in f) m dissident.

Dissimilation f (*Ling*) dissimilation; (*Biol auch*) catabolism.

dissimilieren* vt (Ling) Laut to dissimilate; (Biol) Stoffe to break down.

dissonant adj dissonant.

Dissonanz f (Mus) dissonance; (fig) (note of) discord.

Distanz f **1.** (lit) distance; (fig) (Abstand, Entfernung) detachment; (Zurückhaltung) reserve. ~ **halten** or **wahren** (lit, fig) to keep one's distance; **auf ~ gehen** (fig) to become distant; **die nötige ~ zu etw finden/haben** to become/be sufficiently detached from sth. **2.** (Sport) distance.

distanzieren* **I** vr **sich von jdm/etw ~** to distance oneself from sb/sth; (jdn/etw zurückweisen) to dissociate oneself from sb/sth. **II** vt (Sport) to outdistance.

distanziert adj Verhalten distant.

Distanzwaffe f (Mil) long-range weapon.

Distel f -, -n thistle.

Distelfink m goldfinch.

distinguiert [dɪstɪŋ'gɪːɐt] adj (geh) distinguished.

Distinktion f (geh) **1.** (Auszeichnung) distinction. **2.** (Rang) distinction; (Aus: Rangabzeichen) insignia pl.

Distribution f distribution.

distributiv adj (Gram, Math) distributive.

Distrikt m -(e)s, -e district.

Disziplin f -, -en **1.** no pl (Zucht, Ordnung) discipline. ~ **halten** (Lehrer) to keep or maintain discipline; (Klasse) to behave in a disciplined manner. **2.** (Fachrichtung, Sportart) discipline.

Disziplinargewalt f disciplinary powers pl.

disziplinarisch adj disciplinary. **~e Maßnahmen** disciplinary measures; **jdn ~ bestrafen** to take disciplinary action against sb.

Disziplinarmaßnahme, Disziplinarstrafe f punishment; **mit einer ~ rechnen** to expect disciplinary action; **Disziplinarverfahren** nt disciplinary proceedings pl.

disziplinieren* **I** vt to discipline. **II** vr to discipline oneself.

diszipliniert **I** adj disciplined. **II** adv in a disciplined manner.

disziplinlos **I** adj undisciplined; **II** adv in an undisciplined manner; **Disziplinlosigkeit** f lack no pl of discipline.

dito adv (Comm, hum) ditto.

Diva ['diːva] f -, -s or **Diven** star; (Film) screen goddess.

divergent [diver'gɛnt] adj divergent.

Divergenz [diver'gɛnts] f **1.** no pl divergence. **2.** usu pl (Meinungsverschiedenheit) difference (of opinion).

divergieren* [diver'giːrən] vi to diverge.

divers [di'vɛrs] adj attr various. **die ~esten** ... the most diverse ...; **~e** (mehrere der gleichen Art) several; „**D~es**" "miscellaneous"; **wir haben noch D~es zu erledigen** we still have various or several things to see to.

Diversant [diver'zant] m (DDR) subversive.

Diversifikation f diversification.

diversifizieren* vti to diversify.

Dividend [divi'dɛnt] m -en, -en (Math) dividend.

Dividende [divi'dɛndə] f -, -n (Fin) dividend.

Dividenden|ausschüttung f (Fin) distribution of dividends.

dividieren* [divi'diːrən] vti to divide (durch by).

Divis [di'viːs] nt -es, -e (Typ) hyphen.

Division [divi'zioːn] f (Math, Mil) division.

Divisionär [divizioˈnɛːɐ] m (Sw) divisional commander.

Divisions- in cpds (Math) division; (Mil) divisional; **Divisionsstab** m divisional headquarters pl.

Divisor [di'viːzɔr] m (Math) divisor.

Diwan m -s, -e divan.

d. J. abbr of **1.** dieses Jahres of this year. **2.** der Jüngere jun.

DJH [deːjɔt'haː] nt -(s) abbr of **Deutsches Jugendherbergswerk** German Youth Hostel Association.

DKP [deːkaːˈpeː] f - abbr of **Deutsche Kommunistische Partei.**

DM ['deːˈlɛm] no art -, - abbr of **Deutsche Mark.**

d. M. abbr of dieses Monats inst.

D-Mark ['deːmark] f -, - deutschmark, (West) German mark.

DNS [deːlɛn'lɛs] f abbr of **Desoxyribonukleinsäure** DNA.

DNS-Code m DNA-code; **DNS-Strickleiter** f DNA-ladder; **DNS-Zeile** f line of DNA.

Dobermann m -(s), -männer Doberman (Pinscher).

doch **I** conj (aber, allein) but; (jedoch, trotzdem) but still, yet. **und ~ hat er es getan** but he still or but still he did it.

II adv **1.** (betont: dennoch) after all; (trotzdem) anyway, all the same; (sowieso) anyway. **jetzt ist er ~ nicht gekommen** now he hasn't come after all; **..., aber ich bin ~ hingegangen** ... but I went anyway or all the same or after all; **du weißt es ja ~ besser** you always know better than I do anyway; **das geht denn ~ zu weit!** that really is going too far; **und ~, ...** and yet ...

2. (betont: tatsächlich) really. **ja ~!** of course!, sure! (esp US); **nein ~!** of course or certainly not!; **also ~!** so it is/ so he did!; **er hat es gestohlen — also ~!** he stole it — so it was him!; **er hat es also ~ gesagt** so he did say it; **es ist ~ so, wie ich vermutet hatte** so it (really) is as I thought; **das ist er ~!** (why,) that is him!; **das ist ~ interessant, was er da sagt** what he's saying is really interesting.

3. (als bejahende Antwort) yes I do/it does etc. **hat es dir nicht gefallen? —** (~,) **~!** didn't you like it? — (oh) yes I did! or oh I did, I did!; **will er nicht mitkommen? — ~!** doesn't he want to come? — (oh) yes, he does; **~, schon, aber ...** yes it does/I do etc but ...

4. (auffordernd) nicht übersetzt, aber emphatisches „to do" wird oft gebraucht. **komm ~** to come; **kommen Sie ~ bitte morgen wieder** won't you come back tomorrow?; **gib ~ mal her** (come on,) give it to me; **seid ~ endlich still!** do keep quiet!, keep quiet, can't you?; **sei ~ nicht so frech!** don't you be so cheeky!; **laß ihn ~!** just leave him!; **soll er ~!** well let him!, let him then!; **nicht ~!** don't (do that)!

5. (*verstärkend*) but; (*Bestätigung erwartend*) isn't it/haven't you *etc*? **sie ist ~ noch so jung** but she's still so young; **es wäre ~ schön, wenn ...** (but) it *would* be nice if ...; **das ist ~ die Höhe** *or* **das Letzte!** well, that's the limit!, that really is the limit!; **das ist ~ gar nicht wahr!** (but) that's just not true!; **das ist ~ wohl nicht wahr?** that's not true, is it? **du hast ~ nicht etwa ...?** you haven't ..., have you?, surely you haven't *or* you haven't by any chance ...(, have you)?; **ich habe ~ (aber) gefragt** (but) I did ask.

6. (*eigentlich*) really, actually. **es war ~ ganz interessant** it was really *or* actually quite interesting.

7. (*als bekannt Angenommenes wiederholend*) *nicht übersetzt.* **Sie wissen ~, wie das so ist** (well,) you know how it is, don't you?; **du kennst dich ~ hier aus, wo ist denn ...?** you know your way around here, where is ...?; **wie war ~ Ihr Name?** (I'm sorry,) *what* was your name?; **hier darf man ~ nicht rauchen** you can't smoke here (, you know).

8. (*in Wunschsätzen*) **wenn ~** if only; o **wäre es ~ schon Frühling!** oh if only it were spring!; **daß dich ~ der Teufel hole!** (oh) go to blazes!, the devil take you (*old*).

9. (*geh: begründet*) but then. **er sprach etwas verwirrt, war er ~ eben erst aus dem Bett aufgestanden** he spoke in a somewhat confused manner, but then he had only just got out of bed.

Docht *m* **-(e)s, -e** wick.
Dochthalter *m* wick-holder; **Dochtschere** *f* wick trimmer.
Dock *nt* **-s, -s** *or* **-e** dock.
Docke *f* **-, -n 1.** (*Korn*) stook; (*Wolle, Garn*) hank, skein. **2.** (*dial: Puppe*) doll.
docken¹ *vti* to dock.
docken² *vt Korn* to stook; *Wolle* to wind into a hank *or* skein.
Docker *m* **-s, -** docker.
Docking *nt* **-s, -s** (*Space*) docking.
Doge ['do:ʒə] *m* **-n, -n** (*Hist*) doge.
Dogge *f* **-, -n** mastiff. **englische ~** (*English*) mastiff; **deutsche ~** great Dane.
Doggerbank *f* (*Geog*) **die ~** the Dogger Bank.
Dogma *nt* **-s, Dogmen** dogma. **etw zum ~ erheben** to make sth into dogma.
Dogmatik *f* dogmatics *sing*; (*fig: usu pej*) dogmatism.
Dogmatiker(in *f*) *m* **-s, -** dogmatist.
dogmatisch *adj* (*Rel, fig*) dogmatic.
Dogmatismus *m* (*pej*) dogmatism.
Dohle *f* **-, -n** (*Orn*) jackdaw.
Doktor *m* (*auch inf: Arzt*) doctor. **ja, Herr/Frau ~** yes, Doctor; **er ist ~ der Philosophie/Theologie** he is a doctor of philosophy/theology; **sie hat den ~, sie ist ~** she has a doctorate *or* PhD, she has *or* is a PhD; **den** *or* **seinen ~ machen** to do a doctorate *or* PhD; **zum ~ pro-**

moviert werden to receive one's doctorate *or* PhD; **~ spielen** (*inf*) to play doctors and nurses.
Doktorand(in *f*) *m* **-en, -en** graduate student studying for a doctorate.
Doktorarbeit *f* doctoral *or* PhD thesis.
Doktorat *nt* **1.** (*dated*) doctorate. **2.** (*Aus*) *siehe* **Doktorprüfung.**
Doktordiplom *nt* doctor's diploma; **Doktorexamen** *nt siehe* **Doktorprüfung; Doktorgrad** *m* doctorate, doctor's degree, PhD; **den ~ erwerben** to obtain one's doctorate; **Doktorhut** *m* doctor's cap; (*fig*) doctorate.
Doktorin *f* doctor.
Doktorprüfung *f* examination for a/one's doctorate; **Doktorspiele** *pl* doctors and nurses *sing*; **Doktortitel** *m* doctorate; **den ~ führen** to have the title of doctor; **jdm den ~ verleihen** to confer a doctorate *or* the degree of doctor (up)on sb; **Doktorvater** *m* supervisor; **Doktorwürde** *f siehe* **Doktortitel.**
Doktrin *f* **-, -en** doctrine.
doktrinär *adj* doctrinal; (*pej: stur*) doctrinaire.
Dokument *nt* document; (*fig: Zeugnis*) record.
Dokumentar(in *f*) *m* documentalist.
Dokumentar- *in cpds* documentary; **Dokumentarfilm** *m* documentary (film).
dokumentarisch I *adj* documentary. **II** *adv* (*mit Dokumenten*) with documents. **etw ~ belegen/festhalten** evidence for *or* of sth/to document sth.
Dokumentarsendung *f* documentary; **Dokumentarspiel** *nt* docudrama.
Dokumentation *f* documentation; (*Sammlung auch*) records *pl*.
dokumentieren* I *vt* to document; (*fig: zu erkennen geben*) to reveal, to show. **II** *vr* (*fig*) to become evident.
Dolce vita ['dɔltʃə 'vi:ta] *nt or f* **- -,** *no pl* life of ease, dolce vita. **~ ~ machen** (*inf*) to live a life of ease.
Dolch *m* **-(e)s, -e** dagger; (*inf: Messer*) knife.
Dolchstich, Dolchstoß (*esp fig*) *m* stab (*auch fig*), dagger thrust. **ein ~ (von hinten)** (*fig*) a stab in the back.
Dolchstoßlegende *f* (*Hist*) myth of the stab in the back (*alleged betrayal of Germany in the First World War by its own politicians*).
Dolde *f* **-, -n** umbel.
Doldenblütler *m* **-s, -** umbellifer, umbelliferous plant; **doldenförmig** *adj* umbellate; **Doldengewächs** *nt* umbellifer; **die ~e** the umbelliferae.
Dole *f* **-, -n** drain.
doll *adj* (*dial, sl*) **1.** *siehe* **toll. 2.** (*unerhört*) incredible. **das hat ~ weh getan** that hurt like hell (*inf*).
Dollar *m* **-(s), -s** dollar. **hundert ~** a hundred dollars.
Dollarkurs *m* dollar rate; **Dollarnote** *f* dollar bill; **Dollarzeichen** *nt* dollar sign.
Dollbord *nt* (*Naut*) gunwale.
Dolle *f* **-, -n** (*Naut*) rowlock, oarlock (*US*).
Dolly ['dɔli] *m* **-(s), -s** (*Film*) dolly.
Dolmen *m* **-s, -** (*Archeol*) dolmen.

dolmetschen *vti* to interpret.
Dolmetscher(in *f)* *m* **-s,** - interpreter.
Dolmetscherinstitut *nt,* **Dolmetscherschule** *f* institute *or* school of interpreting.
Dolomit *m* **-s, -e** (*Geol, Chem*) dolomite.
Dolomiten *pl* (*Geog*) **die ~** the Dolomites *pl.*
Dom *m* **-(e)s, -e 1.** cathedral. **2.** (*fig poet*) vault (*poet*), dome (*poet*).
Domäne *f* **-, -n** (*Hist, Jur*) demesne; (*fig*) domain, province.
Domestikation *f* domestication.
Domestik(e) *m* **-en, -en** (*pej old*) (*domestic*) servant, domestic.
domestizieren* *vt* to domesticate; (*fig auch*) to tame.
Domfreiheit *f* (*Hist*) cathedral close *or* precincts *pl*; **Domherr** *m* (*Eccl*) canon.
dominant *adj* dominant (*auch Biol*), dominating.
Dominante *f* **-, -n 1.** (*Mus*) dominant. **2.** (*wichtigster Faktor*) dominant *or* dominating feature.
Dominanz *f* (*Biol, Psych*) dominance.
dominieren* **I** *vi* (*vorherrschen*) to be (pre)dominant, to predominate; (*Mensch*) to dominate. **II** *vt* to dominate.
dominierend *adj* dominating, dominant.
Dominikaner(in *f)* *m* **-s,** - **1.** (*Eccl*) Dominican. **2.** (*Geog*) Dominican.
Dominikanerkloster *nt* Dominican monastery; **Dominikanerorden** *m* Order of St Dominic, Dominicans *pl.*
dominikanisch *adj* **1.** (*Eccl*) Dominican. **2.** (*Geog*) **die D~e Republik** the Dominican Republic.
Domino¹ *m* **-s, -s** domino.
Domino² *nt* **-s, -s** (*Spiel*) dominoes *sing.*
Dominoeffekt *m* domino effect; **dann tritt ein ~ ein** then the domino theory comes into play; **einen ~ auslösen** to have a knock-on effect; **Dominospiel** *nt* dominoes *sing*; (*Spielmaterial*) set of dominoes; (*Partie*) game of dominoes; **Dominostein** *m* **1.** domino; **2.** (*Cook*) small chocolate biscuit with layers of marzipan and gingerbread.
Domizil *nt* **-s, -e** domicile (*form*).
Domkapitel *nt* cathedral chapter; **Domkapitular** *m* canon; **Dompfaff** *m* (*Orn*) bullfinch; **Dompropst** *m* dean of a/the cathedral.
Dompteur [dɔmpˈtøːɐ] *m,* **Dompteuse** [-ˈtøːzə] *f* trainer; (*von Raubtieren*) tamer.
Donau *f* **- die ~** the (river) Danube.
Donau- *in cpds* Danube *attr*, Danubian; **Donaumonarchie** *f* (*Hist*) Austria-Hungary, Austro-Hungarian Empire; **Donauschwaben** *pl* Swabian settlers on the Danube in Hungary.
Donkosaken [ˈdɔn-] *pl* Don Cossacks *pl.*
Donner *m* **-s,** (*rare*) **-** (*lit, fig*) thunder *no indef art, no pl*; (*~schlag*) peal *or* clap of thunder. **wie vom ~ gerührt** (*fig inf*) thunderstruck; **~ und Doria** *or* **Blitz!** (*dated inf*) by thunder! (*dated inf*).
Donnerbalken *m* (*Mil sl*) thunderbox (*old sl*); **Donnerbüchse** *f* (*hum dated*) shotgun; **Donnergepolter, Donnergetöse**

nt thunderous *or* deafening crash; **Donnergott** *m* god of thunder; **Donnergrollen** *nt* **-s,** *no pl* rolling thunder; **Donnerkeil** *m* (*Geol*) thunderstone; (*Archeol*) flintstone; (*Myth, poet*) thunderbolt; **Donnerkiel!** (*dated*) my word!, heavens!, **Donnermaschine** *f* (*Theat*) thunder machine.
donnern **I** *vi impers* to thunder. **es donnerte in der Ferne** there was (the sound of) thunder in the distance.
  II *vi aux haben or* (*bei Bewegung*) *sein* to thunder. **gegen etw ~** (*prallen*) to crash into sth; (*schlagen*) to hammer on sth; (*schimpfen*) to thunder against sth.
  III *vt* (*inf*) (*brüllen*) to thunder out; (*schleudern, schlagen*) to slam, to crash. **jdm eine ~** to thump sb (*inf*).
donnernd *adj* (*fig*) Beifall thunderous.
Donnerrollen *nt* **-s,** *no pl* rolling of thunder; **Donnerschlag** *m* clap *or* peal of thunder, thunderclap; **die Nachricht traf mich wie ein ~** the news left me thunderstruck, the news came like a thunderclap to me.
Donnerstag *m* Thursday; *siehe* **Dienstag.**
donnerstags *adv* on Thursdays.
Donnerwetter *nt* (*lit old*) thunderstorm; (*fig inf: Schelte*) row; **das wird ein schönes ~ geben** *or* **setzen** (*inf*) all hell will be let loose (*inf*); **~!** (*inf: anerkennend*) my word!; (**zum**) **~!** (*inf: zornig*) damn *or* blast (it)! (*inf*).
Don Quijote, Don Quixote [dɔnkiˈxoːtə] *m* **- -s, - -s** (*Liter, fig*) Don Quixote.
Döntjes *pl* (*N Ger*) story, anecdote.
doof *adj* (*inf*) stupid, daft (*inf*), dumb (*esp US inf*).
Doofheit *f* (*inf*) stupidity, daftness (*inf*), dumbness (*esp US inf*).
Doofi *m* **-(s), -s** (*inf*) thicky, dummy, dumb-dumb (*all inf*). **wie klein ~ mit Plüschohren aussehen** to look a proper charlie (*inf*).
Doofkopp (*sl*), **Doofmann** (*inf*) *m* thickhead (*inf*), blockhead (*inf*).
Dope [doːp] *nt* **-s, -s** (*sl*) dope (*sl*).
dopen [ˈdɔpn, ˈdoːpn] (*Sport*) **I** *vt* to dope. **er war gedopt** he had taken drugs. **II** *vir* to take drugs.
Doping [ˈdɔpɪŋ, ˈdoːpɪŋ] *nt* **-s, -s** (*Sport*) drug-taking; (*bei Pferden*) doping.
Dopingkontrolle *f* (*Sport*) drug(s) test; **Dopingverdacht** *m* (*Sport*) **bei ihm besteht ~** he is suspected of having taken drugs.
Doppel *nt* **-s,** - **1.** (*Duplikat*) duplicate (copy) (*gen, zu* of). **2.** (*Tennis etc*) doubles *sing*; (*Mannschaft*) doubles pair.
Doppel- *in cpds* double; **Doppeladler** *m* double eagle; **Doppelagent(in** *f)* *m* double agent; **Doppel-b** *nt* (*Mus*) double flat; **Doppelband** *m* (*von doppeltem Umfang*) double-sized volume; (*zwei Bände*) two volumes *pl*; **Doppelbelastung** *f* double *or* dual load *or* burden (*gen* on); **steuerliche ~** double taxation; **Doppelbeschluß** *m* (*Pol*) two-track *or* twin-track decision; **Doppelbesteuerung** *f* double taxation; **Doppelbett** *nt* double bed; (*zwei*

Betten) twin beds *pl*; **Doppelbock** *nt or m* double(-strength) bock beer; **doppelbödig** *adj Koffer etc* false-bottomed; (*doppeldeutig*) ambiguous; **Doppelbogen** *m* double sheet (of paper); **Doppelbrief** *m letter weighing over 20g*; **Doppelbruch** *m* (*Math*) compound fraction; **Doppelbüchse** *f* double-barrelled gun *or* (*Schrotbüchse*) shotgun; **Doppelbuchstabe** *m* double letter; **Doppeldecker** *m* -s, - **1.** (*Aviat*) biplane; **2.** (*auch* ~bus) double-decker (bus); **doppeldeutig** *adj* ambiguous; **Doppeldeutigkeit** *f* ambiguity; **Doppelehe** *f* bigamous marriage; **eine ~ führen** to live bigamously; **Doppelfehler** *m* (*Tennis*) double fault; (*Sch*) double mistake; **einen ~ machen** (*Tennis*) to (serve a) double-fault; **Doppelfenster** *nt* double window; **~ haben** to have double-glazing; **Doppelflinte** *f siehe* **Doppelbüchse**; **Doppelfunktion** *f* dual *or* twin function; **Doppelgänger(in** *f*) *m* -s, - double, doppelgänger (*esp Liter*); **ein ~ von Boris Becker** a Boris Becker lookalike, a double of Boris Becker; **doppelgeschlechtig** *adj* (*Bot*) hermaphrodite; **doppelgesichtig** *adj* two-faced, having two faces; (*fig*) two-sided; **Doppelgestirn** *nt siehe* **Doppelstern**; **doppelgleisig** *adj* (*Rail*) double-track, twin-track; (*fig*) double; **~ sein** (*lit*) to have two tracks; **~ fahren** (*fig*) to play a double game; **Doppelgriff** *m* (*Mus*) double-stop; **Doppelhaus** *nt* semi-detached house, semi (*Brit inf*), duplex (house) (*US*); **er bewohnt eine Hälfte eines ~es** he lives in a semi(-detached house); **Doppelhaushälfte** *f* semi-detached house; **Doppelheft** *nt* (*von Zeitschrift*) double number *or* edition; (*Sch*) exercise book of double thickness; **Doppelkabine** *f* double cabin *or* twin cabin *or* (*von LKW*) cab; **Doppelkinn** *nt* double chin; **Doppelklebeband** *nt* double-sided adhesive tape; **Doppelkolbenmotor** *m* two cylinder engine; **Doppelkonsonant** *m* double *or* geminate (*spec*) consonant; **Doppelkopf** *m* German card game; **Doppelkorn** *m* type of schnapps; **Doppelkreuz** *nt* (*Mus*) double sharp; (*Typ*) double dagger; **Doppellauf** *m* double barrel; **doppelläufig** *adj* double-barrelled; **Doppellaut** *m* (*Ling*) (*Konsonant*) double *or* geminate (*spec*) consonant; (*Vokal*) double vowel; (*Diphthong*) diphthong; **Doppelleben** *nt* double life; **Doppelmoral** *f* double (moral) standard(s *pl*); **Doppelmord** *m* double murder.

doppeln *vt* **1.** *siehe* **verdoppeln. 2.** (*Aus: besohlen*) to resole.

Doppelnaht *f* double-stitched seam; **Doppelname** *m* (*Nachname*) double-barrelled name; (*Vorname*) double name; **Doppelnelson** *m* (*Ringen*) full nelson; **Doppel-Null-Lösung** *f* (*Pol*) double zero option; **Doppelnummer** *f* (*von Zeitschrift*) double issue; **Doppelpartner(in** *f*) *m* (*Sport*) doubles partner; **Doppelpaß** *m* (*Ftbl*) one-two; **Doppelpunkt** *m* colon; **Doppelrolle** *f* (*Theat*) double role; (*fig*) dual capacity; **doppelschläfrig** *adj Bett* double; **Doppelschlag** *m* (*Mus*) turn; **doppelseitig** *adj* two-sided, double-sided; *Diskette* double-sided; *Lungenentzündung* double; **~e Anzeige** double page spread; **~e Lähmung** diplegia; **Doppelsinn** *m* double meaning, ambiguity; **doppelsinnig** *adj* ambiguous; **Doppelspiel** *nt* **1.** (*Tennis*) (game of) doubles *sing*; **2.** (*fig*) double game; **doppelspurig** *adj siehe* **zweispurig**; **Doppelsteckdose** *f* double socket; **Doppelstecker** *m* two-way adaptor; **Doppelstern** *m* double star; **Doppelsteuerabkommen** *nt* reciprocal taxation agreement; **doppelstöckig** *adj Haus* two-storey, twin-storey; *Bus* double-decker *attr*; (*hum inf*) *Schnaps* double; **ein ~es Bett** bunk beds *pl*; **Doppelstrategie** *f* dual strategy. **Doppelstrich** *m* (*Mus*) double bar; **Doppelstudium** *nt* joint course of study); **Doppelstunde** *f* (*esp Sch*) double period.

doppelt I *adj* double; (*verstärkt*) *Enthusiasmus* redoubled; (*mit zwei identischen Teilen*) twin *attr*; (*zweimal soviel*) twice; (*Comm*) *Buchführung* double-entry; *Staatsbürgerschaft* dual. **die ~e Freude/ Länge/Menge** double *or* twice the pleasure/length/amount; **~e Negation** *or* **Verneinung** double negative; **~er Boden** (*von Koffer*) false bottom; (*von Boot*) double bottom; **~e Moral** double standards *pl*, a double standard; **in ~er Hinsicht** in two respects; **ein ~es Spiel spielen** *or* **treiben** to play a double game.

II *adv* **sehen, zählen** double; (*zweimal*) twice; (*direkt vor Adjektiv*) doubly. **~ so schön/soviel** *etc* twice as nice/much; **sie ist ~ so alt wie ich** she is twice as old as I am *or* twice my age; **das/die Karte habe ich ~** I have two of these/these cards; **das freut mich ~** that gives me double *or* twice the pleasure; **~ gemoppelt** (*inf*) saying the same thing twice over; **sich ~ in acht nehmen** to be doubly careful; **~ und dreifach bereuen**, **leid tun** deeply; **sich entschuldigen** profusely; **prüfen** thoroughly; **versichern** absolutely; **seine Schuld ~ und dreifach bezahlen** to pay back one's debt with interest; **der Stoff liegt ~** the material is double width; **~ genäht hält besser** (*prov*) ≈ better safe than sorry (*prov*).

Doppelte(r) *m decl as adj* (*inf*) double. **Doppelte(s)** *nt decl as adj* double. **um das ~ größer** twice as large; (*Gegenstand auch*) double the size; **das ~ bezahlen** to pay twice as much *or* double the amount; **etw um das ~ erhöhen** to double sth.

doppeltkohlensauer *adj* **doppeltkohlensaures Natron** sodium bicarbonate, bicarbonate of soda; **Doppeltsehen** *nt* double vision.

Doppelverdiener *m* person with two incomes; (*pl: Paar*) couple with two incomes, two-income *or* double-income family; **Doppelvergaser** m twin carburettors pl or carbs pl (inf); **Doppelversicherung** f double insurance; (Police) double insurance policy; **Doppelvierer** m (Sport) quadruple skulls pl; **Doppelvokal** m double vowel; **Doppelwährung** f bimetallism; **Doppelzentner** m 100 kilos, (metric) quintal; **Doppelzimmer** nt double room; **doppelzüngig** adj (fig) devious; (stärker) deceitful; Mensch auch two-faced; ~ **reden** to say one thing and mean another; **Doppelzüngigkeit** f no pl siehe adj deviousness; deceitfulness; two-facedness; **Doppelzweier** m (Sport) double skulls pl.

Dorf nt -(e)s, -er village; (fig) backwater. **auf dem ~(e)** (in einem bestimmten Dorf) in the village; (auf dem Land) in the country; **das Leben auf dem ~e** village life; **er ist vom ~(e)** he's from the/our village; (vom Lande) he's from the country; **nie aus seinem ~ herausgekommen sein** (fig) to be parochial or insular.

Dorf- in cpds village; **Dorfakademie** f (DDR) village college for adult further education through evening classes; **Dorfälteste(r)** mf village elder; **Dorfanger** m (dated) village green; **Dorfbewohner(in** f) m villager.

Dörfchen nt dim of Dorf small village, hamlet.

Dorfgasthaus nt, **Dorfgasthof** m village inn; **Dorfgemeinde** f village community; (Admin) rural district; (Eccl) village parish; **Dorfgeschichte** f 1. (Liter: Erzählung) story of village life; 2. no pl village history; **Dorfjugend** f young people pl of the village, village youth pl; **Dorfkrug** m village inn or pub (Brit).

Dörfler(in f) m -s, - (dated) villager.

Dorfleute pl villagers pl.

dörflich adj village attr; (ländlich) rustic, rural.

Dorfplatz m village square; **Dorfschaft** f (Sw) hamlet; **Dorfschöne, Dorfschönheit** f (iro) village beauty; **Dorfschulze** m (Hist) village mayor; **Dorftrottel** m (inf) village idiot.

dorisch adj (Archit) Doric; (Hist auch, Mus) Dorian.

Dorn m -(e)s, -en or (inf) -er (a) (Bot, fig) thorn. **das ist mir ein ~ im Auge** (fig) that is a thorn in my flesh; (Anblick) I find that an eyesore. 2. pl -e (poet: ~busch) briar, thornbush. 3. pl -e (Sporn) spike; (von Schnalle) tongue; (von Scharnier) pin; (Tech; Werkzeug) awl.

Dornbusch m briar, thornbush. **der brennende ~** (Bibl) the burning bush.

dornengekrönt adj (Bibl) wearing a crown of thorns, crowned with thorns; **Dornengestrüpp** nt thorny bushes pl or undergrowth; **Dornenhecke** f thorn(y) hedge; **Dornenkrone** f (Bibl) crown of thorns; **dornenreich** adj thorny; (fig) fraught with difficulty; **dornenvoll** adj (fig) fraught with difficulty.

Dornfortsatz m (Anat) spiny or spinous (spec) process.

dornig adj thorny; (fig auch) fraught with difficulty.

Dornröschen nt the Sleeping Beauty; **Dornröschenschlaf** f (fig) torpor, slumber.

dörren I vt to dry. **II** vi aux sein to dry; (austrocknen) to dry up.

Dörr- in cpds dried; **Dörrfisch** m dried fish; **Dörrfleisch** nt dried meat; **Dörrobst** nt dried fruit; **Dörrpflaume** f prune.

dorsal adj (Zool, Ling) dorsal; (Med) spinal.

Dorsal m -s, -e, **Dorsallaut** m (Ling) dorsal (consonant).

Dorsch m -(e)s, -e fish of the cod group; (Kabeljau) cod(fish).

Dorschleber f cod liver.

dort adv there; siehe da I 1.

dortbehalten* vt sep irreg to keep there; **dortbleiben** vi sep irreg aux sein to stay or remain there.

dorten adv (old, Aus) there.

dorther adv von ~ from there, thence (old, liter); **dortherum** adv around (there), thereabouts; **dorthin** adv there, thither (old, liter); **bis ~** as far as there, up to that place; **wie komme ich ~?** how do I get there?; **dorthinab** adv down there; **dorthinauf** adv up there; **dorthinaus** adv out there; **frech bis ~** (inf) really cheeky; **das ärgert mich bis ~** (inf) that really gets me (inf), that doesn't half annoy me (Brit inf); **dorthinein** adv in there; **dorthinunter** adv down there.

dortig adj there (nachgestellt). **die ~en Behörden** the authorities there.

dortzuland(e) adv in that country, (over) there.

DOS nt abbr of Disk Operating System (Comput) DOS.

Döschen ['døːsçən] nt dim of Dose.

Dose f -, -n 1. (Blech~) tin; (Konserven~) can, tin (Brit); (Bier~) can; (esp aus Holz) box; (mit Deckel) jar; (Pillen~, für Schmuck) box; (Butter~) dish; (Zucker~) bowl; (für Gesichtspuder) compact; **in ~n** (Konserven) canned, tinned (Brit). 2. (Elec) socket. 3. (Pharm) siehe Dosis. 4. (sl: Vagina) hole (sl).

dösen vi (inf) to doze.

Dosen- in cpds canned, tinned (Brit); **Dosenbier** nt canned beer; **Dosenblech** nt tin for making cans or tins; **Dosenöffner** m can-opener, tin-opener (Brit).

dosierbar adj **leichter ~ sein** to be more easily measured into exact doses; **etw in ~en Mengen verabreichen** to administer sth in exact doses.

dosieren* vt Arznei to measure into doses; Menge to measure out; (fig) Rat, Liebe, Geschenke, Lob to dispense, to measure or hand out; Stoff, Hinweise to dispense. **ein Medikament genau ~** to measure out an exact dose of a medicine; **etw dosiert verteilen** (fig) to dispense etc sth in small amounts or doses.

Dosierung f 1. (Dosis) dosage, dose. 2.

siehe vt measuring into doses; measuring out; dispensing, handing out; dispensing.

dösig *adj (inf)* dozy *(inf)*, drowsy.

Dosimeter *nt* **-s, -** dosage meter, dosimeter.

Dosis *f* **-, Dosen** dose. **in kleinen Dosen** *(lit, fig)* in small doses.

Döskopp *m (N Ger inf)* dozy idiot *(inf)*.

Dossier [dɔ'sie:] *nt* **-s, -s** dossier.

Dotation *f* endowment.

dotieren *vt* **Posten** to remunerate *(mit* with); **Preis** to endow *(mit* with). **eine gut dotierte Stellung** a remunerative position.

Dotierung *f* endowment; *(von Posten)* remuneration.

Dotter *m or nt* **-s, -** yolk.

Dotterblume *f* globe flower; *(Sumpf~)* marsh marigold; **Dottersack** *m (Zool)* yolk sac.

doubeln ['du:bln] **I** *vt* **jdn** to stand in for; *Szene* to shoot with a stand-in. **ein Stuntman hat die Szene für ihn gedoubelt** a stuntman doubled for him in the scene.

    II *vi* to stand in; *(als Double arbeiten)* to work as a stand-in.

Double ['du:bl] *nt* **-s, -s** *(Film)* stand-in; *(für Gesang)* dubber.

Doublé, Doublee [du'ble:] *nt* **-s, -s** *siehe* **Dublee.**

doublieren* [du'bli:rən] *vt siehe* **dublieren.**

Douglasfichte, Douglastanne ['du:glas-] *f* Douglas fir *or* pine.

Dow-Jones-Index ['dau'dʒounz-] *m, no pl (Econ)* Dow-Jones Index.

down [daun] *adj pred (sl)* **~ sein** to be (feeling) down *or* blue *(inf)*.

Down-Syndrom ['daun-] *nt, no pl (Med)* Down's syndrome. **ein Kind mit ~** a Down's syndrome child.

Doyen [doa'jɛ̃:] *m* **-s, -s** *(lit, fig)* doyen.

Doyenne [doa'jɛn] *f* **-,** doyenne.

Dozent(in *f)* *m* lecturer *(für* in), (assistant) professor *(US) (für* of).

Dozentur *f* lectureship *(für* in), (assistant) professorship *(US) (für* of).

dozieren* *(Univ)* **I** *vi* to lecture *(über +acc* on, *an +dat* at); *(pej auch)* to hold forth *(über +acc* on), to pontificate *(über +acc* about). **II** *vt* to lecture in.

dpa ['de:pe:'|a:] *f* **-** *abbr of* **Deutsche Presse-Agentur.**

dpt *abbr of* **Dioptrie.**

Dr. ['dɔktɐ] *abbr of* **Doktor. Dr. rer. nat./pol./phil.** PhD; **Dr. theol./jur.** DD/ LLD; **Dr. med.** M.D.

Drache *m* **-n, -n** *siehe auch* **Drachen 1.** *(Myth)* dragon. **2.** *(Astron)* Draco.

Drachen *m* **-s, -. 1.** *(Papier~)* kite; *(Sport: Fluggerät)* hang-glider. **einen ~ steigen lassen** to fly a kite. **2.** *(pej inf: zänkisches Weib)* dragon *(inf)*, battleaxe *(inf)*. **3.** *(Wikingerschiff)* longship; *(Segelschiff)* dragon class yacht.

Drachenblut *nt (Myth)* dragon's blood; **Drachenfliegen** *nt (Sport)* hang-gliding; **Drachenflieger(in** *f)* *m (Sport)* hang-glider; **Drachensaat** *f (pej geh)* seeds of discord *pl*.

Drachme *f* **-, -n** drachma; *(Pharm old)*

drachm.

Dragée, Dragee [dra'ʒe:] *nt* **-s, -s 1.** *(Bonbon)* sugar-coated chocolate sweet; *(Nuß~, Mandel~)* dragee. **2.** *(Pharm)* dragee, sugar-coated pill *or* tablet.

Drageeform *f* **in ~** coated with sugar, in sugar-coated form.

Dragoner *m* **-s, -** *(Hist)* dragoon; *(pej: Frau)* battleaxe *(inf)*, dragon *(inf)*.

Draht *m* **-(e)s, ⁼e** wire. **per** *or* **über ~** by wire *or (ins Ausland)* cable; **auf ~ sein** *(inf)* to be on the ball *(inf)*; *(wissensmäßig auch)* to know one's stuff; **du bist wohl heute nicht ganz auf ~** *(inf)* you're not quite with it today *(inf)*; **jdn auf ~ bringen** *(inf)* to bring sb up to scratch.

Draht- *in cpds* wire; **Drahtauslöser** *m (Phot))* cable release; **Drahtbürste** *f* wire brush.

drahten *vt (dated)* to wire, to cable.

Drahtesel *m (dated hum)* trusty bicycle; *(alt auch)* boneshaker *(inf)*; **Drahtfunk** *m* wire *or* line broadcasting; **Drahtgeflecht** *nt* wire mesh; **Drahtgitter** *nt* wire netting; **Drahthaar(dackel)** *m* wire-haired dachshund; **drahthaarig** *adj* wire-haired; **Drahthaarterrier** *m* wire-haired terrier.

drahtig *adj* **Haar, Mensch** wiry.

drahtlos *adj* **Telegrafie** wireless; **Drahtschere** *f* wire cutters *pl*; **Drahtschneider** *m* **-s, -** wire cutters *pl*.

Drahtseil *nt* wire cable. **Nerven wie ~e** *(inf)* nerves of steel.

Drahtseilakt *m (lit, fig)* balancing act; **Drahtseilbahn** *f* cable railway; **Drahtseilkünstler(in** *f)* *m (Seiltänzer)* tightrope artist *or* walker.

Drahtsieb *nt* wire sieve; **Drahtverhau** *m* wire entanglement; *(Käfig)* wire enclosure; **Drahtzaun** *m* wire fence; **Drahtzieher(in** *f)* *m* **-s, -** wire-drawer; *(fig)* wire-puller *(US)*. **wer ist hier wohl der ~?** who pulls the strings around here?

Drainage [drɛ'naʒə, *(Aus)* drɛ'na:ʒ] *f* **-, -n** drainage *(auch Med)*.

drainieren* [drɛ'ni:rən] *vti* to drain *(auch Med)*.

Draisine [drai'zi:nə, drɛ'zi:nə] *f (Rail)* trolley; *(Fahrrad)* dandy horse.

drakonisch *adj* draconian.

drall *adj* **Mädchen, Arme** strapping, sturdy; **Busen, Hintern** ample; **Backen** rounded.

Drall *m* **-(e)s, -e 1.** *(von Kugel, Ball)* spin; *(um Längsachse auch)* twist; *(Abweichung von Bahn)* swerve; *(inf: von Auto)* pull. **einen ~ nach links haben** *(Auto)* to pull to the left.

    2. *(fig: Hang)* tendency, inclination. **sie hat einen ~ nach links/zum Moralisieren** she inclines *or* leans to the left/ tends to moralize.

Dralon ® *nt* **-(s),** *no pl* dralon.

Drama *nt* **-s, Dramen** *(lit: Stück, Gattung, fig: dramatisches Geschehen)* drama; *(fig) (Katastrophe)* disaster; *(Aufheben)* to-do *(inf)*.

Dramatik *f (lit, fig)* drama.

Dramatiker(in *f)* *m* **-s, -** dramatist.

dramatisch *adj (lit, fig)* dramatic.

dramatisieren* vt (lit, fig) to dramatize.
Dramatisierung f dramatization.
Dramaturg(in f) m -en, -en dramaturge (form), literary manager.
Dramaturgie f dramaturgy; (Abteilung) drama department.
dramaturgisch adj dramatic, dramaturgical (rare); Abteilung drama attr.
dran adv (inf) siehe auch **daran 1.** (an der Reihe) **jetzt bist du ~** it's your turn now; (beim Spielen auch) it's your go now; **(wenn er erwischt wird,) dann ist er ~** or (hum) **am ~sten** (if he gets caught) he'll be for it or for the high jump (inf); **er war ~** (mußte sterben) his time had come; **morgen ist Mathematik ~** we've got maths tomorrow.
2. schlecht **~ sein** to be in a bad way; (unglücklich auch) to be unfortunate; gut **~ sein** to be well-off; (glücklich) to be fortunate; (gesundheitlich) to be well; früh/spät **~ sein** to be early/late.
3. an ihm ist nichts **~** (sehr dünn) he's nothing but skin and bone; (nicht attraktiv, nicht interessant) there is nothing to him; **an dem Hühnchen ist nichts ~** there is no meat on that chicken; **was ist an ihm ~, daß ...?** what is there about him that ...?; **da ist alles ~!** that's got everything; **da wird schon etwas (Wahres) ~ sein** there must be something or some truth in that; **ich weiß nicht, wie ich (bei ihm) ~ bin** I don't know where I stand (with him).
Dränage [drɛˈnaːʒə] f -, -n (esp Aus, Sw) siehe **Drainage**.
dranbleiben vi sep irreg aux sein (inf) (sich nicht entfernen) to stay close; (am Apparat) to hang on; (an der Arbeit) to stick at it. **am Gegner/an der Arbeit ~** to stick to one's opponent/at one's work.
Drang m -(e)s, ⸚e **1.** (Antrieb) urge (auch Physiol), impulse; (Sehnsucht) yearning (nach for); (nach Wissen) thirst (nach for). **~ nach Bewegung** urge or impulse to move.
2. der **~ zum Tor** (Sport) the surge towards the goal; **der ~ nach Osten** the drive towards the East.
3. (geh: Druck) pressure; (des Augenblicks auch) stress. **im ~ der Ereignisse** under the pressure of events.
drang pret of **dringen**.
drangeben vt sep irreg (inf) **1.** (zufügen) to add (an +acc to). **ich geb' noch 10 Minuten dran** I'll give you/him etc another ten minutes. **2.** (opfern) to give up; Leben auch to sacrifice; Geld to fork out (inf). **sein Leben für etw ~** to give one's life for sth.
drangehen vi sep irreg aux sein (inf) **1.** (berühren, sich zu schaffen machen) to touch (an etw (acc) sth). **an etw (acc) (zu nahe) ~** (sich nähern) to go too close to sth.
2. (in Angriff nehmen) **~, etw zu tun** to get down to doing sth; **es wird Zeit, daß ich drangehe** it's time I got down to it.
Drängelei f (inf) pushing, jostling; (Bettelei) pestering.
drängeln (inf) **I** vi to push, to jostle. **II** vti

(betteln) to pester. **III** vr **sich nach vorne ~** to push one's way to the front; **sich ~, etw zu tun** (fig) to fall over oneself to do sth (inf).
drängen I vi **1.** (in Menge) to push, to press. **die Menge drängte zum Ausgang** the crowd pressed towards the exit.
2. (Sport: offensiv spielen) to press or push forward.
3. (fordern) to press (auf +acc for). **auf Antwort ~** to press for an answer; **darauf ~, daß jd etw tut/etw getan wird** to press for sb to do sth/for sth to be done; **zum Aufbruch/zur Eile ~** to be insistent that one should leave/hurry.
4. (zeitlich) to be pressing, to press. **die Zeit drängt** time is pressing or presses; **es drängt/drängt nicht** it's/it's not pressing or urgent.
II vt **1.** (mit Ortsangabe) to push.
2. (auffordern) to press, to urge. **es drängt mich, das zu tun** I feel moved or the urge to do that.
III vr (Menge) to throng or crowd; (fig: Termine) to mount up. **sich nach vorn/durch die Menge ~** to push or force one's way to the front/through the crowd; siehe **gedrängt**.
Drängen nt -s, no pl urging; (Bitten) requests pl; (Bestehen) insistence.
drängend adj pressing, urgent.
Drangsal [ˈdraŋzaːl] f -, -e (old, liter) (Not) hardship; (Leiden) suffering, distress.
drangsalieren* vt (plagen) to pester, to plague; (unterdrücken) to oppress.
dranhalten sep irreg (inf) **I** vt to hold up (dat, an +acc to). **etw näher an etw (acc) ~** to hold sth closer to oth.
II vr (sich beeilen) to hurry up, to get a move on (inf); (sich anstrengen) to make an effort, to get one's finger out (sl); (nahe dranbleiben) to keep close to it.
dranhängen sep (inf) **I** vt **etw an etw (acc) ~** to hang sth onto sth; **viel Zeit ~, etw zu tun** to put a lot of time into doing sth.
II vi irreg **an etw (dat) ~** to hang from sth; **es hing ein Zettel dran** a tag was attached (an +dat to).
III vr to hang on; (verfolgen) to stay close behind, to stick to sb's tail (inf); (ständig begleiten) to latch on (bei to); (jds Beispiel folgen) to follow suit.
drankommen vi sep irreg aux sein (inf) **1.** (berühren) to touch.
2. (erreichen können) to be able to reach (an etw (acc) sth).
3. (an die Reihe kommen) to have one's turn or (bei Spielen auch) go; (Sch: beim Melden) to be called; (Frage, Aufgabe) to come up. **jetzt kommst du dran** now it's your turn/go; **du kommst als erster/nächster dran** it's your turn/go first/next; **nun kommt das Schlafzimmer dran** it's the bedroom next.
drankriegen vt sep (inf) **jdn ~** to get sb (inf); (zu einer Arbeit) to get sb to do it/sth; (mit Witz, Streich) to catch sb out.
Dranktonne f (N Ger) swill bucket; (fig inf) walking dustbin (hum).
dranlassen vt sep irreg (inf) **etw (an etw**

dat) ~ to leave sth on (sth).

drạnmachen *sep* (*inf*) **I** *vr siehe* **daranmachen. II** *vt* etw (an etw *acc*) ~ to put sth on (sth).

drạnnehmen *vt sep irreg* (*inf*) *Schüler* to ask, to question; *Patienten* to take, to see.

drạnsetzen *sep* (*inf*) **I** *vt* **1.** (*anfügen*) ein Stück/ein Teil *etc* (an etw *acc*) ~ to add a piece/part (to sth).
2. (*einsetzen*) seine Kraft/sein Vermögen *etc* ~ to put one's effort/money into it; **alles** ~ to make every effort; **jdn** ~ to put sb onto the job *or* it.
II *vr* **1.** (*nahe an etw*) **sich** (an etw *acc*) ~ to sit (down) next to sth.
2. (*Arbeit anfangen*) to get down to work *or* it.

drạnsten *adv* (*hum*) *superl of* **dran.**

drạnwollen *vi sep* (*inf*) (*drankommen wollen*) to want to have one's turn; (*probieren wollen*) to want to have a go.

drapieren* *vt* to drape; (*fig*) to cloak.

Drapierung *f* **1.** (*das Drapieren*) *siehe vt* draping; cloaking. **2.** (*Schmuck, kunstvolle Falten*) drape. **~en** (*fig: beschönigende Worte*) fine phrases.

Drạstik *f, no pl* (*Derbheit*) drasticness; (*Deutlichkeit*) graphicness. etw mit besonderer ~ beschreiben to describe sth particularly graphically *or* in very extreme tones.

drạstisch *adj* (*derb*) drastic; (*deutlich*) graphic.

drauf *adv* (*inf*) *siehe auch* **darauf. immer feste** ~! get stuck in there! (*inf*), let him have it! (*inf*); ~ **und dran sein, etw zu tun** to be on the point *or* verge of doing sth; **etw** ~ **haben** (*inf*) (*können*) to be able to do sth no bother (*inf*); *Kenntnisse* to be well up on sth (*inf*); *Witze, Sprüche* to have sth off pat (*inf*); **160 Sachen** ~ **haben** (*inf*) to be doing 160.

draufbekommen* *vt sep irreg* (*inf*) **eins** ~ to be given a smack; **Draufgabe** *f* **1.** (*Comm*) deposit; **2.** (*Aus*) *siehe* **Zugabe; Draufgänger** (*f*) *m* -**s,** - daredevil, adventurous type; **draufgängerisch** *adj* daring, adventurous; (*negativ*) reckless; **draufgehen** *vi sep irreg aux sein* (*inf*) (*entzweigehen*) to fall to bits *or* apart; (*sterben*) to bite the dust (*inf*); (*Geld*) to disappear; **draufhaben** *vt sep irreg* (*inf*) *Sprüche, Antwort* to come out with. **er hat es drauf** he's got what it takes; **jetzt hat sie es endlich drauf** she's finally got it; **zeigen, was man drauf hat** to show what one is made of; **den Chauvi** ~ to be a real chauvinist; **draufhalten** *sep irreg* (*inf*) **I** *vt* etw (auf etw *acc*) ~ to hold sth on (sth); **II** *vi* (*als Ziel angehen*) to aim for it; **draufhauen** *vi sep irreg* (*inf*: *schlagen*) to hit hard; **draufkommen** *vi sep irreg aux sein* (*inf*) (*sich erinnern*) to remember; (*begreifen*) to catch on, to get it (*inf*); **draufkriegen** *vt sep* (*inf*) etw (auf etw *acc*) ~ to get *or* fit sth on(to sth); **eins** ~ to be given what-for (*inf*); (*geschlagen werden*) to be given a smack; (*besiegt werden*) to be given a thrashing; **drauflassen** *vt sep irreg* (*inf*) etw (auf etw *dat*) ~ to leave sth on (sth);

drauflegen *vt sep* (*inf*) **1.** *auch vi* to lay out; **20 Mark** ~ to lay out an extra 20 marks; **2.** etw (auf etw *acc*) ~ to put *or* lay sth on(to sth).

drauflos *adv* (*nur*) **immer feste** *or* **munter** ~! (just) keep at it!, keep it up!

drauflosarbeiten *vi sep* (*inf*) to work away, to beaver away (*inf*); (*anfangen*) to start working; **drauflosgehen** *vi sep irreg aux sein* (*inf*) (*auf ein Ziel*) to make straight for it; (*ohne Ziel*) to set off; (*nicht zögern*) to set to work; **drauflosreden** *vi sep* (*inf*) to talk away; (*anfangen*) to start talking; **drauflosschlagen** *vi sep irreg* (*inf*) to hit out, to let fly (*inf*).

draufmachen *vt sep* (*inf*) etw (auf etw *acc*) ~ to put sth on(to sth); **einen** ~ to make a night of it (*inf*); **draufsatteln** *vt sep* (*inf*) to slap on (top); **draufsein** *vi sep irreg aux sein* (*inf*) **schlecht/gut** ~ to be in a bad/good mood; **wie ist der denn drauf?** what kind of trip is he on? (*inf*); **draufsetzen** *vt sep* (*inf*) **eins** *or* **einen** ~ to go one step further; **Draufsicht** *f* view from above; **draufstehen** *vi sep irreg* (*inf*) *aux* **haben** *or* (*dial*) **sein** etw steht ~ sth is on it; **auf etw** (*dat*) ~ (*Mensch, Sache*) to stand on sth; (*Aufschrift*) to be on it; (da) **stehe ich nicht drauf** (*fig sl*) it doesn't turn me on (*sl*); **draufstoßen** *sep irreg* (*inf*) **I** *vi aux sein* to come *or* hit upon it; (*gegen etw stoßen*) to bump *or* run into it; (*finden*) to come across it; **II** *vt* **jdn** ~ to point it out to sb; **draufzahlen** *vi sep* (*inf*) **1.** *auch vt siehe* **drauflegen 1.**; **2.** (*fig: Einbußen erleiden*) to pay the price.

draus *adv siehe* **daraus.**

drausbringen *vt sep irreg* (*dial*) **jdn** ~ (*Konzentration stören*) to make sb lose track, to distract sb; (*irremachen*) to put sb off; **drauskommen** *vi sep irreg aux sein* **1.** (*dial, Aus: aus dem Konzept kommen*) to lose track; **2.** (*Sw: verstehen*) to see, to get it (*inf*).

draußen *adv* outside; (*im Freien auch*) out of doors, outdoors; (*da* ~, *weit weg von hier*) out there; (*im Ausland*) abroad. ~ (**an der Front**) out there (on the front); ~ **auf dem Lande/dem Balkon/im Garten** out in the country/on the balcony/in the garden; ~ (**auf dem Meer**) out at sea; **da/hier** ~ out there/here; **ganz da** ~ way out there; ~ (**vor der Tür**) at the door; **nach** ~ outside; (*ferner weg*) out there; **weit/weiter** ~ far/further out; ~ **bleiben/lassen** to stay/leave out (*auch fig inf*) *or* outside; „**Hunde müssen** ~ **bleiben**" "no dogs (please)", "please leave your dog outside"; **etw** ~ **tragen** to wear sth outside.

Drẹchselbank *f* wood(-turning) lathe.

drẹchseln I *vt* to turn (*on a wood lathe*); (*fig pej*) to over-elaborate; *Vers* to turn; *siehe auch* **gedrechselt. II** *vi* to work the (wood) lathe.

Drẹchsler|arbeit *f* (wood) turning; (*Gegenstand*) piece turned on the lathe.

Dreck *m* -(e)s, *no pl* **1.** dirt; (*esp ekelhaft*) filth; (*Schlamm*) mud; (*Kot*) muck; (*fig*) (*Schund*) rubbish; (*Schmutz, Obszönes*)

dirt, muck; (*stärker*) filth; (*inf: schlimme Lage*) mess, jam (*inf*). ~ **machen** to make a mess; **im ~ sitzen** *or* **stecken** (*inf*) to be in a mess *or* jam (*inf*); **aus dem gröbsten ~ heraus sein** (*inf*) to be through *or* past the worst; **jdn wie den letzten ~ behandeln** (*inf*) to treat sb like dirt; **der letzte ~ sein** (*inf: Mensch*) to be the lowest of the low; ~ **am Stecken haben** (*fig*) to have a skeleton in the cupboard; **etw in den ~ ziehen** *or* **treten** (*fig*) to drag sth through the mud.
    2. (*inf*) (*Angelegenheit, Kram*) business, stuff (*inf*); (*Kleinigkeit*) little thing. **sich einen ~ um jdn/etw kümmern** *or* **scheren** not to care *or* give a damn about sb/sth (*inf*); **mach deinen ~ alleine!** do it yourself; **die Nase in jeden ~ stecken** (*inf*) to poke one's nose into everyone's business *or* into everything; **das geht ihn einen (feuchten) ~ an** that's none of his business, that's got damn all to do with him (*sl*); **einen ~ ist er/hast du** like hell he is/you have (*sl*).

Dreckarbeit *f* (*inf*) **1.** (*lit, fig: schmutzige Arbeit*) dirty work; **2.** (*pej: niedere Arbeit*) drudgery *no pl*; **Dreckfinger** *pl* (*inf*) (*lit, fig*) dirty fingers *pl*; **Dreckfink** *m* (*inf*) *siehe* Dreckspatz.

dreckig *adj* (*lit, fig*) dirty; (*stärker*) filthy. ~ **lachen** to give or laugh a dirty laugh; **es geht mir ~** (*inf*) I'm in a bad way; (*finanziell*) I'm badly off; **wenn man ihn erwischt, geht es ihm ~** (*inf*) if they catch him, he'll be sorry *or* in for it (*inf*).

Dreckloch *nt* (*pej*) hole (*inf*), hovel; **Drecknest** *nt* (*pej*) dump (*inf*), hole (*inf*); **Dreckpfoten** *pl* (*lit, fig*) dirty *or* filthy paws *pl*; **Drecksack** *m* (*pej inf*) dirty bastard (*sl*); **Drecksau** *f* (*vulg*) filthy swine (*inf*); **Dreckschleuder** *f* (*pej*) (*Mundwerk*) foul mouth; (*Mensch*) foul-mouthed person; (*Kraftwerk, Auto*) environmental hazard; **Dreckschwein** *nt* (*vulg*) dirty pig (*inf*).

Dreckskerl *m* (*inf*) dirty swine (*inf*), louse (*inf*).

Dreckspatz *m* (*inf*) (*Kind*) mucky pup (*inf*); (*Schimpfwort*) filthy beggar (*inf*).

Dreck(s)zeug *nt* (*inf*) damn *or* blasted stuff (*inf*). **das ist doch ein ~** damn this stuff (*inf*).

Dreckwetter *nt* (*inf*) filthy weather (*inf*).

Dreh *m* **-s, -s** *or* **-e 1.** (*List*) dodge; (*Kunstgriff*) trick. **den ~ heraushaben, etw zu tun** to have got the knack of doing sth; **den (richtigen) ~ heraushaben** *or* **weghaben** (*inf*) to have got the hang of it. **2.** *siehe* Drehe.

Drehachse *f* axis of rotation; **Dreharbeiten** *pl* (*Film*) shooting *sing*; **Drehbank** *f* lathe; **drehbar** *adj* (*rundum*) rotating, revolving *attr*; (*um einen Festpunkt*) swivelling *attr*; (*drehgelagert*) pivoted; ~ **sein** to rotate *or* revolve/swivel; **Drehbeginn** *m* (*Film*) start of shooting; **Drehbewegung** *f* turn(ing motion); (*esp Tech*) rotation, rotary motion; **eine ~ machen** to turn/rotate/revolve once; **Drehbleistift** *m* propelling (*Brit*) *or* mechanical (*US*) pencil; **Drehbrücke** *f* swing bridge;

Drehbuch *nt* (*Film*) screenplay, (film) script; **Drehbuchautor(in** *f*) *m* scriptwriter, screenplay writer; **Drehbühne** *f* revolving stage.

Drehe *f* **-,** *no pl* (*inf*) (*so*) **um die ~** (*zeitlich*) or thereabouts, round about then; (*so*) **in der ~** (*örtlich*) (there) or thereabouts, round about there.

drehen I *vt* to turn (*auch Tech: auf Drehbank*); (*um eine Achse auch*) to rotate; (*um Mittelpunkt auch*) to revolve, to rotate; *Stuhl* to swivel; *Kreisel* to spin; *Kopf auch* to twist; *Zwirne* to twist; *Zigaretten, Pillen* to roll; *Film* to shoot; (*fig: verdrehen*) to twist; (*inf: schaffen*) to fix (*inf*), to work (*inf*). **jdm den Rücken ~** to turn one's back on sb; **das Gas hoch/auf klein ~** to turn the gas up high/down low; **Fleisch durch den Wolf ~** to put meat through the mincer; **ein Ding ~** (*sl*) to play a *or* to pull off a prank; (*Verbrecher*) to pull a job (*inf*) *or* caper (*sl*); **wie man es auch dreht und wendet** no matter how you look at it.
    II *vi* to turn; (*Wind*) to shift, to change; (*Film*) to shoot, to film; (*Zigaretten* ~) to roll one's own. **an etw** (*dat*) ~ to turn sth; **am Radio** ~ to turn a knob on the radio; **daran ist nichts zu ~ und deuteln** (*fig*) there are no two ways about it.
    III *vr* **1.** to turn (*um* about); (*um Mittelpunkt auch*) to revolve, to rotate; (*um Achse auch*) to rotate; (*sehr schnell: Kreisel*) to spin; (*Wind*) to shift, to change. **sich auf den Rücken ~** to turn on(to) one's back; **sich um etw ~** to revolve *or* rotate around sth; **sich um sich (selbst)** ~ to rotate, to revolve on its own axis; (*Mensch*) to turn round; (*Auto*) to spin; **sich im Kreise ~** to turn round and round; **mir drehte sich alles** everything's spinning about me; **mir dreht sich alles im Kopf** my head is spinning *or* swimming; **sich ~ und winden** (*fig*) to twist and turn.
    2. sich um etw ~ (*betreffen*) to concern sth, to be about sth; (*um zentrale Frage*) to centre on sth; **alles dreht sich um sie** everything revolves around her; (*steht im Mittelpunkt*) she's the centre of attention *or* interest; **es dreht sich darum, daß ...** the point is that ...; **in dieser Sendung drehte es sich um ..., die Sendung drehte sich um ...** the broadcast was about ... *or* concerned ...

Dreher *m* **-s, - 1.** lathe operator. **2.** (*Tanz*) country waltz.

Drehgeschwindigkeit *f* rotary *or* rotating speed; **Drehgestell** *nt* (*Rail*) bogie; **Drehimpuls** *m* angular momentum; **Drehknopf** *m* knob; **Drehkran** *m* slewing *or* rotary crane; **Drehkreuz** *nt* turnstile; **Drehleier** *f* barrel-organ, hurdy-gurdy; **Drehmaschine** *f* motorized (metal-turning) lathe; **Drehmoment** *nt* torque; **Drehorgel** *f* barrel-organ, hurdy-gurdy; **Drehorgelspieler(in** *f*) *m* organ-grinder, hurdy-gurdy man; **Drehort** *m* (*Film*) location; **Drehpause** *f* (*Film*) break in shooting; **Drehpunkt** *m* pivot; **Drehrestaurant** *nt* revolving restaurant; **Drehschalter** m rotary switch; **Drehscheibe** f 1. (*Rail*) turntable; 2. *siehe* **Töpferscheibe**; **Drehstrom** m three-phase current; **Drehstuhl** m swivel-chair; **Drehtag** m (*Film*) day of shooting; **Drehtür** f revolving door.

Drehung f 1. turn; (*ganze ~ um eigene Achse auch*) rotation; (*um einen Punkt auch*) revolution. **eine halbe/ganze ~** a half/complete turn; **eine ~ um 180°** a 180° turn, a turn through 180°.
2. (*das Drehen*) turning; (*um eigene Achse auch*) rotation; (*um einen Punkt auch*) revolving.

Drehwurm m (*inf*): **einen** or **den ~ kriegen/haben** to get giddy.

Drehzahl f number of revolutions or revs.

Drehzahlbereich m (*Aut*) engine speed range; **im niederen/hohen ~** at low/high revs; **Drehzahlmesser** m rev counter.

drei num three. **von uns ~en** from the three of us; **die (Heiligen) D~ Könige**, **die ~ Weisen aus dem Morgenland** the Three Kings or Wise Men (from the East), the Magi; **die ~ tollen Tage** the last three days of Fasching in Germany; **aller guten Dinge sind ~!** (*prov*) all good things/disasters come in threes!; (*nach zwei mißglückten Versuchen*) third time lucky!; **er arbeitet/ißt für ~** (*inf*) he does the work of/eats enough for three; **etw in ~ Worten erklären** (*inf*) to explain sth briefly or in a few words; **ehe man bis ~ zählen konnte** (*inf*) in a trice, before you could say Jack Robinson (*inf*); **sie sieht aus, als ob sie nicht bis ~ zählen könnte** (*inf*) she looks pretty vacuous or empty-headed; (*unschuldig*) she looks as if butter wouldn't melt in her mouth; *siehe* **vier**.

Drei f -, -en three; *siehe auch* **Vier**.

Drei- in cpds three-, tri-; **Dreiachteltakt** m three-eight time; **dreiad(e)rig** adj (*Elec*) three-core; **dreibeinig** adj three-legged.

Drei-D- [draiˈdeː] in cpds 3-D.

dreidimensional adj three-dimensional.

Dreieck nt -(e)s, -e triangle; (*Zeichen~*) set-square; (*Sport: Winkel*) top left/right hand corner of the goal.

dreieckig adj triangular, three-sided.

Dreieckstuch nt triangular scarf; (*um die Schultern getragen*) triangular shawl; (*Med*) triangular bandage; **Dreiecksverhältnis** nt (eternal) triangle; **ein ~ haben** to be involved in an eternal triangle.

dreieinig adj triune, three in one pred. **der ~e Gott** the Holy Trinity, the Triune God.

Dreieinigkeit f Trinity. **die ~ Gottes** the Holy Trinity.

Dreier m -s, - 1. (*old: Münze*) three pfennig piece, ≈ thruppence (*Brit*).
2. (*Aus, S Ger: Ziffer, Note*) three.
3. (*Sport*) (*Eislauf etc*) three; (*Golf*) threesome.

Dreier- in cpds siehe **Vierer-, vierer-**.

dreifach I adj triple, threefold (*liter*). **die ~e Menge** triple or treble or three times the amount; **ein ~es Hoch!** three cheers!

II adv three times. **~ abgesichert/verstärkt** trebly secure/reinforced; *siehe* **vierfach**.

Dreifache(s) nt decl as adj **das ~** triple or treble or three times the amount, three times as much; **9 ist das ~ von 3** 9 is or equals three times 3; **ein ~s kosten** to cost three times as much; **er verdient das ~ von dem, was ich bekomme** he earns three times as much as or treble the amount that I do; **etw um das ~ vermehren** to multiply sth three times or Zahl auch by three.

Dreifach- in cpds triple; **Dreifachstecker** m three-way adapter.

dreifältig adj siehe **dreifach**; **Dreifaltigkeit** f Trinity; **Dreifaltigkeitsfest** nt, **Dreifaltigkeitssonntag** m Trinity Sunday; **Dreifarbendruck** m 1. (*Verfahren*) three-colour printing; 2. (*Gedrucktes*) three-colour print; **dreifarbig**, **dreifärbig** (*Aus*) adj three-colour attr, three-coloured, trichromatic (*form*); **Dreifelderwirtschaft** f three-field system; **Dreifuß** m tripod; (*Gestell für Kessel*) trivet; (*Schemel*) three-legged stool; **dreifüßig** adj Vers three-foot attr.

Dreigang m (*inf*) siehe **Dreigangschaltung**.

Dreiganggetriebe nt three-speed gear; **Dreigangrad** nt three-speed bike; **Dreigangschaltung** f three-speed gear; **ein Fahrrad mit ~** a three-speed bicycle.

Dreigespann nt troika; (*fig*) threesome; (*an leitender Stelle*) triumvirate; **Dreigestirn** nt (*lit*) triple star; (*fig geh*) big three; **dreigestrichen** adj (*Mus*) **das ~e C/F** the C/F two octaves above middle C; **dreigeteilt** adj divided into three (parts); **dreiglied(e)rig** adj (*Math*) trinomial; **Dreigroschenheft(chen)** nt (*pej*) penny-dreadful (*dated inf*).

Dreiheit f trinity.

dreihundert num three hundred; *siehe* **vierhundert**; **Dreikampf** m three-part competition (*100 m sprint, long jump and shot-put*); **Dreikant** nt or m -(e)s, -e trihedron; **Dreikäsehoch** m -s, -s (*inf*) tiny tot (*inf*); **Dreiklang** m triad; **Dreikönige** pl Epiphany sing; **Dreikönigsfest** nt (feast of) Epiphany; **Dreikönigstag** m feast of Epiphany; **Dreiländereck** nt place where three countries meet.

dreimal adv three times, thrice (*old*); *siehe auch* **viermal**.

Dreimaster m -s, - three-master; **Dreimeilenzone** f three-mile zone; **Dreimeterbrett** nt three-metre board.

drein adv (*inf*) siehe **darein**.

drein- in cpds siehe auch **darein-**; **dreinblicken** vi sep traurig etc **~** to look sad; **dreinfügen** vr sep to resign oneself (to it), to come to terms with it; **dreinreden** vi sep (*dazwischenreden*) to interrupt; (*sich einmischen*) to interfere (*bei* in, with); **ich lasse mir in dieser Angelegenheit von niemandem ~** I won't have anyone interfering (with this); **er ließ sich nirgends ~** he would never be told; **dreinschauen** vi sep siehe **dreinblicken**; **dreinschlagen** vi sep irreg (*dial*) to weigh in (*inf*).

Dreiphasenstrom *m* three-phase current; **Dreipunkt(sicherheits)gurt** *m* lap and diagonal seatbelt; **Dreirad** *nt* tricycle; (*inf: Auto*) three-wheeler; **dreiräd(e)rig** *adj* three-wheeled; **Dreiradwagen** *m* three-wheeled vehicle, three-wheeler.

Dreisatz *m* (*Math*) rule of three.

Dreisatzrechnung *f* calculation using the rule of three; **Dreisatztisch** *m* nest of tables.

dreischiffig *adj Kirche* with three naves; **Dreispitz** *m* three-cornered hat, tricorn; **Dreisprung** *m* triple jump, hop, step and jump.

dreißig *num* thirty; *siehe auch* **vierzig**.

dreißig- *in cpds siehe auch* **vierzig-**; **dreißigjährig** *adj* (*dreißig Jahre dauernd*) thirty years' *attr*, lasting thirty years; (*dreißig Jahre alt*) thirty years old, thirty-year-old *attr*; **der D~e Krieg** the Thirty Years' War.

Dreißigstel¹ *nt* -s, - thirtieth; *siehe* **Viertel¹**.

Dreißigstel² *f* -, *no pl* (*Phot inf*) thirtieth (of a second).

dreißigste(r, s) *adj* thirtieth.

dreist *adj* bold; *Handlung auch* audacious.

Dreistigkeit *f* 1. *no pl siehe adj* boldness; audacity. 2. (*Bemerkung*) bold remark; (*Handlung*) bold *or* audacious act.

Dreistufenrakete *f* three-stage rocket; **dreistufig** *adj Rakete* three-stage *attr*, with three stages; *Plan auch* three-phase *attr*; **Dreitagebart** *m* designer stubble; **dreiteilig** *adj* (*aus 3 Teilen*) *Kostüm* three-piece *attr*; (*in 3 Teile geteilt*) three-part *attr*, tripartite (*form*); **Dreiteilung** *f* division into three.

dreiviertel ['drai'fɪrtl] *siehe auch* **viertel** I *adj inv* threequarter. **eine ~ Stunde** threequarters of an hour; **~ zwei** (*dial*) a quarter to two. II *adv* threequarters.

Dreiviertel ['drai'fɪrtl] *nt* threequarters. **in einem ~ der Zeit** in threequarters of the time; **das Saal war zu einem ~ leer** the room was threequarters empty.

Dreiviertelarm (*inf*), **Dreiviertelärmel** *m* threequarter(-length) sleeve; **Dreivierteljacke** *f* threequarter-length coat; **dreiviertellang** *adj* threequarter-length; **Dreiviertelmehrheit** *f* three-quarters majority; **Dreiviertelstunde** *f* threequarters of an hour *no indef art*; **Dreivierteltakt** *m* three-four time.

Dreiweg- *in cpds* (*Elec*) three-way; **Dreiwegekatalysator** *m* three-way catalytic converter; **Dreiweg(lautsprecher)-box** *f* three-way loudspeaker system; **Dreiwegschalter** *m* three-way switch; **Dreiwegstecker** *m* three-way adapter.

dreiwertig *adj* (*Chem*) trivalent; (*Ling*) three-place; **dreiwöchentlich** I *adj attr* three-weekly; II *adv* every three weeks, at three-weekly intervals; **dreiwöchig** *adj attr* three-week; **Dreizack** *m* -s, -e trident; **dreizackig** *adj* three-pointed.

dreizehn *adj num* thirteen. **jetzt schlägt's aber ~** (*inf*) that's a bit much *or* thick (*inf*); *siehe auch* **vierzehn**.

Dresche *f* -, *no pl* (*inf*) thrashing. **~ krie-**

gen to get a thrashing.

dreschen *pret* **drosch**, *ptp* **gedroschen** I *vt* 1. *Korn* to thresh; (*inf*) *Phrasen* to bandy. **leeres Stroh ~** (*fig*) to talk a lot of hot air (*inf*), to talk/write a lot of claptrap (*inf*); **Skat ~** (*inf*) to play skat. 2. (*inf: prügeln*) to thrash. 3. (*Sport inf: treten, schlagen*) to slam (*inf*), to wallop (*inf*). II *vi* 1. to thresh. 2. (*inf: schlagen, treten*) to hit violently. **auf die Tasten ~** to thump *or* pound the keys. III *vr* (*inf: sich prügeln*) to have a fight.

Dreschflegel *m* flail; **Dreschmaschine** *f* threshing machine; **Dreschtenne** *f* threshing floor.

Dreß *m* -sses, -sse, (*Aus*) *f* -, -ssen (*Sport*) (sports) kit; (*für Fußball auch*) strip.

Dresseur [-'sø:ɐ] *m* trainer.

dressieren* *vt* 1. *Tier* to train; (*pej*) *Mensch auch* to condition, to discipline. **auf jdn/etw dressiert sein** to be trained to respond to sb/sth; **auf den Mann dressiert sein** to be trained to attack people; **zu etw dressiert sein** to be trained to do sth.
2. (*Cook*) *Geflügel* to dress; *Braten* to prepare; (*esp Aus*) *Torte* to decorate; *Teig, Creme* to pipe.

Dressman ['dresmən] *m* -s, **Dressmen** male model.

Dressur *f* training; (*für ~reiten*) dressage; (*fig*) conditioning.

Dressurreiten *nt* dressage; **Dressurreiter(in** *f*) *m* dressage rider.

dribbeln *vi* to dribble. **mit dem Ball ~** to dribble the ball.

Dribbling *nt* -s, -s dribbling.

Drift *f* -, -en (*Naut*) drift.

driften *vi aux sein* (*Naut, fig*) to drift.

Drill *m* -(e)s, *no pl* (*Mil, fig*) drill; (*Sch auch*) drills *pl*.

Drillbohrer *m* drill.

drillen *vti* 1. (*Mil, fig*) to drill. **jdn auf etw** (*acc*) **~** to drill sb in sth; **auf etw** (*acc*) **gedrillt sein** (*fig inf*) to be practised at doing sth. 2. *Loch* to drill. 3. (*Agr*) to drill, to sow *or* plant in drills. 4. (*beim Angeln*) to play.

Drillich *m* -s, -e drill; (*für Matratzen*) ticking; (*für Markisen*) canvas.

Drillichanzug *m* overalls *pl*, dungarees *pl*; **Drillichzeug** *nt* overalls *pl*.

Drilling *m* 1. triplet. 2. (*Angelhaken*) three-pronged hook. 3. (*Jagdgewehr*) triple-barrelled shotgun.

Drillingsgeburt *f* triple birth.

drin *adv* 1. (*inf*) *siehe* **darin** 1., **drinnen**.
2. (*inf*) **da ~** *siehe* **darin 2.**
3. in it. **er/es ist da ~** he/it is in there; **in der Flasche ist noch etwas ~** there's still something in the bottle; **hallo, ist da jemand ~?** hello, is (there) anyone in there?
4. (*inf: in Redewendungen*) **das ist** *or* **liegt bei dem alles ~** anything's possible with him; **bis jetzt ist** *or* **liegt noch alles ~** everything is still quite open; **~ sein** (*in der Arbeit*) to be into it; **für sie ist doch (gegen ihn) nichts ~** she hasn't a hope (against him); **das ist doch nicht ~** (*geht nicht*) that's not on (*inf*).

dringen pret **drang,** ptp **gedrungen** vi 1. aux sein to penetrate, to come through; (fig: Nachricht, Geheimnis) to penetrate, to get through (an or in +acc to). (durch etw) ~ to come through (sth), to penetrate (sth); **an** or **in die Öffentlichkeit** ~ to leak or get out, to become public knowledge; **der Pfeil drang ihm in die Brust** the arrow penetrated (into) his chest; **hinter die Ursache/ein Rätsel** ~ to get to the bottom of this/a puzzle. 2. aux sein (geh) **in jdn** ~ to press or urge sb; **mit Bitten/Fragen in jdn** ~ to ply or press sb with requests/questions. 3. **auf etw** (acc) ~ to insist on sth; **er drang darauf, einen Arzt zu holen** or **daß man einen Arzt holte** he insisted on fetching a doctor.

dringend adj (eilig, wichtig) urgent, pressing; (nachdrücklich, zwingend) strong; Abraten, Anraten strong, strenuous; Gründe compelling. **etw** ~ **machen** (inf) to treat sth as urgent; **ein** ~**er Fall** (Med) an emergency; **jdn** ~ **bitten, etw zu unterlassen** to urge sb to stop doing sth; ~ **notwendig/erforderlich** urgently needed, essential; ~ **verdächtig** strongly suspected.

dringlich adj urgent, pressing.
Dringlichkeit f urgency.
Dringlichkeitsanfrage f (Parl) emergency question; **Dringlichkeitsantrag** m (Parl) emergency motion; **Dringlichkeitsstufe** f priority; ~ **1** top priority.

drinhängen vi sep irreg (inf) siehe **drinstecken 3.**
Drink m **-s,** -s drink.
drinnen adv (in geschlossenem Raum) inside; (im Haus auch) indoors; (fig: im Inland) internally, at home. ~ **und draußen** inside and outside; (im Inland etc) at home and abroad; **hier/dort** ~ in here/there; **ich gehe nach** ~ (inf) I'm going in(side).
drinsitzen vi sep irreg (inf) to be in trouble.
drinstecken vi sep (inf) 1. (verborgen sein) to be (contained). 2. (investiert sein) **da steckt eine Menge Geld/Arbeit drin** a lot of money/work has gone into it. 3. (verwickelt sein) to be involved in it. **er steckt bis über die Ohren drin** he's up to his ears in it. 4. (voraussehen können) **da steckt man nicht drin** one never knows or can never tell (what will happen).
drinstehen vi sep irreg aux haben or (dial) sein (inf) to be in it.
drisch imper sing of **dreschen.**
dritt adv **wir kommen zu** ~ three of us are coming together; siehe **viert.**
Drittel nt **-s,** - third; siehe **Viertel**[1].
dritteln vt to divide into three (parts).
Dritten|abschlagen nt children's game, ≃ tag.
drittens adv thirdly; siehe **viertens.**
Dritte(r) mf decl as adj third person, third man/woman etc; (Unbeteiligter) third party. **der lachende** ~ the third party who benefits from a division between two others; **in dieser Angelegenheit ist er der**

lachende ~ he comes off best from this matter; **wenn zwei sich streiten, freut sich der** ~ (prov) when two people quarrel a third one rejoices; **der** ~ **im Bunde** the third in or of the trio; siehe **Vierte(r).**
dritte(r, s) adj third. **der** ~ **Fall** the dative case; **an einem** ~**n Ort** on neutral territory; **von** ~**r Seite (eine Neuigkeit erfahren)** (to learn a piece of news) from a third party; **Menschen** ~**r Klasse** third-class citizens; **ein D**~**s** a third thing; siehe **vierte(r, s).**
Dritte-Welt- in cpds Third World; **Dritte-Welt-Bewegung** f Third World movement; **Dritte-Welt-Laden** m charity shop for the Third World.
drittgrößte(r, s) adj third-biggest or -largest; **dritthöchste(r, s)** adj third highest; **drittklassig** adj third-rate (pej), third-class; **Drittkläßler(in** f) m **-s,** - (Sch) third-former; **Drittländer** ntpl third or non-member countries; **drittletzte(r, s)** adj third from last, last but two; **an** ~**r Stelle** third from last, last but two; **Drittperson** f third person or party; **drittrangig** adj third-rate; **Drittschaden** m damage suffered by a third party.
Drive [draif] m **-s,** **-s** drive.
DRK ['de:|ɛr'ka:] nt - abbr of **Deutsches Rotes Kreuz.**
droben adv (old, dial) up there. **dort** ~ up there.
Droge f -, **-n** drug.
dröge adj (N Ger) siehe **trocken.**
drogenabhängig adj addicted to drugs; **er ist** ~ he's a drug addict; **Drogenabhängige(r)** mf decl as adj drug addict; **Drogenabhängigkeit** f drug addiction no art; **Drogenbaron** m (inf) drug baron (inf); **Drogenbenutzer(in** f) m drug user; **Drogenfahnder(in** f) m **-s,** - drug squad officer, narcotics officer; **Drogenfahndungsbehörde** f drug squad; **Drogenhandel** m drug traffic or trade; **Drogenkonsum** m drug consumption; **Drogenmißbrauch** m drug abuse no art; **Drogensucht** f drug addiction; **drogensüchtig** adj addicted to drugs; **Drogensüchtige(r)** mf drug addict; **Drogenszene** f drug scene; **Drogentote(r)** mf drug death.
Drogerie f chemist's (shop), drugstore (US).
Drogist(in f) m chemist, druggist (US).
Drohbrief m threatening letter.
drohen I vi 1. to threaten (jdm sb). **er drohte dem Kind mit erhobenem Zeigefinger** he raised a warning finger to the child. 2. (jdm) **mit etw** ~ to threaten (sb with) sth; **er droht mit Selbstmord** he threatens to commit suicide; **(jdm)** ~, **etw zu tun** to threaten to do sth. 3. (bevorstehen) (Gefahr) to threaten; (Gewitter) to be imminent or in the offing; (Streik, Krieg) to be imminent or looming. **jdm droht etw** sb is being threatened by sth; **jdm droht Gefahr/der Tod** sb is in danger/in danger of dying; **es**

droht Gefahr/ein Streik there is the threat of danger/a strike. **II** *v aux* to threaten. **das Schiff drohte zu sinken** the ship threatened to sink, the ship was in danger of sinking.

drohend *adj* 1. *Handbewegung, Haltung, Blick, Wolken* threatening, menacing. 2. *(bevorstehend) Unheil, Gefahr, Krieg* imminent, impending.

Drohgebärde *f* threatening gesture.

Drohn *m* **-en, -en** *(form)*, **Drohne** *f* **-, -n** drone; *(fig pej auch)* idler, parasite.

dröhnen I *vi* 1. to roar; *(Donner)* to rumble; *(Lautsprecher, Musik, Stimme)* to boom. **etw dröhnt jdm in den Ohren/ im Kopf** sth roars in sb's ears/head. 2. *(Raum)* to resound, to echo. **mir ~ die Ohren/dröhnt der Kopf** my ears are/ head is ringing. **II** *vt* **jdm eine ~** *(sl)* to sock sb *(inf)*.

dröhnend *adj Lärm, Applaus* resounding, echoing; *Stimme* booming; *Gelächter* roaring.

Drohnendasein *nt* *(fig pej)* idle *or* parasitic life.

Dröhnung *f* *(sl)* beating.

Drohung *f* threat.

Drohverhalten *nt* threatening *or* aggressive behaviour; **Drohwort** *nt* threat.

drollig *adj* 1. funny, comical, droll. 2. *(seltsam)* odd, strange. **werd' nicht ~!** don't be funny!; **ein ~er Kauz** an odd bod *(inf)*, an oddball *(esp US inf)*.

Dromedar [*auch:* 'drɔ:-] *nt* **-s, -e** dromedary.

Dropout ['drɔp|aut] *m* **-s, -s** 1. *(Mensch)* dropout. 2. *(in Bandaufzeichnung)* fade.

Drops *m or nt* **-, -** *or* **-e** fruit drop.

drosch *pret of* **dreschen**.

Droschke *f* **-, -n** 1. *(Pferde~)* (hackney) cab, hackney-carriage. 2. *(dated: Taxi)* (taxi-)cab.

Droschken(halte)platz *m* *(dated)* cab rank; **Droschkenkutscher** *m* cab driver.

Drossel *f* **-, -n** *(Orn)* thrush.

Drosselklappe *f* *(Tech)* throttle valve.

drosseln *vt* 1. *Motor, Dampf* to throttle, to choke; *Heizung, Wärme* to turn down; *Strom* to reduce; *Tempo, Produktion* to cut down. 2. *(dated: würgen)* to throttle, to strangle.

Drosselspule *f* *(Elec)* choking coil.

Drosselung, Droßlung *f* *siehe vt* 1. throttling, choking; turning down; reducing; cutting down.

Drosselventil *nt* throttle valve.

drüben *adv* over there; *(auf der anderen Seite, inf: auf die DDR bezogen)* on the other side; *(inf: auf Amerika bezogen)* over the water. **hier/dort** *or* **da ~** over here/there; **nach ~** over there; **bei der Nachbarin ~** over at my neighbour's; **~ über dem Rhein** on the other side of the Rhine; **nach/von ~** over/from over there.

drüber *adv* *(inf)* 1. *siehe* **darüber, hinüber**. 2. **da ~** *siehe* **darüber**.

Druck¹ *m* **-(e)s, ⸚e** 1. *(Phys, fig)* pressure. **unter ~ stehen** *(lit, fig)* to be under pressure; **jdn unter ~ setzen** *(fig)* to put pressure on sb, to pressurize sb; **(fürch-**

terlich) in ~ sein *(fig)* to be under (terrible) pressure; **~ auf jdn/etw ausüben** *(lit, fig)* to exert *or* put pressure on sb/sth; **~ hinter etw** *(acc)* **machen** *(inf)* to put some pressure on sth; **~ und Gegendruck** pressure and resistance; **ein ~ im Kopf/Magen** a feeling of pressure in one's head/stomach. 2. *(das Drücken)* pressure *(gen* from*)* *no indef art.* **durch einen ~ auf den Knopf** by pressing the button. 3. *(Drogen sl)* **fix. sich** *(dat)* **einen ~ machen** to have a fix.

Druck² *m* **-(e)s, -e** 1. *(das Drucken)* printing; *(Art des Drucks, Schriftart)* print; *(Druckwerk)* copy. **~ und Satz** setting and printing; **das Buch ist im ~** the book is in the press *or* is being printed; **im ~ erscheinen** to appear in print; **in ~ gehen** to go into print; **etw in ~ geben** to send sth to press *or* to be printed; **~ und Verlag von ...** printed and published by ... 2. *(Kunst~)* print. 3. *pl* **-s** *(Tex)* print.

Druckabfall *m* drop *or* fall in pressure; **Druckanstieg** *m* rise in pressure; **Druckanzug** *m* pressure suit; **Druckausgleich** *m* pressure balance; **Druckbehälter** *m* pressure vessel; **Druckbelastung** *f* pressure load; **Druckbleistift** *m* retractable pencil; **Druckbogen** *m* *(Typ)* printed sheet; **Druckbuchstabe** *m* printed character *or* letter; **den Bogen bitte in ~n ausfüllen** please fill out the form in block capitals *or* block letters; **in ~n schreiben** to print.

Druckeberger(in *f***)** *m* **-s, -** *(pej inf)* *(fauler Mensch)* shirker, idle so-and-so *(inf)*; *(in der Schule auch)* skiver *(Brit inf)*; *(Feigling)* coward.

Druckebergerei *f*, *no pl* *(pej inf)* shirking; *(in der Schule auch)* skiving *(Brit inf)*.

druck|empfindlich *adj* sensitive (to pressure).

drucken *vti* *(Typ, Tex)* to print. **ein Buch ~ lassen** to have a book printed; **ein Buch in 1000 Exemplaren/einer hohen Auflage ~** to print 1000 copies/a large edition of a book; *siehe* **gedruckt**.

drücken, (dial) drucken I *vt* 1. *Hand, Klinke, Hebel* to press; *Knopf auch* to push; *Obst, Saft, Eiter* to squeeze. **jdm etw in die Hand ~** to press *or* slip sth into sb's hand; **jdn ~** to squeeze sb; *(umarmen)* to hug sb; **jdn/etw an sich ~** to press *or* clasp sb/sth to one; **jdn zur Seite/in einen Stuhl ~** to push sb aside/ into a chair; **den Hut in die Stirn ~** to pull one's hat down over one's brow *or* forehead.

2. *(geh: bedrücken)* to weigh heavily upon. **was drückt dich denn?** what's on your mind?

3. *(Druckgefühl erzeugen: Schuhe, Korsett)* to pinch, to nip. **jdn im Magen ~** *(Essen)* to lie *or* weigh heavily on sb's stomach; **mich drückt der Magen** my stomach feels heavy.

4. *(verringern, herabsetzen)* to force down; *Rekord* to beat; *Leistung, Niveau* to lower; *Steuern* to bring down.

5. (*inf: unterdrücken*) jdn to keep down; *Stimmung* to dampen.
6. (*Sport*) *Gewicht* to press; *Handstand* to press into.
7. (*Cards*) to discard.
8. (*Econ*) etw in or auf den Markt ~ to push sth.
9. (*inf*) *Heroin* to shoot.
II *vi* **1.** to press; (*Wetter, Hitze*) to be oppressive; (*Brille, Schuhe, Korsett*) to pinch; (*Essen*) to weigh (on one's stomach). ,,bitte ~" "push"; **auf etw** (*acc*)/**an etw** (*acc*) ~ to press sth; **aufs Gemüt** ~ to dampen or depress one's spirits, to get one down; **auf die Stimmung** ~ to dampen one's mood.
2. (*drängeln, stoßen*) to push.
3. (*inf: Heroin injizieren*) to shoot up.
4. (*sl: Abonnements etc verkaufen*) to hawk (subscriptions *etc*) (*inf*), to go on the knocker (*sl*).
III *vr* **1.** (*mit Ortsangabe*) (*in* +*acc* into, *an* +*acc* against) (*sich quetschen*) to squeeze; (*schutzsuchend*) to huddle.
2. (*inf*) to shirk, to dodge; (*vor Militärdienst*) to dodge. **sich vor etw** (*dat*) ~ to shirk or dodge sth; **sich (um etw)** ~ to get out of (doing) sth; (*esp in Schule auch*) to skive off or out of (doing) sth (*Brit inf*).
drückend *adj Last, Steuern* heavy; *Sorgen* serious; *Armut* grinding; *Wetter, Hitze* oppressive, close. **es ist ~ heiß** it's oppressively hot.
Drucker *m* -s, - **1.** (*Beruf*) printer.
2. (*Comput*) printer.
Drücker *m* -s, - **1.** (*Knopf*) (push) button; (*inf: von Pistole etc*) trigger; (*von Klingel*) push. **die Hand am** ~ **haben** (*fig inf*) to be ready to act; **am** ~ **sein** or **sitzen** (*fig inf*) (*in Machtposition*) to be in a key position; (*an der Quelle*) to be ideally placed or in an ideal position; **auf den letzten** ~ (*fig inf*) at the last minute.
2. (*Türklinke*) handle; (*von Schnappschloß*) latch.
3. (*sl: Abonnementverkäufer*) hawker (*inf*).
Druckerei *f* **1.** printing works *pl*, printery; (*Firma auch*) printer's. **2.** (*Druckwesen*) printing *no art*.
Druckerin *f siehe* **Drucker 1.**
Drückerin *f siehe* **Drücker 3.**
Druck|erlaubnis *f* imprimatur.
Druckerpresse *f* printing press; **Druckerschwärze** *f* printer's ink; **Druckersprache** *f* printer's language; **Druckertreiber** *m* (*Comput*) printer driver; **Druckerzeichen** *nt* printer's mark.
Druckerzeugnis *nt* printed material; **Druckfahne** *f* galley(-proof), proof; **Druckfarbe** *f* coloured printing ink; **Druckfehler** *m* misprint, typographical or printer's error; **Druckfehlerteufel** *m* (*hum*) gremlin (*which causes misprints*); **druckfertig** *adj* ready to print or for the press; **Druckform** *f* (*Typ*) printing forme, quoin; **druckfrisch** *adj* hot from the press; **Druckgefälle** *nt* (*Phys*) difference in pressure; **Druckgefühl** *nt* feeling of pressure; **Druckgeschwindigkeit** *f* (*Comput*) print speed; **Druckkabine** *f* pressurized cabin; **Druckknopf** *m* **1.** (*Sew*) press-stud, snap fastener; **2.** (*Tech*) push-button; **Druckkopf** *m* (*Comput*) print head; **Druckkosten** *pl* printing costs *pl*; **Drucklegung** *f* printing.
Druckluft *f* compressed air.
Druckluftbremse *f* air-brake.
Druckmaschine *f* (*Typ*) printing press; **Druckmenü** *nt* (*Comput*) print menu; **Druckmesser** *m* -s, - pressure gauge; **Druckmittel** *nt* (*fig*) form of pressure, means of exerting pressure; **als politisches** ~ as a form of political pressure, as a means of exerting political pressure; **Druckmuster** *nt* print(ed pattern or design); **Stoffe mit** ~ prints, printed materials; **Druckort** *m* place of printing; **Druckpapier** *nt* printing paper; **Druckplatte** *f* printing plate; **Druckpresse** *f* printing press; **Druckpumpe** *f* pressure pump; **druckreif** *adj* ready for printing, passed for press; (*fig*) polished; ~ **sprechen** to speak in a polished style; **Drucksache** *f* (*Post*) business letter; (*Werbematerial*) circular; (*als Portoklasse*) printed matter; ,,~" "printed matter"; **etw als** ~ **schicken** ≈ to send sth at printed-paper rate; **Druckschalter** *m* push-button switch; **Druckschott** *nt* (*Aviat*) bulkhead; **Druckschrift** *f* **1.** (*Schriftart*) printing; **in** ~ **schreiben** to print; **bitte das Formular in** or **mit** ~ **ausfüllen** please fill out the form in block capitals or block letters; **2.** (*gedrucktes Werk*) pamphlet; **Druckseite** *f* printed page.
drucksen *vi* (*inf*) to hum and haw (*inf*).
Druckstelle *f* place or (*Mal*) mark (*where pressure has been applied*); (*Fleck auf Pfirsich, Haut*) bruise; **Druckstock** *m* (*Typ*) relief plate; **Drucktaste** *f* push-button; **Drucktechnik** *f* printing technology or (*Verfahren*) technique; **drucktechnisch** *adj* typographical; (*in bezug auf mechanischen Vorgang*) printing *attr*; **Drucktrommel** *f* (*Comput*) print drum; **Drucktype** *f* type; **druckunempfindlich** *adj* insensitive to pressure; **Druckverband** *m* (*Med*) pressure bandage; **Druckverfahren** *nt* printing process; **Druckverlust** *m* (*Tech*) loss of pressure, reduction in pressure; **Druckvorlage** *f* (*Typ*) setting copy; **Druckwasserreaktor** *m* pressurized water reactor; **Druckwelle** *f* shock wave; **Druckwerk** *nt* printed work, publication; **Druckwesen** *nt* printing *no art*; **Druckzeile** *f* line of print.
Drudenfuß *m* (*Myth*) pentagram.
druff *adv* (*dial inf*) *siehe* **drauf.**
Druide *m* -n, -n Druid.
drum *adv* (*inf*) around, round (*Brit*). ~ **rum** all around or round (*Brit*); ~ **rumreden** to beat about the bush; **da wirst du nicht** ~ **rumkommen** there's no getting out of it; **sei's** ~! (*geh*) never mind; **das D~ und Dran** the paraphernalia; (*Begleiterscheinungen*) the fuss and bother; **mit allem D~ und Dran** with all the bits and pieces (*inf*) or

(Mahlzeit) trimmings *pl*; *siehe* **darum**.

Drumherum *nt* **-s** *no pl* trappings *pl*.

drunten *adv (old, dial)* down there.

drunter *adv* under(neath). **da kann ich mir nichts ~ vorstellen** that means nothing to me; **~ und drüber** upside down, topsy-turvy; **alles ging ~ und drüber** everything was upside down *or* topsy-turvy; **das D~ und Drüber** the confusion, the muddle; *siehe* **darunter**.

Drusch *m* **-(e)s**, **-e** *(Agr)* threshing; *(Produkt)* threshed corn.

Druse¹ *f* **-**, **-n** *(Min, Geol)* druse.

Druse² *m* **-n**, **-n** *(Rel)* Druse.

Drüse *f* **-**, **-n** gland.

drüsenartig *adj* glandular; **Drüsenfieber** *nt* glandular fever, mono(nucleosis) *(US)*; **Drüsenfunktion** *f* glandular function; **Drüsenkrankheit** *f* glandular disorder; **Drüsenschwellung** *f* glandular swelling, swollen glands *pl*.

DSB [deːʔɛsˈbeː] *m* **-s** *abbr of* **Deutscher Sportbund** German Sports Association.

Dschungel *m* **-s**, **-** *(lit, fig)* jungle. **sich im ~ der Paragraphen zurechtfinden** to wade one's way through the verbiage.

Dschungelfieber *nt* yellow fever; **Dschungelgesetz** *nt* law of the jungle; **Dschungelkrieg** *m* jungle war/warfare.

Dschunke *f* **-**, **-n** *(Naut)* junk.

DSG [deːʔɛsˈgeː] *f* - *abbr of* **Deutsche Service-Gesellschaft**.

dt(sch). *abbr of* **deutsch**.

du *pers pron gen* **deiner**, *dat* **dir**, *acc* **dich** you *(familiar form of address)*, thou *(obs, dial)*; *(man)* you. **D~** *(in Briefen)* you; **ich gehe heute ins Kino und ~?** I'm going to the cinema today, how about you? **~ (zu jdm) sagen, jdn mit ~ anreden** to use the familiar form of address (with sb), to say "du" (to sb); **~, der ~ es erlebt hast** you who have experienced it; **mit jdm auf ~ und ~ stehen** to be pals with sb; **mit jdm per ~ sein** to be on familiar *or* friendly terms with sb; **~ bist es** it's you; **bist ~ es** *or* **das?** is it *or* that you?; **Vater unser, der ~ bist im Himmel** our Father, who *or* which art in heaven; **mach ~ das doch!** *you* do it!, do it yourself!; **~ Glücklicher!/Idiot!** lucky you *or* you lucky thing/you idiot; **~ Schlingel/Schuft(**, **~)!** you rascal/scoundrel, (you)! **ach ~ lieber Gott *or* liebe Güte** good Lord!, good heavens!; **~ (Mutti), kannst ~ mir mal helfen?** hey (mummy), can you help me?; **~, ich muß jetzt aber gehen listen**, I have to go now; **~, ~!** *(hum: drohend)* naughty.

Du *nt* **-(s)**, **-(s)** "du", familiar form of address. **jdm das ~ anbieten** to suggest that sb uses "du" *or* the familiar form of address.

dual *adj* dual.

Duales System *nt* system whereby manufacturers are obliged to take back and recycle used packaging.

Dual *m* **-s**, **-e**, **Dualis** *m* **-**, **Duale** dual.

Dualismus *m* *(Philos, Pol, geh)* dualism.

Dualist(in *f)* *m* *(Philos)* dualist.

dualistisch *adj* *(Philos, Pol, geh)* dualistic.

Dualität *f* *(geh)* duality.

Dualsystem *nt* *(Math)* binary system.

Dübel *m* **-s**, **-** rawlplug ®; *(Holz~)* dowel.

Dübelmasse *f* plugging compound, filler.

dübeln *vti* to plug.

dubios, dubiös *adj* *(geh)* dubious.

Dublee *nt* **-s**, **-s** rolled gold *no pl*; *(Gegenstand)* article made of rolled gold.

Dubleegold *nt* rolled gold.

Dublette *f* **1.** duplicate. **2.** *(Edelstein)* doublet. **3.** *(Boxen)* one-two.

dublieren* *vt Metall* to coat with gold; *Garn* to twist.

Dublin ['dablin] *nt* **-s** Dublin.

Dubliner ['dablɪnɐ] *adj attr* Dublin.

Dubliner(in *f)* ['dablɪnɐ, -ərɪn] *m* Dubliner.

ducken I *vr* to duck; *(fig pej)* to cringe, to cower; *(fig: Bäume, Häuser)* to nestle. **ich duckte mich vor dem Hieb** I ducked the blow; **sich in eine Ecke ~** to duck *or* dodge into a corner. **II** *vt Kopf, Menschen* to duck; *(fig)* to humiliate. **III** *vi* *(fig pej)* to cower.

Duckmäuser *m* **-s**, **-** *(pej)* moral coward.

duckmäuserisch *adj* *(pej)* showing moral cowardice.

Duckmäusertum *nt* *(pej)* chicken-heartedness.

Dudelei *f* *(pej)* humming; *(auf Flöte)* tootling.

Dudelkasten *m* *(pej inf)* noise-box.

dudeln *(pej inf)* **I** *vi* to hum; *(auf Flöte)* to tootle *(auf + dat* on). **II** *vt Lied* to hum; *(auf Flöte)* to toot.

Dudelsack *m* bagpipes *pl*.

Dudelsackpfeifer, Dudelsackspieler *m* (bag)piper.

Duell *nt* **-s**, **-e** *(lit, fig)* duel *(um* over). **ein ~ auf Degen** a duel with swords; **ein ~ (mit jdm) austragen** to fight *or* have a duel (with sb); **jdn zum ~ (heraus)fordern/ins ~ fordern** to challenge sb to a duel.

Duellant [due'lant] *m* dueller, duellist.

duellieren* [due'liːrən] *vr* to (fight a) duel.

Duellpistole *f* duelling pistol.

Duett *nt* **-(e)s**, **-e 1.** *(Mus, fig)* duet. **im ~ singen** to sing a duet; **etw im ~ singen** to sing sth as a duet. **2.** *(fig inf: Paar)* duo *(inf)*.

Dufflecoat *m* ['daflkoːt] **-s**, **-s** dufflecoat.

Duft *m* **-(e)s**, **ː̈e** (pleasant) smell, scent; *(von Blumen, Parfüm auch)* fragrance, perfume; *(von Essen, Kaffee etc)* smell, aroma; *(Absonderung von Tieren)* scent; *(fig)* allure. **den ~ der großen weiten Welt verspüren** *(usu iro)* to get a taste of the big, wide world.

Duftdrüse *f* scent gland.

dufte *adj*, *adv* *(sl)* smashing *(inf)*, great *(inf)*.

duften I *vi* to smell. **nach etw ~** to smell *or* have a smell of sth. **II** *vi impers* **hier duftet es nach Kaffee** there is a smell *or* it smells of coffee here.

duftend *adj attr* nice-smelling; *Parfüm, Blumen* fragrant.

duftig *adj* **1.** *Kleid, Stoff* gossamery; *Spitzen* frothy; *Wolken* fluffy. **2.** *(poet: zart dunstig)* hazy.

Duftmarke *f* scent mark; **Duftnote** *f (von**

Parfüm) scent; (*von Mensch*) smell; **Duftstoff** *m* scent; (*für Parfüm, Waschmittel etc*) fragrance; **Duftwasser** *nt, pl* **Duftwässer** toilet water; (*hum: Parfüm*) perfume, scent; **Duftwolke** *f* (*iro*) fragrance (*iro*); (*von Parfüm*) cloud of perfume.

Dukaten *m* **-s, -** ducat.

Dukatengold *nt* fine gold; **Dukatenscheißer** *m* (*inf*) **einen ~ haben, ein ~ sein** to be a goldmine, to be made of money.

Duktus *m* **-,** *no pl* (*geh*) characteristic style; (*von Handschrift*) characteristics *pl*, flow.

dulden I *vi* (*geh: leiden*) to suffer.

II *vt* **1.** (*zulassen*) to tolerate; *Widerspruch auch* to countenance. **ich dulde das nicht** I won't tolerate that; **die Sache duldet keinen Aufschub** the matter cannot be delayed *or* postponed; **etw stillschweigend ~** to connive at sth.

2. (*nicht vertreiben*) to tolerate. **er ist hier nur geduldet** he's only tolerated here, he's only here on sufferance.

3. (*geh: erdulden*) *Not, Schmerz* to suffer.

Dulder(in *f*) *m* **-s, -** silent sufferer.

Duldermiene *f* (*iro*) air of patient suffering. **mit ~** with an air of patient suffering.

duldsam *adj* tolerant (*gegenüber* of, *jdm gegenüber* towards sb).

Duldsamkeit *f* tolerance.

Duldung *f* toleration. **unter** *or* **bei** *or* **mit stillschweigender ~ der Behörden** *etc* with the (tacit) connivance of the authorities *etc*.

Dumdum *nt* **-(s), -(s), Dumdumgeschoß** *nt* dumdum (bullet).

dumm *adj comp* **⁼er,** *superl* **⁼ste(r, s),** *adv* **am ⁼sten 1.** stupid, dumb (*esp US*); *Mensch auch* thick (*inf*); (*unklug, unvernünftig auch*) silly, foolish. **der ~e August** (*inf*) the clown; **~e Gans** silly goose; **~es Zeug (reden)** (to talk) nonsense *or* rubbish; **ein ~es Gesicht machen, ~ gucken** to look stupid; **jdn wie einen ~en Jungen behandeln** (*inf*) to treat sb like a child; **jdn für ~ verkaufen** (*inf*) to think sb is stupid; **dümmer sein, als die Polizei erlaubt** (*inf*) to be as thick as two short planks (*inf*); **das ist gar nicht (so) ~** that's not a bad idea; **sich ~ anstellen** to behave stupidly; **sich ~ stellen** to act stupid *or* dumb (*esp US*); **~ fragen** to ask a silly question/silly questions; **~ dastehen** to look stupid *or* foolish; **sich ~ und dämlich reden** (*inf*) to talk till one is blue in the face (*inf*); **sich ~ und dämlich suchen** to search high and low; **sich ~ und dämlich verdienen** (*inf*) to earn the earth (*inf*); **~ geboren, nichts dazugelernt** (*prov*) he/she *etc* hasn't got the sense he/she *etc* was born with (*prov*); **jetzt wird's mir zu ~** I've had enough.

2. (*ärgerlich, unangenehm*) annoying; *Gefühl auch* nagging; *Sache, Geschichte auch* silly. **es ist zu ~, daß er nicht kommen kann** it's too bad that he can't come; **jdm ~ kommen** to get funny with

sb (*inf*); **etw D~es** a silly *or* stupid thing; **so etwas D~es** how silly *or* stupid; (*wie ärgerlich*) what a nuisance.

Dummchen *nt* (*inf*) silly-billy (*inf*).

dummdreist *adj* insolent.

Dummejungenstreich *m* silly *or* foolish *or* childish prank.

Dummenfang *m* **das ist der reinste ~** that's just a con (*inf*); **auf ~ ausgehen** to try to catch fools.

Dumme(r) *mf decl as adj* (*inf*) mug (*inf*), fool, sucker (*inf*). **der ~ sein** to be left to carry the can (*inf*), to be left holding the baby (*inf*); **einen ~n finden** to find a mug (*inf*) *or* a sucker (*inf*).

Dummerchen *nt* (*inf*) silly-billy (*inf*). **mein ~** you silly-billy.

dummerweise *adv* unfortunately; (*aus Dummheit*) stupidly, foolishly.

Dummheit *f* **1.** *no pl* stupidity; (*von Menschen auch*) foolishness. **2.** (*dumme Handlung*) stupid *or* foolish thing. **mach bloß keine ~en!** just don't do anything stupid *or* foolish.

Dummkopf *m* (*inf*) idiot, fool.

dümmlich *adj* silly, stupid; *Mensch auch* foolish, dumb (*esp US*).

Dümmling *m* fool.

dümpeln *vi* **1.** (*Naut*) to bob up and down. **2.** (*fig*) to hover. **die Partei dümpelt bei 40%** the party is hovering around the 40% mark.

dumpf *adj* **1.** *Geräusch, Ton* muffled. **~ aufprallen** to land with a thud. **2.** *Luft, Geruch, Keller, Geschmack* musty; (*fig*) *Atmosphäre* stifling. **3.** *Gefühl, Ahnung, Erinnerung* vague; *Schmerz* dull; (*bedrückend*) gloomy; (*stumpfsinnig*) dull; *Mensch, Geist, Sinn* dulled.

dumpfig *adj* (*feucht*) dank, damp; (*muffig*) musty; (*moderig*) moldy.

Dumping ['dampɪŋ] *nt* **-s,** *no pl* (*Econ*) dumping.

Dumpingpreis *m* give-away price.

dun *adj* (*N Ger inf*) sloshed (*inf*).

Düne *f* **-, -n** (sand-)dune.

Dünengras *nt* marram (grass); **Dünensand** *m* dune-sand.

Dung *m* **-(e)s,** *no pl* dung, manure.

Düngemittel *nt* fertilizer.

düngen I *vt* to fertilize. II *vi* (*Stoff*) to act as a fertilizer; (*Mensch*) to apply fertilizer. **im Garten ~** to put fertilizer on the garden.

Dünger *m* **-s, -** fertilizer.

Dungfliege *f* dung fly; **Dunggrube** *f* manure pit; **Dunghaufen** *m* dung *or* manure heap.

Düngung *f* **1.** (*das Düngen*) fertilizing. **2.** *siehe* **Dünger.**

dunkel *adj* **1.** (*finster*) dark; (*fig auch*) black. **im D~n** in the dark; **in dunkler Nacht** at dead of night.

2. (*farblich*) dark. **~ gefärbt sein** to be a dark colour; **sich ~ kleiden** to dress in dark colours; **etw ~ anmalen** to paint sth a dark colour; **ein Dunkles, bitte!** ≃ a brown ale (*Brit*) *or* dark beer, please.

3. (*tief*) *Stimme, Ton* deep.

4. (*unbestimmt, unklar*) vague; *Erinnerung auch* dim; *Textstelle* unclear. **in**

dunkler Vergangenheit/Vorzeit in the dim and distant past; **im ~n tappen** (*fig*) to grope (about) in the dark; **jdn im ~n lassen** to leave sb in the dark; **das liegt noch im ~n** that remains to be seen. **5.** (*pej: zwielichtig*) shady (*inf*), dubious.

Dunkel *nt* **-s**, *no pl* (*lit, fig*) darkness. **im ~ der Vergangenheit** in the dim and distant past; **das verliert sich im ~ der Geschichte** it is lost in the mists of history; **in ~ gehüllt sein** (*fig*) to be shrouded in mystery; **im ~ der Nacht** at dead of night.

Dünkel *m* **-s**, *no pl* (*pej geh*) conceit, arrogance.

dunkel- *in cpds* dark; **dunkelblau** *adj* dark blue; **dunkelblond** *adj* light brown; **dunkelgekleidet** *adj attr* dressed in dark(-coloured) clothes; **dunkelhaarig** *adj* dark-haired.

dünkelhaft *adj* (*pej geh*) arrogant, conceited.

dunkelhäutig *adj* dark-skinned; **Dunkelheit** *f* (*lit, fig*) darkness; **bei Einbruch der ~** at nightfall; **Dunkelkammer** *f* (*Phot*) darkroom; **Dunkelkammerlampe** *f* safelight; **Dunkelmann** *m*, *pl* **-männer** (*pej*) **1.** shady character; **2.** (*liter*) obscurant(ist).

dunkeln I *vi impers* **es dunkelt** (*geh*) darkness is falling, it is growing dark. II *vi* **1.** (*poet: Nacht, Abend*) to grow dark. **2.** *aux sein* (*dunkel werden*) to become darker, to darken. III *vt Holz, Leder, Haar* to darken.

dunkelrot *adj* dark red, maroon; **dunkelweiß** *adj* (*hum*) off-white; **Dunkelwerden** *nt* nightfall; **Dunkelziffer** *f estimated number of unreported/undetected cases*; **Dunkelzone** *f* twilight zone.

dünken (*geh*) *pret* **dünkte** *or* (*obs*) **deuchte**, *ptp* **gedünkt** *or* (*obs*) **gedeucht** I *vti impers* **das dünkt mich gut** it seems good to me; **mich dünkt, er kommt nicht mehr** I think *or* methinks (*obs*) he will not come.

　II *vr* to think *or* imagine (oneself). **sie dünkt sich sehr klug** she thinks herself very clever.

dünn *adj* thin; *Suppe, Bier auch* watery; *Kaffee, Tee* watery, weak; (*fein*) *Schleier, Regen, Strümpfe* fine; *Haarwuchs, Besiedlung auch* sparse. **~ gesät** (*fig*) thin on the ground, few and far between; **sich ~ machen** (*hum*) to breathe in; *siehe* **dick, dünnmachen.**

dünnbesiedelt, dünnbevölkert *adj attr* sparsely populated; **Dünnbier** *nt* weak beer; **Dünnbrettbohrer** *m* (*pej inf*) slacker, skiver (*inf*); **geistiger ~** dimwit (*inf*); **Dünndarm** *m* small intestine; **Dünndruckausgabe** *f* India paper edition; **Dünndruckpapier** *nt* India paper.

dünne *adj pred* (*dial*) *siehe* **dünn.**

dünnemachen *vr sep* (*dial, inf*) *siehe* **dünnmachen.**

dünnemals *adv* (*dated, hum*) *siehe* **damals.**

dünnflüssig *adj* thin; *Teig* runny;

dünngesät *adj attr* sparse; **dünnhäutig** *adj* thin-skinned; (*fig auch*) sensitive; **Dünnheit** *f siehe dünn* thinness; wateriness; weakness; fineness; sparseness; **dünnlippig** *adj* thin-lipped; **dünnmachen** *vr sep* (*inf*) to make oneself scarce; **Dünnpfiff** *m* (*inf*) the runs (*inf*); **Dünnsäure** *f* dilute acid; **Dünnsäureverklappung** *f* dumping of dilute acids; **dünnschalig** *adj Obst* thin-skinned; *Nüsse, Ei* thin-shelled; **Dünnschiß** *m* (*sl*) *siehe* **Dünnpfiff;** **dünnwandig** *adj Haus* thin-walled, with thin walls; *Behälter* thin.

Dunst *m* **-(e)s**, **-e** (*leichter Nebel*) mist, haze; (*Dampf*) steam; (*Smog*) smog; (*Geruch*) smell. **blauer ~** (*fig inf*) sheer invention; **jdm blauen ~ vormachen** (*inf*) to throw dust in sb's eyes; **sich in ~ auflösen** to go up in smoke.

Dunstabzugshaube *f* extractor hood (*over a cooker*).

dunsten *vi* **1.** (*dampfen*) to steam. **2.** (*Dunst ausströmen*) to give off a smell, to smell.

dünsten *vt* (*Cook*) to steam; *Obst* to stew.

Dunstglocke *f* haze; pall of smog.

dunstig *adj* hazy, misty.

Dünst|obst *nt* (*Cook*) stewed fruit.

Dunstschleier *m* veil of haze *or* mist; **Dunstschwaden** *pl* clouds *pl* of haze/steam; **Dunstwolke** *f* cloud of smog.

Dünung *f* (*Naut*) swell.

Duo *nt* **-s**, **-s 1.** (*Mus*) (*Musikstück*) duet, duo; (*Ausführende*) duo. **2.** (*Paar*) duo.

Duodezfürst *m* (*pej geh*) princeling, minor *or* petty prince.

Duodezimalsystem *nt* duodecimal system.

Duodezstaat *m* (*pej geh*) miniature state.

düpieren* *vt* (*geh*) to dupe.

Duplikat *nt* duplicate (copy).

Duplikation *f* (*geh*) duplication.

duplizieren* *vt* (*geh*) to duplicate.

Dur *nt* **-**, *no pl* (*Mus*) major. **ein Stück in ~/in G-~** a piece in a major key/in G major.

Dur|akkord *m* major chord.

durch I *prep* **+acc 1.** (*räumlich: hindurch*) through. **quer ~** right across; **mitten ~ die Stadt** through the middle of the town; **~ den Fluß waten** to wade across the river; **~ die ganze Welt reisen** to travel all over the world *or* throughout the world.

　2. (*mittels, von*) through, by (means of); (*in Passivkonstruktion: von*) by; (*über jdn/etw, mit jds Hilfe*) through, via; (*den Grund, die Ursache nennend*) through, because of. **Tod ~ Ertrinken/den Strang** death by drowning/hanging; **Tod ~ Erfrieren/Herzschlag** death from exposure/a heart attack; **neun (geteilt) ~ drei** nine divided by three, three into nine; **~ Zufall/das Los** by chance/lot; **~ die Post** by post; **etw ~ die Zeitung bekanntgeben** to announce sth in the press; **~ den Lautsprecher** through the loudspeaker.

　3. (*aufgrund, infolge von*) due *or* owing to.

　4. (*Aus: zeitlich*) for.

II *adv* **1.** (*hin~*) through. **die ganze Nacht** ~ all through the night, throughout the night; **es ist 4 Uhr** ~ it's past *or* gone 4 o'clock; ~ **und** ~ *kennen* through and through; *verlogen, überzeugt* completely, utterly; ~ **und** ~ **ehrlich** honest through and through; ~ **und** ~ **naß** wet through; **das geht mir** ~ **und** ~ that goes right through me.

2. (*Cook inf*) *Steak* well-done. **das Fleisch ist noch nicht** ~ the meat isn't done yet.

durch- *in Verbindung mit Verben* through.

durch|ackern *sep* (*inf*) **I** *vt* to plough through. **II** *vr* to plough one's way through (*durch etw* sth).

durch|arbeiten *sep* **I** *vt* **1.** *Buch, Stoff* to work *or* go through. **2.** (*ausarbeiten*) to work out (in detail). **3.** (*durchkneten*) *Teig, Knetmasse* to work *or* knead thoroughly; *Muskeln* to massage *or* knead thoroughly. **II** *vi* to work through. **III** *vr* **sich durch etw** ~ to work one's way through sth.

durch|arbeitet *adj* **nach fünf ~en Nächten** after being up working five whole nights.

durch|atmen *vi sep* to breathe deeply.

durch|aus *adv* (*emph auch* **durch|aus**) **1.** (*in bejahten Sätzen: unbedingt*) **sie wollte** ~ **mitgehen/ein neues Auto haben** she insisted on going too/having a new car; **wenn du das** ~ **willst** if you insist, if you absolutely must; **hat er sich anständig benommen?** — **ja** ~ did he behave himself properly? — yes, perfectly *or* absolutely; **es mußte** ~ **dieses Kleid sein** it absolutely had to be this dress; **er will** ~ **recht haben** he (absolutely) insists that he is right.

2. (*bekräftigend in bejahten Sätzen*) quite; *verständlich, richtig, korrekt, möglich auch* perfectly; *passen, annehmen* perfectly well; *sich freuen, gefallen* really. **das könnte man** ~ **machen, das läßt sich** ~ **machen** that sounds feasible, I/we *etc* could do that; **ich bin** ~ **Ihrer Meinung** I quite *or* absolutely agree with you; **ich hätte** ~ **Lust/Zeit …** I *would* like to/I would have time; **es ist mir** ~ **ernst damit** I am quite *or* perfectly *or* absolutely serious about it; **es ist** ~ **anzunehmen, daß sie kommt** it's highly likely that she'll be coming; **das ist zwar** ~ **möglich, aber …** that is quite *or* perfectly possible, but …

3. (*in bejahten Sätzen: ganz und gar*) *ehrlich, zufrieden, unerfreulich* thoroughly, completely. **ein** ~ **gelungener Abend** a thoroughly successful evening.

4. (*in verneinten Sätzen*) ~ **nicht** (*als Verstärkung*) by no means; (*als Antwort*) not at all; (*stärker*) absolutely not; ~ **nicht reich/so klug** by no means rich/as clever; **etw** ~ **nicht tun wollen** to refuse absolutely to do sth; **das braucht** ~ **nicht schlecht zu sein** that does not *have* to be bad; **das ist** ~ **kein Witz** that's no joke at all; **er ist** ~ **kein schlechter Mensch** he is by no means a bad person; **es ist** ~ **nicht so einfach wie …** it is by no means as easy as …

durchbeben* *vt insep* (*geh*) to run through.

durchbeißen *sep irreg* **I** *vt* (*in zwei Teile*) to bite through. **II** *vr* (*inf*) (*durch etw* sth) to struggle through; (*mit Erfolg*) to win through.

durchbekommen* *vt sep irreg* (*inf*) to get through.

durchbeuteln *vt sep* (*S Ger inf*) to shake thoroughly (*auch fig*).

durchbiegen *sep irreg* **I** *vt* *Knie* to bend. **II** *vr* to sag.

durchblasen *sep irreg* **I** *vt* **1.** to blow through (*durch etw* sth); *Eileiter, Rohr, Ohren* to clear (by blowing). **2.** (*Wind*) to blow. **II** *vi* to blow through (*durch etw* sth).

durchblättern *vt sep or* **durchblättern*** *insep Buch* to leaf *or* flick through.

Durchblick *m* vista (*auf* +*acc* of); (*Ausblick*) view (*auf* +*acc* of); (*fig inf:* *Verständnis, Überblick*) knowledge. **den** ~ **haben** (*inf*) to know what's what (*inf*); **den** ~ **verlieren** to lose track (*bei* of).

durchblicken *vi sep* **1.** (*lit*) to look through (*durch etw* sth); (*zum Vorschein kommen*) to shine through. **2.** (*fig*) **etw** ~ **lassen** to hint at sth, to intimate sth. **3.** (*fig inf:* *verstehen*) to understand. **blickst du da durch?** do you get it? (*inf*).

durchbluten[1]* *vt insep* to supply with blood.

durchbluten[2] *vti sep* **die Wunde hat durchgeblutet** the wound has bled through (the bandage), blood from the wound has soaked through (the bandage); **es blutet durch** the blood is soaking through; **der Verband ist durchgeblutet** the bandage is soaked through with blood.

durchblutet *adj* supplied with blood.

Durchblutung *f* circulation (of the blood) (*gen* to).

Durchblutungsstörung *f* circulatory disturbance, disturbance of the circulation.

durchbohren[1]* *vt insep* *Wand, Brett* to drill through; (*mit Schwert*) to run through; (*Kugel*) to go through. **jdn mit Blicken** ~ (*fig*) to look piercingly at sb; (*haßerfüllt*) to look daggers at sb.

durchbohren[2] *sep* **I** *vt* **etw durch etw** ~ *Loch, Tunnel* to drill sth through sth; *Schwert* to run sth through sth; *Nagel* to pierce sth through sth. **II** *vi* to drill through (*durch etw* sth). **III** *vr* (*durch etw* sth) to bore one's way through; (*Speer*) to go through.

durchboxen *sep* (*fig inf*) (*durch etw* sth) **I** *vt* to push *or* force through. **II** *vr* to fight one's way through.

durchbraten *vti sep irreg* to cook through. **durchgebraten** well done.

durchbrausen *vi sep aux sein* to tear *or* roar through (*durch etw* sth).

durchbrechen[1] *sep irreg* **I** *vt* to break (in two).

II *vi aux sein* **1.** to break (in two).

2. (*einbrechen: Mensch*) to fall through (*durch etw* sth).

3. (*hervorbrechen*) (*Knospen*) to appear; (*Zahn*) to come through; (*Sonne auch*) to break through (*durch etw*

sth); (*Charakter*) to reveal itself.
4. (*Med: Blinddarm*) to burst, to perforate.

durchbrechen²* *vt insep irreg Schallmauer* to break; *Mauer, Blockade* to break through; (*fig*) to break.

Durchbrechung *f siehe vt insep* breaking; breaking through; breaking.

durchbrennen *vi sep irreg* **1.** (*nicht ausgehen: Ofen, Feuer, Licht*) to stay alight. **2.** *aux sein* (*Sicherung, Glühbirne*) to blow, to burn out; (*inf: davonlaufen*) to run off *or* away, to abscond. **jdm** ~ (*inf*) to run away from sb. **3.** *aux sein* (*vollständig brennen: Kohlen, Holz, Feuer*) to burn through.

durchbringen *sep irreg* I *vt* **1.** (*durch etw* sth) (*durchsetzen, durch Prüfung, Kontrolle*) to get through; (*durch Krankheit*) to pull through; (*für Unterhalt sorgen*) to provide for, to support. **2.** *Geld* to get through, to blow (*inf*). **II** *vr* to get by. **sich kümmerlich** ~ to scrape by.

durchbrochen *adj* open; *Stickerei* openwork *attr*.

Durchbruch *m* **1.** (*durch etw* sth) (*durch Eis*) falling through *no art*; (*von Knospen*) appearance; (*von Zahn*) coming through; (*von Sonne*) breaking through; (*von Charakter*) revelation; (*von Blinddarm*) perforation. **zum** ~ **kommen** (*fig*) (*Gewohnheit*) to assert *or* show itself; (*Natur*) to reveal itself; **der Patient wurde mit einem** ~ (**des Blinddarms**) **eingeliefert** the patient was admitted with a perforated appendix.
2. (*Mil*) breakthrough; (*Sport auch*) break; (*fig: Erfolg*) breakthrough; **eine Idee kommt zum** ~ an idea comes to the fore *or* emerges; **jdm/etw zum** ~ **verhelfen** to help sb/sth on the road to success.
3. (*Bruchstelle*) breach; (*Öffnung*) opening; (*Geog: von Fluß*) rise, resurgence.

durchbuchstabieren* *vt sep* to spell out.

durchbummeln¹ *vi sep aux sein* (*inf*) (*durchschlendern*) to stroll through (*durch etw* sth). **die Nacht** ~ to spend the night on the tiles (*inf*).

durchbummeln²* *vt insep Nacht* to spend on the tiles (*inf*).

durchbürsten *vt sep* to brush thoroughly.

durchchecken [-tʃɛkn] *vt sep* **1.** *Gepäck* to check through. **2.** (*inf: überprüfen*) to check through.

durchdacht *adj* thought-out.

durchdenken* *insep*, **durchdenken** *sep vt irreg* to think out *or* through.

durchdiskutieren* *vt sep* to discuss thoroughly, to talk through.

durchdrängeln (*inf*), **durchdrängen** *vr sep* to push *or* force one's way through (*durch etw* sth).

durchdrehen *sep* I *vt Fleisch* to mince. II *vi* **1.** (*Rad*) to spin. **2.** (*inf*) to do one's nut (*sl*), to flip (*inf*); (*nervlich*) to crack up (*inf*). **ganz durchgedreht sein** (*inf*) to be really uptight (*inf*) *or* (*aus dem Gleichgewicht*) confused.

durchdringen¹ *vi sep irreg aux sein* **1.** to penetrate (*durch etw* sth); (*Flüssigkeit, Kälte auch, Sonne*) to come through

(*durch etw* sth); (*Stimme, Geräusch auch*) to be heard (*durch etw* through sth). **bis zu jdm** ~ (*fig*) to go *or* get as far as sb.
2. (*sich durchsetzen, sich verständlich machen*) to get through. **zu jdm** ~ to get through to sb; **mit einem Vorschlag** ~ to get a suggestion accepted (*bei, in* + *dat* by).

durchdringen²* *vt insep irreg Materie, Dunkelheit* to penetrate; (*Gefühl, Idee, Gedanke*) to pervade.

durchdringend *adj* piercing; *Kälte, Wind auch* biting; *Stimme, Geräusch, Blick auch* penetrating; *Geruch* pungent, sharp.

Durchdringung *f* **1.** penetration; (*Sättigung*) saturation; (*Verschmelzung*) fusion. **2.** (*fig: Erfassen*) investigation, exploration.

durchdrücken *sep* I *vt* **1.** (*durch Sieb*) to rub through; (*durch Presse*) to press through; *Creme, Teig* to pipe.
2. (*fig*) *Gesetz, Reformen, Neuerungen* to push *or* force through; **seinen Willen** to get es ~, **daß** ... to get the decision that ... through.
3. *Knie, Ellbogen* to straighten.
4. *Wäsche* to wash through.
II *vr* to squeeze *or* push (one's way) through (*durch etw* sth).

durchdrungen *adj pred* imbued (*von* with). **ganz von einer Idee** ~ **sein** to be taken with an idea; **von einem Gefühl der Freude** ~ **sein** to be full of *or* imbued with a feeling of joy.

durchdürfen *vi sep irreg* (*inf*) to be allowed through. **darf ich mal durch?** can I get through?; **Sie dürfen hier nicht durch** you can't come through here.

durch|einander I *adv* mixed *or* muddled up, in a muddle *or* mess. **alles** ~ **essen/trinken** to eat/drink indiscriminately. **II** *adj pred* ~ **sein** (*inf*) (*Mensch*) to be confused *or* (*aufgeregt*) in a state (*inf*); (*Zimmer, Papier*) to be in a mess *or* muddle.

Durch|einander *nt* -**s**, *no pl* (*Unordnung*) mess, muddle; (*Wirrwarr*) confusion. **in dem Zimmer herrscht ein wüstes** ~ the room is in a terrible mess *or* muddle.

durch|einanderbringen *vt sep irreg* to muddle *or* mix up; (*in Unordnung bringen auch*) to get into a mess *or* muddle; (*verwirren*) *jdn* to confuse; **durch|einandergeraten*** *vi sep irreg aux sein* to get mixed *or* muddled up; **jetzt bin ich mit dem Datum völlig** ~ now I've got completely mixed *or* muddled up about the date; **durch|einanderkommen** *vi sep irreg aux sein* **1.** (*vermischt werden*) to get mixed *or* muddled up; **2.** (*inf*) *siehe* **durcheinandergeraten**; **durch|einanderlaufen** *vi sep irreg aux sein* to run about *or* around all over the place; **durch|einanderliegen** *vi sep irreg aux haben or sein* to be in a muddle, to be all over the place; **durch|einanderreden** *vi sep* to all speak *or* talk at once *or* at the same time; **durch|einanderrennen** *vi sep* *irreg aux sein siehe* **durcheinanderlaufen**; **durch|einanderrufen, durcheinanderschreien** *vi sep irreg* to all shout out at once or at the same time; **durch|einanderwerfen** *vt sep irreg* to muddle up; (*fig inf: verwechseln*) to mix up, to confuse; **durch|einanderwirbeln** *vt sep Blätter* to whirl around; (*fig*) to shake up.

durch|essen *vr sep irreg* **1.** sich bei jdm ~ to eat at sb's expense. **2.** sich durch etw ~ to eat one's way through sth.

durch|exerzieren* *vt sep* to rehearse, to run *or* go through.

durchfahren¹ *vi sep irreg aux sein* **1.** to go through (*durch etw* sth). **2.** (*nicht anhalten/umsteigen*) to go straight through (without stopping/changing). **er ist bei Rot durchgefahren** he jumped the lights; **die Nacht** ~ to travel through the night.

durchfahren²* *vt insep irreg* to travel through; (*fig: Schreck, Zittern*) to shoot through. **ein Gedanke durchfuhr ihn blitzartig** a (sudden) thought flashed through his mind.

Durchfahrt *f* **1.** (*Durchreise*) way through. **auf der** ~ **sein** to be passing through.
2. (*Passage*) thoroughfare; (*Naut*) thoroughfare, channel. ~ **bitte freihalten!** please keep access free.
3. (*das Durchfahren*) thoroughfare. ~ **verboten!** no through road, no thoroughfare; **der Polizist gab endlich die** ~ **frei/gab das Zeichen zur** ~ the policeman finally allowed/signalled the traffic through.

Durchfahrtshöhe *f* headroom, clearance; **Durchfahrtsrecht** *nt* right of way; **Durchfahrtsstraße** *f* through road; **Durchfahrtsverbot** *nt* seit wann besteht hier ~? since when has this been a no through road?

Durchfall *m* **1.** (*Med*) diarrhoea, diarrhea (*US*) no art. **2.** (*Mißerfolg*) failure; (*von Theaterstück auch*) flop.

durchfallen *vi sep irreg aux sein* **1.** to fall through (*durch etw* sth).
2. (*inf: nicht bestehen*) to fail; (*Theaterstück auch*) to (be a) flop; (*Wahlkandidat*) to lose, to be defeated. **in** *or* **bei der Prüfung** ~ to fail the exam; **jdn** ~ **lassen** to fail sb; **beim Publikum/bei der Kritik** ~ to be a failure *or* flop with the public/critics; **bei der Wahl** ~ to lose the election, to be defeated in the election.

durchfärben *sep* **I** *vt* to dye *or* colour (evenly). **II** *vi* to come *or* seep through (*durch etw* sth).

durchfechten *vt sep irreg* etw ~ to fight to get sth through.

durchfegen *sep* **I** *vt* to sweep out. **II** *vi* to sweep up.

durchfeiern¹ *vi sep* to stay up all night celebrating.

durchfeiern²* *vt insep* die Nacht ~ to stay up all night celebrating; **nach durchfeierter Nacht** after celebrating all night.

durchfeuchten* *vt insep* to soak. **von etw durchfeuchtet sein** to be soaked (through) with sth.

durchfinden *vir sep irreg* (*lit, fig*) to find one's way through (*durch etw* sth). **ich finde (mich) hier nicht mehr durch** (*fig*) I am simply lost; **ich kann mich bei diesem Kram nicht** ~ (*fig*) I can't make head nor tail of this mess.

durchflechten* *vt insep irreg* etw mit etw ~ (*lit*) to thread *or* weave sth through sth, to intertwine sth with sth; (*fig*) to interweave sth with sth.

durchfliegen¹ *vi sep irreg aux sein* **1.** to fly through (*durch etw* sth); (*ohne Landung*) to fly non-stop *or* direct. **2.** (*inf*) (*durch Prüfung*) to fail, to flunk (*inf*) (*durch etw, in etw* (*dat*) (in) sth).

durchfliegen²* *vt insep irreg* Luft, Wolken to fly through; Luftkorridor to fly along; Strecke to cover; (*flüchtig lesen*) to skim through.

durchfließen¹ *vi sep irreg aux sein* to flow *or* run through (*durch etw* sth).

durchfließen²* *vt insep irreg* (*lit, fig*) to flow *or* run through.

Durchflug *m* flight through; (*das Durchfliegen*) flying through (*durch etw* sth).

Durchfluß *m* (*das Fließen*, ~menge) flow; (*Öffnung*) opening.

durchfluten* *vt insep* (*geh*) (*Fluß*) to flow through; (*fig*) (*Licht, Sonne*) to flood; (*Wärme, Gefühl*) to flow *or* flood through. **Licht durchflutete das Zimmer** the room was flooded with *or* bathed in light, light flooded the room.

durchformen *vt sep* to work out (down) to the last detail.

durchforschen* *vt insep* Gegend to search; Land, Wissensgebiet to explore; Akten, Bücher to search through.

durchforsten* *vt insep*, **durchforsten** *vt sep* Wald to thin out; (*fig*) Bücher, Akten to go through.

durchfragen *vr sep* to ask one's way.

durchfressen *sep irreg* **I** *vr* (*durch etw* sth) (*Säure, Rost, Tier*) to eat (its way) through. **sich (bei jdm)** ~ (*pej inf*) to live on sb's hospitality; **sich durch ein Buch** ~ (*inf*) to plough *or* wade through a book.
II *vt* (*Rost, Maus*) to eat (its way) through; (*Motten*) to eat holes in.

durchfrieren *vi sep irreg aux sein* (*See, Fluß*) to freeze through, to freeze solid; (*Mensch*) to get frozen stiff, to get chilled to the bone.

durchfroren *adj siehe* **durchgefroren.**

Durchfuhr *f* transit, passage.

durchführbar *adj* practicable, feasible, workable.

durchführen *sep* **I** *vt* **1.** (*durchleiten*) (*durch etw* sth) jdn to lead through, to take through; Fluß to lead through; Leitung, Rohr to run through; Straße to build through, to lay through; Kanal, Tunnel to dig through. **etw durch etw** ~ to lead *etc* sth through sth.
2. (*verwirklichen*) Vorhaben, Beschluß, to carry out; Gesetz to implement, to enforce; (*unternehmen, veranstalten*) Experiment, Haussuchung, Sammlung, Untersuchung, Reform to carry out; Test auch to run; Expedition,

Reise to undertake; *Messung* to take; *Kursus* to run; *Wahl, Prüfung* to hold; *Unterrichtsstunde* to take, to give.

3. (*konsequent zu Ende bringen*) to carry through; *Gedankengang* to carry through (to its conclusion).

II *vi* (*durch etw* sth) to lead through; (*Straße*) to go through. **zwischen/unter etw** (*dat*) ~ to lead/go between/under sth.

Durchfuhrland *nt* country of transit.

Durchführung *f siehe vt* **1.** leading (through); running (through); building (through); digging (through).

2. (*fig*) carrying out; implementation, enforcement; undertaking; taking; running; holding; giving. **zur ~ kommen** (*form*) *Reform, Gesetz, Maßnahme* to come into force; **zur ~ bringen** (*form*) *Reform, Gesetz, Maßnahme* to bring into force.

3. carrying through.

4. (*Mus*) (*von Sonate*) development; (*von Fuge*) exposition.

Durchfuhrzoll *m* transit duty.

durchfurchen* *vt insep* (*geh*) *Land* to plough; *Wogen* to plough through.

durchfüttern *vt sep* (*inf*) to feed. **sich von jdm ~ lassen** to live off sb.

Durchgabe *f* **1.** (*von Nachricht, Lottozahlen*) announcement; (*von Hinweis, Bericht*) giving. **bei der ~ der Zahlen übers Telefon kommen oft Fehler vor** when numbers are given over the telephone mistakes are often made.

2. (*Nachricht, Ankündigung*) announcement; (*telefonisch*) message (over the telephone).

Durchgang *m* **1.** (*Weg, Passage*) way; (*schmaler auch*) passage(way); (*Torweg*) gateway.

2. (*Zugang*) **kein ~!, ~ verboten!** no right of way; **er hat mir den ~ versperrt** he blocked my passage.

3. (*von Experiment, bei Arbeit, Parl*) stage.

4. (*bei Wettbewerb, von Wahl, Sport*) round; (*beim Rennen*) heat.

5. (*Astron*) transit.

Durchgänger *m* **-s, -** (*Pferd*) bolter.

durchgängig *adj* universal, general. **eine ~e Eigenschaft in seinen Romanen** a constant feature in *or* of his novels.

Durchgangsbahnhof *m* through station; **Durchgangshandel** *m* transit trade; **Durchgangslager** *nt* transit camp; **Durchgangsstadium** *nt* transition stage; **Durchgangsstraße** *f* through road, thoroughfare; **Durchgangsverkehr** *m* (*Mot*) through traffic; (*Transitverkehr*) transit traffic.

durchgaren *sep* **I** *vt* to cook thoroughly. **II** *vi aux sein* to cook through.

durchgeben *vt sep irreg* **1.** to pass through (*durch etw* sth).

2. (*Rad, TV*) *Hinweis, Meldung, Wetter, Straßenzustandsbericht* to give; *Nachricht, Lottozahlen* to announce. **jdm etw telefonisch ~** to let sb know sth by telephone, to telephone sth to sb; **ein Telegramm telefonisch ~** to telephone a telegram; **jdm ~, daß ...** to let sb know that ..., to tell sb that ...; **es wurde im**

Radio durchgegeben it was announced on the radio.

durchgefroren *adj Mensch* frozen stiff, perishing (cold) (*inf*) *pred*.

durchgehen *sep irreg aux sein* **I** *vi* **1.** (*lit*) (*durch etw* sth) to go through, to walk through; (*durch Kontrolle, Zoll*) to pass through; (*weitergehen, inf: sich durchstecken lassen*) to go through. **bitte ~!** (*im Bus*) pass right down (the bus) please!

2. (*Fluß, Weg, Linie*) (*durch etw* sth) to run through, to go through; (*fig: Thema*) to run through.

3. (*durchdringen*) to come through (*durch etw* sth).

4. (*nicht zurückgewiesen werden*) (*Gesetz*) to be passed, to go through; (*Antrag auch*) to be carried; (*Postsendung*) to get through.

5. (*toleriert werden*) to be allowed (to pass), to be tolerated. **jdm etw ~ lassen** to let sb get away with sth, to overlook sth; **das lasse ich nochmal ~** I'll let it pass.

6. (*gehalten werden für*) **für etw ~** to pass for sth, to be taken for sth.

7. (*durchpassen*) to go through (*durch etw* sth). **zwischen/unter etw** (*dat*) ~ to go (through) between/under sth.

8. (*ohne Unterbrechung*) to go straight through; (*Fußgänger auch*) to walk straight through; (*Flug*) to be non-stop *or* direct; (*zeitlich: Party; örtlich: Straße auch*) to run (right) through. **die ganze Nacht ~** (*Mensch*) to walk all night long, to walk through(out) the night.

9. (*Pferd*) to bolt; (*inf: weglaufen*) to run off *or* away. **mit jdm ~** to run *or* go off with sb, to elope with sb; **jdm ~** to run away from sb; **seine Frau ist ihm durchgegangen** his wife has run off and left him; **mit etw ~** to run *or* make off with sth.

10. (*außer Kontrolle geraten*) **mit jdm ~** (*Temperament, Nerven*) to get the better of sb; (*Gefühle auch*) to run away with sb.

II *vt auch aux haben* (*durchsehen, -sprechen*) to go *or* run through, to go *or* run over.

durchgehend I *adj Öffnungszeiten* round-the-clock *attr*, continuous; *Straße* straight; *Verkehrsverbindung* direct; *Zug* non-stop, through *attr*, direct; *Fahrkarte* through *attr*; *Muster* continuous; *Eigenschaft* constant. **~e Güter** goods in transit.

II *adv* throughout, right through. **~ geöffnet** open right through; open 24 hours; **~ gefüttert** fully lined, lined throughout.

durchgeistigt *adj* cerebral.

durchgeregnet *adj* (*inf*) soaked. **ich war völlig ~** I was soaked to the skin *or* soaked through.

durchgeschwitzt *adj Mensch* bathed in sweat; *Kleidung* soaked in sweat, sweat-soaked *attr*.

durchgestalten* *vt sep* to work out (down) to the last detail.

durchgießen *vt sep irreg* to pour through

(*durch etw* sth).

durchgliedern *vt sep* to subdivide.

durchglühen *sep* I *vi aux sein* to glow red-hot; (*Lampe, Draht*) to burn out. II *vt Eisen* to heat until red-hot or to red heat.

durchgraben *sep irreg* I *vt* to dig through (*durch etw* sth). II *vr* to dig one's way through (*durch etw* sth).

durchgreifen *vi sep irreg* to reach through (*durch etw* sth); (*fig*) to take vigorous action, to resort to drastic measures. **hier muß viel strenger durchgegriffen werden** much more vigorous action is needed here.

durchgreifend *adj Änderung, Maßnahme* drastic; (*weitreichend*) *Änderung* far-reaching, radical, sweeping *attr*.

durchgucken *vi sep* 1. (*durch etw* sth) (*Mensch*) to look through, to peep through. 2. (*fig inf*) *siehe* **durchblicken (c).**

durchhaben *vt sep irreg* (*inf*) etw ~ (*hindurchbekommen haben*) to have got sth through (*durch etw* sth); (*durchgelesen haben*) to have got through sth, to have finished sth; (*zerteilt haben*) to have got through sth, to be through sth.

durchhacken *vt sep* to chop through.

durchhalten *sep irreg* I *vt* (*durchstehen*) *Zeit, Kampf* to survive; *Streik* to hold out till the end of, to see through; *Belastung* to (with)stand; (*Sport*) *Strecke* to stay; *Tempo* (*beibehalten*) to keep up; (*aushalten*) to stand. **das Rennen ~** to stay the course.

II *vi* to hold out, to stick it out (*inf*); (*beharren*) to persevere, to stick it out (*inf*); (*bei Rennen auch*) to stay the course. **eisern ~** to hold out grimly.

Durchhalteparole *f* appeal to hold out, rallying call; **Durchhaltevermögen** *nt* staying power, (powers *pl* of) endurance *no indef art*.

durchhängen *vi sep irreg aux haben or sein* to sag.

durchhauen *sep irreg or* (*inf*) *reg* I *vt* 1. to chop or hack in two; (*spalten*) to split, to cleave.

2. (*inf: verprügeln*) jdn ~ to give sb a thrashing or walloping (*inf*), to thrash or wallop (*inf*) sb.

3. (*inf*) *Sicherung* to blow.

II *vr* (*lit*) to hack one's way through (*durch etw* sth).

durchhecheln *vt sep* 1. *Flachs* to hackle. 2. (*fig inf*) to gossip about, to pull to pieces (*inf*). **in allen Zeitungen durchgehechelt** dragged through all the papers.

durchheizen *sep* I *vt* (*gründlich heizen*) to heat right through; (*ohne Unterbrechung heizen*) to heat continuously, to heat day and night. II *vi* (*ohne Unterbrechung*) to keep the heating on.

durchhelfen *sep irreg* I *vi* jdm (*durch etw*) ~ to help sb through (sth). II *vr* to get by, to get along, to manage.

durchhören *vt sep* etw (*durch etw*) ~ (*lit*) *Lärm* to hear sth (through sth); (*fig*) *Gefühl, Enttäuschung auch*) to discern sth (through sth); **ich konnte ~, daß ...** I could hear or tell that ...

durch|ixen *vt sep* (*inf*) to ex out.

durchjagen *sep* I *vt* 1. to chase through (*durch etw* sth). 2. (*fig*) *Gesetz, Prozeß* to rush or push through.

II *vi aux sein* to race or tear through. **zwischen/unter etw** (*dat*) ~ to race or tear between/under sth.

durchkämmen *vt sep* 1. *Haare* to comb out. 2. *auch* **durchkämmen*** *insep* (*absuchen*) to comb (through).

durchkämpfen *sep* I *vt* (*durchsetzen*) to push or force through.

II *vr* 1. (*durch etw* sth) to fight or battle one's way through; (*fig*) to struggle through.

2. *siehe* **durchringen.**

III *vi* (*Kampf nicht aufgeben*) (*Soldaten*) to carry on fighting; (*Sportler*) to battle on, to carry on the battle or struggle.

durchkauen *vt sep Essen* to chew (thoroughly); (*inf: besprechen*) to go over or through.

durchklettern *vi sep aux sein* to climb through (*durch etw* sth).

durchklingen *vi sep irreg aux haben or sein* (*durch etw* sth) to sound through; (*fig*) to come through (*durch etw* sth), to come across (*durch etw* through sth). **die Musik klang durch den Lärm durch** the music could be heard above the noise.

durchkneten *vt sep Teig* to knead thoroughly; (*bei Massage*) to massage thoroughly. **sich ~ lassen** to have a thorough massage.

durchknöpfen *vt sep* to button all the way up. **ein durchgeknöpftes Kleid** a button-through dress.

durchkommen *vi sep irreg aux sein* 1. (*durch etw* sth) (*durchfahren*) to come through; (*vorbeikommen, passieren auch*) to come past. **er ist durch diese Straße/unter dieser Brücke durchgekommen** he came through this street/under or through this bridge.

2. (*durch etw* sth) to get through; (*Sonne, Wasser*) to come through; (*Sender, Farbe*) to come through; (*Charakterzug*) to show through, to come out or through; (*sichtbar werden*) (*Sonne*) to come out; (*Blumen*) to come through. **es kommt immer wieder durch, daß sie Lehrerin ist** the fact that she is a teacher keeps showing or coming through.

3. (*lit, fig: mit Erfolg ~*) to succeed (*durch etw* in sth), to get through (*durch etw* sth); (*telefonisch*) to get through; (*finanziell*) to get by. **ich komme mit meiner Hand nicht (durch das Loch) durch** I can't get my hand through (the hole); **mit etw ~** (*mit Forderungen*) to succeed with sth; (*mit Betrug, Schmeichelei*) to get away with sth; **er kam (bei dem Lärm) mit seiner Stimme nicht durch** he couldn't make his voice heard (above the noise); **damit kommt er bei mir nicht durch** he won't get away with that with me.

4. (*Prüfung bestehen*) to pass.

5. (*überleben*) to come through; (*Patient auch*) to pull through.

6. (*im Radio*) to be announced.

durchkomponieren* *vt sep* **1.** (*Mus*) *Libretto* to set to music; *Gedicht* to set to music (with a different setting for each stanza). **2.** (*fig*) *Bild, Text* to work out in detail.

durchkönnen *vi sep irreg* (*inf*) to be able to get through (*durch etw* sth).

durchkonstruieren* *vt sep* **ein Auto** ~ to construct a car well throughout.

durchkreuzen¹* *vt insep* **1.** *Land, Wüste, Ozean* to cross, to travel across. **2.** (*fig*) *Pläne* to thwart, to foil, to frustrate.

durchkreuzen² *vt sep* to cross out, to cross through.

durchkriechen *vi sep irreg aux sein* to crawl through, to creep through (*durch etw* sth).

durchkriegen *vt sep* (*inf*) siehe **durchbekommen**.

durchladen *vti sep irreg Gewehr* to reload.

durchlangen *sep* (*inf*) **I** *vi* (*durch etw* sth) to reach through, to put one's hand through. **II** *vt* (*durchreichen*) to pass through.

Durchlaß *m* **-sses, Durchlässe 1.** (*Durchgang*) passage, way through; (*für Wasser*) duct. **2.** *no pl* (*geh*) permission to pass. **jdm/sich ~ verschaffen** to obtain permission for sb/to obtain permission to pass; (*mit Gewalt*) to force a way through for sb/to force one's way through.

durchlassen *vt sep irreg* (*durch etw* sth) (*passieren lassen*) to allow *or* let through; *Licht, Wasser* (*durchdringen lassen*) to let through; (*eindringen lassen*) to let in; (*inf: durchgehen lassen*) *Fehler* to let pass, to overlook.

durchlässig *adj Material* permeable; (*porös*) porous; *Zelt, Regenmantel, Schuh* that lets water in; *Zelt, Schuh* leaky; *Krug, Vase* that lets water out *or* through; *Grenze* open. **eine ~e Stelle** (*fig*) a leak.

Durchlässigkeit *f* permeability; (*Porosität*) porosity.

Durchlaucht *f* -, **-en** serenity. **Seine ~** His (Serene) Highness; (**Euer**) ~ Your Highness.

Durchlauf *m* **1.** (*das Durchlaufen*) flow. **2.** (*Comput*) run. **3.** (*TV, Rad, Comput*) run, run-through. **4.** (*Sport*) heat.

durchlaufen¹ *sep irreg* **I** *vt Schuhe, Sohlen* to go *or* wear through.

II *vi aux sein* **1.** (*durch etw* sth) (*durch Straße/Öffnung gehen*) to go through; (*passieren auch*) to pass through; (*Straße, Rohr auch*) to run through; (*Flüssigkeit*) to run through.

2. (*ohne Unterbrechung: Mensch*) to run without stopping. **8 Stunden lang ohne Pause ~** to run for 8 hours without stopping; **der Fries/das Geländer läuft von der einen Seite des Gebäudes zur anderen durch** the frieze/railing runs uninterrupted *or* without a break from one end of the building to the other.

durchlaufen²* *vt insep irreg* **1.** *Gebiet* to run through; *Strecke* to cover, to run; (*Astron*) *Bahn* to describe; *Lehrzeit,*

Schule, Phase to pass *or* go through. **2.** (*erfassen, erfüllen*) (*Gerücht*) to spread through; (*Gefühl*) to run through. **es durchlief mich heiß** I felt hot all over.

durchlaufend *adj* continuous.

Durchlauferhitzer *m* **-s, -** continuous-flow water heater; **Durchlaufzeit** *f* (*Datenverarbeitung*) length of a/the run.

durchlavieren* [-lavi:rən] *vr sep* to steer *or* manoeuvre one's way through (*durch etw* sth).

durchleben* *vt insep Jugend, Gefühl* to go through, to experience; *Zeit* to go *or* live through.

durchleiden* *vt insep irreg* to suffer, to endure.

durchleiten *vt sep* to lead through (*durch etw* sth).

durchlesen *vt sep irreg* to read through. **etw ganz ~** to read sth all the way through; **etw flüchtig ~** to skim *or* glance through sth; **etw auf Fehler (hin) ~** to read sth through (looking) for mistakes; **sich** (*dat*) **etw ~** to read sth through.

durchleuchten¹* *vt insep* **1.** (*untersuchen*) *Patienten* to X-ray; *Eier* to candle; (*fig*) *Angelegenheit* to investigate, to probe. **jdm die Lunge ~** to X-ray sb's lungs; **sich ~ lassen** to have an X-ray.

2. (*geh: Schein, Sonne*) to light up, to flood with light.

durchleuchten² *vi sep* to shine through (*durch etw* sth).

Durchleuchtung *f* (*Med: mit Röntgenstrahlen*) X-ray examination; (*fig: von Angelegenheit*) investigation.

durchliegen *sep irreg* **I** *vt Matratze, Bett* to wear down (in the middle). **II** *vr* to get *or* develop bedsores.

durchlöchern* *vt insep* to make holes in; (*Motten auch, Rost*) to eat holes in; *Socken* to wear holes in; (*fig*) to undermine completely; *Argumente auch* to shoot down. (**mit Schüssen**) ~ to riddle with bullets; **er hatte völlig durchlöcherte Socken/Kleidung an** his socks/clothes were full of holes; **von Rost durchlöchert** eaten away with rust.

durchlotsen *vt sep* (*durch etw* sth) *Schiff* to pilot through; *Autofahrer* to guide through; (*fig*) to steer through. **jdn durch etw ~** to pilot *etc* sb through sth.

durchlüften¹ *vti sep* to air thoroughly; *Wäsche auch* to air through.

durchlüften²* *vt insep* to air thoroughly.

durchmachen *sep* **I** *vt* **1.** (*erdulden*) to go through; *Krankheit* to have; *Operation* to undergo, to have. **er hat viel durchgemacht** he has been *or* gone through a lot.

2. (*durchlaufen*) to go through; *Lehre* to serve; (*fig*) *Entwicklung* to undergo; *Wandlung* to undergo, to experience.

3. (*inf: durchbewegen, durchstecken*) *Faden, Nadel, Stange* to put through (*durch etw* sth).

4. (*inf: durchtrennen*) (**in der Mitte**) ~ to cut in half.

5. (*inf*) (*durcharbeiten*) to work through. **eine ganze Nacht/Woche ~**

(*durchfeiern*) to have an all-night/week-long party, to make a night/week of it (*inf*).

II *vi* (*inf*) (*durcharbeiten*) to work right through; (*durchfeiern*) to keep going all night/day *etc*.

durchmarsch *m* **1.** march(ing) through; (*fig: problemloser Durchbruch*) (*Sport, von Politiker*) walkover; (*von Partei*) landslide; **der ~ durch die Stadt** the march through the town; **auf dem ~** when marching through; **sich zum ~ entschließen** (*fig*) to resolve to push (on) through. **2.** (*inf: Durchfall*) runs *pl* (*inf*). **den ~ haben** to have the runs (*inf*). **3.** (*Cards*) grand slam.

durchmengen *vt sep siehe* **durchmischen**[1].

durchmessen* *vt insep irreg* (*geh*) *Raum* to stride across; *Strecke* to cover.

Durchmesser *m* **-s, -** diameter. **120 cm im ~** 120 cm in diameter.

durchmischen[1] *vt sep* to mix thoroughly.

durchmischen[2]* *vt insep* to (inter)mix. **etw mit etw ~** to mix sth with sth.

durchmogeln *sep* (*inf*) **I** *vr* to wangle (*inf*) *or* fiddle (*inf*) one's way through. **II** *vt* to fiddle through (*inf*) (*durch etw* sth).

durchmüssen *vi sep irreg* (*inf*) (*durch etw* sth) to have to go *or* get through; (*fig*) (*durch schwere Zeit*) to have to go through; (*durch Unangenehmes*) to have to go through with (*inf*); **da mußt du eben durch** (*fig*) you'll just have to see it through.

durchnässen[1]* *vt insep* to soak, to drench, to make wet through. **völlig durchnäßt** wet through, soaking wet, drenched.

durchnässen[2] *vi sep* (*Flüssigkeit*) to come *or* seep through (*durch etw* sth).

durchnehmen *vt sep irreg* **1.** (*Sch*) to go through, to do (*inf*). **2.** (*pej inf*) to gossip about.

durchnumerieren* *vt sep* to number consecutively (all the way through).

durch|organisieren* *vt sep* to organize down to the last detail.

durchpassieren* *vt sep* to (rub through a) sieve.

durchpauken *vt sep* (*inf*) **1.** (*Schüler*) to cram (*inf*), to swot up (*inf*). **etw mit jdm ~** to drum sth into sb (*inf*).

2. (*durchsetzen*) *Gesetz, Änderungen* to force *or* push through.

3. (*durch Schwierigkeiten bringen*) *Schüler* to push through. **dein Anwalt wird dich schon irgendwie ~** your lawyer will get you off somehow.

durchpausen *vt sep* to trace.

durchpeitschen *vt sep* to flog; (*fig*) to rush through, to railroad through (*inf*).

durchplanen *vt sep* to plan (down) to the last detail.

durchplumpsen *vi sep aux sein* (*inf*) (*lit*) to fall through (*durch etw* sth); (*bei Prüfung*) to fail, to flunk (*inf*) (*durch etw, in etw* (*dat*) in) sth.

durchpressen *vt sep* to press through, to squeeze through; *Knoblauch* to crush; *Kartoffeln* to mash (*by pushing through a press*); *Teig* to pipe.

durchproben *vt sep* to rehearse right through.

durchprobieren* *vt sep* to try one after the other.

durchpulsen* *vt insep* (*geh*) to pulsate through. **von Leben durchpulst** pulsating *or* throbbing with life.

durchpusten *vt sep* (*inf*) *Rohr, Düse* to blow through. **etw (durch etw) ~** to blow sth through (sth); **der Wind hat uns kräftig durchgepustet** the wind blew right through us.

durchqueren* *vt insep* to cross; *Land, Gebiet auch* to pass through, to traverse (*form*).

durchquetschen *sep* (*inf*) **I** *vt siehe* **durchpressen**. **II** *vr* (*inf*) to squeeze (one's way) through.

durchrasen[1] *vi sep aux sein* (*durch etw* sth) to race *or* tear through; (*inf: durchrennen auch*) to dash through.

durchrasen[2]* *vt insep* to race through, to tear through; (*liter: Schmerz*) to shoot through.

durchrasseln *vi sep aux sein* (*inf*) to fail, to flunk (*inf*) (*durch etw, in etw* (*dat*) in) sth.

durchrauschen *vi sep aux sein* (*inf*) (*durch etw* sth) **1.** to sweep through. **2.** (*bei Prüfung*) *siehe* **durchrasseln**.

durchrechnen *vt sep* to calculate. **eine Rechnung noch einmal ~** to go over *or* through a calculation (again).

durchregnen *vi impers sep* **1.** (*durchkommen*) **hier regnet es durch** the rain is coming through here; **es regnet durchs Dach durch** the rain is coming through the roof.

2. (*ununterbrochen regnen*) to rain continuously. **es hat die Nacht durchgeregnet** it rained all night long, it rained all through the night; *siehe* **durchgeregnet**.

durchreiben *sep irreg* **I** *vt* to rub through; *Material* to wear through. **II** *vr* (*Material*) to wear through.

Durchreiche *f* **-, -n** (*serving*) hatch, pass-through (*US*).

durchreichen *vt sep* to pass *or* hand through (*durch etw* sth).

Durchreise *f* journey through. **auf der ~ sein** to be on the way through, to be passing through.

durchreisen[1] *vi sep aux sein* (*durch etw* sth) to travel through, to pass through. **wir reisen nur durch** we are just passing through, we are just on the way through.

durchreisen[2]* *vt insep* to travel through, to traverse (*form*).

Durchreisende(r) *mf decl as adj* traveller (passing through), transient (*US*). **~ nach München** through passengers to Munich.

Durchreisevisum *nt* transit visa.

durchreißen *sep irreg* **I** *vt etw* (**in der Mitte**) **~** to tear sth in two *or* in half *or* down the middle. **II** *vi aux sein* to tear in two *or* in half; (*Seil*) to snap (in two *or* in half).

durchreiten *sep irreg* **I** *vi aux sein* to ride through (*durch etw* sth). **die Nacht ~** to ride through(out) the night, to ride all night long. **II** *vt* **Hose** to wear out (through riding).

dụrchrennen *vi sep irreg aux sein* to run *or* race through (**durch etw** sth).

dụrchrieseln¹ *vi sep aux sein* to trickle through (**durch etw** sth).

dụrchrieseln²* *vt insep* (*fig: Gefühl, Schauer*) to run through.

dụrchringen *vr sep irreg* to make up one's mind finally. **er hat sich endlich durchge-rungen** after much hesitation, he has finally made up his mind *or* come to a decision; **sich zu einem Entschluß ~** to force oneself to take a decision; **sich dazu ~, etw zu tun** to bring *or* force oneself to do sth.

dụrchrinnen *vi sep irreg aux sein* to run through (**durch etw** sth); (*durchsickern*) to trickle through. **zwischen etw** (*dat*) **~** to run between sth; **das Geld rinnt mir nur so zwischen den Fingern durch** (*fig inf*) money just runs through my fingers *or* burns a hole in my pockets (*inf*).

dụrchrosten *vi sep aux sein* to rust through.

dụrchrühren *vt sep* to mix thoroughly.

dụrchrutschen *vi sep aux sein* (*lit*) to slip through (**durch etw** sth); (*fig*) (*Fehler*) to slip through; (*bei Prüfung*) to scrape through. **zwischen etw** (*dat*) **~** to slip between sth; **einige Fehler sind ihm durchgerutscht** a few mistakes slipped past him, he let a few mistakes slip through.

dụrchrütteln *vt sep* to shake about.

dụrchs = **durch das.**

dụrchsacken *vi sep aux sein* **1.** (*durch-brechen*) (*Dach, Sitz*) to give way. **2.** (*Aviat: Flugzeug*) to pancake.

Dụrchsage *f* message; (*im Radio*) announcement. **eine ~ der Polizei** a police announcement.

dụrchsagen *vt sep* **1.** *siehe* **durchgeben 2. 2.** *Parole, Losung* to pass on.

dụrchsägen *vt sep* to saw through.

Dụrchsatz *m* (*Ind, Comput*) throughput.

dụrchsaufen¹ *sep irreg* (*sl*) **I** *vi* to booze the whole night/day long (*inf*). **die Nacht ~** to booze all the night long (*inf*). **II** *vr* to booze at somebody else's expense (*inf*).

dụrchsaufen²* *vt insep irreg* (*sl*) *siehe* **durchsoffen.**

dụrchsausen *vi sep aux sein* (*inf*) **1.** to rush *or* whizz (*inf*) through. **2.** (*inf: nicht bestehen*) to fail, to flunk (*inf*) (**durch etw, in etw** (*dat*)) (in) sth).

dụrchschalten *sep* **I** *vt* (*Elec*) to connect through. **II** *vi* **1.** (*Elec*) to connect through. **2.** (*Aut*) to change through the gears.

dụrchschaubar *adj* (*fig*) *Hintergründe, Plan, Ereignisse* clear; *Lüge* transpar-ent. **gut/leicht ~** (*verständlich*) easily comprehensible *or* understood; (*erkenn-bar, offensichtlich*) perfectly clear. **eine leicht ~e Lüge** a lie that is easy to see through; **schwer ~er Charakter/Mensch** inscrutable *or* enigmatic character/ person.

dụrchschauen¹* *vt insep* (*erkennen*) *Ab-*

sichten, Lüge, jdn, Spiel to see through; *Sachlage* to see clearly; (*begreifen*) to understand, to comprehend. **du bist durchschaut!** I've/we've seen through you, I/we know what you're up to (*inf*) *or* what your little game is (*inf*).

dụrchschauen² *vti sep siehe* **durchsehen.**

dụrchschauern* *vt insep* to run through. **es durchschauert mich** a shiver *or* shudder runs through me.

dụrchscheinen *vi sep irreg* (**durch etw** sth) (*Licht, Sonne*) to shine through; (*Farbe, Muster*) to show through; (*fig*) to shine through. **II** *vr* to wear through.

dụrchscheinend *adj* transparent; *Bluse* see-through; *Porzellan, Papier auch* translucent; *Stoff auch* diaphanous.

dụrchscheuern *sep* **I** *vt* to wear through. **sich** (*dat*) **die Haut ~** to graze one's skin; **durchgescheuert sein** to be *or* have worn through. **II** *vr* to wear through.

dụrchschieben *sep irreg* **I** *vt* to push *or* shove (*inf*) through (**durch etw** sth). **II** *vr* to push *or* shove (*inf*) (one's way) through (**durch etw** sth).

dụrchschießen¹ *vi sep irreg* **1. durch etw ~** to shoot through sth; **zwischen etw** (*dat*) **~** to shoot between sth. **2.** *aux sein* (*schnell fahren, rennen*) to shoot through. **zwischen etw** (*dat*) **~** to shoot between sth.

dụrchschießen²* *vt insep irreg* **1.** (*mit Kugeln*) to shoot through; (*fig*) to shoot *or* flash through.

2. (*Typ: leere Seiten einfügen*) to inter-leave.

3. (*Tex*) *Stoff* to interweave.

dụrchschimmern *vi sep* (**durch etw** sth) to shimmer through; (*Farbe, fig*) to show through.

dụrchschlafen *vi sep irreg* to sleep through.

Dụrchschlag *m* **1.** (*Kopie*) carbon (copy), copy. **2.** (*Küchengerät*) sieve, strainer. **3.** (*Loch*) hole; (*in Reifen auch*) punc-ture. **4.** (*Elec*) disruptive discharge.

dụrchschlagen¹ *sep irreg* **I** *vt* **1. etw ~** (*entzweischlagen*) to chop through sth; (*durchtreiben*) to knock sth through (**durch etw** sth); (*Cook*) to rub sth through a sieve, to sieve sth.

2. (*Elec*) *Sicherung* to blow.

II *vi* **1.** *aux sein* (*durchkommen*) (**durch etw** sth) to come through; (*fig: Charakter, Eigenschaft, Untugend*) to show through. **bei ihm schlägt der Vater durch** you can see his father in him.

2. *aux sein* (*Loch verursachen*) to come/go through (**durch etw** sth).

3. *aux haben* (*abführen*) to have a laxative effect. **grüne Äpfel schlagen** (**bei mir/ihm**) **durch** (*inf*) green apples run *or* go straight through me/him.

4. *aux sein* (*Wirkung haben*) to catch on. **auf etw** (*acc*) **~** to make one's/its mark on sth; **auf jdn ~** to rub off on sb; **alte Werte schlagen wieder voll durch** old values are reasserting themselves in a big way; **Investitionen schlagen auf die Nachfrage durch** investments have a marked effect on demand.

5. *aux sein* (*Sicherung*) to blow, to go.

6. *aux sein* (*Tech*) (*Federung, Stoßdämpfer*) to seize up. **das Auto schlug durch** the suspension went.

III *vr* **1.** (*sich durchbringen*) to fight one's way through; (*im Leben*) to struggle through *or* along.

2. (*ein Ziel erreichen*) to fight one's way through.

IV *vt impers* (*Elec*) **es hat die Sicherung durchgeschlagen** the fuse has blown *or* gone.

urchschlagen²* *vt insep irreg* to blast a hole in.

urchschlagend *adj* Sieg, Erfolg sweeping; *Maßnahmen* effective, decisive; *Argument, Beweis* decisive, conclusive; *Grund* compelling, cogent. **eine ~e Wirkung haben** to be totally effective.

urchschlagpapier *nt* copy paper; (*Kohlepapier*) carbon paper.

urchschlagskraft *f* (*von Geschoß*) penetration; (*fig*) (*von Argument*) decisiveness, conclusiveness; (*von Maßnahmen*) effectiveness; (*von Grund*) cogency; **durchschlagskräftig** *adj* (*fig*) Argument, Beweis decisive, conclusive; *Grund* compelling, cogent; *Maßnahme* effective, decisive.

urchschlängeln *vr sep* (*durch etw* sth) (*Fluß*) to wind (its way) through, to meander through; (*Mensch*) to thread one's way through; (*fig*) to manoeuvre one's way through.

urchschleichen *vir sep irreg* (*vi: aux sein*) to slip through (*durch etw* sth).

urchschleppen *sep* **I** *vt* to drag *or* haul through (*durch etw* sth); (*fig*) jdn to drag along; *Kollegen, Mitglied* to carry (along) (with one). **II** *vr* (*lit: mühsam gehen*) to drag oneself along; (*fig*) to struggle through (*durch etw* sth).

urchschleusen *vt sep* **1. ein Schiff ~** to pass a ship through a lock. **2.** (*fig*) (*durch etw* sth) (*durch schmale Stelle*) to guide *or* lead through; (*durchschmuggeln*) to smuggle *or* get through.

urchschlupf *m* **-(e)s, Durchschlüpfe** way through.

urchschlüpfen *vi sep aux sein* to slip through, to creep through (*durch etw* sth). **er ist der Polizei durchgeschlüpft** he slipped through the fingers of the police.

urchschmecken *sep* **I** *vt* to taste. **man kann den Essig ~** one can taste the vinegar through the other flavours. **II** *vi* to come through.

urchschmuggeln *vt sep* to smuggle through (*durch etw* sth).

urchschneiden¹ *vt sep irreg* to cut through, to cut in two. **etw in der Mitte ~** to cut sth (down) through the middle.

urchschneiden²* *vt insep irreg* to cut through, to cut in two; (*Schiff*) Wellen to plough through; (*Straße, Weg*) to cut through; (*fig: Schrei*) to pierce. **Wasserwege ~ das Land** the country is crisscrossed by waterways.

urchschnitt *m* **1.** (*Mittelwert, Mittelmaß*) average; (*in Statistik*) mean; (*Math*) average, (arithmetic) mean. **der ~** (*normale Menschen*) the average

person; **im ~** on average; **im ~ 100 km/h fahren/im ~ 8 Stunden täglich arbeiten** to average 100 kmph/8 hours a day, to work on average 8 hours a day; **über/ unter dem ~** above/below average; **~ sein** to be average; **guter ~ sein** to be a good average.

2. (*form: Querschnitt*) (cross-)section.

durchschnittlich I *adj* average; *Wert auch* mean *attr*; (*mittelmäßig auch*) ordinary. **II** *adv* (*im Durchschnitt*) verdienen, schlafen, essen to (an) average. **~ begabt/groß** of average ability/height; **~ gut** good on average; **die Mannschaft hat sehr ~ gespielt** the team played a very average game.

Durchschnitts- *in cpds* average; **Durchschnittsalter** *nt* average age; **Durchschnittsbildung** *f* average education; **Durchschnittsbürger** *m* average citizen; **Durchschnittsehe** *f* average *or* normal marriage; **Durchschnittseinkommen** *nt* average income; **Durchschnittsgeschwindigkeit** *f* average speed; **Durchschnittsgesicht** *nt* ordinary *or* nondescript (*pej*) face; **Durchschnittsmensch** *m* average person; **Durchschnittstemperatur** *f* average or mean (*spec*) temperature; **Durchschnittswert** *m* average *or* mean (*Math*) value; **Durchschnittszeit** *f* average time.

durchschnüffeln *sep* *or* **durchschnüffeln*** *insep vt* (*pej inf*) Post, Tasche to nose through (*inf*); *Wohnung* to sniff *or* nose around in (*inf*). **alle Winkel ~** to poke one's nose into every corner (*inf*).

durchschossen *adj* (*Typ*) Buch interleaved; *Satz* spaced.

Durchschreibeblock *m* duplicating pad.

durchschreiben *sep irreg* **I** *vt* to make a (carbon) copy of. **II** *vi* **1.** (*Kopie anfertigen*) to make a (carbon) copy. **2.** (*Kopie liefern*) to print through, to produce a copy.

Durchschreibepapier *nt* carbon paper; **Durchschreibesatz** *m* carbon pad.

durchschreiten¹ *vi sep irreg aux sein* (*geh*) to stride through.

durchschreiten²* *vt insep irreg* (*geh*) to stride through.

Durchschrift *f* (carbon) copy.

Durchschuß *m* **1.** (*durchgehender Schuß*) shot passing right through.

2. (*Loch*) bullet hole; (*Wunde*) gunshot wound *where the bullet has passed right through*.

3. (*Tex: Schußfaden*) weft.

4. (*Typ: Zwischenraum*) leading. **ohne ~** unspaced, unleaded; **mit viel/wenig ~** widely/lightly leaded *or* spaced.

durchschütteln *vt sep* Mischung to shake thoroughly; jdn (*zur Strafe*) to give a good shaking; (*in Auto, Bus*) to shake about.

durchschwärmen* *vt insep* (*geh*) Gebäude, Gelände to swarm through. **die Nacht ~** to make a merry night of it.

durchschwimmen¹ *vi sep irreg aux sein* **1.** (*durch etw* sth) to swim through; (*Dinge*) to float through. **unter/zwischen etw** (*dat*) **~** to swim/float under/between sth. **2.** (*ohne Pause schwimmen*) to swim without stopping.

durchschwimmen²* *vt insep irreg* to swim through; *Strecke* to swim.

durchschwindeln *vr sep* to trick *or* cheat one's way through.

durchschwitzen *sep or* **durchschwitzen*** *insep vt* to soak with *or* in sweat; *siehe* **durchgeschwitzt.**

durchsegeln¹ *vi sep aux sein* **1.** (*Schiff*) to sail through (*durch etw* sth). **unter/zwischen etw** (*dat*) ~ to sail under/between sth. **2.** (*inf: nicht bestehen*) to fail, to flunk (*inf*) (*durch etw, bei etw* sth).

durchsegeln²* *vt insep* to sail across. **die Meere** ~ to sail (across) the seas.

durchsehen *sep irreg* **I** *vi* (*hindurchschauen*) to look through (*durch etw* sth). **ein Stoff, durch den man** ~ **kann** material one can see through.

II *vt* **1.** (*überprüfen*) **etw** ~ to look *or* check sth through *or* over, to have a look through sth, (*auf +acc* for); **etw flüchtig** ~ to glance *or* skim through sth. **2.** (*durch etw hindurch*) to see through (*durch etw* sth).

durchseihen *vt sep* (*Cook*) to strain.

durchsein *vi sep irreg aux sein* (*Zusammenschreibung nur bei infin und ptp*) (*inf*) **1.** (*hindurchgekommen sein*) to be through (*durch etw* sth); (*vorbeigekommen sein*) to have gone.

2. (*fertig sein*) to have finished, to be through (*esp US*). **durch etw** ~ to have got through sth, to have finished sth.

3. (*durchgetrennt sein*) to be through, to be in half; (*durchgescheuert sein*) to have worn *or* gone through.

4. (*Gesetz, Antrag*) to have gone *or* got through.

5. (*eine Krankheit überstanden haben*) to have pulled through; (*eine Prüfung bestanden haben*) to be through, to have got through.

6. (*Cook*) (*Steak, Gemüse, Kuchen*) to be done.

durchsetzen¹ *sep* **I** *vt Maßnahmen, Reformen* to put *or* carry through; *Anspruch, Forderung* to push through; *Vorschlag, Plan* to carry through; *Ziel* to achieve, to accomplish. **etw bei jdm** ~ to get sb to agree to sth; **seinen Willen (bei jdm)** ~ to impose one's will (on sb), to get one's (own) way (with sb).

II *vr* **1.** (*Mensch*) to assert oneself (*bei jdm* with sb); (*Partei*) to be successful, to win through. **sich gegen etw** ~ to win through against sth; **sich gegen jdn** ~ to assert oneself against sb, to have one's way despite sb; **sich mit etw** ~ to be successful with sth; **sich im Leben** ~ to make one's way in life, to be a success in life.

2. (*Idee, Meinung, Neuheit*) to be (generally) accepted, to gain acceptance, to catch on.

durchsetzen²* *vt insep* **etw mit etw** ~ to intersperse sth with sth; **ein Land mit Spionen** ~ to infiltrate spies into a country.

Durchsetzungsvermögen *nt* ability to assert oneself, drive.

durchseuchen* *vt insep* (*verseuchen*) to infect.

Durchseuchung *f -, no pl* spread of infection. **die** ~ **der Bevölkerung** the spread of the infection throughout the population.

Durchsicht *f* examination, inspection, check. **jdm etw zur** ~ **geben/vorlegen** to give sb sth to look through *or* over, to give sb sth to check (through) *or* to examine; **bei** ~ **der Bücher** on checking the books.

durchsichtig *adj Material* transparent; *Bluse auch* see-through; *Wasser, Luft* clear; (*fig*) transparent, obvious.

durchsickern *vi sep aux sein* (*lit, fig*) to trickle through, to seep through; (*fig: trotz Geheimhaltung*) to leak out *or* through. **Informationen** ~ **lassen** to leak information.

durchsieben¹ *vt sep* to sieve, to sift; (*fig*) *Bewerber, Prüflinge* to sift through.

durchsieben²* *vt insep* (*inf*) **etw (mit etw)** ~ to riddle sth with sth.

durchsitzen *sep irreg* **I** *vt Sessel* to wear out (the seat of). **II** *vr* (*Sessel, Polster*) to wear out.

durchsoffen *adj attr* (*sl*) drunken. **eine** ~**e Nacht** a night of drinking, a drunken night.

durchspielen *sep* **I** *vt Szene, Spiel, Stück* to play through; *Rolle* to act through; (*fig*) to go through. **II** *vi* (*zu Ende spielen*) to play through. **III** *vr* (*Sport*) to get through.

durchsprechen *sep irreg* **I** *vi* to speak *or* talk through (*durch etw* sth). **II** *vt* **1.** *Problem, Möglichkeiten, Taktik* to talk over *or* through, to go over *or* through. **2.** (*Theat*) *Rolle* to read through.

durchspülen *vt sep* to rinse *or* flush *or* wash (out) thoroughly; *Mund, Wäsche* to rinse (out) thoroughly.

durchstarten *sep* **I** *vi* (*Aviat*) to overshoot; (*Aut*) to accelerate off again; (*beim, vorm Anfahren*) to rev up. **II** *vt Flugzeug* to pull up; *Motor, Auto* to rev (up).

durchstechen¹ *sep irreg* **I** *vt Nadel, Spieß* to stick through (*durch etw* sth); *Ohren* to pierce; *Deich, Grassode* to cut through; *Kanal, Tunnel* to build *or* put through (*durch etw* sth).

II *vi* to pierce; (*mit einer dünnen Nadel*) to prick.

durchstechen²* *vt insep irreg* to pierce; (*mit Degen, Spieß*) to run through; (*mit Nadel*) to prick.

durchstecken *vt sep* (*durch etw* sth) to put *or* stick (*inf*) through; *Nadel* to stick through.

durchstehen *sep or* **durchstehen*** *insep vt irreg Zeit, Prüfung* to get through; *Krankheit* to pull *or* come through, to get over; *Tempo, Test, Qualen* to (with)stand; *Abenteuer* to have.

Durchstehvermögen *nt* endurance, staying power.

durchsteigen *vi sep irreg aux sein* to climb through (*durch etw* sth); (*fig sl*) to get (*inf*), to see. **da steigt doch kein Mensch durch** (*fig sl*) you couldn't expect anyone to get that (*inf*).

durchstellen *vt sep* to put through; (*durchreichen auch*) to pass through. **einen Moment, ich stelle durch** one moment, I'll put you through.

Durchstich *m* (*Vorgang*) cut(ting); (*Öffnung*) cut.

Durchstieg *m* passage.

durchstöbern *insep or* **durchstöbern** *sep vt* to hunt through (*nach* for), to rummage through (*nach* for); *Stadt, Gegend* to scour (*nach* for); (*durchwühlen*) to ransack (*nach* looking for, in search of).

Durchstoß *m* breakthrough.

durchstoßen¹ *vt sep irreg* to break through; (*Mil auch*) to penetrate.

durchstoßen² *sep irreg* **I** *vi aux sein* (*zu einem Ziel gelangen*) to break through (*esp Mil*).

II *vt* (*durchbrechen*) to break through; (*abnutzen*) *Schuhe, Ärmel* to wear through. **etw (durch etw) ~** to push sth through (sth).

III *vr* (*Kragen, Manschetten, Schuhe*) to wear through.

durchstreichen *vt sep irreg* to cross out *or* through, to strike out, to delete.

durchstreifen* *vt insep* (*geh*) to roam *or* wander *or* rove through.

durchströmen¹ *vi sep aux sein* to flow *or* run through; (*fig: Menschenmenge*) to stream *or* pour through.

durchströmen²* *vt insep* (*lit, fig*) to flow *or* run through.

durchstrukturieren* *vt sep* *Aufsatz* to give a polished structure to; *Gesetzesvorlage* to work out in detail. **ein gut durchstrukturierter Aufsatz** a well-structured essay.

durchstylen [-stailən] *vt sep* to give style to; **durchgestylt** fully styled.

durchsuchen¹ *vt insep* (*nach* for) to search (through); *jdn* to search, to frisk; *Stadt, Gegend auch* to scour.

durchsuchen² *vt sep* to search (through).

Durchsuchung *f* search (*auf + dat* for).

Durchsuchungsbefehl *m* search warrant. **richterlicher ~** official search warrant.

durchtanzen¹ *sep* **I** *vi* to dance through. **die Nacht ~** to dance all night. **II** *vt Schuhe* to wear out (by *or* with) dancing.

durchtanzen²* *vt insep* to dance through. **eine durchtanzte Nacht** a night of dancing.

durchtrainieren* *sep vt sep* *Sportler, Muskeln* to get fit. **(gut) durchtrainiert** *Sportler* completely *or* thoroughly fit; *Muskeln, Körper* in superb condition.

durchtränken* *vt insep* to soak *or* saturate (completely). **mit/von etw durchtränkt sein** (*fig geh*) to be imbued with sth.

durchtrennen *sep or* **durchtrennen*** *insep vt Stoff, Papier* to tear (through), to tear in two; (*schneiden*) to cut (through), to cut in two; *Nerv, Sehne* to sever; *Nabelschnur* to cut (through).

durchtreten *sep irreg* **I** *vt* **1.** *Pedal* to step

on; *Starter* to kick.

2. (*abnutzen*) *Teppich, Schuh, Sohle* to go *or* wear through.

3. (*durchkicken*) to kick through (*durch etw* sth).

II *vi* **1.** (*Aut: Pedal ~*) to step on the accelerator/brake/clutch.

2. (*Ftbl*) to kick out.

3. *aux sein* (*durchsickern, durchdringen*) to come through (*durch etw* sth).

III *vr* to wear through.

durchtrieben *adj* cunning, crafty, sly.

Durchtriebenheit *f, no pl* cunning, craftiness, slyness.

Durchtritt *m* (*das Durchtreten*) passage.

durchwachen* *vt insep* **die Nacht ~** to stay awake all through the night.

durchwachsen¹ *vi sep irreg aux sein* to grow through (*durch etw* sth).

durchwachsen² *adj* **1.** (*lit*) *Speck* streaky; *Fleisch, Schinken* with fat running through (it). **2.** *pred* (*hum inf: mittelmäßig*) so-so (*inf*), like the curate's egg (*hum*), fair to middling. **ihm geht es ~** he's having his ups and downs.

Durchwahl *f* (*Telec*) direct dialling.

durchwählen *vi sep* to dial direct. **nach London ~** to dial London direct, to dial through to London (direct).

Durchwahlnummer *f* dialling code (*Brit*), dial code (*US*); (*in Firma*) extension.

durchwalken *vt sep* (*inf*) **jdn ~** to give sb a belting (*inf*) *or* hammering (*inf*), to belt sb (*inf*).

durchwandern¹ *vi sep aux sein* (*durch Gegend*) to hike through (*durch etw* sth); (*ohne Unterbrechung wandern*) to carry on *or* continue hiking.

durchwandern²* *vt insep* *Gegend* to walk through; (*hum*) *Zimmer, Straßen* to wander through. **die halbe Welt ~** to wander half way round the world.

durchwaschen *vt sep irreg* to wash through.

durchweben* *vt insep irreg* (*mit, von* with) to interweave; (*fig liter auch*) to intersperse.

durchweg, (*esp Aus*) **durchwegs** *adv* (*bei adj*) (*ausnahmslos*) without exception; (*in jeder Hinsicht*) in every way *or* respect; (*bei n*) without exception; (*bei vb*) (*völlig*) totally; (*ausnahmslos*) without exception.

durchwehen *vti sep* to blow through.

durchweichen *sep* **I** *vi aux sein* (*sehr naß werden*) to get wet through, to get soaked *or* drenched; (*weich werden: Karton, Boden*) to go soggy. **II** *vt Kleidung, jdn* to soak, to drench; *Boden, Karton* to make soggy.

durchwetzen *vtr sep* to wear through.

durchwinden *vr sep irreg* (*Fluß*) to wind its way, to meander (*durch etw* through sth); (*Mensch*) to thread *or* worm one's way through (*durch etw* sth); (*fig*) to worm one's way through (*durch etw* sth). **sich zwischen etw** (*dat*) **~** to wind its way/to thread *or* worm one's way between sth.

durchwirken* *vt insep* (*geh*) *Gewebe* to interweave.

durchwitschen vi sep aux sein (inf) to slip through (durch etw sth).

durchwogen* vt insep (fig geh) to surge through.

durchwollen vi sep (inf) to want to go/ come through (durch etw sth). **zwischen/unter etw** (dat) ~ to want to pass between/under sth.

durchwühlen¹ sep I vt to rummage through, to rummage about in (nach for); Zimmer, Haus auch to ransack (nach looking for, in search of). II vr (durch etw sth) to burrow through; (fig) to work one's way through, to plough through.

durchwühlen²* vt insep to rummage through, to rummage about in (nach for); Zimmer auch to ransack (nach looking for, in search of); Boden to dig up.

durchwurschteln, durchwursteln vr sep (inf) to muddle through.

durchzählen sep I vt to count through or up. II vi to count or number off.

durchzechen¹ vi sep to carry on drinking.

durchzechen²* vt insep die Nacht ~ to drink through the night, to carry on drinking all night; **eine durchzechte Nacht** a night of drinking.

durchzeichnen vt sep siehe durchpausen.

durchziehen¹ sep irreg I vt 1. (durch etw hindurchziehen) to pull or draw through (durch etw sth).

2. (inf: erledigen) to get through.

3. (sl: rauchen) Joint to smoke. **einen** ~ to have or smoke a joint (sl).

4. (durchbauen) (durch etw sth) Graben to dig through; Mauer to build through.

II vi aux sein 1. (durchkommen) (durch etw sth) to pass or go/come through; (Truppe auch) to march through; (Schmerz) to go through.

2. to soak. **etw in etw** (dat) ~ **lassen** to steep or soak sth in sth; (in Marinade) to marinate sth in sth.

III vr to run through (durch etw sth).

durchziehen²* vt insep irreg (durchwandern) to pass through, to go/ come through; (Straße, Fluß, fig: Thema) to run through; (Geruch) to fill, to pervade; (Graben) to cut through. **sein Haar ist von grauen Fäden durchzogen** his hair is streaked with grey; **ein Feld mit Gräben** ~ to crisscross a field with ditches; **ein mit Goldfäden durchzogener Stoff** material with a gold thread running through it.

durchzucken* vt insep (Blitz) to flash across; (fig: Gedanke) to flash through.

Durchzug m 1. no pl (Luftzug) draught. ~ **machen** to create a draught; (zur Lüftung) to get the air moving. 2. (durch ein Gebiet) passage; (von Truppen) march through. **auf dem/beim** ~ **durch ein Land** while passing through a country.

durchzwängen sep (durch etw sth) I vt to force or squeeze through. II vr to force one's way through, to squeeze (one's way) through.

dürfen pret **durfte**, ptp **gedurft** or (modal aux vb) **dürfen** vi 1. (Erlaubnis haben) **etw tun** ~ to be allowed to do sth, to be permitted to do sth; **darf ich/man das tun?** may I/one do it?, am I/is one allowed to do it?; **darf ich?** — **ja, Sie** ~ may I? — yes, you may; **darf ich ins Kino?** may I go to the cinema?; **er hat nicht gedurft** he wasn't allowed to.

2. (verneint) **man darf etw nicht** (tun) (sollte nicht) one must not or mustn't do sth; (hat keine Erlaubnis) one isn't allowed to do sth, one may not do sth; (kann nicht) one may not do sth; **hier darf man nicht rauchen** (ist verboten) smoking is prohibited here is prohibited, it is prohibited to smoke here; **diesen Zug darf ich nicht verpassen** I must not miss this train; **du darfst ihm das nicht übelnehmen** you must not take offence at him; **die Kinder** ~ **hier nicht spielen** the children aren't allowed to or may not play here; **das darf doch nicht wahr sein!** that can't be true!; **da darf er sich nicht wundern** that shouldn't surprise him.

3. (in Höflichkeitsformeln) **darf ich das tun?** may I do that?; **Ruhe, wenn ich bitten darf!** quiet, (if you) please; **darf ich um den nächsten Tanz bitten?** may I have (the pleasure of) the next dance?; **darf ich Sie bitten, das zu tun?** may or could I ask you to do that?; **was darf es sein?** can I help you, what can I do for you?; (vom Gastgeber gesagt) what can I get you?; **dürfte ich bitte Ihren Ausweis sehen** (als Aufforderung) may or might I see your identity card, please.

4. (Veranlassung haben, können) **wir freuen uns, Ihnen mitteilen zu** ~ we are pleased to be able to tell you; **ich darf wohl sagen, daß ...** I think I can say that ...; **man darf doch wohl fragen** one can or may ask, surely?; **Sie** ~ **mir das ruhig glauben** you can or may take my word for it.

5. (im Konjunktiv) **das dürfte ...** (als Annahme) that must ...; (sollte) that should or ought to ...; (könnte) that could ...; **das dürfte Emil sein** that must be Emil; **das dürfte wohl das Beste sein** that is probably the best thing; **das dürfte reichen** that should be enough, that ought to be enough.

dürftig adj 1. (ärmlich) wretched, miserable; Essen auch meagre.

2. (pej: unzureichend) miserable, pathetic (inf); Kenntnisse auch sketchy, scanty; Ausrede auch feeble, lame; Einkommen auch paltry; Ersatz poor attr; (spärlich) Haarwuchs, Pflanzenwuchs sparse; Bekleidung scanty, skimpy. **ein paar** ~**e Tannen** a few scrawny fir trees.

dürr adj 1. (trocken) dry; (ausgetrocknet) Boden arid, barren; Ast, Strauch dried up, withered. 2. (pej: mager) skinny, scrawny, scraggy. 3. (fig) **mit** ~**en Worten** in plain terms, plainly, bluntly; **die** ~**en Jahre** (Bibl, fig) the lean years.

Dürre f -, -n (Zeit der ~) drought.

Dürrejahr nt year of drought; **Dürrekatastrophe** f catastrophic or disastrous drought; **Dürreperiode** f (period of) drought; (*fig*) barren period.

Durst *m* -(e)s, *no pl* (*lit, fig*) thirst (*nach* for). ~ **haben** to be thirsty; ~ **bekommen** to get *or* become thirsty; **den** ~ **löschen** *or* **stillen** to quench one's thirst; **das macht** ~ that makes you thirsty, that gives you a thirst; **einen** *or* **ein Glas über den** ~ **getrunken haben** (*inf*) to have had one too many *or* one over the eight (*inf*).

dursten *vi* 1. (*geh*) to be thirsty, to thirst (*liter*). **er mußte** ~ he had to go thirsty. 2. (*fig*) *siehe* **dürsten** 2.

dürsten I *vt impers* (*liter*) **es dürstet mich, mich dürstet** I thirst (*liter*); **es dürstet ihn nach Rache** he thirsts for revenge. **II** *vi* (*fig*) **er dürstet nach Rache** he is thirsty for revenge.

durstig *adj* thirsty. **jdn** ~ **machen** to make sb thirsty, to give sb a thirst; **diese Arbeit macht** ~ this is thirsty work (*inf*), this work makes you thirsty; **nach etw** ~ **sein** (*fig geh*) to be thirsty for sth, to thirst for sth (*liter*); **sie ist eine** ~**e Seele** (*hum inf*) she likes the bottle (*hum*).

durstlöschend, durststillend *adj* thirst-quenching; **Durststrecke** *f* hard times *pl*; (*Mangel an Inspiration*) barren period.

Durtonart *f* major key; **Durtonleiter** *f* major scale.

Duschbad *nt* 1. shower(-bath). **ein** ~ **nehmen** to have *or* take a shower (-bath). 2. (*Gel*) shower gel.

Dusche *f* -, -n shower. **unter der** ~ **sein** *or* **stehen** to be in the shower, to be taking a shower; **eine** ~ **nehmen** to have *or* take a shower; **das war eine kalte** ~ (*fig*) that really brought him/her etc down with a bump; **bei ihrem Enthusiasmus wirkten seine Worte wie eine kalte** ~ (*fig*) his words poured cold water on her enthusiasm.

duschen I *vir* to have *or* take a shower, to shower. (**sich**) **kalt** ~ to have *or* take a cold shower. **II** *vt* **jdn** ~ to give sb a shower; **jdm/sich den Kopf/Rücken** ~ to spray sb's/one's head/back.

Duschgel *nt* shower gel; **Duschgelegenheit** *f* shower facilities *pl*; **Duschhaube** *f* shower cap; **Duschkabine** *f* shower (cubicle); **Duschraum** *m* shower room, showers *pl*; **Duschvorhang** *m* shower curtain; **Duschwanne** *f* shower tray.

Düse *f* -, -n nozzle; (*Mech auch*) jet; (*von Flugzeug*) jet.

Dusel *m* -s, *no pl* 1. (*inf*) (*Glück*) luck. ~ **haben** to be lucky; **so ein** ~! that was lucky!, that was a fluke! (*inf*). 2. (*dial*) (*Trancezustand*) daze, dream; (*durch Alkohol*) fuddle.

dus(e)lig *adj* (*schlaftrunken*) drowsy; (*benommen*) dizzy, giddy; (*esp dial durch Alkohol*) (be)fuddled.

duseln *vi* (*inf*) to doze.

düsen *vi aux sein* (*inf*) to dash; (*mit Flugzeug*) to jet. **nach Hause** ~ to dash *or* whizz off home; **durch die Welt** ~ to jet around the world.

Düsenantrieb *m* jet propulsion; **mit** ~ jet-propelled, with jet propulsion;

Düsenbomber *m* jet bomber; **Düsenflugzeug** *nt* jet aircraft *or* plane, jet; **düsengetrieben** *adj* jet-propelled, jet-powered; **Düsenjäger** *m* 1. (*Mil*) jet fighter; 2. (*inf*) *siehe* **Düsenflugzeug**; **Düsenklipper** *m* jet airliner; **Düsenmaschine** *f* jet (aircraft *or* plane); **Düsenmotor** *m* jet engine; **Düsentreibstoff** *m* jet fuel; **Düsentriebwerk** *nt* jet power-unit.

Dussel *m* -s, - (*inf*) twit (*Brit inf*), twerp (*inf*), dope (*inf*).

Dusselei *f* (*inf*) stupidity.

dusselig, dußlig *adj* (*inf*) stupid.

Dusseligkeit, Dußligkeit *f* (*inf*) stupidity.

duster *adj siehe* **dunkel.**

düster *adj* gloomy; *Nacht auch* murky; *Tag, Wetter auch* dismal, murky; *Musik auch* funereal, lugubrious; *Farbe, Gesicht auch* sombre, dismal; *Bild, Gedanken* sombre, dismal, dark; *Miene, Stimmung auch* dark, black; (*unheimlich*) *Gestalten, Stadtteil* sinister, (dark and) forbidding.

Düsterkeit *f* gloominess; (*Dunkelheit*) gloom, darkness.

Dutt *m* -(e)s, -s *or* -e (*dial*) bun.

Duty-free-Shop ['djuːtɪ'friːʃɔp] *m* -s, -s duty-free shop.

Dutzend *nt* -s, -e dozen. **ein halbes** ~ half-a-dozen, a half-dozen; **zwei/drei** ~ two/three dozen; **ein** ~ **frische** *or* **frischer** (*geh*) **Eier kostet** *or* **kosten … a dozen fresh eggs cost(s) …; das** ~ **kostet 4 Mark** they cost 4 marks a dozen; ~**e** *pl* (*inf*) dozens *pl*; **sie kamen in** *or* **zu** ~**en** they came in (their) dozens; **im** ~ **billiger** (*inf*) (*bei größerer Menge*) the more you buy, the more you save; *siehe* **zwölf.**

dutzend(e)mal *adv* (*inf*) dozens of times.

dutzendfach I *adj* dozens of; **II** *adv* in dozens of ways; **Dutzendmensch** *m* (*pej*) ordinary *or* run-of-the-mill sort of person; **Dutzendpreis** *m* price per dozen; **Dutzendware** *f* (*cheap*) mass-produced item; ~**n** (*cheap*) mass-produced goods; **dutzendweise** *adv* in dozens, by the dozen.

duzen *vt* to address with the familiar "du"-form. **wir** ~ **uns** we use "du" *or* the "du"-form (to each other).

Duzfreund(in *f*) *m* good friend; **alte** ~**e** old friends; **Duzfuß** *m*: **mit jdm auf dem** ~ **stehen** (*inf*) to be on familiar terms with sb.

DV [deːˈfau] *f* - *abbr of* **Datenverarbeitung** DP.

dwars *adv* (*N Ger Naut*) abeam.

Dynamik *f*, *no pl* 1. (*Phys*) dynamics *sing*. 2. (*fig*) dynamism.

Dynamiker(in *f*) *m* -s, - go-getter.

dynamisch *adj* 1. dynamic. ~**e Gesetze** laws of dynamics. 2. (*fig*) dynamic; *Renten* ≈ index-linked.

dynamisieren* *vt* (*geh*) *Politik* to make dynamic; (*vorantreiben*) *Prozeß, Reform* to speed up; *Renten* ≈ to index-link.

Dynamisierung *f* (*geh*) (*von Reform etc*) speeding up; (*von Renten*) ≈ index-linking.

Dynamit *nt* -s, *no pl* (*lit, fig*) dynamite.

Dynamo(maschine *f) m* **-s, -s** dynamo;
(*fig*) powerhouse.
Dynast *m* **-en, -en** (*Hist*) dynast.
Dynastie *f* dynasty.
dynastisch *adj* dynastic.
Dysprosium *nt, no pl* (*abbr* **Dy**)
dysprosium.
D-Zug ['deːtsuːk] *m* fast train; (*hält nur in
großen Städten*) non-stop *or* through
train. **ein alter Mann/eine alte Frau ist
doch kein** ~ (*inf*) I am going as fast as I
can, I can't go any faster.
D-Zug-Tempo *nt* (*inf*) fantastic speed
(*inf*); **im** ~ like greased lightning (*inf*),
in double-quick time (*inf*); **D-Zug-
Zuschlag** *m* express travel supplement,
supplement payable on fast trains.

E

e [eː] *nt* -, - E, e.

EAN *abbr of* **Europäische Artikelnummer** European Article Number, EAN.

Eau de Cologne ['oː də ko'lɔnjə] *nt* - - -, *no pl* eau de Cologne.

Ebbe *f* -, **-n 1.** (*ablaufendes Wasser*) ebb tide; (*Niedrigwasser*) low tide. ~ **und Flut** the tides, ebb and flow; **bei ~ auslaufen** to go out on the (ebb) tide; (*bei Niedrigwasser*) to go out at low tide; **mit der ~** on *or* with the ebb tide; **es ist ~** the tide is going out; (*es ist Niedrigwasser*) it's low tide, the tide is out.
2. (*fig*) **bei mir** *or* **in meinem Geldbeutel ist** *or* **herrscht ~** I'm a bit hard up (*inf*) *or* my finances are at a pretty low ebb at the moment.

eben I *adj* (*glatt*) smooth; (*gleichmäßig*) even; (*gleich hoch*) level; (*flach*) flat; (*Math*) plane. **zu ~er Erde** at ground level; **auf ~er Strecke** on the flat.
II *adv* **1.** (*zeitlich: so~*) just; (*schnell, kurz*) for a minute *or* second. **das wollte ich ~ sagen** I was just about to say that; **mein Bleistift war doch ~ noch da my** pencil was there (just) a minute ago; **kommst du ~ mal mit?** will you come with me for a minute *or* second?; **ich gehe ~ zur Bank** I'll just pop to the bank (*inf*).
2. (*gerade or genau das*) exactly, precisely. (**na**) ~**!** exactly!, quite!, precisely!; **das ist es ja ~!** that's just *or* precisely it!; **das ~ nicht!** no, not that!; ~ **das wollte ich sagen** that's just *or* exactly what I wanted to say; **nicht ~ angenehm** not exactly pleasant.
3. (*gerade noch*) just. **das reicht so** *or* **nur ~ aus** it's only just enough; **wir haben den Zug ~ noch erreicht** we just caught the train.
4. (*nun einmal, einfach*) just, simply. **das ist ~ so** that's just the way it is *or* things are; **dann bleibst du ~ zu Hause** then you'll just have to stay at home; *siehe* **dann.**

Ebenbild *nt* image. **dein ~** the image of you; **das genaue ~ seines Vaters** the spitting image of his father.

ebenbürtig *adj* **1.** (*Hist: gleichrangig*) of equal birth.
2. (*gleichwertig*) equal; *Gegner* evenly matched. **jdm an Kraft/Ausdauer ~ sein** to be sb's equal in strength/endurance; **sie war ihm an Kenntnissen ~** her knowledge equalled his *or* was equal to his; **wir sind einander ~** we are equal(s).

Ebenbürtigkeit *f* **1.** (*Hist*) equality of birth. **2.** (*Gleichwertigkeit*) equality. **die ~ dieser beiden Gegner wurde deutlich** it became clear that the two opponents were evenly matched.

ebenda *adv* **1.** (*gerade dort*) ~ **will auch ich hin** that is exactly where I am bound too; **2.** (*bei Zitat*) ibid, ibidem; **ebendahin** *adv* ~ **zieht es auch mich** that is exactly where I am bound too; **ebendarum** *adv* that is why, for that reason; ~**!** (*zu Kind*) because I say so!; **ebender, ebendie, ebendas** *pron* he; she; it; **ebendeshalb, ebendeswegen** *adv* that is exactly why; **ebendiese(r, s)** I *pron* (*dated*) he; she; it; **und ~r wurde später ermordet** and this same man was later murdered; II *adj* this very *or* same; **und ~n Mann hat sie geheiratet** and this was the very man she married; **ebendort** *adv* (*old*) at that very place.

Ebene *f* -, **-n** (*Tief~*) plain; (*Hoch~*) plateau; (*Math, Phys*) plane; (*fig*) level. **auf höchster/der gleichen ~** (*fig*) at the highest/the same level.

ebenerdig *adj* at ground level; **ebenfalls** *adv* as well, likewise; (*bei Verneinungen*) either; **er hat ~ nichts davon gewußt** he knew nothing about it either; **danke, ~!** thank you, the same to you!

Ebenholz *nt* ebony.

ebenjene(r, s) (*liter*) **I** *pron* he; she; it; ~**r wurde später Präsident** this same man later became president; **II** *adj* that very *or* same; **Ebenmaß** *nt* (*von Gestalt, Gesichtszügen*) elegant proportions *pl*; (*von Zähnen*) evenness; (*von Versen*) even flow; **ebenmäßig** *adj siehe* **Ebenmaß** elegantly proportioned; even; evenly flowing; ~ **geformt** elegantly proportioned.

ebenso *adv* (*genauso*) just as; (*auch, ebenfalls*) as well. **das kann doch ~ eine Frau machen** a woman can do that just as well; **die Geschäfte sind geschlossen, ~ alle Kinos** the shops are closed, as are all the cinemas; **viele Leute haben sich ~ wie wir beschwert** a lot of people complained just like *or* just as we did *or* just like us; **er freute sich ~ wie ich** he was just as pleased as I was; **er hat ein ~ großes Zimmer wie wir** he has just as big a room as we have.

ebensogern *adv* **ich mag sie ~** I like her just as much *or* equally well; **ich komme ~ morgen** I'd just as soon come tomorrow; **ebensogut** *adv* (just) as well; **ebensolang(e)** *adv* just as long.

ebensolche(r, s) *adj* (exactly) the same.

ebensooft *adv* just as often *or* frequently; **ebensosehr** *adv* just as much; **ebensoviel** *adv* just as much; **ebensowenig** *adv* just as little.

Eber *m* **-s,** - boar.

Eber|esche *f* rowan, mountain ash.

ebnen *vt* to level (off), to make level. **jdm/einer Sache den Weg ~** (*fig*) to smooth the way for sb/sth.

EB-Player [iː'biː'pleɪə] *m* EB-Player, Electronic Book Player.

EC [eː'tseː] *m* -, **-s** (*Rail*) *abbr of* **Euro-**

City-Zug.

echauffieren* [eʃɔ'fiːrən] *vr* (*dated*) to get into a taking (*dated*), to get het-up.

Echo *nt* **-s, -s** echo; (*fig*) response (*auf +acc* to). **er war nur das ~ seines Chefs** (*fig*) he was only an echo of his boss; **ein starkes** *or* **lebhaftes ~ finden** (*fig*) to meet with *or* attract a lively *or* positive response (*bei* from).

Echolot *nt* (*Naut*) echo-sounder, sonar; (*Aviat*) sonic altimeter.

Echse ['ɛksə] *f* -, **-n** (*Zool*) lizard.

echt I *adj, adv* **1.** real, genuine; *Gefühle auch* sincere; *Haar, Perlen, Gold* real; *Unterschrift, Geldschein, Gemälde* genuine; *Haarfarbe* natural. **der Geldschein war nicht ~** the note was a forgery *or* was forged; **der Ring ist ~ golden** the ring is real gold.
2. (*typisch*) typical. **ein ~er Bayer** a real *or* typical Bavarian; **~ englisch** typically English; **~ Shakespeare** typical of Shakespeare, typically Shakespearean; **~ Franz** typical of *or* just like Franz, Franz all over (*inf*).
3. *Farbe* fast.
4. (*Math*) proper. **~er Bruch** proper fraction.
II *adv* (*inf*) really. **der spinnt doch ~** he must be cracked (*inf*); **ich hab's ~ eilig** I'm really in a hurry.

echtgolden *adj attr* real gold; **Echthaarperücke** *f* real hair wig.

Echtheit *f* genuineness; (*von Unterschrift, Dokument auch*) authenticity; (*von Gefühlen, Glauben auch*) sincerity; (*von Haarfarbe*) naturalness; (*von Farbe*) fastness.

echtsilbern *adj attr* real silver; **Echtzeit** *f* (*Comput*) real time.

Eck *nt* **-(e)s, -e 1.** (*esp Aus, S Ger*) siehe **Ecke.**
2. (*Sport*) **das kurze/lange ~** the near/far corner of the goal.
3. über ~ diagonally across *or* opposite; **die Schrauben über ~ anziehen** to tighten the nuts working diagonally across.

Eck- *in cpds* corner; **Eckball** *m* (*Sport*) corner; **einen ~ schießen/geben** to take/give a corner; **Eckbank** *f* corner seat.

Ecke *f* -, **-n 1.** corner; (*Kante*) edge; (*Sport: Eckball*) corner. **Kantstraße ~ Goethestraße** at the corner of Kantstraße and Goethestraße; **er wohnt gleich um die ~** he lives just round the corner; **ein Kind in die ~ stellen** to make a child stand in the corner; **jdn in die ~ drängen** (*fig*) to push sb into the background; **an allen ~n und Enden sparen** to pinch and scrape (*inf*); **um die ~ bringen** (*inf*) to bump sb off (*inf*), to do away with sb (*inf*); **mit jdm um ein paar ~n herum verwandt sein** (*inf*) to be distantly related to sb, to be sb's second cousin twice removed (*hum inf*); **die neutrale ~** (*Boxen*) the neutral corner; **~n und Kanten** (*fig*) rough edges.
2. (*Käse~, Kuchen~*) wedge.
3. (*inf*) (*Gegend*) corner, area; (*von Stadt auch*) quarter; (*Strecke*) way. **eine ~** (*fig: viel*) quite a bit; **eine ganze ~ entfernt** quite a (long) way away, a fair way

away; **eine (ganze) ~ älter/billiger/größer** (quite) a bit older/cheaper/bigger; **aus welcher ~ kommst du?** what part of the world are you from?

Eckensteher(in *f*) *m* (*inf*) loafer (*inf*); **Eckenverhältnis** *nt* (*Ftbl*) number of corners per team; **sie liegen nach dem ~ vorn** they're ahead on corners.

Ecker *f* -, **-n** (*Bot*) beechnut.

Eckfahne *f* (*Sport*) corner flag; **Eckfenster** *nt* corner window; **Eckhaus** *nt* house at *or* on the corner; (*Reihen~*) end house.

eckig *adj* angular; *Tisch, Brot, Klammer* square; (*spitz*) sharp; (*fig*) *Bewegung, Gang* jerky.

-eckig *adj suf* -cornered.

Eckkneipe *f* (*inf*) pub on the corner (*Brit*); **Ecklohn** *m* basic rate of pay; **Eckpfeiler** *m* corner pillar; (*fig*) cornerstone; **Eckpfosten** *m* corner post; **Eckplatz** *m* (*in Zug etc*) corner seat; (*in Theater etc*) end seat, seat at the end of a row; **Eckschrank** *m* corner cupboard; **Eckstein** *m* **1.** (*lit, fig*) cornerstone; **2.** (*Cards*) diamonds *pl*; **Eckstoß** *m* siehe **Eckball; Eckwert** *m* (*Econ*) benchmark figure; (*fig*) basis; **Eckwurf** *m* (*beim Handball*) corner (throw); **Eckzahn** *m* canine tooth; **Eckzins** *m* (*Fin*) minimum lending rate.

Eclair [e'klɛːɐ] *nt* **-s, -s** (*Cook*) eclair.

Economyklasse [i'kɔnəmɪ-] *f* economy class.

Ecu [eː'kuː] *m* **-(s), (-s)** Ecu.

Ecuador [ekua'doːɐ] *nt* **-s** Ecuador.

ecuadorianisch *adj* Ecuadorian.

Edamer (Käse) *m* **-s, -** Edam (cheese).

Edda *f* -, **Edden** (*Liter*) Edda.

edel *adj* **1.** (*attr: vornehm, adlig*) noble. **2.** (*hochwertig*) precious; *Hölzer auch, Rosen* fine; *Wein* noble, fine; *Pferd* thoroughbred. **3.** (**~ geformt, harmonisch**) noble; *Nase* regal, aristocratic. **4.** (*fig*) *Gesinnung, Mensch, Tat* noble; (*großherzig auch*) generous. **er denkt ~** he has noble thoughts; *siehe* **Spender(in).**

Edelfäule *f* (*bei Weintrauben*) noble rot; (*bei Käse*) veins *pl* of) mould; **Edelfrau** *f* (*Hist*) noblewoman; **Edelfräulein** *nt* (*Hist*) unmarried noblewoman; **Edelgas** *nt* inert gas; **Edelholz** *nt* precious wood.

Edeling *m* (*Hist*) (Germanic) nobleman.

Edelkastanie *f* sweet *or* Spanish chestnut; **Edelkitsch** *m* (*iro*) pretentious rubbish *or* kitsch; **Edelmann** *m, pl* **-leute** (*Hist*) noble(man); **Edelmetall** *nt* precious metal; **Edelmut** *m* (*liter*) magnanimity; **Edelmütig** *adj* (*liter*) magnanimous; **Edelpilzkäse** *m* blue (vein) cheese, mould-ripened cheese (*spec*); **Edelreis** *nt* scion; **Edelrost** *m* patina; **Edelschnulze** *f* (*iro*) sentimental ballad; **Edelstahl** *m* (*rostfreier Stahl*) stainless steel; (*Sonderstahl*) special steel; **Edelstein** *m* precious stone; (*geschliffener auch*) jewel, gem; **Edeltanne** *f* noble fir; **Edelweiß** *nt* **-(es), -e** edelweiss.

Eden *nt* **-s,** *no pl* Eden. **der Garten ~** (*Bibl*) the Garden of Eden.

edieren* *vt* to edit.

Edikt *nt* -(e)s, -e (*Hist*) edict.
edieren* *vt* to edit.
Edition *f* (*das Herausgeben*) editing; (*die Ausgabe*) edition.
Editor(in *f*) ['e:'to:rɪn] *m* editor.
Editorial *nt* -s, -s editorial.
editorisch *adj* editorial.
Edle(r) *mf decl as adj* 1. *siehe* **Edelfrau, Edelmann**. 2. (*in Namen*) Ulf ~r von Trautenau Lord Ulf von Trautenau; Johanna ~ von Fürstenberg Lady Johanna von Fürstenberg.
Eduard *m* -s Edward.
EDV [e:de:'fau] *f* - *abbr of* **elektronische Datenverarbeitung** EDP; **EDV-Anlage** *f* EDP *or* computer system; **EDV-Branche** *f* data-processing business; **EDV-Fachfrau** *f*, **EDV-Fachmann** *m* computer specialist.
EEG [e:|e:'ge:] *nt abbr of* **Elektroenzephalogramm** EEG.
Efeu *m* -s, *no pl* ivy. **mit ~ bewachsen** covered in ivy, ivy-covered.
Effleff *nt* -, *no pl* (*inf*) **etw aus dem ~ können** to be able to do sth standing on one's head (*inf*), *or* just like that (*inf*); **etw aus dem ~ beherrschen/kennen** to know sth inside out.
Effekt *m* -(e)s, -e effect. **der ~ war gleich Null** it had absolutely nil effect *or* no effect whatsoever.
Effektbeleuchtung *f* special lighting; (*Theat*) special effect lighting.
Effekten *pl* (*Fin*) stocks and bonds *pl*.
Effektenbörse *f* stock exchange; **Effektenhandel** *m* stock dealing; **Effektenmarkt** *m* stock market.
Effekthascherei *f* (*inf*) cheap showmanship.
effektiv I *adj* 1. effective. **~e Verzinsung** *or* **Rendite** net yield. 2. (*tatsächlich*) actual. **II** *adv* (*bestimmt*) actually. **ich weiß ~, daß ...** I know for a fact that ...; **~nicht/kein** absolutely not/no.
Effektivgeschäft *nt* (*Comm*) spot transaction.
Effektivität *f* effectiveness.
Effektivlohn *m* actual wage; **Effektivverzinsung** *f* redemption yield.
effektvoll *adj* effective.
effeminiert *adj* (*geh*) effeminate.
Effet [e'fe:] *m or nt* -s, -s (*Billard*) side. **den Ball mit ~ schießen** to put side on a ball.
effizient *adj* efficient.
Effizienz *f* efficiency.
EG [e:'ge:] *f abbr of* **Europäische Gemeinschaft** EC.
egal I *adj, adv* 1. *pred* (*gleichgültig*) **das ist ~** that doesn't matter, that doesn't make any difference; **das ist mir ganz ~** it's all the same to me; (*beides ist mir gleich*) I don't mind (either way), it doesn't make any difference to me; (*es kümmert mich nicht*) I don't care, I couldn't care less; **ob du willst oder nicht, das ist mir ganz ~** I don't care whether you want to or not; **~ ob/wo/wie** it doesn't matter whether/where/how, no matter whether/where/how; **ihm ist alles ~** he doesn't care about anything.

2. (*inf*) (*gleichartig*) the same, identical; (*gleich groß*) the same size; (*gleichmäßig*) **Rocksaum** even.
II *adv* (*dial inf: ständig*) non-stop.
egalisieren* *vt* (*Sport*) **Rekord** to equal. **er egalisierte den Vorsprung des Gegners** he levelled with his opponent.
egalitär *adj* (*geh*) egalitarian.
Egalität *f* (*liter*) equality.
EG-Beamte(r) *m*, **EG-Beamtin** *f* EC official; **EG-Behörde** *f* EC institution; **EG-einheitlich** *adj* harmonized within the EC.
Egel *m* -s, - (*Zool*) leech.
Egge *f* -, -n 1. (*Agr*) harrow. 2. (*Tex*) selvedge.
eggen *vt* (*Agr*) to harrow.
EG-Kommission *f* EC Commission; **EG-Ministerrat** *m* Council of Ministers; **EG-Mitgliedsland** *nt* EC member state; **EG-Norm** *f* EC standard.
Ego *nt* -s, -s (*Psych*) ego.
Egoismus *m* ego(t)ism.
Egoist(in *f*) *m* ego(t)ist.
egoistisch *adj* ego(t)istical.
Egomane *m* -n, -n egomaniac; **Egomanie** *f* egomania; **Egomanin** *f* *siehe* **Egomane**; **Egotrip** *m* (*inf*) ego-trip (*inf*); **Egozentriker(in** *f*) *m* -s, - egocentric; **egozentrisch** *adj* egocentric.
EG-Staat *m* EC country.
e.h. *abbr of* **ehrenhalber**.
eh I *interj* hey.
II *conj siehe* **ehe**.
III *adv* 1. (*früher, damals*) **seit ~ und je** for ages, since the year dot (*inf*); **wie ~ und je** just as *or* like before; **es war alles wie ~ und je** everything was just as it always had been.

2. (*esp S Ger, Aus: sowieso*) anyway. **ich komme ~ nicht dazu** I won't get round to it anyway.
ehe *conj* (*bevor*) before, ere (*old, liter*). **~ ich's vergesse ...** before I forget ...; **wir können nichts tun, ~ wir (nicht) Nachricht haben** we can't do anything until *or* before we get some news.
Ehe *f* -, -n marriage. **er versprach ihr die ~** he promised to marry her; **in den Stand der ~ treten** (*form*), **die ~ eingehen** (*form*) to enter into matrimony (*form*) *or* the estate of matrimony (*form*); **mit jdm die ~ eingehen** *or* **schließen** (*form*) to marry sb, to enter into marriage with sb (*form*); **die ~ vollziehen** to consummate a/their/the marriage; **eine glückliche/unglückliche ~ führen** to have a happy/an unhappy marriage; **die ~ brechen** (*form*) to commit adultery; **zur linken Hand, morganatische ~** (*Hist*) morganatic *or* left-handed marriage; **sie hat drei Kinder aus erster ~** she has three children from her first marriage; **er ist in zweiter ~ mit einer Adligen verheiratet** his second wife is an aristocrat; **ihre ~ ist 1975 geschieden worden** they were divorced in 1975; **sie leben in wilder ~** (*dated, hum*) they are living in sin.
eheähnlich *adj* (*form*) similar to marriage; **in einer ~en Gemeinschaft leben** to cohabit (*form*), to live together as man

and wife; **Eheanbahnung** f marriage-broking; (*Institut*) marriage bureau; **Eheanbahnungsinstitut** nt marriage bureau; **Eheberater(in** f) m marriage guidance counsellor; **Eheberatung** f (*das Beraten*) marriage guidance (counselling); (*Stelle*) marriage guidance council; **Ehebett** nt double bed; (*fig*) marital bed; **ehebrechen** vi (*infin only*) to commit adultery; **Ehebrecher** m -s, - adulterer; **Ehebrecherin** f adulteress; **ehebrecherisch** adj adulterous; **Ehebruch** m adultery.

ehedem adv (*old*) formerly. **seit** ~ since time immemorial.

Ehefrau f wife; **Ehegatte** m (*form*) husband, spouse (*form*); **Ehegattin** f (*form*) wife, spouse (*form*); **Ehegemeinschaft** f (*form*) wedlock (*form*), matrimony; **Eheglück** nt married bliss or happiness; **Ehehafen** m (*hum*): **in den** ~ **einlaufen** to plight one's troth (*old, hum*); **Ehehälfte** f (*hum inf*) **meine bessere** ~ my better half (*inf*); **Ehehindernis** nt (*Jur*) impediment to marriage; **Ehekrach** m marital row; **Ehekrise** f marital crisis; **Eheleben** nt married life; **Eheleute** pl (*form*) married couple; **die jungen** ~ the young couple.

ehelich adj marital; *Pflichten, Rechte auch* conjugal; *Kind* legitimate. **für** ~ **erklären** to (declare or make) legitimate; **das** ~**e Leben** married life.

ehelichen vt (*old, hum*) to wed (*old*).

Ehelichkeit f, no pl (*von Kind*) legitimacy.

Ehelichkeits|erklärung f (*Jur*) declaration of legitimacy.

ehelos adj unmarried, single.

Ehelosigkeit f, no pl unmarried state; (*Rel*) celibacy.

ehemalig adj attr former. **die E~en seiner/einer Schulklasse** his former classmates or the ex-pupils or former pupils of a class; **ein** ~**er Häftling** an ex-convict; **ein E~r** (*inf*) an ex-con (*inf*); **mein E~er/meine E~e** (*hum inf*) my ex (*inf*).

ehemals adv (*form*) formerly, previously.

Ehemann m, pl -**männer** married man; (*Partner*) husband; **seitdem er** ~ **ist** since he has been married; **ehemündig** adj (*Jur*) of marriageable age; **Ehemündigkeit** f, no pl (*Jur*) marriageable age; **Ehename** m married name; **Ehepaar** nt (married) couple; **Ehepartner** m husband; **Ehepartnerin** f wife.

eher adv 1. (*früher*) earlier, sooner. **je** ~, **je** or **desto lieber** the sooner the better; **nicht** ~ **als bis/als** not until/before.

2. (*lieber*) rather, sooner; (*wahrscheinlicher*) more likely; (*leichter*) more easily. ~ **verzichte ich** or **will ich verzichten, als daß ...** I would rather or sooner do without than ...; **um so** ~, **als** the more so or all the more because or as; **das läßt sich schon** ~ **hören** that sounds more like it (*inf*) or better; **das könnte man schon** ~ **sagen** that is more likely or probable.

3. (*vielmehr*) more. **er ist** ~ **faul als**

dumm he's more lazy than stupid, he's lazy rather than stupid.

Eherecht nt marriage law; **Ehering** m wedding ring.

ehern adj (*liter*) (*lit*) made of ore; (*fig*) iron. **mit** ~**er Stirn** boldly; (*tollkühn auch*) brazenly.

Ehesache f (*Jur*) matrimonial matter; **Ehesakrament** nt marriage sacrament, sacrament of marriage; **Ehescheidung** f divorce; **Ehescheidungsklage** f (*Prozeß*) divorce case; **Eheschließung** f marriage ceremony, wedding.

ehest adv (*Aus*) as soon as possible.

Ehestand m, no pl matrimony, marriage; **Ehestandsdarlehen** nt low interest bank loan given to newly married couples.

ehestens adv 1. (*frühestens*) ~ **morgen** tomorrow at the earliest.

2. (*Aus: baldigst*) as soon as possible, at the earliest opportunity.

eheste(r, s) I adj **bei** ~**r Gelegenheit** at the earliest opportunity.

II adv **am** ~**n** (*am liebsten*) best of all; (*am wahrscheinlichsten*) most likely; (*am leichtesten*) the easiest; (*zuerst*) first; **am** ~**n würde ich mir ein Auto kaufen** what I'd like best (of all) would be to buy myself a car; **das geht wohl am** ~**n** that's probably the best way; **er ist am** ~**n gekommen** he was the first (person) to come.

Ehestifter(in f) m matchmaker; **Ehestreit** m marital row or argument; **Ehetragödie** f marital tragedy; **Ehevermittlung** f marriage-broking; (*Büro*) marriage bureau; **Eheversprechen** nt (*Jur*) promise to marry; **Ehevertrag** m marriage contract; **Eheweib** nt (*old*) wife; **ehewidrig** adj (*form*) *Beziehungen* extramarital, adulterous; *Verhalten* constituting a matrimonial offence.

Ehr|abschneider(in f) m -s, - calumniator (*form*).

ehrbar adj (*achtenswert*) respectable; (*ehrenhaft*) honourable; *Beruf auch* reputable.

Ehrbarkeit f, no pl siehe adj respectability; honourableness; reputability.

Ehrbegriff m sense of honour.

Ehre f -, -n honour; (*Ruhm*) glory. **etw in** ~**n halten** to treasure or cherish sth; **damit/mit ihm können Sie** ~ **einlegen** that/he does you credit or is a credit to you; **er wollte mit dieser Rede** ~ **einlegen** he was wanting to gain kudos with this speech; **bei jdm mit etw** ~ **einlegen** to make a good impression on sb with sth; **jdm** ~/**wenig** ~ **machen** to do sb credit/not do sb any credit; **auf** ~! , **bei meiner** ~! (*obs*) by my troth! (*obs*), 'pon my oath! (*obs*); **auf** ~ **und Gewissen** on my/his etc honour; **zu seiner** ~ **muß ich sagen, daß ...** in his favour I must say (that) ...; **etw um der** ~ **willen tun** to do sth for the honour of it; **ein Mann von** ~ a man of honour; **keine** ~ **im Leib haben** (*dated*) to have not a shred of self-respect; **er ist in** ~**n ergraut** (*geh*) or **in** ~**n alt geworden** he has had a long and honourable life; **sein Wort/seine Kenntnisse in allen ~n, aber ...** I don't doubt his word/his knowledge, but ...; **sich** (*dat*) **etw zur ~ anrechnen** to count sth an honour; **sich** (*dat*) **es zur ~ anrechnen, daß ...** to feel honoured that ..., to count it an honour that ...; **das rechne ich ihm zur ~ an** I consider that a point in his honour or favour; **mit wem habe ich die ~?** (*iro, form*) with whom do I have the pleasure of speaking? (*form*); **was verschafft mir die ~?** (*iro, form*) to what do I owe the honour (of your visit)?; **es ist mir eine besondere ~, ...** (*form*) it is a great honour for me ...; **um der Wahrheit die ~ zu geben ...** (*geh*) to be perfectly honest ..., to tell you the truth ...; **wir geben uns die ~, Sie zu ... einzuladen** (*form*) we request the honour of your company at ... (*form*); **zu ~n** (+*gen*) in honour of; **habe die ~!** (*Aus, S Ger*) hullo; goodbye; **~, wem ~ gebührt** (*prov*) honour where honour is due (*prov*).

hren *vt* (*Achtung erweisen, würdigen*) to honour. **etw ehrt jdn** sth does sb credit or honour; **den Besuch/Ihr Vertrauen ehrt mich** I am honoured by your visit/trust; **der Präsident ehrte den Preisträger in einer Rede** the president made a speech in honour of the prizewinner; **der Preisträger wurde in einer Rede geehrt** a speech was made or there was a speech in honour of the prizewinner; **jdm ein ~des Andenken bewahren** to treasure sb's memory; **du sollst Vater und Mutter ~** (*Bibl*) honour thy father and thy mother; *siehe* **geehrt**.

hrenamt *nt* honorary office or post; **ehrenamtlich I** *adj* honorary; **~er Richter** ≃ member of the jury; **II** *adv* in an honorary capacity; **Ehrenbezeigung** *f* (*Mil*) salute; **jdm die ~ erweisen** to salute sb, to give sb a salute.

hrenbürger(in *f*) *m* freeman/freewoman. **er wurde zum ~ der Stadt ernannt** he was given the freedom of the city/town.

hrenbürgerrecht *nt* freedom. **die Stadt verlieh ihm das ~** he was given the freedom of the city/town.

hrendoktor(in *f*) *m* honorary doctor; **Ehrendoktorwürde** *f* honorary doctorate; **ihm wurde die ~ der Universität Wien verliehen** he was made an honorary doctor of or given an honorary doctorate by the University of Vienna; **Ehrenerklärung** *f* (*von Beleidiger*) (formal) apology; (*von dritter Seite*) statement in defence (*of sb's honour*); **Ehrengarde** *f* guard of honour; **Ehrengast** *m* guest of honour; **Ehrengeleit** *nt* guard of honour; **Ehrengericht** *nt* tribunal; **ehrenhaft** *adj* honourable; **Ehrenhaftigkeit** *f* honourableness; **ehrenhalber** *adv* **er wurde ~ zum Vorsitzenden auf Lebenszeit ernannt** he was made honorary president for life; **Doktor ~** (*abbr* **e.h.**) Doctor honoris causa (*form*), honorary doctor; **Ehrenkodex** *m* code of honour; **Ehrenkompanie** *f* (*Mil*) guard of honour; **Ehrenkränkung** *f* insult, affront;

Ehrenlegion *f* legion of honour; **Ehrenloge** *f* royal/VIP box; (*in Stadion*) directors' box; **Ehrenmal** *nt* memorial; **Ehrenmann** *m, pl* **-männer** man of honour; **Ehrenmitglied** *nt* honorary member; **Ehrenmitgliedschaft** *f* honorary membership; **Ehrennadel** *f* badge of honour; **Ehrenplatz** *m* (*lit*) place or seat of honour; (*fig*) special place; **Ehrenpreis** *m* **1.** (*Auszeichnung*) prize; (*Anerkennung*) consolation prize; **2.** (*Bot*) speedwell, veronica; **Ehrenrechte** *pl* (*Jur*) civil rights *pl*; **Verlust/ Aberkennung der bürgerlichen ~** loss/ forfeiture of one's civil rights; **Ehrenrettung** *f* retrieval of one's honour; **zu seiner ~ sei gesagt, daß ...** in his favour it must be said that ...; **ehrenrührig** *adj* defamatory; **etw als ~ empfinden** to regard sth as an insult to one's honour; **Ehrenrunde** *f* (*Sport*) lap of honour; **eine ~ drehen** (*Sch sl*) to resit a year (at school); **Ehrensache** *f* matter of honour; **~!** (*inf*) you can count on me; **das ist für mich ~!** that's a matter of honour for me; **Ehrensalut** *m*, **Ehrensalve** *f* salute; **Ehrensold** *m* hono- rarium; **Ehrentafel** *f* **1.** (*Tisch*) top table; **2.** (*Gedenktafel*) roll of honour; **Ehrentag** *m* (*Geburtstag*) birthday; (*großer Tag*) big or great day; **zum heutigen ~** on this special day; **Ehrentitel** *m* honorary title; **Ehrentreffer** *m* (*Sport*) consolation goal; **Ehrentribüne** *f* VIP rostrum; **Ehrenurkunde** *f* certificate (*for outstanding performance in sport*); **ehrenvoll** *adj* Friede honourable; *Aufgabe auch* noble; **Ehrenvorsitzende(r)** *mf* honorary chairman/chairwoman; **Ehrenwache** *f* guard of honour; **ehrenwert** *adj* Mensch honourable, worthy; **die ~e Gesellschaft** (*hum*) the Mafia; **Ehrenwort** *nt* word of honour; **~!** (*inf*) cross my heart! (*inf*); **~?** (*inf*) cross your heart? (*inf*); **mein ~!** you have my word; **sein ~ geben/halten/brechen** to give/ keep/break one's word; **Urlaub auf ~** parole; **ehrenwörtlich I** *adj* Versprechen solemn, faithful; **II** *adv* on one's honour; **Ehrenzeichen** *nt* decoration.

ehrerbietig *adj* respectful, deferential; **Ehrerbietung** *f* respect, deference.

Ehrfurcht *f, no pl* great or deep respect (*vor* +*dat* for); (*fromme Scheu*) reverence (*vor* +*dat* for). **vor jdm/etw ~ haben** to respect/revere sb/sth, to have (great) respect for sb/sth; **von ~ ergriffen** overawed.

ehrfurchtgebietend *adj* Stimme, Geste authoritative. **er ist eine ~e Persönlichkeit** he's the kind of person who commands (one's) respect.

ehrfürchtig, ehrfurchtsvoll *adj* reverent.

ehrfurchtslos *adj* irreverent.

Ehrgefühl *nt* sense of honour; (*Selbstachtung*) self-respect.

Ehrgeiz *m, no pl* ambition.

ehrgeizig *adj* ambitious.

Ehrgeizling *m* (*pej inf*) pusher (*inf*).

ehrlich I *adj, adv* honest; Name good; Absicht, Zuneigung sincere. **der ~e Finder bekommt 100 Mark** a reward of 100 marks will be given to anyone finding and returning this; **eine ~e Haut** (*inf*) an honest soul; **ich hatte die ~e Absicht zu kommen** I honestly did intend to come; **er hat ~e Absichten** (*inf*) his intentions are honourable; **~ verdientes Geld** hard-earned money; **~ gesagt ...** quite frankly *or* honestly ..., to be quite frank ...; **er meint es ~ mit uns** he is being honest with us; **~ spielen** (*Cards*) to play straight; **~ währt am längsten** (*Prov*) honesty is the best policy (*Prov*).

II *adv* (*wirklich*) honestly, really (and truly), truly. **ich bin ~ begeistert** I'm really thrilled; **~!** honestly!, really!

ehrlicherweise *adv* honestly, truly, in all honesty.

Ehrlichkeit *f*, *no pl* honesty; (*von Absicht, Zuneigung*) sincerity. **sie zweifelte an der ~ seiner Absichten** she doubted the sincerity of his intentions; (*in bezug auf Heirat*) she doubted that his intentions were honourable.

ehrlos *adj* dishonourable; **Ehrlosigkeit** *f* dishonourableness; (*Schlechtigkeit*) infamy; **ehrpusselig, ehrpußlig** *adj* (*inf*) sensitive about one's reputation; **ehrsam** *adj* (*old*) *siehe* **ehrbar**; **Ehrsucht** *f* (*old*) inordinate ambitiousness *or* ambition; **ehrsüchtig** *adj* (*old*) inordinately ambitious.

Ehrung *f* honour.

ehrverletzend *adj* (*geh*) insulting; **Ehrverletzung** *f* (*geh*) insult (to one's honour); **Ehrverlust** *m* loss of honour; (*Jur*) loss of one's civil rights.

Ehrwürden *m* **-s**, *no pl* Reverend. **Euer ~** Reverend Father/Mother.

ehrwürdig *adj* venerable. **~e Mutter/~er Vater** (*Eccl*) Reverend Mother/Father.

ei *interj* (*zärtlich*) there (there); (*old*) (*spöttisch*) well; (*bekräftigend*) oh. (**bei einem Kind/Tier**) **~ ~ machen** to pet a child/an animal; **~ freilich** *or* **gewiß!** (*old*) but of course!

Ei *nt* **-(e)s**, **-er 1.** (*Vogel~, Schlangen~*) egg; (*Physiol auch*) ovum. **das ist das ~ des Kolumbus** that's just the thing *or* just what we want; **das ~ will klüger sein als die Henne** you're trying to teach your grandmother to suck eggs (*prov*); **jdn wie ein rohes ~ behandeln** (*fig*) to handle sb with kid gloves; **wie auf ~ern gehen** (*inf*) to step gingerly; **wie aus dem ~ gepellt aussehen** (*inf*) to look spruce; **sie gleichen sich** *or* **einander wie ein ~ dem anderen** they are as alike as two peas (in a pod); **das sind ungelegte ~er!** (*inf*) we'll cross that bridge when we come to it; **~er** *pl* (*sl: Hoden*) balls *pl* (*sl*); **jdm die ~er polieren** (*sl*) to kick sb in the balls (*sl*).

2. ~er *pl* (*sl: Geld*) marks; (*in Britain*) quid (*inf*); (*in US*) bucks (*inf*); **das kostet seine 50 ~er** that'll cost a good 50 marks.

3. (*Rugby sl*) ball, pill (*sl*).

Eibe *f* **-**, **-n** (*Bot*) yew.

Eibisch *m* **-(e)s**, **-e** (*Bot*) marshmallow.

Eich|amt *nt* ≃ Weights and Measures Office (*Brit*).

Eichbaum *m siehe* **Eich(en)baum**.

Eiche *f* **-**, **-n** oak; (*Baum auch*) oak tree.

Eichel *f* **-**, **-n 1.** (*Bot*) acorn. **2.** (*Anat*) glans. **3.** (*Cards*) suit in German playing cards equivalent to clubs.

Eichelhäher *m* (*Orn*) jay.

eichen[1] *adj* oak, oaken (*old*).

eichen[2] *vt* to calibrate; (*prüfen auch*) to check against official specifications. **darauf bin ich geeicht!** (*inf*) that's right up my street (*inf*).

Eich(en)baum *m* oak tree.

Eichenholz *nt* oak; **ein Tisch aus ~** an oak table; **Eichenlaub** *nt* oak leaves *pl*; **Eichenwald** *m* oakwood.

Eichhörnchen, Eichkätzchen *nt* squirrel. **mühsam nährt sich das Eichhörnchen** (*inf*) one struggles on and little by little.

Eichmaß *nt* standard measure; (*Gewicht*) standard weight; **Eichstrich** *m* official calibration; (*an Gläsern*) line measure; **ein Glas mit ~** a lined glass.

Eichung *f* calibration; (*Prüfung auch*) official verification.

Eid *m* **-(e)s**, **-e** oath. **einen ~ ablegen** *or* **leisten** *or* **schwören** to take *or* swear an oath; **einen ~ auf die Verfassung leisten** to swear an oath on the constitution; **darauf kann ich einen ~ schwören** I can swear to that *or* take my oath on that; **ich nehme es auf meinen ~, daß ...** I would be prepared to swear that ...; **jdm den ~ abnehmen** to administer the oath to sb, to take the oath from sb; **unter ~** under *or* on oath; **eine Erklärung an ~es Statt abgeben** (*Jur*) to make a declaration in lieu of oath; **ich erkläre an ~es Statt, daß ...** I do solemnly declare that ...

Eidam *m* **-(e)s**, **-e** (*obs*) son-in-law.

Eidbruch *m* breach of one's oath; **einen ~ begehen** to break one's oath; **eidbrüchig** *adj* **~ werden** to break one's oath.

Eidechse ['aideksə] *f* **-**, **-n** (*Zool*) lizard; (*inf: Hubwagen*) fork-lift truck.

Eiderd(a)unen *pl* eiderdown *no pl*; **Eiderente** *f* eider (duck).

Eidesformel *f* wording of the oath; **die ~ nachsprechen** to repeat the oath; **Eidesleistung** *f* swearing of the oath; **eidesstattlich** *adj* solemn; **~e Erklärung** affidavit.

Eidetik *f* (*Psych*) eidetic ability.

Eidetiker(in *f***)** *m* **-s**, **-** eidetic, eidetiker.

eidetisch *adj* eidetic.

Eidgenosse *m* confederate; (*Schweizer ~*) Swiss citizen.

Eidgenossenschaft *f* confederation. **Schweizerische ~** Swiss Confederation.

Eidgenossin *f siehe* **Eidgenosse**.

eidgenössisch *adj* confederate; (*schweizerisch*) Swiss.

eidlich I *adj* sworn *attr*, given on *or* under oath. **II** *adv* on *or* under oath. **~ gebunden** bound by (one's) oath.

Eidotter *m or nt* egg yolk.

Eierbecher *m* eggcup; **Eierbrikett** *nt* ovoid (*of coal*); **Eierfarbe** *f* paint used to decorate Easter eggs; **Eierhandgranate** *f* (*Mil*) (pineapple) hand grenade, pineapple (*sl*); **Eierkopf** *m* (*inf*) egghead (*inf*); (*sl: Idiot*) blockhead (*inf*), numbskull (*inf*); **Eierkuchen** *m* pancake; (*Omelette*) *omelette made with a mixture containing flour;* **Eierlaufen** *nt* egg and spoon race; **Eierlikör** *m* advocaat; **Eierlöffel** *m* eggspoon.

ern *vi* (*inf*) to wobble.

ierpflaume *f* (large oval) plum; **Eierschale** *f* eggshell; **er hat noch die ~n hinter den Ohren** (*inf*) he's still wet behind the ears (*inf*); **eierschalenfarben** *adj* cream, off-white; **Eierschaum**, **Eierschnee** *m* (*Cook*) beaten egg white; **Eierspeise** *f* 1. egg dish; 2. (*Aus: Rührei*) scrambled egg; **Eierstock** *m* (*Anat*) ovary; **Eiertanz** *m* **einen regelrechten ~ aufführen** (*fig inf*) to go through all kinds of contortions; **Eieruhr** *f* egg timer.

ifer *m* **-s**, *no pl* (*Begeisterung*) enthusiasm; (*Eifrigkeit*) eagerness, keenness. **mit ~** enthusiastically; eagerly, keenly; **mit ~ arbeiten** to work with a will *or* with great zeal; **in ~ geraten** to get agitated, to get into a state; **mit großem ~ bei der Sache sein** to put one's heart into it; **im ~ des Gefechts** (*fig inf*) in the heat of the moment.

iferer *m* **-s**, - (*liter*) fanatic; (*Rel auch*) zealot.

ifern *vi* (*liter*) 1. **gegen jdn/etw ~** to rail *or* inveigh against sb/sth; **für etw ~** to crusade *or* campaign for sth. 2. (*streben*) **nach etw ~** to strive for sth. 3. (*wett~*) **um etw ~** to compete *or* vie for sth.

ifersucht *f* jealousy (*auf +acc* of). **aus/ vor (lauter) ~** out of/for (pure) jealousy.

ifersüchtelei *f* petty jealousy.

ifersüchtig *adj* jealous (*auf +acc* of).

ifersuchtsszene *f* **ihr Mann hat ihr wieder eine ~ gemacht** her husband's jealousy caused another scene; **Eifersuchtstragödie** *f* „~ in München" "jealousy causes tragedy in Munich".

iförmig *adj* egg-shaped, oval.

ifrig *adj* eager; *Befürworter auch* keen; *Leser, Sammler* keen, avid; (*begeistert*) enthusiastic; (*emsig*) assiduous, industrious, zealous; (*heftig*) vehement. **sie diskutierten ~** they were involved in an animated discussion.

igelb *nt* **-s**, **-e** *or* (*bei Zahlenangabe*) - egg yolk.

igen *adj* 1. own; (*selbständig*) separate. **seine ~e Wohnung/Meinung haben** to have a flat/an opinion of one's own, to have one's own flat/opinion; **etw sein ~ nennen** (*geh*) to have sth to one's name, to have sth to call one's own; **jdm etw zu ~ geben** (*liter*) to give sb sth; **meiner Mutter zu ~** (*liter*) for *or* (dedicated) to my mother; **~er Bericht** (*Press*) from *or* by our (own) correspondent; **Zimmer mit ~em Eingang** room with its own *or* a separate entrance; **sein ~ Fleisch und Blut** (*liter*) his own flesh and blood; **sich** (*dat*) **etw zu ~ machen** to adopt sth; (*zur Gewohnheit machen*) to make sth a habit, to make a habit of sth; **übergeben Sie diesen Brief dem Anwalt zu ~en Händen** (*form*) give this letter to the lawyer in

person; **ich habe das Papier auf ~e Rechnung gekauft** I paid for the paper myself; **ich möchte kurz in ~er Sache sprechen** I would like to say something on my own account.

2. (*typisch, kennzeichnend*) typical. **das ist ihm ~** that is typical of him; **er antwortete mit dem ihm ~en Zynismus** he answered with (his) characteristic cynicism.

3. (*seltsam*) strange, peculiar. **es ist eine Landschaft von ganz ~em Reiz** the country is strangely attractive in its own way *or* has its own strange attractions; *siehe Ding[1] 2.*.

4. (*ordentlich*) particular; (*übergenau*) fussy. **in Gelddingen** *or* **was Geld anbetrifft ist er sehr ~** he is very particular about money matters.

Eigen|antrieb *m* **Fahrzeuge mit ~** self-propelled vehicles; **~ haben** to be self-propelled.

Eigen|art *f* (*Besonderheit*) peculiarity; (*Eigenschaft*) characteristic; (*Individualität*) individuality; (*Eigentümlichkeit von Personen*) idiosyncrasy. **das gehört zur ~ der Bayern** that's a typically Bavarian characteristic.

eigen|artig *adj* peculiar; (*sonderbar auch*) strange; (*persönlich kennzeichnend*) idiosyncratic.

Eigenbau *m, no pl* **er fährt ein Fahrrad/ raucht Zigaretten Marke ~** (*hum inf*) he rides a home-made bike/smokes homegrown cigarettes (*hum*); **Eigenbedarf** *m* (*von Mensch*) personal use; (*von Staat*) domestic requirements *pl*; **zum ~** for (one's own) personal use/domestic requirements; **der Hausbesitzer machte ~ geltend** the landlord showed that he needed the house/flat for himself; **Eigenbericht** *m* (*Press*) **diese Zeitung bringt kaum ~e** this paper rarely carries articles by its own journalists; **Eigenbrötelei** [aignbrøːtə'lai] *f* (*inf*) eccentricity; (*Einzelgängertum*) solitary ways *pl*; **Eigenbrötler(in** *f*) *m* **-s**, - (*inf*) loner, lone wolf; (*komischer Kauz*) queer fish (*inf*), oddball (*esp US inf*); **eigenbrötlerisch** *adj* (*inf*) solitary; (*komisch*) eccentric; **Eigendynamik** *f* momentum; **eine ~ entwickeln** to gather momentum; **Eigenfinanzierung** *f* self-financing; **eigengesetzlich** *adj* autonomous; **jede Revolution entwickelt sich ~** every revolution develops according to laws of its own; **Eigengewicht** *nt* (*von LKW*) unladen weight; (*Comm*) net weight; (*Sci*) dead weight; **eigenhändig** *adj* **eine Arbeit ~ machen** to do a job oneself *or* personally *or* with one's own hands; **Eigenheim** *nt* one's own home; **Eigenheit** *f siehe* **Eigenart**; **Eigeninitiative** *f* initiative of one's own; **auf ~** on one's own initiative; **Eigenkapital** *nt* (*von Person*) personal capital; (*von Firma*) company capital; **10.000 DM ~** 10,000 DM of one's own capital; **Eigenleben** *nt, no pl* one's own life; (*selbständige Existenz*) independent existence; (*Privatleben*) private life; **Eigenleistung** *f* (*bei Hausbau*) borrower's own funding, personal contribution; **Eigenliebe** *f* amour-propre; (*Selbstverliebtheit*) self-love, love of self; **Eigenlob** *nt* self-importance, vaingloriousness; ~ **stinkt!** (*inf*) don't blow your own trumpet! (*prov*); **eigenmächtig I** *adj* (*selbstherrlich*) high-handed; (*eigenverantwortlich*) taken/ done *etc* on one's own authority; **II** *adv* high-handedly; (*entirely*) on one's own authority; without any authorization; **eigenmächtigerweise** *adv* (*selbstherrlich*) high-handedly; (*unbefugt*) without any authorization; **Eigenmächtigkeit** *f* (*Selbstherrlichkeit*) high-handedness *no pl*; (*unbefugtes Handeln*) unauthorized behaviour *no pl*; **Eigenmittel** *pl* (*form*) one's own resources; **man braucht nur 20%** ~ you only need to find 20% yourself *or* from your own resources; **Eigenname** *m* proper name; **Eigennutz** *m*, *no pl* self-interest; **das habe ich ohne jeden** ~ **getan** I did that with no thought of myself *or* of furthering my own interests; **eigennützig** *adj* selfish; **Eigenproduktion** *f* **das ist eine** ~ we/they *etc* made it ourselves/themselves *etc*; **etw in** ~ **herstellen** to make sth oneself; **aus** ~ (*hausgemacht*) home-made; *Tabak etc* home-grown; **das war eine** ~ **des Irischen Fernsehens** that was one of Irish Television's own productions.

eigens *adv* (e)specially; (*ausdrücklich auch*) specifically.

Eigenschaft *f* (*Attribut*) quality; (*Chem, Phys*) property; (*Merkmal*) characteristic, feature; (*Funktion*) capacity.

Eigenschaftswort *nt* adjective.

Eigensinn *m*, *no pl* stubbornness, obstinacy; (*inf: Trotzkopf*) stubborn child; **eigensinnig** *adj* stubborn, obstinate; **Eigensinnigkeit** *f* stubbornness, obstinacy; **eigenstaatlich** *adj* sovereign; **Eigenstaatlichkeit** *f* sovereignty; **eigenständig** *adj* original; (*unabhängig*) independent; (*eigengesetzlich*) autonomous; **Eigenständigkeit** *f siehe adj* originality; independence; autonomy; **Eigensucht** *f, no pl* selfishness; (*Egotismus auch*) self-centredness; **eigensüchtig** *adj siehe n* selfish; self-centred.

eigentlich I *adj* (*wirklich, tatsächlich*) real, actual; *Wert* true, real; (*ursprünglich*) original. **im** ~**en Sinne bedeutet das ...** that really means ...; **im** ~**en Sinne des Wortes ...** in the original meaning of the word ...

II *adv* actually; (*tatsächlich, wirklich auch*) really; (*überhaupt*) anyway. ~ **wollte ich nur fünf Minuten bleiben** actually I was only *or* I was really only going to stay five minutes; **was willst du** ~ **hier?** what do you want here anyway?; **wissen Sie** ~**, wer ich bin?** do you know who I am?; **was ist** ~ **mit dir los?** what's the matter with you (anyway)?; ~ **müßtest du das wissen** you should really know that; ~ **dürftest du das nicht tun**

you shouldn't really do that.

Eigentor *nt* (*Sport, fig*) own goal. **ein** ~ **schießen** to score an own goal.

Eigentum *nt, no pl* property. **bewegliches** ~ movables *pl*, movable property; **unbewegliches** ~ immovables *pl*, real property; ~ **an etw** (*dat*) **erwerben** to acquire possession of sth; ~ **an den Produktionsmitteln** private ownership of the means of production.

Eigentümer(in *f*) *m* **-s, -** owner.

eigentümlich *adj* **1.** (*sonderbar, seltsam*) curious, odd. **2.** (*geh: typisch*) **jdm/einer Sache** ~ **sein** to be characteristic *or* typical of sb/sth.

eigentümlicherweise *adv* curiously *or* oddly enough.

Eigentümlichkeit *f* **1.** (*Kennzeichen, Besonderheit*) characteristic. **2.** (*Eigenheit*) peculiarity.

Eigentumsanspruch *m* claim of ownership; **einen** ~ **auf etw** (*acc*) **geltend machen** to claim ownership of sth; **Eigentumsbegriff** *m* concept of property; **Eigentumsbildung** *f* private acquisition of property; **Eigentumsdelikt** *nt* (*Jur*) *offence against property*; **Eigentumsrecht** *nt* right of ownership; (*Urheberrecht*) copyright; **Eigentumsstreuung** *f* dispersal of property; **Eigentumsverhältnisse** *pl* distribution *sing* of property; **Eigentumsvorbehalt** *m* (*Jur*) reservation of proprietary rights; **Eigentumswohnung** *f* owner-occupied flat (*Brit*) *or* apartment; **er kaufte sich** (*dat*) **eine** ~ he bought a flat (of his own); ~**en bauen** to build flats for owner-occupation.

eigenverantwortlich I *adj* autonomous; **II** *adv* on one's own authority; ~ **für etw sorgen müssen** to be personally responsible for sth; **Eigenverantwortlichkeit** *f* autonomy; **jds** ~ **für etw** sb's personal responsibility for sth; **Eigenwärme** *f* body heat; **Eigenwert** *m* intrinsic value; **eigenwillig** *adj* with a mind of one's own; (*eigensinnig*) self-willed; (*unkonventionell*) unconventional, original; **sie ist in allem recht** ~ she has a mind of her own in everything; **Eigenwilligkeit** *f siehe adj* independence of mind; self-will; unconventionality, originality.

eignen I *vr* to be suitable (*für, zu* for, *als* as). **er eignet sich nicht zum Lehrer** he's not suited to teaching, he doesn't/ wouldn't make a good teacher.

II *vi* (*geh*) **seinen Büchern eignet ein präziser Prosastil** his books are characterized by a precise narrative style.

Eigner(in *f*) *m* **-s, -** (*form*) owner.

Eignung *f* suitability; (*Befähigung*) aptitude.

Eignungsprüfung *f*, **Eignungstest** *m* aptitude test.

Eiklar *nt* **-s, -** (*Aus, S Ger*) egg white.

Eiland *nt* **-(e)s, -e** (*liter*) isle (*liter*).

Eilbote *m*, **Eilbotin** *f* messenger; **per** *or* **durch** ~**n** express; **Eilbrief** *m* express letter; **als** ~ express.

Eile *f* **-**, *no pl* hurry. **in** ~ **sein** to be in a hurry; ~ **haben** (*Mensch*) to be in a hurry or rush; (*Sache*) to be urgent; **damit hat es keine ~, das hat keine ~** there is no hurry or rush about it, it's not urgent; **er trieb uns zur ~ an** he hurried us up; **in aller ~** hurriedly, hastily; **mit ~/mit fieberhafter ~ arbeiten** to work very quickly/feverishly; **in der/meiner ~** in the hurry/my haste; **nur keine ~!** don't rush!

ileiter *m* (*Anat*) Fallopian tube.

ileiterschwangerschaft *f* ectopic pregnancy.

ilen I *vi* **1.** *aux sein* to rush, to hasten (*geh*), to hurry. **er eilte dem Ertrinkenden zu Hilfe** he rushed or hastened to help the drowning man; **eile mit Weile** (*Prov*) more haste less speed (*Prov*).
  2. (*dringlich sein*) to be urgent or pressing. **eilt!** (*auf Briefen etc*) urgent; **die Sache eilt** it's urgent, it's an urgent matter.
  II *vr* (*inf*) to rush.
  III *vi impers* **es eilt** it's urgent or pressing; **damit eilt es nicht** there's no great hurry or rush about it.

ilends *adv* hurriedly, hastily.

ilfertig *adj* (*geh*) zealous; **Eilfracht** *f*, **Eilgut** *nt* express freight; **etw als ~ senden** to send sth express freight.

ilig *adj* **1.** (*schnell, rasch*) quick, hurried, hasty. **es ~ haben** to be in a hurry or rush; **er bat den Arzt, ~st zu kommen** he asked the doctor to come as quickly as possible; **nur nicht so ~!** don't be in such a hurry or rush!
  2. (*dringend*) urgent. **er hatte nichts E~eres zu tun, als ...** (*iro*) he had nothing better to do than ... (*iro*).

ilmarsch *m* (*Mil*) fast march; **Eilmeldung** *f* (*Press*) flash; **Eilpaket** *nt* express parcel; **Eilsendung** *f* express delivery or letter/parcel; **Eilsendungen** *pl* express mail or post; **Eiltempo** *nt*: **er kam im ~ auf mich zugerannt** he came rushing or tearing up to me; **Eilzug** *m* fast stopping train; **Eilzustellung** *f* special delivery.

imer *m* **-s,** **-** **1.** bucket, pail; (*Milch~*) pail; (*Müll~*) (rubbish) bin. **ein ~ (voll) Wasser** a bucket(ful) of water; **es gießt wie mit** or **aus ~n** (*inf*) it's bucketing down (*inf*). **2. im ~ sein** (*inf*) to be up the spout (*sl*); (*kaputt auch*) to be bust (*inf*).

imerweise *adv* in bucketfuls, by the bucket(ful).

ein¹ *adv* (*an Geräten*) **E~/Aus** on/off; **~ und aus gehen** to come and go; **er geht bei uns ~ und aus** he is always round at our place; **ich weiß (mit ihm) nicht mehr ~ noch aus** I'm at my wits' end (with him).

ein², **eine**, **ein I** *num* one. **das kostet nur ~e Mark** it only costs one mark; **~ Uhr** one (o'clock); **~ Uhr zwanzig** twenty past one; **~ für allemal** once and for all; **~ und derselbe/dieselbe/dasselbe** one and the same; **er ist ihr ~ und alles** he means everything to her; *siehe* **eins**.
  II *indef art* a; (*vor Vokalen*) an. **~ Mann/~e Frau/~ Kind** a man/woman/child; **~ Europäer** a European; **~ Hotel** a or an hotel; **der Sohn ~es Lehrers** the son of a teacher, a teacher's son; **nur ~ Hegel konnte das schreiben** only a Hegel could have written that; **~e Hitze ist das hier!** the or some heat here!; **was für ~ Wetter/Lärm!** some weather/noise, what a noise; *siehe auch* **eine(r, s)**.

einachsig *adj* two-wheeled, single-axle *attr*.

Einakter *m* **-s,** **-** (*Theat*) one-act play.

einander *pron* one another, each other. **zwei ~ widersprechende Aussagen** two (mutually) contradictory statements.

einarbeiten *sep* **I** *vr* to get used to the work. **sie muß sich in ihr neues Gebiet ~** she has to get used to her new area of work. **II** *vt* **1.** *jdn* to train. **2.** (*einfügen*) to incorporate, to include. **3.** (*einnähen*) to sew in; *Futter, Polster auch* to attach.

Einarbeitungszeit *f* training period.

einarmig *adj* one-armed. **~er Bandit** one-armed bandit.

einäschern *vt sep Leichnam* to cremate; *Stadt* to burn to the ground or down, to reduce to ashes.

Einäscherung *f siehe vt* cremation; burning down.

einatmen *vti sep* to breathe in.

einäugig *adj* one-eyed.

Einbahnstraße *f* one-way street.

einbalsamieren* *vt sep* to embalm.

Einband *m* book cover, case (*spec*).

einbändig *adj* one-volume *attr*, in one volume.

Einbau *m* **-(e)s, -ten 1.** *no pl siehe vt* installation; fitting; working-in. **2.** (*usu pl: Schrank etc*) fixture.

einbauen *vt sep* to install, to put in; *Motor auch* to fit; (*inf: einfügen*) *Zitat* to work in, to incorporate. **eingebaute Möbel/eingebauter Belichtungsmesser** built-in furniture/exposure meter.

Einbauküche *f* (fully-)fitted kitchen.

Einbaum *m* dug-out (canoe).

Einbaumöbel *pl* built-in or fitted furniture; (*Schränke*) fitted cupboards *pl*; **Einbauschrank** *m* built-in or fitted cupboard.

einbegriffen *adj* included.

einbehalten* *vt sep irreg* to keep back.

einbeinig *adj* one-legged.

einberechnen* *vt sep* to allow for (in one's calculations).

einberufen* *vt sep irreg Parlament* to summon; *Versammlung* to convene, to call; (*Mil*) to call up, to conscript, to draft (*US*).

Einberufene(r) *mf decl as adj* (*Mil*) conscript, draftee (*US*).

Einberufung *f* **1.** (*einer Versammlung*) convention, calling; (*des Parlaments*) summoning. **2.** (*Mil*) conscription; (*~sbescheid*) call-up.

Einberufungsbescheid, **Einberufungsbefehl** *m* (*Mil*) call-up or draft (*US*) papers *pl*.

einbeschrieben *adj* (*Math*) *Kreis* inscribed.

einbetonieren* *vt sep* to cement in (*in +acc* -to).

einbetten *vt sep* to embed (*in +acc* in); *Rohr, Kabel* to lay (*in +acc* in).

Einbettzimmer nt single room.

einbeulen vt sep to dent (in).

einbeziehen* vt sep irreg to include (in +acc in).

Einbeziehung f inclusion. **unter ~ von etw** including sth; **unter ~ sämtlicher Gesichtspunkte** having regard to all points.

einbiegen sep irreg **I** vi aux sein to turn (off) (in +acc into). **du mußt hier links ~** you have to turn (off to the) left here; **diese Straße biegt in die Hauptstraße ein** this road joins the main road. **II** vt to bend in.

einbilden vr sep **1. sich** (dat) **etw ~** to imagine sth; **er bildet sich** (dat) **ein, daß ...** he's got hold of the idea that ...; **sich** (dat) **steif und fest ~, daß ...** (inf) to get it fixed in one's head that ... (inf); **das bildest du dir nur ein** that's just your imagination; **ich bilde mir nicht ein, ich sei ...** I don't have any illusions about being ...; **er bildet sich** (dat) **viel ein!** he imagines a lot of things!; **bilde dir (doch) nichts ein!** don't kid (inf) or delude yourself!; **was bildest du dir eigentlich ein?** what's got into you?

2. (stolz sein) **sich** (dat) **viel auf etw** (acc) **~** to be conceited about or vain about sth; **darauf kann ich mir etwas ~** (iro) praise indeed!; **darauf können Sie sich etwas ~!** that's something to be proud of!, that's a feather in your cap!; **darauf brauchst du dir nichts einzubilden!** that's nothing to crow about (inf) or be proud of.

Einbildung f **1.** (Vorstellung) imagination; (irrige Vorstellung) illusion. **das sind ~en** that's pure imagination; **das ist alles nur ~** it's all in the mind, it's just (your/his) imagination; **krank ist er bloß in seiner ~** he just imagines he's ill.

2. (Dünkel) conceit. **an ~en leiden** (hum inf) to be (pretty) stuck on oneself (inf), to really fancy oneself (inf).

Einbildungskraft f (powers pl of) imagination.

einbimsen vt sep (inf) **jdm etw ~** to drum or din sth into sb (inf).

einbinden vt sep irreg **1.** Buch to bind; (in Schutzhülle) to cover; **neu ~** to rebind.

2. (fig: einbeziehen) to integrate.

Einbindung f (fig) integration.

einblasen vt sep irreg to blow in (in +acc -to); Kaltluft auch to blast in (in +acc -to); (Mus) Blasinstrument to play or blow (inf) in. **jdm etw ~** (fig inf) to whisper sth to sb.

einblenden sep (Film, TV, Rad) **I** vt to insert, to slot in; (allmählich) to fade in; (nachträglich) Musik to dub on. **II** vr **sich in etw** (acc) **~** to link up with sth; **sich bei jdm/etw~** to go over to sb/sth.

Einblendung f siehe vt insert; (das Einblenden) insertion; dubbing on.

einbleuen vt sep (inf) **jdm etw ~** (durch Schläge) to beat sth into sb; (einschärfen) to drum sth into sb, to ram sth into sb's head (inf); **ich habe ihm eingebleut, das ja nicht zu vergessen** I told him time and again not to forget it.

Einblick m **1.** (rare: Blick in etw hinein) view (in +acc of).

2. (fig: Kenntnis) insight. **~ in etw** (acc) **gewinnen** to gain an insight into sth; **~ in die Akten nehmen** to examine the files; **jdm ~ in etw** (acc) **gewähren** to allow sb to look at sth; **er hat ~ in diese Vorgänge** he has some knowledge of these events.

einbrechen sep irreg **I** vt Tür, Wand to break down; Eis to break through.

II vi **1.** aux sein (einstürzen) to fall or cave in. **er ist (auf dem Eis) eingebrochen** he went or fell through the ice.

2. aux sein or haben (Einbruch verüben) to break in. **in unser Haus sind Diebe eingebrochen** thieves broke into our house; **bei mir ist eingebrochen worden** I've had a break-in, I've been burgled or burglarized (US); **in neue Absatzmärkte ~** to make inroads into new markets.

3. aux sein (Nacht, Dämmerung, Dunkelheit) to fall; Winter to set in.

Einbrecher(in f) m **-s, -** burglar.

einbringen vt sep irreg **1.** (Parl) to introduce.

2. (Ertrag bringen) Geld, Nutzen to bring in; Ruhm to bring; Zinsen to earn. **jdm etw ~** to bring/earn sb sth; **das bringt nichts ein** (fig) it's not worth it.

3. etw in die Ehe **~** to bring sth into the marriage; etw in die Firma **~** to put sth into the firm; **sich in etw** (acc) **~** to play a part in sth; **sie brachte ihre Kenntnis in die Diskussion ein** she brought her knowledge to bear in the discussion.

4. (hineinbringen, -schaffen) to put in (in +acc -to); Schiff to bring in (in +acc -to); Ernte to bring or gather in; Geflohene to bring back.

5. (wettmachen) Zeit, Verlust to make up.

6. (Typ) Zeilen to take in.

einbrocken vt sep to crumble (in +acc into). **jdm/sich etwas ~** (inf) to land sb/oneself in it (inf) or in the soup (inf); **da hast du dir etwas Schönes eingebrockt!** (inf) you've really let yourself in for it there; **was man sich eingebrockt hat, das muß man auch auslöffeln** (prov) you've made your bed, now you must lie on it (prov).

Einbruch m **1.** (~diebstahl) burglary (in +acc in), breaking and entering (form). **der ~ in die Bank** the bank break-in.

2. (von Wasser) penetration. **~ kühler Meeresluft** (Met) a stream of cold air moving inland.

3. (Einsturz: einer Mauer) collapse; (Geol) rift valley; (Verlust) setback. **~ der Kurse/der Konjunktur** (Fin) stock exchange/economic crash.

4. (fig) (der Nacht) fall; (des Winters) onset. **bei/vor ~ der Nacht/Dämmerung** at/before nightfall/dusk.

Einbruch(s)diebstahl m (Jur) burglary, breaking and entering (form); **einbruch(s)sicher** adj burglar-proof; **Einbruch(s)versicherung** f burglary insurance; **Einbruch(s)werkzeug** nt housebreaking tool.

einbuchten vt sep (inf) to put away (inf), to lock up.

Einbuchtung f 1. (*Bucht*) inlet, bay; 2. (*Delle*) dent.

einbuddeln sep (*inf*) I vt to bury (*in +acc* in). II vr **sich (in den Sand)** ~ to dig oneself in(to the sand).

einbürgern sep I vt Person to naturalize; Fremdwort, Gewohnheit, Pflanze to introduce. **er ist in die** *or* **der Türkei eingebürgert worden** he has become a naturalized Turk.

II vr (*Person*) to become *or* be naturalized; (*Brauch, Tier, Pflanze*) to become established; (*Fremdwort*) to gain currency, to become established. **das hat sich so eingebürgert** (*Brauch*) it's just the way we/they *etc* have come to do things; (*Wort*) it's been adopted into the language; **es hat sich bei uns so eingebürgert, daß wir uns abwechseln** we've got into the habit of taking turns.

Einbürgerung f siehe vt naturalization; introduction.

Einbuße f loss (*an +dat* to). **der Skandal hat seinem Ansehen schwere** ~ **getan** he lost a considerable amount of respect because of the scandal.

einbüßen sep I vt to lose; (*durch eigene Schuld*) to forfeit. II vi to lose something. **an Klarheit** (*dat*) ~ to lose some of its clarity.

einchecken ['ɛɪntʃɛkn] vti sep (*am Flughafen*) to check in (*in +dat* at); (*im Hotel auch*) to register.

eincremen vt sep to put cream on.

eindämmen vt sep Fluß to dam; (*fig: halten, vermindern*) to check, to stem.

Eindämmung f 1. (*Damm*) dam. 2. siehe vt damming; checking, stemming.

eindampfen vt sep to evaporate.

eindecken sep I vr **sich (mit etw)** ~ to stock up (with sth); (*für den Haushalt*) to get in supplies (of sth); **ich bin gut eingedeckt, ich habe mich eingedeckt** I am well supplied.

II vt 1. (*Build, Mil, fig*) to cover. **ein Dach mit Ziegeln/Stroh** ~ to tile/thatch a roof.

2. (*inf: überhäufen*) to inundate. **mit Arbeit eingedeckt sein** to be snowed under *or* inundated with work.

Eindecker m -s, - (*Aviat*) monoplane; (*Autobus*) single decker.

eindeichen vt sep to dyke; Fluß auch to embank.

eindellen vt sep (*inf*) to dent (in).

eindeutig adj clear; Beweis auch definite; (*nicht zweideutig*) unambiguous; Witz explicit. **jdm etw** ~ **sagen** to tell sb sth quite plainly *or* straight (*inf*); **das ist** ~ **der Fall** it's clearly *or* obviously the case.

Eindeutigkeit f siehe adj clearness; definiteness; unambiguity; explicitness.

eindeutschen vt sep Fremdwort to Germanize. **Clips, ~d auch Klips** Clips, sometimes Germanized as Klips.

Eindeutschung f Germanization.

eindicken vti sep (*vi: aux sein*) to thicken.

eindimensional adj one-dimensional, unidimensional.

eindosen vt sep to can, to tin (*Brit*).

eindösen vi sep aux sein (*inf*) to doze off, to drop off (*inf*).

eindrängen sep I vr to crowd in (*in +acc* -to); (*fig*) to intrude (*in +acc* upon); (*sich einmischen*) (*in +acc* in) to interfere, to meddle (*inf*). II vi aux sein (*lit, fig*) to crowd in (*auf +acc* on).

eindrehen vt sep 1. (*einschrauben*) to screw in (*in +acc* -to). 2. Haar to put in rollers.

eindreschen vi sep irreg (*inf*) **auf jdn** ~ to lay into (*inf*) *or* lambaste sb.

eindrillen vt sep (*inf*) **jdm etw** ~ to drill sb in sth; Verhalten, Manieren to din *or* drum sth into sb (*inf*).

eindringen vi sep irreg aux sein 1. (*einbrechen*) **in etw** (*acc*) ~ to force one's way into sth; (*Dieb etc auch*) to force an entry into sth; **in unsere Linien/das Land** ~ (*Mil*) to penetrate our lines/into the country.

2. **in etw** (*acc*) ~ (*Messer, Schwert*) to go into *or* penetrate (into) sth; (*Wasser, Gas auch*) to get into *or* find its way into sth; (*Fremdwörter, Amerikanismen*) to find its way into sth; **der Nagel drang tief ins Holz ein** the nail went deep into the wood; **eine Stimmung in sich** ~ **lassen** to let oneself be carried away by a mood.

3. (*bestürmen*) **auf jdn** ~ to go for *or* attack sb (*mit* with); (*mit Fragen, Bitten*) to besiege sb.

eindringlich adj (*nachdrücklich*) insistent; (*dringend auch*) urgent; Schilderung vivid. **mit ~en Worten** insistently, vividly; **ich habe ihn** ~ **gebeten, zu Hause zu bleiben** I urged him to stay at home; **jdm** ~ **nahelegen, etw zu tun** to urge sb *or* advise sb most strongly to do sth.

Eindringlichkeit f siehe adj insistence; urgency; vividness.

Eindringling m intruder; (*in Gesellschaft*) interloper.

Eindruck m -(e)s, ⸚e 1. impression. **den** ~ **erwecken, als ob** *or* **daß ...** to give the impression that ...; **die ⸚e, die wir gewonnen hatten** our impressions; **ich habe den** ~, **daß ..., ich kann mich des ~s nicht erwehren, daß ...** (*geh*) I have the impression that ...; **großen** ~ **auf jdn machen** to make a great *or* big impression on sb; **er macht einen heiteren ~/ den** ~ **eines heiteren Menschen** he gives the impression of being cheerful/a cheerful person; **er will** ~ **(bei ihr) machen** *or* **schinden** (*inf*) he's out to impress (her); **ich stehe noch ganz unter dem** ~ **der Ereignisse** I'm still too close to it all; **viele (neue) ⸚e sammeln** to gain a whole host of new impressions.

2. (*rare: Spur*) impression, imprint.

eindrücken sep I vt 1. to push in; Fenster to break; Tür, Mauer to push down; (*Sturm, Explosion*) to blow in/down; (*einbeulen*) to dent, to bash in (*inf*); Brustkorb to crush; Nase to flatten. 2. Fußspuren to impress. II vr to make *or* leave an impression.

Eindrucksvoll adj impressive.

eindübeln vt sep Haken to plug (*in +acc* into).

einduseln vi sep aux sein (*inf*) to doze off, to drop off (*inf*).

eine siehe **ein, eine(r, s).**

ein|ebnen *vt sep* (*lit*) to level (off); (*fig*) to level (out).

Ein|ehe *f* monogamy.

ein|eiig *adj Zwillinge* identical.

ein|einhalb *num* one and a half; *siehe* **anderthalb**.

ein|einhalbmal *adv* one and a half times.

Ein|elternfamilie *f* single-parent family.

einen *vtr* (*geh*) to unite.

ein|engen *vt sep* (*lit*) to constrict; (*fig*) *Begriff* to restrict, to narrow down; *Freiheit* to curb, to restrict. **sich (in seiner Freiheit) eingeengt fühlen** to feel cramped *or* restricted; **jdn in seiner Freiheit ~** to curb sb's freedom; **eingeengt sitzen/ stehen/liegen** to sit/stand/lie (all) squashed up.

ein|engend *adj* (*lit*) constricting; (*fig*) restricting.

Ein|engung *f* (*lit*) constriction; (*fig*) restriction.

eine(r, s) *indef pron adj* **1.** one; (*jemand*) somebody, someone. **der/die/das ~** the one; **das ~ Buch habe ich schon gelesen** I've already read one of the books *or* the one book; **weder der ~ noch der andere** neither (one) of them; **die ~n sagen so, die anderen gerade das Gegenteil** some (people) say one thing and others *or* some say just the opposite; **~r für alle, alle für ~n** (*Prov*) all for one and one for all (*Prov*); **das ist ~r!** (*inf*) he's a (right) one! (*inf*); **du bist mir vielleicht ~!** (*inf*) you're a fine *or* right one (*inf*); **sieh mal ~r an!** (*iro*) well what do you know! (*inf*), surprise, surprise! (*inf*); **in ~m fort, in ~r Tour** (*inf*) non-stop; *siehe* **andere(r, s)**.

2. (*man*) one (*form*), you. **und das soll ~r glauben!** (*inf*) and we're/you're meant to believe that!; **wie kann ~r nur so unklug sein!** how could anybody be so stupid!

3. **~s** (*auch* **eins**) one thing; **~s gefällt mir nicht an ihm** (there's) one thing I don't like about him; **~s sag' ich dir** I'll tell you one thing; **noch ~s!** another one!; (*Lied etc*) more!; **noch ~s, bevor ich's vergesse:** (there's) something else *or* one other thing before I forget; **es kam ~s nach dem** *or* **zum anderen** it was (just) one thing after another; **es läuft alles auf ~s hinaus, es kommt alles auf ~s heraus** it all comes to the same (thing) in the end.

4. (*inf*) **sich** (*dat*) **~n genehmigen** to have a quick one (*inf*) *or* drink; **jdm ~ kleben** to thump sb one (*inf*).

Einer *m* **-s, -**. **1.** (*Math*) unit. **2.** (*Ruderboot*) single scull. **Weltmeister im ~** world champion in the single sculls.

Einerkajak *m* single seater *or* one-man kayak; (*Disziplin*) single kayak.

einerlei *adj inv* **1.** *pred* (*gleichgültig*) all the same. **das ist mir ganz ~** it's all the same *or* all one to me; **was du machst ist mir ~** it's all the same to me what you do; **~, ob er kommt** no matter whether he comes or not.

2. sie kocht immer nur ~ Essen she always cooks the same kind *or* sort of food.

Einerlei *nt* **-s**, *no pl* monotony.

einerseits *adv* **~ ... andererseits ...** on the one hand ... on the other hand ...

Einerstelle *f* (*Math*) unit (place).

einesteils *adv* **~ ... ander(e)nteils** on the one hand ... on the other hand ...

einfach **I** *adj* **1.** simple; *Mensch* ordinary; *Essen* plain.

2. (*nicht doppelt*) *Knoten, Schleife* simple; *Fahrkarte, Fahrt* one-way, single (*Brit*); *Buchführung* single-entry. **einmal ~!** (*in Bus*) one (ordinary) single.

3. (*nicht schwierig*) easy. **das ist nicht so ~ zu verstehen** that is not so easy to understand *or* so easily understood.

II *adv* **1.** simply; easily. **~ gefaltet** folded once.

2. (*verstärkend: geradezu*) simply, just. **~ gemein** downright mean; **das ist doch ~ dumm** that's (just) plain stupid.

Einfachheit *f* *siehe adj* simplicity; ordinariness; plainness. **der ~ halber** for the sake of simplicity.

einfädeln *sep* **I** *vt* **1.** *Nadel, Faden* to thread (*in +acc* through); *Nähmaschine* to thread up. **2.** (*inf*) *Intrige* to set up (*inf*). **II** *vr* **sich in eine Verkehrskolonne ~** to filter into a stream of traffic.

einfahren *sep irreg* **I** *vi* **1.** *aux sein* (*Zug, Schiff*) to come in (*in +acc* -to); (*Hunt: Fuchs, Dachs*) to go to earth. **in die Grube/den Schacht ~** (*Min*) to go down (to the face); **auf Bahnsteig 2 fährt der Zug aus München ein** the train from Munich is arriving at *or* coming in at platform 2.

2. (*inf: essen*) to tuck in.

II *vt* **1.** (*kaputtfahren*) *Mauer, Zaun* to knock down.

2. *Ernte* to bring in.

3. *Fahrgestell, Periskop* to retract.

4. (*ans Fahren etc gewöhnen*) to break in; *Wagen* to run in (*Brit*), to break in (*US*).

5. *Verluste* to make; *Gewinne auch* to bring in.

III *vr* to get used to driving. **ich muß mich erst mit dem neuen Auto ~** I have to get used to (driving) the new car; **das hat sich so eingefahren** (*fig*) it has just become a habit.

Einfahrsignal *nt* (*Rail*) home signal.

Einfahrt *f* **1.** *no pl* (*das Einfahren*) entry (*in +acc* to); (*Min*) descent. **Vorsicht bei (der) ~ des Zuges!** stand well back, the train is arriving; **der Schnellzug hat ~ auf Gleis 3** the express is arriving at platform 3.

2. (*Eingang*) entrance; (*Tor~*) entry.

Einfall *m* **1.** (*fig*) (*plötzlicher Gedanke*) idea; (*Grille, Laune*) notion. **auf den ~ kommen, etw zu tun** to get the idea of doing sth; **es war nur so ein ~** it was just an idea.

2. (*Mil*) invasion (*in +acc* of).

3. (*des Lichts*) incidence (*spec*).

4. (*liter*) (*der Nacht*) fall; (*des Winters*) onset. **vor ~ der Nacht** before nightfall.

einfallen *vi sep irreg aux sein* **1.** to collapse, to cave in; (*Gesicht, Wangen*) to become sunken *or* haggard; *siehe* **eingefallen**.

2. (*eindringen*) **in ein Land** ~ to invade a country; **in die feindlichen Reihen** ~ to penetrate the enemy lines.
3. (*liter*) (*Nacht*) to fall; (*Winter*) to set in.
4. (*Lichtstrahlen*) to fall, to be incident (*spec*); (*in ein Zimmer*) to come in (*in +acc* -to).
5. (*Hunt: Federwild*) to come in, to settle.
6. (*mitsingen, mitreden*) to join in; (*einsetzen: Chor, Stimmen*) to come in; (*dazwischenreden*) to break in (*in +acc* on).
7. (*Gedanke*) **jdm** ~ to occur to sb; **das ist mir nicht eingefallen** I didn't think of that, that didn't occur to me; **mir fällt nichts ein, was ich schreiben kann** I can't think of anything to write; **jetzt fällt mir ein, wie/warum ...** I've just thought of how/why ..., it's just occurred to me how/why ...; **ihm fällt immer eine Ausrede ein** he can always think of an excuse; **das fällt mir nicht im Traum ein!** I wouldn't dream of it!; **hast du dir etwas ~ lassen?** have you had any ideas?, have you thought of anything?; **da mußt du dir schon etwas anderes/Besseres ~ lassen!** you'll really have to think of something else/better; **was fällt Ihnen ein!** how dare you!
8. (*in Erinnerung kommen*) **jdm** ~ to come to sb; **dabei fällt mir mein Onkel ein, der ...** that reminds me of my uncle, who ...; **es fällt mir jetzt nicht ein** I can't think of it *or* it won't come to me at the moment; **es wird Ihnen schon wieder ~** it will come back to you.

einfallslos   *adj*   unimaginative;
Einfallslosigkeit *f* unimaginativeness;
einfallsreich   *adj*   imaginative;
Einfallsreichtum *m* imaginativeness;
Einfallstraße   *f*   access road;
Einfallswinkel *m* (*Phys*) angle of incidence.

Einfalt *f* -, *no pl* (*geh*) **1.** (*Arglosigkeit*) simplicity, naivety; **2.** (*Dummheit*) simple-mindedness, simpleness.
einfältig *adj siehe* **Einfalt** simple, naive; simple(-minded).
Einfältigkeit *f* simple-mindedness, simpleness.
Einfaltspinsel *m* (*inf*) simpleton.
Einfamilienhaus *nt* house (for one family).
einfangen *vt sep irreg* (*lit, fig*) to catch, to capture.
einfärben *vt sep* **1.** *Stoff, Haar* to dye. **2.** (*Typ*) *Druckwalze* to ink.
einfarbig, einfärbig (*Aus*) *adj* all one colour; (*Tex*) self-coloured.
einfassen *vt sep* **1.** (*umsäumen*) *Beet, Grab* to border, to edge; *Kleid, Naht* to trim.
2. ein Grundstück (mit einem Zaun/einer Hecke) ~ to put a fence/hedge *etc* round a plot of land, to fence/hedge a plot of land.
3. *Edelstein* to set (*mit* in); *Bild* to mount; *Quelle* to put a wall round.
Einfassung *f siehe vt* **1.** border, edging; trimming. **2.** fence; wall; hedge. **3.**

setting; mount; wall.
einfetten *vt sep* to grease; *Leder, Schuhe* to dubbin; *Haut, Gesicht* to cream, to rub cream into.
einfinden *vr sep irreg* to come; (*eintreffen*) to arrive; (*zu Prüfung*) to present oneself. **ich bitte alle, sich pünktlich in meinem Büro einzufinden** I would ask you all to be in my office punctually.
einflechten *vt sep irreg Band, Blumen* to twine; (*fig: ins Gespräch*) to work in (*in +acc* -to), to introduce (*in +acc* in, into). **darf ich an dieser Stelle kurz ~, daß ...** I would just like to say at this point that ...; **in das Buch sind viele witzige Anekdoten eingeflochten** many amusing anecdotes have been woven into the book.
einfliegen *sep irreg* **I** *vt* **1.** *Flugzeug* to test-fly. **2.** *Proviant, Truppen* to fly in (*in +acc* -to). **3.** *Verluste* to make; *Gewinne auch* to bring in. **II** *vi aux sein* to fly in (*in +acc* -to).
einfließen *vi sep irreg aux sein* to flow in; (*Gelder auch*) to pour in; (*Wasser auch*) to run in; (*fig*) to have some influence (*in +acc* on), to leave its mark (*in +acc* on). **er ließ nebenbei ~, daß er Professor sei** he let it drop that he was a professor.
einflößen *vt sep* **jdm etw** ~ to pour sth down sb's throat; *Medizin auch* to give sb sth; *Ehrfurcht, Mut* to instil sth into sb, to instil sb with a sense of sth.
Einflugschneise *f* (*Aviat*) approach path.
Einfluß *m* **1.** influence. **unter dem ~ von jdm/etw** under the influence of sb/sth; **~ auf jdn haben/ausüben** to have/exert an influence on sb; **~ nehmen** to bring an influence to bear; **auf die Entscheidung hat es keinen ~** it has no influence *or* bearing on the decision, it won't influence the decision; **darauf habe ich keinen ~** I can't influence that, I've no influence over that.
2. (*lit: das Einfließen*) (*von Luft, fig*) influx; (*von Gas, Abwässern*) inflow.
Einflußbereich *m* sphere of influence; **England liegt im ~ eines atlantischen Tiefs** England is being affected by an Atlantic depression; **einflußlos** *adj* uninfluential;
Einflußmöglichkeit *f* influence; **unsere ~en sind begrenzt** we don't have much scope for influence; **Einflußnahme** *f* -, (*rare*) **-n** exertion of influence (*gen* by); **einflußreich** *adj* influential; **Einflußsphäre** *f siehe* **Einflußbereich**.
einflüstern *vt sep* **jdm etw** ~ to whisper sth to sb; (*fig*) to insinuate sth to sb.
einfordern *vt sep Schulden* to demand payment of, to call (in).
einförmig *adj* uniform; (*eintönig*) monotonous.
Einförmigkeit *f siehe adj* uniformity; monotony.
einfressen *vr sep irreg Rost* to eat in (*in +acc* -to). **der Haß hatte sich tief in ihn eingefressen** hate had eaten deep into his heart.
einfrieden *vt sep* (*geh*) to enclose.
Einfriedung *f* (*geh*) (*Zaun*) fence; (*Wand*) wall; (*Hecke*) hedge.
einfrieren *sep irreg* **I** *vi aux sein* to freeze;

(*Wasserleitung, Schiff*) to freeze up. **im Eis eingefroren** frozen into the ice; **die Beziehungen ~ lassen** to suspend relations. **II** vt (*lit, fig*) *Nahrungsmittel, Löhne* to freeze; (*Pol*) *Beziehungen* to suspend.

einfügen sep **I** vt *Steine, Maschinenteile* to fit (*in* +acc into); (*Comput*) to insert (*in* +acc in); (*nachtragen*) to add (*in* +acc to). **darf ich an dieser Stelle ~, daß ...** may I add at this point that ...

II vr to fit in (*in* +acc -to); (*sich anpassen*) to adapt (*in* +acc to); (*Haus in Umgebung*) to fit in (*in* +acc with).

Einfügung f insertion, addition.

einfühlen vr sep **sich in jdn ~** to empathize with sb; (*Theat*) to feel oneself into (the role of) sb; **er kann sich gut in andere Leute ~** he's good at putting himself in other people's shoes (*inf*) or places or at empathizing with other people; **sich in etw** (*acc*) **~** to understand sth; **sich in ein Gedicht ~** to experience a poem.

einfühlsam adj *Interpretation* sensitive; *Mensch auch* understanding, empath(et)ic (*form*).

Einfühlungsvermögen nt capacity for understanding, empathy. **ein Buch mit großem ~ interpretieren** to interpret a book with a great deal of sensitivity.

Einfuhr f -, -en import.

Einfuhr- in cpds import; **Einfuhrartikel** m import; **Einfuhrbeschränkung** f import restriction.

einführen sep **I** vt **1.** (*hineinstecken*) to insert, to introduce (*in* +acc into).

2. (*bekannt machen*) to introduce (*in* +acc into); (*Comm*) *Firma, Artikel* to establish. **jdn in sein Amt/seine Arbeit ~** to install sb (in office)/introduce sb to his work; **jdn bei Hofe ~** to present sb at court; **~de Worte** introductory words, words of introduction.

3. (*als Neuerung*) to introduce, to bring in; *neue Mode* to set, to start; *Sitte* to start.

4. (*Comm*) *Waren, Devisen* to import. **II** vr to introduce oneself. **sich gut ~** to make a good (initial) impression, to get off to a good start (*inf*).

Einfuhrgenehmigung f import permit; **Einfuhrhafen** m port of entry; **Einfuhrkontingent** nt import quota; **Einfuhrland** nt importing country; **Einfuhrsperre** f, **Einfuhrstopp** m ban on imports.

Einführung f introduction (*in* +acc to); (*Amts~*) installation; (*das Hineinstecken*) insertion (*in* +acc into); (*bei Hof*) presentation.

Einführungs- in cpds introductory; **Einführungspreis** m introductory price.

Einfuhrzoll m import duty.

einfüllen vt sep to pour in. **etw in Flaschen/Säcke/Fässer ~** to put sth into bottles/sacks/barrels, to bottle/sack/barrel sth.

Einfüllöffnung f opening; **Einfüllstutzen** m (*Aut*) filler pipe.

Eingabe f **1.** (*form: Gesuch*) petition (*an* +acc to). **2.** (*von Medizin*) administration. **3.** (*Comput*) input.

Eingabedaten pl input data sing.

Eingabefrist f time limit for the filing of petitions; **Eingabegerät** nt input device; **Eingabetaste** f return or enter key.

Eingang m **1.** entrance (*in* +acc to); (*Zutritt, Aufnahme*) entry. „**kein ~!**" "no entrance"; **jdm/sich ~ in etw** (*acc*)/**zu etw verschaffen** to gain entry into/to sth; **in etw** (*acc*) **~ finden** to find one's way into sth.

2. (*Comm: Waren~, Post~*) delivery; (*Erhalt*) receipt. **wir bestätigen den ~ Ihres Schreibens vom ...** we acknowledge receipt of your communication of the ...; **die Waren werden beim ~ gezählt** the goods are counted on delivery; **den ~ or die ~e bearbeiten** to deal with the in-coming post or mail.

3. (*Beginn*) start, beginning. **zum ~ möchte ich bemerken ...** I would like to start by saying ...

eingängig adj *Melodie, Spruch* catchy; *Theorie* neat.

eingangs I adv at the start or beginning. **II** prep +gen at the start or beginning of.

Eingangsbestätigung f (*Comm*) acknowledgement of receipt; **Eingangsbuch** nt (*Comm*) receipt book, book of receipts; **Eingangsdatum** nt date of receipt; **Eingangsformel** f (*Jur*) preamble; (*in Brief*) opening phrase; **Eingangshalle** f entrance hall; **Eingangsstempel** m (*Comm*) receipt stamp; **Eingangstür** f entrance, door; **Eingangsvermerk** m (*Comm*) notice of receipt.

eingeben vt sep irreg **1.** (*verabreichen*) to give. **jdm das Essen ~** to feed sb.

2. (*Comput*) *Text, Befehl* to enter; (*eintippen auch*) to key in. **Daten in den Computer ~** to feed or enter data into the computer.

3. (*dated: einreichen*) *Gesuch* to submit (*an* +acc to).

4. (*liter*) *Gedanken* jdm etw **~** to inspire sb with sth.

eingebettet adj **in** or **zwischen Wäldern/Hügeln ~** nestling among the woods/hills.

eingebildet adj **1.** (*hochmütig*) conceited. **2.** (*imaginär*) imaginary; *Schwangerschaft* false. **ein ~er Kranker** a hypochondriac.

eingeboren adj (*einheimisch*) native; (*geh: angeboren*) innate, inborn (*dat* in). **Gottes ~er Sohn** the only begotten Son of God.

Eingeborenensprache f native language.

Eingeborene(r) mf decl as adj native (*auch hum*).

Eingebung f inspiration.

eingedenk (*old, liter*) **I** prep +gen bearing in mind, remembering. **~ dessen, daß ...** bearing in mind or remembering that ...

II adj pred **einer Sache** (*gen*) **~ sein** to be mindful of sth (*old, liter*).

eingefahren adj *Verhaltensweise* well-worn. **die Diskussion bewegte sich in ~en Gleisen** the discussion stayed in the

eingefallen same old groove *or* covered the same old well-worn topics.

eingefallen *adj* Wangen hollow, sunken; *Augen* sunken, deep-set; *Gesicht* haggard, gaunt.

eingefleischt *adj* 1. *attr* (*überzeugt*) confirmed; (*unverbesserlich*) dyed-in-the-wool. **~er** Junggeselle (*hum*) confirmed bachelor. 2. (*zur zweiten Natur geworden*) ingrained, deep-rooted.

eingefuchst *adj* (*inf*) ~ sein to have it all at one's fingertips.

eingehen *sep irreg aux sein* I *vi* 1. (*old: eintreten*) to enter (*in* +*acc* into); (*geh: Aufnahme finden*) to be adopted (*in* +*acc* in). **in die Geschichte ~** to go down in (the annals of) history; **zur ewigen Ruhe** (*euph*) ~ to go to (one's) rest. 2. **etw geht jdm ein** (*wird verstanden*) sb grasps *or* understands sth; **es will mir einfach nicht ~, wie ...** it's beyond me how ..., I just cannot understand how ... 3. (*wirken*) **diese Musik geht einem leicht ein** this music is very catchy; **diese Worte gingen ihm glatt ein** these words were music to his ears. 4. (*fig: einfließen*) to leave its mark, to have some influence (*in* +*acc* on). **die verschiedensten Einflüsse sind in sein Werk eingegangen** his work was subject to the most diverse influences. 5. (*ankommen*) (*Briefe, Waren*) to arrive, to be received; (*Meldung, Spenden, Bewerbungen auch*) to come in. **~de Post/Waren** incoming mail/goods; **eingegangene Post** mail received. 6. (*einlaufen: Stoff*) to shrink. 7. (*sterben: Tiere, Pflanze*) to die (*an* +*dat* of); (*inf: Firma*) to fold. **bei dieser Hitze/Kälte geht man ja ein!** (*inf*) this heat/cold is just too much (*inf*) *or* is killing (*inf*); **da/bei diesem Geschäft bist du ja schön eingegangen!** (*inf*) you really came unstuck there/with that deal, didn't you? (*inf*). 8. **auf etw** (*acc*) ~ (*behandeln*) Frage, Punkt to go into sth; **darauf gehe ich noch näher ein** I will go into that in more detail; **niemand ging auf meine Frage/mich ein** nobody took any notice of my question/me. 9. (*sich widmen, einfühlen*) **auf jdn/etw ~** to give (one's) time and attention to sb/sth. 10. (*zustimmen*) **auf einen Vorschlag/Plan ~** to agree to *or* fall in with a suggestion/plan. II *vt* (*abmachen, abschließen*) to enter into; *Risiko* to take; *Wette* to make. **er gewinnt, darauf gehe ich jede Wette ein** I bet you anything he wins; **einen Vergleich ~** (*Jur*) to reach a settlement.

eingehend *adj* (*ausführlich*) detailed; (*gründlich*) thorough; *Studien, Untersuchungen auch* in-depth *attr*.

eingekeilt *adj* hemmed in; *Auto auch* boxed in; (*fig*) trapped.

Eingemachte(s) *nt decl as adj* bottled fruit/vegetables; (*Marmelade*) preserves *pl*; (*inf: Erspartes*) one's own resources *pl*. **ans ~ gehen** (*fig inf*) to get down to the nitty-gritty (*inf*).

eingemeinden* *vt sep* to incorporate (*in* +*acc, nach* into).

Eingemeindung *f* incorporation.

eingenommen *adj* **für jdn/etw ~ sein** to be taken with sb/sth, to be enamoured of sb/sth; **gegen jdn/etw ~ sein** to be prejudiced *or* biased against sb/sth; **er ist sehr von sich** (*dat*) ~ he thinks a lot of himself, he really fancies himself.

eingeschlechtig *adj* (*Bot*) unisexual, diclinous (*form*).

eingeschnappt *adj* (*inf*) cross. ~ **sein** to be in a huff; **sie ist immer gleich ~** she always gets into a huff.

eingeschossig ['aɪngəʃɔsɪç] *adj* Haus single-storey.

eingeschränkt *adj* (*eingeengt*) restricted, limited; (*sparsam*) careful. **in ~en Verhältnissen leben** to live in straitened circumstances.

eingeschrieben *adj* Mitglied, Brief registered.

eingeschworen *adj* confirmed; *Gemeinschaft* close. **auf etw** (*acc*) ~ **sein** to swear by sth; **auf eine Politik ~ sein** to be committed to a policy; **die beiden sind aufeinander ~** the two of them are very close (to one another).

eingesessen *adj* Einwohner, Familie old-established; *Firma auch* long-established. **die Firma/Familie ist dort seit Generationen ~** the firm/family has been (established) there for generations; **die E~en** the old established inhabitants/families/firms.

eingespannt *adj* busy.

eingespielt *adj* Mannschaft, Team (well-)adjusted to playing/working together. **aufeinander ~ sein** to be used to one another.

eingestandenermaßen *adv* admittedly.

Eingeständnis *nt* admission, confession.

eingestehen* *vt sep irreg* to admit, to confess. **sie hat den Diebstahl eingestanden** she admitted (to) *or* confessed to the theft; **sich** (*dat*) ~, **daß ...** to admit to oneself that ...

eingestellt *adj* **materialistisch/fortschrittlich ~ sein** to be materialistically/progressively minded; **links/rechts ~ sein** to have leanings to the left/right; **wer so ~ ist wie er** anyone who thinks as he does, anyone like him; **gegen jdn ~ sein** to be set against sb; **ich bin im Moment nicht auf Besuch ~** I'm not prepared for visitors; **auf Export ~ sein** to be geared to exports *or* tailored to the export market.

eingestrichen *adj* (*Mus*): **das ~e C/A** middle C/the A above middle C.

eingetragen *adj* Mitglied, Warenzeichen, Verein registered.

Eingeweide *nt* **-s, -** *usu pl* entrails *pl*, innards *pl*.

Eingeweidebruch *m* (*Med*) hernia.

Eingeweihte(r) *mf decl as adj* initiate. **seine Lyrik ist nur ~n verständlich** his poetry can only be understood by the initiated; **ein paar ~** a chosen few.

eingewöhnen* *vr sep* to settle down *or* in (*in* +*dat* in).

Eingewöhnung *f* settling down *or* in.

eingewurzelt adj deep-rooted, deep-seated. **tief bei jdm** ~ **sein** to be deeply ingrained in sb.

eingießen vt sep irreg (hineinschütten) to pour in (in +acc -to); (einschenken) to pour (out). **darf ich Ihnen noch Kaffee** ~? can I give you or pour you some more coffee?

eingipsen vt sep Arm, Bein to put in plaster; Dübel to plaster in (in +acc -to).

eingleisig adj single-track. **der Zug/die Straßenbahn fährt hier nur** ~ the railway/tram-line is only single-track here; **er denkt sehr** ~ (fig) he's completely single-minded.

Eingleisigkeit f (fig) single-mindedness.

eingliedern sep I vt Firma, Gebiet to incorporate (dat into, with); jdn to integrate (in +acc into); (einordnen) to include (unter +acc under, in). II vr to fit in (dat, in +acc -to, in), to integrate oneself (dat, in +acc into) (form).

Eingliederung f (von Firma, Gebiet) incorporation; (von Behinderten, von Straffälligen) integration.

eingraben sep irreg I vt Pfahl, Pflanze, Krallen to dig in (in +acc -to); (vergraben) Schatz, Leiche to bury (in +acc in). **eine Inschrift in Granit** ~ (geh) to carve an inscription into granite.

II vr to dig oneself in (auch Mil). **der Fluß hat sich ins Gestein eingegraben** the river carved itself a channel in the rock.

eingravieren* vt sep to engrave (in +acc in).

eingreifen vi sep irreg 1. (Tech) to mesh (in +acc with). 2. (einschreiten, Mil) to intervene. **in jds Rechte** (acc) ~ to intrude (up)on sb's rights; **wenn nicht sofort ein Arzt eingreift,** ... without immediate medical intervention ...; **E**~ intervention.

eingrenzen vt sep (lit) to enclose; (fig) Problem, Thema to delimit, to circumscribe.

Eingrenzung f siehe vt enclosure; delimitation, circumscription; narrowing down.

Eingriff m 1. (Med) operation. **ein verbotener** ~ an illegal abortion. 2. (Übergriff) intervention. **ein** ~ **in jds Rechte/Privatsphäre** an intrusion (up)on sb's rights/privacy.

eingruppieren* vt sep to group (in +acc in).

Eingruppierung f grouping.

einhacken vi sep to peck (auf +acc at). **auf jdn** ~ (fig) to pick on sb.

einhaken sep I vt to hook in (in +acc -to). II vi (inf: Punkt aufgreifen) to intervene; (in Unterhaltung auch) to break in. **wenn ich an diesem Punkt vielleicht** ~ **darf** if I might just take up that point. III vr **sie hakte sich bei ihm ein** she put or slipped her arm through his; **eingehakt gehen** to walk arm in arm.

Einhalt m -(e)s, no pl **jdm/einer Sache** ~ **gebieten** to stop or halt sb/sth; **einem Mißbrauch auch** to put an end or a stop to sth.

einhalten sep irreg I vt 1. (beachten) to keep; Spielregeln to follow; Diät, Vertrag to keep to; Verpflichtungen to carry out. **die Zeit** ~ to keep to time or schedule; **den Kurs** ~ (Aviat) to maintain (its) course, to stay on course.

2. (Sew) to gather.

II vi (geh: aufhören) to stop or halt; (innehalten) to pause.

Einhaltung f siehe vt 1. keeping (gen of); following (gen of); keeping (gen to); carrying out (gen of). **ich werde ihn zur** ~ **des Vertrages zwingen** I will force him to keep (to) the contract.

einhämmern vt sep I vt Nagel to hammer in (in +acc -to); Inschrift etc to chisel in (in +acc -to), to engrave (in +acc into). **jdm etw** ~ (fig) to hammer or drum sth into sb.

II vi **auf etw** (acc) ~ to hammer on sth; **auf jdn** ~ (fig) to pound sb; **die laute Musik hämmerte auf uns ein** the loud music pounded in our ears.

einhamstern vt sep (inf) to collect.

einhandeln vt sep 1. (gegen, für) to trade, to swop, to exchange. 2. (bekommen) **sich** (dat) **etw** ~ (inf) to get sth.

einhändig adj one-handed.

einhändigen vt sep (form) to hand in, to submit (form).

Einhandsegler m 1. single-handed yachtsman. 2. (Boot) single-handed yacht, single-hander.

einhängen sep I vt Tür to hang; Fenster to put in; (Telec) Hörer to put down; Lampe, Girlande to hang up. **er hat eingehängt** he's hung up. II vr sich bei jdm ~ to slip or put one's arm through sb's; **sie gingen eingehängt** they walked arm in arm.

einhauchen vt sep (liter) **jdm/einer Sache etw** ~ to breathe sth into sb/sth; **einer Sache** (dat) **neues Leben** ~ to breathe new life into sth.

einhauen sep irreg I vt 1. Nagel to knock or drive in (in +acc -to).

2. (zertrümmern) to smash or bash (inf) in.

3. (einmeißeln) Kerbe to cut in (in +acc -to); Inschrift auch to carve in (in +acc -to).

II vi 1. **auf jdn** ~ to lay into sb, to go for sb; **auf etw** (acc) ~ to go at sth.

2. (inf: beim Essen) to tuck or pitch in (inf).

einheben vt sep irreg 1. (einhängen) Tür to hang. 2. (esp Aus) Steuern to levy; Geld to collect.

einheften vt sep 1. Buchseiten to stitch in; (mit Heftmaschine) to staple in; (Sew) Futter to tack in. 2. (einordnen) Akten to file.

einhegen vt sep to enclose.

einheimisch adj Mensch, Tier, Pflanze native, indigenous; Produkt, Industrie, Mannschaft local.

Einheimische(r) mf decl as adj local.

einheimsen vt sep (inf) to collect; Erfolg, Ruhm auch to walk off with; Geld auch to rake in (inf). **er hat den Ruhm für sich allein eingeheimst** he took the credit himself.

Einheirat f marriage (in +acc into).

einheiraten vi sep **in einen Betrieb** ~ to marry into a business.

Einheit f 1. (von Land) unity; (das Ganze) whole. **eine geschlossene** ~ **bilden** to form an integrated whole; ~ **von Forschung und Lehre** indivisibility of teaching and research. 2. (Mil, Sci) unit.

einheitlich adj (gleich) the same, uniform; (genormt) standard(ized); (in sich geschlossen) unified. **E~e Europäische Akte** Single European Act; ~ **gekleidet** dressed alike or the same; **wir müssen** ~ **vorgehen** we must act consistently with one another.

Einheitlichkeit f siehe adj uniformity; standardization; unity.

Einheitsfinanzierung f funding of German unity; **Einheitsformat** nt standard format; **Einheitsfront** f (Pol) united front; (Volksfront) popular front; **Einheitsgewerkschaft** f unified trade or labor (US) union; **Einheitskleidung** f uniform; **Einheitsliste** f (Pol) single or unified list of candidates; **Einheitspartei** f united party; **Einheitspreis** m standard or flat price; **Einheitssozialist** m (DDR) SED member; **Einheitsstaat** m (Pol) united state; **Einheitstarif** m flat rate.

einheizen sep I vi to put the heating on. **bei dieser Kälte muß man tüchtig** ~ you have to have the heating going full blast in this cold weather; **jdm (tüchtig)** ~ (inf) (die Meinung sagen) to haul sb over the coals for; (zu schaffen machen) to make things hot for sb.
    II vt Ofen to put on; Zimmer to heat (up).

einhellig adj unanimous.

Einhelligkeit f unanimity.

ein(h)er adv (Aus) siehe **herein.**

einher- pref (entlang) along; (hin und her) up and down. ~**reden** siehe **daherreden.**

einhöck(e)rig adj Kamel one-humped.

einholen vt sep 1. (einziehen) Boot, Netz, Tau to pull or haul in; Fahne, Segel to lower, to take down.
    2. Rat, Gutachten, Erlaubnis to obtain. **bei jdm Rat** ~ to obtain sb's advice or advice from sb.
    3. (erreichen, nachholen) Laufenden to catch up; Vorsprung, Versäumtes, Zeit to make up; Verlust to make good.
    4. auch vi (dial) siehe **einkaufen.**

Einhorn nt (Myth, Astron) unicorn.

Einhufer m -s, - (Zool) solidungulate (spec).

einhufig adj (Zool) solidungulate (spec).

einhüllen sep I vt Kind to wrap (up), to swathe (liter) (in +acc in). **in Nebel/ Wolken eingehüllt** shrouded or enveloped in mist/clouds. II vr to wrap oneself up.

einhundert num (form) siehe **hundert.**

einhüten vi sep (N Ger) to keep house (bei for); (Kinder hüten) to babysit (bei for).

einig adj 1. (geeint) united.
    2. (einer Meinung) agreed, in agreement (über +acc on, about, in +dat on). **ich weiß mich in dieser Sache mit ihm** ~ (geh) I know I am in agreement with

him on this; **sich (dat) über etw (acc)** ~ **werden** to agree on sth; **darüber** or **darin sind wir uns** ~, **daß ...** we are agreed that ...; **wir werden schon miteinander** ~ **werden** we will manage to come to an agreement; **ich bin mir selbst noch nicht ganz** ~, **was ...** I am still somewhat undecided as to what ...

einige indef pron siehe **einige(r, s).**

ein|igeln vr sep (Mil) to take up a position of all-round defence; (fig) to hide (oneself) away.

einigemal adv a few times.

einigen I vt Volk to unite; Streitende to reconcile.
    II vr to reach (an) agreement (über +acc about). **sich über den Preis/eine gemeinsame Politik** ~ to reach agreement or to agree on the price/a common policy; **sich auf einen Kompromiß/ Vergleich** ~ to agree to a compromise/ settlement; **sich dahin (gehend)** ~, **daß ...** to agree that ...

einige(r, s) indef pron 1. sing (etwas) some; (ziemlich viel) (quite) some. **in** ~**r Entfernung** some distance away; **nach** ~**r Zeit** after a while or some time; **ich könnte dir** ~**s über ihn erzählen, was ...** I could tell you a thing or two about him that ...; **das wird** ~**s kosten** that will cost something; **dazu ist noch** ~**s zu sagen** there are still one or two things to say about that; **dazu gehört schon** ~**s/**~**r Mut** that really takes something/that takes some courage; **mit** ~**m guten Willen** with a bit of effort; **mit** ~**m guten Willen hätte der Richter ihn freisprechen können** the judge could have given him the benefit of the doubt and acquitted him.
    2. pl some; (mehrere) several; (ein paar auch) a few. **mit** ~**n anderen** with several/a few others; **mit Ausnahme** ~**r weniger** with a few exceptions; ~ **Male** several times; ~ **hundert Menschen** a few hundred people; **an** ~**n Stellen** in some places; **in** ~**n Tagen** in a few days; **vor** ~**n Tagen** the other day, a few days ago.

einigermaßen I adv (ziemlich) rather, somewhat; (vor adj) fairly; (ungefähr) to some extent or degree. **ein** ~ **gutes Angebot** a fairly good offer; ~ **Bescheid wissen** to have a fair idea; **er hat die Prüfung so** ~ **geschafft** he did so-so in the exam; **wie geht's dir?** — ~ how are you? — all right or so-so or not too bad.
    II adj pred (inf: leidlich) all right, fair, reasonable. **wie ist denn das Hotel?** — **na ja,** ~ what's the hotel like? — oh, fair or all right.

einiges indef pron siehe **einige(r, s).**

einiggehen vi sep irreg aux sein to agree, to be agreed (in +dat on). **ich gehe mit ihm darin einig, daß ...** I am agreed with him that ...

Einigkeit f, no pl (Eintracht) unity; (Übereinstimmung) agreement. **in diesem Punkt herrschte** ~ there was agreement on this point; ~ **macht stark** (Prov) unity gives strength, strength through unity (prov).

Einigung *f* 1. (*Pol*) unification. 2. (*Über-einstimmung*) agreement; (*Jur: Vergleich*) settlement. **über etw** (*acc*) ~ **erzielen** to come to *or* reach agreement on sth.

Einigungsvertrag *m* Unification Treaty.

ein|impfen *vt sep* **jdm etw** ~ (*lit*) to inject *or* inoculate sb with sth; **er hat seinen Kindern diese Ansichten eingeimpft** he dinned these ideas into his children.

einjagen *vt sep* **jdm Furcht/einen Schrek-ken** ~ to frighten sb/to give sb a fright *or* a shock.

einjährig *adj Kind, Tier* one-year-old; *Pflanze* annual. **E~e** *pl* one-year-olds; **nach ~er Pause** after a break of one year; **~e Frist/Dauer** a period of one year.

Einjährige(s) *nt decl as adj* (*old Sch*) ≈ lower school certificate (*old*).

einkalkulieren* *vt sep* to reckon with *or* on; *Kosten* to include, to take into account.

Einkammersystem *nt* (*Pol*) single-chamber *or* unicameral (*form*) system.

einkapseln *sep* **I** *vt Tabletten* to encapsulate. **II** *vr* (*Med*) to encapsulate (*form*); (*fig*) to withdraw *or* go into one's shell.

einkassieren* *vt sep* 1. *Geld, Schulden* to collect. 2. (*inf: wegnehmen*) to take. **die Polizei hat den Dieb einkassiert** the police nabbed the criminal (*inf*); **er hat eine Ohrfeige einkassiert** he earned himself a clip on the ear.

Einkauf *m* 1. (*das Einkaufen*) buying (*auch Comm*), purchase. **Einkäufe machen** to go shopping; **ich muß noch ein paar Einkäufe machen** I still have a few things to buy *or* a few purchases to make.

2. (*usu pl: Gekauftes*) purchase. **ein guter/schlechter** ~ a good/bad buy.

3. *no pl* (*Comm: Abteilung*) buying (department).

4. (*in Firma*) **er versucht durch Ein-käufe in diese Firma in Europa Fuß zu fassen** he is trying to get a foothold in Europe by buying up shares in this firm.

5. (*Ftbl*) transfer.

einkaufen *sep* **I** *vt* to buy; *Vorräte* to buy (in). **II** *vi* to shop; (*Comm*) to buy, to do the buying. ~ **gehen** to go shopping; **ich kaufe nur bei Müller ein** I only shop at Müllers. **III** *vr* to buy one's way (*in* +*acc* into).

Einkäufer(in *f*) *m* (*Comm*) buyer.

Einkaufsbummel *m* shopping expedition; **einen** ~ **machen** to go on a shopping expedition; **Einkaufsgenossenschaft** *f* consumers' co-operative society; **Einkaufsleiter(in** *f*) *m* (*Comm*) chief buyer; **Einkaufsnetz** *nt* string bag, shopping net; **Einkaufspassage** *f* shopping arcade; **Einkaufspreis** *m* wholesale price; (*Kaufpreis*) purchase price; **Einkaufsquelle** *f* **eine gute** ~ **für etw** a good place to buy sth; **Einkaufsstraße** *f* shopping street; **Einkaufstasche** *f* shopping bag; **Einkaufsviertel** *nt* shopping area; **Einkaufswagen** *m* shopping trolley (*Brit*) *or* cart (*US*); **Einkaufszentrum** *nt* shopping centre;

Einkaufszettel *m* shopping list.

Einkehr *f* -, *no pl* (*geh: Besinnung*) self-examination, reflection. **bei sich** ~ **halten** to look into *or* search one's heart.

einkehren *vi sep aux sein* 1. (*in Gasthof*) to (make a) stop, to stop off (*in* +*dat* at); (*bei Freunden*) to call in (*bei* on). 2. (*geh: Ruhe, Friede*) to come (*bei* to). **wieder** ~ to return (*bei* to).

einkellern *vt sep* to store in a cellar.

einkerben *vt sep* to cut a notch/notches in, to notch; (*schnitzen*) to cut, to chip.

Einkerbung *f* notch.

einkerkern *vt sep* to incarcerate.

einkesseln *vt sep* to encircle, to surround.

Einkesselung *f* encirclement, surrounding.

einklagbar *adj Schulden* (legally) recoverable.

einklagen *vt sep Schulden* to sue for (the recovery of).

einklammern *vt sep* to put in brackets, to put brackets around; (*fig*) *Thema, Frage* to leave aside.

Einklang *m* 1. (*Mus*) unison.

2. (*geh: Übereinstimmung*) harmony. **in** ~ **bringen** to bring into line; **in** *or* **im** ~ **mit etw stehen** to be in accord with sth; **seine Worte und Taten stehen nicht miteinander im** *or* **in** ~ his words and deeds were at variance *or* not in accord with one another.

Einklassenschule *f* one-class school.

einklassig *adj Schule* one-class *attr*.

einkleben *vt sep* to stick in (*in* +*acc* -to).

einkleiden *vt sep Soldaten* to fit *or* kit out (with a uniform); *Novizen* to accept (as a novice); (*fig*) *Gedanken* to couch. **jdn/sich völlig neu** ~ to buy sb/oneself a completely new wardrobe.

einklemmen *vt sep* 1. (*quetschen*) to jam; *Finger* to catch, to get caught. **er hat mir die Hand in der Tür eingeklemmt** he caught my hand in the door; **der Fahrer war hinter dem Steuer eingeklemmt** the driver was pinned behind the wheel.

2. (*festdrücken*) to clamp. **der Hund klemmte den Schwanz ein** the dog put his tail between his legs; **eingeklemmter Bruch** (*Med*) strangulated hernia.

einklinken *sep* **I** *vt Tür* to latch; *Segelflug-zeug, Leine* to hitch up. **die Tür ist einge-klinkt** the door is on the latch. **II** *vi* (*Ver-schluß, Sicherheitsgurt*) to click shut; (*Tech: einrasten*) to engage.

einklopfen *vt sep Nagel etc* to knock in (*in* +*acc* -to).

einkneifen *vt sep irreg Lippen* to press together.

einknicken *sep* **I** *vt Papier* to crease (over); *Äste* to snap.

II *vi aux sein* (*Strohhalm*) to get bent; (*Äste*) to snap; (*Knie*) to give way, to buckle. **er knickt immer mit den Knien ein** his knees are always giving way; **mein Knöchel** *or* **Fuß knickt dauernd ein** I'm always going over on my ankle.

einknöpfbar *adj Futter* attachable.

einknöpfen *vt sep Futter* to button in.

einknüppeln *vi sep* **auf jdn** ~ to beat sb (up) with cudgels; (*Polizei*) to beat sb (up) with batons *or* truncheons; (*fig*) to lash sb.

einkochen *sep* **I** *vt Gemüse* to preserve; *Obst auch, Marmelade* to bottle. **II** *vi aux sein* (*Marmelade*) to boil down; (*Soße*) to thicken.

einkommen *vi sep irreg aux sein* (*form*) **1.** (*eingenommen werden: Geld*) to come in. **2.** (**bei jdm**) **um etw** ~ to apply (to sb) for sth. **3.** (*Sport, Naut*) to come in.

Einkommen *nt* **-s, -** income **verfügbares** ~ disposable income.

Einkommensausfall *m* loss of income; **Einkommensgefälle** *nt* income differential; **Einkommensgrenze** *f* income limit; **Einkommensklasse** *f* income bracket; **einkommenslos** *adj* (*form*) ~ **sein** to have no income, to be without an income; **einkommensschwach** *adj* low-income *attr*; **einkommensstark** *adj* high-income *attr*.

Einkommen(s)steuer *f* income tax.

Einkommen(s)steuererklärung *f* income tax return; **einkommen(s)steuerpflichtig** *adj* liable to income tax.

Einkommensverhältnisse *pl* (level of) income.

einköpfen *vti sep* (*Ftbl*) to head in (*in* +*acc* -to). **Müller köpfte zum 1:0 ein** Müller's header made the score 1-0.

einkrachen *vi sep aux sein* (*inf*) to crash down.

einkreisen *vt sep Feind, Wild* to surround; (*fig*) *Frage, Problem* to consider from all sides; (*Pol*) to isolate.

Einkreisung *f* surrounding; (*von Frage, Problem*) systematic consideration; (*Pol*) isolation.

Einkreisungspolitik *f* policy of isolation.

einkriegen *sep* (*inf*) **I** *vt* to catch up. **II** *vr* **sie konnte sich gar nicht mehr darüber** ~, **wie/daß** ... she couldn't get over how/the fact that ...

Einkünfte *pl* income *sing*; (*einer Firma auch*) receipts.

einkuppeln *sep* **I** *vi* (*Aut*) to let the clutch in, to engage the clutch. **II** *vt Eisenbahnwaggon* to couple (up).

einladen *vt sep irreg* **1.** *Waren* to load (*in* +*acc* into).

2. to invite. **jdn zu einer Party/ins Kino** ~ to invite *or* ask sb to a party/to ask sb to the cinema; **jdn auf ein Bier** ~ to invite sb for a beer; **laß mal, ich lade dich ein** come on, this one's on me; **wir sind heute abend eingeladen** we've been invited out this evening; **dieses hübsche Plätzchen lädt zum Bleiben ein** it's very tempting to linger in this pretty spot.

einladend *adj* inviting; *Speisen* appetizing.

Einladung *f* invitation. **einer** ~ **Folge leisten** (*form*) to accept an invitation.

Einladungskarte *f* invitation (card); **Einladungsschreiben** *nt* (official) invitation.

Einlage *f* **-, -n 1.** (*Zahn*~) temporary filling.

2. (*Schuh*~) insole; (*zum Stützen*) (arch) support.

3. (*Sew*) padding; (*Versteifung*) interfacing.

4. (*in Brief, Paket*) enclosure. **einen**

Prospekt als ~ **beilegen** to enclose a pamphlet.

5. (*Cook*) noodles, vegetables, egg added to a clear soup.

6. (*Zwischenspiel*) interlude.

7. (*Fin: Kapital*~) investment; (*Spar*~ *auch*) deposit; (*Spiel*~) stake.

einlagern *sep* **I** *vt* to store. **II** *vr* to become deposited (*in* +*acc or dat* in); (*Met*) to settle.

Einlagerung *f* **1.** storage. **2.** (*Geol*) deposit.

einlangen *vi sep aux sein* (*Aus*) to arrive.

Einlaß *m* **-sses, ̈-sse 1.** *no pl* (*Zutritt*) admission. **jdm** ~ **gewähren** to admit sb; **sich** (*dat*) ~ **in etw** (*acc*) **verschaffen** to gain entry *or* admission to sth. **2.** (*Tech: Öffnung*) inlet, opening.

einlassen *sep irreg* **I** *vt* **1.** (*eintreten lassen*) to let in, to admit.

2. (*einlaufen lassen*) *Wasser* to run (*in* +*acc* into). **er ließ sich** (*dat*) **ein Bad ein** he ran himself a bath.

3. (*einpassen, einfügen*) to let in (*in* +*acc* -to); (*in Holz, Metall auch*) to set in (*in* +*acc* -to). **ein eingelassener Schrank** a built-in cupboard, a cupboard let into the wall; **eingelassene Schraube** countersunk screw.

4. (*Aus*) *Boden, Möbel* to varnish.

II *vr* **1. sich auf etw** (*acc*) ~ (*auf Angelegenheit, Abenteuer, Diskussion*) to get involved in sth; (*auf Streit, zwielichtiges Unternehmen auch*) to get mixed up in sth, to get into sth; (*sich zu etw verpflichten*) to let oneself in for sth; **sich auf einen Kompromiß** ~ to agree to a compromise; **sich in ein Gespräch** ~ to get into **1.** *or* get involved in a conversation; **ich lasse mich auf keine Diskussion ein** I'm not having any discussion about it; **darauf lasse ich mich nicht ein!** (*bei Geschäft, Angelegenheit*) I don't want anything to do with it; (*bei Kompromiß, Handel etc*) I'm not agreeing to that; **lasse dich in keine Schlägerei ein!** don't you go getting mixed up in any rough stuff; **da habe ich mich aber auf etwas eingelassen!** I've let myself in for something there!

2. sich mit jdm ~ (*pej: Umgang pflegen mit*) to get mixed up *or* involved with sb; **er ließ sich mit diesem Flittchen ein** he was carrying on with this tarty little bit (*pej inf*); **sie läßt sich mit jedem ein!** she'll go with anyone.

3. (*Jur: sich äußern*) to testify (*zu* on).

Einlauf *m* **1.** *no pl* (*Sport*) (*am Ziel*) finish; (*ins Stadion*) entry. **beim** ~ **in die Zielgerade** ... coming into the final straight ...

2. (*Med*) enema. **jdm einen** ~ **machen** to give sb an enema.

einlaufen *sep irreg* **I** *vi aux sein* **1.** to come in (*in* +*acc* -to); (*ankommen auch*) to arrive (*in* +*acc* in); (*Sport*) (*ins Stadion*) to come *or* run in (*in* +*acc* -to), to enter (*in etw* (*acc*) sth); (*durchs Ziel*) to finish. **das Schiff läuft in den Hafen ein** the ship is coming into *or* entering the harbour; *siehe* **Zielgerade**.

2. (*hineinlaufen: Wasser*) to run in (*in* +*acc* -to).

3. (*eintreffen*) *Post* to arrive; *Bewerbungen*, *Spenden* to be received, to come in.

4. (*eingehen: Stoff*) to shrink. **garantiert kein E~** guaranteed non-shrink.

II vt *Schuhe* to wear in.

III vr (*Motor, Maschine*) to run in, to be broken in (*US*); (*Sport*) to warm *or* limber up; (*fig: Geschäfte*) to settle down.

Einlaufwette f (*Pferderennen*) three-way bet.

einläuten vt sep *Sonntag* to ring in; (*Sport*) *Runde* to sound the bell for.

einleben vr sep to settle down (*in or an* +*dat* in); (*fig: sich hineinversetzen*) to immerse oneself (*in* +*acc* in).

Einlege|arbeit f inlay work no pl.

einlegen vt sep **1.** (*in Holz*) to inlay.

2. (*hineintun*) to insert (*in* +*acc* in), to put in (*in* +*acc* -to); *Film auch* to load (*in* +*acc* into); (*in Brief*) to enclose (*in* +*acc* in). **einen Pfeil (in den Bogen) ~** to fit an arrow (into the bow).

3. (*einfügen*) *Sonderschicht, Spurt* to put on; *Lied, Pause* to have; (*Aut*) *Gang* to engage.

4. (*Fin: einzahlen*) to pay in, to deposit.

5. (*fig: geltend machen*) *Protest* to register. **ein gutes Wort für jdn ~** to put in a good word for sb (*bei* with); **sein Veto ~** to exercise *or* use one's veto.

6. (*Cook*) *Heringe, Gurken* to pickle.

7. *Haare* to set, to put in rollers.

Einleger(in f**)** m **-s,** - investor.

Einlegesohle f insole.

einleiten sep vt **1.** (*in Gang setzen*) to initiate; *Maßnahmen auch, Schritte* to introduce, to take; *neues Zeitalter* to mark the start of, to inaugurate; (*Jur*) *Verfahren* to institute; (*Med*) *Geburt* to induce.

2. (*beginnen*) to start; (*eröffnen*) to open.

3. *Buch* (*durch Vorwort*) to introduce; (*Mus*) to prelude.

4. *Abwässer etc* to discharge (*in* +*acc* into).

einleitend adj introductory; *Worte auch* of introduction. **er sagte ~, daß ...** he said by way of introduction that ...

Einleitung f **1.** *siehe* vt **1.** initiation; introduction; inauguration; institution; induction. **2.** (*Vorwort*) introduction; (*Mus*) prelude. **3.** (*von Abwässern*) discharge (*in* +*acc* into).

einlenken sep **I** vi **1.** (*fig*) to yield, to give way. **2.** (*einbiegen*) to turn in (*in* +*acc* -to). **II** vt *Rakete* to steer (*in* +*acc* onto).

einlesen sep irreg **I** vr **sich in ein Buch/ Gebiet ~** to get into a book/subject. **II** vt *Daten* to read in (*in* +*acc* -to).

einleuchten vi sep to be clear (*jdm* to sb). **der Grund seiner Abneigung leuchtet mir nicht ein** I don't see *or* it's not clear to me why he doesn't like me; **ja, das leuchtet mir ein!** yes, I see that; **yes, that's clear (to me); das will mir nicht ~** I just don't understand *or* see that.

einleuchtend adj reasonable, plausible.

einliefern vt sep *Waren* to deliver. **jdn ins Krankenhaus ~** to admit sb to hospital;

jdn ins Gefängnis ~ to put sb in *or* commit sb to prison.

Einlieferung f (*von Waren*) delivery; (*ins Krankenhaus*) admission (*in* +*acc* to); (*ins Gefängnis*) committal (*in* +*acc* to); (*von Briefen*) sending.

Einlieferungsschein m certificate of posting.

einliegend adj pred (*form*) enclosed. **~ erhalten Sie ...** please find enclosed ...

einlochen vt sep **1.** (*inf: einsperren*) to lock up, to put behind bars. **2.** (*Golf*) to hole out.

einlösbar adj redeemable.

einlösen vt sep *Pfand* to redeem; *Scheck, Wechsel* to cash (in); (*fig*) *Wort, Versprechen* to keep.

Einlösung f *siehe* vt redemption; cashing (in); keeping.

einlullen vt sep (*inf*) *Kind* to lull to sleep; (*fig*) *Mißtrauen, Wachsamkeit* to allay, to quiet. **jdn mit Versprechungen/ schönen Worten ~** to lull sb with (soothing) promises/soft words.

einmachen vt sep *Obst, Gemüse* to preserve; (*in Gläser auch*) to bottle; (*in Dosen*) to can, to tin (*Brit*).

Einmachglas nt bottling jar; **Einmachtopf** m preserving pan.

einmahnen vt sep (*form*) to demand payment of.

einmal adv **1.** (*ein einziges Mal*) once; (*erstens*) first of all, firstly, for a start. **~ eins ist eins** once one *or* one times one is one; **~ sagt er dies, ~ das** sometimes he says one thing, sometimes another; **auf ~** (*plötzlich*) suddenly, all of a sudden, all at once; (*zugleich*) at once; **~ mehr** once again; **~ und nicht** *or* **nie wieder** once and never again; **noch ~** again; **versuch's noch ~ ~** (*wieder*) try once more *or* again; **versuch's noch** (*ein letztes Mal*) try one last time *or* just once again; **noch ~ so groß wie** as big again as; **wenn sie da ist, ist es noch ~ so schön** it's twice as nice when she's there; **~ ist keinmal** (*Prov*) (*schadet nicht*) once won't hurt *or* do any harm; (*zählt nicht*) once doesn't count.

2. (*früher, vorher*) once; (*später, in Zukunft*) one *or* some day. **waren Sie schon ~ in Rom?** have you ever been to Rome?; **er hat schon ~ bessere Zeiten gesehen** he has seen better days; **sie waren ~ glücklich, aber jetzt ...** they were happy once at one time, but now ...; **es war ~ ...** once upon a time there was ...; **das war ~!** that was then; **besuchen Sie mich doch ~!** come and visit me some time!

3. (*verstärkend, eingrenzend*) *meist nicht übersetzt*. **nicht ~** not even; **auch ~** also, too; **wieder ~** again; **ich bin nun ~** so that's the way I am/I'm just are like that; **wie die Lage nun ~ ist** with things as *or* the way they are; **wenn er nun ~ hier ist ...** seeing he's here ...; **alle ~ herhören!** listen everyone!; **sag ~, ist das wahr?** tell me, is it true?

Einmal|eins nt **-, no pl** (multiplication) tables pl; (*fig*) ABC, basics pl. **das ~ lernen/aufsagen** to learn/say one's tables; **das kleine/große ~** (multiplication) tables up to/over ten.

Einmalhandtuch nt disposable towel.

einmalig adj **1.** Gelegenheit, Angebot, Fall unique.
  2. (nur einmal erforderlich) single; Anschaffung, Zahlung one-off attr.
  3. (inf: hervorragend) fantastic, amazing. **dieser Film ist etwas E~es** this film is really something (inf); **der Bursche ist wirklich ~** that guy is really something (inf).

Einmannbetrieb m **1.** one-man business or band (inf); **2. die Busse auf ~ umstellen** to convert the buses for one-man operation; **Einmannbus** m one-man bus, driver-operated bus; **Einmannkapelle** f one-man band; **Einmannwagen** m one-man tram.

Einmarkstück nt one-mark piece.

Einmarsch m entry (in +acc into); (in ein Land) invasion (in +acc of).

einmarschieren* vi sep aux sein to march in (in +acc -to).

einmassieren* vt sep to massage or rub in (in +acc -to).

Einmaster m -s, - (Naut) single-masted ship, single-master.

einmastig adj single-masted.

einmauern vt sep **1.** (ummauern) to wall in. **2.** (einfügen) to fix into the wall.

einmeißeln vt sep to chisel in (in +acc -to).

Einmeterbrett nt one-metre (diving) board.

einmieten sep **I** vt (Agr) to clamp. **II** vr **sich bei jdm ~** to take lodgings with sb; **er hat sich in der Wohnung unter uns eingemietet** he has taken the flat below us.

einmischen sep vr to interfere (in +acc in), to stick one's oar in (inf). **sie muß sich bei allem ~** she has to interfere or meddle in everything; **wenn ich mich kurz ~ darf ...** if I can butt in a moment ...

einmonatig adj attr one-month.

einmonatlich adj monthly.

einmontieren* vt sep to slot in (in +acc -to); (Tech) to fit in (in +acc -to).

einmotorig adj Flugzeug single-engine(d).

einmotten vt sep Kleider to put in mothballs; (fig auch) to mothball; Schiff, Flugzeug to mothball.

einmumme(l)n vt sep (inf) to muffle up.

einmünden vi sep aux sein (Fluß) to flow in (in +acc -to); (Straße) to run or lead in (in +acc -to). **in etw** (acc) **~ auch** to join sth; (fig) to end up in sth; (Elemente, Einflüsse) to go into sth.

Einmündung f (von Fluß) confluence; (von Straße) junction. **die ~ der Isar in die Donau** the confluence of the Isar and the Danube.

einmütig adj unanimous. **~ zusammenstehen** to stand together solidly or as a man.

Einmütigkeit f unanimity. **darüber besteht ~** there is complete agreement on that.

einnachten vi impers sep (Sw) **es nachtet ein** it's getting dark.

einnähen vt sep to sew in (in +acc -to); (enger machen) to take in.

Einnahme f -, -n **1.** (Mil) seizure; (einer Stellung, Stadt auch) capture.
  2. (Ertrag) receipt. **~n** pl income sing; (Geschäfts~) takings pl; (aus Einzelverkauf) proceeds pl; (Gewinn) earnings pl; (eines Staates) revenue sing; **~n und Ausgaben** income and expenditure.
  3. (das Einnehmen) taking. **durch ~ von etw** by taking sth.

Einnahmebuch nt (Comm) book of receipts, receipt book; **Einnahmequelle** f source of income; (eines Staates) source of revenue.

einnässen sep (form) **I** vt to wet. **II** vr to wet oneself; (nachtsüber) to wet the bed.

einnebeln sep **I** vt (Mil) to put up a smokescreen round; (fig) to befog. **II** vr (Mil) to put up a smokescreen (around oneself). **es nebelt sich ein** (Met) it's getting misty, there's a mist coming down.

einnehmen vt sep irreg **1.** Geld (Geschäft) to take; (Freiberufler) to earn; Steuern to collect. **die eingenommenen Gelder** the takings.
  2. (Mil: erobern) to take; Stadt, Festung auch to capture.
  3. (lit, fig) Platz to take (up), to occupy; Stelle (innehaben) to have, to occupy (form); Haltung, Standpunkt to take up. **er nimmt vorübergehend die Stelle des Chefs ein** he's acting for the boss; **bitte, nehmen Sie Ihre Plätze ein!** (form) please take your seats!; **die Plätze ~** (Sport) to take one's marks.
  4. (zu sich nehmen) Mahlzeit, Arznei to take.
  5. er nahm uns alle für sich ein he won us all over; **jdn gegen sich/jdn/etw ~** to set or put sb against oneself/sb/sth; **das nimmt mich sehr für sie ein** that makes me think highly of her.

einnehmend adj likeable. **er hat etwas E~es** there is something likeable about him; **er hat ein ~es Wesen** (gewinnend) he's a likeable character; (hum inf: habgierig) he has taking ways (hum inf).

einnicken vi sep aux sein (inf) to doze or nod off.

einnisten vr sep (lit) to nest; (Parasiten, Ei) to lodge; (fig) to park oneself (bei on). **in unserem Land haben sich so viele Kriminelle eingenistet** we have so many criminals settled in this country.

Ein|öd f -, -en (Aus) siehe **Einöde**.

Ein|ödbauer m farmer of an isolated farm.

Ein|öde f Moore/Wüsten und ~ moors and wasteland/deserts and barren wastes pl; **die weiße ~ der Antarktis** the white wastes of the Antarctic; **er lebt in der ~ des schottischen Hochlands** he lives in the wilds of the Scottish Highlands.

Ein|ödhof m ≃ croft.

ein|ölen sep **I** vt to oil. **II** vr to rub oneself with oil.

ein|ordnen sep **I** vt **1.** (der Reihe nach)

Bücher to (put in) order; *Akten, Kartei-karten* to file. **2.** (*klassifizieren*) to classify; *Begriff, Theorie auch* to categorize. **II** *vr* **1.** (*in Gemeinschaft*) to fit in (*in +acc* -to). **2.** (*Aut*) to get in(to) lane. **sich links/ rechts** ~ to get into the left/right lane; „**E~**" "get in lane".

einpacken *sep* **I** *vt* **1.** (*einwickeln*) to wrap (up) (*in +acc* in). **jdn warm** ~ (*fig*) to wrap sb up warmly. **2.** (*hineintun*) to pack (*in +acc* in). **mit deinen Witzen kannst du dich** ~ **lassen!** (*inf*) stuff you and your jokes! (*sl*). **3.** (*packen*) *Paket* to pack up. **II** *vi* to pack, to do one's packing. **dann können wir** ~ (*inf*) in that case we may as well pack it all in (*inf*) *or* give up.

einparken *vti sep* to park. (**in eine Park-lücke**) ~ to get into a parking space.

Einparteien *in cpds* one-party.

einpassen *sep* **I** *vt* to fit in (*in +acc* -to). **II** *vr* to adjust, to adapt oneself (*in +acc* to).

einpauken *vt sep* (*inf*) to mug up (on) (*Brit inf*), to cram. **jdm etw** ~ to drum sth into sb.

Einpeitscher *m* **-s,** **-** (*Pol*) whip (*Brit*), floor leader (*US*).

einpendeln *sep vr* (*fig*) to settle down; (*Währung, Preise*) to find its level, to level off.

Einpendler(in *f*) *m* commuter.

einpennen *vi sep aux sein* (*sl*) to doze off, to drop off (*inf*).

Einpersonenhaushalt *m* single-person household; **Einpersonenstück** *nt* (*Theat*) one-man play.

Einpfennigstück *nt* one-pfennig piece.

einpferchen *vt sep* *Vieh* to pen in (*in +acc* -to); (*fig*) to coop up (*in +acc* in). **ein-gepfercht stehen** to be hemmed in.

einpflanzen *vt sep* to plant (*in +dat* in); (*Med*) to implant (*jdm* in(to) sb). **einem Patienten eine fremde Niere** ~ to give sb a kidney transplant; **jdm etw** ~ (*fig*) to imbue sb with a sense of sth, to instil (a sense of) sth into sb.

einpfropfen *vt sep* *Korken* to put *or* bung in (*in +acc* -to). **2.** (*fig inf*) *jdm Wissen* ~ to cram knowledge into sb.

Einphasenwechselstrom *m* single-phase current.

einphasig *adj* single-phase.

einpinseln *vt sep* *Wunde, Mandeln* to paint; (*Cook*) to brush.

einplanen *vt sep* to plan (on), to include in one's plans; *Verzögerungen, Verluste* to allow for; *Baby* to plan.

einpökeln *vt sep* *Fisch, Fleisch* to salt.

einpolig *adj* single-pole.

einprägen *sep* **I** *vt* *Muster, Spuren* to im-print, to impress; *Inschrift* to stamp. **ein Muster in Papier** ~ to emboss paper with a pattern; **sich** (*dat*) **etw** ~ to re-member sth; (*auswendig lernen*) to memorize sth, to commit sth to memory. **II** *vr* **sich jdm ins Gedächtnis/sich jdm** ~ to make an impression on sb's mind/ sb; **die Worte haben sich mir unauslösch-**

lich eingeprägt the words made an indel-ible impression on me.

einprägsam *adj* easily remembered; *Slo-gan, Melodie auch* catchy.

einprasseln *vi sep aux sein* **auf jdn** ~ to rain down on sb, to come pouring down on sb; (*Fragen*) to be showered upon sb; **von allen Seiten prasselten Geschosse auf uns ein** we were caught in a hail of shots from all sides.

einproben *vt sep* to rehearse.

einprogrammieren* *vt sep Daten* to feed in; (*fig*) to take into account. **jdm etw** ~ (*fig*) to inculcate sth in sb.

einprügeln *sep* (*inf*) **I** *vt jdm etw* ~ to din (*inf*) *or* drum sth into sb. **II** *vi* **auf jdn** ~ to lay into sb.

einpudern *sep* **I** *vr* to powder oneself. **II** *vt* to powder.

einpuppen *vr sep* (*Zool*) to pupate.

einquartieren* *sep* *vt* to quarter; (*Mil auch*) to billet. **Gäste bei Freunden** ~ to put visitors up with friends.

 II *vr* to be quartered (*bei* with); (*Mil auch*) to be billeted (*bei* on); (*Gäste*) to stop (*bei* with) (*inf*). **er hat sich bei uns anscheinend für ewig einquartiert** he seems to have dumped himself on us for good (*inf*).

Einquartierung *f* **1.** (*das Einquartieren*) quartering; (*Mil auch*) billeting. **2. wir haben** ~ (*inf*) (*Soldaten*) we have soldiers billeted on us; (*Besuch*) we've got people stopping (*inf*) (with us).

Einrad *nt* unicycle.

einräd(e)rig *adj* (*Schub*)*karren* one-wheeled.

einrahmen *vt sep* (*lit, fig*) to frame. **von zwei Schönen eingerahmt** with a beauty on either side; **das kannst du dir** ~ **las-sen!** (*inf*) you ought to get that framed!

einrammen *vt sep Tür* to batter down *or* in; *Pfähle* to ram in (*in +acc* -to).

einrasten *vt sep* (*vi: aux sein*) to engage.

einräuchern *vt sep* **1.** to envelop in smoke. **2.** (*inf*) *Zimmer* to fill with smoke, to smoke up; *Gardinen* to make reek of smoke.

einräumen *vt sep* **1.** *Wäsche, Bücher* to put away; *Schrank, Regal* to fill; *Woh-nung, Zimmer* to arrange; *Möbel* to move in (*in +acc* -to). **Bücher ins Regal/in ei-nen Schrank** ~ to put books on the shelf/ in the cupboard; **er war mir beim E~ behilflich** he helped me sort things out; (*der Wohnung*) he helped me move in.

 2. (*zugestehen*) to concede, to admit; *Freiheiten* to allow; *Frist, Kredit* to give, to grant, to allow; **das Recht** ~, **etw zu tun** to give *or* grant sb the right to do sth, to allow sb to do sth.

Einräumungssatz *m* (*Gram*) concessive clause.

einrechnen *vt sep* to include. **ihn (mit) eingerechnet** including him; **Mehrwert-steuer eingerechnet** including VAT, in-clusive of VAT.

einreden *sep* **I** *vt jdm etw* ~ to talk sb into believing sth, to persuade sb of sth; **sie hat ihm eingeredet, er sei dumm** she persuaded him that *or* talked him into believing that he was stupid; **wer hat dir**

denn diesen Unsinn eingeredet? who put that rubbish into your head?; **er will mir ~, daß ...** he'd have me believe or he wants me to believe that ...; **sich** (dat) **etw ~** to talk oneself into believing sth, to make oneself believe sth; **das redest du dir nur ein!** you're only imagining it.

II vi **auf jdn ~** to keep on and on at sb.

einregnen sep **I** vi aux sein **1.** to get soaked (through).

2. (fig) (Vorwürfe) to rain down (auf +acc onto, on).

II vr **es hat sich eingeregnet** the rain has set in.

einreiben vt sep irreg **er rieb sich** (dat) **das Gesicht mit Creme ein** he rubbed cream into his face.

einreichen vt sep **1.** Antrag, Unterlagen to submit (bei to); (Jur) Klage to file; siehe **Abschied 2.**

2. (bitten um) Versetzung, Pensionierung to apply for, to request.

3. (inf) **jdn für/zu etw ~** to recommend sb for sth, to put sb up for sth (inf).

einreihen sep **I** vt (einordnen, einfügen) to put in (in +acc -to); (klassifizieren) to class, to classify. **er wurde in den Arbeitsprozeß eingereiht** he was fitted into or given a place in the work process.

II vr **sich in etw** (acc) **~** to join sth.

Einreiher m **-s, -** single-breasted suit/ jacket/coat.

einreihig adj Anzug, Jackett, Mantel single-breasted.

Einreise f entry (in +acc into, to). **bei der ~ in die USA** when entering the USA, on entry to the USA.

Einreisebestimmungen fpl entry regulations; **Einreiseerlaubnis** f entry permit.

einreisen vi sep aux sein to enter the country. **er reiste in die Schweiz ein** he entered Switzerland; **ein- und ausreisen** to enter and leave the country.

Einreiseverbot nt refusal of entry; **~ haben** to have been refused entry; **Einreisevisum** nt entry visa.

einreißen sep irreg **I** vt **1.** Papier, Stoff to tear. **ich habe mir einen Splitter in den Zeh eingerissen** I've got a splinter in my toe. **2.** Zaun, Barrikaden to tear or pull down. **II** vi aux sein (Papier) to tear; (fig inf: Unsitte) to catch on (inf), to get to be a habit (inf).

einreiten sep irreg **I** vt Pferd to break in. **II** vi aux sein (in die Manege) to ride in (in +acc -to). **III** vr to warm up. **sich mit einem Pferd ~** to get used to riding a particular horse.

einrenken sep **I** vt Gelenk, Knie to put back in place, to reduce (spec); (fig inf) to sort out. **II** vr (fig inf) to sort itself out.

einrennen vt sep irreg (inf) Mauer, Tür etc to batter or break down. **sich** (dat) **den Kopf an der Wand ~** to bang or bash (inf) one's head against the wall.

einrichten sep **I** vt **1.** (möblieren) Wohnung, Zimmer to furnish; (ausstatten) Hobbyraum, Spielzimmer to fit out; Pra-

xis, Labor to equip, to fit out. **eine Wohnung antik/modern ~** to furnish a flat in an old/a modern style; **seine Wohnung neu ~** to refurnish one's flat; **Wohnungen im Dachgeschoß ~** to convert the attic into flats.

2. (gründen, eröffnen) to set up; Lehrstuhl to establish; Konto to open; Katalog, Buslinie to start.

3. (einstellen) Maschine to set up; Motor to set (auf +acc for); (Mil) Geschütz to aim (auf +acc at).

4. (bearbeiten) Musikstück to arrange; Theaterstück to adapt.

5. (fig: arrangieren) to arrange, to fix (inf). **ich werde es ~, daß wir um zwei Uhr da sind** I'll see to it that we're there at two; **das läßt sich ~** that can be arranged.

6. (Med) Arm, Knochen to set.

II vr **1.** (sich möblieren) **sich ~/neu ~** to furnish/refurnish one's flat/house; siehe **häuslich.**

2. (sich der Lage anpassen) to get along or by, to manage; (sparsam sein) to cut down.

3. sich auf etw (acc) **~** to prepare oneself for sth; **sich auf eine lange Wartezeit ~** to be prepared for a long wait; **auf Tourismus/warme Speisen eingerichtet sein** to be geared to tourism/equipped for hot meals.

Einrichtung f **1.** (das Einrichten) (von Wohnung, Zimmer) furnishing; (von Hobbyraum, Spielzimmer) fitting-out; (von Labor, Praxis) equipping; (von Maschine) setting-up; (von Geschütz) aiming; (Med) setting.

2. (Bearbeitung) (Mus) arrangement; (Theat) adaptation.

3. (Wohnungs~) furnishings pl; (Geschäfts~) fittings pl; (Labor~) equipment no pl.

4. (Gründung, Eröffnung) setting-up; (von Lehrstuhl) establishment; (von Konto) opening; (von Katalog, Busverkehr) starting.

5. (behördlich, wohltätig) institution; (Schwimmbäder, Transportmittel) facility.

6. (Gewohnheit) **zur ständigen ~ werden** to become an institution.

Einrichtungsgegenstand m item of furniture; (Geschäfts~) fitment; **Einrichtungshaus** nt furnishing house.

einriegeln vtr sep jdn/sich **~** to lock sb/ oneself in (in +dat -to).

einritzen vt sep to carve in (in +acc -to).

einrollen sep **I** vt (einwickeln) to roll up (in +acc in); (Hockey) to roll on (in +acc -to). **sich** (dat) **das Haar ~** to put one's hair in rollers. **II** vi aux sein to roll in (in +acc -to). **III** vr to roll up; (Tier auch) to roll oneself up.

einrosten vi sep aux sein to rust up; (fig: Glieder) to stiffen up. **mein Latein ist ziemlich eingerostet** my Latin has got pretty rusty.

einrücken sep **I** vt Zeile to indent; Anzeige (in Zeitung) to insert. **II** vi aux sein (Mil) **1.** (in ein Land) to move in (in +acc -to); (wieder ~) to return (in +acc to). **2.**

(*eingezogen werden*) to report for duty; (*nach Urlaub etc*) to report back.

einrühren *vt sep* to stir *or* mix in (*in* +*acc* -to).

einrüsten *vt sep Haus* to put scaffolding around.

eins *num* one. **es ist/schlägt ~** it's one/just striking one (o'clock); **~, zwei, drei** (*lit*) one, two, three; (*fig*) in a trice, in no time; **das ist ~, zwei, drei geschehen** (*fig*) it doesn't/won't take a second; **~ zu ~** (*Sport*) one all; **~ mit jdm sein** to be one with sb; (*übereinstimmen*) to be in agreement with sb; **sich mit jdm ~ wissen** to know one is in agreement with sb; **das ist doch alles ~** (*inf*) it's all one *or* all the same; **sehen und handeln waren ~** to see was to act; **~ a** (*inf*) A 1 (*inf*), first-rate (*inf*); *siehe auch* **vier**.

Eins *f -, -en* one; (*Sch auch*) A, alpha. **er würfelte zwei ~en** he threw two ones; **eine ~ schreiben/bekommen** to get an A *or* alpha *or* a one; *siehe* **Vier**.

einsacken[1] *vt sep* **1.** (*in Säcke füllen*) to put in sacks, to sack. **2.** (*inf*) (*erbeuten*) to grab (*inf*); *Geld, Gewinne* to rake in (*inf*).

einsacken[2] *vi sep aux sein* (*einsinken*) to sink; (*Boden auch*) to subside.

einsagen *sep* (*dial*) **I** *vi* **jdm ~** to prompt sb. **II** *vt* **jdm etw ~** to whisper sth to sb.

einsalben *vt sep* to rub with ointment.

einsalzen *vt sep irreg Fisch, Fleisch* to salt. **laß dich ~!** (*inf*) get knotted! (*inf*).

einsam *adj* **1.** *Mensch, Leben* (*allein, verlassen*) lonely; (*einzeln*) solitary. **~ leben** to live a lonely/solitary life; **sich ~ fühlen** to feel lonely *or* lonesome (*esp US*); **ein ~es Boot/ein ~er Schwimmer** a lone *or* solitary boat/swimmer.

2. (*abgelegen*) *Haus, Insel* secluded; *Dorf* isolated; (*menschenleer*) empty; *Strände* lonely, empty. **~ liegen** to be secluded/isolated.

3. (*inf: hervorragend*) **~e Klasse/ Spitze** absolutely fantastic (*inf*), really great (*inf*).

Einsamkeit *f siehe adj* **1.** loneliness; solitariness. **er liebt die ~** he likes solitude; **die ~ vieler alter Leute** the loneliness of many old people. **2.** seclusion; isolation; emptiness; loneliness. **die ~ der Bergwelt** the solitude of the mountains.

einsammeln *vt sep* to collect (in); *Obst* to gather (in).

einsargen *vt sep* to put in a coffin. **laß dich (doch) ~!** (*inf*) (go and) take a running jump! (*inf*), get stuffed! (*sl*).

Einsatz *m* **1.** (*~teil*) inset; (*Schubladen~, Koffer~*) tray; (*Topf~*) compartment; (*Blusen~*) *false blouse etc collar and neck to wear under pullover*; (*Hemd~*) dicky (*dated*).

2. (*Spiel~*) stake; (*Kapital~*) investment. **den ~ erhöhen** to raise the stakes; **mit dem ~ herauskommen, den ~ heraushaben** (*inf*) to recover one's stake.

3. (*Mus*) entry; (*Theat*) entrance. **der Dirigent gab den ~** the conductor raised his bâton and brought in the orchestra; **der Dirigent gab den Geigern den ~** the conductor brought in the violins; **der ~**

der Streicher war verfrüht the strings came in too early.

4. (*Verwendung*) use; (*esp Mil*) deployment; (*von Arbeitskräften*) employment. **im ~** in use; **die Ersatzspieler kamen nicht zum ~** the reserves weren't put in *or* used; **unter ~ von Schlagstöcken** using truncheons; **unter ~ aller Kräfte** by making a supreme effort.

5. (*Aktion*) (*Mil*) action, operation; (*von Polizei*) operation. **im ~** in action; **wo war er im ~?** where did he see action?; **zum ~ kommen** to go into action; **bei seinem ersten ~** the first time he went into action; **sich zum ~ melden** to report for duty.

6. (*Hingabe*) commitment. **etw unter ~ seines Lebens tun** to risk one's life to do sth, to do sth at the risk of one's life; **den ~ des eigenen Lebens nicht scheuen** (*geh*) not to hesitate to sacrifice one's own life.

Einsatzbefehl *m* order to go into action; **einsatzbereit** *adj* ready for use; (*Mil*) ready for action; *Rakete etc* operational; **Einsatzbereitschaft** *f* readiness for use; (*Mil*) readiness for action; (*Bereitschaftsdienst*) stand-by (duty); **einsatzfähig** *adj* fit for use; (*Mil*) fit for action; *Sportler* fit; **einsatzfreudig** *adj* eager (for action), enthusiastic; **Einsatzkommando** (*Mil*) *nt* task force; **Einsatzleiter(in** *f)* *m* head of operations; **Einsatzstück** *nt* (*Tech*) insert; (*Zubehörteil*) attachment; **Einsatzwagen** *m* police car; fire engine; ambulance; (*bei Straßenbahn, Bus*) extra tram/bus.

einsaugen *vt sep* (*lit, fig*) to soak up, to absorb; (*durch Strohhalm etc*) to suck; (*einatmen*) to breathe in; *frische Luft* to draw *or* suck in.

einsäumen *vt sep* (*Sew*) to hem; (*fig*) to edge, to line.

einschalten *sep* **I** *vt* **1.** (*in Betrieb setzen*) to switch *or* turn *or* put on; *Sender* to tune in to.

2. (*einfügen*) to interpolate; *Zitat, Erklärung auch* to include (*in* +*acc* in).

3. **jdn ~** to call sb in; **jdn in etw** (*acc*) **~** to bring sb into sth *or* in on sth.

II *vr* to intervene; (*teilnehmen*) to join in. **wir schalten uns jetzt in die Sendungen von Radio Bremen ein** we now go over to *or* join Radio Bremen.

Einschalthebel *m* starting lever *or* handle; **Einschaltquote** *f* (*Rad, TV*) viewing figures *pl*.

Einschaltung *f* **1.** (*von Licht, Motor*) switching *or* turning on. **2.** (*von Nebensatz*) interpolation; (*von Zitat*) inclusion. **3.** (*von Person, Organisation*) calling *or* bringing in.

Einschalung(sarbeit) *f* (*Build*) formwork.

einschärfen *vt sep* **jdm etw ~** to impress sth (up)on sb; *Höflichkeit, Rücksichtnahme etc* to inculcate sth in sb; **ich habe den Kindern eingeschärft, Fremden gegenüber vorsichtig zu sein** I have impressed upon the children to be careful of strangers; **schärf dir das ein!** get that firmly fixed in your mind.

einschätzen *vt sep* to assess (*auch Fin*), to evaluate; (*schätzen auch*) to estimate. **falsch** ~ to misjudge; (*falsch schätzen*) to miscalculate; **wie ich die Lage einschätze** as I see the situation; **jdn sehr hoch** ~ to have a very high opinion of sb; **etw zu hoch/niedrig** ~ to overestimate/underestimate sth; **jdn/ sich zu hoch/niedrig** ~ to overrate/ underrate sb/oneself, to have too high/ low an opinion of sb/oneself.

Einschätzung *f siehe vt* assessment, evaluation; estimation. **falsche** ~ misjudgement; miscalculation; **nach meiner** ~ in my estimation.

einschenken *vt sep* to pour (out). **darf ich Ihnen noch Wein** ~? can I give *or* pour you some more wine?

einscheren *sep* I *vi aux sein* to get back. II *vt Tau* to reeve.

einschichtig *adj* 1. single-layered. 2. *Arbeitstag* single-shift. **unsere Fabrik arbeitet** ~ our factory works a single shift.

einschicken *vt sep* to send in (*an +acc* to).

einschieben *vt sep irreg* 1. (*hineinschieben*) to put in (*in +acc* -to). 2. (*einfügen*) to put in; *Sonderzüge* to put on; (*dazwischenschieben*) *Diskussion, Schüler, Patienten* to fit *or* squeeze (*inf*) in (*in +acc* -to). **eine Pause** ~ to have a break.

Einschienenbahn *f* monorail.

einschießen *sep irreg* I *vt* 1. (*zertrümmern*) *Fenster* to shoot in; (*mit Ball*) to smash (in). 2. *Gewehr* to try out and adjust. 3. (*Tech*) *Dübel etc* to insert. 4. *Fäden* to weave in. **ein Gewebe mit eingeschossenen Goldfäden** a cloth shot with gold (thread). 5. (*Typ*) *Seiten, Blätter* to interleave. 6. *Fußball* to kick in. **Müller schoß den Ball zum 2:0 ein** Müller scored to make it 2-0. II *vr* to find one's range, to get one's eye in. **sich auf ein Ziel** ~ to get the range of a target; **sich auf jdn** ~ (*fig*) to line sb up for the kill. III *vi* 1. (*Sport*) to score. **er schoß zum 1:0 ein** he scored to make it 1-0. 2. *aux sein* (*Med*) **die Milch schießt in die Brust ein** the milk comes in.

einschiffen *sep* I *vt* to ship. II *vr* to embark. **er schiffte sich in London nach Amerika ein** he boarded a ship in London for America.

Einschiffung *f* (*von Personen*) boarding, embarkation; (*von Gütern*) loading.

einschirren *vt sep Pferd* to harness.

einschl. *abbr of* **einschließlich** incl.

einschlafen *vi sep irreg aux sein* to fall asleep, to go to sleep, to drop off (*inf*); (*Bein, Arm*) to go to sleep; (*euph: sterben*) to pass away; (*fig: Gewohnheit, Freundschaft*) to peter out, to tail off. **ich kann nicht** ~ I can't get to sleep; **bei** *or* **über seiner Arbeit** ~ to fall asleep over one's work; **vor dem E~ zu nehmen** (*Medizin*) to be taken before retiring.

einschläfern *vt sep* 1. (*zum Schlafen*

bringen) to send to sleep; (*schläfrig machen*) to make sleepy *or* drowsy; (*fig*) *Gewissen* to soothe, to quiet. 2. (*narkotisieren*) to give a soporific. 3. (*töten*) *Tier* to put to sleep, to put down, to destroy.

einschläfernd *adj* soporific; (*langweilig*) monotonous. **ein** ~**es Mittel** a soporific (drug).

einschläf(r)ig *adj Bett* single.

Einschlag *m* 1. (*von Geschoß*) impact; (*von Blitz*) striking. **der** ~ **der Granate war deutlich zu sehen** the place where the grenade had landed was clearly visible. 2. (*Sew*) hem. 3. (*Tex*) weft, woof. 4. (*von Bäumen*) felling; (*gefällte Bäume*) timber. 5. (*Aut: des Lenkrads*) lock. **das Lenkrad bis zum (vollen)** ~ **drehen** to put the wheel on full lock. 6. (*Zusatz, Beimischung*) element. **einen stark(en) autoritären/südländischen** ~ **haben** to have more than a hint of authoritarianism/the Mediterranean about it/one *etc*.

einschlagen *sep irreg* I *vt* 1. *Nagel* to hammer *or* knock in; *Pfahl* to drive in. 2. (*zertrümmern*) to smash (in); *Tür auch* to smash down; *Zähne* to knock out. **mit eingeschlagenem Schädel** with one's head bashed in. 3. *Bäume* to fell. 4. (*einwickeln*) *Ware* to wrap up; *Buch* to cover. 5. (*umlegen*) *Stoff, Decke* to turn up. 6. (*Aut*) *Räder* to turn. 7. (*wählen*) *Weg* to take; *Kurs* (*lit*) to follow; (*fig*) to pursue, to adopt; *Laufbahn* to enter on. **das Schiff änderte den eingeschlagenen Kurs** the ship changed from its previous course; **Peking schlägt einen weicheren/härteren Kurs ein** Peking is taking a softer/harder line. II *vi* 1. (**in etw** *acc*) ~ (*Blitz*) to strike (sth); (*Geschoß auch*) to hit (sth); **es muß irgendwo eingeschlagen haben** something must have been struck by lightning; **gut** ~ (*inf*) to go down well, to be a big hit (*inf*). 2. **auf jdn/etw** ~ to hit out at sb/sth. 3. (*zur Bekräftigung*) to shake on it.

einschlägig 1. *adj* appropriate; *Literatur, Paragraph auch* relevant. **er ist** ~ **vorbestraft** (*Jur*) he has a previous conviction for a similar offence. 2. (*zwielichtig*) *Lokal* dubious.

einschleichen *vr sep irreg* (**in** *+acc* -to) to creep in; (*lit auch*) to steal *or* sneak (*inf*) in; (*fig: Fehler auch*) to slip in. **sich in jds Vertrauen** ~ (*fig*) to worm one's way into sb's confidence.

einschleifen *vt sep irreg* to grind; (*eingravieren*) to cut in (**in** *+acc* -to). **eingeschliffene Verhaltensweisen** (*Psych, geh*) established patterns of behaviour.

einschleppen *vt sep* (*Naut*) *Schiff* to tow in (**in** *+acc* -to); (*fig*) *Krankheit, Ungeziefer* to bring in.

Einschleppung *f* (*fig*) introduction, bringing-in.

einschleusen vt sep to smuggle in (in +acc, nach -to).

einschließen vt sep irreg 1. to lock up (in +acc in); (Mil) to confine to quarters. **er schloß sich/mich in dem** or **das Zimmer ein** he locked himself/me in the room.
2. (umgeben) to surround; (Mil) Stadt, Feind auch to encircle.
3. (fig: einbegreifen, beinhalten) to include.

einschließlich I prep +gen including, inclusive of. ~ **Porto** postage included; **Preis ~ Porto** price including postage or inclusive of postage.
II adv **vom 1. bis ~ 31. Oktober** or **bis 31. Oktober ~ geschlossen** closed from 1st to 31st October inclusive.

einschlummern vi sep aux sein (geh) to fall asleep; (euph: sterben) to pass away.

Einschluß m 1. (von Gefangenen) locking of the cells. 2. **mit** or **unter ~ von** (form) with the inclusion of, including. 3. (Geol) inclusion.

einschmeicheln vr sep **sich bei jdm ~** to ingratiate oneself with sb, to insinuate oneself into sb's good graces; **~de Musik** enticing music; **~de Stimme** silky voice.

einschmeißen vt sep irreg (inf) Fenster to smash (in).

einschmelzen sep irreg **I** vt to melt down; (fig: integrieren) to put in the melting pot. **II** vi aux sein to melt.

einschmieren vt sep 1. (mit Fett) to grease; (mit Öl) to oil; Gesicht (mit Creme) to cream, to put cream on. **er schmierte mir den Rücken mit Sonnenöl ein** he rubbed my back with sun-tan lotion. 2. (inf: beschmutzen) to get dirty. **er hat sich ganz mit Dreck eingeschmiert** he has covered himself in dirt.

einschmuggeln vt sep to smuggle in (in +acc -to). **er hat sich in den Saal eingeschmuggelt** he sneaked into the hall.

einschnappen vi sep aux sein 1. (Schloß, Tür) to click shut. 2. (inf: beleidigt sein) to take offence, to get into a huff (inf).

einschneiden sep irreg **I** vt 1. Stoff, Papier to cut. **er schnitt das Papier an den Ekken einige Zentimeter ein** he cut a few centimetres into the corners of the paper.
2. (einkerben) Namen, Zeichen to carve (in +acc in, into). **der Fluß hat ein Tal in das Gestein eingeschnitten** the river has carved out or cut a valley in the rock; **tief eingeschnittene Felsen** steep cliffs; **eine tief eingeschnittene Schlucht** a deep ravine.
3. (Film) to cut in (in +acc -to).
II vi to cut in (in +acc -to).

einschneidend adj (fig) drastic, radical; Maßnahmen auch trenchant; Bedeutung, Wirkung far-reaching.

einschneien vi sep aux sein to get snowed up; (Auto, Mensch auch) to get snowed in. **eingeschneit sein** to be snowed up/in.

Einschnitt m cut; (Med) incision; (im Tal, Gebirge) cleft; (Zäsur) break; (im Leben) decisive point.

einschnitzen vt sep to carve (in +acc into).

einschnüren sep **I** vt 1. (einengen) to cut into; Taille (mit Mieder) to lace in. **dieser Kragen schnürt mir den Hals ein** this collar is nearly choking or strangling me.
2. (zusammenbinden) Paket to tie up.
II vr to lace oneself up or in.

einschränken sep **I** vt to reduce, to cut back or down; Bewegungsfreiheit, Recht to limit, to restrict; Wünsche to moderate; Behauptung to qualify. **jdn in seinen Rechten ~** to limit or restrict sb's rights; **~d möchte ich sagen, daß ...** I'd like to qualify that by saying ...; **das Rauchen/ Trinken/Essen ~** to cut down on smoking/on drinking/on what one eats.
II vr (sparen) to economize. **sich im Essen/Trinken ~** to cut down on what one eats/on one's drinking; siehe **eingeschränkt**.

Einschränkung f 1. siehe vt reduction; limitation, restriction; moderation; qualification; (Vorbehalt) reservation. **ohne ~** without reservations, unreservedly. 2. (Sparmaßnahme) economy; (das Einsparen) economizing.

einschrauben vt sep to screw in (in +acc -to).

Einschreib(e)brief m registered delivery (Brit) or certified (US) letter; **Einschreib(e)gebühr** f 1. (Post) charge for registered delivery (Brit) or certified mail (US); 2. (Univ) registration fee; 3. (für Verein) membership fee.

einschreiben sep irreg **I** vt (eintragen) to enter; Post to send by registered post (Brit) or certified mail (US); siehe **eingeschrieben**. **II** vr (in Verein, für Abendkurse) to enrol; (Univ) to register. **er schrieb sich in die Liste ein** he put his name on the list.

Einschreiben nt registered delivery (Brit) or certified (US) letter/parcel. **~** pl registered delivery (Brit) or certified (US) mail sing; **einen Brief als** or **per ~ schicken** to send a letter by registered post (Brit) or certified mail (US).

Einschreib(e)sendung f letter/parcel sent by registered post (Brit) or certified mail (US).

Einschreibung f enrolment; (Univ) registration.

einschreien vi sep irreg **auf jdn ~** to yell or bawl at sb.

einschreiten vi sep irreg aux sein to take action (gegen against); (dazwischentreten) to intervene, to step in.

Einschreiten nt -s, no pl intervention.

einschrumpeln (inf), **einschrumpfen** vi sep aux sein to shrivel (up).

Einschub m insertion.

einschüchtern vt sep to intimidate.

Einschüchterung f intimidation.

Einschüchterungsversuch m attempt at intimidation.

einschulen vti sep **eingeschult werden** (Kind) to start school; **wir schulen dieses Jahr weniger Kinder ein** we have fewer children starting school this year.

Einschulung f first day at school. **die ~ findet im Alter von 6 Jahren statt** children start school at the age of 6.

Einschuß m 1. (~stelle) bullet hole;

(*Med*) point of entry.
2. (*Ftbl*) shot into goal.
3. (*Tex*) weft, woof.

Einschußloch *nt* bullet hole; **Ein-schußstelle** *f* bullet hole; (*Med*) point of entry.

einschütten *vt sep* to tip in (*in +acc* -to); *Flüssigkeiten* to pour in (*in +acc* -to). **dem Pferd Futter ~** to give the horse some fodder; **er hat sich** (*dat*) **noch etwas Kaffee eingeschüttet** (*inf*) he poured himself (out) *or* gave himself some more coffee.

einschweben *vi sep aux sein* to glide in (*in +acc* -to).

einschweißen *vt sep* (*Tech*) (*hineinschweißen*) to weld in (*in +acc* -to); (*zuschweißen*) *Buch, Schallplatte* to shrink-wrap, to heat-seal (*spec*).

Einschweißfolie *f* shrink-wrapping.

einschwenken *vi sep aux sein* to turn *or* swing in (*in +acc* -to). **links/rechts ~** (*Mil*) to wheel left/right; **auf etw** (*acc*) ~ (*fig*) to fall in with *or* go along with sth.

einschwören *vt sep irreg* jdn auf etw (*acc*) ~ to swear sb in to.

einsegnen *vt sep* **1.** (*konfirmieren*) to confirm. **2.** *Altar, Kirche* to consecrate.

Einsegnung *f siehe vt* confirmation; consecration.

einsehen *sep irreg* **I** *vt* **1.** *Gelände* to see; (*Mil*) to observe.
2. (*prüfen*) *Akte* to see, to look at.
3. (*verstehen, begreifen*) to see; *Fehler, Schuld auch* to recognize. **das sehe ich nicht ein** I don't see why; (*verstehe ich nicht*) I don't see that.
II *vi* **1. in etw** (*acc*) ~ to see sth; (*Mil*) to observe sth.
2. (*prüfen*) to look (*in +acc* at).

Einsehen *nt*: **ein ~ haben** to have some understanding (*mit, für* for); (*Vernunft, Einsicht*) to see reason *or* sense.

einseifen *vt sep* to soap; (*inf: betrügen*) to con (*inf*), to take for a ride (*inf*); (*inf: mit Schnee*) to rub with snow.

einseitig *adj* **1.** on one side; (*Jur, Pol*) *Erklärung, Kündigung* unilateral; *Diskette* single-sided. **~e Lähmung** hemiplegia (*form*), paralysis of one side of the body.
2. *Freundschaft, Zuneigung* one-sided.
3. (*beschränkt*) *Ausbildung* one-sided; (*parteiisch*) *Bericht, Standpunkt, Zeitung auch* biased; *Ernährung* unbalanced. **etw ~ schildern** to give a one-sided portrayal of sth, to portray sth one-sidedly.

Einseitigkeit *f* (*fig*) one-sidedness; (*von Bericht, Zeitung etc auch*) biasedness; (*von Ernährung*) imbalance.

einsenden *vt sep irreg* to send in, to submit (*an +acc* to).

Einsender(in *f*) *m* sender; (*bei Preisausschreiben*) competitor.

Einsendeschluß *m* closing date.

Einsendung *f* **1.** *no pl* (*das Einsenden*) sending in, submission. **2.** (*das Eingesandte*) letter/article/manuscript *etc*; (*bei Preisausschreiben*) entry.

Einser *m* **-s, -** (*esp S Ger*) (*Sch*) A (grade),

alpha, one; (*Autobus*) (number) one. **er hat einen ~ geschrieben** he got an A.

einsetzen *sep* **I** *vt* **1.** (*einfügen*) to put in (*in +acc* -to); *Maschinenteil auch* to insert (*in +acc* into), to fit in (*in +acc* -to); *Ärmel auch* to set in (*in +acc* -to); *Stück Stoff* to let in (*in +acc* -to); (*einschreiben auch*) to enter (*in +acc* in); *Stiftzahn* to put on (*in +acc* -to); *Gebiß* to fit. **Fische in einen Teich ~** to stock a pond with fish; **eingesetzte Taschen** pockets let *or* set into the seams.
2. (*ernennen, bestimmen*) to appoint; *Ausschuß auch* to set up; *Erben, Nachfolger* to name. **jdn in ein Amt ~** to appoint sb to an office.
3. (*verwenden*) to use (*auch Sport*), to employ; *Truppen, Polizei, Feuerwehr* to deploy, to bring into action; *Schlagstöcke* to use; *Busse, Sonderzüge* to put on; (*Chess*) *König etc* to bring into play. **etw als** *or* **zum Pfand ~** to give sth as a deposit.
4. (*beim Glücksspiel*) *Geld* to stake; (*geh*) *Leben* to risk. **seine ganze Kraft für etw ~** to devote all one's energies to sth.
II *vi* (*beginnen*) to start, to begin; (*Mus*) to come in; (*am Anfang*) to start to play/sing. **die Ebbe/Flut setzt um 3 Uhr ein** the tide turns at 3 o'clock, the tide starts to go out/come in at 3 o'clock; **gegen Abend setzte stärkeres Fieber ein** the fever increased towards evening.
III *vr* **1.** (*voll*) ~ to show (complete) commitment (*in +dat* to).
2. sich für jdn ~ to fight for sb, to support sb's cause; (*sich verwenden für*) to give *or* lend sb one's support; **sie hat sich so sehr für ihn eingesetzt** she did so much for him; **sich für etw ~** to support sth; **ich werde mich dafür ~, daß ...** I will do what I can to see that ...; **er setzte sich für die Freilassung seines Bruders ein** he did what he could to secure the release of his brother.

Einsetzung *f* appointment (*in +acc* to). **die ~ des Bischofs in sein Amt** the Bishop's investiture; *siehe auch* Einsatz.

Einsicht *f* **1.** (*in Akten, Bücher*) ~ **in etw** (*acc*) **haben/nehmen/verlangen** to look/take a look/ask to look at sth; **jdm ~ in etw** (*acc*) **gewähren** to allow sb to look at *or* to see sth; **sie legte ihm die Akte zur ~ vor** she gave him the file to look at.
2. (*Vernunft*) sense, reason; (*Erkenntnis*) insight; (*Kenntnis*) knowledge; (*Verständnis*) understanding; (*euph: Reue*) remorse. **zur ~ kommen** to come to one's senses; **ich bin zu der ~ gekommen, daß ...** I have come to the conclusion that ...; **~ ist der erste Schritt zur Besserung** a fault confessed is half redressed (*Prov*); **jdn zur ~ bringen** to bring sb to his/her senses; **er hat ~ in die internen Vorgänge der Firma** he has some knowledge of the internal affairs of the firm.

einsichtig *adj* **1.** (*vernünftig*) reasonable; (*verständnisvoll*) understanding. **er war so ~, seinen Fehler zuzugeben** he was reasonable enough to admit his mistake.
2. (*verständlich, begreiflich*) under-

standable, comprehensible. **jdm etw ~ machen** to make sb understand *or* see sth.

Einsichtnahme *f* -, -n *(form)* inspection. **er bat um ~ in die Akten** he asked to see the files; **nach ~ in die Akten** after seeing *or* inspecting the files; **„zur ~"** "for attention".

einsickern *vi sep aux sein* to seep in *(in +acc* -to); *(fig)* to filter in *(in +acc* -to). **Spione sickerten in unser Land ein** spies infiltrated (into) our country.

Einsiedelei *f* hermitage; *(fig hum: einsames Haus)* country retreat *or* hideaway.

einsieden *vt sep irreg (S Ger, Aus) Obst* to bottle; *Marmelade* to make.

Einsiedler(in *f)* *m* hermit; *(fig auch)* recluse.

einsiedlerisch *adj* hermit-like *no adv*.

Einsiedlerkrebs *m* hermit crab.

einsilbig *adj Wort* monosyllabic; *Reim* masculine, single; *(fig) Mensch* uncommunicative; *Antwort* monosyllabic.

Einsilbigkeit *f (lit)* monosyllabism; *(von Reim)* masculinity; *(fig: von Mensch)* uncommunicativeness.

Einsilb(l)er *m* -s, - monosyllable.

einsingen *vr sep irreg* to get oneself into voice.

einsinken *vi sep irreg aux sein (im Morast, Schnee)* to sink in *(in +acc or dat* -to); *(Boden)* to subside, to cave in; *(Knie)* to give way. **er sank bis zu den Knien im Schlamm ein** he sank up to his knees in the mud; **eingesunkene Wangen** sunken *or* hollow cheeks.

einsitzen *vi sep irreg (form)* to serve a prison sentence. **drei Jahre ~** to serve three years *or* a three-year sentence.

Einsitzer *m* -s, - single-seater.

einsitzig *adj Fahrzeug* single-seater.

einsortieren* *vt sep* to sort and put away; *(Dokumente)* to file away. **in Körbe ~** to sort into baskets.

einspaltig *adj (Typ)* single-column. **etw ~ setzen** to set sth in a single column/in single columns.

einspannen *vt sep* **1.** *(in Rahmen) Leinwand* to fit *or* put in *(in +acc* -to). **Saiten in einen Schläger ~** to string a racket.
2. *(in Schraubstock)* to clamp in *(in +acc* -to).
3. *(in Kamera)* to put in *(in +acc* -to); *(in Schreibmaschine auch)* to insert *(in +acc* in, into).
4. *Pferde* to harness.
5. *(fig: arbeiten lassen)* to rope in *(für etw* to do sth). **jdn für seine Zwecke ~** to use sb for one's own ends.

Einspänner *m* -s, - one-horse carriage; *(Aus)* black coffee in a glass served with whipped cream.

einspännig *adj Wagen* one-horse. **~ fahren** to drive a one-horse carriage.

einsparen *vt sep* to save; *Energie, Strom auch* to save *or* economize on; *Kosten, Ausgaben auch* to cut down on, to reduce; *Posten* to dispense with, to eliminate.

Einsparung *f* economy; *siehe vt (von* of) saving; reduction; elimination.

einspeicheln *vt sep* to insalivate.

einspeichern *vt sep Daten* to feed in *(in*

+acc -to), to enter *(in +acc* into).

einspeisen *vt sep* to feed in *(in +acc* -to); *Daten auch* to enter *(in +acc* into).

einsperren *vt sep* to lock up *(in +acc or dat* in), to lock in *(in +acc or dat* -to); *(inf: ins Gefängnis)* to put away *(inf)*, to lock up.

einspielen *sep* **I** *vr (Mus, Sport)* to warm up; *(nach Sommerpause)* to get into practice; *(Regelung, Arbeit)* to work out. **das spielt sich alles noch ein** things should sort themselves out all right; **sich aufeinander ~** to become attuned to *or* to get used to one another.
II *vt* **1.** *(Mus, Sport) Instrument, Schläger* to play in.
2. *(Film, Theat)* to bring in, to gross; *Kosten* to recover.
3. *(aufnehmen) Lied* to record; *Schallplatte auch* to cut.

Einspiel|ergebnis *nt (von Film)* box-office takings *pl or* receipts *pl*.

einspinnen *sep irreg* **I** *vr (Spinne)* to spin a web around itself; *(Larve)* to spin a cocoon around itself. **II** *vt (Spinne)* to spin a web around.

einsprachig *adj* monolingual.

einsprechen *sep irreg* **I** *vi* **auf jdn ~** to keep on and on at sb. **II** *vt Text* to speak.

einsprengen *vt sep (mit Wasser)* to sprinkle with water, to dampen.

Einsprengsel *nt (Geol)* xenocryst *(spec)*, embedded crystal.

einspringen *sep irreg* **I** *vi aux sein* **1.** *(Tech)* to lock shut *or* into place; *(Maschinenteile)* to engage. **2.** *(inf: aushelfen)* to stand in; *(mit Geld)* to help out. **II** *vr (Sport)* to do some practice jumps.

Einspritz *in cpds (Aut, Med)* injection.

Einspritzdüse *f (Aut)* injector.

einspritzen *vt sep* **1.** *(Aut, Med)* to inject. **er spritzte ihr/sich Insulin ein** he gave her/himself an insulin injection, he injected her/himself with insulin. **2.** *(einsprengen) Wäsche* to dampen, to sprinkle with water.

Einspritzer *m (Aut)* fuel injection engine.

Einspritzmotor *m (Aut)* fuel injection engine; **Einspritzpumpe** *f (Aut)* fuel injection pump.

Einspritzung *f* injection.

Einspruch *m* objection *(auch Jur)*. **~ einlegen** *(Admin)* to file an objection, to register a protest; **gegen etw ~ erheben** to object to sth, to raise an objection to sth; **ich erhebe ~!** *(Jur)* objection!; **~ abgelehnt!** *(Jur)* objection overruled!; **dem ~ wird stattgegeben!** *(Jur)* objection sustained!

Einspruchsfrist *f (Jur)* period for filing an objection; **Einspruchsrecht** *nt* right to object *or* protest.

einspurig *adj (Rail)* single-track; *(Aut)* single-lane. **die Straße ist nur ~ befahrbar** only one lane of the road is open, it's single-lane traffic only; **er denkt sehr ~** his mind runs in well-worn grooves.

Einssein *nt (geh)* oneness.

einst *adv* **1.** *(früher, damals)* once. **Preußen ~ und heute** Prussia past and present *or* yesterday and today *or* then and now.

2. (geh: in ferner Zukunft) one or some day.

einstampfen vt sep Papier to pulp (down); Trauben, Kohl to tread.

Einstand m **1. ein guter ~** a good start to a new job; **er hat gestern seinen ~ gegeben** or **gefeiert** yesterday he celebrated starting his new job. **2.** (Tennis) deuce.

einstanzen vt sep to stamp in (in +acc -to).

einstauben vi sep aux sein to get covered in dust.

einstäuben vt sep (mit Puder) to dust with powder, to powder; (mit Parfüm) to spray.

einstechen sep irreg I vt to pierce; Gummi, Haut, Membran auch to puncture; Nadel to put or stick (inf) in (in +acc -to), to insert (in +acc in, into); (Cook) to prick; (eingravieren) to engrave. II vi **auf jdn/etw ~** to stab at sb/sth.

Einsteck|album nt (stamp) stock book (spec), stamp album.

einstecken vt sep **1.** (in etw stecken) to put in (in +acc -to); Stecker auch, Gerät to plug in; Schwert to sheathe.

2. (in die Tasche) (sich dat) etw ~ to take sth; **hast du deinen Paß eingesteckt?** have you got your passport with you?; **er steckte (sich) die Zeitung ein und ging los** he put the paper in his briefcase/pocket etc or he took the paper and left; **ich habe kein Geld eingesteckt** or (incorrect) ~ I haven't any money on me; **steck deine Pistole wieder ein** put away your pistol.

3. (in den Briefkasten) to post, to mail (esp US).

4. (inf) Kritik to take; Beleidigung auch to swallow; (verdienen) Profit to pocket (inf). **der Boxer mußte viel ~** the boxer had to take a lot of punishment; **er steckt sie alle ein** he beats the lot of them (inf).

Einsteckkamm m (decorative) comb; **Einstecktuch** nt breast pocket handkerchief.

einstehen vi sep irreg aux sein **1.** (sich verbürgen) **für jdn/etw ~** to vouch for sb/sth; **ich stehe dafür ein, daß ...** I will vouch that ...; **er stand mit seinem Wort dafür ein** he vouched for it personally.

2. für etw ~ (Ersatz leisten) to make good sth; (sich bekennen) to answer for sth, to take responsibility for sth; **für jdn ~** to assume liability or responsibility for sb; **ich habe das immer behauptet, und dafür stehe ich auch ein** I've always said that, and I'll stand by it.

einsteigen vi sep irreg aux sein **1.** (in ein Fahrzeug) to get in (in +acc -to); (in Zug auch, in Bus) to get on (in +acc -to). **~!** (Rail etc) all aboard!; **in eine Felswand ~** to attack a rockface; **er ist in die Problematik noch nicht so richtig eingestiegen** he hasn't really got to grips with the problem.

2. (in ein Haus) to climb or get in (in +acc -to).

3. (Sport sl) **hart ~** to go in hard.

4. (inf) **in die Politik/ins Verlagsgeschäft ~** to go into politics/publishing; **er ist mit einer Million in diese Firma/ins Börsengeschäft eingestiegen** he put a million into this firm/invested a million on the stock exchange; **er ist ganz groß in dieses Geschäft eingestiegen** he's (gone) into that business in a big way (inf).

Einsteiger(in f) m (inf) beginner. **ein Modell für PC-~** an entry-level PC.

Einsteinium nt -s, no pl (abbr Es) einsteinium.

einstellbar adj adjustable.

Einstellbereich m (Aut) adjustment range.

einstellen sep I vt **1.** (hineinstellen) to put in. **das Auto in die** or **der Garage ~** to put the car in(to) the garage; **das Buch ist falsch eingestellt** the book has been put in the wrong place.

2. (anstellen) Arbeitskräfte to take on. **„wir stellen ein: Sekretärinnen"** "we have vacancies for or are looking for secretaries".

3. (beenden) to stop; (endgültig auch) to discontinue; Expedition, Suche to call off; (Mil) Feindseligkeiten, Feuer to cease; (Jur) Prozeß, Verfahren to abandon. **die Arbeit ist eingestellt worden** work has stopped; **die Zeitung hat ihr Erscheinen eingestellt** the paper has ceased publication; **die Arbeit ~** (in den Ausstand treten) to withdraw one's labour.

4. (regulieren) to adjust (auf +acc to); Kanone to aim (auf +acc at); Fernglas, Fotoapparat (auf Entfernung) to focus (auf +acc on); Wecker, Zünder to set (auf +acc for); Radio to tune (in) (auf +acc to); Sender to tune in to. **die Steuerung auf Automatik ~** to switch over to or put the plane on the automatic pilot; **den Hebel auf Start ~** to set the lever to start.

5. (fig: abstimmen) to tailor (auf +acc to).

6. (Sport) Rekord to equal.

II vr **1.** (Besucher) to appear, to present oneself; (Fieber, Regen) to set in; (Symptome) to appear; (Folgen) to become apparent, to appear; (Wort, Gedanke) to come to mind; (Jahreszeiten) to come, to arrive.

2. sich auf jdn/etw ~ (sich richten nach) to adapt oneself to sb/sth; (sich vorbereiten auf) to prepare oneself for sb/sth.

III vi to take on staff/workers.

einstellig adj Zahl single-digit.

Einstellknopf m (an Radio) tuning knob; **Einstellplatz** m (auf Hof) carport; (in großer Garage) (covered) parking accommodation no indef art; **Einstellschraube** f adjustment screw.

Einstellung f **1.** (Anstellung) employment.

2. (Beendigung) siehe vt 3. stopping; discontinuation; calling-off; cessation; abandonment. **der Sturm zwang uns zur ~ der Suche/Bauarbeiten** the storm forced us to call off or abandon the search/to stop work on the building.

3. (*Regulierung*) siehe vt **4.** adjustment; aiming; focusing; setting; tuning (in); (*Film: Szene*) take.

4. (*Gesinnung, Haltung*) attitude; (*politisch, religiös*) views pl. **er hat eine falsche ~ zum Leben** he doesn't have the right attitude to or outlook on life; **das ist doch keine ~!** what kind of attitude is that!, that's not the right attitude!

Einstellungsgespräch nt interview; **Einstellungsstopp** m freeze in recruitment; **Einstellungstermin** m starting date.

Einstich m (~stelle) puncture, prick; (*Vorgang*) insertion.

Einstichstelle f puncture (mark).

Einstieg m -(e)s, -e **1.** no pl (das Einsteigen) getting in; (in Bus) getting on; (von Dieb: in Haus) entry; (fig: zu einem Thema) lead-in (zu to). **~ nur vorn!** enter only at the front; **kein ~** exit only; **beim ~ in die Eigernordwand** during the assault on the north face of the Eiger. **2.** (von Bahn) door; (von Bus auch) entrance.

Einstiegsdroge f starter drug, drug leading to further addiction.

einstig adj attr former.

einstimmen sep I vi (in ein Lied) to join in; (fig) (beistimmen) to agree (in +acc with); (zustimmen) to agree (in +acc to). **in den Gesang (mit) ~** to join in the singing.
  II vt (Mus) Instrument to tune. **jdn/sich auf etw** (acc) ~ (fig) to get or put sb/oneself in the (right) mood for sth; **auf eine Atmosphäre** to attune sb/oneself to sth.

einstimmig adj **1.** Lied for one voice. **~ singen** to sing in unison; **riefen sie ~** they called in unison. **2.** (einmütig) unanimous.

Einstimmigkeit f unanimity.

Einstimmung f (Mus: von Instrumenten) tuning. **für die richtige ~ der Zuhörer sorgen** (fig) to get the audience in the right mood.

einstippen vt sep (dial) to dunk.

einstmals adv siehe einst.

einstöckig adj Haus two-storey (Brit), two-story (US). **~ (gebaut) sein** to have two storeys or stories.

einstöpseln vt sep (Elec) to plug in (in +acc -to).

einstoßen vt sep irreg Tür, Mauer to knock or break down.

einstrahlen vi sep to irradiate (spec), to shine.

einstreichen vt sep irreg **1.** siehe bestreichen. **2.** (inf) Geld, Gewinn to pocket (inf).

einstreuen vt sep to sprinkle in (in +acc -to); (fig) Bemerkung to slip in (in +acc -to).

einströmen vi sep aux sein to pour or flood in (in +acc -to); (Licht, fig auch) to stream in (in +acc -to). **~de Kaltluft** a stream of cold air.

einstrophig adj one-verse attr.

einstudieren* vt sep Lied, Theaterstück to rehearse. **einstudierte Antworten** (fig) well-rehearsed answers.

Einstudierung f (Theat) production.

einstufen vt sep to classify. **in eine Kategorie ~** to put into a category.

einstufig adj Rakete single-stage.

Einstufung f classification. **nach seiner ~ in eine höhere Gehaltsklasse** after he was put on a higher salary grade.

einstündig adj attr one-hour. **mehr als ~e Verspätungen** delays of more than an hour; **nach ~er Pause** after an hour's or a one-hour break, after a break of an hour.

einstürmen vi sep aux sein **auf jdn ~** (Mil) to storm sb; (fig) to assail sb; **mit Fragen auf jdn ~** to bombard sb with questions.

Einsturz m collapse; (von Mauer, Boden, Decke auch) caving-in.

einstürzen vi sep aux sein to collapse; (Mauer, Boden, Decke auch) to cave in; (Theorie, Gedankengebäude auch) to crumble. **auf jdn ~** (fig) to overwhelm sb.

Einsturzgefahr f danger of collapse.

einstweilen adv in the meantime; (vorläufig) temporarily.

einstweilig adj attr temporary. **~e Verfügung/Anordnung** (Jur) temporary or interim injunction.

einsuggerieren* vt sep **jdm etw ~** to suggest sth to sb; (inf) to brainwash sb into believing sth.

Einswerden nt (geh) becoming one no art.

eintägig adj attr one-day; siehe viertägig.

Eintagsfliege f (Zool) mayfly; (fig) nine-day wonder; (Mode, Idee) passing craze.

eintanzen vr sep (vor Turnier etc) to dance a few practice steps.

Eintänzer m gigolo.

eintätowieren* vt sep to tattoo (in/auf +acc on).

eintauchen sep I vt to dip (in +acc in, into); (völlig) to immerse (in +acc in); Brot (in Kaffee) to dunk (in +acc in). II vi aux sein (Schwimmer) to dive in; (Springer) to enter the water; (U-Boot) to dive. **das U-Boot ist jetzt ganz eingetaucht** the submarine is now completely submerged.

Eintausch m exchange, swap (inf). „**~ von Gutscheinen**" "coupons exchanged here".

eintauschen vt sep to exchange, to swap (inf) (gegen, für for); (umtauschen) Devisen to change.

eintausend num (form) siehe tausend.

einteilen sep I vt **1.** to divide (up) (in +acc into); (aufgliedern auch) to split (up) (in +acc into); (in Grade) Thermometer to graduate, to calibrate.
  2. (sinnvoll aufteilen) Zeit, Arbeit to plan (out), to organize; Geld auch to budget. **wenn ich mir eine Flasche gut einteile, reicht sie eine Woche** if I plan it well a bottle lasts me a week.
  3. (dienstlich verpflichten) to detail (zu for). **er ist heute zur Aufsicht eingeteilt** he has been detailed for or assigned supervisory duties today.
  II vi (inf: haushalten) to budget.

Einteiler m -s, - (Fashion) one-piece

(swimsuit).

inteilig *adj Badeanzug* one-piece *attr.*

inteilung *f siehe* **vt 1.** division; splitting up; gradation, calibration. **2.** planning, organization; budgeting. **3.** detailment (*esp Mil*), assignment.

intel *nt* (*Sw auch m*) **-s, -** (*Math*) whole.

intippen *vt sep* to type in (*in +acc* -to).

intönig *adj* monotonous. **~ reden** to talk in a monotone.

Eintönigkeit *f* monotony; (*von Stimme*) monotonousness.

Eintopf *m*, **Eintopfgericht** *nt* stew.

Eintracht *f, no pl* harmony, concord. **~ X** (*Sport*) ≃ X United.

einträchtig *adj* peaceable.

Eintrag *m* **-(e)s, -e 1.** (*schriftlich*) entry (*in +acc* in). **2.** (*geh*) **das tut der Sache keinen ~** that does/will do no harm. **3.** (*Tex*) weft, woof.

eintragen *sep irreg* **I vt 1.** (*in Liste, auf Konto etc*) to enter; (*amtlich registrieren*) to register. **sich ~ lassen** to have one's name put down; *siehe* **eingetragen**. **2. jdm Haß/Undank/Gewinn ~** to bring sb hatred/ingratitude/profit. **II vr** to sign; (*sich vormerken lassen*) to put one's name down. **er trug sich ins Gästebuch/in die Warteliste ein** he signed the guest book/put his name (down) on the waiting list.

einträglich *adj* profitable; *Geschäft, Arbeit auch* lucrative, remunerative.

Einträglichkeit *f* profitability, profitableness.

Eintragung *f siehe* **Eintrag 1..**

eintrainieren* *vt sep* to practise.

einträufeln *vt sep* **jdm Medizin in die Nase/ins Ohr ~** to put drops up sb's nose/in sb's ear.

eintreffen *vi sep irreg aux sein* **1.** (*ankommen*) to arrive. „**Bananen frisch eingetroffen**" "bananas — just in". **2.** (*fig: Wirklichkeit werden*) to come true; (*Prophezeiung auch*) to be fulfilled.

eintreiben *vt sep irreg* **1.** *Vieh, Nagel, Pfahl* to drive in (*in +acc* -to). **2.** (*einziehen*) *Geld* to collect; *Schulden auch* to recover.

Eintreibung *f* (*von Geldbeträgen*) collection; (*von Schulden auch*) recovery.

eintreten *sep irreg* **I vi 1.** *aux sein* (*hineingehen*) (*ins Zimmer*) to go/come in (*in +acc* -to); (*in Verein, Partei*) to join (*in etw* (*acc*) sth). **ins Haus ~** to go into *or* enter the house; **in eine Firma ~** to go into *or* join a firm; **in den diplomatischen Dienst ~** to go into *or* enter the diplomatic service; **in den Krieg ~** to enter the war; **in Verhandlungen ~** (*form*) to enter into negotiations; **die Verhandlungen sind in eine kritische Phase eingetreten** the negotiations have entered a critical phase; **bitte treten Sie ein!** (*form*) (please) do come in. **2.** **auf jdn ~** to boot *or* kick sb. **3.** *aux sein* (*sich ereignen*) (*Tod*) to occur; (*Zeitpunkt*) to come; (*beginnen*) (*Dunkelheit, Nacht*) to fall; (*Besserung, Tauwetter*) to set in. **bei E~ der Dunkelheit** at nightfall; **es ist eine Besserung eingetreten** there has been an improve-

ment; **wenn der Fall eintritt, daß ...** if it happens that ...

4. *aux sein* **für jdn/etw ~** to stand *or* speak up for sb/sth; **sein mutiges E~ für seine Überzeugung** his courageous defence of his conviction *or* belief.

II vt 1. (*zertrümmern*) to kick in; *Tür auch* to kick down.

2. *Schuhe* to wear *or* break in.

3. sich (*dat*) **etw (in den Fuß) ~** to run sth into one's foot.

eintrichtern, eintrimmen *vt sep* (*inf*) **jdm etw ~** to drum sth into sb; **jdm ~, daß ...** to drum it into sb that ...

Eintritt *m* **1.** (*das Eintreten*) entry (*in +acc* (in)to); (*ins Zimmer auch*) entrance; (*in Verein, Partei*) joining (*in +acc* of). **beim ~ ins Zimmer** when *or* on entering the room; „**~ im Sekretariat**" "entrance through the office"; **der ~ in den Staatsdienst** entry (in)to the civil service; **der ~ in die EG** entry to the EC; **der ~ ins Gymnasium** starting at grammar school; **seit seinem ~ in die Armee** since joining the army *or* joining up.

2. (*~sgeld*) admission (*in +acc* to); (*Einlaß auch*) admittance (*in +acc* to). **was kostet der ~?** how much *or* what is the admission?; **~ frei!** admission free; **~ DM 4,50** admission DM 4.50; „**~ verboten**" "no admittance".

3. (*von Winter, Dunkelheit*) onset. **der ~ des Todes** the moment when death occurs; **bei ~ der Dunkelheit** at nightfall, as darkness fell/falls.

Eintrittsgeld *nt* admission (charge); **die Zuschauer verlangten ihr ~ zurück** the audience asked for their money back; **Eintrittskarte** *f* ticket (of admission), entrance ticket; **Eintrittspreis** *m* admission charge.

eintrocknen *vi sep aux sein* (*Fluß, Farbe*) to dry up; (*Wasser, Blut*) to dry.

eintrommeln *sep* (*inf*) **I** *vt siehe* **eintrichtern. II** *vi* **auf jdn ~** (*lit, fig*) to pound sb.

eintrüben *vr sep* (*Met*) to cloud over, to become overcast.

Eintrübung *f* (*Met*) cloudiness *no pl.*

eintrudeln *vi sep aux sein* (*inf*) to drift in (*inf*).

eintunken *vt sep Brot* to dunk (*in +acc* in).

eintüten *vt sep* (*form*) to put into (paper) bags.

ein|üben *vt sep* to practise; *Theaterstück, Rolle* to rehearse; *Rücksichtnahme, Solidarität* to learn *or* acquire (through practice). **sich** (*dat*) **etw ~** to practise sth.

Ein|übung *f* practice; (*Theat etc*) rehearsal.

einverleiben* *vt sep and insep* **1.** *Gebiet, Land* to annex (*dat* to); *Firma, Ministerium* to incorporate (*dat* into). **2.** (*hum inf*) **sich** (*dat*) **etw ~** (*essen, trinken*) to put sth away (*inf*), to polish sth off (*inf*); (*sich aneignen, begreifen*) to assimilate sth, to take sth in.

Einvernahme *f* **-, -n** (*Jur: esp Aus, Sw*) *siehe* **Vernehmung.**

einvernehmen* *vt insep irreg* (*Jur: esp*

Aus, Sw) siehe **vernehmen**.

Einvernehmen *nt* -s, *no pl* (*Eintracht*) amity, harmony; (*Übereinstimmung*) agreement. **in gutem** *or* **bestem ~ leben** to live in perfect amity *or* harmony; **wir arbeiten in gutem ~ (miteinander)** we work in perfect harmony (together); **im ~ mit jdm** in agreement with sb; **in gegenseitigem** *or* **beiderseitigem ~** by mutual agreement.

einvernehmlich (*esp Aus form*) **I** *adj Regelung* joint. **II** *adv* in conjunction, jointly.

einverstanden *adj* ~! okay! (*inf*), agreed!; **~ sein** to agree, to consent, to be agreed; **ich bin ~** that's okay *or* all right by me (*inf*), I'm agreed; **mit jdm/ etw ~ sein** to agree to sb/sth; (*übereinstimmen*) to agree *or* be in agreement with sb/sth; **sie ist damit ~, daß sie nur 10% bekommt** she has agreed *or* consented to take only 10%; **ich bin mit deinem Verhalten/mit dir gar nicht ~** I don't approve of your behaviour; **sich mit etw ~ erklären** to give one's agreement to sth.

einverständlich *adj* mutually agreed; *Ehescheidung* by mutual consent.

Einverständnis *nt* agreement; (*Zustimmung*) consent. **wir haben uns in gegenseitigem ~ scheiden lassen** we were divorced by mutual consent; **er erklärte sein ~ mit dem Plan** he gave his agreement to the plan; **das geschieht mit meinem ~** that has my consent *or* agreement; **im ~ mit jdm handeln** to act with sb's consent.

Einverständnis|erklärung *f* declaration of consent. **die schriftliche ~ der Eltern** the parents' written consent.

Einwaage *f, no pl* (*Comm*) **1.** (*Reingewicht*) *weight of contents of can or jar excluding juice etc.* **Frucht-~/Fleisch-~ 200 g** fruit/meat content 200g. **2.** (*Comm: Gewichtsverlust*) weight loss.

einwachsen¹ *vt sep Boden, Skier* to wax.

einwachsen² *vi sep irreg aux sein* (*Baum, Staude*) to establish itself; (*Finger-, Zehennagel*) to become ingrown. **der Zehennagel ist mir eingewachsen** I have an ingrowing toenail.

Einwand *m* -(e)s, ⸚e objection. **einen ~ erheben** *or* **vorbringen** *or* **geltend machen** (*form*) to put forward *or* raise an objection.

Einwanderer *m*, **Einwanderin** *f* immigrant.

einwandern *vi sep aux sein* (*nach, in* +*acc* to) to immigrate; (*Volk*) to migrate.

Einwanderung *f* immigration (*nach, in* +*acc* to).

Einwanderungs- *in cpds* immigration.

einwandfrei *adj* **1.** (*ohne Fehler*) perfect; *Sprache, Arbeit auch* faultless; *Benehmen, Leumund* irreproachable, impeccable; *Lebensmittel* perfectly fresh. **er arbeitet sehr genau und ~** his work is very precise and absolutely faultless; **er spricht ~** *or* **ein ~es Spanisch** he speaks perfect Spanish, he speaks Spanish perfectly. **2.** (*unzweifelhaft*) indisputable; *Be-*

weis auch definite. **etw ~ beweisen** to prove sth beyond doubt, to give definite proof of sth; **es steht ~ fest, daß ...** it is beyond question *or* quite indisputable that ...; **das ist ~ Betrugung** that is a clear case of fraud.

einwärts *adv* inwards.

einwärtsgebogen *adj attr* bent inwards.

einwässern *vt sep* (*Cook*) to steep.

einweben *vt sep irreg* to weave in (*in* +*acc* -to); (*fig auch*) to work in (*in* +*acc* -to).

einwechseln *vt sep Geld* to change (*in* +*acc, gegen* into). **jdm Geld ~** to change money for sb.

einwecken *vt sep* to preserve; *Obst auch* to bottle.

Einweckglas *nt* preserving jar; **Einweckgummi**, **Einweckring** *m* rubber seal (*for preserving jar*).

Einweg- ['ainve:k]: **Einwegbetrieb** *m* (*Comput*) one-way communication; **Einwegflasche** *f* non-returnable bottle; **Einwegspiegel** *m* one-way mirror; **Einwegspritze** *f* disposable syringe; **Einwegverpackung** *f* disposable wrapping.

einweichen *vt sep* to soak.

einweihen *vt sep* **1.** (*feierlich eröffnen*) to open (officially); (*fig*) to christen, to baptize. **2. jdn in etw** (*acc*) **~** to initiate sb into sth; **er ist eingeweiht** he knows all about it.

Einweihung(sfeier) *f* (official) opening.

einweisen *vt sep irreg* **1.** (*in Wohnung, Haus*) to send, to assign (*in* +*acc* to). **2.** (*in Krankenhaus, Heilanstalt*) to admit (*in* +*acc* to). **3.** (*in Arbeit unterweisen*) **jdn ~** to introduce sb to his job *or* work; **er wurde von seinem Vorgänger (in die Arbeit) eingewiesen** his predecessor showed him what the job involved. **4.** (*in ein Amt*) to install (*in* +*acc* in). **5.** (*Aut*) to guide in (*in* +*acc* -to).

Einweisung *f siehe* **-** **1.** accommodation (*in* +*acc* in). **2.** admission (*in* +*acc* to). **3. die ~ der neuen Mitarbeiter übernehmen** to assume responsibility for introducing new employees to their jobs *or* work. **4.** installation (*in* +*acc* in). **5.** guiding in.

einwenden *vt sep irreg* **etwas/nichts gegen etw einzuwenden haben** to have an objection/no objection to sth, to object/ not to object to sth; **dagegen läßt sich ~, daß ...** one objection to this is that ...; **dagegen läßt sich nichts ~** there can be no objection to that; **er wandte ein, daß ...** he objected *or* raised the objection that ...; **er hat immer etwas einzuwenden** he always finds something to object to, he always has some objection to make.

Einwendung *f* objection (*auch Jur*). **gegen etw ~en erheben** *or* **haben** *or* **vorbringen** to raise objections to sth.

einwerfen *sep irreg* **I** *vt* **1.** *Fensterscheibe* to break, to smash. **2.** (*Sport*) *Ball* to throw in. **3.** *Brief* to post, to mail (*esp US*); *Münze* to insert. **4.** (*fig*) *Bemerkung* to make, to throw in.

  II *vi* (*Sport*) to throw in, to take the throw-in. **er hat falsch eingeworfen** he fouled when he was throwing in.

einwertig *adj* (*Chem*) monovalent; (*Ling*) one place.

einwickeln *vt sep* **1.** to wrap (up). **er wickelte sich fest in seinen Mantel ein** he wrapped himself up well in his coat. **2.** (*inf: übervorteilen, überlisten*) to fool (*inf*), to take in; (*durch Schmeicheleien*) to butter up (*inf*).

Einwickelpapier *nt* wrapping paper.

einwiegen *vt sep irreg* (*Comm*) to weigh out.

einwilligen *vi sep* (*in +acc* to) to consent, to agree.

Einwilligung *f* (*in +acc* to) consent, agreement.

einwinken *vt sep* to guide *or* direct in.

einwirken *vi sep* **auf jdn/etw** ~ to have an effect on sb/sth; (*beeinflussen*) to influence sb/sth; **etw** ~ **lassen** (*Med*) to let sth work in; (*Chem*) to let sth react; **Beize** to let sth soak *or* work in.

Einwirkung *f* influence; (*einer Sache auch*) effect; (*eines Katalysators*) effect. **Bayern steht unter** ~ **eines atlantischen Hochs** Bavaria is being affected by an anticyclone over the Atlantic; **unter (der)** ~ **von Drogen** under the influence of drugs; **unter (der)** ~ **eines Schocks stehen** to be suffering (from) the effects of shock.

Einwirkungsmöglichkeit *f* influence. ~**en haben** to be able to bring one's influence to bear.

einwöchig *adj* one-week *attr*.

Einwohner(in *f*) *m* **-s, -** inhabitant.

Einwohnermeldeamt *nt* residents' registration office; **sich beim** ~ **(an)melden** ≈ to register with the police; **Einwohnerschaft** *f*, *no pl* population, inhabitants *pl*; **Einwohnerzahl** *f* population, number of inhabitants.

Einwurf *m* **1.** (*das Hineinwerfen*) (*von Münze*) insertion; (*von Brief*) posting, mailing (*esp US*). ~ **2 Mark** insert 2 marks. **2.** (*Sport*) throw-in. **falscher** ~ foul throw. **3.** (*Schlitz*) slot; (*von Briefkasten*) slit. **4.** (*fig*) interjection; (*Einwand*) objection.

einwurzeln *vir sep* (*vi: aux sein*) (*Pflanzen*) to take root; (*fig auch*) to become rooted (*bei* in).

Einzahl *f* singular.

einzahlen *vt sep* to pay in. **Geld auf ein Konto** ~ to pay money into an account.

Einzahlung *f* payment; (*auf Bankkonto auch*) deposit (*auf +acc* into).

Einzahlungsschalter *m* (*Post*) paying-in counter; **Einzahlungsschein** *m* paying-in slip, deposit slip (*US*).

einzäunen *vt sep* to fence in.

Einzäunung *f* (*Zaun*) fence, fencing; (*das Umzäunen*) fencing-in.

einzeichnen *vt sep* to draw *or* mark in. **ist der Ort eingezeichnet?** is the place marked?

Einzeiler *m* **-s, -** (*Liter*) one-line poem, one-liner (*inf*), monostich (*form*).

einzeilig *adj* one-line *attr*.

Einzel *nt* **-s, -** (*Tennis*) singles *sing*.

Einzelaktion *f* independent action; (*Sport*) solo performance *or* effort; **Einzelantrieb** *m* (*Tech*) independent drive; **Einzelausgabe** *f* separate edition; **Einzelbehandlung** *f* individual treatment; **Einzelbett** *nt* single bed; **Einzelblatteinzug** *m* (*Comput*) automatic sheet feed, cut-sheet feed; **Einzeldarstellung** *f* individual treatment; **Einzelerscheinung** *f* isolated occurrence; **Einzelfahrschein** *m* single (*Brit*) *or* one-way ticket.

Einzelfall *m* individual case; (*Sonderfall*) isolated case, exception.

Einzelfallstudie *f* (*Sociol, Psych*) (individual) case study.

Einzelfertigung *f* special order; **in** ~ **hergestellt** made to order, custom-made (*esp US*); **Einzelgänger(in** *f*) *m* **-s, -** loner, lone wolf; (*Elefant*) rogue; **Einzelhaft** *f* solitary confinement.

Einzelhandel *m* retail trade. **im** ~ **erhältlich** available retail; **im** ~ **kostet das ...** it retails at ...

Einzelhandelsgeschäft *nt* retail shop; **Einzelhandelskauffrau** *f*, **Einzelhandelskaufmann** *m* trained retail saleswoman/salesman; **Einzelhandelspreis** *m* retail price.

Einzelhändler(in *f*) *m* retailer, retail trader; **Einzelhaus** *nt* detached house; **Einzelheit** *f* detail, particular; **auf** ~**en eingehen** to go into detail(s); **etw in allen/bis in die kleinsten** ~**en schildern** to describe sth in great detail/right down to the last detail; **sich in** ~**en verlieren** to get bogged down in details; **Einzelkabine** *f* (individual) cubicle; **Einzelkampf** *m* **1.** (*Mil*) single combat; **2.** (*Sport*) individual competition; **Einzelkauffrau** *f*, **Einzelkaufmann** *m* small businesswoman/businessman; **Einzelkind** *nt* only child.

Einzeller *m* **-s, -** (*Biol*) single-celled *or* unicellular organism.

einzellig *adj* single-cell(ed) *attr*, unicellular.

einzeln **I** *adj* **1.** individual; (*getrennt*) separate; (*von Paar*) odd. ~**e Teile des Bestecks kann man nicht kaufen** you cannot buy individual *or* separate *or* single pieces of this cutlery; **wir kamen** ~ we came separately; **die Gäste kamen** ~ **herein** the guests came in separately *or* singly *or* one by one; **bitte** ~ **eintreten** please come in one (person) at a time; ~ **aufführen** to list separately *or* individually *or* singly; **im** ~**en Fall** in the particular case. **2.** *Mensch* individual. **3.** (*alleinstehend*) *Baum, Haus* single, solitary. **4.** (*mit pl n: einige, vereinzelte*) some; (*Met*) *Schauer* scattered. ~**e Firmen haben ...** some firms have ..., the odd firm has ..., a few odd firms have ...; ~**e Besucher kamen schon früher** a few *or* one or two visitors came earlier.

  II *adj* (*substantivisch*) **1.** (*Mensch*) **der/die** ~**e** the individual; **ein** ~**er** an individual, a single person; (*ein einziger Mensch*) one single person; ~e some (people), a few (people), one or two (people); **jeder ~e/jede ~e** each individual; **jeder ~e muß dabei helfen** (each and) every one of you/them *etc* must help; **als ~er kann man nichts machen** as an individual one can do nothing.

2. ~es some; ~es **hat mir gefallen** I liked parts *or* some of it; ~e **haben mir gefallen** I liked some of them.

3. das ~e the particular; **jedes** ~e each one; **im** ~en **auf etw** (*acc*) **eingehen** to go into detail(s) *or* particulars about sth; **etw im** ~en **besprechen** to discuss sth in detail.

einzelnstehend *adj attr* solitary. **ein paar** ~e **Bäume** a few scattered trees, a few trees here and there; **ein** ~er **Baum** a tree (standing) all by itself, a solitary tree.

Einzelnummer *f* (*von Zeitung*) single issue; **Einzelperson** *f* single person; **Einzelpreis** *m* price, unit price (*Comm*); (*von Zeitung*) price per copy; **Einzelradaufhängung** *f* (*Aut*) independent suspension; **Einzelreisende(r)** *mf* single traveller; **Einzelrichter(in** *f*) *m* judge sitting singly; **Einzelsieger(in** *f*) *m* individual winner; **Einzelspiel** *nt* (*Tennis*) singles *sing*; **Einzelstück** *nt* **ein schönes** ~ a beautiful piece; ~e **verkaufen wir nicht** we don't sell them singly; **Einzelstunde** *f* private *or* individual lesson; **Einzelteil** *nt* individual *or* separate part; (*Ersatzteil*) spare *or* replacement part; **etw in seine** ~e **zerlegen** to take sth to pieces; **Einzelunterricht** *m* private lessons *pl or* tuition; **Einzelverkauf** *m* (*Comm*) retail sale; (*das Verkaufen*) retailing, retail selling; **Einzelwertung** *f* (*Sport*) individual placings *pl*; (*bei Kür*) individual marks *pl*; **Einzelwesen** *nt* individual; **Einzelwettbewerb** *m* (*Sport*) individual competition; **Einzelzelle** *f* single cell (*auch Biol*); **Einzelzimmer** *nt* single room.

einzementieren* *vt sep Stein* to cement; *Safe* to build *or* set into (*in*) concrete.

einziehbar *adj* retractable; *Schulden* recoverable; **Einziehdecke** *f* duvet, continental quilt.

einziehen *sep irreg* **I** *vt* **1.** (*hineinziehen, einfügen*) *Gummiband, Faden* to thread; (*in einen Bezug*) to put in; (*Build: einbauen*) *Wand, Balken* to put in; (*Kopiergerät*) *Papier* to take in.

2. (*einsaugen*) *Flüssigkeit* to soak up; (*durch Strohhalm*) to draw up; *Duft* to breathe in; *Luft, Rauch* to draw in.

3. (*zurückziehen*) *Fühler, Krallen, Fahrgestell* to retract, to draw in; *Bauch, Netz* to pull *or* draw in; *Antenne* to retract; *Schultern* to hunch; *Periskop, Flagge, Segel* to lower, to take down; *Ruder* to ship, to take in. **den Kopf** ~ to duck (one's head); **zieh den Bauch ein!** keep *or* tuck (*inf*) your tummy in; **der Hund zog den Schwanz ein** the dog put his tail between his legs; **mit eingezogenem Schwanz** (*lit, fig*) with its/his/her tail

between its/his/her legs.

4. (*Mil*) (*zu into*) *Personen* to conscript, to call up, to draft (*esp US*); *Fahrzeuge* to requisition.

5. (*kassieren*) *Steuern, Gelder* to collect; (*fig*) *Erkundigungen* to make (*über* +*acc* about).

6. (*aus dem Verkehr ziehen*) *Banknoten, Münzen* to withdraw (from circulation), to call in; (*beschlagnahmen*) *Führerschein* to take away, to withdraw; *Vermögen* to confiscate.

7. (*Typ*) *Wörter, Zeilen* to indent.

II *vi aux sein* **1.** (*in Wohnung, Haus*) to move in. **wer ist im dritten Stock eingezogen?** who has moved into the third floor?; **er zog bei Bekannten ein** he moved in with friends; **ins Parlament** ~ to take up one's seat (in parliament).

2. (*auch Mil: einmarschieren*) to march in (*in* +*acc* -to).

3. (*einkehren*) to come (*in* +*dat* to). **mit ihm zog eine fröhliche Stimmung bei uns ein** he brought a happy atmosphere with him; **Ruhe und Ordnung zogen wieder ein** law and order returned.

4. (*eindringen*) to soak in (*in* +*acc* -to).

Einziehung *f* **1.** (*Mil*) (*von Personen*) conscription, call-up, drafting (*esp US*); (*von Fahrzeugen*) requisitioning. **2.** (*Beschlagnahme*) (*von Vermögen, Publikationen*) confiscation; (*Rücknahme: von Banknoten, Führerschein*) withdrawal. **3.** (*Eintreiben: von Steuern*) collection.

einzig I *adj* **1.** *attr* only, sole. **ich sehe nur eine** ~e **Möglichkeit** I can see only one (single) possibility; **ich habe nicht einen** ~en **Brief bekommen** I haven't had a single *or* solitary letter; **kein** *or* **nicht ein** ~es **Mal** not once, not one single time.

2. (*emphatisch*) absolute, complete. **dieses Fußballspiel war eine** ~e **Schlammschlacht** this football match was just one big mudbath.

3. *pred* (~*artig*) unique. **es ist** ~ **in seiner Art** it is quite unique.

II *adj* (*substantivisch*) **der/die** ~e the only one; **das** ~e the only thing; **das ist das** ~e, **was wir tun können** that's the only thing we can do; **ein** ~er **hat geantwortet** only one (person) answered; **kein** ~er **wußte es** nobody *or* not a single *or* solitary person knew; **die** ~en, **die es wußten ...** the only ones who knew ...; **er hat als** ~er **das Ziel erreicht** he was the only one *or* the sole person to reach the finish; **Hans ist unser E~er** Hans is our only child *or* our one and only.

III *adv* **1.** (*allein*) only, solely. **seine Beförderung hat er** ~ **dir zu verdanken** he owes his promotion entirely to you; **die** ~ **mögliche Lösung** the only possible solution, the only solution possible; ~ **und allein** solely; ~ **und allein deshalb hat er gewonnen** he owes his victory solely *or* entirely to that, that's the only *or* sole reason he won; **das** ~ **Wahre** the only thing; (*das beste*) the real McCoy; **jetzt Ferien machen, das wäre das** ~ **Wahre** to take a holiday, that's just what the doctor ordered (*inf*) *or* that would

be just the job.
2. (*inf: außerordentlich*) fantastically.

inzig|artig *adj* unique. **der Film war ~ schön** the film was astoundingly beautiful.

inzig|artigkeit *f* uniqueness.

inzimmer *in cpds* one-room.

Einzug *m* **1.** (*in Haus*) move (*in +acc* into). **vor dem ~ before moving in** *or* the move; **der ~ in das neue Haus** moving *or* the move into the new house; **der ~ ins Parlament** taking up one's seat.
2. (*Einmarsch*) entry (*in +acc* into).
3. (*fig: von Stimmung, Winter*) advent. **der Winter hielt seinen ~ mit Schnee und Frost** winter arrived amid snow and frost; **der Frühling hält seinen ~ spring is coming.**
4. (*von Steuern, Geldern*) collection; (*von Banknoten*) withdrawal, calling-in.
5. (*Typ*) indentation.

Einzugsauftrag *m* (*Fin*) direct debit; **Einzugsbereich** *m* catchment area; **Einzugsgebiet** *nt* (*lit, fig*) catchment area; **Einzugsverfahren** *nt* (*Fin*) direct debit.

einzwängen *vt sep* (*lit*) to squeeze *or* jam *or* wedge in; (*fig*) *jdn* to constrain, to constrict; *Idee* to force. **ich fühle mich eingezwängt** (*in Kleidung, Ehe etc*) I feel constricted.

Einzylindermotor *m* one- *or* single-cylinder engine.

Eipulver *nt* dried *or* powdered egg.

Eis *nt* **-es, -** **1.** *no pl* (*gefrorenes Wasser*) ice. **zu ~ gefrieren** to freeze, to turn to ice; **vom ~ eingeschlossen sein** to be iced in *or* icebound; **das ~ brechen** (*fig*) to break the ice; **jdn aufs ~ führen** (*fig*) to take sb for a ride (*inf*), to lead sb up the garden path; **etw auf ~ legen** (*lit*) to chill sth, to put sth on ice; (*fig inf*) to put sth on ice *or* into cold storage.
2. (*Speise~*) ice(-cream). **er kaufte 3 ~** he bought 3 icecreams *or* ices; **~ am Stiel** ice(d)-lolly (*Brit*), Popsicle ® (*US*).

Eisbahn *f* ice-rink; **Eisbär** *m* polar bear; **Eisbecher** *m* (*aus Pappe*) ice-cream tub; (*aus Metall*) sundae dish; (*Eis*) sundae; **eisbedeckt** *adj attr* ice-covered, covered in ice; **Eisbein** *nt* **1.** (*Cook*) knuckle of pork (*boiled and served with sauerkraut*); **2.** (*hum inf*) **wenn ich noch länger hier in dieser Kälte stehe, bekomme ich ~e** if I stand around here in this cold any longer my feet will turn to ice; **Eisberg** *m* iceberg; **die Spitze des ~s** (*fig*) the tip of the iceberg; **Eisbeutel** *m* ice pack; **eisblau** *adj*, **Eisblau** *nt* ice-blue; **Eisblock** *m* block of ice; **Eisblume** *f usu pl* frost pattern; **Eisbombe** *f* (*Cook*) bombe glacée; **Eisbrecher** *m* icebreaker; **Eisbude** *f* ice-cream stall.

Eischnee *m* (*Cook*) beaten white of egg.

Eiscreme *f* ice(-cream); **Eisdecke** *f* ice sheet, sheet of ice; **Eisdiele** *f* ice-cream parlour.

eisen *vt Tee, Wodka* to ice, to chill.

Eisen *nt* **-s, -** **1.** *no pl* (*Chem: abbr* **Fe**) iron. **ein Mann aus ~** a man of iron;

mehrere/noch ein ~ im Feuer haben (*fig*) to have more than one/another iron in the fire; **zum alten ~ gehören** *or* **zählen** (*fig*) to be on the scrap heap; **jdn/etw zum alten ~ werfen** (*fig*) to throw sb/sth on the scrap heap; **man muß das ~ schmieden, solange es heiß** *or* **warm ist** (*Prov*) one must strike while the iron is hot (*prov*).
2. (*Bügel~, Golf*) iron; (*~beschlag*) iron fitting; (*~band*) iron ring *or* hoop; (*Huf~*) shoe; (*Fang~*) trap; (*obs: Fessel*) fetters *pl* (*obs*), irons *pl*; (*obs: Schwert*) iron (*obs*). **jdn in ~ legen** (*obs*) to put *or* clap sb in irons.

Eisenbahn *f* railway (*Brit*), railroad (*US*); (*~wesen*) railways *pl*, railroad (*US*); (*inf: Zug*) train; (*Spielzeug~*) train set. **ich fahre lieber (mit der) ~ als (mit dem) Bus** I prefer to travel by train *or* rail than by bus; **Onkel Alfred arbeitet bei der ~** uncle Alfred works for the railways/railroad; **es ist (aller)höchste ~** (*inf*) it's getting late.

Eisenbahnabteil *nt* (railway/railroad) compartment; **Eisenbahnbrücke** *f* railway/railroad bridge.

Eisenbahner(in *f*) *m* **-s, -** railwayman (*Brit*), railway employee (*Brit*), railroader (*US*).

Eisenbahnfähre *f* train ferry; **Eisenbahnfahrkarte** *f* rail ticket; **Eisenbahnfahrt** *f* train *or* rail journey *or* ride; **Eisenbahngesellschaft** *f* railway/railroad company; **Eisenbahngleis** *nt* railway/railroad track; **Eisenbahnknotenpunkt** *m* railway/railroad junction; **Eisenbahnnetz** *nt* rail(way)/railroad network; **Eisenbahnschaffner(in** *f*) *m* (railway) guard, (railroad) conductor (*US*); **Eisenbahnschiene** *f* railway/railroad track; **Eisenbahnschwelle** *f* (railway/railroad) sleeper; **Eisenbahnsignal** *nt* railway/railroad signal; **Eisenbahnstrecke** *f* railway line, railroad (*US*); **Eisenbahnüberführung** *f* (railway/railroad) footbridge; **Eisenbahnunglück** *nt* railway/railroad accident, train crash; **Eisenbahnunterführung** *f* railway/railroad underpass; **Eisenbahnverbindung** *f* rail link; (*Anschluß*) connection; **Eisenbahnverkehr** *m* rail(way)/railroad traffic; **Eisenbahnwagen** *m* (*Personen~*) railway/railroad carriage; (*Güter~*) goods wagon *or* truck; **Eisenbahnwesen** *nt* railway/railroad system; **Eisenbahnzug** *m* railway/railroad train.

Eisenbart(h) *m*: **Doktor ~** (*fig*) quack, horse-doctor (*inf*).

Eisenbergwerk *nt* iron mine; **Eisenbeschlag** *m* ironwork *no pl*; (*zum Verstärken*) iron band; **eisenbeschlagen** *adj* with iron fittings; *Stiefel* steel-tipped; **Eisenblech** *nt* sheet iron; **Eisenblock** *m* iron block, block of iron; **Eisenbohrer** *m* (*Tech*) iron *or* steel drill; (*FeCl₃*) ferric chloride; **Eisendraht** *m* steel wire; **Eisenerz** *nt* iron ore; **Eisenfeile** *f* iron file;

Eisenfeilspäne pl iron filings pl; **Eisenflecken** pl (in Kartoffeln) discoloured patches pl; **Eisenfresser(in** f) m (pej) tough guy; **Eisengarn** nt steel thread; **Eisengehalt** m iron content; **Eisengießerei** f (Vorgang) iron smelting; (Werkstatt) iron foundry; **Eisenglanz, Eisenglimmer** m ferric oxide, iron glance; **Eisenguß** m iron casting; **eisenhaltig** adj Gestein iron-bearing, ferruginous (form); **das Wasser ist ~** the water contains iron; **Eisenhammer** m steam hammer; (Werkstatt) forge; **eisenhart** adj (lit) as hard as iron; **ein ~er Mann/Wille** a man/will of iron; **Eisenhut** m 1. (Bot) monk's hood, aconite; 2. (Hist) iron helmet; **Eisenhütte** f ironworks pl or sing, iron foundry; **Eisenhüttenkombinat** nt (DDR) iron processing combine; **Eisenindustrie** f iron industry; **Eisenkern** m iron core; **Eisenkitt** m iron-cement; **Eisenmangel** m iron deficiency; **Eisenoxyd** nt ferric oxide; **Eisenpräparat** nt (Med) iron tonic/tablets pl; **eisenschüssig** adj Boden iron-bearing, ferruginous (form); **Eisenspäne** pl iron filings pl; **Eisenstange** f iron bar; **Eisenträger** m iron girder; **eisenverarbeitend** adj attr iron processing; **Eisenverbindung** f (Chem) iron compound; **Eisenwaren** pl ironmongery sing (Brit), hardware sing; **Eisenwarenhändler(in** f) m ironmonger; **Eisenwarenhandlung** f ironmonger's (shop) (Brit), hardware store; **Eisenwerk** nt 1. (Art) ironwork; 2. siehe Eisenhütte; **Eisenzeit** f (Hist) Iron Age.

eisern adj 1. attr (aus Eisen) iron. **das E~e Kreuz** (Mil) the Iron Cross; **der E~e Kanzler** the Iron Chancellor; **der ~e Vorhang** (Theat) the safety curtain; **der E~e Vorhang** (Pol) the Iron Curtain; **~e Lunge** (Med) iron lung; **die E~e Jungfrau** (Hist) the Iron Maiden; **~e Hochzeit** 65th wedding anniversary.

2. (fest, unnachgiebig) Disziplin iron attr, strict; Wille iron attr, of iron; Energie unflagging, indefatigable; Ruhe unshakeable. **~e Gesundheit** iron constitution; **sein Griff war ~** his grip was like iron; **er schwieg ~** he remained resolutely silent; **er ist ~ bei seinem Entschluß geblieben** he stuck steadfastly or firmly to his decision; **mit ~er Faust** with an iron hand; **ein ~es Regiment führen** to rule with a rod of iron; **in etw** (dat) **~ sein/bleiben** to be/remain resolute about sth; **da bin or bleibe ich ~!** (inf) that's definite; **(aber) ~!** (inf) (but) of course!, absolutely!; **mit ~em Besen auskehren** to make a clean sweep; **~ trainieren/sparen** to train/save resolutely or with iron determination.

3. attr (unantastbar) Reserve emergency; Ration auch iron.

Eiseskälte f icy cold.

Eisfach nt freezer compartment, ice-box; **Eisfischerei** f fishing through ice; **Eisfläche** f (surface of the) ice; **die ~ des Sees** the (sheet of) ice covering the lake; **eisfrei** adj ice-free attr, free of ice pred; **Eisgang** m ice drift; **eisgekühlt** adj chilled; **Eisglätte** f black ice; **eisgrau** adj (liter) steel(y) grey; **Eisheiligen** pl: **die drei ~** three Saints' Days, 12th-14th May, which are usually particularly cold and after which further frost is rare; **Eishockey** nt ice hockey, hockey (US).

eisig adj 1. (kalt) Wasser, Wind icy (cold); Kälte icy. 2. (jäh) Schreck, Grauen chilling. **es durchzuckte mich ~** a cold shiver ran through me. 3. (fig: abweisend) icy, glacial; Schweigen auch frosty, chilly; Ablehnung cold; Blick icy, cold; Lächeln frosty.

Eisjacht f ice-yacht; **Eiskaffee** m iced coffee; **eiskalt** adj 1. icy-cold; 2. siehe eisig 2.; 3. (fig) (abweisend) icy, cold, frosty; (kalt und berechnend) cold-blooded, cold and calculating; (dreist) cool; **machst du das? — ja! ~** will you do it? — no problem; **Eiskappe** f ice-cap; **Eiskasten** m (S Ger, Aus) refrigerator, fridge (Brit), icebox (US); **Eiskeller** m cold store, cold room; **unser Schlafzimmer ist ein ~** our bedroom is like an icebox; **Eiskristall** m ice crystal; **Eiskunstlauf** m figure skating; **Eiskunstläufer(in** f) m figure skater; **Eislauf** m ice-skating; **eislaufen** vi sep irreg aux sein to ice-skate; **sie läuft eis** she ice-skates; **Eisläufer(in** f) m ice-skater; **Eismaschine** f ice-cream machine; **Eismeer** nt polar sea; **Nördliches/Südliches ~** Arctic/Antarctic Ocean; **Eisnadeln** pl ice needles pl; **Eisnebel** m freezing fog; **Eispalast** m ice rink; (hum inf) icebox; **Eispickel** m ice axe, ice pick.

Eisprung m (Physiol) ovulation no art.

Eispulver nt (Cook) ice-cream mix; **Eisregen** m sleet; **Eisrevue** f ice revue, ice show; **Eisschießen** nt curling; **Eisschmelze** f thaw; **Eisschnellauf** m speed skating; **Eisschnelläufer(in** f) m speed skater; **Eisscholle** f ice floe; **Eisschrank** m refrigerator, fridge (Brit), icebox (US); **Eissegeln** nt ice-sailing; **Eissport** m ice sports pl; **Eis(sport)stadion** nt ice rink; **Eisstock** m (Sport) curling stone; **Eis(stock)schießen** nt curling; **Eistanz** m (ice-)dancing; **Eistorte** f ice-cream cake; **Eisverkäufer(in** f) m ice-cream seller or man (inf); **Eisvogel** m 1. kingfisher; 2. (Schmetterling) white admiral; **Eiswasser** nt icy water; (Getränk) iced water; **Eiswein** m sweet wine made from grapes which have been exposed to frost; **Eiswürfel** m ice cube; **Eiszapfen** m icicle; **Eiszeit** f Ice Age, glacial epoch (form); (fig) cold war; **eiszeitlich** adj ice-age, of the Ice Age.

eitel adj 1. Mensch vain; (eingebildet auch) conceited. **~ wie ein Pfau** vain as a peacock.

2. (liter) Wahn, Versuch, Gerede vain. **seine Hoffnungen erwiesen sich als ~** his hopes proved to be all in vain; **alles ist ~** all is vanity.

3. inv (obs: rein) Gold pure. **es**

herrschte ~ **Freude** (*obs, hum*) there was absolute joy.

itelkeit *f siehe adj 1., 2.* vanity; vainness.

iter *m* **-s,** *no pl* pus.

iterbeule *f* boil; (*fig*) canker; **Eiterbläschen** *nt,* **Eiterblase** *f* pustule; **Eitererreger** *m* pyogenic organism (*spec*); **Eiterherd** *m* suppurative focus (*spec*).

eit(e)rig *adj Ausfluß* purulent; *Wunde* festering, suppurating; *Binde* pus-covered.

eitern *vi* to fester, to discharge pus, to suppurate.

Eiterpfropf *m* core (*of a boil*); (*von Pickel*) head; **Eiterpickel** *m* pimple (containing pus).

Eiweiß *nt* (egg-)white, white of egg, albumen (*spec*); (*Chem*) protein.

eiweißarm *adj* low in protein; ~**e Kost** a low-protein diet; **Eiweißgehalt** *m* protein content; **eiweißhaltig** *adj* protein-containing *attr*; **Fleisch ist sehr** ~ meat is high in protein *or* contains a lot of protein; **Eiweißmangel** *m* protein deficiency; **Eiweißpräparat** *nt* protein preparation.

Eizelle *f* (*Biol*) egg cell.

Ejakulat *nt* (*Med*) ejaculated semen, ejaculate (*spec*).

Ejakulation *f* ejaculation.

ejakulieren* *vi* to ejaculate.

EK [e:'ka:] *nt* **-s, -s** *abbr of* **Eisernes Kreuz.** **EK I/II** Iron Cross First/Second Class.

EKD [e:ka:'de:] *f* - *abbr of* **Evangelische Kirche in Deutschland.**

Ekel[1] *m* **-s,** *no pl* disgust, revulsion, loathing; (*Übelkeit*) nausea. **vor jdm/etw einen** ~ **haben** *or* **empfinden** to have a loathing of sb/sth, to loathe sb/sth; **dabei empfinde ich** ~ it gives me a feeling of disgust *etc*; **er hat das Essen vor** ~ **ausgespuckt** he spat out the food in disgust *or* revulsion; **er mußte sich vor** ~ **übergeben** he was so nauseated that he vomited.

Ekel[2] *nt* **-s,** - (*inf*) obnoxious person, horror (*inf*).

ekel|erregend *adj* nauseating, revolting, disgusting.

ekelhaft, ek(e)lig *adj* disgusting, revolting; (*inf*) *Schmerzen, Problem, Chef* nasty (*inf*), horrible, vile. **sei nicht so** ~ **zu ihr!** don't be so nasty to her.

ekeln I *vt* to disgust, to revolt, to nauseate.

  II *vt impers* **es ekelt mich vor diesem Anblick, mich** *or* **mir ekelt vor diesem Anblick** the sight of it fills me with disgust *or* revulsion, this sight is disgusting *or* revolting *or* nauseating.

  III *vr* to be *or* feel disgusted *or* revolted *or* nauseated. **sich vor etw** (*dat*) ~ to find sth disgusting *or* revolting *or* nauseating.

EKG, Ekg [e:ka:'ge:] *nt* **-s, -s** *abbr of* **Elektrokardiogramm** ECG. **ein** ~ **machen lassen** to have an ECG.

Eklat [e'kla(:)] *m* **-s, -s** (*geh*) (*Aufsehen*) sensation, stir; (*Zusammenstoß*) row, (major) altercation (*form*).

eklatant *adj* (*aufsehenerregend*) *Fall* sensational, spectacular; (*offenkundig*) *Beispiel* striking; *Verletzung* flagrant.

Eklektiker(in *f*) *m* **-s,** - eclectic.

eklektisch *adj* eclectic.

Eklektizismus *m* eclecticism.

eklig *adj siehe* **ek(e)lig.**

Eklipse *f* **-, -n** eclipse.

Ekliptik *f* ecliptic.

ekliptisch *adj* ecliptical.

Ekstase *f* **-, -n** ecstasy. **in** ~ **geraten** to go into ecstasies; **jdn in** ~ **versetzen** to send sb into ecstasies.

ekstatisch *adj* ecstatic, full of ecstasy.

Ekzem *nt* **-s, -e** (*Med*) eczema.

Elaborat *nt* (*pej*) concoction (*pej*).

Elan [*auch* e'lã:] *m* **-s,** *no pl* élan, zest, vigour.

Elast *m* **-(e)s, -e** rubber, elastomer (*spec*).

Elastikbinde *f* elasticated bandage.

elastisch *adj* elastic; *Gang auch* springy; *Metall, Holz* springy, flexible; *Stoff auch* stretchy; (*fig*) (*spannkräftig*) *Muskel, Mensch* strong and supple; (*flexibel*) flexible, elastic. **er federte** ~ he bent supply at the knees.

Elastizität *f siehe* **elastisch** elasticity; springiness; flexibility; stretchiness; elasticity.

Elativ *m* (*Gram*) absolute superlative.

Elbkähne *pl* (*N Ger hum*) beetle-crushers *pl* (*inf*), clodhoppers *pl* (*inf*).

Elch *m* **-(e)s, -e** elk.

Eldorado *nt* **-s, -s** (*lit, fig*) eldorado.

Electronic Book Player [ɪlek'trɒnɪk 'bʊk,pleɪə] *m* Electronic Book Player.

Elefant *m* elephant. **wie ein** ~ **im Porzellanladen** (*inf*) like a bull in a china shop (*prov*).

Elefantenbaby *nt* (*inf*) baby elephant (*auch fig hum*); **Elefantenbulle** *m* bull elephant; **Elefantenhochzeit** *f* (*Comm inf*) mega-merger (*inf*); **Elefantenkuh** *f* cow elephant; **Elefantenrennen** *nt* (*hum inf*) duel between two lorries (*Brit*) *or* trucks; **Elefantenrobbe** *f* elephant seal; **Elefantenrüssel** *m* elephant's trunk; **Elefantenschlacht** *f* (*fig*) battle of the giants.

Elefantiasis *f* -, *no pl* (*Med*) elephantiasis.

elegant *adj* elegant.

Eleganz *f* elegance.

Elegie *f* elegy.

Elegiendichter(in *f*) [-'gi:ən-], **Elegiker(in** *f*) *m* **-s,** - elegist.

elegisch *adj* elegiac; (*melancholisch auch*) melancholy. ~ **gestimmt** in a melancholy mood.

elektrifizieren* *vt* to electrify.

Elektrifizierung *f* electrification.

Elektrik *f* **1.** (*elektrische Anlagen*) electrical equipment. **2.** (*inf: Elektrizitätslehre*) electricity.

Elektriker(in *f*) *m* **-s,** - electrician.

elektrisch *adj* electric; *Entladung, Widerstand* electrical. ~**e Geräte** electrical appliances; ~**er Schlag/Strom** electric shock/current; **der** ~**e Stuhl** the electric chair; ~ **betrieben** electrically driven, driven *or* run by electricity, electric; **wir kochen** ~ we cook by *or* with electricity; **bei uns ist alles** ~ we're all electric; **das geht alles** ~ (*inf*) it's all automatic.

Elektrische f -n, -n (dated) tram, streetcar (US).

elektrisieren* I vt (lit, fig) to electrify; (aufladen) to charge with electricity; (Med) to treat with electricity. **der Plattenspieler hat mich elektrisiert** the record-player gave me a shock or an electric shock; **ich habe mich elektrisiert** I gave myself or got an electric shock; **wie elektrisiert** (as if) electrified. II vi to give an electric shock.

Elektrisiermaschine f electrostatic generator.

Elektrizität f electricity.

Elektrizitätsgesellschaft f electric power company; **Elektrizitätslehre** f (science of) electricity; **Elektrizitätsversorgung** f (electric) power supply; **Elektrizitätswerk** nt (electric) power station; (Gesellschaft) electric power company.

Elektro- ['elektro] in cpds electro- (auch Sci), electric; **Elektroantrieb** m electric drive; **Elektroartikel** m electrical appliance; **Elektroauto** nt electric car; **Elektrochemie** f electrochemistry; **elektrochemisch** adj electrochemical.

Elektrode f -, -n electrode.

Elektrodenspannung f electrode potential.

Elektrodiagnostik f (Med) electrodiagnosis; **Elektrodynamik** f electrodynamics sing; **elektrodynamisch** adj electrodynamic; **Elektroenzephalogramm** nt (Med) electroencephalogram, EEG; **Elektrofahrzeug** nt electric vehicle; **Elektrogerät** nt electrical appliance; **Elektrogeschäft** nt electrical shop; **Elektroherd** m electric cooker; **Elektroindustrie** f electrical industry; **Elektroingenieur(in** f) m electrical engineer; **Elektroinstallateur(in** f) m electrician; **Elektrokardiogramm** nt (Med) electrocardiogram, ECG; **Elektrokarren** m small electric truck; (des Milchmannes etc) electric float; **Elektrolok** f electric locomotive; **Elektrolyse** f -, -n electrolysis; **Elektrolyt** m -en, -en electrolyte; **elektrolytisch** adj electrolytic; **Elektromagnet** m electromagnet; **elektromagnetisch** adj electromagnetic; **Elektromechaniker(in** f) m electrician; **elektromechanisch** adj electromechanical; **Elektromesser** nt electric carving knife; **Elektrometer** nt electrometer; **Elektromotor** m electric motor.

Elektron ['e:lektrɔn, e'lektrɔn, elek'tro:n] nt -s, -en [elɛk'tro:nən] electron.

Elektronenblitz(gerät nt) m (Phot) electronic flash; **Elektronen(ge)hirn** nt electronic brain; **Elektronenhülle** f (Phys) electron shell or cloud; **Elektronenlaser** m electron laser; **Elektronenmikroskop** nt electron microscope; **Elektronenrechner** m (electronic) computer; **Elektronenröhre** f valve, electron tube (US); **Elektronenschale** f electron shell; **Elektronenschleuder** f (Phys) electron accelerator, betatron (spec); **Elektronenstrahlen** pl electron or cathode rays pl.

Elektronik f electronics sing; (elektronische Teile) electronics pl.

Elektronikindustrie f electronics industry.

elektronisch adj electronic. **~e Post** electronic mail, E-mail; **~er Briefkasten** electronic mailbox.

Elektroofen m (Metal) electric furnace; (Heizofen) electric heater; **Elektrorasenmäher** m electric lawn mower; **Elektrorasierer** m electric shaver or razor; **Elektroschock** m (Med) electric shock, electroshock; **Elektroschockbehandlung** f electric shock treatment; **Elektroschweißung** f electric welding; **Elektrostatik** f (Phys) electrostatics sing; **elektrostatisch** adj electrostatic; **Elektrotechnik** f electrical engineering; **Elektrotechniker(in** f) m electrician; (Ingenieur) electrical engineer; **elektrotechnisch** adj electrical, electrotechnical (rare); **Elektrotherapie** f (Med) electrotherapy.

Element nt element; (Elec) cell, battery. **~e** pl (fig: Anfangsgründe) elements pl, rudiments pl; **das Toben der ~e** (liter) the raging of the elements; **kriminelle ~e** (pej) criminal elements; **in seinem ~ sein** to be in one's element.

elementar adj (grundlegend, wesentlich) elementary; (naturhaft, urwüchsig) Gewalt, Trieb elemental; Haß strong, violent.

Elementar- in cpds (grundlegend) elementary; (naturhaft) elemental; **Elementarbegriff** m elementary or basic concept; **Elementargewalt** f (liter) elemental force; **Elementarkenntnisse** pl elementary knowledge sing; **Elementarladung** f (Phys) elementary charge; **Elementarteilchen** nt (Phys) elementary particle.

Elen m or nt (rare) -s, - siehe Elch.

elend adj 1. (unglücklich, jämmerlich, pej: gemein) wretched, miserable; (krank) wretched, awful (inf), ill pred. **~ aussehen/sich ~ fühlen** to look/feel awful (inf) or wretched; **mir ist ganz ~** I feel really awful (inf) or wretched; **mir wird ganz ~, wenn ich daran denke** I feel quite ill when I think about it, thinking about it makes me feel quite ill.

2. (inf) (sehr groß) Hunger, Hitze awful, dreadful; (sehr schlecht) Wetter, Kälte, Leistung wretched, dreadful, miserable. **ich habe ~ gefroren** I was miserably cold; **da bin ich ~ betrogen worden** I was cheated wretchedly; **es war ~ heiß/kalt** it was awfully or dreadfully hot/miserably or dreadfully cold.

Elend nt -(e)s, no pl (Unglück, Not) misery, distress; (Verwahrlosung) squalor; (Armut) poverty, penury. **ein Bild des ~s** a picture of misery/squalor; **ins ~ geraten** to fall into poverty, to be reduced to penury, to become destitute; **im (tiefsten) ~ leben** to live in (abject) misery/squalor/poverty; **jdn/sich ins ~ stürzen** to plunge sb/oneself into misery/poverty; **(wie) ein Häufchen ~** (inf) (looking) a picture of misery; **da kann man das heulende ~ kriegen** (inf) it's enough to make you scream (inf); **es ist ein ~ mit ihm** (inf) he makes you want to weep (*inf*), he's hopeless; **es ist ein ~, ...** (*inf*) it's heart-breaking ...

•lendig(lich) *adv* (*geh*) miserably, wretchedly. **~ zugrunde gehen** *or* **verrecken** (*sl*) to come to a wretched *or* miserable *or* dismal end.

Elendsquartier *nt* slum (dwelling), squalid dwelling; **Elendsviertel** *nt* slums *pl*, slum area.

Eleve [e'le:və] *m* **-n, -n**, **Elevin** [e'le:vɪn] *f* (*Theat*) student; (*old: Schüler*) pupil.

elf *num* eleven; *siehe auch* **vier.**

Elf[1] *f* **-, -en** (*Sport*) team, eleven.

Elf[2] *m* **-en, -en**, **Elfe** *f* **-, -n** elf.

Elfenbein *nt* ivory.

Elfenbein|arbeit *f* ivory (carving).

elfenbeine(r)n **I** *adj* ivory, made of ivory. **~er Turm** (*Rel*) Tower of Ivory. **II** *adv* ivory-like.

elfenbeinfarben, elfenbeinfarbig *adj* ivory-coloured; **Elfenbeinhandel** *m* ivory trade; **Elfenbeinküste** *f* Ivory Coast; **Elfenbeinturm** *m* (*fig*) ivory tower; **Elfenbeinverbot** *nt* ban on ivory trade.

Elfenreich *nt* fairyland.

Elfer *m* **-s, -** (*Ftbl inf*) *siehe* **Elfmeter.**

elffach *adj* elevenfold; *siehe* **vierfach; elfmal** *adv* eleven times; *siehe* **viermal.**

Elfmeter *m* (*Ftbl*) penalty (kick) (*für* to, for). **einen ~ schießen** to take a penalty.

Elfmetermarke *f*, **Elfmeterpunkt** *m* (*Ftbl*) penalty spot; **Elfmeterschießen** *nt* (*Ftbl*) sudden-death play-off; **durch ~ entschieden** decided on penalties; **Elfmeterschuß** *m* (*Ftbl*) penalty (kick); **Elfmeterschütze** *m*, **Elfmeterschützin** *f* (*Ftbl*) penalty-taker.

Elftel *nt* **-, -** eleventh; *siehe* **Viertel**[1].

elftens *adv* eleventh, in the eleventh place.

elfte(r, s) *adj* eleventh; *siehe* **vierte(r, s).**

Elimination *f* elimination (*auch Math*).

eliminieren* *vt* to eliminate (*auch Math*).

Eliminierung *f* elimination.

elisabethanisch *adj* Elizabethan.

Elision *f* (*Gram*) elision.

elitär **I** *adj* elitist. **II** *adv* in an elitist fashion.

Elite *f* **-, -n** elite.

Elitedenken *nt* elitism; **Elitetruppe** *f* (*Mil*) crack *or* elite troops *pl*.

Elixier *nt* **-s, -e** elixir (*liter*), tonic.

Ellbogen *m siehe* **Ell(en)bogen.**

Elle *f* **-, -n** 1. (*Anat*) ulna (*spec*). 2. (*Hist*) (*Measure*) cubit; (*Maßstock*) ≈ yardstick. **alles mit der gleichen** *or* **mit gleicher ~ messen** (*fig*) to measure everything by the same yardstick *or* standards.

Ell(en)bogen *m* **-s, -** elbow; (*fig*) push. **er bahnte sich seinen Weg mit den ~ durch die Menge** he elbowed his way through the crowd; **die ~ gebrauchen** (*fig*) to use one's elbows, to be ruthless.

Ell(en)bogenfreiheit *f* (*fig*) elbow room; **Ell(en)bogengesellschaft** *f* dog-eat-dog society; **Ell(en)bogenmensch** *m* ruthless *or* pushy (*inf*) person, pusher (*inf*); **Ell(en)bogentaktik** *f* pushiness (*inf*); **~ anwenden** to be pushy (*inf*).

ellenlang *adj* (*fig inf*) incredibly long

(*inf*); *Liste, Weg auch* mile-long *attr* (*inf*), a mile long *pred* (*inf*); *Geschichte auch* lengthy, interminable; *Kerl* incredibly tall (*inf*).

Ellipse *f* **-, -n** (*Math*) ellipse; (*Gram*) ellipsis.

elliptisch *adj* (*Math, Gram*) elliptic(al).

E-Lok ['e:lɔk] *f* **-, -s** *abbr of* **elektrische Lokomotive** electric locomotive *or* engine.

eloquent *adj* (*geh*) eloquent.

Eloquenz *f* (*geh*) eloquence.

Elsaß *nt* **- or -sses das ~** Alsace.

Elsässer(in *f*) *m* **-s, -** Alsatian, inhabitant of Alsace.

Elsässer, elsässisch *adj* Alsatian.

Elsaß-Lothringen *nt* Alsace-Lorraine.

Elster *f* **-, -n** magpie. **wie eine ~ stehlen** to be always stealing things, to have sticky fingers (*inf*); **eine diebische ~ sein** (*fig*) to be a thief *or* pilferer.

Elter *m or nt* **-s, -n** (*Sci, Statistics*) parent.

elterlich *adj* parental.

Eltern *pl* parents *pl*. **nicht von schlechten ~ sein** (*inf*) to be quite something (*inf*), to be a good one (*inf*).

Elternabend *m* (*Sch*) parents' evening; **Elternbeirat** *m* parents' council; **Elternhaus** *nt* (*lit, fig*) (parental) home; **aus gutem ~ stammen** to come from a good home; **Elternliebe** *f* parental love; **elternlos** *adj* orphaned, parentless; **Elternschaft** *f* parents *pl*; **Elternsprechstunde** *f* (*Sch*) consultation hour (for parents); **Elternsprechtag** *m* open *or* visiting day (for parents); **Elternteil** *m* parent; **Elternurlaub** *m* unpaid leave given to new mother or father.

Elysium *nt* **-s**, *no pl* (*Myth, fig*) **das ~** Elysium.

Email [e'mai, e'ma:j] *nt* **-s, -s** enamel.

Emaillack [e'mailak] *m* enamel paint.

Emaille [e'maljə, e'mai, e'ma:j] *f* **-, -n** *siehe* **Email.**

emaillieren* [emaˈjiːrən, emalˈjiːrən] *vt* to enamel.

Emailmalerei *f* enamel painting, enamelling.

Emanation *f* (*Philos, Chem*) emanation.

Emanze *f* **-, -n** (*usu pej*) women's libber (*inf*).

Emanzipation *f* emancipation.

emanzipatorisch *adj* emancipatory.

emanzipieren* **I** *vt* to emancipate. **II** *vr* to emancipate oneself.

Embargo *nt* **-s, -s** embargo. **etw mit einem ~ belegen, ein ~ über etw** (*acc*) **verhängen** to put *or* place an embargo on sth.

Emblem *nt* **-(e)s, -e** emblem; (*Firmen~*) logo.

Embolie *f* (*Med*) embolism.

Embryo *m* (*Aus auch nt*) **-s, -s** *or* **-nen** [-y'o:nən] embryo.

embryonal *adj attr* (*Biol, fig*) embryonic.

emeritieren* *vt* (*Univ*) to give emeritus status (to). **emeritierter Professor** emeritus professor.

Emeritus *m* **-, Emeriti** (*Univ*) emeritus.

Emigrant(in *f*) *m* emigrant; (*politischer Flüchtling*) émigré.

Emigration *f* emigration; (*die Emigranten*) emigrant/émigré community. **in**

der ~ leben to live in (self-imposed) exile; **in die ~ gehen** to emigrate; *siehe* **innere(r, s).**

emigrieren* *vi aux sein* to emigrate.

eminent *adj (geh) Person* eminent. **~ wichtig** of the utmost importance; **von ~er Bedeutung** of the utmost significance.

Eminenz *f (Eccl)* **(Seine/Eure) ~** (His/Your) Eminence.

Emir *m* **-s, -e** emir.

Emirat *nt* emirate.

Emission *f* 1. *(Fin)* issue. 2. *(Phys)* emission.

Emissionskurs *m* rate of issue, issuing price.

emittieren* *vt* 1. *(Fin)* to issue. 2. *(Phys)* to emit.

Emmentaler *m* **-s, -** Emment(h)aler.

Emotion *f* emotion.

emotional *adj* emotional; *Ausdrucksweise* emotive.

emotionalisieren* *vt* to emotionalize.

emotionell *adj siehe* **emotional.**

emotionsarm *adj* lacking in emotion, unfeeling; **emotionsgeladen** *adj* emotionally charged; **emotionslos** *adj* free of emotion, unemotional.

empfahl *pret of* **empfehlen.**

empfand *pret of* **empfinden.**

Empfang *m* **-(e)s, ⁻e** reception; *(von Brief, Ware)* receipt; *(von Sakramenten)* receiving. **zu jds ~ kommen** *(jdn begrüßen)* to (come to) receive sb; **einen ~ geben** *or* **veranstalten** to give *or* hold a reception; **jdn/etw in ~ nehmen** to receive sb/sth; *(Comm)* to take delivery of sth; **(zahlbar) nach/bei ~** *(+gen)* (payable) on receipt (of); **auf ~ bleiben** *(Rad)* to stand by; **auf ~ schalten** *(Rad)* to switch over to "receive".

empfangen *pret* **empfing,** *ptp* **empfangen I** *vt* to receive; *(begrüßen)* to greet, to receive *(form)*; *(herzlich)* to welcome; **die Weihen ~** *(Eccl)* to take Holy Orders; **die Polizisten wurden mit einem Steinhagel ~** the police were greeted by a shower of stones.

II *vti (schwanger werden)* to conceive.

Empfänger(in *f)* *m* **-s, -** recipient, receiver *(auch Rad)*; *(Adressat)* addressee; *(Waren~)* consignee. **~ unbekannt** *(auf Briefen)* not known at this address; **~ verzogen** gone away.

Empfänger|abschnitt *m* receipt slip.

empfänglich *adj (aufnahmebereit)* receptive *(für* to); *(beeinflußbar, anfällig)* susceptible *(für* to).

Empfänglichkeit *f siehe adj* receptivity; susceptibility.

Empfängnis *f* conception *siehe* **unbefleckt.**

empfängnisverhütend *adj* contraceptive; **~e Mittel** *pl* contraceptives *pl*; **Empfängnisverhütung** *f* contraception.

Empfangsantenne *f* receiving aerial; **empfangsberechtigt** *adj* authorized to receive payment/goods *etc*; **Empfangsberechtigte(r)** *mf* authorized recipient; **Empfangsbescheinigung, Empfangsbestätigung** *f* (acknowledg-

ment of) receipt; **Empfangschef(in** *f)* *m* *(von Hotel)* head porter; **Empfangsdame** *f* receptionist; **Empfangsgerät** *nt (Rad, TV)* (radio/TV) set, receiver; **Empfangskopie** *f* incoming document; **Empfangsstation** *f (Rad)* receiving station; *(Space)* tracking station; *(Comm)* destination; **Empfangsstörung** *f (Rad, TV)* interference *no pl*; **Empfangszimmer** *nt* reception room.

empfehlen *pret* **empfahl,** *ptp* **empfohlen I** *vt* to recommend; *(liter: anvertrauen)* to commend *(form)*, to entrust. **(jdm) etw/jdn ~** to recommend sth/sb (to sb); **~, etw zu tun** to recommend *or* advise doing sth; **jdm ~, etw zu tun** to recommend *or* advise sb to do sth; **dieses Restaurant ist sehr zu ~** I would recommend this restaurant, this method/ restaurant is to be recommended; **ich würde dir Geduld ~** I would recommend patience, I would advise *or* recommend you to be patient; **seinen Geist (dem Herrn) ~** *(geh)* to commend one's soul to the Lord; **bitte, ~ Sie mich Ihrer Frau Gemahlin** *(form)* please convey my respects to your wife *(form)*.

II *vr* 1. to recommend itself/oneself. **sich für Reparaturen/als Experte ~** to offer one's services for repairs/as an expert; **es empfiehlt sich, das zu tun** it is advisable to do that.

2. *(dated, hum: sich verabschieden)* to take one's leave. **ich empfehle mich!** I'll take my leave.

empfehlenswert *adj* to be recommended, recommendable.

Empfehlung *f* recommendation; *(Referenz)* testimonial, reference; *(form: Gruß)* regards *pl*, respects *pl*. **auf ~ von** on the recommendation of; **den besten ~en** *(am Briefende)* with best regards; **meine ~ an Ihre Frau Gemahlin!** *(form)* my regards *or* respects to your wife *(form)*.

Empfehlungsschreiben *nt* letter of recommendation, testimonial.

empfiehl *imper sing of* **empfehlen.**

empfinden *pret* **empfand,** *ptp* **empfunden** *vt* to feel. **etw als kränkend/ Beleidigung ~** to feel sth as an insult, to find sth insulting; **er hat noch nie Hunger empfunden** he has never experienced *or* known hunger; **bei Musik Freude ~** to experience pleasure from music; **ich habe dabei viel Freude empfunden** it gave me great pleasure; **viel/nichts für jdn ~** to feel a lot/nothing for sb; **jdn als (einen) Störenfried ~** to think of sb as *or* feel sb to be a troublemaker.

Empfinden *nt* **-s,** *no pl* feeling. **meinem ~ nach** to my mind, the way I feel about it.

empfindlich *adj* 1. sensitive *(auch Phot, Tech)*; *Gesundheit, Stoff, Glas* delicate; *(leicht reizbar)* touchy *(inf)*, (over)sensitive. **~ reagieren** to be sensitive *(auf +acc* to); **wenn man ihren geschiedenen Mann erwähnt, reagiert sie sehr ~** she is very sensitive to references to her ex-husband; **~e Stelle** *(lit)* sensitive spot; *(fig auch)* sore point; **gegen**

etw ~ **sein** to be sensitive to sth; **Kupfer ist sehr** ~ copper discolours/dents *etc* easily.
2. *(spürbar, schmerzlich) Verlust, Kälte, Strafe* severe; *Mangel* appreciable. **deine Kritik hat ihn** ~ **getroffen** your criticism cut him to the quick; **es ist** ~ **kalt** it is bitterly cold.

Empfindlichkeit f *siehe adj 1.* sensitivity *(auch Phot, Tech)*, sensitiveness; delicateness, delicate nature; touchiness *(inf)*, (over)sensitivity.

empfindsam *adj Mensch* sensitive; *(gefühlvoll, Liter)* sentimental.

Empfindsamkeit f *siehe adj* sensitivity; sentimentality. **das Zeitalter der** ~ *(Liter)* the age of sentimentalism.

Empfindung f feeling; *(Sinnes~ auch)* sensation; *(Ahnung auch)* impression.

empfindungslos *adj (lit, fig)* insensitive *(für, gegen* to); *Glieder* numb, without sensation; **Empfindungsnerven** *pl (Physiol)* sensory nerves *pl*; **Empfindungsvermögen** *nt* faculty of sensation; *(in Gliedern)* sensation; *(fig)* sensitivity, ability to feel; ~ **für etw** ability to feel *or* sense sth; *(fig)* sensitivity to sth.

empfing *pret of* empfangen.

empfohlen I *ptp of* empfehlen.
   II *adj* **(sehr** *or* **gut)** ~ (highly) recommended.

empfunden *ptp of* empfinden.

Emphase f -, -n emphasis.

emphatisch *adj* emphatic.

Empire¹ [ã'pi:ɐ] *nt* -(s), *no pl (Hist)* Empire; *(~stil)* Empire style.

Empire² ['ɛmpaɪɐ] *nt* -(s), *no pl (British)* Empire.

Empiriker(in f) *m* -s, - empiricist.

empirisch *adj* empirical.

Empirismus *m (Philos, Sci)* empiricism.

empor *adv (liter)* upwards, up. **zum Licht** ~ up(wards) towards the light.

emporarbeiten *vr sep (geh)* to work one's way up; **emporblicken** *vi sep (geh)* to raise one's eyes; *(fig)* to look up *(zu* to).

Empore f -, -n *(Archit)* gallery.

empören* I *vt* to fill with indignation, to outrage; *(stärker)* to incense.
   II *vr* **1.** *(über +acc* at) to be indignant *or* outraged; *(stärker)* to be incensed. **das ist unerhört! empörte er sich** that's scandalous!, he said indignantly.
   2. *(geh: sich auflehnen)* to rise (up) *or* rebel *(gegen* against).

empörend *adj* outrageous, scandalous.

emporheben *vt sep irreg (geh)* to raise, to lift up; **jdn über andere** ~ *(fig)* to raise *or* elevate sb above others; **emporkommen** *vi sep irreg aux sein (geh)* to rise (up); *(fig) (aufkommen)* to come to the fore; *(vorankommen)* to rise *or* go up in the world, to get on; **Emporkömmling** *m (pej)* upstart, parvenu; **emporlodern** *vi sep aux sein or haben (geh)* to blaze *or* flare upwards; **emporragen** *vi sep aux haben or sein (geh: lit, fig)* to tower *(über +acc* above); **emporrecken** *sep* I *vt (geh) Faust* to raise aloft; II *vr* to stretch upwards; **emporschweben** *vi*

sep aux sein (geh) to float upwards *or* aloft *(liter);* **emporsteigen** *sep irreg aux sein (geh)* I *vt* to climb (up); II *vi* to climb (up); *(Mond, Angst)* to rise (up); *(fig: Karriere machen)* to climb, to rise; **emporstreben** *vi sep aux sein* to soar upwards; *(fig) aux haben* to be ambitious.

empört *adj* **1.** (highly) indignant, outraged *(über +acc* at); *(schockiert)* outraged, scandalized. **2.** *(liter: in Auflehnung)* rebellious.

Empörung f **1.** *no pl (Entrüstung)* indignation *(über +acc* at). **über etw in** ~ **geraten** to become *or* get indignant about sth. **2.** *(liter: Aufstand)* rebellion, uprising.

emporziehen *sep irreg (geh)* I *vt* to draw *or* pull up; II *vi aux sein* to drift upwards; **emporzüngeln** *vi sep aux sein (geh: Flammen)* to leap up(wards) *or* aloft *(geh)*.

emsig *adj* busy, industrious; *(eifrig)* eager, keen; *(geschäftig)* bustling *attr*, busy.

Emsigkeit f *siehe adj* industry, industriousness; eagerness, zeal; bustle.

Emu *m* -s, -s emu.

Emulation f *(esp Comput)* emulation.

emulieren* *vt (esp Comput)* to emulate.

emulgieren* *vti* to emulsify.

Emulsion f emulsion.

E-Musik f serious music.

en bloc [ã'blɔk] *adv* en bloc.

End- *in cpds* final; **Endabnehmer** *m* end buyer; **Endabrechnung** f final account; **Endbahnhof** *m* terminus; **Endbenutzer(in** f) *m* end-user; **endbetont** *adj Wort* with final stress; **Endbetrag** *m* final amount.

Ende *nt* -s, -n end; *(eines Jahrhunderts auch)* close; *(Ausgang, Ergebnis)* outcome, result; *(Ausgang eines Films, Romans)* ending; *(Hunt: Geweih~)* point; *(inf: Stückchen)* (small) piece; *(Strecke)* way, stretch; *(Naut: Tau)* (rope's) end. ~ **Mai/der Woche** at the end of May/the week; ~ **der zwanziger Jahre** in the late twenties; **er ist** ~ **vierzig** he is in his late forties; **das** ~ **der Welt** the end of the world; **er wohnt am** ~ **der Welt** *(inf)* he lives at the back of beyond *or* in the middle of nowhere; **bis ans** ~ **der Welt** to the ends of the earth; **ein** ~ **mit Schrecken** a terrible *or* dreadful end; **lieber ein** ~ **mit Schrecken als ein Schrecken ohne** ~ *(Prov)* it's best to get unpleasant things over and done with; **letzten** ~**es** when all is said and done, after all; *(am* ~) in the end, at the end of the day; **einer Sache** *(dat)* **ein** ~ **machen** to put an end to sth; **(bei** *or* **mit etw) kein** ~ **finden** *(inf)* to be unable (to bring oneself) to stop (sth *or* telling/doing *etc* sth); **damit muß es jetzt ein** ~ **haben** there has to be an end to this now, this must stop now; **ein** ~ **nehmen** to come to an end; **das nimmt gar kein** ~ *(inf)* there's no sign of it stopping, there's no end to it; **ein böses** ~ **nehmen** to come to a bad end; **... und kein** ~ ... with no end in sight, ... without end; **es ist noch ein gutes** *or* **ganzes** ~

(*inf*) there's still quite a way to go (yet); **am ~** at the end; (*schließlich*) in the end; (*inf: möglicherweise*) perhaps; (**am**) **~ des Monats** at the end of the month; **am ~ sein** (*fig*) to be at the end of one's tether; **mit etw am ~ sein** to be at *or* have reached the end of sth; (*Vorrat*) to have run out of sth; **ich bin mit meiner Weisheit am ~** I'm at my wits' end; **meine Geduld ist am ~** my patience is at an end; **ein Problem am richtigen/falschen ~ anfassen** to tackle a problem from the right/wrong end; **Leiden ohne ~** endless suffering, suffering without end; **das ist eine Schraube ohne ~** (*fig*) it's an endless spiral; **zu ~** finished, over, at an end; **etw zu ~ bringen** *or* **führen** to finish (off) sth; **ein Buch/einen Brief zu ~ lesen/schreiben** to finish (reading/writing) a book/letter; **etw zu einem guten ~ bringen** *or* **führen** to bring sth to a satisfactory conclusion; **zu ~ gehen** to come to an end; (*Vorräte*) to run out; **~ gut, alles gut** (*Prov*) all's well that ends well (*Prov*); **alles hat einmal ein ~** (*Prov*) everything must come to an end sometime; (*angenehme Dinge*) all good things must come to an end (*Prov*).

End|effekt *m*: **im ~** (*inf*) in the end, in the final analysis.

Endemie *f* (*Med*) endemic disease.

endemisch *adj* (*Med*) endemic.

enden *vi* to end, to finish; (*Frist auch*) to run out, to expire; (*Zug*) to terminate; (*sterben*) to meet one's end. **auf** (+*acc*) *or* **mit etw ~** (*Wort*) to end with sth; **es endete damit, daß ...** the outcome was that ...; **der Streit endete vor Gericht** the quarrel ended up in court; **er endete im Gefängnis** he ended up in prison; **wie wird das noch mit ihm ~?** what will become of him?; **das wird böse ~!** no good will come of it!; **er wird schlimm ~** he will come to a bad end; **nicht ~ wollend** unending.

-ender *m suf* **-s, -** (*Hunt*) -pointer.

Endergebnis *nt* final result; **Endgehalt** *nt* final salary; **Endgerät** *nt* (*Telec*) terminal; **Endgeschwindigkeit** *f* terminal velocity.

endgültig *adj* final; *Beweis auch* conclusive; *Antwort* definite; (*geh: vorbildlich*) definitive. **damit ist die Sache ~ entschieden** that settles the matter once and for all; **das ist ~ aus** *or* **vorbei** that's (all) over and done with; **sie haben sich jetzt ~ getrennt** they've separated for good; **jetzt ist ~ Schluß!** that's the end!, that's it!; **etwas E~es läßt sich noch nicht sagen** I/we *etc* cannot say anything definite at this stage.

Endgültigkeit *f siehe adj* finality; conclusiveness; definitiveness.

Endivie [-viə] *f* endive.

Endkampf *m* (*Mil*) final battle; (*Sport*) final; (**~phase:** *Mil, Sport*) final stages *pl* (of a battle/contest); **Endlager** *nt* (*für Atommüll*) permanent (waste) disposal site; **endlagern** *vt* to put into permanent disposal; **Endlagerung** *f* (*von Atommüll*) permanent (waste) disposal; **Endlauf** *m* final.

endlich I *adj* **1.** (*Math, Philos*) finite. **2.** (*rare: langerwartet*) eventual.
II *adv* finally, at last; (*am Ende*) eventually, in the end, finally. **na ~!** at (long) last!; **hör ~ damit auf!** will you stop that!; **komm doch ~!** come on, get a move on!; **~ kam er doch** he eventually came after all, in the end he came (after all).

Endlichkeit *f* (*Math, Philos*) finiteness, finite nature.

endlos *adj* endless; (*langwierig auch*) interminable. **ich mußte ~ lange warten** I had to wait for an interminably long time, I had to wait for ages (*inf*).

Endlospapier *nt, no pl* continuous paper; **Endmontage** *f* final assembly; **Endmoräne** *f* terminal moraine.

Endo- *in cpds* endo-; **endogen** *adj* (*Biol, Psych*) endogenous; **endokrin** *adj* (*Med*) endocrine; **Endokrinologie** *f* (*Med*) endocrinology.

Endoskop *nt* **-s, -e** (*Med*) endoscope.

Endphase *f* final stage(s *pl*); **Endpreis** *m* final price; **Endprodukt** *nt* end *or* final product; **Endpunkt** *m* (*lit, fig*) end; (*von Buslinie etc auch*) terminus; **Endreim** *m* (*Liter*) end rhyme; **Endresultat** *nt* final result.

Endrunde *f* (*Sport*) finals *pl*; (*Leichtathletik, Autorennen*) final lap; (*Boxen, fig*) final round.

Endrundenspiel *nt* final (match); **Endrundenteilnehmer(in** *f*) *m* finalist.

Endsieg *m* final *or* ultimate victory; **Endsilbe** *f* final syllable; **Endspiel** *nt* (*Sport*) final; (*Chess*) end game; **Endspurt** *m* (*Sport, fig*) final spurt; **Endstadium** *nt* final *or* (*Med*) terminal stage; **Endstation** *f* (*Rail etc*) terminus; (*fig*) end of the line; **Endstelle** *f* (*Tech*) terminal apparatus; **Endstufe** *f* final stage; **Endsumme** *f* (*sum*) total.

Endung *f* (*Gram*) ending.

endungslos *adj* (*Gram*) without an ending.

Endurteil *nt* final verdict *or* judgement; **Endverbraucher(in** *f*) *m* consumer, end-user; **Endvierziger(in** *f*) *m* (*inf*) man/woman in his/her late forties; **Endzeit** *f* last days *pl*; **endzeitlich** *adj attr Phase* final; *Stimmung, Prophezeiung* apocalyptic; **Endzeitstimmung** *f* apocalyptic mood; **Endziel** *nt* ultimate goal *or* aim; **Endziffer** *f* final number; **Endzustand** *m* final state; **Endzweck** *m* ultimate aim *or* purpose.

Energetik *f* (*Phys*) energetics *sing*.

energetisch *adj* (*Phys*) energetic.

Energie *f* (*Sci, fig*) energy; (*Schwung auch*) vigour, vitality. **seine ganze ~ für etw einsetzen** *or* **aufbieten** to devote all one's energies to sth; **mit aller** *or* **ganzer ~** with all one's energy *or* energies.

Energiebedarf *m* energy requirement; **energiebewußt** *adj* energy-conscious; **Energiefarm** *f* (*Tech*) energy farm; **Energiegewinnung** *f* generation of energy; **Energiehaushalt** *m* (*Physiol*) energy balance; **Energieknappheit** *f* energy shortage; **Energiekrise** *f* energy crisis; **energielos** *adj* lacking in energy, weak; **Energiepolitik** f energy policy/ politics *sing or pl*; **Energiequelle** f energy source; **energiesparend** *adj* energy-saving; **Energiesparmaßnahmen** *pl* energy-saving measures *pl*; **Energieträger** m energy source; **Energieverbrauch** m energy consumption; **Energieversorgung** f supply of energy; **Energieversorgungsunternehmen** *nt* energy supply company; **Energiewirtschaft** f energy economy; (*Wirtschaftszweige*) energy industry; **Energiezufuhr** f energy supply.

energisch *adj* (*voller Energie*) energetic; (*entschlossen, streng*) forceful, firm; (*Griff, Maßnahmen*) vigorous, firm; *Worte* forceful, strong; *Protest* energetic, strong. ~ **durchgreifen** to take vigorous *or* firm action, to act vigorously *or* firmly; ~ **werden** to assert oneself *or* one's authority; **etw** ~ **betonen** to stress *or* emphasize sth strongly; **etw** ~ **dementieren** to deny sth strongly *or* strenuously *or* emphatically.

enervieren* [enɛr'viːrən] *vt* (*old*) to enervate (*form*).

Enfant terrible [āfɑ̃tε'ribl] *nt* - -, -s -s (*geh*) enfant terrible.

eng *adj* **1.** (*schmal*) *Straße* narrow; (*beengt*) *Raum* cramped, confined; (~ *anliegend*) *Kleidung* tight, close-fitting; (*ärmlich*) *Verhältnisse* straitened, reduced; (*beschränkt*) *Horizont, Moralbegriff* narrow, limited, restricted. **ein Kleid** ~**er machen** to take a dress in; **im** ~**eren Sinne** in the narrow sense; **in dem** ~**en Zimmer standen wir sehr** ~ we were very crowded in the room; ~ **zusammengedrängt sein** to be crowded together; **in die** ~**ere Wahl kommen** to be put on the short list, to be short-listed; **das darfst du nicht so** ~ **sehen** (*fig inf*) don't take it so seriously.

   2. (*nah, dicht, vertraut*) close. ~ **nebeneinander** *or* **zusammen** close together; **aufs** ~**ste befreundet sein** to be on the closest possible terms; **eine Feier im** ~**sten Kreise** a small party for close friends; **die Hochzeit fand im** ~**sten Kreise der Familie statt** the wedding was celebrated with just the immediate family present; ~ **befreundet sein** to be close friends; **mit jdm** ~ **befreundet sein** to be a close friend of sb; **die** ~**ere Heimat** one's home area, the area (where) one comes from.

Engadin ['ɛŋɡadiːn] *nt* -s **das** ~ the Engadine.

Engagement [āɡaʒə'māː] *nt* -s, -s **1.** (*Theat*) engagement. **2.** (*geh: Aktivität*) involvement, engagement; (*politisches* ~) commitment (*für* to).

engagieren* [āɡa'ʒiːrən] **I** *vt* to engage.   **II** *vr* to be/become committed (*für* to); (*in einer Bekanntschaft*) to become involved. **er hat sich sehr dafür engagiert, daß ...** he completely committed himself to ...; **engagierte Literatur** (politically/socially) committed literature.

engagiert [āɡa'ʒiːɐt] *adj* committed.

enganliegend *adj attr* tight(-fitting),

close-fitting; **engbedruckt** *adj attr* close-printed; **engbefreundet** *adj attr* close; **engbegrenzt** *adj attr* restricted, narrow; **engbeschrieben** *adj attr* closely written; **engbrüstig** *adj* narrow-chested.

Enge f -, -n **1.** *no pl* (*von Straße*) narrowness; (*von Wohnung*) confinement, crampedness; (*Gedrängtheit*) crush; (*von Kleid*) tightness; (*fig*) (*Ärmlichkeit*) straitened circumstances *pl*, poverty; (*Beschränktheit*) narrowness, limited *or* restricted nature. **2.** (*Meeres*~) strait; (*Engpaß*) pass, defile. **jdn in die** ~ **treiben** (*fig*) to drive sb into a corner.

Engel m -s, - (*lit, fig*) angel. **ein rettender/ guter** ~ (*fig*) a saviour/a guardian angel; **ich hörte die** ~ **im Himmel singen** (*inf*) it hurt like anything (*inf*), it was agony; **er ist auch nicht gerade ein** ~ (*inf*) he's no angel (*inf*).

Engelmacher(in f) m (*euph inf*) backstreet abortionist; **Engelschar** f host of angels, angelic host.

Engel(s)geduld f saintly patience; **sie hat eine** ~ she has the patience of a saint; **engel(s)gleich** *adj* angelic; **Engel(s)zungen** *pl*: (**wie**) **mit** ~ **reden** to use all one's powers of persuasion.

Engerling m (*Zool*) grub *or* larva of the May bug *or* cockchafer.

engherzig *adj* petty, hidebound; **Engherzigkeit** f pettiness.

engl. *abbr of* **englisch**.

England *nt* -s England.

Engländer m -s, - **1.** Englishman; English boy. **die** ~ *pl* the English, the Britishers (*US*); **er ist** ~ he's English. **2.** (*Tech*) adjustable spanner, monkey wrench.

Engländerin f Englishwoman; English girl.

englisch[1] *adj* English; *Steak* rare. **die** ~**e Krankheit** (*dated Med*) rickets *sing*; (*fig*) the English disease *or* sickness; **die E**~**e Kirche** the Anglican Church, the Church of England; **die E**~**en Fräulein** (*Eccl*) *institute of Catholic nuns for the education of girls*; ~**e Broschur** case binding; *siehe auch* **deutsch**.

englisch[2] *adj* (*Bibl*) angelic. **der E**~**e Gruß** the Angelic Salutation, the Ave Maria *or* Hail Mary.

Englisch(e) *nt* English; *siehe auch* **Deutsch(e)**.

englisch-deutsch *adj* Anglo-German; *Wörterbuch* English-German.

Englischhorn *nt* (*Mus*) cor anglais; **Englischleder** *nt* (*Tex*) moleskin; **englischsprachig** *adj Gebiet* English-speaking; **Englischtraben** *nt* rising trot.

engmaschig *adj* close-meshed; (*fig, Sport*) close; ~ **stricken** to knit to a fine tension; **Engpaß** m (narrow) pass, defile; (*Fahrbahnverengung, fig*) bottleneck.

en gros [ā'gro] *adv* wholesale.

engstirnig *adj* narrow-minded, insular, parochial.

Enjambement [āʒābə'māː] *nt* -s, -s (*Poet*) enjambement.

Enkel[1] m -s, - (~*kind*) grandchild; (~*sohn*) grandson; (*Nachfahr*) descendant; (*fig*) heir.

Enkel² *m* -s, - (*dial*) ankle.

Enkelin *f* granddaughter.

Enkelkind *nt* grandchild; **Enkelsohn** *m* grandson; **Enkeltochter** *f* grand-daughter.

Enklave [ɛn'klaːvə] *f* -, -n enclave.

en masse [ã'mas] *adv* en masse.

en miniature [ãminja'tyːr] *adv* (*geh*) in miniature.

enorm *adj* (*riesig*) enormous; (*inf: herrlich, kolossal*) tremendous (*inf*). **er ver-dient ~ or ~ viel (Geld)** (*inf*) he earns an enormous amount (of money); **~e Hitze/Kälte** tremendous heat/cold.

en passant [ãpa'sã] *adv* en passant, in passing.

Enquete [ã'keːt(ə), ã'kɛːt(ə)] *f* -, -n (*form*) survey; (*Aus auch: Arbeitsta-gung*) symposium.

Enquetekommission [ã'keːt-] *f* (*BRD*) commission of enquiry, select committee.

Ensemble [ã'sãbl] *nt* -s, -s ensemble; (*Be-setzung*) cast.

ent|arten* *vi aux sein* to degenerate (*zu* into).

ent|artet *adj* degenerate.

Ent|artung *f* degeneration.

ent|äußern* *vr* **sich einer Sache** (*gen*) **~** (*geh*) to relinquish sth, to divest oneself of sth (*form*); **sich ~** (*Philos*) to be real-ized.

entbehren* **I** *vt* (*vermissen*) to miss; (*auch vi: verzichten*) to do *or* manage without; (*zur Verfügung stellen*) to spare. **wir haben jahrelang ~ müssen** for years we had/we have had to do *or* go without; **wir können ihn heute nicht ~** we cannot spare him/it today. **II** *vi* (*fehlen*) **einer Sache** (*gen*) **~** (*geh*) to lack sth, to be devoid of sth.

entbehrlich *adj* dispensable, unnecessary.

Entbehrung *f* privation, deprivation, want *no pl*. **~en auf sich** (*acc*) **nehmen** to make sacrifices.

entbehrungsreich, entbehrungsvoll *adj* full of privation; **die ~ Kriegsjahre** the deprivation of the war years.

entbieten* *vt irreg* (*form*) **der Vorsitzende entbot der Delegation herzliche Will-kommensgrüße** the Chairman welcomed the delegation cordially.

entbinden* *irreg* **I** *vt* **1. Frau** to deliver. **sie ist von einem Sohn entbunden worden** she has given birth to a son, she has been delivered of a son (*liter, old*). **2.** (*befreien: von Versprechen, Amt*) to re-lease (*von* from). **II** *vi* (*Frau*) to give birth.

Entbindung *f* delivery, birth; (*von Amt etc*) release.

Entbindungsheim *nt* maternity home *or* hospital; **Entbindungsklinik** *f* mater-nity clinic; **Entbindungspfleger(in** *f*) *m* obstetric nurse; **Entbindungsstation** *f* maternity ward.

entblättern* **I** *vt* to strip (of leaves). **II** *vr* to shed its/their leaves; (*hum inf*) to strip, to shed one's clothes.

entblöden* *vr* **sich nicht ~, etw zu tun** to have the effrontery *or* audacity to do

sth, to do sth unashamedly.

entblößen* *vt* (*form*) **1.** to bare, to expose (*auch Mil*); **Kopf** to bare, to un-cover; **Schwert** to draw, to unsheathe; (*fig*) **sein Innenleben** to lay bare, to re-veal. **er hat sich entblößt** (*Exhibitionist*) he exposed himself; (*seinen wahren Charakter*) he showed his true colours. **2.** (*liter: des Schutzes berauben*) to divest, to denude (*form*).

entblößt *adj* bare.

entbrennen* *vi irreg aux sein* (*geh*) (*Kampf, Streit, Zorn*) to flare up, to erupt; (*Leidenschaft, Liebe*) to be (a)roused; (*Begeisterung*) to be fired. **in heißer Liebe zu jdm** *or* **für jdn ~** to fall passionately in love with sb; **in Wut ~** to become inflamed with anger.

Entchen *nt dim of* **Ente** duckling.

entdecken* **I** *vt* **1.** to discover; **Fehler, Anzeichen, Lücke auch** to detect, to spot; (*in der Ferne*) to discern, to spot; (*in einer Menge*) to spot. **2.** (*old: offenbaren*) **jdm etw ~** to reveal *or* dis-cover (*obs*) sth to sb. **II** *vr* **sich jdm ~** (*old*) to reveal *or* discover (*obs*) oneself to sb (*form*).

Entdecker(in *f*) *m* -s, - discoverer.

Entdeckung *f* discovery; (*von Fehler, An-zeichen auch*) detection, spotting; (*etw Entdecktes auch*) find.

Entdeckungsfahrt, Entdeckungsreise *f* voyage of discovery; (*zu Lande*) expedi-tion of discovery; **auf ~reise gehen** (*hum inf*) to go exploring.

Ente *f* -, -n duck; (*Press inf*) canard, hoax, false report; (*Med sl: Harngefäß*) (bed) urinal; (*Aut inf*) Citroën 2CV, deux-chevaux.

ent|ehren* *vt* to dishonour; (*entwürdigen*) to degrade; (*verleumden*) to defame; (*entjungfern*) to deflower; **~d** degrad-ing; **sich ~** to degrade *or* disgrace one-self.

Ent|ehrung *f siehe vt* dishonouring; degra-dation; defamation; defloration.

ent|eignen* *vt* to expropriate; **Besitzer** to dispossess.

Ent|eignung *f siehe vt* expropriation; dis-possession.

ent|eilen* *vi aux sein* (*old*) to hasten away (*liter*); (*liter: Zeit*) to fly by.

ent|eisen* *vt* to de-ice; **Kühlschrank** to defrost.

Entelechie *f* (*Philos*) entelechy.

ent|emotionalisieren* *vt* to de-emotion-alize.

Entenbraten *m* roast duck; **Entenbrust** *f* breast of duck; **Entenei** *nt* duck's egg; **Entengrütze** *f* duckweed; **Entenküken** *nt* duckling.

Entente [ã'tã:t(ə)] *f* -, -n (*Pol*) entente.

Enterbeil *nt* boarding axe.

ent|erben* *vt* to disinherit.

Enterbrücke *f* boarding plank.

Enterhaken *m* grappling iron *or* hook.

Enterich *m* drake.

entern (*Naut*) **I** *vti* **Schiff** to board with violence. **II** *vi aux sein* to climb.

Entertainer(in *f*) [ɛntə'teːnɐ, -ərin] *m* -s, - entertainer.

ENTER-Taste *f* (*Comput*) enter key.

•ntf. *abbr of* **entfällt** n/a.

•ntfachen* *vt (geh) Feuer* to kindle; *Leidenschaft, Begierde* to arouse, to kindle (the flames of); *Krieg, Streit* to provoke.

•ntfahren* *vi irreg aux sein* **jdm ~** to slip out, to escape sb's lips; **Blödsinn! entfuhr es ihm** nonsense, he cried inadvertently.

•ntfallen* *vi irreg aux sein +dat* **1.** *(form: herunterfallen)* **jds Händen ~** to slip *or* fall *or* drop from sb's hands; **das Glas entfiel ihm** he dropped the glass.

2. *(fig: aus dem Gedächtnis)* **jdm ~** to slip sb's mind, to escape sb; **der Name ist mir ~** the name has slipped my mind *or* escapes me.

3. *(nicht in Betracht kommen)* not to apply, to be inapplicable; *(wegfallen)* to be dropped; *(erlöschen)* to lapse. **dieser Punkt der Tagesordnung entfällt** this point on the agenda has been dropped.

4. auf jdn/etw ~ *(Geld, Kosten)* to be allotted *or* apportioned to sb/sth; **auf jeden ~ 100 Mark** each person will receive/pay 100 marks.

entfalten* **I** *vt* **1.** *(auseinanderlegen)* to unfold, to open *or* spread out.

2. *(fig) (entwickeln) Kräfte, Begabung* to develop; *(beginnen) Tätigkeit* to launch into; *(darlegen) Plan, Gedankengänge* to set forth *or* out, to unfold, to expound. **seine Fähigkeiten voll ~** to develop one's abilities to the full.

3. *(fig: zeigen) Pracht, Prunk* to display, to exhibit.

II *vr (Knospe, Blüte)* to open, to unfold; *(fig)* to develop, to unfold, to blossom (out). **der Garten hat sich zu voller Pracht entfaltet** the garden blossomed (out) into its full magnificence; **hier kann ich mich nicht ~** I can't make full use of my abilities here, I'm held back here.

Entfaltung *f* unfolding; *(von Blüte auch)* opening; *(fig) (Entwicklung)* development; *(einer Tätigkeit)* launching into; *(Darstellung) (eines Planes, Gedankens)* exposition, setting out, unfolding; *(von Prunk, Tatkraft)* display. **zur ~ kommen** to develop, to blossom.

entfärben* **I** *vt* to take the colour out of, to decolour *(Tech)*, to decolorize *(Tech)*; *(bleichen)* to bleach. **das E~** the removal of colour, decolorization *(Tech)*. **II** *vr (Stoff, Blätter)* to lose (its/their) colour; *(Mensch)* to turn *or* go pale.

Entfärber *m*, **Entfärbungsmittel** *nt* colour *or* dye remover, decolorant *(Tech)*.

entfernen* **I** *vt* to remove *(von, aus* from). **jdn aus der Schule ~** to expel sb from school; **das entfernt uns (weit) vom Thema** that takes us a long way from our subject.

II *vr* **1. sich (von *or* aus etw) ~** *(weggehen)* to go away (from sth), to leave (sth); *(abfahren, abziehen)* to move off (from sth), to depart (from sth); **sich von seinem Posten ~** to leave one's post; **sich unerlaubt von der Truppe ~** *(Mil)* to go absent without leave.

2. *(fig) (von* from) *(von jdm)* to become estranged; *(von Thema)* to depart, to digress; *(von Wahrheit)* to depart, to deviate. **er hat sich sehr weit von seinen früheren Ansichten entfernt** he has come a long way from his earlier views.

entfernt I *adj Ort, Verwandter* distant; *(abgelegen)* remote; *(gering) Ähnlichkeit* distant, remote, vague. **10 km ~ von** 10km (away) from; **das Haus liegt 2 km ~** the house is 2km away; **ich hatte nicht den ~esten Verdacht** I didn't have the slightest *or* remotest suspicion.

II *adv* remotely, slightly. **nicht einmal ~ (so gut/hübsch)** not even remotely (as good/pretty); **~ verwandt** distantly related; **er erinnert mich ~ an meinen Onkel** he reminds me slightly *or* vaguely of my uncle; **das hat nur ~ mit dieser Angelegenheit zu tun** that has only a distant bearing on this matter *or* is only vaguely related *or* has only a remote connection with this matter; **nicht im ~esten!** not in the slightest *or* least!

Entfernung *f* **1.** distance; *(Mil: bei Waffen)* range. **man hört das Echo auf große ~ (hin)** you can hear the echo from a great distance *or* a long way away; **aus *or* in der ~ (hörte er ...)** in the distance (he heard ...); **aus kurzer/großer ~ (schießen)** (to fire) at *or* from close/long range; **aus einiger ~** from a distance; **in einiger ~** at a distance; **etw auf eine ~ von 50 Meter treffen** to hit sth at a distance of 50 metres.

2. *(das Entfernen)* removal; *(aus der Schule)* expulsion. **unerlaubte ~ (von der Truppe)** absence without leave.

Entfernungsmesser *m* **-s, -** *(Mil, Phot)* rangefinder.

entfesseln* *vt (fig)* to unleash.

entfesselt *adj* unleashed; *Leidenschaft, Trieb* unbridled, uncontrolled; *Mensch* wild; *Naturgewalten* raging. **der ~e Prometheus** Prometheus Unbound.

entfetten* *vt* to remove the grease from, to degrease *(Tech)*; *Wolle* to scour.

Entfettungskur *f* weight-reducing course.

entflammbar *adj* inflammable.

entflammen* **I** *vt (fig)* to (a)rouse; *Leidenschaft, Haß auch* to inflame; *Begeisterung* to fire.

II *vr (fig)* to be (a)roused *or* fired *or* inflamed.

III *vi aux sein* to burst into flames, to catch fire, to ignite *(Chem)*; *(fig) (Zorn, Streit)* to flare up; *(Leidenschaft, Liebe)* to be (a)roused *or* inflamed. **für etw entflammt sein** to be fired with enthusiasm for sth; **in Liebe ~/entflammt sein** to fall/be passionately in love.

entflechten* *vt irreg Konzern, Kartell* to break up.

Entflechtung *f (von Konzern, Kartell)* breaking up.

entflecken* *vt* to remove the stain(s) from.

entfleuchen* *vi aux sein (obs: wegfliegen)* to fly away; *(hum: weggehen)* to be off *(inf)*.

entfliegen* *vi irreg aux sein* to fly away, to escape *(dat or aus* from).

entfliehen* *vi irreg aux sein (geh)* 1. to escape, to flee (*dat or aus* from). **dem Lärm/der Unrast** ~ to escape *or* flee (from) the noise/unrest. 2. (*vergehen: Zeit, Jugend*) to fly past.

entfremden* I *vt* to alienate (*auch Sociol, Philos*), to estrange. **jdn einer Person/ Sache** (*dat*) ~, **jdm eine Person/Sache** ~ to alienate *or* estrange sb from sb/sth; **die lange Trennung hat die Freunde (ein- ander) entfremdet** the long separation estranged the friends from each other *or* made the two friends strangers to each other; **entfremdete Arbeit** (*Sociol*) alien- ated work; **etw seinem Zweck** ~ to use sth for the wrong purpose, not to use sth for its intended purpose.
   II *vr* to become alienated *or* estranged (*dat* from). **er hat sich seiner Frau ganz entfremdet** he has become completely alienated from his wife, he has become a complete stranger to his wife.

Entfremdung *f* estrangement; (*Sociol, Philos*) alienation.

entfrosten* *vt* to defrost.

Entfroster *m* **-s, -** defroster.

entführen* *vt* **jdn** to abduct, to kidnap; *Beute* to carry off, to make off with; *LKW, Flugzeug* to hijack; *Mädchen (mit Zustimmung zur Heirat)* to elope with, to run off with; (*hum inf: wegnehmen*) to borrow (*often hum*). **wer hat mir denn meinen Bleistift entführt?** (*inf*) who's made off with my pencil? (*inf*).

Entführer(in *f*) *m* 1. abductor, kidnapper. 2. (*Flugzeug~ etc*) hijacker; (*Flugzeug~ auch*) skyjacker (*inf*).

Entführung *f siehe* **vt** abduction, kidnap- ping; hijacking; elopement. „**Die** ~ **aus dem Serail**" "The Abduction from the Seraglio".

entgegen I *adv* (*liter*) **dem Licht/der Zu- kunft** ~! on towards the light/future!; **neuen Ufern/Abenteuern** ~! on to new shores/adventures!
   II *prep* +*dat* contrary to, against. ~ **meiner Bitte** contrary to my request; ~ **allen Erwartungen, allen Erwartungen** ~ contrary to all *or* against all expecta- tion(s).

entgegen|arbeiten *vi sep* +*dat* to oppose, to work against.

entgegenbringen *vt sep irreg* **jdm etw** ~ to bring sth to sb; (*fig*) *Achtung, Freund- schaft* to show *or* evince sth for sb.

entgegen|eilen *vi sep aux sein* +*dat* to rush towards; (*um jdn zu treffen*) to rush to meet.

entgegenfahren *vi sep irreg aux sein* +*dat* to travel towards, to approach; (*um jdn zu treffen*) to travel to meet; (*mit dem Auto*) to drive towards/to meet.

entgegengehen *vi sep irreg aux sein* +*dat* to go towards, to approach; (*um jdn zu treffen*) to go to meet; (*fig*) *einer Gefahr, dem Tode, der Zukunft* to face. **dem Ende** ~ (*Leben, Krieg*) to draw to a close, to approach its end; **seinem Untergang/Schwierigkeiten** ~ to be heading for disaster/difficulties; **seiner Vollendung** ~ to near *or* approach com- pletion.

entgegengesetzt *adj Richtung, Meinung* opposite; *Charakter auch* contrasting; (*fig: einander widersprechend*) *Interes- sen, Meinungen* opposing *attr*, opposed, conflicting *attr*. **genau** ~ **denken/handeln** to think/do exactly the opposite.

entgegenhalten *vt sep irreg* +*dat* 1. **jdm etw** ~ to hold sth out towards sb. 2. (*fig*) **einer Sache** ~, **daß** ... to object to sth that ...; **dieser Ansicht muß man** ~, **daß** ... against this view it must be objected that ...

entgegenhandeln *vi sep siehe* **zuwider- handeln.**

entgegenkommen *vi sep irreg aux sein* +*dat* to come towards, to approach; (*um jdn zu treffen*) to (come to) meet; (*fig*) to accommodate; *Wünschen, Bitten auch* to meet, to comply with. **jdm auf halbem Wege** ~ (*lit, fig*) to meet sb half- way; **das kommt unseren Plänen/ Vorstellungen** *etc* **sehr entgegen** that fits in very well with our plans/ideas *etc*; **Ihr Vorschlag kommt mir sehr entgegen** I find your suggestion very congenial; **können Sie uns preislich etwas** ~? can you adjust your price a little?

Entgegenkommen *nt* (*Gefälligkeit*) kind- ness, obligingness; (*Zugeständnis*) con- cession, accommodation.

entgegenkommend *adj Fahrzeug, Ver- kehr* oncoming; (*fig*) obliging, accom- modating.

entgegenkommenderweise *adv* oblig- ingly, accommodatingly; (*als Zugeständ- nis*) as a concession.

entgegenlaufen *vi sep irreg aux sein* +*dat* to run towards; (*um jdn zu treffen*) to run to meet; (*fig*) to run contrary *or* counter to.

Entgegennahme *f* **-**, *no pl* (*form*) (*Empfang*) receipt; (*Annahme*) accept- ance.

entgegennehmen *vt sep irreg* (*empfan- gen*) to receive; (*annehmen*) to accept.

entgegenschlagen *vi sep irreg aux sein* +*dat* (*Geruch, Haß*) to confront, to meet; (*Flammen auch*) to leap towards; (*Jubel, Begeisterung*) to meet, to greet.

entgegensehen *vi sep irreg* 1. **jdm** ~ to see sb coming. 2. (*fig*) **einer Sache** (*dat*) ~ to await sth; (*freudig*) to look forward to sth; **Ihrer baldigen Antwort** ~**d** (*form*) in anticipation of *or* looking for- ward to your early reply.

entgegensetzen *vt sep* +*dat* **etw einer Sa- che** ~ to set sth against sth; **wir können diesen Forderungen nichts** ~ we have nothing to counter these claims with; **dem habe ich entgegenzusetzen, daß** ... against that I'd like to say that ...; **jdm/ einer Sache Widerstand** ~ to put up *or* offer resistance to sb/sth; **ihren Ankla- gen konnte er nichts** ~ he could find no reply to her accusations.

entgegenstehen *vi sep irreg* +*dat* (*fig*) to stand in the way of, to be an obstacle to. **dem steht entgegen, daß** ... what stands in the way of that is that ...; **dem steht nichts entgegen** there's no obstacle to that, there's nothing against that.

entgegenstellen *vr sep* **sich jdm/einer Sa-**

che ~ to resist sb/sth, to oppose sb/sth.

entgegenstemmen vr sep **sich jdm/einer Sache** ~ to pit oneself against sb/sth, to oppose sb/sth.

entgegenstrecken vt sep **jdm etw** ~ to hold out sth to sb.

entgegenstürzen vi sep aux sein +dat to fall upon; (zueilen auf) to rush towards.

entgegentreten vi sep irreg aux sein +dat to step or walk up to; **dem Feind** to go into action against; **Forderungen** to oppose; **Vorurteilen** to counter; **einer Gefahr** to take steps against, to act against.

entgegenwirken vi sep +dat to counteract.

entgegnen* vti to reply; (kurz, barsch) to retort (auf +acc to). **er entgegnete nichts** he made no reply; **darauf wußte er nichts zu ~** he didn't know what to reply to that.

Entgegnung f reply; (kurz, barsch) retort.

entgehen* vi irreg aux sein +dat 1. (entkommen) Verfolgern, dem Feind to elude, to escape (from); **dem Schicksal, der Gefahr, Strafe** to escape, to avoid. 2. (fig: nicht bemerkt werden) **dieser Fehler ist mir entgangen** I failed to notice or I missed this mistake, this mistake escaped my notice; **mir ist kein Wort entgangen** I didn't miss a word (of it); **es ist meiner Aufmerksamkeit nicht entgangen, daß ...** it has not escaped my attention that ...; **ihr entgeht nichts** she doesn't miss anything or a thing; **sich (dat) etw ~ lassen** to miss sth.

entgeistert adj dumbfounded, thunderstruck, flabbergasted (inf). **er starrte mich ganz ~ an** he stared at me quite dumbfounded etc; **er reagierte ~** he reacted with complete astonishment.

Entgelt nt -(e)s, no pl (form) 1. (Bezahlung) remuneration (form); (Entschädigung) recompense (form), compensation; (Anerkennung) reward. 2. (Gebühr) fee, consideration. **gegen ~** for a fee or consideration; **etw gegen ~ abgeben** to give sb sth for a consideration.

entgelten* vt irreg (geh) 1. (büßen) to pay for. **jdn etw ~ lassen** to make sb pay or suffer for sth. 2. (vergüten) **jdm etw ~** to repay sb for sth.

entgiften* vt to decontaminate; (Med) to detoxicate, to detoxify.

Entgiftung f decontamination; (Med) detoxication.

entgleisen* vi aux sein 1. (Rail) to be derailed; to leave or run off or jump the rails. **einen Zug zum E~ bringen** or ~ **lassen** to derail a train. 2. (fig: Mensch) to misbehave; (einen Fauxpas begehen) to commit a faux pas, to drop a clanger (inf).

Entgleisung f derailment; (fig) faux pas, gaffe, clanger (inf).

entgleiten* vi irreg aux sein +dat to slip. **jdm** or **jds Hand** ~ to slip from or out of sb's grasp; **jdm/einer Sache** ~ (fig) to slip away from sb/sth.

entgräten* vt Fisch to fillet, to bone.

enthaaren* vt to remove unwanted hair from, to depilate (form).

Enthaarungscreme f depilatory cream; **Enthaarungsmittel** nt depilatory.

enthalten* irreg I vt to contain. (mit) ~ **sein in** (+dat) to be included in. II vr 1. (geh) **sich einer Sache** (gen) ~ to abstain from sth; **sich nicht ~ können, etw zu tun** to be unable to refrain from doing sth. 2. **sich (der Stimme)** ~ to abstain.

enthaltsam adj abstemious; (geschlechtlich) chaste, continent; (mäßig) moderate.

Enthaltsamkeit f siehe adj abstinence; chastity, continence; moderation.

Enthaltung f abstinence; (Stimm~) abstention.

enthärten* vt Wasser to soften.

Enthärter m, **Enthärtungsmittel** nt (water) softener.

enthaupten* vt to decapitate; (als Hinrichtung auch) to behead.

enthäuten* vt to skin; (als Folter) to flay.

entheben* vt irreg **jdn einer Sache** (gen) ~ to relieve sb of sth.

enthemmen* vti **jdn** ~ to make sb lose his inhibitions, to free sb from his inhibitions; **Alkohol wirkt ~d** alcohol has a disinhibiting effect; (moralisch) **völlig enthemmt sein** to have no (moral) inhibitions whatsoever; to have lost one's (moral) inhibitions.

Enthemmung f loss of inhibitions.

enthüllen* I vt to uncover, to reveal; **Skandal, Lüge** auch to expose; **Denkmal, Gesicht** to unveil; **Geheimnis, Plan** to reveal. II vr (lit, hum) to reveal oneself.

Enthüllung f siehe vt uncovering, revealing; exposure; unveiling. **noch eine sensationelle ~** another sensational revelation or disclosure.

Enthüllungsautor(in f) m investigative author; **Enthüllungsjournalismus** m investigative journalism.

Enthusiasmus m enthusiasm.

Enthusiast(in f) m enthusiast.

enthusiastisch adj enthusiastic.

ent|ideologisieren* I vt to free from ideology. II vr (Partei) to dispense with one's ideology.

Entität f (Philos) entity.

entjungfern* vt to deflower.

entkalken* vt to decalcify.

entkeimen* I vt 1. **Kartoffeln** to remove the buds from. 2. (keimfrei machen) to sterilize. II vi aux sein +dat (liter) to burgeon forth from (liter).

entkernen* vt 1. **Orangen** to remove the pips from; **Kernobst** to core; **Steinobst** to stone; (Biol) **Zellen** to denucleate. 2. **Wohngebiet** (Dichte reduzieren) to reduce the density of; (dezentralisieren) to decentralize, to disperse.

Entkerner m -s, - siehe vt corer; stoner.

entkleiden* (geh) I vt to undress. **jdn einer Sache** (gen) ~ (fig) to strip or divest sb of sth. II vr to undress, to take one's clothes off.

entknoten* vt to untie, to undo; (fig: entwirren) to unravel.

entkoffeiniert *adj* decaffeinated.
entkolonialisieren* *vt* to decolonialize.
entkommen* *vi irreg aux sein* to escape, to get away (+*dat, aus* from).
Entkommen *nt* escape.
Entkonservierung *f* (*von Auto*) dewaxing.
entkorken* *vt Flasche* to uncork.
entkräften* *vt* (*schwächen*) to weaken, to debilitate, to enfeeble; (*erschöpfen*) to exhaust, to wear out; (*fig: widerlegen*) *Behauptung* to refute, to invalidate.
Entkräftung *f siehe vt* weakening, debilitation, enfeeblement; exhaustion; refutation, invalidation.
entkrampfen* *vt* (*fig*) to relax, to ease; *Lage* to ease. **eine entkrampfte Atmosphäre** a relaxed atmosphere.
Entkrampfung *f* (*fig*) relaxation, easing.
entkriminalisieren *vt* to decriminalize.
entladen* *irreg* **I** *vt* to unload; *Batterie* to discharge.
II *vr* (*Gewitter*) to break; (*Schußwaffe*) to go off, to discharge (*form*); (*elektrische Spannung, Batterie*) to discharge; (*langsam*) to run down; (*Sprengladung*) to explode, to go off; (*fig: Emotion*) to vent itself/themselves. **sein Zorn entlud sich über mir** he vented his anger on me.
Entladung *f* **1.** (*das Entladen*) unloading. **2.** *siehe vr* breaking; discharge; discharge; running down; explosion; venting. **etw zur ~ bringen** (*Mil, fig*) to detonate sth.
entlang I *prep nach n +acc or* (*rare*) *+dat, vor n +dat or* (*rare*) *+gen* along. **den or** (*rare*) **dem Fluß ~** along the river. **II** *adv* along. **am Bach ~** along (by the side of) the stream; **am Haus ~** along (by) the side of the house; **hier ~** this way.
entlang- *pref* along; **entlanggehen** *vti sep irreg aux sein* to walk along, to go along (*auch fig*); **am Haus ~** to walk along by the side of the house; **entlangschrammen** *vi* (*fig*) to scrape by; **haarscharf an etw** (*dat*) **~** to escape sth by the skin of one's teeth.
entlarven* *vt* (*fig*) *Spion, Dieb* to unmask, to expose; *Pläne, Betrug* to uncover, to expose. **sich ~** to reveal one's true colours *or* character.
Entlarvung *f siehe vt* unmasking, exposure; uncovering, exposure.
entlassen* *vt irreg* (*aus* from) (*gehen lassen, kündigen*) to dismiss; (*betriebsbedingt*) to make redundant; (*aus dem Krankenhaus*) to discharge; (*Soldaten*) to discharge; (*in den Ruhestand versetzen*) to retire, to pension off; (*aus dem Gefängnis, aus Verpflichtungen*) to release, to discharge, to free; (*aus der Schule: als Strafe*) to expel. **aus der Schule ~ werden** to leave school; to be expelled from school; **jdn mit ein paar freundlichen Worten ~** to dismiss sb *or* send sb away with a few kind words; **jdn aus der Verantwortung ~** to free sb from responsibility.
Entlassung *f siehe vt* dismissal; making redundant; discharge; discharge; retire-

ment, pensioning off; release, discharge; expulsion. **es gab 20 ~en** there were 20 redundancies.
Entlassungsgesuch *nt* (letter of) resignation; (*Jur*) petition for release; **Entlassungsschein** *m* certificate of discharge; (*Mil auch*) discharge papers *pl*; **Entlassungszeugnis** *nt* (*Sch*) school leaving certificate.
entlasten* *vt Achse, Telefonleitungen* to relieve the strain *or* load on; *Herz* to relieve the strain on; (*Mil, Rail*), *Gewissen* to relieve; *Verkehr* to ease; *Stadtzentrum* to relieve congestion in; (*Arbeit abnehmen*) *Chef, Hausfrau* to take some of the load off, to relieve; (*Jur*) *Angeklagten* (*völlig*) to exonerate; (*teilweise*) to support the case of; (*Comm: gutheißen*) *Vorstand* to approve the activities of; (*von Verpflichtungen, Schulden*) *jdn* to discharge, to release. **jdn finanziell ~** to ease sb's financial burden.
Entlastung *f* relief (*auch Mil, Rail*); (*von Achse etc, Herz*) relief of the strain (*+gen* on); (*Jur*) exoneration; (*Comm: des Vorstands*) approval; (*Fin*) credit; (*von Verpflichtungen etc*) release, discharge. **zu jds ~** (in order) to take some of the load off sb; (*Mil*) (in order) to relieve sb ...; **zu seiner ~ führte der Angeklagte an, daß ...** in his defence the defendant stated that ...
Entlastungsmaterial *nt* (*Jur*) evidence for the defence; **Entlastungszeuge** *m* (*Jur*) witness for the defence, defence witness; **Entlastungszug** *m* relief train.
entlauben* *vt* to strip of leaves; (*Sci*) to defoliate.
Entlaubung *f* defoliation.
Entlaubungsmittel *nt* defoliant.
entlaufen* *vi irreg aux sein* to run away (*dat, von* from). **ein ~er Sklave/~es Kind** a runaway slave/child; **ein ~er Sträfling** an escaped convict; **ein ~er Hund** a lost *or* missing dog; „**Hund ~**" "dog missing".
entlausen* *vt* to delouse.
entledigen* (*form*) **I** *vr* **sich einer Person/Sache** (*gen*) **~** to rid oneself of sb/sth; **sich einer Pflicht ~** to discharge a duty; **sich eines Komplizen ~** (*euph*) to eliminate *or* dispose of an accomplice (*euph*); **sich seiner Kleidung ~** to remove one's clothes.
II *vt* **jdn einer Pflicht** (*gen*) **~** to release sb from a duty.
entleeren* *vt* to empty; *Darm* to evacuate.
entlegen *adj Ort, Haus* (*abgelegen*) remote, out-of-the-way; (*weit weg*) far away *or* off, remote; (*fig*) *Gedanke* odd, out-of-the-way.
Entlegenheit *f* remoteness; (*fig*) oddness.
entlehnen* *vt* (*fig*) to borrow (*dat, von* from).
Entlehnung *f* (*fig*) borrowing.
entleiben* *vr* (*obs*) to take one's own life.
entleihen* *vt irreg* to borrow (*von, aus* from).
Entleiher(in *f*) *m* **-s, -** borrower.
Entlein *nt* duckling. **das häßliche ~** the

Ugly Duckling.

ntloben* vr to break off one's engagement.

ntlobung f breaking off of one's engagement; broken engagement.

ntlocken* vt jdm/einer Sache etw ~ to elicit sth from sb/sth; (durch Überredung auch) to coax sth out of sb; (durch ständiges Fragen auch) to worm sth out of sb.

ntlohnen*, entlöhnen* (Sw) vt to pay; (fig) to reward.

Entlohnung, Entlöhnung (Sw) f pay(ment); (fig) reward.

entlüften* vt to ventilate, to air; Bremsen to bleed.

Entlüfter m -s, - ventilator.

Entlüftung f siehe vt ventilation, airing; bleeding.

Entlüftungs|anlage f ventilation system.

entmachten* vt to deprive of power.

Entmachtung f deprivation of power.

entmannen* vt to castrate; (fig) to emasculate, to unman.

entmaterialisieren* vt to dematerialize.

entmenschlichen* vt to dehumanize.

entmieten* vt (form) to clear or evict tenants from.

entmilitarisieren* vt to demilitarize.

Entmilitarisierung f demilitarization.

entminen* vt (Mil) to clear of mines.

entmotten* vt (fig) to take out of mothballs.

entmündigen* vt (Jur) to (legally) incapacitate, to declare incapable of managing one's own affairs; (wegen Geisteskrankheit auch) to certify.

Entmündigung f siehe vt (Jur) (legal) incapacitation; certification.

entmutigen* vt to discourage, to dishearten. **sich nicht ~ lassen** not to be discouraged or disheartened.

Entmutigung f discouragement.

entmythologisieren* vt to demythologize.

Entnahme f -, -n (form) removal, taking out; (von Blut) extraction; (von Geld) withdrawal.

entnazifizieren* vt to denazify.

Entnazifizierung f denazification.

entnehmen* vt irreg (aus, dat) to take out (of), to take (from); (aus Kasse) Geld to withdraw (from); (einem Buch) Zitat to take (from); (fig: erkennen, folgern) to infer (from), to gather (from). **wie ich Ihren Worten entnehme,** ... I gather from what you say that ...

entnerven* vt to unnerve. **~d** unnerving; (nervtötend) nerve-racking; **entnervt** unnerved, nervous.

Entoderm nt -s, -e (Biol) entoderm, endoderm.

ent|ölen* vt Kakao to extract the oil from.

Entomologie f entomology.

entomologisch adj entomological.

Entourage [ãtu:ra:ʒ(ə)] f - (geh) entourage.

entpersönlichen* vt to depersonalize.

entpflichten* vt (form) Pfarrer, Professor to retire.

entpolitisieren* vt to depoliticize.

entpuppen* vr (Schmetterling) to emerge from its cocoon or chrysalis. **sich als Betrüger ~** to turn out to be a cheat; **mal sehen, wie er sich entpuppt** we'll see how he turns out.

entrahmen* vt Milch to to skim; (mit Zentrifuge) to separate. **entrahmte Milch** skimmed milk.

entraten* vi irreg (geh, old) einer Sache (gen) ~ to be devoid of sth; **einer Person/Sache (gen) ~/nicht ~ können** to be able/unable to dispense with sb/sth.

enträtseln* vt to solve; Sinn to work out; Schrift to decipher.

entrechten* vt jdn ~ to deprive sb of his rights; **die Entrechteten** those who have lost or been deprived of their rights.

Entrechtung f deprivation of rights.

Entree [ã'tre:] nt -s, -s (dated) (Eingang) entrance; (obs: Vorraum) (entrance) hall; (Eintrittsgeld) entrance or admission fee; (Mus: Vorspiel) introduction; (Cook: Vorspeise) entrée; (Theat: Auftritt) solo entrance.

entreißen* vt irreg jdm etw ~ (lit, fig liter) to snatch sth (away) from sb; **jdn dem Tode ~** (liter) to snatch sb from the jaws of death.

entrichten* vt (form) to pay.

Entrichtung f (form) payment.

entrinden* vt to remove the bark from, to decorticate (form).

entringen* irreg I vt (geh) jdm etw ~ to wrench or wrest sth from sb; **jdm ein Geheimnis ~** to wring a secret out of sb, to wrest a secret from sb. II vr (geh) **ein Seufzer entrang sich seiner Brust** he heaved a sigh.

entrinnen* vi irreg aux sein (geh) 1. +dat to escape from; dem Tod to escape. **es gibt kein E~** there is no escape. 2. (entfliehen: Zeit) to fly by.

entrollen* I vt Landkarte to unroll; Fahne, Segel to unfurl. **ein Bild des Schreckens ~** (fig) to reveal a picture of horror. II vr to unroll/unfurl. **ein Bild des Schreckens entrollte sich** (fig) a picture of horror unfolded.

Entropie f (Phys) entropy.

entrosten* vt to derust.

Entroster m -s, -, **Entrostungsmittel** nt deruster.

entrücken* vt (geh) jdn jdm/einer Sache ~ (lit, fig) to carry or bear (liter) sb away from sb/sth, to transport sb (away) from sb/sth; **einer Sache weit entrückt sein** (fig) to be far removed from sth; **jds Blicken entrückt (sein)** (to be) out of (sb's) sight.

entrückt adj (geh) (verzückt) enraptured, transported; (versunken) lost in reverie, rapt.

Entrückung f (geh, Rel) rapture, ecstasy; (Versunkenheit) rapt absorption.

entrümpeln* vt to clear out; (fig) to tidy up.

Entrümp(e)lung f clear-out; (das Entrümpeln) clearing out; (fig) tidying up.

entrüsten* I vt (empören) to fill with indignation, to outrage; (zornig machen) to incense, to anger; (schockieren) to outrage, to scandalize.

II *vr* **sich ~ über** (+*acc*) (*sich empören*) to be filled with indignation at, to be outraged at; (*zornig werden*) to be incensed at; (*schockiert sein*) to be outraged *or* scandalized at.

entrüstet *adj* (highly) indignant, outraged; incensed; outraged, scandalized.

Entrüstung *f* (*über* +*acc* at) indignation; (*Zorn*) anger. **ein Sturm der ~ brach los** a storm of indignation broke out.

entsaften* *vt* to extract the juice from.

Entsafter *m* **-s, -** juice extractor.

entsagen* *vi* +*dat* (*geh*) to renounce. **der Welt ~** to renounce the world; **sie hat vielen Freuden ~ müssen** she had to forgo many pleasures.

Entsagung *f* (*geh*) (*von der Welt*) renunciation (of worldly things).

entsagungsvoll *adj* (*geh*) *Leben* (full) of privation; *Blick, Geste* resigned.

entsalzen* *vt irreg* to desalinate.

Entsatz *m* **-es,** *no pl* (*Mil*) relief.

entschädigen* *vt* (*für* for) (*lit, fig*) to compensate, to recompense, to indemnify (*form*); (*für Dienste*) to reward; (*mit Geld auch*) to remunerate; (*Kosten erstatten*) to reimburse, to indemnify (*form*). **das Theaterstück entschädigte uns für das lange Warten** the play made up for the long wait.

Entschädigung *f siehe vt* compensation, recompense, indemnification (*form*); reward; remuneration; reimbursement. **jdm eine ~ zahlen** to pay sb compensation.

Entschädigungssumme *f* amount of compensation.

entschärfen* *vt* **1.** *Bombe* to defuse, to de-activate. **2.** (*fig*) *Kurve* to straighten out; *Krise, Lage* to defuse; *Argument* to neutralize; *Buch, Film* to tone down.

Entscheid *m* **-(e)s, -e** (*Sw, form*) *siehe* **Entscheidung.**

entscheiden* *pret* **entschied,** *ptp* **entschieden I** *vt* to decide. **das Gericht entschied, daß …** the court decided *or* ruled that …; **~ Sie, wie es gemacht werden soll!** you decide how it is to be done; **das Spiel/die Wahl ist entschieden/schon entschieden** the game/election has been decided/is already decided; **den Kampf (um etw) für sich ~** to secure victory in the struggle (for sth); **das hat das Spiel zu unseren Gunsten entschieden** that decided the game in our favour; **es ist noch nichts entschieden** nothing has been decided (as) yet.

II *vi* (*über* +*acc*) to decide (on); (*Jur auch*) to rule (on). **darüber habe ich nicht zu ~** that is not for me to decide; **der Richter hat für/gegen den Kläger entschieden** the judge decided *or* ruled for/against the plaintiff.

III *vr* (*Mensch*) to decide, to make up one's mind, to come to a decision; (*Angelegenheit*) to be decided. **sich für etw ~** to decide in favour of sth, to decide on sth; **sich für jdn ~** to decide in favour of sb; **sich gegen jdn/etw ~** to decide against sb/sth; **jetzt wird es sich ~, wer der Schnellere ist** now we'll see *or*

settle who is the quicker.

entscheidend *adj* decisive; *Faktor auch* deciding *attr*; *Argument, Aussage auch* conclusive; *Augenblick auch* crucial, critical; *Fehler, Irrtum auch* crucial. **die ~e Stimme** (*bei Wahlen*) the deciding *or* casting vote; **für jdn/etw ~ sein** to be decisive *or* crucial for sb/sth; **der alles ~e Augenblick** the all-decisive moment; **das E~e** the decisive *or* deciding factor.

Entscheidung *f* decision; (*Jur auch*) ruling; (*der Geschworenen auch*) verdict. **um die ~ spielen** (*Sport*) to play the deciding match *or* the decider; (*bei gleichem Tor-, Punktverhältnis auch*) to play off; **Spiel um die ~** (*Sport*) deciding match, decider; play-off; **mit den finanziellen ~en habe ich nichts zu tun** I have nothing to do with the financial decision-making *or* decisions; **wie ist die ~ ausgefallen?** which way did the decision go?; **es geht um die ~** it's going to be decisive, it's going to decide things; **die Frage kommt heute zur ~** the question will be decided today.

Entscheidungsbedarf *m* need for a decision; **Entscheidungsbefugnis** *f* decision-making powers *pl*; **Entscheidungsfindung** *f* decision-making; **Entscheidungsfrage** *f* (*Gram*) yes-no question; **Entscheidungsfreiheit** *f* freedom of decision-making; **entscheidungsfreudig** *adj* able to make decisions, decisive; **Entscheidungsgremium** *nt* decision-making body; **Entscheidungshilfe** *f* aid to decision-making; **Entscheidungskampf** *m* decisive encounter, show-down (*inf, auch fig*); (*Sport*) decider; **Entscheidungskriterium** *nt* deciding factor; **Entscheidungsschlacht** *f* decisive battle; (*fig*) show-down (*inf*); **entscheidungsschwach** *adj* indecisive; **Entscheidungsschwäche** *f* indecision; **Entscheidungsspiel** *nt* decider, deciding match; (*bei gleichem Punkt-, Torverhältnis auch*) play-off; **Entscheidungsspielraum** *m* room for manoeuvre in making a decision; **wir haben hierbei keinen ~** we don't have much choice in this; **Entscheidungsträger(in** *f*) *m* decision-maker; **Entscheidungsunfähigkeit** *f* inability to make decisions, indecision.

entschieden *adj* **1.** (*entschlossen*) determined, resolute; *Befürworter* staunch; *Ablehnung* firm, uncompromising. **etw ~ ablehnen** to reject sth firmly.
2. *no pred* (*eindeutig*) decided, distinct. **das geht ~ zu weit** that's definitely going too far.

Entschiedenheit *f siehe adj 1.* determination, resolution; staunchness; firmness, uncompromising nature. **etw mit aller ~ dementieren/ablehnen** to deny sth categorically/reject sth flatly.

entschlacken* *vt* (*Metal*) to remove the slag from; (*Med*) *Körper* to purify.

Entschlackung *f* (*Metal*) removal of slag (*gen* from); (*Med*) purification.

entschlafen* *vi irreg aux sein* (*geh*) to fall asleep; (*euph auch: sterben*) to pass away. **der/die E~e/die E~en** the de-ceased, the departed.

entschleiern* I *vt* to unveil; (*fig auch*) to uncover, to reveal. II *vr* to unveil (one-self); (*hum*) to strip, to disrobe (*hum, form*); (*fig: Geheimnis*) to be unveiled *or* revealed.

entschließen* *pret* **entschloß**, *ptp* **entschlossen** *vr* to decide (*für, zu* on). **sich ~, etw zu tun** to decide *or* determine *or* resolve to do sth; **ich entschloß mich zum Kauf dieses Hauses** I decided to buy this house; **ich weiß nicht, wozu ich mich ~ soll** I don't know what to decide; **sich anders ~** to change one's mind; **sich zu nichts ~ können** to be unable to make up one's mind; **ich bin fest entschlossen** I am absolutely determined; **zu allem ent-schlossen sein** to be ready for anything; **er ist zum Schlimmsten entschlossen** he will stop at nothing, he's prepared to do anything; **kurz entschlossen** straight away, without further ado.

Entschließung *f* resolution.

Entschließungsantrag *m* (*Pol*) resolu-tion proposal.

entschloß *pret* of **entschließen**.

entschlossen *adj* determined, resolute. **~ handeln** to act resolutely *or* with de-termination.

Entschlossenheit *f* determination, reso-lution. **in wilder ~** with fierce determi-nation.

entschlummern* *vi aux sein* (*liter, auch euph: sterben*) to fall asleep.

entschlüpfen* *vi aux sein* to escape (*dat* from), to slip away (*dat* from); (*Küken*) to be hatched; (*fig: Wort*) to slip out (*dat* from).

Entschluß *m* (*Entscheidung*) decision; (*Vorsatz*) resolution, resolve. **zu keinem ~ kommen können** to be unable to make up one's mind *or* come to a decision; **mein ~ ist gefaßt** my decision is made, my mind is made up; **aus eigenem ~ handeln** to act on one's own initiative; **seinen ~ ändern** to change one's mind; **es ist mein fester ~ ...** it is my firm inten-tion ..., I firmly intend ...; **ein Mann von schnellen ~ssen sein** to be good at decision-making, to be able to decide quickly.

entschlüsseln* *vt* to decipher; *Funk-spruch auch* to decode.

Entschlüsselung *f siehe vt* deciphering; decoding.

entschlußfreudig *adj* decisive; **Ent-schlußkraft** *f* decisiveness, determina-tion; **entschlußlos** *adj* indecisive, ir-resolute.

entschuldbar *adj* excusable, pardonable.

entschuldigen* I *vt* to excuse. **etw mit etw ~** to excuse sth as due to sth; **das ist durch nichts zu ~!, das läßt sich nicht ~!** that is inexcusable!; **jdn bei jdm ~** to make *or* present sb's excuses *or* apolo-gies to sb; **einen Schüler ~ lassen** *or* **~** to ask for a pupil to be excused; **ich möchte meine Tochter für morgen ~** I would like to have my daughter excused for to-morrow; **ich bitte mich zu ~** I beg to be excused; **bitte entschuldigt die Störung,**

aber ... please excuse *or* forgive the interruption, but ...

II *vi* **entschuldige/~ Sie (bitte)!** (do *or* please) excuse me!, sorry!; (*bei Bitte, Frage*) excuse me (please), pardon me (*US*).

III *vr* **sich (bei jdm) ~** (*sich abmelden, sich rechtfertigen*) to excuse oneself, to make one's excuses (to sb); (*sich bei Lehrer, Chef abmelden*) to ask (sb) to be excused; **sich (bei jdm) (wegen etw) ~** (*um Verzeihung bitten*) to apologize (to sb) (for sth); **sich (von jdm) ~ lassen** to send *or* convey (*form*) one's excuses *or* apologies (via sb); **sich mit Krankheit ~** to excuse oneself on account of illness.

entschuldigend *adj* apologetic.

Entschuldigung *f* (*Grund*) excuse; (*Bitte um ~*) apology; (*Sch: Brief*) letter of excuse, note. **~!** excuse me!; (*Verzei-hung auch*) sorry!; **als** *or* **zur ~ für ...** as an excuse/apology for ..., in excuse of ... (*form*); **zu seiner ~ sagte er ...** he said in his defence that ...; **ohne ~ feh-len** to be absent without an excuse; **(jdn) (wegen einer Sache) um ~ bitten** to apologize (to sb) (for sth); **ich bitte viel-mals um ~(, daß ich mich verspätet habe)!** I do apologize *or* beg your pardon (for being late)!

Entschuldigungsgrund *m* excuse.

entschweben* *vi aux sein* (*geh, hum: weggehen*) to float *or* waft away (*dat* from).

entschwefeln* *vt* to desulphurize.

Entschwefelung *f* desulphurization.

Entschwefelungsanlage *f* desulphuriza-tion plant.

entschwinden* *vi irreg aux sein* (*geh: lit, fig*) to vanish, to disappear (*dat* from, *in* +*acc* into). **die Tage entschwanden wie im Flug** the days flew *or* raced by.

entseelt *adj* (*geh*) lifeless, dead.

entsenden* *vt irreg or reg Abgeordnete* to send; *Boten auch* to dispatch.

Entsendung *f siehe vt* sending; dispatch.

entsetzen* I *vt* **1.** (*Mil*) *Festung, Truppen* to relieve. **2.** (*in Grauen versetzen*) to horrify, to appall. II *vr* **sich über jdn/etw ~** to be horrified *or* appalled *or* by sb/sth.

Entsetzen *nt* **-s**, *no pl* horror; (*Bestürzung auch*) dismay; (*Erschrecken*) terror. **von ~ gepackt werden** to be seized with horror/terror/dismay, to be horror-stricken; **zu meinem größten ~ bemerkte ich, daß ...** to my horror *or* great dismay I noticed that ...; **mit ~ sehen, daß ...** to be horrified/terrified/dismayed to see that ...

Entsetzensschrei *m* cry of horror.

entsetzlich *adj* dreadful, appalling, hide-ous; (*inf: sehr unangenehm auch*) terrible, awful. **~ viel (Geld)** an awful lot (of money) (*inf*).

entsetzt *adj* horrified, appalled (*über* +*acc* at, by). **ein ~er Schrei** a horrified scream, a cry *or* scream of horror.

Entsetzung *f* (*Mil*) relief.

entseuchen* *vt* (*desinfizieren*) to dis-infect; (*dekontaminieren*) to decontami-nate.

Entseuchung f decontamination.

entsichern* vt eine Pistole ~ to release the safety catch of a pistol; **eine entsicherte Pistole** a pistol with the safety catch off.

entsinnen* vr irreg (einer Sache (gen), an etw (acc)) sth) to remember, to recall, to recollect. **wenn ich mich recht entsinne** if my memory serves me correctly or right.

entsorgen* I vt Atomkraftwerk to remove the waste from. **eine Stadt ~** to dispose of a town's refuse and sewage.
II vi to dispose of refuse and sewage.

Entsorgung f waste disposal. **die ~ von Chemikalien** the disposal of chemicals.

Entsorgungspark m (nuclear) waste dump.

entspannen* I vt Muskeln, Nerven to relax; Bogen to unbend; Seil, Saite to slacken, to untighten; Wasser to reduce the surface tension of; (Tech) Feder to relax the tension of; (fig) Lage, Beziehungen to ease (up).
II vr to relax (auch fig); (ausruhen) to rest; (nach der Arbeit) to unwind, to unbend; (Lage etc) to ease; (Feder) to lose tension; (Bogen) to unbend.

entspannt adj relaxed. **die Lage hier ist wieder etwas ~er** the situation here is now less tense again.

Entspannung f relaxation (auch fig); (von Lage) easing(-up); (Pol) easing or reduction of tension (+gen in), détente; (Tech: von Feder) reduction of tension (+gen on); (des Wassers) reduction of surface tension; (von Bogen) unbending; (von Seil etc) slackening, untightening. **nach der Arbeit sehe ich zur ~ etwas fern** after work I watch television for a bit to help me unwind.

Entspannungspolitik f policy of détente; **Entspannungsübungen** pl (Med) relaxation exercises.

entspinnen* vr irreg to develop, to arise.

entsprechen* vi irreg +dat to correspond to; der Wahrheit, den Tatsachen auch to be in accordance with; den Tatsachen auch to fit; (genügen) Anforderungen, Kriterien to fulfil, to meet; einem Anlaß to be in keeping with; Erwartungen to come or live up to; einer Beschreibung to answer, to fit; einer Bitte, einem Wunsch to meet, to comply with. **sich** or **einander ~** to correspond (with each other), to tally; **ihre Ausrüstung entsprach nicht den alpinen Bedingungen** her outfit wasn't suitable for the alpine conditions.

entsprechend I adj corresponding; (zuständig) relevant; (angemessen) appropriate. **der Film war besonders geschmacklos, und die Kritiken waren dann auch ~** the film was particularly tasteless and the reviews of it were correspondingly harsh; **ein der Leistung ~es Gehalt** a salary commensurate with one's performance.
II adv accordingly; (ähnlich, gleich) correspondingly. **er wurde ~ bestraft** he was suitably or appropriately punished; **etw ~ würdigen** to show suitable appreciation for sth.

III prep +dat in accordance with, according to; (ähnlich, gleich) corresponding to. **er wird seiner Leistung ~ bezahlt** he is paid according to output.

Entsprechung f (Äquivalent) equivalent; (Gegenstück) counterpart; (Analogie) parallel; (Übereinstimmung) correspondence.

entsprießen* vi irreg aux sein (liter: lit, fig) einer Sache (dat) or aus etw ~ to spring forth from sth (liter); (old, hum) aus Ehe, Familie to issue from sth (old, form).

entspringen* vi irreg aux sein 1. (Fluß) to rise. 2. (entfliehen) to escape (dat, aus from). 3. (sich herleiten von) +dat to spring from, to arise from.

entstaatlichen* vt to denationalize.

entstammen* vi aux sein +dat to stem or come from; einer Familie auch to be descended from; (fig auch) to originate in or from.

entstauben* vt to remove the dust from, to free from dust.

entstehen* vi irreg aux sein (ins Dasein treten) to come into being; (seinen Ursprung haben) to originate; (sich entwickeln) to arise, to develop (aus, durch from); (hervorkommen) to emerge (aus, durch from); (verursacht werden) to result (aus, durch from); (Chem: Verbindungen) to be produced (aus from, durch through, via); (Kunstwerk: geschrieben/gebaut etc werden) to be written/built etc. **das Feuer war durch Nachlässigkeit entstanden** the fire was caused by negligence; **wir wollen nicht den Eindruck ~ lassen, ...** we don't want to give (rise to) the impression that ..., we don't want to let the impression emerge that ...; **im E~ begriffen sein** to be in the process of formation or development; **für den entstandenen Schaden** for damages incurred.

Entstehung f (das Werden) genesis, coming into being; (das Hervorkommen) emergence; (Ursprung) origin; (Bildung) formation.

Entstehungsgeschichte f genesis; **Entstehungsort** m place of origin.

entsteigen* vi irreg aux sein +dat (geh) einem Wagen to alight from (form); dem Wasser, dem Bad to emerge from; (fig: Dampf) to rise from.

entsteinen* vt to stone.

entstellen* vt (verunstalten) Gesicht to disfigure; (verzerren) Gesicht(szüge) to distort, to contort; (fig) Bericht, Wahrheit to distort. **etw entstellt wiedergeben** to distort or misrepresent sth; **sein von Haß/Schmerz entstelltes Gesicht** his face distorted or contorted with hate/pain.

Entstellung f disfigurement; (fig) distortion; (der Wahrheit) perversion, distortion.

entsticken vt (Chem) to denitrify.

Entstickungsanlage f denitrification plant.

entstielen* vt Obst to remove the stalk(s) from.

entstören* vt Radio, Telefon to free from interference; Auto, Staubsauger to fit a suppressor to, to suppress.

Entstörer m, **Entstörgerät** nt (für Auto etc) suppressor; (für Radio, Telefon) anti-interference device.

Entstörung f siehe vt freeing from interference, suppression of interference; fitting of a suppressor (gen to), suppressing.

Entstörungsstelle f telephone maintenance service.

entströmen* vi aux sein to pour or gush out (+dat, aus of); (Gas, Geruch) to issue or escape (+dat, aus from).

entsumpfen* vt Gebiet to drain.

enttabuisieren* [ɛnttabui'ziːrən] vt to free from taboos, to remove the taboos from.

enttarnen* vt Spion to blow the cover of (inf); (fig: entlarven) to expose; **er wurde enttarnt** (Spion) his cover was blown, he was exposed.

Enttarnung f exposure.

enttäuschen* **I** vt to disappoint; Vertrauen to betray. **enttäuscht sein über** (+acc)/**von** to be disappointed at/by or in; **er ging enttäuscht nach Hause** he went home disappointed; **sie ist im Leben oft enttäuscht worden** she has had many disappointments in life; **du hast uns sehr enttäuscht** you have really let us down or disappointed us.

II vi **unsere Mannschaft hat sehr enttäuscht** our team were very disappointing or played very disappointingly; **der neue Wagen hat enttäuscht** the new car is a disappointment or let-down (inf).

Enttäuschung f disappointment. **das Theaterstück war eine große** ~ the play was a big disappointment or let-down (inf); **jdm eine** ~ **bereiten** to disappoint sb.

entthronen* vt (lit, fig) to dethrone.

enttrümmern* **I** vt to clear of rubble. **II** vi to clear the rubble (away).

entvölkern* vt to depopulate.

Entvölkerung f depopulation.

entwachsen* vi irreg aux sein +dat **1.** (geh: herauswachsen aus) to spring from. **2.** (zu groß werden für) to outgrow.

entwaffnen* vt (lit, fig) to disarm.

entwaffnend adj (fig) disarming.

Entwaffnung f disarming; (eines Landes) disarmament.

entwalden* vt to deforest.

entwanzen vt (Comput) to debug.

entwarnen* vi to sound or give the all-clear.

Entwarnung f sounding of the all-clear; (Signal) all-clear.

entwässern* vt Grundstück, Moor to drain; Gewebe, Ödem to dehydrate.

Entwässerung f drainage; (Chem) dehydration.

Entwässerungsanlage f drainage system; **Entwässerungsgraben** m drainage ditch.

entweder [auch 'ɛntweːdɐ] conj ~ ... **oder** ... either ... or ...; ~ **oder!** make up your mind (one way or the other)!, yes or no; ~ **gleich oder gar nicht,** ~ **jetzt oder nie** it's now or never.

Entweder-Oder nt -, - hier gibt es kein ~ there is no alternative.

entweichen* vi irreg aux sein (geh: fliehen) to escape or run away (+dat, aus from); (sich verflüchtigen: Gas, Flüssigkeit) to leak or escape (+dat, aus from, out of).

entweihen* vt to violate (auch fig); (entheiligen) to profane, to desecrate.

entwenden* vt (form) jdm etw/etw aus etw ~ to steal or purloin (hum, form) sth from sb/sth.

entwerfen* vt irreg **1.** (zeichnen, gestalten) Zeichnung to sketch; Muster, Modell to design. **2.** (ausarbeiten) Gesetz, Vortrag, Schreiben to draft, to draw up; Plan to devise, to draw up. **3.** (fig) (darstellen, darlegen) Bild to depict, to draw; (in Umrissen darstellen) to outline.

entwerten* vt **1.** (im Wert mindern) to devalue, to depreciate; Zeugenaussage, Argument auch to undermine. **2.** (ungültig machen) to make or render invalid; Münzen to demonetize; Briefmarke, Fahrschein to cancel.

Entwerter m -s, - (ticket-)cancelling machine.

Entwertung f siehe vt devaluation, depreciation; undermining; invalidation; demonetization; cancellation.

entwickeln* **I** vt to develop (auch Phot); (Phot) esp Diapositive to process; Methode, Verfahren auch to evolve; (Math auch) Formel to expand; (Chem) Gas to produce, to generate; Mut, Energie to show, to display. **jdm etw** ~ to set out or expound sth to sb.

II vr to develop (zu into); (Chem) to be produced or generated. **das Projekt entwickelt sich gut** the project is coming along or shaping up nicely; **das Kind entwickelt sich gut** the baby is coming along nicely; **er hat sich ganz schön entwickelt** (inf) he's turned out really nicely.

Entwickler m -s, - (Phot) developer.

Entwicklerbad nt (Phot) developing bath.

Entwicklung f development; (von Methoden, Verfahren auch) evolution; (Math: von Formel auch) expansion; (Erzeugung, Chem: von Gasen) production, generation; (Phot) developing; (esp von Diapositiven) processing. **das Flugzeug ist noch in der** ~ the plane is still being developed or is still in the development stage; **Jugendliche, die noch in der** ~ **sind** young people who are still in their adolescence or still developing.

Entwicklungsalter nt adolescence; **Entwicklungsarbeit** f development (work); **Entwicklungsbeschleunigung** f (Physiol) acceleration (in development); **Entwicklungsdienst** m voluntary service overseas (Brit), VSO (Brit), Peace Corps (US); **entwicklungsfähig** adj capable of development; **der Plan/die Idee ist durchaus** ~ this plan/idea is definitely worth following up or expanding; **diese Stelle ist** ~ this position has prospects; **Entwicklungsfähigkeit** f capability of development, capacity for development; **Entwicklungsgeschichte** f developmental history, evolution; **Entwicklungshelfer(in** f) m person doing Voluntary Service Overseas (Brit), VSO worker (Brit), Peace Corps worker (US); **entwicklungshemmend** adj restricting or impeding development; **Entwicklungshilfe** f foreign aid; **Entwicklungsjahre** pl adolescent or formative (auch fig) years, adolescence; **Entwicklungsland** nt developing or third-world country; **Entwicklungsmöglichkeit** f possibility for development; **Entwicklungsphase** f (Psych) developmental stage; **Entwicklungspsychologie** f developmental psychology; **Entwicklungsroman** m (Liter) novel showing the development of a character; **Entwicklungsstadium** nt stage of development; (von Lebewesen) evolutionary stage; **Entwicklungsstörung** f developmental disturbance, disturbance in development; **Entwicklungsstufe** f stage of development; (von Lebewesen) evolutionary stage; **Entwicklungszeit** f period of development; (Biol, Psych) developmental period; (Phot) developing time.

entwinden* vt irreg (geh) **jdm etw** ~ to wrest sth from sb.

entwirrbar adj (fig) extricable, soluble.

entwirren* vt (lit, fig) to disentangle, to unravel.

entwischen* vi aux sein (inf) to escape, to get away (dat, aus from).

entwöhnen* vt **jdn** ~ (einer Gewohnheit, Sucht) to break sb of the habit (+dat, von of), to cure sb (+dat, von of), to wean sb (+dat, von from); Säugling, Jungtier to wean; **sich einer Sache** (gen) ~ (geh) to lose the habit of doing sth, to disaccustom oneself from sth (form).

entwürdigen* I vt to degrade; (Schande bringen über) to disgrace. II vr to degrade or abase oneself.

entwürdigend adj degrading.

Entwürdigung f degradation, abasement; (Entehrung) disgrace (gen to).

Entwurf m -s, -̈e 1. (Skizze, Abriß) outline, sketch; (Design) design; (Archit, fig) blueprint.
2. (Vertrags~, von Plan, Gesetz) draft (version), framework; (einer Theorie auch) outline; (Parl: Gesetz~) bill.

entwurmen* vt Katze to worm.

entwurzeln* vt (lit, fig) to uproot.

Entwurzelung f (lit, fig: das Entwurzeln) uprooting; (fig: das Entwurzeltsein) rootlessness.

entzaubern* vt **jdn/etw** ~ to break the spell on sb/sth; (fig auch) to deprive sb/ sth of his/its mystique.

entzerren* vt to correct, to rectify.

Entzerrung f correction, rectification. **zeitliche** ~ staggering.

entziehen* irreg I vt (+dat from) to withdraw, to take away; Gunst to withdraw; Flüssigkeit to draw, to extract; (Chem) to extract. **jdm Alkohol/Nikotin** ~ to deprive sb of alcohol/nicotine; **die Ärzte versuchten ihn zu** ~ (inf) the doctors tried to cure him of his addiction; **jdm die Erlaubnis** ~ to withdraw or revoke sb's permit, to take sb's permit away; **jdm sein Vertrauen** ~ to withdraw one's confidence or trust in sb; **dem Redner das Wort** ~ to ask the speaker to stop.
II vr **sich jdm/einer Sache** ~ to evade or elude sb/sth; (entkommen auch) to escape (from) sb/sth; **sich seiner Verantwortung** ~ to shirk one's responsibilities; **sich jds Verständnis/Kontrolle** ~ to be beyond sb's understanding/control; **das entzieht sich meiner Kenntnis/ Zuständigkeit** that is beyond my knowledge/authority; **sich jds Blicken** ~ to be hidden from sight.
III vi (inf) to undergo treatment for (drug) addiction; (Alkoholiker) to dry out (inf).

Entziehung f 1. (von Lizenz) withdrawal, revocation (form). 2. (von Rauschgift) (Wegnahme) withdrawal, deprivation; (Behandlung) treatment for drug addiction/alcoholism.

Entziehungsanstalt f treatment centre for drug addicts/alcoholics; **Entziehungskur** f cure for drug addiction/ alcoholism cure.

entzifferbar adj siehe vt decipherable; decodable.

entziffern* vt to decipher; Funkspruch to decode.

entzücken* vt to delight. **von jdm/über etw** (acc) **entzückt sein** to be delighted by sb/at sth.

Entzücken nt -s, no pl delight, joy. **zu meinem (größten)** ~ to my (great) delight or joy; **in** ~ **geraten** to go into raptures.

entzückend adj delightful, charming. **das ist ja** ~! how delightful or charming!

Entzug m -(e)s, no pl 1. (einer Lizenz) withdrawal, revocation (form). 2. (Med: von Rauschgift) withdrawal; (Behandlung) cure for drug addiction/ alcoholism. **er ist auf** ~ (Med sl) he is being treated for drug addiction; (Alkoholiker) he is being dried out (inf).

Entzugserscheinung f withdrawal symptom.

entzündbar adj (lit, fig) inflammable. **leicht** ~ highly inflammable.

entzünden* I vt 1. Feuer to light; Holz auch to set light to, to ignite (esp Sci, Tech); Streichholz auch to strike; (fig) Streit to start, to spark off; Haß to inflame; Begeisterung to fire, to kindle.
2. (Med) to inflame.
II vr 1. to catch fire, to ignite (esp Sci, Tech); (fig) (Streit) to be sparked off; (Haß) to be inflamed; (Begeisterung) to be kindled.
2. (Med) to become inflamed. **entzündet** inflamed.

entzündlich adj Gase, Brennstoff inflammable; (Med) inflammatory. ~**e** Haut skin which easily becomes inflamed.

Entzündung f 1. (Med) inflammation. 2. ignition (esp Sci, Tech).

entzündungshemmend adj (Med) antiinflammatory, antiphlogistic (form);

Entzündungsherd m (Med) focus of inflammation.

entzwei adj pred in two (pieces), in half, asunder (old, poet); (kaputt) broken; (zerrissen) torn.

entzweibrechen vti sep irreg (vi: aux sein) to break in two; (zerbrechen) to break.

entzweien* I vt to turn against each other, to divide, to set at variance.
    II vr sich (mit jdm) ~ to fall out (with sb); (sich streiten auch) to quarrel (with sb).

entzweigehen vi sep irreg aux sein to break (in two or half), to break asunder (poet); **entzweischlagen** vt sep irreg to strike in half or in two or asunder (poet); (zerschlagen) to smash (to pieces).

Entzweiung f (fig) (Bruch) split, rupture, break; (Streit) quarrel.

en vogue [ã'vo:k] adj pred (geh) in vogue or fashion.

Enzephalogramm nt -s, -e (Med) encephalogram.

Enzian ['ɛntsiaːn] m -s, -e gentian; (Branntwein) spirit distilled from the roots of gentian.

Enzyklika f -, **Enzykliken** (Eccl) encyclical.

Enzyklopädie f encyclop(a)edia.

enzyklopädisch adj encyclop(a)edic.

Enzym nt -s, -e enzyme.

Epaulette [epo'lɛtə] f epaulette.

Epen pl of **Epos**.

ephemer(isch) adj (geh) ephemeral.

Epheserbrief m Epistle to the Ephesians, Ephesians sing.

Epidemie f (Med, fig) epidemic.

Epidemiologe m, **Epidemiologin** f epidemiologist; **Epidemiologie** f epidemiology; **epidemiologisch** adj epidemiological.

epidemisch adj (Med, fig) epidemic.

Epidermis f -, **Epidermen** epidermis.

Epigone m -n, -n, **Epigonin** f epigone (liter); (Nachahmer) imitator.

epigonenhaft adj epigonic (liter, rare); (nachahmend) imitative.

Epigramm nt -s, -e epigram.

epigrammatisch adj epigrammatic.

Epigraph nt -s, -e epigraph.

Epik f epic poetry.

Epiker(in f) m -s, - epic poet.

Epikur m -s Epicurus.

epikureisch [epiku're:ɪʃ] adj (Philos) Epicurean; (fig) epicurean.

Epilepsie f epilepsy.

Epileptiker(in f) m -s, - epileptic.

epileptisch adj epileptic.

Epilog m -s, -e epilogue.

episch adj (lit, fig) epic.

Episkop nt -s, -e episcope.

Episkopat m or nt episcopacy, episcopate.

Episode f -, -n episode.

episodenhaft, episodisch adj episodic.

Epistel f -, -n epistle (auch inf); (old: Lesung) lesson.

Epitaph nt -s, -e (liter) epitaph.

Epitheton [e'pi:tetɔn] nt -s, **Epitheta** (Poet) epithet.

Epizentrum nt epicentre.

epochal adj siehe **epochemachend**.

Epoche f -, -n epoch. ~ **machen** to be epoch-making, to mark a new epoch.

epochemachend adj epoch-making.

Epos nt -, **Epen** epic (poem), epos.

Eprouvette [epru'vɛt] f (Aus Chem) test tube.

Equipage [ek(v)i'pa:ʒə] f -, -n (old) equipage.

Equipe [e'kɪp] f -, -n team.

er pers pron gen **seiner**, dat **ihm**, acc **ihn** he; (von Dingen) it; (von Hund) it, he; (vom Mond) it, she (poet). **wenn ich ~ wäre** if I were him or he (form); ~ **ist es** it's him, it is he (form); **wer hat das gemacht/ist der Täter? — ~/~ (ist es)!** who did that/is the person responsible? — he did/is!, him (inf)!; ~ **war es nicht, ich war's** it wasn't him, it was me; **sie ist größer als** ~ she is taller than he is or him; **E~** (obs) you; (Bibl) He; **ein E~ und eine Sie** (hum inf) a he and a she.

erachten* vt (geh) **jdn/etw für** or **als etw ~** to consider or deem (form) sb/sth (to be) sth.

Erachten nt -s, no pl: **meines ~s, nach meinem ~** in my opinion.

erahnen* vt siehe **ahnen 1**.

erarbeiten* vt 1. (erwerben) Vermögen to work for; Wissen to acquire. 2. (erstellen) Entwurf to work out, to elaborate.

Erbadel m hereditary nobility; **Erbanlage** f usu pl hereditary factor(s pl); **Erbanteil** m share or portion of an/the inheritance.

erbarmen* I vt **jdn ~** to arouse sb's pity, to move sb to pity; **es kann einen ~** it's pitiable; **er sieht zum E~ aus** he's a pitiful sight; **sie singt zum E~** she sings appallingly, she's an appalling singer; **es möchte einen Hund ~** (inf) it would melt a heart of stone.
    II vr (+gen) to have or take pity (on) (auch hum inf); (verzeihen, verschonen) to have mercy (on). **Herr, erbarme dich (unser)!** Lord, have mercy (upon us)!

Erbarmen nt -s, no pl (Mitleid) pity, compassion (mit on); (Gnade) mercy (mit on). **aus** ~ out of pity; **ohne** ~ pitiless(ly), merciless(ly); **er kennt kein** ~ he knows no mercy; **kein ~ mit jdm kennen** to be merciless with sb, to show sb no mercy.

erbarmenswert adj pitiable, wretched, pitiful.

erbärmlich adj (erbarmenswert, pej: dürftig) pitiful, wretched; (gemein, schlecht) wretched, miserable; (inf: furchtbar) Kälte terrible, hideous; **~ aussehen** to look wretched or terrible; **sich ~ verhalten** to behave abominably or wretchedly.

Erbärmlichkeit f (Elend) wretchedness, misery; (fig: Dürftigkeit, Gemeinheit) wretchedness, miserableness.

erbarmungslos adj (lit, fig) pitiless, merciless; **erbarmungsvoll** adj compassionate, full of pity.

erbauen* I vt 1. (lit, fig: errichten) to build.
    2. (fig: seelisch bereichern) to edify, to uplift. **der Chef ist von meinem Plan**

nicht besonders erbaut (*inf*) the boss isn't particularly enthusiastic about my plan.

II *vr sich ~ an* (+*dat*) to be uplifted *or* edified by; **abends erbaut er sich an Bachschen Kantaten** in the evenings he finds uplift *or* spiritual edification in Bach's cantatas.

Erbauer(in *f*) *m* **-s,** - builder; (*fig auch*) architect.

erbaulich *adj* edifying (*auch iro*), uplifting; (*Rel*) *Buch, Schriften* devotional.

Erbauung *f siehe vt* building; edification. **zur ~** for one's edification.

Erbbauer *m farmer with a hereditary right to his property;* **Erbbegräbnis** *nt* family grave *or* (*Gruft*) vault; **erbberechtigt** *adj* entitled to inherit; **erbbiologisch** *adj* (*Jur*) ~**es Gutachten** blood test (*to establish paternity*).

Erbe[1] *m* **-n,** -**n** (*lit, fig*) heir (*einer Person* (*gen*) of *or* to sb, *einer Sache* (*gen*) to sth). **gesetzlicher ~** legal heir, heir at law (*Jur*), heir apparent (*Jur*); **leiblicher ~** blood-related heir, heir according to bloodright; **direkter ~** direct *or* lineal heir, heir of the body (*Jur*); **mutmaßlicher ~** presumptive heir, heir presumptive (*Jur*); **jdn zum** *or* **als ~n einsetzen** to appoint sb as *or* make sb one's/sb's heir.

Erbe[2] *nt* **-s,** *no pl* inheritance; (*fig*) heritage; (*esp Unerwünschtes*) legacy. **das ~ des Faschismus** the legacy of fascism.

erbeben *vi aux sein* (*geh: Erde, Mensch*) to tremble, to shake, to shudder.

erbeigen *adj* (*geerbt, vererbt*) inherited; (*erblich*) hereditary.

erben I *vt* (*lit, fig*) to inherit (*von* from); *Vermögen auch* to come into; (*inf: geschenkt bekommen*) to get, to be given. **bei ihm ist nichts zu** *or* **kann man nichts ~** (*inf*) you won't get anything *or* a sausage (*inf*) out of him. **II** *vi* to inherit.

Erbengemeinschaft *f* community of heirs.

erbetteln *vt* to get by begging. **seine Möbel hat er (sich** *dat*) **alle bei seinen Bekannten erbettelt** he cadged all his furniture off his friends; **die Kinder erbettelten sich die Erlaubnis, ...** the children managed to wheedle permission ...

erbeuten *vt* (*Tier*) *Opfer* to carry off; (*Dieb*) to get away with; (*im Krieg*) to capture, to take.

erbfähig *adj* entitled to inherit, heritable (*spec*); **Erbfaktor** *m* (*Biol*) (hereditary) factor, gene; **Erbfehler** *m* (*lit, fig*) hereditary defect; **Erbfeind** *m* traditional *or* arch enemy; **Erbfolge** *f* (line of) succession; **Erbfolgekrieg** *m* war of succession.

Erbgut *nt* **1.** (*Hof*) ancestral estate. **2.** (*Nachlaß*) estate, inheritance; (*fig*) heritage. **3.** (*Biol*) genotype, genetic make-up.

erbgutschädigend *adj* genetically harmful; **erbgutverändernd** *adj* Wirkung hereditary; **das hat eine ~e Wirkung** it causes genetic changes; **Erbgutveränderung** *f* genetic change, genetic mutation (*form*).

erbieten *vr irreg* (*geh*) **sich ~, etw zu tun**

to offer *or* volunteer to do sth.

Erbin *f* heiress.

Erbinformation *f* genetic information.

erbitten *vt irreg* to ask for, to request.

erbittern *vt* to enrage, to incense.

erbittert *adj* Widerstand, Gegner bitter.

Erbitterung *f* rage; (*rare: Heftigkeit*) fierceness, bitterness.

Erbium *nt, no pl* (*abbr* **Er**) erbium.

Erbkrankheit *f* hereditary disease.

erblassen *vi aux sein* to go (*or* turn) pale, to blanch. **vor Neid ~** to turn *or* go green with envy.

Erblasser(in *f*) *m* **-s,** - **1.** person who leaves an inheritance. **2.** (*Testator*) testator; testatrix.

erbleichen *vi aux sein* **1.** (*geh*) to (go *or* turn) pale, to blanch. **2.** *pret* **erblich**, *ptp* **erblichen** (*obs, liter: sterben*) to expire.

erblich *adj* hereditary. **er ist ~ belastet, auch sein Vater ...** it's inherited, his father too ...; **er ist ~ schwer (vor)belastet** it runs in the family.

erblicken *vt* (*geh*) to see, to perceive; (*erspähen*) to spot, to catch sight of. **in jdm/etw eine Gefahr ~** to see sb/sth as a danger, to see a danger in sb/sth.

erblinden *vi aux sein* to go blind, to lose one's sight.

Erblindung *f* loss of sight.

erblonden *vi aux sein* (*hum*) to go blond(e).

erblühen *vi aux sein* (*geh*) to bloom, to blossom. **zu voller Schönheit ~** (*fig*) to blossom out.

Erbmasse *f* estate, inheritance; (*Biol*) genotype, genetic make-up; **Erbonkel** *m* (*inf*) rich uncle.

erbosen (*geh*) **I** *vt* to infuriate, to anger. **erbost sein über** (+*acc*) to be furious *or* infuriated at. **II** *vr sich ~ über** (+*acc*) to get *or* become furious *or* infuriated at.

Erbpacht *f* hereditary lease(hold); **Erbpächter(in** *f*) *m* hereditary leaseholder; **Erbpflege** *f siehe* Eugenik; **Erbprinz** *m*/**Erbprinzessin** *f* hereditary prince/princess; (*Thronfolger*) heir to the throne.

erbrechen *vt irreg* **I** *vt* (*liter*) *Schloß, Siegel* to break open; *Tür auch* to force (open). **II** *vtir* (**sich**) **~** (*Med*) to vomit, to be sick (*not vt*); **etw bis zum E~ tun** (*fig*) to do sth ad nauseam; **etw zum E~ satt haben** (*fig*) to be absolutely sick of sth.

Erbrecht *nt* law of inheritance; (*Erbanspruch*) right of inheritance (*auf* +*acc* to).

erbringen *vt irreg* to produce, to furnish, to adduce.

Erbrochene(s) *nt* **-n,** *no pl* vomit.

Erbschaden *m* hereditary defect.

Erbschaft *f* inheritance. **eine ~ machen** *or* **antreten** to come into an inheritance.

Erbschaftsklage *f* (*Jur*) action for recovery of an/the inheritance; **Erbschaftssteuer** *f* estate *or* death duty *or* duties *pl*.

Erbschein *m* certificate of inheritance; **Erbschleicher(in** *f*) *m* legacy-hunter; **Erbschleicherei** *f* legacy-hunting; **Erbschuld** *f* inherited debt.

Erbse f -, -n pea.
erbsengroß adj pea-size, the size of a pea; **Erbsenpüree** nt ≃ pease pudding; **Erbsensuppe** f pea soup.

Erbstück nt heirloom; **Erbsünde** f (Rel) original sin; **Erbtante** f (inf) rich aunt; **Erbteil** nt 1. (Jur: auch m) (portion of an/the) inheritance; 2. (Veranlagung) inherited trait; **Erbvertrag** m testamentary contract; **Erbwalter(in** f) m (geh) trustee.

Erd|achse f earth's axis.

erdacht adj Geschichte made-up.

Erdaltertum nt (Geol) Palaeozoic; **Erdanziehung** f gravitational pull of the earth; **Erdapfel** m (Aus, S Ger) potato; **Erdarbeiten** pl excavation(s pl), earthwork sing; **Erdatmosphäre** f earth's atmosphere; **Erdbahn** f orbit of the earth, earth's orbit; **Erdball** m (liter) globe, world.

Erdbeben nt earthquake.

erdbebengefährdet adj at risk from earthquakes; **Erdbebengürtel** m earthquake belt or zone; **Erdbebenherd** m seismic focus or centre; **Erdbebenmesser** m, **Erdbebenmeßgerät** nt seismograph; **erdbebensicher** adj earthquake-proof; **Erdbebenwarte** f seismological station.

Erdbeere f strawberry; **erdbeerfarben** adj strawberry-colour(ed); **Erdbestattung** f burial, interment; **Erdbevölkerung** f population of the earth, earth's population; **Erdbewohner(in** f) m inhabitant of the earth; (gegenüber außerirdischen Wesen) terrestrial, earthling (pej).

Erdboden m ground, earth. etw dem ~ gleichmachen to level sth, to raze sth to the ground; vom ~ verschwinden to disappear from or off the face of the earth; als hätte ihn der ~ verschluckt as if the earth had swallowed him up.

Erde f -, -n 1. (Welt) earth, world. unsere Mutter ~ (liter) Mother Earth; auf ~n (old, liter) on earth; auf der ganzen ~ all over the world; niemand auf der ganzen ~ nobody in the whole world.
2. (Boden) ground. unter der ~ underground, below ground; (fig) beneath the soil; du wirst mich noch unter die ~ bringen (inf) you'll be the death of me yet (inf); über der ~ above ground; auf die ~ fallen to fall to the ground; mit beiden Beinen or Füßen (fest) auf der ~ stehen (fig) to have both feet firmly on the ground.
3. (Erdreich, Bodenart) soil, earth (auch Chem). fette/trockene ~ rich/dry soil; ~ zu ~ (Eccl) dust to dust; seltene ~n (Chem) rare earths.
4. (Elec: Erdung) earth, ground (US).

erden vt (Elec) to earth, to ground (US).

Erdenbürger(in f) m (geh) mortal; ein neuer ~ a new addition to the human race; **Erdenglück** nt (liter) earthly happiness.

erdenken* vt irreg to devise, to think up.

erdenklich adj attr conceivable, imaginable. alles ~(e) Gute all the very best; sich (dat) alle ~e Mühe geben to take the greatest (possible) pains; alles E~e tun to do everything conceivable or imaginable.

Erdenleben nt (geh) earthly life, life on earth.

erdfarben, erdfarbig adj earth-coloured; **Erdferne** f (Astron) apogee; **Erdgas** nt natural gas; **Erdgeborene(r)** mf (liter) mortal; **erdgebunden** adj (geh) earthbound; **Erdgeist** m earth-spirit; **Erdgeruch** m earthy smell; **Erdgeschichte** f geological history, history of the earth; **erdgeschichtlich** adj no pred geological; **Erdgeschoß** nt ground floor, first floor (US); im ~ on the ground/first floor; **erdhaltig** adj containing earth; **Erdhaufen** m mound of earth; **Erdhörnchen** nt ground squirrel.

erdichten* vt to invent, to fabricate, to make up.

erdig adj earthy.

Erdinnere(s) nt interior or bowels pl of the earth; **Erdkabel** nt underground cable; **Erdkarte** f map of the earth; **Erdkern** m earth's core; **Erdklumpen** m clod of earth; **Erdkreis** m globe, world; auf dem ganzen ~ all over the world; **Erdkruste** f earth's crust; **Erdkugel** f world, earth, globe; **Erdkunde** f geography; **erdkundlich** adj geographical; **Erdleitung** f (Elec) earth or ground (US) (connection); (Kabel) underground wire; **Erdloch** nt (Mil) foxhole; **Erdmagnetismus** m geomagnetism; **Erdmantel** m mantle; **Erdmetalle** pl earth metals pl; **Erdmittelalter** nt (Geol) Mesozoic; **Erdnähe** f (Astron) perigee; **Erdnuß** f peanut, groundnut; **Erdoberfläche** f surface of the earth, earth's surface; **Erdöl** nt (mineral) oil, petroleum.

erdolchen* vt to stab (to death). jdn mit Blicken ~ to look daggers at sb.

erdölexportierend adj attr oil-exporting, petroleum-exporting; **Erd|ölleitung** f oil pipeline; **Erdölpreise** pl oil prices pl; **Erd|ölraffination** f petroleum refining; **Erd|ölverarbeitung** f processing of crude oil.

Erdpech nt bitumen, asphalt, mineral pitch; **Erdreich** nt soil, earth.

erdreisten* vr sich ~, etw zu tun to have the audacity to do sth.

Erdrinde f siehe **Erdkruste**.

erdröhnen* vi aux sein to boom out, to thunder out; (Kanonen auch) to roar; (Luft, Raum) to resound (von with).

erdrosseln* vt to strangle, to throttle.

erdrücken* vt to crush (to death); (fig: überwältigen) to overwhelm. ein ~des Gefühl a stifling feeling; ~de Übermacht/~des Beweismaterial overwhelming superiority/evidence.

Erdrutsch m landslide, landslip; politischer ~ political upheaval; (überwältigender Wahlsieg) (political) landslide; **Erdrutschsieg** m landslide (victory); **Erdsatellit** m earth satellite; **Erdschatten** m shadow of the earth; **Erdschicht** f layer (of the earth), stratum; **Erdschluß** m (Elec) accidental earth or ground (US); **Erdscholle** f clod of earth; **Erdspalte** *f* crevice; **Erdstoß** *m* (seismic) shock; **Erdstrahlen** *pl* field lines *pl*; **Erdteil** *m* continent; **Erdtrabant** *m* moon.

erdulden* *vt* to endure, to suffer.

Erdumdrehung *f* rotation *or* revolution of the earth; **Erdumfang** *m* circumference of the earth; **Erdumlaufbahn** *f* earth orbit; **Erdumrundung** *f* (*durch Satelliten*) orbit(ing) of the earth; **Erdumsegelung** *f* voyage around the world, circumnavigation of the globe; **Erdumsegler(in** *f*) *m* round-the-world sailor, circumnavigator of the globe.

Erdung *f* (*Elec*) earth(ing), ground(ing) (*US*).

Erdverbunden, erdverwachsen *adj* earthy; **Erdwall** *m* earthwork, earth bank *or* wall; **Erdwärme** *f* natural heat of the earth; **erdwärts** *adv* earthward(s); **Erdzeitalter** *nt* geological era.

er|eifern* *vr* to get excited *or* worked up (*über +acc* over).

er|eignen* *vr* to occur, to happen.

Er|eignis *nt* event, occurrence; (*Vorfall*) incident, event; (*besonderes*) occasion, event.

er|eignislos *adj* uneventful; **er|eignisreich** *adj* eventful.

er|eilen* *vt* (*geh*) to overtake.

erektil *adj* (*Physiol*) erectile.

Erektion *f* (*Physiol*) erection.

Eremit(in *f*) *m* **-en, -en** hermit.

Eremitage [eremiˈtaːʒə] *f* **-, -n** hermitage.

er|erben* *vt* to inherit.

erfahren[1] *irreg* **I** *vt* **1.** *Nachricht* to learn, to find out; (*hören*) to hear (*von* about, of). **wenn der Chef das erfährt, wird er wütend** if the boss gets to hear about it *or* finds that out he'll be furious; **etw zu ~ suchen** to try to find out sth; **darf man Ihre Absichten ~?** might one inquire as to your intentions?

2. (*erleben*) to experience; (*erleiden auch*) *Rückschlag* to suffer; (*empfangen*) *Liebe, Verständnis* to receive; *Veränderungen* to undergo.

II *vi* to hear (*von* about, of).

erfahren[2] *adj* experienced.

Erfahrenheit *f* experience.

Erfahrung *f* experience; (*Übung auch*) practical knowledge; (*Philos auch*) empirical knowledge. **aus (eigener) ~** from (one's own) experience; **nach meiner ~** in my experience; **~en sammeln** to gain experience; **die ~ hat gezeigt, daß ...** experience has shown that ...; **etw in ~ bringen** to learn *or* to find out sth; **eine ~ machen** to have an experience; **seine ~en machen** to learn (things) the hard way; **ich habe die ~ gemacht, daß ...** I have found that ...; **mit dieser neuen Maschine/Mitarbeiterin haben wir nur gute/schlechte ~en gemacht** we have found this new machine/employee (to be) completely satisfactory/unsatisfactory; **was für ~en haben Sie mit ihm/damit gemacht?** how did you find him/it?; **ich habe mit der Ehe nur schlechte ~en gemacht** I've had a very bad experience of marriage; **durch ~ wird man klug** (*Prov*) one learns by experience.

Erfahrungsaustausch *m* (*Pol*) exchange of experiences; **erfahrungsgemäß** *adv* **~ ist es ...** experience shows ...; **Erfahrungstatsache** *f* empirical fact; **Erfahrungswert** *m* figure based on experience, empirically established figure; **Erfahrungswissenschaft** *f* empirical science.

erfaßbar *adj* ascertainable.

erfassen* *vt* **1.** (*rare: ergreifen*) to seize, to catch (hold of).

2. (*mitreißen: Auto, Strömung*) to catch.

3. (*Furcht, Verlangen*) to seize. **Angst erfaßte sie** she was seized by fear.

4. (*begreifen*) to grasp, to comprehend, to understand. **er hat's endlich erfaßt** he's caught on at last.

5. (*einbeziehen*) to include; (*registrieren*) to record, to register; *Daten* to capture. **das ist noch nicht statistisch erfaßt worden** there are no statistics on it yet.

Erfassung *f* registration, recording; (*von Daten*) capture; (*Miteinbeziehung*) inclusion.

erfechten* *vt irreg Sieg* to gain; *Rechte* to fight for and win.

erfinden* *vt irreg* to invent; (*erdichten auch*) to make up, to fabricate. **das hat sie glatt erfunden** she made it all up; **frei erfunden** completely fictitious; **er hat die Arbeit auch nicht erfunden** (*inf*) he's not exactly crazy about work (*inf*).

Erfinder(in *f*) *m* **-s, -** inventor.

Erfindergeist *m* inventive genius.

erfinderisch *adj* inventive; (*phantasievoll auch*) imaginative; (*findig auch*) ingenious.

Erfindung *f* invention; (*Erdichtung, Lüge auch*) fiction, fabrication. **eine ~ machen** to invent something.

Erfindungsgabe *f* inventiveness, invention; **Erfindungsreichtum** *m* inventiveness, ingenuity.

erflehen* *vt* (*geh*) to beg for. **etw von jdm ~** to beg *or* beseech (*liter*) sb for sth, to beg sth of sb.

Erfolg *m* **-(e)s, -e** success; (*Ergebnis, Folge*) result, outcome. **mit/ohne ~** successfully/without success *or* unsuccessfully; **~/keinen ~ haben** to be successful/have no success *or* be unsuccessful; **ohne ~ bleiben** *or* **sein** to be unsuccessful; **ein voller ~** a great success; (*Stück, Roman, Vorschlag auch*) a hit; **~ bei Frauen haben** to be successful with women; **sie warnte mich mit dem ~, daß ...** the effect *or* result of her warning me was that ...

erfolgen* *vi aux sein* (*form*) (*folgen*) to follow, to ensue; (*sich ergeben*) to result; (*vollzogen werden*) to be effected (*form*) *or* carried out; (*stattfinden*) to take place, to occur; (*Zahlung*) to be effected (*form*) *or* made. **es erfolgte keine Antwort** no answer was forthcoming.

erfolglos *adj* unsuccessful, without success; **erfolgreich** *adj* successful.

erfolgsabhängig *adj* success-related; (*Econ*) profit-related; **erfolgsarm** *adj* short on success; **Erfolgsaussicht** f prospect of success; **Erfolgsautor** m successful author; **Erfolgsbilanz** f record of success; **Erfolgsbuch** nt bestseller, successful book; **Erfolgsdenken** nt positive way of thinking; **Erfolgsdruck** m pressure to succeed; **Erfolgserlebnis** nt feeling of success, sense of achievement; **erfolgsgewohnt** adj used to success pred; **Erfolgshonorar** nt performance-related or success-related fee; **Erfolgskurve** f success curve; **Erfolgsleiter** f (fig) ladder to success; **Erfolgsmarke** f successful brand; **Erfolgsmeldung** f news sing of success; **Erfolgsmensch** m success, successful person; **erfolgsorientiert** adj achievement-oriented; **Erfolgsrezept** nt recipe for success; **Erfolgsroman** m successful novel; **Erfolgsserie** f string of successes; **Erfolgsstrategie** f strategy for success.

erfolgversprechend adj promising.

erforderlich adj necessary, required, requisite. **es ist dringend ~, daß ...** it is a matter of urgent necessity that ...; **etw ~ machen** to make sth necessary, to necessitate sth; **unbedingt ~** (absolutely) essential or imperative.

erforderlichenfalls adv (form) if required, if necessary, if need be.

erfordern* vt to require, to demand, to call for.

Erfordernis nt requirement; (Voraussetzung auch) prerequisite.

erforschen* vt 1. Land, Weltraum to explore.
2. Probleme to explore, to investigate, to inquire into; (in der Wissenschaft auch) to research into; Thema to research; Lage, Meinung, Wahrheit to ascertain, to find out. **sein Gewissen ~** to search or examine one's conscience.

Erforscher(in f) m (eines Landes) explorer; (in Wissenschaft) investigator, researcher.

Erforschung f siehe vt 1. exploration. 2. investigation, inquiry (+gen into); research (+gen into); researching; ascertaining.

erfragen* vt Weg to ask, to inquire; Einzelheiten to obtain, to ascertain.

erfrechen* vr (dated) **sich ~, etw zu tun** to have the audacity to do sth; **wie können Sie sich zu so einer Behauptung ~?** how dare you (have the audacity to) claim such a thing!

erfreuen* I vt to please, to delight; Herz to gladden. **sehr erfreut!** (dated: bei Vorstellung) pleased to meet you!, delighted! (dated); **ja, sagte er erfreut** yes, he said delighted(ly); **über jdn/etw erfreut sein** to be pleased or delighted about or at sb/sth.
II vr sich einer Sache (gen) ~ (geh) to enjoy sth; **sich an etw** (dat) ~ to enjoy sth, to take pleasure in sth.

erfreulich adj pleasant; Neuerung, Besserung welcome; (befriedigend) gratifying. **es ist wenig ~, daß wir ...** it's not very satisfactory that we ...; **es wäre ~, wenn die Regierung ...** it would be good or

nice if the government ...; **sehr ~!** very nice!; **er hat sich ~ wenig beklagt** it was pleasant or nice how little he complained.

erfreulicherweise adv happily. **wir haben ~ einmal ein Spiel gewonnen** I'm pleased or glad to say that we've won a game at last.

erfrieren* I vi irreg aux sein to freeze to death, to die of exposure; (Pflanzen) to be killed by frost. **erfrorene Glieder** frostbitten limbs. II vt **sich** (dat) **die Füße/Finger ~** to suffer frostbite in one's feet/fingers.

Erfrierung f usu pl frostbite no pl. **Tod durch ~** death from exposure.

erfrischen* I vti to refresh. II vr to refresh oneself; (sich waschen) to freshen up.

erfrischend adj (lit, fig) refreshing.

Erfrischung f (Getränk) refreshment. **das Schwimmen im Meer war eine angenehme ~** it was very refreshing to swim in the sea.

Erfrischungsgetränk nt refreshment; **Erfrischungsraum** m refreshment room; **Erfrischungstuch** nt towelette.

erfüllen* I vt 1. Raum to fill. **Haß/Liebe/Ekel erfüllte ihn** he was full of hate/love/disgust, he was filled with hate/love/disgust; **Schmerz erfüllte ihn** he was grief-stricken; **Freude erfüllte sein Herz** his heart was full of or filled with joy; **es erfüllt mich mit Genugtuung, daß ...** (geh) it gives me great satisfaction to see that ...; **ein erfülltes Leben** a full life.
2. (ausführen, einhalten) to fulfil; Bedingungen auch to meet, to comply with; Wunsch, Bitte auch to carry out; Pflicht, Aufgabe auch to carry out, to perform; Erwartungen auch to come up to; (Jur) Soll to achieve; Plan to carry through; Formalitäten to comply with; Zweck, Funktion to serve. **die Fee erfüllte ihm seinen Wunsch** the fairy granted him his wish; **ihr Wunsch nach einem Kind wurde erfüllt** their wish for a child came true or was granted; **erfüllst du mir einen Wunsch?** will you do something for me?
II vr (Wunsch, Voraussagung) to be fulfilled, to come true.
III vi (Jur) to discharge one's debts.

Erfüllung f fulfilment; (einer Bitte, eines Wunsches auch) carrying out; (einer Pflicht, Aufgabe, eines Vertrags auch) performance; (von Erwartungen) realization; (eines Solls) achievement; (eines Plans) execution; (Jur: Tilgung) discharge. **in ~ gehen** to be fulfilled; **in etw** (dat) **~ finden** to find fulfilment in sth. **Erfüllungsgehilfe** m, **Erfüllungsgehilfin** f accomplice, henchman (pej); **Erfüllungsort** m (Jur) (von Vertrag) place where a contract is to be fulfilled; (von Scheck) place of payment; **Erfüllungspolitik** f (Hist) policy of fulfilment; (pej) (policy of) appeasement; **Erfüllungspolitiker** m (Hist) politician supporting the policy of fulfilment; (pej) appeaser.

erg. abbr of **ergänze** supply, add.

Erg nt -s, - (Sci) erg.

ergänzen* vt to supplement; (vervollständigen) to complete; Fehlendes to supply; Lager, Vorräte to replenish; Bericht auch to add (sth) to; Ausführungen to amplify; Worte, Summe to add; Gesetz, Gesetzentwurf to amend. **seine Sammlung** ~ to add to or build up one's collection; **einander** or **sich** ~ to complement one another; **um das Team zu** ~ to make up the numbers of the team; **~d hinzufügen** or **bemerken** to make an additional remark (zu to).

ergänzt adj Ausgabe expanded.

Ergänzung f 1. (das Ergänzen) supplementing; (Vervollständigung) completion; (von Fehlendem) supply(ing); (eines Berichts) addition (+gen to); (von Summe) addition; (von Gesetz) amendment; (von Lager, Vorräten) replenishment. **zur** ~ **des vorher Gesagten möchte ich hinzufügen, daß** ... let me amplify the previous remarks by adding that ...

2. (Zusatz, zu Buch etc) supplement; (Hinzugefügtes, Person) addition; (zu einem Gesetz) amendment; (Gram) complement.

Ergänzungsabgabe f supplementary tax; **Ergänzungsantrag** m (Parl) amendment; **Ergänzungsband** m supplement(ary volume); **Ergänzungsbindestrich** m hyphen; **Ergänzungsmenge** f (Math) complementary set; **Ergänzungssatz** m (Gram) complementary clause.

ergattern* vt (inf) to get hold of.

ergaunern* vt (inf) (sich dat) etw ~ to get by dishonest means.

ergeben* irreg I vt to yield, to produce; (zum Ergebnis haben) to result in; (zeigen) to reveal; Betrag, Summe to amount to, to come to.

II vr 1. (kapitulieren) (dat to) to surrender, to yield, to capitulate. **sich auf Gnade oder Ungnade** ~ to surrender unconditionally; **sich in etw** (acc) ~ to submit to sth.

2. **sich einer Sache** (dat) ~ (sich hingeben) to take to sth, to give oneself up to sth; der Schwermut to sink into sth; dem Dienst auch to devote oneself to sth; **sich dem Trunk** or **Suff** (sl) ~ to take to drink or the bottle (inf).

3. (folgen) to result, to arise, to ensue (aus from). **daraus können sich Nachteile** ~ this could turn out to be disadvantageous; **das eine ergibt sich aus dem anderen** the one (thing) follows from the other.

4. (sich herausstellen) to come to light. **es ergab sich, daß unsere Befürchtungen** ... it turned out that our fears ...

III adj (hingegeben, treu) devoted; (demütig) humble; (unterwürfig) submissive. **jdm treu** ~ **sein** to be loyally devoted to sb; **einem Laster** ~ **sein** to be addicted to a vice; **Ihr (sehr) ~er** ... (old form) respectfully yours ... (form).

Ergebenheit f (Hingabe, Treue) devotion; (Demut) humility; (Unterwürfigkeit) submissiveness.

Ergebnis nt result; (Auswirkung auch) consequence, outcome. **die Verhandlun-**

gen **führten zu keinem** ~ the negotiations led nowhere or were inconclusive; **die Verhandlungen führten zu dem** ~, **daß** ... the negotiations led to the conclusion that ...; **zu einem** ~ **kommen** to come to or reach a conclusion; **unsere Anstrengungen blieben ohne** ~ our efforts produced no results.

ergebnislos adj unsuccessful, without result, fruitless; Verhandlungen auch inconclusive. ~ **bleiben/verlaufen** to come to nothing; Verhandlungen ~ **abbrechen** to break off negotiations without having reached any conclusions.

Ergebung f (Mil, fig) surrender, capitulation; (fig: Demut) humility.

ergehen* irreg I vi aux sein 1. (form) (an +acc to) (erteilt, erlassen werden) to go out, to be issued; (Einladung) to go out, to be sent; (Gesetz) to be enacted. ~ **lassen** to issue; to send; to enact.

2. **sie ließ seine Vorwürfe/alles über sich** (acc) ~ she let his reproaches/everything simply wash over her.

II vi impers aux sein **es ist ihm schlecht/gut ergangen** he fared badly/well; **es wird ihm schlecht** ~ he will suffer.

III vr 1. (geh) to go for a walk or stroll, to take the air.

2. (fig) **sich in etw** (dat) ~ to indulge in sth; **er erging sich in Schmähungen** he poured forth abuse; **sich (in langen Reden) über ein Thema** ~ to hold forth at length on sth, to expatiate on sth.

Ergehen nt -s, no pl (geh) (state of) health.

ergiebig adj (lit, fig) productive; Geschäft profitable, lucrative; (fruchtbar) fertile; (sparsam im Verbrauch) economical.

Ergiebigkeit f siehe adj productiveness, productivity; profitability; fertility; economicalness.

ergießen* irreg vr (geh) to pour forth (liter) or out (auch fig).

erglänzen* vi aux sein (geh) to shine.

erglühen* vi aux sein (liter) to glow; (fig) (vor Scham, Zorn) to burn; (vor Freude) to glow.

ergo conj therefore, ergo (liter, hum).

Ergometer nt -s, - ergometer; **Ergonomie** f ergonomics sing; **ergonomisch** adj ergonomic; **Ergotherapie** f ergotherapy.

ergötzen* I vt to delight. II vr **sich an etw** (dat) ~ to be amused by sth, to take delight in sth.

ergötzlich adj delightful.

ergrauen* vi aux sein to turn or go grey.

ergreifen* vt irreg 1. to seize; (fassen auch) to grasp, to grip; (Krankheit) to overcome; Feder, Schwert auch to take up; Verbrecher to seize, to apprehend. **das Feuer ergriff den ganzen Wald** the fire engulfed the whole forest.

2. (fig) Gelegenheit, Macht to seize; Beruf to take up; Maßnahmen to take, to resort to. **er ergriff das Wort** he began to speak; (Parl, bei Versammlung) he took the floor.

3. (fig) jdn (packen) to seize, to grip; (bewegen) to move. **von Furcht/**

Sehnsucht ergriffen werden to be seized with fear/longing.

ergreifend *adj* (*fig*) moving, stirring, touching (*auch iro*).

ergriffen *adj* (*fig*) moved, deeply stirred.

Ergriffenheit *f* emotion.

ergrimmen* (*old, liter*) *vt* to incense.

ergründen* *vt Sinn etc* to fathom; *Geheimnis auch* to penetrate; *Ursache, Motiv* to discover.

Erguß *m* **-sses,** ⁻**sse** effusion; (*Blut~*) bruise, contusion (*form*); (*Samen~*) ejaculation, emission; (*fig*) outpouring, effusion.

erhaben *adj* **1.** (*spec*) *Druck, Muster* raised, embossed.

2. (*fig*) *Gedanken, Stil* lofty, elevated, exalted; *Schönheit, Anblick* sublime; *Augenblick* solemn; *Herrscher* illustrious, eminent.

3. (*überlegen*) superior. **er fühlt sich über alles/alle ~** he thinks himself to be above it all/superior to everybody; **über etw** (*acc*) ~ (**sein**) (to be) above sth; **über jeden Tadel/Verdacht ~ sein** to be above *or* beyond reproach/suspicion; ~ **tun** to act superior.

Erhabenheit *f siehe adj* (*fig*) loftiness, elevation, sublimity; solemnity; illustriousness, eminence.

Erhalt *m* **-(e)s,** *no pl* receipt; (*das Erhalten*) preservation. **der ~ der Macht** the preservation of power.

erhalten* *irreg* I *vt* **1.** to get, to receive; *Preis, Orden auch* to be awarded; *Strafe, neuen Namen* to be given; *Resultat, Produkt, Genehmigung* to obtain, to get. **das Wort ~** to receive permission to speak; (**Betrag**) **dankend ~** (*form*) received with thanks (the sum of…).

2. (*bewahren*) to preserve; *Gesundheit auch* to maintain. **jdn am Leben/bei guter Laune ~** to keep sb alive/in a good mood; **ich hoffe, daß du uns noch lange ~ bleibst** I hope you'll be with us for a long time yet; (*nicht sterben*) I hope you'll have many more happy days; **erhalte dir deinen Frohsinn/Optimismus** stay cheerful/optimistic; **gut ~** well preserved (*auch hum inf*), in good condition; **von der Altstadt sind nur noch ein paar Kirchen ~** of the old town only a few churches remain *or* still stand.

3. (*unterhalten*) *Familie* to support, to keep, to maintain.

II *vr* (*Brauch*) to be preserved, to remain. **sich frisch und gesund ~** to keep *or* stay bright and healthy.

erhältlich *adj* obtainable, available. **schwer ~** difficult to obtain, hard to come by.

Erhaltung *f* (*Bewahrung*) preservation; (*Unterhaltung*) support. **die ~ der Energie** (*Phys*) the conservation of energy.

erhandeln* *vt* to get by bargaining, to bargain for.

erhängen* *vt* to hang. **Tod durch E~** death by hanging; **sich ~** to hang oneself.

erhärten* I *vt* to harden; (*fig*) *Behauptung* to substantiate, to corroborate; (*Verdacht*) to harden. **etw durch Eid ~**

to affirm sth on oath. II *vr* (*fig: Verdacht*) to harden.

Erhärtung *f* (*fig*) *siehe vt* substantiation, corroboration; hardening.

erhaschen* *vt* to catch (*auch fig*), to seize.

erheben* *irreg* I *vt* **1.** to raise (*auch Math*), to lift (up); *Glas, Stimme* to raise. **die Hand zum Gruß ~** to raise one's hand in greeting; **seinen** *or* **den Blick ~** to look up; **jdn in den Adelsstand ~** to raise *or* elevate sb to the peerage; **etw zu einem Prinzip/einer Regel ~** to make sth into a principle/a rule, to raise *or* elevate sth to (the level of) a principle/a rule; **jdn zum Herrscher ~** to install sb as a/the ruler.

2. *Gebühren* to charge, to levy; *Steuern* (*einziehen*) to raise, to levy; (*auferlegen*) to impose.

3. *Fakten, Daten* to ascertain.

II *vr* **1.** (*aufstehen*) to get up, to rise; (*Flugzeug, Vogel*) to rise.

2. (*sich auflehnen*) to rise (up) (in revolt), to revolt.

3. (*aufragen*) to rise (*über* +*dat* above).

4. sich über andere ~ to elevate *or* place oneself above others.

5. (*aufkommen*) (*Wind, form: Frage*) to arise.

erhebend *adj* elevating, uplifting.

erheblich *adj* (*beträchtlich*) considerable; (*wichtig*) important; (*relevant*) relevant, pertinent; *Verletzung* serious, severe.

Erhebung *f* **1.** (*Boden~*) elevation.

2. (*Aufstand*) uprising, revolt; (*Meuterei*) mutiny.

3. (*von Gebühren*) levying, imposition.

4. (*amtliche Ermittlung*) investigation, inquiry; (*Umfrage*) survey. **~en machen** *or* **anstellen über** (+*acc*) to make inquiries about *or* into.

5. (*das Erheben*) raising; (*in den Adelsstand*) elevation; (*zum Herrscher*) installation (*zu* +*dat* to). ~ **ins Quadrat/in die dritte Potenz** (*Math*) squaring/cubing, raising to the power of three.

erheischen* *vt* (*old, liter*) to require, to demand; *Achtung* to command.

erheitern* I *vt* to cheer (up); (*belustigen*) to entertain, to amuse. II *vr* to be amused (*über* +*acc* by); (*Gesicht*) to brighten, to cheer up.

Erheiterung *f* amusement. **zur allgemeinen ~** to the general amusement.

erhellen* I *vt* to light up (*auch fig*), to illuminate; (*fig: klären*) to elucidate, to illuminate; *Geheimnis* to shed light on. II *vr* (*lit, fig*) to brighten; (*plötzlich*) to light up. III *vi* (*geh: hervorgehen*) to be evident *or* manifest.

erhitzen* I *vt* to heat (up) (*auf* +*acc* to). **die Gemüter ~** to inflame passions, to whip up feeling. II *vr* to get hot, to heat up; (*fig: sich erregen*) to become heated (*an* +*dat* over). **die Gemüter erhitzten sich** feelings were running high; **erhitzt aussehen** to look hot; (*fig*) to look hot and bothered.

Erhitzung *f* heating up; (*fig*) (*Erregung*) excitement; (*der Gemüter*) inflammation.

erhoffen* *vt* to hope for. **sich** (*dat*) **etw ~** to hope for sth (*von* from); **was erhoffst du dir davon?** what do you hope to gain from it?

erhöhen* I *vt* to raise; *Preise auch* to increase, to put up; *Zahl auch, Produktion, Kraft* to increase; *Wirkung, Schönheit* to increase, to heighten, to enhance; *Spannung* to increase, to heighten; (*Mus*) *Note* to sharpen. **die Mauern wurden um zwei Meter erhöht** the walls were made two metres higher *or* were raised (by) two metres; **etw um 10% ~** to raise *or* put up *or* increase sth by 10%; **erhöhte Temperatur haben** to have a temperature; **erhöhte Wachsamkeit/ Anstrengungen** increased vigilance/ efforts.

II *vr* to rise, to increase; (*Spannung auch*) to heighten, to intensify.

Erhöhung *f* 1. (*das Erhöhen*) *siehe vt* raising; increase, heightening, enhancement; (*von Spannung*) heightening, intensification. 2. (*Lohn~*) rise (*Brit*), raise (*US*); (*Preis~*) increase. 3. (*Hügel*) hill, elevation.

Erhöhungszeichen *nt* (*Mus*) sharp (sign).

erholen* *vr* (*von* from) to recover; (*von Krankheit auch*) to recuperate; (*sich entspannen auch*) to relax, to have a rest; (*fig: Preise, Aktien*) to recover, to rally, to pick up. **er hat sich von dem Schreck(en) noch nicht erholt** he hasn't got over the shock yet; **du siehst sehr erholt aus** you look very rested.

erholsam *adj* restful, refreshing.

Erholung *f siehe vr* recovery; recuperation; relaxation, rest; (*der Wirtschaft*) recovery, rallying. **zur ~ an die See fahren** to go to the seaside in order to recover *or* recuperate *or* convalesce; **er braucht dringend ~** he badly needs a holiday (*esp Brit*) *or* a vacation (*US*) *or* a break; **Urlaub ist zur ~ da** holidays are for relaxation; **gute ~!** have a good rest.

Erholungsaufenthalt *m* holiday (*esp Brit*), vacation (*US*); **erholungsbedürftig** *adj* in need of a rest, run-down; **Erholungsgebiet** *nt* recreation area; **Erholungsheim** *nt* rest home; (*Ferienheim*) holiday home; (*Sanatorium*) convalescent home; **Erholungskur** *f* rest cure; **Erholungsort** *m* spa, health resort; **Erholungspause** *f* break; **Erholungsreise** *f* holiday/vacation trip; **Erholungsurlaub** *m* holiday/vacation; (*nach Krankheit*) convalescent leave *or* holiday; **Erholungswert** *m* recreational value.

erhören* *vt Gebet* to hear; *Bitte, Liebhaber* to yield to.

Eriesee *m* Lake Erie *no art*.

erigieren* *vi* to become erect.

Erika *f* -, **Eriken** (*Bot*) heather.

erinnerlich *adj pred* **soviel mir ~ ist** as far as I (can) remember *or* recall.

erinnern* I *vt* **jdn an etw** (*acc*) **~** to remind sb of sth; **jdn daran ~, etw zu tun/**

daß ... ** to remind sb to do sth/that ...; **etw ~ (*dial, sl*) to remember *or* recall sth.

II *vr* **sich an jdn/etw ~, sich einer Sache** (*gen*) **~** (*old*) to remember *or* recall *or* recollect sb/sth; **sich nur noch dunkel ~ an** (+*acc*) to have only a faint *or* dim recollection *or* memory of; **soweit** *or* **soviel ich mich ~ kann** as far as I remember, to the best of my recollection; **wenn ich mich recht erinnere, ...** if my memory serves me right *or* correctly ..., if I remember rightly ...

III *vi* 1. **~ an** (+*acc*) to be reminiscent of, to call to mind, to recall; **sie erinnert sehr an ihre Mutter** she reminds one very much of her mother.

2. (*erwähnen*) **daran ~, daß ...** to point out that ...

Erinnerung *f* (*an* +*acc* of) memory, recollection; (*euph: Mahnung*) reminder; (*Andenken*) memento, remembrance, keepsake. **~en** *pl* (*Lebens~*) reminiscences *pl*; (*Liter*) memoirs *pl*; **~en austauschen** to reminisce; **zur ~ an** (+*acc*) in memory of; (*an Ereignis*) in commemoration of; (*als Andenken*) as a memento of; **jdn/etw in guter/schlechter ~ haben** *or* **behalten** to have pleasant/ unpleasant memories of sb/sth.

Erinnerungslücke *f* gap in one's memory; **Erinnerungsschreiben** *nt* (*Comm*) reminder; **Erinnerungsstück** *nt* keepsake (*an* +*acc* from); **Erinnerungstafel** *f* commemorative plaque; **Erinnerungsvermögen** *nt* memory, powers *pl* of recollection; **Erinnerungswert** *m* sentimental value.

Erinnyen *pl* (*Myth*) Furies *pl*, Erin(n)yes *pl*.

Eritrea *nt* -s Eritrea.

Eritreer(in *f*) *m* -s, - Eritrean.

erjagen* *vt* to bag, to catch; (*fig: ergattern*) to get hold of, to hunt down.

erkalten* *vi aux sein* (*lit, fig*) to cool (down *or* off), to go cold.

erkälten* *vr* to catch (a) cold; (*esp sich verkühlen*) to catch a chill. **sich stark** *or* **sehr/leicht erkältet haben** to have (caught) a heavy/slight cold/chill; **sich** (*dat*) **die Blase ~** to catch a chill in one's bladder.

erkältet *adj* with a cold. (**stark**) **~ sein** to have a (bad *or* heavy) cold; **wir sind alle ~** we all have colds.

Erkältung *f* cold; (*leicht*) chill. **sich** (*dat*) **eine ~ zuziehen** to catch a cold/chill.

Erkältungskrankheiten *pl* coughs and colds *pl*.

erkämpfen* *vt* to win, to secure. **sich** (*dat*) **etw ~** to win sth; **hart erkämpft** hard-won; **er hat sich** (*dat*) **seine Position hart erkämpft** he fought hard for his *or* to secure his position.

erkaufen* *vt* to buy. **etw teuer ~** to pay dearly for sth; **den Erfolg mit seiner Gesundheit ~** to pay for one's success with one's health.

erkennbar *adj* (*wieder~*) recognizable; (*sichtbar*) visible; (*wahrnehmbar, ersichtlich*) discernible.

erkennen* *irreg* I *vt* 1. (*wieder~, an~,*

einsehen) to recognize (*an* +*dat* by); (*wahrnehmen*) to see, to make out, to discern; *Unterschied* to see; *Situation* to see, to understand. **er hat erkannt, daß das nicht stimmte** he realized that it wasn't right; **kannst du ~, ob das da drüben X ist?** can you see *or* tell if that's X over there?; **jdn für schuldig ~** (*Jur*) to find sb guilty; **(jdm) etw zu ~ geben** to indicate sth (to sb); **jdm zu ~ geben, daß ...** to give sb to understand that ...; **sich zu ~ geben** to reveal oneself (*als* to be), to disclose one's identity; **~ lassen** to show, to reveal; **erkenne dich selbst!** know thyself!; **du bist erkannt!** I see what you're after, I know your game.
  2. (*Bibl, old*) to know (*Bibl*).
  II *vi* ~ **auf** (+*acc*) (*Jur*) *Freispruch* to grant; *Strafe* to impose, to inflict; (*Sport*) *Freistoß* to give, to award; **auf drei Jahre Haft ~** to impose a sentence of three years' imprisonment.

erkenntlich *adj* **sich (für etw) ~ zeigen** to show one's gratitude *or* appreciation (for sth).

Erkenntlichkeit *f* (*Dankbarkeit*) gratitude; (*Gegenleistung*) token of one's gratitude *or* appreciation.

Erkenntnis[1] *f* (*Wissen*) knowledge *no pl*; (*das Erkennen*) recognition, realization; (*Philos, Psych*) cognition *no pl*; (*Einsicht*) insight, realization; (*Entdeckung*) finding, discovery. **zu der ~ kommen** *or* **gelangen, daß ...** to come to the realization that ..., to realize that ...

Erkenntnis[2] *nt* (*Jur*) decision, finding; (*der Geschworenen*) verdict.

Erkenntnislage *f siehe* **Erkenntnisstand**; **Erkenntnisstand** *m* level of knowledge; **erkenntnistheoretisch** *adj* epistemological; **Erkenntnistheorie** *f* epistemology, theory of knowledge; **Erkenntnisvermögen** *nt* cognitive capacity.

Erkennungsdienst *m* police records department; **erkennungsdienstlich** *adv* **jdn ~ behandeln** to fingerprint and photograph sb; **Erkennungsmarke** *f* identity disc *or* tag; **Erkennungsmelodie** *f* signature tune; **Erkennungswort** *nt* password; **Erkennungszeichen** *nt* identification; (*Mil: Abzeichen*) badge; (*Aviat*) markings *pl*; (*Med*) sign (*für* of). **das ist mein ~** that's what you'll recognize me by.

Erker *m* -s, - bay; (*kleiner Vorbau*) oriel.

Erkerfenster *nt* bay window; (*von Vorbau*) oriel window; **Erkerzimmer** *nt* room with an oriel window.

erklärbar *adj* explicable, explainable. **leicht ~** easily explained; **schwer ~** hard to explain; **nicht ~** inexplicable.

erklären* **I** *vt* **1.** (*erläutern*) to explain (*jdm etw* sth to sb); (*begründen auch*) to account for. **ich kann mir nicht ~, warum ...** I can't understand why ...; **wie erklärt ihr euch das?** how can *or* do you explain that?, what do you make of that?
  2. (*äußern, bekanntgeben*) to declare (*als* to be); *Rücktritt* to announce; (*Politiker, Pressesprecher*) to say. **einem Staat den Krieg ~** to declare war on a coun-

try; **er erklärte ihr seine Liebe** he declared his love for her; **jdn für schuldig ~** to pronounce sb guilty.
  II *vr* **1.** (*Sache*) to be explained. **das erklärt sich daraus, daß ...** it can be explained by the fact that ...; **das erklärt sich (von) selbst** that's self-explanatory.
  2. (*Mensch*) to declare oneself; (*dated: Liebe gestehen*) to declare one's love. **sich für bankrott ~** to declare oneself bankrupt; **sich für/gegen jdn/etw ~** to declare oneself *or* come out for/against sb/sth.
  III *vi* to explain.

erklärend *adj* explanatory. **einige ~e Worte** a few words of explanation; **er fügte ~ hinzu ...** he added in explanation ...

erklärlich *adj* (*verständlich*) understandable. **ist Ihnen das ~?** can you find an explanation for that?; **mir ist einfach nicht ~, wie ...** I simply cannot understand how ...

erklärlicherweise *adv* understandably.

erklärt *adj attr Ziel* professed; *Gegner auch* avowed; *Favorit, Liebling* acknowledged.

erklärtermaßen *adv* avowedly.

Erklärung *f* **1.** explanation. **2.** (*Mitteilung, Bekanntgabe*) declaration; (*eines Politikers, Pressesprechers*) statement. **eine ~ (zu etw) abgeben** to make a statement (about *or* concerning sth).

Erklärungsfrist *f period of time granted to sb to explain sth to a commission*; **Erklärungsnotstand** *m* **im ~ sein** to have a lot of explaining to do.

erklecklich *adj* (*old, geh*) considerable.

erklettern* *vt* to climb (up); *Berg auch* to scale; *Alpengebiet* to climb.

erklimmen* *vt irreg* (*geh*) to scale; (*fig*) *Spitze, höchste Stufe* to climb to; (*fig*) *Leiter* to climb *or* ascend to the top of.

erklingen* *vi irreg* (*geh*) *Melodie* to ring out, to resound. **ein Glöckchen erklang** (the sound of) a bell was heard, I *etc* heard (the sound of) a bell; **ein Lied ~ lassen** to burst (forth) into song; **die Gläser ~ lassen** to clink glasses.

erkoren *ptp of* **erküren**.

erkranken* *vi aux sein* (*krank werden*) to be taken ill, to fall ill (*an* +*dat* with); (*Organ, Pflanze, Tier*) to become diseased (*an* +*dat* with). **erkrankt sein** (*krank sein*) to be ill/diseased; **die an Krebs erkrankten Menschen** people with *or* suffering from cancer; **die erkrankten Stellen** the diseased *or* affected areas.

Erkrankung *f* illness; (*von Organ, Pflanze, Tier*) disease.

Erkrankungsfall *m* case of illness. **im ~** in case of illness.

erkühnen* *vr* (*geh*) **sich ~, etw zu tun** to dare to do sth.

erkunden* *vt* (*esp Mil*) *Gelände, Stellungen* to reconnoitre, to scout; (*feststellen*) to find out, to establish, to ascertain.

erkundigen* *vr* **sich (nach etw/über jdn) ~** to ask *or* inquire (about sth/sb); **sich nach jdm ~** to ask after sb; **sich bei jdm (nach etw) ~** to ask sb (about sth); **ich werde mich ~** I'll find out.

Erkundigung f inquiry; (*Nachforschung auch*) investigation. ~en einholen *or* einziehen to make inquiries.

Erkundung f (*Mil*) reconnaissance.

erküren* *pret* **erkor**, *ptp* **erkoren** vt (*obs, liter*) to choose, to elect (*zu* as, to be).

Erlagschein m (*Aus*) siehe **Zahlkarte**.

erlahmen* vi aux sein to tire, to grow weary; (*Kräfte, fig: Interesse, Eifer*) to flag, to wane.

erlangen* vt to attain, to achieve; *Alter, Ziel auch* to reach; *Bedeutung auch, Eintritt* to gain.

Erlangung f attainment.

Erlaß m **-sses, -sse** *or* (*Aus*) **⁻sse 1.** (*Verfügung*) decree, edict; (*der Regierung*) enactment, edict. **2.** (*Straf~, Schulden~, Sünden~*) remission.

erlassen* vt *irreg* **1.** *Verfügung* to pass; *Gesetz* to enact; *Embargo* to impose; *Dekret* to issue.

2. (*von etw entbinden*) *Strafe, Schulden* to remit; *Gebühren* to waive. **jdm etw ~ Schulden** to release sb from sth; *Gebühren* to waive sth for sb; **jdm die Strafarbeit/eine Pflicht ~** to let sb off a punishment/to release sb from a duty; **ich erlasse ihm den Rest (des Geldes)** I'll waive the rest *or* let him off paying the rest (of the money).

erlauben* I vt to allow, to permit. **jdm etw ~** to allow *or* permit sb (to do) sth; **mein Vater erlaubt mir nicht, mit seinem Auto zu fahren** my father doesn't *or* won't allow me to drive his car; **es ist mir nicht erlaubt, das zu tun** I am not allowed *or* permitted to do that; **du erlaubst deinem Kind zuviel** you allow your child too much freedom; **~ Sie?, Sie ~?** (*form*) may I?; **~ Sie, daß ich das Fenster öffne?** do you mind if I open the window?; **~ Sie, daß ich mich vorstelle** allow *or* permit me to introduce myself; **~ Sie mal!** do you mind!; **soweit es meine Zeit erlaubt** (*form*) time permitting.

II vr **sich** (*dat*) **etw ~** (*gestatten, sich gönnen*) to allow *or* permit oneself sth; (*wagen*) *Bemerkung, Vorschlag* to venture sth; (*sich leisten*) to afford sth; **sich** (*dat*) **~, etw zu tun** (*so frei sein*) to take the liberty of doing sth; (*sich leisten*) to afford to do sth; **darf ich mir ~ ...?** might I possibly ...?; **wenn ich mir die folgende Bemerkung ~ darf ...** if I might venture *or* be allowed the remark ...; **sich** (*dat*) **Frechheiten ~** to take liberties, to be cheeky; **sich** (*dat*) **einen Scherz ~** to have a joke; **was die Jugend sich heutzutage alles erlaubt!** the things young people get up to nowadays!; **was ~ Sie sich (eigentlich)!** how dare you!

Erlaubnis f permission; (*Schriftstück*) permit. **mit Ihrer (freundlichen) ~** (*form*) with your (kind) permission, by your leave (*form*); **(jdn) um ~ bitten** to ask (sb) (for) permission, to ask *or* beg leave (of sb) (*form*); **jdm zu etw die ~ geben** *or* **erteilen** (*form*) to give sb permission *or* leave (*form*) for sth/to do sth.

Erlaubnisschein m permit.

erlaucht adj (*obs, auch iro*) illustrious. **ein ~er Kreis** a select circle.

Erlaucht f **-, -en** (*Hist*) Lordship.

erläutern* vt to explain, to elucidate; (*klarstellen auch*) to clarify; *Text* to comment on. **~d** explanatory; **~d fügte er hinzu** he added in explanation *or* clarification; **etw anhand von Beispielen ~** to illustrate sth with examples.

Erläuterung f *siehe* vt explanation, elucidation; clarification; comment, commentary. **zur ~** in explanation.

Erle f **-, -n** alder.

erleben* vt to experience; (*noch lebend erreichen*) to live to see; (*durchmachen*) *schwere Zeiten, Sturm* to go through; *Aufstieg, Abenteuer, Enttäuschung* to have; *Erfolg* to have, to enjoy; *Mißerfolg, Niederlage* to have, to suffer; *Aufführung* to have, to receive; *Jahrhundertwende, erste Mondlandung* to see; *Schauspieler* to see (perform); *Musik, Gedicht, Fußballspiel, Landschaft* to experience. **im Urlaub habe ich viel erlebt** I had an eventful time on holiday; **was haben Sie im Ausland erlebt?** what sort of experiences did you have abroad?; **wir haben wunderschöne Tage in Spanien erlebt** we had a lovely time in Spain; **etwas Angenehmes ~** to have a pleasant experience; **er hat schon viel Schlimmes erlebt** he's had a lot of bad times *or* experiences; **wir haben mit unseren Kindern viel Freude erlebt** our children have given us much pleasure; **ich habe es oft erlebt ...** I've often known *or* seen it happen ...; **so wütend habe ich ihn noch nie erlebt** I've never seen *or* known him so furious; **unser Land hat schon bessere Zeiten erlebt** our country has seen *or* known better times; **er hat gesagt, er würde helfen — das möchte ich ~!** he said he'd like to help — that I'd like to see!; **das werde ich nicht mehr ~** I shan't live to see that; **er hat viel erlebt** he has been around (*inf*), he has experienced a lot; **das muß man erlebt haben** you've got to have experienced it (for) yourself; **erlebte Rede** (*Liter*) interior monologue; **na, der kann was ~!** (*inf*) he's going to be (in) for it! (*inf*); **hat man so (et)was schon (mal) erlebt!** (*inf*) I've never heard anything like it!; **daß ich das ~ muß!** I never thought I'd see the day!

Erlebnis nt experience; (*Abenteuer*) adventure. **(jdm) zu einem ~ werden** to be (quite) an experience (for sb).

Erlebnisaufsatz m (*Sch*) essay based on personal experience; **Erlebnisfähigkeit** f receptivity to experiences, ability to experience things (deeply); **erlebnisreich** adj eventful.

erledigen* I vt **1.** to deal with, to take care of; *Akte* to process; (*ausführen*) *Auftrag* to carry out; (*beenden*) *Arbeit* to finish off, to deal with; *Sache* to settle. **Einkäufe ~** to do the shopping; **ich habe noch einiges in der Stadt zu ~** I've still got a few things to do in town; **ich muß noch schnell was ~** I've just got something to do; **die Sache/er ist für mich erledigt** as far as I'm concerned the matter's closed/I'm finished with him; **erledigt!** (*Stempel*) dealt with, processed; **erledigt, reden wir nicht mehr darüber!** OK, let's say no more about it!; **das ist (damit) erledigt** that's settled *or* taken care of; **wird erledigt!** shall *or* will do! (*inf*), right-ho! (*Brit inf*), sure thing! (*US inf*); **zu ~** (*Vermerk auf Akten*) for attention; **schon erledigt!** I've already done it; (*mache ich sofort*) consider it done.

2. (*inf: ermüden*) to wear *or* knock (*inf*) out; (*inf: ruinieren*) to finish, to ruin; (*sl: töten*) to do in (*sl*); (*sl: k.o. schlagen*) to finish off, to knock out.

II *vr* **das hat sich erledigt** that's all settled; **sich von selbst ~** to take care of itself.

erledigt *adj* (*inf*) (*erschöpft*) shattered (*inf*), done in *pred* (*inf*); (*ruiniert*) finished, ruined. **wenn jetzt die Bullen kommen, sind wir ~** if the cops come now, we've had it (*inf*).

Erledigung *f* (*Ausführung*) execution, carrying out; (*Durchführung, Beendung*) completion; (*einer Sache, eines Geschäfts*) settlement. **die ~ von Einkäufen** (*form*) shopping; **die ~ meiner Korrespondenz** dealing with my correspondence; **einige ~en in der Stadt** a few things to do in town; **um rasche ~ wird gebeten** please give this your immediate attention; **in ~ Ihres Auftrages/Ihrer Anfrage** (*form*) in execution of your order/further to your inquiry (*form*).

erlegen* *vt* **1.** *Wild* to shoot, to bag (*Hunt*). **2.** (*Aus, Sw: bezahlen*) to pay.

erleichtern* **I** *vt* (*einfacher machen*) to make easier; (*fig*) *Last, Los* to lighten; (*beruhigen*) to relieve; (*lindern*) *Not, Schmerz* to alleviate, to relieve. **sein Herz/Gewissen** *or* **sich** (*dat*) **das Gewissen ~** to unburden one's heart/ conscience; **jdm etw ~** to make sth easier for sb; **jdn um etw ~** (*hum*) to relieve sb of sth; **erleichtert aufatmen** to breathe a sigh of relief.

II *vr* (*old*) to relieve oneself.

Erleichterung *f* (*von Last*) lightening; (*Linderung*) relief, alleviation; (*Beruhigung*) relief; (*Zahlungs~*) facility. **einem Kranken ~ verschaffen** to give relief to a sick person.

erleiden* *vt irreg* to suffer; *Verluste, Schaden auch* to sustain, to incur. **den Tod ~** (*old*) to suffer death (*old*).

Erlenmeyerkolben *m* (*Phys*) Erlenmeyer flask.

erlernbar *adj* learnable.

erlernen* *vt* to learn.

erlesen *adj* exquisite.

erleuchten* *vt* to light (up), to illuminate; (*fig*) to enlighten, to inspire. **hell erleuchtet** brightly lit; *Stadt* brightly illuminated.

Erleuchtung *f* (*Eingebung*) inspiration; (*religiöse auch*) enlightenment *no pl*.

erliegen* *vi irreg aux sein* +*dat* (*lit, fig*) to succumb to; *einem Irrtum* to be the

victim of. **zum E~ kommen/bringen** to come/bring to a standstill.

erlisch *imper sing of* **erlöschen**.

Erlös *m* **-es, -e** proceeds *pl*.

erlöschen* *pret* **erlosch**, *ptp* **erloschen** *vi aux sein* (*Feuer*) to go out; (*Gefühle*) to die; (*Vulkan*) to become extinct; (*Leben*) to come to an end; (*Vertrag, Anspruch*) to expire, to lapse; (*Firma*) to be dissolved; (*Geschlecht*) to die out. **ein erloschener Vulkan** an extinct volcano; **seine Augen waren erloschen** (*liter*) his eyes were lifeless.

erlösen* *vt* **1.** (*retten*) to save, to rescue (*aus, von* from); (*Rel*) to redeem, to save; (*von Sünden, Qualen*) to release (*esp Bibl*), to release. **erlöse uns von dem Bösen** (*Rel*) deliver us from evil. **2.** (*Comm: aus Verkauf*) *Geld* to realize.

erlösend *adj* relieving, liberating. **sie sprach das ~e Wort** she spoke the word he/she/everybody *etc* was waiting for; **~ wirken** to come as a relief.

Erlöser(in *f*) *m* **-s, -** (*Rel*) Redeemer; (*Befreier*) saviour.

Erlösung *f* release, deliverance; (*Erleichterung*) relief; (*Rel*) redemption. **der Tod war für sie eine ~** death was a release for her.

erlügen* *vt irreg* to fabricate, to make up, to invent. **eine erlogene Geschichte** a fabrication, a fiction.

ermächtigen* *vt* to authorize, to empower (*zu etw* to do sth).

ermächtigt *adj* authorized, empowered. **zur Unterschrift ~** authorized to sign.

Ermächtigung *f* authorization.

Ermächtigungsgesetz *nt* (*Pol*) Enabling Act (*esp that of Nazis in 1933*).

ermahnen* *vt* to exhort (*form*), to admonish, to urge; (*warnend*) to warn; (*Jur*) to caution. **jdn zum Fleiß/zur Aufmerksamkeit ~** to exhort (*form*) *or* urge sb to work hard/to be attentive; **muß ich dich immer erst ~?** do I always have to remind *or* tell you first?; **jdn im Guten ~** to give sb a friendly warning.

Ermahnung *f* exhortation, admonition, urging; (*warnend*) warning; (*Jur*) caution.

ermangeln* *vi einer Sache* (*gen*) **~** (*geh*) to lack sth.

Ermang(e)lung *f*: **in ~ +***gen* because of the lack of; **in ~ eines Besseren** for lack of something better.

ermannen* *vr* (*geh*) to pluck up courage.

ermäßigen* **I** *vt* to reduce. **II** *vr* to be reduced.

Ermäßigung *f* reduction; (*Steuer~*) relief.

Ermäßigungsfahrschein *m* concessionary ticket.

ermatten* (*geh*) **I** *vt* to tire, to exhaust. **II** *vi aux sein* to tire, to become exhausted.

ermessen* *vt irreg* (*einschätzen*) *Größe, Weite, Wert* to gauge, to estimate; (*erfassen*) to appreciate, to realize.

Ermessen *nt* **-s,** *no pl* (*Urteil*) judgement, estimation; (*Gutdünken*) discretion. **nach meinem ~** in my estimation; **nach menschlichem ~** as far as anyone can judge; **nach bestem ~ handeln** to act according to one's best judgement; **nach freiem ~** at one's discretion; **etw in jds ~** (*acc*) **stellen** to leave sth to sb's discretion; **in jds ~** (*dat*) **liegen** *or* **stehen** to be within sb's discretion.

Ermessensfrage *f* matter of discretion; **Ermessensspielraum** *m* discretionary powers *pl*.

ermitteln* I *vt* to determine (*auch Chem, Math*) to ascertain; *Person* to trace; *Tatsache, Identität* to establish. II *vi* to investigate. **gegen jdn ~** to investigate sb; **in einem Fall ~** to investigate a case.

Ermittlung *f* 1. *no pl siehe vt* determination, ascertaining; tracing; establishing, establishment. 2. (*esp Jur: Erkundigung*) investigation, inquiry. **~en anstellen** to make inquiries (*über* +*acc* about).

Ermittlungsausschuß *m* committee of inquiry; **Ermittlungsrichter(in** *f*) *m* (*Jur*) examining magistrate; **Ermittlungsstand** *m* stage of the investigation; **Ermittlungsverfahren** *nt* (*Jur*) preliminary proceedings *pl*.

ermöglichen* *vt* to facilitate, to make possible. **es jdm ~, etw zu tun** to make it possible for sb *or* to enable sb to do sth; **jdm das Studium/eine Reise ~** to make it possible for sb to study/to go on a journey; **können Sie es ~, morgen zu kommen?** (*form*) would it be possible for you to *or* are you able to come tomorrow?

ermorden* *vt* to murder; (*esp aus politischen Gründen*) to assassinate.

Ermordung *f* murder; (*esp politisch*) assassination.

ermüden* I *vt* to tire. II *vi aux sein* to tire, to become tired; (*Tech*) to fatigue.

ermüdend *adj* tiring.

Ermüdung *f* fatigue (*auch Tech*), tiredness, weariness.

Ermüdungserscheinung *f* sign *or* symptom of fatigue.

ermuntern* I *vt* (*ermutigen*) to encourage (*jdn zu etw* sb to do sth); (*beleben, erfrischen*) to liven up, to stimulate, to invigorate; (*aufmuntern*) to cheer up. **seine Gegenwart wirkt ~d auf mich** his presence has an enlivening effect on me *or* stimulates me. II *vr* (*rare*) to wake up, to rouse oneself.

Ermunterung *f siehe vt* encouragement; enlivening, stimulation; cheering-up.

ermutigen* *vt* (*ermuntern*) to encourage; (*Mut geben*) to give courage, to embolden (*form*). **jdn zu etw ~** to encourage sb to do sth/give sb the courage *or* embolden (*form*) sb to do sth.

Ermutigung *f* encouragement.

ernähren* I *vt* to feed; (*unterhalten*) to support, to keep, to maintain. **schlecht/ gut ernährt** undernourished/well-nourished *or* -fed; **dieser Beruf ernährt seinen Mann** you can make a good living in this profession.

II *vr* to eat. **sich von etw ~** to live *or* subsist on sth; **sich von Übersetzungen ~** to earn one's living by doing translations; **sich selbst ~ müssen** to have to earn one's own living.

Ernährer(in *f*) *m* **-s, -** breadwinner, provider.

Ernährung *f* (*das Ernähren*) feeding; (*Nahrung*) food, nourishment, nutrition (*esp Med*); (*Unterhalt*) maintenance. **auf vernünftige ~ achten** to eat sensibly; **die ~ einer großen Familie** feeding a big family; **falsche/richtige/pflanzliche ~** the wrong/a proper/a vegetarian diet.

Ernährungs- *in cpds* nutritional; **Ernährungsgewohnheiten** *pl* eating habits *pl*; **Ernährungsweise** *f* diet, form of nutrition; **Ernährungswissenschaft** *f* dietetics *sing*; **Ernährungswissenschaftler(in** *f*) *m* dietician, nutritionist.

ernennen* *vt irreg* to appoint. **jdn zu etw ~** to make *or* appoint sb sth.

Ernennung *f* appointment (*zum* as).

Ernennungsurkunde *f* certificate of appointment.

erneuerbar *adj* renewable.

Erneuerer *m* **-s, -, Erneuerin** *f* innovator.

erneuern* *vt* to renew; (*renovieren*) to renovate; (*restaurieren*) to restore; (*auswechseln*) *Öl* to change; *Maschinenteile* to replace; (*wiederbeleben*) to revive.

Erneuerung *f siehe vt* renewal; renovation; restoration; changing; replacement; revival.

erneut I *adj attr* renewed. II *adv* (once) again, once more.

erniedrigen* I *vt* (*demütigen*) to humiliate; (*herabsetzen*) to degrade; (*Mus*) to flatten, to flat (*US*). II *vr* to humble oneself; (*pej*) to demean *or* lower oneself.

Erniedrigung *f siehe vt* humiliation; degradation, abasement; flattening, flatting (*US*).

Erniedrigungszeichen *nt* (*Mus*) flat (sign).

Ernst¹ *m* **-s** Ernest.

Ernst² *m* **-(e)s,** *no pl* seriousness; (*Bedenklichkeit auch*) gravity; (*Dringlichkeit, Ernsthaftigkeit vor Gesinnung*) earnestness. **feierlicher ~** solemnity; **im ~ seriously; allen ~es** in all seriousness, quite seriously; **ist das Ihr ~?** are you (really) serious?, you're not serious, are you?; **das kann doch nicht dein ~ sein!** you can't mean that seriously!, you can't be serious!; **das ist mein (völliger *or* voller) ~** I'm quite serious; **es ist mir ~ damit** I'm serious about it, I'm in earnest; **mit etw ~ machen** to be serious about sth; **mit einer Drohung ~ machen** to carry out a threat; **der ~ des Lebens** the serious side of life, the real world; **damit wird es jetzt ~** now it's serious, now it's for real (*inf*); **mit ~ bei der Sache sein** to do sth seriously.

ernst *adj* serious; (*bedenklich, bedrohlich, würdevoll auch*) grave; (*eifrig, ~haft*) *Mensch, Gesinnung* earnest; (*feierlich, elegisch*) solemn. **~e Absichten haben** (*inf*) to have honourable intentions; **es (mit jdm/etw) ~ meinen** to be serious (about sb/sth); **jdn/etw ~ nehmen** to take sb/sth seriously; **es steht ~ um ihn/ die Sache** things look bad for him/it; (*wegen Krankheit*) he's in a bad way; **es ist nichts E~es** it's nothing serious; **~**

bleiben to remain *or* be serious; (*sich das Lachen verbeißen*) to keep a straight face.

Ernstfall *m* emergency; **im ~** in case of emergency; **ernstgemeint** *adj attr* serious; **ernsthaft** *adj* serious; (*bedenklich, gewichtig auch*) grave; (*eindringlich, eifrig*) earnest; **etw ~ tun** to do sth seriously *or* in earnest; **ernstlich** *adj* serious; (*bedrohlich auch*) grave; (*attr: eindringlich*) earnest; **~ besorgt um** seriously *or* gravely concerned about; **~ böse werden** to get really angry.

Ernte *f* -, **-n 1.** (*das Ernten*) (*von Getreide*) harvest(ing); (*von Kartoffeln*) digging; (*von Äpfeln*) picking. **2.** (*Ertrag*) harvest (*an +dat* of); (*von Kartoffeln auch, von Äpfeln, fig*) crop. **die ~ bergen** (*form*) *or* **einbringen** to bring in the harvest, to harvest the crop(s).

Erntearbeiter(in *f*) *m* (*von Getreide*) reaper, harvester; (*von Kartoffeln, Obst, Hopfen*) picker; **Ernteausfall** *m* crop shortfall (*spec*) *or* failure; **Ernte(dank)fest** *nt* harvest festival; **Erntemaschine** *f* reaper, harvester.

ernten *vt* **1.** *Getreide* to harvest, to reap; *Kartoffeln* to dig, to get in; *Äpfel, Erbsen* to pick. **2.** (*fig*) *Früchte, Lohn, Unfrieden* to reap; (*Un*)*dank, Applaus, Spott* to get.

ernüchtern* *vt* to sober up; (*fig*) to bring down to earth, to sober. **~d** sobering.

Ernüchterung *f* sobering-up; (*fig*) disillusionment.

Er|oberer *m* -s, - conqueror.

er|obern* *vt* to conquer; *Festung, Stadt* to take, to capture; (*fig*) *Sympathie* to win, to capture; *neue Märkte* to win, to move into; *Herz, Mädchen* to conquer; (*inf: ergattern*) to get hold of. **im Sturm ~** (*Mil, fig*) to take by storm.

Er|oberung *f* (*lit, fig*) conquest; (*einer Festung, Stadt*) capture, taking. **eine ~ machen** (*fig inf*) to make a conquest.

Er|oberungskrieg *m* war of conquest.

er|öffnen* **I** *vt* **1.** to open (*auch Fin, Mil*); *Ausstellung* to inaugurate (*form*); *Konkursverfahren* to institute, to initiate; *Testament* to open. **etw für eröffnet erklären** to declare sth open. **2.** (*Med*) *Geschwür* to lance; (*rare*) *Geburt* to induce. **3.** (*hum, geh*) **jdm etw ~** to disclose *or* reveal sth to sb; **ich habe dir etwas zu ~** I have something to tell you. **II** *vr* **1.** (*Aussichten*) to open up, to present itself/themselves. **2.** (*geh*) **sich jdm ~** to open one's heart to sb. **III** *vi* (*Währungskurs*) to open (*mit* at).

Er|öffnung *f siehe vt* **1.** opening; inauguration; institution, initiation. **2.** lancing; induction. **3.** (*hum, geh*) disclosure, revelation. **jdm eine ~ machen** to disclose *or* reveal sth to sb.

Er|öffnungsansprache *f* inaugural *or* opening address; **Er|öffnungskurs** *m* opening price; **Er|öffnungswehen** *pl* (*Med*) labour pains *pl*.

erogen *adj* erogenous.

er|örtern* *vt* to discuss (in detail).

Er|örterung *f* discussion. **zur ~ stehen** (*form*) to be under discussion.

Eros *m* -, *no pl* (*esp Philos*) Eros.

Eros-Center ['e:rɔssɛntɐ] *nt* -s, - eros centre.

Erosion *f* (*Geol, Med*) erosion.

Eroten *pl* (*Art*) Cupids *pl*.

Erotik *f* eroticism.

Erotika *pl* (*Liter*) erotica *sing*.

erotisch *adj* erotic.

Erotomane *m* -n, -n sex maniac.

Erotomanie *f* (*Psych*) erotomania (*spec*).

Erotomanin *f* nymphomaniac.

Erpel *m* -s, - drake.

erpicht *adj* **auf etw** (*acc*) **~ sein** to be keen on sth; **er ist nur auf Geld ~** he's only after money.

erpressen* *vt Geld* to extort (*von* from); *jdn* to blackmail.

Erpresser(in *f*) *m* -s, - blackmailer; (*bei Entführung*) kidnapper.

Erpresserbrief *m* blackmail letter.

erpresserisch *adj* blackmailing *attr*.

Erpressermethoden *pl* blackmail *sing*.

Erpressung *f* (*von Geld, Zugeständnissen*) extortion; (*eines Menschen*) blackmail. **die Kidnapper hatten keinen Erfolg mit ihrer ~** the kidnappers failed to get their ransom money *or* failed in their ransom attempt.

Erpressungsversuch *m* blackmail attempt; (*durch Gewaltandrohung*) attempt at obtaining money by menaces; (*bei Entführung*) attempt at getting a ransom.

erproben* *vt* to test; (*fig*) to (put to the) test. **erprobt** tried and tested, proven; (*zuverlässig*) reliable; (*erfahren*) experienced.

erquicken* *vt* (*geh*) to refresh.

erquicklich *adj* (*geh*) (*angenehm*) pleasant; (*anregend*) stimulating.

Errata *pl* (*Typ*) errata *pl*.

erraten* *vt irreg* to guess; *Rätsel* to guess (the answer to). **du hast es ~!** how did you guess!

erratisch *adj* (*Geol*) erratic. **ein ~er Block** an erratic.

errechnen* *vt* to calculate, to work out.

erregbar *adj* excitable; (*sexuell*) easily aroused; (*empfindlich*) sensitive.

Erregbarkeit *f siehe adj* excitability; ability to be aroused; sensitivity.

erregen* **I** *vt* **1.** (*aufregen*) *jdn, Nerven* to excite; (*sexuell auch*) to arouse; (*erzürnen*) to infuriate, to annoy. **er war vor Wut ganz erregt** he was in a rage *or* fury; **in der Debatte ging es erregt zu** feelings ran high in the debate, the debate was quite heated; **erregte Diskussionen** heated discussions; **erregt lief er hin und her** he paced to and fro in a state of agitation; **freudig erregt** excited. **2.** (*hervorrufen, erzeugen*) to arouse; *Zorn auch* to provoke; *Leidenschaften auch* to excite; *Aufsehen, öffentliches Ärgernis, Heiterkeit* to cause, to create; *Aufmerksamkeit* to attract; *Zweifel* to raise. **II** *vr* to get worked up *or* excited (*über*

+*acc* about, over); (*sich ärgern*) to get annoyed (*über* +*acc* at).

Erreger *m* -s, - (*Med*) cause, causative agent (*spec*); (*Bazillus*) pathogene (*spec*).

Erregung *f* 1. *no pl siehe vt 1.* excitation; arousal, arousing; agitation; infuriation, infuriating.
2. *no pl siehe vt 2.* arousal, arousing; excitation; causing, creating; attracting; raising.
3. (*Zustand*) (*esp angenehm*) excitement; (*sexuell auch*) arousal; (*Beunruhigung*) agitation; (*Wut*) rage; (*liter: des Meeres, der Wellen*) turbulence. **in ~ geraten** to get excited/aroused/agitated/into a rage.

erreichbar *adj* reachable, able to be reached; (*nicht weit*) within reach; (*Telec*) obtainable; (*Glück, Ziel* attainable. **leicht ~** easily reached/within easy reach/easily attainable; **schwer ~ sein** (*Ort*) not to be very accessible; (*Mensch*) to be difficult to get hold of; (*Gegenstand*) to be difficult to reach; **zu Fuß ~** able to be reached on foot; (*nicht weit*) within walking distance; **in ~er Nähe** near at hand (+*gen* to); **der Direktor ist nie ~** the director is never available; (*telefonisch*) the director can never be reached; **sind Sie telefonisch ~?** can you be reached by phone?

erreichen* *vt* to reach; *Ort auch* to get to, to arrive at; *Festland, Hafen auch* to make; *Zug* to catch; *Alter, Geschwindigkeit auch* to attain; *Absicht, Zweck* to achieve, to attain; (*einholen*) to catch up with; (*sich in Verbindung setzen mit*) *jdn, Büro* to contact, to get, to reach. **ein hohes Alter ~** to live to a great age; **vom Bahnhof leicht zu ~** within easy reach of the station; **zu Fuß zu ~** able to be reached on foot; (*nicht weit*) within walking distance; **wann kann ich Sie morgen ~?** when can I get in touch with you tomorrow?; **du erreichst damit nur, daß ...** all you'll achieve that way is that ...; **bei ihm war nichts zu ~** you couldn't get anywhere with him *or* anything out of him.

Erreichung *f* (*form*) attainment; (*eines Ziels auch*) achievement. **bei ~ des 60. Lebensjahres** on reaching the age of 60.

erretten* *vt* (*liter, esp Rel*) to save, to deliver (*liter*).

Erretter *m* (*liter, esp Rel*) saviour (*esp Rel*), deliverer (*liter*).

errichten* *vt* to erect (*auch Math*), to put up; (*fig: gründen*) to establish, to set up.

Errichtung *f*, *no pl* erection, construction; (*fig: Gründung*) establishment, setting-up.

erringen* *vt irreg* to gain, to win; *den 3. Platz, Erfolg* to gain, to achieve; *Rekord* to set. **ein hart errungener Sieg** a hard-won victory.

erröten* *vi aux sein* (*über* +*acc*) to flush; (*esp aus Verlegenheit, Scham*) to blush; (*Gesicht*) to go *or* turn red, to redden. **jdn zum E~ bringen** to make sb flush/blush.

Errungenschaft *f* achievement; (*inf:*

Anschaffung) acquisition.

Ersatz *m* -es, *no pl* substitute (*auch Sport*); (*für Altes, Zerbrochenes, Mitarbeiter*) replacement; (*inf: die ~spieler*) substitutes *pl*; (*Mil: ~truppen*) replacements *pl*; (*das Ersetzen*) replacement, substitution; (*durch Geld*) compensation; (*von Kosten*) reimbursement. **als** *or* **zum ~** as a substitute/replacement; **zum ~ der beschädigten Ware verpflichtet** obliged to replace the damaged item; **als ~ für jdn einspringen** to stand in for sb; **für etw ~ leisten** (*Jur*) to pay *or* provide compensation *or* restitution for sth; **~ schaffen für** to find replacements/a replacement for, to replace.

Ersatzanspruch *m* (*Jur*) entitlement to compensation; **~ haben** to be entitled to compensation; **Ersatzbefriedigung** *f* (*Psych*) vicarious satisfaction; **er lutscht jetzt Bonbons als ~ für das Rauchen** he now eats sweets as a substitute for smoking; **Ersatzdienst** *m* (*Mil*) alternative service; **Ersatzhandlung** *f* (*Psych*) substitute (act); **Ersatzkasse** *f* private health insurance; **Ersatzmann** *m*, *pl* -männer *or* -leute replacement; (*Sport*) substitute; **Ersatzmine** *f* refill; **Ersatzpflicht** *f* obligation to pay compensation; **ersatzpflichtig** *adj* liable to pay compensation; **Ersatzrad** *nt* (*Aut*) spare wheel; **Ersatzrauschmittel** *nt* drug substitute; **Ersatzreifen** *m* (*Aut*) spare tyre; **Ersatzspieler(in *f*)** *m* (*Sport*) substitute; **Ersatzteil** *nt* spare (part); **Ersatztruppen** *pl* replacements *pl*; (*Reserveheer*) reserve troops *pl*; **ersatzweise** *adv* as an alternative.

ersaufen* *vi irreg aux sein* (*sl*) **1.** (*ertrinken*) to drown, to be drowned. **2.** (*überschwemmt werden, Aut*) to be flooded, to flood.

ersäufen* *vt* to drown. **seinen Kummer im Alkohol ~** (*inf*) to drown one's sorrows (in drink) (*inf*).

erschaffen* *pret* **erschuf**, *ptp* **erschaffen** *vt* to create.

Erschaffer *m* -s, - creator.

erschallen *vi reg or irreg aux sein* (*geh*) (*Stimme, Lachen*) to ring out; (*Trompete*) to sound.

erschaudern* *vi aux sein* (*geh*) to shudder (*bei* at).

erschauern* *vi aux sein* (*geh*) (*vor Kälte*) to shiver; (*vor Erregung, Ehrfurcht*) to tremble, to shudder.

erscheinen* *vi irreg aux sein* to appear; (*vorkommen, wirken wie auch*) to seem (*dat* to); (*sich sehen lassen: auf Party auch*) to put in an appearance (*auf* +*dat* at); (*zur Arbeit auch*) to turn up (*zu* for); (*Buch auch*) to come out. **in einem anderen Licht ~** to appear in a different light; **es erscheint (mir) wünschenswert** it seems *or* appears desirable (to me); **das Buch ist in** *or* **bei einem anderen Verlag erschienen** the book was published by *or* brought out by another publisher.

Erscheinen *nt* -s, *no pl* appearance; (*von Geist auch*) apparition; (*von Buch auch*) publication. **um rechtzeitiges ~ wird ge-**

beten you are kindly requested to attend punctually; **er dankte den Besuchern für ihr (zahlreiches) ~** he thanked his (many) guests for coming; **mit seinem ~ hatte ich nicht mehr gerechnet** I no longer reckoned on his turning up or appearing.

Erscheinung f 1. no pl (das Erscheinen) appearance. **das Fest der ~** (Eccl) (the Feast of) the Epiphany; **in ~ treten** (Merkmale) to appear, to manifest themselves (form); (Gefühle) to show themselves, to become visible or obvious; **sie tritt (persönlich) fast nie in ~** she hardly ever appears (in person).
2. (äußere ~) appearance; (Philos auch, Natur~, Vorkommnis) phenomenon; (Krankheits~, Alters~) symptom; (Zeichen) sign, manifestation.
3. (Gestalt) figure. **seiner äußeren ~ nach** judging by his appearance; **er ist eine stattliche ~** he is a fine figure of a man.
4. (Geister~) apparition; (Traumbild) vision.

Erscheinungsbild nt (Biol) phenotype; **Erscheinungsform** f manifestation; **Erscheinungsjahr** nt (von Buch) year of publication; **Erscheinungsort** m (von Buch) place of publication; **Erscheinungsweise** f (von Zeitschrift) publication dates pl; **~: monatlich** appearing monthly.

erschießen* irreg I vt to shoot (dead). II vr to shoot oneself. **dann kannst du dich ~** you might as well stick your head in a gas oven.

Erschießung f shooting; (Jur: als Todesstrafe) execution. **die Verurteilten wurden zur ~ abgeführt** the condemned were led off to be shot; **Tod durch ~** (Jur) death by firing squad.

erschlaffen* I vi aux sein (ermüden) to tire, to grow weary; (schlaff werden) to go limp; (Seil) to slacken, to go slack; (Interesse, Eifer) to wane, to flag. II vt to tire; (Medikament) to relax.

erschlagen* I vt irreg to kill, to strike dead (liter). **vom Blitz ~ werden** to be struck (dead) by lightning. II adj **~ sein** (inf) (todmüde) to be worn out or dead beat (inf); (erstaunt) to be thunderstruck or flabbergasted (inf).

erschleichen* vt irreg (sich dat) etw ~ to obtain sth by devious means or in an underhand way; **sich (dat) jds Gunst/Vertrauen ~** to worm oneself into sb's favour or good graces/confidence.

erschließen* irreg I vt 1. Gebiet, Absatzmarkt, Baugelände to develop, to open up; Einnahmequelle to find, to acquire; Rohstoffquellen, Bodenschätze to tap.
2. (folgern) to deduce, to infer (aus from); Gedicht to decipher, to work out the meaning of.
3. (Ling, Liter) to reconstruct.
II vr (liter) (Blüte) to open (out). **sich jdm ~** (verständlich werden) to disclose itself to sb (liter); **sich (dat) etw ~** to master sth.

Erschließungskosten pl development costs pl.

erschlossen adj Gebiet developed; (Ling, Liter) reconstructed.

erschöpfen* I vt Mittel, Thema, Geduld to exhaust; (ermüden auch) to tire out. **in erschöpftem Zustand** in a state of exhaustion.
II vr 1. (körperlich) to exhaust oneself.
2. (fig) **sich in etw** (dat) **~** to amount to nothing more than sth; **darin erschöpft sich seine Bildung** that's the sum total of his education.

erschöpfend adj 1. (ermüdend) exhausting. 2. (ausführlich) exhaustive.

Erschöpfung f 1. (völlige Ermüdung) exhaustion, fatigue. **bis zur ~ arbeiten** to work to the point of exhaustion.
2. (der Mittel, Vorräte) exhaustion.

Erschöpfungszustand m state of exhaustion no pl.

erschossen adj (inf) (völlig) **~ sein** to be whacked (inf), to be dead (beat) (inf).

erschrak pret of **erschrecken II**.

erschrecken I pret **erschreckte**, ptp **erschreckt** vt to frighten, to scare; (bestürzen) to startle, to give a shock or a start; (zusammenzucken lassen) to make jump, to give a start, to startle. **es hat mich erschreckt, wie schlecht er aussah** it gave me a shock or a start or it startled me to see how bad he looked.
II pret **erschreckte** or **erschrak**, ptp **erschreckt** or **erschrocken** vir (vi: aux sein) to be frightened (vor +dat by); (bestürzt sein) to be startled; (zusammenzucken) to jump, to start. **sie erschrak beim Gedanken, daß ...** the thought that ... gave her a start or a scare; **sie erschrak bei dem Knall** the bang made her jump; **~ Sie nicht, ich bin's nur** don't be frightened or afraid, it's only me.

Erschrecken nt -s, no pl fright, shock.

erschreckend adj alarming, frightening. **~ aussehen** to look dreadful or terrible; **~ wenig Leute** alarmingly few people; **~ viele** an alarmingly large number.

erschrick imper sing of **erschrecken**.

erschrocken adj frightened, scared; (bestürzt) startled. **~ hochspringen/zusammenzucken** to jump, to (give a) start.

erschuf pret of **erschaffen**.

erschüttern* vt Boden, Gebäude, (fig) Vertrauen, Glauben to shake; (fig) Glaubwürdigkeit to cast doubt upon; (fig) Gesundheit to unsettle, to upset; (fig: bewegen, Schock versetzen) to shake severely. **jdn in seinem Glauben ~** to shake or shatter sb's faith; **über etw** (acc) **erschüttert sein** to be shaken or shattered (inf) by sth; **mich kann nichts mehr ~** nothing surprises me any more; **er läßt sich durch nichts ~, ihn kann nichts ~** he always keeps his cool (inf).

erschütternd adj shattering (inf); Nachricht auch distressing; Verhältnisse auch shocking.

Erschütterung f (des Bodens, Erschüttremor, vibration; (fig) (der Ruhe, Wirtschaftslage) disruption; (des Selbstvertrauens) blow (gen to); (seelische Ergriffenheit) emotion, shock. **bei der ~ des Gebäudes** when the building shook.

erschw̱e̱ren* vt to make more difficult; *Sachlage auch* to aggravate; *Fortschritt etc auch* to impede, to hinder. **~de Umstände** (*Jur*) aggravating circumstances; **es kommt noch ~d hinzu, daß ...** to compound matters, ...

Erschw̱e̱rnis f difficulty.

Erschw̱e̱rung f impediment (*gen* to), obstruction (*gen* to).

erschw̱i̱ndeln* vt to obtain by fraud. **sich** (*dat*) (**von jdm**) **etw ~** to swindle or do (*inf*) sb out of sth.

erschw̱i̱ngen* vt irreg to afford.

erschw̱i̱nglich adj *Preise* within one's means, reasonable. **das Haus ist für uns nicht ~** the house is not within our means.

ers̱e̱hen* vt irreg (*form*) **etw aus etw ~** to see or gather sth from sth.

ers̱e̱hnen* vt (*geh*) to long for.

ers̱e̱hnt adj longed-for. **heiß** or **lang ~** much-longed-for.

ers̱e̱tzbar adj replaceable; *Schaden* reparable.

ers̱e̱tzen* vt to replace (*auch Comput*); (*als Ersatz dienen für, an die Stelle treten von auch*) to take the place of. **niemand kann Kindern die Mutter ~** no-one can take the place of or replace a child's mother.

Ers̱e̱tzung f, no pl replacing; (*von Schaden, Verlust*) compensation, reparation (*gen* for); (*von Unkosten*) reimbursement.

ers̱i̱chtlich adj obvious, clear, apparent. **hieraus ist klar ~, daß ...** it is obvious *etc* from this that ..., this shows clearly that ...

ers̱i̱nnen* vt irreg (*geh*) to devise, to think up; (*erfinden*) to invent.

ersp̱ä̱hen* vt to catch sight of, to spot, to espy (*liter*).

ersp̱a̱ren* **I** vt *Vermögen, Zeit, Kummer* to save. **jdm/sich etw ~** to spare or save sb/oneself sth; **~ Sie sich die Mühe!** save or spare yourself the trouble; **ihr blieb auch nichts erspart** she was spared nothing; **das Ersparte** the savings *pl*.
II vr to be superfluous or unnecessary.

Ersp̱a̱rnis f or (*Aus*) nt **1.** no pl (*an Zeit etc*) saving (*an* +dat of). **2.** usu pl savings *pl*.

ersp̱i̱elen* vt (*Sport*) *Punkte, Sieg* to win, to gain.

erspṟi̱eßlich adj (*förderlich*) beneficial, advantageous; (*nützlich*) fruitful, profitable; (*angenehm*) pleasant.

e̱rst adv **1.** first; (*anfänglich*) at first. **mach ~ (ein)mal die Arbeit fertig** finish your work first; **wenn du das ~ einmal hinter dir hast** once you've got that behind you; **~ wollte er, dann wieder nicht** first he wanted to, then he didn't.
2. (*nicht früher als, nicht mehr als, bloß*) only; (*nicht früher als auch*) not until. **eben** or **gerade ~** just; **~ gestern** only yesterday; **~ jetzt** (*gerade eben*) only just; **~ jetzt verstehe ich ...** I have only just understood ...; **~ jetzt wissen**

wir ... it is only now that we know ...; **~ morgen** not until or before tomorrow; **~ vor kurzem** only a short time ago; **~ ist ~ 6 Uhr** it is only 6 o'clock; **wir fahren ~ später** we're not going until later; **~ als** only when, not until; **~ wenn** only if or when, not until.
3. (*emph: gar, nun gar*) **da ging's ~ richtig los** then it really got going; **was wird Mutter ~ sagen!** whatever will mother say!; **sie ist schon ziemlich blöd, aber ~ ihre Schwester!** she is fairly stupid, but you should see her sister!; **da fange ich ~ gar nicht an** I simply won't (bother to) begin; **jetzt ~ recht/recht nicht!** that just makes me all the more determined; **da tat er es ~ recht!** so he did it deliberately; **das macht es ~ recht schlimm** that makes it even worse or all the worse; **da habe ich mich ~ recht geärgert** then I really did get annoyed.
4. **wäre er doch ~ zurück!** if only he were back!; **diese Gerüchte darf man gar nicht ~ aufkommen lassen** these rumours mustn't even be allowed to start.

ersṯa̱rken* vi aux sein (*geh*) to gain strength, to become stronger.

ersṯa̱rren* vi aux sein (*Finger*) to grow stiff or numb; (*Flüssigkeit*) to solidify; (*Gips, Zement*) to set, to solidify; (*Blut*) to congeal; (*fig: Blut*) to freeze, to run cold; (*Lächeln*) to freeze; (*vor Schrekken*) to be paralyzed or petrified (*vor* +dat with); (*Meinung*) to become rigid or fixed; (*Ideen*) to ossify, to become rigid. **erstarrte Formen** fossilized forms.

ersṯa̱tten* vt **1.** *Unkosten* to refund, to reimburse. **2.** (*form*) (*Straf*)**anzeige gegen jdn ~** to report sb; **Meldung ~** to report; **Bericht ~** to (give a) report (*über* +acc on).

Ersṯa̱ttung f, no pl (*von Unkosten*) refund, reimbursement.

ersṯau̱fführen* ptp **erstaufgeführt** vt infin, ptp only (*Theat*) to give the first public performance of; **Erstaufführung** f (*Theat*) first performance or night, première; **Erstauflage** f first printing.

ersṯau̱nen* **I** vt to astonish, to amaze; *siehe* **erstaunt**. **II** vi **1.** aux sein (*old: überrascht sein*) to be astonished or amazed. **2.** (*Erstaunen erregen*) to cause astonishment or amazement, to astonish or amaze (people).

Ersṯau̱nen nt -s, no pl astonishment, amazement. **jdn in ~ (ver)setzen** to astonish or amaze sb.

ersṯau̱nlich adj astonishing, amazing.

ersṯau̱nt adj astonished, amazed (*über* +acc about). **er sah mich ~ an** he looked at me in astonishment or amazement.

Ersṯau̱sgabe f first edition; **Erstbesteigung** f first ascent; **Erstbeste(r, s)** adj attr siehe **erste(r, s) 2.**; **Erstdruck** m first edition.

ersṯe̱chen* vt irreg to stab to death.

ersṯe̱hen* irreg **I** vt (*inf*) to buy, to get. **II** vi aux sein (*form*) to arise; (*Städte*) to rise up; (*Bibl: auf~*) to rise.

Erste-H̱i̱lfe-Leistung f administering first aid.

rsteigen* vt irreg to climb; Felswand auch, Stadtmauer to scale.

rsteigern* vt to buy at an auction.

rsteigung f siehe vt ascent; scaling.

rst|einsatz m ~ (von Atomwaffen) first strike.

rstellen* vt 1. (bauen) to construct, to erect. 2. (anfertigen) Liste to draw up, to make out.

rstellung f siehe vt construction, erection; drawing up, making out.

rstemal adv das ~ the first time.

rstenmal adv zum ~ for the first time.

rstens adv first(ly), in the first place.

rste(r, s) adj 1. first; (fig: führend auch) best, foremost; Seite der Zeitung front. ~r Stock, ~ Etage first floor, second floor (US); die ~ Klasse (Rail) the first class (compartment); ~r Klasse fahren to travel first class; der ~ Rang (Theat) the dress-circle, the (first) balcony (US); ~ Güte or Qualität top quality; E~ Hilfe first aid; die drei ~n/die ~n drei the first three/the first three (from each group); der E~ in der Klasse the top of or best in the class; die E~n werden die Letzten sein (Bibl) the first shall be last; vom nächsten E~n an as of the first of next month; ~ Kontakte anknüpfen to establish preliminary contacts; er kam als ~r he was the first to come; als ~s first of all; am ~n first; an ~r Stelle in the first place; dieses Thema steht an ~r Stelle unserer Tagesordnung this subject comes first on our agenda; fürs ~ for the time being, for the present; in ~r Linie first and foremost; zum ~n, zum zweiten, zum dritten (bei Auktionen) going, going, gone!; siehe vierte(r, s).
2. nimm das ~ beste! take anything!; er hat den ~n besten Kühlschrank gekauft he bought the first fridge he saw, he bought any old fridge (inf).

rsterben* vi irreg aux sein (Lärm, Wort) to die away.

rstere(r, s) adj the former. der/die/das ~ the former.

rste(r)-Klasse-Abteil nt first class compartment.

rstgebärende f primigravida (spec); **erstgeboren** adj attr first-born; **Erstgeburt** f (Kind) first-born (child); (Tier) first young; (Hist: auch ~srecht) birthright, right of primogeniture (Jur); **erstgenannt** adj attr first-mentioned.

rsticken* I vt jdn to suffocate, to smother; Feuer to smother; Geräusche to stifle, to smother; (fig: unterdrücken) Aufruhr to suppress. mit erstickter Stimme in a choked voice.

II vi aux sein to suffocate; (Feuer) to die, to go out; (Stimme) to become choked. an etw (dat) ~ to be suffocated by sth; an einer Gräte ~ to choke (to death) on a bone; vor Lachen ~ to choke with laughter; das Kind erstickt förmlich unter der Liebe der Mutter the child is smothered by mother-love; unsere Städte ~ im Verkehr our cities are being choked by traffic; in der Arbeit ~ (inf) to be snowed under with work, to be up to one's neck in work (inf); er er-

stickt im Geld (inf) he's rolling in money (inf); die Luft im Zimmer war zum E~ the air in the room was suffocating or stifling.

Erstickung f suffocation, asphyxiation.

Erstickungsgefahr f danger of suffocation; **Erstickungstod** m death from or by suffocation, asphyxia.

erst|instanzlich adj (Jur) first-instance.

erstkl. abbr of erstklassig.

erstklassig adj first-class, first-rate; **Erstkläßler(in f)** m (esp S Ger, Sw) pupil in the first class of primary school, first-grader (US); **Erstkommunikant(in f)** m a boy/girl receiving his/her first holy communion; **Erstkommunion** f first holy communion; **Erstlagerung** f (von Atommüll) initial storage.

Erstling m (Kind) first (child); (Tier) first young; (Werk) first work or baby (inf).

Erstlingswerk nt first work.

erstmalig I adj first; II adv for the first time; **erstmals** adv for the first time.

erstrahlen* vi aux sein (liter) to shine. im Lichterglanz ~ to be aglitter (with lights).

erstrangig ['eːɛstraŋɪç] adj first-rate.

erstreben* vt to strive for or after, to aspire to.

erstrebenswert adj worthwhile, desirable; Beruf desirable.

erstrecken* vr to extend (auf, über +acc over); (räumlich auch) to reach, to stretch (auf, über +acc over); (zeitlich auch) to carry on, to last (auf, über +acc for). sich auf jdn/etw ~ (betreffen) to apply to sb/sth.

Erstschlag m (mit Atomwaffen) first strike; **Erstschlagwaffe** f first-strike weapon; **Erstsemester(in f)** m first-year student, fresher (inf); (männlich auch) freshman; **Erststimme** f first vote; **Ersttagsbrief** m first-day cover; **Ersttagsstempel** m date stamp or postmark from a first-day cover; **Ersttäter(in f)** m first offender.

erstunken adj: das ist ~ und erlogen (inf) that's a pack of lies.

erstürmen* vt (Mil) to (take by) storm; (liter) Gipfel to conquer.

Erstürmung f (Mil) storming.

Erstveröffentlichung f first publication; **Erstwähler(in f)** m first-time voter.

ersuchen* vt (form) to request (jdn um etw sth of sb).

Ersuchen nt -s, - (form) request. auf ~ von at the request of; ein ~ an jdn richten or stellen to make a request of sb.

ertappen* vt to catch. jdn/sich bei etw ~ to catch sb/oneself at or doing sth; ich habe ihn dabei ertappt I caught him at or doing it.

ertasten* vt to feel, to make out by touch(ing); (um zu finden) to feel for.

erteilen* vt to give; Genehmigung auch to grant; Lizenz to issue; Auftrag auch to place (jdm with sb). jdm einen Verweis ~ to reproach sb; Unterricht ~ to teach, to give lessons.

ertönen* vi aux sein (geh) to sound, to ring out. von etw ~ to resound with sth; ~ lassen to sound.

Ertrag m -(e)s, ¨-e (*von Acker*) yield; (*Ergebnis einer Arbeit*) return; (*Einnahmen*) proceeds *pl*, return. ~ **abwerfen** *or* **bringen** to bring in a return; **vom ~ seiner Bücher/seines Kapitals leben** to live on the proceeds from one's books/the return on one's capital.

ertragen* *vt irreg* to bear; *Schmerzen, Leiden, Schicksal auch* to endure; *Ungewißheit, Zweifel auch* to tolerate; (*in Frage, Verneinung auch*) to stand. **das ist nicht mehr zu ~** it's unbearable *or* intolerable; **wie erträgst du nur seine Launen?** how do you put up with *or* stand his moods?

erträglich *adj* bearable, endurable; (*leidlich*) tolerable.

ertraglos *adj Acker* unproductive, infertile; *Geschäft* unprofitable; **ertragreich** *adj Acker* productive, fertile; *Geschäft* profitable, lucrative.

ertragsarm *adj Boden* poor, infertile; **Ertragsausschüttung** *f* dividend distribution; **Ertragsminderung** *f* decrease in profit(s) *or* return(s); **Ertragsschein** *m* dividend coupon; **Ertragsspanne** *f* profit margin; **Ertragssteigerung** *f* increase in profit(s) *or* return(s); **Ertragssteuer** *f* profit(s) tax, tax on profit(s).

ertränken* *vt* to drown. **seinen Kummer** *or* **seine Sorgen im Alkohol ~** to drown one's sorrows. II *vr* to drown oneself.

erträumen* *vt* to dream of, to imagine. **das war alles nur erträumt** it was all in the mind; **sich** (*dat*) **etw ~** to dream of sth, to imagine sth.

ertrinken* *vi irreg aux sein* to drown, to be drowned.

Ertrinken *nt* -s, *no pl* drowning.

ertrotzen* *vt* (*geh*) (**sich** *dat*) **etw ~** to obtain sth by sheer obstinacy *or* defiance.

ertüchtigen* (*geh*) I *vt* to get in (good) trim, to toughen up. II *vr* to keep fit, to train.

Ertüchtigung *f* (*geh*) getting in (good) trim, toughening up. **körperliche ~** physical training.

erübrigen* I *vt Zeit, Geld* to spare. II *vr* to be unnecessary *or* superfluous. **jedes weitere Wort erübrigt sich** there's nothing more to be said.

eruieren* *vt* (*form*) *Sachverhalt* to investigate, to find out; (*esp Aus*) *Person* to trace.

Eruption *f* (*Geol, Med, fig*) eruption.

Eruptivgestein *nt* volcanic rock.

erw. *abbr of* **erweitert** extended.

erwachen* *vi aux sein* to awake, to wake (up); (*aus Ohnmacht*) to come to *or* round (*aus* from); (*fig: Gefühle, Verdacht*) to be aroused; (*liter: Tag*) to dawn. **von etw ~** to be awoken *or* woken up by sth; **ein böses E~** (*fig*) a rude awakening.

erwachsen* I *vi irreg aux sein* (*geh*) to arise, to develop; (*Vorteil, Kosten*) to result, to accrue; (*Stadt auch*) to grow. **daraus erwuchsen ihm Unannehmlichkeiten** that caused him some trouble; **daraus wird ihm kein Nutzen ~** no advantage will accrue to him (from this);

mir sind Zweifel ~ I have come to have doubts.

II *adj* grown-up, adult. **~ sein** (*Mensch*) to be grown-up *or* an adult.

Erwachsenenbildung *f* adult education; **Erwachsenentaufe** *f* adult baptism.

Erwachsene(r) *mf decl as adj* adult, grown-up.

erwägen* *vt irreg* (*überlegen*) to consider, to deliberate; (*prüfen*) to consider, to examine; (*in Betracht ziehen*) to consider, to take into consideration.

erwägenswert *adj* worthy of consideration, worth considering.

Erwägung *f* consideration. **aus folgenden ~en (heraus)** for the following reasons *or* considerations; **etw in ~ ziehen** to consider sth, to take sth into consideration.

erwählen* *vt* to choose.

erwähnen* *vt* to mention, to refer to, to make mention of *or* reference to. **das hat er mit keinem Wort erwähnt** he did not mention *or* refer to it at all, he made no mention of *or* reference to it; **beiläufig** *or* **nebenbei ~** to mention in passing, to make a passing reference to.

erwähnenswert *adj* worth mentioning.

Erwähnung *f* mention (*gen* of), reference (*gen* to). **~ finden** (*form*) to be mentioned, to be referred to.

erwandern* *vt* **er hat sich** (*dat*) **die ganze Insel erwandert** he's walked all over the island and got to know it.

erwärmen* I *vt* to warm, to heat; (*fig*) to warm. II *vr* to warm up. **sich für jdn/etw ~** (*fig*) to take to sb/sth; **ich kann mich für Goethe/Geometrie nicht ~** Goethe/geometry leaves me cold.

erwarten* *vt Gäste, Ereignis* to expect. **etw von jdm/etw ~** to expect sth from *or* of sb/sth; **ein Kind ~** to be expecting a child; **das war zu ~** that was to be expected; **etw sehnsüchtig ~** to long for sth; **sie kann den Sommer kaum noch ~** she can hardly wait for the summer, she's really looking forward to the summer; **was mich da wohl erwartet?** I wonder what awaits me there; **von ihr ist nicht viel Gutes zu ~** no good can come of her; **über E~** beyond expectation.

Erwartung *f* expectation; (*Spannung, Ungeduld*) anticipation. **in ~ Ihrer baldigen Antwort** (*form*) in anticipation of *or* looking forward to your early reply; **zu großen ~en berechtigen** to show great promise; **den ~en entsprechen** to come up to expectations; (*Voraussetzung erfüllen*) to meet the requirements.

Erwartungsdruck *m* **unter ~ sein** *or* **stehen** to be under pressure as a result of people's expectations; **erwartungsgemäß** *adv* as expected; **Erwartungshaltung** *f* expectations *pl*; **Erwartungshorizont** *m* level of expectations; **erwartungsvoll** *adj* expectant.

erwecken* *vt* **1.** (*liter: aus Schlaf, Lethargie*) to wake, to rouse; (*Bibl: vom Tode*) to raise (from the dead). **etw zu neuem Leben ~** to resurrect *or* revive sth.

2. (*fig*) *Freude, Begeisterung* to

arouse; *Hoffnungen, Zweifel* to raise; *Erinnerungen* to bring back. **(bei jdm) den Eindruck ~, als ob ...** to give (sb) the impression that ...

Erweckung *f, no pl (Bibl: vom Tode)* resurrection, raising (from the dead); *(Rel)* revival; *(fig)* arousal, awakening.

erwehren* *vr (+gen) (geh)* to ward or fend off. **er konnte sich kaum der Tränen ~** he could hardly keep or hold back his tears.

erweichen* *vt* to soften; *(fig: überreden auch)* to move. **jds Herz ~** to touch sb's heart; **sich (durch Bitten) nicht ~ lassen** to be unmoved (by entreaties), not to give in or yield (to entreaties).

Erweis *m -es, -e (form)* proof.

erweisen* *irreg* **I** *vt* **1.** *(nachweisen)* to prove. **eine erwiesene Tatsache** a proven fact.

2. *(zuteil werden lassen)* to show. **jdm einen Gefallen/Dienst ~** to do sb a favour/service; **jdm Achtung ~** to pay respect to sb; **wir danken für die erwiesene Anteilnahme** we thank you for the sympathy you have shown.

II *vr* **sich als etw ~** to prove to be sth, to turn out to be sth; **sich als zuverlässig ~** to prove to be reliable, to prove oneself reliable; **sich jdm gegenüber dankbar ~** to show or prove one's gratitude to sb, to show or prove oneself grateful to sb; **es hat sich erwiesen, daß ...** it turned out that ...

erweislich *adj (geh)* provable, demonstrable.

erweiterbar *adj (auch Comput)* expandable.

erweitern* *vtr* to widen, to enlarge; *Absatzgebiet auch, Geschäft, Abteilung* to expand; *Kleid* to let out; *(Med)* to dilate; *(Math) Bruch* to reduce to the lowest common denominator; *(fig) Interessen, Kenntnisse, Horizont* to broaden; *Macht* to extend.

Erweiterung *f siehe vtr* widening, enlargement; expansion; letting out; dilation; reduction to the lowest common denominator; broadening; extension.

Erweiterungsbau *m* extension.

Erwerb *m -(e)s, -e* **1.** *no pl* acquisition; *(Kauf)* purchase. **beim ~ eines Autos** when buying a car. **2.** *(Brot~, Beruf)* living; *(Verdienst, Lohn)* earnings *pl*, income. **einem ~ nachgehen** to follow a profession.

erwerben* *vt irreg* to acquire; *Achtung, Ehre, Vertrauen* to earn, to gain, to win; *Pokal* to win; *(Sport) Titel* to win, to gain; *(käuflich)* to purchase. **sich (dat) etw ~** to acquire sth; **er hat sich (dat) große Verdienste um die Firma erworben** he has done great service for the firm.

Erwerbermodell *nt* scheme by which tax relief is obtained on investment in property.

Erwerbsarbeit *f* gainful employment; **erwerbsfähig** *adj (form)* capable of gainful employment; **Erwerbsfähige(r)** *mf (form)* person capable of gainful employment; **Erwerbsfähigkeit** *f (form)*

fitness for work; **erwerbsgemindert** *adj* suffering a reduction in (one's) earning capacity; **Erwerbskampf** *m* rat-race; **Erwerbsleben** *nt* working life; **erwerbslos** *adj siehe* **arbeitslos**; **Erwerbsminderung** *f* reduction in (one's) earning capacity; **Erwerbsquelle** *f* source of income; **erwerbstätig** *adj (gainfully)* employed; **Erwerbstätigkeit** *f* gainful employment; **erwerbsunfähig** *adj* unable to work, incapacitated; **Erwerbsunfähigkeit** *f* inability to work, incapacitation; **Erwerbszweig** *m* line of business.

Erwerbung *f* acquisition.

erwidern* *vt* **1.** *(antworten)* to reply *(auf +acc* to); *(schroff)* to retort. **darauf konnte er nichts ~** he couldn't answer that, he had no answer to that; **auf meine Frage erwiderte sie, daß ...** in reply or answer to my question, she said that ...

2. *(entgegnen, entgelten) Besuch, Grüsse, Komplimente, Gefühle* to return, to reciprocate; *Blick, (Mil) Feuer* to return.

Erwiderung *f* **1.** *(Antwort)* reply, answer; *(schroff)* retort, rejoinder. **2.** return, reciprocation; *(von Gefühlen)* reciprocation; *(Mil: des Feuers)* return.

erwiesen *ptp of* **erweisen**.

erwiesenermaßen *adv* as has been proved or shown. **er hat dich ~ betrogen** it has been proved or shown that he has deceived you.

erwirken* *vt (form)* to obtain.

erwirtschaften* *vt* to make or obtain through good or careful management. **Gewinne ~** to make profits.

erwischen* *vt (inf) (erreichen, ertappen)* to catch; *(ergattern)* to get (hold of). **jdn beim Stehlen ~** to catch sb stealing; **du darfst dich nicht ~ lassen** you mustn't get caught; **ihn hat's erwischt!** *(verliebt)* he's got it bad *(inf)*; *(krank)* he's got it, he's caught it; *(gestorben)* he's had it *(inf)*; **die Kugel hat ihn am Bein erwischt** the bullet got or caught him in the leg.

erworben *adj* acquired *(auch Med, jur)*.

erwünscht *adj Wirkung* desired; *Eigenschaft, Kenntnisse* desirable; *(willkommen) Gelegenheit, Anwesenheit* welcome. **persönliche Vorstellung ~** applications should be made in person.

erwürgen* *vt* to strangle, to throttle.

Erz *nt -es, -e* ore; *(Bronze)* bronze.

Erz *in cpds (Geol)* mineral, ore; *(Rang bezeichnend)* arch-; **Erzader** *f* mineral vein, vein of ore.

Erzähl- *(Liter)*: **Erzählabsicht** *f* narrative intent; **Erzählebene** *f* narrative level.

erzählen* **I** *vt* **1.** *Geschichte, Witz* to tell; *(berichten) Traum, Vorfall, Erlebnis auch* to relate, to recount, to give an account of. **er hat seinen Traum/den Vorfall erzählt** he told (us *etc*) about his dream/the incident; **jdm etw ~** to tell sth to sb; **man erzählt sich, daß ...** people say or it is said that ...; **erzähl mal, was/wie ...** tell me/us what/how ...; **erzähl mal was** *(inf)* say something; **wem ~ Sie das!** *(inf)* you're telling me!; **das kannst**

du einem anderen ~ (inf) pull the other one (inf), tell that to the marines (inf); mir kannst du viel or nichts ~ (inf) don't give or tell me that! (inf); dem werd' ich was ~! (inf) I'll have something to say to him, I'll give him a piece of my mind (inf).

2. (Liter) to narrate. ~de Dichtung narrative fiction.

II vi **1.** to tell (von about, of liter). er kann gut ~ he tells good stories, he's a good story-teller.

2. (Liter) to narrate.

erzählenswert adj worth telling.

Erzähler(in f) m -s, - narrator (auch Liter); (Geschichten~) story-teller; (Schriftsteller) narrative writer.

erzählerisch adj narrative.

Erzählformen pl (Liter) narrative forms pl.

Erzählung f (Liter) story, tale; (das Erzählen) narration, relation; (Bericht, Schilderung) account. in Form einer ~ in narrative form.

Erzählzeit f (Liter) narrative time.

Erzbergbau m ore mining; **Erzbischof** m archbishop; **erzbischöflich** adj attr archiepiscopal; **Erzbistum** nt archbishopric; **Erzbösewicht** m arrant rogue (old), arch-villain; **Erzdiözese** f archbishopric.

erzeigen* (geh) vr sich dankbar ~ to show or prove oneself grateful.

erzen adj (liter) bronze.

Erz|engel m archangel.

erzeugen* vt (Chem, Elec, Phys) to generate, to produce; (Comm) Produkt to produce, to manufacture; (Wein, Butter etc) to produce; (rare) Kinder to beget (old); (fig: bewirken) to cause, to engender, to give rise to. Mißtrauen bei jdm ~ to give rise to or produce or engender a sense of mistrust in sb; der Autor versteht es, Spannung zu ~ the author knows how to create or generate tension.

Erzeuger m -s, - (form: Vater) begetter (old), progenitor (form); (Comm) producer, manufacturer; (von Naturprodukten) producer.

Erzeugerland nt country of origin; **Erzeugerpreis** m manufacturer's price.

Erzeugnis nt product; (Industrieprodukt auch) manufacture (esp Comm); (Agr) produce no indef art, no pl; (fig: geistiges, künstlerisches auch) creation. deutsches ~ made in Germany.

Erzeugung f, no pl (Chem, Elec, Phys) generation, production; (von Waren) manufacture, production; (eines Kindes) procreation (form); (geistige, künstlerische) creation.

erzfaul adj bone-idle; **Erzfeind(in** f) m arch-enemy; (Theologie auch) archfiend; **Erzgrube** f ore mine; **erzhaltig** adj ore-bearing, metalliferous (spec); **Erzherzog** m archduke; **Erzherzogin** f archduchess; **erzherzoglich** adj attr archducal; **Erzherzogtum** nt archduchy.

erziehbar adj Kind educable; Tier trainable. **schwer** ~ Kind difficult; Hund difficult to train; **das Kind ist schwer** ~ he/she is a problem or a difficult child.

erziehen* vt irreg Kind to bring up; Tier, Körper, Gehör to train; (ausbilden) to educate. **ein Tier zur Sauberkeit** ~ to train an animal to be clean; **jdn zu einem tüchtigen Menschen** ~ to bring sb up to be a fine, upstanding person; **ein gut/schlecht erzogenes Kind** a well-/badly-brought-up child, a well-/ill-bred child.

Erzieher m -s, - educator, teacher; (in Kindergarten) nursery school teacher; (Privatlehrer) tutor.

Erzieherin f educator, teacher; (in Kindergarten) nursery school teacher; (Gouvernante) governess.

erzieherisch adj educational. **verschiedene ~e Methoden** different ways of bringing up children.

Erziehung f, no pl upbringing; (Ausbildung) education; (das Erziehen) bringing up; (von Tieren, Körper, Gehör) training; (Manieren) upbringing, (good) breeding. **die ~ zu(r) Höflichkeit** teaching (sb) good manners or politeness; (durch Eltern auch) bringing (sb) up to be polite or well-mannered.

Erziehungsanstalt f approved school, borstal (Brit), reformatory (US); **Erziehungsbeihilfe** f (dated) siehe Ausbildungsbeihilfe; **Erziehungsberatung** f educational guidance or counselling; **erziehungsberechtigt** adj having parental authority; **Erziehungsberechtigte(r)** mf parent or (legal) guardian; **Erziehungsgeld** nt ≃ child benefit; **Erziehungsmethode** f educational method; **Erziehungsurlaub** m paid leave for new parent; **Erziehungswesen** nt educational system; **Erziehungswissenschaft** f educational science; **Erziehungswissenschaftler(in** f) m educationalist.

erzielen* vt Erfolg, Ergebnis to achieve, to attain, to obtain; Kompromiß, Einigung to reach, to arrive at; Geschwindigkeit to reach; Gewinn to make, to realize; Preis (Mensch) to secure; (Gegenstand) to fetch; (Sport) Tor, Punkte to score; Rekord to set. **was willst du damit ~?** what do you hope to achieve by that?

erzkonservativ adj ultraconservative; (Pol auch) dyed-in-the-wool conservative; **Erzlager** nt ore deposit; **Erzlügner(in** f) m (inf) inveterate or unmitigated liar; **Erzreaktionär(in** f) m ultrareactionary.

erzürnen* (geh) **I** vt to anger, to incense. **II** vr to become or grow angry (über +acc about).

Erzvater m (Bibl) patriarch; (fig) forefather.

erzwingen* vt irreg to force; (gerichtlich) to enforce. **etw von jdm** ~ to force sth from or out of sb; **sie erzwangen den Zutritt zur Wohnung mit Gewalt** they forced entry into the flat.

es¹ pers pron gen seiner, dat ihm, acc es **1.** (auf Dinge bezogen) it; (auf männliches Wesen bezogen) (nom) he; (acc) him; (auf weibliches Wesen bezogen) (*nom*) she; (*acc*) her.

2. (*auf vorangehende Substantive, Adjektive bezüglich*) who's there? — it's me *or* I (*form*); **sie ist klug, er ist ~ auch** she is clever, so is he; **ich höre jemanden klopfen, ~ sind die Kinder** I can hear somebody knocking, it's the children; **wer ist die Dame?** — **~ ist meine Frau** who's the lady? — it's *or* she's my wife.

3. (*auf vorangehenden Satzinhalt bezüglich*) **das Glas wurde zerbrochen, keiner will ~ getan haben** the glass had been broken, but nobody will admit to doing it; **alle dachten, daß das ungerecht war, aber niemand sagte ~** everyone thought it was unjust, but nobody said so.

4. (*rein formales Subjekt*) **~ ist kalt/8 Uhr/Sonntag** it's cold/8 o'clock/Sunday; **~ friert mich** I am cold; **~ freut mich, daß ...** I am pleased *or* glad that ...; **~ sei denn, daß ...** unless ...

5. (*rein formales Objekt*) **ich halte ~ für richtig, daß ...** I think it (is) right that ...; **ich hoffe ~** I hope so; **ich habe ~ satt, zu** (*+infin*), **ich bin ~ müde, zu** (*+infin*) I've had enough of (*+prp*), I'm tired of (*+prp*).

6. (*bei unpersönlichem Gebrauch des Verbs*) **~ gefällt mir** I like it; **~ klopft** there's a knock (at the door); **~ regnet** it's raining; **~ sich** (*dat*) **schön machen** to have a good time; **~ sitzt sich bequem hier** it's comfortable sitting here; **~ darf geraucht werden** smoking is permitted; **~ wurde gesagt, daß ...** it was said that ...; **~ wurde getanzt** there was dancing.

7. (*Einleitewort mit folgendem Subjekt*) **~ geschah ein Unglück** there was an accident; **~ gibt viel Arbeit** there's a lot of work; **~ gibt viele Leute, die ...** there are a lot of people who ...; **~ kamen viele Leute** a lot of people came; **~ lebe der König!** long live the king!; **~ meldete sich niemand** nobody replied; **~ war einmal eine Königin** once upon a time there was a queen.

es² *nt* -, - (*Mus*) E flat minor.

Es *nt* -, - **1.** (*Mus: Dur*) E flat. **2.** (*Psych*) id, Id.

Escape-Taste [ɛs'keːp-] *f* (*Comput*) escape key.

Eschatologie *f* - (*Rel*) eschatology.

Esche *f* -, -n ash-tree.

Eschenholz *nt* ash.

Esel *m* -s, - donkey, ass (*old, esp Bibl*); (*inf: Dummkopf*) (silly) ass. **du alter ~!** you are an ass (*inf*) *or* a fool; **ich ~!** I am an ass *or* a fool!, silly (old) me!; **wenn es dem ~ zu wohl wird, geht er aufs Eis (tanzen)** (*Prov*) complacency makes one *or* you reckless.

Eselei *f* (*inf*) stupidity; (*Streich*) silly prank.

Eselin *f* she-ass.

Eselsbrücke *f* (*Gedächtnishilfe*) mnemonic, aide-mémoire; (*Gereimt*) jingle; (*Sch sl: Klatsche*) crib (*inf*), pony (*US*); **Eselsohr** *nt* (*fig*) dog-ear, turned-down corner; **ein Buch mit ~en** a dog-eared book.

Eskalation *f* escalation.

eskalieren* *vti* (*vi: aux sein*) to escalate.

Eskapade *f* (*von Pferd*) caper; (*fig*) escapade.

Eskimo *m* -s, -s Eskimo.

eskimotieren* *vi* (*Sport*) to roll.

eskomptieren* *vt* (*Fin*) (*diskontieren*) to discount; (*St Ex*) to preempt.

Eskorte *f* -, -n (*Mil*) escort.

eskortieren* *vt* to escort.

Esoterik *f* esotericism.

Esoteriker(in *f*) *m* -s, - esoteric.

esoterisch *adj* esoteric.

Espe *f* -, -n aspen.

Espenlaub *nt* aspen leaves *pl*. **zittern wie ~** to shake like a leaf.

Esperanto *nt* -s, *no pl* Esperanto.

Espresso¹ *m* -(s), -s *or* **Espressi** espresso.

Espresso² *nt* -(s), -(s), **Espressobar** *f* (*Café*) coffee *or* espresso bar.

Espressomaschine *f* espresso machine.

Esprit [ɛs'priː] *m* -s, *no pl* wit. **ein Mann von ~** a wit, a witty man.

Essay ['ɛse, ɛ'seː] *m or nt* -s, -s (*Liter*) essay.

Essayist(in *f*) [ɛse'ɪst] *m* (*Liter*) essayist.

essayistisch [ɛse'ɪstɪʃ] *adj* (*Liter*) *Roman* essayistic. **das ~e Werk Thomas Manns** the essays of Thomas Mann.

eßbar *adj* edible; **habt ihr irgend etwas E~es im Haus?** have you got anything to eat in the house?; **nicht ~** inedible; **Eßbesteck** *nt* knife, fork and spoon.

Esse *f* -, -n (*dial: Schornstein*) chimney; (*Schmiede~*) hearth.

essen *pret* **aß**, *ptp* **gegessen** *vti* to eat. **gut/schlecht ~** (*Appetit haben*) to have a good/poor appetite; **in dem Restaurant kann man gut ~** that's a good restaurant; **die Franzosen ~ gut** the French eat well, French food is good; **warm/kalt ~** to have a hot/cold meal; **tüchtig *or* ordentlich ~** to eat well *or* properly; **iß mal tüchtig!** tuck in!, eat up!; **sich satt ~** to eat one's fill; **jdn arm ~** to eat sb out of house and home; **den Teller leer ~** to eat everything up, to empty one's plate; **~ Sie gern Äpfel?** do you like apples?; **gerade ~, beim E~ sein** to be in the middle of eating *or* a meal; **~ gehen** (*auswärts*) to eat out, to go out to eat; **ich bin ~** (*inf*) I've gone to eat; **das Thema ist schon lange/noch nicht gegessen** (*fig inf*) the subject is dead and buried/still alive; **selber ~ macht fett** (*prov*) I'm all right, Jack (*prov*); **E~ und Trinken hält Leib und Seele zusammen** (*prov*) food and drink keep body and soul together.

Essen *nt* -s, - (*Mahlzeit*) meal; (*Nahrung*) food; (*Küche*) cooking; (*Fest~*) luncheon; dinner. **bleib doch zum ~** stay for lunch/supper, stay for a meal; **das ~ kochen *or* machen** (*inf*) to cook *or* get the meal; **jdn zum ~ einladen** to invite sb for a meal; **(bitte) zum ~** lunch/dinner is ready.

Essen(s)ausgabe *f* serving of meals; (*Stelle*) serving counter; **Essen(s)marke** *f* meal voucher; **Essen(s)zeit** *f* **die Kinder müssen abends zur ~ zu Hause sein** the children have to be at home in time for their evening meal; **Essen(s)-zuschuß** *m* meal subsidy.

essentiell [ɛsɛn'tsiɛl] *adj* (*Philos*) essential.

Essenz *f* 1. *no pl* (*Philos*) essence. 2. (*Cook*) essence.

Esser *m* -s, - diner; *pl auch* people eating. **ein guter/schlechter ~ sein** to be a good/poor eater; **auf einen ~ mehr kommt es nicht an** one more person won't make any difference.

Eßgeschirr *nt* dinner service; (*Mil*) mess tin; **Eßgewohnheiten** *pl* eating habits *pl*.

Essig *m* -s, -e vinegar. **damit ist es ~** (*inf*) it's all off, it's up the spout (*Brit sl*).

Essigessenz *f* vinegar concentrate; **Essiggurke** *f* (pickled) gherkin; **essigsauer** *adj* (*Chem*) acetic; **essigsaure Tonerde** aluminium acetate; **Essigsäure** *f* acetic acid.

Eßkastanie *f* sweet chestnut; **Eßkultur** *f* gastronomic culture; **Eßlöffel** *m* soup/dessert spoon; (*in Rezept*) tablespoon; **eßlöffelweise** *adv* in tablespoonfuls; (*inf*) by the spoonful; **Eßlust** *f* appetite; **Eßstäbchen** *pl* chopsticks *pl*.

eßt *imper pl of* **essen**.

Eßtisch *m* dining table; **Eßwaren** *pl* food, provisions *pl*; **Eßzimmer** *nt* dining room; **Eßzwang** *m* (*Psych*) compulsive eating; **an ~ leiden** to be a compulsive eater.

Establishment [ɪs'tæblɪʃmənt] *nt* -s, -s (*Sociol, Press*) establishment.

Este *m* -n, -n, **Estin** *f* Est(h)onian.

Ester *m* -s, - (*Chem*) ester.

Estland *nt* Est(h)onia.

estländisch *adj* Est(h)onian.

Estnisch(e) *nt decl as adj* Est(h)onian; *siehe auch* **Deutsch(e)**.

Estrade *f* 1. podium. 2. (*auch ~nkonzert*) concert of light music etc, especially performed out of doors.

Estragon *m* -s, *no pl* tarragon.

Estrich *m* -s, -e 1. stone/clay *etc* floor. 2. (*Sw: Dachboden*) attic.

Eszett *nt* -, - eszett, ß.

etablieren* I *vt* (dated) to establish. II *vr* to establish oneself; (*als Geschäftsmann auch*) to set up.

etabliert *adj* established. **die ~e Oberschicht** the upper echelons of the establishment.

Etablissement [etablɪsə'mãː] *nt* -s, -s establishment.

Etage [e'taːʒə] *f* -, -n floor. **in or auf der 2. ~** on the 2nd *or* 3rd (*US*) floor.

Etagenbad *nt* (*im Hotel*) shared bath; **Etagenbett** *nt* bunk bed; **Etagendusche** *f* (*im Hotel*) shared shower; **Etagenheizung** *f* heating system which covers one floor of a building; **Etagenkellner(in** *f*) *m* waiter/waitress on room-service; **Etagenwohnung** *f* flat occupying the whole of one floor of a building.

Etagere [eta'ʒeːrə] *f* -, -n (dated) étagère.

Etappe *f* -, -n 1. (*Abschnitt, Stufe, beim Radrennen*) stage; (*einer Strecke auch*) leg. 2. (*Mil*) communications zone. **in der ~ liegen/sein** to be behind the lines.

Etappenhengst *m* (*Mil sl*) base wallah (*Mil sl*); **Etappensieg** *m* (*Sport*) stage-win; (*fig*) partial victory; **Etappensieger(in** *f* *m* (*Sport*) stage-winner; **etappenweise** I *adj* step-by-step, stage-by-stage; II *adv* step by step, stage by stage.

Etat [e'taː] *m* -s, -s budget.

Etatjahr *nt* financial year; **etatmäßig** *adj* (*Admin*) budgetary; **nicht ~ erfaßt** not in the budget, not budgeted for; **Etatposten** *m* item in the budget, budgetary item.

etc *abbr of* **et cetera** [ɛt'tseːtera] etc, et cetera.

etc pp [ɛt'tseːtera'peː'pe ː] *adv* (*hum*) and so on and so forth.

etepetete [eːtəpe'teːtə] *adj pred* (*inf*) fussy, finicky (*inf*), pernickety (*inf*).

Eternit ® *m or nt* -s, *no pl* fibre cement.

Ethan *nt* -s (*Chem*) ethane.

Ethik *f* ethics *pl* (*als Fach sing*). **die ~ Kants** Kantian ethics; **die christliche ~** the Christian ethic, Christian ethics.

Ethiker(in *f*) *m* -s, - moral philosopher.

ethisch *adj* ethical.

ethnisch *adj* ethnic.

Ethnograph(in *f*) *m* ethnographer.

Ethnographie *f* ethnography.

Ethnologe *m*, **Ethnologin** *f* ethnologist.

Ethnologie *f* ethnology.

Ethologe *m*, **Ethologin** *f* ethologist.

Ethologie *f* ethology.

Ethos ['eːtɔs] *nt* -, *no pl* ethos; (*Berufs~*) professional ethics *pl*.

Etikett *nt* -(e)s, -e (*lit, fig*) label.

Etikette *f* 1. etiquette. **gegen die ~ (bei Hofe) verstoßen** to offend against (court) etiquette, to commit a breach of (court) etiquette. 2. (*Aus: Etikett*) label.

Etikettenschwindel *m* (*Pol*) juggling with names.

etikettieren* *vt* (*lit, fig*) to label.

etlichemal *adv* quite a few times.

etliche(r, s) *indef pron* 1. *sing attr* quite a lot of. **nachdem ~ Zeit verstrichen war** after quite some time.

2. **etliche** *pl* (*substantivisch*) quite a few, several people/things; (*attr*) several, quite a few.

3. **~s** *sing* (*substantivisch*) quite a lot; **um ~s älter als ich** quite a lot *or* considerably older than me.

Etrusker(in *f*) *m* -s, - Etruscan.

etruskisch *adj* Etruscan.

Etsch *f* - Adige.

Etüde *f* -, -n (*Mus*) étude.

Etui [ɛt'viː, e'tyiː] *nt* -s, -s case.

Etuikleid *nt* box dress.

etwa *adv* 1. (*ungefähr, annähernd*) about, approximately. **so ~, ~ so** roughly *or* more or less like this; **wann ~ ...?** about *or* approximately *or* roughly when ...?

2. (*zum Beispiel*) for instance. **wenn man ~ behauptet, daß ...** for instance if one maintains that ...

3. (*entrüstet, erstaunt*) **hast du ~ schon wieder kein Geld dabei?** don't tell me *or* you don't mean to say you haven't got any money again!; **soll das ~ heißen, daß ...** is that supposed to mean ...?; **willst du ~ schon gehen?** (surely) you

don't want to go already!
   4. (*zur Bestätigung*) **Sie kommen doch, oder ~ nicht?** you are coming, aren't you?; **das haben Sie wohl nicht mit Absicht gesagt, oder ~ doch?** surely you didn't say that on purpose, you didn't say that on purpose — or did you?; **sind Sie ~ nicht einverstanden?** do you mean to say that you don't agree?; **ist das ~ nicht wahr?** do you mean to say it's not true?
   5. (*in Gegenüberstellung, einschränkend*) **nicht ~, daß ...** (it's) not that ...; **er ist nicht ~ dumm, sondern nur faul** it's not that he's stupid, he's simply lazy; **das hat Fritz getan und nicht ~ sein Bruder** Fritz did it and not his brother; **ich wollte dich nicht ~ beleidigen** I didn't intend to insult you.

etwaig ['ɛtvaɪç, ɛt'vaːɪç] *adj attr* possible. **~e Einwände/Unkosten** any objections/costs arising *or* which might arise; **bei ~en Beschwerden/Schäden** in the event of (any) complaints/damage.

etwas *indef pron* **1.** (*substantivisch*) something; (*fragend, bedingend auch, verneinend*) anything; (*unbestimmter Teil einer Menge*) some; any. **kannst du mir ~ (davon) leihen?** can you lend me some (of it)?; **ohne ~ zu erwähnen** without saying anything; **~ habe ich doch vergessen** there is something I've forgotten; **~ anderes** something else; **das ist ~ (ganz) anderes** that's something (quite) different; **~ sein** (*inf*) to be somebody (*inf*); **~ werden** (*inf*), **es zu ~ bringen** (*inf*) to make something of oneself, to get somewhere (*inf*); **aus ihm wird nie ~** (*inf*) he'll never become anything; **er kann ~** he's good; **das ist immerhin ~** at least that's something; **sein Wort gilt ~ beim Chef** what he says counts for something with the boss; **hast du ~?** is (there) something wrong *or* the matter (with you)?; **sie hat ~ mit ihm** (*inf*) she's got something going on with him; **er hat ~ vom Schulmeister an sich** he has *or* there is something of the schoolmaster about him; **da ist ~ Wahres dran** there is some truth in that.
   2. (*adjektivisch*) some; (*fragend, bedingend auch*) any. **~ Salz?** some salt?; **kannst du mir vielleicht ~ Geld leihen?** could you possibly lend me some money?; **~ Nettes** something nice; **~ Schöneres habe ich noch nie gesehen** I have never seen anything more beautiful.
   3. (*adverbial*) somewhat, a little.

Etwas *nt -*, *no pl* something. **das gewisse ~** that certain something; **ein winziges ~** a tiny little thing.

Etymologe *m*, **Etymologin** *f* etymologist.
Etymologie *f* etymology.
etymologisch *adj* etymological.
Et-Zeichen *nt* ampersand.
Etzel *m -s* Attila the Hun.
euch *pers pron dat, acc of* **ihr** (*in Briefen:* **E~**) you; (*obs, dial*) thee; (*dat auch*) to/for you; to/for thee; (*refl*) yourselves. **wie ist das bei ~** (*in Frankreich*) **mit den Ferien?** what are your holidays like in

France?; **ein Freund von ~** a friend of yours; **wascht ~!** wash yourselves; **setzt ~!** sit (yourselves *inf*) down!; **vertragt ~!** stop quarrelling!

Eucharistie *f* (*Eccl*) Eucharist.
eucharistisch *adj Kongreß* Eucharistic.
euer I *poss pron* **1.** (*adjektivisch*) (*in Briefen:* **E~**) your. **E~** (*Briefschluß*) yours; (*obs, dial*) thy; **viele Grüße, E~ Hans** best wishes, yours, Hans; **das sind ~e** *or* **eure Bücher** those are your books; **ist das ~ Haus?** is that your house?; **E~** *or* **Eure Gnaden/Exzellenz/Majestät** your Grace/Excellency/Majesty.
   2. (*old: substantivisch*) yours. **behaltet, was ~ ist** keep what is yours.
   II *pers pron gen of* **ihr.** wir werden ~ gedenken we will think of you; **~ beider gemeinsame Zukunft** your common future.

euere(r, s) *poss pron siehe* **eure(r, s).**
Eugenik *f* (*Biol*) eugenics *sing.*
eugenisch *adj* (*Biol*) eugenic.
Eukalyptus *m -*, **Eukalypten** (*Baum*) eucalyptus (tree); (*Öl*) eucalyptus oil.
Eukalyptusbonbon *m* *or* *nt* eucalyptus sweet (*Brit*) *or* candy (*US*).
euklidisch *adj* Euclidean.
Eule *f -*, **-n** owl; (*pej: häßliche Frau*) crow. **~n nach Athen tragen** (*prov*) to carry coals to Newcastle (*prov*).
Eulenspiegel *m* Till **~** (*lit*) Till Eulenspiegel; **unser Sohn ist ein richtiger ~** (*fig*) our son is a real scamp (*inf*) *or* rascal (*inf*); **Eulenspiegelei** *f* trick, caper.
Eunuch *m -en*, **-en** eunuch.
Euphemismus *m* euphemism.
euphemistisch *adj* euphemistic.
Euphorie *f* euphoria.
euphorisch *adj* euphoric.
Eurasien [-iən] *nt -s* Eurasia.
Eurasier(in *f*) [-iɐ, -iərɪn] *m -s*, - Eurasian.
eurasisch *adj* Eurasian.
Euratom *abbr of* **Europäische Atomgemeinschaft** European Atomic Community, Euratom.
eure(r, s) *poss pron* **1.** (*substantivisch*) yours. **der/die/das ~** (*geh*) yours; **tut ihr das E~** (*geh*) you do your bit; **stets** *or* **immer der E~** (*form*) yours ever; **die E~n** (*geh*) your family, your people; **ihr und die E~n** (*geh: Familie*) you and yours; **das E~** (*geh: Besitz*) what is yours. **2.** (*adjektivisch*) *siehe* **euer I 1.**
eurerseits *adv* (*auf eurer Seite*) for your part; (*von eurer Seite*) from *or* on your part.
euresgleichen *pron inv* people like you *or* yourselves; (*pej auch*) the likes of you, your sort.
eurethalben (*dated*), **euretwegen** *adv* (*wegen euch*) because of you, on account of you, on your account; (*euch zuliebe auch*) for your sake; (*um euch*) about you; (*für euch*) on your behalf *or* behalves.
Eur(h)ythmie *f* eurhythmics *sing.*
eurige *poss pron* (*old, geh*) **der/die/das ~** yours; **die E~n** your families; **das E~** (*Besitz*) what is yours; **tut ihr das E~** you do your bit.
Euro- *in cpds* Euro-; **Eurocheque** *m siehe*

Euroscheck; **Euro-City-Zug** [-'sɪtɪ-] *m* European Inter-City train; **Eurodollar** *m* eurodollar; **Eurokrat** *m* **-en, -en** (*Press sl*) Eurocrat.

Europa *nt* **-s** Europe.

Europaabgeordnete(r) *mf* Member of the European Parliament, Euro-MP.

Europacup [-kap] *m siehe* **Europapokal**.

Europäer(in *f)* *m* **-s, -** European.

europäisch *adj* European. **das E~e Parlament** the European Parliament; **E~er Gerichtshof** European Court of Justice; **E~er Rat** European Council; **E~es Währungssystem** European Monetary System; **E~e Wirtschaftsgemeinschaft** European Economic Community, Common Market; **die E~en Gemeinschaften** the European Community.

europäisieren* *vt* to Europeanize.

Europameister(in *f)* *m* (*Sport*) European champion; (*Team, Land*) European champions *pl*; **Europameisterschaft** *f* European championship; **Europamüdigkeit** *f* apathy in European affairs; **Europaparlament** *nt* European Parliament; **Europapaß** *m* European passport; **Europapokal** *m* (*Sport*) European cup; ~ **der Landesmeister** European Champions cup; **Europarat** *m* Council of Europe; **Europastraße** *f* through-route in Europe; **Europawahlen** *pl* European elections *pl*, Euro-elections; **europaweit** *adj* Europe-wide.

europid *adj Rasse* Caucasian.

Europide *mf*-**n, -n** Caucasian.

Europium *nt, no pl* (*abbr* **Eu**) europium.

Euroscheck *m* Eurocheque; **Euroscheckkarte** *f* Eurocheque card; **Eurovision** *f* Eurovision; **Eurovisionssendung** *f* Eurovision broadcast *or* programme.

Euter *nt* **-s, -** udder.

Euthanasie *f* euthanasia.

ev. *abbr of* **evangelisch**.

e.V., E.V. *abbr of* **eingetragener Verein**.

Eva ['eːfa, 'eːva] *f* **-s** Eve. **sie ist eine echte ~** (*hum*) she is the archetypal woman.

evakuieren* [evaku'iːrən] *vt* to evacuate.

Evakuierte(r) [evaku'iːrtə] *mf decl as adj* evacuee.

Evakuierung [evaku'iːrʊŋ] *f* evacuation.

Evangeliar [evaŋgeli'aːr], **Evangelienbuch** [evaŋ'geːliən-] *nt* book of the Gospels, Gospel.

Evangelikale(r) [evaŋgeli'kaːlə] *mf decl as adj* evangelical.

evangelisch [evaŋ'geːlɪʃ] *adj* Protestant.

Evangelist [evaŋge'lɪst] *m* evangelist.

Evangelium [evaŋ'geːliʊm] *nt* Gospel; (*fig*) gospel. **alles, was er sagt, ist für sie (ein) ~** (*fig*) everything he says is gospel to her.

evaporieren* [evapo'riːrən] *vi aux sein* to evaporate.

Eva(s)kostüm *nt* (*dated hum*) **im ~** in her birthday suit (*hum*).

Evastochter ['eːfas-, 'eːvas-] *f* (*dated hum*) coquette.

Eventual- [eventu'aːl]: **Eventualfall** *m* eventuality; **Eventualhaushalt** *m* (*Parl*) emergency *or* contingency budget.

Eventualität [eventuali'tɛːt] *f* eventuality, contingency.

eventuell [eventu'ɛl] **I** *adj attr* possible.
II *adv* possibly, perhaps. ~ **rufe ich Sie später an** I may possibly call you later; **ich komme ~ ein bißchen später** I might (possibly) come a little later.

Evergreen ['ɛvɛgriːn] *m* **-s, -s** evergreen.

evident [evi'dɛnt] *adj* (*geh: offenbar*) obvious, clear.

Evidenz [evi'dɛnts] *f* **1.** (*Philos*) evidence. **2.** (*Aus*) **etw in ~ halten** to keep a current record of sth, to keep sth up-to-date.

ev.-luth. *abbr of* **evangelisch-lutherisch** Lutheran Protestant.

Evolution [evolu'tsioːn] *f* evolution.

evolutionär [evolutsio-] *adj* evolutionary.

Evolutionstheorie *f* theory of evolution.

evtl. *abbr of* **eventuell**.

E-Werk ['eːvɛrk] *nt abbr of* **Elektrizitätswerk** generating *or* power station.

EWG [eːveː'geː] *f* - *abbr of* **Europäische Wirtschaftsgemeinschaft** EEC, Common Market.

ewig **I** *adj* eternal; *Leben auch* everlasting; *Eis, Schnee* perpetual; (*inf*) *Nörgelei auch* never-ending **der E~e Jude** the Wandering Jew **das E~e Licht** (*Eccl*) the sanctuary lamp; **in den ~en Frieden** *or* **die ~e Ruhe eingehen** to find eternal peace; **die E~e Stadt** the Eternal City; **(Gott,) der E~e** God, the Eternal.
II *adv* for ever, eternally. **auf ~** for ever; **das dauert ja ~** (**und drei Tage** *hum*) it goes on for ever (and a day); **das dauert ja ~, bis ...** it'll take ages until ...; **er muß sich ~ beklagen** he's eternally *or* for ever complaining; **es ist ~ schade, daß ...** (*inf*) it's an enormous pity *or* shame that ...; ~ **dankbar** eternally grateful; **ich habe Sie ~ lange nicht gesehen** (*inf*) I haven't seen you for absolutely ages *or* for an eternity.

Ewiggestrige(r) *mf decl as adj* person living in the past; (*gegen alles Neue*) stick in the mud (*inf*).

Ewigkeit *f* eternity; (*der Naturgesetze*) immutability; (*inf*) ages. **in die ~ eingehen** to go to eternal rest; **bis in alle ~** for ever and ever; **eine ~** *or* **eine halbe ~** (*hum*) **dauern** (*inf*) to last an age *or* an eternity; **es dauert eine ~** *or* **eine halbe ~** (*hum*), **bis ...** it'll take absolutely ages until ...; **ich habe sie seit ~en** *or* **einer ~ nicht gesehen** (*inf*) I've not seen her for ages.

ewiglich (*liter*) **I** *adj attr* eternal, everlasting. **II** *adv* eternally, for ever, to the end of time (*liter*).

EWS [eːveː'ɛs] *nt abbr of* **Europäisches Währungssystem** EMS.

EWU [eːveː'uː] *f* **abbr of** **Europäische Währungsunion** EMU.

e.Wz. *abbr of* **eingetragenes Warenzeichen**.

ex *adv* (*inf*) **1.** (*leer*) (*trink*) ~! down the hatch! (*inf*); **etw ~ trinken** to drink sth down in one. **2.** (*Schluß, vorbei*) (all) over, finished. ~ **und hopp** here today, gone tomorrow.

Ex- *in cpds* ex-.
exakt *adj* exact. **~ arbeiten** to work accurately.
Exaktheit *f* exactness, precision.
exaltiert *adj* exaggerated, effusive.
Examen *nt* **-s, -** *or* **Examina** exam, examination; (*Univ*) final examinations, finals *pl*. **~ machen** to do *or* take one's exams *or* finals; **das ~** mit Eins machen to get top marks in an exam; (*Univ*) ≃ to get a First; **das mündliche ~** oral examination; (*Univ*) viva (voce).
Examensangst *f* exam nerves *pl*; **Examensarbeit** *f* dissertation; **Examenskandidat(in** *f*) *m* candidate (for an examination), examinee.
examinieren* *vt* (*geh*) to examine. **jdn über etw** (*acc*) **~** (*lit, fig*) to question sb about sth.
Exegese *f* **-, -n** exegesis.
Exeget(in *f*) *m* **-en, -en** exegete.
exegetisch *adj* exegetic(al).
exekutieren* *vt* (*form*) to execute. **jdn ~** (*Aus: pfänden*) to seize *or* impound sb's possessions.
Exekution *f* execution; (*Aus: Pfändung*) seizing, impounding.
Exekutionskommando *nt* firing squad.
exekutiv *adj* executive.
Exekutiv|ausschuß *m* executive committee.
Exekutive [-'ti:və], **Exekutivgewalt** *f* executive; (*Aus*) forces *pl* of law and order.
Exekutor(in *f*) *m* (*Aus*) bailiff.
Exempel *nt* **-s, -** (*geh*) example; (*dated Math: Rechen~*) example (*dated*). **die Probe aufs ~ machen** to put it to the test.
Exemplar *nt* **-s, -e** specimen; (*Buch~, Zeitschriften~*) copy.
exemplarisch *adj* exemplary. **~es Lehren/Lernen** teaching/learning by example; **jdn ~ bestrafen** to punish sb as an example (to others); **das Urteil wurde ~ für alle folgenden Fälle** the verdict set a precedent for all subsequent cases.
exemplifizieren* *vt* (*geh*) to exemplify.
exerzieren* *vti* to drill; (*fig*) to practise.
Exerzierplatz *m* (*Mil*) parade ground.
Exerzitien [ɛksɛr'tsi:tsiən] *pl* (*Eccl*) spiritual exercises *pl*.
Exhibitionismus [ɛkshibitsio'nɪsmʊs] *m* exhibitionism.
Exhibitionist(in *f*) [ɛkshibitsio'nɪst(ɪn)] *m* exhibitionist.
exhibitionistisch [ɛkshibitsio'nɪstɪʃ] *adj* exhibitionist.
exhumieren* *vt* to exhume.
Exhumierung *f* exhumation.
Exil *nt* **-s, -e** exile. **im (amerikanischen) ~ leben** to live in exile (in America); **ins ~ gehen** to go into exile.
Exilliteratur *f* literature written in exile (*esp by Germans exiled during the 3rd Reich*); **Exilregierung** *f* government in exile.
existent *adj* (*geh*) existing, existent.
Existentialismus [ɛksɪstɛntsia'lɪsmʊs] *m* existentialism.
Existentialist(in *f*) [ɛksɪstɛntsia'lɪst(ɪn)] *m* existentialist.

existentialistisch [-tsia'lɪstɪʃ] *adj* existential(ist).
existentiell [ɛksɪstɛn'tsiɛl] *adj* (*geh*) existential. **von ~er Bedeutung** of vital significance.
Existenz *f* existence; (*Lebensgrundlage, Auskommen*) livelihood; (*pej inf: Person*) character, customer (*inf*). **eine gescheiterte** *or* **verkrachte ~** (*inf*) a failure; **sich eine (neue) ~ aufbauen** to make a (new) life for oneself.
Existenzangst *f* (*Philos*) existential fear, angst; (*wirtschaftlich*) fear for one's livelihood *or* existence; **Existenzberechtigung** *f* right to exist; **hat die UNO noch eine ~?** can the UN still justify its existence?; **existenzfähig** *adj* able to exist; **Firma** viable; **Existenzfähigkeit** *f* ability to exist; (*von Firma*) viability; **Existenzgrundlage** *f* basis of one's livelihood; **Existenzgründung** *f* establishing one's livelihood; **Existenzgründungskredit** *m* small business loan; **Existenzkampf** *m* struggle for survival; **Existenzminimum** *nt* subsistence level; (*Lohn*) minimal living wage *or* income; **das Gehalt liegt noch unter dem ~** that salary is not enough to live on, that is not even a living wage; **Existenzphilosophie** *f* existentialism.
existieren* [ɛksɪs'ti:rən] *vi* to exist; (*Gesetz, Schule auch*) to be in existence.
Exitus *m* **-, no pl** (*Med*) death.
exkl. *abbr of* **exklusive**.
Exklave [ɛks'kla:və] *f* **-, -n** (*Pol*) exclave.
exklusiv *adj* exclusive.
Exklusivbericht *m* (*Press*) exclusive (report).
exklusive [-'zi:və] **I** *prep* +*gen* exclusive of, excluding. **II** *adv* **Getränke ~** excluding drinks; **bis zum 20. ~** to the 20th exclusively.
Exklusiv|interview *nt* (*Press*) exclusive interview.
Exklusivität [-zivi'tɛ:t] *f* exclusiveness.
Exklusivrecht *nt* exclusive rights *pl*.
Exkommunikation *f* (*Eccl*) excommunication.
exkommunizieren* *vt* to excommunicate.
Exkrement *usu pl nt* (*geh*) excrement *no pl*, excreta *pl*.
Exkretion *f* (*Med*) excretion.
Exkurs *m* **-es, -e** digression.
Exkursion *f* (*study*) trip.
Exlibris *nt* **-, -** ex libris, bookplate.
Exmatrikulation *f* (*Univ*) being taken off the university register.
exmatrikulieren* *vt* (*Univ*) to take off the university register. **sich ~ lassen** to withdraw from the university register.
exmittieren* *vt* (*Admin*) **Mieter** to evict.
Exodus *m* **-** (*Bibl, fig*) exodus.
exogen *adj* (*Biol, Geol*) exogenous.
exorbitant *adj* (*geh*) **Preise** exorbitant.
Exorzismus *m* exorcism.
Exorzist *m* exorcist.
Exot(e) *m* **-en, -en, Exotin** *f* exotic foreigner.
exotisch *adj* exotic.
Expander *m* **-s, -** (*Sport*) chest-expander.
expandieren* *vi* to expand.

Expansion f (*Phys, Pol*) expansion.

Expansionspolitik f expansionism, expansionist policies pl; **Expansionsschwäche** f low growth rates.

expansiv adj Politik expansionist; *Wirtschaftszweige* expanding; *Gase* expansile, expansive.

expatriieren* vt to expatriate.

Expedient(in f) m (*Comm*) dispatch clerk.

expedieren* vt to dispatch, to send (off).

Expedition f 1. (*Forschungs~, Mil*) expedition. 2. (*Versendung*) dispatch; (*Versandabteilung*) dispatch office.

Experiment nt experiment. ~e **machen** or **anstellen** to carry out or do experiments.

Experimental- in cpds experimental.

experimentell adj experimental. etw ~ **nachweisen** to prove sth by experiment.

experimentieren* vi to experiment (*mit* with).

Experte m -n, -n, **Expertin** f expert (*für* in).

Expertenanhörung f specialist evidence; **Expertenkommission** f think tank; **Expertensystem** nt (*Comput*) expert system.

Expertise f -, -n (expert's) report.

Expl. abbr of **Exemplar.**

explizieren* vt (geh) to explicate (*form*).

explizit adj explicit.

explodieren* vi aux sein (*lit, fig*) to explode.

Exploration f (*eines Landes*) exploration; (*Psych*) examination.

Explorationsfond m exploratory investment.

Explosion f explosion. etw zur ~ **bringen** to detonate or explode sth.

explosionsartig adj Geräusch like an explosion; *Wirkung* explosive; **das Gerücht verbreitete sich** ~ the rumour spread like wildfire; **Explosionsgefahr** f danger of explosion; **Explosionsmotor** m internal combustion engine.

explosiv adj (*lit, fig*) explosive.

Explosiv(laut) m -s, -e (*Ling*) plosive.

Explosivstoff m explosive.

Exponat nt exhibit.

Exponent m (*Math*) exponent; (~in f) (*fig auch*) spokesman/spokeswoman.

Exponential- [ɛkspoˈnɛnˈtsiaːl-]: **Exponentialfunktion** f (*Math*) exponential function; **Exponentialgleichung** f (*Math*) exponential equation.

exponieren* I vt (geh) (*herausheben, dated Phot*) to expose. **jdn zu sehr** ~ to overexpose sb; **an exponierter Stelle stehen** to be in an exposed position.

II vr (geh) (*sich auffällig benehmen*) to behave boisterously; (*in der Politik*) to take a prominent stance; (*in Diskussion*) to make one's presence felt, to come on strong (*inf*).

Export m -(e)s, -e export (*an +dat* of); (~waren) exports pl.

Export- in cpds export; **Exportabteilung** f export department; **Exportanreiz** m export incentive; **Exportartikel** m export; **Exportausführung** f export model.

Exporteur [ɛkspɔrˈtøːɐ] m exporter.

Exportgeschäft nt 1. (*Firma*) export business; 2. (*Handel*) export business or trade; **Exporthandel** m export business or trade.

exportieren* vti (*auch Comput*) to export.

Exportkaufmann m, **Exportkauffrau** f exporter.

Exposé [ɛkspoˈzeː] nt -s, -s (*für Film, Buch*) outline, plan; (*Denkschrift*) memo(randum).

Exposition f (*Liter, Mus*) exposition; (*Gliederung eines Aufsatzes*) outline, plan.

Expositur f (*Aus*) (*Zweigstelle*) branch; (*Sch*) annexe.

expreß adv (*dated*) quickly, expeditiously (*form*); (*Post*) express.

Expreß m -sses, pl **Expreßzüge** (*old Rail, Aus*) express (train).

Expreßgut nt express goods pl.

Expressionismus m expressionism.

Expressionist(in f) m expressionist.

expressionistisch adj expressionist no adv, expressionistic.

expressis verbis adv explicitly, expressly.

expressiv adj expressive.

Expreßreinigung f express dry-cleaning service.

Expropriation f expropriation.

exquisit adj exquisite.

extemporieren* vti (geh) to improvise, to extemporize.

extensiv adj (*auch Agr*) extensive.

extern adj (*Sch, Comput*) external. **ein** ~**er Schüler** a day boy.

Externe(r) mf decl as adj (*Sch*) day boy/girl.

Externist(in f) m (*Aus*) pupil educated by private tuition, not at school.

exterritorial adj extraterritorial.

Exterritorialität f extraterritoriality.

extra I adj inv (*inf*) extra. **etwas E~es** (*inf*) something special.

II adv (*besonders, außerordentlich*) extra, (e)specially; (*eigens, ausschließlich*) (e)specially, just; (*gesondert*) separately; (*zusätzlich*) extra, in addition; (*inf: absichtlich*) on purpose, deliberately. **etw** ~ **legen** to put sth in a separate place; **ich gebe Ihnen noch ein Exemplar** ~ I'll give you an extra copy; **jetzt tu ich's** ~**!** (*inf*) just for that I will do it!

Extra nt -s, -s extra.

Extraausgabe f special edition; **Extraausstattung** f extras pl; **Extrablatt** nt special edition; (*zusätzlich zur Zeitung*) special supplement; **extrafein** adj superfine; ~ **gemahlener Kaffee** extra finely ground coffee.

extrahieren* [ɛkstraˈhiːrən] vt to extract.

Extrakt m -(e)s, -e (*Med, Pharm auch nt*) extract; (*von Buch*) synopsis. **etw im** ~ **wiedergeben** to summarize sth, to give a summary of sth.

Extraordinarius m (*Univ*) ≃ reader (*Brit*), associate professor (*US*); **Extrapolation** f (*Math, fig*) extrapolation; **extrapolieren*** vti (*Math, fig*) to extrapolate; **extrauterin** adj extra-uterine.

extravagant [-vaˈgant] adj extravagant; *Kleidung auch* flamboyant.

Extravaganz [-va'gants] *f siehe adj* extravagance; flamboyance.

extravertiert [-vɛrti:ɐt] *adj* (*Psych*) extrovert.

Extrawurst *f* **1.** (*inf: Sonderwunsch*) special favour. **jdm eine ~ braten** to make an exception of *or* for sb; **er will immer eine ~ (gebraten haben)** he always wants something different *or* special. **2.** (*Aus*) *siehe* **Lyoner.**

extrem *adj* extreme; *Belastung* excessive; (*sl*) way-out (*sl*). **~ schlecht/gut** extremely badly/well; **die Lage hat sich ~ verschlechtert** the situation has deteriorated enormously.

Extrem *nt* **-s, -e** extreme. **von einem ~ ins andere fallen** to go from one extreme to the other.

Extremfall *m* extreme (case).

Extremist(in f) *m* extremist.

extremistisch *adj* extremist.

Extremität *f usu pl* extremity *usu pl.*

Extremwert *m* extreme (value).

extrovertiert [-vɛr'ti:ɐt] *adj* (*Psych*) extrovert.

exzellent *adj* (*geh*) excellent.

Exzellenz *f* Excellency.

exzentrisch *adj* (*Math, fig*) eccentric.

Exzentrizität *f* (*Geometry, Tech, fig*) eccentricity.

exzerpieren* *vt* to select *or* extract (*aus* from).

Exzerpt *nt* **-(e)s, -e** excerpt.

Exzeß *m* **-sses, -sse 1.** excess. **bis zum ~** excessively, to excess; **etw bis zum ~ treiben** to take sth to excess *or* extremes; **2.** *usu pl* (*Ausschreitung*) excess.

exzessiv *adj* excessive.

Eyeliner ['ailainər] *m* **-s, -** eyeliner.

E-Zug ['e:tsu:k] *m abbr of* **Eilzug.**

F

F, f [ɛf] *nt* -, - F, f. **nach Schema F** (*inf*) in the usual way.

F *abbr of* **Fahrenheit; Farad.**

f. *abbr of* **und folgende(r, s).**

Fa. *abbr of* **Firma.**

Fabel *f* -, **-n 1.** fable. **2.** (*inf*) fantastic story. **3.** (*Liter: Handlung*) plot.

Fabelei *f* (*oft pej*) **1.** (*das Fabeln*) romancing. **2.** (*Geschichte*) fantastic story.

fabelhaft *adj* splendid, magnificent; **ein ~ niedriger Preis** a fabulously *or* fantastically low price.

fabeln I *vi* to romance. **II** *vt Unsinn* to concoct, to fabricate.

Fabeltier *nt* mythical creature; **Fabelwelt** *f* world *or* realm of fantasy; **Fabelwesen** *nt* mythical creature.

Fabrik *f* -, **-en** factory; (*Papier~*) mill. **in die ~ gehen** (*inf*) to work in a factory.

Fabrik|anlage *f* (manufacturing) plant; (*~gelände*) factory premises *pl*.

Fabrikant(in *f*) *m* **1.** (*Fabrikbesitzer*) industrialist. **2.** (*Hersteller*) manufacturer.

Fabrikarbeit *f*, *no pl* factory work; **Fabrikarbeiter(in** *f*) *m* factory worker.

Fabrikat *nt* **1.** (*Marke*) make; (*von Nahrungs- und Genußmitteln*) brand. **2.** (*Produkt*) product; (*Ausführung*) model.

Fabrikation *f* manufacture, production.

Fabrikationsfehler *m* manufacturing fault.

Fabrik- *in cpds* factory; **Fabrikbau** *m, pl* **-ten** factory (building); **Fabrikdirektor(in** *f*) *m* managing director (of a factory); **fabrikfrisch** *adj* straight from the factory; **Fabrikgelände** *nt* factory premises; **Fabrikhalle** *f* factory building.

fabrikmäßig *adj* **~e Herstellung** mass production; **fabrikneu** *adj* straight from the factory; (*nagelneu*) brand-new; **~ aussehen** to be in mint condition.

Fabriks- *in cpds* (*Aus*) *siehe* **Fabrik-.**

Fabrikschiff *nt* factory ship.

fabrizieren* *vt* **1.** (*dated*) (*industriell produzieren*) to manufacture, to produce, to fabricate (*dated*). **2.** (*inf*) *Möbelstück* to make; *geistiges Produkt* to produce; *Alibi, Lügengeschichte* to concoct, to fabricate. **3.** (*inf: anstellen*) to get up to (*inf*).

fabulieren* *vi* (*geh*) **1.** (*pej: schwätzen*) to romance. **2.** (*phantasievoll erzählen*) to spin a yarn. **er fabulierte, wie ...** he spun some yarns about how ...

fabulös *adj* (*geh*) fabulous (*liter*); (*unglaubwürdig, hum: großartig*) fantastic.

Facelifting ['fɛːsliftiŋ] *nt* -s, -s (*lit, fig*) facelift.

Facette [fa'sɛtə] *f* facet.

facettenartig I *adj* facet(t)ed; **II** *adv* *schleifen* in facets; **Facettenauge** *nt* compound eye; **Facettenschliff** *m*

facet(t)ing.

facettieren* [fasɛ'tiːrən] *vt* to facet. **facettiert** (*lit, fig*) facet(t)ed.

Fach *nt* **-(e)s, ¨er 1.** compartment; (*in Tasche, Brieftasche, Portemonnaie auch*) pocket; (*in Schrank, Regal*) shelf; (*für Briefe*) pigeonhole.
2. (*Wissens-, Sachgebiet*) subject; (*Gebiet*) field; (*Handwerk*) trade. **ein Mann vom ~** an expert; **sein ~ verstehen** to know one's stuff (*inf*) *or* one's subject/trade; **das ~ Medizin** medicine.
3. (*Theat*) mode.

-fach *adj suf* -fold; (*-mal*) times; *siehe* **vier~.**

Facharbeiter(in *f*) *m* skilled worker; **Bau-/Brauerei- ~** construction/brewery workers; **Facharbeiterbrief** *m* certificate of proficiency; **Facharzt** *m*, **Fachärztin** *f* specialist (*für* in); **fachärztlich** *adj Behandlung* specialist *attr; Untersuchung* by a specialist; **ein ~es Attest/Gutachten** a certificate from *or* signed by a specialist/a specialist's opinion; **Fachausbildung** *f* specialist training; **Fachausdruck** *m* technical *or* specialist term; **Fachausschuß** *m* committee of experts; **Fachberater(in** *f*) *m* technical consultant; **Fachbereich** *m* **1.** *siehe* **Fachgebiet; 2.** (*Univ*) school, faculty; **fachbezogen** *adj* specifically related to one's/the subject; (*fachlich beschränkt*) specialized; **Fachbibliothek** *f* specialist library; **Fachblatt** *nt* (specialist) journal; **Fachbuch** *nt* reference book; **wasserbautechnische Fachbücher** specialist books on hydraulic engineering; **Fachbuchhandlung** *f* specialist bookshop; **~ für Mathematik** bookshop specializing in mathematical books; **Fachchinesisch** *nt* (*inf, pej*) technical jargon *or* mumbo-jumbo (*inf*).

fächeln (*geh*) **I** *vt* to fan; *Blätter* to stir. **II** *vi* to stir.

Fächer *m* **-s, -** fan; (*fig*) range, array.

fächerartig I *adj* fanlike; **II** *adv* like a fan; **fächerförmig I** *adj* fan-shaped; **II** *adv* like a fan; **Fächergewölbe** *nt* fan vaulting; **ein ~ vault** a fan vault.

fächern I *vt* to fan (out); (*fig*) to diversify. **gefächert** diverse; *Auswahl auch* varied; *Unterricht* diversified. **II** *vr* to fan out.

Fächerpalme *f* fan palm.

Fächerung *f*, *no pl* variety, range.

Fachfrau *f* expert; **fachfremd** *adj Lektüre, Aufgaben* unconnected with the/one's subject; *Mitarbeiter* with no background in the subject; *Methode* foreign to the subject; **Fachgebiet** *nt* (special) field; **fachgebunden** *adj* related (to the field/subject); **Fachgelehrte(r)** *mf* specialist; **fachgemäß, fachgerecht** *adj* expert; *Ausbildung* specialist *attr*; **Fachgeschäft** *nt* specialist shop *or* store (*esp US*); ~ **für Lederwaren** leather shop, shop *or* store specializing in leather goods; **Fachgespräch** *nt* professional *or* technical discussion; **Fachgröße** *f* authority; **Fachgruppe** *f* professional group; (*Univ*) study group; (*Gruppe von Experten*) team of specialists; **Fachhandel** *m* specialist shops *pl or* stores *pl* (*esp US*); **Fachhändler** *m* specialist supplier; **Fachhochschulabschluß** *m* diploma from university for applied science; **Fachhochschule** *f* university for applied science; **Fachidiot** *m* (*sl*) person who can think of nothing but his/her subject, philosophy/chemistry freak (*sl*); **Fachjargon** *m* technical jargon; **Fachkenntnisse** *pl* specialized knowledge; **Fachkollege** *m*, **Fachkollegin** *f* professional colleague; **Fachkraft** *f* qualified employee; **Fachkreise** *pl*: **in** ~**n** among experts; **fachkundig** *adj* informed *no adv*; (*erfahren*) with a knowledge of the subject; (*fachmännisch*) proficient; **jdn** ~ **beraten** to give sb informed advice; **fachkundlich** *adj* ~**er Unterricht** teaching of technical subjects; **Fachlehrer(in** *f*) *m* specialist subject teacher; **Fachleiter(in** *f*) *m* head of department.

fachlich *adj* technical; *Ausbildung* specialist *attr*; *Spezialisierung* in one aspect of a/the subject; (*beruflich*) professional. **ein** ~ **ausgezeichneter Lehrer** a teacher who is academically excellent; ~ **hochqualifizierte Mitarbeiter** staff members who are highly qualified in their field; **sich** ~ **qualifizieren** to gain qualifications in one's field; ~ **auf dem laufenden bleiben** to keep up to date in one's subject.

Fachliteratur *f* specialist literature; **Fachmann** *m*, *pl* -**leute** expert; **fachmännisch** *adj* expert; ~ **ausgeführt** expertly done; **Fachoberschule** *f* College of Further Education; **Fachpersonal** *nt* specialist staff; **Fachpresse** *f* specialist publications *pl*; **Fachprüfung** *f* professional examination; **Fachredakteur(in** *f*) *m* (special) editor; ~ **für Sport** sports editor; **Fachrichtung** *f* subject area; **die** ~ **Mathematik** mathematics; **Fachschaft** *f* (*Univ*) students *pl* of the/a department; **Fachschule** *f* technical college; **Fachschulreife** *f* entrance qualification for a technical college; **Fachsimpelei** *f* (*inf*) shop-talk; **fachsimpeln** *vi insep* (*inf*) to talk shop; **fachspezifisch** *adj* technical, subject-specific; **Fachsprache** *f* technical terminology; **fachsprachlich I** *adj* technical; **II** *adv* in technical terminology; **Fachstudium** *nt* *course of study at a polytechnic or technical college*; **Fachterminus** *m* technical term; **Fachtext** *m* specialist text; **fachübergreifend I** *adj* *Problematik, Lernziel* inter-disciplinary, which extends across the disciplines; **II** *adv* across the disciplines; **Fachverband** *m* (*im Handel*) trade association; (*von Ärzten*) association; **Fachwelt** *f* experts *pl*; **Fachwerk** *nt*, *no pl* half-timbering; **Fachwerkbauweise** *f* half-timbering; **Fachwerkhaus** *nt* half-timbered house;

Fachwissen *nt* (specialized) knowledge of the/one's subject; **Fachwissenschaftler(in** *f*) *m* specialist *or* expert (in a particular/the subject); **fachwissenschaftlich** *adj* technical; *Publikation auch* specialist; **Fachwort** *nt* specialist term; **Fachwörterbuch** *nt* specialist dictionary; (*wissenschaftliches auch*) technical dictionary; **Fachzeitschrift** *f* specialist journal; (*technisch*) technical journal; (*naturwissenschaftlich*) scientific journal; (*für Berufe*) trade journal.

Fackel *f* -, -**n** (*lit, fig*) torch; (*der Revolution auch, des Glaubens*) flame.

fackeln *vi* (*inf*) to shilly-shally (*inf*). **da wird nicht lange gefackelt** there won't be any shilly-shallying.

Fackelschein *m* torchlight; **Fackelzug** *m* torchlight procession.

fad *adj pred* **1.** *siehe* **fad(e) 1., 2.**
2. (*Aus, S Ger*) (*zimperlich*) soft (*inf*), wet (*inf*), soppy (*inf*).

fad(e) *adj* **1.** *Geschmack* insipid; *Essen auch* tasteless. **2.** (*fig: langweilig*) dull. **3.** (*Aus, S Ger*) *siehe* **fad 2.**.

fädeln *vt* to thread.

Faden¹ *m* -**s**, ⁻ **1.** (*lit, fig*) thread; (*an Marionetten*) string; (*Med*) stitch. **der rote** ~ (*fig*) the leitmotif, the central theme; **den** ~ **verlieren** (*fig*) to lose the thread; **alle** ~ **laufen in seiner Hand/hier zusammen** he is at the hub of the whole business/this is the hub *or* the nerve centre of the whole business; **er hält alle** ~ (**fest) in der Hand** he holds the reins; **sein Leben hing an einem (dünnen** *or* **seidenen)** ~ his life was hanging by a thread; **keinen guten** ~ **an jdm/etw lassen** (*inf*) to tear sb/sth to shreds (*inf*) *or* pieces (*inf*).
2. (*Spinnen*~) thread; (*Bohnen*~) string. **die Bohnen haben** ~ the beans are stringy.

Faden² *m* -**s**, - (*Naut*) fathom.

fadenförmig *adj* thread-like; **Fadenkreuz** *nt* crosshair; **jdn/etw im** ~ **haben** to have sb/sth in one's sights; **Fadennudeln** *pl* vermicelli *pl*; **fadenscheinig** *adj* **1.** threadbare; **2.** (*fig*) flimsy; *Argument auch, Moral* threadbare *no adv*; *Ausrede auch* transparent; *Trost* poor; **Fadenschlag** *m* (*Sw Sew*) basted *or* tacked seam; **Fadenwurm** *m* threadworm.

Fading ['fe:dɪŋ] *nt* -**(s)**, *no pl* (*Rad*) fading.

fadisieren* *vr* (*Aus*) *siehe* **langweilen III**.

Fagott *nt* -**(e)s**, -**e** bassoon.

Fagottbläser(in *f*)**, Fagottist(in** *f*) *m* bassoonist.

Fähe *f* -, -**n** (*Hunt*) (*Füchsin*) vixen; (*Dächsin*) sow.

fähig *adj* **1.** (*tüchtig*) *Mensch, Mitarbeiter* capable, competent, able. **sie ist ein** ~**er Kopf** she has an able mind. **2.** (*sl: gut*) great (*inf*). **3.** *pred* (*befähigt, bereit*) capable (*zu, gen* of). (**dazu**) ~ **sein, etw zu tun** to be capable of doing sth; **bei dem Lärm bin ich keines klaren Gedankens** ~ I can't think straight *or* hear myself think with all this noise; **zu allem** ~ **sein**

to be capable of anything.

Fähigkeit f (*Begabung*) ability; (*Tüchtigkeit auch*) capability; (*Geschicklichkeit auch*) aptitude; (*praktisches Können*) skill. **die ~ haben, etw zu tun** to be capable of doing sth; **eine Frau von großen ~en** a women of great ability; **bei deinen ~en ...** with your talents ...

fahl adj pale; *Mondlicht auch* wan (*liter*).

Fähnchen nt 1. dim of **Fahne**; **das ~ nach dem Wind hängen** to trim one's sail to the wind. 2. (*Wimpel*) pennant. 3. (*usu pej, inf*) flimsy dress.

fahnden vi to search (*nach* for).

Fahndung f search.

Fahndungsbuch nt siehe **Fahndungsliste**; **Fahndungsdienst** m CID (*Brit*), detective branch; **Fahndungsliste** f wanted (persons) list.

Fahne f -, -n 1. flag; (*von Verein auch*) banner; (*Mil, von Pfadfinder auch*) colours pl. **die ~ hochhalten** (*fig*) to keep the flag flying; **mit fliegenden** or **wehenden ~n untergehen** to go down with all flags flying; **zu den ~n eilen** (*old, geh*) to join the colours (*old*); **jdn zu den ~n rufen** (*old, geh*) to call sb up (for military service); **unter jds ~n fechten** or **kämpfen** (*old, geh*) to fight under sb's flag.
 2. (*inf*) **eine ~ haben** to reek of alcohol; **man konnte seine ~ schon aus drei Meter Entfernung riechen** you could smell the alcohol on his breath ten feet away.
 3. (*Typ*) galley (proof).

Fahnenabzug m (*Typ*) galley (proof); **Fahneneid** m oath of allegiance; **Fahnenflucht** f (*Mil, fig*) desertion; **fahnenflüchtig** adj **~ sein/werden** (*Mil, fig*) to be a deserter, to have deserted/to desert; **ein ~er Soldat** a deserter; **Fahnenflüchtige(r)** mf (*Mil, fig*) deserter; **fahnengeschmückt** adj beflagged, decorated with flags; **Fahnenmast** m flagpole; **Fahnenschmuck** m drapery of flags and bunting; **im ~** decked out with flags and bunting; **Fahnenstange** f flagpole; **Fahnenträger(in** f) m standard-bearer, colourbearer; **Fahnentuch** nt 1. (*Tex*) bunting; 2. (*Fahne*) flag.

Fähnlein nt 1. dim of **Fahne**. 2. (*kleine Gruppe*) troop.

Fähnrich m (*Hist*) standard-bearer; (*Mil*) sergeant. **~ zur See** petty officer.

Fahrausweis m 1. (*Sw, form*) ticket. 2. (*Sw*) siehe **Führerschein**.

Fahrbahn f carriageway (*Brit*), highway (*US*), roadway; (*Fahrspur*) lane. „**Betreten der ~ verboten**" "pedestrians keep off the road".

Fahrbahnmarkierung f road marking; **Fahrbahnverengung** f lane closures pl; (*auf Schildern*) "road narrows"; **Fahrbahnverschmutzung** f dirt on the road.

fahrbar adj 1. on castors; *Kran* mobile; **~er Untersatz** (*hum*) wheels pl (*hum*). 2. (*dated*) siehe **befahrbar**; **fahrbereit** adj in running order.

Fahrbetrieb m ferry service; **Fahrboot** nt

ferry (boat).

Fahrbücherei f mobile or travelling library.

Fahrdienst m 1. **~ haben** to have crew duty. 2. (*Rail*) rail service.

Fahrdienst m ferry service.

Fahrdienstleiter(in f) m (*Rail*) area manager.

Fahrdraht m (*Rail*) overhead contact wire or line.

Fähre f -, -n ferry.

Fahr|eigenschaft f usu pl handling characteristic. **der Wagen hat hervorragende ~en** the car handles excellently.

fahren pret **fuhr**, ptp **gefahren** I vi 1. aux sein (*sich fortbewegen*) (*Fahrzeug, Fahrgast*) to go; (*Fahrer*) to drive; (*Schiff*) to sail; (*Kran, Kamera, Rolltreppe*) to move. **mit dem Auto/Rad ~** to drive/cycle, to go by car/bike; **mit dem Zug/Motorrad/Bus/Taxi ~** to go by train or rail/motorbike/bus/taxi; **mit dem Aufzug ~** to take the lift, to ride the elevator (*US*); **wollen wir ~ oder zu Fuß gehen?** shall we go by car/bus etc or walk?; **links/rechts ~** to drive on the left/right; **wie lange fährt man von hier nach Basel?** how long does it take to get to Basle from here?; **wie fährt man von hier/am schnellsten zum Bahnhof?** how does one get to the station from here/what is the quickest way to the station (by car/bus etc)?; **ich fahre lieber auf der Autobahn** I'd rather go on or take the motorway; **zweiter Klasse ~** to travel or go or ride (*US*) second class; **per Anhalter ~** to hitch(hike); **gegen einen Baum ~** to drive or go into a tree; **über den See ~** to cross the lake; **die Lok fährt elektrisch/mit Dampf** the engine is electric or powered by electricity/is steam-driven; **gen Himmel/zur Hölle ~** (*liter*) to ascend into heaven/descend into hell; **fahr zur Hölle** or **zum Teufel!** (*old*) the devil take you! (*old*).
 2. aux sein or haben (*ein Fahrzeug lenken, Fahrer sein*) to drive.
 3. aux sein (*los~*) (*Verkehrsmittel, Fahrer, Mitfahrer*) to go, to leave. **einen ~ lassen** (*inf*) to let off (*inf*), to fart (*vulg*).
 4. aux sein (*verkehren*) to run. **es ~ täglich zwei Fähren** there are two ferries a day; **~ da keine Züge?** don't any trains go there?; **die U-Bahn fährt alle fünf Minuten** the underground goes or runs every five minutes.
 5. aux sein (*reisen*) to go. **ich fahre mit dem Auto nach Schweden** I'm taking the car to Sweden, I'm going to Sweden by car.
 6. aux sein (*sich rasch bewegen*) **blitzartig fuhr es ihm durch den Kopf, daß ...** the thought suddenly flashed through his mind that ...; **was ist (denn) in dich gefahren?** what's got into you?; **in seine Kleider ~** to fling on or leap into one's clothes; **der Blitz fuhr in die Eiche** the lightning struck the oak.
 7. aux sein or haben (*streichen*) **er fuhr mit der Hand/einem Tuch/einer raschen Handbewegung über den Tisch** he ran

his hand/a cloth over the table/he swept his hand over the table; **ihre Hand fuhr sanft über ...** she gently ran her hand over ...; **jdm/sich durchs Haar** ~ to run one's fingers through sb's/one's hair; **sich** (*dat*) **mit der Hand über die Stirn** ~ to pass one's hand over one's brow.

8. *aux sein (zurechtkommen)* (**mit jdm/etw**) **gut/schlecht** ~ to get on all right/not very well (with sb/sth), not to fare very well (with sb/sth); (**bei etw**) **gut/schlecht** ~ to do well/badly (with sth).

9. (*Film: eine Kamerafahrt machen*) to track.

II *vt* **1.** (*lenken*) *Auto, Bus, Zug etc* to drive; *Fahrrad, Motorrad* to ride.

2. *aux sein* (*zum F~ benutzen*) *Straße, Strecke, Buslinie* to take. **welche Strecke fährt der 59er?** which way does the 59 go?, which route does the 59 take?; **einen Umweg** ~ to go a long way round; **wir sind die Umleitung gefahren** we took *or* followed the diversion; **ich fahre lieber Autobahn als Landstraße** I prefer (driving on) motorways to ordinary roads.

3. (*benutzen*) *Kraftstoff* to use; *Reifen* to drive on.

4. (*befördern*) to take; (*hierher~*) to bring; (*Lastwagen, Taxi: gewerbsmäßig*) to carry; *Personen auch* to drive. **ich fahre dich nach Hause** I'll take *or* drive you *or* give you a lift home.

5. *schrottreif or zu Schrott* ~ *Fahrzeug* (*durch Unfall*) to write off; (*durch Verschleiß*) to drive into the ground.

6. *aux sein Straße, Strecke* to drive; *Kurve, Gefälle* to take.

7. *aux sein Geschwindigkeit* to do.

8. *aux haben or sein* (*Sport*) *Rennen* to take part in; *Runde* to do; *Zeit, Rekord* to clock up.

9. (*Tech*) (*steuern, betreiben*) to run; (*abspielen*) *Platten, Tonbandspulen* to play; (*senden*) to broadcast; (*durchführen*) *Sonderschicht* to put on; *Überstunden* to do, to work; *Angriff* to launch. **einen harten Kurs** ~ to follow a hard line; **die Produktion nach oben/unten** ~ to step up/cut down production.

10. (*Film*) *Aufnahme* to track.

III *vr* **1.** *impers* **mit diesem Wagen/bei solchem Wetter/auf dieser Straße fährt es sich gut** it's good driving this car/in that kind of weather/on this road.

2. (*Fahrzeug*) **der neue Wagen fährt sich gut** the new car is nice to drive.

ahrend *adj* itinerant; *Musikant auch* travelling; *Zug, Auto* in motion. **~es Volk** travelling people; **ein ~er Sänger** a wandering minstrel.

ahrenheit *no art* Fahrenheit.

ahrenlassen* *vt sep irreg* (*lit*) to let go of, to relinquish one's hold on; (*fig*) to abandon; **einen** ~ (*inf*) to let off (*inf*), to fart (*vulg*).

ahrer *m* **-s, -** **1.** driver; (*Chauffeur auch*) chauffeur/chauffeuse. **2.** (*Sport inf*) (*Rad~*) cyclist; (*Motorrad~*) motorcyclist.

ahrerei *f* driving.

Fahrerflucht *f* hit-and-run driving; ~ **begehen** to fail to stop after being involved in an accident, to be involved in a hit-and-run; *siehe* **Unfallflucht**; **fahrerflüchtig** *adj* (*form*) hit-and-run *attr*; ~ **sein** to have failed to stop after being involved in an accident, to have committed a hit-and-run offence; **Fahrerhaus** *nt* (driver's) cab.

Fahrerin *f siehe* **Fahrer**.

Fahrerlaubnis *f* (*form*) driving licence (*Brit*), driver's license (*US*).

Fahrersitz *m* driver's seat.

Fahrgast *m* passenger.

Fahrgastraum *m* (*von Auto*) interior; (*Rail*) compartment; **Fahrgastschiff** *nt* passenger boat.

Fahrgefühl *nt* **unser Modell vermittelt Ihnen ein völlig neues** ~ our model offers you a completely new driving experience; **Fahrgeld** *nt* fares *pl*; (*für einzelne Fahrt*) fare; **„das** ~ **bitte passend** *or* **abgezählt bereithalten"** "please tender exact fare" (*form*), "please have the exact fare ready"; **Fahrgelegenheit** *f* transport *no indef art*, means of transport; **Fahrgemeinschaft** *f* car pool (*US*); **Fahrgeschwindigkeit** *f* (*form*) speed; **Fahrgestell** *nt* **1.** (*Aut*) chassis; **2.** *siehe* **Fahrwerk 1.**; **3.** (*hum inf*) legs *pl*.

Fährhafen *m* ferry terminal.

fahrig *adj* nervous; (*unkonzentriert*) distracted.

Fahrkarte *f* **1.** ticket; (*Zeit~, Strecken-karte*) season ticket; (*fig*) passport (*nach* to). **mit diesem Sieg hatten sie die** ~ **zum Endspiel in der Tasche** this victory was their passport to the final. **2.** (*Schießsport*) miss.

Fahrkartenausgabe *f* ticket office; **Fahrkartenautomat** *m* ticket machine; **Fahrkartenkontrolle** *f* ticket inspection; **Fahrkartenschalter** *m* ticket office.

Fahrkomfort *m* (*motoring*) comfort; **Fahrkosten** *pl siehe* **Fahrtkosten; Fahrkünste** *pl* driving skills *pl*; **fahrlässig** *adj* negligent (*auch Jur*); ~ **handeln** to be guilty of negligence, to be negligent; *siehe* **Körperverletzung, Tötung; Fahrlässigkeit** *f* negligence (*auch Jur*); **Fahrlehrer(in** *f*) *m* driving instructor; **Fahrleistung** *f* road performance.

Fährmann *m*, *pl* **-männer** *or* **-leute** ferryman.

Fahrnis *f* (*Jur*) chattels *pl*, moveables *pl*.

Fahrpersonal *nt* drivers and conductors *pl*; (*Rail*) footplatemen *pl* (*Brit*), railroad crews *pl* (*US*); (*von Einzelfahrzeug*) bus/tram/train crew; **Fahrplan** *m* timetable, schedule (*US*); (*fig*) schedule; **fahrplanmäßig** *adj* scheduled *attr*, *pred*; ~ **verkehren/ankommen** to run/arrive on schedule; **Fahrpraxis** *f*, *no pl* driving experience *no indef art*.

Fahrpreis *m* fare.

Fahrpreisanzeiger *m* taxi meter; **Fahrpreisermäßigung** *f* fare reduction.

Fahrprüfung *f* driving test.

Fahrrad *nt* bicycle, cycle, bike (*inf*).

Fahrradfahrer(in *f*) *m* cyclist, bicyclist

(*form*); **Fahrradhändler(in** *f*) *m* bicycle dealer; (*Geschäft*) cycle shop; **Fahrradständer** *m* (bi)cycle stand; **Fahrradweg** *m* cycle path, cycleway.

Fahrrinne *f* (*Naut*) shipping channel, fairway.

Fahrschein *m* ticket.

Fahrscheinautomat *m* ticket machine; **Fahrscheinentwerter** *m* automatic ticket stamping machine (*in bus/trams etc*); **Fahrscheinheft** *nt* book of tickets.

Fahrschiff *nt* ferry(boat).

Fahrschule *f* driving school; **Fahrschüler(in** *f*) *m* **1.** (*bei Fahrschule*) learner driver, student driver (*US*); **2.** *pupil who has to travel some distance to and from school*; **Fahrschullehrer(in** *f*) *m* driving instructor; **Fahrsicherheit** *f* safe driving *or* motoring *no art*; **Fahrspur** *f* lane; **Fahrstil** *m* style of driving/riding/skiing *etc*; **Fahrstuhl** *m* lift (*Brit*), elevator (*US*); **Fahrstuhlschacht** *m* lift (*Brit*) *or* elevator (*US*) shaft; **Fahrstunde** *f* driving lesson.

Fahrt *f* -, **-en 1.** (*das Fahren*) journey. „während der ~ nicht hinauslehnen" "do not lean out of the window while the train/bus *etc* is in motion"; **nach zwei Stunden ~** after travelling for two hours; (*mit dem Auto auch*) after two hours' drive; *siehe* **frei.**
 2. (*Fahrgeschwindigkeit*) speed. **volle/halbe ~ voraus!** (*Naut*) full/half speed ahead!; **30 Knoten ~ machen** to do 30 knots; **~ aufnehmen** to pick up speed; **jdn in ~ bringen** to get sb going; **in ~ kommen** *or* **geraten/sein** to get/have got going.
 3. (*Reise*) journey. **was kostet eine ~/ eine einfache ~ nach London?** how much is it to London/how much is a single to London?, what is the fare/the single fare to London?; **gute ~!** bon voyage!, safe journey!; **auf ~ gehen** (*dated*) to take to the road.
 4. (*Ausflug, Wanderung*) trip. **eine ~ machen** to go on a trip.
 5. (*Naut*) voyage; (*Über~*) crossing. **für große/kleine ~ zugelassen sein** to be licensed for long/short voyages.
 6. (*Film*) tracking shot.

Fahrtantritt *m* start of the journey.

fahrtauglich *adj* fit to drive; **Fahrtauglichkeit** *f* fitness to drive.

Fahrtdauer *f* time for the journey. **bei einer ~ von fünf Stunden** on a five-hour journey.

Fährte *f* -, **-n** tracks *pl*; (*Hunt auch*) spoor; (*Witterung*) scent; (*Spuren*) trail. **auf der richtigen/falschen ~ sein** (*fig*) to be on the right/wrong track; **jdn auf die richtige ~ bringen** (*fig*) to put sb on the right track; **jdn auf eine falsche ~ locken** (*fig*) to put sb off the scent; **eine ~ verfolgen** (*fig*) to follow up a lead.

Fahrtechnik *f* driving technique; **fahrtechnisch** *adj* as regards the technicalities of driving; **eine ~ schwierige Strecke** a difficult stretch of road (to drive).

Fahrtenbuch *nt* **1.** (*Kontrollbuch*) driver's log; **2.** (*Wandertagebuch*) diary of a trip;

Fahrtenmesser *nt* sheath knife; **Fahrtenschreiber** *m siehe* **Fahrtschreiber; Fahrtenschwimmer** *m person who has passed an advanced swimming test*; **seinen ~ machen** (*inf*) to do one's advanced swimming test.

Fahrtest *m* road test.

Fahrtkosten *pl* travelling expenses *pl*.

Fahrtreppe *f* escalator.

Fahrtrichtung *f* direction of travel; (*im Verkehr*) direction of the traffic; **entgegen der/in ~** (*im Zug*) with one's back to the engine/facing the engine; (*im Bus etc*) facing backwards/the front; **die Züge in ~ Norden/Süden** the northbound/ southbound trains; **in ~ Norden sind Stauungen zu erwarten** long delays are affecting northbound traffic; **die Autobahn ist in ~ Norden gesperrt** the northbound carriageway of the motorway is closed; **Fahrtrichtungsanzeiger** *m* (*Aut*) indicator; **Fahrtroute** *f* route; **Fahrtschreiber** *m* tachograph.

fahrtüchtig *adj* fit to drive; *Wagen* roadworthy; **Fahrtüchtigkeit** *f* driving ability; roadworthiness.

Fahrtunterbrechung *f* break in the journey, stop; **Fahrtwind** *m* airstream.

fahruntauglich *adj* unfit to drive; *Wagen* unroadworthy; **Fahruntauglichkeit** *f* unfitness to drive; unroadworthiness.

Fahrverbot *nt* loss of one's licence, driving ban; **jdn mit ~ belegen** to ban sb from driving, to take sb's licence away; **~ für Privatwagen** ban on private vehicles; **Fahrverhalten** *nt* (*von Fahrer*) behaviour behind the wheel; (*von Wagen*) road performance.

Fährverkehr *m* ferry traffic.

Fahrwasser *nt* **1.** (*Naut*) *siehe* **Fahrrinne; 2.** (*fig*) **in jds ~ geraten** to get in with sb; **in ein gefährliches ~ geraten** to get onto dangerous ground; **in jds ~ segeln** *or* **schwimmen** to follow in sb's wake; **Fahrweise** *f* **seine ~** his driving, the way he drives; **Fahrwerk** *nt* **1.** (*Aviat*) undercarriage, landing gear; **2.** *siehe* **Fahrgestell 1.**; **Fahrwind** *m* **1.** (*Naut*) wind; **2.** *siehe* **Fahrtwind; Fahrzeit** *f siehe* **Fahrtdauer.**

Fahrzeug *nt* vehicle; (*Luft~*) aircraft; (*Wasser~*) vessel.

Fahrzeugausfall *m* vehicle breakdown; **Fahrzeugausstattung** *f* vehicle accessories *pl*; **Fahrzeugbrief** *m* registration document, log book (*Brit inf*); **Fahrzeugführer(in** *f*) *m* (*form*) driver of a vehicle; **Fahrzeughalter(in** *f*) *m* vehicle owner; **Fahrzeugkolonne** *f* **1.** (*Schlange*) queue (*Brit*) *or* line of vehicles *etc*; **2.** (*auch* **Fahrzeugkonvoi**) convoy; (*bei Staatsbesuchen*) motorcade; **Fahrzeugpapiere** *pl* vehicle documents *pl*; **Fahrzeugpark** *m* (*form*) fleet.

Faible ['fɛːbl] *nt* -s, -s (*geh*) liking; (*Schwäche auch*) weakness; (*Vorliebe auch*) penchant.

fair [fɛːɐ] **I** *adj* fair (*gegen* to). **II** *adv* fairly. **~ spielen** (*Sport*) to play fairly; (*fig*) to play fair.

Fairneß ['fɛːɐnɛs] *f* -, *no pl* fairness.

Fair play ['fɛːɐ 'pleː] *nt* - -, *no pl* fair play.

fäkal adj (geh) faecal.

Fäkalien [-iən] pl faeces pl.

Fäkalsprache f scatological language.

Fakir m -s, -e fakir.

Faksimile [fak'tsi:mile] nt -s, -s facsimile.

Faksimileausgabe f facsimile edition; **Faksimiledruck** m 1. printed facsimile; 2. (Verfahren) autotype; **Faksimileunterschrift** f facsimile signature.

faksimilieren* vt to make a facsimile of, to reproduce in facsimile, to facsimile.

Fakt nt or m -(e)s, -en siehe **Faktum**.

Faktenmaterial nt, no pl facts pl; **Faktenwissen** nt factual knowledge.

Faktion f (old, Mus) siehe **Fraktion**.

faktisch I adj attr actual, real. II adv 1. in reality or actuality (form). 2. (esp Aus inf: praktisch) more or less.

Faktitiv(um) nt (Gram) factitive verb.

Faktor m 1. factor (auch Math). 2. (~in f) (Typ) case-room/bookbindery etc supervisor.

Faktorei f (Comm) trading post.

Faktotum nt -s, -s or **Faktoten** factotum.

Faktum nt -s, **Fakten** fact.

Faktur f 1. (dated) invoice. 2. (Mus) structure.

fakturieren* vt (Comm) to invoice.

Fakturist(in f) m (Comm) 1. bookkeeper. 2. (Aus: Rechnungsprüfer) invoice clerk.

Fakultas f -, **Fakultäten**: die ~ für ein Fach haben to be qualified to teach a subject.

Fakultät f 1. (Univ: Fachbereich) faculty. 2. (Math) factorial.

fakultativ adj (geh) optional.

Falange [fa'laŋɡe] f -, no pl (Pol) Falange.

Falangist(in f) [falaŋ'ɡɪst(ɪn)] m (Pol) Falangist.

falb adj (geh) dun.

Falbe m -n, -n dun.

Falke m -n, -n falcon; (fig) hawk.

Falkenauge nt (Miner) hawk's-eye; **Falkenbeize**, **Falkenjagd** f falconry.

Falkland-Inseln pl Falkland Islands pl; **Falkland-Krieg** m Falklands War.

Falkner(in f) m -s, - falconer.

Falknerei f 1. falconry. 2. (Anlage) falcon house.

Fall¹ m -(e)s, ⸚e 1. (das Hinunterfallen) fall. im/beim ~ hat er ... when/as he fell he ...

2. (das Zufallkommen) fall; (fig) (von Menschen, Regierung) downfall; (von Plänen, Gesetz) failure. zu ~ kommen (lit geh) to fall; (fig) to make fall, to trip up; (fig) Menschen to cause the downfall of; Regierung to bring down; Gesetz, Plan to thwart; Tabu to break down.

3. (fig: Untergang, Sturz) fall.

4. (von Gardine etc) hang, drape.

Fall² m -(e)s, ⸚e 1. (Umstand) gesetzt den ~ assuming or supposing (that); für den ~, daß ich ... in case I ...; für den ~ meines Todes, im ~e meines Todes in case I die; für alle ⸚e just in case; in jedem/keinem ~ always/never; auf jeden/keinen ~ at any rate, at all events/on no account; auf alle ⸚e in any case, anyway; für solche ⸚e for such

occasions; im äußersten ~(e) if the worst comes to the worst; im anderen ~(e) if not, if that is not the case; im günstigsten/schlimmsten ~(e) at best/ worst; im ~e eines ~es if it comes to it; wenn dieser ~ eintritt if this should be the case, if this should arise.

2. (gegebener Sachverhalt) case. in diesem ~ in this case or instance; ein ~ von ... a case or an instance of ...; von ~ zu ~ from case to case, from one case to the next; in diesem ~(e) will ich noch einmal von einer Bestrafung absehen, aber ... I won't punish you on this occasion either, but ...; jds ~ sein (inf) to be sb's cup of tea (inf); klarer ~! (inf) sure thing! (esp US inf), you bet! (inf).

3. (Jur, Med: Beispiel, Person) case.

4. (Gram: Kasus) case. der erste/zweite/dritte/vierte/fünfte/sechste ~ the nominative/genitive/dative/accusative/ablative/vocative case.

Fall³ nt -(e)s, -en (Naut) halyard.

Fallbeil nt guillotine; **Fallbericht** m case report; **Fallbeschleunigung** f gravitational acceleration, acceleration due to gravity; **Fallbö** f down gust; **Fallbrücke** f drawbridge; (Enterbrücke) gangplank.

Falle f -, -n 1. (lit, fig) trap. in eine ~ geraten or gehen (lit) to get caught in a trap; (fig) to fall into a trap; jdm in die ~ gehen, in jds ~ geraten to walk or fall into sb's trap; in der ~ sitzen to be trapped; jdn in eine ~ locken (fig) to trick sb; jdm eine ~ stellen (fig) to set a trap for sb.

2. (Tech) catch, latch.

3. (inf: Bett) bed. in der ~ sein/liegen to be in bed; sich in die ~ hauen, in die ~ gehen to hit the hay (inf), to turn in.

fallen pret **fiel**, ptp **gefallen** vi aux sein 1. (hinabfallen, umfallen) to fall; (Gegenstand, Wassermassen auch) to drop; (Theat, Vorhang auch) to come down; (Klappe auch) to come down. etw ~ lassen to drop sth; über etw (acc) ~ to trip over sth; sich ~ lassen to drop; (fig) to give up; durch eine Prüfung ~ to fail an exam; ein gefallenes Mädchen (dated) a fallen woman (dated).

2. (hängen: Vorhang, Kleid) to hang; (reichen) to come down (bis auf +acc to). die Haare ~ ihr bis auf die Schultern/über die Augen/ins Gesicht/in die Stirn her hair comes down to or reaches her shoulders/falls into her eyes/face/onto her forehead.

3. (abfallen, sinken) to drop; (Wasserstand, Preise, Fieber auch, Thermometer) to go down; (Fluß, Kurse, Wert, Aktien auch, Barometer) to fall; (Nachfrage, Ansehen) to fall off, to decrease. im Preis/Wert ~ to go down or drop or fall in price/value; im Kurs ~ to go down, to drop.

4. (im Krieg ums Leben kommen) to fall, to be killed. mein Mann ist gefallen my husband was killed in the war.

5. (erobert werden: Stadt) to fall.

6. (fig) (Regierung) to fall; (Gesetz) to be dropped; (Tabu, Brauch) to disappear.

7. (*mit schneller Bewegung*) **jdm ins Lenkrad ~** to grab the steering wheel from sb; **einem Pferd in die Zügel ~** to grab a horse's reins; **die Tür fällt ins Schloß** the door clicks shut; **die Tür ins Schloß ~ lassen** to let the door shut.

8. (*treffen*) to fall; (*Wahl, Verdacht auch*) to light (*form*). **das Licht fällt durch die Luke** the light comes in through the skylight; **das Los, das zu tun, fiel auf ihn** it fell to his lot to do that.

9. (*stattfinden, sich ereignen: Weihnachten, Datum*) to fall (*auf +acc* on); (*gehören*) to come (*unter +acc* under, *in +acc* within, under). **in eine Zeit ~** to belong to an era; **unter einen Begriff ~** to be part of a concept; **aus einer Gruppe/Kategorie ~** to come outside *or* be excluded from a group/category.

10. (*zufallen: Erbschaft*) to go (*an +acc* to). **das Elsaß fiel an Frankreich** Alsace fell to France; (*nach Verhandlungen*) Alsace went to France.

11. (*gemacht, erzielt werden*) (*Entscheidung*) to be made; (*Urteil*) to be passed *or* pronounced; (*Schuß*) to be fired; (*Sport: Tor*) to be scored.

12. (*Wort*) to be uttered *or* spoken; (*Name*) to be mentioned; (*Bemerkung*) to be made.

13. (*geraten*) **in Schlaf ~** to fall asleep; **in eine andere Tonart ~** to speak in *or* (*absichtlich*) adopt a different tone (of voice); **in eine andere Sprache ~** to lapse *or* drop into another language; **in eine andere Gangart ~** to change one's pace.

14. (*sein*) **das fällt ihm leicht/schwer** he finds that easy/difficult; *siehe* Last, lästig.

fällen *vt* **1.** (*umschlagen*) to fell.

2. (*fig*) *Entscheidung* to make, to come to; *Urteil* to pass, to pronounce.

3. (*zum Angriff senken*) *Lanze* to lower, to level. **mit gefälltem Bajonett** with bayonet(s) at the ready.

4. (*Chem*) to precipitate.

5. (*Math*) *siehe* Lot¹ 4.

fallenlassen* *vt sep irreg* **1.** (*aufgeben*) *Plan, Mitarbeiter* to drop. **2.** (*äußern*) *Bemerkung* to let drop.

Fallensteller *m* **-s, -** (*Hunt*) trapper.

Fallgeschwindigkeit *f* (*Phys*) speed of fall; **Fallgesetz** *nt* (*Phys*) law of falling bodies; **Fallgitter** *nt* portcullis; **Fallgrube** *f* (*Hunt*) pit; (*fig rare*) pitfall; **Fallhöhe** *f* (*Phys*) (height *or* depth of) drop; (*beim Wasserkraftwerk*) head.

fallieren* *vi* (*Fin*) to fail, to go bankrupt.

fällig *adj* due *pred*; (*Fin*) *Rechnung, Betrag auch* payable; *Wechsel* mature(d). **längst ~** long overdue; **die ~en Zinsen** the interest due; **~ werden** to become *or* fall due; (*Wechsel*) to mature; **am Wochenende ist endlich Rasenmähen/eine Party ~** the lawn is about due for a cut/a party is about due at the weekend; **der Kerl ist ~** (*inf*) he's for it (*inf*).

Fälligkeit *f* (*Fin*) settlement date; (*von Wechseln*) maturity. **zahlbar bei ~** payable by settlement date; payable at *or* on maturity.

Fälligkeitstag *m* settlement date; (*von Wechsel*) date of maturity.

Fall|obst *nt* windfalls *pl*; (*sl: Hängebrüste*) floppy boobs (*sl*). **ein Stück ~** a windfall.

Fallreep *nt* (*Naut*) rope ladder; (*Treppe*) gangway; **Fallrohr** *nt* drainpipe, downpipe (*form*); **Fallrückzieher** *m* (*Ftbl*) overhead kick, bicycle kick.

falls *conj* (*wenn*) if; (*für den Fall, daß*) in case. **~ möglich** if possible; **~ du Lust hast** if you (happen to) want to, if you should (happen to) want to; **~ ich mich verspäten sollte, rufe ich vorher an** if I'm late *or* in the event of my being late (*form*) I'll phone you first.

Fallschirm *m* parachute. **mit dem ~ über Frankreich abspringen** to parachute out over France; (*in Kriegszeit*) to parachute into France; **etw mit dem ~ abwerfen** to drop sth by parachute.

Fallschirmabsprung *m* parachute jump; **Fallschirmjäger** *m* (*Mil*) paratrooper; **die ~** (*Einheit*) the paratroop(er)s; **Fallschirmspringen** *nt* parachuting; **Fallschirmspringer(in** *f*) *m* parachutist.

Fallstrick *m* (*fig*) trap, snare; **jdm ~e** *or* **einen ~ legen** to set a trap *or* snare for sb (to walk into); **Fallstudie** *f* case study; **Fallsucht** *f* (*old*) falling sickness (*old*); **fallsüchtig** *adj* (*old*) epileptic; **Falltür** *f* trapdoor.

Fällungsmittel *nt* (*Chem*) precipitant.

fallweise *adv* **1.** from case to case; **2.** (*esp Aus: gelegentlich*) now and again, occasionally; **Fallwind** *m* katabatic (*form*) *or* fall wind; **Fallwurf** *m* (*Sport*) diving throw.

falsch *adj* **1.** (*verkehrt, fehlerhaft*) wrong; (*in der Logik*) false. **richtig/wahr oder ~** right or wrong/true or false; **alles ~ machen** to do everything wrong; **wie man's macht, ist es ~** (*inf*) whatever I/you *etc* do it's bound to be wrong; **du machst dir völlig ~e Vorstellungen** you have *or* you've got quite the wrong idea *or* some misconceptions; **~er Alarm** (*lit, fig*) false alarm; **etw ~ verstehen** to misunderstand sth, to get sth wrong (*inf*); **etw ~ schreiben/aussprechen** to spell/pronounce sth wrongly, to misspell/mispronounce sth; **die Uhr geht ~** the clock is wrong; **Kinder ~ erziehen** to bring children up badly; **~ spielen** (*Mus*) to play the wrong note/notes; (*unrein*) to play off key *or* out of tune; (*Cards*) to cheat; **~ singen** to sing out of tune *or* off key; **Sie sind hier ~** you're in the wrong place; **bei jdm an den F~en geraten** *or* **kommen** to pick the wrong person in sb; **~ liegen** (*inf*) to be wrong (*bei, in +dat* about, *mit* in); **~ verbunden sein** to have the wrong number; **~ verstandene Freundschaft** misinterpreted friendship.

2. (*unecht, nachgemacht*) *Zähne* false; *Perlen auch* fake; *Würfel* loaded; (*gefälscht*) *Paß* forged, fake; *Geld* counterfeit; (*betrügerisch*) bogus, fake. **~er Zopf** hairpiece, switch.

3. (*unaufrichtig, unangebracht*) *Gefühl, Freund, Scham, Pathos* false. **ein ~er Hund, eine ~e Schlange** (*inf*) a

snake-in-the-grass; **ein ~es Spiel (mit jdm) treiben** to play (sb) false; **~ lachen** to give a false laugh; **unter ~er Flagge segeln** (*lit, fig*) to sail under false colours.
   4. (*dial: tückisch*) nasty.

ᵃalsch *m* (*old*): **ohne ~ sein** to be without guile *or* artifice.

ᵃalsch|aussage *f* (*Jur*) **(uneidliche) ~** false statement, false evidence.

ᵃalsch|eid *m* (*Jur*) (unintentional) false statement *or* oath.

ᵃälschen *vt* to forge, to fake; *Geld, Briefmarken auch* to counterfeit; (*Comm*) *Bücher* to falsify; *Geschichte, Tatsachen* to falsify.

ᵃälscher(in *f*) *m* **-s, -** forger; (*von Geld, Briefmarken auch*) counterfeiter.

ᵃalschfahrer *m* ghost-driver (*esp US inf*), *person driving in the wrong direction*; **Falschgeld** *nt* counterfeit *or* forged money; **Falschheit** *f, no pl* falsity, falseness; (*dial: von Menschen*) nastiness.

ᵃälschlich I *adj* false; *Behauptung auch* erroneous; *Annahme, Glaube auch* mistaken, erroneous. **II** *adv* wrongly, falsely; *behaupten, annehmen, glauben auch* mistakenly, erroneously; (*versehentlich*) by mistake.

ᵃälschlicherweise *adv* wrongly, falsely; *behaupten, annehmen, glauben auch* mistakenly, erroneously.

ᵃalschmeldung *f* (*Press*) false report; **Falschmünzer(in** *f*) *m* **-s, -** forger, counterfeiter; **Falschmünzerei** *f* forgery, counterfeiting; **Falschparker(in** *f*) *m* **-s, -** parking offender; **falschspielen** *vi sep* (*Cards*) to cheat; **Falschspieler(in** *f*) *m* (*Cards*) cheat; (*professionell*) cardsharp(er).

ᵃälschung *f* **1.** *no pl* (*das Fälschen*) forgery, forging, faking; (*von Geld, Briefmarken auch*) counterfeiting. **2.** (*gefälschter Gegenstand*) forgery, fake.

ᵃälschungssicher *adj* forgery-proof.

ᵃalsett *nt* **-(e)s, -e** falsetto. **~ singen, mit ~stimme singen** to sing falsetto.

ᵃalsifikat *nt* forgery, fake.

ᵃaltbar *adj* foldable; (*zusammenklappbar*) collapsible; *Stuhl, Tisch, Fahrrad* folding *attr*, collapsible; **Faltblatt** *nt* leaflet; (*in Zeitschrift auch*) insert; **Faltboot** *nt* collapsible boat.

ᵃältchen *nt dim of* **Falte**.

ᵃalte *f* **-, -n 1.** (*in Stoff, Papier*) fold; (*Knitter~, Bügel~*) crease. **in ~n legen** to fold; **~n schlagen** to get creased, to crease; **~n werfen** to fall in folds, to drape.
   2. (*in Haut*) wrinkle. **die Stirn in ~n ziehen** *or* **legen** to knit *or* furrow one's brow.
   3. (*Geol*) fold.

ᵃalten I *vt* to fold. **die Stirn ~** to knit one's brow. **II** *vr* to fold.

ᵃaltengebirge *nt* fold mountains *pl*; **faltenlos** *adj Gesicht* unlined; *Haut auch* smooth; **faltenreich** *adj Haut* wrinkled; *Gesicht auch* lined; **Faltenrock** *m* pleated skirt; **Faltenwurf** *m* fall of the folds.

ᵃalter *m* **-s, -** (*Tag~*) butterfly; (*Nacht~*) moth.

faltig *adj* (*zerknittert*) creased; (*in Falten gelegt*) hanging in folds; *Gesicht, Haut* wrinkled.

Faltkalender *m* *siehe* **Faltplaner**; **Faltkarte** *f* folding *or* fold-up map; **Faltkarton** *m* *siehe* **Faltschachtel**; **Faltkinderwagen** *m* collapsible pram (*Brit*) *or* baby carriage (*US*); (*Sportwagen*) baby buggy (*Brit*), babywalker (*US*); **Faltplaner** *m* fold-out planner; **Faltschachtel** *f* collapsible box; **Falttür** *f* folding door.

Falz *m* **-es, -e** (*Kniff, Faltlinie*) fold; (*zwischen Buchrücken und -deckel*) joint; (*Tech*) rabbet; (*zwischen Blechrändern*) join, lock seam (*spec*); (*Briefmarken~*) hinge.

falzen *vt Papierbogen* to fold; *Holz* to rabbet; *Blechränder* to join with a lock seam.

Fam. *abbr of* **Familie**.

familiär *adj* **1.** family *attr*. **2.** (*zwanglos*) informal; (*freundschaftlich*) close; (*pej: plump-vertraulich*) familiar. **ein ~er Ausdruck** a colloquialism.

Familie [fa'miːliə] *f* family. **~ Müller** the Müller family; **~ Otto Francke** (*als Anschrift*) Mr. & Mrs. Otto Francke and family; **eine ~ gründen** to start a family; **~ haben** (*inf*) to have a family; **aus guter ~ sein** to come from a good family; **es liegt in der ~** it runs in the family; **zur ~ gehören** to be one of the family; **es bleibt in der ~** it'll stay in the family; **das kommt in den besten ~n vor** it happens in the best of families.

Familien- [-iən-] *in cpds* family; **Familienähnlichkeit** *f* family resemblance; **Familienangehörige(r)** *mf* dependant; **Familienanschluß** *m* Unterkunft/Stellung mit ~ *accommodation/job where one is treated as one of the family*; **~ suchen** to wish to be treated as one of the family; **Familienanzeigen** *pl* personal announcements *pl*; **Familienausweis** *m* family pass; **Familienberatungsstelle** *f* family planning office; **Familienbesitz** *m* family property; **in ~** to be owned by the family; **Familienbetrieb** *m* family concern *or* business; **Familienbuch** *nt* book of family events with some legal documents; **Familienfeier** *f*, **Familienfest** *nt* family party; **Familienforschung** *f* genealogy; **Familienglück** *nt* happy family life; **Familiengrab** *nt* family grave; **Familiengruft** *f* family vault; **Familienklüngel** *m* (*inf*) **der ganze ~** the whole tribe (*inf*); **Familienkreis** *m* family circle; **die Trauung fand im engsten ~ statt** only the immediate family were present at the wedding; **Familienleben** *nt* family life; **Familienmitglied** *nt* member of the family; **Familiennachrichten** *pl* births, marriages and deaths, personal announcements; **Familienname** *m* surname, family name (*US*); **Familienoberhaupt** *nt* head of the family; **Familienpackung** *f* family(-size) pack; **Familienpaß** *m* family passport;

Familienplanung f family planning; **Familienrat** m family council; **Familienrecht** nt family law; **Familienroman** m (family) saga; **Familienschmuck** m family jewels pl; **Familienserie** f (TV) family series; **Familiensinn** m sense of family; **Familienstand** m marital status; **Familienunterhalt** m family upkeep or maintenance; **den ~ verdienen** to support the family; **Familienunternehmen** nt family business; **Familienvater** m father (of a family); **Familienverhältnisse** pl family circumstances pl or background sing; **aus was für ~kommt sie?** what is her family background?; **Familienvorstand** m (form) head of the family; **Familienwappen** nt family arms pl; **Familienzulage** f dependants' allowance (in unemployment benefit); **Familienzusammenführung** f (Pol) principle of allowing families to be united; **Familienzuwachs** m addition to the family.

famos adj (dated inf) capital (dated inf), splendid.

Famulatur f period when a medical student does practical work in a hospital, clinical practice.

famulieren* vi (Med) to do some practical work.

Famulus m -, **Famuli** 1. (Med) student doing practical work. 2. (old) professor's assistant, student.

Fan [fɛn] m -s, -s fan; (Ftbl auch) supporter.

Fanal nt -s, -e (liter) signal (gen for).

Fanatiker(in f) m -s, - fanatic.

fanatisch adj fanatical.

fanatisiert adj (geh) rabid.

Fanatismus m fanaticism.

Fanclub ['fɛn-] m fan club.

fand pret of **finden**.

Fanfare f -, -n 1. (Mus) fanfare. 2. (Aut) horn.

Fanfarenstoß m flourish (of trumpets), fanfare; **Fanfarenzug** m trumpeters pl.

Fang m -(e)s, ̈e 1. no pl (das Fangen) hunting; (mit Fallen) trapping; (Fischen) fishing. **auf ~ gehen** to go hunting/ trapping/fishing; **zum ~ auslaufen** to go fishing.
  2. no pl (Beute) (lit, fig) catch; (von Wild auch) bag; (fig: von Gegenständen) haul. **einen guten ~ machen** to make a good catch/get a good bag/haul.
  3. no pl (Hunt: Todesstoß) coup de grâce.
  4. usu pl (Hunt) (Kralle) talon; (Reißzahn) fang. **in den ̈en +gen** (fig) in the clutches of.

Fangarm m (Zool) tentacle; **Fangball** m catch; (Hunt) gin trap.

fangen pret **fing**, ptp **gefangen** I vt Tier, Fisch, Verbrecher to catch; Wild auch to bag; (mit Fallen) to trap; (fig: überlisten) (durch geschickte Fragen) to trap; (durch Versprechungen) to trick.
  II vi to catch. **F~ spielen** to play tag.
  III vr 1. (in einer Falle) to get caught. **er hat sich in der eigenen Schlinge** or Fal-

le gefangen (fig) he was hoist with his own petard.
  2. (das Gleichgewicht wiederfinden) to steady oneself; (beim Reden) to recover oneself; (Flugzeug) to straighten out; (seelisch) to get on an even keel again.
  3. (sich verfangen) to get caught (up); (Wind) to get trapped.

Fänger m -s, - 1. (Tier~) hunter; (mit Fallen) trapper; (Wal~) whaler; (Robben~) sealer. 2. (Sport) catcher.

Fangflotte f fishing fleet; **Fangfrage** f catch or trick question; **Fanggründe** pl fishing grounds pl; **Fangkorb** m lifeguard, cowcatcher (inf); **Fangleine** f 1. (Naut) hawser; 2. (Aviat) arresting gear cable; 3. (von Fallschirm) rigging line; **Fangmesser** nt hunting knife; **Fangnetz** nt 1. (Hunt, Fishing) net; 2. (Aviat) arresting gear; **Fangquote** f (fishing) quota; **Fangschaltung** f (Telec) interception circuit; **Fangschiff** nt fishing boat; (mit Netzen) trawler; (Walfangschiff) whaler; **Fangschnur** f (Mil) aiguillette; **Fangschuß** m (Hunt, fig) coup de grâce (with a gun); **fangsicher** adj safe; ~**sicher sein** to be a good catch; **Fangstoß** m coup de grâce (with a knife); **Fangvorrichtung** f arresting device; **Fangzahn** m canine (tooth), fang; (von Eber) tusk.

Fantasie f 1. (Mus) fantasia. 2. siehe **Phantasie**.

fantastisch adj fantastic.

Farad nt -(s), - farad.

Faradaysch adj ~**er Käfig** Faraday cage.

Farb- in cpds colour; **Farbabstimmung** f colour scheme; (TV) colour adjustment; **Farbabzug** m colour print; **Farbaufnahme** f colour photo(graph); **Farbband**[1] nt (von Schreibmaschine) (typewriter) ribbon; **Farbband**[2] m (Buch) book with colour illustrations; **Farbbandkassette** f typewriter ribbon cassette.

Farbbericht m (Press, TV) report in colour; (in Zeitschriften auch) colour feature; **Farbbeutel** m paint bomb; **Farbbild** nt (Phot) colour photo(graph); **Farbdruck** m colour print; **Farbdrucker** m colour printer.

Farbe f -, -n 1. (Farbton, Tönung) colour, color (US); (Tönung auch) shade. ~ **bekommen** to get a bit of colour, to catch the sun (inf); ~ **verlieren** to go pale; **in** ~ in colour; **einer Sache** (dat) **mehr** ~ **geben** (fig) to give sth more colour; **etw in den dunkelsten** or **schwärzesten** ~n **schildern** or **ausmalen** to paint a black picture of sth.
  2. (Maler~, Anstrich~) paint; (für Farbbad) dye; (Druck~) ink.
  3. (Fahne) ~n pl colours pl.
  4. (Cards) suit. ~ **bedienen** to follow suit; ~ **bekennen** (fig) (alles zugeben) to make a clean breast of it, to come clean; (sich entscheiden) to nail one's colours to the mast.

farb|echt adj colourfast.

Färbemittel nt dye.

farb|empfindlich adj (Phot) colour-sensitive.

ärben I vt to colour; Stoff, Haar to dye; siehe **gefärbt. II** vi (ab~) to run (inf). **III** vr to change colour. **ihre Wangen färbten sich leicht** she coloured slightly; **sich grün/blau ~** to turn green/blue.

~arben in cpds colour; **farbenblind** adj colour-blind; **farbenfreudig** adj colourful; Mensch keen on bright colours; **farbenfroh** adj colourful; **Farbenlehre** f theory of colour; (Fach auch) chromatics sing; **Farbenpracht** f blaze of colour; **farbenprächtig** adj gloriously colourful; **farbenreich** adj colourful; **Farbenreichtum** m wealth of colours; **Farbensinn** m sense of colour (auch Biol), colour sense; **Farbenspiel** nt play or kaleidoscope of colours.

Färber(in f) m -s, - dyer.

Färberei f 1. (Betrieb) dyeing works sing or pl. 2. no pl (Verfahren) dyeing.

Farbfernsehen nt colour television or TV; **Farbfernseher** m, **Farbfernsehgerät** nt colour television (set); **Farbfilm** m colour film; **Farbfilter** m (Phot) colour filter; **Farbfoto** nt colour photo(graph); **Farbfotografie** f (Verfahren) colour photography; (Bild) colour photo(graph); **Farbgebung** f colouring, coloration.

farbig adj 1. coloured; (fig) Schilderung vivid, colourful. **ein ~er Druck/eine ~e Postkarte** a colour print/postcard; **~ fotografieren** to take colour photographs. 2. attr (Hautfarbe) coloured.

färbig adj (Aus) siehe **farbig 1..**

Farbige(r) mf decl as adj coloured man/woman/person etc. **die ~n** the coloureds pl, coloured people pl.

Farbkasten m paintbox; **Farbkissen** nt inkpad; **Farbklecks** m blob of paint, paint spot; **Farbkopierer** m colour copier; **farblich** adj colour; **~ einwandfrei** with perfect colour; **zwei Sachen ~ aufeinander abstimmen** to match two things up for colour; **farblos** adj (lit, fig) colourless; **Farblosigkeit** f (lit, fig) colourlessness; **Farbmine** f coloured-ink cartridge; **Farbmischung** f (gemischte Farbe) mixture of colours; **Farbroller** m paint roller; **Farbstich** m (Phot, TV) colour fault; **Farbstift** m coloured pen; (Buntstift) crayon, coloured pencil; **Farbstoff** m (Lebensmittel~) (artificial) colouring; (Haut~) pigment; (für Textilien) dye; **Farbtafel** f colour plate; (Tabelle) colour chart; **Farbton** m shade, hue; (Tönung) tint; **Farbtupfer** m spot of colour.

Färbung f (das Färben, Farbgebung) colouring; (Tönung) tinge, hue; (fig) slant, bias.

Farbzusammenstellung f colour combination.

Farce ['farsə] f -, -n 1. (Theat, fig) farce. 2. (Cook) stuffing; (Fleisch auch) forcemeat.

farcieren* [far'si:rən] vt (Cook) to stuff.

Farm f -, -en farm.

Farmer m -s, - farmer.

Farmhaus nt farmhouse.

Farn m -(e)s, -e, **Farnkraut** nt fern; (Adler~) bracken.

Färöer pl Faeroes pl, Faeroe Islands pl.

Färse f -, -n heifer.

Fasan m -s, -e or -en pheasant.

Fasanerie f pheasant-house; (im Freien) pheasant-run.

faschieren* vt (Aus Cook) to mince. **Faschiertes** mince, minced meat.

Faschine f fascine.

Fasching m -s, -e or -s Shrovetide carnival, Fasching.

Faschings- in cpds carnival; **Faschingsdienstag** m Shrove Tuesday, Pancake Day; **Faschingszeit** f carnival period.

Faschismus m fascism.

Faschist(in f) m fascist.

faschistoid adj fascistic.

Fase f -, -n bevel, chamfer.

Faselei f (pej) siehe **Gefasel.**

Fas(e)ler m -s, - (pej) drivelling idiot (pej).

faseln (pej) **I** vi to drivel (inf). **II** vt Blödsinn etc ~ to talk drivel; **was hat er gefaselt?** what was he drivelling about?

Faser f -, -n fibre. **ein Pullover aus synthetischen ~n** a pullover made of synthetic fibre.

Fasergewebe nt (Biol) fibrous tissue.

fas(e)rig adj fibrous; Fleisch, Spargel auch stringy (pej); (zerfasert) frayed.

fasern vi to fray.

Faserpflanze f fibre plant; **faserschonend** adj gentle (to fabrics).

Fasnacht f siehe **Fastnacht.**

Faß nt **Fasses, Fässer** barrel; (kleines Bier~) keg; (zum Gären, Einlegen) vat; (zum Buttern) (barrel) churn; (für Öl, Benzin, Chemikalien) drum. **etw in Fässer füllen** to put sth into barrels/drums, to barrel sth; **drei Fässer/~ Bier** three barrels of beer; **vom ~** on tap; Bier auch on draught (esp Brit); Sherry, Wein auch from the wood (esp Brit); **ein ~ ohne Boden** (fig) a bottomless pit; **ein ~ aufmachen** (fig inf) to kick up a shindy (inf) or a dust (inf); **das schlägt dem ~ den Boden aus** (inf) that beats everything!, that takes the biscuit! (inf); **das brachte das ~ zum Überlaufen** (fig) that put the tin lid on it (inf).

Fassade f (lit, fig) façade. **das ist doch nur ~** (fig) that's just a façade.

Fassadenkletterer m cat burglar; **Fassadenreinigung** f exterior cleaning.

Faßband nt hoop (of a barrel); **faßbar** adj comprehensible, understandable; **das ist doch nicht ~!** that's incomprehensible!; **Faßbier** nt draught beer; **Faßbinder** m (old, Aus) cooper.

Fäßchen nt dim of Faß cask.

fassen I vt 1. (ergreifen) to take hold of; (hastig, kräftig) to grab, to seize; (festnehmen) Einbrecher to apprehend (form), to seize. **jdn beim** or **am Arm ~** to take/grab sb by the arm; **er faßte ihre Hand** he took her hand; **Schauder/Grauen/Entsetzen faßte ihn** he was seized with horror; **faß!** seize!

2. (fig) Beschluß, Entschluß to make, to take; Mut to take. **Vertrauen zu jdm ~** to come to trust sb; **den Gedanken ~, etw zu tun** to form or have the idea of

doing sth; **den Vorsatz ~, etw zu tun** to make a resolution to do sth.
3. (*begreifen*) to grasp, to understand. **es ist nicht zu ~** it's unbelievable *or* incredible.
4. (*enthalten*) to hold.
5. (*aufnehmen*) *Essen* to get; (*Rail, Naut*) *Wasser, Kohlen* to take on. **Essen ~!** come and get it!
6. (*ein~*) *Edelsteine* to set; *Bild* to frame; *Quelle* to surround; (*fig: ausdrücken*) to express. **in Verse/Worte ~** to put into verse/words; **neu ~** *Manuskript, Rede, Erzählung* to revise; **etw weit/eng ~** to interpret sth broadly/narrowly.
II *vi* **1.** (*nicht abrutschen*) to grip; (*Zahnrad*) to bite.
2. (*greifen*) **an/in etw** (*acc*) **~** to feel sth; (*berühren*) to touch sth; **da faßt man sich** (*dat*) **an den Kopf** (*inf*) you wouldn't believe it, would you?
III *vr* (*sich beherrschen*) to compose oneself. **faß dich!** pull yourself together!; **sich vor Freude kaum ~ können** to be beside oneself with joy; **sich** (*dat*) **an den Kopf ~** (*fig*) to shake one's head in disbelief; **sich in Geduld ~** to be patient, to possess one's soul in patience; **sich kurz ~** to be brief; *siehe* **gefaßt.**

fässerweise *adv* (*in großen Mengen*) by the gallon; (*in Fässern*) by the barrel.

faßlich *adj* comprehensible, understandable.

Fasson [fa'sõː] *f* **-, -s** (*von Kleidung*) style; (*von Frisur*) shape. **aus der ~ geraten** (*lit*) to go out of shape, to lose its shape; (*dated: dick werden*) to get a spare tyre (*inf*), to get (a bit) broad in the beam (*inf*); **jeder soll nach seiner ~ selig werden** (*prov*) everyone has to find his own salvation.

Fassonschnitt [fa'sõː-] *m* style in which the hair is shaped into the neck; (*für Herren*) short back and sides.

Faßreif(en) *m* hoop.

Fassung *f* **1.** (*von Juwelen*) setting; (*von Bild*) frame; (*Elec*) holder.
2. (*Bearbeitung, Wortlaut*) version. **ein Film/Buch in ungekürzter ~** the uncut/unabridged version of a film/book; **ein Film in deutscher ~** a film with German dubbing.
3. *no pl* (*Ruhe, Besonnenheit*) composure. **die ~ bewahren** *or* **behalten** to maintain one's composure; **etw mit ~ tragen** to take sth calmly *or* with equanimity; **die ~ verlieren** to lose one's composure; **völlig außer ~ geraten** to lose all self-control; **jdn aus der ~ bringen** to disconcert *or* throw (*inf*) sb; *Redner auch* to put sb off.

fassungslos *adj* aghast, stunned; **Fassungslosigkeit** *f* complete bewilderment; **Fassungsvermögen** *nt* (*lit, fig*) capacity; **das übersteigt mein ~** that is beyond me *or* beyond the limits of my comprehension.

Faßwein *m* wine from the wood; **faßweise** *adv* by the barrel; (*in Fässern*) in barrels.

fast *adv* almost, nearly. **~ nie** hardly ever,

almost never; **~ nichts** hardly anything, almost nothing; **ich wäre ~ überfahren worden** I was almost *or* nearly run over.

fasten *vi* to fast.

Fastenkur *f* diet; **eine ~ machen/anfangen** to be/go on a diet; **Fastenzeit** *f* period of fasting; (*Eccl*) Lent.

Fast-Food [faːst'fuːd] *nt* **-, no pl** fast food.

Fastnacht *f, no pl* **1.** *siehe* **Faschingsdienstag. 2.** *siehe* **Fasching.**

Fastnachtsnarr *m* disguised figure in Shrove Tuesday celebrations; **Fastnachtsspiel** *nt* (*Liter*) Shrovetide play; **Fastnachtsumzug** *m* carnival procession.

Fasttag *m* day of fasting.

Faszination *f* fascination. **jds ~** (*dat*) **erlegen sein** to succumb to sb's fascinating power.

faszinieren* *vti* to fascinate (*an* +*dat* about). **~d** fascinating; **mich fasziniert der Gedanke, das zu tun** I'm very attracted by *or* to the idea of doing that.

fatal *adj* (*geh*) (*verhängnisvoll*) fatal, fateful, dire; (*peinlich*) embarrassing.

Fatalismus *m* fatalism.

Fatalist(in *f*) *m* fatalist.

fatalistisch *adj* fatalistic.

Fatalität *f* great misfortune.

Fata Morgana *f* **- -, - Morganen** *or* **-s** (*lit, fig*) Fata Morgana (*liter*), mirage.

Fatzke *m* **-n** *or* **-s, -n** *or* **-s** (*inf, pej*) stuck-up twit (*inf*).

fauchen *vti* to hiss.

faul *adj* **1.** (*verfault*) bad; *Lebensmittel auch* off *pred*; *Eier, Obst auch, Holz, Gesellschaftsordnung* rotten; *Geschmack, Geruch auch* foul, putrid; *Zahn auch* decayed; *Laub* rotting; *Wasser* foul.
2. (*verdächtig*) fishy (*inf*), suspicious, dubious; (*Comm*) *Wechsel, Scheck* dud (*inf*); *Kredit* bad; (*fadenscheinig*) *Ausreden* flimsy, feeble; *Kompromiß* uneasy; *Friede* empty; (*dumm*) *Witz* bad. **etwas ist ~ daran, an der Sache ist etwas ~** (*inf*) there's something fishy about the whole business (*inf*); **etwas ist ~ im Staate Dänemark** (*prov*) there's something rotten in the State of Denmark (*prov*).
3. (*träge*) lazy, idle. **~ wie die Sünde** bone-idle; **nicht ~** (*reaktionsschnell*) quick as you please.

Fäule *f* **-, no pl** **1.** (*Vet*) (liver) rot. **2.** *siehe* **Fäulnis.**

faulen *vi aux sein or haben* to rot; (*Aas auch*) to putrefy; (*Zahn*) to decay; (*Lebensmittel*) to go bad.

faulenzen *vi* to laze *or* loaf (*esp pej inf*) about.

Faulenzer *m* **-s, -. 1.** (**~in** *f*) lazybones *sing* (*inf*), layabout. **2.** (*Aus: Linienblatt*) sheet of ruled paper.

Faulenzerei *f* (*pej*) lazing *or* loafing (*esp pej inf*) about.

Faulheit *f* laziness, idleness. **er stinkt vor ~** (*inf*) he's bone-idle.

faulig *adj* going bad; *Lebensmittel auch* going off; *Eier, Obst auch* going rotten; *Wasser* stale; (*in Teich, See*) stagnating; *Geruch, Geschmack* foul, putrid. **~ riechen/schmecken** to taste/smell bad;

(*Wasser*) to taste/smell foul.

Fäulnis *f, no pl* rot; (*von Fleisch auch*) putrefaction; (*von Zahn*) decay; (*fig*) decadence, degeneracy. **von ~ befallen** rotting, decaying.

fäulniserregend *adj* putrefactive; **Fäulniserreger** *m* putrefier.

Faulpelz *m* (*inf*) lazybones *sing* (*inf*); **Faulschlamm** *m* sapropel (*spec*), sludge; **Faultier** *nt* sloth; (*inf: Mensch*) lazybones *sing* (*inf*).

Faun *m* **-(e)s, -e** (*Myth*) faun.

Fauna *f* **-, Faunen** fauna.

Faust *f* **-, Fäuste** fist. **die (Hand zur) ~ ballen** to clench one's fist; **jdm mit der ~ ins Gesicht schlagen** to punch sb in the face; **jdm die ~ unter die Nase halten** to shake one's fist in sb's face *or* under sb's nose; **mit der ~ auf den Tisch schlagen** (*lit*) to thump on the table (with one's fist); (*fig*) to take a hard line, to put one's foot down; **etw aus der ~ essen** to eat with one's hands; **die ~/Fäuste in der Tasche ballen** (*fig*) to bottle up *or* choke back one's anger; **das paßt wie die ~ aufs Auge** (*paßt nicht*) it's all wrong; (*Farbe*) it clashes horribly; (*ist fehl am Platz*) it's completely out of place; (*paßt gut*) it's just the thing (*inf*) *or* job (*inf*); **jds ~ im Nacken spüren** (*fig*) to have sb breathing down one's neck; **auf eigene ~** (*fig*) off one's own bat (*inf*); *reisen, fahren* under one's own steam.

Faustabwehr *f* (*Sport*) save using the fists; **Faustball** *m* form of volleyball.

Fäustchen *nt dim of* Faust; **sich** (*dat*) **ins ~ lachen** to laugh up one's sleeve; (*bei finanziellem Vorteil*) to laugh all the way to the bank (*inf*).

faustdick *adj* (*inf*) **eine ~e Lüge** a whopper (*inf*), a whopping (great) lie (*inf*); **er hat es ~ hinter den Ohren** he's a fly *or* crafty one (*inf*); **~ auftragen** to lay it on thick.

Fäustel *m or nt* **-s, -** sledgehammer.

fausten *vt* Ball to punch; (*Ftbl auch*) to fist.

faustgroß *adj* as big as a fist, the size of a fist; **Fausthandschuh** *m* mitt(en).

faustisch *adj* Faustian.

Faustkampf *m* fist-fight; **Faustkeil** *m* hand-axe.

Fäustling *m* mitt(en).

Faustpfand *nt* security; **Faustrecht** *nt, no pl* law of the jungle; **Faustregel** *f* rule of thumb; **Faustschlag** *m* punch.

Fauteuil [fo'tø:j] *m* **-s, -s** (*old, esp Aus*) leather armchair.

Fauxpas [fo'pa] *m* **-, -** gaffe, faux pas.

favorisieren* [favori'zi:rən] *vt* to favour. **die Wettbüros ~ X als Sieger** the betting shops show X as favourite *or* have X to win; **favorisiert werden** to be favourite.

Favorit(in *f*) [favo'ri:t(ın)] *m* **-en, -en** favourite.

Fax *nt* **-, -e** (*Telec*) (*Kopie, Gerät*) fax.

faxen *vt* to fax, to send by fax.

Faxen *pl* **1.** (*Alberei*) fooling about *or* around. **~ machen** to fool about *or* around. **2.** (*Grimassen*) **~ schneiden** to pull faces.

Fayence [fa'jã:s] *f* **-, -n** faïence.

FAZ [ɛfʔa:'tsɛt, fats] *f abbr of* **Frankfurter Allgemeine Zeitung.**

Fazit *nt* **-s, -s** *or* **-e** das **~ der Untersuchungen war ...** on balance the result of the investigations was ...; **wenn wir aus diesen vier Jahren das ~ ziehen** if we take stock of these four years.

FCKW [ɛftse:ka:'ve:] *m* **-s, -s** *abbr of* **Fluorchlorkohlenwasserstoff** CFC.

FDGB [ɛfde:ge:'be:] *m* **-(s)** (*DDR*) *abbr of* **Freier Deutscher Gewerkschaftsbund** Free German Trades Union Congress.

FDJ [ɛfde:'jɔt] *f* **-** (*DDR*) *abbr of* **Freie Deutsche Jugend** Free German Youth.

FDJler(in *f*) *m* **-s, -** (*DDR*) member of the Free German Youth.

FDP [ɛfde:'pe:] *f abbr of* **Freie Demokratische Partei** Free Democratic Party.

Feature ['fi:tʃɐ] *nt* **-s, -s** (*Rad, TV*) feature programme.

Feber *m* **-s, -** (*Aus*) February.

Februar *m* **-(s), -e** February; *siehe auch* **März.**

fechten *pret* **focht**, *ptp* **gefochten** **I** *vi* (*Sport*) to fence; (*geh: kämpfen*) to fight. **das F~** fencing. **II** *vt* **Degen/Säbel/ Florett ~** to fence with épées/sabres/ foils; **einen Gang ~** to fence a bout.

Fechter(in *f*) *m* **-s, -** fencer.

Fechterstellung *f* fencing stance.

Fechthandschuh *m* fencing glove; **Fechthieb** *m* (fencing) cut; **Fechtkunst** *f* art of fencing; (*Geschick*) skill in fencing; **Fechtmeister(in** *f*) *m* fencing master; **Fechtsport** *m* fencing.

Feder *f* **-, -n** **1.** (*Vogel~*) feather; (*Gänse~*) quill; (*lange Hut~*) plume. **leicht wie eine ~** as light as a feather; **~n lassen müssen** (*inf*) not to escape unscathed; **in den ~n stecken** *or* **bleiben** (*inf*) to be/stay in one's bed *or* pit (*inf*); **jdn aus den ~n holen** (*inf*) to drag *or* turf sb out of bed (*inf*).
2. (*Schreib~*) quill; (*an ~halter*) nib. **aus jds ~ fließen** to flow from sb's pen; **eine spitze ~ führen** to wield a wicked *or* deadly pen; **mit spitzer ~** with a deadly pen.
3. (*Tech*) spring.
4. (*in Holz*) tongue.

Federantrieb *m* clockwork; **Federball** *m* (*Ball*) shuttlecock; (*Spiel*) badminton; **Federbein** *nt* (*Tech*) suspension strut; **Federbesen** *m* feather duster; **Federbett** *nt* quilt; (*in heutigen Zusammenhängen*) continental quilt, duvet; **Federblatt** *nt* leaf of a spring; **Federbusch** *m* (*von Vögeln*) crest; (*von Hut, Helm*) plume; **Federdecke** *f siehe* Federbett; **Federfuchser** *m* **-s, -** (*pej*) petty-minded pedant (*pej*); (*Schreiberling*) pettifogging penpusher (*pej*); **federführend** *adj* Behörde in overall charge (*für* of); **Federführung** *f* **unter der ~ +gen** under the overall control of; **die ~ haben** to be in *or* have overall charge; **Federgewicht** *nt* (*Sport*) featherweight (class); **Federgewichtler** *m* **-s, -** (*Sport*) featherweight; **Federhalter** *m* (dip) pen; (*Füll~*) (fountain) pen; (*ohne Feder*) pen(holder); **Federkasten** *m* (*Sch*) pencil box; **Federkernmatratze** *f* interior sprung mattress, innerspring mattress (US); **Federkiel** m quill; **Federkissen** nt feather cushion; (in Bett) feather pillow; **Federkleid** nt (liter) plumage; **federleicht** adj light as a feather; **Federlesen** nt: **nicht viel ~s mit jdm/etw machen** to waste no time on sb/sth, to make short work of sb/sth; **ohne langes ~, ohne viel ~s** without ceremony or any (further) ado; **Federmäppchen** nt, **Federmappe** f pencil case; **Federmesser** nt penknife.

federn I vi 1. (Eigenschaft) to be springy. 2. (hoch~, zurück~) to spring back; (Fahrzeug) to bounce (up and down); (Knie) to give; (Turner: hochgeschleudert werden) to bounce. (**in den Knien**) ~ (Sport) to bend or give at the knees. 3. (Kissen) to shed (feathers); (Vogel) to moult, to shed its feathers.
II vr to moult, to shed its feathers.
III vt to spring; Auto, Räder auch to fit with suspension.

federnd adj (Tech) sprung. **einen ~en Gang haben** to have a jaunty or springy step or gait; **mit ~en Schritten** with a spring in one's step.

Federpennal nt (Aus) pencil case; **Federring** m spring washer; **Federschmuck** m feather trimming; (von Indianern) headdress; (Federbusch) plume; (von Vogel) plumage; **Federskizze** f pen-and-ink sketch; **Federstrich** m pen-stroke, stroke of the pen; **mit einem** or **durch einen** ~ with a single stroke of the pen.

Federung f springs pl, springing; (Aut auch) suspension.

Federvieh nt poultry; **Federwaage** f spring balance; **Federweiße(r)** m decl as adj (dial) new wine; **Federwild** nt (Hunt) game birds pl; **Federwisch** m (old) feather duster; **Federwolke** f fleecy cloud; **Federzeichnung** f pen-and-ink drawing.

Fee f -, -n ['feːən] fairy.

Fegefeuer nt das ~ purgatory.

fegen I vt 1. to sweep; (auf~) to sweep up. **den Schmutz von etw ~** to sweep sth (clean). 2. (Hunt) Geweih to fray. II vi 1. (ausfegen) to sweep (up). 2. aux sein (inf: jagen) to sweep; (Wind auch) to race.

Fehde f -, -n (Hist) feud. **mit jdm eine ~ ausfechten** to feud or carry on a feud with sb; **mit jdm in ~ liegen** (lit, fig) to be feuding or in a state of feud with sb.

Fehdehandschuh m: **jdm den ~ hinwerfen** (lit, fig) to throw down the gauntlet (to sb); **den ~ aufheben** (lit, fig) to take up the gauntlet.

fehl adj: ~ **am Platz(e)** out of place.

Fehlanflug m (Aviat) failed approach (to landing); **Fehlanzeige** f (inf) dead loss (inf); ~**!** wrong!; **Fehlaufschlag** m (Sport) fault; **einen ~ machen** to serve a fault; **fehlbar** adj fallible; (Sw) guilty; **Fehlbedarf** m uncovered demand; **Fehlbesetzung** f miscasting; **eine ~ a** piece or bit of miscasting; **Fehlbestand** m deficiency; **Fehlbetrag** m (form) deficit, shortfall; **Fehldeutung** f mis-

interpretation; **Fehldiagnose** f wrong or false diagnosis; **Fehleinschätzung** f false estimation; (der Lage auch) misjudgement.

fehlen I vi 1. (mangeln) to be lacking; (nicht vorhanden sein) to be missing; (in der Schule) to be away or absent (in +dat from); (schmerzlich vermißt werden) to be missed. **das Geld fehlt** (ist nicht vorhanden) there is no money; (ist zuwenig vorhanden) there isn't enough money; **etwas fehlt** there's something missing; **jdm fehlt etw** sb lacks or doesn't have sth; (wird schmerzlich vermißt) sb misses sth; **mir ~ 20 Pfennig am Fahrgeld** I'm 20 pfennigs short or I'm short of 20 pfennigs for my fare; **mir ~ die Worte** words fail me; **du fehlst mir sehr** I miss you a lot; **der/das hat mir gerade noch gefehlt!** (inf) he/that was all I needed (iro); **an mir soll es nicht ~** I'll do my bit; **das durfte nicht ~** that had to happen.
2. (los sein) **was fehlt dir?** what's the matter or what's up (with you)?; **fehlt dir (et)was?** is something the matter (with you)?; **mir fehlt nichts** there's nothing the matter (with me).
3. (old: etwas falsch machen) to err.
II vi impers **es fehlt etw** or **an etw** (dat) there is a lack of sth; (völlig) there is no sth, sth is missing; **es ~ drei Messer** there are three knives missing; **es fehlt jdm an etw** (dat) sb lacks sth; **es an etw** (dat) ~ **lassen** to be lacking in sth, to lack sth; **er ließ es uns an nichts ~** (geh) he let us want for nothing; **es fehlt hinten und vorn(e)** or **an allen Ecken und Enden** or **Kanten** we/they etc are short of everything; (bei Kenntnissen) he/she etc has a lot to learn or a long way to go; (bei Klassenarbeit) it's a long way from perfect; **wo fehlt es?** what's the trouble?, what's up? (inf); **es fehlte nicht viel, und ich hätte ihn verprügelt** I almost hit him.
III vt (old Hunt) to miss. **weit gefehlt!** (fig) you're way out! (inf); (ganz im Gegenteil) far from it!

Fehlentscheidung f wrong decision; **Fehlentwicklung** f mistake; **um ~en zu vermeiden** to stop things going off course or taking a wrong turn.

Fehler m -s, - 1. (Irrtum, Unrichtigkeit) mistake, error; (Sport) fault. **einen ~ machen** or **begehen** to make a mistake or error; **ihr ist ein ~ unterlaufen** she's made a mistake; ~**!** (Sport) fault!
2. (Mangel) fault, defect; (Charakter~ auch) failing. **einen ~ aufweisen** to prove faulty; **jeder hat seine ~** we all have our faults, nobody's perfect; **das ist nicht mein ~** that's not my fault; **er hat den ~ an sich, immer dazwischenzureden** or **daß er immer dazwischenredet** the trouble with him is that he's always interrupting; **in den ~ verfallen, etw zu tun** to make the mistake of doing sth.

Fehleranalyse f error analysis; **fehleranfällig** adj error-prone; **Fehleranzeige** f (Comput) error message; **Fehlercode** m error code; **fehlerfrei** adj perfect; Arbeit, Übersetzung, Aussprache auch faultless, flawless; *Messung, Rechnung* correct; **~er Sprung** (*Sport*) clear jump; **fehlerhaft** *adj* (*Mech, Tech*) faulty, defective; *Ware* substandard, imperfect; *Messung, Rechnung* incorrect; *Arbeit, Übersetzung, Aussprache* poor; **Fehlerkorrekturprogramm** *nt* (*Comput*) debugging program; **fehlerlos** *adj siehe* **fehlerfrei**; **Fehlermeldung** *f* (*Comput*) error message.

Fehl|ernährung *f* malnutrition.

Fehlerquelle *f* cause of the fault; (*in Statistik*) source of error; **Fehlerquote** *f* error rate.

Fehlfarbe *f* (*Cards*) missing suit; (*Nicht-Trumpf*) plain *or* side suit; (*Zigarre*) cigar with a discoloured wrapper; **Fehlgeburt** *f* miscarriage.

fehlgehen *vi sep irreg aux sein* **1.** (*geh: sich verirren*) to go wrong, to miss the way; (*Schuß*) to go wide. **2.** (*geh: sich irren*) to be wrong *or* mistaken, to err (*form*). **ich hoffe, ich gehe nicht fehl in der Annahme, daß ...** I trust I am not mistaken in assuming that ...

fehlgesteuert *adj* misdirected; **Fehlgriff** *m* mistake; **Fehlinformation** *f* incorrect information *no pl*; **Fehlinterpretation** *f* misinterpretation; **Fehlinvestition** *f* bad investment; **Fehlkalkulation** *f* miscalculation; **Fehlkonstruktion** *f* bad design; **Fehllandung** *f* bad landing; **Fehlleistung** *f* slip, mistake; **Freudsche ~** Freudian slip; **fehlleiten** *vt sep* to misdirect; **die Akte wurde fehlgeleitet** the file was sent to the wrong place; **Fehlpaß** *m* (*Ftbl*) bad pass; **Fehlplanung** *f* misplanning, bad planning; **eine ~** a piece of bad planning *or* misplanning; **fehlplaziert** *adj Empörung* misplaced; **Fehlprognose** *f* incorrect prognosis; **Fehlreaktion** *f* incorrect response; **Fehlschaltung** *f* faulty circuit; **fehlschießen** *vi sep irreg* to shoot wide; **Fehlschlag** *m* (*fig*) failure; **fehlschlagen** *vi sep irreg aux sein* to go wrong; (*Hoffnung*) to be misplaced, to come to nothing; **Fehlschluß** *m* false conclusion; **Fehlschuß** *m* miss; **fehlsichtig** *adj* (*form*) with defective vision; **Fehlspekulation** *f* bad speculation; **Fehlstart** *m* false start; (*Space*) faulty launch; **Fehlstoß** *m* (*Ftbl*) miskick; (*Billard*) miscue; **fehltreten** *vi sep irreg aux sein* (*geh*) to miss one's footing; (*fig*) to err, to lapse; **Fehltritt** *m* (*geh*) false step; (*fig*) (*Vergehen*) slip, lapse; (*Affäre*) indiscretion; **Fehlurteil** *nt* miscarriage of justice; **Fehlverhalten** *nt* inappropriate behaviour; (*Psych*) abnormal behaviour; **Fehlversuch** *m* unsuccessful *or* abortive attempt; **fehlverwenden** *vt sep* to misappropriate; **Fehlwurf** *m* (*Sport*) misthrow, bad throw; (*ungültig*) no-throw; **Fehlzeiten** *pl* working hours *pl* lost through absenteeism; **Fehlzündung** *f* misfiring *no pl*; **eine ~** a backfire (*fig*); **das war bei mir eine ~** (*fig inf*) I got hold of the wrong end of the stick (*inf*).

feien *vt* (*old*) to protect (*gegen* from), to make proof (*gegen* against).

Feier *f* -, -n celebration; (*Party*) party; (*Zeremonie*) ceremony; (*Hochzeits~*) reception. **zur ~ von etw** to celebrate sth; **zur ~ des Tages** in honour of the occasion.

Feier|abend *m* **1.** (*Arbeitsschluß*) end of work; (*Geschäftsschluß*) closing time. **~ machen** to finish work, to knock off (work) (*inf*); (*Geschäfte*) to close; **ich mache jetzt ~** I think I'll call it a day (*inf*) *or* I'll knock off now (*inf*); **~!** (*in Gaststätte*) time, please!; **nach ~** after work; **jetzt ist aber ~!** (*fig inf*) enough is enough; **damit ist jetzt ~** (*fig inf*) that's all over now; **dann ist ~** (*fig inf*) then it's all over, then it's the end of the road; **für mich ist ~** (*fig inf*) I've had enough.
  2. (*Zeit nach Arbeitsschluß*) evening.

Feier|abendheim *nt* (*DDR*) old people's home.

feierlich *adj* (*ernsthaft, würdig*) solemn; (*festlich*) festive; (*förmlich*) ceremonial. **einen Tag ~ begehen** to celebrate a day; **das ist ja nicht mehr ~** (*inf*) that's beyond a joke (*inf*).

Feierlichkeit *f* **1.** *siehe adj* solemnity; festiveness; ceremony. **2.** *usu pl* (*Veranstaltungen*) celebrations *pl*, festivities *pl*.

feiern I *vt* **1.** to celebrate; *Party, Fest, Orgie* to hold. **das muß gefeiert werden!** that calls for a celebration; **Triumphe ~** to achieve a great triumph, to make one's mark.
  2. (*umjubeln*) to fête.
  II *vi* **1.** to celebrate. **die ganze Nacht ~** to make a night of it.
  2. (*nicht arbeiten*) to stay off work.

Feierschicht *f* cancelled shift; **eine ~ fahren/einlegen** to miss/cancel a shift; **Feierstunde** *f* ceremony; **Feiertag** *m* holiday; **feiertägliche Stimmung** holiday mood.

feig(e) I *adj* cowardly. **~ wie er war** like the coward he was. II *adv* in a cowardly way. **er zog sich ~ zurück** he retreated like a coward.

Feige *f* -, -n fig.

Feigenbaum *m* fig tree; **Feigenblatt** *nt* fig leaf; **ein ~ für etw** (*fig*) a front to hide sth; **als demokratisches ~** (*fig*) to give a veneer of democracy.

Feigheit *f* cowardice, cowardliness.

Feigling *m* coward.

feil *adj* (*old, geh*) (up) for sale.

feilbieten *vt sep irreg* (*old*) to offer for sale.

Feile *f* -, -n file.

feilen I *vt* to file. II *vi* to file; (*fig*) to make some improvements. **an etw** (*dat*) **~** (*lit*) to file (away at) sth; (*fig*) to hone sth, to polish sth up.

feilschen *vi* (*pej*) to haggle (*um* over).

fein I *adj* **1.** (*nicht grob*) fine; *Humor, Ironie* delicate; (*fig: listig*) cunning.
  2. (*erlesen*) excellent, choice *attr*; *Geruch, Geschmack* delicate; *Gold, Silber* refined; *Mensch, Charakter* thoroughly nice; (*prima*) great (*inf*), splendid, swell (*esp US inf*); (*iro*) fine. **~ säuberlich** (nice and) neat; **ein ~er Kerl** a great guy (*inf*), a splendid person; **~!** great! (*inf*), marvellous!; (*in Ordnung*) fine!; **~, daß**

... great that ... (*inf*), (I'm) so glad that ...; **das ist etwas F~es** that's really something (*inf*) *or* nice; **~ (he)raussein** to be sitting pretty.
3. (*scharf*) sensitive, keen; *Gehör, Gefühl auch* acute. **etw ~ einstellen** to adjust sth accurately.
4. (*vornehm*) refined, fine (*esp iro*), posh (*inf*). **nicht ~ genug sein** not to be good enough; **er/sie hat sich ~ gemacht** he's dressed to kill/she's all dolled up; **dazu ist sie sich** (*dat*) **zu ~** that's beneath her.
II *adv* (*baby-talk*) just; (*vor adj, adv*) nice and ... **sei jetzt mal ~ still** now keep nice and quiet.
Fein- *in cpds* fine; **Feinabstimmung** *f* (*Rad, TV*) fine tuning; **Feinarbeit** *f* precision work; **Feinausgleich** *m* (*Comput*) microspacing; **Feinbäckerei** *f* cake shop, patisserie; **Feinblech** *nt* thin sheet metal.
feind *adj pred* (*old*) **jdm/einer Sache ~ sein** to be hostile to sb/sth.
Feind(in *f*) *m* **-(e)s, -e** enemy, foe (*liter*). **jdn zum ~ haben** to have sb as an enemy; **sich** (*dat*) **jdn zum ~ machen** to make an enemy of sb; **sich** (*dat*) **~e schaffen** to make enemies; **er war ein ~ jeden Fortschritts** he was opposed to progress in any shape or form; **ran an den ~** (*inf*) let's get stuck in (*inf*); **liebet eure ~e** (*Bibl*) love thine enemy (*Bibl*).
Feind- *in cpds* enemy; **Feindberührung** *f* contact with the enemy; **Feindbild** *nt* concept of an/the enemy.
Feindin *f siehe* **Feind.**
feindlich *adj* **1.** (*Mil: gegnerisch*) enemy. **im ~en Lager** (*lit, fig*) in the enemy camp. **2.** (*feindselig*) hostile. **jdm/einer Sache ~ gegenüberstehen** to be hostile to sb/sth.
Feindmacht *f* enemy power.
Feindschaft *f* hostility, enmity. **sich** (*dat*) **jds ~ zuziehen** to make an enemy of sb; **mit jdm in ~ leben** *or* **liegen** to be at daggers drawn *or* to live in enmity with sb; **eine ~ auf Leben und Tod** mortal enmity.
feindselig *adj* hostile.
Feindseligkeit *f* hostility.
feinfühlend, feinfühlig *adj* sensitive; (*taktvoll*) tactful; **Feingebäck** *nt* cakes and pastries *pl*; **Feingefühl** *nt, no pl* sensitivity; (*Takt*) delicacy, tact(fulness); **jds ~ verletzen** to hurt sb's feelings; **feingemahlen** *adj attr* finely ground; **feinglied(e)rig** *adj* delicate, slender; **Feingold** *nt* refined gold.
Feinheit *f siehe adj* **1.** fineness; delicacy. **2.** excellence; delicateness; refinement; niceness. **3.** keenness; acuteness. **4.** refinement, fineness, poshness (*inf*). **5.** **~en** *pl* (*Nuancen*) subtleties *pl*; **das sind eben die ~en** it's the little things that make the difference.
feinkörnig *adj Film* fine-grain; *Sand, Salz auch* fine; **Feinkost** *f* delicacies *pl*; „**~**" "Delicatessen"; **Feinkostgeschäft** *nt* delicatessen; **feinmaschig** *adj* with a fine mesh; *Strickwaren* finely knitted; **Feinmechanik** *f* precision engineering;

Feinmechaniker(in *f*) *m* precision engineer; **Feinmeßgerät** *nt* precision instrument; **feinnervig** *adj* sensitive; **Feinpositionierung** *f* microjustification. **Feinschmecker(in** *f*) *m* **-s, -** gourmet, epicure; (*fig*) connoisseur; **Feinschnitt** *m* (*Tabak*) fine cut; (*Film*) final editing; **Feinsilber** *nt* refined silver; **feinsinnig** *adj* sensitive; **Feinsinnigkeit** *f* sensitivity.
Feinsliebchen *nt* (*poet*) lady-love (*poet*), sweetheart.
Feinstruktur *f* fine structure; **Feinunze** *f* troy ounce; **Feinwäsche** *f* delicates *pl*; **Feinwaschmittel** *nt* mild(-action) detergent.
feist *adj* fat; *Mensch auch* gross, obese.
Feitel *m* **-s, -** (*Aus*) penknife.
feixen *vi* (*inf*) to smirk.
Felchen *m* **-s, -** whitefish.
Feld *nt* **-(e)s, -er 1.** (*offenes Gelände*) open country. **auf freiem ~** in the open country.
2. (*Acker*) field.
3. (*Flächenstück: auf Spielbrett*) square; (*an Zielscheibe*) ring; (*Her*) field.
4. (*Sport: Spiel~*) field, pitch. **das ~ beherrschen** to be on top.
5. (*Kriegsschauplatz*) (battle)field. **ins ~ ziehen** *or* **rücken** (*old*) to take the field, to march into battle; **gegen jdn/etw zu ~e ziehen** (*fig*) to crusade against sb/sth; **Argumente ins ~ führen** to bring arguments to bear; **das ~ behaupten** (*fig*) to stand *or* stay one's ground; **das ~ räumen** (*fig*) to quit the field, to bow out; **jdm/einer Sache das ~ überlassen** *or* **räumen** to give way *or* yield to sb/sth; (*freiwillig*) to hand over to sb/sth.
6. (*fig: Bereich*) field, area.
7. (*Ling, Min, Phys, Comput*) field.
8. (*Sport: Gruppe*) field. **er ließ das ~ hinter sich** (*dat*) he left the rest of the field behind (him); **das ~ ist geschlossen** the field is bunched (up).
Feld- *in cpds* field; **Feldarbeit** *f* (*Agr*) work in the fields; (*Sci, Sociol*) fieldwork; **Feldarbeiter(in** *f*) *m* fieldworker; **Feldarzt** *m* (*old Mil*) army doctor; **Feldbett** *nt* campbed; **Feldblume** *f* wild flower.
Felderwirtschaft *f* (*Agr*) crop rotation.
Feldflasche *f* canteen (*Mil*), water bottle; **Feldfrucht** *f* (*Agr*) agricultural crop; **Feldgeistliche(r)** *m* (*old Mil*) army chaplain, padre; **Feldgendarmerie** *f* (*old Mil*) military police; **Feldgottesdienst** *m* (*Mil*) camp service; **Feldhandball** *m* European (outdoor) handball; **Feldhase** *m* European hare; **Feldhaubitze** *f* (*Mil*) (field) howitzer; **Feldheer** *nt* (*Mil*) army in the field; **Feldherr** *m* (*old*) commander; **Feldherrnkunst** *f* (*old*) strategy; **Feldherrnstab** *m* (*old*) (general's) baton *or* swagger stick; **Feldheuschrecke** *f* grasshopper; (*schädlich*) locust; **Feldhuhn** *nt* partridge; **Feldhüter** *m* watchman (*in charge of fields*); **Feldjäger** *m* **1.** (*old Mil*) (*Kurier*) courier; (*Infanterist*) infantryman; **2.** (*Mil*) military police; (*bei*

der Marine) shore patrol; **Feldkraft** *f* (*Phys*) field intensity *or* strength; **Feldküche** *f* (*Mil*) field kitchen; **Feldlager** *nt* (*old Mil*) camp, encampment; **Feldlazarett** *nt* (*Mil*) field hospital; **Feldlerche** *f* skylark; **Feldlinie** *f* (*Phys*) line of force; **Feldmark** *f* (*von Gemeinde*) parish land; (*von Gut*) estate; **Feldmarschall** *m* (*old*) field marshal; **Feldmaus** *f* field mouse (*loosely*), common vole (*spec*); **Feldpflanze** *f* agricultural crop; **Feldpost** *f* (*Mil*) forces' postal service; **Feldpostbrief** *m* (*Mil*) forces' letter; **Feldrain** *m* edge of the field; **Feldsalat** *m* lamb's lettuce; **Feldschlacht** *f* (*old*) battle; **Feldschütz** *m* **-es, -e** *siehe* **Feldhüter**; **Feldspat** *m* (*Geol*) fel(d)spar; **Feldspieler(in** *f*) *m* (*Sport*) player (on the field); **Feldstärke** *f* (*Phys*) field strength *or* intensity; (*Rad, TV*) strength of the signal; **Feldstecher** *m* **-s, -** (*pair of*) binoculars *or* field glasses; **Feldstuhl** *m* folding stool; **Feldtelefon** *nt* (*Mil*) field telephone; **Feldtheorie** *f* (*Ling, Phys, Psych*) field theory; **Feldversuch** *m* field test; **Feldverweis** *m siehe* Platzverweis.

Feld, Wald- und Wiesen- *in cpds* (*inf*) common-or-garden, run-of-the-mill.

Feldwebel *m* sergeant; (*fig inf*) sergeant-major (type); **Feldweg** *m* track across the fields; **Feldweibel** *m* (*Sw*) sergeant; **Feldzeichen** *nt* (*old Mil*) standard, ensign; **Feldzug** *m* (*old, fig*) campaign.

Felg|aufschwung *m* (*Sport*) upward circle forwards.

Felge *f* **-, -n 1.** (*Tech*) (wheel) rim. **2.** (*Sport*) circle.

Felgenbremse *f* calliper brake.

Felg|umschwung *m* (*Sport*) circle.

Fell *nt* **-(e)s, -e 1.** fur; (*von Schaf, Lamm*) fleece; (*von toten Tieren*) skin, fell. **ein gesundes ~** a healthy coat; **einem Tier das ~ abziehen** to skin an animal; **ihm sind alle** *or* **die ~e weggeschwommen** (*fig*) all his hopes were dashed. **2.** (*fig inf: Menschenhaut*) skin, hide (*inf*). **ein dickes ~ haben** to be thick-skinned *or* have a thick skin; **jdm das ~ gerben** to tan sb's hide; **jdm das ~ über die Ohren ziehen** to dupe sb, to pull the wool over sb's eyes; **ihn** *or* **ihm juckt das ~** he's asking for a good hiding; **das ~ versaufen** to hold the wake. **3.** (*von Trommel*) skin.

Fellache *m* **-n, -n** fellah.

Fellatio [fɛˈlaːtsio] *f* **-,** *no pl* fellatio.

Fels *m* **-en, -en, Felsen** *m* **-s, -** rock; (*Klippe*) cliff.

Felsblock *m* boulder; **Felsbrocken** *m* (lump of) rock.

felsenfest *adj* firm; **~ überzeugt sein to** be absolutely *or* firmly convinced; **sich ~ auf jdn verlassen** to put one's complete trust in sb; **Felsengebirge** *nt* **1.** rocky mountain range; **2.** (*Geog*) Rocky Mountains *pl*, Rockies *pl*; **Felsengrab** *nt* rock tomb.

Fels(en)höhle *f* rock cave; **Fels(en)klippe** *f* rocky cliff; (*im Meer*) stack; **Fels(en)nest** *nt* mountain lair *or* hideout; **Fels(en)riff** *nt* (rocky) reef;

Fels(en)schlucht *f* rocky valley *or* glen.

Felsentor *nt* **-(e)s, -e** arch in the rock.

Felsgestein *nt* (*Geol*) (solid) rock; **Felsgrat** *m* (rocky) ridge.

felsig *adj* rocky; (*steil abfallend*) Küste cliff-lined, cliffy.

Felskessel *m* corrie; **Felsmalerei** *f* rock painting; **Felsmassiv** *nt* rock massif; **Felsnase** *f* rock overhang *or* shelf; **Felsspalte** *f* crevice; **Felsvorsprung** *m* ledge; **Felswand** *f* rock face; **Felswüste** *f* rock desert.

Feluke *f* **-, -n** felucca.

Feme *f* **-, -n, Fem(e)gericht** *nt* (*Hist*) Vehmgericht; (*Bandengericht*) kangaroo court.

Fememord *m* (*Hist*) killing ordered by a Vehmgericht; (*fig*) lynch-law killing; (*bei Gangstern*) underworld killing.

Feminat *nt* female power base.

feminin *adj* **1.** (*Gram*) feminine. **2.** (*fraulich*) feminine; (*pej*) effeminate.

Femininum *nt* **-s, Feminina** (*Gram*) feminine noun.

Feminismus *m* feminism.

Feminist(in *f*) *m* feminist.

feministisch *adj* feminist.

Femme fatale [famfaˈtal] *f* **- -, -s -s** femme fatale.

Fenchel *m* **-s,** *no pl* fennel.

Fenchel *in cpds* fennel; **Fenchelholz** *nt* sassafras wood.

Fender *m* **-s, -** fender.

Fenster *nt* **-s, -** window (*auch Comput*). **weg vom ~** (*inf*) out of the game (*inf*), finished.

Fenster *in cpds* window; **Fensterbank** *f*, **Fensterbrett** *nt* window-sill, window ledge; **Fensterbriefumschlag** *m* window envelope; **Fensterflügel** *m* side of a window; **Fensterfront** *f* glass façade; **Fensterglas** *nt* window glass; (*in Brille*) plain glass; **Fenstergriff** *m* window catch; **Fensterheber** *m* (*Aut*) window winder; (*elektronisch*) window control; **Fensterkitt** *m* (window) putty; **Fensterkreuz** *nt* mullion and transom (*of a cross window*); **Fensterkurbel** *f* window handle (*for winding car windows*); **Fensterladen** *m* shutter; **Fensterleder** *nt* chamois, shammy (leather).

fensterln *vi* (*S Ger, Aus*) to climb through one's sweetheart's bedroom window.

fensterlos *adj* windowless; **Fensterplatz** *m* seat by the window, window seat; **Fensterputzer(in** *f*) *m* window cleaner; **Fensterrahmen** *m* window frame; **Fensterrede** *f* soapbox speech; **Fensterrose** *f* rose window; **Fensterscheibe** *f* window pane; **Fenstersims** *m* window ledge, windowsill; **Fensterstock** *m* window frame; **Fenstersturz** *m* **1.** (*Build*) window lintel; **2.** (*Hist*) **der Prager ~** the Prague defenestration; **Fenstertechnik** *f* (*Comput*) windowing technique; **Fensterumschlag** *m* window envelope.

Ferial- *in cpds* (*Aus*) *siehe* **Ferien-**.

Ferien [ˈfeːriən] *pl* holidays *pl* (*Brit*), vacation *sing* (*US, Univ*); (**~reise**) holiday *sing* (*Brit*), vacation *sing* (*US*); (*Parla-*

ments~, *Jur*) recess *sing*. **die großen ~** the summer holidays (*Brit*) *or* long vacation (*US, Univ*); **~ haben** to be on holiday *or* vacation; **~ machen** to be on holiday *or* take a holiday *or* vacation; **in die ~ gehen** *or* **fahren** to go on holiday *or* vacation.

Ferien- *in cpds* holiday (*Brit*), vacation (*US*); **Feriengast** *m* holiday-maker; (*Besuch*) person staying on holiday; **Ferienhaus** *nt* holiday home; **Ferienkind** *nt* child from a town on a state-subsidized holiday; **Ferienkolonie** *f* children's holiday camp; **Ferienkurs** *m* holiday course; **Ferienordnung** *f* holiday dates *pl*; **Ferienort** *m* holiday resort; **Ferienreise** *f* holiday (*Brit*), vacation (*US*); **Ferientag** *m* day of one's holidays (*Brit*) *or* vacation (*US*); **Ferienwohnung** *f* holiday flat (*Brit*), vacation apartment (*US*); **Ferienzeit** *f* holiday period.

Ferkel *nt* -s, - piglet; (*fig*) (*unsauber*) pig, mucky pup (*inf*); (*unanständig*) dirty pig (*inf*).

Ferkelei *f* (*inf*) (*Schmutz*) mess; (*Witz*) dirty joke; (*Handlung*) dirty *or* filthy *or* disgusting thing to do.

ferkeln *vi* **1.** (*Zool*) to litter. **2.** (*inf*) *siehe* **Ferkelei** to make a mess; to tell dirty jokes; to be dirty *or* filthy *or* disgusting.

Fermate *f* -, -n (*Mus*) pause.

Ferment *nt* -s, -e enzyme.

fermentieren* *vt* to ferment.

Fermium *nt*, *no pl* (*abbr* **Fm**) fermium.

fern I *adj* **1.** (*räumlich*) distant, far-off, faraway. **~ von hier** a long way (away) from *or* far away from here; **von ~(e) betrachtet** seen from a distance; **sich ~ sein** (*fig*) to be not at all close (to one another); **der F~e Osten** the Far East; **von ~(e) kennen** (*fig*) to know (only) slightly; **das sei ~ von mir** (*fig*) nothing is further from my thoughts, heaven forbid.

2. (*zeitlich entfernt*) far-off. **in nicht zu ~er Zeit** in the not-too-distant future; **der Tag ist nicht mehr ~, wo ...** the day is not far off when ...

II *prep* +*gen* far (away) from. **~ der Heimat** (*liter*) far from home.

fernab *adv* far away; **~ gelegen** far away; **Fernabfrage** *f* (*Telec*) remote control facility; **Fernamt** *nt* (*telephone*) exchange; **das Gespräch wurde vom ~ vermittelt** the call was connected by the operator; **Fernaufnahme** *f* (*Phot*) long shot; **Fernauslöser** *m* (*Phot*) cable release; **Fernbahn** *f* (*Rail*) main-line service; **Fernbedienung** *f* remote control; **fernbleiben** *vi sep irreg aux sein* to stay away (*dat, von* from); **Fernbleiben** *nt* -s, *no pl* absence (*von* from); (*Nichtteilnahme*) non-attendance; **Fernblick** *m* good view; **ein herrlicher ~** a splendid view for miles around.

Ferne *f* -, -n **1.** (*räumlich*) distance; (*old: ferne Länder*) distant lands *pl or* shores *pl* (*liter*). **in der ~** in the distance; **aus der ~** from a distance; **in die ~ ziehen** (*old*) to seek out far-off shores *or* distant climes (*liter*). **2.** (*zeitlich*) (*Zukunft*) fu-

ture; (*Vergangenheit*) (distant) past. **in weiter ~ liegen** to be a long time off *or* in the distant future.

Fern|empfang *m* (*Rad, TV*) long-distance reception.

ferner I *adj comp of* **fern** further. **für die ~e Zukunft** for the long term.

II *adv* **1.** further. **~ liefen ...** (*Sport*) also-rans ...; **unter ~ liefen rangieren** *or* **kommen** (*inf*) to be among the also-rans. **2.** (*künftig*) in future. **(auch) ~ etw machen** to continue to do sth; **auch ~ im Amt bleiben** to continue in office.

fernerhin *adv siehe* **ferner** II 2..

fernerliegen *vi sep irreg* (*fig*) **nichts läge mir ferner, als ...** nothing could be further from my thoughts *or* mind than ...

Fernexpreß *m* (*Rail*) long-distance express train; **Fernfahrer(in** *f*) *m* long-distance lorry (*Brit*) *or* truck driver, trucker (*US*); **Fernfahrerlokal** *nt* transport café (*Brit*), truckstop (*US*); **Fernflug** *m* long-distance *or* long-haul flight; **Ferngas** *nt* gas piped over a long distance; **ferngelenkt** *adj* remote-controlled; (*fig*) manipulated (*von* by); **Ferngespräch** *nt* trunk (*Brit*) *or* long-distance call; **ferngesteuert** *adj* remote-controlled; (*durch Funk auch*) radio-controlled; **Fernglas** *nt* (pair of) binoculars *or* field glasses.

fernhalten *sep irreg* I *vt* to keep away. II *vr* to keep *or* stay away.

Fernheizung *f* district heating (*spec*); **Fernkopie** *f* (*Telec*) fax; **fernkopieren** *vti* to fax, to send by fax; **Fernkopierer** *m* fax (machine); **Fernkurs(us)** *m* correspondence course.

Fernlaster *m* long-distance lorry (*Brit*) *or* truck, juggernaut.

Fernlastfahrer(in *f*) *m* (*inf*) long-distance lorry (*Brit*) *or* truck driver, trucker (*US*); **Fernlastverkehr** *m* long-distance goods traffic; **Fernlastzug** *m* long-distance truck-trailer.

Fernlehrgang *m* correspondence course; **fernlenken** *vt sep* to operate by remote control; **Fernlenkung** *f* remote control; **Fernlenkwaffen** *pl* (*Mil*) guided missiles; **Fernlicht** *nt* (*Aut*) full *or* main *or* high (*esp US*) beam; **mit ~ fahren, (das) ~ anhaben** to be *or* drive on full beam; **fernliegen** *vi sep irreg* (*fig*) (*jdm*) **~** to be far from sb's thoughts *or* mind; **es liegt mir fern, das zu tun** far be it from me to do that.

Fernmelde- *in cpds* telecommunications; telephone; (*Mil*) signals; **Fernmeldeamt** *nt* telephone exchange; **Fernmeldedienst** *m* telecommunications/telephone service; **Fernmeldegeheimnis** *nt* (*Jur*) secrecy of telecommunications.

Fernmelder *m* -s, - **1.** (*Apparat*) telephone. **2.** (*Mil inf*) signaller.

Fernmeldesatellit *m* communication satellite; **Fernmeldetechnik** *f* telecommunications/telephone engineering; **Fernmeldetruppe** *f* (*Mil*) signals corps *sing*; **Fernmeldewesen** *nt* telecommunications *sing*.

fernmündlich I *adj* telephone *attr*; II *adv*

by telephone.

Fern|ost *no art* **aus/in/nach** ~ from/in/to the Far East.

fern|östlich *adj* Far Eastern *attr.*

Fern|ostreise *f* journey to the Far East.

Fernrakete *f* long-range missile; **Fernreise** *f* long-haul journey; **Fernrohr** *nt* telescope; *(Doppel~)* (pair of) binoculars *or* field glasses; **Fernruf** *m* *(form)* telephone number; ~ **68190** Tel. 68190; **Fernschreiben** *nt* telex; **Fernschreiber** *m* **1.** teleprinter; *(Comm)* telex(-machine); **2.** *(Mensch)* *(~in f)* teleprinter/telex operator; **Fernschreibnetz** *nt* telex network; **fernschriftlich** *adj* by telex.

Fernseh- *in cpds* television, TV; **Fernsehansager(in f)** *m* television announcer; **Fernsehansprache** *f* television speech; **Fernsehanstalt** *f* television company; **Fernsehapparat** *m* television *or* TV (set); **Fernsehdebatte** *f* televised debate; **Fernsehempfänger** *m* *(form)* television receiver.

fernsehen *vi sep irreg* to watch television *or* TV *or* telly *(Brit inf).*

Fernsehen *nt* -s, *no pl* television, TV, telly *(Brit inf).* ~ **haben** *(Familie)* to have a television; *(Staat)* to have television *or* TV; **beim** ~ **arbeiten** to work *or* be in television; **vom** ~ **übertragen werden** to be televised; **im** ~ on television *or* TV *or* (the) telly *(Brit inf);* **das** ~ **bringt etw** sth is on television, they're showing sth on television.

Fernseher *m* -s, - *(inf)* *(Gerät)* television, TV, telly *(Brit inf).*

Fernsehgebühr *f* television licence fee; **Fernsehgerät** *nt* television *or* TV set; **Fernsehjournalist(in f)** *m* television *or* TV reporter; **Fernsehkamera** *f* television *or* TV camera; **wir haben Herrn Schmidt vor die** ~ **gebeten** we've asked Herr Schmidt to speak to us; **Fernsehkanal** *m* (television) channel; **Fernsehprogramm** *nt* **1.** *(Kanal)* channel, station *(US);* **2.** *(Sendung)* programme; *(Sendefolge)* programmes *pl;* **3.** *(~zeitschrift)* (television) programme guide; **Fernsehpublikum** *nt* viewers *pl,* viewing public; **Fernsehrechte** *pl* television rights *pl;* **Fernsehsatellit** *m* TV satellite; **Fernsehschirm** *m* television *or* TV screen; **Fernsehsender** *m* television transmitter; **Fernsehsendung** *f* television programme; **Fernsehspiel** *nt* television play; **Fernsehsprecher(in f)** *m* television announcer; **Fernsehspot** *m* **1.** *(Werbespot)* TV ad(vertisement); **2.** *(Kurzfilm)* TV short; **Fernsehteilnehmer(in f)** *m* *(form)* television viewer; **Fernsehtruhe** *f* cabinet TV; **Fernsehturm** *m* television tower; **Fernsehübertragung** *f* television broadcast; *(von außerhalb des Studios)* outside broadcast; **Fernsehübertragungswagen** *m* outside broadcast vehicle *or* van; **Fernsehzeitschrift** *f* TV guide; **Fernsehzuschauer(in f)** *m* (television) viewer.

Fernsicht *f* clear view; **(eine) gute** ~ **haben** to be able to see a long way.

Fernsprech- *in cpds (form)* telephone; **Fernsprechanschluß** *m* telephone; **Fernsprechapparat** *m* telephone; **Fernsprechauftragsdienst** *m* telephone services *pl;* **Fernsprechbuch** *nt* telephone directory.

Fernsprecher *m* -s, - *(form)* (public) telephone.

Fernsprech- *in cpds siehe auch* **Telefon-;** **Fernsprechgebühr** *f* telephone charges *pl;* **Fernsprechleitung** *f (per Draht)* (telephone) line; *(per Radio, Satellit)* telephone link; **Fernsprechnetz** *nt* telephone system; **Fernsprechteilnehmer(in f)** *m (form)* telephone subscriber; **Fernsprechzelle** *f* (tele)phone box *or* booth *(US),* callbox; **Fernsprechzentrale** *f* telephone exchange.

fernstehen *vi sep irreg* **jdm/einer Sache f~** to have no connection with sb/sth; **ich stehe ihm ziemlich fern** I'm not on very close terms with him; **fernsteuern** *vt sep* to operate by remote control; *(per Funk auch)* to control by radio; **Fernsteuerung** *f* remote/radio control; ~ **haben** to be remote-/radio-controlled; **Fernstraße** *f* trunk *or* major road, highway *(US);* **Fernstudium** *nt* correspondence degree course *(also with radio, TV etc),* ≃ Open University course *(Brit);* **Ferntourismus** *m* long-haul tourism; **Ferntrauung** *f* marriage by proxy; **Fernüberwachung** *f* remote monitoring; **Fernuniversität** *f* ≃ Open University *(Brit);* **Fernunterricht** *m* correspondence course *also using radio, TV etc,* multi-media course; **Fernverkehr** *m* **1.** *(Transport)* long-distance traffic; **2.** *(Telec)* trunk *(Brit) or* long-distance traffic; **Fernverkehrsstraße** *f* trunk *or* major road, highway *(US)* **Fernvermittlung(sstelle)** *f* telephone exchange; **Fernversorgung** *f* long-distance supply; **Fernwärme** *f* district heating *(spec);* **Fernweh** *nt* wanderlust; **Fernwirkung** *f (Phys)* long-distance effect; **Fernziel** *nt* long-term goal; **Fernzug** *m* long-distance train; **Fernzündung** *f* long-range *or* remote ignition.

Ferse *f* -, -n heel. **jdm (dicht) auf den** ~**n sein** *or* **folgen/bleiben** to be/stay hard *or* close on sb's heels.

Fersenbein *nt (Anat)* heel bone, calcaneus *(spec);* **Fersengeld** *nt:* ~ **geben** to take to one's heels.

fertig *adj* **1.** *(abgeschlossen, vollendet)* finished; *(ausgebildet)* qualified; *(reif)* *Mensch, Charakter* mature. **etw** ~ **kaufen** to buy sth ready-made; *Essen* to buy sth ready-prepared *or* ready to eat; ~ **ausgebildet** fully qualified; **mit der Ausbildung** ~ **sein** to have completed one's training.

2. *(zu Ende)* finished. **wird das/werden wir rechtzeitig** ~ **werden?** will it/we be finished in time?; **mit etw** ~ **sein, etw** ~ **haben** to have finished sth; **mit essen/lesen** ~ to finish eating/reading; **mit jdm** ~ **sein** *(fig)* to be finished *or* through with sb; **mit jdm/etw** ~ **werden**

to cope with sb/sth; **du darfst nicht gehen, ~!** you're not going and that's that *or* and that's the end of it!

3. (*bereit*) ready. **~ zur Abfahrt** ready to go *or* leave; **bist du/ist das Essen ~?** are you/is the meal ready?

4. (*inf*) shattered (*inf*), all in (*inf*); (*ruiniert*) finished; (*erstaunt*) knocked for six (*inf*). **mit den Nerven ~ sein** to be at the end of one's tether.

Fertig- in cpds finished; (*Build*) prefabricated; **Fertigbau** m (*Build*) (*no pl: Bauweise*) prefabricated building; **fertig-bekommen*** vt sep irreg to finish, to get finished; **fertigbringen** vt sep irreg **1.** (*vollenden*) to get done; **2.** (*imstande sein*) to manage; (*iro*) to be capable of; **ich habe es nicht fertiggebracht, ihr die Wahrheit zu sagen** I couldn't bring myself to tell her the truth; **er bringt das fertig** (*iro*) I wouldn't put it past him.

fertigen vt (*form*) to manufacture.

Fertigerzeugnis nt finished product; **Fertigfabrikat** nt finished product; **Fertiggericht** nt ready-to-serve meal; **Fertighaus** nt prefabricated house.

Fertigkeit f skill. **wenig/eine große ~ in etw** (*dat*) **haben** to be not very/to be very skilled at *or* in sth.

fertigkriegen vt sep (*inf*) siehe **fertigbringen; fertigmachen** vt sep **1.** (*vollenden*) to finish; **2.** (*bereit machen*) to get ready; **sich ~** to get ready; **~!** get ready!; (*Sport*) get set!, steady!; **3.** (*inf*) **jdn ~** (*erledigen*) to do for sb; (*ermüden*) to take it out of sb; (*deprimieren*) to get sb down; (*abkanzeln*) to tear sb off a strip, to lay into sb (*inf*); **sich ~** to do oneself in; **Fertigprodukt** nt finished product; **fertigstellen** vt sep to complete; **Fertigstellung** f completion; **Fertigteil** nt prefabricated part.

Fertigung f production.

Fertigungs- in cpds production; **Fertigungskosten** pl production costs; **Fertigungsstraße** f production line; **Fertigungstechnik** f production engineering.

Fertigware f finished product.

Fes¹, fes nt -, - (*Mus*) F flat.

Fes² [fɛs] m -(es), -(e) fez.

fesch adj (*S Ger, Aus: inf*) (*modisch*) smart; (*hübsch*) attractive. **sei ~!** (*Aus*) (*sei brav*) be good; (*sei kein Frosch*) be a sport (*inf*).

Fessel f -, -n **1.** (*Bande*) (*lit, fig*) bond, fetter, shackle; (*Kette*) chain. **sich von den ~n befreien** to free oneself, to loose one's bonds (*liter*); **jdm ~n anlegen, jdn in ~n legen** to fetter *or* shackle sb/put sb in chains; **die ~n der Ehe** the shackles of marriage.

2. (*Anat*) (*von Huftieren*) pastern; (*von Menschen*) ankle.

Fesselballon m captive balloon; **Fesselgelenk** nt pastern; (*von Menschen*) ankle joint; **Fesselgriff** m lock.

fesseln vt **1.** (*mit Tau*) to tie (up), to bind; (*Hist: mit Hand~, Fußschellen*) to fetter, to shackle; (*mit Handschellen*) to

handcuff; (*mit Ketten*) to chain (up). **jdn (an Händen und Füßen) ~** to tie/fetter/chain sb (hand and foot); **jdm die Hände auf dem Rücken ~** to tie sb's hands behind his back; **der Gefangene wurde gefesselt vorgeführt** the prisoner was brought in handcuffed/in chains; **jdn ans Bett ~** (*fig*) to confine sb to (his) bed, to keep sb in bed; **jdn ans Haus ~** (*fig*) to tie sb to the house; **jdn an jdn/sich ~** (*fig*) to bind sb to sb/oneself.

2. (*faszinieren*) to grip; *Aufmerksamkeit* to hold.

fesselnd adj gripping.

fest I adj **1.** (*hart*) solid. **~e Nahrung** solid food, solids pl; **~e Form** or **Gestalt annehmen** (*fig*) to take shape.

2. (*stabil*) solid; *Gewebe, Schuhe* tough, sturdy; (*Comm, Fin*) stable.

3. (*sicher, entschlossen*) firm; *Plan auch* definite; *Stimme* steady. **~ versprechen** to promise faithfully; **~ verankert** (*lit*) firmly *or* securely anchored; (*fig*) firmly rooted; **eine ~e Meinung von etw haben** to have definite views on sth; **etw ist ~** sth is definite; **~ entschlossen sein** to be absolutely determined.

4. (*kräftig*) firm; *Schlag* hard, heavy. **~ zuschlagen** to hit hard.

5. (*nicht locker*) tight; *Griff* firm; (*fig*) *Schlaf* sound. **~ packen** to grip tightly *or* firmly; **etw ~ anziehen/zudrehen** to pull/screw sth tight; **die Handbremse ~ anziehen** to put the handbrake on firmly; **die Tür ~ schließen** to shut the door tight; **~ schlafen** to sleep soundly; **er hat schon ~ geschlafen** he was sound asleep; **jdn/etw ~ in der Hand haben** to have sb under one's thumb/have sth firmly under control.

6. (*ständig*) regular; *Freund(in)* steady; *Bindung, Stellung, Mitarbeiter* permanent; *Kosten, Tarif, Einkommen* fixed; *Redewendung* set. **~ befreundet sein** to be good friends; (*Freund und Freundin*) to be going steady; **jdn ~ anstellen** to employ sb as a regular member of staff; **Geld ~ anlegen** to tie up money; **in ~en Händen sein** or **sich befinden** (*Besitz*) to be in private hands; (*inf: Mädchen*) to be spoken for; **seinen ~en Platz gewinnen** to establish oneself; **sie hat keinen ~en Platz im Büro** she doesn't have her own desk in the office.

II adv (*inf: tüchtig, kräftig*) *helfen, arbeiten* with a will.

Fest nt -(e)s, -e **1.** (*Feier*) celebration; (*historische Begebenheit*) celebrations pl; (*Party*) party; (*Hochzeits~*) reception; (*Bankett*) banquet, feast (*old*); (*Ball~*) ball; (*Kinder~, Schützen~*) carnival. **ein ~ zum hundertjährigen Bestehen des Vereins** the club's centenary celebrations, celebrations to mark the club's centenary; **das war ein ~!** (*inf*) it was great fun; **man soll die ~e feiern, wie sie fallen** (*prov*) make hay while the sun shines (*Prov*).

2. (*kirchlicher Feiertag*) feast, festival; (*Weihnachts*) Christmas. **bewegliches/unbewegliches ~** movable/immovable feast; **frohes ~!** Merry *or* Happy Christmas!

Festakt m ceremony; **festangestellt** adj employed on a regular basis; **Festangestellte(r)** mf regular member of staff; **Festansprache** f speech; **Festaufführung** f festival production; **Festbankett** nt ceremonial banquet; **festbeißen** vr sep irreg (Hund) to get a firm hold with its teeth (an +dat on); (Zecke) to attach itself firmly (an +dat to); (fig: nicht weiterkommen) to get bogged down (inf) (an +dat in); **Festbeleuchtung** f festive lighting or lights pl; (inf: im Haus) blazing lights pl; **festbinden** vt sep irreg to tie up; **jdn/etw an etw** (dat) ~ to tie sb/sth to sth; **festbleiben** vi sep irreg aux sein to stand firm, to remain resolute; **festdrehen** vt sep to screw up tightly; **festdrücken** vt sep to press in/down/together firmly.

feste adv (inf) siehe fest II; **immer** ~ **druff!** let him/her etc have it! (inf), give it to him/her etc! (inf).

Feste f -, -n (old) 1. siehe Festung. 2. (Erde) dry land, terra firma. **die** ~ **des Himmels** (Bibl) the firmament.

Festessen nt banquet; Christmas dinner; **festfahren** vr sep irreg (fig) to get bogged down; (lit auch) to get stuck, to stick fast; **festfressen** vr sep irreg to seize up; **festfrieren** vi sep irreg aux sein to freeze solid; **Festgabe** f 1. (Geschenk) presentation gift; 2. (Festschrift) commemorative paper, festschrift; **Festgedicht** nt celebratory or occasional poem; **Festgelage** nt banquet; **Festgeld** nt (Fin) time deposit; **festgewurzelt** adj: **wie** ~ rooted to the spot; **Festgottesdienst** m festival service; **festgurten** sep I vr to strap oneself in; II vt to strap in; **festhaken** sep I vt to hook up (an +dat on); II vr to get caught (up) (an +dat on); **Festhalle** f festival hall.

festhalten sep irreg I vt 1. to keep a firm hold on, to keep hold of, to hold on to. **jdn am Arm/Rockzipfel** ~ to hold on to sb's arm/the hem of sb's coat.
2. (bemerken) to stress, to emphasize.
3. (inhaftieren) to hold, to detain.
4. (speichern) to record; Atmosphäre to capture. **etw schriftlich** ~ to record sth; **etw in Wort und Bild** ~ to record sth in words and pictures.
II vi **an etw** (dat) ~ to hold or stick (inf) to sth.
III vr to hold on (an +dat to). **sich irgendwo** ~ to hold on to something; **halt dich fest!** (lit) hold tight!; **halt dich fest, und hör dir das an!** (inf) brace yourself and listen to this!

festheften vt sep (mit Nadel) to pin (an +dat (on)to); (mit Faden) to tack (an +dat (on)to).

festigen I vt to strengthen; Freundschaft, Macht, Ruf auch to consolidate. **ein gefestigter Charakter** a firm or resolute character; **sittlich gefestigt sein** to have a sense of moral responsibility.
II vr to become stronger; (Freundschaft, Macht, Ruf auch) to consolidate.

Festiger m -s, - setting lotion.

Festigkeit f, no pl strength; (fig) steadfastness; (von Meinung) firmness.

Festival ['fɛstivəl, 'fɛstival] nt -s, -s festival.

Festivität [fɛstivi'tɛːt] f (old, hum inf) celebration, festivity.

festklammern sep I vt to clip on (an +dat to); **Wäsche an** or **auf der Leine** ~ to peg washing on the line; II vr to cling (an +dat to); **festkleben** vti sep (vi: aux sein) to stick (firmly) (an +dat (on)to); **Festkleid** nt formal dress; **festklemmen** sep I vt to wedge fast; (mit Klammer, Klemme) to clip; **festgeklemmt werden** (aus Versehen) to get stuck or jammed; II vir (vi: aux sein) to jam, to stick (fast); **festklopfen** vt sep to pack down; **festknoten** vt sep to tie up; **Festkörper** m (Phys) solid; **Festkörperphysik** f solid-state physics sing; **festkrallen** vr sep (Tier) to dig one's claws in (an +dat -to); (Mensch) to dig one's nails in (an +dat -to); (fig) to cling (an +dat to).

Festland nt (nicht Insel) mainland; (nicht Meer) dry land; (europäisches ~) Continent, Europe.

festländisch adj mainland attr; Continental, European.

Festlandssockel m continental shelf.

festlaufen sep irreg I vr (Schiff) to run aground; (fig) (Verhandlungen) to founder. II vi aux sein (Schiff) to run aground.

festlegen sep I vt 1. (festsetzen) Reihenfolge, Termin, Kurs to fix (auf +acc, bei for); Grenze auch to establish; Sprachgebrauch to establish, to lay down; (bestimmen) Regelung, Arbeitszeiten to lay down; (feststellen) Geburtsdatum to determine. **etw schriftlich/testamentarisch** ~ to stipulate or specify sth in writing/in one's will.
2. **jdn auf etw** (acc) ~/**darauf** ~, **etw zu tun** (festnageln) to tie sb (down) to sth/to doing sth; (einschränken auch) to restrict or limit sb to sth/to doing sth; (verpflichten) to commit sb to sth/to doing sth.
3. Geld to put on time deposit, to tie up.
II vr 1. to tie oneself down (auf +acc to); (sich verpflichten) to commit oneself (auf +acc to). **sich darauf** ~, **etw zu tun** to tie oneself down/commit oneself to doing sth.
2. (einen Entschluß fassen) to decide (auf +acc on). **sich darauf** ~, **etw zu tun** to decide on doing sth or to do sth.

Festlegung f siehe vt 1., 2. 1. fixing; establishing; laying-down; determining. 2. tying-down; restriction, limiting; commitment.

festlich adj festive; (feierlich) solemn; (prächtig) splendid, magnificent. **ein** ~**er Tag** a special or red-letter day; **etw** ~ **begehen** to celebrate sth.

Festlichkeit f celebration; (Stimmung) festiveness.

festliegen vi sep irreg 1. (festgesetzt sein) to have been fixed or definitely decided; (Sprachgebrauch, Grenze) to have been established; (*Arbeitszeiten, Regelung*) to have been laid down or; **2.** (*Fin: Geld*) to be on time deposit or tied up; **3.** (*nicht weiterkönnen*) to be stuck; (*Naut*) to be aground; **festmachen** sep I vt **1.** (*befestigen*) to fix on (*an* +dat -to); (*festbinden*) to fasten (*an* +dat (on)to); (*Naut*) to moor; **2.** (*vereinbaren*) to arrange; **ein Geschäft** ~ to clinch a deal; **3.** (*Hunt: aufspüren*) to bring to bay; **4.** (*beweisen, zeigen*) to demonstrate, to exemplify; **etw an etw/jdm** ~ (*fig*) to link sth to sth/sb; II vi (*Naut*) to moor; **Festmahl** nt (*geh*) banquet, feast; **Festmeter** m or nt cubic metre of solid timber; **festnageln** vt sep **1.** to nail (down/up/on); **etw an/auf etw** (*dat*) ~ to nail sth to sth; **2.** (*fig inf*) jdn to tie down (*auf* +acc to); **festnähen** vt sep to sew up/on; **Festnahme** f -, -n arrest, apprehension; **vorläufige** ~ temporary detention; **festnehmen** vt sep irreg to apprehend, to arrest; **vorläufig** ~ to take into custody; **Festplatte** f (*Comput*) hard disk; **Festplattenlaufwerk** nt hard disk drive; **Festplatz** m festival ground; (*für Volksfest*) fairground; **Festpredigt** f feast-day sermon; **Festpreis** m (*Comm*) fixed price; **Festprogramm** nt festival programme; **Festpunkt** m (*auch Comput*) fixed point; **Festrede** f speech or eine ~ **halten** to make a speech; **Festredner(in** f) m (main) speaker; **festrennen** vr sep irreg (*inf*) to get bogged down (*inf*); **unsere Spieler rannten sich (an der gegnerischen Abwehr)** ~ our players came up against the solid line of the opponents' defence; **Festsaal** m hall; (*Speisesaal*) banqueting hall; (*Tanzsaal*) ballroom; **festsaugen** vr sep to attach itself firmly (*an* +dat to); **Festschmaus** m (*old*) banquet, feast; **Festschmuck** m festive decorations pl; **im** ~ festively decorated; **festschnallen** vtr sep siehe **anschnallen**; **festschnüren** vt sep to tie up; **festschrauben** vt sep to screw (in/on/down/up) tight; **festschreiben** vt sep irreg (*fig*) to establish; (*Jur*) to enact; **Festschreibung** f establishment; (*Jur*) enactment; **Festschrift** f commemorative publication; (*für Gelehrten*) festschrift.

festsetzen sep I vt **1.** (*bestimmen*) Preis, Rente, Grenze to fix (*bei, auf* +acc at); Ort, Termin auch to arrange (*auf* +acc, bei for); Frist auch to set; Arbeitszeiten to lay down. **der Beginn der Veranstaltung wurde auf zwei Uhr festgesetzt** the event was scheduled to begin at 2 o'clock. **2.** (*inhaftieren*) to detain. II vr (*Staub, Schmutz*) to collect; (*Rost, Ungeziefer, unerwünschte Personen*) to get a foothold; (*Mil*) to take up one's position; (*fig: Gedanke*) to take root, to implant itself.

Festsetzung f **1.** siehe vt **1.** fixing; arrangement; setting; laying-down. **2.** (*Inhaftierung*) detention.

festsitzen vi sep irreg **1.** (*klemmen, haften*) to be stuck; (*Schmutz*) to cling; (*in Zwischenräumen*) to be trapped. **2.**

(*steckengeblieben sein*) to be stuck (*bei* on); (*Naut*) to be aground.

Festspiel nt (*einzelnes Stück*) festival production. ~e pl (*Veranstaltung*) festival sing.

Festspielhaus nt festival theatre.

feststampfen vt sep to pound down; (*mit den Füßen auch*) to stamp or tread down; **feststecken** sep I vt to pin (*an* +dat (on)to, *in* +dat in); Haare, Rocksaum to pin up; II vi (*steckengeblieben sein*) to be stuck; **feststehen** vi sep irreg (*sicher sein*) to be certain; (*beschlossen sein*) to have been settled or fixed; (*unveränderlich sein*) to be definite; **feststeht, daß ...** one thing's (for) certain or sure and that is that ...; **soviel steht fest** this or so much is certain; **feststehend** adj **1.** (*Mech*) fixed; **2.** attr (*bestimmt, verbindlich*) definite; Redewendung, Reihenfolge set; Brauch (well-) established; **feststellbar** adj **1.** (*Mech: arretierbar*) der Wagen der Schreibmaschine ist ~ the typewriter carriage can be locked in position; **2.** (*herauszufinden*) ascertainable.

feststellen vt sep **1.** (*Mech*) to lock (fast).

2. (*ermitteln*) to ascertain, to find out; Personalien, Sachverhalt, Datum auch to establish; Ursache, Grund auch to establish, to determine; Schaden to assess; Krankheit to diagnose. **der Arzt konnte nur noch den Tod** ~ the doctor found him to be dead.

3. (*erkennen*) to tell (*an* +dat from); Fehler, Unterschied to find, to detect; (*bemerken*) to discover; (*einsehen*) to realize. **wir mußten** ~**, daß wir uns geirrt hatten** we were forced to realize that we had made a mistake; **ich mußte entsetzt/überrascht** ~**, daß ...** I was horrified/surprised to find that ...

4. (*aussprechen*) to stress, to emphasize.

Feststelltaste f shift lock.

Feststellung f **1.** siehe vt **2.** ascertainment; establishment; assessment; diagnosis.

2. (*Erkenntnis*) conclusion. **zu der** ~ **kommen or gelangen, daß ...** to come to the conclusion that ...

3. (*Wahrnehmung*) observation. **die** ~ **machen or treffen daß ...** to realize that ...; **wir mußten leider die** ~ **machen, daß ...** (*form*) it has come to our notice that ...

4. (*Bemerkung*) remark, comment, observation. **die abschließende** ~ one's closing remarks; **die** ~ **machen, daß ...** to remark or observe that ...

Feststimmung f festive atmosphere; (*Festlaune*) festive mood; **Feststoffrakete** f solid-fuel rocket; **Festtafel** f banquet table; (*bei Familienanlässen*) (dinner) table.

Festtag m **1.** (*Ehrentag*) special or red-letter day. **2.** (*Feiertag*) holiday, feast (day) (*Eccl*).

Festtagslaune f festive mood; **Festtagsstimmung** f festive atmosphere; **in** ~ in a festive mood.

Festtreibstoffrakete ‹ f solid fuel rocket;

fest|treten *sep irreg* **I** *vt* to tread down; (*in Teppich*) to tread in (*in* +*acc* -to); **II** *vr* to get trodden down/in; **das tritt sich fest!** (*hum inf*) don't worry, it's good for the carpet (*hum*); **fest|trocknen** *vi sep aux sein* to dry (on); **fest|umrissen** *adj attr* clear-cut; **Fest|umzug** *m* procession.

Festung *f* (*Befestigung*) fortress; (*Burgfeste*) castle.

Festungshaft *f* imprisonment in a fortress; **Festungswall** *m* rampart.

Fest|veranstaltung *f* function; **Fest|versammlung** *f* assembled company; **fest|verwurzelt** *adj attr* deep-rooted, deep-seated; **fest|verzinslich** *adj* fixed-interest *attr*; **Fest|vorstellung** *f* gala performance; **Fest|vortrag** *m* lecture, talk; **Fest|wertspeicher** *m* (*Comput*) read-only memory; **Fest|wiese** *f* festival ground; (*für Volksfest*) fairground; **Fest|woche** *f* festival week; **die ~n** the festival *sing*; **fest|wurzeln** *vi sep aux sein* to take root; *siehe* **festgewurzelt**; **Fest|zeit** *f* holiday period; (*Festspielzeit*) festival (period); **Fest|zelt** *nt* carnival marquee; **fest|ziehen** *vt sep irreg* to pull tight; *Schraube* to tighten (up); **Fest|zins** *m* fixed interest; **Fest|zinssatz** *m* fixed rate of interest; **Fest|zug** *m* carnival procession; **fest|zurren** *vt sep* (*Naut*) to lash up.

Fete, Fête ['fe:tə, 'fɛ:tə] *f* -, -n party. **eine ~ feiern** (*als Gastgeber*) to have *or* give *or* throw a party; (*als Gast*) to go to a party.

Fetisch *m* -(e)s, -e fetish.

fetischisieren* *vt* (*geh*) to make a fetish of.

Fetischismus *m* fetishism.

Fetischist(in *f***)** *m* fetishist.

fett *adj* **1.** (*~haltig*) *Speisen, Kost* fatty; (*fig inf: ölig*) *Stimme* fat. **~ essen** to eat fatty food; **~ kochen** to cook fatty food; (*viel Fett gebrauchen*) to use a lot of fat; **ein ~er Bissen** *or* **Brocken** *or* **Happen** (*lit*) a juicy morsel; (*fig*) a lucrative deal. **2.** (*dick*) *Typ, Überschrift, Schlagzeilen* bold. **~ gedruckt** (*Typ*) (in) bold, printed in bold; **sich dick und ~ fressen** (*sl*) to stuff oneself (*inf*) *or* one's face (*sl*). **3.** (*üppig*) *Boden, Weide, Klee* rich, luxuriant; (*fig inf*) rich; *Beute, Gewinn* fat; *Geschäft* lucrative. **~e Jahre** fat years. **4.** (*Aut*) *Gemisch* rich.

Fett *nt* -(e)s, -e fat; (*zum Schmieren*) grease. **~ ansetzen** to put on weight, to get fat; (*Tiere*) to fatten up; **mit heißem ~ übergießen** to baste (with hot fat); **in schwimmendem ~ backen** to deep-fry; **sein ~ bekommen** (*inf*) *or* **kriegen** (*inf*)/**weghaben** (*inf*) to get/have got what was coming to one (*inf*) *or* one's comeuppance (*inf*); **~ schwimmt oben** (*prov*) (*hum: Dicke im Wasser*) fat floats.

Fett|ablagerung *f*, *no pl* deposition of fat; **~en** fatty deposits; **Fett|ansatz** *m* layer of fat; **zu ~ neigen** to tend to corpulence; **fett|arm** *adj* low-fat, with a low fat content; **~ essen** to eat foods with a low fat content; **Fett|auge** *nt* globule of fat; **Fett|bauch** *m* paunch; (*inf: fetter Mann*) fatso (*inf*); **fett|bäuchig** *adj* (*inf*) paunchy, fat-bellied (*inf*); **Fett|creme** *f* skin cream with oil; **Fett|druck** *m* (*Typ*) bold type.

Fett|embolie *f* (*Med*) fat-embolism.

fetten **I** *vt* to grease. **II** *vi* to be greasy; (*Fett absondern*) to get greasy.

Fett|film *m* greasy film; **Fett|fleck(en)** *m* grease spot, greasy mark; **fett|frei** *adj* fat-free; *Milch* non-fat; *Kost* non-fatty; *Creme* non-greasy; **fett|füttern** *vt sep* to fatten up; **fett|gedruckt** *adj attr* (*Typ*) bold, in bold; **Fett|gehalt** *m* fat content; **Fett|geschwulst** *f* (*Med*) fatty tumour; **Fett|gewebe** *nt* (*Anat*) fat(ty) tissue; **fett|haltig** *adj* fatty; **Fett|haushalt** *m* fat balance; **ein gestörter ~** a fat imbalance.

fettig *adj* greasy; *Haut* auch oily.

Fett|kloß *m* (*pej*) fatty (*inf*), dumpling (*inf*); **Fett|klumpen** *m* globule of fat; **Fett|leber** *f* fatty liver; **fett|leibig** *adj* (*geh*) obese, corpulent; **Fett|leibigkeit** *f* (*geh*) obesity, corpulence; **fett|los** *adj* fat-free; **fett|löslich** *adj* fat-soluble; **Fett|mops** *m* (*inf*) roly-poly (*inf*), dumpling (*inf*); **Fett|näpfchen** *nt* (*inf*): **ins ~ treten** to put one's foot in it (*bei jdm* with sb), to drop a clanger (*inf*); **Fett|polster** *nt* (*Anat*) (layer of) subcutaneous fat; (*hum inf*) flab *no pl*, padding *no pl*; **Fett|presse** *f* grease gun; **fett|reich** *adj* high-fat, with a high fat content; **~ essen** to eat foods with a high fat content; **Fett|sack** *m* (*sl*) fatso (*inf*); **Fett|sau** *f* (*vulg*) fat slob (*sl*); **Fett|säure** *f* (*Chem*) fatty acid; **Fett|schicht** *f* layer of fat; **Fett|schrift** *f* bold (type *or* face); **Fett|steiß** *m* (*Anat*) steatopygia (*spec*); **Fett|stift** *m* grease pencil, lithographic crayon; (*für Lippen*) lip salve; **Fett|sucht** *f*, *no pl* (*Med*) obesity; **fett|süchtig** *adj* (*Med*) obese; **fett|triefend** *adj* greasy, dripping with fat; **Fett|wanst** *m* (*pej*) potbelly; (*Mensch*) paunchy man, fatso (*inf*).

Fetzen *m* -s, -. **1.** (*abgerissen*) shred; (*zerrissen auch*) tatter; (*Stoff~, Papier~, Gesprächs~*) scrap; (*Kleidung*) rag; (*Nebel~*) wisp. **in ~ sein, nur noch ~ sein** to be in tatters *or* shreds; **in ~ gekleidet** dressed in rags; **etw in ~/in tausend ~ (zer)reißen** to tear sth to shreds/into a thousand pieces; **..., daß die ~ fliegen** (*inf*) ... like mad (*inf*) *or* crazy (*inf*). **2.** (*Aus*) (*Scheuertuch*) rag.

fetzen **I** *vi* (*sl*) **1.** (*mitreißen*) to be mind-blowing (*sl*); (*Musik*) to have a driving beat. **2.** *aux sein* (*rasen*) to hare (*inf*), to tear (*inf*). **gegen jdn/etw ~** to tear into sb/sth. **II** *vt* to rip. **der Sturm fetzte das Dach vom Haus** the storm tore the roof off the house; **Klamotten durchs Zimmer ~** to fling clothes about the room; **die beiden ~ sich den ganzen Tag** they are tearing into each other all day long.

fetzig *adj* (*sl*) wild, crazy; *Musik* auch hot.

feucht *adj* damp; (*schlüpfrig*) moist; (*feuchtheiß*) *Klima* humid; *Hände* sweaty; *Tinte, Farbe* not quite dry. **sich**

ins ~**e Element stürzen** (*hum*) to plunge into the water; **sie kriegte/hatte** ~**e Augen** her eyes moistened/were moist; **das geht dich einen** ~**en Kehricht** (*inf*) or **Dreck** (*sl*) or **Schmutz** (*sl*) **an** that's none of your goddamn (*sl*) or bloody (*Brit sl*) business.

Feuchtbiotop *nt* damp biotope; **feuchtfröhlich** *adj* (*hum*) merry, convivial; **ein** ~ **Abend** an evening of convivial drinking; **Feuchtgebiet** *nt* marshland; **feuchtheiß** *adj* hot and damp, muggy.

Feuchtigkeit *f, no pl* 1. *siehe adj* dampness; moistness; humidity; sweatiness; wetness. 2. (*Flüssigkeit*) moisture; (*Luft*~) humidity.

Feuchtigkeitscreme *f* moisturizer, moisturizing cream; **Feuchtigkeitsgehalt** *m* moisture level or content; **Feuchtigkeitsmesser** *m* hygrometer.

feuchtkalt *adj* cold and damp; *Höhle, Keller auch* dank; **feuchtwarm** *adj* muggy, humid.

feudal *adj* 1. (*Pol, Hist*) feudal. 2. (*inf: prächtig*) plush (*inf*).

Feudal- *in cpds* feudal; **Feudalherrschaft** *f* feudalism.

Feudalismus *m* feudalism.

feudalistisch *adj* feudalistic.

Feudalsystem, Feudalwesen *nt* feudalism, feudal system.

Feudel *m* -s, - (*N Ger*) (floor)cloth.

feudeln *vt* (*N Ger*) to wash, to wipe.

Feuer *nt* -s, - 1. (*Flamme, Kamin*~) fire; (*olympisches* ~) flame. **am** ~ by the fire; ~ **machen** to light a/the fire; ~ **schlagen** to make fire, to strike a spark; ~ **speien** to spew flames or fire; **das brennt wie** ~ (*fig*) that burns; ~ **hinter etw** (*acc*) **machen** (*fig*) to chase sth up; **jdm** ~ **unter den Hintern** (*inf*) or **Arsch** (*sl*) **machen** to put a bomb under sb; **mit dem** ~ **spielen** (*fig*) to play with fire; **sie sind wie** ~ **und Wasser** they're as different as chalk and cheese.

2. (*Funk*~) beacon; (*von Leuchtturm*) light.

3. (*Herd*) fire. **auf offenem** ~ **kochen** to cook on an open fire.

4. (*für Zigarette*) light. **haben Sie** ~? have you got a light?; **jdm** ~ **geben** to give sb a light.

5. (*Brand*) fire. ~! fire!; ~ **legen** to start a fire; **an etw** (*acc*)/**in etw** (*dat*) ~ **legen** to set fire to sth; ~ **fangen** to catch fire; **für jdn durchs** ~ **gehen** to go through fire and water for sb.

6. (*Schwung*) (*von Frau*) passion; (*von Liebhaber auch*) ardour; (*von Pferd*) mettle; (*von Wein*) vigour. ~ **haben** to be passionate/ardent/mettlesome/full of vigour; ~ **fangen** to be really taken (*bei* with); ~ **und Flamme sein** (*inf*) to be dead keen (*inf*) (*für* on).

7. (*liter: Glanz*) sparkle, glitter. **das** ~ **ihrer Augen** her flashing or fiery eyes.

8. (*Schießen*) fire. ~! fire!; ~ **frei!** open fire!; ~ **geben/das** ~ **eröffnen** to open fire; **das** ~ **einstellen** to cease fire or firing; **etw unter** ~ (*acc*) **nehmen** to open fire on sth; **unter** ~ (*dat*) **liegen** to

be under fire; **zwischen zwei** ~ (*acc*) **geraten** (*fig*) to be caught between the Devil and the deep blue sea (*prov*).

Feuer- *in cpds* fire; **Feueralarm** *m* fire alarm; **Feueranzünder** *m* firelighter; **Feuerbake** *f* (*Naut*) light beacon; **Feuerball** *m* fireball; **Feuerbefehl** *m* (*Mil*) order to fire; **Feuerbekämpfung** *f* fire-fighting; **Feuerbereich** *m* (*Mil*) firing range; **feuerbereit** *adj* (*Mil*) ready to fire; **feuerbeständig** *adj* fireresistant; **Feuerbestattung** *f* cremation; **Feuereifer** *m* zeal; **mit** ~ **spielen/diskutieren** to play/discuss with zest; **Feuereinstellung** *f* cessation of fire; (*Waffenstillstand*) ceasefire; **feuerfest** *adj* fireproof; *Geschirr* heat-resistant; ~**er Ton/Ziegel** fireclay/firebrick; **Feuerfresser** *m* fire-eater; **Feuergasse** *f* fire lane; **Feuergefahr** *f* fire hazard or risk; **bei** ~ in the event of fire; **feuergefährlich** *adj* (highly) (in)flammable or combustible; **Feuergefecht** *nt* gun fight, shoot-out (*inf*); **Feuerglocke** *f* fire bell; **Feuergott** *m* god of fire; **Feuerhaken** *m* poker; **Feuerholz** *nt, no pl* firewood; **Feuerkäfer** *m* cardinal beetle; **Feuerland** *nt* Tierra del Fuego; **Feuerländer(in** *f*) *m* -s, - Fuegian; **Feuerleiter** *f* (*am Haus*) fire escape; (*bei Feuerwehrauto*) (fireman's) ladder; (*fahrbar*) turntable ladder; **Feuerlinie** *f* (*Mil*) firing line.

Feuerlöscher *m* fire extinguisher.

Feuerlöschgerät *nt* fire-fighting appliance; **Feuerlöschzug** *m* convoy of fire engines, set of appliances (*form*).

Feuermeer *nt* sea of flames, blazing inferno; **Feuermelder** *m* -s, - fire alarm.

feuern I *vi* 1. (*heizen*) **mit Öl/Holz** ~ to have oil heating/use wood for one's heating.

2. (*Mil*) to fire.

II *vt* 1. *Zimmer* to heat; *Ofen* to light. **Öl/Briketts** ~ to have oil heating/use briquettes for one's heating.

2. (*inf*) (*werfen*) to fling (*inf*), to sling (*inf*); (*Ftbl*) *Ball* to slam (*inf*); (*ins Tor*) to slam home (*inf*) or in (*inf*). **du kriegst gleich eine gefeuert!** (*sl*) I'll thump you one in a minute (*inf*).

3. (*inf: entlassen*) to fire (*inf*), to sack (*inf*). **gefeuert werden** to get the sack, to be fired or sacked.

Feuerofen *m* (*Bibl*) fiery furnace; **Feuerpatsche** *f* fire-beater; **Feuerpause** *f* break in the firing; (*vereinbart*) ceasefire; **feuerpolizeilich** *adj* *Bestimmungen* laid down by the fire authorities; ~ **verboten** prohibited by order of the fire authorities; **Feuerprobe** *f* (*Hist: Gottesurteil*) ordeal by fire; **die** ~ **bestehen** (*fig*) to pass the (acid) test; **Feuerqualle** *f* stinging jellyfish; **Feuerrad** *nt* fire-wheel; (*Feuerwerkskörper*) catherine wheel; **feuerrot** *adj* fiery red; *Haar auch* flaming; *Kleidung, Auto* scarlet; ~ **werden** (*vor Verlegenheit*) to turn crimson or scarlet; **Feuersalamander** *m* fire or European salamander; **Feuersäule** *f*

(Bibl) pillar of fire.

Feuersbrunst *f (geh)* conflagration.

Feuerschaden *m* fire damage *no pl*; **Feuerschein** *m* glow of the fire; **Feuerschiff** *nt* lightship; **Feuerschlucker** *m* **-s, -** fire-eater; **feuerschnaubend** *adj attr (poet)* fire-breathing; **Feuerschneise** *f* fire break; **Feuerschutz** *m* 1. *(Vorbeugung)* fire prevention; 2. *(Mil: Deckung)* covering fire; **Feuerschutztür** *f* fire door; **Feuerschweif** *m* fiery tail; **Feuersirene** *f* fire siren.

feuerspeiend *adj attr Drache* fire-breathing; *Berg* spewing (forth) fire; **Feuerspritze** *f* fire hose; **Feuerstätte** *f (form)* 1. *(Koch-, Heizstelle)* fireplace, hearth; 2. *(Brandstelle)* scene of the fire; **Feuerstein** *m* flint; **Feuerstelle** *f* campfire site; *(Herd)* fireplace; **Feuerstrahl** *m (geh)* jet of flame *or* fire; *(poet: Blitz)* thunderbolt; **Feuerstuhl** *m (sl)* (motor)bike; **Feuertaufe** *f* baptism of fire; **Feuertod** *m (Hist)* (death at) the stake; **Feuertreppe** *f* fire escape; **Feuertür** *f* fire door; **Feuerüberfall** *m* armed attack.

Feuerung *f* 1. *(das Beheizen)* heating. 2. *(Brennstoff)* fuel. 3. *(Heizanlage)* heating system.

Feuerversicherung *f* fire insurance; **feuerverzinkt** *adj* galvanized; **Feuerwache** *f* fire station; **Feuerwaffe** *f* firearm; **Feuerwasser** *nt (inf)* firewater *(inf)*; **Feuerwechsel** *m* exchange of fire.

Feuerwehr *f* fire brigade. **fahren wie die ~** *(inf)* to drive like the clappers *(Brit inf)*.

Feuerwehrauto *nt* fire engine; **Feuerwehrball** *m* firemen's ball; **Feuerwehrfrau** *f* firewoman; **Feuerwehrmann** *m* fireman; **Feuerwehrschlauch** *m* fire hose; **Feuerwehrübung** *f* fire-fighting exercise; **Feuerwehrwagen** *m* fire engine.

Feuerwerk *nt* fireworks *pl*; *(Schauspiel auch)* firework display; *(fig)* cavalcade; **Feuerwerker** *m* **-s, -** firework-maker; **Feuerwerkskörper** *m* firework; **Feuerzange** *f* fire tongs *pl*; **Feuerzangenbowle** *f* red wine punch containing rum which has been flamed off; **Feuerzeichen** *nt (Signal)* beacon; **Feuerzeug** *nt* (cigarette) lighter; **Feuerzeuggas** *nt* lighter gas; **Feuerzunge** *f (Bibl)* tongue of flame.

Feuilleton [fœjə'tõ, 'fœjətõ] *nt* **-s, -s** *(Press)* 1. *(Zeitungsteil)* feature pages *pl or* section. 2. *(Artikel)* feature (article).

Feuilletonist(in *f)* [fœjəto'nɪst(ɪn)] *m* feature writer.

feuilletonistisch [fœjəto'nɪstɪʃ] *adj* **dieser Journalist ist ein ~es Talent** this journalist has a natural flair for writing feature articles; **dieser Aufsatz ist zu ~** *(pej)* this essay is too glib *or* facile.

Feuilletonschreiber (in *f) m siehe* **Feuilletonist(in).**

feurig *adj* fiery; *(old: glühend)* glowing.

feurio *interj (old)* (fire,) fire.

Fex *m* **-es** *or* **-en, -e** *or* **-en** *(S Ger, Aus)* enthusiast.

Fez¹ [fe:s] *m* **-(es), -(e)** fez.

Fez² *m* **-(e)s,** *no pl (dated inf)* larking about *(inf)*. **~ machen** to lark about *(inf)*.

ff [ɛf'ɛf] *adj inv* first-class, top-grade; *siehe* **Effeff.**

ff. *abbr of* **folgende Seiten.**

Ffm. *abbr of* **Frankfurt am Main.**

Fiaker *m* **-s, -** *(Aus)* 1. *(Kutsche)* (hackney) cab. 2. *(Kutscher)* cab driver, cabby *(inf)*.

Fiale *f* **-, -n** *(Archit)* pinnacle.

Fiasko *nt* **-s, -s** *(inf)* fiasco. **mit seinem Buch erlebte er ein ~** his book was a complete failure *or* flop *or* fiasco; **dann gibt es ein ~** it'll be disastrous *or* a fiasco.

Fibel¹ *f* **-, -n** *(Sch)* primer.

Fibel² *f* **-, -n** *(Archeol)* fibula *(spec)*, clasp.

Fiber *f* **-, -n** fibre.

Fibrom *nt* **-s, -e** *(Med)* fibroma *(spec)*.

fibrös *adj (Med)* fibrous.

Fiche [fi:ʃ] *m or nt* **-(s), -s** (micro)fiche.

Fichte *f* **-, -n** *(Bot)* spruce.

fichten *adj* spruce(wood).

Fichten *in cpds* spruce; **Fichtennadelextrakt** *m* pine essence; **Fichtenzapfen** *m* spruce cone.

Fick *m* **-s, -s** *(vulg)* fuck *(vulg)*.

ficken *vti (vulg)* to fuck *(vulg)*. **mit jdm ~** to fuck sb *(vulg)*.

fick(e)rig *adj (dial)* fidgety.

fidel *adj* jolly, merry.

Fidschi ['fɪdʒi] *nt* **-s** Fiji.

Fidschianer(in *f) m* **-s, -** Fijian.

Fidschiinseln *pl* Fiji Islands.

Fieber *nt* **-s, -** 1. temperature; *(sehr hoch, mit Phantasieren)* fever. **~ haben** to have *or* be running a temperature; to be feverish *or* running a fever; **40° ~ haben** to have a temperature of 40; **(jdm) das ~ messen** to take sb's temperature. 2. *(Krankheit)* fever.

Fieber- *in cpds* feverish, febrile *(form)*; **Fieberanfall** *m* attack *or* bout of fever; **Fieberflecken** *pl* fever spots *pl*; **fieberfrei** *adj* free of fever; **Fieberfrost** *m* feverish shivering; **fieberhaft** *adj* 1. *(fiebrig)* feverish, febrile *(form)*; 2. *(hektisch)* feverish.

fieb(e)rig *adj* feverish, febrile *(form)*.

Fieberkurve *f* temperature curve; **Fiebermittel** *nt* anti-fever drug, antipyretic *(spec)*; **Fiebermücke** *f* malarial mosquito.

fiebern *vi* 1. to have a fever *or* temperature; *(schwer)* to be feverish *or* febrile *(form)*. 2. *(fig)* **nach etw ~** to long feverishly for sth; **vor Ungeduld/ Erregung** *(dat)* **~** to be in a fever of impatience/excitement.

Fieberphantasien *pl* feverish *or* febrile *(form)* wanderings *pl or* ravings *pl*; **fiebersenkend** *adj* fever-reducing; **Fiebersenkung** *f* reduction of fever; **ein Mittel zur ~** a medicine for reducing fever; **Fieberthermometer** *nt* (clinical) thermometer; **Fieberwahn** *m* (feverish *or* febrile) delirium.

Fiedel *f* **-, -n** fiddle.

Fiedelbogen *m* fiddle bow.

fiedeln *(hum, pej)* *vti* to fiddle.

Fiederung f 1. (Orn) plumage. 2. (Bot) pinnation (spec).

Fiedler(in f) m -s, - (hum, pej: Geiger) fiddler.

fiel pret of **fallen**.

fiepen vi (Reh) to call; (Hund, Mensch) to whimper; (Vogel) to cheep.

fieren vt (Naut) Segel, Last to lower; Tau to pay out.

fies adj (inf) (abstoßend, unangenehm) Mensch, Gesicht, Geruch, Arbeit nasty, horrid, horrible; (gemein) Charakter, Methoden auch mean.

Fiesling m (inf) (abstoßender Mensch) slob (sl); (gemeiner Mensch) sod (sl), bastard (sl).

Fifa, FIFA f - FIFA.

fifty-fifty ['fɪftɪ'fɪftɪ] adv (inf) fifty-fifty (inf). ~ **machen** to go fifty-fifty; **die Sache steht** ~ there's a fifty-fifty chance.

Figaro m -s, -s (hum) hairdresser.

Fight [faɪt] m -s, -s fight.

fighten ['faɪtn] vi to fight.

Fighter ['faɪtɐ] m -s, - fighter.

Figur f 1. (Bildwerk, Abbildung, Math) figure; (gedankenlos hingezeichnet) doodle.
   2. (Gestalt, Persönlichkeit) figure; (Körperform) (von Frauen) figure; (von Männern) physique; (inf: Mensch) character. **in ganzer** ~ (Phot, Art) full-figure; **auf seine** ~ **achten** to watch one's figure; **eine gute/schlechte/traurige** ~ **machen** or **abgeben** to cut a good/poor/sorry figure.
   3. (Roman~, Film~) character.
   4. (Sport, Mus) figure; (rhetorische ~) figure of speech.

figural adj (Art) figured.

Figuralmusik f figural or florid music.

Figuration f figuration.

figurativ adj figurative.

figurbetont adj figure-hugging.

Figurenlaufen nt figure skating.

figurieren* I vi (geh) to figure. II vt (Mus) to figure.

Figurine f (Art) figure; (kleine Statue) figurine; (Theat) costume design or sketch.

figürlich adj 1. (übertragen) figurative. 2. (figurmäßig) as regards the/her figure; (von Männern) as regards physique.

Fiktion f fiction.

fiktiv adj fictitious.

Filet [fi'le:] nt -s, -s 1. (Cook) (Schweine~, Geflügel~, Fisch~) fillet; (Rinder~) fillet steak; (zum Braten) piece of sirloin or tenderloin (US). 2. (Tex) siehe **Filetarbeit**.

Filet|arbeit [fi'le:-] f (Tex) netting.

filetieren* vt to fillet.

Filetsteak nt fillet steak.

Filialbetrieb m branch.

Filiale f -, -n branch.

Filialgeneration f (Biol) (first) filial generation; **Filialkirche** f daughter church; **Filialleiter(in** f) m branch manager; **Filialnetz** nt network of branches.

Filibuster [fili'bastɐ] nt -(s), - (Pol) filibuster.

filigran adj filigree.

Filigran|arbeit f filigree work; (Schmuck-

---

stück) piece of filigree work.

Filipina f -, -s Filipina.

Filipino m -s, -s Filipino.

Filius m -, -se (hum) son, offspring (hum).

Film m -(e)s, -e 1. (alle Bedeutungen) film; (Spiel~ auch) movie (esp US), motion picture (US); (Dokumentar~ auch) documentary (film). **ein** ~ **nach dem Roman von E. Marlitt** a film of or based on the novel by E. Marlitt; **in einen** ~ **gehen** to go and see a film, to go to a film; **da ist bei mir der** ~ **gerissen** (fig sl) I had a mental blackout (inf).
   2. (~branche) films pl, movie (esp US) or motion-picture (esp US) business. **zum** ~ **gehen/kommen** to go/get or break into films or movies (esp US); **beim** ~ **arbeiten** or **sein** (inf) to work in films or the movie business (esp US).

Film- in cpds film, movie (esp US); **Filmamateur(in** f) m home-movie enthusiast or buff (inf); **Filmarchiv** nt film archives pl; **Filmatelier** nt film studio; **Filmautor(in** f) m scriptwriter, screenwriter; **Filmball** m film festival ball; **Filmbearbeitung** f (screen) adaptation; **Filmbericht** m film report; **Filmbühne** f (dated) picture house (dated), movie house (US); **Filmdiva** f (dated) screen goddess; **Filmdrama** nt film drama.

Filmemacher(in f) m film-maker.

Film|empfindlichkeit f film speed.

filmen vti to film.

Filmentwickler m developer; **Filmepos** nt epic film.

Filmerei f (pej) filming.

Filmfestival nt, **Filmfestspiele** pl film festival; **Filmformat** nt (für Fotoapparat) film size; (für Filmkamera) film gauge; **Filmfritze** m -n, -n (inf) film or movie (esp US) guy (inf); **Filmgeschäft** nt film or movie (esp US) or motion-picture (esp US) industry; **Filmgeschichte** f history of the cinema; ~ **machen** to make film history; **Filmgröße** f great star of the screen; **Filmheld(in** f) m screen or movie (esp US) hero/heroine.

filmisch adj cinematic.

Filmkamera f film or movie (esp US) camera; (Schmalfilmkamera) cine-camera (Brit); **Filmkassette** f film cassette; **Filmkomponist(in** f) m composer of film music; **Filmkritik** f film criticism or reviewing; (Artikel) film review; (Kritiker) film critics pl; **Filmkulisse** f setting for a film; **Filmkunst** f cinematic art; **Filmmaterial** nt film; **Filmmusik** f film music; **die originale** ~ the original soundtrack.

Filmographie f biopic.

Filmpalast m picture or movie (esp US) palace; **Filmpreis** m film or movie (esp US) award; **Filmproduzent(in** f) m film or movie (esp US) producer; **Filmprojektor** m film projector; **Filmprüfstelle** f film censorship office; **Filmrechte** pl film rights pl; **Filmregie** f direction of a/the film; **Filmregisseur(in** f) m film or movie (esp US) director; **Filmreportage** f film report; **Filmriß** m (lit) tear in a film; (fig sl) mental blackout (*inf*); **Filmrolle** *f* (*Spule*) spool of film; (*für Fotoapparat*) roll of film; (*Part*) film part *or* role; **Filmsatz** *m* (*Typ*) film-setting, photocomposition; **Filmschaffende(r)** *mf decl as adj* filmmaker; **Filmschauplatz** *m* setting of a film; **Filmschauspieler** *m* film *or* movie (*esp US*) actor; **Filmschauspielerin** *f* film *or* movie (*esp US*) actress; **Filmschönheit** *f* screen beauty; **Filmserie** *f* (*esp TV*) film series *sing*; **Filmspule** *f* film spool; **Filmstar** *m* filmstar; **Filmsternchen** *nt* starlet; **Filmstudio** *nt* film *or* movie (*esp US*) studio; **Filmszene** *f* scene of a film; **Filmtheater** *nt* (*form*) cinema, movie theater (*US*); **Film- und Fernsehakademie, Film- und Fernsehhochschule** *f* college of film and television technology; **Filmverleih** *m* film distributors *pl*; **Filmvorführer(in** *f*) *m* projectionist; **Filmvorführgerät** *nt* cine projector; **Filmvorschau** *f* preview; **Filmvorstellung** *f* film show; **Filmzensur** *f* film censorship; (*Zensoren*) film censors *pl*.

Filter *nt or m* **-s, -** filter. **eine Zigarette mit/ohne ~** a (filter-) tipped/plain cigarette.

Filtereinsatz *m* filter pad; **filterfein** *adj* finely ground; **~ mahlen** to grind finely; **Filterglas** *nt* tinted glass; **Filterkaffee** *m* filter *or* drip (*US*) coffee; **Filtermundstück** *nt* filter-tip.

filtern *vti* to filter.

Filterpapier *nt* filter paper; **Filtertuch** *nt* filter cloth; **Filtertüte** *f* filter bag.

Filterung *f* filtering.

Filterzigarette *f* tipped *or* filter(-tipped) cigarette.

Filtrat *nt* filtrate.

filtrieren* *vt* to filter.

Filz *m* **-es, -e** **1.** (*Tex*) felt. **grüner ~** green baize. **2.** (*inf: Bierdeckel*) beermat. **3.** (*Pol pej*) *siehe* **Filzokratie.**

filzen **I** *vi* (*Tex*) to felt, to go felty. **II** *vt* (*inf*) (*durchsuchen*) *jdn* to frisk, to search; *Gepäck* to search, to go through; (*berauben*) to do over (*inf*).

Filzhut *m* felt hat.

filzig *adj* (*wie Filz*) felty, feltlike.

Filzlaus *f* crab louse.

Filzokrat(in *f*) *m* **-en, -en** (*Pol pej*) corrupt nepotist.

Filzokratie *f* (*Pol pej*) web of patronage and nepotism, spoils system (*US*).

filzokratisch *adj* (*Pol pej*) nepotically corrupt.

Filzpantoffel *m* (carpet) slipper; **Filzschreiber** *m* felt-tip pen, felt-tip; **Filzsohle** *f* felt insole; **Filzstiefel** *m* felt boot; **Filzstift** *m* felt-tip pen.

Fimmel *m* **-s, -** (*inf*) **1.** (*Tick*) mania. **er hat diesen ~ mit dem Unkrautjäten** he's got this thing about weeding (*inf*). **2.** (*Spleen*) obsession (*mit* about). **du hast wohl einen ~!** you're crazy (*inf*) *or* mad (*inf*).

final *adj* final.

Finale *nt* **-s, -s** *or* **-** (*Mus*) finale; (*Sport*) final, finals *pl*.

Finalist(in *f*) *m* finalist.

Finalsatz *m* final clause.

Financier [fină'sie:] *m* **-s, -s** (*geh, dated*) financier.

Finanz *f, no pl* financial world. **die hohe ~** the world of high finance.

Finanz *in cpds* financial; **Finanzamt** *nt* tax office; **Finanzaristokratie** *f* plutocrats *pl*, plutocracy; **Finanzausgleich** *m* redistribution of income between 'Bund', 'Länder' and 'Gemeinden'; **Finanzausschuß** *m* finance committee; **Finanzbeamte(r)** *mf* tax official; **Finanzbehörde** *f* tax authority.

Finanzen *pl* finances *pl*. **das übersteigt meine ~** that's beyond my means.

Finanzer(in *f*) *m* **-s, -** (*Aus*) *siehe* **Zollbeamte(r).**

Finanzfrage *f* question of finance; **Finanzgebaren** *nt* management of public finances; **Finanzgenie** *nt* financial genius *or* wizard (*inf*); **Finanzgericht** *nt* tribunal dealing with tax and other financial matters; **Finanzhoheit** *f* financial autonomy.

finanziell *adj* financial. **sich ~ an etw** (*dat*) **beteiligen** to take a (financial) stake in sth.

Finanzier [finan'tsie:] *m* **-s, -s** financier.

finanzieren* *vt* to finance, to fund. **frei ~** to finance privately; **ich kann meinen Urlaub nicht ~** I can't afford a holiday.

Finanzierung *f* financing. **zur ~ von etw** to finance sth.

Finanzierungsdefizit *nt* budget deficit; **Finanzierungsgesellschaft** *f* finance company; **Finanzierungslücke** *f* financing gap; **Finanzierungsplan** *m* finance plan *or* scheme; **Finanzierungsplatz** *m* financial centre.

Finanzjahr *nt* financial year; **finanzkräftig** *adj* financially strong; **Finanzminister(in** *f*) *m* minister of finance; **Finanzplan** *m* financial plan; **Finanzplanung** *f* financial planning; **Finanzpolitik** *f* financial policy; (*Wissenschaft, Disziplin*) politics of finance; **finanzpolitisch** *adj* *Fragen, Probleme* relating to financial policy; **Finanzrecht** *nt* financial law; **finanzschwach** *adj* financially weak; **Finanzspritze** *f* capital injection/injection of funds; **ich brauche eine kleine ~** I need something to boost my cashflow, I could do with a little cash; **finanzstark** *adj* financially strong; **Finanzwelt** *f* financial world; **Finanzwesen** *nt* financial system; **Finanzwirtschaft** *f* financial management, finance.

finassieren* *vi* (*geh*) to machinate, to do some finagling (*inf*).

Findelkind *nt* (*old*) foundling (*old*).

finden *pret* **fand**, *ptp* **gefunden** **I** *vt* **1.** (*entdecken*) to find. **ich finde es nicht** I can't find it; **es war nicht/nirgends zu ~** it was not/nowhere to be found; **das muß zu ~ sein** it must be somewhere (to be found); **es ließ sich niemand ~** we/they *etc* couldn't find anybody, there was nobody to be found; **etwas an jdm ~** to see something in sb; **nichts dabei ~** to think nothing of it.

2. (*vor~*) to find. **jdn schlafend/bei**

der Arbeit ~ to find sb asleep/working.

3. *in Verbindung mit n siehe auch dort.* Trost, Hilfe, Ruhe, Schlaf *to find;* Anklang, Zustimmung *auch* to meet with; Beifall *to meet or be met with;* Berücksichtigung, Beachtung *to receive.* **(den) Mut/(die) Kraft ~, etw zu tun** to find the courage/strength to do sth; **(bei jdm) Anerkennung ~** to find recognition (with sb); **Bestätigung ~** to be confirmed.

4. *(ansehen, betrachten)* to think. **es kalt/warm/ganz erträglich ~** to find it cold/warm/quite tolerable; **etw gut/zu teuer ~** to think (that) sth is good/too expensive; **jdn blöd ~** to think (that) sb is stupid; **wie findest du das?** what do you think?; **wie finde ich denn das?** what do I think (of that)?

II *vi (lit, fig: den Weg ~)* to find one's way. **er findet nicht nach Hause** *(lit)* he can't find his *or* the way home; *(fig)* he can't tear *or* drag himself away *(inf)*; **zu sich selbst ~** to sort oneself out.

III *vti (meinen)* to think. **~ Sie (das)?** do you think so?; **ich finde (das) nicht** I don't think so; **~ Sie (das) nicht auch?** don't you agree?, don't you think so too?; **ich finde, wir sollten/daß wir …** I think we should/that we …; **ich fände es besser, wenn …** I think it would be better if …

IV *vr* **1.** *(zum Vorschein kommen)* to be found; *(wiederauftauchen auch)* to turn up; *(sich befinden auch)* to be. **das wird sich (alles) ~** it will (all) turn up; *(sich herausstellen)* it'll all come out *(inf)*; **es fand sich niemand, der sich freiwillig gemeldet hätte** there was nobody who volunteered.

2. *(in Ordnung kommen: Angelegenheit)* to sort itself out; *(Mensch: zu sich ~)* to sort oneself out. **das wird sich alles ~** it'll all sort itself out.

3. *(sich fügen)* **sich in etw** *(acc)* **~** to reconcile oneself *or* become reconciled to sth.

4. *(sich treffen) (lit)* to find each other; *(fig)* to meet. **da haben sich aber zwei gefunden!** *(iro)* they'll make a fine pair.

Finder(in *f)* **m -s, -** finder.
Finderlohn *m* reward for the finder.
Fin de siècle [fɛ̃dˈsjɛkl] *nt - - -, no pl* fin de siècle.
findig *adj* resourceful.
Findling *m (Geol)* erratic (boulder).
Finesse *f* **1.** *(Feinheit)* refinement; *(no pl: Kunstfertigkeit)* finesse. **mit allen ~n** with every refinement. **2.** *(Trick)* trick.
finessenreich *adj* artful.
fing *pret of* fangen.
Finger *m* **-s, -** finger. **der kleine ~** one's little finger, one's pinkie *(US, Scot inf)*; **der elfte ~** *(hum)* one's third leg *(inf)*; **mit dem ~ auf jdn/etw zeigen** *or* **weisen** *(geh)* to point to sb/sth; **mit ~n auf jdn zeigen** *(fig)* to look askance at sb; **jdm mit dem ~ drohen** to wag one's finger at sb; **jdm eins/was auf die ~ geben** to give sb a rap/to rap sb across the knuckles; **jdm auf die klopfen** *(fig)* to rap sb's knuckles, to give sb a rap on the

knuckles; **zwei ~ breit** the width of two fingers, two fingers wide; **(nimm/laß die) ~ weg!** (get/keep your) hands off!; **sich** *(dat)* **nicht die ~ schmutzig machen** *(lit, fig)* not to get one's hands dirty, not to dirty one's hands; **das kann sich jeder an den (fünf** *or* **zehn) ~n abzählen** *(inf)* it sticks out a mile (to anybody) *(inf)*; **das läßt er nicht mehr aus den ~n** he won't let it out of his hands; **jdn/etw in die ~ bekommen** *or* **kriegen** *(inf)* to get one's hands on sb/sth, to get hold of sb/sth; **er hat überall seine ~ drin** *(sl)* he has a finger in every pie *(inf)*; **sich** *(dat)* **die ~ wund schreiben** to write one's fingers to the bone; **wenn man ihm/dem Teufel den kleinen ~ gibt, (dann) nimmt er (gleich) die ganze Hand** *(prov)* give him an inch and he'll take a mile *(inf)*; **lange ~ machen** *(hum inf)* to be light-fingered; **jdm in** *or* **zwischen die ~ geraten** *or* **fallen** to fall into sb's hands *or* clutches; **die ~ von jdm/etw lassen** *(inf)* to keep away from sb/sth; **sich** *(dat)* **bei** *or* **an etw** *(dat)* **die ~ verbrennen** to burn one's fingers *or* get one's fingers burnt over sth; **jdm (scharf) auf die ~ sehen** to keep an eye *or* a close eye on sb; **sich** *(dat)* **etw aus den ~n saugen** to conjure sth up *(inf)*, to dream sth up *(inf)*; **sich** *(dat)* **die** *or* **alle ~ nach etw lecken** *(inf)* to be panting *or* dying for sth *(inf)*; **für jdn keinen ~ rühren** not to lift a finger to help sb; **keinen ~ krumm machen** *(inf)* not to lift a finger *(inf)*; **den ~ auf eine/die Wunde legen** to touch on a sore point; **mich** *or* **mir juckt es in den ~n(, etw zu tun)** *(inf)* I'm itching *or* dying to (do sth); **da hast du dich in den ~ geschnitten** *(inf)* you've made a big mistake; **jdn um den kleinen ~ wickeln** to twist sb round one's little finger; **etw im kleinen ~ haben** *(perfekt beherrschen)* to have sth at one's fingertips; **(sicher im Gefühl haben)** to have a feel for sth; **man zeigt nicht mit nacktem ~ auf angezogene Leute** *(inf)* it's rude to point.

Fingerabdruck *m* fingerprint; **jds Fingerabdrücke nehmen** to take sb's fingerprints, to fingerprint sb; **Fingeralphabet** *nt* manual alphabet; **Fingerbreit** *m -,* finger's breadth, fingerbreadth; *(fig)* inch; **keinen ~ nachgeben** not to give an inch; **fingerdick** *adj* as thick as a finger; **Fingerfarbe** *f* finger paint; **fingerfertig** *adj* nimble-fingered, dexterous; **Fingerfertigkeit** *f* dexterity; **Fingergelenk** *nt* finger joint; **Fingerglied** *nt* phalanx (of the finger) *(form)*; **Fingerhakeln** *nt* finger-wrestling; **Fingerhandschuh** *m* glove; **Fingerhut** *m* **1.** *(Sew)* thimble; **ein ~ (voll)** *(fig)* a thimbleful; **2.** *(Bot)* foxglove; **Fingerknochen, Fingerknöchel** *m* knucklebone; **Fingerkuppe** *f* fingertip; **fingerlang** *adj Narbe* the length of a finger; **Fingerling** *m* fingerstall.

fingern I *vi* **an** *or* **mit etw** *(dat)* **~** to fiddle with sth; **nach etw ~** to fumble for sth.

II *vt (hervorholen)* to fumble around and produce; *(sl: manipulieren)* to fiddle (*inf*); (*bewerkstelligen*) *Projekt* to wangle (*inf*).

ingernagel *m* fingernail; **Fingernägel kauen** to bite one's (finger)nails; **Fingerring** *m* ring (for one's finger); **Fingerschale** *f* fingerbowl; **Fingerspitze** *f* fingertip, tip of one's finger; **das muß man in den ~n haben** you have to have a feel for it; **mir juckt** *or* **kribbelt es in den ~n, das zu tun** I'm itching to do that; **Fingerspitzengefühl** *nt, no pl* (*Einfühlungsgabe*) instinctive feel *or* feeling; (*im Umgang mit Menschen*) tact and sensitivity, fine feeling; **Fingersprache** *f* manual alphabet, sign language; **Fingerübung** *f* (*Mus*) finger exercise; (*Übungsstück*) étude; (*fig*) (*Anfangswerk*) apprentice piece; **Fingerzeig** *m* **-s, -e** hint; **etw als ~ Gottes/des Schicksals empfinden** to regard sth as a sign from God/as meant.

fingieren* [fɪŋˈgiːrən] *vt* (*vortäuschen*) to fake; (*erdichten*) to fabricate.

fingiert [fɪŋˈgiːɐt] *adj* (*vorgetäuscht*) bogus; (*erfunden*) fictitious.

Finish [ˈfɪnɪʃ] *nt* **-s, -s 1.** (*Endverarbeitung*) finish; (*Vorgang*) finishing. **2.** (*Sport: Endspurt*) final spurt.

finit *adj* (*Gram*) finite.

Fink *m* **-en, -en** finch.

Finne¹ *f* **-, -n 1.** (*Zool: Stadium des Bandwurms*) bladder worm, cysticercus (*form*). **2.** (*Med: Mitesser*) pimple. **3.** (*Rückenflosse*) fin. **4.** (*von Hammer*) peen.

Finne² *m* **-n, -n**, **Finnin** *f* Finn, Finnish man/woman/boy/girl.

finnisch *adj* Finnish. **der F~e Meerbusen** the Gulf of Finland; *siehe auch* **deutsch.**

Finnisch(e) *nt* **-n** Finnish; *siehe auch* **Deutsch(e).**

Finnland *nt* Finland.

Finnländer(in *f*) *m* **-s, -** Finn.

finnländisch *adj* Finnish.

Finnlandisierung *f* (*Pol sl*) Finlandization.

Finnmark *f* (*Währung*) Finnish mark, markka (*form*).

finno|ugrisch *adj* Finno-Ugric.

Finnwal *m* finback, finwhale.

finster *adj* **1.** (*ohne Licht*) dark; *Zimmer, Wald, Nacht* dark (and gloomy). **im F~n** in the dark; **im F~n liegen** to be in darkness; (*zumachen*) to put up the shutters; **es sieht ~ aus** (*fig*) things look bleak.
 2. (*dubios*) shady.
 3. (*mürrisch, verdrossen, düster*) grim; *Wolken* dark, black. **~ entschlossen sein** to be grimly determined; **jdn ~ ansehen** to give sb a black look.
 4. (*fig: unaufgeklärt*) dark. **das ~(st)e Mittelalter** the Dark Ages *pl.*
 5. (*unheimlich*) *Gestalt, Blick, Gedanken* sinister.

Finsterling *m* sinister character; (*Dunkelmann*) obscurantist.

Finsternis *f* **1.** (*Dunkelheit, Bibl: Hölle*) darkness. **2.** (*Astron*) eclipse.

Finte *f* **-, -n 1.** (*Sport*) feint; (*im Rugby*) dummy. **2.** (*List*) ruse, subterfuge.

fintenreich *adj* artful, crafty.

finz(e)lig *adj* (*N Ger inf*) **1.** (*winzig*) *Schrift* tiny, weeny (*inf*). **2.** (*knifflig*) fiddly.

Fips *m* **-es, -e** (*dial*) little fellow (*inf*).

Firlefanz *m* **-es, no pl** (*inf*) **1.** (*Kram*) frippery, trumpery. **2.** (*Albernheit*) clowning *or* fooling around. **~ machen** to clown *or* fool around.

firm *adj pred* **in einem Fachgebiet ~ sein** to have a sound knowledge of an area.

Firma *f* **-, Firmen 1.** company, firm; (*Kleinbetrieb*) business. **die ~ Wahlster** Wahlster(s); **die ~ dankt** (*hum*) much obliged (to you).
 2. (*Geschäfts- or Handelsname*) **eine ~ löschen** to strike a company's name/the name of a business from the register; **eine ~ eintragen** to register a company name/the name of a business; **unter der ~ Smith** under the name of Smith.

Firmament *nt* **-s, no pl** (*liter*) heavens *pl* (*liter*), firmament (*Bibl*).

firmen *vt* (*Rel*) to confirm.

Firmen *pl of* **Firma.**

Firmenaufdruck *m* company stamp; **Firmenbücher** *pl siehe* **Geschäftsbücher; Firmenchef(in** *f*) *m* head of the company *or* firm/business; **firmeneigen** *adj* company *attr*; **~ sein** to belong to the company; **Firmengründung** *f* formation of a company; **Firmeninhaber(in** *f*) *m* owner of the company/business; **firmenintern** *adj* internal company *attr*; **~ sein** to be an internal company matter; **Firmenkopf** *m* company/business letterhead; **Firmenname** *m* company name/name of a business; **Firmenregister** *nt* register of companies/businesses; **Firmenschild** *nt* company/business plaque; **Firmenschließung** *f* closing down (of a firm); **Firmenverzeichnis** *nt* trade directory; **Firmenwagen** *m* company car; **Firmenwert** *m* (*Comm*) goodwill; **Firmenzeichen** *nt* logo.

firmieren* *vi*: **als** *or* **unter ... ~** (*Comm, fig*) to trade under the name of ...

Firmling *m* (*Rel*) candidate for confirmation.

Firmpate *m*, **Firmpatin** *f* sponsor.

Firmung *f* (*Rel*) confirmation.

Firmware [ˈfɜːmweə] *f* (*Comput*) firmware.

Firn *m* **-(e)s, -e** névé, firn.

firnig *adj* *Schnee* névé *attr.*

Firnis *m* **-ses, -se** (*Öl~*) oil; (*Lack~*) varnish.

Firnschnee *m* névé, firn.

First *m* **-(e)s, -e 1.** (*Dach~*) (roof) ridge. **2.** (*geh: Gebirgskamm*) crest, ridge.

Firstziegel *m* ridge tile.

Fis *nt* **-, -** (*Mus*) F sharp. **in ~/f ~** in F sharp major/minor.

Fisch *m* **-(e)s, -e 1.** (*Zool, Cook*) fish. **~e/drei ~e fangen** to catch fish/three fish(es); **das sind kleine ~e** (*fig inf*) that's child's play (*inf*) (*für* to, for); **ein großer** *or* **dicker ~** (*fig inf*) a big fish; **ein paar kleine ~e/ein kleiner ~** some of/one of the small fry; **ein** (*kalter*) **~ sein** (*fig*) to be a cold fish; **munter** *or* **gesund sein wie ein ~ im Wasser** to be in fine fettle; **sich**

wohl fühlen wie ein ~ **im Wasser** to be in one's element; **stumm wie ein** ~ **sein** to be as silent as a post; **weder** ~ **noch Fleisch** neither fish nor fowl; **die** ~ **füttern** (hum) to be sick; **der** ~ **stinkt vom Kopf her** the problems are at the top.
2. (Astrol) Pisces. **die** ~**e** (Astron) Pisces sing, the Fish sing; **ein** ~ **sein** to be Pisces.
3. (Typ) character from the wrong fount.

Fisch- in cpds fish; **Fischadler** m osprey; **fischarm** adj low in fish; **fischartig** adj (Zool) fish-like; Geschmack, Geruch fishy; **Fischauge** nt (Phot) fish-eye lens; **fischäugig** adj fish-eyed; **Fischbecken** nt fishpond; **Fischbein** nt, no pl whalebone; **Fischbestand** m fish population; **Fischblase** f 1. (Zool) air-bladder, swim bladder; 2. (Archit) foil; **Fischblut** nt (fig): ~ **in den Adern haben** to be a cold fish; **Fischboulette** f fishcake; **Fischbraterei, bratkücheFisch** f fish and chip shop; **Fischbrut** f fry pl, young fish pl; **Fischbude** f fish and chip stand; **Fischdampfer** m trawler.

fischen vti (lit, fig) to fish. **mit (dem) Netz** ~ to trawl; **(auf) Heringe** ~ to fish for herring; siehe **trüb(e)**.

Fischer m **-s,** - fisherman.

Fischerboot nt fishing boat; **Fischerdorf** nt fishing village.

Fischerei f 1. (das Fangen) fishing. 2. (~gewerbe) fishing industry, fisheries pl.

Fischerei- in cpds fishing; **Fischereifrevel** m (Jur) poaching; **Fischereigerät** nt fishing tackle; (einzelnes Stück) piece of fishing tackle; **Fischereigrenze** f fishing limit; **Fischereihafen** m fishing port; **Fischereirecht** nt, no pl 1. fishing rights pl; 2. (Jur) law on fishing; **Fischereischutzboot** nt fishery protection vessel; **Fischereiwesen** nt fishing no art; **Ministerium für** ~ ministry of fisheries.

Fischernetz nt fishing net; **Fischerring** m (Rel) Ring of the Fisherman.

Fischfang m, no pl vom ~ **leben** to live by fishing; **zum** ~ **auslaufen** to set off for the fishing grounds.

Fischfangflotte f fishing fleet; **Fischfanggebiet** nt fishing grounds pl.

Fischfilet nt fish fillet; **Fischfrikadelle** f fishcake; **Fischfutter** nt fish food; **Fischgeruch** m smell of fish, fishy smell; **Fischgeschäft** nt fishmonger's (shop) (Brit), fish shop (Brit) or dealer (US); **Fischgräte** f fish bone; **Fischgrätenmuster** nt herringbone (pattern); **Fischgründe** pl fishing grounds pl, fisheries pl; **Fischhalle** f fish market hall; **Fischhändler(in** f) m fishmonger (Brit), fish dealer (US); (Großhändler) fish merchant; **Fischköder** m bait; **Fischkonserve** f canned or tinned (Brit) fish; **Fischkutter** m fishing cutter; **Fischladen** m fish shop (Brit) or dealer (US); **Fischleder** nt shagreen; **Fischleim** m isinglass; **Fischmarkt** m fish market; **Fischmehl** nt fish meal; **Fischmilch** f milt, soft roe; **Fischotter** m otter; **Fischreichtum** m richness in

fish; **Fischreiher** m grey heron; **Fischreuse** f fish trap, weir basket; **Fischrogen** m (hard) roe; **Fischschuppe** f (fish) scale; **Fischschwarm** m shoal of fish; **Fischstäbchen** nt fish finger (Brit), fish stick (US); **Fischsterben** nt death of fish; **fischverarbeitend** adj attr fish-processing; **Fischverarbeitung** f fish processing; **Fischwasser** nt (Cook) fish stock; **Fischwehr** nt fish weir; **Fischweib** nt (dated) fish seller, fishwoman; (pej) fishwife; **Fischwilderei** f poaching; **Fischwirtschaft** f fishing industry; **Fischzaun** m fish weir; **Fischzucht** f fish-farming; **Fischzug** m (fig: Beutezug) raid, foray.

Fisimatenten pl (inf) (Ausflüchte) excuses pl. **mach keine** ~! stop messing around!

fiskalisch adj fiscal.

Fiskalpolitik f, no pl fiscal politics sing/ policy.

Fiskus m **-, -se** or **Fisken** (Staatsvermögen) treasury, exchequer (Brit); (fig: Staat) Treasury.

Fisolen pl (Aus) green beans pl.

fisselig adj (dial) fine; (empfindlich zu handhaben) fiddly.

Fission f fission.

Fissur f (Anat) fissure; (Med) crack.

Fistel f **-, -n** (Med) fistula (spec).

fisteln vi to speak in a falsetto (voice) or piping voice.

Fistelstimme f 1. (Mus) falsetto. 2. (hohes Sprechstimmchen) falsetto (voice), piping voice.

fit adj pred, no comp fit. **sich** ~ **halten/ machen** to keep/get fit.

Fitneß f **-**, no pl physical fitness.

Fitneßcenter nt health or fitness centre; **Fitneßtraining** nt fitness training.

fitten vt (Tech) to fit.

Fittich m **-(e)s, -e** (liter) wing, pinion (liter). **jdn unter seine** ~**e nehmen** (hum) to take sb under one's wing (fig).

Fitting nt **-s, -s** (Tech) fitting.

Fitzel m or nt **-s, -, Fitzelchen** nt little bit.

fix adj 1. (inf) (flink) quick; (intelligent auch) bright, smart. **in etw** (dat) ~ **sein** to be quick at sth; **mach** ~! be quick!, look lively! (inf); **das geht ganz** ~ that doesn't/won't take long at all.
2. (inf) ~ **und fertig** or **alle** or **foxi sein** (nervös) to be at the end of one's tether; (erschöpft) to be worn out or done in (inf) or all in (inf); (emotional, seelisch) to be shattered; (ruiniert) to be done for (inf); **jdn** ~ **und fertig** or **alle** or **foxi machen** (nervös machen) to drive sb mad; (erschöpfen) to wear sb out, to do sb in (inf); (emotional, seelisch) to shatter sb; (in Prüfung, Wettbewerb, Kampf) to give sb a thrashing (inf); (ruinieren) to do for sb (inf).
3. (feststehend) fixed. ~**e Idee** obsession, idée fixe.
4. (dial, pej) **nicht ganz** ~ **sein** not to be in one's right mind.

Fixa pl of **Fixum**.

fixen vi 1. (sl: Drogen spritzen) to fix (sl), to shoot (sl). 2. (St Ex) to bear.

Fixer(in f) m **-s, -** 1. (sl) fixer (sl). 2. (St

Ex) bear.

ixgeschäft *nt* (*Comm*) transaction for delivery by a fixed date; (*St Ex*) time bargain.

ixierbad *nt* fixer.

ixierbar *adj* (*geh*) specifiable, definable.

ixieren* *vt* **1.** (*anstarren*) jdn/etw (mit seinem Blick/seinen Augen) ~ to fix one's gaze/eyes on sb/sth.
2. (*festlegen*) to specify, to define; *Gehälter, Termin* to set (*auf* +*acc* for); (*schriftlich niederlegen*) to record. **er ist zu stark auf seine Mutter fixiert** (*Psych*) he has a mother fixation.
3. (*haltbar machen*) to fix.
4. (*Gewichtheben*) to lock; (*Ringen*) to get in a lock. **er fixierte seinen Gegner auf den Schultern** he pinned his opponent/his opponent's shoulders to the canvas.

Fixiersalz *nt* hypo.

Fixierung *f* **1.** (*Festlegung*) *siehe vt* 2. specification, definition; setting; recording; (*Psych*) fixation. **2.** (*Anstarren*) fixing of one's gaze (*gen* on).

Fixing *nt* -s, *no pl* (*Fin*) fixing.

Fixkosten *pl* fixed costs *pl*; **Fixpunkt** *m* (*auch Comput*) fixed point; **Fixstern** *m* fixed star.

Fixum *nt* -s, Fixa basic salary, basic.

Fjord *m* -(e)s, -e fiord.

FKK [ɛfkaːˈkaː] *no art abbr of* Freikörperkultur. ~-**Anhänger sein** to be a nudist *or* naturist.

FKK-Strand [ɛfkaːˈkaː-] *m* nudist beach.

Fla *f* -, *no pl* (*Mil*) *abbr of* Flugabwehr.

Flab *f* -, *no pl* (*Sw*) *siehe* Flak.

flach *adj* **1.** (*eben, platt, niedrig*) flat; *Gebäude* low; *Abhang* gentle; *Boot* flat-bottomed. **sich ~ hinlegen/~ liegen** to lie down/lie flat; ~ **schlafen** to sleep without a pillow; **die ~e Klinge/Hand** the flat of the blade/one's hand; **eine ~e Brust** a hollow chest; (*Busen*) a flat chest; **auf dem ~en Land** in the middle of the country.
2. (*untief*) shallow.
3. (*fig*) flat; *Geschmack* insipid; (*oberflächlich*) shallow. ~ **atmen** to take shallow breaths.

Flach *nt* -(e)s, -e (*Naut*) shallows *pl*.

Flachbau *m* low building; **Flachbauweise** *f* low style of building; **Flachbildschirm** *m* (*TV*) flat screen; **flachbrüstig** *adj* flat-chested; **Flachdach** *nt* flat roof; **Flachdruck** *m* **1.** (*Verfahren*) planography; **2.** (*Produkt*) planograph.

Fläche *f* -, -n (*Ausdehnung, Flächeninhalt, Math*) area; (*Ober~*) surface; (*von Würfel*) face; (*Gelände~, Land~, Wasser~*) expanse (of ground/water).

Flach|eisen *nt* flat bar; (*Werkzeug*) flat-bladed chisel.

Flächenbrand *m* extensive fire; **sich zu einem ~ ausweiten** (*fig*) to spread to epidemic proportions; **flächendeckend** *adj* **wir müssen ~ arbeiten** we need blanket coverage; **Flächenertrag** *m* yield per acre/hectare *etc*; **flächengleich** *adj* (*Math*) equal in area; **flächenhaft** *adj* (*ausgedehnt*) extensive; **Flächeninhalt** *m* area; **Flächenland** *nt siehe* **Flächen-**

staat; **Flächenmaß** *nt* unit of square measure; **Flächennutzung** *f* land utilization; **Flächenstaat** *m* state (*as opposed to city state*); **flächentreu** *adj* Projektion equal-area.

flachfallen *vi sep irreg aux sein* (*inf*) not to come off; (*Regelung*) to end; **Flachfeile** *f* flat file; **Flachglas** *nt* sheet-glass; **Flachhang** *m* gentle slope.

Flachheit *f siehe adj* **1.** flatness; lowness; gentleness. **2.** shallowness. **3.** flatness; insipidity, insipidness; shallowness.

flächig *adj* Gesicht flat; *Aufforstungen* extensive.

Flachkopfschraube *f* countersunk screw; **Flachküste** *f* flat coast; **Flachland** *nt* lowland; (*Tiefland*) plains *pl*; **flachlegen** *sep* (*inf*) **I** *vt* to lay out; **II** *vr* to lie down; **flachliegen** *vi sep irreg* (*inf*) to be laid up (*inf*); **Flachmann** *m*, *pl* -**männer** (*inf*) hipflask; **Flachmoor** *nt* fen; **Flachpaß** *m* (*Ftbl*) low pass; **Flachrelief** *nt* bas-relief; **Flachrennen** *nt* flat (race).

Flachs [flaks] *m* -es, *no pl* **1.** (*Bot, Tex*) flax. **2.** (*inf: Neckerei, Witzelei*) kidding (*inf*); (*Bemerkung*) joke. ~ **machen** to kid around (*inf*); **jetzt mal ganz ohne ~** joking *or* kidding (*inf*) apart.

flachsblond *adj* flaxen.

Flachschuß *m* (*Ftbl*) low shot.

Flachse [ˈflaksə] *f* -, -n (*Aus*) tendon.

flachsen [ˈflaksn] *vi* (*inf*) to kid around (*inf*). **mit jdm** ~ to kid sb (on) (*inf*).

flachsfarben *adj* flaxen; **Flachshaar** *nt* flaxen hair.

Flachskopf *m* flaxen-haired child/youth.

Flachzange *f* flat-nosed pliers *pl*.

flackern *vi* (*lit, fig*) to flicker.

Flackerschein *m* flicker, flickering light.

Fladen *m* -s, - **1.** (*Cook*) round flat dough-cake. **2.** (*inf: Kuh~*) cowpat.

Fladenbrot *nt* unleavened bread.

Flader *f* -, -n grain *no pl*; (*Jahresring*) ring.

Flagellat *m* -en, -en (*Biol*) flagellate.

Flagellation *f* (*Psych*) flagellation.

Flagge *f* -, -n flag. **die belgische ~ führen** to fly the Belgian flag *or* colours; **die ~ streichen** (*lit*) to strike the flag; (*fig*) to capitulate, to show the white flag; ~ **zeigen** to nail one's colours to the mast.

flaggen *vi* to fly flags/a flag. **geflaggt haben** to fly flags/a flag.

Flaggenalphabet *nt* semaphore *no art*; **Flaggengruß** *m* dipping of the flag; **Flaggenmast** *m* flagpole, flagstaff; **Flaggenparade** *f* morning/evening colours *sing*; **Flaggensignal** *nt* flag signal.

Flaggleine *f* (flag) halyard; **Flaggoffizier** *m* flag officer; **Flaggschiff** *nt* (*lit, fig*) flagship.

flagrant *adj* flagrant.

Flair [flɛːɐ] *nt or* (*rare*) *m* -s, *no pl* (*geh*) atmosphere; (*Nimbus*) aura; (*esp Sw: Gespür*) flair.

Flak *f* -, - *or* -s *abbr of* Flug(zeug)abwehrkanone **1.** anti-aircraft *or* ack-ack gun. **2.** (*Einheit*) anti-aircraft *or* ack-ack unit.

Flakhelfer(in *f*) *m* (*Hist*) anti-aircraft auxiliary.

Flakon [flaˈkõː] *nt or m* -s, -s bottle, flacon.

flambieren* vt (Cook) to flambé.

flamboyant [flãboa'jãː] adj (geh, Archit) flamboyant.

Flamboyantstil [flãboa'jãː-] m flamboyant style.

Flame m -n, -n Fleming, Flemish man/boy.

Flamin, Flämin f Fleming, Flemish woman/girl.

Flamingo [fla'mɪŋɡo] m -s, -s flamingo.

flämisch adj Flemish.

Flämisch(e) nt -en Flemish.

Flamme f -, -n 1. (lit, fig) flame. **mit ruhiger/flackernder ~ brennen** to burn with a steady/flickering flame; **in ~n aufgehen** to go up in flames; **in (hellen) ~n stehen** to be ablaze or in flames; **etw auf kleiner ~ kochen** (lit) to cook sth on a low flame; (fig) to let sth just tick over; **etw auf großer ~ kochen** to cook sth fast.
2. (Brennstelle) flame, burner.
3. (dated inf: Geliebte) flame (inf).

flammend adj fiery. **mit ~em Gesicht** blazing.

flammendrot adj (geh) flame red, blazing red.

Flammenmeer nt sea of flames; **Flammenwerfer** m flame-thrower.

Flandern nt -s Flanders sing.

flandrisch adj Flemish.

Flanell m -s, -e flannel.

Flaneur [fla'nøːɐ] m -s, -e (geh) stroller.

flanieren* vi to stroll, to saunter.

Flanke f -, -n 1. (Anat, Mil, Chess) flank; (von Bus, Lastzug) side. **dem Feind in die ~n fallen** to attack the enemy on the flank. 2. (Sport) (Turnen) flank-vault; (Ftbl) cross; (Spielfeldseite) wing.

flanken vi (Turnen) to flank-vault; (Ftbl) to centre.

Flankenangriff m (Mil, Chess) flank attack; **Flankenball** m (Ftbl) cross, centre; **Flankendeckung** f (Mil) flank defence; **Flankenschutz** m (Mil) protection on the flank; **jdm ~ geben** (fig) to give sb added support.

flankieren* vt (Mil, Chess, fig) to flank; (fig: ergänzen) to accompany. **~de Maßnahmen** supporting measures.

Flansch m -(e)s, -e flange.

Flappe f -, -n (dial) pout. **eine ~ ziehen** to look petulant, to pout.

flappen vi (N Ger) to flap.

Flaps m -es, -e (dial inf) siehe **Flegel**.

flapsig adj (dial inf) Benehmen cheeky; Bemerkung offhand.

Fläschchen nt bottle.

Flasche f -, -n 1. bottle. **einem Baby die ~ geben** to give a baby its bottle; **mit der ~ aufziehen** to bottle-feed; **das Kind bekommt die ~** (momentan) the child is having its bottle; (generell) the child is bottle-fed; **eine ~ Wein/Bier** a bottle of wine/beer **aus der ~ trinken** to drink (straight) from or out of the bottle; **zur ~ greifen** (fig) to take to the bottle.
2. (inf: Versager) dead loss (inf). **du ~!** you're a dead loss! (inf).

Flaschenbatterie f array of bottles; **Flaschenbier** nt bottled beer;

Flaschenbürste f bottle-brush; **Flaschengärung** f fermentation in the bottle; **Flaschengestell** nt bottle rack; **flaschengrün** adj bottle-green; **Flaschenhals** m neck of a bottle; (fig) bottleneck; **Flaschenkind** nt bottle-fed baby; **Flaschenmilch** f bottled milk; **Flaschennahrung** f baby milk; **Flaschenöffner** m bottle-opener; **Flaschenpfand** nt deposit on a/the bottle; **Flaschenpost** f message in a/the bottle; **mit der ~** in a bottle; **Flaschenregal** nt wine rack; **Flaschenverschluß** m bottle top; **Flaschenwein** m bottled wine; **flaschenweise** adv by the bottle; **Flaschenzug** m block and tackle.

Flaschner m -s, - (S Ger) plumber.

Flash [flɛʃ] m -s, -s (Film) flash, intercut scene (form); (Rückblende) flashback; (sl) flash (sl).

Flatter f: **die ~ machen** (sl) to beat it (inf).

Flattergeist m butterfly; **flatterhaft** adj butterfly attr, fickle; **sie ist ziemlich ~** she's a bit of a butterfly.

flatterig adj fluttery; Puls fluttering.

Flattermann m, pl -männer (inf) 1. **einen ~ haben** (Zittern der Hände) to have the shakes; (Lampenfieber) to have stage-fright. 2. (hum: Hähnchen) chicken.

flattern vi bei Richtungsangabe aux sein (lit, fig) to flutter; (mit den Flügeln schlagen) to flap its wings; (Fahne, Segel beim Sturm, Hose) to flap; (Haar) to stream, to fly; (Blick) to flicker; (inf: Mensch) to be in a flap (inf); (Lenkung, Autorad) to wobble. **ein Brief flatterte mir auf den Schreibtisch** a letter turned up or arrived on my desk.

Flattersatz m (Typ) unjustified print, ragged right.

flau adj 1. Brise, Wind slack. 2. Farbe weak; Geschmack insipid; Stimmung, (Phot inf) Negativ flat. 3. (übel) queasy; (vor Hunger) faint. **mir ist ~ (im Magen)** I feel queasy. 4. (Comm) Markt, Börse slack. **in meiner Kasse sieht es ~ aus** (inf) my finances aren't too healthy (inf).

Flaum m -(e)s, no pl 1. (~federn, Härchen, auf Obst) down. 2. (dial: Schweinebauchfett) lard.

Flaumbart m downy beard, bum-fluff (sl) no indef art; **Flaumfeder** f down feather, plumule (spec).

flaumig adj downy; (Aus: flockig) light and creamy.

Flausch m -(e)s, -e fleece.

flauschig adj fleecy; (weich) soft.

Flausen pl (inf) (Unsinn) nonsense; (Illusionen) fancy ideas pl (inf). **er hat nur ~ im Kopf** his head is full of silly ideas; **mach keine ~!** don't try anything! (inf).

Flaute f -, -n 1. (Met) calm. **das Schiff geriet in eine ~** the ship was becalmed. 2. (fig) (Comm) lull, slack period; (der Stimmung) fit of the doldrums (inf); (der Leistung) period of slackness.

fläzen vr (inf) to sprawl (in +acc in).

Flechse ['flɛksə] f -, -n tendon.

flechsig ['flɛksɪç] adj Fleisch stringy (inf),

sinewy.

Flecht|arbeit f wickerwork, basketwork; (*aus Rohr*) canework.

Flechte f -, -n 1. (*Bot, Med*) lichen. 2. (*geh: Zopf*) plait, braid (*dated*).

flechten pret flocht, ptp geflochten vt Haar to plait, to braid (*dated*); *Kranz, Korb, Matte* to weave, to make; *Seil* to make; *Stuhl* to cane. **sich/jdm das Haar zu Zöpfen** or **in Zöpfe ~** to plait or braid (*dated*) one's/sb's hair; **Zitate in eine Rede ~** to punctuate a speech with quotations.

Flechtwerk nt 1. (*Art*) interlace. 2. *siehe* Geflecht.

Fleck m -(e)s, -e or -en 1. (*Schmutz~*) stain. **dieses Zeug macht ~en** this stuff stains (*in/auf etw* (*acc*) sth); **einen ~ auf der (weißen) Weste haben** (*fig*) to have blotted one's copybook.

2. (*Farb~*) splodge (*Brit*), splotch, blob; (*auf Arm*) blotch; (*auf Obst*) blemish. **ein grüner/gelber ~** a patch of green/yellow, a green/yellow patch; **weißer ~** white patch; (*auf Stirn von Pferd*) star, blaze; (*auf Landkarte*) blank area.

3. (*Stelle*) spot, place. **auf demselben ~** in the same place; **sich nicht vom ~ rühren** not to move or budge (*inf*); **nicht vom ~ kommen** not to get any further; **er hat das Herz auf dem rechten ~** (*fig*) his heart is in the right place; **am falschen ~** (*fig*) in the wrong way; *sparen* in the wrong places; **vom ~ weg** on the spot.

Fleckchen nt 1. *dim of* Fleck. 2. **ein schönes ~ (Erde)** a lovely little spot.

flecken vi (*dial*) to stain.

Flecken m -s, - 1. (*old: Markt~*) small town. 2. *siehe* Fleck 1., 2., 4.

fleckenlos adj (*lit, fig*) spotless.

Fleckentferner m stain-remover.

Fleckenwasser nt stain-remover.

Fleckerlteppich m (*S Ger, Aus*) rag rug.

Fleckfieber nt typhus fever.

fleckig adj marked; (*mit Flüssigkeit auch*) stained; *Obst* blemished; *Tierfell* speckled; *Gesichtshaut* blotchy.

fleddern vt *Leichen* to rob; (*inf: durchwühlen*) to rummage or ferret (*inf*) through.

Fledermaus f bat; **Fledermausärmel** m (*Fashion*) **Mantel mit ~** batwing coat; **Flederwisch** m feather duster.

Fleet [fleːt] nt -(e)s, -e (*N Ger*) canal.

Flegel m -s, - 1. (*Lümmel*) lout, yob (*inf*); (*Kind*) brat (*inf*). 2. (*Dresch~, old: Kriegs~*) flail.

Flegel|alter nt awkward adolescent phase.

Flegelei f uncouthness; (*Benehmen, Bemerkung*) uncouth behaviour no pl/ remark. **so eine ~!** how rude or uncouth!

flegelhaft adj uncouth; **Flegeljahre** pl *siehe* Flegelalter.

flegeln vr to loll, to sprawl.

flehen vi (*geh*) to plead (*um +acc* for, *zu* with). **..., flehte er zu Gott ...,** he beseeched or besought God (*liter, old*).

flehentlich adj imploring, pleading, beseeching (*liter, old*). **eine ~e Bitte** an earnest entreaty or plea; **jdn ~ bitten** to

plead with sb; **jdn ~ bitten, etw zu tun** to entreat or implore sb to do sth.

Fleisch nt -(e)s, no pl 1. (*Gewebe, Muskel~*) flesh. **nacktes ~** (*lit, fig hum*) bare flesh; **vom ~ fallen** to lose (a lot of) weight; **sich** (*dat or acc*) **ins eigene ~ schneiden** to cut off one's nose to spite one's face; **sein eigen ~ und Blut** (*liter*) his own flesh and blood; **jdm in ~ und Blut übergehen** to become second nature to sb.

2. (*Nahrungsmittel*) meat; (*Frucht~*) flesh.

Fleisch in cpds (*Cook*) meat; (*Anat*) flesh; **Fleischabfälle** pl (meat) scraps pl; **fleischarm** adj containing little meat; **Fleischberg** m (*pej inf*) mountain of flesh; **Fleischbeschau** f 1. meat inspection; 2. (*hum inf*) cattle market (*inf*); **Fleischbeschauer(in** f) m meat inspector; **Fleischbrocken** m lump of meat; **Fleischbrühe** f (*Gericht*) bouillon; (*Fond*) meat stock; **Fleischeinlage** f meat; **Fleischeinwaage** f meat content, weight of meat.

Fleischer(in f) m -s, - butcher; (*pej inf: Chirurg*) sawbones sing (*inf*).

Fleischerbeil nt meat cleaver.

Fleischerei f butcher's (shop).

Fleischerhaken m meat hook; **Fleischerhandwerk** nt butcher's trade, butchery; **Fleischerhund** m (*lit*) butcher's dog; (*fig*) brute of a dog; **ein Gemüt wie ein ~ haben** (*inf*) to be a callous brute; **Fleischermesser** nt butcher's knife.

Fleischeslust f (*old liter*) carnal lust, lusts pl of the flesh.

Fleischesser(in f) m meat-eater; **Fleischextrakt** m beef extract; **Fleischfarbe** f flesh colour; **fleischfarben, fleischfarbig** adj flesh-coloured; **Fleischfliege** f flesh-fly; **fleischfressend** adj (*Biol*) **~e Pflanzen** carnivorous plants, carnivores; **Fleischfresser** m (*Zool*) carnivore; **Fleischgenuß** m consumption of meat; **fleischgeworden** adj attr (*liter*) incarnate; **der ~ Sohn Gottes** the Son of God incarnate; **Fleischhauer** m (*Aus*) butcher; **Fleischhauerei** f (*Aus*) butcher's (shop).

fleischig adj fleshy.

Fleischkäse m meat loaf; **Fleischklopfer** m steak hammer; **Fleischkloß** m, **Fleischklößchen** nt meatball; **Fleischklumpen** m (*pej inf*) mountain of flesh; **Fleischkonserve** f can or tin (*Brit*) of meat; (*in Glas*) pot or jar of meat; **Fleischkonserven** pl (*als Gattung*) canned or tinned (*Brit*) meat; (*in Glas*) potted meat.

fleischlich adj attr *Speisen, Kost* meat; (*old liter: Begierden*) carnal, of the flesh.

fleischlos adj 1. (*ohne Fleisch*) meatless; *Kost, Ernährung* vegetarian; **~ essen/kochen** to eat no meat/to cook without meat; 2. (*mager*) thin, lean; **Fleischpastete** f meat pie; **Fleischreste** pl left-over meat sing; **Fleischsaft** m meat juices pl; **Fleischsalat** m finely cut cold meat salad with mayonnaise; **Fleischspieß** m (*Cook*) meat skewer;

Fleischstück(chen) nt piece of meat; **Fleischsuppe** f meat soup; **Fleischtomate** f beef tomato; **Fleischtopf** m 1. (Cook) meat pan; 2. Fleischtöpfe (Bibl) fleshpots pl; (fig) good life; **fleischverarbeitend** adj attr meat-processing; **Fleischvergiftung** f food poisoning (from meat); **Fleischwaren** pl meat products pl; **Fleischwerdung** f (Rel, liter) incarnation; **Fleischwolf** m mincer, meat grinder (esp US); **Rekruten/Prüflinge durch den ~ drehen** (inf) to put new recruits/exam candidates through the mill; **Fleischwunde** f flesh wound; **Fleischwurst** f pork sausage.

Fleiß m -(e)s, no pl diligence; (eifriges Tätigsein) industry; (Beharrlichkeit) application; (als Charaktereigenschaft) industriousness. **~ aufwenden** to apply oneself; **ihm fehlt der ~** he lacks application; **mit ~ kann es jeder zu etwas bringen** anybody can succeed if he works hard; **er hat die Prüfung ausschließlich durch ~ geschafft** he passed the exam by sheer hard work or simply by working hard; **mit ~ bei der Sache sein** to work hard; **mit** (S Ger) **or zu** (N Ger) **~** (absichtlich) deliberately, on purpose; **ohne ~ kein Preis** (Prov) success never comes easily.

Fleiß|arbeit f industrious piece of work; (nichts als Fleiß erfordernd) laborious task. **eine (reine) ~** (pej) an industrious but uninspired piece of work.

fleißig adj 1. (arbeitsam) hard-working no adv, industrious, diligent. **~ studieren/arbeiten** to study/work hard; **~ wie die Bienen sein** to work like beavers; **~e Hände** busy hands; **~es Lieschen** (Bot) busy Lizzie. 2. (Fleiß zeigend) diligent, painstaking. 3. (inf: unverdrossen) assiduous, diligent; Theaterbesucher, Sammler keen. **wir haben immer ~ getrunken bis 12 Uhr** we were drinking away till 12 o'clock.

flektierbar adj (in)flectional (form); Verbum conjugable; Substantiv, Adjektiv declinable.

flektieren* I vt to inflect (form); Substantiv, Adjektiv to decline; Verbum to conjugate. II vi to inflect; to be conjugated. „schwimmen" flektiert stark "schwimmen" is (conjugated as) a strong verb.

flennen vi (pej inf) to blubb(er) (inf).

fletschen vti die Zähne or mit den Zähnen **~** to bare or show one's teeth.

fleucht (obs, poet) 3. pers sing of fliegen; siehe kreucht.

Fleurist(in f) [flø'rɪst(ɪn)] m -en, -en florist.

Fleurop ® ['flɔyrɔp, 'flø:rɔp, flɔy'ro:p, flø'ro:p] f - Interflora ®.

flexibel adj (lit, fig) flexible; Holz, Kunststoff auch pliable.

Flexibilisierung f, no pl ~ der Arbeitszeit transition to flexible working hours.

Flexibilität f siehe adj flexibility; pliability.

Flexion f (Gram) inflection.

Flexionsendung f inflectional ending or suffix; **flexionslos** adj uninflected.

Flibustier [fli'bustiɐ] m -s, - (old, fig) buccaneer.

flicht imper sing and 3. pers sing present of flechten.

Flick|arbeit f (Sew) mending.

flicken vt to mend; Wäsche (stopfen auch) to darn; (mit Flicken) to patch; siehe Zeug.

Flicken m -s, - patch. **eine Jacke mit ~** a patched jacket; (als Schmuck) a patchwork jacket.

Flickenteppich m rag rug.

Flickflack m (Sport) backflip; **Flickschuster** m (old) cobbler; (fig pej) bungler (inf), botcher (inf); **Flickschusterei** f cobbler's (shop); **das ist ~** (fig pej) that's a patch-up job; **Flickwäsche** f mending; **Flickwerk** nt **die Reform war reinstes ~** the reform had been carried out piecemeal; **Flickwort** nt filler; **Flickzeug** nt (Nähzeug) sewing kit; (Reifen~) (puncture) repair outfit.

Flieder m -s, - 1. lilac; (dial: Holunder) elder. 2. (Aus inf: Geld) money.

Fliederbusch m lilac; **fliederfarben, fliederfarbig** adj lilac; **Fliedertee** m elderflower tea.

Fliege f -, -n 1. fly. **sie fielen um wie die ~n** they went down like ninepins; **sie starben wie die ~n** they fell like flies; **er tut keiner ~ etwas zuleide, er würde keiner ~ ein Bein ausreißen** (fig) he wouldn't hurt a fly; **zwei ~n mit einer Klappe schlagen** to kill two birds with one stone; **ihn stört die ~ an der Wand** every little thing irritates him; **die** or **'ne ~ machen** (sl) to beat it (inf). 2. (Bärtchen) imperial. 3. (Schlips) bow tie.

fliegen pret **flog**, ptp **geflogen** I vi aux sein 1. to fly; (Raumschiff, Raumfahrer) to go, to travel (form). **mit General Air ~** to fly (with or by) General Air; **in den Urlaub ~** to fly on holiday; **nach Köln fliegt man zwei Stunden** it takes two hours to fly to Cologne, it's a two-hour flight to Cologne; **ich kann doch nicht ~!** I haven't got wings (inf). 2. (eilen) to fly. **jdm an den Hals ~** to hurl oneself at sb; **ein Lächeln flog über sein Gesicht** a brief smile lit up his face; **die Zeit fliegt** time flies; **auf jdn/etw ~** (inf) to be mad about sb/sth (inf). 3. (inf: fallen) to fall. **von der Leiter ~** to fall off the ladder; **ich bin von der Treppe geflogen** I went flying down the stairs; **durchs Examen ~** to fail or flunk (inf) one's exam. 4. (sl: hinausgeworfen werden) to be chucked or slung or kicked out (inf) (aus, von of). **aus der Firma ~** to get the sack or the boot (inf). 5. (bewegt werden) (Fahne, Haare) to fly; (Puls) to race. **das Tier flog am ganzen Körper** the animal was quivering or trembling all over. 6. (geworfen werden) to be thrown or flung (inf) or chucked (inf). **geflogen kommen** to come flying; **die Tür flog ins**

Schloß the door flew shut; **ein Schuh flog ihm an den Kopf** he had a shoe flung at him; **der Hut flog ihm vom Kopf** his hat flew off his head; **aus der Kurve ~ to** skid off the bend.

II *vt Flugzeug, Güter, Personen, Route, Einsatz* to fly.

III *vr* **das Flugzeug fliegt sich leicht/ schwer** this plane is easy/difficult to fly, flying this plane is easy/difficult.

fliegend *adj attr Fische, Untertasse, Start* flying; *Personal* flight; *Würstchenbuden* mobile. **~er Hund** flying fox; **in ~er Eile** *or* **Hast** in a tremendous hurry; **~er Händler** travelling hawker; (*mit Lieferwagen*) mobile trader; **~e Brigade** (*DDR*) mobile work brigade; **Der F~e Holländer** The Flying Dutchman; **~e Hitze** hot flushes *pl*.

Fliegendraht *m* wire mesh; **Fliegendreck** *m* fly droppings *pl*; **Fliegenfänger** *m* (*Klebestreifen*) fly-paper; **Fliegenfenster** *nt* wire-mesh window; **Fliegengewicht** *nt* (*Sport, fig*) flyweight; **Fliegengewichtler** *m* -s, - (*Sport*) flyweight; **Fliegengitter** *nt* fly screen; **Fliegenklatsche** *f* fly-swat; **Fliegenkopf** *m* (*Typ*) turn; **Fliegennetz** *nt* fly-net; **Fliegenpilz** *m* fly agaric; **Fliegenrute** *f* fly rod; **Fliegenschiß** *m* (*inf*) **sich wegen jedem ~ an der Wand aufregen** to get one's knickers in a twist about nothing.

Flieger *m* -s, - **1.** (*Pilot*) airman, aviator (*dated*), flier (*dated*); (*Mil: Rang*) aircraftman (*Brit*), airman basic (*US*). **er ist bei den ~n** (*dated*) he's in the air force. **2.** (*inf: Flugzeug*) plane. **3.** (*Vogel*) flier. **4.** (*Sport*) (*Radrennen*) sprinter; (*Pferderennen*) flier.

Fliegeralarm *m* air-raid warning; **Fliegerangriff** *m* air-raid; **Fliegerbombe** *f* aerial bomb.

Fliegerei *f, no pl* flying.

Fliegerhorst *m* (*Mil*) military airfield *or* aerodrome (*Brit*).

Fliegerin *f siehe* **Flieger 1.**.

fliegerisch *adj attr* aeronautical.

Fliegerjacke *f* bomber jacket; **Fliegerkarte** *f* aviation chart; **Fliegeroffizier** *m* (*Mil, Aviat*) air force officer; **Fliegerschule** *f* flying school; **Fliegersprache** *f* pilots' jargon; **Fliegerstaffel** *f* (*Mil*) (air force) squadron.

Fliehburg *f* refuge.

fliehen *pret* **floh,** *ptp* **geflohen** I *vi aux sein* to flee; (*entkommen*) to escape (*aus* from). **vor jdm/der Polizei/einem Gewitter ~** to flee from sb/the police/before a storm; **aus dem Lande ~** to flee the country.

II *vt* (*liter*) (*meiden*) to shun; (*entkommen*) to flee from. **jds Gegenwart ~** to shun/flee sb's presence.

fliehend *adj Kinn* receding; *Stirn* sloping.

Fliehende(r) *mf decl as adj* fugitive.

Fliehkraft *f* centrifugal force; **Fliehkraftkupplung** *f* centrifugal clutch.

Fliese *f* -, **-n** tile. **~n legen** to lay tiles; **etw mit ~n auslegen** to tile sth.

fliesen *vt* to tile.

Fliesen(fuß)boden *m* tiled floor; **Fliesenleger(in** *f*) *m* tiler.

Fließband *nt* conveyor-belt; (*als Einrichtung*) assembly *or* production line; **am ~ arbeiten** *or* **stehen** (*inf*) to work on the assembly *or* production line; **Fließbandfertigung** *f* belt production.

fließen *pret* **floß,** *ptp* **geflossen** *vi aux sein* to flow; (*Verkehr, Luftmassen auch*) to move; (*Fluß auch, Tränen*) to run. **es ist genug Blut geflossen** enough blood has been shed *or* spilled; **der Schweiß floß ihm von der Stirn** sweat was pouring off his forehead; **die Mittel für Jugendarbeit ~ immer spärlicher** less and less money is being made available for youth work; **aus der Feder ~** (*geh*) to flow from the pen; **Nachrichten ~ spärlich** the flow of news is minimal; **alles fließt** (*Philos*) all is in a state of flux.

fließend *adj* flowing; *Leitungswasser, Gewässer* running; *Verkehr* moving; *Rede, Vortrag, Sprache* fluent; *Grenze, Übergang* fluid. **sie spricht ~ Französisch** *or* **ein ~es Französisch** she speaks fluent French, she speaks French fluently.

Fließheck *nt* fastback; **Fließkomma** *nt* (*auch Comput*) floating point; **Fließlaut** *m* liquid; **Fließpunkt** *m* (*auch Comput*) floating point; **Fließsatz** *m* (*Typ*) wordwrap; **Fließstraße** *f* (*Tech*) assembly *or* production line; **Fließwasser** *nt* (*esp Aus*) running water.

Flimmerepithel *nt* (*Anat*) cilium; **flimmerfrei** *adj* (*Opt, Phot*) flicker-free; **Flimmerkasten** *m*, **Flimmerkiste** *f* (*inf*) TV (*inf*), (goggle)box (*Brit inf*), telly (*Brit inf*).

flimmern I *vi* to shimmer; (*Film, TV*) to flicker. **es flimmert mir vor den Augen** everything is swimming *or* dancing in front of my eyes; **über den Bildschirm ~** (*inf*) to be on the box (*Brit inf*) *or* on TV. II *vt* (*dial: blank putzen*) to polish, to shine (*inf*).

flink *adj* (*geschickt*) nimble; *Bewegung, Finger auch* deft; (*schnell, dated: aufgeweckt*) quick; *Mundwerk, Zunge* quick, ready; *Augen* sharp, bright. **ein bißchen ~!** (*inf*) get a move on!, make it snappy! (*inf*); **mit etw ~ bei der Hand sein** to be quick (off the mark) with sth.

Flinkheit *f siehe adj* nimbleness; deftness; quickness; readiness; sharpness, brightness.

Flinte *f* -, **-n** (*Schrot~*) shotgun. **jdn/etw vor die ~ bekommen** (*fig*) to get hold of sb/sth; **die ~ ins Korn werfen** (*fig*) to throw the sponge *or* towel.

Flintglas *nt* flint glass.

Flip *m* -s, **-s** (*Eiskunstlauf*) flip.

Flip-Chart ['-tʃɑːt] *nt* -, **-s** flipchart.

Flipflopschaltung ['flɪpflɔp-] *f* flip-flop circuit.

Flipper *m* -s, -, **Flipperautomat** *m* pinball machine.

flippern *vi* to play pinball.

flippig *adj* (*sl*) *Typ, Klamotten* hip (*sl*), kooky (*US sl*).

flirren *vi* to whirr; (*Luft, Hitze*) to shimmer.

Flirt [flɪrt, *auch* fløːɐt, flœrt] *m* -s, **-s 1.**

(*Flirten*) flirtation. 2. (*dated*) (*Schwarm*) flame (*dated*); (*Mann auch*) beau (*dated*).

flirten ['flɪrtn, *auch* 'fløːrɛtn, 'flœrtn] *vi* to flirt.

Flittchen *nt* (*pej inf*) slut.

Flitter *m* -s, - 1. (~*schmuck*) sequins *pl*, spangles *pl*. 2. *no pl* (*pej: Tand*) trumpery.

Flittergold *nt* gold foil.

flittern *vi* 1. to glitter, to sparkle. 2. (*hum*) to honeymoon.

Flitterwochen *pl* honeymoon *sing*; **in die ~ fahren/in den ~ sein** to go/be on one's honeymoon; **Flitterwöchner** *m* -s, - (*hum*) honeymooner.

Flitz(e)bogen *m* bow and arrow. **ich bin gespannt wie ein ~** (*inf*) the suspense is killing me (*inf*); **gespannt wie ein ~ sein, ob ...**

flitzen *vi aux sein* (*inf*) 1. to whizz (*inf*), to dash. 2. (*nackt rennen*) to streak. (das) **F~** streaking.

Flitzer *m* -s, - (*inf*) 1. (*Fahrzeug*) sporty little job (*inf*); (*Schnelläufer*) streak of lightning (*inf*). 2. (*nackter Läufer*) streaker.

floaten ['floːtn] *vti* (*Fin*) to float. ~ (**lassen**) to float.

Floating ['floːtɪŋ] *nt* (*Fin*) floating.

flocht *pret of* **flechten.**

Flocke *f* -, -n 1. flake; (*Woll~*) piece of wool; (*Schaum~*) blob (of foam); (*Staub~*) ball (of fluff). 2. ~**n** *pl* (*inf: Geld*) dough (*inf*).

flockig *adj* fluffy.

flog *pret of* **fliegen.**

floh *pret of* **fliehen.**

Floh *m* -(e)s, -e 1. (*Zool*) flea. **von ~en zerbissen** *or* **zerstochen** flea-bitten *attr*, bitten by fleas; **es ist leichter, einen Sack ~e zu hüten, als ...** I'd as soon jump in the lake as ...; **jdm einen ~ ins Ohr setzen** (*inf*) to put an idea into sb's head; **die ~e husten hören** (*inf*) to imagine things.

2. (*sl: Geld*) ~**e** *pl* dough (*sl*), bread (*sl*).

Flohbiß *m* fleabite.

flöhen *vt* jdn/sich ~ to get rid of sb's/one's fleas, to debug sb/oneself (*inf*).

Flohhüpfen *nt* tiddl(e)ywinks *sing, no art*; **Flohkino** *nt* (*inf*) local fleapit (*inf*); **Flohkiste** *f* (*inf*) pit (*sl*), bed; **Flohmarkt** *m* flea market; **Flohspiel** *nt siehe* **Flohhüpfen; Flohzirkus** *m* flea circus.

Flokati *m* -s, -s flokati.

Flom(en) *m* -s, *no pl* (*Cook*) lard.

Flop *m* -s, -s flop (*inf*).

Floppy Disk ['flɒpɪ-] *f* floppy disk.

Flor¹ *m* -s, -e (*liter*) array of flowers. **in ~ stehen** to be in full bloom.

Flor² *m* -s, -e *or* (*rare*) -e 1. (*dünnes Gewebe*) gauze; (*Trauer~*) crêpe; (*liter: Schleier*) veil. 2. (*Teppich~, Samt~*) pile.

Flora *f* -, **Floren** flora.

Florentiner I *m* -s, - 1. (*Geog, Cook*) Florentine. 2. (*auch* ~**hut**) picture hat. **II** *adj* Florentine.

florentinisch *adj* Florentine.

Florenz *nt* -' *or* -**ens** Florence.

Florett *nt* -(e)s, -e 1. (*Waffe*) foil. ~ **fechten** to fence with a foil. 2. (*auch* ~**fechten**) foil-fencing.

Florfliege *f* lacewing.

florieren* *vi* to flourish, to bloom.

Florist(in *f*) *m* -en, -en florist.

Floskel *f* -, -n set phrase. **eine höfliche/abgedroschene ~** a polite but meaningless/a hackneyed phrase.

floskelhaft *adj Stil* cliché-ridden; *Rede, Brief auch* full of set phrases.

floß *pret of* **fließen.**

Floß *nt* -es, -e raft; (*Fishing*) float.

flößbar *adj* navigable by raft.

Floßbrücke *f* floating bridge.

Flosse *f* -, -n 1. (*Zool*) (*Fisch~*) fin; (*Wal~, Robben~*) flipper. 2. (*Aviat, Naut: Leitwerk*) fin. 3. (*Taucher~*) flipper. 4. (*sl: Hand*) paw (*inf*).

flößen *vti* to raft.

Flößer(in *f*) *m* -s, - raftsman/raftswoman.

Flößerei *f*, *no pl* rafting.

Flöte *f* -, -n 1. pipe; (*Quer~, in Zusammensetzungen*) flute; (*Block~*) recorder; (*Pikkolo~*) piccolo; (*des Pan*) pipes *pl*; (*Orgel~*) flute. **die ~** *or* **auf der ~ spielen** *or* **blasen** to play the pipe *etc*. 2. (*Kelchglas*) flute glass. 3. (*Cards*) flush. 4. (*sl: Penis*) cock (*sl*).

flöten I *vt* (*Mus*) to play on the flute. **II** *vi* 1. (*Mus*) to play the flute. 2. (*sl: fellieren*) to do a blow-job (*sl*). **III** *vti* 1. (*Vogel*) to warble; (*dial: pfeifen*) to whistle. 2. (*hum inf: süß sprechen*) to flute, to warble.

flötengehen *vi sep aux sein* (*sl*) to go west (*inf*), to go for a burton (*inf*); **Flötenkessel** *m* whistling kettle; **Flötenregister** *nt* flue-stop; **Flötenspiel** *nt* pipe-/flute- *etc* playing; (*Flötenmusik*) pipe-/flute- *etc* music; **Flötenspieler(in** *f*) *m* piper; flautist; recorder/piccolo player; **Flötenton** *m* 1. (*lit*) sound of flutes/a flute; 2. (*inf*) **jdm die Flötentöne beibringen** to teach sb what's what (*inf*); **Flötenwerk** *nt* flue-work.

Flötist(in *f*) *m* -en, -en flautist; piccolo player.

flott *adj* 1. (*zügig*) *Fahrt* quick; *Tempo, Geschäft* brisk; *Arbeiter, Bedienung* speedy (*inf*), quick and efficient; *Tänzer* good; (*flüssig*) *Stil, Artikel* racy (*inf*); (*schwungvoll*) *Musik* lively. **aber ein bißchen ~!** and look lively!, and make it snappy!; **den ~en Otto** *or* **Heinrich haben** (*hum inf*) to have the runs (*inf*).

2. (*schick*) smart.

3. (*lebenslustig*) fun-loving, fast-living. ~ **leben, ein ~es Leben führen** to be a fast liver.

4. *pred* ~/**wieder ~ werden** (*Schiff*) to be floated off/refloated; (*fig inf*) (*Auto*) to be/get back on the road; (*Flugzeug*) to be working/working again; (*Mensch*) to be out of the woods/back on top; (*Unternehmen*) to be/get back on its feet; **wieder ~ sein** (*Schiff*) to be afloat again; (*fig inf*) (*Auto*) to be back on the road; (*Flugzeug*) to be working again; (*Mensch*) (*gesundheitlich*) to be in the pink again (*inf*); (*finanziell*) to be in

funds again; (*Unternehmen*) to be back on its feet.

Flott *nt* **-(e)s**, *no pl* **1.** (*N Ger*) skin of the milk. **2.** (*Enten~*) duckweed.

flottbekommen* *vt sep irreg Schiff* to float off; (*fig inf*) *Auto* to get on the road; *Unternehmen* to get on its feet.

Flotte *f* **-**, **-n 1.** (*Naut, Aviat*) fleet. **2.** (*Tex*) (*Färbebad*) dye (solution); (*Bleichlösung*) bleach (solution); (*Einweichlösung*) soaking solution.

Flottenabkommen *nt* naval treaty; **Flottenbasis** *f* naval base; **Flottenchef** *m* commander-in-chief of the fleet; **Flottenkommando** *nt* fleet command; **Flottenparade** *f* naval review; **die ~ abnehmen** to review the fleet; **Flottenstützpunkt** *m* naval base; **Flottenverband** *m* naval unit.

Flottille [flɔtɪl(j)ə] *f* **-**, **-n** (*Mil*) flotilla; (*Fischfang~*) fleet.

Flottillen|admiral *m* (*Mil*) commodore.

flottkriegen, flottmachen *vt sep siehe* **flottbekommen; flottweg** [-vɛk] *adv* (*inf*) non-stop; **das geht immer ~** there's no hanging about (*inf*).

Flöz *nt* **-es**, **-e** (*Min*) seam.

Fluch *m* **-(e)s**, **⁻e** curse; (*Schimpfwort auch*) oath. **ein ~ liegt über** *or* **lastet auf diesem Haus** there is a curse on this house, this house lies under a curse; **~ dem Alkohol!** a curse on alcohol!; **das (eben) ist der ~ der bösen Tat** (*prov*) evil begets evil (*Prov*).

fluchen I *vi* (*Flüche ausstoßen, schimpfen*) to curse (and swear). **auf** *or* **über jdn/ etw ~** to curse sb/sth. **II** *vt* (*old*) **jdm/etw ~** to curse sb/sth.

Flucht *f* **-**, **-en 1.** (*Fliehen*) flight; (*geglückt auch*) escape. **die ~ ergreifen** to take flight, to flee; (*erfolgreich auch*) to (make one's) escape; **ihm glückte die ~** he escaped, he succeeded in escaping; **auf der ~ sein** to be on the run; (*Gesetzesbrecher*) to be on the run; **jdn/etw in die schlagen** to put sb/sth to flight; **in wilder** *or* **heilloser ~ davonjagen** to stampede; **jdm zur ~ verhelfen** to help sb to escape; **auf der ~ erschossen werden** to be shot while attempting to escape; **sein Heil in der ~ suchen** (*geh*) to take refuge in flight; **die ~ nach vorn antreten** to take the bull by the horns; **die ~ in die Anonymität antreten** to take refuge in anonymity; **die ~ nach Ägypten** (*Bibl*) the flight into Egypt. **2.** (*Hunt*) leap, bound. **eine ~ machen** to make a leap *or* bound. **3.** (*Häuser~*) row; (*~linie*) alignment. **4.** (*Zimmer~*) suite.

fluchtartig *adj* hasty, hurried, precipitate (*form*); **in ~er Eile** in great haste; **Fluchtauto** *nt* escape car; (*von Gesetzesbrecher*) getaway car; **Fluchtburg** *f* refuge.

fluchten (*Archit*) **I** *vt* to align. **II** *vi* to be aligned.

flüchten *vi* **1.** *aux sein* (*davonlaufen*) to flee; (*erfolgreich auch*) to escape. **aus dem Land/Südafrika ~** to flee the country/from South Africa; **vor der**

Wirklichkeit ~ to escape reality; **sich in Alkohol ~** to take refuge in alcohol; **sich in Ausreden ~** to resort to excuses. **2.** *auch vr* (*vi: aux sein*) (*Schutz suchen*) to take refuge.

Fluchtfahrzeug *nt* escape vehicle; (*von Gesetzesbrecher*) getaway vehicle; **Fluchtgefahr** *f* risk of escape *or* an escape attempt; **Fluchthelfer(in** *f*) *m* escape helper; **Fluchthilfe** *f* escape aid.

flüchtig *adj* **1.** (*geflüchtet*) fugitive. **~ sein** to be still at large; **ein ~er Verbrecher** a criminal who hasn't been caught. **2.** (*kurz, schnell vorübergehend*) fleeting, brief; *Gruß* brief. **~ erwähnen** to mention in passing. **3.** (*oberflächlich*) cursory, sketchy. **etw ~ lesen** to glance *or* skim through sth; **~ arbeiten** to work hurriedly *or* hastily; **jdn ~ kennen** to have met sb briefly. **4.** (*Chem*) volatile. **5.** (*Comput*) **~er Speicher** volatile memory.

Flüchtige(r) *mf decl as adj* fugitive; (*Ausbrecher*) escaper.

Flüchtigkeit *f* **1.** (*Kürze*) briefness, brevity. **2.** (*Oberflächlichkeit*) cursoriness, sketchiness; (*von Arbeit*) hastiness; (*~sfehler*) careless mistake. **3.** (*Vergänglichkeit*) fleetingness, briefness. **4.** (*Chem*) volatility.

Flüchtigkeitsfehler *m* careless mistake; (*beim Schreiben auch*) slip of the pen.

Flüchtling *m* refugee.

Flüchtlings- *in cpds* refugee; *siehe auch* **Vertriebenen-; Flüchtlingsausweis** *m* refugee's identity card; **Flüchtlingshilfe** *f* aid to refugees; (*inf: Flüchtlingsorganisation*) (refugee) relief agency; **Flüchtlingslager** *nt* refugee camp; **Flüchtlingsstrom** *m* flood of refugees.

Fluchtlinie *f* alignment; (*einer Straße*) building line; **Fluchtpunkt** *m* vanishing point; **Fluchttunnel** *m* escape tunnel; **Fluchtverdacht** *m* **es besteht ~** there are grounds for suspecting that he/she *etc* will try to abscond; **Fluchtversuch** *m* escape attempt *or* bid; **Fluchtweg** *m* escape route.

Flug *m* **-(e)s**, **⁻e** (*alle Bedeutungen*) flight; (*Ski~*) jump. **im ~(e)** in the air; (*bei Vögeln auch*) in flight, on the wing; **einen ~ antreten** to take off (*nach* for); **einen ~ stornieren** to cancel a booking; **der ~ zum Mond** (*Fliegen*) travel to the moon; (*spezifische Fahrt*) the moon flight *or* trip; **wie im ~(e)** (*fig*) in a twinkling *or* flash. **die Ferien vergingen (wie) im Fluge** the holidays raced by.

Flugabwehr *f* air defence.

Flugabwehrkanone *f* anti-aircraft gun; **Flugabwehrkörper** *m* air defence missile; **Flugabwehrrakete** *f* anti-aircraft missile.

Flugangel *f* fly rod; **Flugangst** *f* fear of flying; **Flugasche** *f* flying ashes *pl*; **Flugaufkommen** *nt* air traffic; **Flugbahn** *f* (*von Vogel, Flugzeug*) flight path; (*von Rakete, Satelliten auch, von Kugel*) trajectory; (*Kreisbahn*) orbit; **Flugball** *m* (*Sport*) high ball; (*Tennis*) volley; **Flugbasis** f (Mil) air base; **Flugbegleiter(in** f) m steward/stewardess or air hostess; **Flugbegleitpersonal** nt cabin crew; **Flugbenzin** nt aviation fuel; **Flugbereich** m operational range no pl; **flugbereit** adj ready for take-off; **Flugbetrieb** m air traffic; **Flugbewegungen** pl aircraft movements pl; **Flugbild** nt (Zool) flight silhouette.

Flugblatt nt leaflet; (als Werbung auch) handbill.

Flugblattaktion f leafletting campaign; **Flugblattverteiler(in** f) m distributor of leaflets/handbills.

Flugboot nt flying boat; **Flugbuch** nt logbook; **Flug(daten)schreiber** m flight recorder; **Flugdauer** f flying time; **Flugdeck** nt flight deck; **Flugdrachen** m hang-glider; **Flugechse** f pterodactyl; **Flugeigenschaft** f usu pl handling characteristic.

Flügel m -s, - 1. (Anat, Aviat) wing. **mit den ~n schlagen** to beat or flap its wings; **einem Vogel/jdm die ~ stutzen** or **beschneiden** to clip a bird's/sb's wings; **die Hoffnung/der Gedanke verlieh ihm ~** (liter) hope/the thought lent him wings (liter).

2. (von Hubschrauber, Ventilator) blade; (Propeller~ auch) vane; (Windmühlen~) sail, vane.

3. (Altar~) sidepiece, wing; (Fenster~) casement (form), side; (Tür~) door (of double doors), leaf (form); (Lungen~) lung; (Nasen~) nostril.

4. (Mil, Sport: Teil einer Truppe) wing. **über den/auf dem linken ~ angreifen** to attack up/on the left wing.

5. (Gebäude~) wing.

6. (Konzert~) grand piano, grand (inf). **auf dem ~ spielen** to play the piano; **am ~:** ... at or on the piano: ...

Flügeladjutant m (Mil, Hist) aide-de-camp (often of the rank of general); **Flügelaltar** m winged altar; **Flügelfenster** nt casement window; **flügelförmig** adj wing-shaped; **Flügelhaube** f pinner, cap with upturned lappets; **Flügelhorn** nt (Mus) flugelhorn; **Flügelkampf** m (Pol) factional dispute, party in-fighting; **Flügelklappe** f (Aviat) wing flap, aileron (spec); **flügellahm** adj with injured wings/an injured wing; (fig) Industrie etc ailing; Mensch feeble; ~ **sein** (lit) to have an injured wing/its wings injured; **einen Vogel ~ schießen** to wing a bird; **flügellos** adj wingless; **Flügelmann** m (Ftbl) wing forward, winger; (Mil) flank man; (Pol) person on the wing of a party; **Flügelmutter** f wing or butterfly nut; **Flügelrad** nt (Rail fig) winged wheel (symbol of the West German railways); **Flügelroß** nt (Myth) winged horse; **flügelschlagend** adj beating its wings; **Flügelschraube** f 1. wing bolt; 2. siehe **Flügelmutter**; **Flügelstürmer(in** f) m (Sport) wing forward; **Flügeltür** f leaved door (form); (mit zwei Flügeln) double door; (Verandatür) French door.

Flugentfernung f air or flying distance;

Flugerfahrung f flying experience; **flugerprobt** adj flight-tested; **flugfähig** adj able to fly; **Flugzeug** (in Ordnung) airworthy; **Flugfeld** nt airfield; **Flugfuchs** m (Indian) flying fox; **Flugfunk** m air radio.

Fluggast m (airline) passenger.

Fluggastkontrolle f airport security check.

flügge adj fully-fledged; (fig) Jugendlicher independent. ~ **werden** (lit) to be able to fly; (fig) to leave the nest.

Fluggelände nt airfield; **Fluggepäck** nt baggage; **Fluggerät** nt, no pl aircraft; **Fluggeschwindigkeit** f (von Vögeln, Insekten) speed of flight; (von Flugzeug) flying speed; (von Rakete, Geschoß, Ball) velocity; **Fluggesellschaft** f airline (company); **Fluggewicht** nt all-up weight.

Flughafen m airport; (Mil) aerodrome (Brit), airdrome (US). **der ~ Hamburg** Hamburg airport; **auf dem ~** at the airport.

Flughafenbus m airport bus; **Flughafenfeuerwehr** f airport fire fighting service; **Flughafengebühr** f airport charges pl; **Flughafengelände** nt airport grounds pl; **Flughafensteuer** f airport tax.

Flughöhe f flying height (auch Orn); altitude; **unsere** or **die ~ beträgt 10.000 Meter** we are flying at an altitude of 10,000 metres; **Flughörnchen** nt flying squirrel; **Flughund** m flying fox; **Flugingenieur(in** f) m flight engineer; **Flugkanzel** f cockpit; **Flugkapitän** m captain (of an/the aircraft); **Flugkarte** f (Luftfahrtkarte) flight or aviation chart; **Flugkilometer** m (air) kilometre; **Flugkörper** m flying object; **Flugkünste** pl flying skills pl; (Kunststücke) aerobatic feats pl; **Fluglärm** m aircraft noise; **Fluglehrer(in** f) m flying instructor; **Flugleitsystem** nt flight control system; **Flugleitung** f air-traffic or flight control; **Fluglinie** f 1. (Strecke) airway, air route; 2. (Luftfahrtgesellschaft) airline (company); **Flugloch** nt entrance hole; (bei Bienenstock) (hive) entrance; **Fluglotse** m air-traffic or flight controller; **Flugmanöver** nt aerial manoeuvre; **Flugmotor** m aircraft engine; **Flugnetz** nt network of air routes; **Flugnummer** f flight number; **Flugobjekt** nt: **ein unbekanntes ~** an unidentified flying object, a UFO; **Flugpassagier** m siehe **Fluggast**; **Flugpersonal** nt flight personnel pl; **Flugplan** m flight schedule; **Flugplatz** m airfield; (größer) airport; **Flugpreis** m air fare; **Flugprüfung** f examination for one's pilot's licence; **Flugreisende(r)** mf (airline) passenger; **Flugrichtung** f direction of flight; **die ~ ändern** to change one's flight course; **Flugroute** f air route.

flugs [fluks] adv (dated) without delay, speedily.

Flugsand m drifting sand; **Flugsaurier** m pterodactyl; **die ~** the pterosauria; **Flugschanze** f (Sport) ski-jump; **Flugschein** m 1. pilot's licence; 2.

(*Flugkarte*) plane *or* air ticket; **Flugschneise** *f* flight path; **Flugschreiber** *m siehe* **Flug(daten)schreiber; Flugschrift** *f* pamphlet; **Flugschüler(in** *f*) *m* trainee pilot; **Flugsicherheit** *f* air safety; **Flugsicherung** *f* air traffic control; **Flugsimulator** *m* flight simulator; **Flugsport** *m* flying, aviation; **Flugstaub** *m* flue dust; **Flugsteig** *m* gate; **Flugstrecke** *f* 1. flying distance; 2. (*Route*) route; **Flugstunde** *f* 1. flying hour; **zehn ~n entfernt** ten hours away by air; 2. (*Unterricht*) flying lesson; **flugtauglich** *adj Pilot* fit to fly; **Flugtechnik** *f* 1. aircraft engineering; 2. (*Flugfertigkeit*) flying technique; **Flugticket** *nt* plane ticket; **Flugtouristik** *f* holiday air travel; **flugtüchtig** *adj* airworthy; **Flugtüchtigkeit** *f* airworthiness; **flugunfähig** *adj* unable to fly; *Flugzeug* (*nicht in Ordnung*) unairworthy; **fluguntauglich** *adj* unfit to fly; **Flugunterbrechung** *f* stop; (*mit Übernachtung auch*) stopover; **fluguntüchtig** *adj* unairworthy; **Flugveranstaltung** *f* air display *or* show; **Flugverbindung** *f* air connection; **es gibt auch eine ~** there are flights there too; **Flugverbot** *nt* flying ban; **nachts besteht ~ auf dem Flughafen** the airport is closed to air traffic at night; **Flugverbotszone** *f* no-fly zone, air exclusion zone; **Flugverkehr** *m* air traffic; **Flugversuch** *m* attempt to fly *or* at flight; **Flugwesen** *nt, no pl* aviation *no art*; (*mit Ballons etc*) aeronautics *sing no art*; **Flugwetter** *nt* flying weather; **Flugzeit** *f* flying time; **Flugzettel** *m* (*Aus*) *siehe* **Flugblatt.**

Flugzeug *nt* -(e)s, -e plane, aircraft, aeroplane (*Brit*), airplane (*US*); (*Düsen~ auch*) jet; (*Segel~*) glider. **im** *or* **mit dem** *or* **per ~** by air *or* plane; **ein ~ der Lufthansa** a Lufthansa plane/jet.

Flugzeug- *in cpds* aircraft; **Flugzeugabsturz** *m* plane *or* air crash; **Flugzeugabwehr** *f* (*Mil*) *siehe* **Flugabwehr; Flugzeugbau** *m* aircraft construction *no art*; **Flugzeugbesatzung** *f* air *or* plane crew; **Flugzeugentführer(in** *f*) *m* (aircraft) hijacker, skyjacker; **Flugzeugentführung** *f* (aircraft) hijacking, skyjacking; **Flugzeugführer(in** *f*) *m* (aircraft) pilot; **Flugzeughalle** *f* (aircraft) hangar; **Flugzeugkatastrophe** *f* air disaster; **Flugzeugmodell** *nt* model plane; **Flugzeugrumpf** *m* fuselage; **Flugzeugschleuder** *f* catapult; **Flugzeugstart** *m* aeroplane *or* airplane (*US*) take-off; **Flugzeugträger** *m* aircraft carrier; **Flugzeugtyp** *m* model of aircraft; **Flugzeugunglück** *nt* plane *or* air crash; **Flugzeugverband** *m* (*Mil*) aircraft formation; **Flugzeugwrack** *nt* **ein ~/zwei ~s** the wreckage of a plane/two planes.

Flugziel *nt* destination.

Fluidum *nt* -s, **Fluida** (*fig*) aura; (*von Städten, Orten*) atmosphere. **von ihr ging ein geheimnisvolles ~ aus** she was surrounded by an aura of mystery.

Fluktuation *f* fluctuation (*gen* in).
fluktuieren* *vi* to fluctuate.
Flunder *f* -, -n flounder. **da war ich platt wie eine ~** (*inf*) you could have knocked me down with a feather (*inf*).
Flunkerei *f* (*inf*) 1. (*no pl: Flunkern*) story-telling. 2. (*kleine Lüge*) story.
Flunkerer *m* -s, - (*inf*) story-teller.
flunkern (*inf*) I *vi* to tell stories. II *vt* to make up.
Flunsch *m or f* -(e)s, -e (*inf*) pout. **eine(n) ~ ziehen** *or* **machen** to pout.
Fluor¹ *nt* -s, *no pl* (*abbr* F) fluorine; (~*verbindung*) fluoride.
Fluor² *m* -s, *no pl* (*Med*) (vaginal) discharge.
Fluorchlorkohlenwasserstoff *m* chlorofluorocarbon.
Fluoreszenz *f* fluorescence.
fluoreszieren* *vi* to be luminous, to fluoresce (*form*).
Fluorid *nt* -(e)s, -e (*Chem*) fluoride.
Fluorkohlenwasserstoff *m* fluorocarbon.
Flur¹ *m* -(e)s, -e corridor; (*Haus ~*) hall.
Flur² *f* -, -en (*liter*) (*unbewaldetes Land*) open fields *pl*; (*Wiese*) meadow, mead (*poet*); (*Agr*) agricultural land of a community. **durch Wald/Feld und ~** through woods/fields and meadows; **allein auf weiter ~ stehen** (*fig*) to be out on a limb.
Flurbereinigung *f* reparcelling of the agricultural land of a community.
Flurform *f* layout of the agricultural land of a community.
Flurgarderobe *f* hall-stand.
Flurlicht *nt* corridor/hall light.
Flurname *m* field-name; **Flurschaden** *m* damage to an agricultural area; (*fig*) damage; **Flurtür** *f* door to the corridor, hall door.
Fluse *f* -, -n (*N Ger*) bit of fluff; (*Woll~*) bobble. **~n** fluff/bobbles.
Fluß *m* -sses, ⁻sse 1. (*Gewässer*) river. **am ~** by the river; *Stadt* on the river; **unten am ~** down by the river(side); **den ~ aufwärts/abwärts fahren** to go upstream *or* upriver/downstream *or* downriver.
   2. *no pl* (*Tech: Schmelz~*) molten mass. **im ~ sein** to be molten.
   3. (*kontinuierlicher Verlauf: von Verkehr, Rede, Strom, Elektronen*) flow; (*von Verhandlungen auch*) continuity. **etw in ~** (*acc*) **bringen** to get sth moving *or* going; **etw kommt** *or* **gerät in ~** sth gets underway *or* going; (*sich verändern*) sth moves into a state of flux; **im ~ sein** (*sich verändern*) to be in a state of flux; (*im Gange sein*) to be in progress *or* going on.
Fluß- *in cpds* river; **Flußaal** *m* common eel; **flußab(wärts)** *adv* downstream, downriver; **Flußarm** *m* arm of a/the river; **flußaufwärts** *adv* upstream, upriver; **Flußbett** *nt* riverbed.
Flußdiagramm *nt* flow chart *or* diagram; **Flußebene** *f* fluvial plain; **Flußhafen** *m* river port.
flüssig *adj* 1. (*nicht fest*) liquid; *Honig, Lack* runny; (*geschmolzen*) *Glas, Metall auch* molten; *Butter* melted. **~e Nahrung** liquids *pl*, liquid food; **~ ernährt**

werden to be fed on liquids; ~ **machen** to liquefy; *Glas, Metall, Wachs, Fett* to melt; ~ **werden** to turn *or* become liquid, to liquefy; (*Lack*) to become runny; (*Glas, Metall*) to become molten; (*Wachs, Fett*) to melt. **2.** (*fließend*) *Stil, Spiel* flowing, fluid. ~ **lesen/schreiben/sprechen** to read/write/talk fluently; **die Polizei meldete** ~**en Verkehr** the police reported that the traffic was flowing smoothly. **3.** (*verfügbar*) *Geld* available. ~**es Vermögen** liquid assets *pl*; **Wertpapiere** ~ **machen** to convert *or* realize securities; **ich bin im Moment nicht** ~ (*inf*) I haven't much money *or* I'm out of funds at the moment; **wenn ich wieder** ~ **bin** when I'm in funds again.

Flüssiggas *nt* liquid gas.

Flüssigkeit *f* **1.** (*flüssiger Stoff*) liquid. **2.** *no pl* (*von Metall*) liquidity; (*von Geldern*) availability; (*von Stil*) fluidity.

Flüssigkeitsmaß *nt* liquid measure; **Flüssigkeitsmenge** *f* quantity *or* amount of liquid.

Flüssigkristall *m* liquid crystal; **Flüssigkristallanzeige** *f* liquid-crystal display, LCD; **flüssigmachen** *vt sep* to realize; (*in Geld umwandeln auch*) to convert (into cash).

Flußkrebs *m* crayfish (*Brit*), crawfish (*US*); **Flußlandschaft** *f* countryside by a/the river; (*Art*) riverscape; **Flußlauf** *m* course of a/the river; **Flußmündung** *f* river mouth; (*Gezeiten*~) estuary; **Flußniederung** *f* fluvial plain; **Flußpferd** *nt* hippopotamus; **Flußregelung**, **Flußregulierung** *f* river control *no art, no pl*; **Flußsand** *m* river *or* fluvial sand; **Flußschiff** *nt* river boat; **Flußschiffahrt** *f, no pl* river navigation; (*Verkehr*) river traffic; **Flußspat** *m* fluorspar, fluorite (*US*); **Flußufer** *nt* river bank.

Flüstergewölbe *nt* whispering gallery; **Flüsterlaut** *m* whisper.

flüstern *vti* to whisper; (*etwas lauter tuscheln*) to mutter. **jdm etw ins Ohr** ~ to whisper sth in sb's ear; **sich** ~**d unterhalten** to talk in whispers; **miteinander** ~ to whisper together; **das kann ich dir** ~ (*inf*) take it from me (*inf*); (*Zustimmung heischend auch*) I can tell you (*inf*); **dem werde ich was** ~ (*inf*) I'll tell him a thing or two (*inf*).

Flüsterparole *f* rumour, whisper (*inf*); **Flüsterpropaganda** *f* underground rumours *pl*; **Flüsterstimme** *f* whisper; **mit** ~ **sprechen** to talk in a whisper *or* in whispers; **Flüsterton** *m* whisper; **sich im** ~ **unterhalten** to talk in whispers; **Flüstertüte** *f* (*hum inf*) megaphone.

Flut *f -, -en* **1.** (*ansteigender Wasserstand*) incoming *or* flood tide; (*angestiegener Wasserstand*) high tide. **es ist** ~ the tide is coming in; it's high tide, the tide's in; **die** ~ **kommt** *or* **steigt** (*form*) the tide's coming in *or* rising; **bei** ~ **baden** to swim when the tide is coming in; to swim at high tide; **mit der** ~ with the tide *or* flood tide (*spec*); **die** ~ **tritt um 16³⁰ ein** the tide starts to come in *or* turns at 4.30 p.m.; **die** ~ **geht zurück** the tide has

started to go out *or* has turned. **2.** *usu pl* (*Wassermasse*) waters *pl*. **sich in die kühlen** ~**en stürzen** (*hum*) to plunge into the water. **3.** (*fig: Menge*) flood. **eine** ~ **von Tränen** floods of tears.

fluten **I** *vi aux sein* (*geh*) (*Wasser, Licht*) to flood, to stream, to pour; (*Verkehr*) to stream, to pour; (*Musik*) to flood, to pour. ~**des Licht** streaming light. **II** *vt* (*Naut*) to flood.

Fluthafen *m* tidal harbour; **Flutkatastrophe** *f* flood disaster; **Flutlicht** *nt* floodlight; **Flutlichtspiel** *nt* match played by floodlight, floodlit match.

flutschen *vi* (*N Ger*) **1.** *aux sein* (*rutschen*) to slide. **2.** (*funktionieren*) to go smoothly *or* well *or* swimmingly (*dated inf*).

Fluttor *nt* floodgate; **Flutventil** *nt* antiflood valve; **Flutwelle** *f* tidal wave.

focht *pret of* **fechten**.

Fock *f -, -en* (*Naut*) foresail.

Fockmast *m* foremast.

Föderalismus *m* federalism.

Föderalist(in *f*) *m -en, -en* federalist.

föderalistisch *adj* federalist.

Föderation *f* federation.

föderativ *adj* federal.

föderieren* *vr* to federate. **föderierte Staaten** federated states.

fohlen *vi* to foal.

Fohlen *nt -s, -* foal; (*männliches Pferd auch*) colt; (*weibliches Pferd auch*) filly.

Föhn *m -(e)s, -e* foehn, föhn. **wir haben** ~ the foehn is blowing.

föhnig *adj* foehn *attr*. **es ist** ~ there's a foehn (wind).

Föhre *f -, -n* Scots pine (tree).

fokal *adj* focal.

Fokus *m -, -se* focus.

fokussieren* *vti* to focus.

Folge *f -, -n* **1.** (*Reihen*~) order; (*Aufeinander*~) succession; (*zusammengehörige Reihe, Math*) sequence; (*Cards*) run, sequence; (*Lieferung einer Zeitschrift*) issue; (*Fortsetzung*) instalment; (*TV, Rad*) episode; (*Serie*) series. **in chronologischer/zwangloser** ~ in chronological/no particular order; **in rascher/dichter** ~ in rapid *or* quick/close succession; **Musik in bunter** ~ a musical potpourri. **2.** (*Ergebnis*) consequence; (*unmittelbare* ~) result; (*Auswirkung*) effect. **als** ~ **davon** in consequence, as a result (of that); **dies hatte zur** ~**, daß ...** the consequence *or* result of this was that ...; **dies hatte seine Entlassung zur** ~ this resulted in his dismissal *or* in his being dismissed; **die** ~**n werden nicht ausbleiben** there will be repercussions; **für die** ~**n aufkommen** to take the consequences; **an den** ~**n eines Unfalls sterben** to die as a result of an accident; **das wird** ~**n haben** that will have serious consequences; **ohne** ~**n bleiben** to have no consequences; **ihr Verhältnis blieb nicht ohne** ~**n** (*euph*) their relationship was not exactly unfruitful. **3.** (*form*) **einem Befehl/einer Einladung** ~ **leisten** to comply with *or* obey an order/to accept an invitation.

Folgeeinrichtung f facility or utility (US) for the community; **Folgeerscheinung** f result, consequence; **Folgekosten** pl subsequent costs pl.

folgen vi aux sein 1. to follow (jdm/einer Sache sb/sth). **auf etw** (acc) ~ to follow sth, to come after sth; **auf jdn (im Rang)** ~ to come or rank after sb; ~ **Sie mir bitte!** come with me please; **es folgt nun** or **nun folgt ein Konzert** we now have a concert, a concert now follows; **Fortsetzung folgt** (to be) continued; **wie folgt** as follows.
2. (verstehen) to follow (jdm/einer Sache sb/sth). **können Sie mir** ~? are you with me? (inf), do you follow (me)?
3. (gehorchen) to do as or what one is told. **einem Befehl/einer Anordnung** ~ to follow an order/instruction; **jdm** ~ (inf) to do what sb tells one.
4. +dat (sich richten nach) einer Mode, einem Vorschlag to follow; jdm to agree with, to go along with (inf).
5. (hervorgehen) to follow (aus from). **was folgt daraus für die Zukunft?** what are the consequences of this for the future?

folgend adj following. ~**es** the following; **er schreibt** ~**es** or **das F**~**e** he writes (as follows or the following); **im** ~**en** in the following; (schriftlich auch) below; **es handelt sich um** ~**es** it's like this.

folgendermaßen, folgenderweise (rare) adv like this, as follows. **wir werden das** ~ **machen** we'll do it like this or in the following way.

folgenlos adj without consequences; (wirkungslos) ineffective; ~ **bleiben** not to have any consequences; to be ineffective; **folgenreich** adj (bedeutsam) momentous; (folgenschwer) serious; (wirkungsvoll) effective; **folgenschwer** adj serious; **die Maßnahme erwies sich als** ~ the measure had serious consequences; **Folgenschwere** f seriousness.

folgerichtig adj (logically) consistent; **das einzig** ~**e** in dieser Situation the only logical or consistent thing to do in this situation; **Folgerichtigkeit** f logical consistency.

folgern I vti to conclude. **aus diesem Brief läßt sich** ~, **daß** ... it can be concluded or we can conclude from this letter that ... II vi to draw a/the conclusion. **logisch** ~ **lernen** to learn to think logically.

Folgerung f conclusion. **daraus ergibt sich die** ~, **daß** ... from this it can be concluded that ...

Folgesatz m (Gram) consecutive clause; **Folgetonhorn** nt (Aus) siren; **folgewidrig** adj (geh) logically inconsistent; **Folgewidrigkeit** f (geh) logical inconsistency; **Folgezeit** f following period, period following.

folglich adv, conj consequently, therefore.

folgsam adj obedient.

Folgsamkeit f obedience.

Foliant m (Hist) folio (volume); (dicker Band) tome.

Folie ['fo:liə] f 1. (Plastik~) film; (für Projektor) transparency; (Metall~, Typ, Cook) foil; (Schicht) layer of film/foil. **eine** ~ **aus Kupfer** a thin layer of copper. 2. (fig: Hintergrund) background. **etw als** ~ **benutzen** to use sth as a model.

Folien ['fo:liən] pl of **Folie, Folio.**

Folio nt -s, -s or **Folien** folio.

Folklore f -, no pl folklore; (Volksmusik) folk music.

folkloristisch adj folkloric; Kleidung ethnic.

Folksänger(in f) m folk singer.

Follikel m -s, - follicle.

Follikelsprung m ovulation.

Folter f -, -n 1. (lit, fig) torture; (fig auch) torment. **die** ~ **anwenden** to use torture. 2. (old: ~bank) rack. **jdn auf die** ~ **spannen** (fig) to keep sb on tenterhooks, to keep sb in an agony of suspense.

Folterbank f rack.

Folterer m -s, - torturer.

Foltergerät, Folterinstrument nt instrument of torture; **Folterkammer** f, **Folterkeller** m torture chamber; **Folterknecht** m torturer; **Foltermethode** f method of torture.

foltern I vt to torture; (quälen auch) to torment. **jdn** ~ **lassen** to have sb tortured. II vi to use torture.

Folterqual f (lit) agony of torture; (fig) agony of torment.

Folterung f torture.

Folterwerkzeug nt instrument of torture.

Fön ® m -(e)s, -e hair-dryer.

Fond [fõ:] m -s, -s 1. (geh: Wagen~) back, rear. 2. (Hintergrund) (Art) background; (Tex) (back)ground. **im** ~ **der Bühne** (Theat) at the back of the stage. 3. (Cook: Fleischsaft) meat juices pl.

Fondant [fõ'dã:] m or (Aus) nt -s, -s (Cook) fondant.

Fonds [fõ:] m -, - 1. (Geldreserve, fig geh) fund. **keinen** ~ **für etw haben** to have no funds for sth. 2. (Fin: Schuldverschreibung) government bond.

Fonds- [fõ:]: (Fin) **Fondsbörse** f market of government bonds.

Fondue [fõ'dy:] nt -s, -s or f -, -s fondue.

fönen vt to dry.

Fontäne f -, -n jet, fount (poet); (geh: Springbrunnen) fountain, fount (poet).

Fontanelle f -, -n (Anat) fontanelle.

foppen vt (inf) jdn ~ to make a fool of sb; (necken) to pull sb's leg (inf).

Fopperei f (inf) leg-pulling no pl (inf).

Fora (Hist) pl of **Forum.**

forcieren [fɔr'si:rən] vt to push; Entwicklung auch, Tempo to force; Konsum, Produktion to push or force up. **seine Anstrengungen** ~ to increase one's efforts.

forciert [fɔr'si:ɐt] adj forced.

Förde f -, -n firth (esp Scot), narrow coastal inlet.

Förderanlage f conveyor; **Förderband** nt conveyor belt.

Förderbetrag m (Univ) grant.

Förderbetrieb m (Min) production. **den** ~ **aufnehmen** to start production.

Förderer m -s, -, **Förderin** f sponsor; (Gönner) patron.

Förderklasse f (Sch) special class;

Förderkorb *m* mine cage; **Förderkurs(us)** *m* (*Sch*) special classes *pl*; **Förderland** *nt* producer country; **Förderleistung** *f* output.

förderlich *adj* beneficial (*dat* to). **guten Beziehungen/jds Gesundheit/der Krebsbekämpfung** ~ **sein** to be conducive to *or* to promote good relations/to aid sb's recovery/to contribute to *or* to help in the fight against cancer.

Fördermaschine *f* winding engine.

fordern I *vt* **1.** (*verlangen*) to demand; *Preis* to ask; (*in Appell, Aufrufen, erfordern*) to call for; (*Anspruch erheben auf*) *Entschädigung, Lohnerhöhung* to claim. **viel/zuviel von jdm** ~ to ask *or* demand a lot/too much of sb, to make too many demands on sb.

2. (*fig: kosten*) *Menschenleben, Opfer* to claim.

3. (*lit, fig: herausfordern*) to challenge. **er ist noch nie im Leben richtig gefordert worden** he has never been faced with a real challenge.

4. (*Sport*) to make demands on; (*das Äußerste abverlangen*) to stretch.

II *vi* to make demands. **er fordert nur, ohne selbst zu geben** he demands everything as a right, without giving anything himself.

fördern *vt* **1.** (*unterstützen*) *Handel, Projekt, Entwicklung, Arbeit, Kunst, Wissenschaft* to support; (*propagieren*) to promote; (*finanziell*) *bestimmtes Projekt* to sponsor; *Nachwuchs, Künstler* to support, to help; *jds Talent, Kunstverständnis, Neigung* to encourage, to foster; (*voranbringen*) *Freundschaft, Frieden* to foster, to promote; *Verdauung* to aid; *Appetit* to stimulate; *Untersuchung, Wahrheitsfindung* to further. **jdn beruflich** ~ to help sb in his/her career.

2. (*steigern*) *Wachstum* to promote; *Umsatz, Absatz, Produktion, Verbrauch auch* to boost, to increase.

3. *Bodenschätze* to extract; *Kohle, Erz auch* to mine.

fordernd *adj* imperious.

Förder- (*Min*): **Förderplattform** *f* production platform; **Förderquote** *f* production level; **Förderschacht** *m* winding shaft; **Förderseil** *nt* winding rope; **Fördersohle** *f* haulage level; **Förderstaaten** *pl* producing countries *pl*.

Förderstufe *f* (*Sch*) mixed ability class(es) intended to foster the particular talents of each pupil.

Förderturm *m* (*Min*) winding tower; (*auf Bohrstelle*) derrick.

Forderung *f* **1.** (*Verlangen*) demand (*nach* for); (*Lohn~, Entschädigungs~*) claim (*nach* for); (*in Appell, Aufrufen*) call (*nach* for). ~**en/hohe** ~**en an jdn stellen** to make demands on sb/to demand a lot of sb; **eine** ~ **nach etw erheben** to call for sth; **jds** ~ *or* **jdm eine** ~ **erfüllen** to meet sb's demands/claim.

2. (*geh: Erfordernis*) requirement. **die** ~ **des Tages sein** to be the/our *etc* number one priority.

3. (*Comm: Anspruch*) claim (*an*

+*acc*, *gegen* on, against). **eine** ~ **einklagen/eintreiben** *or* **einziehen** to sue for payment of a debt/to collect a debt.

4. (*Herausforderung*) challenge.

Förderung *f* **1.** *siehe* **fördern 1.** support; promotion; sponsorship; support, help; encouragement, fostering; fostering, promotion; aid; stimulation; furtherance. **Maßnahmen zur** ~ **des Fremdenverkehrs** measures to promote tourism *or* for the promotion of tourism.

2. (*inf: Förderungsbetrag*) grant.

3. (*Gewinnung*) extraction; (*von Kohle, Erz auch*) mining.

Forderungsabtretung *f* (*Jur*) assignment of a claim.

Forderungsmaßnahme *f* supportive measure; **Forderungsmaßnahmen** *pl* assistance *sing*; **Förderungsmittel** *pl* aid *sing*; **Förderungsprogramm** *nt* aid programme; **Förderungswürdig** *adj* (*unterstützungswürdig*) deserving aid; (*förderungsberechtigt*) entitled to aid.

Förder|unterricht *m* special instruction.

Förderwagen *m* (*Min*) tram, mine car.

Forelle *f* trout; *siehe* **blau**.

Forellenzucht *f* trout farming; (*Anlage*) trout farm.

Foren *pl* of **Forum**.

forensisch *adj* *Medizin* forensic.

Forke *f* -, -n (*N Ger*) pitch fork.

Form *f* -, -en **1.** form; (*Gestalt, Umriß*) shape. **in** ~ **von Regen/Steuerermäßigungen** in the form of rain/ tax reductions; **in** ~ **von Dragees/Salbe** in pill/cream form, in the form of pills/cream; **in** ~ **eines Dreiecks** shaped like *or* in the shape of a triangle; **eine bestimmte** ~ **haben** to be in a certain form; to be a certain shape; **seine** ~ **verlieren/aus der** ~ **geraten** to lose its shape; (*Kleidung auch*) to go out of shape; **einer Sache** (*dat*) ~ (**und Gestalt**) **geben** (*lit*) to shape sth; (*fig*) to give sth a coherent shape; **feste** ~ **annehmen** (*fig*) to take shape; **häßliche/gewalttätige** ~**en annehmen** (*fig*) to become ugly/violent; (**weibliche**) ~**en annehmen** feminine figure; **in** ~ **bringen** to shape.

2. (*Gestaltung*) form. ~ **und Inhalt** form and content.

3. (*Umgangs~en*) ~**en** *pl* manners *pl*; **die** ~ **wahren** to observe the proprieties; **der** ~ **wegen** *or* **halber, um der** ~ **zu genügen** for form's sake, as a matter of form; **in aller** ~ formally.

4. (*Kondition*) form. **in bester** ~ **sein** to be in great form *or* shape; **in** ~ **bleiben/kommen** to keep/get (oneself) fit *or* in condition; (*Sportler*) to keep/get in form; **hoch in** ~ in great form *or* shape; **außer** ~ out of condition.

5. (*Gieß~*) mould; (*Kuchen~, Back~*) baking tin (*Brit*) *or* pan (*US*); (*Hut~, Schuh~*) block.

formal *adj* **1.** formal. ~**-ästhetisch** formal aesthetic. **2.** (*äußerlich*) *Besitzer, Fehler, Grund* technical.

Form|aldehyd *m* -s, *no pl* formaldehyde.

Formalie [-liə] *f usu pl* formality; (*Äußerlichkeit*) technicality.

formalisieren* *vt* to formalize.

Formalismus *m* formalism *no pl*.

Formalist(in f) m formalist.
formalistisch adj formalistic.
Formalität f formality; (Äußerlichkeit) technicality. **alle ~en erledigen** to go through all the formalities.
formaljuristisch adj technical.
Format nt -(e)s, -e 1. (Größenverhältnis) size; (von Zeitung, Papierbuch, Photographie, Buch, Film) format. **im ~ DIN A4** in A4 (format). 2. (Rang, Persönlichkeit) stature. 3. (fig: Niveau) class (inf), quality. **internationales ~ haben** to be of international quality.
formatieren* vti (Comput) to format.
Formatierung f (Comput) formatting.
Formation f formation; (Gruppe) group.
Formationsflug m (Mil) formation flying.
formativ adj formative.
Formativ nt -s, -e (Ling) syntactic morpheme; (Formans) formative (element).
formbar adj (lit, fig) malleable; **formbeständig** adj 1. ~ **sein** to hold or retain its shape; 2. (Sport) consistent in form; **Formblatt** nt form; **Formbrief** m form letter; **Formeisen** nt structural steel.
Formel f -, -n formula; (von Eid) wording; (Floskel) set phrase. **etw auf eine ~ bringen** to reduce sth to a formula.
Formel-1-Rennen ['fɔrml|ains-] nt formula-one race/racing.
Form|element nt (esp Art) formal element, element of form.
formelhaft adj (floskelhaft) Sprache, Stil stereotyped; **~e Wendung** set phrase; **~ reden** to talk in set phrases.
formell adj formal. **als Bürgermeister mußte er den Vorfall ~ verurteilen** as mayor he had to deplore the incident as a matter of form.
Formelsammlung f (Math) formulary; **Formelsprache** f system of notation.
formen I vt to form, to shape; Charakter auch, Eisen to mould. **schön geformte Glieder** beautifully shaped limbs; **der Krieg hat ihn geformt** the war shaped his character; **~de Kraft** formative power. II vr (lit) to form or shape itself; (fig) to mature.
Formenfülle Formenlehre f morphology; (Mus) theory of musical form; **formenreich** adj with a great variety or wealth of forms; ~ **sein** to have a great variety or wealth of forms; **Formenreichtum** m wealth of forms; **Formensinn** m sense of or feeling for form; **Formensprache** f (geh) use of forms.
Former(in f) m -s, - moulder.
Formerei f moulding shop.
Formfehler m irregularity; (gesellschaftlich) breach of etiquette; **Formfleisch** nt pressed meat; **Formgebung** f (geh) design; **formgerecht** adj (lit, fig) correct, proper; **Formgestalter(in** f) m (geh) designer; **Formgestaltung** f design; **formgewandt** adj urbane, suave.
formieren* I vt Truppen to draw up; Kolonne, Zug to form (into), to fall into; (bilden) to form. II vr to form up.
Formierung f formation; (Mil: von

Truppen) drawing-up.
Formkrise f (esp Sport) loss of form.
förmlich adj 1. (formell) formal. 2. (regelrecht) positive. **ich hätte ~ weinen können** I really could have cried.
Förmlichkeit f 1. no pl (Benehmen) formality. 2. usu pl (Äußerlichkeit) social convention. **bitte keine ~en!** please don't stand on ceremony.
formlos adj 1. (ohne Form) shapeless; Vortrag, Aufsatz auch unstructured. 2. (zwanglos) informal, casual. 3. (Admin) Antrag unaccompanied by a form/any forms.
Formlosigkeit f 1. (Gestaltlosigkeit) shapelessness, lack of shape; (von Vortrag, Aufsatz auch) lack of structure. 2. (Zwanglosigkeit) informality, casualness.
Formsache f matter of form, formality; **formschön** adj elegant, elegantly proportioned; **Formschönheit** f elegant proportions pl, elegance; **Formschwäche** f poor form; **~n zeigen** to be in or on poor form; **Formstrenge** f strict observance of form; **Formtief** nt loss of form; **sich in einem ~ befinden** to be badly off form.
Formular nt -s, -e form.
Formularvorschub m (Comput) form feed.
formulieren* I vt to word, to phrase, to formulate. **... wenn ich es mal so ~ darf** ... if I might put it like that. II vi to use words skilfully. **wenn ich mal so ~ darf** if I might put it like that.
Formulierung f 1. no pl wording, phrasing, formulation. 2. phraseology no pl. **eine bestimmte ~** a particular phrase.
Formung f 1. no pl (Formen) forming, shaping; (von Eisen) moulding; (von Charakter auch) moulding, formation. 2. (Form) shape; (von Felsen, Dünen etc auch) formation.
Formveränderung f change in the form; (einer Sprache) change in the forms; (Gestaltveränderung) change in the shape; **eine kleine ~ vornehmen** to make a small modification; **Formverstoß** m breach of form; **formvollendet** adj perfect; Vase etc perfectly shaped; Gedicht, Musikstück perfectly structured; **er verabschiedete/verneigte sich ~** he took his leave/bowed with perfect elegance.
forsch adj dynamic; (dated: schneidig) dashing. **eine Sache ~ anpacken** to attack sth energetically or with vigour.
forschen vi 1. (suchen) to search (nach for), to seek (liter) (nach jdm/etw sb/sth). **in alten Papieren ~** to search in old papers; **nach der Wahrheit ~** to seek or search after truth. 2. (Forschung betreiben) to research. **über etw** (acc) ~ to research on or into sth.
forschend adj inquiring; (musternd) searching.
Forscher m -s, - 1. (Wissenschaftler) researcher; (in Medizin, Naturwissenschaften) research scientist. 2. (Forschungsreisender) explorer.
Forschergeist m (geh) inquiring mind;

(*Entdeckungsreisender*) explorer; (*Entdeckergeist*) exploratory spirit.

Forscherin f siehe **Forscher.**

forscherisch adj (*als Wissenschaftler*) research attr; (*als Forschungsreisender*) explorative, exploratory.

Forschheit f siehe **forsch** brashness; dash.

Forschung f 1. research no pl. eingehende ~en intensive research; **ältere/ verschiedene** ~en older/various studies; ~en betreiben to research, to be engaged in research. 2. no pl (*Wissenschaft*) research no art. ~ **und Lehre** research and teaching; ~ **und Entwicklung** research and development, R&D.

Forschungs- in cpds research; **Forschungsarbeit** f, no pl research; **Forschungsaufgabe** f research assignment; (*Forschungsauftrag eines Wissenschaftlers*) research duty; **Forschungsauftrag** m research assignment or contract; **Forschungsballon** m observation balloon; **Forschungsbereich** m siehe **Forschungsgebiet; Forschungsbericht** m research report; **Forschungsdrang** m exploratory urge; **Forschungsergebnis** nt result of the research; **neueste** ~se results of the latest research; **Forschungsgebiet** nt field of research; **ein/das** ~ **der Medizin** a/the field of medical research; **Forschungsgegenstand** m object of research; **Forschungsgemeinschaft** f research council; **Forschungsmethode** f method of research; **Forschungsminister(in** f) m minister of science; **Forschungsministerium** nt ministry of research and development; **Forschungsreise** f expedition; **Forschungsreisende(r)** mf decl as adj explorer; **Forschungssatellit** m research satellite; **Forschungsschiff** nt research vessel; **Forschungssemester** nt sabbatical term; **Forschungsstation** f research station; **Forschungsstipendium** nt research fellowship; **Forschungstätigkeit** f research no indef art; **Forschungsvorhaben** nt research project; **Forschungszentrum** nt research centre; **Forschungszweig** m branch of research.

Forst m -(e)s, -e(n) forest.

Forstakademie f school of forestry; **Forstamt** nt forestry office; **Forstbeamte(r)** m, **Forstbeamtin** f forestry official.

Förster(in f) m -s, - forest warden or ranger (*US*).

Försterei f forest warden's or ranger's (*US*) lodge.

Forstfrevel m (*Jur*) offence against the forest laws; **Forsthaus** nt forester's lodge; **Forstrecht** nt forest law; **Forstrevier** nt forestry district; **Forstschaden** m forest damage no pl; **Forstschädling** m forest pest; **Forstverwaltung** f forestry commission; **Forstwesen** nt forestry no art; **Forstwirt(in** f) m graduate in forestry; **Forstwirtschaft** f forestry; **Forstwissenschaft** f forestry.

Forsythie [fɔr'zyːtsiə, Aus fɔr'zyːtiə] f -, -n forsythia.

Fort [foːɐ] nt -s, -s fort.

fort adv 1. (*weg*) away; (*verschwunden*) gone. ~ **mit ihm/damit!** away with him/ it!, take him/it away!; ... **und dann** ~! ... and then away with you/we'll get away; **etw ist** ~ sth has gone or disappeared; **es war plötzlich** ~ it suddenly disappeared; **er ist** ~ he has left or gone; (*dial: ist nicht zu Hause*) he isn't here; **weit** ~ far away, a long way away; **von zu Hause** ~ away from home; **wann sind Sie von zu Hause** ~? (*dial*) when did you leave home?; **nur** ~ **von hier!** (*geh*) let us be gone (*old*).

2. (*weiter*) on. **und so** ~ and so on, and so forth; **das ging immer so weiter und so** ~ **und so** ~ (*inf*) that went on and on and on; **in einem** ~, ~ **und** ~ (*old*) incessantly, continually.

fortan (*geh*) adv from this time on, henceforth (*old, liter*), henceforward (*old*); **fortbegeben*** vr sep irreg (*geh*) to depart, to leave; **sich aus dem Schloß** etc ~ to depart from (*form*) or to leave the castle etc; **Fortbestand** m, no pl continuance; (*von Staat, Institution*) continued existence; (*von Gattung*) survival; **der** ~ **gefährdeter Tierarten** continued existence of endangered species; **fortbestehen*** vi sep irreg to continue; (*Staat, Institution*) to continue in existence; (*Zustand*) to continue (to exist); **fortbewegen*** sep I vt to move away; II vr to move; **Fortbewegung** f, no pl locomotion; **Fortbewegungsmittel** nt means of locomotion; **fortbilden** vt sep jdn/sich ~ to continue sb's/one's education; **Fortbildung** f, no pl further education; **berufliche** ~ further vocational training; **Fortbildungskurs(us)** m in-service training course; **fortbleiben** vi sep irreg aux sein to stay away; **Fortbleiben** nt -s, no pl absence; **fortbringen** vt sep irreg to take away; (*zur Reparatur, Reinigung*) to take in; (*Brief, Paket*) to post; (*zurückbringen*) to take back; (*bewegen*) to move; **Fortdauer** f continuance, continuation; **fortdauern** vi sep to continue; **fortdauernd I** adj continuing; (*in der Vergangenheit*) continued; **II** adv constantly, continuously.

forte adv (*Mus, Pharm*) forte.

Forte nt -s, -s or **Forti** forte.

fortentwickeln* sep I vt to develop; **II** vr to develop; **Fortentwicklung** f, no pl development; **fortfahren** sep I vi 1. aux sein (*wegfahren*) to go away; (*abfahren*) to leave, to go; (*einen Ausflug machen*) to go out; 2. aux haben or sein (*weitermachen*) to continue; ~, **etw zu tun** to continue doing sth or to do sth; **in einer Tätigkeit** ~ to continue with an activity; **ich fahre fort** ... as I was about to say ...; **II** vt (*wegbringen*) to take away; **Wagen** to drive away; **Fortfall** m discontinuance; **fortfallen** vi sep irreg aux sein to cease to exist; (*nicht mehr zutreffend sein*) to cease to apply; (*Zuschuß*) to be discontinued or stopped; *(abgeschafft werden)* to be abolished; **fortfliegen** *vi sep aux* sein to fly away *or* off; **fortführen** *sep* I *vt* 1. *(fortsetzen)* to continue, to carry on; 2. *(wegführen)* to take away; *(zu Fuß, fig)* to lead away; II *vi (fig)* to lead away; **Fortführung** *f* continuation; **Fortgang** *m, no pl* 1. *(Weggang)* departure *(aus* from*)*; **bei/nach seinem ~** when he left/after he had left, on/after his departure; 2. *(Verlauf)* progress; **seinen ~ nehmen** to progress; **fortgehen** *vi sep aux* sein 1. to leave; **von zu Hause ~** to leave home; **geh fort/nicht fort!** go away/don't go (away)!; 2. *siehe* **weitergehen**; **fortgeschritten** *adj* advanced; **er kam zu ~er Stunde** he came at a late hour; **Fortgeschrittenenkurs(us)** *m* advanced course; **Fortgeschrittene(r)** *mf decl as adj* advanced student; **fortgesetzt** *adj* continual, constant, incessant; *Betrug, Steuerhinterziehung* repeated.

Forti *pl of* **Forte**.

fortjagen *sep* I *vt Menschen* to throw out *(aus, von* of*)*; *Tier, Kinder* to chase out *(aus, von* of*)*; II *vi aux* sein to race or career off; **fortkommen** *vi aux* sein 1. *(wegkommen)* to get away; *(weggebracht werden)* to be taken away; **mach, daß du fortkommst!** begone! *(old)*, be off!; 2. *(abhanden kommen)* to disappear, to vanish; 3. *(vorankommen)* to get on well; **Fortkommen** *nt (lit, fig: Weiterkommen)* progress; **jdn am ~ hindern** to hold sb back, to hinder sb's progress; **fortkönnen** *vi sep irreg* to be able to get away; **fortlassen** *vt sep irreg* 1. *(weggehen lassen)* **jdn ~** to let sb go, to allow sb to go; 2. *(auslassen)* to leave out, to omit; **fortlaufen** *vi sep irreg aux* sein to run away; **der Hund ist mir fortgelaufen** the dog has run away from me; **fortlaufend** *adj Handlung* ongoing *no adv; Erscheinen* serial *attr; Zahlungen* regular; *(andauernd)* continual; **die Handlung geht ~ weiter** the storyline unfolds steadily; **~ numeriert** *Geldscheine, Motoren* serially numbered; *Bücher, Zeitschriften* consecutively paginated; **fortleben** *vi sep (liter)* to live on; **fortloben** *vt jdn auf einen Posten ~* to kick sb upstairs; **fortlocken** *vt sep* to lure away; **fortmüssen** *vi sep irreg* to have to go *or* leave; *(ausgehen müssen)* to have to go out; *(Brief)* to have to go (off); **fortnehmen** *vt sep irreg* to take away *(jdm* from sb*)*; **fortpflanzen** *vr sep (Mensch)* to reproduce; *(Pflanzen auch)* to propagate (itself); *(Schall, Wellen, Licht)* to travel, to be transmitted; *(Gerücht)* to spread.

Fortpflanzung *f -, no pl* reproduction; *(von Pflanzen)* propagation.

Fortpflanzungsorgan *nt* reproductive organ; **Fortpflanzungstrieb** *m* reproductive instinct.

forträumen *vt sep (lit, fig)* to clear away; **fortreißen** *vt sep irreg* to snatch *or* tear away; *(Menge, Flut, Strom)* to sweep *or* carry away; *(fig)* to carry away; **jdn/etw mit sich ~** *(lit)* to carry *or* sweep sb/sth along; **fortrennen** *vi sep irreg aux* sein

to race *or* tear *(inf)* off *or* away; **Fortsatz** *m (Anat)* process; **fortschaffen** *vt sep* to remove; **fortscheren** *vr sep (inf)* to clear off *(aus* out of*)* *or* out *(aus* of*)* *(inf)*; **fortschicken** *vt sep* to send away; *Brief* to send off; **fortschreiben** *vt sep irreg* 1. *Statistik* to extrapolate; 2. *(weiterführend aktualisieren)* *Programm* to continue; **fortschreiten** *vi sep irreg aux* sein *(vorwärtsschreiten)* to progress; *(weitergehen)* to continue; *(Entwicklung, Sprache)* to develop; *(Wissenschaft)* to advance; *(Zeit)* to go *or* march *(liter)* on; **die Ausbreitung der Epidemie schreitet weiter fort** the epidemic is continuing to spread; **fortschreitend** *adj* progressive; *Alter, Wissenschaft* advancing.

Fortschritt *m* advance; *(esp Pol)* progress *no pl*. **gute ~e machen** to make good progress, to get on *(inf)* *or* progress well; **~e erzielen** to make progress; **~e in der Medizin** advances in medicine; **das ist ein wesentlicher ~** that's a considerable step forward *or* improvement; **dem ~ dienen** to further progress.

fortschrittlich *adj* progressive *(auch Pol)*; *Mensch, Ideen auch* forward-looking.

fortschrittsfeindlich *adj* anti-progressive; **Fortschrittsfeindlichkeit** *f* anti-progressiveness; **Fortschrittsglaube** *m* belief in progress; **fortschrittsgläubig** *adj* **~ sein** to believe in progress; **das ~e 19. Jh.** the 19th century with its belief in progress; **Fortschrittsgläubigkeit** *f* naïve belief in progress.

fortsetzen *sep* I *vt* to continue; *(nach Unterbrechung auch)* to resume; **den Weg zu Fuß ~** to continue on foot; **„wird fortgesetzt"** "to be continued"; II *vr (zeitlich)* to continue; *(räumlich)* to extend.

Fortsetzung *f* 1. *no pl (das Fortsetzen)* continuation; *(nach Unterbrechung auch)* resumption. 2. *(folgender Teil)* *(Rad, TV)* episode; *(eines Romans)* installment. **ein Film in drei ~en** a film in three parts; **„~ folgt"** "to be continued". 3. *(Anschlußstück)* continuation.

Fortsetzungsgeschichte *f* serial; **Fortsetzungsroman** *m* serialized novel; **Fortsetzungsserie** *f* series.

fortstehlen *vr sep irreg (geh)* to steal *or* slip away; **fortstreben** *vi sep (geh)* to attempt *or* try to get away *(aus* from*)*; **forttreiben** *sep irreg* I *vt* 1. *(verjagen)* to drive away; 2. *(weitertragen)* to carry away. II *vi aux* sein to be carried away.

Fortuna *f - (Myth)* Fortuna; *(fig)* Fortune.

fortwähren *vi sep (geh)* to continue, to persist; **fortwährend** *adj no pred* constant, continual, incessant; **fortweg** [-vɛk] *adv (rare)* the whole time, all the time; **fortwirken** *vi sep* to continue to have an effect; **das wirkt noch bis heute fort** that still has an effect today; **fortwollen** *vi sep* to want to get away *(aus* from*)*; **fortziehen** *sep irreg* I *vt* to pull away; *(mit großer Anstrengung)* to drag away; *(Strom, Strudel)* to carry away; **er zog den widerstrebenden Hund mit sich fort** he dragged *or* pulled the unwilling dog along *or* off *or* away; **II** *vi* **aux sein 1.** (*weiterziehen*) to move on; (*Vögel*) to migrate; **2.** (*von einem Ort*) to move away (*aus* from); (*aus einer Wohnung*) to move out (*aus* of).

Forum *nt* **-s, Foren** *or* (*Hist*) **Fora** forum. **etw vor das ~ der Öffentlichkeit bringen** to bring sth before the forum of public opinion.

Forumsdiskussion *f*, **Forumsgespräch** *nt* forum (discussion).

Fosbury-Flop ['fɔsbərıflɔp] *m* **-s, -s** (*Hochsprungtechnik*) Fosbury flop.

fossil *adj* fossil *attr*, fossilized.

Fossil *nt* **-s, -ien** [iən] fossil.

fötal *adj* foetal.

Föten *pl of* **Fötus**.

Foto¹ *nt* **-s, -s** photo(graph), snap(shot) (*inf*). **ein ~ machen** to take a photo(graph).

Foto² *m* **-s, -s** (*dial inf*) camera.

Foto- *in cpds* (*Sci*) photo; *siehe auch* **Photo-**; **Fotoalbum** *nt* photograph album; **Fotoamateur(in** *f*) *m* amateur photographer; **Fotoapparat** *m* camera; **Fotoarbeiten** *pl* photographic work *sing*; **Fotoarchiv** *nt* photo archives *pl*; **Fotoartikel** *pl* photographic equipment *sing*; **Fotoatelier** *nt* (photographic) studio; **Fotoecke** *f* corner; **Fotofinish** *nt* (*Sport*) photo finish.

fotogen *adj* photogenic.

Fotogeschäft *nt* photographic shop.

Fotograf *m* **-en, -en** photographer.

Fotografie *f* **1.** photography. **2.** (*Bild*) photo(graph).

fotografieren* **I** *vt* to photograph, to take a photo(graph) of. **sich ~ lassen** to have one's photo(graph) *or* picture taken; **sie läßt sich gut ~** she photographs well, she comes out well in photos. **II** *vi* to take photos *or* photographs.

Fotografin *f* photographer.

fotografisch **I** *adj* photographic. **II** *adv* photographically.

Fotoindustrie *f* photographic industry; **Fotojournalist(in** *f*) *m* photo journalist; **Fotokopie** *f* photocopy; **Fotokopierautomat, Fotokopierer** (*inf*) *m* photocopying machine, photocopier; **fotokopieren*** *vt insep* to photocopy; **Fotolabor** *nt* darkroom; **Fotolaborant(in** *f*) *m* photographic lab(oratory) assistant; **fotomechanisch** *adj* photomechanical; **Fotomodell** *nt* photographic model; **Fotomontage** *f* photomontage; **Fotopapier** *nt* photographic paper; **Fotoreporter(in** *f*) *m* press photographer; **Fotosatz** *m* (*Typ*) *siehe* **Lichtsatz**.

Fotothek *f* **-, -en** photographic collection.

Fotozeitschrift *f* photographic magazine.

Fötus *m* **-, Föten** *or* **-ses, -se** foetus.

Fotze *f* **-, -n** (*vulg*) cunt (*vulg*).

Fötzel *m* **-s, -** (*Sw*) scoundrel, rogue.

foul [faul] *adj* (*Sport*): **~ spielen** to foul.

Foul [faul] *nt* **-s, -s** (*Sport*) foul.

Foulelfmeter ['faul-] *m* (*Ftbl*) penalty (kick).

foulen ['faulən] *vti* (*Sport*) to foul. **es wurde viel gefoult** there was a lot of fouling.

Foulspiel ['faul-] *nt* (*Sport*) foul play.

Fox *m* **-(es), -e, Foxterrier** *m* fox-terrier.

Foxtrott *m* **-s, -e** *or* **-s** foxtrot.

Foyer [foa'je:] *nt* **-s, -s** foyer; (*in Hotel auch*) lobby, entrance hall.

Fr. *abbr of* **Frau**.

Fracht *f* **-, -en 1.** (*Ladung*) freight *no pl*; (*von Flugzeug, Schiff auch*) cargo; (*Güter auch*) payload. **etw per ~ schicken** to send sth freight, to freight sth. **2.** (*~preis*) freight *no pl*, freightage *no pl*; (*bei Lastwagen*) carriage *no pl*; (*~tarif*) freight/carriage rate.

Frachtbrief *m* consignment note, waybill.

Frachtenbahnhof *m* (*Aus*) *siehe* **Güterbahnhof**.

Frachter *m* **-s, -** freighter.

Frachtflugzeug *nt* cargo *or* freight plane, (air) freighter; **frachtfrei** *adj* carriage paid *or* free; **Frachtführer** *m* (*form*) carrier; (*bei Lastwagen*) carriage; **Frachtgut** *nt* (ordinary) freight *no pl*; **etw als ~ schicken** to send sth freight *or* as ordinary freight; **Frachtkosten** *pl* freight charges *pl*; **Frachtraum** *m* hold; (*Ladefähigkeit*) cargo space; **Frachtschiff** *nt* cargo ship, freighter; **Frachtschiffahrt** *f* cargo shipping; **Frachtverkehr** *m* goods traffic.

Frack *m* **-(e)s, -s** (*inf*) *or* **-e** tails *pl*, tail coat. **im ~** in tails.

Frackhemd *nt* dress shirt; **Frackhose** *f* dress trousers *pl*; **Frackjacke** *f* tails *pl*, tail coat; **Fracksausen** *nt*: **~ haben** (*inf*) to be in a funk (*inf*); **Frackschoß** *m* coat-tail; **Frackverleih** *m* dress hire (service); **Frackzwang** *m* requirement to wear tails; (**es herrscht**) **~** tails are obligatory, you have to wear tails; "**"~"**" "tails".

Frage *f* **-, -n** question; (*Rück~, Zwischen~ auch*) query; (*Problem auch*) problem; (*Angelegenheit auch*) matter, issue (*esp Pol*). **eine ~ zu etw** a question on sth; **jdm eine ~ stellen, an jdn eine ~ stellen** *or* **richten** to ask sb a question; **an jdn eine ~ haben** to have a question for sb; **gestatten Sie mir eine ~?** (*form*) might I ask a question?; (*in Diskussionen auch*) permit me to ask you a question (*form*); **auf eine ~ mit Ja oder Nein antworten** to answer a question with a straight yes or no; **sind noch ~n?, hat jemand noch eine ~?** does anyone have *or* are there any more *or* any further questions?; **auf eine dumme ~ (bekommt man) eine dumme Antwort** (*prov*) ask a silly question (get a silly answer) (*prov*); **die deutsche ~** the German question *or* issue; **das ist (doch sehr) die ~** that's (just *or* precisely) the question/problem, that's the whole question/problem; **das ist die große ~** that's the big *or* sixtyfour thousand dollar (*inf*) question; **das ist gar keine ~, das steht** *or* **ist außer ~** there's no question *or* doubt about it; **daß ..., steht** *or* **ist außer ~** that ... is beyond question, ..., there's no question *or* doubt about it; **ohne ~** without question *or* doubt; **in ~ kommen** to be possible; **sollte er für diese Stelle in ~ kommen, ...** if he should be considered for this post ...; **für jdn/etw nicht in ~ kommen** to be out of the question for sb/sth; **das kommt (überhaupt) nicht in ~!** that's (quite) out of the question!; **in ~ kommend** possible; *Bewerber* worth considering; **etw in ~ stellen** to question sth, to query sth, to call sth into question; **eine ~ der Zeit/des Geldes** a question *or* matter of time/money.

Fragebogen *m* questionnaire; (*Formular*) form; **Fragefürwort** *nt* interrogative pronoun.

fragen I *vti* to ask. **nach** *or* **wegen** (*inf*) **jdm ~** to ask after sb; (*in Hotel etc*) to ask for sb; **ich fragte sie nach den Kindern** I asked her how the children were doing; **nach jds Namen/Alter/dem Weg ~** to ask sb's name/age/the way; **nach Arbeit/Post ~** to ask whether there is/was any work/mail; **nach den Ursachen ~** to inquire as to the causes; **ich fragte sie nach ihren Wünschen** I asked her what she wanted; **ich habe nicht nach Einzelheiten gefragt** I didn't ask any details; **nach den Folgen ~** to bother *or* care about the consequences; **er fragte nicht danach, ob ...** he didn't bother *or* care whether ...; **wegen etw ~** to ask about sth; **frag (mich/ihn) lieber nicht** I'd rather you didn't ask (that), you'd better not ask (him) that; **das frage ich dich!** I could ask you the same; **da fragst du noch?** you still have to ask?, you still don't know?; **frag nicht so dumm!** don't ask silly questions; **du fragst zuviel** you ask too many questions; **da fragst du mich zuviel** (*inf*) I really couldn't say; **man wird ja wohl noch ~ dürfen** (*inf*) I was only asking (*inf*), there's no law against asking, is there? (*inf*); **wenn ich (mal) ~ darf?** if I may *or* might ask?; **ohne lange zu ~** without asking a lot of questions.

II *vr* to wonder. **das/da frage ich mich** I wonder; **das frage ich mich auch** that's just what I was wondering; **ja, das fragt man sich** yes, that's the question; **es/man fragt sich, ob ...** it's debatable *or* questionable/one wonders whether ...; **da muß man sich ~, ob ...** you can't help wondering if ...; **ich frage mich, wie/wo ...** I'd like to know how/where ...

fragend *adj* questioning, inquiring; (*Gram*) interrogative.

Fragenkomplex, Fragenkreis *m* complex of questions.

Fragerei *f* questions *pl*. **hör auf mit deiner ewigen ~!** stop asking so many questions!

Fragesatz *m* (*Gram*) interrogative sentence/clause; **Fragesteller(in** *f*) *m* **-s, -** questioner; (*Interviewer*) interviewer; **Fragestellung** *f* **1.** formulation of a question; **das ist eine falsche ~** the question is wrongly put *or* stated *or* formulated; **2.** (*Frage*) question; **Fragestunde** *f* (*Parl*) question time; **Frage-und-Antwort-Spiel** *nt* question and answer game; **Fragewort** *nt* interrogative (particle); **Fragezeichen** *nt* question mark (*auch fig*), interrogation mark *or* point (*form*); **hinter diese Behauptung muß man ein dickes** *or* **großes ~ setzen** (*fig*) this statement should be taken with

a large pinch of salt.

fragil *adj* (*geh*) fragile.
Fragilität *f, no pl* (*geh*) fragility.
fraglich *adj* **1.** (*zweifelhaft*) uncertain; (*fragwürdig*) doubtful, questionable. **eine ~e Sache** a moot point. **2.** *attr* (*betreffend*) in question; *Angelegenheit* under discussion. **zu der ~en Zeit** at the time in question.
fraglos *adv* undoubtedly, unquestionably.
Fragment *nt* fragment. **~ bleiben** to remain a fragment.
fragmentarisch *adj* fragmentary. **die Manuskripte sind nur ~ erhalten** only fragments of the manuscript have been preserved.
fragwürdig *adj* **1.** doubtful, dubious. **2.** (*pej*) *Lokal, Mensch, Kreise* dubious.
Fraisen ['fraɪzən] *pl* (*Aus Med*) **die ~** (infant) spasms *pl*.
Fraktion *f* (*Pol*) ≃ parliamentary *or* congressional (*US*) party; (*von mehreren Parteien*) ≃ coalition party; (*Sondergruppe*) group, faction.
fraktionell [fraktsio'nɛl] *adj* (*Pol*) **~ entschieden** decided by the parliamentary *etc* party; **~e Gruppen** factions within the parliamentary *etc* party.
Fraktions- *in cpds* (*Pol*) party; **Fraktionsbildung** *f* formation of factions/a faction; **Fraktionsführer(in** *f*) *m* party whip, floor leader (*US*); **fraktionslos** *adj* independent; **Fraktionsmitglied** *nt* member of a parliamentary *etc* party; **Fraktionssitzung** *f* party meeting; **Fraktionssprecher(in** *f*) *m* party spokesperson; **Fraktionsstärke** *f* **1.** numerical strength of a/the parliamentary *etc* party; **2.** (*erforderliche Mitgliederzahl*) numerical strength required for recognition of a parliamentary party; **Fraktionsstatus** *m* party status; **Fraktionsvorsitzende(r)** *mf* party whip; **Fraktionszwang** *m* requirement to vote in accordance with party policy; **unter ~ stehen** to be under the whip.
Fraktur *f* **1.** (*Typ*) Gothic print, Fraktur. **(mit jdm) ~ reden** (*inf*) to be blunt (with sb). **2.** (*Med*) fracture.
Frakturschrift *f* Gothic script.
Franc [frã] *m* **-, -s** franc.
Franchise ['frɛntʃaɪz] *m* **-, no pl** (*Econ*) franchise.
Franchise-Geber(in *f*) *m* franchisor; **Franchise-Nehmer(in** *f*) *m* franchisee.
Franchising ['frɛntʃaɪzɪŋ] *nt* **-s, no pl** (*Econ*) franchising.
Francium ['frantsiʊm] *nt, no pl* (*abbr* **Fr**) francium.
frank *adv:* **~ und frei** frankly, openly.
Franke *m* **-n, -n** (*Geog*) Franconian; (*Hist*) Frank.
Franken[1] *nt* **-s** Franconia.
Franken[2] *m* **-s, -** (*Schweizer*) **~** (Swiss) franc.
Frankenwein *m* Franken wine.
Frankfurt *nt* **-s ~ (am Main)** Frankfurt (on the Main); **~ (Oder)** Frankfurt on the Oder.
Frankfurter *m* **-s, -** **1.** (*Einwohner Frankfurts*) Frankfurter. **2.** (*inf: Würstchen*) frankfurter.

frankieren* *vt* to stamp; (*mit Maschine*) to frank.

Frankiermaschine *f* franking machine.

Frankierung *f* franking; (*Porto auch*) postage.

Fränkin *f* Franconian (woman).

fränkisch *adj* Franconian.

franko *adj inv* (*Comm*) carriage paid; (*von Postsendungen*) post-free, post-paid.

Frankokanadier(in *f*) *m* French-Canadian; **frankokanadisch** *adj* French-Canadian; **frankophil** *adj* (*geh*) Francophile; **frankophon** *adj* Francophone.

Frankreich *nt* France.

Franse *f* -, -n (*lose*) (loose) thread; (*von Haar*) strand of hair. **~n** (*als Besatz, Pony*) fringe; **ein mit ~n besetzter Schal** a shawl with a fringe, a fringed shawl.

fransen *vi* to fray (out).

fransig *adj* (*Sew*) fringed *no adv; Haar* straggly *no adv;* (*ausgefasert*) frayed *no adv.*

Franz *m* -' *or* -ens Francis.

Franzbranntwein *m* alcoholic liniment.

Franziskaner *m* -s, - (*Eccl*) Franciscan (friar).

Franziskanerin *f* (*Eccl*) Franciscan (nun).

Franziskaner|orden *m* (*Eccl*) Franciscan Order, Order of St. Francis.

Franzose *m* -n, -n 1. Frenchman/French boy. **er ist ~** he's French. 2. (*Werkzeug*) adjustable spanner, monkey wrench.

franzosenfeindlich *adj* anti-French; **Franzosenkrankheit** *f* (*old*) French disease (*old*), syphilis.

Französin *f* Frenchwoman/French girl. **sie ist ~** she's French.

französisch *adj* French. **die ~e Schweiz** French-speaking Switzerland; **die F~e Revolution** the French Revolution; **die ~e Krankheit** (*old*) the French disease (*old*), syphilis; **~es Bett** double bed; **~e Spielkarten** ordinary playing cards; **~ kochen** to do French cooking; **(auf) ~ Abschied nehmen** to leave without saying goodbye; **sich (auf) ~ empfehlen** to leave without saying good-bye/paying; (*sich unerlaubt entfernen*) to take French leave; *siehe auch* **deutsch**.

Französisch(e) *nt* French; *siehe auch* **Deutsch(e)**.

frappant *adj* (*geh*) *siehe* **frappierend**.

frappieren* I *vt* (*verblüffen*) to astound, to astonish, to amaze. II *vi* (*Sache*) to be astounding *or* astonishing.

frappierend *adj Schnelligkeit, Entdeckung* remarkable, astounding; *Verbesserung, Wirkung, Ähnlichkeit auch* striking.

Fräse *f* -, -n 1. (*Werkzeug*) milling cutter; (*für Holz*) moulding cutter; (*Boden~*) rotary hoe. 2. (*Bart*) chinstrap (beard).

fräsen *vt* to mill, to mill-cut; *Holz* to mould.

Fräser *m* -s, - 1. (*Beruf*) milling cutter. 2. (*Maschinenteil*) milling cutter; (*für Holz*) moulding cutter.

Fräsmaschine *f* milling machine.

fraß *pret of* **fressen**.

Fraß *m* -es, -e 1. food; (*pej inf*) muck (*inf*) *no indef art.* **etw einem Tier zum ~ vorwerfen** to feed sth to an animal; **jdn den**

Kritikern zum ~ vorwerfen to throw sb to the critics. 2. (*Abfressen*) **vom ~ befallen** eaten away.

Frater *m* -s, **Fratres** (*Eccl*) Brother.

fraternisieren* *vi* to fraternize.

Fraternisierung *f* fraternization.

Fratz *m* -es, -e *or* (*Aus*) -en, -en 1. (*pej*) brat. 2. (*schelmisches Mädchen*) rascal.

Fratze *f* -, -n 1. grotesque face. 2. (*Grimasse*) grimace; (*inf: Gesicht*) face, phiz (*dated inf*); (*fig: Zerrbild*) caricature. **jdm eine ~ schneiden** to pull *or* make a face at sb; **eine ~ ziehen** to pull *or* make a face, to grimace.

frau *indef pron proposed feminist alternative to 'man'; siehe* **man**[1].

Frau *f* -, -en 1. woman. **zur ~ werden** to become a woman; **von ~ zu ~** woman to woman; **Unsere Liebe ~** (*Eccl*) our blessed Lady. 2. (*Ehe~*) wife. **sich** (*dat*) **eine ~ nehmen** (*dated*) to marry, to take a wife (*old*); **willst du meine ~ werden?** will you marry me?, will you be my wife?; **jdn zur ~ haben** to be married to sb; **seine zukünftige/geschiedene ~** his bride-to-be/his ex-wife; **die junge ~** (*dated*) the son's wife/the daughter-in-law. 3. (*Anrede*) madam; (*mit Namen*) Mrs; (*für eine unverheiratete ~*) Miss, Ms (*feministisch*). **liebe ~!** (*dated*) my dear lady!; **~ Doktor/Direktor** doctor/headmistress; **Ihre (liebe) ~ Mutter/Schwester** your good mother/sister; **~ Nachbarin** (*old*) neighbour (*old*).

Frauchen *nt dim of* **Frau** (*inf*) (*Herrin von Hund*) mistress. **geh zum ~** go to your mistress.

Frauen- *in cpds* women's; (*einer bestimmten Frau*) woman's; (*Sport auch*) ladies'; **Frauenarbeit** *f* 1. (*Arbeit für Frauen, von Frauen*) female *or* women's labour; **das ist keine ~** that's no job for a woman; **niedrig bezahlte ~** badly paid jobs for women; 2. (*Arbeit zugunsten der Frau*) work among women; **in der ~ tätig sein** to be involved in work among women; **Frauenarzt** *m*, **Frauenärztin** *f* gynaecologist; **Frauenbeauftragte** *f* (*in Gewerkschaft etc*) women's representative; (*Beamtin*) commissioner for women's issues; **Frauenberuf** *m* career for women; **Frauenbewegung** *f* women's (*auch Hist*) or feminist movement; **Frauenblatt** *nt* women's magazine; **Frauenbuch** *nt* women's book; **Frauenchor** *m* ladies' *or* female choir; **Frauenemanzipation** *f* female emancipation *no art*, emancipation of women; (*in der heutigen Zeit auch*) women's lib(eration); **Frauenfeind** *m* misogynist; **frauenfeindlich** *adj* anti-women *pred; Mensch, Verhalten auch* misogynous; **Frauenfront** *f* women's front; **Frauenfunk** *m* woman's radio; **~ Woman's Hour** (*Brit*); **Frauengefängnis** *nt* women's prison; **Frauengeschichte** *f* affair with a woman; **~n** (*Affären*) womanizing; (*Erlebnisse*) sexploits *pl* (*hum inf*), experiences with women *pl*; **Frauengestalt** *f* female figure; (*Liter, Art*) female character; **Frauengruppe** *f* women's group; **Frauenhaar** nt 1. woman's hair; 2. (Bot) maidenhair (fern); **frauenhaft** adj womanly no adv; **Frauenhand** f: von (zarter) ~ by a woman's fair hand; **Frauenhaus** nt 1. women's refuge; 2. (Ethnologie) women's house; **Frauenheilkunde** f gynaecology; **Frauenheld** m lady-killer; **Frauenkleidern** pl women's clothes pl or clothing sing; **Frauenklinik** f gynaecological hospital or clinic; **Frauenkloster** nt convent, nunnery (old); **Frauenkrankheit** f, **Frauenleiden** nt gynaecological disorder; **Facharzt für Frauenkrankheiten und Geburtshilfe** gynaecologist and obstetrician; **Frauenmantel** m (Bot) lady's mantle; **Frauenmörder** m murderer of women/a woman; **Frauenorden** m (Eccl) women's order; **Frauenpolitik** f feminist politics; **Frauenrechtlerin** f feminist; (in der heutigen Zeit auch) Women's Libber (inf); **Frauenreferat** nt women's department; **Frauenreferentin** f consultant on women's issues; **Frauenschuh** m no pl (Bot) lady's slipper no pl.

Frauensperson f female person; (hum inf) female (inf), broad (US inf).

Frauensport m women's sport; **Frauenstation** f women's ward; **Frauenstimme** f woman's voice; (Parl) woman's vote; ~**n** women's voices/ votes; **Frauentyp** m 1. feminine type (of woman); **mütterlicher** ~ motherly type of woman; 2. (inf) ladies' man; **Frauenüberschuß** m surplus of women; **Frauenverband**, **Frauenverein** m women's association or society; **Frauenwahlrecht** nt vote for women, female suffrage no art; **Frauenzeitschrift** f women's magazine; **Frauenzentrum** nt women's advice centre; **Frauenzimmer** nt (hum) woman, female (inf), broad (US inf).

Fräulein nt -s, - or -s 1. (unverheiratete Frau) young lady. **ein altes** or **älteres** ~ an elderly spinster.
2. (Anrede dated) Miss. **Ihr** ~ **Tochter/Braut** your daughter/bride.
3. (weibliche Angestellte) young lady; (Verkäuferin auch) assistant; (Kellnerin) waitress; (dated: Lehrerin) teacher, mistress. ~**!** Miss!; (Kellnerin auch) waitress!

fraulich adj feminine; (reif) womanly no adv.

Fraulichkeit f, no pl siehe adj femininity; womanliness.

Freak ['fri:k] m -s, -s (sl) freak (sl).

frech adj 1. cheeky (esp Brit), fresh pred (esp US), impudent; Lüge brazen, bare-faced no adv. ~ **werden** to get cheeky etc; **jdm** ~ **kommen** to get cheeky etc with sb; **sich** ~ **benehmen** to be cheeky etc; **halt deinen** ~**en Mund!** (you) shut up and stop being cheeky etc; ~ **wie Oskar** (inf) or **wie ein Spatz sein** (inf) to be a cheeky little devil (Brit inf), to be a little monkey.
2. (herausfordernd) Kleidung saucy (inf), cheeky (Brit inf).

Frechdachs m (inf) cheeky monkey (Brit

inf) or devil (Brit inf), monkey.

Frechheit f 1. no pl (Verhalten) impudence; (esp von Kindern auch) cheekiness (esp Brit). **das ist der Gipfel der** ~ that's the height of impudence; **die** ~ **haben or besitzen, ... zu ...** to have the cheek (esp Brit) or nerve (inf) or impudence to ...
2. (Äußerung, Handlung) piece or bit of cheek (esp Brit) or impudence. **sich** (dat) **einige** ~**en erlauben** to be a bit cheeky (esp Brit) or fresh (esp US).

Freesie ['fre:ziə] f freesia.

Fregatte f frigate.

Fregattenkapitän m commander.

frei adj 1. (uneingeschränkt, unbehindert) free; Blick clear. ~**e Rhythmen** free verse; ~**e Hand haben** to have a free hand; **jdm** ~**e Hand lassen** to give sb free rein or a free hand; **jdm zur** ~**en Verfügung stehen** to be completely at sb's disposal; **aus** ~**en Stücken** or ~**em Willen** of one's own free will; **das Recht der** ~**en Rede** the right of free speech or to freedom of speech; ~ **schalten und walten** to do what one wants or pleases; **das ist** ~ **wählbar** you can choose as you please, it's completely optional; ~ **definierbare Zeichen** (Comput) user-definable characters; ~ **nach ...** based on ...; ~ **nach Goethe** (Zitat) as Goethe didn't say; **ich bin so** ~ (form) may I?; **von Kiel nach Hamburg hatten wir** ~**e Fahrt** we had a clear run from Kiel to Hamburg; **einem Zug** ~**e Fahrt geben** to give a train the "go" signal; **für etw** ~**e Fahrt geben** (fig) to give sth the go-ahead or green light; **die Straße** ~ **machen** to clear the road; **der** ~**e Fall** (Phys) free fall; ~**er Durchgang** thoroughfare; ~**er Zutritt** entry; ~**er Zugang** unlimited or unrestricted access; **der Film ist** ~ **(für Jugendliche) ab 16 (Jahren)** the film may be seen by people over (the age of) 16; ~**es Geleit** safe conduct; **auf** ~**em Fuß sein,** ~ **herumlaufen** (inf) to be free, to be running around free (inf); **jdn auf** ~**en Fuß setzen** to set sb free; **sich von etw** ~ **machen** to rid oneself of or free oneself from sth; ~ **von etw** free of sth.
2. (unabhängig) free; Schriftsteller freelance; (nicht staatlich) private. ~**er Beruf** independent profession; ~**er Mitarbeiter sein** to work freelance; ~**e Marktwirtschaft** free-market or open market economy; **die** ~**e Wirtschaft** private enterprise; **in die** ~**e Wirtschaft gehen** to go into industry; ~**e Tankstelle** independent petrol station; ~ **machen** to have a liberating effect; ~**e Reichsstadt** (Hist) free city of the Empire; **F**~**e und Hansestadt Hamburg/F**~**e Hansestadt Bremen** Free Hansa Town of Hamburg/ Bremen; **F**~**er Deutscher Gewerkschaftsbund** (DDR) Free German Trades Union Congress; **F**~**e Deutsche Jugend** (DDR) Free German Youth; **F**~**e Demokratische Partei** Free Democratic Party.
3. (ohne Hilfsmittel) Rede extemporary. ~ **in der Luft schweben** to hang in

mid-air; **ein Vortrag in ~er Rede** a talk given without notes, an extemporary talk; **~ sprechen** to speak extempore *or* without notes, to extemporize. **4.** (*verfügbar*) *Mittel, Geld* available; *Zeit, Mensch* free. **morgen/Mittwoch ist ~** tomorrow/Wednesday is a holiday; **einen Tag ~ nehmen/haben** to take/have a day off; **Herr Mayer ist jetzt ~** Mr Mayer is free now; **ich bin jetzt ~ für ihn** I can see him now; **fünf Minuten ~ haben** to have five minutes (free). **5.** (*unbesetzt*) *Zimmer, Toilette* vacant, empty; *Platz* free; *Stelle* vacant, free; *Taxi* for hire, free. **ist hier *or* ist dieser Platz noch ~?** is anyone sitting here?, is this anyone's seat?, is this seat taken *or* free?; „**,~**" (*an Taxi*) "for hire"; (*an Toilettentür*) "vacant"; „**Zimmer ~**" "vacancies"; **haben Sie noch etwas ~?** do you have anything?; (*in Hotel*) have you got any vacancies *or* any rooms left *or* free?; **einen Platz ~ machen** (*aufstehen*) to vacate a seat; (*leer räumen*) to clear a seat; **für etw Platz ~ lassen/machen** to leave/make room *or* space for sth; **eine Wohnung ~ machen** to vacate a flat; **einen Platz für jdn ~ lassen** to leave a seat for sb. **6.** (*offen*) open. **unter ~em Himmel** in the open (air), out of doors, outdoors; **im ~en Raum** (*Astron*) in (outer) space; **eine Frage/Aussage im ~en Raum stehenlassen** to leave a question/statement hanging (in mid-air *or* in the air); **auf ~er Strecke** (*Rail*) between stations; (*Aut*) on the road; **~ stehen** (*Haus*) to stand by itself; **~ stehen *or* sein** (*Sport*) to be free *or* not marked; *siehe* **Freie.** **7.** (*kostenlos*) free. **Eintritt ~** admission free; **~ Grenze** free frontier. **8.** (*unkonventionell*) free, liberal. **sie benimmt sich etwas zu ~** she's rather free in her behaviour. **9.** (*unbekleidet*) bare. **sich ~ machen** to take one's clothes off, to strip; **~ lassen** to leave bare. **10.** (*ungeschützt*) *Autor* out of copyright. **seit die Rechte an Karl May ~ geworden sind** since Karl May's books have been out of copyright.

Freianlage *f* (*im Zoo*) outdoor *or* open-air enclosure; (*Sport*) sports ground *pl*, playing fields *pl*; (*Park*) park grounds *pl*; **Freibad** *nt* open-air (swimming) pool, lido; **Freiballon** *m* free balloon; **freibekommen*** *vt sep irreg* **1.** (*befreien*) **jdn ~** to get sb freed *or* released; **etw ~** to get sth free, to get sth free; **2. einen Tag/eine Woche ~bekommen** to get a day/a week off; **Freiberufler(in** *f*) *m* **-s, -** self-employed person; **freiberuflich** *adj* self-employed; **~ arbeiten** to be self-employed; **~ für eine Firma arbeiten** to work freelance *or* do freelance work for a company; **Freibetrag** *m* tax allowance; **Freibeuter** *m* **-s, -** pirate, buccaneer, freebooter (*old*); (*fig*) exploiter; **Freibeuterei** *f* piracy, buccaneering, freebooting (*old*); (*fig*) exploitation; **freibeweglich** *adj* free-moving; **Freibier** *nt* free beer; **Freibrief** *m* **1.**

(*Hist*) (*Privileg*) royal charter; (*Freilassung*) letter of manumission; **2.** (*fig*) licence; **Freideck** *nt* uncovered level (*of multistorey car park*); **Freidenker(in** *f*) *m* freethinker.

freien (*old*) **I** *vt* to wed (*old, liter*). **II** *vi* **um ein Mädchen ~** to woo (*old*) *or* court (*dated*) a girl; **jung gefreit hat nie gereut** (*Prov*) marry young and you'll never regret it.

Freie(r) *mf decl as adj* (*Hist*) freeman.

Freie(s) *nt decl as adj* **das ~** the open (air); **im ~n** in the open (air); **ins ~ gehen** to go outside *or* into the open (air); **ins ~ gelangen** to get out; **im ~n übernachten** to sleep out in the open.

Freier *m* **-s, -** **1.** (*dated, hum*) suitor. **2.** (*inf: von Dirne*) (prostitute's) client, john (*US inf*).

Freiersfüße *pl*: **auf ~n gehen** (*hum*) to be courting (*dated*).

Freiexemplar *nt* free copy; **Freifahrschein** *m* free ticket; **Freifahrt** *f* free journey; **freifinanziert** *adj* *Wohnungsbau* privately financed; **Freiflug** *m* free flight; **Freifrau** *f* baroness (*by marriage*); **Freifräulein** *nt* baroness (*in her own right*); **Freigabe** *f siehe vt* release; decontrol, lifting of controls (*gen* on); opening; passing; putting back into play; **freigeben** *sep irreg* **I** *vt* to release (*an +acc* to); *Preise, Wechselkurse* to decontrol, to lift controls on; *Straße, Strecke, Flugbahn* to open; *Film* to pass; (*Ftbl*) *Ball* to put back into play; *Spieler* to release; **etw zum Verkauf ~** to allow sth to be sold on the open market; **jdm den Weg ~** to let sb past *or* by; **II** *vi* **jdm ~** to give sb a holiday; **jdm zwei Tage ~** to give sb two days off; **freigebig** *adj* generous; (*iro auch*) free, liberal; **Freigebigkeit** *f* generosity; (*iro*) liberalness; **Freigehege** *nt* open-air *or* outdoor enclosure; **Freigeist** *m* freethinker; **freigeistig** *adj* freethinking; **Freigelände** *nt* open-air exhibition ground; **Freigepäck** *nt* baggage allowance; **Freigrenze** *f* (*bei Steuer*) tax exemption limit; **freihaben** *vi sep irreg* to have a holiday; **ich habe heute/zwei Tage I** have today/two days off; **eine Stunde/die sechste Stunde frei** (*Sch*) to have a free period/have the sixth period free; **er hat mittags eine Stunde frei** he has an hour free at midday; **Freihafen** *m* free port; **freihalten** *sep irreg* **I** *vt* **1.** (*nicht besetzen*) to keep free *or* clear; **2.** (*reservieren*) to keep, to save; **3.** (*jds Zeche begleichen*) to pay for; **sich von jdm f~ lassen** to let sb pay for one; **II** *vr* **sich von etw f~** to avoid sth; *von Vorurteilen* to be free of sth; *von Verpflichtungen* to keep oneself free of sth; **Freihandbücherei** *f* open-shelf library; **Freihandel** *m* free trade; **Freihandelszone** *f* free trade area; **die kleine ~** EFTA, the European Free Trade Area; **freihändig** *adj* *Zeichnung* freehand; *Radfahren* without hands, (with) no hands; *Schießen* offhand (*spec*), without support.

Freiheit *f* **1.** *no pl* freedom. **die ~** freedom; (*persönliche* ~ *als politisches Ideal*) liberty; ~, **Gleichheit, Brüderlichkeit** liberty, equality, fraternity; **persönliche** ~ personal freedom; **in** ~ (*dat*) **sein** to be free; (*Tier*) to be in the wild; **in** ~ **geboren** born free; **jdm die** ~ **schenken** to give sb his/her *etc* freedom, to free sb; **der Weg in die** ~ the path to freedom.

2. (*Vorrecht*) freedom *no pl*. **dichterische** ~ poetic licence; **alle** ~**en haben** to have all the freedom possible; **die** ~ **haben or genießen** (*geh*), **etw zu tun** to be free *or* at liberty to do sth; **to have *or* enjoy the freedom to do sth; sich** (*dat*) **die** ~ **nehmen, etw zu tun** to take the liberty of doing sth; **sich** (*dat*) **zu viele** ~**en erlauben** to take too many liberties.

freiheitlich *adj* liberal; *Verfassung* based on the principle of liberty; *Demokratie* free. **die** ~**-demokratische Grundordnung** the free democratic constitutional structure; ~ **gesinnt** liberal.

Freiheitsbegriff *m* concept of freedom; **Freiheitsberaubung** *f* (*Jur*) wrongful deprivation of personal liberty; **Freiheitsbewegung** *f* liberation movement; **Freiheitsentzug** *m* imprisonment; **freiheitsfeindlich** *adj* operating against freedom; *Kräfte auch* anti-freedom *attr*; **Freiheitskampf** *m* fight for freedom; **Freiheitskämpfer(in** *f*) *m* freedom-fighter; **Freiheitskrieg** *m* war of liberation; **freiheitsliebend** *adj* freedom-loving; **Freiheitsrechte** *pl* civil rights and liberties *pl*; **Freiheitsstatue** *f* Statue of Liberty; **Freiheitsstrafe** *f* prison sentence; **er erhielt eine** ~ **von zwei Jahren** he was sentenced to two years' imprisonment *or* given a two-year prison sentence.

freiheraus *adv* candidly, frankly; **Freiherr** *m* baron; **freiherrlich** *adj attr* baronial.

freikämpfen *sep* **I** *vt* to get free; (*durch Gewaltanwendung*) to free by force; **II** *vr* to get free; to free oneself by force; **Freikarte** *f* free *or* complimentary ticket; **freikaufen** *vt sep* **jdn/sich** ~ to buy sb's/one's freedom; **Freikirche** *f* Free Church; **freikommen** *vi sep irreg aux sein* **1.** (*entkommen*) to get out (*aus* of); (*befreit werden*) to be released *or* freed (*aus, von* from); **2.** (*sich bewegen lassen: Boot*) to come free; **Freikörperkultur** *f*, *no pl* nudism, naturism; **Freikorps** *nt* (*Mil*) volunteer corps *sing*.

Freiland *nt* (*Hort*) open beds *pl*. **auf/im** ~ outdoors.

Freilandgemüse *nt* outdoor vegetables *pl*; **Freilandkultur** *f* outdoor cultivation.

freilassen *vt sep irreg* to set free, to free; (*aus Haft, Gefangenschaft auch*) to release; *Hund* to let off the lead *or* leash; **Freilassung** *f* release; (*von Sklaven*) setting free; **Freilauf** *m* (*Aut*) neutral; (*bei Fahrrad*) freewheel; **im** ~ **fahren** to coast (in neutral); to freewheel; **freilaufen** *vr sep irreg* (*Sport*) to get free; **freilaufend** *adj* *Huhn* free-range; *Eier von* ~**en Hühnern** free-range eggs; **freilebend** *adj* living free; **freilegen** *vt sep* to expose; *Ruinen, Trümmer* to un-

cover; (*fig auch*) to lay bare; **Freilegung** *f siehe vt* exposure; uncovering; laying bare; **Freileitung** *f* overhead cable.

freilich *adv* **1.** (*allerdings*) admittedly. **es scheint** ~ **nicht leicht zu sein** admittedly *or* certainly it doesn't seem easy. **2.** (*esp S Ger: natürlich*) of course, certainly, sure (*esp US*). **aber** ~! of course!; **ja** ~ yes of course.

Freilicht- *in cpds* open-air; **Freilichtbühne** *f* open-air theatre; **Freilichtkino** *nt* open-air cinema; (*Autokino*) drive-in cinema.

Freilos *nt* free lottery ticket; (*Sport*) bye; **freimachen** *sep* **I** *vt* to stamp; (*mit Frankiermaschine*) to frank; **einen Brief mit 1 Mark** ~ to put stamps to the value of 1 mark on a letter; *siehe auch* **frei 1., 4.**; **II** *vi* to take time/a day/a week *etc* off; **ich habe eine Woche/gestern freigemacht** I took a week off/the day off yesterday; **III** *vr* to arrange to be free; **Freimarke** *f* (*postage*) stamp; **Freimaurer** *m* Mason, Freemason; **Freimaurerei** *f* Freemasonry; **Freimaurerloge** *f* Masonic Lodge.

Freimut *m, no pl* frankness, honesty, openness. **mit allem** ~ perfectly frankly *or* honestly *or* openly.

freimütig *adj* frank, honest, open.

Freiplatz *m* **1.** free *or* complimentary seat; **2.** (*Univ*) scholarship; (*Sch auch*) free place; **freipressen** *vt sep* **jdn** ~ to obtain sb's release, to get sb set free; **Freiraum** *m* (*fig*) freedom *no art, no pl* (*zu* for); ~ **brauchen, in dem man sich entwickeln kann** to need freedom to develop *or* in which to develop; **die Universität ist kein gesellschaftlicher** ~ university isn't a social vacuum; **freireligiös** *adj* non-denominational; **freischaffend** *adj attr* freelance; **Freischaffende(r)** *mf decl as adj* freelance; **Freischärler** *m* **-s, -** guerrilla; (*Hist*) irregular (volunteer); **freischaufeln** *vt sep* to clear, to dig clear; **freischießen** *vt sep irreg* **sich** (*dat*) **den Weg** ~ to shoot one's way out; **jdn** ~ to shoot sb free; **Freischuß** *m* free shot; **freischwimmen** *vr sep irreg* (*Sport*) *to pass a test by swimming for 15 minutes*; **freischwimmen** *nt* *15 minute swimming test*; **freisetzen** *vt sep* to release; (*euph*) *Arbeitskräfte* to make redundant; (*vorübergehend*) to lay off; **Freisetzung** *f* release; (*euph*) dismissal; (*vorübergehend*) laying off; **Freisinn** *m, no pl* (*dated*) liberalism; **freisinnig** *adj* (*dated*) liberal; **Freispiel** *nt* free game; **freisprechen** *vt sep irreg* **1.** to acquit; **jdn von einer Schuld/von einem Verdacht** ~ to acquit sb of guilt/clear sb of suspicion; **jdn wegen erwiesener Unschuld** ~ to prove sb not guilty; **2.** (*Handwerk*) *Auszubildende* to qualify; **Freispruch** *m* acquittal; **es ergeht** ~ the verdict is "not guilty"; **auf** ~ **plädieren** to plead not guilty; **Freistaat** *m* free state; **der** ~ **Bayern** the Free State of Bavaria; **Freistatt, Freistätte** *f* (*liter*) sanctuary; **freistehen** *vi sep irreg* **1.** (*überlassen sein*) **es steht jdm frei, etw zu tun** sb is free *or* at liberty to do sth; **das**

steht Ihnen völlig frei that is completely up to you; **es steht Ihnen frei, ob ...** it is up to you whether ...; **2.** (*leerstehen*) to stand empty; **freistellen** *vt sep* **1.** (*anheimstellen*) **jdm etw ~** to leave sth (up) to sb; **2.** (*zur Verfügung stellen*) **Mittel** to make available; *Personal* to release; **3.** (*befreien*) to exempt; **einen Schüler vom Unterricht ~** to excuse a pupil from a lesson/his lessons; **Freistempel** *m* frank.

Freistil- *in cpds* freestyle; **Freistilringen** *nt* all-in *or* freestyle wrestling.

Freistoß *m* (*Ftbl*) free kick (*für* to, for); **Freistück** *nt* free copy; **Freistunde** *f* free hour; (*Sch*) free period.

Freitag *m* Friday. **der Schwarze ~** *the day of the Wall Street crash*; **ein schwarzer ~** a black day; *siehe auch* **Dienstag.**

freitags *adv* on Fridays, on a Friday.

Freitisch *m* free meals *pl*; **Freitod** *m* suicide; **den ~ wählen** *or* **suchen** to decide to put an end to one's life; **freitragend** *adj* self-supporting; *Konstruktion, Flügel* cantilever *attr*; *Treppe* hanging, cantilever *attr*; **Freitreppe** *f* (flight of) steps (*gen* leading up to); **Freiübung** *f* exercise; **~en machen** to do one's exercises; **Freiumschlag** *m* stamped addressed envelope, s.a.e.

freiweg ['frai'vɛk] *adv* openly; (*freiheraus*) straight out, frankly. **er fing an, ~ zu erzählen** he started talking away.

Freiwild *nt* (*fig*) fair game; **freiwillig** *adj* voluntary; (*Jur*) *Gerichtsbarkeit auch* non-contentious; (*freigestellt*) *Versicherung, Unterricht* optional; **~e Feuerwehr** voluntary fire brigade; **sich ~ melden** to volunteer (*zu, für* for); **etw ~ machen** to do sth voluntarily *or* of one's own free will; **Freiwillige(r)** *mf decl as adj* volunteer; **~ vor!** volunteers, one pace forwards!; **Freiwilligkeit** *f* voluntary nature, voluntariness; **Freiwurf** *m* free throw; **Freizeichen** *nt* ringing tone.

Freizeit *f* **1.** (*arbeitsfreie Zeit*) free *or* spare *or* leisure time. **2.** (*Urlaubsreise*) **am Montag fährt er auf die ~ des Jugendorchesters** he is going to a gathering of the youth orchestra on Monday. **3.** (*Eccl*) retreat.

Freizeitaktivität *f* leisure time activity; **Freizeitanzug** *m* jogging suit; **Freizeitausgleich** *m* time off in lieu; **Freizeitbekleidung** *f siehe* **Freizeitkleidung; Freizeitgestaltung** *f* organization of one's leisure time; **das Problem der ~** the leisure problem; **Freizeithemd** *nt* sports shirt; **Freizeitindustrie** *f* leisure industry; **Freizeitkleidung** *f* casual clothes *pl*; (*Warengattung*) leisurewear *no pl*; **Freizeitpark** *m* amusement park; **Freizeitproblem** *nt* problem of leisure, leisure problem; **Freizeitwert** *m* **München hat einen hohen ~** Munich has a lot to offer in the way of recreational and leisure-time facilities.

freizügig *adj* **1.** (*reichlich*) *Gebrauch, Anwendung* liberal; **2.** (*in moralischer Hinsicht*) permissive; **3.** (*den Wohnort frei wählen könnend*) free to move;

Freizügigkeit *f siehe adj* **1.** liberalness; **2.** permissiveness; **3.** freedom of movement.

fremd *adj* **1.** (*andern gehörig*) someone else's; *Bank, Bibliothek, Firma* different; (*Comm, Fin, Pol*) outside *attr*. **ohne ~e Hilfe** without anyone else's/outside help, without help from anyone else/outside; **ich schlafe nicht gern in ~en Betten** I don't like sleeping in strange beds; **~es Eigentum** someone else's property, property not one's own (*form*); **das ist nicht für ~e Ohren** that is not for other people to hear; **etw geht in ~e Hände über** sth passes into the hands of strangers *or* into strange hands; **sich mit ~en Federn schmücken** to claim all the glory for oneself.

2. (*~ländisch*) foreign, alien (*esp Admin, Pol*).

3. (*andersartig*) strange; *Planeten* other; *Welt* different.

4. (*unvertraut*) strange. **jdm ~ sein** (*unbekannt*) to be unknown to sb; (*unverständlich*) to be foreign *or* alien to sb; (*nicht in jds Art*) to be foreign *or* alien to sb *or* to sb's nature; **es ist mir ~, wie ...** I don't understand how ...; **ich bin hier/in London ~** I'm a stranger here/to London; **meine Heimat ist mir ~ geworden** I've become a stranger in my own country, my own country has become quite foreign *or* alien to me; **sich** *or* **einander** (*dat*) **~ werden** to grow apart, to become strangers (to one another); **sich ~ fühlen** to feel alien, to feel like a stranger.

Fremdarbeiter(in *f*) *m* foreign worker; **fremdartig** *adj* strange; (*exotisch*) exotic; **Fremdartigkeit** *f siehe adj* strangeness; exoticism; **Fremdbestäubung** *f* cross-fertilization; **fremdbestimmt** *adj* heteronomous; **~ handeln** to act under orders; **Fremdbestimmung** *f* heteronomy.

Fremde *f -, no pl* (*liter*) **die ~** foreign parts *pl*; **in die ~ gehen/in der ~ sein** to be in foreign parts, to go/be abroad.

fremde(l)n *vi* (*S Ger, Sw*) to be scared of strangers.

Fremdenbett *nt* spare *or* guest bed; (*in Hotel*) hotel bed; **fremdenfeindlich** *adj* hostile to strangers; (*ausländerfeindlich*) hostile to foreigners, xenophobic (*form*); **Fremdenführer** *m* **1.** (*~in f*) (*Mensch*) (tourist) guide; **2.** (*Buch*) guide(book); **Fremdenhaß** *m* xenophobia; **Fremdenlegion** *f* Foreign Legion; **Fremdenlegionär** *m* Foreign Legionnaire; **Fremdenpaß** *m* alien's passport; **Fremdenpolizei** *f* aliens branch (of the police).

Fremdenverkehr *m* tourism *no def art*.

Fremdenverkehrsort *m* tourist resort *or* centre; **Fremdenverkehrsverein** *m* tourist association.

Fremdenzimmer *nt* guest room.

Fremde(r) *mf decl as adj* (*Unbekannter, Orts~*) stranger; (*Ausländer*) foreigner; (*Admin, Pol*) alien; (*Tourist*) visitor.

Fremdfinanzierung *f* outside financing; **fremdgehen** *vi sep irreg aux sein* (*inf*) to be unfaithful; **Fremdheit** f, no pl (ausländische Natur) foreignness; (Unvertrautheit) strangeness; (Entfremdung) alienation; (zwischen Menschen) reserve; **Fremdherrschaft** f, no pl foreign rule; **Fremdkapital** nt outside capital; **Fremdkörper** m foreign body; (fig) alien element; **sich als ~ fühlen** to feel out of place; **fremdländisch** adj foreign no adv; (exotisch) exotic; **Fremdling** m (liter) stranger.

Fremdsprache f foreign language. **eine Begabung für ~n** a gift for languages.

Fremdsprachenkorrespondent(in f) m bilingual secretary; **Fremdsprachensekretär(in** f) m bilingual secretary; **Fremdsprachenunterricht** m language teaching.

fremdsprachig adj in a foreign language; **Fähigkeiten** (foreign) language; **fremdsprachlich** adj foreign; **~er Unterricht** language teaching; **Fremdstoff** m foreign matter no pl or substance; **Fremdverschulden** nt third-party responsibility; **Fremdwährung** f foreign currency; **Fremdwort** nt borrowed or foreign word, borrowing; **Rücksichtnahme ist für ihn ein ~** (fig) he's never heard of the word consideration; **Fremdwörterbuch** nt dictionary of borrowed or foreign words.

frenetisch adj frenetic, frenzied; **Beifall** auch wild.

frequentieren* vt (geh) to frequent.

Frequenz f 1. (Häufigkeit) frequency (auch Phys); (Med) (pulse) rate. 2. (Stärke) numbers pl; (Verkehrsdichte) volume of traffic.

Freske f -, **-n** (rare), **Fresko** nt -s, **Fresken** fresco.

Fressalien [-iən] pl (inf) grub sing (inf), eats pl (inf).

Freßbeutel m (für Pferd) nosebag.

Fresse f -, **-n** (sl) (Mund) trap (sl), gob (sl), cakehole (Brit sl); (Gesicht) mug (inf). **die ~ halten** to shut one's trap or gob or face (all sl); **eine große ~ haben** to be a loud-mouth (inf); **jdn or jdm in die ~ hauen, jdm die ~ polieren** to smash sb's face in (inf); **ach du meine ~!** bloody hell! (Brit sl).

fressen pret **fraß**, ptp **gefressen** I vi 1. to feed, to eat; (sl: Menschen) to eat; (gierig) to guzzle. **jdm aus der Hand ~** (lit, fig inf) to eat out of sb's hand; **für drei ~** to eat enough for a whole army (inf); **er ißt nicht, er frißt** he eats like a pig.

2. (zerstören) to eat away (an etw (dat) sth).

II vt 1. (verzehren: Tier, sl: Mensch) to eat; (sich ernähren von) to feed or live on; (sl: gierig essen) to guzzle, to scoff. **etwas zu ~** something to eat; **den Napf leer ~** (Tiere) to lick the bowl clean; **jdn arm ~, jdm die Haare vom Kopf ~** to eat sb out of house and home.

2. (in Wendungen) **Kilometer ~** to burn up the kilometres; **Löcher in etw (acc) ~** (lit) to eat holes in sth; **ein Loch in den Geldbeutel ~** to make a big hole in one's pocket; **ich habe dich zum F~**

gern (inf) you're good enough to eat (inf); **ich könnte dich ~** (inf) I could eat you (inf); **ich will dich doch nicht ~** (inf) I'm not going to eat you (inf); **ich fresse einen Besen wenn ...** (inf) I'll eat my hat if ...; **jdn/etw gefressen haben** (inf) to have had one's fill or as much as one can take of sb/sth; **jetzt hat er es endlich gefressen** (inf) he's got it or got there at last (inf), at last the penny's dropped; **einen Narren or Affen an jdm/etw gefressen haben** to dote on sb/sth; siehe **Weisheit**.

3. (verbrauchen) **Benzin, Ersparnisse** to eat or gobble up; **Zeit** to take up.

4. (geh: Neid, Haß) to eat up.

III vr 1. (sich bohren) to eat one's way (in +acc into, durch through).

2. **sich voll/satt ~** to gorge oneself/eat one's fill; (Mensch auch) to stuff oneself (inf); **sich krank ~** to eat oneself sick.

Fressen nt -s, no pl food; (sl) grub (sl); (sl: Schmaus) blow-out (inf).

Fresser m -s, - (Tier) eater; (sl: gieriger Mensch) greedyguts (inf).

Fresserei f (inf) 1. no pl (übermäßiges Essen) guzzling; (Gefräßigkeit) piggishness (inf). 2. (Schmaus) blow-out (inf), nosh-up (Brit sl).

Freßgier f voraciousness; (pej: von Menschen) gluttony; **Freßkorb** m (inf) (für Picknick) picnic hamper; (Geschenkkorb) food hamper; **Freßnapf** m feeding bowl; **Freßpaket** nt (inf) food parcel; **Freßsucht** f (inf) gluttony; (krankhaft) craving for food.

frißt imper pl of **fressen**.

Freßwelle f (hum inf) wave of gluttony; **Freßwerkzeuge** pl (Zool) feeding equipment no pl or organs pl; (von Insekten) mouthpart.

Frettchen nt ferret.

Freude f -, **-n** 1. no pl pleasure; (innig) joy (über +acc at); (Erfreutheit) delight (über +acc at). **an etw (dat) haben** to get or derive pleasure from sth; **er hat ~ an seinen Kindern** his children give him pleasure; **~ am Leben haben** to enjoy life; **wenn man an der Arbeit keine ~ hat** if you don't get any pleasure out of or if you don't enjoy your work; **die ~ an der Natur** the joy one gets from nature; **daran hat er seine ~** that gives him pleasure; (iro) he thinks that's fun; **es ist eine (wahre or reine) ~, zu ...** it's a (real) joy or pleasure to ...; **es war eine reine ~, das mit anzusehen** it was a joy to see; **es ist keine (reine) ~, das zu tun** (iro) it's not exactly fun doing that; **es ist mir eine ~, zu ...** it's a real pleasure for me to ...; **das Kind macht seinen Eltern viel/nur ~** the child gives his parents a lot of/ nothing but joy; **er macht ihnen keine/ wenig ~** he's no joy/not much of a joy to them; **es macht ihnen keine/wenig ~** they don't enjoy it (at all)/much; **jdm eine ~ machen or bereiten** to make sb happy; **jdm eine ~ machen wollen** to want to do something to please sb; **zu meiner großen ~** to my great delight; **zu unserer größten ~ können wir Ihnen mitteilen ...** we are pleased to be able to inform you ...; **Sie hätten seine ~ sehen sollen** you should have seen how happy he was; **aus ~ an der Sache** for the love of it *or* the thing; **aus Spaß an der ~** (*inf*) for the fun *or* hell (*inf*) of it *or* the thing; **in Freud und Leid zu jdm halten** (*dated*) to stand by sb come rain, come shine.

2. (*Vergnügung*) joy. **die kleinen ~n des Lebens** the pleasures of life; **herrlich und in ~n leben** to live a life of ease; **mit ~n** with pleasure.

Freudenbotschaft f good news *sing*, glad tidings *pl* (*old*, *Bibl*); **Freudenfest** *nt* celebration; **Freudenfeuer** *nt* bonfire; **Freudengeschrei** *nt* howls *pl or* shrieks *pl* of joy; **Freudenhaus** *nt* (*dated, hum*) house of pleasure *or* ill-repute; **Freudenmädchen** *nt* (*dated, hum*) lady of easy virtue (*euph*), prostitute; **Freudenmahl** *nt* celebration meal, banquet (*old*), feast; **Freudenschrei** *m* joyful cry, cry of joy; **Freudensprung** *m* joyful leap; **einen ~ machen** to jump for joy; **Freudentag** *m* happy *or* joyful (*esp liter*) day; **Freudentanz** *m* dance of joy; **einen ~ auf- *or* vollführen** to dance with joy; **Freudentaumel** *m* ecstasy (of joy); **Freudentränen** *pl* tears *pl* of joy; **freudenvoll** *adj siehe* freudvoll.

freudestrahlend *adj no pred* beaming with delight; *Gesicht auch* beaming.

Freudianer(in *f*) *m* -s, - Freudian.

freudig *adj* **1.** (*frohgestimmt*) joyful; (*gern bereit*) willing; (*begeistert*) enthusiastic. **einen Vorschlag ~ begrüßen** to greet a suggestion with delight; **jdn ~ stimmen** to raise sb's spirits; **etw ~ erwarten** to look forward to sth with great pleasure; **~ überrascht sein** to have a delightful surprise.

2. (*beglückend*) happy, joyful (*liter*). **eine ~e Nachricht** some good *or* joyful (*liter*) news, some glad tidings *pl* (*old*, *Bibl*); **ein ~es Ereignis** (*euph*) a happy *or* blessed event (*euph*).

freudlos *adj* joyless, cheerless.

Freudsch *adj attr* Freudian. **~er Versprecher** Freudian slip.

freudvoll *adj* (*geh*) joyful, joyous (*liter*); *Tage, Leben* filled with joy.

freuen I *vr* **1.** to be glad *or* pleased (*über* +*acc*, (*geh*) +*gen* about). **sich über ein Geschenk ~** to be pleased with a present; **sich sehr *or* riesig** (*inf*) **~** to be delighted *or* ever so pleased (*inf*) (*über* +*acc* about); **ich habe es bekommen, freute sie sich** I've got it, she said happily *or* (*stärker*) joyfully; **sich an etw** (*dat*) **~** to get *or* derive a lot of pleasure from sth; **er freut sich sehr an seinen Kindern** his children give him a lot of pleasure; **sich für jdn ~** to be glad *or* pleased for sb *or* for sb's sake; **sich mit jdm ~** to share sb's happiness; **sich seines Lebens ~** to enjoy life; **ich freue mich, Ihnen mitteilen zu können, ...** I'm pleased to be able to tell you ...

2. sich auf jdn/etw ~ to look forward to seeing sb/to sth; **sich auf das Kind ~** to look forward to the child being born *or* to the child's birth; **sich zu früh ~** to

get one's hopes up too soon.

II *vt impers* to please. **es freut mich/ ihn, daß ...** I'm/he's pleased *or* glad that ...; **es freut mich/ihn sehr, daß ...** I'm/ he's delighted *or* very pleased *or* glad that ...; **das freut mich** I'm really pleased; **es freut mich sehr/es hat mich sehr gefreut, Ihre Bekanntschaft zu machen** (*form*) (I'm) pleased to meet/have met you.

freund *adj pred* (*old*) **jdm ~ sein/werden** to be/become sb's friend.

Freund *m* -(e)s, -e **1.** (*Kamerad*) friend. **wir sind schon seit 1954 ~e** we've been friends since 1954; **mit jdm gut ~ sein** to be good friends with sb; **das habe ich ihm unter ~en gesagt** that was just between ourselves; **10 Mark unter ~en** 10 marks to a friend; **~ und Feind** friend and foe; **ein schöner ~** (*iro inf*) a fine friend; **jdn zum ~ haben** to have sb for *or* as a friend; **guter ~!** (*liter*) my dear man.

2. (*Liebhaber*) boyfriend; (*älter auch*) gentleman-friend.

3. (*fig*) (*Anhänger*) lover; (*Förderer*) friend. **ein ~ der Kunst** an art-lover, a lover/friend of art; **ich bin kein ~ von Hunden** I'm no lover of dogs; **er ist kein ~ von vielen Worten** he's not one for talking much, he's a man of few words; **ich bin kein ~ von so etwas** I'm not one for that sort of thing; **ein ~ des Alkohols sein** to like one's drink.

Freundchen *nt* (*inf*) my friend (*iro*). **~! ~!** watch it, mate (*Brit inf*) *or* my friend!

Freundeskreis *m* circle of friends; **etw im engsten ~ feiern** to celebrate sth with one's closest friends.

Freund-Feind-Denken *nt* attitude that if you're not for us you're against us.

Freundin *f* **1.** friend; (*Liebhaberin*) girlfriend; (*älter auch*) lady-friend. **2.** (*fig: Anhängerin, Förderin*) *siehe* Freund **3.**

freundlich *adj* **1.** (*wohlgesinnt*) friendly *no adv*. **jdn ~ behandeln** to treat sb in a friendly way, to be friendly towards sb; **bitte recht ~!** say cheese! (*inf*), smile please!; **mit ~en Grüßen** *or* **~em Gruß** (with) best wishes.

2. (*liebenswürdig*) kind (*zu* to). **würden Sie bitte so ~ sein und das tun?** would you be so kind *or* good as to do that?, would you be kind *or* good enough to do that?; **das ist sehr ~ von Ihnen** that's very kind *or* good of you.

3. (*ansprechend*) *Aussehen, Landschaft, Wetter* pleasant; *Zimmer, Einrichtung, Farben* cheerful; *Atmosphäre* friendly, congenial.

freundlicherweise *adv* kindly. **er trug uns ~ die Koffer** he was kind enough to carry our cases for us, he kindly carried our cases (for us).

Freundlichkeit *f* **1.** *no pl siehe adj* **1.-3.** friendliness; kindness; kindliness; pleasantness; cheerfulness; friendliness, congeniality. **würden Sie (wohl) die ~ haben, das zu tun?** would you be so kind *or* good as to *or* be kind *or* good enough to do that? **2.** (*Gefälligkeit*) kindness, favour; (*freundliche Bemerkung*) kind remark. **jdm ~en erweisen** to be kind to sb; **jdm ein paar ~en sagen** to say a few kind words *or* make a few kind remarks to sb.

Freundschaft *f* **1.** (*freundschaftliches Verhältnis*) friendship. **mit jdm ~ schlie-ßen** to make *or* become friends with sb; **jdm die ~ anbieten** to offer sb one's friendship; **in aller ~** in all friendliness; **da hört die ~ auf** (*inf*) friendship doesn't go that far; **in Geldsachen hört die ~ auf** friendship doesn't extend to money matters.

2. *no pl* (*dial: Verwandtschaft*) relatives *pl*, relations *pl*.

3. (*DDR*) the Pioneer groups in one school.

freundschaftlich *adj* friendly *no adv*. **jdm ~ gesinnt sein** to feel friendly towards sb; **jdm ~ auf die Schulter klopfen** to give sb a friendly slap on the back; **~e Gefühle** feelings of friendship.

Freundschaftsbande *pl* (*liter*) ties *pl* of friendship; **Freundschaftsbesuch** *m* (*Pol*) goodwill visit; **Freundschafts-dienst** *m* favour to a friend; **jdm einen ~ erweisen** to do sb a favour; **Freundschaftspreis** *m* (special) price for a friend; **er überließ mir sein Auto zu einem ~/einem ~ von 100 DM** he let me have his car cheaply/for 100 DM be-cause we're friends; **Freund-schaftsspiel** *nt* (*Sport*) friendly game *or* match, friendly (*inf*); **Freund-schaftsvertrag** *m* (*Pol*) treaty of friend-ship.

Frevel *m* **-s, -** (*geh*) sin (*gegen* against); (*Tat auch*) heinous deed (*liter*); (*fig*) crime (*an* +*dat* against).

frevelhaft *adj* (*geh*) (*verwerflich*) sinful; *Leichtsinn, Verschwendung* wanton.

freveln *vi* (*liter*) to sin (*gegen, an* +*dat* against).

Freveltat *f* (*liter*) heinous deed (*liter*).

Frevler(in *f***)** *m* **-s, -** (*liter*) sinner. **die Stra-fe für den ~ an der Natur/gegen Gott** the punishment for someone who sins against nature/God.

frevlerisch *adj* (*liter*) *siehe* **frevelhaft**.

friderizianisch *adj* of Frederick the Great.

Friede *m* **-ns, -n** (*old*) peace. **~ auf Erden** peace on earth; **~ sei mit euch** peace be with you.

Frieden *m* **-s, - 1.** peace. **ein langer, unge-störter ~** a long period of uninterrupted peace; **im ~** in peacetime, in time of peace; **in ~ und Freiheit leben** to live at peace and in freedom; **im tiefsten ~** (liv-ing) in perfect tranquillity; **seit letztem Jahr herrscht in dieser Gegend ~** this re-gion has been at peace since last year; **~ schließen** to make one's peace; (*Pol*) to conclude (*form*) *or* make peace; **~ stif-ten** to make peace (*zwischen* +*dat* between).

2. (*Friedensschluß*) peace; (*Vertrag*) peace treaty. **der Westfälische ~** (*Hist*) the Peace of Westphalia; **den ~ diktie-ren** to dictate the peace terms; **über den ~ verhandeln** to hold peace negotia-tions; **den ~ einhalten** to keep the peace, to keep to the peace agreement.

3. (*Harmonie*) peace, tranquillity. **so-zialer ~** social harmony; **der häusliche ~** domestic harmony; **in ~ und Freund-schaft** *or* **Eintracht leben** to live in peace and harmony *or* tranquillity.

4. (*Ruhe*) peace. **jdn in ~ lassen** to leave sb in peace; **um des lieben ~s wil-len** (*inf*) for the sake of peace and quiet; **sein schlechtes Gewissen ließ ihn keinen ~ mehr finden** his guilty conscience gave him no peace; **ich traue dem ~ nicht** (*inf*) something (fishy) is going on (*inf*); **(er) ruhe in ~** rest in peace.

Friedens- *in cpds* peace; **Friedensbedingungen** *pl* peace terms *pl*; **Friedensbewegung** *f* peace move-ment; **Friedensengel** *m* (*lit, fig*) angel of peace; **Friedensforscher(in** *f***)** *m* peace researcher; **Friedensforschung** *f* peace studies *sing*; **Friedensfühler** *pl*: **die ~ ausstrecken** (*inf*) to make a tenta-tive move towards peace (*in Richtung* with); **Friedensinitiative** *f* peace initia-tive; (*Gruppe*) peace campaigners; **Friedenskämpfer(in** *f***)** *m* pacifist; **Friedenskonferenz** *f* peace conference; **Friedenskuß** *m* (*Eccl*) pax, kiss of peace; **Friedensliebe** *f* love of peace; **Friedensmarsch** *m* peace march; **Friedensnobelpreis** *m* Nobel peace prize; **Friedenspfeife** *f* peace-pipe; **mit jdm/miteinander die ~ rauchen** (*lit*) to smoke a peace-pipe with sb/together; (*fig*) to make (one's) peace with sb/to bury the hatchet; **Friedenspflicht** *f* (*Ind*) *obligation binding on employers and unions to avoid industrial action du-ring wages negotiations*; **Friedenspolitik** *f* policy of peace; **Friedensproduktion** *f* peacetime production; **Friedensprozeß** *m* peace process; **Friedensrichter(in** *f***)** *m* justice of the peace, JP; **Friedensschluß** *m* peace agreement; **friedenssichernd** *adj* **~e Maßnahmen** measures to ensure peace; **Friedenssicherung** *f* maintenance of peace; **Maßnahmen zur ~** measures to ensure peace; **Friedensstärke** *f* (*Mil*) peacetime strength; **friedensstiftend** *adj* peacemaking; **Friedensstifter(in** *f***)** *m* peacemaker; **Friedenstaube** *f* dove of peace; **Friedenstruppen** *pl* peace-keeping forces *pl*; **Friedens-verhandlungen** *pl* peace negotia-tions *pl*; **Friedensvertrag** *m* peace treaty; **Friedensvorschlag** *m* peace proposal; **Friedenswirtschaft** *f* peace-time economy; **Friedenszeit** *f* period of peace; **in ~en** in peacetime, in times of peace.

friedfertig *adj* peaceable; *Hund* placid. **se-lig sind die F~en** (*Bibl*) blessed are the peacemakers.

Friedfertigkeit *f* peaceableness; (*von Hund*) placidness. **in seiner ~/aus reiner ~ hat er …** peaceable as he is/because of his peaceable nature, he …

Friedhof *m* (*Kirchhof*) graveyard; (*Stadt~*) cemetery. **auf dem ~** in the graveyard/cemetery.

Friedhofskapelle *f* cemetery chapel;

Friedhofsruhe f (lit) peace of the graveyard/cemetery; (fig) deathly quiet.

friedlich adj **1.** (nicht kriegerisch, ohne Gewalt) Lösung, Demonstration, Volk, Zeiten peaceful; (friedfertig, ohne Streit) Mensch, Abschied peaceable; Hund placid. **etw auf ~em Wege lösen** to find a peaceful solution to sth, to solve sth peacefully or by peaceful means; **damit er endlich ~ ist** (inf) to keep him happy; **nun sei doch endlich ~!** (fig inf) give it a rest! (inf); **sei ~, ich will keinen Streit** take it easy or calm down, I don't want any trouble.

2. (friedvoll) peaceful. **~ sterben** or **einschlafen** (euph) to die in peace.

Friedlichkeit f, no pl siehe adj **1.** peacefulness; peaceableness; placidness, placidity. **2.** peacefulness.

friedliebend adj peace-loving; **friedlos** adj **1.** (Hist) Person outlawed; **2.** (liter: ruhelos) Leben without peace; Mensch unable to find peace.

Friedrich m -s Frederick. **~ der Große** Frederick the Great; **seinen ~ Wilhelm unter etw** (acc) **setzen** (inf) to put one's signature or monicker (inf) to sth.

frieren pret fror, ptp gefroren I vi **1.** auch vt impers (sich kalt fühlen) to be/get cold. **ich friere, mich friert, es friert mich** (geh) I'm cold; **wie ein Schneider ~** (inf) to be/get frozen to the marrow (inf); **mir** or **mich ~ die Zehen, mich friert es** or **ich friere an den Zehen** my toes are/get cold.

2. aux sein (gefrieren) to freeze; (Fluß auch) to freeze over.

II vi impers to freeze. **heute nacht hat es gefroren** it was below freezing last night.

Fries m -es, -e (Archit, Tex) frieze.

Friese m -n, -n, **Friesin** f Fri(e)sian.

friesisch adj Fri(e)sian.

Friesland nt Friesland.

frigid(e) adj frigid.

Frigidität f frigidity.

Frika(n)delle f (Cook) rissole, meatball.

Frikassee nt -s, -s (Cook) fricassee.

Frikativ(laut) m (Ling) fricative.

Friktion f (Tech, fig geh) friction no pl.

Frisbee ® ['frɪzbɪ] nt frisbee ®.

frisch adj **1.** fresh; (feucht) Farbe, Fleck wet. **~es Obst** fresh-picked fruit; **~e Eier** new-laid eggs; **Bier ~ vom Faß** beer (straight) from the barrel; **~ gestrichen** newly painted; (auf Schild) wet paint; **~ geschlachtet** fresh(ly) slaughtered; Geflügel fresh(ly) killed; **~ gefallener Schnee** freshly or newly fallen snow; **~ gewaschen** Kind clean; Hemd etc auch freshly washed or laundered; **das Bett ~ beziehen** to change the bed, to make the bed up with fresh sheets; **sich ~ machen** to freshen up; **mit ~en Kräften** with renewed vigour or strength; **~en Mut fassen** to gain new courage; **~e Luft schöpfen** to get some fresh air; **jdn an die ~e Luft setzen** (inf) to show sb the door; **das ist mir noch ~ in Erinnerung** that is still fresh in my mind or memory; **jdn auf ~er Tat ertappen** to catch sb in the act or red-handed.

2. (munter) Wesen, Art bright, cheery; Erzählung bright; (gesund) Aussehen, Gesichtsfarbe fresh; Mädchen fresh-looking. **~ und munter sein** (inf) to be bright and lively; **~, fromm, fröhlich, frei** (prov) motto of a 19th century gymnastic movement; (iro) cheerfully, gaily; **immer ~ drauflos!** don't hold back!; **er redet/schreibt immer ~ drauflos** he just talks/writes away; **~ gewagt ist halb gewonnen** (Prov) a good start is half the battle.

3. (kühl) cool, chilly; Luft, Wind auch fresh. **es weht ein ~er Wind** (lit) there's a fresh wind; (fig) the wind of change is blowing.

Frische f -, no pl **1.** freshness; (Feuchtigkeit: von Farbe, Fleck) wetness.

2. (Munterkeit: von Wesen, Erzählung) brightness; (gesundes Aussehen) freshness. **in voller körperlicher und geistiger ~** in perfect health both physically and mentally; **in alter ~** (inf) as always.

3. (Kühle) coolness, chilliness; (von Luft, Wind auch) freshness.

Frischei nt new-laid egg.

Frischfisch m fresh fish; **Frischfleisch** nt fresh meat; **frischfröhlich** adj bright and cheerful; **frischgebacken** adj (inf) Ehepaar newly wed; **Frischgemüse** nt fresh vegetables pl.

Frischhaltebeutel m airtight bag; **Frischhaltedatum** nt sell-by date; **Frischhaltefolie** f cling film; **Frischhaltepackung** f airtight pack.

Frischkäse m cream cheese; **Frischling** m **1.** (Hunt) young wild boar; **2.** (hum: Neuling) raw beginner; **Frischluft** f fresh air; **Frischmilch** f fresh milk; **Frischwasser** nt fresh water; **frischweg** adv (ohne Hemmungen) straight out (inf); **die Kinder fingen ~ an zu singen** the children started to sing right off (inf); **Frischwurst** f sausage (unsmoked, undried etc); **Frischzelle** f (Med) live cell; **Frischzellentherapie** f (Med) cellular or live-cell therapy.

Friseur [fri'zøːɐ] m hairdresser; (Herren~ auch) barber; (Geschäft) hairdresser's; barber's.

Friseurin [fri'zøːrɪn] f (female) hairdresser.

Friseursalon m hairdresser's, hairdressing salon.

Friseuse [fri'zøːzə] f (female) hairdresser.

Frisiercreme f haircream.

frisieren* I vt **1.** (kämmen) jdn ~, jdm das Haar ~ to do sb's hair; (nach dem Legen) to comb sb's hair or (inf) out; **ihr elegant frisierter Kopf** her elegant hairdo; **sie ist stets gut frisiert** her hair is always beautifully done; **eine modisch frisierte Dame** a lady with a fashionable hairstyle or hairdo.

2. (inf: abändern) Abrechnung to fiddle; Bericht, Meldung to doctor (inf). **die Bilanzen ~** to cook the books (inf).

3. Auto to hot or soup up (inf); Motor auch to tweak (sl).

II vr to do one's hair.

Frisierhaube f (Trockner) hairdryer hood; (beim Friseur) hairdryer; **Fri-**

Frisierkommode f dressing table; **Frisiersalon** m hairdressing salon; (für Herren) barber's shop; **Frisierspiegel** m dressing (table) mirror; **Frisierstab** m styling brush; **Frisiertisch** m dressing table; **Frisierumhang** m hairdressing cape.

Frisör m -s, -e, **Frisöse** f -, -n siehe **Friseur**, **Friseuse**.

friß imper sing of fressen.

Frist f -, -en 1. (Zeitraum) period; (Kündigungs~) period of notice. **eine ~ von vier Tagen/Wochen** four days/weeks; **eine ~ einhalten** to meet a deadline; (bei Rechnung) to pay within the period stipulated; **jds ~ verlängern/um zwei Tage verlängern** to give sb more time/two more days; **eine ~ verstreichen lassen** to let a deadline pass; (bei Rechnung) not to pay within the period stipulated; **innerhalb kürzester ~** without delay.

  2. (Zeitpunkt) deadline (zu for); (bei Rechnung) last date for payment.

  3. (Aufschub) extension, period of grace. **jdm eine ~ von vier Tagen/Wochen geben** to give sb four days/weeks grace.

fristen vt sein Leben or Dasein ~/mit etw ~ to eke out an existence/one's existence with sth; **ein kümmerliches Dasein ~** to eke out a miserable existence; (Partei, Institution) to exist on the fringes.

Fristenlösung, **Fristenregelung** f law allowing the termination of a pregnancy within the first three months.

fristgerecht adj within the period stipulated; **fristlos** adj instant, without notice; **Sie sind ~ entlassen** you are dismissed without notice; **Fristverlängerung** f extension.

Frisur f hairstyle.

Friteuse [fri'tøːzə] f chip pan, deep-fat fryer.

fritieren* vt to (deep-)fry.

Fritten pl (inf) chips pl (Brit), fries pl (esp US inf).

Frittenbude f (inf) chip shop (Brit), chippie (Brit inf), ≈ hotdog stand.

Fritüre f -, -n 1. siehe **Friteuse**. 2. (Fett) fat. 3. (Speise) fried food.

frivol [fri'voːl] adj (leichtfertig) frivolous; (anzüglich) Witz, Bemerkung risqué, suggestive; (verantwortungslos) irresponsible.

Frivolität [frivoli'tɛːt] f 1. no pl siehe adj frivolity; suggestiveness; irresponsibility. 2. (Bemerkung) risqué remark.

Frl. abbr of **Fräulein**.

froh adj 1. (heiter) happy; (dankbar auch) glad; (erfreut auch) glad, pleased. **über etw** (acc) ~ **sein** to be pleased with sth; (darüber) ~ **sein, daß ...** to be glad or pleased that ...; **~en Mutes or Sinnes sein** (old, geh) to be cheerful, to be of good cheer (old); **seines Lebens nicht (mehr) ~ werden** not to enjoy life any more.

  2. (erfreulich) happy, joyful; Nachricht auch good. **~e Ostern!** Happy Easter!; **~e Weihnachten!** Happy or Merry Christmas!.

frohgelaunt adj joyful (liter), cheerful, happy; **frohgemut** adj (old) with a cheerful heart; **frohgestimmt** adj (geh) happy, joyful (liter).

fröhlich I adj happy, cheerful, merry; Lieder, Lachen, Stimme auch gay. **~e Weihnachten!** Happy or Merry Christmas!; **~es Treiben** gaiety. II adv (unbekümmert) merrily, blithely, gaily.

Fröhlichkeit f, no pl happiness; (fröhliches Wesen) happy or cheerful nature; (gesellige Stimmung) merriment, gaiety.

frohlocken* vi (geh) to rejoice (über +acc over, at); (vor Schadenfreude auch) to gloat (über +acc over, bei at).

Frohnatur f (geh) 1. (Mensch) happy or cheerful soul or person; 2. (Wesensart) happy or cheerful nature; **Frohsinn** m, no pl cheerfulness; (fröhliches Wesen) cheerful nature; **frohsinnig** adj cheerful.

fromm adj, comp ̈-er or -er, superl ̈-ste(r, s) or -ste(r, s) or am ̈-sten 1. (gläubig) religious; Christ devout; Werke good; Leben, Tun, Versenkung godly, pious; (scheinheilig) sanctimonious. **~ werden** to become religious, to turn to or get (inf) religion; **mit ~em Augenaufschlag or Blick** looking as if butter wouldn't melt in his/her mouth; **~e Sprüche** pious words.

  2. (old: rechtschaffen) Bürger, Leute, Denkungsart god-fearing, upright.

  3. (old: gehorsam) meek, docile; Tier quiet, docile. **~ wie ein Lamm sein** to be as meek or (Tier) gentle as a lamb.

  4. (fig) **eine ~e Lüge, ein ~er Betrug** self-deception; **das ist ja wohl nur ein ~er Wunsch** that's just a pipe-dream.

Frömmelei f (pej) false piety.

frömmeln vi (pej) to affect piety.

frommen vi (old) jdm/nichts ~ to avail sb (form)/avail sb naught (old).

Frömmigkeit f siehe fromm 1., 2. religiousness; devoutness; goodness; godliness, piousness; piousness, sanctimony; uprightness.

Frömmler(in f**)** m -s, - (pej) sanctimonious hypocrite.

frömmlerisch adj (pej) pious.

Fron f -, -en, **Fron|arbeit** f (Hist) socage no pl; (fig) drudgery no pl; (Sklavenarbeit) slavery.

Fronde ['frõːdə] f -, -n (Pol) faction.

Frondeur [frõdøːɐ] m factionist.

Frondienst m (Hist) socage no pl.

fronen vi (Hist) to labour for one's feudal lord; (fig geh) to labour.

frönen vi +dat (geh) to indulge in; seiner Eitelkeit to indulge.

Fronleichnam no art -(e)s, no pl (the Feast of) Corpus Christi.

Fronleichnamsfest nt Feast of Corpus Christi; **Fronleichnamsprozession** f Corpus Christi procession.

Front f -, -en 1. (Vorderseite) front; (Vorderansicht) frontage. **die hintere/rückwärtige ~** the back/the rear; **der General schritt die ~ der Truppen ab** the general inspected the troops.

  2. (Kampflinie, -gebiet) front. **in vorderster ~ stehen** to be in the front line;

auf breiter ~ along a wide front; **an der** ~ **at the front; klare** ~**en schaffen** (*fig*) to clarify the/one's position. **3.** (*Met*) front. **4.** (*Einheit*) ranks *pl*; (*in Namen*) front. **sich einer geschlossenen** ~ **gegenübersehen** to be faced with a united front; ~ **gegen jdn/etw machen** to make a stand against sb/sth. **5.** (*Sport: Führung*) **in** ~ **liegen/gehen** to be in/go into *or* take the lead.

Front|abschnitt *m* section of the front.

frontal I *adj no pred* frontal; *Zusammenstoß* head-on. **II** *adv* frontally; *zusammenstoßen* head-on.

Frontalangriff *m* frontal attack; **Frontalunterricht** *m* (*Sch*) didactic teaching, chalk and talk (*inf*); **Frontalzusammenstoß** *m* head-on collision.

Frontantrieb *m* (*Aut*) front-wheel drive; **Frontbegradigung** *f* straightening of the front; (*fig*) streamlining operation; **Frontbericht** *m* report from the front; **Frontdienst**, **Fronteinsatz** *m* service at the front; **er wurde zum** ~ **nach Rumänien abkommandiert** he was posted to serve on the Rumanian front.

Frontispiz *nt* **-es, -e** (*Archit, Typ*) frontispiece.

Frontlader *m* **-s,** - front loader; **Frontmotor** *m* front-mounted engine; **Frontsoldat** *m* front-line soldier; **Frontspoiler** *m* (*Aut*) front spoiler; **Frontstadt** *f* frontier town/city; **Fronturlaub** *m* leave from the front; **Frontwand** *f* frontage; **Frontwechsel** *m* (*fig*) about-turn; **Frontzulage** *f* supplement for service at the front.

Fronvogt *m* (*Hist*) (socage) overseer.

fror *pret of* **frieren**.

Frosch *m* **-(e)s,** ⸚**e** frog; (*Feuerwerkskörper*) (fire)cracker, jumping jack (*Brit*). **einen** ~ **in der Kehle** *or* **im Hals haben** (*inf*) to have a frog in one's throat; **sei kein** ~! (*inf*) be a sport!

Froschauge *nt* (*fig inf*) pop eye; **Froschhüpfen** *nt* leapfrog; **Froschkönig** *m* Frog Prince; **Froschkonzert** *nt* (*hum*) frog chorus; **Froschlaich** *m* frogspawn; **Froschlurch** *m* salientian (*form*), member of the frog family; **Froschmann** *m* frogman; **Froschmaul** *nt* (*fig inf*) pout; **Froschperspektive** *f* worm's-eye view; (*fig*) blinkered view; **Froschschenkel** *m* frog's leg; **Froschtest** *m* (*Med*) Bickenbach (pregnancy) test.

Frost *m* **-(e)s,** ⸚**e 1.** frost. **es herrscht strenger/klirrender** ~ there's a hard *or* heavy/crisp frost; **bei eisigem** ~ in heavy frost; ~ **(ab)bekommen** (*Hände, Ohren*) to get frostbitten; ~ **vertragen (können)** to be able to stand the frost. **2.** (*Med: Schüttel~*) fit of shivering *or* the shivers (*inf*). **er wurde von einem heftigen** ~ **geschüttelt** he shivered violently.

Frostaufbruch *m* frost damage; **frostbeständig** *adj* frost-resistant; **Frostbeule** *f* chilblain; **Frostboden** *m* frozen ground; (*ständig gefroren*) permafrost.

fröst(e)lig *adj* (*inf*) chilly.

fröstein 1 *vi* to shiver; (*vor Angst auch*) to tremble; (*vor Entsetzen auch*) to shudder. **im Fieber** ~ to shiver feverishly. **II** *vt impers* **es fröstelte mich** I shivered/trembled/shuddered.

frosten *vt* to freeze.

Froster *m* **-s,** - (*im Kühlschrank*) icebox (*Brit*), freezer compartment; (*Gefriertruhe*) freezer, deep-freeze.

frostfrei *adj* frost-free, free from *or* of frost; **die Nacht war** ~ there was no frost overnight; **Frostgefahr** *f* danger of frost.

frostig *adj* (*lit, fig*) frosty. **ein** ~**er Hauch** an icy draught.

Frostigkeit *f* (*fig*) frostiness.

frostklar *adj* clear and frosty; **frostklirrend** *adj attr* (*liter*) crisp and frosty; **Frostschaden** *m* frost damage; **Frostschutzmittel** *nt* (*Aut*) antifreeze; **Frostwarnung** *f* frost warning; **Frostwetter** *nt* frosty weather.

Frottee [frɔ'teː] *nt or m* **-s, -s** terry towelling. **ein Kleid aus** ~ a towelling dress. **Frottee(hand)tuch** *nt* (terry) towel; **Frotteekleid** *nt* towelling dress.

frottieren* *vt Haut* to rub; **jdn, sich** to rub down.

Frottier(hand)tuch *nt* (terry) towel.

Frotzelei *f* (*inf*) teasing; (*Bemerkung*) teasing remark.

frotzeln *vti* (*inf*) to tease. **über jdn/etw** ~ to make fun of sb/sth.

Frucht *f* **-,** ⸚**e** (*Bot, fig*) fruit; (*Embryo*) foetus; (*no pl: Getreide*) crops *pl*. ~**e** (*Obst*) fruit *sing*; ~**e** (*lit, fig*) to bear fruit; **die** ⸚**e des Feldes** (*liter*) the fruits of the earth (*liter*); **verbotene** ⸚**e** forbidden fruits; **an ihren** ~**en sollt ihr sie erkennen** (*Bibl*) by their fruits ye shall know them (*Bibl*).

Frucht|ansatz *m* (*Bot*) fruit buds *pl*.

fruchtbar *adj* **1.** (*lit, fig: zeugungsfähig, reiche Frucht bringend*) fertile. **2.** (*lit, fig: viele Nachkommen zeugend, viel schaffend*) prolific; (*Bibl*) fruitful. **3.** (*fig: nutzbringend*) fruitful, productive. **etw für jdn/etw** ~ **machen** to use sth for the good of sb/sth, to use sth to benefit sb/sth.

Fruchtbarkeit *f siehe adj* fertility; prolificness; fruitfulness, productiveness.

Fruchtbarkeitskult *m* fertility cult; **Fruchtbarkeitssymbol** *nt* fertility symbol.

Fruchtbarmachung *f* (*von Wüste*) reclamation.

Fruchtbecher *m* fruit sundae; (*Bot*) cupule (*spec*), cup; **Fruchtblase** *f* amniotic sac; **Fruchtbonbon** *m or nt* fruit drop; **fruchtbringend** *adj* (*geh*) fruitful, productive.

Früchtchen *nt dim of* **Frucht** (*inf*) (*Tunichtgut*) good-for-nothing; (*Kind*) rascal (*inf*). **du bist mir ein sauberes** *or* **nettes** ~ (*iro*) you're a right one (*inf*).

Früchtebrot *nt* fruit loaf.

fruchten *vi* to bear fruit. **nichts** ~ to be fruitless.

Früchtetee *m* fruit tea *or* infusion.

Fruchtfleisch *nt* flesh (*of a fruit*); **Fruchtfliege** *f* fruit-fly; **Fruchtfolge** *f*

(*Agr*) rotation of crops.

fruchtig *adj* fruity.

Fruchtkapsel *f* (*Bot*) capsule; **Fruchtknoten** *m* (*Bot*) ovary; **fruchtlos** *adj* (*fig*) fruitless; **Fruchtmark** *nt* (*Cook*) fruit pulp; **Fruchtpresse** *f* fruit press *or* squeezer; **Fruchtsaft** *m* fruit juice; **Fruchtsäure** *f* fruit acid; **Fruchtstand** *m* (*Bot*) multiple fruit; **fruchttragend** *adj attr* fruit-bearing; **Fruchtwasser** *nt* (*Physiol*) amniotic fluid; **das** ~ **ist vorzeitig abgegangen** the waters broke early; **Fruchtwasseruntersuchung** *f* (*Med*) amniocentesis; **Fruchtwechsel** *m* crop rotation; **Fruchtzucker** *m* fructose.

frugal *adj* (*geh*) frugal.

früh I *adj* early. **am** ~**en Morgen** early in the morning, in the early morning; **in** ~**er Jugend** in one's early youth; **in** ~**er/**~**ester Kindheit** in one's early childhood/very early in one's childhood; **der** ~**e Goethe** the young Goethe; **ein Werk des** ~**en Picasso** an early work by Picasso; **ein** ~**er Picasso** an early Picasso.

II *adv* **1.** early; (*in jungen Jahren*) young, at an early age; (*in Entwicklung*) early on. **es ist noch** ~ **am Tag/im Jahr** it is still early in the day/year; **von** ~ **bis spät** from morning till night, from dawn to dusk; **er hat schon** ~ **erkannt, daß ...** he recognized early on that ...; **du hast dich nicht** ~ **genug angemeldet** you didn't apply early *or* soon enough; **zu** ~ **starten** to start too soon; ~ **übt sich, was ein Meister werden will** (*Prov*) there's nothing like starting young. **2. Freitag/morgen** ~ Friday/tomorrow morning; **heute** ~ this morning.

Früh *in cpds* early; **frühauf** *adv* **von** ~ from an early age; **Frühaufsteher(in** *f*) *m* -s, - early riser, early bird (*inf*); **Frühbeet** *nt* cold frame; **Frühbehandlung** *f* early *or* prompt treatment *no indef art*; **frühchristlich** *adj* early Christian; **Frühdiagnose** *f* early diagnosis; **Frühdienst** *m* early duty; ~ **haben** to be on early duty.

Frühe *f* -, *no pl* **1.** (*liter: Frühzeit*) dawn. **in der** ~ **des Tages** in the early morning. **2.** (*Morgen*) **in der** ~ early in the morning; **in aller** *or* **gleich in der** ~ at break *or* (the) crack of dawn.

Frühehe *f* young marriage.

früher *comp of* früh **I** *adj* **1.** earlier. **in** ~**en Jahren/Zeiten** in the past; **in** ~**en Zeitaltern** in past ages.

2. (*ehemalig*) former; (*vorherig*) Besitzer, Wohnsitz previous. **seine** ~**en Freunde** with his old friends.

II *adv* **1.** earlier. ~ **als 6 Uhr/Freitag kann ich nicht kommen** I can't come earlier than 6 o'clock/earlier *or* sooner than Friday; ~ **geht's nicht** it can't be done any/I *etc* can't make it earlier *or* sooner; ~ **am Abend hat er gesagt ...** earlier (on) in the evening he said ...; **das hättest du** ~ **sagen müssen/wissen sollen** you should have said that before *or* sooner/known that before; ~ **oder später** sooner or later.

2. (*in jüngeren Jahren, in vergangenen Zeiten*) **Herr X,** ~ **Direktor eines Industriebetriebs** Herr X, formerly director of an industrial concern; **ich habe ihn** ~ **mal gekannt** I used to know him; ~ **habe ich so etwas nie gemacht** I never used to do that kind of thing; ~ **stand hier eine Kirche** there used to be a church here; ~ **war alles besser/war das alles anders** things were better/different in the old days, things used to be better/different; **genau wie** ~ just as it/he *etc* used to be; **Erzählungen von/Erinnerungen an** ~ stories/memories of times gone by *or* of bygone days (*liter*); **das habe ich noch von** ~ I had it before; **ich kannte/kenne ihn von** ~ I knew him before/I've known him some time; **wir kennen uns noch von** ~ we got to know each other some time ago; **meine Freunde von** ~ my old friends.

Früh|erkennung *f* (*Med*) early diagnosis.

frühestens *adv* at the earliest. ~ **am Sonntag** on Sunday at the earliest; **wann kann das** ~ **fertig sein?** what is the earliest that can be ready?

frühestmöglich *adj attr* earliest possible.

Frühgeburt *f* premature birth; (*Kind*) premature baby; **sie hatte/meine Tochter war eine** ~ her baby/my daughter was premature *or* born prematurely; **Frühgemüse** *nt* early vegetables *pl*; **Frühgeschichte** *f* early history; **Frühherbst** *m* early autumn *or* fall (*US*); **frühherbstlich** *adj* early autumn/fall *attr*; **Frühinvalidität** *f* early retirement due to ill health.

Frühjahr *nt* spring.

Frühjahrsmüdigkeit *f* springtime lethargy; **Frühjahrsputz** *m* spring-cleaning.

Frühkapitalismus *m* early capitalism; **Frühkartoffeln** *pl* early potatoes *pl*; **frühkindlich** *adj* (*Psych*) of early childhood; *Sexualität, Entwicklung* in early childhood; *Trauma, Erlebnisse* from early childhood; **Frühkultur** *f* **1.** early culture; **2.** (*Hort*) propagated seedlings *pl*.

Frühling *m* spring. **es wird** ~, **der** ~ **kommt** spring is coming; **im** ~ in spring; **im** ~ **des Lebens** (*poet*) in the springtime of one's life (*liter*); **einem neuen** ~ **entgegengehen** (*fig*) to start to flourish again; **seinen zweiten** ~ **erleben** to go through one's second adolescence.

Frühlings- *in cpds* spring; **Frühlingsanfang** *m* first day of spring; **Frühlingsfest** *nt* spring festival; **Frühlingsgefühle** *pl* (*hum inf*) ~ **haben/bekommen** to be/get frisky (*hum inf*); **wenn sich** ~ **(bei ihm) regen** when he starts to feel frisky (*hum inf*), when the sap starts to rise (*hum*); **frühlingshaft** *adj* springlike; **Frühlingsrolle** *f* (*Cook*) spring roll; **Frühlingssuppe** *f* spring vegetable soup; **Frühlingszeit** *f* springtime.

Frühmesse *f* early mass; **frühmorgens** *adv* early in the morning; **Frühnebel** *m* early morning mist; **Frühneuhochdeutsch** *nt* Early New High German; **frühpensionieren*** *vt insep* **jdn** ~ to give sb early retirement; **Frühpensionierung** *f* early retirement; **frühreif** *adj* precocious; (*körperlich*) mature at an early age; **Frührentner(in** *f*) *m* person who has retired early; **Frühschicht** *f* early shift; **ich habe** ~ (*inf*) I'm on the early shift; **Frühschoppen** *m* morning/lunchtime drinking; **zum** ~ **gehen** to go for a morning/lunchtime drink; **Frühsommer** *m* early summer; **frühsommerlich** *adj* early summer *attr*; **das Wetter ist schon** ~ the weather is already quite summery; **Frühsport** *m* early morning exercise; **Frühstadium** *nt* early stage; **im** ~ in the early stages; **Frühstart** *m* false start.

Frühstück *nt* **-s, -e** breakfast; (~*spause*) morning *or* coffee break. **zweites** ~ ≃ elevenses (*Brit inf*), midmorning snack; **um 9 Uhr ist** ~ breakfast is at 9 o'clock; **was ißt du zum** ~? what do you have for breakfast?; **die ganze Familie saß beim** ~ the whole family were having breakfast.

frühstücken *insep* **I** *vi* to have breakfast, to breakfast. **II** *vt* to breakfast on.

Frühstücksbrett *nt* wooden platter; **Frühstücksbrot** *nt* sandwich (*for one's morning snack*); **Frühstücksbuffet** *nt* breakfast buffet; **Frühstücksfleisch** *nt* luncheon meat; **Frühstückspause** *f* morning *or* coffee break; **Frühstücksteller** *m* dessert plate.

frühverrenten* *vt insep* **jdn** ~ to give sb early retirement; **frühvollendet** *adj attr* (*liter*) **ein** ~**er Maler/Dichter** a young artist/poet of genius whose life was soon over; **Frühwarnsystem** *nt* early warning system; **Frühwerk** *nt* early work; **Frühzeit** *f* early days *pl*; **die** ~ **des Christentums/der Menschheit** early Christian times/the early days of mankind; **frühzeitig I** *adj* early; (*vorzeitig auch*) premature; *Tod auch* premature, untimely; **II** *adv* early; (*vorzeitig*) prematurely; (*früh genug auch*) in good time; (*ziemlich am Anfang*) early on; **Frühzug** *m* early train; **Frühzündung** *f* (*Aut*) pre-ignition.

Frust *m* **-(e)s**, *no pl* (*sl*) frustration *no art*. **das ist der totale** ~, **wenn ...** it's totally frustrating when ...

Frustration *f* frustration.

frustrieren* *vt* to frustrate; (*inf: enttäuschen*) to upset.

frz. *abbr of* **französisch**.

F-Schlüssel ['ɛfʃlysl] *m* (*Mus*) F *or* bass clef.

FU [ɛf'|uː] *f* - *abbr of* **Freie Universität (Berlin)**.

Fuchs [fʊks] *m* **-es, ¨e 1.** (*Tier*) fox; (*fig auch*) cunning devil (*inf*). **er ist ein alter** *or* **schlauer** ~ (*inf*) he's a cunning old devil (*inf*) *or* fox (*inf*); **schlau wie ein** ~ as cunning as a fox; **wo sich die** ~**e** *or* **wo sich Hase und** ~ **gute Nacht sagen** (*hum*) in the back of beyond *or* the middle of nowhere.

2. (~*pelz*) fox (fur).

3. (*Pferd*) chestnut; (*mit hellerem Schwanz und Mähne*) sorrel; (*inf: Mensch*) redhead.

4. (*Univ*) *siehe* **Fux**.

Fuchsbau *m* fox's den; **Fuchseisen** *nt* (*Hunt*) fox trap.

fuchsen ['fʊksn] (*inf*) **I** *vt* to vex, to annoy. **II** *vr* to be annoyed *or* cross.

Fuchsie ['fʊksiə] *f* (*Bot*) fuchsia.

fuchsig ['fʊksɪç] *adj* (*inf*) **1.** (*rotblond*) *Haar* ginger, carroty (*inf*). **2.** (*wütend*) mad (*inf*).

Füchsin ['fʏksɪn] *f* vixen.

Fuchsjagd *f* fox-hunt/-hunting; **Fuchsloch** *nt* foxhole; **Fuchspelz** *m* fox fur; **fuchsrot** *adj Fell* red; *Pferd* chestnut; *Haar* ginger, carroty (*inf*); **Fuchsschwanz** *m* **1.** fox's tail; (*Hunt*) (fox's) brush; **2.** (*Bot*) love-lies-bleeding, amaranth; **3.** (*Tech: Säge*) handsaw; **fuchsteufelswild** *adj* (*inf*) hopping mad (*inf*).

Fuchtel *f* -, **-n 1.** (*Hist: Degen*) broadsword; (*fig inf: Knute*) control. **unter jds** ~ under sb's thumb; **er steht unter der** ~ he's not his own master. **2.** (*Aus, S Ger inf: zänkische Frau*) shrew, vixen.

fuchteln *vi* (*inf*) (**mit den Händen**) ~ to wave one's hands about (*inf*); **mit etw** ~ to wave sth about *or* around; (*drohend*) to brandish sth.

fuchtig *adj* (*inf*) (hopping) mad (*inf*).

Fuder *nt* **-s, - 1.** (*Wagenladung*) cartload. **2.** (*Hohlmaß für Wein*) tun.

fuderweise *adv* by the cartload.

Fuffziger *m* **-s, -** (*dial*) fifty-pfennig piece. **er ist ein falscher** ~ (*sl*) he's a real crook (*inf*).

Fug *m*: **mit** ~ **und Recht** (*geh*) with complete justification; **etw mit** ~ **und Recht tun** to be completely justified in doing sth.

Fuge *f* -, **-n 1.** joint; (*Ritze*) gap, crack. **in allen** ~**n krachen** to creak at the joints; **aus den** ~**n gehen** *or* **geraten** (*Auto etc*) to come apart at the seams, to go haywire; **die Menschheit/Welt ist sind aus den** ~**n geraten** (*geh*) mankind has gone awry (*liter*)/the world is out of joint (*liter*).

2. (*Mus*) fugue.

fugen *vt* to joint.

fügen I *vt* **1.** (*setzen*) to put, to place; (*ein~ auch*) to fix; (*geh*) *Worte, Satz* to formulate. **Wort an Wort** ~ to string words together.

2. (*geh: bewirken*) to ordain; (*Schicksal auch*) to decree. **der Zufall fügte es, daß ...** fate decreed that ...

II *vr* **1.** (*sich unterordnen*) to be obedient, to obey. **sich jdm/einer Sache** *or* **in etw** (*acc*) (*geh*) ~ to bow to sb/sth; *Anordnungen etc* to obey sth; **sich dem** *or* **in das Schicksal** ~ to accept one's fate, to bow to one's fate.

2. *impers* (*geh: geschehen*) **es hat sich so gefügt** it was decreed by fate; **es fügte sich, daß ...** it so happened that ...

fugenlos *adj* smooth; **Fugen-s** *nt* (*Ling*) linking 's'; **Fugenzeichen** *nt* (*Ling*) linking letter.

füglich *adv* (*geh*) justifiably, reasonably.

fügsam *adj Mensch* obedient.

Fügsamkeit *f* obedience.

Fügung *f* **1.** (*Bestimmung*) chance, stroke

of fate. **eine glückliche ~** a stroke of good fortune; **göttliche ~** divine providence; **eine ~ Gottes/des Schicksals** an act of divine providence/of fate.

2. (*Ling: Wortgruppe*) construction.

fühlbar *adj* (*spürbar*) perceptible; (*beträchtlich auch*) marked. **bald wird die Krise auch bei uns ~** the crisis will soon be felt here too.

fühlen I *vt* **1.** (*spüren, empfinden*) to feel. **Mitleid mit jdm ~** to feel sympathy for sb.

2. (*ertasten*) to feel; *Puls* to take.

II *vi* **1.** (*geh: empfinden*) to feel.

2. nach etw ~ to feel for sth.

III *vr* **1.** (*empfinden, sich halten für*) to feel. **sich krank/beleidigt/verantwortlich ~** to feel ill/insulted/responsible; **wie ~ Sie sich?** how are you feeling *or* do you feel?; **er fühlte sich als Held** he felt (like) a hero.

2. (*inf: stolz sein*) to think one is so great (*inf*).

Fühler *m* **-s, -** (*Zool*) feeler, antenna; (*von Schnecke*) horn. **seine ~ ausstrecken** (*fig inf*) to put out feelers (*nach* towards).

Fühlerlehre *f* callipers *pl*.

Fühlung *f* contact. **mit jdm in ~ bleiben/ stehen** to remain *or* stay/be in contact *or* touch with sb.

Fühlungnahme *f* **-, -n die erste ~ der beiden Parteien** the initial contact between the two parties.

fuhr *pret* *of* **fahren.**

Fuhramt *nt* (*form*) cleansing department; **Fuhrbetrieb** *m* haulage business.

Fuhre *f* **-, -n** (*Ladung*) load; (*Taxieinsatz*) fare. **eine ~ Stroh** a (cart- *or* waggon-) load of straw.

führen I *vt* **1.** (*geleiten*) to take; (*vorangehen, -fahren*) to lead. **eine alte Dame über die Straße ~** to help an old lady over the road; **sie hat uns den richtigen Weg geführt** she showed us the right way; **er führte uns durch das Schloß/ durch Italien** he showed us round the castle/he was our guide in Italy; **eine Klasse zum Abitur ~** to see a class through to A-levels; **jdn zum (Trau)altar ~** to lead sb to the altar.

2. (*leiten*) *Geschäft, Betrieb* to run; *Gruppe, Expedition* to lead, to head; *Schiff* to captain; *Armee* to command.

3. (*in eine Situation bringen*) to get (*inf*), to lead; (*veranlassen zu kommen/ gehen*) to bring/take. **der Hinweis führte die Polizei auf die Spur des Diebes** that tip put the police on the trail of the thief; **das führt uns auf das Thema ...** that brings *or* leads us (on)to the subject ...; **was führt Sie zu mir?** (*form*) what brings you to me?

4. (*registriert haben*) to have a record of. **wir ~ keinen Meier** we have no (record of a) Meier.

5. (*handhaben*) *Pinsel, Bogen, Kamera* to wield. **den Löffel zum Mund/das Glas an die Lippen ~** to raise one's spoon to one's mouth/one's glass to one's lips; **die Hand an die Mütze ~** to touch one's cap.

6. (*entlangführen*) *Leitung, Draht* to carry.

7. (*form: steuern*) *Kraftfahrzeug* to drive; *Flugzeug* to fly, to pilot; *Kran, Fahrstuhl* to operate; *Schiff* to sail.

8. (*transportieren*) to carry; (*haben*) *Autokennzeichen, Wappen, Namen* to have, to bear; *Titel* to have; (*selbst gebrauchen*) to use. **Geld/seine Papiere bei sich ~** (*form*) to carry money/one's papers on one's person; **der Fluß führt Hochwasser** the river is running high.

9. (*im Angebot haben*) to stock, to carry (*spec*), to keep. **führen Sie Badeanzüge?** Do you sell bathing suits? **etw ständig im Munde ~** to be always talking about sth.

II *vi* **1.** (*in Führung liegen*) to lead; (*bei Wettkämpfen auch*) to be in the lead. **die Mannschaft führt mit 10 Punkten** the team has a lead of 10 points *or* is in the lead by 10 points; **die Firma XY führt in Tonbandgeräten** XY is the leading firm for tape recorders.

2. (*verlaufen*) *Straße* to go; (*Kabel, Pipeline*) to run; (*Spur*) to lead. **das Rennen führt über 10 Runden/durch ganz Frankreich** the race takes place over 10 laps/covers France; **die Autobahn führt nach Kiel/am Rhein entlang** the motorway goes to Kiel/runs *or* goes along the Rhine; **die Brücke führt über die Elbe** the bridge crosses *or* spans the Elbe; **der Waldweg führt zu einem Gasthof** the forest path leads *or* goes to an inn.

3. (*als Ergebnis haben*) **zu etw ~** to lead to sth, to result in sth; **das führt zu nichts** that will come to nothing; **es führte zu dem Ergebnis, daß er entlassen wurde** it resulted in *or* led to his being dismissed.

III *vr* (*form: sich benehmen*) to conduct oneself.

führend *adj* leading *attr; Rolle, Persönlichkeit auch* prominent. **diese Firma ist im Stahlbau ~** that is one of the leading firms in steel construction; **die Sowjets sind im Schach ~** the Soviets lead the world in chess.

Führer(in *f*) *m* **-s, -** **1.** (*Leiter*) leader; (*Oberhaupt*) head. **der ~** (*NS*) the Führer *or* Fuehrer. **2.** (*Fremden~, Berg~*) guide. **3.** (*Buch*) guide. **~ durch England** guide to England. **4.** (*form: Lenker*) driver; (*von Flugzeug*) pilot; (*von Kran, Fahrstuhl*) operator; (*von Schiff*) person in charge.

Führerhaus *nt* cab; (*von Kran auch*) cabin.

Führerin *f siehe* **Führer 1., 2., 4.**

führerlos *adj Gruppe, Partei* leaderless *no adv*, without a leader; *Wagen* driverless *no adv*, without a driver; *Flugzeug* pilotless *no adv*, without a pilot; *Schiff* with no-one at the helm; **Führerschein** *m* (*für Auto*) driving licence, driver's license (*US*); (*für Flugzeug*) pilot's licence; (*für Motorboot*) motorboat licence; **den ~ machen** (*Aut*) to take one's (driving) test; **ihm ist der ~ abgenommen worden** he's lost his licence; **Führerscheinentzug** *m* disqualification from driving; **Führerscheinprüfung** *f* driving test; **Führerstand** *m* (*von Zug*) cab; (*von Kran auch*) cabin.

führig *adj Schnee* good for skiing.

Fuhrleute *pl of* **Fuhrmann**; **Fuhrlohn** *m* delivery charge; **Fuhrmann** *m, pl* **-leute** carter; (*Kutscher*) coachman; **der ~** (*Astron*) Auriga, the Charioteer; **Fuhrpark** *m* fleet (of vehicles).

Führung *f* **1.** *no pl* guidance, direction; (*von Partei, Expedition*) leadership; (*Mil*) command; (*eines Unternehmens*) management. **unter der ~** +*gen* under the direction/leadership/command/ management of, directed/led *or* headed/commanded/managed by.
   2. *no pl* (*die Führer*) leaders *pl*, leadership *sing*; (*Mil*) commanders *pl*; (*eines Unternehmens*) directors *pl*.
   3. (*Besichtigung*) guided tour (*durch* of).
   4. *no pl* (*Vorsprung*) lead. **die klare ~ haben** (*bei Wettkämpfen*) to have a clear lead; **die Firma hat eine klare ~ auf diesem Gebiet** the firm clearly leads the field in this area; **in ~ gehen/liegen** to go into/be in the lead.
   5. *no pl* (*Betragen*) conduct.
   6. *no pl* (*Handhabung*) touch.
   7. (*Mech*) guide, guideway.
   8. *no pl* (*Betreuung*) running. **die ~ der Akten/Bücher** keeping the files/ books.

Führungsanspruch *m* claims *pl* to leadership; **seinen ~ anmelden** to make a bid for the leadership; **Führungsaufgabe** *f* executive duty; **Führungskraft** *f* executive; **Führungsqualität** *f usu pl* leadership qualities *pl*; **Führungsriege** *f* leadership; **Führungsrolle** *f* role of leader; **Führungsschicht** *f* ruling classes *pl*; **Führungsschiene** *f* guide rail; **führungsschwach** *adj* weak; **Führungsschwäche** *f* weak leadership; **Führungsspitze** *f* highest echelon of the leadership; (*eines Unternehmens etc*) top management; **Führungsstab** *m* (*Mil*) command *no pl*; (*Comm*) top management; **Führungsstärke** *f* strong leadership; (*Comm auch*) management; **Führungsstil** *m* style of leadership; (*Comm auch*) management style; **Führungstor** *nt* (*Ftbl*) goal which gives/gave a/the team the lead; **Führungswechsel** *m* change of leadership; **Führungszeugnis** *nt siehe* **polizeilich.**

Fuhrunternehmen *nt* haulage business/ firm/contractor; **Fuhrunternehmer** *m* haulier, haulage contractor, carrier; **Fuhrwerk** *nt* wag(g)on; (*Pferde*=) horse and cart; (*Ochsen*=) oxcart; **fuhrwerken** *vi insep* **1.** (*inf*) **in der Küche ~** to bustle around in the kitchen; **mit den Armen ~** to wave one's arms about; **2.** (*S Ger, Aus*) to drive a cart.

Fülle *f -, no pl* **1.** (*Körpermasse*) corpulence, portliness.
   2. (*Stärke*) fullness; (*von Stimme, Klang auch*) richness; (*von Wein auch*) full-bodiedness; (*von Haar*) body.
   3. (*Menge*) wealth. **eine ~ von Fragen/Eindrücken** a whole host of

questions/impressions; **in ~** in abundance.

füllen I *vt* **1.** to fill; (*Cook*) to stuff. **etw in Flaschen ~** to bottle sth; **etw in Säcke ~** to put sth into sacks; *siehe* **gefüllt. 2.** (*in Anspruch nehmen*) to fill, to occupy; *Regal auch* to take up. **II** *vr* (*Theater, Badewanne*) to fill up. **ihre Augen füllten sich mit Tränen** her eyes filled with tears.

Füllen *nt* **-s, -** *siehe* **Fohlen.**

Füller *m* **-s, -** **1.** (*Füllfederhalter*) fountain pen. **2.** (*Press*) filler.

Füllfederhalter *m* fountain pen; **Füllgewicht** *nt* **1.** (*Comm*) weight at time of packing; (*auf Dosen*) net weight; **2.** (*von Waschmaschine*) maximum load, capacity; **Füllhorn** *nt* (*liter*) cornucopia; (*fig auch*) horn of plenty.

füllig *adj Mensch* corpulent, portly; *Figur, Busen* generous, ample; *Frisur* bouffant *attr.*

Füllsel *nt* (*in Paket*) packing; (*in Geschriebenem*) (*Wort*) filler; (*Floskel*) padding.

Füllung *f* filling; (*Geflügel~, Fleisch~, Stofftier~, Polster~*) stuffing; (*Tür~*) panel; (*von Pralinen*) centre.

Füllwort *nt* filler (word).

fulminant *adj* (*geh*) sparkling, brilliant.

Fummel *m* **-s, -** (*sl*) rag.

Fummelei *f* (*inf*) fidgeting, fiddling; (*sl: Petting*) petting, groping (*inf*).

Fummelkram *m* (*inf*) fiddle (*inf*), fiddly job (*inf*).

fummeln *vi* (*inf*) to fiddle; (*hantieren*) to fumble; (*erotisch*) to pet, to grope (*inf*). **an etw** (*dat*) *or* **mit etw ~** to fiddle (about)/fumble around with sth.

Fund *m* **-(e)s, -e** find; (*das Entdecken*) discovery, finding. **einen ~ machen** to make a find.

Fundament *nt* (*lit, fig*) foundation (*usu pl*). **das ~ zu etw legen** *or* **für etw schaffen** (*fig*) to lay the foundations for sth.

fundamental *adj* fundamental.

Fundamentalismus *m* fundamentalism.

Fundamentalist(in *f*) *m* fundamentalist.

fundamentalistisch *adj* fundamentalist.

fundamentieren* *vi* to lay the foundations.

Fundamt, Fundbüro *nt* lost property office (*Brit*), lost and found (*US*); **Fundgrube** *f* (*fig*) treasure trove; **eine ~ des Wissens** a treasury of knowledge.

Fundi *m* **-s, -s** *or f* **-, -s** (*Pol inf*) fundamentalist (*of the Green party*).

fundiert *adj Wissen* sound. **schlecht ~** unsound.

fündig *adj* (*Min*) *Sohle* rich. **~ werden** to make a strike; (*fig*) to strike it lucky.

Fundort *m* **der ~** *von etw* (the place) where sth is/was found; **Fundsachen** *pl* lost property *sing*; **Fundstätte** *f* **die ~** *von etw* (the place) where sth is/was found.

Fundus *m* **-, -** (*lit, fig*) fund; (*Theat*) basic equipment.

fünf *num* five. **es ist ~ Minuten vor zwölf** (*lit*) it's five to twelve; (*fig*) it's almost too late; **sie warteten bis ~ Minuten vor zwölf** (*fig*) they waited till the eleventh hour; **seine ~ Sinne beieinander-** *or* **bei-**

sammenhaben to have all one's wits about one; ~(e) gerade sein lassen (*inf*) to turn a blind eye, to look the other way; *siehe auch* vier.

Fünf *f* -, -en five; *siehe auch* Vier.

Fünf- *in cpds* five; *siehe auch* Vier-; **Fünfeck** *nt* pentagon; **fünfeckig** *adj* pentagonal, five-cornered.

Fünfer *m* -s, - (*inf*) five-pfennig piece; five-marks; *siehe auch* Vier.

fünffach *adj* fivefold; *siehe auch* vierfach; **fünffüßig** *adj* (*Poet*) pentametrical; ~ **Jambus** iambic pentameter; **Fünfgang-getriebe** *nt* five-speed gearbox; **Fünf-gangschaltung** *f* five-speed gears *pl*; **fünfhundert** *num* five hundred; *siehe auch* vierhundert; **Fünfjahr(es)plan** *m* five-year plan; **fünfjährig** *adj* Frist, Plan five-year, quinquennial (*form*); Kind five-year-old; **Fünfkampf** *m* (*Sport*) pentathlon; **Fünfling** *m* quintuplet; **fünfmal** *adv* five times; *siehe auch* viermal; **Fünfmarkschein** *m* five-mark note; **Fünfmarkstück** *nt* five-mark piece; **Fünfpfennigstück** *nt* five-pfennig piece.

Fünfprozenthürde *f* (*Parl*) five-percent hurdle; **Fünfprozentklausel** *f* five-percent rule.

fünfseitig *adj* (*Geom*) five-sided; (*Brief*) five-page *attr*; *siehe auch* vierseitig; **fünf-tägig** *adj* five-day *attr*; **fünftausend** *num* five thousand.

Fünftel *nt* -s, - fifth; *siehe auch* Viertel[1].

fünftens *adv* fifth(ly), in the fifth place.

fünfte(r, s) *adj* fifth. die ~ Kolonne the fifth column; *siehe auch* vierte(r, s), Rad.

Fünfuhrtee *m* afternoon tea; **Fünfunddreißig-Stunden-Woche** *f* thirty-five-hour week; **fünfundzwanzig** *num* twenty-five; **fünfzehn** *num* fifteen.

fünfzig *num* fifty; *siehe auch* vierzig.

Fünfzig *f* -, -en fifties; *siehe auch* Vierzig.

Fünfziger *m* -s, - (*inf*) (*Fünfzigjähriger*) fifty-year-old; (*Geld*) fifty-pfennig piece; fifty-mark note; *siehe auch* Vierziger(in).

fünfzigjährig *adj* Person fifty-year-old *attr*; Zeitspanne fifty-year; er ist ~ ver-storben he died at (the age of) fifty; **Fünfzigmarkschein** *m* fifty-mark note; **Fünfzigpfennigstück** *nt* fifty-pfennig piece.

fungieren* [fʊŋˈɡiːrən] *vi* to function (*als* as a).

Fungizid *nt* -(e)s, -e fungicide.

Funk *m* -s, *no pl* radio, wireless (*dated*). über *or* per ~ by radio; er arbeitet beim ~ he works in radio *or* broadcasting.

Funkamateur(in *f*) *m* radio ham, amateur radio enthusiast; **Funkaufklärung** *f* (*Mil*) radio intelligence; **Funkausstel-lung** *f* radio and television exhibition; **Funkbake** *f* radio beacon; **Funkbild** *nt* telephotograph (*spec*), radio picture.

Fünkchen *nt* dim of Funke. ein/kein ~ Wahrheit a grain/not a particle *or* shred of truth.

Funke *m* -ns, -n, **Funken** *m* -s, - 1. (*lit, fig*) spark. ~n sprühen to spark, to send out *or* emit sparks; ihre Augen sprühten ~n her eyes flashed; der zündende ~

(*fig*) the vital spark; der ~ der Begeiste-rung sprang auf die Zuschauer über the audience was infected by his/her *etc* en-thusiasm; arbeiten, daß die ~n fliegen *or* sprühen (*inf*) to work like mad (*inf*) *or* crazy (*inf*); zwischen den beiden sprang der ~ über (*inf*) something clicked between them (*inf*).

2. (*ein bißchen*) scrap; (*von Hoffnung auch*) gleam, ray, glimmer; (*von An-stand auch*) spark.

funkeln *vi* to sparkle; (*Sterne auch*) to twinkle; (*Augen*) (*vor Freude*) to gleam, to twinkle; (*vor Zorn auch*) to glitter, to flash; (*Edelsteine auch*) to glitter; (*Edelmetall*) to gleam.

funkelnagelneu *adj* (*inf*) brand-new.

Funken *m* -s, - *siehe* Funke.

funken I *vt* Signal to radio. SOS ~ to send out *or* radio an SOS.

II *vi* 1. (*senden*) to radio. 2. (*Funken sprühen*) to give off *or* emit sparks, to spark; (*fig inf: funktionieren*) to work.

III *vi impers* endlich hat es bei ihm ge-funkt (*inf*) it finally clicked (with him) (*inf*), the light finally dawned (on him).

Funkenflug *m* der Brand wurde durch ~ verursacht the fire was caused by sparks; **Funkengitter** *nt* fireguard; **funken-sprühend** *adj* giving off *or* emitting sparks; (*fig*) Diskussion lively; Augen flashing *attr*, fiery.

Funk|entstörung *f* suppression of inter-ference.

Funker(in *f*) *m* -s, - radio *or* wireless op-erator.

Funkfernsteuerung *f* radio control; (*An-lage*) radio-control equipment *no pl*; **Funkfeuer** *nt* radio beacon; **Funkgerät** *nt* 1. *no pl* radio equipment; 2. (*Sprechfunkgerät*) radio set, walkie-talkie; **Funkhaus** *nt* broadcasting centre, studios *pl*; **Funkkolleg** *nt* educa-tional radio broadcasts *pl*; **Funkkontakt** *m* radio contact; **Funknavigation** *f* radio navigation; **Funkortung** *f* radiolo-cation; **Funkpeilung** *f* radio direction finding; **Funksprechgerät** *nt* radio tele-phone; (*tragbar*) walkie-talkie; **Funksprechverkehr** *m* radiotelephony; **Funkspruch** *m* radio signal; (*Mittei-lung*) radio message; **funkstill** *adj* non-transmitting; **Funkstille** *f* radio silence; (*fig*) silence; **Funkstreife** *f* police radio patrol; **Funkstreifenwagen** *m* police radio patrol *or* squad car; **Funktaxi** *nt* radio taxi *or* cab; **Funktechnik** *f* radio technology; **Funktelefon** *nt* cordless telephone.

Funktion *f* (*no pl: Tätigkeit*) functioning; (*Zweck, Aufgabe, Math*) function; (*Amt*) office; (*Stellung*) position. in ~ treten/sein to come into/be in operation; (*Organ, Maschine*) to start to function/ be functioning; etw außer ~ setzen to stop sth functioning; dieser Bolzen hat die ~, ... the function of this bolt is to ...

funktional [fʊŋktsioˈnaːl] *adj siehe* funk-tionell.

Funktionalismus [fʊŋktsionaˈlɪsmʊs] *m* functionalism.

Funktionär(in *f)* [fʊŋktsioˈnɛːɐ, -ˈnɛːərɪn] *m* functionary, official.

funktionell [fʊŋktsioˈnɛl] *adj* functional *(auch Med)*, practical.

funktionieren* [fʊŋktsioˈniːrən] *vi* to work; *(Maschine auch)* to function, to operate; *(inf: gehorchen)* to obey.

Funktionsbild *nt, no pl* job profile; **funktionsfähig** *adj* able to work/function *or* operate; **Funktionsstörung** *f (Med)* malfunction, functional disorder; **Funktionstaste** *f* function key; **funktionstüchtig** *adj* in working order; *Organ* sound; **Funktionsverb** *nt (Ling)* empty verb.

Funkturm *m* radio tower; **Funkuniversität** *f* university of the air; **Funkverbindung** *f* radio contact; **Funkverkehr** *m* radio communication *or* traffic; **Funkwagen** *m* radio car; **Funkwerbung** *f* radio advertizing.

Funzel *f -, -n (inf)* dim light, gloom.

Für *nt:* das *~* und **Wider** the pros and cons *(pl)*.

für I *prep +acc* **1.** for. *~* was ist denn dieses Werkzeug? *(inf)* what is this tool (used) for?; **kann ich sonst noch etwas *~* Sie tun?** will there be anything else?; *~* mich for me; *(meiner Ansicht nach)* in my opinion *or* view; **diese Frage muß jeder *~* sich (alleine) entscheiden** everyone has to decide this question for *or* by themselves; **das ist gut *~* Migräne** that's good for migraine; *~* **zwei arbeiten** *(fig)* to do the work of two people; *~* **einen Deutschen ...** for a German ...; *~*s **nächstemal** next time.

2. *(Zustimmung)* for, in favour of. sich *~* etw entscheiden to decide in favour of sth; **was Sie da sagen, hat etwas *~* sich** there's something in what you're saying.

3. *(Gegenleistung)* (in exchange) for. **das hat er *~* zehn Pfund gekauft** he bought it for ten pounds.

4. *(Ersatz)* for, instead of, in place of. *~* **jdn einspringen** to stand in for sb.

5. *(Aufeinanderfolge)* Tag *~* Tag day after day; **Schritt *~* Schritt** step by step.

6. *in Verbindung mit vb, adj siehe auch dort* etw *~* sich behalten to keep sth to oneself; *~* **etw bekannt sein** to be famous *or* known for sth; **ich halte sie *~* intelligent** I think she is intelligent.

7. was *~* *siehe* was.

II *adv* (old poet): *~* **und** *~* for ever and ever.

fürbaß *adv (obs)* onwards. *~* **gehen/ schreiten** to continue on one's way.

Fürbitte *f (Eccl, fig)* intercession. **er legte beim Kaiser *~* für die Gefangenen ein** he interceded with the Emperor on behalf of the prisoners.

Fürbitten *nt (Eccl)* prayers *pl*; *(fig)* pleading.

Furche *f -, -n (Acker~, Gesichtsfalte)* furrow; *(Wagenspur)* rut.

furchen *vt* to furrow; *(Gesicht auch)* to line. **die Spuren des Traktors furchten den Weg** the tractor made ruts *or* furrows in the road; **eine gefurchte Stirn** a furrowed brow.

Furcht *f -, no pl* fear. *~* aus *~* vor jdm/etw for fear of sb/sth; **ohne *~* sein** to be fearless *or* without fear; *~* vor jdm/etw haben *or* empfinden to be afraid of sb/sth, to fear sb/sth; **jdn in *~* versetzen, jdm *~* einflößen** to frighten *or* scare sb.

furchtbar *adj* terrible, awful, dreadful. **ich habe einen *~*en Hunger** I'm ever so *or* terribly hungry *(inf)*.

furcht|einflößend *adj* terrifying, fearful.

fürchten **I** *vt* **jdn/etw *~*** to be afraid of sb/ sth, to fear sb/sth; **das Schlimmste *~*** to fear the worst; *~*, daß ... to be afraid *or* fear that ...; **es war schlimmer, als ich gefürchtet hatte** it was worse than I had feared; **Gott *~*** to fear God.

II *vr* to be afraid *(vor +dat* of). **sich im Dunkeln *~*** to be afraid *or* scared of the dark.

III *vi* für *or* um jdn/jds Leben/etw *~* to fear for sb/sb's life/sth; **zum F*~* aussehen** to look frightening *or* terrifying; **jdn das F*~* lehren** to put the fear of God into sb.

fürchterlich *adj siehe* **furchtbar.**

furchterregend *adj siehe* **furchteinflößend; furchtlos** *adj* fearless, intrepid, dauntless; **Furchtlosigkeit** *f* fearlessness, intrepidity, dauntlessness; **furchtsam** *adj* timorous; **Furchtsamkeit** *f* timorousness.

Furchung *f (Biol)* cleavage.

fürder(hin) *adv (obs)* hereafter *(old)*, in future.

für|einander *adv* for each other, for one another.

Furie [ˈfuːriə] *f (Myth)* fury; *(fig)* hellcat, termagant. **wie von *~*n gejagt** *or* **gehetzt** *(liter)* as though the devil himself were after him/them *etc*; **sie gingen wie *~*n aufeinander los** they went for each other like cats *or* wild things.

Furnier *nt -s, -e* veneer.

furnieren* *vt* to veneer. **mit Mahagoni furniert** with a mahogany veneer.

Furore *f* - *or nt -s, no pl* sensation. *~* machen *(inf)* to cause a sensation.

Fürsorge *f, no pl* **1.** *(Betreuung)* care; *(Sozial~)* welfare.

2. *(inf: Sozialamt)* welfare *(inf)*, welfare services. **der *~* zur Last fallen** to be a burden on the state.

3. *(inf: Sozialunterstützung)* social security *(Brit)*, welfare *(US)*. **von der *~* leben** to live on social security.

Fürsorgeamt *nt* (church) welfare office; **Fürsorgeberuf** *m* job in one of the welfare services; **Fürsorgepflicht** *f (Jur)* employer's obligation to provide for the welfare of his employees.

Fürsorger(in *f) m -s,* - (church) welfare worker.

fürsorgerisch *adj* welfare *attr*. **alte Menschen *~* betreuen** to look after the welfare of old people.

fürsorglich *adj* careful; *Mensch auch* solicitous. **jdn sehr *~* behandeln** to lavish care on sb.

Fürsorglichkeit *f siehe adj* care; solicitousness.

Fürsprache *f* recommendation. **für jdn *~* einlegen** to recommend sb *(bei* to), to put in a word for sb (*inf*) (*bei* with); **auf ~ von jdm** on sb's recommendation.

Fürsprech m -s, -e 1. (*old: Rechtsbeistand*) counsel. 2. (*Sw: Rechtsanwalt*) barrister.

Fürsprecher(in *f*) m 1. advocate. 2. *siehe* **Fürsprech.**

Fürst m -en, -en prince; (*Herrscher*) ruler. **geistlicher ~** prince-bishop; **wie ein ~ leben** to live like a lord *or* king; **der ~ der Finsternis** *or* **dieser Welt** (*liter*) the Prince of Darkness *or* of this world (*Bibl*).

Fürstengeschlecht, Fürstenhaus nt royal house; **Fürstenstand** m royal rank; **jdn in den ~ erheben** to create sb prince; **Fürstentum** nt principality, princedom (*old*); **das ~ Monaco/Liechtenstein** the principality of Monaco/Liechtenstein.

Fürstin f princess; (*Herrscherin*) ruler.

fürstlich adj (*lit*) princely *no adv*; (*fig auch*) handsome, lavish. **jdn ~ bewirten** to entertain sb right royally; **~ leben** to live like a lord.

Furt f -, -en ford.

Furunkel nt *or* m -s, - boil.

fürwahr adv (*old*) forsooth (*old*), in truth (*old*).

Fürwort nt -(e)s, ̈-er (*Gram*) *siehe* Pronomen.

Furz m -(e)s, ̈-e (*inf*) fart (*inf*). **einen ~ (fahren) lassen** to let off a fart (*inf*).

furzen vi (*inf*) to fart (*inf*).

Fusel m -s, - (*pej*) rotgut (*inf*), hooch (*esp US inf*).

Fuselöl nt fusel oil.

füsilieren* vt (*old Mil*) to execute by firing squad.

Fusion f amalgamation; (*von Unternehmen auch*) merger; (*von Atomkernen, Zellen*) fusion.

fusionieren* vti to amalgamate; (*Unternehmen auch*) to merge.

Fusionsreaktor m fusion reactor.

Fuß m -es, ̈-e 1. (*Körperteil*) foot; (*S Ger, Aus: Bein*) leg. **zu ~** on foot; **zu ~ gehen/kommen** to walk, to go/come on foot; **er ist gut/schlecht zu ~** he is steady/not too steady on his feet; **sich jdm zu ̈-en werfen** to prostrate oneself before sb; **jdm zu ̈-en liegen/sitzen** to lie/sit at sb's feet; **jdm zu ̈-en fallen** *or* **sinken** (*fig: Bittsteller*) to go down on one's knees *or* before sb; **das Publikum lag/sank ihm zu ̈-en** he had the audience at his feet; **den ~ in** *or* **zwischen die Tür stellen** to get *or* put one's foot in the door; **den ~ auf die Erde/den Mond setzen** to set foot on the earth/the moon; **über seine eigenen ̈-e stolpern** to trip over one's own feet; **kalte ̈-e bekommen kalte** (*lit, fig*) to get cold feet; **so schnell/weit ihn seine ̈-e trugen** as fast/far as his legs would carry him; **bei ~!** heel!; **jdm zwischen die ̈-e geraten** *or* **kommen** to get under sb's feet; **jdm etw vor die ̈-e werfen** *or* **schmeißen** (*inf*) (*lit*) to throw sth at sb; (*fig*) to tell sb to keep *or* stuff (*sl*) sth; **jdn/etw mit ̈-en treten** (*fig*) to walk all over sb, to treat sb/sth with contempt; (**festen**) **~ fassen** (*lit, fig*) to gain a foothold; (**sich** *niederlassen*) to settle down; **auf eigenen ̈-en stehen** (*lit*) to stand by oneself; (*fig*) to stand on one's own two feet; **jdn auf freien ~ setzen** to release sb, to set sb free; **auf großem ~ leben** to live the high life; **mit jdm auf gutem ~ stehen** to be on good terms with sb; **jdm/einer Sache auf dem ~e folgen** (*lit*) to be hot on the heels of sb/sth; (*fig*) to follow hard on sb/sth; **mit einem ~ im Grab stehen** to have one foot in the grave.

2. (*von Gegenstand*) base; (*Tisch-, Stuhlbein*) leg; (*von Schrank, Gebirge*) foot. **auf schwachen/tönernen ̈-en stehen** to be built on sand.

3. (*Poet*) foot.

4. (*von Strumpf*) foot.

5. *pl* - (*Längenmaß*) foot. **12 ~ lang** 12 foot *or* feet long.

Fußabdruck m footprint; **Fußabstreifer** m -s, - shoescraper; (*Fußmatte*) doormat; **Fußabtreter** m -s, - doormat; **Fußangel** f (*lit*) mantrap; (*fig*) catch, trap; **Fußarbeit** f (*Sport*) footwork; **Fußbad** nt foot bath.

Fußball m 1. (*no pl: ~spiel*) football; soccer. 2. (*Ball*) football.

Fußballer(in *f*) m -s, - (*inf*) footballer.

Fußballmannschaft f football team; **Fußballmatch** nt (*Aus*) football *or* soccer match; **Fußballmeisterschaft** f football league championship; **Fußballplatz** m football *or* soccer pitch; **Fußballrowdy** m football hooligan; **Fußballschuh** m football boot; **Fußballspiel** nt football *or* soccer match; (*Sportart*) football; **Fußballspieler(in** *f*) m football *or* soccer player; **Fußballtoto** m *or* nt football pools *pl*; **Fußballverein** m football club.

Fußbank f footstool.

Fußboden m floor.

Fußbodenbelag m floor covering; **Fußbodenheizung** f (under)floor heating.

Fußbreit m -, *no pl* foot; **keinen ~ weichen** (*lit, fig*) not to budge an inch (*inf*); **Fußbremse** f footbrake; **Fußeisen** nt mantrap.

Fussel f -, -n *or* m -s, - fluff *no pl*. **ein(e) ~** some fluff, a bit of fluff.

fusselig adj fluffy. **sich** (*dat*) **den Mund ~ reden** (*inf*) to talk till one is blue in the face.

fusseln vi (*von Stoff, Kleid*) to go bobbly (*inf*), to pill (*spec*).

füßeln vi to play footsie (*inf*) (*mit* with).

fußen vi to rest, to be based (*auf* +dat on).

Fußende nt (*von Bett*) foot; **Fußfall** m *siehe* Kniefall; **fußfällig** adj *siehe* kniefällig; **Fußfesseln** pl shackles pl.

Fußgänger(in *f*) m -s, - pedestrian.

Fußgängerbrücke f footbridge; **Fußgängerinsel** f traffic island; **Fußgängerüberweg** m pedestrian crossing (*Brit*), crosswalk (*US*); (*auch* Fußgängerüberführung) pedestrian bridge; **Fußgängerunterführung** f underpass, pedestrian subway (*Brit*); **Fußgängerzone** f pedestrian precinct.

Fußgelenk *nt* ankle; **fußhoch** *adj* ankle-deep.

fußkalt *adj* **die Wohnung ist immer ~** there's always a draught around your feet in that flat; **Fußlappen** *m* footcloth; **Fußleiden** *nt* foot complaint; **Fußleiste** *f* skirting (board) (*Brit*), baseboard (*US*).

fußlig *adj* fluffy.

Füßling *m* (*von Strumpf*) foot; (*Socke*) footlet.

Fußmarsch *m* walk; (*Mil*) march; **Fußmatte** *f* doormat; **Fußnote** *f* footnote; **Fußpflege** *f* chiropody; **zur ~ gehen** to go to the chiropodist; **Fußpfleger(in** *f*) *m* chiropodist; **Fußpilz** *m* (*Med*) athlete's foot; **Fußpuder** *m* foot powder; **Fußpunkt** *m* **1.** (*Astron*) nadir; **2.** (*Math*) foot (*of a perpendicular*); **Fußschweiß** *m* foot perspiration; **Fußsohle** *f* sole of the foot; **Fußsoldat** *m* (*Mil old*) foot soldier; **Fußspitze** *f* toes *pl*; **Fußsprung** *m* **einen ~ machen** to jump feet-first; **Fußspur** *f* footprint; **Fußstapfen** *m* footprint; **in jds ~ treten** (*fig*) to follow in sb's footsteps; **Fußsteig** *m* **1.** (*Weg*) footpath; **2.** (*S Ger: Bürgersteig*) pavement (*Brit*), sidewalk (*US*); **Fußstütze** *f* footrest; **fußtief** *adj* ankle-deep; **Fußtritt** *m* (*Geräusch*) footstep; (*Spur auch*) footprint; (*Stoß*) kick; **jdm einen ~ geben** *or* **versetzen** to kick sb, to give sb a kick; **einen ~ bekommen** (*fig*) to be kicked out; **Fußtruppe** *f* infantry *no pl*; **Fußvolk** *nt* **1.** (*Mil old*) footmen *pl*; **2.** (*fig*) **das ~** the rank and file; **Fußwanderung** *f* walk; **Fußweg** *m* **1.** (*Pfad*) footpath; **2.** (*Entfernung*) **es sind nur 15 Minuten ~** it's only 15 minutes walk; **Fußzeile** *f* (*Comput*) footer.

futsch *adj pred* (*inf*) (*weg*) gone, vanished; (*S Ger: kaputt*) bust (*inf*), broken.

Futter *nt* **-s, -** **1.** *no pl* (*animal*) food *or* feed; (*für Kühe, Pferde auch*) fodder. **gut im ~ sein** to be well-fed. **2.** (*Auskleidung*) (*Kleider~, Brief-umschlag~*) lining; (*Tür~*) casing. **3.** (*Spann~*) chuck.

Futteral *nt* **-s, -e** case.

Futtergetreide *nt* forage cereal; **Futterhäuschen** *nt* bird box; **Futterkrippe** *f* manger; **an der ~ sitzen** (*inf*) to be well-placed.

futtern I *vi* (*hum inf*) to stuff oneself (*inf*). **II** *vt* (*hum inf*) to scoff.

füttern *vt* **1.** to feed. „F~ verboten" "do not feed the animals". **2.** *Kleidungsstück* to line.

Futternapf *m* bowl; **Futterneid** *m* (*fig*) green-eyed monster (*hum*), envy; **Futterpflanze** *f* forage plant; **Futter-rübe** *f* root vegetable used for forage; **Futtersack** *m* nosebag; **Futterstoff** *m* lining (material); **Futtertrog** *m* feeding trough.

Fütterung *f* feeding. **die ~ der Nilpferde findet um 17⁰⁰ Uhr statt** feeding time for the hippos is 5 p.m.

Futterverwerter(in *f*) *m* **-s, -** (*inf: Mensch*) **er ist ein guter ~** food goes straight to his figure.

Futur *nt* **-(e)s, -e** (*Gram*) future (tense).

futurisch *adj* (*Gram*) future.

Futurismus *m* futurism.

futuristisch *adj* futurist(ic).

Futurologe *m*, **Futurologin** *f* futurologist.

Futurologie *f* futurology.

futurologisch *adj* futurological.

Fux *m* **-es, -̈e** (*Univ*) new member of a student fraternity.

G

G, g [ge:] *nt* -, - G, g.
g *abbr of* **Gramm.**
gab *pret of* **geben.**
Gabardine ['gabardi:n, gabar'di:n(ə)] *m* -s, *no pl or f* -, *no pl* gaberdine, gabardine.
Gabe *f* -, **-n 1.** (*dated: Geschenk*) gift, present (*gen* of, from); (*Schenkung*) donation (*gen* from); (*Eccl: Opfer*) offering; *siehe* **mild(e). 2.** (*Begabung*) gift. **die ~ haben, etw zu tun** to have a natural *or* (*auch iro*) (great) gift for doing sth. **3.** (*Med*) (*das Verabreichen*) administering; (*Dosis*) dose.
Gabel *f* -, **-n** fork; (*Heu~, Mist~*) pitchfork; (*Deichsel*) shafts *pl*; (*Telec*) rest, cradle; (*Geweih mit zwei Enden*) two-pointed antler; (*zwei Enden des Geweihs*) branch, fork.
Gabelbissen *m* canapé; **Gabeldeichsel** *f* shafts *pl*; **gabelförmig** *adj* forked *no adv*; **sich ~ teilen** to fork; **Gabelfrühstück** *nt* mid-morning snack; **Gabelhirsch** *m* (*Hunt: Rothirsch*) two-pointer; (*Andenhirsch*) guemal.
gabeln *vtr* to fork.
Gabelstapler *m* -s, - fork-lift truck.
Gabelung *f* fork.
Gabentisch *m* table for Christmas or birthday presents.
gackern *vi* (*lit, fig*) to cackle.
Gadolinium *nt, no pl* (*abbr* Gd) gadolinium.
Gaffel *f* -, **-n** (*Naut*) gaff.
Gaffelschoner *m* (*Naut*) fore-and-aft schooner; **Gaffelsegel** *nt* (*Naut*) gaff-sail.
gaffen *vi* to gape, to gawp (*inf*), to stare (*nach* at), to rubberneck (*US sl*). **gaff nicht, sondern hilf mir lieber!** don't just stand there gawping *etc*, come and help!
Gaffer(in *f*) *m* -s, - gaper, gawper (*inf*), starer, rubbernecker (*US sl*). **die neugierigen ~ bei einem Unfall** the nosy people standing gaping at an accident.
Gag [gɛ(:)k] *m* -s, -s (*Film~*) gag; (*Werbe~*) gimmick; (*Witz*) joke; (*inf: Spaß*) laugh.
Gagat *m* -(e)s, -e, **Gagatkohle** *f* jet.
Gage ['ga:ʒə] *f* -, **-n** (*esp Theat*) fee; (*regelmäßige ~*) salary.
gähnen *vi* (*lit, fig*) to yawn. **~de Leere** total emptiness; **im Kino herrschte ~de Leere** the cinema was (totally) deserted; **ein ~der Abgrund/~des Loch** a yawning abyss/gaping hole; **ein G~** a yawn; **das G~ unterdrücken** to stop oneself (from) yawning; **das war zum G~ (langweilig)** it was one big yawn (*inf*).
GAL [ge:|a:'|ɛl] *f* - *abbr of* **Grün-Alternative Liste** electoral pact of Greens and alternative parties.
Gala *f* -, *no pl* formal *or* evening *or* gala dress; (*Mil*) full *or* ceremonial *or* gala

dress. **sich in ~ werfen** to get all dressed up (to the nines *inf*), to put on one's best bib and tucker (*inf*).
Gala- *in cpds* formal, evening; (*Mil*) full ceremonial, gala; (*Theat*) gala; **Galaabend** *m* gala evening; **Galaanzug** *m* formal *or* evening dress; (*Mil*) full *or* ceremonial *or* gala dress; **Galadiner** *nt* formal dinner; **Galaempfang** *m* formal reception.
galaktisch *adj* galactic.
Galan *m* -s, -e (*hum inf auch*) beau.
galant *adj* (*dated*) gallant. **die ~e Dichtung** galant poetry; **~es Abenteuer** affair of the heart, amatory adventure.
Galauniform *f* (*Mil*) full dress *or* ceremonial *or* gala uniform; **Galavorstellung** *f* (*Theat*) gala performance.
Galeere *f* -, **-n** galley.
Galeerensklave, Galeerensträfling *m* galley slave.
Galeone *f* -, **-n** (*Hist*) galleon.
Galerie *f* **1.** (*Empore, Gang, Kunst~, Mil, Naut*) gallery. **auf der ~** in the gallery. **2.** (*Geschäftspassage*) arcade.
Galerist(in *f*) *m* owner of a gallery.
Galgen *m* -s, - gallows *pl*, gibbet; (*Film*) boom; (*Tech*) crossbeam; (*Spiel*) hangman. **jdn an den ~ bringen** to bring sb to the gallows; **an den ~ mit ihm!** let him swing!, to the gallows with him!; **jdn am ~ hinrichten** to hang sb (from the gallows).
Galgenfrist *f* (*inf*) reprieve; **jdm eine ~ geben** to give sb a reprieve, to reprieve sb; **Galgenhumor** *m* gallows humour; **sagte er mit ~** he said with a macabre sense of humour; **Galgenstrick, Galgenvogel** *m* (*inf*) gallows bird (*inf*).
Galiläa *nt* -s, *no pl* Galilee.
Galiläer(in *f*) *m* -s, - Galilean.
Galionsfigur *f* figurehead.
gälisch *adj* Gaelic.
Gall|apfel *m* gallnut; (*an Eichen*) oak-apple, oak-gall.
Galle *f* -, **-n** (*Anat*) (*Organ*) gallbladder; (*Flüssigkeit*) bile, gall; (*Bot, Vet*) gall; (*fig: Bosheit*) gall, virulence. **bitter wie ~** bitter as gall *or* wormwood; **seine ~ verspritzen** (*fig*) to pour out one's venom; **jdm kommt die ~ hoch** sb's blood begins to boil; **die ~ läuft ihm über** (*inf*) he's seething *or* livid.
galle(n)bitter *adj* bitter as gall; **Wein, Geschmack auch** acid, acrid; **Arznei auch** bitter; **Bemerkung** caustic.
Gallen- *in cpds* gall; **Gallenblase** *f* gallbladder; **Gallengang** *m* bile duct; **Gallengrieß** *m* small gall-stones *pl*; **Gallenkolik** *f* gall-stone colic; **Gallenleiden** *nt* trouble with one's gallbladder; **Gallenstein** *m* gall-stone.
Gallert *nt* -(e)s, -e, **Gallerte** *f* -, **-n** jelly.
gallert|artig *adj* jelly-like, gelatinous.

Gallien [-iən] *nt* **-s** Gaul.
Gallier(in *f)* [-iɐ, -iərin] *m* **-s**, - Gaul.
gallig *adj* gall-like *attr*; *(fig) Mensch, Bemerkung, Humor* caustic, acerbic.
gallisch *adj* Gallic.
Gallium *nt*, *no pl (abbr* **Ga**) gallium.
Gallizismus *m (Ling)* Gallicism.
Gallone *f* **-**, **-n** gallon.
Galopp *m* **-s**, **-s** *or* **-e** gallop; *(Tanz)* galop. **im ~** *(lit)* at a gallop; *(fig)* at top *or* high speed; **langsamer ~** canter; **gestreckter/kurzer ~** full/checked gallop; **in den ~ verfallen** to break into a gallop.
galoppieren* *vi aux* **haben** *or* **sein** to gallop. **~de Inflation** galloping inflation.
Galopprennen *nt* horse race *(on the flat)*. **zum ~ gehen** to go to the races.
Galosche *f* **-**, **-n** galosh *usu pl*.
galt *pret of* **gelten**.
Galvaniseur [galvani'zøːɐ] *m* electroplater.
Galvanisier|anstalt *f* electroplating works *sing or pl*.
galvanisieren* [galvani'ziːrən] *vt* to electroplate; *(mit Zink auch)* to galvanize.
Galvanisierung *f* electroplating; *(mit Zink auch)* galvanization, galvanizing.
Galvano [gal'vaːno] *nt* **-s**, **-s** *(Typ)* electrotype, electro *(inf)*.
Galvanometer *nt* galvanometer; **Galvanoplastik** *f (Tech)* electroforming, galvanoplasty *(form)*; *(Typ)* electrotype.
Gamasche *f* **-**, **-n** gaiter; *(kurze ~)* spat; *(Wickel~)* puttee. **sie hat ~n vor ihm/davor** *(dated inf)* he/it makes her tremble in her boots *(inf)*.
Gamaschenhose *f (pair sing* of) leggings *pl*.
Gambe *f* **-**, **-n** viola da gamba.
Gambia *nt* **-s** (the) Gambia.
Gammastrahlen *pl* gamma rays *pl*.
Gammastrahlung *f* gamma radiation.
Gammel *m* **-s**, *no pl (dial)* junk *(inf)*, rubbish.
Gammeldienst *m (Mil sl)* lazy spell of duty.
gammelig *adj (inf) Lebensmittel* old, ancient *(inf)*; *Kleidung* tatty *(inf)*; *Auto auch* decrepit. **das Fleisch ist ja schon ganz ~** the meat has already gone bad *or* off.
Gammelleben *nt (inf)* loafing *or* bumming around *(inf) no art*.
gammeln *vi (inf)* to laze *or* loaf *(inf)* about, to bum around *(inf)*.
Gammler(in *f) m* **-s**, - unkempt layabout.
Gams *f* **-**, **-(en)** *(Aus, S Ger, Hunt) siehe* **Gemse**.
Gamsbart *m tuft of hair from a chamois worn as a hat decoration, shaving-brush (hum inf)*; **Gamsbock** *m* chamois buck; **Gamsleder** *nt* chamois (leather).
gang *adj*: **~ und gäbe sein** to be the usual thing, to be quite usual.
Gang¹ *m* **-(e)s**, **ⁱe 1.** *(no pl: ~art)* walk, way of walking, gait; *(eines Pferdes)* gait, pace. **einen leichten/schnellen ~ haben** to be light on one's feet, to walk lightly/to be a fast walker; **jdn an seinem** *or* **am ~ erkennen** to recognize sb's walk

or sb from the way he walks; **seinen ~ verlangsamen/beschleunigen** to slow down/to speed up, to hasten one's step *(liter)*.
2. *(Besorgung)* errand; *(Spazier~)* walk. **einen ~ machen** *or* **tun** to go on an errand/to go for a walk; **einen ~zum Anwalt/zur Bank machen** to go to *or* pay a visit to one's lawyer/the bank; **einen schweren ~ tun** to do something difficult; **das war für ihn immer ein schwerer ~** it was always hard for him; **sein erster ~ war ...;** the first thing he did was ...; **den ~ nach Kanossa antreten** *(fig)* to eat humble pie; **der ~ nach Kanossa** *(Hist)* the pilgrimage to Canossa.
3. *(no pl: Bewegung einer Maschine)* operation; *(Ablauf)* course; *(eines Dramas)* development. **der ~ der Ereignisse/der Dinge** the course of events/things; **seinen gewohnten ~ gehen** *(fig)* to run its usual course; **etw in ~ bringen** *or* **setzen** to get *or* set sth going; *(fig auch)* to get sth off the ground *or* under way; **etw in ~ halten** *(lit, fig)* to keep sth going; *Maschine, Motor auch* to keep sth running; **in ~ kommen** to get going; *(fig auch)* to get off the ground *or* under way; **in ~ sein** to be going; *(eine Maschine auch)* to be in operation, to be running; *(Motor auch)* to be running; *(fig)* to be off the ground *or* under way; *(los sein)* to be going on *or* happening; **in vollem ~** in full swing; **es ist etwas ~(e)** *(inf)* something's up *(inf)*.
4. *(Arbeits~)* operation; *(eines Essens)* course; *(Fechten, im Zweikampf)* bout; *(beim Rennen)* heat. **ein Essen von** *or* **mit vier ⁱen** a four-course meal.
5. *(Verbindungs~)* passage(way); *(Rail, in Gebäuden)* corridor; *(Hausflur) (offen)* passage(way), close *(Scot)*; *(hinter Eingangstür)* hallway; *(im oberen Stock)* landing; *(Theat, Aviat, in Kirche, in Geschäft, in Stadion)* aisle; *(Aviat, in Stadion)* gangway; *(Säulen~)* colonnade, passage; *(Bogen~)* arcade, passage; *(Wandel~)* walk; *(in einem Bergwerk)* tunnel, gallery; *(Durch~ zwischen Häusern)* passage(way); *(Anat)* duct; *(Gehör~)* canal; *(Min: Erz~)* vein; *(Tech: eines Gewindes)* thread.
6. *(Mech)* gear; *(bei Fahrrad auch)* speed. **den ersten ~ einschalten** *or* **einlegen** to engage first (gear); **auf** *or* **in den dritten ~ schalten** to change *or* shift *(US)* into third (gear).
Gang² [gɛŋ] *f* **-**, **-s** gang.
Gangart *f* **1.** walk, way of walking, gait; *(von Pferd)* gait, pace; *(Haltung)* carriage, bearing; *(fig)* stance. **eine schnellere ~ vorlegen** to walk faster; **eine harte ~** *(fig)* a tough stance *or* line.
2. *(Min)* gangue, matrix.
gangbar *adj (lit) Weg, Brücke etc* passable; *(fig) Lösung, Weg* practicable. **nicht ~** impassable/impracticable.
Gängelband *nt*: **jdn am ~ führen** *(fig) (Lehrer)* to spoon-feed sb; *(Ehefrau, Mutter)* to keep sb tied to one's apron strings.

Gängelei f spoon-feeding. **warum wehrt er sich nicht gegen die ~ seiner Mutter/Frau?** why doesn't he fight against being tied to his mother's/wife's apron strings?

gängeln vt (fig) **jdn ~** to spoon-feed sb, to treat sb like a child; (*Mutter, Ehefrau*) to keep sb tied to one's apron strings.

Ganghebel m (*Tech*) gear lever.

gängig adj **1.** (*üblich*) common; (*aktuell*) current; *Münze* current.
2. (*gut gehend*) *Waren* popular, in demand. **die ~ste Ausführung** the best-selling model.
3. (*beweglich*) **(wieder) ~ machen** get (*mechanism*) working (again).

Ganglien [-iən] pl (*Anat*) ganglia pl.

Ganglienzelle f gangliocyte, ganglion cell.

Gangräne f -, -n or **Gangrän** nt -s, -e (*Med*) gangrene.

Gangschaltung f gears pl.

Gangster ['gɛnstɐ, 'gaŋstɐ] m -s, - gangster.

Gangsterboß m gang boss; **Gangsterbraut** f (gang) moll (sl); **Gangstermethoden** pl strong-arm tactics pl.

Gangway ['gæŋweɪ] f -, -s (*Naut*) gangway; (*Aviat*) steps pl.

Ganove [ga'noːvə] m -n, -n (inf) crook; (hum: listiger Kerl) sly old fox.

Ganovenehre f honour among(st) thieves; **Ganovensprache** f underworld slang.

Gans f -, ⁓e goose. **wie die ⁓e schnattern** to cackle away, to cackle like a bunch of old hens (inf).

Gans- in cpds (Aus) siehe **Gänse-**.

Gänschen ['gɛnsçən] nt gosling; (fig inf) little goose (inf).

Gänse- in cpds goose; **Gänseblümchen** nt daisy; **Gänsebraten** m roast goose; **Gänsebrust** f (Cook) breast of goose; **Gänsefeder** f (goose-)quill; **Gänsefüßchen** pl (inf) inverted commas pl, quotation marks pl, sixty-sixes and ninety-nines pl (inf); **Gänsehaut** f (fig) goose-pimples pl, goose-flesh; **eine ~ bekommen** or **kriegen** (inf) to get goose-pimples or goose-flesh, to go all goose-pimply (inf); **Gänsekiel** m (goose-)quill; **Gänseklein** nt -s, no pl goose pieces pl; (Innereien) goose giblets pl; **Gänseleberpastete** f pâté de foie gras; **Gänsemarsch** m: **im ~ in** single or Indian file.

Gänserich m -s, -e, **Ganser** m -s, - (Aus) gander.

Gänseschmalz nt goose-dripping; **Gänsewein** m (hum) Adam's ale (hum), water.

Ganter m -s, - (N Ger) siehe **Gänserich**.

ganz I adj **1.** whole, entire; (*vollständig*) complete; *Wahrheit* whole. **eine ~e Zahl** a whole number, an integer; **eine ~e Note/Pause** (Mus) a semi-breve (Brit), a whole note (US)/a semi-breve or whole note rest; **die ~e Mannschaft war ...** the whole or entire team was ..., all the team were ...; **die ~en Tassen/Kinder** (inf) all the cups/children; **der ~e Vordergrund** the whole or entire fore-

ground, the whole of the foreground, all the foreground; **~ England/London** the whole of England/London, all England/London; **wir fuhren durch ~ England** we travelled all over England; **in ~ England/London** in the whole of or in all England/London; **die ~e Zeit** all the time, the whole time; **der ~e Kram** the whole lot; **eine ~e Menge** quite a lot; **sein ~es Geld/Vermögen** all his money/fortune, his entire or whole fortune; **seine ~en Sachen** all his things; **sie ist seine ~e Freude** (inf) she's the apple of his eye (inf); **du hast mir den ~en Spaß verdorben** you've spoilt all my fun; **ein ~er Mann** a real or proper man.
2. **eine Sammlung ~** or **im ~en kaufen** to buy a collection as a whole; **im (großen und) ~en (genommen)** on the whole, by and large, (taken) all in all.
3. (inf: unbeschädigt) intact. **etw wieder ~ machen** to mend sth; **wieder ~ sein** to be mended.
4. (inf: nicht mehr als) all of. **ich verdiene im Monat ~ 200 DM** I earn all of 200 marks a month; **noch ~ zehn Minuten** all of ten minutes.

II adv (völlig) quite; (vollständig, ausnahmslos) completely; (ziemlich, leidlich) quite; (sehr) really; (genau) exactly, just. **~ hinten/vorn** right at the back/front; **nicht ~** not quite; **~ gewiß!** most certainly, absolutely; **ein ~ gutes Buch** (ziemlich) a quite good book; (sehr gut) a very or really good book; **du hast ihn ~ fürchterlich beleidigt** you've really insulted him very badly; **ein ~ billiger Trick/böser Kerl** a really cheap trick/evil character; **das war ~ lieb von dir** that was really nice of you; **das ist mir ~ gleich** it's all the same or all one to me; **er hat ~ recht** he's quite or absolutely right; **~ mit Ruß bedeckt** all or completely covered with soot; **~ allein** all alone; **du bist ja ~ naß** you're all wet; **so ~ vergnügt/traurig** so very happy/sad; **~ Aufmerksamkeit sein** to be all attention; **etwas ~ Intelligentes/Verrücktes** something really clever/mad; **es ist ~ aus** it's all over; **~ wie Sie meinen** just as you think (best); **~ gleich wer** it doesn't matter who, no matter who; **eine Zeitschrift ~ lesen** to read a magazine right through or from cover to cover; **das habe ich nicht ~ gelesen** I haven't read it all yet, I haven't finished reading it yet; **ein ~ ~ hoher Berg** a very very or really really high mountain; **~ und gar** completely, utterly; **~ und gar nicht** not at all, not in the least; **noch nicht ~ zwei Uhr** not quite two o'clock yet; **ich habe ~ den Eindruck, daß ...** I've rather got the impression that ...; **ein ~ klein wenig** just a little or tiny bit; **das mag ich ~ besonders gerne** I'm particularly or especially fond of that; **sie ist ~ die Mutter** she's just or exactly like her mother; **etw ~ oder gar nicht machen** to do sth properly or not at all.

Ganzaufnahme f (Phot) full-length photo(graph).

Gänze f -, no pl (form, Aus) entirety. **zur**

~ completely, fully, in its entirety.
Ganze(s) nt decl as adj whole; (alle Sachen zusammen) lot; (ganzer Satz, ganze Ausrüstung) complete set. **etw als ~s sehen** to see sth as a whole; **das ~ kostet ...** altogether it costs ...; **das ~ halt!** (Mil) parade, halt!; **das ist nichts ~s und nichts Halbes** that's neither one thing nor the other; **das ~ gefällt mir gar nicht** I don't like it at all, I don't like anything about it; **aufs ~ gehen** (inf) to go all out; **es geht ums ~** everything's at stake.

Ganzheit f (Einheit) unity; (Vollständigkeit) entirety. **in seiner ~** in its entirety.

ganzheitlich adj (umfassend einheitlich) integral. **ein Problem ~ betrachten/ darstellen** to view/present a problem in its entirety.

Ganzheitsmedizin f holistic medicine; **Ganzheitsmethode** f look-and-say method.

ganzjährig adj non-seasonal, all the year round; **Ganzlederband** m leather-bound volume; **ganzledern** adj leather-bound, bound in leather; **Ganzleinen** nt (Stoff) pure linen; **Ganzleinenband** m cloth-bound volume.

gänzlich I adv completely, totally. II adj (rare) complete, total.

ganzseiden adj pure silk; **ganzseitig** adj Anzeige etc full-page; **ganztägig** adj Arbeit, Stelle full-time; **ein ~er Ausflug** a day-trip; **~ arbeiten** to work full-time; **das Schwimmbad ist ~ geöffnet** the swimming baths are open all day.

ganztags adv arbeiten full-time.

Ganztagsschule f all-day schooling no pl or schools pl; **Ganztagsstelle** f full-time job.

Ganzton m (Mus) (whole) tone.

gar I adv 1. (überhaupt) at all; (ganz) quite. **~ keines** not a single one, none whatsoever or at all; **~ kein Grund** no reason whatsoever or at all, not the slightest reason; **~ niemand** not a soul, nobody at all or whatsoever; **~ nichts** nothing at all or whatsoever; **~ nicht schlecht** or **übel** not bad at all, not at all bad.

2. (old, S Ger, Aus: zur Verstärkung) **es war ~ so kalt/warm** it was really or so cold/warm; **er wäre ~ zu gern noch länger geblieben** he would really or so have liked to stay longer; **es ist ~ zu dumm, daß er nicht gekommen ist** (S Ger, Aus) it's really or so or too stupid that he didn't come.

3. (geh, S Ger, Aus: sogar) even. **er wird doch nicht ~ verunglückt sein?** he hasn't had an accident, has he?; **warum nicht ~!** (and) why not?, why not indeed?; **und nun will sie ~ ...** and now she even wants ...; **hast du eine Wohnung, oder ~ ein eigenes Haus?** do you have a flat, or perhaps even a house of your own?

4. (obs: sehr) really, indeed.

II adj 1. Speise done pred, cooked. **das Steak ist ja nur halb ~** this steak is only half-cooked.

2. (form) Leder tanned, dressed; (Agr) Boden well-prepared.

Garage f [ga'ra:ʒə] f -, -n garage; (Hoch~, Tief~) car-park. **das Auto in einer ~ unterstellen** to garage one's car.

garagieren* [gara'ʒi:rən] vt (Aus, Sw) to park.

Garant m guarantor.

Garantie f (lit, fig) guarantee. **die Uhr hat ein Jahr ~** the watch is guaranteed for a year or has a year's guarantee; **das fällt noch unter die ~** or **geht noch auf ~** that comes under or is covered by the guarantee; **ich gebe dir meine ~ darauf** (fig inf) I guarantee (you) that.

Garantieanspruch m right to claim under guarantee; **Garantielohn** m guaranteed minimum wage.

garantieren* I vt to guarantee (jdm etw sb sth). **der Name dieser Firma garantiert Qualität** the name of this firm is a guarantee of good quality or guarantees good quality; **er konnte mir nicht ~, daß ...** he couldn't give me any guarantee that ...

II vi to give a guarantee. **für etw ~** to guarantee sth; **diese Marke garantiert für Qualität** this brand is a guarantee of quality; **er konnte für nichts ~** he couldn't guarantee anything.

garantiert adv guaranteed; (inf) I bet (inf). **er kommt garantiert nicht** I bet he won't come (inf), he's bound not to come.

Garantieschein m guarantee, certificate of guarantee (form).

Garaus m: (inf) **jdm den ~ machen** to do sb in (inf), to bump sb off (inf); **einer Sache den ~ machen** to put an end or a stop to a matter.

Garbe f -, -n (Korn~) sheaf; (Licht~) beam; (Mil: Schuß~) burst of fire. **das Getreide wurde in** or **zu ~n gebunden** the corn was bound into sheaves.

Gärbottich m fermenting vat.

Garçonnière f [garsɔ'nɪɛ:rə] f -, -n (Aus) one-room flat (Brit) or apartment.

Garde f -, -n guard. **bei der ~** in the Guards; **die alte ~** (fig) the old guard.

Gardemaß nt height required for eligibility for the Guards; **~ haben** (inf) to be as tall as a tree; **Gardeoffizier** m Guards officer; **Garderegiment** nt Guards regiment.

Garderobe f -, -n 1. (Kleiderbestand) wardrobe. **eine reiche ~ haben** to have a large wardrobe, to have a great many clothes.

2. (Kleiderablage) hall-stand; (im Theater, Kino etc) cloakroom, checkroom (US). **seinen Mantel an der ~ abgeben** to leave one's coat in the cloakroom. **„für ~ wird nicht gehaftet"** "Articles deposited at owner's risk".

3. (Theat: Umkleideraum) dressing-room.

Garderobenfrau f cloakroom or checkroom (US) attendant; **Garderobenhaken** m coat hook; **Garderobenmarke** f cloakroom or checkroom (US) number; **Garderobenschrank** m hall cupboard; **Garderobenständer** m hat stand, hat tree (US).

;arderobier [gardəro'bie:] *m* -s, -s 1. (*Theat: für Kostüme*) wardrobe master; (*im Umkleideraum*) dresser. 2. (*an der Abgabe*) cloakroom *or* checkroom (US) attendant.

;arderobiere [-'bie:rə] *f* -, -n 1. wardrobe mistress, dresser. 2. cloakroom *or* checkroom (US) attendant.

;ardine *f* curtain, drape (US); (*Scheiben~*) net curtain; *siehe* **schwedisch**.

Gardinenband *nt* curtain tape; **Gardinenpredigt** *f* (*inf*) dressing-down, talking-to; **jdm eine ~ halten** to give sb a dressing-down *or* a talking-to; **Gardinenröllchen** *nt* curtain runner; **Gardinenstange** *f* curtain rail; (*zum Ziehen*) curtain rod.

Gardist *m* (*Mil*) guardsman.

garen (*Cook*) *vti* to cook; (*auf kleiner Flamme*) to simmer.

gären I *vi aux haben or sein* to ferment; (*Hefe*) to work; (*fig: Gefühle etc*) to seethe. **die Wut gärte in ihm** he was seething with anger; **in ihm gärt es** he is in a state of inner turmoil. **II** *vt* to ferment.

Gärfutter *nt* (*Agr*) silage *no pl*.

garkochen *vt sep* to cook/boil *etc* sth (until done); *siehe* **kochen**.

Garn *nt* -(e)s, -e 1. thread; (*Baumwoll~ auch*) cotton; (*Häkel~, fig: Seemanns~*) yarn. **ein ~ spinnen** (*fig*) to spin a yarn. 2. (*Netz*) net. **jdm ins ~ gehen** (*fig*) to fall into sb's snare, to fall *or* walk into sb's trap.

Garnele *f* -, -n (*Zool*) prawn; (*Granat*) shrimp.

garni *adj siehe* **Hotel ~**.

garnieren* *vt Kuchen, Kleid* to decorate; *Gericht,* (*fig*) *Reden etc* to garnish.

Garnierung *f siehe vt* 1. (*das Garnieren*) decoration; garnishing. 2. (*Material zur ~*) decoration; garnish.

Garnison *f* (*Mil*) garrison. **mit ~ belegen** to garrison; **in ~ liegen** to be garrisoned *or* in garrison.

Garnison(s) *in cpds* garrison; **Garnison(s)kirche** *f* garrison church; **Garnison(s)stadt** *f* garrison town.

Garnitur *f* 1. (*Satz*) set; (*Unterwäsche*) set of (matching) underwear. **die erste ~** (*fig*) the pick of the bunch, the top-notches *pl* (*inf*); **erste/zweite ~ sein, zur ersten/zweiten ~ gehören** to be first-rate *or* first-class/second-rate. 2. (*Besatz*) trimming. 3. (*Mil: Uniform*) uniform.

Garnknäuel *m or nt* ball of thread *or* yarn; **Garnrolle** *f* spool; (*von Baumwolle, Nähgarn*) cotton reel.

Garotte *f* -, -n garrotte.

garstig *adj* (*dated*) nasty, horrible.

Gärstoff *m* ferment.

Garten *m* -s, ÷ garden; (*Obst~*) orchard. **öffentlicher/botanischer/zoologischer ~** public/botanic(al)/zoological gardens *pl*; **im ~ arbeiten** to work in the garden, to do some gardening; **das ist nicht in seinem ~ gewachsen** (*fig inf*) (*Ideen*) he didn't think of that himself, that's not his own idea; (*Leistungen*) he didn't do that by himself.

Garten *in cpds* garden; **Gartenarbeit** *f* gardening *no pl*; **Gartenarchitekt(in** *f*) *m* landscape gardener; **Gartenbau** *m* horticulture; **Gartenblume** *f* garden *or* cultivated flower; **Gartengerät** *nt* gardening tool *or* implement; **Gartenhaus** *nt* summer house; (*für Geräte*) garden shed; (*Hinterhaus*) back *or* rear building; **Gartenlaube** *f* (*Gartenhäuschen*) summer house; (*aus Blattwerk*) arbour, bower; (*für Geräte*) garden shed; **Gartenlokal** *nt* beer garden; (*Restaurant*) garden café; **Gartenmöbel** *pl* garden furniture; **Gartenschere** *f* secateurs *pl* (*Brit*), pruning-shears *pl*; (*Heckenschere*) shears *pl*; **Gartenschlauch** *m* garden hose; **Gartentür** *f* garden gate; **Gartenzwerg** *m* garden gnome; (*pej inf*) squirt (*inf*).

Gärtner *m* -s, - gardener; *siehe* **Bock¹**.

Gärtnerei *f* 1. (*Baumschule, für Setzlinge*) nursery; (*für Obst, Gemüse, Schnittblumen*) market-garden (*Brit*), truck farm (US). 2. *no pl* (*Gartenarbeit*) gardening; (*Gartenbau*) horticulture.

Gärtnerin *f* gardener.

gärtnerisch I *adj attr* gardening; *Ausbildung* horticultural. **~e Gestaltung** landscaping. **II** *adv* **einen Park ~ gestalten** to landscape a park.

gärtnern *vi* to garden.

Gärung *f* fermentation; (*fig*) ferment, turmoil. **in ~ sein** (*fig*) to be in ferment *or* in a turmoil.

Gärungsprozeß *m* process of fermentation.

Gas *nt* -es, -e gas; (*Aut: ~pedal*) accelerator, gas pedal (*esp US*). **~ geben** (*Aut*) to accelerate, to put one's foot down (*inf*), to step on the gas (*inf*); (*auf höhere Touren bringen*) to rev up; **~ wegnehmen** (*Aut*) to decelerate, to ease one's foot off the accelerator, to throttle back (US); **mit ~ vergiften** to gas.

Gas- *in cpds* gas; **Gasbadeofen** *m* gas (-fired) water heater; **Gasbehälter** *m* gas-holder, gasometer; **gasbeheizt** *adj* gas-heated; **Gasdichte** *f* (*Phys*) density of a/the gas; **Gaserzeugung** *f* generation of gas; (*Ind*) gas-production; **Gasfernversorgung** *f* (*System*) long-distance gas supply; **Gasfeuerzeug** *nt* gas lighter; **Gasflasche** *f* bottle of gas, gas canister; **gasförmig** *adj* gaseous, gasiform; **Gasgeruch** *m* smell of gas; **Gashahn** *m* gas-tap; **den ~ aufdrehen** (*fig*) to put one's head in the gas oven; **Gashebel** *m* (*Aut*) accelerator (pedal), gas pedal (*esp US*); (*Hand~*) (hand) throttle; **Gasheizung** *f* gas (central) heating; **Gasherd** *m* gas cooker; **Gashülle** *f* atmosphere; **Gaskammer** *f* gas chamber; **Gaskocher** *m* camping stove; **Gaskraftwerk** *nt* gas-fired power station; **Gaskrieg** *m* chemical *or* gas war/warfare; **Gaslaterne** *f* gas (street) lamp; **Gasleitung** *f* (*Rohr*) gas pipe; (*Hauptrohr*) gas main; **Gaslicht** *nt* gas-light; (*Beleuchtung*) gaslighting; **Gasmann** *m* gasman; **Gasmaske** *f* gasmask; **Gasofen** *m* (*Heizofen*) gas fire *or* heater; (*Heizungsofen*) gas(-fired) boiler; (*Backofen*) gas oven; (*Herd*) gas cooker *or* stove.

Gasolin *nt* -s, *no pl* petroleum ether.

Gasometer *m* gasometer.

Gaspedal *nt* (*Aut*) accelerator (pedal), gas pedal (*esp US*); **Gaspistole** *f* tear-gas gun; **Gasplasma** *nt* gas plasma; **Gasrohr** *nt siehe* **Gasleitung**.

Gäßchen *nt* alley(way).

Gasse *f* -, **-n** lane; (*Durchgang*) alley(way); (*S Ger, Aus: Stadtstraße*) street; (*Rugby*) line-out. **die schmalen ~n der Altstadt** the narrow streets and alleys of the old town; **auf der ~** (*S Ger, Aus*) on the street; **etw über die ~ verkaufen** (*Aus*) to sell sth to take away.

Gassenhauer *m* (*old, inf*) popular melody; **Gassenjargon** *m* gutter language; **Gassenjunge** *m* (*pej*) street urchin *or* arab.

Gassi *adv* (*inf*) **~ gehen** to go walkies (*inf*); **mit einem Hund ~ gehen** to take a dog (for) walkies (*inf*).

Gast[1] *m* -es, ¨e guest; (*Besucher auch, Tourist*) visitor; (*in einer ~stätte*) customer; (*Theat*) guest (star). **Vorstellung vor geladenen ~en** performance before an uninvited audience; **ungeladener ~** uninvited guest; (*bei einer Party auch*) gatecrasher; **jdn zu ~ bitten** (*form*) to request the pleasure of sb's company (*form*); **wir haben heute abend ~e** we're having people round *or* company this evening; **bei jdm zu ~ sein** to be sb's guest(s).

Gast[2] *m* -(e)s, **-en** (*Naut*) (*Signal~*) signalman; (*Radio~*) operator.

Gastarbeiter(in *f*) *m* immigrant *or* foreign worker.

Gästebett *nt* spare *or* guest bed; **Gästebuch** *nt* visitors' book.

Gastechnik *f* gas-engineering.

Gästehandtuch *nt* guest towel; **Gästehaus** *nt* guest house; **Gästezimmer** *nt* guest *or* spare room.

gastfrei, gastfreundlich *adj* hospitable; **Gastfreundschaft** *f* hospitality; **Gastgeber** *m* host; **Gastgeberin** *f* hostess; **Gastgeschenk** *nt* present *brought by a guest*; **Gasthaus** *nt*, **Gasthof** *m* inn; **Gasthörer(in** *f*) *m* (*Univ*) observer, auditor (*US*).

gastieren* *vi* to guest, to make a guest appearance.

Gastland *nt* host country; **gastlich** *adj siehe* **gastfreundlich**; **Gastlichkeit** *f siehe* **Gastfreundschaft**; **Gastmahl** *nt* (*old*) banquet; **Platos** „**~**" Plato's "Symposium".

Gastod *m* death by gassing. **den ~ sterben** to be gassed.

Gastprofessor(in *f*) *m* visiting professor; **Gastrecht** *nt* right to hospitality.

Gastritis *f* -, **Gastritiden** gastritis.

Gastrolle *f* (*Theat*) guest role. **eine ~ geben** *or* **spielen** (*lit*) to make a guest appearance; (*fig*) to put in *or* make a fleeting appearance.

Gastronom(in *f*) *m* (*Gastwirt*) restaurateur; (*Koch*) cuisinier, cordon-bleu cook.

Gastronomie *f* (*form: Gaststättengewerbe*) catering trade; (*geh: Kochkunst*) gastronomy.

gastronomisch *adj* gastronomic.

Gastroskopie *f* (*Med*) gastroscopy.

Gastspiel *nt* (*Theat*) guest performance; (*Sport*) away match; **ein ~ geben** (*lit*) to give a guest performance; (*fig inf*) to make *or* put in a fleeting *or* brief appearance; **Gastspielreise** *f* (*Theat*) tour; **Gaststätte** *f* (*Speise~*) restaurant; (*Trinklokal*) pub (*Brit*), bar; **Gaststättengewerbe** *nt* catering trade; **Gaststube** *f* lounge.

Gasturbine *f* gas turbine.

Gastvorlesung *f* (*Univ*) guest lecture; **Gastvortrag** *m* guest lecture; **Gastwirt(in** *f*) *m* (*Besitzer*) restaurant owner *or* proprietor/proprietress; (*Pächter*) restaurant manager/manageress; (*von Trinklokal*) landlord/landlady; **Gastwirtschaft** *f siehe* **Gaststätte**; **Gastzimmer** *nt* guest room.

Gasuhr *f siehe* **Gaszähler**; **Gasverbrauch** *m* gas consumption; **Gasvergiftung** *f* gas poisoning; **Gasversorgung** *f* (*System*) gas supply (*gen* to); **Gaswerk** *nt* gasworks *sing or pl*; (*Verwaltung*) gas board; **Gaswolke** *f* gas cloud; **Gaszähler** *m* gas meter.

Gatt *nt* -(e)s, **-en** *or* **-s** (*Naut*) (*Spei~*) scupper; (*Heckform*) stern; (*kleiner Raum*) locker; (*Loch*) clew.

GATT [gat] *nt* -s GATT.

Gatte *m* -n, -n (*form*) husband, spouse (*form*). **die (beiden) ~n** both partners, husband and wife.

Gattenwahl *f* (*Biol*) choice of mate.

Gatter *nt* -s, - **1.** (*Tür*) gate; (*Zaun*) fence; (*Rost*) grating, grid. **2.** (*Tech: auch ~säge*) gangsaw, framesaw.

Gattin *f* (*form*) wife, spouse (*form*).

Gattung *f* (*Biol*) genus; (*Liter, Mus, Art*) genre, form; (*fig: Sorte*) type, kind.

Gattungsbegriff *m* generic concept; **Gattungsname** *m* generic term.

GAU [gau] *m* -(s) (*Kernkraft*) *abbr of* **größter anzunehmender Unfall** MCA, maximum credible accident.

Gau *m or nt* -(e)s, -e **1.** (*Hist*) gau, *a tribal district, later an administrative district under the Nazis.* **2.** (*Bezirk*) district, region, area.

Gaube *f* -, -n dormer window.

Gaudi *nt* -s *or* (*S Ger, Aus*) *f* -, *no pl* (*inf*) fun. **das war eine ~** that was great fun; **das war eine ~ auf der Party** the party was great fun.

Gaukelei *f* trickery *no pl*. **~en** tricks *pl*, trickery.

gaukeln I *vi* (*liter: Schmetterling*) to flutter; (*fig liter*) to flit. **II** *vt siehe* **vor~**.

Gaukelspiel *nt* (*liter*) illusion. **ein ~ mit jdm treiben** to deceive sb.

Gaukler *m* -s, - **1.** (*liter*) travelling entertainer; (*fig*) story-teller. **2.** (*Orn*) bateleur eagle.

Gaul *m* -(e)s, **Gäule** (*pej*) nag, hack; (*rare: Arbeitspferd*) work-horse.

Gauleiter *m* (*NS*) Gauleiter, *head of a Nazi administrative district.*

Gaullist(in *f*) [go'lɪst] *m* Gaullist.

Gaumen *m* -s, - palate (*auch fig*), roof of the/one's mouth. **die Zunge klebte ihm vor Durst am ~** his tongue was hanging out (with thirst); **einen feinen ~ haben** (*fig*) to be (something of) a gourmet, to enjoy good food; **das kitzelt mir den ~** (*fig*) that tickles my taste-buds *or* my palate.

Gaumenkitzel *m* (*inf*) delight for the taste-buds; **Gaumenlaut** *m* palatal (sound); **Gaumensegel** *nt* soft palate, velum (*spec*); **Gaumenzäpfchen** *nt* uvula.

Gauner(in *f*) *m* -s, - rogue, rascal, scoundrel; (*Betrüger*) crook; (*hum inf: Schelm auch*) scamp, scallywag (*inf*); (*inf: gerissener Kerl*) sly customer (*inf*). **kleine ~** (*Kriminelle*) small-time crooks.

Gaunerbande *f* bunch of rogues *or* rascals *or* scoundrels/crooks; (*hum: Kinder auch*) bunch of scamps *or* scallywags (*inf*).

Gaunerei *f* swindling *no pl*, cheating *no pl*.

gaunern (*inf*) *vi* (*betrügen*) to swindle, to cheat; (*stehlen*) to thieve. **er hat sich durchs Leben gegaunert** he cheated his way through life.

Gaunersprache *f* thieves' cant; **Gaunerzinken** *m* tramp's *or* gypsy's sign written on wall etc.

Gavotte [ga'vɔt(ə)] *f* -, **-n** (*Mus*) gavotte.

Gaza-Streifen ['gɑ:za:-] *m* Gaza Strip.

Gaze ['gɑ:zə] *f* -, **-n** gauze; (*Draht~ auch*) (wire) mesh.

Gazelle *f* gazelle.

GB *abbr of* Großbritannien *nt*.

g-Druck ['ge:-] *m* (*Aviat*) g-force.

Ge|ächtete(r) *mf decl as adj* outlaw; (*fig*) outcast.

ge|ädert *adj* veined.

ge|artet *adj* **gutmütig/freundlich ~ sein** to be good-natured/have a friendly nature; **sie ist ganz anders ~** she has a completely different nature, she's quite different; **so ~e Probleme** problems of this nature; **das Problem ist so ~, daß ...** the nature of the problem is such that ...

Ge|äst *nt* -(e)s, *no pl* branches *pl*, boughs *pl* (*liter*); (*von Adern etc*) branches *pl*.

geb. *abbr of* geboren.

Gebäck *nt* -(e)s, -e (*Kekse*) biscuits *pl* (*Brit*), cookies *pl* (*US*); (*süße Teilchen*) pastries *pl*; (*rundes Hefe~*) buns *pl*; (*Törtchen*) tarts *pl*, tartlets *pl*. **allerlei (Kuchen und) ~** all kinds of cakes and pastries.

gebacken *ptp of* backen[1].

Gebälk *nt* -(e)s, -e timberwork *no pl*, timbers *pl*; (*Archit: Verbindung zu Säulen*) entablature. **ein Partisan im ~** (*inf*) a nigger in the woodpile (*inf*).

geballt *adj* (*konzentriert*) *Energie, Kraft, Ladung, (fig)* concentrated; *Stil auch* concise; *Beschuß* massed.

gebannt *adj* spellbound. **wie ~** as if spellbound.

gebar *pret of* gebären.

Gebärde *f* -, **-n** gesture; (*lebhafte auch*) gesticulation.

gebärden* *vr* to behave, to conduct oneself (*form*).

Gebärdenspiel *nt, no pl* gestures *pl*, gesticulation(s); **das ~ der Sänger** the singers' use of gesture; **Gebärdensprache** *f* gestures *pl*; (*Zeichensprache*) sign language; (*in Stummfilmen*) gesturing.

Gebaren *nt* -s, *no pl* 1. behaviour. 2. (*Comm: Geschäfts~*) conduct.

gebären *pret* gebar, *ptp* geboren I *vt* to give birth to; *Kind auch* to bear (*old, form*), to be delivered of (*old*); (*fig liter: erzeugen*) to breed. **jdm ein Kind ~** to bear *or* give sb a child; **geboren werden** to be born; **wo sind Sie geboren?** where were you born?; **aus der Not geborene Ideen** ideas springing *or* stemming from necessity; *siehe* geboren.
II *vi* to give birth.

gebärfähig *adj* child-bearing; **gebärfreudig** *adj*: **ein ~es Becken haben** (*hum*) to have child-bearing hips.

Gebärmutter *f* (*Anat*) womb, uterus.

Gebärmutterhals *m* neck of the womb *or* uterus, cervix; **Gebärmutterkrebs** *m* cancer of the uterus; **Gebärmuttermund** *m* mouth of the uterus.

Gebarung *f* (*Aus Comm*) *siehe* Gebaren 2.

gebauchpinselt *adj* (*hum inf*) **sich ~ fühlen** to be tickled pink (*inf*), to feel flattered.

Gebäude *nt* -s, - building; (*Pracht~*) edifice; (*fig: Gefüge*) structure; (*von Ideen*) edifice; construct; (*von Lügen*) web.

Gebäudekomplex *m* building complex; **Gebäudereinigung** *f* (*das Reinigen*) commercial cleaning; (*Firma*) cleaning contractors *pl*; **Gebäudeteil** *m* part of the building.

gebaut *adj* built. **gut/stark ~ sein** to be well-built/to have a broad frame; **... so, wie du ~ bist** (*inf*) ... a big man/woman like you.

gebefreudig *adj* generous, open-handed.

Gebein *nt* -(e)s, -e 1. skeleton. **der Schreck fuhr ihm ins ~** (*old*) his whole body trembled with fear. 2. **~e** *pl* (*geh*) bones *pl*, mortal remains *pl* (*liter*); (*von Heiligen etc auch*) relics *pl*.

Gebell(e) *nt* -s, *no pl* barking; (*von Jagdhunden*) baying.

geben *pret* gab, *ptp* gegeben I *vt* 1. (*auch vi*) to give; (*reichen auch*) to pass, to hand; (*her~*) *Leben* to give up; (*fig*) *Schatten, Kühle* to provide; (*machen, zusprechen*) *Mut, Hoffnung* to give. **wer hat dir das gegeben?** who gave you that?; **gib's mir!** give it to me!, give me it!; **jdm einen Tritt ~** to kick sb, to give sb a kick; (*fig*) to get rid of sb; **gib's ihm (tüchtig)!** (*inf*) let him have it! (*inf*); **sich** (*dat*) (*von jdm*) **etw ~ lassen** to ask sb for sth; **was darf ich Ihnen ~?** can I get you?; **~ Sie mir bitte zwei Flaschen Bier** I'd like two bottles of beer, please; **ich gebe dir das Auto für 100 Mark/zwei Tage** I'll let you have *or* I'll give you the car for 100 marks/two days; **jdm etw zu verstehen ~** to let sb know sth; **ein gutes Beispiel ~** to set a good example; **jdn/etw verloren ~** to give sb/sth up for *or* as lost; ~ **Sie mir bitte Herrn Braun** (*Telec*) can I speak to Mr Braun please?; **ich gäbe viel darum, zu ...** I'd give a lot to ...; **sie gaben ihr Leben fürs Vaterland** they gave *or* laid down their lives for their country; ~ *or* **G~ ist seliger denn nehmen** *or* **Nehmen** (*Bibl*) it is more blessed to give than to receive.

2. (*stellen*) to give; *Thema, Aufgabe, Problem auch* to set; (*gewähren*) *Interview, Audienz auch* to grant; *Rabatt auch* to allow; (*vergönnen*) to grant; (*verleihen*) *Titel, Namen* to give; *Preis auch* to award; (*zusprechen*) *Verwarnung auch* to give; *Freistoß auch* to award. **Gott gebe, daß ...** God grant that ...; **es war ihm nicht gegeben, seine Eltern lebend wiederzusehen** he was not to see his parents alive again.

3. (*schicken*) to send; (*dial: tun*) to put. **ein Auto in Reparatur/ein Manuskript in Druck** ~ to have a car repaired/ to send a manuscript to be printed; **ein Kind in Pflege** ~ to put *or* place a child in care; **Milch in den Teig** ~ (*dial*) to add milk to the dough.

4. (*ergeben, erzeugen*) to produce. **2 + 2 gibt 4** 2 + 2 makes 4; **die Kuh gibt Milch** the cow produces *or* yields milk; **ein Pfund gibt fünf Klöße** you can get five dumplings from one pound; **ein Wort gab das andere** one word led to another; **das gibt keinen Sinn** that doesn't make sense; **Rotwein gibt Flecken** red wine leaves stains.

5. (*veranstalten*) *Konzert, Fest* to give; *Theaterstück etc* to put on; (*erteilen*) *Schulfach etc* to teach. **was wird heute im Theater gegeben?** what's on at the theatre today?; **Unterricht** ~ to teach; **er gibt Nachhilfeunterricht/Tanzstunden** he gives private coaching/dancing lessons.

6. **viel/nicht viel auf etw** (*acc*) ~ to set great/not much store by sth; **auf die Meinung der Nachbarn brauchst du nichts zu** ~ you shouldn't pay any attention to what the neighbours say; **ich gebe nicht viel auf seinen Rat** I don't think much of his advice; **das Buch hat mir viel gegeben** I got a lot out of the book.

7. **etw von sich** ~ *Laut, Worte, Flüche* to utter; *Rede* to deliver; *Meinung* to express; *Lebenszeichen* to show, to give; *Essen* to bring up.

II *vi* (*rare vt*) (*Cards*) to deal; (*Sport: Aufschlag haben*) to serve. **wer gibt?** whose deal/serve is it?

III *vt impers* **es gibt** (+*acc*) there is/ are; **was gibt's?** what's the matter?, what's up?, what is it?; **gibt es einen Gott?** is there a God?, does God exist?; **was gibt's zum Mittagessen?** what's (there) for lunch?; **wann gibt's was zu essen?** — **es gibt gleich was** when are we going to get something to eat? — in a minute; **freitags gibt es bei uns immer Fisch** we always have fish on Fridays; **heute gibt's noch Regen** it's going to rain today; **es wird noch Ärger** ~ there'll be trouble (yet); **was wird das noch ~?** what will it come to?; **ein Mensch mit**

zwei Köpfen? das gibt's nicht! a two-headed person? there's no such thing!; **das gibt's doch nicht!** that can't be true!; **das hat es ja noch nie gegeben/so was gibt's bei uns nicht!** that's just not on! (*inf*); **da gibt's nichts** (*inf*) there's no two ways about it (*inf*); **gleich gibt's was!** (*inf*) there'll be trouble in a minute!; **hat es sonst noch etwas gegeben?** was there anything else?; **was es nicht alles gibt!** it's a strange *or* funny world.

IV *vr* **1.** (*nachlassen*) to ease off, to let up; (*Schmerz auch*) to get less.

2. (*sich erledigen*) to sort itself out; (*aufhören*) to stop. **er gab sich in sein Schicksal** he gave himself up to his fate; **sich gefangen/verloren** ~ to give oneself up/to give oneself up for lost; **das wird sich schon** ~ it'll all work out; **gibt sich das bald!** (*inf*) cut it out! (*inf*).

3. (*sich benehmen, aufführen*) to behave. **sich als etw** ~ to play sth; **nach außen gab er sich heiter** outwardly he seemed quite cheerful; **sie gibt sich, wie sie ist** she doesn't try to be anything she's not.

Gebenedeite *f* **-n**, *no pl* (*Eccl*) **die** ~ the Blessed Virgin.

Geber *m* **-s**, **-** giver; (*Cards*) dealer; (*Rad: Sender*) transmitter.

Geberlaune *f* generous mood. **in** ~ **sein** to be feeling generous, to be in a generous mood.

Gebet *nt* **-(e)s**, **-e** prayer. **ein** ~ **sprechen** to say a prayer; **sein** ~ **sprechen** *or* **verrichten** to say one's prayers; **das** ~ **des Herrn** the Lord's Prayer; **die Hände zum** ~ **falten** to join one's hands in prayer; **jdn ins** ~ **nehmen** (*fig*) to take sb to task.

Gebetbuch *nt* prayer-book, missal (*US*).

gebeten *ptp of* **bitten**.

Gebetsmühle *f* prayer wheel; **Gebetsteppich** *m* prayer mat *or* rug.

gebeugt *adj* **1.** *Haltung* stooped; *Kopf* bowed; *Schultern* sloping. ~ **sitzen/ stehen** to sit/stand hunched up. **2.** (*Gram*) *Verb, Substantiv* inflected.

Gebiet *nt* **-(e)s**, **-e 1.** area, region; (*Fläche, Stadt~*) area; (*Staats~*) territory. **2.** (*fig: Fach*) field; (*Teil~*) branch. **auf diesem** ~ in this field.

gebieten *pret* **gebot**, *ptp* **geboten** (*geh*) **I** *vti* (*verlangen*) to demand; (*befehlen*) to command. **jdm etw** ~ to command sb to do sth; **der Ernst der Lage gebietet sofortiges Handeln** the seriousness of the situation demands immediate action.

II *vi* **1.** (*liter: herrschen*) to have command (*über* +*acc* over). **über ein Land/Volk** ~ to have dominion over a country/nation.

2. (*geh: verfügen*) **über etw** (*acc*) ~ *Geld etc* to have sth at one's disposal; *Wissen etc* to have sth at one's command.

gebieterisch I *adj* (*geh*) imperious; (*herrisch*) domineering; *Ton* peremptory. **II** *adv* (*unbedingt*) absolutely.

Gebietsabtretung *f* (*form*) cession of territory; **Gebietsanspruch** *m* territorial claim; **Gebietshoheit** *f* territorial sovereignty; **Gebietskörperschaft** *f* regional administrative body; **Gebiets-leiter(in** f) m area manager/manageress; **Gebietsreform** f local government reform; **Gebietsteil** m area (of territory); **gebietsweise** adv locally.

Gebilde nt -s, - (Ding) thing; (Gegenstand) object; (Bauwerk) construction; (Schöpfung) creation; (Muster) pattern; (Form) shape; (Einrichtung) organization; (der Phantasie) figment.

gebildet adj educated; (gelehrt) learned, erudite; (wohlerzogen) well-bred; (kultiviert) cultured, cultivated; (belesen) well-read; Manieren refined.

Gebildete(r) mf decl as adj educated person. die ~n the intellectuals.

Gebimmel nt -s, no pl (inf pej) ting-a-ling (inf).

Gebinde nt -s, - 1. (Blumen~) arrangement; (Sträußchen) posy; (Blumenkranz) wreath. 2. (von Garn) skein.

Gebirge nt -s, - 1. mountains pl, mountain range. im/ins ~ in/into the mountains. 2. (Min) rock.

gebirgig adj mountainous.

Gebirgler(in f) m -s, - mountain-dweller, highlander.

Gebirgs in cpds mountain; **Gebirgsbach** m mountain stream; **Gebirgsbahn** f mountain railway crossing a mountain range; (in Alpen) transalpine railway; **Gebirgsblume** f mountain flower, flower growing in the mountains; **Gebirgsjäger** m (Mil) mountain soldier; pl auch mountain troops; **Gebirgslandschaft** f (Gegend) mountainous region; (Gemälde) mountainscape; (Ausblick) mountain scenery; **Gebirgsmassiv** nt massif; **Gebirgsrücken** m mountain ridge; **Gebirgsstock** m massif; **Gebirgsstraße** f mountain road; **Gebirgstruppen** pl mountain troops pl; **Gebirgswand** f mountain face; **Gebirgszug** m mountain range.

Gebiß nt -sses, -sse 1. (die Zähne) (set of) teeth; (künstliches ~) dentures pl. ich habe noch mein ganzes ~ I still have all my teeth. 2. (am Pferdezaum) bit.

Gebißabdruck m impression; **Gebißanomalie** f deformity of the teeth.

gebissen ptp of beißen.

Gebläse nt -s, no pl (inf) - fan, blower; (Motor~) supercharger; (Verdichter) compressor.

Gebläsemotor m supercharger (engine).

geblasen ptp of blasen.

geblichen ptp of bleichen.

geblieben ptp of bleiben.

Geblödel nt -s, no pl (inf) nonsense; (blödes Gerede auch) twaddle (inf), baloney (inf); (von Komiker) patter.

Geblök(e) nt -(e)s, no pl (von Schaf, Kalb) bleating; (von Kuh) lowing; (inf: von Mensch) bawling (inf).

geblümt, geblümt (Aus) adj flowered, floral; (Liter, fig) Stil flowery.

Geblüt nt -(e)s, no pl (geh) (Abstammung) descent, lineage; (fig: Blut) blood; (liter: Geschlecht) family. von edlem ~ of noble blood.

gebogen I ptp of biegen. II adj Nase Roman.

geboren I ptp of gebären. II adj born. blind ~ sein to have been born blind; ~er Engländer/Londoner sein to be English/a Londoner by birth; er ist der ~e Erfinder he's a born inventor; Hanna Schmidt ~e or geb. Müller Hanna Schmidt, née Müller; sie ist eine ~e Müller she was born Müller, her maiden name was Müller.

Geborenzeichen nt asterisk used to denote "date of birth".

geborgen I ptp of bergen. II adj sich ~ fühlen/ ~ sein to feel/be secure or safe.

Geborgenheit f security.

geborsten ptp of bersten.

Gebot nt -(e)s, -e 1. (Gesetz) law; (Regel, Vorschrift) rule; (Bibl) commandment; (Grundsatz) precept; (old: Verordnung) decree; (old: Befehl) command.
2. (geh: Erfordernis) requirement. **Besonnenheit ist das ~ der Stunde** what is called for now is calm; **das ~ der Vernunft** the dictates of reason.
3. (Verfügung) command. **jdm zu ~e stehen** to be at sb's command or (Geld) disposal.
4. (Comm: bei Auktionen) bid.

geboten I ptp of gebieten and bieten. II adj (geh) (ratsam) advisable; (notwendig) necessary; (dringend ~) imperative. **bei aller ~en Achtung** with all due respect.

Gebotsschild nt sign giving orders.

Gebr. abbr of **Gebrüder** Bros.

Gebrabbel nt -s, no pl (inf) jabbering (inf), prattling (inf).

gebracht ptp of bringen.

gebrannt I ptp of brennen. II adj ~er Kalk quicklime; ~e Mandeln pl burnt almonds pl; ein ~es Kind scheut das Feuer (Prov) once bitten twice shy (Prov).

gebraten ptp of braten.

Gebräu nt -(e)s, -e brew; (pej) strange concoction; (fig) concoction (aus of).

Gebrauch m -(e)s, Gebräuche (Benutzung) use; (eines Wortes) usage; (Anwendung) application; (Brauch, Gepflogenheit) custom. **falscher ~** misuse; abuse; misapplication; **von etw ~ machen** to make use of sth; **in ~ sein** to be used or in use; (Auto) to be in use; **etw in ~ (dat) haben** to use sth; Auto etc to run sth; **allgemein in ~ (dat)** in general use; **etw in ~ nehmen** (form) to put sth into use; **zum äußeren/inneren ~** to be taken externally/internally; **vor ~ (gut) schütteln** shake (well) before use.

gebrauchen* vt (benutzen) to use; (anwenden) to apply. **sich zu etw ~ lassen** to be useful for sth; (mißbrauchen) to be used as sth; **nicht mehr zu ~ sein** to be no longer any use, to be useless; **er/das ist zu nichts zu ~** he's/that's (of) no use to anybody or absolutely useless; **das kann ich gut ~** I can make good use of that, I can really use that; **ich könnte ein neues Kleid/einen Whisky ~** I could use a new dress/a whisky; **Geld kann ich immer ~** money's always useful.

gebräuchlich adj (verbreitet) common; (gewöhnlich) usual, customary; (her-

kömmlich) conventional. **nicht mehr ~** (*Ausdruck*) no longer used.

Gebrauchsanleitung (*form*), **Gebrauchsanweisung** f (*für Arznei*) directions pl; (*für Geräte*) instructions pl; **Gebrauchsartikel** m article for everyday use; **Gebrauchsartikel** pl (*esp Comm*) basic consumer goods pl; **gebrauchsfertig** adj ready for use; *Nahrungsmittel auch* instant; **Gebrauchsgegenstand** m commodity; (*Werkzeug, Küchengerät*) utensil; **Gebrauchsgraphik** f commercial art; **Gebrauchsgraphiker(in** f) m commercial artist; **Gebrauchsgut** nt usu pl consumer item; **Gebrauchsmöbel** pl utility furniture no pl; **Gebrauchsmuster** nt registered pattern or design; **Gebrauchswert** m utility value.

gebraucht adj second-hand, used. **etw ~ kaufen** to buy sth second-hand.

Gebrauchtwagen m used or second-hand car.

Gebrauchtwaren pl second-hand goods pl.

gebräunt adj (*braungebrannt*) (sun-)tanned.

Gebrechen nt -s, - (*geh*) affliction; (*fig*) weakness. **die ~ des Alters** the afflictions or infirmities of old age.

gebrechen* vi irreg (*old geh*) **es gebricht an etw** (*dat*) sth is lacking; **es gebricht ihm an Mut** he lacks courage.

gebrechlich adj frail; (*altersschwach*) infirm; (*fig: unvollkommen*) weak.

Gebrechlichkeit f siehe adj frailty; infirmness; weakness.

gebrochen I ptp of **brechen. II** adj broken; *Mensch auch* crushed. **mit ~em Herzen** broken-hearted; **an ~em Herzen** of a broken heart; **~ Deutsch sprechen** to speak broken German.

Gebrüder pl (*Comm*) Brothers pl. **~ Müller** Müller Brothers.

Gebrüll nt -(e)s, no pl (*von Rind*) bellowing; (*von Esel*) braying; (*von Löwe*) roar; (*von Mensch*) yelling. **auf ihn mit ~!** (*inf*) go for him!, at him!

Gebrumm(e) nt -es, no pl buzzing; (*von Motor, von Baß, Singen*) droning; (*inf: Gebrummel*) grumping (*inf*).

Gebrummel nt -s, no pl grumping.

gebückt adj **eine ~e Haltung** a stoop; **~ gehen** to stoop.

gebügelt adj (*inf: perplex*) knocked flat (*inf*); siehe **geschniegelt**.

Gebühr f -, -en 1. charge; (*Post~*) postage no pl; (*Honorar, Beitrag*) fee; (*Studien~*) fees pl; (*Vermittlungs~*) commission; (*Straßenbenutzungs~*) toll. **~en erheben** to make or levy (*form*) a charge, to charge postage/a fee etc; **zu ermäßigter ~** at a reduced rate; **eine ~ von 50 DM or 50 DM ~en bezahlen** to pay a fee/charge etc of DM 50; **~ (be)zahlt Empfänger** postage to be paid by addressee; **die ~en für Rundfunk/Fernsehen werden erhöht** radio/television licences are going up.

2. (*Angemessenheit*) **nach ~** suitably, properly; **über ~** excessively.

gebühren* (*geh*) **I** vi to be due (*dat* to).

ihm gebührt Anerkennung/Achtung he deserves or is due recognition/respect; **das gebührt ihm** (*steht ihm zu*) it is his (just) due; (*gehört sich für ihn*) it befits him. **II** vr to be proper or seemly or fitting. **wie es sich gebührt** as is proper.

Gebührenanzeiger m call-fee indicator (*Brit*), tollcharge meter (*US*).

gebührend adj (*verdient*) due; (*angemessen*) suitable; (*geziemend*) proper. **das ihm ~e Gehalt** the salary he deserves; **jdm die ~e Achtung erweisen** to pay sb the respect due to him.

Gebühreneinheit f (*Telec*) (tariff) unit; **Gebührenerhöhung** f increase in charges/fees; **Gebührenerlaß** m remission of charges/fees; **Gebührenermäßigung** f reduction of fees; **gebührenfrei** adj free of charge; *Brief, Paket* post-free; **Gebührenfreiheit** f exemption from charges/fees/postage; **Gebührenmarke** f revenue stamp; **Gebührenordnung** f scale of charges, tariff; **gebührenpflichtig** adj subject or liable to a charge, chargeable; *Autobahnbenutzung* subject to a toll; **~e Verwarnung** (*Jur*) fine; **jdn ~ verwarnen** to fine sb; **~e Autobahn** toll road (*Brit*), turnpike (*US*); **Gebührenzähler** m meter.

gebührlich adj (*old*) siehe **gebührend**.

gebündelt adj *Strahlen* bundled; (*fig*) joint.

gebunden I ptp of **binden. II** adj tied (*an +acc* to sth); (*durch Verpflichtungen etc*) tied down; *Kapital* tied up; *Preise* controlled; (*Ling, Phys*) bound; *Buch* cased, hardback; *Wärme* latent; (*Mus*) legato. **in ~er Rede** in verse; **zeitlich/vertraglich ~ sein** to be restricted as regards time/to be bound by contract; **anderweitig ~ sein** to be otherwise engaged.

Geburt f -, -en (*lit, fig*) birth; (*fig: Produkt*) fruit, product. **von ~** by birth; **von ~ an** from birth; **von hoher/adliger ~** of good/noble birth; **das war eine schwere ~!** (*fig inf*) that took some doing (*inf*).

Geburtenbeschränkung f population control; **Geburtenbuch** nt register of births; **Geburtenkontrolle, Geburtenregelung** f birth control; **Geburtenrückgang** m drop in the birthrate; **geburtenschwach** adj *Jahrgang* with a low birthrate; **geburtenstark** adj *Jahrgang* with a high birthrate; **Geburtenstatistik** f birth statistics pl; **Geburtenüberschuß** m excess of births over deaths; **Geburtenziffer** f number of births, birthrate; **Geburtenzuwachs** m increase in the birthrate.

gebürtig adj **~er Londoner** or **aus London ~ sein** to have been born in London, to be a native Londoner.

Geburtsadel m hereditary nobility; **Geburtsanzeige** f birth announcement; **Geburtsdatum** nt date of birth; **Geburtsfehler** m congenital defect; **Geburtshaus** nt **das ~ Kleists** the house where Kleist was born; **Geburtshelfer(in** f) m (*Arzt*) obstetrician; (*Laie*)

assistant at a birth; **Geburtshilfe** f 1.
assistance at a birth; ~ **leisten** to assist at
a birth; (fig) to help sth see the light of
day; 2. (als Fach) obstetrics sing; (von
Hebamme auch) midwifery; **Geburts-
jahr** nt year of birth; **Geburtslage** f presentation; **Geburtsland** nt native country; **Geburtsort** m birthplace; **Geburts-
stadt** f native town.

Geburtstag m birthday; (auf Formularen)
date of birth. **herzlichen Glückwunsch
zum ~!** happy birthday!, many happy
returns (of the day)!; **jdm zum ~ gratulieren** to wish sb (a) happy birthday or
many happy returns (of the day); **heute
habe ich ~** it's my birthday today; ~
feiern to celebrate one's/sb's birthday;
jdm etw zum ~ schenken to give sb sth
for his/her birthday.

Geburtstags- in cpds birthday;
Geburtstagskind nt birthday boy/girl.

Geburtsurkunde f birth certificate;
Geburtswehen pl labour pains pl; (fig
auch) birth pangs pl; **Geburtszange** f
(pair sing of) forceps pl.

Gebüsch nt -(e)s, -e bushes pl; (Unterholz) undergrowth, brush.

Geck m -en, -en (pej) fop, dandy.
geckenhaft adj (pej) foppish.
Gecko m -s, -s (Zool) gecko.
gedacht I ptp of denken and gedenken.
II adj Linie, Größe, Fall imaginary.

Gedächtnis nt memory; (Andenken auch)
remembrance. **etw aus dem ~ hersagen**
to recite sth from memory; **das ist seinem ~ entfallen** it went out of his mind;
sich (dat) etw ins ~ zurückrufen to recall
sth, to call sth to mind; **wenn mich mein
~ nicht trügt** if my memory serves me
right; **noch frisch in jds ~ (dat) sein** to
be still fresh in sb's mind.

Gedächtnisfeier f commemoration;
Gedächtnishilfe f memory aid, mnemonic; **er machte sich ein paar Notizen
als ~** he made a few notes to aid his
memory; **Gedächtnislücke** f gap in
one's memory; (Psych) localized amnesia; **da habe ich eine ~** I just don't remember anything about it;
Gedächtnisprotokoll nt record;
Gedächtnisschulung f memory training; **Gedächtnisschwund** m amnesia,
loss of memory, failing memory;
Gedächtnisstörung f partial or (vorübergehend) temporary amnesia;
Gedächtnisübung f memory training
exercise; **Gedächtnisverlust** m loss of
memory.

gedämpft adj Geräusch muffled; Farben,
Musikinstrument, Stimmung muted; Optimismus cautious; Licht, Freude subdued; Wut suppressed; (Tech) Schwingung damped. **mit ~er Stimme** in a low
voice.

Gedanke m -ns, -n thought (über +acc
on, about); (Idee, Plan, Einfall) idea;
(Konzept) concept; (Betrachtung) reflection (über +acc on). **der bloße ~ an ...**
the mere thought of ...; **da kam mir ein
~ then** I had an idea, then something
occurred to me; **einen ~n fassen** to formulate an idea; **bei diesem Lärm kann
man ja keinen ~n fassen** you can't hear
yourself think in this noise; **seine ~n beisammen haben** to have one's mind or
thoughts concentrated; **in ~n vertieft** or
versunken/verloren sein to be deep or
sunk/lost in thought; **in ~n bin ich bei
dir** in thought I am with you, my
thoughts are with you; **jdn auf andere
~n bringen** to take sb's mind off things;
schwarzen ~n nachhängen to think
gloomy or dismal thoughts; **wo hat er
nur seine ~n?** whatever is he thinking
about?; **sich (dat) über etw (acc) ~n machen** to think about sth; (sich sorgen) to
worry or be worried about sth; **mach dir
keine ~n (darüber)!** don't worry about
it!; **man macht sich (dat) so seine ~n
(inf)** I've got my ideas; **kein ~ (daran)!
(stimmt nicht)** not a bit of it! (inf);
(kommt nicht in Frage) that's out of
the question; **etw ganz in ~n (dat) tun** to
do sth (quite) without thinking; **jds ~n
lesen** to read sb's mind or thoughts; **auf
einen ~n kommen** to have or get an
idea; **wie kommen Sie auf den ~n?** what
gives you that idea?, what makes you
think that?; **auf dumme ~n kommen
(inf)** to get up to mischief; **jdn auf den
~n bringen, etw zu tun** to give sb the
idea of doing sth; **sich mit dem ~n tragen, etw zu tun** (geh) to consider or entertain the idea of doing sth; **der Euro-
pa~** or **europäische/olympische ~** the
European/Olympic Idea.

Gedankenarmut f lack of thought;
(Ideenarmut) lack of originality;
Gedankenaustausch m (Pol) exchange
of ideas; **Gedankenflug** m (geh)
flight(s) of thought; **Gedankenfreiheit** f
freedom of thought; **Gedankengang** m
train of thought; **Gedankengebäude** nt
edifice or construct of ideas;
Gedankengut nt body of thought;
Gedankenlesen nt mind-reading;
gedankenlos adj (unüberlegt) unthink-
ing; (zerstreut) absent-minded; (rücksichtslos) thoughtless; **etw ~ tun** to do
sth without thinking; **Gedankenlosig-
keit** f siehe adj lack of thought;
absent-mindedness; thoughtlessness;
Gedankenlyrik f reflective poetry;
Gedankenreichtum m wealth of ideas;
Gedankensplitter m aphorism;
Gedankensprung m mental leap,
jump from one idea to another;
Gedankenstrich m dash; **Gedanken-
übertragung** f telepathy (auch fig),
thought transference; **Gedankenver-
bindung** f association of ideas; **gedan-
kenverloren** adj lost in thought; **gedan-
kenvoll** adj (nachdenklich) thoughtful,
pensive; **Gedankenwelt** f world of
thought or (Ideenwelt) ideas; **die
römische ~** (the world of) Roman
thought.

gedanklich adj intellectual; (vorgestellt)
imaginary. **in ~er Hinsicht übereinstimmen** to have an affinity of mind; **die große ~e Klarheit in seinem Werk** the great
clarity of thought in his work.

Gedärm(e) nt -(e)s, -e (old, liter) bowels
pl, entrails pl.

Gedärme *pl* intestines *pl*.

Gedeck *nt* -(e)s, -e (*Tisch~*) cover. **ein ~ auflegen** to lay *or* set a place; **ein ~ für drei Personen** places *or* covers for three people; **eine Tafel mit zehn ~en** a table laid for ten (people).

gedeckt *adj Farben* muted; *Basar, Gang* covered.

Gedeih *m*: **auf ~ und Verderb** for better or (for) worse; **jdm auf ~ und Verderb ausgeliefert sein** to be completely and utterly at sb's mercy.

gedeihen *pret* **gedieh**, *ptp* **gediehen** *vi aux sein* to thrive; (*wirtschaftlich auch*) to prosper, to flourish; (*geh: sich entwickeln*) to develop; (*fig: vorankommen*) to make progress *or* headway, to progress. **die Sache ist so weit gediehen, daß ...** the matter has reached the point *or* stage where ...

Gedeihen *nt* -s, *no pl siehe vi* thriving; prospering, flourishing; (*Gelingen*) success. **zum ~ dieses Vorhabens braucht es Geduld und Glück** if this plan is to succeed patience and luck will be called for.

gedeihlich *adj* (*geh*) (*vorteilhaft*) beneficial, advantageous, salutary; (*erfolgreich*) successful.

Gedenk|ausstellung *f* commemorative exhibition.

Gedenken *nt* -s, *no pl* memory. **zum** *or* **im ~ an jdn** in memory *or* remembrance of sb; **etw in gutem ~ behalten** to treasure the memory of sth; **jdm ein ehrendes ~ bewahren** to remember sb with honour.

gedenken* *vi irreg* +*gen* **1.** (*geh: denken an*) to remember, to think of; (*erwähnen*) to recall. **in seiner Rede gedachte er ...** in his speech he recalled ... **2.** (*feiern*) to commemorate, to remember. **3. ~, etw zu tun** to propose to do sth.

Gedenkfeier *f* commemoration; **Gedenkgottesdienst** *m* memorial *or* commemorative service; **Gedenkmarke** *f* commemorative stamp; **Gedenkminute** *f* minute's silence; **Gedenkmünze** *f* commemorative coin; **Gedenkrede** *f* commemorative speech; **Gedenkstätte** *f* memorial; **Gedenkstein** *m* commemorative *or* memorial stone; **Gedenkstunde** *f* hour of commemoration; **Gedenktafel** *f* plaque; **Gedenktag** *m* commemoration day, remembrance day.

Gedicht *nt* -(e)s, -e poem. **die ~e Enzensbergers** Enzensberger's poetry *or* poems; **dieses Kleid/der Nachtisch ist ein ~** (*fig inf*) this dress/the dessert is sheer poetry.

Gedichtform *f* poetic form; **in ~** in verse; **Gedichtsammlung** *f* collection of poems; (*von mehreren Dichtern auch*) anthology.

gediegen *adj* **1.** *Metall* pure, native (*esp Min*). **2.** (*von guter Qualität*) high-quality; (*geschmackvoll*) tasteful; (*rechtschaffen*) upright; *Verarbeitung* solid; *Kenntnisse* sound. **3.** (*inf: wunderlich*) peculiar.

Gediegenheit *f siehe adj* **1.** purity, native-

ness. **2.** high quality; tastefulness; uprightness; solidity; soundness.

gedieh *pret of* **gedeihen.**

gediehen *ptp of* **gedeihen.**

gedient *adj*: **ein ~er Soldat** someone who has completed his military service.

Gedinge *nt* -s, - (*Miner*): **im ~ arbeiten** to work on a piece-rate basis.

Gedöns *nt* -es, *no pl* (*dial inf*) fuss, hullabaloo (*inf*).

gedr. *abbr of* **gedruckt.**

Gedränge *nt* -s, *no pl* (*Menschenmenge*) crowd, crush; (*Drängeln*) jostling; (*Sport*) bunching; (*Rugby*) scrum (*mage*). **vor der Theaterkasse herrschte ~** there was a big crush at the ticket office; **ins ~ kommen** *or* **geraten** (*fig*) to get into a fix.

Gedrängel *nt* -s, *no pl* (*inf*) (*Menschenmenge*) crush; (*Drängeln*) shoving (*inf*).

gedrängt *adj* packed; (*fig*) *Stil* terse. **~ voll** packed full, jam-packed (*inf*); **~ stehen** to be crowded together.

gedrechselt *adj* (*pej*) *Rede, Sätze, Stil* stilted. **wie ~ reden** to speak in a stilted fashion *or* stiltedly; **kunstvoll ~e Sätze** nicely turned phrases.

Gedröhn(e) *nt* -es, *no pl* (*von Motoren*) droning; (*von Kanonen, Lautsprecher, Hämmern*) booming.

gedroschen *ptp of* **dreschen.**

gedruckt *adj* printed. **~e Schaltung** printed circuit board, PCB; **lügen wie ~** (*inf*) to lie right, left and centre (*inf*).

gedrückt *adj* depressed, dejected. **~er Stimmung sein** to be in low spirits.

Gedrücktheit *f* depression, dejection.

gedrungen I *ptp of* **dringen. II** *adj Gestalt* sturdy, stocky.

Gedrungenheit *f* sturdiness, stockiness.

geduckt *adj Haltung, Mensch* crouching; *Kopf* lowered. **~ sitzen** to sit hunched up.

Gedudel *nt* -s, *no pl* (*inf*) (*von Klarinette*) tootling; (*von Dudelsack*) droning, whining; (*von Radio*) noise.

Geduld *f* -, *no pl* patience. **mit jdm/etw ~ haben** to be patient *or* have patience with sb/sth; **sich mit ~ wappnen** to possess one's soul in patience; **mir geht die ~ aus, mir reißt die ~, ich verliere die ~** my patience is wearing thin; **ich bin am Verlieren meiner** my patience; **jds ~ auf eine harte Probe stellen** to try sb's patience.

gedulden* *vr* to be patient.

geduldig *adj* patient. **~ wie ein Lamm** meek as a lamb.

Geduldsarbeit *f* job calling for patience; **Geduldsfaden** *m* **jetzt reißt mir aber der ~!** (*inf*) I'm just about losing my patience; **Geduldsprobe** *f* trial of (one's) patience; **das war eine harte ~** it was enough to try anyone's patience *or* to try the patience of a saint; **Geduldsspiel** *nt* puzzle.

gedungen *ptp of* **dingen.**

gedunsen *adj* bloated.

gedurft *ptp of* **dürfen.**

geehrt *adj* honoured, esteemed. **sehr ~e Damen und Herren!** Ladies and Gentlemen!; **sehr ~er Herr Kurz!** dear Mr

Kurz; **Sehr ~e Damen und Herren** (*in Briefen*) Dear Sir or Madam.

ge|eicht *adj* (*inf*) **darauf ist er ~** that's right up his street (*inf*).

ge|eignet *adj* (*passend*) suitable; (*richtig*) right. **sie ist für diesen Posten nicht ~** she's not the right person for this job; **er ist nicht der ~e Mann für meine Tochter** he's not the right or a suitable man for my daughter; **im ~en Augenblick** at the right moment; **er ist zu dieser Arbeit nicht ~** he's not suited to this work; **er wäre zum Lehrer gut ~** he would make a good teacher.

ge|eist *adj* Früchte, Getränke iced.

Geest *f* -, **-en**, **Geestland** *nt coastal sandy moorlands of N.W. Germany.*

Gefahr *f* -, **-en** 1. danger (*für* to, for); (*Bedrohung*) threat (*für* to, for). **die ~en des Dschungels/Verkehrs/dieses Berufs** the dangers or perils or hazards of the jungle/traffic/this job; **in ~ sein/schweben** to be in danger or jeopardy; (*bedroht*) to feel threatened; **außer ~** (*nicht gefährdet*) not in danger; (*nicht mehr gefährdet*) out of danger; (*Patienten*) out of danger, off the danger list; **sich ~en or einer ~ aussetzen** to expose oneself to danger, to put oneself in danger; **es besteht die ~, daß ...** there's a risk or the danger that ...; **er liebt die ~** he likes living dangerously; **(nur) bei ~ (bedienen)!** (to be used only) in case of emergency!; **wer sich in ~ begibt, kommt darin um** (*Prov*) if you play with fire, you must expect to get your fingers burned.
2. (*Wagnis, Risiko*) risk (*für* to, for). **auf eigene ~** at one's own risk or (*stärker*) peril; **auf die ~ hin, etw zu tun/daß jd etw tut** at the risk of doing sth/of sb doing sth; **~ laufen, etw zu tun** to run the risk of doing sth; **auf eigene Rechnung und ~** (*Comm*) at one's own account and risk.

gefahrbringend *adj* dangerous.

gefährden* *vt* to endanger; *Position, Wirtschaft, Chancen auch* to jeopardize; (*bedrohen*) to threaten; (*aufs Spiel setzen auch*) to put at risk. **Versetzung gefährdet** (*Sch*) *comment on a school report indicating that the pupil may have to repeat a year.*

gefährdet *adj* Tierart endangered; Ehe, Jugend at risk. **G~e** people at risk.

Gefährdung *f no pl* 1. *siehe vt* endangering; jeopardizing; risking. 2. (*Gefahr*) danger (*gen* to).

Gefährdungshaftung *f* risk liability.

gefahren *ptp of* fahren.

Gefahrenmoment *nt* potential danger; **Gefahrenquelle** *f* source of danger; **Gefahrenstelle** *f* danger spot; **Gefahrenzone** *f* danger zone or area; **Gefahrenzulage** *f* danger money.

Gefahrgut *nt* hazardous goods *pl*; **Gefahrguttransport** *m* transport of hazardous goods.

gefährlich *adj* dangerous; (*gewagt auch*) risky; (*lebens~ auch*) perilous.

Gefährlichkeit *f siehe adj* dangerousness; riskiness; perilousness.

gefahrlos *adj* safe; (*harmlos*) harmless; **Gefahrlosigkeit** *f* safety; harmlessness.

Gefährte *m* -n, -n, **Gefährtin** *f* (*geh*) (*lit, fig*) companion; (*Lebens~ auch*) partner (through life).

gefahrvoll *adj* dangerous, full of danger; **Gefahrzeichen** *nt* danger sign.

Gefälle *nt* -s, - 1. (*Neigung*) (*von Fluß*) drop, fall; (*von Land, Straße*) slope; (*Neigungsgrad*) gradient. **das Gelände/der Fluß hat ein starkes ~** the land slopes down steeply/the river drops sharply; **ein ~ von 10%** a gradient of 10%; **starkes ~!** steep hill. 2. (*fig: Unterschied*) difference.

gefallen¹ *pret* **gefiel**, *ptp* **~** *vi* to please (*jdm* sb). **es gefällt mir (gut)** I like it (very much or a lot); **es gefällt ihm, wie sie spricht** he likes the way she talks; **das gefällt mir gar nicht** I don't like it at all or one little bit; **das könnte dir so ~!** (*inf*) no way! (*inf*); **das gefällt mir schon besser** (*inf*) that's more like it (*inf*); **er gefällt mir gar nicht** (*inf: gesundheitlich*) I don't like the look of him (*inf*); **sich** (*dat*) **in einer Rolle ~** to fancy oneself in a role; **er gefällt sich in der Rolle des Leidenden** he likes playing the martyr; **sich** (*dat*) **etw ~ lassen** (*dulden*) to put up with sth, to tolerate sth; **er läßt sich alles ~** he'll put up with anything; **das lasse ich mir ~!** that's just the job (*inf*) or thing (*inf*), there's nothing I'd like better.

gefallen² I *ptp of* fallen and gefallen¹. II *adj* Engel, (*dated*) Mädchen fallen; (*Mil*) killed in action. **er ist ~** he was killed in action.

Gefallen¹ *nt* -s, *no pl* (*geh*) pleasure. **an etw** (*dat*) **~ finden** to derive or get pleasure from sth, to delight in sth; **an jdm/aneinander (großes) ~ finden** to take a (great) fancy to sb/each other; **bei jdm ~ finden** to appeal to sb.

Gefallen² *m* -s, - favour. **jdn um einen ~ bitten** to ask a favour of sb; **tun Sie mir den ~ und schreiben Sie** would you do me a favour and, would you do me the favour of writing; **Sie würden mir einen ~ tun, wenn ...** you'd be doing me a favour if ...; **jdm etw zu ~ tun** (*geh*) to do sth to please sb; **ihm zu ~** to please him.

Gefallenendenkmal *nt* war memorial.

Gefallene(r) *mf decl as adj* soldier killed in action. **ein Denkmal für die ~n des Krieges** a memorial to those killed in the war.

Gefäll(e)strecke *f* incline.

gefällig *adj* 1. (*hilfsbereit*) helpful, obliging. **sich ~ zeigen** to show oneself willing to oblige; **jdm ~ sein** to oblige or help sb. 2. (*ansprechend*) pleasing; (*freundlich*) pleasant. 3. **Zigarette ~?** (*form*) would you care for a cigarette?

Gefälligkeit *f* 1. (*Gefallen*) favour. **jdm eine ~ erweisen** to do sb a favour. 2. (*Entgegenkommen*) helpfulness. **etw aus ~ tun** to do sth out of the kindness of one's heart.

Gefälligkeitswechsel *m* (*Fin*) accommodation bill or paper.

gefälligst *adv* (*inf*) kindly. **sei ~ still!** kindly keep your mouth shut! (*inf*).

gefallsüchtig *adj* desperate to be liked.

gefälscht *adj* forged.

gefangen I *ptp of* **fangen. II** *adj* (*~genommen*) captured; (*fig*) captivated. **sich ~ geben** to give oneself up, to surrender.

Gefangenenaustausch *m* exchange of prisoners; **Gefangenenbefreiung** *f* rescue of a prisoner/prisoners; (*als Delikt*) aiding and abetting the escape of a prisoner; **Gefangenenhaus** *nt* (*Aus*) prison; **Gefangenenhilfsorganisation** *f* prisoners' rights organization; **Gefangenenlager** *nt* prison camp.

Gefangene(r) *mf decl as adj* captive; (*Sträfling, Kriegs~, fig*) prisoner. **500 ~ machen** (*Mil*) to take 500 prisoners; **keine ~n machen** (*Mil*) to take no prisoners (alive).

gefangenhalten *vt sep irreg* to hold prisoner; *Tiere* to keep in captivity; (*fig*) to captivate; **Gefangennahme** *f -, -n* capture; (*Verhaftung*) arrest; **bei der ~** on one's capture/arrest; **gefangennehmen** *vt sep irreg Mensch* to take captive; *Geiseln auch* to capture; (*verhaften*) to arrest; (*Mil*) to take prisoner; (*fig*) to captivate; **Gefangenschaft** *f* captivity; **in ~ geraten** to be taken prisoner.

Gefängnis *nt* prison, jail, gaol (*Brit*); (*~strafe*) imprisonment. **im ~ sein** *or* **sitzen** (*inf*) to be in prison; **ins ~ kommen** to be sent to prison; **zwei Jahre ~ bekommen** to get two years' imprisonment *or* two years in prison; **auf Meineid steht ~** perjury is punishable by imprisonment *or* by a prison sentence.

Gefängnis- *in cpds* prison; **Gefängnisaufseher(in** *f*) *m* warder, prison officer, jailer (*old, inf*); **Gefängnisdirektor(in** *f*) *m* prison governor, prison warden (*esp US*); **Gefängnisgeistlicher** *m* prison chaplain; **Gefängnishof** *m* prison yard; **Gefängnisinsasse** *m*, **Gefängnisinsassin** *f* inmate; **Gefängnisstrafe** *f* prison sentence; **er wurde zu einer ~ von zehn Jahren verurteilt** he was sentenced to 10 years imprisonment; **Gefängniswärter(in** *f*) *m* warder, prison officer; **Gefängniszelle** *f* prison cell.

gefärbt *adj* dyed; *Lebensmittel* artificially coloured; (*fig*) *Aussprache* tinged; *Bericht* biased. **ihre Sprache ist schottisch ~** her accent has a Scottish tinge *or* ring to it; **konservativ ~ sein** to have a conservative bias.

Gefasel *nt -s, no pl* (*pej*) twaddle (*inf*), drivel (*inf*).

Gefäß *nt -es, -e* vessel (*auch Anat, Bot*); (*Behälter*) container, receptacle.

gefäßerweiternd *adj* (*Med*) vasodilatory; **Gefäßleiden** *nt* (*Med*) angiopathy, vascular disease.

gefaßt *adj* (*ruhig*) composed, calm. **einen sehr ~en Eindruck machen** to appear cool, calm and collected; **auf etw** (*acc*) **~ sein** to be prepared *or* ready for sth; **sich**

auf etw (*acc*) **~ machen** to prepare oneself for sth; **er kann sich auf etwas ~ machen** (*inf*) I'll give him something to think about (*inf*).

Gefaßtheit *f* composure, calmness.

gefäßverengend *adj* vasoconstrictive; **Gefäßverschluß** *m*, **Gefäßverstopfung** *f* embolism; **Gefäßwand** *f* vascular wall.

Gefecht *nt -(e)s, -e* (*lit, fig*) battle; (*Mil*) encounter, engagement; (*Scharmützel*) skirmish. **ein hartes ~** fierce fighting; **jdn/etw außer ~ setzen** (*lit, fig*) to put sb/sth out of action; **mit diesen Argumenten setzte er seinen Gegner außer ~** he spiked his opponent's guns with these arguments; **im Eifer** *or* **in der Hitze des ~s** (*fig*) in the heat of the moment; **klar zum ~!** (*Naut*) clear for action!; (*fig*) clear the decks!

Gefechtsaufklärung *f* tactical reconnaissance; **Gefechtsausbildung** *f* combat training; **gefechtsbereit** *adj* ready for action *or* battle; (*einsatzfähig*) (fully) operational; **Gefechtsbereitschaft** *f* readiness for action *or* battle; **Gefechtsfeld** *nt* battleground; **gefechtsklar** *adj* (*Naut*) cleared for action; **ein Schiff ~ machen** to clear a ship for action; **Gefechtskopf** *m* warhead; **gefechtsmäßig** *adj* combat *attr*, under combat conditions; **Gefechtspause** *f* break in the fighting; **Gefechtsstand** *m* command post; **Gefechtsstärke** *f* fighting strength; **Gefechtsübung** *f* field exercise, manoeuvres *pl*.

gefedert *adj* (*Matratze*) sprung; (*Karosserie*) spring-suspended. **ein gut ~es Auto/eine gut ~e Kutsche** a car with good suspension/a well-sprung carriage.

gefeiert *adj* celebrated.

gefeit *adj* **gegen etw ~ sein** to be immune to sth; **dagegen ist keiner ~** that could happen to anyone.

gefestigt *adj Tradition* established; *Charakter* steadfast.

Gefiedel *nt -s, no pl* (*inf*) fiddling (*inf*), scraping (*pej*).

Gefieder *nt -s, -* plumage, feathers *pl*.

gefiedert *adj* feathered; *Blatt* pinnate. **die ~en Sänger** (*poet*) the feathered songsters (*poet*); **unsere ~en Freunde** (*geh*) our feathered friends.

gefiel *pret of* **gefallen¹**.

Gefilde *nt -s, -* (*old, liter*) realm. **die ~ der Seligen** the Elysian fields; **die heimatlichen ~** (*hum*) home pastures.

gefinkelt *adj* (*esp Aus*) cunning, crafty.

geflammt *adj Marmor* waved, rippled; *Holz* wavy-grained; *Stoff* watered.

Geflecht *nt -(e)s, -e* (*lit, fig*) network; (*Gewebe*) weave; (*Rohr~*) wickerwork, basketwork; (*von Haaren*) plaiting.

gefleckt *adj* spotted; *Blume, Vogel* speckled; *Haut* blotchy.

Geflimmer *nt -s, no pl* shimmering; (*Film, TV*) flicker(ing); (*heiße Luft*) heat-haze; (*von Stern*) twinkling.

geflissentlich *adj* (*geh*) deliberate, intentional. **zur ~en Beachtung** (*form*) for your attention.

geflochten ptp of **flechten**.
geflogen ptp of **fliegen**.
geflohen ptp of **fliehen**.
geflossen ptp of **fließen**.
Geflügel nt -s, no pl (Zool, Cook) poultry no pl; (Vögel auch) fowl.
Geflügel in cpds poultry; **Geflügelcremesuppe** f cream of chicken/turkey etc soup; **Geflügelfleisch** nt poultry; **Geflügelhändler(in** f) m poulterer, poultry dealer; **Geflügelhandlung** f poulterer's; **Geflügelklein** nt giblets pl; **Geflügelleber** f chicken/turkey etc liver; **Geflügelsalat** m chicken/turkey etc salad; **Geflügelschere** f poultry shears pl.
geflügelt adj winged. **~e Worte** familiar or standard quotations.
Geflügelzucht f poultry farming.
Geflunker nt -s, no pl (inf) fibbing (inf).
Geflüster nt -s, no pl whispering; (von Bäumen, Blättern auch) rustling.
gefochten ptp of **fechten**.
Gefolge nt -s, - retinue, entourage; (Trauer~) cortege; (fig) wake. **im ~ in** the wake (+gen of sg); **etw im ~ haben** (fig) to result in sth, to bring sth in its wake.
Gefolgschaft f 1. (die Anhänger) following; (NS: Betriebs~) workforce; (Hist: Gefolge) retinue, entourage. 2. (Treue) fealty (Hist), allegiance (auch Hist), loyalty.
Gefolgschaftstreue f siehe **Gefolgschaft** 2.
Gefolgsmann m, **Gefolgsfrau** f, pl -leute follower.
gefragt adj in demand pred.
gefräßig adj gluttonous; (fig geh) voracious.
Gefräßigkeit f gluttony; (fig geh) voracity.
Gefreite(r) mf decl as adj (Mil) lance corporal (Brit), private first class (US); (Naut) able seaman (Brit), seaman apprentice (US); (Aviat) leading aircraftman (Brit), airman first class (US).
gefressen ptp of **fressen**. **jdn ~ haben** (inf) to be sick of sb (inf).
G(e)frett nt -s, no pl (Aus) worry.
Gefrierbrand m (Cook) freezer burn; **Gefrierchirurgie** f cryosurgery.
gefrieren* vi irreg aux sein (lit, fig) to freeze; siehe **Blut**.
Gefrierfach nt freezer or ice compartment; **gefriergetrocknet** adj freeze-dried; **Gefrierkost** f frozen food; **Gefrierpunkt** m freezing point; (von Thermometer) zero; **Temperaturen unter dem ~** temperatures below zero or freezing (point); **Gefrierraum** m deep-freeze room; **Gefrierschrank** m (upright) freezer; **Gefrierschutzmittel** nt (Aut) anti-freeze; **Gefriertemperatur** f freezing temperature; **Gefriertrocknung** f freeze-drying; **Gefriertruhe** f freezer, deep freeze.
gefroren ptp of **frieren**, **gefrieren**.
Gefuchtel nt -s, no pl gesticulating.
Gefüge nt -s, - (lit, fig) structure; (Bau~ auch) construction; (Aufbau) structure, make-up.
gefügig adj (willfährig) submissive; (ge-

horsam) obedient. **jdn ~ machen** to make sb bend to one's will.
Gefügigkeit f siehe adj submissiveness; obedience.
Gefühl nt -(e)s, -e 1. (Sinneswahrnehmung) feeling. **etw im ~ haben** to have a feel for sth; **er hat kein ~ für heiß und kalt/oben und unten** he can't feel the difference between hot and cold/tell the difference between above and below.
2. (seelische Empfindung, Ahnung) feeling; (Emotionalität) sentiment. **ich habe das ~, daß ...** I have the feeling that ...; **ich habe ein ~, als ob ...** I feel as though ...; **es geht gegen mein ~ ...** I don't like ...; **mein ~ täuscht mich nie** my instinct is never wrong; **jds ~e erwidern/verletzen** to return sb's affection/hurt sb's feelings; **ein Mensch ohne ~** (hartherzig) a person without any feelings; (gefühlskalt) a person without any emotions; **er ist zu keinem menschlichen ~ fähig** he is incapable of (feeling) any human emotion; **~ und Verstand** emotion and reason; **das höchste der ~e** (inf) the ultimate.
3. (Verständnis) feeling; (Sinn) sense. **ein ~ für Zahlen/Musik** a feeling for figures/music; **ein ~ für Gerechtigkeit** a sense of justice; **Tiere haben ein ~ dafür, wer sie mag** animals can sense who likes them; **etw mit ~ behandeln** to treat sth sensitively.
gefühlig adj (pej geh) mawkish.
gefühllos adj (unempfindlich, hartherzig) insensitive; (mitleidlos) callous, unfeeling; Glieder numb, dead pred. **ich habe ganz ~e Finger** my fingers are quite numb or have gone dead.
Gefühllosigkeit f siehe adj insensitivity; callousness, unfeelingness; numbness, deadness.
Gefühlsanwandlung f (fit of) emotion; **gefühlsarm** adj unemotional; **Gefühlsarmut** f lack of emotion or feeling; **Gefühlsausbruch** m emotional outburst; **Gefühlsausdruck** m, **Gefühlsäußerung** f expression of one's emotions; **gefühlsbedingt**, **gefühlsbestimmt** adj emotional; Rede, Äußerung auch emotive; **Gefühlsdinge** nt emotional matters pl; **Gefühlsduselei** f (pej) mawkishness; **gefühlsecht** adj Kondom ultrasensitive; **gefühlskalt** adj cold; **Gefühlskälte** f coldness; **Gefühlskrüppel** m (pej) emotional cripple; **Gefühlslage** f emotional state; **Gefühlsleben** nt emotional life; **gefühlsmäßig** adj instinctive; **Gefühlsmensch** m emotional person; **Gefühlsnerv** m sensory nerve; **Gefühlsregung** f stir of emotion; (seelische Empfindung) feeling; **gefühlsroh** adj hard-hearted; **Gefühlssache** f (Geschmacksache) matter of feeling; **Kochen ist zum großen Teil ~** cooking is largely something you have a feel for; **gefühlsselig** adj sentimental; **Gefühlstiefe** f (emotional) intensity; **Gefühlswelt** f emotions pl.
gefühlvoll adj 1. (empfindsam) sensitive;

(ausdrucksvoll) expressive. **sehr ~ singen** to sing with real feeling. **2.** *(liebevoll)* loving.

gefüllt *adj Paprika* stuffed; *Brieftasche* full. **~e Pralinen** chocolates *or* candies *(US)* with soft centres.

Gefummel *nt* -s, *no pl (inf)* fiddling *(inf)*; *(Hantieren)* fumbling *(inf)*; *(erotisch)* groping *(inf)*.

gefunden I *ptp of* **finden. II** *adj* **das war ein ~es Fressen für ihn** that was handing it to him on a plate.

gefurcht *adj* furrowed.

gefürchtet *adj* dreaded *usu attr*. **~ sein** to be feared.

gegabelt *adj* forked, bifurcate *(spec)*.

Gegacker *nt* -s, *no pl (lit, fig)* cackle, cackling.

gegangen *ptp of* **gehen.**

gegeben I *ptp of* **geben. II** *adj* **1.** *(bekannt)* given. **2.** *(vorhanden)* given *attr*; *(Philos: real)* factual; *Bedingung, Voraussetzung* fulfilled *pred*. **im ~en Fall ...** should the situation arise ...; **bei den ~en Tatsachen/der ~en Situation** given these facts/this situation; **etw als ~ voraussetzen** to assume sth. **3.** *(günstig)* **zu ~er Zeit** in due course.

gegebenenfalls *adv* should the situation arise; *(wenn nötig)* if need be, if necessary; *(eventuell)* possibly; *(Admin)* if applicable.

Gegebenheit *f usu pl* (actual) fact; *(Realität)* actuality; *(Zustand)* condition. **sich mit den ~en abfinden** to come to terms with the facts as they are.

gegen *prep* +*acc* **1.** *(wider)* against. **X ~ Y** *(Sport, Jur)* X versus Y; **für oder ~** for or against; **~ seinen Befehl** contrary to *or* against his orders; **haben Sie ein Mittel ~ Schnupfen?** do you have anything for colds?; **etwas/nichts ~ jdn/etw haben** to have something/nothing against sb/sth; **~ etw sein** to be against sth *or* opposed to sth; **10 ~ 1 wetten** to bet 10 to 1.

2. *(in Richtung auf)* towards, toward *(US)*; *(nach)* to; *(an)* against. **~ einen Baum rennen/prallen** to run/crash into a tree; **er pochte ~ das Tor** he hammered on the gate; **etw ~ das Licht halten** to hold sth to *or* against the light; **~ Osten fahren** to travel eastwards, to travel to(wards) the east; **es wird ~ abend kühler** it grows cooler towards evening.

3. *(ungefähr)* round about, around; *(nicht mehr als)* getting on for; *(nicht später als)* towards.

4. *(gegenüber)* towards, to.

5. *(im Austausch für)* for. **~ bar** for cash; **~ Bezahlung/Quittung** against payment/a receipt.

6. *(verglichen mit)* compared with, in comparison with.

Gegenaktion *f* counteraction; **Gegenangebot** *nt* counteroffer; **Gegenangriff** *m (Mil, fig)* counterattack; **Gegenansicht** *f* opposite opinion; **Gegenantrag** *m* countermotion; *(Jur)* counterclaim; **Gegenanzeige** *f (Med)* contraindication; **Gegenargument** *nt* counterargument; **Gegenbe-**

dingung *f* countercondition, counterstipulation; **Gegenbehauptung** *f* counterclaim; **Gegenbeispiel** *nt* counterexample; **Gegenbesuch** *m* return visit; **jdm einen ~ machen** to return sb's visit; **Gegenbewegung** *f (Tech, fig)* countermovement; *(Mus)* contramotion; **Gegenbeweis** *m* counterevidence *no indef art, no pl*; **den ~ zu etw erbringen** *or* **antreten** to produce evidence to counter sth; **Gegenbuchung** *f* cross entry.

Gegend *f* -, -en area; *(Wohn~ auch)* neighbourhood, district; *(geographisches Gebiet, Körper~)* region; *(Richtung)* direction; *(inf: Nähe)* area. **die ~ von London, die Londoner ~** the London area; **er wohnt in der ~ des Bahnhofs** he lives in the area near the station; **Neuwied liegt in einer schönen ~** Neuwied is in a beautiful area; **eine schöne ~ ~ Deutschlands** a beautiful part of Germany; **hier in der ~** (a)round here, in this area, hereabouts; **ungefähr in dieser ~** somewhere (a)round here *or* in this area/region; **ein bißchen durch die ~ laufen** *(inf)* to have a stroll around; **sie warfen die leeren Bierflaschen einfach in die ~** *(inf)* they just threw the empty beer bottles around anywhere.

Gegendarstellung *f* reply; **Gegendemonstration** *f* counterdemonstration; **Gegendienst** *m* favour in return; **jdm einen ~ leisten** *or* **erweisen** to return the favour, to do sb a favour in return; **Gegendruck** *m (Tech)* counterpressure; *(fig)* resistance.

gegen|einander *adv* against each other *or* one another; *(zueinander)* to(wards) each other *or* one another; *(im Austausch)* for each other *or* one another. **sie haben etwas ~** they've got something against each other.

Gegen|einander *nt* -s, *no pl* conflict.

gegen|einanderhalten *vt sep irreg (lit)* to hold side by side *or* together; *(fig)* to compare; **gegen|einanderprallen** *vi sep aux sein* to collide; **gegen|einanderstehen** *vi sep irreg (fig)* to be on opposite sides; *(Aussagen)* to conflict; **gegen|einanderstellen** *vt sep (lit)* to put together; *(fig)* to compare; **gegen|einanderstoßen** *vi sep irreg aux sein* to bump into each other; *(kollidieren)* to collide.

Gegenerklärung *f* counterstatement; *(Dementi)* denial, disclaimer; **Gegenfahrbahn** *f* oncoming carriageway *(Brit)* or highway *(US)* or *(Spur)* lane; **Gegenfeuer** *nt* backfire; **Gegenforderung** *f* counterdemand; *(Comm)* counterclaim; **Gegenfrage** *f* counterquestion; **darf ich mit einer ~ antworten?** may I answer your question with another (of my own)?; **jdm eine ~ stellen** to ask sb a question in reply (to his); **Gegengerade** *f (Sport)* back straight, backstretch *(US)*; **Gegengeschenk** *nt* present *or* gift in return; **jdm etw als ~ überreichen** to give sb sth in return; **Gegengewalt** *f* counterviolence; **Gewalt mit ~ beant-**

worten to counter violence with violence; **Gegengewicht** *nt* counterbalance *(auch fig)*, counterweight, counterpoise; **als (ausgleichendes) ~ zu etw wirken** *(lit, fig)* to counterbalance sth; **Gegengift** *nt* antidote *(gegen* to); **Gegengleis** *nt* opposite track; **Gegengrund** *m* reason against; **gegenhalten** *vi sep (sich wehren)* to counter; *(standhalten)* to stand one's ground; **Gegenkandidat(in** *f) m* rival candidate; **als ~ zu jdm aufgestellt werden** to be put up as a candidate against sb; **Gegenklage** *f (Jur)* countercharge; **Gegenkläger(in** *f) m (Jur)* bringer of a countercharge; **Gegenkraft** *f (lit, fig)* counterforce; **Gegenkultur** *f* alternative culture; **Gegenkurs** *m (lit, fig)* opposite course; **einen ~ steuern** to take an opposing course of action; **gegenläufig** *adj (Tech) Bewegung* contrarotating; *(fig) Tendenz* contrary, opposite; **Gegenleistung** *f* service in return; **als ~ für etw** in return for sth; **gegenlenken** *vi sep (Aut)* to steer in the opposite direction; **gegenlesen** *vti sep irreg* countercheck.

Gegenlicht *nt* **etw bei** *or* **im ~ aufnehmen** *(Phot)* to take a backlit *or* contre-jour photo(graph) of sth.

Gegenlicht- *(Phot)*: **Gegenlichtaufnahme** *f* backlit *or* contre-jour photo(graph) *or* shot; **Gegenlichtblende** *f* lens hood.

Gegenliebe *f* requited love; *(fig: Zustimmung)* approval; **auf ~/wenig ~ stoßen** *(fig)* to be welcomed/hardly welcomed with open arms; **Gegenmacht** *f* hostile power; **Gegenmaßnahme** *f* countermeasure; **Gegenmeinung** *f* opposite view *or* opinion; **Gegenmittel** *nt (Med)* antidote *(gegen* to); **Gegenmutter** *f (Tech)* locknut; **Gegenoffensive** *f (lit, fig)* counteroffensive; **Gegenpapst** *m (Hist)* antipope; **Gegenpartei** *f* other side; *(Sport)* opposing side; *(Jur)* opposing party; **Gegenpol** *m* counterpole; *(fig)* antithesis *(zu* of, to); **Gegenposition** *f* opposite standpoint; **Gegenprobe** *f* crosscheck; **die ~ zu etw machen** to carry out a crosscheck on sth, to crosscheck sth; **Gegenpropaganda** *f* counterpropaganda; **Gegenreaktion** *f* counter-reaction; **Gegenrechnung** *f* 1. *(Math: Gegenprobe)* crosscheck; 2. *(Comm)* set-off; *(Gegenschuld)* offset; **die ~ aufmachen** *(fig)* to present one's own reckoning; **Gegenrede** *f (Antwort)* reply; *(Widerrede)* contradiction; **keine ~!** no contradiction!; **Rede und ~** dialogue; **Gegenreformation** *f (Hist)* Counter-Reformation; **Gegenregierung** *f* rival government; **Gegenrichtung** *f* opposite direction; **Gegenruder** *nt* opposed control surfaces.

Gegensatz *m* **-es,** **-e** *(konträrer ~, Gegenteil)* contrast; *(kontradiktorischer ~, Gegensatz)* opposite; *(Unvereinbarkeit)* conflict; *(Unterschied)* difference; *(Philos)* antithesis; *(Mus)* countersubject. **~e** *(Meinungsverschiedenheiten)* differences *pl*;

im ~ zu unlike, in contrast to; **Marx, im ~ zu ...** Marx, as against ...; **er, im ~ zu mir, ...** unlike me, he ...; **einen krassen ~ zu etw bilden** to contrast sharply with sth; **~e ziehen** *or* **sich an** *(prov)* opposites attract; **im ~ zu etw stehen** to conflict with sth; **unüberbrückbare ~e** irreconcilable differences.

gegensätzlich *adj (konträr)* contrasting; *(widersprüchlich)* opposing; *(unterschiedlich)* different; *(unvereinbar)* conflicting. **Schwarz und Weiß sind ~e Begriffe** black and white are opposites; **eine ~e Meinung** a conflicting view; **sie verhalten sich völlig ~** they behave in totally different ways.

Gegensätzlichkeit *f (gen* between) *siehe adj* contrast; opposition; difference; conflict. **die ~ dieser beiden Systeme** the contrast between *or* contrasting nature of these two systems; **bei aller ~ ...** in spite of all (the) differences ...

Gegenschlag *m (Mil)* reprisal; *(fig)* retaliation *no pl*; **zum ~ ausholen** to prepare to retaliate; **Gegenseite** *f (lit, fig)* other side; *(gegenüberliegende Seite auch)* opposite side; **gegenseitig** *adj* mutual; *(wechselseitig auch)* reciprocal; **sie beschuldigten sich ~** they (each) accused one another *or* each other; **sich ~ bedingen** to be contingent (up)on one another *or* each other; **sich ~ ausschließen** to be mutually exclusive, to exclude one another; **Gegenseitigkeit** *f siehe adj* mutuality; reciprocity; **ein Abkommen/Vertrag auf ~** a reciprocal agreement/treaty; **Versicherung auf ~** mutual insurance; **Gegensinn** *m* **im ~** in the opposite direction; **gegensinnig** *adj (Tech)* in the opposite direction; **Gegenspieler(in** *f) m* opponent; *(Liter)* antagonist; *(bei Mannschaftsspielen auch)* opposite number; **Gegenspionage** *f* counterespionage; **Gegensprechanlage** *f* (two-way) intercom; *(Telec)* duplex (system); **Gegensprechverkehr** *m* two-way communication.

Gegenstand *m* **-(e)s,** **-e** *(Ding)* object, thing; *(Econ: Artikel)* article; *(Thema, Angelegenheit, Stoff)* subject; *(von Gespräch, Diskussion)* subject, topic; *(der Neugier, des Hasses, Philos)* object; *(Aus: Schulfach)* subject. **~ des Gespötts** laughing-stock, object of ridicule; *(Mensch auch)* figure of fun.

gegenständlich *adj* concrete; *(Philos)* objective; *(Art)* representational; *(anschaulich)* graphical. **die ~e Welt** the world of objects.

Gegenständlichkeit *f siehe adj* concreteness; objectivity; representationalism; graphicalness.

Gegenstandpunkt *m* opposite point of view.

gegenstandslos *adj (überflüssig)* redundant, unnecessary; *(grundlos)* unfounded, groundless; *(hinfällig)* irrelevant; *(Art)* non-representational, abstract; **bitte betrachten Sie dieses Schreiben als ~, falls ...** please disregard this notice if ...

gegensteuern *vi sep* (*Aut*) to steer in the opposite direction; (*fig*) to take counter-measures; **Gegenstimme** *f* (*Parl*) vote against; **der Antrag wurde mit 250 Stimmen bei** *or* **und 30 ~n/ohne ~n angenommen** the motion was carried by 250 votes to 30/unanimously; **Gegenstoß** *m* (*Mil, Sport*) counterattack; **Gegenströmung** *f* (*lit, fig*) countercurrent; **Gegenstück** *nt* opposite; (*passendes Gegenstück*) counterpart.

Gegenteil *nt* opposite (*von* of); (*Umkehrung*) reverse (*von* of). **im ~!** on the contrary!; **ganz im ~** quite the reverse; **das ~ bewirken** to have the opposite effect; (*Mensch*) to achieve the exact opposite; **ins ~ umschlagen** to swing to the other extreme; **eine Äußerung ins ~ um-** *or* **verkehren** to twist a statement to mean just the opposite.

gegenteilig *adj* Ansicht, Wirkung opposite, contrary. **eine ~e Meinung** a different opinion; **sich ~ entscheiden** to come to a different decision; **~e Behauptungen** statements to the contrary; **ich habe nichts G~es gehört** I've heard nothing to the contrary.

Gegentreffer *m* (*Sport*) **einen ~ hinnehmen müssen** to concede a goal; **einen ~ erzielen** to score.

gegen|über I *prep* +*dat* **1.** (*örtlich*) opposite. **er wohnt mir ~** he lives opposite me *or* across from me; **er saß mir genau/schräg ~** he sat directly opposite *or* facing me/diagonally across from me. **2.** (*zu*) to; (*in bezug auf*) with regard *or* respect to, as regards; (*angesichts, vor*) in the face of; (*im Vergleich zu*) in comparison with, compared with. **mir ~ hat er das nicht geäußert** he didn't say that to me; **er ist allem Neuen ~ wenig aufgeschlossen** he's not very open-minded about anything new *or* where anything new is concerned. **II** *adv* opposite. **der Park ~** the park opposite; **die Leute von ~** (*inf*) the people opposite *or* (from) across the way.

Gegen|über *nt* -s, - (*bei Kampf*) opponent; (*bei Diskussion*) opposite number. **mein ~ im Zug/am Tisch** the person (sitting) opposite me in the train/at (the) table; **wir haben einen freien Ausblick und kein ~** we've an open view with no building opposite.

gegen|übergestellt *adj*: **sich einer Sache** (*dat*) **~ sehen** to be faced *or* confronted with sth; **gegen|überliegen** *sep irreg* **I** *vi* +*dat* to be opposite, to face; **II** *vr* **sich** (*dat*) **~** to face each other; **gegen|überliegend** *adj attr* opposite; **das ~e Grundstück** the plot of land opposite; **gegen|übersehen** *vr sep irreg* +*dat* **sich einer Aufgabe ~** to be faced *or* confronted with a task; **gegen|übersitzen** *vi sep irreg* +*dat* to sit opposite *or* facing; **gegen|überstehen** *vi sep irreg* +*dat* to be opposite, to face; **jdm** to stand opposite *or* facing; **jdm feindlich/freundlich ~** to have a hostile/friendly attitude towards sb; **einem Plan freundlich ~** to be

favourably disposed to a plan; **gegen|überstellen** *vt sep* (*konfrontieren mit*) to confront (*dat* with); (*fig: vergleichen*) to compare (*dat* with); **Gegen|überstellung** *f* confrontation; (*fig: Vergleich*) comparison; **gegen|übertreten** *vi sep irreg aux sein* **jdm ~** to face sb.

Gegenverkehr *m* oncoming traffic; **Gegenvorschlag** *m* counterproposal.

Gegenwart *f*, - *no pl* **1.** (*jetziger Augenblick*) present; (*heutiges Zeitalter*) present (time *or* day); (*Gram*) present (tense). **in der ~ leben** to live in the present; (*den Augenblick genießen*) to live for the present *or* for today; **die Literatur/Musik der ~** contemporary literature/music; **die Probleme der ~** the problems of today, today's problems; **in der ~ stehen** (*Gram*) to be in the present (tense). **2.** (*Anwesenheit*) presence. **in ~ des** in the presence of.

gegenwärtig I *adj* **1.** *attr* (*jetzig*) present; (*heutig auch*) current, present-day. **der ~e Minister/Preis** the present minister/ current price. **2.** (*geh: anwesend*) present *pred*. **es ist mir im Moment nicht ~** I can't recall it at the moment. **II** *adv* **1.** (*augenblicklich*) at present, at the moment; (*heutzutage auch*) currently. **2. sich** (*dat*) **etw ~ halten** (*geh*) to bear sth in mind.

gegenwartsbezogen *adj* relevant to present times; **ein sehr ~er Mensch** a person whose life revolves very much around the present; **Gegenwartsbezug** *m* relevance (to present times); **Gegenwartsform** *f* (*Gram*) present (tense); **gegenwartsfremd** *adj* out-of-touch (with reality); **gegenwartsnah(e)** *adj* relevant (to the present); **Gegenwartsroman** *m* contemporary novel; **Gegenwartssprache** *f* present-day language; **die englische ~** modern English.

Gegenwehr *f* resistance; **Gegenwert** *m* equivalent; **es wurden Waren im ~ von 8.000 DM entwendet** goods worth *or* to the value of 8,000 DM were taken; **Gegenwind** *m* headwind; **wir hatten starken ~** there was a strong headwind; **Gegenwinkel** *m* (*Geom*) opposite angle; (*korrespondierend*) corresponding angle; **Gegenwirkung** *f* reaction, counteraction; **diese Tabletten können eine ~ haben** these tablets can have the opposite effect; **gegenzeichnen** *vt sep* to countersign; **Gegenzeichnung** *f* (*Unterschrift*) countersignature; (*das Unterschreiben*) countersigning; **Gegenzeuge** *m* witness for the other side; **Gegenzug** *m* **1.** countermove; **im ~ zu etw** as a countermove to sth; **2.** (*Rail*) corresponding train in the other direction; (*entgegenkommender Zug*) oncoming train.

gegessen *ptp of* **essen.**

geglichen *ptp of* **gleichen.**

gegliedert *adj* jointed; (*fig*) structured; (*organisiert*) organized.

geglitten *ptp of* **gleiten.**

geglommen ptp of **glimmen**.

geglückt adj Feier successful; Wahl lucky; Überraschung real.

Gegner(in f) m -s, - opponent (auch Sport), adversary; (Rivale) rival; (Feind) enemy. **ein ~ der Todesstrafe sein** to be against or opposed to capital punishment.

gegnerisch adj attr opposing; (Mil: feindlich) enemy attr, hostile; Übermacht of the enemy.

Gegnerschaft f opposition.

gegolten ptp of **gelten**.

gegoren ptp of **gären**.

gegossen ptp of **gießen**.

gegraben ptp of **graben**.

gegriffen ptp of **greifen**.

Gegröle nt -s, no pl (inf) raucous bawling.

Gehabe nt -s, no pl (inf) affected behaviour.

gehabt ptp of **haben**.

Gehackte(s) nt decl as adj mince (Brit), minced or ground (US) meat.

Gehalt¹ m -(e)s, -e 1. (Anteil) content. **der ~ an Eiweiß/Kohlenhydraten** the protein/carbohydrate content; **ein hoher ~ an Kohlenmonoxyd** a high carbon monoxide content. 2. (fig: Inhalt) content; (Substanz) substance.

Gehalt² nt or (Aus) m -(e)s, ̈-er salary; (esp Eccl) stipend.

gehalten I ptp of **halten**. II adj: **~ sein, etw zu tun** (form) to be required to do sth.

gehaltlos adj Nahrung unnutritious; (fig) empty; (oberflächlich) shallow, empty; **dieses Brot ist ziemlich ~** there's not much nourishment in this bread; **Gehaltlosigkeit** f siehe adj (fig) lack of content/substance; emptiness; shallowness; **gehaltreich** adj 1. Erz high-yield; 2. siehe gehaltvoll.

Gehaltsabrechnung f salary statement; **Gehaltsabzug** m salary deduction; **Gehaltsanspruch** m salary claim; **Gehaltsbescheinigung** f salary declaration; **Gehaltsempfänger(in** f) m salary-earner; **die Firma hat 500 ~** the firm has 500 salaried staff or employees; **Gehaltserhöhung** f salary increase, rise in salary; (regelmäßig) increment; **Gehaltsforderung** f salary claim; **Gehaltsgruppe, Gehaltsklasse** f salary bracket; **er ist in der ~ 6** he's on grade 6 on the salary scale; **Gehaltskonto** nt current account (Brit), checking account (US); **Gehaltskürzung** f cut in salary; **Gehaltsstreifen** m salary slip; **Gehaltsverhandlung** f salary negotiations pl; **Gehaltsvorstellung** f, **Gehaltswunsch** m salary requirement; **Gehaltszahlung** f salary payment; **der Tag der ~ ist der 28.** salaries are paid on the 28th; **Gehaltszulage** f (regelmäßige) increment; (Extrazulage) salary bonus.

gehaltvoll adj Speise nutritious, nourishing; (fig) rich in content. **ein ~es Buch/eine ~e Rede** a book/speech which says a great deal.

Gehämmer nt -s, no pl hammering.

gehandikapt [gəˈhɛndɪkɛpt] adj handicapped (durch by).

Gehänge nt -s, - 1. garland; (Ohr~) drop, pendant. 2. (Wehr~) ammunition belt. 3. (Min: Abhang) declivity, incline. 4. (Build) system of fascines.

gehangen ptp of **hängen**.

Gehängte(r) mf decl as adj hanged man/woman. **die ~n** the hanged.

Gehänsel nt -s, no pl (inf) mocking.

gehässig adj spiteful.

Gehässigkeit f spite, spitefulness. **~en** spiteful things.

gehauen ptp of **hauen**.

gehäuft I adj Löffel heaped. II adv in large numbers.

Gehäuse nt -s, - 1. case; (Radio~, Kamera~, Uhr~, Kompaß~ auch) casing, body; (Lautsprecher~) box; (großes Lautsprecher~, Radio~) cabinet. 2. (Schnecken~) shell. 3. (Obst~) core. 4. (Ftbl sl) goal.

gehbehindert adj disabled.

Gehege nt -s, - reserve; (im Zoo) enclosure, compound; (Wild~) preserve. **jdm ins ~ kommen** (fig inf) to get under sb's feet (inf); (ein Recht streitig machen) to poach on sb's preserves.

geheiligt adj Brauch, Tradition, Recht sacred; Räume sacrosanct.

geheim adj secret. **seine ~sten Gefühle/Wünsche/Gedanken** his innermost or most private feelings/wishes/thoughts; **streng ~** top secret; **,,die ~en Verführer"** "the hidden persuaders"; **G~er Rat** privy council; (Mitglied) privy councillor; **~ bleiben** to remain (a) secret; **~ abstimmen** to vote by secret ballot; **im ~en** in secret, secretly.

Geheim- in cpds secret; **Geheimbund** m secret society; **Geheimbündelei** f organization/membership of illegal secret societies; **Geheimdienst** m secret service; **Geheimdienstler** m -s, - (inf) man from the secret service; **Geheimfach** nt secret compartment; (Schublade) secret drawer; **geheimhalten** vt sep irreg etw (vor jdm) g~ to keep sth a secret (from sb).

Geheimhaltung f secrecy. **zur ~ von etw verpflichtet sein** to be sworn to secrecy about sth.

Geheimhaltungspflicht f obligation to maintain secrecy; **Geheimhaltungsstufe** f security classification.

Geheimkonto nt private or secret account; **Geheimlehre** f esoteric doctrine.

Geheimnis nt secret; (rätselhaftes ~) mystery. **das ~ der Schönheit/des Erfolgs** the secret of beauty/success; **das ~ des Lebens** the mystery of life; **ein offenes** or **öffentliches** (rare) **~** an open secret; **das ist das ganze ~** (inf) that's all there is to it; **aus etw ein/kein ~ machen** to make a big secret about sth/no secret of sth; **sie hat ein süßes ~** (inf) she's expecting a happy event.

Geheimniskrämer(in f) m (inf) mystery-monger (inf); **Geheimnisträger(in** f) m bearer of secrets; **Geheimnistuer(in** f) m -s, - mystery-monger (inf); **Geheimnistuerei** f secretiveness; **geheimnis-**

tuerisch adj secretive; **geheimnisum-wittert** adj (geh) shrouded in mystery (liter); **Geheimnisverrat** m offence under the Official Secrets Act; **geheimnisvoll** adj mysterious; ~ **tun** to be mysterious.

Geheimnummer f (Telefon) secret number; (Geldautomat) PIN number; **Geheimpolizei** f secret police; **Geheimpolizist(in** f) m member of the secret police; **Geheimrat** m, **Geheimrätin** f privy councillor; **Geheimratsecken** pl (inf) receding hairline sing; **er hat** ~ he is going bald at the temples; **Geheimrezept** nt secret recipe; **Geheimschloß** nt combination lock; **Geheimschrift** f code, secret writing; **Geheimtinte** f invisible ink; **Geheimtip** m (personal) tip; **geheimtun** vi sep irreg to be secretive; **mit etw g~tun** to be secretive about sth; **Geheimtür** f secret door; **Geheimwaffe** f secret weapon; **Geheimwissenschaft** f secret or esoteric lore; **Geheimzahl** f (für Geldautomat) PIN number, personal identification number.

geheißen ptp of **heißen**.

gehemmt adj Mensch inhibited; Benehmen self-conscious. ~ **sprechen** to have inhibitions in speaking.

gehen pret **ging**, ptp **gegangen** aux sein **I** vi **1.** to go; (zu Fuß) to walk; (Gerücht) to go around. **im Schritt/Trab** ~ to walk/trot; **über die Straße/Brücke** ~ to cross the road/(over) the bridge; **auf die andere Seite** ~ to cross (over) to the other side; **am Stock/auf Stelzen** (dat) ~ to walk with a stick/on stilts; **zur Post/zum Fleischer** ~ to go to the post office/the butcher; **zur Schule** ~ to go to school; **zu jdm** ~ to go to see sb; **er ging im Zimmer auf und ab** he walked or paced up and down the room; **wie lange geht man bis zum Bus?** how long a walk is it to the bus?; **das Kind lernt** ~ the baby is learning to walk; **wo er geht und steht** wherever he goes or is; **schwimmen/tanzen/spielen/schlafen** ~ to go swimming/dancing/out to play/to bed; **bitte** ~ **Sie** (höflich) please carry on; (bestimmt) please go; **geh doch!** go on (then)!; **geh schon!** go on!; **ohne Hut/Schirm** ~ not to wear a hat/take an umbrella; **mit jdm** ~ to go with sb; (befreundet sein) to go out with sb, to be with sb; **mit der Zeit/Mode** ~ to move with the times/follow the fashion; **in sich** (acc) ~ to think things over; (bereuen) to turn one's eyes inward; **er geht ins siebzigste Jahr** he's getting or going on for seventy; **das Erbe ging an ihn** the inheritance went to him; **nach einer Regel** ~ to follow a rule; **das geht gegen meine Überzeugung** that is contrary to or runs against my convictions; **er ging so weit, zu behaupten ...** (fig) he went so far as to claim ...; **das geht zu weit** (fig) that's going too far; **wie geht das Lied/Gedicht?** how does the song/poem go?; **heute geht ein scharfer Wind** there's a biting wind today; **die See geht hoch** there's a high sea, the sea is running

high; **der Schmerz ging sehr tief** the pain went very deep.

2. (führen) (Weg, Straße) to go; (Tür) to lead (auf +acc, nach onto); (blicken) (Fenster) to look out (auf +acc, nach onto), to give (auf +acc, nach onto). **die Brücke geht dort über den Fluß** the bridge crosses the river there; **die Reise geht über Dresden** we/they etc are going via Dresden; **es ging schon auf den Winter** (geh) winter was drawing near.

3. (weg~) to go; (abfahren auch) to leave; (ausscheiden) to leave, to go; (aus einem Amt) to go, to quit. **ich muß** ~ I must go or be going or be off; ~ **wir!** let's go; **das Schiff geht nach Harwich** the boat is going to or is bound for Harwich; **jdm aus dem Licht/Weg** ~ to get or move out of sb's light/way; **er ist gegangen worden** (hum inf) he was given a gentle push (hum inf); **er ist von uns gegangen** (euph) he has gone from us (euph).

4. (funktionieren) to work; (Auto, Uhr) to go. **die Uhr geht falsch/richtig** the clock is wrong/right.

5. (laufen) (Geschäft) to go; (verkauft werden auch) to sell. **wie** ~ **die Geschäfte?** how's business?

6. (hineinpassen) to go. **wieviele Leute** ~ **in deinen Wagen?** how many people can you get in your car?; **in diese Schachtel** ~ **20 Zigaretten** this packet holds 20 cigarettes; **das Klavier geht nicht durch die Tür** the piano won't go through the door; **3 geht in 9 dreimal** 3 into 9 goes 3; **das geht mir nicht in den Kopf** I just can't understand it.

7. (dauern) to go on. **wie lange geht das denn noch?** how much longer is it going to go on?; **es geht schon eine halbe Stunde** it's been going (on) for half an hour.

8. (reichen) to go. **das Wasser ging ihm bis zum Bauch** the water went up to his waist; **der Rock geht ihr bis zum Knie** her skirt goes or is down to her knee; **in die Tausende** ~ to run into (the) thousands.

9. (Teig) to rise; (vor dem Backen auch) to prove.

10. (urteilen) **nach etw** ~ to go by sth.

11. (sich kleiden) **in etw** (dat) ~ to wear sth; **als etw** ~ (sich verkleiden) to go as sth.

12. (betreffen) **der Artikel ging gegen ...** the article criticized ...; **die Wette geht um 100 Mark** the bet is for 100 marks; **das geht auf sein Konto** or **auf ihn** he's responsible for that; **mein Vorschlag geht dahin, daß ...** my suggestion is that ...

13. (sich bewegen) **ich hörte, wie die Tür ging** I heard the door (go); **diese Tür/Schublade geht schwer** this door/drawer is very stiff.

14. (ertönen: Klingel, Glocke) to ring.

15. (übertreffen) **das geht über meine Kräfte** that's beyond my power; (seelisch) that's too much for me; **sein Garten geht ihm über alles** his garden means more to him than anything else; **nichts**

geht über (+*acc*) ... there's nothing to beat ..., there's nothing better than ...

16. geh, geh *or* **(ach) geh, so schlimm ist das nicht!** (oh) come on, it's not as bad as all that; ~ **Sie (mir) doch mit Ihren Ausreden!** none of your lame excuses!; **geh!** (*Aus: erstaunt*) get away! (*inf*).

17. (*Beruf etc ergreifen*) **ins Kloster** ~ to go into *or* join a monastery/convent; **zur See** ~ to go to sea; **zum Militär** ~ to join the army; **zum Theater/zur Universität** ~ to go on the stage/become an academic; **in die Industrie/Politik** ~ to go into industry/politics; **in die Gewerkschaft/Partei** ~ to join the union/party; **unter die Künstler/Säufer** ~ (*usu hum*) to join the ranks of artists/alcoholics.

18. (*sich betätigen, arbeiten*) **als etw** ~ to work as sth.

19. (*möglich, gut sein*) to be all right, to be OK (*inf*). **das geht doch nicht** that's not on; **Dienstag geht auch nicht** (*inf*) Tuesday's no good either.

20. was geht hier vor sich? what's going on here?; **ich weiß nicht, wie das vor sich geht** I don't know the procedure.

II *vi impers* **1.** (*gesundheitlich*) **wie geht es Ihnen?** how are you?; (*zu Patient*) how are you feeling?; **wie geht's denn** (**so**)? (*inf*) how are things with you)? (*inf*); (**danke,**) **es geht** (*inf*) all right *or* not too bad(, thanks) (*inf*); **es geht ihm gut/schlecht** he's quite well/not at all well; **es geht mir** (**wieder**) **besser** I'm better (again) now; **nach einem Bad ging's mir gleich besser** I soon felt better after a bath; **sonst geht's dir gut?** (*iro*) are you sure you're feeling all right? (*iro*).

2. (*ergehen*) **wie geht's?** how are things?; (*bei Arbeit*) how's it going?; **es geht** not too bad, so-so; **wie war denn die Prüfung?** — **ach, es ging ganz gut** how was the exam? — oh, it went quite well; **mir ist es genauso gegangen** (*ich habe dasselbe erlebt*) it was just the same *or* just like that with me; (*ich habe dasselbe empfunden*) I felt the same way; **laß es dir gut** ~ look after yourself, take care of yourself.

3. es geht (*läßt sich machen*) it's all right *or* OK (*inf*); (*funktioniert*) it works; **solange es geht** as long as possible; **geht es?** (*ohne Hilfe*) can you manage?; **es geht nicht** (*ist nicht möglich*) it can't be done, it's impossible; (*kommt nicht in Frage*) it's not on; (*funktioniert nicht*) it won't *or* doesn't work; **es wird schon** ~ I'll/he'll *etc* manage; (*wird sich machen lassen*) it'll be all right; **so geht das, das geht so** that/this is how it's done; **so geht es** *or* **das, es** *or* **das geht so** that's all right *or* OK (*inf*); **so geht es** *or* **das (eben)** (*so ist das Leben*) that's how it goes, that's the way things go; **so geht es** *or* **das nicht** that's not how it's done; (*entrüstet*) it just won't do; **morgen geht es nicht** tomorrow's no good.

4. (*betreffen*) **worum geht's denn?** what's it about?; **ich weiß nicht, worum es geht** I don't know what this is about; **es geht um seinen Vertrag** it's about *or* it concerns his contract; **worum geht es in diesem Film?** what is this film about?; **es geht um Leben und Tod** it's a matter of life and death; **das geht gegen meine Prinzipien** that goes against my principles; **es geht um meine Ehre** my honour is at stake; **darum geht es mir nicht** that's not the point; (*spielt keine Rolle*) that's not important to me; **es geht um 5 Millionen bei diesem Geschäft** (*im Spiel sein*) the deal involves 5 million; (*auf dem Spiel stehen*) 5 million are at stake in the deal; **wenn es nach mir ginge** ... if it were *or* was up to me ..., if I had my way ...; **es kann nicht immer alles nach dir** ~ you can't expect to have your own way all the time.

5. (*führen*) **dann geht es immer geradeaus** (*Richtung, in der jd geht*) then you keep going straight on; (*Straßenrichtung*) then it just goes straight on; **dann ging es nach Süden/ins Gebirge** (*Richtung, in der jd geht*) we/they *etc* were off to the south/then mountains; (*Straßenrichtung*) then it went south/into the mountains.

6. es geht ein starker Wind there's a strong wind (blowing); **es geht das Gerücht, daß** ... there's a rumour going around that ...; **es geht auf 9 Uhr** it is approaching 9 o'clock.

III *vt* **er geht eine Meile** he walked a mile; **ich gehe immer diesen Weg/diese Straße** I always walk *or* go this way/along this road.

IV *vr* **es geht sich schlecht hier** it's hard to walk here, it's bad for walking here; **in diesen Schuhen geht es sich bequem** these shoes are comfortable to walk in *or* for walking in.

Gehen *nt* **-s,** *no pl* (*Zu-Fuß-*~) walking; (*Abschied*) leaving; (*Sport*) (*Disziplin*) walking; (*Wettbewerb*) walk.

Gehenkte(r) *mf decl as adj* hanged man/woman. **die** ~**n** the hanged.

gehenlassen* *sep irreg vr* **1.** (*sich nicht beherrschen*) to lose one's self-control, to lose control of oneself. **2.** (*nachlässig sein*) to let oneself go.

Geher(in *f*) *m* **-s, -** (*Sport*) walker. **er ist Weltmeister der** ~ he's the world champion in walking.

gehetzt *adj* harassed.

geheuer *adj* **nicht** ~ (*beängstigend*) scary (*inf*); (*spukhaft*) eerie, creepy (*inf*), spooky; (*verdächtig*) dubious, fishy; (*unwohl*) uneasy; **es ist mir nicht ganz** ~ it is scary (*inf*); it is eerie *etc or* gives me the creeps (*inf*); it seems a bit dubious *or* fishy to me; **mir ist es hier nicht** ~ (*mir ist unheimlich*) this place gives me the creeps (*inf*); (*mir ist unwohl*) I have got an uneasy feeling about this place.

Geheul(e) *nt* **-(e)s,** *no pl* howling.

Gehilfe *m* **-n, -n, Gehilfin** *f* **1.** (*dated: Helfer*) assistant, helper. **2.** (*kaufmännischer* ~) trainee. **3.** (*Jur*) accomplice.

Gehilfenbrief *m* diploma.

Gehilfenschaft f (Sw) aiding and abetting.

Gehirn nt -(e)s, -e brain; (Geist) mind. **hast du denn kein ~ im Kopf?** (inf) haven't you got any brains? (inf).

Gehirn- in cpds siehe auch **Hirn-**; **Gehirnakrobatik** f (inf) mental acrobatics pl; **Gehirnblutung** f brain or cerebral haemorrhage; **Gehirnchirurgie** f brain surgery; **Gehirnerschütterung** f concussion; **Gehirnkasten** m (inf) thick skull; **Gehirnnerv** m cranial nerve; **Gehirnrinde** f cerebral cortex; **Gehirnschlag** m stroke; **Gehirnsubstanz** f brain matter; **graue ~** grey matter; **Gehirnwäsche** f brainwashing no pl; **jdn einer ~ unterziehen** to brainwash sb.

gehoben I ptp of **heben**. **II** adj Sprache, Ausdrucksweise elevated, lofty; (anspruchsvoll) sophisticated; Stellung senior, high; Stimmung elated. **Güter des ~en Bedarfs** semi-luxuries; **~er Dienst** professional and executive levels of the civil service.

Gehöft nt -(e)s, -e farm(stead).

geholfen ptp of **helfen**.

Gehölz nt -es, -e (geh) copse, coppice, spinney; (Dickicht) undergrowth.

Geholze nt -s, no pl (Sport inf) bad play; (unfair) rough play.

Gehör nt -(e)s, (rare) -e **1.** (Hörvermögen) hearing; (Mus) ear. **ein schlechtes ~ haben** to be hard of hearing, to have bad hearing; (Mus) to have a bad ear (for music); **nach dem ~ spielen** to play by ear; **absolutes ~** perfect pitch; **das ~ verlieren** to go or become deaf.
2. (geh: Anhörung) **ein Musikstück zu ~ bringen** to perform a piece of music; **~ finden** to gain a hearing; **jdm ~/kein ~ schenken** to listen/not to listen to sb; **schenkt mir ~!** (old) lend me your ears (old); **um ~ bitten** to request a hearing; **sich** (dat) **~ verschaffen** to obtain a hearing; (Aufmerksamkeit) to gain attention.

gehorchen* vi to obey (jdm sb); (Wagen, Maschine) to respond (jdm/einer Sache to sb/sth). **seine Stimme gehorchte ihm nicht mehr** he lost control over his voice; **der Junge gehorcht überhaupt nicht** the boy is completely disobedient or is never obedient.

gehören* I vi **1.** **jdm ~** (jds Eigentum sein) to belong to sb, to be sb's; **das Haus gehört ihm** he owns the house, the house belongs to him; **ihm gehört meine ganze Liebe** he is the only one I love, he has all my love; **ihr Herz gehört einem anderen** her heart belongs to another.
2. (den richtigen Platz haben) to go ; (Mensch) to belong; (gebühren) to deserve. **das gehört nicht hierher** (Gegenstand) it doesn't go here; (Vorschlag) it is irrelevant here; **das Buch gehört ins Regal** the book belongs in or goes on the bookshelves; **das gehört nicht zur Sache/zum Thema** that is off the point or is irrelevant; **er gehört ins Bett** he should be in bed; **er gehört verprügelt** (dial) he needs a thrashing, he ought to be thrashed.

3. **~ zu** (zählen zu) to be amongst, to be one of; (Bestandteil sein von) to be part of; (Mitglied sein von) to belong to; **es gehört zu seiner Arbeit/zu seinen Pflichten** it's part of his work/one of his duties; **zur Familie ~** to be one of the family; **zu diesem Kleid gehört ein blauer Hut** (ist Bestandteil von) a blue hat goes with or belongs to this dress; (würde dazu passen) a blue hat would go with this dress.
4. **~ zu** (Voraussetzung, nötig sein) to be called for by; **zu dieser Arbeit gehört viel Konzentration** this work calls for or takes a lot of concentration; **dazu gehört Mut** that takes courage; **dazu gehört nicht viel** it doesn't take much; **dazu gehört (schon) einiges** or **etwas** that takes some doing (inf); **dazu gehört mehr** there's more to it than that.

II vr to be (right and) proper. **das gehört sich einfach nicht** that's just not done; **wie es sich gehört** (wie es sich schickt) as is (right and) proper; (wie es zünftig ist) comme il faut.

Gehörfehler m ein ~ a hearing defect, defective hearing; **Gehörgang** m auditory canal.

gehörig adj **1.** (geh) **jdm/zu etw ~** belonging to sb/sth; **zu etw ~ sein** to belong to sth; **nicht zur Sache ~** irrelevant; **alle nicht zum Thema ~en Vorschläge** all suggestions not pertaining to or relevant to the topic.
2. attr, adv (gebührend) proper; (notwendig auch) necessary, requisite. **er behandelt seinen Vater nicht mit dem ~en Respekt** he doesn't treat his father with proper respect or with the respect due to him.
3. (inf: beträchtlich, groß) good attr, good and proper (inf) adv, well and truly adv. **eine ~e Achtung vor jdm haben** to have a healthy respect for sb; **eine ~e Tracht Prügel** a good or proper thrashing; **ich hab's ihm ~ gegeben** (inf) I showed him what's what (inf), I gave him what for (inf); (verbal) I gave him a piece of my mind (inf).

gehörlos adj (form) deaf. **~ sein** to have no hearing.

Gehörlose(r) mf decl as adj (form) deaf person.

Gehörlosigkeit f (form) lack of hearing; (Taubheit) deafness.

Gehörn nt -(e)s, -e (Hunt) antlers pl, set of antlers.

Gehörnerv m auditory nerve.

gehörnt adj horned; (mit Geweih) antlered. **ein ~er Ehemann** (hum inf) a cuckold.

gehorsam adj obedient. **ich bitte ~st** (old) I respectfully beg; **Ihr ~ster Diener** (old) your most obedient servant (old), yours obediently (old).

Gehorsam m -s, no pl obedience. **jdm den ~ verweigern** to refuse to obey sb.

Gehorsamkeit f obedience.

Gehorsamsverweigerung f (Mil) insubordination, refusal to obey orders.

Gehörschutz m ear protectors pl;

Gehörsinn *m* sense of hearing.

Gehrung *f* (*Tech*) (*das Gehren*) mitring; (*Eckfuge*) mitre joint.

Gehsteig *m* pavement (*Brit*), sidewalk (*US*).

Gehtnichtmehr *nt*: **trinken/tanzen bis zum** ~ to drink/dance till one drops (*inf*); **sich bis zum** ~ **verschulden** to get up to one's ears in debt (*inf*).

Gehverband *m* (*Med*) plaster cast *allowing the patient to walk*; **Gehweg** *m* footpath.

Geier *m* -s, - (*lit, fig*) vulture. **weiß der** ~! (*inf*) God knows!

Geifer *m* -s, *no pl* slaver; (*Schaum vor dem Mund*) froth, foam; (*fig pej*) venom. **seinen** ~ (**gegen etw**) **verspritzen** to pour out one's venom (on sth).

geifern *vi* to slaver; (*Schaum vor dem Mund haben*) to foam at the mouth; (*fig pej*) to be bursting with venom. **vor Wut/Neid** ~ to be bursting with rage/envy; **gegen jdn/etw** ~ to revile sb/sth.

Geige *f* -, -n violin, fiddle (*inf*). **die erste/zweite** ~ **spielen** (*lit*) to play first/second violin; (*fig*) to call the tune/play second fiddle; **nach jds** ~ **tanzen** (*fig*) to dance to sb's tune.

geigen I *vi* to play the violin, to (play the) fiddle (*inf*). **II** *vt Lied* to play on a/the violin *or* fiddle (*inf*). **jdm die Meinung** ~ (*inf*) to give sb a piece of one's mind (*inf*).

Geigenbauer(in *f*) *m* violin-maker; **Geigenbogen** *m* violin bow; **Geigenharz** *nt* rosin; **Geigenkasten** *m* violin-case; **Geigenkästen** *pl* (*hum inf*) clodhoppers *pl* (*inf*); **Geigensaite** *f* violin string.

Geiger(in *f*) *m* -s, - violinist, fiddler (*inf*). **erster** ~ first violin.

Geigerzähler *m* Geiger counter.

geil *adj* **1.** randy, horny; (*pej: lüstern*) lecherous. **auf jdn** ~ **sein** to be lusting after sb. **2.** (*Agr*) *Boden* rich, fertile; (*üppig*) luxuriant; *Vegetation* rank. **3.** (*sl: prima*) brilliant (*inf*), wicked (*sl*). **der Typ ist** ~ he's a cool guy (*inf*).

Geilheit *f siehe adj* **1.** randiness (*Brit*), horniness; lecherousness. **2.** richness, fertility; luxuriance; rankness.

Geisel *f* -, -n hostage. **jdn als** ~ **nehmen** to take sb hostage; **~n stellen** to produce hostages.

Geiseldrama *nt* hostage crisis; **Geiselgangster** *m* (*Press sl*) gangster who takes/took *etc* hostages; **Geiselhaft** *f* captivity (as a hostage); **Geiselnahme** *f* -, -n hostage-taking; **Geiselnehmer(in** *f*) *m* hostage-taker.

Geisha ['geːʃa] *f* -, -s geisha (girl).

Geiß *f* -, -en **1.** (*S Ger, Aus, Sw: Ziege*) (nanny-)goat. **2.** (*von Rehwild*) doe.

Geißblatt *nt* honeysuckle, woodbine; **Geißbock** *m* billy-goat.

Geißel *f* -, -n **1.** (*lit, fig*) scourge; (*dial: Peitsche*) whip. **2.** (*Biol*) flagellum.

geißeln *vt* **1.** to whip, to flagellate (*esp Rel*). **2.** (*fig*) (*kasteien*) to chastise; (*anprangern*) to castigate.

Geißeltierchen *nt* flagellate.

Geiß(e)lung *f siehe vt* **1.** whipping, flag-

ellation. **2.** chastisement; castigation; scourging.

Geißfuß *m* (*Gehreisen*) parting tool; (*Brechstange*) crowbar; **Geißhirt** *m* goatherd; **Geißlein** *nt* kid.

Geißler *m* -s, - (*Rel*) flagellator.

Geist *m* -(e)s, -er **1.** *no pl* (*Denken, Vernunft*) mind. **der menschliche** ~, **der** ~ **des Menschen** the human mind; ~ **und Materie** mind and matter; „**Phänomenologie des** ~**es**" "Phenomenology of the Spirit".

2. (*Rel: Seele, außerirdisches Wesen*) spirit; (*Gespenst*) ghost. ~ **und Körper** mind and body; **seinen** ~ **aufgeben** *or* **aushauchen** (*liter, iro*) to give up the ghost; **der** ~ **ist willig, aber das Fleisch ist schwach** the spirit is willing, but the flesh is weak; **der Heilige** ~ the Holy Ghost *or* Spirit; **der** ~ **Gottes** the Spirit of God; **der böse** ~ the Evil One; **der** ~ **der Finsternis** the Prince of Darkness; **gute/böse** ~**er** good/evil spirits; **der gute** ~ **des Hauses** (*geh*) the moving spirit in the household; **von allen guten** ~**ern verlassen sein** (*inf*) to have taken leave of one's senses (*inf*); **jdm auf den** ~ **gehen** (*inf*) to get on sb's nerves; **in dem Schloß gehen** ~**er um** the castle is haunted.

3. (*no pl: Intellekt*) intellect, mind; (*fig: Denker, Genie*) mind. ~ **haben** to have a good mind *or* intellect; (*Witz*) to show wit; **ein Mann von großem** ~ a man of great intellect *or* with a great mind; **die Rede zeugte nicht von großem** ~ the speech was not particularly brilliant; **hier scheiden sich die** ~**er** this is the parting of the ways; **sie sind verwandte** ~**er** they are kindred spirits; **kleine** ~**er** (*iro: ungebildet*) people of limited intellect; (*kleinmütig*) small- *or* petty-minded people.

4. *no pl* (*Wesen, Sinn, Gesinnung*) spirit. **in kameradschaftlichem** ~ in a spirit of comradeship; **in diesem Büro herrscht ein kollegialer** ~ this office has a friendly atmosphere; **in seinem/ihrem** ~ in his/her spirit; **in jds** ~ **handeln** to act in the spirit of sb; **der** ~ **der Zeit** the spirit *or* genius (*liter*) of the times; **nach dem** ~ **des Gesetzes, nicht nach seinem Buchstaben gehen** to go by the spirit rather than the letter of the law; **daran zeigt sich, wes** ~**es Kind er ist** that (just) shows what kind of person he is.

5. *no pl* (*Vorstellung*) mind. **etw im** ~(**e**) **vor sich sehen** to see sth in one's mind's eye; **sich im** ~(**e**) **als etw/als jd/an einem Ort sehen** to see *or* picture oneself as sth/as sb/in a place; **im** ~**e bin ich bei Euch** I am with you in spirit, my thoughts are with you.

Geisterbahn *f* ghost train; **Geisterbeschwörer(in** *f*) *m* -s, - **1.** (*der Geister herbeiruft*) necromancer; **2.** (*der Geister austreibt*) exorcist; **Geisterbeschwörung** *f* **1.** (*Herbeirufung*) necromancy; **2.** (*Austreibung*) exorcism; **Geisterbild** *nt* (*TV*) ghost image; **Geisterbilder** ghosting *no pl*; **Geistererscheinung** *f* (ghostly) apparition; (*im Traum etc*) vision; **Geisterfahrer** *m* (*inf*) ghost-driver (*US inf*), *person driving in the wrong direction*; **Geistergeschichte** *f* ghost story; **Geisterglaube** *m* belief in the supernatural; **geisterhaft** *adj* ghostly *no adv*, unearthly *no adv*; (*übernatürlich*) supernatural; **Geisterhand** *f*: **wie von/durch ~** as if by magic.

geistern *vi aux sein* to wander like a ghost. **der Gedanke geisterte in seinem Hirn/durch sein Hirn** the thought haunted him *or* his mind; **Lichter geisterten hinter den Fenstern** ghostly lights shone through the windows.

Geisterseher(in *f*) *m* visionary; **Geisterstadt** *f* ghost town; **Geisterstimme** *f* ghostly voice; **Geisterstunde** *f* witching hour; **Geisterwelt** *f* spirit world.

geistesabwesend *adj* absent-minded; **Geistesabwesenheit(in** *f*) *f* absent-mindedness; **Geistesarbeiter(in** *f*) *m* brain-worker (*inf*); **Geistesarmut** *f* dullness, intellectual poverty; (*von Mensch auch*) poverty of mind; **Geistesblitz** *m* brainwave (*Brit*), brain-storm (*US*), flash of inspiration; **Geistesgabe** *f* intellectual gift; **Geistesgegenwart** *f* presence of mind; **geistesgegenwärtig** *adj* quick-witted; **~ duckte er sich unter das Steuer** with great presence of mind he ducked below the steering wheel; **Geistesgeschichte** *f* history of ideas; **geistesgestört** *adj* mentally disturbed *or* (*stärker*) deranged; **du bist wohl ~!** (*inf*) are you out of your mind? (*inf*); **ein G~er** a mentally disturbed/deranged person; **Geistesgestörtheit** *f* mental instability *or* (*stärker*) derangement; **Geistesgröße** *f* **1.** *no pl* (*Genialität*) greatness of mind; **2.** (*genialer Mensch*) great mind, genius; **Geisteshaltung** *f* attitude of mind; **geisteskrank** *adj* mentally ill; **Geisteskranke(r)** *mf* mentally ill person; **Geisteskrankheit** *f* mental illness; (*Wahnsinn*) insanity; **Geistesstörung** *f* mental disturbance *or* (*stärker*) derangement; **Geistesverfassung** *f* frame *or* state of mind; **geistesverwandt** *adj* mentally akin (*mit* to); **die beiden sind ~** they are kindred spirits; **Geistesverwandtschaft** *f* spiritual affinity (*mit* to); **Geistesverwirrung** *f* mental confusion; **Geisteswelt** *f* (*liter*) world of thought; **Geisteswissenschaft** *f* arts subject; **die ~en** the arts; (*als Studium*) the humanities; **Geisteswissenschaftler(in** *f*) *m* arts scholar; (*Student*) arts student; **geisteswissenschaftlich** *adj* Fach arts *attr*; **Geisteszustand** *m* mental condition, state of mind; **jdn auf seinen ~ untersuchen** to give sb a psychiatric examination.

Geistfeindlichkeit *f* anti-intellectualism; **Geistheiler(in** *f*) *m* faith healer.

geistig *adj* **1.** (*unkörperlich*) Wesen, Liebe, Existenz spiritual. **ein ~es Band** a spiritual bond; **~-moralisch** spiritual and moral; **~-moralische Erneuerung** spiritual and moral renewal; **~-seelisch** mental and spiritual.
2. (*intellektuell*) intellectual; (*Psych*) mental. **~e Arbeit** intellectual work, brain-work (*inf*); **~e Nahrung** intellectual nourishment; **~ anspruchsvoll/anspruchslos** intellectually demanding/undemanding, highbrow/lowbrow (*inf*); **~ nicht mehr folgen können** to be unable to understand *or* follow any more; **~er Diebstahl** plagiarism *no pl*; **~es Eigentum** intellectual property; **der ~e Vater** the spiritual father; **~ behindert/zurückgeblieben** mentally handicapped *or* deficient/retarded.
3. (*imaginär*) **sein ~es Auge** one's mind's eye; **etw vor seinem ~en Auge sehen** to see sth in one's mind's eye.
4. *attr* (*alkoholisch*) spirituous.

Geistigkeit *f* intellectuality.

geistlich *adj* Angelegenheit, Einstellung, Führer, Beistand spiritual; (*religiös*) Drama, Dichtung, Schrift religious; Musik religious, sacred; (*kirchlich*) ecclesiastical; Gewand ecclesiastical, clerical. **~es Amt/~er Orden** religious office/order; **der ~e Stand** the clergy; **die ~en Weihen empfangen** to take holy orders.

Geistliche *f* **-n, -n** woman priest; (*von Freikirchen*) woman minister.

Geistliche(r) *m* decl as adj clergyman; (*Priester*) priest; (*Pastor, von Freikirchen*) minister; (*Gefängnis~, Militär~*) chaplain.

Geistlichkeit *f* siehe **Geistliche(r)** clergy; priesthood; ministry.

geistlos *adj* (*dumm*) stupid; (*langweilig*) dull; (*einfallslos*) unimaginative; (*trivial*) inane; **Geistlosigkeit** *f* **1.** *no pl* siehe adj stupidity; dullness; unimaginativeness; inanity; **2.** (*geistlose Äußerung*) dull/stupid *etc* remark; **geistreich** *adj* (*witzig*) witty; (*klug*) intelligent; (*einfallsreich*) ingenious; Beschäftigung, Gespräch, Unterhaltung intellectually stimulating; (*schlagfertig*) quick-witted; **das war sehr ~** (*iro*) that was bright (*iro*); **geistsprühend** *adj attr* (*geh*) scintillatingly *or* brilliantly witty; **geisttötend** *adj* soul-destroying; **geistvoll** *adj* Mensch, Äußerung wise, sage; Buch, Gespräch, Beschäftigung intellectual.

Geitau *nt* (*Naut*) stay.

Geiz *m* **-es,** *no pl* meanness; (*Sparsamkeit, Knauserei auch*) miserliness.

geizen *vi* to be mean; (*sparsam, knausrig sein auch*) to be miserly; (*mit Worten, Zeit*) to be sparing. **mit etw ~** to be mean *etc* with sth; **sie geizt nicht mit ihren Reizen** she doesn't mind showing what she's got; **nach etw ~** (*old*) to crave (for) sth.

Geizhals *m* miser, cheapskate (*inf*).

geizig *adj* mean, stingy (*inf*), cheap (*US inf*); (*sparsam, knausrig auch*) miserly; (*mit Geld auch*) tight-fisted. „**Der G~e**" "The Miser".

Gejammer *nt* **-s,** *no pl* moaning (and groaning); (*inf: Klagen auch*) bellyaching (*inf*), griping (*inf*).

Gejaule *nt* **-s,** *no pl* howling; (*von Tieren*

auch) yowling.
Gejohle *nt* -s, *no pl* howling; (*von Betrunkenen etc*) caterwauling.
gekannt *ptp of* **kennen**.
Gekicher *nt* -s, *no pl* giggling, tittering; (*spöttisch*) sniggering, snickering.
Gekläff *nt* -(e)s, *no pl* yapping (*auch fig pej*), yelping.
Geklapper *nt* -s, *no pl* clatter(ing).
Geklatsche *nt* -s, *no pl* (*inf*) (*pej: Tratscherei*) gossiping, tittle-tattling.
gekleidet *adj* dressed. **gut/schlecht ~ sein** to be well/badly dressed; **weiß/schwarz ~ sein** to be dressed in white/black.
Geklimper *nt* -s, *no pl* (*inf*) (*Klavier~*) tinkling; (*stümperhaft*) plonking (*inf*); (*Banjo~ etc*) twanging; (*von Geld*) jingling; (*von Wimpern*) fluttering.
geklommen *ptp of* **klimmen**.
geklungen *ptp of* **klingen**.
Geknall(e) *nt* -(e)s, *no pl siehe* **Knallerei**.
Geknarr(e) *nt* -(e)s, *no pl* creaking; (*von Stimme*) rasping, grating.
Geknatter *nt* -s, *no pl* (*von Motorrad*) roaring; (*von Preßlufthammer*) hammering; (*von Maschinengewehr*) rattling, chattering; (*von Schüssen*) rattling (out).
geknickt *adj* (*inf*) glum, dejected.
gekniffen *ptp of* **kneifen**.
Geknister *nt* -s, *no pl* crackling, crackle; (*von Papier, Seide*) rustling.
gekommen *ptp of* **kommen**.
gekonnt I *ptp of* **können**. II *adj* neat; (*meisterhaft*) masterly.
Gekrakel *nt* -s, *no pl* (*inf*) scrawl, scribble; (*Krakeln*) scrawling, scribbling.
gekräuselt *adj* ruffled.
Gekreisch(e) *nt* -s, *no pl* screeching; (*von Vogel auch*) squawking; (*von Reifen, Bremsen auch*) squealing; (*von Mensch auch*) shrieking, squealing.
Gekreuzigte(r) *mf decl as adj* crucified (person). **Jesus der ~** Jesus the Crucified.
gekrochen *ptp of* **kriechen**.
Gekröse *nt* -s, - (*Anat*) mesentery; (*Kutteln*) tripe; (*eßbare Eingeweide*) chitterlings *pl*; (*von Geflügel*) giblets *pl*.
gekühlt *adj* chilled.
gekünstelt *adj* artificial; *Sprache, Benehmen auch* affected. **er spricht sehr ~** his speech is very affected.
Gel *nt* -s, -e gel.
Gelaber(e) *nt* -(s), *no pl* (*inf*) jabbering (*inf*), prattling (*inf*).
Gelache *nt* -s, *no pl* (*inf*) silly laughter.
Gelächter *nt* -s, - laughter. **in ~ ausbrechen** to burst into laughter, to burst out laughing; **jdn dem ~ preisgeben** (*geh*) to make sb a/the laughing-stock.
gelackmeiert *adj* (*inf*) duped, conned (*inf*). **~ or der G~e sein** (*hintergangen worden sein*) to have been duped *or* conned (*inf*); (*dumm dastehen*) to look a right fool (*inf*).
geladen I *ptp of* **laden¹, laden²**. II *adj* 1. loaded; (*Phys*) charged; (*inf: wütend*) (hopping *inf*) mad. 2. ~ **haben** (*inf*) to be tanked up (*inf*).
Gelage *nt* -s, - feast, banquet; (*Zech~*) carouse.

gelagert *adj* **in anders/ähnlich ~en Fällen** in different/similar cases; **anders ~ sein** to be different.
gelähmt *adj* paralyzed. **er ist seit seinem Unfall ~** his accident left him paralyzed, he's been paralyzed since his accident; **er hat ~e Beine** his legs are paralyzed, he's paralyzed in the legs.
Gelände *nt* -s, - 1. (*Land*) open country; (*Mil: Gebiet, Terrain*) ground. **offenes ~** open country; **schwieriges ~** difficult terrain *or* country; **das ~ erkunden** (*Mil*) to reconnoitre. 2. (*Gebiet*) area. 3. (*Grundstück*) (*Fabrik~, Schul~*) grounds *pl*; (*Bau~*) site; (*Ausstellungs~*) exhibition centre.
Geländefahrt *f* cross-country drive; **Geländefahrzeug** *nt* cross-country *or* all-terrain vehicle; **geländegängig** *adj Fahrzeug* suitable for cross-country work; **Geländelauf** *m* cross-country run; (*Wettbewerb*) cross-country race; **Geländemarsch** *m* cross-country march; **einen ~ machen** to march cross-country.
Geländer *nt* -s, - railing(s *pl*); (*Treppen~*) banister(s *pl*).
Geländerennen *nt* cross-country race; **Geländeritt** *m* cross-country riding; **ein ~** a cross-country ride; **Geländeübung** *f* field exercise; **Geländewagen** *m* cross-country *or* general-purpose vehicle.
gelang *pret of* **gelingen**.
gelangen* *vi aux sein* **an/auf** *etc* **etw** (*acc*)/**zu etw ~** (*lit, fig*) to reach sth; (*fig: mit Mühe*) to attain sth; (*erwerben*) to acquire sth; **zum Ziel ~** to reach one's goal; (*fig auch*) to attain one's end *or* goal; **in jds Besitz ~** to come into sb's possession; **in die richtigen/falschen Hände ~** to fall into the right/wrong hands; **zu Reichtum ~** to come into a fortune; (*durch Arbeit*) to make a *or* one's fortune; **zu Ruhm ~** to achieve *or* acquire fame; **zur Reife ~** to reach *or* attain (*form*) maturity; **zu einer Überzeugung ~** to become convinced; **zur Abstimmung ~** (*form*) to be put to the vote; **zur Durchführung/Aufführung ~** (*form*) to be carried out/performed; **zur Auszahlung ~** (*form*) to be paid out; **an die Macht ~** to come to power.
gelangweilt *adj* bored *no adv*. **die Zuschauer saßen ~ da** the audience sat there looking bored; **er hörte ihr ~ zu** he was bored listening to her.
gelappt *adj Blatt* lobate, lobed.
gelassen I *ptp of* **lassen**. II *adj* (*ruhig*) calm; (*gefaßt auch*) cool, composed *no adv*. **~ bleiben** to keep calm *or* cool; **etw ~ hinnehmen** to take sth calmly *or* with composure.
Gelassenheit *f siehe adj* calmness; coolness, composure.
Gelatine [ʒelaˈtiːnə] *f, no pl* gelatine.
gelatinieren* [ʒelatiˈniːrən] *vti* to gelatinize.
Geläuf *nt* -(e)s, -e 1. (*Hunt*) tracks *pl* (*of game birds*). 2. (*von Pferderennbahn*) turf.
gelaufen *ptp of* **laufen**.

geläufig adj (üblich) common; (vertraut) familiar; (dated: fließend) fluent. **eine ~e Redensart** a common saying; **das ist mir nicht ~** I'm not familiar with that, that isn't familiar to me.

gelaunt adj pred **gut/schlecht ~** good-/ bad-tempered, good-/ill-humoured; (vorübergehend) in a good/bad mood; **wie ist er ~?** what sort of mood is he in?

Geläut(e) nt -s -(e)s, no pl **1.** (Glockenläuten) ringing; (harmonisch auch) chiming; (Läutwerk) chime. **2.** (Hunt) baying.

gelb adj yellow; (bei Verkehrsampel) amber. **die Blätter werden ~** the leaves are turning (yellow); **~er Fleck** (Anat) yellow spot; **~e Rübe** carrot; **die ~e Rasse** the yellow race, the Orientals pl; **die ~e Gefahr** (Pol pej) the yellow peril; **der G~e Fluß/das G~e Meer** the Yellow River/Sea; **~e Karte** (Ftbl) yellow card; **G~e Seiten** yellow pages; **die ~e Post** the postal service (excluding telecommunications); **~ vor Neid** green with envy; **Löwenzahn blüht ~** the dandelion has a yellow flower.

Gelb nt -s, - or (inf) -s yellow; (von Verkehrsampel) amber. **die Ampel stand auf ~** the lights were amber or had turned amber; **bei ~ stehenbleiben** to stop on amber.

Gelbe(r) mf decl as adj Oriental.

Gelbe(s) nt decl as adj (vom Ei) yolk. **das ist nicht gerade das ~ vom Ei** (inf) it's not exactly brilliant.

Gelbfieber nt yellow fever; **Gelbfilter** m (Phot) yellow filter; **gelbgrün** adj yellowish-green; **Gelbkörperhormon** nt gestagen; **Gelbkreuz** nt (Chem) mustard gas.

gelblich adj yellowish, yellowy; Gesichtsfarbe sallow.

Gelbsucht f jaundice; **gelbsüchtig** adj jaundiced; **er ist ~** he has jaundice; **Gelbwurz** f turmeric.

Geld nt -(e)s, -er **1.** no pl (Zahlungsmittel) money. **bares/großes/kleines ~** cash/ notes pl/change; **~ und Gut** wealth and possessions; **alles für unser ~!** and we're paying for it!; **~ aufnehmen** to raise money; **aus etw ~ machen** to make money out of sth; **zu ~ machen** to sell off; **Aktien** to cash in; **(mit etw) ~ machen** (inf) to make money (from sth); **um ~ spielen** to play for money; **ins ~ gehen** (inf) or **laufen** (inf) to cost a pretty penny (inf); **das kostet ein (wahnsinniges) ~** (inf) that costs a fortune or a packet (inf); **etw für teures ~ kaufen** to pay a lot for sth; **ich stand ohne ~ da** I was left penniless or without a penny; **in or im ~ schwimmen** (inf) to be rolling in it (inf), to be loaded (inf); **er hat ~ wie Heu** (inf) he's got stacks of money (inf); **das ~ auf die Straße werfen** (inf) or **zum Fenster hinauswerfen** (inf) to spend money like water or like it was going out of fashion (inf); **da hast du das Geld zum Fenster hinausgeworfen** (inf) that's money down the drain (inf); **mit ~ um sich werfen** or **schmeißen** (inf) to chuck one's money around (inf); **gutes ~ dem**

schlechten **hinterher-** or **nachwerfen** (inf) to throw good money after bad; **jdm das ~ aus der Tasche ziehen** or **lotsen** (inf) to get or squeeze money out of sb; **hinterm ~ hersein** (inf) to be a money-grubber (inf); **das ist nicht für ~ zu haben** (inf) that can't be bought; **sie/ das ist nicht mit ~ zu bezahlen** (inf) she/ that is priceless; **nicht für ~ und gute Worte** (inf) not for love nor money; **~ allein macht nicht glücklich(, aber es beruhigt)** (Prov) money isn't everything (, but it helps) (prov); **~ oder Leben!** your money or your life!; **~ stinkt nicht** (Prov) there's nothing wrong with money; **~ regiert die Welt** (Prov) money makes the world go round (prov).

2. (~summen) **~er** pl money. **tägliche ~er** day-to-day money or loans pl; **staatliche/öffentliche ~er** state/public funds pl or money.

3. (St Ex) siehe **Geldkurs.**

Geldabwertung f currency devaluation; **Geldangelegenheit** f financial matter; **jds ~en** sb's financial affairs; **Geldanlage** f (financial) investment; **Geldaufwertung** f currency revaluation; **Geldausgabe** f (financial) expenditure; **Geldautomat** m (zum Geldabheben) cash dispenser, automatic teller (US); (zum Geldwechseln) change machine; **Geldautomatenkarte** f cash card; **Geldbeutel** m purse; **tief in den ~ greifen** (inf) to dig deep (into one's pocket) (inf); **Geldbombe** f strongbox; **Geldbörse** f siehe **Geldbeutel; Geldbote** m, **Geldbotin** f security guard; **Geldbriefträger(in** f) m postman/-woman who delivers money orders; **Geldbuße** f (Jur) fine; **eine hohe ~** a heavy fine; **Geldeinlage** f capital invested no pl; **Geldeinwurf** m slot; **Geldentwertung** f (Inflation) currency depreciation; (Abwertung) currency devaluation; **Gelderwerb** m **zum ~ arbeiten** to work to earn money; **Geldfälschung** f counterfeiting; **Geldgeber(in** f) m financial backer; (esp Rad, TV) sponsor; (hum: Arbeitgeber) employer; **Geldgeschäft** nt financial transaction; **Geldgeschenk** nt gift of money; **Geldgier** f avarice; **geldgierig** adj avaricious; **Geldheirat** f das war **eine reine ~** she/he etc just got married for the money; **Geldherrschaft** f plutocracy.

Geldinstitut nt financial institution; **Geldkassette** f cash box; **Geldknappheit** f shortage of money; **Geldkurs** m (St Ex) buying rate, bid price.

geldlich adj financial.

Geldmangel m lack of money; **Geldmarkt** m money market; **Geldmenge** f money supply; **Geldmittel** pl funds pl; **Geldpolitik** f financial policy; **Geldprämie** f bonus; (als Auszeichnung) (financial) award; (als Belohnung) (financial) reward; **Geldquelle** f source of income; **Geldrolle** f roll of money or coins; **Geldsache** f money or financial matter; **in ~n hört**

die **Gemütlichkeit auf** (*prov*) business is business (*prov*); **Geldsack** *m* money bag; (*pej inf: reicher Mann*) moneybags *sing*; **auf dem ~ sitzen** (*inf*) to be sitting on a pile of money (*inf*); **Geldsäckel** *m* (*dial*) money bag; (*fig: von Kanton, Staat*) coffers *pl*; **Geldschein** *m* banknote, bill (*US*); **Geldschrank** *m* safe; **Geldschrankknacker** *m* (*inf*) safeblower; **Geldschwierigkeiten** *pl* financial difficulties *pl*; **Geldsorgen** *pl* financial worries *pl*, money troubles *pl*; **~ haben, in ~ sein** to have financial worries *or* money troubles; **Geldsorte** *f* (*Fin*) (type of) currency; **Geldspende** *f* donation, gift of money; **Geldspielautomat** *m* slot machine; **Geldspritze** *f* (*inf*) injection of money; **Geldstrafe** *f* fine; **jdn zu einer ~ verurteilen** *or* **mit einer ~ belegen** to fine sb, to impose a fine on sb; **Geldstück** *nt* coin; **Geldsumme** *f* sum of money; **Geldtasche** *f* purse, wallet (*US*); (*Herren~*) wallet; (*sackartig*) money bag; **Geldumlauf** *m* circulation of money; **Geldumtausch** *m* siehe **Geldwechsel**; **Geldverdiener(in** *f*) *m* (*inf*) moneymaker (*inf*); **Geldverkehr** *m* money transactions *pl*; **Geldverlegenheit** *f* financial embarrassment *no pl*; **in ~ sein** to be short of money; **Geldverleiher(in** *f*) *m* moneylender; **Geldverschwendung** *f* waste of money; **Geldwaschanlage** *f* money-laundering outfit; **Geldwäsche** *f* money laundering; **Geldwechsel** *m* exchange of money; „**,~**" "bureau de change"; **Geldwechselautomat** *m* change machine; **Geldwechsler** *m* moneychanger; (*Automat*) change machine; **geldwert** *adj* ~**er Vorteil** perk, payment in kind; **Geldwert** *m* cash value; (*Fin: Kaufkraft*) (currency) value; **Geldwertstabilität** *f* stability of a/the currency; **Geldwesen** *nt* monetary system; **Geldwirtschaft** *f* money economy; **Geldzuwendungen** *pl* money *sing*; (*Geldgeschenk*) gifts *pl* of money; (*regelmäßiges Geldgeschenk*) allowance *sing*.

geleckt *adj* **wie ~ aussehen** (*inf hum*) *Mann, Frau* to be spruced up; *Zimmer, Boden* to be spick and span.

Gelee [ʒe'le:] *m or nt* **-s, -s** jelly.

Gelege *nt* **-s, -** (*Vogel~*) clutch (of eggs); (*Frosch~*) spawn *no pl*; (*von Reptilien*) eggs *pl*.

gelegen I *ptp of* **liegen**.

II *adj* **1.** (*befindlich*) *Haus* situated; *Grundstück auch* located. **ein herrlich ~er Ort** a place in a magnificent area.

2. (*passend*) opportune. **zu ~er Zeit** at a convenient time; **du kommst mir gerade ~** you've come at just the right time; (*iro*) you do pick your time well; **es kommt mir sehr/nicht sehr ~** it comes just at the right/wrong time.

3. *pred* (*wichtig*) **mir ist viel/nichts daran ~** it matters a great deal/doesn't matter to me.

Gelegenheit *f* **1.** (*günstiger Umstand*) opportunity. **bei ~** some time (or other); **bei passender ~** when the

opportunity arises; **bei passender/der ersten (besten) ~ werde ich ...** when I get the opportunity *or* chance/at the first opportunity I'll ...; **(die) ~ haben** to get an *or* the opportunity *or* a chance (*etw zu tun* to do sth); **jdm (die) ~ geben** *or* **bieten** to give sb an *or* the opportunity *or* a *or* the chance (*etw zu tun* to do sth); **~ macht Diebe** (*Prov*) opportunity makes a thief.

2. (*Anlaß*) occasion. **bei dieser ~** on this occasion; **ein Kleid für alle ~en** a dress suitable for all occasions.

3. (*Comm*) bargain.

Gelegenheitsarbeit *f* **1.** casual work *no pl*; **2.** (*eines Autors*) minor work; **Gelegenheitsarbeiter(in** *f*) *m* casual labourer; **Gelegenheitsdichter(in** *f*) *m* occasional poet; **Gelegenheitsgedicht** *nt* occasional poem; **Gelegenheitskauf** *m* bargain; **Gelegenheitsraucher(in** *f*) *m* occasional smoker; **Gelegenheitstrinker(in** *f*) *m* occasional drinker.

gelegentlich I *adj attr* occasional. **von ~en Ausnahmen abgesehen** except for the odd occasion.

II *adv* (*manchmal*) occasionally, now and again; (*bei Gelegenheit*) some time (or other). **wenn Sie ~ dort sind** if you happen to be there; **lassen Sie ~ etwas von sich hören!** keep in touch.

III *prep* +*gen* (*geh*) **~ seines 60. Geburtstags** on the occasion of his 60th birthday.

gelehrig *adj* quick to learn. **sich bei etw ~ anstellen** to be quick to grasp sth.

Gelehrigkeit *f* quickness to learn.

gelehrsam *adj* **1.** (*old*) *siehe* **gelehrt**. **2.** (*rare*) *siehe* **gelehrig**.

Gelehrsamkeit *f* (*geh*) learning, erudition.

gelehrt *adj* learned, erudite; (*wissenschaftlich*) scholarly. **~e Gesellschaft** (*old*) learned society.

Gelehrte(r) *mf decl as adj* scholar. **darüber sind sich die ~n noch nicht einig** that's a moot point.

Gelehrtenstreit *m* dispute amongst the scholars; **Gelehrtenwelt** *f* world of learning.

Gelehrtheit *f* learning, erudition.

Geleise *nt* **-s, -** (*geh, Aus*) *siehe* **Gleis**.

Geleit *nt* **-(e)s, -e** (*Hist: Gefolge*) retinue, entourage; (*Begleitung, Mil*) escort; (*Naut*) convoy, escort; (*Leichenzug*) cortege. **freies** *or* **sicheres ~** safe-conduct; **jdm das ~ geben** to escort *or* accompany sb.

Geleitboot *nt* escort *or* convoy ship; **Geleitbrief** *m* (*Hist*) letter of safe-conduct.

geleiten* *vt* (*geh*) to escort; (*begleiten auch*) to accompany; (*Naut*) to convoy, to escort.

Geleitschutz *m* escort; (*Naut auch*) convoy; **jdm ~ gewähren** *or* **geben** to give sb an escort/a convoy; (*persönlich*) to escort/convoy sb; **Geleitwort** *nt* (*geh*) preface; **Geleitzug** *m* (*Mil, Naut*) convoy; **im ~ fahren** to drive in/sail under convoy.

Gelenk *nt* **-(e)s, -e** joint; (*Hand~*) wrist;

(*Fuß~*) ankle; (*Ketten~*) link; (*Scharnier~*) hinge.

Gelenkbus *m* articulated bus; **Gelenkentzündung** *f* arthritis; **Gelenkfahrzeug** *nt* articulated vehicle.

gelenkig *adj* supple; *Mensch auch* agile. ~ **verbunden sein** (*Tech*) to be jointed; (*zusammengefügt*) to be articulated; (*mit Kettengelenk*) to be linked; (*mit Scharniergelenk*) to be hinged.

Gelenkigkeit *f* suppleness; (*von Mensch auch*) agility.

Gelenkkopf *m*, **Gelenkkugel** *f* (*Anat*) head of a bone, condyle (*spec*); **Gelenkleuchte** *f* Anglepoise ® (lamp); **Gelenkomnibus** *m siehe* **Gelenkbus**; **Gelenkpfanne** *f* (*Anat*) glenoid cavity; **Gelenkplastik** *f* (*Med*) anthroplasty; **Gelenkrheumatismus** *m* rheumatic fever; **Gelenkschmiere** *f* (*Anat*) synovial fluid; **Gelenkwelle** *f* (*Tech*) cardan shaft; **Gelenkzug** *m* articulated train.

gelernt *adj* trained; *Arbeiter* skilled.

gelesen *ptp of* **lesen**.

geliebt *adj* dear, beloved (*liter, Eccl*).

Geliebte *f decl as adj* sweetheart; (*Mätresse*) mistress; (*liter: als Anrede*) beloved (*liter*).

Geliebte(r) *m decl as adj* sweetheart, lover (*old*); (*Liebhaber*) lover; (*liter: als Anrede*) beloved (*liter*).

geliefert *adj* ~ **sein** (*inf*) to have had it (*inf*); **jetzt sind wir** ~ that's the end (*inf*).

geliehen *ptp of* **leihen**.

gelieren* [ʒe'liːrən] *vi* to gel.

Gelier- [ʒe'liːɐ]: **Geliermittel** *nt* gelling agent; **Gelierzucker** *m* preserving sugar.

gelind(e) *adj* (*geh*) **1.** (*mäßig, mild*) mild; (*schonend, vorsichtig*) gentle; *Wind, Frost, Regen* light; *Klima, Anhöhe* gentle. ~ **gesagt** putting it mildly, to put it mildly. **2.** (*inf: heftig*) awful (*inf*). **da packte mich** ~ **Wut** I got pretty angry.

gelingen *pret* **gelang**, *ptp* **gelungen** *vi aux sein* (*glücken*) to succeed; (*erfolgreich sein*) to be successful. **es gelang ihm, das zu tun** he succeeded in doing it; **es gelang ihm nicht, das zu tun** he failed to do it, he didn't succeed in doing it; **dem Häftling gelang die Flucht** the prisoner managed to escape *or* succeeded in escaping; **dein Plan wird dir nicht** ~ you won't succeed with your plan; **es will mir nicht** ~/~ ... **zu** ... I can't seem to manage it/manage to ...; **das Bild ist ihr gut/schlecht gelungen** her picture turned out well/badly.

Gelingen *nt* **-s**, *no pl* (*geh*) (*Glück*) success; (*erfolgreiches Ergebnis*) successful outcome. **auf gutes** ~! to success!

Gelispel *nt* **-s**, *no pl* (*das Lispeln*) lisping; (*Geflüster*) whispering.

gelitten *ptp of* **leiden**.

gell¹ *adj* shrill, piercing.

gell², **gelle** *interj* (*S Ger, Sw*) *siehe* **gelt**.

gellen *vi* to shrill; (*von lauten Tönen erfüllt sein*) to ring. **der Lärm gellt mir in den Ohren** the noise makes my ears ring; **ein schriller Schrei gellte durch die**

Nacht a shrill scream pierced the night.

gellend *adj* shrill, piercing. ~ **um Hilfe schreien** to scream for help.

geloben* *vt* (*geh*) to vow, to swear. **die Fürsten gelobten dem König Treue** the princes pledged their loyalty *or* vowed loyalty to the king; **das Gelobte Land** (*Bibl*) the Promised Land; **ich schwöre und gelobe, ...** I (do) solemnly swear and promise ...

Gelöbnis *nt* (*geh*) vow. **ein** *or* **das** ~ **ablegen** to take a vow.

Gelöbnisfeier *f* swearing-in ceremony.

gelockt *adj Haar* curly; *Mensch* curly-haired, curly-headed.

gelogen *ptp of* **lügen**.

gelöst *adj* relaxed. **danach war sie** ~ **und entspannt** afterwards she felt calm and relaxed.

Gelöstheit *f* feeling of relaxation; (*gelöste Stimmung*) relaxed mood.

Gelse *f* **-, -n** (*Aus*) gnat, mosquito.

gelt *interj* (*S Ger*) right. **morgen kommst du wieder,** ~? you'll be back tomorrow, won't you *or* right?; ~, **du leihst mir mir 5 Mark?** you'll lend me 5 marks, won't you *or* right?; **ich werde es mal versuchen,** ~? well, I'll give it a try; **es ist schön heute** — ~? it's nice today — isn't it just?

gelten *pret* **galt**, *ptp* **gegolten** **I** *vi* **1.** (*gültig sein*) to be valid; (*Gesetz*) to be in force; (*Preise*) to be effective; (*Münze*) to be legal tender; (*zählen*) to count. **die Wette gilt!** the bet's on!, it's a bet!; **was ich sage, gilt!** what I say goes!; **das gilt nicht!** that doesn't count!; (*nicht erlaubt*) that's not allowed!; **das Gesetz gilt für alle** the law applies to everyone; **diese Karte gilt nur für eine Person** this ticket only admits one.

2. +*dat* (*bestimmt sein für*) to be meant for *or* aimed at.

3. +*dat* (*geh: sich beziehen auf*) to be for. **seine ganze Liebe galt der Musik** music was his only love; **sein letzter Gedanke galt seinem Volk** his last thought was for his people.

4. (*zutreffen*) **für jdn/etw** ~ to hold (good) for sb/sth, to go for sb/sth; **das gleiche gilt auch für ihn/von ihm** the same goes for him too/is true of him too.

5. ~ **als** *or* **für** (*rare*) to be regarded as; **es gilt als sicher, daß ...** it seems certain that ...

6. ~ **lassen** to accept; **das lasse ich** ~! I'll agree to that!, I accept that!; **für diesmal lasse ich es** ~ I'll let it go this time; **etw als etw** ~ **lassen** to accept sth as sth; **er läßt nur seine eigene Meinung** ~ he won't accept anybody's opinion but his own.

II *vti impers* (*geh*) **es gilt, ... zu ...** it is necessary to ...; **jetzt gilt's!** this is it!; **was gilt's?** (*bei Wette*) what do you bet?; **es gilt!** done!, you're on!, it's a deal!

III *vt* (*wert sein*) to be worth; (*zählen*) to count for. **was gilt die Wette?** what do you bet?

geltend *adj attr Preise, Tarife* current; *Gesetz, Regelung* in force; (*vorherrschend*) *Meinung* currently accepted, prevailing.

~ **machen** (*form*) to assert; **einen Einwand** ~ **machen** to raise an objection; **~es Recht sein** to be the law of the land.

Geltung f (*Gültigkeit*) validity; (*von Münzen*) currency; (*Wert*) value, worth; (*Einfluß*) influence; (*Ansehen*) prestige. ~ **haben** to have validity; (*Münzen*) to be legal tender, to have currency; (*Gesetz*) to be in force; (*Preise*) to be effective; (*Auffassung*) to be prevalent; (*Einfluß haben*) to carry weight; (*angesehen sein*) to be recognized; **an** ~ **verlieren** to lose prestige; **einer Sache** (*dat*) ~ **verschaffen** to enforce sth; **sich** (*dat*) ~ **verschaffen** to establish one's position; **etw zur** ~ **bringen** to show sth (off) to advantage; (*durch Kontrast*) to set sth off; **zur** ~ **kommen** to show to advantage; (*durch Kontrast*) to be set off; **in diesem Konzertsaal kommt die Musik voll zur** ~ the music can be heard to its best advantage in this concert hall.

Geltungsbedürfnis nt, no pl need for admiration; **geltungsbedürftig** adj desperate for admiration; **Geltungsbereich** m der ~ **einer Fahrkarte/eines Gesetzes** the area within which a ticket is valid/a law is operative; **Geltungsdauer** f (*einer Fahrkarte*) period of validity; **die** ~ **eines Vertrages/einer Genehmigung** the period during which a contract is in force/a licence is valid; **Geltungssucht** f craving for admiration; **geltungssüchtig** adj craving (for) admiration; (*Geltungsbedürfnis*) need for admiration; (*Geltungssucht*) craving for admiration.

Gelübde nt -s, - (*Rel, geh*) vow. **ein/das** ~ **ablegen** or **tun** to take a vow.

Gelump(e) nt -s, no pl (*inf: Plunder, Sachen*) junk, trash; (*pej: Gesindel*) trash.

gelungen I ptp of **gelingen. II** adj attr (*geglückt*) successful. **ein gut** ~**er Abend/Braten** a very successful evening/a roast that turned out very well; **eine nicht so recht** ~**e Überraschung** a surprise that didn't quite come off.

Gelüst(e) nt -(e)s, -e (*geh*) desire; (*Sucht*) craving (*auf* +acc, *nach* for).

gelüsten* vt impers (*liter, iro*) **es gelüstet mich** or **mich gelüstet nach ...** I am overcome by desire for ...; (*süchtig nach*) I have a craving for ...; **es gelüstet mich, das zu tun** I'm more than tempted or I'm sorely tempted to do that.

GEMA ['geːma] f -, no pl abbr of **Gesellschaft für musikalische Aufführungs- und mechanische Vervielfältigungsrechte** *musical copyright watchdog body.*

gemächlich adj leisurely no adv; Mensch unhurried. **ein** ~ **fließender Strom** a gently flowing river; **er wanderte** ~ **durch die Wiesen** he strolled through the meadows, he took a leisurely stroll through the meadows; **ein** ~**es Leben führen** to lead a quiet life.

Gemächlichkeit f leisureliness; (*Ruhe*) peace.

gemacht adj 1. made. **für etw** ~ **sein** to be made for sth; **ein** ~**er Mann sein** to be

made or a made man. **2.** (*gewollt, gekünstelt*) false, contrived. **3.** (*ist*) ~**!** (*inf*) done! (*inf*).

Gemahl m -s, -e (*geh, form*) spouse (*old, form*), husband; (*Prinz*~) consort.

Gemahlin f (*geh, form*) spouse (*old, form*), wife; (*von König auch*) consort.

gemahnen* vt (*geh*) **jdn an jdn/etw** ~ to remind sb of sb/sth, to put sb in mind of sb/sth.

Gemälde nt -s, - painting; (*fig: Schilderung*) portrayal.

Gemäldeausstellung f exhibition of paintings; **Gemäldegalerie** f picture gallery; **Gemäldesammlung** f collection of paintings.

gemasert adj Holz grained.

gemäß I prep +dat in accordance with. **Ihren Anordnungen** ~ as per your instructions, in accordance with your instructions; ~ **den Bestimmungen** under the regulations; ~ § 209 under § 209.

II adj appropriate (*dat* to). **eine ihren Fähigkeiten** ~**e Arbeit** a job suited to her abilities; **das einzig G**~**e** the only fitting thing.

gemäßigt adj moderate; Klima, Zone temperate; Optimismus qualified.

Gemäuer nt -s, - (*geh*) masonry, walls pl; (*Ruine*) ruins pl.

Gemauschel nt -s, no pl (*pej inf*) scheming.

Gemeck(e)re, Gemecker nt -s, no pl (*von Ziegen*) bleating; (*inf: Nörgelei*) moaning, belly-aching (*inf*).

gemein adj 1. pred, no comp (*gemeinsam*) **etw** ~ **mit jdm/etw haben** to have sth in common with sb/sth; **Menschen/einer Sache** (*dat*) ~ **sein** (*geh*) to be common to people/sth; **das ist beiden** ~ it is common to both of them.

2. attr, no comp (*Biol, old: üblich, verbreitet, öffentlich*) common. **ein** ~**er Soldat** a common soldier; **das** ~**e Volk/ Wohl** the common people/good; **der** ~**e Mann** the ordinary man.

3. (*niederträchtig*) mean; (*roh, unverschämt auch*) nasty; Verräter, Lüge contemptible. **das war** ~ **von dir!** that was mean or nasty of you; **ein** ~**er Streich** a dirty or rotten trick; **alles ins G**~**e ziehen** to cheapen or debase everything.

4. (*ordinär*) vulgar; Bemerkung, Witz auch dirty, coarse.

5. (*inf: unangenehm*) horrible, awful. **die Prüfung war** ~ **schwer** the exam was horribly or awfully difficult.

Gemeinbesitz m common property.

Gemeinde f -, -n 1. (*Kommune*) municipality; (~**bewohner** auch) community; (*inf:* ~**amt**) local authority. **die** ~ **Burg** the municipality of Burg. 2. (*Pfarr*~) parish; (*Gläubige auch*) parishioners pl; (*beim Gottesdienst*) congregation. 3. (*Anhängerschaft*) (*von Theater*) patrons pl; (*von Schriftsteller*) following.

Gemeindeabgaben pl rates and local taxes pl; **Gemeindeammann** m (*Sw*) **1.** siehe Gemeindevorsteher; **2.** bailiff; **Gemeindeamt** nt local authority; (*Gebäude*) local administrative office; **Gemeindebau** m (*Aus*) council house; **Ge-**

ge̱meindebeamte(r) *m*, **Ge̱meinde-beamtin** *f* local government officer; **Ge̱meindebehörde** *f* local authority; **Ge̱meindebezirk** *m* district; (*Aus*) ward; **ge̱meindeeigen** *adj* local authority *attr*; (*esp städtisch*) municipal; **Ge̱meindeeigentum** *nt* communal property; **Ge̱meindeglied** *nt* (*Eccl*) parishioner; **Ge̱meindehaus** *nt* (*Eccl*) parish rooms *pl*; (*von Freikirchen*) church rooms *pl*; (*katholisch*) parish house; **Ge̱meindehelfer(in** *f*) *m* (*Eccl*) parish worker; **Ge̱meindemitglied** *nt* (*Eccl*) parishioner; **Ge̱meindeordnung** *f* by-laws *pl*, ordinances *pl* (*US*); **Ge̱meindepräsident(in** *f*) *m* (*Sw*) mayor/mayoress; **Ge̱meinderat** *m* district council; (*auch* **Ge̱meinderätin** *f*) (*Mitglied*) district councillor (*Brit*), councilman/-woman (*US*); **Ge̱meindesaal** *m* (*Eccl*) church hall; **Ge̱meindeschwester** *f* district nurse; (*Eccl*) nun working in a parish as a nurse or social worker; **Ge̱meindespital** *nt* (*Aus*) local hospital; **Ge̱meindesteuer** *f* local tax, (*Brit*) poll tax.

ge̱meindeutsch *adj* standard German.

Ge̱meindeväter *pl* (*hum*) venerable councillors *pl* (*hum*); **Ge̱meindevorstand** *m* ≈ aldermen *pl*; **Ge̱meindevorsteher(in** *f*) *m* head of the district council; (*Bürgermeister*) mayor; **Ge̱meindewahl** *f* local election; **Ge̱meindezentrum** *nt* community centre; (*Eccl*) parish rooms *pl*; (*von Freikirchen*) church rooms *pl*; (*katholisch*) parish house.

Ge̱mein|eigentum *nt* common property.

Ge̱meine(r) *m decl as adj* **1.** (*dated: Soldat*) common soldier. **die ~n** the ranks. **2.** (*Typ*) lower-case letter.

ge̱meingefährlich *adj* constituting a public danger; **ein ~er Verbrecher** a dangerous criminal; **Ge̱meingefährlichkeit** *f* danger to the public; **Ge̱meingeist** *m* public spirit; **ge̱meingültig** *adj siehe* **allgemeingültig; Ge̱meingut** *nt* (*lit, fig*) common property.

Ge̱meinheit *f* **1.** *no pl* (*Niedertracht*) meanness; (*Roheit, Unverschämtheit auch*) nastiness. **2.** *no pl* (*Vulgarität*) vulgarity; (*von Bemerkung, Witz auch*) coarseness. **3.** (*Tat*) mean *or* dirty trick; (*Behandlung*) nasty treatment *no pl*; (*Worte*) mean thing. **das war eine ~** that was a mean thing to do/say. **4.** (*inf: ärgerlicher Umstand*) (blasted *inf*) nuisance.

ge̱meinhin *adv* generally; **Ge̱meinkosten** *pl* overheads *pl*, over head costs *pl*; **Ge̱meinnutz** *m* public *or* common good; **~ geht vor Eigennutz** (*dated prov*) service before self (*Prov*); **ge̱meinnützig** *adj* of benefit to the public *pred*; (*wohltätig*) charitable; **~er Verein** charitable *or* non-profit-making organization; **Ge̱meinnützigkeit** *f* benefit to the public; **die ~ einer Organisation** the charitable status of an organization; **Ge̱meinplatz** *m* commonplace.

ge̱meinsam I *adj* (*mehreren gehörend*) Eigenschaft, Interesse, Zwecke, Politik common; Konto joint; Freund mutual; (*von mehreren unternommen*) Aktion, Ausflug joint. **sie haben vieles ~, ihnen ist vieles ~** they have a great deal in common; **die Firma ist ~es Eigentum** *or* **das ~e Eigentum der beiden Brüder** the firm belongs jointly to *or* is the joint property of the two brothers; **unser ~es Leben** our life together; **der G~e Markt** the Common Market; **mit jdm ~e Sache machen** to make common cause with sb; **er betonte das G~e** he stressed all that we/they had in common.

II *adv* together. **etw ~ haben** to have sth in common; **es gehört den beiden ~** it belongs jointly to the two of them.

Ge̱meinsamkeit *f* **1.** (*gemeinsame Interessen, Eigenschaft*) common ground *no pl*. **die ~en zwischen ihnen sind sehr groß** they have a great deal in common. **2.** *no pl* (*gemeinsames Besitzen*) joint possession; (*von Freunden, Interessen*) mutuality.

Ge̱meinschaft *f* community; (*Gruppe*) group; (*Zusammensein*) company; (*Zusammengehörigkeitsgefühl*) sense of community. **die ~ der zwölf** (*Pol*) the Twelve; **in ~ mit** jointly with, together with; **in ~ mit jdm leben** to live in close companionship with sb; **die ~ der Heiligen/der Gläubigen** the communion of saints/of the faithful; **eheliche ~** (*Jur*) matrimony.

ge̱meinschaftlich *adj siehe* **gemeinsam.**

Ge̱meinschaftsanschluß *m* (*Telec*) party line; **Ge̱meinschaftsantenne** *f* block *or* party aerial *or* antenna (*esp US*); **Ge̱meinschaftsarbeit** *f* teamwork; **das Buch ist eine ~** the book is a team effort; (*von zwei Personen*) the book is a joint effort; **Ge̱meinschaftsaufgabe** *f* joint task; (*BRD: Aufgabe des Bundes*) federal project; **ge̱meinschaftsbildend** *adj* community-building; (*einigend*) unifying; **Ge̱meinschaftserziehung** *f* co-education; (*soziale Erziehung*) social education; **Ge̱meinschaftsgefühl** *nt* sense of community; (*Uneigennützigkeit*) public-spiritedness; **Ge̱meinschaftsgeist** *m* community spirit, esprit de corps; **Ge̱meinschaftsgrab** *nt* communal grave; **Ge̱meinschaftshaft** *f* group confinement; **Ge̱meinschaftsküche** *f* (*Kantine*) canteen; (*gemeinsame Kochgelegenheit*) communal *or* (*kleiner*) shared kitchen; **Ge̱meinschaftskunde** *f* social studies *pl*; **Ge̱meinschaftsleben** *nt* community life; **Ge̱meinschaftsleistung** *f* collective achievement; **Ge̱meinschaftspraxis** *f* joint practice; **Ge̱meinschaftsproduktion** *f* **1.** *siehe* **Gemeinschaftsarbeit. 2.** (*Rad, TV, Film*) co-production; **Ge̱meinschaftsraum** *m* common room; **Ge̱meinschaftsschule** *f* interdenominational school; **Ge̱meinschaftssendung** *f* simultaneous broadcast; **Ge̱meinschaftswerbung** *f* joint advertising *no pl*; **~ machen** to advertise jointly, to run a joint advertisement; **Ge̱meinschaftswohnung** *f* shared house/flat *etc*; **Ge̱meinschaftszelle** *f* communal cell.

Gemeinsinn *m* public spirit; **Gemeinsprache** *f* standard language; **gemeinverständlich** *adj siehe* **allgemeinverständlich**; **Gemeinwerk** *nt* (*Sw*) voluntary work; **Gemeinwesen** *nt* community; (*Staat*) polity; **Gemeinwille** *m* collective will; **Gemeinwirtschaft** *f* co-operative economy; **gemeinwirtschaftlich** *adj* co-operative; **Gemeinwohl** *nt* public welfare; **das dient dem ~** it is in the public interest.

Gemenge *nt* **-s, -** **1.** (*Mischung*) mixture (*aus* of); (*Agr*) mixed crop; (*fig*) mixture; (*wirres Durcheinander*) jumble (*aus* of). **2.** (*Gewühl*) bustle; (*Hand~*) scuffle. **mit jdm ins ~ kommen** to come to blows with sb.

gemessen I *ptp of* **messen. II** *adj* **1.** (*würdevoll*) measured, studied. **~en Schrittes** with measured tread. **2.** *attr* (*angemessen*) *Abstand, Entfernung* respectful.

Gemessenheit *f siehe adj* **1.** measuredness, studiedness. **2.** respectfulness.

Gemetzel *nt* **-s,** **-** bloodbath; (*Massaker auch*) slaughter, massacre.

gemieden *ptp of* **meiden.**

Gemisch *nt* **-(e)s, -e 1.** (*lit, fig*) mixture (*aus* of). **2.** *no pl* (*Durcheinander*) jumble (*aus* of).

gemischt *adj* mixed; (*inf: nicht sehr gut auch*) patchy. **mit ~en Gefühlen** with mixed feelings.

gemischtrassig *adj* of mixed race; (*mit mehreren Rassen*) multi-racial; **gemischtsprachig** *adj* multilingual; **Gemischtwarenhandlung** *f* (*dated*) grocery and general store.

gemittelt *adj* standardized.

Gemme *f* **-, -n** (*erhaben*) cameo; (*vertieft*) intaglio.

gemocht *ptp of* **mögen.**

gemolken *ptp of* **melken.**

gemoppelt *adj siehe* **doppelt.**

Gemsbock *m* chamois buck.

Gemse *f* **-, -n** chamois.

Gemsleder *nt siehe* **Gamsleder.**

Gemurmel *nt* **-s,** *no pl* murmuring; (*unverständliches Reden auch*) mumbling. **zustimmendes ~ ging durch den Saal** a murmur of approval ran through the hall.

Gemurre *nt* **-s,** *no pl* (*inf*) grumbling (*inf*).

Gemüse *nt* **-s,** (*rare*) **-** vegetables *pl*. **frisches ~** fresh vegetables; **ein ~** a vegetable; **junges ~** (*hum inf*) whippersnappers *pl* (*inf*), green young things *pl* (*inf*).

Gemüse(an)bau *m* vegetable-growing; (*für den Handel*) market gardening (*Brit*), truck farming (*US*); **Gemüsebeet** *nt* vegetable bed *or* patch; **Gemüsebeilage** *f* vegetables *pl*; **Gemüsefach** *nt* vegetable compartment; **Gemüsefrau** *f* (*inf*) vegetable woman (*inf*); **Gemüsefritze** *m* **-n, -n** (*inf*) vegetable seller; **Gemüsegarten** *m* vegetable *or* kitchen garden; **quer durch den ~** (*hum inf*) a real assortment; **Gemüsehändler(in** *f*) *m* green-

grocer; (*Großhändler*) vegetable supplier; **Gemüsekonserve** *f* tinned (*Brit*) *or* canned vegetables *pl*; (*in Gläsern*) preserved vegetables *pl*; **Gemüseladen** *m* greengrocer's (shop); **Gemüsemarkt** *m* vegetable market; **Gemüseplatte** *f* (*Cook*) **eine ~** assorted vegetables *pl*; **Gemüsesaft** *m* vegetable juice; **Gemüsesorte** *f* kind *or* type of vegetable; **Gemüsesuppe** *f* vegetable soup.

gemußt *ptp of* **müssen.**

gemustert *adj* patterned.

Gemüt *nt* **-(e)s, -er 1.** (*Geist*) mind; (*Charakter*) nature, disposition; (*Seele*) soul; (*Gefühl*) feeling; (*Gutmütigkeit*) warm-heartedness. **viel ~ haben** to be very warm-hearted; **die Menschen hatten damals mehr ~** people had more soul in those days; **das denkst du so einfach in deinem kindlichen ~!** that's what you think in your innocence; **etwas fürs ~** (*hum*) something for the soul; (*Film, Buch*) something sentimental; **jds ~ bewegen** (*liter*) to stir sb's heart *or* emotions; **sich** (*dat*) **etw zu ~e führen** (*beherzigen*) to take sth to heart; (*hum inf*) *Glas Wein, Speise, Buch* to indulge in sth; **das ist ihr aufs ~ geschlagen** that made her worry her heart out.

2. (*fig: Mensch*) person; (*pl*) people. **sie ist ein ängstliches ~** she's a nervous soul, she has a nervous disposition; **die ~er erregen** to cause a stir; **wir müssen warten, bis sich die ~er beruhigt haben** we must wait until feelings have cooled down.

gemütlich *adj* **1.** (*bequem, behaglich*) comfortable, comfy (*inf*); (*freundlich*) friendly *no adv*; (*zwanglos*) informal; (*klein und intim*) cosy, snug; *Schwatz, Beisammensein etc* cosy. **wir verbrachten einen ~en Abend** we spent a very pleasant evening; **es sich/jdm ~ machen** to make oneself/sb comfortable.

2. *Mensch* good-natured, pleasant; (*leutselig*) approachable, friendly; (*gelassen*) easy-going *no adv*, relaxed *no adv*.

3. (*gemächlich*) unhurried, leisurely *no adv*. **in ~em Tempo** at a comfortable *or* leisurely speed; **er arbeitete ~ vor sich hin** he worked away at a leisurely pace *or* unhurriedly.

Gemütlichkeit *f siehe adj* **1.** comfortableness; friendliness; informality; cosiness, snugness.

2. good-naturedness, pleasantness; approachability, friendliness; easy-going nature. **da hört doch die ~ auf!** (*inf*) that's going too far; **da hört bei mir die ~ auf** I won't stand for that.

3. unhurriedness, leisure. **in aller ~** at one's leisure; **ihr sitzt da in aller ~, und ich arbeite wie ein Verrückter** you sit there as though there were all the time in the world and I'm working like mad.

gemütsarm *adj* emotionally impoverished; **Gemütsarmut** *f* emotional impoverishment; **Gemütsart** *f* disposition, nature; **Gemütsbewegung** *f* emotion; **bist du zu keiner ~ fähig?** can't you show some emotion?; **gemütskalt** *adj* cold; **gemütskrank** *adj* emotionally disturbed; **Gemütskranke(r)** *mf* emotionally disturbed person; **Gemütskrankheit** *f* emotional disorder *or* disturbance; **Gemütslage** *f* mood; **je nach** ~ as the mood takes me/him *etc*; **Gemütsleben** *nt* emotional life; **Gemütsmensch** *m* good-natured, phlegmatic person; **du bist vielleicht ein** ~! (*iro inf*) you're a fine one! (*inf*); (*das ist unmöglich*) you'll be lucky! (*inf*); **Gemütsregung** *f siehe* **Gemütsbewegung**; **Gemütsruhe** *f* calmness; (*Kaltblütigkeit*) sang-froid, composure, coolness; (*Phlegma*) placidness; **in aller** ~ (*inf*) (as) cool as a cucumber (*inf*) *or* as you please (*inf*); (*gemächlich*) at a leisurely pace; (*aufreizend langsam*) as if there were all the time in the world; **deine** ~ **möchte ich haben!** (*iro*) I like your cool! (*inf*); **Gemütsverfassung** *f*, **Gemütszustand** *m* frame *or* state of mind.

gemütvoll *adj* sentimental; (*warmherzig*) warm-hearted.

gen *prep* +*acc* (*old, liter*) towards, toward. ~ **Norden/Osten** *etc* northwards/eastwards *etc*; ~ **Himmel blicken** to look up to the sky, to look heavenwards.

Gen *nt* -s, -e gene.

Genabdruck *m* genetic fingerprint.

genannt *ptp of* **nennen**.

genarbt *adj Leder* grained.

genas *pret of* **genesen**.

genau I *adj* exact; (*richtig auch*) accurate; (*präzis auch*) precise; (*sorgfältig auch*) meticulous; (*förmlich* ~ *auch*) punctilious. **haben Sie die** ~**e Zeit?** have you got the right *or* exact time?; **G**~**eres** further details *pl or* particulars *pl*; **G**~**eres weiß ich nicht** I don't know any more than that; **man weiß nichts G**~**es über ihn** no-one knows anything definite about him.

II *adv* ~! (*inf*) exactly!, precisely!, quite!; ~ **dasselbe** just *or* exactly the same; ~ **das Gegenteil** just *or* exactly the opposite; ~ **in der Mitte** right in the middle; ~ **das wollte ich sagen** that's just *or* exactly what I wanted to say; **ich kenne ihn** ~ I know just *or* exactly what he's like; **etw** ~ **wissen** to know sth for certain *or* for sure; **etw** ~ **nehmen** to take sth seriously; **er nimmt es sehr/nicht sehr** ~ he's very/not very particular (*mit etw* about sth); **meine Uhr geht** ~ my watch keeps accurate time; **es stimmt auf den Millimeter** ~ it's right to the millimetre; **die Schuhe paßten mir** ~/**nicht ganz** ~ the shoes fitted me perfectly/didn't quite fit me; **das reicht** ~ that's just enough; ~**estens, aufs** ~**este** (right) down to the last (little) detail; ~ **entgegengesetzt** diametrically opposed; ~ **auf die Minute** dead (*inf*) *or* exactly on time; **so** ~ **wollte ich es** (nun auch wieder) nicht wissen! (*iro*) you can spare me the details.

genaugenommen *adv* strictly speaking.

Genauigkeit *f siehe adj* exactness, exactitude (*form*); accuracy; precision; me-

ticulousness; punctiliousness.

genauso *adv* (*vor Adjektiv*) just as; (*alleinstehend*) just *or* exactly the same.

genauso- *siehe* **ebenso-**.

Genbank *f* gene bank.

Gendarm [ʒan'darm, ʒã'd-] *m* -en, -en (*old, Aus*) gendarme.

Gendarmerie [ʒandarmə'riː, ʒãd-] *f* (*old, Aus*) gendarmerie.

Genealoge *m*, **Genealogin** *f* genealogist.

Genealogie *f* genealogy.

genealogisch *adj* genealogical.

genehm *adj* (*geh*) suitable, acceptable. **jdm** ~ **sein** to suit sb; **ist es so** ~? is that agreeable *or* acceptable to you?; **wenn es** ~ **ist** if you are agreeable.

genehmigen* *vt Baupläne, Antrag, Veränderungen* to approve; (*erlauben*) to sanction; (*Lizenz erteilen*) to license; *Durchreise, Aufenthalt* to authorize; (*zugestehen*) to grant; **Bitte auch** to agree to, to assent to. „**genehmigt**" "approved"; (*inf*) permission granted (*hum*); **sich** (*dat*) **etw** ~ to indulge in sth; (*kaufen*) to lash *or* splash out on sth; **sich** (*dat*) **einen** ~ (*hum inf*) to have a little drink.

Genehmigung *f siehe vt* **1.** (*das Genehmigen*) approval; sanctioning; licensing; authorization; granting. **2.** (*Erlaubnis*) approval; sanction; licence; authorization; agreement (*gen* to), assent (*gen* to); (*Berechtigungsschein*) permit. **mit freundlicher** ~ **von** by kind permission of.

Genehmigungspflicht *f* (*form*) licence requirement; **genehmigungspflichtig** *adj* (*form*) requiring official approval; (*mit Visum, Stempel, Marke*) requiring official authorization; (*mit schriftlicher Genehmigung*) requiring a licence; **Radiosender sind** ~ a licence is required for radio transmitters.

geneigt *adj* (*geh*) *Zuhörer, Publikum* willing; *Aufmerksamkeit* kind; **jdm/einer Sache** ~ **sein** to be well-disposed *or* favourably disposed to sb/sth; ~ **sein, etw zu tun** to be inclined to do sth.

Geneigtheit *f* (*Bereitwilligkeit*) inclination; (*Wohlwollen*) goodwill (*gegenüber* towards); (*Huld*) favour (*gegenüber* to).

Genera *pl of* **Genus**.

General *m* -(e)s, -e *or* ⁻e (*Mil, Eccl*) general. **Herr** ~ General.

Generalabsolution *f* general absolution; **Generalagent(in** *f*) *m* general agent; **Generalagentur** *f* general agency; **Generalamnestie** *f* general amnesty; **Generalangriff** *m* (*Mil, fig*) general attack; **Generalbaß** *m* (*basso*) continuo; **Generalbeichte** *f* general confession; **Generalbevollmächtigte(r)** *mf* plenipotentiary; (*Comm*) general representative; **Generalbundesanwalt/Generalbundesanwältin** (*f*) *m* (*BRD*) Chief Federal Prosecutor; **Generaldirektion** *f* head office; **Generaldirektor(in** *f*) *m* chairman/woman, president (*US*); **Generalfeldmarschall** *m* field marshal, general of the army (*US*); **Generalgouverneur** *m* governor-general.

Generalin *f siehe* **General**.

Generalinspekteur *m* (*BRD*) inspector general; **Generalintendant(in** *f*) *m* (*Theat, Mus*) director.

generalisieren* *vi* to generalize.

Generalisierung *f* generalization.

Generalissimus *m* -, **Generalissimi** *or* -**se** generalissimo.

Generalist(in *f*) *m* generalist.

Generalität *f* (*Mil*) generals *pl*.

Generalklausel *f* general *or* blanket clause; **Generalkonsul** *m* consul general; **Generalkonsulat** *nt* consulate general; **Generalleutnant** *m* lieutenant general, major general (*US*); (*Brit Aviat*) air marshal; **Generalmajor** *m* major general, brigadier-general (*US*); (*Brit Aviat*) air marshal; **Generalmusikdirektor(in** *f*) *m* (chief) musical director; **Generalobere(r)** *m* (*Eccl*) general (*of a religious order*); **Generaloberst** *m* (*DDR*) senior general; **Generalprävention** *f* (*Jur*) general deterrence; **Generalprobe** *f* (*Theat, fig*) dress rehearsal; (*Mus*) final rehearsal; **Generalrepräsentanz** *f* (*esp Aus*) sole *or* exclusive agency *or* distribution; **Generalsekretär(in** *f*) *m* secretary-general; **Generalstaatsanwalt** *m*, **Generalstaatsanwältin** *f* public prosecutor *for a provincial court*, ≃ district attorney (*US*); **Generalstab** *m* general staff; **Generalstabskarte** *f* Ordnance Survey map (on the scale 1:100,000); **Generalstabsoffizier** *m* general staff officer; **Generalstreik** *m* general strike; **generalüberholen*** *vt* infin and ptp only **etw ~ to** give sth a general overhaul; **etw ~ lassen** to have sth generally overhauled; **Generalversammlung** *f* general meeting; **Generalvertreter(in** *f*) *m* general representative; **Generalvertretung** *f* sole agency; **Generalvikar** *m* vicar-general; **Generalvollmacht** *f* general *or* full power of attorney.

Generation *f* generation. **ein technisches Gerät der ersten ~** a piece of first-generation technology.

Generationenkonflikt *m* generation gap; **Generationenvertrag** *m* (*Econ*) system whereby old people receive a pension from their children.

Generationsproblem *nt* problem of one generation; **Generationswechsel** *m* (*Biol*) alternation of generations; **wir brauchen einen ~ in der Regierung** we need a new generation in government.

generativ *adj* generative. **~e Zellen** reproductive cells; **~e (Transformations)grammatik** (transformational) generative grammar.

Generator *m* generator; (*Gas~ auch*) producer.

Generatorgas *nt* producer gas.

generell *adj* general. **~ kann man sagen, daß ...** generally *or* in general one can say that ...

generieren* *vt* (*Ling, geh*) to generate.

Generikum *nt* -**s, Generika** generic drug.

Genese *f* -, -**n** (*Biol, fig*) genesis.

genesen *pret* **genas**, *ptp* **~** *vi aux sein* (*geh*) to convalesce; (*fig*) to recuperate.

Genesende(r) *mf decl as adj* convalescent.

Genesis *f* -, *no pl* genesis. **die ~** (*Bibl*) (the Book of) Genesis.

Genesung *f* convalescence, recovery (*auch fig*). **auf dem Wege der ~** on the road to recovery; **ich wünsche baldige ~** I wish you a speedy recovery.

Genesungsprozeß *m* convalescence; **der ~ hat sich verzögert** his *etc* convalescence was protracted; **Genesungsurlaub** *m* convalescent leave.

Genetik *f* genetics *sing*.

Genetiker(in *f*) *m* -**s**, - geneticist.

genetisch *adj* genetic.

Genezareth der See ~ the Sea of Galilee.

Genf *nt* -**s** Geneva.

Genfer *adj attr* Genevan. **der ~ See** Lake Geneva, Lake Leman; **~ Konvention** Geneva Convention.

Genforscher(in *f*) *m* genetic researcher; **Genforschung** *f* genetic research.

genial *adj* Entdeckung, Einfall, Mensch brilliant; Künstler, Stil *auch* inspired; (*erfinderisch*) ingenious. **ein ~er Mensch, ein G~er** a genius; **ein ~es Werk** a work of genius; **das war eine ~e Idee** that idea was *or* showed a stroke of genius.

genialisch *adj* (*geh*) brilliant; (*unkonventionell*) eccentric.

Genialität *f* genius; (*Erfindungsreichtum*) ingenuity.

Genick *nt* -**(e)s, -e** neck. **jdn am ~ packen** to grab sb by the scruff of the neck; **ein Schlag ins ~** a blow on the back of the neck; **seinen Hut ins ~ schieben** to push one's hat back (on one's head); **sich** (*dat*) **das ~ brechen** to break one's neck; (*fig*) to kill oneself; **jdm/einer Sache das ~ brechen** (*fig*) to finish sb/sth.

Genickschuß *m* shot in the neck; **Genickstarre** *f* stiffness of the neck; (*Med*) (cerebral) meningitis; **~ haben** (*inf*) to have a stiff neck.

Genie [ʒe'niː] *nt* -**s**, -**s** genius. **er ist ein ~** he's a (man of) genius; **er ist ein ~ im Taktieren** he's a genius when it comes to tactics, he has a genius for tactics.

genieren* [ʒe'niːrən] **I** *vr* to be embarrassed. **sich vor Fremden ~** to be shy of *or* with strangers; **~ Sie sich nicht!** don't be shy!; **ich geniere mich, das zu sagen** I don't like to say it; **er genierte sich (gar) nicht, das zu tun** it didn't bother him (at all) to do that.

II *vt* **jdn ~** (*peinlich berühren*) to embarrass sb; **das geniert mich wenig!** that doesn't bother *or* worry me.

genierlich [ʒe'niːrlɪç] *adj* (*inf: lästig*) bothersome; (*genant*) embarrassing.

geniert [ʒe'niːrt] **I** *adj* embarrassed. **II** *adv* with embarrassment.

genießbar *adj* (*eßbar*) edible; (*trinkbar*) drinkable; (*fig: annehmbar*) acceptable.

genießen *pret* **genoß**, *ptp* **genossen** *vt* **1.** (*lit, fig: sich erfreuen an*) to enjoy. **den Wein muß man ~** you must savour the wine; **er ist heute nicht zu ~** (*inf*) he is unbearable today.

2. (*essen*) to eat; (*trinken*) to drink. **das Essen/der Wein ist kaum zu ~** the meal/wine is scarcely edible/drinkable.

Genießer(in *f) m* **-s,** - connoisseur; *(des Lebens)* pleasure-lover; *(Feinschmekker)* gourmet, epicure. **er ist ein richtiger/stiller** ~ he knows how to enjoy life/he knows how to enjoy life in his quiet way.

genießerisch I *adj* appreciative. **sein ~er Ausdruck** his expression of pleasure. **II** *adv* appreciatively; *(mit Behagen)* pleasurably. ~ **zog er an seiner Zigarre** he puffed at his cigar with relish.

Genie- [ʒe'niː]: **Geniestreich** *m* stroke of genius; **Genietruppe** *f (Sw Mil)* engineer corps.

genital *adj* genital.

Genital *in cpds* genital.

Genitale *nt* **-s, Genitalien** [-iən] *(meist pl)* genital. **die Genitalien** the genitals *or* genitalia *(form)*.

Genitiv *m (Fall)* genitive (case); *(Form)* genitive (form). **im** ~ in the genitive.

Genitiv|objekt *nt* genitive object.

Genius *m* -, **Genien** ['geːniən] **1.** *(Myth)* genius, guardian spirit. **2.** *(Genie)* genius. ~ **loci** *(geh)* genius loci. **3.** *(Art)* genius.

Genmanipulation *f* gene manipulation.

genommen *ptp of* **nehmen.**

genoppt *adj Teppich, Stoff, Wolle* nubbly; *Gummi* pimpled.

genoß *pret of* **genießen.**

Genosse *m* **-n,** -n comrade; *(dated: Gefährte auch)* companion; *(Mitglied einer Genossenschaft)* member of a co-operative; *(pej: Kumpan)* mate *(Brit inf)*, buddy *(US inf)*, pal *(inf)*. **X und ~n** *(Jur)* X and others; *(pej)* X and co *(inf)*.

genossen *ptp of* **genießen.**

Genossenschaft *f* co-operative; **Genossenschaft(l)er(in** *f) m* **-s,** - member of a co-operative; **genossenschaftlich** *adj* co-operative; ~ **organisiert** organized as a co-operative.

Genossenschaftsbank *f* co-operative bank; **Genossenschaftsbauer** *m* co-operative farmer; **Genossenschaftsbetrieb** *m* co-operative.

Genossin *f siehe* **Genosse.**

genötigt *adj* ~ **sein, etw zu tun** to be forced *or* obliged to do sth; **sich** ~ **sehen, etw zu tun** to feel (oneself) obliged to do sth.

Genozid *m or nt* **-(e)s, -e** *or* **-ien** [-iən] *(geh)* genocide.

Genre [ʒãːɐ, 'ʒãːrə] *nt* **-s, -s** genre.

Genrebild *nt* genre picture; **Genremalerei** *f* genre painting.

Gent *nt* **-s** Ghent.

genuesisch [genu'eːzɪʃ] *adj* Genoese.

genug *adj inv* enough. ~ **Platz, Platz** ~ enough *or* sufficient room; **groß/alt/reich**

~ big/old/rich enough; ~ **davon** enough of that; ~ **der vielen Worte!** enough of words!; **danke, das ist** ~ that's enough, thank you; **das ist wenig** ~ that's precious little; **und damit noch nicht** ~ and that's not/that wasn't all; **sie sind jetzt ~, um ...** there are enough of them now to ...; **sag, wenn's** ~ **ist!** *(beim Einschenken)* say when!; **jetzt ist('s) aber ~!** that's enough, that does it!; **(von etw)** ~ **haben** to have (got) enough (of sth); *(überdrüssig sein)* to have had enough (of sth); **er kann nicht** ~ **bekommen** *or* **kriegen** he can't get enough; **nicht** ~, **daß er sein ganzes Geld verspielt, außerdem ... er ...** not only does he gamble away all his money, he also ...; **sich** *(dat)* **selbst** ~ **sein** to be sufficient unto oneself; *(gern allein sein)* to be content with one's own company; **Manns** ~ **sein, um zu ...** to be man enough to ...

Genüge *f* -, *no pl* **zur** ~ enough; **das habe ich zur** ~ **getan/gehört/gesehen** I have done/heard/seen it often enough *or (stärker, abwertend)* quite often enough; **etw zur** ~ **kennen** to know sth well enough; *(abwertender)* to know sth only too well, to be only too familiar with sth; **jdm** ~ **tun** *(geh)* to satisfy sb; **jds Forderungen** *(dat)* ~ **tun** *(geh)* to satisfy *or* meet sb's demands.

genügen* *vi* **1.** *(ausreichen)* to be enough *or* sufficient *(dat* for). **das genügt (mir)** that's enough *or* sufficient (for me), that will do (for me); **diese Wohnung genügt uns/für uns** we're happy with this flat/this flat is enough for us.

2. *+dat (befriedigen, gerecht werden)* **den Anforderungen** to satisfy; **jds Wünschen, den Anforderungen** to fulfil.

genügend I *adj* **1.** *inv (ausreichend)* enough, sufficient. **2.** *(befriedigend)* satisfactory. **II** *adv (reichlich)* enough, sufficiently. **ich habe** ~ **oft versucht, zu ...** I have tried often enough *or* sufficiently often to ...

genugsam *adv (geh)* enough. **es ist** ~ **bekannt** it is sufficiently well-known.

genügsam *adj (anspruchslos) Tier, Pflanze* undemanding; *Mensch auch* modest. ~ **leben, ein ~es Leben führen** to live modestly.

Genügsamkeit *f siehe adj* simple needs *pl*; undemandingness; modesty. **die** ~ **einer Pflanze/eines Tieres** the modest requirements of a plant/an animal.

genugtun *vi sep irreg +dat (dated)* to satisfy. **er konnte sich** *(dat)* **nicht** ~, **ihre Schönheit zu preisen** he couldn't praise her beauty enough, he never tired of praising her beauty.

Genugtuung *f* satisfaction *(über +acc* at). **für etw** ~ **leisten** to make amends for sth; ~ **verlangen** *or* **fordern** to demand satisfaction; **ich hörte mit** ~, **daß ... it** gave me great satisfaction to hear that ...

genuin *adj (geh)* genuine.

Genus *nt* -, **Genera 1.** *(Biol)* genus. **2.** *(Gram)* gender. ~ **verbi** voice of the verb.

Genuß *m* **-sses, ‒sse 1.** *no pl (das Zusichnehmen)* consumption; *(von Dro-*

gen) taking, use; (*von Tabak*) smoking. **der ~ von Alkohol ist Kindern verboten** children are forbidden to drink *or* consume (*form*) alcohol; **der übermäßige ~ von Tabak ist gesundheitsschädlich** excessive smoking is injurious to one's health; **nach dem ~ der Pilze** after eating the mushrooms.
2. (*Vergnügen*) pleasure. **die ~̈sse des Lebens** the pleasures *or* joys of life; **etw mit ~ essen** to eat sth with relish; **den Wein hat er mit ~ getrunken** he really enjoyed the wine.
3. *no pl* (*Nutznießung*) **in den ~ von etw kommen** (*von Vergünstigungen*) to enjoy sth; (*von Rente, Prämie*) to be in receipt of sth.

genußfreudig *adj* (*geh*) pleasure-loving *no adv*; **Genußgift** *nt* (*form*) social drug.

genüßlich *adj* pleasurable. **er schmatzte ~** he smacked his lips with relish.

Genußmensch *m* hedonist; (*auf Essen und Trinken bezogen*) bon-vivant; **Genußmittel** *nt* semi-luxury foods and tobacco; **Genußsucht** *f* hedonism; **genußsüchtig** *adj* hedonistic; **genußvoll** *adj* *Aufenthalt, Urlaub, Erlebnis, Abend* delightful; *Schmatzen* appreciative; *Lächeln* gratified.

Geodäsie *f* geodesy, geodetics *sing*.

Geodät(in *f)* *m* **-en, -en** geodesist.

Geo-Drei|**eck** *m* (*inf*) set square.

Geograph(in *f)* *m* geographer.

Geographie *f* geography.

geographisch *adj no pred* geographic(al).

Geologe *m*, **Geologin** *f* geologist.

Geologie *f* geology.

geologisch *adj no pred* geological.

Geometrie *f* geometry.

geometrisch *adj* geometric. **~er Ort** locus.

Geophysik *f* geophysics *sing*.

Geopolitik *f* geopolitics *pl or* (*Fach*) *sing*.

geopolitisch *adj no pred* geopolitical.

ge|**ordnet** *adj Leben, Zustände* well-ordered. **in ~en Verhältnissen leben** to live a well-ordered life; **~e Verhältnisse schaffen** to put things on an orderly basis.

Georgien [ge'ɔrgiən] *nt* **-s** Georgia (*in Caucasia*).

Georgier(in *f)* [ge'ɔrgiɐ, -iərin] *m* **-s, -** Georgian.

geostationär *adj* geostationary; **geostrategisch** *adj* geostrategic; **Geowissenschaft** *f* earth science; **geozentrisch** *adj* geocentric.

Gepäck *nt* **-(e)s** *no pl* luggage *no pl* (*Brit*), baggage *no pl*; (*Mil: Marsch~*) baggage; (*von Soldat, Pfadfinder*) kit; (*von Bergsteiger*) pack. **mit leichtem ~ reisen** to travel light.

Gepäck-, Gepäcks- (*Aus*): **Gepäckabfertigung** *f* (*Vorgang*) (*am Bahnhof*) luggage *or* baggage processing; (*am Flughafen*) checking-in of luggage *or* baggage; (*Stelle*) (*am Bahnhof*) luggage *or* baggage office; (*am Flughafen*) luggage *or* baggage check-in; **Gepäckablage** *f* luggage *or* baggage rack; **Gepäckannahme** *f* (*Vorgang*) checking-in

of luggage *or* baggage; (*auch* **~stelle**) (*am Bahnhof*) (*zur Beförderung*) (in-counter of the) luggage *or* baggage office; (*zur Aufbewahrung*) (in-counter of the) left-luggage office (*Brit*) *or* baggage checkroom (*US*); (*am Flughafen*) luggage *or* baggage check-in; **Gepäckaufbewahrung** *f* (*das Aufbewahren*) looking after left luggage *no art*; (*auch* **~stelle**) left-luggage office (*Brit*), baggage checkroom (*US*); **Gepäckaufbewahrungsschein** *m* left-luggage ticket (*Brit*), check number (*US*); **Gepäckaufkleber** *m* luggage *or* baggage label; **Gepäckausgabe** *f* (*auch* **~stelle**) (*am Bahnhof*) (*zur Beförderung*) (out-counter of the) luggage *or* baggage office; (*zur Aufbewahrung*) (out-counter of the) left-luggage office (*Brit*) *or* baggage checkroom (*US*); (*am Flughafen*) luggage *or* baggage reclaim; **Gepäckband** *nt* luggage *or* baggage conveyor belt; **Gepäckkarren** *m* luggage *or* baggage trolley; **Gepäckkontrolle** *f* luggage *or* baggage control *or* check; **Gepäckmarsch** *m* (*Mil*) pack march; **Gepäcknetz** *nt* luggage *or* baggage rack; **Gepäckraum** *m* luggage *or* baggage hold; **Gepäckschein** *m* luggage *or* baggage ticket; **Gepäckschließfach** *nt* luggage *or* baggage locker; **Gepäckstück** *nt* piece *or* item of luggage *or* baggage; **Gepäckträger** *m* **1.** (*Person*) porter (*Brit*), baggage handler; **2.** (*am Fahrrad*) carrier; **Gepäckversicherung** *f* luggage *or* baggage insurance; **Gepäckwagen** *m* luggage van, baggage car (*US*); luggage *or* baggage trolley.

Gepard *m* **-s, -e** cheetah.

gepfeffert *adj* (*inf*) (*hoch*) *Preise, Mieten* steep; *Preise auch* fancy (*inf*); (*schwierig*) *Fragen, Prüfung* tough; (*hart*) *Kritik* biting; *Strafpredigt* tough; (*anzüglich*) *Witz, Geschichte* spicy.

gepfiffen *ptp of* **pfeifen**.

gepflegt **I** *adj* **1.** (*nicht vernachlässigt*) well looked after; *Garten auch* well-tended; *Hände, Parkanlagen auch* well-kept; *Mensch, Äußeres, Hund* well-groomed; *Aussehen* well-groomed, soigné.
2. (*inf: kultiviert, niveauvoll*) civilized; *Atmosphäre, Restaurant* sophisticated; *Ausdrucksweise, Gespräche* cultured; *Sprache, Stil* cultured, refined.
3. (*erstklassig*) *Speisen, Weine* excellent; (*inf: von guter Qualität*) decent. „**~e Küche**" "excellent cuisine".
II *adv* (*kultiviert*) **sich ~ unterhalten** to have a civilized conversation; **sich ~ ausdrücken** to have a cultured way of speaking; **sehr ~ wohnen** to live in style; **so richtig ~ essen gehen** (*inf*) to go to a really nice restaurant.

Gepflegtheit *f* **1.** well-looked-after state. **die ~ seines Aussehens** his well-groomed appearance.
2. die ~ ihrer Aussprache/ihres Stils her refined *or* cultured accent/style.

gepflogen (*old*) *ptp of* **pflegen**.

Gepflogenheit *f* (*geh*) (*Gewohnheit*)

habit; (*Verfahrensweise*) practice; (*Brauch*) custom, tradition.

Geplänkel *nt* -s, - skirmish; (*fig*) squabble.

Geplapper *nt* -s, *no pl* babbling; (*fig: Geschwätz auch*) chatter(ing).

Geplärr(e) *nt* -(e)s, *no pl* bawling; (*von Radio*) blaring.

Geplätscher *nt* -s, *no pl* splashing; (*pej inf: Unterhaltung*) babbling.

geplättet *adj pred* (*sl*) floored (*inf*). **ich bin ganz ~** (*inf*) I'm flabbergasted (*inf*).

Geplauder *nt* -s, *no pl* (*geh*) chatting.

Gepräge *nt* -s, *no pl* (*auf Münzen*) strike; (*fig: Eigentümlichkeit*) character; (*Aura*) aura. **das hat den 60er Jahren ihr ~ gegeben** *or* **verliehen** it has left its mark *or* stamp on the sixties.

Geprassel *nt* -s, *no pl* clatter(ing), rattle, rattling; (*von Regen, Hagel*) drumming; (*von Feuer*) crackle, crackling.

gepriesen *ptp of* **preisen**.

gepuffert *adj* (*Comput*) buffered.

gepunktet *adj* Linie dotted; Stoff, Kleid spotted; (*regelmäßig*) polka-dot.

gequält *adj* Lächeln forced; Miene, Ausdruck pained; Gesang, Stimme strained.

Gequassel *nt* -s, *no pl* (*pej inf*) chattering.

Gequatsche *nt* -s, *no pl* (*pej sl*) gabbing (*inf*); (*Blödsinn*) twaddle (*inf*).

gequollen *ptp of* **quellen**.

gerade, grade (*inf*) **I** *adj* straight; Zahl even; (*aufrecht*) Haltung upright; (*fig: aufrichtig*) Charakter honest; Mensch upright, upstanding. **~ gewachsen sein** (*Mensch*) to be clean-limbed; (*Baum*) to be straight; **in ~r Linie von jdm abstammen** to be directly descended from sb; **seinen ~n Weg gehen** (*fig*) to maintain one's integrity; **jdn mit ~m und offenem Blick ansehen** to look sb straight in the face; **das ~ Gegenteil** the exact *or* very opposite, exactly *or* just the opposite.

II *adv* **1.** (*im Augenblick, soeben*) just. **wenn Sie ~ Zeit haben** if you have time just now; **wo Sie ~ da sind** just while you're here; **er wollte ~ aufstehen** he was just about to get up; **der Zug war ~ weg** the train had just gone; **~ erst** only just; **da wir ~ von Geld sprechen, ...** talking of money ...; **es macht uns ~ so viel Spaß** we're just enjoying it so much.

2. (*knapp*) just. **~ so viel, daß er davon leben kann** just enough for him to live on; **sie hat die Prüfung ~ so bestanden** she just about passed the exam; **~ noch** only just; **~ noch zur rechten Zeit** just in time; **das hat ~ noch gefehlt!** (*iro*) that's all we wanted!

3. (*genau*) just; (*direkt*) right. **es ist ~ 8 Uhr** it's just 8 o'clock; **~ zur rechten Zeit** at just *or* exactly the right time, just at the right time; **~ heute hab' ich an dich gedacht** I was thinking of you just *or* only today; **~ deshalb** that's just *or* exactly why; **~ umgekehrt** *or* **das Gegenteil** exactly *or* just the opposite; **das ist es ja ~!** that's just *or* exactly it!

4. (*speziell, besonders*) especially. **~, weil ...** just because ...; **~ du solltest dafür Verständnis haben** you should be particularly understanding; **sie ist nicht**

~ eine Schönheit she's not exactly a beauty; **das war nicht ~ schön/interessant** that wasn't particularly *or* exactly nice/interesting; **du kannst dich ~ beklagen** (*iro*) what are you complaining about?, you've got a lot to complain about (*iro*).

5. (*ausgerechnet*) **warum ~ das?** why that of all things?; **warum ~ heute/ich?** why today of all days/me of all people?; **warum ~ im Winter/in Venedig?** why in winter of all times/in Venice of all places?; **~ diesem Trottel mußte ich begegnen** of all people I would have to meet that idiot.

6. (*inf: erst recht*) **nun ~!** you try and stop me now! (*inf*); **jetzt** *or* **nun ~ nicht!** I'll be damned if I will! (*inf*).

Gerade *f* -n, -n **1.** (*Math*) straight line. **2.** (*Sport*) (*von Renn-, Laufbahn*) straight; (*beim Boxen*) straight left/right. **seine rechte ~ traf ihn genau am Kinn** he hit him with a straight right to the chin.

geradeaus *adv* straight ahead; gehen, fahren auch straight on; **geradebiegen** *vt sep irreg* to straighten out; (*fig inf auch*) to put straight, to sort out; **geradehalten** *sep irreg* **I** *vt* to hold straight; **II** *vr* to hold oneself (up) straight; **geradeheraus** (*inf*) **I** *adj pred* forthright, frank, plain-spoken; **II** *adv* frankly; **~ gesagt** quite frankly; **geradelegen** *vt sep* to put straight; **gerademachen** *vt sep* to straighten (out); **geraderichten** *vt sep* to straighten up; (*horizontal*) to straighten out.

gerädert *adj* (*inf*) **wie ~ sein, sich wie ~ fühlen** to be *or* feel (absolutely) whacked (*inf*).

geradesitzen *vi sep irreg* to sit up straight; **geradeso** *adv siehe* ebenso; **geradesoviel** *adv* just as much; **geradestehen** *vi sep irreg* **1.** (*aufrecht stehen*) to stand up straight; **2. für jdn/etw ~** (*fig*) to be answerable *or* to answer for sb/sth; **gerade(s)wegs** *adv* straight; **~ auf etw** (*acc*) **losgehen** (*fig*) to get straight down to sth; **geradezu I** *adv* **1.** (*beinahe*) virtually, almost; (*wirklich, durchaus*) really; **das ist doch ~ Selbstmord** that's nothing short of suicide, that's absolute suicide; **das ist ja ~ verblüffend/lächerlich!** that is absolutely amazing/ridiculous!; **2.** (*ohne Umschweife*) frankly; **~ aufs Ziel zusteuern** (*fig*) to go straight to the point; **II** *adj pred* (*inf: ehrlich*) frank, candid; (*unverblümt*) blunt.

Geradheit *f* (*fig*) (*Aufrichtigkeit*) rectitude; (*Freimut*) frankness, candidness; **geradlinig** *adj* straight; Nachkomme, Abstammung direct; Entwicklung linear; (*fig: aufrichtig*) straight; **~ denken/handeln** to be straight; **Geradlinigkeit** *f* (*lit, fig*) straightness.

gerammelt *adv:* **~ voll** (*inf*) (jam-)packed (*inf*), chock-a-block (*inf*).

Gerangel *nt* -s, *no pl* (*Balgerei*) scrapping; (*fig: zäher Kampf*) wrangling. **ein kurzes ~ der beiden Spieler** a short scrap between the two players; **das ~ um die Sonderangebote** the tussle over the bargains.

Geranie [-iə] *f* geranium.

gerann *pret* of **gerinnen**.

gerannt *ptp* of **rennen**.

Geraschel *nt* **-s**, *no pl* (*inf*) rustle, rustling.

Gerassel *nt* **-s**, *no pl* (*inf*) rattle, rattling.

Gerät *nt* **-(e)s**, **-e 1.** piece of equipment; (*Vorrichtung*) device; (*Apparat*) gadget; (*landwirtschaftliches* ~) implement; (*elektrisches* ~) appliance; (*Radio*~, *Fernseh*~, *Telefon*) set; (*Meß*~) instrument; (*Küchen*~) utensil; (*Werkzeug, Garten*~) tool; (*Turn*~) piece of apparatus; (*sl: Penis*) tool (*sl*).
2. *no pl* (*Ausrüstung*) equipment *no pl*; (*von Handwerker*) tools *pl*.

geraten[1] *pret* **geriet**, *ptp* **geraten I** *vi aux sein* **1.** (*zufällig gelangen*) to get (*in* +*acc* into). **an jdn** ~ (*jdn kennenlernen*) to come across sb; (*jdn bekommen*) to find sb, to dig sb up (*pej*); **an etw** (*acc*) ~ to get sth, to come by sth; **an einen Ort** ~ to come to a place; **an den Richtigen/ Falschen** ~ to come to the right/wrong person; **unter ein Fahrzeug** ~ to fall under a vehicle; **mit der Hand in eine Maschine** ~ to get one's hand caught in a machine; **in Gefangenschaft** ~ to be taken prisoner; **das Schiff ist in einen Sturm** ~ the boat got caught in a storm; **in Bewegung** ~ to begin to move; **ins Stocken/Schleudern** ~ to come to a halt/get into a skid; **in Brand** ~ to catch fire; **in Schwierigkeiten** ~ to get into difficulties; **in Vergessenheit** ~ to fall into oblivion; **aus der Bahn** ~ (*lit*) to come off *or* leave the track; (*fig*) to go off the rails; **auf die schiefe Bahn** ~ to stray from the straight and narrow; **aus der Fassung/der Form** ~ to lose one's composure/one's shape; **außer sich** (*dat*) ~ (*vor etw*) to be beside oneself (with sth); **unter schlechten Einfluß** ~ to come under a bad influence.
2. (*sich entwickeln, gelingen, ausfallen*) to turn out. **mein Aufsatz ist mir zu lang** ~ my essay turned out too long; **der Junge/Kaktus ist gut** ~ the boy/cactus turned out well; **nach jdm** ~ to take after sb.
II *adj* (*geh: ratsam*) advisable.

geraten[2] *ptp of* **raten**, **geraten**[1].

Geräteraum *m* equipment room; **Geräteschuppen** *m* toolshed; **Geräteturnen** *nt* apparatus gymnastics *no pl*.

Geratewohl *nt*: **aufs** ~ (*inf*) on the off-chance; (*aussuchen, auswählen*) at random; **er ist aufs** ~ **nach Amerika ausgewandert** he emigrated to America just like that; **wir schlugen aufs** ~ **diesen Weg ein** we decided to trust to luck and come this way.

Gerätschaften *pl* (*Ausrüstung*) equipment *sing*; (*Werkzeug*) tools *pl*.

Geratter *nt* **-s**, *no pl* clatter(ing), rattle, rattling; (*von Maschinengewehr*) chatter(ing).

Geräucherte(s) *nt*, *no pl decl as adj* smoked meat *especially* bacon and ham.

geraum *adj attr* (*geh*) **vor** ~**er Zeit** some

time ago; **seit** ~**er Zeit** for some time; **es dauerte eine** ~**e Weile** it took some time.

geräumig *adj* Haus, Zimmer spacious, roomy; Kofferraum *auch* capacious.

Geräumigkeit *f*, *no pl siehe adj* spaciousness, roominess; capaciousness.

Geräusch *nt* **-(e)s**, **-e** sound; (*esp unangenehm*) noise. **aus dem Keller hörte man verdächtige** ~**e** suspicious noises came from the cellar.

geräuscharm *adj* quiet; **Geräuschdämpfung** *f* sound damping; (*stärker*) deadening of sound; **geräuschempfindlich** *adj* sensitive to noise; (*Tech*) sound-sensitive; **Geräuschkulisse** *f* background noise; (*Film, Rad, TV*) sound effects *pl*; **geräuschlos** *adj* silent; ~ **öffnete er die Tür** without a sound *or* noiselessly *or* silently he opened the door; **Geräuschmesser** *m* **-s**, - sound level recorder; **Geräuschpegel** *m* sound level; **geräuschvoll** *adj* (*laut*) loud; (*lärmend*) noisy.

Geräusper *nt* **-s**, *no pl* throat-clearing.

gerben *vt* to tan. **vom Wetter gegerbte Haut** weather-beaten skin; *siehe* **Fell**.

Gerber(in *f*) *m* **-s**, - tanner.

Gerbera *f* -, **-(s)** (*Bot*) gerbera.

Gerberei *f* **1.** *no pl* (*Gerben*) tanning. **2.** (*Werkstatt*) tannery.

Gerberlohe *f* tanbark.

Gerbstoff *m* tannic acid.

Gerbung *f* tanning.

gerecht *adj* **1.** (*rechtgemäß, verdient*) just; (*unparteiisch auch*) fair; (*rechtschaffen*) upright. ~ **gegen jdn sein** to be fair *or* just to sb; ~**er Lohn** fair wages; **seinen** ~**en Lohn bekommen** (*fig*) to get one's just deserts *or* reward; **das ist nur** ~ that's only fair *or* right *or* just; ~**er Gott *or* Himmel!** (*inf*) good heavens (above)!; **die G**~**en** the just; **der G**~**e muß viel leiden** (*prov*) no peace for the wicked (*iro prov*); **den Schlaf des G**~**en schlafen** (*usu hum*) to sleep the sleep of the just.
2. (*berechtigt*) just, legitimate. ~**er Zorn** righteous anger; **sich für eine** ~**e Sache einsetzen** to fight for a just cause.
3. **jdm/einer Sache** ~ **werden** to do justice to sb/sth; **den Bedingungen** ~ **werden** to fulfil the conditions; **jds Erwartungen** (*dat*) ~ **werden** to come up to *or* fulfil sb's expectations.

gerechterweise *adv* to be fair.

gerechtfertigt *adj* justified.

Gerechtigkeit *f* **1.** justice; (*das Gerechtsein*) justness; (*Unparteilichkeit*) fairness; (*Rechtschaffenheit*) righteousness. **die** ~ **nahm ihren Lauf** justice took its course; **jdm/einer Sache** ~ **widerfahren lassen** to be just to sb/sth; (*fig*) to do justice to sb/sth. **2.** (*geh: Gerichtsbarkeit*) justice. **jdn (den Händen) der** ~ **ausliefern** to bring sb to justice.

Gerechtigkeitsgefühl *nt* sense of justice; **Gerechtigkeitsliebe** *f* love of justice; **gerechtigkeitsliebend** *adj* **ein** ~**er Mensch** a lover of justice, a person with a love of justice; ~ **sein** to have a love of justice; **Gerechtigkeitssinn** *m* sense of justice.

Gerede nt -s, no pl talk; (Klatsch) gossip(ing). **ins ~ kommen** or **geraten** to get oneself talked about; **jdn ins ~ bringen** to get sb talked about; **kümmere dich nicht um das ~ der Leute** don't worry about what people say.

geregelt adj Arbeit(szeiten), Mahlzeiten regular; Leben well-ordered.

gereichen* vi (geh) **jdm zur Ehre ~** to do sb honour, to redound to sb's honour (form); **jdm zum Schaden/Nutzen ~** to be damaging/beneficial to sb, to redound to sb's benefit (form); **jdm/einer Sache zum Vorteil ~** to be an advantage to sb/sth, to redound to sb's advantage (form); **(vorteilhaft erscheinen lassen)** to be advantageous for sb/sth.

gereift adj (fig) mature.

gereizt adj (verärgert) irritated; (reizbar) irritable, touchy; (nervös) tetchy, edgy. **im Zimmer herrschte ~e Stimmung** there was a strained atmosphere in the room.

Gereiztheit f siehe adj irritation; irritability, touchiness; tetchiness, edginess; strainedness.

Geriater m -s, - geriatrician.

Geriatrie f geriatrics sing.

geriatrisch adj geriatric.

Gericht¹ nt -(e)s, -e (Speise) dish. **leckere ~e** delicious meals.

Gericht² nt -(e)s, -e I. (Behörde) court (of justice); (Gebäude) court(house), law courts pl; (die Richter) court, bench. **Hohes ~!** My Lord! (Brit), Your Honor! (US); **vor ~ erscheinen/aussagen** to appear/testify in court; **vor ~ kommen** (Fall) to come to court; (Mensch) to come or appear before a/the court; **vor ~ stehen** to stand trial; **jdn vor ~ laden** to summon or call sb to appear in court; **jdn/einen Fall vor ~ bringen** to take sb/ sth to court; **mit etw vor ~ gehen** to go to court or take legal action about sth; **jdn/einen Fall vor ~ vertreten** to represent sb/sth in court; **das ~ zieht sich zur Beratung zurück** the court will adjourn.

2. **das Jüngste** or **Letzte ~** the Last Judgement; **über jdn/etw ~ halten** to pronounce judgement on sb/sth; **über jdn zu ~ sitzen** (fig) to sit in judgement on sb; **mit jdm (scharf) ins ~ gehen** (fig) to judge sb harshly.

gerichtlich adj attr judicial; Bestimmung, Entscheidung court; Medizin, Psychologie forensic; Verhandlung legal. **laut ~em Beschluß** according to the decision of a/the court or a/the court decision; **ein ~es Nachspiel** a court sequel; **ein ~es Nachspiel haben** to finish up in court; **~ gegen jdn vorgehen** to take legal proceedings against sb, to litigate against sb; **eine Sache ~ or auf ~em Weg klären** to settle a matter in court or by litigation; **Schulden ~ eintreiben** to recover debts through the courts; **~ vereidigt** sworn.

Gerichtsakten pl court records pl; **Gerichtsarzt** m, **Gerichtsärztin** f court doctor; **Gerichtsassessor(in** f) m ≃ junior barrister (Brit) or lawyer.

Gerichtsbarkeit f jurisdiction.

Gerichtsbeschluß m decision of a/the court, court decision; **Gerichtsentscheid** m, **Gerichtsentscheidung** f court decision; **Gerichtsferien** pl court vacation, recess; **Gerichtsherr** m (Hist) lord of the manor; **Gerichtshof** m court (of justice), law court; **Oberster ~** Supreme Court (of Justice); **Gerichtshoheit** f jurisdiction; **Gerichtskasse** f **den Betrag von DM 200 an die ~ zahlen** to pay the court DM 200; **Gerichtskosten** pl court costs pl; **jdm die ~ auferlegen** (form) to order sb to pay costs; **Gerichtsmedizin** f forensic medicine, medical jurisprudence; **Gerichtsmediziner(in** f) m forensic doctor; **gerichtsmedizinisch** adj forensic medical attr; **die Leiche wurde ~ untersucht** the body was examined by an expert in forensic medicine; **gerichtsnotorisch** adj known to the court; **Gerichtsort** m town etc with a court; **~ ist Stuttgart** (Vertragsbedingung) any legal case arising from this contract shall be heard in Stuttgart; **Gerichtspräsident(in** f) m president of the court; **Gerichtsreferendar(in** f) m law student who has passed the first State Examination ≃ articled barrister (Brit); **Gerichtsreporter(in** f) m legal correspondent; **Gerichtssaal** m courtroom; **Gerichtsschreiber** m clerk of the court; **Gerichtssprache** f language of the courts; **Gerichtsstand** m (form) court of jurisdiction; **Gerichtstag** m court day; **Gerichtstermin** m date of a/the trial; (für Zivilsachen) date of a/the hearing; **einen ~ ansetzen** to fix a date for a/the trial/hearing; **Gerichtsverfahren** nt court or legal proceedings pl; **ein ~ gegen jdn einleiten** to institute legal proceedings against sb; (zivil auch) to litigate against sb; **er wurde ohne ordentliches ~ verurteilt** he was sentenced without a proper trial; **Gerichtsverhandlung** f trial; (zivil) hearing; **Gerichtsvollzieher** m bailiff; **Gerichtsweg** m **auf dem ~** through the courts; **Gerichtswesen** nt judiciary, judicial system.

gerieben I ptp of reiben. II adj (fig inf) smart, sharp; (verschlagen auch) tricky, sly, fly (inf).

gerieren* vr (geh) to project an image.

geriet pret of geraten¹.

gering adj 1. (nicht sehr groß, niedrig) Temperatur, Luftdruck, Leistung, Produktion low; Gehalt, Preis low, modest; Menge, Vorrat, Betrag, Entfernung, small; Wert little attr; (kurz) Zeit, Entfernung short. **mit ~en Ausnahmen** with few exceptions; **~ gerechnet** at a conservative estimate.

2. (unbedeutend, unerheblich) slight; Chance auch small, slim; Bedeutung, Rolle minor. **die ~ste Kleinigkeit** the least or smallest or slightest little thing; **das ist meine ~ste Sorge** that's the least of my worries; **die Kosten sind nicht ~** the costs are not inconsiderable; **nicht das G~ste** nothing at all; **nicht im ~sten** not in the least or slightest; **das G~ste**

the least thing; **nichts G~eres als ...** nothing less than ...
3. *(unzulänglich) Qualität, Kenntnisse* poor; *(abschätzig) Meinung* low, poor. **~ von jdm sprechen/denken** to speak badly/have a low opinion of sb.
4. *attr (fig geh) Familie, Herkunft* humble. **(auch) der G~ste** even the most humble person; **kein G~erer als Freud ...** no less a person than Freud.

gering|achten *vt sep siehe* **geringschätzen.**

geringelt *adj Muster* ringed; *Socken* hooped.

geringfügig *adj (unwichtig)* insignificant; *Verbesserung, Unterschied* slight; *Vergehen, Verletzung* minor; *Einzelheiten* minor, trivial; *Betrag* small; **sein Zustand hat sich ~ gebessert** his condition is marginally *or* slightly improved; **Geringfügigkeit** *f* **1.** insignificance; slightness; *(von Vergehen, Einzelheiten)* triviality; smallness; **ein Verfahren wegen ~ einstellen** *(Jur)* to dismiss a case because of the trifling nature of the offence; **2.** *(Kleinigkeit)* little *or* small thing, trifle; **geringschätzen** *vt sep (verachten) Menschen, Leistung* to think little of, to have a poor *or* low opinion of; *Erfolg, Reichtum* to set little store by, to place little value on; *menschliches Leben* to have scant regard for, to place little value on; *(mißachten) Gefahr, Folgen* to disregard; **geringschätzig** *adj* contemptuous; *Bemerkung auch* disparaging; **Geringschätzigkeit** *f* contemptuousness; disparagement; **Geringschätzung** *f, no pl (Ablehnung)* disdain; *(von Bemerkung)* disparagement *(für, gen* of); *(schlechte Meinung)* poor *or* low opinion *(für, gen* of); *(für Erfolg, Reichtum, menschliches Leben)* low regard *(für, gen* for).

geringwertig *adj (rare)* inferior; *Nahrung* low-value.

gerinnen *pret* **gerann**, *ptp* **geronnen** *vi aux sein* to coagulate; *(Blut auch)* to clot; *(Milch auch)* to curdle. **mir gerann (vor Schreck) das Blut in den Adern** *(fig)* my blood ran cold; **zu etw ~** *(fig geh)* to develop into sth.

Gerinnsel *nt (Blut~)* clot, coagulum *(spec).*

Gerinnung *f siehe vi* coagulation; clotting; curdling.

gerinnungsfähig *adj* coagulable; **Gerinnungsfähigkeit** *f* coagulability.

Gerippe *nt* **-s**, **-** skeleton; *(von Schiff, Flugzeug auch, von Schirm, Gebäude)* frame; *(von Blatt auch)* ribbing; *(fig: Grundplan)* framework. **er ist nur noch ein ~** he's nothing but skin and bones.

gerippt *adj* ribbed *no adv.*

G(e)riß *nt* **-sses**, *no pl (Aus inf)* crush.

gerissen I *ptp of* **reißen. II** *adj* crafty, cunning.

Gerissenheit *f* cunning.

geritten *ptp of* **reiten.**

geritzt *adj pred (inf)* **die Sache ist ~** everything's fixed up *or* settled.

Germ *m or f* **-**, *no pl (Aus)* baker's yeast.

Germane *m* **-n**, **-n** Teuton. **die alten ~n** the Teutons.

Germanentum *nt* Teutonicism; *(Kultur)* Teutonism; *(Gesamtheit der Germanen)* Teutonic world, Teutons *pl.*

Germanin *f* Teuton.

germanisch *adj* Germanic. **G~es Seminar** Institute of Germanic Studies.

germanisieren* *vt* to Germanize.

Germanisierung *f* Germanization.

Germanismus *m (Ling)* Germanism.

Germanist(in *f)* *m* Germanist; *(Student auch)* German student; *(Wissenschaftler auch)* German specialist.

Germanistik *f* German (studies *pl).* **~ studieren** to do German studies, to study German; **Professor der ~** professor of German studies *or* German.

germanistisch *adj* German; *Zeitschrift* on Germanic/German studies.

Germanium *nt* **-s**, *no pl (abbr* **Ge)** germanium.

Germano- *(geh):* **germanophil** *adj* Germanophile; **Germanophilie** *f* Germanophilia; **germanophob** *adj* Germanophobe.

gern(e) *adv, comp* **lieber**, *superl* **am liebsten 1.** *(freudig)* with pleasure; *(bereitwillig auch)* willingly, readily. **(aber) ~!** of course!; **ja, ~!** (yes) please; **kommst du mit? — ja, ~** are you coming too? — oh yes, I'd like to; **darf ich das? — ja, ~** can I do that? — (yes,) of course; **~ geschehen!** you're welcome! *(esp US)*, not at all!, my pleasure!; **von mir aus kann er ja ~ älter sein** I don't mind if he's older; **etw ~ tun** to like doing sth *or* to do sth *(esp US)*; **etw ~ essen/trinken** to like sth; **~ ins Kino gehen** to like *or* enjoy going to the cinema; **etw ~ sehen** to like sth; **das wird nicht ~ gesehen** that's frowned (up)on; **er sieht es nicht ~, wenn wir zu spät kommen** he doesn't like us coming too late; **ein ~ gesehener Gast** a welcome visitor; **das glaube ich ~** I can quite *or* well believe it, I'm quite willing to believe it; **das würde ich zu ~ tun** I'd really love to do that; **er macht seine Arbeit ~ und mit Freude** he does his work willingly and gets a lot of pleasure out of it; **ich bin ~ dazu bereit** I'm quite willing *or* happy to do it; **jdn/etw ~ haben** *or* **mögen** to like *or* be fond of sb/sth; **das kannst du ~ haben** you're welcome to it, you can have it with pleasure; **er hat es ~, wenn man ihm schmeichelt** he likes being flattered, he likes it when you flatter him; **ich hätte *or* möchte ~ ...** I would like ...; **ich hätte ~ Herrn Kurtz gesprochen** could I speak to Mr Kurtz?, I would like to speak to Mr Kurtz, please; **wie hätten Sie's (denn) ~?** how would you like it?; **du kannst/er kann mich mal ~ haben!** *(inf)* (you can)/he can go to hell! *(inf).*
2. *(gewöhnlich, oft)* **etw ~ tun** to tend to do sth; **Weiden wachsen ~ an Flüssen** willows tend to grow by rivers; **morgens läßt er sich ~ viel Zeit** he likes to leave himself a lot of time in the mornings.

Gernegroß *m* **-**, **-e** *(hum)* **er war schon immer ein kleiner ~** he always did like to act big *(inf).*

Geröchel *nt* **-s**, *no pl* laboured breathing;

(*von Sterbenden*) (death-)rattle.
gerochen *ptp of* **riechen**.
Geröll *nt* -(e)s, -e detritus *no pl*; (*im Gebirge auch*) scree *no pl*; (*größeres*) boulders *pl*.
Geröllhalde *f* scree (slope); **Geröllschutt** *m* rock debris.
geronnen *ptp of* **rinnen, gerinnen**.
Gerontologe *m*, **Gerontologin** *f* (*Med*) gerontologist.
Gerontologie *f* (*Med*) gerontology.
gerontologisch *adj* (*Med*) gerontological.
Geröstete *pl decl as adj* (*S Ger, Aus: Cook*) sauté potatoes *pl*.
Gerste *f* -, -n barley.
Gersten- *in cpds* barley; **Gerstengraupen** *pl* pearl barley *sing*; **Gerstenkorn** *nt* 1. barleycorn; 2. (*Med*) stye; **Gerstensaft** *m* (*hum*) John Barleycorn (*hum*), beer.
Gerte *f* -, -n switch; (*Reit~ auch*) crop. **sie ist schlank wie eine ~** she is slim and willowy, she is as slender as a reed.
gertenschlank *adj* slim and willowy.
Geruch *m* -(e)s, :-e 1. smell, odour (*nach* of); (*Duft auch*) fragrance, scent, perfume (*nach* of); (*von Kuchen auch*) aroma (*nach* of); (*unangenehm auch*) stench (*nach* of). **der starke ~ nach Alkohol/Knoblauch** the reek of alcohol/garlic.
  2. *no pl* (*~ssinn*) sense of smell.
  3. *no pl* (*fig: Ruf*) reputation. **in den ~ von etw kommen** to get a reputation for sth.
geruchlos *adj* odourless; (*duftlos*) scentless; **g~ sein** not to have a smell, to be odourless; (*Blumen*) not to smell.
Geruch(s)belästigung *f* **das ist eine ~** the smell is a real nuisance; **Geruch(s)empfindung** *f* 1. (*Riechempfindung*) smell; 2. (*Geruchsinn*) sense of smell; **Geruch(s)nerv** *m* olfactory nerve; **geruch(s)neutral** *adj siehe* **geruchlos**; **Geruch(s)organ** *nt* organ of smell, olfactory organ; **Geruch(s)sinn** *m* sense of smell.
Gerücht *nt* -(e)s, -e rumour. **es geht das ~, daß ...** there's a rumour (going round) that ..., it's rumoured that ...; **das halte ich für ein ~** (*inf*) I have my doubts about that.
Gerüchteküche *f* (*inf*) gossip factory (*inf*).
geruchtilgend *adj* deodorizing *no adv*, deodorant *attr*.
gerüchtweise *adv* etw ~ hören to hear sth rumoured; **das ist mir ~ zu Ohren gekommen** I've heard it rumoured.
gerufen *ptp of* **rufen**.
geruhen* *vt* ~, **etw zu tun** (*dated form*) to deign *or* condescend to do sth (*auch iro*), to be pleased to do sth.
geruhsam *adj* peaceful; *Spaziergang* leisurely *no adv*. **~ essen** to eat in peace (and quiet).
Gerümpel *nt* -s, *no pl* junk.
Gerundium *nt* gerund.
Gerundiv(um) *nt* -s, -e gerundive.
gerungen *ptp of* **ringen**.
Gerüst *nt* -(e)s, -e scaffolding *no pl*; (*Gestell*) trestle; (*Brücken~, Dach~*) truss; (*Hänge~*) cradle; (*fig: Gerippe*)

framework (*zu* of).
Gerüstbau *m* erection of scaffolding; ,,W. Friedrich GmbH, ~'' "W. Friedrich Ltd, Scaffolders"; **Gerüstbauer** *m* scaffolder.
gerüttelt *adj* ~ **voll** chock-a-block (*inf*), jam-packed (*inf*), chock-full; **ein ~es Maß von** *or* **an etw** (*dat*) a fair amount of sth; **er besitzt ein ~es Maß Unverschämtheit** he has more than his fair share of cheek.
ges, Ges *nt* -, - (*Mus*) G flat.
gesalzen I *ptp of* **salzen**. II *adj* (*fig inf*) *Witz* spicy; *Preis, Rechnung* steep, fancy (*inf*), stiff.
gesammelt *adj* *Aufmerksamkeit, Kraft* collective; *Werke* collected.
gesamt *adj attr* whole, entire. **die ~e Familie** all the family, the whole *or* entire family; **die ~en Lehrkräfte** all the teachers; **im ~en** in all; **die ~en Kosten** the total costs.
Gesamtansicht *f* general *or* overall view; **Gesamtauflage** *f* (*von Zeitung*) total circulation; (*von Buch*) total edition; **bisherige ~: 300.000 Stück** sales totalling 300,000; **Gesamtausgabe** *f* complete edition; **Gesamtbetrag** *m* total (amount); **Gesamtbild** *nt* general *or* overall picture; **gesamtdeutsch** *adj* all-German; **Gesamteindruck** *m* general *or* overall impression; **Gesamteinkommen** *nt* total income; **Gesamtergebnis** *nt* overall result; **Gesamterlös** *m* total proceeds *pl*; **Gesamtertrag** *m* total yield; **Gesamtfläche** *f* total area; **gesamtgesellschaftlich** *adj* (*Sociol*) *Produktion* by society as a whole; **Gesamtgewicht** *nt* total weight; (*eines LKW auch*) laden weight; **Gesamtgläubiger** *pl* (*Jur*) joint creditors *pl*; **gesamthaft** (*esp Sw*) I *adj siehe* **gesamt**; II *adv siehe* **insgesamt**; **Gesamthaftung** *f* (*Jur*) joint liability.
Gesamtheit *f* totality. **die ~ der ...** all the ...; (*die Summe*) the totality of ...; **die ~** (*der Bevölkerung*) the population (as a whole); **die ~ der Studenten/Arbeiter** the entire student population/workforce, all the students/workers; **in seiner ~** in its entirety; **das Volk in seiner ~** the nation as a whole.
Gesamthochschule *f* polytechnic; **Gesamtinteresse** *nt* general interest; **Gesamtkapital** *nt* total capital; **Gesamtkosten** *pl* total *or* overall costs *pl*; **Gesamtkunstwerk** *nt* (*bei Wagner*) synthesis of the arts; (*Show, Happening*) multi-media performance *or* show; **Gesamtlage** *f* general situation; **Gesamtnote** *f* (*Sch*) overall mark; **Gesamtnutzungsdauer** *f* useful life; **Gesamtschaden** *m* total damage; **ein ~ von 5.000 Mark** damage totalling 5,000 marks; **Gesamtschau** *f* synopsis (*über* +*acc* of); **Gesamtschuldner** *pl* (*Jur*) (joint) debtors *pl*; **Gesamtschule** *f* comprehensive school; **Gesamtsieger(in** *f*) *m* (*Sport*) overall winner; **Gesamtstärke** *f* total strength; **Gesamtstrafe** *f* (*Jur*) overall sentence

(*for a series of offences, longer than the maximum sentence for the most serious offence but less than the total sentences taken consecutively*); **Gesamtübersicht** *f* general survey (*über* +*acc* of); **Gesamtumsatz** *m* total turnover; **Gesamtwerk** *nt* complete works *pl*; **Gesamtwert** *m* total value; **im ~ von ... totalling ...** in value; **Gesamtwertung** *f* (*Sport*) overall placings *pl*; **er liegt in der ~ vorn** he's leading overall, he has the overall lead; **Gesamtwirtschaft** *f* national economy; **gesamtwirtschaftlich** *adj* national economic *attr*; **Gesamtzahl** *f* total number; **eine ~ von 8.000 Punkten** a total of 8,000 points; **Gesamtzusammenhang** *m* general view.

gesandt *ptp of* **senden**[1].

Gesandte(r) *mf decl as adj* envoy, legate; (*inf: Botschafter*) ambassador. **päpstlicher ~** (papal) nuncio.

Gesandtschaft *f* legation; (*inf: Botschaft*) embassy; (*päpstliche ~*) nunciature.

Gesang *m* -(e)s, ¨e 1. (*Lied, Vogel~*) song; (*Preislied*) hymn; (*gregorianischer ~*) chant. **erster ~ der Ilias/von Dantes Inferno** first book of the Iliad/first canto of Dante's Inferno; **geistliche ¨~e** religious hymns and chants. 2. *no pl* (*das Singen*) singing; (*von Mönchen*) chanting.

Gesang-, Gesangs- (*Aus*): **Gesangbuch** *nt* (*Eccl*) hymnbook; **das richtige/falsche ~ haben** (*inf*) to belong to the right/wrong denomination; **Gesanglehrer-(in f)** *m* singing teacher.

gesanglich *adj* vocal; *Begabung* for singing.

Gesangskunst *f* singing technique.

Gesang-, Gesangs- (*Aus*): **Gesangstunde** *f* singing lesson; **Gesangunterricht** *m* singing lessons *pl*; **Gesangverein** *m* choral society; **mein lieber Herr ~!** (*hum*) ye gods and little fishes! (*hum*).

Gesäß *nt* -es, -e seat, bottom, posterior (*hum*).

Gesäßbacke *f* buttock, cheek; **Gesäßmuskel** *m* gluteal muscle (*spec*); **Gesäßtasche** *f* back pocket.

gesättigt *adj* (*Chem*) saturated.

Gesäusel *nt* -s, *no pl* (*von Blättern*) rustling, rustle, whisper; (*vom Wind*) murmur(ing), whisper(ing), sigh(ing); (*fig iro: von Menschen*) purring.

Geschädigte(r) *mf decl as adj* victim.

geschaffen *ptp of* **schaffen**[1].

Geschäft *nt* -(e)s, -e 1. (*Gewerbe, Handel*) business *no pl*; (*~sabschluß*) (business) deal *or* transaction. **~ ist ~** business is business; **wie geht das ~?, wie gehen die ~e?** how's business?; **mit jdm ins ~ kommen** to do business with sb; **mit jdm ~e machen** to do business *or* have business dealings with sb; **im ~ sein** to be in business; **für jdn die ~e führen** to act for sb; (*im Gewerbe, Handel*) to run the business for sb; **ein ~ tätigen** to do a deal, to make *or* carry out a transaction; **dunkle ~e treiben** to be involved in some shady dealings *or* business; **ein gutes/schlechtes ~ machen** to make a

good/bad deal; **dabei hat er ein ~ gemacht** he made a profit by it; **~e mit etw machen** to make money out of sth; **viel in ~en unterwegs sein** to travel a lot on business; **das ~ mit der Lust** the sex industry; **Boulevardzeitungen leben von dem ~ mit der Angst** the popular press make their living by trading on people's fears.

2. (*Aufgabe*) duty. **seinen ~en nachgehen** to go about one's business.

3. (*Firma*) business (concern); (*Laden*) shop (*Brit*), store; (*inf: Büro*) office. **die ~e schließen um 17**[30] **Uhr** the shops *or* stores close at 5.30; **ich gehe um 8 Uhr ins ~** I go to work *or* to the office at 8.00; **im ~** at work, in the office; (*im Laden*) in the shop.

4. (*inf euph: Notdurft*) **kleines/großes ~** little/big job (*inf euph*), number one/two (*inf euph*); **ein ~ machen** to do a job (*inf euph*); **sein ~ verrichten** to do one's business (*euph*).

geschäftehalber *adv* (*in Geschäften*) on business; (*wegen Geschäften*) because of business; **Geschäftemacher(in f)** *m* (*pej*) profiteer. **Geschäftemacherei** *f* (*pej*) profiteering *no indef art*.

geschäftig *adj* (*betriebsam*) busy; (*emsig, eifrig auch*) industrious, assiduous, zealous (*esp pej*). **~ tun, sich ~ geben** to look busy; **~es Treiben** *or* **Hin und Her** hustle and bustle, bustling activity; **~ hin und her laufen** to bustle around (busily).

Geschäftigkeit *f* busyness; (*Emsigkeit, Eifer auch*) industriousness, assiduousness, zealousness (*esp pej*); (*geschäftiges Treiben auch*) (hustle and) bustle.

geschäftlich **I** *adj* (*das Geschäft betreffend*) business *attr*; (*sachlich*) *Ton* businesslike. **ich habe mit ihm etwas G~es zu besprechen** I have some business *or* business matters to discuss with him.

II *adv* (*in Geschäften*) on business; (*wegen Geschäften*) because of business; (*~ gesehen*) from a business point of view. **er hat morgen ~ in Berlin zu tun** he has business in Berlin tomorrow *or* has to be in Berlin on business tomorrow; **~ verhindert** prevented by business; **~ verreist** away on business; **~ mit jdm verkehren** to have business dealings with sb.

Geschäftsabschluß *m* business deal *or* transaction; **Geschäftsanteil** *m* share of a/the business; **Geschäftsaufgabe, Geschäftsauflösung** *f* closure of a/the business; **Räumungsverkauf wegen Geschäftsaufgabe** closing-down sale; **Geschäftsbedingungen** *pl* terms of business *pl*; **Geschäftsbereich** *m* (*Parl*) responsibilities *pl*; **Minister ohne ~** minister without portfolio; **Geschäftsbericht** *m* report; (*einer Gesellschaft*) company report; **Geschäftsbeziehungen** *pl* business connections *pl* (*zu* with); **Geschäftsbrief** *m* business letter; **Geschäftsbücher** *pl* books *pl*, accounts *pl*; **Geschäftseröffnung** *f* opening of a store *or* shop (*Brit*); **Geschäftsessen** *nt* business lunch; **geschäftsfähig** *adj* (*Jur*) capable of contracting (*form*), competent (*form*); **voll/beschränkt ~ sein** to have complete/limited competence; **Geschäftsfähigkeit** *f* (*Jur*) (legal) competence; **Geschäftsfrau** *f* businesswoman; **Geschäftsfreund** *m* business associate; **geschäftsführend** *adj attr* executive; (*stellvertretend*) acting; *Regierung* caretaker; **Geschäftsführer(in** *f)* *m* (*von Laden*) manager; (*von GmbH*) managing director; (*von Verein*) secretary; (*von Partei*) whip; **Geschäftsführung** *f* management; **mit der ~ beauftragt** (*abbr* m.d.G.b.) in charge of administration; **Geschäftsgang** *m* business *no art*; (*Besorgung*) errand; **Geschäftsgebaren** *nt* business methods *pl or* practices *pl*; **Geschäftshaus** *nt* 1. (*Gebäude*) business premises *pl*; (*von Büros*) office block; 2. (*Firma*) house, firm; **Geschäftsinhaber** *m* owner (of a business); (*von Laden, Restaurant*) proprietor, owner; **Geschäftsinhaberin** *f siehe* **Geschäftsinhaber** owner; proprietress; **Geschäftsinteresse** *nt* business interest; **Geschäftsjahr** *nt* financial year; **Geschäftskapital** *nt* working capital; **Geschäftskosten** *pl* business expenses *pl*; **das geht alles auf ~** it's all on expenses; **Geschäftslage** *f* 1. (*Wirtschaftslage*) business situation; 2. **in erstklassiger ~** in a good business location; **Geschäftsleben** *nt* business life; **er steht noch im ~** he's still active in the world of business; **Geschäftsleitung** *f siehe* **Geschäftsführung**; **Geschäftsmann** *m*, *pl* **-leute** businessman; **geschäftsmäßig** *adj* businesslike *no adv*; **Geschäftsmethoden** *pl* business methods *pl*; **Geschäftsordnung** *f* standing orders *pl*; **zur ~!** point of order!; **eine Frage zur ~** a question on a point of order; **Geschäftspapiere** *pl* business papers *pl*; **Geschäftspartner** *m* business partner; (*Geschäftsfreund*) business associate; **Geschäftsräume** *pl* (*business*) premises *pl*; (*Büroräume*) offices *pl*; **in den ~n** on the premises/in the offices; **Geschäftsreise** *f* business trip; **auf ~ sein** to be on a business trip; **Geschäftssache** *f* business matter *or* affair; **geschäftsschädigend** *adj* bad for business; **~es Verhalten** *siehe* **Geschäftsschädigung**; **Geschäftsschädigung** *f* conduct *no art* injurious to the interests of the company (*form*); **Geschäftsschluß** *m* close of business; (*von Läden*) closing-time; **nach ~** out of working hours/after closing-time; **Geschäftssinn** *m* business sense *or* acumen; **Geschäftssitz** *m* place of business; **Geschäftsstelle** *f* offices *pl*; (*von Gericht*) administrative office; **Geschäftsstraße** *f* shopping street; **Geschäftsstunden** *pl* office *or* working hours *pl*; (*von Läden*) (shop) opening hours; „~" "hours of opening"; **Geschäftsträger** *m* (*Pol*) chargé d'affaires; **geschäftstüchtig** *adj* business-minded; **Geschäftsüber-**

nahme *f* takeover of a/the business/store; **geschäftsunfähig** *adj* (*Jur*) not capable of contracting (*form*), (legally) incompetent (*form*); **Geschäftsunfähigkeit** *f* (*Jur*) (legal) incompetence; **Geschäftsverbindung** *f* business connection; **in ~ mit jdm stehen** to have business connections with sb; **Geschäftsverkehr** *m* business *no art*; **in regem ~ mit einer Firma stehen** to do a considerable amount of business with a firm; **Geschäftsviertel** *nt* 1. shopping centre; 2. (*Banken- und Versicherungsviertel*) business *or* commercial district; **Geschäftsvolumen** *nt* volume of trade; **Geschäftswagen** *m* company car; **Geschäftswelt** *f* world of business, business world; **Geschäftswert** *m* value of a/the business; **Geschäftszimmer** *nt* office; **Geschäftszweig** *m* branch of a/the business.

geschah *pret of* **geschehen.**

Geschaukel *nt* **-s**, *no pl* (*im Schaukelstuhl*) swinging; (*in Bus, Wagen*) lurching; (*in Boot*) pitching, rolling.

gescheckt *adj* spotted; *Pferd* skewbald, pinto (*US*).

geschehen *pret* **geschah**, *ptp* **~** *vi aux sein* to happen (*jdm* to sb); (*vorkommen auch*) to occur; (*stattfinden auch*) to take place; (*ausgeführt werden*) to be done; (*Verbrechen*) to be committed. **es ist nun einmal ~** what's done is done; **Dein Wille geschehe** (*Bibl*) Thy *or* Your will be done; **es wird ihm nichts ~** nothing will happen to him; **das geschieht ihm (ganz) recht** it serves him (jolly well *inf*) right; **ihm ist ein Unrecht ~** he has been wronged; **er wußte nicht, wie ihm geschah** he didn't know what was happening *or* going on; **was soll mit ihm/damit ~?** what is to be done with him/it?; **als er sie sah, war es um ihn ~** he was lost the moment he set eyes on her; **es kann ~, daß ...** it could happen that ...; **und so geschah es, daß ...** and so it happened *or* came about that ...; **es muß etwas ~** something must be done; **so ~ am ...** such was the case on ...; **G~es ruhen lassen** (*geh*) to let bygones be bygones.

Geschehen *nt* **-s**, (*geh*) - events *pl*, happenings *pl*.

Geschehnis *nt* (*geh*) event; (*Vorfall auch*) incident.

gescheit *adj* clever; *Mensch, Idee auch* bright; (*vernünftig*) sensible. **du bist wohl nicht recht ~?** you must be out of your mind *or* off your head; **sei ~!** be sensible; **es wäre ~er ...** it would be wiser *or* more sensible ... ; **jetzt bin ich so ~ wie vorher** I'm none the wiser now.

Geschenk *nt* **-(e)s**, **-e** present, gift; (*Schenkung*) gift. **jdm ein ~ machen** to give sb a present; **jdm etw zum ~ machen** to make sb a present of sth, to give sb sth (as a present); **ein ~ seiner Mutter** a present *or* gift from his mother; **ein ~ Gottes** a gift from *or* of God; **das war ein ~ des Himmels** it was a godsend; **kleine ~e erhalten die Freundschaft** (*prov*) little presents keep a friendship alive.

Geschenk-, Geschenks- (*Aus*) *in cpds*
gift; **Geschenkartikel** *m* gift; **Ge-
schenkboutique** *f* gift shop; **Ge-
schenkgutschein** *m* gift voucher; **Ge-
schenkidee** *f* idea for a present *or* gift;
Geschenkpackung *f* gift pack *or* box;
(*von Pralinen*) gift box; **Ge-
schenkpapier** *nt* wrapping paper, gift-
wrap; **etw in ~ einwickeln** to gift-wrap
sth; **Geschenksendung** *f* gift parcel.

Geschichte *f* -, **-n 1.** *no pl* (*Historie*)
history. **~ des Altertums/der Neuzeit,
Alte/Neuere ~** ancient/modern history;
die ~ Spaniens/der Menschheit the
history of Spain/mankind; **~ machen** to
make history; **das ist längst ~** that's past
history.
  2. (*Erzählung, Lügen~*) story; (*Märchen, Fabel auch*) tale; (*Kurz~*) short
story. **das sind alles bloß ~n** that's all
just made up, that's just a story; **~n erzählen** to tell stories.
  3. (*inf: Angelegenheit, Sache*) affair,
business *no pl*. **das sind alte ~n** that's
old hat (*inf*); **das ist (wieder) die alte ~**
it's the same old *or* the old old story (all
over again); **alte ~n wieder aufwärmen**
to rake up the past; **die ganze ~** the
whole business; **das sind ja nette ~n!**
(*iro*) this is a fine thing; **die ~ mit seinem
Magen** the trouble *or* business with his
stomach; **als er damals diese ~ mit der
Tänzerin hatte** when he was having that
affair with the dancer; **mach keine ~n!**
don't be silly! (*inf*); (*Dummheiten*) don't
get up to anything silly!

Geschichtenbuch *nt* storybook; **Ge-
schichtenerzähler(in** *f*) *m* (*lit, fig*) story-
teller.

geschichtlich *adj* (*historisch*) historical;
(*bedeutungsvoll*) historic. **~ bedeutsam**
historic; **etw ~ betrachten** to consider
sth from the historical point of view; **~
belegt** *or* **nachgewiesen sein** to be a
historical fact.

Geschichtsatlas *m* historical atlas; **Ge-
schichtsauffassung, Geschichts-
betrachtung** *f* conception of history;
Geschichtsbewußtsein *nt* awareness
of history, historical awareness; **Ge-
schichtsbuch** *nt* history book; **Ge-
schichtsdrama** *nt* historical drama; **Ge-
schichtsepoche** *f* period of history; **Ge-
schichtsfälschung** *f* falsification of
history; **Geschichtsforscher(in** *f*) *m*
historian; **Geschichtsforschung** *f*
historical research; **Geschichts-
kenntnis** *f* knowledge of history *no pl*,
historical knowledge *no pl*; **Ge-
schichtsklitterung** *f* historical misrepresentation; **Geschichtslehrer(in** *f*) *m*
history teacher; **geschichtslos** *adj*
Land, Stadt with no history; *Zeit* with no
historical records; *Volk* with no sense of
history, ahistorical; *Politik, Weltanschauung* ahistorical; **Geschichts-
losigkeit** *f* siehe *adj* lack of history;
absence of historical records (*gen* for);
historical unawareness; ahistoricity
(*form*); **Geschichtsphilosoph(in** *f*) *m*
philosopher of history; **Geschichts-
philosophie** *f* philosophy of history;

geschichtsphilosophisch *adj* *Schrift*
on the philosophy of history; *Interesse,
Studien* in the philosophy of history; **Ge-
schichtsschreiber(in** *f*) *m* historian,
historiographer; **Geschichtsschrei-
bung** *f* historiography; **Geschichts-
werk** *nt* historical work; **Geschichts-
wissenschaft** *f* (science of) history;
Geschichtswissenschaftler(in *f*) *m*
historian; **Geschichtszahl** *f* (historical)
date.

Geschick¹ *nt* -(e)s, **-e** (*geh*) (*Schicksal*)
fate; (*politische Entwicklung, Situation*)
fortune. **ein gütiges ~** good fortune,
providence; **ein schlimmes/schweres/
trauriges ~** a sad fate.

Geschick² *nt* -s, *no pl* skill.

Geschicklichkeit *f* siehe **geschickt** skill,
skilfulness; cleverness, adroitness;
dexterity; agility. **für** *or* **zu etw ~ haben**
or **zeigen** to be clever at sth.

Geschicklichkeitsfahren *nt* (*Sport*) skill
tests *pl*; (*Aut*) manoeuvring tests *pl*; **Ge-
schicklichkeitsspiel** *nt* game of skill.

geschickt *adj* skilful; (*taktisch auch*)
clever, adroit; (*fingerfertig auch*) dexterous; (*beweglich*) agile.

Geschiebe *nt* -s, *no pl* **1.** (*Geol*) debris;
(*in Flüssen*) deposit.
  2. (*inf: Gedränge*) pushing and shoving (*inf*).

geschieden *ptp of* **scheiden.**

Geschiedene *f decl as adj* divorcee. **seine
~** (*inf*) his ex (*inf*).

Geschiedene(r) *m decl as adj* divorced
man, divorcé. **ihr ~r** (*inf*) her ex (*inf*).

geschienen *ptp of* **scheinen.**

Geschirr *nt* -(e)s, **-e 1.** *no pl*
(*Haushaltsgefäße*) crockery (*Brit*),
tableware; (*Küchen~*) pots and pans *pl*,
kitchenware; (*Teller etc*) china; (*zu einer
Mahlzeit benutzt*) dishes *pl*. **(das) ~
(ab)spülen** to wash *or* do the dishes, to
wash up; **feuerfestes ~** ovenware.
  2. (*Service*) (dinner/tea *etc*) service;
(*Glas~*) set of glasses; (*feuerfestes ~*)
set of ovenware. **das gute ~** the best china.
  3. (*old*) (*Gefäß*) vessel, pot; (*Nacht~*)
chamber-pot.
  4. (*von Zugtieren*) harness. **einem
Pferd das ~ anlegen** to harness (up) a
horse; **sich ins ~ legen** *or* **werfen** (*Pferde, Ochsen*) to pull hard; (*fig*) to put
one's shoulder to the wheel, to put one's
back into it.

Geschirraufzug *m* dumb waiter; **Geschirrschrank** *m* china cupboard; **Ge-
schirrspülen** *nt* washing-up; **Ge-
schirrspülmaschine** *f* dishwasher; **Ge-
schirrspülmittel** *nt* washing-up liquid
(*Brit*), dishwashing liquid (*US*); **Ge-
schirrtuch** *nt* tea towel.

Geschiß *nt* -sses, *no pl* (*sl*) fuss and
bother.

geschissen *ptp of* **scheißen.**

geschlafen *ptp of* **schlafen.**

geschlagen *ptp of* **schlagen.**

Geschlecht *nt* -(e)s, **-er 1.** sex; (*Gram*)
gender. **Jugendliche beiderlei ~s** young
people of both sexes; **das andere ~** the
opposite sex; **das schwache/schöne/**

starke ~ the weaker/fair/stronger sex; **das dritte ~** transvestites *pl*; *(Homosexuelle)* homosexuals *pl*.

2. *(geh: Geschlechtsteil)* sex *(liter)*.

3. *(liter) (Gattung)* race; *(Generation)* generation; *(Sippe)* house; *(Abstammung)* lineage. **das menschliche ~, das ~ der Menschen** the human race; **er ist vornehmen ~s** he is of noble lineage.

Geschlechterfolge *f* line; **Geschlechterkampf** *m* battle of the sexes; **Geschlechterkunde** *f* genealogy; **Geschlechtertrennung** *f* segregation of the sexes.

geschlechtlich *adj* sexual. **~e Erziehung** sex education; **mit jdm ~ verkehren** to have sexual intercourse with sb.

Geschlechtlichkeit *f* sexuality.

Geschlechtsakt *m* sex(ual) act; **Geschlechtsbestimmung** *f* sex determination; **Geschlechtschromosom** *nt* sex chromosome; **Geschlechtsdrüse** *f* sex gland; **Geschlechtserziehung** *f* sex(ual) education; **Geschlechtsgenosse** *m* person of the same sex; **Geschlechtshormon** *nt* sex hormone; **geschlechtskrank** *adj* suffering from VD *or* a venereal disease; **~ sein** to have VD; **Geschlechtskrankheit** *f* venereal disease; **eine ~ haben** to have VD *or* a venereal disease; **Geschlechtsleben** *nt* sex life; **geschlechtslos** *adj* asexual *(auch Biol)*, sexless; **Geschlechtslosigkeit** *f* asexuality *(auch Biol)*, sexlessness; **Geschlechtslust** *f* *(geh)* lust; **Geschlechtsmerkmal** *nt* sex(ual) characteristic; **Geschlechtsorgan** *nt* sex(ual) organ; **geschlechtsreif** *adj* sexually mature; **Geschlechtsreife** *f* sexual maturity; **Geschlechtsrolle** *f* *(Sociol)* sex role; **geschlechtsspezifisch** *adj* *(Sociol)* sex-specific; **Geschlechtsteil** *nt* genitals *pl*; **Geschlechtstrieb** *m* sex(ual) urge; sex(ual) drive; **Geschlechtsumwandlung** *f* sex change; **Geschlechtsunterschied** *m* difference between the sexes; **Geschlechtsverkehr** *m* sexual intercourse; **Geschlechtswort** *nt* *(Gram)* article; **Geschlechtszelle** *f* sexual cell.

geschlichen *ptp of* **schleichen**.

geschliffen I *ptp of* **schleifen²**. **II** *adj Manieren, Ausdrucksweise* polished, refined; *Sätze* polished.

geschlossen I *ptp of* **schließen**.

II *adj* closed; *(vereint)* united, unified. **in sich** *(dat)* **~** self-contained; *Mensch, Charakter* well-rounded; *Buch, Handlung* well-knit; *Systeme, Produktionskreisläufe* closed; **es war eine ~e Wolkendecke vorhanden** the sky was completely overcast; **ein ~es Ganzes** a unified whole; **~e Gesellschaft** closed society; *(Fest)* private party; **in ~er Sitzung** in closed session; *(Jur)* in camera; **ein ~er Wagen** a saloon car; **~e Ortschaft** built-up area; **in ~er Formation** *(Aviat)* in close formation.

III *adv* **~ für etw sein/stimmen** to be/vote unanimously in favour of sth; **wir protestierten ~ gegen das neue Gesetz** we were unanimous in our protest against the new law; **~ hinter jdm stehen** to stand solidly behind sb; **dieses zwölfbändige Lexikon wird nur ~ abgegeben** this twelve-volume encyclopaedia is only sold as a complete set; **dieser Vokal wird ~ ausgesprochen** this vowel has closed articulation.

Geschlossenheit *f* unity.

geschlungen *ptp of* **schlingen¹** *and* **schlingen²**.

Geschmack *m* **-(e)s, ⁻e** *or (hum, inf)* ⁻**er** *(lit, fig)* taste; *(Aroma auch)* flavour; *(Sw: Geruch)* smell; *(no pl: ~ssinn)* sense of taste. **je nach ~** to one's own taste; **Salz (je) nach ~ hinzufügen** add salt to taste; **an etw** *(dat)* **~ finden** to acquire a taste for sth; **auf den ~ kommen** to acquire a taste for it; **einen guten ~ haben** *(Essen)* to taste good; **er hat einen guten ~** *(fig)* he has good taste; **für meinen ~** for my taste; **das ist nicht mein/nach meinem ~** that's not my/to my taste; **die ⁻er sind verschieden** tastes differ; **über ~ läßt sich (nicht) streiten** *(Prov)* there's no accounting for taste(s) *(prov)*.

geschmacklich *adj* *(lit, fig)* as regards taste. **~ ausgezeichnete ~e Qualitäten** *(form)* exquisite flavour *or* taste.

geschmacklos *adj* *(lit, fig)* tasteless; *(taktlos auch)* in bad taste.

Geschmacklosigkeit *f* **1.** *no pl* *(lit, fig)* tastelessness, lack of taste; *(Taktlosigkeit auch)* bad taste. **2.** *(Beispiel der ~)* example of bad taste; *(Bemerkung)* remark in bad taste. **das ist eine ~!** that is the most appalling bad taste!

Geschmacksbildung *f* formation of good taste; **Geschmacksfrage** *f* matter *or* question of (good) taste; **Geschmacksknospen** *pl* taste buds *pl*; **geschmacksneutral** *adj* tasteless; **Geschmacksrichtung** *f* taste; **in sieben neuen ~en** in seven new flavours; **Geschmackssache** *f* matter of taste; **das ist ~** it's (all) a matter of taste; **Geschmackssinn** *m* sense of taste; **Geschmacksverirrung** *f* **unter ~ leiden** *(iro)* to have no taste; **der Hut ist eine ~** that hat is an aberration.

geschmackvoll *adj* tasteful; *(taktvoll auch)* in good taste. **~e Kleider tragen, sich ~ kleiden** to dress tastefully.

Geschmeide *nt* **-s, -** *(geh)* jewellery *no pl*. **ein ~** a piece of jewellery.

geschmeidig *adj* **1.** *Haar, Leder, Haut* supple; *Körper, Bewegung auch* lithe, lissom(e); *Fell* sleek; *(weich) Handtuch, Haar* soft; *Teig* workable; *Wachs* malleable; *(anschmiegsam)* soft and clinging. **er hat einen ~en Gang** he moves with supple grace; **~ glitt die Katze vom Stuhl** the cat slid off the chair with feline grace.

2. *(fig) (anpassungfähig)* flexible; *(wendig)* adroit; *Zunge, Worte* glib, smooth.

Geschmeidigkeit *f*, *no pl siehe adj* **1.** suppleness; litheness, lissomeness; sleekness; softness; malleability; clinging softness. **2.** flexibility; adroitness; glibness.

Geschmeiß nt -es, no pl **1.** (old lit, fig) vermin pl. **2.** (Hunt) droppings pl.

Geschmetter nt -s, no pl flourish.

Geschmier(e) nt -s, no pl (inf) mess; (Handschrift) scrawl; (Geschriebenes) scribble; (schlechtes Bild) daub.

geschmissen ptp of **schmeißen.**

geschmolzen ptp of **schmelzen.**

Geschmorte(s) nt decl as adj (Cook) braised meat.

Geschmus(e) nt -s, no pl (inf) cuddling; (von Pärchen auch) canoodling (inf).

Geschnäbel nt -s, no pl billing; (hum: Küsserei) billing and cooing.

Geschnatter nt -s, no pl (lit) cackle, cackling; (fig) jabber, jabbering.

Geschnetzelte(s) nt decl as adj (esp Sw Cook) meat cut into strips stewed to produce a thick sauce.

geschniegelt adj (pej) flashy. **~ und gebügelt** or **gestriegelt** spruced up, all dressed up with one's hair smarmed down (pej).

geschnitten ptp of **schneiden.**

geschnoben ptp of **schnauben.**

Geschnüffel nt -s, no pl sniffing; (fig) nosing or sniffing about.

geschoben ptp of **schieben.**

gescholten ptp of **schelten.**

Geschöpf nt -(e)s, -e (Geschaffenes) creation; (Lebewesen) creature. **sie ist sein ~** (geh) she is his creature.

geschoren ptp of **scheren¹.**

Geschoß¹ nt -sses, -sse projectile (form); (Wurf~, Rakete auch) missile; (Kugel auch) bullet; (fig inf: scharf geschossener Ball) shot. **ferngelenktes ~** guided missile.

Geschoß² nt -sses, -sse (Stockwerk) floor, storey (Brit), story (US). **im ersten ~** on the first (Brit) or second (US) floor; **das Haus/Geschäft hat vier ~sse** the house has four storeys/the store has four floors.

Geschoßbahn f trajectory; (einer Rakete auch) flight path.

geschossen ptp of **schießen.**

Geschoßgarbe f burst of fire; **Geschoßhagel** m hail of bullets.

geschraubt adj (pej) Stil, Redeweise pretentious.

Geschrei nt -s, no pl shouts pl, shouting; (von Kindern, Fußballfans, Streitenden auch) yells pl, yelling; (von Verletzten, Babys, Popfans) screams pl, screaming; (schrilles ~) shrieks pl, shrieking; (fig: Aufhebens) fuss, to-do (inf). **viel ~ um etw machen** to kick up (inf) or make a big fuss about sth; **ein großes ~ erheben** to set up a cry etc; (fig) to raise an outcry.

Geschreibsel nt, no pl (inf) scribble; (fig: Schreiberei) scribblings pl.

geschrieben ptp of **schreiben.**

geschrie(e)n ptp of **schreien.**

geschritten ptp of **schreiten.**

geschunden ptp of **schinden.**

Geschütz nt -es, -e gun. **schweres ~** heavy artillery; **eine Kanone ist ein ~** a cannon is a piece of artillery; **ein ~ auffahren** to bring up a gun; **schweres** or

grobes ~ auffahren (fig) to bring up one's big guns.

Geschützbedienung f gunnery; (Personal) gun-crew; **Geschützdonner** m roar or booming of (the) guns; **Geschützfeuer** nt shell fire; **Geschützrohr** nt gun barrel; **Geschützstand** m gun emplacement.

geschützt adj Winkel, Ecke sheltered; Pflanze, Tier protected.

Geschwader nt -s, - squadron.

Geschwaderkommandeur m (Aviat) squadron leader, (Naut) commodore.

Geschwafel nt -s, no pl (pej inf) waffle (inf).

geschwänzt adj Peitsche with tails.

Geschwätz nt -es, no pl (pej) prattle; (Klatsch) tittle-tattle (inf), gossip.

geschwätzig adj talkative, garrulous; (klatschsüchtig) gossipy.

Geschwätzigkeit f, no pl siehe adj talkativeness, garrulousness; gossipiness.

geschweift adj **1.** curved. **2.** Stern with a tail.

geschweige conj **~ (denn)** let or leave alone, never mind.

geschwiegen ptp of **schweigen.**

geschwind adj (old, S Ger) swift, quick, fast no adv. **~!** quick(ly)!, hurry!; **~en Schrittes** (geh) with rapid steps; **~ wie der Wind** (geh) as swift as the wind.

Geschwindigkeit f speed; (Schnelligkeit auch) swiftness, quickness; (Phys: von Masse) velocity. **mit einer ~ von ...** at a speed of ...; **mit höchster ~** at top speed; **mit rasender ~ fahren** to belt or tear along (inf); **eine zu große ~ draufhaben** (inf) to be going too fast; **an ~ zunehmen** to gather or pick up speed; (Phys: Masse) to gain momentum; **die ~ steigern/verringern** to increase/decrease one's speed, to speed up/slow down.

Geschwindigkeitsbegrenzung, Geschwindigkeitsbeschränkung f speed limit; **gegen die ~ verstoßen** to exceed the speed limit; **Geschwindigkeitskontrolle** f speed check; **Geschwindigkeitsmesser** m -s, - tachometer; (Aut auch) speedometer, speedo (Brit inf); **Geschwindigkeitsüberschreitung, Geschwindigkeitsübertretung** f exceeding the speed limit, speeding.

Geschwirr nt -s, no pl (von Insekten) buzzing; (von Pfeilen) whizzing.

Geschwister I pl brothers and sisters pl. **wir sind drei ~** there are three of us in my or our family; **haben Sie noch ~?** do you any brothers or sisters?
II nt -s, - (Bruder) brother; (Schwester) sister.

geschwisterlich I adj brotherly/sisterly. II adv in a brotherly/sisterly way.

Geschwisterliebe f brotherly/sisterly love; (gegenseitig) love between a brother and a sister; **geschwisterlos** adj who have no brothers or sisters; **Geschwisterpaar** nt brother and sister pl.

geschwollen I ptp of **schwellen.** II adj (pej) turgid, pompous, bombastic.

geschwommen ptp of **schwimmen.**

geschworen I ptp of **schwören.** II adj attr

sworn.

Geschworenenbank f jury-box; (die Geschworenen) jury; **Geschworenenliste** f panel.

Geschworene(r), Geschworne(r) (Aus) mf decl as adj juror. **die ~n** the jury sing or pl.

Geschwulst f -, ⁼e growth; (Hirn~, Krebs~ auch) tumour.

geschwulstartig adj growth-like; tumorous.

geschwunden ptp of schwinden.

geschwungen I ptp of schwingen. II adj curved. **leicht/kühn ~e Nase** slightly curved/aquiline nose.

Geschwür nt -s, -e ulcer; (Haut~ auch) sore; (Furunkel) boil; (fig) running sore, ulcer.

geschwür|artig adj ulcerous. **sich ~ verändern** to go ulcerous, to ulcerate.

gesegnet adj (geh) **mit etw ~ sein** to be blessed with sth; **~en Leibes sein** (old, Bibl) to be great with child (old, Bibl); **~es Neues Jahr/~e Mahlzeit!** Happy New Year/for what we are about to receive may the Lord make us truly thankful; **im ~en Alter von 84 Jahren** at the age of 84; **einen ~en Schlaf/Appetit haben** to have a sound sleeper/to have a healthy appetite.

gesehen ptp of sehen.

Geseier, Geseire nt -s, no pl, **Geseires** nt -, no pl (pej inf) **1.** (Gejammer) moaning, bellyaching (inf). **2.** (Geschwafel) claptrap (inf).

Geselchte(s) nt decl as adj (S Ger, Aus) salted and smoked meat.

Gesell m -en, -en (obs), **Geselle** m -n, -n **1.** (Handwerks~) journeyman. **2.** (old inf: Bursche) fellow. **3.** (dated: Kamerad) companion.

gesellen* vr **sich zu jdm ~** to join sb; **dazu gesellte sich noch, daß ...** (geh) in addition to this was the fact that ..., this was accompanied by the fact that ...

Gesellenbrief m journeyman's certificate; **Gesellenprüfung** f examination to become a journeyman; **Gesellenstück** nt journeyman's piece; **Gesellenzeit** f period as a journeyman.

gesellig adj sociable, convivial; Tier gregarious; Verkehr social. **~es Beisammensein** social gathering, get-together (inf); **sie saßen ~ bei einer Flasche Wein zusammen** they were sitting together over a friendly bottle of wine.

Geselligkeit f **1.** no pl sociability, conviviality; (von Tieren) gregariousness; (geselliges Leben) social intercourse. **die ~ lieben** to be sociable, to enjoy company. **2.** (Veranstaltung) social gathering.

Gesellschaft f **1.** (Sociol, fig: Oberschicht) society. **die ~ verändern** to change society; **eine Dame der ~** a society lady; **jdn in die ~ einführen** to introduce sb into society.

2. (Vereinigung) society; (Comm) company. **die ~ der Freunde** the Society of Friends; **~ des bürgerlichen Rechts** private company or corporation (US).

3. (Abend~) reception, party; (Gäste) guests pl, party. **geschlossene ~** private

party; **eine erlesene ~ hatte sich eingefunden** a select group of people had gathered.

4. (in Restaurant) function.

5. (Umgang, Begleitung) company, society (old, form). **in schlechte ~ geraten** to get into bad company; **da befindest du dich in guter ~** then you're in good company; **jdm ~ leisten** to keep sb company.

6. (Kreis von Menschen) group of people; (pej) pack, bunch, crowd (all inf). **diese Familie/Abteilung ist eine komische ~** that family/department are an odd lot; **wir waren eine bunte ~** we were a mixed bunch.

Gesellschafter(in f) m -s, - **1.** (Unterhalter) companion; (euph: Prostituierte) escort. **ein guter ~ sein** to be good company; **er ist nicht der Typ des ~s** he's not good company.

2. (Comm) (Teilhaber) shareholder; (Partner) partner. **stiller ~** sleeping (Brit) or silent (US) partner.

gesellschaftlich adj social; (Sociol auch) societal. **~e Produktion** production by society; **er ist ~ erledigt** he's ruined socially; **sich ~ unmöglich machen** to disgrace oneself socially.

Gesellschaftsabend m social evening; **Gesellschaftsanzug** m formal dress; **Gesellschaftsaufbau** m structure of society; **Gesellschaftsbild** nt (Sociol) view of society; **Gesellschaftsdame** f (old) (lady's) companion; **gesellschaftsfähig** adj Verhalten socially acceptable; Mensch, Aussehen auch presentable; **gesellschaftsfeindlich** adj hostile to society; **Gesellschaftsform** f social system; **Gesellschaftskapital** nt (Comm) company's capital; **Gesellschaftsklasse** f (Sociol) social class; **Gesellschaftskleidung** f formal dress; **Gesellschaftskritik** f social criticism, criticism of society; **Gesellschaftskritiker(in** f) m social critic; **gesellschaftskritisch** adj critical of society; **~ denken** to have a critical attitude towards society; **die ~e Funktion einer Zeitung** the function of a newspaper as a critic of society or social critic; **Gesellschaftslehre** f (dated) sociology; (Sch) social studies pl; **Gesellschaftsordnung** f social system; **Gesellschaftsraum** m function room; **Gesellschaftsschicht** f stratum of society, social stratum; **Gesellschaftsspiel** nt party game, parlour game; **Gesellschaftsstruktur** f structure of society; (bestimmte auch) social structure; **Gesellschaftssystem** nt social system; **Gesellschaftstanz** m ballroom dance; **Gesellschaftsveränderung** f social change; **Gesellschaftsvertrag** m (Philos) social contract; (Comm) articles pl of partnership, partnership agreement; **Gesellschaftswissenschaften** pl social sciences pl; **gesellschaftswissenschaftlich** adj sociological.

Gesenk nt -(e)s, -e **1.** (Tech) die. **2.** (Min) blind shaft, winze.

Gesenkschmiede f (Tech) drop forge.

esessen *ptp of* **sitzen.**

esetz *nt* **-es, -e** (*Jur, Natur~, Prinzip*) law; (*~buch*) statute book; (*Parl: Vorlage*) bill; (*Parl: nach der dritten Lesung*) act; (*Satzung, Regel*) rule. **das Miet-/ Copyright-~** the Rent/Copyright Act; **(zum) ~ werden** to become law, to pass into law; **nach dem ~** under the law (*über +acc* on); **vor dem ~** in (the eyes of the) law; **im Sinne des ~es** within the meaning of the act; **steht etwas davon im ~?** is there any law about it?; **das ~ der Schwerkraft** the law of gravity; **das erste** *or* **oberste ~ (der Wirtschaft)** the golden rule (of industry); **das ~ Mose** (*Bibl*) the Law of Moses, the Mosaic Law; **ein ungeschriebenes ~** an unwritten rule; **wenn uns das ~ des Handelns aufgezwungen wird** if we are forced to take the initiative *or* the first step.

Gesetzblatt *nt* law gazette; **Gesetzbuch** *nt* statute book; **Bürgerliches ~** Civil Code; **Gesetzentwurf** *m* (draft) bill.

Gesetzesbrecher(in *f*) *m* **-s, -** lawbreaker; **Gesetzeshüter** *m* (*iro*) guardian of the law; **Gesetzesinitiative** *f* legislative initiative; (*Sw: Volksbegehren*) petition for a referendum; **Gesetzeskraft** *f* the force of law; **~ erlangen** to become law; **gesetzeskundig** *adj* (well-)versed in the law; **Gesetzeslücke** *f* legal loophole; **Gesetzesnovelle** *f* amendment; **Gesetzessammlung** *f* compendium of laws (*zu* on); **Gesetzestafeln** *pl* (*Bibl*) tablets on which the Ten Commandments were written; **Gesetzestext** *m* wording of a/the law; **gesetzestreu** *adj* lawabiding; **Gesetzestreue** *f* lawabidingness; **Gesetzesübertretung** *f* infringement of a/the law; **Gesetzesvorlage** *f* (draft) bill; **Gesetzeswerk** *nt* corpus of laws.

gesetzgebend *adj attr* legislative, lawmaking; **die ~e Gewalt** the legislature; **Gesetzgeber** *m* legislator, law-maker; (*Versammlung*) legislature, legislative body; **gesetzgeberisch** *adj attr* legislative; **Gesetzgebung** *f* legislation *no pl.* **Gesetzgebungshoheit** *f* legislative sovereignty.

gesetzlich I *adj* **Verpflichtung, Bestimmungen, Vertreter, Zahlungsmittel** legal; **Feiertag, Rücklage, Zinsen, Reglungen** statutory; (*rechtmäßig*) lawful, legitimate. **auf ~em Wege zur Macht gelangen** to come to power by legal means.
II *adv* legally; (*durch Gesetze auch*) by law; (*rechtmäßig*) lawfully, legitimately. **~ zu etw verpflichtet sein** to be required by law *or* to be legally required to do sth.

Gesetzlichkeit *f, no pl* (*Gesetzmäßigkeit*) legality; (*Rechtmäßigkeit*) lawfulness, legitimacy; (*Rechtsordnung*) law.

gesetzlos *adj* lawless; **Gesetzlosigkeit** *f* lawlessness; **gesetzmäßig** *adj* **1.** (*gesetzlich*) legal; (*rechtmäßig*) lawful, legitimate; **2.** (*einem Naturgesetz folgend*) in accordance with a law (of nature); (*rare: regelmäßig*) regular; **Denkprozesse, die ~ ablaufen** thought proces-

ses which are law-governed; **Gesetzmäßigkeit** *f siehe adj* legality; lawfulness, legitimacy; regularity.

gesetzt I *adj* (*reif*) sedate, sober. **ein Herr im ~en Alter** a man of mature years. **II** *conj* **~ den Fall, ...** assuming (that) ...

Gesetztheit *f* (*Reife*) sedateness.

gesetzwidrig *adj* illegal; (*unrechtmäßig*) unlawful; **Gesetzwidrigkeit** *f siehe adj* illegality; unlawfulness *no pl.*

ges. gesch. *abbr of* **gesetzlich geschützt** reg'd.

gesichert *adj* **Einkommen, Existenz** secure. **~es Gewehr** gun with the safety catch on.

Gesicht¹ *nt* **-(e)s, -er 1.** face. **ein ~ machen** *or* **ziehen** (*inf*) to make *or* pull a face; **ein intelligentes/trauriges/böses/ wütendes ~ machen** to look intelligent/ sad/cross/angry; **ein langes ~ machen** to make *or* pull a long face; **was machst du denn heute für ein ~?** what's up with you today?; **jdm ein ~ schneiden** (*inf*) to make *or* pull a face at sb; **jdm ins ~ spucken** to spit in sb's face; **jdm ins ~ lachen/lügen/sehen** to laugh in sb's face/ to lie to sb's face/to look sb in the face; **den Tatsachen ins ~ sehen** to face facts; **jdm etw ins ~ sagen** to tell sb sth to his face; **mir schien die Sonne ins ~** the sun was (shining) in my eyes; **es stand ihm im ~ geschrieben** it was written all over his face; **jdm ins ~ springen** (*fig inf*) to go for sb; **aufs ~ fallen** to fall on one's face; (*fig inf: Brot*) to fall sticky side down; **sein wahres ~ zeigen** to show (oneself in) one's true colours; **neue ~er sehen** to see some new faces; **das sieht man ihm am ~ an** you can see *or* tell (that) from his face; **sich** (*dat*) **eine (Zigarette) ins ~ stecken** (*inf*) to stick a cigarette in one's mouth *or* face (*sl*); **jdm wie aus dem ~ geschnitten sein** to be the spitting image of sb; **das/sein ~ verlieren** to lose face; **das ~ wahren** *or* **retten** to save face; *siehe* **Schlag.**
2. (*fig*) (*Aussehen*) look, appearance; (*einer Stadt, Landschaft auch*) face; (*geh: Charakter*) character. **ein anderes/ freundlicheres ~ bekommen** to look quite different/more friendly; **die Sache bekommt ein anderes ~** the matter takes on a different complexion; **das gibt der Sache ein neues ~** that puts a different complexion on the matter *or* on things.
3. *no pl* (*old: Sehvermögen*) sight. **das Zweite ~** second sight; **jdn aus dem ~ verlieren** (*lit*) to lose sight of sb; (*fig*) to lose touch with sb; **etw aus dem ~ verlieren** (*lit, fig*) to lose sight of sth; **jdn/etw zu ~ bekommen** to set eyes on sb/sth, to see sb/sth; **jdm zu ~ kommen** (*geh*) to be seen by sb.

Gesicht² *nt* **-(e)s, -e: ~e haben** to have visions.

Gesichtsausdruck *m* (facial) expression; (*Mienenspiel auch*) face; **einen ängstlichen ~ haben** to look scared, to have a scared look *or* expression on one's face; **Gesichtscreme** *f* face cream; **Gesichtsfarbe** *f* complexion; **Gesichtsfeld** *nt* field of vision, visual field; **Gesichts-hälfte** f side or half of the face; **seine lin-ke** ~ the left side or half of his face; **Gesichtshaut** f facial skin; **Gesichts-kontrolle** f face check (carried out by bouncers); **Gesichtskreis** m 1. (dated) (Umkreis) field of vision; (Horizont) horizon; **jds** ~ (dat) **entschwinden** to disappear from (sb's) sight, to be lost to sight; 2. (fig) horizons pl, outlook; **Ge-sichtslähmung** f facial paralysis; **ge-sichtslos** adj (fig) faceless; **Gesichts-maske** f face mask; (eines Chirurgen) mask; **Gesichtsmassage** f facial massage, facial; **Gesichtsmilch** f cleansing milk; **Gesichtsmuskel** m facial muscle; **Gesichtsnerv** m facial nerve; **Gesichtsoperation** f operation to one's face; **sich einer** ~ **unterziehen** to undergo facial surgery; **Gesichtspak-kung** f face pack; **Gesichtspartie** f part of the/one's face; **Gesichtspflege** f care of one's face; **Gesichtsplastik** f facial or cosmetic surgery; **Gesichtspuder** m face powder; **Gesichtspunkt** m (Be-trachtungsweise) point of view, standpoint; (Einzelheit) point; **unter diesem** ~ **betrachtet** looked at from this point of view or standpoint; **Gesichtsschädel** m (Anat) facial bones pl; **Gesichtsverlust** m loss of face; **Gesichtswasser** nt face tonic water; **Gesichtswinkel** m visual angle; (fig) angle, point of view; **Gesichtszüge** pl features pl.

Gesims nt -es, -e ledge.

Gesinde nt -s, - (old) servants pl; (Bauern~) (farm)hands pl.

Gesindel nt -s, no pl (pej) riff-raff pl.

Gesindestube f (old) servants' room.

gesinnt adj usu pred **jdm gut/günstig/übel** ~ **sein** to be well/favourably/ill disposed to(wards) sb; **jdm freundlich/feindlich** ~ **sein** to be friendly/hostile to(wards) sb; **sozial/fortschrittlich** ~ **sein** to be socially/progressively minded; **er ist an-ders** ~ **als wir** his views are different from ours, he holds different views from us.

Gesinnung f (Charakter) cast of mind; (Ansichten) views pl, basic convictions pl; (Einstellung) fundamental attitude; (Denkart) way of thinking; (einer Gruppe) ethos. **eine liberale/edle** ~ liberal-/noble-mindedness; **anständige** ~ decency; **seiner** ~ **treu bleiben** to remain loyal to one's basic convictions; **wegen seiner** ~ **verfolgt werden** to be persecuted because of one's views or basic convictions or way of thinking; **seine wahre** ~ **zeigen** to show (oneself in) one's true colours.

Gesinnungsgenosse m, **Gesinnungs-genossin** f like-minded person; **ge-sinnungslos** adj (pej) unprincipled; **sich** ~ **verhalten** to behave in an unprincipled manner, to show a total lack of character; **Gesinnungslosig-keit** f lack of principle, unprincipled-ness; **Gesinnungslump** m (pej) time-server (pej inf); **Gesinnungsschnüffe-lei** f (pej) ~ **betreiben** to snoop around and find out people's political convic-tions; **Gesinnungstäter(in** f) m person motivated by political/moral convic-tions; **gesinnungstreu** adj true to one's convictions; **Gesinnungstreue** f loyalty to one's convictions; **Gesin-nungswandel**, **Gesinnungswechsel** m conversion, change of opinion, volte-face.

gesittet adj 1. (wohlerzogen) well-mannered, well-behaved. **die Kinder be-nahmen sich sehr** ~ the children were very well-behaved or well-mannered. 2. (zivilisiert, kultiviert) civilized.

Gesittung f, no pl (geh) (zivilisiertes Verhalten) civilized (mode of) behav-iour; (Gesinnung) ethos.

Gesocks nt -es, no pl (pej sl) riff-raff pl.

Gesöff nt -(e)s, -e (sl) muck (inf), swill (inf); (Bier) piss (vulg).

gesoffen ptp of **saufen**.

gesogen ptp of **saugen**.

gesondert adj separate. **Ihre Frau wird** ~ **benachrichtigt** your wife will be in-formed separately.

gesonnen I ptp of **sinnen**. II adj 1. ~ **sein, etw zu tun** to be of a mind to do sth. 2. (incorrect) siehe **gesinnt**.

gesotten I ptp of **sieden**. II adj (dial) boiled. **G~es** boiled meat.

gespalten I ptp of **spalten**. II adj Bewußt-sein split; Lippe, Rachen cleft; Huf clo-ven; Zunge forked. **mit ~er Zunge re-den** (old, liter) to talk falsely; (esp in In-dianergeschichten) to talk with forked tongue.

Gespann nt -(e)s, -e 1. (Zugtiere) team; (zwei Ochsen) yoke. 2. (Wagen und Zugtier) (Ochsen~) oxcart, ox-drawn cart; (Pferde~) horse and cart; (zur Personenbeförderung) horse and car-riage; (fig inf: Paar) pair. **ein gutes** ~ **abgeben** to make a good team.

gespannt adj 1. Seil, Schnur taut. 2. (fig) tense; Beziehungen auch strained. **seine Nerven waren aufs äußer-ste** ~ his nerves were at breaking point. 3. (neugierig) curious; (begierig) eager; Aufmerksamkeit close. **in ~er Erwartung** in eager or keen anticipa-tion; **ich bin** ~, **wie er darauf reagiert** I wonder how he'll react to that, I'd like to see how he reacts to that; **ich bin sehr** ~, **was ich zu Weihnachten bekomme** I'm longing or dying to know what I'm getting for Christmas; **ich bin schon sehr auf diesen Film** ~ I'm dying to see this film; **ich bin auf seine Reaktion sehr** ~ I'm longing or dying to see how he re-acts; **ich bin** ~ **wie ein Regenschirm** (hum inf) or **Flitzbogen** (hum inf) I'm dying to know/see/find out, I'm on tenterhooks; **da bin ich aber** ~! I'm looking forward to that; (iro) oh really?, that I'd like to see!

Gespanntheit f, no pl siehe adj 1. tension. 2. tension; strain. 3. curiosity; eager-ness; closeness.

Gespenst nt -(e)s, -er ghost, spectre (liter); (fig: Gefahr) spectre. **~er sehen** (fig inf) to imagine things; **er sieht wie ein** ~ **aus** (inf) he looks like a ghost.

Gespenstergeschichte f ghost story;

Gespensterglaube m belief in ghosts; **gespensterhaft** adj ghostly no adv; (fig) eerie, eery; **das Licht flackerte ~** the light flickered eerily.

Gespensterschiff nt phantom ship; **Gespensterstunde** f witching hour.

gespenstig (rare), **gespenstisch** adj **1.** siehe gespensterhaft. **2.** (fig: bizarr, unheimlich) eerie, eery.

gespie(e)n ptp of speien.

Gespiele m -n, -n (old liter, hum), **Gespielin** f (old liter, hum) playmate.

gespielt adj feigned. **mit ~em Interesse** with a pretence of being interested.

Gespinst nt -(e)s **1.** (Tex) weave; (gedrehtes Garn) thread, spun yarn; (von Spinne) gossamer; (von Raupe) cocoon. **2.** (fig geh) web; (von Lügen auch) tissue; (der Phantasie) product, fabrication.

gesplissen ptp of spleißen.

gesponnen ptp of spinnen.

gespornt adj siehe gestiefelt.

Gespött nt -(e)s, no pl mockery; (höhnisch auch) derision, ridicule; (Gegenstand des Spotts) laughing-stock. **jdn/ sich zum ~ der Leute machen** to make sb/oneself a laughing stock or an object of ridicule; **zum ~ werden** to become a laughing stock; **zum ~ der ganzen Welt werden** to become the laughing stock of the whole world.

Gespräch nt -(e)s, -e **1.** (Unterhaltung) conversation; (Diskussion) discussion; (Dialog) dialogue. **~e** (Pol) talks; **ich habe ein sehr interessantes ~ mit ihm geführt** I had a very interesting conversation or talk with him; **ein ~ unter vier Augen** a confidential or private talk; **das ~ auf etw (acc) bringen** to bring or steer the conversation etc round to sth; **im ~ sein** (in der Schwebe) to be under discussion; **mit jdm ins ~ kommen** to get into conversation with sb; (fig) to establish a dialogue with sb. **2.** (~sstoff) **das ~ des Tages** the topic of the hour; **das ~ der Stadt** the talk of the town; **zum ~ werden** to become a talking-point. **3.** (Telec: Anruf) (telephone) call. **wir haben in unserem gestrigen ~ vereinbart, daß ...** we agreed in our telephone conversation yesterday that ...; **ein ~ für dich** a call for you; **stundenlange ~e führen** to be on the telephone for hours.

gesprächig adj talkative, chatty (inf); (mitteilsam) communicative. **jdn ~ machen** to make sb talk, to loosen sb's tongue.

Gesprächigkeit f, no pl talkativeness, chattiness (inf); (Mitteilsamkeit) communicativeness. **von unglaublicher ~ sein** to be incredibly talkative or chatty (inf)/communicative.

gesprächsbereit adj (esp Pol) ready to talk; **Gesprächsbereitschaft** f (esp Pol) readiness to talk; **Gesprächsdauer** f **1.** (Telec) call time; **2. nach vierstündiger ~** after four hours of talks; **Gesprächseinheit** f (Telec) unit; **Gesprächsfaden** m line of communication (zu with); **den ~ weiterspinnen** to

pursue the line of conversation; **Gesprächsfetzen** m scrap or snippet of conversation; **Gesprächsgebühr** f (Telec) charge for a/the call; **Gesprächsgegenstand** m topic; **der Skandal ist ~ Nummer eins** the scandal is the number one topic; **damit die Leute endlich einen ~ haben** so that people at last have something to talk about; **Gesprächspartner(in** f) m interlocutor (form); **mein ~ bei den Verhandlungen** my opposite number at the talks; **er ist nicht gerade ein anregender ~** he's not exactly an exciting conversationalist; **mein ~ heute abend ist ...** with me this evening is ...; **Gesprächspause** f break in a/the conversation/talks; **Gesprächsstoff** m topics pl; (Diskussionsstoff) topics to discuss; **Gesprächsteilnehmer(in** f) m somebody taking part in (the) talks; participant in a/the discussion; (bei Fernsehserien) panellist; **Gesprächsthema** nt topic, subject; **gesprächsweise** adv in conversation.

gespreizt adj (fig) affected, unnatural.

Gespreiztheit f affectation, unnaturalness.

gesprenkelt adj speckled.

Gespritzte(r) m decl as adj (S Ger, Aus) spritzer, wine with soda water.

gesprochen ptp of sprechen.

gesprossen ptp of sprießen.

gesprungen ptp of springen.

Gespür nt -s, no pl feel(ing).

gest. abbr of gestorben.

Gestalt f -, -en **1.** (lit, fig) form; (Umriß auch) shape. **in ~ von** (fig) in the form of; (feste) **~ annehmen** or **gewinnen** to take shape; **einer Sache** (dat) **~ geben** or **verleihen** to shape sth; **das Abendmahl in beiderlei ~** (Eccl) Communion under both kinds; **sich in seiner wahren ~ zeigen** (fig) to show (oneself in) one's true colours; **~ geworden** (liter) made flesh pred. **2.** (Wuchs) build. **3.** (Person, Persönlichkeit, Traum~) figure; (in Literaturwerken auch, pej: Mensch) character.

gestalten* **I** vt to shape, to form, to fashion (zu into); Wohnung to lay out; Programm, Abend to arrange; Schaufenster to dress; Freizeit to organize, to structure. **ich gestalte mein Leben so, wie ich will** I live or organize my life the way I want to; **etw interessanter/moderner ~** to make sth more interesting/modern; **der Umbau wurde nach den ursprünglichen Plänen gestaltet** the conversion was carried out in accordance with the original plans; **die Gastgeber haben den Abend sehr lebendig gestaltet** our hosts laid on a very lively evening; **etw schöpferisch ~** to give artistic form to sth; **schöpferisches G~** creative expression; **einen Stoff literarisch ~** to give literary form to one's material.

II vr (werden) to become; (sich entwickeln) to turn or develop (zu into). **sich zu einem Erfolg ~** to turn out to be a success.

Gestalter(in *f*) *m* **-s, -** creator; (*Tech rare*) designer.

gestalterisch *adj* formal, structural. **er hat eine große ~e Begabung** he has a great feeling for form.

gestaltlos *adj* formless, shapeless, amorphous; **Gestaltpsychologie** *f* Gestalt psychology.

Gestaltung *f* 1. *siehe vt* shaping, forming, fashioning (*zu* into); lay-out; arrangement; dressing; structuring. **wir bemühen uns um eine möglichst interessante ~ des Sprachunterrichts** we are trying to make the language lessons as interesting as possible *or* to structure our language-teaching as interestingly as possible.
   2. (*liter: Gestaltetes*) creation.

Gestaltungsform *f* form; **Gestaltungskraft** *f* creative power; **Gestaltungsprinzip** *nt* formal principle.

Gestammel *nt* **-s,** *no pl* stammering, stuttering.

gestand *pret of* **gestehen.**

gestanden I *ptp of* **stehen, gestehen.** II *adj attr* **ein ~er Mann, ein ~es Mannsbild** a mature and experienced man.

geständig *adj* **~ sein** to have confessed; **ein ~er Mörder** a murderer who confesses.

Geständnis *nt* confession. **ein ~ ablegen** to make a confession; **jdm ein ~ machen** to make a confession to sb; **jdn zu einem ~ zwingen** to force sb to make a confession.

Gestänge *nt* **-s, -** (*von Gerüst*) bars *pl*, struts *pl*; (*von Maschine*) linkage; (*Min: Bohr~*) drill stem.

Gestank *m* **-(e)s,** *no pl* stink, stench.

Gestapo [geˈstaːpo] *f* **-,** *no pl* (*Pol: NS*) Gestapo.

gestärkt *adj* strengthened.

gestatten* *vti* to allow, to permit; (*einwilligen in*) to agree *or* consent to. **jdm etw ~** to allow sb sth; **jdm ~, etw zu tun** to allow *or* permit sb to do sth; **~ Sie? (, darf ich ...), ~ Sie, daß ich ...?** may I ...?, would you mind if I ...?; **wenn Sie ~ ...** with your permission ...; **~ Sie eine Frage?** may I ask you something *or* a question?; **sich** (*dat*) **~, etw zu tun** (*geh*) to take the liberty of doing sth, to be so bold as to do sth (*dated, hum*); **sich** (*dat*) **etw ~** to permit *or* allow oneself sth; **wenn ich mir eine Frage/Bemerkung ~ darf ...** (*geh*) if I might be permitted a question/comment, if I may be so bold *or* free as to ask a question/make a remark ...; **mein Gehalt gestattet mir das nicht** (*geh*) my salary won't permit it; **wenn es die Umstände ~ ...** (*geh*) circumstances permitting ...

Geste [ˈgɛstə, ˈgeːstə] *f* **-, -n** (*lit, fig*) gesture.

Gesteck *nt* **-(e)s, -e** flower arrangement.

gesteckt *adv* **~ voll** (*dial*) chock-a-block (*inf*).

gestehen *pret* **gestand**, *ptp* **gestanden** *vti* to confess (*jdm etw* sth to sb). **offen gestanden** to be frank, quite frankly.

Gestehungskosten *pl*, **Gestehungspreis** *m* (*Comm*) production costs *pl*.

Gestein *nt* **-(e)s, -e** rock(s); (*Schicht*) rock stratum.

Gesteinsader *f* vein of rock; **Gesteinsart** *f* type of rock; **Gesteinsbohrer** *m* rock drill; **Gesteinsbrocken** *m* rock; **Gesteinskunde** *f* petrography; **Gesteinsmasse** *f* mass of rock; **Gesteinsprobe** *f* rock sample; **Gesteinsschicht** *f* rock layer *or* stratum.

Gestell *nt* **-(e)s, -e** 1. stand; (*Regal*) shelf; (*Ablage*) rack; (*Rahmen, Bett~, Brillen~, Tisch~*) frame; (*auf Böcken*) trestle; (*Wäsche~*) clothes dryer; (*Wäsche~ aus Holz*) clothes horse; (*Fahr~*) chassis; (*Flugzeug~*) undercarriage, landing gear; (*Tech: von Hochofen*) hearth.
   2. (*fig inf*) (*Beine*) pins (*inf*) *pl*. **langes ~** beanpole (*inf*).

gestellt *adj* posed.

Gestellung *f* 1. (*old Mil*) muster. 2. (*form*) furnishing (*form*), making available. **ich bitte um ~ von zwei Lastwagen** I request that two lorries be made available.

Gestellungsbefehl *m* (*Mil*) call-up, draft papers *pl* (*US*).

gestelzt *adj* stilted.

gestern *adv* yesterday. **~ abend** (*früh*) yesterday evening; (*spät*) last night; **die Zeitung von ~** yesterday's paper; **Ansichten von ~** outdated views, opinions of yesteryear (*liter*); **er ist nicht von ~** (*inf*) he wasn't born yesterday; **~ vor acht Tagen** a week (ago) yesterday, yesterday week; **~ in acht Tagen** a week (from) yesterday.

Gestern *nt* **-,** *no pl* yesterday. **das ~** yesterday, yesteryear (*liter*); **im ~** in the past.

gestiefelt *adj* 1. wearing *or* in boots. **der G~e Kater** Puss-in-Boots. 2. **~ und gespornt** (*fig inf*) ready and waiting, ready for the off (*inf*).

gestiegen *ptp of* **steigen.**

gestielt *adj* stemmed (*auch Bot*).

Gestik [ˈgɛstɪk] *f* **-,** *no pl* gestures *pl*.

Gestikulation [gɛstikulaˈtsioːn] *f* gesticulation(s).

gestikulieren* [gɛstikuˈliːrən] *vi* to gesticulate.

gestimmt *adj* **froh/düster ~** in a cheerful/sombre mood.

Gestirn *nt* **-(e)s, -e** star, heavenly body.

gestirnt *adj attr* (*geh*) starry, star-studded (*liter*).

gestisch [ˈgɛstɪʃ] *adj* gestural. **all seine Worte waren ~ untermalt** everything he said was underlined by gesture.

gestoben *ptp of* **stieben.**

gestochen I *ptp of* **stechen.** II *adj* *Handschrift* clear, neat. **~ scharfe Fotos** needle-sharp photographs.

gestockt *adj* (*S Ger*) *Milch* soured.

gestohlen I *ptp of* **stehlen.** II *adj* **der/das kann mir ~ bleiben** (*inf*) he/it can go hang (*inf*).

Gestöhn(e) *nt* **-s,** *no pl* (*pej inf*) moaning, groaning.

gestopft *adv* **~ voll** (*inf*) jam-packed (*inf*).

gestorben *ptp of* **sterben.**

gestört adj disturbed; *Schlaf auch* broken; *Verhältnis auch* troubled; *Rundfunkempfang* poor, with a lot of interference; *Einverständnis* troubled, disrupted. **seelisch/geistig** ~ **sein** to be (psychologically/mentally) unbalanced *or* disturbed; ~**er Kreislauf** circulation problems; **Kinder aus** ~**en Familien** children from problem families.

gestoßen *ptp of* **stoßen.**

Gestotter *nt* -s, *no pl* stuttering, stammering.

Gesträuch *nt* -(e)s, -e shrubbery, bushes *pl*; (*Dickicht*) thicket.

gestreckt *adj Galopp* full; *Winkel, Flugbahn* elongated.

gestreift *adj* striped. **eine rot-grün** ~**e Bluse** a red and green striped blouse.

gestreng *adj* (*old*) strict, stern.

gestrichen I *ptp of* **streichen.**

II *adj* **1.** painted; *Papier* coated. **frisch** ~**!** wet paint.

2. (*genau voll*) **ein** ~**es Maß** a level measure; ~ **voll** level; (*sehr voll*) full to the brim; **ein** ~**er Teelöffel voll** a level teaspoon(ful); **er hat die Hosen** ~ **voll** (*sl*) he's wetting (*inf*) *or* shitting (*vulg*) himself; **ich habe die Nase** ~ **voll** (*sl*) I'm fed up to the back teeth with it (*inf*).

3. *Wort, Satz* deleted.

gestriegelt *adj*: ~ **und gebügelt** dressed up to the nines.

gestrig *adj attr* yesterday's. **unser** ~**es Gespräch/Schreiben** our conversation (of) yesterday/our letter of yesterday; **am** ~**en Abend** (*geh*) (*früh*) yesterday evening; (*spät*) last night; **am** ~**en Tage** (*geh*) yesterday; **die ewig G**~**en** the stick-in-the-muds.

gestritten *ptp of* **streiten.**

gestromt *adj* (*Hund, Kutze*) brindled.

Gestrüpp *nt* -(e)s, -e undergrowth, brushwood; (*fig*) jungle.

gestuft *adj* (*in Stufen*) terraced; (*fig*) (*abgestuft*) graded; (*zeitlich*) staggered.

Gestühl *nt* -(e)s, -e seating.

Gestümper *nt* -s, *no pl* (*pej inf*) bungling. **sein erbärmliches** ~ **auf dem Klavier** his appalling amateurish efforts on the piano (*inf*).

gestunken *ptp of* **stinken.**

Gestus ['gɛstʊs] *m* -, *no pl* (*geh*) **1.** siehe **Gestik. 2.** (*fig: Ausdruck*) air.

Gestüt *nt* -(e)s, -e stud; (*Anlage auch*) stud farm.

Gestütsbrand *m* stud brand; **Gestütshengst** *m* stud (horse); **Gestütspferd** *nt* horse at stud.

Gesuch *nt* -(e)s, -e petition (*auf + acc, um* for); (*Antrag*) application (*auf + acc, um* for). **ein** ~ **einreichen** *or* **stellen** to make *or* lodge a petition/an application.

Gesuchsteller(in *f*) *m* -s, - (*dated*) petitioner; (*Antragsteller*) applicant.

gesucht *adj* (*begehrt*) sought after. **sehr** ~ (very) much sought after; **Ingenieure sind** ~**e Arbeitskräfte** engineers are much sought after.

Gesülze *nt* -s, *no pl* (*sl*) claptrap (*inf*).

Gesumm *nt* -(e)s, *no pl* (*oft pej*) humming, droning.

Gesums *nt* -es, *no pl* (*inf*) fuss.

gesund *adj, comp* ⁻**er** *or* **-er,** *superl* -⁻**este(r, s)** *or* **-este(r, s)** *or adv* **am** ⁻**esten** *or* **-esten** (*allgemein*) healthy; (*arbeits-, leistungsfähig*) fit; *Unternehmen, Politik auch* sound; (*heilsam*) *Lehre* salutary. **frisch und** ~, ~ **und munter hale and hearty; ich fühle mich nicht ganz** ~ I don't feel very *or* too well; **jdn** ~ **schreiben** to certify sb (as) fit; **sonst bist du** ~**?** (*iro inf*) are you feeling all right? (*iro*), you need your head examined (*inf*); **jdn** ~ **pflegen** to nurse sb back to health; **wieder** ~ **werden** to get better, to get well again, to recover; **Äpfel sind** ~ apples are healthy *or* good for you *or* good for your health; **bleib (schön)** ~**!** look after yourself.

gesundbeten *vt sep* to heal through prayer; **Gesundbeter(in** *f*) *m* faithhealer; **Gesundbeterei** *f* (*pej inf*) praying; **Gesundbrunnen** *m* (*fig*) **das ist ein wahrer** ~ it's like a fountain of youth.

gesunden* *vi aux sein* (*geh*) to recover (*auch fig*), to regain one's health.

Gesunde(r) *mf decl as adj* healthy person.

Gesundheit *f* -, *no pl* (*seelisches, körperliches Wohlbefinden*) health; (*Sportlichkeit*) healthiness; (*Arbeits*~, *Leistungsfähigkeit*) fitness; (*von Unternehmen, Politik*) healthiness, soundness; (*von Klima, Lebensweise*) healthiness. **bei guter** ~ in good health; **bei bester** ~ in the best of health; **mit meiner** ~ **steht es nicht zum besten** I'm not in the best of health, my health is not all (that) it might be; ~**!** bless you; **auf Ihre** ~**!** your (very good) health; **eine robuste/ eiserne/zarte** ~ **haben** to have a robust/ an iron/a delicate constitution.

gesundheitlich *adj* ~ **geht es mir nicht besonders** my health is not particularly good; **sein** ~**er Zustand** the state of) his health; **aus** ~**en Gründen** for health reasons; **wie geht es Ihnen** ~**?** how is your health?

Gesundheitsamt *nt* public health department; **Gesundheitsapostel** *m* (*iro*) health nut (*inf*) *or* freak (*inf*); **Gesundheitsattest** *nt* health certificate; **Gesundheitsbehörde** *f* health authorities *pl*; **gesundheitsfördernd** *adj* healthy, good for the health; **Gesundheitsfürsorge** *f* health care; **gesundheitshalber** *adv* for health reasons; **Gesundheitspflege** *f* hygiene; **öffentliche** ~ public health (care); **Gesundheitsschaden** *m* health defect; **gesundheitsschädlich** *adj* unhealthy, damaging to (one's) health; **Gesundheitswelle** *f* health craze; **Gesundheitswesen** *nt* health service; **Gesundheitszeugnis** *nt* certificate of health, health certificate; **Gesundheitszustand** *m*, *no pl* state of health.

gesundschrumpfen *sep* **I** *vt* (*fig*) to trim down, to streamline; **II** *vr* to be trimmed down *or* streamlined; **gesundstoßen** *vr sep irreg* (*sl*) to line one's pockets (*inf*).

Gesundung *f*, *no pl* (*lit, fig*) recovery; (*Genesung*) convalescence, recuperation. **seine** ~ **macht Fortschritte** he's progressing well.

gesungen *ptp of* **singen**.

gesunken *ptp of* **sinken**.

Getäfel, Getäfer (*Sw*) *nt* **-s**, *no pl* panelling.

getan *ptp of* **tun**. **nach** ~**er Arbeit** when the day's work is done.

Getier *nt* **-s**, *no pl* 1. (*Tiere, esp Insekten*) creatures *pl*. 2. (*einzelnes*) creature.

getigert *adj* (*mit Streifen*) striped; (*mit Flecken*) piebald.

Getöse *nt* **-s**, *no pl* din, racket, row; (*von Auto, Beifall*) roar. **mit** ~ with a din *etc*.

getragen 1 *ptp of* **tragen**. **II** *adj* 1. *Kleidung, Schuhe* second-hand. 2. (*fig*) *Melodie, Tempo* stately *no adv*.

Getragenheit *f* stateliness.

Geträller *nt* **-s**, *no pl* trilling.

Getrampel *nt* **-s**, *no pl* trampling; (*Beifalls*~, *Protest*~) stamping.

Getränk *nt* **-(e)s**, **-e** drink, beverage (*form*).

Getränkeautomat *m* drinks machine *or* dispenser; **Getränkedose** *f* drinks can; **Getränkekarte** *f* (*in Café*) list of beverages; (*in Restaurant*) wine list; **Getränkemarkt** *m* drinks cash-and-carry; **Getränkestand** *m* drinks stand; **Getränkesteuer** *f* alcohol tax.

Getrappel *nt* **-s**, *no pl* patter; (*Huf*~) clop.

Getratsch(e) *nt* **-(e)s**, *no pl* (*pej*) gossip, gossiping.

getrauen* *vr* to dare. **getraust du dich** *or* **dir** (*inf*) **das?** do you dare do that?; **ich getraue mich nicht dorthin** I don't dare (to) *or* daren't go there; **ich getraue mich zu behaupten, daß ...** (*geh*) I would venture to say that ...

Getreide *nt* **-s**, (*form*) - grain, cereal. **in diesem Klima wächst kein** ~ grain doesn't *or* cereals don't grow in this climate; **das** ~ **steht gut** the grain *or* cereal crop is doing well.

Getreide(an)bau *m* cultivation of grain *or* cereals; **Getreideart** *f* cereal; **Getreidebörse** *f* grain *or* corn (*Brit*) exchange; **Getreideernte** *f* grain harvest; **Getreidefeld** *nt* grain field, cornfield (*Brit*); **Getreidegarbe** *f* sheaf of grain; **Getreidekorn** *nt* grain; **Getreideland** *nt* 1. grain-growing land, cornland (*Brit*); 2. *no pl* (*Getreidefelder*) grain fields *pl*, cornfields *pl* (*Brit*); **Getreidepflanze** *f* cereal (plant); **Getreideprodukt** *nt* cereal product; **Getreidesilo** *nt or m*, **Getreidespeicher** *m* silo; **Getreidewirtschaft** *f* grain cultivation.

getrennt *adj* separate. ~ **leben** to be separated, to live apart; **sie führten** ~**e Kasse** they each paid for themselves; ~ **schlafen** not to sleep together, to sleep in different rooms.

Getrenntschreibung *f* writing as two/ three *etc* words. **zu beachten ist die** ~ **von „zu Hause"** remember that "zu Hause" is written as two (separate) words.

getreten *ptp of* **treten**.

getreu *adj* 1. (*genau, entsprechend*) faithful, true *no adv*. 2. *pred* +*dat* true to. 3. (*liter, dated*) faithful, loyal, trusty (*old*).

Getreue(r) *mf decl as adj* (faithful *or* trusty) follower.

getreulich *adj siehe* **getreu 1.**.

Getriebe *nt* **-s**, - 1. (*Tech*) gears *pl*; (~*kasten*) gearbox; (*Antrieb*) drive; (*von Uhr*) movement, works *pl*; *siehe* **Sand**. 2. (*lebhaftes Treiben*) bustle, hurly-burly.

Getriebe *in cpds* (*Tech*) gear.

getrieben *ptp of* **treiben**.

Getriebeöl *nt* gear(box) oil; **Getriebeschaden** *m* gearbox trouble *no indef art*.

Getrippel *nt* **-s**, *no pl* tripping along; (*affektiert*) mincing.

getroffen *ptp of* **treffen**.

getrogen *ptp of* **trügen**.

Getrommel *nt* **-s**, *no pl* drumming.

getrost I *adj* confident. **du kannst** ~ **sein, sei** ~ **rest** assured, never fear; **er war** ~**en Mutes** (*old*) his mind was reassured.

II *adv* 1. (*vertrauensvoll*) confidently. ~ **sterben** (*geh*) to die in peace.

2. (*bedenkenlos*) **du kannst dich** ~ **auf ihn verlassen** you need have no fears about relying on him; **man kann** ~ **behaupten/annehmen, daß ...** one need have no hesitation in *or* about asserting/ assuming that ...

getrübt *adj* (*lit*) cloudy. **ein** ~**es Verhältnis zu jdm haben** to have an unhappy relationship with sb; **er hat ein** ~**es Verhältnis zum Abwaschen** he's not very keen on washing up; *siehe* **trüben**.

getrunken *ptp of* **trinken**.

Getto *nt* **-s**, **-s** ghetto.

gettoisieren* *vt* to ghettoize.

Getue [gə'tu:ə] *nt* **-s**, *no pl* (*pej*) to-do (*inf*), fuss; (*geheuchelte Höflichkeit*) affectation. **ein** ~ **machen** to make a to-do (*inf*) *or* fuss; (*überhöflich sein, sich wichtig machen*) to put on airs.

Getümmel *nt* **-s**, *no pl* turmoil. **das** ~ **des Kampfes** the tumult of battle; **sich ins** ~ **stürzen** to plunge into the tumult *or* hurly-burly.

Getuschel *nt* **-s**, *no pl* whispering.

geübt *adj Auge, Ohr, Griff* practised; *Fahrer, Segler* proficient. **im Schreiben/ Reden** ~ **sein** to be a proficient writer/ talker.

Geviert [gə'fi:ɐt] *nt* **-s**, **-e** (*old: Quadrat*) square; (*Min*) crib; (*Typ*) quad(rat). **5 Meter im** ~ (*old*) 5 metres square.

GEW [ge:|e:'ve:] *abbr of* **Gewerkschaft Erziehung und Wissenschaft** ≃ NUT.

Gewächs *nt* **-es**, **-e** 1. (*Pflanze*) plant. **er ist ein seltsames** ~ (*dated*) he is an odd specimen (*inf*). 2. (*Weinjahrgang*) wine. 3. (*Med*) growth.

gewachsen I *ptp of* **wachsen**[1].

II *adj* 1. (*von allein entstanden*) evolved. **diese in Jahrtausenden** ~**en Traditionen** these traditions which have evolved over the millennia.

2. **jdm/einer Sache** ~ **sein** to be a match for sb/to be up to sth; **er ist seinem Bruder (an Stärke) durchaus** ~ he is his brother's equal in strength.

Gewächshaus *nt* greenhouse; (*Treibhaus*) hothouse.

Gewackel nt -s, no pl (pej inf) (von Tisch, Stuhl) wobbling. ~ **mit den Hüften** waggling one's hips.

gewagt adj 1. (kühn) daring; (gefährlich) risky. 2. (moralisch bedenklich) risqué.

gewählt adj Sprache refined no adv, elegant.

gewahr adj pred ~ **werden** +gen (geh) siehe gewahren.

Gewähr f -, no pl guarantee. **jdm ~ dafür geben, daß ...** to guarantee (sb or to sb) that ...; **dadurch ist die ~ gegeben, daß ...** that guarantees that ...; **die Angabe erfolgt ohne ~** this information is supplied without liability; „**ohne ~**" (auf Fahrplan, Preisliste) "subject to change"; (bei Lottozahlen, statistischen Angaben) "no liability assumed"; **für etw ~ leisten** to guarantee sth.

gewahren* vt (geh) to become aware of.

gewähren* vt to grant; Rabatt, Vorteile to give; Sicherheit, Trost, Schutz to afford, to give. **jdm Unterstützung ~** to provide sb with support, to support sb; **jdn ~ lassen** (geh) not to stop sb.

gewährleisten* vt insep (sicherstellen) to ensure (jdm etw sb sth); (garantieren) to guarantee (jdm etw sb sth).

Gewährleistung f guarantee. **zur ~ der Sicherheit** to ensure safety.

Gewahrsam m -s, no pl 1. (Verwahrung) safekeeping. **etw in ~ nehmen/haben** to take sth into/have sth in safekeeping; **etw (bei jdm) in ~ geben** to hand sth over (to sb) for safekeeping. 2. (Haft) custody. **jdn in ~ nehmen** to take sb into custody; **in ~ sein, sich in ~ befinden** to be in custody.

Gewährsmann m, pl -männer or -leute source; **Gewährsträger** m (Fin) guarantor.

Gewährung f -, no pl siehe vt granting; giving; affording.

Gewalt f -, -en 1. (Machtbefugnis, Macht) power. **die drei ~en** (Pol) the three powers; **die vollziehende/gesetzgebende/richterliche ~** the executive/legislature/judiciary; **elterliche ~** parental authority; **jdn in seiner ~ haben** to have sb in one's power; **~ über jdn haben** or besitzen to have power over sb; **etw in der ~ haben** (übersehen) to have control of sth; (steuern können) to have sth under control; (entscheiden können) to have sth in one's power; **sich in der ~ haben** to have oneself under control; **in/unter jds ~ (dat) sein** or stehen to be in sb's power/under sb's control; **die ~ über etw (acc) verlieren** to lose control of sth; **~ über Leben und Tod (haben)** (to have) power over life and death. 2. no pl (Zwang) force; (~tätigkeit) violence. **~ anwenden** to use force; **höhere ~** acts/an act of God; **nackte ~** brute force; **mit ~** by force; **mit aller ~** (inf) for all one is worth; **jdm/einer Sache ~ antun** to do violence to sb/sth; **einer Frau ~ antun** to violate a woman; **sich (dat) ~ antun** (fig: sich überwinden) to force oneself. 3. no pl (Heftigkeit, Wucht) force; (elementare Kraft auch) power. **die ~**

der Explosion the force of the explosion; **er warf sich mit ~ gegen die Tür** he hurled himself violently against the door.

Gewaltakt m act of violence; **Gewaltandrohung** f threat of violence; **Gewaltanwendung** f use of force or violence; **gewaltbejahend** adj condoning violence; **Gewaltbereitschaft** f propensity to violence; **Gewalteinwirkung** f violence.

Gewaltenteilung f separation of powers.

gewaltfrei adj siehe gewaltlos; **Gewaltfreiheit** f siehe Gewaltlosigkeit; **Gewaltfriede(n)** m dictated peace; **Gewaltherrschaft** f, no pl tyranny; **Gewaltherrscher** m tyrant.

gewaltig adj 1. (heftig) Sturm violent. 2. (groß, riesig) colossal, immense; (wuchtig auch) massive; Anblick tremendous; Stimme, Töne powerful; (inf: sehr groß) Unterschied, Hitze etc tremendous, colossal (inf). **sich ~ irren** to be very much mistaken or very wrong, to be way out (inf); **du mußt dich ~ ändern** you'll have to change one hell of a lot (inf); **er hat sich ~ in meine Schwester verknallt** (inf) he's really got it bad for my sister (inf). 3. (geh: mächtig) powerful. **die G~en der Erde** the mighty rulers of the world.

Gewaltigkeit f, no pl siehe adj 1. violence. 2. colossalness, immenseness; massiveness; tremendousness. 3. powerfulness.

Gewaltkur f drastic measures pl; (Hungerdiät) crash diet; **Gewaltleistung** f feat of strength, tour de force; **gewaltlos** I adj non-violent; II adv without force/violence; **Gewaltlosigkeit** f, no pl non-violence; **Gewaltmarsch** m forced march; **im ~** at a cracking pace (inf); **Gewaltmaßnahme** f (fig) drastic measure; **jdm mit ~n drohen** to threaten to use force against sb; (fig) to threaten sb with drastic action; **Gewaltmonopol** nt monopoly on the use of force; **gewaltsam** I adj forcible; Tod violent; II adv forcibly, by force; **Gewaltstreich** m (Mil) storm; (fig) coup (de force); **Gewalttat** f act of violence; **Gewalttäter(in** f) m violent criminal; **gewalttätig** adj violent; **Gewalttätigkeit** f (no pl: Brutalität) violence; (Handlung) act of violence; **Gewaltverbrechen** nt crime of violence; **Gewaltverbrecher(in** f) m violent criminal; **Gewaltverzicht** m non-aggression; **Gewaltverzichtsabkommen** nt non-aggression treaty.

Gewand nt -(e)s, ⁻er (geh: Kleidungsstück) garment; (weites, langes) robe, gown; (Eccl) vestment, robe; (old: Kleidung) garb, garments pl, apparel (old). **ein altes Buch in neuem ~** an old book with a new look or appearance or livery, an old book dressed up.

gewandt I ptp of wenden. II adj skilful; (körperlich) nimble; (geschickt) deft, dexterous; Auftreten, Redner, Stil elegant.

Gewandtheit f, no pl siehe adj skilfulness; nimbleness; deftness, dexterity; elegance.

gewann *pret of* **gewinnen.**

gewärtig *adj pred* (*geh*) prepared (*gen* for). ~ **sein, daß** ... to be prepared for the possibility that ...

gewärtigen* *vtr* (*geh*) to expect; (*sich einstellen auf auch*) to be prepared for. ~, **daß** ... to expect that .../to be prepared for the possibility that ...; **etw** ~ **müssen** to have to be prepared for sth, to have to expect sth.

Gewäsch *nt* -(e)s, *no pl* (*pej inf*) twaddle (*inf*), claptrap (*inf*).

gewaschen *ptp of* **waschen.**

Gewässer *nt* -s, - stretch of water. ~ *pl* inshore waters *pl*, lakes, rivers and canals *pl*; **ein fließendes/stehendes** ~ a stretch of running/standing water.

Gewässerkunde *f* hydrography; **Gewässerschutz** *m* prevention of water pollution.

Gewebe *nt* -s, - (*Stoff*) fabric, material; (~*art*) weave; (*Biol*) tissue; (*fig*) web.

Gewebe- *in cpds siehe auch* **Gewebs-; Gewebeprobe** *f* (*Med*) tissue sample; **gewebeschonend** *adj* (*Comm*) kind to fabrics.

Gewebsflüssigkeit *f* (*Med*) lymph; **Gewebstransplantation** *f* (*Med*) tissue graft.

Gewehr *nt* -(e)s, -e (*Flinte*) rifle; (*Schrotbüchse*) shotgun. ~ **ab!** (*Mil*) order arms!; **das** ~ **über!** (*Mil*) shoulder arms!; **an die** ~**e!** (*Mil*) to arms!; (*dated inf*) let's get cracking (*dated inf*) or started; **präsentiert das** ~! (*Mil*) present arms!; ~ **bei Fuß stehen** (*Mil*) to stand at order arms; (*fig inf*) to be at the ready.

Gewehrgriff *m* rifle position; ~**e üben** to do rifle drill; **Gewehrkolben** *m* rifle butt/butt of a shotgun; **Gewehrkugel** *f* rifle bullet; **Gewehrlauf** *m* rifle barrel/ barrel of a shotgun; **Gewehrmündung** *f* muzzle (of a rifle/shotgun); **Gewehrriemen** *m* rifle sling/gunsling.

Geweih *nt* -(e)s, -e (set of sing) antlers *pl*. **das/ein** ~ the antlers/a set of antlers.

Geweihende *nt* point *or* tine (*spec*) of an antler; **Geweihschaufel** *f* palm (of an antler).

Gewerbe *nt* -s, - 1. trade. **Handel und** ~ trade and industry; **das älteste** ~ **der Welt** (*hum*) the oldest profession in the world (*hum*); **einem dunklen/seinem** ~ **nachgehen** to be in a shady trade *or* have a shady occupation/to carry on *or* practise one's trade; **ein** ~ **(be)treiben** *or* **ausüben** to follow a *or* carry on a trade. 2. (*Sw: Bauerngehöft*) farm.

Gewerbeaufsicht *f* ≃ factory safety and health control; **Gewerbeaufsichtsamt** *nt* ≃ factory inspectorate; **Gewerbebetrieb** *m* commercial enterprise; **Gewerbefreiheit** *f* freedom of trade; **Gewerbegebiet** *nt* industrial area; (*eigens angelegt*) trading estate; **Gewerbelehrer(in** *f*) *m* teacher in a trade school; **Gewerbeordnung** *f* trade regulations *pl*; **Gewerbeschein** *m* trading licence; **Gewerbeschule** *f* trade school; **Gewerbesteuer** *f* trade

tax; **Gewerbetätigkeit** *f* commercial activity; **Gewerbetreibende(r)** *mf decl as adj* trader; **Gewerbezweig** *m* branch of a/the trade.

gewerblich *adj* commercial; *Lehrling, Genossenschaft* trade *attr*; (*industriell*) industrial. ~**e Arbeiter** industrial workers; **die** ~**e Wirtschaft** industry; **die** ~**en Berufe** the trades; **diese Räume dürfen nicht** ~ **genutzt werden** these rooms are not to be used for commercial purposes.

gewerbsmäßig **I** *adj* professional. ~**e Unzucht** (*form*) prostitution. **II** *adv* professionally, for gain.

Gewerkschaft *f* (trade *or* trades *or* labor *US*) union.

Gewerkschaft(l)er(in *f*) *m* -s, - trade *or* labor (*US*) unionist.

gewerkschaftlich *adj* (trade *or* labor *US*) union *attr*. ~**er/**~**e Vertrauensmann/ -frau** (*im Betrieb*) shop steward; **wir haben uns** ~ **organisiert** we organized ourselves into a union; ~ **organisierter Arbeiter** unionized *or* organized worker.

Gewerkschafts- *in cpds* (trade/labor) union; **Gewerkschaftsbank** *f* trade union bank/labor bank; **Gewerkschaftsbewegung** *f* (trade/labor) union movement; **Gewerkschaftsboß** *m* (*usu pej*) (trade/labor) union boss; **Gewerkschaftsbund** *m* federation of trade/ labor unions, ≃ Trades Union Congress (*Brit*), ≃ Federation of Labor (*US*); **gewerkschaftseigen** *adj* owned by a (trade/labor) union; **Gewerkschaftsführer(in** *f*) *m* trade union leader; **Gewerkschaftskongreß** *m* trade/labor union conference; **Gewerkschaftsmitglied** *nt* member of a/the (trade/ labor) union; **Gewerkschaftsvorsitzende(r)** *mf* (trade/ labor) union president.

gewesen **I** *ptp of* **sein¹.** **II** *adj attr* former.

gewichen *ptp of* **weichen².**

gewicht [gə'vıkst] *adj* (*inf*) fly (*inf*), crafty.

Gewicht *nt* -(e)s, -e **1.** *no pl* (*lit, fig*) weight. **dieser Stein hat ein großes** ~/**ein** ~ **von 100 kg** this rock is very heavy/ weighs 100 kg; **er hat sein** ~ **gehalten** he has stayed the same weight; **er brachte zuviel** ~ **auf die Waage** he weighed in too heavy; **spezifisches** ~ specific gravity; **das hat ein** ~! (*inf*) it isn't half heavy! (*inf*); **etw nach** ~ **verkaufen** to sell sth by weight; ~ **haben** (*lit*) to be heavy; (*fig*) to carry weight; **ins** ~ **fallen** to be crucial; **nicht ins** ~ **fallen** to be of no consequence; **auf etw** (*acc*) ~ **legen, einer Sache** (*dat*) ~ **beilegen** *or* **beimessen** to set (great) store by sth, to lay stress on sth.

2. (*Metallstück zum Beschweren, Sport*) weight.

gewichten* *vt* (*Statistik*) to weight; (*fig*) to evaluate.

Gewichtheben *nt* -s, *no pl* (*Sport*) weight-lifting; **Gewichtheber(in** *f*) *m* weight-lifter.

gewichtig *adj* **1.** (*dated: schwer*) heavy, hefty (*inf*). **eine** ~**e Persönlichkeit** (*hum inf*) a personage of some weight. **2.** (*fig*) (*wichtig*) weighty; (*wichtigtuerisch*) self-important; (*einflußreich*) influential.

Gewichtigkeit *f, no pl* (*fig*) *siehe adj 2.* weightiness; self-importance; influence.

Gewichtsabnahme *f* loss of weight; **Gewichtsanalyse** *f* (*Chem*) gravimetric analysis; **Gewichtsangabe** *f* indication of weight; **Gewichtsklasse** *f* (*Sport*) weight (category); **Gewichtskontrolle** *f* weight check; **gewichtslos** *adj* weightless; (*fig*) lacking substance; **Gewichtssatz** *m* set of weights; **Gewichtsverlagerung** *f* shifting of weight; (*fig*) shift of *or* in emphasis; **Gewichtsverlust** *m* loss of weight, weight loss; **Gewichtszunahme** *f* increase in weight.

Gewichtung *f* (*Statistik*) weighting; (*fig*) evaluation.

gewieft *adj* (*inf*) fly (*inf*), crafty (*in* +*dat* at).

gewiegt *adj* (*inf*) shrewd, slick (*inf*), canny (*esp Scot inf*).

Gewieher *nt* -s, *no pl* whinnying; (*fig*) guffawing, braying.

gewiesen *ptp of* weisen.

gewillt *adj* ~ sein, etw zu tun to be willing to do sth; (*entschlossen*) to be determined to do sth.

Gewimmel *nt* -s, *no pl* swarm, milling mass; (*Menge*) crush, throng.

Gewimmer *nt* -s, *no pl* whimpering.

Gewinde *nt* -s, - (*Tech*) thread.

Gewinde- (*Tech*): **Gewindebohrer** *m* (screw) tap; **Gewindegang** *m* pitch (of screw thread); **Gewindeschneiden** *nt* thread cutting; (*für Innengewinde*) tapping.

gewinkelt *adj* angled.

Gewinn *m* -(e)s, -e 1. (*Ertrag*) profit. ~- **und-Verlust-Rechnung** profit-and-loss account; ~ **abwerfen/bringen/erzielen** to make a profit; **aus etw** ~ **schlagen** (*inf*) to make a profit out of sth; **etw mit** ~ **verkaufen** to sell sth at a profit.

2. (*Preis, Treffer*) prize; (*bei Wetten, Glücksspiel*) winnings *pl.* **einen großen** ~ **machen** to win a lot; **jedes Los ist ein** ~ every ticket a winner.

3. *no pl* (*fig: Vorteil*) gain. **das ist ein großer** ~ **(für mich)** I have gained a lot from this, that is of great benefit (to me); **ein** ~ **für die Abteilung** a valuable addition to the department.

Gewinnanteil *m* 1. (*Comm*) dividend; 2. (*beim Wetten etc*) share; **Gewinnausschüttung** *f* prize draw; **Gewinnbeteiligung** *f* 1. (*Ind*) (*Prinzip*) profitsharing; (*Summe*) (profit-sharing) bonus; 2. (*Dividende*) dividend; **gewinnbringend** *adj* (*lit, fig*) profitable; **Gewinnchance** *f* chance of winning; ~**n** (*beim Wetten*) odds.

gewinnen *pret* **gewann,** *ptp* **gewonnen I** *vt* 1. (*siegen in*) to win; (*erwerben, bekommen auch*) to win; *jds Herz* to win; *Preis* to win. **jdn (für etw)** ~ to win sb over (to sth); **jdn für sich** ~ to win sb over (to one's side); **jdn zum Freund** ~ to win sb as a friend; **es gewinnt den Anschein, als ob ...** (*form*) it would appear that ...; **das Ufer** ~ (*liter*) to reach *or*

gain (*liter*) the bank; **Zeit** ~ to gain time; **was ist damit gewonnen?** what good is that?; **was ist damit gewonnen, wenn du das tust?** what is the good *or* use of you *or* your doing that?; **wie gewonnen, so zerronnen** (*prov*) easy come easy go (*prov*).

2. (*als Profit*) to make (a profit of).

3. (*erzeugen*) to produce, to obtain; *Erze etc* to mine, to extract, to win (*liter*); (*aus Altmaterial*) to reclaim, to recover.

II *vi* 1. to win (*bei, in* +*dat* at).

2. (*profitieren*) to gain; (*sich verbessern*) to gain something. **an Bedeutung** ~ to gain (in) importance; **an Boden** ~ (*fig*) to gain ground; **an Höhe/Geschwindigkeit** ~ to gain height/to pick up *or* gain speed; **an Klarheit** ~ to gain in clarity; **sie gewinnt durch ihre neue Frisur** her new hairstyle does something for her.

gewinnend *adj* (*fig*) winning, winsome.

Gewinner(in *f*) *m* -s, - winner.

Gewinnerstraße *f* (*inf*) **auf der** ~ **sein** to be headed for a win, to be on the way to victory.

Gewinnerzielungsabsicht *f* (*Comm*) profit motive; **Gewinnklasse** *f* prize category; **Gewinnliste** *f* list of winners, winners list; **Gewinnlos** *nt* winning ticket; **Gewinnmaximierung** *f* maximization of profit(s); **Gewinnmitnahme** *f* (*Fin*) profit taking; **Gewinnsatz** *m* (*Tennis*) **mit drei Gewinnsätzen spielen** to play the best of five sets; **Gewinnschuldverschreibung** *f* (*Fin*) income bond; **Gewinnspanne** *f* profit margin; **Gewinnstreben** *nt* pursuit of profit; **Gewinnsucht** *f* profit-seeking; **aus** ~ for motives of (financial/material) gain; **gewinnsüchtig** *adj* profit-seeking *attr*; **gewinnträchtig** *adj* profitable.

Gewinnnummer *getrennt* **Gewinnnummer, Gewinnzahl** *f* winning number.

Gewinnung *f* (*von Kohle, Öl*) extraction; (*von Energie, Plutonium*) production.

Gewinsel *nt* -s, *no pl* (*pej lit, fig*) whining.

Gewirr *nt* -(e)s, *no pl* tangle; (*fig: Durcheinander*) jumble; (*von Paragraphen*) maze, confusion; (*von Gassen*) maze; (*von Stimmen*) confusion, babble.

Gewisper *nt* -s, *no pl* whispering.

gewiß I *adj* 1. (*sicher*) certain, sure (+*gen* of). (*ja*) ~! certainly, sure (*esp US*); **ich bin dessen** ~ (*geh*) I'm certain *or* sure of it; **darüber weiß man noch nichts Gewisses** nothing certain is known as yet.

2. *attr* certain. **ein gewisser Herr Müller** a certain Herr Müller; **in gewissem Maße** to some *or* a certain extent; **in gewissem Sinne** in a (certain) sense.

II *adv* (*geh*) certainly. **Sie denken** ~, **daß ...** no doubt you think that ...; **ich weiß es ganz** ~ I'm certain *or* sure of it; **eins ist** *or* **weiß ich (ganz)** ~ one thing is certain *or* sure, there's one thing I know for certain *or* sure; (**aber**) ~ (**doch**)! (but) of course; **darf ich ...? — (aber)** ~ (**doch**)! may I ...? — but, of course *or* by all means.

Gewissen *nt* -s, *no pl* conscience. **ein schlechtes** ~ a guilty *or* bad conscience; **jdn/etw auf dem** ~ **haben** to have sb/sth on one's conscience; **das hast du auf dem** ~ it's your fault; **jdm ins** ~ **reden** to have a serious talk with sb; **jdm ins** ~ **reden, etw zu tun** to get *or* persuade sb to do sth; **das mußt du vor deinem** ~ **verantworten** you'll have to answer to your own conscience for that; **ein gutes** ~ **ist ein sanftes Ruhekissen** (*Prov*) I *etc* just want to have a clear conscience, I *etc* just want to be able to sleep nights (*esp US*).

gewissenhaft *adj* conscientious; **Gewissenhaftigkeit** *f, no pl* conscientiousness; **gewissenlos** *adj* unprincipled, without conscience, unscrupulous; (*verantwortungslos*) irresponsible; ~ **sein** to have no conscience; **wie kann man so** ~ **sein und ...** how could anybody be so unscrupulous/irresponsible as to ...; **Gewissenlosigkeit** *f* unscrupulousness, lack of principle; (*Verantwortungslosigkeit*) irresponsibility.

Gewissensbisse *pl* pangs of conscience *pl*; **mach dir deswegen keine** ~! there's nothing for you to feel guilty about; ~ **bekommen** to get a guilty conscience; **ohne** ~ without compunction (*liter*), without feeling guilty; **Gewissensentscheidung** *f* question of conscience, matter for one's conscience to decide; **Gewissenserforschung** *f* examination of one's conscience; **Gewissensfrage** *f* matter of conscience; **Gewissensfreiheit** *f* freedom of conscience; **Gewissens- sensgründe** *pl* conscientious reasons *pl*; **Gewissenskonflikt** *m* moral conflict; **Gewissensnot** *f* moral dilemma; **Gewissensqual** *f* (*geh*) pangs of conscience *pl*; **Gewissenszwang** *m, no pl* moral constraint (s *pl*).

gewissermaßen *adv* (*sozusagen*) so to speak, as it were; (*auf gewisse Weise*) in a way, to an extent.

Gewißheit *f* certainty. **mit** ~ with certainty; *wissen* for certain *or* sure; ~ **erlangen** to achieve certain knowledge; (**zur**) ~ **werden** to become a certainty; *siehe* **verschaffen**.

Gewitter *nt* -s, - thunderstorm; (*fig*) storm.

Gewitterfliege *f* thunder fly; **Gewitterfront** *f* (*Met*) storm front; **Gewitterhimmel** *m* stormy sky, thunderclouds *pl*.

gewitt(e)rig *adj* thundery. ~ **schwül** thundery (and oppressive); ~**e Schwüle** thundery (and oppressive) air.

Gewitterluft *f* thundery atmosphere.

gewittern* *vi impers* **es gewittert** it's thundering.

Gewitterneigung *f* (*Met*) likelihood of thunderstorms; **Gewitterregen**, **Gewitterschauer** *m* thundery shower; **Gewitterstimmung** *f* (*fig*) stormy atmosphere; **Gewittersturm** *m* thunderstorm; **Gewitterwand** *f* wall *or* mass of thunderclouds; **Gewitterwolke**

f thundercloud; (*fig inf*) storm-cloud; **Gewitterziege** *f* (*pej inf*) sour old hag.

Gewitzel *nt* -s, *no pl* joking, jokes *pl*.

Gewitztheit *f, no pl* craftiness, cunning.

gewoben *ptp of* **weben**.

Gewoge *nt* -s, *no pl* surging; (*von Kornfeld auch*) waving; (*hum: von Busen*) surging.

gewogen[1] *ptp of* **wägen, wiegen**[2].

gewogen[2] *adj* (*geh*) well-disposed, favourably disposed (+*dat* towards).

Gewogenheit *f, no pl* (*geh*) favourable attitude.

gewöhnen* **I** *vt* **jdn an etw** (*acc*) ~ to make sb used *or* accustomed to sth, to accustom sb to sth; **einen Hund an Sauberkeit** ~ to house-train a dog; **an jdn/ etw gewöhnt sein, jdn/etw gewöhnt sein** (*inf*) to be used to sb/sth.

II *vr* **sich an jdn/etw** ~ to get *or* become used to sb/sth, to accustom oneself to sb/sth; **du mußt dich an Ordnung/ Pünktlichkeit** ~ you must get used to being *or* get into the habit of being orderly/punctual; **sich daran** ~, **etw zu tun** to get used *or* accustomed to doing sth; **das bin ich gewöhnt** I'm used to it.

Gewohnheit *f* habit. **aus (lauter)** ~ from (sheer) force of habit; **die** ~ **haben, etw zu tun** to have a habit of doing sth; **wie es seine** ~ **war, nach alter** ~ as was his wont *or* custom; **das ist ihm zur** ~ **geworden** it's become a habit with him; **sich (***dat***) etw zur** ~ **machen** to make a habit of sth.

gewohnheitsgemäß, **gewohnheitsmäßig I** *adj* habitual; **II** *adv* (*ohne nachzudenken*) automatically; **Gewohnheitsmensch** *m* creature of habit; **Gewohnheitsrecht** *nt* (*Jur*) **1.** (*im Einzelfall*) established *or* customary right; **2.** (*als Rechtssystem*) common law; **Gewohnheitssache** *f* question of habit; **Gewohnheitstier** *nt*: **der Mensch ist ein** ~ (*inf*) man is a creature of habit; **Gewohnheitstrinker** *m* habitual drinker; **Gewohnheitsverbrecher** *m* habitual criminal.

gewöhnlich I *adj* **1.** *attr* (*allgemein, üblich*) usual, customary; (*normal*) normal; (*durchschnittlich*) ordinary; (*alltäglich*) everyday. **ein** ~**er Sterblicher** an ordinary mortal.

2. (*pej: ordinär*) common. **sie zieht sich immer so** ~ **an** she always wears such common clothes.

II *adv* normally, usually. **wie** ~ as usual, as per usual (*inf*).

Gewöhnlichkeit *f* (*pej*) commonness.

gewohnt *adj* usual. **etw** (*acc*) ~ **sein** to be used to sth; **ich bin es** ~, **früh aufzustehen** I am used to getting up early.

gewohntermaßen *adv* usually.

Gewöhnung *f, no pl* (*das Sich- Gewöhnen*) habituation (*an* +*acc* to); (*das Angewöhnen*) training (*an* +*acc* in); (*Sucht*) habit, addiction.

Gewölbe *nt* -s, - (*Decken*~) vault; (*Keller*~ *auch*) vaults *pl*.

Gewölbebogen *m* arch (of a vault); **Gewölbepfeiler** *m* pier (of a vault).

gewölbt *adj Stirn* domed; *Himmel, Decke*

vaulted; *Brust* bulging; *Nase* aquiline.

Gewölle *nt* -s, - (*Zool*) cast, pellet.

gewollt *adj* forced, artificial.

gewonnen *ptp of* gewinnen.

geworben *ptp of* werben.

geworden *ptp of* werden.

geworfen *ptp of* werfen.

gewrungen *ptp of* wringen.

Gewühl *nt* -(e)s, *no pl* **1.** (*pej: das Wühlen*) (*in Kisten, Schubladen*) rummaging around; (*im Schlamm*) wallowing (about); (*im Bett*) wriggling. **2.** (*Gedränge*) crowd, throng; (*Verkehrs~*) chaos, snarl-up (*inf*).

gewunden I *ptp of* winden[1]. **II** *adj Weg, Fluß* winding; *Erklärung* roundabout *no adv*, tortuous.

gewunken (*dial*) *ptp of* winken.

gewürfelt *adj* check(ed).

Gewürm *nt* -(e)s, *no pl* (*oft pej*) worms *pl*; (*Kriechtiere*) creeping animals *pl*, creepy-crawlies *pl* (*inf*); (*fig*) vermin.

Gewürz *nt* -es, -e spice; (*Kräutersorte*) herb; (*Pfeffer, Salz*) condiment.

Gewürzbord *nt siehe* **Gewürzregal**; **Gewürzgurke** *f* pickled gherkin; **Gewürzmischung** *f* mixed herbs *pl*; **Gewürznelke** *f* clove; **Gewürzpflanze** *f* spice plant; (*Kräuterpflanze*) herb; **Gewürzregal** *nt* spice rack; **Gewürzständer** *m* cruet (set).

Gewusel *nt* -s, *no pl* (*dial*) *siehe* **Gewimmel**.

gewußt *ptp of* wissen.

Geysir ['gaizir] *m* -s, -e geyser.

gez. *abbr. of* gezeichnet.

gezackt *adj Fels* jagged; *Hahnenkamm* toothed; *Blatt* serrated, dentate (*spec*).

gezahnt, gezähnt *adj* serrated; (*Bot*) serrated, dentate (*spec*); (*Tech*) cogged; *Briefmarke* perforated.

Gezänk, Gezanke (*inf*) *nt* -s, *no pl* quarrelling.

gezeichnet *adj* marked; (*als Straffälliger auch*) branded. **vom Tode ~** *or* **ein vom Tode G~er sein** to have the mark of death on one.

Gezeiten *pl* tides *pl*.

Gezeitenkraftwerk *nt* tidal power plant *or* station; **Gezeitenstrom** *m* tidal current; **Gezeitentafel** *f* table(s) of (the) tides; **Gezeitenwechsel** *m* turn of the tide.

Gezeter *nt* -s, *no pl* (*inf*) (*lit*) nagging; (*fig*) clamour. **in ~** (*acc*) **ausbrechen** (*fig*) to set up *or* raise a clamour.

gezielt *adj* purposeful; *Schuß* well-aimed; *Frage, Maßnahme, Forschung* specific; *Werbung* selective, targetted; *Hilfe* well-directed; *Indiskretion* deliberate. **~ schießen** to shoot to kill; **er hat sehr ~ gefragt** he was obviously getting at something specific with his questions.

geziemen* (*old, geh*) **I** *vi* +*dat* to befit. **dieses Verhalten geziemt ihm nicht** such behaviour ill befits him. **II** *vr* to be proper. **wie es sich geziemt** as is proper.

geziemend *adj* (*geh*) proper.

geziert *adj* affected.

gezogen I *ptp of* ziehen. **II** *adj Gewehrlauf* rifled; *Soldat* conscript(ed). **ein G~er** (*Mil inf*) a conscript.

Gezweig *nt* -(e)s, *no pl* (*geh*) branches *pl*.

Gezwitscher *nt* -s, *no pl* chirruping, twitter(ing).

gezwungen I *ptp of* zwingen. **II** *adj* (*nicht entspannt*) forced; *Atmosphäre* strained; *Stil, Benehmen* stiff.

gezwungenermaßen *adv* of necessity. **etw ~ tun** to be forced to do sth, to do sth of necessity.

Gezwungenheit *f*, *no pl* artificiality; (*von Atmosphäre*) constraint; (*von Stil, Benehmen*) stiffness.

ggf. *abbr of* gegebenenfalls.

Ghana *nt* -s Ghana.

Ghanaer(in *f*) *m* -s, - Ghanaian.

Ghetto *nt* -s, -s ghetto.

Ghostwriter ['goustraitə] *m* -s, - ghostwriter. **er ist der ~ des Premiers** he ghosts *or* ghostwrites for the PM.

gib *imper sing of* geben.

Gibbon *m* -s, -s gibbon.

Gicht *f* -, -en **1.** *no pl* (*Med, Bot*) gout. **2.** (*Metal*) throat (of a/the furnace).

Gichtgas *nt* (*Metal*) top gas; **Gichtknoten** *m* gouty deposit, tophus (*form*); **gichtkrank** *adj* gouty; **Gichtkranke(r)** *mf decl as adj* gout sufferer.

Giebel *m* -s, - gable; (*Tür~, Fenster~*) pediment.

Giebeldach *nt* gabled roof; **Giebelfenster** *nt* gable window; **Giebelhaus** *nt* gabled house.

gieb(e)lig *adj* gabled.

Giebelseite *f* gable end; **Giebelwand** *f* gable end *or* wall; **Giebelzimmer** *nt* attic room.

Gieper *m* -s, *no pl* (*dial*) craving (*auf* +*acc* for).

Gier *f* -, *no pl* (*nach* for) greed; (*nach Geld auch*) avarice, lust; (*nach Macht, Ruhm auch*) craving, lust; (*Lüsternheit*) lust.

gieren[1] *vi* (*pej*) to lust (*nach* for).

gieren[2] *vi* (*Naut*) to yaw.

gierig *adj* greedy; (*nach Geld*) avaricious; (*lüstern*) lustful. **~ nach etw sein** to be greedy for sth; (*nach Macht auch, sexuell*) to lust for sth; (*nach Vergnügen auch*) to crave sth; (*nach Wissen auch*) to be avid for sth; **etw ~ verschlingen** (*lit, fig*) to devour sth greedily.

Gießbach *m* (mountain) torrent.

gießen *pret* goß, *ptp* gegossen **I** *vt* **1.** to pour; (*verschütten*) to spill; *Pflanzen, Garten* to water; (*liter*) *Licht* to shed. **gieß das Glas nicht so voll!** don't fill the glass so full! **2.** *Glas* to found (*zu* (in)to); *Metall auch* to cast (*zu* into). **II** *vi impers* to pour. **es gießt in Strömen** *or* **wie aus Eimern** it's pouring down, it's chucking it down (*inf*).

Gießer *m* -s, - **1.** (*Metal*) caster, founder. **2.** (*an Kanne*) pourer.

Gießerei *f* **1.** *no pl* (*Gießen*) casting, founding. **2.** (*Werkstatt*) foundry.

Gießereiarbeiter(in *f*) *m* foundry worker; **Gießereibetrieb** *m* foundry.

Gießerin *f siehe* **Gießer 1.**

Gießkanne *f* watering can; **Gießkannenprinzip** *nt* (*inf*) principle of indiscriminate all-round distribution; **Gießkelle** *f*, **Gießlöffel** *m* casting ladle; **Gießofen** *m* foundry furnace; **Gießpfanne** f casting ladle.

Gift nt -(e)s, -e (lit, fig) poison; (Bakterien~) toxin; (Schlangen~, fig: Bosheit) venom. ~ **nehmen** to poison oneself; **das ist (wie)** ~ **für ihn** (inf) that is very bad for him; **darauf kannst du** ~ **nehmen** (inf) you can bet your bottom dollar or your life on that (inf); **sein** ~ **verspritzen** to be venomous; ~ **und Galle spucken** (inf) or **speien** to be fuming, to be in a rage.

Giftampulle f poison capsule; **Giftbecher** m cup of poison; **Giftdrüse** f venom gland.

giften (inf) **I** vt impers to rile. **II** vi to be nasty (gegen about).

Giftgas nt poison gas; **giftgrün** adj bilious green; **gifthaltig, gifthältig** (Aus) adj containing poison, poisonous, toxic; **Gifthauch** m (liter) miasma (liter).

giftig adj **1.** (Gift enthaltend) poisonous; Stoff, Chemikalien auch toxic. **2.** (fig) (boshaft, haßerfüllt) venomous; (zornig) vitriolic. **3.** (grell) bilious.

Giftküche f devil's workshop; **Giftmischer(in** f) m **-s,** - preparer of poison; (fig) trouble-maker, stirrer (inf); **Giftmord** m poisoning; **Giftmörder(in** f) m poisoner; **Giftmüll** m toxic waste; **Giftnudel** f (hum inf) **1.** (Zigarre, Zigarette) cancer stick (hum inf); **2.** (gehässige Frau) vixen, shrew; **Giftpfeil** m poisoned arrow; **Giftpflanze** f poisonous plant; **Giftpilz** m poisonous toadstool; **Giftschlange** f poisonous snake; **Giftschrank** m poison cabinet; **Giftstoff** m poisonous or toxic substance; **Giftzahn** m fang; **Giftzwerg** m (inf) spiteful little devil (inf).

Gigabyte [-bait] nt (Comput) gigabyte.

Gigant m giant; (Myth) Titan; (fig auch) colossus.

gigantisch adj gigantic, colossal.

Gigantismus m (Med) gigantism; (fig) giantism.

Gigantomanie f, no pl (geh) megalomania.

Gigawatt nt (Elec) gigawatt.

Gigerl m or nt **-s, -(n)** (Aus inf) dandy, peacock (inf).

Gigolo ['ʒiːgolo, 'ʒɪg-] m **-s, -s** gigolo.

gilben vi aux sein (liter) to yellow.

Gilde f -, **-n** guild.

Gildehaus nt guildhall.

Gilet [ʒi'leː] nt **-s, -s** (Aus, Sw) waistcoat (Brit), vest (US).

gilt 3. pers present of **gelten.**

Gimpel m **-s,** - (Orn) bullfinch; (inf: Einfaltspinsel) ninny (inf).

Gin [dʒɪn] m **-s, -s** gin. ~ **tonic** Gin and Tonic.

ging pret of **gehen.**

Ginseng ['gɪnzɛŋ, 'ʒɪnzɛŋ] m **-s, -s** (Bot) ginseng.

Ginster m **-s,** - (Bot) broom; (Stech~) gorse.

Gipfel m **-s,** - **1.** (Bergspitze) peak; (höchster Punkt eines Berges) summit; (old: Baum~) top, tip. **2.** (fig: Höhepunkt) height; (des Ruhms, der Karriere auch) peak; (der Vollkommenheit) epitome.

das ist der ~! (inf) that's the limit, that takes the cake (inf). **3.** (~konferenz) summit.

Gipfeldiplomatie f (Pol) summitry; **Gipfelgespräch** nt (Pol) summit talks pl; **Gipfelkonferenz** f (Pol) summit conference; **Gipfelkreuz** nt cross on the summit of a/the mountain.

gipfeln vi to culminate (in + dat in).

Gipfelpunkt m (lit) zenith; (fig) high point; **Gipfelstürmer(in** f) m (liter) conqueror of a/the peak; **Gipfeltreffen** nt (Pol) summit (meeting).

Gips m **-es, -e 1.** plaster; (gebrannter ~, Art auch) plaster of Paris; (Chem) gypsum. **2.** (~verband) plaster. **einen Arm in** ~ **legen** to put an arm in plaster; **er lag sechs Wochen in** ~ he was in plaster for six weeks.

Gips- in cpds plaster; **Gipsabdruck, Gipsabguß** m plaster cast; **Gipsbecher** m plaster mixing cup; **Gipsbein** nt (inf) leg in plaster.

gipsen vt to plaster; Arm, Bein to put in plaster.

Gipser m **-s,** - plasterer.

gipsern adj attr plaster.

Gipsfigur f plaster (of Paris) figure; **Gipskopf** m (inf) blockhead, dimwit, num(b)skull (all inf); **Gipskorsett** nt (Med) plaster jacket; **Gipskrawatte** f (Med) plaster collar; **Gipsverband** m (Med) plaster cast or bandage (form); **er trug den Arm im** ~ he had his arm in plaster or in a plaster cast.

Giraffe f -, **-n** giraffe.

Girl [gøːɐl, gœrl] nt **-s, -s** (inf) girl; (Revue~) chorus girl.

Girlande f -, **-n** garland (aus of). **etw mit** ~**n schmücken** to garland sth, to decorate sth with garlands.

Giro ['ʒiːro] nt **-s, -s** or (Aus) **Giri** ['ʒiːri] (Fin) (bank) giro; (Indossament) endorsement. **durch** ~ by giro.

Girobank f clearing bank; **Girogeschäft** nt (bank) giro transfer; **Girokonto** nt current account; (~geschäft) giro transfer (business); **Giroverkehr** m giro system; **Girozentrale** f clearing house.

girren vi (lit, fig) to coo.

Gis nt -, - (Mus) G sharp. ~**-Dur/g~-Moll** G sharp major/minor.

Gischt m **-(e)s, -e** or f -, **-en** spray.

Gitarre f -, **-n** guitar.

Gitarre(n)spiel nt guitar-playing; **Gitarre(n)spieler(in** f) m guitarist, guitar-player.

Gitarrist(in f) m guitarist.

Gitter nt **-s,** - bars pl; (engstäbig, vor Türen, Schaufenstern) grille; (in Fußboden, Straßendecke) grid, grating; (für Gewächse etc) lattice, trellis; (feines Draht~) (wire-)mesh; (Kamin~) fireguard; (Geländer) railing usu pl; (Phys, Chem: Kristall~) lattice; (Elec, Geog) grid. **hinter** ~**n** (fig inf) behind bars.

Gitterbett nt cot (Brit), crib (US); **Gitterelektrode** f (Elec) grid (electrode); **Gitterfenster** nt barred window; **Gittermast** m (Elec) (lattice) pylon; **Gitternetz** nt (Geog) grid; **Gitterrost** m grid, grating; **Gitterstab**

m bar; **Gitterstruktur** *f* (*Chem*) lattice structure; **Gittertor** *nt* (paled) gate; **Gittertür** *f* (paled) gate; **Gitterzaun** *m* paling; (*mit gekreuzten Stäben*) lattice fence.

Glace [glaːs] *f* -, -n (*Sw*) ice(-cream).

Glacé- [gla'seː]: **Glacéhandschuh** *m* kid glove; **jdn mit ~en anfassen** (*fig*) to handle sb with kid gloves.

glacieren* [gla'siːrən] *vt* (*Cook*) to glaze.

Glacis [gla'siː] *nt* -, - (*Mil*) glacis.

Gladiator *m* gladiator.

Gladiole *f* -, -n (*Bot*) gladiolus.

Glamour ['glɛmə] *m or nt* -s, *no pl* (*Press sl*) glamour.

Glamourgirl *nt* glamour girl.

glamourös [glamu'røːs] *adj* glamorous.

Glanz *m* -es, *no pl* gleam; (*von Oberfläche auch*) shine; (*Funkeln*) sparkle, glitter; (*von Augen*) sparkle; (*von Haaren*) sheen, shine; (*von Seide, Perlen*) sheen, lustre; (*von Farbe*) gloss; (*blendender: von Sonne*) glare; (*fig*) (*der Schönheit, Jugend*) radiance; (*von Ruhm, Erfolg*) glory; (*Pracht*) splendour. **mit ~ und Gloria** (*iro inf*) in grand style; **eine Prüfung mit ~ bestehen** (*inf*) to pass an exam with flying colours; **den ~ verlieren** *or* **einbüßen** (*Metall, Leder, Möbel*) to lose its shine; (*Diamanten, Augen, fig*) to lose its/one's sparkle; **welch ~ in dieser Hütte!** (*iro*) to what do I owe the honour (of this visit)? (*iro*).

Glanz|abzug *m* (*Phot*) glossy *or* gloss print.

glänzen *vi* (*lit*, *fig*) to shine; (*polierte Oberfläche auch*) to gleam; (*glitzern*) to glisten; (*funkeln*) to sparkle; (*blenden*) to glare; (*Hosenboden, Ellbogen, Nase*) to be shiny. **vor jdm ~ wollen** to want to shine in front of sb; **ihr Gesicht glänzte vor Freude** her face shone with *or* was radiant with joy.

glänzend *adj* shining; *Haar, Seide auch* lustrous; *Metall, Leder, Holz auch* gleaming; (*strahlend*) radiant; (*blendend*) dazzling; (*glitzernd*) glistening; (*funkelnd*) sparkling, glittering; *Papier* glossy, shiny; *Stoff, Nase, Hosenboden* shiny; (*fig*) brilliant; *Aussehen, Fest* dazzling; *Gesellschaft* glittering; (*erstklassig*) marvellous, splendid. **~ in Form** (*inf*) in splendid form; **ein ~er Reinfall** (*iro*) a glorious failure; **wir haben uns ~ amüsiert** we had a marvellous *or* great (*inf*) time; **mir geht es ~** I'm just fine.

Glanzform *f*, *no pl* (*inf*) brilliant form; **Glanzidee** *f* (*inf*) brilliant idea; **Glanzlack** *m* gloss (paint); **Glanzleder** *nt* patent leather; **Glanzleistung** *f* brilliant achievement; **eine wissenschaftliche ~** a brilliant scientific achievement; **Glanzlicht** *nt* 1. (*Art*, *fig*) highlight; 2. (*Phys*) reflected light; **glanzlos** *adj* (*lit*, *fig*) dull; *Augen, Haar, Vorstellung auch* lacklustre; *Lack, Oberfläche* matt; **Glanznummer** *f* big number, pièce de résistance; **Glanzpapier** *nt* glossy paper; **Glanzpolitur** *f* gloss polish; **Glanzpunkt** *m* (*fig*) highlight, high spot; **Glanzrolle** *f* star role; **Glanzstück** *nt*

pièce de résistance; **glanzvoll** *adj* (*fig*) brilliant; *Darstellung, Unterhaltung auch* sparkling; (*prachtvoll*) glittering; **Glanzzeit** *f* heyday; **seine ~ ist vorüber** he has had his day.

Glas¹ *nt* -es, **-er** *or* (*als Maßangabe*) - 1. (*Stoff, Gefäß*) glass; (*Konserven~*) jar. **buntes** *or* **farbiges** *or* **gefärbtes ~** stained glass; **,,Vorsicht ~!"** "glass – handle with care"; **ein ~ Milch** a glass of milk; **ein ~ Marmelade/Gurken** a pot (*Brit*) *or* jar of jam/a jar of gherkins; **zwei ~ Wein** two glasses of wine; **zu tief ins ~ gucken** (*inf*) *or* **schauen** (*inf*), **ein ~ über den Durst trinken** (*inf*) to have one too many *or* one over the eight (*inf*); **unter ~** behind glass; (*Gewächs*) under glass.
2. (*Brillen~*) lens *plng*; (*Fern~*) binoculars *pl*, (field-)glasses *pl*; (*Opern~*) opera glasses *pl*.

Glas² *nt* -es, **-en** (*Naut: halbe Stunde*) bell. **es schlägt acht ~en** it's eight bells.

Glas *in cpds* glass; **Glasballon** *m* carboy; **Glasbau** *m*, *pl* **-ten** glass structure; **Glasbaustein** *m* glass block; **Glasbläser(in** *f*) *m* glassblower; **Glasbläserei** *f* 1. *no pl* (*Handwerk*) glass-blowing; **2.** (*Werkstatt*) glassworks *sing or pl*; **Glasbruch** *m* broken glass.

Gläschen ['glɛːsçən] *nt dim of* **Glas¹** (*Getränk*) little drink. **darauf müssen wir ein ~ trinken** we must drink to that, that calls for a little drink.

Glascontainer *m* bottle bank; **Glasdach** *nt* glass roof.

Glaser(in *f*) *m* -s, - glazier.

Glaserei *f* 1. *no pl* (*Handwerk*) glasswork. **2.** (*Werkstatt*) glazier's workshop.

gläsern *adj* glass; (*liter: starr*) glassy; (*fig: durchschaubar*) transparent; *Verwaltung* open. **der ~e Bürger** the citizen under the eye of Big Brother.

Gläsertuch *nt* glasscloth; **gläserweise** *adv* by the glassful.

Glasfabrik *f* glassworks *sing or pl*.

Glasfaser *f* glass fibre, fibreglass.

Glasfaserkabel *nt* fibre optic cable; **Glasfaseroptik** *f* fibre optics *sing*; **Glasfaserpapier** *nt* fibreglass paper; **glasfaserverstärkt** *adj* fibreglass-reinforced.

Glasfiberstab *m* (*Sport*) glass fibre pole; **Glasgeschirr** *nt* glassware; **Glasglocke** *f* glass cover *or* dome; (*als Lampenschirm*) glass ball; **Glasharfe** *f* musical glasses *pl*; **glashart** *adj* brittle; (*Sport sl*) cracking (*inf*); **Glashaus** *nt* greenhouse; (*in botanischen Gärten*) glasshouse; **wer (selbst) im ~ sitzt, soll nicht mit Steinen werfen** (*Prov*) people who live in glass houses shouldn't throw stones (*Prov*); **Glashütte** *f* glassworks *sing or pl*.

glasieren* *vt* to glaze; *Kuchen* to ice, to frost (*esp US*).

glasig *adj Blick* glassy; (*Cook*) *Kartoffeln* waxy; *Speck, Zwiebeln* transparent.

Glasindustrie *f* glass industry; **Glaskasten** *m* glass case; (*in Fabrik, Büro*) glass box; (*Hort*) cold frame; **glasklar** *adj* (*lit*) clear as glass; (*fig*) crystal-clear; **Glaskolben** *m* glass flask; (*von Glüh-*

lampe, Radioröhre) glass bulb; **Glaskugel** *f* glass ball; (*Murmel*) marble; **Glasmalerei** *f* glass painting. **Glasnost** *f* (*Pol*) glasnost.

Glasnudel *f* fine Chinese noodle; **Glaspapier** *nt* glasspaper; **Glasperle** *f* glass bead; **Glasplatte** *f* glass top; **Glasröhre** *f* glass tube; **Glasscheibe** *f* sheet of glass; (*Fensterglas*) pane of glass; **Glasscherbe** *f* fragment of glass, piece of broken glass; **Glasscherben-viertel** *nt* Skid Row (*esp US sl*); **Glas-schleifer(in** *f*) *m* (*Opt*) glass grinder; (*Art*) glass cutter; **Glasschliff** *m* (*Opt*) glass grinding; (*Art*) glass cutting; **Glasschmelze** *f* glass melt; **Glassch-rank** *m* glass-fronted cupboard; **Glas-splitter** *m* splinter of glass.

Glasur *f* glaze; (*Metal*) enamel; (*Zuckerguß*) icing, frosting (*esp US*).

Glasveranda *f* glass veranda, sun parlor (*US*); **Glasversicherung** *f* glass insurance; **Glaswaren** *pl* glassware *sing*; **glasweise** *adj, adv* by the glass; **Glaswolle** *f* glass wool; **Glaszylinder** *m* glass cylinder; (*von Petroleumlampe*) (glass) chimney.

glatt I *adj, comp* **-er** *or* ⁼**er,** *superl* **-este(r, s)** *or* ⁼**este(r, s)** *or adv* **am -esten** *or* - ⁼**esten 1.** (*eben*) smooth; *Meer auch* un-ruffled; *Haar* straight; (*Med*) *Bruch* clean; *Stoff* (*faltenlos*) uncreased; (*unge-mustert*) plain; (*Aus*) *Mehl* finely ground.

2. (*schlüpfrig*) slippery.

3. (*fig*) *Landung, Ablauf* smooth. **eine** ~**e Eins** (*Sch*) a straight A.

4. *attr* (*inf: klar, eindeutig*) outright; *Lüge, Unsinn auch* downright. **das ko-stet** ~**e 1.000 Mark** it costs a good 1,000 marks.

5. (*pej: allzu gewandt*) smooth, slick.

II *adv* **1.** smoothly. **er hat sich** ~ **aus der Affäre gezogen** he wriggled neatly out of the whole affair.

2. (*ganz, völlig*) completely; *leugnen, ablehnen* flatly; *vergessen* clean. **jdm etw** ~ **ins Gesicht sagen** to tell sb sth to his/her face; **die Rechnung ist** ~ **aufgegan-gen** the sum works out exactly.

3. (*inf: wirklich*) really.

4. ~ **rechtsstricken** to knit garter stitch.

glattbügeln *vt sep* to iron smooth.

Glätte *f -, no pl* **1.** (*Ebenheit*) smoothness; (*von Haar*) sleekness. **2.** (*Schlüpfrigkeit*) slipperiness. **3.** (*Politur*) polish. **4.** (*fig*) (*des Auftretens*) smoothness, slickness; (*des Stils*) polish.

Glatt|eis *nt* ice. ,,**Vorsicht** ~**!**" "danger, black ice"; **sich auf** ~ **begeben** (*fig*), **aufs** ~ **geraten** (*fig*) to skate on thin ice; **jdn aufs** ~ **führen** (*fig*) to take sb for a ride.

Glatt|eisbildung *f* formation of black ice.

Glatt|eisgefahr *f* danger of black ice.

glätten I *vt* (*glattmachen*) to smooth out; (*glattstreichen*) *Haar, Tuch* to smooth; (*esp Sw: bügeln*) to iron; (*fig: stilistisch* ~) to polish up.

II *vr* to smooth out; (*Wellen, Meer, fig*) to subside.

Glätterin *f* (*esp Sw*) presser.

glattgehen *vi sep irreg aux sein* to go smoothly *or* OK (*inf*); **glatthobeln** *vt sep* to plane smooth; **glattkämmen** *vt sep* to comb straight; (*mit Haarpomade*) to sleek down; **glattlegen** *vt sep* to fold up carefully; **glattmachen** *vt sep* **1.** (*glattstreichen*) to smooth out; *Haare* to smooth (down); (*mit Kamm*) to comb straight; **2.** (*inf: begleichen*) to settle; **glattrasieren*** *vt sep* to shave; **glattrasiert** *adj* *Mann, Kinn* clean-shaven; *Beine* shaved; **glattrühren** *vt sep* to stir till smooth; **glattschleifen** *vt sep irreg* to rub smooth; *Linsen, Dia-manten* to grind smooth; *Felsen* to wear smooth; **glattschneiden** *vt sep irreg* to cut straight; **glattstreichen** *vt sep irreg* to smooth out; *Haare* to smooth (down); **glattwalzen** *vt sep* to roll smooth; **glattweg** ['glatvɛk] *adv* (*inf*) simply, just, just like that (*inf*); **er hat meinen Vorschlag** ~ **abgelehnt** he simply turned my suggestion down, he turned my suggestion down flat *or* just like that (*inf*); **glattzüngig** *adj* (*pej geh*) glib, smooth-tongued.

Glatze *f -, -n* bald head; **eine** ~ **bekommen/haben** to go/be bald; **ein Mann mit** ~ a bald(-headed) man, a man with a bald head; **sich** (*dat*) **eine** ~ **schneiden lassen** to have one's head shaved.

Glatzkopf *m* bald head; (*inf: Mann mit Glatze*) baldie (*inf*); **glatzköpfig** *adj* bald(-headed).

Glaube *m -ns, no pl* (*Vertrauen, religiöse Überzeugung, Konfession*) faith (*an +acc* in); (*Überzeugung, Meinung*) be-lief (*an +acc* in). ~, **Liebe, Hoffnung** faith, hope and charity; **im guten** *or* **in gutem** ~**n** in good faith; (**bei jdm**) ~**n finden** to be believed (by sb); (*Bericht, Aussage auch*) to find credence (with sb); **den** ~**n an jdn/etw verlieren** to lose faith in sb/sth; **jdm** ~**n schenken** to be-lieve sb, to give credence to sb; **laß ihn bei seinem** ~**!** let him keep his illusions; **er ist katholischen** ~**ns** he is of the Catholic faith.

Glauben *m -s, no pl siehe* **Glaube**.

glauben *vti* (*Glauben schenken, überzeugt sein, vertrauen*) to believe (*an +acc* in); (*meinen, annehmen, vermuten*) to think. **jdm** ~ to believe sb; **das glaube ich dir gerne/nicht** I quite/don't believe you; **glaube es mir** believe me; **das soll ich dir** ~**?** do you expect me to believe that?; **er glaubte mir jedes Wort** he believed every word I said; **d(a)ran** ~ **müssen** (*inf*) to cop it (*sl*); (*sterben auch*) to buy it (*sl*); **das glaubst du doch selbst nicht!** you can't be serious; **jdn etw** ~ **machen wollen** to try to make sb believe sth; **das glaube ich nicht von ihm** I can't believe that of him; **ob du es glaubst oder nicht, ... believe it or not ...; wer's glaubt, wird selig** (*iro*) a likely story (*iro*); **ich glaubte ihn zu kennen, den ... I** thought I knew him, but ...; **ich glaubte ihn in Berlin** I thought he was in Berlin; **er glaubte sich unbeobachtet** he thought nobody was watching him; **man glaubte**

ihm den **Fachmann** one could well believe him to be an expert; **es ist nicht** or **kaum zu ~** it's incredible or unbelievable; **ich glaube ja jedes Wort (einzeln)** (iro) pull the other one (inf); **ich glaube, ja** I think so; **ich glaube, nein** I don't think so, I think not.

Glaubensartikel m article of faith; **Glaubensbekenntnis** nt creed; **Glaubensbewegung** f religious movement; **Glaubensbruder** m co-religionist (form), brother in faith, fellow Buddhist/Christian/Jew etc; **Glaubensdinge** pl matters of faith pl; **Glaubenseifer** m religious zeal; **Glaubensfrage** f question of faith; **Glaubensfreiheit** f freedom of worship, religious freedom; **Glaubensgemeinschaft** f religious sect; (christliche auch) denomination; **Glaubensgenosse** m co-religionist (form); **Glaubenskampf** m religious battle; **Glaubenskrieg** m religious war; **Glaubenslehre** f dogmatics sing; (pej: Doktrin) doctrine, dogma; **Glaubenssache** f matter of faith; **Glaubenssatz** m dogma; **Glaubensspaltung** f schism; **Glaubensstreit** m religious controversy; **Glaubenswechsel** m change of faith or religion; **Glaubenszweifel** m usu pl religious doubt.

glaubhaft adj credible, believable; (einleuchtend) plausible. **(jdm) etw (überzeugend) ~ machen** to substantiate sth (to sb), to satisfy sb of sth.

Glaubhaftigkeit f, no pl credibility; (Evidenz) plausibility.

gläubig adj religious; (vertrauensvoll) trusting. **~ hörten sie meiner Geschichte zu** they listened to and believed my story.

Gläubige(r) mf decl as adj believer. **die ~n** the faithful.

Gläubiger(in f**)** m -s, - (Comm) creditor.

Gläubigeransprüche pl creditors' claims pl; **Gläubigerausschuß** m committee or board of creditors; **Gläubigerbank** f creditor bank; **Gläubigerland** nt, **Gläubigerstaat** m creditor nation or state.

glaublich adj: **kaum ~** scarcely credible.

glaubwürdig adj credible. **~e Quellen** reliable sources.

Glaubwürdigkeit f, no pl credibility.

Glaukom nt -s, -e (Med) glaucoma.

Glazial nt -s, -e (Geol) glacial epoch or episode.

gleich I adj (identisch, ähnlich) same; (mit indef art) similar; (~wertig, ~berechtigt, Math) equal; (auf ~er Höhe) level. **der/die/das ~ ...** the same ... as; **in ~em Abstand** at an equal distance; **wir sind in ~er Weise daran schuld** we are equally to blame; **zu ~en Teilen** in equal parts; **in ~er Weise** in the same way; **~er Lohn für ~e Arbeit** equal pay for equal work, the same pay for the same work; **mit ~er Post** with the same post; **~e Rechte, ~e Pflichten** (prov) equal rights, equal responsibilities; **zur ~en Zeit** at the same time; **ich habe den ~en Wagen wie Sie** I have the same car as you; **das kommt** or **läuft aufs ~e hinaus**

it comes (down) or amounts to the same thing; **wir wollten alle das ~e** we all wanted the same thing; **es ist genau das ~e** it's exactly the same; **es waren die ~en, die ...** it was the same ones who/ which ...; **zwei mal zwei (ist) ~ vier** two twos are four, two times two equals or is four; **vier plus/durch/minus zwei ist ~ ...** four plus/divided by/minus two equals or is ...; **jdm (an etw** dat**) ~ sein** to be sb's equal (in sth); **ihr Männer seid doch alle ~!** you men are all the same!; **(alles** or **ganz) ~** it's all the same to me; **ganz ~ wer/was** etc no matter who/what etc; **ein G~es tun** (geh) to do the same; **G~es mit G~em vergelten** to pay like with like; **~ und ~ gesellt sich gern** (Prov) birds of a feather flock together (Prov).

II adv 1. (ebenso) equally; (auf ~e Weise) alike, the same. **sie sind ~ groß/ alt/schwer** they are the same size/age/ weight; **der Lehrer behandelt alle Kinder ~** the teacher treats all the children equally or the same; **~ gekleidet** dressed alike or the same.

2. (räumlich) right, immediately, just.

3. (zur selben Zeit) at once; (sofort auch) immediately, straight or right away; (bald) in a minute. **~ zu** or **am Anfang** right at the beginning, at the very beginning; **~ danach** immediately or straight or right after(wards); **ich komme ~** I'm just coming, I'll be right there; **ich komme ~ wieder** I'll be right back or back in a moment; **das mache ich ~ heute** I'll do that today; **es muß nicht ~ sein** there's no hurry, it's not urgent; **es ist ~ drei Uhr** it's almost or very nearly three o'clock; **ich werde ihn ~ morgen besuchen** I'll go and see him tomorrow; **du kriegst ~ eine Ohrfeige** you'll get a slap in a minute; **habe ich es nicht ~ gesagt!** what did I tell you?; **das habe ich mir ~ gedacht** I thought that straight away; **warum nicht ~ so?** why didn't you say/do that in the first place or straight away?; **na komm schon!** — **~!** come along — I'm just coming or I'll be right there; **wann machst du das?** — **~!** when are you going to do it? — right away or in just a moment; **~ als** or **nachdem er ...** as soon as he ...; **so wirkt das Bild ~ ganz anders** suddenly, the picture has changed completely; **wenn das stimmt, kann ich's ja ~ aufgeben** if that's true I might as well give up right now; **deswegen braucht man nicht ~ Hunderte auszugeben** you don't have to spend hundreds because of that; **er ging ~ in die Küche/vor Gericht** he went straight to the kitchen/to court; **sie hat sich ~ zwei Hüte gekauft** she bought two hats; **bis ~!** see you in a while, see you later.

4. (in Fragesätzen) again. **wie war doch ~ Ihr Name?** what was your name again?

III prep +dat (liter) like. **einer Sintflut ~** like a deluge.

IV conj (old, liter) **ob er ~ ...** although he ...; **wenn er ~ ...** even if he

...

gleichaltrig adj (of) the same age; **die beiden sind ~** they are both the same age; **gleichartig I** adj of the same kind (+dat as); (ähnlich) similar (+dat to); (homogen) homogeneous (+dat with); **II** adv in the same way; similarly; homogeneously; **gleichauf** adv (esp Sport) equal; **~ liegen** to be lying or to be equal, to be level-pegging; **gleichbedeutend** adj synonymous (mit with); (so gut wie) tantamount (mit to); **Gleichbehandlung** f equal treatment; **gleichberechtigt** adj with equal or the same rights; **~ sein** to have equal rights; **Gleichberechtigung** f equal rights sing or pl, equality (+gen for); **gleichbleiben** sep irreg aux sein **I** vi to stay or remain the same; (Temperaturen, Geschwindigkeit, Kurs auch) to remain constant; **II** vr **sich** (dat) **~** (Mensch) to stay or remain the same; **das bleibt sich gleich** it doesn't matter; **gleichbleibend** adj Temperatur, Geschwindigkeit, Kurs constant, steady; **g~ sein** to stay or remain the same; (Temperatur etc auch) to stay or remain steady or constant; **in ~em Abstand** always at the same distance; **er ist immer ~ zuvorkommend** he is always equally helpful; **~ gute Qualität** consistent(ly) good quality.

gleichen pret **glich**, ptp **geglichen** vi jdm/einer Sache **~** to be like sb/sth; **sich ~** to be alike or similar; **jdm an Schönheit ~** to be sb's equal or to equal sb in beauty.

gleichermaßen, gleicherweise adv equally.

gleichfalls adv (ebenfalls) likewise; (auch) also; (zur gleichen Zeit) at the same time; **danke ~!** thank you, (and) the same to you; **gleichfarbig** adj (of) the same colour; **gleichförmig** adj of the same shape; (einheitlich, fig: eintönig) uniform (auch Phys); (ähnlich) similar; **Gleichförmigkeit** f siehe adj similarity of shape; uniformity; similarity; **gleichgelagert** adj parallel; **gleichgeschlechtig** adj (Biol, Zool) of the same sex, same-sex attr; (Bot) homogamous; **gleichgeschlechtlich** adj **1.** homosexual; **2.** siehe **gleichgeschlechtig**; **gleichgesinnt** adj likeminded; „**Ehepaar sucht ~es**" "married couple seeks couple of similar interests"; **gleichgestellt** adj equal (+dat to, with), on a par (+dat with); **rechtlich ~** equal in law; **gleichgestimmt** adj (Mus) in tune (+dat with); (fig) in harmony (+dat with).

Gleichgewicht nt, no pl (lit) balance, equilibrium (auch Phys, Chem); (fig) (Stabilität) balance; (seelisches ~) equilibrium. **im ~** (lit) balanced, in equilibrium; **wieder im ~ sein** (fig) to become more balanced again; **to regain one's equilibrium; **das ~ verlieren, aus dem ~ kommen** to lose one's balance or equilibrium (auch fig); **jdn aus dem ~ bringen** to throw sb off balance; (fig auch) to disturb sb's equilibrium; **das ~ einer Sache wiederherstellen** to get sth

back into balance or equilibrium; **das ~ zwischen ...** (dat) **und ... halten** to maintain a proper balance between ... and ...; **diese Dinge müssen sich** (dat) **das ~ halten** (fig) these things should balance each other out.

gleichgewichtig adj (ausgeglichen) Verhältnis balanced; (gleich wichtig) equal in weight.

Gleichgewichtsgefühl nt sense of balance; **Gleichgewichtslage** f (fig) equilibrium; **Gleichgewichtsorgan** nt organ of equilibrium; **Gleichgewichtssinn** m sense of balance; **Gleichgewichtsstörung** f impaired balance, disturbance of the sense of balance; **Gleichgewichtszustand** m equilibrium.

gleichgültig adj indifferent (gegenüber, gegen to, towards); (uninteressiert) apathetic (gegenüber, gegen towards); (unwesentlich) trivial, immaterial, unimportant. **das ist mir ~** it's a matter of (complete) indifference to me; **Politik ist ihm ~** he doesn't care about politics; **~, was er tut** no matter what he does, irrespective of what he does; **es ist mir ~, was er tut** I don't care what he does; **er war ihr nicht ~ geblieben** she had not remained indifferent to him.

Gleichgültigkeit f indifference (gegenüber, gegen to, towards); (Desinteresse) apathy (gegenüber, gegen towards).

Gleichheit f **1.** no pl (gleiche Stellung) equality; (Identität) identity; (Übereinstimmung) uniformity, correspondence; (Ind) parity. **2.** (Ähnlichkeit) similarity.

Gleichheitsprinzip nt principle of equality; **Gleichheitszeichen** nt (Math) equals sign.

Gleichklang m (fig) harmony, accord; **gleichkommen** vi sep irreg aux sein +dat **1.** (die gleiche Leistung erreichen) to equal (an +dat for), to match (an +dat for, in); **niemand kommt ihm an Dummheit gleich** no-one can equal or match him for stupidity; **2.** (gleichbedeutend sein mit) to be tantamount or equivalent to, to amount to; **gleichlaufend** adj parallel (mit to); (Tech) synchronized; **gleichlautend** adj identical; **~e Wörter** homonyms; **gleichmachen** vt sep to make the same, to level (out); **Gleichmacher** m (pej) leveller (pej), egalitarian; **Gleichmacherei** f (pej) levelling down (pej), egalitarianism; **Gleichmaß** nt, no pl **1.** (Ebenmaß) evenness; (von Proportionen) symmetry; **2.** (geh: Regelhaftigkeit) monotony (pej), regularity; **gleichmäßig** adj even, regular; Puls auch steady; Abstände regular; Proportionen auch symmetrical; **er ist immer ~ freundlich** he is always equally friendly; **die Farbe ~ auftragen** apply the paint evenly; **Gleichmäßigkeit** f siehe adj evenness, regularity; steadiness; regularity; stability; symmetry; **mit or in schöner ~** (iro) with monotonous regularity; **Gleichmut** m equanimity, serenity, composure; **gleichmütig** adj serene, composed; **gleichnamig** adj of the same name;

(*Math*) with a common denominator.

Gleichnis *nt* 1. (*Liter*) simile. 2. (*Allegorie*) allegory; (*Bibl*) parable.

gleichnishaft *siehe* n I *adj* as a simile; allegorical; parabolic. II *adv* in a simile; allegorically; in a parable.

gleichrangig *adj Beamte* equal in rank (*mit* to); at the same level (*mit* as); *Straßen* of the same grade (*mit* as), similarly graded; *Probleme* equally important, of equal status; **Gleichrichter** *m* (*Elec*) rectifier; **Gleichrichtung** *f* (*Elec*) rectification.

gleichsam *adv* (*geh*) as it were, so to speak. ~, als ob just as if.

gleichschalten *sep* (*Pol: NS, pej*) I *vt* to bring *or* force into line; II *vr* to conform, to step into line; **Gleichschaltung** *f* (*Pol: NS, pej*) bringing *or* forcing into line; (*unter Hitler auch*) gleichschaltung; **gleichschenk(e)lig** *adj Dreieck* isosceles; **Gleichschritt** *m, no pl* (*Mil*) marching in step; **im** ~ (*lit, fig*) in step; **im** ~, **marsch!** forward march!; **im** ~ **marschieren** to march in step; **gleichsehen** *vi sep irreg* **jdm/einer Sache g**~ to look like sb/sth; **gleichseitig** *adj Dreieck* equilateral; **gleichsetzen** *vt sep* (*als dasselbe ansehen*) to equate (*mit* with); (*als gleichwertig ansehen*) to treat as equivalent (*mit* to); **gleichsilbig** *adj* with the same number of syllables; **Gleichstand** *m, no pl* 1. (*Sport*) **den** ~ **erzielen** to draw level; **beim** ~ **von 1:1** with the scores level at 1 all; 2. (*Pol*) equal stage of development; **gleichstehen** *vi sep irreg* to be equal (+*dat* to *or* with), to be on a par (+*dat* with); (*Sport auch*) to be level (+*dat* with); **er steht im Rang einem Hauptmann gleich** he is equal in rank to a captain; **G**~de equals, people on an equal footing; **gleichstellen** *vt sep* (*rechtlich*) to treat as equal, to give parity of treatment (*to*); **daß Frauen und Männer arbeitsrechtlich gleichzustellen sind** that men and women should be treated as equals *or* equally *or* given parity of treatment as far as work is concerned; **Gleichstellung** *f, no pl* 1. (*rechtlich*) equality (+*gen* of, for), equal status (+*gen* of, for), parity; 2. *siehe* **Gleichsetzung**; **Gleichstellungsbeauftragte(r)** *mf* representative for equal rights; **Gleichstrom** *m* (*Elec*) direct current, DC; **gleichtun** *vt impers sep irreg* **es jdm** ~ to equal *or* match sb; **es jdm im Laufen** *etc* ~ to equal *or* match sb at *or* in running *etc*.

Gleichung *f* equation. **eine** ~ **ersten/zweiten Grades** a simple *or* linear/quadratic equation, an equation of the first/second degree (*form*).

gleichviel *adv* (*geh*) nonetheless; ~ **ob** no matter whether; ~ **wie** however; **g**~ **wohin** no matter where; **gleichwertig** *adj* of the same value; (*gleich zu bewerten*) *Leistung, Qualität* equal (+*dat* to); *Gegner* equally *or* evenly matched; (*Chem*) equivalent; **Gleichwertigkeit** *f, no pl siehe adj* equal value; equality; equivalence, equivalency; **gleichwie**

---

adv (*old*) (just) as; **gleichwink(e)lig** *adj* (*Geometry*) equiangular (*form*), with (all) angles equal; **gleichwohl** (*geh*) *adv* nevertheless, nonetheless; **gleichzeitig** I *adj* simultaneous; II *adv* simultaneously, at the same time; (*ebenso, sowohl*) at the same time; **ihr sollt nicht alle gleichzeitig reden** you mustn't all speak at the same time; **Gleichzeitigkeit** *f* simultaneity; **gleichziehen** *vi sep irreg* (*inf*) to catch up (*mit* with).

Gleis *nt* -es, -e (*Rail*) line, track, rails *pl*; (*einzelne Schiene*) rail; (*Bahnsteig*) platform; (*fig*) rut. ~ **6** platform *or* track (*US*) 6; „Überschreiten der ~e verboten" "passengers must not cross the line"; **ein totes** ~ (*lit*) a siding; (*fig*) a dead end; **jdn/etw aufs tote** ~ **schieben** to put sb/sth on ice (*inf*); **aus dem** ~ **springen** to jump the rails; **aus dem** ~ **kommen** (*fig*) to go off the rails (*inf*); **etw ins (rechte)** ~ **bringen** (*fig*) to straighten *or* sort sth out; **jdn aus dem** ~ **bringen** (*fig*) to put sb off his stroke; **wieder ins richtige** ~ **kommen** (*fig*) to get back on the rails (*inf*) *or* right lines (*inf*).

Gleisanlagen *pl* railway (*Brit*) *or* railroad (*US*) lines *pl*; **Gleisanschluß** *m* works siding; **Gleisarbeiten** *pl* work on the line; line *or* track repairs; **Gleisbau** *m, no pl* railway/railroad construction; **Gleisbett** *nt* ballast; **Gleisbremse** *f* rail brake; **Gleisdreieck** *nt* triangular junction.

Gleiskette *f* caterpillar track; **Gleiskettenfahrzeug** *nt* caterpillar vehicle; **Gleiskörper** *m* railway embankment.

gleißen *vi* (*liter*) to gleam, to glisten.

Gleitboot *nt* hydroplane.

gleiten *pret* **glitt**, *ptp* **geglitten** *vi* 1. *aux sein* (*Vogel, Flugzeug, Tänzer, Boot, Skier, Schlange*) to glide; (*Blick*) to pass, to range; (*Hand auch*) to slide. **ein Lächeln glitt über ihr Gesicht** a smile flickered across her face; **sein Auge über etw** (*acc*) ~ **lassen** to cast an eye over sth; **die Finger über etw** (*acc*) ~ **lassen** to glide *or* slide one's fingers over *or* across sth.

2. *aux sein* (*rutschen*) to slide; (*Auto*) to skid; (*ent*~: *Gegenstand*) to slip; (*geh: ausrutschen*) to slip. **zu Boden** ~ to slip to the floor/ground; **ins Wasser** ~ to slide *or* slip into the water; **ins G**~ **kommen** to start to slide *or* slip.

3. (*Ind inf:* ~**de Arbeitszeit haben**) to have flex(i)time.

gleitend *adj* ~**e Löhne** *or* **Lohnskala** sliding wage scale; ~**e Arbeitszeit** flexible working hours *pl*, flex(i)time.

Gleiter *m* -s, - (*Aviat*) glider.

Gleitflug *m* glide; **im** ~ **niedergehen** to glide *or* plane down; **Gleitklausel** *f* (*Comm*) escalator clause; **Gleitkomma** *nt* floating point; **Gleitkufe** *f* (*Aviat*) landing skid; **Gleitmittel** *nt* (*Med*) lubricant; **Gleitschirm** *m* hang-glider; **Gleitschirmfliegen** *nt* hang-gliding; **Gleitschutz** *m* (*Aut*) anti-skid(ding) device; **Gleitwachs** *nt* (*für Skier*) wax; **Gleitwinkel** *m* gliding angle; **Gleitzeit** *f* flex(i)time.

Glencheck ['glɛntʃɛk] *m* **-(s), -s** glen-check.

Gletscher *m* **-s, -** glacier.

Gletscherbach *m* glacial stream; **Gletscherbrand** *m* glacial sunburn; **Gletscherbrille** *f* sun glasses *pl*; **Gletschereis** *nt* glacial ice; **Gletscherfeld** *nt* glacier; **Gletscherkunde** *f* glaciology; **Gletscherspalte** *f* crevasse; **Gletschertor** *nt* mouth (of glacier); **Gletscherwasser** *nt* glacier water.

glibberig *adj* (*N Ger inf*) slimy.

glich *pret of* **gleichen.**

Glied *nt* **-(e)s, -er 1.** (*Körperteil*) limb, member (*form*); (*Finger~, Zehen~*) joint. **seine ~er recken** to stretch (oneself); **an allen ~ern zittern** to be shaking all over; **der Schreck fuhr ihm in alle ~er** the shock made him shake all over; **der Schreck sitzt** *or* **steckt ihr noch in den ~ern** she is still shaking with the shock.
2. (*Penis*) organ, member (*form*).
3. (*Ketten~, fig*) link.
4. (*Teil*) section, part.
5. (*Mil~*) member; (*Mil*) rank; (*Bibl*) generation; (*Math*) term. **aus dem ~ treten** (*Mil*) to step forward (out of the ranks); **ins ~ zurücktreten** (*Mil*) to step back into the ranks.

Gliederarmband *nt* (*von Uhr*) expanding bracelet; **Gliederbau** *m* limb structure; (*Körperbau*) build; **Gliederfüßer** *m* **-s, -** *usu pl* (*Zool*) arthropod; **gliederlahm** *adj* heavy-limbed, weary; **ich bin ganz ~** my limbs are so stiff.

gliedern I *vt* **1.** (*ordnen*) to structure, to order, to organize. **2.** (*unterteilen*) to (sub)divide (**in** *+acc* into). **II** *vr* (*zerfallen in*) **sich ~ in** (*+acc*) to (sub)divide into; (*bestehen aus*) to consist of.

Gliederpuppe *f* jointed doll; (*Marionette*) (string) puppet, marionette; (*Art*) lay figure; **Gliederreißen** *nt*, **Gliederschmerz** *m* rheumatic pains *pl*; **Gliedersatz** *m* (*Ling*) period; **Gliederschwere** *f* heaviness in s.o.'s limbs.

Gliederung *f* **1.** (*das Gliedern*) structuring, organization. **2.** (*das Unterteilen*) subdivision. (*Unterteilung, von Organisation*) subdivision. **3.** (*Aufstellung in Reihe*) formation.

Gliederzucken *nt* twitching of the limbs; **Gliederzug** *m* articulated train.

Gliedkirche *f* member church; **Gliedmaßen** *pl* limbs *pl*; **Gliedsatz** *m* (*Ling*) subordinate clause; **Gliedstaat** *m* member *or* constituent state.

glimmen *pret* **glomm** *or* (*rare*) **glimmte,** *ptp* **geglommen** *or* (*rare*) **geglimmt** *vi* to glow; (*Feuer, Asche auch*) to smoulder. **~der Haß** (*geh*) smouldering hatred; **noch glomm ein Funken Hoffnung in ihm** (*geh*) a ray of hope still glimmered within him.

Glimmer *m* **-s, - 1.** (*Min*) mica. **2.** (*rare: Schimmer*) gleam, glint.

Glimmlampe *f* glow lamp; **Glimmstengel** *m* (*hum inf*) fag (*esp Brit inf*), cigarette, butt (*US inf*).

glimpflich *adj* (*mild*) mild, light, lenient.

~ davonkommen to get off lightly; **mit jdm ~ umgehen** *or* **verfahren** to treat sb mildly *or* leniently; **~ ablaufen** *or* **verlaufen, einen ~en Ausgang nehmen** to pass off without serious consequences; **die Sache ist für sie ~ abgegangen** *or* **verlaufen** they got off lightly.

glitschen *vi aux sein* (*inf*) to slip (*aus* out of).

glitschig *adj* (*inf*) slippery, slippy (*inf*).

glitt *pret of* **gleiten.**

glitzern *vi* to glitter; (*Stern auch*) to twinkle.

global *adj* **1.** (*weltweit*) global, worldwide. **~ verbreitet** global, worldwide. **2.** (*ungefähr, pauschal*) general. **~ gerechnet** in round figures.

Globen *pl of* **Globus.**

Globalsteuerung *f* overall control; **Globalstrategie** *f* (*Pol*) global *or* worldwide strategy.

Globetrotter ['gloːbɔtrɔtɐ, 'gloːptrɔtɐ] *m* **-s, -** globetrotter.

Globus *m* **-** *or* **-ses, Globen** *or* **-se** globe; (*inf: Kopf*) nut (*inf*).

Glöckchen *nt* (little) bell.

Glocke *f* **-, -n** (*auch Blüte*) bell; (*Käse~*) cover; (*Florett~*) coquille; (*in Labor*) bell jar; (*Taucher~*) (diving) bell; (*Damenhut*) cloche; (*inf: Herrenhut*) bowler. **nach den ~n von Big Ben** after the chimes from Big Ben, after Big Ben strikes; **etw an die große ~ hängen** (*inf*) to shout sth from the rooftops, to bandy sth about; **wissen, was die ~ geschlagen hat** (*inf*) to know what one is in for (*inf*) *or* what's in store for one.

Glockenbalken *m* (bell) yoke; **Glockenblume** *f* bellflower, campanula; **glokkenförmig** *adj* bell-shaped; **Glockengeläut(e)** *nt* (peal of) bells; **Glockengießer** *m* bell-founder; **Glockengießerei** *f* bell-foundry; **glockenhell** *adj* (*geh*) bell-like; *Stimme auch* as clear as a bell; **Glockenklang** *m* ringing *or* (*esp hell auch*) pealing (of bells); **Glockenläuten** *nt siehe* **Glockengeläut(e)**; **Glockenmantel** *m* cope (*for founding bell*); **glockenrein** *adj* (*geh*) bell-like; *Stimme auch* as clear as a bell; **Glockenrock** *m* flared skirt; **Glockenschlag** *m* stroke (of a/the bell); (*von Uhr auch*) chime; **es ist mit dem ~ 6 Uhr** on the stroke it will be 6 o'clock; **auf den** *or* **mit dem ~** (*genau pünktlich*) on the dot; **Glockenspeise** *f* bell metal; **Glockenspiel** *nt* (*in Turm*) carillon; (*automatisch auch*) chimes *pl*; (*Instrument*) glockenspiel; **Glockenstrang** *m* bell rope; **Glockenstube** *f* (bell) cage; **Glockenstuhl** *m* bell cage; **Glockenton** *m* sound of a/the bell; **Glockenturm** *m* belltower, belfry; **Glockenzeichen** *nt* ring of a/the bell; **auf ein ~ erschien der Butler** a ring on the bell summoned the butler; **Glockenzug** *m* (*Glockenstrang*) bell rope; (*Klingelschnur*) bellpull, bell cord.

glockig *adj* bell-shaped.

Glöckner *m* **-s, -** bellringer. „**Der ~ von Notre-Dame**" "The Hunchback of Notre Dame".

glomm *pret of* **glimmen.**

Gloria[1] *nt* -s, -s (*Eccl*) gloria, Gloria.
Gloria[2] *f* - *or nt* -s, *no pl* (*usu iro*) glory.
Glorie [-iə] *f* **1.** *no pl* (*Ruhm*) glory, splendour. **2.** (*Heiligenschein*) halo.
Glorienschein [-iən-] *m* halo; (*fig*) aura.
glorifizieren* *vt* to glorify.
Glorifizierung *f* glorification.
Gloriole *f* -, -n halo; (*fig*) aura.
glorios *adj* (*oft iro*) glorious, magnificent.
glorreich *adj* glorious, wonderful. **seine Laufbahn ~ beenden** to bring one's career to a glorious conclusion.
Glossar *nt* -s, -e glossary.
Glosse *f* -, -n **1.** (*Liter*) gloss (*zu* on). **2.** (*Press, Rad*) commentary. **3.** **~n** *pl* (*inf*) snide *or* sneering comments; **seine ~n über jdn/etw machen** (*inf*) to make snide comments about sb/sth.
Glossenschreiber(in *f*) *m* (*Press*) commentator.
glossieren* *vt* **1.** (*Liter*) to gloss, to write a gloss/glosses on. **2.** (*bespötteln*) to sneer at. **3.** (*Press, Rad*) to do a commentary on, to commentate on.
Glotzauge *nt* **1.** (*usu pl: inf*) staring *or* goggle (*inf*) eye; **~n machen** to stare (goggle-eyed), to gawp; **2.** (*Med*) exophthalmia (*spec*); **glotzäugig** *adj, adv* (*inf*) goggle-eyed (*inf*).
Glotze *f* -, -n (*sl*) goggle-box (*inf*), one-eyed monster (*pej inf*), boob tube (*US inf*).
glotzen *vi* (*pej inf*) (*auf, in* +*acc* at) to stare, to gawp, to gape.
Glotzkasten *m* goggle-box (*inf*), one-eyed monster (*pej inf*), boob tube (*US inf*).
gluck *interj* **1.** (*von Huhn*) cluck. **2.** (*von Flüssigkeit*) glug.
Glück *nt* -(e)s, (*rare*) -e **1.** luck. **ein seltenes ~** a funny stroke *or* piece of luck; **ein ~!** how lucky!, what a stroke *or* piece of luck!; **~/kein ~ haben** to be lucky/ unlucky; **er hat das ~ gehabt, zu ...** he was lucky enough to ..., he had the good fortune to ...; **~ gehabt!** that was lucky; **auf gut ~** (*aufs Geratewohl*) on the off-chance; (*unvorbereitet*) trusting to luck; (*wahllos*) at random; **es ist ein wahres ~, daß ...** it's really lucky that ...; **du hast ~ im Unglück gehabt** it could have been a great deal worse (for you); **viel ~ (bei ...)!** good luck *or* the best of luck (with ...)!; **~ bei Frauen haben** to be successful with women; **jdm ~ für etw wünschen** to wish sb luck for sth; **jdm ~ wünschen zu ...** to congratulate sb on ...; **er wünscht/ich wünsche dir ~ bei deiner Prüfung** he wishes you (good) luck in your exam/good luck in your exam; **jdm zum Neuen Jahr/zum Geburtstag ~ wünschen** to wish sb (a) Happy New Year/happy birthday; **zum ~** luckily, fortunately; **zu seinem ~** luckily *or* fortunately for him; **das ist dein ~!** that's lucky for you!; **~ auf!** (*Min*) good luck!; **mehr ~ als Verstand haben** to have more luck than brains; **sie weiß noch nichts von ihrem ~** (*iro*) she doesn't know anything about it yet; **damit wirst du bei ihr kein ~ haben** you won't have any joy with her (with that)

(*inf*), that won't work with her; **sein ~ machen** to make one's fortune; **sein ~ probieren** *or* **versuchen** to try one's luck; **er kann von ~ reden** *or* **sagen, daß ...** he can count himself lucky that ..., he can thank his lucky stars that ... (*inf*); **sein ~ mit Füßen treten** to turn one's back on fortune; **~ muß der Mensch haben** (*inf*) my/your *etc* luck is/was in; **das war das ~ des Tüchtigen** (*prov*) he/she deserved the break (*inf*) *or* the (good) luck; **das hat mir gerade noch zu meinem ~ gefehlt!** (*iro*) that was all I wanted; **man kann niemanden zu seinem ~ zwingen** (*prov*) you can lead a horse to water but you can't make him drink (*Prov*); **ein Kind/Stiefkind des ~s sein** (*geh*) to have been born under a lucky star/to be a born loser; **jeder ist seines ~es Schmied** (*Prov*) life is what you make it (*prov*), everyone is the architect of his own future.
2. (*Freude*) happiness. **eheliches ~** wedded *or* marital bliss; **er ist ihr ganzes ~** he is her whole life; **das Streben nach ~** the pursuit of happiness; **~ und Glas, wie leicht bricht das!** (*prov*) happiness is such a fragile thing.
Glückauf *nt* -s, *no pl* (cry of) "good luck";
glückbringend *adj* lucky, propitious (*form*).
Glucke *f* -, -n (*Bruthenne*) broody *or* sitting hen; (*mit Jungen*) mother hen.
glucken *vi* **1.** (*brüten*) to brood; (*brüten wollen*) to go broody; (*fig inf*) to sit around. **2.** (*Küken rufen*) to cluck.
glücken *vi aux sein* to be a success, to be successful. **nicht ~** to be a failure, not to be a success; (*Plan auch*) to miscarry; **ihm glückt alles/nichts** everything/ nothing he does is a success, he succeeds/fails at whatever he does; **dieses Bild/die Torte ist dir gut geglückt** your picture/cake has turned out very well; **endlich ist es ihm geglückt** at last he managed it; **es wollte nicht ~** it wouldn't go right.
gluckern *vi* to glug.
glückhaft *adj* (*geh*) happy.
glücklich I *adj* **1.** (*erfolgreich, vom Glück begünstigt*) lucky, fortunate; (*vorteilhaft, treffend, erfreulich*) happy. **~e Reise!** bon voyage!, pleasant journey!; **er kann sich ~ schätzen(, daß)** he can count *or* consider himself lucky (that); **wer ist der/die G~e?** who is the lucky man/ woman/girl *etc*?
2. (*froh, selig*) happy. **ein ~es Ende, ein ~er Ausgang** a happy ending; **~ machen** to bring happiness; **jdn ~ machen** to make sb happy, to bring sb happiness.
II *adv* **1.** (*mit Glück*) by *or* through luck; (*vorteilhaft, treffend, erfreulich*) happily. **~ zurückkommen** (*in Sicherheit*) to come back safely.
2. (*froh, selig*) happily.
glücklicherweise *adv* luckily, fortunately.
glücklos *adj* hapless, luckless.
Glücksautomat *m* (*fig*) gaming machine;
Glücksbote *m* bearer of (the) glad *or*

good tidings; **Glücksbotschaft** *f* glad *or* good tidings *pl*; **Glücksbringer** *m* -s, - bearer of (the) glad tidings; (*Talisman*) lucky charm; **Glücksbude** *f* try-your-luck stall.

glückselig *adj* blissfully happy, blissful; *Lächeln, Gesichtsausdruck auch* rapturous.

Glückseligkeit *f* bliss, rapture.

glucksen *vi* 1. (*lachen*) (*Kleinkind*) to gurgle; (*Erwachsener*) to chortle. 2. *siehe* **gluckern**.

Glücksfall *m* piece *or* stroke of luck; **durch einen ~** by a lucky chance; **Glücksgefühl** *nt* feeling of happiness; **Glücksgöttin** *f* goddess of luck; **Glückshafen** *m* (*S Ger, Aus*) *siehe* **Glücksbude**; **Glückskind** *nt* child of Fortune, lucky person; **Glücksklee** *m* four-leaf(ed) clover; **Glückslinie** *f* line of fortune *or* luck; **Glückspfennig** *m* lucky penny, *a new, shiny pfennig piece supposed to bring luck*; **Glückspilz** *m* lucky beggar (*inf*) *or* devil (*inf*); **Glücksrad** *nt* wheel of fortune; **Glücksritter** *m* adventurer; **Glückssache** *f* **das ist ~** it's a matter of luck; **Glücksschwein(chen)** *nt* pig as a symbol of good luck; **Glücksspiel** *nt* game of chance; **Glücksspieler(in** *f)* *m* gambler; **Glücksstern** *m* lucky star; **Glückssträhne** *f* lucky streak; **eine ~ haben** to be on a lucky streak; **Glückstag** *m* lucky day.

glückstrahlend *adj* beaming *or Kind, Frau auch* radiant (with happiness).

Glückstreffer *m* stroke of luck; (*beim Schießen, Ftbl*) lucky shot, fluke (*inf*); **Glückszahl** *f* lucky number.

Glückwunsch *m* congratulations *pl* (*zu* on). **herzlichen ~** congratulations; **herzlichen ~ zum Geburtstag!** happy birthday, many happy returns of the day; **~e zur bestandenen Prüfung** congratulations on passing your examination.

Glückwunschadresse *f* message of congratulations, congratulatory message; **Glückwunschkarte** *f* greetings card; **Glückwunschtelegramm** *nt* greetings telegram.

Glüh- (*Elec*): **Glühbirne** *f* (electric) light bulb; **Glühdraht** *m* filament.

glühen **I** *vi* to glow; (*fig auch*) to be aglow. **vor Fieber/Scham ~** to be flushed with fever/shame; **vor Verlangen ~** (*liter*) to burn with desire. **II** *vt* to heat until red-hot.

glühend *adj* glowing; (*heiß~*) *Metall* red-hot; *Hitze* blazing; (*fig: leidenschaftlich*) ardent; *Haß* burning; *Wangen* flushed, burning. **~ heiß** scorching; *Sonne auch* blazing hot.

Glühfaden *m* (*Elec*) filament; **Glühkerze** *f* (*Aut*) heater *or* incandescent plug; **Glühlampe** *f* (*form*) electric light bulb; **Glühofen** *m* (*Metal*) annealing furnace; **Glühstrumpf** *m* (gas) mantle; **Glühwein** *m* glühwein, mulled wine, glogg (*US*); **Glühwürmchen** *nt* glow-worm; (*fliegend*) firefly.

Glukose *f* -, **-n** glucose.

Glut *f* -, **-en** 1. (*glühende Masse, Kohle*)

embers *pl*; (*Tabaks~*) burning ash; (*Hitze*) heat. 2. (*fig liter*) (*glühende Farbe, Hitze*) glow; (*auf Gesicht*) flush, redness; (*Leidenschaft*) ardour.

Glutamat *nt* glutamate.

Glutamin *nt* -s, -e glutamine.

Glutaminsäure *f* glutamic acid.

glutäugig *adj* (*geh*) with smouldering eyes; **glutheiß** *adj* (*geh*) swelteringly hot; **Gluthitze** *f* sweltering heat; **glutrot** *adj* (*liter*) fiery red; **Glutröte** *f* (*liter*) fiery red; **glutvoll** *adj* passionate.

Glykol *nt* -s, -e glycol.

Glyzerin *nt* -s, *no pl* (*Chem*) glycerin(e).

Glyzinie *f* wisteria.

GmbH [ge:ǀɛmbe:ˈhaː] *f* -, -s *abbr of* **Gesellschaft mit beschränkter Haftung** limited company, Ltd.

Gnade *f* -, **-n** (*Barmherzigkeit*) mercy; (*heiligmachende ~*) grace; (*Gunst*) favour; (*Verzeihung*) pardon. **um ~ bitten** to ask for *or* crave (*liter*) mercy; **jdn um ~ für seine Sünden bitten** to ask sb to pardon (one for) one's sins; **vor jdm** *or* **vor jds Augen** (*dat*) **~ finden** to find favour with sb *or* in sb's eyes; **~ vor** *or* **für Recht ergehen lassen** to temper justice with mercy; **etw aus ~ und Barmherzigkeit tun** to do sth out of the kindness of one's heart; **ohne ~** without mercy; **~!** mercy!; **von jds ~n** by the grace of sb; **Fürst von Gottes ~n** (*Hist*) by the Grace of God, Prince; **jdn in ~n entlassen** to allow sb to go unpunished; **jdm eine ~ gewähren** (*geh*) to grant sb a favour; **Euer ~n!** (*Hist*) Your Grace; **die ~ haben, etw zu tun** (*iro*) to graciously consent to do sth.

gnaden *vi:* (dann) gnade dir Gott! (then) God help you *or* heaven have mercy on you.

Gnadenakt *m* act of mercy; **Gnadenbild** *nt* (*Eccl*) picture/statue with miraculous powers; **Gnadenbrot** *nt, no pl* jdm/ einem Tier das **~ geben** to keep sb/an animal in his/her/its old age; **einem Pferd das ~ geben** to put a horse out to grass; **das ~ bei jdm essen** to be provided for by sb (in one's old age); **Gnadenerlaß** *m* (*Jur*) general pardon; **Gnadenfrist** *f* (temporary) reprieve; **eine ~ von 24 Stunden** a 24 hour(s') reprieve, 24 hours' grace; **Gnadengesuch** *nt* plea for clemency; **Gnadenkraut** *nt* hedgehyssop; **gnadenlos** *adj* merciless; **Gnadenlosigkeit** *f* mercilessness; **gnadenreich** *adj* (*old, Eccl*) gracious; **Gnadenschuß** *m* coup de grâce (*by shooting*); **Gnadenstoß** *m* coup de grâce (*with sword etc, fig*); **Gnadentod** *m* (*geh*) mercy killing, euthanasia; **Gnadenverheißung** *f* promise of grace; **Gnadenweg** *m* **auf dem ~** by a pardon.

gnädig *adj* (*barmherzig*) merciful; (*gunstvoll, herablassend*) gracious; *Strafe* lenient; (*freundlich*) kind. **das ~e Fräulein** (*form*) the young lady; **die ~e Frau** (*form*) the mistress, madam; **der ~e Herr** (*old*) the master; **darf ich das ~e Fräulein zum Tanz bitten?** (*dated*) may I have the pleasure of this dance? (*form*); **~es Fräulein** (*dated*) madam; (*jüngere*

Dame) miss; **~e Frau** *(form)* madam, ma'am; **~er Herr** *(old)* sir; **meine G~e** *(dated) or* **G~ste** *(dated)* my dear madam; **Gott sei uns ~!** *(geh)* (may the good) Lord preserve us; **~ davonkommen** to get off lightly; **es ~ machen** to be lenient, to show leniency.

Gneis *m* **-es, -e** *(Geol)* gneiss.

Gnom *m* **-en, -en** gnome.

gnomenhaft *adj* gnomish.

Gnosis *f* **-**, *no pl (Rel)* gnosis.

Gnostik *f* **-**, *no pl (Rel)* gnosticism.

Gnostiker(in *f) m* **-s, -** *(Rel)* gnostic.

gnostisch *adj (Rel)* gnostic.

Gnu *nt* **-s, -s** *(Zool)* gnu, wildebeest.

Go *nt* **-**, *no pl* go *(Japanese board game)*.

Goal [go:l] *nt* **-s, -s** *(Aus, Sw Sport)* goal.

Goal- ['go:l-] *(Aus, Sw)*: **Goalgetter** *m* **-s, -** scorer; **Goalkeeper** *m* **-s, -, Goalmann** *m, pl* **-männer** goalkeeper, goalie *(inf)*.

Gobelin [gobə'lɛ̃:] *m* **-s, -s** tapestry, Gobelin; *(Webart)* tapestry weave.

Gockel *m* **-s, -** *(esp S Ger)* cock; *(fig)* old goat *(inf)*.

Godemiché [go:dmi'ʃe:] *m* **-, -s** dildo.

Goethe ['gø:tə] *m* **-s** Goethe.

goethesch, goethisch *adj* Goethean.

Go-go-Girl ['go:gogø:ɐl] *nt* go-go dancer *or* girl.

Goi ['go:i] *m* **-(s), Gojim** goy, Gentile.

Go-in [go:'|ɪn] *nt* **-s, -s ~ veranstalten** to disrupt a/the meeting.

Go-Kart *m* **-(s), -s** kart, go-cart.

Gold *nt* **-(e)s**, *no pl (abbr* Au) *(lit, fig)* gold. **nicht mit ~ zu bezahlen** *or* **aufzuwiegen sein** to be worth one's weight in gold; **nicht für alles ~ der Welt** *(liter)* not for all the money in the world; **er hat ein Herz aus ~** he has a heart of gold; **er hat ~ in der Kehle** he has a golden voice; **zehnmal olympisches ~ holen** to win ten golds in the Olympics; **es ist nicht alles ~, was glänzt** *(Prov)* all that glitters is not gold *(Prov)*.

Gold *in cpds* gold; *(von Farbe, Zool)* golden; **Goldader** *f* vein of gold; **Goldammer** *f* yellowhammer; **Goldamsel** *f* golden oriole; **Goldarbeit** *f* goldwork; **Goldbarren** *m* gold ingot; **Goldbarsch** *m (Rotbarsch)* redfish; *(Kaulbarsch)* ruff; **goldbestickt** *adj* embroidered with gold (thread); **goldbetreßt** *adj* trimmed with gold braid; **Goldblech** *nt* gold foil; **goldblond** *adj* golden blond; **Goldborte** *f* gold edging *no pl*; **Goldbroiler** *m* **-s, -** *(DDR Cook)* roast chicken; **Golddeckung** *f (Fin)* gold backing; **Golddoublé, Golddublée** *nt* gold-plated metal; **Golddruck** *m* gold print; *(Schrift)* gold lettering; **golddurchwirkt** *adj* shot with gold thread.

golden I *adj attr (lit, fig)* golden; *(aus Gold)* gold, golden *(liter)*. **~e Schallplatte** gold disc; **~er Humor** irrepressible sense of humour; **~e Worte** wise words, words of wisdom; **ein ~es Herz haben** to have a heart of gold; **die ~e Mitte** *or* **den ~en Mittelweg wählen** to strike a happy medium; **~e Hochzeit** golden wedding (anniversary); **G~er Schnitt** *(Math, Art)* golden section; **das**

G~e Buch the visitors' book; **die G~e Stadt** *(geh)* Prague; **das G~e Horn** *(Geog)* the Golden Horn; **die G~e Horde** *(Hist)* the Golden Horde; **das G~e Zeitalter** *(Myth, fig)* the golden age; **das G~e Vlies** *(Myth)* the Golden Fleece; **das G~e Kalb** *(Bibl)* the golden calf; **der Tanz ums G~e Kalb** *(fig)* the worship of Mammon *(fig)*.

II *adv* like gold. **~ schimmern** to shimmer like gold.

Goldesel *m (Liter)* ass which rained gold coins; **leider habe ich keinen ~** *(fig)* money doesn't grow on trees, I'm afraid; **Goldfaden** *m* gold thread; **goldfarben, goldfarbig** *adj* golden, gold-coloured; **Goldfeder** *f* gold nib; **Goldfieber** *nt (fig)* gold fever; **Goldfisch** *m* goldfish; **sich** *(dat)* **einen ~ angeln** *(hum inf)* to make a rich catch, to marry money; **Goldfuchs** *m* **1.** *(Pferd)* golden chestnut (horse); **2.** *(old inf)* gold piece; **goldgefaßt** *adj* Brille gold-rimmed; **goldgelb** *adj* golden brown, old gold; **goldgerändert** *adj* edged with gold; *Brille* gold-rimmed; **Goldgewicht** *nt* gold weight; ≃ troy weight; **Goldglanz** *m (liter)* golden gleam; **goldglänzend** *adj (liter)* gleaming gold; **Goldgräber(in** *f) m* gold-digger; **Goldgrube** *f (lit, fig)* goldmine; **Goldgrund** *m, no pl (Art)* gold ground; **goldhaltig, goldhältig** *(Aus)* adj gold-bearing, auriferous *(spec)*; **Goldhamster** *m* (golden) hamster.

goldig *adj* **1.** *(fig inf: allerliebst)* sweet, cute. **du bist vielleicht ~!** *(iro)* the ideas you get! **2.** *(poet: golden)* golden.

Goldjunge *m (inf)* blue-eyed boy *(inf)*, golden boy *(inf)*; *(Sport)* gold medallist; **Goldkehlchen** *nt (inf)* singer with a/the golden voice; **Goldkind** *nt (inf)* little treasure *(inf)*, dear child; **mein ~** *(als Anrede)* (my) pet *or* precious; **Goldklumpen** *m* gold nugget; **Goldküste** *f (Geog)* Gold Coast; **Goldlack** *m (Bot)* wallflower; **Goldmädchen** *nt (inf)* blue-eyed girl *(inf)*, golden girl *(inf)*; *(Sport)* gold medallist; **Goldmark** *f (Hist)* gold mark.

Goldmedaille *f* gold medal.

Goldmedaillengewinner(in *f) m* gold medallist.

Goldmine *f* gold mine; **Goldmundstück** *nt* gold tip; **Goldpapier** *nt* gold foil; **Goldprobe** *f* assay (for gold); **Goldrahmen** *m* gilt frame; **Goldrand** *m* gold edge; **mit ~ with** a gold edge; **Goldrausch** *m* gold fever; **Goldregen** *m (Bot)* laburnum; *(Feuerwerkskörper)* Roman candle; *(fig)* riches *pl*; **Goldreif** *m (geh)* circlet of gold; *(Ring)* gold ring; *(Armband)* gold bracelet; **Goldreserve** *f (Fin)* gold reserves *pl*; **goldrichtig** *adj (inf)* absolutely *or* dead *(inf)* right; *Mensch* all right *(inf)*; **Goldschatz** *m* golden treasure; *(von Geld)* hoard of gold; *(Kosewort)* treasure.

Goldschmied(in *f) m* goldsmith.

Goldschmiedearbeit *f (Handwerk)* gold work; *(Gegenstand)* worked gold article; **Goldschmiedehandwerk** *nt*, **Gold-**

schmiedekunst f gold work.
Goldschnitt m, no pl gilt edging; **Goldschnittausgabe** f gilt-edged edition; **Goldschrift** f gold lettering; **Goldstück** nt piece of gold; (Münze) gold coin or piece, piece of gold (old); (fig inf) jewel, treasure; **Goldsuche** f search for gold; **Goldsucher(in** f) m gold-hunter; **Goldton** m golden colour; **Goldtresse** f gold braid; **Goldüberzug** m layer of gold plate; **Golduhr** f gold watch; **Goldvorkommen** nt gold deposit; **Goldwaage** f gold or bullion balance; **jedes Wort** or **alles auf die ~ legen** (sich vorsichtig ausdrücken) to weigh one's words; (überempfindlich sein) to be hypersensitive; **Goldwährung** f gold standard; **eine ~ a** currency on the gold standard; **Goldwaren** pl gold articles pl; **Goldwäscher** m gold panner; **Goldwert** m, no pl value in gold; (Wert des Goldes) value of gold; **Goldzahn** m gold tooth.
Golem m -s, no pl golem.
Golf¹ m -(e)s, -e (Meerbusen) gulf. **der ~ von Biskaya** the Bay of Biscay; **der (Persische) ~** the (Persian) Gulf.
Golf² nt -s, no pl (Sport) golf.
Golfer(in f) m -s, - (inf) golfer.
Golf- in cpds (Sport) golf; **Golfkrieg** m Gulf War; **Golfplatz** m golf course; **Golfrat** m (Pol) Gulf Council; **Golfschläger** m golf club; **Golfspieler(in** f) m golfer; **Golfstaaten** pl **die ~** the Gulf States pl; **Golfstrom** m (Geog) Gulf Stream; **Golftasche** f golf bag, caddie.
Golgatha ['gɔlgata] nt -s (Bibl) Golgotha.
Goliath ['goːliat] m -s, -s (Bibl, fig) Goliath.
Gonade f (Biol) gonad.
Gondel f -, -n gondola; (von Sessellift auch) (cable-)car.
Gondelbahn f cable railway; **Gondelfahrt** f trip in a gondola.
gondeln vi aux sein to travel by gondola; (Gondelführer) to punt; (inf) (reisen) to travel around; (herumfahren) to drive around. **durch die Welt ~** to go globetrotting (inf).
Gondoliere [gɔndoˈliːrə] m -, **Gondolieri** gondolier.
Gong m -s, -s gong; (bei Boxkampf etc) bell. **der ~ zur dritten Runde** the bell for the third round.
gongen I vi impers **es hat gegongt** the gong has gone or sounded. II vi to ring or sound a/the gong.
Gongschlag m stroke of the gong.
gönnen vt jdm etw ~ not to (be)grudge sb sth; (zuteil werden lassen) to grant or allow sb sth; **jdm etw nicht ~** to (be)grudge sb sth, not to grant or allow sb sth; **sich** (dat) **etw ~** to allow oneself sth; **jdm ~, daß ...** not to (be)grudge sb the fact that ...; **er gönnte mir keinen Blick** he didn't spare me a single glance; **er gönnt ihr nicht die Luft zum Atmen** he (be)grudges her the very air she breathes; **ich gönne ihm diesen Erfolg von ganzem Herzen** I'm delighted for

him that he's had this success; **das sei ihm gegönnt** I don't (be)grudge him that.
Gönner(in f) m -s, - patron.
gönnerhaft adj (pej) patronizing; **~ tun** to play the big benefactor; **Gönnerhaftigkeit** f (pej) patronizingness; **seine ~** his patronizing(ness); **Gönnermiene** f (pej) patronizing air; **Gönnerschaft** f (Förderung) patronage.
Gonorrhö(e) [gɔnɔˈrøː] f -, -en (Med) gonorrhoea.
Goodwill ['gʊdˌwɪl] m -s, no pl (auch Econ) goodwill, good will.
Goodwillreise f goodwill journey or trip.
gor pret of gären.
Gör nt -(e)s, -en (N Ger inf) 1. (kleines Kind) brat (pej inf), kid (inf). 2. siehe **Göre.**
gordisch adj **der G~e Knoten** (Myth) the Gordian knot.
Göre f -, -n (N Ger inf) 1. (kleines Mädchen) (cheeky or saucy) little miss. 2. siehe Gör 1.
Gorilla m -s, -s gorilla; (sl: Leibwächter auch) heavy (sl).
Gosche f -, -n, **Goschen** f -, - (S Ger, Aus: pej) gob (sl), mouth. **eine freche ~ haben** to have the cheek of the devil (inf); **halt die ~!** shut your mouth or gob (sl) or trap (inf).
Gospel ['gɔspl] nt or m -s, -s, **Gospelsong** m gospel song.
goß pret of gießen.
Gosse f -, -n 1. (Rinnstein) gutter; (rare: Abfluß, Gully) drain. 2. (fig) gutter. **in der ~ enden** or **landen** to end up in the gutter; **jdn aus der ~ holen** or **ziehen** to take sb from or pull sb out of the gutter; **jdn** or **jds Namen durch die ~ ziehen** or **schleifen** to drag sb's name through the mud.
Gossenausdruck m vulgarity; **Gossenjargon** m, **Gossensprache** f gutter language, language of the gutter.
Gote m -n, -n Goth.
Göteborg nt -s Gothenburg.
Gotha m -s, -s directory of the European nobility, ≃ Debrett's (Peerage) (Brit).
Gotik f -, no pl (Art) Gothic (style); (gotische Epoche) Gothic period. **ein Meisterwerk der ~** a masterpiece of Gothic architecture etc; **typisch für die ~** typical of Gothic.
Gotin f Goth.
gotisch adj Gothic. **~e Schrift** (Typ) Gothic (script).
Gott m -es, ⁻er 1. god; (als Name) God. **~ der Herr** the Lord God; **~ (der) Vater** God the Father; **~ der Allmächtige** Almighty God, God (the) Almighty; **der liebe ~** (dated) the good or dear Lord; **an ~ glauben** to believe in God; **zu ~ beten** or **flehen** (liter) to pray to God; **er ist ihr ~** she worships him like a god; **bei ~ schwören** to swear by Almighty God.
2. in ~ entschlafen (liter) to pass away or on; **dein Schicksal liegt in ~es Hand** you are or your fate is in God's hands; **dem lieben ~ den Tag stehlen** to laze the day(s) away; **den lieben ~ einen guten** or **frommen Mann sein lassen** (inf) to take

things as they come; ~ **ist mein Zeuge** (*liter*) as God is my witness; **wie ~ ihn geschaffen hat** (*hum inf*) as naked as the day (that) he was born; **ein Anblick** *or* **Bild für die ~er** (*hum inf*) a sight for sore eyes; **das wissen die ~er** (*inf*) heaven *or* God (only) knows; **er hat ~ weiß was erzählt** (*inf*) he said God knows what (*inf*); **ich bin weiß ~ nicht prüde, aber** ... heaven *or* God knows I'm no prude but ...; **so ~ will** (*geh*) God willing, D.V.; ~ **und die Welt** (*fig*) everybody; **über ~ und die Welt reden** (*fig*) to talk about everything under the sun *or* anything and everything; **im Namen ~es** in the name of God; **leider ~es** unfortunately, alas; **was ~ tut, das ist wohlgetan** God does all things well; **~es Mühlen mahlen langsam** (*hum*) the mills of God grind slowly (but they grind exceeding fine); **ein Leben wie ~ in Frankreich führen, wie ~ in Frankreich leben** (*inf*) to be in clover *or* the lap of luxury, to live the life of Riley (*inf*); **was ~ zusammengefügt hat, soll der Mensch nicht scheiden** (*prov*) what God has joined together let no man put asunder.
    3. grüß ~! (*esp S Ger, Aus*) hello, good morning/afternoon/evening; ~ **zum Gruß!** (*old*) God be with you (*old*); ~ **sei mit dir!** (*old*) God be with you (*old*); ~ **mit dir!** (*old*) God bless you; **vergelt's ~!** (*dated*) God bless you, may you be rewarded; **wollte** *or* **gebe ~, daß** ... (*may*) God grant that ...; ~ **steh' mir bei!** God help me!; ~ **hab' ihn selig!** God have mercy on his soul; **in ~es Namen!** for heaven's *or* goodness sake!; **ach (du lieber) ~!** (*inf*) oh Lord! (*inf*), oh heavens! (*inf*); **mein ~!, ach ~!** (my) God!; (*als Leerformel in Antworten*) (oh) well, (oh) you know; **großer ~!** good Lord *or* God!; ~ **im Himmel!** (*dated*) heavens above!; **bei ~!** by God!; ~ **behüte** *or* **bewahre!, da sei ~ vor!** God *or* Heaven forbid!; **um ~es willen!** for heaven's *or* God's sake!; ~ **sei Dank!** thank God!
gottähnlich I *adj* godlike; **II** *adv* **verehren** as a god; **gottbegnadet** *adj* divinely gifted; **gottbewahre** *adv* heaven *or* God forbid.
Gott|erbarmen *nt* **zum ~** (*inf*) pitiful(ly), pathetic(ally) (*inf*).
Götterbild *nt* idol; **Götterbote** *m* (*Myth*) messenger of the gods; **Götterdämmerung** *f* götterdämmerung, twilight of the gods; **Göttergatte** *m* (*dated hum*) lord and master (*hum*), better half (*inf*).
gottergeben *adj* (*demütig*) meek; (*fromm*) pious.
göttergleich *adj* godlike; **Göttersage** *f* myth about the gods/a god; (*als Literaturform*) mythology of the gods; **Götterspeise** *f* (*Myth*) food of the gods; (*Cook*) jelly (*Brit*), jello (*US*); **Göttertrank** *m* (*Myth*) drink of the gods; **Göttervater** *m* (*Myth*) father of the gods.
Gottesacker *m* (*old*) God's acre; **Gottesanbeterin** *f* (*Zool*) praying man-

tis; **Gottesbegriff** *m* conception of God; **Gottesbeweis** *m* proof of the existence of God; **der ontologische ~** the ontological argument.
Gottesdienst *m* **1.** (*Gottesverehrung*) worship. **2.** (*Eccl*) service. **zum ~ gehen** to go to church; **dem ~ beiwohnen** (*form*) to attend church.
Gottesdienstbesuch *m* church attendance.
Gottesfriede *m* (*Hist*) (*Pax Dei*) Peace of God; (*Treuga Dei*) Truce of God; **Gottesfurcht** *f* (*geh*) fear of God; **gottesfürchtig** *adj* godfearing; **Gottesgabe** *f* of *or* from God; **Gottesgericht** *nt* **1.** punishment of God; **2.** (*Hist*) *siehe* **Gottesurteil**; **Gotteshaus** *nt* place of worship; **Gotteslamm** *nt* (*Rel*) Lamb of God; **Gotteslästerer** *m* blasphemer; **gotteslästerlich** *adj* blasphemous; **Gotteslästerung** *f* blasphemy; **Gotteslohn** *m*, *no pl* (*old*) reward from God; **etw für einen ~ tun** to do sth for love; **Gottesmann** *m*, *pl* -**männer** (*old, iro*) man of God; **Gottesmutter** *f* (*Rel*) Mother of God; **Maria, die ~** Mary (the) Mother of God; **Gottessohn** *m* (*Rel*) Son of God; **Gottesstaat** *m* theocracy; **Augustins ,,~"** Augustine's "City of God"; **Gottesurteil** *nt* (*Hist*) trial by ordeal.
gottgefällig *adj* (*old*) godly *no adv*, pleasing in the sight of God (*form*); **gottgegeben** *adj* god-given; **gottgesandt** *adj* (*old, liter*) sent from God; **gottgeweiht** *adj* (*liter*) dedicated to God; **gottgewollt** *adj* willed by God; **gottgläubig** *adj* religious; (*NS*) non-denominational.
Gottheit *f* **1.** *no pl* (*Göttlichkeit*) divinity, godhood, godship. **die ~** (*Gott*) the Godhead. **2.** (*esp heidnische Göttergestalt*) **jdn wie eine ~ verehren** to worship sb like a god.
Göttin *f* goddess.
göttlich *adj* (*lit, fig*) divine.
Göttlichkeit *f*, *no pl* divinity.
gottlob *interj* thank God *or* heavens *or* goodness; **er ist ~ wieder gesund** he has recovered now thank God *or* heavens *or* goodness; **gottlos** *adj* godless; (*verwerflich*) ungodly; **Gottlosigkeit** *f*, *no pl* godlessness.
gotterbärmlich *adj* (*inf*) dreadful, godawful (*sl*); **Gottsoberste(r)** *m decl as adj* (*Aus iro*) his lordship (*iro*), my noble lord (*iro*); **die Gottesobersten** the noble lords.
Gottsucher(in *f*) *m* seeker after God; **Gottvater** *m*, *no pl* God the Father; **gottverdammt, gottverflucht** *adj attr* (*sl*) goddamn(ed) (*sl*), damn(ed) (*inf*), bloody (*Brit sl*); **gottverlassen** *adj* godforsaken; **Gottvertrauen** *nt* trust *or* faith in God.
Götze *m* -**n**, -**n** (*lit, fig*) idol.
Götzenbild *nt* idol, graven image (*Bibl*); **Götzendiener** *m* idolater; (*fig*) worshipper; **Götzendienerin** *f* idolatress; (*fig*) worshipper; **Götzendienst, Götzenglaube** *m*, **Götzenverehrung** *f*

idolatry.

Götzzitat nt das ~ (euph) ≃ the V-sign (Brit), the finger (US).

Gouache [gua(:)ʃ] f -, -n (Art) gouache.

Gourmand [gʊr'mã:] m -s, -s glutton, gourmand.

Gourmet [gʊr'mɛ, -'me:] m -s, -s gourmet.

goutieren* [gu'ti:rən] vt (geh) (fig) (Gefallen finden an) to appreciate; (gutheißen) to approve (of).

Gouvernante [guvɛr'nantə] f -, -n governess; (pej) schoolmarm.

gouvernantenhaft [guvɛr'nantən-] adj schoolmarmish.

Gouvernement [guvɛrnə'mã:] nt -s, -s 1. (Hist) (Regierung) government; (Verwaltung) administration. 2. province.

Gouverneur(in f) [guvɛr'nø:ɐ, -'nø:rɪn] m governor.

Grab nt -(e)s, ⁻er grave; (Gruft) tomb, sepulchre; (fig: Untergang) end, ruination. das Heilige ~ the Holy Sepulchre; jdn zu ~e tragen to bear sb to his grave; ins ~ sinken (old liter) to be laid in the earth (liter); ein frühes ~ finden (geh) to go to an early grave; ein ~ in fremder Erde finden (geh) to be buried in foreign soil; ein feuchtes or nasses ~ finden, sein ~ in den Wellen finden (liter) to go to a watery grave, to meet a watery end; ein Geheimnis mit ins ~ nehmen to take a secret with one to the grave; treu bis ans ~ faithful to the grave, faithful unto death (liter); (bis) über das ~ hinaus in death, beyond the grave; verschwiegen wie ein or das ~ (as) silent as the grave; er würde sich im ~e umdrehen, wenn ... he would turn in his grave if ...; du bringst mich noch ins ~ or an den Rand des ~es! you'll be the death of me yet (inf), you'll send me to an early grave; mit einem Bein or Fuß im ~e stehen (fig) to have one foot in the grave; sich (dat) selbst sein or sich (dat) sein eigenes ~ graben or schaufeln (fig) to dig one's own grave; seine Hoffnungen zu ~e tragen (geh) to abandon or bury one's hopes.

Grabbeigabe f (Archeol) burial object.

grabbeln vi (inf) to grope about, to rummage (about).

Grabbeltisch m (inf) cheap goods table or counter.

Grabdenkmal nt siehe Grabmal.

graben pret **grub**, ptp **gegraben** I vti 1. to dig; Torf to cut; Kohle to mine. seine Zähne in etw (acc) ~ to sink or bury one's teeth into sth; nach Gold/Erz ~ to dig for gold/ore.

2. (geh: gravieren, einkerben) to engrave.

II vr sich in etw (acc) ~ (Zähnen, Krallen) to sink into sth; das hat sich mir tief ins Gedächtnis gegraben (geh) it has imprinted itself firmly on my memory; siehe Grube.

Graben m -s, ⁻ ditch; (trockener ~, Mil) trench; (Sport) ditch; (Sport: Wasser~) water-jump; (Burg~) moat; (Geol) rift (valley), graben (spec). im ~ liegen (Mil) to be in the trenches.

Grabenkampf, Grabenkrieg m (Mil) trench warfare no pl, no indef art; **Grabensenke** f (rift) valley, graben (spec).

Gräber pl of **Grab**.

Gräberfeld nt cemetery, burial ground; **Gräberfund** m grave find.

Grabes- (liter): **Grabesdunkel** nt sepulchral darkness; **Grabeskälte** f grave-like cold; **Grabesrand** m: am ~ on the very brink of the grave; **Grabesruhe, Grabesstille** f deathly hush or silence; **Grabesstimme** f sepulchral voice.

Grabgeleit nt (geh) jdm das ~ geben to accompany or follow sb's coffin; **Grabgesang** m 1. funeral hymn, dirge; 2. (fig) der ~ einer Sache (gen) sein to sound the death knell for sth; **Grabgewölbe** nt vault; (von Kirche, Dom) crypt; **Grabhügel** m mound (over a grave); (Archeol) barrow, tumulus (form); **Grabinschrift** f epitaph, inscription (on gravestone); **Grabkammer** f burial chamber; **Grabkreuz** nt (cross-shaped) gravestone, cross; **Grablegung** f burial, interment.

Grablicht nt candle (on a grave); **Grabmal** nt -s, -mäler or (geh) -e monument; (Grabstein) gravestone; **das Grab(mal) des Unbekannten Soldaten** the tomb of the Unknown Warrior or Soldier; **Grabnische** f burial niche; **Grabpflege** f care of the grave(s)/of graves; **Grabplatte** f memorial slab; **Grabrede** f funeral oration; **Grabschänder(in** f) m -s, - defiler of the grave(s)/of graves; **Grabschändung** f defilement of graves.

grabschen vti siehe **grapschen.**

Grabschmuck m flowers/wreaths pl etc (on a grave); **Grabspruch** m epitaph, inscription (on a grave); **Grabstätte** f grave; (Gruft) tomb, sepulchre; **Grabstein** m gravestone, tombstone; **Grabstelle** f (burial) plot; **Grabstichel** m (Art) burin.

Grabung f (Archeol) excavation.

Graburne f funeral urn; **Grabwerkzeug** nt (Zool) claw.

Gracht f -, -en canal.

Grad m -(e)s, -e (Sci, Univ, fig) degree; (Mil) rank; (Typ: Schrift~) size. ein Winkel von 45 ~ an angle of 45 degrees, a 45-degree angle; unterm 32. ~ nördlicher Breite latitude 32 degrees north; 4 ~ Kälte 4 degrees below zero or freezing point, 4 degrees below; 4 ~ Wärme 4 degrees above zero or freezing point; 20° (gesprochen: ~) Fahrenheit/ Celsius 20 (degrees) Fahrenheit/ Centigrade; um 5 ~ wärmer sein to be 5 degrees warmer; null ~ zero; Wasser auf 80 ~ erhitzen to heat water to 80 degrees; es kocht bei 100 ~ boiling occurs at 100 degrees; in ~e einteilen to calibrate, to graduate; Verwandte zweiten/ dritten ~es a relative once/twice removed; Verbrennungen ersten ~es (Med) first-degree burns; bis zu einem gewissen ~e up to a certain point, to a certain degree; in hohem ~(e) to a great *or* large extent; **im höchsten ~(e)** extremely.

grad- *siehe* **gerade-**.

Gradation *f* gradation.

Gradbogen *m* (*Surv, Mil*) quadrant; **Gradeinteilung** *f* calibration, graduation.

Gradient [gra'dient] *m* (*Sci*) gradient.

gradieren* *vt* **1.** (*in Grade einteilen*) to calibrate, to graduate. **2.** (*abstufen*) to grade.

Gradkreis *m* (*Math*) graduated circle; **Gradmesser** *m* -s, - (*fig*) gauge (*gen, für* of); **Gradnetz** *nt* (*Geog*) latitude and longitude grid.

graduell *adj* (*allmählich*) gradual; (*gering*) slight.

graduieren* **I** *vt* **1.** (*in Grade einteilen*) to calibrate, to graduate. **2.** (*Univ*) to confer a degree upon, to graduate. **graduierter Ingenieur** *engineer with the diploma of a School of Engineering*, engineering graduate. **II** *vi* (*Univ*) to graduate.

Graduierte(r) *mf decl as adj* graduate.

Graduierung *f* (*Univ*) graduation.

gradweise *adj* by degrees.

Graecum ['grɛːkʊm] *nt* -s, *no pl* (*Univ, Sch*) examination in Greek.

Graf *m* **-en, -en** count; (*als Titel*) Count; (*britischer ~*) earl; (*als Titel*) Earl. **~ Koks** *or* **Rotz** (*inf*) Lord Muck (*hum inf*).

Grafengeschlecht *nt* family of counts/ earls; **Grafenkrone** *f* (count's/earl's) coronet; **Grafenstand** *m* (*Hist*) (*Rang*) rank of count; earldom; (*Gesamtheit der Grafen*) counts/earls *pl*; **jdn in den ~ erheben** to confer the rank of count/earl upon sb, to make sb a count/bestow an earldom upon sb.

Graffiti *nt* -s, -s graffiti.

Graffito *m* *or* *nt* -(s), **Graffiti** (*Art*) graffito.

Grafik *f* **1.** *no pl* (*Art*) graphic arts *pl*; (*Technik*) graphics *sing*; (*Entwurf*) design. **2.** (*Art: Darstellung*) graphic; (*Druck*) print; (*Schaubild*) illustration; (*technisches Schaubild*) diagram.

Grafikbildschirm *m* (*Comput*) graphics monitor; **Grafikdrucker** *m* graphics printer.

Grafiker(in *f***)** *m* -s, - graphic artist; (*Illustrator*) illustrator; (*Gestalter*) (graphic) designer.

Grafik- (*Comput*): **grafikfähig** *adj* **~ sein** to be able to do graphics; **Grafikkarte** *f* graphics card; **Grafikmöglichkeit** *f* graphics *pl*; **grafikorientiert** *adj* graphics-orientated.

Gräfin *f* countess.

grafisch *adj* graphic; (*schematisch*) diagrammatic, schematic. **~es Gewerbe** graphic trades *pl*.

gräflich *adj* count's/earl's. **das ~e Schloß** the count's/earl's castle; **ein ~er Diener** one of the count's/earl's servants.

Grafschaft *f* land of a count; earldom; (*Admin*) county.

Grahambrot *nt* (type of) wholemeal bread.

Gral *m* -s, *no pl* (*Liter*) **der (Heilige) ~** the

(Holy) Grail.

Grals- *in cpds* of the (Holy) Grail; **Gralshüter(in** *f***)** *m* (*lit*) keeper of the (Holy) Grail; (*fig*) guardian.

Gram *m* -(e)s, *no pl* (*geh*) grief, sorrow. **vom** *or* **von ~ gebeugt** bowed down with grief *or* sorrow.

gram *adj pred* (*geh*) **jdm ~ sein** to bear sb ill-will.

grämen **I** *vr* **sich über jdn/etw ~** to grieve over sb/sth; **sich zu Tode ~** to die of grief *or* sorrow. **II** *vt* to grieve.

gram|erfüllt *adj* (*geh*) grief-stricken, woebegone.

Gram-Färbung *f* (*Med*) Gram's method.

gramgebeugt *adj* (*geh*) bowed down with grief *or* sorrow.

grämlich *adj* morose, sullen; *Gedanken* morose.

Gramm *nt* -s, -e *or* (*nach Zahlenangabe*) - gram(me). **100 ~ Mehl** 100 gram(me)s of flour.

Grammatik *f* grammar; (*~buch*) grammar (book).

grammatikalisch *adj* grammatical.

Grammatiker(in *f***)** *m* -s, - grammarian.

Grammatikregel *f* grammatical rule.

grammatisch *adj* grammatical.

Gramm|atom *nt* gram(me) atom.

Grammel *f* -, **-n** (*S Ger, Aus: Cook*) *siehe* **Griebe**.

Grammolekül *nt* getrennt: **Gramm-molekül** gram(me) molecule.

Grammophon ® [gramo'foːn] *nt* -s, -e (*dated*) gramophone (*dated*), phonograph.

gram- (*Med*): **gramnegativ** *adj* Gram-negative; **grampositiv** *adj* Gram-positive.

gramvoll *adj* grief-stricken, sorrowful.

Gran *nt* -(e)s, -e *or* (*nach Zahlenangabe*) - (*old*) **1.** (*Apothekergewicht*) grain. **2.** (*auch Grän: Edelmetallgewicht*) grain.

Granat *m* -(e)s, -e *or* (*Aus*) **-en 1.** (*Miner*) garnet. **2.** (*N Ger: Garnele*) shrimp.

Granatapfel *m* pomegranate.

Granate *f* -, **-n** (*Mil*) (*Geschoß*) shell; (*Hand~*) grenade; (*Ftbl sl: Schuß aufs Tor*) cannonball (*inf*). **voll wie eine ~** (*sl*) absolutely plastered (*sl*), smashed out of one's mind (*sl*).

Granatfeuer *nt* shelling, shellfire; **Granatsplitter** *m* shell/grenade splinter; **Granatwerfer** *m* mortar.

Grand [grãː] *m* -s, -s (*Cards*) grand. **~ ouvert** open grand; **~ Hand** grand solo.

Grande *m* -n, -n grandee.

Grandeur [grã'døːɐ] *f* -, *no pl* (*geh*) grandeur.

Grandezza *f* -, *no pl* grandeur.

grandios *adj* magnificent, superb; (*hum*) fantastic (*inf*), terrific (*inf*).

Grandiosität *f* magnificence.

Grand Prix [grã'priː] *m* - -, - - Grand Prix.

Grandseigneur [grãsɛn'jøːɐ] *m* -s, -s *or* -e (*geh*) nobleman.

Granit *m* -s, -e granite. **auf ~ beißen** (**bei ...**) to bang one's head against a brick wall (with ...).

graniten *adj attr* granite, granitic (*spec*); (*fig*) rigid.

Granne *f* -, **-n 1.** (*Ährenborste*) awn,

beard. 2. (*bei Tieren*) long coarse hair.

Grant *m* -s, *no pl* (*inf: S Ger, Aus*) **einen ~ haben** to be mad (*inf*) *or* cross (*wegen* about, *auf jdn* at sb).

grantig *adj* (*inf*) grumpy.

Granulat *nt* granules *pl.*

granulieren* *vti* to granulate.

Grapefruit ['greːpfruːt] *f* -, -s grapefruit.

Graph¹ *m* -en, -en *(Sci)* graph.

Graph² *nt* -s, -e *(Ling)* graph.

Graphem *nt* -s, -e *(Ling)* grapheme.

Graphie *f (Ling)* written form.

Graphik *siehe* **Grafik**.

graphisch *siehe* **grafisch**.

Graphit *m* -s, -e graphite.

graphitgrau *adj* dark grey; **Graphitstift** *m* lead pencil.

Graphologe *m*, **Graphologin** *f* graphologist; **Graphologie** *f* graphology.

grapschen (*inf*) **I** *vt* (**sich** *dat*) **etw ~** to grab sth; (*S Ger, Aus hum: stehlen*) to pinch (*inf*) *or* swipe (*inf*) sth. **II** *vi* **nach etw ~** to make a grab at sth.

Gras *nt* -es, *͟e*r grass. **ins ~ beißen** (*inf*) to bite the dust (*inf*); **das ~ wachsen hören** to be highly perceptive, to have a sixth sense; (*zuviel hineindeuten*) to read too much into things; **über etw** (*acc*) **~ wachsen lassen** (*fig*) to let the dust settle on sth; **wo er zuschlägt, wächst kein ~ mehr** (*inf*) he packs quite a punch; **wo er hinlangt, da wächst kein ~ mehr** once he gets his hands on something you'll never recognize it any more.

grasbewachsen *adj* grassy, grass-covered; **Grasbüschel** *nt* tuft of grass.

grasen *vi* to graze.

Grasfläche *f* grassland; (*Rasen*) piece *or* patch of grass; **Grasfleck** *m* **1.** grassy spot; **2.** (*auf Kleidern*) grass stain; **Grasfrosch** *m* grass frog; **grasgrün** *adj* grass-green; **Grashalm** *m* blade of grass; **Grashüpfer** *m* -s, - (*inf*) grasshopper.

grasig *adj* grassy.

Grasland *nt*, *no pl* grassland; **Grasmücke** *f* (*Orn*) warbler; **Grasnarbe** *f* turf; **Grasnelke** *f (Bot)* thrift; **Graspflanze** *f* grass *or* graminaceous (*form*) plant.

Grass *nt* -, *no pl* (*sl*) grass (*sl*).

Grassamen *m* grass seed.

grassieren* *vi* to be rife; (*Krankheit auch*) to be rampant, to rage.

gräßlich *adj* **1.** hideous, horrible; *Verbrechen auch* heinous, abominable. **2.** (*intensiv, unangenehm*) terrible, dreadful, awful; *Mensch* horrible, awful. **~ müde** terribly *or* dreadfully *or* awfully tired.

Gräßlichkeit *f* **1.** *siehe adj* **1.** hideousness, horribleness; heinousness. **2.** (*gräßliche Tat*) atrocity.

Grassteppe *f* savanna(h); **Grasstreifen** *m* strip of grass, grassy strip; **Grasteppich** *m* (*geh*) sward *no indef art, no pl* (*liter*); **Graswuchs** *m* grass; **grasüberwachsen, grasüberwuchert** *adj* overgrown with grass.

Grat *m* -(e)s, -e (*Berg~*) ridge; (*Tech*) burr; (*Archit*) hip (*of roof*); (*fig*) (dividing) line, border.

Gräte *f* -, -n (fish-)bone. **sich** (*dat*) **die ~n brechen** (*sl*) fig: to get (badly) smashed up

(*inf*); **ich brech' dir alle ~n einzeln!** (*sl*) I'll break every bone in your body.

Gratifikation *f* bonus.

gratinieren* *vt* (*Cook*) to brown (the top of). **gratinierte Zwiebelsuppe** onion soup au gratin.

gratis *adv* free; (*Comm*) free (of charge). **~ und franko** (*dated*) free of charge.

Gratis *in cpds* free; **Gratisaktie** *f* bonus share; **Gratisprobe** *f* free sample.

Grätsche *f* -, -n (*Sport*) straddle.

grätschen **I** *vi* *aux sein* to do a straddle (vault). **II** *vt* **Beine** to straddle, to put apart.

Grätschsitz *m* straddle position; **Grätschsprung** *m* straddle vault; **Grätschstellung** *f* straddle (position).

Gratulant(in *f*) *m* well-wisher. **er war der erste ~** he was the first to offer his congratulations.

Gratulation *f* congratulations *pl*. **zur ~ bei jdm erscheinen** to call on sb to congratulate him/her.

Gratulationscour [-kuːɐ] *f* congratulatory reception; **Gratulationskarte** *f* congratulations card.

gratulieren* *vi* **jdm (zu einer Sache) ~** to congratulate sb (on sth); **jdm zum Geburtstag ~** to wish sb many happy returns (of the day); **(ich) gratuliere!** congratulations!; **Sie können sich** (*dat*) **~, daß alles gutgegangen ist** you can count yourself lucky that everything went off all right.

Gratwanderung *f* (*lit*) ridge walk; (*fig*) tightrope walk.

grau *adj* grey, gray (*esp US*); **Gesicht(sfarbe)** *auch* ashen; (*trostlos*) gloomy, dark, bleak. **~e Haare bekommen, ~ werden** (*inf*) to go grey; **der Himmel** *or* **es sieht ~ in ~ aus** the sky *or* it is looking very grey; **er malte die Lage ~ in ~** (*fig*) he painted a gloomy *or* dark *or* bleak picture of the situation; **~e Eminenz** éminence grise; **der ~e Markt** (*Comm*) the grey market; **die (kleinen) ~n Zellen** (*hum*) the little grey cells; **die ~e Substanz** (*Anat*) the grey matter; **der ~e Alltag** dull *or* drab reality, the daily round *or* grind; **in ~er Vorzeit** (*fig*) in the dim and distant *or* the misty past; **das liegt in ~er Ferne** (*fig*) it's in the dim and distant *or* distant future; **~ ist alle Theorie** (*prov*) theory is no use without practice; **das ist bloß ~e Theorie** that's all very well in theory; **G~e Panther** Gray Panthers (*US*), senior citizens' action group.

Grau *nt* -s, -(s) grey; (*fig*) dullness, drabness.

grauäugig *adj* grey-eyed; **graublau** *adj* grey-blue; **Graubrot** *nt siehe* **Mischbrot**.

Graubünden *nt* -s (*Geog*) the Grisons.

Graubündner(in *f*) *m* -s, - inhabitant of the Grisons.

grauen¹ *vi* (*geh: Tag*) to dawn. **es begann zu ~** dawn began to break.

grauen² *vi impers* **mir graut vor** *or* **es graut mir vor etw** (*dat*) I dread sth; **mir graut vor ihm** I'm terrified of him.

Grauen *nt* -s, *no pl* **1.** horror (*vor* of). **mich überlief ein ~** I shuddered with horror. **2.** (*grauenhaftes Ereignis*) horror.

grauenerregend, grauenhaft, grauenvoll *adj* terrible, atrocious; *Schmerz auch* gruesome.

Graugans *f* grey(lag) goose; **graugrün** *adj* grey-green; **grauhaarig** *adj* grey-haired; **Grauhörnchen** *nt* (*Zool*) grey squirrel; **Graukopf** *m* (*fig*) grey-haired man/woman.

graulen (*inf*) **I** *vi impers* **davor grault mir** I dread it; **mir grault vor ihm** I'm scared *or* frightened of him. **II** *vr* **sich vor jdm/etw ~** to be scared *or* frightened of sb/sth. **III** *vt* to drive out (*aus* of).

graulich, gräulich *adj* greyish.

graumeliert *adj attr* flecked with grey; *Haar auch* greying.

Graupe *f* -, -n grain of pearl barley. **~n** pearl barley *sing*.

Graupel *f* -, -n (small) hailstone. **~n** soft hail *sing*, graupel *sing* (*spec*).

graup(e)lig *adj Schauer* of soft hail. **~er Schnee** snow mixed with fine hail; **~er Hagel** soft hail.

graupeln *vi impers* **es graupelt** a soft hail is falling.

Graupelschauer *m* sleet.

Graupensuppe *f* barley broth *or* soup.

Graus *m* -es, *no pl* (*old*) horror. **es ist ein ~ mit ihm** he's impossible *or* the limit, will he never learn!

grausam *adj* **1.** (*gefühllos, roh*) cruel (*gegen, zu* to). **~ ums Leben kommen** to die a cruel death; **sich ~ für etw rächen** to take (a) cruel revenge for sth. **2.** (*inf*) terrible, awful, dreadful.

Grausamkeit *f* **1.** *no pl* cruelty. **2.** (*grausame Tat*) (act of) cruelty; (*stärker*) atrocity.

Grauschimmel *m* **1.** (*Pferd*) grey (horse); **2.** (*Pilz*) grey mould; **Grauschleier** *m* (*von Wäsche*) grey(ness); (*fig*) veil; **grauschwarz** *adj* greyish black.

grausen *vi impers siehe* grauen[2].

Grausen *nt* -s, *no pl* **1.** *siehe* Grauen **1.** **2.** (*inf*) **da kann man das große *or* kalte ~ kriegen** it's enough to give you the creeps (*inf*) *or* willies (*sl*).

grausig *adj siehe* grauenhaft.

grauslich *adj* (*dial*) *siehe* gräßlich.

Grauspecht *m* grey-headed woodpecker; **Grautier** *nt* (*hum inf*) (jack)ass, donkey, mule; **Grauton** *m* grey colour; **grauweiß** *adj* greyish white; **Grauzone** *f* (*fig*) grey area.

Graveur(in *f)* [gra'vøːʁ, -øːrın] *m* engraver.

Gravier- [gra'viːɐ-]: **Gravieranstalt** *f* engraving establishment; **Gravierarbeit** *f* engraving.

gravieren* [gra'viːrən] *vt* to engrave.

gravierend [gra'viːrənt] *adj* serious, grave.

Gravier- [gra'viːɐ-]: **Graviermaschine** *f* engraving machine; **Graviernadel** *f* graver, burin.

Gravierung [gra'viːrʊŋ] *f* engraving.

Gravimetrie [gravime'triː] *f* gravimetry.

gravimetrisch [gravi-] *adj* gravimetric.

Gravis ['graːvɪs] *m* -, - (*Gram*) grave accent.

Gravitation [gravita'tsioːn] *f* gravitation, gravitational pull.

Gravitationsfeld *nt* gravitational field; **Gravitationsgesetz** *nt* law of gravitation/gravity; **Gravitationskraft** *f* gravitational force.

gravitätisch [gravi'tɛːtıʃ] *adj* grave, solemn.

gravitieren* [gravi'tiːrən] *vi* (*Phys, fig*) to gravitate (*zu* towards).

Gravur [gra'vuːɐ], **Gravüre** [gra'vyːrə] *f* engraving.

Grazie [-iə] *f* **1.** (*Myth*) Grace; (*hum*) beauty, belle. **2.** *no pl* (*Liebreiz*) grace (fulness).

grazil *adj* (delicately) slender, gracile (*liter*); (*rare: geschmeidig*) nimble. **~ gebaut sein** to have a delicate figure.

graziös *adj* graceful; (*lieblich*) charming.

Gräzismus *m* (*Ling*) Graecism.

Gräzist(in *f)* *m* Greek scholar, Hellenist.

Gräzistik *f* Greek studies *pl*.

Greenpeace ['griːnpiːs] *no art* Greenpeace.

Greenpeacer(in *f)* ['griːnpiːsɐ, -ərɪn] *m* - **s**, - (*inf*) member of Greenpeace.

Greenwich-Zeit ['grɪnɪdʒ-, -ɪtʃ-], **Greenwicher Zeit** ['grɪnɪdʒɐ-] *f* (*die*) ~ GMT, Greenwich Mean Time.

Gregor *m* -s Gregory.

Gregorianik *f* Gregorian music.

gregorianisch *adj* Gregorian. **G~er Gesang** Gregorian chant, plainsong.

Greif *m* -(e)s, *or* -en, -e(n) (*Myth*) (*Vogel*) ~ griffin, griffon, gryphon.

Greifarm *m* claw arm; **Greifbagger** *m* grab dredger; **greifbar** *adj* (*konkret*) tangible, concrete; (*erreichbar*) available; *Ware* available, in stock *pred*; **~e Gestalt** *or* **~e Formen annehmen** to take on (a) concrete *or* tangible form; **~ nahe, in ~er Nähe** within reach.

greifen *pret* **griff**, *ptp* **gegriffen** **I** *vt* **1.** (*nehmen, packen*) to take hold of, to grasp; (*grapschen*) to seize, to grab; *Saite* to stop, to hold down; *Akkord* to strike. **eine Oktave ~** to stretch *or* reach an octave; **diese Zahl ist zu hoch/zu niedrig gegriffen** (*fig*) this figure is too high/low; **zum G~ nahe sein** (*Sieg*) to be within reach; (*Folgerung*) to be obvious (to anyone); **die Gipfel waren zum G~ nahe** you could almost touch the peaks; **aus dem Leben gegriffen** taken from life.

2. (*fangen*) to catch. **G~ spielen** to play catch *or* tag; **sich** (*dat*) **jdn/etw ~** to grab sb/sth; **den werde ich mir mal ~** (*inf*) I'm going to tell him a thing or two (*inf*) *or* a few home truths.

II *vi* **1.** **hinter sich** (*acc*) **~** to reach behind one; **um sich ~** (*fig*) to spread, to gain ground; **unter etw** (*acc*) **~** to reach under sth; **in etw** (*acc*) **~** to put one's hand into sth, to reach into sth; **nach einer Sache ~** to reach for sth; (*um zu halten*) to clutch *or* (*hastig*) grab at sth; **an etw** (*acc*) **~** (*fassen*) to take hold of sth, to grasp sth; (*berühren*) to touch sth; **zu etw ~** (*zu Pistole*) to reach for sth; (*fig: zu Methoden, Mitteln*) to turn *or* resort to sth; **zur Flasche ~** to take *or* turn to the bottle; **tief in die Tasche ~**

(*fig*) to dig deep in one's pocket(s); **in die Saiten/Tasten** ~ to strike up a tune; **nach den Sternen** ~ to reach for the stars; **nach dem rettenden Strohhalm** ~ to clutch at a straw; **zu den Waffen** ~ to take up arms; **zum Äußersten** ~ to resort to extremes; **nach der Macht** ~ to try to seize power; **die Geschichte greift ans Herz** the story really tears *or* tugs at one's heartstrings.

2. (*nicht rutschen, einrasten*) to grip; (*fig: wirksam werden*) to take effect; (*zum Ziel/Erfolg führen*) to achieve its ends; (*zutreffen*) (*Gesetz, Vorschrift*) to apply; (*Vergleich, Unterscheidung auch*) to hold. **zu kurz** ~ to fall short.

Greifer *m* -s, - (*Tech*) grab.

Greiffuß *m* prehensile foot; **Greifreflex** *m* gripping reflex *or* response; **Greiftrupp** *m* riot squad; **Greifvogel** *m* bird of prey, raptor (*spec*); **Greifwerkzeug** *nt* prehensile organ; **Greifzirkel** *m* (outside) callipers *pl*.

greinen *vi* (*pej*) to whine, to whimper.

Greis *m* -es, -e old man. **ein neunzigjähriger** ~ an old man of ninety, a ninety-year-old man.

greis *adj* aged; (*ehrwürdig*) venerable; (*altersgrau*) grey, hoary (*liter, hum*). **sein** ~**es Haupt schütteln** (*usu iro*) to shake one's wise old head.

Greisenalter *nt* extreme old age; **greisenhaft** *adj* very old, aged *attr*; (*von jüngerem Menschen*) like an old man/ woman; **Greisenhaftigkeit** *f* extreme old age; **Greisenhaupt** *nt* (*geh*) hoary head; (*iro*) wise old head.

Greisin *f* old lady; *siehe* **Greis**.

grell *adj Stimme, Schrei, Ton* shrill, piercing; *Licht, Sonne* glaring, dazzling; *Farbe* garish, gaudy, loud; *Kleidung, Mode* loud, flashy; *Gegensatz* sharp; (*stärker*) glaring; (*fig*) *Inszenierung, Szene* lurid. ~ **gegen etw** (*acc*) **abstechen** to contrast very sharply with sth.

grellbeleuchtet *adj attr* dazzlingly bright; **grellbunt** *adj* gaudily coloured.

Grellheit *f siehe adj* shrillness; glare, dazzling brightness; garishness, gaudiness; loudness, flashiness.

grellrot *adj* garish *or* gaudy red. ~ **geschminkt** painted a garish *or* gaudy red.

Gremium *nt* body; (*Ausschuß*) committee.

Grenadier *m* -s, -e (*Mil*) **1.** (*Hist*) grenadier. **2.** (*Infanterist*) infantryman.

Grenz- in cpds border, frontier; **Grenzabfertigung** *f* border *or* frontier clearance; **Grenzbeamte/Grenzbeamtin** *mf* border guard; **Grenzbegradigung** *f* straightening of the border/a border/borders; **Grenzbereich** *m* frontier *or* border zone *or* area; (*fig*) limits *pl*; **im** ~ **liegen** (*fig*) to lie at the limits; **Grenzbevölkerung** *f* inhabitants *pl* of the/a border zone; (*esp in unwegsamen Gebieten*) frontierspeople; **Grenzbewohner(in** *f)* *m* inhabitant of the/a border zone; (*esp in unwegsamen Gebieten*) frontiersman/-woman; **Grenzdurchbruch** *m* breaking through the/a border *or* fron-

tier.

Grenze *f* -, -n border; (*Landes*~ *auch*) frontier; (*Stadt*~, *zwischen Grundstücken*) boundary; (*fig: zwischen Begriffen*) dividing line, boundary; (*fig: äußerstes Maß, Schranke*) limits *pl*, bounds *pl*. **die** ~ **zwischen Spanien und Frankreich** the Spanish-French border *or* frontier; **die** ~ **zu Österreich** the border with Austria, the Austrian border; **über die** ~ **gehen/fahren** to cross the border; (**bis**) **zur äußersten** ~ **gehen** (*fig*) to go as far as one can; **jdm** ~**n setzen** to lay down limits for sb; **einer Sache** (*dat*) ~**n setzen** *or* **stecken** to set a limit *or* limits to sth; **keine** ~**n kennen** (*fig*) to know no bounds; **seine** ~**n kennen** to know one's limitations; **seiner Großzügigkeit sind keine** ~**n gesetzt** there is no limit to his generosity; **hart an der** ~ **des Erlaubten** bordering *or* verging on the limits of what is possible; **jdn in seine** ~**n verweisen** (*fig*) to put sb in his place; **die** ~**n einhalten** to stay within the limits; **sich in** ~**n halten** (*fig*) to be limited; **die** ~**n des Möglichen** the bounds of possibility; **die oberste/unterste** ~ (*fig*) the upper/lower limit; **die** ~**n seines Amtes überschreiten** to exceed one's office; **über die** ~**(n)** (+*gen*) **... hinaus** (*fig*) beyond the bounds of ...; **an** ~**n stoßen** (*fig*) to come up against limiting factors; **alles hat seine** ~**n** there is a limit *or* there are limits to everything.

grenzen *vi* **an etw** (*acc*) ~ (*lit*) to border (on) sth; (*fig*) to border *or* verge on sth.

grenzenlos I *adj* (*lit, fig*) boundless; **II** *adv* boundlessly; (*fig*) immensely; **Grenzenlosigkeit** *f* boundlessness; (*fig*) immensity.

Grenzer *m* -s, - (*inf*) (*Zöllner*) customs man; (*Grenzsoldat*) border *or* frontier guard; *siehe auch* **Grenzbewohner**.

Grenz- in cpds border, frontier; **Grenzfall** *m* borderline case; **Grenzfluß** *m* river forming a/the border *or* frontier; **Grenzgänger(in** *f)* *m* -s, - (*Arbeiter*) international commuter (*across a local border*); (*heimlicher* ~) illegal border *or* frontier crosser; (*Schmuggler*) smuggler; **Grenzgebiet** *nt* border *or* frontier area *or* zone; (*fig*) border(ing) area; **Grenzkonflikt** *m* border *or* frontier dispute; **Grenzland** *nt* border *or* frontier area *or* zone.

Grenzlinie *f* border, boundary; (*Sport*) line; **Grenzmark** *f* (*Hist*) border *or* frontier area *or* zone; **grenznah** *adj* close to the border *or* frontier; **Grenznutzen** *m* (*Econ*) marginal utility; **Grenzpfahl** *m* boundary post; **Grenzpolizei** *f* border *or* frontier police; **Grenzposten** *m* border guard; **Grenzschutz** *m* **1.** *no pl* protection of the border(s) *or* frontier(s); **2.** (*Truppen*) border *or* frontier guard(s); **Grenzsicherungsanlagen** *pl* (*esp DDR*) border *or* frontier protection *sing*; **Grenzsituation** *f* borderline situation; **Grenzsoldat** *m* border *or* frontier guard; **Grenzsperre** *f* border *or* frontier barrier; (*fig: des Grenzverkehrs*) ban on border traffic; **Grenzstadt** f border town; **Grenzstein** m boundary stone; **Grenzstreitigkeit** f boundary dispute; (*Pol*) border or frontier dispute; **Grenzübergang** m 1. border or frontier crossing(-point); 2. siehe **Grenzübertritt**; **grenzüberschreitend** adj attr (*Comm, Jur*) across a/the border or frontier/(the) borders or frontiers, cross-border; **Grenzübertritt** m crossing of the border; **Grenzverkehr** m border or frontier traffic; **kleiner** ~ regular border traffic; **Grenzverlauf** m boundary line (*between countries*); **Grenzverletzung** f violation of the/a border or frontier; **Grenzwacht** f (*Sw*) border or frontier guard; **Grenzwall** m border rampart; **Grenzwert** m limit; **Grenzzeichen** nt boundary marker; **Grenzziehung** f drawing up of the/a border or frontier; **Grenzzwischenfall** m border incident or clash.

Gretchenfrage f (*fig*) crunch question (*inf*), sixty-four-thousand dollar question (*inf*).

Greuel m -s, - 1. no pl (*Grauen, Abscheu*) horror. ~ **vor etw haben** to have a horror of sth.
2. (~*tat*) atrocity.
3. (*Gegenstand des Abscheus*) abomination. **sie/er/es ist mir ein** ~ I loathe or detest her/him/it; **die Prüfung ist mir ein** ~ I'm really dreading the exam; **es ist mir ein** ~, **das zu tun** I loathe or detest or cannot bear doing that.

Greuelmärchen nt horror story; **Greuelnachricht** f report of an atrocity/atrocities; **Greuelpropaganda** f atrocity propaganda, horror stories pl; **Greueltat** f atrocity.

greulich adj siehe **gräßlich**.

Greyerzer ['graiɛtsɐ] m -s, - ~ (**Käse**) Gruyère.

Griebe f -, -n ≃ crackling no indef art, no pl, greaves pl.

Griebenschmalz nt dripping with greaves or crackling.

Griebs m -es, -e (*dial*) 1. (*Apfel~, Birnen~*) core. 2. (*Gurgel*) throat, gullet.

Grieche m -n, -n Greek.

Griechenland nt -s Greece.

Griechentum nt das ~ 1. (*Volkstum*) Greekness, Hellenism. 2. (*Zivilisation*) Hellenism, (the) Greek civilization; (*Kultur*) Greek culture, things pl Greek. 3. (*Gesamtheit der Griechen*) the Greeks pl.

Griechin f Greek (woman/girl).

griechisch adj Greek; *Kleidung, Architektur, Vase, Stil, Profil auch* Grecian. **die** ~**e Tragödie** Greek tragedy; ~**-orthodox** Greek Orthodox; ~**-römisch** Graeco-Roman.

Griechisch(e) nt Greek; siehe auch **Deutsch(e)**.

grienen vi (*N Ger inf*) to smirk (*inf*).

Griesgram m -(e)s, -e grouch (*inf*), misery.

griesgrämig adj grumpy, grouchy (*inf*).

Grieß m -es, -e 1. semolina. 2. (*Kies*) gravel (*auch Med*); (*Sand*) grit.

Grießbrei m semolina; **Grießklößchen** nt semolina dumpling; **Grießpudding** m semolina pudding.

Griff m -(e)s, -e 1. (*das Greifen*) **der** ~ **an etw** (*acc*) taking hold of sth, grasping sth; (*Berührung*) touching sth; **der** ~ **nach etw** reaching for sth; **einen** ~ **in die Kasse tun** to put one's hand in the till; **der** ~ **nach der Droge/der Flasche** turning or taking to drugs/the bottle; **der** ~ **nach der Macht** the bid for power; **das ist ein** ~ **nach den Sternen** that's just reaching for the stars.
2. (*Handgriff*) grip, grasp; (*beim Ringen, Judo, Bergsteigen*) hold; (*beim Turnen*) grip; (*Mus: Fingerstellung*) fingering; (*inf: Akkord*) chord; (*vom Tuch: Anfühlen*) feel, texture. **mit festem** ~ firmly; **einen** ~ **ansetzen** (*Ringen*) to put on or apply a hold; **jdn/etw im** ~ **haben** (*fig*) to have sb/sth under control, to have the upper hand of sb/sth; (*geistig*) to have a good grasp of sth; **jdn/etw in den** ~ **bekommen** (*fig*) to get the upper hand of sb/sth, to gain control of sb/sth; (*geistig*) to get a grasp of sth; (**mit jdm/etw) einen guten** or **glücklichen** ~ **tun** to make a wise choice (with sb/sth), to get on to a good thing (with sb/sth) (*inf*); **etw mit einem** ~ **tun** (*fig*) to do sth in the twinkling of an eye or in a flash.
3. (*Stiel, Knauf*) handle; (*Pistolen~*) butt; (*Schwert~*) hilt; (*an Saiteninstrumenten*) neck.
4. usu pl (*Hunt: Kralle*) talon.
5. ~**e** pl (*Mil*) rifle positions pl; ~**e üben** or **kloppen** (*inf*) to do rifle drill.

griff pret of **greifen**.

griffbereit adj ready to hand, handy; **etw** ~ **halten** to keep sth handy or ready to hand; **Griffbrett** nt (*Mus*) fingerboard.

Griffel m -s, - slate pencil; (*Bot*) style.

Griffelkasten m (*dated*) pencil case or box.

griffig adj Boden, Fahrbahn that has a good grip; Rad, Maschine auch that grips well; Gewebe firm; (*fig*) Ausdruck useful, handy; Slogan auch pithy, terse; (*Aus*) Mehl coarse-grained.

Griffloch nt finger hole.

Grill m -s, -s grill, (*im Freien*) barbecue; (*Aut: Kühler~*) grille.

Grillade [gri'ja:də] f (*Cook*) grill.

Grille f -, -n 1. (*Zool*) cricket. 2. (*dated inf: Laune*) silly notion or idea. ~**n im Kopf haben** to be full of big ideas; ~**n fangen** to be moody.

grillen I vt to grill, (*im Freien*) barbecue. **II** vr sich ~ (**lassen**) (*inf*) to roast (*inf*).

Grill- (*Cook*): **Grillfest** nt barbecue party; **Grillgericht** nt grill; **Grillrestaurant** n grillroom.

Grimasse f -, -n grimace. ~**n schneiden** or **ziehen** or **machen** to grimace, to make or pull faces; **sein Gesicht zu einer** ~ **verziehen** to twist one's face into a grimace.

Grimassenschneider(in f) m face-puller.

Grimmdarm m colon.

grimmig adj 1. (*zornig*) furious, wrathful (*liter*). ~ **lächeln** to smile grimly; ~**er Humor** grim or morbid humour. 2. (*sehr*

groß, heftig) Kälte severe, harsh.
Grind *m* **-(e)s, -e** *(inf)* scab.
Grindwal *m* pilot whale.
grinsen *vi* to grin; *(vor Schadenfreude, Dreistigkeit, höhnisch auch)* to smirk.
Grinsen *nt* **-s,** *no pl siehe vi* grin; smirk.
grippal *adj (Med)* influenzal. **~er Infekt** influenza infection.
Grippe *f* **-, -n** 'flu, influenza; *(Erkältung)* cold.
Grippe- *in cpds* 'flu, influenza; **Grippe(schutz)impfung** *f* influenza vaccination; **Grippewelle** *f* wave of 'flu *or* influenza.
Grips *m* **-es, -e** *(inf)* nous *(Brit inf)*, sense. **nun strengt mal euren ~ an** use your nous *(inf) or* common sense; **~ zu etw haben** to have the nous *(inf) or* common sense to do sth.
Grislybär, Grizzlybär ['grɪsli-] *m* grizzly (bear).
grob *adj, comp* **⁻er,** *superl* **⁻ste(r, s)** *or adv* **am ⁻sten 1.** *(nicht fein)* coarse; *Arbeit* dirty *attr*.
2. *(ungefähr)* rough. **~ geschätzt/ gemessen** at a rough estimate; **in ~en Umrissen** roughly.
3. *(schlimm, groß)* gross *(auch Jur)*. **den ⁻sten Schmutz habe ich schon weggeputzt** I have already cleaned off the worst of the dirt; **ein ~er Fehler** a bad mistake, a gross error; **wir sind aus dem G⁻sten heraus** we're out of the woods (now), we can see the light at the end of the tunnel (now); **~ fahrlässig handeln** to commit an act of culpable negligence.
4. *(brutal, derb)* rough; *(fig: derb)* coarse; *Antwort* rude; *(unhöflich)* ill-mannered. **~ gegen jdn werden** to become offensive (towards sb); **jdm ~ kommen** *(inf)* to get coarse with sb; **auf einen ~en Klotz gehört ein ~er Keil** *(Prov)* one must answer rudeness with rudeness.
Grobe(s) *nt (fig)* dirty work. **ein Mann fürs ~** *(inf)* a man who does the dirty work.
Grob- *in cpds* coarse; **grobfas(e)rig** *adj* coarse-fibred; **grobgemahlen** *adj attr* coarse-ground; **Grobheit** *f* **1.** *no pl* coarseness; **2.** *no pl (Brutalität)* roughness; *(fig)* coarseness; *(von Antwort)* rudeness; *(fig: Unhöflichkeit)* ill-manneredness; **3.** *(Beschimpfung)* foul language *no pl*.
Grobian *m* **-(e)s, -e** brute.
grobknochig *adj* big-boned; **grobkörnig** *adj* coarse-grained.
gröblich *adj* **1.** *(form: schlimm)* gross. **2.** *(geh: heftig, derb)* gross. **jdn ~ beschimpfen** to call sb rude names.
grobmaschig I *adj* large-meshed; *(grobgestrickt)* loose-knit *attr*; **II** *adv* coarsely; **grobschlächtig** *adj* coarse; *Mensch* big-built, heavily built; *(fig auch)* unrefined; **Grobschnitt** *m (Tabak)* coarse cut; **Grobstrick** *m* coarse knit.
Grog *m* **-s, -s** grog.
groggy ['grɔgi] *adj pred (Boxen)* groggy; *(inf: erschöpft)* all-in *(inf)*.
grölen *vti (pej)* to bawl. **~de Menge** rau-

cous crowd; **~d durch die Straßen ziehen** to roam rowdily through the streets.
Groll *m* **-(e)s,** *no pl (Zorn)* anger, wrath *(liter)*; *(Erbitterung)* resentment. **einen ~ gegen jdn hegen** to harbour a grudge against sb.
grollen *vi (geh)* **1.** to rumble; *(Donner auch)* to roll, to peal *(liter)*. **2.** *(jdm) ~ (old)* to be filled with wrath (against sb) *(liter)*.
Grönland *nt* **-s** Greenland.
Grönländer(in *f) m* **-s, -** Greenlander.
grönländisch *adj* Greenland *attr*.
Grönlandwal *m* bowhead.
Gros¹ [groː] *nt* **-, -** [groːs] major *or* greater part, majority, bulk.
Gros² [grɔs] *nt* **-ses, -se** *or (bei Zahlenangaben)* - gross.
Groschen *m* **-s, - 1.** *(Aus)* groschen.
2. *(inf)* 10-pfennig piece; *(fig)* penny, cent *(US)*. **seine paar ~ zusammenhalten** to scrape together a few pence *or* pennies/cents; sich *(dat)* **ein paar ~ verdienen** to earn (oneself) a few pence *or* pennies/cents, to earn (oneself) a bit of pocket money; **der ~ ist gefallen** *(hum inf)* the penny has dropped *(inf)*.
Groschenblatt *nt (pej)* (cheap) rag *(inf)*, sensational (news)paper; **die Groschenblätter** the gutter press *(pej)*; **Groschengrab** *nt (hum: Spielautomat)* one-armed bandit; **Groschenheft** *nt (pej)* pulp magazine; *(Krimi auch)* penny dreadful *(dated)*; **Groschenroman** *m (pej)* cheap *or* dime *(US)* novel.
groß I *adj, comp* **⁻er,** *superl* **⁻te(r, s) 1.** big; *Fläche, Raum, Haus, Hände auch* large; *Höhe, Breite* great; *Buchstabe* big, capital; *Größe, Tube, Dose, Packung* large; *(hoch, hochgewachsen)* tall. **wie ~ bist du?** how tall are you?; **du bist ~ geworden** you've grown; **ein ganz ~es Haus/Buch** a great big house/book; **der ~e (Uhr)zeiger** the big *or* minute hand; **die Wiese ist 10.000 m²** the field measures 10,000 square metres *or* is 100 metres square; **ein 2 Hektar ~es Grundstück** a 2 hectare piece of land; **er ist 1,80 m ~** he is 1.80 metres (tall); **ein ~es Bier, ein G~es** *(inf)* ≈ a pint (of beer); **die ~e Masse** *(fig)* the vast majority; **~es Geld** notes *pl (Brit)*, bills *pl (US)*; **ich habe nur ~es Geld** I haven't any change on me; **im ~en und ganzen (gesehen)** (taken) by and large; **im G~en einkaufen** to buy in bulk *or* quantity.
2. *(zeitlich)* Pause, Verzögerung, Rede big, long, lengthy. **die ~en Ferien** the long holidays, the long vacation *(Univ)*.
3. *(älter)* Bruder, Schwester big. **die G~en** *(Erwachsene)* the grown-ups; *(ältere Kinder)* the older children; **zu ~ für etw sein** to be too big for sth; **mit etw ~ geworden sein** to have grown up with sth; **~ und klein** young and old (alike); **unsere G~e/unser G~er** our eldest *or* oldest (daughter/son); *(von zwei)* our elder daughter/son.
4. *(beträchtlich, heftig, wichtig)* big; *Erfolg, Interesse, Enttäuschung, Schreck, Hoffnung, Eile auch* great;

Summe auch large; *Freude, Vergnügen, Schmerzen, Leid* great; *(bedeutend) Dichter, Werk, Erfindung, Schauspieler* great; *Lärm* a lot of; *Geschwindigkeit* high. ~e **Worte/Gefühle** big words/ strong feelings; ~e **Worte machen** to use grand *or* big words; ~en **Hunger haben** to be very hungry; **eine ~ere Summe** a biggish *or* largish *or* fair sum; **eine der ~eren Firmen** one of the major companies; **eine ~e Dummheit machen** to do something very stupid; **die ~e Nummer** (*im Zirkus*) the big number, the star turn; **ich habe ~e Lust zu etw/, etw zu tun** I would really like sth/to do sth; **ich habe keine ~e Lust** I don't particularly want to; **~e Mode sein** to be all the fashion; **er ist ein ~es Kind** he's a big *or* a great big (*inf*) baby; **er ist kein ~er Esser/Trinker** (*inf*) he's not a big eater/drinker; **ich bin kein ~er Redner** (*inf*) I'm no great speaker; **die ~e Welt** (*die Fremde*) the big wide world; (*die oberen Zehntausend*) high society; **die G~en** the great figures; **jds ~e Stunde** sb's big moment; **einen ~en Namen haben** to be a big name; **im Kleinen wie im G~en** in small matters as well as in big *or* larger ones, whether the scale be large or small; **er hat G~es geleistet** he has achieved great things.

5. (*~artig, bewundernswert*) great. **das ist** *or* **finde ich ganz ~** (*inf*) that's really great (*inf*).

6. (*in Eigennamen*) Great; (*vor Namen von Ballungsräumen*) Greater. **Friedrich der G~e** Frederick the Great; **G~-München** Greater Munich; **die G~en Seen** the Great Lakes.

7. (*Mus*) ~e **Terz** major third.

II *adv, comp* **⁻er,** *superl* **am ⁻ten jdn ~ anblicken** to give sb a hard stare; **was ist das schon ~?** (*inf*) big deal! (*inf*), so what? (*inf*); **was soll man da schon ~ machen/sagen?** (*inf*) you can't really do/ say anything *or* very much(, can you?) (*inf*), what are you supposed to do/say?; **ich kümmere mich nicht ~ darum** (*inf*) I don't take much notice; **~ daherreden** (*inf*) to talk big (*inf*); **~ und breit** (*fig inf*) at great *or* enormous length, at tedious length (*pej*); **~ machen** (*baby-talk*) to do number two (*baby-talk*); **ein Wort ~ schreiben** to write a word with a capital *or* with a big A/B *etc*; **~ in Mode sein** to be the fashion; **ganz ~ rauskommen** (*sl*) to make the big time (*inf*).

Groß- *pref* Great; (*vor Namen von Ballungsräumen*) Greater.

Großabnehmer(in *f*) *m* (*Comm*) bulk purchaser *or* buyer; **Großadmiral** *m* (*Naut Hist*) Grand Admiral, ≈ Admiral of the Fleet; **Großaktionär(in** *f*) *m* major *or* principal shareholder; **Großalarm** *m* red alert; **großangelegt** *adj attr* large-scale, on a large scale; **Großangriff** *m* large-scale *or* major attack; **großartig** *adj* wonderful, superb, splendid; (*prächtig*) *Bauwerk etc* magnificent, splendid; **groß tun** (*pej*) to show off, to give oneself airs; **Großaufnahme** *f* (*Phot, Film*) close-up; **Groß-**

bank *f* major *or* big bank; **Großbauer** *m* large-scale farmer; **großbäuerlich** *adj* of a large-scale farmer/large-scale farmers; **Großbaustelle** *f* construction site; **Großbehälter** *m* tank; (*Container*) container; **Großbetrieb** *m* large concern; (*Agr*) big farm; **Großbild** *nt* blow-up; **Großbildkamera** *f* plate camera; **Großbildschirm** *m* large screen; **Großbourgeoisie** *f* (*Sociol, Pol pej*) upper classes *pl*, upper bourgeoisie; **Großbrand** *m* enormous blaze, major *or* big fire; **Großbritannien** *nt* (Great) Britain; **großbritannisch** *adj* (Great) British; **Großbuchstabe** *m* capital (letter), upper case letter (*Typ*); **Großbürger** *m* (*Sociol*) member of the upper classes; **großbürgerlich** *adj* (*Sociol*) upper-class; **Großbürgertum** *nt* (*Sociol*) upper classes *pl*; **Großcomputer** *m siehe* Großrechner; **Großdemonstration** *f* mass demonstration; **großdeutsch** *adj* (*Hist*) Pan-German; **das ~e Reich** (*NS*) the Reich; **Großdeutschland** *nt* (*NS*) Greater Germany; **Großdruck** *m* large print; **ein Buch im ~** a large-print book.

Größe *f* -, -n **1.** (*Format, Maßeinheit*) size. **nach der ~** according to size; **er trägt** *or* **hat ~ 48** he takes *or* is size 48.

2. *no pl* (*Höhe, Körper~*) height; (*Flächeninhalt*) size, area, dimensions *pl*; (*Dimension*) size, dimensions *pl*; (*Math, Phys*) quantity; (*Astron*) magnitude. **nach der ~** according to height/ size; **eine unbekannte ~** (*lit, fig*) an unknown quantity; **ein Stern erster ~** a star of the first magnitude.

3. *no pl* (*Ausmaß*) extent; (*Bedeutsamkeit*) significance.

4. *no pl* (*Erhabenheit*) greatness.

5. (*bedeutender Mensch*) leading light, important figure.

Großeinkauf *m* bulk purchase, bulk purchasing *no indef art, no pl*; **Großeinsatz** *m* ~ **der Feuerwehr/ Polizei** large-scale operation by the fire brigade/police; **großelterlich** *adj attr* of one's grandparents; **im ~en Haus wohnen** to live in one's grandparents' house; **Großeltern** *pl* grandparents *pl*; **Großenkel** *m* great-grandchild; (*Junge*) great-grandson; **Großenkelin** *f* great-granddaughter.

Größenordnung *f* scale; (*Größe*) magnitude; (*Math*) order (of magnitude); **ich denke in anderen ~en** I think on a different scale.

großenteils *adv* mostly, for the most part. **er macht seine Arbeit ~ selbständig** he does his work mostly on his own, he does his work on his own for the most part.

Größenunterschied *m* (*im Format*) difference in size; (*in der Höhe, im Wuchs*) difference in height; (*in der Bedeutung*) difference in importance; **Größenverhältnis** *nt* proportions *pl* (*gen* between); (*Maßstab*) scale; **im ~ 1:100** on the scale 1:100; **etw im richtigen ~ sehen** to see sth in perspective; **Größenwahn(sinn)** *m* megalomania, delusions *pl* of grandeur; **größenwahnsinnig** *adj* megalomaniac(al); ~ **sein** to be a megalomaniac.

größer *comp of* **groß**.

größer(e)nteils *siehe* **großenteils**.

Großfahndung *f* large-scale manhunt; **Großfamilie** *f* extended family; **Großfeuer** *nt* major fire, enormous blaze; **großflächig** *adj* extensive; *Gesicht* flatfeatured; **Großflughafen** *m* major airport; **Großformat** *nt* large size; *(bei Büchern, Fotos auch)* large format; **ein ... im** ~ a large-size .../large-format ...; **großformatig** *adj* large-size; *Bücher, Fotos auch* large-format; **Großfoto** *nt* giant photo(graph); **Großfürst** *m (Hist)* grand prince; **Großfürstin** *f (Hist)* grand princess; **großfüttern** *vt sep* to raise, to rear; **Großgemeinde** *f* municipality with several villages or districts; **großgewachsen** *adj* tall; **Großgrundbesitz** *m* 1. large-scale land-holding; 2. *(die Großgrundbesitzer)* big landowners *pl*; **Großgrundbesitzer(in** *f) m* big landowner.

Großhandel *m* wholesale trade, wholesaling *no art*. **etw im** ~ **kaufen** to buy sth wholesale.

Großhandels- in *cpds* wholesale; **Großhandelskaufmann/-frau** *mf* wholesaler.

Großhändler(in *f) m* wholesaler; *(inf: Großhandlung)* wholesaler's; **Großhandlung** *f* wholesale business; **großherzig** *adj* generous, magnanimous; **Großherzigkeit** *f* generosity, magnanimity; **Großherzog** *m* grand duke; **(der)** ~ **Roland** Grand Duke Roland; **Großherzogin** *f* grand duchess; **großherzoglich** *adj* grand ducal; **Großherzogtum** *nt* grand duchy; **das** ~ **Luxemburg** the Grand Duchy of Luxembourg; **Großhirn** *nt* cerebrum; **Großhirnrinde** *f* cerebral cortex; **Großindustrie** *f* major *or* big industry; **Großindustrielle(r)** *mf* major *or* big industrialist; **Großinquisitor** *m (Hist)* Grand Inquisitor; **Großintegration** *f (Comput)* large-scale integration.

Grossist(in *f) m siehe* **Großhändler.**

großjährig *adj (dated)* of age, major *(form)*; ~ **werden** to come of age, to reach the age of majority.

Großkampfschiff *nt* capital ship; **Großkampftag** *m (Mil)* day of a/the great battle; **Montag ist bei uns im Büro meist** ~ *(hum)* it's usually all systems go on Monday in the office *(inf)*.

Großkapital *nt* **das** ~ big business; **Großkapitalist(in** *f) m* big capitalist; **großkariert** *adj* large-check(ed); **Großkatze** *f* big cat; **Großkind** *nt (Sw)* grandchild; **Großklima** *nt* macroclimate; **Großkonzern** *m* big *or* large combine; **Großkopfe(r)te(r)** *m decl as adj* 1. *(Aus, S Ger: pej)* bigwig *(inf)*, big-shot *(inf)*; 2. *(hum: Intellektueller)* egghead *(hum inf)*; **großkotzig** *adj (pej sl)* swanky *(inf)*; **Großkraftwerk** *nt* large power plant; **Großkreuz** *nt* Grand Cross; **Großküche** *f* canteen kitchen; **Großkundgebung** *f* mass rally.

Großmacht *f (Pol)* big *or* great power. **Großmachtpolitik** *f* (big-)power politics; **Großmachtstellung** *f* great- *or* big-power status.

Großmama *f (inf)* grandmama *(dated)*, grandma; **Großmannssucht** *f, no pl (pej)* craving for status; **Großmarkt** *m* hypermarket; **Großmast** *m* mainmast; **Großmaul** *nt (pej inf)* bigmouth *(inf)*, loudmouth *(inf)*; **großmäulig** *adj (pej inf)* big-mouthed *attr (inf)*, loudmouthed *(inf)*; ~ **verkünden, daß ...** to brag that ...; **Großmäuligkeit** *f, no pl (pej inf)* big mouth *(inf)*; **Großmeister** *m* Grand Master; **Großmut** *f* magnanimity; **großmütig** *adj* magnanimous; **Großmütigkeit** *f siehe* ~**mut**; **Großmutter** *f* grandmother; **das kannst du deiner** ~ **erzählen!** *(inf)* you can tell that one to the marines *(inf)*, pull the other one *(inf)*; **großmütterlich** *adj attr* 1. *(von der Großmutter)* of one's grandmother; **das** ~**e Erbe** one's inheritance from one's grandmother; 2. *(in der Art einer Großmutter)* grandmotherly; **großmütterlicherseits** *adv* on one's grandmother's side; **Großneffe** *m* great-nephew; **Großnichte** *f* greatniece; **Großoffensive** *f (Mil)* major offensive; **Großoktav** *nt* large octavo; **Großonkel** *m* great-uncle; **Großpapa** *m (inf)* grandpapa *(dated)*, grandpa; **Großplastik** *f* large sculpture; **großporig** *adj* large-pored; **Großproduktion** *f* large-scale production; **Großproduzent(in** *f) m* large-scale producer; **Großprojekt** *nt* large-scale project; **Großputz** *m* thorough cleaning, ≃ spring-cleaning; **Großquart** *nt* large quarto; **Großrat** *m (Sw)* member of a/the Cantonal parliament.

Großraum *m* 1. *(einer Stadt)* **der** ~ **München** the Munich area *or* conurbation, Greater Munich. 2. *siehe* **Großraumbüro.**

Großraumbüro *nt* open-plan office; **Großraumflugzeug** *nt* wide-bodied aircraft.

großräumig *adj* 1. *(mit großen Räumen)* with large rooms; ~ **sein** to have large rooms; 2. *(mit viel Platz, geräumig)* roomy, spacious; 3. *(über große Flächen)* extensive; **Großraumwagen** *m (von Straßenbahn)* articulated tram *(Brit) or* streetcar *(US)*; *(Rail)* open-plan carriage *(Brit) or* car *(US)*; **Großrazzia** *f* large-scale raid; **Großrechner** *m* mainframe (computer); **Großschiffahrtsweg** *m* major waterway *(for seagoing ships)*; **großschreiben** *vt sep irreg* **großgeschrieben werden** *(fig inf)* to be stressed, to be given pride of place, to be writ large; **Großschreibung** *f* capitalization; **Großsegel** *nt (Naut)* mainsail; **großsprecherisch** *adj (pej)* boastful, boasting *attr*, bragging *attr*; **großspurig** *adj (pej)* flashy *(inf)*, showy *(inf)*.

Großstadt *f* city.

Großstadtbevölkerung *f* city population.

Großstädter(in *f) m* city-dweller.

großstädtisch *adj* big-city *attr*. **München**

wirkt ~er als **Bonn** Munich has more of a big-city feel to it than Bonn.

Großstadt- in cpds city; **Großstadtmensch** m city-dweller; **der ~** urban man, city-dwellers pl.

Großtante f great-aunt; **Großtat** f great feat; **eine medizinische ~** a great medical feat; **großtechnisch** adj Projekt, Anlage large-scale; **Kernkraft ~ erzeugen** to produce nuclear power on a large scale.

Großteil m large part. **zum ~** in the main, for the most part; **zu einem ~** for the most part.

großteils, größtenteils adv in the main, for the most part.

größte(r, s) superl of **groß.**

größtmöglich adj attr greatest possible.

Großtuer(in f) [-tu:ɐ/-tu:ɐrɪn] m -s, - (pej) boaster, bragger, show-off; **Großtuerei** [-tu:ɐ'raɪ] f (pej) **1.** no pl boasting, bragging, showing off; **2.** (großtuerische Äußerung etc) boast; **großtuerisch** [-tu:ɔrɪʃ] adj (pej) boastful, bragging; **großtun** sep irreg (pej) **I** vi to boast, to brag, to show off; **II** vr **sich mit etw ~** to show off or boast or brag about sth; **Großunternehmen** nt siehe **Großbetrieb; Großunternehmer(in** f) m big businessman/-woman or entrepreneur.

Großvater m grandfather.

großväterlich adj **1.** (vom Großvater) of one's grandfather. **er hat den ~en Betrieb übernommen** he has taken over his grandfather's business; **das ~e Erbe** one's inheritance from one's grandfather.

2. (in der Art eines Großvaters) grandfatherly.

großväterlicherseits adv on one's grandfather's side.

Großvatersessel m (inf) fireside armchair; **Großvateruhr** f (inf) grandfather clock.

Großveranstaltung f big event; (Großkundgebung) mass rally; **Großverbraucher(in** f) m large consumer; **Großverdiener(in** f) m big earner; **Großversuch** m (esp Psych) large-scale experiment; **Großvieh** nt cattle and horses pl; **Großwesir** m (Hist) grand vizier; **Großwetterlage** f general weather situation; **die politische ~** the general political climate.

Großwild nt big game.

Großwildjagd f big-game hunting; **eine ~** a big-game hunt; **auf ~ gehen** to go big-game hunting; **Großwildjäger** m big-game hunter.

Großwörterbuch nt large or comprehensive dictionary; **großziehen** vt sep irreg to raise; Tier to rear; **großzügig** adj generous, (weiträumig) spacious; Plan large-scale, ambitious; (inf: ungenau) generous, liberal; **Großzügigkeit** f siehe adj generosity; spaciousness; (large) scale, ambitiousness; generousness, liberality.

grotesk adj grotesque.

Grotesk f -, no pl (Typ) grotesque, sans serif.

Groteske f -, -n (Art) grotesque(rie); (Liter) grotesquerie.

groteskerweise adv ironically enough.

Grotte f -, -n grotto.

Groupie ['gru:pi] nt -s, -s groupie.

grub pret of **graben.**

Grubber m -s, - (Agr) grubber.

Grübchen nt dimple.

Grube f -, -n pit; (kleine) hole, hollow; (Min auch) mine; (dated: Gruft, Grab) grave. **wer andern eine ~ gräbt(, fällt selbst hinein)** (Prov) you can easily fall into your own trap; **in die ~ (ein)fahren** to go down the pit; **in die** or **zur ~ fahren** (old) to give up the ghost.

Grubelei f brooding no pl.

grübeln vi to brood (über +acc about, over).

Gruben- in cpds pit; **Grubengas** nt firedamp; **Grubenwagen** m mine car.

Grübler(in f) m -s, - brooder.

grüblerisch adj pensive, brooding.

grüezi ['gry:ɛtsi] interj (Sw) hello, hi (inf), good morning/afternoon/evening.

Gruft f -, -̈e tomb, vault; (in Kirchen) crypt.

Grufti m -s, -s (sl) crumbly, wrinkly (inf).

grummeln vi to rumble; (inf: brummeln) to mumble.

Grum(me)t nt -s, no pl (Agr) aftermath, rowen (dial, US).

grün adj (alle Bedeutungen) green; (Pol auch) ecologist. **~e Heringe** fresh herrings; **Aal ~** (Cook) (dish of) fresh eel (with parsley sauce); **~er Salat** lettuce; **die G~e Insel** the Emerald Isle; **ein ~er Junge** (inf) a greenhorn (inf); **~es Licht (für etw) geben/haben** (fig) to give/have got the go-ahead or green light (for sth); **komm an meine ~e Seite!** (inf) come and sit up close to me; **am ~en Tisch, vom ~en Tisch aus** from a bureaucratic ivory tower; **über die ~e Grenze fahren** (inf) to cross the border illegally (in a wood etc); **die ~e Hölle** (fig) the green hell of the jungle; **die ~en Lungen der Großstadt** (fig) the breathing spaces of the city; **~e Minna** (inf) Black Maria (Brit inf), paddy wagon (US inf); **die G~e Tonne** container for recyclable waste; **sich ~ und blau** or **gelb ärgern** (inf) to be furious; **jdn ~ und blau** or **gelb schlagen** (inf) to beat sb black and blue; **wir haben ~e Weihnachten gehabt** we didn't have a white Christmas; **~e Welle** phased traffic lights; **~e Welle bei 60 km/h** traffic lights phased for 60 kmph; **~ im Gesicht werden** to go green (about the gills inf); **~e Witwe** (inf) lonely suburban housewife; **auf keinen ~en Zweig kommen** (inf) to get nowhere; **die beiden sind sich gar nicht ~** (inf) there's no love lost between them; **er ist dir nicht ~** (inf) you're not in his good books (inf).

Grün nt -s, - or (inf) -s green; (~flächen) green spaces pl; (Golf) green; (Cards: Pik) spades pl. **die Ampel steht auf ~** the light is at green; **das ist dasselbe in ~** (inf) it's (one and) the same (thing).

Grün- in cpds green; **grünalternativ** adj (Pol) green alternative; **Grünanlage** f green space or area, park; **grünäugig** adj green-eyed; **grünblind** adj suffering

from red-green colour-blindness.
Grund *m* -(e)s, ⁼e **1.** *no pl* (*Erdboden*) ground; (*old, dial: Erdreich auch*) soil. ~ **und Boden** land; **in** ~ **und Boden** (*fig*) **sich blamieren, schämen** utterly; **verdammen** outright; **jdn in** ~ **und Boden reden** not to leave sb a leg to stand on, to shoot sb's arguments to pieces; **bis auf den** ~ **zerstören/abtragen** to raze to the ground. **2.** (*Aus*) (*Bauplatz*) (building) plot; (~**stück**) grounds *pl*, land *no indef art, no pl*. **3.** *no pl* (*esp Art*) ground; (*Her*) field. **4.** *no pl* (*von Gefäßen, Becken*) bottom; (*Meeres*~ *auch*) (sea)bed; (*liter: Tal*~) bottom of the/a valley. **ein Schiff auf** ~ **setzen** to scuttle a ship; **das Glas Becher bis auf den** ~ **leeren** to drain the glass. **5.** *no pl* (*lit, fig: Fundament*) foundation(s *pl*); (*das Innerste*) depths *pl*. **von** ~ **auf** *or* **aus** entirely, completely; **etw von** ~ **auf ändern** to change sth fundamentally *or* from top to bottom; **von** ~ **auf neu gebaut/geplant** rebuilt/replanned from scratch; **den** ~ **zu etw legen** (*lit, fig*) to lay the foundations of *or* for sth; **einer Sache** (*dat*) **auf den** ~ **gehen** (*fig*) to get to the bottom of sth; **auf** ~ **von** *or* (+*gen*) on the basis of; **im** ~**e seines Herzens** in one's heart of hearts; **im** ~**e (genommen)** basically, fundamentally. **6.** (*Ursache, Veranlassung, Ausrede*) reason; (*Beweg*~ *auch*) grounds *pl*. **aus gesundheitlichen** *etc* ~**en** for health *etc* reasons, on health *etc* grounds; **aus dem einfachen** ~**e, daß** ... for the simple reason that ...; **ohne** ~ without reason; **auf** ~ **von Zeugenaussagen** on the basis *or* strength of the witnesses' testimonies; **ich habe** ~ **zu der Annahme, daß** ... I have reason to believe *or* grounds for believing that ...; ~**e und Gegengründe** pros and cons, arguments for and against; **einen** ~ **zum Feiern haben** to have good cause for (a) celebration; **es besteht kein** ~ **zum Klagen** you have no cause to complain *or* for complaint; **die** ~**e für und wider** the cases for and against; **jdm** ~ **(zu etw) geben** to give sb good reason *or* cause (for sth); **aus diesem** ~ for this reason; **mit gutem** ~ with good reason; **aus welchem** ~**(e)?** for what reason?; **aus** ~**en** (+*gen*) for reasons (of).
Grund- *in cpds* basic; **Grundakkord** *m* (*Mus*) chord in root position; **Grundanschauung** *f* fundamental philosophy; **grundanständig** *adj* thoroughly decent; **Grundanstrich** *m* first coat; (*erstes Anstreichen*) application of the first coat; **Grundbau** *m* **1.** (*Archit*) foundation(s *pl*); **2.** *no pl* (*Grundarbeiten*) laying of the foundations; **3.** (*Univ: Fach*) civil engineering; **Grundbegriff** *m* basic concept; **Grundbesitz** *m* land, property; (*das Besitzen*) ownership of land *or* property; **Grundbesitzer(in** *f*) *m* landowner; **Grundbuch** *nt* land register; **Grundbuchamt** *nt* land registry *or*

office; **grundehrlich** *adj* thoroughly honest; **Grundeigentümer(in** *f*) *m* landowner; **Grundeis** *nt* ground ice, anchor-ice.
gründen I *vt* to found; *Argument etc* to base (*auf* +*acc* on); *Heim, Geschäft* to set up. **eine Familie** ~ to get married (and have a family). **II** *vi* to be based *or* founded (*in* +*dat* on). **III** *vr* **sich auf etw** (*acc*) ~ to be based *or* founded on sth.
Gründer(in *f*) *m* -s, - founder.
Gründerfigur *f* founder.
Gründerjahre *pl* **1.** (*Hist*) years of rapid industrial expansion in Germany (*from 1871*). **2.** (*fig: von Atomzeitalter etc*) early days *pl*.
Grunderwerb *m* acquisition of land; **Grunderwerbssteuer** *f* tax on land acquisition, land transfer tax.
grundfalsch *adj* utterly wrong; **Grundfarbe** *f* primary colour; (*Grundierfarbe*) ground colour; **Grundfesten** *pl* (*fig*) foundations *pl*; **etw bis in die** *or* **in seinen** ~ **erschüttern** to shake sth to the *or* its very foundations; **an den** ~ **von etw rütteln** to shake the (very) foundations of sth; **Grundfläche** *f* (*Zimmer*) (floor) area, (*Math*) base; **Grundform** *f* basic form (*auch Gram*); **Grundfreibetrag** *m* tax-free allowance; **Grundgebühr** *f* basic *or* standing charge; **Grundgedanke** *m* basic idea.
Grundgesetz *nt* **1.** (*Grundprinzip*) basic law. **2.** (*BRD*) **das** ~ the (German) Constitution.
grundgesetzwidrig *adj* unconstitutional.
Grundhaltung *f* basic position; **Grundherr** *m* (*Hist*) lord of the manor; **Grundherrschaft** *f* (*Hist*) manorial system;
grundieren* *vt* to undercoat; (*Art*) to ground.
Grundierfarbe *f* undercoat.
Grundierung *f* **1.** *no pl* (*das Grundieren*) undercoating; (*Art*) grounding. **2.** (*Farbe, Fläche*) undercoat; (*Art*) ground.
Grundkapital *nt* share capital; (*Anfangskapital*) initial capital; **Grundkurs** *m* (*Sch, Univ*) basic *or* base course; **Grundlage** *f* basis; (*Mus*) root position; **als** ~ **für etw dienen** to serve as a basis for sth; **auf der** ~ +*gen or* **von** on the basis of; **die** ~**n einer Wissenschaft** the fundamental principles of a science; **jeder** ~ **entbehren** to be completely unfounded *or* without foundation; **Grundlagenforschung** *f* pure research; **Grundlast** *f* (*Tech*) constant load; **Grundlastkapazität** *f* (*Tech*) constant load capacity; **grundlegend** *adj* fundamental, basic (*für* to); *Werk, Textbuch* standard; **sich zu etw** ~ **äußern** to make a statement of fundamental importance on sth; **Grundlegung** *f* (*lit, fig*) laying of the foundations.
gründlich I *adj* thorough; *Arbeit* painstaking, careful; *Vorbereitung auch* careful. **II** *adv* thoroughly; (*inf: sehr auch*) really. **jdm** ~ **die Meinung sagen** to give sb a real piece of one's mind; **da haben Sie sich** ~ **getäuscht** you're completely mis-

taken there.

Gründlichkeit f, no pl siehe adj thoroughness; carefulness.

Grundlinie f (Math, Sport) baseline; **Grundlinienspiel** nt baseline game; **Grundlohn** m basic pay or wage(s); **grundlos I** adj 1. Tiefe bottomless; 2. (fig: unbegründet) groundless, unfounded; ~es Lachen laughter for no reason (at all); **II** adv (fig) without reason, for no reason (at all); **Grundmauer** f foundation wall; **bis auf die ~n niederbrennen** to be gutted; **Grundmenge** f (Math) fundamental or universal set; **Grundmoräne** f (Geol) ground moraine; **Grundnahrungsmittel** nt basic food(stuff), staple food.

Gründonnerstag [gry:n-] m Maundy Thursday.

Grundordnung f basic order; **Grundpfandrecht** nt encumbrance on property; **Grundpfeiler** m (Archit) supporting pier; (fig) cornerstone, keystone; **Grundrechenart, Grundrechnungsart** f basic arithmetical operation; **Grundrecht** nt basic or fundamental right; **Grundrente** f (Econ) ground rent; (Insur) basic pension; **Grundriß** m (von Gebäude) ground plan; (Math) base; (Abriß) outline, sketch.

Grundsatz m principle. **aus ~** on principle; **ein Mann mit** or **von Grundsätzen** a man of principle; **an seinen Grundsätzen festhalten** to stand by or keep to one's principles; **es sich** (dat) **zum ~ machen, etw zu tun** to make a principle of doing sth, to make it a matter of principle to do sth.

Grundsatzdebatte, Grundsatzdiskussion f debate on (general) principles; **Grundsatzentscheidung** f decision of general principle; **Grundsatzerklärung** f declaration of principle.

grundsätzlich I adj fundamental; Frage of principle.
II adv (allgemein, im Prinzip) in principle; (aus Prinzip) on principle; (immer) always; (völlig) absolutely. **sich zu etw ~ äußern** to make a statement of principle on sth; **er ist ~ anderer Meinung als sie** he always disagrees with her, he disagrees with her on principle; **das erlaube ich Ihnen ~ nicht** I will most definitely not permit that; **das ist ~ verboten** it is absolutely forbidden; **er hat ~ kein Interesse für so etwas** he has absolutely no interest in that sort of thing.

Grundsätzlichkeit f fundamental nature.

Grundsatzpapier nt (Pol) (written) statement of principles; **Grundsatzreferat** nt speech/paper setting out a basic principle; **Grundsatzurteil** nt judgement that establishes a principle.

Grundschrift f (Typ) base type; **Grundschuld** f mortgage; **Grundschule** f primary (Brit) or elementary school; **Grundschüler(in** f) m primary/ elementary(-school) pupil; **Grundschullehrer(in** f) m primary/ elementary(-school) teacher; **grundsolide** adj very respectable; **Grund-**

stein m (lit, fig) foundation stone; **der ~ zu etw sein** to form the foundation(s) of or for sth; **den ~ zu etw legen** (lit) to lay the foundation stone of sth; (fig) to lay the foundations of or for sth; **Grundsteinlegung** f laying of the foundation stone; **Grundstellung** f (Turnen) starting position; (Boxen) onguard position; (Chess) initial or starting position; (Mus) root position; **Grundsteuer** f (local) property tax, ≈ rates pl (Brit); **Grundstimme** f bass; **Grundstimmung** f prevailing mood; **Grundstock** m basis, foundation; **Grundstoff** m basic material; (Rohstoff) raw material; (Chem) element; **Grundstoffindustrie** f primary industry.

Grundstück nt plot (of land); (Anwesen) estate; (Bau~ auch) site; (bebaut) property. **in ~en spekulieren** to speculate in property or in real estate.

Grundstückshaftung f real estate collateral; **Grundstücksmakler(in** f) m estate agent (Brit), real estate agent, realtor (US); **Grundstückspreis** m land price; **Grundstücksspekulation** f property speculation.

Grundstudium nt (Univ) basic course; **Grundstufe** f 1. first stage; (Sch) ≈ junior (Brit) or grade (US) school; 2. (Gram) positive (degree); (verborgen) underlying trend; **Grundton** m (Mus) (eines Akkords) root; (einer Tonleiter) tonic keynote; (Grundfarbe) ground colour; **Grundübel** nt basic or fundamental evil; (Nachteil) basic problem; **Grundumsatz** m (Physiol) basal metabolism.

Gründung f founding, foundation; (Archit: Fundament) foundation(s pl); (das Anlegen des Fundaments) laying of the foundations; (von Heim, Geschäft) setting up. **die ~ einer Familie** getting married (and having a family).

Gründungsjahr nt year of the foundation; **Gründungskapital** nt initial capital; **Gründungsväter** mpl founding fathers; **Gründungsversammlung** f inaugural meeting (of a new company).

Gründüngung f (Agr) green manuring.

grundverkehrt adj completely wrong; **Grundvermögen** nt landed property, real estate; **dengrundverschie** adj totally or entirely different; **Grundwasser** nt ground water; **Grundwasserspiegel** m water table, ground-water level; **Grundwehrdienst** m national (Brit) or selective (US) service; **den ~ absolvieren** or **leisten** to do one's national/ selective service; **Grundwert** m (Philos) fundamental value; **Grundwertekatalog** m (Philos) index of fundamental values; **Grundwort** nt, pl **Grundwörter** (Gram) root; **Grundzahl** f (Math) base (number); (Kardinalzahl) cardinal number; **Grundzins** m (Hist) feudal dues pl (Hist); **Grundzug** m essential feature or trait; „Grundzüge der Geometrie" "Basic Geometry", "(The) Rudiments of Geometry"; **etw in seinen Grundzügen darstellen** to outline (the essentials of) sth.

grünen *vi (geh)* to turn green; *(fig: Liebe, Hoffnung)* to blossom (forth).

Grünen-Abgeordnete(r) *mf decl as adj* Green MP; **Grünen-Fraktion** *f* Green Party (*in Parliament/on council*).

Grüne(r) *mf decl as adj* **1.** (*Pol*) Green. **2.** (*dated inf: Polizist*) cop (*inf*), copper (*Brit inf*), bluebottle (*dated Brit inf*).

Grüner Punkt *m green symbol on packaging which can be recycled by the "Duales System".*

Grüne(s) *nt decl as adj (Farbe)* green; (*als Ausschmückung*) greenery; (*Gemüse*) greens *pl*, green vegetables *pl*; (*Grünfutter*) green stuff. **ins ~ fahren** to go to the country; **wir essen viel ~s** (*inf*) we eat a lot of greens.

Grünfink *m* greenfinch; **Grünfläche** *f* green space *or* area; **Grünfutter** *nt* green fodder, greenstuff; (*inf: Salat*) salad; (*inf: Gemüse*) green vegetables *pl*; **Grüngürtel** *m* green belt; **Grünkohl** *m* (curly) kale; **Grünland** *nt, no pl* meadowland *no indef art*, grassland *no indef art*; **grünlich** *adj* greenish; **Grünpflanze** *f* non-flowering *or* foliage plant; **Grünrock** *m* (*hum*) gamekeeper; (*Jäger*) huntsman; **Grünschnabel** *m* (*inf*) (little) whippersnapper (*inf*); (*Neuling*) greenhorn (*inf*); **Grünspan** *m, no pl* verdigris; **~ ansetzen** *or* **bilden** to form verdigris; (*fig*) to grow hoary; **Grünspecht** *m* green woodpecker; **Grünstich** *m* (*Phot*) green cast; **Grünstreifen** *m* central reservation (*Brit*), median (strip) (*US, Austral*); (*am Straßenrand*) grass verge.

grunzen *vti* to grunt.

Grünzeug *nt* greens *pl*, green vegetables *pl*; (*Kräuter*) herbs *pl*.

Grunzlaut *m* grunt.

Gruppe *f* -, -n group (*auch Math*); (*von Mitarbeitern auch*) team; (*Mil*) ≃ squad; (*Aviat*) ≃ squadron (*Brit*), group (*US*); (*von Pfadfindern*) section; (*Klasse, Kategorie auch*) class. **eine ~ Zuschauer** *or* **von Zuschauern** a group of onlookers; **~n** (**zu je fünf/sechs**) **bilden** to form (into) *or* to make groups (of five/six).

Gruppen *in cpds* group; **Gruppenarbeit** *f* teamwork; **Gruppenbild** *nt* group portrait; **Gruppenbildung** *f* group formation, formation of groups; **Gruppendynamik** *f* (*Psych*) group dynamics; **gruppendynamisch** *adj* (*Psych*) group-dynamic; **Gruppenegoismus** *m* self-interest of the/a group; **Gruppenführer(in** *f*) *m* group leader; (*Mil*) squad leader; **Gruppenmitglied** *nt* member of a/the group, group member; **Gruppenpädagogik** *f* group teaching; **Gruppenpsychologie** *f* group psychology; **Gruppenreise** *f* group travel *no pl*; **Gruppensex** *m* group sex; **Gruppensieg** *m* (*Sport*) **den ~ erringen** to win in one's group; **Gruppensieger(in** *f*) *m* (*Sport*) group winner, winner in *or* of a/the group; **gruppenspezifisch** *adj* group-specific; **Gruppenstatus** *m* (*Pol*) interest-group status; **Gruppentherapie** *f* group

therapy; **Gruppenunterricht** *m* group learning; **Gruppenvergewaltigung** *f* multiple rape, gang bang (*inf*); **gruppenweise** *adv* in groups; (*Ind, Comm, Sport auch*) in teams; (*Mil*) in squads; (*Aviat*) in squadrons; **Gruppenzwang** *m* group *or* peer pressure.

gruppieren* **I** *vt* to group. **II** *vr* to form a group/groups, to group.

Gruppierung *f* **1.** *no pl* grouping. **2.** (*Konstellation*) grouping; (*Gruppe*) group; (*Pol auch*) faction.

Grus *m* **-es, -e** (*Gesteinsschutt*) rubble; (*Kohlen~*) slack.

Gruselfilm *m* horror *or* gothic film; **Gruselgeschichte** *f* tale of horror, horror *or* gothic story.

grus(e)lig *adj* horrifying, gruesome.

gruseln **I** *vti impers* **mich** *or* **mir gruselt auf Friedhöfen** cemeteries give me an eery feeling *or* give me the creeps; **ich kehre um, mir gruselt** I'm going back, I'm getting the creeps; **hier kann man das G~ lernen** this will teach you the meaning of fear.

II *vr* **hier würde ich mich ~** a place like this would give me the creeps; **sie gruselt sich vor Schlangen** snakes give her the creeps.

Gruß *m* **-es, ⁻e 1.** greeting; (*~geste, Mil*) salute. **zum ~** in greeting; **der Deutsche ~** (*NS*) the Nazi salute; **er ging ohne ~ an mir vorbei** he walked past me without saying hello.

2. (*als Zeichen der Verbundenheit*) **viele ⁻e** best wishes (*an +acc* to); **bestell Renate bitte viele ⁻e von mir** please give Renate my best wishes *or* my regards, remember me to Renate; **sag ihm einen schönen ~** say hello to him (from me); **einen (schönen) ~ an Ihre Frau!** my regards to your wife.

3. (*als Briefformel*) **mit bestem ~** *or* **besten ⁻en** yours; **mit brüderlichem/ sozialistischem ~** (*Pol*) yours fraternally; **mit freundlichen ⁻en** *or* **freundlichem ~** (*bei Anrede Mr/Mrs/Miss X*) Yours sincerely, Yours truly (*esp US*); (*bei Anrede Sir(s)/Madam*) Yours faithfully, Yours truly (*esp US*).

Grußadresse, Grußbotschaft *f* (*Pol*) message of greeting.

grüßen **I** *vt* **1.** to greet; (*Mil*) to salute. **grüßt er dich auch nicht?** doesn't he say hello to you either?; **sei gegrüßt** (*old, geh, iro*) greetings; **grüß dich!** (*inf*) hello there!, hi! (*inf*).

2. (*Grüße übermitteln*) **Otto läßt dich (schön) ~** Otto sends his regards *or* best wishes *or* asked to be remembered to you; **ich soll Sie von ihm ~** he sends his regards; **grüß deine Mutter von mir!** remember me to your mother, give my regards to your mother; **und grüß mir Wien** and say hello to Vienna for me; **grüß Gott!** (*S Ger, Aus*) hello.

II *vi* to say hello, to give a greeting (*form*); (*Mil*) to salute. **Otto läßt ~** Otto sends his regards; **die Berge grüßten aus der Ferne** (*liter*) the mountains greeted us in the distance.

III vr **ich grüße mich nicht mehr mit ihm** I don't say hello to him any more.

Grußformel f form of greeting; (am Briefanfang) salutation; (am Briefende) complimentary close, ending.

grußlos adv without a word of greeting/ farewell, without saying hello/goodbye; **Grußpflicht** f (Mil) obligation to salute; **Grußtelegramm** nt greetings telegram; (Pol) goodwill telegram; **Grußwort** nt greeting.

Grütze f -, -n **1.** groats pl; (Brei) gruel. **rote ~** (type of) red fruit jelly. **2.** no pl (inf: Verstand) brains (inf). **der hat ~ im Kopf** (inf) he's got brains (inf).

Gschaftlhuber m -s, - (S Ger, Aus inf) busybody.

gschamig adj (Aus inf) bashful.

Gscherte(r) mf decl as adj (Aus inf) idiot.

Gschnas nt -, no pl (Aus inf) fancy-dress party.

Gspusi nt -s, -s (S Ger, Aus inf) **1.** (Liebschaft) affair, carry-on (inf). **2.** (Liebste(r)) darling, sweetheart.

Gstätten f -, - (Aus inf) grassy patch of land on a hillside.

Guatemala nt -s Guatemala.

Guatemalteke m -n, -n, **Guatemaltekin** f Guatemalan.

gucken (inf) **I** vi (sehen) to look (zu at); (heimlich auch) to peep, to peek; (hervorschauen) to peep (aus out of). **laß mal ~!** let's have a look, give us a look (inf); **jdm in die Karten ~** to look or have a look at sb's cards. **II** vt (inf) **Fernsehen ~** to watch television or telly (Brit inf).

Gucker m -s, - (inf) **1.** (Fernglas) telescope; (Opernglas) opera glass(es). **2.** pl (Augen) peepers (inf), eyes pl.

Guckfenster nt small window; (in Tür) judas window.

Guckkasten m (inf: Fernseher) telly (Brit inf), gogglebox (Brit inf), tube (US inf); **Guckkastenbühne** f proscenium or fourth-wall stage; **Guckloch** nt peephole.

Guerilla[1] [ge'rɪlja, ge'rɪla] f -, -s **1.** (~krieg) guerilla war/warfare. **2.** (~einheit) guerilla unit.

Guerilla[2] [ge'rɪlja] m -(s), -s (~kämpfer) guerilla.

Guerillero [gerɪl'jeːro] m -s, -s guerilla fighter.

Gugelhupf (S Ger, Aus), **Gugelhopf** (Sw) m -s, -e (Cook) gugelhupf.

Guillotine [gɪljo'tiːnə, (Aus) gijo'tiːnə] f guillotine.

Gulasch nt or m -(e)s, -e or -s goulash.

Gulaschkanone f (Mil sl) field kitchen; **Gulaschkommunismus** m (pej) communism which is concerned only with material well-being; **Gulaschsuppe** f goulash soup.

Gulden m -s, - (Hist) florin; (niederländischer ~) g(u)ilder, gulden.

Gülle f -, no pl (S Ger, Sw) siehe **Jauche**.

Gully ['gʊli] m or nt -s, -s drain.

gültig adj valid. **nach den ~en Bestimmungen** according to current regulations; **ab wann ist der Fahrplan ~?** when does the timetable come into effect or force?;

~ **für zehn Fahrten** valid or good for ten trips; ~ **werden** to become valid; (Gesetz, Vertrag) to come into force or effect; (Münze) to become legal tender.

Gültigkeit f, no pl validity; (von Gesetz) legal force. **das Fünfmarkstück verliert im Herbst seine ~** the five-mark piece ceases to be legal tender in the autumn.

Gültigkeitsdauer f period of validity; (eines Gesetzes) period in force.

Gummi nt or m -s, -s (Material) rubber; (~arabikum) gum; (Radier~) rubber (Brit), eraser; (~band) rubber or elastic band; (in Kleidung) elastic; (inf: Kondom) rubber (sl), Durex ®.

Gummi- in cpds rubber; **Gummianzug** m wetsuit; **Gummiarabikum** nt -s, no pl gum arabic; **gummiartig I** adj rubbery; **II** adv like rubber; **Gummiband** nt rubber or elastic band; (in Kleidung) elastic; **Gummibär(chen** nt) m jellybaby; **Gummibaum** m rubber plant; **Gummiboot** nt inflatable boat, rubber dinghy.

gummieren* vt to gum.

Gummierung f **1.** (Verfahren) gumming. **2.** (gummierte Fläche) gum.

Gummiharz nt gum resin; **Gummihöschen** nt plastic pants pl; **Gummikissen** nt inflatable rubber cushion; **Gummiknüppel** m rubber truncheon; **Gummilinse** f (Phot) zoom lens; **Gummimantel** m plastic raincoat or mac (Brit); **Gummimuffe** f (Comput: für Akustikkoppler) rubber cups pl; **Gummiparagraph** m (inf) ambiguous clause; **Gummireifen** m rubber tyre; **Gummisauger** m rubber teat (Brit) or nipple (US); **Gummischlauch** m rubber hose; (bei Fahrrad etc) inner tube; **Gummischutz** m (dated) sheath; **Gummistiefel** m rubber boot, gumboot, wellington (boot) (Brit), wellie (Brit inf); (bis zu den Oberschenkeln) wader; **Gummistrumpf** m rubber or elastic stocking; **Gummitier** nt rubber animal; (aufblasbar) inflatable animal; **Gummiunterlage** f rubber sheet; **Gummiwaren** pl rubber goods pl; **Gummi(wucht)geschoß** nt rubber bullet; **Gummizelle** f padded cell; **Gummizug** m (piece of) elastic.

Gunst f -, no pl favour; (Wohlwollen auch) goodwill; (Gönnerschaft auch) patronage; (des Schicksals) benevolence. **zu meinen/deinen ~en** in my/your favour; **jdm eine ~ erweisen** (geh) to do sb a kindness; **jdm die ~ erweisen, etw zu tun** (geh) to be so gracious as to do sth for sb; **jds ~ besitzen** or **genießen, in jds ~ (dat) stehen** to have or enjoy sb's favour, to be in favour with sb.

Gunstbeweis m, **Gunstbezeigung** f mark of favour; **Gunstgewerbe** nt (hum) the oldest profession in the world (hum), prostitution; **Gunstgewerblerin** f (hum) lady of easy virtue, prostitute.

günstig adj favourable; (zeitlich, bei Reisen) convenient; Angebot, Preis reasonable, good. **jdm/einer Sache ~ gesinnt sein** (geh) to be favourably disposed towards sb/sth; **es trifft sich ~, daß ...** it's very lucky that ...; **bei ~er Witterung** weather permitting; **die Stadt liegt ~ (für)** the town is well situated (for); **die Fähre um 3 Uhr ist ~er** the 3 o'clock ferry is more convenient *or* better; **im ~sten Fall(e)** with luck; **im ~sten Licht** (*lit, fig*) in the most favourable light; **etw ~ kaufen/verkaufen** to buy/sell sth for a good price; **„Kinderwagen ~ abzugeben"** "pram for sale: bargain price"; **mit Geschäften und Erholungsmöglichkeiten in ~er Lage** convenient for shops and recreational facilities.

günstigstenfalls *adv* at the very best.

Günstling *m* (*pej*) favourite.

Günstlingswirtschaft *f* (*pej*) (system of) favouritism.

Gupf *m* **-(e)s, -e** (*Aus*) head.

Guppy ['gupi] *m* **-s, -s** (*Zool*) guppy.

Gurgel *f* **-, -n** throat; (*Schlund*) gullet. **jdm die ~ zudrücken** (*lit, fig*) to strangle sb; **dann springt sie mir an die ~!** (*inf*) she'll kill me (*inf*); **sein Geld durch die ~ jagen** (*inf*) to pour all one's money down one's throat *or* gullet (*inf*); **sich** (*dat*) **die ~ schmieren** (*hum*) to oil one's throat *or* gullet (*inf*).

gurgeln *vi* **1.** (*den Rachen spülen*) to gargle. **2.** (*Wasser, Laut*) to gurgle.

Gurgelmittel, Gurgelwasser *nt* gargle.

Gürkchen *nt* midget gherkin.

Gurke *f* **-, -n 1.** cucumber; (*Essig~*) gherkin. **saure ~n** pickled gherkins. **2.** (*hum inf: Nase*) hooter (*inf*), conk (*Brit inf*).

gurken *vi aux sein* (*sl*) to drive.

Gurkenhobel *m* slicer; **Gurkensalat** *m* cucumber salad.

gurren *vi* (*lit, fig*) to coo.

Gurt *m* **-(e)s, -e** (*Gürtel, Sicherheits~, Ladestreifen*) belt; (*Riemen*) strap; (*Sattel~*) girth; (*Archit*) girder.

Gurtband *nt* waistband.

Gürtel *m* **-s, -** (*Gurt, Zone*) belt; (*Absperrkette*) cordon. **den ~ enger schnallen** (*lit, fig*) to tighten one's belt.

Gürtellinie *f* waist; **ein Schlag unter die ~** (*lit*) a punch/blow below the belt; **das war ein Schlag unter die ~** (*fig*) that really was (hitting) below the belt; **Gürtelreifen** *m* radial (tyre); **Gürtelrose** *f* (*Med*) shingles *sing or pl*; **Gürteltier** *nt* armadillo.

gürten (*geh*) **I** *vt* to gird (*old*); *Pferd* to girth. **II** *vr* to gird oneself.

Gurtmuffel *m* (*inf*) person who refuses to wear a seatbelt; **Gurtpflicht** *f* **es besteht ~** the wearing of seatbelts is compulsory.

Guru *m* **-s, -s** (*lit, fig*) guru.

GUS [ge:|u:'ɛs] *abbr of* **Gemeinschaft** *f* **unabhängiger Staaten** CIS.

Guß *m* **Gusses, Güsse 1.** (*Metal*) (*no pl: das Gießen*) casting, founding; (*~stück*) cast. **(wie) aus einem ~** (*fig*) a unified whole.

2. (*Strahl*) stream, gush; (*inf: Regen~*) cloudburst, downpour. **kalte Güsse** (*Med*) cold affusions.

3. (*Zucker~*) icing, frosting (*esp US*); (*durchsichtig*) glaze. **einen Kuchen mit**

einem ~ überziehen to ice a cake.

Gußbeton *m* cast concrete; **Gußeisen** *nt* cast iron; **gußeisern** *adj* cast-iron; **Gußform** *f* mould; **Gußstahl** *m* cast steel.

gustieren* *vt* **1.** *siehe* **goutieren. 2.** (*Aus*) to taste, to try.

gustiös *adj* (*Aus*) appetizing.

Gusto *m* **-s,** (*rare*) **-s** (*geh, Aus*) **1.** (*Appetit*) **~ auf etw** (*acc*) **haben** to feel like sth. **2.** (*fig: Geschmack*) taste. **nach eignem ~** ad lib, just as one/he *etc* likes.

Gustostückerl *nt* **-s, -(n)** (*Aus inf*) delicacy.

gut I *adj, comp* **besser,** *superl* **beste(r, s)** good. **probieren Sie unsere ~en Weine/ Speisen!** try our fine wines/food; **er ist in der Schule/in Spanisch sehr ~** he's very good at school/Spanish; **~e Frau!** (*dated*) my dear lady; **die ~e Stube** the best *or* good room; **das ist ~ gegen** *or* **für** (*inf*) **Husten** it's good for coughs; **wozu ist das ~?** (*inf*) what's that for?; **er ist immer für eine Überraschung ~** (*inf*) he's always good for a surprise; **schon war er wieder für Geschäfte ~** he was already back in business; **das war Pech, aber wer weiß, wozu es ~ ist** it was bad luck, but it's an ill wind ...; **sei so ~ (und) gib mir das** would you mind giving me that; **würden Sie so ~ sein und ...** would you be good enough to ...; **jdm ~ sein** (*old*) to love sb; **bist du mir wieder ~?** (*dated*) are you friends with me again?; **dafür ist er sich zu ~** he wouldn't stoop to that sort of thing; **sind die Bilder/die Plätzchen ~ geworden?** did the pictures/biscuits turn out all right?; **ist dein Magen wieder ~?** is your stomach better *or* all right again?; **es wird alles wieder ~!** everything will be all right; **es ist ganz ~, daß ...** it's good that ...; **wie ~, daß ...** it's good that ..., how fortunate that ...; **~, daß du das endlich einsiehst** it's a good thing *or* job (that) you realize it at last; **so was ist immer ~** it's always useful; **ich will es damit ~ sein lassen** I'll leave it at that; **laß mal ~ sein!** that's enough, that'll do; **das ist ja alles schön und ~, aber ...** that's all very well but ... *or* all well and good but ...; **ein ~es Stück Weg(s)** (*dated*) a good way; **~e Besserung!** get well soon; **auf ~e Freundschaft!** here's to us!; **auf ~es Gelingen!** here's to success!; **~! good;** (*in Ordnung*) (all) right, OK; **schon ~!** (it's) all right *or* OK; **~, ~!** all right; **also ~!** all right *or* OK then; **nun ~!** fair enough, all right then; **du bist ~!** (*inf*) you're a fine one!

II *adv, comp* **besser,** *superl* **am besten** well. **~ schmecken/riechen** to taste/smell good; **sie spricht ~ Schwedisch** she speaks Swedish well, she speaks good Swedish; **es ~ haben** to have a good time of it; **unser Volk hat es noch nie so ~ gehabt** our people have never had it so good; **er hat es in seiner Jugend nicht ~ gehabt** he had a hard time (of it) when he was young; **du hast es ~!** you've got it made; **das kann ~ sein** that may well be; **so ~ wie nichts**

next to nothing; **so ~ wie nicht** hardly, scarcely; **so ~ wie verloren** as good as lost; **so ~ ich kann** as best I can, as well as I can; **es dauert ~(e) drei Stunden** it lasts a good three hours; **nehmen Sie ~ ein Pfund Mehl** take a good pound of flour; **das ist aber ~ gewogen/ eingeschenkt!** that's a generous measure; **~ und gern** easily; **(das hast du) ~ gemacht!** well done!; **mach's ~!** (*inf*) cheers, cheerio!, bye!; (*stärker*) look after yourself, take care; **paß ~ auf!** be very careful; **ich kann ihn jetzt nicht ~ im Stich lassen** I can't very well let him down now.

³ut *nt* -(e)s, ¨er 1. (*Eigentum*) property; (*lit, fig: Besitztum*) possession. **irdische ~er** worldly goods; **geistige ~er** intellectual wealth; **bewegliche/unbewegliche ~er** movables/immovables.

2. *no pl* (*das Gute*) good, Good. **~ und Böse** good and evil, Good and Evil; **das höchste ~** (*Philos*) the greatest good; (*Gesundheit etc*) one's most valuable possession.

3. (*Ware, Fracht~*) item. **~er** goods; (*Fracht~*) freight *sing*, goods (*esp Brit*).

4. *no pl* (*dated: Material*) material (to be treated).

5. (*Land~*) estate.

6. *no pl* (*Naut*) rigging, gear. **laufendes/stehendes ~** running/standing rigging *or* gear.

gutachten* *vi insep* (*usu infin, auch prp*) (*esp Jur*) to act as an expert witness; **Gutachten** *nt* -s, - report; **Gutachter(in** *f)* *m* -s, - expert; (*Schätzer auch*) valuator; (*Jur: Prozeß*) expert witness; **gutartig** *adj* Kind, Hund good-natured; *Geschwulst, Geschwür* benign; **Gutartigkeit** *f* (*von Kind etc*) good nature, good-naturedness; (*von Geschwulst*) benignity; **gutaussehend** *adj* good-looking; **gutbezahlt** *adj attr* highly-paid; **gutbürgerlich** *adj* solid middle-class; *Küche* homely, good plain; **gutdotiert** *adj attr* well-paid; **Gutdünken** *nt* -s, *no pl* discretion; **nach (eigenem) ~** at one's own discretion, as one sees fit, as one thinks fit *or* best.

Güte *f* -, *no pl* 1. (*Herzens~, Freundlichkeit*) goodness, kindness; (*Gottes auch*) loving-kindness. **würden Sie die ~ haben, zu ...** (*form*) would you have the goodness *or* kindness to ... (*form*); **ein Vorschlag zur ~** a suggestion; **in ~** amicably; **ach du liebe** *or* **meine ~!** (*inf*) oh my goodness!

2. (*einer Ware*) quality. **ein Reinfall erster ~** (*inf*) a first-class flop, a flop of the first order *or* water (*inf*).

Güteklasse *f* (*Comm*) grade.

Gutenachtgeschichte *f* bedtime story; **Gutenachtkuß** *m* goodnight kiss.

Gute(r) *mf decl as adj* **mein ~r** (*old*) my dear friend/husband; **meine ~** (*old*) my dear; **der/die ~** the dear kind soul; (*mitleidig*) the poor soul; **die ~n und die Bösen** the good and the bad.

Güterabfertigung *f* 1. *no pl* dispatch of freight *or* goods (*esp Brit*); 2. (*Abfertigungsstelle*) freight *or* goods (*esp Brit*)

office; **Güterabwägung** *f* choice between conflicting rights; **Güterbahnhof** *m* freight *or* goods (*esp Brit*) depot; **Güterfernverkehr** *m* long-distance haulage; **Gütergemeinschaft** *f* (*Jur*) community of property; **in ~ leben** to have community of property; **Güternahverkehr** *m* short-distance haulage (*up to 50 km*); **Güterschuppen** *m* freight depot, goods shed (*Brit*); **Gütertrennung** *f* (*Jur*) separation of property; **in ~ leben** to have separation of property; **Güterverkehr** *m* freight *or* goods (*esp Brit*) traffic; **Güterwagen** *m* (*Rail*) freight car (*US*), goods truck (*Brit*); **Güterzug** *m* freight *or* goods (*esp Brit*) train.

Gute(s) *nt decl as adj* **~s tun** to do good; **es hat alles sein ~s** (*prov*) every cloud has a silver lining (*Prov*), it's an ill wind (that blows no good) (*Prov*); **alles ~!** all the best!, good luck!; **man hört über sie nur ~s** you hear so many good things about her; **jdm (viel) ~s tun** to be (very) good to sb; **des ~n zuviel tun** to overdo things; **das ist des ~n zuviel** that is too much of a good thing; **das ~ daran** the good thing about it; **das ~ im Menschen** the good in man; **im g~n wie im bösen** for better or for worse; **im g~n sich trennen** amicably; **ich sage es dir im g~n** I want to give you a friendly piece of advice.

Gütetermin *m*, **Güteverhandlung** *f* (*Jur*) conciliation proceedings *pl*; **Gütezeichen** *nt* mark of quality; (*fig auch*) hallmark.

gutgehen *sep irreg aux sein* **I** *vi impers* **es geht ihm gut** he is doing well *or* nicely; (*er ist gesund*) he is well; **sonst geht's dir gut!** (*iro*) are you feeling all right?, are you in your right mind?; **II** *vi* to go (off) well; **das ist noch einmal gutgegangen** it turned out all right; **wenn es gutgeht** with luck; **das konnte ja nicht gut** it was bound to go wrong; **hoffentlich geht es mit den beiden gut!** (*inf*) I hope things will work out for the two of them; **gutgehend** *adj attr* flourishing, thriving; **gutgelaunt** *adj* cheerful, in a good mood; **gutgemeint** *adj attr* well-meaning, well-meant; **gutgesinnt** *adj* well-disposed (+*dat* towards); (*von edler Gesinnung*) right-thinking; **gutgläubig** *adj* trusting; (*vertrauensselig auch*) credulous; **Gutgläubigkeit** *f siehe adj* trusting nature, trustingness; credulity; **guthaben** *vt sep irreg* **etw ~** to be owed with (*bei* by), to have sth coming (to one) (*bei* from) (*inf*); **Guthaben** *nt* -s, - (*Fin, Bank~*) credit; **auf meinem Konto ist** *or* **habe ich ein ~ von DM 500** my account is DM 500 in credit; **gutheißen** *vt sep irreg* to approve of; (*genehmigen*) to approve; **gutherzig** *adj* kind-hearted, kindly.

gütig *adj* kind; (*edelmütig*) generous, gracious. **mit Ihrer ~en Erlaubnis** (*dated form*) with your kind permission.

gütlich *adj* amicable. **sich an etw** (*dat*) **~ tun** to make free with sth.

gutmachen *vt sep* 1. (*in Ordnung brin-*

gen) Fehler to put right, to correct; *Schaden* to make good; **das kann ich ja gar nicht wieder g~!** *(fig)* how on earth can I ever repay you!; **du hast viel an ihm g~zumachen** you've a lot to make up to him (for); **2.** *(gewinnen)* to make *(bei* out of, on); **gutmütig** *adj* good-natured; **Gutmütigkeit** *f* good-naturedness; **gutnachbarlich I** *adj* neighbourly; **II** *adv* in a neighbourly fashion, as good neighbours; **gutsagen** *vi sep (dated)* to vouch *(für* for).

Gutsbesitzer(in *f)* *m* lord/lady of the manor; *(als Klasse)* landowner.

Gutschein *m* voucher, coupon; *(für Umtausch)* credit note; **gutschreiben** *vt sep irreg* to credit *(dat* to); **Gutschrift** *f* **1.** *no pl (Vorgang)* crediting; **2.** *(Bescheinigung)* credit note; *(Betrag)* credit (item).

Gutshaus *nt* manor (house); **Gutsherr** *m* squire, lord of the manor; **Gutsherrin** *f* lady of the manor; **Gutsherrschaft** *f* squire and his family; **Gutshof** *m* estate.

gutsituiert *adj attr* well-off; **gutsitzend** *adj attr* well-fitting.

Gutsverwalter(in *f)* *m* steward.

Guttempler(in *f)* *m* **-s, -** Good Templar; **guttun** *vi sep irreg* **jdm** ~ to do sb good; **das tut gut** that's good.

Guttural -s, -e, Gutturallaut *m (Ling)* guttural (sound).

guttural *adj* guttural.

gutunterrichtet *adj attr* well-informed;

wie aus ~en Kreisen verlautet, ... according to well-informed sources, ...; **gutverdienend** *adj attr* with a good salary, high-income; **gutwillig** *adj* willing; *(entgegenkommend)* obliging; *(nicht böswillig)* well-meaning; **Gutwilligkeit** *f siehe adj* willingness; obligingness; well-meaningness.

gymnasial *adj attr* ≃ at grammar schools *(Brit)*, at high schools *(US)*. **die ~e Oberstufe** ≃ the sixth form *(Brit)*.

Gymnasialbildung *f* ≃ grammar school education *(Brit)*, high school education *(US)*; **Gymnasiallehrer(in** *f)*, **Gymnasialprofessor(in** *f)* *m (Aus)* ≃ grammar school teacher *(Brit)*, high school teacher *(US)*.

Gymnasiast(in *f)* *m* **-en, -en** ≃ grammar school pupil *(Brit)*, high school student *(US)*.

Gymnasium *nt* **1.** *(Sch)* ≃ grammar school *(Brit)*, high school *(US)*. **2.** *(Hist)* gymnasium.

Gymnastik *f* keep-fit exercises *pl*; *(Turnen)* gymnastics *sing*.

Gymnastikanzug *m* leotard.

Gymnastikunterricht *m* gymnastics *sing*.

gymnastisch *adj* gymnastic.

Gynäkologe *m*, **Gynäkologin** *f* gynaecologist.

Gynäkologie *f* gynaecology.

gynäkologisch *adj* gynaecological.

Gyros ['giros] *nt* **-**, *no pl* ≃ doner kebab.

H

H, h [ha:] *nt* -, - H, h; (*Mus*) B.

h *abbr of* **hora(e)** (*Stunde*) hr. **Abfahrt 8ʰ/ 13ʰ** (*spoken*: *acht/dreizehn Uhr*) departure 8 a.m./1 p.m. *or* 8⁰⁰/13⁰⁰ hours (*spoken*: eight/thirteen hundred hours); **120 km/h** (*spoken*: *Kilometer pro Stunde*) 120 km/h *or* kmph.

ha¹ *abbr of* **Hektar** hectare.

ha² *interj* ha; (*triumphierend*) aha; (*überrascht, erstaunt, verärgert*) oh; (*verächtlich*) huh.

hä *interj* what.

Haag *m* -s: der ~, Den ~ The Hague; in *or* im ~, in Den ~ in The Hague.

Haager *adj attr* Hague. ~ **Konventionen** Hague Conventions; ~ **Schiedshof** International Court of Justice in The Hague.

Haar *nt* -(e)s, -e 1. (*Menschen~*) hair. sie hat schönes ~ *or* schöne ~e she has nice hair; sich (*dat*) die ~e *or* das ~ schneiden lassen to have *or* get one's hair cut, to have a haircut.
2. (*Bot, Zool, Material*) hair.
3. (*in Wendungen*) ~e auf den Zähnen haben to be a tough customer (*Brit*) *or* cookie (*US*); ~e lassen (müssen) to suffer badly, to come off badly; jdm kein ~ krümmen not to harm a hair of sb's head; darüber laß dir keine grauen ~e wachsen don't worry your head about it, don't lose any sleep over it; er findet immer ein ~ in der Suppe he always finds something to quibble about; jdm aufs ~ gleichen to be the spitting image of sb; sie gleichen sich aufs ~ they are the spitting image of each other, they're as alike as two peas in a pod; das ist an den ~en herbeigezogen that's rather far-fetched; sich (*dat*) die ~e raufen to tear one's hair out; sich (*dat*) durch die ~e fahren to run one's fingers through one's hair; an jdm/etw kein *or* nicht ein gutes ~ lassen to pick *or* pull sb/sth to pieces; sich (*dat*) in die ~e geraten *or* kriegen (*inf*) to quarrel *or* squabble; sich (*dat*) in den ~en liegen to be at loggerheads; jdm die ~e vom Kopf fressen (*inf*) to eat sb out of house and home; er hat mehr Schulden als ~e auf dem Kopf he's up to his ears in debt; jdm kein ~ besser no better, not a bit *or* whit better; um ein *or* ums ~ very nearly, almost; er hat mich um ein ~ getroffen he just missed (hitting) me by a hair's breadth.

Haaransatz *m* hairline; **Haarausfall** *m* hair loss; **Haarband** *nt* hairband; (*Schleife*) hair ribbon; **Haarboden** *m* scalp; **Haarbreit** *nt*: nicht ein *or* um kein ~ not an inch; **Haarbürste** *f* hairbrush; **Haarbüschel** *nt* tuft of hair.

haaren I *vi* (*Tier*) to moult, to lose its coat *or* hair; (*Pelz*) to shed (hair); (*Teppich*) to shed. **II** *vr* (*Tier*) to moult.

Haarentferner *m* -s, -, **Haarentfernungsmittel** *nt* hair remover, depilatory.

Haaresbreite *f inv* (nur) um ~ almost, very nearly; **verfehlen** by a hair's breadth; er wich nicht um ~ von seiner Meinung ab he did not change his opinion one iota.

Haarfarbe *f* hair colour; **Haarfestiger** *m* -s, - (hair) setting lotion; **Haargarn** *nt* yarn made from hair; **Haargefäß** *nt* (*Anat*) capillary; **haargenau** *adj* exact; *Übereinstimmung* total; die Beschreibung trifft ~ auf ihn zu the description fits him exactly *or* to a T (*inf*); jdm etw ~ erklären to explain sth to sb in great detail; das trifft ~ zu that is absolutely right.

haarig *adj* hairy; (*inf*) (*heikel, gefährlich*) hairy (*inf*); (*schwierig*) nasty.

Haarklammer *f* (*Klemme*) hairgrip; (*Spange*) hair slide, barrette (*US*); **Haarkleid** *nt* (*geh*) coat; **haarklein I** *adj* (*inf*) *Beschreibung* detailed; **II** *adv* in great *or* minute detail; er hat mir alles ~ berechnet he charged me for absolutely everything; **Haarklemme** *f* hairgrip; **Haarkranz** *m* (*von Männern*) fringe (of hair); (*Frauenfrisur*) plaits fixed around one's head; **Haarkünstler(in** *f*) *m* (*usu hum*) hair artiste; **haarlos** *adj* hairless; (*glatzköpfig*) bald; **Haarmode** *f* hairstyle; **Haarnadel** *f* hairpin; **Haarnadelkurve** *f* hairpin bend; **Haarnetz** *nt* hairnet; **Haaröl** *nt* hair oil; **Haarpflege** *f* hair care; zur ~ (for caring) for one's hair; **Haarpracht** *f* superb head of hair; **Haarreif** *m* Alice band; **Haarriß** *m* (*Tech*) (*in Metall, Pflaster*) hairline crack; **haarscharf** *adj* *Beschreibung, Wiedergabe* exact; *Gedächtnis* very sharp, very clear; *Unterschied* very fine; *Beobachtung* very close; die Kugel ging ~ daneben the bullet missed by a hair's breadth; ~ an jdm vorbeizielen/ vorbeischießen to aim to just miss sb/to shoot just past sb; der Glassplitter traf ihn ~ über dem Auge the splinter of glass only just missed his eye; **Haarschleife** *f* hair ribbon; **Haarschmuck** *m* ornaments *pl* for one's hair; **Haarschneider** *m* -s, - 1. (*Gerät*) electric clippers *pl*; 2. *auch* **Haarschneiderin** *f* (*inf: Friseur*) barber; **Haarschnitt** *m* 1. (*Frisur*) haircut, hairstyle; 2. (*das Haarschneiden*) haircut; **Haarschopf** *m* mop *or* shock of hair; ihr roter ~ her mop *or* shock of red hair; **Haarsieb** *nt* fine sieve; **Haarspalter(in** *f*) *m* -s, - pedant, hairsplitter; **Haarspalterei** *f* splitting hairs *no indef art, no pl*; **haarspalterisch** *adj* hairsplitting; *Unterschied* minute; **Haarspange** *f* hair slide, barrette (*US*); **Haarspitze** *f* end (of a hair); **gespaltene ~n** split ends; **Haarspray** nt or m hairspray; **Haarsträhne** f strand or (dünner) wisp of hair; **haarsträubend** adj hair-raising; (empörend) shocking, terrible; (unglaublich) **Frechheit** incredible; **Haarstrich** m (dünner Strich) hairline, hairstroke; (von Tierfell) growth of the hair; **Haarteil** nt hairpiece; **Haartöner** m -s, - hair-tinting lotion; **Haartönung** f tinting; **Haartracht** f (dated, geh: Frisur) hairstyle; **Haartransplantation** f hair transplant; (Vorgang) hair transplantation; **Haartrockner** m -s, - hair dryer; **Haarwäsche** f washing one's hair no art; **Haarwaschmittel** nt shampoo; **Haarwasser** nt hair lotion; **Haarwechsel** m change of coat; **Haarwild** nt (Hunt) game animals pl; **Haarwirbel** m cowlick; (am Hinterkopf) crown; **Haarwuchs** m growth of hair; **einen kräftigen/spärlichen ~ haben** to have a lot of hair or a thick head of hair/ thin hair or a thin head of hair; **Haarwuchsmittel** nt hair restorer; **Haarwurzel** f root of a/the hair.

Hab nt: **~ und Gut** sing vb possessions, belongings, worldly goods all pl.

Habe f -, no pl (geh) possessions pl, belongings pl.

Habeaskorpus|akte f (Jur) Act of Habeas Corpus.

Habe die Ehre interj (Aus) (Gruß) hello; goodbye; (Ausdruck des Erstaunens, der Entrüstung) good heavens.

haben pret **hatte**, ptp **gehabt** I vt **1.** to have, to have got (esp Brit). **ein Meter hat 100 cm** there are 100 cm in a metre; **da hast du 10 Mark/das Buch** there's 10 marks/the book; **was man hat, das hat man** (inf), **wer hat, der hat** (inf) I/she etc might as well have it as not; **die ~'s (ja)** (inf) they can afford it; **wie hätten Sie es gern?** how would you like it?; **ich kann das nicht ~** (inf) I can't stand it; **sie hat heute Geburtstag** it's her birthday today; **Ferien ~** to be on holiday; **er wollte sie zur Frau ~** he wanted to make her his wife.

2. (über etw verfügen) Zeit, Geld, Beziehungen to have; (vorrätig ~, führen auch) to have got (esp Brit). **damit hat es noch Zeit, die Sache hat Zeit** it's not urgent, it can wait; **Zeit ~, etw zu tun** to have the time to do sth.

3. (Schülersprache) Lehrer, Unterricht, Schule to have; Note to get; (studieren) Fach to do. **in der ersten Stunde ~ wir Mathe** we have maths first lesson; **was hast du diesmal in Englisch?** what did you get in English this time?

4. (von etw ergriffen, erfüllt, bedrückt sein) Zweifel, Hoffnung, Wunsch to have. **Hunger/Durst/Angst/Sorgen ~** to be hungry/thirsty/afraid/worried; **eine Krankheit ~** to have (got) an illness; **Fieber ~** to have (got) a temperature; **was hat er denn?** what's the matter with him?, what's wrong with him?; **hast du was?** are you all right?, is (there) something the matter with you?; **ich habe nichts** there's nothing wrong or the

matter with me; **gute/schlechte Laune ~** to be in a good/bad mood.

5. (vorhanden sein, herrschen) gutes, schlechtes Wetter to have. **morgen werden wir Nebel ~** we'll have fog tomorrow; **wieviel Uhr ~ wir?** what's the time?; **heute ~ wir 10°** it's 10° today; **in Australien ~ sie jetzt Winter** it's winter in Australia now; **den Wievielten ~ wir heute?** what's the date today?, what's today's date?

6. (mit adj) **es gut/schön/bequem ~** to have it good/nice/easy; **sie hat es warm in ihrem Zimmer** it's warm in her room; **wir ~ es noch weit bis nach Hause** it's a long way home; **es schlecht ~** to have a bad time (of it); **er hat es nicht leicht mit ihr** he has a hard time (of it) with her.

7. (in Infinitivkonstruktion mit zu) **ich habe nichts zu sagen/tun** I have nothing to say/do; **nichts vom Leben zu erwarten ~** to have no expectations in life; **du hast zu gehorchen** (müssen) you must or you have to obey; **ich habe nicht zu fragen** I'm not to ask questions; (steht mir nicht zu) it's not up to me to ask questions; **ich habe zu tun** I'm busy.

8. (in Infinitivkonstruktion mit Raumangabe) **etw auf dem Boden liegen/an der Wand hängen ~** to have sth lying on the floor/hanging on the wall; **viele Bücher im Schrank stehen ~** to have a lot of books in the cupboard.

9. (in Infinitivkonstruktion mit sein) **jd/etw ist zu ~** (erhältlich) sb/sth is to be had; (nicht verheiratet) sb is single; (sexuell) sb is available; **für etw zu ~ sein** to be keen on sth; **für ein gutes Essen ist er immer zu ~** he's always willing to have a good meal; **der ist doch für jeden Ulk zu ~** he's always one for a joke; **er ist nicht dafür zu ~** (nicht interessiert) he's not keen on that; (möchte nicht beteiligt sein) he won't have anything to do with it.

10. (dial) **es hat** (es gibt) there is/are.

11. (inf: leiden) **es am Herzen/Magen/ an der Leber ~** to have heart/stomach/ liver trouble or trouble with one's heart/stomach/liver; **es in den Beinen ~** to have trouble with one's legs.

12. (Redewendungen) **ich hab's** (inf) I've got it, I know; **du kannst mich gern ~** (inf) I don't give a damn (inf); **da hast du's/~ wir's!** (inf) there you/we are; **woher hast du denn das?** where did you get that from?; **wie gehabt!** some things don't change.

13. in Verbindung mit Präpositionen siehe auch dort **jd/etw hat eine nette Art/ etwas Freundliches an sich** (dat) there is something nice/friendly about sb/sth; **sie werden schon merken, was sie an ihm ~** they'll see how valuable he is; **sie hat eine große Hilfe an ihren Kindern** her children are a great help to her; **das hat er/sie/es so an sich** (dat) that's just the way he/she/it is; **das hat es in sich** (inf) (schwierig) that's tough, that's a tough one; (alkoholreich) that's strong; (reichhaltig) that's rich; **das hat etwas für sich** there's something to be said for that;

was hat es damit auf sich? what is all this about, what is all this supposed to mean?; **man muß immer wissen, wen man vor sich hat** one must always know who one is talking to; **etwas mit jdm ~** (*euph*) to have a thing with sb (*inf*); **etwas von etw ~** (*inf*) to get something out of sth; **das hast du jetzt davon** now see what's happened *or* what's come of it; **das hat er von seinem Leichtsinn** that's what comes of his being frivolous; **nichts/mehr/weniger von etw ~** (*inf*) to get nothing/more/less out of *or* from sth; **nichts davon/von etw ~** to get nothing out of it/sth *or* no benefit from it/sth; **viel/wenig von jdm ~** to take after/not to take after sb; **die blonden Haare hat sie von ihrem Vater** she gets her blonde hair from her father; **er hat etwas von einem Erpresser (an sich** *dat*) he's a bit of a blackmailer; **etw gegen jdn/etw ~** to have sth against sb/sth; **jd hat jdn/etw gegen sich** sb has sb/sth against him.

II *vr* (*inf: sich anstellen*) to make a fuss. **was hast du dich denn so?** what are you making such a fuss about?; **hab dich nicht so** stop making such a fuss.

III *vr impers* (*inf*) **und damit hat es sich** and that's that; **die Sache hat sich** (*ist erledigt*) that's done; **es hat sich was mit der Liebe** love is a strange thing; **hat sich was!** (*inf*) some hopes!

IV *v aux* **ich habe/hatte gerufen** I have/had called, I've/I'd called; **du hättest den Brief früher schreiben können** you could have written the letter earlier; **er will ihn gesehen ~** he says (that) he saw him.

Haben *nt* **-s,** *no pl* credit.
Habenichts *m* **-(es), -e** have-not.
Habenseite *f* credit side; **Habenzinsen** *pl* interest on credit *sing*.
Haberer *m* **-s, -** (*Aus inf*) bloke (*inf*).
Habgier *f* greed, acquisitiveness; **habgierig** *adj* greedy, acquisitive; **habhaft** *adj* **jds/einer Sache ~ werden** (*geh*) to get hold of sb/sth.
Habicht *m* **-s, -e** hawk; (*Hühner~*) goshawk.
Habichtsnase *f* hooked nose.
habil. *abbr of* **habilitatus Dr. ~** *doctor with postdoctoral university teaching qualification.*
Habilitation *f* (*Lehrberechtigung*) postdoctoral lecturing qualification.
Habilitationsschrift *f* *postdoctoral thesis required for qualification as a university lecturer.*
habilitieren* **I** *vr* to qualify as a university lecturer. **II** *vt* to confer qualification as a university lecturer on.
Habit [ha'bi:t, ha'bɪt] *nt or m* **-s, -e** (*Ordenskleid*) habit; (*geh: Aufzug*) attire.
Habitat *nt* (*Zool*) habitat.
habituell *adj* (*geh*) habitual.
Habitus *m* **-,** *no pl* (*geh, Med*) disposition.
Habsburg *nt* **-s** Hapsburg, Habsburg.
Habsburger(in *f*) *m* **-s, -** Hapsburg, Habsburg.
Habsburger *adj attr*, **habsburgisch** *adj* Hapsburg *attr*, Habsburg *attr*, of the Hapsburgs *or* Habsburgs.

Habseligkeiten *pl* possessions, belongings, effects (*form*) *all pl*; **Habsucht** *f* *siehe* **Habgier**; **habsüchtig** *adj* *siehe* **habgierig**.
Habt|achtstellung *f* (*Mil, fig*) attention. **~ einnehmen** to stand to *or* be at attention.
Haché [ha'ʃe:] *nt* **-s, -s** *siehe* **Haschee.**
Hachel *f* **-, -n** (*Aus*) slicer.
hacheln *vti* (*Aus*) to chop, to slice.
Hachse ['haksə] *f* **-, -n** (*dial*) *siehe* **Haxe.**
Hackbank *f* butcher's chopping board; **Hackbau** *m* (*Agr*) hoe-farming; **Hackbeil** *nt* chopper, cleaver; **Hackblock** *m* *siehe* **Hacklotz**; **Hackbraten** *m* meat loaf; **Hackbrett** *nt* **1.** chopping board; **2.** (*Mus*) dulcimer.
Hacke[1] *f* **-, -n 1.** (*dial: Ferse, am Strumpf*) heel. **2.** (*dial, Mil: Absatz*) heel. **die ~n zusammenschlagen** *or* **-klappen** (*Mil*) to click one's heels; **einen im** *or* **am ~n haben** (*N Ger inf*) to be pickled (*inf*); *siehe* **ablaufen.**
Hacke[2] *f* **-, -n 1.** (*Pickel*) pickaxe, pick; (*Garten~*) hoe. **2.** (*Aus*) hatchet, axe.
Hackebeil *nt* *siehe* **Hackbeil.**
hacken **I** *vt* **1.** (*zerkleinern*) to chop.
    2. Garten, Erdreich to hoe.
    3. (*mit spitzem Gegenstand*) Loch to hack, to chop; (*Vogel*) to peck.
    II *vi* **1.** (*mit dem Schnabel*) to peck; (*mit spitzem Gegenstand*) to hack, to chop. **nach jdm/etw ~** to peck at sth/sb.
    2. (*im Garten*) to hoe.
    3. (*Comput*) to hack (*in +acc* into).
    III *vr* (*sich verletzen*) to cut (oneself).
Hacken *m* **-s, -** *siehe* **Hacke**[1].
Hackentrick *m* (*Sport*) backheel.
Hackepeter *m* **-s, -** (*N Ger*) mince (*Brit*), minced (*Brit*) *or* ground (*US*) meat.
Hacker(in *f*) *m* **-s, -** (*Comput*) hacker.
Hackfleisch *nt* mince (*Brit*), minced (*Brit*) *or* ground (*US*) meat; **jdn zu** *or* **aus jdm ~ machen** (*sl*) to make mincemeat of sb (*inf*); (*verprügeln*) to beat sb up; **Hackfrucht** *f* root crop; **Hacklotz** *m* chopping block; **Hackordnung** *f* (*lit, fig*) pecking order.
Häcksel *nt or m* **-s,** *no pl* chaff.
Häckselmaschine *f* chaffcutter.
Hacksteak *nt* hamburger; **Hackstock** *m* (*Aus*) *siehe* **Hacklotz.**
Hader *m* **-s,** *no pl* (*geh*) (*Zwist*) discord; (*Unzufriedenheit*) discontentment. **in ~ mit sich und der Welt leben** to be at odds with oneself and the world.
Haderlump *m* (*Aus, S Ger*) good-for-nothing.
hadern *vi* (*geh*) (*streiten*) to quarrel, to wrangle (*mit* with); (*unzufrieden sein*) to be at odds (*mit* with). **hadere nicht mit deinem Schicksal** you must accept your fate.
Hadernpapier *nt* rag paper.
Hades *m* **-,** *no pl* (*Myth*) Hades.
Hafen[1] *m* **-s, -̈ 1.** harbour (*Brit*), harbor (*US*); (*Handels~*, *für große Schiffe*) port; (*Jacht~*) marina; (*~anlagen*) docks *pl*. **in den ~ einlaufen** to put into harbour/port. **2.** (*fig*) haven. **in den ~ der Ehe einlaufen** to enter the state of

matrimony.

Hafen² m -s, ⁼ or - (dial) **1.** (Kochtopf) pot, pan; (Schüssel) dish, bowl; (Krug) jug. **2.** (Nachttopf) chamber-pot.

Häfen m -s, - (Aus) **1.** (sauce)pan. **2.** (inf: Gefängnis) jug (inf), clink (inf).

Hafen- in cpds harbour (Brit), harbor (US); port; **Hafenamt** nt harbour/port authority; **Hafenanlagen** pl docks pl; **Hafenarbeiter(in** f) m dockworker, docker; **Hafenbehörden** pl harbour/port authorities pl **Hafeneinfahrt** f harbour entrance; **die ~ von Dover** the entrance to Dover Harbour; **Hafenkneipe** f (inf) dockland pub (Brit) or bar; **Hafenmeister(in** f) m harbourmaster; **Hafenpolizei** f port or dock police; **Hafenrundfahrt** f (boat-) trip round the harbour; **Hafenstadt** f port; (am Meer auch) seaport; **Hafenviertel** nt dock area.

Hafer m -s, - oats pl. **ihn sticht der ~** (inf) he's feeling his oats (inf).

Haferbrei m porridge; **Haferflocken** pl rolled oats pl; **Hafergrütze** f porridge; **Haferkorn** nt (oat) grain.

Haferlschuh m type of brogue.

Hafermehl nt oatmeal; **Hafersack** m fodder bag; **Haferschleim** m gruel.

Haff nt -(e)s, -s or -e lagoon.

Hafner(in f), **Häfner(in** f) m -s, - (S Ger) (Töpfer) potter; (Ofensetzer) stovefitter.

Hafnium nt, no pl (abbr **Hf**) hafnium.

Haft f -, no pl (Untersuchungs~) custody; (~strafe) imprisonment; (~zeit) prison sentence, term of imprisonment; (politisch) detention. **sich in ~ befinden** to be in custody/prison/detention; **jdn aus der ~ entlassen** to release sb from custody/prison/detention; **eine ~ absitzen** (inf) to do time (inf); **in ~ sitzen** to be held in custody/prison/detention; **in ~ nehmen** to take into custody, to detain.

Haftanstalt f detention centre; **Haftaussetzung** f parole; **haftbar** adj (für jdn) legally responsible; (für etw) (legally) liable; **Haftbarkeit** f siehe adj (legal) responsibility; (legal) liability; **Haftbefehl** m warrant; **einen ~ gegen jdn ausstellen** to issue a warrant for sb's arrest; **Haftbeschwerde** f appeal against a remand in custody; **Haftdauer** f term of imprisonment.

Haftel nt -s, - (Aus) hook and eye sing.

Haftelmacher m (Aus) **aufpassen wie ein ~** to watch like a hawk.

haften¹ vi (Jur) **für jdn ~** to be (legally) responsible for sb; **für etw ~** to be (legally) liable for sth; **(jdm) für jdn/etw ~** (verantwortlich sein) to be responsible (to sb) for sb/sth; **die Versicherung hat für den Schaden nicht gehaftet** the insurance company did not accept liability (for the damage); **für Garderobe kann nicht gehaftet werden** the management can accept no responsibility for articles deposited, all articles are left at owner's risk.

haften² vi **1.** (kleben) to stick (an +dat to); (Klebstoff auch, Reifen, Phys) to adhere; (sich festsetzen: Rauch,

Schmutz, Geruch) to cling (an +dat to). **an jdm ~** (fig: Makel) to hang over sb, to stick to sb. **2.** (Eindruck, Erinnerung) to stick (in one's mind); (Blick) to become fixed. **an etw** (dat) **~** (hängen) to be fixed on sth; **bei diesen Schülern haftet nichts** nothing sinks in with these pupils.

haftenbleiben vi sep irreg aux sein to stick (an or auf +dat to); (sich festsetzen: Rauch, Schmutz, Geruch) to cling; (Klebstoff auch, Phys) to adhere; (Eindruck, Gelerntes) to stick.

Haftentlassung f release from custody/prison/detention; **Haftentschädigung** f compensation for wrongful imprisonment; **Haftetikett** nt adhesive label; **haftfähig** adj **1.** Material adhesive; Reifen with good road-holding; **auf etw** (dat) **~ sein** to stick to sth; **2.** (Jur) fit to be kept in prison; **Haftfähigkeit** f **1.** (von Material) adhesiveness, adhesive strength; (von Reifen) road-holding; **2.** (Jur) fitness to be kept in prison; **Haftgrund** m **1.** (Jur) grounds pl for detaining sb (in custody); **2.** (Tech) base.

Häftling m prisoner; (politisch auch) detainee.

Haftnotiz f self-stick note; **Haftorgan** nt suction pad; **Haftpflicht** f **1.** (Schadenersatzpflicht) (legal) liability; (für Personen) (legal) responsibility; **die ~ der Versicherung erstreckt sich nicht auf Glas** the insurance does not cover glass; **2.** (inf: ~versicherung) personal or public (US) liability insurance; (für Auto) ≃ third party insurance; **ich bin in keiner ~** I don't have any personal etc liability insurance; **haftpflichtig** adj liable; **haftpflichtversichert** adj **~ sein** to have personal liability insurance; (Autofahrer) ≃ to have third-party insurance; **Haftpflichtversicherung** f personal or public (US) liability insurance no indef art; (von Autofahrer) ≃ third-party insurance; **Haftprüfung** f review of remand in custody; **Haftpsychose** f prison psychosis no indef art; **Haftpulver** nt (für Gebiß) denture fixative; **Haftrichter(in** f) m magistrate; **Haftschalen** pl contact lenses pl; **Haftstrafe** f prison sentence; **haftunfähig** adj (Jur) unfit to be kept in prison.

Haftung f **1.** (Jur) (legal) liability; (für Personen) (legal) responsibility. **für Ihre Garderobe übernehmen wir keine ~** articles are left at owner's risk, the management accepts no responsibility for articles deposited. **2.** (Tech, Phys, von Reifen) adhesion.

Haftungsbeschränkung f (Jur) limitation of liability.

Hafturlaub m parole; **Haftverkürzung** f shortened sentence; **Haftverschonung** f exemption from imprisonment; **Haftzeit** f prison sentence.

Hag m -(e)s, -e (poet, old) (Hain) grove; (Hecke) hedge.

Hagebutte f -, -n rose hip; (inf: Hekkenrose) dogrose; **Hagebuttentee** m rose-hip tea; **Hagedorn** m hawthorn.

Hagel m -s, no pl 1. hail; (~schauer) hailstorm. 2. (von Steinen, Geschossen) hail; (von Vorwürfen, Drohungen) stream; (von Schimpfworten) stream, torrent.

Hagelkorn nt hailstone.

hageln I vi impers es hagelt it's hailing. II vi etw hagelt auf jdn/etw (Schläge, Geschosse, Steine) sth rains down on sb/sth; (Vorwürfe, Schimpfworte) sb is showered with sth. III vt impers (lit) to hail (down). es hagelte etw (fig) sth rained down; Vorwürfe, Schimpfworte there was a shower of sth.

Hagelschaden m damage caused by hail; **Hagelschauer** m (short) hailstorm; **Hagelschlag** m (Met) hail; (Hagelschauer) hailstorm; **Hagelsturm** m hailstorm; **Hagelwetter** nt (lit) hailstorm.

hager adj gaunt, thin; Mensch auch lean.

Hagestolz m -es, -e (old, hum) confirmed bachelor.

Hagiographie f (form) hagiography.

Häher m -s, - jay.

Hahn m -(e)s, ⁼e 1. (männlicher Vogel) cock; (männliches Haushuhn auch) rooster; (jünger) cockerel; (Wetter~) weathercock. der gallische ~ the French cockerel; ~ im Korb sein (Mann unter Frauen) to be cock of the walk; danach kräht kein ~ mehr (inf) no one cares two hoots about that any more (inf); jdm den (roten) ~ aufs Dach setzen to set sb's house on fire. 2. pl auch -en (Tech) tap, faucet (US); (Zapf~ auch) spigot; (Schwimmer~) ballcock. 3. (Abzug) trigger.

Hähnchen nt chicken; (junger Hahn) cockerel.

Hahnenfeder f cock's plume; **Hahnenfuß** m (Bot) buttercup; **Hahnenfußgewächs** nt buttercup; **Hahnenkamm** m (auch Frisur) cockscomb; **Hahnenkampf** m cockfight; (Sport) cockfighting; **Hahnenschrei** m cockcrow; beim ersten ~ (fig) at cockcrow; **Hahnensporn** m cock's spur; **Hahnentritt(muster** nt) m dogtooth check.

Hahnium nt, no pl (abbr Ha) hahnium.

Hahnrei m -s, -e (dated) cuckold. jdn zum ~ machen to cuckold sb.

Hai m -(e)s, -e, **Haifisch** m (lit, fig) shark.

Haifischflossensuppe f shark-fin soup.

Hain m -(e)s, -e (poet, geh) grove.

Hainbuche f hornbeam.

Häkchen nt 1. (Sew) (small) hook. was ein ~ werden will, krümmt sich beizeiten (Prov) there's nothing like starting young. 2. (Zeichen) tick, check (US); (auf Buchstaben) diacritic (spec), accent.

Häkel|arbeit f crochet (work) no indef art; (das Häkeln auch) crocheting; (Gegenstand) piece of crochet (work).

Häkelei f crocheting, crochet work.

Häkelgarn nt crochet thread.

häkeln I vi (Fingerhakeln machen) to finger-wrestle. II vti 1. (Ftbl, Hockey) siehe haken III. 2. (Rugby) to heel. 3.

(beim Ringen) Gegner to get in a footlock.

häkeln vti to crochet.

Häkelnadel f crochet hook.

haken I vi (klemmen) to stick. es hakt (fig) there's some delay, there are sticking points; es hakt (bei jdm) (inf: nicht verstehen) sb is stuck. II vt 1. (befestigen) to hook (an +acc to). 2. (einhängen, um etw legen) to hook (in +acc in, um around). III vti (Sport) to trip up.

Haken m -s, - 1. hook; (aus Holz auch) peg. ~ und Öse hook and eye; mit ~ und Ösen spielen (Ftbl inf) to foul. 2. (inf: Schwierigkeit) snag, catch. die Sache hat einen ~ there's a snag or a catch; die Sache ist ganz ohne ~ und Ösen there's no catch; ein Angebot ohne ~ und Ösen an offer with no strings attached. 3. (plötzlicher Richtungswechsel) einen ~ schlagen to dart sideways; ~ pl schlagen to dart from side to side. 4. (Boxen) hook. 5. siehe Häkchen 2.

hakenförmig adj hooked, hook-shaped; **Hakenkreuz** nt swastika; **Hakennase** f hooked nose, hooknose.

Halali nt -s, -(s) (Hunt) mort.

halb I adj 1. (Bruchteil) half; (Lehrauftrag) part-time. ein ~er Kuchen/Meter half a cake/metre; der ~e Kuchen/Tag half the cake/day; eine ~e Stunde half an hour; alle ~e Stunde every half hour; ein ~es Jahr six months pl, half a year; ein ~es Dutzend half a dozen; auf ~er Höhe at half the normal height; (zum Gipfel) halfway up; auf ~em Wege or ~er Strecke (lit) halfway; (fig) halfway through; jdm auf ~em Weg entgegenkommen (fig) to meet sb halfway; das ~e Hundert fifty, half a hundred (old); zum ~en Preis (at) half price; Kleid mit ~em Arm dress with half-length sleeves. 2. (Mus) eine ~e Note a minim (Brit), a half-note (US); ein ~er Ton a semitone; ~e Pause minim/half-note rest. 3. inv (Uhrzeit) ~ zehn half past nine; fünf Minuten vor/nach ~ zwei twenty-five (minutes) past one/to two; es schlägt ~ it's striking the half hour; um drei/fünf Minuten nach ~ at three minutes past the half hour/at twenty-five to. 4. inv, no art (bei geographischen Namen) ~ Deutschland/London half of Germany/London. 5. (unvollständig) Maßnahmen half; Reformen partial; (vermindert) Tempo half; Lächeln slight; Licht poor. ~e Arbeit leisten to do a bad job; die ~e Freude half the pleasure; die ~e Wahrheit half of or part of the truth; nichts H~es und nichts Ganzes neither one thing nor the other; mit ~em Ohr with half an ear; ein ~er Mensch/eine ~e Frau sein, sich nur wie ein ~er Mensch fühlen not to feel a complete person/woman; (energielos) to feel half dead; keine ~en Sachen machen not to do things by halves. 6. (inf) (große Anzahl, großer Teil)

die ~e Stadt/Welt half the town/world; sie ist schon eine ~e Schottin she is already half Scottish; ein ~er Elektriker/Mechaniker something of an electrician/mechanic; (noch) ein ~es Kind sein to be hardly or scarcely more than a child.
II adv **1.** (zur Hälfte) half. ~ rechts/links abzweigen (Straße, Fahrer) to fork (off) to the right/left, to turn half right/left; die Zeit ist ~ vorbei half the time has already gone.
2. (nicht ganz, teilweise) half. ~ so gut half as good; etw nur ~ verstehen to only half understand something; ich hörte nur ~ zu I was only half listening; das ist ~ so schlimm it's not as bad as all that; (Zukünftiges) that won't be too bad; etw nur ~ machen to only half-do sth (inf).
3. (fast vollständig) almost, nearly; blind, roh half. ich war schon ~ fertig I was almost or nearly finished; wir haben uns ~ totgelacht we almost died laughing; ich hätte mich ~ totärgern können I could have kicked myself (inf).
4. ~ lachend, ~ weinend half laughing, half crying; ~ Mensch, ~ Pferd half or part man, half or part horse; Wein oder Sprudel? — ~ und ~ wine or mineral water? — half and half.
5. mit jdm ~e-~e machen (inf) to go halves with sb; ~ und ~ (inf: beinahe) more or less; gefällt es dir? — ~ und ~ do you like it? — sort of (inf) or so-so.
halb- pref **1.** half. ~voll/~leer half-full/-empty. **2.** (Tech) semi-.
Halbaffe m prosimian; **halbamtlich** adj semi-official; **halbautomatisch** adj semi-automatic; **Halbband** m half-binding; **Halbbildung** f smattering of knowledge or (Ausbildung) education; **halbbitter** adj Schokolade semi-sweet; **Halbblut** nt -(e)s, no pl **1.** (Mensch) half-caste; **2.** (Tier) crossbreed; **Halbblüter** m -s, - crossbreed; **Halbbruder** m half-brother; **Halbdeckung** f (Fin) partial cover; **halbdunkel** adj half-dark, dim; **Halbdunkel** nt semi-darkness, half-dark; (Dämmerung) dusk, twilight.
Halbe f decl as adj (esp S Ger) siehe Halbe(r).
Halb|edelstein m semi-precious stone.
Halbe(r) m decl as adj half a litre (of beer). trinken Sie noch einen ~n! ≃ have another pint!
-halber adv suf (wegen) on account of; (um …willen) for the sake of. gesundheits~ for reasons of health, for medical reasons; vorsichts~ to be on the safe side, as a precaution; sicherheits~ (aus Sicherheitsgründen) for safety reasons; (um sicher zu sein) to be on the safe side.
halbwachsen adj attr half grown (up).
Halbe(s) nt decl as adj siehe Halbe(r).
Halbfabrikat nt semi-finished product; **halbfertig** adj attr half-finished; (fig) immature; **halbfest** adj attr Zustand, Materie semi-solid; Gelee half-set; **halbfett I** adj **1.** (Typ) secondary bold; **2.** Lebensmittel medium-fat; **II** adv in

secondary bold; **Halbfinale** nt semi-final; **Halbfingerhandschuh** m fingerless glove; **halbgar** adj attr half-cooked, half-done; **halbgebildet** adj attr half-educated; **Halbgeschwister** pl half brothers and sisters pl; **Halbgott** m/ **Halbgöttin** f (Myth, fig) demigod/demigoddess.
Halbheit f (pej) half-measure. er ist nicht für ~en he is not one for half-measures, he doesn't do things by halves; mach keine ~en (inf) don't do things by halves.
halbherzig adj half-hearted; **Halbherzigkeit** f half-heartedness; **halbhoch** adj Baum half-grown; den Ball ~ abspielen to pass the ball at shoulder height; ~ fliegen to fly at half (its/one's etc normal) height.
halbieren* vt to halve, to divide in half or two; (Geometrie) to bisect; (in zwei Teile schneiden) to cut in half. eine Zahl ~ to divide a number by two.
Halbierung f halving, dividing in half or two; (Geometrie) bisection.
Halbinsel f peninsula; **Halbinvalide** m, **Halbinvalidin** f semi-invalid.
Halbjahr nt half-year (auch Comm), six months. im ersten/zweiten ~ in the first/last six months of the year.
Halbjahresbericht m half-yearly report; **Halbjahresbilanz** f half-yearly figures pl.
halbjährig adj attr Kind six-month-old; Lehrgang six-month; Kündigung six months; **halbjährlich I** adj half-yearly (auch Comm), six-monthly; in ~em Wechsel changing every six months; **II** adv every six months, twice a year, twice yearly; **Halbjude** m, **Halbjüdin** f half Jew; ~ sein to be half Jewish; **Halbkanton** m sub-canton; **Halbkonsonant** m semi-consonant; **Halbkreis** m semi-circle; **halbkreisförmig I** adj semi-circular; **II** adv in a semicircle; **Halbkugel** f hemisphere; nördliche/südliche ~ northern/southern hemisphere; **halbkugelförmig** adj hemispherical; **halblang** adj Kleid, Rock mid-calf length; Haar chin-length; (nun) mach mal ~! (inf) now wait a minute!; **halblaut I** adj low; **II** adv in a low voice, in an undertone; **Halblederband** m (Buch) half-bound volume; (Ausgabe) half-bound edition; **halbleinen** adj attr Stoff made of a fifty per cent linen mixture; Bucheinband half-cloth; **Halbleinen** nt (Stoff) fifty per cent linen material; (Bucheinband) half-cloth; **Halbleinenband** m (Buch) volume bound in half-cloth; (Ausgabe) edition bound in half-cloth; **Halbleiter** m (Phys) semiconductor; **halblinke(r, s)** adj attr (Sport) inside left; die ~ Abzweigung/Straße the left fork; **Halblinke(r)** mf decl as adj, **Halblinks** m -, - (Sport) inside left; **halblinks** adv (Sport) spielen (at) inside left; (im Theater) sitzen left of centre; ~ abbiegen to fork left; die Straße ~ the left fork; das Auto kam von ~ the car approached sharp left; **halbmast** adv at half-mast; (eine Flagge) ~ hissen to hoist a flag to half-

mast; ~ **flaggen** to fly a flag/flags at half-mast; **auf** ~ **stehen** to fly *or* be at half-mast; **halbmatt** *adj* (*Phot*) semimatt; **Halbmesser** *m siehe* **Radius**; **Halbmetall** *nt* semi-metal; **Halbmond** *m* (*Astron*) half-moon; (*Symbol*) crescent; (*an Fingernägeln*) half-moon; **bei** ~ when there is a half-moon; **wir haben** ~ there's a half-moon; **halbmondförmig** *adj* crescent-shaped; **halbnackt** *adj attr* half-naked; *Arm* half-covered; **halb|offen** *adj attr* half-open; *Gefängnis* open; **halbpart** *adv*: ~ **machen** (*bei einer Unternehmung*) to go halves; (*bei Gewinn*) to split it fifty-fifty; **Halbpension** *f* half-board; **in** ~ **wohnen** to have half-board; **halbrechte(r, s)** *adj* (*Sport*) inside right; **die** ~ **Abzweigung/Straße** the right fork; **Halbrechte(r)** *mf decl as adj*, **Halbrechts** *m* -, - (*Sport*) inside right; **halbrechts** *adv* (*Sport*) **spielen** (at) inside right; ~ **abbiegen** to fork right; **die Straße** ~ the right fork; **das Auto kam von** ~ the car approached sharp right; **halbreif** *adj attr* half-ripe; **Halbrelief** *nt* half-relief, mezzo relievo; **halbrund** *adj attr* *Tisch* semicircular; *Ecke* half-rounded; **Halbrund** *nt* semicircle, half circle; **im** ~ in a semicircle; **Halbschatten** *m* half shadow; (*Astron*) penumbra; **Halbschlaf** *m* light sleep, doze; **im** ~ **sein** to be half asleep; **Halbschritt-Taste** *f* condensed key, half-space key; **Halbschuh** *m* shoe; **Halbschwergewicht** *nt* **1.** *no pl* (*Klasse*) light-heavyweight division; **ein Boxkampf im** ~ a light-heavyweight contest; **2.** (*Boxer*) light-heavyweight; **Halbschwergewichtler** *m* light-heavyweight; **Halbschwester** *f* half-sister; **Halbseide** *f* fifty per cent silk mixture; **halbseiden** *adj* (*lit*) fifty per cent silk; (*fig*) *Dame* fast; *Aussehen* flashy; (*schwul*) gay; ~**es Milieu**, ~**e Kreise** the demimonde; **halbseitig** *adj* *Anzeige* half-page; (*Med*) *Kopfschmerzen* in one side of one's head; ~**e Lähmung** hemiplegia; ~ **gelähmt** hemiplegic; **halbstaatlich** *adj attr* partly state-run *or* state-controlled; **halbstark** *adj attr* *Sprache, Manieren, Jugendliche* rowdy; **Halbstarke(r)** *mf decl as adj* young hooligan *or* rowdy, ≃ teddy boy (*Brit*); **halbstündig** *adj attr* half-hour *attr*, lasting half an hour; **halbstündlich I** *adj* half-hourly; **II** *adv* every half an hour, half-hourly; **Halbstürmer(in f)** *m* (*Ftbl*) half-back; **halbtags** *adv* in the mornings/afternoons; (*in bezug auf Angestellte auch*) **Halbtagsarbeit** *f* half-day *or* morning/afternoon job; (*von Angestellten auch*) part-time job; **Halbtagsbeschäftigung** *f* half-day *or* part-time *or* morning/afternoon job; **Halbtagskraft** *f* worker employed for half-days *or* mornings/afternoons only.

Halbton *m* (*Mus*) semitone; (*Art, Phot*) half-tone; **Halbtonschritt** *m* semitone; **halbtot** *adj attr* (*lit*) half dead; **Halbtotale** *f* (*Film*) medium shot; **halbtrocken** *adj* *Wein* medium-dry; **Halbvers** *m* half-line, hemistich;

Halbvokal *m* semivowel; **halbvoll** *adj attr* half-filled; *Behälter auch* half-full; **halbwach** *adj attr* half awake; **in** ~**em Zustand** half awake; **Halbwahrheit** *f* half-truth; **Halbwaise** *f person who has lost one parent*; **halbwegs** *adv* **1.** partly; *gut, adäquat* reasonably; *annehmbar* halfway; **wenn es dir wieder** ~ **besser geht** when you're feeling a bit better; **2.** (*dated: auf halber Strecke*) halfway; **Halbwelt** *f* demimonde; **Halbweltdame** *f* demimondaine; **Halbweltergewicht** *nt* (*Klasse*) light-welterweight *no def art*; (*Sportler*) light-welterweight; **Halbwertzeit** *f* (*Phys*) half-life; **halbwild** *adj attr* *Mensch* uncivilized; *Tier* half wild; **wie die H~en** (*inf*) like (a bunch of) savages; **Halbwissen** *nt* (*pej*) superficial knowledge; **halbwüchsig** *adj* adolescent; **Halbwüchsige(r)** *mf decl as adj* adolescent; **Halbzeile** *f* (*Poet*) half line; **Halbzeit** *f* (*Sport*) (*Hälfte*) half; (*Pause*) half-time; **Halbzeitpfiff** *m* half-time whistle.

Halde *f* -, -n **1.** (*Abfall*~) mound, heap; (*Min*) (*Abbau*~) slagheap. **etw auf** ~ **legen** *Ware, Vorräte* to stockpile sth; *Pläne* to shelve sth. **2.** (*geh: Abhang*) slope.

half *pret of* **helfen**.

Hälfte *f* -, -n **1.** half. **die** ~ **der Kinder war abwesend** half the children were absent; **die** ~ **einer Sache** (*gen*) *or* **von etw** **half** (of) sth; **eine/die** ~ **des Apfels** half of/half (of) the apple; **wir haben schon die** ~ (**des Vorrats**) **verbraucht** we have already used up half (the stocks); **die** ~ **ist gelogen** half of it is lies; **Rentner zahlen die** ~ pensioners pay half price; **um die** ~ **mehr/zuviel** half as much again/too much by half; **um die** ~ **steigen** to increase by half *or* fifty per cent; **um die** ~ **kleiner/größer** half as small *or* big/half as big again; **es ist zur** ~ **fertig/voll** it is half finished/full; **die Beiträge werden je zur** ~ **vom Arbeitgeber und Arbeitnehmer bezahlt** the employer and employee each pay half (of) the contribution; **meine bessere** ~ (*hum inf*) my better half (*hum inf*).

2. (*Mitte: einer Fläche*) middle. **auf der** ~ **des Weges** halfway.

hälften *vt* (*rare*) *siehe* **halbieren**.

Halfter[1] *m or nt* -s, - (*für Tiere*) halter.

Halfter[2] *f* -, -n *or nt* -s, - (*Pistolen*) holster.

halftern *vt* to halter, to put a halter on.

Hall *m* -(e)s, -e **1.** reverberation, echo. **2.** (*Nachhall*) echo.

Halle *f* -, -n hall; (*Hotel*~) lobby, vestibule; (*Werks*~, *Fabrik*~) shed; (*Sport*~) (sports) hall, gym(nasium); (*Tennis*~) indoor tennis court(s); (*Schwimm*~) indoor swimming pool; (*Flugzeug*~) hangar. **in der** ~ (*im Gegensatz zu draußen*) inside, indoors; **Fußball in der** ~ indoor football; **in diesen heiligen** ~**n** (*iro*) in these august surroundings (*iro*).

halleluja(h) *interj* halleluja(h).

Halleluja(h) *nt* -s, -s (*Rel, Mus*) halleluja(h). **das** ~ **aus Händels „Messias"** the Hallelujah Chorus from Handel's

"Messiah".

hallen vi to reverberate, to echo (auch fig), to resound.

Hallen- in cpds (Sport) indoor; **Hallenbad** nt indoor swimming pool; **Hallenfußball** m indoor football; **Hallenkirche** f hall church; **Hallenschwimmbad** nt indoor swimming pool; **Hallensport** m indoor sport(s); **Hallentennis** nt indoor tennis.

Halleysch adj: der ~e Komet Halley's Comet.

Halligen fpl a small group of islands off Schleswig-Holstein.

Hallimasch m -(e)s, -e (Bot) honey agaric.

hallo interj ['halo] hello; (zur Begrüßung auch) hi (inf).

Hallo nt -s, -s cheer usu pl; (Gruß) hello.

Hallodri m -s, -(s) (Aus, S Ger inf) rogue.

Halluzination f hallucination. ich leide wohl an ~en (fig) I must be seeing things.

halluzinieren* vi to hallucinate.

halluzinogen adj (Med) hallucinogenic.

Halluzinogen nt -s, -e (Med) hallucinogen.

Halm m -(e)s, -e stalk, stem; (Gras~) blade of grass; (Stroh~, zum Trinken) straw. Getreide auf dem ~ standing grain.

Halo m -(s), -s or -nen [-'lo:nən] (Astron, Met) halo.

halogen adj halogenous.

Halogen nt -s, -e halogen.

Halogenbirne f halogen bulb; **Halogenlicht** nt halogen light; **Halogenscheinwerfer** m halogen headlamp.

Hals¹ m -es, -̈e 1. (von außen gesehen) neck. einen langen ~ machen, den ~ recken to crane one's neck; sich (dat) nach jdm/etw den ~ verrenken (inf) to crane one's neck to see sb/sth; jdm um den ~ fallen to fling one's arms around sb's neck; sich jdm an den ~ werfen (fig inf) to throw oneself at sb; sich (dat) den ~ brechen (inf) to break one's neck; etw kostet jdn or jdm or bricht jdm den ~ (inf) sth will cost sb his/her neck; sich um den or seinen ~ reden (inf) to put one's head in the noose; ~ über Kopf abreisen/den Koffer packen to leave/pack one's case in a rush or hurry; ihm steht das Wasser bis zum ~ (fig) he is up to his neck in it (inf); bis über den ~ (fig inf) up to one's ears; jdn auf dem or am ~ haben (inf) to be lumbered or saddled with sb (inf); jdm/sich etw auf den ~ laden (inf) to lumber or saddle sb/oneself with sth (inf); jdn jdm auf den ~ schikken or hetzen (inf) to put sb onto sb; jdm mit etw vom ~(e) bleiben (inf) not to bother sb with sth (inf); sich/jdm jdn/etw vom ~e schaffen (inf) to get sb/sth off one's/sb's back (inf); sich (dat) die Pest an den ~ ärgern (können) to be mad or furious with oneself (mit over).

2. (Kehle, Rachen) throat. sie hat es am or im ~ (inf) she has a sore throat; aus vollem ~(e) at the top of one's voice; aus vollem ~(e) lachen to roar with laughter; es hängt or wächst mir zum ~ heraus (inf) I'm sick and tired of it, I've had it up to here (inf); sie hat es in den falschen or verkehrten ~ bekommen (inf) (sich verschlucken) it went down the wrong way; (falsch verstehen) she took it wrongly; etw bleibt jdm im ~ stecken (lit, fig) sth sticks in sb's throat; er kann den ~ nicht voll (genug) kriegen (fig inf) he is never satisfied.

3. (Flaschen~, Geigen~, Säulen~) neck; (Noten~) stem.

4. (von Knochen) neck; (Gebärmutter~) cervix, neck of the womb.

Hals² m -es, -en (Naut) tack.

Halsabschneider m -s, - (pej inf) shark (inf); **halsabschneiderisch** adj (pej inf) Preise, Maßnahme extortionate, exorbitant; Mensch cutthroat (inf); **Halsausschnitt** m neck(line); **Halsband** nt (Hunde~) collar; (Schmuck) necklace; (eng anliegend) choker; **halsbrecherisch** adj dangerous, risky; Tempo breakneck; Fahrt hair-raising; Weg treacherous; **Halsbund** m, **Halsbündchen** nt neckband.

halsen vi (Naut) to wear.

Hals|entzündung f sore throat; **Halskette** f (Schmuck) necklace; (für Hund) chain; **Halskrause** f (Fashion, Zool) ruff; **Halslänge** f neck; (um) eine ~/zwei ~n by a neck/half a length.

Hals-Nasen-Ohren-Arzt m, **Hals-Nasen-Ohren-** Ärztin f ear, nose and throat specialist; **Hals-Nasen-Ohren-Heilkunde** f ear, nose and throat medicine; **Hals-Nasen-Ohren-Krankheit** f disease of the ear, nose and throat.

Halspartie f neck/throat area, area or region of the neck/throat; **Halsschlagader** f carotid (artery); **Halsschmerzen** pl sore throat sing; **Halsschmuck** m necklace; (Sammelbegriff) necklaces pl; **halsstarrig** adj obstinate, stubborn; **Halsstarrigkeit** f obstinacy, stubbornness; **Halsstück** nt (Cook) neck; **Halstuch** nt scarf; **Hals- und Beinbruch** interj good luck; **Halsweh** nt siehe Halsschmerzen; **Halsweite** f neck size; **Halswirbel** m cervical vertebra.

Halt m -(e)s, -e 1. (für Füße, Hände, Festigkeit) hold; (lit, fig: Stütze) support; (fig: innerer ~) security nor art. ~/einen besseren ~ haben (Ding) to hold/hold better; jdm/einer Sache ~ geben to support sb/sth; dem Haar ~ geben to give hold to one's hair; keinen ~ haben to have no hold/support; to be insecure; ~ suchen/finden to look for/find a hold/a support/security; auf dem Eis den ~ verlieren to lose one's footing on the ice; ohne inneren ~ insecure.

2. (geh: Anhalten) stop. ohne ~ nonstop, without stopping.

halt¹ interj stop; (Mil) halt.

halt² adv (dial) siehe eben II 4.

haltbar adj 1. (nicht leicht verderblich) ~ sein (Lebensmittel) to keep (well); ~e Lebensmittel food which keeps (well); das ist sechs Monate ~ that will keep for six months; etw ~ machen to preserve

sth; ~ **bis 6.11.** use by 6 Nov; **nur begrenzt/schlecht** ~ perishable/highly perishable.
2. (*widerstandsfähig*) durable; *Stoff, Kleider* hardwearing; *Beziehung, Ehe* long-lasting.
3. *Behauptung, Theorie* tenable.
4. *pred Festung* defensible. **die Stadt ist nicht mehr** ~ the town can't be held any longer.
5. *Position, Rang* tenable; *Zustand* tolerable. **diese Position ist nicht mehr** ~ this position can't be maintained any longer.
6. (*Sport*) *Ball, Wurf* stoppable; *Schuß auch* savable.

Haltbarkeit *f siehe adj 1. − 3.* **1.** (*von Lebensmitteln*) **eine längere** ~ **haben** to keep longer; **Lebensmittel von kurzer** ~ perishable food; **die begrenzte** ~ **von Fleisch** the perishability of meat.
2. durability; hard-wearingness; long-lastingness.
3. tenability.

Haltbarkeitsdatum *nt* best-before date.

Haltebogen *m* (*Mus*) tie; **Haltegriff** *m* **1.** grip, handle; (*in Bus*) strap; (*an Badewanne*) handrail; **2.** (*Sport*) hold; **Haltegurt** *m* seat *or* safety belt; (*an Kinderwagen*) safety harness.

halten *pret* **hielt,** *ptp* **gehalten I** *vt* **1.** (*festhalten, in Position* ~) to hold; (*fig: behalten*) to keep; (*aufhalten, zurückhalten*) to stop. **jdm etw** ~ to hold sth for sb; **sich** (*dat*) **den Kopf/Bauch** ~ to hold one's head/stomach; **den Schnabel** *or* **Mund** ~ (*inf*) to keep one's mouth shut (*inf*), ~ to hold one's tongue; **jdm den Mantel** ~ to hold sb's coat (for him/her); **ich konnte ihn/es gerade noch** ~ I just managed to grab hold of him/it; **sie läßt sich nicht** ~**, sie ist nicht zu** ~ (*fig*) there's no holding her; **es hält mich hier nichts mehr** there's nothing to keep me here any more; **es hält dich niemand** nobody's stopping you.
2. **einen Fuß ins Wasser** ~ to put one's foot into the water; **etw gegen das Licht** ~ to hold sth up to the light; **den Arm in die Höhe** ~ to hold one's arm up.
3. (*tragen, stützen*) *Bild, Regal, Brücke* to hold up.
4. (*zurückhalten, in sich* ~, *fassen*) to hold; *Tränen* to hold *or* keep back. **die Wärme/Feuchtigkeit** ~ to retain heat/moisture; **er kann den Urin** *or* **das Wasser nicht** ~ he can't hold his water, he's incontinent.
5. (*Sport*) to save.
6. (*unterhalten, besitzen*) *Haustier* to keep; *Chauffeur, Lehrer* to employ; *Auto* to run. **sich** (*dat*) **jdn/etw** ~ to keep sb/sth; **wir können uns kein Auto** ~ we can't afford to run a car.
7. (*abonniert haben*) (**sich** *dat*) **eine Zeitung** ~ to take a paper.
8. (*behandeln*) to treat. **er hält seine Kinder sehr streng** he's very strict with his children.
9. (*behalten*) to keep; *Besitz auch* to hold on to; *Festung* to hold; *Position* to hold (on to); *Rekord* (*innehaben*) to

hold; (*beibehalten*) to keep up.
10. (*aufrechterhalten*) to keep up, to maintain; *Disziplin, Temperatur* to maintain; *Kurs* to keep to, to hold. **Ruhe** ~ to keep quiet; **die Balance** *or* **das Gleichgewicht** ~ to keep one's balance; **den Ton** ~ to stay in tune *or* in key; **die These läßt sich nicht länger** ~ this thesis is no longer tenable; **Kontakt** ~ to keep in touch, to maintain contact; (**mit jdm**) **Verbindung** ~ to keep in touch (with sb).
11. (*in einem Zustand, an einem Ort* ~) to keep. **er hält sein Haus immer tadellos** he always keeps his house spotless; **den Abstand gleich** ~ to keep the distance the same; **ein Land besetzt** ~ to keep a country under occupation.
12. (*handhaben, verfahren mit*) **es mit etw so/anders** ~ to deal with *or* handle sth like this/differently; **wie hältst du's mit der Religion?** what's your attitude towards religion?; **das kannst du** ~ **wie du willst** that's completely up to you.
13. (*Neigung haben für*) **es** (**mehr** *or* **lieber**) **mit jdm/etw** ~ (*Neigung haben für*) to prefer sb/sth; (*einverstanden sein*) to agree with sb/sth; **er hält es mit der Bequemlichkeit** he likes things to be comfortable.
14. (*gestalten*) to do; *Aufsatz* to write; *Zimmer auch* to decorate. **ein in Braun gehaltener Raum** a room decorated in brown; **das Mobiliar ist in einem hellen Holz gehalten** the furniture is made of a light wood; **etw einfach** ~ to keep sth simple.
15. (*veranstalten, abhalten*) to give; *Rede auch* to make; *Gottesdienst, Zwiesprache* to hold; *Wache* to keep. **Mittagsschlaf** ~ to have an afternoon nap; **Winterschlaf** ~ to hibernate; **Unterricht** ~ to teach; **Selbstgespräche** ~ to talk to oneself.
16. (*einhalten, erfüllen*) to keep. **man muß** ~**, was man verspricht** a promise is a promise; **der Film hält nicht, was er/der Titel verspricht** the film doesn't live up to expectations/its title.
17. (*einschätzen*) **jdn/etw für jdn/etw** ~ to take sb/sth for *or* to be sb/sth; **ich habe ihn (irrtümlich) für seinen Bruder gehalten** I (mis)took him for his brother; **jdn für ehrlich** ~ to think *or* consider sb is honest; **es für Unsinn** ~ to think *or* consider sth is nonsense; **wofür** ~ **Sie mich?** what do you take me for?; **das halte ich nicht für möglich** I don't think that is possible.
18. (*denken über*) **etw von jdm/etw** ~ to think sth of sb/sth; **ich halte nichts davon, das zu tun** I don't think much of doing that; **etwas/viel auf etw** (*acc*) ~ to place some/great emphasis on sth, to attach some/great importance *or* value to sth; **du solltest mehr auf dich** ~ (*auf Äußeres achten*) you should take more pride in yourself; **wenn man etwas auf sich** (*acc*) **hält ...** if you think you're somebody ...; **nicht viel von jdm/etw** ~ not to think much of sb/sth; **nicht viel vom Sparen** ~ not to be a great one for

saving (*inf*).

II *vi* **1.** (*festhalten, zusammenhalten, standhalten*) to hold; (*haftenbleiben auch*) to stick. **kannst du mal 'n Moment ~?** can you just hold that (for) a moment? **2.** (*bestehen bleiben, haltbar sein, heil bleiben*) to last; (*Konserven auch*) to keep; (*Stoff*) to wear well. **dieser Stoff hält lange** this material wears well. **3.** (*stehenbleiben, anhalten*) to stop. **ein ~der Wagen** a stationary car; **zum H~ bringen** to bring to a stop *or* standstill; **~ lassen** (*Mil*) to call a halt; **halt mal, ...** (*Moment mal*) hang (*inf*) *or* hold on, ... **4.** (*Sport*) to make a save. **unser Tormann hat heute wieder großartig gehalten** our goalkeeper made some good saves again today. **5.** (*in einem Zustand erhalten*) to keep. **Sport hält jung** sport keeps you young. **6.** **auf etw** (*acc*) **~** (*zielen*) to aim at sth; (*steuern*) to head for sth; **etwas mehr nach links ~** to keep more to the left; (*zielen*) to aim more to the left; **nach Süden/auf Chikago ~** to head south/for Chicago. **7.** (*jdm beistehen, treu sein*) **zu jdm ~** to stand *or* stick by sb; (*favorisieren*) to support sb. **8.** (*Wert legen auf, praktizieren*) **(sehr) auf etw** (*acc*) **~** to attach (a lot of) importance to sth. **9.** (*sich beherrschen*) **an sich** (*acc*) **~** to control oneself.

III *vr* **1.** (*sich festhalten*) to hold on (*an +dat* -to). **2.** (*sich nicht verändern, nicht verderben*) to keep; (*Blumen auch, Wetter*) to last; (*Preise*) to hold. **er hat sich gut gehalten** (*inf*) he's well-preserved. **3.** (*bleiben*) to stay. **der Autofahrer hielt sich ganz rechts** the driver kept to the right; **ich halte mich an die alte Methode** I'll stick to *or* with the old method. **4.** (*nicht verschwinden*) to last; (*Schnee auch*) to stay; (*Geruch, Rauch*) to stay, to hang around. **5.** (*sich richten nach*) to keep (*an +acc, nach* to). **sich an ein Versprechen ~** to keep a promise; **sich an die Tatsachen/den Text ~** to keep *or* stick to the facts/text; **sich (nach) links ~** to keep (to the) left; **sich nach Westen ~** to keep going westwards. **6.** (*seine Position behaupten*) to hold *or* hang on; (*haften*) to hold, to stick. **sich auf den Beinen ~** to stay on one's feet. **7.** (*sich behaupten*) to bear up; (*in Kampf*) to hold out. **sich gut ~** (*in Prüfung, Spiel*) to make a good showing, to do well. **8.** (*sich beherrschen*) to control oneself. **sich nicht ~ können** to be unable to control oneself. **9.** (*eine bestimmte Haltung haben*) to carry *or* hold oneself. **er hält sich sehr aufrecht/gerade** he holds *or* carries

himself very erect/straight; **sich (im Gleichgewicht) ~** to keep one's balance. **10.** **sich an jdn ~** (*sich wenden an*) to ask sb; (*sich richten nach*) to follow sb; (*sich gut stellen mit*) to keep in with sb; **ich halte mich lieber an den Wein** I'd rather keep *or* stick to wine. **11.** **er hält sich für einen Spezialisten/besonders klug** he thinks he's a specialist/very clever.

Halteplatz *m* (*Taxi~*) taxi rank *or* stand; **Haltepunkt** *m* (*Rail*) stop.

Halter *m* -s, - **1.** (*Halterung*) holder. **2.** *auch* **~in** *f* (*Jur*) (*Kraftfahrzeug~, Tier~*) owner.

Halteriemen *m* strap.

Halterung *f* mounting; (*für Regal*) support.

Halteschild *nt* stop *or* halt sign; **Halteschlaufe** *f* (*in Bus*) strap; **Haltesignal** *nt* (*Rail*) stop signal; **Haltestelle** *f* stop; **Halteverbot** *nt* (**absolutes** *or* **uneingeschränktes**) **~** no stopping; (*Stelle*) no stopping zone; **eingeschränktes ~** no waiting; (*Stelle*) no waiting zone; **hier ist ~** there's no stopping here; **Halteverbot(s)schild** *nt* no stopping sign; **Haltevorrichtung** *f siehe* **Halterung.**

haltlos *adj* (*schwach*) insecure; (*hemmungslos*) unrestrained; (*unbegründet*) groundless, unfounded; **Haltlosigkeit** *f siehe adj* lack of security; uninhibitedness; groundlessness; **haltmachen** *vi sep* to stop; **vor nichts ~** (*fig*) to stop at nothing; **vor niemandem ~** (*fig*) to spare no-one; **Haltsignal** *nt* (*Rail*) stop signal.

Haltung *f* **1.** (*Körper~*) posture; (*Stellung*) position; (*esp Sport*) (*typische Stellung*) stance; (*bei der Ausführung*) style. **~ annehmen** (*esp Mil*) to stand to attention. **2.** (*fig*) (*Auftreten*) manner; (*Einstellung*) attitude. **in majestätischer/würdiger ~** with majestic/dignified bearing. **3.** *no pl* (*Beherrschtheit*) composure. **~ bewahren** to keep one's composure. **4.** *no pl* (*von Tieren, Fahrzeugen*) owning.

Haltungsfehler *m* **1.** (*Med*) bad posture *no indef art, no pl*; **2.** (*Sport*) style fault; **Haltungsschaden** *m* damaged posture *no pl*; **zu Haltungsschäden führen** to damage one's posture.

Haltzeichen *nt* (*Rail*) stop signal.

Halunke *m* -n, -n **1.** scoundrel. **2.** (*hum*) rascal, scamp.

Ham and eggs ['hæm ənd 'ɛgz] *pl* bacon *or* ham (*US*) and eggs *sing or pl*.

Hämatit *m* -s, -e haematite.

Hämatologie *f* haematology.

Hämatom *nt* -s, -e haematoma.

Hamburg *nt* -s Hamburg.

Hamburger[1] *m* -s, - (*Cook*) hamburger.

Hamburger[2] *adj attr* Hamburg.

Hamburger(in *f*) *m* -s, - native *or* (*Einwohner*) inhabitant of Hamburg.

Hamburgerbrötchen *nt* roll *or* bun (for hamburger).

hamburgisch *adj* Hamburg *attr*.

Häme *f* -, *no pl* malice.

hämisch *adj* malicious, spiteful. **er hat sich ~ gefreut** he gloated.

hamitisch *adj* Hamitic.

Hammel *m* **-s,** - or *(rare)* ⁼ **1.** *(Zool)* wether, castrated ram. **2.** *no pl (Cook)* mutton. **3.** *(fig pej)* ass, donkey.

Hammelbeine *pl:* **jdm die ~ langziehen** *(hum inf)* to give sb a dressing-down; **jdn bei den ~n nehmen/kriegen** *(inf)* to take sb to task/get hold of sb; **Hammelbraten** *m* roast mutton; **Hammelfleisch** *nt* mutton; **Hammelherde** *f* herd *or* flock of wethers *or* rams; *(pej inf)* flock of sheep; **Hammelkeule** *f (Cook)* leg of mutton; **Hammelsprung** *m (Parl)* division.

Hammer *m* **-s,** ⁼ **1.** hammer; *(Holz~)* mallet. **~ und Sichel** hammer and sickle; **~ und Zirkel im Ährenkranz** hammer and pair of compasses in a garland of corn, *symbol of the GDR;* **unter den ~ kommen** to come under the hammer; **das ist ein ~!** *(sl) (unerhört)* that's absurd!; *(prima)* that's fantastic! *(inf).*
  2. *(Sportgerät)* hammer.
  3. *(Anat)* hammer, malleus.
  4. *(Klavier~, Glocken~)* hammer.
  5. *(sl: schwerer Fehler)* howler *(inf).*
einen ~ haben to be round the bend *(inf)* or twist *(inf).*

Hammerhai *m* hammerhead (shark); **Hammerkopf** *m* hammerhead; *(Sport: auch* **Hammerkugel)** hammerhead.

hämmern I *vi* **1.** to hammer; *(fig auch, mit den Fäusten)* to pound; *(inf: beim Klavierspielen)* to pound, to thump.
  2. *(Maschine, Motor)* to make a hammering sound.
  3. *(Puls, Herz, Blut)* to pound.
  4. *(Sport sl)* to hammer *or* slam the ball *(inf).*
  II *vt* **1.** to hammer; *Blech auch, Metallgefäße, Schmuck* to beat.
  2. *(inf) Melodie, Rhythmus* to hammer *or* pound out.
  3. *(Sport sl)* to hammer *(inf),* to slam *(inf).*
  4. *(fig inf: einprägen)* **jdm etw ins Bewußtsein ~** to hammer *or* knock sth into sb's head *(inf).*
  III *vi impers* **es hämmert** there's a sound of hammering.

Hammerschlag *m* **1.** hammer blow; *(fig)* bolt from the blue; **2.** *(Sport) (Boxen)* rabbit punch; *(Faustball)* smash; **3.** *(Schmiederei)* hammer *or* mill scale; **Hammerschmiede** *f (old)* hammer mill; **Hammerstiel** *m* handle *or* shaft of a/the hammer; **Hammerwerfen** *nt* **-s,** *no pl (Sport)* hammer(-throwing); **Hammerwerfer(in** *f)* *m (Sport)* hammer thrower; **Hammerwerk** *nt (old)* hammer mill; **Hammerwurf** *m (Sport)* **1.** hammer throw; **2.** *siehe* **Hammerwerfen; Hammerzehe** *f (Med)* hammertoe.

Hammond|orgel ['hæmənd-] *f* electric organ.

Hämoglobin *nt* **-s,** *no pl* haemoglobin.

Hämophilie *f* haemophilia.

Hämorrhoiden [hɛmɔro'iːdən] *pl* piles *pl,* haemorrhoids *pl.*

Hampelmann *m, pl* **-männer 1.** jumping jack. **2.** *(inf) (zappeliger Mensch)* fidget. **er ist nur ein ~** he just lets people walk all over him; **jdn zu einem ~ machen** to walk all over sb.

hampeln *vi* to jump about; *(zappeln)* to fidget.

Hamster *m* **-s,** - hamster.

Hamsterbacken *pl (fig inf)* chubby cheeks *pl.*

Hamsterer(in *f)* *m* **-s,** - *(inf)* squirrel *(inf).*

Hamsterkauf *m* panic-buying *no pl;* **Hamsterkäufe machen** to buy in order to hoard; *(bei Knappheit)* to panic-buy.

hamstern *vti (speichern)* to hoard; *(bei Hamsterfahrt)* to forage; *(Hamsterkäufe machen)* to panic-buy.

Hand *f* -, ⁼e **1.** hand. **jdm die ~ geben** *or* **reichen** *(geh)* to give sb one's hand; **jdm die ~ drücken/schütteln/küssen** to press/shake/kiss sb's hand; **jdn an der ~ haben/an die** *or* **bei der ~ nehmen/an der ~ fassen** to have/take/grab sb by the hand; **jdm etw aus der ~ nehmen** to take sth from *or* off sb *(auch fig),* to take sth out of sb's hand; **etw in ~en halten** *(geh)* to hold *or* have sth in one's hands; **die Arbeit seiner ~e** his handiwork; **in die ~e klatschen** to clap one's hands; **eine ~/zwei ~e breit** ≃ six inches/a foot wide.
  2. *(Mus)* hand. **Stück für vier ~e** *or* **zu vier ~en** (piano) duet; **zu vier ~en spielen** to play a (piano) duet.
  3. *(Cards)* hand. **auf der ~** in one's hand.
  4. *no pl (Sport:* **~spiel)** hand-ball. **~ machen** to handle the ball.
  5. *(Besitz, Obhut)* possession, hands. **aus** *or* **von privater ~** privately; **etw aus der ~ geben** to let sth out of one's sight; **durch jds ~** *or* **~ gehen** to pass *or* go through sb's hands; **von ~ zu ~ gehen** to pass from hand to hand; **etw geht in jds ~e über** sth passes to sb *or* into sb's hands; **zu jds ~en, zu ~en von jdm** for the attention of sb.
  6. *(nicht mit Maschine, Hilfsmittel)* **mit der ~, von ~** by hand; **von ~ geschrieben/genäht** handwritten/handsewn; **aus der ~** freehand; **Vermittlung von ~** *(Telec)* operator-connected calls *pl.*
  7. *(in Redewendungen)* **~e hoch** (put your) hands up; **~ aufs Herz** cross your heart, word of honour; **eine ~ wäscht die andere** if you scratch my back I'll scratch yours; **ich wasche meine ~e in Unschuld** I wash my hands of it *or* the matter; **er nimmt niemals ein Buch in die ~** he never picks up a book; **bei etw die** *or* **seine ~ im Spiel haben** to have a hand in sth; **er hat überall seine ~ im Spiel he** has a finger in every pie; **etw hat ~ und Fuß** sth is well done; **etw hat weder ~ noch Fuß** sth doesn't make sense; **sich mit ~en und Füßen gegen etw wehren** to fight sth tooth and nail; **mit ~en und Füßen reden** to talk *or* speak with one's hands; **man konnte die ~ nicht vor den Augen sehen** you couldn't see your hand in front of your face; **die ~e überm Kopf zusammenschlagen** to throw up one's

hands in horror; **die** or **seine ~e über jdn halten** to protect or shield sb.

8. (in Verbindung mit Adjektiv) **rechter/linker ~, zur rechten/linken ~** on the right-/left-hand side; **in guten/schlechten/sicheren ~en sein** to be in good/bad/safe hands; **eine ruhige** or **sichere ~** a steady hand; **eine starke** or **feste ~** (fig) a firm hand; **eine lockere** or **lose ~ haben** (hum inf) to let fly (inf) at the slightest provocation; **bei etw eine glückliche ~ haben** to have a lucky touch with sth; **ihm fehlt die leitende** or **lenkende ~** he lacks a guiding hand; **in festen ~en sein** to be spoken for; **mit leeren/vollen ~en** empty-handed/open-handedly; **mit der flachen ~** with the flat or palm of one's hand.

9. (in Verbindung mit Verb) **alle ~e voll zu tun haben** to have one's hands full; **jdm auf etw** (acc) **die ~ geben** to give sb one's hand on sth; **jdm etw in die ~ versprechen** to promise sb sth or sth to sb; **um jds ~ anhalten** or **bitten** to ask for sb's hand (in marriage); **jdm/sich** or **einander die ~ fürs Leben reichen** to marry sb/to tie the knot; **sich** or **einander** (geh) **die ~ reichen können** to be tarred with the same brush; **da können wir uns die ~ reichen** snap! (inf); **seine** or **die ~ für jdn ins Feuer legen** to vouch for sb; **jdn auf ~en tragen** to cherish sb; **jdm aus der ~ fressen** to eat out of sb's hand; **die** or **seine ~ hinhalten** or **aufhalten** (fig inf) to hold out one's hand (for money); **(bei etw) mit ~ anlegen** to lend a hand (with sth); **letzte ~ an etw** (acc) **legen** to put the finishing touches to sth; **die ~e in den Schoß legen** to sit back and do nothing; **~ an jdn legen** (geh) to lay a hand on sb; **~ an sich legen** (geh) to kill oneself; **die ~ auf der Tasche halten** (inf) to hold the purse-strings; **die ~ auf etw** (dat) **haben** or **halten** to keep a tight rein on sth; **das liegt auf der ~** (inf) that's obvious.

10. (in Verbindung mit Präpositionen) **an ~ eines Beispiels/von Beispielen** with an example/examples; **an ~ dieses Berichts/dieser Unterlagen** from this report/these documents; **jdn an der ~ haben** to know of sb; **etw aus der ~ sagen können** to be able to say sth offhand; **etw aus erster/zweiter ~ wissen** to know sth first/second hand; **ein Auto aus erster/zweiter ~** a car which has had one previous owner/two previous owners; **etw aus der ~ essen** to eat sth out of one's hand; **etw aus der ~ legen** to put or lay sth aside; **etw bei der** or **zur ~ haben** to have sth to hand; Ausrede, Erklärung to have sth ready; **mit etw schnell** or **gleich bei der ~ sein** (inf) to be ready with sth; **~ in ~** hand in hand; **jdm/einer Sache in die ~ arbeiten** to play into sb's hands/the hands of sth; **jdm in die ~ or ~e fallen** or **geraten** or **kommen** to fall into sb's hands; **jdn/etw in die ~ or ~e kriegen** or **bekommen** to get one's hands on sb/sth; **jdn (fest) in der ~ haben** to have sb (well) in hand; **von der ~ in den Mund leben** to live from hand to mouth;

etw in der ~ haben to have sth; **ich habe diese Entscheidung nicht in der ~** it's not in my hands; **etw gegen jdn in der ~ haben** to have something or some hold on sb; **sich in der ~ haben** to have oneself under control; **etw liegt** or **ist in jds ~** sth is in sb's hands; **in jds ~ sein** to be in sb's hands; **etw in die ~ nehmen** to pick sth up; (fig) to take sth in hand; **jdm etw in die ~ or ~e spielen** to pass sth on to sb; **hinter vorgehaltener ~** on the quiet; **das ist mit ~en zu greifen** that's as plain as a pikestaff or the nose on your face; **etw zerrinnt** or **schmilzt jdm unter den ~en** sb goes through sth like water or like nobody's business (inf); **unter jds ~en/jdm unter der ~** or **den ~en wegsterben** to die while under sb's care; **von jds ~ sterben** to die at sb's hand; **etw geht jdm flott** or **schnell/leicht von der ~** sb does sth quickly/finds sth easy; **etw läßt sich nicht von der ~ weisen, etw ist nicht von der ~ zu weisen** sth cannot be denied or gainsaid (form); **zur ~ sein** to be at hand; **etw zur ~ nehmen** to pick sth up; **jdm zur** or **an die ~ gehen** to lend sb a helping hand.

H̲andabwehr f (Sport) save; **durch ~ klären** to save, to clear; **H̲andapparat** m 1. reference books (within easy reach) pl; **2.** (Telec) handset.

H̲and|arbeit f 1. work done by hand; (Gegenstand) article made by hand, handmade article. **etw in ~ herstellen** to produce or make sth by hand; **der Tisch ist ~** the table is handmade or made by hand.

2. (körperliche Arbeit) manual work.

3. (Nähen, Sticken etc, als Schulfach) needlework no pl. **diese Tischdecke ist ~** this tablecloth is handmade.

4. (kunsthandwerklich) handicraft no pl. **eine ~** a piece of handicraft work.

H̲and|arbeiten nt -s, no pl (Sch) needlework.

h̲and|arbeiten vi insep to do needlework/knitting/crocheting.

H̲and|arbeiter(in f) m manual worker.

H̲and|arbeitsgeschäft nt needlework and wool shop; **H̲and|arbeitskorb** m workbasket.

H̲andaufheben nt -s, no pl (bei Wahl) show of hands; **sich durch ~ zu Wort melden** to ask leave to speak by raising one's hand; **H̲andauflegen** nt -s, no pl, **H̲andauflegung** f laying on of hands; **H̲andball** m 1. (Ball) handball; 2. no pl (inf auch nt) (Spiel) handball; **H̲andballen** m (Anat) ball of the thumb; **H̲andballer(in** f) m -s, - (inf) handball player; **H̲andballspiel** nt 1. (Spiel) game of handball; 2. (Disziplin) handball no def art; **H̲andballspieler(in** f) m handball player; **h̲andbedient** adj manually operated, hand-operated; **H̲andbedienung** f hand or manual operation or control; **mit** or **für ~** hand-operated; **H̲andbeil** nt hatchet; **H̲andbesen** m hand brush; **H̲andbetrieb** m hand or manual operation; **für** or **mit ~** hand-operated; **h̲andbetrieben** adj hand-operated; **H̲andbewegung** f sweep of the hand; (*Geste, Zeichen*) gesture; **Handbibliothek** f reference library or books pl (*on open shelves*); **Handbohrer** m gimlet, auger; **Handbohrmaschine** f (hand) drill; **handbreit I** adj ≈ six-inch wide attr, six inches wide pred; **II** adv ≈ six inches; **Handbreit** f -, - ≈ six inches; **Handbremse** f handbrake (*Brit*), parking brake (*US*); **Handbuch** nt handbook; (*technisch*) manual; **Handbücherei** f siehe **Handbibliothek**.

Händchen nt dim of **Hand** little hand. ~ **halten** (*inf*) to hold hands; **für etw ein ~ haben** (*inf*) to have a knack for sth; (*gut können*) to be good at sth.

Händchenhalten nt -s, no pl holding hands no def art; **händchenhaltend** adj holding hands.

Handcreme f hand cream; **Handdeutung** f palmistry; **Handdusche** f shower attachment.

Händedruck m handshake; **Händehandtuch** nt hand towel; **Händeklatschen** nt applause no pl.

Handel¹ m -s, no pl **1.** (*das Handeln*) trade; (*esp mit illegaler Ware*) traffic. ~ **mit etw/einem Land** trade in sth/with a country.

2. (*Warenverkehr*) trade; (*Warenmarkt*) market. **im ~ sein** to be on the market; **etw in den ~ bringen/aus dem ~ ziehen** to put sth on/take sth off the market; (**mit jdm**) ~ (**be**)**treiben** to trade (with sb); ~ **und Wandel** (*dated*) doings and dealings pl.

3. (*Abmachung, Geschäft*) deal, transaction; (*inf*) deal.

4. (*Wirtschaftszweig*) commerce, trade; (*die Handeltreibenden*) trade.

Handel² m -s, ⁻ usu pl quarrel, argument.

Handelfmeter m penalty for a hand-ball.

handeln I vi **1.** (*Handel treiben*) to trade. **er handelt mit Gemüse** he trades or deals in vegetables, he's in the vegetable trade; **er handelt mit Drogen** he traffics in drugs; **er handelt in Gebrauchtwagen** he's in the second-hand car trade, he sells second-hand cars.

2. (*feilschen*) to bargain, to haggle (*um* about, over); (*fig: verhandeln*) to negotiate (*um* about). **ich lasse schon mit mir ~** I'm open to persuasion; (*in bezug auf Preis*) I'm open to offers.

3. (*agieren*) to act. **er ist ein schnell ~der Mensch** he's a quick-acting person.

4. (*sich verhalten*) to act, to behave. **gegen jdn or an jdm gut/als Freund ~** (*geh*) to act or behave well/as or like a friend towards sb.

5. (*sprechen*) **von etw or über etw** (*acc*) ~ to deal with sth; (*Aufsatz auch*) to be about sth.

II vr impers **1.** **es handelt sich bei diesen UFOs um optische Täuschungen** these UFO's are optical illusions; **es handelt sich hier um ein Verbrechen** it's a crime we are dealing with here; **bei dem Festgenommenen handelt es sich um X** the person arrested is X.

2. (*betreffen*) **sich um etw ~** to be

about sth, to concern sth; **worum handelt es sich, bitte?** what's it about, please?; **es handelt sich darum, daß ich einen Kredit beantragen möchte** it is about or concerns a loan which I wish to apply for.

3. (*ankommen auf*) **sich um etw ~** to be a question or matter of sth; **es handelt sich nur ums Überleben** it's simply a question of survival.

III vt **1.** to sell (*für* at, for); (*an der Börse*) to quote (*mit* at); **Drogen** to traffic in.

2. **Preis** (*hinauf~*) to push up, to raise; (*herunter~*) to bring down.

Handeln nt -s, no pl **1.** (*Feilschen*) bargaining, haggling.

2. (*das Handeltreiben*) trading.

3. (*Verhalten*) behaviour.

4. (*das Tätigwerden*) action.

Handelsabkommen nt trade agreement; **Handelsakademie** f (*Aus*) business school; **Handelsartikel** m commodity; **Handelsattaché** m commercial attaché; **Handelsbank** f merchant bank; **Handelsbeschränkung** f trading restriction, restriction on trade; **Handelsbetrieb** m trading or business concern; **Handelsbezeichnung** f trade name; **Handelsbeziehungen** pl trade relations pl; **Handelsbilanz** f balance of trade; **aktive/passive ~** balance of trade surplus/deficit; **Handelsbrauch** m trade or commercial practice; **Handelsdefizit** nt trade deficit; **handelseinig** adj pred ~ **werden/sein** to agree terms, to come to an agreement; **handelsfähig** adj Güter etc marketable, merchantable; **Handelsfirma** f (commercial or business) firm; **Handelsflagge** f (*Naut*) merchant flag; **Handelsflotte** f merchant fleet; **Handelsfreiheit** f **1.** (*Comm*) freedom of trade no pl; **2.** siehe **Handlungsfreiheit**; **Handelsgesellschaft** f commercial company; **Handelsgesetz** nt commercial law; **Handelsgesetzbuch** nt code of commercial law; **Handelshafen** m trading port; **Handelshaus** nt business house, firm; **Handelskammer** f chamber of commerce; **Handelskette** f **1.** chain of retail shops; **2.** (*Weg der Ware*) sales route (*from manufacturer to buyer*); **Handelsklasse** f grade; **Heringe der ~ 1** grade 1 herring; **Handelskrieg** m trade war; **Handelslehrer(in** f*)* m teacher of commercial subjects; **Handelsmacht** f trading nation or power; **Handelsmakler(in** f*)* m broker; **Handelsmarine** f merchant navy, mercantile marine (*form*); **Handelsmarke** f trade name; **Handelsmetropole** f commercial metropolis; **Handelsminister(in** f*)* m ≈ Trade Secretary (*Brit*), Secretary of Commerce (*US*); **Handelsministerium** nt ≈ Board of Trade (*Brit*), Department of Commerce (*US*); **Handelsmission** f trade mission; **Handelsname** m siehe **Handelsbezeichnung**; **Handelsnation** f trading nation; **Handelsobjekt** nt commodity; **Handelspartner** m trading partner; **Handelsplatz** *m* trading centre; **Handelspolitik** *f* trade *or* commercial policy; **Handelsrealschule** *f* (*esp Sw*) *siehe* **Handelsschule**; **Handelsrecht** *nt* commercial law *no def art, no pl*; **Handelsregister** *nt* register of companies; **Handelsreisende(r)** *mf decl as adj siehe* **Handelsvertreter**; **Handelsschiff** *nt* trading ship *or* vessel; **Handelsschiffahrt** *f* merchant shipping *no def art*; **Handelsschranke** *f usu pl* trade barrier; **Handelsschule** *f* business school; **Handelsschüler(in** *f)* *m* student at a business school; **Handelsspanne** *f* profit margin; **Handelssperre** *f* trade embargo (*gegen* on); **Handelssprache** *f* commercial language; **Handelsstadt** *f* trading city *or* centre; **Handelsstraße** *f* (*Hist*) trade route; **Handelsstrom** *m usu pl* pattern of trade, trade flow; **handelsüblich** *adj* usual *or* customary (in the trade *or* in commerce); **etw zu den ~en kaufen** to buy sth at normal (trade) prices; **Handelsunternehmen** *nt* commercial enterprise; **Handelsverkehr** *m* trade; **Handelsvertrag** *m* trade agreement; **Handelsvertreter(in** *f)* *m* commercial traveller *or* representative; **Handelsvertretung** *f* trade mission; **Handelsvolk** *nt* trading nation; **Handelsware** *f* commodity; **keine ~** no commercial value; **Handelswaren** *pl* merchandise *sing*; **Handelsweg** *m* 1. sales route; 2. *siehe* **Handelsstraße**; **Handelszentrum** *nt* trading *or* commercial centre; **Handelszweig** *m* branch.

handeltreibend *adj attr* trading.

Handeltreibende(r) *mf decl as adj* trader, tradesman/-woman.

Händeringen *nt* -s, *no pl* (*fig*) wringing of one's hands; **händeringend** *adv* wringing one's hands; (*fig*) imploringly; **Händeschütteln** *nt* -s, *no pl* handshaking; **Händetrockner** *m* hand drier; **Händewaschen** *nt* -s, *no pl* washing one's hands; **jdn zum ~ schicken** to send sb to wash his/her hands.

Handfeger *m* hand brush; **wie ein wild gewordener ~** (*inf*) like a wild thing; **Handfertigkeit** *f* dexterity; **Handfessel** *f* 1. manacle; 2. (*Handschelle*) handcuff; **handfest** *adj* 1. (*kräftig*) *Mensch* sturdy, robust; *Essen* solid, substantial; 2. (*fig*) *Schlägerei* violent; *Skandal* huge; *Vorschlag*, *Argument* well-founded, solid; *Beweis* solid, tangible; *Lüge*, *Betrug* flagrant, blatant; **Handfeuerlöscher** *m* hand fire extinguisher; **Handfeuerwaffe** *f* hand gun; **Handfläche** *f* palm *or* flat (of the/one's hand); **Handfunkgerät** *nt* walkie-talkie; **Handgas** *nt* (*Aut: Vorrichtung*) hand throttle; **~ haben/geben** to have a/pull out the hand throttle; **mit ~ fahren** to use the hand throttle; **handgearbeitet, handgefertigt** *adj* handmade; *Stickerei* handworked; **handgeknüpft** *adj* hand-woven; **Handgeld** *nt* (*Hist*) earnest money; (*Mil Hist*) bounty; **Handgelenk** *nt* wrist; **aus dem ~** (*fig inf*) (*ohne*

Mühe) with the greatest of ease, effortlessly; (*improvisiert*) off the cuff; **etw aus dem ~ schütteln** (*fig inf*) to do sth effortlessly *or* with no trouble at all; **handgemacht** *adj* handmade; **handgemalt** *adj* hand-painted; **handgemein** *adj* (**mit jdm**) **~ werden** to come to blows (with sb); **Handgemenge** *nt* scuffle, fight; **Handgepäck** *nt* hand luggage *no pl or* baggage *no pl*; **Handgerät** *nt* (*Sport*) hand apparatus; **handgerecht** *adj*, *adv* handy; **handgeschliffen** *adj* hand-ground; **handgeschmiedet** *adj* hand-forged; **handgeschöpft** *adj Papier* handmade; **handgeschrieben** *adj* handwritten; **handgesteuert** *adj* (*Tech*) hand-operated; **handgestrickt** *adj* hand-knitted; (*fig*) homespun; *Lösung* home-grown; **handgewebt** *adj* handwoven; **Handgranate** *f* hand grenade; **handgreiflich** *adj* 1. *Streit*, *Auseinandersetzung* violent; **~ werden** to become violent; 2. (*fig: offensichtlich*) clear; *Erfolg auch* visible; *Lüge* blatant, flagrant; **etw ~ vor Augen führen** to demonstrate sth clearly; **Handgreiflichkeit** *f siehe adj* 1. *usu pl* violence *no pl*; 2. clarity; blatancy, flagrancy; **Handgriff** *m* 1. (*Bewegung*) movement; (*im Haushalt*) chore; **keinen ~ tun** not to lift a finger; **mit einem ~ öffnen** with one flick of the wrist; (*schnell*) in no time; **mit ein paar ~en** in next to no time; 2. (*Gegenstand*) handle; **handhabbar** *adj* manageable; **leicht/schwer ~** easy/difficult to manage; **Handhabe** *f* (*fig*) **ich habe gegen ihn keine ~** I have no hold on him; **etw als ~ (gegen jdn) benutzen** to use sth as a lever (against sb); **handhaben** *vt insep* to handle; *Maschine auch* to operate, to work; *Gesetz* to implement, to administer; **Handhabung** *f siehe vt* handling; operation, working; implementation, administration; **Handharmonika** *f* concertina; **Handhebel** *m* hand-operated *or* manually operated lever.

Handikap ['hɛndikɛp] *nt* -s, -s (*Sport*, *fig*) handicap.

handikapen ['hɛndikɛpn] *vt insep* to handicap.

Handikaprennen *nt* handicap (race); **Handikapspiel** *nt* handicap game.

händisch *adj* (*Aus*) manual.

Handkamera *f* hand-held camera; **Handkantenschlag** *m* karate chop; **Handkarren** *m* handcart; **Handkäse** *m* strong-smelling round German cheese; **Handkatalog** *m* ready-reference catalogue; **Handkoffer** *m* (small) suitcase; **handkoloriert** *adj* hand-painted; **Handkreissäge** *f* hand-held circular saw; **Handkurbel** *f* hand crank; (*Aut*) starting handle; **Handkuß** *m* kiss on the hand; (*Eccl*) kiss (*on the ring of a bishop etc*); **mit ~** (*fig inf*) with pleasure, gladly; **zum ~ kommen** (*Aus fig*) to come off worse; **Handlampe** *f* inspection lamp; **Handlanger** *m* -s, -, **Handlangerin** *f* odd-job man/woman, handyman; (*fig: Untergeordneter*) dogsbody (*inf*); (*fig pej: Gehilfe*) henchman;

Handlangerarbeit f (pej) donkey work no pl; **Handlangerdienst** m dirty work no pl; **Handlauf** m (an Treppen) handrail.

Händler(in f) m **-s,** - trader, dealer; (Auto~) dealer; (Ladenbesitzer) shopkeeper (Brit), store owner (US). **ambulanter** or **fliegender** ~ street trader. **Händlerpreis** m trade price; **Händlerrabatt** m trade discount.

Handlesekunst f (die) ~ palmistry, (the art of) reading palms; **Handleser(in** f) m palm reader, palmist; **Handleuchte** f inspection lamp.

handlich adj **1.** Gerät, Format, Form handy; Gepäckstück manageable, easy to manage; Auto manoeuvrable.
2. (Sw: behende) handy, dexterous.
3. (Sw: mit der Hand) with one's hand(s).

Handlichkeit f, no pl siehe adj 1. handiness; manageability; manoeuvrability.

Handlinie f line (in the palm of the hand); **Handliniendeutung** f (die) ~ palmistry.

Handlung f **1.** (Vorgehen, Handeln) action, deed; (Tat, Akt) act.
2. (Geschehen) action; (~sablauf) plot. **der Ort der** ~ the scene of the action.

Handlungsablauf m plot; **handlungsarm** adj thin on plot; **Handlungsbedarf** m need for action; **Handlungsbevollmächtigte(r)** mf authorized agent, proxy; **handlungsfähig** adj Regierung capable of acting, able to act; (Jur) empowered or authorized to act; **eine ~e Mehrheit** a working majority; **Handlungsfähigkeit** f (von Regierung) ability to act; (Jur) power to act; **Handlungsfreiheit** f freedom of action; **handlungsreich** adj action-packed, full of action; **Handlungsreichtum** m abundance of action; **Handlungsreisende(r)** mf (Comm) commercial traveller, rep(resentative); **Handlungsspielraum** m scope (of action); **handlungsunfähig** adj Regierung incapable of acting, unable to act; (Jur) without power to act; **Handlungsunfähigkeit** f (von Regierung) inability to act; (Jur) lack of power to act; **Handlungsverb** nt transitive verb; **Handlungsvollmacht** f proxy; **Handlungsweise** f way of behaving, behaviour no pl, conduct no pl; **eine selbstlose** ~ unselfish behaviour or conduct.

Handmehr nt **-s,** no pl (Sw) show of hands in favour of sth; **Handmühle** f handmill; **Handpflege** f manicure; **Handpresse** f (Typ) hand-press; **Handpumpe** f hand-pump; **Handpuppe** f glove puppet; **Handreichung** f **1.** helping hand no pl; **2.** (Instruktion, Empfehlung) recommendation; **Handrücken** m back of the/one's hand; **Handsäge** f hand-saw; **Handsatz** m (Typ) hand-setting, hand-composition; **Handschelle** f usu pl handcuff; **jdm ~n anlegen** to handcuff sb, to put handcuffs on sb; **in ~n** in handcuffs, handcuffed; **Handschlag** m **1.** (Händedruck) hand-

shake; **mit** or **durch** or **per** ~ with a handshake; **ein Geschäft durch** ~ abschließen to shake on a deal; **2. keinen** ~ **tun** not to do a stroke (of work); **Handschreiben** nt handwritten letter; **Handschrift** f **1.** handwriting; (fig) (trade)mark; **er hat eine gute/leserliche** ~ he has good/legible handwriting; **etw trägt/verrät jds** ~ (fig) sth bears or has sb's (trade)mark; (Kunstwerk auch) sth shows the hand of sb; **2.** (Text) manuscript; **Handschriftendeutung** f (die) ~ the study of handwriting, graphology; **handschriftlich I** adj handwritten; **II** adv korrigieren, einfügen by hand; sich bewerben in writing; **einen Brief** ~ **beantworten/schreiben** to answer a letter in writing or by hand/to write a letter.

Handschuh m (Finger~) glove; (Faust~) mitten, mitt (inf).

Handschuhfach nt, **Handschuhkasten** m (Aut) glove compartment; **Handschuhmacher(in** f) m glove maker.

Handsetzer(in f) m (Typ) hand compositor; **handsigniert** adj signed, autographed; **Handskizze** f rough sketch; **Handspiegel** m hand mirror or glass; **Handspiel** nt, no pl **1.** (Sport) handball; **2.** (Cards) (finishing a game by) playing all one's hand at once; **Handstand** m (Sport) handstand; **Handstandüberschlag** m (Sport) handspring; **Handsteuerung** f manual control; **Handstreich** m in or durch einen ~ in a surprise coup; (Mil) by surprise; **Handtasche** f handbag (Brit), purse (US); **Handteller** m palm (of the/one's hand); **Handtrommel** f hand drum.

Handtuch nt towel; (Geschirr~) tea towel, teacloth; (Papier~) paper towel. **das** ~ **werfen** or **schmeißen** (inf) (lit) to throw in the towel; (fig) to throw in the sponge or towel.

Handtuchhalter m towel-rail; **Handtuchspender** m towel dispenser.

Handumdrehen nt (fig): **im** ~ in the twinkling of an eye; **handverlesen** adj Obst hand-graded; (fig) hand-picked; **handvermittelt** adj Telefongespräch connected through or by the operator; **Handvermittlung** f connection by the operator; **Handvoll** f -, - (lit, fig) handful; **Handwaffe** f hand weapon; **Handwagen** m handcart; **handwarm** adj hand-hot; **etw** ~ **waschen** to wash sth in hand-hot water; **Handwäsche** f washing by hand; (Wäschestücke) hand wash; **Handwebstuhl** m hand-loom.

Handwerk nt **1.** (Beruf) trade; (Kunst~) craft; (fig: Tätigkeit) business. **das lederverarbeitende** ~ the leather worker's trade; **das** ~ **des Bäckers** the baking trade; **das** ~ **des Schneiders/Schreiners** the trade of tailor/joiner; **das** ~ **des Töpfers** the potter's craft; **der Krieg ist das einzige** ~, **das er versteht** war is the only business he knows anything about; **sein** ~ **verstehen** or **beherrschen** (fig) to know one's job; **jdm ins** ~ **pfuschen** (fig) to tread on sb's toes; **jdm das** ~ **legen** (fig) to put a stop to sb's game (inf) or to sb.

2. *no pl (Wirtschaftsbereich)* trade.
handwerkeln *vi insep (hum)* to potter about (making things).
Handwerker *m* **-s,** - (skilled) manual worker; (*Kunst~*) craftsman. **wir haben seit Wochen die ~ im Haus** we've had workmen in the house for weeks.
Handwerkerin *f* (skilled) manual worker; (*Kunst~*) craftswoman.
Handwerkerschaft *f* trade *sing or pl.*
handwerklich *adj Ausbildung* as a manual worker/craftsman; (*fig*) technical. **~er Beruf** skilled trade; **~es Können** craftsmanship; **~e Fähigkeiten** manual skills; **~ ist der Fotograf perfekt** technically the photographer is perfect.
Handwerksberuf *m* skilled trade; **Handwerksbetrieb** *m* workshop; **Handwerksbursche** *m* (*old*) travelling journeyman; **Handwerkskammer** *f* trade corporation; **Handwerkszeug** *nt, no pl* tools *pl*; (*fig*) tools of the trade *pl*, equipment.
Handwinde *f* hand-winch; **Handwörterbuch** *nt* concise dictionary; **Handwurzel** *f* (*Anat*) carpus; **Handwurzelknochen** *m* (*Anat*) carpal bone; **Handzeichen** *nt* signal; (*Geste auch*) sign; (*bei Abstimmung*) show of hands; **durch ~** by a show of hands; **er gab mir durch ein ~ zu verstehen, daß ich still sein sollte** he signalled to me to be quiet, he gave me a sign to be quiet; **Handzeichnung** *f* **1.** (*Skizze*) sketch; **2.** (*Art*) drawing; **Handzettel** *m* handout, leaflet, handbill.
Hanf *m* **-(e)s,** *no pl (Pflanze, Faser)* hemp; (*Samen*) hempseed.
Hänfling *m* (*Orn*) linnet.
Hanf *in cpds* hemp-; **Hanfseil** *nt*, **Hanfstrick** *m* hemp-rope.
Hang *m* **-(e)s,** ⁻e **1.** (*Abhang*) slope. **2.** *no pl (Neigung)* tendency (*zu* towards).
Hangar ['haŋgaːɐ, haŋ'gaːɐ] *m* **-s, -s** hangar, shed.
Hängebacken *pl* flabby cheeks *pl*; **Hängebauch** *m* drooping belly (*inf*); **Hängebrücke** *f* suspension bridge; **Hängebrust** *f*, **Hängebusen** *m* (*pej*) sagging or droopy (*inf*) breasts *pl or* bosom *no pl*; **Hängedach** *nt* suspended roof; **Hängekleid** *nt* loose dress, smock; **Hängelampe** *f* drop-light.
hangeln *vir* (*vi: aux sein or haben*) **er hangelte (sich) an einem Tau über den Fluß** he moved hand over hand along a rope over the river; **er hangelte sich am Fels hinunter** he let himself down the cliff hand over hand.
Hängemappe *f* suspension file; **Hängematte** *f* hammock.
hangen *vi* (*obs, dial*) (*dial: aux sein*) *siehe* **hängen I.**
Hangen *nt:* **mit ~ und Bangen** with fear and trembling.
Hängen *nt* **-s,** *no pl* **1.** Tod durch ~ death by hanging. **2.** **mit ~ und Würgen** (*inf*) by the skin of one's teeth.
hängen I *vi pret* **hing,** *ptp* **gehangen 1.** to hang. **die Gardinen ~ schon** the curtains are already up; **die Tür hängt in den Angeln** the door hangs on its hinges.

2. (*gehenkt werden*) to hang.
3. (*herunter~*) to hang. **mit ~den Schultern** with drooping shoulders; **die Blumen ließen die Köpfe ~** the flowers hung their heads; **den Kopf ~ lassen** (*fig*) to be downcast *or* crestfallen.
4. (*sich neigen*) to lean. **der Wagen hängt (stark) nach rechts** the car leans (badly) to the right.
5. (*inf: lässig sitzen*) to slouch. **in der Kurve ~** (*Motorradfahrer*) to lean into the bend.
6. (*befestigt sein*) to hang; (*Wohnwagen*) to be on (*an etw (dat)* sth); (*sich festhalten*) to hang on (*an +dat* to). **das Bild hängt an der Wand/an einem Aufhänger** the picture is hanging on the wall/by a loop; **sie hing ihm am Hals/an der Schulter** she hung around his neck/ clung to his shoulder; **der Knopf hängt nur noch an einem Faden** the button is only hanging (on) by a thread.
7. (*angeschlossen, verbunden sein: Lautsprecher, Telefonapparat*) to be connected (up) (*an +dat* to). **der Patient hängt an der künstlichen Niere/am Tropf** the patient is on the kidney machine/ connected (up) to the drip.
8. (*inf: abhängen von*) **an jdm ~** to depend on sb.
9. (*inf: dazugehören*) to be involved (*an +dat* in). **daran hängt viel Arbeit** there's a lot of work involved in that.
10. (*vollgehängt sein*) to be full. **der Schrank hängt voll(er) Kleider** the cupboard is full of clothes; **der Baum hängt voller Früchte** the tree is laden with fruit.
11. (*kleben*) to be stuck (*an +dat* on). **ihre Blicke** *or* **Augen hingen an dem Sänger** her eyes were fixed on the singer; **sie hing an den Lippen des Redners** she hung on the speaker's every word.
12. (*festhängen*) to be caught (*mit* by).
13. (*schweben, im Raum stehen*) to hang. **eine unerträgliche Spannung hing im Raum** there was an unbearable tension in the room; **ein Fluch hängt über uns** a curse is hanging over us.
14. (*inf: sich aufhalten*) to hang about *or* around (*inf*). **er hängt den ganzen Tag vorm Fernseher/am Telefon** he spends all day in front of the telly/on the phone (*inf*).
15. (*nicht vorankommen*) to hang fire; (*inf: vergeblich warten*) to hang about (*inf*); (*Sch inf, Sports sl*) to be behind. **die Partie hängt** (*Chess*) the game is held over *or* adjourned.
16. (*Chess: Figur*) to be vulnerable. **der Springer hängt** the knight is vulnerable.
17. (*nicht verzichten mögen auf, lieben*) **an jdm/etw ~** to be very attached to *or* fond of sb/sth; **er hängt am Leben** he clings to life.
II *vt pret* **hängte,** *ptp* **gehängt,** (*dial auch*) *pret* **hing,** *ptp* **gehangen 1.** (*aufhängen, henken*) to hang. **wir müssen noch die Gardinen ~** we still have to put up *or* hang the curtains; **er hängt sich all sein Geld** *or* **alles auf den Leib** (*inf*) he

spends all his money on clothes.

2. (*behängen mit*) to fill. **er hängte die Wand voll Bilder** he hung pictures all over the wall, he filled the wall with pictures.

3. (*einhängen*) **er hängte den Telefonhörer in die Gabel** he hung up *or* rang off, he put *or* placed the receiver back on the hook.

4. (*hängenlassen, beugen*) to hang. **der Elefant hängte seinen Rüssel ins Wasser** the elephant dangled his trunk in the water; **seine Nase in etw** (*acc*) **~** (*inf: riechen*) to stick one's nose into sth (*inf*).

5. (*an* +*acc* to) (*anschließen*) to connect; (*befestigen*) **Wohnwagen** to hitch up.

III *vr pret* **hängte,** *ptp* **gehängt,** (*dial auch*) *pret* **hing,** *ptp* **gehangen 1.** sich an etw (*acc*) **~** to hang on to sth; **er hängte sich ihr an den Hals/Arm/Rockzipfel** he hung on to *or* clung to her neck/arm/apron-strings; **sich ins Seil/in die Seile ~** (*Bergsteiger, Ringer*) to lean against the rope/ropes; **er hängte sich ans Telefon** *or* **an die Strippe** (*inf*) he got on the phone; **sich an die Flasche/an den Wasserhahn ~** (*inf*) to have a good long drink.

2. sich an etw (*acc*) **~** (*sich festsetzen*) to cling *or* stick to sth; **sich an jdn ~** (*sich anschließen*) to latch on to sb (*inf*).

3. sich an jdn/etw **~** (*gefühlsmäßig binden*) to become attached to sb/sth.

4. (*verfolgen*) **sich an jdn/an ein Fahrzeug ~** to set off in (hot) pursuit of sb/a vehicle.

5. sich in etw (*acc*) **~** (*sl*) (*sich engagieren*) to get involved in sth; (*sich einmischen*) to meddle in sth.

ängenbleiben *vi sep irreg aux sein* **1.** to get caught (*an* +*dat* on).

2. (*Sport*) (*zurückbleiben*) to get left behind; (*nicht durch-, weiterkommen*) not to get through. **der Aufschlag blieb im Netz hängen** the ball didn't get past the net; **der Angriff blieb vor dem Strafraum hängen** the attack didn't get past the front of the penalty area.

3. (*Sch inf: nicht versetzt werden*) to stay down.

4. (*sich aufhalten*) to stay on. **bei einer Nebensächlichkeit ~** to get bogged down with a secondary issue, to get sidetracked.

5. (*sich festsetzen, haftenbleiben*) to get stuck *or* caught (*in, an* +*dat* on); (*Blick, Augen*) to rest (*an* +*dat* on). **es bleibt ja doch alles an mir hängen** (*fig inf*) in the end it's all down to me anyhow (*inf*); **der Verdacht ist an ihm hängengeblieben** suspicion rested on him; **vom Lateinunterricht ist bei ihm nicht viel hängengeblieben** (*fig inf*) not much of his Latin stuck (*inf*).

ängend I *prp* of **hängen. II** *adj* hanging. **~e Gärten** hanging gardens; **mit ~er Zunge kam er angelaufen** (*fig*) he came running up panting; **mit ~em Kopf** (*fig*) in low spirits, crestfallen; **~ befestigt sein** to be hung up.

hängenlassen *sep irreg, ptp* **hängen(ge)lassen I** *vt* **1.** (*vergessen*) to leave behind. **2.** (*inf: im Stich lassen*) to let down. **3.** (*Sch: nicht versetzen*) to keep down. **II** *vr* to let oneself go. **laß dich nicht so hängen!** don't let yourself go like this!, pull yourself together!; **er läßt sich furchtbar hängen** he has really let himself go.

Hängeohr *nt* lop ear; **Hängepartie** *f* (*Chess*) adjourned game; (*fig*) stalemate; **Hängepflanze** *f* trailing plant.

Hänger *m* **-s, -**. **1.** *siehe* **Anhänger. 2.** loose dress, smock. **3.** (*Mantel*) loose(-fitting) coat. **4.** (*sl: fauler Mensch*) layabout.

Hängeschrank *m* wall-cupboard; **Hängeschultern** *pl* drooping shoulders *pl*.

hängig *adj* **1.** (*Sw Jur*) *siehe* **anhängig. 2.** (*form*) sloping, inclined.

Hanglage *f* sloping site. **in ~** situated on a slope.

Hangtäter(in *f*) *m* (*Jur*) person with criminal tendencies.

Hannemann *m*: **~ geh du voran** (*inf*) you go first.

Hannover [ha'no:fɐ] *nt* **-s** Hanover.

Hannoveraner [hanovɐ'ra:nɐ] *m* **-s, -** - Hanoverian (horse).

Hannoveraner(in *f*) *m* **-s, -** - Hanoverian. **hannoversch** [ha'no:fɐʃ] *adj* Hanoverian.

Hans *m* **-'** *or* **-ens: ~ Guckindieluft** Johnny Head-in-the-Air; **~ im Glück** (*fig*) lucky dog (*inf*) *or* devil (*inf*).

Hansa *f* **-,** *no pl* (*Hist*) *siehe* **Hanse.**

Hansaplast ® *nt* **-(e)s,** *no pl* Elastoplast ®.

Hänschen ['hɛnsçən] *nt* **-s** *dim of* **Hans; was ~ nicht lernt, lernt Hans nimmermehr** (*Prov*) ≃ you can't teach an old dog new tricks (*Prov*).

Hansdampf *m* **-(e)s, -e** Jack-of-all-trades (and master of none). **er ist ein ~ in allen Gassen** he knows everybody and everything.

Hanse *f* **-,** *no pl* (*Hist*) Hanseatic League, Hansa, Hanse.

Hanseat(in *f*) *m* **-en, -en** citizen of a Hansa town; (*Hist*) Hanseatic merchant, merchant belonging to the Hanseatic League.

hanseatisch *adj* **1.** Hanseatic. **2.** (*fig: ~-vornehm*) cool and reserved.

Hänsel, Hänsel *m* **-s** *dim of* **Hans** (*dial: Trottel*) dolt, ninny (*inf*). **~ und Gretel** Hansel and Gretel; **ein paar ~** (*dial: wenige*) a few.

Hänselei *f* teasing *no pl*.

hänseln *vt* to tease.

Hansestadt *f* Hansa *or* Hanseatic *or* Hanse town; **hansestädtisch** *adj* Hanseatic.

Hanswurst *m* **-(e)s, -e** *or* (*hum*) ̈e **1.** buffoon, clown; **2.** (*Theat*) fool, clown; **Hanswurstiade** *f* **1.** clowning, buffoonery; **2.** (*Theat*) ≃ harlequinade.

Hantel *f* **-, -n** (*Sport*) dumb-bell.

hanteln *vi* (*Sport*) to exercise with dumb-bells.

hantieren* *vi* **1.** (*arbeiten*) to be busy. **2.** (*umgehen mit*) **mit etw ~** to handle sth;

seine Geschicklichkeit im H~ mit Begriffen (*fig*) his skill in handling ideas.
3. (*herum~*) to tinker *or* fiddle about (*an +dat* with, on).

hantig *adj* (*Aus, S Ger*) **1.** (*bitter*) bitter.
2. (*barsch*) brusque, abrupt.

hapern *vi impers* (*inf*) **es hapert an etw** (*dat*) (*fehlt*) there is a shortage *or* lack of sth; **es hapert bei jdm mit etw** (*fehlt*) sb is short of sth, sb is badly off for sth; **es hapert (bei jdm) mit etw** (*klappt nicht*) sb has a problem with sth; **mit der Grammatik hapert es bei ihm** he's weak in *or* poor at grammar.

häppchenweise *adv* (*inf: lit, fig*) bit by bit.

Happen *m* -s, - (*inf*) mouthful, morsel; (*kleine Mahlzeit*) bite, snack. **ein fetter ~** (*fig*) a good catch; **nach dem Theater aßen wir noch einen ~** after the theatre we had a bite to eat (*inf*) *or* a snack; **ich habe heute noch keinen ~ gegessen** I haven't had a bite to eat all day.

Happening ['hɛpənɪŋ] *nt* -s, -s (*Theat*) happening; (*Art*) action painting.

happig *adj* (*inf*) steep (*inf*). **das ist ganz schön ~** that's a bit much.

Happy-End, Happyend (*Aus*) ['hɛpɪ'|ɛnt] *nt* -s, -s happy ending. **ein Film/Buch/eine Geschichte mit ~** a film/book/story with a happy ending.

Harakiri *nt* -(s), -s harakiri.

Hardliner ['haːdlaɪnɐ] *m* -s, - (*Pol*) hardliner; **Hardrock** *m* -(s), *no pl* hard rock; **Hardtop** ['haːdtɔp] *nt* -s, -s (*Aut: Dach, Wagen*) hardtop; **ein Cabrio mit ~** a cabriolet with a hardtop.

Hardthöhe *f* Hardthöhe (*seat of the German Ministry of Defence*).

Hardware ['haːdwɛə] *f* -, -s (*Comput*) hardware.

Harem *m* -s, -s (*auch hum inf*) harem.

Haremsdame *f* lady of the/a harem; **Haremswächter** *m* harem guard.

Häretiker(in *f*) *m* -s, - (*lit, fig*) heretic.

häretisch *adj* (*lit, fig*) heretical.

Harfe *f* -, -n harp.

Harfenist(in *f*) *m* harpist.

Harfenspiel *nt no pl* harp-playing; **Harfenspieler(in** *f*) *m* harp-player, harpist.

Harke *f* -, -n (*esp N Ger*) rake. **jdm zeigen, was eine ~ ist** (*fig inf*) to show sb what's what (*inf*).

harken *vti* (*esp N Ger*) to rake.

Harlekin ['harleki:n] *m* -s, -e Harlequin.

Harlekinade *f siehe* **Hanswurstiade.**

härmen *vtr* (*old*) *siehe* **grämen.**

harmlos *adj* **1.** (*ungefährlich*) harmless; *Berg, Piste, Kurve* easy; *Entzündung* slight, mild. **eine ~e Grippe** a mild bout of flu. **2.** (*unschuldig, gutartig, naiv*) innocent; (*unbedenklich*) harmless, innocuous. **er ist ein ~er Mensch** he's harmless (enough), he's an innocuous type.

Harmlosigkeit *f, no pl siehe adj* **1.** harmlessness; easiness; slightness, mildness. **2.** innocence; harmlessness, innocuousness. **in aller ~** in all innocence.

Harmonie *f* (*Mus, fig*) harmony.

Harmonielehre *f* (*Gebiet*) harmony; (*Theorie*) harmonic theory.

harmonieren* *vi* (*Mus, fig*) to harmonize; (*farblich auch*) to go together, to match.

Harmonik *f, no pl* harmony.

Harmonika *f* -, -s *or* **Harmoniken** harmonica; (*Mund~ auch*) mouth organ; (*Zieh~*) accordion.

Harmonikatür *f* folding *or* accordion door.

harmonisch *adj* (*Mus, Math*) harmonic; (*wohlklingend, fig*) harmonious. **das klingt nicht sehr ~** that's not a very harmonious sound; **sie leben ~ zusammen** they live together in harmony.

harmonisieren* *vt Musik, Steuern* to harmonize; (*fig*) to coordinate.

Harmonisierung *f* (*von Musik, Steuern*) harmonization; (*fig*) coordination.

Harmonium *nt* harmonium.

Harn *m* -(e)s, -e urine. **~ lassen** to pass water, to urinate.

Harnblase *f* bladder; **Harndrang** *m* (*form*) urge *or* need to pass water *or* to urinate.

harnen *vi* (*form*) to urinate, to pass water, to micturate (*form*).

Harnflasche *f* urinal.

Harnisch *m* -(e)s, -e armour. **in ~ sein** (*fig*) to be up in arms, to have one's hackles up; **jdn in ~ bringen** (*fig*) to get sb up in arms, to get sb's hackles up.

Harnlassen *nt* -s, *no pl* (*form*) urination, passing of water, micturition (*form*); **Harnleiter** *m* ureter; **Harnröhre** *f* urethra; **Harnsäure** *f* (*Chem*) uric acid; **Harnstein** *m* (*Med*) urinary calculus; **Harnstoff** *m* (*Chem*) urea, carbamide; **harntreibend** *adj* (*form*) diuretic; **Harnuntersuchung** *f* urine analysis, urinalysis; **Harnvergiftung** *f* uraemia; **Harnwege** *pl* (*Anat*) urinary tract *sing*; **Harnzucker** *m* sugar in the urine.

Harpune *f* -, -n harpoon.

Harpunenwerfer *m* harpoon-gun.

Harpunier *m* -s, -e harpooner.

harpunieren* *vti* to harpoon.

harren *vi* (*geh*) **jds/einer Sache ~**, **auf jdn/etw ~** to await sb/sth, to wait for sb/sth; *siehe* **Ding¹.**

Harsch *m* -(e)s, *no pl* frozen snow.

harsch *adj* **1.** harsh. **2.** (*verharscht*) *Schnee* frozen.

harschen *vi* to freeze over.

harschig *adj Schnee* frozen.

Harschschnee *m* frozen snow.

hart *I adj, comp* ⁻er, *superl* ⁻este(r, s) **1.** (*nicht weich, nicht sanft*) hard; *Matratze, Bett, Federung, Apfelschale auch* firm; *Aufprall, Ruck auch* violent; *Wind* strong; *Ei* hard-boiled. **~ werden** to get hard, to harden; **Eier ~ kochen** to hard-boil eggs; **der Boden ist ~ gefroren** the ground is frozen hard *or* solid; **er hat einen ~en Schädel** *or* **Kopf** (*fig*) he's pig-headed *or* obstinate; **ein ~es Herz haben** (*fig*) to have a hard heart, to be hard-hearted; **~ wie Stahl/Stein** as hard as steel/stone.

2. (*scharf*) *Konturen, Kontrast, Formen*, (*Phot*) *Negativ* sharp; (*Gesichts*)*züge, Konsonant* hard; *Licht* harsh, hard; *Klang, Ton, Aussprache,*

Akzent harsh.

3. (*rauh*) *Spiel, Gegner* rough; (*fig*) *Getränke* strong; *Droge* hard; *Porno* hard-core; *Kriminalfilm, Western* tough. **4.** (*widerstandsfähig, robust*) tough. **gelobt sei, was ~ macht** (*prov, usu iro*) anything for toughness!; **treat 'em rough, make 'em tough!** (*inf*); **er ist ~ im Nehmen** he's tough.

5. (*stabil, sicher*) *Währung, Devisen* stable. **in ~en Dollars** in hard dollars.

6. (*streng, gnadenlos, kompromißlos*) *Mensch, Kampf* hard; *Wort auch* stern, harsh; *Winter, Frost, Vertragsbedingung auch* severe; *Strafe, Urteil, Kritik* severe, harsh; *Maßnahmen, Gesetze, Politik, Kurs* tough; *Auseinandersetzung* violent. **der ~e Kern einer Vereinigung** the hard core of an organization; **er ist durch eine ~e Schule gegangen** (*fig*) he has been through a hard school; **~ bleiben** to stand *or* remain firm; **~ mit jdm sein** to be hard on sb, to be harsh with sb; **es fielen ~e Worte** hard *or* strong *or* harsh words were used; **es geht ~ auf ~** it's a tough fight *or* real battle.

7. (*schwer zu ertragen*) *Los, Schicksal, Tatsache* hard, cruel; *Verlust* cruel; *Wirklichkeit, Wahrheit* harsh. **es war sehr ~ für ihn, daß er ...** it was very hard for him to ...

8. (*mühevoll, anstrengend*) *Arbeit, Leben, Zeiten* hard, tough.

9. (*Phys*) *Strahlen* hard.

II *adv, comp* **⁻er,** *superl* **am ⁻esten 1.** hard. **er schläft gerne ~** he likes sleeping on a hard surface/bed.

2. (*scharf*) *kontrastiert* sharply. **~ klingen** to sound harsh; **er spricht manche Laute zu ~ aus** he makes some sounds too hard.

3. (*heftig, rauh*) roughly; *fallen, aufprallen* hard. **~ aneinandergeraten** to have a (real) set-to (*inf*); **~ einsteigen** (*Sport*) to go hard at it; **jdn ~ anfahren** to bite sb's head off (*inf*); **jdm ~ zusetzen** to press sb hard; **etw trifft jdn ~** (*lit, fig*) sth hits sb hard; **~ diskutieren** to have a vigorous discussion (*inf*); **~ spielen** (*Sport*) to play rough.

4. (*streng*) severely, harshly. **~ durchgreifen** to take tough *or* rigorous action; **jdn ~ anfassen** to be hard on sb, to treat sb harshly.

5. (*mühevoll*) hard. **~ arbeiten** to work hard; **es kommt mich ~ an** (*geh*) I find it hard.

6. (*nahe*) close (*an* +*dat* to). **das ist ~ an der Grenze der Legalität/des Zumutbaren** that's pushing legality/reasonableness to its (very) limit(s), that's on the very limits of legality/of what's reasonable; **das ist ~ an der Grenze zum Kriminellen/zum Kitsch** that's very close to being criminal/kitsch; **~ am Wind (segeln)** (*Naut*) (to sail) close to the wind; **~ auf ein Ziel zuhalten** (*Naut*) to head straight for a destination.

Hartbahn *f* (*Sport*) hard track; **hartbedrängt** *adj attr* hard-pressed; **Hartbeton** *m* (especially) hard concrete.

Härte *f* -, **-n** *siehe adj* **1.** hardness; firmness; violence; (*Härtegrad*) degree *or* grade (of hardness).

2. *no pl* (*Schärfe*) sharpness; hardness; harshness.

3. (*Rauheit*) roughness *no pl.* **sie spielten mit größter ~** they played very rough.

4. *no pl* (*Robustheit*) toughness.

5. *no pl* (*Stabilität*) stability.

6. *no pl* (*Strenge*) hardness; harshness; severity; toughness; violence. **eine Auseinandersetzung in großer ~ führen** to have a violent argument; **mit großer ~ diskutieren** to have a very heated discussion.

7. (*schwere Erträglichkeit*) cruelty, harshness. **der Schicksalsschlag traf ihn in seiner ganzen ~** this blow of fate struck him with all its force *or* cruelty; **soziale ~n** social hardships; (*Fälle*) cases of social hardship.

8. (*Phys*) degree of penetration.

Härteausgleich *m* (*Admin*) compensation for (social) hardship; **Härtefonds** *m* hardship fund; **Härtegrad** *m* degree *or* grade of hardness; **Härteklausel** *f* hardship clause; **Härtemittel** *nt* (*Metal*) hardening agent.

härten I *vt* to harden; *Stahl auch* to temper. **II** *vi* to harden. **III** *vr* (*Stoff*) to harden; (*rare: Mensch*) to toughen oneself up.

härter *comp of* **hart**.

Härter *m* -s, - (*Tech*) hardener, hardening agent.

Härteskala *f* scale of hardness, Mohs scale.

härteste(r, s) *superl of* **hart**.

Härtetest *m* endurance test; (*fig*) acid test; **Härtezustand** *m* hard state; **im ~ läßt sich das Material wie Metall bearbeiten** in the hard state *or* when it is hard this material can be worked like metal.

Hartfaserplatte *f* hardboard, fiberboard (*US*); **hartgefroren** *adj attr* frozen, frozen stiff *pred*, frozen hard *pred*; **hartgekocht** *adj attr* hard-boiled; **Hartgeld** *nt* hard cash; **hartgesotten** *adj* **1.** (*fig*) hard-baked (*inf*), hard-boiled; **2.** (*Aus*) *siehe* **hartgekocht**; **Hartgummi** *nt* hard rubber; **hartherzig** *adj* hard-hearted; **Hartherzigkeit** *f* hard-heartedness; **Hartholz** *nt* hardwood; **Hartkäse** *m* hard cheese; **Hartlaubgewächs** *nt* (*Bot*) sclerophyllous evergreen (*spec*); **hartleibig** *adj* (*Med old*) constipated; **hartlöten** *vti sep* to braze; **Hartmetall** *nt* braze; **hartnäckig** *adj* (*stur*) *Mensch, Haltung* obstinate, stubborn; (*ausdauernd*) *Widerstand* stubborn; *Lügner* persistent; *Beharrlichkeit* dogged, persistent; (*langwierig*) *Krankheit, Fleck* stubborn; **Hartnäckigkeit** *f siehe adj* obstinacy, stubbornness; persistence; doggedness; stubbornness; **Hartpackung** *f* hard pack; **Hartpappe** *f* cardboard; **Hartplatz** *m* (*Sport*) hard sports area; (*für Ballspiele*) hard pitch; (*Tennis*) hard court; **Hartschalenkoffer** *m* hard-top case; **hartschalig** *adj Frucht* hard-

shelled, testaceous (*spec*); *Apfel, Traube* having a tough skin, tough-skinned.
Härtung *f* (*Tech*) hardening; (*von Stahl auch*) tempering.
Hartwurst *f* salami-type sausage.
Harz¹ *nt* **-es, -e** resin.
Harz² *m* **-es** (*Geog*) Harz Mountains *pl*.
harzen I *vt Wein* to treat with resin, to resinate. II *vi* (*Baum, Holz*) to secrete or exude resin.
Harzer¹ *m* **-s, -** (*Cook*) Harz cheese.
Harzer² *adj* (*Geog*) Harz. ~ **Roller** (*Zool*) roller canary; (*Cook*) (roll-shaped) Harz cheese; ~ **Käse** Harz cheese.
harzhaltig *adj Holz* resinous.
harzig *adj* 1. resinous, resiny. 2. (*Sw fig: zähflüssig*) slow-moving.
Hasard [ha'zart] *nt* **-s**, *no pl siehe* **Hasardspiel** (**mit etw**) ~ **spielen** (*fig geh*) to gamble (with sth).
Hasardeur [hazar'dø:ɐ] *m*, **Hasardeuse** [hazar'dø:zə] *f* (*geh*) gambler.
Hasardspiel [ha'zart-] *nt* game of chance; (*fig geh*) gamble. **glatte Fahrbahnen machen das Autofahren zum** ~ slippy roads make driving a treacherous business.
Hasch *nt* **-(s)**, *no pl* (*inf*) hash (*inf*).
Haschee *nt* **-s, -s** (*Cook*) hash.
Haschen *nt* **-s**, *no pl* (*dial*) catch, tag.
haschen¹ (*dated, geh*) I *vt* to catch. **hasch mich, ich bin der Frühling** (*hum inf*) come and get me boys! (*hum*). II *vi* **nach etw** ~ to make a grab at sth; **nach Beifall/Lob** ~ to fish or angle for applause/praise.
haschen² *vi* (*inf*) to smoke (hash) (*inf*).
Häschen ['hɛʃən] *nt* 1. *dim of* **Hase** young hare, leveret. 2. (*inf: Kaninchen, Playboy*~) bunny (*inf*). 3. (*Kosename*) sweetheart, sweetie(pie).
Hascher(in *f***)** *m* **-s, -** (*inf*) hash smoker.
Häscher *m* **-s, -** (*old, geh*) henchman.
Haschisch *nt or m* **-(s)**, *no pl* hashish.
Haschmich *m* **-s**, *no pl* (*inf*) **einen** ~ **haben** to be off one's rocker (*inf*).
Hase *m* **-n, -n** hare; (*männlicher* ~ *auch*) buck; (*dial: Kaninchen, Oster*~, *in Märchen*) rabbit. **falscher** ~ (*Cook*) meat loaf; **wissen/sehen, wie der** ~ **läuft** (*fig inf*) to know/see which way the wind blows; **alter** ~ (*fig inf*) old hand; **da liegt der** ~ **im Pfeffer** (*inf*) that's the crux of the matter; **mein Name ist** ~ (, **ich weiß von nichts**) I don't know anything about anything.
Hasel *f* **-, -n** (*Bot*) hazel.
Haselhuhn *nt* hazel grouse; **Haselkätzchen** *nt* (*Bot*) (hazel) catkin, lamb's tail (*inf*); **Haselmaus** *f* dormouse; **Haselnuß** *f* hazelnut, cob-nut; **Haselrute** *f* hazel rod or switch; **Haselstrauch** *m* hazel-bush.
Hasenbraten *m* roast hare; **Hasenbrot** *nt* (*inf*) left-over sandwich; **Hasenfuß** *m* 1. hare's foot; 2. (*inf*) coward; **Hasenherz** *nt* 1. hare's heart; 2. (*dated inf*) *siehe* **Hasenfuß** 2.; **Hasenjagd** *f* hare-hunt; **auf (die)** ~ **gehen** to go hunting hares or on a hare-hunt; **Hasenklein** *nt* **-s**, *no pl* (*Cook*) jointed hare; **Hasenpanier** *nt* **das** ~ **ergreifen** (*dated inf*) to turn tail (and run); **Hasenpfeffer** *m* (*Cook*) ≈

jugged hare; **hasenrein** *adj* (*Hunt*) *Hund* trained to chase hares only on command; **jd/etw ist nicht (ganz)** ~ (*inf*) sb/sth is not (quite) aboveboard, there's something fishy about sb/sth (*inf*); **Hasenscharte** *f* (*Med*) hare-lip.
Häsin *f* doe, female hare.
Haspel *f* **-, -n** 1. (*Förderwinde*) windlass. 2. (*Garn*~) reel.
haspeln *vti* 1. (*inf: hastig sprechen*) to splutter, to sputter; *Gebete, Entschuldigung* to sp(l)utter out. 2. (*wickeln*) to wind up, to reel up; (*abwickeln*) to unwind, to reel off.
Haß *m* **Hasses**, *no pl* 1. hatred, hate (*auf* +*acc, gegen* of). **Liebe und** ~ love and hate or hatred; **sich** (*dat*) **jds** ~ **zuziehen, jds** ~ **auf sich** (*acc*) **ziehen** to incur sb's hatred.
2. (*inf: Wut, Ärger*) **wenn ich so etwas sehe, könnt' ich einen** ~ **kriegen** (*inf*) when I see something like that I could get really angry; **einen** ~ **(auf jdn) schieben** (*sl*) or **haben** (*inf*) to be really sore (with sb) (*inf*).
Haß|ausbruch *m* burst of hatred.
hassen *vti* to hate, to detest, to loathe. **etw** ~ **wie die Pest** (*inf*) to detest sth.
hassenswert *adj* hateful, odious, detestable.
haßerfüllt *adj* full of hate or hatred; **Haßgefühl** *nt* feeling of hatred.
häßlich *adj* 1. ugly. ~ **wie die Nacht** or **die Sünde** (as) ugly as sin. 2. (*gemein*) nasty, mean. **das war** ~ **von ihm** that was nasty or mean of him; ~ **über jdn sprechen** to be nasty or mean about sb. 3. (*unerfreulich*) nasty; *Vorfall, Streit auch* ugly.
Häßlichkeit *f siehe adj* 1. ugliness *no pl*. 2. nastiness *no pl*, meanness *no pl*; (*Bemerkung*) nasty or mean remark. 3. nastiness; ugliness.
Haßliebe *f* love-hate relationship (*für* with); ~ **für jdn empfinden** to have a love-hate relationship with sb; **Haßtirade** *f* tirade of hatred; **haßverzerrt** *adj Gesicht* twisted (up) with hatred.
hast 2. *pers sing present of* **haben**.
Hast *f* **-**, *no pl* haste. **voller** ~ in great haste, in a great hurry or rush; **ohne** ~ without haste, without hurrying or rushing; **mit einer solchen** ~ in such a hurry or rush, in such haste; **nur keine** ~**!** not so fast!, hold your horses! (*inf*).
haste (*inf*) *contr of* **hast du**; (**was**) ~ **was kannste** as quick or fast as possible; ~ **was, biste was** (*prov*) money brings status.
hasten *vi aux sein* (*geh*) to hasten (*form*), to hurry.
hastig *adj* hasty; *Essen auch, Worte* hurried, rushed. **nicht so** ~**!** not so fast!; **er schlang sein Essen** ~ **hinunter** he gobbled down his food; **sein** ~**es Rauchen** his hasty way of smoking.
Hastigkeit *f* hurriedness. **sie ißt/schwimmt mit einer solchen** ~ she eats/swims in such a hasty manner.
hat 3. *pers sing present of* **haben**.
Hätschelei *f* (*pej*) pampering, mollycoddling.
Hätschelkind *nt* (*pej*) (*Kind*) pampered

child; (*fig: Liebling*) blue-eyed boy/girl (*inf*), darling.

hätscheln *vt* (*liebkosen*) to pet, to fondle; (*zu weich behandeln*) to pamper, to mollycoddle; (*bevorzugen*) to pamper, to indulge; (*hängen an*) *Plan, Idee* to cherish, to nurse.

hatschen *vi aux sein* (*Aus, S Ger inf*) (*schlendern*) to amble along; (*mühsam gehen*) to trudge along; (*hinken*) to hobble. **durch die Berge** ~ to trudge through the mountains.

hatschi *interj* atishoo.

hatte *pret of* **haben**.

Hat-Trick, Hattrick ['hættrık] *m* **-s, -s** (*Sport*) hat-trick; (*fig*) masterstroke.

Hatz *f* **-, -en 1**. (*Hunt, fig*) hunt. **2**. (*fig: esp S Ger, Aus*) rush.

Haube *f* **-, -n 1**. bonnet; (*Aus, S Ger: Mütze*) (woollen) cap; (*von Krankenschwester etc*) cap. **jdn unter die ~ bringen** (*hum*) to marry sb off; **unter der ~ sein/unter die ~ kommen** (*hum*) to be/get married. **2**. (*bei Vögeln*) crest. **3**. (*allgemein: Bedeckung*) cover; (*Trocken~*) (hair) dryer, drying hood (*US*); (*für Kaffee-, Teekanne*) cosy; (*Motor~*) bonnet, hood (*US*).

Haubenlerche *f* crested lark; **Haubenmeise** *f* crested tit; **Haubentaucher** *m* (*Zool*) great crested grebe.

Haubitze *f* **-, -n** howitzer.

Hauch *m* **-(e)s, -e** (*geh, poet*) **1**. (*Atem*) breath; (*Luftzug*) breath of air, breeze. **2**. (*Duft*) smell; (*von Parfüm auch*) waft. **ein ~ von Frühling/Harz** a breath of spring/a delicate smell of resin. **3**. (*Flair*) aura, air. **ihr Haus hat den ~ des Exotischen** their house has an exotic air (about it) *or* an aura of exoticism. **4**. (*Andeutung, Anflug*) hint, touch; (*von Lächeln*) hint, ghost.

hauchdünn *adj* extremely thin; *Scheiben, Schokoladentäfelchen* wafer-thin; *Strümpfe, Strumpfhose* sheer; (*fig*) *Mehrheit* extremely narrow; *Sieg* extremely close.

hauchen I *vi* to breathe. **gegen/auf etw** (*acc*) ~ to breathe on sth.

II *vt* (*lit, fig, liter: flüstern*) to breathe. **jdn einen Kuß auf die Wange** ~ (*liter*) to brush sb's cheek with one's lips; **das Jawort** ~ (*liter*) to breathe "I will"; **jdm etw** (*acc*) **ins Ohr** ~ (*liter*) to whisper sth in sb's ear; **er hauchte mir den Zigarettenrauch ins Gesicht** he blew the cigarette smoke in(to) my face.

hauchfein *adj* extremely fine; **Hauchlaut** *m* (*Phon*) aspirate; **hauchzart** *adj* very delicate; *Schokoladentäfelchen* wafer-thin.

Haudegen *m* (*fig*) old campaigner, (old) warhorse.

Haue *f* **-, -n 1**. (*S Ger, Sw, Aus*) *siehe* Hacke[2] 1.. **2**. *no pl* (*inf: Prügel*) (good) hiding (*inf*) *or* spanking. ~ **kriegen** to get a good hiding (*inf*) *or* spanking.

hauen *pret* **haute**, *ptp* **gehauen** *or* (*dial*) **gehaut** I *vt* **1**. *pret auch* **hieb** (*inf: schlagen*) to hit, to clout (*inf*), to clobber (*inf*). **er haute den Stein in zwei Teile** he

smashed the stone in two; **er haute ihr das Heft um die Ohren** he hit *or* clouted (*inf*) *or* clobbered (*inf*) her round the head with the exercise book. **2**. (*inf: verprügeln*) to hit, to belt (*sl*), to thump (*inf*). **hau(t) ihn!** let him have it! (*inf*), belt *or* thump him (one) (*sl*). **3**. (*meißeln*) *Statue, Figur* to carve; *Stufen* to cut, to hew (*form*); *Loch* to cut, to knock. **4**. *pret* **hieb** (*geh: mit Waffe schlagen*) to make a thrust at sb. **jdn aus dem Sattel/vom Pferd** ~ to knock sb out of the saddle/from his horse. **5**. (*inf: stoßen*) *jdn, Gegenstand* to shove (*inf*); *Körperteil* to bang, to knock (*an* +*acc* on, against). **das haut einen vom Stuhl** *or* **aus den Latschen** *or* **den stärksten Mann aus dem Anzug** it really knocks you sideways (*inf*). **6**. (*inf*) (*werfen*) to chuck (*inf*), to fling; *Farbe* to sling (*inf*) (*auf* +*acc* on). **er hat ihm eine 6 ins Zeugnis gehauen** he slammed a 6 on his report (*inf*). **7**. (*dial*) (*fällen*) *Baum* to chop (down), to hew (down); (*mähen*) *Gras* to cut; (*zerhacken*) *Holz, Fleisch* to chop (up). **8**. (*Min*) *Erz* to cut; *Kohle* to break.

II *vi* **1**. *pret auch* **hieb** (*inf: schlagen*) to hit. **jdm ins Gesicht** ~ to hit *or* clout (*inf*) *or* clobber (*inf*) sb in the face; **jdm auf die Schulter** ~ to clap *or* slap sb on the shoulder; **hau doch nicht so (auf die Tasten)** don't thump like that. **2**. (*inf: prügeln*) **nicht** ~, **Papi!** don't hit *or* thump (*inf*) me, daddy!; **er haut immer gleich** he's quick to hit out. **3**. *pret* **hieb** (*geh: mit Waffe*) to lash out. **er hieb mit dem Degen (auf seinen Gegner)** he made a thrust (at his opponent) with his dagger; **es geht auf H~ und Stechen** (*fig*) there's a tough battle. **4**. *aux sein* (*inf: stoßen*) to bang, to hit. **er ist mit dem Fuß gegen einen Stein gehauen** he banged *or* hit his foot against a stone.

III *vr* (*inf*) **1**. (*sich prügeln*) to scrap, to fight. **sich mit jdm** ~ to scrap *or* fight with sb. **2**. (*sich setzen, legen*) to fling oneself.

Hauer *m* **-s, - 1**. *auch* ~**in** *f* (*Min*) faceworker. **2**. (*Aus*) *siehe* Winzer(in). **3**. (*Zool*) tusk; (*hum: großer Zahn*) fang.

Häufchen *nt dim of* **Haufen** small heap *or* pile. **ein ~ Unglück** a picture of misery.

Haufe *m* **-ns, -n** (*rare*) *siehe* **Haufen**.

häufeln *vt* **1**. *Kartoffeln, Spargel* to hill up. **2**. (*Haufen machen aus*) to heap *or* pile up.

Haufen *m* **-s, - 1**. heap, pile. **jdn/ein Tier über den ~ rennen/fahren** (*inf*) to knock *or* run sb/an animal down, to run over sb/an animal; **jdn/ein Tier über den ~ schießen** (*inf*) *or* **knallen** (*inf*) to shoot sb/an animal down; **etw** (*acc*) **über den ~ werfen** (*inf*) *or* **schmeißen** (*inf*) (*verwerfen*) to throw *or* chuck (*inf*) sth out; (*durchkreuzen*) to mess sth up (*inf*); **der Hund hat da einen ~ gemacht** the dog has made a mess there (*inf*); **so viele Dummköpfe/soviel Geld habe ich noch**

nie auf einem ~ gesehen (*inf*) I've never seen so many fools/so much money in one place before.

2. (*inf: große Menge*) load (*inf*), heap (*inf*). **ein ~ Arbeit/Geld/Bücher** a load *or* heap of work/money/books (*all inf*), piles *or* loads *or* heaps of work/money/books (*all inf*); **ein ~ Zeit** loads *or* heaps of time (*inf*); **ich hab noch einen ~ zu tun** I still have loads *or* piles *or* heaps *or* a load to do (*all inf*); **in ~** by the ton (*inf*); **er hat einen ganzen ~ Freunde** he has a whole load of friends (*inf*), he has loads *or* heaps of friends (*inf*).

3. (*Schar*) crowd; (*von Vögeln*) flock; (*Sternen~*) cluster of stars. **ein ~ Schaulustige(r)** a crowd of onlookers.

4. (*Gruppe, Gemeinschaft*) crowd (*inf*), bunch (*inf*); (*Mil*) troop.

häufen I *vt* to pile up, to heap up; (*sammeln*) to accumulate. **Bücher auf den Tisch ~** to pile books onto the table; **ein gehäufter Teelöffel Salz** a heaped teaspoonful of salt; **Lob auf jdn ~** (*fig*) to heap praise(s) (up)on sb.

II *vr* (*lit, fig: sich ansammeln*) to mount up; (*zahlreicher werden: Unfälle, Fehler, Fachausdrücke*) to occur increasingly often. **dieser Fehler tritt allerdings gehäuft auf** indeed this error occurs increasingly *or* occurs more and more frequently; **das kann schon mal vorkommen, es darf sich nur nicht ~** these things happen, just as long as they don't happen too often.

Haufendorf *nt* scattered village; **haufenweise** *adv* **1.** (*in Haufen*) in heaps *or* piles; **2.** (*inf: in großer Zahl, Menge*) piles *or* heaps *or* loads of (*all inf*); **etw ~ haben** to have piles *or* heaps *or* loads of sth (*all inf*); **Haufenwolke** *f* cumulus (cloud).

häufig I *adj* frequent; (*weit verbreitet auch*) common, widespread. **seine Anfälle werden ~er** his attacks are becoming more frequent. **II** *adv* often, frequently.

Häufigkeit *f* frequency; (*räumliche Verbreitung*) commonness.

Häufigkeitszahl, Häufigkeitsziffer *f* frequency.

Häufung *f* **1.** (*fig: das Anhäufen*) accumulation, amassment. **2.** (*das Sich-Häufen*) increasing number. **in ähnlicher ~** in similar numbers *pl*.

Haupt *nt* -(e)s, **Häupter 1.** (*geh: Kopf*) head. **entblößten ~es** bareheaded; **gesenkten/erhobenen ~es** with one's head bowed/raised; **zu jds Häupten** at sb's head; **jdn aufs ~ schlagen** (*fig: besiegen*) to vanquish; **eine Reform an ~ und Gliedern** a total *or* wide-reaching reform.

2. (*zentrale Figur*) head.

Haupt- *in cpds* main, principal, chief; **Hauptachse** *f* main *or* principal axis; (*von Fahrzeug*) main axle; **Hauptakteur(in** *f*) *m* (*lit, fig*) leading light; (*pej*) kingpin; **Hauptaktionär(in** *f*) *m* principal *or* main shareholder; **Hauptakzent** *m* **1.** (*Ling*) main *or* primary accent *or* stress; **2.** (*fig*) main emphasis; **auf etw** (*acc*) **den ~ legen** to put *or* place the main emphasis on sth; **Hauptaltar** *m* high altar; **hauptamtlich I** *adj* full-time; **~e Tätigkeit** full-time office; **II** *adv* (on a) full-time (basis); **~ tätig sein** to work full-time; **Hauptangeklagte(r)** *mf* main *or* principal defendant; **Hauptanschluß** *m* (*Telec*) main extension; **nur einen ~ haben** to have a phone without extensions; **Hauptanteil** *m* main *or* principal part *or* share; **Hauptausgang** *m* main exit; **Hauptbahnhof** *m* main *or* central station; **Hauptbelastungszeuge** *m*, **Hauptbelastungszeugin** *f* main *or* principal *or* chief witness for the prosecution; **Hauptberuf** *m* chief *or* main occupation *or* profession; **er ist Lehrer im ~** his main *or* chief occupation *or* profession is that of teacher; **hauptberuflich I** *adj* Lehrer, Gärtner full-time; **~e Tätigkeit** main *or* chief occupation; **II** *adv* full-time; **~ tätig sein** to be employed full-time, to be in full-time employment; **Hauptbeschäftigung** *f* **1.** main *or* chief occupation *or* pursuit; **2.** (*Hauptberuf*) main *or* chief occupation *or* job; **Hauptbetrieb** *m* **1.** (*Zentralbetrieb*) headquarters *sing or pl*; **2.** (*geschäftigste Zeit*) peak period; (*Hauptverkehrszeit auch*) rush hour; **Hauptbuch** *nt* (*Comm*) ledger; **Hauptbüro** *nt* head office; **Hauptdarsteller(in** *f*) *m* principal actor/actress, leading man/lady; **Hauptdeck** *nt* main deck; **Haupteingang** *m* main entrance; **Haupteinnahmequelle** *f* main *or* chief source of income.

Häuptel *nt* -s, - (*Aus*) head (of lettuce).

Häuptelsalat *m* (*Aus*) lettuce.

Hauptentlastungszeuge *m*, **Hauptentlastungszeugin** *f* main *or* principal witness for the defence; **Hauptereignis** *nt* main *or* principal event.

Haupteslänge *f* jdn um ~ überragen (*lit, fig*) to be head and shoulders above sb.

Hauptfach *nt* (*Sch, Univ*) main *or* principal subject, major (*US*); **etw im ~ studieren** to study sth as one's main *or* principal subject, to major in sth (*US*); **Hauptfehler** *m* main *or* chief *or* principal fault; **Hauptfeind(in** *f*) *m* main *or* chief enemy; **Hauptfeld** (*sl*), **Hauptfeldwebel** *m* (company) sergeant major; **Hauptfigur** *f* (*Liter*) central *or* main *or* principal character *or* figure; (*fig*) leading *or* central figure; **Hauptfilm** *m* main film; **Hauptgang** *m* **1.** (*Archit etc*) main corridor; (*in Kirche, Theater, Kino*) central aisle; **2.** (*Cook*) main course; **Hauptgebäude** *nt* main building; **Hauptgedanke** *m* main idea; **Hauptgefreite(r)** *m* ≈ lance corporal (*Brit*), private first class (*US*); **Hauptgericht** *nt* main course.

Hauptgeschäft *nt* **1.** (*Zentrale*) head office, main headquarters *sing or pl*. **2.** (*Hauptverdienst*) main business, major part of one's business.

Hauptgeschäftsstelle *f* head office, headquarters *sing or pl*; **Hauptgeschäftsstraße** *f* main shopping street;

Hauptgeschäftszeit f peak (shopping) period or hours pl.

Hauptgewicht nt (lit) major part of the weight, bulk of the weight; (fig) main emphasis; **Hauptgewinn** m first prize; **Hauptgrund** m main or principal or chief reason; **Haupthaar** nt (geh) hair (of the/one's head); **Haupthahn** m mains cock or tap (Brit); **Haupthandlung** f (Liter etc) main plot; **Hauptinteresse** nt main or chief interest; **Hauptkampflinie** f main front; **Hauptkläger(in** f) m principal plaintiff; **Hauptlast** f main load, major part of the load; (fig) main or major burden; **Hauptleitung** f mains pl; **Hauptleute** pl of Hauptmann 1.; **Hauptlieferant(in** f) m main or principal or chief supplier.

Häuptling m chief(tain); (esp von Dorf) headman.

Hauptmahlzeit f main meal; **Hauptmann** m, pl **-leute 1.** (Mil) captain; **2.** (Hist: Führer) leader; **Hauptmasse** f bulk, main body; **Hauptmerkmal** nt main feature, chief or principal characteristic; **Hauptmieter(in** f) m main tenant; **Hauptmotiv** nt **1.** (Beweggrund) primary or main motive; **2.** (Art, Liter, Mus) main or principal motif; **Hauptnahrungsmittel** nt staple or principal food; **Hauptnenner** m (Math, fig) common denominator; **Hauptperson** f (lit, fig) central figure; **Hauptplatine** f (Comput) motherboard; **Hauptportal** nt main portal or doorway; **Hauptpost** f (inf), **Hauptpostamt** nt main post office; **Hauptproblem** nt main or chief or principal problem; **Hauptprodukt** nt main product; (esp im Gegensatz zu Nebenprodukt) primary product; **Hauptprozessor** m (Comput) main processor; **Hauptquartier** nt (Mil, fig) headquarters sing or pl; **Hauptquelle** f (lit, fig) main or primary source; **Hauptrechnungsart** f (Math) basic arithmetical operation; **Hauptredner(in** f) m main or principal speaker; **Hauptreisezeit** f peak travelling time(s pl)); **Hauptrolle** f leading or main role or part, lead; **die ~ spielen** (fig) to be all-important; (wichtigste Person sein) to play the main role or part; **Hauptrunde** f (Sport) main round; **Hauptsache** f main thing; (in Brief, Rede) main point; **in der ~** in the main, mainly; **~, es klappt/du bist glücklich** the main thing is that it comes off/you're happy; **hauptsächlich I** adv mainly, chiefly, principally; **II** adj main, chief, principal; **Hauptsaison** f peak or high season; **~ haben** to have its/their peak season; **Hauptsatz** m **1.** (Gram) (übergeordnet) main clause; (alleinstehend) sentence; **2.** (Mus) first or main subject; **3.** (Philos) main proposition; **Hauptschalter** m (Elec) main or master switch; **Hauptschiff** nt (Archit) nave; **Hauptschlagader** f aorta; **Hauptschlüssel** m master key; **Hauptschulabschluß** m **den ~ haben** = to have completed secondary modern school (Brit) or junior high (school) (US);

Hauptschuld f main blame, principal fault (esp Jur); **Hauptschuldige(r)** mf person mainly to blame or at fault, main offender (esp Jur); **Hauptschule** f ≃ secondary modern (school) (Brit), junior high (school) (US); **Hauptschüler(in** f) m ≃ secondary modern/junior high (school) pupil; **Hauptschullehrer(in** f) m ≃ secondary modern/junior high (school) teacher; **Hauptschwierigkeit** f main or principal difficulty; **Hauptsegel** nt main sail; **Hauptseminar** nt (Univ) seminar for advanced students; **Hauptsendezeit** f prime time; **Hauptsitz** m head office, headquarters sing or pl; **Hauptsorge** f main or chief worry; **Hauptspeicher** m (Comput) main memory; **Hauptstadt** f capital (city); **Hauptstädter(in** f) m citizen of the capital, metropolitan; **hauptstädtisch** adj metropolitan, of the capital (city); **Hauptstoßrichtung** f (Mil, fig) main object of one's/the attack (gegen on); **Hauptstraße** f (Durchgangsstraße) main or major road; (im Stadtzentrum) high street; **Hauptstrecke** f (Rail) main line; (Straße) main or primary (Admin) route; **Hauptströmung** f (lit, fig) main current; **Hauptstütze** f (fig) mainstay, main support or prop; **Hauptsünde** f (Rel) cardinal sin; **Haupttäter(in** f) m main or chief or principal culprit; **Hauptteil** m main part; (größter Teil auch) major part; **Hauptthema** nt main or principal topic; (Mus, Liter) main or principal theme; **Haupttton** m (Ling) main or primary stress; (Mus) principal note; **Haupttreffer** m top prize, jackpot (inf); **den ~ machen** (inf) to win the top prize, to hit the jackpot (inf); **Haupttribüne** f main stand; (Sport auch) grandstand; **Haupt- und Staatsaktion** f **aus etw eine ~ machen** to make a great issue of sth, to make a song and dance about sth (inf), to make a Federal case out of sth (US inf); **Hauptunterschied** m main or principal difference; **Hauptursache** f main or chief or principal cause; **Hauptverantwortliche(r)** mf person mainly or chiefly responsible; **Hauptverantwortung** f main responsibility; **Hauptverdiener(in** f) m main or principal earner; **Hauptverhandlung** f (Jur) main hearing.

Hauptverkehr m peak(-hour) traffic; (Verkehrsteilnehmer) main traffic, bulk of the traffic.

Hauptverkehrsader f main highway, arterial road; **Hauptverkehrsstraße** f (in Stadt) main street; (Durchgangsstraße) main thoroughfare; (zwischen Städten) main highway, trunk road (Brit); **Hauptverkehrszeit** f peak traffic times pl; (in Stadt, bei Pendlern auch) rush hour.

Hauptversammlung f general meeting; **Hauptwache** f main police station; **Hauptwäsche** f, **Hauptwaschgang** m main wash; **Hauptwerk** nt **1.** (Art etc) main or principal work; **2.** (Fabrik) main factory *or* works *sing or pl*; **Hauptwohnsitz** *m* main place of residence, main domicile (*form*); **Hauptwort** *nt* (*Gram*) noun; **hauptwörtlich** *adj* (*Gram*) nominal; **Hauptzeit** *f* (*Hauptsaison*) peak times *pl*; (*in bezug auf Obst etc*) main season; **Hauptzeuge** *m*, **Hauptzeugin** *f* principal *or* main *or* chief witness; **Hauptziel** *nt* main *or* principal aim *or* goal; **Hauptzweck** *m* main *or* chief purpose *or* object.

Hauruck *nt* **-s, -s** heave.

Haus *nt* **-es, Häuser 1.** (*Gebäude*) (*esp Wohn~*) house; (*Firmengebäude*) building, premises *pl* (*form*). **er war nicht im ~, sondern im Garten** he wasn't in the house *or* indoors but in the garden; **laß uns ins ~ gehen** let's go in(doors) *or* inside *or* into the house; **Tomaten kann man im ~ ziehen** tomatoes can be grown indoors *or* inside *or* in the house; **der Klavierlehrer kommt ins ~** the piano teacher comes to the house; **er ist nicht im ~e** (*in der Firma*) he's not in the building *or* on the premises, he's not in; **aus dem ~ gehen** to leave the house; **mit jdm ~ an ~ wohnen** to live next door to sb; **wir wohnen ~ an ~** we live next door to each other, we are next-door neighbours; **von ~ zu ~ gehen** to go from door to door *or* from house to house; **das ~ Gottes** *or* **des Herrn** (*geh*) the House of God *or* of the Lord; **~ der Jugend** youth centre.
2. (*Zuhause, Heim*) home. **~ und Hof** (*fig*) house and home; **~ und Herd verlassen** to leave house and home, to leave one's home (behind); **etw ins/frei ~ liefern** (*Comm*) to deliver sth to the door/ to deliver sth free *or* carriage paid; **wir liefern frei ~** we offer free delivery; **ein großes ~ führen** (*fig*) to entertain lavishly *or* in style; **jdm das ~ führen** to keep house for sb; **jdm das ~ verbieten** not to allow sb in the house, to forbid sb (to enter) the house; **aus dem ~ sein** to be away from home; **außer ~ essen** to eat out; **im ~e meiner Schwester** at my sister's (house); **er hat nichts zu essen im ~** he has nothing (to eat) in the house; **jdn ins ~ nehmen** to take sb in(to one's home); **ein Fernsehgerät kommt mir nicht ins ~!** I won't have a television set in the house!; **ins ~ stehen** (*fig*) to be on the way; **jdm steht etw ins ~** (*fig*) sb is facing sth; **nach ~e** (*lit, fig*) home; **jdn nach ~e bringen** to take *or* see sb home; **jdn nach ~e schicken** (*fig inf*) to send sb packing (*inf*); **Grüße von ~ zu ~** (*form*) regards from ourselves to you all; **zu ~e** at home (*auch Sport*); **bei jdm zu ~e** at sb's (place), in sb's house *or* home; **bei uns zu ~e** at home; **wie geht's zu ~e?** how are they (all) at home?, how are the folks? (*inf*); **von zu ~e aus** from home; **für jdn/niemanden zu ~e sein** to be at home to sb/nobody; **irgendwo zu ~e sein** (*Mensch, Tier*) to live somewhere; (*sich heimisch fühlen*) to be at home somewhere; (*Brauch*) to be customary *or* practised somewhere; **in etw** (*dat*) **zu ~e sein** (*fig*) to be at home in sth; **sich wie zu**

~e fühlen to feel at home; **fühl dich wie zu ~e!** make yourself at home!
3. (*Bewohnerschaft eines ~es*) household. **ein Freund des ~es** a friend of the family; **die Dame/Tochter des ~es** (*form*) the lady/daughter of the house; **der Herr des ~es** (*form*) the master of the house.
4. (*geh: Herkunft*) **aus gutem/bürgerlichem ~(e)** from a good/middle-class family; **aus adligem ~(e)** of noble birth, of *or* from a noble house (*form*); **von ~ aus** (*ursprünglich*) originally; (*von Natur aus*) naturally.
5. (*Dynastie*) House. **das ~ Habsburg** the House of the Hapsburgs, the Hapsburg dynasty; **das ~ Windsor** the House of Windsor.
6. (*geh: Unternehmen*) House (*form*). **das ~ Siemens** the House of Siemens; **„~ Talblick"** (*Name*) "Talblick (House)"; **das erste ~ am Platze** (*Hotel*) the finest *or* best hotel in town; (*Kaufhaus*) the top *or* best store in town; **ein gepflegtes** *or* **gut geführtes ~** (*Restaurant*) a well-run house.
7. (*Theater*) theatre; (*Saal, Publikum*) house. **vor vollem ~ spielen** to play to a full house; **das große/kleine ~** the large *or* main/small theatre.
8. (*Parl*) House. **Hohes ~!** (*form*) ≈ honourable members (of the House)!; **dieses hohe ~ ...** the *or* this House ...
9. (*von Schnecke*) shell, house (*inf*).
10. (*Astrol*) house.
11. (*dated inf: Kerl*) chap (*Brit inf*), fellow. **grüß dich Hans, (du) altes ~!** (*inf*) hallo Hans, old chap (*inf*).

Hausaltar *m* family *or* house altar; **Hausangestellte(r)** *mf* domestic servant; (*esp Frau*) domestic; **Hausanzug** *m* leisure suit; **Hausapotheke** *f* medicine cupboard *or* chest; **Hausarbeit** *f* **1.** housework *no pl*; **2.** (*Sch*) homework *no indef art, no pl*, piece of homework, assignment (*esp US*); **Hausarrest** *m* (*im Internat*) detention; (*Jur*) house arrest; **~ haben** to be in detention/under house arrest; **Hausarzt** *m*, **Hausärztin** *f* family doctor, GP; (*von Heim, Anstalt*) resident doctor; **Hausaufgabe** *f* (*Sch*) homework *no indef art, no pl*, piece of homework, assignment (*esp US*); **Hausaufgaben** *pl* homework *sing, no indef art*; **seine ~ machen** (*auch fig*) to do one's homework; **hausbacken** *adj* (*fig*) homespun, drab, homely (*US*); (*Kleidung*) unadventurous; **Hausball** *m* (private) ball *or* dance; **Hausbank** *f* bank; **Hausbar** *f* home bar; (*Möbelstück*) cocktail *or* drinks cabinet; **Hausbau** *m* house building *or* construction; (*das Bauen*) building of a/the house; **Hausbesetzer(in** *f*) *m* occupier of a/the house; (*esp um dort zu wohnen*) squatter; **Hausbesetzung** *f* siehe **Hausbesetzer** house occupation; squat(ting action); **Hausbesitz** *m* house ownership; **~ haben** to own a house *or* houses; **Hausbesitzer(in** *f*) *m* homeowner, house-owner; (*Hauswirt*) landlord; **Hausbesorger(in** *f)* *m* (*Aus*) *siehe* **Hausmeister;** **Hausbesuch** *m* home visit; **Hausbewohner(in** *f) m* (house) occupant *or* occupier; **Hausbibliothek** *f* library; **Hausboot** *nt* houseboat; **Hausbrand** *m* 1. house fire; 2. (*Brennstoff*) domestic *or* heating fuel; **Hausbriefkasten** *m* letter box (*Brit*), mailbox (*US*); **Hausbursche** *m* pageboy, bellboy (*US*), bellhop (*US*).

Häuschen ['hɔysçən] *nt* 1. *dim of* **Haus.**
 2. (*fig inf*) **ganz aus dem ~ sein** to be out of one's mind with joy/excitement/fear *etc* (*inf*); **jdn (ganz) aus dem ~ bringen** to make sb go berserk (*inf*).
 3. (*inf: Karo*) square, block.
 4. (*euph inf: Toilette*) loo (*Brit inf*), bathroom (*US*), smallest room (*hum inf*); (*außerhalb des Gebäudes*) privy, outside loo (*Brit inf*).

Hausdame *f* housekeeper; **Hausdetektiv(in** *f) m* house detective; (*von Kaufhaus*) store detective; **Hausdiener** *m* 1. (*in Privathaushalt*) manservant; 2. (*in Hotel*) hotel servant; (*Gepäckträger*) (hotel) porter; **Hausdrachen** *m* (*inf*) dragon (*inf*), battle-axe (*inf*); **Hausdurchsuchung** *f* (*Aus*) *siehe* **Haussuchung;** **hauseigen** *adj* belonging to a/ the hotel/firm *etc*; **Hauseigentümer(in** *f) m* home owner; **Hauseinfahrt** *f* (*Aus*), **Hauseingang** *m* (house) entrance.

hausen *vi* 1. (*wohnen*) to live. 2. (*wüten*) (**übel** *or* **schlimm**) **~** to wreak *or* create havoc; **schrecklich ~** to wreak the most dreadful havoc; **wie die Wandalen ~** to act like vandals. 3. (*Sw, S Ger: sparsam sein*) to be economical.

Häuserblock *m* block (of houses); **Häuserflucht** *f* *siehe* **Häuserreihe; Häuserfront** *f* front of a terrace *or* row of houses; **Häuserkampf** *m* (*Mil*) house-to-house fighting; (*Pol*) squatting actions *pl*; (*einzelner Fall*) squat(ting action); **Häusermakler(in** *f) m* estate agent, realtor (*US*); **Häusermeer** *nt* mass of houses; **Häuserreihe, Häuserzeile** *f* row of houses; (*aneinandergebaut*) terrace.

Hausflur *m* (entrance) hall, hallway.

Hausfrau *f* 1. housewife; (*Gastgeberin*) hostess. 2. (*Aus, S Ger*) *siehe* **Hauswirtin.**

Hausfrauenart *f* **Wurst nach ~** home-made-style sausage; **Hausfrauenpflicht** *f* housewifely duty.

hausfraulich *adj* housewifely; **Hausfreund(in** *f) m* 1. (*Freund(in) der Familie*) friend of the family; 2. (*euph inf*) man/woman friend; **Hausfriede(n)** *m* domestic peace; **Hausfriedensbruch** *m* (*Jur*) trespass (*in sb's house*); **Hausgans** *f* (domestic) goose; **Hausgast** *m* (*von Pension*) resident, guest; **Hausgebrauch** *m* **für den ~** (*Gerät*) for domestic *or* household use; (*Obst-, Gemüseanbau*) for one's own consumption; **sein Französisch reicht für den ~** (*inf*) his French is (good) enough to get by (on); **Hausgeburt** *f* home birth; **Hausgehilfin** *f* home help; **haus-**

gemacht *adj* home-made; (*fig*) *Problem* of one's own making; **Hausgemeinschaft** *f* household (community); **mit jdm in ~ leben** to live together with sb (in the same household); **Hausgenosse** *m*, **Hausgenossin** *f* fellow tenant/lodger; **Hausgötter** *pl* (*Myth*) household gods *pl*.

Haushalt *m* -(e)s, -e 1. (*Hausgemeinschaft*) household; (*~sführung*) housekeeping. **den ~ führen** to run the household; **jdm den ~ führen** to keep house for sb. 2. (*fig: Biol etc*) balance. 3. (*Etat*) budget.

Haushalt- *in cpds siehe* **Haushalts-.**

haushalten *vi sep irreg* 1. (*sparsam wirtschaften*) to be economical. **mit etw ~ mit Geld, Zeit** to be economical with sth, to use sth economically; **mit Kräften, Vorräten auch** to conserve sth. 2. (*den Haushalt führen*) to keep house.

Haushälter(in *f) m* -s, - housekeeper.

haushälterisch *adj* thrifty, economical. **mit etw ~ umgehen** *siehe* **haushalten 1.**

Haushalts- *in cpds* household; (*Pol*) budget; **Haushaltsartikel** *m* household item *or* article; **Haushaltsbuch** *nt* housekeeping book; **Haushaltsdebatte** *f* (*Parl*) budget debate; **Haushaltsdefizit** *nt* (*Pol*) budget deficit; **Haushaltsfragen** *pl* (*Pol*) budgetary questions *pl*; **Haushaltsführung** *f* housekeeping; **Haushaltsgeld** *nt* housekeeping money; **Haushaltsgerät** *nt* household *or* domestic appliance; **Haushaltshilfe** *f* domestic *or* home help; **Haushaltsjahr** *nt* (*Pol, Econ*) financial *or* fiscal year; **Haushaltskasse** *f* household *or* family budget; **Haushaltsmittel** *pl* (*Pol*) budgetary funds *pl*; **Haushaltspackung** *f* family pack; **Haushaltsplan** *m* (*Pol*) budget; **Haushaltsplanung** *f* (*Pol*) budgetary planning, planning of a budget; **Haushaltspolitik** *f* (*Pol*) budgetary policy; **Haushaltswaage** *f* kitchen scales *pl*; **Haushaltswaren** *pl* household goods *pl*.

Haushaltung *f* 1. (*das Haushaltführen*) housekeeping, household management; (*das Sparsamsein*) economizing (*mit* with). 2. (*form*) *siehe* **Haushalt 1.**

Haushaltungsbuch *nt* housekeeping book; **Haushaltungsvorstand** *m* (*form*) head of the household.

Hausherr *m* 1. head of the household; (*Gastgeber, Sport*) host; 2. (*Jur*) householder; 3. (*Aus, S Ger*) *siehe* **Hausbesitzer(in);** **Hausherrin** *f* 1. lady of the house; (*Gastgeberin*) hostess; 2. (*Aus, S Ger*) *siehe* **Hausbesitzer(in);** **haushoch I** *adj* (as) high as a house/ houses; (*fig*) *Sieg* crushing; **der haushohe Favorit** the hot favourite (*inf*); **II** *adv* high (in the sky); **jdn ~ schlagen** to give sb a hammering (*inf*) *or* thrashing (*inf*); **~ gewinnen** to win hands down *or* by miles (*inf*); **jdm ~ überlegen sein** to be head and shoulders above sb; **Haushuhn** *nt* domestic fowl.

hausieren* *vi* to hawk, to peddle (*mit etw* sth). **mit etw ~ gehen** (*fig*) *mit Plänen* to hawk sth about; *mit Gerüchten* to peddle sth; „H~ **verboten**" "no hawkers *or* peddlers".

Hausierer(in *f)* m **-s,** - hawker, peddler, pedlar.

Hausjacke *f* house jacket; **Hausjurist(in** *f)* m company lawyer; **Hauskaninchen** *nt* domestic rabbit; **Hauskapelle** *f* **1.** (*Rel*) private chapel; **2.** (*Musikkapelle*) resident band; (*an einem Fürstenhof*) resident *or* private orchestra; **Hauskatze** *f* domestic cat; **Hauskauf** m house-buying *no art*, house purchase; **Hauskleid** *nt* housecoat; **Hauskonzert** *nt* family concert; **Hauslehrer(in** *f)* m (private) tutor.

häuslich *adj* domestic; (*in der Familie gehörend*) family *attr*; (*an ~en Dingen interessiert*) domesticated; (*das Zuhause liebend*) home-loving. **der ~e Herd** the family home; **sich ~ niederlassen** to make oneself at home; **sich ~ einrichten** to settle in.

Häuslichkeit *f* domesticity.

Hausmacherart *f* **Wurst nach ~** homemade-style sausage; **Hausmacherkost** *f* home cooking.

Hausmacht *f* (*Hist*) allodium; (*fig*) power base; **Hausmädchen** *nt* (house)maid; **Hausmann** m, *pl* **Hausmänner** (*den Haushalt versorgender Mann*) househusband; **Hausmannskost** *f* plain cooking *or* fare; **Hausmantel** m housecoat; **Hausmärchen** *nt* folk tale; „**Haus- und Kindermärchen**" "Fairy Tales"; **Hausmarke** *f* (*eigene Marke*) own brand *or* label; (*bevorzugte Marke*) favourite brand; **Hausmaus** *f* house mouse; **Hausmeister(in** *f)* m **1.** caretaker, janitor; **2.** (*Sw*) *siehe* **Hausbesitzer(in)**; **Hausmitteilung** *f* internal memo; **Hausmittel** *nt* household remedy; **Hausmüll** m domestic waste (*Brit*) *or* garbage (*US*), domestic refuse; **Hausmusik** *f* music at home, family music; **Hausmutter** *f* (*von Herberge*) housemother; **Hausmütterchen** *nt* (*hum*) little mother; (*pej*) housewife, wife and mother; **Hausnummer** *f* street *or* house number; **Hausordnung** *f* house rules *pl or* regulations *pl*; **Hauspartei** *f* tenant; (*Aus*) household; **Hauspostille** *f* (*old*) collection of instructional reading for the family; (*fig*) manual; **Hausputz** m house cleaning; **Hausrat** m **-(e)s,** *no pl* household equipment *or* goods *pl*; **Hausratversicherung** *f* (household) contents insurance; **Hausrecht** *nt* right(s *pl*) as a householder (*to forbid sb entrance*); **von seinem ~ Gebrauch machen** to show sb the door, to tell sb to leave; **Hausrind** *nt* domestic cattle *pl*; **Haussammlung** *f* house-to-house *or* door-to-door collection; **Hausschlachtung** *f* home slaughtering; **Hausschlüssel** m front-door key, house key; **Hausschuh** m slipper; **Hausschwamm** m dry rot; **Hausschwein** *nt* domestic pig.

Hausse ['hoːs(ə)] *f* -, **-n** (*Econ: Aufschwung*) boom (*an +dat* in); (*St Ex: Kurssteigerung*) bull market. **auf ~**

spekulieren (*St Ex*) to bull.

Haussegen m house blessing *or* benediction. **bei ihnen hängt der ~ schief** (*hum*) they're a bit short on domestic bliss (*inf*).

Haussier [(h)o'sieː] *m* **-s, -s** (*St Ex*) bull.

Hausstand m household, home; **einen ~ gründen** to set up house *or* home; **Haussuchung** *f* (*in einem Haus*) house search; (*in mehreren Häusern*) house-to-house search; **Haussuchungsbefehl** m search-warrant; **Haustelefon** *nt* internal telephone; **Haustier** *nt* domestic animal; (*aus Liebhaberei gehalten*) pet; **Haustochter** *f* lady's help; **Haustür** *f* front door; **gleich vor der ~** (*fig inf*) on one's doorstep; **Haustürgeschäft** *nt* door-to-door sales *pl*; **Haustyrann(in** *f)* m (*inf*) domestic *or* household tyrant; **Hausvater** m (*von Heim*) housefather; **Hausverbot** *nt* ban on entering the house/a place; **jdm ~ erteilen** to bar *or* ban sb from the house, to forbid sb to enter the house; **bei jdm ~ haben** to be barred *or* banned from sb's house/a building; **Hausverwalter(in** *f)* m (house) supervisor; **Hausverwaltung** *f* property *or* house management; **Hauswappen** *nt* family coat of arms; **Hauswart** m *siehe* **Hausmeister; Hauswirt** m landlord; **Hauswirtin** *f* landlady.

Hauswirtschaft *f* **1.** (*Haushaltsführung*) housekeeping; (*finanziell auch*) home economics *sing*. **2.** (*Sch*) home economics *sing*, domestic science.

hauswirtschaftlich *adj* domestic. **ein ~er Kurs** a course on home economics *or* domestic science.

Hauswirtschaftslehre *f* (*Sch*) home economics *sing*, domestic science; **Hauswirtschaftsschule** *f* school of home economics *or* domestic science.

Hauswurfsendung *f* (house-to-house) circular; **Hauszeitung, Hauszeitschrift** *f* company magazine; **Hauszelt** *nt* frame tent; **Hauszentrale** *f* (*Telec*) (internal) switchboard.

Haus-zu-Haus-Transport m (*Rail*) door-to-door service; **Haus-zu-Haus-Verkehr** m (*Rail*) door-to-door service.

Haut *f* -, **Häute** skin; (*dick, esp von größerem Tier*) hide; (*geschälte Schale von Obst*) peel; (*inf: Mensch*) sort (*inf*). **naß bis auf die ~** soaked to the skin; **nur ~ und Knochen sein** to be nothing but skin and bones; **viel ~ zeigen** (*hum*) to show all one's got (*hum*), to show a lot (*of bare skin*); **mit ~ und Haar(en)** (*inf*) completely, totally; **er ist ihr mit ~ und Haar(en) verfallen** (*inf*) he's head over heels in love with her, he's fallen for her hook, line and sinker (*inf*); **das geht unter die ~** that gets under one's skin; **in seiner ~ möchte ich nicht stecken** I wouldn't like to be in his shoes; **er fühlt sich nicht wohl in seiner ~** (*inf*), **ihm ist nicht wohl in seiner ~** (*inf*) (*unglücklich, unzufrieden*) he's (feeling) rather unsettled; (*unbehaglich*) he feels uneasy *or* uncomfortable; **er kann nicht aus seiner ~ heraus** (*inf*) he can't change the way he is, a leopard can't change its spots (*prov*); **aus der ~ fahren** (*inf*) (*aus Ungeduld*) to work oneself up into a sweat (*inf*); (*aus Wut*) to go through the roof (*inf*), to hit the ceiling (*inf*); **Haut der faulen ~ liegen** (*inf*), **sich auf die faulen ~ legen** (*inf*) to sit back and do nothing, not to lift a finger (*inf*); **seine ~ zu Markte tragen** (*sich in Gefahr begeben*) to risk one's neck *or* hide (*inf*); (*euph: Frau*) to sell one's charms; **seine eigene ~ retten** (*esp vor Prügel*) to save one's (own) hide (*inf*); **sich seiner ~ wehren** to defend oneself vigorously; **seine ~ so teuer wie möglich verkaufen** (*inf*) to sell oneself as dearly as possible.

Haut- *in cpds* skin; **Hautabschürfung** *f* graze; **Hautarzt** *m*, **Hautärztin** *f* skin specialist, dermatologist; **Hautatmung** *f* cutaneous respiration; **die ~ verhindern** to stop the skin from breathing; **Hautausschlag** *m* (skin) rash *or* eruption (*form*).

Haute Couture [(h)o:tku'ty:ɐ] *f* - -, *no pl* haute couture.

häuten I *vt Tiere* to skin. **II** *vr* (*Tier*) to shed its skin; (*Schlange auch*) to slough (its skin); (*hum: Mensch*) to peel.

haut|eng *adj* skintight.

Hautevolee [(h)o:tvo'le:] *f* -, *no pl* upper crust.

Hautfalte *f* skin fold; **Hautfarbe** *f* skin colour; **nur, weil er eine andere ~ hat** just because his skin is a different colour; **hautfarben** *adj* flesh-coloured; **Hautflügler** (*Zool*) *m* **-s**, **-** hymenopter(on); **hautfreundlich** *adj Stoff* kind to one's *or* the skin; **Hautjucken** *nt* **-s**, *no pl* itching; **eine Creme gegen ~ a** cream for skin irritations; **Hautklinik** *f* dermatology clinic, skin clinic; **hautnah** *adj* **1.** (*sehr eng, Sport*) (very) close; **~ tanzen** to dance very close(ly); **2.** (*fig inf: wirklichkeitsnah*) *Kontakt* (very) close; *Problem* that affects us/him *etc* directly; *Darstellung*, *Schilderung* deeply affective; **~ in Kontakt mit etw kommen** to come into (very) close contact with sth; **Hautpflege** *f* skin care; **Hautpilz** *m* (*Med*) fungal skin infection, dermatophyte (*spec*); **hautschonend** *adj* kind to the skin; *Spülmittel auch* kind to the hands; **Hauttransplantation** *f* (*Operation*) skin graft; (*Verfahren*) skin grafting.

Häutung *f* skinning; (*von Schlange*) sloughing. **verschiedene ~en durchmachen** to slough several skins.

Hautwunde *f* superficial *or* skin wound.

Havanna(zigarre) [ha'vana-] *f* -, **-s** Havana (cigar).

Havarie [hava'ri:] *f* **1.** (*Naut, Aviat*) (*Unfall*) accident; (*Schaden*) damage *no indef art, no pl*. **2.** (*Aus*) (*Kraftfahrzeugunfall*) accident; (*schaden*) damage *no indef art, no pl*.

havarieren* [hava'ri:rən] *vi* **1.** to be damaged. **2.** (*Aus: Fahrzeug*) to crash.

Hawaii [ha'vaii] *nt* **-s** Hawaii.

Hawaiigitarre *f* Hawaiian guitar.

hawaiisch [ha'vaiiʃ] *adj* Hawaiian.

Haxe *f* -, **-n** (*Cook*) leg (joint); (*S Ger inf*) (*Fuß*) foot, plate of meat (*Brit sl*); (*Bein*) leg. **„~n abkratzen!"** "wipe your feet!".

Hbf *abbr of* **Hauptbahnhof.**

H-Bombe ['ha:-] *f* H-bomb.

h.c. [ha:'tse:] *abbr of* **honoris causa.**

Hearing ['hɪərɪŋ] *nt* **-(s)**, **-s** hearing.

Heavy Metal ['hevi'metl] *nt* -, *no pl* (*Mus*) heavy metal.

Hebamme *f* -, **-n** midwife.

Hebebalken, Hebebaum *m* lever; **Hebebühne** *f* hydraulic ramp.

Hebel *m* **-s**, **-** **1.** (*Phys, Griff*) lever; (*an Maschinen auch*) handle; (*fig*) leverage. **den ~ ansetzen** to position the lever; (*fig*) to tackle it, to set about it; **den ~ an der richtigen Stelle ansetzen** (*fig*) to set about *or* tackle it in the right way; **alle ~ in Bewegung setzen** (*inf*) to move heaven and earth; **am längeren ~ sitzen** (*inf*) to have the whip hand. **2.** (*Sport*) lever hold.

Hebelarm *m* (*lever*) arm; **Hebelgriff** *m* (*Sport*) lever hold; **Hebelkraft** *f* leverage; **Hebelwirkung** *f* leverage.

heben *pret* **hob**, *ptp* **gehoben I** *vt* **1.** (*nach oben bewegen*) to lift, to raise; *Augenbraue* to raise; *Kamera, Fernglas* to raise. **die Stimme ~** (*lauter sprechen*) to raise one's voice, to speak up; **einen ~ gehen** (*inf*) to go for a drink; **er hebt gern einen** (*inf*) he likes *or* enjoys a drink.

2. (*nach oben befördern, hochheben*) to lift; *Wrack* to raise, to bring up; *Schatz* to dig up; (*Sport*) *Gewicht* to lift. **er hob das Kind auf die Mauer/vom Baum** he lifted the child (up) onto the wall/(down) from the tree; **jdn auf die Schultern ~** to hoist *or* lift sb onto one's shoulders *or* shoulder-high; **den Ball in den Strafraum/ins Tor ~** to lob the ball into the penalty area/goal.

3. (*verbessern*) *Farbe* to bring out, to enhance; *Selbstbewußtsein, Effekt* to heighten; *Ertrag* to increase; *Geschäft* to increase, to boost; *Stimmung, Wohlstand* to improve; *Niveau* to raise, to increase; *jds Ansehen* to boost, to enhance. **jds Stimmung ~** to cheer sb up; **das hebt den Mut** that boosts *or* raises one's morale.

4. (*S Ger: halten*) to hold.

II *vr* **1.** (*sich nach oben bewegen*) to rise; (*Vorhang auch*) to go up; (*Nebel, Deckel*) to lift. **sich ~ und senken** (*Schiff*) to rise and fall; (*Busen*) to heave.

2. (*geh: emporragen*) to tower up, to rise up.

3. (*verbessern*) (*Stimmung, Konjunktur, Handel*) to improve. **da hob sich seine Stimmung** that cheered him up.

4. (*S Ger: sich halten*) to hold on (*an* +*dat* to).

III *vi* **1.** (*Sport*) to do weight-lifting.

2. (*S Ger: haltbar sein*) to hold; (*Nahrungsmittel*) to keep.

Heber *m* **-s**, **-** **1.** (*Chem*) pipette. **2.** (*Tech*) (hydraulic) jack. **3.** *auch* **~in** *f* (*Sport: Gewicht~*) weight-lifter.

Hebesatz *m* (*Fin*) rate of assessment.
Hebräer(in *f*) *m* **-s, -** Hebrew.
hebräisch *adj* Hebrew.
Hebräisch(e) *nt decl as adj* Hebrew; *siehe auch* **Deutsch(e).**
Hebung *f* 1. (*von Schatz, Wrack*) recovery, raising.
2. (*Geol*) elevation, rise (in the ground).
3. *no pl* (*fig: Verbesserung*) improvement; (*von Effekt, Selbstbewußtsein*) heightening; (*von Lebensstandard, Niveau*) rise. **seine Fröhlichkeit trug zur ~ der gedrückten Stimmung bei** his cheerfulness helped to relieve the subdued mood.
4. (*Poet*) stressed *or* accented syllable.
hecheln I *vt Flachs, Hanf* to hatchel, to heckle. **II** *vi* 1. (*inf: lästern*) to gossip. 2. (*keuchen*) to pant.
Hecht *m* **-(e)s, -e** (*Zool*) pike; (*inf: Bursche*) chap (*inf*), bloke (*Brit inf*), guy (*inf*). **das ist ein ~** (*inf*) he's some guy (*inf*) *or* quite a guy (*inf*); **er ist (wie) ein ~ im Karpfenteich** (*fig*) (*sehr aktiv*) he certainly shakes people up; (*sorgt für Unruhe*) he's a stirrer (*inf*).
hechten *vi aux sein* (*inf*) to dive, to make a (headlong) dive; (*beim Schwimmen*) to do a racing dive; (*beim Geräteturnen*) to do a forward dive.
Hechtrolle *f* (*Sport*) dive roll; **Hechtsprung** *m* (*beim Schwimmen*) racing dive; (*beim Turnen*) forward dive; (*Ftbl inf*) (headlong *or* full-length) dive; **Hechtsuppe** *f*: **es zieht wie ~** (*inf*) it's blowing a gale (in here) (*inf*).
Heck *nt* **-(e)s, -e** *pl auch* **-s** (*Naut*) stern; (*Aviat*) tail, rear; (*Aut*) rear, back.
Heck|antrieb *m* (*Aut*) rear-wheel drive.
Hecke *f* **-, -n** hedge; (*am Wegrand*) hedgerow.
Heckenrose *f* dogrose, wild rose; **Heckenschere** *f* hedge-clippers *pl*; **Heckenschütze** *m* sniper.
Heckfenster *nt* (*Aut*) rear window *or* windscreen; **Heckflosse** *f* (*Aut*) tail fin; **hecklastig** *adj* tail-heavy; **Hecklicht** *nt* (*Aviat*) tail-light.
Heckmeck *m* **-s,** *no pl* (*inf*) (*dummes Gerede*) nonsense, rubbish; (*dumme Streiche*) stupid *or* daft (*inf*) things *pl*; (*Umstände*) fuss, palaver (*inf*); (*unnötiges Zeug*) rubbish. **mach doch keinen ~** don't be so stupid *or* daft (*inf*).
Heckmotor *m* (*Aut*) rear engine. **mit ~** rear-engined.
Heckscheibe *f* (*Aut*) rear window.
Heckscheibenheizung *f* rear windscreen (*Brit*) *or* windshield (*US*) heater; **Heckscheibenwischer** *m* rear windscreen (*Brit*) *or* windshield (*US*) wiper.
Heckspoiler *m* rear spoiler; **Hecktür** *f* (*Aut*) hatchback; (*von Lieferwagen*) rear doors *pl*; **Hecktürmodell** *nt* hatchback (car); **Heckwelle** *f* (*Naut*) wash *no pl.*
Hederich *m* **-s,** *no pl* (*Bot*) wild radish.
Hedonismus *m* hedonism.
hedonistisch *adj* hedonistic.
Heer *nt* **-(e)s, -e** (*lit, fig*) army. **beim ~ in** the army.

Heerbann *m* (*Hist*) levy.
Heeresbericht *m* military communiqué *or* despatch; **Heeresbestände** *pl* army stores *pl or* supplies *pl*; **Heeresleitung** *f* command.
Heer(es)zug *m* (*Hist*) campaign.
Heerführer *m* (*Hist*) army commander; **Heerlager** *nt* army camp; **der Flughafen glich einem ~** the airport was like a refugee camp; **Heerschar** *f* (*liter*) legion, troop; (*fig: große Menge*) host; **die himmlischen ~en** the heavenly hosts; **Heerstraße** *f* military road.
Hefe *f* **-, -n** yeast. **die ~ des Volkes** (*geh: treibende Kraft*) the (driving) force behind the people; (*pej: Abschaum*) the scum of the earth.
Hefe(n)gebäck *nt* yeast-risen pastry; **Hefe(n)kuchen** *m* yeast cake; **Hefe(n)pilz** *m* yeast plant; **Hefe(n)stück(chen)** *nt* yeast pastry, ≃ Danish pastry; **Hefe(n)teig** *m* yeast dough; **wie ein ~ auseinandergehen** (*fig inf*) to put on mounds of fat.
Heft¹ *nt* **-(e)s, -e** (*von Werkzeug, Messer*) handle; (*von Säge, Feile auch*) grip; (*von Dolch, Schwert*) hilt. **das ~ in der Hand haben** (*fig*) to hold the reins; **das ~ in der Hand behalten** (*fig*) to remain in control *or* at the helm; **das ~ aus der Hand geben** (*fig*) to hand over control *or* the reins; **jdm das ~ aus der Hand nehmen** (*fig*) to seize control/power from sb; **ich lasse mir nicht das ~ aus der Hand nehmen** nobody's going to take over from me.
Heft² *nt* **-(e)s, -e** 1. (*Schreib~*) exercise book. 2. (*Zeitschrift*) magazine; (*Comic~*) comic; (*Nummer*) number, issue. „**National Geographic 1993, ~ 9**" "National Geographic 1993, No. 9". 3. (*geheftetes Büchlein*) booklet.
Heftchen *nt* 1. *dim of* **Heft².** 2. (*pej*) (*billiger Roman*) rubbishy *or* cheap *or* pulp novel (*pej*); (*schlechte Zeitschrift, Comic~*) rag (*pej*). 3. (*Fahrkarten~, Eintrittskarten~*) book(let) of tickets; (*Briefmarken~*) book of stamps.
heften I *vt* 1. (*nähen*) to tack (up), to baste; *Buch* to sew, to stitch; (*klammern*) to clip (*an* +*acc* to); (*mit Heftmaschine auch*) to staple (*an* +*acc* to).
2. (*befestigen*) to pin, to fix. **jdm ein Abzeichen an die Brust ~** to pin a decoration on sb's chest; **den Blick** *or* **die Augen auf jdn/etw ~** to gaze at *or* fix one's eyes on sb/sth, to stare fixedly at sb/sth.
II *vr* 1. (*Blick, Augen*) **sich auf jdn/etw ~** to fix onto sb/sth.
2. **sich an jdn ~** to latch on to sb; **sich an jds Spur** *or* **Fährte ~** to follow sb's trail; **sich an jds Fersen** *or* **Sohlen ~** (*fig*) (*jdn verfolgen*) to dog sb's heels; (*bei Rennen*) to stick to sb's heels.
Hefter *m* **-s, -** 1. (loose-leaf) file. 2. (*Heftapparat*) stapler.
Heftfaden *m*, **Heftgarn** *nt* tacking thread.
heftig *adj* 1. (*stark, gewaltig*) ~ violent; *Kopfschmerzen auch* severe, acute; *Schmerz* intense, acute; *Erkältung* se-

vere; *Fieber* raging, severe; *Zorn, Ärger, Haß* violent, burning *no adv*, intense; *Liebe, Sehnsucht* ardent, burning *no adv*, intense; *Leidenschaft* violent, fierce; *Abneigung auch* intense; *Widerstand* vehement; *Weinen* bitter; *Lachen* uproarious; *Atmen* heavy; *Kontroverse, Kampf, Wind* fierce; *Regen* lashing *no adv*, driving *no adv*, heavy; *Frost* severe, heavy. **ein ~er Regenguß** a downpour; **der Regen schlug ~ gegen die Scheiben** the rain pounded *or* beat against the windows; **~ nicken/rühren** to nod/stir *or* beat vigorously; **er hat ~ dagegen gewettert** he raged vehemently against it.
2. (*jähzornig, ungehalten*) *Mensch, Art* violent(-tempered); *Ton* fierce, vehement; *Worte* violent. **~ werden** to fly into a passion.

Heftigkeit *f -, no pl siehe adj* **1.** violence; severity, acuteness; intensity; fierceness; vehemence; bitterness; uproariousness; heaviness; ferocity, fierceness; heaviness. **2.** violent temper; fierceness, vehemence; violence.

Heftklammer *f* staple; **Heftmaschine** *f* stapler; **Heftnaht** *f* (*Sew*) basted *or* tacked seam; (*Tech*) tack weld; **Heftpflaster** *nt* (sticking) plaster, adhesive tape (*US*); **Heftroman** *m* cheap paperback novel, dime novel (*US*); **Heftstich** *m* tacking-stitch; **Heftzwecke** *f* drawing-pin (*Brit*), thumb-tack (*US*).

Hegelianer(in *f*) *m -s, -* Hegelian.
Hegemonie *f* hegemony.
hegen *vt* **1.** (*pflegen*) *Wild, Pflanzen* to care for, to tend; (*geh: umsorgen*) *jdn* to care for, to look after. **jdn ~ und pflegen** to lavish care and attention on sb.
2. (*empfinden, haben*) *Haß, Groll, Verdacht* to harbour; *Mißtrauen, Achtung, Abneigung* to feel; *Zweifel* to entertain; *Hoffnung, Wunsch* to cherish; *Plan, Unternehmen* to foster. **ich hege den starken Verdacht, daß ...** I have a strong suspicion that ...

Heger(in *f*) *m -s, -* gamekeeper.
Hehl *nt or m kein or keinen ~ aus etw machen** to make no secret of sth.
Hehler(in *f*) *m -s, -* receiver (of stolen goods), fence (*inf*). **der ~ ist schlimmer als der Stehler** (*Prov*) it is worse to condone a crime than to commit it.
Hehlerei *f -, no pl* receiving (stolen goods).
hehr *adj* (*liter*) noble, sublime.
Heia *f -, no pl* (*baby-talk*) bye-byes (*baby-talk*), beddy-byes (*baby-talk*). **ab in die ~** off to bye-byes; **in die ~ gehen** to go bye-byes; **h~ machen** to have a little nap *or* sleep.
Heide[1] *m -n, -n*, **Heidin** *f* heathen, pagan.
Heide[2] *f -, -n* **1.** moor, heath; (*~land*) moorland, heathland. **2.** (*~kraut*) heather.
Heidekraut *nt* heather; **Heideland** *nt* moorland, heathland.
Heidelbeere *f* bilberry, blueberry (*esp US, Scot*).
Heidenangst *f* **eine ~ vor etw** (*dat*) **haben** (*inf*) to be scared stiff of sth (*inf*); **Heidenarbeit** *f* (*inf*) real slog (*inf*);

Heidengeld *nt* (*inf*) packet (*inf*); **Heidenlärm** *m* (*inf*) unholy din (*inf*); **Heidenmission** *f* missionary work among the heathen; **Heidenrespekt** *m* (*inf*) healthy respect; **Heidenspaß** *m* (*inf*) terrific fun; **einen ~ haben** to have a whale of a time (*inf*); **das macht ihm einen ~** he finds it terrific fun; **Heidenspektakel** *m* (*inf*) awful row; (*Schimpfen*) awful fuss.
Heidentum *nt, no pl* heathenism, heathendom, paganism. **das ~** (*Menschen*) the heathen *pl*, the pagans *pl*.
heidi *interj*: **~ ging es den Berg hinab** down the hill they/we *etc* went.
heidnisch *adj* heathen; (*auf Götterkult bezüglich*) pagan. **~ leben** to live a heathen *or* pagan life.
Heidschnucke *f -, -n* German moorland sheep.
heikel *adj* **1.** (*schwierig, gefährlich*) *Angelegenheit, Situation, Thema* tricky, delicate; *Frage* awkward, tricky.
2. (*dial*) *Mensch* particular, pernickety (*inf*) (*in bezug auf +acc* about); (*wählerisch auch*) fussy; (*in bezug aufs Essen auch*) fussy, choosy.
heil *adj* **1.** (*unverletzt*) *Mensch* unhurt, uninjured; *Glieder* unbroken; *Haut* undamaged. **wieder ~ sein/werden** (*Wunde*) to have healed/to heal up; (*Knochen*) to have mended/to mend; **~ nach Hause kommen** to get home safe and sound; **~ machen** (*inf*) (*heilen*) to make better; (*reparieren*) to fix, to mend; **etw ~ überstehen** *Unfall* to come through sth without a scratch; *Prüfung* to get through sth; **Gott sei Dank sind die Glieder noch ~** thank goodness there are no broken bones; **mit ~en Gliedern** *or* **~ am Ziel ankommen** to reach the finish without breaking any bones; **mit ~er Haut davonkommen** to escape unscathed *or* (*lit auch*) in one piece.
2. (*inf: ganz*) intact; *Kleidungsstück* decent (*inf*). **die ~e Welt** an ideal world (*without problems, uncertainties etc*).
Heil I *nt -s, no pl* **1.** (*Wohlergehen*) wellbeing, good. **sein ~ bei jdm versuchen** (*inf*) to try one's luck with sb; **jdm ~ und Segen wünschen** to wish sb every blessing.
2. (*Eccl, fig*) salvation. **sein ~ in etw** (*dat*) **suchen** to seek one's salvation in sth; **sein ~ in der Flucht suchen** to flee for one's life; **zu jds ~ gereichen** (*geh*) to be sb's salvation; **im Jahr des ~s 1848** (*old*) in the year of grace 1848 (*old*).
II *interj*: **~!** hail! (*old*); **~ dem König!** long live *or* God save the King!; **~ Hitler!** (*NS*) heil Hitler!; **Berg/Ski/Petri ~!** good climbing/skiing/fishing!
Heiland *m -(e)s, -e* (*Rel*) Saviour, Redeemer; (*fig geh: Retter*) saviour.
Heilanstalt *f* nursing home; (*für Sucht- oder Geisteskranke*) home; **Heilbad** *nt* (*Bad*) medicinal bath; (*Ort*) spa, watering-place (*old*); **heilbar** *adj* curable; **Heilbarkeit** *f -, no pl* curability; **heilbringend** *adj* (*Rel*) redeeming; *Wirkung, Kur* beneficial; *Kräuter*

medicinal; **Heilbutt** *m* halibut.

heilen I *vi aux sein (Wunde, Bruch)* to heal (up); *(Entzündung)* to clear up.
II *vt Kranke, Krankheiten* to cure; *Wunde* to heal; *(Rel)* to heal. **als geheilt entlassen werden** to be discharged with a clean bill of health; **Jesus heilt uns von unseren Sünden** Jesus redeems us from our sins; **jdn von etw ~** *(lit, fig)* to cure sb of sth; **von jdm/etw geheilt sein** *(fig)* to have got over sb/sth; **die Zeit heilt (alle) Wunden** time heals all wounds.

heilend *adj* healing.

Heiler(in *f)* *m* **-s, -** *(geh)* healer.

Heilerde *f* healing earth; **Heilerfolg** *m* success; **zum ~ führen** to lead to a successful cure; **heilfroh** *adj pred (inf)* jolly glad *(inf)*; **Heilgymnastik** *f* physiotherapy.

heilig *adj* **1.** holy; *(geweiht, geheiligt auch)* sacred; *(bei Namen von Heiligen)* Saint; *(old: fromm auch)* devout, saintly; *(pej)* holier-than-thou. **jdm ~ sein** *(lit, fig)* to be sacred to sb; **bei allem, was ~ ist** by all that is *or* I hold sacred; **die ~e Veronika/der ~e Augustinus** Saint Veronika/Augustine; **das ~e Abendmahl/die ~e Kommunion** Holy Communion; **die H~e Dreifaltigkeit/Familie/Stadt** the Holy Trinity/Family/City; **die H~e Jungfrau** the Blessed Virgin; **die ~e Maria** Holy Mary; **der H~e Geist/Vater/Stuhl** the Holy Spirit/Father/See; **die H~en Drei Könige** the Three Kings *or* Wise Men, the Magi; **das H~e Land** the Holy Land; **die H~e Schrift** the Holy Scriptures *pl*; **das H~e Römische Reich** the Holy Roman Empire.
2. *(fig: ernst) Eid, Pflicht* sacred, solemn; *Recht, Zorn* righteous; *(von Ehrfurcht erfüllt) Stille, Schauer* awed; *(unantastbar) Würde, Gefühl, Gewohnheit* sacred. **es ist mein ~er Ernst** I am deadly serious *or* in dead earnest.
3. *(inf: groß)* incredible *(inf)*; *Respekt auch* healthy. **mit jdm/etw seine ~e Not haben** to have a hard time with sb/sth; **von einer ~en Angst gepackt werden** to be scared out of one's wits.
4. *(inf: in Ausrufen)* **(ach du) ~er Bimbam** *or* **Strohsack, ~es Kanonenrohr!** holy smoke! *(inf)*.

Heiligabend *m* Christmas Eve.

heiligen *vt (weihen)* to hallow, to sanctify; *(heilighalten)* to hallow, to keep holy; *Sonntag* to keep holy, to observe. **der Zweck heiligt die Mittel** the end justifies the means; **durch die Zeit geheiligt** time-honoured.

Heiligenbild *nt* holy picture; **Heiligenschein** *m* halo; **jdn mit einem ~ umgeben** *(fig)* to put sb on a pedestal; **sich mit einem ~ umgeben** *(fig)* to be holier-than-thou; **Heiligenverehrung** *f* veneration of the saints.

Heilige(r) *mf decl as adj (lit, fig)* saint. **ein sonderbarer** *or* **wunderlicher ~r** *(inf)* a queer fish *(inf)*.

heilighalten *vt sep irreg* to keep holy *or* *Andenken auch* sacred; *Sonntag auch* to observe; **Heiligkeit** *f* holiness; *(Ge-*

weihtheit, Geheiligtheit auch, von Eigentum) sacredness; *(von Zorn)* righteousness; **Eure/Seine ~** your/his Holiness; **heiligsprechen** *vt sep irreg* to canonize; **Heiligsprechung** *f* canonization; **Heiligtum** *nt (Stätte)* shrine; *(Gegenstand)* (holy) relic; **jds ~ sein** *(inf)* *(Zimmer)* to be sb's sanctum; *(Gegenstand)* to be sacrosanct (to sb).

Heiligung *f* **die ~ des Sonntags** Sunday *or* Lord's day observance; **die ~ des Sabbats** the observance of the Sabbath.

Heilklima *nt* healthy climate; **Heilkraft** *f* healing power; **heilkräftig** *adj Pflanze, Tee* medicinal; *Wirkung* curative; **Heilkraut** *nt usu pl* medicinal herb; **Heilkunde** *f* medicine; **heilkundig** *adj* skilled in medicine *or* the art of healing; **Heilkundige(r)** *mf decl as adj* person skilled in medicine *or* the art of healing, healer; **heillos** *adj* unholy *(inf)*; *Durcheinander, Verwirrung auch* hopeless; *Schreck* terrible, frightful; **~ verschuldet sein** to be up to one's ears in debt; **Heilmethode** *f* cure; **Heilmittel** *nt (lit, fig)* remedy, cure; *(Medikament)* medicine; **Heilpädagogik** *f* remedial education; **Heilpflanze** *f* medicinal plant; **Heilpraktiker(in** *f)* *m* alternative medical practitioner; **Heilquelle** *f* medicinal spring; **Heilsalbe** *f* (medicated) ointment; **heilsam** *adj* **1.** *(dated: heilend) Wirkung* healing; *Arznei auch* curative; *Klima* salutary, beneficial; **2.** *(fig: förderlich) Erfahrung, Strafe* salutary.

Heilsarmee *f* Salvation Army; **Heilsbotschaft** *f* message of salvation, gospel.

Heilschlaf *m* healing sleep *(induced for therapeutic ends)*.

Heilsgeschichte *f* heilsgeschichte, *interpretation of history stressing God's saving grace;* **Heilslehre** *f (Rel, fig)* doctrine of salvation; **Heilsordnung** *f* order of salvation.

Heilstätte *f (form)* sanatorium *(Brit)*, sanitarium *(US)*, clinic.

Heilung *f (das Heilen) (von Wunde)* healing; *(von Krankheit, Kranken)* curing; *(Rel)* healing; *(das Gesundwerden)* cure. **~ in etw** *(dat)* **finden** to find relief in sth.

Heilungsprozeß *m* healing process.

Heilverfahren *nt* (course of) treatment; **Heilzweck** *m:* **zu ~en** for medicinal purposes.

heim *adv* home. **gehen wir ~** let's go home; **~ ins Reich** *(NS)* back to the Reich *(referring to formerly German areas and their inhabitants)*.

Heim *nt* **-(e)s, -e** *(Zuhause, Anstalt)* home; *(Obdachlosen~, für Lehrlinge)* hostel; *(Studentenwohn~)* hall of residence, hostel; *(von Sportverein)* clubhouse; *(Freizeit~)* recreation centre. **~ und Herd** *(liter)* house and home.

Heim- *in cpds* **Heimabend** *m* social evening; **Heimarbeit** *f (Ind)* homework, outwork *both no indef art;* **etw in ~ herstellen lassen** to have sth produced by homeworkers; **Heimarbeiter(in** *f)* *m* *(Ind)* homeworker; **Heimarbeitsplatz**

m die Zahl der **Heimarbeitsplätze nimmt zu** more and more people work from home.

Heimat *f* -, **-en** home; (*~ort auch*) home town; (*~land auch*) native country; (*Bot, Zool auch*) natural habitat. **die ~ verlassen** to leave one's home; **jdm zur ~ werden** to become sb's home.

Heimat- *in cpds* home; **Heimatanschrift** *f* home address; **Heimatdichter(in** *f)* *m* regional writer; **Heimatdichtung** *f* regional literature; **Heimaterde** *f* native soil; **Heimatfilm** *m* sentimental film in idealized regional setting; **Heimathafen** *m* home port; **Heimatkunde** *f* (*Sch*) local history; **Heimatkunst** *f* regional art; **Heimatland** *nt* native country *or* land; **heimatlich** *adj* (*zur Heimat gehörend*) native; *Bräuche, Dialekt* local; (*an die Heimat erinnernd*) *Gefühle, Wehmut* nostalgic; *Klänge* of home; **die ~en Berge** the mountains of (one's) home; **das mutet mich ~ an, das kommt mir ~ vor** that reminds me of home; **~er Boden** native soil; **Heimatliebe** *f* love of one's native country *or* land; **heimatlos** *adj* homeless; **Heimatlose(r)** *mf decl as adj* homeless person; **die ~n** the homeless; **Heimatlosigkeit** *f* homelessness; **Heimatmuseum** *nt* museum of local history; **Heimatort** *m* home town/village; **Heimatrecht** *nt* right of domicile; **Heimatschriftsteller(in** *f)* *m* regional writer; **Heimatsprache** *f* native dialect; **heimatvertrieben** *adj* displaced; **Heimatvertriebene(r)** *mf decl as adj* displaced person, expellee (*esp from former Eastern German province*).

heimbegeben* *vr sep irreg* (*geh*) to make one's way home; **heimbringen** *vt sep irreg* (*dial*) to bring home; (*heimbegleiten*) to take *or* see home.

Heimchen *nt* (*Zool*) house cricket. **~ (am Herd)** (*pej: Frau*) housewife.

Heimcomputer *m* home computer.

heimelig *adj* cosy, homely.

heimfahren *vti sep irreg* (*vi: aux sein*) to drive home; **Heimfahrt** *f* journey home, return journey; (*Naut*) return voyage, voyage home; **heimfinden** *vi sep irreg* to find one's way home; **heimführen** *vt sep* to take home; **ein Mädchen ~** (*dated*) to take a girl as one's wife (*dated*); **Heimgang** *m* (*euph geh: Tod*) passing away; **beim ~ meiner Mutter** when my mother was called to her Lord *or* Maker (*euph*); **Heimgegangene(r)** *mf decl as adj* (*euph geh*) deceased; **unser lieber ~r** our dear departed friend/ father *etc*; **heimgehen** *vi sep irreg aux sein* to go home; (*euph geh*) to pass away *or* on; **Heimindustrie** *f* cottage industry.

heimisch *adj* **1.** (*einheimisch*) (*Zool, Bot*) indigenous, native (*in* +*dat* to); (*national*) home; (*ortsansässig*) local; (*regional*) regional; *Gewässer* home. **etw ~ machen** to introduce sth (*in* +*dat* to).

2. (*vertraut*) familiar. **an einem Ort ~ sein** to feel at home (*in einer Sache*); **sich ~ fühlen** to feel at home; **in einer Sprache ~ sein** to be *or* feel at home in a

language; **es sich** (*dat*) **~ machen** to make oneself at home; **~ werden** to become acclimatized (*an, in* +*dat* to), to settle in (*an, in* +*dat* to).

Heimkampf *m* (*Sport*) home match *or* game *or* (*Boxen*) fight; **Heimkehr** *f* -, *no pl* homecoming, return; **heimkehren** *vi sep aux sein* to return home (*aus* from); **Heimkehrer(in** *f)* *m* -**s**, - homecomer; **Heimkind** *nt* institution child, child brought up in a home; **Heimkino** *nt* home movies *pl*; (*Ausrüstung*) home movie kit; (*inf: TV*) goggle-box (*Brit inf*), tube (*US inf*); **heimkommen** *vi sep irreg aux sein* to come *or* return home; **Heimleiter(in** *f)* *m* head *or* warden of a/the home/hostel; **heimleuchten** *vi sep* (*fig inf*) **jdm ~** to give sb a piece of one's mind.

heimlich I *adj* (*geheim, verborgen*) secret; *Treffen auch* clandestine; *Benehmen* secretive; *Bewegungen* furtive.

II *adv* secretly; *treffen, tun auch* in secret; *lachen* inwardly. **er blickte sie ~ an** he stole a glance at her; **sich ~ entfernen** to steal *or* sneak away; **~, still und leise** (*inf*) quietly, on the quiet.

Heimlichkeit *f* siehe *adj* secrecy; clandestineness; secretiveness; furtiveness; (*Geheimnis*) secret. **in aller ~** secretly, in secret; **nur keine ~en!** (*inf*) stop being (so) secretive, no secrets now!

Heimlichtuer(in *f)* *m* -**s**, - secretive person; **Heimlichtuerei** *f* secrecy, secretiveness; **heimlichtun** *vi sep irreg* to be secretive (*mit* about).

heimmüssen *vi sep irreg* to have to go home; **Heimreise** *f* journey home, homeward journey; (*Naut*) voyage home, homeward voyage; **heimreisen** *vi sep aux sein* to travel home; **Heimsauna** *f* home sauna; **heimschicken** *vt sep* to send home; **Heimspiel** *nt* (*Sport*) home match *or* game; **Heimstatt** *f* (*liter*) home; **Heimstätte** *f* **1.** (*Zuhause*) home; **2.** (*Jur*) homestead.

heimsuchen *vt sep* to strike; (*für längere Zeit*) to plague; (*Feind auch*) to attack; (*Gespenst*) to haunt; (*Krankheit auch*) to afflict; (*Alpträume, Vorstellungen*) to afflict, to haunt; (*Schicksal*) to overtake, to afflict; (*inf: besuchen*) to descend on (*inf*). **von Dürre/Krieg heimgesucht** drought-stricken/war-torn *or* -ravaged; **Gott suchte die Ägypter mit schweren Plagen heim** God visited terrible plagues on the Egyptians.

Heimsuchung *f* **1.** (*Schicksalsschlag*) affliction; (*Katastrophe*) disaster; (*Plage*) plague. **2. Mariä ~** the visitation of Mary.

heimtrauen *vr sep* to dare to go home.

Heimtücke *f*, *no pl* siehe *adj* insidiousness; maliciousness; treacherousness.

heimtückisch *adj* (*hinterlistig*) insidious; (*boshaft*) malicious; *Krankheit* insidious; (*gefährlich*) *Glatteis, Maschine* treacherous.

Heimvorteil *m* (*Sport, fig*) home advantage; **heimwärts** *adv* (*nach Hause zu*) home; (*dial: auf dem Heimweg*) on the way home; ~ **ziehen/gehen** to go homewards; **Heimweg** *m* way home; **sich auf den ~ machen** to set out *or* head for home; **Heimweh** *nt* homesickness *no art*; ~ **haben/bekommen** to be/become homesick *(nach* for); **krank vor ~ sein** to be pining for home, to be very homesick; **heimwehkrank** *adj* homesick; **Heimwerker** *m* handyman; **heimwollen** *vi sep* to want to go home; **heimzahlen** *vt sep* **jdm etw ~** to pay sb back for sth; **heimziehen** *sep irreg* **I** *vi aux sein* to return home; **II** *vt impers* **es zog ihn heim** he felt he wanted to go home.

Hein *m*: **Freund ~** *(old)* Death.

Heini *m* **-s, -s** *(inf)* bloke *(Brit inf)*, guy *(inf)*; *(Dummkopf)* idiot, fool.

Heinzelmännchen *nt* brownie.

Heirat *f* **-, -en** marriage; *(Feier)* wedding; *(Partie)* match.

Heiraten *nt* **-s,** *no pl* marriage, getting married *no def art*.

heiraten I *vt* to marry. **II** *vi* to get married, to marry. **aufs Land/in die Stadt/nach Berlin ~** to marry *or* get married and settle in the country/in town/in Berlin; **in eine reiche/alte Familie ~** to marry into a rich/old family; **~ müssen** *(euph)* to have to get married; „**wir ~**" "we are getting married"; „**geheiratet haben …**" ≃ "marriages", "marriage announcements".

Heiratsabsichten *pl* marriage plans *pl*; **Heiratsalter** *nt* marriageable *or* marrying age; *(Jur)* minimum legal age for marriage; **Heiratsantrag** *m* proposal (of marriage); **jdm einen ~ machen** to propose to sb; **Heiratsanzeige** *f* **1.** *(Bekanntgabe)* announcement of a forthcoming marriage; **2.** *(Annonce für Partnersuche)* advertisement for a marriage partner; **Heiratserlaubnis** *f* consent (to a marriage); **heiratsfähig** *adj* marriageable; **Heiratskandidat** *m* *(Bräutigam)* husband-to-be; *(ehewilliger Junggeselle)* eligible bachelor; **Heiratsinstitut** *nt* marriage bureau; **heiratslustig** *adj* eager to get married; **Heiratsschwindel** *m* marriage proposal made under false pretences; **Heiratsschwindler(in** *f)* *m* person who makes a marriage proposal under false pretences; **Heiratsurkunde** *f* marriage certificate; **Heiratsurlaub** *m* leave to get married; **Heiratsvermittler(in** *f)* *m* marriage broker; **Heiratsvermittlung** *f* *(Büro)* marriage bureau; **Heiratsversprechen** *nt* *(Jur)* promise of marriage.

heischen *vt* *(geh)* **1.** Beifall, Hochachtung, Aufmerksamkeit to demand. **2.** *(dated: erbitten)* to beg *or* ask for.

heiser *adj* hoarse; *(dunkel klingend)* husky; *Laut* croaky. **~ reden** to talk hoarsely *or* in a hoarse voice; **sich ~ schreien/reden** *(lit, fig)* to shout/talk oneself hoarse.

Heiserkeit *f siehe adj* hoarseness; huskiness.

heiß *adj* **1.** hot; *Zone* torrid. **brennend/siedend/glühend ~** burning/boiling/scorching hot; **drückend ~** oppressively

hot; **jdm ist/wird ~** sb is/is getting hot; **sie hat einen ~en Kopf** *(wegen Fieber)* she has a burning forehead; **etw ~ machen** to heat sth up; **es überläuft mich ~ und kalt** I feel hot and cold all over; **~e Tränen weinen** to cry one's heart out; **mit der ~en Nadel genäht** thrown together; **es wird nichts so ~ gegessen, wie es gekocht wird** *(prov)* things are never as bad as they seem; **eine/ein Paar H~e** *(dial)* a hot sausage/a couple of hot sausages; **~!** *(inf: fast gefunden)* you're hot.
2. *(heftig)* Diskussion, Kampf heated, fierce; *Zorn* impassioned; *Begierde* passionate, burning; *(innig)* Liebe, Wunsch burning, fervent. **das Gebiet/die Stadt ist ~ umkämpft** the area/town is being hotly *or* fiercely fought over; **jdn/etw ~ und innig lieben** to love sb/sth madly; **sich die Köpfe ~ reden, sich ~ reden** *or* **diskutieren** to talk till one is blue in the face; **~en Dank** very many thanks.
3. *(aufreizend)* Musik, Bilder hot; *(inf: sexuell erregt auch)* randy *(Brit inf)*, horny *(inf)*. **~e Höschen** hot pants.
4. *(gefährlich)* Ware, Geld, *(radioaktiv)* Teilchen hot; *Gegend, Thema* hotly-disputed. **das wird ein ~er Winter** things are going to be pretty hot this winter *(inf)*; **ein ~es Eisen** a hot potato; **ein ~es Eisen anfassen** *(inf)* to grasp the nettle.
5. *attr (inf)* Favorit, Tip, Maschine hot. **ein ~er Ofen** a fantastic (motor)bike; **~er Draht** hotline; **~e Spur** firm lead.
6. *pred (inf: brünstig)* **~ sein** to be on heat.

heißblütig *adj* *(erregbar)* hot-tempered; *(leidenschaftlich)* hot-blooded.

heißen *pret* **hieß**, *ptp* **geheißen I** *vt* **1.** *(nennen)* to call; *(old: Namen geben)* jdn, Ort to name. **das heiße ich klug vorgehen!** that's what I call being clever; **jdn einen Lügner ~** to call sb a liar; **… oder wie man das heißt …** *(dial)* or whatever it's called.
2. *(geh: auffordern)* to tell, to bid *(form)*. **jdn etw tun ~** to tell sb to do sth, to bid sb do sth; **jdn willkommen ~** to bid sb welcome.
II *vi* **1.** *(den Namen haben, bezeichnet werden)* to be called *(Brit)* or named; *(als Titel haben auch)* to be called. **wie ~ Sie/heißt die Straße?** what are you/is the street called?, what's your name/the name of the street?; **ich heiße Müller** I'm called *or* my name is Müller; **sie heißt jetzt anders** her name is different now, she has changed her name; **nach jdm ~** to be called after *(Brit)* or for *(US)* sb; **wie kann man nur Gotthelf/so ~?** how can anyone have a name like Gotthelf/ like that?; **wie heißt das?** what is that called?; **eigentlich heißt es richtig X** actually the correct word is X; **… und wie sie alle ~ …** and the rest of them; **… so wahr ich Franz-Josef heiße** *(als Bekräftigung)* … as sure as I'm standing here; **… dann will ich Fridolin ~ …** then I'm a Dutchman.

2. (*bestimmte Bedeutung haben*) to mean. **was heißt „gut" auf englisch?** what is the English (word) for "gut"?; **„gut" heißt auf englisch „good"** the English (word) for "gut" is "good"; **soll/will** ~ (*am Satzanfang*) in other words; **ich weiß, was es heißt, allein zu sein** I know what it means to be alone. **3.** (*lauten*) to be; (*Spruch, Gedicht*) to go. **4. das heißt** that is; (*in anderen Worten*) that is to say.

III *vi impers* **1. es heißt, daß ...** (*es geht die Rede*) they say that ...; **es soll nicht ~, daß ...** never let it be said that ...

2. (*zu lesen sein*) **in der Bibel/im Gesetz/in seinem Brief heißt es, daß ...** the Bible/the law/his letter says that ..., in the Bible *etc* it says that ...; **bei Hegel/Goethe heißt es ...** Hegel/Goethe says ...; **es heißt hier ...** it says here ...

3. (*es ist nötig*) **es heißt, etw zu tun** you/we/he *etc* must do sth; **nun heißt es handeln** now it's time to act; **da heißt es aufpassen** you'd better watch out.

heißersehnt *adj attr* much longed for; **heißgeliebt** *adj* dearly beloved; **Heißhunger** *m* ravenous or voracious appetite; **etw mit ~ essen** to eat sth ravenously or voraciously; **heißhungrig** *adj* ravenous, voracious; **heißlaufen** *vi sep irreg aux sein* (*Motor, Auto*) to overheat; (*Telefonleitungen*) to buzz. **Heißluft** *f* hot air. **Kochen mit ~** fan-assisted cooking.

Heißluftheizung *f* hot-air heating; **Heißluftherd** *m* fan-assisted oven; **Heißluftmotor** *m* hot-air or Stirling ® engine; **Heißlufttrockner** *m* hot-air dryer.

Heißmangel *f* (*Gerät*) rotary iron; (*Ort*) laundry specializing in ironing sheets *etc*; **Heißsporn** *m* hothead; **heißumkämpft** *adj attr* hotly disputed; **heißumstritten** *adj attr* hotly debated; **Heißwasserbereiter** *m* -s, - geyser, water heater; **Heißwasserspeicher** *m* hot (water) tank.

heiter *adj* (*fröhlich*) cheerful; *Mensch, Wesen auch* happy; (*ausgeglichen*) serene; (*amüsant*) *Geschichte* amusing, funny; (*hell, klar*) *Farbe, Raum* bright; *Himmel, Tag* bright, clear; *Wetter* clear, fine; (*Met*) fair. ~ **werden** to become cheerful; (*Gesicht*) to brighten; (*Wetter*) to brighten or clear up; **~er werden** to cheer up; (*Wetter*) to brighten up, to become brighter; **das kann ja ~ werden!** (*iro*) that sounds great (*iro*); **aus ~em Himmel** (*fig*) out of the blue.

Heiterkeit *f, no pl siehe adj* cheerfulness; happiness; serenity; amusingness, funniness; merriness; brightness; clearness; fineness; (*heitere Stimmung*) merriment; (*Belustigung*) amusement.

heizbar *adj Heckscheibe* heated; *Zimmer auch* with heating; **der Saal ist schwer ~** the hall is difficult to heat; **Heiz(bett)decke** *f* electric blanket.

heizen I *vi* (*die Heizung anhaben*) to have the/one's heating on; (*Wärme abgeben*) to give off heat. **der Ofen heizt gut** the stove gives (off) a good heat; **mit Holz/ Strom ~** to use wood/electricity for heating; **ab November wird geheizt** the heating is put on in November.

II *vt* (*warm machen*) to heat; (*verbrennen*) to burn; (*be~*) *Lokomotive* to stoke. **den Ofen heize ich nur mit Holz I** only burn wood in the stove.

III *vr* **sich gut/schlecht ~** to be easily heated or easy to heat/not easily heated or hard to heat. -

Heizer *m* -s, - boilerman; (*von Lokomotive, Schiff*) stoker.

Heizfläche *f* heating surface; **Heizgas** *nt* fuel gas; **Heizgerät** *nt* heater; **Heizkessel** *m* boiler; **Heizkissen** *nt* electric heat pad; **Heizkörper** *m* (*Gerät*) heater; (*von Zentralheizung*) radiator; (*Element*) heating element; **Heizkörperverkleidung** *f* radiator cover; **Heizkosten** *pl* heating costs *pl*; **Heizkostenpauschale** *f* fixed heating cost; **Heizkraft** *f* calorific or heating power; **Heizkraftwerk** *nt* thermal power station; **Heizlüfter** *m* fan heater; **Heizofen** *m siehe* **Heizgerät**; **Heizöl** *nt* heating or fuel oil; **Heizplatte** *f* hotplate; **Heizsonne** *f* electric fire; **Heizstrahler** *m* electric (wall) heater.

Heizung *f* heating; (*Heizkörper*) heater; (*von Zentralheizung*) radiator.

Heizungsanlage *f* heating system; **Heizungskeller** *m* boiler room; **Heizungsmonteur(in** *f*) *m* heating engineer; **Heizungsrohr** *nt* heating pipe.

Heizwert *m* calorific value.

Hektar *nt or m* -s, -e hectare.

Hektik *f* -, *no pl* (*Hast*) hectic rush; (*von Großstadt*) hustle and bustle; (*von Leben*) hectic pace. **sie ißt/arbeitet mit einer solchen ~** she eats/works at such a hectic pace; **nur keine ~** take it easy.

hektisch *adj* hectic; *Mensch auch* frantic; *Arbeiten* frantic, furious. **es geht ~ zu** things are hectic; **ich lebe zur Zeit ~** my life is very hectic just now; **nur mal nicht so ~** take it easy.

Hektographie *f* (*Verfahren*) hectography; (*Abzug*) hectograph (copy); **hektographieren*** *vt insep* to hectograph, to copy; **Hektoliter** *m or nt* hectolitre; **Hektowatt** *nt* hectowatt.

Helanca ® *nt* -, *no pl* stretch fabric.

Held *m* -en, -en hero. **der ~ des Tages** the hero of the hour; **kein ~ in etw** (*dat*) **sein** not to be very brave about sth; **den ~en spielen** (*inf*) to come or play the (great) hero.

Heldenbrust *f* (*hum*) manly chest; **Heldendarsteller** *m* (*Theat*) heroic leading man; **Heldendichtung** *f* epic or heroic poetry; **Heldenepos** *nt* heroic epic; **Heldengedenktag** *m* (*old*) ≃ Remembrance Day, Memorial Day (*US*); **Heldengestalt** *f* hero; **heldenhaft** *adj* heroic, valiant; **Heldenlied** *nt* (*Liter*) epic song or lay; **Heldenmut** *m* heroic courage; **heldenmütig** *adj* siehe **heldenhaft**; **Heldenpose** *f* heroic pose; **Heldenrolle** *f* (*Theat*) hero's part or rôle; **Heldensage** *f* heroic saga;

Heldentat f heroic deed or feat; **Heldentenor** m heroic tenor; **Heldentod** m heroic death, hero's death; **den ~ sterben** to die a hero's death; (Mil) to be killed in action; **Heldentum** nt, no pl heroism.

Heldin f heroine.

helfen pret **half,** ptp **geholfen** vi 1. to help (jdm sb); (mit anfassen auch) to lend a hand. **jdm bei etw ~** to help sb with sth, to lend sb a hand with sth; **er half ihr aus dem Mantel/einer Verlegenheit** he helped her out of her coat or off with her coat/out of a difficulty; **ihm/dir ist nicht zu ~** (fig) he is/you are beyond help; **dem Kranken ist nicht mehr zu ~** the patient is beyond help; **ich kann mir nicht ~** I can't help it; **ich werd' dir/ihm (schon) ~!** I'll give you/him what for (inf); **ich werde dir ~, die Tapeten zu beschmieren** I'll teach you to mess up the wallpaper (inf); **er weiß sich** (dat) **~** he is very resourceful; **man muß sich** (dat) **nur zu ~ wissen** (prov) you just have to use your head; **er weiß sich** (dat) **nicht mehr zu ~** he is at his wits' end; **hilf dir selbst, dann ~ so hilft dir Gott** (Prov) God helps those who help themselves (Prov).

2. auch vi impers (dienen, nützen) to help. **es hilft nichts** it's no use or no good; **da hilft alles nichts ...** there's nothing for it ...; **da hilft kein Jammern und kein Klagen** it's no use moaning; **es hilft ihm nichts, daß ...** it's no use to him that ...; **das hilft mir wenig, damit ist mir nicht geholfen** that's not much help to me; **das hat mir schon viel geholfen** that has been a great help to me; **was hilft's?** what's the use?

3. (heilsam sein) to help; (heilen auch: Arzt) to cure. **diese Arznei hilft gegen** or **bei Kopfweh** this medicine is good for headaches or helps to relieve headaches; **jetzt kann nur noch eine Operation ~** only an operation will help now.

Helfer(in f) m -s, - helper; (Mitarbeiter) assistant; (von Verbrecher) accomplice; (inf: Gerät) help. **~ in Steuersachen** tax adviser; **ein ~ in der Not** a friend in need.

Helfershelfer(in f) m accomplice; (Jur: vor/nach begangener Tat) accessory before/after the fact.

Helferzelle f (Med) helper cell.

Helgoland nt -s Heligoland.

Helikopter m -s, - helicopter.

Helium nt, no pl (abbr **He**) helium.

hell adj 1. (optisch) light; Licht, Beleuchtung, Himmel bright; Farbe auch pale; Kleidungsstück auch light-coloured; Haar, Teint fair; Hautfarbe (von Rasse) fair, pale; (fig) Zukunft bright. **es wird ~** it's getting light; **~ bleiben** to stay light; **bis in den ~en Morgen schlafen** to sleep late; **in ~en Flammen** in flames, ablaze; **~es Bier** ≈ lager.

2. (akustisch) Laut, Ton, Stimme high(-pitched); Gelächter ringing.

3. (inf: klug) Junge bright, intelligent; (geistig klar) Augenblicke lucid. **er ist ein ~er Kopf** he has brains.

4. attr (stark, groß) great; Verwunderung utter; Verzweiflung, Unsinn sheer, utter; Neid pure. **von etw ~ begeistert/entzückt sein** to be very enthusiastic/quite delighted about sth; **in ~en Scharen** in great numbers; **seine ~e Freude an etw** (dat) **haben** to find great joy or pleasure in sth.

Hellas nt -' Hellas.

hell- in cpds (esp auf Farben bezüglich) light; **hellauf** adv completely, utterly; **~ lachen** to laugh out loud; **hellblau** adj light blue; **hellblond** adj very fair, blonde; **hellbraun** adj light brown; **Helldunkel** nt (Art) chiaroscuro.

Helle f -, no pl siehe **Helligkeit.**

helle adj pred (inf) bright, clever. **Mensch, sei ~!** use your loaf, mate! (inf).

Hellebarde f -, -n (Hist) halberd.

Hellene m -n, -n, **Hellenin** f (ancient) Greek, Hellene.

hellenisch adj Hellenic.

Hellenismus m Hellenism.

hellenistisch adj Hellenistic. **die ~e Staatenwelt** the Empire of Ancient Greece.

Heller m -s, - (Hist) heller. **das ist keinen (roten** or **lumpigen)** or **nicht einen ~ wert** that isn't worth a brass farthing; **er besitzt keinen (roten** or **lumpigen) ~** he doesn't have a penny to his name, he doesn't have two pennies to rub together; **darauf geb ich keinen (roten) ~** I wouldn't give you tuppence for it; **auf ~ und Pfennig** or **bis auf den letzten ~** (down) to the last farthing or penny; **stimmen** down to the last detail.

Helle(s) nt decl as adj ≈ lager.

hellleuchtend adj attr getrennt **hell-leuchtend** brightly shining; Farbe bright; Kleid brightly coloured.

hellhaarig adj fair-haired; **hellhäutig** adj fair-skinned; (von Rasse auch) pale-skinned; **hellhörig** adj hard of hearing; (Archit) poorly soundproofed; **~ sein** (fig: Mensch) to have sharp ears; **als er das sagte, wurde ich ~** when he said that I pricked up my ears; **jdn ~ machen** to make sb prick up their ears.

hellicht adj getrennt **hell-licht: am ~en Tage** in broad daylight; **es ist ~er Tag** it is broad daylight.

Helligkeit f, no pl siehe **hell** 1. lightness; brightness; paleness; fairness; (helles Licht) light; (Phys, Astron) luminosity.

Helligkeitsregler m brightness control.

Helling f -, -en or **Helligen** or m -s, -e (Naut) slipway.

hellrot adj bright red; **hellsehen** vi infin only **~ können** to have second sight, to be clairvoyant; **du kannst wohl ~!** you must have second sight or be clairvoyant; **Hellseher(in** f) m (lit, fig) clairvoyant; **hellseherisch** adj attr clairvoyant; **hellwach** adj (lit) wide-awake; (fig) alert; **Hellwerden** nt -s, no pl daybreak.

Helm m -(e)s, -e helmet; (Archit) helm roof.

Helmbusch m plume; **Helmpflicht** f **es besteht ~** the wearing of crash helmets is compulsory; **Helmschmuck** m crest.

Helsinki nt -s Helsinki.

Hemd nt -(e)s, -en (Ober~) shirt; (Unter~) vest (Brit), undershirt (US). **etw wie das** or **sein ~ wechseln** (fig) to change sth with monotonous regularity; **naß bis aufs ~** wet through, soaked to the skin; **jdn bis aufs ~ ausziehen** (fig inf) to have the shirt off sb's back (inf), to fleece sb (inf); **das ~ ist mir näher als der Rock** (Prov) charity begins at home (Prov).

Hemdbluse f shirt(-blouse), shirtwaist (US); **Hemdblusenkleid** nt shirtwaister (dress); **Hemdbrust** f dickey.

Hemdenmatz m (inf) small child dressed only in a vest; ≃ Wee Willie Winkie; **Hemdenstoff** m shirting.

Hemdhose f combinations pl, coms pl (inf); **Hemdknopf** m shirt button; **Hemdkragen** m shirt collar.

Hemdsärmel m shirt sleeve; **in ~n** in one's shirt sleeves; **hemdsärmelig** adj shirt-sleeved; (fig inf) down-to-earth; Ausdrucksweise, Empfang, Einstellung casual.

Hemisphäre f -, -n hemisphere.

hemisphärisch adj hemispheric(al).

hemmen vt Entwicklung, Fortschritt to hinder, to hamper; Lauf der Geschehnisse to check; (verlangsamen) to slow down; Maschine, Rad to check; Wasserlauf to stem; (Med) Blut to staunch; (Psych) to inhibit. **jdn in seiner Entwicklung ~** to hinder or hamper sb's development.

Hemmnis nt hindrance, impediment (für to).

Hemmschuh m brake shoe; (fig) hindrance, impediment (für to); **Hemmschwelle** f inhibition level.

Hemmung f 1. (Psych) inhibition; (Bedenken) scruple. **da habe ich ~en** I've got scruples about that; **keine ~en kennen** to have no inhibitions, not to feel inhibited; **nur keine ~en** don't feel inhibited.
2. siehe vt hindering, hampering; check (gen to); slowing down; checking; stemming; staunching.

hemmungslos adj (rückhaltlos) unrestrained; (skrupellos) unscrupulous; **Hemmungslosigkeit** f siehe adj lack of restraint; unscrupulousness.

Hendl nt -s, -(n) (Aus) chicken.

Hengst m -(e)s, -e stallion; (Kamel~, Esel~) male; (sl: Mann) stud (sl).

Henkel m -s, - handle.

Henkelglas nt glass with a handle; **Henkelkorb** m basket with a handle; **Henkelkrug** m jug (with a handle); **Henkelmann** m, pl -**männer** (inf) portable set of stacked containers used to transport hot meals; **Henkelohren** pl (inf) big, sticking-out ears (inf); **Henkeltopf** m pot or pan with a handle/handles.

Henker m -s, - hangman; (Scharfrichter) executioner. **zum ~** (old inf) hang it all (inf); **was zum ~!** (old inf) what the devil (inf); **scher dich** or **geh zum ~!** (old inf) go to the devil! (inf).

Henker(s)beil nt executioner's axe.

Henkersknecht m (Hist) hangman's or (von Scharfrichter) executioner's assistant; (fig) torturer; (Handlanger) henchman; **Henkersmahl(zeit** f) nt last meal before execution; (hum inf) last slap-up meal (before examination etc).

Henna f - or nt -(s), no pl henna. **mit ~ färben** to dye with henna, to henna.

Henne f -, -n hen.

Hepatitis f -, **Hepatitiden** hepatitis.

her adv siehe auch **herkommen, hermüssen, hersein, herein** etc 1. (räumlich) **von der Kirche/Frankreich ~** from the church/France; **~ zu mir!** come here (to me); **um mich ~** (all) around me; **von weit ~** from a long way off or away.
2. (in Aufforderung) **Bier/Essen ~!** bring (me/us) some beer/food (here); **~ mit der Brieftasche!** hand over the briefcase, give me the briefcase; **~ damit!** give me that, give that here (inf); **immer ~ damit!** let's have it/them (then).
3. (von etwas aus gesehen) **von der Idee/Form/Farbe ~** as for the idea/form/colour, as far as the idea/form/colour is concerned or goes; **von den Eltern ~ gute Anlagen haben** to have inherited good qualities from one's parents.
4. (zeitlich) **ich kenne ihn von früher ~** I know him from before or from earlier times, I used to know him (before); **von der Schule/meiner Kindheit ~** since school/my childhood.

herab adv down. **den Hügel/die Treppe ~** down the hill/stairs; **von oben ~** (down) from above.

herab- pref siehe auch **herunter-, runter-** down; **herabblicken** vi sep siehe **herabsehen**; **herabflehen** vt sep (geh) to call down; **herabfließen** vi sep irreg aux sein to flow down; **herabhängen** vi sep irreg to hang down; **langes ~des Haar** long, flowing hair; **herabkommen** vi sep irreg aux sein (geh) to come down, to descend (liter, form); **herablassen** sep irreg I vt to let down, to lower; II vr 1. (lit) to let oneself down, to lower oneself; 2. (fig) to lower oneself; **sich zu etw ~** to condescend or deign to do sth; **sich auf jds Ebene ~** (acc) to descend to sb's level; **herablassend** adj condescending; **herabmindern** vt sep (schlechtmachen) Leistung, Qualitäten to belittle, to disparage; (bagatellisieren) Gefahr, Problem to minimize, to make little of; **herabsehen** vi sep irreg (lit, fig) to look down (auf +acc on); **herabsetzen** vt sep Ware to reduce; Preise, Kosten auch to lower; Geschwindigkeit auch to slacken off; Niveau to lower, to debase; (schlechtmachen) Leistungen, Fähigkeiten, jdn to belittle, to disparage; **zu stark herabgesetzten Preisen** at greatly reduced prices; **Herabsetzung** f siehe vt reduction; lowering; slackening off; debasement; belittling, disparagement; (Kränkung) slight, snub; **herabsteigen** vi sep irreg aux sein to get down, to descend; (von Pferd) to dismount; (von Berg) to climb down, to descend; **herabstoßen** vi sep irreg aux sein to swoop (down); **herabstürzen** sep I vt to push off (*von etw* sth); **II** *vi aux sein* to fall off (*von etw* sth); (*Felsbrocken*) to fall down (*von* from); (*geh: Wasserfall*) to cascade *or* plunge down, to come rushing down; **III** *vr* to jump off (*von etw* sth); **er stürzte sich vom Turm herab** he threw himself *or* jumped off *or* from the tower; **herabwürdigen** *sep* **I** *vt* to belittle, to disparage; **II** *vr* to degrade *or* lower oneself; **Herabwürdigung** *f* belittling, disparagement.

Heraldik *f*, *no pl* heraldry.

heraldisch *adj* heraldic.

heran *adv* **rechts/links** ~! over to the right/left; **immer** *or* **nur** ~! come on *or* along (then)!; **bis an etw** (*acc*) ~ close *or* near to sth, right by *or* beside sth; (*mit Bewegungsverb*) right up to sth.

heran- *pref* *siehe auch* **ran-**; **heranarbeiten** *vr sep* (*sich nähern*) to work one's way along; **sich an jdn/etw** ~ to work one's way (along *or* over) towards sb/sth; **heranbilden** *vt sep* to train (up); (*in der Schule*) to educate; **heranbringen** *vt sep irreg* (*herbringen*) to bring over; **sein Spurt brachte ihn näher an den führenden Läufer heran** his spurt brought him up nearer *or* nearer to the leader; **heranfahren** *vti sep irreg aux sein* to drive *or* (*mit Fahrrad*) ride up (*an* +*acc* to); **heranführen** *sep* **I** *vt* **jdn** to lead up; **Truppen** to bring up; **jdn an etw** (*acc*) ~ (*lit*) to lead/bring sb up to sth; (*fig*) (*Frage, Problem*) to lead *or* bring sb to sth; (*Lehrer*) to introduce sb to sth; **II** *vi* **an etw** (*acc*) ~ (*lit, fig*) to lead to sth; **herangehen** *vi sep irreg aux sein* to go up (*an* +*acc* to); **ich würde nicht näher** ~ I wouldn't go any nearer *or* closer; **an jdn/etw** ~ (*lit*) to go up to sb/sth; (*fig: angreifen*) an Problem, Aufgabe to tackle *or* approach sth; **an Gegner** to shoot at *or* shoot down *or* shoot at sb; **herankommen** *vi sep irreg aux sein* **1.** (*räumlich*) to come *or* draw near (*an* +*acc* to), to approach (*an etw* (*acc*) sth); (*zeitlich*) to draw near (*an* +*acc* to), to approach (*an etw* (*acc*) sth); **das lasse ich mal an mich** ~ (*fig inf*) I'll cross that bridge when I come to it (*prov*); **unsere Verfolger kamen immer näher heran** our pursuers were gaining on us; **auf 1:3** ~ to pull up *or* back to 1-3; **er läßt alle Probleme an sich** ~ he always adopts a wait-and-see attitude; **2.** (*erreichen, bekommen*) **an den Chef/Motor kommt man nicht heran** you can't get hold of the boss/get at *or* to the engine; **3.** (*sich messen können mit*) **an jdn** ~ to be up to the standard of sb; **an etw** (*acc*) ~ to be up to (the standard of) sth; **er kommt nicht an seinen Vater heran** he's not a patch on his father; **heranmachen** *vr sep* (*inf*) **sich an etw** (*acc*) ~ to get down to sth, to get going on sth (*inf*); **sich an jdn** ~ to approach sb, to have a go at sb (*inf*); **an Mädchen** to make up to sb, to chat sb up (*inf*); **herannahen** *vi sep aux sein* (*geh*) to approach; (*Katastrophe, Unwetter auch*) to be imminent; **heranreichen** *vi sep* **an jdn/etw** ~ (*lit*) (*Mensch*) to reach sb/sth; (*Weg, Gelände*) to reach (up to) sth;

(*fig: sich messen können mit*) to come up to (the standard of) sb/sth, to come near sb/sth; **heranreifen** *vi sep aux sein* (*geh*) (*Obst*) to ripen; (*fig*) (*Jugendliche*) to mature; (*Plan, Entschluß, Idee*) to mature, to ripen; **zur Frau/zum Mann/zum Erwachsenen** ~ to mature into a woman/man/adult; **heranrücken** *sep* **I** *vi aux sein* (*sich nähern*) to approach (*an etw* (*acc*) sth); (*Truppen auch*) to advance (*an* +*acc* upon, towards); (*dicht aufrücken*) to come/go nearer *or* closer (*an* +*acc* to); **er rückte mit seinem Stuhl heran** he brought *or* drew his chair up *or* nearer; **II** *vt* to pull/push over *or* up (*an* +*acc* to); **heranschaffen** *vt sep* to bring (along); **heranschleichen** *vir sep irreg* (*vi: aux sein*) to creep up (*an etw* (*acc*) to sth, *an jdn* on sb); **herantasten** *vr sep* (*lit*) to feel *or* grope one's way over (*an* +*acc* to); (*fig*) to feel one's way; **an eine Frage** ~ to approach a matter cautiously; **herantragen** *vt sep irreg* to bring (over), to carry over; **etw an jdn** ~ (*fig*) to take/bring sth to sb, to go to sb with sth; **herantreten** *vi sep irreg aux sein* (*lit*) to come/go up (*an* +*acc* to); **näher** ~ to come/go nearer; **an jdn** ~ (*fig*) (*konfrontieren: Probleme, Zweifel, Versuchung*) to confront *or* face sb; **mit etw an jdn** ~ (*sich wenden an*) to go to *or* approach sb with sth; **heranwachsen** *vi sep irreg aux sein* (*geh*) to grow; (*Kind*) to grow up; (*fig: Probleme, Konkurrenz*) to grow up (*jdm* around sb); **zu einer schönen jungen Frau** ~ to grow (up) into *or* to be a lovely young woman; **die** ~**de Generation** the rising generation, the up and coming generation; **Heranwachsende** *pl* (*Jur*) adolescents *pl*; **heranwagen** *vr sep* to venture near, to dare to come/go near; **sich an etw** (*acc*) ~ (*lit*) to venture near sth, to dare to come/go near sth; (*fig*) to venture to tackle sth; **er wagte sich nicht an sie heran** he did not dare to approach her; **heranziehen** *sep irreg* **I** *vt* **1.** (*näher bringen*) to pull over, to draw near (*an* +*acc* to); **2.** (*zu Hilfe holen*) to call in; *Literatur* to consult; **jdn zur Hilfe/Unterstützung** ~ to enlist sb's aid *or* help/support; **3.** (*einsetzen*) *Arbeitskräfte, Kapital* to bring in; **jdn zu einer Aufgabe** ~ to enlist sb to do a task; **4.** (*geltend machen*) *Recht, Paragraphen, Quelle, Zitat* to call *or* bring into play; **etw zum Vergleich** ~ to use sth by way of comparison; **5.** (*aufziehen*) *Tier, Kind* to raise; *Pflanze auch* to cultivate; **jdn zu etw** ~ to bring sb up to be sth; **sich** (*dat*) **Revolutionäre/Jasager** ~ (*pej*) to make revolutionaries/yes men for oneself; **II** *vi aux sein* to approach; (*Mil*) to advance.

Heranziehungsbescheid *m* (*Admin*) final notice.

herauf *I adv* up. **vom Tal** ~ up from the valley; **von unten** ~ up from below; **vom Süden** ~ (*inf*) up from the south. **II** *prep* +*acc auf* den Fluß/Berg/die Treppe ~ up the river/mountain/stairs.

herauf- *pref siehe auch* **rauf-** up; **her-**

aufarbeiten *vr sep* (*lit, fig*) to work one's way up; **heraufbeschwören*** *vt sep irreg* **1.** (*wachrufen*) *Erinnerung, Vergangenheit* to evoke; **2.** (*herbeiführen*) *Unglück, Streit, Krise* to cause, to give rise to; **heraufbringen** *vt sep irreg* to bring up; **heraufführen** *sep* **I** *vt Pferd* to lead up; *jdn* to show up; **II** *vi* (*Weg*) to lead up; **heraufkommen** *vi sep irreg aux sein* to come up; (*in oberes Stockwerk*) to come up(stairs); (*auf Boot, Kutsche*) to climb *or* come *or* get aboard; (*Mond, Geräusch, Nebel, Wolke auch*) to rise; (*Gewitter*) to approach; **heraufreichen** *sep* **I** *vt* to hand *or* pass up; **II** *vi* to reach; **der Baum reicht bis zum Fenster herauf** the tree reaches (up to) *or* comes up to the window; **heraufsetzen** *vt sep Preise* to increase, to raise; **heraufsteigen** *vi sep irreg aux sein* **1.** to climb up; (*Dampf, Rauch*) to rise; (*Erinnerungen*) to well up (*in jdm* in sb); **2.** (*liter: anbrechen*) (*Tag, neue Zeit*) to dawn; (*Dämmerung*) to break; **heraufziehen** *sep irreg* **I** *vt* to pull up; **II** *vi aux sein* (*Gewitter, Unheil*) to approach; (*liter: Nacht, Tag, Zeitalter auch*) to draw nigh (*liter*) *or* near.

heraus *adv siehe auch* **herauskommen, heraussein** *etc aux*. **~ da!** (*inf*) get *or* come out of there!; **da ~?** out of there?; **~ aus den Federn!** (*inf*) rise and shine! (*inf*); **~ mit ihm** (*inf*) get him out!; **~ damit!** (*inf*) (*gib her*) hand it over!; **~ mit der Sprache *or* damit!** (*inf*) out with it! (*inf*); **zum Fenster ~** out of the window; **nach vorn ~ wohnen** to live facing *or* at the front; **aus einem Gefühl der Verlassenheit/dem Wunsch ~** out of a feeling of forlornness/the desire.

heraus- *pref siehe auch* **herauskommen**, **herausarbeiten** *sep* **I** *vt* (*aus Stein, Holz*) to carve (*aus* out of); (*fig*) to bring out; **II** *vr* to work one's way out (*aus* of); **herausbekommen*** *vt sep irreg* **1.** *Fleck, Nagel* to get out (*aus* of); **2.** (*ermitteln, herausfinden*) *Täter, Ursache, Geheimnis* to find out (*aus jdm* from sb); *Lösung, Aufgabe* to work *or* figure out; **3.** *Wechselgeld* to get back; **Sie bekommen noch 1 Mark heraus** you still have 1 mark change to come; **herausbilden** *vr sep* to form, to develop (*aus* out of); **herausboxen** *vt sep* (*aus* of) *Ball* to punch out; (*inf*) *jdn* to bail out (*inf*); **herausbringen** *vt sep irreg* **1.** (*lit*) to bring out (*aus* of); **2.** (*inf: entfernen, ermitteln*) *siehe* **herausbekommen 1., 2.**; **3.** (*auf den Markt bringen*) to bring out; *neues Modell auch* to launch; **jdn/etw ganz groß ~** to launch sb/sth in a big way, to give sb/sth a big build-up; **die Affäre wurde in allen Zeitungen groß herausgebracht** the affair made a big splash *or* they made a big splash of the affair in the papers; **4.** (*hervorbringen*) *Worte* to utter, to say; **er brachte kein Wort/ keinen Ton heraus** he couldn't utter a word/sound; **aus ihm war kein Wort herauszubringen** they couldn't get a (single) word out of him; **herausdrehen** *vt sep Birne, Schraube* to unscrew (*aus* from);

herausdrücken *vt sep* to squeeze out (*aus* of); **die Brust ~** to stick one's chest out; **herausfahren** *sep irreg* **I** *vi aux sein* **1.** (*aus* of) to come out; (*Auto, Fahrer auch*) to drive out; (*Zug auch*) to pull *or* draw out; (*Radfahrer auch*) to ride out; **aufs Land/zu Besuch herausgefahren kommen** to drive *or* come out to the country/for a visit; **2.** (*schnell herauskommen*) to leap out; (*entweichen*) to come out; (*Wort etc*) to slip out, to come out; **das Wort ist mir nur so herausgefahren** that word just came *or* slipped out somehow; **II** *vt* **1.** (*aus* of) *Zug, Auto* to drive out; *Fahrrad* to ride out; **2.** (*Sport*) **eine gute** *or* **schnelle Zeit/ den Vorsprung ~** to make good time/the lead; **einen Sieg ~** to drive/ride to victory; **verlorene Minuten ~** to make up for lost time; **herausfiltern** *vt sep* (*aus* of) to filter out; (*fig auch*) to sift out; **herausfinden** *sep irreg* **I** *vt Fehler, Fakten, Täter* to find out; (*herauslesen*) *Gesuchtes* to pick out (*aus* from among, from), to find (*aus* (from) among; **er hat herausgefunden, daß ...** he has found out *or* discovered that ...; (*erkannt*) he has found *or* discovered that ...; **II** *vir* to find one's way out (*aus* of); **herausfischen** *vt sep* (*inf*) to fish out (*inf*) (*aus* of); **sich** (*dat*) **etw ~** to pick sth out (for oneself); **sich immer das Beste aus allem ~** always to take the best of everything; **herausfliegen** *sep irreg* **I** *vi aux sein* (*aus* of) (*lit*) to fly out; (*inf: herausfallen*) to come flying out; **II** *vt* to fly out (*aus* of).

Herausforderer(in *f*) *m* **-s, -** - challenger.

herausfordern *sep* **I** *vt* (*esp Sport*) to challenge (*zu* to); (*provozieren*) to provoke (*zu etw* to do sth); *Kritik, Protest* to invite; (*heraufbeschwören*) *Gefahr* to court; *Unglück* to court, to invite. **das Schicksal ~** to tempt fate *or* providence. **II** *vi* **zu etw ~** (*provozieren*) to invite sth.

herausfordernd *adj* provocative; (*lockend auch*) inviting; *Blick auch* comehither *attr*; (*Auseinandersetzung suchend*) *Reden, Haltung, Blick* challenging.

Herausforderung *f* challenge; (*Provokation*) provocation.

herausfühlen *vt sep* (*fig*) to sense (*aus* from); **herausführen** *vti sep* (*lit, fig*) to lead out (*aus* of).

Herausgabe *f* **1.** (*Rückgabe*) return, handing back; (*von Personen*) handing over, surrender. **2.** (*von Buch*) publication.

herausgeben *sep irreg* **I** *vt* **1.** (*zurückgeben*) to return, to hand *or* give back; *Gefangene* to hand over, to surrender.

    2. (*veröffentlichen, erlassen*) to issue; *Buch, Zeitung* to publish; (*bearbeiten*) to edit.

    3. (*Wechselgeld geben*) *Betrag* to give in *or* as change. **wieviel hat er dir herausgegeben?** how much change *or* what change did he give you (back)?; **2 DM/ zu wenig ~** to give 2 marks change/too little change.

    4. (*herausreichen*) to hand *or* pass out

(aus of).

II *vi (Wechselgeld geben)* to give change *(auf +acc* for). **er hat vergessen, mir herauszugeben** he's forgotten to give me my change; **können Sie (mir) ~?** can you give me change?, have you got the *or* enough change?; **falsch ~** to give the wrong change.

Herausgeber(in *f) m (Verleger)* publisher; *(Redakteur)* editor.

herausgehen *vi sep irreg aux sein (aus* of) to go out; *(Fleck, Korken)* to come out; **aus sich ~** *(fig)* to come out of one's shell *(fig)*; **herausgreifen** *vt sep irreg* to pick *or* single out *(aus* of); *Beispiel* to take; **sich** *(dat)* **einzelne Demonstranten ~** to pick on *or* single out individual demonstrators; **heraushaben** *vt sep irreg (inf)* **1. ich will ihn aus der Firma ~** I want him out of the firm; **2.** *(begriffen haben)* to have got *(inf)*; *(gelöst haben)* **Problem, Aufgabe** to have solved; *Geheimnis* to have found out; **ich habe es jetzt heraus, wie man das am besten macht** I've got it - I know the best way to do it now; **3.** *(zurückbekommen haben)* to have got back; **heraushalten** *sep irreg* I *vt* **1.** *(lit)* **Hand, Gegenstand** to put *or* stick out *(aus* of); **2.** *(fernhalten)* **Tiere, Eindringlinge** to keep out *(aus* of); **3.** *(fig: nicht verwickeln)* to keep out *(aus* of); **II** *vr* to keep out of it; **sich aus etw ~** to keep out of sth; **halt du dich mal heraus!** you keep *or* stay out of it *or* this; **heraushelfen** *vi sep irreg* **jdm ~** *(lit, fig)* to help sb out *(aus* of); **jdm aus dem Zug ~** to help sb off the train; **herausholen** *vt sep* **1.** *(lit)* *(aus* of) to get out; *(herausbringen)* to bring *or* fetch out; **2.** *(fig)* **Antwort, Geheimnis** to get out *(aus* of), to extract *(form)* *(aus* from); *Vorteil* to gain *(aus* from); *Zeit* to make up; *Ergebnis* to get, to achieve; *Sieg* to win, to gain; **er hat bei diesem Geschäft ganz schön viel (Geld) herausgeholt** he has made *or* got a lot of money out of this deal; **heraushören** *vt sep (wahrnehmen)* to hear; *(fühlen)* to detect, to sense *(aus* in); **herauskehren** *vt sep (fig: betonen)* **Bildung, Überlegenheit** to parade; **Strenge ~** to show one's sterner *or* stricter side; **den reichen Mann/ Vorgesetzten ~** to parade the fact that one is rich/the boss.

herauskommen *vi sep irreg aux sein* **1.** to come out *(aus* of). **ich bin schon seit Tagen aus den Kleidern/dem Haus nicht herausgekommen** I haven't had these clothes off/I haven't been out of the house in days; **er ist nie aus seinem Land/Dorf herausgekommen** he has never been out of *or* has never left his country/village; **aus sich ~** to come out of one's shell; **er kam aus dem Staunen/ der Verwunderung nicht heraus** he couldn't get over his astonishment/ amazement; **er kam aus dem Lachen nicht heraus** he couldn't stop laughing. **2.** *(inf: aus bestimmter Lage)* to get out *(aus* of). **aus seinen Schwierigkeiten/Sorgen ~** to get over one's difficulties/worries; **aus den Schulden ~**

to get out of debt; **mit einem Gewinn ~** to get *or* win a prize. **3.** *(auf den Markt kommen)* to come out; *(neues Modell auch)* to be launched. **mit einem neuen Modell ~** to bring out a new model, to come out with a new model. **4.** *(bekanntgegeben werden)* to come out; *(Börsenkurse auch)* to be published; *(Gesetz)* to come into force; *(bekanntwerden: Schwindel, Betrug auch)* to come to light. **es wird bald ~, daß du das Auto gestohlen hast** they'll soon find out *or* it will soon come out that you stole the car. **5.** *(sichtbar werden)* to come out; *(Fleck)* to appear; *(zur Geltung kommen, hörbar werden)* to come over. **ganz groß ~** *(inf)* to make a big splash *(inf)*, to have a big impact. **6.** *(geäußert werden)* to come out. **mit etw ~** to come out with sth; **mit der Sprache ~** to come out with it *(inf)*. **7.** *(Resultat haben)* **bei etw ~** to come out of sth, to emerge from sth; **und was soll dabei ~?** and what is that supposed to achieve?, and where is that supposed to get us?; **es kommt nichts dabei heraus, da kommt nichts bei heraus** *(N Ger)* it doesn't lead anywhere *or* get us anywhere *or* achieve anything; **es kommt auf eins** *or* **auf dasselbe** *or* **aufs gleiche heraus** it comes (down) to *or* boils down to the same thing. **8.** *(Sw: ausgehen)* to turn out. **9.** *(inf: aus der Übung kommen)* to get out of practice. **10.** *(Cards)* to lead. **wer kommt heraus?** whose lead is it?, who leads?

herauskriegen *vt sep (inf) siehe* **herausbekommen, rauskriegen; herauskristallisieren*** *sep* I *vt (Chem)* to crystallize *(aus* out of); *(fig)* **Fakten, Essenz, Punkte** to extract *(aus* from); **II** *vr (Chem)* to crystallize (out); *(fig)* to crystallize, to take shape; **herauslassen** *vt sep irreg* to let out *(aus* of); **herauslaufen** *sep irreg* I *vi aux sein* to run out *(aus* of); **II** *vt (Sport)* **Vorsprung, Zeit, Sekunden** to gain; **Sieg, zweiten Platz auch** to win; **herauslesen** *vt sep irreg (erkennen)* to gather *(aus* from); **aus seinem Brief/seiner Miene las ich Kummer heraus** from his letter/expression I could tell *or* I gathered that he was worried; **herauslocken** *vt sep (aus* of) to entice out; **Gegner, Tier auch** to lure out; **etw aus jdm ~** *(ablisten)* to get *or* worm *(inf)* sth out of sb; **jdn aus seiner Reserve ~** to draw sb out of his shell; **herausmachen** *sep (inf)* I *vt (aus* of) to take out; *Fleck* to get out; **II** *vr (sich gut entwickeln)* to come on (well); *(finanziell)* to do well; *(nach Krankheit)* to pick up; **sie hat sich prächtig herausgemacht** she has really blossomed *or* bloomed; **herausmüssen** *vi sep irreg (inf)* **1.** *(entfernt werden müssen)* to have to come out; **2.** *(aufstehen müssen)* to have to get up; **3.** *(gesagt werden müssen)* to have to come out; **herausnehmbar** *adj* removable; **her-**

ausnehmen vt sep irreg **1.** to take out (aus of); (inf) Zahn auch to pull out; Kind (aus der Schule) to take away, to remove (aus from); sich (dat) die Mandeln ~ lassen to have one's tonsils out; den Gang ~ (Aut) to put the car into neutral; **2.** (inf: sich erlauben) es sich (dat) ~, etw zu tun to have the nerve to do sth (inf); sich (dat) Freiheiten ~ to take liberties; Sie nehmen sich zuviel heraus you're going too far; **herauspauken** vt sep (inf) jdn (aus etw) ~ to get sb off the hook (inf), to bail sb out (of sth) (inf); **herauspicken** vt sep (aus of) (Vögel) to peck out; (fig) das Beste to pick out; **herausplatzen** vi sep aux sein (inf) (spontan sagen) to blurt it out; (lachen) to burst out laughing; mit etw ~ to blurt sth out; **herauspressen** vt sep (aus of) to squeeze out; Saft auch to press out; Geld, Geständnis auch to wring out; **herausputzen** vt sep jdn to dress up; (schmücken) Stadt, Weihnachtsbaum, Wohnung to deck out; sich prächtig ~ to get dressed up, to do oneself up (inf); (Stadt) to be decked out magnificently; **herausragen** vi sep siehe **hervorragen; herausreden** vr sep to talk one's way out of it (inf); **herausreißen** vt sep irreg **1.** (lit) (aus of) to tear or rip out; Zahn, Baum to pull out; **2.** jdn aus etw ~ (aus Umgebung) to tear sb away from sth; (aus Arbeit, Spiel, Unterhaltung) to drag sb away from sth; (aus Schlaf, Träumerei) to startle sb out of sth; (aus Lethargie, Sorgen) to shake sb out of sth; **3.** (inf: aus Schwierigkeiten) jdn ~ to get sb out of it (inf); **4.** (inf: wiedergutmachen) to save; **herausrücken** sep **I** vt to push out (aus of); (inf: hergeben) Geld to cough up (inf); Beute, Gegenstand to hand over; **II** vi aux sein **1.** (lit) to move out; **2.** (inf: hergeben) mit etw ~ (mit Geld) to cough sth up (inf); (mit Beute) to hand sth over; **3.** (inf: aussprechen) mit etw ~ to come out with sth; mit der Sprache ~ to come out with it; **herausrutschen** vi sep aux sein (lit) to slip out (aus of); (fig inf: Bemerkung) to slip out; das ist mir nur so herausgerutscht it just slipped out somehow, I just let it slip (out) somehow; **herausschälen** sep **I** vt das Eßbare(aus of) to get out, to dig out (inf); (ausschneiden) schlechte Stelle auch to scrape out; (fig: absondern) Fakten, Elemente to single out; sich aus seinen Sachen ~ (inf) to peel off one's clothes; **II** vr (fig: deutlich werden) to become evident or apparent; **herausschauen** vi sep (dial) **1.** (Mensch) to look out (aus, zu of); **2.** (zu sehen sein) to show; **3.** (inf) siehe **herausspringen 3.; herausschinden** vt sep irreg (inf) siehe **herausschlagen I 2.; herausschlagen** sep irreg **I** vt **1.** (lit) to knock out (aus of); aus einem Stein Funken ~ to strike sparks from or off a stone; **2.** (inf: bekommen) Geld to make; Erlaubnis, Verzögerung, Vorteil to get; Zeit to gain; **II** vi aux sein (Flammen) to leap or shoot out; die Flammen schlugen zum

Dach heraus the flames were leaping through the roof; **herausschleudern** vt sep (werfen) to hurl out (aus of); Piloten to eject; (fig) Fragen, Vorwürfe, wütende Worte to burst out with; **herausschlüpfen** vi sep aux sein (lit, fig) to slip out (aus of); **herausschmecken** sep **I** vt to taste; **II** vi to burst out (over the other flavours); **herausschneiden** vt sep irreg to cut out (aus of); **herausschreiben** vt sep irreg Stellen, Zitat to copy out (aus of); **herausschreien** vt sep irreg Haß, Gefühle to shout out.

heraussein vi sep irreg aux sein (Zusammenschreibung nur bei infin und ptp) (inf) **1.** (entfernt sein) to be out; (Blinddarm auch) to have been taken out.

2. (herausgekommen sein) (Buch, Programm) to be out.

3. (bekannt sein) to be known; (entschieden sein) to have been or to be settled or decided.

4. (hinter sich haben) (aus of) to be out, to have got out. aus der Schule ~ to have left school; dem Gröbsten or Ärgsten or Schlimmsten ~ to have got past the worst (part); (bei Krise, Krankheit) to be over the worst.

5. (gesagt worden sein) (Wahrheit) to be out; (Worte) to have come out.

heraußen adv (S Ger, Aus) out here.

herausspringen vi sep irreg aux sein (aus of) **1.** (lit) to jump or leap out; **2.** (sich lösen) to come out; das dem Gleis ~ to jump the rails; **3.** (inf) dabei springt ein fetter Gewinn heraus there is a handsome profit in it; dabei springt nichts heraus there's nothing to be got out of it; was springt für mich dabei heraus? what's in it for me?; **herausprudeln** sep **I** vi aux sein to bubble out (aus of); **II** vt Worte, Sätze to come gushing out with; **herausstehen** vi sep irreg to stand or stick out, to protrude; **herausstellen** sep **I** vt **1.** (lit) to put outside; (Sport) to send off; **2.** (fig: hervorheben) to emphasize, to underline; jdn to give prominence to; **II** vr (Unschuld, Wahrheit) to come to light; sich als falsch/wahr/richtig/begründet ~ to show itself to be or to prove (to be) wrong/true/correct/well-founded; es stellte sich heraus, daß ... it turned out or emerged that ...; es wird sich ~, wer recht hat/was getan werden muß we shall see who is right/what must be done; das muß sich erst ~ that remains to be seen; **herausstrecken** vt sep to stick out (zu, aus of); **herausstreichen** vt sep irreg **1.** Fehler to cross out, to delete (aus in); **2.** (betonen) Verdienste to stress, to lay great stress upon; **herausströmen** vi sep aux sein (aus of) (Flüssigkeit) to stream or pour out; (Gas) to come out; (Menschenmenge) to pour out; **herausstürzen** vi sep aux sein **1.** (auch herausgestürzt kommen) (eilen) to rush out (aus of); **2.** (fallen) to fall out; zum Fenster ~ to fall out of the window; **heraussuchen** vt sep to pick out; **heraustreten** vi sep irreg aux sein to step or come out (aus of), to emerge (aus from); (*Adern*) to stand out, to protrude; **her<u>au</u>swagen** *vr sep* to dare to come out (*aus* of); to venture out (*aus* of) *or* forth (*liter*) (*aus* from); **her<u>au</u>swinden** *vr sep irreg* (*fig*) to wriggle out of it; **sich aus etw ~** to wriggle out of sth; **her<u>au</u>swirtschaften** *vt sep* to make (*aus* out of); **her<u>au</u>swollen** *vi sep* to want to get out (*aus* of); **er wollte nicht mit der Sprache heraus** (*inf*) he didn't want to come out with it (*inf*); **her<u>au</u>sziehen** *sep irreg* **I** *vt* to pull out (*aus* of); (*herausschleppen*) to drag out (*aus* of); **II** *vr* to pull oneself out (*aus* of).

h<u>e</u>rb *adj* **1.** *Geruch* sharp; *Geschmack auch*, *Parfüm* tangy; *Wein* dry. **2.** *Enttäuschung*, *Verlust* bitter; *Erwachen* rude; *Erkenntnis*, *Wahrheit* cruel. **3.** *Züge*, *Gesicht* severe, harsh; *Art*, *Wesen*, *Charakter*, *Mensch* dour; *Schönheit* severe, austere. **4.** *Worte*, *Kritik* harsh.

Herb<u>a</u>rium *nt* herbarium, herbary.

herb<u>ei</u> *adv* (*geh*) come (here). (**alle Mann**) **~!** come here (everybody)!

herb<u>ei</u>bringen *vt sep irreg jdn*, *Gegenstand* to bring over; *Indizien*, *Beweise* to provide; *Sachverständige* to bring in; **herb<u>ei</u>eilen** *vi sep aux sein* to hurry *or* rush over; **herb<u>ei</u>führen** *vt sep* (*bewirken*) *Entscheidung*, *Konfrontation* to bring about; (*verursachen auch*) to cause; **den Tod ~** (*Med*) to cause death (*form*); **herb<u>ei</u>holen** *vt sep* to bring; *Verstärkung* to bring in; *Arzt*, *Taxi*, *Polizisten* to fetch; **einen Arzt ~ lassen** to send for a doctor; **herb<u>ei</u>lassen** *vr sep irreg* **sich zu etw ~, sich ~, etw zu tun** to condescend *or* deign to do sth; **herb<u>ei</u>rufen** *vt sep irreg* to call over; *Verstärkung* to call in; *Arzt*, *Polizei*, *Taxi* to call; **herb<u>ei</u>schaffen** *vt sep* to bring; *Geld* to get, to get hold of (*inf*); *Beweise* to produce; **herb<u>ei</u>sehnen** *vt sep* to long for; **herb<u>ei</u>strömen** *vi sep aux sein* to come flocking, to come in (their) crowds; **herb<u>ei</u>winken** *vt sep* to beckon *or* wave over; *Taxi* to hail; **herb<u>ei</u>ziehen** *sep irreg* **I** *vt siehe* **Haar**; **II** *vi aux sein siehe* **heranziehen II**.

herbek<u>o</u>mmen* *vt sep irreg* (*inf*) to get.

herbem<u>ü</u>hen* *sep* (*geh*) **I** *vt* **jdn ~** to trouble sb to come here; **II** *vr* to take the trouble to come here.

H<u>e</u>rberge *f* **-, -n 1.** *no pl* (*Unterkunft*) lodging, accommodation *both no indef art*; (*fig*) refuge. **2.** (*old*, *Gasthaus*) inn; (*Jugend*~) (youth) hostel.

H<u>e</u>rbergsmutter *f* (youth hostel) warden.

H<u>e</u>rbergsvater *m* (youth hostel) warden.

h<u>e</u>rbestellen* *vt sep* to ask to come.

h<u>e</u>rbeten *vt sep* (*pej*) to rattle off.

H<u>e</u>rbheit *f, no pl siehe adj* **1.** sharpness; tanginess; dryness. **2.** bitterness; rudeness; cruelness. **3.** severity, harshness; dourness; severity, austerity. **4.** harshness.

h<u>e</u>rbitten *vt sep irreg* to ask to come.

Herbiz<u>i</u>d *nt* **-(e)s, -e** herbicide.

h<u>e</u>rbringen *vt sep irreg* to bring (here); **bring mir das Buch her** bring me the book (over).

H<u>e</u>rbst *m* **-(e)s, -e** autumn, fall (*US*). **im**

~ in autumn, in the fall (*US*); der ~ des Lebens (*liter*) the autumn of (one's) life (*liter*); **auch der ~ hat noch schöne Tage** (*prov*) you're never too old.

H<u>e</u>rbst- *in cpds* autumn, fall (*US*); **H<u>e</u>rbstanfang** *m* beginning of autumn; **H<u>e</u>rbstaster** *f* Michaelmas daisy; **H<u>e</u>rbstfarben** *pl* autumn *or* autumnal colours *pl*; **H<u>e</u>rbstferien** *pl* autumn *or* fall (*US*) holiday(s); (*Sch*) half-term holiday(s) (*in the autumn term*); **h<u>e</u>rbstlich** *adj* autumn *attr*; (*wie im Herbst auch*) autumnal; **das Wetter wird schon ~** autumn is in the air; **das Wetter ist schon ~** it's already autumn weather; **~ kühles Wetter** cool autumn weather; **sich ~ kleiden** to dress for the autumn; **H<u>e</u>rbstmonat** *m* autumn month; **der ~** (*old*) September; **Herbst-Tagundnachtgleiche** *f* autumnal equinox; **H<u>e</u>rbstzeitlose** *f* **-n, -n** meadow saffron.

Herd *m* **-(e)s, -e 1.** (*Küchen*~) cooker, stove; (*Kohle*~) range; (*fig*: *Heim*) home. **eigener ~ ist Goldes wert** (*Prov*) there's no place like home (*Prov*); **den ganzen Tag am ~ stehen** (*fig*) to slave over a hot stove all day.

2. (*Med*: *Krankheits*~) focus; (*Geol*: *von Erdbeben*) epicentre; (*fig*: *von Rebellion*) seat. **3.** (*Tech*) hearth.

Herd|abdeckplatte *f* electric ring cover.

H<u>e</u>rde *f* **-, -n** (*lit*) herd; (*von Schafen*, *fig geh*: *Gemeinde*) flock. **mit der ~ laufen**, **der ~ folgen** (*pej*) to follow the herd.

H<u>e</u>rdeninstinkt *m* (*lit*, *fig pej*) herd instinct; **H<u>e</u>rdentier** *nt* gregarious animal; **H<u>e</u>rdentrieb** *m* (*lit*, *fig pej*) herd instinct; **h<u>e</u>rdenweise** *adv* in herds; (*Schafe*) in flocks; (*fig auch*) in crowds.

H<u>e</u>rdplatte *f* (*von Kohleherd*) (top) plate; (*von Elektroherd*) hotplate.

her<u>ei</u>n *adv* in. **~!, come in!, come!** (*form*); **nur ~!** do come in!; **immer ~!** come along in!; **hier ~!** in here!; **von (dr)außen ~** from outside.

her<u>ei</u>n- *pref siehe auch* **rein-** in; **her<u>ei</u>nbekommen** *vt sep irreg* (*inf*) *Waren* to get in; *Radiosender* to get; *Unkosten* to recover; **her<u>ei</u>nbitten** *vt sep irreg* to ask (to come) in; **her<u>ei</u>nbrechen** *vi sep irreg aux sein* **1.** (*eindringen*: *Wasser*, *Flut*, *Wellen*) to gush in; **über jdn/etw ~** (*lit*, *fig*) to descend upon sb/sth; **2.** (*Gewitter*) to break; (*Krieg*, *Pest*) to break out; **das Unglück brach über ihn herein** misfortune overtook him; **3.** (*liter*: *anbrechen*) (*Nacht*, *Abend*) to fall, to close in; (*Winter*) to set in; **her<u>ei</u>nbringen** *vt sep irreg* **1.** to bring in; **2.** (*inf*: *wettmachen*) *Geldverlust* to make good; *Zeit-*, *Produktionsverluste* to make up for; *Unkosten* to get back; **her<u>ei</u>ndringen** *vi sep irreg aux sein* (*Licht*, *Wasser*) to come in (*in* +*acc* -to); **her<u>ei</u>ndürfen** *vi sep irreg* (*inf*) to be allowed in; **darf ich herein?** may *or* can I come in?; **her<u>ei</u>nfahren** *vti sep irreg* (*vi*: *aux sein*) to drive in; (*mit Fahrrad*) to ride in; **her<u>ei</u>nfallen** *vi sep irreg aux sein* **1.** to fall in (*in* +*acc* -to); **2.** (*inf*) to fall for it (*inf*); (*betrogen werden*) to be had (*inf*); **auf jdn/etw ~** to be taken in by sb/sth, to be taken for a ride (by sb) (*inf*)/to fall for sth; **mit jdm/etw ~** to have a bad deal with sb/sth; **hereinführen** *vt sep* to show in; **hereinholen** *vt sep* to bring in (*in* +*acc* -to); **hereinkommen** *vi sep irreg aux sein* to come in (*in* +*acc* -to); **wie ist er hereingekommen?** how did he get in?; **ins Haus ~** to come in *or* inside; **hereinkriegen** *vt sep* (*inf*) *siehe* **hereinbekommen, reinkriegen**; **hereinlassen** *vt sep irreg* to let in (*in* +*acc* -to); **hereinlegen** *vt sep* (*inf*) **jdn ~** (*betrügen*) to take sb for a ride (*inf*); (*anführen*) to take sb in; **hereinnehmen** *vt sep irreg* to bring in (*in* +*acc* -to); (*in Liste, Kollektion aufnehmen*) to put in, to include; (*Comm*) *Aufträge* to accept; **hereinplatzen** *vi sep aux sein* (*inf*) to burst *or* come bursting in (*in* +*acc* -to); **bei jdm ~** to burst in on sb; **hereinregnen** *vi impers sep* **es regnet herein** the rain is coming in; **hereinreiten** *sep irreg* **I** *vti* (*vi: aux sein*) to ride in (*in* +*acc* -to); **II** *vr* (*inf*) to land oneself in it *or* in the soup (*inf*); **hereinrufen** *vt sep irreg* to call in; **hereinschauen** *vi sep* (*dial*) to look in (*in* +*acc* -to); (**bei jdm**) **~** (*inf*) to look in on sb (*inf*), to look sb up (*inf*); **hereinschneien** *sep* **I** *vi impers* **es schneit herein** the snow's coming in; **II** *vi aux sein* (*inf*) to drop in (*inf*); **hereinsehen** *vi sep irreg* to see/look in (*in* +*acc* -to); **hereinspazieren*** *vi sep aux sein* to breeze in (*in* +*acc* -to); **hereinspaziert!** come right in!; **hereinstecken** *vt sep* (*in* +*acc* -to) to put in; *Kopf, Hand auch* to stick in; **hereinströmen** *vi sep aux sein* (*in* +*acc* -to) to stream *or* pour in; **hereinstürzen** *vi sep aux sein* to rush in (*in* +*acc* -to); **hereinwagen** *vr sep* (*in* +*acc* -to) to dare to come in, to venture in; **hereinwollen** *vi sep* (*inf*) to want to come in.

herfahren *sep irreg* **I** *vi aux sein* to come *or* get here; **hinter/vor jdm/etw ~** to drive *or* (*mit Rad*) ride (along) behind/in front of *or* ahead of sb/sth; **der Detektiv fuhr hinter dem Auto her** the detective followed *or* trailed the car; **II** *vt* to drive *or* bring here; **Herfahrt** *f* journey here; **auf der ~** on the journey *or* way here; **herfallen** *vi sep irreg aux sein* **über jdn ~** to attack sb, to fall upon sb; (*mit Fragen*) to attack sb, to pitch into sb; (*kritisieren*) to pull sb to pieces; **über etw** (*acc*) **~** to descend upon sth; *über Geschenke, Eßbares* to pounce upon sth; **herfinden** *vi sep irreg* to find one's way here.

Hergang *m* -(e)s, *no pl* (*von Schlacht*) course. **schildern Sie mir genau den ~ dieses Vorfalls** tell me exactly what happened; **der ~ des Unfalls** the way the accident happened, the details of the accident.

hergeben *sep irreg* **I** *vt* (*weggeben*) to give away; (*überreichen, aushändigen*) to hand over; (*zurückgeben*) to give back; **gib das her!** give me that, let me have

that; **viel/einiges/wenig ~** (*inf: erbringen*) to be a lot of use/of some use/not to be much use; **das Buch gibt nicht viel her** the book doesn't tell me/you (very) much; **das Thema gibt viel/nichts her** there's a lot/nothing to this topic; **was die Beine hergaben** as fast as one's legs would carry one; **was die Lunge/Stimme hergab** at the top of one's voice; **seinen Namen für etw ~** to lend one's name to sth; **II** *vr* **sich zu** *or* **für etw ~** to be (a) party to sth; **dazu gebe ich mich nicht her** I won't have anything to do with it; **eine Schauspielerin, die sich für solche Filme hergibt** an actress who allows herself to be involved in such films; **hergebracht** *adj* (*traditionell*) **in ~er Weise** as is/was traditional; **hergehen** *sep irreg aux sein* **I** *vi* **hinter/vor/neben jdm ~** to walk (along) behind/in front of *or* ahead of/beside sb; **~ und etw tun** (*einfach tun*) just *or* simply to (go and) do sth; **II** *vi impers* (*inf*) (*zugehen*) **so geht es her** that's the way it goes *or* is; **es ging heiß her** things got heated (*inf*), (the) sparks flew; **hier geht es hoch her** there's plenty going on here; **hergehören*** *vi sep* to belong here; (*fig auch*) to be relevant; **hergelaufen** *adj attr* (*pej*) *siehe* **dahergelaufen**; **herhaben** *vt sep irreg* (*inf*) **wo hat er das her?** where did he get that from?; **herhalten** *sep irreg* **I** *vt* to hold out; **II** *vi* to suffer (for it), to pay for it; **für etw ~** to pay for sth; **er muß als Sündenbock ~** he is the scapegoat; **als Entschuldigung für etw ~** to serve *or* be used as an excuse for sth; **herholen** *vt sep* (*inf*) to fetch; **~ lassen** to send for; **weit hergeholt sein** (*fig*) to be far-fetched; **herhören** *vi sep* (*inf*) to listen; **alle** *or* **alles mal ~!** listen (to me) *or* listen here (*inf*) *or* pay attention everybody, everybody listen (to me).

Hering *m* **-s, -e** **1.** herring. **wie die ~e zusammengedrängt** packed in like sardines (in a tin); **dünn wie ein ~** as thin as a rake.

2. (*Zeltpflock*) (tent) peg.

Heringstopf *m* pickled herring with sour cream.

herjagen *sep* **I** *vt* (*auf jdn zu*) to drive *or* chase over *or* across; **jdn vor sich** (*dat*) **~** to drive sb along in front of one; **II** *vi aux sein* **hinter jdm ~** to chase after sb; **hinter etw** (*dat*) **~** to be after sth; **herkommen** *vi sep irreg aux sein* to come here; (*sich nähern*) to come, to approach; (*herstammen*) to come from; **komm her!** come here!; **von jdm/etw ~** (*stammen*) to come from sb/sth; **ich weiß nicht, wo das herkommt** (*was der Grund ist*) I don't know why it is *or* what the reason is; **herkömmlich** *adj* conventional; **nach ~em Brauch** according to convention.

Herkules *m* **-, -se** (*Myth, fig*) Hercules.

Herkules|arbeit *f* (*fig*) Herculean task.

Herkunft *f* **-**, *no pl* origin; (*soziale*) background, origins *pl*. **er ist britischer** (*gen*) **~, er ist seiner ~ nach Brite** he is of British extraction *or* descent *or* origin;

er ist aristokratischer (*gen*) ~ he comes from an aristocratic family, he is of aristocratic descent.

Herkunftsland *nt* (*Comm*) country of origin.

herlaufen *vi sep irreg aux sein* to come running; **lauf doch mal her zu mir!** come over here to me; **hinter** (*lit, fig*)**/vor/neben jdm** ~ to run after/ahead of/beside sb; **herleiten** *sep* **I** *vt* **1.** (*ableiten, folgern*) to derive (*aus* from); **2.** (*an bestimmten Ort leiten*) to bring; **II** *vr* **sich von etw** ~ to come from sth, to be derived from sth; **hermachen** *sep* (*inf*) **I** *vr* **sich über etw** (*acc*) ~ (*in Angriff nehmen*) *Arbeit, Buch, Essen* to get stuck into sth (*inf*); (*Besitz ergreifen*) *Eigentum, Gegenstände* to pounce (up)on sth; **sich über jdn** ~ to lay into sb (*inf*); **II** *vt* **viel** ~ to look impressive; **wenig** ~ not to look very impressive; **nichts** ~ not to be up to much (*inf*); **von jdm/etw viel** ~ to crack sb/sth up to be quite fantastic (*inf*), to make a big thing of sb/sth (*inf*); **viel von sich** ~ to be full of oneself; **er macht wenig** *or* **nicht viel von sich her** he's pretty modest.

Hermaphrodit *m* **-en, -en** hermaphrodite.

Hermelin¹ *nt* **-s, -e** (*Zool*) ermine.

Hermelin² *m* **-s, -e** (*Pelz*) ermine.

Hermeneutik *f, no pl* hermeneutics *sing*.

hermeneutisch *adj* hermeneutic(al).

hermetisch *adj* hermetic. **die Häftlinge sind** ~ **von der Außenwelt abgeschlossen** the prisoners are completely shut off from the outside world; ~ **abgeriegelt** completely sealed off.

hernach *adv* (*dated, dial*) afterwards.

hernehmen *vt sep irreg* **1.** (*beschaffen*) to get, to find. **wo soll ich das** ~? where am I supposed to get that from?

2. (*dial inf*) **jdn** ~ (*stark fordern, belasten*) to make sb sweat (*inf*); (*mitnehmen: Krankheit, Schock, Nachricht, Anstrengung*) to take it out of sb (*inf*).

3. (**sich** *dat*) **jdn** ~ (*dial: tadeln, verprügeln*) to let sb have it (*inf*).

Heroenkult(us) [he'roːən-] *m* (*geh*) hero-worship.

Heroin [hero'iːn] *nt* **-s, no pl** heroin.

Heroine [hero'iːnə] *f* (*dated Theat*) heroine.

heroisch [he'roːɪʃ] *adj* (*geh*) heroic.

heroisieren* [heroi'ziːrən] *vt jdn* to make a hero of; *Tat* to glorify.

Heroismus [hero'ɪsmʊs] *m, no pl* (*geh*) heroism.

Herold *m* **-(e)s, -e** (*Hist: Bote*) herald; (*fig: Vorbote auch*) harbinger.

Herpes *m* **-, no pl** (*Med*) herpes.

Herpes-Virus *nt* herpes virus.

herplappern *vt sep* (*inf*) to reel off. **was sie immer so herplappert** the things she's always talking about.

Herr *m* **-(e)n, -en 1.** (*Gebieter*) lord, master; (*Herrscher*) lord, ruler (*über* +*acc* of); (*von Hund*) master. **mein** ~ **und Gebieter** my lord and master; **der junge** ~ (*form*) the young master; **die** ~**en der Schöpfung** (*hum: Männer*) the gentlemen; **sein eigener** ~ **sein** to be

one's own master *or* boss; ~ **im eigenen Haus sein** to be master in one's own house; ~ **einer Sache** (*gen*) **sein/werden** (*in der Hand haben*) to have/get sth under control; ~ **der Lage** *or* **Situation sein/bleiben** to be/remain master of the situation, to have/keep the situation under control; **nicht mehr** ~ **seiner Sinne sein** not to be in control of oneself any more; ~ **über Leben und Tod sein** to have the power of life and death (*gen* over); **über jdn/etw** ~ **werden** to master sb/sth; **man kann nicht** *or* **niemand kann zwei** ~**en dienen** (*prov*) no man can serve two masters (*prov*); **wie der** ~, **so's Gescherr!** (*prov*) like master, like man! (*prov*).

2. (*Rel*) Lord. **Gott, der** ~ the Lord God; **der** ~ **Jesus** the Lord Jesus; **der** ~ **der Heerscharen** the Lord of Hosts; ~, **du meine Güte!** good(ness) gracious (me)!; ~ **des Himmels!** good Lord!; **er ist ein großer Schwindler/Esser vor dem** ~**n** (*hum inf*) what a great fibber/eater he is.

3. (*feiner* ~, *Mann*) gentleman. **ein geistlicher/adliger** ~ *or* ~ **von Adel** a clergyman/nobleman; „~**en"** (*Toilette*) "gentlemen", "gents", "men"; **den (großen)** ~**n spielen** *or* **markieren** (*inf*) to give oneself airs.

4. (*vor Eigennamen*) Mr; (*vor Titeln*) *usu not translated*; (*in Anrede ohne Namen*) sir. **(mein)** ~! sir!; **bitte, der** ~ (*beim Servieren*) there you are, sir; **der** ~ **wünscht?** what can I do for you, sir?; **Ihr** ~ **Vater** (*form*) your father; ~ **Nachbar** (*form*) excuse me, sir; ~ **Dr./Doktor/Professor Schmidt** Dr/Doctor/Professor Schmidt; ~ **Doktor/Professor** doctor/professor; ~ **Präsident/Vorsitzender** Mr President/Chairman; **der** ~ **Präsident/Vorsitzende** the President/Chairman; **lieber** *or* **werter** (*dated*) *or* **sehr geehrter** *or* **sehr verehrter** (*form*) ~ **A** (*in Brief*) Dear Mr A; **sehr geehrte** ~**en** (*in Brief*) Dear Sirs.

5. (*gesehen: Tanzpartner, Begleiter*) gentleman; (*auf eine bestimmte Dame bezogen*) partner; (*bei Cocktailparty, Theaterbesuch*) (gentleman) companion.

6. (*Sport*) **Vierhundert-Meter-Staffel der** ~**en** men's hundred metres relay.

Herrchen *nt* (*inf: von Hund*) master.

Herren *in cpds* men's; (*auf Kleidung bezüglich auch*) gents' (*dated*); (*auf einzelnes Exemplar bezüglich*) man's; gent's; **Herrenabend** *m* stag night; **seinen** ~ **haben** to have a night out with the boys (*inf*); **Herrenartikel** *pl* gentlemen's requisites *pl* (*dated*); **Herrenausstatter** (**-in** *f*) *m* **-s, -** gents' *or* men's outfitter; **Herrenbegleitung** *f* ~ **erwünscht** please bring a gentleman *or* (*bei Ball*) partner; **in** ~ in the company of a gentleman; **Herrenbekanntschaft** *f* gentleman acquaintance; **Herrenbekleidung** *f* menswear; **Herrenbesuch** *m* (gentle)man visitor/visitors; **Herrendoppel** *nt* (*Tennis etc*) men's doubles *sing*; **Herreneinzel** *nt* (*Tennis*

etc) men's singles *sing*; **Herren(fahr)rad**
nt man's bicycle *or* bike (*inf*);
Herrenfriseur *m*, **Herrenfriseuse** *f*
men's hairdresser, barber; **Herrenge-**
sellschaft *f* **1.** (*gesellige Runde*) stag
party; **2.** *no pl* (*Begleitung von Herrn*) **in**
~ **sein** to be in the company of
gentlemen/a gentleman; **Herrenhaus** *nt*
1. manor house; **2.** (*Hist*) upper
chamber; **Herrenjahre** *pl siehe*
Lehrjahr; **Herrenkonfektion** *f* men's
ready-to-wear clothes *pl*; (*Abteilung*)
menswear department; **herrenlos** *adj*
abandoned; *Hund* stray; **Herrenmode** *f*
men's fashion; **Herrenreiten** *nt* amateur
racing; **Herrenreiter** *m* **1.** (*Sport*) amateur jockey; **2.** (*iro*) stuffed shirt (*inf*);
Herrensalon *m* barber's; **Herrensattel**
m (man's) saddle; **im** ~ **reiten** to ride
astride; **Herrensauna** *m* (*euph*)
massage parlour; **Herrenschneider(in**
f) *m* gentlemen's tailor; **Herrenschnitt**
m (*Frisur*) haircut like a man's;
Herrensitz *m* **1.** (*Gutshof*) manor
house; **2.** **im** ~ **reiten** to ride astride;
Herrentoilette *f* men's toilet *or* restroom (*US*), gents *sing*; **Herrenwitz** *m*
dirty joke; **Herrenzimmer** *nt* smoking
room.

Herrgott *m* (*dated inf*) (*Anrede*) God,
Lord. **der** ~ God, the Lord (God); (*S*
Ger, Aus: Figur) figure of the Lord; ~!
(*inf*) good God *or* Lord!; ~ **noch mal!**
(*inf*) damn it all! (*inf*).
Herrgottsfrüh(e) *f*: **in aller** ~ (*inf*) at the
crack of dawn; **Herrgottsschnitzer** *m*
(*S Ger, Aus*) carver of crucifixes;
Herrgottswinkel *m* (*S Ger, Aus*) corner
of a room with a crucifix.

herrichten *sep I vt* **1.** (*vorbereiten*) to get
ready (*dat, für* for); *Bett* to make; *Tisch*
to set. **2.** (*instand setzen, ausbessern*) to
do up (*inf*). **II** *vr* (*dial*) to get dressed
up.

Herrin *f* (*Hist: Herrscherin*) female ruler;
(*von Hund, old: Haus~*) mistress. **die** ~
(*Anrede*) my lady.

herrisch *adj* overbearing, imperious; *Ton*
auch peremptory.

herrlich *adj* marvellous; *Anblick, Tag,*
Wetter auch magnificent, glorious, lovely; *Kleid* gorgeous, lovely; *Essen, Witz,*
Geschichte auch wonderful, lovely. **das**
ist ja ~ (*iro*) that's great; **du bist so** ~
doof/naiv (*iro*) you are so wonderfully
stupid/naïve; **wir haben uns** ~ **amüsiert**
we had marvellous fun.

Herrlichkeit *f* **1.** *no pl* (*Schönheit, Pracht*)
glory, magnificence, splendour. **die** ~
Gottes the glory of God; **Pracht und** ~
pomp and circumstance; (*von Natur*)
glory; **die** ~ **wird nicht lange dauern** (*iro*
inf) this is too good to last; **ist das die**
ganze ~? is that all there is to it?; **aus**
und vorbei mit der ~ here we go again.
2. *usu pl* (*prächtiger Gegenstand*) treasure. **3.** (*obs: Anrede*) lordship.

Herrschaft *f* **1.** (*Macht*) power; (*Staatsge-*
walt) rule. **zur** ~ **gelangen** *or* **kommen** to
come to power; **sich der** ~ **bemächtigen**
to seize power; **unter der** ~ under the
rule (*gen, von* of); **unter jds** ~ (*acc*) **fal-**

len to come under sb's rule; **während der**
~ (*+gen*) in the reign of.
2. (*Gewalt, Kontrolle*) control. **er ver-**
lor die ~ **über sich** he lost his self-
control.
3. (*old: Dienst~*) master and mistress
pl. **die** ~**en** (*Damen und Herren*) the ladies and gentlemen; **hohe** ~**en** (*dated*)
persons of high rank *or* standing; **wür-**
den die ~**en bitte …** would sir and
madam please …/ladies and gentlemen,
would you please …/ladies, would you
please …/gentlemen, would you please
…; **was wünschen die** ~**en?** what can I
get you?; (*von Butler*) you rang?; (**mei-**
ne) ~**en!** ladies and gentlemen.
4. (*inf: Ausruf*) ~ (**noch mal**)! hang it
(all)! (*inf*).

herrschaftlich *adj* of a person of high
standing; (*vornehm*) grand. **die** ~**e Kut-**
sche his lordship's coach.

Herrschaftsanspruch *m* claim to power;
(*von Thronfolger*) claim to the throne;
Herrschaftsbereich *m* territory;
Herrschaftsform *f* form *or* type of rule;
Herrschaftssystem *nt* system of rule.

herrschen I *vi* **1.** (*Macht, Gewalt haben*)
to rule; (*König*) to reign; (*fig*) (*Mensch*)
to dominate; (*Geld*) to hold sway; (*Tod,*
Terror) to rule, to hold sway.
2. (*vor~*) (*Angst, Ungewißheit, Zwei-*
fel) to prevail; (*Verkehr, Ruhe, Be-*
triebsamkeit) to be prevalent; (*Nebel,*
Regen, Kälte) to be predominant;
(*Krankheit, Not*) to be rampant, to rage;
(*Meinung, Ansicht*) to predominate.
überall herrschte Freude/Terror there
was joy/terror everywhere; **im Zimmer**
herrschte bedrückende Stille it was oppressively quiet in the room; **hier**
herrscht Ordnung things are orderly
round here; **hier herrscht ein anderer**
Ton the atmosphere is different here;
hier ~ **ja Zustände!** things are in a pretty
state round here!
II *vi impers* **es herrscht schlechtes**
Wetter the weather is bad; **es herrschte**
Schweigen silence reigned; **es herrscht**
Ungewißheit darüber, ob … there is uncertainty about whether …

herrschend *adj Partei, Klasse* ruling; *Kö-*
nig reigning; *Bedingungen, Verhältnisse,*
Meinungen prevailing; *Mode* current.
die H~**en** the rulers, those in power.

Herrscher(in *f*) *m* **-s, -** (*über +acc* of) ruler; (*König auch*) sovereign.

Herrschergeschlecht *nt* ruling dynasty;
Herrscherhaus *nt* ruling house *or* dynasty; **Herrschernatur** *f* **1.** (*Mensch*)
domineering person; **2.** (*Wesensart*)
domineering character.

Herrschsucht *f* domineeringness.

herrschsüchtig *adj* domineering.

herrücken *sep I vt* to move nearer *or*
closer; **II** *vi aux sein* to move *or* come
nearer *or* closer; **herrufen** *vt sep irreg* to
call (over); *Tier* to call; **herrühren** *vi sep*
von etw ~ to be due to sth, to stem from
sth; **hersagen** *vt sep* to recite;
herschauen *vi sep* (*dial*) to look here *or*
this way; **zu jdm** ~ to look in sb's direction; **da schau her!** (*Aus inf*) well, I nev-

er! (*inf*); **herschenken** *vt sep* (*inf*) siehe verschenken; **herschicken** *vt sep* to send; **jdn hinter jdm** ~ to send sb after sb; **herschleichen** *vir sep irreg* (*vi: aux sein*) **1.** to creep up; **2.** (**sich**) **hinter jdm** ~ to creep along behind sb; **hersehen** *vi sep irreg* **1.** to look here *or* this way; **zu jdm** ~ to look in sb's direction; **2. hinter jdm/etw** ~ to follow sb with one's eyes; **hersein** *vi sep irreg aux sein* (*Zusammenschreibung nur bei infin und ptp*) **1.** (*zeitlich*) **das ist schon 5 Jahre her** that was 5 years ago; **es ist schon 5 Jahre her, daß ...** it was 5 years ago that ...; **es ist kaum ein Jahr her, daß ...** it's hardly a year since ...; **wie lange ist es her?** how long ago was it?; **2.** (*herstammen*) to come from; **mit jdm/etw ist es nicht weit her** (*inf*) sb/sth is not up to much (*inf*); **3. hinter jdm/etw** ~ to be after sb/sth; **dahinter** ~**, daß jd etw tut** to be on to sb to do sth; **herspionieren*** *vi sep* **hinter jdm** ~ to spy on sb; **herstammen** *vi sep* **1.** (*abstammen*) to come from; **wo stammst du her?** where do you come from originally?; **2.** (*herrühren*) **von etw** ~ to stem from sth; **3.** (*herkommen*) **von jdm/etw** ~ to come from sb/sth.

herstellen *vt sep* **1.** (*erzeugen*) to produce; (*industriell auch*) to manufacture. **von Hand** ~ to make *or* produce sth by hand; **in Deutschland hergestellt** made in Germany.

2. (*zustande bringen*) to establish; *Kontakt auch*, (*Telec*) *Verbindung* to make.

3. (*gesundheitlich*) **jdn** to restore to health; *Gesundheit* to restore. **er ist wieder ganz hergestellt** he has quite recovered.

4. (*an bestimmten Platz*) to put *or* place here. **sich** (**zu jdm**) ~ to come over (to sb).

Hersteller(in *f*) *m* **-s, -** (*Produzent*) manufacturer; (*im Verlag*) production manager.

Herstellerfirma *f* manufacturing firm, manufacturer.

Herstellung *f, no pl* **1.** *siehe vt 1.* production; manufacture. **2.** *siehe vt 2.* establishment; making. **3.** (*im Verlag*) production department.

Herstellungskosten *pl* manufacturing *or* production costs *pl*; **Herstellungsland** *nt* country of manufacture; **Herstellungspreis** *m* prime cost.

hertragen *vt sep irreg* **1.** (*an bestimmten Ort*) to carry here; **2. etw vor/hinter jdm/etw** ~ to carry sth in front of/behind sb/sth; **hertrauen** *vr sep* to dare to come here.

Hertz *nt* **-, -** (*Phys, Rad*) hertz.

herüber *adv* over here; (*über Fluß, Straße, Grenze*) across. ~ **und hinüber** to and fro, back and forth; **da** ~ over/across there.

herüber- *pref siehe auch* **rüber-** over; (*über Straße, Fluß, Grenze*) across; **herüberbitten** *vt sep irreg* to ask (to come) over; **herüberbringen** *vt sep irreg* to bring over/across (*über etw (acc)* sth); **herüberdürfen** *vi sep irreg* to be allowed (to come) over/across; **herüberfahren** *sep irreg* **I** *vi aux sein* to come *or* (*mit Auto*) drive over/across (*über etw (acc)* sth); **II** *vt* (*über etw (acc)* sth) *Auto* to drive over/across; *Fahrgast, Güter* to take over/across; **herübergeben** *vt sep irreg* to pass (*über +acc* over); **herüberholen** *vt sep* to fetch; **jdn** to fetch over; **herüberkommen** *vi sep irreg aux sein* to come over/across (*über etw (acc)* sth); (*inf: zu Nachbarn*) to pop round (*inf*); **wie sind die Leute** (*über die Mauer/den Fluß*) **herübergekommen?** how did the people get over (the wall)/across (the river)?; **herüberlassen** *vt sep irreg* to allow (to come) over/across (*über etw (acc)* sth); (*aus Land*) to allow (to come) out; **herüberlaufen** *vi sep irreg aux sein* to run over/across (*über etw (acc)* sth); **herüberreichen** *sep* **I** *vt siehe* herübergeben; **II** *vi* to reach across (*über etw (acc)* sth); **herüberretten** *vt sep* **etw in die Gegenwart** ~ to preserve sth; **herüberschicken** *vt sep* over/across; **herüberschwimmen** *vi sep irreg aux sein* to swim across (*über etw (acc)* sth); **herübersehen** *vi sep irreg* to look over (*über etw (acc)* sth); **zu jdm** ~ to look over/across to sb; **herüberwechseln** *vi sep aux sein or haben* (*Tiere*) to cross (*über etw (acc)* sth); **in unsere Partei/unseren Verein** ~ to join our party/club, to swap parties/clubs (and join ours); **herüberwehen** *sep* (*über etw (acc)* sth) **I** *vi* **1.** (*Wind*) to blow over/across; **2.** *aux sein* (*Klang*) to be blown over/across; (*Duft*) to waft over/across; **II** *vt* to blow over/across; **herüberwerfen** *vt sep irreg* to throw over/across (*über etw (acc)* sth); **herüberwollen** *vi sep* to want to come over/across (*über etw (acc)* sth); **herüberziehen** *vt sep irreg* (*über etw (acc)* sth) to pull over/across; (*fig*) to win over.

herum *adv* **1.** (*örtlich richtungsangebend*) **um ...** ~ (a)round; **links/rechts** ~ (a)round to the left/right; **hier/dort** ~ (a)round here/there; **oben** ~ (*über Gegenstand, Berg*) over the top; (*in bezug auf Körper*) round the top; **sie ist oben** ~ **ziemlich füllig** she's quite well endowed (*hum*); **unten** ~ (*um Berg, in bezug auf Körper*) around the bottom; **oben/unten** ~ **fahren** to take the top/lower road; **wasch dich auch unten** ~ (*euph*) don't forget to wash down below; **verkehrt** ~ the wrong way round; (*hinten nach vorn*) back to front; (*links nach außen*) inside out; (*oben nach unten*) upside down; **immer um etw** ~ round and round sth.

2. (*kreisförmig angeordnet, in der Nähe*) **um ...** ~ around; **hier** ~ (a)round here; (*in der Nähe auch*) hereabouts.

3. um ... ~ (*ungefähre Mengenangabe*) about, around; (*Zeitangabe*) (at) about *or* around; *siehe auch* herumsein.

herum- *pref siehe auch* **umher-, rum-** (a)round; **herumalbern** *vi sep* (*inf*) to fool *or* lark (*inf*) around; **herumärgern** *vr sep* (*inf*) **sich mit jdm/etw** ~ to keep struggling with sb/sth; **herumbekommen** *vt sep irreg* (*inf*) jdn to talk round; **herumblättern** *vi sep* (**in einem Buch**) ~ to leaf *or* browse through a book; **herumbringen** *vt sep irreg* Zeit to get through; **herumbrüllen** *vi sep* to yell; **herumbummeln** *vi sep* (*inf*) **1.** (*trödeln*) to mess about (*inf*); **2.** aux sein (*spazieren*) to stroll (a)round (*in etw* (*dat*) sth); **herumdoktern** *vi sep* (*inf*) **an jdm/einer Krankheit/einer Wunde** ~ to try to cure sb/an illness/heal a wound (*unsuccessfully, using many different remedies*); **an etw** (*dat*) ~ (*fig*) to fiddle *or* tinker about with sth; **herumdrehen** *sep* **I** *vt Schlüssel* to turn; (*wenden*) Decke, Tuch, Braten to turn (over); **jdm das Wort im Mund** ~ to twist sb's words; **II** *vr* to turn (a)round; (*im Liegen*) to turn over; **herumdrücken** *sep* **I** *vr* (*inf*) **1.** (*sich aufhalten*) to hang (a)round (*inf*) (*um etw* (*dat*) sth); **2.** (*vermeiden*) **sich um etw** ~ to dodge sth; **II** *vt Hebel* to turn; **herumdrucksen** *vi sep* (*inf*) to hum and haw (*inf*); **herumerzählen*** *vt sep* **etw bei jdm** ~ to tell sb about sth; **erzähl das nicht herum** don't spread that around; **herumfahren** *sep irreg* **I** *vi aux sein* **1.** (*umherfahren*) to go *or* travel *or* (*mit Auto*) drive around; **in der Stadt** ~ to go/drive (a)round the town; **2.** (*um etw herumfahren*) to go *or* (*mit Auto*) drive *or* (*mit Schiff*) sail (a)round; **3.** (*sich rasch umdrehen*) to turn round quickly, to spin (a)round; **4.** *auch aux haben* **sich** (*dat*) (**mit den Händen**) **in den Haaren/im Gesicht** ~ to run one's fingers through one's hair/to wipe one's face; **II** *vt* to drive (a)round; **herumfingern** *vi sep* (*inf*) **an etw** (*dat*) ~ to fiddle about with sth; (*an Körperteil*) to finger sth; **herumflegeln** *vi sep* to loll about *or* around; **herumfliegen** *sep irreg* **I** *vi aux sein* to fly around (*um jdn/etw* sb/sth); (*inf: herumliegen*) to be kicking around (*inf*); **II** *vt jdn* to fly about *or* around; **herumfragen** *vi sep* (*inf*) to ask around (*bei* among); **herumfuchteln** *vi sep* (*inf*) (**mit den Händen**) ~ to wave one's hands about *or* around; **mit einer Pistole** ~ to wave a pistol around, to brandish a pistol; **herumführen** *sep* **I** *vt* **1.** jdn, Tier to lead around (*um etw* sth); (*bei Besichtigung*) to take *or* show (a)round; **jdn in einer Stadt/im Haus** ~ to take *or* show sb (a)round a town/the house; **jdn an der Nase** ~ to lead sb up the garden path; **2.** (*leiten, dirigieren*) **jdn/etw um etw** ~ to direct sb/sth around sth; **3.** (*bauen*) **etw um etw** ~ to build *or* take sth (a)round sth; **II** *vi* **um etw** ~ to go (a)round sth; **herumfuhrwerken** *vi sep* (*inf*) to bustle about, to busy oneself; **herumfummeln** *vi sep* (*inf*) (**an** +*dat* with) to fiddle *or* fumble about; (*an Auto*) to mess about; (*basteln*) to tinker (about); **herumgeben** *vt sep irreg* to hand *or* pass (a)round; **herumgehen** *vi sep irreg aux sein* (*inf*) **1.** (*um etw herumgehen*) to walk *or* go (a)round

(*um etw* sth); **2.** (*ziellos umhergehen*) to go *or* wander (a)round (*in etw* (*dat*) sth); **es ging ihm im Kopf herum** it went round and round in his head; **3.** (*von einem zum andern gehen: Mensch*) to go (a)round; (*herumgereicht werden*) to be passed *or* handed (a)round; (*weitererzählt werden*) to go around (*in etw* (*dat*) sth); **etw** ~ **lassen** to circulate sth; **4.** (*zeitlich: vorbeigehen*) to pass; **herumgeistern** *vi sep aux sein* (*inf*) (*Gespenster*) to haunt (*in etw* (*dat*) sth); (*Mensch*) to wander (a)round; **in jds Kopf** ~ (*Idee*) to possess sb; **herumhaben** *vt sep irreg* (*inf*) **1.** Zeit to have finished; **2.** (*überredet haben*) to have talked round; **herumhacken** *vi sep* (*fig inf*) **auf jdm** ~ to pick on sb (*inf*); **herumhängen** *vi sep irreg* **1.** (*inf: unordentlich aufgehängt sein*) to hang around; **2.** (*inf: sich lümmeln*) to loll about; **3.** (*sl: ständig zu finden sein*) to hang out (*inf*); **herumhorchen** *vi sep* (*inf*) to keep one's ears open; **herumhuren** *vi sep* (*sl*) to whore around (*sl*); **herumirren** *vi sep aux sein* to wander around; **herumkommandieren*** *sep* (*inf*) **I** *vt* to order about, to boss around *or* about (*inf*); **II** *vi* to give orders; **herumkommen** *vi sep irreg aux sein* (*inf*) **1.** (*um eine Ecke*) to come round (*um etw* sth); **2.** (*herumgehen, herumfahren können*) to get round (*um etw* sth); **3.** (*vermeiden können*) **um etw** ~ to get out of *or* avoid sth; **darum** ~**, etw zu machen** to get out of *or* avoid doing sth; **wir kommen um die Tatsache nicht herum, daß ...** we cannot get away from *or* overlook the fact that ...; **4.** (*reisen*) to get about *or* around (*in etw* (*dat*) sth); **er ist viel** *or* **weit herumgekommen** he has got around a great deal, he has seen a lot of the world; **herumkramen** *vi sep* (*inf*) to rummage about *or* around; **herumkrebsen** *vi sep* (*inf*) **1.** (*sich verzweifelt bemühen*) to struggle; **2.** (*sich unwohl fühlen*) to drag oneself around *or* about (*inf*); **herumkriechen** *vi sep irreg aux sein* (*inf*) to crawl about *or* around (*um etw* sth); **herumkriegen** *vt sep* (*inf*) siehe **herumbekommen**; **herumkritteln** *vi sep* to find fault (*an* +*dat* with), to pick holes (*an* +*dat* in); **herumkutschieren*** *vti sep* (*vi: aux sein*) to drive (a)round; **herumlaborieren*** *vi sep* (*inf*) **an etw** (*dat*) ~ to try to get rid of sth; **herumlaufen** *vi sep irreg aux sein* (*inf*) (*um etw herumlaufen*) to run round (*um etw* sth); (*umherlaufen*) to run *or* go about *or* around; **so kannst du doch nicht** ~ (*fig inf*) you can't run *or* go around (*looking*) like that; **herumliegen** *vi sep irreg* (*inf*) to lie around *or* about (*um etw* sth); **herumlümmeln** *vir sep* (*inf*) to loll around; **herumlungern** *vi sep* (*inf*) to hang about *or* around; **herummachen** *sep* (*inf*) **I** *vi* **1.** (*herumfingern*) **an etw** (*dat*) ~ to pick at sth; (*an den Haaren*) to fiddle with sth; **2.** (*herumnörgeln*) **an**

jdm/etw ~ to go on at sb/about sth (inf);
II vt to put (a)round (um etw sth);
herumnörgeln vi sep an jdm/etw ~ to
find fault with sb/sth; **herumpusseln** vi
sep (inf) to fiddle about (an +dat with);
herumquälen vr sep (inf) to struggle;
(mit Problemen) to worry oneself sick
(mit over) (inf); **sich mit Rheuma** ~ to
be plagued by rheumatism;
herumrätseln vi sep (an etw dat) ~ to
(try to) figure sth out; **herumreden** vi
sep (inf) (belangloses Zeug reden) to talk
or chat away; **um etw** ~ (ausweichend)
to talk (a)round sth; **herumreichen** vt
sep (herumgeben) to pass round; (fig inf)
Besucher to show off; **herumreisen** vi
sep aux sein to travel about;
herumreißen vt sep irreg to pull or
swing round (hard); **das Steuer** ~ (fig)
to change or alter course; **herumreiten**
vi sep irreg 1. aux sein (umherreiten) to
ride around or about; (um etw herumreiten) to ride (a)round (um etw sth); 2. (fig
inf) **auf jdm/etw** ~ to keep on at sb/
about sth; **herumrennen** vi sep irreg
aux sein (inf) (um etw herumrennen) to
run round (um etw sth); (umherrennen)
to run about or around;
herumscharwenzeln* vi sep aux sein
(inf) to dance attendance (um on);
herumschicken vt sep (inf) jdn to send
round (bei to); Brief to circulate;
herumschlagen sep irreg I vt Papier,
Tuch to wrap round (um etw sth); II vr
(inf) **sich mit jdm** ~ (lit) to fight or
scuffle with sb; (fig) to fight a running
battle with sb; **sich mit etw** ~ (fig) to
keep struggling with sth;
herumschleichen vi sep irreg aux sein
to creep (a)round (um etw sth);
herumschlendern vi sep aux sein to
stroll or saunter about (in der Stadt (in)
the town); **herumschleppen** vt sep (inf)
Sachen to lug around (inf); jdn to drag
around; **etw mit sich** ~ Kummer, Sorge,
Problem to be troubled or worried by
sth; Krankheit, Infektion to be going
around with sth; **herumschnüffeln** vi
sep (inf) to sniff around (in etw (dat)
sth); (fig) to snoop around (in +dat in);
herumschreien vi sep irreg (inf) to
shout out loud; **herumschwirren** vi sep
aux sein (inf) **sie muß hier irgendwo** ~
she must be floating around here somewhere (inf); **herumsein** vi sep irreg aux
sein (inf) (Zusammenschreibung nur bei
infin und ptp) 1. (vorüber sein) to be
past or over; 2. (verbreitet worden sein:
Gerücht, Neuigkeit, Nachricht) to have
got (a)round; 3. (in jds Nähe sein) **um
jdn** ~ to be (a)round sb; 4. (um etw gelaufen, gefahren sein) to be round (um
etw sth); **herumsitzen** vi sep irreg aux
haben or sein to sit round (um jdn/etw
sb/sth); **herumspielen** vi sep (inf) **mit
etw** ~ to play about or around with sth;
an etw (dat) ~ to fiddle about or around
with sth; **herumsprechen** vr sep irreg to
get about; **es dürfte sich herumgespro-
chen haben, daß** ... it has probably got
about that ...; **herumspuken** vi sep to
haunt; **die Idee spukt jdm im Kopf** or **in**

jds Kopf herum sb has the idea;
herumstehen vi sep irreg aux haben or
sein 1. (Sachen) to be lying around; 2.
(Menschen) to stand (a)round (um jdn/
etw sb/sth); **herumstöbern** vi sep (inf)
1. (suchen) to rummage around or
about; 2. (herumschnüffeln) to snoop
around; **herumstochern** vi sep (inf) to
poke about; **im Essen** ~ to pick at one's
food; **in den Zähnen** ~ to pick one's
teeth; **herumstoßen** vt sep irreg jdn to
shove around; **herumstreichen** vi sep
irreg aux sein (um jdn/etw sb/sth) to
creep around; (Verbrecher, Katze) to
prowl around; **herumstreiten** vr sep irreg to squabble; **herumstreunen,
herumstrolchen** vi sep aux sein (inf) to
prowl around; **herumstromern** vi sep
aux sein (inf) to wander or roam about
or around; **herumtanzen** vi sep aux sein
(inf) (umhertanzen) to dance around;
um jdn/etw ~ to dance (a)round sb/sth;
sie tanzt ihm auf der Nase herum she
does as she pleases or likes with him;
herumtasten vi sep 1. (tastend fühlen)
to grope around or about; 2. aux sein
(inf: tastend gehen) to grope around or
about; **herumtoben** vi sep (inf) 1. auch
aux sein (umherlaufen) to romp around
or about; 2. (schimpfen) to shout and
scream; **herumtragen** vt sep irreg (inf)
1. to carry about or (a)round; **Sorgen
mit sich** ~ to have worries; **eine Idee mit
sich** ~ to be contemplating an idea, to
be thinking about an idea; 2. (weiter-
erzählen) to spread around;
herumtrampeln vi sep aux sein (inf) to
trample (auf +dat on); **jdm auf den Nerven** or **auf jds Nerven** ~ to get on sb's
nerves; **auf jdm** ~ (fig) to walk all over
somebody; **herumtreiben** vr sep irreg
(inf) (herumziehen in) to hang around or
about (in +dat in) (inf); (liederlich leben) to hang around or about in bad
places/company; **die treibt sich mal wieder irgendwo in Spanien herum** she's off
gadding about in Spain again (inf); **sich
mit jdm** ~ to hang or knock around with
sb (inf).

Herumtreiber(in f) m -s, - (pej) 1.
(Mensch ohne feste Arbeit, Wohnsitz)
tramp. 2. (f) (Streuner) vagabond.
herumtrödeln vi sep (inf) to dawdle (mit
over); **herumturnen** vi sep aux sein
(inf) to clamber or scramble about;
herumwälzen sep I vt Stein to turn
over; II vr to roll around; **sich (schlaflos)
im Bett** ~ to toss and turn in bed;
herumwerfen sep irreg I vt 1. (achtlos
werfen) to throw around (in etw (dat)
sth); 2. (heftig bewegen) Kopf to turn
(quickly), Steuer, Hebel to throw
around; II vr to roll over; **sich (im Bett)**
~ to toss and turn (in bed);
herumwickeln vt sep (um etw sth) to
wrap (a)round; Schnur, Faden to wind
(a)round; **herumwirbeln** vti sep (vi:
aux sein) jdn or mit jdm ~ to whirl or
spin sb (a)round; **herumwühlen** vi sep
(inf) to rummage about or around;
(Schwein) to root around; (herumschnüffeln) to nose or snoop about or

around; **herumzeigen** *vt sep* to show around; **herumziehen** *sep irreg* **I** *vi aux sein (von Ort zu Ort ziehen)* to move around; *(inf: sich herumtreiben in)* to go around *(in etw (dat)* sth); **in der Welt ~** to roam the world; **mit jdm ~** *(inf)* to go *or* hang around with sb; **II** *vr* **sich um etw ~** *(Hecke)* to run (a)round sth; **herumziehend** *adj attr Händler* itinerant; *Musikant, Schauspieler* wandering, strolling.

erunten *adv (S Ger, Aus)* down here.

herunter *adv* down. **~!** get down!; **~ mit euch** get/come down; **~ mit ihm** get him down; **~ damit** get *or* bring it down; *(in bezug auf Kleider)* get *or* take it off; **da/ hier ~** down there/here; **vom Berg ~** down the mountain; **vom Himmel ~** down from heaven; **bis ins Tal ~** down into the valley.

    II *prep +acc (nachgestellt)* down.

herunter- *pref siehe auch* **runter-, herab-** down; **herunterbekommen** *vt sep irreg siehe* **herunterkriegen; herunterbitten** *vt sep irreg* **jdn ~** to ask sb to come down; **herunterbrennen** *vi sep irreg* **1.** *(Sonne)* to burn *or* scorch down; **2.** *aux sein (Haus, Feuer)* to burn down; **herunterbringen** *vt sep irreg* **1.** to bring down; **2.** *(zugrunde richten)* to ruin; **herunterdrücken** *vt sep irreg Hebel, Pedal* to press down; *Preise* to force *or* bring down; *Niveau* to lower; **herunterfahren** *sep irreg* **I** *vi aux sein* to go down; **heruntergefahren kommen** to come down; **II** *vt* to bring down; **herunterfallen** *vi sep irreg aux sein* to fall down; **vom etw ~** to fall off sth; **heruntergeben** *vt sep irreg* to hand down; **heruntergehen** *vi sep irreg aux sein* to go down; *(Preise, Temperatur auch)* to drop; *(Preise auch)* to come down, to drop; *(Flugzeug)* to descend; **von etw ~** *(inf)* to get down from *or* get off sth; **auf etw** *(acc)* **~** *(Preise)* to go down to sth; *(Geschwindigkeit)* to slow down to sth; **mit den Preisen ~** to lower *or* cut one's prices; **heruntergekommen** *adj Haus* dilapidated; *Stadt* run-down; *Mensch* down-at-heel; **herunterhandeln** *vt sep (inf) Preis* to beat down; **etw um 20 Mark ~** to get 20 marks knocked off sth; **herunterhängen** *vi sep irreg* to hang down; *(Haare)* to hang; **herunterhauen** *vt sep irreg (inf)* **1. jdm eine ~** to give sb a clip round the ear *(inf)*; **2.** *(schnell machen)* to dash *or* knock off *(inf)*; **herunterhelfen** *vi sep irreg* **jdm ~** to help sb down; **herunterholen** *vt sep* to fetch down; *(inf) Vogel* to bring down, to bag; *Flugzeug* to bring down; **herunterklappen** *vt sep* to turn down; *Sitz* to fold down; *Deckel* to close; **herunterklettern** *vi sep aux sein* to climb down; **herunterkommen** *vi sep irreg aux sein* **1.** *(nach unten kommen)* to come down; *(inf: herunterkönnen)* to get down; **2.** *(fig inf: verfallen)* *(Stadt, Firma)* to go downhill; *(Wirtschaft)* to go to rack and ruin; *(gesundheitlich)* to become run-down; **er ist so weit heruntergekommen, daß ...** *(sittlich)* he has sunk

so low that ...; **3.** *(fig inf: von etw wegkommen)* *(von schlechten Noten)* to get over *(von etw* sth); **von Drogen/ Alkohol ~** to kick the habit *(sl)*; **herunterkönnen** *vi sep irreg* to be able to get down; **herunterkriegen** *vt sep (inf)* *(herunterholen, schlucken können)* to get down; *(abmachen können)* to get off; **herunterkurbeln** *vt sep Fensterscheibe* to wind down; **herunterlassen** *sep irreg* **I** *vt (abseilen) Gegenstand* to let down, to lower; *Hose* to take down; *jdn* to lower; **II** *vr (am Seil)* to lower oneself; **herunterleiern** *vt sep (inf)* to reel off; **heruntermachen** *vt sep (inf)* **1.** *(schlechtmachen)* to run down, to knock *(inf)*; **2.** *(zurechtweisen)* to tell off; **3.** *(abmachen)* to take down; *Schminke, Farbe, Dreck* to take off; **herunternehmen** *vt sep irreg* to take down; *(inf: von Schule)* to take away; **etw vom Tisch ~** to take sth off the table; **herunterputzen** *vt sep (inf)* **jdn ~** to tear sb off a strip *(inf)*; **herunterrasseln** *vt sep (inf)* to rattle *or* reel off; **herunterreichen** *sep* **I** *vt* to pass *or* hand down; **II** *vi* to reach down; **herunterreißen** *vt sep irreg (inf)* **1.** *(von oben nach unten)* to pull *or* tear down; **2.** *(abreißen) Pflaster, Tapete* to pull off; **3.** *(sl) Zeit* to get through); **herunterschalten** *vi sep (Aut)* to change *or* shift *(US)* down *(in +acc* into); **herunterschießen** *sep irreg* **I** *vti (mit Geschoß)* to shoot down; **II** *vi aux sein (inf: sich schnell bewegen)* to shoot down; **herunterschlagen** *vt sep irreg* **1. jdm den Hut ~** to knock sb's hat off; **etw vom Baum ~** to knock sth off the tree; **2.** *Kragen, Hutkrempe* to turn down; **herunterschlucken** *vt sep* to swallow; **herunterschrauben** *vt sep (lit) Deckel* to screw off; *Petroleumlampe* to turn down; *(fig) Ansprüche, Niveau* to lower; **heruntersehen** *vi sep irreg* **1.** *(von oben)* to look down; **2.** *(fig: mustern)* **an jdm ~** to look sb up and down; **3.** *(fig: geringschätzig behandeln)* **auf jdn ~** to look down on sb; **heruntersein** *vi sep irreg aux sein (inf) (Zusammenschreibung nur bei* infin *und* ptp*)* **1.** *(von oben)* to be down; **2.** *(heruntergelassen sein)* to be down; **3.** *(abgeschnitten sein)* to be (cut) off; **4.** *(Fieber, Preise)* to be lower *or* down; **wenn die 5 Kilo Übergewicht herunter sind** when I/you etc have lost those 5 kilos excess weight; **5.** *(inf)* **mit den Nerven/der Gesundheit ~** to be at the end of one's tether/to be run-down; **6.** *(abgewirtschaftet haben)* to be in a bad way; **herunterspielen** *vt sep (inf) Stück* to run through; *(verharmlosen) Problem, Vorfall* to play down; **heruntersteigen** *vi sep irreg aux sein* to climb down; **herunterstürzen** *sep* **I** *vi aux sein (herunterfallen)* to fall *or* tumble down; *(inf: heruntereilen)* to rush down; **II** *vt* **1. jdn ~** to throw/push sb down; **2.** *(inf: schnell trinken)* to gulp down; **III** *vr* to throw oneself down; **herunterwerfen** *vt sep irreg* to throw down; *(unabsichtlich)* to drop;

herunterwirtschaften vt sep (inf) to bring to the brink of ruin; **herunterwollen** vi sep (inf) to want to get down; **herunterziehen** sep irreg **I** vt **1.** to pull down; *Pullover* to pull off; etw von etw ~ to pull sth off sth; **2.** (fig) jdn auf sein Niveau/zu sich ~ to pull sb down to one's own level; **II** vi aux sein to go or move down; **III** vr to go down.

hervor adv aus etw ~ out of sth; hinter dem Tisch ~ out from behind the table; ~ mit euch (geh) out you come.

hervorbrechen vi sep irreg aux sein (geh) to burst or break out; (Sonne, fig: Gefühl) to break through; (Quelle, Flüssigkeit) to gush out or forth (liter); **hervorbringen** vt sep irreg **1.** to produce; Blüten, Früchte, Pflanzen auch to bring forth; Worte to utter; **2.** (verursachen) Unheil, Böses to create; **hervorgehen** vi sep irreg aux sein **1.** (geh: entstammen) to come (aus from); aus der Ehe gingen zwei Kinder hervor the marriage produced two children; **2.** (sich ergeben, zu folgern sein) to follow; daraus geht hervor, daß ... from this it follows that ...; **3.** (etwas überstehen) to emerge; als Sieger ~ to emerge victorious; aus etw ~ to come out of sth; **hervorgucken** vi sep (inf) to peep out (unter +dat (from) under); **hervorheben** vt sep irreg to emphasize, to stress; **hervorholen** vt sep to bring out; **hervorkehren** vt sep (geh) to emphasize; er kehrt immer den feinen Mann hervor he always emphasizes what a gentleman he is; **hervorkommen** vi sep irreg aux sein to come out (hinter +dat from behind); **hervorlocken** vt sep to entice or lure out (aus from, hinter +dat from behind); **hervorquellen** vi sep irreg aux sein (Wasser) to gush forth (aus from) (liter); (Tränen) to well up (aus in); (Blut) to spurt out (aus of); (Körperfülle) to bulge or protrude (aus from, unter +dat from under); **hervorragen** vi sep **1.** (Felsen, Stein) to jut out, to project; (Nase) to protrude; **2.** (fig: sich auszeichnen) to stand out; er ragt unter den anderen/durch seine Intelligenz hervor he stands out from the others/because of his intelligence; **hervorragend** adj **1.** (lit: vorstehend) projecting; esp Körperteil protruding; **2.** (fig: ausgezeichnet) excellent; Mensch, Leistung auch outstanding; er hat H~es geleistet his achievement was outstanding; **hervorrufen** vt sep irreg (bewirken) to cause, to give rise to; Bewunderung to arouse; Reaktion, Krankheit to cause; Eindruck to create; **hervorsehen** vi sep irreg (Unterrock) to show; (Mensch) to look out; hinter etw (dat) ~ (Mond, Sterne) to shine out from behind sth; **hervorspringen** vi sep irreg aux sein **1.** to jump or leap out (hinter +dat from behind); **2.** (Felsen) to project, to jut out; (Nase) to protrude, to stick out; **hervorsprudeln** vi sep aux sein to bubble or gush out; (Worte) to gush (out); **hervorstehen** vi sep irreg aux sein (Spitze) to project, to jut out; (Nase,

Ohren) to stick out; **hervorstoßen** vt sep irreg (fig) Worte to gasp (out); **hervortreten** vi sep irreg aux sein **1.** (heraustreten) to step out, to emerge (hinter +dat from behind); (Backenknochen) to protrude; (Adern) to bulge; (Sonne, Mond) to emerge (hinter +dat, aus from behind); **2.** (sichtbar werden) to stand out; (fig auch) to become evident; **3.** (an die Öffentlichkeit treten) to come to the fore; **hervortun** vr sep irreg to distinguish oneself; (inf: sich wichtig tun) to show off (mit etw sth); **hervorwagen** vr sep to dare to come out; **hervorzaubern** vt sep (lit, fig) to conjure up; **hervorziehen** vt sep irreg to pull out (unter +dat from under); etw aus/zwischen etw (dat) ~ to pull sth out of/from among sth.

herwagen vr sep to dare to come; **herwärts** adv on the way here; **Herweg** m way here; auf dem ~ on the way here.

Herz nt -ens, -en **1.** (Organ, ~förmiges, Cook) heart. mir schlug das ~ bis zum Hals my heart was thumping or pounding, my heart was in my mouth; sein ~ schlug höher his heart leapt; die ~en höher schlagen lassen to make people's hearts beat faster; er drückte sie an sein ~ he clasped her to his breast.

2. (Gemüt, Gefühl) heart. ein goldenes ~ a heart of gold; ein gutes ~ haben to be good-hearted, to have a good heart; leichten/schweren/traurigen ~ens light-heartedly or with a light heart/with a heavy/sad heart; es gab mir einen Stich ins ~ it hurt me; (stimmte traurig) it saddened me; es ging mir bis ins ~ it cut me to the quick; (stimmte traurig) it saddened me very much; seinem ~en Luft machen to give vent to one's feelings; sich (dat) etw vom ~en reden to get sth off one's chest; den Weg in die or zu den ~en finden to find one's way into people's hearts; alle ~en im Sturm erobern to capture people's hearts; du sprichst mir aus dem ~en that's just what I feel; jdm das ~ schwer machen to sadden or grieve sb; mir ist das ~ schwer I have a heavy heart; haben Sie doch ein ~! have a heart!; im Grund seines ~ens in his heart of hearts; aus tiefstem ~en from the bottom of one's heart; mit ganzem ~en wholeheartedly; er ist mit ganzem ~en bei der Arbeit he is putting himself heart and soul into his work; ohne ~ heartless; ich weiß, wie es dir ums ~ ist I know how you feel; es wurde ihr leichter ums ~ she felt easier or relieved; es ging mir zu ~en it touched me deeply.

3. (Liebe) heart. mein ~ gehört dir/ der Musik my heart belongs to you/to music; jdm sein ~ schenken to give sb one's heart; dieser Hund ist mir ans ~ gewachsen I have grown fond of or become attached to this dog; ein ~ für jdn/etw haben to be fond of sb/sth; habt ein ~ für die Armen spare a thought for the poor; sein ~ für etw entdecken to start liking sth; er hat sie in sein ~ geschlossen he has grown fond of her; sein

~ **an jdn/etw hängen** to commit oneself heart and soul to sb/sth; **jds ~ hängt an jdm/etw** sb is committed heart and soul to sb/sth; (*an Geld*) sb is preoccupied with sth; **die Dame seines ~ens** the lady of his dreams.
4. (*liter: Mut*) heart, courage. **sich** (*dat*) **ein ~ fassen** *or* **nehmen** to take heart; **ihm rutschte** *or* **fällt das ~ in die Hose(ntasche)** (*inf*) his heart sank.
5. (*Inneres: von Salat, Stadt, Land*) heart.
6. *pl* - (*Cards*) (*no pl: Farbe*) hearts *pl*; (*~karte*) heart.
7. (*old: Kosewort*) dear (heart).
8. (*Redewendungen*) **ein ~ und eine Seele sein** to be the best of friends; **alles, was das ~ begehrt** everything one's heart desires; **mir blutet das ~, mein ~ blutet** my heart bleeds (*auch iro*); **es zerreißt mir das ~** it breaks my heart; **jds ~ brechen/gewinnen/stehlen** to break/win/steal sb's heart; **gib deinem ~en einen Stoß!** go on!; **er hat das ~ auf dem** *or* **am rechten Fleck** his heart is in the right place; **mir lacht das ~ im Leibe** my heart leaps with joy; **das ~ auf der Zunge tragen** to speak one's mind; **jdm dreht sich das ~ im Leib um/jdm tut das ~ im Leibe weh** sb feels sick at heart; **es liegt mir am ~en** I am very concerned about it; **jdm etw ans ~ legen** to entrust sth to sb; **ich lege es dir ans ~, das zu tun** I (would) ask you particularly to do that; **etw auf dem ~en haben** to have sth on one's mind; **jdn/etw auf ~ und Nieren prüfen** to examine sb/sth very thoroughly; **ein Kind unter dem ~en tragen** (*Bibl, old*) to be with child (*old*); **von ~en** with all one's heart; **etw von ~en gern tun** to love doing sth; **jdn von ~en gern haben** to love sb dearly; **jdm von ganzem ~en danken** to thank sb with all one's heart; **von ~en kommend** heart-felt; **sich** (*dat*) **etw zu ~en nehmen** to take sth to heart.

Herz- *in cpds* (*Anat, Med*) cardiac; **herzallerliebst** *adj* (*old, hum*) most charming; **Herzallerliebste(r)** *mf decl as adj* (*old, hum*) darling, dearest; **Herzanfall** *m* heart attack; **Herzas** *nt* ace of hearts; **herzbeklemmend** *adj* oppressive; **Herzbeklemmung** *f* **~en bekommen** to feel as if one cannot breathe; **Herzbeschwerden** *pl* heart trouble *sing*; **Herzbeutel** *m* pericardium; **herzbewegend** *adj* heart-rending; **Herzblatt** *nt* **1.** (*Bot*) grass of Parnassus; **2.** (*dated inf*) darling; **herzblättrig** *adj* heart-shaped; **Herzblut** *nt* (*poet*) life-blood; **Herzbube** *m* jack *or* knave of hearts.
Herzchen *nt* little heart; (*inf: Kosewort*) (little) darling.
Herzchirurg(in *f*) *m* heart *or* cardiac surgeon; **Herzchirurgie** *f* heart *or* cardiac surgery; **Herzdame** *f* **1.** (*Cards*) queen of hearts; **2.** (*old, hum: Angebetete*) beloved.
herzeigen *vt sep* to show. **zeig (mal) her!** let me see, let's see; **das kann man ~** that's worth showing off.

Herzeleid *nt* (*old*) heartache.
herzen *vt* (*dated*) to hug.
Herzensangelegenheit *f* (*dated*) affair of the heart, affaire de cœur; **Herzensbedürfnis** *nt* (*dated*) **es ist mir ein ~** it is a matter dear to my heart; **Herzensbildung** *f* (*geh*) nobleness of heart; **Herzensbrecher(in** *f*) *m* **-s, -** (*fig inf*) heart-breaker; **Herzensfreude** *f* (*dated*) **es ist mir eine ~** it warms my heart; **herzensgut** *adj* good-hearted; **Herzensgüte** *f* good-heartedness; **Herzenslust** *f* **nach ~** to one's heart's content; **Herzenswunsch** *m* dearest wish.
herzerfreuend *adj* heart-warming; **herzerfrischend** *adj* refreshing; **herzergreifend** *adj* heart-rending; **herzerquickend** *adj* refreshing; **herzerwärmend** *adj* heart-warming; **herzerweichend** *adj* heart-rending; **Herzerweiterung** *f* cardiectasis (*spec*), dilation of the heart; **Herzfehler** *m* cardiac *or* heart defect; **Herzflattern** *nt* **-s,** *no pl* palpitations *pl* (of the heart); **Herzflimmern** *nt* **-s,** *no pl* heart flutter; (*Kammerflimmern*) (ventricular) fibrillation; **~ haben** to have a heart flutter/to be in fibrillation; **ich habe ~** (*fig*) my heart misses *or* skips a beat; **herzförmig** *adj* heart-shaped; **Herzgeräusche** *pl* heartbeats *pl*; **herzhaft** *adj* **1.** (*dated: mutig*) brave; **2.** (*kräftig*) hearty; *Händedruck, Griff* firm; *Geschmack* strong; **~ gähnen** to yawn widely; **alle packten ~ zu** everyone got stuck in (*inf*); **das schmeckt ~** that's tasty; **3.** (*nahrhaft*) *Essen* substantial.
herziehen *sep irreg* **I** *vt* to draw *or* pull closer *or* nearer. **jdn/etw hinter sich** (*dat*) ~ to pull *or* drag sb/sth (along) behind one.
II *vi* **1.** *aux sein* (*herankommen*) to approach. **hinter/neben/vor jdm ~** to march along behind/beside/in front of sb.
2. *aux sein* (*umziehen*) to move here.
3. *aux sein* **über jdn/etw ~** (*inf*) to pull sb/sth to pieces (*inf*).
herzig *adj* delightful, sweet.
Herzinfarkt *m* heart attack, cardiac infarction (*spec*); **Herzinsuffizienz** *f* cardiac insufficiency; **Herz-Jesu-Bild** *nt* Sacred Heart painting; **Herzkammer** *f* ventricle; **Herzkirsche** *f* (*bigarreau*) cherry; **Herzklappe** *f* cardiac *or* heart valve; **Herzklappenfehler** *m* valvular heart defect; **Herzklopfen** *nt* **-s,** *no pl* **ich hatte/bekam ~** my heart was/started pounding; (*durch Kaffee*) I had/got palpitations; **mit ~** with a pounding heart, with one's heart in one's mouth; **Herzkrampf** *m* heart spasm; **herzkrank** *adj* suffering from a heart condition; **~ sein/werden** to have/get a heart condition; **Herzkrankheit** *f* heart condition; **Herzkranzgefäß** *nt usu pl* coronary (blood) vessel; **Herzleiden** *nt* heart condition; **herzleidend** *adj* with a heart condition.
herzlich *adj Empfang, Freundschaft* warm; *Wesen, Mensch* warm(-hearted);

Lachen hearty; *Bitte* sincere. **mit ~en Grüßen** kind regards; **~en Dank!** many thanks, thank you very much indeed; **~es Beileid!** you have my sincere *or* heartfelt sympathy *or* condolences *pl*; **zu jdm ~ sein** to be kind to sb; **eine ~e Bitte an jdn richten** to make a cordial request to sb; **~ gern!** with the greatest of pleasure!; **~ schlecht** pretty awful; **~ wenig** precious little; **ich habe es ~ satt** I am thoroughly *or* utterly sick of it, I'm sick and tired of it.

Herzlichkeit *f siehe adj* warmth; warm (-hearted)ness; heartiness; sincerity.

Herzliebchen *nt* (*old*) sweetheart, dearest; **Herzlinie** *f* heart line; **herzlos** *adj* heartless, unfeeling; **Herzlosigkeit** *f* heartlessness *no pl*; **Herz-Lungen-Maschine** *f* heart-lung machine; **Herzmassage** *f* heart massage; **Herzmittel** *nt* cardiac drug; **Herzmuschel** *f* (*Zool*) cockle; **Herzmuskel** *m* heart *or* cardiac muscle.

Herzog ['hɛrtsoːk] *m* **-s**, ⸚e *or* (*rare*) **-e** duke. **Otto ~ von Stein** Otto Duke of Stein, Duke Otto of Stein.

Herzogin ['hɛrtsoːgɪn] *f* duchess.

herzoglich ['hɛrtsoːklɪç] *adj attr* ducal.

Herzogswürde *f* (*Rang*) dignity *or* rank of a duke; (*Titel*) dukedom. **der König verlieh ihm die ~** the king bestowed a dukedom *or* the rank of duke upon him.

Herzogtum *nt* dukedom, duchy.

Herzpatient(in *f*) *m* heart *or* cardiac patient; **Herzrhythmus** *m* heart *or* cardiac rhythm; **Herzrhythmusstörung** *f* palpitations *pl*, cardiac disrhythmia (*spec*); **Herzschlag** *m* 1. (*einzelner*) heartbeat; **mit jedem ~** with every beat of my/his *etc* heart; 2. (*Herztätigkeit*) heart *or* pulse rate; (*fig liter*) throbbing *or* pulsating life; 3. (*Herzstillstand*) heart attack, heart failure *no indef art, no pl*; **Herzschrittmacher** *m* pacemaker; **Herzschwäche** *f* a weak heart; **wegen einer vorübergehenden ~** because my/his *etc* heart faltered for a moment; **an ~ leiden** to have a weak heart; **herzstärkend** *adj* cardiotonic (*spec*); **~ wirken** to stimulate the heart; **ein ~es Mittel** a cardiac stimulant, a cardiotonic (*spec*); **Herzstich** *m usu pl* stabbing pain in the chest; **Herzstillstand** *m* cardiac arrest; **Herzstolpern** *nt* irregular heartbeat; **Herzstück** *nt* (*fig geh*) heart, core; **Herztätigkeit** *f* heart *or* cardiac activity; **Herztod** *m* death from heart disease.

herzu- *siehe* herbei-.

Herzug *m* (*inf*) 1. (*Rail*) downtrain. 2. (*Umzug*) **seit meinem ~** since I came here, since coming here.

Herzverfettung *f* fatty degeneration of the heart; **herzzerreißend** *adj* heartbreaking, heart-rending; **~ weinen** to weep distressingly.

Hesse *m* **-n**, **-n**, **Hessin** *f* Hessian.

Hessen *nt* **-s** Hesse.

hessisch *adj* Hessian.

Hetäre *f* **-**, **-n** (*Hist*) hetaira; (*fig geh: Dirne*) courtesan.

hetero *adj pred* (*inf*) hetero (*inf*), straight (*sl*).

Hetero *m* **-s**, **-s** (*inf*) hetero (*inf*).

heterodox *adj* heterodox; **Heterodoxie** *f* heterodoxy; **heterogen** *adj* (*geh*) heterogeneous; **Heterogenität** *f* (*geh*) heterogeneity; **heteronom** *adj* (*geh*) heteronomous; **Heteronomie** *f* (*geh*) heteronomy; **Heterosexualität** *f* heterosexuality; **heterosexuell** *adj* heterosexual; **Heterosexuelle(r)** *mf decl as adj* heterosexual.

Hetz *f* **-**, (*rare*) **-en** (*Aus inf*) laugh (*inf*). **aus** *or* **zur ~** for a laugh.

Hetze *f* **-**, **-n** 1. (*Hunt*) *siehe* Hetzjagd. 2. *no pl* (*Hast*) (mad) rush, hurry; (*Getriebensein*) hustle and bustle, (mad) rush. 3. *no pl* (*pej*) (*Aufreizung*) rabble-rousing propaganda.

hetzen I *vt* 1. (*lit, fig: jagen*) to hound. **die Hunde auf jdn/etw ~** to set the dogs on(to) sb/sth.

2. (*inf: antreiben*) to rush, to hurry.

II *vr* to hurry oneself, to rush oneself.

III *vi* 1. (*sich beeilen*) to rush. **hetz nicht so** don't be in such a rush.

2. *aux sein* (*eilen*) to tear, to race, to dash. **ich bin ganz schön gehetzt, um ...** I rushed like mad to ... (*inf*), I had an awful rush to ...; **hetz nicht so** don't go so fast.

3. (*pej: Haß schüren*) to agitate, to stir up hatred; (*inf: lästern*) to say malicious things. **gegen jdn/etw ~** to agitate against *or* stir up hatred against sb/sth; **er hetzt immer gegen seinen Onkel** he's always running his uncle down *or* saying malicious things about his uncle; **sie hat so lange gehetzt, bis er ...** she kept on being nasty until he finally ...; **zum Krieg ~** to agitate for war; **gegen Minderheiten ~** to stir up hatred against minorities.

Hetzer(in *f*) *m* **-s**, **-** rabble-rouser, malicious agitator.

Hetzerei *f* 1. *no pl* (*Hast*) *siehe* Hetze 2.. 2. (*das Haßschüren*) rabble-rousing, malicious agitation, mischief-making. 3. (*hetzerische Äußerung*) rabble-rousing attack (*gegen* on). 4. (*Eile*) rush.

hetzerisch *adj* rabble-rousing *attr*, virulent.

hetzhalber *adv* (*Aus inf*) for a laugh (*inf*); **Hetzhund** *m* hound, hunting dog; **Hetzjagd** *f* 1. (*lit, fig*) hounding (*auf* +*acc* of); 2. (*fig: Hast*) rush, hurry; **es war die reinste ~** it was one mad rush.

Hetzkampagne *f* malicious campaign.

Heu *nt* **-(e)s**, *no pl* hay. **Geld wie ~ haben** (*inf*) to have pots *or* oodles of money (*inf*).

Heuboden *m*, **Heubühne** (*Sw*) *f* hayloft; **Heubündel** *nt* bundle *or* bale of hay.

Heuchelei *f* hypocrisy. **spar dir deine ~en** cut out the hypocrisy *or* cant.

heucheln I *vi* to be a hypocrite. II *vt Zuneigung, Mitleid* to feign, to simulate.

Heuchler(in *f*) *m* **-s**, **-** hypocrite.

heuchlerisch *adj* hypocritical. **~es Gerede** hypocritical talk, cant.

heuen *vi* (*dial*) to make hay. **das H~** haymaking.

heuer *adv* (*S Ger, Aus, Sw*) this year.

Heuer *f* **-**, **-n** (*Naut*) pay.

euern *vt* to sign on, to engage, to hire.

Heuernte *f* hay harvest; (*Ertrag*) hay crop.

Heuervertrag *m* contract of employment (*of seaman*).

Heuforke (*N Ger*), **Heugabel** *f* pitchfork, hayfork; **Heuhaufen** *m* haystack, hayrack.

Heulboje *f* (*Naut*) whistling buoy; (*pej inf: Popsinger*) caterwauler (*inf*); (*Kind*) wailing Willie (*sl*).

heulen *vi* 1. (*inf: weinen*) to howl, to bawl (*inf*), to wail; (*vor Schmerz*) to scream; (*vor Wut*) to howl. **ich hätte ~ können** I could have cried; **es ist einfach zum H~** it's enough to make you cry. 2. (*Flugzeug, Motor*) to roar; (*Wind auch, Tiere*) to howl; (*Sirene*) to wail.

Heulen *nt* -s, *no pl siehe vi* 1. howling, bawling, wailing. **~ und Zähneklappern** (*Bibl*) wailing and gnashing of teeth. 2. roaring; howling; wailing.

Heuler *m* -s, - 1. (*von Motor*) roar. 2. (*Feuerwerkskörper*) screamer. 3. (*sl*) **das ist ja der letzte ~** that's bloody incredible (*sl*).

Heulkrampf *m* fit of blubbering (*inf*); **Heulpeter** *m*, **Heulsuse** *f* (*inf pej*) crybaby (*inf*); **Heulton** *m* (*von Sirene*) wail.

Heumahd *f* haymaking; **Heureiter** (*Aus*), **Heureuter** (*S Ger*) *m* rickstand.

heurig *adj attr* (*S Ger, Aus*) this year's. **der ~e Wein** this year's wine.

Heurige *pl decl as adj* (*esp Aus*) early potatoes *pl*.

Heurige(r) *m decl as adj* (*esp Aus*) new wine.

heuristisch *adj* (*Philos*) heuristic.

Heuschnupfen *m* hay fever; **Heuschober** *m* barn; **Heuschrecke** *f* -, -n grasshopper; (*in heißen Ländern*) locust; **Heuspeicher**, **Heustadel** *m* (*S Ger, Aus, Sw*) barn.

heute, **heut** (*inf*) *adv* 1. today. **~ morgen/abend** this morning/this evening *or* tonight; **~ früh** this morning; **~ nacht** tonight; **,,~ geschlossen"** "closed today"; **~ noch** (*heutzutage*) still ... today, even today; **ich muß ~ noch zur Bank** I must go to the bank today; **bis ~ nicht** (*noch nicht*) not ... to this day; **von ~ ab** *or* **an**, **ab ~** from today (on), from this day (forth) (*liter*); **~ in einer Woche** a week today *or* from now, today week; **~ vor acht Tagen** a week ago today; **~ in einem Jahr** a year from today *or* now, a year hence (*geh*); **die Zeitung von ~** today's paper; **~ mir, morgen dir** (*Prov*) (it's my turn today,) your turn may come tomorrow; **lieber ~ als morgen** the sooner the better; **etw von ~ auf morgen verschieben** to put sth off until tomorrow; **von ~ auf morgen** (*fig: rasch, plötzlich*) overnight, from one day to the next.

2. (*in der gegenwärtigen Zeit*) nowadays, these days, today. **das H~** the present, today; **das Italien/der Mensch von ~** present-day *or* contemporary *or* modern Italy/man; **der Bauer/die Frau/die Stadt von ~** the farmer/woman/town of today, today's farmers/women/towns;

die Jugend von ~ the young people of today, modern youth.

heutig *adj attr* today's; (*von heute auch*) the day's; (*gegenwärtig*) modern, contemporary. **der ~e Tag** today; **am ~en Abend** this evening; **anläßlich Ihres ~en Geburtstags** to mark your birthday today; **unser ~es Schreiben** (*Comm*) our letter of today('s date); **die ~e Zeitung** today's paper; **bis zum ~en Tage** to date, to this day; **aus ~er Sicht** from today's standpoint, from a modern *or* contemporary point of view.

heutzutage *adv* nowadays, these days, today.

Heuwagen *m* haycart, haywagon; **Heuwender** *m* -s, - tedder.

Hexa- [hɛksa-] *in cpds* hexa-; **hexadezimal** *adj* (*Comput*) hexadecimal, hex; **Hexaeder** *nt* -s, - hexahedron; **Hexagon** *nt* -s, -e hexagon; **hexagonal** *adj* hexagonal; **Hexameter** [hɛ'ksa:metɐ] *m* hexameter.

Hexe *f* -, -n witch; (*inf: altes Weib*) old hag *or* crone. **diese kleine ~!** that little minx *or* hussy!

hexen I *vi* to practise witchcraft. **er kann ~** he knows (how to work) black magic; **ich kann doch nicht ~** (*inf*) I can't work miracles. II *vt* to conjure up. **~, daß ...** to cast a (magic) spell so that ...

Hexeneinmaleins *nt* magic square; **Hexenhäuschen** *nt* gingerbread house; **Hexenjagd** *f* witch-hunt; **Hexenkessel** *m* (*fig*) pandemonium *no art*, bedlam *no art*; **ein wahrer ~** absolute pandemonium *or* bedlam; **Hexenkunst** *f* witchcraft, sorcery, witchery; **Hexenmeister(in** *f*) *m* sorcerer, sorceress; **Hexenprozeß** *m* witch trial; **Hexenring** *m* fairy ring; **Hexensabbat** *m* witches' sabbath; (*fig*) bedlam *no art*, pandemonium *no art*; **Hexenschuß** *m* (*Med*) lumbago; **Hexenverbrennung** *f* burning of a witch/witches; **Hexenverfolgung** *f* witch-hunt; **Hexenwahn** *m* obsessive belief in witches.

Hexer *m* -s, - sorcerer.

Hexerei *f* witchcraft *no pl*, sorcery, witchery *no pl*; (*von Zaubertricks*) magic *no pl*.

HG *abbr of* **Handelsgesellschaft.**

hg. *abbr of* **herausgegeben** ed.

Hiatus *m* -, - hiatus.

hibbelig *adj* (*dial*) jittery.

Hibiskus *m* -, **Hibisken** hibiscus.

hick *interj* hic.

Hickhack *m or nt* -s, -s squabbling *no pl*.

hie *adv* (*old*) here. **~ und da** (*manchmal*) (every) now and then, every so often, (every) once in a while; (*stellenweise*) here and there; **~ ... ~** *or* **da** on the one side ... on the other (side).

hieb (*geh*) *pret of* **hauen.**

Hieb *m* -(e)s, -e 1. (*Schlag*) stroke, blow; (*Faust~*) blow; (*Peitschen~*) lash, crack; (*Fechten*) cut. **auf einen ~** (*inf*) in one go; **ein Glas auf einen ~ leer trinken** (*inf*) to down a glass in one (*inf*).

2. (*~wunde*) gash, slash.

3. **~e** *pl* (*dated: Prügel*) hiding, thrashing, beating; **~e bekommen** to get

a hiding or thrashing or beating.
4. (fig) dig, cutting remark. **der ~ saß**
that (dig) went or struck home; **~e bekommen** to be on the receiving end of
some cutting remarks.

hiebfest adj: **hieb- und stichfest** (fig)
watertight; **Hiebwaffe** f cutting weapon; **Hiebwunde** f gash, slash.

hielt pret of **halten.**

hier adv **1.** (räumlich) here; (in diesem
Land auch) (here) in this country; (~
am Ort auch) locally. **das Haus ~** this
house; **dieser ~** this one (here); **~!**
(beim Appell) present!, here!; **~ und da**
here and there; **Herr Direktor ~, Herr
Direktor da** (iro) yes sir, yes sir, three
bags full sir; **~ draußen/drinnen** out/in
here; **~ entlang** along here; **~ oben/
unten** up/down here; **~ vorn/hinten** in
front/at the back here, here in front/at
the back; **er ist von ~** he's a local (man),
he comes from (a)round here; **er ist
nicht von ~** he's a stranger here, he's
not a local; **Tag Klaus, ~ (spricht) Hans**
(Telec) hello Klaus, Hans here; **~
spricht Dr. Müller** (Telec) this is Dr
Müller (speaking); **von ~ ab** from here
(on or onwards); **von ~ aus** from here;
~ sehen Sie ... here you (can) see ...; **~
und heute** (geh) here and now; **das H~
und Heute** (geh) the here and now; **er ist
ein bißchen ~** (sl) he's got a screw loose
(inf).
2. (zeitlich) now. **~ und da** (every)
now and then, every so often; **von ~ ab**
or **an** from now on, henceforth (form).
3. (fig) here. **das steht mir bis ~** (sl)
I'm fed up to here (with it) (inf), I've
had it up to here (inf); **~ versagte ihm
die Stimme** here or at this point or at this
juncture his voice failed him.

hieran adv **1.** (lit) here. **2.** (fig) **er erinnert
sich ~** he remembers this; **~ erkenne ich
es** I recognize it by this; **~ kann es keinen Zweifel geben** there can be no doubt
about that.

Hierarchie f hierarchy.

hierarchisch adj hierarchic(al).

hierauf adv **1.** (lit) (on) here, on this; **2.**
(fig) on this; (daraufhin) hereupon; **er
setzte sich, und ~ ...** he sat down and
then ...; **hieraufhin** adv hereupon; **und
~ ...** and then ...; **hieraus** adv **1.** (lit)
out of/from this, from here; **~ ist das
Geld gestohlen worden** the money was
stolen from here; **2.** (fig) from this; **~
folgt/geht hervor, daß ...** from this it
follows that ..., hence (it follows that)
...; **hierbehalten** vt sep irreg **jdn/etw** ~
to keep sb/sth here; **hierbei** adv **1.** (lit)
(währenddessen) doing this; **2.** (fig) (bei
dieser Gelegenheit) on this occasion; (in
diesem Zusammenhang) in this connection; **hierbleiben** vi sep irreg aux sein to
stay here; **hiergeblieben!** stop!;
hierdurch adv **1.** (lit) through here; **2.**
(fig) through this; **ich lasse mich ~ nicht
ärgern** I shan't let this annoy me;
hierein adv **1.** (lit) in(to) this, in here; **2.**
(fig) in/to this; **hierfür** adv for this;
hiergegen adv (lit, fig) against this;
hierher adv here; **(komm) ~!** come here

or hither (old); **bis ~** (örtlich) up to
here; (zeitlich) up to now, so far; **mir
steht's bis ~** (sl) I'm fed up to here or to
the back teeth (inf); **hierherauf** adv up
here; **bis ~** up to here.

hierherbringen vt sep irreg to bring
(over) here; **hierhergehören*** vi sep to
belong here; (fig: relevant sein) to be relevant; **nicht hierhergehörende Bemerkungen** irrelevant remarks; **hierherho-
len** vt sep to bring here; **hierherschaf-
fen** vt sep to bring here; **hierherschik-
ken** vt sep to send here; **hierhersetzen**
sep **I** vt to put here; **II** vr to sit (down)
here; **hierherstellen** sep **I** vt to put
here; **II** vr to stand here.

hierherum adv around or round (esp Brit)
here; (in diese Richtung) this way
around; (inf: ungefähr hier) hereabouts,
around here (somewhere).

hierhin adv here; **~ und dorthin** here and
there, hither and thither (old geh); **bis ~**
up to here; **hierhinab** adv down here;
hierhinauf adv up here; **hierhinaus** adv
out here; **hierhinein** adv in here;
hierhinter adv behind here; **hier-
hinunter** adv down here; **hierin** adv (lit,
fig) in this; **hierlassen** vt sep irreg to
leave here; **hiermit** adv with this, herewith (obs, form); **~ ist der Fall erledigt**
this settles the matter; **~ bin ich einverstanden** I agree to this; **~ erkläre ich ...**
(form) I hereby declare ... (form); **~ bestätigen wir den Eingang Ihres Briefes**
we herewith or hereby acknowledge receipt of your letter; **~ wird bescheinigt,
daß ...** this is to certify that ...;
hiernach adv after this, afterwards;
(daraus folgend) according to this.

Hieroglyphe [hiero'gly:fə] f -, **-n** hiero-
glyph(ic); (fig hum) hieroglyphic.

hierorts adv (geh) here; **hiersein** vi sep irreg aux sein (Zusammenschreibung nur
bei infin und ptp) to be here; **während
meines H~s** during my stay; **was ist der
Zweck seines H~s?** what is the purpose
of his being here or his presence?;
hierselbst adv (old) in this very place,
even here (old); **hierüber** adv **1.** (lit)
over this or here; (oberhalb dieser Stelle)
over it; **2.** (fig) about this; (geh:
währenddessen) in the midst of it; **~ ärgere ich mich** this makes me angry;
hierum adv **1.** (lit) (a)round this or
here; **2.** (fig) about or concerning this; **~
handelt es sich nicht** this isn't the issue; **~
hierunter** adv **1.** (lit) under or beneath
this or here; **2.** (fig) by this or that; (in
dieser Kategorie) among these; **~ fallen
auch die Sonntage** this includes Sundays;
hiervon adv **1.** (lit) (örtlich) from here
or this; (von diesem etc) from this; (aus
diesem Material) out of this; **2. ~ abgesehen** apart from this; **~ kannst du
nichts haben** you can't have any of this;
hiervor adv **1.** (lit) in front of this or
here; **2.** (fig) **~ ekele/fürchte ich mich** it
revolts/frightens me; **~ hat er großen
Respekt** he has a great respect for this;
hierzu adv **1.** (dafür) for this; (dazu)
with this; **2.** (außerdem) in addition to
this, moreover; **3.** (zu diesem Punkt)

about this; ~ **gehören auch die Katzen** this also includes the cats; ~ **habe ich etwas Wichtiges zu sagen** I have something important to say on *or* about *or* to this; ~ **wünsche ich Ihnen viel Glück** I wish you luck in this; **vgl.** ~ **S. 370** cf p 370; **hierzulande** *adv* in these parts.

iesig *adj attr* local. **die** ~**en Verhältnisse** local conditions, conditions here; **meine** ~**en Verwandten** my relatives here; **er ist kein H~er** he is not a local (man), he's not from these parts.

ieß *pret of* **heißen.**

ieven ['hi:fn, 'hi:vn] *vt* (*esp Naut*) to heave.

li-Fi-Anlage ['haifi-] *f* hi-fi set *or* system.

lifthorn *nt* (*Hunt*) hunting horn.

igh [haɪ] *adj pred* (*sl*) high (*sl*).

highjacken ['haɪdʒɛkn] *vt insep* (*inf*) to hi(gh)jack.

Highjacker(in *f*) ['haɪdʒɛkɐ] *m* **-s, -hi(gh)jacker.**

Highlife ['hailaif] *nt* **-s,** *no pl* high life. ~ **machen** (*inf*) to live it up (*inf*).

High Tech [haɪ'tɛk] *nt* **- -,** *no pl* high tech, hi tech.

High-Tech- *in cpds* high-tech.

hihi *interj* heehee.

Hijacker ['haɪdʒɛkɐ] **(in** *f*) *m* **-s, -hi(gh)jacker.**

hilf *imper sing of* **helfen.**

Hilfe *f* **-, -n 1.** *no pl* help; (*finanzielle*) aid, assistance, help; (*für Notleidende*) aid, relief. **zu** ~**!** help!; **um** ~ **rufen/schreien** to call/shout for help; **jdm zu** ~ **kommen** to come to sb's aid *or* assistance *or* rescue; **jdn um** ~ **bitten** to ask sb for help *or* assistance; **jdm** ~ **leisten** to help sb; **bei jdm** ~ **suchen** to seek sb's help *or* assistance; **mit** ~ with the help *or* aid (*gen* of); **ohne** ~ without help *or* assistance; (*selbständig*) unaided; **etw zu** ~ **nehmen** to use sth; **ohne fremde** ~ **gehen** to walk unaided.

2. (*Hilfsmittel,* ~*stellung*) aid; (*Haushalts*~) (domestic) help. ~**n geben** (*beim Turnen*) to give support; (*beim Reiten*) to give aids; **du bist mir eine schöne** ~**!** (*iro*) a fine help *you* are (to me)! (*iro*).

hilfeflehend *adj* imploring, beseeching; **Hilfeleistung** *f* aid, assistance; **unterlassene** ~ (*Jur*) denial of assistance; **Hilferuf** *m* call for help; **Hilfeschrei** *m* cry *or* shout for help, cry of "help"; **Hilfestellung** *f* (*Sport, fig*) support; **jdm** ~ **geben** to give sb support; (*fig auch*) to back sb up; **hilfesuchend** *adj* Mensch seeking help; *Blick* imploring, beseeching; **täglich wenden sich Hunderte** ~ **an diese Organisation** hundreds turn every day to this charity seeking help; **die H~en** those seeking help.

hilflos *adj* helpless; (*schutzlos auch*) defencelessness; (*ratlos auch*) clueless (*inf*); **Hilflosigkeit** *f siehe adj* helplessness; defencelessness; cluelessness (*inf*); **hilfreich** *adj* helpful; (*nützlich auch*) useful; **eine** ~**e Hand** a helping hand.

Hilfsaktion *f* relief action; **Hilfsarbeiter(in** *f*) *m* labourer; (*in Fabrik*) unskilled worker; **Hilfsassistent(in** *f*) *m*

(*Univ*) ≃ tutorial assistant; **hilfsbedürftig** *adj* in need of help; (*notleidend*) needy, in need *pred*; **die H~en** the needy, those in need; **Hilfsbedürftigkeit** *f* need(iness); **hilfsbereit** *adj* helpful, ready to help *pred*; **Hilfsbereitschaft** *f* helpfulness, readiness to help; **Hilfsdienst** *m* emergency service; (*bei Katastrophenfall*) (emergency) relief service; (*Kfz-*~) emergency *or* (emergency) breakdown service; **Hilfsfeuerwehr** *f* auxiliary fire service; **Hilfsfonds** *m* relief fund; **Hilfsgeistliche(r)** *mf* curate; **Hilfskomitee** *nt* relief action committee; **Hilfskonstruktion** *f* (*Math*) rough diagram; (*fig*) temporary measure; **Hilfskraft** *f* assistant, helper; (*Aushilfe*) temporary worker; **wissenschaftliche/fachliche** ~ research/technical assistant; **Hilfslinie** *f* (*Math*) auxiliary line; **Hilfsmaßnahme** *f* relief action *no pl*; (*zur Rettung*) rescue action *no pl*; **Hilfsmittel** *nt* aid; **Hilfsmotor** *m* (*Aut*) auxiliary engine; **Fahrrad mit** ~ moped, motor-assisted bicycle; **Hilfsorganisation** *f* relief organization; **Hilfspersonal** *nt* auxiliary staff; (*Aushilfspersonal*) temporary staff *or* help; **Hilfspolizei** *f* auxiliary police; **Hilfspolizist(in** *f*) *m* auxiliary policeman/ -woman; **Hilfsprediger, Hilfspriester** *m* curate; **Hilfsprogramm** *nt* relief *or* aid programme; **Hilfsquelle** *f* **1.** (*Geldquelle*) source of money, pecuniary *or* financial (re)sources *pl*; **2.** (*für wissenschaftliche Arbeit*) source; **Hilfsruder** *nt* (*Aviat*) auxiliary rudder; **Hilfsschiff** *nt* auxiliary vessel; **Hilfsschule** *f* (*dated*) school for backward children; **Hilfsschwester** *f* auxiliary (nurse); **Hilfssheriff** *m* assistant *or* deputy sheriff; **Hilfssprache** *f* auxiliary language; **Hilfstriebwerk** *nt* auxiliary engine; **Hilfstrupp** *m* group of helpers; **Hilfstruppe** *f* (*Mil*) auxiliary troops *pl*; (*Verstärkung*) reinforcements *pl*; (*Pol pej*) back-up army *or* boys *pl*; **Hilfsverb** *nt* auxiliary verb; **Hilfswerk** *nt* relief organization; **hilfswillig** *adj* willing to help *pred*; **Hilfswillige(r)** *mf decl as adj* voluntary helper; **Hilfswissenschaft** *f* (*gen* to) complementary science; (*Geisteswissenschaft*) complementary subject; **Hilfszeitwort** *nt siehe* **Hilfsverb.**

Himalaja *m* **-(s) der** ~ the Himalayas *pl*.

Himbeere *f* raspberry.

Himbeereis *nt* raspberry ice(-cream); **Himbeergeist** *m, no pl* (white) raspberry brandy; **himbeerrot** *adj* raspberry-coloured; **Himbeersaft** *m* raspberry juice; **Himbeerstrauch** *m* raspberry bush.

Himmel *m* **-s,** (*poet*) **- 1.** sky. **am** ~ in the sky; **unter dem** ~ **Spaniens, unter spanischem** ~ under *or* beneath a Spanish sky; **zwischen** ~ **und Erde** in midair; **in den** ~ **ragen** to tower (up) into the sky; **jdn/etw in den** ~ **(er)heben** *or* **loben** *or* **rühmen** to praise sb/sth to the skies; **jdm hängt der** ~ **voller Geigen** everything in

the garden is lovely for sb; **gute Lehrer fallen nicht vom ~** good teachers don't grow on trees; **der Frieden fällt nicht einfach vom ~, sondern ...** peace doesn't just fall out of the blue, but ...
2. (*Rel:* **~reich**) heaven. **im ~** in heaven; **den Blick gen ~ richten** (*liter*) to look heavenward(s), to raise one's eyes towards heaven; **in den ~ kommen** to go to heaven; **zum** *or* **in den ~ auffahren, gen ~ fahren** to ascend into heaven; **der Sohn des ~s** (*Kaiser von China*) the Celestial Emperor; **der ~ auf Erden** heaven on earth; **dem ~ sei Dank** (*old*) thank God *or* Heaven(s); **der ~ ist** *or* **sei mein Zeuge** (*old*) as Heaven *or* God is my witness; **(das) weiß der ~!** (*inf*) God *or* Heaven (only) knows; **der ~ bewahre mich davor!** (*old*) may Heaven (*or* God) preserve me; **das schreit zum ~** it's a scandal; **es stinkt zum ~** (*inf*) it stinks to high heaven (*inf*); **Gott im ~!** good Heavens!; **(ach) du lieber ~!** (*inf*) good Heavens!, good(ness) gracious!; **~ (noch mal)!** (*inf*) good God!; **um(s) ~s willen** (*inf*) for Heaven's *or* goodness sake (*inf*); **~, Arsch und Zwirn** (*sl*) Christ Almighty! (*sl*).
3. (*Bett~*) canopy; (*im Auto*) roof.

himmelangst *adj pred* **mir wurde ~** I was scared to death; **Himmelbett** *nt* four-poster (bed); **himmelblau** *adj* sky-blue, azure (*liter*); **Himmeldonnerwetter** *interj* (*sl*) damn it (*sl*); **~ noch (ein)mal!** damn and blast it! (*sl*).

Himmelfahrt *f* **1.** (*Rel*) **Christi ~** the Ascension of Christ; **Mariä ~** the Assumption of the Virgin Mary. **2.** (*no art: Feiertag*) Ascension Day.

Himmelfahrtskommando *nt* (*Mil inf*) suicide squad *or* (*Unternehmen*) mission; **Himmelfahrtsnase** *f* (*hum inf*) turned-up *or* snub nose; **Himmelfahrtstag** *m* **der/am ~** Ascension Day/ on Ascension Day.

Himmelherrgott *interj* (*sl*) damn (it) (*sl*), bloody hell (*Brit sl*); **~ noch (ein)mal!** damn and blast! (*sl*); **himmelhoch I** *adj* sky-high; **II** *adv* high into the sky; **~ jauchzend, zu Tode betrübt** up one minute and down the next; **Himmelreich** *nt, no pl* (*Rel*) Kingdom of Heaven; **ins ~ eingehen** *or* **kommen** to enter the Kingdom of Heaven; **für ... ~ für ...** I'd give anything *or* my right arm for ...

Himmelsachse *f* celestial axis; **Himmelsäquator** *m* celestial equator, equinoctial line *or* circle; **Himmelsbahn** *f* (*liter*) celestial path *or* orbit.

himmelschreiend *adj* **Unrecht** outrageous, scandalous; **Unkenntnis, Verhältnisse** appalling; **Unsinn** utter *attr*; **Schande** crying *attr*.

Himmelserscheinung *f* celestial phenomenon; **Himmelsgabe** *f* (*geh*) gift from heaven; **Himmelsgewölbe** *nt* (*liter*) vault of heaven (*liter*), firmament (*liter*); **Himmelskarte** *f* star map *or* chart; **Himmelskörper** *m* heavenly *or* celestial body; **Himmelskugel** *f* (*liter*) celestial globe (*liter*) *or* sphere (*liter*);

Himmelsleiter *f* (*Bot*) Jacob's Ladder; **Himmelspforte** *f* (*liter*) gate of heaven; **Himmelspol** *m* celestial pole; **Himmelsrichtung** *f* direction; **die vier ~en** the four points of the compass; **Himmelsschlüssel** *m or nt* (*Bot*) cowslip; **Himmelsschrift** *f* skywriting; **Himmelsspion** *m* (*inf*) spy satellite; **Himmelsstürmer(in** *f*) *m* (*liter*) (romantic) idealist.

himmelstürmend *adj attr* (*liter*) boundless.

Himmelswagen *m* (*Astron*) Great Bear; **Himmelszelt** *nt* (*poet*) canopy of heaven (*poet*), firmament (*liter*).

himmelwärts *adv* (*liter*) heavenward(s); **himmelweit** *adj* (*fig inf*) tremendous, fantastic (*inf*); **zwischen uns besteht ein ~er Unterschied** there's a world of difference between us; **~weit voneinander entfernt, ~ verschieden** (*fig*) poles apart; **wir sind noch ~ davon entfernt** we're still nowhere near it.

himmlisch *adj* **1.** *attr* (*göttlich*) heavenly, celestial (*liter*). **~e Fügung** divine providence; **der ~e Vater** our Heavenly Father; **die H~en** (*old poet*) the gods; **das ~e Jerusalem** the new Jerusalem.
2. (*fig*) (*wunderbar*) heavenly, divine; (*unerschöpflich*) **Geduld** infinite. **~ bequem** beautifully *or* wonderfully comfortable.

hin *adv* **1.** (*räumlich*) **bis zum Haus ~** up to the house, as far as the house; **geh doch ~ zu ihr!** go to her; (*besuche sie auch*) go and see her; **nach Süden/ Stuttgart ~** towards the south/Stuttgart; **über die ganze Welt ~** all over the world, throughout the world; **die Wüste erstreckt sich über 2000 km ~** the desert stretches for 2000 km; **nach außen ~** (*fig*) outwardly; **~ fahre ich mit dem Zug, zurück ...** on the way out I'll take the train, coming back ...; **die Fähre geht heute abend nur noch (zur Insel) ~** the ferry's only making the outward trip *or* is only going out (to the island) this evening; **zur anderen Seite ~ sind es 2 km** it's 2 kms to the other side; **bis zu diesem Punkt ~** up to this point.
2. (*als Teil eines Wortpaares*) **~ und her** (*räumlich*) to and fro, back and forth; **etw ~ und her überlegen/ diskutieren** to think about sth a lot/to discuss sth over and over *or* a lot; **das H~ und Her** the comings and goings *or* to-ings and fro-ings *pl*; **nach langem H~ und Her** eventually; **das reicht nicht ~ und nicht her** (*inf*) that won't go very far at all, that's nothing like enough (*inf*); **Regen/Feiertag ~, Regen/Feiertag her** rain/holiday *or* no rain/holiday, whether it rains/whether it's a holiday or not; **~ und zurück** there and back; **eine Fahrkarte/einmal London ~ und zurück** a return (ticket), a round trip (*esp US*)/a return *or* round trip (*esp US*) to London; **~ und zurück? — nein, nur ~** bitte return *or* round trip? — no, just a single please; **der Flug von X nach Y ~ und zurück kostet ...** the return flight *or* round trip from X to Y costs ...; **~ und**

wieder (every) now and then, (every) now and again.
3. (*zeitlich*) **noch weit** ~ a long way off *or* away; **lange Zeit** ~ for a long time, over a long period; **zum Sommer** ~ towards summer, as summer draws nearer *or* approaches; **gegen Mittag** ~ towards midday; **über die Jahre** ~ over the years, as (the) years go by; **bis in den Juni** ~ up until (and during) June.
4. (*fig*) **auf meine Bitte/meinen Vorschlag** ~ at my request/suggestion; **auf meinen Brief/Anruf** ~ on account of my letter/phone-call; **auf die Gefahr** ~, ... **zu werden** at the risk of being ...; **auf sein Versprechen/seinen Rat** ~ on the basis of his promise/(up)on his advice; **etw auf etw** (*acc*) ~ **untersuchen/prüfen** to inspect/check sth for sth; **etw auf etw** (*acc*) ~ **planen/anlegen** to plan/design sth with sth in mind; **vor sich** ~ **sprechen** to talk to oneself; **vor sich** ~ **stieren** to stare straight ahead *or* into space; **vor sich** ~ **dösen** to doze.
5. (*inf: als trennbarer Bestandteil von Adverbien*) **da will ich nicht** ~ I don't want to go (there); **wo geht ihr** ~? where are you going?
6. (*elliptisch*) **nichts wie** ~ (*inf*) let's go (then)!, what are we waiting for? (*inf*); **wo ist es/sie** ~? where has it/she gone?; **ist es weit bis** ~? (*inf*) is it far?
hinab *adv, pref siehe* **hinunter.**
hin|arbeiten *vi sep*: **auf etw** (*acc*) ~ **auf ein Ziel** to work towards sth, to aim at sth; *auf eine Prüfung* to work for sth.
hinauf *adv* up. **den Berg/die Straße** ~ up the mountain/street; **den Fluß** ~ up the river; **die Treppe** ~ up the stairs, upstairs; **dort** ~ up there; **bis** ~ **zu** up to.
hinauf- *pref siehe auch* **herauf-, rauf-** up; **hinaufbegeben*** *vr sep irreg* to go up(stairs); **hinaufbegleiten*** *vt sep* to take up(stairs); **hinaufblicken** *vi sep* to look up; **hinaufbringen** *vt sep irreg* to bring/take up; **hinauffahren** *sep irreg* **I** *vi aux sein* to go up; (*in Auto auch*) to drive up; **II** *vt jdn* to take up; (*in Auto auch*) to drive up; *Aufzug* to take up; **hinauffallen** *vi sep irreg aux sein*: **die Treppe** ~ (*hum*) to fall up the stairs; **hinaufführen** *vti sep* to lead up; **hinaufgehen** *vi sep irreg aux sein* to go up; (*Preise, Fieber auch*) to rise; **die Treppe** ~ to go up *or* walk up the stairs; **mit dem Preis** ~ to put up the price; **hinaufklettern** *vi sep aux sein* to climb up; **auf einen Baum** ~ to climb up a tree; **hinaufkommen** *vi sep irreg aux sein* to come up; (*schaffen*) to (manage to) get up; **hinauflaufen** *vi sep irreg aux sein* to run up; **die Treppe** ~ to run up the stairs; (*im Haus auch*) to run upstairs; **hinaufreichen** *sep* **I** *vi* to reach up; **II** *vt* to hand *or* pass up; **hinaufschauen** *vi sep* to look up; **hinaufschrauben** *vt sep* to screw up; (*fig*) *Preise* to put up; *Produktion, Forderungen* to step up; **hinaufsehen** *vi sep irreg* to look up; **hinaufsetzen** *vt sep* (*fig*) *Preise* to raise, to put up; **hinaufsteigen** *vi*

sep irreg aux sein to climb up; **hinauftragen** *vt sep irreg* to carry *or* take up.
hinaus *adv* **1.** (*räumlich*) out. ~ **(mit dir)!** (get) out!, out you go!; **über** (+*acc*) ~ beyond, over; **aus dem** *or* **zum Fenster** ~ out of the window; **hier/dort** ~ this/that way out; **hinten/vorn** ~ at the back *or* rear/front; **nach hinten/vorn** ~ **wohnen** to live towards *or* facing the back/the front; **zur Straße** ~ facing the street; **durch die Tür** ~ out of *or* out through the door.
2. (*zeitlich*) **auf Jahre/Monate** ~ for years/months to come; **bis weit über die Siebzig** ~ until well over *or* after *or* past seventy; **wir werden damit über Mittwoch** ~ **beschäftigt sein** we'll be busy with that until after Wednesday.
3. (*fig*) **über** (+*acc*) ~ over and above; (*über Gehalt, Summe auch*) on top of; **über das Grab** ~ beyond the grave; **darüber** ~ over and above this, on top of this, in addition to this.
hinaus- *pref siehe auch* **heraus-, raus-**; **hinausbefördern*** *vt sep* (*inf*) *jdn* to kick out (*inf*), to chuck out (*inf*) (*aus* of); **hinausbeugen** *vr sep* to lean out (*aus* of); **sich zum Fenster** ~ to lean out of the window; **hinausblicken** *vi sep* to look out (*aus* of); **zum Fenster** ~ to look out of the window; **hinausbringen** *vt sep irreg* (*aus* of) *etw* to take/bring out; *jdn* to take out; **hinausbugsieren*** *vt sep* (*inf*) *jdn* to steer *or* hustle out (*aus* of); **hinausdrängen** *sep* **I** *vt* to force out (*aus* of); (*eilig*) to hustle out (*aus* of); (*fig*) to oust (*aus* from), to force out (*aus* of); **II** *vi aux sein* to push *or* force one's way out (*aus* of); **hinausdürfen** *vi sep irreg* to be allowed (to go) out (*aus* of); **darf ich hinaus?** may I go out?; **über einen Punkt nicht** ~ not to be allowed (to go) beyond a point; **hinausfahren** *sep irreg* **I** *vi aux sein* **1. aus etw** ~ to go out of sth, to leave sth; (*in Fahrzeug auch*) to drive out of sth; **2.** (*reisen*) to go out; **aufs Meer** ~ to sail out across the sea; **3. über etw** (*acc*) ~ to go beyond sth; **II** *vt Wagen* to drive out (*aus* of); **hinausfinden** *vi sep irreg* to find one's *or* the way out (*aus* of); **ich finde schon allein hinaus** I can find my own way out, I can see myself out; **hinausfliegen** *sep irreg* **I** *vi aux sein* (*aus* of) **1.** to fly out; (*inf: hinausfallen*) to fly out (*inf*); **über ein Ziel** ~ to fly past *or* go flying past a target destination; **2.** (*inf: hinausgeworfen werden*) to get kicked *or* chucked out (*inf*); **II** *vt* to fly out (*aus* of); **hinausführen** *sep* **I** *vi* **1.** (*nach draußen führen*) to lead out (*aus* of); **2.** (*weiter führen als*) **über etw** (*acc*) ~ (*lit, fig*) to go beyond sth; **II** *vt* to lead out (*aus* of); (*Weg, Reise*) to take (*über* +*acc* beyond); **hinausgehen** *sep irreg aux sein* **I** *vi* **1.** (*nach draußen gehen*) to go out(side); **aus dem Zimmer/auf die Straße** ~ to go *or* walk out of the room/ out onto the street; **2.** (*gesandt werden*) to go (out), to be sent out; **3. auf etw** (*acc*) ~ (*Tür, Zimmer*) to open onto sth;

(*Fenster*) to look (out) onto *or* open onto sth; **das Fenster geht nach Osten hinaus** the window looks *or* faces east; **zu** *or* **nach etw** ~ (*Straße, Weg*) to go out to; **4.** (*fig: überschreiten*) **über etw** (*acc*) ~ to go beyond sth; **über seine Befugnisse** ~ to overstep one's authority, to exceed one's powers; **das geht über meine Geduld hinaus** that's more than my patience can stand; **II** *vi impers* **wo geht es hinaus?** where's the way out?; **hinausgeleiten*** *vt sep* (*geh*) to show out (*aus* of); **hinausgucken** *vi sep* to look out (*aus* of); **hinaushalten** *vt sep irreg* to hold out; **den Kopf zum Fenster** ~ to stick *or* put one's head out of the window; **hinaushängen** *vti sep irreg* to hang out; **hinausjagen** *sep* (*aus* of) **I** *vt* (*lit: aus dem Zimmer, nach draußen*) to drive *or* chase out; (*fig: aus dem Haus*) to turn *or* drive out; **II** *vi aus sein* to bolt *or* dive out; **hinauskatapultieren*** *vt sep* (*Pol sl*) to throw out, to chuck out (*inf*) (*aus* of); **hinausklettern** *vi sep aux sein* to climb out (*aus* of); **hinauskommen** *vi sep irreg aux sein* **1.** to come out(side); **ich bin den ganzen Tag noch nicht hinausgekommen** I haven't been *or* got out(side) yet today; **zu jdm aufs Land** ~ to come out to see sb in the country; **2. über etw** (*acc*) ~ to go beyond sth; (*fig*) to get beyond sth; **3.** (*fig: hinauslaufen*) **das kommt auf dasselbe** *or* **auf eins** *or* **aufs gleiche hinaus** it boils *or* comes down to the same thing, it amounts *or* comes to the same thing; **hinauskomplimentieren*** *vt sep* (*hum*) to usher out (*aus* of); **hinauslassen** *vt sep irreg* (*aus* of) to leave out; (*hinausbegleiten*) to show out; **hinauslaufen** *vi sep irreg aux sein* (*aus* of) **1.** (*lit*) to run out; **2.** (*fig*) **auf etw** (*acc*) ~ to amount to sth; **es läuft auf dasselbe** *or* **auf eins** *or* **aufs gleiche hinaus** it boils *or* comes down to the same thing, it amounts *or* comes to the same thing; **wo(rauf) soll das hinauslaufen?** how's it all going to end?, what are things coming to?; **hinauslehnen** *vr sep* to lean out (*aus* of); **sich zum Fenster** ~ to lean out of the window; **hinausmanövrieren*** *vt sep* **sich/jdn aus etw** ~ to manoeuvre oneself/sb out of sth; **hinausposaunen*** *vt sep* (*inf*) to broadcast (*inf*); **hinausragen** *vi sep aux sein* **1.** (*horizontal*) to project, to jut out (*über* +*acc* beyond); (*vertikal*) to tower up (*über* +*acc* above, over); **2.** (*fig*) **über jdn/etw** ~ to tower above sb/sth; **hinausreichen** *sep* **I** *vt* to hand *or* pass out (*aus* of); **jdm etw zum Fenster** ~ to hand *or* pass sb sth out of the window; **II** *vi* **1.** (*bis nach draußen reichen*) to reach, to stretch (*bis* as far as); **2. über etw** (*acc*) ~ (*lit*) to stretch beyond sth; (*fig*) to go beyond sth; **hinausrennen** *vi sep irreg aux sein* to run out (*aus* of); **hinausschaffen** *vt sep* to take out (*aus* of); **hinausschauen** *vi sep* to look out (*aus* of); **hinausschicken** *vt sep* to send out (*aus* of); **hinausschieben** *vt sep irreg* **1.** *Gegenstand* to push out (*aus* of); **2.** (*fig*)

to put off, to postpone; **hinausschießen** *vi sep irreg aux sein* (*hinausrennen*) to shoot *or* dart out (*aus* of); **über das Ziel** ~ (*fig*) to go too far, to overshoot the mark; **hinausschmeißen** *vt sep irreg* (*inf*) to kick *or* chuck out (*inf*) (*aus* of); **Hinausschmiß** *m* **-sses, -sse** (*inf*) **man drohte ihm mit** ~ (**aus der Kneipe**) they threatened to kick *or* chuck him out (of the pub) (*inf*); **hinausschmuggeln** *vt sep* to smuggle out (*aus* of); **hinausschreien** *sep irreg* **I** *vi* to shout out (*aus* of); **zum Fenster** ~ to shout out of the window; **II** *vt* (*geh*) *Schmerz, Haß* to proclaim (*geh*); **hinausschwimmen** *vi sep irreg aux sein* (*aus* of, *über* +*acc* beyond, past) to swim out; (*Gegenstände*) to float out; **hinaussehen** *vi sep irreg* to look out (*aus* of); **hinaussein** *vi sep irreg aux sein* (*Zusammenschreibung nur bei infin und ptp*) **1.** (*lit inf: hinausgegangen sein*) to be out, to have gone out; (*fig: hinter sich haben*) **über etw** (*acc*) ~ **über Kindereien, Dummheiten** to be past *or* beyond sth; **über ein Alter** to be past sth; **hinaussetzen** *sep* **I** *vt* to put out(side); **jdn** ~ (*inf*) to chuck *or* kick sb out (*inf*); **II** *vr* (to go and) sit outside; **hinausstehlen** *vr sep irreg* (*geh*) to steal out (*geh*) (*aus* of); **hinaussteigen** *sep irreg aux sein* to climb out (*aus* of); **zum Fenster** ~ to climb out of the window; **hinausstellen** *vt sep* to put *or* take out(side); *Sportler* to send off; **hinausstrecken** *vt sep* to stick *or* put out (*aus* of); **hinausströmen** *vi sep aux sein* to pour out, to come milling out (*aus* of); **hinausstürmen** *vi sep aux sein* to storm out (*aus* of); **hinausstürzen** *sep* (*aus* of) **I** *vi aux sein* **1.** (*hinausfallen*) to fall out; **2.** (*hinauseilen*) to rush *or* dash out; **II** *vr* to throw oneself *or* dive out; **III** *vt* to throw out; **hinaustragen** *vt sep irreg* **1.** to carry out (*aus* of); **2.** (*geh*) **etw in alle Welt** ~ to spread sth abroad; **hinaustreiben** *vt sep irreg* to drive out (*aus* of); **hinaustreten** *vi sep irreg aux sein* to step out(side); **ins Leben** ~ to go out into the world; **hinauswachsen** *vi sep irreg aux sein* **über etw** (*acc*) ~ (*lit*) to grow taller than sth; (*fig: durch Reifer werden, Fortschritte*) to outgrow sth; **er wuchs über sich selbst hinaus** he surpassed himself; **hinauswagen** *vr sep* to venture out (*aus* of); **hinausweisen** *sep irreg* **I** *vt* **jdn** ~ to show sb the door, to ask sb to leave; **II** *vi* to point out(wards); **über eine Frage/Sache** ~ (*fig*) to reach *or* point beyond a question/matter; **hinauswerfen** *vt sep irreg* (*aus* of) **1.** to throw *or* cast (*liter*) out; **einen Blick** ~ to glance *or* look out(side), to take a glance *or* look out(side); **das ist hinausgeworfenes Geld** it's money down the drain; **Geld zum Fenster** ~ to throw money out of the window *or* down the drain; **2.** (*inf*) (*entfernen*) to chuck *or* kick out (*inf*); **hinauswollen** *vi sep* to want to go *or* get out (*aus* of); **worauf willst du hinaus?** (*fig*) what are you getting *or* driving at?; **hoch** ~ to aim high, to set one's sights high; **hinausziehen** *sep irreg* **I** *vt* **1.** (*nach draußen ziehen*) to pull out (*aus* of); **2.** (*fig*) *Verhandlungen* to protract, to drag out; *Urlaub* to prolong; **II** *vi aux sein* to go out (*aus* of); **in die Welt** ~ to go out into the world; **aufs Land/vor die Stadt** ~ to move out into the country/out of town; **den Dampf/Rauch** ~ **lassen** to let the steam/smoke out; **III** *vr* (*Verhandlungen*) to drag on; (*Abfahrt*) to be delayed, to be put off; **IV** *vt impers* **es zog ihn hinaus in die weite Welt** he felt the urge to be off into the big wide world; **bei diesem schönen Wetter zieht's mich hinaus** I want to be out-of-doors with the weather like this; **hinauszögern** *sep* **I** *vt* to delay, to put off; **II** *vr* to be delayed, to be put off.

inbekommen* *vt sep irreg* (*inf*) *siehe* **hinkriegen**; **hinbestellen*** *vt sep* to tell to go/come; **hinbiegen** *vt sep irreg* (*fig inf*) **1.** *etw* to arrange, to sort out; **das or die Sache werden wir schon** ~ we'll sort it out *or* arrange matters somehow; **2.** *jdn* to lick into shape (*inf*); **hinblättern** *vt sep* (*inf*) to fork *or* shell out (*inf*), to cough up (*inf*); **Hinblick** *m*: **im** *or* **in** ~ **auf** (+*acc*) (*angesichts*) in view of; (*mit Bezug auf*) with regard to; **im** ~ **darauf, daß ...** in view of the fact that ...; **hinbringen** *vt sep irreg* **1.** *etw* to take there; (*begleiten*) *jdn* to take there; (*in Auto auch*) to drive there; **2.** (*fig*) *Zeit* to spend, to pass; (*in Muße*) to idle *or* while away; **sein Leben kümmerlich** ~ to eke out an existence; **3.** *siehe* **hinkriegen**; **hindeichseln** *vt sep* (*inf*) *etw* to arrange, to sort out; **hindenken** *vi sep irreg* **wo denkst du hin?** whatever are you thinking of?

hinderlich *adj* ~ **sein** to be in the way, to be a nuisance; (*Kleidungsstück auch*) to be restricting; **ein** ~**er Gipsverband** a restricting plaster cast, a plaster cast that gets in the way *or* is a nuisance; **jds Fortkommen** (*dat*) ~ **sein** (*Gebrechen, Vorurteil etc*) to be a hindrance *or* obstacle to sb's advancement, to get in the way of sb's advancement; **eher** ~ **als nützlich sein** to be more of a hindrance than a help; **sich** ~ **auswirken** to prove to be a hindrance; **jdm** ~ **sein** to get in sb's way.

hindern **I** *vt* **1.** *Fortschritte, Wachstum* to impede, to hamper; *jdn* to hinder (*bei* in).

2. (*abhalten von*) to prevent (*an* +*dat* from), to stop. **ja bitte, ich will Sie nicht** ~ please do, I shan't stand in your way; **machen Sie, was Sie wollen, ich kann Sie nicht** ~ do what you like, I can't stop *or* prevent you; **was hindert dich, hinzugehen?** what prevents *or* keeps you from going (there)?, what stops you going (there)?

II *vi* (*stören*) to be a hindrance (*bei* to).

Hindernis *nt* **1.** (*lit, fig*) obstacle; (*Erschwernis, Behinderung*) hindrance; (*beim Sprechen*) handicap, impediment. **sie empfand das Kind als** ~**/als** ~ **für ihre Karriere** she saw the child as a

---

hindrance/as a hindrance to *or* an obstacle for her career; **gesetzliches** ~ (*form*) legal impediment *or* obstacle; **jdm** ~**se in den Weg legen** (*fig*) to put obstacles in sb's path *or* way; **eine Reise mit** ~**sen** a journey full of hitches.

2. (*Sport*) (*beim* ~**lauf, auf Parcours**) jump; (*Hürde auch*) hurdle; (*beim Pferderennen auch*) fence; (*Golf*) hazard.

Hindernislauf *m* steeplechase (*in athletics*); **Hindernisläufer(in** *f*) *m* steeplechaser (*in athletics*); **Hindernisrennen** *nt* steeplechase.

Hinderung *f siehe* **Behinderung. ohne** ~ without let or hindrance (*Jur*).

Hinderungsgrund *m* obstacle. **etw als** ~ **angeben** to give sth as an excuse.

hindeuten *vi sep* to point (*auf* +*acc, zu* at). **es deutet alles darauf hin, daß ...** everything indicates that *or* points to the fact that ...

Hindi *nt* - Hindi.

hindrängen *sep* **I** *vt* *jdn* **zum Ausgang** *etc* ~ to push sb towards the exit *etc*; **II** *vr* **sich zu etw** ~**drängen** to push one's way towards sth.

Hindu *m* **-(s), -(s)** Hindu.

Hinduismus *m* Hinduism.

hinduistisch *adj* Hindu.

hindurch *adv* **1.** (*räumlich*) through. **dort** ~ through there; **mitten** ~ straight through; **quer** ~ straight across; **durch den Wald** ~ through the wood.

2. (*zeitlich*) through(out). **das ganze Jahr** ~ throughout the year, all (the) year round; **die ganze Nacht** ~ all (through the) night, throughout the night, all night long; **die ganze Zeit** ~ all the time; **Jahre** ~ for years (and years); **den ganzen Tag** ~ all day (long); **durch etw** ~ through sth.

hindurchgehen *vi sep irreg aux sein* (*lit, fig*) to go through (*durch etw* sth).

hindürfen *vi sep irreg* to be allowed to go (*zu* to). **da darfst du nicht mehr hin** you are not to *or* you mustn't go there any more.

hin|eilen *vi sep aux sein* to rush *or* hurry (*zu* to).

hinein *adv* **1.** (*räumlich*) in. **da** ~ in there; **nur** ~**!** (*inf*) go right in!; ~ **mit dir!** (*inf*) in you go!; **in etw** (*acc*) ~ into sth; **bis in etw** (*acc*) ~ right inside sth; **mitten** ~ **in etw** (*acc*) right into *or* right in the middle of sth; **leg es oben/unten** ~ put it in the top/bottom.

2. (*zeitlich*) into. **bis tief in die Nacht** ~ well *or* far into the night.

hinein- *pref siehe auch* **ein-, herein-, rein-** in; **hineinbegeben*** *vr sep irreg* to enter (*in etw* (*acc*) sth); **hineinbekommen*** *vt sep irreg* (*inf*) to get in (*in* +*acc* -to); **hineinblicken** *vi sep* to look in (*in* +*acc* -to); **ins Fenster** ~ to look in at the window; **hineinbringen** *vt sep irreg* **1.** (*hineintragen*) to bring/take in (*in* +*acc* -to); **2.** (*inf*) to get in (*in* +*acc* -to); **hineinbugsieren*** *vt sep* (*inf*) to manoeuvre in (*in* +*acc* -to); **hineindenken** *vr sep irreg* **sich in ein Problem** ~ to think oneself into a problem; **sich in jdn** ~ to put oneself in sb's position; **hineindeuten** vt sep etw in einen Satz ~ to read sth into a sentence; **etw in die Natur** ~ to attribute nature with sth; **hineindrängen** sep (in +acc -to) **I** vt to push in; **II** vir (vi: aux sein) to push one's way in; **hineinfallen** vi sep irreg aux sein to fall in (in +acc -to); **hineinfinden** vr sep irreg (fig) (sich vertraut machen) to find one's feet; (sich abfinden) to come to terms with it; sich ~ in etw (acc) to get familiar with sth; to come to terms with sth; **hineinfressen** vt sep irreg (inf) **etw in sich** (acc) ~ (lit) to wolf sth (down) (inf), to gobble sth down or up; (fig) Kummer to suppress sth; **hineingehen** vi sep irreg aux sein **1.** to go in; **in etw** (acc) ~ to go into sth, to enter sth; **2.** (hineinpassen) to go in (in +acc -to); **in den Bus gehen 50 Leute hinein** the bus holds 50 people, there is room for 50 people in the bus; **hineingeraten*** vi sep irreg aux sein **in etw** (acc) ~ to get involved in sth, to get into sth; **in ein Unwetter** ~ to get into a thunderstorm; **hineingießen** vt sep irreg to pour in (in +acc -to); **etw in sich** ~ (inf) to pour sth down one's throat (inf), to down sth; **hineingreifen** vi sep irreg to reach inside; **in etw** (acc) ~ to reach into sth; **hineingucken** vi sep (inf) (in Zimmer, Kiste) to look or take a look in (in +acc -to); (in Buch) to take a look in (in etw (acc) sth); **hineinhalten** sep irreg **I** vt to put in (in etw (acc) sth); **II** vi (inf) (mit Gewehr) to aim (in +acc at); **mitten in die Menge** ~ to aim into the crowd; **hineininterpretieren*** vt sep siehe **hineindeuten**; **hineinklettern** vi sep aux sein to climb in (in +acc -to); **hineinknien** vr sep (fig inf) sich in etw (acc) ~ to get into sth (inf); **hineinkommen** vi sep irreg aux sein (in +acc -to) **1.** to come in; **2.** (lit, fig: hineingelangen können) to get in; **nach 21 Uhr kommt man nicht (mehr) hinein** you can't get in after 9 o'clock; **3.** siehe **hineingeraten**; **hineinkomplimentieren*** vt sep to usher in (in +acc -to); **hineinkriegen** vt sep (inf) siehe **hineinbekommen**; **hineinlachen** vi sep **in sich** ~ to laugh to oneself; **hineinlassen** vt sep irreg to let in (in +acc -to); **hineinlaufen** vi sep irreg aux sein to run in (in +acc -to); **in sein eigenes Unglück** ~ to be heading for misfortune; **etw in sich** ~ **lassen** (inf) to knock sth back (inf); **hineinlegen** vt sep **1.** (lit, fig) Gefühl to put in (in +acc -to); **2.** (hineindeuten) **etw in jds Worte** ~ to put sth in sb's mouth; **hineinlesen** vt sep irreg **etw in etw** (acc) ~ to read sth into sth; **hineinmanövrieren*** vt sep to manoeuvre in (in +acc -to); **hineinpassen** sep vi **in etw** (acc) ~ to fit into sth; (fig) to fit in with sth; **hineinpfuschen** vi sep (inf) **jdm in seine Arbeit/Angelegenheiten** ~ to meddle or interfere in sb's work/affairs; **hineinplatzen** vi sep aux sein (fig inf) to burst in; **hineinpressen** vt sep **1.** to press in (in +acc -to); **2.** (fig) etw in ein Schema ~ to force sth into a mould; **er läßt sich in**

kein Schema ~ he won't be pigeon-holed (inf); **hineinprojizieren*** vt sep to project (in +acc into); **hineinpumper** vt sep to pump in (in +acc -to); Gela auch to pour in; **hineinragen** vi sep aux sein (lit, fig) to project (in +acc into); **hineinreden** vi sep **1.** (lit: unterbrechen) to interrupt (jdm sb); **jdm** ~ (fig: sich einmischen) to meddle or interfere in sb's affairs; **2. ins Leere** ~ to talk into a vacuum, to talk to oneself; **sich in (seine) Wut** ~ to talk oneself into or work one-self up into a rage; **hineinregnen** vi impers sep **es regnet (ins Zimmer) hinein** (the) rain is coming in(to) the room; **hineinreichen** sep **I** vt to hand or pass in; (jdm) etw zum or durchs Fenster ~ to hand or pass sth in (to sb) through the window; **II** vi (lang genug sein) to reach in (in +acc -to); (sich erstrecken) to extend (in +acc as far as); **in etw** (acc) ~ (zeitlich) to go over into sth; **hineinreißen** vt sep irreg (fig inf) to drag in (in +acc -to); **hineinreiten** sep irreg **I** vi aux sein to ride in (in +acc -to); **II** vt (inf) siehe **reinreiten**; **hineinrennen** vi sep irreg aux sein to run in (in +acc -to); **in sein Unglück/Verderben** ~ to be heading for misfortune/disaster; **hineinschaffen** vt sep siehe **hineinbringen**; **hineinschauen** vi sep to look in; **ins Zimmer/Fenster** ~ to look into the room/in at the window; **eben mal** ~ (inf) to look or pop in (inf); **sich** (dat) in etw **nicht** ~ **lassen** to keep sth to oneself; **hineinschießen** vi sep irreg **1.** aux sein (inf: Wasser) to rush or gush in (in +acc -to); hineingeschossen kommen (Wasser) to come gushing or rushing in; (inf: Mensch) to shoot in (inf), to come shooting in (inf); **2. in eine Menschenmenge** ~ to shoot into a crowd; **hineinschlagen** vt sep irreg (in +acc -to) Nagel to knock in; Eier to break in; Krallen to sink in; **ein Loch ins Eis** ~ to knock a hole in the ice; **hineinschleichen** vir sep irreg (vi: aux sein) to creep or sneak in (in +acc -to); **hineinschliddern, hineinschlittern** vi sep aux sein (inf) **in etw** (acc) ~ to get involved in or mixed up with sth; **hineinschlingen** vt sep irreg **etw (gierig) in sich** ~ to devour sth (greedily); **hineinschlüpfen** vi sep aux sein to slip in (in +acc -to); **hineinschmuggeln** vt sep to smuggle in (in +acc -to); **hineinschneien** sep **I** vi impers **es schneit (ins Zimmer) hinein** the snow is coming in(to the room); **II** vi aux sein (inf) to drop in (inf); **hineinschreiben** vt sep irreg to write in (in etw (acc) sth); **hineinschütten** vt sep to pour in (in +acc -to); **etw in sich** ~ (inf) to knock sth back (inf); **hineinsehen** vi sep irreg siehe **hineinblicken**; **hineinsetzen** sep **I** vt to put in (in +acc -to); **II** vr (in Fahrzeug) to get into (in etw (acc) sth); (in Sessel) to sit (oneself) down (in +acc in(to)); (in Sessellift, Kettenkarussell) to sit one-self in (in etw (acc) sth); sich wieder ~/ins Zimmer ~ to go back and sit inside/in the room; **hineinspazieren*** vi *sep aux sein* to walk in (*in* +*acc* -to); **nur hineinspaziert!** please go in; **hineinspielen** *sep* **I** *vi* (*beeinflussen*) to have a part to play (*in* +*acc* in); **in etw** (*acc*) ~ (*grenzen an*) to verge on sth; **da spielen noch andere Gesichtspunkte hinein** other factors have a part to play (in it) *or* enter into it; **II** *vt* (*Sport*) **den Ball in den Strafraum** ~ to play the ball into the penalty area; **hineinstecken** *vt sep* (*in* +*acc* -to) to put in; **Nadel etc auch** to stick in; **den Kopf zum Fenster** ~ to put *or* stick one's head in at *or* in through the window; **Geld/Arbeit in etw** (*acc*) ~ to put money/some work into sth; **viel Mühe in etw** (*acc*) ~ to put a lot of effort into sth; **hineinsteigern** *vr sep* to get into *or* work oneself up into a state, to get worked up; **sich in seine Wut/Hysterie/seinen Ärger** ~ to work oneself up into a rage/hysterics/a temper; **sich in seinen Kummer/Schmerz** ~ to let oneself be completely taken up with one's worries/to let the pain take one over completely; **sich in eine Rolle** ~ to become completely caught up in a role; **hineinstopfen** *vt sep* to stuff *or* cram in (*in* +*acc* -to); **Essen in sich** (*acc*) ~ to stuff *or* cram oneself with food; **hineinstoßen** *sep irreg* **I** *vt Schwert* to thrust in (*in* +*acc* -to); **jdn in etw** ~ (*lit*) to push sb into sth; (*fig*) to plunge sb into sth; **II** *vi aux sein* **in eine Lücke** ~ to steer into a space; **in ein Gebiet** ~ to enter a district; **hineinströmen** *vi sep aux sein* to stream *or* flood in (*in* +*acc* -to); **hineinstürzen** *sep* **I** *vi aux sein* to plunge in (*in* +*acc* -to); (*hineineilen*) to rush in (*in* +*acc* -to); **zur Tür** ~ to rush in through the door; **II** *vt* to throw *or* hurl in (*in* +*acc* -to); **III** *vr* (*in* +*acc* -to) to throw *or* hurl oneself in, to plunge in; **sich ins Vergnügen** ~ to plunge in and start enjoying oneself, to let it all hang out (*sl*); **hineintappen** *vi sep aux sein* (*fig inf*) to walk right into it (*inf*); **in eine Falle** ~ to walk into a trap; **hineintragen** *vt sep irreg* (*in* +*acc* -to) to carry in; (*fig*) to bring in; **hineintun** *vt sep irreg* to put in (*in* +*acc* -to); **einen Blick in etw** (*acc*) ~ to take a look in sth; **hineinversetzen*** *vr sep* **sich in jdn** *or* **in jds Lage** ~ to put oneself in sb's position; **sich in etw** (*acc*) **hineinversetzt fühlen** to imagine oneself in sth; **sich in eine Rolle** ~ to empathize with a part; **hineinwachsen** *vi sep irreg aux sein* **in etw** (*acc*) ~ (*lit, fig*) to grow into sth; **hineinwagen** *vr sep* to venture in (*in* +*acc* -to); **hineinwollen** *vi sep* (*inf*) to want to go *or* get in (*in* +*acc* -to); **das will mir nicht in den Kopf hinein** I just can't understand it; **hineinziehen** *sep irreg* **I** *vt* to pull *or* drag in (*in* +*acc* -to); **jdn in eine Angelegenheit/einen Streit** ~ to drag sb into an affair/a quarrel; **II** *vi aux sein* (*in* +*acc* -to) to go in; (*in ein Haus*) to move in; **hineinzwängen** *sep* (*in* +*acc* -to) **I** *vt* to force *or* squeeze in; **II** *vr* to squeeze (oneself) in; **hineinzwingen** *vt sep irreg* to force in (*in* +*acc* -to).

hinfahren *sep irreg* **I** *vi aux sein* to go

there; (*mit Fahrzeug auch*) to drive there; (*mit Schiff auch*) to sail there; **II** *vt* to drive *or* take there; **Hinfahrt** *f* journey there; (*Naut*) voyage out; (*Rail*) outward journey; **auf der** ~ on the journey *or* way there *etc*; **hinfallen** *vi sep irreg aux sein* to fall (down).

hinfällig *adj* **1.** frail. **2.** (*fig: ungültig*) invalid; *Argument auch* untenable; **etw** ~ **machen** to render sth invalid, to invalidate sth.

hinfinden *vir sep irreg* (*inf*) to find one's way there; **hinfläzen, hinflegeln** *vr sep* (*inf*) to loll about *or* around; **hinfliegen** *vi sep irreg aux sein* to fly there; (*inf: hinfallen*) to come a cropper (*inf*); **Hinflug** *m* outward flight.

hinfort *adv* (*old*) henceforth (*old*).

hinführen *sep* **I** *vt* to lead there; **jdn zu etw** ~ (*fig*) to lead sb to sth. **II** *vi* to lead *or* go there. **zu/zwischen etw** (*dat*) ~ to lead to/between sth; **wo soll das** ~? (*fig*) where is this leading to?

hing *pret of* **hängen**.

Hingabe *f* -, *no pl* (*fig*) (*Begeisterung*) dedication; (*Selbstlosigkeit*) devotion; (*völliges Aufgehen*) (self-)abandon. **mit** ~ **tanzen/singen** to dance/sing with abandon; **unter** ~ **seines Lebens** (*geh*) by laying down one's life.

hingeben *sep irreg* **I** *vt* to give up; *Ruf, Zeit, Geld auch* to sacrifice; *Leben* to lay down, to sacrifice.

II *vr* **1.** **sich einer Sache** (*dat*) ~ *der Arbeit* to devote *or* dedicate oneself to sth; *dem Laster, Genuß, der Verzweiflung* to abandon oneself to sth; **sich Hoffnungen/einer Illusion** ~ to cherish hopes/to labour under an illusion.

2. **sie gab sich ihm hin** she gave herself *or* surrendered to him.

hingebend *adj* devoted.

hingebungsvoll I *adj* (*selbstlos*) devoted; (*begeistert*) abandoned. **II** *adv* devotedly; with abandon; *lauschen* raptly.

hingegen *conj* (*geh*) however; (*andererseits auch*) on the other hand.

hingehen *vi sep irreg aux sein* **1.** (*dorthin gehen*) to go (there); **gehst du auch hin?** are you going too?; **wo gehst du hin?** where are you going?; **wo geht es hier hin?** where does this go?; **2.** (*Zeit*) to pass, to go by; **3.** (*fig: tragbar sein*) **das geht gerade noch hin** that will just about do *or* pass; **diesmal mag es noch** ~ I'll let it go *or* pass this once; **(jdm) etw** ~ **lassen** to let sth pass, to let sb get away with sth; **hingehören*** *vi sep* to belong; **wo gehört das hin?** where does this belong *or* go?; **hingelangen*** *vi sep aux sein* (*geh*) to get there; **hingeraten*** *vi sep irreg aux sein* to get there; **irgendwo** ~ to get somewhere; **wo bin ich denn hier** ~? (*inf*) what kind of place is this then?; **hingerissen** *adj* enraptured, enchanted; ~ **lauschen** to listen with rapt attention; **ich bin ganz hin- und hergerissen** (*iro*) absolutely great *or* fantastic! (*iro*); **hinhalten** *vt sep irreg* **1.** (*entgegenstrecken*) to hold out (*jdm* to sb); **2.** (*fig*) **jdn** to put off, to stall; (*Mil*) to stave off.

Hinhaltepolitik *f* stalling *or* delaying

policy; **Hinhaltetaktik** *f* stalling *or* delaying tactics.

hinhauen *sep irreg (inf)* **I** *vt* **1.** *(nachlässig machen)* to knock off *(inf)*. **2.** *(hinwerfen)* to slam *or* plonk *(inf) or* bang down.
II *vi* **1.** *(zuschlagen)* to hit hard. **2.** *(gutgehen)* **es hat hingehauen** I/we *etc* just managed it; **das wird schon ~** it will be OK *(inf)* or all right. **3.** *(klappen, in Ordnung sein)* to work. **ich habe das so lange geübt, bis es hinhaute** I practised it till I could do it.
III *vr (sl) (sich hinflegeln, hinlegen)* to flop down *(inf)*; *(sich schlafen legen)* to crash out *(inf)*.
IV *vt impers* **es hat ihn hingehauen** he fell over.

hinhören *vi sep* to listen; **hinkauern** *vr sep* to cower (down).

Hinkebein *nt*, **Hinkefuß** *m (inf) (verletztes Bein)* gammy leg *(inf)*. **das alte/du Hinkebein** the old man with his/you with your gammy leg.

Hinkelstein *m (inf)* menhir.

hinken *vi* **1.** *(gehbehindert sein)* to limp, to walk with a limp. **mit** *or* **auf dem rechten Bein ~** to have a limp in one's right leg. **2.** *aux sein (sich fortbewegen)* to limp. **3.** *(fig) (Beispiel, Vergleich)* to be inappropriate.

hinknallen *sep (inf)* **I** *vt* to slam *or* bang down; **II** *vi aux sein* to fall flat; **hinknien** *vir sep (vi: aux sein)* to kneel (down); **hinkommen** *vi sep irreg aux sein* **1.** *(an einen Ort ~)* **(da) ~** to get there; **nach X ~** to get to X; **kommst du mit hin?** are you coming too?; **wie komme ich zu dir hin?** how do I get to your place?; **2.** *(an bestimmten Platz gehören)* to go; **wo ist das Buch hingekommen?** where has the book got to?; **wo kämen wir denn hin, wenn ...** *(inf)* where would we be if ...; **wo kämen wir denn da hin?** *(inf)* where would we be then?; **3.** *(inf: in Ordnung kommen)* **das kommt schon noch hin** that will turn out OK *(inf)*; **4.** *(inf: auskommen)* to manage; **wir kommen (damit) hin** we will manage; **5.** *(inf: ausreichen, stimmen)* to be right; **hinkriegen** *vt sep (inf)* **1.** *(fertigbringen)* to do, to manage; **das hast du gut hingekriegt** you've made a nice job of it; **wie kriegt sie das bloß immer hin?** I don't know how she does it; **2.** *(in Ordnung bringen)* to mend, to fix; *(gesundheitlich)* to cure; **hinlangen** *vi sep (inf)* **1.** *(zupacken)* to grab him/her/it *etc*; *(ziehen/schieben)* to pull/push hard; *(dial: anfassen)* to touch; *(zuschlagen)* to take a (good) swipe *(inf)*; *(foulen)* to play rough; **2.** *(sich bedienen)* to help oneself to a lot; *(viel Geld verlangen)* to overcharge; **3.** *(ausreichen)* to do; *(Geld)* to stretch; **mein Geld langt dafür nicht hin** my money won't stretch to that; **hinlänglich** **I** *adj (ausreichend)* adequate; **keine ~e Anzahl** an insufficient number; **II** *adv (ausreichend)* adequately; *(zu Genüge)* sufficiently; **hinlassen** *vt sep irreg* **jdn (da) ~** to let sb go (there); **hinlaufen** *vi sep irreg aux*

sein 1. *(zu bestimmter Stelle laufen)* to run there; *(vorbei-, entlang-, dahinlaufen)* to run; *(inf: zu Veranstaltung, Amt, Rechtsanwalt)* to rush; **2.** *(dial inf: nicht fahren)* to walk; **3.** *(verlaufen: mit Ortsangabe, in bestimmte Richtung)* to run; **hinlegen** *sep* **I** *vt* **1.** to put down; *Zettel* to leave *(jdm for sb)*; *(flach legen) Verletzten* to lay down; *(ins Bett, zum Schlafen)* to put to bed; *(inf: bezahlen müssen)* to fork out *(inf)*; **2.** *(inf: glänzend darbieten)* to perform *or Rede, Vortrag* give effortlessly and brilliantly; **er hat einen tollen Steptanz hingelegt** he did a neat bit of tap-dancing; **II** *vr* to lie down; **~!** *(Mil)* down!; **sich lang** *or* **der Länge nach ~** *(inf)* to fall flat; **da legst du dich (lang) hin!** *(inf)* it's unbelievable; **hinlümmeln** *vr sep (inf)* to loll *or* lounge about *or* around *(auf+acc on)*.

hinmachen *sep* **I** *vt (inf)* **1.** *(anbringen)* to put on; *Bild* to put up. **2.** *(kaputtmachen)* to wreck, to ruin; *(sl: umbringen)* to bump off *(inf)*, to do in *(inf)*.
II *vi* **1.** *(inf: Notdurft verrichten)* to do one's/its *etc* business *(euph)*. **2.** *(dial: sich beeilen)* to get a move on *(inf)*.

hinmorden *vt sep (pej)* to massacre; **hinmüssen** *vi sep irreg* to have to go; **hinnehmen** *vt sep irreg* **1.** *(ertragen)* to take, to accept; *Beleidigung* to swallow; **etw als selbstverständlich ~** to take sth for granted; **2.** *(inf: mitnehmen)* to take; **hinneigen** *sep* **I** *vt Kopf, Körper* to incline; **II** *vr (zu towards) (Mensch)* to lean; *(fig)* to incline *or* have leanings; **III** *vi (fig)* **zu etw ~** to incline towards sth; *zu Vorbild* to tend to follow.

hinpassen *vi sep (Platz haben)* to fit (in); *(gut aussehen)* to go (well); *(Mensch: am Platz sein)* to fit in; **hinpfeffern** *vt sep (inf) Gegenstand* to bang *or* slam down *(inf)*; *(fig) Antwort, Kritik (mündlich)* to rap out; *(schriftlich)* to scribble down; **hinplumpsen** *vi sep aux sein (inf)* to fall down (with a thud); **etw ~ lassen** to dump *or* plump *(inf)* sth down; **sich ~ lassen** to plump oneself down *(inf)*, to flop down; **hinraffen** *vt sep (liter)* to carry off; **hinreichen** *sep* **I** *vt* **jdm etw ~** to hand *or* pass sb sth *or* sth to sb; *Hand* to hold out sth to sb; **II** *vi* **1.** *(ausreichen)* to be enough, to suffice *(form)*; **2.** *(sich erstrecken)* **bis zu etw ~** to stretch to sth; **hinreichend** *adj (ausreichend)* adequate; *(genug)* sufficient; *(reichlich)* ample; **keine ~en Beweise** insufficient evidence; **es ist noch ~ Zeit** there is ample time; **Hinreise** *f* journey there *or* out, outward journey; *(mit Schiff)* voyage out, outward voyage; **Hin- und Rückreise** journey there and back; **die ~ nach London** the journey to London; **auf der ~** on the way there; **hinreißen** *vt sep irreg (fig)* **1.** *(begeistern)* to thrill, to enrapture; *siehe* **hingerissen**; **2.** *(überwältigen)* **jdn zu etw ~** to force sb into sth; **die Zuschauer zu Beifallsstürmen ~** to elicit thunderous applause from the audience; **sich ~ lassen** to let oneself be *or* get carried away; **sich zu einer Entscheidung ~ lassen** to let oneself be carried away into making a decision; **hinreißend** adj fantastic; Landschaft, Anblick enchanting; Schönheit, Mensch captivating; Redner auch thrilling; ~ **schön aussehen** to look quite enchanting; **hinrennen** vi sep irreg aux sein siehe **hinlaufen 1.**; **hinrichten** vt sep to execute; **jdn durch den Strang/ elektrischen Stuhl** ~ to hang sb/to send sb to the electric chair.

Hinrichtung f execution.

Hinrichtungskommando nt execution or (bei Erschießen) firing squad; **Hinrichtungsstätte** f place of execution.

hinschaffen vt sep to get there; **hinschauen** vi sep (dial) siehe **hinsehen**; **hinschaukeln** vt sep (sl) to fix (inf), to manage; **hinscheiden** vi sep irreg aux sein (liter) to pass away, to depart this life (form); **der Hingeschiedene** the deceased, the (dear) departed; **hinscheißen** vi sep irreg (vulg) to crap (vulg); **hinschicken** vt sep to send; **hinschielen** vi sep to glance (zu at); **hinschlachten** vt sep to slaughter, to butcher; **hinschlagen** vi sep irreg **1.** to strike or hit; **2.** aux sein (hinfallen) to fall over; **der Länge nach** or **längelang** or **lang** ~ (inf) to fall flat (on one's face); **hinschleichen** vir sep irreg (vi: aux sein) to creep or steal or sneak up; **hinschleppen** sep **I** vt to carry, to lug (inf); (inf: mitnehmen) to drag along; **II** vr (Mensch) to drag oneself along; (fig) to drag on; **hinschludern** vt sep (inf) Arbeit to dash off; **hinschmeißen** vt sep irreg (inf) (hinwerfen) to fling or chuck down (inf); (fig: aufgeben) Arbeit to chuck or pack in (inf); **hinschmelzen** vi sep irreg aux sein (hum, inf) (Mensch) to swoon; (Wut) to melt away; **hinschmieren** vt sep (inf) Schmutz to spread, to smear; (pej) (malen) to daub; (flüchtig schreiben) to scribble; **hinschreiben** sep irreg **I** vt to write; (flüchtig niederschreiben) to bung down (inf); Aufsatz to dash off; **II** vi (inf) to write (there); **hinsehen** vi sep irreg to look; **ich kann (gar) nicht** ~ I can't bear to look; **ohne hinzusehen** without looking; **bei genauerem H**~ on looking more carefully.

hinsein vi sep irreg aux sein (Zusammenschreibung nur bei infin und ptp) (inf) **1.** (kaputt sein) to have had it. **hin ist hin** what's done is done.
2. (verloren sein) to be lost; (Ruhe) to have disappeared; (ruiniert sein) to be in ruins.
3. (sl: tot sein) to have kicked the bucket (sl).
4. (begeistert sein) (von etw) ~ to be mad about sth.
5. **bis dahin ist es noch lange hin** it's a long time till then.

hinsetzen sep **I** vt to put or set down; **jdn** to seat, to put; Kind to set down. **II** vr **1.** (lit) to sit down. **sich gerade** ~ to sit up straight. **2.** (inf: sich bemühen) to buckle down to it, to set to.

Hinsicht f -, no pl **in dieser** ~ in this respect or regard; **in mancher** or **gewisser**

~ **in some** or **many respects** or **ways**; **in jeder** ~ in every respect; **in finanzieller/ wirtschaftlicher** ~ financially/economically; **in beruflicher** ~ with regard to my/his etc job.

hinsichtlich prep +gen (bezüglich) with regard to; (in Anbetracht) in view of.

hinsinken vi sep irreg aux sein (geh) to sink (down); (ohnmächtig werden) to faint, to swoon; (tot) to drop down dead; **hinsollen** vi sep (inf) **wo soll ich/ das Buch hin?** where do I/does the book go?; **wo soll ich mit dem Paket hin?** what should I do with this parcel?; **Hinspiel** nt (Sport) first leg; **hinstarren** vi sep to stare; **hinstellen** sep **I** vt **1.** (niederstellen) to put down; (an bestimmte Stelle) to put; (inf) Gebäude to put up; (abstellen) Fahrzeug to put, to park; **2.** (auslegen) Vorfall, Angelegenheit, Sachlage to describe; **jdn/etw als jdn/etw** ~ (bezeichnen) to make sb/sth out to be sb/sth; **II** vr to stand; (Fahrer) to park; **sich gerade** ~ to stand up straight; **sich vor jdn** or **jdm** ~ to stand in front of sb; **sich als etw** ~ (fig) to make oneself out to be sth; **hinsteuern** sep **I** vi **1.** aux sein to steer; **wo steuert sie hin?** where is she going?; **2.** (fig) **in der Diskussion auf etw** (acc) ~ to steer the discussion towards sth; **auf ein Ziel** ~ (fig) to aim at a goal; **II** vt to steer; **hinstrecken** sep **I** vt **1.** Hand, Gegenstand to hold out; **2.** (liter) jdn to fell; **II** vr to stretch (oneself) out, to lie down; **hinströmen** vi sep aux sein (Fluß, Wasser) to flow; (Menschen) to flock there; **hinstürzen** vi sep aux sein **1.** (hinfallen) to fall down heavily; **2.** (hineilen) **nach** or **zu jdm/etw** ~ to rush or dash towards sb/sth.

hint|ansetzen vt sep (zurückstellen) to put last; (vernachlässigen) to neglect; **hint|anstellen** vt sep siehe **hintansetzen**.

hinten adv **1.** behind. **von** ~ from the back; (bei Menschen auch) from behind; **nach** ~ to the back; **von weit** ~ from the very back; ~ **im Buch/in der Schlange/ auf der Liste** at the back of the book/ queue/at the end of the list; **sich** ~ **anstellen** to join the end of the queue (Brit) or line (US); ~ **im Bild** in the back of the picture; **nach** ~ **abgehen** (Theat) to exit at the back of the stage; **nach** ~ **laufen** to run to the back; **von** ~ **anfangen** to begin from the end; **das Alphabet von** ~ **aufsagen** to say the alphabet backwards; **etw** ~ **anfügen** to add sth at the end; ~ **bleiben** (lit) to stay behind or at the back; (fig) to lag behind.
2. (am rückwärtigen Ende) at the back; (Naut) aft; (am Gesäß) on one's behind. **von** ~ from behind; **jdn erkennen auch** from the back; ~ **im Auto/Bus** in the back of the car/bus; **der Blinker** ~ the rear indicator; ~ **und vorn nichts haben** (inf) to be as flat as a pancake (inf); **nach** ~ to the back; fallen, ziehen backwards; **jdn am liebsten von** ~ **sehen** (inf) to be glad to see the back of sb; **nach** ~ **ausschlagen** (Pferd) to kick out; **jdm** ~ **hinein-** or **reinkriechen** (inf) to lick sb's boots.

3. (*auf der Rückseite*) at the back; (*von Gebäude auch*) at the rear. **das Buch ist ~ schmutzig** the back (cover) of the book is dirty; **ein nach ~ gelegenes Zimmer** a room facing the back; **ein Blick nach ~ a** look behind; **etw von ~ und vorn betrachten** (*fig*) to consider sth from all angles.

4. (*weit entfernt*) **das Auto da ~** the car back there; **sie waren ziemlich weit ~** they were quite far back; **~ in der Mongolei** far away in Mongolia.

5. (*fig*) **~ und vorn** *betrügen* left, right and centre; *bedienen* hand and foot; *verwöhnen* rotten (*inf*); *egal sein* absolutely, utterly; **das stimmt ~ und vorn nicht** *or* **weder ~ noch vorn** that is absolutely untrue; **das reicht** *or* **langt ~ und vorn nicht** *or* **weder ~ noch vorn** that's nowhere near enough; **dann heißt es Frau Schmidt ~ und Frau Schmidt vorn** then it's Mrs Smith this and Mrs Smith that; **ich weiß nicht mehr, wo ~ und vorn ist** I don't know whether I'm coming or going.

hintendran *adv* (*inf*) (*am hinteren Ende*) at the back; (*fig: im Hintertreffen*) behind; **hintendrauf** *adv* (*inf*) on the back; (*von LKW*) in the back; (*auf Gesäß*) on one's behind; **hintendrein** *adv siehe* **hinterher**; **hintenherum** *adv* 1. (*von der hinteren Seite*) from the back; **kommen Sie ~** come round the back; 2. (*fig inf*) (*auf Umwegen*) in a roundabout way; (*illegal*) under the counter; **er hat mir ~ erzählt, daß sie ...** he told me behind her back that she ...; **hintennach** *adv* (*Aus, S Ger*) *siehe* **hinterher**; **hintenrum** *adv* (*inf*) *siehe* **hintenherum**; **hintenüber** *adv* backwards; **er fiel/kippte ~** he fell over backwards.

hinter *prep* +*dat or* (*mit Bewegungsverben*) +*acc* 1. (*räumlich*) behind. **~ dem Haus** behind *or* at the back *or* rear of the house; **~ jdm/etw her** behind sb/sth; **~ etw** (*acc*) **kommen** (*fig: herausfinden*) to get to the bottom of sth; **~ die Wahrheit kommen** to get to the truth; **sich ~ jdn stellen** (*lit*) to stand behind sb; (*fig*) to support sb, to get behind sb; **~ jdm/etw stehen** (*lit, fig*) to be behind sb/sth, to back sb/sth; **jdn ~ sich** (*dat*) **haben** (*lit, fig*) to have sb behind one; **~ dem Hügel/der Tür hervor** (out) from behind the hill/door; **jdn weit ~ sich** (*dat*) **lassen** to leave sb far behind; (*im Rennen auch*) to outdistance sb; **~ etw** (*dat*) **stecken, sich ~ etw** (*dat*) **verbergen** to be *or* lie behind sth.

2. +*dat* (*nach*) after. **vier Kilometer ~ Glasgow/~ der Grenze** four kilometres outside Glasgow/beyond the border; **~ diesem Satz steht ein Fragezeichen** there is a question-mark at the end of this sentence; **er ist ~ mir dran** it's his turn after me.

3. +*dat* (*in Rangfolge*) after; (*in Bedeutung*) behind. **an Talent nicht ~ jdm zurückstehen** to be just as talented as sb; **sie stand nicht ~ ihm zurück** she did not lag behind him; **ich stelle das Privatleben**

~ der Arbeit zurück I put my work before my private life.

4. **etw ~ sich** (*dat*) **haben** (*zurückgelegt haben*) to have got through sth; *Strecke* to have covered sth; *Land* to have left sth; (*überstanden haben*) to have got sth over (and done) with; *Krankheit, Zeit* to have been through sth; *anstrengende Tage* to have had sth; *Studium* to have completed *or* finished sth; **sie hat viel ~ sich** she has been through a lot; **das Schlimmste haben wir ~ uns** we're past *or* we've got over the worst; **etw ~ sich** (*acc*) **bringen** to get sth over (and done) with; *Strecke* to cover sth; *Arbeit* to get sth done; **das liegt ~ ihr** that is behind her.

5. (*inf*) *siehe* **dahinter**.

Hinterachse *f* *rear or* back axle; **Hinterausgang** *m* back *or* rear exit; **Hinterbacke** *f* *usu pl* buttock; (*von Tier*) hindquarter; **sich auf die ~n setzen** (*fig inf*) to get down to it; **Hinterbänkler(in** *f*) *m* **-s,** - (*Pol pej*) backbencher; **Hinterbein** *nt* hind leg; **sich auf die ~e stellen** *or* **setzen** (*lit*) to rear up (on one's hind legs); (*fig inf*) (*sich widersetzen*) to kick up a fuss (*inf*); (*sich anstrengen*) to pull one's socks up (*inf*).

Hinterbliebene(r) *mf decl as adj* surviving dependent. **die ~n** the bereaved family.

hinterbringen* *vt insep irreg* **jdm etw ~** to mention sth to sb; **Hinterdeck** *nt* (*Naut*) afterdeck; **hinterdrein** *adv siehe* **hinterher**.

hinter|einander *adv* (*räumlich*) one behind the other, behind each other; (*in einer Reihe nebeneinander*) next to one another; (*in Reihenfolge, nicht gleichzeitig, ohne Unterbrechung*) one after the other. **~ hereinkommen** to come in one by one *or* one at a time; **dicht ~** (*räumlich*) close behind one another; (*zeitlich*) close on one another; **zwei Tage ~** two days running; **dreimal ~** three times in a row; **es hat monatelang ~ geregnet** it has rained for months on end; **etw ~ tun** (*nicht gleichzeitig*) to do sth one after the other; (*der Reihe nach*) to do sth in turn; (*ohne Unterbrechung*) to do sth in one go *or* all at once.

hinter|einanderfahren *vi sep irreg aux sein* (*mit Auto/Fahrrad*) to drive/ride behind one another *or* one behind the other; **hinter|einandergehen** *vi sep irreg aux sein* to walk behind one another *or* one behind the other; **hinter|einanderher** *adv* behind one another; **hinter|einanderschalten** *vt sep* (*Elec*) to connect in series; **hinter|einanderstehen** *vi sep irreg aux haben or* (*S Ger*) *sein* to stand behind one another *or* one behind the other.

Hinter|eingang *m* rear entrance.

Hintere(r) *m decl as adj* (*inf*) *siehe* **Hintern**.

hintere(r, s) *adj* back; (*von Tier, Gebäude, Zug auch*) rear. **der/die/das H~** the one at the back; **das ~ Ende des Saals** the back *or* rear of the room; **am ~n Ende** at the far end; *siehe* **hinterste(r, s)**.

hinterfotzig *adj* (*dial inf*) underhand(ed);

Hinterfotzigkeit f (*dial inf*) underhandedness; (*Bemerkung*) underhand(ed) remark; **hinterfragen*** vt insep to analyze; *Brauch, Recht* to question; **Hinterfuß** m hind foot; **Hintergaumenlaut** m velar (sound); **Hintergebäude** nt siehe **Hinterhaus**; **Hintergedanke** m ulterior motive; **ohne ~n** without any ulterior motive(s); **hintergehen*** vt insep irreg (*betrügen*) to deceive; *Ehepartner auch* to be unfaithful to; (*umgehen*) *Verordnung, Gesetze, Prinzip* to circumvent; **Hinterglasmalerei** f (*Bild*) verre églomisé picture; (*Technik*) verre églomisé technique.

Hintergrund m (*von Bild, Raum*) background; (*von Bühne, Saal*) back; (*Theat: Kulisse*) backdrop, backcloth; (*fig: verborgene Zusammenhänge*) background no pl (gen to). **im ~** in the background; **im ~ der Bühne** at the back of the stage; **vor dem ~** (*lit, fig*) against the background; **der musikalische/akustische ~** the background music/sounds pl; **im ~ bleiben/stehen** (*lit, fig*) to stay/be in the background.

Hintergrundgespräch nt (*Pol*) briefing; **hintergründig** adj cryptic, enigmatic; **Hintergründigkeit** f crypticness, enigmaticness; (*Bemerkung*) cryptic or enigmatic remark; **Hintergrundprogramm** nt (*Comput*) background program; **hinterhaken** vi sep (*inf*) to follow that/it *etc* up; **Hinterhalt** m 1. ambush; **jdn aus dem ~ überfallen** to ambush or waylay sb; **jdn/etw aus dem ~ angreifen** (*esp Mil*) to ambush sb/sth; (*Sport, fig*) to make a surprise attack on sb/sth; **im ~ lauern** or **liegen** to lie in wait or (*esp Mil*) ambush; 2. (*inf*) **etw im ~ haben** to have sth in reserve; **ohne ~** unreservedly; **hinterhältig** adj underhand(ed); **Hinterhältigkeit** f underhandedness; (*Handlung*) underhand(ed) act; **Hinterhand** f (*von Pferd, Hund*) hindquarters pl; **etw in der ~ haben** (*fig: in Reserve*) to have sth up one's sleeve; **Hinterhaupt** nt back of one's/the head; **Hinterhaus** nt part of a tenement house accessible only through a courtyard and thus considered inferior.

hinterher adv (*räumlich*) behind, after; (*zeitlich*) afterwards.

hinterherfahren vi sep irreg aux sein to drive behind (jdm sb); **hinterherhinken** vi sep aux sein to limp behind (jdm sb); (*fig*) to lag behind (*einer Sache* (dat) sth, *mit* with, in); **hinterherkommen** vi sep irreg aux sein 1. (*danach kommen*) (*räumlich*) to follow (behind or after); (*zeitlich*) to come after; 2. (*als letzter kommen*) to bring up the rear; **hinterherlaufen** vi sep irreg aux sein to run behind (jdm sb); **jdm ~** (*fig inf: sich bemühen um*) to run (around) after sb; **einem Mädchen ~** (*inf*) to run after a girl; **hinterherschicken** vt sep to send on (jdm to sb); **jdn ~** to send after (jdm sb); **hinterherschicken** vi sep (*Zusammenschreibung nur bei infin und ptp*) (*inf*) (*lit: verfolgen*) to be after (jdm sb);

(*fig*) (*zurückgeblieben sein*) to lag behind; **~, daß ...** to see to it that ...

Hinterhof m backyard; (*zwischen Vorderund Hinterhaus*) courtyard; **Hinterkopf** m back of one's head; **etw im ~ haben/behalten** (*inf*) to have/keep sth in the back of one's mind; **Hinterlader** m -s, - breech-loader; **Hinterland** nt hinterland; (*Ind*) back-up area; **hinterlassen*** vt insep irreg to leave; (*testamentarisch auch*) to bequeath (jdm etw sb sth, sth to sb); **~e Werke/Schriften** posthumous works; **Hinterlassenschaft** f estate; (*literarisch, fig*) legacy; **jds ~ antreten** (*beerben*) to inherit sb's estate; (*jdm nachfolgen*) to follow sb; **Hinterlassung** f (*form*) **unter ~ von Schulden** leaving (unsettled or unpaid) debts; **hinterlastig** adj (*Aviat*) tail-heavy; (*Naut*) stern-heavy; **Hinterlauf** m (*Hunt*) hind leg; **hinterlegen*** vt insep 1. (*verwahren lassen*) to deposit; 2. (*als Pfand hinterlegen*) to leave.

Hinterlegung f deposit.

hinterleuchtet adj (*Comput*) *Bildschirm* backlit.

Hinterlist f -, no pl 1. siehe adj craftiness, cunning; treachery; deceitfulness. 2. (*Trick, List*) ruse, trick.

hinterlistig adj (*tückisch*) crafty, cunning; (*verräterisch*) treacherous; (*betrügerisch*) deceitful.

hinterm = **hinter dem**.

Hintermann m, pl -̈er 1. person/car behind (one). **mein ~** the person/car behind me. 2. (*inf*) (*Gewährsmann*) contact. **die ~̈er des Skandals** the men behind the scandal.

Hintermannschaft f (*Sport*) defence.

hintern = **hinter den**.

Hintern m -s, - (*inf*) bottom (*inf*), backside (*inf*), behind (*inf*). **ein Tritt in den ~** a kick in the pants or up the backside (*inf*); **jdm den ~ versohlen** to tan sb's hide; **ein paar auf den ~** or **den ~ voll bekommen** to get one's bottom smacked (*inf*); **sich auf den ~ setzen** (*hinfallen*) to fall on one's bottom *etc*; (*eifrig arbeiten*) to buckle down to work; **jdm in den ~ kriechen** to lick sb's boots, to suck up to sb.

Hinterpfote f hind paw; **Hinterrad** nt rear or back wheel; **Hinterradantrieb** m rear wheel drive; **hinterrücks** adv from behind; (*fig: heimtückisch*) behind sb's back.

hinters = **hinter das**.

Hinterschiff nt stern; **Hinterseite** f back; (*von Münze*) reverse side; (*inf: Hintern*) backside (*inf*); **Hintersinn** m underlying or deeper meaning (*gen* behind); **hintersinnig** adj cryptic.

hinterste(r, s) adj superl of **hintere(r, s)** very back, backmost; (*entlegenste*) remotest. **die H~n** those at the very back; **das ~ Ende** the very end or (*von Saal*) back; **in der ~n Reihe** in the very back row; **das H~ zuvorderst kehren** (*inf*) to turn everything upside down.

Hintersteven m (*Naut*) stern-post; (*hum dial: Gesäß*) backside (*inf*); **Hinterteil** nt 1. (*inf*) backside (*inf*); (*von Tier*) hindquarters *pl*; 2. *auch m* back *or* rear part; **Hintertreffen** *nt* im ~ **sein** to be at a disadvantage; **ins ~ geraten** *or* **kommen** to fall behind; **hintertreiben*** *vt insep irreg* (*fig*) to foil, to thwart; *Gesetz* to block; **Hintertreppe** *f* back stairs *pl*; **Hintertreppenroman** *m* (*pej*) cheap *or* trashy novel, dime novel (*US*); **Hintertupfing(en)** *nt* -s, *no pl* (*inf*) the back of beyond; **Hintertür** *f*, (*Aus*) **Hintertürl** *nt* -s, -(n) back door; (*fig inf: Ausweg, Umweg*) loophole; **durch die ~** (*fig*) through the back door; **sich** (*dat*) **eine ~** *or* **ein ~chen offenhalten** *or* **offenlassen** (*fig*) to leave oneself a loophole *or* a way out; **Hinterwäldler(in** *f*) *m* -s, - (*inf*) backwoodsman, hillbilly (*esp US*); **hinterwäldlerisch** *adj* (*inf*) backwoods *attr*; *Ansichten, Benehmen, Methoden auch* hick *attr*; **hinterziehen*** *vt insep irreg Steuern* to evade; *Material* to appropriate; **Hinterziehung** *f siehe vi* evasion; appropriation; **Hinterzimmer** *nt* back room.

hintragen *vt sep irreg* to take *or* carry there; **hintreiben** *sep irreg* I *vt* (*Wind*) to blow; (*Strömung*) to wash; II *vt impers* **es trieb ihn immer wieder hin** something always drove him back there; **hintreten** *vi sep irreg aux sein* **vor jdn ~** to go up to sb; *vor Gott* to step before sb; **zu jdm/etw ~** to step over to sb/sth; **hintun** *vt sep irreg* (*inf*) to put; **ich weiß nicht, wo ich ihn ~ soll** (*fig*) I can't (quite) place him.

hinüber *adv* over; (*über Grenze, Straße, Fluß auch*) across. **da ~** over there; **~ und herüber** back and forth; **quer ~** right across; **bis zum anderen Ufer ~** over *or* across to the other bank.

hinüber- *pref siehe auch* **herüber-, rüber-**; **hinüberbefördern*** *vt sep* to transport across (*über etw* (*acc*) sth); **hinüberblicken** *vi sep* to look across (*zu jdm* to sb); **hinüberbringen** *vt sep irreg* to take across (*über etw* (*acc*) sth); **hinüberfahren** *sep irreg* I *vt* (*über etw* (*acc*) sth) *jdn* to take across; *Gepäck auch* to carry across; *Auto* to drive across; II *vi aux sein* to travel *or* go across; **nach Frankreich ~** to cross *or* go across to France; **über den Fluß ~** to cross the river; **hinüberführen** *sep* I *vt* **jdn** (*über die Straße/dort/in das andere Zimmer*) **~** to take sb across (the street)/over (there)/over (into the other room); II *vi* (*verlaufen: Straße, Brücke*) to go across (*über etw* (*acc*) sth); **hinübergehen** *vi sep irreg aux sein* 1. to go *or* walk across; (*über Brükke auch, zu anderem Haus, zu jdm*) to go *or* walk over (*über etw* (*acc*) sth); 2. (*euph: sterben*) to pass away; **hinüberhelfen** *vi sep irreg* **jdm ~** to help sb across (*über etw* (*acc*) sth); (*fig: über Schwierigkeiten*) to help sb out (*über* +*acc* of); **hinüberkommen** *vi sep irreg aux sein* to come across (*über etw* (*acc*) sth) to come across; (*über Brücke, Fluß auch, über Hindernis, zu Besuch*) to come over; (*hinüberkönnen*) to get across/over; **hinüberlassen** *vt sep irreg* to let *or*

allow across; (*über Kreuzung, Brücke auch, zu Besuch*) to let *or* allow over (*über etw* (*acc*) sth); **hinüberreichen** *sep* I *vt* to pass across; (*über Zaun etc*) to pass over (*jdm* to sb, *über etw* (*acc*) sth); II *vi* to reach across (*über etw* (*acc*) sth); (*fig*) to extend (*in* +*acc* into); **hinüberretten** *sep* I *vt* to bring to safety; (*fig*) *Humor, Tradition* to keep alive; **etw in die Gegenwart ~** to keep sth alive; II *vr* (*über Grenze*) to reach safety; (*fig: Brauch*) to be kept alive; **hinüberschaffen** *vt sep* to get across (*über etw* (*acc*) sth); **hinüberschicken** *vt sep* to send across *or* (*zu Besuch*) over (*über etw* (*acc*) sth); **hinüberschwimmen** *vi sep irreg aux sein* to swim across (*über etw* (*acc*) sth); **hinübersein** *vi sep irreg aux sein* (*Zusammenschreibung nur bei infin und ptp*) (*inf*) 1. (*verdorben sein*) to be off *or* bad; (*kaputt, unbrauchbar, tot sein*) to have had it (*inf*); (*ruiniert sein*) to be done for; 2. (*betrunken sein*) to be well away (*inf*); (*betäubt sein*) to be (knocked) out (*inf*); **hinübersteigen** *vi sep irreg aux sein* to climb over (*über etw* (*acc*) sth); **hinüberwechseln** *vi sep aux haben or sein* to change over (*zu, in* +*acc* to); **zu einer anderen Partei ~** to go over to another party; **hinüberwerfen** *vt sep irreg* to throw over (*über etw* (*acc*) sth); **einen Blick ~** to glance over.

hin- und herbewegen* *vtr sep* to move to and fro; **hin- und herfahren** *sep irreg* I *vi aux sein* to travel to and fro *or* back and forth; II *vt* to drive to and fro *or* back and forth.

Hin|undhergerede *nt* (*inf*) **das ewige ~** this continual argy-bargy (*inf*) *or* carrying-on (*inf*).

Hin- und Rückfahrt *f* return journey, round trip (*US*); **Hin- und Rückflug** *m* return flight; **Hin- und Rückweg** *m* round trip.

hinunter I *adv* down. **bis ~ zu** down to; **ins Tal ~** down into the valley; **am Hügel ~** down the hill; **dort** *or* **da ~** down there; **~ mit der Arznei** medicine down. II *prep* +*acc* (*nachgestellt*) down.

hinunter- *pref siehe auch* **herunter-, runter-** down; **hinunterblicken** *vi sep* to look down; **hinunterbringen** *vt sep irreg* to take down; (*inf: schlucken können*) to be able to get down; **hinunterfahren** *sep irreg* I *vi aux sein* to go down; (*Fahrstuhl, Bergbahn auch*) to descend; **in etw** (*acc*)/**nach etw ~** to go down into sth/to sth; II *vt Passagier* to take down; *Fahrzeug* to drive down; **hinunterfallen** *vi sep irreg aux sein* to fall down; **hinunterfließen** *vi sep irreg aux sein* to flow down; **hinuntergehen** *vi sep irreg aux sein* to go down; (*zu Fuß auch*) to walk down; (*Flugzeug*) to descend (*auf* +*acc* to); **hinunterkippen** *vt sep* to tip down; (*inf*) *Getränke* to knock back (*inf*); **hinunterklettern** *vi sep aux sein* to climb down; **hinunterlassen** *vt sep irreg* to lower, to let down; **er läßt mich nicht hinunter** (*inf*) he won't let me get down; **hinunterlaufen** *vi sep irreg aux sein* to run down; **es lief ihm eiskalt den Rücken hinunter** a shiver ran down his spine; **hinunterreichen** *sep* I *vt* to hand *or* pass down; II *vi* to reach down; (*fig: in Rangfolge*) to apply (*bis zu* down to); **hinunterreißen** *vt sep irreg* to pull *or* drag down; **hinunterschalten** *vi sep* (*Aut*) to change *or* shift (*US*) down; **hinunterschauen** *vi sep* (*dial*) to look down; **hinunterschlingen** *vt sep irreg* (*inf*) to gulp down; *Essen* to gobble down; **hinunterschlucken** *vt sep irreg* to swallow (down); (*fig*) *Beleidigung* to swallow; *Kritik* to take; *Ärger, Tränen* to choke back; **hinunterschmeißen** *vt sep irreg* (*inf*) to throw *or* chuck (*inf*) down; **hinunterschütten** *vt sep siehe* **hinunterkippen**; **hinuntersehen** *vi sep irreg* to look down; **hinunterspülen** *vt sep* 1. (*in Toilette, Ausguß*) to flush away; **etw die Toilette/den Ausguß ~** to flush sth down the toilet/drain; 2. *Essen, Tablette* to wash down; (*fig*) *Ärger* to soothe; **hinunterstürzen** *sep* I *vi aux sein* 1. (*hinunterfallen*) to tumble *or* fall down; 2. (*eilig hinunterlaufen*) to rush *or* dash down; II *vt sep* to throw *or* hurl down; *Getränk* to gulp down; III *vr* to throw *or* fling oneself down; **hinunterwerfen** *vt sep irreg* to throw down; (*inf: fallen lassen*) to drop; **hinunterwürgen** *vt sep Essen* to choke down; (*fig*) *Wut, Tränen* to choke back; **hinunterziehen** *sep irreg* I *vt* to pull down; II *vi aux sein* to move down; III *vr* to run down.

hinwagen *vr sep* to dare to go there; **hinwärts** *adv* on the way there; **die Strecke ~** the way there; **Hinweg** *m* way there; **auf dem ~** on the way there.

hinweg *adv* 1. (*old: fort*) away. **~ mit der Unterdrückung** down with oppression.

2. **über jdn/etw ~** over sb *or* sb's head/sth; **über alle Hindernisse ~** (*fig*) despite all the difficulties.

3. (*zeitlich*) **über eine Zeit/zwei Jahre ~** over a period of time/over (a period of) two years.

hinweg- *pref siehe auch* **weg-** away; **hinwegbringen** *vt sep irreg* (*fig*) **jdn über etw** (*acc*) **~** to help sb to get over sth; **hinweggehen** *vi sep irreg aux sein* **über etw** (*acc*) **~** to pass over *or* across sth; (*nicht beachten*) to pass over *or* disregard sth; **hinweghelfen** *vi sep irreg* (*fig*) **jdm über etw** (*acc*) **~** to help sb get over sth; **hinwegkommen** *vi sep irreg aux sein* (*fig*) **über etw** (*acc*) **~** (*überstehen, verwinden*) to get over sth; (*sich hinwegsetzen können*) to dismiss sth; **ich komme nicht darüber hinweg, daß ...** (*inf*) I can't get over the fact that ...; **hinweggraffen** *vt sep* (*geh*) to carry off; **hinwegsehen** *vi sep irreg* **über jdn/etw ~** (*lit*) to see over sb *or* sb's head/sth; (*fig*) (*ignorieren*) to ignore sb/sth; (*unbeachtet lassen*) to overlook sb/sth; **darüber ~, daß ...** to overlook the fact that ...; **hinwegsetzen** *sep* I *vi aux haben or sein* **über etw** (*acc*) **~** to jump *or* leap

over sth; II *vr* (*fig*) **sich über etw** (*acc*) **~** (*nicht beachten*) to disregard *or* dismiss sth; **hinwegtäuschen** *vt sep* **jdn über etw** (*acc*) **~** to mislead *or* deceive sb about sth; **darüber ~, daß ...** to hide the fact that ...; **sich nicht darüber ~ lassen, daß ...** not to blind oneself to the fact that ...; **hinwegtrösten** *vt sep* **jdn über etw** (*acc*) **~** to console sb about sth.

Hinweis *m* **-es, -e** 1. (*Rat*) tip, piece of advice; (*Bemerkung*) comment; (*amtlich*) notice. **darf ich mir den ~ erlauben, daß ...** may I point out *or* draw your attention to the fact that ...; **~e für den Benutzer** notes for the user.

2. (*Verweisung*) reference. **unter ~ auf** (+*acc*) with reference to.

3. (*Anhaltspunkt, Anzeichen*) indication; (*esp von Polizei*) clue.

4. (*Anspielung*) allusion (*auf* +*acc* to).

hinweisen *sep irreg* I *vt* **jdn auf etw** (*acc*) **~** to point sth out to sb. II *vi* **auf jdn/etw ~** to point to sb/sth; (*verweisen*) to refer to sb/sth; **darauf ~, daß ...** to point out that ...; (*nachdrücklich*) to stress *or* emphasize that ...; (*anzeigen*) to indicate that ...

hinweisend *adj* (*Gram*) demonstrative.

Hinweisschild *nt*, **Hinweistafel** *f* sign.

hinwenden *sep irreg* I *vt* to turn (*zu, nach* towards); II *vr* (*lit*) to turn (*zu, nach* towards, to); (*fig: Mensch*) to turn (*zu* to sth).

Hinwendung *f* (*fig*) turning (*zu* to); **eine ~ zum Besseren** a turn for the better; **hinwerfen** *sep irreg* I *vt* 1. (*wegwerfen, zu Boden werfen*) to throw down; (*fallen lassen*) to drop; **jdm etw ~** to throw sth to sb; 2. (*flüchtig machen*) *Bemerkung* to drop casually; *Wort* to say casually; *Zeilen, Roman, Zeichnung* to dash off; **eine hingeworfene Bemerkung** a casual remark; 3. (*inf: aufgeben*) *Arbeit, Stelle* to give up, to chuck (in) (*inf*); II *vr* to throw *or* fling oneself down; (*auf die Knie*) to go down *or* throw oneself down on one's knees.

hinwieder, hinwiederum (*old*) *adv* (*dagegen*) on the other hand; (*dann wieder*) in turn.

hinwirken *vi sep* **auf etw** (*acc*) **~** to work towards sth; **kannst du nicht (bei ihm) darauf ~, daß er mich empfängt?** couldn't you use your influence to get him to *or* make him see me?; **hinwollen** *vi sep* (*inf*) to want to go.

Hinz *m*: **~ und Kunz** (*inf*) every Tom, Dick and Harry; **von ~ zu Kunz** from pillar to post.

hinzählen *vt sep* to count out (*jdm* to sb); **hinzaubern** *vt sep* (*fig*) to rustle *or* whip up (*inf*); **hinziehen** *sep irreg* I *vt* 1. (*zu sich ziehen*) to draw *or* pull (*zu* towards); (*fig: anziehen*) to attract (*zu* to); **es zieht sie zur Kunst hin** she feels attracted to art; 2. (*fig: in die Länge ziehen*) to draw *or* drag out; II *vi aux sein* 1. (*sich in bestimmte Richtung bewegen*) to move (*über* +*acc* across, *zu* towards); (*weggehen, -marschieren*) to move *or* go away; 2. (*liter: Wolken, Rauch*) to drift, to move (*an* +*dat* across); 3. (*umziehen*) to move there; **III** vr **1.** (*lange dauern, sich verzögern*) to drag on; (*sich verzögern*) to be delayed; **2.** (*sich erstrecken*) to stretch, to extend; **hinzielen** vi sep **auf etw** (*acc*) ~ to aim at sth; (*Pläne*) to be aimed at sth; (*Bemerkung*) to refer to sth.

hinzu adv (*räumlich*) there, thither (*obs*); (*überdies, obendrein*) besides, in addition. ~ **kommt noch, daß ich ...** moreover I ...

hinzufügen vt sep to add (*dat* to); (*beilegen*) to enclose; **Hinzufügung** f addition; **unter** ~ **von etw** (*form*) by adding sth; (*als Beilage*) enclosing sth; **hinzugesellen*** vr sep to join (*jdm* sb); **hinzugewinnen*** vt sep irreg to get in addition; *neue Mitglieder* to gain; **hinzukommen*** vi sep irreg aux sein **1.** (*hinkommen, eintreffen*) to arrive; **sie kam gerade hinzu, als ...** she happened to come on the scene when ...; (**zu etw**) ~ (*sich anschließen*) to join sth; **2.** (*zusätzlich eintreten*) to supervene, to ensue; (*beigefügt werden*) to be added; **zu etw** ~ to be added to sth; **es kommt noch hinzu, daß ...** there is also the fact that ...; **kommt sonst noch etwas hinzu?** will there be anything else?; **hinzunehmen** vt sep irreg to include; **etw zu etw** ~ to add sth to sth; **hinzurechnen** vt sep to add on; **hinzusetzen** vt sep to add; **hinzutun** vt sep irreg (*inf*) to add; **hinzuzählen** vt sep to add; **hinzuziehen** vt sep irreg to consult; **Hinzuziehung** f, no pl consultation (*gen* with); **unter** ~ **eines Lexikons** by consulting a dictionary.

Hiob m -s Job. **das Buch** ~ the Book of Job.

Hiobsbotschaft, Hiobspost (*old*) f bad news no pl or tidings pl.

hip(p) adj (*sl*) hip (*sl*).

Hippe f -, -n (*Messer*) pruning knife; (*Sense des Todes*) scythe.

hipp, hipp, hurra interj hip, hip, hurrah or hurray.

Hipphipphurra nt -s, -s cheer. **ein dreifaches** ~ three cheers.

Hippie ['hɪpi] m -s, -s hippie.

Hippodrom nt or m -s, -e hippodrome.

hippokratisch adj Hippocratic. **~er Eid** Hippocratic oath.

Hirn nt -(e)s, -e **1.** (*Anat*) brain. **2.** (*inf*) (*Kopf*) head; (*Verstand*) brains pl, mind. **sich** (*dat*) **das** ~ **zermartern** to rack one's brain(s); **diese Idee ist doch nicht deinem** ~ **entsprungen?** that's not your own idea or brainwave, is it? **3.** (*Cook*) brains pl.

Hirn- *siehe auch* **Gehirn-**; **Hirnanhang** m, **Hirnanhangsdrüse** f (*Anat*) pituitary gland; **Hirngespinst** nt fantasy; **Hirnhaut** f (*Anat*) meninges pl; **Hirnhautentzündung** f (*Med*) meningitis; **hirnlos** adj brainless; **Hirnrinde** f (*Anat*) cerebral cortex; **hirnrissig** adj hare-brained; **Hirnstamm** m brainstorm; **Hirntod** m (*Med*) brain death; **hirntot** adj brain dead; **Hirntumor** m brain tumour; **hirnverbrannt** adj harebrained; **Hirnwindung** f (*Anat*) convolution of the brain; **Hirnzentrum** nt

brain centre.

Hirsch m -es, -e **1.** (*Paarhufer*) deer; (*Rot~*) red deer; (*männlicher Rot~*) stag; (*Cook*) venison clot (*inf*). **2.** (*inf: Schimpfwort*) clot (*inf*).

Hirschbock m stag; **Hirschbrunft, Hirschbrunst** f rut; **zur Zeit der** ~ during the rutting season; **Hirschfänger** m hunting knife; **Hirschgeweih** nt antlers pl.

Hirschhorn nt horn.

Hirschhornsalz nt (*Chem*) ammonium carbonate.

Hirschjagd f stag-hunt/-hunting; **Hirschkäfer** m stag-beetle; **Hirschkalb** nt (male) fawn, (male) deer calf; **Hirschkeule** f haunch of venison; **Hirschkuh** f hind; **Hirschleder** nt buckskin, deerskin; **hirschledern** adj buckskin, deerskin; **Hirschlederne** f decl as adj (*esp Aus*) buckskin breeches pl, buckskins pl (*US*).

Hirse f -, -n millet.

Hirsebrei m millet gruel; **Hirsekorn** nt millet seed.

Hirt m -en, -en herdsman; (*Schaf~*) shepherd. **wie der** ~, **so die Herde** (*Prov*) like master, like man (*prov*).

Hirte m -n, -n (*Eccl: Seelsorger*) shepherd. **der Gute** ~ the Good Shepherd.

Hirtenbrief m (*Eccl*) pastoral; **Hirtendichtung** f (*Liter*) pastoral poetry; **Hirtenflöte** f shepherd's pipe; **Hirtengedicht** nt pastoral; **Hirtengott** m god of shepherds; **Hirtenhund** m sheepdog; **Hirtenjunge** m shepherd boy; **Hirtenlied** nt shepherd's song; **hirtenlos** adj (*lit, fig*) shepherdless; **Hirtenmädchen** nt young shepherdess; **Hirtenspiel** nt pastoral (play); **Hirtenstab** m shepherd's crook; (*Eccl*) crosier; **Hirtentäschel(kraut)** nt -s, - shepherd's-purse; **Hirtenvolk** nt pastoral people.

Hirtin f herdswoman; (*Schaf~*) shepherdess.

His, his nt -, - (*Mus*) B sharp.

Hispanistik f Spanish (language and literature).

hissen vt to hoist.

Histamin nt -s, no pl histamine.

Histologe m, **Histologin** f histologist.

Histologie f histology.

Historie [-iə] f (*old*) **1.** (*Weltgeschichte*) history. **2.** (*Erzählung*) story, tale.

Historien [-ion] pl Shakespeares ~ Shakespeare's history plays or histories.

Historienmaler(in f) m historical painter; **Historienmalerei** f historical painting.

Historiker(in f) m -s, - historian.

Historiograph(in f) m historiographer.

historisch adj historical; *Verständnis, Kenntnisse auch* of history; (*geschichtlich bedeutsam*) *Gestalt, Ereignis, Gebäude* historic. **das ist** ~ **belegt** there is historical evidence for this; ~ **denken** to think in historical terms; ~ **betrachtet** seen in the light of history.

historisch-kritisch adj *Ausgabe* historico-critical.

Historismus m, no pl historicism.

Hit m -s, -s (*Mus, fig inf*) hit.

Hitlerreich nt (Third) Reich; **Hitlerzeit** f Hitler era.

Hitliste f charts pl; **Hitparade** f hit parade.

Hitze f -, -n 1. heat; (~welle) heat wave. **vor ~ umkommen** to be sweltering (in the heat); **eine ~ ist das!** the heat (is incredible)!; **die fliegende ~ bekommen** (Med) to get hot flushes; (inf) to get all hot and bothered; **bei starker/mittlerer/ mäßiger ~ backen** (Cook) bake in a hot/medium/moderate oven.

2. (fig) passion. **in ~/leicht in ~ geraten** to get heated/to get worked up easily; **jdn in ~ bringen/sich in ~ reden** to get sb/oneself all worked up; **in der ~ des Gefecht(e)s** (fig) in the heat of the moment.

3. (Zool) heat.

hitzeabweisend adj heat-repellant; **Hitzeausschlag** m heat rash, prickly heat no art; **hitzebeständig** adj heat-resistant; **Hitzebeständigkeit** f heat resistance; **Hitzebläschen** nt heat-spot; **hitzeempfindlich** adj sensitive to heat; **Hitzeferien** pl (Sch) time off from school on account of excessively hot weather; **hitzefrei** adj ~ haben to have time off from school on account of excessively hot weather; **Hitze(schutz)schild** m heat shield; **Hitzewallung** f usu pl (Med) hot flush; **Hitzewelle** f heat wave.

hitzig adj 1. (aufbrausend) Mensch hot-headed; Antwort, Reaktion, Debatte heated; (leidenschaftlich) Temperament, Typ, Diskussionsteilnehmer passionate; Blut hot. **~ werden** (Mensch) to flare up; (Debatte) to grow heated; **nicht so ~!** don't get so excited!, hold your horses!; **ein ~er Kopf** (geh) a hothead.

2. (dated Med: fiebrig) Kopf, Gesichtsfarbe fevered; Fieber high.

3. (Zool) on heat.

Hitzkopf m hothead; **hitzköpfig** adj hot-headed; **Hitzschlag** m (Med) heat-stroke.

HIV [ha:|i:'fau] abbr of **Human Immunodeficiency Virus** HIV.

HIV- [ha:|i:'fau-] in cpds HIV-; **HIV-infiziert** adj HIV-infected; **HIV-positiv** adj HIV-positive; **HIV-Positive(r)** mf decl as adj HIV-positive person; **HIV-Virus** nt HIV-virus.

Hiwi m -s, -s 1. abbr of **Hilfswillige(r)**. 2. (Univ sl) helper. 3. (pej inf: Hilfskraft) dogsbody (inf).

hj. abbr of **halbjährlich**.

Hj. abbr of **Halbjahr**.

hl. abbr of **heilig**.

Hl. abbr of **Heilige(r)** St.

H-Milch ['ha:-] f long-life milk.

h-Moll ['ha:-] nt -, no pl B-minor.

HNO-Arzt [ha:|ɛn'|o:-] m ENT specialist.

hob pret of **heben**.

Hobby nt -s, -s hobby.

Hobbycomputer m games computer; home computer; **Hobbyferien** pl activity holiday sing; **Hobbyfotograf(in f)** m amateur photographer; **Hobbykoch** m, **Hobbyköchin** f **er ist ~** cooking is his hobby; **Hobbyraum** m hobby-room,

workroom.

Hobel m -s, - (Tech) plane; (Cook) slicer.

Hobelbank f carpenter's or joiner's bench; **Hobeleisen** nt plane-iron; **Hobelmaschine** f planer, planing machine.

hobeln vt 1. auch vi (Tech) to plane (an etw (dat) sth); (glätten) Brett to plane down. **wo gehobelt wird, da fallen Späne** (Prov) you can't make an omelette without breaking eggs (Prov). **2.** (Cook) to slice.

Hobelspan m shaving.

Hoch nt -s, -s 1. (Ruf) **ein (dreifaches) ~ für** or **auf jdn ausbringen** to give three cheers for sb; **ein ~ dem Brautpaar** a toast to the bride and groom.

2. (Met, fig) high.

hoch I adj, attr **hohe(r, s)** comp **höher**, superl **höchste(r, s)** 1. (räumliche Ausdehnung) high; Wuchs, Zimmer, Baum, Mast tall; Leiter tall, long; Schnee, Wasser deep. **10 cm ~** 10 cm high; **auf dem hohen Roß sitzen** (fig) to be on one's high horse.

2. (mengenmäßig, Ausmaß bezeichnend) Preis, Verdienst, Temperatur, Druck high; Betrag, Summe large; Strafe, Gewicht heavy; Profit auch, Lotteriegewinn big; Verlust auch big, severe; Schaden extensive. **mit hoher Wahrscheinlichkeit** in all probability; **in hohem Maße** in or to a high degree.

3. (in bezug auf Rang, Ansehen, Bedeutung) Stellung, Position, Amt, Adel, Meinung high; Geburt auch noble; Rang auch superior; Persönlichkeit distinguished; Ehre great; Fest auch, Besuch, Feiertag, Jubiläum important; Offizier high-ranking; Favorit hot; (Jur, Pol) high. **das Hohe Haus** (Parl) the House; **ein hohes Tier** (inf) a big fish (inf); **hohe Herrschaften** (form) ladies and gentlemen; **ein Mann von hohem Ansehen/hoher Bildung** a man of high standing/of culture.

4. (qualitativ, sehr groß) Lebensstandard, Ansprüche high; Bedeutung, Genuß, Gut, Glück great.

5. (esp Mus) high. **das hohe C** top C.

6. Alter great, advanced. **ein hohes Alter erreichen** to live to a ripe old age; **im hohen Mittelalter** at the height of the Middle Ages.

7. (in Wendungen) **das ist mir zu ~** (inf) that's (well) above my head; **in hoher Blüte stehen** to be in full bloom; (fig) (Mensch) to be in one's prime; (Kultur) to be at its zenith; (Wohlstand) to flourish, to be flourishing; **hohe Flut** spring tide; **die hohe Jagd** deer hunt(ing); **die Hohe Schule** (beim Reiten) haute école; (old geh: Hochschule) university, college; **es ist hohe Zeit** (geh) it's high time; **der hohe Norden** the far North.

II adv, comp **höher**, superl **am höchsten** 1. (nach oben) up. **er sah zu uns ~** (inf) he looked up to us; **~ emporragend** towering (up); **ein ~ aufgeschossener Mann** a very tall man; **den Kopf ~ tragen** to hold one's head high; **die Nase ~ tragen** (inf) to be stuck up or toffee-nosed, to go around with one's nose in the air (*all inf*); **zwei Treppen ~ wohnen** to live two floors up; **nach Hamburg ~** up to Hamburg.

2. (*in einiger Höhe*) high. **~ oben** high up; **~ am Himmel** high (up) in the sky; **die Sonne steht ~** the sun is high in the sky; **~ zu Roß** on horseback; **~ werfen/ sitzen/wachsen** to throw high/sit up high/grow tall; **4.000 m ~ fliegen** to fly at a height of 4,000 metres.

3. (*Bedeutung, Ansehen, Qualität bezeichnend*) *verehren, schätzen, qualifiziert* highly. **das rechne ich ihm ~ an** (I think) that is very much to his credit; **~ hinauswollen** to aim high, to be ambitious; **in der Rangordnung sehr ~ stehen** to be very high up in the hierarchy.

4. (*Ausmaß, Menge bezeichnend*) *bezahlen, versichern, willkommen, begabt* highly; *besteuern, verlieren* heavily; *gewinnen* handsomely; *verschuldet* heavily, deeply; *zufrieden, beglückt, erfreut* very. **drei Mann ~** (*inf*) three of them; **~ (ein)schätzen/zu ~ (ein)schätzen** to estimate generously/to overestimate; **wie ~ kalkulieren Sie den Bedarf?** how high would you put the requirements?; **wenn es ~ kommt** (*inf*) at (the) most, at the outside; **~ setzen** *or* **spielen** (*im Spiel*) to play for high stakes; **~ favorisiert sein** to be the hot favourite; **~ wetten** to place high bets; **~ zu stehen kommen** (*lit, fig*) to cost dearly; **er ist ~ betagt** he has reached a ripe old age; **~ in den Siebzigern** well into his *etc* seventies; **wie ~ steht das Thermometer?** how high is the temperature?

5. (*Math*) **7 ~ 3** 7 to the power of 3, 7 to the 3rd.

6. (*Mus*) high.

7. (*in Wendungen*) **es ging ~ her** (*inf*) there were lively goings-on (*inf*); **die See geht ~** the sea is running high; **~ lebe der König!** long live the King!; **~ und heilig versprechen** to promise faithfully; **~ und heilig schwören** (*inf*) to swear blind (*inf*); **~!** cheers!

hochachten *vt sep* to respect highly; **Hochachtung** *f* deep respect; **bei aller ~ vor jdm/etw** with (the greatest) respect for sb/sth; **meine ~!** well done!; **mit vorzüglicher ~** (*form: Briefschluß*) yours faithfully; **hochachtungsvoll** *adv* (*Briefschluß*) (*bei Anrede mit Sir/ Madam*) yours faithfully; (*bei Anrede mit Namen*) yours sincerely; **Hochadel** *m* high nobility; **hochaktuell** *adj* highly topical; **hochalpin** *adj* (high) alpine; **Hochaltar** *m* high altar; **Hochamt** *nt* (*Eccl*) High Mass; **hochangesehen** *adj attr* highly regarded/esteemed; **hochanständig** *adj* very decent; **hocharbeiten** *vr sep* to work one's way up; **hochauflösend** *adj* (*Comput, TV*) high-resolution; **Hochbahn** *f* elevated railway *or* railroad (*US*), el (*US inf*); **Hochbau** *m*, *no pl* structural engineering; *siehe* **Hoch-und-Tiefbau**; **hochbegabt** *adj attr* highly gifted *or* talented; **Hochbegabte(r)** *mf decl as adj* gifted person *or* child; **Hochbe-**

gabtenförderung *f* bursary for gifted students; **hochbeglückt** *adj attr* supremely *or* blissfully happy; **hochbeinig** *adj* long-legged; *Auto* high on the road; **hochbekommen*** *vt sep irreg Stein, Motorhaube* to (manage to) lift *or* get up; *Reißverschluß* to (manage to) get *or* do up; **hochbeladen** *adj attr* with a high load; **hochberühmt** *adj* very famous; **hochbetagt** *adj* aged *or* attr, advanced in years; **Hochbetrieb** *m* (*in Geschäft, Fabrik*) peak period; (*im Verkehr*) rush hour; (*Hochsaison*) high season; **~ haben** to be at one's/its busiest; **hochbinden** *vt sep irreg Haare, Pflanze* to tie up; **hochblicken** *vi sep* to look up; **Hochblüte** *f* (*fig*) (*von Geschichte, Literatur*) golden age; **seine ~ haben** to be at its zenith; **hochbocken** *vt sep* to jack up; **hochbringen** *vt sep irreg* (*inf*) **1.** (*nach oben bringen*) to bring *or* take up; **2.** (*inf: hochheben, hochdrücken können*) to (manage to) get up; **einen/ keinen ~** (*sl*) to be able/not to be able to get it up (*sl*); **3.** (*fig*) (*leistungsfähig machen*) to get going; *Kranken* to get back on his *etc* feet; *Schüler* to get up to scratch; **4.** (*fig inf: ärgern*) **jdn ~** to get sb's back up (*inf*); **Hochburg** *f* (*fig*) stronghold; **hochdeutsch** *adj* standard *or* High German; **die ~e Lautverschiebung** the High German sound shift; **Hochdeutsch(e)** *nt* standard *or* High German, the standard *or* High German language; **hochdienen** *vr sep* to work one's way up; **hochdotiert** *adj attr Mensch* highly paid; *Arbeit* highly paid; **hochdrehen** *vt sep Fenster* to wind up.

Hochdruck *m* **1.** (*Met*) high pressure. **2.** (*Typ*) (*no pl: Verfahren*) surface *or* relief printing; (*Gedrucktes*) relief print. **3.** (*Phys*) high pressure. **4.** (*Med: Blutdruck*) high blood pressure. **5.** (*fig*) **mit ~ arbeiten** to work at full stretch.

Hochdruckgebiet *nt* (*Met*) high-pressure area, anticyclone.

Hochebene *f* plateau; **hochempfindlich** *adj* (*Tech*) *Stoff, Material, Gerät, Instrumente* highly sensitive; *Film* fast; *Stoff* very delicate; **diese Farbe/dieser Teppich ist ~** this colour/carpet shows up everything; **Hochenergie-Laser** *m* high-energy laser; **hochentwickelt** *adj attr Kultur, Volk, Land* highly developed; (*verfeinert*) *Geräte, Maschinen, Methoden* sophisticated; **hocherhoben** *adj attr* raised high; **~en Hauptes** (*fig*) with head held high; **hochexplosiv** *adj* (*lit, fig*) highly explosive; **hochfahren** *sep irreg* **I** *vi aux sein* **1.** (*nach oben fahren*) to go up; (*in Auto auch*) to drive up; **2.** (*erschreckt*) to start (up); **aus dem Schlaf ~** to wake up with a start; **3.** (*aufbrausen*) to flare up; **II** *vt* to take up; (*in Auto auch*) to drive up; **hochfahrend** *adj* **1.** (*überheblich*) arrogant; **2.** *siehe* **hochfliegend**; **hochfest** *adj Kunststoff* reinforced; **Hochfinanz** *f* high finance; **Hochfläche** *f* plateau; **hochfliegen** *vi sep irreg aux sein* to fly up; (*Vogel auch*) to soar; (*in die Luft geschleudert werden*) to be thrown up; **hochfliegend**

adj ambitious; (*übertrieben*) high-flown; **Hochform** *f* top form; **Hochformat** *nt* vertical format.

Hochfrequenz *f* (*Elec*) high frequency. **Hochfrequenzstrom** *m* high-frequency current; **Hochfrequenztechnik** *f* high-frequency engineering.

Hochfrisur *f* upswept hairstyle; **sie hat eine ~** she wears her hair up; **Hochgarage** *f* multi-storey car park; **Hochgebirge** *nt* high mountains *pl*, high mountain region *or* area; **Hochgebirgspflanze** *f* alpine plant; **hochgeboren** *adj* (*dated*) high-born; (*Eure or Euer*) **~** (*Anrede*) your Honour; **hochgeehrt** *adj attr* highly honoured; **~er Herr** (*old: im Brief*) esteemed Sir (*old*); **Hochgefühl** *nt* elation; **im ~ des Sieges** elated by the victory; **hochgehen** *vi sep irreg aux sein* **1.** (*sich nach oben bewegen*) to rise; (*Preise auch*) to go up, to climb; (*Ballon auch*) to ascend; (*Wellen*) to surge; **2.** (*inf: hinaufgehen*) to go up; **3.** (*inf: explodieren*) to blow up; (*Bombe*) to go off; **etw ~ lassen** to blow sth up; **4.** (*inf: wütend werden*) to go through the roof; **da geht einem der Hut hoch** (*fig inf*) it's enough to make you blow your top (*inf*); **5.** (*inf: gefaßt werden*) (*einzelner Verbrecher*) to get nabbed (*inf*); (*Bande auch*) to be blown sky-high (*inf*); **jdn ~ lassen** to bust sb (*inf*); **hochgeistig** *adj* highly intellectual; *Lektüre, Mensch auch* highbrow *no adv*; **hochgelegen** *adj attr* high-altitude, high-lying; **ein ~er Ort in den Alpen** a place situated high up in the Alps; **hochgelehrt** *adj* erudite, very learned; **hochgemut** *adj* (*geh*) cheerful, in good spirits; **Hochgenuß** *m* great *or* special treat; (*großes Vergnügen*) great pleasure; **jdm ein ~ sein** to be a real treat for sb; **Hochgericht** *nt* (*Hist*) criminal court; (*Richtstätte*) scaffold; **hochgerüstet** *adj* Land with a full military arsenal; *Technik, System* highly sophisticated; **eine ~e Supermacht** a military superpower; **hochgeschätzt** *adj attr* Mensch highly esteemed; *Sache* greatly valued, much treasured; **hochgeschlossen** *adj* Kleid high-necked.

Hochgeschwindigkeits-Computer *m* high-speed computer; **Hochgeschwindigkeitszug** *m* high-speed train.

hochgespannt *adj* (*fig*) Erwartungen extreme; **hochgesteckt** *adj* (*fig*) Ziele ambitious; **hochgestellt** *adj attr* (*fig*) Persönlichkeit high-ranking, important; **hochgestochen** *adj* (*pej inf*) highbrow; *Reden* high-faluting; *Stil* pompous; (*eingebildet*) stuck-up; **hochgewachsen** *adj* tall; **hochgezüchtet** *adj* (*usu pej*) Motor souped-up (*sl*); *Geräte* fancy (*inf*); *Tiere, Pflanzen* overbred.

Hochglanz *m* high polish *or* shine; (*Phot*) gloss. **etw auf ~ polieren** *or* **bringen** to polish sth until it gleams, to make sth shine like a new pin; (*fig*) to make sth spick and span.

Hochglanz|abzug *m* (*Phot*) glossy print.

Hochglanzpapier *nt* high gloss paper; **Hochglanzpolitur** *f* (*Oberfläche*) mirror

polish *or* finish; (*Poliermittel*) (furniture) polish.

Hochgotik *f* high gothic period; **hochgradig** *adj no pred* extreme; (*inf*) Unsinn *etc* absolute, utter; **hochgucken** *vi sep siehe* **hochsehen**; **hochhackig** *adj* Schuhe high-heeled; **hochhalten** *vt sep irreg* **1.** (*in die Höhe halten*) to hold up; **2.** (*in Ehren halten*) to uphold; **Hochhaus** *nt* high-rise *or* multi-storey building; (*Wolkenkratzer*) sky-scraper; **hochheben** *vt sep irreg* Hand, Arm to lift, to raise, to hold up; *Kind, Last* to lift up; **hochherrschaftlich** *adj* very elegant *or* grand; *Wohnung auch* palatial; **hochherzig** *adj* generous, magnanimous; *Mensch auch* big-hearted; **Hochherzigkeit** *f* generosity, magnanimity; (*von Mensch auch*) big-heartedness; **hochindustrialisiert** *adj attr* highly industrialized; **hochintelligent** *adj* highly intelligent; **hochinteressant** *adj* most interesting; **hochjagen** *vt sep* (*inf*) **1.** (*aufscheuchen*) Vögel to scare up; *Menschen* to get up; **2.** (*sprengen*) to blow up; **3.** *Motor* to rev up; **hochjubeln** *vt sep* (*inf*) Künstler, Film, Politiker to build up, to hype (*inf*); **hochkämmen** *vt sep* Haar to put up; **hochkant** *adv* **1.** (*lit*) on end; **~ stellen** to up-end, to put on end; **2.** (*fig inf: auch* **~ig**) **~ hinauswerfen/hinausfliegen** to chuck/be chucked out (*inf*); **hochkarätig** *adj* **1.** Diamanten, Gold high-carat; **2.** (*fig*) top-class; **Hochkirche** *f* High Church; **hochklappbar** *adj* Tisch, Stuhl folding; *Sitz* tip-up; **hochklappen** *sep* **I** *vt* Tisch, Stuhl to fold up; *Sitz* to tip up; *Kühlerhaube, Deckel* to raise, to lift up; *Mantelkragen* to turn up; **II** *vi aux sein* (*Tisch, Stuhl*) to fold up; (*Sitz*) to tip up; **hochklettern** *vi sep aux sein* (*lit, fig*) to climb up; **hochkommen** *vi sep irreg aux sein* **1.** (*inf: hinauf-, heraufkommen*) to come up; **2.** (*inf*) **das Essen ist ihm hochgekommen** he threw up (his meal) (*inf*); **es kommt mir hoch** it makes me sick; **3.** (*aufstehen können*) to (manage to) get up; (*fig: sich aufraffen, gesund werden*) to get back on one's feet; **4.** (*inf: beruflich, gesellschaftlich*) to come up in the world; **Hochkonjunktur** *f* boom; **hochkönnen** *vi sep irreg* (*inf*) (*aufstehen können*) to be able to get up; (*hinaufsteigen können*) to be able to get up (*auf etw* (*acc*) onto sth, *auf Berg* the mountain); **hinten nicht mehr ~** (*inf*) to be more dead than alive; **hochkonzentriert** *adj* highly concentrated; **hochkrempeln** *vt sep* Ärmel, Hosenbeine to roll up; **hochkriegen** *vt sep* (*inf*) *siehe* **hochbekommen**; **er kann keinen ~** (*sl*) he can't get it up (*sl*); **Hochkultur** *f* (*very*) advanced civilization; **hochkurbeln** *vt sep* Fenster to wind up; **Hochland** *nt* highland; **das schottische ~** the Scottish Highlands *pl*; **Hochlautung** *f* (*Ling*) Standard German pronunciation; **hochleben** *vi sep* **jdn ~ lassen** to give three cheers for sb; **er lebe hoch!** three cheers (for him)!; **hoch lebe der**

König! long live the King!; **hochlegen** vt sep **1.** Beine to put up; **2.** (inf: nach oben legen) to put high up.

Hochleistung f first-class performance.

Hochleistungs- in cpds high-performance; **Hochleistungsmotor** m high-performance engine; **Hochleistungssorte** f (Agr) high-yield variety; **Hochleistungssport** m top-class sport; **Hochleistungssportler(in** f) m top athlete; **Hochleistungstraining** nt intensive training.

Hochlohnland nt country with high wage costs; **hochmodern** adj very modern, ultra-modern; **Hochmoor** nt moor; **Hochmut** m arrogance; ~ **kommt vor dem Fall** (Prov) pride comes before a fall (Prov); **hochmütig** adj arrogant; **Hochmütigkeit** f arrogance; **hochnäsig** adj (inf) snooty (inf); **Hochnäsigkeit** f (inf) snootiness (inf); **Hochnebel** m (low) stratus; **hochnehmen** vt sep irreg **1.** (heben) to lift; Kind, Hund to pick or lift up; **2.** (dial: in oberes Stockwerk) to take up; **3.** (inf: necken) jdn ~ to pull sb's leg; **4.** (inf: schröpfen) jdn ~ to fleece sb (inf); **5.** (inf: verhaften) to pick up (inf); **Hochofen** m blast furnace; **hochpäppeln** vt sep (inf) Tier, Kind, Kranken to feed up; (fig) to nurse back to health; **Hochparterre** nt raised ground floor; **Hochplateau** nt plateau; **hochprozentig** adj alkoholische Getränke high-proof; Lösung highly concentrated; **hochqualifiziert** adj attr highly qualified; **Hochrad** nt penny-farthing (bicycle); **hochrädrig** adj with high wheels; **hochragen** vi sep aux sein or haben (Bäume) to rise (up); (Berge, Türme, Häuser) to tower (up), to rise up; **hochrechnen** sep I vt to project; II vi to make a projection; **Hochrechnung** f projection; **Hochreck** nt high or horizontal bar; **hochrecken** sep I vt Arme, Hände to raise or stretch up; **hochreißen** vt sep irreg to lift quickly; (Aviat) to put into a steep climb, to hoick (spec); **Hochrelief** nt high relief; **hochrot** adj bright red; **mit** ~**em Gesicht** with one's face as red as a beetroot; **Hochruf** m cheer; **hochrüsten** vt sep **1.** (Tech) to upgrade; **2. ein Land** ~ to increase the weaponry of a country; **Hochrüstung** f, no pl arms build-up; **hochrutschen** vi sep aux sein (Kleidungsstück) to ride up; (inf: aufrücken) to move up; **Hochsaison** f high season; **hochschätzen** vt sep to respect highly; **hochschaukeln** sep I vt Problem, Angelegenheit to blow up; II vr to work oneself up; **hochschießen** sep irreg I vi aux sein to shoot up; II vt Feuerwerksrakete, Leuchtkugel to send up; **hochschlagen** sep irreg I vt Kragen to turn up; II vi aux sein (Wellen) to surge up; (Flammen) to leap up; **hochschnellen** vi sep aux sein (Lachse) to leap up; (Feder, Mensch, Preise auch) to shoot up; **hochschrauben** vt sep (lit) to raise; (fig) Preise to force up; Erwartungen to raise; Forderungen, Ansprüche to increase; **hochschrecken** vti sep (vi: irreg aux

sein) siehe **aufschrecken.**

Hochschulabschluß m degree; **mit** ~ with a degree; **Hochschulabsolvent(in** f) m graduate; **Hochschul(aus)bildung** f (Ausbildung) college/university training; (Bildung) university education.

Hochschule f college; (Universität) university. **Technische** ~ technical college, college of technology.

Hochschüler(in f) m student; (Universitäts ~ auch) undergraduate.

Hochschullehrer(in f) m college/university teacher, lecturer (Brit); **Hochschulreform** f university reform; **Hochschulreife** f academic standard required for university entrance; **er hat (die)** ~ ≃ he's got his A-levels (Brit), he's graduated from high school (US); **Hochschulstudium** nt higher education, university education.

hochschwanger adj well advanced in pregnancy, very pregnant (inf).

Hochsee f high sea. **auf** ~ on the high seas or open sea.

Hochseefischerei f deep-sea fishing; **Hochseeschiffahrt** f deep-sea shipping; **hochseetüchtig** adj oceangoing.

hochsehen vi sep irreg to look up; **Hochseil** nt high wire, tightrope; **Hochseilakt** m (von Artisten) high-wire or tightrope act; (fig) tightrope walk; **hochsensibel** adj Apparat, Angelegenheit highly sensitive; **Hochsicherheitstrakt** m high-security wing; **Hochsitz** m (Hunt) (raised) hide; **Hochsommer** m height of the summer; (Zeitabschnitt) midsummer no art; **hochsommerlich** adj very summery.

Hochspannung f (Elec) high voltage, high tension; (fig) high tension. „**Vorsicht** ~" "danger — high voltage".

Hochspannungsleitung f high tension line, power line; **Hochspannungsmast** m pylon.

hochspielen vt sep (fig) to blow up, to play up; **etw (künstlich)** ~ to blow sth up out of all proportion; **Hochsprache** f standard language; **hochsprachlich** adj standard; ~ **heißt es ...** in standard German/English etc that's ...; **hochspringen** vi sep irreg aux sein **1.** (inf: aufspringen) to jump up (an jdm on sb); **auf etw** (acc) ~ to jump (up) on sth; **2.** (inf: schnell hinauflaufen) to run up; **3.** infin, ptp only (Sport) to do the high jump; **Hochspringer(in** f) m high jumper; **Hochsprung** m high jump.

höchst [höçst] siehe **höchste(r, s). II** adv (überaus) highly, extremely, most.

Höchst- in cpds (obere Grenze angebend) (mit n) maximum; (mit adj) siehe **Hoch-**; (mit adj: Intensität ausdrückend) extremely, most; **Höchstalter** nt maximum age.

Hochstand m (Hunt) (raised) hide; **Hochstapelei** f (Jur) fraud; (einzelner Fall) swindle, con trick; (fig: Aufschneiderei) boasting no pl; **hochstapeln** vi sep to be fraudulent, to practise fraud (form); (fig) to put one over (inf); **Hochstapler(in** f) m **-s, -** confidence trickster; (fig) fraud.

Höchstbetrag m maximum amount; **Höchstbietende(r)** mf decl as adj highest bidder.

höchste adj siehe **höchste(r, s)**.

hochstecken vt sep to pin up; Haare auch to put up; **hochstehend** adj 1. (gesellschaftlich) of high standing; (kulturell) advanced; (geistig) highly intellectual; 2. (entwicklungsmäßig, qualitativ) superior; 3. Kragen turned-up.

hochstellen vt sep 1. (an höhere Stelle) Stühle to put up; (außer Reichweite) to put or place high up; **hochgestellte Zahlen** superior numbers; 2. (inf: höher einstellen) Heizung, Ventilator to turn up.

höchstenfalls adv at (the) most, at the outside.

höchstens adv 1. (nicht mehr, länger als) not more than; (bestenfalls) at the most, at best. 2. (außer) except.

Höchste(r) m decl as adj der ~ the Lord, the Supreme Being.

höchste(r, s) I adj, superl of **hoch** 1. (räumliche Ausdehnung) highest; Wuchs, Zimmer, Baum, Mast tallest; Leiter tallest, longest.
2. Preis, Verdienst, Temperatur, Druck highest; Betrag, Summe largest; Strafe, Gewicht heaviest; Profit auch, Lotteriegewinn biggest; Verlust most severe; Schaden most expensive; (maximal) Verdienst, Temperatur, Geschwindigkeit maximum attr. **im ~n Grade/ Maße** extremely; **im ~n Fall(e)** at the most.
3. (im Rang) highest; Ehre greatest; Fest most important; Offizier highest-ranking. **das ~ Wesen** the Supreme Being; **die ~ Instanz** the supreme court of appeal; **sich an ~r Stelle beschweren** to complain to the highest authority.
4. attr (qualitativ, äußerst) Lebensstandard, Ansprüche highest; Bedeutung, Genuß, Glück greatest, supreme; Gut greatest; Not, Gefahr, Wichtigkeit utmost, greatest; Freude greatest; Konzentration extreme. **zu meiner ~n Zufriedenheit** to my great satisfaction.
5. Alter greatest; (Mus) highest.
6. (in Wendungen) ~ **Zeit** or **Eisenbahn** (inf) high time; **das ist das ~ der Gefühle** and that's the end of it; **aufs ~ erfreut** highly or greatly or tremendously (inf) pleased; **das ist das ~, was ich bezahlen/tun kann** that is the most I can do/pay.

II adv **am ~n** 1. (in größter Höhe) highest. **mittags steht die Sonne am ~n** the sun is highest at noon.
2. (in größtem Ausmaß) verehren, schätzen most (of all); versichern, begabt most; besteuert, verlieren (the) most heavily; verschuldet (the) most deeply. **in der Rangordnung am ~n stehen** to be the highest up in the hierarchy; **er ist am ~n qualifiziert** he is the most (highly) qualified; **am ~n stehen** (Kurse, Temperatur) to be at its highest.

Höchste(s) nt decl as adj (fig) highest good. **nach dem ~n streben** to aspire to the ideal or to perfection.

Höchstfall m im ~ siehe **höchstens** 1.;

Höchstform f (Sport) top form; **Höchstgebot** nt highest bid; **Höchstgeschwindigkeit** f top or maximum speed; **zulässige** ~ speed limit; **Höchstgrenze** f upper limit.

hochstilisieren* vt sep to build up (zu into); **Hochstimmung** f high spirits pl.

Höchstleistung f best performance; (bei Produktion) maximum output; **Höchstmaß** nt maximum amount (an +dat of); **höchstpersönlich** adv personally; **es ist der Prinz** ~ it's the prince in person; **Höchstpreis** m top or maximum price.

Hochstraße f fly-over.

höchstrichterlich adj of the supreme court; **Höchstsatz** m (beim Glücksspiel) maximum stake; (bei Versicherungen) maximum rate; **Höchststand** m highest level; **Höchststrafe** f maximum penalty; **höchstwahrscheinlich** adv in all probability, most probably or likely; **Höchstwert** m maximum value.

hochstylen [-stailən] vt sep to give style to; (pej) Person to hype (inf); Auto to soup up (inf); Laden to tart up (inf). **ein hochgestyltes Produkt** a stylish product.

höchstzulässig adj attr maximum (permissible).

Hochtechnologie f high technology; **Hochtemperaturreaktor** m high temperature reactor; **hochtönend** adj high-sounding; **Hochtöner** m tweeter; **Hochtour** f **auf ~en laufen/arbeiten** (Maschinen) to run at full speed; (fig: Mensch, Fabrik) to run/work etc at full steam; **etw auf ~en bringen** Motor to rev sth up to full speed; Maschine, Produktion, Kampagne to get sth into full swing; **jdn auf ~en bringen** (inf) to get sb really going (inf); **hochtourig** adj Motor high-revving; ~ **fahren** to drive at high revs; **hochtrabend** adj (pej) pompous, turgid; **hochtreiben** vt sep irreg 1. (hinauftreiben) to drive up; 2. (fig) Preise, Löhne, Kosten to force up; **Hoch- und Tiefbau** m structural and civil engineering; **hochverdient** adj attr Mensch of great merit; Lob much-deserved; **hochverehrt** adj attr highly respected or esteemed; (in Brief) esteemed (old); **~er Herr Vorsitzender** ... Mr Chairman ...; **~er Herr Präsident!** Mr President, Sir!; (in Brief) Dear Sir; **Hochverrat** m high treason; **Hochverräter(in** f) m person guilty of high treason, traitor; **hochverräterisch** adj treasonable; **hochverschuldet** adj deep in debt; **hochverzinslich** adj bearing or yielding a high rate/high rates of interest; **Hochwald** m timber forest.

Hochwasser nt 1. (Höchststand von Flut) high tide. 2. (überhoher Wasserstand in Flüssen, Seen) high water; (Überschwemmung) flood. ~ **haben** (Fluß) to be in flood.

Hochwassergefahr f danger of flooding; **Hochwasserkatastrophe** f flood disaster; **Hochwasserschaden** m flood damage; **Hochwasserstand** m high-water level.

hochwerfen vt sep irreg to throw up;

hochwertig *adj* high-quality *attr*, of high quality; *Nahrungsmittel* highly nutritious; *Stahl* high-grade; (*Chem*) high-valency *attr*, of high valency; **Hochwild** *nt* big game (*including bigger game birds*); **hochwillkommen** *adj attr* most *or* very welcome; **Hochwürden** *m* -s, *no pl* (*dated: Anrede*) Reverend Father; **hochwürdig** *adj* (*dated*) Reverend; **Hochzahl** *f* exponent.

Hochzeit[1] *f* -, -en wedding; (*Eheschließung auch*) marriage. ~ **machen/haben** to get married; ~ **halten/feiern** to have a wedding; **etw zur ~ geschenkt bekommen/schenken** to get/give sth as a wedding present; **grüne ~** wedding day; **silberne/goldene/diamantene ~** silver/golden/diamond wedding (anniversary); **auf allen ~en tanzen** have a finger in every pie; **man kann nicht auf zwei ~en tanzen** (*prov*) you can't have your cake and eat it (*prov*).

Hochzeit[2] *f* -, -en (*liter: Blütezeit*) golden age.

hochzeitlich *adj* bridal *attr*, wedding *attr*. **die Braut/der Bräutigam war ~ gekleidet** the bride was in her wedding dress/the groom was in his wedding attire; ~ **geschmückt** decorated for the wedding.

Hochzeits- *in cpds* wedding; **Hochzeitsanzeige** *f* wedding announcement; **Hochzeitsfeier** *f* wedding celebration; (*Empfang*) reception, wedding breakfast; **Hochzeitskleid** *nt* wedding dress, bridal dress *or* gown; **Hochzeitsnacht** *f* wedding night; **Hochzeitsreise** *f* honeymoon; **wohin geht die ~?** where are you going on (your) honeymoon?; **Hochzeitsreisende** *pl* honeymoon couple, honeymooners *pl*; **Hochzeitstag** *m* wedding day; (*Jahrestag*) wedding anniversary.

hochziehen *sep irreg* **I** *vt* **1.** to pull up; *Hosen auch* to hitch up; *Fahne* to run up; *Augenbrauen* to raise, to lift; **die Maschine ~** (*Aviat*) to put the aircraft into a steep climb; **2.** (*inf: bauen*) to throw up (*inf*); **II** *vr* to pull oneself up; **sich an etw** (*dat*) ~ to climb up sth; (*fig inf*) to get a kick out of sth (*inf*); **Hochzinspolitik** *f* (*Econ*) high interest rate policy.

Hocke[1] *f* -, -n squatting position; (*Übung*) squat; (*beim Turnen*) squat vault; (*beim Skilaufen*) crouch; (*beim Ringen*) mat position. **in die ~ gehen/in der ~ sitzen** to squat.

Hocke[2] *f* -, -n stook, shock.

hocken I *vi* (*S Ger: aux sein*) **1.** (*in der Hocke sitzen*) to squat, to crouch. **2.** (*inf: sitzen*) to sit; (*auf Hocker*) to perch. **3.** (*pej inf*) to sit around. **4.** (*Sport*) **übers Pferd ~** to squat-vault over the horse. **II** *vr* **1.** (*in Hockstellung gehen*) to squat. **2.** (*inf: sich setzen*) to sit down, to plonk oneself down (*inf*).

Hocker *m* -s, - (*Stuhl*) stool.

Höcker *m* -s, - **1.** (*von Kamel, inf: Buckel*) hump; (*auf Schnabel*) knob. **2.** (*Erhebung*) bump; (*in Gelände*) hump; (*kleiner Hügel*) hummock, hump.

Hockergrab *nt* seated burial.

Hockey ['hɔki, 'hɔkɛ] *nt* -s, *no pl* hockey (*Brit*), field hockey (*US*).

Hockeyball *m* hockey ball; **Hockeyschläger** *m* hockey stick; **Hockeyspieler(in** *f*) *m* hockey player.

Hocksprung *m* (*Sport*) (*über Gerät*) squat vault; (*beim Bodenturnen*) crouch jump; **Hockstellung** *f* crouched *or* squatting position; (*Archeol*) seated position.

Hode *m* -n, -n, *f* -, -n, **Hoden** *m* -s, - testicle.

Hodenbruch *m* scrotal hernia; **Hodensack** *m* scrotum.

Hof *m* -(e)s, ⸚e **1.** (*Platz*) yard; (*Innen~*) courtyard; (*Schul~*) schoolyard, playground; (*Kasernen~*) square. **2.** (*Bauern~*) farm; (*Gebäudekomplex auch*) farmyard. **3.** (*Fürsten~*) court. **bei** *or* **am ~e** at court; **am ~e Ludwig XIV** at the court of Louis XIV. **4. einem Mädchen den ~ machen** (*dated, hum*) to court a girl (*dated*). **5.** (*um Sonne, Mond*) halo. **6.** (*in Namen: Gasthof, Hotel*) hotel, inn.

Hofarzt *m* court physician; **Hofdame** *f* lady-in-waiting; **Hofdichter** *m* court poet; (*in GB*) poet laureate.

höfeln *vi* (*Sw*) to flatter (*jdm* sb).

Hoferbe, Hoferbin *f m* heir/heiress to a/the farm; **hoffähig** *adj* acceptable at court; (*gesellschaftsfähig*) presentable.

hoffärtig *adj* (*dated*) proud, arrogant, haughty.

hoffen I *vi* **1.** (*von Hoffnung erfüllt sein*) to hope. **auf jdn ~** to set one's hopes on sb; **auf etw ~** (*acc*) to hope for sth; **da bleibt nur zu ~** one can only hope; **sie hofften auf ihre Verbündeten** (*auf Erscheinen*) they were waiting for their allies; (*auf Hilfe*) they set their hopes on their allies; **der Mensch hofft, solange er lebt** (*Prov*) hope springs eternal (*prov*); **H~ und Harren macht manchen zum Narren** (*Prov*) some people never give up hoping, pigs might fly (*inf*). **2.** (*wünschen und erwarten*) to hope. **~, daß ...** to hope that ...; **ich will nicht ~, daß er das macht** I hope he doesn't do that; **ich will/wir wollen ~, daß ...** I/we can only hope that ..., it is to be hoped that ...

II *vt* to hope for. **~ wir das Beste!** let's hope for the best!; **es ist zu ~** it is to be hoped; **ich hoffe es** I hope so; **das will ich (doch wohl) ~** I should (jolly well *Brit inf*) hope so; **das wollen wir ~** let's hope so; **ich will es nicht ~** I hope not; **sie hatten nichts mehr zu ~** they had nothing left to hope for.

hoffentlich *adv* hopefully. **~!** I hope so, let us hope so; **~ nicht** I/we hope not; **~ ist das bald vorbei** I/we *etc* hope that it will be over soon, hopefully it will be over soon.

Hoffnung *f* hope; (*auf Gott*) trust (*auf +acc* in). **sich** (*dat*) **~en machen** to have hopes; **sich** (*dat*) **keine ~en machen** not to hold out any hopes; **er macht sich ~en bei ihr** (*inf*) he fancies his chances with her (*inf*); **mach dir keine ~(en)!** I wouldn't even think about it; **jdm ~en machen** to raise sb's hopes; **jdm ~en machen, daß ...** to lead sb to hope that ...; **jdm auf etw** (acc) **~en machen** to lead sb to expect sth; **jdm keine ~en machen** not to hold out any hopes for sb; **seine ~en auf jdn/etw setzen** to place one's hopes in or pin one's hopes on sb/ sth; **die ~ aufgeben/verlieren** to abandon/lose hope; **eine ~ zerstören/ enttäuschen** to dash/disappoint sb's hopes; **in der ~, bald von Ihnen zu hören** hoping to hear or in the hope of hearing from you soon; **sich einer ~/ unbegründeten/falschen ~en hingeben** to cherish hopes/unfounded/false hopes; **zu schönen** or **zu den schönsten ~en berechtigen** to give rise to great hopes; **~ auf etw** (acc) **haben** to have hopes of getting sth; **guter ~ sein** (euph: schwanger) to be expecting.

hoffnungsfreudig, hoffnungsfroh I adj hopeful; **II** adv in happy anticipation; **Hoffnungsfunke(n)** m glimmer of hope; **Hoffnungslauf** m (Sport) repechage; **hoffnungslos** adj hopeless; **Hoffnungslosigkeit** f, no pl hopelessness; (Verzweiflung) despair; **Hoffnungsschimmer** m glimmer of hope; **Hoffnungsträger(in** f) m person on whom hopes are pinned; **er war der ~ der Partei** he carried the hopes of the party; **hoffnungsvoll I** adj hopeful; (vielversprechend) promising; **II** adv full of hope.

Hofgesellschaft f court society; **Hofgesinde** nt **1.** (auf Bauernhof) farm workers pl; **2.** (am Fürstenhof) servants pl at (the/a) court; **hofhalten** vi sep irreg (lit, fig) to hold court; **Hofherr(in** f) m (Gutsherr) estate owner; (in England) squire; **Hofhund** m watchdog.

hofieren* vt (dated) to court.

höfisch adj (eines Fürstenhofs) Leben, Sitten, Vergnügen courtly no adv.

Hofknicks m court or formal curtsey; **Hofleben** nt court life.

höflich adj polite; (zuvorkommend) courteous. **ich bitte Sie ~ I** (would) respectfully ask you; **wir teilen Ihnen ~(st) mit** we beg to inform you.

Höflichkeit f **1.** no pl siehe adj politeness; courteousness. **jdm etw mit aller ~ sagen** to tell sb sth very politely or with the utmost politeness. **2.** (höfliche Bemerkung) compliment. **jdm ~en sagen** to compliment sb.

Höflichkeitsbesuch m courtesy visit; **Höflichkeitsfloskel** f (pej) polite phrase; **höflichkeitshalber** adv out of courtesy.

Hoflieferant(in f) m purveyor to the court.

Höfling m courtier; (pej: Schmeichler) sycophant.

Hofmarschall m (Hist) major-domo; (in GB) Lord Chamberlain; **Hofnarr** m (Hist) court jester; **Hofprediger** m (Hist) court chaplain; **Hofrat** m **1.** (Hist) Court Counsellor; (in GB) Privy Counsellor; **2.** (Aus: Ehrentitel) Hofrat, ≃ Counsellor; **Hofsänger** m (Hist) min-

strel; **Hofstaat** m (Hist) (royal) household; **Hofstatt** f -, -en or ⁀en farmstead; **Hoftheater** nt (Hist) court or royal theatre; **Hoftor** nt yard gate; **Hoftrauer** f court mourning; **Hoftür** f yard gate.

HO-Geschäft ['haːⁱ'oː-] nt (DDR) state retail shop.

hohe adj siehe **hoch**.

Höhe f -, -n **1.** (Ausdehnung nach oben) height; (Flug~, Berg~, ~ über Meeresspiegel auch, Astron, Math) altitude; (von Schnee, Wasser) depth. **in die/der ~ (up)** into/in the air; **aus der ~** from above; **Ehre sei Gott in der ~** glory to God in the highest or on high; **an ~ gewinnen** (Aviat) to gain height, to climb; **in einer ~ von** at a height/an altitude of; **in die ~ gehen/treiben** (fig: Preise) to go up/force up; **in die ~ gehen** (fig inf) to hit the roof (inf).

2. (An~) hill; (Gipfel) top, summit; (fig: ~punkt, Blütezeit) height. **auf der ~ sein** (fig inf) (leistungsfähig) to be at one's best; (gesund) to be fighting fit (inf); **die sanften ~n** the gentle slopes; **sich nicht auf der ~ fühlen, nicht auf der ~ sein** (leistungsfähig) to feel below par; (gesundheitlich) not to be up to scratch; **auf der ~ des Lebens** in the prime of (one's) life; **die ~n und Tiefen des Lebens** the ups and downs of life; **auf der ~ der Zeit** up-to-date; **das ist doch die ~!** (fig inf) that's the limit!

3. (Ausmaß, Größe) (von Mieten, Preisen, Unkosten, Temperatur, Geschwindigkeit, Strafe, Phys: Stromspannung) level; (von Summe, Gewinn, Verlust, Gewicht, Geldstrafe) size, amount; (von Wert, Druck) amount; (von Einkommen) size; (von Schaden) extent. **ein Zuwachs/Betrag in ~ von** an increase/amount of; **Zinsen in ~ von** interest at the rate of; **bis zu einer ~ von** up to a maximum of.

4. (fig: Größe) (von Lebensstandard, Ansprüchen) level.

5. (Mus: Ton~, von Stimme) pitch; (Rad: Ton~) treble no pl.

6. (Naut, Geog: Breitenlage) latitude. **auf der ~ von** at the level of; **auf der ~ von Dover** (Naut) off Dover; **auf gleicher ~** level with each other.

Hoheit f **1.** no pl (Staats~) sovereignty (über +acc over). **2.** (Mitglied einer fürstlichen Familie) member of a/the royal family; (als Anrede) Highness. **Seine/Ihre Königliche ~** His/Her Royal Highness.

hoheitlich adj (von Staatsgewalt ausgehend) Befehl, Handlung sovereign; (von einem Fürsten) Gemächer royal; Auftreten, Geste majestic.

Hoheitsabzeichen nt nationality marking; **Hoheitsakt** m act of sovereignty; **Hoheitsbereich** m **1.** siehe **Hoheitsgebiet**; **2.** (Rechtsbereich) jurisdiction; **Hoheitsgebiet** nt sovereign territory; **Hoheitsgewalt** f (national) jurisdiction; **Hoheitsgewässer** pl territorial waters pl; **Hoheitsrecht** nt usu pl sovereign jurisdiction or rights pl; **hoheitsvoll** adj majestic; **Hoheitszeichen** nt national emblem.

Hohelied nt **Hohenlied(e)s**, no pl Song of Songs; (fig geh) song.

Höhenangabe f altitude reading; (auf Karte) altitude mark; **Höhenangst** f fear of heights; **Höhenflosse** f (Aviat) tailplane; **Höhenflug** m high-altitude flight; **geistiger/künstlerischer** ~ intellectual/artistic flight (of fancy); **höhengleich I** adj level; **II** adv on a level; **Höhenklima** nt mountain climate; **Höhenkrankheit** f (Med) altitude sickness; **Höhenkurort** m mountain (health) resort; **Höhenlage** f altitude; **Höhenleitwerk** nt (Aviat) elevators pl; **Höhenlinie** f contour (line); **Höhenluft** f mountain air; **Höhenmesser** m -s, - (Aviat) altimeter, altitude meter; **Höhenmessung** f 1. (Aviat) measuring altitude; **2.** (Tech) levelling; **Höhenrücken** m (mountain) crest or ridge; **Höhenruder** nt (Aviat) elevator; **Höhenschreiber** m (Aviat) altigraph; **Höhensonne** f (im Gebirge) mountain sun; (Lampe: auch künstliche ~) sunray lamp; (Behandlung) sunray treatment; **Höhensteuer** nt (Aviat) elevator controls; **Höhenstrahlung** f cosmic radiation; **Höhentraining** nt (Sport) (high-) altitude training; **Höhenunterschied** m difference in altitude; **Höhenverlust** m loss of height or altitude; **höhenverstellbar** adj (Tech) Sitz height-adjustable; **Höhenzug** m range of hills, mountain range.

Hohepriester m **Hohenpriesters**, - high priest.

Höhepunkt m highest point; (des Abends, des Tages, des Lebens) high point, high spot; (einer Veranstaltung) high spot, highlight; (einer Karriere, des Ruhms, der Macht) pinnacle, peak, height; (des Glücks) height, peak; (einer Entwicklung) peak, summit, apex; (einer Kurve) vertex; (eines Stücks, Orgasmus) climax. **auf den** ~ **bringen** to bring to a climax; **den** ~ **erreichen** to reach a or its/one's climax; (Krankheit) to reach or come to a crisis; **den** ~ **überschreiten** to pass the peak.

hohe(r, s) adj siehe hoch.

höher adj comp of **hoch** (lit, fig) higher; Macht superior; Klasse upper; Auflage bigger; (Comput) Programmiersprache high-level. ~**e Bildung** higher education; ~**es Lehramt** ≈ graduate teachership; ~**e Schule** secondary school, high school (esp US); ~**e Tochter** (dated, hum) young lady; ~**e Gewalt** an act of God; **in** ~**em Maße** to a greater extent; ~**er Blödsinn** (iro) utter nonsense; **in** ~**en Regionen** or **Sphären schweben** to have one's head in the clouds; **ihre Herzen schlugen** ~ their hearts beat faster; **etw** ~ **bewerten** to rate sth higher or more highly; **sich** ~ **versichern** to increase one's insurance (premium); **sich zu H**~**em berufen fühlen** to feel (oneself) called to higher things or to greater things.

höhergestellt adj attr higher, more senior; **höherliegend** adj attr higher;

höherschrauben vt sep (fig) Anforderungen, Ansprüche to increase; Preise to force or push up; **höherstehend** adj attr higher; **höherstufen** vt sep Person to upgrade.

hohl adj **1.** (lit, fig: leer) hollow; Geschwätz empty, shallow; Blick empty, vacant.

2. (konkav) hollow; Wangen auch sunken; Augen auch deep-set. **ein** ~**es Kreuz** a hollow back; **in der** ~**en Hand** in the hollow of one's hand; **eine** ~**e Hand machen** (lit) to cup one's hand; (fig inf) to hold one's hand out (for money, a tip etc); ~**e Gasse** narrow pass or defile.

3. Klang, Stimme, Husten hollow.

hohläugig adj hollow- or sunken-eyed; **Hohlblock(stein), Hohlblockziegel** m cavity block.

Höhle f -, -n cave, cavern; (in Baum) hole, hollow bit; (Tierbehausung) cave, den; (Augen~) socket; (fig: schlechte Wohnung) hovel, hole (inf).

Höhlen- in cpds cave; **Höhlenbär** m cave-bear; **Höhlenbewohner** m cave dweller, caveman, troglodyte; **Höhlenforscher(in** f) m cave explorer; (unter der Erde auch) potholer; **Höhlenforschung, Höhlenkunde** f speleology; **Höhlenmalerei** f cave painting; **Höhlenmensch** m caveman.

Hohlkopf m (pej) blockhead (inf), numskull (inf), dunce; **hohlköpfig** adj (pej) empty-headed, brainless, foolish; **Hohlkörper** m hollow body; **Hohlkreuz** nt (Med) hollow back; **Hohlkugel** f hollow sphere; **Hohlmaß** nt measure of capacity; (für Getreide auch) dry measure; **Hohlnadel** f (Med) cannula.

Hohlraum m hollow space; (Build auch) cavity.

Hohlraumversiegelung f (Aut) cavity seal; **Hohlraumziegel** m cavity block.

Hohlsaum m (Sew) hemstitch; **Hohlsaumarbeit** f drawn-thread work; **Hohlschliff** m hollow grinding; **ein Messer mit** ~ a hollow-ground knife; **Hohlspiegel** m concave mirror; **Hohltiere** pl coelenterata (spec).

Höhlung f hollow.

hohlwangig adj hollow-cheeked; **Hohlweg** m narrow pass or defile; **Hohlziegel** m **1.** (Hohlstein) cavity brick; **2.** (Dachziegel) hollow tile.

Hohn m -(e)s, no pl scorn, derision, mockery. **jdn mit** ~ **und Spott überschütten** to heap or pour scorn on sb; **nur** ~ **und Spott ernten** to get nothing but scorn and derision; **ein** ~ **auf etw** (acc) a mockery of sth; **das ist der reine** or **reinste** ~ it's a sheer or utter mockery.

höhnen I vt (geh) jdn to mock. **II** vi to jeer, to scoff, to sneer (über +acc at).

Hohngelächter nt scornful or derisive or sneering laughter.

höhnisch adj scornful, mocking, sneering.

hohnlachen vi sep to laugh scornfully or derisively; **ich höre ihn schon** ~ I can hear his sneers already; **hohnsprechen** vi sep irreg to make a mockery (dat of);

jdm ~ to mock at or deride sb; **das spricht jeder Vernunft hohn** that flies right in the face of all reason.

öker m -s, - (old) street trader or pedlar.

okuspokus m -, no pl (Zauberformel) abracadabra; (Zauberstück) (conjuring) trick(s); (fig) (Täuschung) hocus-pocus (inf), jiggery-pokery (inf); (Drumherum) palaver (inf), fuss. **die veranstalten immer einen ~, wenn Besuch kommt** they always make such a palaver (inf) or fuss when they have visitors.

old adj **1.** (poet, dated) fair, sweet; (hum) dear, beloved, fair. **~er Friede** sweet or blessed peace; **die ~e Weiblichkeit** (hum) the fair sex; **mein ~er Gatte** (hum) my dear or beloved husband (hum); **meine H~e** my sweet.
2. pred (geh: gewogen) **jdm ~ sein** to be fond of or well-disposed to(wards) sb; **das Glück war ihm ~** fortune smiled upon him.

older m -s, - (SGer) siehe **Holunder.**

oldinggesellschaft f (Comm) holding company.

Holdrio nt -s, -s (shout of) halloo.

holdselig adj (liter) sweet, lovely, fair.

holen vt **1.** to fetch, to get; (herunternehmen) to get or take or fetch down; (herausnehmen) to get or take out. **Luft/Atem ~** to draw breath, to catch one's breath; **jdn aus dem Bett ~** to get or drag (inf) sb out of bed.
2. (abholen) to fetch, to pick up; Verbrecher, Patienten to take away.
3. (kaufen) to get, to pick up (inf).
4. (herbeirufen, ~ lassen) Polizei, Hilfe to fetch, to get. **jdn ~ lassen** to send for sb; **einen Moment, ich lasse ihn schnell ans Telefon ~** just a moment, I'll have someone fetch or get him to the phone; **der Professor hat seinen Assistenten an die neue Uni geholt** the professor brought his assistant to the new university.
5. (erringen, gewinnen) Sieg, Preis to win, to get.
6. (sich zuziehen) Krankheit to catch, to get; elektrischen Schlag to get. **sich** (dat) **Schläge ~** to get a beating; **sonst wirst du dir etwas ~** or you'll catch something; **sich** (dat) **eine Erkältung/den Tod** (inf) **~** to catch a cold/one's death (inf).
7. (bekommen, erwerben) to get. **sich** (dat) **etw ~** to get (oneself) sth; **dabei ist nichts zu ~** (inf) there's nothing in it; **bei ihm ist nichts zu ~** (inf) you etc won't get anything out of him.

Holland nt -s Holland, the Netherlands pl.

Holländer[1] m -s, - Dutchman. **die ~** the Dutch (people); **er ist ~** he is Dutch or a Dutchman.

Holländer[2] m -s, no pl Dutch cheese.

Holländerin f Dutchwoman, Dutch girl.

holländisch adj Dutch.

Holländisch(e) nt decl as adj Dutch, the Dutch language; siehe auch **Deutsch(e).**

Holle f: **Frau ~ schüttelt die Betten aus** it is snowing.

Hölle f -, (rare) -n hell. **in der ~** in hell; **die**

~ auf Erden hell on earth; **fahr zur ~!** (liter) go to the devil!; **in die ~ kommen** to go to hell; **ich werde ihm die ~ heiß machen** (inf) I'll give him hell (inf); **sie machte ihm das Leben zur ~** she made his life (a) hell (inf); **es war die (reinste) ~** (inf) it was (pure) hell (inf); **die ~ ist los** (inf) all hell has broken loose (inf).

Höllen- in cpds (der Hölle) of hell, infernal; (inf: groß) hellish (inf), infernal (inf); **Höllenangst** f terrible fear; **eine ~ haben** to be scared stiff (inf); **Höllenfahrt** f Descent into Hell; **Höllenhund** m (Myth) hound of hell, hell-hound; **Höllenlärm** m hellish (inf) or infernal (inf) noise; **Höllenmaschine** f (dated) infernal machine (dated), time bomb; **Höllenqual** f (liter) torments pl of hell; (fig inf) agony; **eine ~/~en ausstehen** to suffer agony; **Höllenstein** m (Chem) silver nitrate, lunar caustic.

höllisch adj **1.** attr (die Hölle betreffend) infernal, of hell.
2. (inf: außerordentlich) dreadful, frightful, hellish (inf). **eine ~e Angst haben** to be scared stiff (inf); **~ fluchen** to swear like a trooper; **es tut ~ weh** it hurts like hell (inf), it's hellish(ly) painful (inf).

Hollywoodschaukel f ['hɔlɪwʊd-] swing hammock.

Holm m -(e)s, -e **1.** (von Barren) bar; (von Geländer) rail; (von Leiter) side rail.
2. (Aviat) (längs) longeron; (quer) spar.
3. (Stiel, Griff) (Axt~) shaft, handle; (Ruder~) shaft.

Holmium nt, no pl (abbr Ho) holmium.

Holocaust ['hɔləkɔːst] m -(s), -(s) holocaust.

Holocaust-Gedenkstätte f holocaust memorial.

Hologramm nt hologram; **Holographie** f holography.

holp(e)rig adj **1.** Weg, Pflaster bumpy. **2.** (schwerfällig) Rede, Verse clumsy, jerky. **~ lesen** to read jerkily or haltingly.

holpern vi to bump, to jolt. **beim Lesen holpert er noch** he still stumbles (over his words) when reading, he still reads haltingly.

Holschuld f (Comm) debt to be collected from the debtor at his residence.

holterdiepolter adv helter-skelter. **die Blechdose fiel ~ die Treppe hinunter** the tin went crash bang wallop down the stairs (inf).

Holunder m -s, - elder; (Früchte) elderberries pl.

Holunder- in cpds elder; **Holunderbeere** f elderberry; **Holunderbusch, Holunderstrauch** m elder bush; **Holunderwein** m elderberry wine.

Holz nt -es, ⁻er **1.** wood; (zum Bauen, Schreinern auch) timber, lumber (US); (Streich~) match. **ein ~** a piece of wood or timber; **(~art) a** wood; **lange ⁻er** long, untrimmed logs or timbers; **runde ⁻er** short, untrimmed logs or timbers; **flüssiges ~** (Tech) plastic wood; **aus ~** made of wood, wooden; **~ fällen** to fell or cut down trees; **~ sägen** (lit) to saw wood; (*inf: schnarchen*) to snore, to saw wood (*US inf*); **aus einem anderen ~ (geschnitzt) sein** (*fig*) to be cast in a different mould; **aus grobem ~ geschnitzt sein** (*fig*) to be insensitive; **aus hartem** *or* **härterem ~ geschnitzt sein** (*fig*) to be made of stern *or* sterner stuff; **aus demselben ~ geschnitzt sein** (*fig*) to be cast in the same mould; **ich bin nicht aus ~!** I'm not made of stone; **~ vor der Hütte** *or* **Tür haben** (*inf, hum*) to be well-endowed *or* well-stacked (*inf*), to have big boobs (*inf*); **~!** (*Tennis*) wood!; **Dummheit und Stolz wachsen auf einem ~** (*Prov*) stupidity and pride grow on the same tree. **2.** (*Kegel*) skittle, ninepin. **~ schieben** to play skittles *or* ninepins; **gut ~!** have a good game! **3.** (*dated: Wald, Gehölz*) wood, woods *pl*.

Holz- in cpds wood; (*aus ~ auch*) wooden; (*Build, Comm*) timber; **Holzapfel** *m* crab apple; **Holzarbeiter** *m* woodworker; (*im Wald*) woodcutter, woodman, lumberjack; **holzarm** *adj Papier* with (a) low wood content; **Holzart** *f* kind of wood *or* timber; **Holzasche** *f* wood-ashes *pl*; **Holzauge** *nt*: **~, sei wachsam** (*inf*) be careful; **Holzbau** *m* **-s 1.** *no pl* wood- *or* timber-frame construction; **2.** *pl* **-ten** wooden building; **Holzbearbeitung** *f* woodworking; (*im Sägewerk*) timber processing; **Holzbein** *nt* wooden leg; **Holzbestand** *m* stock of wood *or* timber, wood *or* timber stock; (*im Wald*) stand of timber; **Holzbildhauer(in** *f*) *m* wood carver; **Holzbläser(in** *f*) *m* woodwind player; **Holzblasinstrument** *nt* woodwind instrument; **Holzbock** *m* **1.** (*Stützgestell*) wooden stand *or* trestle; **2.** (*Insekt*) wood tick, dog tick; **Holzboden** *m* wooden floor; (*von Truhe*) wooden bottom; **Holzbohrer** *m* **1.** (*Tech*) wood drill; **2.** (*Zool*) goat moth, leopard moth; **Holzbrei** *m* wood pulp; **Holzbündel** *nt* bundle of wood, faggot.

Holzdruck *m* (*Art*) wood engraving.

holzen *vi* **1.** (*Bäume fällen*) to cut down *or* fell timber, to lumber. **2.** (*esp Ftbl*) to hack.

Holzer *m* **-s, -** (*pej inf*) hacker, rough player.

Holzerei *f* (*inf*) (*Rauferei*) roughhouse (*inf*); (*Ftbl auch*) rough game *or* match; (*Mus*) third- *or* fourth-rate playing.

hölzern *adj* (*lit, fig*) wooden.

Holzfällen *nt* **-s,** *no pl* tree-felling, lumbering; **Holzfäller** *m* **-s, -** woodcutter, woodsman, lumberjack; **Holzfaser** *f* wood fibre; **Holzfaserplatte** *f* (wood) fibreboard; **Holzfäule** *f* wood *or* dry/wet rot; **holzfrei** *adj Papier* wood-free; **Holzfrevel** *m* (*Jur*) offence against forest laws, infringement of forest regulations; **Holzhacken** *nt* **-s,** *no pl* cutting *or* chopping wood; **Holzhacker** *m* **-s, -** (*Aus, old*) siehe **Holzfäller**; **holzhaltig** *adj Papier* woody; **Holzhammer** *m* mallet; **jdm etw mit dem ~ beibringen** to hammer sth into

sb (*inf*); **Holzhammermethode** *f* (*inf*) sledgehammer method (*inf*); **Holzhandel** *m* timber trade; **Holzhaufen** *m* woodpile, pile *or* stack of wood; **Holzhaus** *nt* wooden *or* timber house.

holzig *adj* woody; *Spargel, Rettich auch* stringy, tough.

Holzkitt *m* plastic wood; **Holzklotz** *m* wood block, block of wood, log; (*Spielzeug*) wooden brick; **Holzkohle** *f* charcoal; **Holzkopf** *m* (*fig inf*) blockhead (*inf*); **Holzlager** *nt* timberyard; **Holznagel** *m* wooden nail *or* peg; **Holzofen** *m* wood-burning oven; **Holzpantine** *f*, **Holzpantoffel** *m* clog; **Holzpflaster** *nt* wood-block paving; **Holzpflock** *m* (wooden) peg; **Holzschädling** *m* wood pest; **Holzscheit** *nt* piece of (fire)wood, log; **Holzschlag** *m* (*Vorgang*) tree-felling, lumbering; (*Ort*) felling *or* lumbering area; **Holzschnitt** *m* (*Art*) **1.** *no pl* (*Kunst*) (art of) wood engraving; **2.** (*Gegenstand*) wood engraving, woodcut; **holzschnittartig** *adj* (*fig*) simplistic; **Holzschnitzer(in** *f*) *m* wood carver; **Holzschnitzerei** *f* (art *or* craft of) wood carving; **Holzschuh** *m* wooden shoe, clog, sabot; **Holzschuhtanz** *m* clog dance; **Holzschutzmittel** *nt* wood preservative; **Holzschwamm** *m* wood fungus, dry rot; **Holzspan** *m* chip (of wood); (*beim Hobeln*) wood shaving; **Holzsplitter** *m* splinter *or* sliver of wood; **Holzstich** *m* wood engraving; **Holzstift** *m* small wooden nail *or* pin; **Holzstoß** *m* pile of wood; **Holztafel** *f* wooden panel; (*Sch*) wooden blackboard; **Holztäfelung** *f* wood(en) panelling; **Holztaube** *f* woodpigeon; **holzverarbeitend** *adj attr* wood-processing; **Holzverarbeitung** *f* wood-processing; **Holzverkohlung** *f* carbonization, wood distillation; **Holzverschlag** *m* **1.** (*Schuppen*) wooden shed; **2.** (*Verpackung*) wooden crate; **Holzwaren** *pl* wooden articles, articles made of wood; **Holzweg** *m* logging-path; **auf dem ~ sein** (*fig inf*) to be on the wrong track (*inf*); **wenn du meinst, ich gebe dir das, dann bist du auf dem ~** if you think I'm going to give it to you, you've got another think coming (*inf*); **Holzwirtschaft** *f* timber industry; **Holzwolle** *f* wood-wool; **Holzwurm** *m* woodworm.

Hometrainer ['haʊmtreːnɐ] *m* home exercise machine.

Hommage [ɔ'maːʒ] *f* **-, -n** homage.

Homo *m* **-s, -s** (*dated inf*) homo (*dated inf*), queer (*inf*).

Homo- in cpds homo; **homogen** *adj* homogeneous; **homogenisieren*** *vt* to homogenize; **Homogenität** *f* homogeneity; **Homonym** *nt* **-(e)s, -e** homonym; **homonym** *adj* homonymous; **Homonymie** *f* homonymy.

Homöopath(in *f*) *m* **-en, -en** homoeopath.

Homöopathie *f*, *no pl* homoeopathy.

homöopathisch *adj* homoeopathic.

mophon adj (Mus) homophonic; (Ling) homophonous; **Homosexualität** f homosexuality; **homosexuell** adj homosexual; **Homosexuelle(r)** mf decl as adj homosexual.

onett adj (dated, geh) honest, upright, respectable.

ongkong nt -s Hong Kong.

onig m -s, no pl honey. **türkischer ~** halva(h), ≃ nougat; **sie schmierte ihm ~ ums Maul** or **um den Bart** or **Mund** (inf) she buttered him up (inf).

onigbiene f honey-bee; **honigfarben** adj honey-coloured; **honiggelb** adj honey-yellow; **Honigkuchen** m honey-cake; **Honigkuchenpferd** nt (fig inf) simpleton; **grinsen wie ein ~** to grin like a Cheshire cat; **Honiglecken** nt (fig) **das ist kein ~** it's no picnic; **Honigmelone** f honeydew melon; **Honigmond** m (rare) honeymoon; **Honigschleuder** f honey extractor; **honigsüß** adj as sweet as honey; (fig) Worte, Ton honeyed; Lächeln sickly sweet; **er lächelte ~** he smiled a sickly sweet smile; **Honigtau** m (pflanzlich, tierisch) honeydew; **Honigwabe** f honeycomb; **Honigwein** m mead; **Honigzelle** f honeycomb cell.

Honneurs [(h)ɔˈnøːɐs] pl: **die ~ machen** (geh, iro) to do the honours, to welcome the guests.

Honorar nt -s, -e fee; (Autoren~) royalty.

honorarfrei adj free of charge; **Honorarprofessor(in** f) m honorary professor (with no say in faculty matters).

Honoratioren [honoraˈtsioːrən] pl dignitaries pl, notabilities pl.

honorieren* vt (Comm) Wechsel, Scheck to honour, to meet; (fig: anerkennen) to reward. **jdm etw ~** to pay sb (a fee) for sth, to remunerate sb for sth; **meine Arbeit wird schlecht honoriert** my work is poorly remunerated.

Honorierung f (einer Rechnung) payment (of a fee); (Bezahlung) remuneration; (Comm: von Wechsel, Scheck) acceptance.

honorig adj (dated) (ehrenhaft) respectable, honourable; (anständig) decent.

honoris causa adv Dr. **~ ~** honorary doctor.

hopfen vt Bier to hop.

Hopfen m -s, - (Bot) hop; (beim Brauen) hops pl. **bei** or **an ihm ist ~ und Malz verloren** (inf) he's a hopeless case, he's a dead loss (inf).

Hopfen- in cpds hop; **Hopfen(an)bau** m hop cultivation, hop-growing; **Hopfenstange** f hop-pole.

hopp interj quick. **bei ihr muß alles ~ ~ gehen** she insists on doing everything chop-chop or at the double or double-quick (all inf); **mach mal ein bißchen ~!** (inf) chop, chop! (inf); **~e ~e Reiter machen** (baby-talk) to ride a cock-horse (on sb's knee).

hoppeln vi aux sein (Hase) to lollop.

Hoppelpoppel nt -s, - (dial) 1. breakfast made from scrambled egg with ham and fried potatoes. 2. (Getränk) eggnog.

hoppla interj (beim Stolpern, Zusammenstoßen, Fangen) whoops, oops; (beim Zuwerfen) catch. **~, jetzt habe ich die richtige Idee!** aha or Eureka, now I've got it!; **~, wer kommt denn da?** hullo, who's that coming there?; **~, jetzt komm' ich!** look out, here I come!

hoppnehmen vt sep (inf: verhaften) to catch, to nick (inf).

Hops m -es, -e (inf) hop, jump. **einen ~ über etw** (acc) **machen** to hop or jump over sth.

hops¹ interj jump. **~ waren sie über den Graben weg** with a jump they were over the ditch.

hops² adj pred **~ sein** (inf: verloren) to be lost; (Geld) to be down the drain (inf); (inf: entzwei) to be broken or kaputt (inf); (sl: sterben) to have kicked the bucket.

hopsala interj upsadaisy.

hopsasa interj up we go.

hopsen vi aux sein (inf) to hop, to skip, to jump.

Hopser m -s, - 1. (inf: kleiner Sprung) (little) jump or leap. **sein Herz tat vor Freude einen ~** his heart gave a little leap for joy. 2. (Tanz) ecossaise.

hopsgehen vti insep irreg (inf: verlorengehen) to get lost; (inf: entzweigehen) to get broken; (sl: sterben) to kick the bucket (sl).

Hörapparat m hearing aid; **hörbar** adj audible; **Hörbereich** m (des Ohrs) hearing range; (eines Senders) transmission area; **Hörbild** nt (Rad) feature broadcast, radio feature; **Hörbrille** f hearing-aid glasses pl or spectacles pl; **Hörbuch** nt talking book.

horchen vi to listen (dat, auf +acc to); (heimlich) to eavesdrop.

Horcher m -s, - eavesdropper. **der ~ an der Wand hört seine eigene Schand'** (Prov) eavesdroppers never hear any good of themselves.

Horchgerät nt (Mil) sound detector or locator; (Naut) hydrophone; **Horchposten** m (Mil) listening post; **auf ~ sein** to be listening out for sth.

Horde¹ f -, -n (lit, fig) horde.

Horde² f -, -n rack.

hören vti 1. to hear. **ich höre dich nicht** I can't hear you; **ich hörte ihn kommen** I heard him coming; **sei mal still, ich will das ~** be quiet, I want to hear this or listen to this; **gut/schlecht ~** to have good/bad hearing, to hear well; **schwer ~** to be hard of hearing; **du hörst wohl schwer** or **schlecht!** (inf) you must be deaf!, are you hard of hearing?; **hört, hört!** (Zustimmung) hear! hear!; (Mißfallen) come, come!; **etw an etw** (dat) **~** to hear sth from sth; **das läßt sich ~** (fig) that doesn't sound bad; **das läßt sich schon eher ~** (inf) that sounds (a bit) more like it; **das werde ich noch lange ~ müssen** or **zu ~ bekommen** I shall never hear the end or last of it; **ich will gar nichts ~!** I don't want to hear it; **ich habe sagen ~** I've heard said or tell; **ich habe es sagen ~** I've heard it said; **er hört sich gern reden** he likes the sound of his own voice; **hör mal!, ~ Sie mal!** listen; **na hör mal!, na ~ Sie mal!** wait a

minute!, look here!, listen here!
2. (*anhören*) *Hörspiel, Vortrag, Radio*
to listen to; *Berichte, Sänger* to hear; (*zu
Wort kommen lassen*) to listen to, to
hear; (*Rad: empfangen*) to get. **ich will
auch gehört werden** I want to be heard
too; **bei wem ~ Sie in diesem Semester?**
whose lectures are you going to this
term?
3. (*sich nach etw richten*) to listen, to
pay attention; (*dial: gehorchen*) to obey,
to listen. **auf jdn/etw ~** to listen to *or*
heed sb/sth; **wer nicht ~ will, muß fühlen** (*Prov*) what did I tell you?; **der
Hund hört auf den Namen Tobias** the
dog answers to the name of Tobias.
4. (*erfahren*) to hear. **von etw ~** to
hear about *or* of sth; **von jdm gehört haben** to have heard of sb; **von jdm ~**
(*Nachricht bekommen*) to hear from sb;
Sie werden noch von mir ~ *or* **zu ~ kriegen** (*inf*) (*Drohung*) you'll be hearing
from me, you haven't heard the last of
this; **man hörte nie mehr etwas von ihm**
he was never heard of again; **nie gehört!**
(*inf*) never heard of him/it/*etc*; **etwas/
nichts von sich ~ lassen** to get/not to get
in touch; **lassen Sie von sich ~** keep in
touch; **ich lasse von mir ~** I'll be in
touch; **er ließ nichts von sich ~** I *etc*
haven't heard from him; **nach allem, was
ich (über ihn/darüber) höre** from what
I've heard *or* I hear (about him/it); **soviel man hört** from what I hear/one
hears; **er kommt, wie ich höre** I hear he's
coming; **man höre und staune!** would
you believe it!; **das** *or* **so etwas habe ich
ja noch nie gehört!** I've never heard anything like it (in all my life)!; **ich will davon** *or* **von der Sache nichts gehört haben**
I don't want to know anything about it;
ich will mal nichts gehört haben (*inf*) I
haven't heard a thing, right? (*inf*).

Hören *nt* **-s,** *no pl* hearing; (*Radio~*)
listening. **das ~ von Musik** listening to
music; **es verging ihm ~ und Sehen** he
didn't know whether he was coming or
going (*inf*); **er fuhr so schnell, daß mir ~
und Sehen verging** he drove so fast I
almost passed out.

Hörensagen *nt*: **vom ~** from *or* by
hearsay.

Hörer *m* **-s,** - **. 1.** (*Rad*) listener; (*Univ*)
student/person (attending lectures). **sich
als ~ einschreiben** to enrol for a lecture
course.
2. (*Telec*) receiver; (*Kopf~*) head- *or*
earphone.

Hörerbrief *m* listener's letter.

Hörerin *f siehe* Hörer 1.

Hörerschaft *f* (*Rad*) listeners *pl*,
audience; (*Univ*) number of students/
people (attending a lecture).

Hörfehler *m* (*Med*) hearing defect; **das
war ein ~ I/he** *etc* misheard it; **Hörfolge**
f (*Rad*) radio series; (*Geschichte in Fortsetzungen*) radio serial; **Hörfunk** *m*
sound radio; **Hörgerät** *nt*, **Hörhilfe** *f*
hearing aid.

hörig *adj* enslaved; (*Hist*) in bondage.
jdm (sexuell) ~ sein to be (sexually) dependent on sb, to be in sb's thrall (*liter*);

sich (*dat*) **jdn ~ machen** to make sb sexually dependent on one.

Horizont *m* **-(e)s, -e** (*lit, fig*) horizon;
(*Geol auch*) zone. **am ~** on the horizon;
das geht über meinen ~ (*fig*) that is beyond me *or* my comprehension; **er hat
einen begrenzten** *or* **beschränkten ~** he
has limited horizons.

horizontal *adj* horizontal. **das ~e Gewerbe** (*inf*) the oldest profession in the
world (*inf*).

Horizontale *f* **-, -(n)** (*Math*) horizontal
(line). **sich in die ~ begeben** (*inf*) to
adopt the horizontal (*hum*).

Hormon *nt* **-s, -e** hormone.

hormonal, hormonell *adj* hormone *attr*,
hormonal. **jdn/etw ~ behandeln** to treat
sb/sth with hormones, to give sb
hormone treatment.

Hormonbehandlung *f* hormone treatment; **Hormondrüse** *f* endocrine gland;
Hormonhaushalt *m* hormone *or*
hormonal balance; **Hormonpräparat** *nt*
hormone preparation; **Hormonspiegel**
m hormone level.

Hörmuschel *f* **-, -n** (*Telec*) earpiece.

Horn *nt* **-(e)s, -er 1.** (*von Tieren, Trink~*)
horn; (*fig inf: Beule*) bump, lump. **jdn
mit den ~ern aufspießen** to gore sb; **sich**
(*dat*) **die ~ern abstoßen** (*inf*) to sow one's
wild oats; **den Stier an** *or* **bei den ~ern
packen** *or* **fassen** (*fig*) to take the bull by
the horns; **jdm ~er aufsetzen** (*inf*) to
cuckold sb, to give sb horns (*old*); **~er
tragen** (*fig*) to be a cuckold.
2. (*Mus*) horn; (*Mil*) bugle; (*von
Auto*) horn, hooter. **die ~er** (*im
Orchester*) the horns *pl*, the horn section; **ins ~ stoßen** to blow *or* sound the
horn; **ins gleiche/in jds ~ blasen** *or* **stoßen** *or* **tuten** to chime in.
3. (*bei Schnecke*) horn, feeler.

Hornberger Schießen *nt*: **wie das ~ aus-
gehen** *or* **enden** to come to nothing;
Hornbläser(in *f*) *m* (*Mus*) horn player;
Hornblende *f* (*Geol*) hornblende;
Hornbrille *f* horn-rimmed glasses *pl or*
spectacles *pl*.

Hörnchen *nt* **-s, - 1.** (*kleines Horn*) little
horn. **2.** (*Gebäck*) croissant. **3.** (*Zool*)
squirrel; (*Backen~*) chipmunk, ground
squirrel; (*Flug~*) flying squirrel.

Hörnerklang *m* sound of horns *or* bugles.

hörnern *adj* (made of) horn.

Hörnerv *m* auditory nerve.

Horngestell *nt* **eine Brille mit ~** horn-
rimmed glasses *pl*; **Hornhaut** *f* (patch
of) hard *or* horn skin, callous; (*des
Auges*) cornea; **Hornhautentzündung**
f (*Med*) inflammation of the cornea, ker-
atitis (*spec*); **Hornhauttrübung** *f* (*Med*)
corneal opacity.

Hornisse *f* **-, -n** hornet.

Hornist(in *f*) *m* horn player; (*Mil*) bugler.

Hornkamm *m* horn comb; **Hornochs(e)**
m (*fig inf*) blockhead (*inf*), idiot;
Hornsignal *nt* (*Mil*) bugle call; (*Rail*)
horn signal; (*Auto*) honk, hoot.

Hör|organ *nt* organ of hearing.

Horoskop *nt* **-s, -e** horoscope. **jdm das ~
stellen** to cast sb's horoscope.

Hörprobe *f* **jetzt eine ~ aus seiner letzten**

Platte now here's a sample from his latest record.

...horrend *adj* horrendous.

...horribile dictu *adv* (*geh*) terrible to relate.

Hörrohr *nt* 1. ear trumpet. 2. (*Med*) stethoscope.

Horror *m* -s, *no pl* horror (*vor* +*dat* of). **ein unbeschreiblicher ~ überfiel mich** I was seized by an indescribable feeling of horror.

Horror- *in cpds* horror; **Horrorfilm** *m* horror film; **Horrorschocker** *m* (*Press sl*) horror film/novel/book; **Horrorszene** *f* scene of horror, horrific scene; **Horrortrip** *m* (*inf*) horror trip (*sl*).

Hörsaal *m* (*Univ*) lecture room *or* hall *or* theatre.

Horsd'œuvre [(h)ɔr'dø:vɐ, (h)o:ɐ'dø:vrə] *nt* -s, -s hors d'œuvre.

Hörspiel *nt* (*Rad*) radio play.

Horst *m* -(e)s, -e 1. (*Nest*) nest; (*Adler~*) eyrie. 2. (*Gehölz*) thicket, shrubbery. 3. (*Bot*) (*von Blumen*) cluster; (*von Bambus, Gras*) tuft. 4. (*Geol*) horst. 5. *siehe* **Fliegerhorst.**

Hörsturz *m* hearing loss.

Hort *m* -(e)s, -e 1. (*old, poet: Schatz*) hoard, treasure. 2. (*geh: Zufluchtsstätte*) refuge, shelter. **ein ~ der Freiheit** a stronghold of liberty. 3. (*Kinder~*) day-home for schoolchildren in the afternoon.

horten *vt* Geld, Vorräte to hoard; Rohstoffe to stockpile.

Hortensie [-iə] *f* hydrangea.

Hörweite *f* hearing range; **in/außer ~** within/out of hearing *or* earshot; **Hörzentrum** *nt* (*Anat*) auditory *or* acoustic centre.

Höschen ['hø:sçən] *nt* 1. (*Kinderhose*) (pair of) trousers *or* pants; (*Strampel~*) (pair of) rompers *pl*. **kurze(s) ~** (pair of) shorts *pl*. 2. (*Unterhose*) (pair of) panties *pl or* knickers *pl*; (*für Kinder*) (pair of) underpants *pl or* pants *pl* (*Brit*).

Höschenwindel *f* disposable nappy (*Brit*) *or* diaper (*US*).

Hose *f* -, -n trousers *pl*, pants *pl*; (*Damen~ auch*) slacks *pl*; (*Bund~*) breeches *pl*; (*Reit~*) jodhpurs *pl*, (riding) breeches *pl*; (*Bade~*) swimming trunks *pl*; (*Unter~*) underpants *pl*, pants *pl* (*Brit*); (von Vogel) leg feathers *pl*. **ich brauche eine neue ~** I need a new pair of trousers *or* pants, I need some new trousers *or* pants; **zwei ~n** two pairs of trousers *or* pants; **die ~n anhaben** (*fig inf*) to wear the trousers *or* pants (*inf*); **das Herz fiel *or* rutschte ihm in die ~** (*inf*) his heart was in his mouth; **die ~n voll haben** (*lit*) to have dirtied oneself, to have made a mess in one's pants; (*fig inf*) to be scared shitless (*vulg*); to be wetting oneself (*inf*); **sich** (*dat*) **in die ~n machen** (*lit*) to dirty oneself, to make a mess in one's pants; (*fig inf*) to shit (*vulg*) *or* wet (*inf*) oneself; **in die ~ gehen** (*sl: Witz, Prüfung*) to be a complete wash-out (*inf*) *or* flop (*inf*); **tote ~** (*sl*) nothing doing (*sl*); **der Film war tote ~**

the film was a dead loss (*inf*).

Hosenanzug *m* trouser suit (*Brit*), pantsuit (*US*); **Hosenaufschlag** *m* turn-up (*Brit*), cuff (*US*); **Hosenband** *nt* kneeband; **Hosenbandorden** *m* Order of the Garter; **Hosenbein** *nt* trouser leg; **Hosenboden** *m* seat (of trousers); **den ~ vollkriegen** (*inf*) to get a smacked bottom; **sich auf den ~ setzen** (*inf*) (*arbeiten*) to get stuck in (*inf*), to knuckle down; (*stillsitzen*) to sit down and stay sitting down; **Hosenbügel** *m* trouser hanger; **Hosenbund** *m* waistband; **Hosenklammer** *f* trouser clip, cycle clip; **Hosenklappe** *f* flap; **Hosenknopf** *m* trouser button; **Hosenlatz** *m* (*Verschluß*) flies *pl*, fly; (*von Latzhose*) bib; **Hosenmatz** *m* (*inf*) (*kleines Kind*) **du (kleiner) ~** my little darling *or* chap *or* fellow; **Hosennaht** *f* trouser seam; **Hosenrock** *m* divided skirt, culottes *pl*, pantskirt; **Hosenscheißer** *m* (*sl: Feigling*) chicken (*inf*); (*Junge*) scaredy-pants (*inf*); **Hosenschlitz** *m* flies *pl*, fly; **Hosenspanner** *m* trouser hanger; **Hosenstall** *m* (*inf*) (*Schlitz*) flies *pl*, fly; **Hosentasche** *f* trouser pocket, pants *or* trousers pocket (*US*); **Hosenträger** *pl* (a pair of) braces *pl* (*Brit*) *or* suspenders *pl* (*US*).

hosianna *interj* hosanna.

Hosianna *nt* -s, -s hosanna.

Hospital *nt* -s, -e *or* **Hospitäler** (*dated*) 1. (*Krankenhaus*) hospital. 2. (*Pflegeheim*) (old people's) home.

Hospitalismus *m* (*Med*) hospitalism.

Hospitant(in *f*) *m* (*Sch, Univ*) someone sitting in on lectures/classes.

Hospitation *f* (*Sch, Univ*) sitting in on lectures/classes (*bei jdm* with sb).

hospitieren* *vi* (*Sch, Univ*) to sit in on lectures/classes (*bei jdm* with sb).

Hospiz *nt* -es, -e hospice; (*christliches ~*) private hotel under religious management.

Host *m* -s, -s (*Comput*) host.

Hostess, Hosteß *f* -, **Hostessen** hostess.

Hostie ['hɔstiə] *f* (*Eccl*) host, consecrated wafer.

Hostien- [-iən]: **Hostiengefäß** *nt* pyx, ciborium; **Hostienkelch** *m* chalice; **Hostienschrein** *m* tabernacle; **Hostienteller** *m* paten.

Hotel *nt* -s, -s hotel.

Hotelboy *m* page (boy), bellboy (*US*), bellhop (*US*).

Hotelfach *nt, no pl* hotel management.

Hotelfachfrau *f* manageress; **Hotelfachmann** *m* hotel manager; **Hotelfachschule** *f* college of hotel management.

Hotelführer *m* hotel guide.

Hotel garni *nt* bed and breakfast hotel.

Hotelgewerbe *nt* hotel business; **Hotelhalle** *f* (hotel) lobby.

Hotellerie *f* (*Sw*) hotel business.

Hotelier [-'lie:] *m* -s, -s hotelier.

Hotelnachweis *m* hotel register; **Hotelpage** *m siehe* **Hotelboy**; **Hotelportier** *m* hotel *or* hall porter; **Hotel- und Gaststättengewerbe** *nt* hotel and restaurant trade, catering industry; **Hotelverzeichnis** nt hotel register.

Hottentotte m -n, -n Hottentot. **sie benehmen sich wie die ~n** (inf) they behave like savages.

hpts. abbr of **hauptsächlich.**

Hptst. abbr of **Hauptstadt.**

Hr. abbr of **Herr** Mr.

hrsg. abbr of **herausgegeben** ed.

Hrsg. abbr of **Herausgeber** ed.

HTLV III [ha:te:|ɛlfau'draɪ] siehe **HIV.**

hu interj (Schaudern) ugh; (Schrecken, Kälte) whew.

hü interj (vorwärts) gee up; (nach links) wo hi. **einmal sagt er ~, einmal hott** (inf) first he says one thing and then another, he's always chopping and changing.

Hub m -(e)s, ̈e (Tech) 1. (bei Maschinen: Kolben~) (piston) stroke. 2. (bei Kränen: Leistung) lifting or hoisting capacity, lift.

Hub(b)el m -s, - (inf) bump.

hubb(e)lig adj (inf) bumpy.

Hubbrücke f lift bridge.

hüben adv over here, (on) this side. **~ und ~ wie drüben** on both sides.

Hubkarren m lift(ing) truck; **Hubkraft** f lifting or hoisting capacity; **Hubmagnet** m solenoid; **Hubraum** m (Aut) cubic capacity.

hübsch adj 1. (gutaussehend) pretty; (reizvoll) Ausflug, Geschenk lovely, delightful, nice; (inf: nett) lovely, nice. **sich ~ machen** to make oneself look pretty; **er macht das schon ganz ~** he's doing it very nicely; **das wäre doch ~, wenn ...** it would be lovely if ...; **ihr beiden H~en** (inf) you two.

2. (iro inf: unangenehm) fine, pretty, nice. **eine ~e Geschichte/Bescherung** a pretty kettle of fish, a fine how-d'ye-do; **das kann ja ~ werden** that'll be just great; **da hast du dir etwas H~es eingebrockt!** now you've got yourself into a fine or pretty mess!

3. (inf: beträchtlich) tidy, pretty, nice. **ein ~es Vermögen/ein ~es Sümmchen** a pretty penny (inf), a tidy sum.

4. nur adv (ziemlich) pretty. **da mußte ich aber ganz ~ arbeiten** I really had to work pretty hard; **ganz ~ viel bezahlen** to pay quite a bit.

5. nur adv (inf: wie es sein soll) **das werde ich ~ bleiben lassen** I'm going to leave well alone; **das wirst du ~ sein lassen** you're going to do nothing of the kind; **sei ~ artig!** be a good boy/girl; **immer ~ langsam!** nice and easy does it, (take it) nice and slowly.

Hubschrauber m -s, - helicopter.

Hubschrauberdienst m helicopter service; **Hubschrauberflugplatz, Hubschrauberlandeplatz** m heliport; **Hubschrauberträger** m (Naut) helicopter-carrier.

Hubvolumen nt (Tech) siehe **Hubraum.**

huch interj ooh.

Hucke f -, -n (inf) (Last) load; (Korb) pannier. **jdm die ~ vollhauen** (inf) to give sb a good thrashing (inf) or hiding; **die ~ vollkriegen** (inf) to get a thrashing (inf) or hiding; **jdm die ~ volllügen** (inf)

to tell sb a pack of lies; **sich** (dat) **die ~ vollsaufen** (sl) to have a skinful (sl).

huckepack adv piggy-back (auch Comput), pick-a-back. **ein Kind ~ nehmen/tragen** to give a child a piggyback (ride), to carry a child piggy-back or pick-a-back.

Huckepackverfahren nt (Space, Rail) piggy-back system; (Chem) piggy-back process; **Huckepackverkehr** m (Rail) piggy-back transport (US), motorail service; **im ~** by motorail or rail.

hudeln vi (esp S Ger, Aus inf) to work sloppily, to do slipshod work.

hudlig adj (esp S Ger, Aus inf) slipshod, sloppy (inf). **~ arbeiten** to work sloppily, to do sloppy or slipshod work.

Huf m -(e)s, -e hoof. **einem Pferd die ~e beschlagen** to shoe a horse.

Hufbeschlag m (horse)shoeing.

Huf|eisen nt horseshoe.

huf|eisenförmig adj horseshoe-shaped, (in) the shape of a horseshoe.

Hufendorf nt village arranged in a straight line with strips of farmland extending behind each house.

Huflattich m (Bot) coltsfoot; **Hufnagel** m horseshoe-nail; **Hufschlag** m (Getrappel) hoofbeats pl; (Stoß) kick (from a horse); **Hufschmied** m blacksmith, farrier; **Hufschmiede** f smithy, blacksmith's or farrier's (workshop).

Hüfbein nt hipbone.

Hüfte f -, -n hip; (von Tieren) haunch. **bis an die ~n reichen** to come up to the waist; **wir standen bis an die ~n in Brennesseln/im Wasser** we stood waist-high or up to the waist in stinging nettles/waist-deep or up to the waist in water; **aus der ~ schießen** to shoot from the hip; **mit wiegenden ~n** with hips swaying; **die Arme in die ~n stützen** to put/have one's hands on one's hips.

Hüftgelenk nt hip joint; **Hüftgürtel, Hüfthalter** m girdle; **hüfthoch** adj Pflanzen waist-high; Wasser waist-deep; **wir standen ~ im Farnkraut/Schlamm** we stood waist-high in ferns/waist-deep in mud; **hüfthohe Gummistiefel** rubber waders.

Huftier nt hoofed animal.

Hüftknochen m hipbone; **Hüftleiden** nt hip trouble.

Hügel m -s, - hill; (Grab-, Erdhaufen) mound. **ein kleiner ~** a hillock.

hügelab adv downhill; **hügelan, hügelauf** adv uphill; **Hügelbeet** nt raised bed; **Hügelgrab** nt (Archeol) barrow, tumulus.

hüg(e)lig adj hilly, undulating, rolling attr.

Hügelkette f range or chain of hills; **Hügelland** nt hilly country.

Hugenotte m -n, -n, **Hugenottin** f Huguenot.

Huhn nt -(e)s, ̈er 1. chicken (auch Cook); (Henne auch) hen; (Gattung) fowl, gallinaceous bird (form). **mit den ~ern aufstehen** (inf) to get up with the lark; **mit den ~ern zu Bett gehen** (inf) to go to bed early; **da lachen ja die ~er** (inf) what a joke, it's enough to make a cat laugh (inf).

2. (*fig inf*) **du krankes ~** you poor old thing; **ein verrücktes** *or* **komisches ~** a queer bird (*inf*) *or* fish (*inf*); **ein dummes ~** a silly goose; **ein versoffenes ~** a tippler.

Hühnchen *nt* (young) chicken, pullet; (*Brat~*) (roast) chicken. **mit jdm ein ~ zu rupfen haben** (*inf*) to have a bone to pick with sb (*inf*).

Hühnerauge *nt* (*Med*) corn; **jdm auf die ~n treten** (*hum*) to tread on sb's corns (*inf*); **Hühneraugenpflaster** *nt* corn plaster; **Hühnerbouillon, Hühnerbrühe** *f* (clear) chicken broth; **Hühnerbrust** *f* (*Cook*) chicken breast; (*Med, fig*) pigeon-breast, chicken-breast (*US*); **Hühnerdraht** *m* chicken wire; **Hühnerei** *nt* hen's egg; **Hühnerfarm** *f* chicken farm; **Hühnerfrikassee** *nt* chicken fricassee; **Hühnerfutter** *nt* chicken feed; **Hühnerhabicht** *m* goshawk; **Hühnerhaus** *nt* henhouse, chicken-coop; **Hühnerhof** *m* chicken run; **Hühnerhund** *m* pointer; **Hühnerklein** *nt* -s, *no pl* (*Cook*) chicken trimmings *pl*; **Hühnerleiter** *f* chicken ladder; **Hühnerpastete** *f* chicken pie; **Hühnerpest** *f* (*Vet*) fowl pest; **Hühnerstall** *m* henhouse, chicken-coop; **Hühnerstange** *f* perch, (chicken) roost; **Hühnersuppe** *f* chicken soup; **Hühnervögel** *pl* (*Orn*) gallinaceans *pl* (*form*), gallinaceous birds *pl* (*form*); **Hühnerzucht** *f* chicken breeding *or* farming.

hui [hui] *interj* whoosh. **~, das war aber schnell!** wow, that was quick!; **außen ~, innen pfui, oben ~, unten pfui** (*prov inf*) the outside's fine but underneath he/she *etc* is filthy.

Huld *f* -, *no pl* (*old liter*) (*Güte*) grace, graciousness; (*Gunst*) favour. **sie stand in seiner ~** she was in his good graces.

huldigen *vi* +*dat* (*liter*) **1.** *einem König, Papst* to render *or* do *or* pay homage to; *einem Künstler, Lehrmeister* to pay homage to; *einer Dame* to pay one's attentions *or* addresses to (*liter*). **2.** *einer Ansicht* to subscribe to; *einer Sitte, einem Glauben* to embrace; *einem Laster* to indulge in.

Huldigung *f* (*old, liter*) **1.** (*Hist: Treueeid*) homage, oath of allegiance. **2.** (*Verehrung*) homage; (*einer Dame*) attentions *pl* (*liter*), addresses *pl* (*liter*); (*Beifall*) homage. **jdm seine ~ darbringen** to pay homage to sb.

huldreich, huldvoll *adj* (*old, liter*) gracious.

Hülle *f* -, **-n 1.** cover; (*Schallplatten~ auch*) sleeve; (*für Ausweiskarten auch*) holder, case; (*Cellophan~*) wrapping; (*liter, hum: Kleidung*) clothes *pl*, piece of clothing; (*liter: eines Menschen*) exterior; (*abgestreifte Schlangenhaut*) skin. **die ~ fallen lassen** to peel *or* strip off; **die letzten ~n fallen lassen** to shed the last layer; **die sterbliche ~** the mortal remains *pl*.
   2. (*Anat*) integument.
   3. (*Bot*) involucre.
   4. (*Phys: Atom~*) shell.

5. in ~ und Fülle in abundance; **Äpfel/Whisky/Frauen/Sorgen in ~ und Fülle** apples/whisky/women/worries galore; **es gab alles in ~ und Fülle** there was an abundance *or* plenty of everything.

hüllen *vt* (*geh*) to wrap. **in Dunkel gehüllt** shrouded in darkness; **in Flammen gehüllt** enveloped in flames; **in Wolken gehüllt** covered *or* enveloped *or* veiled (*liter*) in clouds; **sich (über etw** *acc*) **in Schweigen ~** to remain silent (on *or* about sth).

hüllenlos *adj* unclothed.

Hüllwort *nt* (*Ling*) euphemism.

Hülse *f* -, **-n 1.** (*Schale*) hull, husk; (*Schote*) pod; (*Bot: Frucht*) involucre (*form*). **2.** (*Etui, Kapsel*) case; (*für Film*) cartridge; (*Phys: für gefährliche Stoffe*) capsule; (*von Geschoß*) case; (*von Patronen*) (cartridge) case. **er ist nur noch eine leere ~** he is now just an empty shell.

Hülsenfrucht *f usu pl* peas and beans *pl*, pulse (*form*).

human *adj* humane; (*verständnisvoll auch*) considerate.

Humangenetik *f* human genetics *sing*; **Humangenetiker(in** *f***)** *m* human geneticist.

Humanisierung *f* humanization.

Humanismus *m* humanism; (*Hist*) Humanism.

Humanist(in *f***)** *m* humanist; (*Hist*) Humanist; (*Altsprachler*) classicist.

humanistisch *adj siehe n* humanist(ic); Humanist; classical. **~ gebildet** educated in the classics *or* humanities; **~e Bildung** classical education, education in the classics *or* the humanities; **~es Gymnasium** secondary school with bias on Latin and Greek; ≈ grammar school (*Brit*).

humanitär *adj* humanitarian.

Humanität *f*, *no pl* humaneness, humanity; (*als Bildungsideal*) humanitarianism.

Humanmedizin *f* (human) medicine; **Humanmediziner(in** *f***)** *m* doctor of medicine.

Humbug *m* -s, *no pl* (*inf*) (*Schwindel*) humbug (*inf*); (*Unsinn auch*) stuff and nonsense (*inf*).

Hummel *f* -, **-n** bumble-bee. **~n im *or* unterm Hintern haben** (*dated inf*) to have ants in one's pants (*inf*).

Hummer *m* -s, - lobster.

Hummercocktail *m* lobster cocktail; **Hummerkrabben** *pl* king prawns; **Hummerschere** *f* lobster claw.

Humor *m* -s, (*rare*) -e humour; (*Sinn für ~*) sense of humour. **er hat keinen (Sinn für) ~** he has no sense of humour; **etw mit ~ nehmen/tragen** to take/bear sth with a sense of humour *or* cheerfully; **er nahm die Bemerkung mit ~ auf** he took the remark good-humouredly *or* in good humour; **er verliert nie den ~** he never loses his sense of humour; **langsam verliere ich den ~** it's getting beyond a joke; **~ ist, wenn man trotzdem lacht** (*prov*) having a sense of humour means looking on the bright side.

Humoreske f -, -n (liter) humorous story/ sketch; (Mus) humoresque.

humorig adj (geh) humorous, genial.

Humorist(in f) m humorist; (Komiker) co- median.

humoristisch adj humorous. **er ist/hat ein großes ~es Talent** he is a very funny or amusing person.

humorlos adj humourless; Buch auch lacking in or devoid of humour; Mensch auch lacking (a sense of) humour or in humour; **er hat recht ~ auf unsere Scherze reagiert** he didn't find our jokes funny at all; **Humorlosigkeit** f siehe adj humourlessness; lack of (a sense of) hu- mour; **humorvoll** adj humorous, amus- ing; **er kann sehr ~ erzählen** he is a very amusing or humorous talker.

humos adj Boden humus attr.

humpeln vi 1. aux sein to hobble. 2. (inf: ständig hinken) to limp, to walk with or have a limp.

Humpen m -s, - tankard, mug; (aus Ton) stein.

Humus m -, no pl humus.

Humusboden m, **Humuserde** f humus soil.

Hund m -(e)s, -e 1. dog; (Jagd~ auch) hound; (sl: Schurke) swine (sl), bastard (sl). **der Große/Kleine ~** (Astron) Great(er) Dog/Little or Lesser Dog; **junger ~** puppy, pup; **die Familie der ~e** the dog or canine family; **~e, die (viel) bellen, beißen nicht** empty vessels make most noise (Prov); **getroffene ~e bellen** (inf) if the cap fits, wear it; **viele ~e sind des Hasen Tod** (Prov) there is not much one person can do against many; **wie ~ und Katze leben** to live like cat and dog, to lead a cat-and-dog life; **ich würde bei diesem Wetter keinen ~ auf die Straße jagen** I wouldn't send a dog out in this weather; **damit kann man keinen ~ hin- term Ofen hervorlocken** (inf) that's not going to tempt anybody; **müde wie ein ~ sein** (inf) to be dog-tired; **er ist bekannt wie ein bunter ~** (inf) everybody knows him; **kein ~ nimmt ein Stück Brot von ihm** everyone avoids him like the plague; **das ist (ja) zum Junge-~e- Kriegen** (inf) it's enough to give you kittens; **da liegt der ~ begraben** (inf) (so) that's what is/was behind it all; (Ha- ken, Problem) that's the problem; **er ist mit allen ~en gehetzt** (inf) he knows all the tricks, there are no flies on him (inf); **er ist ein armer ~** he's a poor soul or devil (inf); **er ist völlig auf dem ~** (inf) he's really gone to the dogs (inf); **auf den ~ kommen** (inf) to go to the dogs (inf); **jdn auf den ~ bringen** (inf) to ruin sb; (gesundheitlich) to ruin sb's health; **die Weiber haben/der Suff hat ihn auf den ~ gebracht** (inf) women have/drink has been his ruin or downfall; **vor die ~e gehen** (sl) to go to the dogs (inf); (sterben) to die, to perish; (getötet werden) to cop it (inf), to be killed; **du blöder ~** (sl) you silly or stupid bastard (sl); **du gemeiner ~** (sl) you rotten bastard (sl); **du schlauer or gerissener ~** (sl) you sly or crafty devil or old fox;

kein ~ (inf) not a (damn inf) soul. 2. (Min: Förderwagen) truck, tub.

Hündchen nt dim of **Hund** doggy (inf), little dog; (kleiner Hund) small or little dog; (junger Hund) puppy, pup, puppy-dog (baby-talk).

Hundearbeit f (fig inf): **eine ~** an awful job, the devil's own job (inf); **Hundebiß** m dog bite; **Hundedreck** m dog's muck; **hundeelend** adj (inf) **mir ist ~** I feel lousy (inf); **Hundefänger(in** f) m dog- catcher; **Hundefloh** m dog flea; **Hundefraß** m (pej sl) (pig-)swill (pej inf); **Hundefutter** nt dog food; **Hun- degebell** nt barking (of dogs); **Hunde- gekläff** nt (pej) yapping (of dogs); **Hundegespann** nt team of dogs; **Hundehalsband** nt dog collar; **Hunde- halter(in** f) m (form) dog owner; **Hun- dehaltung** f owning dogs; **Hundehütte** f (lit, fig) (dog) kennel; **hundekalt** adj (inf) freezing cold; **Hundekälte** f (inf) freezing cold; **Hundekot** m dog dirt; **Hundeköttel** m -s, - (inf) dog dirt or droppings pl; **Hundekuchen** m dog- biscuit; **Hundeleben** nt (inf) dog's life (inf); **Hundeleine** f dog lead or leash; **Hundelohn** m (pej inf) miserable or rotten (inf) wage(s); **Hundemarke** f dog licence disc, dog tag (US); (hum inf: Erkennungsmarke) identity disc, dog- tag (US inf); **hundemüde** adj pred, adv (inf) dog-tired; **Hundenarr** m, **Hunde- närrin** f (inf) fanatical dog lover, dog- freak (inf); **Hunderasse** f breed (of dog); **Hunderennen** nt greyhound or dog racing no art, dogs (inf); (Wettkampf) greyhound race.

hundert num a or one hundred. **einige ~ Menschen** a few hundred people; **einer unter ~** one in a hundred; **in ~ Jahren** in a hundred years (from now); **ich wette ~ gegen eins** (inf) I'll bet or lay a hundred to one, I'll bet you anything (inf).

Hundert¹ f -, -en (Zahl) hundred.

Hundert² nt -s, -e hundred. **es geht in die ~e** it runs into the hundreds; **~e von Menschen** hundreds of people; **einer unter ~en** one out of hundreds; **zehn vom ~** ten per cent; **zu ~en** by the hundred, in (their) hundreds; **einige ~ (Stecknadeln)** a few hundred (pins).

hunderteins num a hundred and one.

Hunderter m -s, - 1. (von Zahl) (the) hundred. 2. (Geldschein) hundred (-pound/-dollar etc note).

hunderterlei adj inv a hundred and one.

hundertfach, hundertfältig (geh) **I** adj hundredfold; **die ~e Menge** a hundred times the amount; **II** adv a hundred times; **jdm etw ~ zurückgeben/vergelten** (fig) to repay sb a hundredfold or a hundred times over for sth; **hundertfünfzigprozentig** adj (iro) fa- natical; **er ist ein ~er** he's a fanatic; **Hundertjahrfeier** f centenary, centennial (US); (Festlichkeiten auch) centenary or centennial celebrations pl; **hundertjährig** adj attr (one-)hundred- year-old; **der ~e Kalender** the Hundred Years' Calendar (for weather predic-

tion); **der ~e Krieg** (*Hist*) the Hundred Years' War; **das Ergebnis einer ~en Entwicklung/Arbeit** the result of a hundred years of development/work; **Hundertjährige(r)** *mf decl as adj* centenarian; **hundertjährlich** *adj* every hundred years; **hundertmal** *adv* a hundred times; **ich hab' dir schon ~ gesagt ...** if I've told you once I've told you a hundred times ...; **Hundertmeterlauf** *m* (*Sport*) **der/ein ~** the/a 100 metres *sing*; **hundertprozentig** *adj* (a *or* one) hundred per cent; *Alkohol* pure; **ein ~er Konservativer** an out-and-out conservative; **Sie haben ~ recht** you're absolutely right; **ich bin mir ~ sicher** I'm a hundred per cent sure; **das weiß ich ~** that's a fact; **ich bin mit ihm ~ einer Meinung** I agree with him one hundred per cent; **ich werde ihn ~ im Krankenhaus besuchen** I'll definitely visit him in hospital; **~?** (*inf*) are you absolutely sure?; **Hundertsatz** *m* (*form*) percentage; **Hundertschaft** *f* (*Mil*) group of a *or* one hundred; (*Hist: bei den Römern*) century.

Hundertstel *nt* **-s, -** hundredth.

hundertste(r, s) *adj* hundredth. **vom H~n ins Tausendste kommen** (*fig*) to get carried away.

hunderttausend *num* a *or* one hundred thousand; **~e von Menschen** hundreds of thousands of people; **Hunderttausendstel** *nt* **-s, -** hundred thousandth; **hundertundeins** *num* a *or* one hundred and one.

Hundesalon *m* dog parlour; **Hundescheiße** *f* (*sl*) dogshit (*vulg*), dog mess (*inf*); **Hundeschlitten** *m* dog sled(ge) *or* sleigh; **Hundeschnauze** *f* nose, snout; **kalt wie eine ~ sein** (*inf*) to be ice-cold *or* as cold as ice; **Hundesohn** *m* (*pej liter*) cur; **Hundesperre** *f* ban on (bringing in) dogs; **Hundestaffel** *f* dog branch; **Hundestaupe** *f* (*Vet*) distemper; **Hundesteuer** *f* dog licence fee; **Hundewache** *f* (*Naut*) middle watch; **Hundewetter** *nt* (*inf*) foul *or* filthy weather; **Hundezucht** *f* dog breeding; **Hundezüchter(in** *f*) *m* dog breeder; **Hundezwinger** *m* (dog) compound; (*städtisch*) dog pound.

Hündin *f* bitch.

hündisch *adj* (*fig*) fawning *attr*, sycophantic. **~e Ergebenheit** dog-like devotion.

Hündlein *nt* *dim of* **Hund** doggy (*inf*), little dog; (*kleiner Hund*) little *or* small dog.

hundsföttisch *adj* (*obs, dial*) dastardly (*old*); **hundsgemein** *adj* (*inf*) shabby, mean; (*schwierig*) fiendishly difficult; *Schmerz* terrible; **es tut ~ weh** it hurts like hell (*inf*); **er kann ~ werden** he can get really nasty; **hundsmiserabel** *adj* (*inf*) abominable, abysmal (*inf*), lousy (*inf*); **mir geht es** *or* **ich fühle mich ~** I feel rotten (*inf*) *or* lousy (*inf*); **Hundsstern** *m* Dog Star; **Hundstage** *pl* dog days *pl*; **Hundsveilchen** *nt* (heath) dog violet.

Hüne *m* **-n, -n** giant, colossus. **ein ~ von Mensch** (*geh*) a giant of a man.

Hünengrab *nt* megalithic grave; **hünenhaft** *adj* (*geh*) gigantic, colossal.

Hunger *m* **-s**, *no pl* (*lit, fig*) hunger (*nach* for); (*Hungersnot*) famine; (*nach Bildung auch*) thirst; (*nach fernen Ländern, Sonne*) yearning; (*nach Literatur*) appetite. **~ bekommen/haben** to get/be hungry; **ich habe keinen richtigen ~** I'm not really hungry; **~ auf etw** (*acc*) **haben** to feel like (eating) sth; **den ~ bekämpfen** to combat hunger; **~ leiden** (*geh*) to go hungry, to starve; **ich habe ~ wie ein Wolf** *or* **Bär** (*inf*) I could eat a horse (*inf*); **~s** (*liter*) *or* **vor ~ sterben** to die of hunger *or* starvation, to starve to death; **ich sterbe vor ~** (*inf*) I'm starving (*inf*), I'm dying of hunger (*inf*); **~ ist der beste Koch** (*Prov*) hunger is the best sauce (*Prov*).

Hungerblockade *f* hunger *or* starvation blockade; **Hungerdasein** *nt* existence at starvation level; **Hungergefühl** *nt* hungry feeling; **Hungerhilfe** *f* famine relief; **Hungerjahr** *nt* hungry year, year of hunger; **Hungerkünstler** *m* (professional) faster, *person who, for pay, goes without nourishment for prolonged periods*; **ich bin doch kein ~** I'm not on a starvation diet; **Hungerkur** *f* starvation diet; **Hungerland** *nt* famine-stricken country; **Hungerleben** *nt* existence at starvation level; **Hungerleider(in** *f*) *m* **-s, -** (*inf pej*) starving wretch, starveling; **Hungerlohn** *m* (*fig*) pittance.

hungern I *vi* **1.** (*Hunger leiden*) to go hungry, to starve. **jdn ~ lassen** to let sb go hungry; (*zur Strafe auch*) to make sb starve; **ich hungere schon seit fünf Tagen** I haven't eaten a thing for five days.

2. (*fasten*) to go without food.

3. (*fig geh: verlangen*) to hunger (*nach* for).

II *vt impers* (*geh*) **mich hungert** I am *or* feel hungry; **ihn hungert nach Macht** he hungers *or* is hungry for power.

III *vr* **sich zu Tode ~** to starve oneself to death; **sich schlank ~** to go on a starvation diet; **er hat sich durch die Studentenzeit gehungert** he starved his way through university.

hungernd *adj, no comp* hungry, starving.

Hunger|ödem *nt* (*Med*) famine oedema (*spec*).

Hungersnot *f* famine.

Hungerstreik *m* hunger strike; **Hungertag** *m* (*inf*) fast day; **Hungertod** *m* death from starvation; **den ~ erleiden** *or* **sterben** to die of hunger *or* starvation; **Hungertuch** *nt* (*Eccl*) Lenten veil; **am ~ nagen** (*fig*) to be starving, to be on the breadline (*inf*).

hungrig *adj* (*lit, fig*) hungry (*nach* for). **Arbeit macht ~** work makes you hungry *or* gives you an appetite; **Gartenarbeit macht ~** gardening is hungry work; **~ nach** *or* **auf** (*acc*) **etw sein** to feel like (eating) sth; **~ nach Luft/Literatur** gasping for air/thirsting for good literature.

Hunne *m* **-n -n**, **Hunnin** *f* (*Hist*) Hun.

Hupe *f* **-, -n** horn. **auf die ~ drücken** to press/sound the horn.

hupen *vi* to sound *or* hoot *or* honk (*Aut*

inf) the horn, to hoot. ,,~" "sound your horn".

hupfen *vi* (*esp S Ger*) *aux sein siehe* **hüpfen. das ist gehupft wie gesprungen** (*inf*) it's six of one and half a dozen of the other (*inf*).

hüpfen *vi aux sein* to hop; (*Lämmer, Zicklein*) to frisk, to gambol; (*Ball*) to bounce. **vor Freude ~** to jump for joy; **die Kinder hüpften vor Freude im Zimmer herum** the children went skipping round the room in sheer delight; **sein Herz hüpfte vor Freude** his heart leapt for joy; **H~ spielen** to play (at) hopscotch.

Hüpfer, Hupfer (*esp S Ger*) *m* **-s, -** hop, skip, bounce. **mein Herz machte einen ~** my heart leapt.

Hüpfspiel *nt* hopscotch.

Hupkonzert *nt* (*inf*) chorus of hooting *or* horns; **Hupsignal** *nt* (*Aut*) hoot; **Hupton** *m* sound of a horn/hooter/whistle; **Hupzeichen** *nt* (*Aut*) hoot; ,,~ **geben"** "sound your horn".

Hürde *f* **-, -n 1.** (*Sport, fig*) hurdle. **eine ~ nehmen** to take *or* clear a hurdle. **2.** (*Viehzaun*) fold, pen.

Hürdenlauf *m* (*Sportart*) hurdling; (*Wettkampf*) hurdles *pl or sing*; **Hürdenläufer(in** *f*) *m* hurdler; **Hürdenrennen** *nt* (*Horseracing*) steeplechase.

Hure *f* **-, -n** whore.

huren *vi* (*inf*) to whore, to go whoring.

Hurenbock *m* (*pej sl*) whoremonger; **hurenhaft** *adj* (*pej*) whorish; **Hurenhaus** *nt* (*dated*) whorehouse (*sl*), brothel; **Hurenkind** *nt* (*old*) child of a whore; (*Typ*) widow; **Hurensohn** *m* (*pej sl*) bastard (*sl*), son of a bitch (*esp US sl*).

Hurerei *f* whoring.

hurra [hʊˈraː, ˈhʊra] *interj* hurray, hurrah.

Hurra *nt* **-s, -s** cheers *pl*. **ein dreifaches ~** three cheers.

Hurrapatriot(in *f*) *m* (*old, pej*) flag-waving patriot, jingoist, chauvinist; **Hurrapatriotismus** *m* *f*(*old, pej*) lag-waving, jingoism, chauvinism; **Hurraruf** *m* cheer.

Hurrikan *m* **-s, -e** *or* (*bei engl. Aussprache*) **-s** hurricane.

hurtig *adj* (*old, dial*) nimble; (*schnell*) quick.

Husar *m* **-en, -en** (*Hist*) hussar.

Husarenstreich *m*, **Husarenstück** *nt* (*fig*) (*daring*) escapade *or* exploit.

husch *interj* **1.** (*aufscheuchend*) shoo. **2.** (*antreibend*) come on. **3.** (*schnell*) quick, quickly now. **er macht seine Arbeit immer ~ ~** (*inf*) he always whizzes through his work (*inf*); **und ~, weg war er** and whoosh! he was gone.

Husch *m* **-(e)s, -e** (*inf*) **im ~** in a flash (*inf*) *or* jiffy (*inf*); **er kam auf einen ~ vorbei** he dropped in on me *or* by for a minute.

huschen *vi aux sein* to dart, to flit; (*Mäuse auch*) to scurry; (*Lächeln*) to flash, to flit; (*Licht*) to flash.

hüsteln *vi* to give a slight cough, to cough slightly. **er hüstelt noch** he still has a slight cough; **anstatt zu antworten, hüstelte er nur spöttisch** instead of answering he just cleared his throat sarcastically.

husten I *vi* to cough. **auf etw** (*acc*) **~** (*inf*) not to give a damn for sth (*inf*); **der Motor hustet** (*inf*) the engine is coughing (and spluttering). II *vt* to cough; *Blut* to cough (up). **denen werde ich was ~** (*inf*) I'll tell them where they can get off (*inf*).

Husten *m* **-s, no pl** cough. **~ haben** to have a cough.

Hustenanfall *m* coughing fit; **Hustenbonbon** *m or nt* cough drop *or* sweet; **Hustenmittel** *nt* cough medicine/drop *or* sweet; **Hustenreiz** *m* tickle in *or* irritation of the throat; **seinen ~ unterdrücken** to suppress the need *or* urge to cough; **Hustensaft** *m* cough syrup *or* mixture; **hustenstillend** *adj* cough-relieving; **das wirkt ~** it relieves coughing *or* one's cough; **Hustentee** *m* tea which is good for coughs; **Hustentropfen** *pl* cough drops *pl*.

Hut¹ *m* **-(e)s, ⸚e** hat; (*von Pilz*) cap. **den ~ aufsetzen/abnehmen/lüften** (*geh*) to put on/take off/raise one's hat; **den** *or* **mit dem ~ in der Hand** with his hat in his hand; **vor jdm den ~ abnehmen** *or* **ziehen** (*fig*) to take off one's hat to sb; **~ ab!** I take my hat off to him/you *etc*; **~ ab vor solcher Leistung!** I take my hat off to you/that; **mit dem ~e in der Hand kommt man durch das ganze Land** (*Prov*) politeness will serve you well in life; **das kannst du dir an den ~ stecken!** (*inf*) you can stick (*sl*) *or* keep (*inf*) it; **unter einen ~ bringen** *or* **kriegen** (*inf*) to reconcile, to accommodate, to cater for; *Verpflichtungen, Termine* to fit in; **da geht einem der ~ hoch** (*inf*) (*vor Zorn*) it's enough to make you blow your top (*inf*); (*vor Spaß, Überraschung*) it is amazing, it beats everything; **den** *or* **seinen ~ nehmen (müssen)** (*inf*) to (have to) go, to (have to) pack one's bags (*inf*); **das ist doch ein alter ~!** (*inf*) that's old hat! (*inf*); **jdm eine auf den ~ geben** (*inf*) to give sb a rocket (*inf*) *or* wigging (*inf*); **eins auf den ~ kriegen** (*inf*) to get a rocket (*inf*) *or* wigging (*inf*); **damit/mit ihm habe ich nichts am ~** (*inf*) I don't want to have anything to do with that/him.

Hut² *f* **-, no pl 1.** (*geh*) protection, keeping. **unter** *or* **in meiner ~** in my keeping; (*Kinder*) in my care; **in guter** *or* **sicherer ~** in safe keeping, in good *or* safe hands.

2. auf der ~ sein to be on one's guard (*vor +dat* against).

Hutablage *f* hat rack; **Hutband** *nt* hatband; (*von Damenhut*) hat ribbon.

hüten I *vt* to look after; to mind; *Vieh auch* to tend, to keep watch over (*liter*); (*geh*) *Geheimnisse* to guard, to keep; (*geh*) *Briefe* to keep. **das Bett/Haus ~** to stay in bed/indoors; **hüte deine Zunge!** (*liter*) guard your tongue! (*liter*).

II *vr* to guard *or* be on one's guard (*vor +dat* against), to beware (*vor +dat* of). **ich werde mich ~!** no fear!, not likely!, I'll do nothing of the kind!; **du wirst dich schwer ~!** you'll do nothing of the kind!; **ich werde mich ~, ihm das zu er-**

zählen there's no chance of me telling him that; **sich ~, etw zu tun** to take care not to go and do sth; **hüte dich, etwas zu verraten** take care not to give anything away, mind you don't give anything away; **~ Sie sich vor ihm** be on your guard against him.

~üter(in f) m **-s, -** guardian, keeper, custodian; (*Vieh~*) herdsman. **die ~ der Ordnung** (*hum*) the custodians of the law.

~utfeder f (hat) feather; (*größere, bei Tracht*) plume; **Hutgeschäft** nt hat shop, hatter's (shop); (*für Damen auch*) milliner's (shop); **Hutgröße** f hat size, size of hat; **Hutkrempe** f brim (of a hat); **Hutmacher** m hatter, hat maker; (*für Damen auch*) milliner; **Hutmacherin** f milliner; **Hutnadel** f hat pin; **Hutschachtel** f hatbox.

~utsche(n) f **-, -n** (*Aus*) swing.

~utschen (*Aus*) **I** vi siehe **schaukeln. II** vr (*inf*) to go away.

~utschleife f hat bow; **Hutschnur** f hat string or cord; **das geht mir über die ~** (*inf*) that's going too far.

Hutständer m hatstand.

Hütte f **-, -n 1.** hut; (*schäbiges Häuschen auch*) shack; (*hum: Haus*) humble abode; (*Jagd~*) (hunting) lodge; (*Holz~, Block~*) cabin; (*Wochenendhäuschen*) cottage; (*Hunde~*) kennel; (*Bibl*) Tabernacle; (*Naut*) poop. **hier laßt uns eine ~ bauen** let's stay here.
2. (*Tech: Hüttenwerk*) iron and steel works *pl or sing*; (*Glas~*) glassworks *pl or sing*; (*Ziegel~*) brickworks *pl or sing*.

Hüttenarbeiter m worker in an iron and steel works; **Hüttenindustrie** f iron and steel industry; **Hüttenkäse** m cottage cheese; **Hüttenkombinat** nt (*DDR*) iron and steel combine; **Hüttenkunde** f metallurgy; **Hüttenrauch** m (*Chem*) flaky arsenic; (*Metal*) waste gases *pl*; **Hüttenruhe** f **um zehn ist ~** lights out at ten; **Hüttenschuh** m slipper-sock; **Hüttenwerk** nt siehe **Hütte 2.**; **Hüttenzauber** m après-ski party.

Hutzel f **-, -n** (*S Ger*) **1.** dried pear. **2.** (*inf*) wizened or wrinkled old woman.

Hutzelbrot nt (*S Ger*) fruit bread. **ein ~** a fruit loaf.

hutz(e)lig adj Obst dried; Mensch wizened.

Hutzelmännchen, Hutzelmännlein nt gnome; **Hutzelweiblein** nt (*inf*) wizened or wrinkled old woman.

HwG [ha:ve:'ge:] (*Admin sl*) abbr of **häufig wechselnder Geschlechtsverkehr** frequent changing of sexual partners.

Hyäne f **-, -n** hyena; (*fig*) wildcat.

Hyazinthe [hya'tsɪntə] f **-, -n** hyacinth.

hybrid adj (*Biol, Ling*) hybrid.

Hybride f **-, -n** or m **-n, -n** (*Biol*) hybrid.

Hybris ['hy:brɪs] f **-,** no pl (*liter*) hubris (*liter*).

Hydrant m hydrant.

Hydrat nt hydrate.

Hydraulik f hydraulics *sing*; (*Antrieb, Anlage*) hydraulic system, hydraulics *pl*.

hydraulisch adj hydraulic.

Hydrid nt **-(e)s, -e** hydride.

hydrieren* vt (*Chem*) to hydrogenate.

Hydro- [hydro-]: **Hydrobiologie** f hydrobiology; **Hydrodynamik** f hydrodynamics *sing*; **hydrographisch** adj hydrographic(al); **Hydrokultur** f (*Bot*) hydroponics *sing*; **Hydrolyse** f **-, -n** (*Chem*) hydrolysis; **hydrophil** adj hydrophilic; **hydrophob** adj hydrophobic; **Hydrostatik** f (*Phys*) hydrostatics *sing*; **Hydrotherapie** f (*Med*) hydrotherapy.

Hygiene [hy'gie:nə] f **-,** no pl hygiene. **politische ~** political expediency.

Hygienepapier nt (toilet) tissue.

hygienisch [hy'gie:nɪʃ] adj hygienic.

Hygrometer nt (*Met*) hygrometer; **Hygroskop** nt **-s, -e** (*Met*) hygroscope.

Hymen ['hy:mən] nt **-s, -** (*Anat*) hymen, maidenhead.

Hymne ['hymnə] f **-, -n** hymn; (*National~*) (national) anthem.

hymnisch adj hymnal. **jdn/etw in ~en Worten loben** (*liter*) to sing paeans to sb/sth (*liter*).

Hyperbel f **-, -n** (*Math*) hyperbola; (*Rhetorik*) hyperbole.

hyperbolisch adj hyperbolic.

hyperkorrekt adj hypercorrect; **hyperkritisch** adj hypercritical; **hypermodern** adj (*inf*) ultramodern; **hypersensibel** adj hypersensitive; **hypersensibilisieren*** vt insep (*esp Phot*) to hypersensitize.

Hypertonie f (*Med*) hypertonia; **hypertroph** adj (*Med*) hypertrophic; (*fig liter*) hypertrophied (*liter*); **Hypertrophie** f (*Med*) hypertrophy.

Hypnose f **-, -n** hypnosis. **unter ~ stehen** to be under hypnosis; **jdn in ~ versetzen** to put sb under hypnosis.

Hypnotikum nt **-s, Hypnotika** (*Pharm*) hypnotic.

hypnotisch adj hypnotic.

Hypnotiseur(in f) [hypnoti'zø:ɐ] m hypnotist.

hypnotisieren* vt to hypnotize.

Hypnotismus m hypnotism.

Hypochonder [hypo'xɔndɐ] m **-s, -** hypochondriac.

Hypochondrie [hypoxɔn'dri:] f hypochondria.

hypochondrisch adj hypochondriac(al).

Hypophyse [hypo'fy:zə] f **-, -n** (*Anat*) hypophysis (*spec*), pituitary gland.

Hypostase [hypo'sta:zə] f **-, -n** (*liter, Philos*) hypostasis.

hypostasieren* vti (*liter, Philos*) to hypostatize.

hypotaktisch adj (*Gram*) hypotactic.

Hypotaxe f **-, -n** (*Gram*) hypotaxis.

Hypotenuse f **-, -n** (*Math*) hypotenuse.

Hypothek f **-, -en** mortgage; (*fig*) (*Belastung*) burden of guilt; (*Handikap*) handicap. **eine ~ aufnehmen** to raise a mortgage; **etw mit einer ~ belasten** to mortgage sth.

Hypothekenbank f bank specializing in mortgages; **Hypothekenbrief** m mortgage deed or certificate; **Hypothekendarlehen** nt mortgage (loan); **hypothekenfrei** adj unmortgaged; **Hypothekengläubiger(in** f) m mortgagee;

Hypothekenschuld f mortgage debt; **Hypothekenschuldner(in** f) m mortgagor, mortgager; **Hypothekenzinsen** pl mortgage interest.
Hypothese f -, -n hypothesis.
hypothetisch adj hypothetical.
Hysterektomie f hysterectomy.

Hysterie f hysteria.
Hysteriker(in f) m -s, - hysteric, hysterical person.
hysterisch adj hysterical. **einen ~en Anfall bekommen** (fig) to go into or have hysterics.

I

i [iː] *nt* I, i. **der Punkt** *or* **das Tüpfelchen auf dem ~** (*lit*) the dot on the i; (*fig*) the final touch.

i [iː] *interj* (*inf*) ugh (*inf*). **~ wo!** not a bit of it! (*inf*), (good) heavens no!; **~ gitt (~ gitt)! ugh!** (*inf*).

i.A. *abbr of* **im Auftrag** pp.

iah ['iːˈaː, iˈaː] *interj* hee-haw.

i. allg. *abbr of* **im allgemeinen.**

Iambus ['iambus] *m* -, **Iamben** *siehe* **Jambus.**

iberisch *adj* Iberian. **die I~e Halbinsel** the Iberian Peninsula.

Ibero|amerika *nt* Ibero-America.

ibero|amerikanisch *adj* Ibero-American.

IBFG [iːbeːˈɛfˈgeː] *m abbr of* **Internationaler Bund Freier Gewerkschaften** ICFTU.

IC [iːˈtseː] *m* **-(s)**, **-s** *abbr of* **Intercity-Zug.**

IC *in cpds* intercity; **IC-Betreuer(in** *f*) *m* intercity steward/stewardess.

ICE [iːtseːˈeː] *m* **-(s)**, **-s** *abbr of* **Intercity-Express-Zug.**

ich *pers pron gen* **meiner**, *dat* **mir**, *acc* **mich** I. **immer ~!** (it's) always me!; **immer ~ soll an allem schuld sein** it's always my fault; **~ Idiot!** what an idiot I am!; **und ~ Idiot habe es gemacht** and I, like a fool, did it, and idiot that I am, I did it; **~ nicht!** not me!, not I!; **ihr könnt ja hingehen, aber ~ nicht!** you're welcome to go, but I won't; **~ selbst** I myself; **könnte ~ bitte den Chef sprechen? — das bin ~ (selbst)** could I speak to the boss? — I am the boss *or* that's me; **~ (selbst) war es** it was me *or* I (*form*); **wer hat gerufen? — ~!** who called? — (it was) me, I did!; **kennst du mich nicht mehr? — ~ bin's!** don't you remember me? it's me!; **~, der immer so gutmütig ist** *or* **der ~ immer so gutmütig bin** I, who am always so good-natured.

Ich *nt* **-(s)**, **-(s)** self; (*Psych*) ego. **das eigene ~** one's (own) self/ego; **das eigene ~ verleugnen** to deny the self; **mein anderes** *or* **zweites ~** (*selbst*) my other self; (*andere Person*) my alter ego.

Ichbewußtsein *nt* awareness of the self; **ichbezogen** *adj* self-centred, egocentric; **Icherzählung** *f* story in the first person, first-person narrative; **Ichform** *f* first person; **Ich-Laut** *m* (*Phon*) *ch* sound as in *ich*, palatal fricative; **Ich-Roman** *m* novel in the first person, first-person novel; **Ichstärke** *f* (*Psych*) ego strength; **Ichsucht** *f* egoism; **ichsüchtig** *adj* egoistic(al).

IC-Zuschlag *m* intercity supplement.

ideal *adj* ideal.

Ideal *nt* **-s**, **-e** ideal. **sie ist das ~ einer Lehrerin** she's the ideal *or* perfect teacher.

Ideal- *in cpds* ideal; **Idealbild** *nt* ideal; **Idealfall** *m* ideal case; **im ~** ideally; **Idealfigur** *f* ideal figure; **Idealgewicht** *nt* ideal *or* optimum weight.

idealisieren* *vt* to idealize.

Idealisierung *f* idealization.

Idealismus *m* idealism.

Idealist(in *f*) *m* idealist.

idealistisch *adj* idealistic.

Idealtypus *m* (*Sociol*) ideal type; **Idealvorstellung** *f* ideal; **Idealzustand** *m* ideal state of affairs.

Idee *f* -, **-n** [iˈdeːən] **1.** (*Einfall*, *Philos*) idea. **die ~ zu etw** the idea for sth; **wie kommst du denn auf die ~?** whatever gave you that idea?; **ich kam auf die ~, sie zu fragen** I hit on the idea of asking her; **jdn auf die ~ bringen, etw zu tun** to give sb the idea of doing sth; **jdn auf andere ~n bringen** to make sb think about something else; **~n müßte man haben!** what it is to have ideas!

2. (*ein wenig*) shade, trifle. **eine ~ Salz** a touch *or* hint of salt; **keine ~ besser** not a whit better.

ideell *adj* ideational (*form*, *Philos*); **Wert**, **Gesichtspunkt**, **Ziele** non-material; **Bedürfnisse**, **Unterstützung** spiritual.

Ideen- [iˈdeːən-]: **ideenarm** *adj* (*einfallsarm*) lacking in ideas; (*phantasiearm*) unimaginative, lacking in imagination; **Ideenarmut** *f* lack of ideas; unimaginativeness, lack of imagination; **Ideengut** *nt* ideas *pl*, intellectual goods *pl*; **ideenlos** *adj* (*einfallslos*) devoid of ideas; (*phantasielos*) unimaginative, devoid of imagination; **Ideenlosigkeit** *f* lack of ideas; unimaginativeness, lack of imagination; **ideenreich** *adj* (*einfallsreich*) full of ideas; (*phantasiereich*) imaginative, full of imagination; **Ideenreichtum** *m* inventiveness; imaginativeness; **Ideenwelt** *f* world of ideas *or* forms.

Iden *pl* **die ~ des März** the Ides of March.

Identifikation *f* identification.

Identifikationsfigur *f* role model.

identifizieren* **I** *vt* to identify. **II** *vr* **sich ~ mit** to identify (oneself) with.

Identifizierung *f* identification.

identisch *adj* identical (*mit* with).

Identität *f* identity.

Identitätskrise *f* identity crisis; **Identitätsnachweis** *m* proof of identity.

Ideologe *m*, **Ideologin** *f* ideologist.

Ideologie *f* ideology.

ideologisch *adj* ideological.

ideologisieren* *vt* to ideologize.

Ideologisierung *f* ideologization.

Idiom *nt* **-s**, **-e** idiom.

Idiomatik *f* idiomaticity; (*Redewendungen*) idioms *pl*.

idiomatisch *adj* idiomatic.

Idioplasma *nt* (*Biol*) germ plasm, idioplasm.

Idiot *m* **-en**, **-en** idiot; (*auch inf*) fool.

Idiotenhügel *m* (*hum inf*) nursery *or* beginners' slope; **idiotensicher** adj (inf) foolproof no adv.

Idiotie f idiocy; (inf) lunacy, madness, craziness.

Idiotin f idiot; (auch inf) fool.

idiotisch adj idiotic.

Idol nt -s, -e idol.

Idyll nt -s, -e idyll; (Gegend) idyllic place or spot.

Idylle f -, -n idyll.

idyllisch adj idyllic.

IG [i:'ge:] f -, -s abbr of **Industriegewerkschaft** ≃ TU.

Igel m -s, - 1. (Zool) hedgehog; (Blumen~) pin-holder. 2. (Mil: ~stellung) position of all-round defence.

Iglu ['i:glu] m or nt -s, -s igloo.

Ignorant(in f) m (form, pej) ignoramus.

Ignoranz f (form, pej) ignorance.

ignorieren* vt to ignore.

IHK [i:ha:'ka:] f abbr of **Industrie- und Handelskammer.**

ihm pers pron dat of **er, es¹** (bei Personen) to him; (bei Tieren und Dingen) to it; (nach Präpositionen) him/it. **ich gab es ~ I** gave it (to) him/it; **ich gab ~ den Brief** I gave him the letter, I gave the letter to him; **ich sagte ~, daß ...** I told him that ..., I said to him that ...; **ich werde es ~ sagen** I'll tell him; **es war ~, als ob er träumte** he felt as though he were dreaming; **es ist ~ nicht gut** he doesn't feel well; **sie schnitt ~ die Haare** she cut his hair (for him); **ein Freund von ~** a friend of his, one of his friends; **wir gingen zu ~** (haben ihn aufgesucht) we went to see him; (mit zu ihm nach Hause) we went to his place; **ich habe ~ das gemacht** I did it for him; **sie hat ~ einen Pulli gestrickt** she knitted him a sweater, she knitted a sweater for him.

ihn pers pron acc of **er** him; (bei Tieren und Dingen) it.

ihnen pers pron dat of **sie** pl to them; (nach Präpositionen) them; siehe **ihm.**

Ihnen pers pron dat of **Sie** to you; (nach Präpositionen) you; siehe **ihm.**

ihr I pers pron 1. gen **euer,** dat **euch,** acc **euch** 2. pers pl nom you. **I~** (in Briefen) you; (obs, dial: als Anrede eines Erwachsenen) thou (obs, dial).

2. dat of **sie** sing (bei Personen) to her; (bei Tieren und Dingen) to it; (nach Präpositionen) her/it. siehe **ihm.**

II poss pron 1. (einer Person) her; (eines Tiers, Dings, Abstraktum) its.

2. (von mehreren) their.

Ihr I pers pron siehe **ihr I 1., 2.. II** poss pron sing and pl your. **~ Franz Müller** (Briefschluß) yours, Franz Müller.

ihrer pers pron 1. gen of **sie** sing (bei Personen) of her. **wir werden ~ gedenken** we will remember her. 2. gen of **sie** pl of them. **es waren ~ zehn** there were ten of them, they were ten; **wir werden ~ gedenken** we will remember them.

Ihrer pers pron gen of **Sie** of you. **wir werden ~ gedenken** we will remember you.

ihre(r, s) poss pron (substantivisch) 1. (einer Person) hers; (eines Tiers) its. **der/die/das ~** (geh) hers/its; **sie tat das ~** (geh) she did her part; **I~ Majestät** Her

Majesty; **sie und die I~n** (geh: Familie) she and hers; **das I~** (geh: Besitz) what is hers.

2. (von mehreren) theirs. **der/die/das ~** (geh) theirs; **sie taten das ~** (geh) they did their bit.

Ihre(r, s) poss pron sing and pl (substantivisch) yours. **der/die/das ~** (geh) yours; **schöne Grüße an Sie und die ~n** (geh) best wishes to you and your family; **tun Sie das ~** (geh) you do your bit.

ihrerseits adv (bei einer Person) for her part; (bei mehreren) for their part; (von ihrer Seite) on her/their part.

Ihrerseits adv for your part; (von Ihrer Seite) on your part.

ihresgleichen pron inv (von einer Person) people like her; (von mehreren) people like them; (von Dingen) others like it, similar ones; (pej auch) her/their sort, the likes of her/them. **sie fühlen sich am wohlsten unter ~** they feel most at home among their own kind or among people like them(selves); **eine Frechheit, die ~ sucht!** an incredible cheek!

Ihresgleichen pron inv people like you; (pej auch) your sort, the likes of you. **Sie sollten Kontakt mit ~ pflegen** you should keep in contact with your own kind (of people) or with people like yourself or you.

ihrethalben (dated), **ihretwegen, ihretwillen** adv (bei Personen) (wegen ihr/ihnen) (sing) because of her; (pl) because of them; (ihr/ihnen zuliebe auch) for her sake/their sake(s); (um sie) about her/them; (für sie) on her/their behalf; (bei Dingen und Tieren) (sing) because of it; (pl) because of them; **sie sagte, ~ könnten wir gehen** she said that, as far as she was concerned, we could go.

Ihrethalben (dated), **Ihretwegen, Ihretwillen** adv because of you; (Ihnen zuliebe) (sing auch) for your sake; (pl auch) for your sake(s); (um Sie) about you; (für Sie) on your behalf.

ihrige poss pron (old, geh) **der/die/das ~** (von einer Person) hers; (von mehreren) theirs; siehe auch **ihre(r, s).**

Ihrige poss pron **der/die/das ~** yours; siehe auch **Ihre(r, s).**

i. J. abbr of **im Jahre.**

Ikon nt -s, -e (Comput) icon.

Ikone f -, -n icon.

Ilex f or m -, no pl holly.

Ilias f - Iliad.

ill. abbr of **illustriert.**

illegal adj illegal.

Illegalität f illegality.

illegitim adj illegitimate.

illiquid adj (Econ) illiquid.

illoyal adj disloyal.

Illoyalität f disloyalty.

illuminieren* vt to illuminate. **eine nicht sehr ~de Bemerkung** (geh) not a very enlightening comment.

Illusion f illusion. **jdm alle ~en nehmen** or **rauben** to rob sb of all his/her etc illusions; **sich** (dat) **~en machen** to delude oneself; **darüber macht er sich keine ~en** he doesn't have any illusions about

it; **sich der ~ hingeben, daß ...** to be under the illusion that ..., to labour under the misapprehension that ...
Ilusionär adj illusionary.
Ilusionismus m illusionism.
Ilusionist(in f) m illusionist.
Ilusionistisch adj (Art) illusionistic.
Ilusionslos adj **ein ~er Mensch** a person with no illusions; **~ sein** to have no illusions; **~ werden** to lose one's illusions.
Ilusorisch adj illusory. **es ist völlig ~, zu glauben ...** it's a complete illusion to believe ...
Iluster adj (geh) illustrious.
Illustration f illustration. **zur ~ von etw** to illustrate sth, as an illustration of sth.
Illustrativ adj 1. (mit Anschauungsmaterial) illustrated. **etw ~ aufzeigen** to show sth with illustrations. 2. (anschaulich) illustrative. **er hat sehr ~ geschildert, wie ...** he described very vividly how ...
Illustrator(in f) m illustrator.
illustrieren* vt to illustrate (jdm etw sth for sb).
Illustrierte f -n, -n magazine, mag (inf).
Iltis m -ses, -se polecat.
im prep contr of **in dem** 1. (räumlich) in the. **~ zweiten Stock** on the second floor; **~ Kino/Theater** at the cinema/theatre; **die Beleuchtung ~ Kino/Theater** the lighting in the cinema/theatre; **Freiburg ~ Breisgau** Freiburg in Breisgau; **~ Bett** in bed; **~ „Faust"** in "Faust".
 2. (zeitlich) in the. **~ Mai** in May; **~ Jahre 1866** in (the year) 1866; **~ Alter von 91 Jahren** at the age of 91; **~ letzten/nächsten Jahr** last/next year; **~ letzten Jahr des Krieges** in the last year of the war; **~ nächsten Jahr ging er** (in) the next year he went.
 3. +superl **nicht ~ geringsten** not in the slightest.
 4. (als Verlaufsform) **~ Kommen/Gehen sein** to be coming/going; **etw ~ Liegen/Stehen tun** to do sth lying down/standing up.
 5. **~ Trab/Laufschritt** at a trot/run.
Image ['ɪmɪtʃ] nt **-(s), -s** image.
imagebildend adj image-building; **Imagepflege** f image-building; **Imageverfall** m loss of prestige; **Imageverlust** m damage to one's image.
imaginär adj imaginary.
Imagination f (geh) imagination.
Imbiß m -sses, -sse snack.
Imbißhalle f snack bar; **Imbißstand** m ≃ hot-dog stall or stand; **Imbißstube** f cafe; (in Kaufhaus etc) cafeteria.
Imitation f imitation.
Imitator m, **Imitatorin** f imitator; (von Schmuck, einem Bild) copyist.
imitieren* vt to imitate. **imitierter Schmuck** imitation jewellery.
Imker(in f) m -s, - beekeeper, apiarist (form).
Imkerei f beekeeping, apiculture (form).
immanent adj inherent, intrinsic; Kriterien internal; (Philos) immanent. **einer Sache** (dat) **~ sein** to be inherent in sth.
immateriell adj incorporeal, immaterial.
Immatrikulation f matriculation (form),

registration (at university).
immatrikulieren* I vt to register (at university) (an +dat at). II vr to matriculate (form), to register (at university).
Imme f -, -n (poet) bee.
immens adj immense, huge, enormous.
immer adv 1. (häufig, ständig) always. **schon ~** always; **auf** or **für ~** for ever, for always; **~ diese Aufregung/Nörgelei** this continual or there's always this excitement/niggling; **~ diese Probleme!** all these problems!; **~ diese Studenten/das Telefon** these wretched students/that wretched phone; **~, wenn ...** whenever ..., every time that ...; **~ mal** (inf) from time to time, now and again; **~ geradeaus gehen** to keep going straight on; **~ und ewig** (liter) for ever and ever; **~ langsam voran!** (inf), **(nur) ~ schön langsam!** (inf) take your time (about it), take it slowly; **~ (schön) mit der Ruhe** (inf) take it easy; **(nur) ~ her damit!** (inf) (just) hand it over!; **noch ~, ~ noch** still; **~ noch nicht** still not (yet); **bist du denn ~ noch nicht fertig?** are you still not ready?, aren't you ready yet?; **nur ~ zu!** keep it up!, keep up the good work!; **~ wieder** again and again, time after time, time and (time) again; **etw ~ wieder tun** to keep on doing sth; **wie ~** as usual, as always.
 2. +comp **~ besser** better and better; **~ häufiger** more and more often; **~ mehr** more and more; **es nimmt ~ mehr zu** it increases all the time or continually, it keeps on increasing; **~ größer werdende Schulden** constantly increasing debts; **sein Benehmen wird ~ schlechter** his behaviour gets worse and worse or goes from bad to worse.
 3. **wer/wie/wann/wo/was** (auch) **~** whoever/however/whenever/wherever/whatever.
 4. (inf: jeweils) **gib mir ~ drei Bücher auf einmal** give me three books at a time; **stellt euch in einer Reihe auf, ~ zwei zusammen** line up in twos; **~ am dritten Tag** every third day.
immerfort adv all the time, the whole time, constantly; **immergrün** adj attr (lit, fig) evergreen; **immerhin** adv all the same, anyhow, at any rate; (wenigstens) at least; (schließlich) after all; **immerwährend** adj attr perpetual, eternal; Kalender perpetual; **immerzu** adv siehe **immerfort**.
Immigrant(in f) m immigrant.
Immigration f immigration.
immigrieren* vi aux sein to immigrate.
Immission f (Jur) effect on neighbouring property of gases, smoke, noise, smells etc.
Immissionsschaden m pollution damage; **Immissionsschutz** m air pollution control; **Immissionsschutzgesetz** nt air pollution laws pl.
immobil adj immobile, immoveable; Vermögen, Besitz real, immoveable.
Immobilien [-'bi:lian] pl real estate sing, real or immoveable property sing (form), immoveables pl (form); (in Zeitungsannoncen) property sing.

Immobilienfonds m (Fin) real estate fund; **Immobilienhändler(in** f), **Immobilienmakler(in** f) m (real) estate agent (Brit), realtor (US).

Immortelle f (Bot) everlasting (flower), immortelle.

immun adj immune (gegen to).

Immun|abwehr f (Med) immune defence.

immunisieren* vt (form) to immunize (gegen against).

Immunisierung f (form) immunization (gegen against).

Immunität f immunity.

Immunologe m, **Immunologin** f immunologist.

Immunologie f immunology.

immunologisch adj immunological.

Immun- in cpds (Med) immune; **Immunschwäche** f immunodeficiency; **Immunschwächekrankheit** f immune deficiency syndrome; **Immunsystem** nt immune system.

Imperativ m (Gram) imperative (form); (Philos) imperative.

imperativisch [-'ti:vɪʃ] adj (Gram) imperative.

Imperator m (Hist) emperor; (Mil) general.

imperatorisch adj imperial; (fig) imperious.

Imperfekt nt -s, -e (Gram) imperfect (tense).

Imperialismus m imperialism.

Imperialist m imperialist.

imperialistisch adj imperialistic.

Imperium nt (Gebiet) empire; (Herrschaft) imperium.

impertinent adj (geh) impertinent, impudent.

Impertinenz f (geh) impertinence, impudence.

Impetus m -, no pl (geh) impetus, momentum; (Tatkraft) drive.

Impfarzt m, **-ärztin** f vaccinator, inoculator.

impfen vt to vaccinate, to inoculate.

Impfling m person who has just been or is to be vaccinated.

Impfpaß m vaccination card, record of the vaccinations one has been given; **Impfpistole** f vaccination gun; **Impfschaden** m vaccine damage; **Impfschein** m certificate of vaccination or inoculation; **Impfschutz** m protection given by vaccination; **Impfstoff** m vaccine, serum.

Impfung f vaccination, inoculation.

Implantat nt implant.

Implantation f (Med) implantation.

implementieren* vt to implement.

implizieren* vt to imply.

implizit, implizite (geh) adv by implication, implicitly. **etw** ~ **sagen** to imply sth, to say sth by implication.

implodieren* vi aux sein to implode.

Implosion f implosion.

Imponderabilien [-'bi:liǝn] pl (geh) imponderables pl.

imponieren* vi to make an impression (jdm on sb), to impress (jdm sb). **dadurch hat er imponiert** he made an im-

pression by that; **es imponiert mir, wie sie das schafft** it impresses me how she manages it, I'm impressed by the way she manages it.

imponierend adj impressive; Gebäude auch imposing.

Imponiergehabe nt (Zool) display pattern; (fig pej) exhibitionism.

Import m -(e)s, -e import. **der** ~ **sollte den Export nicht übersteigen** imports should not exceed exports; **der** ~ **von Obst und Gemüse ist gestiegen** the import or importation of fruit and vegetables has increased, fruit and vegetable imports have increased.

Importe f -, -n usu pl imported cigar.

Importeur(in f) [ɪmpɔr'tøːɐ, -'tøːrɪn] m importer.

Import- in cpds import; **Importgeschäft** nt (Handel) import trade; (Firma) import business.

importieren* vt (auch Comput) to import.

Importland nt importing country.

imposant adj imposing; Leistung impressive; Stimme commanding.

impotent adj impotent.

Impotenz f impotence.

imprägnieren* vt to impregnate; (wasserdicht machen) to (water)proof.

Imprägnierung f impregnation; (von Geweben) (water)proofing; (nach der Reinigung) reproofing.

impraktikabel adj impracticable.

Impresario m -s, -s impresario.

Impression f impression (über +acc of).

Impressionismus m impressionism.

Impressionist m impressionist.

impressionistisch adj impressionistic.

Impressum nt -s, **Impressen** imprint.

Imprimatur nt (Typ) imprimatur.

Improvisation [ɪmproviza'tsioːn] f improvization; (von Rede, Gedicht, Musik auch) extemporization.

Improvisationstalent nt talent for improvization; (Mensch) (great) improvizi器.

improvisieren* [-vi'ziːrǝn] vti to improvize; (Mus auch) to extemporize; eine Rede auch to ad-lib (inf), to extemporize.

Impuls m -es, -e impulse. **etw aus einem** ~ **heraus tun** to do sth on the spur of the moment or on impulse; **einer Sache** (dat) **neue** ~**e geben** to give sth new impetus or momentum; **äußere** ~**e veranlaßten ihn dazu** external factors made him do it.

impulsiv adj impulsive. ~**e Äußerungen/Entschlüsse** spur of the moment or impulsive remarks/decisions; ~ **handeln** to act impulsively or on impulse.

Impulsivität f impulsiveness.

imstande adj pred ~ **sein, etw zu tun** (fähig) to be able to do sth, to be capable of doing sth; (in der Lage) to be in a position to do sth; **er ist zu allem** ~ **he's** capable of anything; **er ist** ~ **und erzählt es meiner Mutter** he's (quite) capable of telling my mother.

in I prep siehe auch **im, ins** 1. (räumlich) (wo? +dat) in; (innen auch) inside; (bei

kleineren Orten auch) at; (*wohin? +acc*) in, into. **sind Sie schon ~ Deutschland gewesen?** have you ever been to Germany?; **~ der Schweiz** in Switzerland; **~ die Schweiz** to Switzerland; **er ist Professor ~ London** he is a professor at London (University); **~ die Schule/ Kirche gehen** to go to school/church; **er ist ~ der Schule/Kirche** he's at *or* in school/church; **die Heizung ~ der Schule/Kirche** the heating in the school/ church; **er ging ~s Theater/Kino** he went to the theatre/cinema.
2. (*zeitlich*) (*wann? +dat*) in; (*bis +acc*) into. **~ diesem Jahr** (*laufendes Jahr*) this year; (*jenes Jahr*) (in) that year; **heute/morgen ~ acht Tagen/zwei Wochen** a week/two weeks today/ tomorrow; **bis ~s 18. Jahrhundert** into *or* up to the 18th century; **vom 16. bis ~s 18. Jahrhundert** from the 16th to the 18th century; **bis ~s 18. Jahrhundert zurück** back to the 18th century.
3. **~ Englisch steht er sehr schwach** he's very weak in *or* at English; **~s Englische übersetzen** to translate into English; **~ Mathe haben wir einen neuen Lehrer** we've a new teacher in *or* for maths; **~ die Hunderte gehen** to run into (the) hundreds; **sie hat es ~ sich** (*dat*) (*inf*) she's quite a girl; **der Text/die Rechenarbeit hat es ~ sich** (*dat*) (*inf*) the text/the arithmetic test is a tough one; **dieser Whisky hat es ~ sich** (*dat*) (*inf*) this whisky packs quite a punch *or* has quite a kick (*inf*); **er macht jetzt ~ Gebrauchtwagen** (*inf*) he's in the second-hand car business.
II *adj pred* (*sl*) **~ sein** to be in (*inf*).
in|adäquat *adj* inadequate.
in|akkurat *adj* inaccurate.
in|aktiv *adj* inactive; *Mitglied* non-active; (*Mil*) inactive, on the reserve list.
in|akzeptabel *adj* un- *or* inacceptable.
In|angriffnahme *f* -, *no pl* (*form*) starting, commencement (*form*).
In|anspruchnahme *f* -, *no pl* (*form*) **1.** (*Beanspruchung*) demands *pl*, claims *pl* (*gen* on). **im Falle einer ~ der Arbeitslosenunterstützung** where unemployment benefit has been sought (*form*); **bei ~ des Versicherungsschutzes entfällt der Rabatt** the discount is forfeited should an insurance claim be submitted.
2. (*Auslastung: von Einrichtungen, Verkehrssystems*) utilization. **wegen zu geringer ~ des Freizeitzentrums** as a result of under-utilization of the leisure centre, because too few people have been availing themselves of the leisure centre.
In|augenscheinnahme *f* -, *no pl* (*form*) inspection.
Inbegriff *m* **-(e)s**, *no pl* perfect example; (*der Schönheit, Güte, des Bösen*) epitome, embodiment. **sie war der ~ der Schönheit** she was beauty personified *or* incarnate; **diese neue Kirche ist der ~ der modernen Architektur** this new church epitomizes modern architecture.
inbegriffen *adj pred* included. **die Mehrwertsteuer ist im Preis ~** the price in-

cludes VAT *or* is inclusive of VAT, VAT is included in the price.
Inbetriebnahme *f* -, **-n** commissioning; (*von Gebäude, U-Bahn*) inauguration. **die ~ des Geräts erfolgt in zwei Wochen** the appliance will be put into operation in two weeks.
Inbrunst *f* -, *no pl* fervour, fervency, ardour.
inbrünstig *adj* fervent, ardent.
Inbusschlüssel ® *m* (*Tech*) Allen key ®.
Indefinitivpronomen *nt* indefinite pronoun.
indem *conj* **1.** (*während der ganzen Zeit*) while, whilst (*liter*); (*in dem Augenblick*) as. **~ er sich hinsetzte, sagte er …** sitting down, he said …, as he sat down he said … **2.** (*dadurch, daß*) **~ man etw macht** by doing sth.
Inder(in *f*) *m* **-s**, - Indian.
indes (*rare*), **indessen I** *adv* **1.** (*zeitlich*) meanwhile, (in the) meantime. **2.** (*adversativ*) however. **II** *conj* **1.** (*geh*) (*zeitlich*) while. **2.** (*adversativ*) **indes** (*liter*) however; (*andererseits*) whereas.
Index *m* **-(es)**, **-e** index (*auch Comput*); (*Eccl*) Index.
Index|anleihe *f* (*Fin*) index-linked loan, index loan.
indexieren* *vti* (*Comput*) to index.
Indianer(in *f*) *m* **-s**, - (Red *or* American) Indian.
indianisch *adj* (Red *or* American) Indian.
Indien ['ɪndiən] *nt* **-s** India.
indifferent *adj* **1.** (*geh*) indifferent (*gegenüber* to). **2.** (*Chem, Phys*) inert; *Gas auch* rare, inactive.
Indifferenz *f* (*geh*) indifference (*gegenüber* to, towards).
indigniert *adj* (*geh*) indignant.
Indignität *f* (*Jur*) incapability of inheriting.
Indigo *nt or m* **-s**, **-s** indigo.
indigoblau *adj* indigo blue.
Indikation *f* (*Med*) indication. **medizinische/soziale ~** medical/social grounds for the termination of pregnancy.
Indikativ *m* (*Gram*) indicative.
indikativisch ['ɪndikatiːvɪʃ] *adj* (*Gram*) indicative.
Indikator *m* indicator.
Indio *m* **-s**, **-s** (Central/South American) Indian.
indirekt *adj* indirect. **~e Rede** indirect *or* reported speech.
indisch *adj* Indian.
indiskret *adj* indiscreet.
Indiskretion *f* indiscretion.
indiskutabel *adj* out of the question.
indisponiert *adj* (*geh*) indisposed.
Indium *nt*, *no pl* (*abbr* **In**) indium.
individualisieren* [ɪndividualiˈziːrən] *vt* to individualize.
Individualismus [ɪndividuaˈlɪsmʊs] *m* individualism.
Individualist(in *f*) [ɪndividuaˈlɪst] *m* individualist.
individualistisch [ɪndividuaˈlɪstɪʃ] *adj* individualistic.
Individualität [ɪndividualiˈtɛːt] *f* **1.** *no pl* individuality. **2.** (*Charakterzüge*) indi-

vidual characteristic.

Individualverkehr m (Mot) private transport.

individuell [ɪndivi'duɛl] adj individual. etw ~ **gestalten** to give sth a personal note; **es ist ~ verschieden** it differs from person to person or case to case, it's different for each person.

Individuum [ɪndi'viːduʊm] nt -s, **Individuen** [ɪndi'viːduən] individual.

Indiz nt -es, -ien [-iən] 1. (Jur) clue; (als Beweismittel) piece of circumstantial evidence. **alles beruht nur auf ~ien** everything rests only on circumstantial evidence. 2. (Anzeichen) sign, indication (für of).

Indizes pl of **Index**.

Indizienbeweis m circumstantial evidence no pl; piece of circumstantial evidence.

indizieren* vt (Med) to indicate; (Eccl) to put on the Index; (Comput) to index.

Indochina nt Indochina.

indogermanisch adj Indo-Germanic, Indo-European.

Indoktrination f indoctrination.

indoktrinieren* vt to indoctrinate.

Indonesien [-iən] nt -s Indonesia.

Indonesier(in f) [-iɐ, -iərɪn] m -s, - Indonesian.

indonesisch adj Indonesian.

Indossament nt (Comm) endorsement.

Indossant m (Comm) endorser.

Indossat m -en, -en (Comm) endorsee.

Induktion f induction.

induktionsgehärtet adj induction hardened; **Induktionsschleife** f induction loop; **Induktionsstrom** m induced current.

induktiv adj inductive.

industrialisieren* vt to industrialize.

Industrialisierung f industrialization.

Industrie f industry. **in der ~ arbeiten** to be or work in industry.

Industrie- in cpds industrial; **Industrieabfälle** pl industrial waste; **Industrieanlage** f industrial plant or works pl; **Industriebetrieb** m industrial firm or company; **Industrieerzeugnis** nt industrial product; **Industriegebiet** nt industrial area; **Industriegewerkschaft** f industrial (trade) union; **Industriekapitän** m (inf) captain of industry; **Industriekauffrau** f industrial manageress; **Industriekaufladen** m (DDR) factory shop; **Industriekaufmann** m industrial manager; **Industriekombinat** nt (DDR) industrial combine; **Industrieland** nt industrialized country; **Industrielandschaft** f industrial landscape.

industriell adj industrial.

Industrielle(r) mf decl as adj industrialist.

Industriemüll m industrial waste; **Industrienation** f industrial nation; **Industriepark** m industrial estate; **Industrieroboter** m industrial robot; **Industriestaat** m industrial nation; **Industriestadt** f industrial town; **Industrie- und Handelskammer** f chamber of commerce; **Industriezweig** m branch of industry.

induzieren* vt (Phys) to induce.

ineffektiv adj ineffective, ineffectual; (unproduktiv auch) inefficient.

ineinander adv sein, liegen in(side) one another or each other; legen, hängen into one another or each other. ~ **übergehen** to merge (into one another or each other); **die Fäden haben sich alle ~ verwickelt** the threads have got all tangled up in each other or in one another; **sich ~ verlieben** to fall in love with each other.

ineinanderfließen vi sep irreg aux sein to merge; (Farben, Flüsse auch) to flow into each other or one another; **ineinandergreifen** vi sep irreg (lit) to interlock; (Zahnräder, Zinken auch) to mesh or engage (with each other or one another); (fig: Ereignisse, Ressorts etc) to overlap; **ineinanderpassen** vi sep to fit into each other or one another, to fit together; **ineinanderschieben** vtr sep irreg to telescope; **sich ~ lassen** to be telescopic.

infam adj infamous.

Infamie f infamy. **das ist eine ~** that's infamous.

Infanterie f infantry.

Infanterist m infantryman, foot soldier.

infantil adj infantile.

Infantilismus m infantilism.

Infantilität f childishness, puerility (pej).

Infarkt m -(e)s, -e (Med) infarct (spec); (Herz~) coronary (thrombosis).

Infekt m -(e)s, -e, **Infektion** f infection.

Infektionsgefahr f danger of infection; **Infektionsherd** m focus of infection; **Infektionskette** f chain of infection; **Infektionskrankheit** f infectious disease.

infektiös [ɪnfɛk'tsiøːs] adj infectious.

Inferno nt -s, no pl (lit, fig) inferno.

Infiltration f infiltration.

infiltrieren* vt to infiltrate.

infinit adj (Gram) non-finite.

infinitesimal adj (Math) infinitesimal.

Infinitiv m infinitive.

Infinitivsatz m infinitive clause.

infizieren* I vt to infect. II vr to be or get infected (bei by).

in flagranti adv in the act, red-handed, in flagrante delicto (form).

Inflation f inflation.

inflationär [ɪnflatsio'nɛːɐ] adj inflationary. **sich ~ entwickeln** to develop in an inflationary way.

inflationistisch [ɪnflatsio'nɪstɪʃ] adj inflationary.

Inflationsrate f rate of inflation; **inflationssicher** adj inflation-proof.

inflatorisch adj inflationary.

inflexibel adj (lit, fig) inflexible.

Inflexibilität f (lit, fig) inflexibility.

Info nt -, -s (inf) info (inf).

infolge prep +gen or von as a result of, owing to, because of.

infolgedessen adv consequently, as a result (of that), because of that.

Informatik f computer science.

Informatiker(in f) m -s, - computer or information scientist.

Information f information no pl (über +acc about, on). **eine ~** (a piece of) information; **~en weitergeben** to pass on information; **zu Ihrer ~** for your information; **wo ist die ~?** where is information *or* the information desk?

nformationell [ɪnfɔrmatsio'nɛl] *adj* informational; **~e Selbstbestimmung** (right of) access to personal files.

nformationsaustausch *m* exchange of information; **Informationsbüro** *nt* information bureau; **Informationsdefizit** *nt* information lag, lack of information; **Informationsfluß** *m* flow of information; **Informationsgewinnung** *f* information gathering; **Informationsmaterial** *nt* information; **Informationsquelle** *f* source of information; **Informationsstand** *m* **1.** information stand; **2.** *no pl (Wissensstand)* level of information; **Informationstechnik** *f* information technology; **Informationstheorie** *f* information theory; **Informationsverarbeitung** *f* information processing; **Informationsvorsprung** *m* **einen ~ haben** to be better informed.

informativ *adj* informative.
informatorisch *adj* informational.
informell *adj* informal.
informieren* **I** *vt* to inform *(über +acc, von* about, of*)*. **da bist du falsch** *or* **nicht richtig informiert** you've been misinformed, you've been wrongly informed; **jdn nur unvollständig/einseitig ~** to give sb only part/one side of the information; **informierte Kreise** informed circles.
II *vr* to find out, to inform oneself *(über +acc* about). **sich ständig über den neuesten Stand der Medizin ~** to keep oneself informed about the latest developments in medicine.
Informiertheit *f* knowledge. **wegen der zunehmenden ~ der Jugendlichen** since young people are becoming increasingly well-informed; **die mangelnde ~ der Bevölkerung** the population's lack of information *or* lack of knowledge of the facts.
Infostand *m (inf)* information stand.
infrarot *adj* infra-red; **Infrarotstrahler** *m* **-s, -** infra-red lamp; **Infraschall** *m* infrasonic *or* subsonic waves *pl*; **Infrastruktur** *f* infrastructure.
Infusion *f* infusion.
Ing. *abbr of* **Ingenieur.**
Ingenieur(in *f)* [ɪnʒe'niø:ɐ, -iø:rɪn] *m* engineer.
Ingenieurbüro *nt* engineer's office; **Ingenieurschule** *f* school of engineering.
Ingwer *m* **-s,** *no pl* ginger.
Inh. *abbr of* **Inhaber** prop.; **Inhalt.**
Inhaber(in *f)* *m* **-s, -** *(von Geschäft, Firma)* owner; *(von Hotel, Restaurant auch)* proprietor/proprietress; *(von Konto, Aktie, Lizenz, Patent, Rekord, Orden)* holder; *(von Scheck, Paß)* bearer.
Inhaberpapier *nt (Fin)* bearer security.
inhaftieren* *vt insep* to take into custody.
Inhaftierung *f (das Inhaftieren)* arrest; *(Haft)* imprisonment.
Inhalation *f (Med)* inhalation.
inhalieren* *vti insep (auch, inf)* to inhale.
Inhalt *m* **-(e)s, -e 1.** *(von Behälter, Paket)* contents *pl*.

2. *(von Buch, Brief, Begriff)* content, contents *pl*; *(des Lebens)* meaning. **welchen ~ hatte der Film/das Gespräch?**, **was hatte der Film/das Gespräch zum ~?** what was the subject matter *or* content of the film/discussion?; **über ~e diskutieren** to discuss the real issues; **ein Brief des ~s, daß ...** *(form)* a letter to the effect that ...
3. *(Math) (Flächen~)* area; *(Raum~)* volume.
inhaltlich *adj* as regards content.
Inhaltsangabe *f* summary, précis *(esp Sch)*; **inhaltsarm, inhaltsleer** *adj (geh)* lacking (in) content; *Leben* meaningless; **inhaltslos** *adj* empty; *Leben auch* meaningless; *Buch, Vortrag* lacking in content; **inhaltsreich** *adj* full; **inhaltsschwer** *adj (geh: bedeutungsvoll)* significant, of consequence; **Inhaltsübersicht** *f* summary of the contents; **Inhaltsverzeichnis** *nt* list *or* table of contents; *(Comput)* directory; **„~"** "contents".
inhärent *adj (geh)* inherent.
inhuman *adj (unmenschlich, brutal)* inhuman; *(unbarmherzig)* inhumane.
Inhumanität *f* inhumanity.
Initiale [ini'tsia:lə] *f -*, **-n** *(geh)* initial.
initialisieren* [initsiali'zi:rən] *vt (Comput)* to initialize.
Initialisierung [initsiali'zi:rʊŋ] *f (Comput)* initialization.
Initiationsritus *m* initiation rite.
initiativ [initsia'ti:f] *adj* **~ werden** to take the initiative.
Initiative [initsia'ti:və] *f* **1.** *no pl* initiative. **aus eigener ~** on one's own initiative; **die ~ ergreifen** to take the initiative. **2.** *(Anstoß)* initiative. **auf jds ~** *(acc)* **hin** on sb's initiative; *(Sw Pol) siehe* **Volksbegehren.**
Initiator(in *f)* [ini'tsia:tɔr, -'to:rɪn] *m (geh)* initiator.
initiieren* [initsi'i:rən] *vt (geh)* initiate.
Injektion *f* injection.
Injektionsspritze *f* hypodermic (syringe).
injizieren* [ɪnji'tsi:rən] *vt (form)* to inject *(jdm etw* sb with sth).
Inka *m* **-(s), -s** Inca.
Inkarnation *f* incarnation.
Inkasso *nt* **-s, -s** *or (Aus)* **Inkassi** *(Fin)* collection.
Inkassostelle *f (Fin)* collection point.
Inkaufnahme *f -, no pl (form)* acceptance. **unter ~ finanzieller Verluste** accepting the inevitable financial losses.
inkl. *abbr of* **inklusive.**
inklusive [-'tsi:və] **I** *prep +gen* inclusive of. **~ Heizung** heating included, inclusive of *or* including heating. **II** *adv* inclusive.
Inkognito *nt* **-s, -s** incognito.
inkognito *adv* incognito.
inkompatibel *adj* incompatible.
Inkompatibilität *f* incompatibility.
inkompetent *adj* incompetent.
Inkompetenz *f* incompetence.
inkongruent *adj (Math)* non-congruent.
inkonsequent *adj* inconsistent.
Inkonsequenz *f* inconsistency.
Inkorporation *f (geh)* incorporation.

inkorporieren* vt to incorporate (in +acc in, into).

inkorrekt adj incorrect.

Inkrafttreten nt -s, no pl coming into effect or force. **bei ~ von etw** when sth comes/came etc into effect or force.

Inkubation f incubation.

Inkubationszeit f incubation period.

Inkubator m incubator.

Inkulanz f disobligingness.

Inkunabel f -, -n incunabulum.

Inland nt -(e)s, no pl **1.** (als Staatsgebiet) home. **im ~ hergestellte Waren** home-produced goods, goods produced at home; **im In- und Ausland** at home and abroad; **die Gebühren für einen Brief im ~ inland** or domestic letter rates. **2.** (Inneres eines Landes) inland. **im ~ inland**; **ins ~ ziehen** to move inland.

Inland- in cpds (Comm) home, domestic; (Geog) inland; **Inlandbedarf** m home or domestic requirements pl; **Inlandeis** nt ice sheet; **Inlandflug** m domestic flight.

inländisch adj home attr, domestic; (Geog) inland.

Inlandsgespräch nt (Telec) inland call; **Inlandsmarkt** m home or domestic market; **Inlandsporto** nt inland postage; **Inlandsverkehr** m domestic traffic; (Handel) home trade; **Briefe im ~** letters within the country, inland or domestic letters.

Inlaut m (Ling) **im ~ vorkommen** to occur (word) medially or in (word) medial position.

Inlett nt -(e)s, -e (Hülle) cambric case; (~stoff) cambric.

inliegend adj (form, Aus) enclosed.

inmitten I prep +gen in the middle or midst of. **II** adv **~ von** amongst, surrounded by.

innehaben vt sep irreg (form) to hold.

innehalten sep irreg vi to pause, to stop. **er hielt im Satz/Sprechen inne** he paused in mid-sentence/he stopped speaking.

innen adv **1.** inside; (auf der Innenseite) on the inside; (im Haus) indoors, inside. **~ und außen** inside and out(side); **der Mantel hat ~ Pelz und außen Leder** the coat has fur (on the) inside and leather (on the) outside; **nach ~** inwards; **tief ~ tut es doch weh** deep down inside it really hurts; **die Tür geht nach ~ auf** the door opens inwards; **die Truppen drangen nach ~ vor** the troops pushed inland; **nach ~ laufen** to be pigeon-toed; **von ~** from (the) inside; **wie sieht das Haus von ~ aus?** what does the house look like from the inside?, what does the inside of the house look like?; **sich von ~ her aufwärmen** to warm oneself from (the) inside, to get warm inside.

2. (esp Aus) siehe **drinnen**.

Innenantenne f indoor aerial (Brit) or antenna (US); **Innenarchitekt(in** f) m interior designer; **Innenarchitektur** f interior design; **Innenaufnahme** f indoor photo(graph); (Film) indoor shot or take; **Innenausstattung** f interior décor no pl; (das Ausstatten) interior decoration and furnishing; (von Auto) interior fittings pl; **Innenbahn** f (Sport)

inside lane; **Innendekoration** f interior decoration; **Innendienst** m office duty; **im ~ sein** to work in the office; **innendrin** adv (inf) inside; **Inneneinrichtung** f (interior) furnishings pl; (das Einrichten) interior furnishing no pl; **Innenfläche** f **1.** (innere Fläche) inside, inside or interior surface; (der Hand) palm; **2.** (Flächeninhalt) internal surface area; **Innenhof** m inner courtyard; (bei Universitäten, Klöstern) quadrangle, quad (inf); **Innenkurve** f inside bend; **Innenleben** nt, no pl **1.** (inf: seelisch) inner or emotional life; **sein ~ offenbaren** to reveal one's innermost thoughts or feelings; **2.** (inf: körperlich) insides pl; **Innenleuchte** f (Aut) courtesy or interior light; **Innenminister(in** f) m minister of the interior; (in GB) Home Secretary; (in den USA) Secretary of the Interior; **Innenministerium** nt ministry of the interior; (in GB) Home Office; (in den USA) Department of the Interior; **Innenpolitik** f domestic policy/policies pl; (innere Angelegenheiten) home or domestic affairs pl; **Innenpolitiker(in** f) m domestic politician; **innenpolitisch** adj domestic, internal, home attr; **auf ~em Gebiet** in the field of home affairs; **~ gesehen, aus ~er Sicht** (seen) from the point of view of domestic policy; **Innenraum** m **1.** inner rooms pl; **die prächtigen Innenräume des alten Schlosses** the magnificent interior or rooms of the old castle; **2.** no pl room inside; (von Wagen auch) interior; **einen kleinen ~ haben** to be small inside, not to have much room inside; (von Wagen auch) to have a small interior; **mit großem ~** with a lot of room inside; (von Wagen auch) with a large interior; **Innenseite** f inside; **die ~ von etw nach außen kehren** to turn sth inside out; **Innenspiegel** m (Aut) interior mirror; **Innenstadt** f town centre, centre of the town; (einer Großstadt) city centre, centre of the city; **Innentasche** f inside pocket; **Innentemperatur** f inside temperature; (in einem Gebäude) indoor temperature; **Innenwelt** f inner world; **er hat sich völlig in seine ~ zurückgezogen** he has withdrawn completely into his own private world; **Innenwinkel** m (Math) interior angle.

innerbetrieblich adj in-house; **das wird ~ geregelt werden** that will be settled in-house.

Innereien pl innards pl; (von Geflügel auch) giblets pl.

innere(r, s) adj **1.** (örtlich) inner; (im Körper befindlich, inländisch) internal. **Facharzt für ~ Krankheiten** internist; **das ~ Ohr** the inner ear; **die ~n Angelegenheiten eines Landes** the internal or home or domestic affairs of a country; **der Whisky sorgte für die ~ Wärme** (inf) the whisky warmed our/their etc insides (inf); **I~ Mission** Home Mission; **~r Monolog** (Liter) interior monologue; **im innersten Herzen** deep in one's heart, in one's heart of hearts; **eine ~ Uhr** (inf) an internal *or* a biological clock; **~ Emigration** inner emigration, *withdrawal into private life of artists and intellectuals who remained in Germany through the Nazi period but did not support the Third Reich; any similar withdrawal*. **2.** (*geistig, seelisch*) inner. **~ Werte** *pl* inner worth *no pl*; **eine ~ Stimme** an inner voice, a voice within; **vor meinem ~n Auge** in my mind's eye; **~ Führung** (*Mil*) moral leadership.

ınnere(s) *nt decl as adj* **1.** inside; (*von Kirche, Wagen, Schloß auch*) interior; (*Mitte*) middle, centre. **Minister des Innere(e)n** minister of the interior; (*in GB*) Home Secretary; (*in den USA*) Secretary of the Interior; **ins ~ des Landes** into the heart of the country. **2.** (*fig: Gemüt, Geist*) heart. **ich wußte, was in seinem ~n vorging** I knew what was going on inside him; **sein ~s rebellierte dagegen** his inner self rebelled against it; **im tiefsten ~n** (deep) in one's heart, in one's heart of hearts.

ınnerhalb I *prep* +*gen* **1.** (*örtlich*) inside, within. **~ dieser Regelung** within this ruling. **2.** (*zeitlich*) within. **~ (von) zehn Minuten** within ten minutes, in ten minutes, inside (of) ten minutes. **II** *adv* inside; (*eines Landes*) inland. **weiter ~ im Lande** further inland.

ınnerlich *adj* **1.** (*körperlich*) internal. **dieses Medikament ist ~ anzuwenden** this medicament is to be taken internally. **2.** (*geistig, seelisch*) inward, inner *no adv*; *Gedicht, Mensch* inward; *Hemmung* inner. **ein ~ gefestigter Mensch** a person of inner strength; **~ schäumte er vor Wut** inwardly *or* inside he was boiling with rage; **~ lachen** to laugh inwardly *or* to oneself.

ınnerparteilich *adj* within the party; **~e Schwierigkeiten** internal difficulties in the party, difficulties within the party; **eine ~e Diskussion** a party discussion; **~e Demokratie** democracy (with)in the party structure; **ınnerstaatlich** *adj* domestic, internal.

ınnerste(r, s) *adj superl of* **innere(r, s)** innermost, inmost; (*fig auch*) deepest.

ınnerste(s) *nt decl as adj* (*lit*) innermost part, heart; (*fig*) heart. **tief im ~n liebte sie ihn** in her heart of hearts *or* deep in her heart she loved him; **bis ins ~ getroffen** hurt to the quick, deeply *or* profoundly hurt.

ınnert *prep* +*gen or dat* (*Aus, Sw*) within, in, inside (of).

ınnewerden *vi sep irreg aux sein* (*geh*) (**sich** *dat*) **einer Sache** (*gen*) **~** to become aware *or* cognizant (*form*) of sth.

ınnewohnen *vi sep* **~** +*dat* (*geh*) to be inherent in.

ınnig *adj Glückwünsche, Grüße* heartfelt *no adv*, hearty; *Beileid* heartfelt, deep, profound; *Vergnügen* deep, profound; *Freundschaft, Beziehung* intimate (*auch Chem*). **etw aufs ~ste erhoffen/wünschen** to hope/wish for sth most fervently *or* ardently; **mein ~ster Wunsch** my dearest wish; **jdn ~ lieben** to love sb dearly *or* deeply *or* with all

one's heart.

ınniglich *adv* (*poet*) (*herzlich*) sincerely, warmly; (*tief*) deeply, profoundly; *lieben* deeply, dearly.

Innovation *f* innovation.

innovativ *adj* innovative. **~ tätig sein** to do innovative work.

innovatorisch *adj* innovatory.

ınnung *f* (trade) guild. **du blamierst die ganze ~** (*hum inf*) you're letting the (whole) side down (*inf*).

ın|offiziell *adj* unofficial. **jdm etw ~ mitteilen** to tell sb sth unofficially *or* off the record.

inokulieren* *vt* (*Med*) to inoculate.

ın|operabel *adj* (*Med*) inoperable.

ın|opportun *adj* inopportune.

in petto *siehe* petto.

in puncto *siehe* puncto.

Input ['ınput] *m or nt* **-s, -s** input.

Inquisition *f* Inquisition.

Inquisitor *m* inquisitor.

inquisitorisch *adj* inquisitorial.

ıns *contr of* **in das. ~ Rollen/Rutschen geraten** *or* **kommen** to start rolling/sliding.

ınsasse *m* **-n, -n, ınsassin** *f* (*eines Fahrzeuges*) passenger; (*eines Autos auch*) occupant; (*einer Anstalt*) inmate.

ınsassenversicherung *f* passenger insurance.

insbesondere *adv* particularly, (e)specially, in particular.

ınschrift *f* inscription, legend (*form*).

Insekt *nt* **-(e)s, -en** insect.

Insektenbekämpfung *f* insect control; **Insektenbekämpfungsmittel** *nt* insecticide; **Insektenfresser** *m* insect-eater, insectivore (*form*); **Insektengift** *nt* insecticide; **Insektenkunde** *f* entomology; **Insektenplage** *f* plague of insects; **Insektenpulver** *nt* insect powder, (powder) insecticide; **Insektenschutzmittel** *nt* insect-repellent; **Insektenstich** *m* (*von Ameisen, Mücken, Flöhen*) insect bite; (*von Bienen, Wespen*) (insect) sting; **Insektenvertilgungsmittel** *nt* insecticide.

Insektizid *nt* **-s, -e** (*form*) insecticide.

Insel *f* **-, -n** (*lit, fig*) island, isle (*poet*). **die Britischen ~n** the British Isles; **die ~ Man** the Isle of Man.

Inselbewohner(in *f*) *m* islander, inhabitant of an/the island.

Inselchen *nt* little island, islet (*poet*).

Inselgruppe *f* archipelago, group of islands; **Insellage** *f* island position; **Großbritannien, infolge seiner ~ ...** Great Britain, because it is an island ...; **Inselreich** *nt* island kingdom; **Inselstaat** *m* island state; **Inselvolk** *nt* island nation *or* race *or* people; **Inselwelt** *f* island world; **die ~ Mittelamerikas** the world of the Central American islands.

Inserat *nt* advert (*Brit inf*), ad (*inf*), advertisement.

Inserent(in *f*) *m* advertiser.

inserieren* *vti* to advertise.

insgeheim *adv* secretly, in secret.

insgemein *adv* (*old*) in general, on the whole, by and large.

insgesamt *adv* (*alles zusammen*) altogether; (*im großen und ganzen*) all in all, on the whole, by and large. **die Kosten belaufen sich auf ~ 1.000 DM** the costs amount to a total of DM 1,000; **ein Verdienst von ~ 2.000 DM** earnings totalling DM 2,000.

Insider(in *f)* ['ɪnsaɪdə] *m* **-s,** - insider. **der Witz war nur für ~ verständlich** that was an in-joke, that joke was just for the in-crowd; **der Jazz-Scene** those in on the jazz scene, those in the know about the jazz scene.

Insidergeschäft *nt* insider deal; **Insiderhandel** *m* insider trading *or* dealing.

Insignien [ɪn'zɪɡniən] *pl* insignia *pl.*

insignifikant ['ɪnzɪɡnifikant] *adj* (*geh*) insignificant, of no consequence.

insistieren* [ɪnzɪs'tiːrən] *vi* (*geh*) to insist (*auf+dat* on).

Inskription *f* inscription.

insofern I *adv* in this respect. **~ ... als** in so far as, inasmuch as, in that; **er hat ~ recht, als ...** he's right in so far as *or* inasmuch as *or* in that ... **II** [ɪnzo'fɛrn] *conj* (*wenn*) if.

insolvent ['ɪnzɔlvɛnt] *adj* (*Comm*) insolvent.

Insolvenz ['ɪnzɔlvɛnts] *f* (*Comm*) insolvency.

insoweit [ɪn'zoːvait] *adv*, [ɪnzo'vait] *conj* siehe **insofern.**

Insp. *abbr of* **Inspektor.**

in spe [ɪn'speː] *adj* (*inf*) to be, future. **unser Schwiegersohn ~ ~** our son-in-law to be, our future son-in-law.

Inspekteur [ɪnspɛk'tøːɐ] *m* (*Mil*) Chief of Staff.

Inspektion *f* **1.** inspection; (*Aut*) service. **ich habe mein Auto zur ~ gebracht** I've taken my car in for a service *or* to be serviced. **2.** (*Behörde*) inspectorate.

Inspektor(in *f)* [ɪn'spɛktor, -'toːrɪn] *m* inspector; (*Verwalter, Aufseher*) superintendent.

Inspiration* [ɪnspira'tsioːn] *f* inspiration.

inspirieren* [ɪnspi'riːrən] *vt* to inspire. **sich von etw ~ lassen** to get one's inspiration from sth.

Inspizient(in *f)* [ɪnspi'tsiɛnt, -ɪn] *m* (*Theat*) stage-manager; (*Aufseher*) inspector.

inspizieren* [ɪnspi'tsiːrən] *vt* to inspect.

instabil ['ɪnstabiːl] *adj* unstable.

Instabilität *f* instability.

Installateur(in *f)* [ɪnstala'tøːɐ] *m* plumber; (*Elektro~*) electrician, electrical fitter; (*Gas~*) gas-fitter.

Installation [ɪnstala'tsioːn] *f* **1.** (*no pl: das Installieren*) installation; (*Tech auch*) fitting. **2.** (*Anlage*) installation; (*in Bauten*) fittings *pl*, installations *pl*; (*Wasser~*) plumbing *no pl.* **3.** (*old, Sw: Amtseinsetzung*) installation.

installieren* [ɪnsta'liːrən] **I** *vt* to install (*auch fig, Comput*), to put in. **II** *vr* to install oneself.

instand *adj* in good condition *or* repair; (*funktionsfähig*) in working order, working. **etw ~ halten** to maintain sth, to keep sth in good condition *or* repair/ in working order; **etw ~ setzen** to get sth into good condition *or* repair/into work-

ing order; (*reparieren auch*) to repair sth.

instandbesetzen* *vt sep* (*sl*) **ein Haus ~** to squat in a house (*and do it up*); **Instandhaltung** *f* (*von Gerät*) maintenance, servicing; (*von Gebäude*) maintenance, upkeep; **Instandhaltungskosten** *pl* maintenance costs *pl*; (*von Gebäude auch*) upkeep costs *pl.*

instandig *adj* urgent. **~ bitten** to beg, to implore, to beseech; **~ hoffen** to hope fervently.

Instandsetzung *f* (*von Gerät*) overhaul; (*von Gebäude*) restoration; (*Reparatur auch*) repair; **Instandsetzungsarbeiten** *pl* repairs *pl*, repair work.

Instanz [ɪn'stants] *f* **1.** (*Behörde*) authority. **er ging von einer ~ zur nächsten** he went from one office *or* department to the next.
2. (*Jur*) court; (*Verhandlungsstadium*) (court-)case; (*strafrechtlich auch*) trial. **Verhandlung in erster/zweiter ~** first/ second court-case, hearing at the court of second instance (*form*); **Berufung in erster/zweiter ~** first/second appeal; **ein Urteil letzter ~** (*lit, fig*) a final judgement; **er ging von einer ~ zur anderen** he went through all the courts.

Instanzenweg, Instanzenzug (*Aus*) *m* official *or* prescribed channels *pl*, channels *pl* (*US*); (*Jur*) stages *pl* of appeal; **auf dem ~** through (the official *or* prescribed) channels/the various stages of appeal.

Instinkt [ɪn'stɪŋkt] *m* **-(e)s, -e** (*lit, fig*) instinct. **aus ~** instinctively, by instinct.

Instinkthandlung *f* instinctive act. **das ist eine reine ~** it's purely instinctive (behaviour).

instinktiv [ɪnstɪŋk'tiːf] *adj* instinctive.

instinktmäßig I *adj* instinctive. **II** *adv* instinctively, by instinct; (*Instinkte betreffend*) as far as instinct is concerned.

Institut [ɪnsti'tuːt] *nt* **-(e)s, -e** institute; (*Jur: Institution*) institution.

Institution [ɪnstitu'tsioːn] *f* institution.

institutionalisieren* [ɪnstitutsio-] *vt* to institutionalize.

institutionell [ɪnstitutsio'nɛl] *adj* institutional.

Institutsleiter(in *f)* *m* director of an/the institute.

instruieren* [ɪnstru'iːrən] *vt* to instruct; (*über Unternehmen, Plan*) to brief; **Anwalt** to brief.

Instrukteur(in *f)* [ɪnstrʊk'tøːɐ] *m* instructor.

Instruktion [ɪnstrʊk'tsioːn] *f* instruction. **laut ~** according to instructions.

instruktiv [ɪnstrʊk'tiːf] *adj* instructive.

Instrument [ɪnstru'mɛnt] *nt* instrument; (*Hammer auch*) tool, implement. **er ist ~ des ...** he is the instrument of ...

instrumental [ɪnstrumen'taːl] *adj* (*Mus*) instrumental-.

Instrumental- *in cpds* instrumental; **Instrumentalbegleitung** *f* instrumental accompaniment; **ohne ~ singen** to sing unaccompanied.

instrumentalisieren* *vt* **1.** (*Mus*) to arrange for instruments. **2.** *Theorie, Plan* *etc* to harness; *(ausnutzen)* to exploit.

strumentalsatz *m (Gram)* instrumental clause; *(Mus) (Bearbeitung)* instrumental version; *(Teilstück)* instrumental section; **Instrumentalstück** *nt* instrumental piece.

strumentarium [ɪnstrumɛnˈtaːriʊm] *nt (lit)* equipment, instruments *pl*; *(Mus)* instruments *pl*; *(fig)* apparatus.

strumentell [ɪnstrumɛnˈtɛl] *adj* with instruments.

strumentenbrett *nt* instrument panel; **Instrumentenflug** *m* instrument flight; *(das Fliegen auch)* instrument flying, flying on instruments; **Instrumententafel** *f* control *or* instrument panel.

strumentieren* [ɪnstrumɛnˈtiːrən] *vt (Mus)* to arrange for instruments; *(für Orchester)* to orchestrate; *(Tech)* to fit out *or* equip with instruments.

nsuffizienz [ˈɪnzʊfitsiɛnts] *f (Med, geh)* insufficiency.

nsulaner(in *f)* *m* -s, - *(usu hum)* islander.

insular *adj* insular.

Insulin *nt* -s, *no pl* insulin.

Insulinschock *m* insulin *or* hypoglycaemic *(spec)* shock.

Inszenator(in *f)* *m (Theat)* director; *(fig)* stage-manager.

inszenatorisch *adj* directing *attr*. **eine ∼e Glanzleistung** a brilliant piece of directing *or (fig)* stage-management.

inszenieren* *vt* **1.** *(Theat)* to direct; *(Rad, TV)* to produce. **2.** *(fig)* to stage-manage. **einen Streit ∼** to start an argument; **ein Theater ∼** to kick up a fuss *(inf)*.

Inszenierung *f* production. **ein Stück in neuer ∼ aufführen** to put on a new production of a play.

intakt *adj* intact. **ich bin nach meiner Grippe noch nicht ganz ∼** *(inf)* I'm still feeling a bit fragile after my flu.

Intarsia *f* -, **Intarsien** [-iən], **Intarsie** [ɪnˈtarziə] *f usu pl* marquetry *no pl*, inlay, inlaid work *no pl*.

integer *adj (geh)* **∼ sein** to be full of integrity; **ein integrer Mensch** a person of integrity; **sich ∼ verhalten** to behave with integrity.

integral *adj attr* integral.

Integral *nt* -s, -e integral.

Integralhelm *m* full-face helmet; **Integralrechnung** *f* integral calculus.

Integration *f* integration.

Integrationsfigur *f* unifying figure; **Integrationskraft** *f* unifying force.

integrativ *adj Erziehung, Zusammenarbeit* integrated; *Weltanschauung* holistic.

integrierbar *adj* capable of being integrated, assimilable; *(Math)* integrable.

integrieren* *vt* to integrate *(auch Math)*.

integriert *adj* integrated; *Sicherheitsvorrichtung auch* integral, in-built. **∼e Schaltung** integrated circuit; **∼e Gesamtschule** comprehensive (school) *(Brit)*.

Integrierung *f* integration *no pl*.

Integrität *f* integrity.

Intellekt *m* -(e)s, *no pl* intellect.

intellektuell *adj* intellectual.

Intellektuelle(r) *mf decl as adj* intellectual.

Intellelle(r) *mf decl as adj (hum inf)* in-

tellectual, egghead *(inf)*.

intelligent *adj* intelligent.

Intelligenz *f* intelligence; *(Personengruppe)* intelligentsia *pl*. **Elefanten haben eine hochentwickelte ∼** elephants are highly intelligent *or* have a great deal of intelligence; **künstliche ∼** artificial intelligence.

Intelligenzbestie *f (pej inf)* egghead *(inf)*.

Intelligenzija [-tsija] *f* -, *no pl* intelligentsia *pl*.

Intelligenzler(in *f)* *m* -s, - *(inf)* egghead *(inf)*.

Intelligenzquotient *m* intelligence quotient, IQ; **Intelligenztest** *m* intelligence test; **einen ∼ mit jdm machen** to give sb an intelligence test, to test sb's IQ.

Intendant(in *f)* *m* director; theatre-manager.

Intendanz *f (Amt)* directorship; *(Büro)* director's/theatre-manager's office.

intendieren* *vt (geh)* to intend. **eine Beleidigung hatte ich damit nicht intendiert** I didn't intend that as an insult.

Intensität *f* intensity.

intensiv *adj Arbeit, Forschung, Landwirtschaft* intensive; *Farbe, Gefühl* intense; *Geruch* powerful, strong; *Blick* intent, intense. **jdn ∼ beobachten** to watch sb intently.

intensivieren* [-ˈviːrən] *vt* to intensify.

Intensivierung *f* intensification.

Intensivkurs *m* intensive course; **Intensivstation** *f* intensive care unit.

Intention *f (geh)* intention, intent.

intentional [ɪntɛntsioˈnaːl] *adj (Philos)* intentional.

Inter- *in cpds* inter-; **Interaktion** *f* interaction; **interaktiv** *adj* interactive; **Intercity** *m* -(s), -s inter-city (train) *(Brit)*; **Intercity-Verkehr** *m (Rail)* inter-city traffic *(Brit)*, express traffic; **Intercity-Zug** *m* inter-city (train) *(Brit)*.

interdisziplinär *adj* interdisciplinary.

interessant *adj* interesting. **zu diesem Preis ist das nicht ∼ für uns** *(Comm)* we are not interested at that price; **das ist ja ∼!** (that's) very interesting!; **sich ∼ machen** to attract attention (to oneself); **sich bei jdm ∼ machen** to attract sb's attention.

interessanterweise *adv* interestingly enough.

Interesse *nt* -s, -n interest. **∼ an jdm/etw** *or* **für jdn/etw haben** to be interested in sb/sth; **aus ∼** out of interest, for interest; **es liegt in Ihrem eigenen ∼** it's in your own interest(s); **die ∼n eines Staates wahrnehmen** to safeguard the interests of a state; **sein ∼ gilt ...** his interest is *or* lies in ..., he's interested in ...; **er tat es** *or* **handelte in meinem ∼** he did it for my good *or* in my interest.

interessehalber *adv* for *or* out of interest; **interesselos** *adj* indifferent; **Interesselosigkeit** *f* indifference.

Interessenbereich *m*, **Interessengebiet** *nt* field of interest; **das gehört nicht zu meinem ∼** that isn't one of my interests, that's outside my field of interests; **Interessengegensatz** *m* clash of interests; **Interessengemeinschaft** *f* **1.**

community of interests; *(Menschen)* group of people sharing interests; **2.** *(Econ)* syndicate; **Interessengruppe** *f* interest group; *(Lobby)* lobby; **Interessenkonflikt** *m* conflict of interests; **Interessensphäre** *f (Pol)* sphere of influence.

Interessent(in *f*) *m* interested person *or* party *(form)*; *(Bewerber auch)* applicant; *(Comm: Kauflustiger auch)* prospective customer. **~en werden gebeten ...** those interested are requested ...; **es haben sich mehrere ~en gemeldet** several people have shown interest.

Interessentenkreis *m* market.

Interessenverband *m* syndicate; *(Lobby)* lobby; **Interessenvertretung** *f* representation of interests; *(Personen)* group representing one's interests.

interessieren* I *vt* to interest *(für, an* +*dat* in). **es würde mich doch sehr ~, was du damit machen willst** it would interest me very much to know *or* I'd be very interested to know what you want to do with it; **das interessiert mich (gar) nicht!** I'm not (the least *or* slightest bit) interested; **das hat dich nicht zu ~!** that's none of your business!, don't be so nosey! *(inf)*.

II *vr* to be interested *(für* in); *(mit Interesse verfolgen auch)* to take an interest *(für* in). **er begann schon mit acht Jahren, sich für Musik zu ~** he started to be interested *or* to take *or* show an interest in music when he was eight.

interessiert *adj* interested *(an +dat* in). **~ zuhören** to listen with interest; **vielseitig ~ sein** to have a wide range of interests; **politisch ~** interested in politics.

Interface ['ıntɐfe:s] *nt* **-, -s** *(Comput)* interface.

Interferenz *f (Phys, Ling)* interference *no pl.*

Interferon *nt* **-s, -e** interferon.

Interieur [ɛ̃te'riø:ɐ] *nt* **-s, -s** *or* **-e** interior.

Interim *nt* **-s, -s** interim.

Interims- *in cpds* interim; **Interimsabkommen** *nt* interim agreement; **Interimsregierung** *f* caretaker *or* provisional government; **Interimsschein** *m (Fin)* scrip.

Interjektion *f* interjection.

interkonfessionell *adj* interdenominational; **interkontinental** *adj* intercontinental; **Interkontinentalrakete** *f* intercontinental missile; **Interleukin** *nt* **-s, -e** interleukin; **interlinear** *adj* interlinear.

Intermezzo [-'mɛtso] *nt* **-s, -s** *or* **Intermezzi** *(Mus)* intermezzo; *(fig auch)* interlude; *(ärgerlich)* contretemps *sing.*

intermittierend *adj* intermittent.

intern *adj* internal. **~er Schüler** boarder; **diese Maßnahmen müssen vorläufig ~ bleiben** for the time being these measures must be kept private; **die ~en Schwierigkeiten des Landes** the country's internal *or* domestic difficulties.

internalisieren* *vt (spec)* to internalize.

Internat *nt* boarding school.

international [ɪntɐnatsio'naːl] *adj* international. **I~er Währungsfonds** International Monetary Fund.

Internationale [ɪntɐnatsio'naːlə] *f* **-, -n** Internationale.

internationalisieren* [ɪntɐnatsio-] *vt* to make international.

Internatsschüler(in *f*) *m* boarder, boarding (school) pupil.

internieren* *vt* to intern.

Internierte(r) *mf decl as adj* internee.

Internierung *f* internment.

Internierungslager *nt* internment camp.

Internist(in *f*) *m* internist.

Internspeicher *m (Comput)* memory.

Internum *nt* **-s, Interna** *usu pl* internal matter; *(geheim)* restricted information.

interparlamentarisch *adj* interparliamentary.

Interpellation *f* (parliamentary) question.

interpellieren* *vi* to ask a (parliamentary) question.

interplanetar(isch) *adj* interplanetary *no adv.*

Interpol *f* - Interpol.

Interpolation *f* interpolation.

interpolieren* *vt* to interpolate.

Interpret(in *f*) *m* **-en, -en** interpreter *(of music, art)*. **Lieder verschiedener ~en** songs by various singers.

Interpretation *f* interpretation; *(eines Liedes auch)* version.

Interpreter [ɪn'tɜːprete] *m (Comput)* interpreter.

interpretieren* *vt* to interpret. **etw falsch ~** to misinterpret sth.

Interpretin *f siehe* **Interpret.**

interpunktieren* *vt* to punctuate.

Interpunktion *f* punctuation.

Interpunktionsregel *f* rule of punctuation, punctuation rule; **Interpunktionszeichen** *nt* punctuation mark.

Interrail-Karte ['ɪntɐreːl-] *f* inter-rail ticket.

Interregnum *nt* **-s, Interregnen** *or* **Interregna** interregnum.

interrogativ *adj* interrogative.

Interrogativpronomen *nt* interrogative pronoun; **Interrogativsatz** *m* interrogative clause.

interstellar [-stɛ'laːɐ] *adj* interstellar.

Intervall [-'val] *nt* **-s, -e** interval *(auch Mus)*.

Intervallschaltung *f* interval switch; **Intervalltraining** *nt* interval training.

intervenieren* [-ve'niːrən] *vi* to intervene.

Intervention [-vɛn'tsioːn] *f* intervention.

Interview ['ɪntɐvjuː] *nt* **-s, -s** interview.

interviewen* [-'vjuːən] *vt* to interview *(jdn zu etw* sb on *or* about sth).

Interviewer(in *f*) [-'vjuːɐ, -'vjuːərɪn] *m* **-s, -** interviewer.

Intervision [-vi'zioːn] *f* Intervision.

intim *adj* intimate. **ein ~er Kenner von etw sein** to have an intimate knowledge of sth; **etw im ~en Kreis feiern** to celebrate sth with one's closest *or* most intimate friends; **meine ~en Angelegenheiten** my intimate personal affairs.

Intimbereich *m* **1.** *(Anat)* genital area; **2.** *(fig) siehe* **Intimsphäre; Intimfeind** *m* favourite enemy; **Intimhygiene** *f* personal hygiene.

Intimität f **1.** no pl (Gemütlichkeit, Vertraulichkeit) intimacy.
2. (private Angelegenheit) intimacy. **jdm allerlei ~en erzählen** to tell sb all kinds of intimate details or intimacies; **bitte keine ~en!** please don't go into intimate details.
3. (sexuell) intimacy. **zwischen den beiden kam es zu ~en** they became intimate with each other; **~en austauschen** to kiss and pet.
Intimkontakt m (form) intimate contact; **Intimlotion** f vaginal lotion; **Intimpartner(in** f) m (form) sexual partner; **Intimsphäre** f private life; **jds ~ verletzen** to invade sb's privacy; **Intimspray** nt intimate deodorant spray.
Intimus m -, **Intimi** (hum) confidant.
Intimverkehr m intimacy. **~ mit jdm haben** to be intimate with sb.
intolerant adj intolerant (einer Sache gegenüber of sth, jdm gegenüber of or towards sb).
Intoleranz f intolerance.
Intonation f intonation.
intonieren* vt **1. einen Satz falsch/anders ~** to give a sentence the wrong/a different intonation. **2.** (Mus) Melodie to sing; (Kapelle) to play; Ton to give. **wer kann das Lied ~?** who can start the song off?
intransigent adj (liter) intransigent.
intransitiv adj intransitive.
intravenös [-ve'nøːs] adj intravenous.
intrigant adj (geh) scheming, designing.
Intrigant(in f) m schemer, intriguer.
Intrige f -, **-n** intrigue, conspiracy, scheme.
Intrigenspiel nt intriguing, plotting; **Intrigenwirtschaft** f hive of intrigue.
intrigieren* vi to intrigue, to scheme, to plot.
introvertiert [-ver'tiːɐt] adj introverted.
Introvertiertheit f introversion.
Intuition [ɪntui'tsioːn] f intuition.
intuitiv [ɪntui'tiːf] adj intuitive.
intus adj (inf) **etw ~ haben** (wissen) to have got sth into one's head (inf); Essen, Alkohol to have sth down (inf) or inside one (inf); **er hat schon etwas or einiges ~** he's had a few.
Invalide [ɪnva'liːdə] m **-n, -n** disabled person, invalid. **er ist ~** he's disabled or an invalid.
Invalidenrente f disability pension; **Invalidenversicherung** f disability insurance.
Invalidität [ɪnvalidi'tɛːt] f disability.
invariabel [ɪnva:'riaːbl] adj invariable.
invariant [ɪnva:riant] adj invariant.
Invariante [-va-] f -, **-n** (Math) invariant, invariable.
Invasion [ɪnva:'zioːn] f (lit, fig) invasion.
Invasor [ɪn'va:zɔr] m (no pl) invader.
Invektive [ɪnvɛk'tiːvə] f (geh) invective no pl.
Inventar [ɪnvɛn'ta:ɐ] nt **-s, -e 1.** (Verzeichnis) inventory; (Comm) assets and liabilities pl. **das ~ aufnehmen** to do the inventory; **etw ins ~ aufnehmen** to put sth on the inventory.
2. (Einrichtung) fittings pl; (Maschi-

nen) equipment no pl, plant no pl. **er gehört schon zum ~** (fig) he's part of the furniture.
inventarisieren* [-vɛn-] vt to take or make an inventory of.
Inventur [ɪnvɛn'tuːɐ] f stocktaking. **~ machen** to stocktake.
Inversion [ɪnvɛr'zioːn] f (Gram) inversion.
Inversionstemperatur f temperature inversion; **Inversionswetterlage** f inverted atmospheric conditions pl.
investieren* [ɪnvɛs'tiːrən] vti (Comm) to invest; (fig auch) to put. **Gefühle in jdn ~** (inf) to become (emotionally) involved with sb.
Investitions- in cpds investment; **Investitionsanreiz** m investment incentive; **Investitionsgut** nt usu pl item of capital expenditure; **Investitionshilfe** f investment aid.
Investitur [ɪnvɛsti'tuːɐ] f (Eccl) investiture.
Investment [ɪn'vɛstmənt] nt **-s, -s** investment.
Investmentfonds m investment fund; **Investmentgesellschaft** f investment trust; **Investmentpapiere, Investmentzertifikat** nt investment fund certificate.
In-vitro-Fertilisation f (Med) in vitro fertilization.
inwendig adj (inf) **jdn/etw in- und auswendig kennen** to know sb/sth inside out.
inwiefern, inwieweit adv (im Satz) to what extent, how far; (alleinstehend) in what way.
Inzahlungnahme f -, **-n** (Comm) **die ~ von etw** the acceptance of sth in part payment or as a trade-in; **bei ~ des alten Wagens** when the old car is traded in or is taken as a trade-in.
Inzest m **-(e)s, -e** incest no pl.
inzestuös adj incestuous.
Inzucht f inbreeding.
inzw. abbr of **inzwischen.**
inzwischen adv (in the) meantime, meanwhile. **ich gehe ~ auf die Post** I'll go to the post in the meantime; **sie hatte ~ davon erfahren** meanwhile or in the meantime she'd learnt of this; **er hat sich ~ verändert** he's changed since (then); **er ist ~ 18 geworden** he's now 18.
IOK [i:o:'ka:] nt **-s** abbr of **Internationales Olympisches Komitee** IOC.
Ion [ioːn, 'iːɔn] nt **-s, -en** ion.
Ionen(aus)tauscher ['io:nən-] m ion exchanger.
Ionisation [ioniza'tsioːn] f ionization.
ionisch ['io:nɪʃ] adj (Archit, Poet) ionic; (Mus) ionian. **I~es Meer** Ionian Sea.
ionisieren* [ioni'ziːrən] vt to ionize.
Ionosphäre [iono'sfɛːrə] f ionosphere.
I-Punkt ['iːpʊŋkt] m dot on the i. **~e setzen** or **machen** to dot one's or the i's, to put the dots on the i's.
IQ abbr of **Intelligenzquotient** IQ.
i.R. [iː'|ɛr] abbr of **im Ruhestand** retd.
Irak [i'ra:k, 'iːrak] m **-s (der) ~** Iraq.
Iraker(in f) m **-s, -** Iraqi.
irakisch adj Iraqi.

Iran *m* **-s (der)** ~ Iran.
Iraner(in *f)* *m* **-s,** - Iranian.
iranisch *adj* Iranian.
irden *adj* earthenware, earthen. ~**e Waren** earthenware.
irdisch *adj* earthly *no adv.* **den Weg alles
I~en gehen** to go the way of all flesh.
Ire *m* **-n, -n** Irishman; Irish boy. **die** ~**n**
the Irish; **er ist** ~ he is Irish.
irgend I *adv* at all. **wenn** ~ **möglich, wenn
es** ~ **geht** if it's at all possible; **was ich** ~
kann ... whatever I can ...; **wer (es)** ~
kann whoever can; **so sanft wie** ~ **möglich** as gently as possible *or* as I/you *etc*
possibly can; **so lange ich** ~ **kann** as long
as I possibly can; **wo es** ~ **geht** where it's
at all possible, wherever (it's) possible.
   II *mit indef pron* ~ **jemand** somebody; *(fragend, verneinend, bedingend)*
anybody; **ich bin nicht** ~ **jemand** I'm not
just anybody; ~ **etwas** something; *(fragend, verneinend, bedingend)* anything;
was zieh' ich an? — ~ **etwas** what shall I
wear? — anything, any old thing *(inf)*;
~ **so ein Tier** some animal; **ein Fuchs
oder** ~ **so ein Tier** a fox or some such
animal.
irgend|ein *indef pron* some; *(fragend, ver-
neinend, bedingend)* any. **er hat so** ~
Schimpfwort verwendet he used some
swearword or other; **ich will nicht** ~
Buch I don't want just any *(old inf)*
book; **haben Sie noch** ~**en Wunsch?** is
there anything else you would like?; ~
anderer somebody *or* someone else.
irgend|eine(r, s) *indef pron (nominal)
(bei Personen)* somebody, someone;
(bei Dingen) something; *(fragend, verneinend, bedingend)* anybody, anyone/
anything. **welchen wollen Sie?** — ~**n**
which one do you want? — any one, any
old one *(inf)*.
irgend|einmal *adv* some time or other,
sometime; *(fragend, bedingend)* ever.
irgendwann *adv* sometime. ~ **werde ich
wohl kommen** I'll come some time or
other *or* sometime; ~ **einmal** some time;
(fragend, bedingend) ever.
irgendwas *indef pron (inf)* something;
(fragend, verneinend, bedingend) anything. **er murmelte so** ~ he murmured
something or other; **was soll ich sagen?**
— ~ what shall I say? — anything *or*
any old thing *(inf)*.
irgendwelche(r, s) *indef pron* some; *(fragend, verneinend, bedingend, jede beliebige)* any. **sind noch** ~ **Reste da?** is there
still something left?, is there anything
left?
irgendwer *indef pron (inf) siehe* **irgend II**.
irgendwie *adv* somehow (or other). **ist es**
~ **möglich?** is it at all possible?; **kannst
du dir das** ~ **vorstellen?** can you possibly
imagine it?; **ich hab' das** ~ **schon mal gesehen** I've just got a feeling I've seen it
before.
irgendwo *adv* somewhere (or other),
someplace *(esp US inf)*; *(fragend, verneinend, bedingend)* anywhere, any
place *(esp US inf)*.
irgendwoher *adv* from somewhere (or
other), from someplace *(esp US inf)*;

(fragend, verneinend, bedingend) from
anywhere *or* any place *(esp US inf)*.
irgendwohin *adv* somewhere (or other),
someplace *(esp US inf)*; *(fragend, verneinend, bedingend)* anywhere, any
place *(esp US inf)*.
Iridium *nt, no pl (abbr* **Ir)** iridium.
Irin *f* Irishwoman; Irish girl. **sie ist** ~ she is
Irish.
Iris *f* **-,** - *or (Opt auch)* **Iriden** iris.
irisch *adj* Irish. **I~e** *See* Irish Sea.
Irisdiagnostik *f* iridology; **Irisdiag-
nostiker(in** *f)* *m* iridologist.
irisieren* *vi* to iridesce. ~**d** iridescent.
Irland *nt* **-s** Ireland; *(Republik* ~) Eire.
Ironie *f* irony.
ironisch *adj* ironic, ironical.
ironisieren* *vt* to treat ironically.
irr *adj siehe* **irr(e)**.
irrational ['ɪratsionaːl] *adj* irrational *(auch
Math)*.
irr(e) I *adj* **1.** *(geistesgestört)* mad, crazy,
insane; *Blick auch* crazed, demented,
wild. **das macht mich ganz** ~ it's driving
me mad *or* crazy *or* insane; **jdn für** ~
halten *(inf)***/erklären** *(inf)* to think sb is
mad/to tell sb he/she *etc* is mad; **wie** ~
(fig inf) like mad *(inf) or* crazy *(inf)*; ~**es
Zeug reden** *(fig)* to say crazy things, to
babble away.
   2. *pred (verwirrt, unsicher)* muddled,
confused.
   3. *(inf) Party, Hut* wild *(inf)*, crazy
(inf). **er war** ~ **angezogen** he was wearing outrageous clothes.
   II *adv* **1.** *(verrückt)* insanely, in a mad
or insane way.
   2. *(sl: sehr)* incredibly *(inf)*. ~ **gut/
hübsch** *(sl)* brilliant *(inf)*/real pretty
(inf).
Irre *f* **-,** *no pl:* **jdn in die** ~ **führen** *(lit, fig)*
to lead sb astray; **sich in die** ~ **führen
lassen** *(lit, fig)* to be led astray, to be
misled.
irreal *adj* unreal.
irreführen *vt sep* to mislead; *(lit auch)* to
lead astray; **sich** ~ **lassen** to be misled
or led astray; **irreführend** *adj* misleading; **Irreführung** *f* misleading; **durch be-
wußte** ~ **der Öffentlichkeit** by deliberately misleading the public; **irregehen**
vi sep irreg aux sein **1.** *(lit geh) (sich verirren)* to go astray, to lose one's way;
(umherirren) to wander astray; **2.** *(fig)*
to be mistaken.
irregulär *adj* irregular.
Irregularität *f* irregularity.
irreleiten *vt sep* to mislead, to lead astray.
irregeleitete Jugendliche misguided
youth; ~**de Informationen** misleading
information.
irrelevant ['ɪrelevant] *adj* irrelevant *(für
for, to)*.
Irrelevanz *f* irrelevance *(für for, to)*.
irreligiös *adj* irreligious.
irremachen *vt sep* to confuse, to muddle.
irren I *vi* **1.** *aux sein (ziellos umherschwei-
fen)* to wander, to stray, to roam.
   2. *(sich täuschen)* to be mistaken *or*
wrong. **I~ ist menschlich** *(Prov)* to err is
human *(Prov)*.
   II *vr* to be mistaken *or* wrong. **jeder**

kann sich mal ~ anyone can make a mistake, everyone makes mistakes; **sich in jdm/etw ~** to be mistaken in *or* about sb/about sth, to be wrong about sb/sth; **wenn ich mich nicht irre ...** if I'm not mistaken ..., unless I'm very much mistaken ...

Irrenanstalt *f* (*dated*) lunatic asylum (*dated*), loony-bin (*inf*); **Irrenarzt** *m*, **Irrenärztin** *f* (*old, pej*) psychiatrist; **Irrenhaus** *nt* (*dated, pej*) lunatic asylum (*dated*), loony-bin (*inf*); **hier geht es zu wie im ~** (*inf*) this place is an absolute madhouse; **irrenhausreif** *adj* (*inf*) **~ sein** to be cracking up (*inf*).

irreparabel *adj* irreparable.

Irre(r) *mf decl as adj* lunatic; (*fig auch*) madman. **ein armer ~r** (*hum inf*) a poor fool *or* idiot.

irrereden *vi sep* to rave, to rant, to talk dementedly.

Irr(e)sein *nt* insanity. **manisch-depressives ~** manic depression, manic-depressive psychosis.

irreversibel ['ɪrevɛrziːbl] *adj* (*Phys, Biol*) irreversible.

Irrfahrt *f* wandering, odyssey (*liter*); **nach langer ~** after a long period of wandering (*auch fig*); **Irrgang** *m* (*lit*) blind alley (*in maze, pyramid*); (*fig, usu pl*) maze, labyrinth; **Irrgarten** *m* maze, labyrinth; **Irrglaube(n)** *m* (*Rel*) heretical belief, heresy (*auch fig*); (*irrige Ansicht*) mistaken belief; **irrgläubig** *adj* heretical; **die ~en** the heretics.

irrig *adj* incorrect, wrong.

irrigerweise *adv* wrongly, incorrectly. **etw ~ glauben** to believe sth mistakenly *or* wrongly.

irritieren* *vt* (*verwirren*) to confuse, to muddle; (*ärgern*) to irritate.

Irrläufer *m* stray letter, document etc delivered to the wrong address; **Irrlehre** *f* heresy, heretical *or* false doctrine; **Irrlicht** *nt* jack o'lantern, will-o'-the-wisp; **irrlichtern** *vi insep* to flit about; **der ~de Künstler** the erratic artist.

Irrsinn *m*, *no pl* madness, insanity. **das ist ja ~!** (*inf*) that's (sheer *or* absolute) madness *or* lunacy!

irrsinnig *adj* mad, crazy, insane; (*inf: stark*) terrific, tremendous. **wie ein I~er** like a madman; **das Kind schrie wie ~** the child yelled like mad (*inf*) *or* like crazy (*inf*); **ein ~er Verkehr** (*inf*) a terrific *or* a crazy (*inf*) amount of traffic; **~ viele Leute** (*inf*) a tremendous *or* terrific number of people.

Irrsinns- *in cpds* (*inf*) terrific, tremendous; **Irrsinnshitze** *f* (*inf*) **da ist eine ~** the heat there is absolutely incredible; **Irrsinnstat** *f* insanity.

Irrtum *m* mistake, error. **ein ~ von ihm** a mistake on his part; **im ~ sein, sich im ~ befinden** to be wrong *or* mistaken, to be in error; **~! wrong!**, you're wrong there!; **~, ich war es gar nicht!** that's where you're wrong *or* you're wrong there, it wasn't me!; **~ vorbehalten!** (*Comm*) errors excepted; **einen ~ zugeben** to admit to (having made) a mistake *or* an error.

irrtümlich **I** *adj attr* mistaken, erroneous. **II** *adv* mistakenly, erroneously; (*aus Versehen*) by mistake.

irrtümlicherweise *adv* mistakenly, erroneously; (*aus Versehen*) by mistake.

Irrweg *m* (*fig*) **auf dem ~ sein** to be on the wrong track; **zu studieren erwies sich für ihn als ~** going to university turned out to be a mistake for him; **auf ~e geraten** to go astray, to leave the straight and narrow; **Irrwisch** *m* **-es, -e 1.** *siehe* **Irrlicht; 2.** (*lebhafter Mensch*) imp.

-is *adj suf* (*Mus*) sharp.

ISBN [iːɛsbeːˈɛn] *f abbr of* **Internationale Standard-Buchnummer** ISBN.

Ischias *m or nt -, no pl* sciatica.

Ischiasnerv *m* sciatic nerve.

Isegrim *m* **-s, -e** (*Liter*) the big bad wolf.

Islam *m* **-s,** *no pl* Islam.

islamisch *adj* Islamic.

Islamisierung *f, no pl* Islamization.

Island *nt* **-s** Iceland.

Isländer(in *f*) *m* **-s, -** Icelander.

isländisch *adj* Icelandic.

Isländisch(e) *nt* Icelandic; *siehe auch* **Deutsch(e).**

Ismus *m* **-, Ismen** (*pej*) ism.

Isobare *f* **-, -n** isobar.

Isolation *f* **1.** (*das Absondern, Isolieren*) isolation (*auch Med, Biol*); (*von Häftlingen auch*) putting in solitary confinement; (*das Isoliertsein*) isolation (*auch Med, Biol*); (*von Häftlingen*) solitary confinement. **die Studenten protestierten gegen die ~ politischer Häftlinge** the students protested against political prisoners' being put in solitary confinement. **2.** (*Elec, gegen Lärm, Kälte*) insulation; (*von Wasserleitung, Boiler, Speicher auch*) lagging.

Isolationismus *m* isolationism.

Isolationshaft *f* solitary confinement.

Isolator *m* insulator.

Isolierband *nt* insulating tape (*Brit*), friction tape (*US*).

isolieren* **I** *vt* **1.** (*absondern*) to isolate (*auch Med, Biol*); **Häftlinge auch** to put in(to) solitary confinement. **völlig isoliert leben** to live in complete isolation, to live isolated from the world; **ein Problem isoliert betrachten** to look at a problem in isolation. **2.** *elektrische Leitungen, Häuser, Fenster* to insulate; *Wasserleitungen, Speicher auch* to lag. **II** *vr* to isolate oneself *or* cut oneself off (from the world).

Isolierhaft *f* solitary confinement; **Isolierkanne** *f* thermos ® flask, vacuum flask; **Isoliermaterial** *nt* insulating material; (*für Wasserleitungen, Speicher auch*) lagging; **Isolierschicht** *f* insulating layer; **Isolierstation** *f* isolation ward.

Isoliertheit *f* isolatedness.

Isolierung *f siehe* **Isolation.**

Iso-Matte *f* foam mattress, Karrimat ®.

Isomerie *f* isomerism.

Isometrie *f* isometry.

isomorph *adj* isomorphic; *Kristalle auch* isomorphous.

Isotherme *f* **-, -n** isotherm.

Isotop *nt* **-s, -e** isotope.

Israel ['ısraɛl] *nt* **-s** Israel. **das Volk ~** the people of Israel.
Israeli[1] *m* **-(s)**, **-(s)** Israeli.
Israeli[2] **-**, **-(s)**, **Israelin** *f* Israeli.
israelisch *adj* Israeli.
Israelit(in *f)* *m* **-en**, **-en** Israelite.
israelitisch *adj* Israelite.
iß *imper sing of* **essen.**
ist *3. pers sing present of* **sein**[1].
Istanbul *nt* **-s** Istanbul.
Ist-Bestand *m* (*Geld*) cash in hand; (*Waren*) actual stock.
Isthmus *m* **-**, **Isthmen** isthmus.
Iststärke *f* (*Mil*) actual *or* effective strength; **Istwert** *m* actual value.
Itaker *m* **-s**, **-** (*inf pej*) dago (*pej*), Eyetie (*inf pej*).
Italien [-iən] *nt* **-s** Italy.

Italiener(in *f)* [-'lieːnɐ, -ərın] *m* **-s**, **-** Italian.
italienisch [-'lieːnıʃ] *adj* Italian. **die ~e Schweiz** Italian-speaking Switzerland.
Italienisch(e) [-'lieːnıʃ(ə)] *nt* Italian; *siehe auch* **Deutsch(e).**
Italowestern *m* spaghetti western.
iterativ *adj* (*Gram*) iterative.
I-Tüpfelchen *nt* dot (on the/an i). **bis aufs ~** (*fig*) (right) down to the last (little) detail.
i.V. [iː'fau] *abbr of* **in Vertretung; im Vorjahre; in Vorbereitung.**
Iwan *m* **-s**, *no pl* (*inf*) **der ~** (*Volk*) the Russkies (*inf*) *pl*; (*Mensch*) the Russky (*inf*).
IWF [iːveː'|ɛf] *m* **-** *abbr of* **Internationaler Währungsfonds** IMF.

J

J, j [jɔt, (*Aus*) je:] *nt* J, j.

ja *adv* **1.** (*zustimmend*) yes, yeah (*inf*); aye (*dial, Scot, Parl*); yea (*US Parl*); (*bei Trauung*) I do. **kommst du morgen?** — ~ are you coming tomorrow? — yes(, I am); **haben Sie das gesehen?** — ~ did you see it? — yes(, I did); **ich glaube** ~ (yes) I think so; **zu etw** ~ **sagen** to say yes to sth; ~ **und amen zu etw sagen** (*inf*) to agree (slavishly) with sth; **wenn** ~ if so; ~**!** ~**!, riefen die Zuschauer** go on! go on!, shouted the crowd.

2. (*fragend*) really? **er war gestern da** — ~**?** he was there yesterday — really?, was he?; **ich habe gekündigt** — ~**?** I've quit — have you?, really?

3. (*feststellend*) **aber** ~**!** yes, of course, but of course!; **ach** ~**!** oh yes; **nun** ~ oh well; **kann ich reinkommen?** — ~ **bitte** can I come in? — Yes, do; ~ **doch** *or* **freilich** *or* **gewiß** yes, of course; ~ **so!** I see.

4. (*zweifelnd, ungläubig*) really? **er braucht keinen Urlaub, er arbeitet lieber** — ~**?** he doesn't need any holiday, he'd rather work — really?, would he?

5. (*unbedingt*) **komm ja pünktlich!** be punctual; **sei ja vorsichtig!** be careful; **vergessen Sie es *ja* nicht!** don't forget, whatever you do!; **tu das *ja* nicht, ich warne dich!** just don't do that, I'm warning you.

6. (*einräumend, schließlich*) **es ist** ~ **noch früh** it's still early (after all); **sie ist** ~ **erst fünf** (after all) she's only five; **es ist** ~ **nicht so schlimm** it's not really as bad as all that, (after all) it's not that bad; **das ist** ~ **richtig, aber ...** that's (certainly) right, but ...; **ich kann es** ~ **mal versuchen, aber ...** I could always try it, but ...

7. (*als Steigerung*) even. **das ist gut,** ~ **sogar sehr gut** it's good, in fact it's even very good.

8. (*feststellend*) **da hat man's** ~, **da haben wir's** ~ there you are (then); **da kommt er** ~ there *or* here he is; **das ist es** ~ that's just it; ~**, was haben wir denn hier?** well, what have we here?; **das sag' ich** ~**!** that's just what I say; **das wissen wir** ~ **alle** we all know that (anyway); **Sie wissen** ~, **daß ...** you (already) know that ..., as you know ...; **Sie wissen** ~, **wie das so ist** you know how it is, (don't you?).

9. (*verstärkend, wirklich*) just. **das ist** ~ **fürchterlich!** that's (just) terrible!; **das weiß man** ~ **eben nie vorher** you just never know in advance.

10. (*aber*) ~, **sagen Sie mal** now look here; ~, **was du nicht sagst!** you don't say!

11. (*vergewissernd*) right?, OK? **du kommst doch morgen,** ~**?** you're coming tomorrow, right *or* aren't you?; **du rufst mich doch an,** ~**?** you'll give me a call, right *or* OK *or* won't you?

Ja *nt* **-s, -(s)** yes; aye (*dial, Scot, Parl*); yea (*US Parl*). **mit** ~ **antworten/stimmen** to answer/vote yes; **ein** ~ **Frieden** a vote in favour of peace; **das** ~ **vor dem Traualtar sprechen** to say "I do" at the altar.

Jacht *f* -, **-en** yacht.

Jachtklub *m* yacht club; **Jachtsport** *m* yachting, sailing.

jäck *adj* (*dial*) crazy.

Jäckchen *nt* **1.** *dim of* **Jacke** little jacket. **2.** (*Baby*~) matinée jacket.

Jacke *f* -, **-n** jacket, coat (*esp US*); (*Woll*~) cardigan; (*Comm: Unterhemd*) vest (*Brit*), undershirt (*US*). **das ist** ~ **wie Hose** (*inf*) it's six of one and half a dozen of the other (*inf*); **jdm die** ~ **vollhauen** (*inf*) to give sb a thrashing; **wem die** ~ **paßt ...** (*fig inf*) if the cap fits ...

Jackenkleid *nt* (*Kostüm*) costume, suit, two-piece; (*Kleid und Jacke*) two-piece; **Jackentasche** *f* jacket *or* coat (*esp US*) pocket.

Jacketkrone ['dʒɛkɪt-] *f* (*Zahnheilkunde*) jacket crown.

Jackett [ʒa'kɛt] *nt* **-s, -s** jacket, coat (*esp US*).

Jackettasche *f getrennt:* **Jackett-tasche** jacket *or* coat (*esp US*) pocket.

Jacquardmuster [ʒa'ka:r-] *nt* Jacquard weave.

Jade *m or f* -, *no pl* jade.

jadegrün *adj* jade green.

Jagd *f* -, **-en 1.** hunt; (*Ausführung der* ~) hunting; (*mit dem Gewehr auch*) shoot, shooting; (*fig: Verfolgung*) hunt (*nach* for), chase (*nach* after); (*Wettlauf*) race. **die** ~ **auf Rotwild/Fasanen** deer-/pheasant-hunting; **hohe/niedere** ~ big/small game-hunting; **auf der** ~ **sein/auf die** ~ **(nach etw) gehen** (*lit, fig*) to be/to go hunting (for sth), to be on the hunt (for sth); **auf jdn/etw** ~ **machen** (*lit, fig*) to hunt for sb/sth; **von der** ~ **leben** to live by hunting; **in wilder** ~ **sprengten sie über die Brücke** in their wild chase they charged over the bridge.

2. (~*revier*) preserve, shoot.

3. (*Wildbestand*) game.

4. (~*gesellschaft*) hunt, hunting *or* shooting party.

Jagdaufseher *m* (*Angestellter*) gamekeeper; (*Beamter*) game warden; **jagdbar** *adj* **... sind** ~ **...** may be hunted, **...** are fair game; **Jagdbeute** *f* bag; **Jagdbomber** *m* (*Mil*) fighter-bomber; **Jagdflieger** *m* (*Mil*) fighter pilot; **Jagdflinte** *f* hunting rifle, sporting gun *or* rifle, shotgun; **Jagdflugzeug** *nt* (*Mil*) fighter plane *or* aircraft; **Jagdfrevel** *m* (*form*) poaching; **Jagdgebiet** *nt* hunting ground; **Jagdgeschwader** *nt*

(*Mil*) fighter squadron; **Jagdgesell-schaft** *f* hunt, hunting *or* shooting party; **Jagdgewehr** *nt* hunting rifle, sporting gun *or* rifle, shotgun; **Jagdglück** *nt* good luck *or* fortune in hunting; **wir hatten kein ~** we didn't bag anything; **Jagdgöttin** *f* goddess of hunting *or* the hunt *or* the chase (*liter*); **Jagdgründe** *pl*: **in die ewigen ~ einge-hen** to go to the happy hunting-grounds; **Jagdhaus** *nt* hunting lodge; **Jagdhund** *m* hunting dog; **Jagdmesser** *nt* hunting knife; **Jagdrecht** *nt* **1.** hunting *or* shoot-ing rights *pl*; **2.** (*Jagdbestimmungen*) game laws *pl*; **Jagdrennen** *nt* steeple-chase; **Jagdrevier** *nt* shoot; (*von India-nern etc*) preserve; **Jagdschaden** *m* damage caused by hunting; **Jagdschein** *m* hunting/shooting licence; **einen ~ ha-ben** (*hum sl*) to be certified (*inf*); **Jagd-schloß** *nt* hunting lodge; **Jagdstaffel** *f* (*Mil*) fighter flight; **Jagdverbot** *nt* ban on hunting; (*als Strafe*) ban from hunting; **Jagdwild** *nt* game; **Jagdzeit** *f* hunting/shooting season.

jagen I *vt* **1.** *Tier, Menschen* to hunt.
2. (*hetzen*) to chase, to drive; (*treiben*) *Wild* to drive. **jdn in die Flucht ~** to put sb to flight; **jdn aus dem Bett ~** (*inf*) to chase sb out of bed; **jdn aus dem Haus ~** to drive *or* chase sb out of the house; **jdm eine Spritze in den Arm ~** (*inf*) to stick a needle in sb's arm; **ein Unglück jagte das andere** one misfortune fol-lowed hard on (the heels of) the other; **Geld/Benzin durch den Auspuff ~** (*inf*) to burn money/a lot of juice (*inf*); **mit diesem Essen kannst du mich ~** (*inf*) I wouldn't eat this if you paid me.
3. (*erlegen*) to bag.
II *vi* **1.** (*auf die Jagd gehen*) to hunt, to go hunting; (*mit dem Gewehr auch*) to shoot, to go shooting.
2. *aux sein* (*rasen*) to race. **nach etw ~** to chase after sth; **in ~der Eile** in great haste.
III *vr* (*Geschehnisse*) to follow one on the heels of the other.

Jäger *m* **-s, -** **1.** hunter, huntsman. **~ und Sammler** hunters and gatherers. **2.** (*Mil*) (*Gebirgs~*) rifleman; (*Jagdflieger*) fight-er pilot; (*Sportflugzeug*) fighter (plane).
Jägerbataillon *nt* rifle battalion.
Jägerin *f* huntress, huntswoman.
Jägerlatein *nt* (*inf*) hunters' yarns *pl*; **jdm ~ auftischen** to tell sb tall stories about one's hunting exploits; **Jägerschnitzel** *nt* veal/pork with mushrooms and pep-pers.
Jägersprache *f* hunter's jargon; **Jäger-zaun** *m* rustic fence.
Jaguar *m* **-s, -e** jaguar.
jäh(e) *adj* (*geh*) **1.** (*plötzlich*) sudden; *Schmerz auch* sharp; (*unvermittelt*) *Wechsel, Ende, Bewegung auch* abrupt; *Flucht auch* headlong, precipitous. **2.** (*steil*) sheer. **der Abhang steigt ~ an/fällt ~ herab** the slope rises/falls sharply *or* steeply *or* plunges *or* plummets down.
jählings *adv* (*liter*) **1.** (*plötzlich*) suddenly; *aufhören, abbrechen auch* abruptly; (*fliehen*) headlong. **2.** (*steil*) steeply, pre-

cipitously; (*hinabfallen*) headlong.
Jahr *nt* **-(e)s, -e 1.** year. **ein halbes ~** six months *sing or pl*; **ein dreiviertel ~** nine months *sing or pl*; **anderthalb ~e** one and a half years *sing*, eighteen months *sing or pl*; **zwei ~e Garantie** a two-year guarantee; **im ~(e) 1066** in (the year) 1066; **die sechziger ~e** the sixties *sing or pl*; **alle ~e** every year; **alle zehn ~e** every ten years; **auf ~e hinaus** for years ahead; **auf ~ und Tag** to the very day; **einmal im ~(e)** once a year; **das ganze ~ über** all year (round *or* through); **pro ~** a year, per annum; **das Buch des ~es** the book of the year; **noch nach ~en** years later; **vor ~ und Tag** (many) years ago; **seit ~ und Tag** for years; **mit den ~en** as (the) years go by, over the years; **zwi-schen den ~en** (*inf*) between Christmas and New Year.
2. (*Alter, Lebens~*) **er ist zehn ~e** (**alt**) he is ten years old; **mit dreißig ~en,** **in seinem dreißigsten ~** (*liter*) at the age of thirty, in his thirtieth year (*liter*); **Per-sonen über 18 ~e/unter 18 ~en** people over/under (the age of) 18; **in die ~e kommen** (*inf*) to be getting on (in years); **in den besten ~en sein** *or* **stehen** to be in the prime of one's life; **mit den ~en** as one gets older.
jahr|aus *adv*: **~, jahrein** year in, year out.
Jahrbuch *nt* yearbook; (*Ausgabe einer Sammlung etc*) annual; (*Kalender*) alma-nac.
jahrelang I *adj attr* lasting for years. **~es Warten/~e Planungen/Forschungen** years of waiting/planning/research. **II** *adv* for years. **und dann dauerte es noch ~, bevor ...** and then it took years until ...; **schon ~ verspricht man uns ...** they've been promising us ... for years.
jähren *vr* **heute jährt sich der Tag, daß ...** *or* **an dem ...** it's a year ago today that ...

Jahres- *in cpds* annual, yearly; **Jahres-abonnement** *nt* annual subscription; **Jahresabschluß** *m* **1.** (*Comm*) annual accounts *pl*; **2.** (*Jahresende*) end of the year; **Jahresanfang** *m* beginning of a/ the new year; **Jahresausklang** *m* (*geh*) **zum ~** to see the old year out; **Jahres-beginn** *m* beginning of a/the new year; **Jahresbeitrag** *m* annual *or* yearly sub-scription; **Jahresbericht** *m* annual *or* yearly report; **Jahresbestzeit** *f* (*Sport*) best time of the year; **Jahresbilanz** *f* (*Comm*) annual balance sheet; **Jahreseinkommen** *nt* annual income; **Jahresende** *nt* end of the year; **Jahresfeier** *f* anniversary; (*Feierlichkei-ten*) anniversary celebrations *pl*; **Jah-resfrist** *f*: **binnen/nach ~** within/after (a period of) one year; **Jahresgehalt** *nt* annual salary; **Jahreshauptver-sammlung** *f* (*Comm*) annual general meeting, AGM; **Jahreskarte** *f* annual season ticket; **Jahresmitte** *f* middle of the year; **Jahresmittel** *nt* (*Met*) average annual temperature; **Jahresring** *m* (*ei-nes Baumes*) annual ring; **Jahrestag** *m* anniversary; **Jahresumsatz** *m* (*Comm*) annual *or* yearly turnover; **Jahres-**

urlaub *m* annual holiday *or* leave; **Jahreswagen** *m* one-year-old car; **Jahreswechsel** *m*, **Jahreswende** *f* new year; **jdm zum Jahreswechsel Glück wünschen** to wish sb a happy New Year; **Jahreszahl** *f* date, year; **Jahreszeit** *f* season; **für die ~ zu kalt** cold for the time of year; **jahreszeitlich I** *adj* seasonal; **II** *adv*: **~ bedingt sein** to be governed by seasonal factors.

Jahrfünft *nt* -(e)s, -e five years *pl*, quinquennium (*form*); **Jahrgang** *m* **1.** (*Sch, Univ*) year; **er ist ~ 1970** he was born in 1970; **die Jahrgänge 1970-73** the 1970-73 age-group; **er ist mein/wir sind ein ~** we were born in the same year; **2.** (*alle Zeitschriften von einem Jahr*) year's issues *pl*; (*einer Fachzeitschrift*) volume; **Nr. 20, ~ 31** No. 20, 31st year; **Spiegel, ~ 1980** Spiegel of the year *or* for 1980; **3.** (*von Wein*) vintage, year; **Jahrhundert** *nt* -s, -e century; **das ~ der Aufklärung** the Age of Enlightenment; **~e haben die Menschen ...** for centuries men have ...

jahrhundertealt *adj* centuries-old; **jahrhundertelang I** *adj* lasting for centuries; **eine ~e Entwicklung** centuries of development; **II** *adv* for centuries.

Jahrhundertfeier *f* centenary; (*Feierlichkeiten*) centenary celebrations *pl*; **Jahrhundertwein** *m* exceptional vintage wine; **Jahrhundertwende** *f* turn of the century.

jährlich I *adj* annual, yearly. **II** *adv* every year, annually, yearly; (*Comm*) per annum. **einmal/zweimal ~** once/twice a year *or* yearly.

Jährling *m* yearling.

Jahrmarkt *m* (fun-)fair. **~ der Eitelkeiten** (*liter*) vanity fair.

Jahrmarktsbude *f* booth *or* stall (at a fairground); (*Schaubude*) side-show.

Jahrmillionen *pl* millions of years; **jahrmillionenlang I** *adj* millions of years of; **II** *adv* for millions of years; **Jahrtausend** *nt* -s, -e millennium, a thousand years; **in unserem ~** in our millennium; **~e** thousands of years; **jahrtausendelang I** *adj* thousands of years of; **II** *adv* for millennia *or* thousands of years; **Jahrtausendfeier** *f* millennium; (*Feierlichkeiten*) millennium celebrations *pl*; **Jahrzehnt** *nt* -(e)s, -e decade; **jahrzehntelang I** *adj* decades of; **II** *adv* for decades.

Jahve, Jahwe ['jaːvə] *m* -s Jehovah.

Jähzorn *m* violent temper; (*plötzlicher Ausbruch*) outburst of temper, violent outburst. **im ~** in a violent temper *or* rage; **zum ~ neigen** to be prone to violent outbursts (of temper).

jähzornig *adj* violent-tempered, irascible; (*~ erregt*) furious, in a violent temper. **er ist manchmal so ~, daß ...** he sometimes becomes so furious *or* gets into such a violent temper that ...

Jakob *m* -s James; (*Bibl*) Jacob.

Jakobiner(in *f*) *m* -s, - (*Hist*) Jacobin; (*Rel auch*) Dominican.

Jakobinermütze *f* liberty cap.

Jakobsleiter *f* (*Bibl, Bot*) Jacob's ladder; (*Naut auch*) rope ladder.

Jakobus *m* - James.

Jalousie [ʒaluˈziː] *f* venetian blind.

Jamaika *nt* -s Jamaica.

Jamaikaner(in *f*) *m* -s, - Jamaican.

jamaikanisch *adj* Jamaican.

Jambus *m* -, **Jamben** (*Poet*) iamb(us), iambic foot.

Jammer *m* -s, *no pl* **1.** (*Elend*) misery, wretchedness. **ein Bild des ~s bieten** *or* **sein** to be the picture of misery; **der ~ überkam ihn** a feeling of misery came over him; **es ist ein ~, diesen Verfall mit ansehen zu müssen** it is a wretched thing *or* heart-breaking to have to watch this decay; **es wäre ein ~, wenn ...** (*inf*) it would be a crying shame if ... (*inf*). **2.** (*Klage*) wailing, lamentation.

Jammergestalt *f* wretched figure; **Jammerlappen** *m* (*sl*) wet (*sl*), sissy (*inf*).

jämmerlich I *adj* wretched, pitiful; (*beklagenswert auch*) *Zustand* lamentable, deplorable; (*inf*) *Erklärung, Bericht, Entschuldigung* pitiful, pathetic (*inf*). **II** *adv* (*inf: sehr*) terribly (*inf*).

Jämmerlichkeit *f* wretchedness.

jammern I *vi* to wail (*über +acc* over); (*sich beklagen auch*) to moan, to yammer (*inf*). **nach jdm/etw ~** to whine *or* yammer (*inf*) for sb/sth; **der Gefangene jammerte um Wasser** the prisoner begged pitifully *or* moaned for water. **II** *vt* (*old*) to move to pity. **er jammert mich** I feel sorry for him, I pity him.

jammerschade *adj* **es ist ~** (*inf*) it's a terrible pity *or* a crying shame (*inf*); **jammervoll** *adj siehe* **jämmerlich**.

Janker *m* -s, - (*S Ger, Aus*) Tyrolean jacket; (*Strickjacke*) cardigan.

Jänner *m* -s, - (*Aus, Sw, S Ger*) January.

Januar *m* -(s), -e January; *siehe* **März**.

Japan *nt* -s Japan.

Japaner(in *f*) *m* -s, - Japanese.

japanisch *adj* Japanese.

Japanisch(e) *nt* Japanese; *siehe* **Deutsch(e)**.

Japanologie *f* Japanese studies.

jappen (*N Ger*), **japsen** *vi* (*inf*) to pant.

Jargon [ʒarˈgõː] *m* -s, -s jargon, slang, lingo (*inf*).

Jasager *m* -s, - yes-man.

Jasmin *m* -s, -e jasmine.

Jaspis *m* -(ses), -se jasper.

Jastimme *f* vote in favour (of), vote for; (*Parl auch*) aye (*Brit*), yea (*US*).

jäten *vti* to weed.

Jauche *f* -, *no pl* liquid manure.

Jauche(n)grube *f* cesspool, cesspit; (*Agr*) liquid manure pit.

jauchen *vti* to manure.

jauchzen *vi* (*geh*) to rejoice (*liter*), to exult (*liter*); (*Publikum*) to cheer; (*Kinder*) to shout and cheer; (*Säugling*) to chuckle.

Jauchzer *m* -s, - jubilant cheer *or* shout. **sie stieß einen lauten ~ aus** she gave a loud yippee (*inf*).

jaulen *vi* (*lit, fig*) to howl; (*lit*) to yowl.

Jause *f* -, -n (*Aus*) break (for a snack); (*Proviant*) snack. **eine ~ halten** *or* **machen** to stop for a snack.

jausen vi (Aus) to stop for a snack; (in der Arbeitspause) to have a tea break.

Java ['jaːva] nt -s Java.

jawohl, jawoll (hum, inf) adv yes; (Mil) yes, sir; (Naut) aye, aye, sir. **stimmt das wirklich?** — ~ is that really right? — yes, it is, yes, indeed; **haben Sie 50 DM gesagt?** — ~ did you say 50 marks? — right or correct or I did or I did indeed.

Jawort nt jdm das ~ geben to consent to marry sb, to say yes to sb; (bei Trauung) to say "I do"; **sich** or **einander das** ~ **geben** to get married.

Jazz [dʒæz, dʒɛs, jats] m -, no pl jazz.

Jazz- in cpds jazz.

Jazzer ['dʒɛsɐ, 'jatsɐ] m -s, - (inf) jazz-man (inf).

Jazzkeller m jazz club.

je[1] **I** adv 1. (jemals) ever.

2. (jeweils) every, each. **für** ~ **drei Stück zahlst du eine Mark** you pay one mark for (every) three; ~ **zwei Schüler aus jeder Klasse** two children from each class; **ich gebe euch** ~ **zwei Äpfel** I'll give you two apples each or each of you two apples; **sie zahlten** ~ **eine Mark** they paid one mark each, each (of them) paid one mark.

II prep +acc (pro) per. ~ **Person zwei Stück** two per person; ~ **zehn Exemplare ein Freiexemplar** one free copy for every ten copies.

III conj 1. ~ **eher, desto** or **um so besser** the sooner the better; ~ **länger,** ~ **lieber** the longer the better.

2. ~ **nach** according to, depending on; ~ **nach Wunsch** just as one wishes; ~ **nachdem** it all depends; ~ **nachdem, wie gut man arbeitet ...** depending on how well you work ...

je[2] interj **ach** or **o** ~! oh dear!

Jeans [dʒiːnz] pl jeans pl.

Jeans- in cpds denim; **Jeansjacke** f denim jacket; **Jeansstoff** m denim.

Jeck m **-en, -en** (dial) siehe Narr.

jedenfalls adv anyhow, in any case; (zumindest) at least, at any rate. ~ **ist es schon zu spät** it's too late now anyhow or in any case; **er ist nicht gekommen, aber er hat sich** ~ **entschuldigt** he didn't come but at least or at any rate he apologized or he did at least or at any rate apologize; **ob er krank ist, weiß ich nicht,** ~ **ist er nicht gekommen** I don't know whether he's ill or not, at any rate or in any case or anyhow he didn't come; **ich weiß nicht, ob das nötig ist,** ~ **ist es hier so üblich** I don't know if it's necessary, but it's what we do here (anyhow or at any rate).

jede(r, s) indef pron 1. (adjektivisch) (einzeln) each; (von zweien auch) either; (~ von allen) every; (~r beliebige) any. ~ **von beiden kann sich verspäten** either of them could be late; **das weiß doch** ~s **Kind** any or a child knows that, any or a child could tell you that; **ohne** ~ **Anstrengung/Vorstellung** without any effort/idea, with no effort/idea; **zu** ~r **Stunde** at all times; **es kann** ~n **Augenblick passieren** it might happen any minute or at any moment; **fern von** ~r **Kul-**

tur far from all civilization.

2. (substantivisch) (einzeln) each (one); (~ von allen) everyone, everybody; (~ beliebige) anyone, anybody. ~r **von uns** each (one)/every one/any one of us; **ein** ~r (liter) each (one); ~r **von uns beiden** each one of us; **er gab** ~m **von beiden ein Buch** he gave each or both of them a book; ~r **zweite** every other or second one; ~r **für sich** everyone for himself; ~r/~/~s **für sich ist ganz nett, aber beide zusammen ...** each one by himself/herself/itself or each one alone is quite nice, but together ...; **das kann** ~r/**nicht** ~r anyone or anybody can do that/not everyone or everybody can do that; **er spricht nicht mit** ~m he doesn't speak to just anybody or anyone.

jedermann indef pron everyone, everybody; (jeder, beliebige auch) anyone, anybody. **J**~ (Theat) Everyman; **das ist nicht** ~s **Sache** it's not everyone's cup of tea (inf); **Herr/Frau J**~ Mr/Mrs Average (Citizen).

jederzeit adv at any time. **du kannst** ~ **kommen** you can come any time (you like); **ja,** ~ **sure, any time.**

jedesmal adv every or each time. ~, **wenn sie ...** each or every time she ...; **whenever she ...;** ~ **ist es so(, daß ...)** it happens every or each time (that ...).

jedoch conj, adv however. **er verlor** ~ **die Nerven** he lost his nerve however or though.

jedwede(r, s) indef pron (old) siehe **jede(r, s)**.

Jeep ® [dʒiːp] m -s, -s Jeep ®.

jegliche(r, s) indef pron (adjektivisch) any; (substantivisch) (old, liter: auch **ein** ~r) each (one).

jeher ['jeːheːɐ] adv: **von** or **seit** ~ always; **das ist schon seit** ~ **so** it has always been like that.

Jehova [je'hoːva] m -s Jehovah. **die Zeugen** ~s Jehovah's witnesses.

Jelängerjelieber nt -s, - honeysuckle.

jemals adv ever.

jemand indef pron somebody, someone; (bei Fragen, bedingenden Sätzen auch, Negation) anybody, anyone. **ist da** ~? is anybody or somebody there?; **ohne** ~en **zu fragen** without asking anybody or anyone; **ich brauche** ~en, **der mir den Fernseher repariert** I need somebody or someone to repair my television set; ~ **Fremdes/Neues** a stranger/somebody or someone new.

Jenaer Glas ® ['jeːnaɐ-] nt Pyrex ®, heatproof glass.

jene(r, s) dem pron (geh) 1. (adjektivisch) that; pl those; (der Vorherige, die Vorherigen) the former. **in** ~m **Leben** or ~r **Welt** in the next life or world; **in** ~n **Tagen** in those days; (zukünftig) in those days ahead, in those days to come; **in** ~r **Zeit** at that time, in those times.

2. (substantivisch) that one; pl those (ones); (der Vorherige, die Vorherigen) the former. **bald dieser, bald** ~r first one then the other; **von diesem und** ~m

sprechen to talk about this and that.

enseitig *adj attr* opposite, other. **die ~en Vororte** the suburbs on the other side.

enseits I *prep* +*gen* on the other side of. **2 km ~ der Grenze** 2 kms beyond the border *or* the other side of the border. **II** *adv* ~ **von** on the other side of; ~ **von Gut und Böse** beyond good and evil, over and above good and evil; (*hum inf*) past it (*inf*).

Jenseits *nt* -, *no pl* hereafter, next world. **jdn ins ~ befördern** (*inf*) to send sb to kingdom come (*inf*).

Jeremias *m* - (*Bibl*) Jeremiah.

Jersey ['dʒøːɐzi] *nt* - (*Geog*) Jersey.

Jesaja *m* -s (*Bibl*) Isaiah.

Jesses *interj* (*inf*) Jesus (*inf*).

Jesuit *m* -en, -en Jesuit.

Jesuitenorden *m* Jesuit Order; **Jesuitenschule** *f* Jesuit school.

jesuitisch *adj* Jesuit.

Jesus *m* gen **Jesu**, *dat* - *or* **Jesu**, *acc* - *or* **Jesum** Jesus. ~ **Christus** Jesus Christ; **~, Maria (und Josef)!** (*dial inf*) holy Mary mother of God! (*dial inf*).

Jesuskind *nt*: **das ~** the Infant Jesus, the Christ Child.

Jet [dʒɛt] *m* -(s), -s (*inf*) jet.

Jeton [ʒəˈtõː] *m* -s, -s chip.

Jet-set ['dʒɛtsɛt] *m* -s, (*rare*) -s (*inf*) jet-set.

jetten ['dʒɛtn] *vi aux sein* (*inf*) to jet (*inf*), to fly.

jetzig *adj attr* present *attr*, current. **in der ~en Zeit** in our *or* present times; **im ~en Augenblick** at the present moment (in time).

jetzt *adv* now; (*heutzutage auch*) nowadays. **sie ist ~ in der Schweiz** she's in Switzerland now, she's now in Switzerland; **bis ~** so far; **ich bin ~ (schon) fünf Tage hier** I have been here five days now; **für ~** for now, for the present; **gleich ~**, **~ gleich** right now, straight away; **schon ~**, **~ schon?** already?; **~ noch?** (what) now?; **das ist noch ~ der Fall** it's still the case today; **~ oder nie!** (it's) now or never!; **habe ich ~ den Brief eingeworfen?** now did I post that letter?

Jetzt *nt* -, *no pl* (*geh*) present.

jew. *abbr of* **jeweils.**

jeweilig *adj attr* respective; (*vorherrschend*) **Verhältnisse, Bedingungen** prevailing. **die ~e Regierung** the government of the day.

jeweils *adv* at *a or* any one time; (*jedesmal*) each time; (*jeder einzelne*) each. ~ **am Monatsletzten** on the last day of each month; **die ~ betroffenen Landesregierungen müssen ...** each of the governments concerned must ...; **die ~ durch Schiebetüren abgetrennten Räume** the rooms, each (of which are) separated (off) by sliding doors; **die ~ größten aus einer Gruppe** the biggest from each group.

Jg. *abbr of* **Jahrgang.**

Jh. *abbr of* **Jahrhundert.**

JH *abbr of* **Jugendherberge** YH.

jhrl. *abbr of* **jährlich.**

jiddisch *adj* Yiddish.

Jiu-Jitsu ['dʒiːuˈdʒɪtsu] *nt* -s, *no pl* j(i)u-jitsu.

Job [dʒɔp] *m* -s, -s (*inf*, *Comput*) job.

jobben ['dʒɔbn] *vi* (*inf*) to work, to have a job.

Jobber ['dʒɔbɐ] *m* -s, - (*inf*) casual worker; (*Börsen~*) jobber.

Job-sharing [-ˈʃɛərɪŋ] *nt* -s, *no pl* job sharing.

Joch *nt* -(e)s, -e 1. (*lit*, *fig*) yoke. **Ochsen ins ~ spannen** to yoke *or* harness oxen; **sich einem ~ *or* unter ein ~ beugen** (*fig*) to submit to *or* bend under the yoke; **das ~ abwerfen *or* abschütteln** (*fig*) to shake *or* throw off the yoke.
2. (*dated: Gespann Ochsen*) yoke.
3. (*Archit*) truss; (*Kirchen~*) bay; (*Brücken~*) span.
4. (*Berg~*) ridge.
5. (*old: Feldmaß*) acre.

Jochbein *nt* cheek-bone, malar bone (*form*); **Jochbogen** *m* 1. (*Anat*) zygomatic arch (*spec*), zygoma (*spec*); 2. (*Archit*) bay.

Jockei ['dʒɔke], **Jockey** ['dʒɔki] *m* -s, -s jockey.

Jockeymütze *f* jockey cap.

Jod *nt* -s, *no pl* (*abbr* **J**) iodine.

jodeln *vti* to yodel.

jodhaltig *adj* containing iodine, iodic (*form*).

Jodler *m* -s, - (*Ruf*) yodel.

Jodler(in *f*) *m* -s, - (*Mensch*) yodeller.

Jodquelle *f* iodine(-containing) spring; **Jodsalbe** *f* iodine ointment; **Jodtinktur** *f* iodine tincture.

Joga *m* -(s), *no pl* yoga.

Jogasitz *m*, *no pl* lotus position.

joggen ['dʒɔgn] *vi* to jog.

Jogger(in *f*) ['dʒɔgɐ, -ərɪn] *m* jogger.

Jogging ['dʒɔgɪŋ] *nt* -, *no pl* jogging.

Jogging- *in cpds* jogging; **Jogginganzug** *m* jogging suit, tracksuit.

Joghurt *m or nt* -(s), -(s) yoghurt, yoghourt.

Joghurtbereiter *m* -s, -s yoghurt maker.

Jogi *m* -s, -s yogi.

Johanna *f* - Joanna. **(die heilige) ~ von Orléans** (Saint) Joan of Arc.

Johannes *m* - *or* (*ohne Artikel*) **Johannis** (*Bibl*) John.

Johannes|evangelium *nt* St John's Gospel, Gospel according to St John.

Johannisbeere *f* **rote/schwarze ~** redcurrant/blackcurrant; **Johannisbrot** *nt* (*Bot*) carob; **Johannisfest** *nt* Midsummer's Day; **Johannisfeuer** *nt* Midsummer's Eve bonfire; **Johanniskäfer** *m* (*Glühwürmchen*) glow-worm; (*Junikäfer*) summer chafer; **Johanniskraut** *nt*, *no pl* rose of Sharon; **Johannistag** *m* Midsummer's Day; **Johannistrieb** *m* (*Bot*) lammas shoot; (*fig*) late romantic stirrings *pl*.

Johanniter *m* -s, - Knight of St John of Jerusalem. ~ **Unfallhilfe** St John's Ambulance (Brigade).

Johanniter|orden *m* Order of St John of Jerusalem.

johlen *vi* to howl.

Joint [dʒɔɪnt] *m* -s, -s (*inf*) joint (*inf*).

Joint Venture [-ˈventʃɐʳ] *nt* - -s, - -s

(Comm) joint venture.
Jojo *nt* **-s, -s** yo-yo.
Joker ['joːkɐ, 'dʒɔːkɐ] *m* **-s,** - *(Cards)* joker.
Jokus *m* -, **-se** *(dated, inf)* jape *(dated)*, prank.
Jolle *f* -, **-n** *(Naut)* jolly-boat, dinghy.
Jollenkreuzer *m* cabin yacht.
Jona *m* -, **Jonas** *m* - *(Bibl)* Jonah.
Jongleur [ʒõ'gløːɐ] *m* juggler.
jonglieren* [ʒõ'gliːrən] *vi (lit, fig)* to juggle.
Joppe *f* -, **-n** *(dial)* jacket.
Jordan *m* **-s** Jordan. **über den ~ gehen** *(inf)* to cross the great divide *(inf)*.
Jordanien [-iən] *nt* **-s** Jordan.
Jordanier(in *f)* [-iɐ, -iɐrın] *m* **-s,** - Jordanian.
jordanisch *adj* Jordanian.
Josef, Joseph *m* **-s** Joseph.
Jot *nt* -, - (the letter) J/j.
Jota *nt* **-(s), -s** iota. **kein** *or* **nicht ein ~** not a jot *or* one iota.
Joule [dʒuːl] *nt* **-(s),** - *(abbr* J) joule.
Journaille [ʒʊr'naljə] *f* -, *no pl (pej)* yellow press; *(Presse im allgemeinen)* press; *(Journalisten)* hacks *pl (pej)*.
Journal [ʒʊr'naːl] *nt* **-s, -e** **1.** *(dated: Tagebuch)* journal *(old)*, diary; *(Comm)* daybook; *(Naut)* log(-book). **2.** *(dated: Zeitschrift)* magazine, periodical; *(old: Zeitung)* journal *(old)*; *(Fach~)* journal.
Journaldienst *m (Aus)* emergency service.
Journalismus [ʒʊrna'lısmʊs] *m, no pl* journalism.
Journalist(in *f)* [ʒʊrna'lıst, -ıstın] *m* journalist.
Journalistik [ʒʊrna'lıstık] *f, no pl* journalism.
journalistisch [ʒʊrna'lıstıʃ] *adj* journalistic.
jovial [jo'viaːl] *adj* jovial.
Jovialität [joviali'tɛːt] *f, no pl* joviality.
Joystick ['dʒɔɪstık] *m* **-s, -s** *(Comput)* joystick.
jr. *abbr of junior* jnr., jr.
Jubel *m* **-s,** *no pl (von Volk, Menge)* jubilation; *(~rufe auch)* cheering. **~, Trubel, Heiterkeit** laughter and merriment.
Jubelfeier *f,* **Jubelfest** *nt* jubilee; *(Feierlichkeiten)* jubilee celebration; **Jubelgeschrei** *nt (pej)* shouting and cheering; **Jubelhochzeit** *f* special wedding anniversary *(silver, golden etc anniversary)*; **Jubeljahr** *nt* jubilee year; **nur alle ~e (einmal)** *(inf)* once in a blue moon *(inf)*.
jubeln *vi* to cheer, to shout with joy, to rejoice *(liter)*. **jubelt nicht zu früh** don't start celebrating too early.
Jubelruf *m* (triumphant) cheer; **Jubeltag** *m* (silver, golden *etc*) wedding anniversary.
Jubilar(in *f)* *m* person celebrating an anniversary.
Jubiläum *nt* **-s, Jubiläen** jubilee; *(Jahrestag)* anniversary.
Jubiläums- *in cpds* jubilee.
jubilieren* *vi (liter)* to rejoice *(liter)*; *(Vögel)* to sing joyfully; *siehe* **jubeln.**
juchhe(i), juchheißa, juchhu *(inf) interj*

hurrah, hooray.
Juchten *nt or m* **-s,** *no pl* **1.** *(~leder)* Russia leather *or* calf, Russia. **2.** *(Parfüm)* Russian leather.
juchzen *vi* to shriek with delight.
juckeln *vi aux sein (inf: Auto, Zug)* to jog *or* chug along. **er ist durch die Stadt/ über Land gejuckelt** he's been jogging around town/across country.
jucken I *vti* to itch. **es juckt mich am Rücken, der Rücken juckt mir** *or* **mich** my back itches; **der Stoff juckt mich** this material makes me itch; **es juckt mich, das zu tun** *(inf)* I'm itching to do it *(inf)*; **ihn juckt das Geld dabei** *(inf)* he finds the money attractive; **das juckt mich doch nicht** *(inf)* I don't care; **ihn** *or* **ihm juckt das Fell** *(inf) or* **der Buckel** *(inf)* he's asking for a good hiding.
II *vt (kratzen)* to scratch.
Juckpulver *nt* itching powder; **Juckreiz** *m* itching; **einen ~ in der Nase haben** to have an itch in one's nose.
Judäa *nt* **-s** Jud(a)ea.
Judaismus *m* Judaism.
Judas *m* -, **-se** *(Bibl, fig liter)* Judas.
Judaskuß *m (liter)* Judas kiss; **der ~** *(Bibl)* the Betrayal; **Judaslohn** *m (liter)* blood money, thirty pieces of silver *pl*.
Jude *m* **-n,** *-n* Jew. **er ist ~** he is a Jew.
judenfeindlich *adj* anti-Semitic; **Judenheit** *f* Jewry; **Judenstern** *m* star of David; **Judentum** *nt* **1.** *(Judaismus)* Judaism; **2.** *(Volk)* Jews *pl,* Jewry; **3.** *(jüdisches Wesen)* Jewishness; **Judenverfolgung** *f* persecution of (the) Jews; **Judenviertel** *nt* Jewish quarter.
Jüdin *f* Jew, Jewish woman.
jüdisch *adj* Jewish.
judizieren* *vi (old, Jur) siehe* **urteilen.**
Judo¹ *m* **-s, -s** *(Pol inf)* Young Democrat.
Judo² *nt* **-s,** *no pl* judo.
Judoka *m* **-s, -s** judoka.
Jugend *f* -, *no pl* **1.** *(~zeit)* youth; *(Jungsein, Jugendlichkeit auch)* youthfulness. **frühe ~** early youth, adolescence; **in ihrer ~ waren sie ...** in their youth they were ...; **von ~ an** *or* **auf** from one's youth.
2. *(junge Menschen)* youth, young people *pl.* **die heutige ~** young people *or* the youth of today, modern youth; **die weibliche/männliche ~** young women/ men; **~ hat keine Tugend** *(Prov)* young people are all the same; **Haus der ~** *(BRD)* youth centre.
3. *(Sport)* youth team.
Jugendalter *nt* adolescence; **Jugendamt** *nt* youth welfare department; **Jugendarbeit** *f, no pl* **1.** *(Arbeit Jugendlicher)* youth employment; **2.** *(Jugendfürsorge)* youth work; **Jugendarbeitslosigkeit** *f* youth unemployment; **Jugendarrest** *m (Jur)* detention, borstal *(Brit)*; **Jugendbekanntschaft** *f* friend of one's youth; **Jugendbewegung** *f* **1.** youth movement; **2.** *(Hist)* German Youth Movement *(of the early 1920's)*; **Jugendbild** *nt* picture *or* photo taken when one was young; **~er Churchills** pictures of the young Churchill; **Jugendbildnis** *nt (Art, fig)* **~ von X** portrait of X as a

young man/woman; **Jugendbrigade** f (DDR) youth brigade (work team consisting of young people); **Jugendbuch** nt book for the younger reader or young people; **Jugendelf** f youth team; **Jugenderinnerung** f youthful memory; **meine ~en** memories of my youth; **jugendfrei** adj Film U(-certificate), G (US); **Jugendfreund(in** f) m friend of one's youth; (für Schulkinder) child guidance; **Jugendgedicht** nt youthful poem; **jugendgefährdend** adj liable to corrupt the young; **Jugendgericht** nt juvenile court; **Jugendgruppe** f youth group; **Jugendheim** nt 1. youth club; 2. (Wohnheim) young people's home.

Jugendherberge f youth hostel.

Jugendherbergsausweis m youth hostelling card, YHA card; **Jugendherbergsmutter** f, **Jugendherbergsvater** m youth hostel warden; **Jugendherbergsverband** m Youth Hostel Association.

Jugendhilfe f (Admin) help for young people; **Jugendjahre** pl days of one's youth pl; **Jugendkriminalität** f juvenile delinquency.

jugendlich adj (jung) young; (von Jugend, jung wirkend) youthful. **er kleidet sich immer sehr ~** he always wears very youthful or young-looking clothes; **eine ~e Erscheinung** a young- or youthful-looking person; **ein ~er Täter** a young offender, a juvenile delinquent; **~er Leichtsinn** youthful frivolity; **das sagst du so in deinem ~en Leichtsinn** (hum) I admire your confidence.

Jugendliche(r) mf decl as adj young person; (männlicher ~ auch) youth.

Jugendlichkeit f youthfulness.

Jugendliebe f 1. young love; 2. (Geliebter) love or sweetheart of one's youth; **Jugendliteratur** f literature for younger readers or young people; **Jugendmannschaft** f youth team; **Jugendorganisation** f youth organization; **Jugendpflege** f youth welfare; **Jugendpfleger(in** f) m youth (welfare) worker; **Jugendpsychologie** f adolescent psychology; **Jugendrichter(in** f) m (Jur) magistrate in a juvenile court; **Jugendschriftsteller(in** f) m writer of books for young people; **Jugendschutz** m protection of children and young people; **Jugendsendung** f (Rad) programme for younger listeners or (TV) younger viewers; **Jugendspiele** pl youth games pl; **Jugendstil** m (Art) Art Nouveau; **Jugendstrafanstalt** f (form) reform school, approved school (Brit), borstal (Brit); **Jugendstrafe** f detention no art in a reform school etc; **Jugendsünde** f youthful misdeed; **Jugendtorheit** f youthful folly, folly of one's youth; **Jugendtraum** m youthful dream; **Jugendverband** m youth organization; **Jugendverbot** nt für einen Film ~ aussprechen to ban a film for young people; **Jugendvertretung** f youth representatives pl; **Jugendvorstellung** f performance for young

people; **Jugendweihe** f (Rel) initiation; (DDR) ceremony in which 14-year-olds are given adult social status; **Jugendzeit** f youth, younger days pl; **Jugendzentrum** nt youth centre.

Jugoslawe m -n, -n Yugoslav.

Jugoslawien [-iən] nt -s Yugoslavia.

Jugoslawin f Yugoslav.

jugoslawisch adj Yugoslav(ian).

Julei m -s, -s (esp Comm) July.

Juli m -(s), -s 1. July; siehe **März**. 2. (Pol inf) Young Liberal.

Jumbo(-Jet) ['jumbo(dʒɛt)] m -s, -s Jumbo (jet).

jun. abbr of **junior** jun.

jung adj, comp ⁼er, superl ⁼ste(r, s) or adv am ⁼sten (lit, fig) young; Aktien new. **~ und alt** (both) young and old; **von ~ auf** from one's youth; **der ~e Meyer** young Meyer; (Sohn) Meyer junior; **sie ist 18 Jahre ~** (hum) she's 18 years young (hum); **~ heiraten/sterben** to marry/die young; **sich** (dat) **ein ~es Herz bewahren** to stay young at heart; **~ gefreit, nie gereut** (Prov) if you marry young you won't regret it.

Jungakademiker(in f) m graduate; **Jungarbeiter(in** f) m juvenile employee or worker; **Jungbauer** m, **Jungbäurin** f young farmer; **Jungbrunnen** m fountain of youth; **Jungbürger(in** f) m junior citizen.

Jüngchen nt (inf) lad(die) (inf).

Jungdemokrat(in f) m (BRD) Young Democrat.

Junge¹ m -n, -n or (dated inf) -ns or (inf) **Jungs** boy; (Lauf~) errand-boy; (Cards) jack, knave. **~, ~!** (inf) boy oh boy (inf); **sie ist ein richtiger ~** she's a real tomboy; **alter ~** (inf) my old mate (inf) or pal (inf); **mein lieber ~!** my dear boy; (in Brief) my dear son; **ein schwerer ~** (inf) a (big-time) crook.

Junge² mf -n, no pl (inf) **der/die ~** Mr/Miss X junior, the young Mr/Miss X.

Jüngelchen nt (pej) young lad.

jungen vi to have young; (Hündin auch) to have pups; (Katze auch) to have kittens.

Jungengesicht nt boy's or boyish face; **jungenhaft** adj boyish; **sie ist ein ~es Mädchen** she's a bit of a tomboy; **Jungenklasse** f (Sch) boys' class; **Jungenschule** f boys' school; **Jungenstreich** m boyish prank or trick.

jünger adj 1. comp of **jung** younger. **sie sieht ~ aus, als sie ist** she looks younger than she is, she doesn't look her age; **Holbein der J~e** Holbein the Younger, the younger Holbein. 2. Geschichte, Entwicklung recent. **die ~e Steinzeit** the later or New Stone Age.

Jünger m -s, - (Bibl, fig) disciple.

Jüngerin f (fig) disciple.

Jüngerschaft f disciples pl; (Jüngertum) discipleship.

Junge(s) nt decl as adj (Zool) young one; (von Hund) pup(py); (von Katze) kitten; (von Wolf, Löwe, Bär) cub; (von Vogel) young bird, nestling. **die ~n** the young.

Jungfer f -, -n 1. (old, hum) (ledige Frau)

spinster. **eine alte** ~ an old maid. **2.** (*old: Jungfrau*) virgin, maiden (*old*); (*als Anrede*) mistress (*old*). **3.** (*Kammer~*) maid.

jüngferlich *adj* old-maidish.

Jungfernfahrt *f* maiden voyage; **Jungfernflug** *m* maiden flight; **Jungfernhäutchen** *nt* (*Anat*) hymen (*Anat*), maidenhead; **Jungfernkranz** *m* (*old*) (bridal) bouquet; **Jungfernrede** *f* (*Parl*) maiden speech; **Jungfernzeugung** *f* (*Biol*) parthenogenesis.

Jungfilmer(in *m* young film maker. **die deutschen** ~ the young German film makers.

Jungfrau *f* virgin; (*Astron, Astrol*) Virgo *no art.* **die** ~ **Maria** the Virgin Mary; **die** ~ **von Orléans** Joan of Arc, the Maid of Orleans; **dazu bin ich gekommen wie die** ~ **zum Kind(e)** it just fell into my hands; *siehe* **eisern.**

jungfräulich *adj Mädchen, Schnee* virgin.

Jungfräulichkeit *f* virginity.

Junggeselle *m* bachelor.

Junggesellenbude *f* (*inf*) bachelor pad (*inf*); **Junggesellendasein, Junggesellenleben** *nt* bachelor's life; **Junggesellenwirtschaft** *f* (*inf*) bachelor squalor; **Junggesellenwohnung** *f* bachelor flat; **Junggesellenzeit** *f* bachelor days *pl.*

Junggesellin *f* single woman.

Junglehrer(in *f*) *m* student teacher.

Jüngling *m* (*liter, hum*) youth.

Jünglingsalter *nt* (*liter*) youth; **jünglingshaft** *adj* (*geh*) youthful, boyish.

jüngst *adv* (*geh*) recently, lately. **der** ~ **verstorbene ...** the late ...; **der** ~ **erlassene Befehl** the recent decree.

Jungsteinzeit *f* Neolithic age, New Stone Age.

jüngstens *adv* (*old, liter*) *siehe* **jüngst.**

jüngste(r, s) *adj* **1.** *superl of* **jung** youngest.
2. *Werk, Schöpfung, Ereignis* latest, (most) recent; *Zeit, Vergangenheit* recent. **in der** ~**n Zeit** recently; **das J**~ **Gericht** the Last Judgement; **der J**~ **Tag** Doomsday, the Day of Judgement; **man merkt, daß er/sie nicht mehr der/die J**~ **ist** you can tell that he/she is not as young as he/she used to be; **sie ist auch nicht mehr die J**~ she's no chicken (*inf*).

Jungstier *m* young steer; **Jungtier** *nt* young animal; **Jungverheiratete(r)** *mf decl as adj* newly-wed; **jungvermählt** *adj* (*geh*) newly-wed, recently married; **die** ~**en** the newly-weds; **Jungvieh** *nt* young cattle *pl*; **Jungwähler(in** *f*) *m* young voter; **Jungwild** *nt* young game.

Juni *m* -(**s**), **-s** June; *siehe* **März.**

Junikäfer *m* chafer.

junior *adj* Franz Schulz ~ Franz Schulz, Junior.

Junior *m* **1.** (*usu hum: Sohn*) junior. **wie geht's dem** ~**?** how's junior? **2.** (*auch* ~**chef**) son of the chairman/boss. **kann ich mal den** ~(**chef**) **sprechen?** can I speak to Mr X junior? **3.** *usu pl* (*Sport*) junior.

Juniorin *f siehe* **Junior 3.**

Juniorpartner(in *f*) *m* junior partner;

Juniorpaß *m* (*Rail*) ≃ young persons' railcard.

Junker *m* -**s**, - (*Hist*) squire; (*preußisch*) Junker.

Junkertum *nt*, *no pl* squirarchy; (*in Preußen*) Junkerdom.

Junkie ['dʒaŋki] *m* -**s**, -**s** (*inf*) junkie (*inf*).

Junktim *nt* -**s**, -**s** (*Pol: Paket*) package (deal). **zwischen X und Y besteht ein** ~ X is dependent on Y.

Juno *m* -**s**, -**s** (*esp Comm*) June.

Junta ['xʊnta, 'jʊnta] *f* -, **Junten** (*Pol*) junta.

Jupe [ʒyp] *m* -**s**, -**s** (*Sw*) skirt.

Jupiter *m* -**s** Jupiter.

Jupiterlampe ® *f* klieg light.

jur. *abbr of* **juristisch.**

Jura¹ *m* -**s**, *no pl* (*Geol, Geog*) Jura (Mountains) *pl.*

Jura² *no art* (*Univ*) law.

jurassisch *adj* (*Geol*) Jurassic; (*aus Kanton Jura*) of the Canton of Jura.

Jurastudium *nt* study of law. **das** ~ **dauert acht Semester** the law degree (course) takes four years.

juridisch *adj* (*old, Aus*) *siehe* **juristisch.**

Jurisdiktion *f* (*geh*) administration of justice; (*rare: Gerichtshoheit*) jurisdiction.

Jurisprudenz *f* (*geh*) jurisprudence.

Jurist *m* jurist, legal eagle (*hum inf*); (*Student*) law student.

Juristendeutsch *nt*, **Juristensprache** *f*, *no pl* legalese (*pej*), legal jargon *or* language.

Juristerei *f*, *no pl* (*inf*) law.

Juristin *f* jurist; law student.

juristisch *adj* legal; *Problem auch* juridical (*form*); *Studium auch* law *attr.* **die J**~**e Fakultät** the Faculty of Law; **eine** ~**e Person** a legal entity, a corporation, a corporate body.

Juror(in *f*) ['juːrɔr, -'roːrɪn] *m* juror, member of the jury; (*bei Wettbewerb*) member of the jury, judge, adjudicator.

Jurte *f* -, -**n** jurt.

Jury [ʒy'riː, 'ʒyːriː] *f* -, -**s** jury *sing or pl*; (*bei Wettbewerb auch*) judges *pl*, adjudicators *pl.*

Juso *m* -**s**, -**s** *abbr of* **Jungsozialist** Young Socialist.

just *adv* (*old*) precisely, exactly, just. ~ **gekommen** just come.

justieren* *vt* to adjust; *Gewehr, Zielfernrohr auch* to collimate (*form*); *Münzen auch* to weight; (*Typ, Comput*) to justify.

Justierschraube *f* (*Tech*) adjusting screw.

Justierung *f siehe vt* adjustment; collimation (*form*); weighting; justification.

Justitia [jʊs'tiːtsia] *f* -**s** Justice; (*fig*) the law.

Justitiar(in *f*) [jʊsti'tsiaːɐ] *m* lawyer, legal adviser.

Justiz [jʊs'tiːts] *f* -, *no pl* (*als Prinzip*) justice; (*als Institution*) judiciary; (*die Gerichte*) courts *pl.*

Justizbeamte(r) *mf* judicial officer; **Justizbehörde** *f* legal *or* judicial authority; **Justizhoheit** *f* legal sovereignty; **Justizirrtum** *m* miscarriage of justice;

Justizminister(in *f)* *m* minister of justice, justice minister, ≃ Attorney General (*US*), ≃ Lord (High) Chancellor (*Brit*); **Justizministerium** *nt* ministry of justice, ≃ Department of Justice (*US*); **Justizmord** *m* judicial murder; **Justizverwaltung** *f* administration of justice; **Justizvollzugsanstalt** *f* (*form*) place of detention.

Jute *f* -, *no pl* jute.

Jütland *nt* -s (*Geog*) Jutland.

juvenil [juve'ni:l] *adj* (*geh*) juvenile.

Juwel[1] [ju've:l] *m or nt* -s, -en jewel, gem. ~**en** (*Schmuck*) jewellery, jewelry.

Juwel[2] *nt* -s, -e (*fig*) jewel, gem.

Juwelier *m* -s, -e jeweller; (*Geschäft*) jeweller's (shop).

Juweliergeschäft *nt* jeweller's (shop); **Juwelierwaren** *pl* jewel(le)ry.

Jux *m* -es, -e (*inf*) etw aus ~ **tun/sagen** to do/say sth as a joke *or* in fun; **etw aus lauter ~ und Tollerei tun** to do sth out of sheer high spirits; **sich** (*dat*) **einen ~ aus etw machen** to make a joke (out) of sth.

juxen *vi* (*inf*) to joke.

juxig *adj* (*inf*) funny.

jwd [jɔtve:'de:] *adv* (*hum*) in the back of beyond; (*weit entfernt*) miles out (*inf*).

K

K, k [kaː] *nt* -, - K, k.
Kabale *f* -, -n (*old*) cabal (*old*).
Kabarett *nt* -s, -e *or* -s **1.** cabaret; (*Darbietung auch*) cabaret show; (*in Bar auch*) floor show. **ein politisches** ~ a satirical political revue, a political satire. **2.** (*Servierplatte*) serving dish (*divided into sections*).
Kabarettist(in *f)* *m* cabaret artist.
kabarettistisch *adj Darbietung* cabaret; *Stil* revue *attr*; *Eskapaden* farcical.
Kabäuschen [ka'bɔysçən] *nt* (*inf*) (*Zimmer*) cubbyhole (*inf*); (*Laube*) hut, cabin.
Kabbelei *f* (*inf*) bickering, squabbling.
kabbelig *adj Meer* choppy.
kabbeln *vir* (*inf*) to bicker, to squabble.
Kabel *nt* -s, - **1.** (*Elec*) wire; (*von Elektrogeräten auch*) flex; (*Telefon*~) flex, cord; (*Strom- oder Telegraphenleitung*) cable. **2.** (*old Naut: Tau*) rope; (*Drahtseil*) cable. **3.** (*Telegramm*) cable(-gram).
Kabelanschluß *m* (*TV*) cable connection; ~ **haben** to get cable (TV); **Kabelbaum** *m* (*Elec*) harness; **Kabelbericht** *m* cabled report; **Kabelfernsehen** *nt* cable television.
Kabeljau *m* -s, -e *or* -s cod.
Kabellänge *f* (*Naut*) cable, cable's length; **Kabelleger** *m* -s, - (*Naut*) cable layer.
kabeln *vti* to cable.
Kabelnetz *nt* (*TV*) cable network; **Kabeltrommel** *f* cable drum *or* reel.
Kabine *f* (*Umkleide*~, *Anprobier*~, *Dusch*~) cubicle; (*Naut, Aviat, von Kran*) cabin; (*Telec, zum Plattenhören auch*) booth; (*Vorführ*~) projection room; (*Seilbahn*~) car.
Kabinenbahn *f* cable railway; **Kabinenroller** *m* bubble-car.
Kabinett[1] *nt* -s, -e **1.** (*Pol*) cabinet. **2.** (*für Kunstsammlungen*) (*Raum*) gallery; (*Schrank*) cabinet. **3.** (*Zimmer*) (*Aus: kleines Zimmer*) closet; (*old: Arbeitszimmer*) cabinet.
Kabinett[2] *m* -s, -e *m siehe* ~**wein**.
Kabinettsbeschluß *m* cabinet decision; **Kabinettsmitglied** *nt* cabinet member, member of the cabinet.
Kabinettstück *nt* **1.** (*old: einer Sammlung*) showpiece, pièce de résistance. **2.** (*fig*) masterstroke.
Kabinettsumbildung *f* cabinet reshuffle.
Kabinettwein *m* high quality German white wine.
Kabrio *nt* -(s), -s (*inf*) convertible.
Kabriolett [kabrio'lɛt, *Aus, S Ger*) kabrio'leː] *nt* -s, -s **1.** (*Aut*) convertible. **2.** (*Hist*) cabriolet.
Kabuff *nt* -s, -e *or* -s (*inf*) (poky) little corner.
Kachel *f* -, -n (glazed) tile. **etw mit** ~**n auslegen** to tile sth, to cover sth with *or* in tiles.
kacheln *vt* to tile.
Kachelofen *m* tiled stove.
Kacke *f* -, *no pl* (*vulg*) crap (*vulg*), shit (*vulg*). **dann ist aber die** ~ **am Dampfen** then the shit will really hit the fan (*vulg*).
kacken *vi* (*vulg*) to crap (*vulg*), to shit (*vulg*).
Kadaver [ka'daːve] *m* -s, - carcass.
Kadavergehorsam *m* (*pej*) blind *or* slavish obedience.
Kadenz *f* cadence; (*Improvisation*) cadenza.
Kader *m* -s, - (*Mil, Pol*) cadre; (*Sport*) squad; (*Sw: Fachleute*) group of specialists; (*Fachmann*) specialist.
Kaderschmiede *f* -, *no pl* (*pej*) élite school.
Kadett *m* -en, -en (*Mil*) cadet.
Kadettenanstalt *f* cadet school.
Kadi *m* -s, -s (*dated inf*) beak (*inf*). **jdn vor den** ~ **schleppen** to take sb to court; **zum** ~ **laufen** to go to court.
Kadmium *nt* -s cadmium.
Käfer *m* -s, - **1.** beetle (*auch inf: VW*). **2.** (*sl: Mädchen*) bird (*esp Brit inf*), chick (*esp US inf*). **ein flotter** ~ (*dated inf*) a nice bit of skirt (*Brit inf*).
Kaff *nt* -s, -s *or* -e (*pej inf*) dump (*inf*), hole (*inf*).
Kaffee [*or* ka'feː] *m* -s, -s **1.** coffee. **zwei** ~, **bitte!** two coffees please; ~ **mit Milch** white coffee (*Brit*), coffee with milk; ~ **verkehrt** (*dated*) white coffee (*made with hot milk*) (*Brit*), coffee with hot milk; ~ **kochen** to make coffee; **das ist kalter** ~ (*inf*) that's old hat (*inf*); **da kommt einem der** ~ **hoch** (*sl*) it makes you sick (*inf*).
2. *no pl* (*Nachmittags*~) ≈ (afternoon) tea. ~ **und Kuchen** coffee and cakes, ≈ afternoon tea; **jdn zu** ~ **und Kuchen einladen** to invite sb for *or* to (afternoon) tea.
Kaffeebohne *f* coffee bean; **kaffeebraun** *adj* coffee-coloured; **Kaffee-Ersatz** *m* coffee substitute; **Kaffee-Extrakt** *m* coffee essence; **Kaffeefahrt** *f* day trip; (*Verkaufsfahrt*) promotional trip (*during which passengers are served coffee and offered goods to buy*); **Kaffeefilter** *m* coffee filter; (*inf: Filterpapier*) filter (paper); **Kaffeegeschirr** *nt* coffee set; **Kaffeehaus** *nt* café; **Kaffeehausmusik** *f* (*pej*) palm court music; **Kaffeekanne** *f* coffeepot; **Kaffeeklatsch** (*inf*) *m* -s, *no pl*, **Kaffeekränzchen** *nt* coffee klatsch (*US*), hen party (*inf*), ≈ coffee morning; **ich treffe mich mit meinen Freundinnen zu einem** ~ I'm meeting some friends for a chat over (a cup of) coffee *or* tea; **Kaffeelöffel** *m* coffee spoon; **Kaffeemaschine** *f* coffee machine; **Kaf-**

feemischung f blended coffee; **Kaffeemühle** f coffee grinder; **Kaffeemütze** f cosy (for coffee pot); **Kaffeepause** f coffee break; **Kaffeesatz** m coffee grounds pl; **aus dem ~ wahrsagen** or **lesen** to read (the) tea leaves; **Kaffeeservice** nt coffee set; **Kaffeesorte** f type or sort of coffee; **Kaffeestrauch** m coffee tree; **Kaffeestube** f coffee shop; **Kaffeetante** f (hum) coffee addict; (in Café) old biddy; **Kaffeetasse** f coffee cup; **Kaffeetisch** m (Frühstückstisch) breakfast table; (nachmittags) (afternoon) tea table; **Kaffeewärmer** m -s, - cosy (for coffee pot); **Kaffeewasser** nt water for coffee, coffee water; **ich habe das ~ gerade aufgesetzt** I've just put the kettle on.

Kaffer m 1. **-n, -n** kaffir; (pej inf) nigger. 2. **-s, -** (pej inf: dummer Kerl) thickhead (inf), duffer (inf).

Käfig m **-s, -e** cage. **sie sitzt in einem goldenen ~** (fig) she is just a bird in a gilded cage.

Käfighaltung f caging.

kafkaesk adj Kafkaesque.

Kaftan m **-s, -e** caftan.

kahl adj Mensch, Kopf bald; (~geschoren) shaved, shorn; Vogel bald, featherless; Wand, Raum bare; Pflanze, Baum bare, leafless; Landschaft, Berge barren, bleak. **eine ~e Stelle** a bald patch; **~ werden** (Mensch) to go bald; (Baum) to lose its leaves.

Kahlfraß m defoliation; **kahlfressen** vt sep irreg to strip bare; Ernte to destroy completely; **kahlgeschoren** adj Kopf shaven, shorn; **Kahlheit** f siehe adj baldness; featherlessness; bareness, leaflessness; barrenness; **Kahlkopf** m bald head; (Mensch) bald person; **ein ~ sein** to be bald; **kahlköpfig** adj bald(-headed); **kahlscheren** vt sep irreg Schafe to shear; Hecken to cut right back; **jdn ~** to shave sb's head; **Kahlschlag** m 1. (abgeholzte Fläche) clearing; 2. (Tätigkeit) deforestation; 3. (inf) (Aktion) ~ (Entlassungen) axing; (Abriß) demolition; **kahlschlagen** vt sep irreg to deforest, to clear.

Kahm m **-(e)s,** no pl mould.

Kahn m **-(e)s, ¨e** 1. (small) boat; (Stech~) punt. **~ fahren** to go boating/punting. 2. (Lastschiff) barge. **ein alter ~** (inf) an old tub (inf). 3. (inf) (Bett) bed, pit (inf); (dated: Gefängnis) jug (dated inf); (Ftbl: Tor) net. **¨e** (große Schuhe) clodhoppers (inf).

Kahnfahrt f row; (in Stechkahn) punt.

Kai m **-s, -e** or **-s** quay; (Uferdamm auch) waterfront.

Kaianlage f quayside.

Kaiman m **-s, -e** (Zool) cayman.

Kaimauer f quay wall.

Kainsmal nt (Stigma) mark of Cain.

Kairo nt **-s** Cairo.

Kaiser m **-s, -** emperor. **der deutsche ~** the German Emperor, the Kaiser; **wo nichts ist, hat der ~ sein Recht verloren** (Prov) you can't get blood from a stone; **gebt dem ~, was des ~s ist!** (Bibl) render unto Caesar the things which are

Caesar's; (da,) **wo selbst der ~ zu Fuß hingeht** (dated hum) the smallest room (in the house) (hum); **das ist ein Streit um des ~s Bart** that's just splitting hairs.

Kaiseradler m imperial eagle; **Kaiserhaus** nt imperial family.

Kaiserin f empress.

Kaiserinmutter f dowager empress.

Kaiserkrone f 1. imperial crown. 2. (Bot) crown imperial.

kaiserlich adj imperial. **diese Besitzungen waren früher ~** these possessions used to belong to the Emperor; **Seine K~e Majestät** His Imperial Majesty; **~ gesinnt** monarchistic, imperialistic.

kaiserlich-königlich adj imperial and royal (pertaining to the Dual Monarchy of Austro-Hungary).

Kaiserreich nt empire; **Kaiserschmarr(e)n** m **-s, -** (Aus) sugared, cut-up pancake with raisins; **Kaiserschnitt** m Caesarean (section); **Kaiserstadt** f imperial city.

Kaisertum nt 1. Empire. 2. (Amt) emperorship.

Kaiserwetter nt (dated) magnificent sunshine; **Kaiserwürde** f 1. (Ehre) honour or dignity of an emperor; 2. (Amt) emperorship.

Kajak m or nt **-s, -s** kayak.

Kajütboot nt cabin boat.

Kajüte f **-, -n** cabin; (größer auch) stateroom.

Kakadu m **-s, -s** cockatoo.

Kakao [auch ka'kau] m **-s, -s** cocoa. **jdn durch den ~ ziehen** (inf) (veralbern) to make fun of sb, to take the mickey out of sb (inf); (boshaft reden) to run or do sb down.

Kakaobohne f cocoa bean; **Kakaopulver** nt cocoa powder.

kakeln vi (inf) to chat, to blether (inf).

Kakerlak m **-s** or **-en, -en** cockroach.

Kakophonie f (geh) cacophony.

Kaktee f **-, -n** [-e:ən], **Kaktus** m **-, Kakteen** [-e:ən] or (inf) **-se** cactus.

Kalamität f (geh) calamity; (heikle Lage) predicament.

Kalander m **-s, -** (Tech) calender.

kalandern* vt (Tech) to calender.

Kalauer m **-s, -** corny joke; (Wortspiel) corny pun; (alter Witz) old chestnut.

kalauern vi (inf) to joke; to pun.

Kalb nt **-(e)s, ¨er** calf; (von Rehwild auch) fawn; siehe **golden, stechen**.

kalben vi (Kuh, Gletscher) to calve.

kälbern, kalbern vi (inf) to fool or mess about or around (inf).

Kälberne(s) nt decl as adj (Aus) veal.

Kalbsbraten m roast veal; **Kalbsfell** nt 1. (Fell) calfskin; 2. (old: Trommel) drum; **Kalbshachse, Kalbshaxe** f (Cook) knuckle of veal; **Kalbskeule** f leg of veal; **Kalbsleber** f calves' liver; **Kalbsleder** nt calfskin; **Kalbsschnitzel** nt veal cutlet.

Kaldaune f **-, -n** entrails pl.

Kalebasse f **-, -n** calabash.

Kaleidoskop nt **-s, -e** kaleidoscope.

kaleidoskopisch adj kaleidoscopic.

kalendarisch adj calendrical.

Kalendarium nt (geh, Eccl) calendar.

Kalender m -s, - calendar; (Taschen~) diary. **etw im ~ rot anstreichen** to make sth a red-letter day.

Kalenderblatt nt page of a/the calendar; **Kalenderblock** m day-by-day calendar; **Kalenderjahr** nt calendar year; **Kalendermonat** m calendar month; **Kalenderspruch** m calendar motto.

Kalesche f -, -n (Hist) barouche.

Kalfakter m -s, -, **Kalfaktor** m 1. (old: Heizer) boilerman, stoker.
  2. (old pej: allgemeiner Gehilfe) odd-job man.

kalfatern* vti (Naut) to caulk.

Kali nt -s, -s potash.

Kaliber nt -s, - (lit, fig) calibre; (zum Messen) calibrator.

Kalibergwerk nt potash mine; **Kalidünger** m potash fertilizer.

Kalif m -en, -en caliph.

Kalifat nt caliphate.

Kalifornien [-iən] nt -s California.

kalifornisch adj Californian.

Kaliko m -s, -s calico; (für Buchbinderei) cloth.

Kalisalpeter m saltpetre; **Kalisalz** nt potassium salt.

Kalium nt -s, no pl (abbr K) potassium.

Kalk m -(e)s, -e lime; (zum Tünchen) whitewash; (Anat) calcium. **gebrannter/gelöschter ~** quicklime/slaked lime; **Wände/Decken mit ~ bewerfen** to whitewash walls/ceilings; **bei ihm rieselt schon der ~** (inf) he's going a bit gaga (inf) or losing his marbles (inf).

Kalkboden m chalky soil; **Kalkbrennerei** f lime works sing or pl.

kalken vt 1. (tünchen) to whitewash. 2. (Agr) to lime.

Kalkgrube f lime pit; **kalkhaltig** adj Boden chalky; Wasser hard; **Kalkmangel** m (Med) calcium deficiency; (von Boden) lime deficiency; **Kalkofen** m lime kiln; **Kalkschiefer** m calcareous slate; (Typ) lithostone; **Kalkstein** m limestone; **Kalksteinbruch** m limestone quarry.

Kalkül m or nt -s, -e 1. calculation usu pl. 2. (Math) calculus.

Kalkulation f calculation; (Kostenberechnung) costing.

kalkulatorisch adj arithmetical. **~e Methoden** methods of calculation.

kalkulierbar adj calculable.

kalkulieren* vti to calculate.

Kalkutta nt -s Calcutta.

Kalligraphie f calligraphy.

Kallus m -, -se (Biol, Med) callus.

Kalorie f calorie.

Kalorien- [-iən]: **kalorienarm** adj low-calorie; **Kalorienbombe** f (inf) das ist eine echte ~ it's got about sixty million calories (inf); **Kaloriengehalt** m calorie content; **kalorienreich** adj high-calorie.

Kalorimeter m -s, - calorimeter.

kalt adj, comp ⁻er, superl ⁻este(r, s) or (adv) am ⁻esten cold. **mir ist/wird ~** I am/I'm getting cold; **im K~en** in the cold; **~ schlafen** to sleep in an unheated room; **~e Platte** cold meal; **abends essen wir ~** we eat a cold meal in the evening; **etw ~ stellen** to put sth to chill; **etw ~**

bearbeiten (Tech) to work sth cold; **die Wohnung kostet ~ 480 DM** the flat costs 480 DM without heating; **~ rauchen** (hum) to have an unlit cigarette in one's mouth; **jdm die ~e Schulter zeigen** to give sb the cold shoulder, to cold-shoulder sb; **~es Grausen** or **Entsetzen überkam mich** my blood ran cold; **es überlief ihn ~** cold shivers ran through him; **der ~e** or **K~e Krieg** the Cold War; **~er Krieger** cold warrior; **ein ~er Staatsstreich** a bloodless coup.

kaltbleiben vi sep irreg aux sein (fig) to remain unmoved or impassive; **Kaltblut** nt carthorse; **Kaltblüter** m -s, - (Zool) cold-blooded animal; **kaltblütig** adj 1. (fig) Mensch, Mord cold-blooded; (gelassen) Handlung cool; Mensch cool, cool-headed, calm; 2. (Zool) cold-blooded.

Kälte f -, no pl 1. (von Wetter, Material) cold; (~periode) cold spell. **die ~ des Stahls/Stein** the coldness or cold of the steel/stone; **fünf Grad ~** five degrees of frost or below freezing; **vor ~ zittern** to shiver with cold; **bei dieser ~** in this cold; **hier ist eine solche ~, daß ...** it is so cold here that ... 2. (fig) coldness, coolness.

Kälteanlage f refrigeration plant; **kältebeständig** adj cold-resistant; **Kälteeinbruch** m cold spell; **kälteempfindlich** adj sensitive to cold; Mensch auch chilly; **Kältegefühl** nt feeling of cold(ness); **Kältegrad** m degree of frost; **Kältemaschine** f refrigeration machine; **Kältepol** m (Geog) cold pole, pole of cold; **Kältetechnik** f refrigeration technology; **Kältetod** m den ~ **sterben** to freeze to death, to die of exposure; **Kältewelle** f cold spell.

Kalthaus nt refrigerated glasshouse; **kaltherzig** adj cold-hearted; **kaltlächelnd** adv (iro) cool as you please; **kaltlassen** vt sep irreg (fig) jdn ~ to leave sb cold; **Kaltleim** m wood glue; **Kaltluft** f (Met) cold air; **Kalt(luft)front** f (Met) cold front; **kaltmachen** vt sep (sl) to do in (inf); **Kaltmiete** f rent exclusive of heating; **Kaltschale** f (Cook) cold sweet soup; **kaltschnäuzig** adj (inf) (gefühllos) cold, unfeeling, callous; (unverschämt) insolent; Kritiker sarky (inf), sarcastic; **~ sagte sie ...** as cool as you please she said ...; **Kaltschweißen** nt cold weld; **Kaltstart** m (comput) cold start; **Kaltstartautomatik** f automatic choke; **kaltstellen** vt sep (inf a) jdn to demote, to put out of harm's way (inf); etw to chill.

Kalvarienberg [kal'va:riən-] m Calvary.

Kalvinismus [kalvi'nɪsmʊs] m Calvinism.

Kalvinist(in f) [kalvi'nɪst(ɪn)] m Calvinist.

kalvinistisch [kalvi'nɪstɪʃ] adj calvinist(ic).

Kalzium ['kaltsiʊm] nt, no pl (abbr Ca) calcium.

kam pret of kommen.

Kamarilla [kama'rɪlja, kama'rɪla] f -, Kamarillen (geh) political clique.

Kamee f -, -n [-eən] cameo.

Kamel nt -(e)s, -e 1. camel. eher geht ein

~ **durchs Nadelöhr ...** it is easier for a camel to go through the eye of a needle ...
2. (*inf*) clot (*Brit inf*), clown (*inf*). **ich ~!** silly *or* stupid me!

amelhaar *nt* (*Tex*) camel hair.

amelie [-iə] *f* camellia.

amelle *f usu pl* (*inf*) **das sind doch alte** *or* **olle ~n** that's old hat (*inf*).

ameltreiber *m* camel driver, cameleer; (*pej: Orientale*) wog (*pej*).

amera *f -, -s* camera.

amerad(in *f*) *m* **-en, -en** (*Mil*) comrade; (*Gefährte, Lebens~*) companion, friend; (*dated: Arbeits~*) workmate; (*dated: Freund*) friend, buddy (*inf*), chum (*inf*).

ameraderie *f* (*pej*) bonhomie.

ameradschaft *f* comradeship, camaraderie.

ameradschaftlich *adj* comradely.

ameradschaftsabend *m* reunion; **Kameradschaftsehe** *f* companionate marriage; **Kameradschaftsgeist** *m* spirit of comradeship, esprit de corps.

ameraeinstellung *f* shot; **Kamerafrau** *f* camerawoman; **Kameraführung** *f* camera work.

ameramann *m*, *pl* **Kameramänner** cameraman; **kamerascheu** *adj* camera-shy; **Kameraschwenk** *m* pan.

Kamerun *nt* **-s** the Cameroons *pl*.

Kamikaze *m -, -* Kamikaze.

Kamikaze-Angriff *m* Kamikaze attack; **Kamikaze-Flieger** *m* Kamikaze pilot.

Kamille *f -, -n* camomile.

Kamillentee *m* camomile tea.

Kamin *m or* (*dial*) *nt* **-s, -e 1.** (*Schornstein*) chimney; (*Abzugsschacht*) flue. **etw in den ~ schreiben** to write sth off.
2. (*offene Feuerstelle*) fireplace. **eine Plauderei am ~** a fireside chat; **wir saßen am** *or* **vor dem ~** we sat by *or* in front of the fire *or* round the hearth.
3. (*Geol: Fels~*) chimney.

Kaminfeuer *nt* open fire, fire in the grate; **Kamingarnitur** *f* fireside companion set; **Kaminkehrer** *m* **-s, -** (*dial*) chimney-sweep; **Kaminsims** *m or nt* mantelpiece.

Kamm *m* **-(e)s, ̈e 1.** (*für Haar, Webe~*) comb. **sich** (*dat*) **mit dem ~ durch die Haare fahren** to run a comb through one's hair; **alle/alles über einen ~ scheren** (*fig*) to lump everyone/everything together.
2. (*von Vogel, Eidechse*) comb; *siehe* **schwellen**.
3. (*von Pferd*) crest.
4. (*Cook*) (*Hammelfleisch*) (middle) neck; (*Schweinefleisch*) spare rib; (*Rindfleisch*) neck.
5. (*von Trauben*) stalk.
6. (*Gebirgs~*) crest, ridge; (*Wellen~*) crest.

kämmen I *vt* Haar, Baumwolle to comb; *Wolle auch* to card, to tease. **sie kämmte ihm die Haare** she combed his hair. **II** *vr* to comb one's hair.

Kammer *f -, -n* **1.** (*allgemein*) chamber; (*Parl auch*) house; (*Ärzte~, Anwalts~*) professional association; (*Herz~*) ven-

tricle; (*Mil*) store *usu pl*. **Erste/Zweite ~** Upper/Lower House.
2. (*Zimmer*) (small) room, box room; (*dial: Schlafzimmer*) bedroom.

Kammerbulle *m* (*Mil sl*) quartermaster; **Kammerdiener** *m* valet.

Kämmerei *f* **1.** (*Hist: Finanzverwaltung*) treasury (*old*); finance department. **2.** (*Tex*) combing works *sing or pl*.

Kämmerer *m* **-s, - 1.** (*Beamter*) finance officer. **2.** (*Hist, Eccl*) chamberlain.

Kammerfrau *f* (*Hist*) lady-in-waiting; **Kammergericht** *nt ≈* Supreme Court; **Kammerherr** *m* (*Hist*) chamberlain; **Kammerjäger** *m* (*Schädlingsbekämpfer*) pest controller; (*Leibjäger*) (head) gamekeeper; **Kammerjungfer** *f* lady-in-waiting; **Kammerkonzert** *nt* chamber concert.

Kämmerlein *nt* chamber. **im stillen ~** in private.

Kammermusik *f* chamber music; **Kammerorchester** *nt* chamber orchestra; **Kammersänger(in** *f*) *m*, **Kammerschauspieler(in** *f*) *m* (*Titel*) title formerly given by Duke, now by authorities, to singer/actor for excellence; **Kammerspiel** *nt* **1.** (*Schauspiel*) play for a studio theatre; *2.* (*Theater*) studio theatre; **Kammerton** *m* concert pitch; **Kammerzofe** *f* (*old*) chambermaid.

Kammgarn *nt* worsted; **Kammstück** *nt* (*Cook*) shoulder.

Kammuschel *nt getrennt* **Kamm-muschel** scallop.

Kampagne [kam'panjə] *f -, -n* **1.** campaign. **2.** (*bei Ausgrabungen*) stage.

Kämpe *m* **-n, -n** (*obs, iro*) (old) campaigner *or* soldier.

Kampf *m* **-(e)s, ̈e** fight, struggle (*um* for); (*Mil auch*) combat; (*Mil: Gefecht*) battle; (*Feindbegegnung*) engagement, encounter; (*Box~*) fight, bout, contest. **jdm/einer Sache den ~ ansagen** (*fig*) to declare war on sb/sth; **den ~/die ̈e einstellen** to stop fighting; **den ~ um etw verloren geben** to abandon the struggle for sth; **den ~ aufgeben** to give up the struggle; **den ~ abbrechen** (*Sport*) to stop the fight; **es kam zum ~** clashes occurred, fighting broke out; **auf in den ~!** (*hum*) once more unto the breach! (*hum*); **er ist im ~ gefallen** he fell in action *or* battle; **im ~ für die Freiheit/ Frankreich** in the struggle for freedom/ the battle for France; **der ~ ums Dasein** the struggle for existence; **der ~ der Geschlechter** the battle of the sexes; **der ~ um die Macht** the battle *or* struggle for power; **ein ~ auf Leben und Tod** a fight to the death; **~ dem Atomtod!** fight the nuclear menace!; **innere ̈e** inner conflicts.

Kampfabstimmung *f* vote; **es kam zur ~** they put it to the vote; **Kampfansage** *f* declaration of war; (*Sport*) announcement; **Kampfbahn** *f* sports stadium, arena; **Kampfbegier(de)** *f* (*liter*) bellicosity (*liter*); **kampfbereit** *adj* ready for battle; **Kampfeinsatz** *m* combat mission.

kämpfen I *vi* to fight, to struggle (*um, für*

for); (*Sport: angreifen*) to attack. **gegen etw** ~ to fight (against) sth; **die Rangers-Elf kämpft morgen gegen Celtic** Rangers are playing (against) Celtic tomorrow; **mit dem Tode** ~ to fight for one's life; **mit den Tränen** ~ to fight back one's tears; **gegen die Wellen** ~ to battle against the waves; **ich hatte mit schweren Problemen zu** ~ I had difficult problems to contend with; **ich habe lange mit mir** ~ **müssen, ehe ...** I had a long battle with myself before ...
II *vt* (*usu fig*) *Kampf* to fight.

Kampfer *m* **-s**, *no pl* camphor.

Kämpfer *m* **-s**, - (*Archit*) impost.

Kämpfer(in *f*) *m* **-s**, - fighter; (*Krieger auch*) warrior.

kämpferisch *adj* aggressive; *Spiel auch* attacking.

kampf|erprobt *adj* battle-tried.

Kampfeslust *f* pugnacity.

kampffähig *adj* (*Mil*) fit for action; *Boxer* fit to fight; **Kampfflugzeug** *nt* fighter (plane); **Kampfgeist** *m* fighting spirit; **Kampfgruppe** *f* task force; (*Mil auch*) combat group; **Kampfhahn** *m* (*lit, fig*) fighting cock; **Kampfhandlung** *f usu pl* clash *usu pl*; **Kampfhubschrauber** *m* helicopter gunship; **Kampfhund** *m* fighting dog; **Kampfkraft** *f* fighting strength; **kampflos** *adj* peaceful; **sich** ~ **ergeben** to surrender without a fight; **kampflustig** *adj* belligerent, pugnacious; **Kampfmaßnahme** *f* offensive measure; **~n ergreifen** to go onto the offensive; **Kampfpanzer** *m* combat tank; **Kampfplatz** *m* battlefield; (*Sport*) arena, stadium; **Kampfpreis** *m* **1.** (*in Wettkampf*) prize; **2.** (*Comm*) cut-throat price; **Kampfrichter(in** *f*) *m* (*Sport*) referee; (*Tennis*) umpire; (*Schwimmen, Skilaufen*) judge; **Kampfschrift** *f* broadsheet; **Kampfsport** *m* martial art; **Kampfstärke** *f* (*Mil*) combat strength; **Kampfstoff** *m* weapon, warfare agent; **Kampftag** *m* May Day; **kampfunfähig** *adj* (*Mil*) unfit for fighting *or* battle; (*Sport*) unfit; **einen Panzer/ein Schiff** ~ **machen** to put a tank/ship out of action, to cripple a tank/ship; ~ **schlagen** (*Boxen*) to put out of the fight; **Kampfwagen** *m* chariot.

kampieren* *vi* to camp (out). **im Wohnzimmer** ~ (*inf*) to doss down in the sitting room (*inf*).

Kanaan ['ka:naan] *nt* **-s** (*Bibl*) Canaan.

Kanada *nt* **-s** Canada.

Kanadier [-iɐ] *m* **-s**, - Canadian; (*Sport*) Canadian canoe.

Kanadierin [-iərɪn] *f* Canadian (woman/girl).

kanadisch *adj* Canadian.

Kanaille [ka'naljə] *f* **-**, **-n** (*dated pej*) (*gemeiner Mensch*) scoundrel, rascal; (*Pöbel, Mob*) rabble, canaille.

Kanake *m* **-n**, **-n** (*Südseeinsulaner*) Kanaka; (*pej: Ausländer, Südländer*) wop (*pej*), dago (*pej*).

Kanal *m* **-s**, **Kanäle 1.** (*Schiffahrtsweg*) canal; (*Wasserlauf*) channel; (*zur Bewässerung auch*) ditch; (*zur Entwässerung*) drain; (*für Abwässer*) sewer. **der (Är-**

mel)k~ the (English) Channel; **den** ~ **voll haben** (*sl*) (*betrunken sein*) to be canned (*sl*); (*es satt haben*) to have had a bellyful (*sl*). **2.** (*Radio, TV, fig: Weg*) channel. **dunkle Kanäle** dubious channels.

Kanalarbeiter *m* **1.** sewerage worker; **2.** *pl* (*fig Pol*) pressure group; **Kanaldeckel** *m* drain cover; **Kanaldurchquerung** *f* Channel crossing.

Kanalisation *f* **1.** (*für Abwässer*) sewerage system, sewers *pl*; (*das Kanalisieren*) sewerage installation. **2.** (*Begradigung eines Flußlaufes*) canalization.

kanalisieren* **I** *vt* *Fluß* to canalize; (*fig*) *Energie, Emotionen* to channel. **II** *vti* to install *or* lay sewers (in).

Kanaltunnel *m* channel tunnel.

Kanalüberquerung *f* Channel crossing.

Kanapee *nt* **-s**, **-s** (*old, hum*) sofa, couch.

Kanarienvogel [-ion-] *m* canary.

Kanarische Inseln *pl* Canaries *pl*, Canary Islands *pl*.

Kandare *f* **-**, **-n** (curb) bit. **jdn an die** ~ **nehmen** (*fig*) to take sb in hand.

Kandelaber *m* **-s**, - candelabra.

Kandidat(in *f*) *m* **-en**, **-en** candidate; (*bei Bewerbung auch*) applicant. **jdn als ~en aufstellen** to nominate sb, to put sb forward as a candidate.

Kandidatenliste *f* list of candidates.

Kandidatur *f* candidature, candidacy.

kandidieren* *vi* (*Pol*) to stand, to run (*für* for). **für das Amt des Präsidenten** ~ to stand *or* run for president.

kandiert *adj* *Frucht* candied.

Kandis(zucker) *m* - rock candy.

Känguruh ['kɛŋguru] *nt* **-s**, **-s** kangaroo.

Kanin *nt* **-s**, **-e** rabbit (fur).

Kaninchen *nt* rabbit. **sich wie** ~ **vermehren** (*inf*) to breed like rabbits.

Kaninchenbau *m* rabbit warren; **Kaninchenstall** *m* rabbit hutch.

Kanister *m* **-s**, - can; (*Blech~*) jerry can.

Kann-Bestimmung *f* (*Jur*) discretionary provision.

Kännchen *nt* (*für Milch*) jug; (*für Kaffee*) pot. **ein** ~ **Kaffee** a pot of coffee.

Kanne *f* **-**, **-n** can; (*Tee~, Kaffee~*) pot; (*Milch~*) churn; (*Öl~*) can, tin; (*Gieß~*) watering can.

kanneliert *adj* (*Archit*) fluted.

Kannibale *m* **-n**, **-n**, **Kannibalin** *f* cannibal.

kannibalisch *adj* cannibalistic; (*brutal*) rough. **ich habe ~en Hunger** (*hum inf*) I could eat a horse (*inf*).

Kannibalismus *m* cannibalism.

kannte *pret of* **kennen**.

Kanon *m* **-s**, **-s** (*alle Bedeutungen*) canon.

Kanonade *f* (*Mil*) barrage; (*fig auch*) tirade.

Kanone *f* **-**, **-n 1.** gun; (*Hist*) cannon; (*sl: Pistole*) rod (*US sl*), gat (*sl*), shooter (*sl*). **~n auffahren** (*lit, fig*) to bring up the big guns; **mit ~n auf Spatzen schießen** (*inf*) to take a sledgehammer to crack a nut. **2.** (*fig inf: Könner*) ace (*inf*). **3.** (*inf*) **das ist unter aller** ~ that defies description.

Kanonenboot *nt* gunboat; **Kanonen-**

bootdiplomatie f gunboat diplomacy; **Kanonendonner** m rumbling of guns; **Kanonenfutter** m (inf) cannon fodder; **Kanonenkugel** f cannon ball; **Kanonenofen** m cylindrical iron stove; **Kanonenrohr** nt gun barrel; **heiliges ~!** (inf) good grief (inf); **Kanonenschlag** m (Feuerwerkskörper) (fire)cracker.

anonier m -s, -e (Mil) gunner, artilleryman.

anoniker m -s, -, **Kanonikus** m -, **Kanonizi** (Eccl) canon.

anonisation f (Eccl) canonization.

anonisch adj (Eccl) canonical. **~es Recht** canon law.

anonisieren* vt (Eccl) to canonize.

Kanonisse f -, -n, **Kanonissin** f canoness.

anossa nt -s (fig) humiliation.

Kanossagang m: **einen ~ machen** or **antreten müssen** to eat humble pie.

Kantate f -, -n (Mus) cantata.

Kante f -, -n (eines Gegenstandes, einer Fläche) edge; (Rand, Borte) border; (Web~) selvedge. **wir legten die Steine ~ an ~** we laid the stones end to end; **etw auf ~ kleben** to stick sth with the edges flush; **Geld auf die hohe ~ legen** (inf) to put money by (inf) or away.

kanten vt **1.** to tilt. **nicht ~!** (bei Kisten) do not tilt!, this way up! **2.** (mit Kanten versehen) to trim, to edge. **3.** auch vi (Ski) to edge.

Kanthaken m: **jdn beim ~ nehmen** (inf) or **zu fassen kriegen** (inf) to haul sb over the coals (inf); **Kantholz** nt (piece of) squared timber.

kantig adj Holz edged, squared; Gesicht angular.

Kantilene f -, -n (Mus) cantilena.

Kantine f canteen.

Kantisch, kantisch adj Kantian.

Kanton m -s, -e canton.

Kantonist m: **ein unsicherer ~ sein** to be unreliable.

Kantor m choirmaster; (in Synagoge) cantor.

Kantorei f (church) choir.

Kantorin f choirmistress.

Kanu nt -s, -s canoe.

Kanüle f -, -n (Med) cannula.

Kanute m -n, -n, **Kanutin** f canoeist.

Kanzel f -, -n **1.** pulpit. **auf der ~** in the pulpit; **von der ~ herab** from the pulpit. **2.** (Aviat) cockpit. **3.** (eines Berges) promontory, spur. **4.** (Hunt) (look-out) platform.

Kanzeldach m canopy; **Kanzelredner(in** f) m orator.

Kanzlei f **1.** (Dienststelle) office; (Büro eines Rechtsanwalts, Notars) chambers pl. **2.** (Hist, Pol) chancellery.

Kanzleisprache f official language; **Kanzleistil** m (pej) officialese.

Kanzler(in f) m -s, - **1.** (Regierungschef) chancellor. **2.** (diplomatischer Beamter) chancellor, chief secretary. **3.** (Univ) vice-chancellor.

Kanzleramt nt (Gebäude) chancellery; (Posten) chancellorship; **Kanzleramtschef(in** f) m head of the chancellery; **Kanzlerberater(in** f) m adviser to the chancellor; **Kanzlerbonus** m advantage

of being the chancellor in power; **Kanzlerkandidat(in** f) m candidate for the post of chancellor.

Kaolin m or nt -s, -e kaolin.

Kap nt -s, -s cape, headland. **~ der Guten Hoffnung** Cape of Good Hope; **~ Hoorn** Cape Horn.

Kapaun m -s, -e capon.

Kapazität f capacity; (fig: Experte) expert, authority.

Kapee nt: **schwer von ~ sein** (inf) to be slow on the uptake (inf).

Kapelle f **1.** (kleine Kirche) chapel. **2.** (Mus) band, orchestra.

Kapellmeister(in f) m (Mus) director of music; (Mil, von Tanzkapelle) bandmaster, bandleader.

Kaper[1] f -, -n (Bot, Cook) caper.

Kaper[2] m -s, - (Naut) privateer.

Kaperbrief m letter of marque.

kapern vt (Naut) Schiff to seize, to capture; (fig inf) Ding to commandeer (inf), to grab; jdn to grab.

Kaperschiff nt privateer.

kapieren* vti (inf) to get (inf), to understand. **kapiert?** got it? (inf); **er hat schnell kapiert** he caught on quick (inf).

Kapillargefäß nt (Anat) capillary.

kapital adj **1.** (Hunt) Hirsch royal. **einen ~en Bock schießen** (fig) to make a real bloomer (inf). **2.** (grundlegend) Mißverständnis major.

Kapital nt -s, -e or -ien [-iən] **1.** (Fin) capital no pl; (pl: angelegtes ~) capital investments pl. **flüssiges** or **verfügbares ~** ready or available capital; **er ist mit 35% am ~ dieser Firma beteiligt** he has a 35% stake in this firm. **2.** (fig) asset. **aus etw ~ schlagen** (pej) (lit, fig) to make capital out of sth; (fig auch) to capitalize on sth.

Kapitalabfluß m, no pl capital outflow; **Kapitalabwanderung** f exodus of capital; **Kapitalanlage** f capital investment, investment of capital; **Kapitalanlagegesellschaft** f investment fund; **Kapitalbeteiligungsgesellschaft** f capital investment company; **Kapitaldecke** f capital resources pl; **Kapitaleinlage** f capital stock; **Kapitalertragssteuer** f capital gains tax; **Kapitalflucht** f flight of capital; **Kapitalgesellschaft** f (Comm) joint-stock company; **Kapitalgewinn** m capital gain; **kapitalintensiv** adj capital-intensive.

kapitalisieren* vt to capitalize.

Kapitalismus m capitalism.

Kapitalist(in f) m capitalist.

kapitalistisch adj capitalist.

Kapitalknappheit f capital shortage; **Kapitalmarkt** m money market; **Kapitalreserve** f capital surplus; **Kapitalsammelstelle** f institutional investor; **Kapitalstückkosten** pl (Econ) unit production costs pl; **Kapitalumsatz** m capital sales; **Kapitalverbrechen** nt serious crime; (mit Todesstrafe) capital crime or offence; **Kapitalversicherung** f (Insur) capital insurance.

Kapitän m -s, -e **1.** (Naut, Mil) captain; (esp auf kleinerem Schiff auch) skipper (*inf*); (*auf Handelsschiff auch*) master. ~ **zur See** (*Mil*) captain. **2.** (*Sport*) captain. **3.** (*Aviat*) captain.

Kapitänleutnant *m* lieutenant-commander.

Kapitänspatent *nt* master's certificate.

Kapitel *nt* **-s, -** **1.** chapter; (*fig auch*) period; (*Angelegenheit*) chapter of events, story. **ein dunkles ~ in seinem Leben** a dark chapter in his life; **das ist ein anderes ~** that's another story; **das ist ein ~ für sich** that's a story all to itself; **für mich ist dieses ~ erledigt** as far as I'm concerned the matter is closed. **2.** (*Eccl: Dom~*) chapter.

Kapitell *nt* **-s, -e** capital.

Kapitulation *f* (*von Armee, Land*) surrender, capitulation (*auch fig*) (*vor +dat* to, in the face of). **bedingungslose ~** unconditional surrender; **das ist eine ~ vor deinen Pflichten/Kindern** that's refusing to face up to your responsibilities/that's capitulating to your children.

kapitulieren* *vi* (*sich ergeben*) to surrender, to capitulate; (*fig: aufgeben*) to give up, to capitulate (*vor +dat* in the face of).

Kaplan *m* **-s, Kapläne** (*in Pfarrei*) curate; (*mit besonderen Aufgaben*) chaplain.

Kapo *m* **-s, -s 1.** (*Aufseher*) overseer; (*S Ger inf: Vorarbeiter*) gaffer (*inf*). **2.** (*Mil sl: Unteroffizier*) NCO; (*Feldwebel*) sarge (*sl*); (*Obergefreiter*) corp (*sl*).

Kapodaster *m* **-s, -** capo.

Kaposi *nt* **-(s), -s, Kaposi-Sarkom** *nt* **-s, -e** (*Med*) Kaposi's sarcoma.

Kappe *f* **-, -n** cap; (*Flieger~, Motorradmütze*) helmet; (*Narrenmütze*) jester's cap; carnival *or* fancy-dress hat; (*von Jude*) skullcap; (*von Füllfederhalter, Flaschen auch*) top; (*Schuh~*) (*vorne*) toe(cap); (*hinten*) heelpiece; **das nehme ich auf meine ~** (*fig inf*) I'll take the responsibility for that, on my head be it; **das geht auf meine ~** (*inf: ich bezahle*) that's on me.

kappen *vt* **1.** (*Naut*) Tau, Leine to cut; *Ast* to cut back, to trim; (*Med*) Mandeln to clip (off); (*fig inf*) Finanzmittel to cut (back). **2.** (*kastrieren*) Hähne to caponize.

Kappen|abend *m* carnival fancy-dress party *where fancy-dress hats are worn*.

Kappes *m* **-, -** (*dial: Kohl*) cabbage. **~ reden** (*inf*) to talk (a load of) rubbish *or* baloney (*sl*).

Käppi *nt* **-s, -s** cap.

Kaprice [ka'priːsə] *f* **-, -n** caprice.

Kapriole *f* **-, -n** capriole; (*fig*) caper. **~n machen** to cut capers.

kaprizieren* *vr* (*geh*) to insist (*auf +acc* on).

kapriziös *adj* (*geh*) capricious.

Kapsel *f* **-, -n** (*Etui*) container; (*Anat, Bot, Pharm, Space*) capsule; (*an einer Flasche*) cap; top; (*Spreng~*) detonator.

kaputt *adj* (*inf*) broken; *esp Maschine, Glühbirne etc* kaput (*sl*); (*erschöpft*) *Mensch* shattered (*inf*), done in (*inf*), knackered (*Brit sl*); *Ehe* broken; *Beziehungen, Gesundheit* ruined; *Nerven* shattered; *Firma* bust *pred* (*inf*). **das alte**

Auto/das Dach/ihre Ehe ist ~ (*irreparabel*) (*inf*) the old car/the roof/her marriage has had it (*inf*); **irgend etwas muß an deinem Auto ~ sein** something must be wrong with your car; **der Fernseher ist ~** (*vorläufig*) the TV is on the blink (*inf*); **mein ~es Bein** my gammy (*inf*) *or* bad leg; (*gebrochen*) my broken leg; **meine Hose ist ~** (*nicht mehr tragbar*) my trousers have had it (*inf*); (*zerrissen*) my trousers are torn *or* ripped; (*am Saum*) my trousers are coming apart; **die ~e Welt** this mess of a world; **ein ~er Typ** (*inf*) a wreck (*inf*).

kaputtfahren *vt sep irreg* (*inf*) (*überfahren*) to run over; *Auto* to drive *or* run into the ground, to knacker (*Brit sl*); (*durch Unfall*) to smash (up), to write off; **kaputtgehen** *vi sep irreg aux sein* (*inf*) to break; (*esp Maschine*) to go kaput (*sl*); (*esp Glühbirne, Elektronenröhre*) to go kaput (*sl*), to go phut (*inf*); (*Ehe*) to break up, to go on the rocks (*inf*) (*an +dat* because of); (*Beziehungen, Gesundheit, Nerven*) to be ruined, to go to pot (*inf*); (*Firma*) to go bust (*inf*), to fold up; (*Waschmaschine, Auto*) to break down, to pack up (*Brit inf*); (*Kleidung*) to come to pieces; (*zerrissen werden*) to tear; (*sl: sterben*) to kick the bucket (*inf*), to croak (*sl*); (*Blumen*) to die off; **in dem Büro gehe ich noch kaputt** this office will be the death of me (*inf*); **kaputtkriegen** *vt sep* (*inf*) Zerbrechliches to break; *Auto* to ruin; *jdn* to wear out; **das Auto/der Hans ist nicht kaputtzukriegen** this car/Hans just goes on for ever; **kaputtlachen** *vr sep* (*inf*) to die laughing (*inf*); **ich hätte mich ~ können** I nearly killed myself (*sl*); **kaputtmachen** *sep* (*inf*) **I** *vt* to ruin; *Zerbrechliches* to break, to smash; *Brücke, Sandburg* to knock down; (*erschöpfen*) *jdn* to wear out, to knacker (*Brit sl*); **diese ewigen Sorgen machen mich kaputt** these never-ending worries will be the death of me (*inf*); **II** *vr* (*sich überanstrengen*) to wear oneself out, to slog oneself into the ground (*inf*), to knacker oneself (*Brit sl*); **kaputtschlagen** *vt sep irreg* (*inf*) to break, to smash.

Kapuze *f* **-, -n** hood; (*Mönchs~*) cowl.

Kapuziner *m* **-s, -** (*Eccl*) Capucin (monk); (*Bot: auch ~kresse f*) nasturtium.

Kar *nt* **-(e)s, -e** corrie, cirque.

Karabiner *m* **-s, - 1.** (*Gewehr*) carbine. **2.** (*auch ~haken*) karabiner, snap link.

Karacho *nt* **-s, no pl: mit** *or* **im ~** (*inf*) at full tilt, hell for leather (*inf*); **er rannte/ fuhr mit ~ gegen die Wand** he ran/drove smack into the wall.

Karaffe *f* **-, -n** carafe; (*mit Stöpsel*) decanter.

Karambolage [karambo'laːʒə] *f* **-, -n** (*Aut*) collision, crash; (*Billard*) cannon.

Karambole *f* **-, -n** (*beim Billard*) red (ball).

karambolieren* *vi aux sein* (*beim Billard*) to cannon; (*rare: Autos*) to crash (*mit* into), to collide (*mit* with).

Karamel *m* **-s, no pl** caramel *no pl*.

Karamelle *f* caramel (toffee).

Karat nt -(e)s, -e or (bei Zahlenangabe) - (Measure) carat. **dieser Ring hat 9 ~** this ring is made of 9-carat gold.

Karate nt -(s), no pl karate.

Karavelle [kara'vɛlə] f caravel.

Karawane f -, -n caravan.

Karawanenstraße f caravan route.

Karbid nt -(e)s, -e carbide.

Karbidlampe f davy lamp.

Karbol nt -s, no pl, **Karbolsäure** f carbolic acid.

Karbonat nt carbonate.

karbonisieren* vt to carbonize; Getränke to carbonate.

Karbunkel m -s, - (Med) carbuncle.

Kardamom m -s, no pl cardamom.

Kardangelenk nt universal joint; **Kardantunnel** m transmission tunnel; **Kardanwelle** f prop(eller) shaft.

Kardinal m -s, **Kardinäle 1.** (Eccl) cardinal. **2.** (Orn) cardinal (bird).

Kardinalfehler m cardinal error; **Kardinaltugend** f (Philos, Rel) cardinal virtue; **Kardinalzahl** f cardinal (number).

Kardiogramm nt cardiogram; **Kardiologie** f cardiology; **kardiologisch** adj cardiological.

Karenztag m unpaid day of sick leave; **Karenzzeit** f waiting period.

Karfiol m -s, no pl (Aus) cauliflower.

Karfreitag m Good Friday.

Karfunkel(stein) m -s, - red precious stone such as ruby or garnet, carbuncle (stone).

karg adj **1.** (spärlich) Vorrat meagre, sparse; (unfruchtbar) Boden barren; (dürftig) Gehalt, Einkommen meagre. **~ möbliert** sparsely furnished; **~ leben** to lead a meagre existence.
2. (geizig) mean, sparing. **etw ~ bemessen** to be mean or stingy (inf) with sth; **die Portionen sind sehr ~ bemessen** they are very mean or stingy (inf) with the helpings.

kargen vi (sparsam sein) to stint (mit on), to scrimp and save (mit with); (knausern) to be mean or stingy (inf) (mit with); (mit Lob) to be grudging.

kärglich adj Vorrat meagre, sparse; Mahl frugal; (dürftig) Gehalt, Einkommen meagre. **sie leben ~** they lead a meagre existence.

Karibik f - **die ~** the Caribbean.

karibisch adj Caribbean. **das K~e Meer** the Caribbean Sea; **die K~en Inseln** the Caribbean Islands.

kariert adj Stoff, Muster checked, checkered (esp US); Papier squared. **red' nicht so ~!** (inf) don't talk such rubbish; **~ gucken** (inf) to look puzzled.

Karies ['kaːriɛs] f -, no pl caries.

Karikatur f caricature. **eine ~ von jdm/etw zeichnen** (lit) to draw a caricature of sb/sth; (lit, fig) to caricature sb/sth.

Karikaturist(in f) m cartoonist; (Personenzeichner auch) caricaturist.

karikaturistisch adj caricatural (form), caricature. **dieser Artikel ist ~** this article is a caricature.

karikieren* vt to caricature.

kariös adj Zahn carious, decayed.

Karitas f -, no pl (Nächstenliebe) charity.

karitativ adj charitable.

Karkasse f -, -n **1.** (Cook) carcass. **2.** (Aut: von Reifen) casing.

Karl m -s Charles. **~ der Große** Charlemagne.

Karma nt -s, no pl karma.

Karmeliter(in f) m -s, - Carmelite.

Karmesin nt -s, no pl crimson.

karmesin(rot) adj crimson.

karmin(rot) adj carmine (red).

Karneval ['karnəval] m -s, -e or -s carnival.

Karnevalszug m carnival procession.

Karnickel nt -s, - (inf) **1.** bunny (rabbit) (inf), rabbit. **2.** (hum: Schuldiger) scapegoat.

karnivor [karni'voːɐ] adj (Biol) carnivorous.

Kärnten nt -s Carinthia.

Karo nt -s, -s (Quadrat) square; (auf der Spitze stehend) diamond, lozenge; (Muster) check; (diagonal) diamond; (Cards) diamonds pl.

Karo- in cpds (Cards) of diamonds.

Karolinger m -s, - Carolingian.

karolingisch adj Carolingian. **K~e Minuskeln** Caroline minuscule.

Karomuster nt checked or chequered (esp US) pattern.

Karosse f -, -n (Prachtkutsche) (state) coach; (fig: großes Auto) limousine.

Karosserie f bodywork.

Karosseriebauer(in f) m coachbuilder; **Karosserieschaden** m damage to the bodywork; **Karosserieschlosser(in** f) m panelbeater; **Karosseriewerkstatt** f body (repair) shop.

Karotin nt -s, -e carotene, carotin.

Karotte f -, -n (small) carrot.

Karpaten pl Carpathian Mountains pl, Carpathians pl.

Karpfen m -s, - carp.

Karpfenteich m carp pond.

Karre f -, -n **1.** siehe **Karren. 2.** (inf: klappriges Auto) (old) crate (inf) or heap (inf).

Karree nt -s, -s **1.** (Viereck) rectangle; (Rhombus) rhombus; (Quadrat) square; (Formation: esp Mil) square. **2.** (Häuserblock) block. **einmal ums ~ gehen** to walk round the block. **3.** (esp Aus: Cook) loin.

Karren m -s, - **1.** (Wagen) cart; (esp für Garten, Baustelle) (wheel)barrow; (für Gepäck etc) trolley. **ein ~ voll Obst** a cartload of fruit.
2. (fig inf) **jdm an den ~ fahren** to take sb to task; **den ~ einfach laufen lassen** to let things go or slide; **den ~ in den Dreck fahren** to ruin things, to get things in a mess; **der ~ ist hoffnungslos verfahren, der ~ steckt im Dreck** we/they etc are really in a mess; **den ~ aus dem Dreck ziehen** or **wieder flottmachen** to put things back on the rails, to get things sorted out.

karren I vt to cart. **jdn ~** (inf: mit Auto) to give sb a lift, to drive sb. **II** vi aux sein (inf: mit dem Auto) to drive (around).

Karrengaul m (pej) (old) nag.

Karrette f (Sw) (Schubkarre) (hand)cart, trolley.

Karriere [ka'riːrə, -iːrə] f -, **-n 1.** (Laufbahn) career. **~ machen** to make a career for oneself. **2.** (voller Galopp) (full)
gallop. **~ reiten** to gallop, to ride at a
gallop.
karrieredienlich adj career-enhancing;
Karrierefrau f career woman; **Karrie-
reknick** m **es kam zu einem ~** his/her
career took a downturn; **Karriere-
macher(in** f) m careerist.
Karrierist(in f) m careerist.
Kärner|arbeit f hard labour or toil.
Karsamstag m Easter Saturday, Holy
Saturday.
Karst m **-(e)s, -e** (Geog, Geol) karst.
karstig adj karstic.
Kartätsche f -, **-n 1.** (Mil) case shot. **2.**
(Build) plasterer's float, darby.
Kartause f -, **-n** chartreuse, Carthusian
monastery.
Karte f -, **-n 1.** (Post~, Kartei~, Loch~,
Visiten~ etc, auch Comput) card.
   2. (Fahr~, Eintritts~) ticket; (Einla-
dungs~) invitation (card); (Bezugsschein) coupon; (Mitglieds~) (membership) card. **die ~n, bitte!** tickets,
please!
   3. (Land~) map; (See~) chart. **~n lesen** to map-read.
   4. (Speise~) menu; (Wein~) wine list.
nach der ~ à la carte.
   5. (Spiel~) (playing) card. **jdm die ~
lesen** to tell sb's fortune from the cards;
mit offenen ~n spielen (lit) to play with
one's cards on the table; (fig) to put
one's cards on the table; **er spielt mit
verdeckten ~n** (fig) he's playing his
cards or it very close to his chest; **du solltest deine ~n aufdecken** (fig) you ought
to show your hand or put your cards on
the table; **alle ~n in der Hand halten**
(fig) to hold all the cards; **er läßt sich
nicht in die ~n sehen** or **gucken** (fig) he's
playing it close to his chest; **jdm in die
~n sehen** (lit) to look or take a look at
sb's cards; **alles auf eine ~ setzen** (lit) to
stake everything on one card; (fig) to
stake everything on one chance; (andere
Möglichkeiten ausschließen) (prov); **du hast
auf die falsche ~ gesetzt** (fig) you backed
the wrong horse; **schlechte/gute ~n haben** to have a bad/good hand; (fig) to be
in a difficult/strong position.
Kartei f card file, card index.
Karteikarte f file or index card; **Kartei-
kasten** m file-card box; **Karteileiche** f
(inf) sleeping or non-active member; **die
meisten Mitglieder sind bloß ~n** most of
the members are just names on the files;
Karteischrank m filing cabinet.
Kartell nt **-s, -e 1.** (Comm) cartel.
   2. (Interessenvereinigung) alliance;
(pej) cartel.
Kartellamt nt monopolies or anti-trust
commission (Brit); **Kartellgesetz** nt
monopolies or anti-trust law; **Kar-
tellgesetzgebung** f anti-trust legislation.
Kartenblatt nt map, (map)sheet; **Kar-
tenhaus** nt **1.** house of cards; **wie ein ~
zusammenstürzen** or **in sich zusammen-**

fallen to collapse like a house of cards;
2. (Naut) chart room; **Karten-
kunststück** nt card trick; **Kartenlegen**
nt **-s 1.** (Wahrsagen) fortune-telling
(using cards), reading the cards, carto-
mancy (form); **2.** (Patience) patience;
Kartenleger(in f) m **-s, -** fortune-teller
(who reads cards); **Kartenleselampe** f
(Aut) mapreading lamp; **Kartenlesen** nt
(von Landkarten) map-reading;
Kartenspiel nt **1.** (das Spielen) card-
playing; (ein Spiel) card game; **beim ~**
when playing cards; **2.** (Karten) pack or
deck (of cards); **Kartentelefon** nt card-
phone; **Kartenvorverkauf** m advance
sale of tickets; advance booking office;
Kartenwerk nt map book, book of
maps; **Kartenzeichen** nt (map) symbol;
Kartenzeichner(in f) m cartographer,
mapmaker.
kartesianisch, kartesisch adj Cartesian.
Karthager(in f) m **-s, -** Carthaginian.
Karthago nt **-s** Carthage.
kartieren* vt Gebiet to map out; (in Kartei einordnen) to file.
Kartoffel f -, **-n 1.** potato. **rin in die ~n,
raus aus die ~n** (sl) first it's one thing,
then (it's) another, you're/he's etc always chopping and changing; **etw/jdn
fallen lassen wie eine heiße ~** (inf) to
drop sth/sb like a hot potato. **2.** (inf)
(Nase) hooter (Brit inf), conk (inf).
Kartoffel- in cpds potato; **Kartoffelbrei** m
mashed potatoes pl; **Kartoffelchips** pl
potato crisps pl (Brit), potato chips pl
(US); **Kartoffelferien** pl (inf) autumn
holiday(s); **Kartoffelfeuer** nt fire made
from dried potato leaves etc with general
celebration after potato harvest; **Kar-
toffelkäfer** m Colorado beetle; **Kar-
toffelkraut** nt potato foliage or leaves;
Kartoffelpuffer m potato fritter; **Kar-
toffelpüree** nt mashed potatoes pl; **Kar-
toffelsalat** m potato salad; **Kartof-
felschalen** pl potato-skin; (abgeschält)
potato peel(ings); **Kartoffelschäler** m
potato peeler; **Kartoffelstampfer** m potato masher.
Kartograph(in f) m cartographer.
Kartographie f cartography.
kartographisch adj cartographical.
Karton [kar'tɔŋ, kar'tõ:, kar'tɔːn] m **-s, -s
1.** (steifes Papier, Pappe) card, cardboard. **ein ~** a piece of cardboard. **2.**
(Schachtel) cardboard box. **3.** (Art)
cartoon. **4.** (Leerblatt) blank page for
one's own notes.
Kartonage [karto'naːʒə] f -, **-n** (Verpak-
kung) cardboard packaging.
kartonieren* vt Bücher to bind in board.
kartoniert paperback.
Kartothek f -, **-en** card file, card index.
Kartusche f -, **-n 1.** (Archit, Her) car-
touche. **2.** cartridge; (Hist Mil: Patronentasche) ammunition pouch.
Karussell nt **-s, -s** or **-e** merry-go-round,
roundabout (Brit), carousel. **~ fahren** to
have a ride on the merry-go-round.
Karwoche f (Eccl) Holy Week.
Karyatide f -, **-n** (Archit) caryatid.
Karzer m **-s, -** (Hist) **1.** (Zelle) detention
cell (in school or university). **2.** (Strafe)

detention.

Karzinogen nt -s, -e carcinogen.

karzinogen adj (Med) carcinogenic.

Karzinologie f (Med) oncology.

Karzinom nt -s, -e (Med) carcinoma, malignant growth.

Kasachstan nt -s Kazakhstan.

Kasack m -s, -s tunic.

Kaschemme f -, -n low dive.

kaschen vt (inf) to catch; (verhaften) to nab (inf).

kaschieren* vt **1.** (fig: überdecken) to conceal. **2.** Bucheinband to laminate.

Kaschmir¹ nt -s (Geog) Kashmir.

Kaschmir² m -s, -e (Tex) cashmere.

Käse m -s, - **1.** cheese. **weißer ~** curd cheese; **~ schließt den Magen** cheese rounds off a meal nicely; **nach ~ schmecken** to taste cheesy. **2.** (inf: Unsinn) rubbish, twaddle (inf).

Käse- in cpds cheese; **Käseblatt** nt (inf) local rag (inf); **Käsebrot** nt bread and cheese; **Käsebrötchen** nt cheese roll; **Käsegebäck** nt cheese savouries pl; **Käseglocke** f cheese cover; (fig) dome; **Käsehobel** m cheese slice.

Kasein nt -s, -e casein.

Käsekuchen m cheesecake.

Kasel f -, -n (Eccl) chasuble.

Kasematte f -, -n casemate.

Käseplatte f cheese board.

Käserei f **1.** (~betrieb) cheese dairy. **2.** (Käseherstellung) cheese-making.

Kaserne f -, -n barracks pl.

Kasernenhof m barrack square; **Kasernenhofton** m: **es herrscht ein richtiger ~** it's like being on the parade ground.

kasernieren* vt Truppen to quarter in barracks; Flüchtlinge, Obdachlose etc to quarter, to billet.

Käsestange f cheese straw; **Käsetorte** f cheesecake; **käseweiß** adj (inf) white or pale (as a ghost).

käsig adj **1.** (fig inf) Gesicht, Haut pasty, pale; (vor Schreck) white, pale. **2.** (lit) cheesy.

Kasino nt -s, -s **1.** (Spielbank) casino. **2.** (Offiziers~) (officers') mess or club; (Speiseraum) dining room, cafeteria.

Kaskade f **1.** (Wasserfall) waterfall, cascade (poet); (in Feuerwerk) cascade. **die Wasser stürzen in ~n hinab** the waters cascade down. **2.** (Zirkussprung) acrobatic leap.

Kaskoversicherung f (Aut) (Teil~) ≃ third party, fire and theft insurance; (Voll~) fully comprehensive insurance.

Kasper m -s, -, **Kasperl** m or nt -s, -(n) (Aus, S Ger), **Kasperle** m or nt -s, - (S Ger) **1.** (im Puppenspiel) Punch. **2.** (inf) clown (inf), fool.

Kasperlefigur f glove puppet; **Kasperletheater** nt Punch and Judy (show); (Gestell) Punch and Judy theatre.

kaspern vi (inf) to clown (inf) or fool around.

Kaspisches Meer nt Caspian Sea.

Kassa f -, **Kassen** (esp Aus) siehe Kasse 1.

Kassageschäft nt (Comm) cash transaction; (St Ex) spot transaction.

Kassandraruf m (geh) prophecy of doom, gloomy prediction.

Kassation f (Jur) quashing, reversal; (von Urkunde) annulment.

Kasse f -, -n **1.** (Zahlstelle) cashdesk, till, cash point; (Zahlraum) cashier's office; (Theat) box office; (in Bank) cash point, cashdesk; (in Supermarkt) check-out. **an der ~** (in Geschäft) at the till.
2. (Geldkasten) cashbox; (in Läden) cash register, till; (Geldmittel) coffers pl; (bei Spielen) kitty; (in einer Spielbank) bank. **in die ~ greifen** (inf) to dip into the till or cashbox; **der Film hat volle ~n gemacht** the film was a big box-office success; **die ~n klingeln** the tills are ringing, the money is really rolling in.
3. (Bargeld) cash. **bei ~ sein** (inf) to be flush (inf) or in the money (inf); **knapp/gut/schlecht bei ~ sein** (inf) to be short of cash or out of pocket/well-off/ badly-off; **~ machen** to check one's finances; (im Geschäft) to cash up; (inf: gut verdienen) to be raking it in (inf), to make a bomb (sl); **die ~ führen** to be in charge of the money; **die ~ stimmt!** (inf) the money's OK (inf); **ein Loch in die ~ reißen** (fig) to make a dent or hole in one's finances; **zur ~ bitten** to ask for money; **jdn zur ~ bitten** to ask sb to pay up.
4. (inf: Spar~) (savings) bank.
5. siehe Krankenkasse.

Kasseler nt -s, - lightly smoked pork loin.

Kassenabschluß m cashing-up; **~ machen** to cash up; **Kassenarzt** m, **Kassenärztin** f doctor who treats members of sickness insurance schemes; ≃ National Health general practitioner (Brit); **Kassenautomat** m cash dispenser (Brit), automatic teller; **Kassenbeleg** m sales receipt or check (US); **Kassenbericht** m financial report; (in Verein auch) treasurer's report; **Kassenbestand** m cash balance, cash in hand; **Kassenbon** m sales slip or receipt; **Kassenbuch** nt cashbook; **Kassenerfolg** m (Theat etc) box-office hit; **Kassenführer(in** f) m treasurer; **Kassenobligation** f (St Ex) medium-term bond; **Kassenpatient** m patient insured under a health insurance scheme; **Kassenprüfung** f audit; **Kassenrekord** m record takings pl; **Kassenschlager** m (inf) (Theat etc) box-office hit; (Ware) big seller; **Kassenstand** m (Comm) cash in till; **Kassenstunden** pl hours of business (of cashier's office etc); **Kassensturz** m (Comm) cashing-up; **~ machen** to check one's finances; (Comm) to cash up; **Kassenterminal** nt sales point; **Kassenwart** m -s, -e, **Kassenwärtin** f treasurer; **Kassenzettel** m sales slip.

Kasserolle f -, -n saucepan; (mit Henkeln) casserole.

Kassette f **1.** (Kästchen) case, box.
2. (für Bücher) slipcase; (Bücher in ~) set, pack (Comm); (Geschenk~) gift case/set; (für Schallplatten) box; set; (Tonband~, Filmkamera) cassette; (Aufbewahrungs~) container; (für Bücher) library case; (für Film) can.
3. (Archit) coffer.

Kassettendeck *nt* cassette deck; **Kassettendecke** *f* coffered ceiling; **Kassettenfilm** *m* (*Phot*) cartridge film; **Kassettenrecorder** *m* cassette recorder.

Kassier *m* -s, -e (*S Ger, Aus, Sw*) siehe Kassierer(in).

kassieren* I *vt* 1. *Gelder* to collect (up), to take in; (*inf*) *Abfindung, Finderlohn* to pick up (*inf*). **nach seinem Tode kassierte sie 50.000 Mark** (*inf*) after his death she collected 50,000 marks; **bei jedem Verkauf kassiert er eine Menge Geld** (*inf*) he makes a packet on every sale (*inf*). 2. (*inf: wegnehmen*) to take away, to confiscate. 3. (*inf: verhaften*) to nab (*inf*). 4. (*Jur*) *Urteil* to quash.
II *vi* 1. (*abrechnen*) to take the money. **bei jdm ~** to collect *or* get money from sb; **Sie haben bei mir schon kassiert** I've paid already; **darf ich ~, bitte?** would you like to pay now? 2. (*inf: Geld einnehmen*) to take the money; (*verdienen*) to make money. **seit Willi seine Würstchenbude hat, kassiert er ganz schön** since Willi has had his sausage stall, he's really been raking it in (*inf*) *or* making a bomb (*sl*); **bei diesem Geschäft hat er ganz schön kassiert** he cleaned up very nicely on this deal (*inf*).

Kassierer(in *f*) *m* -s, - cashier; (*Bank~*) clerk, teller; (*Einnehmer*) collector; (*eines Klubs*) treasurer.

Kastagnette [kastan'jɛtə] *f* castanet.

Kastanie [-iə] *f* chestnut; (*Roß~*) (horse)chestnut; (*Edel~*) (sweet) chestnut. **für jdn die ~n aus dem Feuer holen** (*fig*) to pull sb's chestnuts out of the fire.

Kastanien- [-iən]: **Kastanienbaum** *m* chestnut tree; **kastanienbraun** *adj* maroon; *Pferd, Haar* chestnut.

Kästchen *nt* 1. (*kleiner Kasten*) small box; (*für Schmuck*) case, casket. 2. (*auf kariertem Papier*) square.

Kaste *f* -, -n caste.

kasteien* *vr* (*als Bußübung*) to castigate *or* chastise oneself, to mortify the flesh (*liter*); (*sich Entbehrungen auferlegen*) to deny oneself.

Kasteiung *f* castigation, mortification of the flesh; self-denial.

Kastell *nt* -s, -e (small) fort; (*Naut, Hist*) castle.

Kastellan *m* -s, -e (*Aufsichtsbeamter, Hausmeister*) steward; (*old dial: in Schulen*) janitor, caretaker; (*Hist: Schloßvogt*) castellan.

Kasten *m* -s, ⸚ 1. box; (*Kiste*) crate, case; (*Truhe*) chest; (*Aus: Schrank*) cupboard; (*Brief~*) postbox, letterbox; (*Schau~*) showcase, display case; (*Brot~*) breadbin; (*Sport: Gerät*) box. 2. (*inf*) (*altes Schiff*) tub (*inf*); (*alter Wagen, Flugzeug*) crate (*inf*); (*altes großes Haus*) barrack(s) *or* barn (of a place) (*inf*); (*Radio, Fernsehapparat*) box (*inf*). 3. (*inf: großer, breiter Mann*) heavyweight (*inf*), big bloke (*Brit inf*). 4. (*inf*) **er hat viel auf dem ~** he's

brainy (*inf*). 5. (*inf: Fußballtor*) goal. **wer geht in den ~?** who's going in goal?

Kastenform *f* (*Cook*) (square) baking tin; **Kastengeist** *m* (*Sociol, Rel*) caste spirit; (*von Cliquen*) clannishness, cliquishness; **Kastenwagen** *m* (*Aut*) van, truck, panel truck (*US*); (*auf Bauernhof*) box cart; **Kastenwesen** *nt* caste system.

Kastilien [-iən] *nt* -s Castile.

Kastrat *m* -en, -en eunuch; (*Mus Hist*) castrato.

Kastration *f* castration.

Kastrationsangst *f* fear of castration; **Kastrationskomplex** *m* castration complex.

kastrieren* *vt* (*lit, fig*) to castrate; *Tiere auch* to geld.

Kasuistik *f* casuistry.

kasuistisch *adj* casuistic.

Kasus *m* -, - (*Gram*) case.

Kasusbildung *f* case formation, declension; **Kasusendung** *f* (case) ending.

Kata- *in cpds* cata-; **Katafalk** *m* -s, -e catafalque; **Katakombe** *f* -, -n catacomb.

Katalane *m* -n, -n, **Katalanin** *f* Catalan.

Katalanien [-iən] *nt* -s Catalonia.

Katalanisch(e) *nt* Catalan; *siehe auch* Deutsch(e).

Katalog *m* -(e)s, -e catalogue.

katalogisieren* *vt* to catalogue.

Katalogisierung *f* cataloguing.

katalogmäßig *adj Liste* catalogued. **er erfaßte seine Funde ~** he made a catalogue of *or* catalogued his finds.

Katalonien [-iən] *nt* -s Catalonia.

Katalysator *m* (*lit, fig*) catalyst; (*Aut*) catalytic converter. **Dreiwege~** three-way catalytic converter.

Katalysatorauto *nt* car fitted with a catalytic converter; **Katalysator-Modell** *nt* model with a catalytic converter.

Katalyse *f* -, -n (*Chem*) catalysis.

katalytisch *adj* catalytic.

Katamaran *m* -s, -e catamaran.

Katapult *nt or m* -(e)s, -e catapult.

katapultieren* I *vt* to catapult. II *vr* to catapult oneself; (*Pilot*) to eject.

Katarakt *m* -(e)s, -e cataract.

Katarrh *m* -s, -e catarrh.

Kataster *m or nt* -s, - land register, cadaster (*spec*).

Katasteramt *nt* cadastral office.

katastrophal *adj* disastrous; *Auswirkungen auch* catastrophic; (*haarsträubend schlecht auch*) atrocious. **der Mangel an Brot ist ~ geworden** the bread shortage has become catastrophic; **das Zimmer sieht ja ~ aus** the room looks absolutely disastrous.

Katastrophe *f* -, -n disaster, catastrophe; (*Theat, Liter*) catastrophe, (tragic) dénouement. **der ist eine ~** (*inf*) he's a real disaster (area) (*inf*) or catastrophe (*inf*).

Katastrophenabwehr *f* disaster prevention; **Katastrophenalarm** *m* emergency alert; **Katastrophendienst** *m* emergency service; **Katastropheneinsatz** *m* duty *or* use in case of disaster; **für den ~** for use in case of disaster; **Katastrophengebiet** *nt* disaster area; **Katastrophenopfer** *nt* disaster victim; **Kata-**

strophenschutz *m* disaster control; (*im voraus*) disaster prevention.

Katatonie *f* (*Psych*) catatonia.

Kate *f* -, -n (*N Ger*) cottage, croft (*Scot*).

Katechese *f* -, -n catechesis.

Katechet(in *f*) *m* -en, -en catechist.

Katechismus *m* catechism.

Kategorie *f* category. **er gehört auch zur ~ derer, die ...** he's one of those *or* of that sort who ...

kategorisch *adj* categorical, absolute; *Ablehnung auch* flat. **der K~e Imperativ** the categorical imperative; **ich weigerte mich ~** I refused outright, I absolutely refused; **er lehnte ~ ab** he categorically refused; **... erklärte er ~ ...** he declared emphatically.

kategorisieren* *vt* to categorize.

Kater *m* -s, - **1.** tom(cat). **wie ein verliebter ~** like an amorous tomcat; *siehe* **gestiefelt. 2.** (*Katzenjammer*) hangover.

Katerfrühstück *nt* breakfast (*of pickled herring etc*) to cure a hangover; **Kater-stimmung** *f* depression, the blues *pl* (*inf*).

kath. *abbr of* katholisch.

Katharsis *f* -, *no pl* (*Liter, fig*) catharsis.

kathartisch *adj* (*Liter, fig*) cathartic.

Katheder *m or nt* -s, - (*in Schule*) teacher's desk; (*in Universität*) lectern. **etw vom ~ herab erklären** to declare sth ex cathedra (*hum, form*).

Kathedrale *f* -, -n cathedral.

Katheter *m* -s, - (*Med*) catheter.

Kathode *f* -, -n (*Phys*) cathode.

Kathodenstrahlen *pl* (*Phys*) cathode rays *pl*.

Kathole *m* -n, -n (*inf pej*) Catholic, Papist (*pej*).

Katholik(in *f*) *m* -en, -en (Roman) Catholic.

katholisch *adj* (Roman) Catholic. **sie ist streng ~** she's a strict Catholic; **jdn ~ erziehen** to bring sb up (as) a Catholic.

Katholizismus *m* (Roman) Catholicism.

Kat-Modell *nt* (*Aut*) *abbr of* Katalysator-Modell.

Kattun *m* -s, -e (*old*) cotton, calico.

katzbalgen *vr* to romp around.

Katzbalgerei *f* romping.

katzbuckeln *vi* (*pej inf*) to bow and scrape, to grovel.

Kätzchen *nt* **1.** (*junge Katze, inf: Mädchen*) kitten; (*Katze*) pussy (*inf*). **2.** (*Bot*) catkin.

Katze *f* -, -n cat. **meine Arbeit war für die Katz** (*fig*) my work was a waste of time; **das hat die ~ gefressen** (*fig*) the fairies took it (*hum inf*); **Katz und Maus mit jdm spielen** to play cat and mouse with sb; **wie die ~ um den heißen Brei herum-schleichen** to beat about the bush; **die ~ aus dem Sack lassen** (*inf*) to let the cat out of the bag; **die ~ im Sack kaufen** to buy a pig in a poke (*prov*); **die ~ läßt das Mausen nicht** (*Prov*) the leopard cannot change its spots (*Prov*); **bei Nacht sind alle ~n grau** all cats are grey at night; **wenn die ~ aus dem Haus ist, tanzen die Mäuse (auf dem Tisch)** (*Prov*) when the cat's away the mice will play (*Prov*).

Katzelmacher *m* (*S Ger, Aus: pej: Italiener*) Eyetie (*pej*).

Katzenauge *nt* **1.** (*Straßenmarkierung*) cat's-eye; (*Rückstrahler*) reflector; **2.** (*Min*) cat's-eye; **Katzenbuckel** *m* arched back (of a cat); **einen ~ machen** to arch one's back; **katzenfreundlich** *adj* (*pej*) overfriendly; **katzenhaft** *adj* cat-like, feline; **Katzenhai** *m* dogfish; **Katzenjammer** *m* (*inf*) **1.** (*Kater*) hangover; **2.** (*jämmerliche Stimmung*) depression, the blues *pl* (*inf*); **ich habe ~** I feel down (in the dumps) (*inf*), I've got the blues (*inf*); **Katzenkopf** *m* (*fig*) **1.** (*Kopfstein*) cobble(stone); **2.** (*Sch: Schlag*) cuff (on the head), box round the ears; **Katzenmusik** *f* (*fig*) caterwauling, din, racket (*inf*); **Katzensprung** *m* (*inf*) stone's throw; **Katzenstreu** *f* cat litter; **Katzentisch** *m* (*hum*) children's table; **Katzenwäsche** *f* (*hum inf*) a lick and a promise (*inf*), a cat's lick (*inf*); **~ machen** to give oneself a lick and a promise; **Katzenzunge** *f* (*Schokolade*) langue de chat.

Katz-und-Maus-Spiel *nt* cat-and-mouse game.

Kauapparat *m* masticatory apparatus; **Kaubewegung** *f* chewing movement.

Kauderwelsch *nt* -(s), *no pl* (*pej*) (*Fach- oder Geheimsprache*) lingo (*inf*), jargon; (*Gemisch aus mehreren Sprachen/ Dialekten*) hotchpotch *or* mishmash (of different languages/dialects); (*unver-ständliche Sprache*) double dutch, gibberish.

kauderwelschen *vi siehe n* to talk jargon; to talk a hotchpotch *or* mishmash (of different languages/dialects); to talk double dutch *or* gibberish.

kauen I *vt* to chew; (*Med, form*) to masticate; *Nägel* to bite, to chew; *Wein* to taste.

II *vi* to chew. **an etw** (*dat*) **~** to chew (on) sth; **an den Nägeln ~** to bite *or* chew one's nails; **daran hatte ich lange zu ~** (*fig*) it took me a long time to get over it; **daran wird er zu ~ haben** (*fig*) that will really give him food for thought *or* something to think about; **gut gekaut ist halb verdaut** (*Prov*) you should chew your food properly; **das K~** chewing; (*Med, form*) mastication.

kauern *vir* (*vi auch aux sein*) to crouch (down); (*ängstlich*) to cower; (*schutz-suchend*) to be huddled (up).

Kauf *m* -(e)s, **Käufe** (*das Kaufen*) buying *no pl*, purchase (*esp form*), purchasing *no pl* (*esp form*); (*das Gekaufte*) purchase (*esp form*), buy. **das war ein günstiger ~** that was a good buy; **mit diesem Anzug machen Sie bestimmt einen guten ~** this suit is definitely a good buy; **ein ~ auf Kredit** a credit purchase; **etw zum ~ anbieten** to offer sth for sale; **einen ~ abschließen** *or* **tätigen** (*form*) to complete a purchase; **etw durch ~ er-werben** (*form*) to purchase sth; **etw in ~ nehmen** (*fig*) to accept sth.

Kaufabsicht *f* intention to buy; **Kauf-auftrag** *m* purchasing *or* buying order; **Kaufbereitschaft** *f* willingness to buy;

Kaufbrief *m* deed of purchase; (*esp für Grundstücke*) title deed.

kaufen I *vt* **1.** (*auch sich* (*dat*) ~) to buy, to purchase (*esp form*). **ich kauf' dir ein Geschenk** I'll buy you a present *or* a present for you; **ich habe (mir) einen neuen Anzug gekauft** I bought (myself) a new suit; **diese Zigaretten werden viel/nicht gekauft** we sell a lot of these cigarettes/ nobody buys these cigarettes; **dafür kann ich mir nichts ~** (*iro*) what use is that to me!, that's a fat lot of use! (*inf*).
2. (*bestechen*) *jdn* to bribe, to buy off; *Spiel* to fix; *Stimmen* to buy. **der Sieg war gekauft** it was fixed.
3. **sich** (*dat*) **jdn ~** (*inf*) to give sb a piece of one's mind (*inf*); (*tätlich*) to fix sb (*inf*).
4. *auch vi* (*Cards*) to buy.
II *vi* to buy; (*Einkäufe machen*) to shop. **auf dem Markt kauft man billiger** it is cheaper to shop *or* you can buy things cheaper at the market; **das K~** buying, purchasing (*esp form*).

Käufer(in *f*) *m* **-s, -** buyer, purchaser (*esp form*); (*Kunde*) customer, shopper.

Kauffahrer *m* (*Hist*) merchant ship, merchantman; **Kauffrau** *f* businesswoman; **Kaufhaus** *nt* department store; **Kaufhausdetektiv(in** *f*) *m* store detective; **Kaufkraft** *f* (*von Geld*) buying *or* purchasing power; (*vom Käufer*) spending power; **kaufkräftig** *adj* ~**e Kunden** customers with money to spend.

Kaufkraftschwund *m* drop in purchasing power; **Kaufkraftüberhang** *m* excess *or* surplus (consumer) spending power; **Kaufkraftverlust** *m* loss of purchasing power.

Kaufladen *m* **1.** (*rare: Ladengeschäft*) (small) shop; **2.** (*Spielzeug*) toy shop; **Kaufleute** *pl* of **Kaufmann**.

käuflich *adj* **1.** (*zu kaufen*) for sale, purchasable (*form*). **etwas, was nicht ~ ist** something which cannot be bought; **etw ~ erwerben** (*form*) to purchase sth.
2. (*fig*) venal. **~e Liebe** (*geh*) prostitution; **ein ~es Mädchen** (*geh*) a woman of easy virtue; **Freundschaft ist nicht ~** friendship cannot be bought.
3. (*fig: bestechlich*) venal. **~ sein** to be easily bought; **ich bin nicht ~ you** cannot buy me!

Käuflichkeit *f* **1.** purchasability (*form*).
2. (*fig*) (*Bestechlichkeit*) corruptibility, venality.

Kauflust *f* desire to buy (things); (*St Ex*) buying; **kauflustig** *adj* inclined to buy, in a buying mood; **in den Straßen drängten sich die K~en** the streets were thronged with shoppers.

Kaufmann *m*, *pl* **-leute 1.** (*Geschäftsmann*) businessman; (*Händler*) trader; (*Tabak~*, *Gewürz~*, *Woll~*) merchant. **gelernter ~** person with qualifications in business *or* commerce; **jeder ~ lobt seine Ware** (*Prov*) a salesman will always praise his own wares.
2. (*Einzelhandels~*) small shopkeeper, grocer. **zum ~ gehen** to go to the grocer's.

kaufmännisch *adj* commercial, business

attr. ~**er Angestellter** office worker; **er wollte einen ~en Beruf ergreifen** he wanted to make a career in business *or* commerce; **er übt einen ~en Beruf aus** he is in business *or* commerce; **Fachschule für ~e Berufe** commercial college, business school; ~ **denken** to think in commercial *or* business terms; **alles K~e** everything commercial, everything to do with business; **alles K~e macht seine Frau für ihn** his wife looks after the business side of things for him.

Kaufmannschaft *f* (*geh*) merchants *pl*.

Kaufmannsgehilfe *m*, **Kaufmannsgehilfin** *f* assistant, clerk; (*im Laden*) sales assistant, clerk (*US*); **Kaufmannsladen** *m* **1.** (*dated*) grocer's; (*Gemischtwarenhandlung*) general store; **2.** (*Spielzeug*) toy grocer's shop; **Kaufmannsstand** *m* merchant class.

Kaufoption *f* (*St Ex*) call option; (*Comm*) option to buy; **Kaufpreis** *m* purchase price; **Kaufrausch** *m* spending spree; **im ~ sein** to be on a spending spree; **Kaufsumme** *f* money; **Kaufunlust** *f* consumer resistance; **Kaufvertrag** *m* bill of sale; **Kaufwert** *m* market value; **Kaufzwang** *m* obligation to buy; **kein/ ohne ~** no/without obligation.

Kaugummi *m* chewing gum.

kaukasisch *adj* Caucasian.

Kaukasus *m* -: **der ~** (the) Caucasus.

Kaulquappe *f* tadpole.

kaum I *adv* **1.** (*noch nicht einmal*) hardly, scarcely, barely. **er verdient ~ 200 Mark/ich habe ~ noch 10 Liter** he earns hardly *etc* 200 marks/I've hardly *etc* 10 litres left; **das kostet ~ 200 Mark/man braucht ~ 10 Liter** it doesn't even cost 200 marks/you'll need less than 10 litres; **sie war ~ hereingekommen, als ...** hardly *or* scarcely *or* no sooner had she come in when ..., she had hardly *etc* come in when ...; ~ **jemand/jemals** hardly *or* scarcely anyone/ever; **es ist ~ möglich, daß ...** it is hardly *or* scarcely possible that ...; **es ist ~ zu glauben, wie ...** it's hardly *or* scarcely believable *or* to be believed how ...; **er kann ~ noch sprechen/laufen** he can hardly speak/ walk any more; **ich hatte ~ noch damit gerechnet, daß ...** I hardly *or* scarcely thought that ... any more.
2. (*wahrscheinlich nicht*) hardly, scarcely. ~**!** hardly, scarcely; **wohl ~/ich glaube ~** I hardly *or* scarcely think so; **ich glaube ~ , daß ...** I hardly *or* scarcely think that ...; **das wird wohl ~ stimmen** that can hardly *or* scarcely be right/true, surely that can't be right/true; **das wird ~ passieren** that's hardly *or* scarcely likely to happen.
II *conj* hardly, scarcely. ~ **daß wir das Meer erreicht hatten ...** hardly *or* scarcely had we reached the sea when ..., no sooner had we reached the sea than ...; ~ **gerufen, eilte der Diener herbei** no sooner summoned, the servant hurried in.

Kaumuskel *m* jaw muscle, masseter (*spec*).

aurimuschel f cowrie shell.

ausal adj causal.

ausalgesetz nt law of causality.

ausalität f causality.

ausalitätsprinzip nt principle of causality.

ausalkette f causal chain, chain of cause and effect; **Kausalsatz** m causal clause; **Kausalzusammenhang** m causal connection.

ausativ nt (Gram) causative.

ausativ adj (Gram) causative.

austisch adj (Chem, fig) caustic.

autabak m chewing tobacco.

aution f 1. (Jur) bail. ~ **stellen** to stand bail; **er stellte 1000 Mark** ~ he put up 1000 marks (as) bail; **gegen** ~ on bail; **jdn gegen** ~ **freibekommen** to bail sb out. 2. (Comm) security. 3. (für Miete) deposit.

Kautschuk m -s, -e (india)rubber.

Kautschukmilch f latex.

Kauwerkzeuge pl masticatory organs pl.

Kauz m -es, **Käuze** 1. screech owl. 2. (Sonderling) odd or strange fellow, oddball (inf). **ein komischer** ~ an odd bird; **ein wunderlicher alter** ~ a strange old bird.

Käuzchen nt dim of **Kauz** 1.

kauzig adj odd, cranky.

Kavalier [kava'liːɐ] m -s, -e 1. (galanter Mann) gentleman. **er ist immer** ~ he's always a gentleman or always chivalrous; **der** ~ **genießt und schweigt** one does not boast about one's conquests. 2. (dated: Begleiter einer Dame) beau (old), young man (dated).

Kavaliersdelikt nt trivial offence, (mere) peccadillo.

Kavalier(s)start m (Aut) racing start.

Kavalkade [kaval'kaːdə] f cavalcade.

Kavallerie [kavalə'riː] f (Mil) cavalry.

Kavalleriepferd nt cavalry horse.

Kavallerist [kavalə'rɪst] m (Mil Hist) cavalryman.

Kaventsmann [ka'vɛntsman] m, pl **-männer** (N Ger inf) whopper (inf).

Kaverne f cavern.

Kaviar ['kaːviar] m -s, -e caviar.

Kaviarbrot nt French loaf.

KB [kaː'beː], **KByte** [kaː'baɪt] nt -(s), -(s) abbr of **Kilobyte** k, kbyte.

Kcal abbr of **Kilokalorie**.

Kebab m -(s), -s kebab.

keck adj 1. (dated: frech) cheeky, saucy. 2. (dated: flott) Mädchen pert; Hut auch cheeky, saucy. **sie trug den Hut** ~ **auf einem Ohr** she wore her hat at a jaunty or saucy angle over one ear.

keckern vi to snarl, to growl.

Keckheit f siehe adj 1. cheekiness, sauciness. 2. pertness; cheekiness, sauciness. 3. boldness.

Keeper ['kiːpɐ] m -s, - (Aus Sport) (goal)keeper.

Keep-Smiling ['kiːp'smaɪlɪŋ] nt - -s, no pl fixed smile.

Kefir m -s, no pl kefir (a milk product similar to yoghurt, of Turkish origin).

Kegel m -s, - 1. (Spielfigur) skittle, ninepin; (bei Bowling) pin. **wir schieben** ~ (inf) we play skittles or ninepins; ~ **auf-**

setzen to set the skittles/pins up; siehe Kind. 2. (Geometrie) cone; (Berg~) peak. 3. (Licht~, Scheinwerfer~) beam (of light). 4. (Typ) body, shank.

Kegelbahn f (bowling) lane; (Anlage) skittle-alley; (automatisch) bowling alley; **Kegelbruder** m (inf) member of a skittle/bowling club; **kegelförmig** adj conical; **Kegelkugel** f bowl; **Kegelmantel** m surface of a cone.

kegeln vi to play skittles or ninepins; (bei Bowling) to play bowls. ~ **gehen** to play skittles.

Kegelrad nt (Tech) bevelled or mitre wheel; **kegelscheiben** (Aus), **kegelschieben** vi sep irreg siehe **Kegel** 1.; **Kegelschnitt** m conic section; **Kegelschwester** f (inf) member of a skittle/bowling club; **Kegelstumpf** m frustum.

Kegler(in f) m -s, - skittle-player; (bei Bowling) bowler.

Kehle f -, -n 1. (Gurgel) throat. **(sich** dat) **die** ~ **schmieren** (inf) or **anfeuchten** (inf) to wet one's whistle (inf); **er hat das in die falsche** ~ **bekommen** (lit) it went down the wrong way or got stuck in his throat; (fig) he took it the wrong way; **eine rauhe** ~ **haben** to be hoarse; **er hat Gold in der** ~ (inf) his voice is/could be a real gold-mine; **aus voller** ~ at the top of one's voice or lungs. 2. (ausgerundeter Winkel) moulding; (Rille) groove.

kehlig adj Sprechweise guttural; Lachen, Alt throaty.

Kehlkopf m larynx.

Kehlkopfentzündung , **Kehlkopfkatarrh** m laryngitis; **Kehlkopfkrebs** m cancer of the throat; **Kehlkopfmikrophon** nt throat microphone; **Kehlkopfspiegel** m laryngoscope.

Kehllaut m guttural (sound).

Kehlung f (Archit) groove, flute.

Kehraus m -, no pl last dance; (fig: Abschiedsfeier) farewell celebration; **den** ~ **machen** (fig) to have a farewell celebration; **Kehrbesen** m broom; **Kehrblech** nt (N Ger) shovel.

Kehre f -, -n 1. (sharp) turn or bend; (Haarnadelkurve) hairpin bend. 2. (Turnübung) rear or back vault.

kehren¹ I vt 1. to turn. **die Augen** or **den Blick zum Himmel/zu Boden** ~ (liter) to turn one's eyes or gaze heavenwards/to cast one's eyes to the ground (liter); **in sich** (acc) **gekehrt** (versunken) pensive, wrapped in thought; (verschlossen) introspective, introverted; siehe **Rücken**. 2. (kümmern) to bother. **was kehrt mich das?** what do I care about that?

II vr 1. to turn. **eines Tages wird sich sein Hochmut gegen ihn** ~ one day his arrogance will rebound against him. 2. **er kehrt sich nicht daran, was die Leute sagen** he doesn't mind or care what people say.

III vi to turn (round); (Wind) to turn.

kehren² vti (esp S Ger: fegen) to sweep. **ich muß noch** ~ I've still got to do the sweeping; **jeder kehre vor seiner Tür!** (Prov) everyone should first put his own house in order.

Kehricht m or nt -s, no pl (old, form) sweepings pl. **den ~ zusammenfegen** to sweep up the rubbish.

Kehrmaschine f (Straßen~) road-sweeper, road sweeping machine; (Teppich~) carpet-sweeper; **Kehrplatz** m (Sw) turning area; **Kehrreim** m chorus, refrain; **Kehrschaufel** f shovel; **Kehrseite** f 1. (von Münze) reverse; 2. (inf: Rücken) back; (hum: Gesäß) backside (inf), behind; (fig: Nachteil) drawback; **jdm seine ~ zuwenden** to turn one's back on sb; 3. (fig: Schattenseite) other side; **die ~ der Medaille** the other side of the coin.

kehrt interj (Mil) **ganze Abteilung ~!** company, about turn!

kehrtmachen vi sep to turn round, to do an about-turn; (zurückgehen) to turn back; (Mil) to about-turn; **Kehrtwendung** f about-turn; **diese plötzliche ~ wurde scharf kritisiert** this sudden about-turn or volte-face was sharply criticized.

Kehrwert m reciprocal value; **Kehrwoche** f (S Ger) week when a resident has to take his/her turn to clean the communal areas of flats, cleaning week.

keifen vi to bicker.

Keiferei f (inf) bickering.

Keil m -(e)s, -e wedge (auch Mil); (als Hemmvorrichtung auch) chock; (Faust~) hand-axe; (Sew: Zwickel) gusset; (Kopf~) headrest. **einen ~ in etw** (acc) **treiben** to put a wedge in sth; (zum Befestigen auch) to wedge sth; **einen ~ zwischen zwei Freunde treiben** (fig) to drive a wedge between two friends.

Keilabsatz m wedge heel, wedge; **Keilbein** nt sphenoid (bone).

Keile pl (inf) thrashing, hiding. **~ bekommen** or **kriegen** or **beziehen** to get or be given a thrashing or hiding.

keilen I vt 1. (mit Keil) to wedge. 2. (sl: anwerben) Mitglieder to rope in (inf). II vr (dial inf: sich prügeln) to fight.

Keiler m -s, - wild boar.

Keilerei f (inf) punch-up (inf), brawl, fight.

keilförmig adj wedge-shaped; **Keilhose** f, **Keilhosen** pl slacks pl, ski pants pl; **Keilkissen** nt wedge-shaped pillow (used as a headrest); **Keilriemen** m drive-belt; (Aut) fan-belt; **Keilschrift** f cuneiform script.

Keim m -(e)s, -e 1. (kleiner Trieb) shoot, sprout. **die ersten ~e ihrer jungen Liebe** (liter) the first blossomings or burgeoning of their young love (liter).
2. (Embryo, fig) embryo, germ; (Krankheits~) germ. **im ~e** (fig) in embryo, in embryonic form; **etw im ~ ersticken** to nip sth in the bud.
3. (fig: des Hasses, der Liebe etc) seed usu pl. **den ~ zu etw legen** to sow the seeds of sth.

Keimblatt nt 1. (Bot) cotyledon; 2. (Zool) blastema; **Keimdrüse** f gonad.

keimen vi 1. to germinate; (Pflanzen) to put out shoots, to shoot; (Knollen) to sprout. 2. (Verdacht) to be aroused; (Hoffnung auch) to stir (in one's breast

liter). **das ~de Leben** (geh) the seeds of a new life.

keimfrei adj germ-free, free of germs pred; (Med auch, fig) sterile, **~ machen** to sterilize; **keimhaft** adj (geh) embryonic, seminal; **~ vorhanden sein** to be present in embryo or in embryonic or seminal form; **Keimling** m 1. (Embryo) embryo; 2. (~pflanze) sprout, shoot; **Keimplasma** nt germ plasm; **keimtötend** adj germicidal, antiseptic; **~es Mittel** germicide; **Keimträger(in** f) m carrier.

Keimung f germination.

Keimzelle f germ cell; (fig) nucleus.

kein, keine, kein indef pron 1. (adjektivisch) no; (mit sing n auch) not a; (mit pl n, bei Sammelbegriffen, bei Abstrakten auch) not any. **~ Mann/~e Häuser/~ Whisky ...** no man/houses/whisky ...; **hast du ~ Herz?** have you no heart?; **hast du ~ Gefühl?** have you no or haven't you got any feeling?; **hast du ~e Vorschläge/Geschwister?** haven't you got any or have you no suggestions/brothers and sisters?; **ich sehe da ~en Unterschied** I see no difference, I don't see any or a difference; **er hatte ~e Chance** he had no or he didn't have a or any chance; **er ist ~ echter Schotte** he is no or not a true Scot; **er ist ~ Lehrer** he is not a teacher; (**~** guter auch) he's no teacher; **~e Widerrede/Ahnung!** no arguing/idea!; **~e schlechte Idee** not a bad idea; **~e Lust/Angst!** don't want to/don't worry; **das ist ~e Antwort auf unsere Frage** that's not an or the answer to our question; **~ bißchen** not a bit; **ich habe ~ bißchen Lust/Zeit** I've absolutely no desire to/time; **ich bin doch ~ Kind mehr!** I am not a child any longer or no longer a child; **~ anderer als er ...** only he ..., no-one else but he ...; **das habe ich ~em anderen als dir gesagt** I have told nobody else or haven't told anybody else apart from you; **~ einziger** (niemand) not a single one or person; **~ einziges Mal** not a single time; **in ~ster Weise** (incorrect) not in the least.
2. (nicht einmal) less than. **~e Stunde/drei Monate** less than an hour/three months; **~e 5 Mark** under 5 marks.

keine(r, s) indef pron (substantivisch) (niemand) nobody (auch subj), no-one (auch subj); not anybody, not anyone; (von Gegenstand) not one, none; (bei Abstraktum) none; (obj) not any, none; (von Gegenständen, bei Abstrakta) none; (obj) not any, none. **~r liebt mich** nobody or no-one loves me; **es war ~r da** there was nobody etc there, there wasn't anybody there; (Gegenstand) there wasn't one there; **es waren ~ da** there wasn't anybody etc there; (Gegenstände) there weren't any or there were none there; **ich habe ~s** I haven't got one; **von diesen Platten ist ~ ...** none or not one of these records is ...; **haben Sie Äpfel? — nein, leider haben wir ~** have you any apples? — no, I'm afraid we haven't (any); **hast du schon ein Glas? — nein, ich habe ~s** have you a glass? —

no, I haven't (got one) *or* no, I don't (*US*); **~r von uns/von uns (beiden)** none/neither of us; (*betont*) not one of us; **er hat ~n von beiden angetroffen** he didn't meet either *or* he met neither of them; **~s der (beiden) Kinder/Bücher** neither of the children/books; **~s der sechs Kinder/Bücher** none of the six children/books; (*betont*) not one of the six children/books; **er kannte ~s der (fünf) Kinder** he didn't know any of *or* he knew none of the (five) children; **ist Bier da? — nein, ich habe ~s gekauft** is there any beer? — no, I didn't buy any.

keinerlei *adj attr inv* no ... what(so)ever *or* at all.

keinerseits *adv* **sein Vorschlag fand ~ Zustimmung** his suggestion met with no support anywhere *or* from any side.

keinesfalls *adv* under no circumstances, not ... under any circumstances. **~ darfst du ...** under no circumstances *or* on no account must you ...; **aber er ist ~ dümmer als sein Bruder** he is at least as intelligent as his brother.

keineswegs *adv* not at all, by no means; (*als Antwort*) not in the least, not at all. **ich fühle mich ~ schuldig** I do not feel in the least *or* in any way guilty.

keinmal *adv* never once, not once. **er war noch ~ im Kino** he has never *or* not once been to the cinema, never *or* not once has he been to the cinema.

keins = **keines**, *siehe* **keine(r, s)**.

Keks *m* **-es, -e** *or* (*Aus*) *nt* **-, -** biscuit (*Brit*), cookie (*US*). **jdm auf den ~ gehen** (*inf*) to get on sb's nerves.

Kelch *m* **-(e)s, -e** **1.** (*Trinkglas*) goblet; (*Eccl*) chalice, communion cup. **den (bitteren) ~ (des Leidens) bis zur Neige leeren** (*fig*) to drain the (bitter) cup of sorrow (to the last); **möge dieser ~ an mir vorübergehen** (*Bibl*) let this cup pass from me; **dieser ~ ist noch einmal an mir vorübergegangen** I have been spared again, the Good Lord has spared me again.
2. (*Bot*) calyx; (*liter*) cup, bell, chalice (*poet*).

Kelchblatt *nt* sepal.

kelchförmig *adj* cup-shaped, bell-shaped; **die ~ geöffnete Blüte** the cup-shaped *or* bell-shaped blossom; **Kelchglas** *nt* goblet, goblet-shaped glass.

Kelim *m* **-(s), -(s)** kilim (*Eastern carpet*).

Kelle *f* **-, -n** **1.** (*Suppen~*) ladle; (*Schaumlöffel*) strainer, straining spoon. **2.** (*Maurer~*) trowel. **3.** (*Signalstab*) signalling disc.

Keller *m* **-s, -** cellar; (*Geschoß*) basement; (*Gaststätte*) (cellar) restaurant/bar. **im ~ sitzen** (*inf: beim Kartenspiel*) to have minus points.

Keller- *in cpds* cellar; basement; **Kellerassel** *f* wood-louse.

Kellerei *f* wine/champagne/fruit-juice producer's; (*Lagerraum*) cellar(s).

Kellergeschoß *nt* basement; **Kellergewölbe** *nt* vaulted cellar roof; (*Keller*) cellars *pl*; (*Verlies*) dungeon; **Kellerkind** *nt* unhealthy slum kid; **Kellerkneipe** *f* (*inf*), **Kellerlokal** *nt* cellar bar;

Kellermeister *m* vintner; (*in Kloster*) cellarer; **Kellerwohnung** *f* basement flat.

Kellner *m* **-s, -** waiter.

Kellnerin *f* waitress.

kellnern *vi* (*inf*) to work as a waiter/waitress, to wait on tables (*US*).

Kelte *m* **-n, -n, Keltin** *f* Celt.

Kelter *f* **-, -n** winepress; (*Obst~*) press.

keltern *vt Trauben, Wein* to press.

Kelvin *nt* **-s,** *no pl* (*Phys*) Kelvin.

Kemenate *f* **-, -n** lady's heated apartment(s) (*in a castle*); (*fig*) boudoir.

Kenia *nt* **-s** Kenya.

kenianisch *adj* Kenyan.

kennen *pret* **kannte,** *ptp* **gekannt** *vt* to know; (*~gelernt haben auch*) to be acquainted with; (*geh: er~*) to recognize. **er kennt das Leben** he knows the ways of the world, he knows about life; **er kennt den Hunger nicht** he has never known hunger, he doesn't know what hunger is; **er kennt keine Müdigkeit** he never gets tired, he doesn't know what tiredness means; **kein Erbarmen/Mitleid ~** to know no mercy/pity; **ich habe mich nicht mehr gekannt vor Wut** I was beside myself with anger; **so was ~ wir hier nicht!** we don't have that sort of thing here; **jdn als etw ~** to know sb to be sth; **~ Sie sich schon?** have you met?; **~ Sie den (schon)?** (*Witz*) have you heard this one?; **das ~ wir (schon)** (*iro*) we know all about that; **kennst du mich noch?** do you remember me?; **wie ich ihn kenne ...** if I know him (at all) ...; **du kennst dich doch!** you know what you're like; **so kenne ich dich ja (noch) gar nicht!** I've never known you like this before; **da kennst du mich aber schlecht** you don't know me.

kennenlernen *vt sep* to get to know, to become acquainted with (*form*); (*zum ersten Mal treffen*) to meet. **sich ~** to get to know each other; to meet each other; **jdn näher ~** to get to know sb better, to become better acquainted with sb; **ich freue mich, Sie kennenzulernen** (*form*) (I am) pleased to meet you *or* to make your acquaintance (*form*); **der soll *or* wird mich noch ~** (*inf*) he'll have me to reckon with (*inf*); **bei näherem K~ erwies er sich als ...** on closer acquaintance he proved to be ...

Kenner(in *f*) *m* **-s, -** **1.** (*Sachverständiger*) expert (*von or gen* on/in), authority (*von or gen* on). **~ der internen Vorgänge** those who know about the internal procedures; **da zeigt sich der ~** there you (can) see the (touch of the) expert. **2.** (*Wein~*) connoisseur, co(g)noscente (*esp Art*).

Kennerblick *m* expert's eye.

kennerhaft, kennerisch *adj* like a connoisseur. **mit ~em Blick/Griff** with the eye/touch of an expert.

Kennermiene *f* connoisseur's expression; **mit ~ betrachtete er ...** he looked at ... like a connoisseur.

Kennkarte *f* (*dated*) identity card.

kenntlich *adj* (*zu erkennen*) recognizable, distinguishable (*an +dat* by); (*deutlich*) clear. **etw ~ machen** to identify or indicate sth (clearly); **etw für jdn ~ machen** to make sth clear to sb, to indicate sth to sb; **bei Dunkelheit gut ~ sein** to be easily visible or distinguishable in the dark.

Kenntnis f 1. (Wissen) knowledge no pl. **über ~se von etw verfügen** to be knowledgeable about sth, to know about sth; **gute ~se in Mathematik haben** to have a good knowledge of mathematics; **ohne ~ des Englischen** without any or a knowledge of English, without knowing English.

2. no pl (form) **etw zur ~ nehmen** to note sth, to take note of sth; **ich nehme zur ~, daß ...** I note that ...; **jdn von etw in ~ setzen** to inform or advise (Comm, form) sb about sth; **von etw ~ erhalten** to learn or hear about sth; **das entzieht sich meiner ~** I have no knowledge of it; **ohne ~ der Umstände** without any knowledge of the circumstances.

Kenntnisnahme f-, no pl (form) **zur ~ an ...** for the attention of ...; **nach ~** after perusal (form); **kenntnisreich** adj (geh) learned, knowledgeable.

-kenntnisse pl in cpds knowledge of ...

Kenntnisstand m -(e)s, no pl **nach dem neuesten ~** according to the latest information.

Kennung f (Telec) call sign; (von Leuchtfeuern) signal; (Comput) password.

Kennwort nt, pl **Kennwörter** (Chiffre) code name; (Losungswort) password, code word; (Comm) reference; **Kennzahl** f code or identification number; (Telec auch) code; **Kennzeichen** nt 1. (Aut) number plate (Brit), license plate (US); (Aviat) markings pl; **amtliches/polizeiliches ~** registration number (Brit), license number (US); 2. (Markierung) mark, sign; (bei Tier) marking(s); (in Personenbeschreibung) **unveränderliche ~** distinguishing marks or features; **besondere ~** particular characteristics; 3. (Eigenart, Charakteristikum) (typical) characteristic (für, gen of); (für Qualität) hallmark; (Erkennungszeichen) mark, sign; **als ~ eine Nelke im Knopfloch vereinbaren** to agree on a carnation in one's buttonhole as a means of identification; 4. (Anzeichen) symptom (für of); **kennzeichnen** insep I vt 1. to mark, to indicate; (durch Etikett auch) to label; Weg to mark, to signpost; (Logik) to denote; **etw als zerbrechlich ~** to mark or label sth fragile; 2. (charakterisieren) to characterize; **jdn als etw ~** to show sb to be sth, to mark sb out as sth; II vr to be characterized; **kennzeichnend** adj (charakteristisch) typical, characteristic (für of); **Kennzeichnung** f labelling, marking; **Kennziffer** f (code) number; (Math) characteristic; (Comm) reference number; (bei Zeitungsinserat) box number; (DDR) reference number (for production planning).

Kenotaph nt -s, -e cenotaph.

Kentaur m -en, -en centaur.

kentern vi aux sein 1. (Schiff) to capsize.

2. **die Ebbe/Flut kentert** the tide is turning.

Keramik f 1. no pl (Art) ceramics pl; (als Gebrauchsgegenstände auch) pottery; (Arbeitszweig) ceramics sing. 2. (Kunstgegenstand) ceramic; (Gebrauchsgegenstand auch) piece of pottery. **~en** ceramics/pottery.

keramisch adj ceramic; Gebrauchsgegenstand auch pottery.

Kerbe f -, -n notch; (kleiner) nick. **in die gleiche** or **dieselbe ~ hauen** or **schlagen** (fig inf) to take the same line.

Kerbel m -s, no pl chervil.

kerben vt Holz to cut or carve a notch/notches in, to notch; Inschrift, Namen to carve.

Kerbholz nt (fig inf) **etwas auf dem ~ haben** to have done something wrong or bad; **er hat so manches auf dem ~** he has quite a record.

Kerbtier nt insect.

Kerker m -s, - 1. (Hist, geh) dungeon (esp Hist), prison; (Strafe) imprisonment. 2. (Aus) siehe **Zuchthaus**.

Kerkermeister m (Hist, geh) gaoler, jailer; **Kerkerstrafe** f (Hist) imprisonment in the dungeons.

Kerl m -s, -e or -s (inf) chap, fellow, guy, bloke (Brit) (all inf); (pej) character; (Mädchen) girl, lass (inf). **du gemeiner ~!** you mean thing (inf) or swine (inf); **ein ganzer/richtiger ~** a real man; **sie hat schon wieder einen neuen ~** she's got another guy or bloke.

Kern m -(e)s, -e (von Obst) pip, seed; (von Steinobst) stone; (Nuß~) kernel; (Phys, Biol) nucleus; (Holz~) heartwood; (fig) (von Problem, Sache) heart, crux, core; (von Stadt) centre; (von Gruppe) core. **jede Legende hat einen wahren ~** at the heart of every legend there is a core of truth; **in ihr steckt ein guter ~** there's some good in her somewhere; **bis zum ~ einer Sache vordringen** to get to the heart or the bottom of a matter; **der harte ~** (fig) the hard core.

Kern- in cpds (Nuklear-) nuclear; **Kernarbeitszeit** f core time; **Kernbrennstoff** m nuclear fuel; **Kernchemie** f nuclear chemistry; **Kernenergie** f nuclear energy; **Kernenergiegegner(in** f) m opponent of nuclear energy; **Kernexplosion** f nuclear explosion; **Kernfach** nt (Sch) core subject; **Kernfamilie** f (Sociol) nuclear family; **Kernforscher(in** f) m nuclear scientist or researcher; **Kernforschung** f nuclear research; **Kernforschungszentrum** nt nuclear research centre; **Kernfrage** f central issue, central question; **Kernfrucht** f pome (form); **Kernfusion** f nuclear fusion; **Kerngedanke** m central idea; **Kerngehäuse** nt core; **kerngesund** adj as fit as a fiddle, completely fit; **Kernholz** nt heartwood.

kernig adj full of pips; (fig) Ausspruch pithy; (urwüchsig) earthy; (kraftvoll) robust, powerful; (inf: gut) great (inf).

Kernkettenreaktion f nuclear chain reaction.

Kernkraft f-, no pl nuclear power.

Kernkraft- *in cpds* nuclear power; **Kernkraftbefürworter(in** *f)* *m* supporter of nuclear power.
Kernkräfte *pl* forces in the nucleus *pl*, nuclear forces *pl*.
Kernkraftgegner(in *f)* *m* opponent of nuclear power; **Kernkraftwerk** *nt* nuclear power station, nuke (*US sl*).
Kernladungszahl *f* atomic number; **Kernland** *nt* heartland; **kernlos** *adj* seedless, pipless; (*von Regierung*) inner cabinet; **Kernmodell** *nt* model of the nucleus; **Kernobst** *nt* malaceous fruit (*form*), pome (*form*); **Kernphysik** *f* nuclear physics; **Kernphysiker(in** *f)* *m* nuclear physicist; **Kernplasma** *nt* nucleoplasm; **Kernproblem** *nt* central problem; **Kernpunkt** *m* central point, crux; **Kernreaktion** *f* nuclear reaction; **Kernreaktor** *m* nuclear reactor; **Kernsatz** *m* **1.** key sentence, key phrase; **2.** (*Ling*) kernel sentence; (*Satzform*) simple sentence; **Kernschatten** *m* complete shadow; (*Astron*) umbra; **Kernschmelze** *f* (*Phys*) meltdown; **Kernseife** *f* washing soap; **Kernspaltung** *f* nuclear fission; **Kernspeicher** *m* (*Comput*) core memory; **Kernspin-Tomograph** *m* (*Med*) MRI scanner; **Kernspin-Tomographie** *f* magnetic resonance imaging; **Kernsprengkopf** *m* nuclear warhead; **Kernspruch** *m* pithy saying; **Kernstück** *nt* (*fig*) main item, centrepiece; (*von Theorie*) crucial *or* central element *or* part, core; **Kerntechnik** *f* nuclear technology, nucleonics; **kerntechnisch** *adj* ~e **Anlage** nuclear plant; ~e **Entwicklung** development of nuclear technology; **Kernteilchen** *nt* nuclear particle; **Kernteilung** *f* (*Biol*) nuclear division; **Kerntruppe** *f* (*Mil*) core unit *or* division; (*fig*) core team; **Kernunterricht** *m* (*Sch*) core curriculum; **Kernverschmelzung** *f* **1.** (*Phys*) nuclear fusion; **2.** (*Biol*) cell union.
Kernwaffe *f* nuclear weapon.
kernwaffenfrei *adj* nuclearfree; **Kernwaffenversuch** *m* nuclear (weapons) test.
Kernzeit *f* core time.
Kerosin *nt* **-s, -e** kerosene.
Kerze *f* **-, -n 1.** (*Wachs*~) candle; (*Blüte der Kastanie*) candle, thyrus (*form*). **2.** (*Aut*) plug. **3.** (*Turnen*) shoulderstand. **4.** (*Ftbl*) skyer.
Kerzenbeleuchtung *f* candlelight; **Kerzendocht** *m* candle wick; **kerzenförmig** *adj* candle-shaped; **kerzengerade** *adj* (as) straight as a die, erect; **Kerzenhalter** *m* candlestick; (*am Weihnachtsbaum, auf Kuchen*) candle holder; **Kerzenleuchter** *m* candlestick; **Kerzenlicht** *nt*, *no pl* candlelight; **bei** ~ by candlelight; **Kerzenschlüssel** *m* (spark) plug spanner; **Kerzenständer** *m* candle holder.
Kescher *m* **-s, -** fishing-net.
keß *adj* (*flott*) saucy; (*Kleid, Hut* jaunty; (*vorwitzig*) cheeky;(*frech*) fresh.
Kessel *m* **-s, - 1.** (*Tee*~) kettle; (*Wasch*~) copper; (*Koch*~) pot; (*für offenes*

Feuer) cauldron; (*esp in Brauerei*) vat; (*Dampf*~) boiler; (*Behälter für Flüssigkeiten*) tank. **2.** (*Mulde*) basin, basin-shaped valley; (*Hunt*) semi-circular ring of hunters; (*Mil*) encircled area.
Kesselflicker(in *f)* *m* **-s, -** tinker; **Kesselhaus** *nt* boiler house; **Kesselpauke** *f* kettle drum; **Kesselraum** *m* boiler room; **Kesselschlacht** *f* (*Mil*) battle of encirclement; **Kesselstein** *m* scale, fur; **Kesseltreiben** *nt* (*Hunt*) hunt using a circle of beaters; (*fig: in Zeitung*) witchhunt; **Kesselwagen** *m* (*Rail*) tank wagon *or* car.
Ketchup ['kɛtʃap] *m or nt* **-(s), -s** ketchup.
Ketsch *f* **-, -en** (*Naut*) ketch.
Kette *f* **-, -n 1.** chain; (*von Kettenfahrzeug*) chain track. **einen Hund an die** ~ **legen** to put a dog on the chain, to chain up a dog; **in** ~**n liegen** (*fig geh*) to be in chains *or* bondage; **seine** ~**n zerreißen** *or* **sprengen** (*fig geh*) to throw off one's chains *or* shackles *or* fetters.
2. (*fig: ununterbrochene Reihe*) chain; (*von Menschen auch*) line; (*von Fahrzeugen*) line, string; (*von Unfällen, Erfahrungen etc*) series, string. **eine** ~ **von Ereignissen** a chain of events.
3. (*Berg*~, *Seen*~) chain.
4. (*Hunt*) (*von Rebhühnern*) covey; (*von Wildenten*) skein.
5. (*Aviat, Mil*) flight.
6. (*Comm: von Läden*) chain.
7. (*Tex*) warp.
ketten *vt* to chain (*an* +*acc* to). **jdn an sich** ~ (*fig*) to bind sb to oneself; **sich an jdn/etw** ~ (*fig*) to tie *or* bind oneself to sb/sth.
Kettenantrieb *m* chain drive; **mit** ~ chain-driven; **Kettenbrief** *m* chain letter; **Kettenbrücke** *f* chain bridge; **Kettenfahrzeug** *nt* tracked vehicle, track-laying vehicle; **Kettengebirge** *nt* mountain chain; **Kettenglied** *nt* (chain-)link; **Kettenhemd** *nt* (*Hist*) coat of (chain-)mail; **Kettenhund** *m* guarddog, watchdog; **Kettenkarussell** *nt* merry-go-round (*with gondolas suspended on chains*); **Kettenrad** *nt* sprocket(-wheel); **Kettenrauchen** *nt* chainsmoking; **Kettenraucher(in** *f)* *m* chainsmoker; **Kettenreaktion** *f* chain reaction; **Kettenreim** *m* (*Poet*) interlaced rhyme; **Kettensäge** *f* chainsaw; **Kettenschaltung** *f* dérailleur gear; **Kettenschutz** *m* chain guard; **Kettenspanner** *m* (*bei Fahrrad*) chain adjuster; **Kettenstich** *m* (*Sew*) chain stitch.
Ketzer(in *f)* *m* **-s, -** (*Eccl, fig*) heretic.
Ketzerei *f* heresy.
Ketzergericht *nt* (*Hist*) (court of) inquisition.
Ketzerin *f siehe* **Ketzer.**
ketzerisch *adj* (*Eccl, fig*) heretical.
keuchen *vi* **1.** (*schwer atmen*) to pant, to puff, to gasp (for breath); (*Asthmatiker*) to wheeze. **mit** ~**dem Atem** panting, puffing; wheezing. **2.** *aux sein* (*sich schwer atmend fortbewegen*) to pant, to puff; (*Zug*) to puff, to chug.

Ke̱uchhusten m whooping cough.
Ke̱ule f -, -n 1. club, cudgel; (Sport) (Indian) club. 2. (Cook) leg; (von Wild auch) haunch. 3. chemische ~ Chemical Mace ®.
Ke̱ulenhieb, Ke̱ulennschlag m blow with a club or cudgel; **er bekam einen ~ auf den Kopf** he was hit on the head with a club or cudgel; **es traf ihn wie ein Keulenschlag** (fig) it hit him like a thunderbolt; **Ke̱ulenschwingen** nt -s, no pl (Sport) (Indian) club swinging.
ke̱usch adj (lit, fig) chaste. **~ und züchtig** pure and chaste.
Ke̱uschheit f chasteness; (Unberührtheit auch) chastity.
Ke̱uschheitsgelübde nt vow of chastity; **Ke̱uschheitsgürtel** m chastity belt.
Keyboard ['ki:bɔrt] nt (Comput, Mus) keyboard. **sie spielt ~** she plays keyboards.
Kfz [ka|ɛf'tsɛt] nt -(s), -(s) (form) abbr of **Kraftfahrzeug** motor vehicle.
Kfz- in cpds motor vehicle; **Kfz-Zulassung, Kfz-Zulassungsstelle** f motor vehicle licensing centre.
kg abbr of **Kilogramm** kg.
KG [ka'ge:] f -, -s abbr of **Kommanditgesellschaft** limited partnership.
KGB [ka:ge:'be:] m -(s), no pl KGB.
KGB-Chef m head of the KGB.
kgl. abbr of **königlich** royal.
K-Gruppe ['ka:-] f (BRD Pol) Communist splinter group.
Khaki¹ m -s, no pl (Stoff) khaki.
Khaki² nt -s, no pl (Farbe) khaki.
khakifarben adj khaki(-coloured).
KHz, kHz abbr of **Kilohertz** kHz.
Kibbuz m -, **Kibbuzim** or -e kibbutz.
Ki̱cher|erbse f chick-pea.
ki̱chern vi to giggle.
Kick m -(s), -s (inf: Stoß) kick; (sl: Spiel) kick-about, kick-around.
Kickdown [kɪk'daun] nt -s, no pl (Aut) kickdown.
ki̱cken (Ftbl inf) I vt to kick, to boot (inf). II vi to play football; (den Ball ~) to kick. **für eine Mannschaft ~** to play for a team.
Ki̱cker(in f) m -s, - (Ftbl inf) player.
Kick-off m -s, -s (Ftbl: esp Sw) kick-off.
Ki̱ckstarter m (bei Motorrad) kick-starter.
ki̱dnappen ['kɪtnɛpn] vt insep to kidnap.
Ki̱dnapper(in f) ['kɪtnɛpɐ, -ərɪn] m -s, - kidnapper.
Ki̱dnapping ['kɪtnɛpɪŋ] nt -s, -s kidnapping.
ki̱ebig adj (inf dial) cheeky, saucy, fresh (inf).
Ki̱ebitz m -es, -e (Orn) lapwing, peewit, green plover; (Cards inf) kibitzer.
ki̱ebitzen vi (inf) to spy; (Cards) to kibitz.
Ki̱efer¹ f -, -n pine (tree); (Holz) pine(wood).
Ki̱efer² m -s, - jaw; (~knochen) jawbone.
Ki̱eferanomalie f malformation of the jaw; **Kieferbruch** m broken or fractured jaw; **Kieferchirurg(in** f) m oral surgeon; **Kieferchirurgie** f oral surgery.
Ki̱eferhöhle f (Anat) maxillary sinus.
Ki̱eferhöhlenentzündung f sinusitis.

Ki̱eferhöhlenholz nt pine(wood); **Kieferhöhlennadel** f pine needle; **Kieferhöhlenschonung** f pinery, pine plantation; **Kieferhöhlenwald** m pine wood; (größer) pine forest; **Kieferhöhlenzapfen** m pinecone.
Ki̱eferorthopäde m, **Kieferorthopädin** f orthodontist; **Kieferorthopädie** f orthodontics.
ki̱eken vi (N Ger) siehe **gucken**.
Ki̱eker m -s, - 1. (N Ger inf) binoculars pl. 2. **jdn auf dem ~ haben** (inf) to have it in for sb (inf).
Kiel m -(e)s, -e 1. (Schiffs~) keel. **ein Schiff auf ~ legen** to lay down a ship. 2. (Feder~) quill.
Ki̱elboot nt keel boat; **Kielfeder** f quill pen; **kielholen** vt insep (Naut) 1. Schiff to careen; 2. Matrosen to keelhaul; **Kiellinie** f line ahead; **kieloben** adv bottom up; **Kielraum** m bilge; **Kielwasser** nt wake, wash; **in jds ~** (dat) **segeln** or **schwimmen** (fig) to follow in sb's wake.
Ki̱eme f -, -n gill.
Ki̱emenatmer m -s, - (Zool) gill-breather.
Ki̱en m -(e)s, no pl pine.
Ki̱enfackel f pinewood torch; **Kienholz** nt pine; **Kienspan** m pinewood spill.
Ki̱epe f -, -n (dial) pannier, dosser.
Ki̱epenhut m poke-bonnet.
Kies m -es, -e 1. gravel; (am Strand) shingle. 2. no pl (inf: Geld) dough (inf).
Ki̱esel m -s, - pebble.
Ki̱esel|erde f silica.
Ki̱eselsäure f (Chem) 1. silicic acid; 2. (Siliziumdioxyd) silica; **Kieselstein** m pebble; **Kieselstrand** m pebble beach, shingle beach.
Ki̱esgrube f gravel pit; **Kiesweg** m gravel(led) path.
Kie(t)z m -es, -e (dial) 1. (Stadtgegend) district, area. 2. (sl: Bordellgegend) red-light district.
ki̱ffen vi (sl) to smoke pot (sl) or grass (sl), to smoke (sl).
Ki̱ffer(in f) m -s, - (sl) pot-smoker (sl).
kikeriki interj cock-a-doodle-doo.
Kikeriki nt -s, -s (Hahnenschrei) cock-a-doodle-doo.
ki̱llekille interj (baby-talk) tickle, tickle, kitchie, kitchie. (**bei jdm**) **~ machen** to tickle sb.
ki̱llen¹ (sl) I vt to bump off (inf), to do in (inf), to kill; (esp mit Auftrag) to hit (sl). II vi to kill, to murder.
ki̱llen² vi (Naut) to shake, to shiver.
Ki̱ller(in f) m -s, - (sl) killer, murderer; (gedungener) hit-man.
Ki̱llerzelle f (Physiol) killer cell.
Kilo nt -s, -(s) kilo.
Kilo- in cpds kilo-; **Kilobyte** nt kilobyte; **Kilogramm** nt kilogram(me); **Kilohertz** nt kilocycle; **Kilojoule** nt kilojoule; **Kilokalorie** f kilocalorie.
Kilometer m kilometre; (inf: Stundenkilometer) k (inf). **bei ~ 547** (~stein) at kilometre 547; **wir konnten nur 80 ~ fahren** we could only do 80.
Kilometerfresser m (inf) long-haul driver; **er ist ein richtiger ~** he really eats up the miles (inf); **Kilometergeld** nt

mileage (allowance); **kilometerlang I** *adj* miles long; **~e Strände** miles and miles of beaches; **ein ~er Stau** a tailback several miles/kilometres long; **II** *adv* for miles (and miles), for miles on end; **Kilometerpauschale** *f* mileage allowance (against tax); **Kilometerstand** *m* mileage; **der ~ des Autos ist …** the car has done …, the car has … on the clock (*inf*), the mileage on the car is …; **Kilometerstein** *m* milestone; **kilometerweit I** *adj* miles long; **ein ~er Blick** a view for miles; **in ~er Entfernung** miles away in the distance; **ein ~er Marsch** a march of several miles/kilometres; **II** *adv* for miles (and miles); **Kilometerzähler** *m* mileage indicator *or* counter, mileometer, odometer.

Kilowatt *nt* kilowatt; **Kilowattstunde** *f* kilowatt hour.

Kimm *f* -, *no pl* (*Naut*) **1.** (*Horizont*) apparent *or* visual horizon. **2.** (*am Schiffskörper*) bilge.

Kimme *f* -, **-n 1.** (*von Gewehr*) back sight. **2.** (*inf: Gesäßfalte*) cleft between the buttocks, great divide (*hum*).

Kimmung *f* (*Naut*) **1.** (*Horizont*) visual horizon. **2.** (*Luftspiegelung*) mirage.

Kind *nt* -(e)s, -er child, kid (*inf*); (*Kleinkind*) baby; (*esp Psych, Med*) infant. **ein ~ erwarten/bekommen** *or* **kriegen** to be expecting a baby/to have a baby *or* child; **von ~ auf** *or* **an** since he/we *etc* was/were a child/children, from childhood; **einem Mädchen ein ~ machen** (*sl*) to knock a girl up (*sl*), to put a girl in the club (*inf*); **sie kriegt ein ~** she's going to have a baby *or* child; **aber ~!** child, child; **schönes ~!** (*old: als Anrede*) my pretty maid (*old*); **die ~er Gottes** (*geh*) the children of the Lord; **ein echtes Wiener ~** (*dated*) a true son/daughter of Vienna; **ein ~ seiner Zeit sein** to be a child of one's times; **sie ist kein ~ von Traurigkeit** (*hum*) she enjoys life; **er ist ein großes ~** he's a big baby; **sich freuen wie ein ~** to be as pleased as Punch; **er kann sich wie ein ~ freuen** he takes a childlike pleasure in (simple) things; **das weiß doch jedes ~!** any five-year-old would tell you that!; **du bist aber ein kluges ~!** (*iro*) clever kid!; **da kommt das ~ im Manne durch** all men are boys at heart; **wie sag' ich's meinem ~e?** (*hum*) I don't know how to put it; (*bei Aufklärung*) what to tell your children; **das ist nichts für kleine ~er** (*fig inf*) that's not for your innocent *or* your young ears/eyes; **aus ~ern werden Leute** (*Prov*) children grow up quickly, don't they?; **~er und Narren** *or* **Betrunkene sagen die Wahrheit** (*fig*) children and fools speak the truth; **ein ~ des Todes sein** (*dated*) to be a goner (*inf*); **mit ~ und Kegel** (*hum inf*) with the whole family; **das ~ muß einen Namen haben** (*fig*) you/we *etc* have to call it something; **das ~ mit dem Bade ausschütten** (*prov*) to throw out the baby with the bathwater (*prov*); **wir werden das ~ schon schaukeln** (*inf*) we'll soon have that *or* everything sorted out; **los, ~er/hört mal alle her, ~er!** let's go,

kids/listen, kids; **~er, ~er!** dear, dear!, goodness me!, good heavens!.

Kindbett *nt* (*old*) childbed (*old*); **im ~** in confinement; **Kindbettfieber** *nt* childbed fever.

Kindchen *nt* *dim of* **Kind** child; (*zu Erwachsenen*) kid(do) (*inf*).

Kindel *nt* **-s, -(n)** (*dial*) *dim of* **Kind** kiddy.

Kinderarbeit *f* child labour; **kinderarm** *adj* with few children; **~es Land** a country with a low birth rate; **Kinderarzt** *m*, **Kinderärztin** *f* paediatrician; **Kinderaugen** *pl* children's eyes *pl*; **etw mit ~ anschauen** to gaze wide-eyed at sth; **vor Erstaunen ~ machen/bekommen** to be wide-eyed with astonishment; **Kinderbeilage** *f* children's supplement, children's page; **Kinderbekleidung** *f* children's wear; **Kinderbett** *nt* cot; **Kinderbild** *nt* childhood photograph; **das ist ein ~ (von) meiner Mutter** that's a photograph of my mother as a child *or* when she was a child; **Kinderbuch** *nt* children's book.

Kinderchen *pl* children *pl*.

Kinderchor *m* children's choir; **Kinderdorf** *nt* children's village.

Kinderei *f* childishness *no pl*. **~en** childishness, childish nonsense.

Kindererziehung *f* bringing up of children; (*durch Schule*) education of children; **sie versteht nichts von ~** she knows nothing about bringing up/educating children; **Kinderfahrkarte** *f* child's ticket; **Kinderfahrrad** *nt* child's *or* children's bicycle; **kinderfeindlich I** *adj* hostile to children, anti-children; *Architektur, Planung* not catering for children; **~e Steuerpolitik** tax policies which penalize having children; **II** *adv* without regard to children; **Kinderfernsehen** *nt* children's television; **Kinderfest** *nt* children's party *or* (*von Stadt*) fête; **Kinderfilm** *m* children's film; **Kinderfrau** *f*, **Kinderfräulein** *nt* (*dated*) nanny, children's nurse; **Kinderfreibetrag** *m* child allowance; **Kinderfreund(in** *f*) *m* ~ **sein** to be fond of children; **kinderfreundlich I** *adj Mensch* fond of children; *Gesellschaft* child-orientated, child-friendly; *Möbel, Architektur* child-friendly; **eine ~e Steuerpolitik** a tax policy which encourages one to have children; **II** *adv* with children in mind; **Kinderfunk** *m* children's radio *or* programmes *pl*; **Kindergarten** *m* nursery school, kindergarten; **Kindergärtner(in** *f*) *m* nursery-school teacher; **Kindergeburtstag** *m* (*Feier*) children's birthday party; **Kindergeld** *nt* child benefit *or* allowance; **Kindergeschrei** *nt* screams *pl* of children; **er kann ~ nicht vertragen** he can't stand children screaming; **Kindergesicht** *nt* baby face; **Kinderglaube** *m* childlike faith; **Kindergottesdienst** *m* children's service; **Kinderheilkunde** *f* paediatrics; **Facharzt für ~** paediatrician; **Kinderheim** *nt* children's home; **Kinderhort** *m* day-nursery, crèche; **Kinderjahre** *pl* childhood years *pl*; **Kinderkleidung** *f* children's clothes *pl*; **Kinderklinik** *f* children's clinic, paediatric clinic; **Kinderkorb** *m* baby-carrier; **Kinderkram** *m* (*inf*) kids' stuff (*inf*); **Kinderkrankenhaus** *nt* children's hospital; **Kinderkrankheit** *f* (*allgemein*) children's illness *or* disease; (*eines bestimmten Menschen*) childhood illness *or* disease; (*fig*) teething troubles *pl*; **Kinderkrippe** *f* day-nursery, crèche; **Kinderladen** *m* (left-wing) play-group; **Kinderlähmung** *f* poliomyelitis, polio; **kinderleicht** *adj* childishly simple, dead easy (*inf*); **es ist ~** it's child's play *or* kid's stuff (*inf*). **Kinderlein** *pl* children *pl*.

kinderlieb *adj* fond of children; **Kinderliebe** *f* (*Liebe zu Kindern*) love of *or* for children; **Kinderlied** *nt* ≃ nursery rhyme; **kinderlos** *adj* childless; **Kindermädchen** *f* nanny; **Kindermärchen** *nt* (children's) fairy tale, fairy story; **Kindermoden** *pl* children's fashions *pl*; **Kindermord** *m* child murder; (*Jur*) infanticide; **der ~ zu Bethlehem** (*Bibl*) the massacre of the innocents; **Kindermörder(in** *f*) *m* child-murderer; **Kindermund** *m* (*fig*) children's talk, child's way of talking; **~ tut Wahrheit kund** (*Prov*) out of the mouths of babes and sucklings (*prov*); **Kindernarr** *m*, **Kindernärrin** *f* great over of children; **er ist ein ~** he adores children; **Kinderpopo** *m* (*inf*) baby's bottom (*inf*); **glatt wie ein ~** smooth as a baby's bottom (*inf*); **Kinderprostitution** *f* child prostitution; **Kinderpsychologie** *f* child psychology; **Kinderraub** *m* babysnatching; (*Entführung*) kidnapping (of a child/children); **kinderreich** *adj* with many children; **Familie** large; **Kinderreichtum** *m* an abundance of children; **Kinderreim** *m* nursery rhyme; **Kinderreisebett** *nt* travel cot; **Kindersachen** *pl* (*Kleidung*) children's clothes *pl*; (*Gegenstände*) children's things *pl*; (*Spielsachen*) toys *pl*; **Kinderschänder** *m* **-s, -** child molester; **Kinderschar** *f* swarm of children; **Kinderschreck** *m* bog(e)yman; **Kinderschuh** *m* child's shoe; **~e sind teuer** children's shoes are dear; **etw steckt noch in den ~en** (*fig*) sth is still in its infancy; **Kinderschutzbund** *m* ≃ NSPCC; **Kinderschwester** *f* children's nurse; **es war ihnen kein ~ beschert** they were not blessed with children; **kindersicher** *adj* childproof; **Kindersicherung** *f* (*Aut*) childproof safety catch; **Kindersitz** *m* child's seat; (*im Auto*) child's safety seat; **Kinderspiel** *nt* children's game; (*fig*) child's play *no art*; **Kinderspielplatz** *m* children's playground; **Kinderspielzeug** *nt* (children's) toys *pl*; **Kindersprache** *f* (*von Kindern*) children's language; (*verniedlichend von Erwachsenen*) baby talk *no art*; **Kinderstation** *f* children's ward; **Kindersterblichkeit** *f* infant mortality; **Kinderstimme** *f* child's voice;

Kinderstreich *m* childish prank; **Kinderstube** *f* (*fig*) upbringing; **Kinderstuhl** *m* child's chair; (*Hochstuhl*) high chair; **Kinderstunde** *f* children's hour; **Kindertagesstätte** *f* day nursery, crèche; **Kindertaufe** *f* infant baptism; **Kinderteller** *m* (*in Restaurant*) children's portion; **Kindertheater** *nt* children's theatre; (*Jugendtheater*) youth theatre; **Kindervers** *m* nursery rhyme; **Kinderwagen** *m* pram (*Brit*), baby carriage (*US*), perambulator (*form*); (*Sportwagen*) pushchair (*Brit*), baby-stroller (*US*); **Kinderwelt** *f* world of children; **Kinderzimmer** *nt* child's/children's room; (*esp für Kleinkinder*) nursery; **Kinderzulage** *f* child benefit.

Kindesalter *nt* childhood; **im ~** at an early age; **Kindesaussetzung** *f* abandoning of children; **~en** cases of children being abandoned; **Kindesbeine** *pl*: **von ~n an** from childhood, from an early age; **Kindesentführung** *f* kidnapping (of a child/children); **Kindesentziehung** *f* (*Jur*) child abduction; **Kindeskind** *nt* grandchild; **Kindesliebe** *f* child's/children's love; **Kindesmißhandlung** *f* child abuse; **Kindesmord** *m* child-murder, murder of a child; **Kindesmörder(in** *f*) *m* child-murderer; **Kindestötung** *f* (*Jur*) infanticide.

Kindfrau *f* Lolita; **kindgemäß** *adj* child-orientated; **kindhaft** *adj* childlike; **Kindheit** *f* childhood; (*früheste Kindheit*) infancy. **Kindheitserinnerung** *f* childhood memory; **Kindheitstraum** *m* childhood dream.

kindisch *adj* (*pej*) childish. **Kindl** *nt* **-s, -(n)** (*dial*) dim of **Kind**. **kindlich** **I** *adj* childlike; (*pej*) childish. **II** *adv* like a child. **Kinds-** *in cpds siehe* **Kindes-**; **Kindskopf** *m* (*inf*) big kid (*inf*); **sei kein ~** don't be so childish; **Kindslage** *f* (*Med*) presentation of the foetus. **Kindtaufe** *f* (*old*) christening. **Kinemathek** *f* **-, -en** film library *or* archive. **Kinematographie** *f* cinematography. **Kinetik** *f* kinetics *sing*. **kinetisch** *adj* kinetic. **Kinkerlitzchen** *pl* (*inf*) knicknacks *pl* (*inf*); (*dumme Streiche*) tomfoolery *sing* (*inf*).

Kinn *nt* **-(e)s, -e** chin. **Kinnbart** *m* goatee (beard); **Kinnhaken** *m* hook to the chin; **Kinnlade** *f* jaw (-bone); **Kinnriemen** *m* (*am Helm*) chinstrap.

Kino *nt* **-s, -s** cinema; (*Gebäude auch*) movie theater (*US*). **ins ~ gehen** to go to the cinema *or* pictures (*Brit*) *or* movies (*esp US*).

Kino- *in cpds* cinema, movie (*esp US*); **Kinobesuch** *m* visit to the cinema; (*Besucherrate*) cinema attendances *pl*; **Kinobesucher(in** *f*) *m* cinemagoer; **Kinocenter** *nt* cinema complex, multiscreen cinema; **Kinofilm** *m* cinema film; **kinofreudig** *adj* cinema-loving;

Kinogänger(in *f*) *m* **-s, -** cinemagoer;
Kinohit *m* blockbuster; **Kinokarte** *f*
cinema ticket; **Kinokasse** *f* cinema box
office; **Kinoprogramm** *nt* film programme; (*Übersicht*) film guide;
Kinoreklame *f* cinema advertisement;
Kinovorstellung *f* performance, programme; **Kinowerbung** *f* cinema advertising.

Kintopp *m or nt* **-s, -s** *or* ⁼e (*dated*) **1.**
pictures *pl* (*Brit*), movies *pl* (*US*). **2.** (*als
Kulturphänomen*) cinema.

Kiosk *m* **-(e)s, -e** kiosk.

Kipfe(r)l *nt* **-s, -(n)** (*Aus*) croissant.

Kippe *f* **-, -n 1.** (*Sport*) spring.
  2. auf der ~ stehen (*Gegenstand*) to
be balanced precariously; **sie steht auf
der ~** (*fig*) it's touch and go with her; **es
steht auf der ~, ob ...** (*fig*) it's touch and
go whether ...
  3. (*inf: Zigarettenstummel*) cigarette
stub, fag-end (*Brit inf*), dog-end (*Brit
inf*); (*sl: Zigarette*) fag (*Brit inf*), butt
(*US sl*).
  4. (*Müll~, Min*) tip.

kipp(e)lig *adj* (*inf*) (*wackelig*) wobbly;
Möbel auch rickety.

kippeln *vi* (*inf*) to wobble, to be wobbly
or rickety. (**mit dem Stuhl**) **~** to tilt (on
one's chair).

kippen I *vt* **1.** *Behälter, Fenster* to tilt; *Ladefläche, Tisch* to tip *or* tilt (up); (*fig:
umstoßen*) *Urteil* to overturn; *Regierung, Minister* to topple. **etw aus dem
Gleichgewicht ~** to tilt sth; **„bitte nicht
~"** "please do not tilt"; **einen/ein paar
~** (*inf: trinken*) to have a drink/to down
a few (*inf*).
  2. (*mit Ortsangabe: schütten*) to tip.
  II *vi aux sein* to tip over; (*esp höhere
Gegenstände*) to topple (over); (*Fahrzeug, Schiff*) to overturn; (*Mensch*) to
topple, to fall; (*Wechselkurse, Gewinne*)
to plummet. **aus den Latschen** *or* **Panti-
nen ~** (*fig inf*) (*überrascht sein*) to fall
through the floor (*inf*); (*ohnmächtig
werden*) to pass out.

Kipper *m* **-s, -** (*Aut*) tipper, dump(er)
truck; (*Rail*) (tipper) wagon.

Kippfenster *nt* tilt window;
Kipplore *f* tipper wagon; **Kippschalter** *m*
toggle switch.

Kir *m* **-, -** kir.

Kirche *f* **-, -n** (*Gebäude, Organisation*)
church; (*bestimmte Glaubensgemeinschaft*) Church; (*Gottesdienst*) church
no art. **zur ~ gehen** to go to church; **die
~ im Dorf lassen** (*fig*) not to get carried
away.

Kirchen- *in cpds* church; **Kirchen-
älteste(r)** *mf decl as adj* church elder;
Kirchenamt *nt* **1.** ecclesiastical office;
2. (*Verwaltungsstelle*) church offices *pl*;
Kirchenaustritt *m* leaving the Church
no art; **~e** (*cases of*) people leaving the
Church; **Kirchenbank** *f* (church) pew;
Kirchenbann *m* anathema; (*Interdikt*)
interdict; **den ~ über jdn verhängen** to
excommunicate/interdict sb; **Kirchen-
besuch** *m* church-going; **Kirchen-
blatt** *nt* parish magazine; **Kirchen-
buch** *nt* church register; **Kirchen-**

chor *m* church choir; **Kirchendie-
ner** *m* sexton; **kirchenfeindlich** *adj*
anticlerical; **Kirchenfenster** *nt* church
window; **Kirchengemeinde** *f* parish;
Kirchengeschichte *f* church *or* ecclesiastical history; **Kirchenglocke** *f*
church bell; **Kirchengut** *nt* church
property; **Kirchenjahr** *nt* church *or* ecclesiastical year; **Kirchenkampf** *m*
struggle between Church and state;
Kirchenlehrer *m* Doctor of the Church;
Kirchenleitung *f* government of the
Church; (*Gremium*) governing body of
the Church; **Kirchenlicht** *nt*: **kein (großes) ~ sein** (*fig inf*) to be not very bright;
Kirchenlied *nt* hymn; **Kirchenmann** *m*,
pl **Kirchenmänner** churchman; **Kir-
chenmaus** *f*: **arm wie eine ~** poor as a
church mouse; **Kirchenmusik** *f* church
or sacred music; **Kirchenpolitik** *f*
church policy; **Kirchenrat** *m* (*Person*)
member of the Church Council;
(*Gremium*) Church Council; **Kirchen-
raub** *m* theft from a/the church; (*von ge-
weihtem Gegenstand*) sacrilege;
Kirchenräuber(in *f*) *m* church-robber;
Kirchenrecht *nt* canon law; **kirchen-
rechtlich** *adj* canonical; **Kir-
chenschänder(in** *f*) *m* **-s, -** desecrator,
profaner; **Kirchenschiff** *nt*
(*Längsschiff*) nave; (*Querschiff*) transept; **Kirchenspaltung** *f* schism;
Kirchenstaat *m* (*Hist*) Papal States *pl*;
(*Vatikanstaat*) Vatican City; **Kirchen-
steuer** *f* church tax; **Kirchenstrafe** *f* ecclesiastical punishment; **Kirchentag** *m*
Church congress; **Kirchentonart** *f*
church *or* ecclesiastical mode;
Kirchenvater *m* Father of the Church,
Church Father; **Kirchenverfolgung** *f*
persecution of the Church; **Kirchen-
vorstand** *m* parish council.

Kirchgang *m* going to church *no art*; **der
sonntägliche ~** going to church on Sunday; **Kirchgänger(in** *f*) *m* **-s, -** church-
goer; **Kirchhof** *m* churchyard; (*Friedhof*) graveyard.

kirchlich *adj* church *attr*; *Zustimmung,
Mißbilligung* by the church; *Amt auch,
Gebot, Gericht* ecclesiastical; *Musik
auch* sacred, religious; *Feiertag auch* religious; *Land, Mensch* religious, devout;
Recht canon. **sich ~ trauen lassen** to get
married in church, to have a church
wedding; **~ bestattet werden** to have a
religious funeral.

Kirchspiel *nt* parish; **Kirchtag** *m* (*Aus, S
Ger*) fair, kermis (*US*).

Kirchturm *m* church steeple.

Kirchturmpolitik *f* (*pej*) parish pump politics *pl*; **Kirchturmspitze** *f* church spire.

Kirchweih *f* **-, -en** fair, kermis (*US*);
Kirchweihe *f* consecration of a/the
church.

Kirgisien *nt* **-s** Kirghizia.

Kirmes *f* **-, -sen** (*dial*) fair, kermis (*US*).

kirre *adj pred* (*inf*) *Tier* tame; *Mensch*
compliant. **jdn ~ machen** to soften sb up
(*inf*).

Kirsch *m* **-(e)s, -** kirsch.

Kirsch- *in cpds* cherry; **Kirschbaum** *m*
cherry tree; (*Holz*) cherry (wood);

Kirschblüte f cherry blossom; (*Zeit*) cherry blossom time.

Kirsche f -, -n cherry. **mit ihm ist nicht gut ~n essen** (*fig*) it's best not to tangle with him.

Kirschentkerner m -s, - cherry-stoner; **Kirschkern** m cherry stone; **Kirschlikör** m cherry brandy; **kirschrot** adj cherry (-red); **Kirschstein** m cherry stone; **Kirschtorte** f cherry gateau; **Schwarzwälder** ~ Black Forest gateau; **Kirschwasser** nt kirsch.

Kissen nt -s, - cushion; (*Kopf~*) pillow; (*Stempel~*, an Heftpflaster) pad; (*Duft~*) sachet.

Kissenbezug m cushion cover; (*Kopf~*) pillow case; **Kissenschlacht** f pillow fight.

Kiste f -, -n **1.** (*Behälter*) box; (*für Obst auch, für Wein*) case; (*Latten~*) crate; (*Truhe*) chest; (*inf: Bett*) sack (*sl*). **eine ~ Wein/Zigarren** a case of wine/box of cigars; **in die ~ springen** (*sl*) to kick the bucket (*inf*).
2. (*inf*) (*Auto, Flugzeug*) crate (*inf*); (*Schiff*) tub (*inf*); (*Fernsehen*) box (*inf*).
3. (*inf*) (*Angelegenheit*) affair; (*Beziehungs~*) (problematic) relationship. **fertig ist die ~!** that's that (done)!; **das ist eine faule ~!** that's a fishy business! (*inf*); **immer dieselbe ~** always the same old thing; **eine alte ~** an old chestnut.

kistenweise adv by the box/case.

Kitsch m -es, no pl kitsch.

kitschig adj kitschy.

Kitt m -(e)s, -e (*Fenster~*) putty; (*für Porzellan, Stein*) cement; (*fig*) bond.

Kittchen nt (*inf*) clink (*inf*).

Kittel m -s, - **1.** (*Arbeits~*) overall; (*von Arzt, Laborant*) (white) coat. **2.** (*blusenartiges Kleidungsstück*) smock. **3.** (*Aus: Damenrock*) skirt.

Kittelkleid nt frock; **Kittelschürze** f overall.

kitten vt to cement, to stick together with cement; *Fenster* to putty; (*füllen*) to fill; (*fig*) to patch up.

Kitz nt -es, -e (*Reh~*) fawn; (*Ziegen~*, *Gemsen~*) kid.

Kitzel m -s, - tickle; (*~gefühl*) tickling feeling; (*fig*) thrill.

kitz(e)lig adj (*lit, fig*) ticklish.

kitzeln I vt (*lit, fig*) to tickle. **jdn unter den Armen/am Bauch ~** to tickle sb under the arms/sb's stomach. **II** vi to tickle. **III** vt impers **es kitzelt mich** I've got a tickle; **es kitzelt mich, das zu tun** I'm itching to do it.

Kitzeln nt -s, no pl tickling. **er findet das ~ angenehm** he likes being tickled; **ein angenehmes ~** a nice tickle.

Kitzler m -s, - (*Anat*) clitoris.

Kiwi m -s, -s (*Orn*) kiwi; (*inf: Neuseeländer*) Kiwi.

KKW [kaːkaːˈveː] nt -s, -s abbr of **Kernkraftwerk**.

klabastern* vi aux sein (*N Ger*) to plod, to clump, to stump.

Klabautermann m, pl -männer (*Naut*) ship's kobold.

klacken vi (*inf*) to click; (*bei Aufprall*) to crash; (*klappern*) to rattle.

Klacks m -es, -e (*inf*) **1.** (*Geräusch*) splosh.
2. (*von Kartoffelbrei, Sahne*) dollop (*inf*); (*von Senf, Farbe auch*) blob (*inf*).
3. (*fig*) **das ist ein ~** (*einfach*) that's a piece of cake (*inf*); (*wenig*) that's nothing (*inf*); **die 500 Mark sind für ihn ein ~** the 500 marks are peanuts or chickenfeed to him (*inf*).

klacksen (*inf*) I vt *Sahne, Kartoffelbrei* to dollop (*inf*); *Farbe* to splash. **die Sahne/den Kartoffelbrei auf etw** (*acc*) **~** to put a dollop of cream/mashed potato on sth (*inf*). **II** vi (*Brei, Sahne*) to go smack; (*Farbe*) to splash.

Kladde f -, -n (*Sch*) rough book; (*Notizbuch*) notebook; (*Block*) scribbling pad.

Kladderadatsch m -(e)s, -e (*inf*) (*Kram, Durcheinander*) mess; (*Streit*) bust-up (*inf*); (*Skandal*) scandal.

klaffen vi to gape; (*Spalte, Abgrund auch*) to yawn. **da klafft eine Wunde/ein Loch** there is a gaping wound/a gaping hole; **zwischen uns beiden klafft ein Abgrund** (*fig*) we are poles apart.

kläffen vi (*inf*) to yap.

klaffend adj gaping; *Spalte, Abgrund auch* yawning; (*fig*) irreconcilable; *Widerspruch* blatant.

Kläffer m -s, - (*lit, fig: pej*) yapper.

Klafter m or nt -s, - or (*rare*) f -, -n fathom.

klafterweise adv (*fig*) by the ton.

Klage f -, -n **1.** (*Beschwerde*) complaint. **(bei jdm) über jdn/etw ~ führen** to lodge a complaint (with sb) about sb/sth; **~n (über jdn/etw) vorbringen** to make complaints (about sb/sth); **Grund zu ~n/zur ~** reason for complaint or to complain; **daß mir keine ~n kommen!** (*inf*) don't let me hear any complaints.
2. (*Äußerung von Schmerz*) complaint; (*Äußerung von Trauer*) lament(ation) (*um, über +acc* for); (*~laut*) plaintive cry.
3. (*Jur*) (*im Zivilrecht*) action, suit; (*im Strafrecht auch*) charge; (*Scheidungs~ auch*) petition; (*~schrift, Wortlaut*) (*im Strafrecht*) charge; (*im Zivilrecht*) charge, plaint. **eine ~ gegen jdn einreichen/erheben** to institute proceedings against sb; **eine ~ auf etw** (*acc*) an action for sth.

Klageabweisung f (*Jur*) dismissal of an action; **Klageerhebung** f (*Jur*) institution of proceedings; **Klagefrist** f (*Jur*) period for instituting proceedings; **klageführend** adj (*Jur*) suing; **die ~e Partei** the plaintiff; **Klagegesang** m lament; **Klagegeschrei** nt wailing; **Klagegrund** m (*Jur*) cause of action; **Klagelaut** m plaintive cry; (*schmerzerfüllt*) cry of pain; **Klagelied** nt lament; **ein ~ über jdn/etw anstimmen** (*fig*) to complain about sb/sth; **Klagemauer** f **die ~** The Wailing Wall.

klagen I vi **1.** (*jammern*) to moan, to wail; (*Tiere*) too.
2. (*trauern, Trauer äußern*) to lament (*um jdn/etw* sb/sth), to wail.
3. (*sich beklagen*) to complain. **über**

etw (*acc*) ~ to complain about sth; **über Rückenschmerzen** ~ to complain of backache; **ohne zu** ~ without complaining; **ich kann nicht** ~ (*inf*) mustn't grumble (*inf*).
4. (*Jur*) to sue (*auf +acc* for).
II *vt* **1. jdm sein Leid/seine Not/seinen Kummer** ~ to pour out one's sorrow/distress/grief to sb; **dem Himmel** *or* **Gott sei's geklagt** alas, alas.
2. (*Aus*) *siehe* **verklagen**.

lagend *adj* (*trauererfüllt*) *Mensch* lamenting; *Blick, Ton, Schrei* plaintive; *Gesicht* sorrowful; (*schmerzerfüllt*) pained; (*jammernd, sich beklagend*) complaining. **der ~e Teil/die ~e Partei** the plaintiff.

Klagepunkt *m usu pl* particular of a charge/plaint/petition.

Kläger(in *f*) *m* **-s, -** (*Jur*) (*im Zivilrecht*) plaintiff; (*in Scheidungssachen*) petitioner; (*im Strafrecht auch*) prosecuting party. **wo kein** ~ **ist, ist auch kein Richter** (*Prov*) well, if no-one complains …

Klageruf *m* plaintive cry; (*Schmerzensschrei*) cry of pain; **Klageschrift** *f* (*Jur*) charge; (*bei Scheidung*) petition; **Klageweg** *m* (*Jur*) **auf dem** *or* **im** ~(**e**) by (taking *or* bringing) legal action; **Klageweib** *nt* wailer, mourner.

kläglich I *adj* pitiful; *Ende auch* wretched; *Leistung auch* pathetic; *Rest* miserable; *Niederlage, Verhalten* despicable; (*pej: dürftig*) pathetic. **II** *adv* (*in beschämender Weise*) miserably.

klaglos I *adj* (*Jur*) *Schuld, Forderung* non-actionable. **II** *adv* (*ohne Klagen*) uncomplainingly.

Klamauk *m* **-s,** *no pl* (*inf*) (*Alberei*) tomfoolery; (*im Theater*) slapstick; (*Lärm*) racket (*inf*); (*Reklamewirbel*) hullabaloo; (*Aufheben*) fuss, to-do. ~ **machen** (*albern*) to fool about.

klamm *adj* **1.** (*steif vor Kälte*) numb. **2.** (*naß und kalt*) clammy; *Wäsche* cold and damp. ~ **sein** (*fig inf*) to be hard up (*inf*).

Klamm *f* **-, -en** gorge.

Klammer *f* **-, -n 1.** (*Wäsche~*) peg; (*Hosen~*) clip; (*Büro~*) paperclip; (*Heft~*) staple.
2. (*Haar~*) (hair)grip.
3. (*Med: Wund~*) clip; (*für Zähne*) brace.
4. (*in Text, Math, ~ausdruck*) bracket; (*Mus*) brace. ~ **auf/zu** open/close brackets; **in** ~**n** in brackets; **runde/ eckige/spitze** ~ round/square/pointed brackets; **geschweifte** ~**n** braces.
5. (*Bau~*) clamp, cramp; (*zur Verpackung*) cramp.

Klammeraffe *m* (*Zool*) spider monkey; **er ist ein richtiger** ~ (*fig inf*) he's always clinging on to you; **sie saß wie ein** ~ **auf dem Motorrad** (*inf*) she sat on the motorcycle clinging on for dear life; **Klammerbeutel** *m* peg bag; **Klammerhefter** *m* **-s, -** stapler.

klammern *vt* (*an +acc* to) *Wäsche* to peg; *Papier* to staple; (*Tech*) to clamp; (*Med*) *Wunde* to clip; *Zähne* to brace. **II** *vr* **sich an jdn/etw** ~ (*lit, fig*) to cling to

sb/sth. **III** *vi* (*Sport*) to clinch.

klammheimlich (*inf*) **I** *adj* clandestine, on the quiet. **II** *adv* on the quiet. ~ **aus dem Haus gehen** to sneak out of the house.

Klamotte *f* **-, -n 1.** ~**n** *pl* (*inf*) (*Kleider, Siebensachen*) gear *sing* (*inf*); (*Zeug*) stuff *no pl*. **2.** (*inf*) (*alter wertloser Gegenstand*) old junk (*inf*); (*Steinbrocken*) great big rock. **3.** (*pej: Theaterstück, Film*) rubbishy old play/film.

Klamottenkiste *f*: **aus der** ~ **hervorholen** (*pej inf*) to dig up again.

Klampfe *f* **-, -n** (*inf*) guitar.

klamüsern* *vt* (*N Ger inf*) to puzzle over.

klang *pret of* **klingen**.

Klang *m* **-(e)s, ¨e** sound; (*Tonqualität*) tone. **der** ~ **von Glocken/Glöckchen/ Gläsern** the chiming of bells/tinkling of small bells/clinking of glasses; ~**e** (*Musik*) sounds, tones; **der Name hat einen guten** ~ the name has a good ring to it; (*guten Ruf*) the name has a good reputation.

Klangbild *nt* sound; (*Phys*) sound pattern; **Klangboden** *m* sounding-board; **Klangeffekt** *m* sound effect; **Klangfarbe** *f* tone colour; **Klangfolge** *f* tonal sequence; **Klangfülle** *f* richness of tone; (*von Stimme*) sonority; **Klangkörper** *m* (*von Musikinstrument*) body; (*Orchester*) orchestra; (*Klangbild*) body of sound; **klanglich I** *adj* *Qualität* tonal; ~**e Unterschiede** differences in sound; (*von Tonqualität*) tonal difference; **II** *adv* ~ **gut sein** (*Musik, Lied, Gedicht, Stimme*) to sound good; (*Instrument, Gerät*) to have a good tone *or* sound; **klanglos** *adj* toneless; *siehe* **sang- und klanglos**; **Klangregler** *m* (*Rad*) tone control; **klangrein** *adj* pure; ~ **sein** to have a pure tone *or* sound; **Klangreinheit** *f* purity of tone *or* sound; **klangschön** *adj* beautiful sounding; **klangtreu** *adj* *Wiedergabe* faithful; *Empfänger* high-fidelity; *Ton* true; ~ **sein** to have high fidelity; **Klangtreue** *f* fidelity; **klangvoll** *adj* *Stimme, Sprache* sonorous, euphonic (*liter*); *Wiedergabe* full; *Melodie* tuneful; (*fig*) *Titel, Name* fine-sounding; **Klangwort** *nt* onomatopoeia.

klapp *interj* snap; (*beim Türschließen*) click; *siehe* **klipp**.

Klappbett *nt* folding bed; **Klappbrücke** *f* bascule bridge; **Klappdeckel** *m* hinged lid.

Klappe *f* **-, -n 1.** flap; (*an Lastwagen*) tailgate; (*seitlich*) side-gate; (*an Kombiwagen*) back; (*von Tisch*) leaf; (*von Ofen*) shutter, flap; (*Klappdeckel*) (hinged) lid; (*an Oboe*) key; (*Falltür*) trapdoor; (*Film*) clapperboard.
2. (*Schulter~*) strap; (*Hosen~, an Tasche*) flap; (*Augen~*) patch; (*von Visier*) shutter.
3. (*Herz~*) valve.
4. (*inf: Mund*) trap (*inf*). **die** ~ **halten** to shut one's trap (*inf*); **die** ~ **aufreißen, eine große** ~ **haben, die große** ~ **schwingen** to have a big mouth (*inf*).
5. (*inf: Bett*) pit (*inf*). **sich in die** ~ **hauen** (*inf*) to hit the hay (*inf*) *or* sack

(*inf*).

6. (*Aus Telec*) extension.

klappen I *vt* **etw nach oben/unten** ~ *Sitz, Bett* to fold sth up/down; *Kragen* to turn sth up/down; *Deckel* to lift sth up, to raise sth/to lower sth, to put sth down; **etw nach vorn/hinten** ~ *Sitz* to tip sth forward/back; *Deckel* to lift sth forward/back.

II *vi* **1.** to bang.

2. (*fig inf*) to work; (*gutgehen auch*) to work out; (*reibungslos stattfinden: Aufführung, Abend*) to go smoothly. **hat es mit den Karten/dem Job geklappt?** did you get the tickets/job all right *or* OK (*inf*)?; **mit dem Flug hat alles geklappt** the flight went all right, there was no problem with the flight.

Klappentext *m* (*Typ*) blurb.

Klapper *f* -, **-n** rattle.

klapperdürr *adj* (*inf*) thin as a rake; **Klappergestell** *nt* (*hum inf*) (*Mensch*) bag of bones; (*Fahrzeug*) boneshaker (*inf*).

klapp(e)rig *adj* rickety, shaky; (*fig inf*) *Mensch* shaky, tottery.

Klapperkasten *m*, **Klapperkiste** *f* (*pej*) boneshaker (*inf*).

klappern *vi* **1.** to clatter; (*Klapperschlange, Fenster, Baby*) to rattle; (*Lider*) to bat; (*Mühle*) to clack; (*auf der Schreibmaschine*) to clatter away; (*mit Stricknadeln*) to click. **er klapperte vor Kälte/Angst mit den Zähnen** his teeth were chattering with cold/fear; **K~ gehört zum Handwerk** (*prov*) making a big noise is part of the business.

2. *aux sein* (*sich* ~*d fortbewegen*) to clatter along; (*Auto auch*) to rattle along.

Klapperschlange *f* (*Zool*) rattlesnake; (*fig*) rattletrap; **Klapperstorch** *m* (*baby-talk*) stork; **er glaubt noch immer an den** ~ he still thinks babies are found under the gooseberry bush.

Klappfahrrad *nt* folding bicycle *or* bike; **Klappfenster** *nt* top-hung window; **Klappladen** *m* folding shutter; **Klappmesser** *nt* flick knife, jackknife; **Klappsitz** *m* folding seat; **Klappstuhl** *m* folding chair; **Klappstulle** *f* (*N Ger*) sandwich; **Klapptisch** *m* folding table; **Klapptür** *f* trapdoor; **Klappverdeck** *nt* folding *or* collapsible hood; **Klappzylinder** *m* opera hat.

Klaps *m* **-es, -e 1.** (*inf*) **einen** ~ **haben** to have a screw loose (*inf*), to be off one's rocker (*inf*). **2.** (*Schlag*) smack, slap.

Klapsmühle *f* (*pej inf*) loony bin (*inf*), nut house (*inf*).

klar *adj* clear; (*fertig*) ready. ~ **zum Gefecht/Einsatz** (*Mil*) ready for action; ~ **Schiff** (*lit, fig*)/**Deck machen** (*Naut*) to clear the decks; **ein** ~**er Fall** (*inf*) sure thing (*inf*); **ein** ~**er Fall von ...** (*inf*) a clear case of ...; **das ist doch** ~! (*inf*) of course!; **na** ~! (*inf*) of course!, sure! (*inf*); **alles** ~? everything all right *or* OK? (*inf*); **jetzt ist** *or* **wird mir alles** ~! now I understand; **bei** ~**em Verstand sein** to be in full possession of one's faculties; (*inf*) to be in one's right mind; **etw** ~ **und deutlich sagen** to spell sth

out; **jdm etw** ~ **und deutlich sagen** to tell sb sth straight (*inf*); **etw tritt** ~ **zutage** sth becomes apparent *or* obvious *or* clear; ~ **wie Kloßbrühe** *or* **dicke Tinte** (*inf*) clear as mud (*inf*); **sich** (*dat*) **über etw** (*acc*) **im** ~**en sein** to be aware of sth; **sich** (*dat*) **darüber im** ~**en sein, daß ...** to realize that ...

Klar *nt* **-(e)s, -(e)** (*Aus*) *siehe* **Eiweiß**.

Kläranlage *f* sewage plant; (*von Fabrik*) purification plant.

Klarapfel *m* early dessert apple; **klarblickend** *adj* clear-sighted; **klardenkend** *adj attr* clear-thinking.

klären **I** *vt* to clear; *Wasser, Luft* to purify; *Abwasser* to treat; *Fall, Sachlage* to clarify, to clear up; *Frage* to settle.

II *vi* (*Sport*) to clear (the ball).

III *vr* (*Wasser, Himmel*) to clear; (*Wetter*) to clear up; (*Meinungen, Sachlage*) to become clear; (*Streitpunkte*) to be clarified; (*Frage*) to be settled.

Klare(r) *m decl as adj* (*inf*) schnapps.

klargehen *vi sep irreg aux sein* (*inf*) to be all right *or* OK (*inf*). **ist es mit dem Examen klargegangen?** did the exam go all right *or* OK? (*inf*).

Klärgrube *f* cesspit.

Klarheit *f* **1.** (*fig: Deutlichkeit*) clarity; (*geistige* ~) lucidity. **sich** (*dat*) ~ **über etw** (*acc*) **verschaffen** to find out about sth, to get clear about sth; **über Sachlage** ~ **über etw** (*acc*) **haben** to be clear about sth; **jdm etw in aller** ~ **sagen** to tell sb sth in plain language.

2. (*Reinheit*) clearness.

klarieren* *vt* (*Zoll*) to clear (through customs).

Klarinette *f* clarinet.

Klarinettist(in *f*) *m* clarinettist.

Klarisse *f* **-, -n**, **Klarissin** *f* nun of the order of St Clare.

klarkommen *vi sep irreg aux sein* (*inf*) to manage, to get by (*inf*); **mit etw** ~ to be able to cope with sth; **mit jdm** ~ to be able to deal *or* cope with sb; **klarkriegen** *vt sep* (*inf*) to sort out; **ein Problem** ~ to sort out *or* crack (*inf*) a problem; **Klarlack** *m* clear varnish; **klarlackbehandelt** *adj* varnished; **klarlegen** *vt sep* to make clear, to explain; **klarmachen** *sep* **I** *vt* to make clear, to explain; *Schiff* to make ready, to get ready; *Flugzeug* to clear; **jdm etw** ~ to make sth clear to sb; **sich** (*dat*) **etw/die Unterschiede** ~ to realize sth/get the differences clear in one's own mind; **sich** (*dat*) **ein Thema** ~ to get a subject sorted out in one's mind; **II** *vi* (*Naut*) to make ready, to get ready; **zum Gefecht** ~ to clear the decks for action.

Klärschlamm *m* sludge.

Klarschriftleser *m* (*optischer*) ~ optical character reader.

klarsehen *vi sep irreg* to see clearly. **in etw** (*dat*) ~ to have understood sth.

Klarsicht- *in cpds* transparent; **Klarsichtfolie** *f* clear film; **Klarsichthülle** *f* clear plastic folder; **Klarsichtpackung** *f* see-through pack; **Klarsichtscheibe** *f* (*Aut*) anti-mist panel.

klarspülen *vti sep* to rinse; **klarstellen** *vt*

sep (*klären*) to clear up, to clarify; (*klarmachen*) to make clear; **ich möchte ~, daß ...** I would like to make it clear that ...; **Klarstellung** *f* clarification; **Klartext** *m* uncoded text, text in clear; **im ~** in clear; (*fig inf*) in plain English; **mit jdm ~ reden** (*fig inf*) to give sb a piece of one's mind.

lärung *f* 1. purification. 2. (*fig*) clarification.

larwerden *sep irreg aux sein* I *vr* **sich** (*dat*) (**über etw** *acc*) **~** to get (sth) clear in one's mind. II *vi* **jdm wird etw klar** sth becomes clear to sb; **ist dir das noch immer nicht klargeworden?** do you still not understand?

:lasse *adj inv* (*inf*) great (*inf*); *siehe* **Klasse.**

Klasse *f* **-, -n** 1. class; (*Spiel~*) league; (*Steuer~ auch*) bracket; (*Wert~ auch*) rate; (*Güter~*) grade. **ein Maler erster ~** a first-class *or* first-rate painter; **ein Fahrschein zweiter ~** a second-class ticket; **das ist (große) ~!** (*inf*) that's great *or* tremendous *or* marvellous! (*all inf*). 2. (*Sch*) class, form; (*Raum~*) classroom.

Klasse- *in cpds* (*inf*) top-class.

Klassement [-'mã:] *nt* **-s, -s** (*Sport*) (list of) rankings *pl*.

Klassenarbeit *f* (written) class test; **Klassenaufsatz** *m* essay written in class; **Klassenausflug** *m* class outing; **Klassenbeste(r)** *mf* best pupil; **wer ist ~?** who is top of the class?; **Klassenbewußtsein** *nt* class consciousness; **Klassenbuch** *nt* (*Sch*) register; **Klassenfeind(in** *f*) *m* (*Pol*) class enemy; **Klassenfoto** *nt* class photograph; **Klassengegensatz** *m usu pl* (*Sociol*) class difference; **Klassengeist** *m* (*Sch dated, Sociol*) class spirit; **Klassengesellschaft** *f* class society; **Klassenhaß** *m* (*Sociol*) class hatred; **Klassenherrschaft** *f* class rule; **Klasseninteresse** *nt* (*Sociol*) class interest; **Klassenjustiz** *f* (*Pol*) legal system with class bias; **Klassenkamerad(in** *f*) *m* classmate; **Klassenkampf** *m* class struggle; **Klassenkeile** *f* (*Sch dated*) a thrashing from the rest of the class *or* from one's classmates; **Klassenlage** *f* (*Sociol*) class position; **Klassenlehrer(in** *f*), **Klassenleiter(in** *f*) *m* class teacher, form teacher, form master/ mistress; **Klassenlektüre** *f* class reading; **klassenlos** *adj Gesellschaft* classless; *Krankenhaus* one-class; **Klassenlos** *nt* draw ticket in a *Klassenlotterie*; **Klassenlotterie** *f* lottery in which draws are made on a number of different days and in which tickets can be bought for each individual draw; **Klassenraum** *m* classroom; **Klassenschranke** *f* class barrier; **Klassenspiegel** *m* (*Sch*) seating plan of the class; **Klassensprecher(in** *f*) *m* (*Sch*) ≈ form captain; **Klassenstaat** *m* (*Pol*) state governed by one class; **Klassenstärke** *f* (*Sch*) size of a/the class/the classes; **Klassentreffen** *nt* (*Sch*) class reunion; **Klassenunter-**

schied *m* class difference; **Klassenwahlrecht, Klassenwahlsystem** *nt* electoral system based on class, class system of franchise; **klassenweise** I *adj* by class; **~r Aufbau** arrangement by class; II *adv* **sitzen, sich aufstellen in** classes; **erscheinen as a class;** **Klassenziel** *nt* (*Sch*) required standard; **das ~ nicht erreichen** not to reach the required standard; (*fig*) not to make the grade; **Klassenzimmer** *nt* classroom.

Klassifikation *f* classification.

klassifizierbar *adj* classifiable.

klassifizieren* *vt* to classify. **~d** classificatory.

Klassifizierung *f* classification.

Klassik *f, no pl* classical period; (*inf: klassische Musik, Literatur*) classical music/ literature.

Klassiker(in *f*) *m* **-s, -** classic. **ein ~ des Jazz/der modernen Musik** a jazz classic/a classic of modern music; **die antiken ~** the classics.

klassisch *adj* 1. (*die Klassik betreffend, antik, traditionell*) classical. 2. (*typisch, vorbildlich, zeitlos*) classic. 3. (*iro inf: prächtig*) classic.

Klassizismus *m* classicism.

klassizistisch *adj* classical.

klatsch *interj* splash, splosh; (*bei Schlag, Aufprall*) smack.

Klatsch *m* **-(e)s, -e** 1. splosh, splash; (*bei Schlag, Aufprall*) smack. 2. *no pl* (*pej inf: Tratsch*) gossip, scandal.

Klatschbase *f* (*pej inf*) (*tratschend*) scandalmonger, gossip; (*redselig*) chatterbox (*inf*).

Klatsche *f* **-, -n** (*inf*) 1. (*Sch*) (*Denunziant*) sneak, telltale (*inf*); (*Hilfsmittel*) crib (*inf*). 2. (*Fliegenklappe*) fly swatter.

klatschen I *vi* 1. to clap. **in die Hände ~** to clap one's hands.

2. (*einen Klaps geben*) to slap. **jdm auf die Schenkel ~** to slap sb's thighs/one's forehead.

3. *aux sein* (*aufschlagen*) (*harte Gegenstände*) to go smack; (*Flüssigkeiten*) to splash. **der Regen klatschte gegen die Fenster** the rain beat against the windows.

4. (*pej inf*) (*tratschen*) to gossip; (*dial: petzen*) to sneak, to tell tales (*bei* to). **über jdn/etw ~** to gossip *or* spread gossip about sb.

II *vt* 1. to clap; *Takt* to clap out. **jdm Beifall ~** to applaud *or* clap sb. 2. (*knallen*) to smack, to slap; (*werfen*) to throw; *Fliegen* to swat.

Klatschen *nt* **-s, no pl** 1. (*Beifall~*) applause. 2. (*inf: Tratschen*) gossiping.

Klatscherei *f* (*pej inf*) 1. (*Beifall~*) clapping. 2. (*Tratscherei*) gossiping, gossipmongering.

Klatscher(in *f*) *m* **-s, -** (*Beifall~*) applauder.

Klatschgeschichte *f* (*pej*) gossip *no pl*; **eine ~** a piece of gossip; **klatschhaft** *adj* gossipy; **Klatschkolumnist(in** *f*) *m* (*inf*) gossip columnist; **Klatschmaul** *nt* (*pej inf*) 1. big mouth; 2. (*Mensch*) gossip (merchant), scandalmonger; **Klatschmohn** *m* (corn) poppy; **klatschnaß** *adj* (*inf*) sopping wet (*inf*); **Klatschspalte** *f* (*Press inf*) gossip column; **klatsch-süchtig** *adj* extremely gossipy; **Klatsch-tante** *f*, **Klatschweib** *nt siehe* **Klatsch-base.**

klauben *vt* 1. (*S Ger, Aus, Sw*) (*auflesen*) to pick up; (*auslesen*) to pick out. **etw in einen Korb ~** to pick sth up and put it in a basket; **etw aus etw ~** to pick sth out from sth.
  2. (*Aus: sammeln*) to collect; *Holz, Pilze, Kräuter auch* to gather; *Beeren* to pick. **Worte ~** (*dial*) to split hairs.

Klaue *f* -, -n claw; (*Huf*) hoof; (*pej inf: Hand*) talons *pl* (*pej inf*); (*pej inf: Schrift*) scrawl (*pej*). **in den ~n der Ver-brecher** in the clutches of the criminals; **den ~n des Todes entkommen** to escape from the jaws of death.

klauen (*inf*) **I** *vt* to nick (*Brit inf*), to pinch (*inf*) (*jdm etw* sth from sb); (*Ideen auch* to crib (*jdm etw* sth from sb). **II** *vi* to steal, to nick (*Brit inf*) *or* pinch things (*inf*).

Klause *f* -, -n 1. (*von Mönch, Einsiedler*) hermitage; (*Klosterzelle*) cell; (*fig hum*) den. 2. (*mountain*) defile.

Klausel *f* -, -n clause; (*Vorbehalt*) proviso; (*Bedingung*) condition, stipulation.

Klausner(in *f*) *m* -s, - *siehe* **Einsiedler.**

Klaustrophobie *f* (*Psych*) claustrophobia.

klaustrophobisch *adj* (*Psych*) claus-trophobic.

Klausur *f* 1. (*Univ auch* ~**arbeit**) exam, paper. **~en korrigieren** to mark scripts *or* exam papers. 2. *no pl* (*Abgeschlos-senheit*) seclusion. **eine Arbeit in ~ schreiben** to write an essay *etc* under examination conditions. 3. (*Eccl: Räu-me*) enclosure, cloister.

Klausurtagung *f* convention, conference.

Klaviatur [klavia'tuːɐ] *f* keyboard.

Klavichord [klavi'kɔrt] *nt* -(e)s, -e clavi-chord.

Klavier [-'viːɐ] *nt* -s, -e piano. **~ spielen** to play the piano.

Klavier- *in cpds* piano; **Klavierauszug** *m* piano score; **Klavierbauer(in** *f*) *m* piano-maker; **Klavierbearbeitung** *f* piano arrangement; **Klavierbegleitung** *f* piano accompaniment; **Klavierdeckel** *m* piano lid; **Klavierhocker** *m* piano stool; **Klavierkonzert** *nt* 1. (*Musik*) pi-ano concerto; 2. (*Vorstellung*) piano recital; **Klaviersonate** *f* piano sonata; **Klavierspiel** *nt* piano playing; **Klavier-spieler(in** *f*) *m* piano player; **Klavier-stimmer(in** *f*) *m* piano-tuner; **Klavierstück** *nt* piano piece, piece of piano-music.

Klebeband *nt* adhesive tape, sticky tape; **Klebebindung** *f* (*Typ*) adhesive bind-ing; **Klebefalz** *m* (*gummed*) stamp hinge *or* mount; **Klebemittel** *nt* adhesive.

kleben *vi* 1. to stick. **an etw** (*dat*) **~** (*lit*) to stick to sth; **an den Traditionen ~** to cling *or* stick to tradition; **an seinen Hän-den klebt Blut** (*fig*) he has blood on his hands; **klebt nicht so am Text** don't stick so much *or* so close to the text.
  2. (*inf: für Sozialversicherung*) to pay stamps.

  II *vt* to stick; (*mit Klebstoff auch*) to glue; (*mit Leim auch*) to paste; *Film, Tonband* to splice. **Marken ~** (*inf: In-sur*) to pay stamps; **jdm eine ~** (*inf*) to belt sb one (*inf*).

klebenbleiben *vi sep irreg aux sein* to stick (*an* +*dat* to); (*Sch inf*) to stay down a year, to repeat a year; (*fig inf: nicht wegkommen*) to get stuck.

Klebepflaster *nt* sticking plaster, adhesive plaster; **Klebepresse** *f* splicer.

Kleber *m* -s, - 1. (*inf*) glue. 2. (*im Mehl*) gluten.

Klebestelle *f* join; (*an Film*) splice; **Klebezettel** *m* gummed label.

Klebfestigkeit *f* adhesiveness; **Klebfläche** *f* surface to be stuck; **Klebfolie** *f* adhe-sive film; (*d-c-fix* ®) fablon ®; (*für Le-bensmittel*) cling film ®; **Klebkraft** *f* adhesive strength.

klebrig *adj* sticky; *Farbe* tacky; *Geldge-schäfte* shady; (*klebfähig*) adhesive.

Klebstoff *m* glue; **Klebstreifen** *m* adhe-sive tape; (*selbstklebend auch*) sticky tape; (*zum Befeuchten*) gummed tape.

Klebung *f* bond.

Kleckerei *f* mess. **ohne ~ geht's nicht** you can't do it without making a mess.

kleckern **I** *vt* to spill; *Farbe auch* to splash. **II** *vi* 1. to make a mess. 2. (*tropfen*) to spill; (*Farbe auch*) to splash. 3. (*inf: trö-delnd arbeiten*) to fiddle about. **nicht ~, sondern klotzen** (*inf*) to do things in a big way (*inf*), to think big (*inf*); **geklek-kert kommen** to come in dribs and drabs.

kleckerweise *adv* in dribs and drabs.

Klecks *m* -es, -e (*Tinten*~) (ink)blot; (*Farb*~) blob; (*Fleck*) stain.

klecksen *vi* (*mit Tinte*) to make blots/a blot; (*Kugelschreiber auch*) to blot; (*pej inf: malen*) to daub.

Kleckserei *f* (*pej inf*) daubing; (*von Schü-ler, Kugelschreiber*) making blots.

Kledage [kle'daːʒə], **Kledasche** *f* -, *no pl* (*inf*) clobber (*inf*), gear (*inf*).

Klee *m* -s, *no pl* clover. **jdn/etw über den grünen ~ loben** to praise sb/sth to the skies.

Kleeblatt *nt* cloverleaf; (*Mot*) cloverleaf (intersection); (*fig: Menschen*) three-some, trio. **vierblättriges ~** four-leaf clover; **das irische ~** the (Irish) shamrock.

Kleiber *m* -s, - (*Orn*) nuthatch.

Kleid *nt* -(e)s, -er 1. (*Damen*~) dress. **ein zweiteiliges ~** a two-piece (suit).
  2. **~er** *pl* (*Kleidung*) clothes *pl*, cloth-ing *sing* (*esp Comm*), garments *pl* (*Comm*); **~er machen Leute** (*Prov*) fine feathers make fine birds (*Prov*); **ich bin zwei Tage nicht aus den ~ern gekommen** I haven't been to bed for two days.
  3. (*old: Gewand*) garment; (*old, Sw, S Ger: Herrenanzug*) suit; (*liter: Uniform*) uniform.
  4. (*liter*) (*Feder*~) plumage; (*Pelz*) coat, fur; (*fig: von Natur, Bäumen*) mantle (*liter*), cloak (*liter*). **der Winter hatte der Erde ein weißes ~ angezogen** winter had clad the earth in white (*liter*).

Kleidchen *nt dim of* **Kleid** little dress;

(*leicht*) flimsy dress.

kleiden I *vr* to dress; (*Kleider anziehen auch*) to dress oneself, to clothe oneself (*liter, form*).

II *vt* **1.** (*mit Kleidern versehen*) to clothe, to dress; (*fig*) *Gedanken* to clothe, to couch. **die Armen ~** to clothe the poor; **etw in schöne Worte ~** to dress sth up *or* to couch sth in fancy words.

2. jdn ~ (*jdm stehen*) to suit sb.

Kleiderablage *f* (*Raum*) cloakroom; (*Garderobenablage*) coat rack; (*Ständer*) hat- *or* coat-stand; **Kleiderbügel** *m* coathanger; **Kleiderbürste** *f* clothes brush; **Kleiderhaken** *m* coat hook; **Kleiderkammer** *f* (*Mil*) uniform store; **Kleiderkasten** *m* (*Aus, Sw*) wardrobe; **Kleiderordnung** *f* dress regulations *pl*; **Kleidersack** *m* suit bag; **Kleiderschrank** *m* **1.** wardrobe; **2.** (*inf: Mensch*) great hulk (of a man) (*inf*).

kleidsam *adj* flattering.

Kleidung *f*, *no pl* clothes *pl*, clothing (*esp Comm*). **warme ~** warm clothing *or* clothes; **für jds (Nahrung und) ~ sorgen** to (feed and) clothe sb.

Kleidungsstück *nt* garment. **~e** *pl* clothes *pl*; **ein warmes ~ mitnehmen** to bring something warm (to wear).

Kleie *f*, *no pl* bran.

klein *adj* **1.** little, small; *Finger* little; *Format, Gehalt, Rente, Zahl, (Hand)schrift, Buchstabe* small; (*Mus*) *Terz* minor. **die K~en Antillen** the lesser Antilles; **K~Paris** little *or* miniature Paris; **der K~e Bär** *or* **Wagen** the Little Bear, Ursa Minor; **die K~e Strafkammer** (*Jur*) the lower criminal court; **haben Sie es nicht ~er?** do you not have anything smaller?; **ein ~ bißchen** *or* **wenig** a little (bit); **ein ~ bißchen** *or* **wenig Salat** a little (bit of) salad; **ein ~es Bier, ein K~es** (*inf*) a small beer, ≃ half a pint, a half; **~es Geld** small change; **K~ Roland** little Roland; **du ~er Teufel!** you little devil!; **ein süßes ~es Püppchen** a sweet little thing; **hallo, ~er Mann!** hullo, little man; **er fährt ein ~es Auto** he drives a little *or* small car; **ich wußte nicht, daß seine Frau so ~ ist** I didn't know his wife was so small *or* little; **eine ~e, hübsche Wohnung** a small, pretty flat; **eine hübsche ~e Wohnung** a nice little flat; **mein ~er Bruder** my little brother; **er ist ~er als sein Bruder** he's smaller than his brother; **als ich (noch) ~ war** when I was little; **~ für sein Alter** small *or* little for his age; **er schreibt sehr ~** he writes very small, his writing is very small; **sich ~ machen** to bend down low; to curl up tight; **macht euch ein bißchen ~er!** squeeze up closer; **den mach' ich so ~ mit Hut!** (*hum*) I'll cut him down to size, I'll make him look *that* big; **~ aber oho** (*inf*) good things come in small packages; **ein Wort ~ drucken/schreiben** to print/write a word with small initial letters, to use small initial letters; **~ beigeben** (*inf*) to give in quietly *or* gracefully; **ganz ~ (und häßlich) werden** (*inf*) to look humiliated *or* deflated; **im ~en** in miniature; **bis ins ~ste** in every

possible *or* in minute detail, right down to the smallest detail; **von ~ an** *or* **auf** (*von Kindheit an*) from his childhood *or* early days; (*von Anfang an*) from the very beginning, from scratch; **~e Kinder ~e Sorgen, große Kinder große Sorgen** (*prov*) bigger children just mean bigger problems; **~ stellen** *or* **drehen** (*Cook*) to put sth on low *or* a low heat.

2. (*kurz*) *Wuchs, Schritt* little, small; *Weile, Pause* little, short; *Vortrag* short. **(einen) ~en Augenblick, bitte!** just one moment, please; **einen Kopf ~er als jd sein** to be a head shorter than sb.

3. (*geringfügig*) little, small, slight; *Betrag, Summe* little, small. **beim ~sten Schreck** at the slightest *or* smallest shock; **das ~ere Übel** the lesser evil; **ein paar ~ere Fehler** a few minor mistakes; **eine ~ere Unpäßlichkeit** a minor ailment.

4. (*unbedeutend*) petty (*pej*); *Leute* ordinary. **er ist ein ~er Geist** he is small-minded; **der ~e Mann** the ordinary citizen, the man in the street; **ein ~er Ganove** a small-time *or* petty crook; **die K~en** *or* **~en Gauner fängt man, die Großen läßt man laufen** (*prov*) it's always the big fish that get away; **sein Vater war (ein) ~er Beamter** his father was a minor civil servant; **~e Leute übersieht man** (*hum*) I'm *etc* so small and insignificant.

5. (*armselig*) *Verhältnisse* humble, lowly, modest. **~ anfangen** to start off in a small way.

6. *Prüfung* intermediate.

Kleinaktionär(in *f*) *m* small shareholder; **Kleinanleger(in** *f*) *m* (*Fin*) small investor; **Kleinanzeige** *f* classified advertisement, small ad (*inf*); **Kleinarbeit** *f* detailed work; **in zäher/mühseliger ~** with rigorous/painstaking attention to detail; **Kleinasien** *nt* Asia Minor; **Kleinbahn** *f* narrow-gauge railway; **Kleinbauer** *m*, **Kleinbäuerin** *f* small farmer, smallholder; **kleinbekommen*** *vt sep irreg siehe* **kleinkriegen**; **Kleinbetrieb** *m* small business; **bäuerlicher/handwerklicher/industrieller ~** smallholding/(small) workshop/small factory; **Kleinbildkamera** *f* 35 mm camera; **Kleinbuchstabe** *m* small letter; **Kleinbürger(in** *f*) *m* petty bourgeois; **kleinbürgerlich** *adj* lower middle-class, petty bourgeois (*pej*); **er reagierte typisch ~** his reaction was typically lower middle-class *or* petty bourgeois; **Kleinbürgertum** *nt* (*Sociol*) lower middle class, petty bourgeoisie; **Kleinbus** *m* minibus.

Kleinleutemilieu *nt* world of ordinary people.

Kleine(r) *mf decl as adj* **1.** little one *or* child; little boy/girl; baby. **unser ~r** (*Jüngster*) our youngest (child); **die lieben ~n** (*iro*) the dear *or* sweet little things; **eine hübsche ~** a pretty little girl *or* thing.

2. (*inf: auch* **~s**: *Schatz, Liebling*) baby (*inf*). **na ~/~r!** (*zu einem Kind*) hullo little girl/sonny Jim!; **na ~r!** (*Pro-*

stituierte zu einem Passanten) hullo, dear *or* love.

Kleine(s) *nt decl as adj:* **etwas ~s** (*inf*) a little baby *or* stranger (*hum*).

Kleinfamilie *f* (*Sociol*) nuclear family; **Kleinformat** *nt* small format; **ein Buch/ Bild im ~** a small-format book/picture; **Kleingarten** *m* allotment (*Brit*), garden plot; **Kleingärtner(in** *f*) *m* allotment holder (*Brit*), garden plot holder; **Kleingebäck** *nt* biscuits (*Brit*) *pl*, cookies (*US*) *pl*; **kleingedruckt** *adj attr* in small print; **Kleingedruckte(s)** *nt* small print; **Kleingeist** *m* (*pej*) small-minded person; **kleingeistig** *adj* (*pej*) small-minded, petty; **Kleingeld** *nt* (small) change; **das nötige ~ haben** (*fig*) to have the necessary wherewithal (*inf*); **kleingemustert** *adj* with a small pattern; **kleingewachsen** *adj* short, small; *Baum* small; **kleingläubig** *adj* **1.** (*Rel*) doubting, sceptical; **ihr K~en!** (*Bibl*) o ye of little faith; **2.** (*zweiflerisch*) timid; **~ sein** to lack conviction; **Kleingruppe** *f* (*Sociol*) small group; **kleinhacken** *vt sep* to chop up small; **Kleinhirn** *nt* (*Anat*) cerebellum; **Kleinholz** *nt, no pl* firewood, kindling; **~ aus jdm machen** (*inf*) to make mincemeat out of sb (*inf*).

Kleinigkeit *f* **1.** little *or* small thing; (*Bagatelle*) small *or* trifling *or* trivial matter *or* thing, trifle; (*Einzelheit*) minor detail *or* point, small point. **ich habe noch ein paar ~en in der Stadt zu erledigen** I still have a few little things to attend to in town; **es war nur eine ~ zu reparieren** there was only something minor to be repaired; **die Prüfung war eine ~** the exam was no trouble at all; **eine ~ essen** to have a bite to eat, to eat a little something; **jdm eine ~ schenken** to give sb a little something; **die ~ von 1000 DM** (*iro*) the small matter of 1,000 marks; **das kostet eine ~** (*iro*) that'll cost a pretty penny; **wegen *or* bei jeder ~** for the slightest reason; **das war doch (nur) eine ~!** it was nothing; **das ist doch eine ~!** that isn't (asking) much; **das ist für mich keine ~** that is no small matter for me; **wir haben noch ein paar ~en geändert** we've changed one or two details *or* made one or two small changes; **großen Wert auf ~en legen** to be a stickler for detail(s); **sich nicht mit ~en abgeben** *or* **befassen** not to bother over details.

2. (*ein bißchen*) **eine ~** a little (bit), a trifle, a shade; **eine ~ zu groß/nach rechts** a little (bit) too big/to the right; **das wird eine ~ dauern** it will take a little while.

Kleinigkeitskrämer(in *f*) *m* (*pej*) stickler for detail, pedant.

Kleinkaliber *nt* small bore; **Kleinkalibergewehr** *nt* small-bore rifle; **kleinkalibrig** *adj* small-bore *attr only*; **kleinkariert** *adj* (*fig*) tuppenny-ha'penny *attr only* (*inf*), small-time (*inf*); (*lit rare*) finely checked *or* chequered; **~ sein** (*fig*) to be small- *or* pettyminded; **~ denken** to think small; **Kleinkind** *nt* small child, toddler (*inf*),

infant (*Psych*); **Kleinklima** *nt* (*Met*) microclimate; **Kleinkram** *m* (*inf*) odds and ends *pl*; (*kleinere Arbeiten*) odd jobs *pl*; (*Trivialitäten*) trivialities *pl*, trivia *pl*; **Kleinkrämer(in** *f*) *m* (*pej*) small-minded person; **Kleinkredit** *m* personal loan; **Kleinkrieg** *m* (*fig*) battle; **einen ~ mit jdm führen** to be fighting a running battle with sb.

kleinkriegen *vt sep* **1.** (*lit*) *Holz* to chop (up); *Nuß* to break. **er kann das Fleisch mit den Zähnen nicht ~** he can't break up his meat with his teeth.

2. (*inf: kaputtmachen*) to smash, to break.

3. (*inf*) (*gefügig machen*) to bring into line (*inf*); (*unterkriegen, müde machen*) to get down; (*körperlich*) to tire out. **er/ unser altes Auto ist einfach nicht kleinzukriegen** he just won't be beaten/our old car just goes on for ever.

4. (*inf*) *Geld* to blow (*inf*), to get through.

Kleinkunst *f* cabaret.

Kleinkunstbühne *f* cabaret.

kleinlaut *adj* abashed, subdued, meek. **dann wurde er ganz ~** it took the wind out of his sails, that made him shut up; **etw ~ zugeben** to admit sth shamefacedly.

kleinlich *adj* petty; (*knauserig*) mean, stingy (*inf*); (*engstirnig*) narrow-minded.

Kleinlichkeit *f siehe adj* pettiness; meanness, stinginess (*inf*); narrow-mindedness.

kleinmachen *vt sep* **1.** to chop *or* cut up. **2.** (*inf*) *Geld* (*wechseln*) to change; (*ausgeben*) to blow (*inf*). **3.** (*inf: erniedrigen*) **jdn ~** to make sb look small.

Kleinmöbel *pl* smaller items of furniture; **Kleinmut** *m* faintheartedness, timidity; **kleinmütig** *adj* fainthearted, timid.

Kleinod ['klaino:t] *nt* **-(e)s, -ien** [klai'no:diən] *or* **-e** (*lit, fig*) jewel, gem. **sie war sein ~** (*liter*) she was his treasure *or* his pride and joy.

kleinschneiden *vt sep irreg* to cut up small, to cut up into small pieces; **kleinschreiben** *vt sep irreg* (*fig*) to set little store by; **kleingeschrieben werden** to count for (very) little; **Kleinschreibung** *f* use of small initial letters; **Kleinstaat** *m* small state; **Kleinstadt** *f* small town; **Kleinstädter(in** *f*) *m* small-town dweller, provincial (*pej*); **kleinstädtisch** *adj* provincial, small-town *attr*.

kleinste(r, s) *superl of* **klein**.

kleinstmöglich *adj* smallest possible.

Kleintier *nt* small animal; **Kleintierpraxis** *f* small animal (veterinary) practice; **Kleinvieh** *nt*: **~ macht auch Mist** (*prov*) many a mickle makes a muckle, every little helps; **Kleinwagen** *m* small car; **Kleinwohnung** *f* flatlet (*Brit*), small apartment; **kleinwüchsig** *adj* (*geh*) small; *Volk auch* small in stature; **Kleinzeug** *nt* (*inf*) small odds and ends *pl*.

Kleister *m* **-s, -** (*Klebstoff*) paste; (*pej: dikke Speise*) goo (*inf*).

kleistern *vti* **1.** (*zusammenkleben*) to

paste. 2. (*dated inf*) **jdm eine** ~ to slap sb in the face *or* sb's face.

Klementine *f* clementine.

Klemmappe *f getrennt* **Klemm-mappe** spring folder *or* binder.

Klemmbrett *nt* clipboard.

Klemme *f* -, **-n 1.** (*Haar~, für Papiere*) clip; (*Elec*) crocodile clamp *or* clip; (*Med*) clamp. **2.** (*fig inf*) **in der** ~ **sitzen** *or* **sein** to be in a fix *or* tight spot *or* jam (*all inf*); **jdm aus der** ~ **helfen** to help sb out of a fix *or* tight spot *or* jam (*all inf*).

klemmen I *vt* **1.** *Draht* to clamp, to clip; (*in Spalt*) to stick, to wedge, to jam. **sich** (*dat*) **den Finger in etw** (*dat*) ~ to catch *or* trap one's finger in sth; **sich** (*dat*) **etw unter den Arm** ~ to stick *or* tuck sth under one's arm; **sich** (*dat*) **eine Zigarette zwischen die Lippen** ~ (*inf*) to stick a cigarette in one's mouth.

2. (*inf: stehlen*) to pinch (*inf*).

II *vr* to catch oneself (*in +dat* in). **sich hinter etw** (*acc*) ~ (*inf*) to get stuck into sth (*inf*); **sich hinter jdn** ~ (*inf*) to get on to sb.

III *vi* (*Tür, Schloß*) to stick, to jam.

Klemmer *m* **-s**, - pince-nez.

Klempner(in *f*) *m* **-s**, - plumber.

Klempnerei *f* **1.** *no pl* plumbing. **2.** (*Werkstatt*) plumber's workshop.

Klempnerladen *m* plumber's (shop). **der General trägt** *or* **hat einen ganzen** ~ **auf der Brust** (*hum*) the general has a whole load of ironmongery on his breast (*inf*).

klempnern *vi* to do plumbing.

Klepper *m* **-s**, - nag, hack.

Klepper-®: Klepperboot *nt* faltboat, foldboat, folding boat; **Kleppermantel** *m* mackintosh, mac (*inf*).

Kleptomane *m*, **Kleptomanin** *f* kleptomaniac.

Kleptomanie *f* kleptomania.

klerikal *adj* (*pej*) clerical.

Klerikalismus *m* (*pej*) clericalism.

Kleriker(in *f*) *m* **-s**, - cleric.

Klerus *m* -, *no pl* clergy.

Klette *f* -, **-n** (*Bot*) burdock; (*Blütenkopf*) bur(r); (*pej: lästiger Mensch*) nuisance, bind (*inf*). **sich wie eine** ~ **an jdn hängen** to cling to sb like a limpet *or* barnacle.

Kletterer *m* **-s**, -, **Kletterin** *f* climber.

Klettergerüst *nt* climbing frame; **Klettermaxe(e)** *m* **-es**, **-e** (*inf*) steeplejack.

klettern *vi aux sein* to climb; (*mühsam*) to clamber. **auf Bäume** ~ to climb trees.

Kletterpartie *f* climbing trip *or* outing; **Kletterpflanze** *f* climbing plant, climber; **Kletterrose** *f* climbing rose; **Kletterstange** *f* climbing pole.

Klettverschluß *m* Velcro ® fastener.

Kletze *f* -, **-n** (*S Ger, Aus*) dried pear.

klicken *vi* to click.

Klicker *m* **-s**, - marble; (*Spiel*) marbles *sing*.

klickern *vi* to play marbles.

Klient [kli'ɛnt] *m* **-en**, **-en** client.

Klientel [kliɛn'teːl] *f* -, **-en** clients *pl*, clientèle.

Klientin [kli'ɛntɪn] *f* client.

Kliff *nt* **-(e)s**, **-e** cliff.

Kliffküste *f* cliffs *pl*.

Klima *nt* **-s**, **-s** *or* **-te** [kli'maːtə] (*lit, fig*)

climate; (*fig auch*) atmosphere.

Klimaänderung *f* climatic change; **Klimaanlage** *f* air-conditioning (system); **mit** ~ air-conditioned; **Klimaforscher(in** *f*) *m* climatologist; **Klimakammer** *f* climatic chamber; **Klimakollaps** *m* climatic breakdown.

Klimakterium *nt* climacteric, menopause.

Klimaschwankung *f* climatic variation.

klimatisch *adj no pref* climatic.

klimatisieren* *vt* to air-condition.

klimatisiert *adj* air-conditioned.

Klimatisierung *f* air-conditioning.

Klimatologie *f* climatology.

Klimawechsel *m* (*lit, fig*) change in the climate.

Klimazone *f* (climatic) zone.

Klimbim *m* **-s**, *no pl* (*inf*) odds and ends *pl*; (*Umstände*) fuss (and bother).

klimmen *pret* **klomm** *or* **klimmte**, *ptp* **geklommen** *or* **geklimmt** *vi aux sein* (*rare*) to clamber, to scramble.

Klimmzug *m* (*Sport*) pull-up. **geistige ~̈e machen** (*fig*) to do intellectual *or* mental acrobatics.

Klimperkasten *m* (*inf*) piano, joanna (*inf*).

klimpern *vi* to tinkle; (*stümperhaft* ~) to plonk away (*inf*); (*auf Banjo*) to twang. **mit Geld** ~ to jingle coins; **mit den Wimpern** ~ (*inf*) to flutter one's eyelashes.

kling *interj* clink, ting, ding. ~ **machen** (*Metall, Glas*) to clink.

Klinge *f* -, **-n** blade; (*liter: Schwert*) sword, blade (*liter*). **er führt eine scharfe** ~ (*fig*) he is a dangerous opponent; **jdn über die** ~ **springen lassen** (*sl*) (*umbringen*) to bump sb off (*inf*), to rub sb out (*sl*); (*opfern*) to leave sb to be killed.

Klingel *f* -, **-n** bell.

Klingelanlage *f* bell system; **Klingelbeutel** *m* collection bag; **Klingeldraht** *m* bell wire.

klingeling *interj* dingaling.

Klingelknopf *m* bell button *or* push.

klingeln *vi* to ring (*nach* for); (*Motor*) to pink, to knock. **es hat schon zum ersten/zweiten/dritten Mal geklingelt** (*in Konzert, Theater*) the three-/two-/one-minute bell has already gone; **es hat schon geklingelt** (*in Schule*) the bell has already gone; **es hat geklingelt** (*Telefon*) the phone just rang; (*an Tür*) somebody just rang the doorbell; **hat es jetzt endlich geklingelt?** (*fig inf*) has the penny finally dropped? (*inf*).

Klingelschnur *f* bellpull; **Klingelzeichen** *nt* ring; **auf ein** ~ **hin** at the ring of a bell; **Klingelzug** *m* bellpull.

klingen *pret* **klang**, *ptp* **geklungen** *vi* to sound; (*Glocke, Ohr*) to ring; (*Glas*) to clink; (*Metall*) to clang. **nach etw** ~ to sound like sth; **mein linkes Ohr klingt I** have a ringing (sound) in my left ear; **das klingt mir wie Musik in den Ohren** that is music to my ears; **die Gläser** ~ **lassen** to clink glasses; **die Glocke klingt dumpf/hell** the bell has a dull/clear ring.

klingend *adj* **mit** ~**em Spiel** (*old Mil*) with fife and drum; **in** *or* **mit** ~**er Münze** (*old, liter*) in coin of the realm.

Klinik *f* -, **-en** clinic; (*Universitäts~*) (university) hospital.

Kliniker(in *f)* *m* **-s,** - (*Med*) clinician; (*Univ*) medical student attached to a hospital.

Klinikum *nt* **-s, Klinika** *or* **Kliniken** (*Univ*) clinic.

klinisch *adj* clinical. ~ **tot** clinically dead; ~**er Blick** cold glance.

Klinke *f* -, **-n** (*Tür*~) (door) handle; (*Sperr*~) catch, ratchet, pawl; (*Telec*) jack. ~**n putzen** (*inf*) to go *or* canvass/ sell from door to door, to go *or* do door-to-door canvassing/selling.

Klinkenputzer(in *f)* *m* (*inf*) (*Hausierer*) hawker; (*Vertreter*) door-to-door salesman; (*Wahlkandidat*) door-to-door canvasser; (*Bettler*) beggar.

Klinker *m* **-s,** - **1.** (*Ziegelstein*) clinker brick, (Dutch) clinker. **2.** (*Naut*) clinker.

Klinkerboot *nt* clinker(-built) boat; **Klinkerstein** *m siehe* **Klinker 1.**

Klinomobil *nt* **-s, -e** mobile clinic.

klipp I *interj* ~, **klapp** click, clack; (*Schuhe, Hufe*) clip, clop. **II** *adv*: ~ **und klar** clearly, plainly; (*offen*) frankly, openly.

Klipp *m* **-s, -s** clip.

Klippe *f* -, **-n** (*Fels*~) cliff; (*im Meer*) rock; (*fig*) hurdle, obstacle. ~**n umschiffen** (*fig*) to negotiate obstacles.

klippenreich *adj* rocky.

Klippfisch *m* dried, salted cod; **Klippschule** *f* (*pej*) second-rate school.

klirren *vi* to clink; (*Glas auch*) to tinkle; (*Fensterscheiben*) to rattle; (*Waffen*) to clash; (*Ketten, Sporen*) to jangle; (*Lautsprecher, Mikrophon*) to crackle; (*Eis*) to crunch. ~**de Kälte** (*liter*) crisp cold; ~**der Frost** sharp frost; ~**de Töne** tinny sounds.

Klirrfaktor *m* distortion (factor).

Klischee *nt* **-s, -s** (*Typ*) plate, block; (*fig: Ausdruck, Phrase*) cliché.

klischeehaft *adj* (*fig*) stereotyped, hackneyed; **Klischeevorstellung** *f* cliché, stereotype.

klischieren* *vt* (*Typ*) to make plates for, to stereotype.

Klistier *nt* **-s, -e** enema, clyster (*spec*).

Klistierspritze *f* enema (syringe).

Klitoris *f* -, - *or* **Klitorides** clitoris.

Klitsche *f* -, **-n** (*pej inf*) dilapidated building; (*Theat*) small-time theatre.

klitschnaß *adj* (*inf*) drenched, soaking *or* sopping (*inf*) wet.

klittern *vt Geschichte* to concoct.

klitzeklein *adj* (*inf*) tiny, teeny-weeny (*inf*).

Klivie ['kliːviə] *f* (*Bot*) clivia.

Klo *nt* **-s, -s** (*inf*) loo (*Brit inf*), john (*US inf*). **aufs** ~ **gehen** to go to the loo *or* john.

Kloake *f* -, **-n** sewer; (*fig auch*) cesspool; (*Zool*) cloaca.

Kloakenjournalismus *m* gutter journalism; **Kloakentiere** *pl* the monotremes *pl* (*form*), *eg* duck-billed platypus; porcupine; ant-eater.

Kloben *m* **-s,** - **1.** (*Holzklotz*) log. **2.** (*Eisenhaken*) hook.

klobig *adj* hefty (*inf*), bulky; *Mensch* hulking great (*inf*); *Benehmen* boorish;

Hände massive, hefty (*inf*).

Klobürste *f* (*inf*) toilet *or* loo (*Brit inf*) brush; **Klofrau** *f* (*inf*) toilet *or* loo (*Brit inf*) attendant.

klomm *pret of* **klimmen.**

Klon *m* **-s, -e** clone.

klonen *vti* to clone.

Klonen *nt* **-s,** *no pl* cloning.

klönen *vi* (*N Ger inf*) to (have a) natter (*Brit inf*).

Klönschnack *m* (*N Ger inf*) natter (*Brit inf*).

Klopapier *nt* (*inf*) toilet *or* loo (*Brit inf*) paper, bumf (*dated Brit inf*).

Klöpfel *m* **-s,** - **1.** (*Steinmetzwerkzeug*) stonemason's maul. **2.** (*old: Glocken*~) tongue, clapper.

klopfen I *vt* to knock; *Fleisch, Teppich* to beat; *Steine* to knock down. **den Takt** ~ to beat time.

    II *vi* to knock; (*leicht auch*) to tap; (*Herz*) to beat; (*vor Aufregung, Anstrengung auch*) to pound; (*Puls, Schläfe*) to throb; (*Specht*) to tap, to hammer; (*Motor*) to knock, to pink; (*beim Kartenspiel*) to pass. **sie klopften wiederholt heftig an die Tür** they kept pounding away at the door; **es hat geklopft** there's someone knocking at the door; **jdm auf die Schulter/den Rücken/ den Hintern** ~ to tap sb on the shoulder/to pat sb on the back/the bottom; **jdm auf die Finger** ~ (*lit, fig*) to give sb a rap *or* to rap sb on the knuckles; **mit** ~**dem Herzen** with beating *or* pounding heart; **ein** ~**der Schmerz** a throbbing pain.

Klopfer *m* **-s,** - (*Tür*~) (door) knocker; (*Fleisch*~) (meat) mallet; (*Teppich*~) carpet beater.

klopffest *adj* antiknock; **Klopffestigkeit** *f* antiknock quality; **Klopfzeichen** *nt* knock.

Kloppe *pl*: (*dial inf*) ~ **kriegen** to be given a hiding *or* thrashing.

Klöppel *m* **-s,** - (*Glocken*~) tongue, clapper; (*Spitzen*~) bobbin; (*Trommel*~) stick.

Klöppel|arbeit *f* pillow lace.

klöppeln *vi* to make (pillow) lace. **eine Tischdecke** ~ to make a lace tablecloth.

Klöppelspitze *f* pillow lace.

kloppen (*N Ger inf*) **I** *vt* to hit. **II** *vr* to fight, to scrap (*inf*), to brawl.

Klopperei *f* (*N Ger inf*) fight, brawl.

Klöppler(in *f)* *m* **-s,** - (pillow) lace maker.

Klops *m* **-es, -e** (*Cook*) meatball.

Klosett *nt* **-s, -e** *or* **-s** lavatory, toilet.

Klosettbecken *nt* lavatory *or* toilet bowl, lavatory pan; **Klosettbrille** *f* toilet seat; **Klosettbürste** *f* lavatory *or* toilet brush; **Klosettdeckel** *m* lavatory *or* toilet seat lid; **Klosettfrau** *f* lavatory attendant; **Klosettpapier** *nt* lavatory *or* toilet paper.

Kloß *m* **-es,** ⁚**e** dumpling; (*Fleisch*~) meatball; (*Boulette*) rissole. **einen** ~ **im Hals haben** (*fig*) to have a lump in one's throat.

Kloßbrühe *f*: **klar wie** ~ as clear as day; (*iro*) as clear as mud.

Kloster *nt* **-s,** ⁚ cloister; (*Mönchs*~ *auch*)

monastery; (*Nonnen~ auch*) convent, nunnery (*old*). **ins ~ gehen** to enter a monastery/convent, to become a monk/nun.

Klosterbruder *m* (*old*) monk; **Klosterfrau** *f* (*old*) nun; **Klosterkirche** *f* monastery/convent church; **Klosterleben** *nt* monastic/convent life.

klösterlich *adj* monastic/convent; *Stille, Abgeschiedenheit* cloistered.

Klosterschule *f* monastic/convent school.

Klöten *pl* (*sl*) balls *pl* (*sl*).

Klotz *m* **-es,** **¨e** (*Holz~*) block (of wood); (*pej: Beton~*) concrete block *or* monstrosity; (*inf: Person*) great lump (*inf*) *or* clod (*inf*). **jdm ein ~ am Bein sein** to be a hindrance to sb, to be a millstone around sb's neck; **schlafen wie ein ~** (*inf*) to sleep like a log.

Klötzchen *nt dim of* **Klotz.**

klotzen I *vt* (*inf*) **Hochhäuser in die Stadt ~** to throw up skyscrapers in the town.

 II *vi* (*sl*) (*hart arbeiten*) to slog (away) (*inf*); (*protzig auftreten*) to show off. **mit Geld ~** to flash one's money around (*inf*).

klotzig *adj* (*sl*) huge, massive.

Klub *m* **-s, -s** club.

Klubabend *m* club night; **Klubgarnitur** *f* club-style (three-piece) suite; **Klubhaus** *nt* clubhouse; **Klubjacke** *f* blazer; **Klublokal** *nt* club bar; **Klubsessel** *m* club chair.

Kluft *f* **-,** **¨e 1.** (*Erdspalte*) cleft; (*zwischen Felsenrändern auch*) ravine; (*in Bergen*) crevasse; (*Abgrund*) chasm.

 2. (*fig*) gulf, gap. **in der Partei tat sich eine tiefe ~ auf** a deep rift opened up in the party.

 3. *no pl* (*Uniform, Kleidung*) uniform; (*inf: Kleidung*) gear (*inf*), garb (*hum*). **sich in seine gute/beste ~ werfen** to put on one's Sunday best *or* one's glad rags (*hum*).

klug *adj, comp* **¨er,** *superl* **¨ste(r, s),** *adv superl* **am ¨sten** clever, intelligent; *Augen* intelligent; *Humor* witty, sophisticated; (*vernünftig*) *Entscheidung, Rat* wise, sound; *Überlegung* prudent; (*geschickt*) *Antwort, Analyse, Geschäftsmann* shrewd, clever. **es wird am ¨sten sein, wenn ...** it would be most sensible if ..., it would be the best idea if ...; **es wäre politisch/geschäftlich ~ ...** it would make good political/business sense ...; **~ geschrieben/durchdacht** cleverly *or* intelligently written/thought out; **ein ~er Kopf** a capable person; **ein ~er Kopf, der Kleine** he's a bright lad; **ich werde daraus nicht ~, da soll einer draus ~ werden** I cannot make head or tail of it, I can't make it out; **aus ihm werde ich nicht ~** I don't know what to make of him, I can't make him out; **im nachhinein ist man immer ¨er** one learns by experience; **~ reden** *or* **tun kann jeder ...** anyone can talk ...; **~e Bemerkungen/Ratschläge** (*iro*) clever *or* helpful remarks/advice (*iro*); **wer war denn so ~ ...** (*iro*) who was the bright *or* clever one ...; **so ~ bin ich auch** (*iro*) you don't say!; **nun bin ich genauso ~ wie zu-**

vor *or* vorher I am still none the wiser; **der K¨ere gibt nach** (*Prov*) discretion is the better part of valour (*Prov*); **der ¨e Mann baut vor** (*Prov*) the wise man takes precautions; **wenn du ~ bist, haust du sofort ab** if you're smart you'll beat it (*inf*).

klügeln *vi* to puzzle (*wie/was* as to how/what).

klugerweise *adv* (very) cleverly, (very) wisely.

Klugheit *f siehe adj* cleverness, intelligence; wisdom, soundness; prudence; shrewdness, cleverness. **die ~ eines Sokrates** the astuteness of a Socrates; **deine ~en kannst du dir sparen** (*iro*) you can save your clever remarks.

Klügler(in *f*) *m* **-s, -** fiddle, fiddly person.

klugreden *vi sep* (*auch iro*) to talk big, to make fine-sounding speeches; **Klugredner(in** *f*) *m* know-all; **klugscheißen** *vi sep irreg* (*sl*) to shoot one's mouth off (*inf*); **Klugscheißer(in** *f*) *m* (*sl*) big mouth (*inf*), smart-aleck (*inf*), smart-ass (*sl*).

Klump *no art* (*inf*) **ein Auto zu ~ fahren** to smash up a car.

Klumpatsch *m* **-s,** *no pl* (*inf*): **der ganze ~** the whole (kit and) caboodle (*inf*).

Klümpchen *nt dim of* **Klumpen.**

klumpen *vi* (*Sauce*) to go lumpy.

Klumpen *m* **-s, -** lump; (*Erd~ auch*) clod; (*Gold~*) nugget; (*Blut~*) clot. **~ bilden** (*Mehl*) to go lumpy; (*Blut*) to clot.

Klumpfuß *m* club-foot; **klumpfüßig** *adj* club-footed.

klumpig *adj* lumpy.

Klüngel *m* **s, -** (*inf: Clique*) clique; (*dial: Kram*) mess.

Klüngelwirtschaft *f* (*inf*) nepotism *no pl*.

Klunker *m* **-s, - 1.** (*sl: Edelstein*) rock (*sl*). **2.** tassel.

Kluppe *f* **-, -n** calipers *pl*; (*Schneid~*) diestock.

Klüver ['kly:vɐ] *m* **-s, -** (*Naut*) jib.

Klüverbaum *m* (*Naut*) jib boom.

km *abbr of* **Kilometer** km.

km/h *abbr of* **Kilometer pro Stunde** kph.

kn (*Naut*) *abbr of* **Knoten** kt.

knabbern *vti* to nibble. **nichts zu ~ haben** (*inf*) to have nothing to eat; **daran wirst du noch zu ~ haben** (*fig inf*) it will really give you something to think about *or* get your teeth into; **an dieser Aufgabe habe ich lange zu ~ gehabt** (*fig inf*) I spent ages puzzling over this exercise.

Knabe *m* **-n, -n** (*liter*) boy, lad. **na alter ~!** (*inf*) well old boy (*inf*) *or* chap (*inf*).

Knabenalter *nt* boyhood; **im ~** in his boyhood; **Knabenchor** *m* boys' choir; **knabenhaft** *adj* boyish; **Knabenkraut** *nt* (wild) orchid; **Knabenliebe** *f* (*liter*) paederasty, homosexual love; **Knabenschule** *f* (*old*) boys' school; **Knabenstimme** *f* boy's voice; (*Mus auch*) treble voice.

Knack *m* **-(e)s, -e** crack.

Knäckebrot *nt* crispbread.

knacken I *vt* **1.** *Nüsse,* (*fig inf*) *Rätsel, Kode, Geldschrank* to crack; *Läuse* to squash, to crush.

 2. (*inf*) *Auto* to break into, to burgle;

(*Mil sl*) *Panzer* to knock out.

II *vi* (*brechen*) to crack, to snap; (*Glas etc*) to crack; (*Dielen, Stuhl*) to creak; (*Holz*) (*knistern*) to crackle. **mit den Fingern** ~ to crack one's fingers; **es knackt im Radio** the radio is crackling; **es knackt im Gebälk** the beams are creaking; **an etw** (*dat*) **zu** ~ **haben** (*inf*) to have sth to think about *or* chew on (*inf*); (*darüber hinwegkommen*) to have a rough time getting over sth; **an dieser Aufgabe hatte ich ganz schön zu** ~ (*inf*) I really had to sweat over this exercise.

Knacker *m* **-s,** - 1. *siehe* Knackwurst. 2. (*pej inf*) **alter** ~ old fog(e)y (*inf*).

Knacki *m* **-s, -s** (*sl*) jailbird (*inf*).

knackig *adj* crisp; *Apfel auch* crunchy; (*inf*) *Mädchen* tasty (*inf*); *Figur, Rock, Hose* sexy.

Knacklaut *m* glottal stop; **Knackpunkt** *m* (*inf*) crunch (*inf*), crucial point.

Knacks *m* **-es, -e** 1. (*Sprung*) crack.
2. (*inf: Schaden*) **das Radio/der Fernseher hat einen** ~ there is something wrong with the radio/television; **die Ehe der beiden hat schon lange einen** ~ their marriage has been cracking up for a long time; **er hat einen** ~ **(weg)bekommen** he/his health/his nerves took a knock; **er hat einen** ~ **weg** he's a bit screwy (*inf*); his health isn't so good.

knacks *interj* crack, crash.

Knackwurst *f* type of frankfurter, the skin of which makes a cracking sound when bitten.

Knall *m* **-(e)s, -e** bang; (*mit Peitsche*) crack; (*bei Tür*) bang, slam; (*von Korken*) pop; (*inf: Krach*) trouble. **der** ~ **eines Schusses** a shot; ~ **auf Fall** (*inf*) all of a sudden; **jdn** ~ **auf Fall entlassen** (*inf*) to dismiss sb completely out of the blue (*inf*); **einen** ~ **haben** (*inf*) to be crazy (*inf*) *or* crackers (*Brit inf*).

Knallbonbon *nt* (Christmas) cracker; **Knalleffekt** *m* (*inf*) bombshell (*inf*); **einen** ~ **haben/ein** ~ **sein** to come as/be a real bombshell.

knallen I *vi* 1. to bang, to explode; (*Schuß*) to ring out; (*Feuerwerk*) to (go) bang; (*Pfropfen*) to (go) pop; (*Peitsche*) to crack; (*Tür*) to bang, to slam; (*Auspuff*) to misfire; (*aux sein: auftreffen*) to bang. **mit der Peitsche** ~ to crack the whip; **mit der Tür** ~ to bang *or* slam the door; **mit den Hacken** ~ (*Soldaten*) to click one's heels; **einen Korken** ~ **lassen** to pop a cork; **draußen knallte es** there was a shot/were shots outside; **bleib stehen, sonst knallt's** (*inf*) stand still or I'll shoot; **sei nicht so frech, sonst knallt's** (*inf*) don't be so cheeky, or there'll be trouble; **der Fahrer ist gegen die Windschutzscheibe geknallt** the driver hit the windscreen; **der Ball knallte gegen den Pfosten** (*inf*) the ball banged *or* slammed against the post.
2. (*inf: Sonne*) to blaze *or* beat down.

II *vt* to bang; *Tür, Buch auch* to slam; *Ball auch* to belt (*inf*); *Schüsse* to fire (off); *Peitsche* to crack. **den Hörer auf die Gabel** ~ (*inf*) to slam *or* bang down the receiver; **jdm eine** ~ (*inf*) to clout sb

(*inf*), to belt sb (one) (*inf*); **jdm ein paar vor den Kopf/Latz** ~ (*inf*) to clout sb one (*sl*), to stick one on sb (*sl*).

knallend *adj Farbe* bright, loud, gaudy.

knalleng *adj* (*inf*) skintight; **Knallerbse** f toy torpedo.

Knallerei *f* (*inf*) (*Schießerei*) shooting; (*Feuerwerk*) banging of fireworks.

Knallfrosch *m* jumping jack; **Knallgas** *nt* oxyhydrogen; **knallgelb** *adj* (*inf*) bright yellow; **knallhart** *adj* (*inf*) *Film* brutal; *Mensch* really tough, as hard as nails; *Schuß, Schlag* really hard; **ein** ~**er Schuß/Schlag** a real humdinger (of a shot/punch) (*inf*); **der Film zeigt** ~, **wie** ... the film shows brutally *or* without pulling any punches how ...; **knallheiß** *adj* (*inf*) blazing *or* boiling hot.

knallig *adj* (*inf*) *Farben* loud, gaudy.

Knallkopf (*inf*), **Knallkopp** (*inf*) *m* fathead (*inf*), blockhead (*inf*); **Knallkörper** *m* fire-cracker; **knallrot** *adj* (*inf*) bright red, scarlet; *Gesicht* as red as a beetroot (*inf*).

knapp *adj* 1. (*nicht ausreichend vorhanden*) *Vorräte, Arbeitsstellen* scarce, in short supply; *Geld auch* tight; *Taschengeld* meagre; *Gehalt* low, meagre. **mein Geld wird** ~ I am running short of *or* out of money; **das Essen wird** ~ we/they are running short of *or* out of food; **mein Geld/meine Zeit ist** ~ **bemessen** I am short of money/time; **er hat ihr das Taschengeld** ~ **bemessen** he was mean with her pocket money; ~ **mit (dem) Geld sein** (*inf*) to be short of money.
2. (*gerade noch ausreichend*) *Zeit, Geld, Miete* just *or* barely sufficient *or* enough; *Mehrheit* narrow, small, bare; *Sieg* narrow; *Kleidungsstück etc* (*eng*) tight; (*kurz*) short; *Bikini* scanty. **wir haben** ~ **verloren/gewonnen** we only just lost/won; **ich verprügele dich, aber nicht zu** ~ (*dated*) I'll give you a thrashing, and how!
3. (*nicht ganz*) almost. **ein** ~**es Pfund Mehl** just under a pound of flour; **seit einem** ~**en** *or* ~ **einem Jahr wohne ich hier** I have been living here for almost a year.
4. (*kurz und präzis*) *Stil, Worte* concise; *Geste* terse; (*lakonisch*) *Antwort* pithy.
5. (*gerade so eben*) just. **er ist** ~ **an mir vorbeigefahren** he just got *or* scraped past me; **mit** ~**er Not** only just, by the skin of one's teeth.

Knappe *m* **-n, -n** 1. (*Hist: eines Ritters*) squire. 2. (*Min*) qualified miner.

knapphalten *vt sep irreg*: **jdn** ~ to keep sb short (*mit of*).

Knappheit *f* (*Lebensmittel*~) scarcity, shortage; (*von Zeit, Geld*) shortage; (*fig: des Ausdrucks*) conciseness, concision.

Knappschaft *f* (*Min*) miners' guild.

knapsen *vi* (*inf*) to scrimp (*mit, an* +*dat* on), to be stingy (*inf*) (*mit, an* +*dat* with). **an etw** (*dat*) **zu** ~ **haben** to have a rough time getting over sth.

Knarre *f* **-, -n** 1. (*inf: Gewehr*) shooter (*sl*).
2. (*Rassel*) rattle.

narren vi to creak. **eine ~de Stimme** a rasping or grating voice.

Knast m -(e)s, no pl (sl) clink (inf), can (US sl). **~ schieben** (sl) to do bird (Brit sl), to do time (inf).

Knastbruder m (sl) jailbird (inf).

Knaster m -s, - (inf) baccy (inf).

Knastologe m (hum) jailbird (inf).

Knatsch m -es, no pl (inf) trouble. **das gibt ~** that means trouble.

knatschig adj (inf) upset, whingy (inf).

knattern vi (Motorrad) to roar; (Preßlufthammer) to hammer; (Maschinengewehr) to rattle, to chatter; (Schüsse) to rattle out; (Fahne im Wind) to flap.

Knäuel m or nt -s, - ball; (wirres) tangle; (fig: Durcheinander) muddle; (von Menschen) group, knot; (in Problemen) knot, tangle; (hum: Hund) bundle of fluff (inf).

Knauf m -(e)s, **Knäufe** (Tür~) knob; (von Schwert) pommel.

Knauser(in f) m -s, - (inf) scrooge (inf).

knauserig adj (inf) mean, stingy (inf).

knausern vi (inf) to be mean or stingy (inf) (mit with).

Knaus-Ogino-Methode f (Med) rhythm method.

knautschen vti (inf) to crumple (up); Kleid auch to crease.

knautschig adj (inf) Anzug, Kleid crumpled-up, crumply (inf).

Knautschlack m, **Knautsch(lack)leder** nt wet-look leather; **Knautschzone** f (Aut) crumple zone.

Knebel m -s, - (Mund~) gag; (Paket~) (wooden) handle; (an Mänteln) toggle; (Fenster~) (handle of) window catch.

Knebelbart m Van Dyke (beard); **Knebelknopf** m toggle fastening.

knebeln vt jdn, Presse to gag.

Knebelvertrag m oppressive contract. **jdn durch einen ~ binden** to screw sb down with a tight contract (inf).

Knecht m -(e)s, -e 1. servant; (beim Bauern) (farm-)labourer or worker; (Stall~) stableboy. 2. (fig: Sklave) slave (gen to). 3. **~ Ruprecht** helper to St Nicholas (Santa Claus).

knechten vt to subjugate, to oppress. **alle unterdrückten und geknechteten Völker ...** all oppressed and enslaved peoples ...; **sie wollten sich nicht mehr von ihm ~ lassen** they refused to be his slaves any longer.

knechtisch adj (geh) Charakter subservient, submissive; Unterwürfigkeit, Verhalten auch servile, slavish. **jdm/einer Sache ~ ergeben sein** to be a complete slave or totally enslaved to sb/sth.

Knechtschaft f slavery, servitude, bondage.

Knechtung f, no pl (geh) enslavement, subjugation.

kneifen pret **kniff**, ptp **gekniffen** I vt to pinch. **jdn/jdn or jdm in den Arm ~** to pinch sb/sb's arm.
II vi 1. to pinch.
2. (inf) (ausweichen) to chicken out (sl), to get or back out (vor +dat of); (vor Arbeit auch) to duck out (vor +dat of).

Kneifer m -s, - (Brille) pince-nez.

Kneifzange f pliers pl; (kleine) pincers pl. **eine ~** (a pair of) pliers/(a pair of) pincers; **ihn/das würde ich nicht mit der ~ anfassen** I wouldn't want to touch him/that with a barge pole.

Kneipe f -, -n (inf) (Lokal) pub (Brit), bar, saloon (US).

Kneipenbummel m pub crawl (Brit), bar hop (US); **Kneipenwirt(in f)** m (inf) publican (Brit), pub-owner (Brit), (pub) landlord (Brit), bar-keeper, saloon-keeper (US).

Kneipier [knai'pieː] m -s, -s (inf) siehe **Kneipenwirt**.

kneippen vi to undergo a Kneipp cure.

Kneippkur f Kneipp cure, type of hydropathic treatment combined with diet, rest etc.

Knesset(h) f -, no pl Knesset.

Knet m -s, no pl modelling clay; (Plastilin) plasticine ®.

knetbar adj workable; Teig auch kneadable.

Knete f -, no pl 1. siehe **Knet**. 2. (sl: Geld) dough (inf).

kneten I vt Teig to knead; Plastilin, Ton to work; Figuren to model; Muskeln, Rücken to knead, to work; siehe **formen**.
II vi (mit Plastilin spielen) to play with plasticine® or modelling clay.

Knetgummi m or nt plasticine®; **Knetmasse** f modelling clay.

Knick m -(e)s, -e or -s 1. (leichter Sprung) crack. 2. (Kniff, Falte) crease, crinkle; (Eselsohr) dog-ear; (Biegung) (sharp) bend; (bei Draht, auf Oberfläche) kink. **einen ~ machen** to bend sharply. 3. pl -s (N Ger: Hecke) hedgerow.

Knickebein m -s, no pl advocaat.

knicken vti (vi: aux sein) to snap; Papier to fold, to crease. **„nicht ~!"** "do not bend or fold".

Knicker m -s, - (inf) scrooge (inf).

Knickerbocker ['knɪkɐbɔkɐ] pl knickerbockers pl (old), plus-fours pl.

knick(e)rig adj (inf) stingy (inf), mean.

knickern vi (inf) to be stingy (inf) (mit with).

Knickfuß m (Med) (type of) club-foot.

Knicks m -es, -e bob; (tiefer) curts(e)y. **einen ~ machen** to drop a curts(e)y, to curts(e)y (vor +dat to).

knicksen vi to curts(e)y, to drop a curts(e)y (vor +dat to).

Knie nt -s, - 1. (auch Hosen~) knee. **auf ~n** on one's knees, on bended knee; **die ~ fallen** to fall on or drop to one's knees; **sich vor jdm auf die ~ werfen** to throw oneself on one's knees in front of sb; **jdn auf ~n bitten** to go down on bended knees to sb (and beg); **jdm auf ~n danken** to go down on one's knees and thank sb; **in die ~ gehen** to kneel, to fall on one's knees; (fig) to be brought to one's knees; **jdn übers ~ legen** (inf) to put sb across one's knee; **etw übers ~ brechen** (fig) to rush (at) sth; **die ~ beugen** to bend one's knees; (vor dem Altar) to bow, to genuflect (form); (fig) to give in, to bend the knee.
2. (Fluß~) sharp bend; (in Rohr)

elbow.

Kniebeuge f (Sport) knee-bend; **Kniebundhose** f knee breeches; **Kniefall** m genuflection (form); **einen ~ vor jdm tun** (geh) or **machen** (lit, fig) to kneel before sb; (fig auch) to bow before sb; **kniefällig** I adj Verehrung humble, lowly; II adv on one's knees, on bended knee; **kniefrei** adj Rock above the knee; **Kniegelenk** nt knee joint; **kniehoch** adj Schnee, Wasser knee-deep; Gras kneehigh; **Kniehose** f knee breeches pl; **Kniekehle** f back or hollow of the knee; **knielang** adj knee-length.

knien [kni:n, 'kni:ən] I vi to kneel. **im K~** on one's knees, kneeling. II vr to kneel (down). **sich in die Arbeit ~** (fig) to get down to or stuck into (inf) one's work.

Knierohr nt elbow(-pipe).

Knies m -, no pl (dial inf) row, argument.

Kniescheibe f kneecap; **Kniescheibenreflex**, **Kniesehnenreflex** m knee or patellar (spec) reflex; **Knieschützer** m -s, - kneepad, kneeguard; **Kniestrumpf** m knee-sock, knee-length sock; **Kniestück** nt elbow joint; **knietief** adj knee-deep.

kniff pret of **kneifen**.

Kniff m -(e)s, -e 1. (inf) trick. **den ~ bei etw heraushaben** to have the knack of sth (inf); **es ist ein ~ dabei** there is a (special) knack to it (inf). 2. (Falte) crease, fold.

kniff(e)lig adj (inf) fiddly; (heikel) tricky.

Knigge m -(s), - etiquette manual.

Knilch m -s, -e (pej inf) twit (Brit inf), clown (inf).

knips interj click.

knipsen I vt 1. Fahrschein to punch, to clip. 2. (Phot inf) to snap (inf). II vi 1. (Phot inf) to take pictures. 2. (klicken) to click. **mit den Fingern ~** to snap one's fingers.

Knipser -s, - (inf) m shutter.

Knirps m -es, -e 1. (Junge) whippersnapper; (pej auch) squirt. 2. ⓡ folding or telescopic umbrella.

knirschen vi (Sand, Schnee) to crunch; (Getriebe) to grind. **mit den Zähnen ~** to grind one's teeth; (vor Wut auch) to gnash one's teeth.

knistern vi (Feuer) to crackle; (Papier, Seide) to rustle. **mit Papier ~** to rustle paper; **es knistert im Gebälk** (fig) there is trouble brewing or afoot (gen in).

Knittelvers m rhyming couplets (using a four-stress line).

knitterarm adj crease-resistant; **knitterfrei** adj Stoff, Kleid non-crushable, crease-resistant.

knittern vti to crease, to crush.

Knobelbecher m 1. dice cup. 2. (Mil sl) army boot.

knobeln vi 1. (würfeln) to play dice; (um eine Entscheidung) to toss for it (inf). **sie knobelten darum, wer bezahlen sollte** they tossed (for it) to decide who should pay. 2. (nachdenken) to puzzle (an +dat over).

Knoblauch m -(e)s, no pl garlic.

Knoblauchbrot nt garlic bread; **Knoblauchpresse** f garlic press; **Knob-**

lauchzehe f clove of garlic.

Knöchel m -s, - 1. (Fuß~) ankle. **bis über die ~** up to the ankles, ankle-deep. 2. (Finger~) knuckle.

Knöchelbruch m broken ankle; **knöchellang** adj ankle-length; **knöcheltief** adj ankle-deep.

Knochen m -s, - 1. bone; (pl sl) arms pl; legs pl; (Hände) paws pl (inf). **Fleisch mit/ohne ~** meat on/off the bone; **mir tun alle ~ weh** (inf) every bone in my body is aching; **er ist bis auf die ~ abgemagert** he is just (a bag of) skin and bones; **brich dir nicht die ~!** (inf) don't break anything or your neck!; **dem breche ich alle ~ einzeln** (inf) I'll break every bone in his body; **das geht auf die ~** (inf) it knackers you (Brit sl) or breaks your back; **ihm steckt** or **sitzt die Grippe/Angst in den** (inf) he's got flu/ he's scared stiff (inf); **naß bis auf die ~** (inf) soaked to the skin; **keinen Mumm in den ~ haben** (inf) to have no guts or spunk (inf); **der Schreck fuhr ihm in die ~** he was paralyzed with shock; **sich bis auf die ~ blamieren** (inf) to make a proper fool of oneself (inf); **er ist konservativ bis in** or **auf die ~** (inf) he is conservative through and through, he is a dyed-in-the-wool conservative.

2. (dated inf: Kerl) chap (inf), bloke (Brit inf). **du fauler/müder ~** you lazy/ indolent so-and-so (inf).

3. (inf: großer Hausschlüssel) large door-key.

Knochenarbeit f hard graft (inf); **Knochenbau** m bone structure; **Knochenbruch** m fracture; **Knochenerweichung** f (Med) softening of the bones, osteomalacia (spec); **Knochengerüst** nt skeleton; **knochenhart** adj (inf) rock-hard; **Knochenhaut** f periosteum (spec); **Knochenhautentzündung** f periostitis (spec); **Knochenleim** m bone glue; **Knochenmann** m (liter) Death; **Knochenmark** nt bone marrow; **Knochenmarkentzündung** f osteomyelitis; **Knochenmehl** nt bone meal; **Knochenschinken** m ham on the bone; **Knochenschwund** m bone atrophy, atrophy of the bone; **knochentrocken** adj (inf) bone dry; (fig) Humor very dry; **Knochentuberkulose** f bone tuberculosis, tuberculosis of the bone.

knöchern adj Gerät bone attr, of bone; Material auch bony, osseous (form); Körperbau bony; (pej inf: nicht anpassungsfähig) set in one's ways.

knochig adj bony.

Knockout [nɔk'|aut] m -(s), -s knockout.

Knödel m -s, - dumpling.

knödeln vi to sing in a strangled voice.

Knofel m -s, no pl (inf) garlic.

Knöllchen nt 1. dim of **Knolle**. 2. (inf: Strafzettel) (parking) ticket.

Knöllchenbakterien pl rhizobin pl.

Knolle f -, -n (Bot) nodule, tubercule; (von Kartoffel, Dahlie) tuber; (Kartoffel) potato; (inf: Nase) conk (Brit inf).

Knollen m -s, - 1. siehe **Knolle**. 2. (Klumpen) lump.

nollenblätterpilz *m* amanita; **grüner ~** deadly amanita, death cup, death angel; **Knollennase** *f* (*Med*) rhinophyma (*spec*), (nodular) swelling of the nose; (*inf*) conk (*Brit inf*).

nollig *adj Wurzel* tuberous; *Auswuchs* knobbly, knotty; *Nase* bulbous; (*inf: klumpig*) lumpy.

Knopf *m* -(e)s, ⁻e 1. (*an Kleidungsstück*) button. **etw an den ~en abzählen** to decide sth by counting off one's buttons.
    2. (*an Gerät, elektrischer Anlage*) (push-)button; (*an Akkordeon*) button.
    3. (*an Tür, Stock*) knob; (*Sattel~, Degen~*) pommel.
    4. (*inf*)(*Kind*) little chap *or* fellow/ little lass(ie); (*Kerl*) chap, fellow. **ein fieser ~** a nasty so-and-so.

knöpfen *vt* to button (up). **einen Kragen auf ein Kleid ~** to button a collar to a dress; **ein Kleid zum K~** a dress that buttons up.

Knopfleiste *f* button tape; **Knopfloch** *nt* buttonhole; **aus allen Knopflöchern platzen** (*inf*) to be bursting at the seams; **Knopfzelle** *f* round cell battery.

knorke *adj* (*dated inf*) smashing (*Brit inf*), swell (*esp US inf*).

Knorpel *m* -s, - (*Anat, Zool*) cartilage; (*Cook*) gristle.

knorpelig *adj* (*Anat*) cartilaginous; *Fleisch* gristly.

Knorren *m* -s, - (*im Holz*) knot; (*an Weide*) burl, burr; (*Baumstumpf*) (tree) stump; (*Aststumpf*) snag.

knorrig *adj Baum* gnarled; *Holz, Klotz* knotty; (*fig*) *alter Mann* rugged; (*eigenwillig*) *Mensch, Charakter* surly, gruff.

Knospe *f* -, -n bud. **~n ansetzen** *or* **treiben** to bud; **die zarte ~ ihrer Liebe** (*liter*) the tender bud of their love.

knospen *vi* to bud. **~d** (*lit, fig liter*) budding.

Knötchen *nt dim of* **Knoten**.

Knoten *m* -s, - 1. knot; (*Med*) (*Geschwulst*) lump; (*Gicht~*) tophus (*spec*); (*Phys, Bot, Math, Astron*) node; (*fig: Verwicklung*) plot. **sich** (*dat*) **einen ~ ins Taschentuch machen** (*inf*) to tie a knot in one's handkerchief.
    2. (*Naut*) knot.
    3. (*Haar~*) bun, knot.

knoten *vt Seil* to (tie into a) knot, to tie a knot in.

Knotenbahnhof *m* junction; **Knotenpunkt** *m* (*Mot*) (road) junction, (road) intersection; (*Rail*) junction; (*fig*) centre; (*von Argumentation, Handlung*) nodal point.

Knöterich *m* knotgrass.

knotig *adj* knotty, knotted, full of knots; *Äste, Finger* gnarled; *Geschwulst* nodular.

Know-how ['noʊhaʊ] *nt* -s, *no pl* know-how.

Knubbel *m* -s, - (*inf*) lump.

Knuff *m* -(e)s, ⁻e (*inf*) poke; (*mit Ellbogen*) nudge.

knuffen *vti* (*inf*) to poke (*inf*); (*mit Ellbogen*) to nudge.

knülle *adj pred* (*dial inf*) tight (*inf*),

stoned (*sl*).

knüllen *vti* to crumple, to crease (up).

Knüller *m* -s, - (*inf*) sensation; (*Press*) scoop.

knüpfen I *vt Knoten* to tie; *Band* to knot, to tie (up); *Teppich* to knot; *Netz* to mesh; *Freundschaft* to form, to strike up. **jdn an den nächsten Baum/den Galgen ~** (*inf*) to hang sb from the nearest tree/the gallows, to string sb up (*inf*); **etw an etw** (*acc*) **~** (*lit*) to tie *or* knot sth to sth; (*fig*) *Bedingungen* to attach sth to sth; *Hoffnungen* to pin sth on sth; **große Erwartungen an etw** (*acc*) **~** to have great expectations of sth; **Freundschaftsbande enger ~** to strengthen *or* tighten the bonds of friendship.
    II *vr* **sich an etw** (*acc*) **~** to be linked to *or* connected with sth; **an diese Erfindung ~ sich viele technische Möglichkeiten** this discovery has many technical possibilities.

Knüppel *m* -s, - 1. stick; (*Waffe*) cudgel, club; (*Polizei~*) truncheon; (*Metal*) billet. **man sollte mit dem ~ dreinschlagen** (*fig*) someone ought to get tough *or* to wave the big stick; **jdm (einen) ~ zwischen die Beine werfen** (*fig*) to put a spoke in sb's wheel.
    2. (*Aviat*) control stick, joystick; (*Aut*) gear stick.

Knüppeldamm *m* log road; **knüppeldick** (*inf*) **I** *adj Steak, Schicht* very thick, good and thick *pred*; **er schmiert sich die Butter ~ aufs Brot** he puts lashings of butter on his bread; **II** *adv* **wenn's kommt, kommt's immer gleich ~** it never rains but it pours (*prov*); **bei dem kam es ja wirklich ~** he had one problem after another; **~(e) voll sein** (*Straßenbahn*) to be jam-packed; **knüppelhart** *adj* (*inf*) rock-hard.

knüppeln I *vi* to use one's truncheon; (*Sport sl*) to hack, to kick wildly. **II** *vt* to club, to beat with a club *or* stick; (*Polizei*) to use one's truncheon on, to beat with one's truncheon.

Knüppelschaltung *f* (*Aut*) floor-mounted gear change; **knüppelvoll** *adj* (*inf*) jam-packed, packed solid; **~sein** (betrunken) to be absolutely plastered (*sl*).

knurren I *vi* (*Hund etc*) to growl; (*wütend*) to snarl; (*Magen*) to rumble; (*fig: sich beklagen*) to moan, to groan (*über* +*acc* about). **II** *vti* (*mürrisch sagen*) to growl.

Knurren *nt* -s, *no pl siehe vi* growl(ing); snarl(ing); rumble, rumbling; moan-(ing).

Knurrhahn *m* gurnard.

knurrig *adj* grumpy; *Angestellte(r)* disgruntled.

Knusperhäuschen *nt* gingerbread house.

knuspern *vti* to crunch. **etwas zum K~** something to nibble; **an etw** (*dat*) **~** to crunch away at sth.

knusprig *adj Braten* crisp; *Gebäck auch* crunchy; *Brötchen auch* crusty; (*fig*) *Mädchen* scrumptious (*inf*).

Knust *m* -(e)s, -e *or* ⁻e (*N Ger*) (end) crust, heel.

Knute *f* -, -n (*old*) knout (*old*), lash. **jds ~**

zu **spüren bekommen** to feel sb's lash; **unter jds ~** (*dat*) **stehen** to be completely dominated by sb; **jdn unter seine ~ bringen** to get sb in one's clutches.

knutschen (*inf*) **I** *vt* to pet *or* smooch (*inf*) *or* neck (*inf*) with. **II** *vir* to pet, to smooch (*inf*), to neck (*inf*).

Knutscherei *f* petting, smooching (*inf*), necking (*inf*).

Knutschfleck *m* (*inf*) love bite (*inf*).

Knüttel *m* -s, - *siehe* **Knüppel**.

Knüttelvers *m siehe* **Knittelvers**.

k. o. [kaː'|oː] *adj pred* (*Sport*) knocked out; (*fig inf*) whacked (*inf*), all in (*inf*). **jdn ~ schlagen** to knock sb out.

K. o. [kaː'|oː] *m* -(s), -s knockout, K.O. **Sieg durch ~** victory by a knockout.

ko[agulieren* *vti* (*Med, Chem*) to coagulate, to clot.

Koala *m* -s, -s, **Koalabär** *m* koala (bear).

ko[alieren* *vi* (*esp Pol*) to form a coalition (*mit* with).

Ko[alition *f* (*esp Pol*) coalition. **kleine/ große ~** little/grand coalition.

Ko[alitions- *in cpds* coalition; **Ko[alitionsabsprache** *f* coalition agreement; **Ko[alitionsaussage** *f* statement of willingness to form a coalition; **ko[alitionsfähig** *adj* ~ **sein** to be suitable as a coalition partner; **Ko[alitionsfähigkeit** *f* suitability as a coalition partner; **Ko[alitionsfreiheit** *f* freedom to form a coalition; **Ko[alitionsgespräch** *nt* coalition talks *pl*; **Ko[alitionskrieg** *m* (*Hist*) coalition war; **Ko[alitionspartner** *m* coalition partner; **Ko[alitionsregierung** *f* coalition government.

ko[axial *adj* (*Tech*) co-axial.

Kobalt *nt* -s, *no pl* (*abbr* Co) cobalt.

kobaltblau *adj* cobalt blue.

Kobel *m* -s, - (*S Ger, Aus*), **Koben** *m* -s, - **1.** *siehe* **Schuppen. 2.** *siehe* **Stall.**

Kobold *m* -(e)s, -e goblin, imp.

Kobolz *m*: ~ **schießen** to turn *or* do somersaults.

Kobra *f* -, -s cobra.

Koch *m* -s, ¨e, **Köchin** *f* cook; (*von Restaurant auch*) chef. **viele ~e verderben den Brei** (*Prov*) too many cooks spoil the broth (*Prov*).

Kochapfel *m* cooking apple, cooker; **Kochbuch** *nt* cookery book, cookbook; **kochecht** *adj* (*Tex*) *Farbe* fast at 100°, fast even in boiling water; *Wäsche etc* suitable for boiling, that may be boiled; **Kochecke** *f* kitchen *or* cooking area; **Kochfeld** *n* ceramic hob; **Kochgelegenheit** *f* cooking facilities *pl*; **Kochplatte** *f* boiling ring, hotplate.

Köchelverzeichnis *nt* (*Mus*) Köchel index. **~ 25** Köchel *or* K. (number) 25.

kochen I *vt* **1.** (*Flüssigkeit, Speise*) to boil. **etw langsam** *or* **auf kleiner Flamme ~ lassen** to let sth simmer *or* to simmer sth (over a low heat); **etw zum K~ bringen** to bring sth to the boil; **jdn zum K~ bringen** (*fig inf*) to make sb's blood boil; **der Kühler/das Auto kocht** (*inf*) the cooling system/car is overheating; **er kochte vor Wut** (*inf*) he was boiling *or* seething with rage.

2. (*Speisen zubereiten*) to cook; (*als Koch fungieren*) to do the cooking; (*als Koch arbeiten*) to work as a cook/chef. **er kocht gut** he's a good cook, he is good at cooking; **er kocht scharf/pikant** his cooking is (always) highly seasoned/ spiced.

II *vt* **1.** *Flüssigkeit, Nahrungsmittel, Wäsche* to boil. **etw langsam** *or* **auf kleiner Flamme ~** to simmer sth over a low heat.

2. (*zubereiten*) *Essen* to cook; *Kakao* to make; (*aufgießen*) *Kaffee, Tee* to make, to brew. **etw gar/weich ~** to cook sth through/until (it is) soft; **Eier weich/ hart ~** to soft-boil/hard-boil eggs.

III *vi impers* (*fig*) to be boiling. **es kocht in ihm** he is boiling *or* seething with rage.

kochend *adj* (*lit, fig*) boiling. **~ heiß sein** to be boiling hot; (*Suppe*) to be piping hot.

kochendheiß *adj attr* boiling hot; *Suppe* piping hot.

Kocher *m* -s, - (*Herd*) cooker, stove; (*Camping~*) (primus) stove; (*Kochplatte*) hotplate; (*Wasser~*) ≃ (electric) kettle.

Köcher *m* -s, - (*für Pfeile*) quiver; (*für Golfschläger*) golf bag.

Kochfeld *nt* ceramic hob; **kochfertig** *adj* ready-to-cook *attr*, ready to cook *pred*; **kochfest** *adj* (*Tex*) *siehe* **kochecht**; **Kochgelegenheit** *f* cooking facilities *pl*; **Kochgeschirr** *nt* (*esp Mil*) billy(can), mess tin (*Mil*); **Kochherd** *m siehe* **Herd**.

Köchin *f siehe* **Koch**.

Kochkäse *m* (*type of*) soft cheese; **Kochkunst** *f* culinary art, art of cooking; **seine ~** *or* **Kochkünste** his cooking (ability); **Kochkünstler(in** *f*) *m* cookery expert, expert cook; **Kochkurs(us)** *m* cookery course; **Kochlöffel** *m* cooking spoon; **Kochnische** *f* kitchenette; **Kochplatte** *f* **1.** (*Herdplatte*) hotplate; **2.** (*Kocher*) cooker; **Kochrezept** *nt* recipe; **Kochsalz** *nt* common salt; (*Chem auch*) sodium chloride; (*Cook*) cooking salt; **Kochschinken** *m* boiled ham; **Kochtopf** *m* (cooking) pot; (*mit Stiel*) saucepan; **Kochwäsche** *f* washing that can be boiled; **Kochwasser** *nt* cooking water, water in which (the) vegetables have been boiled; **Kochzeit** *f* cooking time.

kodd(e)rig *adj* (*N Ger inf*) **1.** (*unwohl*) sick, queasy. **2.** (*frech*) insolent, impudent.

Kode [koːt, 'koːdə] *m* -s, -s code.

Kodein *nt* -s, *no pl* codeine.

Köder *m* -s, - bait; (*fig auch*) lure.

Köderfisch *m* bait fish.

ködern *vt* (*lit*) to lure; (*fig*) to tempt, to entice. **er will dich mit diesen Versprechungen nur ~** these promises of his are only a bait (to lure you); **jdn zu ~ versuchen** to woo sb; **jdn für etw ~** to rope sb into sth (*inf*); **sich von jdm/etw nicht ~ lassen** not to be tempted by sb/sth.

Kodex *m* - *or* -es, -e *or* **Kodices** *or* **Kodizes** (*Gesetzbuch*) codex, code; (*Handschrift*) codex, manuscript; (*fig*) (moral) code.

kodieren* vt to (en)code.

Kodierung f coding.

Kodifikation f codification.

kodifizieren* vt to codify; (fig geh) to write down. **kodifiziertes Recht** codified or statute law.

Ko|edukation f co-education.

Ko|effizient m coefficient.

Ko|existenz f coexistence.

Kofel m -s, - (Aus, S Ger) rounded or dome-shaped mountain top.

Koffein nt -s, no pl caffeine.

koffeinfrei adj decaffeinated.

Koffer m -s, - (suit)case, bag; (Übersee~, Schrank~) trunk; (Arzt~) bag; (für Schreibmaschine, Kosmetika) (carrying) case. **die ~ pl** (Gepäck) the luggage or baggage or bags pl; **die ~ packen** (lit, fig) to pack one's bags; **aus dem ~ leben** to live out of a suitcase.

Koffer|anhänger m luggage label or tag.

Köfferchen nt dim of Koffer.

Koffergerät nt portable (set); **Kofferkuli** m (luggage) trolley (Brit), cart (US); **Kofferradio** nt portable radio; **Kofferraum** m (Aut) boot (Brit), trunk (US); (Volumen) luggage space; **Kofferschreibmaschine** f portable (typewriter); **Kofferträger** m porter.

Kogge f -, -n (Naut) cog.

Kognak ['kɔnjak] m -s, -s or -e brandy.

Kognakschwenker m -s, - brandy glass, balloon glass.

kognitiv adj (Philos, Psych) cognitive.

Kohabitation f (form) cohabitation.

Kohäsion f (Phys, geh) cohesion; **Kohäsionsfonds** m (Europäische Gemeinschaft) Cohesion Fund.

Kohl m -(e)s, -e 1. cabbage. **das macht den ~ auch nicht fett** (inf) that's not much help. 2. (inf: Unsinn) rubbish, nonsense.

Kohldampf m, no pl (inf) **~ haben** or **schieben** to be starving or famished.

Kohle f -, -n 1. (Brennstoff) coal; (Stück ~) (lump of) coal; (dial: Brikett) briquette. **wir haben keine ~n mehr** we have no coal left; **glühende ~n** (lit) (glowing) embers; **glühende** or **feurige ~n auf jds Haupt sammeln** (geh) to heap coals of fire on sb's head; **(wie) auf (glühenden** or **heißen) ~n sitzen** to be like a cat on hot bricks, to be on tenterhooks. 2. (Verkohltes, Holz~) charcoal. **(tierische** or **medizinische) ~** animal charcoal. 3. (Art: ~stift) (stick of) charcoal. **mit ~ zeichnen** to draw with or in charcoal. 4. (Tech) carbon. 5. (inf: Geld) dough (inf), cash (inf). **die ~n stimmen** the money's right.

Kohlefilter m charcoal filter; **Kohlehydrat** nt carbohydrate; **Kohlehydrierung** f (Tech) hydrogenation of coal; **Kohlekraftwerk** nt coal-fired power station.

kohlen¹ vi 1. (Naut, Rail) to take on coal. 2. (verkohlen) to char, to carbonize. 3. (Ruß erzeugen) to smoke.

kohlen² vti (inf) to talk a load of nonsense or rubbish (inf); (lügen) to lie, to tell lies.

Kohlen- in cpds coal; **Kohlenbergbau** m coal-mining; **Kohlenbergwerk** nt coalmine, pit, colliery; **Kohlenbunker** m coalbunker; **Kohlendioxid** nt carbon dioxide; **Kohlengas** nt coal gas; **Kohlengrus** m (coal) slack; **Kohlenhalde** f pile of coal; **~n** pl coal stocks pl; **Kohlenhydrat** nt carbohydrate; **Kohlenkasten** m coal-box; **Kohlenkeller** m coal cellar; **Kohlenlager** nt 1. (Vorrat) coal depot; 2. (im Stollen, Berg) coal seam or bed; **Kohlenmonoxyd** nt carbon monoxide; **Kohlenofen** m (coal-burning) stove; **Kohlenpott** m (inf) 1. coal-mining area; 2. (Ruhrgebiet) siehe Ruhrpott; **Kohlenrevier** nt coal-mining area; **Kohlensack** m coalsack; **kohlensauer** adj **kohlensaures Natrium** sodium carbonate; **Kohlensäure** f 1. (Chem) carbonic acid; 2. (inf: in Getränken) fizz (inf); **kohlensäurehaltig** adj **Getränke** carbonated; **Kohlenschaufel** f coal shovel; **Kohlenstaub** m coaldust; **Kohlenstoff** m (abbr C) carbon; **Kohlenstoff-Datierung** f (radio)carbon dating; **Kohlentrimmer** m -s, - (coal) trimmer; **Kohlenwagen** m 1. (Rail: Tender) tender; (Waggon) coal truck; 2. (LKW) coal lorry (Brit) or truck; **Kohlenwasserstoff** m hydrocarbon; **Kohlenzange** f (pair of) fire or coal tongs.

Kohlepapier nt carbon paper.

Köhler(in f) m -s, - charcoal burner.

Köhlerei f charcoal burning.

Kohlestab m (Tech) carbon rod; **Kohlestift** m (Art) piece or stick of charcoal; **Kohletablette** f (Med) charcoal tablet; **Kohlezeichnung** f charcoal drawing.

Kohlkopf m cabbage; **Kohlmeise** f great tit; **kohl(pech)rabenschwarz** adj 1. Haar jet black, raven attr, raven-black; Nacht pitch-black; 2. (inf: sehr schmutzig) as black as coal; **Kohlrabi** m -(s), -(s) kohlrabi; **Kohlroulade** f stuffed cabbage; **kohlschwarz** adj Haare, Augen jet black; Gesicht, Hände black as coal; **Kohlsprosse** f (Aus) (Brussels) sprout; **Kohlweißling** m cabbage white (butterfly).

Kohorte f -, -n (Hist) cohort.

koitieren* [koi'tiːrən] vi (esp Med) to engage in coitus or sexual intercourse.

Koitus ['koːitus] m -, - or -se (esp Med) coitus, coition.

Koje f -, -n 1. (esp Naut) bunk, berth; (inf: Bett) bed. **sich in die ~ hauen** (inf) to hit the sack (inf) or the hay (inf). 2. (Ausstellungs~) stand.

Kojote m -n, -n coyote.

Koka f -, - (Bot) coca.

Kokain nt -s, no pl cocaine.

kokainsüchtig adj addicted to cocaine. **ein K~er** a cocaine addict.

Kokarde f -, -n cockade.

kokeln vi (inf) to play with fire.

Kokerei f (Tätigkeit) coking; (Anlage) coking plant.

kokett adj coquettish, flirtatious.

Koketterie f 1. no pl (Eigenschaft) coquettishness, coquetry, flirtatiousness.

2. (*Bemerkung*) coquettish *or* flirtatious remark, coquetry.

kokettieren* *vi* to flirt. **mit seinem Alter** ~ to play up *or* upon one's age; **mit einem Gedanken** ~ to toy with an idea.

Kokolores, Kokolorus *m* -, *no pl* (*inf*) 1. (*Unsinn*) rubbish, nonsense, twaddle (*inf*). 2. (*Umstände*) palaver (*inf*), fuss. **mach doch nicht solchen** ~ don't make such a palaver *or* fuss.

Kokon [ko'kõː] *m* -s, -s (*Zool*) cocoon.

Kokos- *in cpds* coconut; **Kokosfett** *nt* coconut oil; **Kokosflocken** *pl* desiccated coconut; **Kokosmilch** *f* coconut milk; **Kokosnuß** *f* coconut; **Kokosöl** *nt* coconut oil; **Kokospalme** *f* coconut palm *or* tree; **Kokosraspeln** *pl* desiccated coconut.

Kokotte *f* -, -n (*old*) cocotte.

Koks¹ *m* -es, -e coke; (*inf: Unsinn*) rubbish, nonsense; (*Geld*) dough (*inf*).

Koks² *m or nt* -es, *no pl* (*sl: Kokain*) coke (*sl*).

koksen *vi* (*sl: Kokain nehmen*) to take coke (*sl*).

Kokser(in *f*) *m* -s, - (*sl*) cocaine *or* coke (*sl*) addict.

Kola *pl of* **Kolon**.

Kolanuß *f* cola *or* kola nut.

Kolben *m* -s, -. 1. (*dickes Ende, Gewehr~*) butt; (*Tech: Motor~, Pumpen~*) piston; (*Chem: Destillier~*) retort; (*von Glühlampe*) bulb; (*von Lötapparat*) bit; (*inf: Nase*) conk (*Brit inf*), hooter (*Brit inf*), beak (*inf*). 2. (*Bot*) spadix; (*Mais~*) cob.

kolbenförmig *adj* club-shaped; **etw verdickt sich** ~ sth widens into a club shape; **Kolbenfresser** *m* -s, - (*inf*) piston seizure; (**den**) ~ **haben** to have piston seizure; **Kolbenring** *m* piston ring.

Kolchos *m or nt* -, **Kolchose, Kolchose** *f* -, -n collective farm, kolkhoz.

Kolchosbauer *m*, **Kolchosbäuerin** *f* worker on a collective farm.

Kolibakterien *pl* E. coli *pl*.

Kolibri *m* -s, -s humming bird, colibri (*spec*).

Kolik *f* -, -en colic.

Kolkrabe *m* raven.

kollabieren* *vi aux sein* (*Med*) to collapse.

Kollaborateur(in *f*) [-'tøːɐ, -'tøːrɪn] *m* (*Pol*) collaborator.

Kollaboration *f* collaboration.

kollaborieren* *vi* to collaborate.

Kollaps *m* -es, -e (*Med*) collapse. **einen** ~ **erleiden** to collapse.

Kollation *f* (*Liter*) collation, comparison; (*Typ*) collation.

kollationieren* [kɔlatsio'niːrən] *vt* (*Liter*) to collate, to compare; (*Typ*) to collate.

Kolleg *nt* -s, -s *or* -ien [-iən] 1. (*Univ: Vorlesung*) lecture; (*Vorlesungsreihe*) (course of) lectures. 2. (*Sch*) college. 3. (*Eccl*) theological college.

Kollege *m* -n, -n, **Kollegin** *f* colleague; (*Arbeiter auch*) workmate. **seine** ~**n vom Fach** his professional colleagues, his fellow doctors/teachers *etc*; **meine** ~**n** the people I work with, my col-

leagues; **seine** ~**n in der Ärzteschaft** his fellow doctors; ~ **kommt gleich!** somebody will be with you right away; **Herr** ~! Mr X/Y; **der (Herr)** ~ (Müller) (*Pol*) the honourable member.

Kollegenrabatt *m* trade discount.

Kollegeld *nt* lecture fee; **Kollegheft** *nt* (student's) notebook.

kollegial *adj* cooperative. **das war nicht sehr** ~ **von ihm** that wasn't what you would expect from a colleague; **mit** ~**en Grüßen** ≈ yours sincerely; **sich** ~ **verhalten** to act like a good colleague.

Kollegialität *f* cooperativeness.

Kollegin *siehe* **Kollege**.

Kollegium *nt* 1. (*Lehrer~*) staff; (*Ausschuß*) working party. 2. *siehe* **Kolleg**.

Kollegmappe *f* document case.

Kollekte *f* -, -n (*Eccl*) offering, collection, offertory.

Kollektion *f* collection; (*Sortiment*) range; (*Fashion*) collection.

kollektiv *adj* collective.

Kollektiv *nt* collective.

Kollektivarbeit *f* (*Tätigkeit*) collective work, collaboration; (*Ergebnis*) collective piece of work; **Kollektivgeist** *m* corporate *or* collective spirit.

kollektivieren* [-'viːrən] *vt* to collectivize.

Kollektivismus [-'vɪsmʊs] *m*, *no pl* collectivism.

Kollektivschuld *f* collective guilt; **Kollektivstrafe** *f* collective punishment.

Kollektivum [-'tiːvʊm] *nt* -s, **Kollektiva** [-'tiːva] *or* **Kollektiven** [-'tiːvən] (*Ling*) collective (noun).

Kollektivvertrag *m* collective agreement; (*DDR Econ*) house agreement; **Kollektivwirtschaft** *f* (*Econ*) collective economy.

Kollektor *m* (*Elec*) collector; (*Sonnen~*) solar collector *or* panel.

Koller *m* -s, -. 1. (*inf*) (*Anfall*) silly *or* funny mood; (*Wutanfall*) rage; (*Tropen~, Gefängnis~*) tropical/prison madness. **seinen** ~ **bekommen/haben** to get into/to be in one of one's silly *or* funny moods; **einen** ~ **haben/bekommen** to be in/fly into a rage. 2. (*Vet: bei Pferden*) staggers *sing*.

kollern I *vi* 1. (*Truthahn*) to gobble; (*Magen, Darm*) to rumble. 2. *aux sein* (*dial*) *siehe* **kullern**. II *vi impers* **es kollert in seinem Bauch** his stomach is rumbling.

kollidieren* *vi* (*geh*) 1. *aux sein* (*Fahrzeuge*) to collide, to be in collision. 2. *aux sein or haben* (*fig*) to conflict, to be in conflict, to clash; (*Termine*) to clash. **miteinander** ~ to conflict, to clash, to be in conflict (with each other).

Kollier [kɔ'lieː] *nt* -s, -s necklet, necklace.

Kollision *f* (*geh*) (*Zusammenstoß*) collision; (*Streit*) conflict, clash; (*von Terminen*) clash.

Kollisionskurs *m* (*Naut, Aviat*) collision course. **auf** ~ **gehen, einen** ~ **ansteuern** (*fig*) to be heading for trouble.

Kolloid *nt* -s, -e (*Chem*) colloid.

Kolloquium *nt* colloquium; (*Aus Univ: Prüfung*) examination.

Köln *nt* -s Cologne.

Kölner adj attr Cologne. der ~ **Dom** Cologne Cathedral.

Kölner(in f) m -s, - inhabitant or (gebürtiger) native of Cologne. **er ist** ~ he lives in/comes from Cologne.

kölnisch adj Cologne.

Kölnischwasser, Kölnisch Wasser nt eau de Cologne, cologne.

Kolombine f (Theat) Columbine.

Kolon nt -s, -s or **Kola** (Typ, Anat) colon.

Koloniakübel m (Aus) dustbin (Brit), trash or garbage can (US).

kolonial adj (rare) colonial.

Kolonial- in cpds colonial; **Kolonialbesitz** m colonial possessions pl; **das Land ist in** ~ that country is a colony.

Kolonialismus m, no pl colonialism.

Kolonialmacht f colonial power; **Kolonialstil** m Colonial (style); **Kolonialwaren** pl groceries pl; (Erzeugnisse der Kolonien) colonial produce; **Kolonialwarenhändler(in** f) m (dated) grocer; **Kolonialwarenhandlung** f, **Kolonialwarengeschäft** nt (dated) grocer's (shop); **Kolonialzeit** f colonial times pl; **ein Relikt aus der** ~ a relic of the colonial past or of colonial times.

Koloniawagen m (Aus) refuse lorry (Brit) or truck.

Kolonie f (alle Bedeutungen) colony; (Ansiedlung auch) settlement; (Ferien~) camp.

Kolonisation f siehe vt settlement; colonization.

kolonisieren* vt **1.** (erschließen) Gebiet to settle in. **2.** (zur Kolonie machen) Land to colonize.

Kolonist(in f) m colonist; (Siedler) settler.

Kolonnade f colonnade.

Kolonne f -, -n column; (Autoschlange, fig: Menge) queue (Brit), line; (zur Begleitung esp Mil) convoy; (Arbeits~) gang. „**Achtung** ~!" "convoy"; ~ **fahren** to drive in (a) convoy.

Kolonnenspringen nt jumping the (traffic) queue (Brit) or line; **Kolonnenspringer(in** f) m queue-jumper (Brit); **Kolonnenverkehr** m a queue/queues (Brit) or a line/lines of traffic, a tailback.

Kolophonium nt, no pl rosin, resin, colophony (spec).

Koloratur f coloratura.

kolorieren* vt to colour.

Kolorit nt -(e)s, -e (Art) colouring; (Mus) (tone) colour; (Liter, fig) atmosphere, colour.

Koloß m -sses, -sse colossus; (fig auch) giant. **der** ~ **von Rhodos** the Colossus of Rhodes.

kolossal I adj colossal, tremendous, enormous; (inf) Dummheit auch crass attr.

II adv (inf) tremendously, enormously. **sich** ~ **verschätzen** to make a colossal mistake.

Kolossalfilm m epic film, (film) epic; **Kolossalgemälde** nt (inf) spectacular painting; **Kolossalschinken** m (pej geh) spectacular.

Kolosseum nt -s, no pl **das** ~ the Colosseum.

Kolportage [kɔlpɔr'taːʒə] f -, -n **1.** (Press) cheap sensationalism. **2.** (minderwertige Literatur) trash, rubbish.

kolportieren* vt Nachricht to spread, to circulate; Gerüchte auch to peddle. **die Zeitung kolportierte, daß ...** the paper spread the story that ...

kölsch adj siehe **kölnisch.**

Kölsch nt -, - (Bier) ≃ (strong) lager.

Kolumbianer(in f) m -s, - Colombian.

Kolumbien [-iən] nt -s Colombia.

Kolumbus m - **Christoph** ~ Christopher Columbus; siehe **Ei.**

Kolumne f -, -n (Typ, Press) column.

Kolumnist(in f) m columnist.

Koma nt -s, -s or -ta (Med) coma.

Kombattant(in f) m (geh) combatant.

Kombi m -s, -s siehe **Kombiwagen.**

Kombinat nt (Econ) combine; (in Socialist states) state-owned conglomerates.

Kombination f **1.** (Verbindung, Zusammenstellung, Zahlen~) combination; (Sport: Zusammenspiel) concerted move, (piece of) teamwork. **alpine/nordische** ~ (Ski) Alpine/Nordic combination.

2. (Schlußfolgerung) deduction, reasoning; (Vermutung) conjecture.

3. (Kleidung) suit, ensemble; (Hemdhose) combinations pl, combs pl (inf); (Arbeitsanzug) overalls pl, boilersuit; (Flieger~) flying suit.

Kombinationsgabe f powers of deduction or reasoning; **Kombinationsschloß** nt combination lock.

kombinatorisch adj **1.** Fähigkeiten deductive; Problem, Logik combinatory. **2.** (Ling) ~er Lautwandel conditioned sound change.

kombinieren* **I** vt to combine; Kleidungsstücke auch to wear together. **Möbel zum K~** unit furniture; **zum beliebigen K~** to mix and match.

II vi **1.** (folgern) to deduce; (vermuten) to suppose. **gut** ~ **können** to be good at deducing or deduction; **ich kombiniere: ...** I conclude: ...; **du hast richtig kombiniert** your conclusion is/was right, you have come to the right conclusion.

2. (Sport) to make a concerted move.

Kombiwagen m estate (car) (Brit), station wagon (esp US); **Kombizange** f combination pliers pl.

Kombüse f -, -n (Naut) galley.

Komet m -en, -en comet; (fig) meteor.

kometenartig adj (Astron) comet-like; **kometenhaft** adj (fig) Aufstieg, Karriere meteoric; Aufschwung rapid.

Komfort [kɔm'foːɐ] m -s, no pl (von Hotel) luxury; (von Möbel) comfort; (von Auto) luxury features pl; (von Gerät) extras pl; (von Wohnung) amenities pl, mod cons pl (inf). **ein Auto mit allem** ~ a luxury car, a car with many luxury features.

komfortabel adj (mit Komfort ausgestattet) luxurious, luxury attr; Haus, Wohnung well-appointed; (bequem) Sessel, Bett comfortable; (praktisch) Bedienung convenient.

Komfortwohnung [kɔm'foːɐ-] f luxury flat.

Komik f -, no pl (das Komische) comic;

(*komische Wirkung*) comic effect; (*lustiges Element: von Situation*) comic element. **tragische ~** tragi-comedy; **ein Sinn für ~** a sense of the comic.

Komiker(in *f*) *m* **-s, -** comedian, comic; (*fig auch*) joker (*inf*). **Sie ~** you must be joking.

Kominform *nt* **-s**, *no pl* (*Hist*) **das ~** the Cominform.

Komintern *f* **-**, *no pl* (*Hist*) **die ~** the Comintern.

komisch *adj* **1.** (*ulkig*) funny, comical; (*Theat*) Rolle, Person, Oper comic. **der ~e Alte** (*Theat*) the comic old man; **das K~e daran** the funny thing about it.

2. (*seltsam, verdächtig*) funny, strange, odd. **das K~e daran ist ...** the funny *or* strange *or* odd thing about it is ...; **~, daß ich das übersehen habe** it's funny *or* odd that I should have missed that; **mir ist/wird so ~** (*inf*) I feel funny *or* strange *or* odd; **er war so ~ zu mir** he acted so strangely towards me.

komischerweise *adv* funnily enough.

Komitee *nt* **-s, -s** committee.

Komma *nt* **-s, -s** *or* **-ta** comma; (*Math*) decimal point. **fünf/null ~ drei** five/nought point three.

Kommandant *m* (*Mil*) commanding officer; (*Naut*) captain; (*von Festung auch*) commander; (*von Stadt*) commandant.

Kommandantur *f* (*Funktion*) command; (*Gebäude auch*) headquarters *sing*.

Kommandeur [kɔmanˈdøːɐ] *m* commander.

kommandieren* **I** *vt* **1.** (*befehligen*) to command, to be in command of.

2. (*befehlen*) **jdn an einen Ort/zu sich ~** to order sb to a place/to appear.

II *vi* **1.** (*Befehlsgewalt haben*) to be in command. **~der General** commanding general.

2. (*Befehle geben*) to command, to give (the) orders. **er kommandiert gern** he likes to be the one to give (the) orders, he likes ordering people about.

Kommanditgesellschaft *f* (*Comm*) limited partnership.

Kommanditist(in *f*) *m* **-en, -en** limited partner.

Kommando *nt* **-s, -s** **1.** (*Befehl*) command, order. **das ~ zum Schießen geben** to give the command *or* order to fire; **auf ~ schreit ihr alle ...** (up)on the command (you) all shout ...; **ich mache nichts auf ~** I don't do things to order *or* on command; **wie auf ~ stehenbleiben** to stand still as if by command.

2. (*Befehlsgewalt*) command. **wer hat das ~?** who is in command?; **das ~ haben** *or* **führen/übernehmen** to be in *or* have/take command (*über* +*acc* of).

3. (*Mil*) (*Behörde*) command; (*Abteilung*) commando.

Kommandobrücke *f* (*Naut*) bridge; **Kommandokapsel** *f* (*Space*) command module; **Kommandoraum** *m* control room; **Kommandostab** *m* command (staff); **Kommandoturm** *m* (*Naut*) conning tower; **Kommandounternehmen** *nt* commando operation; **Kom-**

mandowirtschaft *f* controlled economy.

kommen *pret* **kam**, *ptp* **gekommen** *aux sein* **I** *vi* **1.** to come; (*ankommen auch, geboren werden*) to arrive; (*herkommen*) to come over; (*in Gang ~: Motor, Feuer*) to start; (*inf: einen Orgasmus haben*) to come (*sl*); (*Telec: sich melden*) to come in. **ich komme (schon)** I'm (just) coming; **ich habe zwei Stunden gewartet, aber sie kam und kam nicht** I waited two hours but she just didn't come; **er wird gleich ~** he'll be here right away; **die Bedienung/der Nachtisch kommt gleich** we'll be served/the dessert is coming straight away; **da kommt er ja!** here he comes; **wann soll der Zug/das Baby ~?** when is the train/baby due?; **da kann** *or* **könnte ja jeder ~ und sagen ...** anybody *or* any Tom, Dick or Harry (*inf*) could come and say ...; **Torwart zu sein ist langweilig, wenn nie ein Ball kommt** it is boring to be a goalkeeper if the ball never comes your way; **nach Hause ~** to come *or* get home; **von der Arbeit ~** to come *or* get home from work; **zum Essen ~** to come home for lunch/dinner *etc*; **der Wagen kommt in 16 sec. auf 100 km/h** the car reaches 100 km/h in 16 sec.

2. (*auffordernd*) to come on *or* along. **komm, wir gehen/sag schon** come on *or* along, we're going/tell me; **komm, sei nicht so stur** come on *or* now, don't be so obstinate; **ach komm!** come on!; **komm, komm** (*beschwichtigend, zweifelnd*) come, come!; (*ermahnend*) come on; **komm, komm, wir müssen uns beeilen!** come on, we must hurry.

3. (*Reihenfolge*) to come. **das Schlimmste kommt noch** the worst is yet to come; **warte, das kommt noch** wait, it's coming (later); **ich komme zuerst an die Reihe** I'm first, it's my turn first; **jetzt kommt's** here it comes, wait for it! (*inf*); **das Zitat/Lied kommt gleich/erst später** that line/song should be coming up soon/doesn't come till later; **das Lied kommt als nächstes** that song is next.

4. (*erscheinen, auftauchen*) to come out; (*Zähne*) to come (through). **bohren, bis Öl/Grundwasser kommt** to bore until one strikes oil/finds water; **paß auf, ob hier eine Tankstelle kommt** watch out and see if there's a filling station; **jetzt muß bald die Grenze/Hannover ~** we should soon be at the border/in Hanover; **wie sie (gerade) ~** just as they come.

5. (*stattfinden, eintreten*) (*Gewitter, Abend, Antwort, Reue*) to come; (*Zwischenfall*) to occur; (*Not*) to arise; (*TV, Rad, Theat: gegeben werden*) to be on. **der Mai ist gekommen** May is here *or* has come; **der Winter kommt mit großen Schritten** winter is rapidly *or* fast approaching; **ich glaube, es kommt ein Unwetter** I think there's some bad weather on the way; **was kommt diese Woche im Kino/Theater?** what's on at the cinema/theatre this week?.

6. (*geschehen, sich zutragen*) to happen. **egal, was kommt, ich bleibe fröh-**

lich whatever happens, I shall remain cheerful; **komme, was da wolle** come what may; **seine Hochzeit kam für alle überraschend** his wedding came as a surprise for everyone; **das mußte ja so ~** it had to happen; **das hätte nicht ~ dürfen** that should never *or* shouldn't have happened; *siehe auch* III.

7. (*Grund, Ursache angebend*) to come. **daher kommt es, daß ...** (and) that's (the reason) why ...; **das kommt davon, daß ...** that's because ...; **das kommt davon, wenn man nicht zuhört** that's what happens when you don't listen, that comes of *or* that's what comes of not listening; **das kommt davon!** see what happens?

8. (*in Verbindung mit Dativ*) *siehe auch n, adj* **ihm kamen Zweifel** he started to have doubts; **jdm kommen die Tränen** tears come to sb's eyes; **ihm kam das Grausen** he was terrified; **mir kommt ein Gedanke/eine Idee** I just thought of something *or* had a thought/idea, a thought/idea occurs to me; **es kommt jdm** (*fällt ein*) it dawns on sb; (*wird klar*) it becomes clear to sb; **es kommt ihm** (*sl: er hat eine Ejakulation*) he's coming (*sl*); **du kommst mir gerade recht** (*iro*) you're just what I need; **das kommt mir gerade recht** that's just fine; **jdm frech/dumm ~** to be cheeky to sb/to act stupid; **komm mir nur nicht so** don't you take that attitude with me!; **so darfst du mir nicht ~** you'd better not take that attitude with me!

9. *in Verbindung mit vb siehe auch dort* **angelaufen/dahermarschiert ~** to come running/marching along *or* (*auf einen zu*) up; **herbeigelaufen ~** to come running up; **da kommt ein Vogel geflogen** there's a bird; **ich komme dann zu dir gefahren** I'll drive over to your place then; **kommt essen!** come and eat!; **jdn besuchen ~** to come and visit sb; **neben jdm zu sitzen ~** to end up sitting next to sb; **jdn ~ sehen** to see sb coming; **ich habe es ~ sehen** I saw it coming; **die Zeit für gekommen halten** to think the time has come; **jdn ~ lassen** Arzt, Polizei to send for sb, to call sb in; (*zu sich rufen*) Schüler, Sekretärin to send for sb, to summon sb (*form*); **etw ~ lassen** Mahlzeit, Taxi to order; *Kupplung* to let in; *Seil* to let come.

10. (*kosten, sich belaufen*) **das kommt zusammen auf 20 DM** that comes to *or* adds up to *or* makes DM 20; **egal, wie oft ich zähle, ich komme nur auf 9** however many times I count it up, I only get 9 *or* make it 9; **ich komme auf 2 500 Mark im Monat** I get *or* make 2,500 marks a month.

11. (*gelangen*) to get; (*mit Hand erreichen können*) to reach. **wie komme ich nach London?** how do I get to London?; **ich komme mit meiner Hand bis an die Decke** I can reach up to the ceiling with my hand; **ich komme zur Zeit nicht aus dem Haus/ins Theater** at the moment I never get out of the house/to the theatre; **durch den Zoll/die Prüfung ~** to

get through customs/the exam; **zu einer Entscheidung/Einigung ~** to come to a decision/an agreement; **in das Alter ~, wo ...** to reach the age when ...

12. (*geraten*) to get. **ins Wackeln/in Bewegung/ins Erzählen ~** to start shaking *or* to shake/moving *or* to move/ talking *or* to talk; **zum Blühen/Wachsen ~** to start flowering *or* to flower/growing *or* to grow; **zum Stehen/Stillstand ~** to come to a halt *or* stop/standstill; **er schießt auf alles, was ihm vor die Flinte kommt** he shoots at everything he gets in his sights.

13. (*hingehören*) to go, to belong. **das Buch kommt ins oberste Fach** the book belongs *or* goes on the top shelf; **in die Ecke kommt noch ein Schrank** another cupboard is to go in that corner; **das kommt unter ,,Sonstiges"** that comes *or* goes *or* belongs under miscellaneous.

14. (*gebracht werden*) to go. **ins Gefängnis ~** to go *or* be sent to prison; **in die** *or* **zur Schule ~** to go to *or* start school; **ins Altersheim/Krankenhaus ~** to go into an old peoples' home/into hospital.

15. (*sich entwickeln*) (*Samen, Pflanzen*) to come on. **langsam kam ihm das Verständnis** understanding slowly came to him.

16. (*Redewendungen*) **komm' ich heut nicht, komm' ich morgen** (*prov*) you'll see me when you see me; **kommt Zeit, kommt Rat** (*Prov*) things have a way of working themselves out; **wer zuerst kommt, mahlt zuerst** (*Prov*) first come first served.

II *vi mit Präpositionen siehe auch dort* **an etw** (*acc*) **~** (*berühren*) to touch sth; (*sich verschaffen*) to get hold of sth; **auf etw** (*acc*) **~** (*sich erinnern*) to think of sth; (*sprechen über*) to come *or* get onto sth; **auf einen Gedanken/eine Idee ~** to get an idea, to have a thought/an idea; **das kommt auf die Rechnung/auf mein Konto** that goes onto the bill/into my account; **auf ihn/darauf lasse ich nichts ~** (*inf*) I won't hear *or* have a word against him/it; **auf jeden ~ fünf Mark** there are five marks (for) each; **auf jeden Haushalt ~ 1½ m³ Wasser pro Tag** each household consumes 1½ cu.m. of water per day; **wie kommst du darauf?** what makes you think that?; **darauf bin ich nicht gekommen** I didn't think of that; **hinter etw** (*acc*) **~** (*herausfinden*) to find sth out, to find out sth; **mit einer Frage/einem Anliegen ~** to have a question (to ask)/a request (to make); **komm mir nicht wieder damit!** don't start that all over again!; **komm (mir) bloß nicht mit der Entschuldigung** don't come to me with that excuse; **damit kann ich ihm nicht ~** (*mit Entschuldigung*) I can't give him that; (*mit Bitte*) I can't ask him that; **um etw ~** (*verlieren*) um Geld, Besitz, Leben to lose sth; um Essen, Schlaf to (have to) go without sth, to miss (out on) sth; (*vermeiden können*) to get out of sth; **zu etw ~** (*Zeit finden für*) to get round to sth; (*erhalten*) to come by sth, to get sth; *zu Ehre* to receive sth; *(erben)* to come into sth; *(sich verschaffen)* to get hold of sth, to get oneself sth; *(inf: haben wollen)* to want sth; **wie komme ich zu der Ehre?** to what do I owe this honour?; **zu nichts/viel ~** *(zeitlich)* not to get round to anything/to get round to doing a lot; *(erreichen)* to achieve nothing/a lot; **zu sich ~** *(Bewußtsein wiedererlangen)* to come round, to come to one's senses; *(aufwachen)* to come to one's senses; *(sich fassen)* to recover, to get over it; *(sich finden)* to sort oneself out.

III *vi impers* **es ~ jetzt die Nachrichten/die Clowns** and now (follows/follow) the news/clowns; **es werden viele Leute ~** a lot of people will come; **es ist weit gekommen!** it has come to that!; **es kommt noch einmal so weit** *or* **dahin, daß ...** it will get to the point where ...; **so weit kommt es (noch)** that'll be the day *(inf)*; **wie kommt es, daß du ...?** how is it that you ...?, how come you ...?** *(inf)*; **ich wußte, daß es so ~ würde** I knew (that) that would happen; **dazu kam es gar nicht mehr** it didn't come to that; **wir wollten noch ..., aber es kam nicht mehr dazu** we still wanted to ..., but we didn't get (a)round to it; **es kam zum Streit** there was a quarrel; **es kam eins zum anderen** one thing led to another; **und so kam es, daß ...** and that is how it happened that ...; **es kam, wie es ~ mußte** the inevitable happened; **es kommt immer anders, als man denkt** *(prov)* things never turn out the way one expects; **es mag ~, wie es ~ will** whatever happens, come what may.

IV *vt (inf: kosten)* to cost.

Kommen *nt* **-s**, *no pl* coming. **ein einziges ~ und Gehen** a constant coming and going; **etw ist im ~** sth is coming in, sth is on the way in; **jd ist im ~** sb is on his/her way up.

kommend *adj Jahr, Woche, Generation* coming; *Ereignisse, Mode* future. **die nach uns K~en** *(geh)* the coming generations, generations to come; **der ~e Meister** the future champion; **(am) ~en Montag** next Monday; **~e Weihnachten** next Christmas; **in den ~en Jahren** in the coming years, in the years to come.

kommensurabel *adj (Math, fig geh)* commensurable.

Komment [kɔ'mãː] *m* **-s**, **-s** *(Univ)* code of conduct *(of student fraternity)*.

Kommentar *m (Bemerkung, Stellungnahme)* comment; *(Press, Jur, Liter)* commentary. **jeden (weiteren) ~ ablehnen** to decline to comment (further) *or* to make any (further) comment; **kein ~!** no comment; **~ überflüssig!** no comment (necessary)!; **einen ~ (zu etw) (ab)geben** to (make a) comment on sth.

Kommentator *m*, **Kommentatorin** *f* commentator.

kommentieren* *vt (Press etc)* to comment on; *(Jur, Liter)* to write a commentary on. **kommentierte Ausgabe** *(Liter)* annotated edition.

Kommers *m* **-es**, **-e** *evening meeting of*

student fraternity *with drinking ceremony.*

kommerzialisieren* *vt* **1.** *(vermarkten)* to commercialize. **2.** *(Schulden umwandeln)* **eine öffentliche Schuld ~** to convert a public debt into a private loan.

Kommerzialisierung *f siehe vt* **1.** commercialization. **2.** conversion of a public debt into a private loan.

Kommerzialrat *m*, *(Aus) siehe* **Kommerzienrat**.

kommerziell *adj* commercial. **rein ~ denken** to think purely in commercial terms *or* purely commercially.

Kommerzienrat [-iən-] *m (Hist) title conferred on distinguished businessman.*

Kommilitone *m* **-n**, **-n**, **Kommilitonin** *f* fellow student.

Kommiß *m* **-sses**, *no pl (dated inf)* army. **beim ~ sein** to be in the army.

Kommissar(in *f)*, **Kommissär(in** *f) (esp Aus) m (Admin)* commissioner; *(Polizei~)* inspector; *(ranghöher) (police)* superintendent.

Kommissariat *nt* **1.** *(Admin) (Amt)* commissionership; *(Dienststelle, Amtsbereich)* commissioner's department. **2.** *(Polizei) (Amt)* office of inspector; office of superintendent; *(Dienststelle, Amtsbereich)* superintendent's department; *(Aus: Polizeidienststelle)* police station.

kommissarisch *adj* temporary.

Kommißbrot *nt* rye bread; army bread.

Kommission *f* **1.** *(Ausschuß)* committee; *(zur Untersuchung)* commission. **2.** *(Comm)* commission. **etw in ~ geben** to give goods (to a dealer) for sale on commission; **etw in ~ nehmen/haben** to take/have sth on commission.

Kommissionär(in *f) m* commission agent; *(im Verlagswesen)* wholesale bookseller, wholesaler.

kommissionieren* *vt (Aus)* to commission.

Kommissionsbuchhandel *m* wholesale book trade; **Kommissionsgeschäft** *nt* commission *or* agency business.

Kommißstiefel *m* army boot; *(fig pej)* jackboot.

kommod *adj (old, dial)* comfortable.

Kommode *f* **-**, **-n** chest of drawers; *(hohe)* tallboy, highboy *(US)*.

Kommodore *m* **-s**, **-n** *or* **-s** *(Naut)* commodore; *(Aviat)* wing commander *(Brit)*, lieutenant colonel *(US)*.

kommunal *adj* local; *(von Stadt auch)* municipal.

Kommunalabgaben *pl* local rates and taxes *pl*; **Kommunalanleihe** *f* municipal loan.

kommunalisieren* *vt* to put under the control of the local authorities.

Kommunalobligation *f* municipal bond; **Kommunalpolitik** *f* local government politics *sing or pl*; **Kommunalverwaltung** *f* local government; **Kommunalwahlen** *pl* local (government) *or* municipal elections *pl*; **Kommunalwahlrecht** *nt* right to vote in local elections.

Kommunarde *m* **-n**, **-n** **1.** *(Hist)* Communard. **2.** (*dated: Mitglied einer Wohngemeinschaft*) member of a commune, commune-dweller, communard.

ommune *f* -, -n **1.** local authority district. **2.** (*Wohngemeinschaft*) commune. **3.** (*Pariser* ~) (Paris) Commune.

ommunikant(in *f*) *m* (*Eccl*) communicant; (*Erst*~) first communicant.

Communikation *f* communication.

Communikationsmittel *nt* means of communication; **Kommunikationssatellit** *m* communications satellite; **Kommunikationswissenschaften** *pl* communication studies.

communikativ *adj* communicative; *Brief auch* informative.

Communion *f* (*Eccl*) (Holy) Communion; (*Erst*~) first Communion.

Communionbank *f* Communion rail; **Kommunionkind** *nt* first communicant.

Communiqué [kɔmyni'keː] *nt* **-s**, **-s** communiqué.

Communismus *m* communism.

Communist(in *f*) *m* Communist.

Communistenfresser(in *f*) *m* (*pej inf*) Commie basher (*inf*).

kommunistisch *adj* communist. **das K~e Manifest** the Communist Manifesto.

kommunizieren* *vi* **1.** to communicate. ~**de Röhren** (*Phys*) communicating tubes. **2.** (*Eccl*) to receive (Holy) Communion.

Komödiant *m* **1.** (*old*) actor, player (*old*). **2.** (*fig*) play-actor.

komödiantenhaft *adj Gebaren* theatrical, histrionic.

Komödiantin *f* **1.** (*old*) actress. **2.** (*fig*) play-actor.

komödiantisch *adj* (*schauspielerisch*) acting; (*pej*) theatrical, histrionic.

Komödie [-iə] *f* comedy; (*fig*) (*heiteres Ereignis*) farce; (*Täuschung*) play-acting. **die Stuttgarter** ~ the Stuttgart Comedy Theatre; ~ **spielen** (*fig*) to put on an act.

Kompagnon [kɔmpan'jõː, 'kɔmpanjõ] *m* **-s**, **-s** (*Comm*) partner, associate; (*iro*) pal (*inf*), chum (*inf*), buddy (*inf*).

kompakt *adj* compact; *Gestein, Schicht, Brot, Masse auch* solid.

Kompaktanlage *f* (*Rad*) audio system; **Kompaktauto** *nt* compact (*US*), medium-sized family saloon; **Kompaktbauweise** *f* compact functional style; **Kompaktkamera** *f* compact camera.

Kompanie *f* (*Mil*) company; (*old Comm*) trading company; (*Firma*) firm.

Kompaniechef, Kompanieführer *m* (*Mil*) company commander.

Komparation *f* (*Gram*) comparison.

Komparatistik *f* comparative literature.

Komparativ *m* (*Gram*) comparative.

Komparse *m* -n, -n, **Komparsin** *f* (*Film*) extra; (*Theat*) supernumerary. **er war nur ein** ~ he only had a walk-on part.

Komparserie *f* extras *pl*; supernumeraries *pl*.

Kompaß *m* **-sses**, **-sse** compass. **nach dem** ~ by the compass.

Kompaßhäuschen *nt* (*Naut*) binnacle; **Kompaßnadel** *f* compass needle.

kompatibel *adj* (*liter, Tech*) compatible.

Kompatibilität *f* (*liter, Tech*) compatibility.

Kompendium *nt* (*Abriß*) compendium.

Kompensation *f* compensation.

Kompensationsgeschäft *nt* barter (transaction).

Kompensator *m* (*Tech*) compensator.

kompensieren* *vt* to compensate for, to offset.

kompetent *adj* competent; (*befugt auch*) authorized. **für solche Fälle ist dieses Gericht nicht** ~ this court has no jurisdiction in *or* is not competent to decide such cases; **der dafür** ~**e Kollege** the man responsible for that; **dafür bin ich nicht** ~ I'm not responsible for that.

Kompetenz *f* **1.** (area of) authority *or* competence; (*eines Gerichts*) jurisdiction, competence. **da hat er ganz eindeutig seine** ~**en überschritten** he has quite clearly exceeded his authority *or* powers here; **er hat die alleinige** ~, **hierüber zu entscheiden** he alone has the authority *or* competence *or* is competent to decide on this issue; **ich will dir nicht deine** ~**(en) streitig machen** I don't want to infringe on your field; **das fällt in die** ~ **dieses Amtes** that's the responsibility of this office; **seine mangelnde** ~ **in dieser Frage** his lack of competence in this issue.

2. (*Ling*) competence.

Kompetenzgerangel *nt* bickering over responsibilities; **Kompetenzstreitigkeiten** *pl* dispute over respective areas of responsibility *or* competence; (*bei Gewerkschaften, fig*) demarcation dispute.

Kompilation *f* (*geh*) compilation.

kompilieren* *vt* (*geh*) to compile.

Komplement *nt* (*Math*) complement.

komplementär *adj Therapie, Beweise* complementary.

Komplementär(in *f*) *m* fully liable partner in a limited partnership.

Komplementärfarbe *f* complementary colour.

Komplet¹ [kõ'pleː, kɔm'pleː] *nt* **-(s)**, **-s** (*Fashion*) matching dress/skirt and coat.

Komplet² [kɔm'pleːt] *f* -, **-e** (*Eccl*) complin(e).

komplett *adj* **I** complete. **ein** ~**es Frühstück** a full breakfast; **ein** ~**es Menü** a (full) three course meal. **II** *adv* completely.

komplettieren* *vt* (*geh*) to complete.

Komplex *m* **-es**, **-e** complex. **er steckt voller** ~**e** he has so many complexes *or* hang-ups (*inf*).

komplex *adj* complex. ~ **aufgebaut** complex in structure.

Komplexität *f* complexity.

Komplikation *f* complication.

Kompliment *nt* compliment. **jdm** ~**e machen** to pay sb compliments, to compliment sb (*wegen* on); **mein** ~! my compliments!

Komplize *m* -n, -n, **Komplizin** *f* accomplice.

komplizieren* *vt* to complicate.

kompliziert *adj* complicated, involved; (*Med*) *Bruch* compound. **sich** ~ **aus-**

drücken to express oneself in a compli-
cated *or* an involved way.
Kompliziertheit *f* complexity.
Komplott *nt* -(e)s, -e plot, conspiracy. **ein**
~ **schmieden** to hatch a plot.
Komponente *f* -, -n component.
komponieren* *vti* to compose; (*Liter*
auch) to construct.
Komponist(in *f)* *m* composer.
Komposita *pl of* **Kompositum**.
Komposition *f* composition; (*Liter auch*)
construction.
kompositorisch *adj* compositional.
Kompositum *nt* -s, **Komposita** (*Gram*,
Pharm) compound.
Kompost *m* -(e)s, -e compost.
Komposthaufen *m* compost heap.
Kompostieranlage *f* composting plant.
kompostieren* **I** *vt* to compost. **II** *vi* to
make compost.
Kompostierung *f* composting.
Kompott *nt* -(e)s, -e stewed fruit,
compote.
kompreß *adv* (*Typ*) solid.
Kompresse *f* compress.
Kompression *f* (*Tech*) compression.
Kompressor *m* compressor.
komprimieren* *vt* to compress; (*fig*) to
condense.
Kompromiß *m* -sses, -sse compromise.
einen ~ **schließen** to (make a) compromise; **sie sind zu keinem** ~ **bereit** they
are not prepared to compromise.
kompromißbereit *adj* prepared *or* willing
to compromise; **Kompromißbereit-
schaft** *f* willingness to compromise;
kompromißlos *adj* uncompromising;
Kompromißlösung *f* compromise solution.
kompromittieren* **I** *vt* to compromise. **II**
vr to compromise oneself.
Komsomol *m* -, *no pl* Comsomol.
Komsomolze *m* -n, -n, **Komsomolzin** *f*
member of the Comsomol.
Komteß *f* - *or* -sse, -ssen countess.
Komtur *m* -s, -e commander (of a
knightly order).
Kondensat *nt* condensate; (*fig*) distillation, condensation.
Kondensation *f* (*Chem*, *Phys*) condensation.
Kondensator *m* (*Aut*, *Chem*) condenser;
(*Elec auch*) capacitor.
kondensieren* *vti* (*lit*, *fig*) to condense;
(*fig auch*) to distil.
Kondensmilch *f* evaporated milk; **Kon-
densstreifen** *m* (*Aviat*) vapour trail;
Kondenswasser *nt* condensation.
Kondition *f* **1.** condition, shape, form;
(*Durchhaltevermögen*) stamina. **wie ist
seine** ~**?** what sort of condition *etc* is he
in?; **er hat überhaupt keine** ~ he is completely unfit; (*fig*) he has absolutely no
stamina; **er zeigte heute eine ausgezeichnete** ~ he was in top form today. **2.** (*Bedingung*) condition.
konditional [kɔndïtsio'naːl] *adj* conditional.
Konditionalsatz *m* conditional clause.
konditionieren* [kɔndïtsio'niːrən] *vt*
(*Biol*, *Psych*) to condition.
Konditionsschwäche *f* lack of fitness *no*

pl; **Konditionstraining** *nt* fitness training.
Konditor *m*, **Konditorin** *f* pastry-cook.
Konditorei *f* cake shop; (*mit Café*) café.
Kondolenz- *in cpds* of condolence; **Kon-
dolenzbesuch** *m* visit of condolence;
Kondolenzbuch *nt* condolences book.
kondolieren* *vi* (**jdm**) ~ to offer one's
condolences (to sb), to condole with sb;
schriftlich ~ to write a letter of condo-
lence.
Kondom *m or nt* -s, -e condom, contraceptive sheath.
Kondominium *nt* condominium.
Kondor *m* -s, -e condor.
Kondukteur [kɔnduk'tøːɐ] *m* (*Aus*, *Sw*)
conductor.
Kondukteurin [kɔnduk'tøːrɪn] *f* (*Aus*,
Sw) conductress.
Konen *pl of* **Konus**.
Konfekt *nt* -(e)s, -e confectionery.
Konfektion *f* (*Herstellung*) manufacture
of off-the-peg *or* ready-made *or* ready-
to-wear clothing; (*Industrie*) clothing industry, rag trade (*inf*); (*Bekleidung*)
off-the-peg *or* ready-made *or* ready-to-
wear clothes *pl or of* clothing.
konfektionieren* *vt Kleidung* to make.
Konfektions- *in cpds* off-the-peg, ready-
made, ready-to-wear; **Konfektions-
geschäft** *nt* (off-the-peg) clothes shop
or store; **Konfektionskleidung** *f*
ready-made clothing; **Konfektions-
ware** *f* off-the-peg *etc* clothing.
Konferenz *f* conference ; (*Besprechung*)
meeting; (*Ausschuß*) committee.
Konferenz- *in cpds* conference; **Konfe-
renzschaltung** *f* (*Telec*) conference
circuit; (*Rad*, *TV*) (television/radio)
link-up; **Konferenzteilnehmer(in** *f)* *m*
person attending a conference/meeting;
Konferenzzimmer *nt* conference room.
konferieren* *vi* to confer, to have *or* hold
a conference *or* discussion (*über* +*acc*
on *or* about).
Konfession *f* (religious) denomination.
welche ~ **haben Sie?** what denomination
are you?; **die Augsburger** ~ the Augs-
burg Confession.
konfessionell *adj* denominational.
konfessionslos *adj* non-denominational,
undenominational; **Konfessionsschule**
f denominational school.
Konfetti *nt* -s, *no pl* confetti.
Konfettiregen *m* shower of confetti; (*in*
US: bei Empfängen) shower of ticker-
tape.
Konfident(in *f)* *m* (*old*) confidant; (*Aus*)
police informer.
Konfiguration *f* configuration.
Konfirmand(in *f)* *m* -en, -en (*Eccl*) candidate for confirmation, confirmand.
Konfirmandenunterricht *m* confirma-
tion classes *pl*.
Konfirmation *f* (*Eccl*) confirmation.
konfirmieren* *vt* (*Eccl*) to confirm.
Konfiserie *f* (*Sw*) **1.** cake shop; (*mit Café*)
café. **2.** confectionery.
Konfiskation *f* confiscation.
konfiszieren* *vt* to confiscate.
Konfitüre *f* -, -n jam.
Konflikt *m* -s, -e conflict. **bewaffneter** ~

armed conflict; **mit dem Gesetz in ~ geraten** to come into conflict with the law,
to clash with the law; **kommst du da
nicht mit deinem Gewissen in ~ ?** how
can you reconcile that with your conscience?; **er befindet sich in einem ~** he
is in a state of inner conflict.

onfliktfall m conflict; **im ~** in case of
conflict; **Konfliktfeld** nt area of conflict;
Konfliktforscher(in f) m researcher into
conflict; **Konfliktforschung** f conflict
studies, research into the subject of conflict; **konfliktfreudig** adj combative;
Konfliktherd m (esp Pol) centre of conflict; **Konfliktkommission** f (DDR)
grievance committee or tribunal; **Kon-
fliktsituation** f conflict situation; **Kon-
fliktstoff** m cause for conflict.

Konföderation f confederacy.

konföderieren* vr (liter) to confederate.

Konföderierte(r) m decl as adj confederate.

konform adj Ansichten concurring. **mit
jdm ~ gehen** to agree or to be in agreement with sb (in +dat about).

Konformismus m conformism.

Konformist(in f) m (pej) conformist.

konformistisch adj conformist, conform-
ing.

Konformität f conformity.

Konfrontation f confrontation.

Konfrontationskurs m **auf ~ gehen, ~
steuern** to be heading for a confrontation.

konfrontieren* vt to confront (mit with).
zwei Parteien ~ to bring two parties face
to face, to confront two parties with one
another.

konfus adj confused, muddled.

konfuzianisch adj Confucian.

Konfuzius m - Confucius.

kongenial adj (geh) sympathetic. **~e Geister** kindred or congenial spirits.

Konglomerat nt **1.** (Geol) conglomerate.
2. (Ansammlung) conglomeration.

Kongo m -(s) Congo.

Kongolese m -n, -n, **Kongolesin** f Con-
golese.

Kongreß m -sses, -sse **1.** (Pol) congress;
(fachlich) convention, conference. **der
Wiener ~** the Congress of Vienna. **2.** (in
USA) Congress.

Kongreßmitglied nt **1.** person attending a
congress/conference or convention; **2.**
(in USA) congressman/-woman; **Kon-
greßteilnehmer(in f)** m siehe **Kongreßmitglied 1.**; **Kongreßzentrum** nt con-
gress/conference centre.

kongruent adj (Math) congruent; (Gram)
concordant, congruent; (geh) Ansichten
concurring.

Kongruenz f (Math) congruence; (Gram)
concord, agreement, congruence; (geh:
von Ansichten) concurrence.

kongruieren* vi to be congruent; (geh:
Ansichten) to concur, to correspond.

K.-o.-Niederlage [kaːˈloː-] f KO defeat.

Konifere f -, -n conifer.

König m -s, -e king. **des ~s Rock** (old,
liter) the king's uniform; **die Heiligen
Drei ~e** The Three Kings or Magi; **der
~ der Tiere/Lüfte** the king of the

beasts/lord of the skies.

Königin f (auch Zool) queen.

Königinmutter f queen mother; **Kö-
niginpastete** f vol-au-vent.

königlich I adj royal; Auftreten, Stolz etc
auch regal. **das ~e Spiel** chess, the royal
game, the game of kings. **II** adv (inf)
(köstlich) **sich ~ freuen** to be as pleased
as Punch (inf); **sich ~ amüsieren** to have
the time of one's life (inf).

Königreich nt kingdom, realm (poet).

königsblau adj royal blue; **Königshof** m
royal or king's court; **Königskind** nt
(liter) king's son or daughter; **Königs-
krone** f royal crown; **Königsmord** m
regicide; **Königspaar** nt royal couple;
Königssohn m (liter) king's son, prince;
Königstiger m Bengal tiger; **Königs-
tochter** f (liter) king's daughter, princess; **königstreu** adj royalist; **Königs-
würde** f royal dignity.

Königtum nt **1.** no pl kingship. **2.** (Reich)
kingdom.

konisch adj conical.

Konjektur f (Vermutung) conjecture; (Liter: Lesart) conjectured version.

Konjugation f conjugation.

konjugieren* vt to conjugate.

Konjunktion f (Astron, Gram) conjunction.

Konjunktionalsatz m (Gram) conjunc-
tional clause.

Konjunktiv m (Gram) subjunctive.

konjunktivisch adj subjunctive.

Konjunktur f economic situation, economy; (Hoch~) boom. **steigende/fallende**
or **rückläufige ~** upward/downward economic trend, increasing/decreasing economic activity.

konjunkturabhängig adj dependent on
economic factors; **Konjunkturab-
schwung** m economic downturn; **Kon-
junkturaufschwung** or m economic
upturn; **konjunkturbedingt** adj influenced by or due to economic factors;
Konjunktureinbruch m slump.

konjunkturell adj economic; Arbeitslosigkeit resulting from the economic situation, due to economic factors.

Konjunkturflaute f stagnating economy;
Konjunkturpolitik f measures or policies aimed at preventing economic
fluctuation; **Konjunkturrückgang** m
slowdown in the economy; **Konjunk-
turtief** nt trough; **Konjunkturzyklus** m
economic cycle, trade cycle, business
cycle.

konkav adj concave.

Konkavspiegel m concave mirror.

Konklave [kɔnˈklaːvə, kɔŋ-] nt -s, -n
(Eccl) conclave.

Konklusion f (geh, Philos) conclusion.

Konkordanz f concordance.

Konkordat nt concordat.

konkret adj concrete. **ich kann es dir noch
nicht ~ sagen** I can't tell you definitely;
ich kann dir nichts K~es sagen I can't
tell you anything definite or concrete;
drück dich etwas ~er aus would you put
that in rather more concrete terms; **ich
kann mir ~ vorstellen, wie ...** I can very
clearly imagine how ...

konkretisieren* vt to put in concrete form or terms.

Konkubinat nt concubinage.

Konkubine f concubine.

Konkurrent(in f) m rival; (Comm auch) competitor.

Konkurrenz f (Wettbewerb) competition, rivalry; (~betrieb) competitors pl; (Gesamtheit der Konkurrenten) competition, competitors pl. **die ~ in diesem Sport/auf diesem Gebiet ist größer geworden** the competition in this sport/field has increased; **jdm ~ machen** (Comm, fig) to compete with sb; (Comm) to be in/enter into competition with sb; **zur ~ (über)gehen** to go over to the competitor(s); **außer ~ sein** to have no competition.

Konkurrenzdruck m pressure of competition; **konkurrenzfähig** adj competitive; **Konkurrenzkampf** m competition; (zwischen zwei Menschen auch) rivalry; **konkurrenzlos** adj without competition.

konkurrieren* vi to compete; (Comm auch) to be in/go into competition.

Konkurs m -es, -e bankruptcy. **in ~ gehen** to go bankrupt, to go into receivership (esp form); **~ machen** (inf) to go bankrupt or bust (inf).

Konkursmasse f bankrupt's estate; **Konkursverfahren** nt bankruptcy proceedings pl; **Konkursverwalter(in** f) m receiver; (von Gläubigern bevollmächtigt) trustee.

können pret **konnte**, ptp **gekonnt** or (bei modal aux vb) ~ vti, modal aux vb **1.** (vermögen) to be able to. **ich kann es machen** I can do it, I am able to do it; **ich kann es nicht machen** I cannot or can't do it, I am not able to do it; **man konnte ihn retten** they were able to or they managed to save him; **man konnte ihn nicht retten** they couldn't or were unable to save him; **ich konnte es nicht verstehen** I could not or couldn't or was unable to understand it; **ich habe es sehen ~** I could see it, I was able to see it; **er hat es gekonnt** he could do it, he was able to do it; **morgen kann ich nicht** I can't (manage) tomorrow; **das hättest du gleich sagen ~** you could or might have said that straight away; **ich kann das nicht mehr sehen** I can't stand the sight of it any more; **ich kann das nicht mehr hören** I don't want to hear that again; **ich kann nicht mehr** I can't go on; (ertragen) I can't take any more; (essen) I can't manage or eat any more; **kannst du noch?** can you go on?; (essen) can you manage some more?; **mir kann keiner!** (inf) I'm all right, Jack (inf); **so schnell er konnte** as fast as he could or was able to; **~ vor Lachen!** (inf) I wish I could, chance would be a fine thing (inf).

2. (beherrschen) Sprache to know, to be able to speak; Gedicht, Lied to know; Schach to be able to play; Klavier spielen, lesen, schwimmen, Skilaufen to be able to, to know how to. **er kann seine Schulaufgabe wieder nicht** he can't do his homework again; (nicht gemacht) he hasn't done his homework again; **was ~ Sie?** what can you do?; **was du alles kannst!** the things you can do!; **er kann was he's** very capable or able; **er kann gut Englisch** he speaks English well.

3. (dürfen) to be allowed or permitted to. **kann ich jetzt gehen?** can I go now?; **könnte ich ...?** could I ...?; **man kann wohl sagen, daß ...** one could well say that ...; **du kannst mich (gern haben)!** (inf) get lost! (inf); **er kann mich (mal)** (inf) he can get stuffed (sl), he can go to hell (sl); **kann ich mit?** (inf) can I come with you?

4. (möglich sein) **Sie könnten recht haben** you could or might or may be right; **er kann jeden Augenblick kommen** he could or might or may come any minute; **das kann nur er gewesen sein** it can only have been him; **das kann nicht sein** that can't be true; **es kann sein/es kann nicht sein, daß er dabei war** he could or might or may have been there/he couldn't or can't possibly have been there; **kann sein** maybe, could be.

5. (mit Partikel) **für etw ~** to be responsible or to blame for sth; **ich kann nichts dafür** it's not my fault.

Können nt -s, no pl ability, skill.

Könner(in f) m -s, - expert.

Konnex m -es, -e (geh) connection; (Verbindung auch) contact.

konnte pret of **können**.

Konrektor m, **Konrektorin** f (an Schule) deputy headteacher (Brit) or principal; (an Universität) deputy vice-chancellor.

Konsekration f (Eccl) consecration.

konsekrieren* vt (Eccl) to consecrate.

konsekutiv adj consecutive.

Konsekutivdolmetschen nt consecutive interpreting.

Konsekutivsatz m consecutive clause.

Konsens m -es, -e agreement, assent, consent.

konsequent adj consistent; (Sport) Deckung close, tight. **er hat ~ „nein" gesagt** he stuck to his answer of "no"; **wir werden ~ durchgreifen** we will take rigorous action; **~e Weiterentwicklung eines Stils** logically consistent development of a style; **wenn du das ~ durchdenkst** if you follow it through to its logical conclusion; **eine Spur ~ verfolgen** to follow up a clue rigorously; **ein Ziel ~ verfolgen** to pursue an objective single-mindedly.

Konsequenz f **1.** (Schlußfolgerung) consequence. **die ~en tragen** to take the consequences; **(aus etw) die ~en ziehen** to come to the obvious conclusion; to take the appropriate or logical step; **ich werde meine ~en ziehen** there's only one thing for me to do.

2. siehe adj consistency; closeness, tightness; (bei Maßnahmen) rigorousness, rigour. **die ~, mit der er sein Ziel verfolgte** the single-mindedness with which he pursued his aim.

Konservatismus [-va-] m siehe **Konservativismus**.

konservativ [-va-] adj conservative; (Brit Pol) Conservative, Tory.

Konservative(r) [-va-] mf decl as adj conservative; (*Brit Pol*) Conservative, Tory.

Konservat(iv)ismus [-vat(iv)ısmʊs] *m* conservatism.

Konservator(in *f*) [kɔnzɛr'va:tɔr, kɔn-zɛrva'to:rın] *m* curator, keeper.

Konservatorium [kɔnzɛrva'to:rium] *nt* conservatory.

Konserve [kɔn'zɛrvə] *f* -, -n preserved food; (*in Dosen*) tinned (*Brit*) or canned food; (~*ndose*) tin (*Brit*), can; (*Med: Blut*~) stored blood; blood bottle; (*Rad, TV*) pre-recorded or canned (*inf*) material; (*Ton*~) recorded/taped music. **sich aus** or **von ~n ernähren** to live out of cans.

Konservenbüchse, Konservendose *f* tin (*Brit*), can.

konservieren* [kɔnzɛr'vi:rən] *vt* to preserve, to conserve; *Leichen* to preserve; *Auto* to wax.

Konservierung *f* preservation, conservation; (*von Leichen*) preservation.

konsistent *adj Masse* solid.

Konsistenz *f* consistency; (*von Gewebe*) texture.

Konsole *f* -, -n (*Archit: Kragstein*) console, corbel; (*old: an Möbeln*) bracket.

konsolidieren* *vtr* to consolidate; (*Fin*) *Anleihen* to fund, to consolidate.

Konsolidierung *f* consolidation.

Konsonant *m* consonant.

konsonantisch *adj* consonant(al).

Konsonanz *f* (*Mus*) consonance.

Konsorten *pl* (*pej inf*) gang (*inf*), mob (*inf*). **X und ~ X** and his gang.

Konsortium [kɔn'zɔrtsium] *nt* consortium, syndicate, group.

Konspiration [kɔnspira'tsio:n] *f* conspiracy, plot.

konspirativ [kɔnspira'ti:f] *adj* conspiratorial. **~er Treff** meeting place (*for terrorists etc*), meet; **~e Wohnung** safe house.

konspirieren* [kɔnspi'ri:rən] *vi* to conspire, to plot.

konstant [kɔn'stant] *adj* constant.

Konstante [kɔn'stantə] *f* -(n), -n constant.

Konstantenspeicher [kɔn'stantənʃpaiçɐ] *m* (*Comput*) macro.

Konstantin ['kɔnstanti:n] *m* - Constantine.

Konstantinopel *nt* -s (*old*) Constantinople.

Konstanz¹ *f* (*geh*) constancy.

Konstanz² *nt* -' Constance.

konstatieren* [kɔnsta'ti:rən] *vt* to see, to notice. **ich konstatiere, Sie haben schon wieder Ihre Hausaufgaben nicht gemacht** I see or notice you haven't done your homework once again; **in ihrer Rede konstatierte sie, daß …** in her speech she made the point that …

Konstellation [kɔnstɛla'tsio:n] *f* **1.** constellation. **2.** (*fig*) line-up; (*von Umständen, Faktoren*) combination. **diese wirtschaftliche ~** this economic situation; **die neue ~ in der Partei** the new line-up in the party; **die ~ in dem Gremium** the make-up of the committee.

konsternieren* [kɔnstɛr'ni:rən] *vt* to scandalize.

konstituieren* [kɔnstitu'i:rən] **I** *vt* to constitute, to set up. **~de Versammlung** constituent assembly. **II** *vr* to be constituted or set up.

Konstitution [kɔnstitu'tsio:n] *f* (*Pol, Med*) constitution; (*Phys auch*) structure.

konstitutionell [kɔnstitutsio'nɛl] *adj* constitutional.

konstitutiv [kɔnstitu'ti:f] *adj* constitutive.

konstruieren* [kɔnstru'i:rən] *vt* to construct (*auch Math*); (*Gram auch*) to construe. **ein konstruierter Fall** a hypothetical case; **der Satz klingt sehr konstruiert** the sentence sounds very artificial.

Konstrukt [kɔn'strʊkt] *nt* **-(e)s, -e** (*Ling*) construct.

Konstrukteur(in *f*) [kɔnstrʊk'tø:ɐ, tø:rın] *m* designer.

Konstruktion [kɔnstrʊk'tsio:n] *f* construction; (*Entwurf, Bauart auch*) design; (*gedanklich, philosophisch auch*) construct. **erlauben Sie mir die ~ des folgenden Falles** allow me to make up or construct the following case.

Konstruktionsbüro *nt* drawing office; **Konstruktionsfehler** *m* (*im Entwurf*) design fault; (*im Aufbau*) structural defect.

konstruktiv [kɔnstrʊk'ti:f] *adj* constructive.

Konsul(in *f*) *m* (*Pol*) **-s, -n** consul.

konsularisch *adj* consular.

Konsulat *nt* consulate.

Konsultation *f* (*form*) consultation. **jdn zur ~ hinzuziehen** to consult sb.

konsultieren* *vt* (*form*) to consult.

Konsum *m* **-s, -s 1.** [kɔn'zu:m] *no pl* (*Verbrauch*) consumption. **2.** ['kɔnzu:m, 'kɔnzʊm] (*Genossenschaft*) cooperative society; (*Laden*) cooperative store, co-op (*inf*).

Konsum|artikel *m* consumer item. **~ pl** consumer goods *pl*.

Konsumation *f* (*Aus, Sw*) food and drink consumed in a restaurant.

Konsument(in *f*) *m* consumer.

Konsumgesellschaft *f* consumer society; **Konsumgut** *nt* usu *pl* consumer item; **Konsumgüter** consumer goods *pl*; **konsumhungrig** *adj* consumption-oriented; *Gesellschaft auch* consumerist.

konsumieren* *vt* to consume.

Konsumismus *m* consumerism.

Konsumtempel *m* shrine to consumerism; **Konsumterror** *m* (*pej*) pressures *pl* of a materialistic society; **Konsumzwang** *m* (*Sociol*) compulsion to buy.

Kontakt *m* **-(e)s, -e** contact (*auch Elec*); (*pl: Aut*) contact breakers *pl*. **mit jdm in ~ kommen** to come into contact with sb; **mit jdm ~ bekommen, zu jdm ~ finden** to get to know sb; **ich bekomme mit ihm keinen ~ I** don't feel I really know him; **mit jdm ~ aufnehmen** to get in contact or touch with sb, to contact sb; **mit jdm in ~ stehen** to be in contact or touch with sb; **~ herstellen** to make or establish contact; **keinen ~ mehr haben, den ~ verloren haben** to have lost contact or touch, to be out of touch.

Kontaktabzug *m* (*Phot*) contact print;

Kontaktadresse f accommodation address; **er hinterließ eine ~** he left behind an address where he could be contacted; **Kontaktanzeige** f lonely hearts ad; **Kontaktanzeigen** pl personal column; **kontaktarm** adj **er ist ~** he finds it difficult to make friends; **Kontaktbildschirm** m touch-sensitive screen; **kontaktfreudig** adj sociable, outgoing; **sie ist ~** she makes friends easily; **Kontaktlinse** f contact lens; **Kontaktmann** m, pl **Kontaktmänner** (Agent) contact; **Kontaktnahme** f -, -n (form) contacting; **Kontaktperson** f contact.

Kontamination f (Kerntechnik) contamination; (Gram) blend(ing).

kontaminieren* vi to contaminate, to pollute; (Gram) to blend.

Kontemplation f contemplation.

kontemplativ adj contemplative.

Konten pl of **Konto**.

Kontenance [kɔ̃tə'nãːs] f -, no pl (geh) composure.

Konter- in cpds (Sport) counter-; **Konteradmiral** m rear-admiral; **Konterbande** f -, no pl contraband.

Konterfei nt -s, -s or -e (old, hum) likeness, portrait.

konterfeien* vt to portray.

konterkarieren vt to counteract; Aussage to contradict.

kontern vti Schlag, Angriff to counter.

Konterrevolution f counter-revolution; **Konterschlag** m (Sport, fig) counterattack; (Boxen) counter(-blow or -punch).

Kontext m -(e)s, -e context.

Kontinent m -(e)s, -e continent.

kontinental adj continental.

Kontinental-Drift f continental drift; **Kontinentaleuropa** nt the Continent; **Kontinentalklima** nt continental climate; **Kontinentalsockel** m continental shelf; **Kontinentalsperre** f (Hist) Continental System.

Kontingent [kɔntɪŋ'gɛnt] nt -(e)s, -e (Mil: Truppen~) contingent; (Comm) quota, share; (Zuteilung) allotment, allocation.

kontingentieren* [kɔntɪŋgɛn'tiːrən] vt (Comm) to allocate, to apportion. **den Import ~** to fix or impose import quotas.

Kontingenz [kɔntɪŋ'gɛnts] f (Philos) contingency.

kontinuierlich adj continuous.

Kontinuität [kɔntinui'tɛːt] f continuity.

Kontinuum nt -s, **Kontinua** continuum.

Konto nt -s, **Konten** or **Konti** account. **auf meinem/mein ~** in my/into my account; **das geht auf mein ~** (inf) (ich bin schuldig) I am responsible or to blame for this; (ich zahle) this is on me (inf).

Kontoauszug m (bank) statement, statement (of account); **Kontobewegung** f transaction; **kontoführend** adj Bank where an account is held; **Kontoführung** f running of an account; **Kontoführungsgebühr** f bank charge; **Kontoinhaber(in** f) m account holder; **Kontonummer** f account number.

Kontor nt -s, -e **1.** (dated: Büro) office; siehe **Schlag. 2.** (Handelsniederlassung)

branch office.

Kontorist(in f) m clerk/clerkess.

Kontostand m balance, state of an account.

kontra prep +acc against; (Jur) versus.

Kontra nt -s, -s (Cards) double. **jdm ~ geben** (Cards) to double; (fig) to contradict sb.

Kontrabaß m double-bass; **kontradiktorisch** adj contradictory.

Kontrahent(in f) [kɔntra'hɛnt, 'hɛntɪn] m (Vertragsschließender) contracting party; (Gegner) opponent, adversary.

kontrahieren* [kɔntra'hiːrən] vt (Ling, Med) to contract.

Kontraindikation f (Med) contra-indication.

Kontrakt m -(e)s, -e contract.

Kontraktion f (Med) contraction.

kontraproduktiv adj counterproductive.

Kontrapunkt m (Mus) counterpoint; **kontrapunktisch** adj (Mus) contrapuntal.

konträr adj (geh) Meinungen contrary, opposite.

Kontrast m -(e)s, -e contrast.

Kontrastbrei m (Med) barium meal; **Kontrastfarbe** f contrasting colour.

kontrastieren* vi to contrast.

Kontrastmittel nt (Med) contrast medium; **Kontrastprogramm** nt alternative programme; **Kontrastregelung** f contrast control; **kontrastreich** adj full of or rich in contrast, of many contrasts.

Kontratenor m counter-tenor.

Kontrazeption f (form) contraception.

kontribuieren* vi (old) to contribute.

Kontribution f (old) contribution.

Kontrollabschnitt m (Comm) counterfoil, stub.

Kontrollampe f getrennt **Kontroll-lampe** pilot lamp; (Aut: für Ölstand) warning light.

Kontrollbeamte(r) m, **Kontrollbeamtin** f inspector; (an der Grenze) frontier guard; (zur Paßkontrolle) passport officer; (zur Zollkontrolle) customs officer; (zur Überwachung) security officer.

Kontrolle f -, -n **1.** (Beherrschung, Regulierung) control. **über jdn/etw die ~ verlieren** to lose control of sb/sth; **jdn/etw unter ~ haben/halten** to have/keep sb/sth under control.

2. (Nachprüfung) check (gen on); (Aufsicht) supervision; (Paß~) passport control; (Zoll~) customs examination. **zur ~ haben wir noch einmal alles nachgerechnet** we went over all the figures again to check; **~n durchführen** to carry out or make checks; **der Luftverkehr ist unter ständiger ~** air traffic is kept under constant surveillance, a constant check is kept on air traffic; **nach einer sorgfältigen ~ der Waren** after a careful inspection of or check on or of the goods.

3. (Person) inspector; (Paß~/Zoll~) passport/customs officer; (in Fabrik) security officer; (Polizist) (im Verkehr) traffic police; (an der Grenze) frontier guard; (in Bibliotheken) person at the check-out desk.

4. (*Stelle*) (*für Nach-/Überprüfung, Verkehr*) checkpoint; (*Paß~/Zoll~*) passport control/customs; (*vor Fabrik*) gatehouse; (*an der Grenze*) border post; (*in Bibliotheken*) check-out desk.

Kontrolleur(in *f***)** [kɔntrɔ'løːɐ, -'løːrɪn] *m* inspector.

Kontrollfunktion *f* controlling function; **Kontrollgang** *m* (inspection) round.

kontrollierbar *adj Behauptung* checkable, verifiable.

kontrollieren *vt* **1.** (*regulieren, beherrschen*) to control.

2. (*nachprüfen, überwachen*) to check; (*Aufsicht haben über*) to supervise; (*Paß, Fahrkarte*) to inspect, to check. **die Qualität der Waren muß streng kontrolliert werden** a strict check must be kept on the quality of the goods; **jdn/etw nach etw** *or* **auf etw** (*acc*) **~** to check sb/sth for sth.

Kontrollliste *f getrennt* **Kontroll-liste** check-list; **Kontrollkommission** *f* control commission; **Kontrollorgan** *nt* monitoring body; **Kontrollpunkt** *m* checkpoint; **Kontrollrat** *m*: **Alliierter ~** Allied Control Council; **Kontrollstelle** *f* checkpoint; **Kontrollsystem** *nt* control system; **Kontrollturm** *m* control tower; **Kontrolluhr** *f* time clock; **Kontrollzentrum** *nt* control centre; (*Space also*) mission control.

kontrovers [kɔntro'vɛrs] *adj* controversial.

Kontroverse [kɔntro'vɛrzə] *f* -, -n controversy.

Kontur *f* -, -en *or* (*Art*) *m* -s, -en outline, contour. **~en annehmen** to take shape.

Konturenstift *m* liner.

konturieren *vt* (*lit, fig*) to outline.

Kontursitz *m* contoured seat.

Konus *m* -, -se *or* (*Tech*) **Konen** (*Math*) cone; (*Tech*) taper; (*Typ*) body.

Konvektor [kɔn'vɛktɔr] *m* convector (heater).

Konvent [kɔn'vɛnt] *m* -(e)s, -e **1.** (*Versammlung*) convention. **2.** (*Kloster*) convent; (*Mönchs~*) monastery.

Konvention [kɔnvɛn'tsioːn] *f* **1.** (*Herkommen*) convention. **sich über die ~en hinwegsetzen** to sweep aside *or* ignore (social) conventions. **2.** (*im Völkerrecht*) convention.

Konventionalstrafe [kɔnvɛntsio'naːl-] *f* penalty *or* fine (for breach of contract).

konventionell [kɔnvɛntsio'nɛl] *adj* conventional.

konvergent [kɔnvɛr'gɛnt] *adj* convergent, converging.

Konvergenz [kɔnvɛr'gɛnts] *f* convergence.

Konvergenztheorie *f* theory of convergence.

konvergieren [kɔnvɛr'giːrən] *vi* to converge.

Konversation [kɔnvɛrza'tsioːn] *f* conversation. **~ machen** to make conversation *or* small talk (*inf*).

Konversationslexikon *nt* encyclopaedia.

Konversion [kɔnvɛr'zioːn] *f* conversion.

Konverter [kɔn'vɛrtɐ] *m* -s, - converter.

konvertibel [kɔnvɛr'tiːbl] *adj* (*Fin*) convertible.

konvertierbar [kɔnvɛr'tiːɐbaːɐ] *adj* (*Fin*) convertible.

Konvertierbarkeit *f* (*Fin*) convertibility.

konvertieren [kɔnvɛr'tiːrən] **I** *vt* to convert (*in +acc* into). **II** *vi aux* **haben** *or* **sein** to be converted.

Konvertit(in *f***)** [kɔnvɛr'tiːt(ɪn)] *m* **-en, -en** convert.

konvex [kɔn'vɛks] *adj* convex.

konvexkonkav *adj* convexo-concave; **Konvexspiegel** *m* convex mirror.

Konvikt [kɔn'vɪkt] *nt* **-(e)s, -e** seminary.

Konvoi ['kɔnvɔy, -'-] *m* -s, -s convoy. **im ~ fahren** to drive in convoy.

Konvolut [kɔnvo'luːt] *nt* -(e)s, -e (*geh*) bundle (of papers).

Konvulsion [kɔnvʊl'zioːn] *f usu pl* (*Med*) convulsion.

konvulsivisch [kɔnvʊl'ziːvɪʃ] *adj* (*Med*) convulsive.

konzedieren [kɔntse'diːrən] *vt* (*geh*) to concede, to grant (*jdm etw* sb sth).

Konzentrat *nt* concentrate; (*fig: eines Buches*) condensed version.

Konzentration *f* concentration (*auf +acc* on).

Konzentrationsfähigkeit *f* power of concentration *usu pl*; **Konzentrationslager** *nt* concentration camp; **Konzentrationsmangel** *m* lack of concentration; **Konzentrationsschwäche** *f* weak *or* poor concentration.

konzentrieren [kɔntsen'triːrən] **I** *vt* to concentrate (*auf +acc* on); *Truppen auch* to mass. **II** *vr* (*auf +acc* on) to concentrate; (*Untersuchung, Arbeit*) to be concentrated.

konzentriert *adj* **1.** (*Chem*) concentrated.

2. mit ~er Aufmerksamkeit with all one's concentration; **~ arbeiten/zuhören** to work/listen with concentration; **~ nachdenken** to concentrate.

konzentrisch *adj* (*Math, Mil*) concentric.

Konzept *nt* **-(e)s, -e** (*Entwurf*) draft, notes *pl*; (*für Aufsatz auch*) rough copy; (*Plan, Programm*) plan, programme; (*Begriff, Vorstellung*) concept. **es ist jetzt wenigstens als** *or* **im ~ fertig** at least the draft is ready now; **jdn aus dem ~ bringen** to put sb off, to break sb's train of thought; (*inf: aus dem Gleichgewicht*) to upset sb; **aus dem ~ geraten** to lose one's thread; (*inf: aus dem Gleichgewicht*) to get upset; **das paßt mir nicht ins ~** that doesn't fit in with *or* suit my plans; (*gefällt mir nicht*) I don't like the idea; **jdm das ~ verderben** to spoil sb's plans.

Konzeption *f* **1.** (*Med*) conception. **2.** (*geh*) (*Gedankengang*) idea; (*Entwurf*) conception. **seine ~ der Außenpolitik** his idea *or* conception of foreign policy.

konzeptionell [kɔntsɛptsio'nɛl] *adj* (*geh*) conceptional.

konzeptionslos *adj* without a definite line; *Außenpolitik auch* amorphous; **das Programm wirkt auf mich recht ~** the programme strikes me as lacking any definite line.

Konzeptpapier *nt* rough paper.

Konzern *m* **-s, -e** combine, group (of companies). **die ~e haben zuviel Macht**

the big companies have too much power.

Konzert nt -(e)s, -e concert; (von klassischen Solisten auch) recital; (Komposition) concerto. **die Kinder heulten im ~** the children cried in unison.

Konzertabend m concert evening; **Konzertagentur** f concert artists' agency.

konzertant adj (Mus) in concerto form; **Sinfonie** concertante.

Konzertbesucher(in f) m concert-goer; **Konzertflügel** m concert grand.

konzertieren* **I** vi to give a concert; (als Solist mitwirken) to play in a concert. **II** vt (geh: abstimmen) to concert.

konzertiert adj ~e **Aktion** (Fin, Pol) concerted action.

Konzertina f -, **Konzertinen** concertina.

Konzertmeister(in f) m leader, concertmaster (US); **Konzertpavillon** m bandstand; **Konzertpianist(in** f) m concert pianist; **Konzertsaal** m concert hall.

Konzession f **1.** (Gewerbeerlaubnis) concession, licence, franchise. **2.** (Zugeständnis) concession (an +acc to).

Konzessionär(in f) m concessionaire, licensee.

konzessionieren vt to license.

konzessionsbereit adj ready or willing to make concessions; **Konzessionsbereitschaft** f readiness to make concessions.

konzessiv adj (Gram) concessive.

Konzessivsatz m (Gram) concessive clause.

Konzil nt -s, -e or -ien [-iən] (Eccl, Univ) council.

konziliant adj (versöhnlich) conciliatory; (entgegenkommend) generous.

Konzipient m (Aus) articled clerk.

konzipieren* **I** vt to conceive; (entwerfen auch) to design. **II** vi (Med) to conceive.

konzis adj (liter) concise.

Koog m -es, **Köge** (N Ger) polder.

Ko|operation f cooperation.

ko|operativ adj cooperative.

Ko|operative f (Econ) cooperative.

Ko|operator m, **Ko|operatorin** f (Aus) curate.

ko|operieren* vi to cooperate.

Ko|optation f coopting, cooption.

Ko|ordinate f -, -n (Math) coordinate.

Ko|ordinatenachse f (Math) coordinate axis; **Ko|ordinatensystem** nt coordinate system.

Ko|ordination f coordination.

Ko|ordinator m, **Ko|ordinatorin** f coordinator.

ko|ordinieren* vt to coordinate.

ko|ordinierend adj (Gram) coordinating.

Kopeke f -, -n copeck, kopeck.

Kopenhagen nt -s Copenhagen.

Kopenhagener adj Copenhagen attr.

Kopenhagener(in f) m person from Copenhagen.

Köpenickiade f hoax involving impersonation.

Köper m -s, no pl (Tex) twill.

kopernikanisch adj Copernican.

Kopf m -(e)s, ¨e **1.** (allgemein) head; (bei Plattenspieler) head, pick-up; (Pfei-

fen~) bowl; (Brief~) (letter-)head; (Zeitungs~) head, heading; (Nachrichten~) heading; (Spreng~, Gefechts~) warhead. **mit bloßem ~** bareheaded; **~ an ~** shoulder to shoulder; (Pferderennen, Sport) neck and neck; **bis über den ~** (im Wasser) up to one's neck or (in Schulden) ears; **~ voraus** or **voran** headfirst; **~ weg!** (inf) mind your head!; **~ hoch!** chin up!; **~ runter** or **ab!** off with his/her/their head(s); **auf dem ~ stehen** to stand on one's head; **sich** (dat) **den ~ waschen** to wash one's hair; **jdm den ~ waschen** (inf) to give sb a piece of one's mind (inf); **den ~ oben behalten** to keep one's chin up; **jdm den ~ abschlagen** to behead sb, to cut sb's head off; **jdn einen ~ kürzer machen** (inf) to cut or chop sb's head off; **es werden ¨e rollen** (fig) heads will roll; **jds ~ fordern** (lit, fig) to demand sb's head; (fig auch) to cry for sb's blood; **von ~ bis Fuß** from top to toe, from head to foot; **sich** (dat) **an den ~ fassen** or **schlagen** (fig) to be (left) speechless; **das hältst du ja im ~ nicht aus!** (sl) it's absolutely incredible (inf); **die ¨e zusammenstecken** to go into a huddle (inf); **einen schweren** or **dicken ~ haben** (inf) to have a thick head or a hangover; **mit besoffenem ~** (sl) drunk out of one's mind (inf); **sich den ~ zuschütten** or **zuziehen** (inf) to get tanked up (inf); **Geld auf den ~ hauen** (inf) to blow one's money (inf); **jdm auf den ~ spukken können** (inf) to tower above sb, to be head and shoulders above sb; **jdm über den ~ wachsen** (lit) to outgrow sb; (fig) (Sorgen) to be too much for sb, to be more than sb can cope with; (Konkurrent) to outstrip sb; **jdm auf dem ~ herumtanzen** (inf) to walk all over sb (inf); **den ~ für jdn/etw hinhalten** (inf) to take the blame or rap (inf) for sb/sth; **dafür halte ich meinen ~ nicht hin** (inf) I'm not putting my head on the chopping block for that; **etw auf den ~ stellen** (lit, fig: durchsuchen) to turn sth upside down; (fig) Tatsachen to stand facts on their heads; **und wenn du dich auf den ~ stellst, ...** (inf), **du kannst dich auf den ~ stellen, ...** (inf) no matter what you say/ do ..., you can say/do what you like ...; **jdn den ~ kosten** (lit) to cost sb his head; (fig) to cost sb his career or job; **das hat ihn den ~ gekostet** (fig) that was the end of the road for him; **~ und Kragen riskieren** (inf) (körperlich) to risk life and limb; (beruflich) to risk one's neck; **sich um seinen ~ reden** to sign one's own death warrant; **auf jds ~** (acc) **eine Summe/Belohnung aussetzen** to put a sum of money/reward on sb's head; **er ist nicht auf den ~ gefallen** he's no fool; **jdm etw an den ~ werfen** or **schmeißen** (inf) to chuck (inf) or sling (inf) sth at sb; **jdm Beschimpfungen/Beleidigungen an den ~ werfen** (inf) to hurl insults at sb or in sb's face; **jdm etw auf den ~ zusagen** to say sth straight out to sb; **den ~ hängenlassen** (lit) to hang one's head; (fig) to be downcast or despondent; **jdn vor den ~ stoßen** to offend or antagonize sb; **jdm den ~ zurechtsetzen** or **zu-rechtrücken** to bring sb to his/her senses; **mit dem ~ durch die Wand wollen** (*inf*) to be determined to get or bent on getting one's own way regardless; **(jdm) zu ~(e) steigen** to go to sb's head; **ich war wie vor den ~ geschlagen** I was dumbfounded or thunderstruck; **über jds ~** (*acc*) **hinweg** over sb's head; **du hast wohl was am ~!** (*inf*) you must be off your head! (*inf*); **ein ~ Salat/Kohl** a head of lettuce/cabbage; **~ oder Zahl?** heads or tails?

2. (*Einzelperson*) person. **pro ~** per person or head or capita; **das Einkommen pro ~** the per capita income; **eine zehn ~e starke Gruppe** a group of ten people.

3. (*fig*) (*Verstand*) head; (*Denker*) thinker; (*leitende Persönlichkeit*) leader; (*Bandenführer*) brains *sing*. **sich** (*dat*) **über etw** (*acc*) **den ~ zerbrechen** to rack one's brains over sth; **im ~ muß man's haben** (*inf*) you need brains, you have to have plenty up top (*inf*); **er ist nicht ganz richtig** or **klar im ~** (*inf*) he is not quite right in the head or up top (*inf*); **ein kluger/findiger ~** an intelligent/ingenious person; **er ist ein fähiger ~** he has a good head on his shoulders, he's a very capable person; **die besten ~e** the best brains or minds.

4. (*Sinn*) head, mind; (*Erinnerung*) memory. **sich** (*dat*) **etw durch den ~ gehen lassen** to think about sth; **mir ist neulich in den ~ gekommen, daß ...** the other day it or the idea crossed my mind that ...; **nichts als Tanzen/Fußball im ~ haben** to think of nothing but dancing/football; **andere Dinge im ~ haben** to have other things on one's mind; **ich habe den ~ voll genug** (*inf*) I've got enough on my mind; **ich weiß kaum, wo mir der ~ steht** I scarcely know whether I'm coming or going; **einen kühlen ~ bewahren** or **behalten** to keep a cool head, to stay cool-headed, to keep one's cool (*inf*); **den ~ verlieren** to lose one's head, not to keep one's head; **sich** (*dat*) **etw aus dem ~ schlagen** to put sth out of one's mind; **jdm den ~ verdrehen** to turn sb's head; **der Gedanke will mir nicht aus dem ~** I can't get the thought out of my head or mind; **es will mir nicht in den ~** I can't get my mind or head round it; **etw im ~ haben** to have sth in one's head; **etw im ~ rechnen** to work sth out in one's head or mentally; **was man nicht im ~ hat, hat man in den Beinen** (*inf*) you'd/I'd etc forget your/my etc head if it wasn't screwed on (*inf*); **sie hat es sich** (*dat*) **in den ~ gesetzt, das zu tun** she has taken it into her head to do that, she has set her mind on doing that; **seinen ~ durchsetzen** to get one's own way; **seinen eigenen ~ haben** (*inf*) to have a mind of one's own; **es muß ja nicht immer alles nach deinem ~ gehen** you can't have things your own way all the time.

Kopf-an-Kopf-Rennen *nt* neck-and-neck race; **Kopfarbeit** *f* brain-work; **Kopfarbeiter(in** *f*) *m* brain-worker;

Kopfbahnhof *m* terminus (station); **Kopfball** *m* (*Ftbl*) header; **Kopfbedeckung** *f* headgear; **als ~ trug er ...** on his head he wore ...; **ohne ~** without a hat; **Kopfbild** *nt* (portrait of sb's) head.

Köpfchen *nt* dim of **Kopf** little head; (*fig hum*) brains. **~, ~!** clever stuff!; **~ haben** to have brains, to be brainy (*inf*).

köpfeln (*Aus*) **I** *vi* (*einen Kopfsprung machen*) to dive (headfirst), to take a header. **II** *vti* siehe **köpfen 3**.

köpfen *vti* **1.** **jdn** to behead, to decapitate; (*hum*) **Flasche Wein** to crack (open). **2.** (*verschneiden*) **Bäume** to poll; **Jungtriebe** to cut off the heads of. **3.** (*Ftbl*) to head. **ins Tor ~** to head a goal, to head the ball in.

Kopfende *nt* head; **Kopfform** *f* shape of (the) head; **Kopffüßer** *m* -s, - (*Zool*) cephalopod (*spec*); **Kopfgeld** *nt* head money; **Kopfgeldjäger** *m* bounty hunter; (*Ringen*) headlock; **Kopfgrippe** *f* flu (and headache), (epidemic) encephalitis (*spec*); **Kopfhaar** *nt* hair on one's head; (*einzelnes*) hair from the head; **Kopfhaltung** *f* **eine gerade ~ haben** to hold one's head straight; **Kopfhaut** *f* scalp; **Kopfhörer** *m* headphone.

Kopfjäger *m* head-hunter; **Kopfjucken** *nt* itching of the scalp; **Kopfkeil** *m* (wedge-shaped) bolster; **Kopfkissen** *nt* pillow; **Kopfkissenbezug** *m* pillow case or slip; **Kopflage** *f* (*Med*) head presentation; **Kopflänge** *f* **um eine ~** a head; **kopflastig** *adj* (*lit, fig*) top-heavy; *Flugzeug* nose-heavy; **Kopflaus** *f* head louse; **Kopfleiste** *f* (*Typ*) head rule; **kopflos** *adj* (*fig*) in a panic, panicky, in a flap (*inf*); (*lit*) headless; **~ werden** to lose one's head, to get into a flap (*inf*); **Kopflosigkeit** *f* (*fig*) panickiness; **Kopfnicken** *nt* -s, no pl nod (of the head); **Kopfnuß** *f* (*inf*) clip or clout (round the earhole) (*inf*); **Kopfprämie** *f* reward; **Kopfputz** *m* headdress; **kopfrechnen** *vi infin only* to do mental arithmetic; **Kopfrechnen** *nt* mental arithmetic; **Kopfsalat** *m* lettuce; **kopfscheu** *adj* timid, nervous, shy; **jdn ~ machen** to intimidate sb; **Kopfschmerz** *m usu pl* headache; **~en haben** to have a headache; **sich** (*dat*) **über** or **um etw** (*acc*) or **wegen etw ~en machen** (*fig*) to worry about sth; **Kopfschmerztablette** *f* aspirin, headache tablet; **Kopfschmuck** *m* headdress; **Kopfschuß** *m* shot in the head; **Kopfschütteln** *nt* -s, no pl shaking the head; **mit einem ~** with a shake of the or one's head; **kopfschüttelnd I** *adj* shaking one's head; **II** *adv* with a shake of one's head, shaking one's head; **Kopfschutz** *m* protection for the head; (*Kopfschützer*) headguard; **Kopfseite** *f* (*von Münze*) heads, face side; **Kopfsprung** *m* header, dive; **einen ~ machen** to take a header, to dive (headfirst); **Kopfstand** *m* headstand; **einen ~ machen** to stand on one's head; **kopfstehen** *vi sep irreg aux sein* **1.** (*lit*) to stand on one's head; **2.** (*fig*) (*vor Ausgelassenheit*) to go wild (with excitement); (*vor Aufregung*) to be in a state of excitement; (*vor Empörung*) to be in a (state of) turmoil; (*durcheinander sein*) to be in a jumble, to be all topsy-turvy (*inf*); **Kopfstein** *m* cobble-stone; **Kopfsteinpflaster** *nt* cobble-stones *pl*; **eine Gasse mit ~** a cobbled street; **Kopfsteuer** *f* poll tax; **Kopfstimme** *f* (*Mus*) falsetto; (*Phon*) head voice; **Kopfstück** *nt* (*Cook*) head end; **Kopfstütze** *f* head-rest; (*Aut*) head restraint; **Kopftuch** *nt* (head)scarf; **kopfüber** *adv* (*lit, fig*) headfirst, headlong; **Kopfverband** *m* (*Med*) head bandage; **Kopfverletzung** *f* head injury; **Kopfwäsche** *f* shampoo, hair-wash; **Kopfweh** *nt siehe* **Kopfschmerz; Kopfwunde** *f* head wound; **Kopfzahl** *f* number of persons; **Kopfzeile** *f* (*Comput*) header; **Kopfzerbrechen** *nt* **jdm ~ machen** to be a worry to sb, to be a headache for sb (*inf*); **sich** (*dat*) **über etw** (*acc*) **~ machen** to worry about sth.

Kopie [ko'pi:, (*Aus*) 'ko:piə] *f* copy; (*fig*) carbon copy; (*Durchschlag auch*) carbon (copy); (*Ablichtung*) photocopy; (*Phot*) print; (*Film*) print, copy; (*von Statue*) copy, replica.

Kopieranstalt *f* (*Film*) printing laboratory, print lab (*inf*).

kopieren* *vti* (*lit, fig*) to copy; (*nachahmen*) to imitate; (*ablichten*) to photocopy; (*durchpausen*) to trace; (*Phot, Film*) to print. **oft kopiert, nie erreicht** often imitated but never equalled.

Kopierer *m* -s, - copier.

Kopierfunktion *f* (*Comput*) copy function; **Kopiergerät** *nt* photocopier; **kopiergeschützt** *adj* (*Comput, HiFi*) copy-protected; **Kopierpapier** *nt* photocopy paper; **Kopierschutz** *m* (*Comput, HiFi*) copy protection; **mit ~** copy-protected; **Kopiersperre** *f* anti-copy device; **Kopierstift** *m* indelible pencil.

Kopilot(in *f*) *m* copilot.

Koppel¹ *nt* -s, - *or* (*Aus*) *f* -, -n (*Mil*) belt.

Koppel² *f* -, -n 1. (*Weide*) paddock, enclosure. **auf** *or* **in der ~** in the paddock. 2. (*Hunde~*) pack; (*Pferde~*) string.

Koppelgeschäft *nt* tie-in deal.

koppeln *vt* 1. (*zusammenbinden*) *Hunde* to tie *or* leash together; *Pferde* to tie *or* string together. 2. (*verbinden*) to couple, to join (*etw an etw* (*acc*) sth to sth); *zwei Dinge* to couple *or* join together; *Raumschiffe auch* to link up; (*fig*) to link, to couple; (*als Bedingung*) to tie; *Ziele, Zwecke* to conjoin, to combine. **eine Dienstreise mit einem Urlaub ~** to combine a business trip with a holiday; **einen Vertrag mit einer Klausel ~** to attach a clause to a contract. 3. (*Elec*) to couple. 4. (*Typ*) *Wort* to hyphenate.

Koppelschloß *nt* (*Mil*) belt buckle.

Kopp(e)lung *f, no pl* 1. (*Elec*) coupling. 2. (*Verbindung*) (*lit*) coupling, joining; (*fig, von Raumschiffen*) link-up.

Kopp(e)lungsmanöver *nt* (*Space*) docking manoeuvre. **ein ~ durchführen** to link up.

Köpper *m* -s, - (*N Ger inf*) header. **einen ~ machen** to take a header, to dive headfirst.

koppheister *adv* (*N Ger*) headfirst, headlong. **~ schießen** to do a somersault.

Kopra *f* -, *no pl* copra.

Koproduktion *f* coproduction.

Koproduzent(in *f*) *m* coproducer.

Kopte *m* -n, -n, **Koptin** *f* Copt.

koptisch *adj* Coptic.

Kopula *f* -, -s *or* -e [lɛː] (*Gram*) copula.

Kopulation *f* (*Biol*) copulation, coupling; (*Hort*) splice grafting.

kopulieren* I *vt* (*Hort*) to splice-graft. II *vi* (*koitieren*) to copulate.

kor *pret of* **küren.**

Koralle *f* -, -n coral.

Korallenbank *f* coral-reef; **Korallenfischer** *m* coral fisherman; **Korallenriff** *nt* coral-reef; **korallenrot** *adj* coral(-red); **Korallentiere** *pl* coral.

Koran *m* -s, *no pl* Koran.

Koranschule *f* Koranic school.

Korb *m* -(e)s, ⁻e 1. basket; (*Trag~ für Lasttiere auch*) pannier; (*Fisch~ auch*) creel; (*Bienen~*) hive; (*Förder~*) cage; (*Degen~*) basket hilt. **ein ~ Äpfel** a basket of apples. 2. (*~geflecht*) wicker. **ein Sessel aus ~** a wicker(work) *or* basket(work) chair. 3. (*inf: Abweisung*) refusal, rebuff. **einen ~ bekommen, sich** (*dat*) **einen ~ holen** to get a refusal, to be turned down; **jdm einen ~ geben** to turn sb down.

Korbarbeit wickerwork *no pl*; **Korbball** *m no pl* netball; **Korbbl(l)er** *m* -s, - (*Bot*) composite (flower).

Körbchen *nt* 1. *dim of* **Korb. ins ~!** (*baby-talk*) off to *or* time for bye-byes (*baby-talk*) *or* beddy-byes (*baby-talk*). 2. (*von Biene*) (pollen) basket; (*von Büstenhalter*) cup.

Korbflasche *f* demijohn; **Korbflechter(in** *f*) *m* -s, - basket-maker; **Korbflechterei** *f* basket-making; **Korbmacher(in** *f*) *m* basket-maker; **Korbmöbel** *pl* wicker(work) furniture; **Korbsessel** *m* wicker(work) chair; **Korbstuhl** *m* wicker chair; **Korbwagen** *m* bassinet; **Korbwaren** *pl* wickerwork (articles); **Korbweide** *f* osier; **korbweise** *adv* by the basketful.

Kord *m* -(e)s, -e *siehe* **Cord.**

Kordel *f* -, -n cord.

Kordilleren *pl* (*Geog*) Cordilleras *pl*.

Kordon [kɔr'dõː, kɔr'do:n] *m* -s, -s *or* (*Aus*) [kɔr'do:nə] (*Mil, Bot*) cordon; (*Ordensband auch*) ribbon.

Kore *f* -, -n (*Archit*) caryatid.

Korea *m* -s Korea.

Koreaner(in *f*) *m* -s, - Korean.

koreanisch *adj* Korean.

Koreanisch(e) *nt* Korean; *siehe auch* **Deutsch(e).**

Koreastraße *f* **die ~** the Korea Strait.

Koreferat *nt siehe* **Korreferat.**

Koreferent(in *f*) *m siehe* **Korreferent.**

kören *vt* to select for breeding purposes.

Korfu *nt* -s Corfu.

Körhengst *m* stud.

Koriander *m* -s, *no pl* coriander.

orinth nt -s Corinth.

orinthe f -, -n currant.

orinthenkacker m (sl) fusspot (inf).

orinther(in f) m -s, - Corinthian.

orinthisch adj Corinthian.

ork m -(e)s, -e 1. (Bot) cork. 2. siehe Korken.

orkleiche f cork oak or tree.

orken m -s, - cork; (aus Plastik) stopper.

orkenzieher m -s, - corkscrew; **Korkenzieherlocken** pl corkscrew curls pl.

orkig adj corky.

Korkmundstück nt cork filter.

Kormoran [kɔrmo'raːn] m -s, -e cormorant.

Korn¹ nt -(e)s, ⁻er 1. (Samen~) seed, grain; (Pfeffer~) corn; (Salz~, Sand~, Tech, Phot, Typ) grain; (Hagel~) stone; (Staub~) speck. 2. no pl (Getreide) grain, corn (Brit). das ~ steht gut the corn looks promising.

Korn² m -(e)s, - or -s (Kornbranntwein) corn schnapps.

Korn³ nt -(e)s, -e (am Gewehr) front sight, bead. jdn/etw aufs ~ nehmen (fig) to hit out at sth; jdn aufs ~ nehmen (fig) to start keeping tabs on sb.

Kornblume f cornflower; **kornblumenblau** adj cornflower blue; (hum: volltrunken) as drunk as a lord; **Kornbranntwein** m (form) corn schnapps.

Körnchen nt dim of Korn¹ small grain, granule. ein ~ Wahrheit a grain of truth.

Körndlbauer m (Aus) corn-growing (Brit) or grain-growing farmer.

körnen vt to granulate, to grain; (aufrauhen) to roughen.

Körner m -s, - centre punch.

Körnerfresser m -s, - (Zool) grain-eating bird, granivore (form); (inf, pej) health food freak (inf); **Körnerfutter** nt grain or corn (Brit) (for animal feeding).

Kornett¹ nt -s, -e or -s (Mus) cornet.

Kornett² m -(e)s, -e or -s (old Mil) cornet (old).

Kornfeld nt cornfield (Brit), grainfield.

körnig adj granular, grainy.

kornisch adj Cornish.

Kornkäfer m corn weevil; **Kornkammer** f (lit, fig) granary; **Kornspeicher** m granary.

Körnung f (Tech) grain size; (Phot) granularity; (Hunt) decoy-place. Schmirgelpapier mit feiner ~ fine-grain sandpaper.

Korona f -, **Koronen** corona; (inf) crowd (inf), gang (inf).

Koronar- (Med) in cpds coronary.

Körper m -s, - (alle Bedeutungen) body; (Schiffs~) hull. ~ und Geist mind and body; das braucht der ~ it's good for you; am ganzen ~ beben or zittern/frieren to tremble/to be cold all over.

Körperbau m physique, build; **Körperbeherrschung** f physical control; **körperbehindert** adj physically handicapped or disabled; **Körperbehinderte(r)** mf physically handicapped or disabled person; die ~n the physically handicapped, the disabled; **körpereigen** adj produced or occurring

naturally in the body; **Körperertüchtigung** f physical training, keep-fit exercises pl; **Körperfülle** f (euph) corpulence; **Körpergeruch** m body odour, BO (inf); **Körpergewicht** nt weight; **Körpergröße** f height; **Körperhaltung** f posture, bearing; **Körperkontakt** m physical or bodily contact; **Körperkraft** f physical or bodily strength; **Körperkultur** f (DDR) physical education or training; **Körperlänge** f height; (von Schlange) (body) length.

körperlich adj physical; (stofflich) material, corporeal. ~e Arbeit manual work; sich ~ ertüchtigen to keep oneself physically fit; ~e Vereinigung (geh) physical union.

körperlos adj bodiless, incorporeal; **Körperlotion** f body lotion; **Körpermaße** pl measurements pl; **Körperöffnung** f (Anat) orifice of the body; **Körperpflege** f personal hygiene; **Körperpuder** m or nt body powder.

Körperschaft f corporation, (corporate) body. gesetzgebende ~ legislative body; ~ des öffentlichen Rechts public corporation or body.

Körperschaft(s)steuer f corporation tax.

Körperschwäche f physical weakness; **Körpersprache** f body language; **Körperspray** m or nt body spray; **Körperteil** m part of the body; **Körpertemperatur** f body temperature; **Körperverletzung** f (Jur) bodily or physical injury; fahrlässige ~ physical injury resulting from negligence; schwere ~ grievous bodily harm; ~ im Amt injury caused by a policeman/public official; **Körperwärme** f body heat.

Korporal m -s, -e or **Korporäle** corporal.

Korporation f 1. (Studentenverbindung) student society, fraternity (US). 2. (Körperschaft) corporation.

korporativ adj Staat corporate.

korporiert adj pred ~ sein to be a member of a students' society which fights duels.

Korps [koːɐ] nt - [koːɐ(s)], - [koːɐs] (Mil) corps; (Univ) (duelling) corps. diplomatisches/konsulanisches ~ diplomatic/consular corps.

Korpsbruder m fellow member of a student (duelling) society; **Korpsgeist** m esprit de corps; **Korpsstudent** m student belonging to a (duelling) society.

korpulent adj corpulent.

Korpulenz f, no pl corpulence.

Korpus¹ m -, -se (Art) body of Christ; (hum inf: Körper) body.

Korpus² nt -, **Korpora** 1. (Ling) corpus. 2. (Mus) resonance box.

Korpuskel nt -s, -n or f -, -n (Phys) particle, corpuscle.

Korreferat nt (Vortrag) supplementary paper or report.

Korreferent(in f) m 1. (Redner) reader of a supplementary paper. 2. (Prüfer) second examiner.

korrekt adj correct; Frage civil.

korrekterweise adv to be correct, by rights.

Korrektheit f correctness.

Korrektiv nt corrective.
Korrektor m, **Korrektorin** f (Typ) proof-reader.
Korrektur f correction; (Typ) (Vorgang) proof-reading; (Verbesserung) proof correction; (fahne) proof. ~ **lesen** to read or correct (the) proofs, to do (the) proof-reading (bei etw for sth), to proof-read (bei etw sth).
Korrekturband nt correction tape; **Korrekturfahne** f galley (proof); **Korrekturflüssigkeit** f correction fluid; **Korrekturspeicher** m correction memory; **Korrekturtaste** f correction key; **Korrekturzeichen** nt proofreader's mark.
Korrelat nt correlate.
korrelieren* vi to correlate.
Korrepetitor m, **Korrepetitorin** f (Mus) repetiteur, coach.
Korrespondent(in f) m correspondent.
Korrespondenz f correspondence.
Korrespondenzbüro nt news or press agency; **Korrespondenzschrift** f (Comput) letter quality.
korrespondieren* vi 1. (in Briefwechsel stehen) to correspond. **~des Mitglied** corresponding member. 2. (entsprechen) to correspond (mit to, with).
Korridor m -s, -e (auch Luft~) corridor; (Flur) hall. **der (Polnische) ~** (Hist) the Polish Corridor.
korrigierbar adj able to be corrected, corrigible (form). **ein nicht so leicht ~er Sprachfehler** a speech defect which is not so easy to put right or correct.
korrigieren* vt (berichtigen) to correct; Aufsätze auch to mark; Meinung, Einstellung to alter, to change. **nach oben ~** to adjust upwards; Gehaltsangebot auch to top up; **nach unten ~** to adjust downwards; Gehaltsforderung auch to trim down.
korrodieren* vti (vi: aux sein) to corrode.
Korrosion f corrosion.
korrosionsfest adj corrosion-resistant; **Korrosionsschutz** m corrosion prevention.
korrumpieren* vt to corrupt.
korrumpiert adj corrupt.
korrupt adj (auch Comput) corrupt.
Korruption f, no pl corruption.
Korsage [kɔr'zaːʒə] f -, -n corsage.
Korsar m -en, -en (Hist) corsair.
Korse m -n, -n Corsican.
Korselett [kɔrzə'lɛt] nt -(e)s, -e or -s corselet.
Korsett nt -s, -s or -e corset(s pl).
Korsettstange f stay.
Korsika nt -s Corsica.
Korsin f Corsican.
korsisch adj Corsican.
Korso m -s, -s (Pferderennen) horse-race; (Umzug) parade, procession; (breite Straße) avenue.
Kortex m -(es), **Kortizes** ['kɔrtitseːs] (Anat) cortex.
kortikal adj (Anat) cortical.
Kortison nt -s, -e (Med) cortisone.
Korvette [kɔr'vɛtə] f (Naut) corvette.
Korvettenkapitän m lieutenant commander.
Koryphäe [kory'fɛːə] f -, -n genius; (auf

einem Gebiet) eminent authority.
Kosak m -en, -en Cossack.
Kosakenmütze f cossack hat.
koscher adj (Rel, fig inf) kosher. ~ **kochen/schlachten** to cook/slaughter according to kosher requirements.
K.-o.-Schlag [kaː'oː-] m knockout blow. **durch ~ siegen** to win by a knockout.
Koseform f affectionate or familiar form (of proper name).
kosen vti (dated, geh) jdn/mit jdm ~ to fondle or caress sb; **~d** caressingly; **miteinander ~** to bill and coo.
Kosename m pet name; **Kosewort** nt term of endearment or affection.
K.-o.-Sieg [kaː'oː-] m knock-out victory.
Kosinus m -, - or -se (Math) cosine.
Kosmetik f -, no pl beauty culture; (Kosmetika, fig) cosmetics pl. **eine Reform, die sich nicht nur auf ~ beschränkt** a reform which is not merely cosmetic.
Kosmetiker(in f) m -s, - beautician, cosmetician.
Kosmetikinstitut nt beauty parlour; **Kosmetikkoffer** m vanity case; **Kosmetiktuch** nt paper tissue.
Kosmetikum nt -s, **Kosmetika** cosmetic.
kosmetisch adj cosmetic. **ein ~es Mittel** a cosmetic; **~e Chirurgie** plastic surgery.
kosmisch adj cosmic. ~ **beeinflußt werden** to be influenced by the stars or the cosmos.
Kosmobiologie f space or cosmic biology; **Kosmogonie** f cosmogony; **Kosmologe** m, **Kosmologin** f cosmologist; **Kosmologie** f cosmology; **Kosmonaut(in f)** m -en, -en cosmonaut; **Kosmopolit(in f)** m -en, -en cosmopolitan; **kosmopolitisch** adj cosmopolitan.
Kosmos m -, no pl cosmos.
Kost f -, no pl 1. (Nahrung, Essen) food, fare. **vegetarische/fleischlose ~** vegetarian/meatless diet; **geistige ~** (fig) intellectual fare; **leichte/schwere ~** (fig) easy/heavy going, heavy stuff (inf). 2. (dated: Beköstigung) board. **jdn in ~ nehmen** to take sb as a boarder; **(freie) ~ und Logis** (free) board and lodging.
kostbar adj (wertvoll) valuable, precious; (luxuriös) luxurious, sumptuous.
Kostbarkeit f 1. siehe adj value, preciousness; luxuriousness, sumptuousness. 2. (Gegenstand) treasure, precious object.
Kosten pl cost(s); (Jur) costs pl; (Un~) expenses pl; (Auslagen auch) outlay. **die ~ tragen** to bear the cost(s); **auf ~ von** or +gen (fig) at the expense of; **auf ~ des Steuerzahlers** at the expense of the tax-payer, at the tax-payer's expense; **auf meine ~** (lit, fig) at my expense; **auf seine ~ kommen** to cover one's expenses; (fig) to get one's money's worth, to have a very good time.
kosten[1] vti 1. (lit, fig) to cost. **was kostet das?** what or how much does it cost?, how much is it?; **was soll das ~?** what's it going to cost?; **das kostet/hat gekostet** (inf) it costs/it cost a bit or something; **koste es, was es wolle** whatever the cost; **das/lasse ich mich etwas ~** I don't mind spending a bit of money on it; **jdn sein Leben/den Sieg ~** to cost sb his life/the

victory; **was kostet die Welt?** (*inf*) the world's your/their *etc* oyster.

2. (*in Anspruch nehmen*) *Zeit, Geduld* to take.

osten² I *vt* (*probieren*) to taste, to try, to sample; (*fig*) to taste; **Freuden auch** to taste of (*liter*). **II** *vi* to taste. **willst du mal ~?** would you like a taste?; **von etw ~** to taste *etc* sth.

Kostenaufwand *m* expense; **mit einem ~ von 100.000 DM** at a cost of DM 100,000; **Kostenbindung** *f* cost controls *pl*; **Kostendämpfung** *f* curbing cost expansion; **kostendeckend** *adj* cost-effective; **~ arbeiten** to cover one's costs, to break even; **Kostendeckung** *f* covering one's costs, breaking even; **Kostendeckungsgrad** *m* level of cost-effectiveness; **Kostenersparnis** *f* cost saving; **Kostenerstattung** *f* reimbursement of costs *or* expenses; **Kostenexplosion** *f* (*inf*) costs explosion; **Kostenfaktor** *m* cost factor; **Kostenfrage** *f* question of cost(s); **kostenfrei** *adj* cost-free, free of cost; **kostengünstig** *adj* economical; **kostenintensiv** *adj* (*Econ*) cost-intensive; **kostenlos** *adj, adv* free (of charge); **Kostenmiete** *f* rent which covers costs.

Kosten-Nutzen-Analyse *f* cost-benefit analysis; **Kosten-Nutzen-Verhältnis** *nt* cost-benefit ratio.

kostenpflichtig *adj* liable to pay costs, with costs; **eine Klage ~ abweisen** to dismiss a case with costs; **ein Kfz ~ abschleppen** to tow away a car at the owner's expense, to impound a car; **Kostenplanung** *f* costing; **Kostenpunkt** *m* cost question; **~?** (*inf*) what'll it cost?, how much?; **~: 100 DM** (*inf*) cost, DM 100; **Kostenrechnung** *f* cost accounting; **Kostensatz** *m* rate; **kostensparend** *adj* cost-saving; **etw ~ herstellen** to produce sth at low cost; **Kostenstelle** *f* cost centre; **Kostenvoranschlag** *m* (costs) estimate; **Kostenvorschuß** *m* advance.

Kostgänger(in *f*) *m* **-s, -** (*dated*) boarder; **Kostgeld** *nt* board.

köstlich *adj* **1.** *Wein, Speise* exquisite; *Luft* magnificent. **2.** (*amüsant*) priceless. **du bist ja ~** (*inf*) you're priceless; **sich ~ amüsieren** to have a great time.

Köstlichkeit *f* *siehe adj* **1.** no pl exquisiteness; magnificence. **2.** no pl pricelessness. **3.** (*Leckerbissen*) (culinary) delicacy.

Kostprobe *f* (*von Wein, Käse*) taste; (*fig*) sample; **warst du auch bei der ~?** were you at the tasting too?; **kostspielig** *adj* costly, expensive.

Kostüm *nt* **-s, -e 1.** (*Theat: Tracht*) costume. **2.** (*Schneider~*) costume (*dated*), suit. **3.** (*Masken~*) fancy dress.

Kostümball *m* fancydress ball; **Kostümbildner(in** *f*) *m* costume designer; **Kostümfilm** *m* period film *or* picture.

kostümieren* *vr* to dress up.

Kostümprobe *f* (*Theat*) dress rehearsal; **Kostümverleih** *m* (theatrical) costume agency.

Kostver|ächter *m*: **kein ~ sein** (*hum*)

(*gerne essen*) to be fond of *or* to enjoy one's food; (*die Frauen lieben*) to be one for the ladies, to be a bit of a lad (*inf*).

Kot *m* **-(e)s,** no pl (*form*) excrement, faeces (*form*) pl; (*liter: Schmutz, Dreck*) mire, filth.

Kotangens *m* (*Math*) cotangent.

Kotau *m* **-s, -s** (*einen*) **~ machen** (*pej*) to kowtow (*vor jdm* to sb).

Kote¹ *f* **-, -n** (*Surv*) spot height.

Kote² *f* **-, -n** (*Lappenzelt*) tent.

Kotelett ['kɔtlɛt, kɔt'lɛt] *nt* **-(e)s, -s** *or* (*rare*) **-e** chop, cutlet.

Kotelette [kotə'lɛtə] *f* (*usu pl*) (side) whisker, sideboard, sideburn (*US*).

koten *vi* (*form*) to defecate (*form*).

Köter *m* **-s, -** (*pej*) damn dog (*inf*).

Kotflügel *m* (*Aut*) wing, fender (*US*).

kotig *adj* filthy.

Kotzbrocken *m* (*sl*) mean bastard (*Brit sl*), son of a bitch (*US vulg*).

Kotze *f* **-,** no pl (*vulg*) vomit, puke (*sl*).

kotzen *vi* (*vulg*) to throw up (*inf*), to puke (*sl*). **das ist zum K~** (*sl*) it makes you sick; **du bist zum K~** (*sl*) you make me sick, you make me want to throw up *or* puke (*sl*); **da kann man das (kalte) K~ kriegen** (*sl*) it makes you want to throw up *or* puke (*sl*).

kotzübel *adj* (*sl*) **mir ist ~** I feel like throwing up (*inf*).

KP [ka:'pe:] *f* **-, -s** *abbr of* **Kommunistische Partei.**

KPD [ka:pe:'de:] *f* *abbr of* **Kommunistische Partei Deutschlands.**

KPdSU [ka:pe:de:|ɛs'|u:] *f* *- abbr of* **Kommunistische Partei der Sowjetunion** Communist Party of the Soviet Union.

Krabbe *f* **-, -n 1.** (*Zool*) (*klein*) shrimp; (*größer*) prawn. **2.** (*dated inf: Kind*) tot (*inf*), mite (*inf*). **eine süße kleine ~** a sweet little thing. **3.** (*Archit*) crocket.

Krabbelalter *nt* crawling stage (*of a baby*); **Krabbelgruppe** *f* playgroup.

krabbeln I *vi aux sein* to crawl. **II** *vt* (*kitzeln*) to tickle. **III** *vti impers* (*kitzeln*) to tickle; (*jucken*) to itch.

Krabbencocktail [-kɔktɛ:l] *m* prawn cocktail.

Krach *m* **-(e)s, ⁿe 1.** no pl (*Lärm*) noise, din, racket (*inf*); (*Schlag*) crash, bang. **~ machen** to make a noise.

2. (*inf: Zank, Streit*) row, quarrel, fight. **mit jdm ~ haben** to have a row with sb, to row *or* quarrel *or* fight with sb; **mit jdm ~ kriegen** to get into trouble with sb, to have a row with sb; **~ schlagen** to make a fuss.

3. (*Börsen~*) crash.

krach *interj* crash, bang.

krachen I *vi* **1.** (*Lärm machen*) to crash, to bang; (*Holz*) to creak; (*Schuß*) to ring out; (*Donner*) to crash. **~d fallen** to fall with a crash *or* bang; **..., daß es nur so krachte** (*lit*) with a bang *or* crash; (*fig*) with a vengeance; **sonst kracht's!** (*inf*) or there'll be trouble; **es hat gekracht** (*inf*) (*Zusammenstoß*) there's been a crash.

2. *aux sein* (*inf*) (*aufplatzen*) to rip (open), to split; (*brechen*) to break; (*Eis*) to crack; (*Betrieb*) to crash.

3. *aux sein (inf: aufprallen)* to crash.
II *vr (inf)* to have a row *or* fight *or* quarrel.
Kracher *m* **-s, -** banger (*Brit*), fire-cracker (*US*).
krachledern *adj* (*fig hum*) rustic; **Krachlederne** *f* **-n, -n** leather shorts *pl*, lederhosen *pl*; **Krachmacher(in** *f*) *m* (*inf*) (*lit*) noisy person *or* character; (*fig*) trouble-maker.
Krächzen *nt* **-s,** *no pl* croak(ing); (*von Vogel*) caw(ing).
krächzen *vi* to croak; (*Vogel*) to caw.
kracken ['krakn, 'krɛkn] *vt* (*Chem*) to crack.
Kräcker *m* **-s, -** (*Cook*) cracker.
Krad *nt* **-(e)s, ⸚er** (*Mil, dated*) motor-cycle.
Kradmelder *m* (*Mil*) motor-cycle despatch rider.
Kraft *f* **-, ⸚e** 1. (*körperlich, sittlich*) strength *no pl*; (*geistig, schöpferisch*) powers *pl*; (*von Prosa, Stimme*) strength, power, force; (*von Muskeln, Ringkämpfer*) strength, power; (*Energie*) energy, energies *pl*. **er weiß nicht wohin mit seiner ~** (*inf*) he's just bubbling over with energy; **er kann vor ~ nicht mehr laufen** (*hum*) he's so muscle-bound he can hardly move; **die ⸚e (mit jdm) messen** to try *or* pit one's strength (against sb); (*fig*) to pit oneself against sb; **seine ⸚e sammeln** to build up *or* recover one's strength; **mit frischer ~** with renewed strength; **mit letzter ~** with one's last ounce of strength; **die ~ aufbringen, etw zu tun** to find the strength to do sth; **mit vereinten ⸚en werden wir ...** if we combine our efforts *or* join forces we will ...; **die ~ der Verzweiflung** the strength born of desperation; **das geht über meine ⸚e** it's more than I can take; **ich bin am Ende meiner ~** I can't take any more; **mit aller** *or* **voller ~** with all one's might *or* strength; **aus eigener ~** by oneself; (*fig auch*) by one's own efforts, single-handedly; **nach (besten) ⸚en** to the best of one's ability; **er tat, was in seinen ⸚en stand** he did everything (with)in his power; **nicht/wieder bei ⸚en sein** not to be in very good shape/to have (got) one's strength back; **wieder zu ⸚en kommen** to regain one's strength.
2. (*Phys*) force; (*der Sonne*) strength, power; (*no pl: Wirksamkeit, liter, Bibl: Macht*) power. **die treibende ~** (*fig*) the driving force; **das Gleichgewicht der ⸚e** (*Pol*) the balance of power; **die tröstende ~ der Musik** the comforting power of music.
3. (*usu pl: in Wirtschaft, Politik*) force.
4. *no pl* (*Jur: Geltung*) force. **in ~ sein/treten** to be in/come into force; **außer ~ sein/treten** to have ceased to be in force/to cease to be in force, to be no longer in force; **außer ~ setzen** to cancel, to annul.
5. *no pl* (*Naut: Geschwindigkeit*) **halbe/volle ~ voraus!** half/full speed ahead.
6. (*Arbeits~*) employee, worker;

(*Haushalts~*) domestic help; (*Lehr~*) teacher. **⸚e staff**, personnel *no pl*.
kraft *prep* +*gen* (*form*) by virtue of; (*mittels*) by use of. **~ meines Amtes** by virtue of my office; **~ meiner Befugnisse** on the strength of *or* by virtue of my authority.
Kraftakt *m* strong-man act; (*fig*) show of strength; **Kraftanstrengung** *f* exertion; **Kraftarm** *m* (*Phys*) lever arm to which force is applied; **Kraftaufwand** *m* effort; **Kraftausdruck** *m* swearword; **Kraftausdrücke** strong language; **Kraftbrühe** *f* beef tea; **Krafteinheit** *f* (*Phys*) unit of force.
Kräfteparallelogramm *nt* parallelogram of forces.
Kräftesparnis *f* saving of energy *or* effort.
Kräftespiel *nt* power play; **Kräfteverfall** *m* loss of strength; **Kräfteverhältnis** *nt* (*Pol*) balance of power; (*von Mannschaften etc*) relative strength; **Kräfteverlagerung** *f* (*Pol*) power shift; **Kräfteverschleiß** *m* waste of energy.
Kraftfahrer(in *f*) *m* (*form*) motorist, driver; (*als Beruf*) driver.
Kraftfahrzeug *nt* motor vehicle.
Kraftfahrzeugbrief *m* (vehicle) registration document, logbook (*Brit*); **Kraftfahrzeugkennzeichen** *nt* (vehicle) registration; **Kraftfahrzeugmechaniker(in** *f*) *m* motor mechanic; **Kraftfahrzeugschein** *m* (vehicle) registration document; **Kraftfahrzeugsteuer** *f* motor vehicle tax, road tax (*Brit*); **Kraftfahrzeugversicherung** *f* car insurance.
Kraftfeld *nt* (*Phys*) force field; **Kraftfutter** *nt* concentrated feed(stuff).
kräftig **I** *adj* strong; *Mann, Geschmack, Muskel, Stimme auch* powerful; *Ausdrucksweise auch* powerful, forceful; *Haarwuchs, Pflanze auch* healthy; *Farbe auch* rich; *Schlag* hard, powerful, hefty (*inf*); *Händedruck* firm, powerful; *Fluch* violent; *Suppe, Essen* nourishing; (*groß*) *Portion* big, massive; *Preiserhöhung* big, massive; *Beifall* loud. **~e Ausdrücke** strong language; **einen ~en Schluck nehmen** to take a good *or* big swig; **eine ~e Tracht Prügel** a good *or* sound *or* thorough beating.
II *adv* 1. *gebaut* strongly, powerfully; *zuschlagen, treten, pressen, drücken, blasen* hard; *klatschen* loudly; *lachen, mitsingen* heartily; *fluchen, niesen* violently. **etw ~ schütteln/umrühren** to shake/stir sth vigorously, to give sth a good shake/stir; **jdn ~ verprügeln** to give sb a sound *or* good *or* thorough beating; **~ essen/trinken** to eat well/to drink a lot; **husten Sie mal ~** have a good cough; **er hat sich ~ dagegen gewehrt** he objected most strongly; (*körperlich*) he put up a strong resistance.
2. (*zur Verstärkung*) really. **es hat ~ geregnet/geschneit** it really rained/snowed, it rained/snowed heavily; **die Preise sind ~ gestiegen** prices have gone up a lot, prices have really gone up; **jdn**

~ **ausschimpfen** to give sb a good bawling out (*inf*), to really give sb a bawling out (*inf*); **sich ~ täuschen** (*inf*) to be really *or* very much *or* greatly mistaken; **jdn ~ belügen** (*inf*) to tell sb a pack of lies; **sich ~ ärgern** to get really *or* mighty (*inf*) annoyed.

kräftigen *vt* (*geh*) **jdn ~** to build up sb's strength; (*Luft, Bad*) to invigorate sb; (*Essen, Mittel*) to fortify sb.

Kräftigung *f* (*geh*) *siehe vt* strengthening; invigoration; fortification.

Kräftigungsmittel *nt* tonic.

Kraftlinien *pl* (*Phys*) lines of force *pl*.

kraftlos *adj* (*schwach*) feeble, weak; (*schlaff*) limp; (*machtlos*) powerless; (*Jur*) invalid. **~ sank er zurück** he fell feebly back.

Kraftlosigkeit *f siehe adj* feebleness, weakness; limpness; powerlessness; invalidity.

Kraftmeier *m* -s, - (*inf*) muscle man (*inf*); (*fig*) strong-man; **Kraftmeierei** *f* strongarm tactics *pl*; **verbale ~** tough talking; **Kraftmensch** *m* strong-man, muscle man (*inf*); **Kraftmesser** *m* -s, - dynamometer (*form*); **Kraftprobe** *f* test of strength; (*zwischen zwei Gruppen, Menschen*) trial of strength; **Kraftprotz** *m* (*inf*) muscle man (*inf*); **Kraftrad** *nt* motor-cycle, motorbike; **Kraftsport** *m* sport(s *pl*) involving strength; **Kraftsportler(in** *f*) *m* power athlete; **Kraftspruch** *m* strong words *pl*; **Kraftstoff** *m* fuel; **kraftstrotzend** *adj* exuding vitality, vigorous; (*Pflanze*) healthy-looking, vigorous; (*muskulös*) with bulging muscles; **Kraftübertragung** *f* power transmission; **Kraftvergeudung** *f* waste of energy *or* effort; **Kraftverkehr** *m* motor traffic; **Kraftverschwendung** *f* waste of energy *or* effort; **kraftvoll** *adj* (*geh*) *Stimme* powerful; **Kraftwagen** *m* motor vehicle; **Kraftwerk** *nt* power station.

Kragdach *nt* overhanging roof.

Kragen *m* -s, - *or* (*S Ger, Sw auch*) = collar. **jdn am** *or* **beim ~ packen** to grab sb by the collar; (*fig inf*) to collar sb; **mir platzte der ~** (*inf*) I blew my top (*inf*); **jetzt platzt mir aber der ~!** this is the last straw!; **es geht ihm jetzt an den ~** (*inf*) he's in for it now (*inf*).

Kragenknopf *m* collar stud; **Kragenspiegel** *m* (*Mil*) collar patch; **Kragenweite** *f* (*lit*) collar size; **eine ~ zu groß für jdn sein** (*fig inf*) to be too much for sb (to handle); **das ist nicht meine ~** (*fig inf*) that's not my cup of tea (*inf*).

Kragstein *m* (*Archit*) console.

Krähe *f* -, -n crow. **eine ~ hackt der anderen kein Auge aus** (*Prov*) birds of a feather stick together (*Prov*).

krähen *vi* to crow.

Krähenfuß *m* (*Eisenkralle*) crowbar; **Krähenfüße** *pl* (*an den Augen*) crowsfeet *pl*; (*Schriftkrakel*) scrawl *sing*; **Krähennest** *nt* (*Naut*) crow's nest.

Krähwinkel *m* (*pej*) cultural backwater.

Krakau *nt* -s Cracow.

Krakauer *f* -, - spicy smoked sausage with garlic.

Krakauer(in *f*) *m* -s, - Cracovian.

Krake *m* -n, -n octopus; (*Myth*) Kraken.

Krakeel *m* -s, *no pl* (*inf*) row.

krakeelen* *vi* (*inf*) to make *or* kick up a row *or* racket (*inf*).

Krakeeler(in *f*) *m* -s, - (*inf*) rowdy (*inf*), rowdy type (*inf*).

Krakel *m* -s, - (*inf*) scrawl, scribble.

Krakelei *f* (*inf*) scrawl, scribble.

krakelig *adj* scrawly.

krakeln *vti* to scrawl, to scribble.

Kral *m* -s, -e kraal.

Kralle *f* -, -n claw; (*von Raubvogel auch*) talon; (*pej: Fingernagel*) claw, talon; (*inf: Hand*) paw (*inf*), mauler (*sl*); (*Park~*) wheel clamp. **jdn/etw in seinen ~n haben** (*fig inf*) to have sb/sth in one's clutches; (**jdm**) **die ~n zeigen** (*fig*) to show (sb) one's claws; **jdn aus den ~n des Todes retten** to rescue sb from the jaws of death; **auf die ~** (*sl*) (cash) on the nail (*inf*).

krallen I *vr* **sich an jdn/etw ~**(*lit, fig*) to cling to sb/sth; (*Katze*) to dig its claws into sb/sth; **sich in etw** (*acc*) **~** to sink its claws into sth; (*mit Fingern*) to dig one's fingers into sth.

II *vt* 1. **die Finger in etw** (*acc*)/**um etw ~** to dig one's fingers into sth/to clutch sth; **er krallte vor Schmerz die Finger in die Decke** he clawed (at) the blanket in pain.

2. (*inf*) to pinch (*inf*), to swipe (*inf*).

3. (*Aut*) to clamp.

Kram *m* -(e)s, *no pl* (*inf*) (*Gerümpel*) junk; (*Zeug*) things *pl*, stuff (*inf*); (*Angelegenheit*) business. **den ~ satt haben/hinschmeißen** to be fed up with/to chuck the whole thing *or* business (*inf*); **das paßt mir nicht in den ~** it's a confounded nuisance; **mach doch deinen ~ allein!** do it yourself!

kramen I *vi* to rummage about (*in* +*dat* in, *nach* for). II *vt* **etw aus etw ~** to fish sth out of sth.

Krämer(in *f*) *m* -s, - small shopkeeper, grocer; (*Laden*) small general store, grocer's. **ein Volk von ~n** a nation of shopkeepers.

Krämergeist *m*, **Krämerseele** *f* small- *or* petty-minded person; **ein ~** *or* **eine ~ sein** to be small- *or* petty-minded.

Kramladen *m* (*pej inf*) tatty little shop (*inf*); (*Trödelladen*) junk shop.

Krampe *f* -, -n staple.

Krampen *m* -s, - staple; (*Aus: Spitzhacke*) pick(-axe).

Krampf *m* -(e)s, =e 1. (*Zustand*) cramp; (*Verkrampfung*) spasm; (*wiederholt*) convulsion(s *pl*); (*Anfall, Lach~*) convulsion. **einen ~ haben/bekommen** to have/get (a) cramp. 2. *no pl* (*inf*) (*Getue*) palaver (*inf*); (*Unsinn*) nonsense, rubbish.

Krampfader *f* varicose vein; **krampfartig** *adj* convulsive.

krampfen I *vt* **Finger, Hand** to clench (*um etw* around sth). **die Finger in etw** (*acc*) **~** to dig one's fingers into sth. II *vr* **sich um etw ~** to clench sth. III *vi* (*Krämpfe haben*) to have a convulsion/convulsions.

krampfhaft *adj* *Zuckung* convulsive; (*inf:*

angestrengt, verzweifelt) frantic, desperate; *Lachen* forced *no adv; sich ~ an etw (dat)* **festhalten** *(lit, fig inf)* to cling desperately to sth; **Krampfhusten** *m* whooping cough; **krampflindernd** *adj* antispasmodic *(spec)*; **krampflösend** *adj* antispasmodic *(spec)*.

Krampus *m* - *(Aus) companion of St Nicholas.*

Kran *m* -(e)s, "e *or* -e **1.** crane. **2.** *(dial: Hahn)* tap, faucet *(US)*.

Kranführer(in *f) m* crane driver *or* operator.

krängen *vi (Naut)* to heel (over).

Kranich *m* -s, -e *(Orn)* crane.

krank *adj, comp* "er, *superl* "ste(r, s) *or adv* am "sten ill *usu pred*, sick *(auch fig)*, not well; *(leidend)* invalid; *Pflanze, Organ* diseased; *Zahn, Bein bad; Wirtschaft, Firma* ailing; *(Hunt) Wild* wounded. **~ werden** to fall *or* be taken ill *or* sick; **schwer ~** seriously ill; **~ am Herzen/an der Seele** *(liter)* sick at heart *(liter)*; **vor Aufregung ~** sick with excitement; **vor Heimweh/Liebe ~** homesick/lovesick; **sich ~ melden** to let sb/one's boss know that one is sick *or* ill; *(telefonisch)* to phone in sick; *(esp Mil)* to report sick; **sie hat sich ~ gemeldet** she is off sick; **jdn ~ schreiben** to give sb a medical certificate; *(esp Mil)* to put sb on the sick-list; **er ist schon seit einem halben Jahr ~ geschrieben** he's been off sick for six months; **das macht/du machst mich ~!** *(inf)* it gets/you get on my nerves! *(inf)*, it drives/you drive me round the bend! *(inf)*; **du bist wohl ~!** *(inf iro)* there must be something wrong with you!; **der ~e Mann am Bosporus** the Sick Man of Europe.

kränkeln *vi* to be ailing *(auch Wirtschaft, Firma)*, to be sickly, to be in bad *or* poor health.

kranken *vi* to suffer *(an +dat* from). **das krankt daran, daß** *(fig)* it suffers from the fact that ...

kränken *vt* jdn **~** to hurt sb('s feelings), to wound sb; **sie war sehr gekränkt** she was very hurt; **es kränkt mich, daß ...** it hurts *or* grieves me that ...; **jdn in seiner Ehre ~** to offend sb's pride; **~d** hurtful.

Krankenakte *f* medical file; **Krankenanstalten** *pl* hospitals and/or clinics *pl*; **Krankenbericht** *m* medical report; **Krankenbesuch** *m* visit (to a sick person); *(von Arzt)* (sick) call; **Krankenbett** *nt* sick-bed; **Krankengeld** *nt* sickness benefit; *(von Firma)* sickpay; **Krankengeschichte** *f* medical history; **Krankengymnastik** *f* physiotherapy; **Krankengymnast(in** *f) m* physiotherapist.

Krankenhaus *nt* hospital. **ins ~ gehen** *(als Patient)* to go into (the *US*) hospital; **im ~ liegen** to be in (the *US*) hospital.

Krankenhaus- *in cpds* hospital; **Krankenhausaufenthalt** *m* stay in hospital; **Krankenhauskosten** *pl* hospital charges *pl or* costs *pl*; **krankenhausreif** *adj* in need of hospital treatment; **jdn ~ schlagen** to make a stretcher-case out of sb; **Krankenhausseelsorger(in** *f) m*

hospital chaplain.

Krankenkasse *f (Versicherung)* medical *or* health insurance; *(Gesellschaft)* medical *or* health insurance company; **ich bin in einer privaten ~** I am in a private medical insurance scheme, I'm privately insured; **er ist in keiner ~** he has no medical insurance; **Krankenlager** *nt (Krankenbett)* sick-bed; *(Kranksein)* illness; **das Fieber warf ihn aufs ~** *(geh)* the fever confined him to his sick-bed; **Krankenpflege** *f* nursing; **Krankenpfleger** *m* orderly; *(mit Schwesternausbildung)* male nurse; **Krankenpflegerin** *f* nurse; **Krankenpflegeschüler(in** *f m* student nurse; **Krankensaal** *m (old)* ward; **Krankensalbung** *f (Eccl)* anointing of the sick; **Krankenschein** *m* medical insurance record card; **Krankenschwester** *f* nurse; **Krankenstand** *m (dial, Aus)* **im ~ sein** to be sick *or* ill; **Krankenstuhl** *m* invalid chair; *(Nachtstuhl)* commode; **Krankentransport** *m* transportation of sick people; *(mittels Krankenwagen)* ambulance service; *(die Kranken selbst)* shipload/busload *etc* of sick people; **Krankenversicherung** *f* medical *or* health insurance; **gesetzliche/private ~** state *or* national/private health insurance; **Krankenwagen** *m* ambulance; **Krankenwärter(in** *f) m* orderly; **Krankenzimmer** *nt* sick-room; *(im Krankenhaus)* hospital room.

Kranke(r) *mf decl as adj* sick person, invalid; *(Patient)* patient. **die ~n** the sick.

krankfeiern *vi sep (inf)* to be off 'sick', to skive off work *(Brit inf)*. **das K~ ist ein großes Problem** absenteeism is a great problem; **ich glaube, ich muß morgen ~** I think I'll have to be off sick tomorrow.

krankhaft *adj* **1.** *Stelle, Zelle* diseased; *Vergrößerung, Zustand* morbid; *Aussehen* sickly; *Augen* ill-looking. **die Untersuchungen haben keinen ~en Befund ergeben** the examinations revealed no sign(s) of disease; **~er Befund der Leber** affected *or* diseased liver; **~e Veränderung** affection.

2. *(seelisch)* pathological; *Mißtrauen, Eifersucht auch* chronic, morbid. **sein Geiz ist schon ~** his meanness is almost pathological *or* has reached almost pathological proportions.

Krankheit *f (lit, fig)* illness, sickness; *(eine bestimmte ~ wie Krebs, Masern auch)* disease; *(von Pflanzen)* disease. **wegen ~ due to illness; eine ~ durchmachen** to have *or* suffer from a disease/an illness; **(eine) ~ vorschützen, eine ~ vortäuschen** to pretend to be ill, to fake an illness; **sich (dat) eine ~ zuziehen** to catch *or* contract *(form)* an illness *or* a disease; **von einer ~ befallen werden** to catch *or* contract *(form)* an illness *or* a disease; *(Pflanze, Organ)* to become diseased; **nach langer/schwerer ~** after a long/serious illness; **während/seit meiner ~** during/since my illness; **das soll ein Auto sein? das ist eine ~!** *(fig inf)* call that a car? that's just an apology *or* a miserable excuse for one *or* that's just a joke!

Krankheitsbild *nt* symptoms *pl*, syndrome (*spec*); **Krankheitserreger** *m* pathogene, disease-causing agent; **krankheitshalber** *adv* due to illness; **Krankheitskeim** *m* germ (of a/the disease).

kranklachen *vr* (*inf*) to kill oneself (laughing) (*inf*). **er hat sich bei dem Film krankgelacht** he just about killed himself (*inf*) *or* died laughing when he saw the film.

kränklich *adj* sickly, in poor *or* bad health.

krankmachen *vi sep* (*inf*) *siehe* **krankfeiern**; **Krankmeldung** *f* notification of illness *or* sickness.

Kränkung *f* 1. insult. **etw als ~ empfinden** to take offence at sth, to be hurt by sth; **jdm eine ~ zufügen** to hurt sb. 2. (*Kränken*) offending, insulting.

Kranz *m* **-es**, **-̈e** 1. wreath; (*Sieger~, Dichter~, Braut~ auch*) garland; (*fig: von Geschichten, Anekdoten*) cycle.
2. (*kreisförmig Angeordnetes*) ring, circle; (*Haar~*) plaits *pl* round one's head; (*obs: von Mädchen*) bevy.
3. (*Tech: Rad~*) rim.
4. (*dial Cook*) ring.

Kränzchen *nt* small wreath/garland; (*fig: Kaffee~*) (coffee) circle.

kränzen *vt* (*liter*) to garland, to adorn (with garlands).

Kranzgefäß *nt* (*Anat*) coronary artery; **Kranzgeld** *nt* (*Jur*) money paid by a man to a woman as a fine on having sexual intercourse with her under the pretence of an offer of marriage; **Kranzniederlegung** *f* wreath laying.

Krapfen *m* **-s**, **-** (*dial Cook*) ≃ doughnut.

Krapp *m* **-(e)s**, *no pl* madder.

Krapplack *m* madder paint; **Krapprot** *nt* madder red.

kraß *adj* (*auffallend*) Widerspruch, Gegensatz glaring, stark; Farben garish, glaring; Dissonanz harsh, jarring; Unterschied extreme; (*unerhört*) Ungerechtigkeit, Lüge blatant, gross; (*extrem*) Fall, Haltung extreme; Materialist, Unkenntnis crass; Egoist out-and-out, blatant; Außenseiter rank, complete; (*unverblümt*) Schilderung, Worte, Stil stark.

Krater *m* **-s**, **-** crater.

Kraterlandschaft *f* crater(ed) landscape; **Kratersee** *m* (*Geol*) crater lake.

Kratzbürste *f* (*fig inf*) prickly character; **kratzbürstig** *adj* (*inf*) prickly.

Krätzchen *nt* (*Mil sl*) forage cap.

Kratze *f* **-**, **-n** scraper; (*Tex*) carding machine.

Krätze *f* **-**, *no pl* 1. (*Med*) scabies. 2. (*Tech*) scrapings *pl*, (metal) waste.

kratzen I *vti* 1. to scratch; (*ab~ auch*) to scrape (*von* off). **der Pulli kratzt fürchterlich** the pullover scratches terribly *or* is terribly scratchy (*inf*); **der Rauch kratzt (mich) im Hals** the smoke irritates my throat; **es kratzt (mich) im Hals** my throat feels rough; **an etw** (*dat*) **~** (*fig*) to scratch at sth.
2. (*inf: stören*) to bother. **das kratzt**

mich nicht (*inf*) I couldn't care less (about that), I don't give a damn (about that) (*inf*); **was kratzt mich das?** what do I care about that?; **das braucht dich doch nicht (zu) ~** it's nothing to do with you.
3. (*Tex*) to card, to tease.
II *vr* to scratch oneself.

Kratzer *m* **-s**, **-** (*Schramme*) scratch.

Krätzer *m* **-s**, **-** (*inf*) rough *or* vinegary wine, plonk (*inf*) *no pl*; (*Aus*) sweet young Tirolean wine.

Kratzfuß *m* (*dated inf*) (low) bow (*with one foot drawn backwards*). **einen ~ machen** to bow low.

kratzig *adj* (*inf*) scratchy (*inf*).

Kratzputz *m* sgraffito; **Kratzwunde** *f* scratch.

Kraul *nt* **-(s)**, *no pl* (*Schwimmen*) crawl.

kraulen[1] (*Schwimmen*) *aux haben or sein*
I *vi* to do *or* swim the crawl. II *vt* **er hat** *or* **ist die Strecke/100 m gekrault** he did the stretch using the crawl/he did a 100m's crawl.

kraulen[2] *vt* to fondle. **jdn am Kinn ~** to chuck sb under the chin; **jdn in den Haaren ~** to run one's fingers through sb's hair.

kraus *adj* crinkly; Haar, Kopf frizzy; Stirn wrinkled, furrowed; (*zerknittert*) crumpled, wrinkled; (*fig: verworren*) muddled, confused. **die Stirn/Nase ~ ziehen** to wrinkle up *or* knit one's brow; (*mißbilligend*) to frown/to screw up one's nose.

Krause *f* **-**, **-n** 1. (*Hals~*) ruff; (*an Ärmeln etc*) ruffle, frill.
2. (*inf*) (*Krausheit*) crinkliness; (*von Haar, Kopf*) frizziness; (*Frisur*) frizzy hair/hairstyle. **im Regen bekomme ich eine ~** my hair goes frizzy in the rain.

Kräuselband *nt* decorative ribbon; **Kräuselkrepp** *m* (*Tex*) crepe; (*Streifenkrepp*) seersucker.

kräuseln I *vt* Haar to make frizzy; (*mit Brennschere auch*) to crimp; (*mit Dauerwelle auch*) to frizz; (*Sew*) to gather (*in small folds*); (*Tex*) to crimp; Stirn to knit, to wrinkle; Nase to screw up; Lippen to pucker; Wasseroberfläche to ruffle.
II *vr* (*Haare*) to go frizzy; (*Stoff*) to go crinkly; (*Stirn, Nase*) to wrinkle up; (*Lippen*) to pucker; (*Wasser*) to ripple; (*Rauch*) to curl (up).

krausen *vtr* Haar, Stirn, Nase, (*Sew*) *siehe* **kräuseln**.

kraushaarig *adj* frizzy-haired; **Krauskopf** *m* frizzy head; (*Frisur*) frizzy hair/hairstyle; (*Mensch*) curly-head.

Kraut *nt* **-(e)s**, **Kräuter** 1. (*Pflanze: esp Heil~, Würz~*) herb. **dagegen ist kein ~ gewachsen** (*fig*) there is no remedy for that, there's nothing anyone can do about that.
2. *no pl* (*grüne Teile von Pflanzen*) foliage, stems and leaves *pl*, herbage; (*von Gemüse*) tops *pl*; (*Kartoffel~*) potato foliage; (*Spargel~*) asparagus leaves *pl*. **wie ~ und Rüben durcheinanderliegen** (*inf*) to lie (about) all over the place (*inf*); **ins ~ schießen** (*lit*) to run to seed;

(fig) to get out of control, to run wild.
3. *no pl (Rot~, Weiß~)* cabbage; *(Sauer~)* sauerkraut.
4. *(pej: Tabak)* tobacco.
Kräuterbutter *f* herb butter.
Kräuterkäse *m* herb cheese; **Kräuterlikör** *m* herbal liqueur; **Kräutersammler(in** *f)* *m* herbalist; **Kräutertee** *m* herb(al) tea; **Kräuterweiblein** *nt (old)* herb woman.
Krautkopf *m (S Ger, Aus)* (head of) cabbage; **Krautsalat** *m* ≃ coleslaw.
Krawall *m* **-s, -e** *(Aufruhr)* riot; *(inf) (Rauferei)* brawl; *(Lärm)* racket *(inf)*, din *(inf)*. ~ **machen** *(inf)* to kick up a row; *(randalieren)* to go on the rampage.
Krawallbruder, Krawallmacher *m (inf)* hooligan; *(Krakeeler)* rowdy.
Krawallo *m* **-s, -s** *(inf)* siehe **Krawallbruder.**
Krawatte *f* **-, -n** tie, necktie *(esp US)*; *(kleiner Pelzkragen)* tippet; *(Ringkampf)* headlock.
Krawattenknoten *m* tie knot; **Krawattennadel** *f* tie-pin; **Krawattenzwang** *m* **da ist** ~ you have to wear a tie there; **der** ~ ... the fact that you have to wear a tie ...
kraxeln *vi aux sein (S Ger)* to clamber (up).
Kreation *f (Fashion)* creation.
kreativ *adj* creative.
Kreativität [kreativi'tɛːt] *f* creativity.
Kreatur *f* **1.** *(lit, fig, pej)* creature; *(abhängiger Mensch)* minion, creature *(liter)*. **2.** *no pl (alle Lebewesen)* creation. **die** ~ all creation.
kreatürlich *adj (naturhaft)* natural; *Angst* animal *attr.*
Krebs *m* **-es, -e** **1.** *(Taschen~, Einsiedler~)* crab; *(Fluß~)* crayfish, crawfish *(US)*. **rot wie ein** ~ red as a lobster. **2.** *(Gattung)* crustacean; *(Hummer, Krabbe etc)* crayfish, crawfish *(US)*. **3.** *(Astron)* **der** ~ Cancer, the Crab; *(Astrol)* Cancer. **4.** *(Med)* cancer; *(Bot)* canker.
krebsen *vi (inf: sich abmühen)* to struggle.
krebserregend, krebserzeugend *adj* carcinogenic; ~ **wirken** to cause cancer; **Krebsforschung** *f* cancer research; **Krebsfrüherkennung** *f* early detection of cancer; **Krebsgang** *m (fig)* retrogression; **im** ~ **gehen** to regress, to go backwards; **Krebsgeschwulst** *f (Med)* cancer, cancerous tumour *or* growth; **Krebsgeschwür** *nt (Med)* cancerous ulcer; *(fig)* cancer, cancerous growth; **Krebsklinik** *f* cancer clinic; **krebskrank** *adj* suffering from cancer; ~ **sein** to have cancer; **Krebskranke(r)** *mf* cancer victim; *(Patient)* cancer patient; **krebsrot** *adj* red as a lobster; **Krebstiere** *pl* crustaceans *pl*, crustacea *pl*; **Krebsvorsorge, Krebsvorsorgeuntersuchung** *f* regular medical checkups for early diagnosis of cancer; **Krebszelle** *f (Med)* cancer cell.
Kredenz *f (dated, Aus)* sideboard.
kredenzen* *vt (liter)* **jdm etw** ~ to proffer sb sth *(liter)*.

Kredit[1] *m* **-(e)s, -e** credit; *(Darlehen auch)* loan; *(fig auch)* standing, (good) repute. **auf** ~ on credit; **einen** ~ **kündigen** to withdraw credit facilities *or* a credit; **er hat bei uns/der Bank** ~ his credit is good with us/the bank; **in seiner Stammkneipe hat er** ~ he gets credit at his local; ~ **haben** *(fig)* to have standing *or* a good reputation.
Kredit[2] *nt* **-s, -s** *(Habenseite)* credit (side).
Kreditanstalt *f* credit institution, credit *or* loan bank; **Kreditaufnahme** *f* borrowing; **Kreditbrief** *m* letter of credit; **Kreditgeber(in** *f)* *m* creditor; **Kredithai** *m (inf)* loan shark *(inf)*.
kreditieren* *vt* **jdm einen Betrag** ~, **jdn für einen Betrag** ~ to advance sb an amount, to credit sb with an amount.
Kreditinstitut *nt* bank, financial institution; **Kreditkarte** *f* credit card; **Kreditlinie** *f* line of credit; **Kreditnehmer(in** *f)* *m* borrower; **Kreditpolitik** *f* lending policy; **kreditpolitisch** *adj* on lending; **kreditwürdig** *adj* creditworthy.
Kredo *nt* **-s, -s** *(lit, fig)* creed, credo.
kregel *adj (dial)* lively.
Kreide *f* **-, -n** chalk; *(Geol: ~zeit)* Cretaceous (period). **eine** ~ a piece of chalk; **bei jdm (tief) in der** ~ **sein** *or* **stehen** *(inf)* to be (deep) in debt to sb, to owe sb (a lot of) money.
kreidebleich *adj* (as) white as chalk *or* a sheet; **Kreidefelsen** *m* chalk cliff; **Kreideformation** *f (Geol)* Cretaceous (formation); **kreidehaltig** *adj* chalky, cretaceous *(spec)*; **kreideweiß** *adj* siehe **kreidebleich; Kreidezeichnung** *f* chalk drawing.
kreieren* [kre'iːrən] *vt (Fashion, Theat, Eccl)* to create.
Kreis *m* **-es, -e** **1.** circle. **einen** ~ **beschreiben** *or* **schlagen** *or* **ziehen** to describe a circle; **im** ~ **(gehen)** (to go round) in a circle; **~e ziehen** *(lit)* to circle; *(weite)* **~e ziehen** *(fig)* to have (wide) repercussions; **sich im** ~ **bewegen** *or* **drehen** *(lit)* to go *or* turn round in a circle; *(fig)* to go round in circles; **mir dreht sich alles im ~e** everything's going round and round, my head is reeling *or* spinning; **der** ~ **schließt sich** *(fig)* we come full circle, the wheel turns full circle; **störe meine ~e nicht!** *(fig)* leave me in peace!
2. *(Elec: Strom~)* circuit.
3. *(Bereich: von Interessen, Tätigkeit)* sphere; *(Ideen~)* body of ideas; *(Sagen~)* cycle.
4. *(fig: von Menschen)* circle. **der** ~ **seiner Leser** his readership, his readers *pl*; **weite ~e der Bevölkerung** wide sections of the population; **im ~e von Freunden/seiner Familie** among *or* with friends/his family, in the family circle; **eine Feier im engen** *or* **kleinen ~e** a celebration for a few close friends and relatives.
5. *(Stadt~, Land~)* district; *(Gemeindewahl~)* ward; *(Landeswahl~)* constituency. ~ **Leipzig** Leipzig District, the District of Leipzig.

Kreisabschnitt *m* segment; **Kreisaus-schnitt** *m* sector; **Kreisbahn** *f* (*Astron, Space*) orbit; **Kreisbogen** *m* arc (of a circle); **Kreisdiagramm** *nt* pie chart.

kreischen *vi* (*old, hum: pret* **krisch,** *ptp* **gekrischen**) to screech; (*Vogel auch*) to squawk; (*Reifen, Bremsen auch*) to squeal; (*Mensch auch*) to shriek, to squeal.

Kreisel *m* -s, - (*Tech*) gyroscope; (*Spielzeug*) (spinning) top; (*inf: im Verkehr*) roundabout (*Brit*), traffic circle (*US*), rotary (*US*). **den ~ schlagen** to spin the top.

Kreiselkompaß *m* gyroscopic compass, gyrocompass.

kreiseln *vi* 1. aux sein or haben (*sich drehen*) to spin around, to gyrate. 2. (*mit Kreisel spielen*) to play with a top, to spin a top.

kreisen *vi* aux sein or haben to circle (*um* round, *über* +dat over); (*um eine Achse*) to revolve (*um* around); (*Satellit, Planet auch*) to orbit (*um etw* sth); (*Blut, Öl*) to circulate (*in* +dat through); (*fig: Gedanken, Wünsche, Gespräch*) to revolve (*um* around). **die Arme ~ lassen** to swing one's arms around (in a circle); **den Becher ~ lassen** to hand the cup round.

Kreisfläche *f* circle; (*Kreisinhalt*) area of a/the circle; **kreisförmig** *adj* circular; **sich ~ bewegen** to move in a circle; **~ angelegt** arranged in a circle; **kreisfrei** *adj* **~e Stadt** *town which is an administrative district in its own right*; **Kreisinhalt** *m* area of a/the circle; **Kreiskolbenmotor** *m* rotary piston engine.

Kreislauf *m* (*Blut~, Öl~, von Geld*) circulation; (*der Natur, des Wassers*) cycle.

Kreislaufkollaps *m* circulatory collapse; **Kreislaufmittel** *nt* cardiac stimulant; **Kreislaufstörungen** *pl* circulation or circulatory trouble *sing or* disorders *pl*.

Kreislinie *f* circle; **kreisrund** *adj* (perfectly) circular; **Kreissäge** *f* circular saw; (*inf: Hut*) boater.

kreißen *vi* (*old*) to be in labour. **der Berg kreißte und gebar eine Maus** (*prov*) the mountain laboured and brought forth a mouse.

Kreißsaal *m* delivery room.

Kreisstadt *f* chief town of a district, district town, ≃ county town (*Brit*); **Kreistag** *m* district assembly, ≃ county council (*Brit*); **Kreisumfang** *m* circumference (of a/the circle); **Kreisverkehr** *m* roundabout (*Brit*) or rotary (*US*) traffic; (*Kreisel*) roundabout (*Brit*), traffic circle (*US*), rotary (*US*); **Kreiswehrersatzamt** *nt* district recruiting office.

Krematorium *nt* crematorium.

kremig *adj* creamy. **etw ~ schlagen** to cream sth.

Kreml *m* -s **der ~** the Kremlin.

Kreml-Astrologe *m* (*Pol sl*) Kremlin watcher; **Kremlchef** *m* Kremlin chief.

Krempe *f* -, -n (*Hut~*) brim. **ein Hut mit breiter ~** a broad-brimmed hat.

Krempel[1] *m* -s, *no pl* (*inf*) (*Sachen*) stuff (*inf*), things *pl*; (*wertloses Zeug*) junk, rubbish. **ich werfe den ganzen ~ hin** I'm chucking the whole lot *or* business in (*inf*); **dann kannst du deinen ~ allein machen** then you can (damn well *inf*) do it yourself.

Krempel[2] *f* -, **-n** carding machine.

Krempelarm *m* (*Fashion*) rolled sleeve.

krempeln *vt* (*Tex*) to card.

Kren *m* -s, *no pl* (*Aus*) horse-radish.

Kreole *m* -n, -n, **Kreolin** *f* Creole.

kreolisch *adj* Creole.

krepieren* *vi* aux sein 1. (*platzen*) to explode, to go off. 2. (*sl: sterben*) to croak (it) (*sl*), to snuff it (*sl*), to kick the bucket (*inf*); (*inf: elend sterben*) to die a wretched death. **das Tier ist ihm krepiert** (*inf*) the animal died on him (*inf*).

Krepp *m* -s, -e *or* -s crepe.

Kreppapier *nt getrennt* **Krepp-papier** crepe paper.

Kreppsohle *f* crepe sole.

Kresse *f* -, *no pl* cress.

Kreta *nt* -s Crete.

Kreter(in *f*) *m* -s, - Cretan.

Krethi und Plethi *pl no art* (*inf*) every Tom, Dick and Harry.

Kretin [kre'tɛ:] *m* -s, -s (*Med, pej*) cretin.

Kretinismus *m* (*Med*) cretinism.

kretisch *adj* Cretan.

Kreton [kre'to:n] *m* -s, -e (*Aus*), **Kretonne** [kre'tɔn] *m or* f -, -s (*Tex*) cretonne.

kreuchen (*obs, poet*) 3. *pers sing of* **kriechen. alles was da ~ und fleucht** all living creatures, all things that do creep and fly (*poet*).

Kreuz[1] *nt* -es, -e 1. cross; (*als Anhänger etc*) crucifix. **das ~ des Südens** (*Astron*) the Southern Cross; **jdn ans ~ schlagen** or nagen to nail sb to the cross; **ein ~ schlagen** to make the sign of the cross; (*sich bekreuzigen auch*) to cross oneself; **zwei Gegenstände über ~ legen** to put two objects crosswise one on top of the other; **mit jdm über ~ sein** or **stehen** (*fig*) to be on bad terms with sb; **sein ~ auf sich nehmen** (*fig*) to take up one's cross; **es ist ein ~ or ich habe mein ~ mit** ihm/damit he's/it's an awful problem; **ich mache drei ~e, wenn er geht** (*inf*) it'll be such a relief when he has gone; **er machte ein ~ (als Unterschrift/am Rand)** he put a cross (for his signature/in the margin); **zu ~e kriechen** (*fig*) to eat humble pie, to eat crow (*US*).

2. (*Anat*) small of the back; (*von Tier*) back. **ich habe Schmerzen im ~** I've got (a) backache; **ich hab's im ~** (*inf*) I have back trouble; **jdn aufs ~ legen** to throw sb on his back; (*fig inf*) to take sb for a ride (*inf*); (*vulg*) *Mädchen* to lay sb (*sl*).

3. (*Archit: Fenster~*) mullion and transom.

4. (*Typ*) dagger, obelisk.

5. (*Mus*) sharp.

6. (*Autobahn~*) intersection.

7. (*Cards*) (*Farbe*) clubs *pl*; (*Karte*) club. **die ~-Dame** the Queen of Clubs.

Kreuz[2] *f*: **in die ~ und in die Quer** this way and that.

kreuz *adj*: **~ und quer** all over; **~ und**

quer durch die Gegend fahren to drive/ travel all over the place.

Kreuzabnahme f Descent from the Cross; **Kreuzband** nt **1.** (Anat) crucial ligament; **2.** (Post: Streifband) wrapper; **Kreuzbein** nt (Anat) sacrum; (von Tieren) **Kreuzblütler** pl cruciferous plants pl; **kreuzbrav** adj Kind terribly good or well-behaved, as good as gold; Benehmen, Karriere faultless.

kreuzen I vt to cross (auch Biol). **Klingen mit jdm ~** (lit, fig) to cross swords with sb; **die Arme ~** to fold or cross one's arms.

II vr to cross; (Meinungen, Interessen) to clash; (Biol) to interbreed. **unsere Wege haben sich nie wieder gekreuzt** our paths have never crossed again.

III vi aux haben or sein (Naut) to cruise; (Zickzack fahren) to tack.

Kreuzer m -s, - **1.** (Naut) cruiser. **2.** (Hist: Münze) kreutzer.

Kreuzestod m (death by) crucifixion; **den ~ erleiden** to die on the cross.

Kreuzfahrer m (Hist) crusader; **Kreuzfahrt** f **1.** (Naut) cruise; **eine ~ machen** to go on a cruise; **2.** (Hist) crusade; **Kreuzfeuer** nt (Mil, fig) crossfire; **ins ~ (der Kritik) geraten** (fig) to come under fire (from all sides); **kreuzfidel** adj (inf) happy as a sandboy (inf) or lark; **kreuzförmig** adj cross-shaped, cruciform (form); **etw ~ anordnen** to arrange sth crossways or crosswise; **Kreuzgang** m cloister; **Kreuzgelenk** nt (Tech) universal joint; **Kreuzgewölbe** nt (Archit) cross or groin vault.

kreuzigen vt to crucify.

Kreuzigung f crucifixion.

Kreuzknoten m reef-knot; **kreuzlahm** adj Pferd broken-backed; (inf) Mensch exhausted; **Kreuzotter** f (Zool) adder, viper; **Kreuzrippengewölbe** nt (Archit) ribbed vault; **Kreuzritter** m (Hist) crusader; (vom deutschen Ritterorden) knight of the Teutonic Order; **Kreuzschlitzschraube** f Phillips screw ®; **Kreuzschlitzschraubenzieher** m Phillips ®; screwdriver, **Kreuzschlüssel** m wheel brace; **Kreuzschmerzen** pl backache sing, pains pl in the small of the back; **Kreuzschnabel** m (Orn) crossbill; **Kreuzspinne** f (Zool) garden or cross spider; **Kreuzstich** m (Sew) cross-stitch.

Kreuzung f **1.** (Straßen~) crossroads sing or pl (esp Brit), intersection (esp US). **2.** (das Kreuzen) crossing; (von Tieren auch) cross-breeding, interbreeding. **3.** (Rasse) hybrid; (Tiere auch) cross, cross-breed.

kreuzungsfrei adj without crossroads.

Kreuzverhör nt cross-examination; **jdn ins ~ nehmen** to cross-examine sb; **Kreuzweg** m **1.** (Wegkreuzung, fig) crossroads sing; **2.** (Rel: Christi Leidensweg) way of the cross; (Eccl: in Kirche auch) stations of the cross pl; **den ~ beten** to do the stations of the cross; **kreuzweise** adv crosswise, crossways; **du kannst mich ~!** (sl) (you can) get stuffed! (sl); **Kreuzworträtsel** nt cross-

word puzzle; **Kreuzzeichen** nt sign of the cross; **Kreuzzug** m (lit, fig) crusade.

Krevette [kre'vetə] f shrimp.

kribb(e)lig adj (inf) fidgety, edgy (inf); (kribbelnd) tingly (inf).

kribbeln I vt (kitzeln) to tickle; (jucken) to make itch; (prickeln) to make tingle.

II vi **1.** (jucken) to itch, to tickle; (prickeln) to prickle, to tingle. **auf der Haut ~** to cause a prickling sensation; (angenehm) to make the skin tingle; **es kribbelt mir im Fuß** (lit) I have pins and needles in my foot; **es kribbelt mir or mich (in den Fingern), etw zu tun** (inf) I'm itching/I get an itch to do sth.

2. aux sein (Insekten) **~ (und krabbeln)** to scurry or swarm (around); **es kribbelt von Ameisen** the place is crawling or swarming or teaming with ants; **es kribbelt und krabbelt wie in einem Ameisenhaufen** it's like an ant-hill.

Kricket nt -s, -s (Sport) cricket.

Krida f -, no pl faked bankruptcy.

kriechen pret **kroch**, ptp **gekrochen** vi aux sein to creep (auch Pflanze, Tech), to crawl (auch Schlange); (langsam fahren) to creep or crawl (along); (fig: Zeit) to creep by; (fig: unterwürfig sein) to grovel (vor +dat before), to crawl (vor +dat to). **aus dem Ei ~** to hatch (out); **ins Bett ~** (inf) to go to bed; (sehr müde, erschöpft) to crawl into bed; **unter die Bettdecke ~** to slip under the covers or blankets.

Kriecher(in f) m -s, - (inf) groveller, bootlicker (inf), crawler (inf).

kriecherisch adj (inf) grovelling, servile, bootlicking attr (inf).

Kriechgang m crawling gear; **Kriechspur** f crawler lane; **Kriechtempo** nt (Geschwindigkeit) snail's pace; **Kriechtier** nt (Zool) reptile.

Krieg m -(e)s, -e war; (Art der Kriegsführung) warfare. **~ der Sterne** (Pol) Star Wars; **~ anfangen mit** to start a war with; **einer Partei den ~ ansagen** (fig) to declare war on a party; **~ führen (mit** or **gegen)** to wage war (on); **in ~ und Frieden** in war and in peace; **im ~(e)** in war; (als Soldat) away in the war, away fighting; **im ~ sein** or **stehen (mit), ~ haben mit** to be at war (with); **im ~e fallen, im ~ bleiben** (inf) to be killed in the war or in action; **in den ~ ziehen** to go to war; **in einem ständigen ~ leben** (fig) to be constantly feuding.

kriegen vt (inf) to get; Zug, Bus, Schnupfen, Weglaufenden auch to catch; Schlaganfall, eine Spritze, Besuch auch to have; Junge, ein Kind to have. **sie kriegt ein Kind** she's going to have a baby; **graue Haare/eine Glatze ~** to get grey hairs, to go grey/bald; **sie** or **es ~** to get a hiding; **es mit jdm zu tun ~** to be in trouble with sb; **wenn ich dich kriege!** just you wait till I catch you!; **sie ~ sich** (in Kitschroman) boy gets girl; **dann kriege ich zuviel** then it gets too much for me; **was kriegt der Herr?** yes sir, what will you have?; **ich kriege ein Steak** I'll have a steak; **jdn dazu ~, etw zu tun** to get sb to do sth; **etw gemacht ~** to get sth done.

rieger(in f) m **-s,** - warrior; (*Indianer~*) brave. **alter ~** veteran (soldier), old campaigner *or* warhorse; **ein müder ~ sein** (*fig inf*) to have no go left in one.

riegerdenkmal nt war memorial.

riegerisch adj warlike *no adv*; **Haltung auch** belligerent. **eine ~e Auseinandersetzung** fighting *no pl*, military conflict.

riegerwitwe f war-widow.

riegführend adj belligerent, warring; **die K~en** the belligerents; **Kriegführung** f warfare *no art*; (*eines Feldherrn*) conduct of the war.

Kriegsanleihe f war loan; **Kriegsausbruch** m outbreak of war; **Kriegsbeginn** m start of the war; **Kriegsbeil** nt tomahawk; **das ~ begraben/ausgraben** (*fig*) to bury the hatchet/to start a fight; **Kriegsbemalung** f (*lit, hum*) warpaint; **Kriegsberichterstatter(in** f) m war correspondent; **Kriegsbeschädigte(r)** mf *decl as adj* war-disabled (exserviceman/-woman); **Kriegsblinde(r)** mf war-blinded person; **die ~n** the war-blind; **Kriegsdienst** m (*old, form*) military service; **den ~ verweigern** to be a conscientious objector.

Kriegsdienstverweigerer m **-s,** - conscientious objector; **Kriegsdienstverweigerung** f conscientious objection.

Kriegseinwirkung f effects *pl or* aftermath *no pl* of war; **Kriegsende** nt end of the war; **Kriegsentschädigungen** pl reparations *pl*; **Kriegserklärung** f declaration of war; **Kriegsfall** m (eventuality of a) war; **dann träte der ~ ein** then war would break out; **Kriegsfilm** m war film; **Kriegsflagge** f naval ensign; **Kriegsflotte** f navy, fleet; **Kriegsfolge** f consequence of (a/the) war; **Kriegsfreiwillige(r)** mf (wartime) volunteer; **Kriegsfuß** m (*inf*): **mit jdm auf ~ stehen** to be at loggerheads with sb; **Kriegsgebiet** nt war-zone; **Kriegsgefahr** f danger of war; **Kriegsgefangene(r)** mf prisoner of war, P.O.W.; **Kriegsgefangenschaft** f captivity; **in ~ sein** to be a prisoner of war; **Kriegsgegner(in** f) m **1.** opponent of a/ the war; (*Pazifist*) pacifist, opponent of war; **2.** (*Gegner im Krieg*) war-time enemy; **Kriegsgerät** nt military equipment; **Kriegsgericht** nt (war-time) court-martial; **jdn vor ein ~ stellen** to court-martial sb; **Kriegsgeschrei** nt war-cry; **Kriegsgewinnler** m **-s,** - (*pej*) war-profiteer; **Kriegsglück** nt (*liter*) fortunes of war *pl*; **dann verließ Hannibal sein ~** then the fortunes of war turned against *or* deserted Hannibal; **Kriegsgott** m god of war; **Kriegsgöttin** f goddess of war; **Kriegsgräberfürsorge** f War Graves Commission; **Kriegsgreuel** pl war atrocities *pl*; **Kriegshafen** m naval port *or* harbour; **Kriegshandwerk** nt (*old*) soldiering; **Kriegsheld** m great warrior; (*in moderner Zeit*) military hero; **Kriegsherr** m (*Hist*): **oberster ~** commander-in-chief; **Kriegshetze** f war-mongering;

Kriegsinvalide(r) mf *siehe* **Kriegsbeschädigte(r)**; **Kriegsjahr** nt year of war; **die ~e** the war years; **im ~ 1945** (during the war) in 1945; **im dritten ~** in the third year of the war; **Kriegskamerad** m fellow soldier, war(-time) comrade; **Kriegskasse** f war chest; **Kriegskind** nt war-baby; **Kriegskunst** f art of war(fare); **Kriegslist** f (*old, liter*) ruse of war, stratagem; **Kriegsmarine** f navy; **kriegsmäßig** adj for war; **Kriegsminister** m (*Hist, Pol pej*) minister of war; **Kriegsministerium** nt (*Hist*) War Office (*Brit*), War Department (*US*); **kriegsmüde** adj war-weary; **Kriegsopfer** nt war victim; **Kriegspfad** m (*liter*): **auf dem ~** on the war-path; **Kriegsrat** m council of war; **~ halten** (*fig*) to have a pow-wow (*inf*); **Kriegsrecht** nt conventions of war *pl*; (*Mil*) martial law; **Kriegsschäden** pl war damage; **Kriegsschauplatz** m theatre of war; **Kriegsschiff** nt warship, man-of-war; **Kriegsschuld** f war guilt; **Kriegsschulden** pl war debts *pl*; **Kriegsspiel** nt war game; **Kriegsspielzeug** nt war toy; **Kriegsstärke** f war establishment; **die Armee auf ~ bringen** to make the army ready for war; **Kriegsteilnehmer(in** f) m combatant; (*Staat*) combatant nation, belligerent; (*ehemaliger Soldat*) ex-serviceman; **Kriegstreiber(in** f) m **-s,** - (*pej*) warmonger; **kriegstüchtig** adj (*old*) fit for active service; **kriegsuntauglich** adj unfit for active service; **Kriegsverbrechen** nt war crime; **Kriegsverbrecher(in** f) m war criminal; **Kriegsverletzung** f war wound; **kriegsversehrt** adj siehe **kriegsbeschädigt**; **Kriegswirren** pl (*geh*) chaos of war sing; **Kriegswirtschaft** f war economy; **Kriegszeit** f wartime; **in ~en** in times of war; **Kriegszustand** m state of war; **im ~** at war.

Krill m **-(s),** *no pl* (*Biol*) krill.

Krim f **- die ~** the Crimea.

Krimi m **-s, -s** (*inf*) (crime) thriller; (*mit Detektiv als Held*) detective novel; (*rätselhaft*) murder mystery, whodunnit (*inf*); (*moderner Film, Fernsehsendung*) crime series sing; crime film.

Kriminalbe|amte(r) m, **-be|amtin** f detective, CID officer (*Brit*).

Kriminale(r) m decl as adj (*sl*) plainclothes man, detective, CID officer (*Brit*).

Kriminalfilm m crime thriller *or* film *or* movie (*esp US*); (*rätselhaft*) whodunnit (*inf*); **Kriminalhörspiel** nt radio thriller; (*rätselhaft*) murder mystery, whodunnit (*inf*).

kriminalisieren* vt to criminalize.

Kriminalist(in f) m criminologist.

Kriminalistik f criminology.

kriminalistisch adj criminological.

Kriminalität f crime; (*Ziffer*) crime rate.

Kriminalkommissar(in f) m detective superintendent; **Kriminalkomödie** f comedy thriller; **Kriminalmuseum** nt crime museum; **Kriminalpolizei** f criminal investigation department; **Kriminalpolizist(in** *f)* *m* detective, CID officer (*Brit*); **Kriminalroman** *m* siehe **Krimi** (crime) thriller; detective novel; murder mystery, whodunnit (*inf*); **kriminaltechnisch** *adj* forensic.

kriminell *adj* (*lit, fig inf*) criminal. **~ werden** to turn to crime, to become a criminal; (*junger Mensch auch*) to become delinquent.

Kriminelle(r) *mf decl as adj* criminal.

Kriminologe *m*, **Kriminologin** *f* criminologist.

Kriminologie *f* criminology.

kriminologisch *adj* criminological.

Krimkrieg *m* Crimean War.

Krimskrams *m* -es, *no pl* (*inf*) odds and ends *pl*, bits and pieces *pl*, rubbish.

Kringel *m* -s, - (*der Schrift*) squiggle; (*Cook: Zucker~* etc) ring.

kringelig *adj* crinkly. **sich ~ lachen** (*inf*) to laugh oneself silly (*inf*), to kill oneself (laughing) (*inf*).

kringeln *vr* to go frizzy, to curl. **sich ~ vor Lachen** (*inf*) to kill oneself (laughing) (*inf*).

Krinoline *f* (*Hist*) crinoline.

Kripo *f* -, -s (*inf*) *abbr of* **Kriminalpolizei. die ~** the cops (*inf*) *pl*, the CID (*Brit*).

Krippe *f* -, -n 1. (*Futter~*) (hay)rack, (hay)box. **sich an die ~ drängen** (*fig*) to start jockeying for position; **an der ~ sitzen** (*fig*) to live a life of ease, to live in comfort. 2. (*Kinder~, Weihnachts~*) crib; (*Bibl auch*) manger. 3. (*Kinderhort*) crèche.

Krippenspiel *nt* nativity play; **Krippentod** *m* cot death.

Krise *f* -, -n crisis. **in eine ~ geraten** to enter a state of crisis; **er hatte eine schwere ~** he was going through a difficult crisis.

kriseln *vi impers* (*inf*) **es kriselt** there is a crisis looming, there is trouble brewing.

krisenanfällig *adj* crisis-prone; **krisenfest** *adj* stable, crisis-proof; **Krisengebiet** *nt* crisis area; **Krisenherd** *m* flash point, trouble spot; **Krisenmanagement** *nt* crisis management; **Krisenmanager(in** *f)* *m* crisis manager; **Krisensitzung** *f* emergency session; **Krisenstab** *m* (special) action or crisis committee.

Kristall¹ *m* -s, -e crystal. **~e bilden** to crystallize, to form crystals.

Kristall² *nt* -s, *no pl* (*~glas*) crystal (glass); (*~waren*) crystal-ware, crystal goods *pl*.

Kristalleuchter *m* getrennt **Kristall-leuchter** crystal chandelier.

Kristallgitter *nt* crystal lattice; **Kristallglas** *nt* crystal glass.

kristallin, kristallinisch *adj* crystalline.

Kristallisation *f* crystallization.

Kristallisationspunkt *m* (*fig*) focal point.

kristallisieren* *vir* (*lit, fig*) to crystallize.

kristallklar *adj* crystal-clear; **Kristallnacht** *f* (*Hist*) Crystal night, *night of 9th/10th November 1938, during which the Nazis organized a pogrom throughout Germany, burning synagogues and breaking windows of Jewish shops.*

Kristallwaren *pl* crystalware *sing*, crystal goods *pl*; **Kristallzucker** *m* refined sugar

(in) crystals.

Kriterium *nt* 1. criterion. 2. (*Radfahren*) circuit race.

Kritik *f* -, -en 1. *no pl* criticism (*an +dat* of). **an jdm/etw ~ üben** to criticize sb/sth; **Gesellschafts-/Literaturk~** social/literary criticism; **unter aller ~ sein** (*inf*) to be beneath contempt.
2. (*Rezensieren*) criticism; (*Rezension auch*) review, notice, crit (*inf*). **eine gute ~ haben** to get good reviews.
3. *no pl* (*die Kritiker*) critics *pl*.
4. *no pl* (*Urteilsfähigkeit*) discrimination. **ohne jede ~** uncritically.
5. (*Philos, kritische Analyse*) critique.

Kritikaster *m* -s, - (*dated pej*) caviller, fault-finder, criticaster (*rare*).

Kritiker(in *f) m* -s, - critic.

kritikfähig *adj* able to criticize; **Kritikfähigkeit** *f* critical faculty; **kritiklos** *adj* uncritical.

kritisch *adj* (*alle Bedeutungen*) critical. **jdm/einer Sache ~ gegenüberstehen** to be critical of sb/sth, to regard *or* consider sb/sth critically; **dann wird es ~** it could be critical.

kritisieren* *vti* to criticize. **er hat** *or* **findet an allem etw zu ~** he always has *or* finds something to criticize.

Kritizismus *m* (*Philos*) critical philosophy.

kritteln *vi* to find fault (*an +dat, über +acc* with), to cavil (*an +dat, über +acc* at).

Kritzelei *f* scribble; (*das Kritzeln*) scribbling; (*Männchenmalen*) doodle; doodling; (*an Wänden*) graffiti.

kritzeln *vti* to scribble, to scrawl; (*Männchen malen*) to doodle.

Kroate *m* -n, -n, **Kroatin** *f* Croat, Croatian.

Kroatien [kro'a:tsiən] *nt* -s Croatia.

kroatisch *adj* Croat, Croatian.

Kroatisch(e) *nt* Croatian; *siehe auch* **Deutsch(e)**.

kroch *pret of* **kriechen**.

Krocket(spiel) ['krɔkət-, krɔ'kɛt-] *nt* -s, *no pl* croquet.

Krokant *m* -s, *no pl* (*Cook*) cracknel.

Krokette *f* (*Cook*) croquette.

Kroko *nt* -s, *no pl* crocodile leather.

Krokodil *nt* -s, -e crocodile.

Krokodilleder *nt* crocodile leather *or* skin.

Krokodilstränen *pl* crocodile tears *pl*.

Krokus *m* -, - *or* -se crocus.

Krone *f* -, -n 1. crown; (*eines Grafen etc*) coronet. **die ~** (*fig*) the Crown.
2. (*Mauer~*) coping; (*Schaum~*) cap, crest; (*Zahn~*) crown, cap; (*an Uhr*) winder; (*Geweih~*) surroyal (antler); (*Baum~*) top; (*Ernte~*) harvest wreath *or* crown. **die ~ der Schöpfung** the pride of creation, creation's crowning glory; **die ~ des Ganzen war, daß ...** (*fig*) (but) what crowned *or* capped it all was that ...; **das setzt doch allem die ~ auf** (*inf*) that beats everything; **das setzt der Dummheit die ~ auf** (*inf*) that beats everything for stupidity; **einen in der ~ haben** (*inf*) to be tipsy, to have had a drop too much; **dabei fällt dir keine Perle** *or* **kein Stein** *or* **Zacken aus der ~** (*inf*)

öt won't hurt you.
3. (*Währungseinheit*) (*Hist, in der CSSR*) crown; (*Dänemark u.Norwegen*) krone; (*in Schweden und Island*) krona.

önen *vt* (*lit, fig*) to crown; *Bauwerk to* crown, to top, to cap. **jdn zum König ~** to crown sb king; **von Erfolg gekrönt sein/werden** to be crowned with success; **gekrönte Häupter** crowned heads; **damit wurde eine glänzende Laufbahn gekrönt** this was the crowning achievement in or culmination of his career; **der ~de Abschluß** the culmination.

ronenkorken *m* crown cap; **Kronenmutter** *f* (*Tech*) castle nut.

ronerbe *m* heir to the Crown or Throne; **Krongut** *nt* crown estate; **Kronkolonie** *f* crown colony; **Kronkorken** *m* crown cap; **Kronland** *nt* crown land.

ronleuchter *m* chandelier; **Kronprätendent(in** *f)* *m* pretender (to the crown); **Kronprinz** *m* crown prince; (*in Großbritannien auch*) heir apparent; **Kronprinzessin** *f* crown princess; **Kronrat** *m* crown council.

Kronsbeere *f* (*N Ger*) cranberry.

Krönung *f* coronation; (*fig*) culmination; (*von Veranstaltung*) high point, culmination; (*Archit*) coping stone.

Kronzeuge *m*, **Kronzeugin** *f* (*Jur*) person who gives or turns King's/Queen's evidence or (*US*) State's evidence; (*Hauptzeuge*) principal witness; (*fig*) main authority. **~ sein, als ~ auftreten** to turn King's/Queen's/State's evidence; to appear as principal witness.

Kropf *m* **-(e)s**, **-e** **1.** (*von Vogel*) crop. **2.** (*Med*) goitre; **überflüssig wie ein ~** totally superfluous.

kröpfen I *vt* (*füttern, nudeln*) to cram. **II** *vi* (*fressen: Raubvögel*) to gorge.

Kroppzeug *nt* (*pej inf: Gesindel*) scum. **dieses ganze ~** all this junk (*inf*).

kroß *adj* (*N Ger*) crisp; *Brötchen auch* crusty.

Krösus *m* **-**, **-se** Croesus. **ich bin doch kein ~** (*inf*) I'm not made of money (*inf*).

Kröte *f* **-**, **-n 1.** (*Zool*) toad. **eine freche (kleine) ~** (*inf*) a cheeky (little) minx (*inf*); **eine giftige ~** (*inf*) a spiteful creature. **2. ~n** *pl* (*sl*) pennies (*inf*).

Krücke *f* **-**, **-n 1.** crutch; (*fig*) prop, stay. **auf** or **an ~n** (*dat*) **gehen** to walk on crutches. **2.** (*Schirm~*) crook. **3.** (*zum Harken*) rake. **4.** (*sl: Stock*) stick. **5.** (*sl: Nichtskönner*) dead loss (*inf*), washout (*inf*).

Krückstock *m* walking-stick.

krud(e) *adj* (*geh*) crude.

Krug *m* **-(e)s**, **-e 1.** (*Milch~ etc*) jug, pitcher (*old*); (*Wein~ auch*) flagon; (*Bier~*) (beer-)mug, stein, tankard; (*Maß~*) litre mug; (*Kruke*) jar. **der ~ geht so lange zum Brunnen, bis er bricht** (*Prov*) one day you/they *etc* will come unstuck or to grief. **2.** (*N Ger: Wirtshaus*) inn, pub (*Brit*).

Kruke *f* **-**, **-n** (*esp N Ger*) stone jar; (*Wärm~*) bed-warmer, earthenware or stone hot-water bottle.

Krume *f* **-**, **-n** (*geh*) **1.** (*Brot~*) crumb. **2.**

(*liter: Acker~*) (top)soil.

Krümel *m* **-s**, **-** **1.** (*Brot~ etc*) crumb. **2.** (*inf: Kind*) little one, tiny tot (*inf*).

krümelig *adj* crumbly.

krümeln *vti* to crumble; (*beim Essen*) to make crumbs.

krumm *adj* **1.** crooked; (*verbogen auch*) bent; (*hakenförmig*) hooked; *Beine auch* bandy; *Rücken* hunched. **~e Nase** hook(ed) nose; **~ gewachsen** crooked; **etw ~ biegen** to bend sth; **~ und schief** askew, skew-whiff (*inf*); **sich ~ und schief lachen** (*inf*) to fall about laughing (*inf*); **jdn ~ und lahm schlagen** to beat sb black and blue; **keinen Finger ~ machen** (*inf*) not to lift a finger; **eine ~e Hand machen** (*inf*) to hold one's hand out; **einen ~en Rücken machen** to stoop; (*fig*) to bow and scrape; **steh/sitz nicht so ~ da!** stand/sit up straight, don't slouch; **~ gehen** to walk with a stoop.

2. (*inf: unehrlich*) crooked (*inf*). **~er Hund** (*pej*) crooked swine; **ein ~es Ding drehen** (*sl*) to do something crooked; **etw auf die ~e Tour versuchen** to try to fiddle (*inf*) or wangle (*inf*) sth; **~e Wege gehen** to err from the straight and narrow.

krummbeinig *adj* bow-legged, bandy (-legged).

krümmen I *vt* to bend. **die Katze krümmte den Buckel** the cat arched its back; **gekrümmte Oberfläche** curved surface.

II *vr* to bend; (*Fluß*) to wind; (*Straße*) to bend, to curve; (*Wurm*) to writhe. **sich vor Lachen ~** to double up with laughter, to crease up (*inf*); **sich vor Schmerzen** (*dat*) **~** to double up or writhe with pain.

Krummhorn *nt* crumhorn, krummhorn; **krummlachen** *vr sep* (*inf*) to double up or fall about laughing or with laughter; **krummlegen** *vr sep* (*inf*) to pinch and scrape (*inf*); **krummnasig** *adj* (*pej*) hook-nosed; **krummnehmen** *vt sep irreg* (*inf*) (**jdm**) **etw ~** to take offence at sth, to take sth amiss; **Krummsäbel** *m* scimitar; **Krummschwert** *nt* scimitar; **Krummstab** *m* crook, crozier.

Krümmung *f* **1.** (*das Krümmen*) bending. **2.** (*Biegung*) (*von Weg, Fluß*) bend, turn; (*Math, Med, von Fläche*) curvature; (*Opt: von Linse*) curve, curvature, figure.

Kruppe *f* **-**, **-n** (*Zool*) croup, crupper.

Krüppel *m* **-s**, **-** cripple. **ein seelischer/ geistiger ~ sein** to be an emotional/ intellectual cripple; **zu einem seelischen/ intellectually stunted; **zum ~ werden** to be crippled; **jdn zum ~ schlagen** to (beat and) cripple sb.

krüpp(e)lig *adj* *Mensch* crippled, deformed; *Wuchs* stunted; *siehe* **lachen.**

Krustazeen [krʊsta'tseːən] *pl* (*spec*) crustacea.

Kruste *f* **-**, **-n** crust; (*von Schweinebraten*) crackling; (*von Braten*) crisped outside.

krustig *adj* crusty; *Topf etc* encrusted.

Kruzifix *nt* **-es**, **-e** crucifix. **~!** (*inf*) Christ almighty!

Kruzitürken *interj* (*S Ger inf*) confound it, curse it.

Krypta ['krʏpta] f -, **Krypten** crypt.

Krypto-, krypto- [krʏpto-] in cpds crypto-.

Krypton ['krʏptɔn, krʏp'toːn] nt -s, no pl (abbr **Kr**) krypton.

KSZE [kaːʔestsetˈeː] f - abbr of **Konferenz über Sicherheit und Zusammenarbeit in Europa** CSCE.

Kuba nt -s Cuba.

Kubaner(in f) m -s, - Cuban.

kubanisch adj Cuban.

Kübel m -s, - bucket, pail; (für Jauche) container; (inf: im Gefängnis) latrine or toilet bucket, crapper (sl); (für Bäume) tub. **es regnet (wie) aus** or in or mit ~n it's bucketing down; ~ **von Schmutz** or **Unrat** (fig geh) torrents of abuse.

Kuben pl of **Kubus**.

Kubikmeter m or nt cubic metre; **Kubikwurzel** f cube root; **Kubikzahl** f cube number; **Kubikzentimeter** m or nt cubic centimetre.

kubisch adj cubic(al); **Gleichung** cubic; **Lampen** cube-shaped.

Kubismus m (Art) cubism.

Kubist(in f) m (Art) cubist.

kubistisch adj (Art) cubist(ic).

Kubus m -, **Kuben** or - cube.

Küche f -, **-n 1.** kitchen; (klein) kitchenette. **es wurde alles aufgetischt, was** ~ **und Keller zu bieten hatten** he/they etc served up a meal fit for a king. **2.** (Kochkunst) **gutbürgerliche** ~ good home cooking. **3.** (Speisen) meals pl, dishes pl, food. **warme/kalte** ~ hot/cold food.

Kuchen m -s, - cake; (Torte auch) gateau; (mit Obst gedeckt) (fruit) flan, gateau.

Küchenabfälle pl kitchen scraps pl; **Küchenbenutzung** f use of kitchen.

Kuchenblech nt baking sheet or tin.

Küchenbulle m (Mil sl) cookhouse wallah (Mil sl); **Küchenchef** m chef; **Küchenfee** f (hum inf) (lady) cook.

Kuchenform f cake tin; **Kuchengabel** f pastry fork.

Küchengerät nt kitchen utensil; (kollektiv) kitchen utensils pl; (elektrisch) kitchen appliance; **Küchengeschirr** nt kitchenware no pl; **Küchenhandtuch** nt kitchen towel; **Küchenherd** m (electric/gas) cooker; **Küchenhilfe** f kitchen help; **Küchenjunge** m (dated) apprentice cook or chef; **Küchenkabinett** nt (Pol) inner circle; **Küchenlatein** nt dog Latin; **Küchenmaschine** f food processor; **Küchenmeister** m chef; **Küchenmesser** nt kitchen knife; **Küchenpersonal** nt kitchen staff; **Küchenschabe** f (Zool) cockroach; **Küchenschrank** m (kitchen) cupboard.

Kuchenteig m cake mixture; (Hefeteig) dough.

Küchentisch m kitchen table; **Küchentuch** nt kitchen towel; **Küchenuhr** f kitchen clock; **Küchenwaage** f kitchen scales pl; **Küchenzettel** m menu.

Küchlein nt **1.** small cake. **2.** (Küken) chick.

Kücken nt -s, - (Aus) siehe **Küken**.

kucken vi (inf, N Ger) siehe **gucken**.

Kuckuck m -s, **-e 1.** cuckoo. **2.** (inf: Siegel des Gerichtsvollziehers) bailiff's seal (for distraint of goods). **3.** (euph inf: Teufel) devil. **zum** ~ **(noch mal)!** hell's bells! (inf); **hol's der** ~! botheration! (inf); **geh zum** ~, **scher dich zum** ~ go to blazes (inf); **das weiß der** ~ heaven (only) knows (inf).

kuckuck interj cuckoo.

Kuckucksei nt cuckoo's egg; (inf: außerehelich gezeugtes Kind) illegitimate child; **man hat uns ein** ~ **untergeschoben** (inf) we've been left holding the baby (inf); **Kuckucksuhr** f cuckoo clock.

Kuddelmuddel m or nt -s, no pl (inf) muddle, mess, confusion; (Aufsatz auch) hotchpotch (inf).

Kufe f -, **-n 1.** (von Schlitten, Schlittschuh) runner; (von Flugzeug) skid. **2.** (Holzbottich) tub.

Küfer m -s, - cellarman; (S Ger: Böttcher) cooper.

Kugel f -, **-n 1.** ball; (geometrische Figur) sphere; (Erd~) sphere, globe; (Sport sl: Ball) ball; (Kegel~) bowl; (Gewehr~) bullet; (für Luftgewehr) pellet; (Kanonen~) (cannon)ball; (Sport: Stoß~) shot; (Murmel) marble; (Papier~) ball; (kleine) pellet; (Christbaum~) glitter ball. **sich** (dat) **eine** ~ **durch den Kopf jagen** or **schießen** to blow one's brains out; **eine ruhige** ~ **schieben** (inf) to have a cushy number or job (inf); (aus Faulheit) to swing the lead (inf); **die** ~ **rollt** the roulette wheels are spinning.

2. (Gelenk~) head (of a bone).

3. (sl: Mark) mark; ≃ quid (Brit inf), buck (US inf).

Kugelausschnitt m (Math) spherical sector; **Kugelbauch** m pot belly, paunch; **Kugelblitz** m (Met) ball-lightning; **Kugelfang** m butt; **die Leibwächter sollen als** ~ **dienen** the bodyguards are meant to act as a bullet-screen; **kugelfest** adj bulletproof; **Kugelfisch** m globefish, puffer; **kugelförmig** adj spherical; **Kugelgelenk** nt (Anat, Tech) ball-and-socket joint; **Kugelhagel** m hail of bullets.

kugelig adj spherical.

Kugelkopf m golf-ball; **Kugelkopfschreibmaschine** f golf-ball typewriter.

Kugellager nt ball-bearing.

kugeln I vi aux sein (rollen, fallen) to roll. **II** vr to roll (about). **sich** (vor **Lachen)** ~ (inf) to double up (laughing).

kugelrund adj as round as a ball; (inf) **Mensch** tubby, barrel-shaped (inf); **Kugelschreiber** m ballpoint (pen), biro ®; **Kugelschreibermine** f refill (for a ballpoint pen); **kugelsicher** adj bulletproof; **Kugelstoßen** nt -s, no pl shot-putting, putting the shot; **Sieger im** ~ winner in the shot(-put); **Kugelstoßer(in** f) m -s, - shot-putter; **Kugelventil** nt (Tech) ball valve; **Kugelwechsel** m exchange of shots.

Kuh f -, **ːe** cow; (pej sl: Mädchen, Frau) cow (sl). **wie die** ~ **vorm Scheunentor dastehen** (inf) to be completely bewildered; **heilige** ~ (lit, fig) sacred cow.

Kuhdorf nt (pej inf) one-horse town (inf).

Kuhfladen *m* cow-pat; Kuhfuß *m* (*Tech*) crow-bar; Kuhglocke *f* cowbell; Kuhhandel *m* (*pej inf*) horse-trading (*inf*) *no pl*; ein ~ a bit of horse-trading; Kuhhaut *f* cow-hide; das geht auf keine ~ (*inf*) that is absolutely staggering *or* incredible; Kuhherde *f* herd of cows; Kuhhirt(e) *m* cowhand, cowherd.

kühl *adj* (*lit, fig*) cool; (*abweisend*) cold. mir wird etwas ~ I'm getting rather chilly; abends wurde es ~ in the evenings it got cool; etw ~ lagern to store sth in a cool place; einen ~en Kopf bewahren to keep a cool head, to keep cool; ein ~er Rechner a cool, calculating person.

Kühlbecken *nt* (*für Brennelemente*) cooling pond; Kühlbox *f* cold food box.

Kuhle *f* -, -n (*N Ger*) hollow; (*Grube*) pit.

Kühle *f* -, *no pl* (*lit*) cool(ness); (*fig*) coolness; (*Abweisung*) coldness.

kühlen I *vt* to cool; (*auf Eis*) to chill. II *vi* to be cooling, to have a cooling effect. bei großer Hitze kühlt Tee am besten in very hot weather tea cools you down best.

Kühler *m* -s, - (*Tech*) cooler; (*Aut*) radiator; (*inf: ~haube*) bonnet (*Brit*), hood (*US*); (*Sekt~*) ice bucket. ich hätte die alte Frau beinahe auf den ~ genommen (*inf*) the old lady almost finished up on my bonnet; jdm vor den ~ rennen (*inf*) to run (out) right in front of sb *or* right under sb's front wheels.

Kühlerfigur *f* (*Aut*) radiator mascot; Kühlergrill *m* radiator grill; Kühlerhaube *f* (*Aut*) siehe Motorhaube.

Kühlfach *nt* freezing *or* ice compartment; Kühlhaus *nt* cold-storage depot; Kühlkette *f* chain of cold storage units; Kühlmittel *nt* (*Tech*) coolant, cooling agent; Kühlofen *m* (*Tech*) annealing oven; Kühlraum *m* cold store or storage room; Kühlrippe *f* (*Aut*) cooling fin; Kühlschiff *nt* refrigerator ship; Kühlschrank *m* refrigerator, fridge (*Brit*), icebox (*US*); Kühltasche *f* cold bag; Kühltruhe *f* (*chest*) freezer, deep freeze (*Brit*); (*in Lebensmittelgeschäft*) freezer (cabinet); Kühlturm *m* (*Tech*) cooling tower.

Kühlung *f* (*das Kühlen*) cooling; (*Kühle*) coolness. zur ~ des Motors to cool the engine; sich (*dat*) ~ verschaffen to cool oneself (down); auch bei ~ nur begrenzt haltbar perishable even when kept in cold storage.

Kühlwagen *m* 1. (*Rail*) refrigerator *or* refrigerated *or* cold storage wagon; 2. (*Lastwagen*) refrigerator *or* refrigerated *or* cold storage truck; Kühlwasser *nt* coolant; (*Aut*) radiator water; Kühlwasserturm *m* cooling tower.

Kuhmilch *f* cow's milk; Kuhmist *m* cow dung.

kühn *adj* (*lit, fig*) bold. eine ~ geschwungene Nase an aquiline nose; das übertrifft meine ~sten Erwartungen it's beyond *or* it surpasses my wildest hopes *or* dreams.

Kühnheit *f* boldness.

Kuhpocken *pl* cowpox *sing*; Kuhscheiße

f (*sl*) cow-shit (*vulg*); Kuhstall *m* cowshed, byre; Kuhstallwärme *f* (*fig*) cosy camaraderie; kuhwarm *adj Milch* warm *or* fresh from the cow; Kuhweide *f* pasture.

kujonieren* *vt* (*old*) to bully, to harass.

k.u.k. ['ka:|ʊnt'ka:] *abbr of* kaiserlich und königlich imperial and royal.

Küken *nt* -s, - 1. (*Huhn*) chick; (*inf: junges Mädchen*) young goose (*inf*); (*inf: Nesthäkchen*) youngest child, baby of the family (*inf*); (*jüngste Person*) baby. 2. (*Tech*) plug.

Ku-Klux-Klan *m* -s Ku Klux Klan.

Kukuruz *m* -(es), *no pl* (*Aus*) maize, corn.

kulant *adj* obliging, accommodating; Bedingungen generous, fair.

Kulanz *f*, *no pl* siehe adj obligingness, accommodatingness; generousness, fairness.

Kulanzleistung *f* gesture of goodwill.

Kuli *m* -s, -s 1. (*Lastträger*) coolie; (*fig*) slave. 2. (*inf: Kugelschreiber*) ballpoint, biro ®.

kulinarisch *adj* culinary; (*fig*) entertainment-orientated.

Kulisse *f* -, -n scenery *no pl*; (*Teilstück*) flat, piece of scenery; (*hinten*) backdrop; (*an den Seiten auch*) wing; (*fig: Hintergrund*) background, backdrop, backcloth; (*St Ex*) unofficial market. die ~n für das Stück the scenery for the play; das ist alles nur ~ (*fig*) that is only a façade; hinter den ~n behind the scenes.

Kulissenmaler(in *f*) *m* scene-painter; Kulissenschieber(in *f*) *m* -s, - scene-shifter.

Kulleraugen *pl* (*inf*) big wide eyes *pl*.

kullern *vti* (*vi: aux sein*) (*inf*) to roll.

Kulmination *f* culmination; (*fig auch*) apex.

Kulminationspunkt *m* (*Astron*) point of culmination; (*fig*) culmination, apex.

kulminieren* *vi* to culminate; (*fig auch*) to reach its peak.

Kult *m* -(e)s, -e cult; (*Verehrung*) worship. einen ~ mit jdm/etw treiben to make a cult out of sb/sth, to idolize sb.

Kultbild *nt* religious symbol; Kultbuch *nt* cult book; Kultfigur *f* cult figure; Kultfilm *m* cult film; Kulthandlung *f* ritual(istic) act.

kultisch *adj* ritual(istic), cultic (*rare*). er wird geradezu ~ verehrt they almost make a god out of him.

kultivierbar *adj Land* cultiv(at)able. dieser Boden ist nur schwer ~ the soil is very hard to cultivate.

kultivieren* [kʊlti'viːrən] *vt* (*lit, fig*) to cultivate.

kultiviert *adj* cultivated, cultured, refined; Mensch, Geschmack, Unterhaltung *auch* sophisticated. in dieser Familie mußt du dich ein bißchen ~er benehmen als sonst in this family you'll have to behave with a little more refinement *or* class (*inf*) than usual; Kerzen beim Essen, das ist sehr ~ meals by candlelight, very civilized; wenn man mal ~ essen will if you want a civilized meal.

Kultivierung [kʊlti'viːrʊŋ] *f* (*lit, fig*) cultivation.

Kultstätte f place of worship; **Kult-symbol** nt ritual symbol.
Kultur f 1. (no pl: Kunst und Wissenschaft) culture. **ein Volk von hoher ~** a highly cultured or civilized people; **er hat keine ~** he is uncultured.
2. (Lebensform) civilization. **dort leben verschiedene ~en harmonisch zusammen** different cultures live harmoniously together there.
3. (Bakterien~, Pilz~) culture.
4. no pl (von Mikroben) culture; (des Bodens auch) cultivation.
5. (Bestand angebauter Pflanzen) plantation.
Kulturabkommen nt cultural agreement; **Kulturanthropologie** f cultural anthropology; **Kulturarbeit** f cultural activities pl; **Kulturattaché** m cultural attaché; **Kulturaustausch** m cultural exchange; **Kulturbanause** m (inf) philistine; **Kulturbeilage** f cultural or arts supplement or review; **Kulturbetrieb** m (inf) culture industry; **Kulturbeutel** m sponge or toilet bag (Brit), washbag; **Kulturboden** m cultivated or arable land; **Kulturdenkmal** nt cultural monument.
kulturell adj cultural.
Kulturerbe nt cultural heritage; **Kulturfilm** m documentary film; **Kulturföderalismus** m (Pol) cultural and educational devolution; **Kulturgeographie** f human geography; **Kulturgeschichte** f history of civilization; Sozial- und ~ der Etrusker social and cultural history of the Etruscans; **kulturgeschichtlich** adj historico-cultural, concerning the history of civilization; **Kulturgut** nt cultural possessions pl or assets pl; **Kulturhaus** nt arts centre; **kulturhistorisch** adj siehe kulturgeschichtlich; **Kulturhoheit** f independence in matters of education and culture; **Kulturindustrie** f culture industry; **Kulturkampf** m, no pl cultural war; (Hist) Kulturkampf (struggle between Church and State 1872-1887); **Kulturkreis** m culture group or area; **Kulturkritik** f critique of (our) civilization or culture; **Kulturland** nt cultivated or arable land; **Kulturlandschaft** f land developed and cultivated by man; (fig) cultural landscape; **Kulturleben** nt cultural life; **kulturlos** adj lacking culture; Mensch auch uncultured; **Kulturministerium** nt siehe Kultusministerium; **Kulturnation** f cultural nation; **Kulturpalast** m (esp DDR Hist) palace of culture or the arts; (pej) cultured extravagance; **Kulturpessimismus** m despair of civilization; **Kulturpflanze** f cultivated plant; **Kulturpolitik** f cultural and educational policy; **kulturpolitisch** adj politico-cultural; ~e Fragen matters with both a cultural and a political aspect; **Kulturpsychologie** f psychology of culture; **Kulturreferent(in** f) m convenor responsible for cultural affairs in a community; **Kulturrevolution** f cultural revolution; **Kulturschaffende(r)** mf decl as adj creative artist; **Kul-**

turschande f crime against civilization, cultural outrage; (fig inf) insult to or offence against good taste; **Kulturschock** m culture shock; **Kultursoziologie** f cultural sociology, sociology of culture; **kultursoziologisch** adj socio-cultural; **Kultursprache** f language of the civilized world; **Kulturstätte** f place of cultural interest; **Kultursteppe** f (Geog) cultivated steppe; **Kulturstufe** f stage or level of civilization; **Kulturträger** m vehicle of culture or civilization; **Kulturvolk** nt civilized people sing or nation; **Kulturwandel** m cultural change; **Kulturwissenschaft** f study of civilization; ~en cultural studies; **Kulturzentrum** nt 1. (Stadt) centre of cultural life, cultural centre; 2. (Anlage) arts centre.
Kultusfreiheit f religious freedom, freedom of worship; **Kultusgemeinde** f religious community; **Kultusminister(in** f) m minister of education and the arts; **Kultusministerium** nt ministry of education and the arts.
Kumme f -, -n (N Ger) bowl.
Kümmel m -s, - 1. no pl (Gewürz) caraway (seed). 2. (inf: Schnaps) kümmel.
kümmeln I vt to season with caraway (seeds). **II** vti (inf) to tipple. **einen ~ to** have a little drink.
Kümmelöl nt caraway oil; **Kümmeltürke** m (pej sl: Türke) Turk, wog (pej inf).
Kummer m -s, no pl (Gram, Betrübtheit) grief, sorrow; (Unannehmlichkeit, Ärger) trouble, problems pl. **hast du ~?** is something wrong?, have you got problems?; **vor ~ vergehen** to be pining away with sorrow or grief; **vor ~ nahm er sich** (dat) **das Leben** in his grief or grief-stricken he took his life; **jdm ~ machen** or **bereiten** to cause sb worry; **wenn das dein einziger ~ ist** if that's your only problem or worry; **wir sind (an) ~ gewöhnt** (inf) it happens all the time, nothing's ever perfect.
Kummerfalten pl wrinkles pl. **das sind ~** that's the worry.
kümmerlich adj 1. (karg, armselig) wretched, miserable; Reste, Ausbeute, Rente miserable, meagre, paltry; Lohn, Mahlzeit auch measly (inf); Aufsatz scanty. **sich ~ ernähren** to live on a meagre diet. 2. (schwächlich) puny.
Kümmerling m 1. (Zool) stunted person/plant/animal. **die Pflanze war von Anfang an ein ~** the plant always was a sickly thing. 2. (inf: Schwächling) weakling, weed (pej inf).
kümmern I vt to concern. **was kümmert mich die Firma?** why should I worry about the firm?, what do I care about the firm?; **was kümmert Sie das?** what business or concern is that of yours?; **was kümmert mich das?** what's that to me?
II vr **sich um jdn/etw ~** to look after sb/sth; **sich um einen Kranken/jds Kinder ~** to look after or take care of a sick person/sb's children; **sich um die Karten/das Essen ~** to look after or take care of or see to the tickets/the food;

sich darum ~, daß ... to see to it that ...; **kümmere dich nicht um Sachen, die dich nichts angehen** don't worry about things that don't concern you; **kümmere dich gefälligst um deine eigenen Angelegenheiten!** mind your own business!; **er kümmert sich nicht darum, was die Leute denken** he doesn't mind *or* isn't worried *or* doesn't care (about) what people think.

Kümmernis *f* (*liter*) troubles *pl*, worries *pl*.

Kummerspeck *m* (*inf*) *flab caused by over-eating because of emotional problems*; **sie hat ganz schön ~ angesetzt** she's been putting on weight, it's the worry making her eat too much; **kummervoll** *adj* sorrowful, sad, woebegone *no adv*.

Kummet *nt* -s, -e horse collar.

Kümo *nt* -s, -s *abbr of* **Küstenmotorschiff** coaster.

Kumpan(in *f*) *m* -s, -e (*dated inf*) pal (*inf*), chum (*inf*), mate (*Brit inf*), buddy (*esp US inf*).

Kumpanei *f* (*pej*) chumminess.

Kumpel *m* -s, - *or* (*inf*) -s *or* (*Aus*) -n **1.** (*Min: Bergmann*) pitman, miner. **2.** (*inf: Arbeitskollege, Kamerad*) pal (*inf*), chum (*inf*), mate (*Brit inf*), buddy (*esp US inf*).

Kumulation *f* **1.** (*von Ämtern*) plurality. **2.** (*von Wahlstimmen*) accumulation.

kumulativ *adj* cumulative.

kumulieren* *vt* to accumulate. **~de Bibliographie** cumulative bibliography.

Kumulierung *f* cumulative voting; (*von Wahlstimmen*) accumulation.

Kumulus *m* -, **Kumuli**, **Kumuluswolke** *f* cumulus (cloud).

kund *adj inv* (*obs*): **jdm etw ~ und zu wissen tun** to make sth known to sb.

kündbar *adj Vertrag* terminable; *Anleihe* redeemable. **Beamte sind nicht ohne weiteres ~** civil servants cannot be given (their) notice *or* dismissed just like that; **die Mitgliedschaft ist sehr schwer ~** it is very difficult to terminate *or* cancel one's membership.

Kündbarkeit *f* (*von Vertrag*) terminability; (*von Anleihe*) redeemability. **die ~ von Verträgen ist gesetzlich geregelt** the termination of contracts is controlled by law.

Kunde¹ *f* -, *no pl* (*geh*) news *sing*, tidings *pl* (*old*). **von etw ~ geben** *or* **ablegen** to bear witness to sth.

Kunde² *m* -n, -n customer; (*pej inf*) customer (*inf*), character.

künden I *vt* (*geh*) to announce, to herald. II *vi* (*geh*) **von etw ~** to tell of sth, to bear witness to sth.

Kundenberatung *f* customer advisory service; **Kundendienst** *m* customer *or* after-sales service; (*Abteilung*) service department; **Kundenfang** *m* (*pej*) touting *or* looking for customers; **auf ~ sein** to be touting *or* looking for customers; **Kundenkreis** *m* customers *pl*, clientèle; **Kundennummer** *f* customer number; **Kundenstock** *m* (*Aus*) *siehe* **Kundenkreis**; **Kundenwerbung** *f* publicity aimed at attracting custom *or* custom-

ers.

Künder(in *f*) *m* -s, - (*rare*) messenger, harbinger (*obs*, *liter*).

kundgeben *sep irreg vt* (*dated*) to make known, to announce; *Meinung, Gefühle* to express, to declare. **etw ~ to announce sth (*jdm* to sb), to make sth known (*jdm* to sb).

Kundgebung *f* **1.** (*Pol*) rally. **2.** (*Bekanntgabe*) declaration, demonstration.

kundig *adj* (*geh*) well-informed, knowledgeable; (*sach~*) expert. **einer Sache** (*gen*) ~ **sein** to have a knowledge of sth.

kündigen I *vt Stellung* to hand in one's notice for; *Abonnement, Mitgliedschaft, Kredite* to cancel, to discontinue, to terminate; *Vertrag* to terminate; *Tarife* to discontinue; *Hypothek* (*Bank*) to foreclose (on); (*Hausbesitzer*) to terminate; (*strictly incorrect, Aus*) *Person* to sack (*inf*), to fire (*inf*), to dismiss. **jdm die Wohnung ~** to give sb notice to quit his flat; **ich habe meine Wohnung gekündigt** I've given in notice that I'm leaving my flat, I've given in my notice for my flat; **die Stellung ~** to hand *or* give in one's notice; **jdm die Stellung ~** to give sb his/her notice; **Beträge über ... muß man ~** for sums in excess of ... notification must be given in advance; **jdm die Freundschaft ~** to break off a friendship with sb.

II *vi* (*Arbeitnehmer*) to hand *or* give in one's notice; (*Mieter*) to give in one's notice, to give notice. **jdm ~** (*Arbeitgeber*) to give sb his notice, to dismiss sb; (*Arbeitnehmer*) to hand *or* give in one's notice to sb; (*Vermieter*) to give sb notice to quit; (*Mieter*) to give in one's notice to sb; **zum 1. April ~** to give *or* hand in one's notice for April 1st; (*Mieter*) to give notice for *or* give in one's notice for April 1st; (*bei Mitgliedschaft*) to cancel one's membership as of April 1st; **ihm ist zum 1. Februar gekündigt worden** he's been given his notice for *or* as from February 1st; (*bei Wohnung*) he's been given notice to quit for February 1st; **ich kann nur zum Ersten eines Monats ~** I have to give a clear month's notice; **bei jdm/einer Firma ~** to give *or* hand in one's notice to sb/a firm.

Kündigung *f* **1.** (*Mitteilung*) (*von Vermieter*) notice to quit; (*von Mieter*) notice; (*von Stellung*) notice; (*von Vertrag*) termination; (*von Hypothek*) notice of foreclosure; (*von Anleihe*) notice of withdrawal; (*von Mitgliedschaft, Abonnement*) (letter of) cancellation.

2. (*das Kündigen*) (*von Arbeitgeber*) dismissal; (*von Arbeitnehmer*) handing *or* giving in one's notice; (*von Vertrag*) termination; (*von Hypothek*) foreclosure; (*von Anleihe*) withdrawal; (*von Tarifen*) discontinuation; (*von Mitgliedschaft, Abonnement*) cancellation. **ich drohte (dem Chef) mit der ~** I threatened to give *or* hand in my notice (to my boss), I threatened to quit; **Vertrag mit vierteljährlicher ~** contract with three months' notice on either side; **vierteljährliche ~ haben** to have (to give) three

months' notice.
Kündigungsfrist *f* period of notice; **Kündigungsgrund** *m* reason *or* grounds *pl* for giving notice; (*von Arbeitgeber auch*) grounds *pl* for dismissal; **Kündigungsschutz** *m* protection against wrongful dismissal.
Kundin *f* customer.
Kundschaft *f* 1. customers *pl*. ~! shop!, service!; **es ist ~ im Geschäft** there are customers in the shop.
 2. (*Erkundung*) reconnaissance. **jdn auf ~ ausschicken** *or* **senden** (*Mil*) to send sb out to reconnoitre *or* on reconnaissance; **auf ~ (aus)gehen** (*Mil*) to go out on reconnaissance.
 3. *siehe* **Kunde**[1].
kundtun ['kʊnttuːn] *vt sep irreg* (*geh*) to make known, to proclaim.
kundwerden *vi sep irreg aux sein* (*liter*) to become known.
künftig I *adj* future. ~**en Jahres/Monats** next year/month; **das ~e Leben** the next life, the life to come; **meine ~e Frau** my future wife, my wife-to-be. II *adv* in future.
Kungelei *f* (*inf*) fiddle (*inf*), fiddling *no pl* (*inf*).
kungeln *vti* (*inf*) to fiddle (*inf*). **mit denen hat er viel gekungelt** he did a lot of fiddles with them.
Kung-Fu *nt* -, *no pl* kung fu.
Kunst *f* -, ⁻e 1. art. **die schönen** ⁻**e** fine art *sing*, the fine arts.
 2. (*Können, Fertigkeit*) art, skill. **seine ~ an jdm versuchen** to try *or* practise one's skills on sb; **mit seiner ~ am** *or* **zu Ende sein** to be at one's wits' end; **die ~ besteht darin, ...** the art *or* knack is in ...; **ärztliche ~** medical skill.
 3. (*Kunststück*) trick. **sie versuchte all ihre ⁻e an ihm** she used all her charms and wiles on him; **das ist keine ~!** it's like taking candy from a baby (*inf*); (*ein Kinderspiel*) it's a piece of cake (*inf*); **das ist die ganze ~** that's all there is to it.
 4. (*inf*) **das ist eine brotlose ~** there's no money in that; **was macht die ~?** (*inf*) how are things?, how's tricks? (*inf*).
Kunst- *in cpds* (*Art*) art; (*künstlich*) artificial; **Kunstakademie** *f* college of art, art college; **Kunstausstellung** *f* art exhibition; **Kunstbanause** *m* (*pej*) philistine; **Kunstdarm** *m* artificial sausage skin; **Kunstdenkmal** *nt* work of art (*from an older culture*); **Kunstdruck** *m* art print; **Kunstdruckpapier** *nt* art paper; **Kunstdünger** *m* chemical *or* artificial fertilizer.
Künstelei *f* affectation.
Kunsterzieher(in *f*) *m* art teacher; **Kunsterziehung** *f* (*Sch*) art; **Kunstfaser** *f* man-made *or* synthetic fibre; **Kunstfehler** *m* professional error; (*weniger ernst*) slip; **wegen eines ärztlichen ~s** because of medical malpractice; **kunstfertig** *adj* (*geh*) skilful; **Kunstfertigkeit** *f* skill, skilfulness; **Kunstflieger(in** *f*) *m* stunt *or* aerobatic pilot, stunt flyer; **Kunstflug** *m* aerobatics *sing*, aerobatic *or* stunt flying; **ein ~ a**

piece of aerobatic *or* stunt flying; **Kunstfreund(in** *f*) *m* art lover, patron *or* lover of the arts; **Kunstgegenstand** *m* objet d'art, art object; (*Gemälde*) work of art; **kunstgerecht** *adj* (*fachmännisch*) proficient, skilful; **Kunstgeschichte** *f* history of art, art history; **Kunstgewerbe** *nt* arts and crafts *pl*; **Kunstgewerbler(in** *f*) *m* -s, - artisan, craftsman/-woman; **Kunstgriff** *m* trick, dodge (*inf*); **Kunsthandel** *m* art trade; **Kunsthändler(in** *f*) *m* art dealer; **Kunsthandwerk** *nt* craft industry; **Kunstharz** *nt* synthetic resin; **Kunstherz** *nt* artificial heart; **kunsthistorisch** I *adj* art-historical, relating to art history; ~**es Museum** art history museum; ~**es Interesse** interest in art history; II *adv* from the point of view of art history; **Kunsthochschule** *f siehe* **Kunstakademie**; **Kunsthonig** *m* artificial *or* synthetic honey; **Kunstkenner(in** *f*) *m* art connoisseur; **Kunstkritik** *f*, *no pl* art criticism; (*die Kritiker*) art critics *pl*; (*Rezension*) art review; **Kunstkritiker(in** *f*) *m* art critic; **Kunstleder** *nt* artificial *or* imitation leather.
Künstler(in *f*) *m* -s, - 1. artist; (*Unterhaltungs~*) artiste. **bildender ~** visual artist. 2. (*Könner*) genius (*in +dat* at).
Künstler|eingang *m* stage door.
künstlerisch *adj* artistic.
Künstlerkolonie *f* artists' colony, colony of artists; **Künstlermähne** *f* (*inf*) mane of hair; **Künstlername** *m* pseudonym; (*von Schriftsteller auch*) pen name, nom de plume; (*von Schauspieler auch*) stage name; **Künstlerpech** *nt* (*inf*) hard luck; **Künstlertum** *nt* artistry, artistic genius; **Künstlerverband** *m* artists' association.
künstlich *adj* artificial; *Auge auch* glass; *Zähne, Wimpern, Fingernägel* false; *Faserstoffe* synthetic, man-made; *Diamanten* imitation, fake (*inf*). ~**e Aromastoffe** artificial flavouring; ~**e Intelligenz** artificial intelligence; **jdn ~ ernähren** (*Med*) to feed sb artificially; **sich ~ aufregen** (*inf*) to get all worked up (*inf*) or excited about nothing.
Künstlichkeit *f* artificiality.
Kunstlicht *nt* (*Phot*) artificial light; **Kunstlied** *nt* composed *or* art song, kunstlied; **kunstlos** *adj* unsophisticated, simple; **Kunstmaler(in** *f*) *m* artist, painter; **Kunstmärchen** *nt* literary fairytale; **Kunstpause** *f* (*als Spannungsmoment*) dramatic pause, pause for effect; (*iro: beim Stocken*) awkward pause, hesitation; **eine ~ machen** to pause for effect; to pause awkwardly; **Kunstreise** *f* art tour; **Kunstreiter(in** *f*) *m* trick *or* circus rider; **Kunstsammlung** *f* art collection; **Kunstschätze** *pl* art treasures *pl*; **Kunstschwimmen** *nt* exhibition swimming; **Kunstseide** *f* artificial silk; **Kunstsinn** *m* artistic sense *or* taste, appreciation of *or* feeling for art; **kunstsinnig** *adj* artistic, appreciative of art; **Kunstsprache** *f* artificial *or* invented language; **Kunstspringen** *nt* diving; **Kunstturnen** *nt* gymnastics *sing*.

Kunststoff *m* man-made *or* synthetic material *or* substance.

Kunststoffbeschichtet *adj* synthetic-coated; **Kunststoffkarosserie** *f* fibre glass body.

kunststopfen *sep infin and ptp only vt* to repair by invisible mending, to mend invisibly; **Kunststück** *nt* trick; **~!** *(iro)* hardly surprising!, no wonder!; **das ist kein ~** *(fig)* there's nothing to it; *(keine große Leistung)* that's nothing to write home about; **Kunstszene** *f* art scene; **Kunsttischler(in** *f)* *m* cabinet-maker; **Kunstturnen** *nt* gymnastics *sing*; **Kunstverstand** *m* feeling for *or* appreciation of art, artistic taste *or* sense; **kunstverständig** *adj* appreciative of art, having artistic sense *or* taste; **kunstvoll** *adj* artistic, elaborate; **Kunstwerk** *nt* work of art; **Kunstwissenschaft** *f* aesthetics *sing*, art; **Kunstwort** *nt* artificial *or* made-up word.

kunterbunt *adj* Sammlung, Gruppe motley *attr*; *(vielfarbig auch)* multi- *or* many-coloured; *Programm* varied; *Leben* chequered. **eine ~ zusammengewürfelte Gruppe** a motley assortment; **~ durcheinander** all jumbled up, higgledy-piggledy *(inf)*; **hier geht es ~ zu** it's pretty chaotic here.

Kupfer *nt* **-s**, *no pl (abbr* **Cu)** **1.** *no pl (Chem)* copper. **etw in ~ stechen** to do a copper engraving, to engrave *or* etch sth on copper. **2.** *no pl (Gegenstände aus ~, auch* **~geld)** copper. **3.** *siehe* **Kupferstich.**

Kupfer- *in cpds* copper; **Kupferblech** *nt* sheet copper; **Kupferdraht** *m* copper wire; **Kupferdruck** *m* copperplate engraving *or* etching; **Kupfergeld** *nt* coppers *pl*, copper coins *pl*; **kupferhaltig** *adj* containing copper, cupriferous *(form)*.

kupfern *adj* copper. **~e Hochzeit** 7th wedding anniversary.

kupferrot *adj* copper-red, copper coloured; **Kupferschmied(in** *f)* *m* coppersmith; **Kupferstecher** *m* **-s**, - copper(plate) engraver; **Kupferstich** *m* **1.** copperplate (engraving *or* etching); **2.** *(Kunst)* copper(plate) engraving *or* etching; **Kupfervitriol** *nt* blue vitriol; *(dated Chem)* copper sulphate.

kupieren* *vt Schwanz, Ohren* to crop, to dock; *Karten* to cut; *(form) Wein* to blend; *(Med) Krankheit* to check, to arrest.

Kupon [ku'põ:] *m* **-s**, **-s** coupon.

Kupon- [ku'põ-]: **Kuponsteuer** *f (Fin)* coupon tax; **Kupontermin** *m (Fin)* coupon date.

Kuppe *f* -, **-n** *(Berg~)* (rounded) hilltop; *(von Straße)* hump; *(Finger~)* tip.

Kuppel *f* -, **-n** dome, cupola.

Kuppeldach *nt* domed *or* dome-shaped roof.

Kuppelei *f (Jur, pej)* procuring, procuration.

Kuppelmutter *f (pej)* procuress, bawd.

kuppeln I *vt* **1.** *siehe* **koppeln. 2.** *(Tech)* to couple. **II** *vi* **1.** *(Aut)* to operate *or* use

the clutch. **2.** *(inf: Paare zusammenführen)* to match-make.

Kuppler(in *f)* *m* **-s**, - matchmaker *(gen* for); *(Jur)* procurer/procuress.

Kupplung *f* **1.** *(Tech)* coupling; *(Aut)* clutch. **die ~ (durch)treten** to disengage the clutch; **die ~ kommen lassen** *(Aut)* to let the clutch up *or* in. **2.** *(das Koppeln)* coupling.

Kupplungs- *in cpds (Aut)* clutch; **Kupplungsbelag** *m* clutch lining; **Kupplungspedal** *nt* clutch pedal; **Kupplungsscheibe** *f* clutch plate; **Kupplungsseil** *nt*, **Kupplungszug** *m* clutch cable.

Kur *f* -, **-en** *(in Badeort)* (health) cure; *(Haar~)* treatment *no pl*; *(Schlankheits~, Diät~)* diet. **er ist zur ~ in Baden-Baden** he's on a health cure *or* is taking a cure *or* the waters in Baden-Baden; **in** *or* **zur ~ fahren** to go to a health resort *or* spa; **eine ~ machen** to take *or* undergo a cure; *(Schlankheits~)* to diet; **ich mache zur Zeit eine ~ gegen meinen Ausschlag** I'm taking a course of treatment for my rash; **jdn zur ~ schikken** to send sb on a cure *or* to a health resort *or* spa.

Kür *f* -, **-en 1.** *(Sport)* free section. **eine ~ laufen** to do the free skating; **eine ~ tanzen/turnen** to do the free section. **2.** *(old: Wahl)* election.

Kuraß *m* **-sses**, **-sse** cuirass.

Kürassier *m* **-s**, **-e** *(Mil Hist)* cuirassier.

Kurat *m* **-en**, **-en** curate.

Kuratel *f* -, **-en** *(obs) (Pflegschaft)* trusteeship; *(Vormundschaft)* guardianship. **unter (jds)** *(dat)* **~ stehen** *(fig dated)* to be under sb's thumb; **jdn unter ~ stellen** *(old)* to keep a watch on sb.

kurativ *adj (Med)* curative.

Kurator *m*, **Kuratorin** *f* **1.** *(Vormund)* guardian. **2.** *(Verwalter einer Geldstiftung)* trustee. **3.** *(Museum~)* curator. **4.** *(Univ)* ≈ registrar.

Kuratorium *nt* **1.** *(Vereinigung)* committee. **2.** *(Amt)* curatorship.

Kuraufenthalt *m* stay at a health resort *or* spa.

Kurbel *f* -, **-n** crank; *(an Fenstern, Rollläden)* winder.

kurbeln *vti* to turn, to wind; *(inf: filmen)* to film, to shoot. **die Markise vors Fenster ~** to wind up the awning in front of the window.

Kurbelwelle *f* crankshaft.

Kürbis *m* **-ses**, **-se** pumpkin; *(inf: Kopf)* nut *(inf)*.

Kürbisflasche *f* gourd.

Kurde *m* **-n**, **-n**, **Kurdin** *f* Kurd.

Kurdistan *nt* **-s** Kurdistan.

kuren *vi (Sw, inf)* to take a cure; *(in Mineralbad)* to take the waters.

küren *pret* **kürte** *or* **kor** *(rare)*, *ptp* **gekürt** *or* **gekoren** *vt (old, geh)* to choose, to elect *(zu* as).

Kurfürst(in *f)* *m* Elector, electoral prince.

Kurfürstentum *nt* electorate.

kurfürstlich *adj* electoral.

Kurgast *m* visitor to/patient at a health resort *or* spa; **Kurhaus** *nt* assembly rooms *pl* (at a health resort *or* spa), spa rooms *pl.*

Kurie ['kuːriə] *f* **1.** (*Eccl*) Curia. **2.** (*Hist*) curia.

Kurier *m* **-s, -e** courier, messenger.

Kurierdienst *m* courier service; (*für Pakete*) parcel delivery service.

kurieren* *vt* (*lit, fig*) to cure (*von* of). **von dieser Stadt/Idee/ihm bin ich kuriert** I've gone right off this town/idea/him.

kurios *adj* (*merkwürdig*) curious, strange, odd.

Kuriosität *f* **1.** (*Gegenstand*) curio(sity). **2.** (*Eigenart*) peculiarity, oddity.

Kuriositätenkabinett *nt* collection of curios; (*fig*) collection of odd people.

Kuriosum *nt* **-s, Kuriosa** (*geh*) curious *or* strange *or* odd thing.

Kurkonzert *nt* concert (at a health resort *or* spa), spa concert.

Kurort *m* health resort, spa; **Kurpackung** *f* (*für Haare*) hair-care product; **Kurpark** *m* spa gardens *pl*; **Kurpfuscher(in** *f*) *m* (*pej inf*) quack (doctor); **Kurpfuscherei** *f* (*pej inf*) quackery; **Kurpromenade** *f* promenade (at a health resort *or* spa).

Kurre *f* **-, -n** (*Naut*) trawl (net).

Kurrentschrift *f* **1.** cursive writing *or* script. **2.** (*Aus*) gothic handwriting.

Kurrikulum *nt* **-s, Kurrikula** (*Lehrplan*) curriculum.

Kurs *m* **-es, -e 1.** (*Naut, Aviat, fig*) course; (*Pol, Richtung auch*) line. **harter/weicher** ~ (*Pol*) hard/soft line; **den** ~ **ändern/beibehalten** (*lit, fig*) to change *or* alter/stick to *or* hold (one's) course; **den** ~ **halten** to hold (the) course; ~ **nehmen auf** (+*acc*) to set course for, to head for; **auf (südwestlichen)** ~ **gehen/auf (südwestlichem)** ~ **sein** to take a/be on (a southwesterly) course; ~ **haben auf** (+*acc*) to be heading for.

2. (*Fin: Wechsel*~) rate of exchange, exchange rate; (*Börsen*~, *Aktien*~) price, (going) rate; (*Marktpreis*) market value *or* price, going rate. **zum** ~ **von** at the rate of; **die** ~**e fallen/steigen** prices *or* rates are falling/rising; **hoch im** ~ **stehen** (*Aktien*)) to be high; (*fig*) to be popular (*bei* with).

3. (*Lehrgang*) course (in +*dat*, *für* in). **einen** ~ **besuchen** *or* **mitmachen** to go to *or* attend a class.

Kursänderung *f* (*lit, fig*) change of course; **Kursbildung** *f* formation of rates; **Kursbuch** *nt* (*Rail*) (railway) timetable, Bradshaw (*dated Brit*).

Kurschatten *m* **-s, -** (*hum inf*) romance from/at the spa.

Kürschner(in *f*) *m* **-s, -** furrier.

Kürschnerei *f* **1.** (*Handwerk*) furrier's trade. **2.** (*Werkstatt*) furrier's workshop.

Kursgewinn *m* profit (on the stock exchange *or* (*bei Wechsel*) foreign exchange market); **der jüngste** ~ **des Pfundes** the recent increase in the value of the pound; **einen** ~ **haben** to make a profit.

kursieren* *vi aux haben or sein* to be in circulation, to circulate; (*fig*) to circulate, to go round.

kursiv *adj* italic. **etw** ~ **drucken** to print

sth in italics, to italicize sth; **Anmerkungen sind** ~ notes are in italics.

Kursive [kʊr'ziːvə] *f* **-, -n**, **Kursivschrift** *f* italics *pl*. **in** ~ **gesetzt** printed in italics, italicized.

Kurskorrektur *f* (*lit, fig*) course correction *or* adjustment; (*St Ex*) corrective price *or* rate adjustment; **Kursmakler(in** *f*) *m* (*St Ex*) market maker; **Kursnotierung** *f* (market) quotation, quotation (of stock exchange prices).

kursorisch *adj*: ~**e Lektüre** course reading.

Kurspflege *f* price support; **Kursrisiko** *nt* market risk; **Kursrückgang** *m* fall in prices; **Kursschwankung** *f* fluctuation in rates of exchange *or* exchange rates; (*St Ex*) fluctuation in market rates *or* prices; **Kurssicherung** *f* price support; **Kurssicherungsgeschäft** *nt* price support operation; **Kurssturz** *m* sharp fall in prices.

Kursus *m* **-, Kurse** (*geh: Lehrgang*) course.

Kursverlust *m* (*Fin*) loss (on the stock exchange *or* foreign exchange market); **das Pfund mußte** ~**e hinnehmen** the pound suffered losses on the foreign exchange market; **Kurswagen** *m* (*Rail*) through coach; **Kurswechsel** *m* change of direction; **Kurswert** *m* (*Fin*) market value *or* price; **Kurszettel** *m* (*Fin*) stock exchange (price) list, list of quotations; **Kurszusatz** *m* excess supply and demand indicator.

Kurtaxe *f* **-, -n** visitors' tax (at health resort *or* spa).

Kurtisane *f* **-, -n** courtesan.

Kurtschatovium *nt, no pl* (*abbr* **Ku**) rutherfordium, kurchatovium.

Kür|übung *f* (*Sport*) free section.

Kurve ['kʊrvə, 'kʊrfə] *f* **-, -n** (*Math, inf: Körperrundung*) curve; (*Biegung, Straßen*~) bend; (*an Kreuzung*) corner; (*von Geschoß*) trajectory; (*statistisch, Fieber*~) graph. **die Straße macht eine** ~ the road bends; **eine** ~ **fliegen** (*Aviat*) to bank, to do a banking turn; **die** ~ **kratzen** (*inf*) to scrape through (*inf*); (*schnell weggehen*) to make tracks (*inf*); **die** ~ **nicht kriegen** (*inf*) not to get round to it.

kurven ['kʊrvn, 'kʊrfn] *vi aux sein* (*inf*) (*Aviat*) to circle. **durch Italien** ~ to drive around Italy.

Kurvenlineal *nt* curve template *or* templet, French curve; **kurvenreich** *adj* (*Straße*) bendy, winding; (*inf*) *Frau* curvaceous, shapely; „,~**e Strecke"** "(series of) bends"; **Kurventechnik** *f* (*Sport*) cornering technique.

Kurverwaltung *f* spa authorities *pl*.

kurvig ['kʊrvɪç] *adj* winding, twisting.

kurz I *adj, comp* ¨**er**, *superl* ¨**este(r, s)** short; *Zeit, Aufenthalt, Besuch, Bericht, Antwort auch* brief; *Blick, Folge* quick; *Gedächtnis auch* short-lived; (*klein und stämmig*) stocky, squat. **etw** ~**er machen** to make sth shorter, to shorten sth; **ich will es** ~ **machen** I'll make it brief, I'll be brief; **mach's** ~! make it brief *or* quick, be brief, keep it short; ~**e Hosen** short trousers; (*Shorts*) shorts; **den** ¨**eren zie-**

hen (*fig inf*) to come off worst, to get the worst of it; ~ **verliert, lang gewinnt** whoever draws the shortest (straw/match) loses; **in** *or* **mit ein paar** ~**en Worten** in a few brief words, briefly; **in** ~**ester Frist** before very long; **Pippin der K~e** Pippin the Short.

II *adv, comp* ~**er**, *superl* **am** ~**esten 1.** ~ **atmen** to breathe in *or* take short breaths; **X hat** ~ **abgespielt** (*Sport*) X's pass was short; **(zu)** ~ **werfen** to throw (too) short; **die Hundeleine** ~ **halten** to keep the dog on a short lead; **eine Sache** ~ **abtun** to dismiss sth out of hand; **zu** ~ **kommen** to come off badly, to get a raw deal (*inf*); ~ **entschlossen** without a moment's *or* the slightest hesitation; ~ **gesagt** in a nutshell, in a word; **sich** ~ **fassen** to be brief; ~ **und bündig** concisely, tersely (*pej*); ~ **und gut** in short, in a word; ~ **und schmerzlos** (*inf*) short and sweet; **jdn/etw** ~ **und klein hauen** *or* **schlagen** to beat sb up/to smash sth to pieces.

2. (*für eine* ~*e Zeit*) briefly. **ich bleibe nur** ~ I'll only stay for a short while; **darf ich mal** ~ **stören?** could I just interrupt for a moment *or* second?; **ich muß mal** ~ **weg** I'll just have to go for a moment *or* second.

3. (*zeitlich, räumlich: nicht lang, nicht weit*) shortly, just. ~ **bevor/nachdem** shortly *or* just before/after; ~ **vor Köln/ Ostern** shortly *or* just before Cologne/ Easter; **binnen** ~**em** (*form*) shortly, before long; **er hat den Wagen erst seit** ~**em** he's only had the car for a short *or* little while; **über** ~ **oder lang** sooner or later; **(bis) vor** ~**em** (until) recently; ~ **nacheinander** shortly after each other.

Kurzarbeit *f* short time; **kurzarbeiten** *vi sep* to be on *or* to work short time; **Kurzarbeiter(in** *f*) *m* short-time worker; **Kurzarbeitergeld** *nt* short-time allowance; **kurzärm(e)lig** *adj* short-sleeved; **kurzatmig** *adj* (*fig*) feeble, lame; (*Med*) short-winded; **Kurzatmigkeit** *f* (*Med*) shortness of breath, dyspnoea (*spec*); (*fig*) time pressure; **Kurzbrief** *m* memo letter.

Kürze *f* -, -**n 1.** *no pl* shortness; (*von Besuch, Bericht auch*) brevity, briefness; (*fig: Bündigkeit*) brevity, conciseness; (*fig: Barschheit*) abruptness, curtness, bluntness. **in** ~ shortly, soon; **in aller** ~ very briefly; **in der** ~ **liegt die Würze** (*Prov*) brevity is the soul of wit.

2. (*Poet: Silbe*) short (syllable).

Kürzel *nt* -**s**, - (*stenographisches Zeichen*) shorthand symbol; (*Kurzwort*) contraction.

kürzen *vt Kleid, Rede* to shorten; *Buch auch* to abridge; (*Math*) *Bruch* to cancel (down); *Gehalt, Etat, Produktion* to cut (back).

Kurze(r)[1] *m decl as adj* (*inf*) **1.** (*Schnaps*) schnapps, short. **2.** (*Kurzschluß*) short (-circuit).

Kurze(r)[2] *m decl as adj* (*inf*) small child.

kurzerhand *adv* without further ado; *entlassen* on the spot. **etw** ~ **ablehnen** to reject sth out of hand.

Kurzfassung *f* abridged version; **Kurzfilm** *m* short (film); **Kurzform** *f* shortened form (*von, zu* of, for); **kurzfristig I** *adj* short-term; *Wettervorhersage* short-range; **II** *adv* (*auf kurze Sicht*) for the short term; (*für kurze Zeit*) for a short time; ~ **seine Pläne ändern** to change one's plans at short notice; ~ **gesehen** looked at in the short term; **Kurzgeschichte** *f* short story; **kurzgeschnitten** *adj attr* cropped; **Kurzhaardackel** *m* short-haired dachshund; **kurzhaarig** *adj* short-haired; **kurzhalten** *vt sep irreg* **jdn** ~ to keep sb short; **Kurzläufer** *m* (*Fin*) short, short-dated bond; **kurzlebig** *adj* short-lived, ephemeral.

kürzlich I *adv* recently, lately. **erst** ~ only recently, only a short time ago. **II** *adj* recent.

Kurzmeldung *f* newsflash; **Kurznachrichten** *pl* the news headlines *pl*; (*in Zeitung auch*) the news in brief; **Kurzparker** *m*: „**nur für** ~" "short-stay *or* short-term parking only"; **Kurzparkzone** *f* short-stay parking zone; **Kurzreise** *f* short trip; **kurzschließen** *sep irreg* **I** *vt* to short-circuit; (*Aut*) to jump-start; **II** *vr* (*in Verbindung treten*) to get in contact (*mit* with); **Kurzschluß** **m 1.** short-circuit; **einen** ~ **haben/bekommen** to be short-circuited/to short-circuit; **2.** (*fig: auch Kurzhandlung*) rash action; **Kurzschlußreaktion** *f* knee-jerk *or* rash reaction; **Kurzschrift** *f* shorthand; **kurzsichtig** *adj* (*lit, fig*) short-sighted; **Kurzsichtigkeit** *f* (*lit, fig*) short-sightedness.

Kurzstreckenflug *m* short-haul flight; **Kurzstreckenjet** *m* short-range jet; **Kurzstreckenläufer(in** *f*) *m* (*Sport*) sprinter, short distance runner; **Kurzstreckenrakete** *f* short-range missile; **Kurzsteckenwaffe** *f* short-range weapon.

kurztreten *vi sep irreg* (*Mil*) to march with short steps; (*fig inf*) to go easy; **kurzum** *adv* in short, in a word.

Kürzung *f* shortening; (*eines Berichts, Buchs*) abridgement; (*von Gehältern, von Etat, der Produktion*) cut (*gen* in).

Kurzurlaub *m* short holiday; (*Mil*) short leave; **Kurzwahlspeicher** *m* quick-dial number memory; **Kurzwaren** *pl* haberdashery (*Brit*), notions *pl* (*US*); **Kurzweil** *f* -, *no pl* (*old*) pastime, diversion; **allerlei** ~ **treiben** to amuse oneself; **kurzweilig** *adj* entertaining; **Kurzwelle** *f* (*Rad*) short wave; **Kurzwellensender** *m* short-wave transmitter; **Kurzwort** *nt* abbreviation, abbreviated word.

Kurzzeit- *in cpds* short-term; **Kurzzeiteffekt** *m* short-term effect; **Kurzzeitgedächtnis** *nt* short-term memory; **Kurzzeitspeicher** *m* short-term memory.

kusch *interj* (*an Hund*) down.

kuscheln *vr* **sich an jdn** ~ to snuggle up *or* cuddle up to sb; **sich in etw** (*acc*) ~ to snuggle up *or* cuddle up in sth.

kuschen *vir* (*Hund etc*) to get down; (*fig*) to knuckle under.

Kusine *f* (female) cousin.

Kuß *m* **Kusses, Küsse** kiss. **Gruß und ~ Dein X** (*hum inf*) love and kisses, yours X.

Küßchen *nt* little kiss, peck (*inf*). **gib ~** give us a kiss.

küßdiehand, küß die Hand *interj* (*Aus*) your servant (*old*); (*guten Tag auch*) how do you do?; (*auf Wiedersehen auch*) good day.

kuß|echt *adj Lippenstift* kiss-proof.

küssen I *vti* to kiss. **jdm die Hand ~** to kiss sb's hand; **küß** *or* **küss die Hand** (*S Ger, Aus*) *siehe* **küßdiehand. II** *vr* to kiss (each other).

Kußhand *f* **jdm eine ~ zuwerfen** to blow sb a kiss; **mit ~!** with (the greatest) pleasure!, gladly!; **jdn/etw mit ~ nehmen** (*inf*) to be only too glad to take sb/ sth; **Kußmund** *m* puckered lips *pl*.

Küste *f* -, -n coast; (*Ufer*) shore. **die zerklüftete ~ Schottlands** the jagged coastline *or* coast of Scotland.

Küsten- *in cpds* coastal; **Küstenbewohner(in** *f*) *m* coast-dweller; **Küstenfischerei** *f* inshore fishing *or* fishery (*form*); **Küstengebiet** *nt* coastal area; **Küstengewässer** *pl* coastal waters *pl*; **Küstenmotorschiff** *nt* coaster; **Küstenschiffahrt** *f* coastal shipping; **Küstenstrich** *m* stretch of coast; **Küstenwacht** *f* coastguard.

Küster(in *f*) *m* -s, - verger, sexton.

Küsterei *f* verger's *or* sexton's house.

Kustode *m* -n, -n, **Kustos** *m* -, **Kustoden** (*in Museum*) curator.

Kutschbock *m* coach-box.

Kutsche *f* -, -n coach, carriage; (*inf: Auto*) jalopy (*inf*).

Kutscher *m* -s, - coachman, driver.

kutschieren* I *vi aux sein* to drive, to ride. **durch die Gegend ~** (*inf*) to drive *or* ride around. **II** *vt* to drive. **jdn im Auto durch die Gegend ~** to drive sb around.

Kutte *f* -, -n habit.

Kuttel *f* -, -n *usu pl* tripe *no pl*.

Kutter *m* -s, - (*Naut*) cutter.

Kuvert [ku'veːɐ, ku'veːɐ] *nt* -s, -e *or* [-'veːɐt] -(e)s, -e 1. (*Brief~*) envelope. 2. (*Gedeck*) cover.

kuvertieren* [kuver'tiːrən] *vt* (*form*) to put into an envelope.

Kuvertüre [kuver'tyːrə] *f* -, -n (*Cook*) (chocolate) coating.

Kuwait *nt* -s Kuwait.

Kuwaiter(in *f*) *m* -s, - Kuwaiti.

Kuwaiti *m* -s, -s Kuwaiti.

kuwaitisch *adj* Kuwaiti.

KV *abbr of* **Köchelverzeichnis.**

kW *abbr of* **Kilowatt.**

kWh *abbr of* **Kilowattstunde.**

Kybernetik *f* cybernetics *sing.*

Kybernetiker(in *f*) *m* -s, - cybernetician.

kybernetisch *adj* cybernetic.

Kykladen *pl* Cyclades *pl.*

kymrisch *adj* Cymric, Welsh.

kyrillisch *adj* Cyrillic.

KZ [kaːˈtsɛt] *nt* -s, -s *abbr of* **Konzentrationslager.**

L

L, l [ɛl] *nt* -, - L, l.
l. *abbr of* Liter.
Lab *nt* -(e)s, -e rennin.
labb(e)rig *adj* (*dial*) Bier, Suppe watery; Kaffee, Tee *auch* weak; Essen mushy; Stoff *etc* floppy, limp; Hose flappy.
Label ['le:bl] *nt* -s, - label.
laben (*liter*) **I** *vt* (*Mensch*) to feast; (*Quelle*) to refresh. **II** *vr* to feast (oneself) (*an* +*dat* on); (*an einer Quelle*) to refresh oneself (*mit, an* +*dat* with). **wir labten uns an dem Anblick** we drank in *or* feasted our eyes on the view.
labern (*inf*) **I** *vi* to prattle *or* jabber (on *or* away) (*inf*). **II** *vt* to talk. **was laberst du denn da?** what are you prattling on about? (*inf*).
labial *adj* (*Ling*) labial.
Labial(laut) *m* -s, -e labial.
labil *adj* (*physisch*) Gesundheit delicate; Kreislauf poor; Patient frail; (*psychisch*) Mensch, Charakter weak.
Labilität *f siehe adj* delicateness; poorness; frailness; weakness.
labiodental *adj* (*Ling*) labiodental.
Labkraut *nt* (*Bot*) bedstraw; **Labmagen** *m* (*Zool*) abomasum (*spec*), fourth stomach.
Labor *nt* -s, -s *or* -e laboratory, lab (*inf*).
Laborant(in *f*) *m* lab(oratory) technician.
Laboratorium *nt* laboratory.
Laborbefund *m* laboratory findings *pl*.
laborieren* *vi* to labour (*an* +*dat* at); (*leiden*) to be plagued (*an* +*dat* by).
Laborschiff *nt* laboratory ship; **Laborwerte** *pl* laboratory results *pl*.
Labsal *nt* -(e)s, -e, (*Aus auch*) *f* -, -e (*old, liter*) refreshment.
Labyrinth *nt* -(e)s, -e (*lit, Med*) labyrinth; (*fig auch*) maze.
labyrinthisch *adj* labyrinthine, maze-like.
Lachanfall *m* laughing fit.
Lache¹ ['laxə, 'la:xə] *f* -, -n puddle; (*von Benzin, Blut auch*) pool.
Lache² *f* -, -n (*inf*) laugh.
lächeln *vi* to smile. **verlegen/freundlich ~** to give an embarrassed/a friendly smile.
Lächeln *nt* -s, *no pl* smile.
lachen **I** *vi* to laugh (*über* +*acc* at). **jdn zum L~ bringen, jdn ~ machen** to make sb laugh; **zum L~ sein** (*lustig*) to be hilarious; (*lächerlich*) to be laughable; **mir ist nicht zum L~** (**zumute**) I'm in no laughing mood; **daß ich nicht lache!** (*inf*) don't make me laugh! (*inf*); **da kann ich doch nur ~** I can't help laughing (at that); **du hast gut ~!** it's all right for you to laugh! (*inf*); **lach du nur!** you can laugh!; **gezwungen/verlegen ~** to give a forced/an embarrassed laugh; **wer zuletzt lacht, lacht am besten** (*Prov*) he who laughs last, laughs longest (*Prov*); **die ~den Erben** (*hum*) the joyful heirs; **die Sonne** *or* **der Himmel lacht** the sun is shining brightly; **ihm lachte das Glück/der Erfolg** Fortune/success smiled on *or* favoured him.
II *vt* **da gibt es gar nichts zu ~** that's nothing to laugh about; (*es ist etwas Ernstes auch*) that's no laughing matter, that's not funny; **was gibt es denn da zu ~?** what's so funny about that?; **er hat bei seiner Frau nichts zu ~** (*inf*) he has a hard time of it with his wife; **wenn dieses Versehen herauskommt, hast du nichts zu ~** (*inf*) you won't have anything to laugh about *or* it won't be funny if that mistake comes to light; **das wäre doch gelacht** it would be ridiculous; **sich** (*dat*) **einen Ast ~** (*inf*) to split one's sides (laughing) (*inf*), to kill oneself (*inf*), to laugh oneself silly (*inf*).
Lachen *nt* -s, *no pl* laughter, laughing; (*Art des ~s*) laugh. **vor ~ schreien** to shriek with laughter; **dir wird das ~ schon noch vergehen!** you'll soon be laughing on the other side of your face.
Lacher *m* -s, - . **1.** laugher. **die ~ auf seiner Seite haben** to have the last laugh; (*einen Lacherfolg verbuchen*) to get a laugh. **2.** (*inf: Lache*) laugh.
Lacherfolg *m* **ein ~ sein, einen ~ haben** *or* **erzielen** to make everybody laugh.
lächerlich *adj* **1.** ridiculous, absurd, ludicrous; (*komisch*) comical, funny. **jdn/etw ~ machen** to make sb/sth look silly *or* stupid (*vor jdm* in front of sb); **jdn/sich ~ machen** to make a fool of *or* oneself (*vor jdm* in front of sb); **etw ins L~e ziehen** to make fun of sth. **2.** (*geringfügig*) Kleinigkeit, Anlaß trivial, petty; Preis ridiculously *or* absurdly low.
Lächerlichkeit *f* **1.** *no pl* ridiculousness; (*von Argument auch*) absurdity. **jdn der ~ preisgeben** to make a laughing stock of sb. **2.** (*Geringfügigkeit*) triviality.
Lachgas *nt* laughing gas; **lachhaft** *adj* ridiculous, ludicrous; Ansichten, Argument *auch* laughable; **Lachkrampf** *m* paroxysm (*of laughter*); **einen ~ bekommen** to go (off) into fits of laughter; **Lachmöwe** *f* black-headed gull; **Lachmuskel** *m* (*Anat*) risorius; **das ist was für Ihre ~n** this will really make you laugh.
Lachs [laks] *m* -es, -e salmon.
Lachsalve *f* burst *or* roar of laughter.
lachsfarben, lachsfarbig *adj* salmon pink, salmon(-coloured); **Lachsforelle** *f* salmon *or* sea trout; **Lachsschinken** *m* smoked, rolled fillet of ham.
Lachtaube *f* ringdove, Barbary dove.
Lack *m* -(e)s, -e (*Holz~, Nagel~*) varnish; (*Auto~*) paint; (*für Lackarbeiten*) lacquer.
Lackaffe *m* (*pej inf*) flash Harry (*inf*); **Lackarbeit** *f* lacquerwork.
Lacke *f* -, -n (*Aus*) puddle.

Lackel m -s, - (S Ger, Aus) oaf.
lacken vti (Tech) to lacquer.
Lackfarbe f gloss paint.
Lackier|arbeiten pl (von Möbeln) varnishing; (von Autos) spraying.
lackieren* vti Holz to varnish; Fingernägel auch to paint; Auto to spray. **am Ende war ich der Lackierte** (inf) I ended up looking a fool.
Lackierer(in f) m -s, - varnisher; (von Autos) sprayer.
Lackiererei f 1. (Auto~) paint shop; (Möbel~) varnisher's. 2. (Handwerk) lacquerwork.
Lackierung f 1. (das Lackieren) (von Autos) spraying; (von Möbeln) varnishing. 2. (der Lack) (von Auto) paintwork; (Holz~) varnish; (für Lackarbeiten) lacquer.
Lackierwerkstatt f siehe Lackiererei 1.
Lackleder nt patent leather.
Lackmus nt or m -, no pl litmus.
Lackmuspapier nt litmus paper.
Lackschaden m damage to the paintwork; **Lackschuh** m patent-leather shoe.
ladbar adj (Comput) loadable.
Lade f-, -n chest; (inf: Schub~) drawer.
Ladebaum m derrick; **Ladebühne** f loading ramp; **Ladefläche** f load area; **Ladegerät** nt battery charger; **Ladegewicht** nt load, capacity; **Ladegut** nt (Ladung) load; (Fracht) freight no pl; **Ladehemmung** f das Gewehr hat ~ the gun is jammed; **er hatte plötzlich ~** (inf) he had a sudden mental block; **Ladeklappe** f tailboard; **Ladekontrolle** f (Aut) (generator) charge indicator; **Ladeluke** f cargo or loading hatch.
laden¹ pret **lud**, ptp **geladen** I vt 1. (beladen) to load. **das Schiff hat Autos geladen** the ship has a cargo of cars; **der Lkw hat zuviel geladen** the lorry is overloaded; **Verantwortung/Schulden auf sich** (acc) ~ to saddle or load oneself with responsibility/debts; **eine schwere Schuld auf sich** (acc) ~ to place oneself under a heavy burden of guilt; **er hatte schon ganz schön geladen** (inf) he was already pretty tanked up (inf).
2. Gewehr, Pistole to load; (Phys) to charge. **der Chef war mächtig geladen** (inf) the boss was absolutely hopping (mad) (inf); **mit Spannung geladen** charged with tension.
3. (Comput) to load.
II vi 1. (auch Comput) to load (up). 2. (Phys) to charge.
laden² pret **lud** ptp **geladen** vt 1. (liter: einladen) to invite. **nur für geladene Gäste** by invitation only. 2. (form: vor Gericht) to summon.
Laden¹ m -s, ¨ shop (esp Brit), store (US); (inf: Betrieb) outfit (inf). **der ~ läuft** (inf) business is good; **dann kann er den ~ zumachen** or **dichtmachen** (inf) he might as well shut up shop (and go home) (inf); **den ~ schmeißen** (sl) to run the show; (zurechtkommen) to manage; **den (ganzen) ~ hinschmeißen** (inf) to chuck the whole lot in (inf).
Laden² m -s, ¨ or - shutter.

Ladenbesitzer(in f) m shopowner (esp Brit), shopkeeper (esp Brit), storekeeper (US); **Ladendieb(in** f) m shoplifter; **Ladendiebstahl** m shoplifting; **Ladenhüter** m non-seller; **Ladenkasse** f cashdesk, till; **Ladenkette** f chain of shops or stores; **Ladenpreis** m shop price; **Ladenschild** nt shop (esp Brit) or store (US) sign.
Ladenschluß m nach/vor ~ after/before the shops (esp Brit) or stores (US) shut; **um fünf Uhr ist** ~ the shops/stores shut at five o'clock.
Ladenschlußgesetz nt law governing the hours of trading; **Ladenschlußzeit** f (shop) closing time.
Ladenstraße f shopping street; **Ladentisch** m shop counter; **über den/unter dem** ~ over/under the counter; **Ladentochter** f (Sw) shop or sales assistant, salesgirl.
Ladeplatz m loading bay or area; **Laderampe** f loading ramp; **Laderaum** m load room; (Aviat, Naut) hold; **Ladestock** m ramrod.
lädieren* vt Kunstwerk, Briefmarke to damage. **lädiert sein** (hum)/**aussehen** (hum) to be/look the worse for wear.
Ladung f 1. load; (von Schnee, Steinen, Unflätigkeiten) whole load (inf); (von Sprengstoff) charge. **eine geballte ~ Schnee/Dreck** (inf) a handful of snow/mud. 2. (Vorladung) summons sing.
Lady ['le:di] f -, -s or **Ladies** lady; (Adlige) Lady.
Lafette f (Mil) (gun) carriage.
lag pret of liegen.
Lage f -, -n 1. (geographische ~) situation, location. **in günstiger** ~ well-situated; **eine gute/ruhige** ~ **haben** to be in a good/quiet location.
2. (Art des Liegens) position. **eine bequeme** ~ **haben, sich in einer bequemen** ~ **befinden** to be lying comfortably, to be (lying) in a comfortable position.
3. (Situation) situation. **dazu bin ich nicht in der** ~ I'm not in a position to do that; **in der glücklichen/beneidenswerten** ~ **sein, etw zu tun** to be in the happy/enviable position of doing sth; **Herr der** ~ **sein/bleiben** to be/remain master of or in control of the situation; **die** ~ **der Dinge erfordert es, daß ...** the situation requires that ...
4. (Schicht) layer.
5. (Mus) (Stimm~) register; (Ton~) pitch; (eines Instruments) position.
6. (Runde) round. **eine** ~ **schmeißen** (sl) to buy or get or stand a round.
Lagebericht m report; (Mil) situation report; **Lagebesprechung** f discussion of the situation; **eine** ~ **abhalten** to discuss the situation.
lagenweise adv in layers.
Lageplan m ground plan.
Lager nt -s, - 1. (Unterkunft) camp.
2. (liter: Schlafstätte) bed. **sie wachten am** ~ **des Königs** they kept watch at the King's bedside.
3. (fig: Partei) camp; (von Staaten) bloc. **ins andere** ~ **überwechseln** to change camps or sides.

4. *pl auch* ⁚ (*Vorratsraum*) store (room); (*von Laden*) stockroom; (~*halle*) warehouse; (*Vorrat*) stock. **am ~ sein** to be in stock; **etw auf ~ haben** to have sth in stock; (*fig*) *Witz* to have sth on tap (*inf*) *or* (at the) ready. **5.** (*Tech*) bearing. **6.** (*Geol*) bed.

Lagerbestand *m* stock; **den ~ aufnehmen** to do the stocktaking; **Lagerdenken** *nt* (*Pol*) stereotype thinking, thinking in stereotypes; **lagerfähig** *adj* nonperishable; **Lagerfeuer** *nt* campfire; **Lagergebühr** *f* storage charge; **Lagerhalle** *f* warehouse; **Lagerhaltung** *f* storekeeping; **Lagerhaus** *nt* warehouse.

Lagerist(in *f)* *m* storeman/storewoman.

Lagerkoller *m* (*inf*) **er hat einen ~ gekriegt** life in the camp turned his mind; **Lagerleben** *nt* camp life; **Lagerleiter(in** *f)* *m* camp commander; (*in Ferienlager*) camp leader.

lagern I *vt* **1.** (*aufbewahren*) to store. **kühl ~!** keep *or* store in a cool place.

2. (*hinlegen*) *jdn* to lay down; *Bein* to rest. **den Kopf/einen Kranken weich ~** to rest one's head/lay an invalid on something soft; **das Bein hoch ~** to put one's leg up.

II *vi* **1.** (*Lebensmittel*) to be stored *or* kept.

2. (*liegen*) to lie.

3. (*von Truppen*) to camp, to be encamped.

III *vr* (*geh*) to settle oneself (down).

Lagerraum *m* storeroom; (*in Geschäft*) stockroom; **Lagerstatt** *f* (*old liter*) bed, couch (*liter*); **Lagerstätte** *f* **1.** (*old liter*) bed, couch (*liter*) **2.** (*Geol*) deposit; **Lagertheorie** *f* (*Pol*) theory of political stereotypes.

Lagerung *f* storage; (*das Lagern auch*) storing.

Lagerverwalter(in *f)* *m* **1.** stores supervisor. **2.** *siehe* **Lagerleiter(in** *f)*.

Lageskizze *f* sketch-map.

Lagune *f* -, -**n** lagoon.

lahm *adj* **1.** (*gelähmt*) *Bein, Mensch* lame; (*inf: steif*) stiff. **er ist auf dem linken Bein ~** he is lame in his *or* the left leg; **er hat ein ~es Bein** he is lame in one leg, he has a gammy leg (*inf*).

2. (*inf: langsam, langweilig*) dreary, dull; *Ausrede, Entschuldigung* lame; *Geschäftsgang* slow, sluggish. **eine ~e Ente sein** (*inf*) to have no zip (*inf*).

Lahmarsch *m* (*sl*) slowcoach (*Brit inf*), slowpoke (*US inf*); **lahmarschig** *adj* (*sl*) bloody (*Brit inf*) *or* damn (*inf*) slow.

lahmen *vi* to be lame (*auf +dat* in).

lähmen *vt* to paralyze; (*fig*) *Industrie auch* to cripple; *Verhandlungen, Verkehr* to hold up; *Freude, Fest* to spoil. **er ist durch einen Unfall/an beiden Beinen gelähmt** he was paralyzed in an accident/is paralyzed in both legs; **vor Angst wie gelähmt sein** to be petrified, to be paralyzed with fear; **~des Entsetzen befiel die Zuschauer** the onlookers were paralyzed with horror.

Lahme(r) *mf decl as adj* (*old*) cripple.

lahmlegen *vt sep Verkehr, Produktion* to bring to a standstill *or* halt; *Industrie auch* to paralyze.

Lähmung *f* (*lit*) paralysis; (*fig*) immobilization.

Lähmungs|erscheinungen *pl* signs *pl* of paralysis.

Laib *m* -(e)s, -e (*esp S Ger*) loaf.

Laich *m* -(e)s, -e spawn.

laichen *vi* to spawn.

Laichplatz *m* spawning ground; **Laichzeit** *f* spawning season.

Laie *m* -n, -n (*lit, fig*) layman, layperson. **~n** the lay public; **die ~n** (*Eccl*) the laity; **da staunt der ~, der Fachmann wundert sich** (*hum inf*) that's a real turn-up for the book (*inf*).

Laienapostolat *nt* lay apostolate; **Laienbruder** *m* lay brother; **Laienbühne** *f* amateur dramatic society; (*Gebäude*) amateur theatre; **Laiendarsteller(in** *f)* *m* amateur actor/actress; **laienhaft** *adj Arbeit* amateurish, unprofessional; *Urteil, Meinung* lay *attr only*; **Laienprediger(in** *f)*, *m* lay preacher; **Laienrichter(in** *f)* *m* lay judge; **Laienstand** *m* laity; **Laientheater** *nt* amateur theatre; (*Ensemble*) amateur theatre group; **Laientum** *nt* laity.

laisieren* [laiˈziːrən] *vt* to unfrock.

Laisser-faire [lɛseˈfɛːr] *nt* -, *no pl* (*Econ, fig*) laisser- *or* laissez-faire.

Laizismus [laiˈtsɪsmus] *m* laicism.

Lakai *m* -en, -en (*lit, fig*) lackey.

Lake *f* -, -**n** brine.

Laken *nt* -**s**, - sheet.

lakonisch *adj* laconic.

Lakritz *m* -**es**, -**e** (*dial*), **Lakritze** *f* -, -**n** liquorice.

Laktose *f* -, *no pl* lactose.

lala *adv* (*inf*): **so ~** so-so (*inf*), not too bad (*inf*).

lallen *vti* to babble; (*Betrunkener*) to mumble.

Lama[1] *nt* -**s**, -**s** llama.

Lama[2] *m* -(s), -s (*Rel*) lama.

Lamaismus *m* Lamaism.

Lamakloster *nt* lamasery.

Lambda-Sonde *f* (*Aut*) Lambda probe.

Lamé *m* -**s**, -**s** (*Tex*) lamé.

Lamelle *f* **1.** (*Biol*) lamella. **2.** (*Tech*) commutator bar *or* segment; (*von Jalousien*) slat.

lamellenförmig *adj* lamellate, lamellar.

lamentieren* *vi* to moan, to complain.

Lamento *nt* -**s**, -**s** (*Mus*) lament. **wegen etw ein ~ anstimmen** (*fig*) to bewail sth.

Lametta *nt* -**s**, *no pl* lametta; (*hum: Orden*) gongs *pl* (*inf*).

laminieren* *vt* (*Tex*) to draw; (*Typ*) to laminate.

Lamm *nt* -(e)s, ⁼er lamb. **das ~ Gottes** the Lamb of God.

Lammbraten *m* roast lamb.

Lamm(e)sgeduld *f* patience of a saint.

Lammfell *nt* lambskin; **Lammfleisch** *nt* lamb; **lammfromm** *adj Gesicht, Miene* innocent; **~ sein** to be like a (little) lamb; **sie saßen ~ auf ihren Plätzen** they were sitting in their seats like little lambs *or* as good as gold.

Lammwolle *f* lambswool.

Lampe f -, -n light; (Öl~, Steh~, Tisch~) lamp; (Glüh~) bulb. **die ~n auf der Straße** the street lights; **einen auf die ~ gießen** (inf) to wet one's whistle; (inf).

Lampenfieber nt stage fright; **Lampenschirm** m lampshade.

Lampion [lam'piõː, lam'piɔŋ] m -s, -s Chinese lantern.

LAN nt -s, -s (Comput) LAN.

lancieren* [lãˈsiːrən] vt Produkt, Künstler to launch; Meldung, Nachricht to put out. **jdn/etw in etw** (acc) **~** to get sb/sth into sth; **sein Onkel hat ihn in diese hohe Stellung lanciert** his uncle got him (into) that high position.

Land nt -(e)s, ¨er 1. (Gelände, Festland) land. **ein Stück ~** a plot of land or ground; **~ bestellen/bebauen** to till the soil or land/to cultivate the land; **an ~ gehen** to go ashore; **jdn an ~ setzen** to put sb ashore; **an ~ schwimmen** to swim to the shore; **~ sehen** (lit) to see or sight land; **endlich können wir ~ sehen/sehe ich ~** (fig) at last we/I can see the light at the end of the tunnel; **etw/ein Boot/einen Fisch an ~ ziehen** to pull sth ashore/to beach a boat/to land a fish; **einen Millionär/einen Auftrag an ~ ziehen** (inf) to land a millionaire/an order; **~ in Sicht!** land ahoy!; **~ unter!** land submerged!

2. (ländliches Gebiet) country. **aufs ~** (in)to the country; **auf dem ~(e)** in the country; **über ~ fahren** (old) to travel.

3. (Staat) country, land (esp liter); (Bundes~) (in BRD) Land, state; (in Österreich) province. **das ~ Hessen/Tirol** the state of Hesse/the province of Tyrol, Tyrol province; **außer ~es sein/gehen** to be out of/leave the country; **~ und Leute kennenlernen** to get to know the country and its inhabitants; **~e** pl (poet) lands pl; **durch die ~e ziehen** (liter) to roam abroad; **das ~ der unbegrenzten Möglichkeiten** the new world, the land of limitless opportunity; **das ~ der aufgehenden Sonne** the land of the rising sun; **aus aller Herren ~er(n)** from all over the world, from the four corners of the earth; **seitdem waren viele Jahre ins ~ gegangen** or **gezogen** (liter) many years had passed since then.

Landadel m landed gentry; **Landammann** m (Sw) highest official in a Swiss canton; **Landarbeit** f agricultural work; **Landarbeiter(in** f) m agricultural worker; **Landarzt** m, **Landärztin** f country doctor.

Landauer m -s, - landau.

landauf adv: **~, landab** all over the country, the length and breadth of the country; **landaus** adv: **~, landein** all over the world; **Landbau** m siehe Akkerbau; **Landbesitz** m landholding; **~ haben** to be a landowner, to own land; **Landbesitzer(in** f) m landowner; **Landbevölkerung** f rural population; **Landbrot** nt brown bread usually made from rye flour; **Landbrücke** f land bridge; **Landbutter** f farm butter.

Lände f -, -n (dial) landing stage.

Landebahn f runway; **Landeerlaubnis** f landing permission, permission to land; **Landefähre** f (Space) landing module.

Landeier pl farm eggs pl; **landeinwärts** adv inland.

Landeklappe f landing flap; **Landekopf** m (Mil) beachhead; **Landemanöver** nt landing manoeuvre.

landen I vi aux sein to land; (inf: enden) to land up; (inf: Eindruck machen) to get somewhere. **weich ~** to make a soft landing; **alle anonymen Briefe ~ sofort im Papierkorb** all anonymous letters go straight into the wastepaper basket; **mit deinen Komplimenten kannst du bei mir nicht ~** your compliments won't get you anywhere or very far with me.

II vt (lit, fig) to land.

länden vt (dial) Leiche to recover (aus from).

Land|enge f isthmus.

Landepiste f landing strip; **Landeplatz** m (für Flugzeuge) place to land; (ausgebaut) landing strip; (für Schiffe) landing place.

Ländereien pl estates pl.

Länderfinanzausgleich m, no pl balancing of federal budgets; **Länderkampf** m (Sport) international contest; (Länderspiel) international (match); **Länderkunde** f regional studies pl; **Ländername** m name of a/the country; **Länderspiel** nt international (match).

Landesbank f regional bank; **Landesbehörde** f regional authorities pl; **Landesbodenbrief** m land mortgage certificate; **Landesbrauch** m national custom, custom of the country.

Landeschleife f (Aviat) holding pattern. **~ n ziehen** to be in a holding pattern.

Landesebene f: **auf ~** at state level; **landeseigen** adj owned by the Land/province; **Landesfarben** pl (von Staat) national colours pl; (von Bundesland) state colours pl/colours pl of the province; **Landesgrenze** f (von Staat) national boundary; (von Bundesland) state/provincial boundary; **Landeshauptmann** m (Aus) head of the government of a province; **Landeshauptstadt** f capital of a Land/province, provincial capital; **Landesherr** m (Hist) sovereign, ruler; **Landesinnere(s)** nt interior; **tief ins ~ vorstoßen** to penetrate into the heart of the country; **Landeskind** nt (von Staat) native of a/the country; (von Bundesland) native of a/the Land/province; **Landeskirche** f national church; (in Deutschland) established Protestant church in some Länder; **Landeskunde** f regional studies pl; **landeskundig** adj **~er Reiseleiter** courier who knows the country; **landeskundlich** adj Themen, Aspekte regional; **Landesliste** f (Parl) regional list of parliamentary candidates for election to Federal parliament; **Landesmediengesetz** nt law relating to the running and content of regional media; **Landesmeister(in** f) m (Sport) regional champion; **Landesrat** m (BRD) highest official of an administrative district; (Sw) cantonal parliament;

Landesrecht nt law of a Land/province; **Landesregierung** f government of a Land/provincial government; **Landessprache** f national language; **der ~ unkundig sein** not to know the language.
Landesteg m landing stage.
Landesteil m region, area; **Landestracht** f national dress or costume; **Landesverrat** m treason; **Landesverteidigung** f national defence; **Landeszentralbank** f State Central Bank.
Landeverbot nt refusal of landing permission; **~ erhalten** to be refused landing permission or permission to land.
Landfahrer(in f) m (form) vagrant; **Landflucht** f migration from the land, emigration to the cities; **Landfrau** f countrywoman; **Landfriede(n)** m (Hist) King's/Queen's Peace; **Landfriedensbruch** m (Jur) breach of the peace; **Landfunk** m farming (radio) programme; **Landgang** m shore leave; **Landgemeinde** f country community; **Landgericht** nt district court; **landgestützt** adj Raketen land-based; **Landgewinnung** f land reclamation; **Landgraf** m, **Landgräfin** f (Hist) landgrave/landgravine; **Landgut** nt estate; **Landhaus** nt country house; **Landheer** nt army; **Landheim** nt siehe Schullandheim; **Landjäger** m 1. (Hist) country policeman; 2. (Wurst) pressed smoked sausage; **Landkarte** f map; **Landklima** nt continental climate; **Landkreis** m administrative district; **Landkrieg** m land warfare; **Luft- und ~** war in the air and on the ground; **See- und ~** war at sea and on land; **Landkriegsordnung** f: **Haager ~** Hague Land Warfare Convention; **landläufig** adj popular, common; **entgegen ~er** or **der ~en Meinung** contrary to popular opinion.
Ländle nt -s, no pl (inf) **das ~** Swabia.
Landleben nt country life.
Ländler m -s, - (S Ger) country dance.
Landleute pl country people or folk pl.
ländlich adj rural; Tracht country attr; Tanz country attr, folk attr; Idylle pastoral; Stille, Frieden of the countryside, rural.
Ländlichkeit f rural character or nature.
Landluft f country air; **Landmacht** f land power; **Landmann** m, pl -**männer** (old, liter) husbandman (old, liter); **Landmaschinen** pl agricultural machinery sing or machines pl; **Landnahme** f -, -n (Hist) acquisition of land; **Landpartie** f (old) country outing; **Landpfarrer(in** f) m country parson; **Landpfleger** m (Bibl) governor; **Landplage** f plague; (fig inf) pest; **Landpraxis** f (Med) country practice; **Landrat** m, **Landrätin** f head of the administration of a Landkreis; **Landratte** f (hum) landlubber; **Landreform** f land reform; **Landregen** m steady rain; **Landrücken** m ridge of land; **Landsasse** m -n, -n (Hist) freeholder.
Landschaft f scenery no pl; (Gemälde) landscape; (ländliche Gegend) countryside. **eine öde ~** a barren landscape or region; **die ~ um London** the country-

side around London; **die ~en Italiens** the types of countryside in Italy; **wir sahen eine reizvolle ~** we saw some delightful scenery; **vor uns tat sich eine liebliche ~ auf** a lovely view appeared before us; **da stand einsam ein Hochhaus in der ~ (herum)** (inf) there was one solitary skyscraper to be seen; **die politische ~** the political scene or landscape; **die kulinarische/kulturelle ~** the culinary/cultural scene.
landschaftlich adj Schönheiten scenic; Besonderheiten regional. **das Dorf liegt ~ einmalig** (inf) the village is surrounded by the most fantastic scenery; **diese Gegend ist ~ ausgesprochen reizvoll** the scenery in this area is particularly delightful; **"Klempner" heißt ~ auch "Spengler"** in some areas the word "Spengler" is used for "Klempner".
Landschaftsbild nt view; (Gemälde) landscape (painting); (Photographie) landscape (photograph); **Landschaftsform** f land form; **Landschaftsgärtner(in** f) m landscape gardener; **Landschaftsmaler(in** f) m landscape painter; **Landschaftsschutz** m protection of the countryside; **Landschaftsschutzgebiet** nt nature reserve.
Land(schul)heim nt siehe Schullandheim.
Landser m -s, - (dated inf) private.
Landsitz m country seat.
Landsknecht m (Hist) lansquenet; **fluchen wie ein ~** to swear like a trooper; **Landsmann** m, **Landsmännin** f, pl -**leute** compatriot, fellow countryman/-woman; **Landsmannschaft** f welfare and cultural association for Germans born in the eastern areas of the former Reich.
Landstände pl (Hist) body of representatives of various classes in medieval provincial politics; **Landstraße** f country road; (Straße zweiter Ordnung) secondary or B (Brit) road; (im Gegensatz zur Autobahn) ordinary road; **Landstreicher(in** f) m -s, - (pej) tramp, hobo (US); **Landstreicherei** f vagrancy; **Landstreitkräfte** pl land forces pl; **Landstrich** m area; **ein flacher ~** a flat belt of land; **Landsturm** m conscripted militia in times of war, ≈ Home Guard (Brit); **Landtag** m Landtag (state parliament); **Landtagswahlen** pl German regional elections pl.
Landung f (von Flugzeug, Truppen) landing. **zur ~ gezwungen werden** to be forced to land or forced down.
Landungsboot nt landing craft; **Landungsbrücke** f jetty, landing stage; **Landungssteg** m landing stage; **Landungstruppen** pl land assault forces pl.
Landurlaub m shore leave; **Land(ver)messer(in** f) m land surveyor; **Landvermessung** f land surveying; **Landvogt** m (Hist) landvogt (governor of a royal province); **Landvolk** nt country people or folk pl.
landwärts adv landwards; **Landweg** m **auf dem ~** by land; **Landwein** m vin

ordinaire; **Lạndwind** *m* offshore wind; **Lạndwirt(in** *f)* *m* farmer.
Lạndwirtschaft *f* agriculture, farming; (*Betrieb*) farm; (*Landwirte*) farmers *pl.* ~ **betreiben** to farm.
lạndwirtschaftlich *adj* agricultural. **~e Geräte** agricultural *or* farm implements.
Lạndwirtschafts- *in cpds* agricultural; **Lạndwirtschaftsberater(in** *f)* *m* agricultural adviser; **Lạndwirtschaftsbrief** *m* (*Fin*) agricultural bond; **Lạndwirtschaftsministerium** *nt* ministry of agriculture; **Lạndwirtschaftsschule** *f* agricultural college.
Lạndzunge *f* spit (of land), promontory.
lạng I *adj, comp* **⁻er,** *superl* **⁻ste(r, s) 1.** long; *Film, Roman, Aufenthalt, Rede auch* lengthy. **das ist/war seit ~em geplant** that has been planned (for) a long time/was planned a long time ago; **vor ~er Zeit** a long time ago; **in nicht allzu ~er Zeit** before too *or* very long, in the not too distant future; **das hat die ⁻ste Zeit gedauert!** that's gone on long enough!; **hier wird mir der Tag/die Zeit nicht ~** I won't get bored here; **etw ⁻er machen** to make sth longer, to lengthen sth; **die Tage werden wieder ⁻er** the days are drawing out *or* getting longer; **er machte ein ~es Gesicht** his face fell; **man sah überall nur ~e Gesichter** you saw nothing but long faces; **etw von ~er Hand vorbereiten** to prepare sth carefully; **des ~en und breiten** at great length; **einen ~en Hals machen** (*inf*) to crane one's neck.

2. (*inf: groß gewachsen*) *Mensch* tall. **eine ~e Latte, ein ~er Lulatsch, ein ~es Elend sein** to be a (real) beanpole (*inf*).

II *adv, comp* **⁻er,** *superl* **am ⁻sten. der ~ erwartete Regen** the long-awaited rain; **der ~ ersehnte Tag/Urlaub** the longed-for day/holiday; **~ anhaltender Beifall** prolonged *or* long applause; **nur einen Augenblick ~** only for a moment *or* second; **zwei Stunden ~** for two hours; **mein ganzes Leben ~** all my life, my whole life; **~ und breit** at great length; **etwas ~ und breit erklären** to go to great lengths to explain something.

lạngärm(e)lig *adj* long-sleeved; **lạngarmig** *adj* long-armed; **lạngatmig** *adj* long-winded; **Lạngatmigkeit** *f* long-windedness; **lạngbeinig** *adj* long-legged.
lạnge, lạng (*S Ger, Aus*) *adv, comp* **⁻er,** *superl* **am längsten 1.** (*zeitlich*) a long time; (*in Fragen, Negativsätzen*) long. **die Sitzung hat heute ~/nicht ~ gedauert** the meeting went on (for) a long time/didn't go on (for) long today; **wie ~ bist du schon hier?** how long have you been here (for)?; **es ist noch gar nicht ~, daß wir diese Frage diskutiert haben** we discussed this question not long ago, it's not long since we discussed this question; **er wird es nicht mehr ~ machen** (*inf*) he won't last long, he's not got long to go; **bis Weihnachten ist es ja noch ~ hin** it's still a long time till Christmas, we're a long way from Christmas; **je ⁻er, je lieber** the more the better;

(*zeitlich*) the longer the better.
2. (*inf: längst*) **noch ~ nicht** not by any means, not by a long chalk (*inf*); **~ nicht so ...** nowhere near as ..., not nearly as ...; **er verdient ~ nicht soviel** he doesn't earn nearly as much *or* anywhere near as much; **wenn er das schafft, kannst du das schon ~** if he can do it, you can do it easily.
Länge *f* -, **-n 1.** (*zeitlich, räumlich*) length; (*inf: von Mensch*) height. **eine ~ von 10 Metern haben** to be 10 metres long *or* in length; **ein Seil von 10 Meter ~** a rope 10 metres long; **ein Vortrag/eine Fahrt von einer Stunde ~** an hour-long lecture/an hour's journey; **Bauarbeiten auf 5 km ~** road works for 5 kms; **etw der ~ nach falten** to fold sth lengthways *or* lengthwise; **in die ~ schießen** *or* **wachsen** to shoot up; **etw in die ~ ziehen** to protract sth, to drag sth out (*inf*); **sich in die ~ ziehen** to go on and on; **der ~ nach hinfallen** to fall flat (on one's face); **einen Artikel in seiner vollen ~ abdrucken** to print an article in its entirety.
2. (*Sport*) length. **mit einer ~ gewinnen** to win by a length; **die anderen Wagen kamen mit einigen ~n Abstand** the other cars came in several lengths behind.
3. (*in Buch, Film*) long-drawn-out passage/scene.
4. (*Geog*) longitude. **der Ort liegt auf** *or* **unter 20 Grad östlicher ~** the town has a longitude of 20 degrees east.
lạngen (*dial, inf*) **I** *vi* **1.** (*sich erstrecken, greifen*) to reach (*nach* for, *in +acc* in, into). **bis an etw ~** to reach sth.
2. (*fassen*) to touch (*an etw (acc)* sth).
3. (*ausreichen*) to be enough; (*auskommen*) to get by, to manage. **mir langt es** I've had/I have enough; **das Geld langt nicht** there isn't *or* we haven't enough money; **jetzt langt's mir aber!** I've had just about enough!
II *vt* (*reichen*) **jdm etw ~** to give *or* pass *or* hand sb sth; **jdm eine ~** to give sb a clip on the ear (*inf*).
Lạngengrad *m* **1.** degree of longitude; **2.** (*auch* **Längenkreis**) meridian; **Lạngenmaß** *nt* measure of length, linear measure (*form*).
länger *comp of* **lang, lange.**
längerfristig I *adj* longer-term. **II** *adv* in the longer term; **planen** for the longer term.
Langerhanssche Inseln *pl* (*Med*) islets *pl* of Langerhans.
lạng|ersehnt *adj attr* longed-for.
Langeweile *f* (*gen*) - *or* **Lạngenweile**, (*dat*) - *or* **Lạngerweile**, *no pl* boredom. **~ haben** to be bored.
lạngfädig *adj* (*Sw*) long-winded; **Lạngfinger** *m* (*hum*) pickpocket; **lạngfing(e)rig** *adj* long-fingered; (*hum*) light-fingered; **Lạngformat** *nt* Briefumschläge/Zigaretten **im ~** long envelopes/long(-length) cigarettes;
lạngfristig I *adj* long-term; **II** *adv* in the long term; **planen** for the long term; **lạnggehegt** *adj attr Wunsch* long-cherished; **lạnggehen** *vi sep irreg* **1.**

(*Weg*) **wo geht's hier lang?** where does this (road/path) go? **2. sie weiß, wo es langgeht** she knows what's what; **hier bestimme ich, wo es langgeht** I decide what's what here; **langgestreckt** *adj* long; *Dorf auch* strung-out; **langgezogen** *adj* sustained; **langglied(e)rig** *adj* long-limbed; **langhaarig** *adj* long-haired; **Langhaarige(r)** *mf decl as adj* long-haired man/woman *etc*; **so ein ~r** some long-haired type; **Langhantel** *f* barbell; **Langhaus** *nt* nave; **Langholz** *nt* uncut timber; **Langholzwagen** *m* timber lorry (*Brit*) *or* truck; **langjährig I** *adj Freundschaft, Bekannter, Gewohnheit* longstanding; *Erfahrung, Verhandlungen, Recherchen* many years of; *Mitarbeiter* of many years' standing; **II** *adv* for many years; **Langlauf** *m* (*Ski*) cross-country skiing; **Sieger im ~** winner of the cross-country (event); **Langläufer** *m* **1.** (*Ski*) cross-country skier; **2.** (*Fin*) long(-dated security); **Langläuferin** *f* cross-country skier; **Langlaufski** *m* cross-country ski; **langlebig** *adj* long-lasting; *Stoff, Waren auch* durable; *Gerücht* long-lived; *Melodie* enduring, long-lived; *Mensch, Tier* long-lived; **~ sein** to last a long time/ have a long life/be durable/long-lived/ enduring/live to an old age *or* be long-lived; **Langlebigkeit** *f siehe adj* long-lastingness; durability; long life; longevity; **langlegen** *vr sep* to have a lie-down; (*inf: hinfallen*) to fall flat on one's face; (*fig inf*) to be struck all of a heap (*inf*).

länglich *adj* long, elongated.

langliegen *vi sep irreg* (*inf*) to be in bed; **langmähnig** *adj* with a long mane, long-maned; (*inf*) *Mensch* long-haired; **Langmut** *f* -, *no pl* patience, forbearance; **langmütig** *adj* patient, forbearing; **Langmütigkeit** *f* forbearance; **Langohr** *nt* (*hum*) rabbit, bunny (*inf*); (*Häschen*) hare.

längs I *adv* lengthways, lengthwise. **II** *prep* +*gen* along. **~ der Straße stehen Kastanien** chestnut trees line the road, there are chestnut trees along the road; **die Bäume ~ des Flusses** the trees along (the banks of) the river.

Längs|achse *f* longitudinal axis.

langsam I *adj* slow.
II *adv* **1.** slowly. **geh/fahr/sprich ~er!** slow down!, walk/drive/speak (a bit) more slowly *or* (a bit) slower! (*inf*); **~, ~!, immer schön ~!** (*inf*) (take it) easy!, easy does it!; **~, aber sicher** slowly but surely.
2. (*allmählich, endlich*) **es wird ~ Zeit, daß ...** it's about time *or* it's high time that ...; **~ müßtest du das aber wissen** it's about time *or* it's high time you knew that; **ich muß jetzt ~ gehen** I must be getting on my way, I'd better be thinking about going; **~ (aber sicher) reicht es mir** I've just about had enough.

Langsamkeit *f* slowness.

Langschäfter *m* -s, - high boot; (*aus Gummi*) wader; **langschäftig** *adj Stiefel* high; **Langschläfer(in** *f*) *m* late-riser; **Langschrift** *f* longhand; **Langseite** *f*

long side; (*Naut*) broadside.

längsgestreift *adj Stoff* with lengthways stripes; *Kleid, Vorhang auch* with vertical stripes; **Längslinie** *f* vertical line, line down.

Langspielband *nt* long-playing tape; **Langspielplatte** *f* long-playing record.

Längsrichtung *f* longitudinal direction; **in ~ zu etw verlaufen** to run longitudinally along sth; **längsschiffs** *adv* broadside on; **Längsschnitt** *m* longitudinal section; **Längsseite** *f* long side; (*Naut*) broadside; **längsseit(s)** *adv, prep* +*gen* alongside; **die beiden Boote lagen ~** the boats were lying alongside one another; **Längsstreifen** *pl* lengthways stripes *pl*; (*von Kleid, Vorhängen auch*) vertical stripes *pl*.

längst *adv* **1.** (*seit langem, schon lange*) for a long time; (*vor langer Zeit*) a long time ago, long ago. **er ist inzwischen ~ gestorben** he has been dead (for) a long time now; **als wir ankamen, war der Zug ~ weg** when we arrived the train had long since gone. **2.** *siehe* **lange 2.**

Längstal ['lɛŋs-] *nt* longitudinal valley.

längstens *adv* **1.** (*höchstens*) at the most. **2.** (*spätestens*) at the latest.

längste(r, s) *superl of* **lang.**

langstielig *adj* long-stemmed.

Langstreckenflug *m* long-distance flight; **Langstreckenflugzeug** *nt* long-range *or* long-haul aircraft; **Langstreckenlauf** *m* (*Disziplin*) long-distance running; (*Wettkampf*) long-distance race; **Langstreckenläufer(in** *f*), (*auch*) **Langstreckler(in** *f*) *m* -s, - (*inf*) long-distance runner; **Langstreckenrakete** *f* long-range missile; **Langstreckenwaffe** *f* long-range weapon.

Längswand *f* long wall.

Languste [laŋ'gustə] *f* -, **-n** crayfish, crawfish (*US*).

langweilen *insep* **I** *vt* to bore. **II** *vi* to be boring. **III** *vr* to be/get bored. **sich zu Tode ~** to be/get bored to death *or* to tears.

Langweiler(in *f*) *m* -s, - bore; (*langsamer Mensch*) slowcoach (*Brit inf*), slowpoke (*US inf*).

langweilig *adj* **1.** boring. **2.** (*inf: langsam*) slow. **er ist so ~ mit allem** he's so slow *or* such a slowcoach (*Brit inf*) *or* slowpoke (*US inf*) at everything.

Langwelle *f* long wave; **langwellig** *adj* long-wave; **langwierig** *adj* long, lengthy; *Verhandlungen, Behandlung, Krankheit auch* prolonged; **~ über etw** (*acc*) **beraten** to have lengthy *or* prolonged discussions about sth; **Langwierigkeit** *f* lengthiness.

Langzeit- *in cpds* long-term; **Langzeitarbeitslose(r)** *mf decl as adj* long-term unemployed person; **Langzeitarbeitslosigkeit** *f* long-term unemployment; **Langzeitprogramm** *nt* long-term programme; **Langzeitrisiko** *nt* long-term risk; **Langzeitspeicher** *m* long-term storage; **Langzeitstudie** *f* long-range study; **Langzeitwert** *m, no pl* long-term result; **Langzeitwirkung** *f* long-term effect.

langziehen vt sep irreg to stretch.
Lanolin nt -s, no pl lanolin.
Lanthan nt, no pl (abbr **La**) lanthanum.
Lanze f -, -n lance; (zum Werfen) spear.
für jdn eine ~ brechen (fig) to take up the cudgels for sb, to go to bat for sb (esp US).
Lanzenspitze f tip of a lance/spear; **Lanzenstich** m lance/spear thrust; (Wunde) lance/spear wound; **Lanzenstoß** m lance/spear thrust.
Lanzette f (Med) lancet.
Lanzettfischchen nt lancelet; **lanzettförmig** adj (Bot) lanceolate (spec).
Laos nt -' Laos.
Laote m -n, -n, **Laotin** f Laotian.
laotisch adj Laotian.
lapidar adj succinct.
Lapislazuli m -, - lapis lazuli.
Lappalie [-iə] f trifle, petty little matter.
Lappe m -n, -n, **Lappin** f Lapp, Lapplander.
Lappen m -s, - 1. (Stück Stoff) cloth; (Wasch~) face cloth, flannel. 2. (sl: Geldschein) note, bill (US). 3. (Hautstück) fold of skin. 4. (inf) jdm durch die **~ gehen** to slip through sb's fingers.
läppern vr impers (inf) es läppert sich it (all) mounts up.
lappig adj (inf) limp.
läppisch adj silly. **wegen ~en zwei Mark macht er so ein Theater** (inf) he makes such a fuss about a mere two marks.
Lappland nt -s Lapland.
Lapsus m -, - mistake, slip; (gesellschaftlich, diplomatisch) faux pas. — **linguae** [-'lɪŋguɛ] slip of the tongue; **mir ist ein ~ unterlaufen** or **passiert, ich habe einen ~ begangen** I've made a mistake/faux pas.
Laptop m -s, -s (Comput) laptop.
Lärche f -, -n larch.
large [larʒ] adj (Sw) generous.
Largo nt -s, -s or **Larghi** (Mus) largo.
larifari I interj nonsense, fiddlesticks, fiddle-de-dee. II adj inv airy-fairy.
Larifari nt -s, no pl (inf) nonsense.
Lärm m -(e)s, no pl noise; (Geräuschbelästigung auch) din, row, racket; (Aufsehen) fuss. **~ schlagen** (lit) to raise the alarm; (fig) to kick up a fuss, to raise a commotion; „Viel **~ um nichts"** "Much Ado about Nothing"; **viel ~ um nichts machen** to make a lot of fuss or ado or a big to-do about nothing; **viel ~ um jdn/etw machen** to make a big fuss about sb/sth.
Lärmbekämpfung f noise abatement; **Lärmbelästigung** f noise pollution; **sie beschwerten sich wegen der unzumutbaren ~** they complained about the unacceptable noise level; **lärmempfindlich** adj sensitive to noise.
lärmen vi to make a noise. **~d** noisy.
Lärmmeßgerät nt noise meter.
larmoyant [larmoa'jant] adj (geh) lachrymose (liter).
Larmoyanz [larmoa'jants] f (geh) sentimentality.
Lärmquelle f source of noise/the noise; **Lärmschädigungen** pl injuries caused by excessive noise; **Lärmschutz** m noise prevention.

Lärmschutzmaßnahmen pl noise prevention measures pl; **Lärmschutzwall** m, **Lärmschutzwand** f sound or noise barrier.
Larve ['larfə] f -, -n 1. (Tier~) larva. 2. siehe **Maske.**
las pret of **lesen.**
Lasagne [la'zanjə] pl lasagne sing.
lasch adj (inf) 1. (schlaff) Bewegungen feeble; Händedruck limp. 2. Erziehung, Polizei, Eltern lax. 3. Speisen insipid, wishy-washy (inf).
Lasche f -, -n (Schlaufe) loop; (Schuh~) tongue; (als Schmuck, Verschluß) tab, flap; (Tech) splicing plate; (von Kette) sideplate; (Rail) fishplate.
Laschheit f siehe adj 1. feebleness; limpness. 2. laxity. 3. insipidity, wishy-washiness (inf).
Laser ['leːzɐ, 'laːzɐ] m -s, - laser.
Laser- in cpds laser; **Laserchirurgie** f laser surgery; **Laserdrucker** m (Typ) laser (printer); **Laser-Kanone** f laser gun; **Laserstrahl** m laser beam; **Lasertechnik** f, no pl laser technology; **Laser-Waffe** f laser weapon.
lasieren* vt Bild, Holz to varnish; Glas to glaze.
laß imper sing of **lassen.**
Lassafieber nt, no pl Lassa fever.
lassen pret **ließ**, ptp **gelassen** I vt 1. (unter~) to stop; (momentan aufhören) to leave. **laß das (sein)!** don't (do it)!; (hör auf) stop it!; **laß das Jammern** stop your moaning; **laß diese Bemerkungen!** that's enough of that kind of remark!; **~ wir das!** let's leave it or that!; **er kann das Rauchen/Trinken nicht ~** he can't stop smoking/drinking, he can't keep from smoking/drinking; **er kann es nicht ~!** he will keep on doing it!; **er hat es versucht, aber er kann es nicht ~** he's tried, but he can't help it or himself; **dann ~ wir es eben** let's drop the whole idea; **ich will aber nicht!** — **dann ~ wir es eben** but I don't want to! — let's not bother then; **wenn du nicht willst, dann laß es doch** if you don't want to, then don't; **ich habe es dann doch gelassen** in the end I didn't; **tu, was du nicht ~ kannst!** if you must, you must!
2. (zurück~) to leave. **jdn allein ~** to leave sb alone; **er hat dort viel Geld gelassen** he left there with his pockets a lot lighter.
3. (über~) **jdm etw ~** to let sb have sth; (behalten ~) to let sb keep sth; **das muß man ihr ~** (zugestehen) you've got to give or grant her that.
4. (hinein~, hinaus~) to let (in +acc into, aus out of). **Wasser in die Badewanne (laufen) ~** to run water into the bath; **laß die Kinder nicht auf die Straße/auf das Sofa** don't let the children (go) onto the street/(get) on(to) the sofa.
5. (be~) to leave. **etw ~, wie es ist** to leave sth (just) as it is; **etw ungesagt ~** (geh) to leave sth unsaid.
6. (inf: los~) to let go; (in Ruhe ~) to leave alone, to let be; (gewähren ~) to let.

II *modal aux vb ptp* ~ *Übersetzung hängt oft vom Vollverb ab, siehe auch dort* **1.** (*veranlassen*) **etw tun** ~ to have *or* get sth done; **sich** (*dat*) **etw schicken** ~ to have *or* get sth sent to one; **ich muß mich mal untersuchen** ~ I'll have to have a check-up; **sich** (*dat*) **einen Zahn ziehen** ~ to have a tooth out; **jdm mitteilen/ausrichten** ~, **daß ...** to let sb know *or* have sb informed (*form*)/leave a message for sb that ...; **er läßt Ihnen mitteilen, daß ...** he wants *or* wishes (*form*) you to know that ...; **jdn rufen** *or* **kommen** ~ to send for sb; **eine Versammlung einberufen** ~ to have a meeting called.

2. (*zu*~) **jdn etw wissen/sehen/hören** ~ to let sb know/see/hear sth; **etw kochen** ~ to boil sth; **sie hat mich nichts merken** ~ she didn't show it/anything; **einen Bart/sich** (*dat*) **die Haare wachsen** ~ to grow a beard/one's hair, to let one's hair grow; **den Tee ziehen** ~ to let the tea draw; **das Licht brennen** ~ to leave the light on; **jdn warten** ~ to keep sb waiting; **laß ihn nur kommen!** just let him show his face *or* come!

3. (*erlauben*) to let, to allow. **er hat sich überreden/nicht überreden** ~ he let himself be *or* allowed himself to be persuaded/he was not to be persuaded; **ich lasse mich nicht belügen/zwingen** I won't be lied to/coerced.

4. (*möglich sein*) **das Fenster läßt sich leicht öffnen** the window opens easily; **das Fenster läßt sich nicht öffnen** (*grundsätzlich nicht*) the window doesn't open; (*momentan nicht*) the window won't open; **das Wort läßt sich schwer/nicht übersetzen** the word is hard to translate/ can't be translated *or* is untranslatable; **das läßt sich machen** that's possible, that can be done; **es läßt sich essen/trinken** it's edible *or* eatable/drinkable; **das läßt sich nicht mehr feststellen** that can no longer be established; **das läßt sich nicht mehr ändern** nothing can be done about that now, it's too late to do anything about it now; **daraus läßt sich schließen** *or* **folgern, daß ...** one can conclude from this that ...

5. (*als Imperativ*) **laß uns gehen!** let's go!; **laß es dir gutgehen!** take care of yourself!; **laß dir das gesagt sein!** let me tell you this!; **lasset uns beten** let us pray.

III *vi* **1. laß mal, ich mache das schon** leave it, I'll do it; **laß mal, ich zahle das schon** no, that's all right, I'll pay.

2. (*ab*~) **von jdm/etw** ~ to give sb/sth up.

lässig *adj* (*ungezwungen*) casual; (*nach*~) careless; (*sl: gekonnt*) cool (*sl*). **das hat er ganz** ~ **hingekriegt** (*sl*) pretty cool, the way he did that (*sl*).

Lässigkeit *f siehe adj* casualness; carelessness; coolness (*sl*).

läßlich *adj* (*Eccl*) *Sünde* venial, pardonable.

Lasso *m or nt* **-s, -s** lasso.

läßt *imper pl of* **lassen.**

Last *f* **-, -en 1.** load; (*Trag*~ *auch*) burden; (*lit, fig: Gewicht*) weight. **Auf-**

zug nur für ~**en** goods lift *or* hoist.

2. (*fig: Bürde*) burden. **eine** ~ **für jdn sein, jdm zur** ~ **fallen/werden** to be/ become a burden on sb; **die** ~ **der Verantwortung/des Amtes** the burden of responsibility/the weight of office; **sich** (*dat*) **selbst eine** ~ **sein** to be a burden to oneself; **damit war uns eine schwere** ~ **vom Herzen** *or* **von der Seele genommen** that took a load off our minds; **jdm eine** ~ **abnehmen** to take a load off sb's shoulders; **jdm etw zur** ~ **legen** to accuse sb of sth.

3. ~**en** (*Kosten*) costs; (*des Steuerzahlers*) charges; **soziale** ~**en** welfare costs *or* charges; **die steuerlichen** ~**en für die kleinen Unternehmen** the tax burden for small concerns; **zu jds/eigenen** ~**en gehen** to be chargeable to sb/payable oneself.

Lastarm *m* (*Phys*) load arm; **Lastauto** *nt* van (*Brit*), panel truck (*US*).

lasten *vi* to weigh heavily (*auf* +*dat* on). **eine schwere Sorge hat auf ihr gelastet** a terrible worry weighed her down; **auf dem Haus lastet noch eine Hypothek** the house is still encumbered (with a mortgage) (*form*); **auf ihm lastet die ganze Verantwortung/Arbeit** all the responsibility rests on him/all the work falls on him.

Lastenaufzug *m* hoist, goods lift *or* elevator (*US*); **Lastenausgleich** *m* system of financial compensation for losses suffered in the Second World War.

lastend *adj* (*geh*) *Stille, Schwüle* oppressive.

lastenfrei *adj Grundstück* unencumbered; **Lastentaxi** *nt* van plus driver to rent.

Laster¹ *m* **-s, -** (*inf*) lorry (*Brit*), truck.

Laster² *nt* **-s, -** vice.

Lästerei *f* (*inf*) **1.** *no pl* (*das Lästern*) running down (*über* +*acc* of), nasty comments *pl*. **2.** (*Lästerwort*) nasty remark.

Lästerer *m* **-s, - 1. ein** ~ **sein** to have a vicious tongue (in one's head). **2.** (*Gottes*~) blasphemer.

lasterhaft *adj* depraved.

Lasterhaftigkeit *f* depravity.

Lasterhöhle *f* den of vice *or* iniquity.

Lasterleben *nt* (*old, iro*) life of sin and depravity.

lästerlich *adj* malicious; (*gottes*~) blasphemous. ~**e Bemerkung** gibe (*über* +*acc* at).

Lästermaul *nt* (*inf*) *siehe* **Lästerer 1.**

lästern I *vi* **über jdn/etw** ~ to make nasty remarks about sb/sth, to run sb/sth down; **wir haben gerade über dich gelästert** (*hum*) we were just talking about you, we were just taking your name in vain (*hum*). II *vt* **1.** to be nasty about. **2.** *Gott* to blaspheme against, to curse.

Lästerzunge *f* vicious tongue.

Last|esel *m* pack mule.

Lastex ® *nt* **-, *no pl*** stretch fabric.

Lastfahrzeug *nt* goods vehicle; **Lastfuhre** *f* **mit dem Mietwagen dürfen keine** ~**n unternommen werden** the hired car is not to be used for the carriage of goods.

lästig *adj* tiresome; (*ärgerlich auch*)

annoying, irksome, aggravating; *Husten, Kopfschuppen* troublesome. **wie ~!** what a nuisance!; **jdm ~ sein** to bother sb; **der Regenschirm/dieser Verband ist mir ~** the umbrella is a nuisance/this bandage is bothering me; **jdm ~ fallen** to be a nuisance to sb; **jdm ~ werden** to become a nuisance (to sb); (*zum Ärgernis werden*) to get annoying (to sb).

Lästigkeit *f siehe adj* tiresomeness; irksomeness; troublesomeness.

Lastkahn *m* barge; **Lastkraftwagen** *m* (*form*) heavy goods vehicle; **Lastschiff** *nt* freighter, cargo ship; **Lasttier** *nt* beast of burden, pack animal; **Lastträger(in** *f)* *m* carrier, porter; **Lastwagen** *m* lorry (*Brit*), truck; **Lastwagenfahrer(in** *f) m* lorry (*Brit*) or truck driver; **Lastzug** *m* truck-trailer (*US*), juggernaut (*Brit inf*).

Lasur *f* (*auf Holz, Bild*) varnish; (*auf Glas, Email*) glaze.

lasziv *adj* (*geh*) lascivious.

Laszivität *f* (*geh*) lasciviousness.

Latein *nt* -s Latin. **mit seinem ~ am Ende sein** to be stumped (*inf*).

Lateinamerika *nt* Latin America; **Lateinamerikaner(in** *f) m* Latin American; **lateinamerikanisch** *adj* Latin-American.

lateinisch *adj* Latin.

Lateinschule *f* (*Hist*) grammar school.

latent *adj* latent; *Selbstmörder* potential. **~ vorhanden sein** to be latent.

Latenz *f* latency.

Latenzzeit *f* latent period.

lateral *adj* (*Sci*) lateral.

Laterna magica *f* magic lantern.

Laterne *f* -, -n (*Leuchte, Archit*) lantern; (*Straßen~*) streetlight, streetlamp.

Laternenpfahl *m* lamp post.

Latex *m* -, **Latizes** latex.

Latifundium *nt usu pl* latifundium.

latinisieren* *vt* to latinize.

Latinist(in *f) m* Latinist, Latin scholar.

Latinum *nt* -s, *no pl* **kleines/großes ~** ≃ Latin O-/A-level (exam) (*Brit*).

Latrine *f* latrine.

Latsche *f* -, -n (*Bot*) mountain pine.

Latschen *m* -s, - (*inf*) (*Hausschuh*) slipper; (*pej: Schuh*) worn-out shoe.

latschen *vi aux sein* (*inf*) to wander; (*durch die Stadt etc*) to traipse; (*schlurfend*) to slouch along.

Latschenkiefer *f* mountain pine.

latschig *adj* (*inf*) *Gang* sloppy (*inf*).

Latte *f* -, -n **1.** (*schmales Brett*) slat. **nicht alle auf der ~ haben** (*sl*) to have a screw loose (*inf*). **2.** (*Sport*) bar; (*Ftbl*) (cross)bar. **3.** (*inf: Liste*) **eine ganze ~ von Vorstrafen** a whole string of previous convictions. **4.** (*sl*) **eine ~ haben** to have a hard-on (*sl*).

Lattenholz *nt* lath wood; **Lattenkreuz** *nt* corner of the goalpost; **Lattenrost** *m* duckboards *pl*; (*in Bett*) slatted frame; **Lattenschuß** *m* (*Ftbl*) shot against the bar; **nach dem ~ von Matthäus** after Matthäus hit the crossbar; **einen ~ haben** (*sl*) to be off one's rocker (*sl*);

Lattenverschlag *m* crate; (*abgeteilte Fläche*) enclosure; (*für Hühner*) run; **Lattenzaun** *m* wooden fence, paling.

Latz *m* -es, ¨e *or* (*Aus*) -e (*Lätzchen, bei Kleidung*) bib; (*Hosen~*) (front) flap. **jdm eins vor den ~ knallen** (*sl*) *or* **ballern** (*sl*) to sock sb one (*sl*).

Lätzchen *nt* bib.

Latzhose *f* (pair of) dungarees *pl*.

lau *adj* **1.** *Wind, Abend* mild. **2.** (*~warm*) *Flüssigkeit* tepid, lukewarm; (*fig*) *Freundschaft, Begeisterung, Haltung* lukewarm, half-hearted.

Laub *nt* -(e)s, *no pl* leaves *pl*; (*an Bäumen auch*) foliage.

Laubbaum *m* deciduous tree; **Laubdach** *nt* leafy canopy (*liter*).

Laube *f* -, -n **1.** (*Gartenhäuschen*) summerhouse. **2.** (*Gang*) arbour, pergola.

Laubengang *m* arbour, pergola; **Laubenkolonie** *f* area of allotments; **Laubenpieper** *m* -s, - (*dial*) allotment gardener.

Laubfall *m* vor dem ~ before the leaves fall; **Laubfärbung** *f* colouring of the leaves; **Laubfrosch** *m* (European) tree-frog; **Laubhölzer** *pl* deciduous trees *pl*; **Laubhüttenfest** *nt* Feast of Tabernacles, Sukkoth; **Laubkrone** *f* tree-top; **Laubsäge** *f* fretsaw; **Laubsägearbeit** *f* fretwork; **laubtragend** *adj* deciduous; **Laubwald** *m* deciduous wood/forest; **Laubwerk** *nt* foliage (*auch Art*).

Lauch *m* -(e)s, -e allium (*form*); (*esp S Ger: Porree*) leek.

Lauchzwiebel *f* spring onion.

Laudatio [lau'da:tsio] *f* -, **Laudationes** encomium, eulogy.

Lauer *f* -, *no pl*: **auf der ~ sein** *or* **liegen** to lie in wait; **sich auf die ~ legen** to settle down to lie in wait.

lauern *vi* (*lit, fig*) to lurk, to lie in wait (*auf +acc* for); (*inf*) to wait (*auf +acc* for). **ein ~der Blick** a furtive glance.

Lauf *m* -(e)s, **Läufe 1.** (*schneller Schritt*) run; (*Sport: Wett~*) race. **im ~ innehalten** to stop running for a moment.

2. (*Verlauf*) course. **im ~e der Jahre** in the course of the years, over *or* through the years; **im ~e des Gesprächs** in the course of *or* during the conversation; **einer Entwicklung** (*dat*) **freien ~ lassen** to allow a development to take its (own) course; **sie ließ ihren Gefühlen freien ~** she gave way to her feelings; **den Dingen ihren ~ lassen** to let matters *or* things take their course; **das ist der ~ der Dinge** *or* **der Welt** that's the way of the world *or* the way things go; **die Dinge nahmen ihren ~** everything took its course.

3. (*Gang, Arbeit*) running, operation; (*Comput*) run.

4. (*Fluß~, Astron*) course. **der obere/ untere ~ der Donau** the upper/lower reaches of the Danube.

5. (*Mus*) run.

6. (*Gewehr~*) barrel. **ein Tier vor den ~ bekommen** to get an animal in one's sights.

7. (*Hunt: Bein*) leg.

Laufbahn *f* career. **die ~ des Beamten ein-**

schlagen to embark *or* enter on a career as a civil servant.

aufbursche *m* errand-boy, messenger boy.

ufen *pret* **lief**, *ptp* **gelaufen I** *vi aux sein*
1. (*rennen*) to run. **lauf doch!** get a move on! (*inf*).

2. (*inf*) (*gehen*) to go; (*seine Notdurft verrichten*) to run (to the toilet) (*inf*). **er läuft dauernd ins Kino/auf die Polizei** he's always off to the cinema/running to the police.

3. (*zu Fuß gehen*) to walk. **das Kind läuft schon** the child can already walk *or* is already walking; **das L~ lernen** to learn to walk; **er läuft sehr unsicher** he's very unsteady on his feet; **es sind noch/ nur 10 Minuten zu ~** it's another/only 10 minutes' walk.

4. (*fließen*) to run; (*schmelzen: Käse, Butter*) to melt. **Wasser in einen Eimer/ die Badewanne ~ lassen** to run water into a bucket/the bath; **das Bier muß ~** the beer must be kept flowing.

5. (*undicht sein*) (*Gefäß, Wasserhahn*) to leak; (*Nase, Wunde*) to run. **seine Nase läuft, ihm läuft die Nase** his nose is running, he's got a runny nose.

6. (*in Betrieb sein*) to run, to go; (*Uhr*) to go; (*Elektrogerät*) (*eingeschaltet sein*) to be on; (*funktionieren*) to work. **wir haben jetzt drei neue Maschinen ~** (*inf*) we've got three new machines going (*inf*); **er hat vier Mädchen ~** (*sl*) he's got four girls on the game (*sl*) *or* hustling for him (*sl*).

7. (*Comput*) to run. **ein Programm ~ lassen** to run a program.

8. (*fig: im Gange sein*) (*Prozeß, Verhandlung*) to go on, to be in progress; (*Bewerbung, Antrag*) to be under consideration; (*gezeigt werden*) (*Film*) to be on, to be showing; (*Stück*) to be on, to be playing. **der Film lief schon, als wir ankamen** the film had already started when we arrived; **etw läuft gut/schlecht** sth is going well/badly; **die Sache/das Geschäft läuft jetzt** it/the shop is going well now; **sehen, wie die Sache läuft** see how things go; **alles/die Dinge ~ lassen** to let everything/things slide; **die Sache ist gelaufen** (*sl*) it's in the bag (*inf*), it's all wrapped up (*inf*); **jdm zeigen, wie es läuft** (*inf*) to show sb the ropes (*inf*).

9. (*gültig sein: Vertrag, Abkommen*) to run.

10. (*bezeichnet werden*) **das Auto läuft unter meinem Namen** *or* **auf meinen Namen** the car is in my name; **der Agent läuft unter dem Decknamen ,,Spinne''** the agent goes by the cover-name of "Spider"; **das läuft unter ,,Sonderausgaben''** that comes under "special expenses".

11. (*sich bewegen*) to run. **es lief mir eiskalt über den Rücken** a chill ran *or* went up my spine; **auf eine Mine ~** to hit a mine; **in den Hafen ~** to enter port.

12. (*verlaufen: Fluß*) to run; (*Weg auch*) to go.

II *vt* **1.** *aux haben or sein* (*Sport*) **Rekordzeit** to run; **Rekord** to set. **Rennen**

~ **to run (in races); Ski/Schlittschuh ~** to ski/skate.

2. *aux sein* (*fahren: Auto etc*) **Geschwindigkeit, Strecke** to do.

3. *aux sein* (*zu Fuß gehen*) to walk; (*schnell*) to run.

4. sich (*dat*) **eine Blase ~** to give oneself a blister; **sich** (*dat*) **ein Loch in die Sohlen ~** to wear a hole in one's soles.

III *vr* **sich wärmen ~** to warm up; **sich heiß ~** to overheat; **sich müde ~** to tire oneself out; **in den Schuhen läuft es sich gut/schlecht** these shoes are good/bad for walking/running in; **zu zweit läuft es sich besser** it's better walking/running in twos.

laufend I *adj attr* (*ständig*) *Arbeiten, Ausgaben* regular; *Kredit* outstanding; (*regelmäßig*) *Wartung* routine; *Monat, Jahr, Konto* (*form*) current. **10 DM das ~e Meter** DM 10 per metre; **~e Nummer** serial number; (*von Konto*) number; **auf dem ~en bleiben/sein** to keep (oneself)/be in the picture *or* up-to-date *or* informed; **jdn auf dem ~en halten** to keep sb posted *or* up-to-date *or* informed; **mit etw auf dem ~en sein** to be up-to-date on sth; **am ~en Band** (*fig*) continuously.

II *adv* continually, constantly.

laufenlassen *vt sep irreg* (*inf*) **jdn ~** to let sb go.

Läufer *m* -s, - **1.** (*Sport*) runner; (*Hürden~*) hurdler; (*Ftbl*) halfback; (*dated: Laufbursche*) messenger-boy; (*Chess*) bishop. **rechter/linker ~** (*Ftbl*) right/left half.

2. (*Teppich*) rug; (*Treppen~, Tisch~*) runner.

3. (*Tech*) (*Laufgewicht*) sliding weight.

4. (*Build*) stretcher.

Lauferei *f* (*inf*) running about *no pl*.

Läuferin *f siehe* **Läufer 1.**

lauffaul *adj* lazy; **er war während des Spiels ~** he didn't run around very much during the game; **Lauffeuer** *nt*: **sich wie ein ~ verbreiten** to spread like wildfire; **Lauffläche** *f* (*von Reifen*) tread; **lauffreudig** *adj* keen on running/ walking; **Laufgewicht** *nt* sliding weight; **Laufgitter** *nt* playpen; **Laufgraben** *m* approach trench.

läufig *adj* on heat.

Laufkatze *f* (*Tech*) crab; **Laufkran** *m* (overhead) travelling crane; **Laufkundschaft** *f* occasional customers *pl*; **Laufmasche** *f* ladder (*Brit*), run; **~n aufnehmen** to mend ladders; **Laufpaß** *m*: **jdm den ~ geben** (*inf*) to give sb his/ her marching orders (*inf*); *Freund etc auch* to pack sb in (*inf*); **Laufplanke** *f* (*Naut*) gangplank; **Laufrad** *nt* traversing wheel; (*ohne Antrieb*) trailing wheel; (*in Turbine*) rotor; **Laufrichtung** *f* (*Mech*) direction of movement; **Laufrolle** *f* roller; (*unter Möbeln*) castor; **Laufrost** *m* duckboards *pl*; **laufruhig** *adj Motor* quiet; **Laufschritt** *m* trot; (*Mil*) double-quick, double-time; **im ~** (*Mil*) at the double; **er näherte sich im ~** he came trotting up; **Laufschuh** *m* (*inf*) walking shoe; **Laufstall** *m* playpen; **Laufsteg** *m* catwalk; **Laufwerk** *nt* running gear; (*Comput*) drive; **Laufzeit** *f* **1.** (*von Wechsel, Vertrag*) term, period of validity; (*von Kredit*) period; **2.** (*von Maschine*) (*Lebensdauer*) (operational) life; (*Betriebszeit*) running time; **3.** (*Sport*) time; **Laufzettel** *m* (*an Akten, Maschinen*) docket.

Lauge *f* -, **-n** (*Chem*) lye, leach; (*Seifen~*) soapy water; (*Salz~*) salt solution.

Laugenbrezel *f* pretzel stick.

Lauheit, *f* **1.** (*von Wind, Abend*) mildness.
2. (*fig: von Freundschaft*) lukewarmness, half-heartedness.

Laune *f* -, **-n 1.** (*Stimmung*) mood. (**je**) **nach** (**Lust und**) ~ just as the mood *or* fancy takes one; **gute/schlechte ~ haben,** (**bei** *or* **in**) **guter/schlechter ~ sein** to be in a good/bad mood *or* temper; **jdn bei guter ~** *or* **bei ~** (*inf*) **halten** to keep sb happy *or* in a good mood; **seine ~ an jdm auslassen** to take one's temper out on sb.
2. (*Grille, Einfall*) whim, caprice. **etw aus einer ~ heraus tun** to do sth on a whim.

launenhaft *adj* moody; (*unberechenbar*) capricious; *Wetter* changeable.

Launenhaftigkeit *f siehe adj* moodiness; capriciousness; changeability.

launig *adj* (*dated*) witty.

launisch *adj siehe* **launenhaft.**

Laureat(in *f*) *m* **-en, -en** (*geh*) laureate.

Laus *f* -, **Läuse** louse; (*Blatt~*) greenfly; blackfly. **jdm/sich eine ~ in den Pelz setzen** (*inf*) to land sb/oneself in it (*inf*), to let sb/oneself in for it (*inf*); **ihm ist** (**wohl**) **eine ~ über die Leber gelaufen** *or* **gekrochen** (*inf*) something's biting him (*inf*).

Lausbub *m* (*dated*) rascal, scamp, scallywag.

Lausbubengesicht *nt* (*dated*) scampish *or* roguish face.

lausbübisch *adj* (*dated*) roguish, scampish, rascally; *Mädchen* tomboyish.

Lausch|angriff *m* bugging operation (*gegen* on).

lauschen *vi* **1.** (*geh*) to listen (*dat, auf* +*acc* to). **2.** (*heimlich zuhören*) to eavesdrop.

Lauscher *m* **-s, -** **1.** eavesdropper. **der ~ an der Wand hört seine eigene Schand** (*Prov*) people who listen at doors never hear any good of themselves. **2.** (*Hunt: Ohr*) ear.

Lauscherin *f siehe* **Lauscher 1.**

lauschig *adj* *Plätzchen* cosy, snug; (*im Freien*) secluded.

Lausebengel, Lausejunge *m* (*inf*) blighter (*Brit inf*), little devil (*inf*); (*wohlwollend*) scamp, rascal.

lausen *vt* to delouse. **jdn ~** (*inf: übervorteilen*) to fleece sb (*inf*); **ich denk',** **mich laust der Affe!** (*sl*) well blow me down! (*inf*), well I'll be blowed! (*inf*).

lausig (*inf*) **I** *adj* lousy (*sl*), awful; *Kälte* freezing, perishing. **II** *adv* awfully; (*vor Adjektiv auch*) damn(ed) (*sl*), bloody (*Brit sl*).

laut¹ *adj* **1.** loud. **~er sprechen** to speak

louder *or* more loudly, to speak up; **~ auflachen** to burst out laughing, to laugh out loud; **etw ~(er) stellen** to turn sth up (loud).
2. (*lärmend, voll Lärm*) noisy; (*auffällig, aufdringlich*) *Mensch* loudmouthed; *Farbe* loud. **er wird immer gleich ~** he always gets obstreperous.
3. (*hörbar*) out loud *pred, adv,* aloud *pred, adv.* **etw ~ sagen** (*lit*) to say sth out loud; (*fig*) to shout sth from the rooftops, to tell sth to the whole world; **~ werden** (*bekannt*) to become known; **etw ~ werden lassen** to make sth known, to let sth be known.

laut² *prep* +*gen* (*geh*) *or dat* according to.

Laut *m* **-(e)s, -e** sound. **heimatliche ~e** sounds of home; **wir hörten bayerische ~e** we heard Bavarian accents; **keinen ~ von sich** (*dat*) **geben** not to make a sound; **~ geben** (*Hund*) to give tongue.

lautbar *adj:* **~ werden** to become known.

Lautbildung *f* articulation.

Laute *f* -, **-n** lute.

lauten *vi* to be; (*Rede, Argumentation*) to go; (*Schriftstück*) to read, to go. **dieser Erlaß lautet wörtlich: ...** the exact text of this decree is: ...; **auf den Namen ... ~** (*Paß*) to be in the name of ...; **die Anklage lautet auf Mord** the charge is (one of) murder.

läuten *vti* **1.** to ring; (*Wecker*) to go (off). **es hat geläutet** the bell rang *or* went; **jdn zu Grabe ~** (*liter*) to sound sb's funeral knell, to toll the bells for sb's funeral; (**nach**) **jdm ~** to ring for sb. **2. er hat davon (etwas) ~ hören** (*inf*) he has heard something about it.

Lautenist(in *f*), **Lautenspieler(in** *f*) *m* lute-player, lutenist.

lauter I *adj* **1.** (*liter: rein*) *Gold, Wein* pure.
2. (*geh: aufrichtig*) *Mensch, Absichten* honourable; *Wahrheit* honest.
II *adv* (*nur*) nothing/nobody but. **~ Unsinn** pure *or* sheer nonsense; **das sind ~ Lügen** that's nothing but lies, that's all a pack of lies; **vor ~ Rauch kann man nichts sehen** you can't see anything for all the smoke.

Lauterkeit *f, no pl* **1.** (*liter: Reinheit*) purity. **2.** (*geh: Aufrichtigkeit*) honourableness.

läutern *vt* (*liter*) to purify; (*fig*) to reform.

Läuterung *f* (*liter*) purification; (*fig*) reformation.

Läut(e)werk *nt* (*Rail*) signal bell.

laut(ge)treu *adj* phonetic; **lauthals** *adv* at the top of one's voice.

Lautlehre *f* phonetics *sing*; phonology; **lautlich** *adj* phonetic; **lautlos** *adj* silent, soundless; noiseless; (*wortlos*) silent; *Stille* utter, complete; **Lautlosigkeit** *f siehe adj* silence, soundlessness; noiselessness; silence; completeness; **lautmalend** *adj* onomatopoeic; **Lautmalerei** *f* onomatopoeia; **Lautschrift** *f* phonetics *pl*; (*System auch*) phonetic alphabet *or* script.

Lautsprecher *m* (loud)speaker. **über ~** over the loudspeaker(s).

Lautsprecheranlage *f* öffentliche ~ pub-

lic address *or* PA system, tannoy ®
(*Brit*); **Lautsprecherbox** *f* speaker;
Lautsprecherwagen *m* loudspeaker
car/van.

Lautstand *m* (*Ling*) stage of development
of the sound system; **lautstark** *adj* loud;
(*Rad, TV etc*) high-volume; *Protest* vociferous; **Lautstärke** *f siehe adj* loudness; volume; vociferousness; **das Radio
auf volle ~ einstellen** to turn the radio
right up *or* up as loud as it will go; **Laut-
stärkeregler** *m* (*Rad*) volume control.

Lautung *f* (*geh*) articulation.

Lautverschiebung *f* sound shift; **Lautwandel** *m* sound change.

Lautzeichen *nt* phonetic symbol.

lauwarm *adj* slightly warm; *Flüssigkeit*
lukewarm; (*fig*) lukewarm, half-hearted.

Lava ['la:va] *f* -, **Laven** ['la:vn] lava.

Lavabo *nt* -(s), -s 1. ['la:va:bo] (*Rel*) lavabo. 2. ['la:vabo] (*Sw*) washbasin.

Lavendel [la'vɛndl] *m* -s, - lavender.

lavieren¹* [la'vi:rən] *vi* 1. (*Naut*) to tack.
2. (*fig*) to manoeuvre.

lavieren²* [la'vi:rən] *vt* (*Art*) to wash. **la-
vierte Zeichnung** wash drawing.

Law and order [lɔːǀənd'ǀɔːdɐ] *no art* law
and order.

Law-and-order- *in cpds* law-and-order;
Law-and-order-Kurs *m* law-and-order
campaign; **Law-and-order-Programm**
nt law-and-order policy.

Lawine *f* (*lit, fig*) avalanche.

lawinenartig *adj* like an avalanche; **~
anwachsen** to snowball; **Lawinengefahr**
f danger of avalanches; **Lawinen-
schutzwald** *m* barrier forest;
lawinensicher *adj Ort* secure from avalanches; **Lawinenverbauung** *f* avalanche barrier.

Lawrencium [lo-] *nt, no pl* (*abbr* **Lr**) lawrencium.

lax *adj* lax.

Laxheit *f* laxity, laxness.

Layout ['le:ǀaut] *nt* -s, -s layout.

Layouter(in *f*) ['le:ǀautɐ, -ərɪn] *m* -s, - designer.

Lazarett *nt* -(e)s, -e (*Mil*) (*in Kaserne*)
sick bay; (*selbständiges Krankenhaus*)
hospital.

Lazarettschiff *nt* hospital ship; **Laza-
rettzug** *m* hospital train.

LCD- [ɛltse:'de:] *in cpds* LCD; **LCD-
Anzeige** *f* LCD display.

Leadsänger(in *f*) ['li:d-] *m* lead singer.

leasen ['li:zn] *vt* (*Comm*) to lease.

Leasing ['li:zɪŋ] *nt* -s, -s (*Comm*) leasing.

Leasing- *in cpds* leasing; **Leasing-
Geber(in** *f*) *m* lessor; **Leasing-
Nehmer(in** *f*) *m* lessee.

Lebedame *f* courtesan.

Lebehoch *nt* -(s), -(s) ≈ three cheers. **ein
(dreifaches) ~ auf jdn ausbringen** ≈ to
give sb three cheers.

Lebemann *m, pl* -**männer** roué, rake.

Leben *nt* -s, - 1. life. **das ~** life; **das ~ des
Menschen/der Tiere** the life of man/
animals; **am ~ sein/bleiben** to be/stay
alive; **das ~ als Briefträger** life as a postman, a postman's life; **das ~ Heming-
ways** Hemingway's life, the life of Hemingway; **das ~ vor/hinter sich** (*dat*) **haben**

to have one's life ahead of *or* in front of
or before/behind one; **solange ich am ~
bin** as long as I live; **sich des ~s freuen,
das *or* sein ~ genießen** to enjoy life; **das
or sein ~ verlieren** to lose one's life; **jdm
das ~ retten** to save sb's life; **es geht um
~ und Tod, es ist eine Sache auf ~ und
Tod** it's a matter of life and death; **wenn
dir dein ~ lieb ist** if you value your life;
mit dem ~ davonkommen to escape with
one's life; **mit dem ~ spielen, sein ~ aufs
Spiel setzen** to take one's life in one's
hands, to dice with death; **mit dem ~ abschließen** to prepare for death; **einer Sache** (*dat*) **zu neuem ~ verhelfen** to
breathe new life into sth, to revitalize
sth; **etw ins ~ rufen** to bring sth into
being; **jdn vom ~ zum Tode bringen**
(*form*) *or* **befördern** (*hum*) to kill sb, to
take sb's life, to take care of sb (*inf*);
(*bei Hinrichtung auch*) to put sb to
death; **seines ~s nicht mehr sicher sein**
to fear for one's life; **ums ~ kommen** to
die, to lose one's life; **sein ~ lassen
(müssen)** to lose one's life; **jdn am ~ lassen** to spare sb's life; **um sein ~ laufen** *or*
rennen to run for one's life *or* for dear
life; **sich** (*dat*) **das ~ nehmen** to take
one's (own) life; **jdn wieder ins ~ zurückrufen** to bring sb back to life; *Bewußtlo-
sen* to revive sb, to bring sb round; **der
Mann/die Frau meines ~s** my ideal
man/woman; **etw für sein ~ gern tun** to
love doing sth, to be mad about doing
sth (*inf*); **etw für sein ~ gern essen/
trinken** to be mad about sth (*inf*), to
love sth; **jdn künstlich am ~ erhalten** to
keep sb alive artificially; **ein ~ in
Frieden/in Armut** a life of peace/
poverty; **er hat es nie leicht gehabt im ~**
he has never had an easy life; **ein ~ lang**
one's whole life (long); **zum erstenmal
im ~** for the first time in one's life; **ich
habe noch nie im *or* in meinem ~ geraucht** I have never smoked (in) all my
life *or* in my whole life; **nie im ~**! never!;
sich durchs ~ schlagen to struggle
through (life); **ins ~ treten** to go out into
the world; **im ~ stehen** to have some
standing in the world; (*nicht weltfremd
sein*) to know what life is all about; **im ~
ist das ganz anders** in real life it's very
different; **ein Film nach dem ~** a film
from real life; **das ~ geht weiter** life goes
on; **unser ~ währet siebenzig Jahr ...**
(*Bibl*) the days of our years are three
score years and ten (*Bibl*); **so ist das ~
(eben)** that's life, such is life, that's the
way the cookie crumbles (*inf*).
2. (*Betriebsamkeit*) life. **auf dem
Markt herrscht reges ~** the market is a
hive of activity; **in dieser Stadt ist wenigstens ~** at least there is some life in this
town; **~ in etw** (*acc*) **bringen** (*inf*) to liv-
en *or* brighten sth up; **voller ~ stecken**
to be full of life; **es war überhaupt kein
~ in seinem Vortrag** there wasn't a
spark of life in his lecture.

leben I *vi* (*alle Bedeutungen*) to live; (*am
Leben sein*) to be alive; (*weiter~*) to live
on. **er lebt noch/nicht mehr** he is still/is
no longer alive; **er hat nicht lange gelebt**

he didn't live (for) long; **ich möchte nicht mehr ~** I don't want to go on living; **er wird nicht mehr lange zu ~ haben** he won't live much longer; **von etw ~ to** live on sth; **es/lang lebe der König!** long live the King!; **wie geht es dir? — man lebt (so)** (*inf*) how are you? — surviving; **lebst du noch?** (*hum inf*) are you still in the land of the living? (*hum*); **~ und ~ lassen** to live and let live; **so was lebt, und Schiller mußte sterben!** (*hum inf*) some mothers do have 'em (*inf*), it's a sad case (*inf*); **zum L~** zu wenig, zum Sterben zuviel, davon kann man nicht ~ **und nicht sterben** it's barely enough to keep body and soul together; **man lebt nur einmal!** you only live once; **einsam/ christlich/gesund** ~ to live *or* lead a lonely/Christian/healthy life; **allein/ glücklich** ~ to live alone/happily; **ganz für sich** ~ to live a secluded life; **für etw ~, einer Sache** (*dat*) ~ (*geh*) to live for sth; **leb(e) wohl!** (*liter*) farewell! (*liter*); **hier lebt es sich gut** *or* **läßt es sich (gut)** ~ it's a good life here.

II *vt* to live. **jeder muß sein eigenes Leben ~** we've all got our own lives to live *or* lead.

lebend *adj* live *attr*, alive *pred*; *Wesen, Seele, Beispiel, Sprache* living. „**Vorsicht, ~e Tiere**" "with care, live animals"; **ein noch ~er Zeuge** a witness who is still alive *or* living today; **ein Tier ~ fangen** to catch an animal alive; **~es Inventar** livestock; **die L~en** the living; **~es Bild** tableau.

lebendgebärend *adj* viviparous, livebearing; **Lebendgeburt** *f* live-birth; **Lebendgewicht** *nt* live weight; (*von Rindern auch*) weight on the hoof.

lebendig *adj* **1.** (*nicht tot*) live *attr*, alive *pred*; *Wesen* living. **~e Junge** live young; **~e Junge gebären** to bear one's young live; **er ist dort ~ begraben** (*fig inf*) it's a living death for him there; **jdn bei ~em Leibe verbrennen** to burn sb alive; **wieder ~ werden** to come back to life; **er nimmt's von den L~en** (*hum inf*) he'll have the shirt off your back (*inf*), it's daylight robbery what he charges (*inf*).

2. (*fig: lebhaft*) lively *no adv*; *Darstellung, Szene, Bild, Erinnerung auch* vivid; *Glaube* deep, fervent.

Lebendigkeit *f, no pl* (*fig*) *siehe adj* 2. liveliness; vividness; depth, fervour.

Lebensabend *m* old age, autumn *or* twilight of one's life (*liter*); **Lebensabschnitt** *m* phase in *or* of one's life; **Lebensalter** *f* (*fig*) lifeline; **Lebensalter** *nt* age; **ein hohes ~ erreichen** to have a long life; (*Mensch auch*) to reach a ripe old age (*inf*); **Lebensanschauung** *f* philosophy of life; **Lebensarbeitszeit** *f* working life; **Lebensarbeitszeitverkürzung** *f* shortening of one's working life; **Lebensart** *f, no pl* **1.** *siehe* Lebensweise; **2.** (*Manieren*) manners *pl*; (*Stil*) style, savoir-vivre; **eine feine/kultivierte ~ haben** to have exquisite manners/ style/to be cultivated; **Lebensaufgabe** *f* life's work; **Lebensbaum** *m* (*Bot*) arbor vitae; (*fig, Art*) tree of life;

Lebensbedingungen *pl* living conditions *pl*; **lebensbedrohend** *adj* life-threatening; **lebensbejahend** *adj* positive; **Lebensbejahung** *f* positive attitude to life; **Lebensbereich** *m* area of life; **Lebensbeschreibung** *f* biography; **Lebensdauer** *f* life(span); (*von Maschine*) life; **lebensecht** *adj* true-to-life; **Lebenselixier** *nt* elixir of life; **Lebensende** *nt* end of sb's/(one's) life, end; **Lebenserfahrung** *f* experience of life; **lebenserhaltend** *adj* *Geräte* life-support *attr*; **Lebenserhaltungssystem** *nt* life-support system; **Lebenserinnerungen** *pl* memoirs *pl*; **Lebenserwartung** *f* life expectancy; **lebensfähig** *adj* (*Med*) capable of life *or* of living, viable; (*fig*) capable of surviving, viable; **Lebensfähigkeit** *f* (*Med*) ability to live, viability; (*fig*) ability to survive, viability; **Lebensform** *f* (*Biol*) life-form; (*Psych, Philos*) form of life, type of man; (*Form menschlichen Zusammenlebens*) way of life; **Lebensfrage** *f* vital matter; **lebensfremd** *adj* remote from *or* out of touch with life; **Lebensfreude** *f* joie de vivre, zest for life; **lebensfreudig** *adj* ~ sein to enjoy life; **lebensfroh** *adj* merry, full of the joys of life; **Lebensgefahr** *f* (mortal) danger; „**~!**" "danger"; **es besteht ~** there is danger (to life); **er ist** *or* **schwebt in ~** his life is in danger, he is in danger of his life; (*Patient*) he is in a critical condition; **außer ~ sein** to be out of danger; **etw unter ~** (*dat*) **tun** to risk one's life doing sth; **lebensgefährlich** *adj* highly dangerous; *Krankheit, Verletzung* critical; **Lebensgefährte** *m*, **Lebensgefährtin** *f* longtime companion, companion through life (*liter*); **Lebensgefühl** *nt*, *no pl* feeling of being alive; **ein ganz neues ~ haben** to feel (like) a different person; **Lebensgeister** *pl* (*hum inf*) **jds/seine ~ wecken** to pep sb/ oneself up (*inf*), to put some life into sb/oneself; **Lebensgemeinschaft** *f* long-term relationship; (*Biol, Zool*) symbiosis; **Lebensgenuß** *m* enjoyment of life; **Lebensgeschichte** *f* life-story, life-history; **Lebensgewohnheit** *f* habit; **lebensgroß** *adj* lifesize; **Lebensgröße** *f* lifesize; **eine Figur in ~** a lifesize figure; **da stand er in voller ~** (*hum*) there he was (as) large as life (and twice as ugly) (*inf*); **Lebenshaltung** *f* **1.** (*Unterhaltskosten*) cost of living; **2.** (*Lebensführung*) lifestyle.

Lebenshaltungsindex *m* cost-of-living index; **Lebenshaltungskosten** *pl* cost of living *sing*.

Lebenshilfe *f* counselling; **Lebenshunger** *m* thirst for life; **lebenshungrig** *adj* eager *or* thirsty for life; **Lebensinhalt** *m* purpose in life, raison d'être; **etw zu seinem ~ machen** to devote oneself to sth, to make sth one's mission in life; **das ist sein ganzer ~** his whole life revolves round it, it's the be-all and end-all of his existence; **Lebensjahr** *nt* year of (one's) life; **in seinem fünften ~** in the fifth year of his life; **nach Vollendung des 18.** **~es on attaining the age of 18;** **Lebenskampf** m struggle for life or existence; **lebensklug** adj streetwise; **Lebenskraft** f vitality; **Lebenskünstler(in** f) m master or expert in the art of living; **er ist ein echter ~** he really knows how to live or to enjoy life; **Lebenslage** f situation; **in jeder ~** in any situation; **lebenslang** adj Freundschaft, Siechtum lifelong; Haft, Gefangenschaft life attr, for life; **Lebenslang** nt -, no pl life (sentence); **lebenslänglich** adj Rente, Strafe for life; Gefangenschaft auch life attr; **ein L~er** (inf) a lifer (sl); **sie hat „~" bekommen** (inf) she got life (inf); **~ hinter Gittern sitzen** (inf) to be inside for life or behind bars for life (inf); **Lebenslauf** m life; (bei Bewerbungen) curriculum vitae, résumé (US); **Lebenslicht** nt 1. (fig) flame of life (liter); **jdm das ~ ausblasen or auslöschen** (liter) to snuff out sb's life; 2. (als Geburtstagskerze) candle; **Lebenslinie** f lifeline; **Lebenslüge** f sham existence; **mit einer ~ leben** to live a lie; **Lebenslust** f zest for life, joie de vivre; **lebenslustig** adj in love with life; **Lebensmitte** f middle years pl; **die Krise in der ~** the mid-life crisis.

Lebensmittel pl food sing, food(stuff)s pl (form); (als Kaufware auch) groceries pl.

Lebensmittelchemie f food chemistry; **lebensmittelgerecht** adj suitable for putting food in; **Lebensmittelgeschäft** nt grocer's (shop); **Lebensmittelgesetz** nt food law; **Lebensmittelkarte** f food ration-card; **Lebensmittelvergiftung** f food poisoning.

lebensmüde adj weary or tired of life; **ein L~r** a potential suicide; **Lebensmut** m courage to face life; **lebensnah** adj true-to-life; **Lebensnerv** m (fig) **eine Industrie/eine Stadt an ihrem ~ treffen** to cripple an industry/a town; **lebensnotwendig** adj essential, vitally necessary; Organ, Sauerstoff vital (for life), essential for life; **Lebensphilosophie** f philosophy of life; **Lebensqualität** f quality of life; **Lebensraum** m (Pol) lebensraum; (Biol) habitat; **Lebensregel** f rule (of life); **Lebensretter(in** f) m rescuer; **du bist mein ~** you've saved my life; **Lebensrettungsmedaille** f lifesaving medal; **Lebensstandard** m standard of living; **Lebensstellung** f job for life; **Lebensstil** m lifestyle, style of life; **lebenstüchtig** adj able to cope with life; **Lebensüberdruß** m weariness with life, world-weariness; **Lebensumstände** pl circumstances pl; **damals waren die ~ schwierig** conditions made life difficult in those days; **Lebensunterhalt** m 1. seinen ~ verdienen to earn one's living; **sie verdient den ~ für die Familie** she is the breadwinner of the family, she supports the family; **für jds ~ sorgen** to support sb; **etw zu seinem ~ tun** to do sth for a living or livelihood; 2. (Unterhaltskosten) cost of living;

lebensuntüchtig adj unable to cope with life; **lebensverlängernd** adj Maßnahme life-prolonging; **lebensverneinend** adj negative; **Lebensversicherung** f life assurance or insurance; **eine ~ abschließen** to take out a life assurance or insurance policy; **Lebenswandel** m way of life; **einen einwandfreien/zweifelhaften ~ führen** to lead an irreproachable/a dubious life; **Lebensweg** m journey through life; **alles Gute für den weiteren ~** every good wish for the future; **Lebensweise** f way of life; **Lebensweisheit** f maxim; (Lebenserfahrung) wisdom; **Lebenswende** f (geh) turning-point in (one's/sb's) life; **Lebenswerk** nt life's work, lifework; **lebenswert** adj worth living; **lebenswichtig** adj essential, vital; Organ, Bedürfnisse vital; **~e Verbindungslinie** vital link, lifeline; **Lebenswille** m will to live; **Lebenszeichen** nt sign of life; **kein ~ mehr von sich geben** to show no sign(s) of life; **Lebenszeit** f life(time); **auf ~** for life; Beamter auf ~ permanent civil servant; **Lebensziel** nt goal or aim in life; **Lebenszweck** m purpose in life.

Leber f -, **-n** liver. **ich habe es mit der ~ zu tun or an der ~** (inf) I've got liver trouble; **frei or frisch von der ~ weg reden** (inf) to speak out or frankly; **sich** (dat) **etw von der ~ reden** (inf) to get sth off one's chest.

Leberblümchen nt liverwort; **Leberentzündung** f hepatitis, inflammation of the liver; **Leberfleck** m mole; (Hautfärbung) liver spot; **Leberhaken** m (Sport) hook to the liver; **Leberkäs(e)** m, no pl = meat loaf; **Leberknödel** m liver dumpling; **leberkrank** adj suffering from a liver disorder; **Leberkrebs** m cancer of the liver; **Leberleiden** nt liver disorder; **Leberpastete** f liver pâté; **Lebertran** m cod-liver oil; **Leberwert** m liver function reading; **Leberwurst** f liver sausage.

Lebewesen nt living thing. **kleinste ~** micro-organisms.

Lebewohl nt -s, no pl (liter) farewell (liter). **jdm ~ sagen** to bid sb farewell or adieu.

lebhaft adj 1. (voll Leben, rege) lively no adv; alter Mensch auch sprightly; Temperament auch vivacious; Gespräch, Streit auch animated; (Comm) Geschäfte auch brisk; Verkehr brisk. **es geht ~ zu** it is or things are lively; **das Geschäft geht ~** business is brisk or lively; **die Börse schloß ~** business was brisk or lively on the Stock Exchange at the close of the day.

2. (deutlich) Erinnerung, Vorstellungsvermögen vivid; (einfallsreich) Phantasie lively. **ich kann mir ~ vorstellen, daß ...** I can (very) well imagine that ...; **etw in ~er Erinnerung haben** to remember sth vividly.

3. (kräftig) Muster, Interesse, Beifall lively; Farben auch bright. **~ bedauern** to regret deeply, to be really sorry about.

Lebhaftigkeit *f siehe adj* liveliness; sprightliness; vivaciousness; animation.

Lebkuchen *m* gingerbread; **leblos** *adj Körper, Augen* lifeless; *Straße* in~ empty, deserted; **~er Gegenstand** inanimate object; **Leblosigkeit** *f siehe adj* lifelessness; emptiness; **Lebtag** *m* (*inf*) **mein/dein** *etc* ~ all my/your *etc* life, all my/your *etc* born days; **das habe ich mein** ~ **noch nicht gesehen** I've never seen the like (of it) in all my life *or* in all my born days; **das werde ich mein** ~ **nicht vergessen** I'll never forget that as long as I live; **Lebzeiten** *pl* **zu jds** ~ (*Leben*) while sb is/was alive, in sb's lifetime; (*Zeit*) in sb's day.

lechzen *vi* **nach etw** ~ to thirst for *or* crave sth, to long for sth; **mit ~der Zunge** with one's tongue hanging out.

Lecithin [letsi'ti:n] *nt* **-s,** *no pl* lecithin.

leck *adj* leaky. ~ **sein** to leak.

Leck *nt* **-(e)s, -e** leak.

Leckage [lε'ka:ʒə] *f* **-, -n 1.** (*Gewichtsverlust*) leakage. **2.** (*Leck*) leak.

Lecke *f* **-, -n** (*Hunt*) saltlick.

lecken[1] *vi* (*undicht sein*) to leak.

lecken[2] *vti* to lick. **an jdm/etw** ~ to lick sb/sth; **sich** (*dat*) **die Wunden** ~ to lick one's wounds.

lecker *adj Speisen* delicious, lovely, yummy (*inf*); (*inf Rhenish*) *Mädchen* lovely, delectable.

Leckerbissen *m* **1.** (*Speise*) delicacy, titbit. **2.** (*fig*) gem.

Leckerei *f* **1.** (*Speise*) delicacy, titbit. **2.** (*Süßigkeit*) dainty.

Leckermaul, Leckermäulchen *nt* (*inf*) sweet-toothed child/person; **ein** ~ **sein** to have a sweet tooth.

leckschlagen *vti sep irreg* to hole.

Leckstein *m* licking stone.

LED [εl|e:de:] *f* ~, **-s** LED.

Leder *nt* **-s, - 1.** leather; (*Fenster~ auch*) chamois, chammy; (*Wild~*) suede. **in ~ gebunden** leather-bound; **zäh wie** ~ as tough as old boots (*inf*); **vom** ~ **ziehen** (*inf*) to let rip (*inf*) *or* fly (*inf*). **2.** (*dated inf: Haut*) hide (*inf*). **jdm das ~ gerben** *or* **versohlen** to tan sb's hide; **jdm ans** ~ **wollen** to want to get one's hands on sb. **3.** (*inf: Fußball*) ball. **am** ~ **bleiben** to stick with the ball.

Leder- *in cpds* leather; **Lederfett** *nt* dubbin; **Ledergarnitur** *f* leather-upholstered suite; **Lederhose** *f* lederhosen *pl*, leather/suede trousers *pl or* pants *pl*; (*von Tracht*) leather shorts *pl*; (*Bundhose*) leather breeches *pl*; **Lederjacke** *f* leather/suede jacket; **Ledermantel** *m* leather coat.

ledern I *adj* **1.** (*aus Leder*) leather. **2.** (*zäh*) *Fleisch, Haut* leathery; (*fig*) *Vortrag* dry (as dust). **II** *vt* (*putzen*) to leather.

Lederrücken *m* (*von Buch*) leather spine; **Lederschurz** *m* leather apron; **Lederwaren** *pl* leather goods *pl*; **Lederzeug** *nt* leather gear.

ledig *adj* **1.** (*unverheiratet*) single; (*inf*) *Mutter* unmarried. **2.** (*geh: unabhängig*) free. **aller Pflichten** (*gen*) **(los und)** ~ **sein** to be free of all commitments.

Ledige(r) *mf decl as adj* single person.

lediglich *adv* merely, simply.

Lee *f* **-,** *no pl* (*Naut*) lee. **in ~ liegen** to be on the lee side; **nach** ~ **drehen** to turn to leeward.

leer *adj* empty; *Blätter, Seite auch* blank; *Gesichtsausdruck, Blick* blank, vacant. **eine ~e Stelle** an empty space; **vor einem ~en Haus** *or* **vor ~en Bänken spielen** (*Theat*) to play to an empty house; **ins L~e starren/treten** to stare/step into space; **ins L~e greifen** to clutch at thin air; **mit ~en Händen** (*fig*) empty-handed; **eine Zeile** ~ **lassen** to leave a line (blank *or* free); ~ **laufen** (*Motor*) to be idle; **etw** ~ **essen** to eat everything on the plate; ~ **stehen** to stand empty; **einen Laden** ~ **kaufen** to buy a shop out.

Leere *f* **-,** *no pl* (*lit, fig*) emptiness. **(eine) geistige** ~ a mental vacuum; **(eine) gähnende** ~ a yawning *or* gaping void.

leeren *vt* to empty; (*völlig auch*) to drain; *Briefkasten auch* to clear. **jdm die Taschen** ~ (*inf*) to clean sb out (*inf*).

Leerformel *f* empty phrase; **leergefegt** *adj* (*fig*) (*wie*) ~ *Straßen, Stadt* deserted; **Leergewicht** *nt* unladen weight, tare; (*von Behälter*) empty weight of a container; **Leergut** *nt* empties *pl*; **Leerlauf** *m* **1.** (*Aut*) neutral; (*von Fahrrad*) freewheel; **im** ~ **fahren** to coast; **das Auto ist im** ~ (*stehend mit laufendem Motor*) the engine is idling; **2.** (*fig*) slack; **leerlaufen** *vi sep irreg aux sein* (*Faß*) to run dry; ~ **lassen** to empty, to drain; **Leerpackung** *f* (empty) display package, dummy; **Leerposition** *f* (*St Ex*) short position; **leerstehend** *adj* empty; **Leertaste** *f* (*bei Schreibmaschine*) space-bar.

Leerung *f* emptying. **die** ~ **der Mülltonnen erfolgt wöchentlich** the dustbins (*Brit*) *or* garbage cans (*US*) are emptied once a week; **nächste** ~: **18 Uhr** (*an Briefkasten*) next collection (*Brit*) *or* pickup (*US*): 6 p.m.

Leerverkauf *m* (*St Ex*) short sale.

Lefze *f* **-, -n** *usu pl* chaps *pl*; (*von Pferd*) lip.

legal *adj* legal, lawful.

legalisieren* *vt* to legalize.

legalistisch *adj* legalistic.

Legalität *f* legality. **(etwas) außerhalb der** ~ (*euph*) (slightly) outside the law.

Legasthenie *f* dyslexia.

Legastheniker(in *f*) *m* **-s, -** dyslexic.

legasthenisch *adj* dyslexic.

Legat[1] *nt* (*Jur*) legacy.

Legat[2] *m* **-en, -en** (*Eccl, Hist*) legate.

Legation *f* legation.

Legationsrat *m* counsellor to a legation.

Legato *nt* **-(s), -s** *or* **Legati** (*Mus*) legato.

Legebatterie *f* (*Agr*) hen battery.

Leg(e)henne *f* layer, laying hen.

Legel *m* **-s, -** (*Naut*) cringle, grummet.

legen I *vt* **1.** (*lagern*) to lay down; (*mit adv*) to lay; *Flasche* to lay on its side; (*zusammen~*) *Wäsche* to fold; (*dial*) *Kartoffeln* to plant, to put in; (*Sport*) to bring down. **2.** (*mit Raumangabe*) to put, to place. **wir müssen uns ein paar Flaschen Wein in den Keller ~** we must lay down a few bottles of wine; **etw beiseite ~** to put sth aside *or* (*weglegen*) away; **etw in Essig ~** to preserve sth in vinegar; **ein Tier an die Kette ~** to chain an animal (up); **jdn in Ketten/Fesseln ~** to put sb in chains, to chain sb; (*fig hum*) to (en)snare sb.

3. (*mit Angabe des Zustandes*) **etw in Falten ~** to fold sth; **er legte die Stirn in Falten** he frowned, he creased his brow; **eine Stadt in Schutt und Asche ~** to reduce a town to rubble.

4. (*verlegen*) *Fliesen, Leitungen, Schienen, Minen* to lay, to put down; *Bomben* to plant. **Feuer** *or* **einen Brand ~** to start a fire; **sich** (*dat*) **die Haare ~ lassen** to have one's hair set.

5. *auch vi* (*Hühner*) to lay.

II *vr* **1.** (*hin~*) to lie down (*auf +acc* on). **sich ins** *or* **zu** (*geh*) **Bett ~** to go to bed, to retire (*form*); **sich in die Sonne ~** to lie in the sun; **leg dich!** (*zum Hund*) lie!; *siehe* **schlafen**.

2. (*mit Ortsangabe*) (*nieder~*) (*Nebel, Rauch*) to settle (*auf +acc* on). **sich auf die Seite ~** to lie on one's side; (*Boot*) to heel over, to go over onto its side; **sich in die Kurve ~** to lean into the corner.

3. (*Lärm*) to die down, to abate; (*Sturm, Wind auch, Kälte*) to let up; (*Rauch, Nebel*) to clear; (*Zorn, Begeisterung auch, Arroganz, Nervosität*) to wear off; (*Anfangsschwierigkeiten*) to sort themselves out.

legendär *adj* legendary; (*obskur*) apocryphal.

Legende *f -, -n* (*alle Bedeutungen*) legend. **sich** (*dat*) **eine ~ zulegen** to assume a false identity.

legenden|umwoben *adj* fabled, surrounded by legends.

leger [le'ʒeːɐ, le'ʒɛːɐ] *adj* casual, informal.

Legezeit *f* laying season *or* time.

Leggings *pl* leggings *pl*.

legieren* *vt* **1.** *Metall* to alloy. **2.** (*Cook*) *Suppe* to thicken.

Legierung *f* alloy; (*Verfahren*) alloying.

Legion *f* legion. **die Zahl der Toten war ~** (*geh*) the number of the dead was legion (*liter*).

Legionär *m* legionary, legionnaire.

Legionärskrankheit *f* Legionnaire's disease.

legislativ *adj* legislative.

Legislative *f* legislature, legislative assembly *or* body.

Legislatur *f* **1.** (*rare: Gesetzgebung*) legislation.

2. (*inf*) *siehe* **Legislaturperiode**.

Legislaturperiode *f* parliamentary/congressional term.

legitim *adj* legitimate.

Legitimation *f* identification; (*Berechtigung*) authorization; (*eines Kindes*) legitimation.

legitimieren* **I** *vt Beziehung, Kind* to legitimize; (*berechtigen*) to entitle; (*berechtigt erscheinen lassen*) to justify, to

---

warrant; (*Erlaubnis geben*) to authorize.

II *vr* to show (proof of) authorization; (*sich ausweisen*) to identify oneself, to show proof of one's identity.

Legitimität *f, no pl* legitimacy.

Legostein ® *m* Lego ® brick.

Leguan *m -s, -e* iguana.

Lehen *nt -s, -* (*Hist*) fief, feoff, feu (*Scot*). **jdm ein Gut zu ~ geben** to enfeoff sb.

Lehm *m -(e)s, -e* loam; (*Ton*) clay.

Lehmbau *m*, **Lehmbauweise** *f* clay building; **Lehmboden** *m* clay soil; **lehmfarben, lehmfarbig** *adj* clay-coloured; **Lehmhütte** *f* mud hut.

lehmig *adj* loamy; (*tonartig*) claylike, clayey.

Lehmziegel *m* clay brick.

Lehnbildung *f* (*Ling*) loan formation.

Lehne *f -, -n* **1.** (*Arm~*) arm(-rest); (*Rücken~*) back(-rest). **2.** (*old, S Ger: Berghang*) slope.

lehnen **I** *vt* to lean (*an +acc* against).

II *vi* to be leaning (*an +dat* against).

III *vr* to lean (*an +acc* against, *auf +acc* on). **„nicht aus dem Fenster ~!"** (*Rail*) "do not lean out of the window".

Lehnsdienst *m* (*Hist*) vassalage.

Lehnsherr *m* (*Hist*) feudal lord; **Lehnsmann** *m*, *pl* **-männer** *or* **-leute** (*Hist*) vassal; **Lehnspflicht** *f* (*Hist*) feudal duty.

Lehnstuhl *m* easy-chair.

Lehnswesen *nt* (*Hist*) feudal system, feudalism.

Lehnübersetzung *f* (*Ling*) loan-translation; **Lehnwort** *nt* (*Ling*) loan-word, borrowing.

Lehramt *nt das* ~ the teaching profession; **ein/sein ~ ausüben** to hold a teaching post; **Prüfung für das höhere ~** examination for secondary school teachers.

Lehramtsanwärter(in *f*), **Lehramtskandidat(in** *f*) *m* prospective teacher; **Lehramtsstudium** *nt* teacher training.

Lehranstalt *f* (*form*) educational establishment; **höhere ~** establishment of secondary education; **Lehrauftrag** *m* (*als Sonderlehrer*) special teaching post; **einen ~ für etw haben** (*Univ*) to give lectures on sth; **lehrbar** *adj* teachable; **Lehrbarkeit** *f* teachability; **Lehrbeauftragte(r)** *mf* (*Univ*) ~**r für etw sein** to give lectures on sth; **Lehrbefähigung** *f* teaching qualification; **Lehrberechtigung** *f* **jdm die ~ erteilen** to register sb as a teacher; **ihm wurde die ~ entzogen** he was struck off the register of teachers; **Lehrberuf** *m* **1.** (*als Lehrer*) teaching profession; **den ~ ergreifen** to go into teaching; **2.** (*Beruf mit Lehrzeit*) trade requiring an apprenticeship, skilled trade; **Lehrbetrieb** *m* (*Univ*) teaching; **Lehrbrief** *m* **1.** (*Zeugnis*) apprenticeship certificate; **2.** (*Lektion*) correspondence lesson; **Lehrbub**, **Lehrbursche** *m* (*dial*) *siehe* **Lehrling**; **Lehrbuch** *nt* textbook; **Lehrdichtung** *f* didactic poetry.

Lehre *f -, -n* **1.** (*das Lehren*) teaching.

2. (*von Christus, Buddha, Marx*) teachings *pl*; (*christlich, buddhistisch,* *marxistisch)* *(Lehrmeinung)* doctrine; *(das Lehren)* teaching; *(von Galilei, Kant, Freud)* theory; *(von Schall, Leben)* science. **die christliche ~** Christian doctrine/teaching.

3. *(negative Erfahrung)* lesson; *(Ratschlag)* (piece of) advice; *(einer Fabel)* moral. **seine ~(n) aus etw ziehen** to learn a lesson from sth; *(aus einer Fabel)* to draw a moral from sth; **laß dir das eine ~ sein, laß es dir zur ~ dienen!** let that be a lesson to you!

4. *(Berufs~)* apprenticeship *(dated)*; *(in nichthandwerklichem Beruf)* training. **bei jdm in die ~ gehen** to serve one's apprenticeship with *or* under sb; **du kannst bei ihm noch in die ~ gehen** *(fig)* he could teach you a thing or two.

5. *(Tech)* gauge; *(Muster)* template.

lehren *vti* to teach; *(Univ auch)* to lecture *(ein Fach* in a subject). **die Wissenschaft lehrt, daß ...** science tells us that ...; **jdn** *or* **jdm** *(inf)* **lesen ~** to teach sb to read **ich werde dich ~, so frech zu antworten!** I'll teach you to answer back! *(inf)*.

Lehrer(in *f)* *m* -s, - teacher; *(Privat~, Nachhilfe~ auch)* tutor; *(Flug~, Fahr~)* instructor/instructress. **er ist ~** he's a (school)teacher; **~ für Naturwissenschaften** teacher of science; *(in der Schule)* science teacher.

Lehrer|ausbildung *f* teacher training.

Lehrerin *f siehe* **Lehrer.**

Lehrerkollegium *nt* (teaching)staff; **Lehrermangel** *m* teacher shortage; **Lehrerschaft** *f* *(form)* (teaching) staff; **Lehrerschwemme** *f* surplus of teachers; **Lehrerseminar** *nt* *(für Referendare)* teacher training college; *(Kurs)* in-service course for teachers; **Lehrerzimmer** *nt* staff *(esp Brit)* or teachers' room.

Lehrfach *nt* subject; **Lehrfilm** *m* educational film; **Lehrfreiheit** *f* freedom to teach what one sees fit; **Lehrgang** *m* course *(für* in); **Lehrgebäude** *nt* *(fig)* system of theories; *(Eccl)* doctrinal system; **Lehrgeld** *nt* *(Hist)* (apprenticeship) premium; **~ für etw zahlen müssen** *(fig)* to pay dearly for sth; **laß dir dein ~ zurückgeben!** *(hum inf)* go to the bottom of the class! *(hum inf)*; **Lehrgerüst** *nt* centring; **lehrhaft** *adj* didactic; **Lehrherr** *m* master (of an apprentice); **Lehrjahr** *nt* year as an apprentice; **~ sind keine Herrenjahre** *(Prov)* life's not easy at the bottom; **Lehrjunge** *m siehe* **Lehrling; Lehrkörper** *m* *(form)* teaching staff; *(Univ auch)* academic staff; **Lehrkraft** *f* *(form)* teacher.

Lehrling *m* *(dated)* apprentice; *(in nichthandwerklichem Beruf)* trainee.

Lehrmädchen *nt* *(dated) siehe* **Lehrling; Lehrmeinung** *f* opinion; *(von einer bestimmten Gruppe vertreten)* school of thought; *(Eccl)* doctrine; **Lehrmeister** *m* master; **seinen ~ finden** to meet one's master; **Lehrmethode** *f* teaching method; **Lehrmittel** *nt* teaching aid; *pl auch* teaching materials; **Lehrplan** *m* (teaching) curriculum; *(für ein Schuljahr)* syllabus; **Lehrprobe** *f* dem-

onstration lesson, crit *(inf)*; **Lehrprogramm** *nt* teaching programme; **lehrreich** *adj* *(informativ)* instructive; *Erfahrung* educational; **Lehrsatz** *m* *(Math, Philos)* theorem; *(Eccl)* dogma; **Lehrschwimmbecken** *nt* beginners' *or* teaching pool; **Lehrstelle** *f* position for *or* *(aus Sicht des Lehrlings)* as an apprentice/a trainee; **wir haben zwei ~n zu vergeben** we have vacancies for two apprentices; **Lehrstoff** *m* subject; *(eines Jahres)* syllabus; **das ist ~ der dritten Klasse** that's on the syllabus for the third year; **Lehrstuhl** *m* *(Univ)* chair *(für* of); **jdn auf einen ~ berufen** to offer sb a chair; **Lehrtochter** *f* *(Sw) siehe* **Lehrling; Lehrverhältnis** *nt* contractual relationship *(between apprentice and master/trainee and employer)*; **Lehrvertrag** *m* indentures *pl*; contract as a trainee; **Lehrwerk** *nt* *(form)* textbook; *(Buchreihe)* series of textbooks; **Lehrwerkstatt** *nt* training workshop; **Lehrzeit** *f* apprenticeship.

Leib *m* -(e)s, -er **1.** *(Körper)* body. **der ~ des Herrn** *(Eccl)* the Body of Christ; **Gefahr für ~ und Leben** *(geh)* danger to life and limb; **~ und Leben wagen** *(geh)* to risk life and limb; **mit ~ und Seele** heart and soul; *wünschen* with all one's heart; **mit ~ und Seele dabeisein** to put one's heart and soul *or* one's whole heart into it; **etw am eigenen ~(e) erfahren** *or* **(ver)spüren** to experience sth for oneself; **kein Hemd mehr am ~ haben** to be completely destitute; **keinen trockenen Faden am ~ haben** *(inf)* to be soaked to the skin *(inf)*; **am ganzen ~(e) zittern/frieren/schwitzen** to shake/freeze/sweat all over; **die Rolle ist ihr wie auf den ~ geschrieben** the part is tailor-made for her; **der Beruf ist ihr wie auf den ~ geschnitten** that job is tailor-made for her *or* suits her to a T *(inf)*; **kein Herz im ~e haben** to have no heart at all, to be completely heartless; **sich** *(dat)* **jdn/etw vom ~e halten** to keep *or* hold sb/sth at bay; **halt ihn mir vom ~** to keep him away from me; **bleib mir damit vom ~e!** *(inf)* stop pestering me with it *(inf)*.

2. *(old, dial: Bauch)* stomach; *(Mutter~)* womb. **ich habe noch nichts im ~e** I haven't eaten yet.

Leibarzt *m*, **Leibärztin** *f* personal physician; **Leibbinde** *f* truss.

Leibchen *nt* **1.** *(old)* bodice. **2.** *(Unterhemd)* vest *(Brit)*, undershirt *(US)*; *(Hemdchen)* top.

leibeigen *adj siehe* **Leibeigenschaft** unfree, in bondage; serf *attr*; villein *attr*; **~ sein** not to be a free man/woman; to be a serf/villein; **Leibeigene(r)** *mf decl as adj* bond(s)man/bond(s)woman; serf; villein; **er behandelt seine Frau wie eine ~** he treats his wife as though she were one of his possessions; **Leibeigenschaft** *f* bondage; *(im Mittelalter)* serfdom; *(von Höhergestellten, mit Eigentum)* villeinage.

leiben *vi*: **wie er leibt und lebt** to the life, to a T *(inf)*.

Leibeserziehung *f* physical education;

Leibesfrucht f (geh) unborn child, fruit of (one's/sb's) womb (poet); **Leibeskraft** f: aus ~en schreien to shout with all one's might (and main); **Leibesübung** f (physical) exercise; **Leibesvisitation** f body check; (Mil) physical inspection, medical.

Leibgarde f (Mil) bodyguard; **die ~ der englischen Königin** the Queen's Guards pl; **Leibgardist** m soldier of a bodyguard; (Brit) lifeguard; **Leibgericht** nt favourite meal.

leibhaft (rare), **leibhaftig I** adj personified, incarnate. **die ~e Güte** goodness personified or incarnate; (wie) der ~e Teufel or der L~e (as) the devil himself.
II adv in person, in the flesh.

Leibkoch m, **Leibköchin** f personal chef.

leiblich adj 1. (körperlich) physical, bodily. **die ~en Genüsse** the pleasures of the flesh.
2. Mutter, Vater natural; Kind by birth; Bruder, Schwester full; Verwandte blood; (emph: eigen) (very) own.

Leibpacht f (old) life tenancy, lease for life; **Leibrente** f life annuity; **Leibriemen** m (old) belt; **Leibschmerzen** pl (old, dial) stomach pains pl; **Leibspeise** f favourite food; **Leibwache** f bodyguard; **Leibwächter(in f)** m bodyguard; **Leibwäsche** f underwear, underclothes pl.

Leiche f -, -n 1. body, corpse; (menschlich auch) stiff (sl); (inf: Bier~, Schnaps~) drunken body (inf). **die Insassen konnten nur noch als ~n geborgen werden** the passengers were dead when the rescuers arrived; **eine lebende** or **wandelnde ~** (inf) a corpse; **wie eine lebende** or **wandelnde ~ aussehen** to look like death (warmed up inf); **er geht über ~n** (inf) he'd stick at nothing, he'd sell his own grandmother (inf); **nur über meine ~!** (inf) over my dead body!
2. (S Ger dated) (Beerdigung) funeral; (Leichenschmaus) funeral meal.
3. (Typ) omission.

Leichenbegängnis (form), **Leichenbegräbnis** nt funeral; **Leichenbeschauer(in f)** m -s, - doctor conducting a postmortem; **Leichenbittermiene** f (inf) mournful or doleful expression; **leichenblaß** adj deathly pale, as pale as death; **Leichenfledderei** f robbing of dead people; **Leichenfledderer** m -s, - person who robs dead people; (fig) vulture; **Leichenfrau** f layer-out; **Leichenhalle** f, **Leichenhaus** nt mortuary; **Leichenhemd** nt shroud; **Leichenöffnung** f autopsy; **Leichenrede** f funeral oration (liter) or address; **Leichenschändung** f desecration of corpses; (sexuell) necrophilia; **Leichenschau** f post-mortem (examination); **Leichenschauhaus** nt morgue; **Leichenschmaus** m funeral meal; **Leichenstarre** f rigor mortis no art; **Leichentuch** nt shroud; **Leichenverbrennung** f cremation; **Leichenwagen** m hearse; **Leichenzug** m funeral procession.

Leichnam m -s, -e (form) body.

leicht I adj 1. (von geringem Gewicht, nicht schwerfällig, Mil) light; (aus ~em Material) Koffer, Kleidung lightweight. **einen ~en Gang haben** to have an easy walk; **mit ~er Hand** lightly; (fig) effortlessly; **eine ~e Hand mit jdm/für etw haben** to have a way with sb/sth; **~en Fußes** (liter) with a spring in one's step; **~ zu tragen** light; **gewogen und zu ~ befunden** (fig) tried and found wanting; **jdn um einiges ~er machen** to relieve sb of some of his money; **das Haus/Auto ist ~ gebaut** the house is built of light materials/the car is lightly built; **~ bekleidet sein** to be scantily clad or dressed; **~ gekleidet sein** to be (dressed) in light clothes.
2. (schwach, geringfügig, nicht wichtig) slight; Regen, Wind, Frost, Schläge, Schlaf, Berührung, Atmen light; (Jur) Diebstahl, Vergehen minor, petty. **~ gewürzt/gesalzen** lightly seasoned/salted; **~ waschen** to wash gently.
3. (von geringem Gehalt) Essen, Musik, Lektüre light.
4. (ohne Schwierigkeiten, einfach) easy. **mit dem werden wir (ein) ~es Spiel haben** he'll be a pushover (inf) or walkover (inf), he'll be no problem; **keinen ~en Stand haben** not to have an easy time (of it) (bei, mit with); **sie hat es immer ~ gehabt (im Leben)** she's always had it easy or had an easy time of it; **das ist** or **geht ganz ~** it's quite easy or simple; **das ist ihr ein ~es** (geh) that will present no problem to or for her; **nichts ~er als das!** nothing (could be) easier or simpler; **die Aufgabe ist ~ zu lösen** or **läßt sich ~ lösen** the exercise is easy to do; **~ zu beantworten/verstehen** easily answered/understood, easy to answer/understand; **er ist ~ herumzukriegen/zu überzeugen** he's easy to win round/convince, he's easily won round/convinced; **~ begreifen** to understand quickly or readily; **das ist ~er gesagt als getan** that's easier said than done; **du hast ~ reden/lachen** it's all very well or it's all right for you to talk/laugh.
5. (moralisch locker) Lebenswandel loose. **~es Mädchen** tart (inf).
6. (unbeschwert) Herz, Gefühl light. **etw ~en Herzens** or **Sinnes tun** to do sth with a light heart; **sich ~ und beschwingt fühlen** to be walking on air, to be up in the clouds; **mir ist so ~ ums Herz** my heart is so light; **mir ist jetzt viel ~er** I feel a lot easier now; **nimm das nicht zu ~** don't take it too lightly.
II adv (schnell, unversehens) easily. **er wird ~ böse/ist ~ beleidigt** he is quick to get angry/take offence, he gets angry/takes offence easily; **~ zerbrechlich** very fragile; **man kann einen Fehler ~ übersehen** it's easy to miss a mistake, mistakes are easily missed; **das ist ~ möglich** that's quite possible; **das kann ich mir ~ vorstellen** or **denken** I can easily or well imagine (it); **~ entzündlich sein** (Gas, Brennstoff) to be highly inflammable; **man hat ~ etwas gesagt, was man nachher bereut** it's easy to say something (without thinking) that you

regret later; **das passiert mir so ~ nicht wieder** I won't let that happen again in a hurry (*inf*).

Leichtathlet(in *f*) *m* (track and field) athlete; **Leichtathletik** *f* (track and field) athletics; **leichtathletisch I** *adj* athletic *attr*; **II** *adv* as regards (track and field) athletics; **Leichtbaustoff** *m* lightweight building material; **Leichtbau(weise** *f*) *m* lightweight construction; **in ~ using** lightweight materials; **Leichtbenzin** *nt* benzine; **leichtbeschwingt** *adj attr* Musik light; **~e Melodien** melodies for easy listening; **Leichtbeton** *m* lightweight concrete; **leichtbewaffnet** *adj attr* lightly armed; **leichtentzündlich** *adj attr Brennstoff* highly inflammable.

Leichter *m* -s, - (*Naut*) lighter.

leichtfallen *vi sep irreg aux sein* to be easy (*jdm* for sb); **Sprachen sind mir schon immer leichtgefallen** I've always found languages easy; **leichtfertig** *adj* thoughtless; (*moralisch*) easygoing; **~ handeln** to act without thinking; **etw ~ aufs Spiel setzen** to risk sth without giving it a thought; **Leichtfertigkeit** *f siehe adj* thoughtlessness; easygoing nature; **leichtflüssig** *adj attr* (easily) fusible; **Leichtfuß** *m* (*old*): (**Bruder**) **~** adventurer; **leichtfüßig** *adj* (*liter*) lightfooted; **leichtgängig** *adj Getriebe* smooth; *Motor auch* smooth-running; **leichtgeschürzt** *adj attr* (*hum*) scantily clad *or* dressed; **Leichtgewicht** *nt* (*Sport*, *fig*) lightweight; **Weltmeister im ~** world lightweight champion; **Leichtgewichtler(in** *f*) *m* -s, - (*Sport*) lightweight; **leichtgläubig** *adj* credulous; (*leicht zu täuschen*) gullible; **Leichtgläubigkeit** *f siehe adj* credulity; gullibility.

Leichtheit *f siehe adj* 1. lightness.
2. slightness; lightness.
3. lightness.
4. easiness.

leichtherzig *adj* light-hearted.

leichthin *adv* lightly.

Leichtigkeit *f* ease. **mit ~ easily**, with no trouble (at all).

Leichtindustrie *f* light industry; **Leichtkraftrad** *nt* moped; **leichtlebig** *adj* happy-go-lucky, easygoing; **Leichtlebigkeit** *f* happy-go-lucky *or* easygoing nature; **Leichtlohngruppe** *f group of* (*usually female*) *workers paid less than workers in comparable jobs*; **leichtmachen** *vt sep jdm etw ~* to make sth easy for sb; **sich** (*dat*) **etw ~**, **sich** (*dat*) **es mit etw ~** (*es sich bequem machen*) to make things easy for oneself with sth; (*nicht gewissenhaft sein*) to take it easy with sth; (*vereinfachen*) to over-simplify sth; **Leichtmatrose** *m* ordinary seaman; **Leichtmetall** *nt* light metal; **leichtnehmen** *vt sep irreg etw ~* (*nicht ernsthaft behandeln*) to take sth lightly; (*sich keine Sorgen machen*) not to worry about sth; **Leichtöl** *nt* light oil.

Leichtsinn *m* (*unvorsichtige Haltung*) foolishness; (*Unbesorgtheit*, *Sorglosigkeit*) thoughtlessness. **sträflicher ~** criminal negligence; **das ist (ein) ~** that's foolish

or silly; **so ein ~!** how silly/thoughtless (can you get)!

leichtsinnig *adj* foolish; (*unüberlegt*) thoughtless. **~ mit etw umgehen** to be careless with sth.

Leichtsinnigkeit *f siehe adj* foolishness; thoughtlessness.

leichtverdaulich *adj attr* easily digestible; **leichtverderblich** *adj attr* perishable; **leichtverletzt** *adj attr* slightly injured; (*in Gefecht auch*) slightly wounded; **Leichtverletzte(r)** *mf decl as adj* slightly injured/wounded person; **leichtverständlich** *adj attr* readily *or* easily understandable; **leichtverwundet** *adj attr* slightly wounded; **Leichtverwundete(r)** *mf decl as adj* slightly wounded soldier *etc*; **die ~n** the walking wounded; **Leichtwasserreaktor** *m* light water reactor.

leid *adj pred* 1. **etw tut jdm ~** sb is sorry about *or* for sth; **es tut jdm ~, daß ...** sb is sorry that ...; **tut mir ~!** (I'm) sorry!; **es tut mir ~, daß ich so spät gekommen bin** I'm sorry for coming so late *or* (that) I came so late; **es tut mir nur ~, daß ...** I'm only sorry that ..., my only regret is that ..., I only regret that ...; **er/sie tut mir ~** I'm sorry for him/her, I pity him/her; **er/sie kann einem ~ tun** you can't help feeling sorry *or* you can't (help) but feel sorry for him/her; **du kannst einem ~ tun** you really are to be pitied; **es tut mir um ihn/darum ~** I'm sorry about him/that; **das wird dir noch ~ tun** you'll regret it, you'll be sorry.
2. (*überdrüssig*) **jdn/etw ~ sein** to be tired of sb/sth.

Leid *nt* -(e)s, *no pl* (*Kummer*, *Sorge*) sorrow, grief *no indef art*; (*Unglück*) misfortune; (*Böses*, *Schaden*) harm. **jdm in seinem tiefen ~ beistehen** to stand by sb in his/her (hour of) affliction *or* sorrow; **ihm ist großes ~ widerfahren** he has suffered great misfortune; **viel ~ erfahren/ertragen (müssen)** to suffer/ have to suffer a great deal; **es soll dir kein ~ geschehen** *or* **zugefügt werden** you will come to no harm, no harm will come to you; **jdm ein ~ antun** (*liter*) to harm sb; (*moralisch*) to wrong sb, to do sb wrong; **jdm sein ~ klagen** to tell sb one's troubles, to cry on sb's shoulder.

Leideform *f* (*Gram*) passive (voice).

leiden *pret* **litt**, *ptp* **gelitten I** *vt* 1. (*ertragen müssen*) *Schaden*, *Hunger*, *Schmerz*, *Unrecht* to suffer. **viel zu ~ haben** to have a great deal to bear *or* endure.
2. (*geh: zulassen*, *dulden*) to allow, to permit, to suffer (*old*). **er ist bei allen wohl gelitten** everybody holds him in high regard *or* great esteem.
3. **ich kann** *or* **mag ihn/es** *etc* (**gut**) **~** I like him/it *etc* (very much); **ich kann** *or* **mag ihn/es** *etc* **nicht (gut) ~** I don't like him/it *etc* very much, I'm not very fond of him/it *etc*.

II *vi* to suffer (*an* +*dat*, *unter* +*dat* from). **die Farbe hat durch die grelle Sonne sehr gelitten** the harsh sun hasn't done the paint any good.

Leiden *nt* -s, - 1. suffering; (*Kummer*

auch) tribulation. **du siehst aus wie das ~ Christi** (*inf*) you look like death warmed up (*inf*).
2. (*Krankheit*) illness; (*Beschwerden*) complaint.
3. (*hum inf: Mensch*) **ein langes ~** a beanpole (*inf*).
-leiden *nt in cpds* complaint, condition.
-leidend *adj* (*kränklich*) ailing; (*inf*) **Miene** long-suffering. **~ aussehen** to look ill.
-Leidende(r) *mf decl as adj* sufferer. **die ~n** the afflicted *pl*.
-Leidenschaft *f* passion. **seine ~ für etw entdecken** to develop a passion for sth; **etw mit ~ tun** to do sth with passionate enthusiasm; **ihr koche mit großer ~** cooking is a great passion of mine, **er ist Lehrer aus ~** he teaches for the love of it.
leidenschaftlich *adj* passionate; *Liebhaber auch* ardent; *Rede auch* impassioned. **etw ~ gern tun** to be mad about (*inf*) *or* passionately fond of doing sth.
Leidenschaftlichkeit *f* passion; (*im Beruf*) dedication; (*bei Hobby*) burning enthusiasm.
leidenschaftslos *adj* dispassionate.
Leidensdruck *m, no pl* mental trauma; **Leidensgefährte** *m*, **Leidensgefährtin** *f*, **Leidensgenosse** *m*, **Leidensgenossin** *f* fellow-sufferer; **Leidensgeschichte** *f* tale of woe; **die ~ (Christi)** (*Bibl*) Christ's Passion; **Leidensmiene** *f* (*hum inf*) (long-)suffering expression; **Leidensweg** *m* life of suffering; **seinen ~ gehen** to bear one's cross.
leider *adv* unfortunately. **ja ~!** (yes,) more's the pity (*inf*), I'm afraid so, yes, unfortunately; **~ nein/nicht!** unfortunately not, I'm afraid not, no, worse luck (*inf*); **ich kann ~ nicht kommen** unfortunately *or* I'm afraid I can't come.
leidgeprüft *adj* sorely afflicted.
leidig *adj attr* tiresome. **wenn bloß das ~e Geld nicht wäre** if only we didn't have to worry about money.
leidlich I *adj* reasonable, fair.
II *adv* reasonably. **wie geht's? — danke, ~!** how are you? — not too bad *or* all right, thanks; **sie ist noch so ~ davongekommen** she didn't come out of it too badly.
Leidtragende(r) *mf decl as adj* **1.** (*Hinterbliebener eines Verstorbenen*) bereaved. **ein ~r** a bereaved person. **2.** (*Benachteiligter*) **der/die ~** the sufferer, the one to suffer.
Leidwesen *nt*: **zu jds ~** (much) to sb's disappointment *or* chagrin.
Leier *f -, -n* **1.** (*Mus*) lyre; (*Dreh~*) hurdy-gurdy. **es ist immer dieselbe** *or* **die alte** *or* **die gleiche ~** (*inf*) it's always the same old story. **2.** (*Astron*) Lyra.
Leierkasten *m* barrel-organ, hurdy-gurdy.
Leierkastenmann *m, pl* **-männer** organ-grinder.
leiern I *vt Drehorgel* to grind, to play; (*inf: kurbeln*) to wind; (*inf*) *Gedicht, Gebete* to drone (out). **II** *vi* (*Drehorgel spielen*) to grind *or* play a barrel-organ; (*inf: drehen*) to crank (*an etw* (*dat*) sth);

(*inf: beim Beten, Gedichteaufsagen*) to drone.
Leierschwanz *m* lyrebird.
Leiharbeit *f, no pl* casual labour; **Leiharbeiter(in** *f*) *m* casual worker; **Leihauto** *nt* hire(d) car; **Leihbücherei** *f* lending library.
Leihe *f -, -n* (*das Verleihen*) lending; (*das Verpfänden*) pawning; (*inf: Leihhaus*) pawnshop. **etw in ~** *or* **in die ~** (*inf*) **geben** to pawn *or* pop (*inf*) sth; **etw in ~ nehmen** to take sth in pawn.
leihen *pret* **lieh**, *ptp* **geliehen** *vt Geld* to lend; *Sachen auch* to loan; (*von jdm ent~*) to borrow; (*mieten, aus~*) to hire. **ich habe es (mir) geliehen** I've borrowed/hired it, I've got it on loan/hire; **jdm seinen Beistand/sein Ohr ~** (*geh*) to lend sb one's support/one's ear.
Leihgabe *f* loan; **dieses Bild ist eine ~ der Tate Gallery** this picture is on loan from the Tate Gallery; **Leihgebühr** *f* hire *or* rental charge; (*für Buch*) lending charge; **Leihhaus** *nt* pawnshop; **Leihmutter** *f* surrogate mother; **Leihmutterschaft** *f* surrogate motherhood, surrogacy; **Leihschein** *m* (*in der Bibliothek*) borrowing slip; (*im Leihhaus*) pawn ticket; **Leihschwangerschaft** *f* surrogate pregnancy; **Leihstimme** *f* (*Pol*) tactical vote; **Leihverkehr** *m* **ein Buch über den auswärtigen ~ bestellen** to order a book on interlibrary loan; **im ~ erhältlich** available on loan; **Leihwagen** *m* hire(d) car; **leihweise** *adv* on loan.
Leim *m* **-(e)s, -e** glue; (*zum Vogelfangen*) (bird)lime. **jdn auf den ~ führen** *or* **locken** (*inf*) to take sb in; **jdm auf den ~ gehen** *or* **kriechen** (*inf*) to be taken in by sb; **aus dem ~ gehen** (*inf*) (*Sache*) to fall apart *or* to pieces; (*Mensch*) to lose one's figure.
leimen *vt* (*zusammenkleben*) to glue (together); (*mit Leim bestreichen*) to spread with glue; (*zum Vogelfangen*) to lime. **jdn ~** (*inf*) to take sb for a ride (*inf*); **der Geleimte** the mug (*inf*).
Leimfarbe *f* distemper.
leimig *adj* sticky, gluey.
Leimrute *f* lime twig.
Leimung *f, no pl* sizing.
Lein *m* **-(e)s, -e** flax.
Leine *f -, -n* cord; (*Tau, Zelt~*) rope; (*Schnur*) string; (*Angel~, Wäsche~, Naut*) line; (*Hunde~*) lead, leash. **Hunde bitte an der ~ führen!** dogs should *or* must be kept on a leash; **den Hund an die ~ nehmen** to put the dog on the lead; **jdn an die ~ legen** to hook sb (*inf*), to drag sb to the altar (*inf*); **~ ziehen** (*sl*) to clear out (*sl*), to push off (*inf*).
leinen *adj* linen; canvas; cloth.
Leinen *nt* **-s, -** linen; (*grob, segeltuchartig*) canvas; (*als Bucheinband*) cloth.
Leinen- *in cpds* linen; canvas; cloth; **Leinenband** *m* cloth(-bound) volume; **Leinenschlafsack** *m* sheet sleeping bag; **Leinentasche** *f* canvas bag; **Leinentuch** *nt* linen (cloth); (*grob, segeltuchartig*) canvas; **Leinenzeug** *nt* linen.

Leineweber(in *f)* *m* linen weaver.
Leineweberei *f* (*Fabrik*) linen mill; (*Herstellung*) linen weaving.
Leinöl *nt* linseed oil; **Leinpfad** *m* towpath; **Leinsamen** *m* linseed; **Leintuch** *nt* (*S Ger, Aus, Sw*) sheet.
Leinwand *f* -, *no pl* canvas; (*Film, für Dias*) screen. **wenn der Film über die ~ läuft** when the film is being shown *or* screened; **Dias auf die ~ werfen** to show *or* project slides.
leise *adj* **1.** quiet; *Stimme, Schritt, Klopfen auch* soft; *Radio auch* low; (*aus der Ferne*) faint. **auf ~n Sohlen** treading softly; **das Radio (etwas) ~r stellen** to turn the radio down (slightly); **... sagte er mit ~r Stimme ...** he said in a low voice *or* quietly; **sprich ~r!** keep your voice down.
2. (*gering, schwach*) slight, faint; *Schlaf, Regen, Berührung* light; *Wind, Wellenschlag* light, gentle. **nicht die ~ste Ahnung haben** not to have the slightest *or* faintest *or* foggiest (*inf*) (idea); **ich habe nicht die ~ste Veranlassung, ...** there isn't the slightest *or* faintest reason why I ...
3. (*sanft, zart*) soft, gentle; *Musik* soft.
Leisetreter(in *f) m* -s, - (*pej, inf*) pussyfoot(er) (*pej, inf*); (*Duckmäuser*) creep (*pej inf*).
Leiste *f* -, -n **1.** (*Holz~ etc*) strip (of wood/metal *etc*); (*Zier~*) trim; (*Umrandung*) border; (*zur Bilderaufhängung, zur Führung von Arbeitsstükken*) rail; (*Scheuer~*) skirting (board), baseboard (*US*). **2.** (*Anat*) groin.
leisten *vt* **1.** (*erringen, erreichen*) to achieve; *Arbeit, Überstunden* to do; (*Maschine, Motor*) to manage. **etwas/ viel/nichts ~** (*Mensch*) (*arbeiten*) to do something/a lot/nothing; (*schaffen auch*) to get something/a lot/nothing done; (*vollbringen*) to achieve something/a great deal/nothing; (*Maschine*) to be quite good/very good/no good at all; (*Auto, Motor*) to be quite powerful/very powerful/have no power; **Großartiges/ Erstaunliches/Überragendes ~** to do *or* achieve something really great/amazing/excellent; **gute/ganze Arbeit ~** to do a good/thorough job; **in meiner Position muß ich schon etwas ~** in my position I have to do my work and do it well; **er leistet genau soviel wie ich** he's just as efficient as I am; **was eine Mutter alles ~ muß** the things that a mother has to cope with; **seine Arbeit ~** to do one's work well; **ich muß genauso meine Arbeit ~ wie jeder andere auch** I've got my job to do like everybody else.
2. *in festen Verbindungen mit n siehe auch dort* (**jdm) Beistand/Hilfe ~** to lend (sb) one's support/give sb some help; **jdm gute Dienste ~** (*Gegenstand*) to serve sb well; (*Mensch*) to be useful to sb; **Folge ~** to comply (*dat* with); **Zahlungen ~** to make payments.
3. sich (*dat*) **etw ~** to allow oneself sth; (*sich gönnen*) to treat oneself to sth; (*kaufen*) to buy sth; **sich** (*dat*) **etw ~ können** to be able to afford sth; **sich**

(*dat*) **eine Frechheit/Frechheiten ~** to be cheeky *or* impudent; **da hast du dir ja was (Schönes *or* Nettes) geleistet** (*iro*) you've really done it now; **er hat sich tolle Sachen/Streiche geleistet** he got up to the craziest things/pranks.
Leisten *m* -s, - (*Schuh~*) last. **alles über einen ~ schlagen** (*fig*) to measure everything by the same yardstick.
Leistenbruch *m* (*Med*) hernia, rupture; **Leistengegend** *f* inguinal region (*form*), groin.
Leistung *f* **1.** (*Geleistetes*) performance; (*großartige, gute, Sociol*) achievement; (*Ergebnis*) result(s); (*geleistete Arbeit*) work *no pl*. **eine große ~ vollbringen** to achieve a great success; **das ist eine ~!** that's quite *or* really something (*inf*) *or* quite an achievement *or* quite a feat; **das ist keine besondere ~** that's nothing special; **nach ~ bezahlt werden** to be paid on results; **nicht das Geschlecht, nur die ~ zählt** your sex isn't important, it's how you do the job that counts; **das liegt weit unter der üblichen ~** that is well below the usual standard; **die ~en sind besser geworden** the levels of performance have improved; (*in Fabrik, Schule auch*) the standard of work has improved; **seine schulischen/sportlichen ~en haben nachgelassen** his school work/athletic ability has deteriorated; **er ist auf seine sportlichen ~en stolz** he's proud of his athletic achievement(s); **eine ~ der Technik** a feat of engineering; **schwache ~!** poor show! (*dated inf*), that's not very good.
2. (*~sfähigkeit*) capacity; (*eines Motors, einer Energiequelle*) power; (*einer Fabrik, Firma*) potential output.
3. (*Jur*) (*Übernahme einer Verpflichtung*) obligation; (*Zahlung*) payment. **die ~en des Reiseveranstalters** what the travel company offers.
4. (*Aufwendungen*) (*einer Versicherung, Krankenkasse, sozial*) benefit; (*Dienst~*) service; (*Zahlungs~*) payment.
Leistungsabfall *m* (*in bezug auf Qualität*) drop in performance; (*in bezug auf Quantität*) drop in productivity; **leistungsbezogen** *adj* performance-related; **Leistungsbilanz** *f* (*einer Firma*) current balance including investments; (*eines Landes*) balance of payments including invisible trade; **Leistungsdruck** *m* pressure (to do well); **Leistungsfach** *nt* (*Sch*) special subject; **leistungsfähig** *adj* (*konkurrenzfähig*) competitive; (*produktiv*) efficient, productive; *Motor* powerful; *Maschine* productive; (*Fin*) able to pay, solvent; *Mensch* able, capable; *Arbeiter* efficient; *Organe, Verdauungssystem* functioning properly; **Leistungsfähigkeit** *f siehe adj* competitiveness; efficiency, productivity; power (fulness); capacity; ability to pay, solvency; ability, capability; efficiency; capacity; **das übersteigt meine ~** that's more than I can manage; **leistungsfeindlich** *adj* **hohe Steuern sind ~**

high taxes inhibit productivity; **leistungsfördernd** *adj* conducive to efficiency; (*in Schule, Universität*) conducive to learning; **Leistungsgesellschaft** *f* meritocracy, achievement-orientated society (*pej*); **Leistungsgrenze** *f* upper limit; **Leistungskontrolle** *f* (*Sch, Univ*) assessment; (*in der Fabrik*) productivity check; **zur ~** (in order) to assess progress/ check productivity; **Leistungskraft** *f* power; **Leistungskurs** *m* (*Sch*) set; **Leistungskurve** *f* productivity curve; **Leistungslohn** *m* piece rates *pl*; **Leistungsmerkmal** *nt* performance feature; **Leistungsmesser** *m* (*Phys*) power output meter; (*Elec*) wattmeter; **leistungsorientiert** *adj* achievement-orientated; **Leistungsprämie** *f* productivity bonus; **Leistungsprinzip** *nt* achievement principle; **Leistungsprüfung** *f* (*Sch*) achievement test; (*Tech*) performance test; **Leistungsschau** *f* exhibition, show; **Leistungssport** *m* competitive sport; **leistungsstark** *adj* (*konkurrenzfähig*) highly competitive; (*produktiv*) highly efficient *or* productive; *Motor* very powerful; *Maschine* highly productive; **Leistungssteigerung** *f siehe* **Leistung** 1., 2. increase in performance/achievement *etc*; **Leistungsstufe** *f* (*Sch*) special subject class; **Leistungsvermögen** *nt* capabilities *pl*; **Leistungswille** *m* motivation; **Leistungszulage** *f,* **Leistungszuschlag** *m* productivity bonus; **Leistungszwang** *m* pressure to do well.

Leitartikel *m* leader; **leitartikeln*** *vti insep* (*inf*) to lead; **Leitartikler(in** *f*) *m* **-s,** - leader-writer; **Leitbild** *nt* model.

leiten *vt* **1.** (*in bestimmte Richtung lenken*) to lead; (*begleiten, führen auch*) to conduct; (*fig*) *Leser, Schüler* to guide; *Verkehr* to route; *Gas, Wasser* to conduct; (*um~*) to divert. **etw an die zuständige Stelle ~** to pass sth on to the proper authority; **sich von jdm/etw ~ lassen** (*lit, fig*) to (let oneself) be guided by sb/sth; *von Vorstellung, Idee, Emotion, Gesichtspunkt* to be governed by sth; **das Öl wird (durch Rohre) zum Hafen geleitet** the oil is piped to the port. **2.** (*verantwortlich sein für*) to be in charge of; (*administrativ auch*) to run; *Expedition, Partei, Regierung auch* to lead, to head; *Betrieb auch* to manage; *Orchester*, to direct, to run; *Diskussion, Verhandlungen* to lead; (*als Vorsitzender*) to chair; *Geschick(e)* to determine, to guide. **3.** (*Phys*) *Wärme, Strom, Licht* to conduct. **(etw) gut/schlecht ~** to be a good/ bad conductor (of sth).

leitend *adj* leading; *Gedanke, Idee* central, dominant; *Stellung, Position* managerial; *Ingenieur, Beamter* in charge; (*Phys*) conductive. **nicht ~** (*Phys*) nonconductive; **~e(r) Angestellte(r)** executive; **ein ~er Beamter** a senior official.

Leiter¹ *f* **-, -n** (*lit, fig*) ladder; (*Steh~*) steps *pl*, stepladder; (*Sport*) wall-bars

pl. **an der ~ turnen** to work on the wallbars; **die ~ zum Erfolg** the stairway to success.

Leiter² *m* **-s,** - **1.** leader; (*von Hotel, Geschäft*) manager; (*Abteilungs~*) head; (*von Schule*) head (*esp Brit*), principal (*esp US*); (*von Orchester, Chor*) director; (*von Kirchenchor*) choirmaster. **kaufmännischer/künstlerischer ~** sales/ artistic director.
    2. (*Phys*) conductor.

Leiterbahn *f* (*Comput*) strip conductor.

Leiterin *f siehe* **Leiter²** 1.

Leiterplatte *f* (*Comput*) circuit board; **Leitersprosse** *f* rung; **Leiterwagen** *m* hand-cart.

Leitfaden *m* (*fig*) main connecting thread *or* theme; (*Fachbuch*) introduction; (*Gebrauchsanleitung*) manual; **leitfähig** *adj* (*Phys*) conductive; **Leitfähigkeit** *f* (*Phys*) conductivity; **Leitfeuer** *nt* beacon; **Leitfossil** *nt* index fossil; **Leitgedanke** *m* central idea; **Leithammel** *m* bellwether; (*fig inf*) leader, bellwether (*liter*); **Leithund** *m* (*Hunt*) leader of the pack; **Leitlinie** *f* (*im Verkehr*) broken (white) line; (*fig*) broad outline; (*Bestimmung*) guideline; **Leitmotiv** *nt* (*Mus, Liter, fig*) leitmotif; **Leitpfosten** *m* reflector post; **Leitplanke** *f* crash-barrier; **Leitpreis** *m* guide price; **Leitsatz** *m* basic principle; **Leitschiene** *f* guide rail; **Leitspruch** *m* motto; **Leitstelle** *f* regional headquarters *pl*; **Leitstern** *m* (*lit*) lodestar; (*fig auch*) guiding star; **Leittier** *nt* leader (*of a herd etc*); **Leitton** *m* (*Mus*) leading note; **Leittrieb** *m* leader.

Leitung *f* **1.** *no pl siehe vt* **1.** leading; conducting; guiding; routing; conducting; diversion, diverting.
    2. *no pl* (*von Menschen, Organisationen*) *siehe vt* **2.** running; leadership; management; direction; leadership; chairmanship; (*einer Schule*) headship (*esp Brit*), principalship (*esp US*). **die ~ einer Sache** (*gen*) **haben** to be in charge of sth/to run/lead/manage/direct/lead/ chair sth; (*Sch*) to be the head *or* principal of sth; **unter der ~ von jdm** (*Mus*) conducted by sb; **die ~ des Gesprächs hat Horst Bauer** Horst Bauer is leading the discussion.
    3. (*die Leitenden*) leaders *pl*; (*eines Betriebes*) management *sing or pl*; (*einer Schule*) head teachers *pl*.
    4. (*für Gas, Wasser, Elektrizität bis zum Haus*) main; (*für Gas, Wasser im Haus*) pipe; (*für Elektrizität im Haus*) wire; (*dicker*) cable; (*Überlandleitung für Elektrizität*) line; (*Telefon~*) (*Draht*) wire; (*dicker*) cable; (*Verbindung*) line. **die ~ ist gestört** (*Telec*) there's a lot of interference on the line; **gehen Sie aus der ~!** (*inf*) get off the line; **da ist jemand in der ~** (*inf*) there's somebody else on the line; **eine lange ~ haben** (*hum, inf*) to be slow on the uptake, to be slow to catch on; **du stehst wohl auf der ~** (*hum, inf*) you're slow on the uptake, you're slow to catch on.

Leitungsdraht *m* wire; **Leitungsmast** *m*

(*Elec*) (electricity) pylon; **Leitungsnetz** *nt* (*Elec*) (electricity) grid; (*für Wasser, Gas*) mains system; (*Telec*) (telephone) network; **Leitungsrohr** *nt* main; (*im Haus*) (supply) pipe; **Leitungswasser** *nt* tapwater, mains water; **Leitungswiderstand** *m* (*Elec*) resistance.

Leitwährung *f* reserve currency; **Leitwerk** *nt* (*Aviat*) tail unit, empennage (*spec*); **Leitwort** *nt* motto.

Leitzins *m* base rate.

Leitzinserhöhung *f* increase in the base rate; **Leitzinssatz** *m* bank rate.

Leitz-Ordner ® *m* lever-arch file.

Lektion *f* lesson. **jdm eine** ~ **erteilen** (*fig*) to teach sb a lesson.

Lektor *m*, **Lektorin** *f* (*Univ*) foreign language assistant, lector; (*Verlags*~) editor.

Lektorat *nt* (*im Verlag*) editorial office; (*Gutachten*) editorial report.

Lektüre *f* -, **-n** (*no pl: das Lesen*) reading; (*Lesestoff*) reading matter. **das wird zur** ~ **empfohlen** that is recommended reading; **das ist eine gute/interessante** ~ it makes good/interesting reading, it's a good/an interesting read; **das ist keine (passende)** ~ **für dich/Kinder** that's not suitable reading for you/children, that's not suitable for you/children to read; **ich muß noch (etwas) leichte** ~ **besorgen** I've still got to get something light to read.

Lemma *nt* **-s**, **-ta** lemma.

Lemming *m* lemming.

Lende *f* -, **-n** (*Anat, Cook*) loin.

Lendenbraten *m* loin roast; **lendenlahm** *adj* (*dated*) *Pferd* broken-backed; **er ist** ~ his back is crippling him; **Lendenschurz** *m* loincloth; **Lendenstück** *nt* piece of loin; **Lendenwirbel** *m* lumbar vertebra.

Leninismus *m* Leninism.

Leninist(in *f*) *m* Leninist.

leninistisch *adj* Leninist.

Lenkachse *f* pivoted axle; **lenkbar** *adj* (*Tech*) steerable; *Kind* tractable; *Rakete* guided; **leicht/schwer** ~ **sein** to be easy/difficult to steer, to have light/heavy steering; **das Kind ist leicht/schwer** ~ the child can be easily guided/won't be guided; **Lenkcomputer** *m* guide computer.

lenken *vt* **1.** (*führen, leiten*) to direct, to guide; (*fig: beeinflussen*) *Sprache, Presse* to influence; *Kind* to guide. **2.** *auch vi* (*steuern*) *Auto, Flugzeug, Schiff* to steer; *Pferde* to drive. **sich leicht** ~ **lassen** to be easy to steer/drive. **3.** (*fig*) *Schritte, Gedanken, seine Aufmerksamkeit, Blick* to direct (*auf +acc* to); *jds Aufmerksamkeit auch, Blicke* (*auf sich*) to draw (*auf +acc* to); *Verdacht* to throw; (*auf sich*) to draw (*auf +acc* onto); *Gespräch* to lead, to steer; *Schicksal* to guide. **seine Schritte heimwärts** ~ (*liter, hum inf*) to wend one's way homewards, to turn one's steps to home (*both liter, hum*).

Lenker *m* **-s**, **- 1.** (*Fahrrad*~ *etc*) handlebars *pl*. **2.** (*Tech*) guide; (*Lenkung*) steering gear. **3.** (*Mensch*) driver; (*fig*)

guide.

Lenkerin *f siehe* **Lenker 3.**

Lenkrad *nt* (steering) wheel; **jdm ins** ~ **greifen** to grab the (steering) wheel from sb.

Lenkradschaltung *f* (*Aut*) column (-mounted) (gear) change *or* shift (*US*); **Lenkradschloß** *nt* (*Aut*) steering (-wheel) lock.

Lenkstange *f* (*von Fahrrad etc*) handlebars *pl*.

Lenkung *f* **1.** *siehe vt* (*das Lenken*) direction, directing, guidance, guiding; influencing; (*das Steuern*) steering; driving; (*fig*) direction, directing; drawing; throwing; drawing; leading, steering. **2.** (*Tech: Lenkeinrichtung*) steering.

Lenkwaffe *f* guided missile.

Lentivirus *nt or m* lentivirus.

Lenz *m* **-es**, **-e** (*liter*) (*Frühling*) spring(time), springtide (*liter*). **der** ~ **des Lebens** the springtime of one's life (*liter*); **sie zählt 20** ~**e** she has seen 20 summers (*liter, hum*); **einen** ~ **schieben** *or* **haben**, **sich** (*dat*) **einen (faulen** *or* **schönen)** ~ **machen** (*all inf*) to laze about, to swing the lead (*inf*).

lenzen (*Naut*) **I** *vt* (*leerpumpen*) to pump out. **II** *vi* (*vor dem Wind segeln*) to scud.

Lenzpumpe *f* (*Naut*) bilge-pump.

Leopard *m* **-en**, **-en** leopard.

Lepra *f* -, *no pl* leprosy.

leprös, **leprös** *adj* leprous.

Lepröse(r) *mf decl as adj* leper.

leptosom *adj* (*form*) asthenic (*form*), leptosome (*form*).

Lerche *f* -, **-n** lark.

lernbar *adj* learnable; **lernbehindert** *adj* educationally handicapped; **Lernbehinderte(r)** *mf* educationally handicapped child/boy/girl; **Lerndiskette** *f* tutorial disk *or* diskette; **lerneifrig** *adj* eager to learn.

lernen I *vt* **1.** to learn. **lesen/schwimmen** ~ to learn to read/swim; **Stenographie/Schreibmaschine** ~ to learn shorthand/typing *or* to type; ~, **etw zu tun** to learn to do sth; (*sich Fähigkeit, Können aneignen auch*) to learn how to do sth; **etw von/bei jdm** ~ to learn sth from sb; **jdn lieben/schätzen** ~ to come *or* learn to love/appreciate sb; **er lernt's nie/wird's nie** ~ he never learns/he'll never learn.

2. *Beruf* to learn; *Bäcker, Schlosser etc* to train as, to learn the trade of. **das will gelernt sein** it's a question of practice; **gelernt ist gelernt** (*Prov*) once you've learnt something ...

II *vi* **1.** (*Kenntnisse erwerben*) to learn; (*arbeiten*) to study; (*Schulaufgaben machen*) to do (one's) homework. **die Mutter lernte drei Stunden mit ihm** his mother spent three hours helping him with his homework; **lerne fleißig in der Schule** work hard at school; **von ihm kannst du noch** ~**!** he could teach you a thing or two.

2. (*sich in der Ausbildung befinden*) to go to school; (*in Universität*) to study; (*in Beruf*) to train. **er lernt bei der Firma Braun** he's training at Braun's, Braun's are training him.

Lerner(in f) m learner.

Lernhilfe f educational aid; **Lernmittel** pl schoolbooks and equipment pl; **Lernmittelfreiheit** f free provision of schoolbooks and equipment; **Lernprozeß** m learning process; **Lernpsychologie** f psychology of learning; **Lernschwester** f student nurse; **Lernziel** nt learning goal.

Lesart f (lit, fig) version; **lesbar** adj legible; Buch readable.

Lesbe f -, -n (sl) lesbian.

Lesbierin ['lɛsbiərın] f lesbian.

lesbisch adj lesbian.

Lese f -, -n (Ernte) harvest; (Weinart) vintage; (Beeren~) picking.

Leseabend m evening of readings; **Lesebrille** f reading glasses pl; **Lesebuch** nt reader; **Leseecke** f reading or readers' corner; **Lesegerät** nt (Comput) reading device, reader; **Lesegeschwindigkeit** f (auch Comput) reading speed; **Lesekarte** f reader's ticket; **Lesekopf** m (Comput) read head; **Lesekreis** m reading circle; **Leselampe** f reading lamp; **Leseliste** f reading list; **Lesemappe** f (Zeitschrift) magazine in a folder.

lesen[1] pret **las**, ptp **gelesen I** vti **1.** to read (auch Comput); (Eccl) Messe to say. **hier/in der Zeitung steht** or **ist zu ~, daß ...** it says here/in the paper that ...; **die Schrift ist kaum zu ~** the writing is scarcely legible.

2. (deuten) Gedanken to read. **jdm (sein Schicksal) aus der Hand ~** to read sb's palm; **in den Sternen ~** to read or see in the stars; **aus ihren Zeilen habe ich einen Vorwurf gelesen** I could tell from what she had written that she was reproaching me; **etw in jds Augen/Miene** (dat) **~** to see sth in sb's eyes/from sb's manner; **es war in ihrem Gesicht zu ~** it was written all over her face, you could see it in her face.

II vi (Univ) to lecture (über +acc on).

III vr (Buch, Bericht) to read. **bei diesem Licht liest es sich nicht gut** this light isn't good for reading (in).

lesen[2] pret **las**, ptp **gelesen** vt **1.** (sammeln) Trauben, Beeren to pick; (nach der Ernte) Ähren to glean. **2.** (ver~) Erbsen, Linsen to sort; Salat to clean.

lesenswert adj worth reading.

Leseprobe f **1.** (Theat) reading; **2.** (Ausschnitt aus Buch) extract, excerpt; **Lesepult** nt lectern.

Leser(in f) m -s, - reader. **seine Romane haben viele ~ gefunden** his novels have gained a large readership.

Leseratte f (inf) bookworm (inf).

Leserbrief m (reader's) letter. **einen ~ an eine Zeitung schreiben** to write a letter to a newspaper; „,~e" "letters to the editor", "readers' letters".

Lesering ® m book club.

Leserkreis m reading; **leserlich** adj legible; **Leserlichkeit** f legibility; **Leserschaft** f readership; **Leserwunsch** m wish(es) of the readers; **auf vielfachen ~** at the request of many readers.

Lesesaal m reading room; **Lesespeicher** m (Comput) read-only memory, ROM;

Lesestoff m reading material; **ich brauche noch ~** I need something to read; **Lesestück** nt reading passage; **Lesewut** f craze for reading; **Lesezeichen** nt bookmark(er); **Lesezirkel** m magazine subscription club.

Lesung f (Dichter~, Parl) reading; (Eccl auch) lesson.

Lethargie f (Med, fig) lethargy.

lethargisch adj (Med, fig) lethargic.

Lette m -n, -n, **Lettin** f Lett, Latvian.

Letten m -s, - (potter's) clay.

Letter f -, -n character.

lettisch adj Lettish, Latvian.

Lettland nt Latvia.

Lettner m -s, - (Archit) choir screen.

Letzt f: **zu guter ~** finally, in the end.

letztemal adv **das ~** (the) last time; **zum letztenmal** (for) the last time.

letzt|endlich adv at (long) last.

letztens adv recently. **erst ~, ~ erst** just or only recently.

letzte(r, s) adj **1.** (örtlich, zeitlich) last; (endgültig, aller~ auch) final; (restlich) last (remaining). **~(r) werden** to be last; **als ~(r) (an)kommen/(weg)gehen/fertig sein** to arrive/leave/finish last, to be the last to arrive/leave/finish; **als ~(r) gehen** to be the last to go; (in Reihenfolge auch) to go last; (in Prozession) to bring up the rear; **auf dem ~n Platz** or **an ~r Stelle liegen** to be (lying) last; (in Tabelle, Liga auch) to be (lying) bottom; **den ~n beißen die Hunde** (Prov) the devil take the hindmost (prov); **er wäre der ~, dem ich ...** he would be the last person I'd ...; **das ist das ~, was ich tun würde** that's the last thing I'd do; **das ~ Wort haben** or **behalten** to have the last word; **mein ~s Geld** the last of my money; **die ~n zwei Tage/Jahre** the last two days/years; (vor heute/diesem Jahr auch) the past two days/years; **in ~r Zeit** recently; **jdm die ~ Ehre erweisen, jdm das ~ Geleit geben** to pay one's last respects to sb; **die ~n Dinge** death and the life to come; **der L~ Wille** last will and testament.

2. **bis aufs ~** completely, totally; **bis ins ~** (right) down to the last detail; **etw bis ins ~ kennen** to know sth like the back of one's hand; **bis zum ~n** to the utmost; **am** or **zum ~n** last; **fürs ~** lastly.

3. (neueste) Mode, Nachricht, Neuigkeit latest.

4. (schlechtester) most terrible. **das ist der ~ Schund/Dreck** that's absolute trash; **er ist der ~ Mensch** (inf) he's a terrible person; **jdn wie den ~n Dreck behandeln** to treat sb like dirt or as though he/she etc were the scum of the earth.

Letzte(r) mf decl as adj last; (dem Rang nach) lowest. **der ~ seines Stammes** the last of his line; **der ~ des Monats** the last (day) of the month; **der/die ~ in der Klasse sein** to be bottom of the class; **die ~n werden die Ersten sein** (Bibl) the last shall be first (Bibl).

letztere(r, s) adj the latter.

Letzte(s) nt decl as adj last thing. **es geht**

ums ~ everything is at stake; **sein ~s (her)geben** to give one's all, to do one's utmost; **das ist ja das ~!** (inf) that really is the limit.

letztgenannt adj last-named, last-mentioned; **letztinstanzlich** adj Urteil in the court of last instance; (fig) in the last instance; **letztjährig** adj attr last year's no art; **letztlich** adv in the end; **letztmalig** adj attr last; **letztmals** adv for the last time; **letztmöglich** adj attr last possible; **Letztnummernspeicher** m last number redial; **letztwillig** adj (form) ~e Verfügung last will and testament; ~ **verfügen, daß ...** to state in one's last will and testament that ...

Leu m -en, -en (obs, poet) lion.

Leuchtanzeige f illuminated display; **Leuchtboje** f light-buoy; **Leuchtdiode** f light-emitting diode; **Leuchtdiodenanzeige** f LED display.

Leuchte f -, -n (Leuchtkörper) light; (old: Laterne) lamp, lantern; (inf: Mensch) genius. **auf einem Gebiet/in einem Fach eine ~ sein** to shine in a particular field/subject.

leuchten vi 1. to shine; (Flammen, Feuer, Lava, Zifferblatt) to glow; (auf~) to flash.

2. (Mensch) **mit einer Lampe in/auf etw** (acc) ~ to shine a lamp into/onto sth; **mußt du mir direkt in die Augen ~?** do you have to shine that thing straight into my eyes?; **kannst du (mir) nicht mal ~?** can you point or shine the lamp/torch etc (for me)?; **leuchte mal hierher!** shine some light over here.

leuchtend adj (lit, fig) shining; Farbe bright, radiant. **etw in den ~sten Farben schildern/preisen** to paint sth/speak of sth in glowing colours; **ein ~es Beispiel** a shining example.

Leuchter m -s, - (Kerzen~) candlestick; (Arm~) candelabra; (Kron~) chandelier; (Wand~) sconce.

Leuchtfarbe f fluorescent colour/paint/dye/ink; **Leuchtfeuer** nt navigational light; **Leuchtgas** nt town gas; **Leuchtkäfer** m glow-worm; **Leuchtkraft** f brightness; (von Birne auch) luminous power (form); (von Stern auch) luminosity (form); **Leuchtkugel** f flare; **Leuchtpistole** f flare pistol; **Leuchtpult** nt light box; **Leuchtrakete** f signal rocket; **Leuchtreklame** f neon sign; **Leuchtröhre** f fluorescent tube; **Leuchtschirm** m fluorescent screen; **Leuchtschrift** f neon writing; **eine ~** a neon sign.

Leuchtspurmunition f (Mil) tracer bullets pl.

Leuchtstift m highlighter; **Leuchtturm** m lighthouse; **Leuchtzeiger** m luminous hand; **Leuchtzifferblatt** nt luminous face or dial.

leugnen I vt to deny. ~, **etw getan zu haben** to deny having done sth; **es ist nicht zu ~, daß ...** it cannot be denied that ...; **der Angeklagte leugnete die Tat** the defendant denied the offence; (vor Gericht) the defendant pleaded not guilty. II vi to deny everything.

Leukämie f leukaemia.

Leukämiekranke(r) mf decl as adj leukaemia sufferer.

leukämisch adj leukaemic.

Leukoplast ® nt -(e)s, -e sticking plaster, elastoplast ® (Brit), bandaid ®.

Leukozyten pl leucocytes pl (spec), white corpuscles pl.

Leumund m -(e)s, no pl reputation, name.

Leumundszeugnis nt character reference.

Leutchen pl (inf) people pl, folk pl (inf).

Leute pl 1. people pl; (inf: Eltern auch) folk(s) pl (inf). **arme/reiche/alte/junge ~** poor/rich/old/young people or folk(s) (inf); **alle ~** everybody; **kleine ~** (fig) ordinary people or folk (inf); **die kleinen ~** (hum, inf: Kinder) the little ones; **die ~ waren von dem Stück begeistert** people were enthusiastic about the play; **was sollen denn die ~ davon denken?** what will people think?; **kommt, ~!** come on folks; **es ist nicht wie bei armen ~n** (hum inf) we're not on the breadline yet (hum inf); **ich kenne meine ~!** (inf) I know them/him etc; **etw unter die ~ bringen** (inf) Gerücht, Geschichte to spread sth around, to put sth about; Geld to spend sth; **unter die ~ kommen** (inf) (Mensch) to meet people; (Gerüchte etc) to go around, to go or do the rounds (inf); **das sind wohl nicht die richtigen ~** they're not the right kind of people.

2. (Mannschaft, Arbeiter) **der Offizier ließ seine ~ antreten** the officer ordered his men to fall in; **dafür brauchen wir mehr ~** we need more people/staff etc for that.

Leuteschinder(in f**)** m -s, - slavedriver.

Leutnant m -s, -s or -e (second) lieutenant; (bei der Luftwaffe) pilot officer (Brit), second lieutenant (US). ~ **zur See** sub-lieutenant (Brit), lieutenant junior grade (US); **jawohl, Herr ~!** yes, sir; (Naut) aye aye, sir.

leutselig adj (umgänglich) affable; (pej: freundlich-herablassend) genial.

Leutseligkeit f siehe adj affability; geniality.

Levante [le'vantə] f -, no pl Levant.

levantinisch adj Levantine.

Leviathan, Leviatan [le'via:tan, levia-'ta:n] m -s (Myth) leviathan.

Leviten [le'vi:tən] pl: **jdm die ~ lesen** (inf) to haul sb over the coals (inf), to read sb the riot act (inf).

Levkoje [lɛf'ko:jə] f -, -n (Bot) stock.

Lex f -, **Leges** (parliamentary) bill. ~ **Smythe/Braun** Smythe's/Braun's bill.

Lexem nt -s, -e (Ling) lexeme.

lexikalisch adj lexical.

Lexikographie f lexicography.

Lexikograph(in f**)** m lexicographer.

lexikographisch adj lexicographic(al).

Lexikologe m, **Lexikologin** f lexicologist.

Lexikologie f lexicology.

lexikologisch adj lexicological.

Lexikon nt -s, **Lexika** encyclopedia; (Wörterbuch) dictionary, lexicon.

Liaison [lie'zõ:] f -, -s liaison.

Liane f -, -n liana.

Ibangse m -n, -n, Libanesin f Lebanese.
Ibanesisch adj Lebanese.
Ibanon m -(s) der ~ (Land) the Lebanon; (Gebirge) the Lebanon Mountains pl.
Ibanonzeder f cedar of Lebanon.
Ibelle f (Zool) dragonfly; (in Wasserwaage) spirit level.
Iiberal adj liberal.
Liberale(r) mf decl as adj (Pol) Liberal.
Iiberalisieren* vt to liberalize.
Liberalisierung f liberalization.
Liberalismus m liberalism.
Iiberalistisch adj liberalist.
Liberalität f liberalness, liberality.
Libero m -s, -s (Ftbl) sweeper.
libidinös adj (Psych) libidinous, libidinal.
Libido f -, no pl (Psych) libido.
Librettist(in f) m librettist.
Libretto nt -s, -s or Libretti libretto.
Libyen nt -s Libya.
Libyer(in f) m -s, - Libyan.
libysch adj Libyan.
Licht nt -(e)s, -er or (rare) -e 1. no pl light. ~ machen (anschalten) to turn or switch or put on a light; (anzünden) to light a candle/lantern etc; das ~ ist an or brennt the light is on or is burning/the candle is burning; das ~ des Tages/der Sonne the light of day/the sun; ~ ins Zimmer lassen to let (the/some) light into the room; in der ganzen Stadt fiel das ~ aus all the lights in the town went out; etw gegen das ~ halten to hold sth up to the light; gegen das ~ fotografieren to take a photograph into the light; bei ~e besehen or betrachtet (lit) in the daylight; (fig) in the cold light of day; das ist nicht das richtige ~ that's not the right sort of light; das Bild hängt hier nicht im richtigen ~ the light is wrong for the picture here; du nimmst mir das ganze ~ weg you're in the or my light; jdm im Licht stehen (lit) to stand in sb's light; (jdm) aus dem ~ gehen to move or get out of the or sb's light; ~ und Schatten light and shade (auch Art); wo ~ ist, ist auch Schatten (Prov) there's no joy without sorrow (prov); das ~ der Welt erblicken (geh) to (first) see the light of day; das ~ scheuen (lit) to shun the light (of day).
   2. (fig) light; (Könner) genius. das ~ der Wahrheit/Erkenntnis the light of truth/knowledge; ~ in eine (dunkle) Sache bringen to cast or shed some light on a matter; etw ans ~ bringen/zerren to bring/drag sth out into the open; ans ~ kommen to come or get out, to come to light; jdn hinters ~ führen to pull the wool over sb's eyes, to lead sb up the garden path; mir geht ein ~ auf(, warum ...) now it's dawned on me (why ...), now I see (why ...); ein schiefes/schlechtes or kein gutes ~ auf jdn/etw werfen to show sb/sth in the wrong/a bad light; in ein schiefes or falsches ~ geraten to be seen in the wrong light; etw ins rechte/falsche ~ rücken to show sth in a favourable/an unfavourable light; (richtigstellen/falsch darstellen) to show sth in its true light/put a wrong complexion on sth.

   3. (Lichtquelle) light; (Kerze) candle.
licht adj 1. (hell) light; (liter) Morgen bright. einen ~en Augenblick or Moment haben to have a lucid moment; (fig inf) to have a brainwave (inf).
   2. Wald sparse; Haar auch thin. eine ~e Stelle im Wald a sparsely-wooded spot in the forest.
   3. (Tech) ~e Höhe/Weite headroom/(internal) width.
Lichtanlage f lights pl; Lichtbehandlung f (Med) phototherapy; lichtbeständig adj lightproof; Farben, Stoff non-fade; Lichtbild nt (Dia) transparency, slide; (form: Foto) photograph; Lichtbildervortrag m illustrated talk or lecture; Lichtblick m (fig) ray of hope; Lichtbogen m arc; lichtbrechend adj (Opt) refractive; Lichtbrechung f refraction; Lichtbrücke f lighting rig; Lichtbündel nt pencil (of rays); Lichtdruck m (Typ) collotype; (Phys) light pressure; lichtdurchlässig adj pervious to light, light-transmissive (form); (durchsichtig) transparent; (durchscheinend) translucent.
Lichte f -, no pl (internal) width.
lichtecht adj non-fade; Lichteffekt m lighting effect; Lichteinfall m incidence of light; Lichteinwirkung f action of light; lichtelektrisch adj photoelectric; lichtempfindlich adj sensitive to light; (Tech auch) photosensitive; Lichtempfindlichkeit f sensitivity to light; photosensitivity; (Phot) film speed.
lichten¹ I vt Wald to thin (out). II vr (Reihen, Wald, Dickicht, Haare) to thin (out); (Nebel) to clear, to lift; (Wolken, Dunkel) to lift; (Bestände) to go down, to dwindle; (fig: Angelegenheit) to be cleared up.
lichten² vt Anker to weigh.
Lichterbaum m Christmas tree; Lichterfest nt Festival of Lights, Hanuk(k)ah; Lichterglanz m blaze of lights; in festlichem ~ erstrahlen to be a blaze of festive lights; Lichterkette f candle-lit demonstration; lichterloh adv ~ brennen (lit) to be ablaze; (fig: Herz) to be aflame; Lichtermeer nt (liter) sea of light; das ~ von New York the sea of light that is New York.
Lichtfilter nt or m (light) filter; Lichtgeschwindigkeit f speed of light; Lichtgestalt f (fig) shining light; Lichtgriffel m (Comput) light pen; Lichthof m 1. (Archit) air well; 2. (Phot) halation (spec); 3. (des Mondes) halo; Lichthupe f (Aut) flash (of the headlights); jdn durch ~ warnen to warn sb by flashing one's lights; Lichtjahr nt light year; Lichtkegel m (Phys) cone of light; (von Scheinwerfer) beam (of light); er stand im ~ he stood in the spotlight/the beam of the headlights; Lichtkreis m circle or pool of light; Lichtleitung f lighting wire; lichtlos adj dark; ein ~er Raum a room which doesn't get any light; Lichtmangel m lack of light; Lichtmaschine f (für Gleichstrom) dynamo; (für Drehstrom) alternator; Lichtmast m lamp-

post; **Lichtmeß** *no art* **Mariä** ~ Candlemas; **Lichtorgel** *f* clavilux, colour organ; **Lichtpause** *f* photocopy; (*bei Blaupausverfahren*) blueprint; **Lichtpunkt** *m* point of light; **Lichtquant** *nt* photon; **Lichtquelle** *f* source of light; **Lichtreklame** *f* neon sign; **Lichtsatz** *m* (*Typ*) film-setting, photocomposition; **in ~ hergestellt** film-set; **Lichtschacht** *m* air shaft; **Lichtschalter** *m* light switch; **Lichtschein** *m* gleam of light; **lichtscheu** *adj* averse to light; (*fig*) *Gesindel* shady; **Lichtschimmer** *m* gleam of light; **Lichtschranke** *f* photoelectric barrier.

Lichtschutzfaktor *m* protection factor.
Lichtsetzmaschine *f* (*Typ*) photosetting machine; **Lichtsignal** *nt* light signal; **Lichtspielhaus**, **Lichtspieltheater** *nt* (*dated*) cinema, picture palace (*old*); **lichtstark** *adj* (*Opt*) intense; (*Phot*) fast; **Lichtstärke** *f* (*Opt*) luminous intensity; (*Phot*) speed; **Lichtstift** *m* (*Comput*) light pen; **Lichtstrahl** *m* beam *or* ray of light; (*fig*) ray of sunshine; **Lichtstrom** *m* (*Opt*) luminous *or* light flux; **lichtundurchlässig** *adj* opaque.
Lichtung *f* clearing, glade.
Lichtverhältnisse *pl* lighting conditions *pl*; **Lichtwechsel** *m* change of light; (*Astron*) light variation.
Lid *nt* -(e)s, -er eyelid.
Lidschatten *m* eye-shadow; **Lidschlag** *m* blink; **Lidstrich** *m* eye-liner.
lieb *adj* **1.** (*liebenswürdig, hilfsbereit*) kind; (*nett, reizend*) nice; (*niedlich*) *Kerl(chen), Ding* sweet, lovely, cute (*inf*); (*artig*) *Kind, Schulklasse* good. (**es sendet Dir**) (**viele**) ~**e Grüße Deine Silvia** love Silvia; ~**e Grüße an Deine Eltern** give my best wishes to your parents; **würdest du** (**bitte**) **so ~ sein und das Fenster aufmachen** *or*, **das Fenster aufzumachen?, sei bitte so ~ und mache das Fenster auf** would you do me a favour *or* (would you) be a love (*Brit inf*) *or* an angel (*inf*) and open the window; **willst du wohl** (**endlich**) ~ **sein?!** are you going to be good *or* to behave now?; **bei jdm ~ Kind sein** (*pej*) to be sb's (little) darling *or* pet; **sich bei jdm ~ Kind machen** (*pej*) to suck up to sb, to worm one's way into sb's good books.
2. *Gast, Besuch* (*angenehm*) pleasant; (*willkommen*) welcome. **bei uns bist du jederzeit ein** ~**er Gast** you're always welcome, we're always pleased to see you.
3. (*angenehm*) **etw ist jdm ~** sb likes sth; **es wäre mir ~, wenn ...** I'd be glad if ..., I'd like it if ...; **es ist mir ~, daß ...** I'm glad that ...; **es wäre ihm ~er he** would prefer it; *siehe auch* **lieber II, liebste(r, s) II**.
4. (*geliebt, geschätzt*) dear, beloved (*iro, form*); (*in Briefanrede*) dear; (*bei Anrede von Publikum*) *not translated.* ~**e Brüder und Schwestern** (*Rel*) dearly beloved; **der** ~**e Gott** the Good Lord; ~**er Gott** (*Anrede*) dear God *or* Lord; **unsere L**~**e Frau** (*Eccl*) Our Lady; **L**~**e Anna, ~er Klaus! ...** Dear Anna and

Klaus, ...; (**mein**) **L**~**es** (my) love *or* pet, honey (*esp US*); **er ist mir ~ und wert** *or* **teuer** he's very dear to me; **den** ~**en langen Tag** (*inf*) the whole livelong day; **das** ~**e Geld!** the money, the money!; (**ach**) **du** ~**er Himmel/**~**er Gott/**~**e Güte/**~**e Zeit/**~**es Lieschen** *or* **Lottchen/**~**es bißchen** (*inf*) good heavens *or* Lord!, goodness me!
5. ~**ste(r, s)** favourite; **sie ist mir die** ~**ste von allen** she is my favourite.
liebäugeln *vi insep* **mit etw ~** to have one's eye on sth; **mit einem neuen Auto ~** to be toying with the idea of getting a new car; **mit dem Gedanken ~, etw zu tun** to be toying *or* flirting with the idea of doing sth.
Liebchen *nt* (*old*) sweetheart.
Liebe *f* -, -n **1.** love (*zu jdm, für jdn* for *or* of sb, *zu etw* of sth). **die große** ~ the love of one's life, the real thing (*inf*); **Heirat aus** ~ love-match; **aus** ~ **zu jdm/einer Sache** for the love of sb/sth; **ein Kind der** ~ (*liter*) a love child; **etw mit viel** ~ **tun** to do sth with loving care; **in** ~ with love; **in** ~ **Dein Theobald** with all my love, Theobald; ~ **macht blind** (*Prov*) love is blind (*Prov*).
2. (*Sex*) sex. **eine Nacht der** ~ a night of love; **sie/er ist gut in der** ~ (*inf*) she/he is good at making love.
3. (*Geliebte(r)*) love. **sie ist eine alte** ~ **von mir** she is an old flame of mine.
liebebedürftig *adj* ~ **sein** to need a lot of love *or* affection; **Liebedienerei** *f* (*pej*) subservience, fawning (*gegenüber* to).
Liebelei *f* (*inf*) flirtation; affair.
lieben *vti* to love; (*als Liebesakt*) to make love (*jdn* to sb). **etw nicht** ~ not to like sth; **ich liebe es nicht, wenn man mich unterbricht** I do not like being interrupted; **sich** *or* **einander** ~ to love one another *or* each other; (*euph*) to make love.
Liebende(r) *mf decl as adj* lover.
liebenlernen *vt sep* to come to love.
liebenswert *adj* lovable, endearing.
liebenswürdig *adj* kind; (*liebenswert*) charming. **würden Sie so** ~ **sein und die Tür schließen?** would you be so kind as to shut the door?
liebenswürdigerweise *adv* kindly.
Liebenswürdigkeit *f* **1.** (*Höflichkeit*) politeness; (*Freundlichkeit*) kindness. **würden Sie die** ~ **haben, das zu tun** *or* **und das tun?** (*form*) would you be kind *or* good enough to do that?, would you have the goodness to do that? **2.** (*iro: giftige Bemerkung*) charming remark (*iro*).
Liebe(r) *mf decl as adj* dear. **meine** ~**n** my dears.
lieber I *adj comp of* **lieb**.
II *adv comp of* **gern 1.** (*vorzugsweise*) rather, sooner. **das tue ich** ~ (*im Augenblick*) I would *or* I'd rather *or* sooner do that; (*grundsätzlich auch*) I prefer doing that; **ich trinke** ~ **Wein als Bier** I prefer wine to beer; (**das möchte ich**) ~ **nicht!** I would *or* I'd sooner *or* rather not, I would *or* I'd prefer not to; **er sieht es** ~, **wenn du das nicht tust** he would *or*

he'd prefer you not to do that, he would *or* he'd prefer it if you didn't do that, he would *or* he'd sooner *or* rather you didn't do that; (*grundsätzlich*) he prefers you not to do that, he prefers it if you don't do that.

2. (*besser, vernünftigerweise*) better. **bleibe ~ im Bett** you had *or* you'd better stay in bed, I would *or* I'd stay in bed if I were you; **ich hätte ~ lernen sollen** I would have done better *or* I'd have done better to have studied **nichts ~ als das** there's nothing I'd rather do/have.

ˌiebes- *in cpds* love; **Liebesabenteuer** *nt* amorous adventure; **Liebesaffäre** *f* (love-)affair; **Liebesakt** *m* love *or* sex act; **Liebesbande** *pl* (*liter*) bonds of love *pl*, **Liebesbeziehung** *f* romantic attachment; (*sexual*) relationship; **Liebesbrief** *m* love letter; **Liebesdienerin** *f* (*inf*) lady of the night (*euph*); **Liebesdienst** *m* labour of love; (*fig: Gefallen*) favour; **jdm einen ~ erweisen** to do sb a service of love/a favour; **Liebesentzug** *m, no pl* withdrawal of affection; **Liebeserklärung** *f* declaration of love; **jdm eine ~ machen** to declare one's love to sb; **Liebesfilm** *m* love film; **Liebesgedicht** *nt* love poem; **Liebesgeschichte** *f* **1.** (*Liter*) love story; **2.** (*inf: Liebschaft*) love-affair; **Liebesgott** *m* god of love; **Liebesgöttin** *f* goddess of love; **Liebesheirat** *f* love-match; **Liebeskummer** *m* lovesickness; **~ haben** to be lovesick; **Liebesleben** *nt* love-life; **Liebeslied** *nt* love song; **Liebesmüh(e)** *f*: **das ist vergebliche** *or* **verlorene ~** that is futile; **Liebesnest** *nt* (*inf*) love-nest; **Liebespaar** *nt* lovers *pl*; **Liebesroman** *m* romantic novel; **Liebesspiel** *nt* love-play; **Liebesszene** *f* love scene; **liebestoll** *adj* love-stricken, lovelorn; **Liebestöter** *pl* (*hum*) long johns *pl*, passion-killers *pl* (*hum*); **Liebestrank** *m* (*liter*) love potion; **liebestrunken** *adj* (*geh*) in an ecstasy of love; **Liebesverhältnis** *nt* (sexual) relationship, liaison.

liebevoll *adj* loving.

liebgewinnen* *vt sep irreg* to get *or* grow fond of; **liebgeworden** *adj attr* well-loved; *Brauch, Angewohnheit* favourite; **ein mir ~es Land** a country of which I've grown very fond; **liebhaben** *vt sep irreg* to love; (*weniger stark*) to be (very) fond of.

Liebhaber(in *f*) *m* **-s, -. 1.** lover. **2.** (*Interessent, Freund*) enthusiast; (*Sammler*) collector. **ein ~ von etw** a lover of sth; **das ist nur etwas für ~** it's an acquired taste; **das ist ein Wein/Auto für ~** that is a wine/car for connoisseurs.

Liebhaberei *f* (*fig: Hobby*) hobby.

Liebhaberpreis *m* collector's price; **Liebhaberstück** *nt* collector's item; **Liebhaberwert** *m* collector's value.

liebkosen* *vt insep* (*liter*) to caress, to fondle.

Liebkosung *f* (*liter*) caress.

lieblich *adj* charming, lovely, delightful; *Duft, Geschmack, Wein* sweet.

Lieblichkeit *f* loveliness, delightfulness; sweetness. **ihre ~, Prinzessin Sylvia** (*im Fasching*) Her Sweetness Princess Sylvia (*title of carnival princess*).

Liebling *m* darling; (*bevorzugter Mensch*) favourite.

Lieblings- *in cpds* favourite.

lieblos *adj Ehemann, Eltern* unloving; *Bemerkung, Behandlung* unkind; *Benehmen* inconsiderate; **~ gekocht/zubereitet** cooked/prepared any old how (*inf*); **Lieblosigkeit** *f* **1.** (*no pl: liebloses Wesen*) *siehe adj* unlovingness; unkindness; inconsiderateness; **2.** (*Äußerung*) unkind remark; (*Tat*) unkind act; **~en** (*Benehmen*) unkind behaviour *sing*; **Liebreiz** *m* (*liter*) charm; **liebreizend** *adj* (*liter*) charming; **Liebschaft** *f* affair.

liebsten *adv*: **am ~;** *siehe* **liebste(r, s) II**.

liebste(r, s) I *adj superl of* **lieb. II** *adv superl of* **gern: am ~n** best; **am ~n hätte/würde ich ...** what I'd like most would be (to have) .../would be to ..., most of all *or* best of all I'd like (to have) .../I'd like to ...; **am ~n esse ich scharfe Speisen/gehe ich ins Kino** most *or* best of all I like spicy food/going to the cinema; **am ~n hätte ich ihm eine geklebt!** (*inf*) I could have stuck one on him (*sl*).

Liebste(r) *mf decl as adj* sweetheart.

Liebstöckel *m or nt* **-s, -** (*Bot*) lovage.

Liechtensteiner(in *f*) *m* **-s, -** Liechtensteiner.

liechtensteinisch *adj* Liechtenstein, of/from Liechtenstein.

Lied *nt* **-(e)s, -er** song; (*Kirchen~*) hymn; (*Weihnachts~*) carol. **das Ende vom ~** (*fig inf*) the upshot *or* outcome (of all this); **es ist immer das alte** *or* **gleiche ~** (*inf*) it's always the same old story (*inf*); **davon kann ich ein ~ singen** *or* **weiß ich ein ~ zu singen** I could tell you a thing or two about that (*inf*).

Liederabend *m* evening of songs; (*von Sänger*) song recital; **Liederbuch** *nt siehe* **Lied** songbook; hymnbook; book of carols; **Liederdichter(in** *f*) *m* lyrical poet; (*des Mittelalters*) minstrel; **Liederhandschrift** *f* collection of ballads.

Liederjan *m* **-(e)s, -e** (*dated inf*) wastrel.

liederlich *adj* (*schlampig*) slovenly *attr*, *pred*; (*nachlässig auch*) sloppy; (*unmoralisch*) *Leben, Mann* dissolute, dissipated; *Frau, Mädchen* loose. **ein ~es Frauenzimmer** (*pej*) a slut.

Liederlichkeit *f siehe adj* slovenliness; sloppiness; dissoluteness; looseness.

Liedermacher(in *f*) *m* singer-songwriter; **Liederzyklus** *m* song cycle.

lief *pret of* **laufen**.

Lieferant(in *f*) *m* supplier; (*Auslieferer*) deliveryman.

Lieferanten|eingang *m* tradesmen's entrance; (*von Warenhaus*) goods entrance.

lieferbar *adj* (*vorrätig*) available; (*zustellbar*) deliverable (*rare*); **die Ware ist sofort ~** the article can be supplied/delivered at once; **Lieferbedingungen** *pl* conditions *or* terms of supply/delivery; **Lieferfirma** *f* supplier; (*Zusteller*) delivery firm; **Lieferfrist** *f* delivery period; **die ~ einhalten** to meet the delivery date; **Liefermonat** *m* (*Comm*) contract month, delivery month.

liefern *vti* **1.** to supply; (*zustellen*) to deliver (*in* +*acc* to). **jdm etw ~** to supply sb with sth/deliver sth to sb; **wir ~ nicht ins Ausland/nach Frankreich** we don't supply the foreign market/(to) France.

2. (*zur Verfügung stellen*) to supply; *Beweise, Gesprächsstoff, Sensationen auch* to provide, to furnish; *Ertrag* to yield. **jdm eine Schlacht/ein Wortgefecht ~** to do battle/verbal battle with sb; **sie lieferten sich eine regelrechte Schlacht** they had a real battle; (*Sport*) they put up a real fight; **ein spannendes Spiel ~** (*Sport*) to put on an exciting game.

Lieferschein *m* delivery note; **Liefertermin** *m* delivery date.

Lieferung *f* **1.** (*Versand, Versandgut*) delivery; (*Versorgung*) supply. **bei ~** on delivery; **Zahlung bis 14 Tage nach ~** account payable within 14 days of delivery. **2.** (*von Buch*) instalment.

Liefervertrag *m* contract of sale, sale contract; **ein ~ über 5.000 Lastwagen** a contract to supply/deliver 5,000 lorries; **Lieferwagen** *m* van, panel truck (*US*); (*offen*) pick-up; **Lieferzeit** *f* delivery period *or* time, lead time (*Comm*); **Lieferzettel** *m* delivery order.

Liege *f* -, **-n** couch; (*Camping~*) camp bed; (*für Garten*) lounger.

liegen *pret* **lag**, *ptp* **gelegen** *aux haben or* (*S Ger*) *sein vi* **1.** (*flach~, ausgebreitet sein*) to lie; (*Flasche*) to be on its side; (*inf: krank sein*) to be laid up (*inf*). **das lange L~** lying a long time; (*von Mensch*) lying in bed for a long time; **hart/weich ~** to lie on hard/soft ground, to lie on a hard/soft surface, to lie on a hard/soft bed *etc*; **in diesem Bett liegt es sich** *or* **liegt man hart/weich** this bed is hard/soft; **unbequem ~** to lie uncomfortably *or* in an uncomfortable position; **auf den Knien ~** to be kneeling *or* on one's knees; **im Bett/Krankenhaus ~** to be in bed/hospital; **auf dem Boden ~** to lie on the floor; (*zum Schlafen*) to sleep on the floor; **zu Bett ~** (*form*) to have retired (*form*); (*krank sein*) to have taken to one's bed (*form*); **der Kranke muß ~** the patient must lie down; **der Kopf muß hoch/tief ~** the head must be higher/lower than the rest of the body; **flach ~** (*lit*) to lie flat; (*inf: krank sein*) to be laid up; **verstreut ~** to be *or* lie scattered; **das Flugzeug liegt ganz ruhig in der Luft** the plane is flying quite smoothly; **der Wagen liegt gut auf der Straße** the car holds the road well; **etw ~ lassen** to leave sth (there); **einen Ort links/rechts ~ lassen** to pass by a place.

2. (*sich befinden, sein*) to be. **das Schiff liegt am Kai** the ship is (tied up) alongside the quay; **ich habe noch einen guten Wein im Keller ~** I have a good wine in the cellar; **die Preise ~ zwischen 60 und 80 Mark** the prices are between 60 and 80 marks; **der zweite Läufer liegt weit hinter dem ersten** the second runner is *or* is lying a long way behind the first;

die Betonung liegt auf der zweiten Silbe the stress is *or* lies on the second syllable; **seine Fähigkeiten ~ auf einem anderen Gebiet** his abilities lie in a different direction; **in jds Absicht** (*dat*) **~** to be sb's intention; **es liegt in seiner Gewalt, das zu tun** it is *or* lies within his power to do that.

3. (*einen bestimmten Rang haben*) to be. **an erster Stelle der Hitparade ~** to be number one (in the hit parade), to top the charts; **auf den hintersten Plätzen/in Führung/an der Spitze ~** to be at the bottom/in the lead/right out in front.

4. (*lasten*) **auf dieser Familie scheint ein Fluch zu ~** there seems to be a curse on this family; **die Verantwortung/ Schuld dafür liegt bei ihm** the responsibility/blame for that lies *or* rests with him; **die Schuld liegt schwer auf mir** my guilt weighs heavily on me; **das liegt ganz bei dir** that is completely up to you; **die Entscheidung liegt beim Volk/bei Ihnen** the decision rests with the people/ you.

5. (*eine bestimmte Lage haben*) to be; (*Haus, Stadt auch*) to be situated *or* located, to lie. **nach Süden/der Straße ~** to face south/the road; **das Haus liegt ganz ruhig** the house is in a very quiet position *or* location; **das liegt doch auf dem Weg/ganz in der Nähe** it's on the way/ quite nearby.

6. (*sich verhalten*) to be. **so, wie die Dinge jetzt ~** as things are *or* stand at the moment; **damit liegst du (gold) richtig** (*inf*) you're (dead (*inf*) *or* absolutely) right there.

7. (*begraben sein*) to lie.

8. (*Schnee*) to lie; (*Hitze, Nebel auch*) to hang. **die Stadt lag in dichtem Nebel** the town was enveloped in thick fog, thick fog hung *or* lay over the town; **der Schnee liegt 50 cm hoch** the snow is 50 cm deep; **der Schnee bleibt nicht ~** the snow isn't lying.

9. (*wichtig sein*) **es liegt mir viel/ wenig/nichts daran** that matters a lot/ doesn't matter much/at all to me, that is important/isn't very/at all important to me; **es liegt mir viel an ihm/an meinem Beruf** he/my job is very important *or* matters a lot to me; **mir liegt an guten Beziehungen** I am concerned that there should be good relations; **was liegt (dir) schon daran?** what does it matter (to you)?

10. (*begründet sein*) **an jdm/etw ~** to be because of sb/sth; **woran liegt es?** why is that?, what is the reason (for that)?; **an mir soll es nicht ~!** I'll go along with that; **an mir soll es nicht ~, daß** *or* **wenn die Sache schiefgeht** it won't be my fault if things go wrong.

11. (*geeignet sein, passen*) **jdm liegt etw nicht** sth doesn't suit sb; (*jds Art, Beruf*) sth doesn't appeal to sb; (*Mathematik*) sb has no aptitude for sth; **diese Rolle liegt ihr** she suits *or* fits the part, the part suits her.

12. (*angeordnet sein*) (*Falten*) to lie;

(Haare) to stay in place. **der Stoff liegt quer/90 cm breit** the material is on the cross/is 90 cm wide.

egenbleiben vi sep irreg aux sein **1.** (nicht aufstehen) to remain lying (down). **(im Bett)** ~ to stay in bed; **er blieb bewußtlos auf dem Boden liegen** he lay unconscious on the floor; **bleib liegen!** don't get up!, stay down!

2. (vergessen werden) to be or get left behind. **mein Schirm muß irgendwo liegengeblieben sein** I must have left my umbrella somewhere.

3. (nicht verkauft werden) not to sell, to be left unsold.

4. (Auto) to conk out (inf).

5. (nicht ausgeführt werden) to get or be left (undone), not to get done.

iegend adj (Art) reclining. ~ **aufbewahren** to store flat; **Flasche** to store on its side.

iegenlassen vt sep irreg, ptp - or (rare) **liegengelassen** (nicht erledigen) to leave; (vergessen) to leave (behind); (herum~) to leave lying about or around. **sie hat alles liegengelassen, um dem Kind zu helfen** she dropped everything to (go and) help the child.

Liegenschaft(en pl) f real estate sing, property sing.

Liegeplatz m place to lie; (auf Schiff, in Zug etc) berth; (Ankerplatz) moorings pl; (von großem Schiff) berth; **Liegesitz** m reclining seat; (auf Boot) couchette; **Liegestatt** f (old, dial) bed; **Liegestuhl** m (mit Holzgestell) deck chair; (mit Metallgestell) lounger; **Liegestütz** m (Sport) press-up; **~e machen** to do press-ups; **Liegewagen** m (Rail) couchette coach or car (esp US); **~ buchen** to book a couchette; **Liegewiese** f lawn (for sunbathing); **Liegezeit** f (Naut) lay days pl (form).

lieh pret of **leihen**.

lies imper sing of **lesen**.

Lieschen [liːsçən] nt Liz(zie). **~ Müller** (inf) the average woman in the street.

ließ pret of **lassen**.

Lift m -(e)s, -e or -s (Personen~) lift (Brit), elevator (esp US); (Güter~) lift (Brit), hoist; (Ski~) ski lift.

Liftboy ['lɪftbɔy] m -s, -s liftboy (Brit), elevator boy (US).

liften vt to lift. **sich** (dat) **das Gesicht ~ lassen** to have a facelift.

Lift-off [lɪftˈɒf] m -(s), -s lift-off; **Lift-off-Korrekturband** nt (Typ) lift-off correction tape.

Liga f -, **Ligen** league.

Ligatur f ligature; (Mus: Verbindung zweier Noten) tie.

Light pen ['laɪtpɛn] m - -s, - -s light pen.

Lignin nt -s, -e lignin(e).

Liguster m -s, - privet.

liieren* I vt to bring or get together; Firmen to get to work together. **liiert sein** to have joined forces; (Firmen) to be allied; (ein Verhältnis haben) to have a relationship.
II vr to join forces; (Firmen) to work together; (Pol) to enter into an alliance; (ein Verhältnis eingehen) to get to-

gether, to form a liaison.

Likör m -s, -e liqueur.

lila adj inv purple.

Lila nt -s, (inf) -s purple.

Lilie [-iə] f lily.

Liliput in cpds miniature.

Liliputaner(in f) m -s, - dwarf, midget; (Bewohner von Liliput) Liliputian.

Limbo m -s, -s limbo.

Limes m -, - **1.** no pl (Hist) limes. **2.** (Math) limit.

Limit nt -s, -s or -e limit; (Fin) ceiling. **jdm ein ~ setzen** to set sb a limit.

limitieren* vt (form) to limit; (Fin) to put a ceiling on.

Limo f -, -s (inf) lemonade.

Limonade f lemonade; (in weiterem Sinne) soft drink.

Limone f -, -n lime.

Limousine [limuˈziːnə] f saloon (Brit), sedan (US).

lind adj (liter) balmy; Regen gentle.

Lindan nt - lindane.

Linde f -, -n linden or lime (tree); (~nholz) limewood.

Lindenblütentee m lime blossom tea.

lindern vt to ease, to relieve, to alleviate; Hustenreiz, Sonnenbrand auch to soothe.

Linderung f siehe vt easing, relief, alleviation; soothing.

lindgrün adj lime green; **Lindwurm** m (Myth) lindworm (type of wingless dragon).

Lineal nt -s, -e ruler. **einen Strich mit dem ~ ziehen** to rule a line, to draw a line with a ruler.

linear adj linear.

Lineatur f ruling, lines pl.

lingual adj (form) lingual.

Linguist(in f) m linguist.

Linguistik f linguistics sing.

linguistisch adj linguistic.

Liniatur f ruling, lines pl.

Linie [-iə] f **1.** (auch Sport, Pol, Naut, Abstammung, Straßenmarkierung) line; (Umriß auch) outline. **ein Schreibblock mit ~n** a ruled or lined notepad; **die ~n** (in) **seiner Hand** the lines of or on his hand; **in einer ~ stehen** to be in a line; **sich in einer ~ aufstellen** to line up; **auf der gleichen ~** along the same lines; **einer Sache** (dat) **fehlt die klare ~** there's no clear line to sth; **seinem Leben eine klare ~ geben** to give one's life a clear sense of direction; **eine ~ ziehen zwischen ...** (+dat) (fig) to draw a distinction between ...; **auf der ganzen ~** (fig) all along the line; **sie hat ein Gesicht mit klaren/verschwommenen ~n** she has clear-cut/ill-defined features; **auf die** (schlanke) **~ achten** to watch one's figure; **die männliche/weibliche ~ eines Geschlechts** the male/female line of a family; **in erster/zweiter ~ kommen** (fig) to come first/second, to take first/second place; **in erster ~ muß die Arbeitslosigkeit bekämpft werden** the fight against unemployment must come first or take priority.

2. (Mil) (Stellung) line; (Formation) rank. **in ~ antreten!** fall in!; **die**

feindliche/vorderste ~ the enemy lines
pl/front line.
3. (*Verkehrsverbindung, -strecke*)
route; (*Bus*~, *Eisenbahn*~ *auch*) line.
fahren Sie mit der ~ **2** take a *or* the
(number) 2; **die** ~ **Köln-Bonn** the
Cologne-Bonn line.
Linien- [-iən]: **Linienblatt** *nt* ruled sheet
(*placed under writing-paper*), line guide;
Linienbus *m* public service bus, regular
bus; **Liniendienst** *m* regular service;
(*Aviat*) scheduled service; **Linienflug** *m*
scheduled flight; **Linienflugzeug** *nt*
scheduled (service) plane; **Linienführung** *f* lines *pl*; **Linien-
maschine** *f* scheduled flight; **mit einer**
~ on a scheduled flight; **Liniennetz** *nt*
network of routes; **das** ~ **der U-Bahn/
der Straßenbahnen** the underground
(system)/the tram system; **Linienpapier**
nt lined *or* ruled paper; **Linienrichter(in**
f) *m* (*Sport*) linesman/-woman; (*Tennis*)
line judge; **Linienschiff** *nt* liner;
linientreu *adj* loyal to the party line; ~
sein to follow *or* toe the party line;
Linienverkehr *m* regular traffic; (*Aviat*)
scheduled traffic; **im** ~ **fliegen/fahren** to
fly on scheduled services/operate on
regular services.
linieren*, liniieren* *vt* to rule, to draw *or*
rule lines on. **liniert** lined, feint (*spec*).
Linierung, Liniierung *f* ruling.
link *adj* (*inf*) *Typ* underhanded, double-
crossing; *Masche, Tour* dirty, low-down
(*US inf*). **komm mir nicht so** ~ stop
messing me around (*inf*); **ein ganz** ~**er
Hund** (*pej*) a nasty piece of work (*pej
inf*); **ein ganz** ~**es Ding drehen** to get up
to a bit of no good (*inf*).
Linke *f* **-n, -n 1.** (*Hand*) left hand; (*Seite*)
left(-hand) side; (*Boxen*) left. **zur** ~**n
(des Königs) saß** ... to the left (of the
king) *or* on the (king's) left sat ...
2. (*Pol*) Left.
linken *vt* (*inf: hereinlegen*) to con (*inf*).
Linke(r) *mf decl as adj* (*Pol*) left-winger,
leftist (*pej*).
linke(r, s) *adj attr* **1.** left; *Rand, Spur auch*
left-hand. **die** ~ **Seite** the left(-hand)
side; (*von Stoff*) the wrong side, the reverse (side); **auf der** ~**n Seite** on the
left-hand side, on the left; ~**r Hand, zur**
~**n Hand** to *or* on the one's left; ~
Masche (*Stricken*) purl (stitch); **eine** ~
Masche stricken to purl one; **zwei** ~
Hände haben (*inf*) to have two left hands
(*inf*); **das mache ich mit der** ~**n Hand**
(*inf*) I can do that with my eyes shut
(*inf*); **er ist heute mit dem** ~**n Bein zuerst
aufgestanden** (*inf*) he got out of bed on
the wrong side this morning (*inf*).
2. (*Pol*) left-wing, leftist (*pej*); *Flügel*
left.
linkerseits *adv* to the left, on the left-
hand side.
linkisch *adj* clumsy, awkward.
links I *adv* **1.** on the left; *schauen, abbiegen* (to the) left. **nach** ~ (to the) left;
von ~ from the left; ~ **von etw** to *or* on
the) left of sth; ~ **von jdm** to *or* on sb's
left; **sich** ~ **halten** to keep to the left;
weiter ~ further to the left; **sich** ~ **ein-**

ordnen to move into *or* take the left-
hand lane; **jdn** ~ **liegenlassen** (*fig inf*) to
ignore sb; **weder** ~ **noch rechts schauen**
(*lit*) to look neither left nor right; (*fig*)
not to let oneself be distracted; ~ **von
der Mitte** (*Pol*) (to the) left of centre; ~
stehen *or* **sein** (*Pol*) to be left-wing *or* on
the left *or* a left-winger; **Augen** ~**!** (*Mil*)
eyes left!; ~ **um!** (*Mil*) left about turn.
2. (*verkehrt*) bügeln on the reverse *or*
wrong side; *tragen* reverse *or* wrong side
out; *liegen* reverse *or* wrong side up. ~
stricken to purl; **eine** (Masche) ~, **drei**
(Maschen) **rechts** purl one, knit three.
II *prep* +*gen* on *or* to the left of.
Linksabbieger(in *f*) *m* motorist/cyclist/car
etc turning left; **Linksabbiegerspur** *f*
left-hand turn-off lane; **Linksaußen** *m*
-, - (*Ftbl*) outside left; (*Pol*) extreme
left-winger; **linksbündig** *adj* (*Typ*)
ranged *or* flush left; **Linksdrall** *m* (*lit*)
(*im Gewehrlauf*) anticlockwise rifling;
(*von Geschoß, Billardball*) swerve to the
left; (*fig*) leaning to the left; **einen** ~ **haben** to swerve/pull/lean to the left; (*fig*)
leaning to the left; **Linksextremist(in** *f*)
m left-wing extremist; **Linksgang** *m*
(*Tech*) left-handed thread; **linksgängig**
adj (*Tech*) left-handed; **linksgerichtet**
adj (*Pol*) left-wing orientated *no adv*;
Linksgewinde *nt* left-handed thread;
Linkshaken *m* left hook; **Linkshän-
der(in** *f*) *m* -**s**, - left-hander, left-handed
person/player *etc*; ~ **sein** to be left-
handed; **linkshändig** *adj, adv* left-
handed; **Linkshändigkeit** *f* left-hand-
edness; **linksheran** *adv* over to the left;
linksherum *adv* (round) to the left; *sich
drehen* anti-clockwise; **Linksintellek-
tuelle(r)** *mf* left-wing intellectual;
Linkskurve *f* (*von Straße*) left-hand
bend; (*von Bahn auch*) left-hand curve;
linkslastig *adj* (*lit*) *Boot* listing to the
left; *Auto* down at the left; (*fig*) leftist
(*pej*), leaning to the left; **linksläufig** *adj*
Gewinde left-handed; *Schrift* right-to-
left; **Linkspartei** *f* left-wing party; **links-
radikal** *adj* (*Pol*) radically left-wing; **die
L**~**en** the left-wing radicals; **Linksradi-
kalismus** *m* (*Pol*) left-wing radicalism;
linksrheinisch *adj* to *or* on the left of
the Rhine; **Linksruck**, *m* (*Pol*) shift to
the left; **linksrum** *adv* (*inf*) *siehe* **linksherum**; **linksseitig** *adj* on the left(-
hand) side; ~ **gelähmt** paralyzed in the
left side; **linksum** *adv* (*Mil*) to the left;
~ **machen** (*inf*) to do a left turn; **Links-
verkehr** *m*, *no pl* driving on the left *no
def art*; **in Großbritannien ist** ~ they
drive on the left in Britain.
Linnen *nt* -**s**, - (*liter*) *siehe* **Leinen**.
Linoleum [li'no:leʊm] *nt* -**s**, *no pl* linoleum, lino.
Linolsäure *f* linoleic acid; **Linolschnitt** *m*
(*Art*) linocut.
Linon [li:'nõ] *m* -**(s)**, -**s** cotton/linen lawn.
Linse *f* -, -**n 1.** (*Bot, Cook*) lentil. **2.** (*Opt*)
lens.
linsen *vi* (*inf*) to peep, to peek (*inf*).
Lippe *f* -, -**n** lip; (*Bot auch*) labium. **eine**
(große *or* **dicke)** ~ **riskieren** (*sl*) to be
brazen; **das bringe ich nicht über die** ~**n**

I can't bring myself to say it; **er brachte kein Wort über die ~n** he couldn't say *or* utter a word; **das Wort erstarb ihm auf den ~n** (*liter*) the word froze on his lips.

Lippenbekenntnis *nt* lip-service; **ein ~ ablegen** to pay lip-service (to one's ideals); **Lippenblütler** *m* **-s,** - (*Bot*) labiate; **Lippenlaut** *m* (*Ling*) labial; **Lippenpflegestift** *m* lip salve stick, lipcare stick; **Lippenstift** *m* lipstick.

Liquida *f* **-,** **Liquidä** *or* **Liquiden** (*Ling*) liquid.

Liquidation *f* (*form*) **1.** (*Auflösung*) liquidation. **sie haben die ~ beschlossen** they decided to go into liquidation. **2.** (*Rechnung*) account.

liquid(e) *adj* (*Econ*) *Geld, Mittel* liquid; *Firma, Geschäftsmann* solvent.

liquidieren* *vt* **1.** *Geschäft* to put into liquidation, to wind up; *Betrag* to charge. **einen Kontrakt in bar ~** to settle a contract in cash. **2.** *Firma* to liquidate; *jdn* to eliminate.

Liquidierung *f* (*von Firma*) liquidation; (*von Person*) elimination.

Liquidität *f* (*Econ*) liquidity.

lismen *vti* (*Sw*) to knit.

lispeln *vti* to lisp; (*flüstern*) to whisper.

Lissabon *nt* **-s** Lisbon.

Lissabonner(in *f*) *m* native of Lisbon; (*Einwohner*) inhabitant of Lisbon.

List *f* **-,** **-en** (*Täuschung*) cunning, artfulness; (*trickreicher Plan*) trick, ruse. **mit ~ und Tücke** (*inf*) with a lot of coaxing; **zu einer ~ greifen, (eine) ~ anwenden** to use a bit of cunning, to resort to a ruse.

Liste *f* **-,** **-n** (*Aufstellung*) list; (*Wähler~*) register; (*von Parteien*) (party) list (*of candidates under the proportional representation system*). **sich in eine ~ eintragen** *or* **(ein)schreiben** to put oneself *or* one's name (down) on a list.

Listenplatz *m* (*Pol*) place on the party list (*of candidates under the proportional representation system*); **Listenpreis** *m* list price; **Listenwahl** *f* electoral system in which a vote is cast for a party rather than a specific candidate.

listig *adj* cunning, crafty, wily *no adv*.

listigerweise *adv* cunningly, craftily.

Litanei *f* (*Eccl, fig*) litany. **eine ~ von Klagen/Beschwerden** a long list *or* catalogue of complaints.

Litauen *nt* **-s** Lithuania.

Litauer(in *f*) *m* **-s,** - Lithuanian.

litauisch *adj* Lithuanian.

Liter *m or nt* **-s,** - litre.

literarhistorisch *adj* literary historical *attr*; *Buch, Artikel auch* relating to literary history. **~ interessant** of interest to literary history.

literarisch *adj* literary.

Literat(in *f*) *m* **-en,** **-en** man/woman of letters; (*Schriftsteller*) literary figure. **die ~en** literati (*form*).

Literatur *f* literature.

Literaturangabe *f* bibliographical reference; (*Zusammenfassung*) bibliography; **Literaturdenkmal** *nt* literary monument; **Literaturgattung** *f* literary genre; **Literaturgeschichte** *f* history of literature; **literaturgeschichtlich** *adj*

siehe **literarhistorisch;** **Literaturhinweis** *m* literary reference (*auf* +acc to); **Literaturkritik** *f* literary criticism; (*Kritikerschaft*) literary critics *pl*; **Literaturkritiker** *m* literary critic; **Literaturpapst** *m* (*auch iro*) literary pundit; **Literaturpreis** *m* prize *or* award for literature, literary prize *or* award; **Literaturverzeichnis** *nt* bibliography; **Literaturwissenschaft** *f* literary studies *pl*; **vergleichende ~** comparative literature; **Literaturwissenschaftler(in** *f*) *m* literary *or* literature specialist.

Literflasche *f* litre bottle; **Literleistung** *f* power output per litre; **Litermaß** *nt* litre measure; **literweise** *adv* (*lit*) by the litre; (*fig*) by the gallon.

Litfaßsäule *f* advertising column.

Lithium *nt, no pl* (*abbr* **Li**) lithium.

Lithographie *f* **1.** (*Verfahren*) lithography; **2.** (*Druck*) lithograph; **lithographieren*** *vt* to lithograph; **lithographisch** *adj* lithographic(al).

litt *ptp of* **leiden.**

Liturgie *f* liturgy.

liturgisch *adj* liturgical.

Litze *f* **-,** **-n** braid; (*Elec*) flex.

live [laif] *adj pred, adv* (*Rad, TV*) live.

Live-Sendung [laif-] *f* live programme *or* broadcast.

Livree [li'vreː] *f* **-,** **-n** [-ən] livery.

livriert [li'vriːɐt] *adj* liveried.

Lizenz *f* licence (*Brit*), license (*US*). **etw in ~ herstellen** to manufacture sth under licence.

Lizenzabgabe *f* licence fee; (*im Verlagswesen*) royalty; **Lizenzabkommen** *nt* licensing agreement; **Lizenzausgabe** *f* licensed edition; **Lizenzgeber** *m* licenser; (*Behörde*) licensing authority; **Lizenzgebühr** *f* licence fee; (*im Verlagswesen*) royalty.

lizenzieren* *vt* (*form*) to license.

Lizenznehmer(in *f*) *m* licensee; **Lizenzspieler(in** *f*) *m* (*Ftbl*) professional player; **Lizenzträger(in** *f*) *m* licensee.

Lkw, LKW ['ɛlkaːveː, ɛlkaː'veː] *m* **-(s),** **-(s)** *abbr of* **Lastkraftwagen.**

Lob *nt* **-(e)s,** *no pl* praise. **~ verdienen** to deserve praise *or* to be praised; **(viel) ~ für etw bekommen** to come in for (a lot of) praise for sth, to be (highly) praised for sth; **ein ~ der Köchin** (my/our) compliments to the chef!; **Gott sei ~ und Dank!** praise be to God, God be praised!; **über jedes ~ erhaben sein** to be beyond praise; **sein eigenes ~ singen** (*inf*) to sing one's own praises, to blow one's own trumpet (*inf*); **jdm ~ spenden** to praise sb.

Lobby ['lɔbɪ] *f* **-,** **-s** *or* **Lobbies** lobby.

loben *vt* to praise. **sein neues Werk wurde allgemein sehr gelobt** his new work was universally acclaimed; **jdn/etw ~d erwähnen** to commend sb/sth; **das lob ich mir** that's what I like (to see/hear); **da lob ich mir doch ein gutes Glas Wein** I always say you can't beat a good glass of wine.

lobenswert *adj* praiseworthy, laudable.

Lobeshymne *f* (*fig*) hymn of praise, panegyric.

Lobgesang m song or hymn of praise; **Lobhudelei** f (pej) gushing; **lobhudeln** vi insep jdm ~ (pej) to gush over sb (inf).

löblich adj (dated, iro) commendable, laudable.

Loblied nt song or hymn of praise; **ein ~ auf jdn/etw anstimmen** or **singen** (fig) to sing sb's praises; **Lobpreis** m (liter) praise no art; **lobpreisen** vt insep ptp **lob(ge)priesen** (liter) Gott to praise, to glorify; **Lobrede** f eulogy, panegyric; **eine ~ auf jdn halten** (lit) to make a speech in sb's honour; (fig) to eulogize or extol sb; **Lobredner(in** f) m (lit) speaker; (fig) eulogist; **lobsingen** vi insep irreg ptp **lobgesungen** +dat Gott to praise; (fig) to sing the praises of; **Lobspruch** m eulogy (über +acc of), encomium (form); (Gedicht) panegyric.

Loch nt -(e)s, ⁻er (Öffnung, Lücke) hole; (in Zahn auch) cavity; (in Reifen auch) puncture; (Luft~) gap; (Billard) pocket; (fig inf: elende Wohnung) dump (inf), hole (inf); (inf: Gefängnis) jug (sl), clink (sl), can (esp US sl); (vulg: Vagina) cunt (vulg), hole (sl). **sich** (dat) **ein ~ in den Kopf/ins Knie schlagen** to gash one's head/knee, to cut one's head/knee open; **jdm ein ~** or **⁻er in den Bauch fragen** (inf) to pester the living daylights out of sb (with all one's questions) (inf); **sie redet einem ein ~** or **⁻er in den Bauch** (inf) she could talk the hind legs off a donkey (inf); **ein ~** or **⁻er in die Luft gucken** or **starren** (inf) to gaze into space or thin air; **ein großes ~ in jds (Geld)beutel** (acc) **reißen** (inf) to make a big hole in sb's pocket.

Loch|eisen nt punch.

lochen vt to punch holes/a hole in; to perforate; Fahrkarte to punch, to clip.

Locher m -s, - 1. punch. 2. (Mensch) punch-card operator.

löcherig adj full of holes, holey. **ganz ~ sein** to be full of holes.

löchern vt (inf) to pester (to death) with questions (inf). **er löchert mich seit Wochen, wann ...** he's been pestering me for weeks wanting to know when ...

Lochkamera f pinhole camera; **Lochkarte** f punch card; **Lochkartenmaschine** f punch card machine; **Lochsäge** f keyhole saw; **Lochstickerei** f broderie anglaise; **Lochstreifen** m (punched) paper tape.

Lochung f punching; perforation.

Lochzange f punch; **Lochziegel** m airbrick.

Locke f -, -n (Haar) curl. **~n haben** to have curly hair.

locken¹ vtr Haar to curl. **gelocktes Haar** curly hair.

locken² vt 1. Tier to lure. **die Henne lockte ihre Küken** the hen called to its chicks.
2. jdn to tempt, to entice; (mit Ortsangabe) to lure. **es lockt mich in den Süden** I can feel the call of the south; **jdn in einen Hinterhalt ~** to lead or lure sb into a trap; **das Angebot lockt mich sehr** I'm very tempted by the offer.

lockend adj tempting, enticing, alluring.

Lockenkopf m curly hairstyle; (Mensch) curlyhead; **Lockenpracht** f (magnificent) head of curls; **Lockenstab** m (electric) curling tongs pl; **Lockenwickler** m -s, - (hair-) curler; **das Haar auf ~ drehen** to put one's hair in curlers.

locker adj (lit, fig) loose; Schnee, Erdreich auch loose-packed; Kuchen, Schaum light; (nicht gespannt) slack; Haltung, Sitzweise relaxed; (sl) cool (sl). **~ werden** (lit, fig) to get loose; (Muskeln, Mensch) to loosen up; (Seil) to get or go slack; (Verhältnis) to get more relaxed; (Kuchen) to be light; **etw ~ machen** to loosen sth/make sth light/slacken sth; **jdn ~ machen** to relax sb; **etw ~ lassen** to slacken sth off; Bremse to let sth off; **~ sitzen** (Ziegel, Schraube) to be loose; (Mensch) to relax, to sit in a relaxed position; **eine ~e Hand haben** (fig) (schnell züchtigen) to be quick to hit out; **bei ihm sitzt der Revolver/das Messer ~** he's trigger-happy/he'd pull a knife at the slightest excuse; **ein ~er Vogel** (inf) a bit of a lad (inf); **das mache ich ganz ~** (sl) I can do it just like that (inf).

Lockerheit f, no pl looseness; (von Kuchen) lightness; (von Seil) slackness.

lockerlassen vi sep irreg (inf) **nicht ~** not to give or let up; **lockermachen** vt sep (inf) Geld to shell out (inf), to part with; **bei jdm 100 Mark ~** to get sb to shell out (inf) or part with 100 marks.

lockern I vt 1. (locker machen) to loosen; Griff auch to relax; Seil, (lit, fig) Zügel to slacken.
2. (entspannen) Arme, Beine, Muskeln to loosen up; (fig) Vorschriften, Atmosphäre to relax.
II vr to work itself loose; (Sport) to loosen up; (zum Warmwerden) to limber up; (Verkrampfung, Spannung) to ease off; (Atmosphäre, Beziehungen, Mensch) to get more relaxed.

Lockerung f siehe vt 1. loosening; relaxation; slackening. 2. loosening up; relaxation; (von Beziehungen) easing, relaxation.

Lockerungsübung f loosening-up exercise; (zum Warmwerden) limbering-up exercise.

lockig adj Haar curly; Mensch curlyheaded.

Lockmittel nt lure; **Lockpfeife** f (bird) call; (für Hund) whistle; **Lockruf** m call; **Lockstoff-Falle** f pheromone-baited insect trap.

Lockung f lure; (Versuchung) temptation, enticement.

Lockvogel m decoy (bird); (fig) lure, decoy.

Lockvogel|angebot nt inducement.

Lode f -, -n sapling.

Loden m -s, - loden (cloth).

Lodenmantel m loden (coat).

lodern vi (lit, fig) to blaze; (empor~) to blaze up. **in seinen Augen loderte Haß/ Gier** his eyes blazed with hatred/greed.

Löffel m -s, - 1. (als Besteck) spoon; (als Maßangabe) spoonful; (von Bagger) bucket. **den ~ abgeben** (inf) to kick the

bucket (*inf*).
2. (*Hunt*) ear; (*inf: von Mensch auch*) lug (*Brit sl*); **jdm ein paar hinter die ~ hauen** (*inf*), to give sb a clout round the ear(s); **sperr doch deine ~ auf** (*inf*) pin back your lugholes (*Brit sl*), listen properly.

Löffelbagger *m* excavator, mechanical shovel.
löffeln *vt* to spoon; (*mit der Kelle*) to ladle.
Löffelstiel *m* spoon-handle; **löffelweise** *adv* by the spoonful.
Löffler *m* **-s, -** (*Zool*) spoonbill.
log *abbr of* **Logarithmus.**
log *pret of* **lügen.**
Log *nt* **-s, -e** (*Naut*) log.
Logarithmentafel *f* log table.
logarithmieren* **I** *vt* to find the log(arithm) of. **II** *vi* to find log(arithm)s/ the log(arithm).
logarithmisch *adj* logarithmic.
Logarithmus *m* logarithm.
Logbuch *nt* log(book).
Loge ['lo:ʒə] *f* **-, -n** **1.** (*Theat*) box. **2.** (*Freimaurer~*) lodge. **3.** (*Pförtner~*) lodge.
Logen- ['lo:ʒən-]: **Logenbruder** *m* lodge brother; **Logenmeister** *m* master of a/ the lodge; **Logenplatz** *m* (*Theat*) seat in a box.
Logger *m* **-s, -** (*Naut*) lugger.
Loggia ['lɔdʒa] *f* **-, Loggien** [-iən] (*Bogenhalle*) loggia; (*Balkon auch*) balcony.
Logierbesuch [lo'ʒi:ɐ-] *m* (*dated*) house-guest(s *pl*).
logieren* [lo'ʒi:rən] (*dated*) **I** *vi* to stay; (*als Zimmerherr*) to lodge. **II** *vt* **jdn ~** to put sb up.
Logiergast [lo'ʒi:ɐ-] *m* (*dated*) (*Besuch*) house-guest; (*Untermieter*) lodger.
Logik *f* logic. **in der ~** in logic; **du hast vielleicht eine ~!** your logic is a bit quaint; **dieser Aussage fehlt die ~** this statement is illogical *or* is lacking in logic.
Logiker(in *f*) *m* **-s, -** logician.
Logis [lo'ʒi:] *nt* **-, -** (*dated*) lodgings *pl*, rooms *pl*; (*Naut*) forecastle, crew's quarters *pl*. **Kost und ~** board and lodging; **bei jdm in** *or* **zu ~ wohnen** to lodge with sb.
logisch *adj* logical; (*inf: selbstverständlich*) natural. **gehst du auch hin? — ~** are you going too? — of course.
logischerweise *adv* logically.
Logistik *f* **1.** (*Math*) logic. **2.** (*Mil*) logistics *sing*.
logistisch *adj* logistic.
logo *interj* (*sl*) you bet (*inf*).
Logo *nt* **-(s), -s** (*Firmen~*) logo.
Logopäde *m* **-n, -n, Logopädin** *f* speech therapist.
Logopädie *f* speech therapy.
Logotype *f* **-, -n** logotype.
Lohe¹ *f* **-, -n** (*liter*) raging flames *pl*.
Lohe² *f* **-, -n** (*Gerbinde*) tan.
lohen¹ *vi* (*liter*) to blaze.
lohen² *vt* Felle to tan.
Lohgerber(in *f*) *m* tanner.
Lohn *m* **-(e)s, ⁼e** **1.** (*Arbeitsentgelt*) wage(s), pay *no pl, no indef art*. **wieviel**

~ bekommst du? how much do you get (paid)?, what are your wages?; **bei jdm in ~ und Brot stehen** (*old*) to be in sb's employ (*old*).
2. (*fig: Belohnung/Vergeltung*) reward; (*Strafe*) punishment. **als** *or* **zum ~ für ...** as a reward/punishment for ...; **sein verdienter ~** one's just reward; **das ist nun der ~ für meine Mühe!** (*iro*) that's what I get *or* that's all the thanks I get for my trouble.
Lohnabbau *m* reduction of earnings; **lohnabhängig** *adj* on a payroll; **Lohnabhängige(r)** *mf* worker; **Lohnabrechnung** *f* wages slip; **Lohnabschluß** *m* wage settlement; **Lohnabzug** *m* deduction from one's wages; **Lohnarbeit** *f* labour; **Lohnausfall** *m* loss of earnings; **Lohnausgleich** *m* wage adjustment; **bei vollem ~** with full pay; **Lohnauszahlung** *f* payment of wages; **Lohnbuchhalter(in** *f*) *m* wages clerk; **Lohnbuchhaltung** *f* wages accounting; wages office; **Lohnbüro** *nt* wages office; **Lohnempfänger(in** *f*) *m* wage-earner.
lohnen **I** *vir* to be worthwhile, to be worth it. **es lohnt (sich), etw zu tun** it is worth *or* worthwhile doing sth; **die Mühe lohnt sich** it is worth the effort, the effort is worthwhile; **der Film lohnt sich wirklich** the film is really worth seeing; **das lohnt sich nicht für mich** it's not worth my while.
II *vt* **1.** to be worth. **das Ergebnis lohnt die Mühe** the result makes all the effort worthwhile *or* amply repays all the effort.
2. **jdm etw ~** to reward sb for sth; **er hat mir meine Hilfe mit Undank gelohnt** he repaid my help with ingratitude.
löhnen **I** *vi* (*inf: viel bezahlen*) to pay up, to cough up (*inf*), to shell out (*inf*). **II** *vt* **1.** (*inf: bezahlen*) to shell out (*inf*). **2.** (*old: mit Lohn versehen*) to pay.
lohnend *adj* rewarding; (*nutzbringend*) worthwhile; (*einträglich*) profitable; (*sehens-/hörenswert*) worth seeing/hearing.
lohnenswert *adj* worthwhile. **es ist ~, etw zu tun** it is worth(while) doing sth.
Lohnerhöhung *f* wage *or* pay rise, rise; **Lohnforderung** *f* wage demand *or* claim; **Lohnfortzahlung** *f* continued payment of wages; **Lohngefälle** *nt* pay differential; **Lohngruppe** *f* wage group; **lohnintensiv** *adj* wage-intensive; **Lohnkosten** *pl* wage costs *pl*; **Lohnkürzung** *f* wage cut; **Lohnliste** *f* payroll; **Lohnniveau** *nt* wage level; **Lohnpolitik** *f* pay policy; **Lohn-Preis-Spirale** *f* (*Econ*) wage-price spiral; **Lohnrunde** *f* pay round; **Lohnsenkung** *f* cut in wages *or* pay; **Lohnskala** *f* pay *or* wages scale; **Lohnsteuer** *f* income tax (*paid on earned income*); **Lohnsteuerjahresausgleich** *m* annual adjustment of income tax; **Lohnsteuerkarte** *f* (income) tax card; **Lohnstopp** *m* wages *or* pay freeze; **Lohnstreifen** *m* pay slip; **Lohnstückkosten** *pl* (*Comm*) unit wage costs *pl*; **Lohntarif** *m* wage rate; **Lohntüte** *f* pay packet; **Lohn-**

verhandlung f pay or wage negotiations pl; **Lohnzahlung** f payment of wages; **Lohnzettel** m pay slip.

Loipe f -, -n cross-country ski run.

Lok f -, -s abbr of **Lokomotive** engine.

lokal adj 1. (örtlich) local. **~es Rechnernetz** (Comput) local area network. 2. (Gram) of place.

Lokal nt -s, -e 1. (Gaststätte) pub (esp Brit), bar; (auf dem Land auch) inn (Brit); (Restaurant) restaurant. 2. (Versammlungsraum) meeting place.

Lokal- in cpds local; **Lokalanästhesie** f (Med) local anaesthesia; **Lokalaugenschein** m (Aus Jur) siehe **lokaltermin**; **Lokalderby** nt local derby.

Lokale(s) nt decl as adj local news.

Lokalisation f siehe vt 1. location. 2. localization; limiting.

lokalisieren* vt 1. (Ort feststellen) to locate. 2. (Med) to localize; (auf einen Ort) to limit (auf +acc to).

Lokalität f 1. (örtliche Beschaffenheit) locality; (Raum) facilities pl. **sich mit den ~en auskennen** to know the district. 2. (hum inf: Lokal) pub (esp Brit), bar. 3. (hum inf: WC) cloakroom (euph), washroom, bathroom (US).

Lokalkolorit nt local colour; **Lokalnachrichten** pl local news sing; **Lokalpatriotismus** m local patriotism; **Lokalreporter(in** f) m local reporter; **Lokalsatz** m (Gram) (adverbial) clause of place; **Lokalteil** m local section; **Lokaltermin** m (Jur) visit to the scene of the crime; **Lokalverbot** nt ban; **~ haben** to be barred or banned from a pub/ bar; **Lokalzeitung** f local newspaper.

Lokativ m (Gram) locative (case).

Lokführer(in f) m abbr of **Lokomotivführer(in)**.

Lokogeschäft nt (St Ex) spot deal.

Lokomotive f locomotive, (railway) engine.

Lokomotivführer(in f) m engine driver, engineer (US); **Lokomotivschuppen** m engine-shed.

Lokopreis m (St Ex) spot price.

Lokus m - or -ses, - or -se (inf) toilet, bathroom (esp US).

Lombard m or nt -(e)s, -e (Fin) loan on security.

Lombardgeschäft nt loan on security.

lombardieren vt (Fin) to accept as collateral.

Lombardkasse f guaranty authority; **Lombardkredit** m collateral loan; **Lombardsatz** m rate for loans on security.

London nt London.

Londoner adj attr London.

Londoner(in f) m -s, - Londoner.

Longdrink ['lɔŋdrɪŋk] m long drink.

Longe ['lõ:ʒə] f -, -n (für Pferde) lunge; (für Akrobaten) harness.

longieren* [lõ'ʒi:rən] vt Pferd to lunge.

Look [luk] m -s, -s (Mode) look.

Looping ['lu:pɪŋ] m or nt -s, -s (Aviat) looping the loop. **einen ~ machen** to loop the loop.

Lorbeer m -s, -en 1. (lit: Gewächs) laurel;

(als Gewürz) bayleaf. 2. **~en** pl (fig: Erfolg) laurels pl; **sich auf seinen ~en ausruhen** (inf) to rest on one's laurels; **damit kannst du keine ~en ernten** that's no great achievement.

Lorbeerbaum m laurel (tree); **Lorbeerblatt** nt bayleaf; **Lorbeerkranz** m laurel wreath.

Lore f -, -n (Rail) truck, wagon; (Kipp~) tipper, dumper.

Los nt -es, -e 1. (für Entscheidung) lot; (in der Lotterie, auf Jahrmarkt) ticket. **das Große ~ gewinnen** or **ziehen** (lit, fig) to hit the jackpot; **etw durch das ~ entscheiden** or **bestimmen** or **ermitteln** to decide sth by drawing or casting lots; **jdn durch das ~ bestimmen** to pick sb by drawing lots; **das ~ hat mich getroffen** it fell to my lot. 2. no pl (Schicksal) lot. **er hat ein hartes** or **schweres ~** his is a hard or not an easy lot; **das gleiche ~ erfahren** to share the same lot; **jds ~ teilen** to share sb's lot.

los I adj pred 1. (nicht befestigt) loose. **der Hund ist von der Leine ~** the dog is off the lead. 2. (frei) **jdn/etw ~ sein** (inf) to be rid or shot (inf) of sb, to have got or gotten (US) rid of sb; **ich bin mein ganzes Geld ~** (inf) I'm cleaned out (inf). 3. (inf) **etwas ist ~/es ist nichts ~** (geschieht) there's something/nothing going on or happening; (nicht in/in Ordnung) there's something/nothing wrong or the matter, something's/ nothing's up; **mit jdm/etw ist etwas/ nichts ~** there's something/nothing wrong or the matter with sb/sth; **mit jdm/etw ist nichts (mehr) ~** (inf) sb/sth isn't up to much (any more), sb/sth is a dead loss (now) (inf); **etwas ~ machen** (sl) to make sth happen; **was ist denn hier/da ~?** what's going on or what's up here/there (then)?; **was ist ~?** what's up?, what's wrong?, what's the matter?; **wo ist denn hier was ~?** where's the action here (inf)?; **als mein Vater das hörte, da war was ~!** when my father got to hear of it, you should have heard him.

II adv (Aufforderung) **~!** come on!; (geh/lauf schon) go on!, get going!; **nun aber ~!** let's get going; (zu andern) get going or moving (inf); **nichts wie ~!** let's get going; **(na) ~, mach schon!** (come on,) get on with it; **auf die Plätze or Achtung, fertig, ~** on your marks, get set, go!, ready, steady, go!

los- pref +vb (anfangen zu) to start +prp; (bei Verben der Bewegung auch) infin+ off; (befreien von, loslösen) infin+ off.

losbellen vi sep (Hund) to start barking; (Mensch) to start yelling; **losbinden** vt sep irreg to untie (von from); **losbrechen** sep irreg I vt to break off; II vi aux sein (Gelächter) to break out; (Sturm, Gewitter) to break.

Löscharbeit f usu pl fire-fighting operations pl; **löschbar** adj Feuer, Flammen extinguishable; **Löschblatt** nt sheet or piece of blotting paper; **Löscheimer** m fire-bucket.

ŏschen I *vt* **1.** *Feuer, Brand, Flammen, Kerze* to put out, to extinguish; *Licht auch* to switch out *or* off, to turn out *or* off; *Kalk, Durst* to slake; *Durst* to quench; *Schrift (an Tafel), Tonband* to wipe *or* rub off, to erase; *Hypothek, Schuld* to pay off; *Eintragung* to delete; *Konto* to close; *Firma, Name* to strike off; *(aufsaugen) Tinte* to blot; *(Comput) Speicher, Bildschirm* to clear; *Daten, Information* to erase, to delete.
2. *(Naut) Ladung* to unload.
II *vi* **1.** *(Feuerwehr etc)* to put out a/ the fire.
2. *(aufsaugen)* to blot.
3. *(Naut)* to unload.

Löscher *m* **-s,** **-** (fire) extinguisher; *(Tinten~)* blotter.

Löschfahrzeug *nt* fire engine; **Löschgerät** *nt* fire extinguisher; **Löschkalk** *m* slaked lime; **Löschmannschaft** *f* team of firemen/fire-fighters; **Löschpapier** *nt* (piece of) blotting paper; **Löschschaum** *m* extinguishant foam; **Löschtaste** *f* *(Comput)* delete key.

Löschung *f* **1.** *(von Schuld, Hypothek)* paying off; *(von Eintragung)* deletion; *(von Konto)* closing; *(von Firma, Namen)* striking off; *(Comput: von Daten)* erasing, deletion.
2. *(Naut) (von Ladung)* unloading.

Löschwasser *nt, no pl* water for firefighting; **Löschzug** *m* set of fire-fighting appliances.

lose *adj (lit, fig)* loose; *(nicht gespannt) Seil* slack; *(schelmisch) Streich* mischievous. **etw ~ verkaufen** to sell sth loose.

Loseblatt|ausgabe *f* loose-leaf edition.

Lösegeld *nt* ransom (money).

los|eisen *sep (inf)* **I** *vt* to get *or* prise away *(bei* from). **jdn von einer Verpflichtung ~** to get sb out of an obligation. **II** *vr* to get away *(bei* from); *(von Verpflichtung)* to get out *(von* of).

losen *vi* to draw lots *(um* for). **wir ~, wer ...** we'll have to decide who ...

lösen I *vt* **1.** *(losmachen, abtrennen, entfernen)* to remove *(von* from); *Boot* to cast off *(von* from); *(ab~) Fleisch, Briefmarken auch* to get off *(von etw* sth); *(heraus~ auch)* to get out *(aus* of); *(aufbinden) Knoten* to undo; *Arme* to unfold; *Hände* to unclasp; *Handbremse* to take *or* let off; *Husten, Krampf* to ease; *Muskeln* to loosen up; *(lit, fig: lokkern)* to loosen. **sie löste ihre Hand aus der seinen** she slipped her hand out of his.
2. *(klären, Lösung finden für)* to solve; *Konflikt, Schwierigkeiten* to resolve.
3. *(annullieren) Vertrag* to cancel; *Verlobung* to break off; *Verbindung, Verhältnis* to sever; *Ehe* to dissolve.
4. *(zergehen lassen)* to dissolve.
5. *(kaufen) Karte* to buy, to get.
II *vr* **1.** *(sich losmachen)* to detach oneself *(von* from); *(sich ab~ auch)* to come off *(von etw* sth); *(Knoten, Haare)* to come undone; *(Schuß)* to go off; *(Hu-*

sten, Krampf, Spannung) to ease; *(Schleim, Schmutz)* to loosen; *(Atmosphäre)* to relax; *(Muskeln)* to loosen up; *(lit, fig: sich lockern)* to (be)come loose. **sich von jdm ~** to break away from sb; **sich von etw ~** *von Verpflichtungen* to free oneself of sth; *von Vorstellung, Vorurteilen* to rid oneself of sth; *von Partnern, Vaterland, Vergangenheit* to break with sth *or* away from sth; **das Boot hat sich von der Verankerung gelöst** the boat has broken (away from) its moorings.
2. *(sich aufklären)* to be solved. **sich von selbst ~** *(Mordfall)* to solve itself; *(Problem auch)* to clear itself up, to resolve itself.
3. *(zergehen)* to dissolve *(in +dat* in). **ihr Schmerz löste sich in Tränen** pain found relief in tears.

losfahren *vi sep irreg aux sein* **1.** *(abfahren)* to set off; *(Fahrzeug)* to move off; *(Auto)* to drive off; **2.** *(inf: schimpfen, anfallen)* **auf jdn ~** to lay into sb *(inf)*, to attack sb; **losgehen** *vi sep irreg aux sein* **1.** *(weggehen)* to set off; *(Schuß, Bombe)* to go off; **(mit dem Messer) auf jdn ~** to go for sb (with a knife); **2.** *(inf: anfangen)* to start; *(Geschrei der Menge)* to go up; **gleich geht's los** it's just about to start; **jetzt geht's los!** here we go!; *(Vorstellung)* it's starting!; *(Rennen)* they're off!; *(Reise, Bewegung)* we're/ you're off!; **jetzt geht's wieder los (mit ihren Klagen)** here we go again (with all her moans); **bei drei geht's los** you/they *etc* start on the count of three; **jetzt geht's aber los!** *(sl)* you're kidding! *(inf)*; *(bei Frechheit)* do you mind!; **3.** *(inf: abgehen)* to come off; **loshaben** *vt sep irreg (inf)* **etwas/nichts ~** to be pretty clever *(inf)*/pretty stupid *(inf)*; **losheulen** *vi sep* to burst out crying; **loskaufen** *vt sep* to buy out; *Entführten* to ransom; **losknüpfen** *vt sep* to untie, to undo; **loskommen** *vi sep irreg aux sein (Mensch)* to get away *(von* from); *(sich befreien)* to free oneself, to get free *(von* from); **das Boot kam von der Sandbank los/nicht los** the boat came off/ wouldn't come off the sandbank; **loskriegen** *vt sep (inf) (ablösen)* to get off; *(loswerden) Mensch* to get rid *or* shot *(inf)* of; **loslachen** *vi sep* to burst out laughing; **laut ~** to laugh out loud; **loslassen** *vt sep irreg* **1.** *(nicht mehr festhalten)* to let go of; *(fig: nicht fesseln) Mensch* to let go; **die Frage läßt mich nicht mehr los** the problem haunts me *or* won't go out of my mind; **das Buch läßt mich nicht mehr los** I can't put the book down; **2.** *(inf) (abfeuern) Feuerwerk* to let off; *(fig) Rede, Witze* to come out with; *Beschwerden, Schimpfkanonade* to launch into; *Schrift* to launch; *Brief* to send off; **3.** **jdn (auf jdn) ~** *(fig inf)* to let sb loose (on sb); **die Hunde auf jdn ~** to put *or* set the dogs on sb; **und so was läßt man nun auf die Menschheit los!** *(hum inf)* what a thing to unleash on an unsuspecting world; **wehe, wenn sie losgelassen ...** *(hum inf)* once let them off the leash ...; **loslaufen** *vi sep irreg aux sein* (*zu laufen anfangen*) to start to run; (*weggehen*) to run out; **loslegen** *vi sep* (*inf*) to get going *or* started; (*mit Schimpfen*) to let fly (*inf*) *or* rip (*inf*); **er legte gleich mit seinen Ideen los** he started on about his ideas; **nun leg mal los und erzähle ...** now come on and tell me/us ...

löslich *adj* soluble. **leicht/schwer ~** readily/ not readily soluble.

loslösen *sep* **I** *vt* to remove (*von* from); (*ablösen auch*) to take off (*von etw* sth); (*herauslösen auch*) to take out (*aus* of); (*lockern*) to loosen; **II** *vr* to detach oneself (*von* from); (*sich ablösen auch*) to come off (*von etw* sth); (*lockern*) to become loose; **sich von jdm ~** to break away from sb; **losmachen** *sep* **I** *vt* **1.** to free; (*losbinden*) to untie; **jdn von einer Kette ~** to unchain sb; **2. einen** *or* **was ~** (*sl*) to have some action (*inf*); **II** *vi* **1.** (*Naut*) to cast off; **2.** (*inf: sich beeilen*) to step on it (*inf*), to get a move on (*inf*); **III** *vr* to get away (*von* from); **der Hund hat sich losgemacht** the dog has got loose; **losmüssen** *vi sep irreg* (*inf*) to have to go.

Losnummer *f* ticket number.

losplatzen *vi sep aux sein* (*inf*) (*lachen*) to burst out laughing; (*spontan, vorzeitig äußern*) to start yapping (*inf*); **mit etw ~** to burst out with sth; **platz nicht immer gleich los** think before you speak; **losprusten** *vi sep* (*inf*) to explode (with laughter); **losrasen** *vi sep aux sein* (*inf*) to race *or* tear off; **losreißen** *sep irreg* **I** *vt* to tear *or* rip off (*von etw* sth)/down (*von* from)/out (*aus* of)/up; **II** *vr* **sich (von etw) ~** (*Hund*) to break free *or* loose (from sth); (*fig*) to tear oneself away (from sth); **losrennen** *vi sep irreg aux sein* (*inf*) to run off; (*anfangen zu laufen*) to start to run.

Löß *m* **-es** *or* **-sses, -e** *or* **-sse** (*Geol*) loess.

lossagen *vr sep* **sich von etw ~** to renounce sth; **sich von jdm ~** to dissociate oneself from *or* break with sb.

losschicken *vt sep* to send off; **losschießen** *vi sep irreg* **1.** (*zu schießen anfangen*) to open fire; **schieß los!** (*fig inf*) fire away! (*inf*); **2. aux sein** (*schnell starten*) to shoot *or* race off; **losschlagen** *sep irreg* **I** *vi* to hit out; (*Mil*) to (launch one's) attack; **auf jdn/ aufeinander ~** to go for sb/one another *or* each other; **II** *vt* **1.** (*abschlagen*) to knock off; **2.** (*inf: verkaufen*) to get rid of; **losschrauben** *vt sep* to unscrew; (*lockern auch*) to loosen; **losspringen** *vi sep irreg aux sein* to jump; **lossteuern** *vi sep aux sein* **auf jdn/etw ~** to head *or* make for sb/sth; **losstürzen** *vi sep aux sein* to rush off; **auf jdn/etw ~** to pounce on sb/sth.

Lostrommel *f* drum (*containing lottery tickets*).

Losung¹ *f* **1.** (*Devise, Parole*) motto. **2.** (*Kennwort*) password, watchword.

Losung² *f* (*Hunt*) droppings *pl*.

Lösung *f* **1.** solution (*gen* to); (*das Lösen*)

solution (*gen* of); (*eines Konfliktes, von Schwierigkeiten*) resolving. **zur ~ dieser Schwierigkeiten** to resolve these problems. **2.** (*Annullierung*) (*eines Vertrages*) cancellation; (*einer Verlobung*) breaking off; (*einer Verbindung, eines Verhältnisses*) severing, severance; (*einer Ehe*) dissolving. **3.** (*Chem*) solution.

Lösungsmittel *nt* solvent.

Lösungswort *nt* password.

Losverkäufer(in *f*) *m* ticket seller (*for lottery, raffle etc*).

loswerden *vt sep irreg aux sein* to get rid of; *Gedanken* to get away from, to get out of one's mind; *Angst auch* to rid oneself of; *Hemmungen auch, Geld* (*beim Spiel*), *Hab und Gut* to lose; *Geld* (*ausgeben*) to spend. **er wird seine Erkältung einfach nicht los** he can't shake off *or* get rid of his cold.

losziehen *vi sep irreg aux sein* **1.** (*aufbrechen*) to set out *or* off (*in +acc, nach* for). **2. gegen jdn/etw ~** (*inf*) to lay into sb/sth (*inf*).

Lot *nt* **-(e)s, -e 1.** (*Senkblei*) plumbline; (*Naut auch*) sounding line. **im ~ sein** to be in plumb.

2. (*old*) *old unit of weight varying between 16 and 50 gram.*

3. (*Lötmetall*) solder.

4. (*Math*) perpendicular. **das ~ fällen** to drop a perpendicular; **die Sache ist wieder im ~** things have been straightened out; **die Sache wieder ins (rechte) ~ bringen** to put things right, to put the record straight (*inf*).

loten *vt* to plumb.

löten *vti* to solder.

Lothringen *nt* **-s** Lorraine.

Lothringer(in *f*) *m* **-s, -** Lorrainer.

lothringisch *adj* of Lorraine, Lorrainese.

Lotion [lo'tsio:n] *f* **-, -en** lotion.

Lötkolben *m* soldering iron; **Lötlampe** *f* blowlamp.

Lötmetall *nt* solder.

Lotos *m* **-, -** lotus.

Lotosblume *f* lotus (flower); **Lotossitz** *m* lotus position.

lotrecht *adj* (*Math*) perpendicular.

Lotrechte *f* (*Math*) perpendicular.

Lotrohr *nt* blowpipe.

Lotse *m* **-n, -n** (*Naut*) pilot; (*Flug~*) air-traffic *or* flight controller; (*Aut*) navigator; (*fig*) guide.

lotsen *vt* to guide; *Schiff auch* to pilot. **jdn irgendwohin ~** (*inf*) to drag sb somewhere (*inf*).

Lotsenboot *nt* pilot boat; **Lotsendienst** *m* pilot service; (*Aut*) driver-guide service; **Lotsengeld** *nt* pilotage; **Lotsenzwang** *m* compulsory pilotage.

Lotsin *f siehe* **Lotse.**

Lötstelle *f* soldered point.

Lotterbett *nt* (*old, hum*) old bed.

Lotterie *f* lottery; (*Tombola*) raffle.

Lotteriegewinn *m* lottery/raffle prize *or* (*Geld*) winnings *pl*; **Lotterielos** *nt* lottery/raffle ticket; **Lotteriespiel** *nt* (*lit*) lottery; (*fig*) gamble.

lott(e)rig *adj* (*inf*) slovenly *no adv*; *Arbeit* sloppy (*inf*). **~ herumlaufen** to go around looking a mess (*inf*).

otterleben *nt* (*inf*) dissolute life.
ottern *vi* (*inf*) **1.** to lead a dissolute life.
2. (*S Ger, Sw: lose sein*) to wobble.
otto *nt* -s, -s **1.** national lottery. (im) ~
spielen to do the national lottery; **du
hast wohl im ~ gewonnen** you must have
won the pools (*Brit*). **2.** (*Gesellschaftsspiel*) lotto.
ottogewinn *m* Lotto win; (*Geld*) Lotto
winnings *pl*; **Lottoschein** *m* Lotto coupon; **Lotto- und Totoannahmestelle** *f*
Lotto and football pools agency; **Lottozahlen** *pl* winning Lotto numbers *pl*.
otus *m* -, - (*Bot*) **1.** (*Hornklee*) birdsfoot
trefoil. **2.** lotus.
Lötzinn *m* solder.
Löwe *m* -n, -n lion. der ~ (*Astron*) Leo,
the Lion; (*Astrol*) Leo; **im Zeichen des
~n geboren sein** to be/have been born
under (the sign of) Leo; ~ sein to be (a)
Leo; **sich in die Höhle des ~n begeben**
(*inf*) to beard the lion in his den (*prov*).
Löwenanteil *m* (*inf*) lion's share; **Löwen-
bändiger(in** *f*) *m* lion-tamer;
Löwengrube *f* (*Bibl*) lions' den; **Lö-
wenherz** *nt*: Richard ~ *m* Richard (the)
Lionheart; **Löwenmähne** *f* (*lit*) lion's
mane; (*fig*) flowing mane; **Löwenmaul**
nt, **Löwenmäulchen** *nt* snapdragon,
antirrhinum; **Löwenmut** *m* (*liter*) leo-
nine courage (*liter*); **Löwenzahn** *m*
dandelion.
Löwin *f* lioness.
loyal [loa'jaːl] *adj* loyal (*jdm gegenüber* to
sb).
Loyalität [loajaliːˈtɛːt] *f* loyalty (*jdm
gegenüber* to sb).
LP [ɛlˈpeː] *f* -, -s LP.
LPG [ɛlpeːˈgeː] *f* -, -s (*DDR*) *abbr of*
Landwirtschaftliche Produktionsgenossenschaft.
LSD [ɛlɛsˈdeː] *nt* -(s) LSD.
lt. *abbr of* laut².
Luchs [lʊks] *m* -es, -e lynx. Augen wie ein
~ haben (*inf*) to have eyes like a hawk,
to be eagle-eyed.
Luchs|augen *pl* (*inf*) eagle eyes *pl*.
luchsen [ˈlʊksn] *vi* (*inf*) to peep.
Lücke *f* -, -n (*lit, fig*) gap; (*zwischen Wörtern auch, auf Formularen*) space; (*Ungereimtheit, Unvollständigkeit*) hole;
(*Gesetzes~*) loophole; (*in Versorgung*)
break. **sein Tod hinterließ eine schmerz-
liche ~** (*geh*) his death has left a void in
our lives.
Lückenbüßer(in *f*) *m* (*inf*) stopgap; ~
spielen to be used as a stopgap;
Lückenfüller *m* filler; **lückenhaft** *adj*
full of gaps; *Bericht, Sammlung, Beweis
etc auch* incomplete; *Kenntnisse auch*
sketchy; *Versorgung* deficient; *Gesetz,
Alibi* full of holes; **sein Wissen ist sehr** ~
there are great gaps in his knowledge;
lückenlos *adj* complete; *Kenntnisse*,
(*Mil*) *Abwehr* perfect; *Versorgung,
Überlieferung* unbroken; **Lückentest** *m*
(*Sch*) completion test.
lud *pret of* laden¹ *and* laden².
Luder *nt* -s, - **1.** (*Hunt: Aas*) bait. **2.** (*inf*)
minx. **armes/dummes** ~ poor/stupid
creature; **so ein ordinäres ~!** what a
common little hussy!

Ludwig *m* - Ludwig; (*frz. Königsname*)
Louis.
Lues [ˈluːɛs] *f* -, *no pl* (*Med*) syphilis, lues
(*spec*).
luetisch [luˈeːtɪʃ] *adj* (*Med*) syphilitic, lu-
etic (*spec*).
Luft *f* -, (*liter*) ⁻e **1.** air *no pl*. **die** ~e *pl* (*liter*) the skies, the air *sing*; **frische ~ her-
einlassen** to let some fresh air in; **im
Zimmer ist schlechte** ~ the room is
stuffy, the air *or* it is stuffy in the room;
dicke ~ (*inf*) a bad atmosphere; ~ **an
etw** (*acc*) **kommen lassen** to let the air
get to sth; **an** *or* **in die/der (frischen)** ~ in
the fresh air; **an die (frische)** ~ **gehen/
kommen**, **(frische)** ~ **schnappen** (*inf*) *or*
schöpfen (*geh*) to get out in the fresh air,
to get some fresh air; **die** ~ **ist rein** (*inf*)
the coast is clear; **die** ~ **reinigen** (*lit, fig*)
to clear the air; **jetzt ist das Flugzeug in
der** ~ the plane is now airborne *or* in the
air; **jdn an die (frische)** ~ **setzen** (*inf*) to
show sb the door; (*Sch*) to send sb out;
(*entlassen*) to give sb the push (*inf*); **in
die** ~ **fliegen** (*inf*) to explode, to go up;
etw in die ~ **jagen** (*inf*) *or* **sprengen** to
blow sth up; **gleich** *or* **leicht** *or* **schnell in
die** ~ **gehen** (*fig*) to be quick to blow
one's top (*inf*), to be very explosive; **es
liegt ein Gewitter/etwas in der** ~ there's
a storm brewing/something in the air; **in
die** ~ **starren** *or* **gucken** to stare into
space *or* thin air; **jdn/etw in der** ~ **zerreißen** (*inf*) to tear sb/sth to pieces; **das
kann sich doch nicht in** ~ **aufgelöst haben** it can't have vanished into thin air;
in der ~ **hängen** (*Sache*) to be (very
much) up in the air; (*Mensch*) to be in (a
state of) limbo, to be dangling; **die Behauptung ist aus der** ~ **gegriffen** this statement is (a) pure invention; **vor Freude
in die** ~ **springen** to jump for *or* with
joy; **von** ~ **und Liebe/von** ~ **leben** to live
on love/air; **jdn wie** ~ **behandeln** to treat
sb as though he/she just didn't exist; **er
ist** ~ **für mich** I'm not speaking to him.
2. (*Atem*) breath. **der Kragen schnürt
mir die** ~ **ab** this collar is choking me, I
can't breathe in this collar; **nach** ~
schnappen to gasp for breath *or* air; **die**
~ **anhalten** (*lit*) to hold one's breath;
nun halt mal die ~ **an!** (*inf*) (*rede nicht*)
hold your tongue!, put a sock in it! (*inf*);
(*übertreibe nicht*) come off it! (*inf*),
come on! (*inf*); **keine** ~ **mehr kriegen**
not to be able to breathe; **tief** ~ **holen**
(*lit, fig*) to take a deep breath; **mir blieb
vor Schreck/Schmerz die** ~ **weg** I was
breathless with shock/pain; **wieder** ~ **bekommen** *or* **kriegen** (*nach Sport*) to get/
have got one's breath back; (*nach
Schnupfen*) to be able to breathe again.
3. (*Wind*) breeze. **linde/laue** ⁻e (*liter*)
gentle/warm breezes; **sich** (*dat*) ~ **machen** (*fächeln*) to fan oneself; **sich** (*dat*)
~ **machen** (*fig*), **seinem Herzen** ~ **machen** to get everything off one's chest;
seinem Ärger/Zorn ~ **machen** to give
vent to one's annoyance/anger.
4. (*fig: Spielraum, Platz*) space, room.
zwischen Wand und Regal etwas ~ **lassen** to leave a space between the wall

and the bookcase.

Luftabwehr f (Mil) anti-aircraft defence; **Luftabwehrrakete** f anti-aircraft missile; **Luftalarm** m air-raid alarm; **Luftangriff** m air-raid (auf +acc on); **einen ~ auf eine Stadt fliegen** to bomb a town, to carry out an air-raid on a town; **Luftaufklärung** f aerial reconnaissance; **Luftaufnahme** f aerial photo(graph); **Luftballon** m balloon; **Luftbelastung** f, no pl atmospheric pollution; **Luftbetankung** f (Aviat) in-flight refuelling; **Luftbewegung** f movement of the air; **Luftbild** nt aerial picture; **Luftblase** f air bubble, bubble of air; **Luft-Boden-Flugkörper** m air-to-surface ballistic missile; **Luftbremse** f air-brake; **Luftbrücke** f airlift.

Lüftchen nt breeze.

luftdicht adj airtight no adv; **die Ware ist ~ verpackt** the article is in airtight packaging; **ein ~ verschlossener Behälter** an airtight container, a container with an airtight seal; **Luftdruck** m air pressure; **luftdurchlässig** adj pervious to air.

lüften I vt 1. to air; (ständig, systematisch) to ventilate. 2. (hochheben) Hut, Schleier to raise, to lift. II vi (Luft hereinlassen) to let some air in; (Betten, Kleider) to air.

Lüfter m fan.

Luftfahrt f aeronautics sing; (mit Flugzeugen) aviation no art.

Luftfahrtgesellschaft f airline (company); **Luftfahrtingenieur(in** f) m aviation engineer; **Luftfahrtkarte** f aviation chart; **Luftfahrtmedizin** f aeromedicine; **Luftfahrtschau** f air show.

Luftfahrzeug nt aircraft; **Luftfeuchtigkeit** f (atmospheric) humidity; **Luftfilter** nt or m air filter; **Luftflotte** f air fleet; **Luftfracht** f air freight; **luftgekühlt** adj air-cooled; **luftgestützt** adj Flugkörper air-launched; **lufttrocknet** adj air-dried; **Luftgewehr** nt air-rifle, airgun; **Lufthauch** m (geh) gentle breeze; **Luftherrschaft** f air supremacy; **Lufthoheit** f air sovereignty; **Lufthülle** f mantle of air; **lufthungrig** adj longing for fresh air; **ein ~er Mensch** a fresh-air fanatic.

luftig adj Zimmer airy; Plätzchen breezy; Kleidung light. **in ~er Höhe** (liter) at a dizzy height.

Luftikus m -(ses), -se (inf) happy-go-lucky sort of fellow.

Luftkampf m air or aerial battle; **Luftkissen** nt air cushion; (von Luftkissenboot) cushion of air; **Luftkissenboot, Luftkissenfahrzeug** nt hovercraft; **Luftklappe** f ventilation flap; **Luftkorridor** m air corridor; **Luftkrieg** m aerial warfare; **Luft- und Seekrieg** warfare at sea and in the air; **Luftkühlung** f air-cooling; **Luftkurort** m (climatic) health resort; **Luftlandetruppe** f airborne troops pl; **luftleer** adj (völlig) ~ **sein** to be a vacuum; ~er **Raum** vacuum; **Luftlinie** f 200 km ~ 200 km as the crow flies; **Luftloch** nt airhole; (Aviat) air pocket; **Luftmasche** f (Sew)

chain-stitch; **Luftmassen** pl air masses pl; **Luftmatratze** f airbed, lilo ®; **Luftpirat** m (aircraft) hijacker, skyjacker (esp US).

Luftpost f airmail. **mit ~** by airmail.

Luftpostleichtbrief m aerogramme, airletter (Brit); **Luftpostpapier** nt airmail paper.

Luftpumpe f air or pneumatic pump; (für Fahrrad) (bicycle) pump; **Luftraum** m airspace; **Luftrecht** nt air traffic law; **Luftreifen** m pneumatic tyre; **Luftreinhaltung** f prevention of air pollution; **Luftrettungsdienst** m air rescue service; **Luftröhre** f (Anat) windpipe, trachea; **Luftröhrenschnitt** m tracheotomy; **Luftsack** m (Aut) air bag; (Orn) air sac; **Luftschacht** m ventilation shaft; **Luftschicht** f (Met) layer of air; **Luftschiff** nt airship; **Luftschiffahrt** f aeronautics sing; **Luftschlacht** f air battle; **die ~ um England** the Battle of Britain; **Luftschlange** f (paper) streamer; **Luftschlitz** m (Aut) ventilation slit; **Luftschloß** nt (fig) castle in the air, pipe dream; **Luftschlösser bauen** to build castles in the air.

Luftschutz m anti-aircraft defence.

Luftschutzbunker, Luftschutzkeller, Luftschutzraum m air-raid shelter; **Luftschutzübung** f air-raid drill.

Luftsieg m air victory; **Luftspiegelung** f mirage; **Luftsprung** m jump in the air; **vor Freude einen ~** or **Luftsprünge machen** to jump for or with joy; **Luftstraße** f air route; **Luftstreitkräfte** pl air force sing; **Luftstrom** m stream of air; **Luftströmung** f current of air; **Luftstützpunkt** m airbase; **Lufttanken** nt in-flight refuelling; **Lufttaxi** nt air taxi; **Lufttemperatur** f air temperature; **Lufttorpedo** m aerial torpedo; **Luftüberwachung** f air surveillance; **Luftüberwachungsflugkörper** m airborne warning and control system; **Luft- und Raumfahrtindustrie** f aerospace industry; **Luft- und Raumfahrttechnik** f aerospace technology.

Lüftung f airing; (ständig, systematisch) ventilation.

Lüftungsklappe f ventilation flap.

Luftveränderung f change of air; **Luftverflüssigung** f liquefaction of air; **Luftverkehr** m air traffic; **Luftverkehrsgesellschaft** f airline; **Luftverschmutzung** f air pollution; **Luftverteidigung** f air defence; **Luftwaffe** f (Mil) air force; **die (deutsche) ~** the Luftwaffe; **Luftwaffenstützpunkt** m air-force base; **Luftweg** m (Flugweg) air route; (Atemweg) respiratory tract; **etw auf dem ~ befördern** to transport by air; **Luftwiderstand** m air resistance; **Luftwiderstandsbeiwert** m drag coefficient; **Luftzufuhr** f air supply; **Luftzug** m wind, (mild) breeze; (in Gebäude) draught.

Lug m: ~ **und Trug** lies pl (and deception).

Lüge f -, -n lie, fib, falsehood. **jdn einer ~ beschuldigen** to accuse sb of lying; **das ist alles ~** that's all lies; **jdn/etw ~n stra-**

fen to give the lie to sb/sth, to belie sth; **∼n haben kurze Beine** (*prov*) truth will out (*prov*).

ugen *vi* (*dial*) to peep, to peek.

ügen *pret* **log**, *ptp* **gelogen I** *vi* to lie, to fib. **ich müßte ∼, wenn ...** I would be lying if ...; **wie gedruckt ∼** (*inf*) to lie like mad (*inf*); **wer einmal lügt, dem glaubt man nicht, und wenn er auch die Wahrheit spricht** (*Prov*) remember the boy who cried 'wolf' (*prov*).
II *vt* **das ist gelogen!, das lügst du doch!** (*inf*) that's a lie!, you're lying!

Lügenbold *m* **-(e)s, -e** (*dated inf*) (inveterate) liar; **Lügendetektor** *m* lie detector; **Lügengespinst** (*geh*), *nt* tissue *or* web of lies; **Lügengeschichte** *f* pack of lies; **lügenhaft** *adj Erzählung* made-up, mendacious (*form*); *Bericht auch* false; **seine ∼en Geschichten** his tall stories; **Lügenkampagne** *f* campaign of lies; **Lügenmärchen** *nt* tall story, cock-and-bull story; **Lügenpropaganda** *f* propagandist lies *pl*, mendacious propaganda.

Lügner(in *f*) *m* **-s, -** liar.

lügnerisch *adj Mensch* lying *attr*, untruthful, mendacious.

Lukas|evangelium *nt* Gospel according to St. Luke, St. Luke's Gospel.

Luke *f* **-, -n** hatch; (*Dach∼*) skylight.

lukrativ *adj* lucrative.

lukullisch *adj* epicurean.

Lulatsch *m* **-(es), -e** (*hum inf*) **langer ∼** beanpole (*inf*).

Lulle *f* **-, -n** (*sl*) fag (*Brit inf*), cig (*inf*).

lullen *vt* (*dated*) **ein Kind in den Schlaf ∼** to lull a child to sleep.

Lumbago *f* **-,** *no pl* lumbago.

Lumberjack ['lʌmbədʒæk] *m* **-s, -s** (*dated*) lumber jacket.

Lumme *f* **-, -n** guillemot.

Lümmel *m* **-s, -** (*pej*) **1.** lout, oaf. **du ∼, du** you rascal *or* rogue you. **2.** (*hum: Penis*) willie (*inf*).

Lümmelei *f* (*inf*) sprawling about; (*Flegelei*) rudeness *no pl*.

lümmelhaft *adj* (*pej*) ill-mannered.

lümmeln *vr* (*inf*) to sprawl, to lounge (about); (*sich hin∼*) to flop down.

Lump *m* **-en, -en** (*pej*) rogue, blackguard (*dated*).

lumpen I *vt* (*inf*) **sich nicht ∼ lassen** to splash out (*inf*). **II** *vi* (*old, dial*) to go/be out on the tiles (*inf*).

Lumpen *m* **-s, -. 1.** rag. **2.** (*S Ger: Lappen*) cloth.

Lumpenhändler(in *f*) *m* rag-and-bone man/woman; **Lumpenproletariat** *nt* (*Sociol*) lumpenproletariat; **Lumpensammler(in** *f*) *m* **1.** *siehe* Lumpenhändler(in); **2.** (*hum*) last bus/tram/train, drunks' special (*hum*).

Lumperei *f* (*inf*) mean *or* dirty trick.

lumpig *adj* **1.** *Kleidung* ragged, tattered. **2.** *Gesinnung, Tat* shabby, mean. **3.** *attr* (*inf: geringfügig*) paltry, measly (*inf*). **∼e 10 Mark** 10 paltry *or* measly (*inf*) marks.

Lunatismus *m* (*Psych*) sleepwalking, somnambulism (*form*).

Lunch [lanʃ, lantʃ] *m* **-(es)** *or* **-s, -e(s)** *or* **-**

s lunch, luncheon (*form*).

Lüneburger Heide *f* Lüneburg Heath.

Lunge *f* **-, -n** lungs *pl*; (*∼nflügel*) lung. **(auf) ∼ rauchen** to inhale; **sich** (*dat*) **die ∼ aus dem Hals** *or* **Leib schreien** (*inf*) to yell till one is blue in the face (*inf*); **die (grünen) ∼n einer Großstadt** the lungs of a city.

Lungenbläschen *nt* pulmonary alveolus (*spec*); **Lungenbraten** *m* (*Aus*) loin roast; **Lungenembolie** *f* pulmonary embolism (*spec*); **Lungenentzündung** *f* pneumonia; **Lungenfisch** *m* lungfish; **Lungenflügel** *m* lung; **Lungenhaschee** *nt* (*Cook*) hash made with calf's lights; **Lungenheilstätte** *f* TB *or* tuberculosis sanatorium; **lungenkrank** *adj* tubercular; **∼ sein** to have a lung disease; **Lungenkranke(r)** *mf decl as adj* TB case; **Lungenkrankheit** *f* lung *or* pulmonary (*form*) disease; **Lungenkrebs** *m* lung cancer; **Lungentuberkulose** *f* tuberculosis (of the lung), TB; **Lungentumor** *m* lung tumour; **Lungenzug** *m* deep drag (*inf*); **einen ∼ machen** to inhale deeply, to take a deep drag (*inf*).

lungern *vi* (*inf*) to loaf or hang about (*inf*).

Lunte *f* **-, -n 1.** (*Hist*) fuse. **∼ riechen** (*Verdacht schöpfen*) to smell a rat (*inf*); (*Gefahr wittern*) to smell (*inf*) *or* sense danger. **2.** (*Hunt: Fuchsschwanz*) brush.

Lupe *f* **-, -n** magnifying glass. **so etwas/ solche Leute kannst du mit der ∼ suchen** things/people like that are few and far between; **jdn/etw unter die ∼ nehmen** (*inf*) (*beobachten*) to keep a close eye on sb/sth; (*prüfen*) to examine sb/sth closely.

lupenrein *adj* (*lit*) *Edelstein* flawless; *Diamant auch* of the first water; (*fig*) *Vergangenheit auch* unimpeachable, unblem- ished; *Gentleman*, through and through *pred*. **das Geschäft war nicht ganz ∼** the deal wouldn't stand close scrutiny *or* wasn't quite all above-board.

lupfen, lüpfen *vt* (*S Ger, Aus, Sw*) to lift, to raise.

Lupine *f* lupin.

Lurch *m* **-(e)s, -e** amphibian.

Lure *f* **-, -n** lur.

Lurex ® *nt* **-,** *no pl* lurex ®.

Lusche *f* **-, -n** (*Cards*) low card; (*fig*) cipher.

Lust *f* **-, ⁻e 1.** *no pl* (*Freude*) pleasure, joy. **er hat die ∼ daran verloren, die ∼ daran ist ihm vergangen** he has lost all interest in it; **da kann einem die (ganze)** *or* **alle ∼ vergehen, da vergeht einem die ganze ∼** it puts you off; **jdm die ∼ an etw** (*dat*) **nehmen** to take all the fun out of sth for sb; **ich habe immer mit ∼ und Liebe gekocht** I've always enjoyed cooking; **sie ging mit/ohne ∼ (und Liebe) an die Arbeit** she set to work enthusiastically/ without enthusiasm.
2. *no pl* (*Neigung*) inclination. **zu etw ∼ (und Liebe) haben** to feel like sth; **ich habe keine ∼, das zu tun** I don't really want to do that; (*bin nicht dazu aufgelegt*) I don't feel like doing that; **ich habe**

keine ~ **zu arbeiten** I'm not in the mood to work or for working, I don't feel like work or working; **ich habe ~, das zu tun** I'd like to do that; (*bin dazu aufgelegt*) I feel like doing that; **ich habe jetzt keine** ~ I'm not in the mood just now; **ich hätte** ~ **dazu** I'd like to; **hast du ~?** how about it?; **auf etw** (*acc*) ~ **haben** to feel like or to fancy sth; **mach, wie du** ~ **hast** (*inf*) do as you like; **er kann bleiben, solange er** ~ **hat** he can stay as long as he likes; **ich habe nicht übel ~, ... zu ...** I've a good or half a mind to ...; **ganz** or **je nach** ~ **und Laune** (*inf*) just depending on how I/you *etc* feel or on my/your *etc* mood.

3. (*sinnliche Begierde*) desire; (*sexuell auch*) lust (*usu pej*). ~ **haben** to feel desire; **er/sie hat** ~ (*inf*) he's/she's feeling like a bit (*inf*).

lustbetont *adj* pleasure-orientated, governed by the pleasure principle; *Beziehung, Mensch* sensual.

Luster *m* -s, - (*Aus*) *siehe* **Lüster 1.**

Lüster *m* -s, - **1.** (*Leuchter*) chandelier. **2.** (*Stoff, Glanzüberzug*) lustre.

Lüsterklemme *f* (*Elec*) connector.

lüstern *adj* lecherous, lascivious. **nach etw** ~ **sein** to lust after or for sth.

Lüsternheit *f* lecherousness, lasciviousness.

Lustfilm *m* (*dated*) comedy film; **Lustgarten** *m* (*old*) pleasance; **Lustgefühl** *nt* feeling of pleasure; (*sexuell auch*) desire; **Lustgewinn** *m* pleasure; **Lustgreis** *m* (*hum*) dirty old man (*inf*), old lecher.

lustig *adj* (*munter*) merry, jolly; *Mensch auch* jovial; (*humorvoll*) funny, amusing; (*emsig*) happy, merry, cheerful. **es wurde** ~ things got quite merry; **seid ~!** liven up and have a bit of fun; **L~e Person** (*Theat*) clown, fool, buffoon; **Die L~e Witwe** the Merry Widow; **das ist ja** ~**!** (*iro*) (that's) very or most amusing (*iro*); **das kannst du tun, so lange du** ~ **bist** (*inf*) you can do that as long as you like or please; **sich über jdn/etw** ~ **machen** to make fun of sb/sth.

Lustigkeit *f* *siehe adj* merriness, jolliness (*dated*); joviality; funniness.

Lustknabe *m* (*old, hum*) catamite.

Lüstling *m* debauchee, lecher.

lustlos *adj* unenthusiastic; (*Fin*) *Börse* slack, dull; **Lustmolch** *m* (*hum inf*) sex maniac (*inf*); **Lustmord** *m* sex murder; **Lustmörder** *m* sex killer or murderer; **Lustobjekt** *nt* sex object; **Lustprinzip** *nt* (*Psych*) pleasure principle; **Lustschloß** *nt* summer residence; **Lustspiel** *nt* comedy; **lustvoll** I *adj* full of relish; II *adv* with relish; **lustwandeln** *vi insep* aux sein or haben (*liter*) to (take a) stroll, to promenade (*old*).

Lutetium *nt, no pl* (*abbr* **Lu**) lutetium.

Lutheraner(in *f*) *m* -s, - Lutheran.

Lutherbibel *f* Lutheran translation (*of the Bible*).

Lutherisch, Luthersch, lutherisch *adj* Lutheran.

lutschen *vti* to suck (*an etw* (*dat*) sth).

Lutscher *m* -s, - lollipop.

Lutschtablette *f* (*Med*) lozenge.

lütt *adj* (*N Ger*) wee (*esp Scot*).

Lüttich *nt* -s Liège.

Luv [luːf] *f* -, no pl (*Naut*) windward or weather side. **nach/in** ~ to windward.

luven ['luːvn, 'luːfn] *vi* (*Naut*) to luff (up).

Luvseite *f* windward side.

Lux *nt* -, - (*Phys*) lux.

Luxation *f* (*Med*) dislocation.

Luxemburg *nt* -s Luxembourg.

Luxemburger(in *f*) *m* -s, - Luxembourger.

luxemburgisch *adj* Luxembourgian.

luxuriös *adj* luxurious. **ein** ~**es Leben** a life of luxury.

Luxus *m* -, no pl luxury; (*pej: Verschwendung, Überfluß*) extravagance. **im** ~ **leben** to live in (the lap of) luxury; **den** ~ **lieben** to love luxury; **ich leiste mir den** ~ **und ...** I'll treat myself to the luxury of ...

Luxus- *in cpds* luxury; **Luxusartikel** *m* luxury article; **Luxusausführung** *f* de luxe model; **Luxusausgabe** *f* de luxe edition; **Luxusdampfer** *m* luxury cruise ship; **Luxusfrau** *f* (*inf*) woman who wants to live in luxury; **Luxuskörper** *m* (*hum*) beautiful body; **Luxuslimousine** *f* limousine; **Luxusrestaurant** *nt* first-class restaurant; **Luxusschlitten** *m* (*inf*) classy car (*inf*) or job (*sl*); **Luxussteuer** *f* tax on luxuries; **Luxuszug** *m* pullman (train).

Luzern *nt* -s Lucerne.

Luzerne *f* -, -n (*Bot*) lucerne.

luzid *adj* (*liter*) lucid; (*durchsichtig*) translucent.

Luzifer ['luːtsifɐ] *m* -s Lucifer.

luziferisch [lutsi'feːrɪʃ] *adj* diabolical, satanic.

Lymphdrainage *f* lymphatic drainage; **Lymphdrüse** *f* lymph(atic) gland.

Lymphe ['lʏmfə] *f* -, -n lymph.

Lymphknoten *m* lymph node, lymph(atic) gland.

Lymphknotenentzündung *f* inflammation of the lymph node; **Lymphknotenschwellung** *f* swelling of the lymph node.

Lymphozyt *m* -en, -en lymphocyte.

lynchen ['lʏnçn, 'lɪnçn] *vt* (*lit*) to lynch; (*fig*) to kill.

Lynch- ['lʏnç-]: **Lynchjustiz** *f* lynch-law; **Lynchmord** *m* lynching.

Lyoner *f* -, - (*Wurst*) pork/veal sausage.

Lyra *f* -, **Lyren** (*Mus*) lyre. **die** ~ (*Astron*) Lyra, the Lyre.

Lyrik *f* -, no pl lyric poetry or verse.

Lyriker(in *f*) *m* -s, - lyric poet, lyricist.

lyrisch *adj* (*lit, fig*) lyrical; *Dichtung, Dichter* lyric.

Lyzeum ['lyːtseːʊm] *nt* -s, **Lyzeen** [ly'tseːən] **1.** (*Gymnasium*) girls' grammar school (*Brit*), girls' high school. **2.** (*Sw: Oberstufe*) upper school.

M

M, m [ɛm] *nt* -, - M, m.
m *abbr of* **Meter.**
MA. *abbr of* **Mittelalter.**
Mäander *m* -s, - (*Geog, Art*) meander.
mäandrisch *adj* meandering.
Maas *f* - Meuse, Maas.
Maat *m* -(e)s, -e *or* -en (*Naut*) (ship's) mate.
Mach *nt* -(s), - (*Phys*) Mach.
Machandel *m* -s, -, **Machandelbaum** *m* (*N Ger*) juniper (tree).
Mach|art *f* make; (*Muster*) design; (*lit, fig: Stil*) style.
machbar *adj* feasible, possible.
Mache *f* -, -n (*inf*) **1.** (*Technik*) structure.
   2. (*Vortäuschung*) sham. **reine** *or* **pure ~ sein** to be (a) sham.
   3. etw in der ~ haben (*inf*) to be working on sth, to have sth on the stocks; **in der ~ sein** (*inf*) to be in the making; **der Film war noch in der ~** (*inf*) the film was still being made; **jdn in der ~ haben/in die ~ nehmen** (*sl*) to be having/to have a go at sb (*inf*); (*verprügeln auch*) to be working *or* doing/to work *or* do sb over (*inf*).
machen I *vt* **1.** (*tun*) to do. **was macht dein Bruder (beruflich)?** what does your brother do for a living?; **was habe ich nur falsch gemacht?** what have I done wrong?; **gut, wird gemacht** right, shall do (*inf*) *or* I'll see to that; **das läßt sich ~/nicht ~, das ist zu/nicht zu ~** that can/can't be done; **ich mache dir das schon** I'll do that for you; **(da ist) nichts zu ~** (*geht nicht*) (there's) nothing to be done; (*kommt nicht in Frage*) nothing doing; **wie man's macht, ist's verkehrt** whatever you do is wrong; **ich mache das schon** (*bringe das in Ordnung*) I'll see to that; (*erledige das*) I'll do that; **was machst du denn hier?** what (on earth) are you doing here?; **was macht denn das Fahrrad hier im Hausflur?** what's this bicycle doing here in the hall?; **er macht, was er will** he does what he wants; **ich kann da auch nichts ~** I can't do anything about it either; **ich mache es wohl am besten so, daß ich etwas früher komme** I'd do *or* be best to come a bit earlier; **es ist schon gut gemacht, wie ...** it's good the way ...; **so etwas macht man nicht** that sort of thing just isn't done; **wie ~ Sie das nur?** how do you do it?
   2. (*herstellen*) to make. **sich/jdm etw ~ lassen** to have sth made for oneself/sb; **Bilder** *or* **Fotos ~** to take photos; **mach mir mal einen (guten) Preis!** make me an offer, give me a price; **er ist für den Beruf wie gemacht** he's made for the job; **Bier wird aus Gerste gemacht** beer is made from barley; **aus Holz gemacht** made of wood.

   3. was macht die Arbeit? how's the work going?; **was macht dein Bruder?** how is your brother doing?
   4. (*verursachen*) *Schwierigkeiten, Arbeit* to make (*jdm* for sb); *Mühe, Schmerzen, Aufregung* to cause (*jdm* for sb). **jdm Angst/Mut/Sorgen/Freude ~** to make sb afraid/brave/worried/happy; **jdm Hoffnung/Mut/Kopfschmerzen ~** to give sb hope/courage/a headache; **das macht Appetit/Hunger** that gives you an appetite/makes you hungry.
   5. (*hervorbringen*) *Laut, Geräusch* to make; *miau, aua, brumm, mäh* to go; *Grimassen, böse Miene* to pull.
   6. (*bilden, formen, darstellen*) *Kreuzzeichen, Kreis* to make; (*zeichnen*) *Kreis, Kurve auch* to draw. **die Straße macht einen Knick** the road bends.
   7. (*bewirken*) to do; (*+infin*) to make. **das macht die Kälte** it's the cold that does that; **jdn lachen/weinen/etw vergessen ~** to make sb laugh/cry/forget sth; **~, daß etw geschieht** to make sth happen; **mach, daß er gesund wird!** make him get better; **das ~ die vielen Zigaretten, daß du hustest** it's all those cigarettes you smoke that make you cough; **(viel) von sich reden ~** to be much talked about; **mach, daß du hier verschwindest!** (you just) get out of here!
   8. (*veranstalten*) *Fest, Party* to have, to give; *Seminar, Kurs* to do, to give; *Gruppenreise* to do.
   9. (*besuchen, teilnehmen an*) *Kurs, Seminar,* (*inf*) *Sehenswürdigkeiten, London* to do.
   10. (*zubereiten*) *Kaffee, Glühwein, Salat, Pfannkuchen* to make; *Frühstück, Abendessen auch* to get. **jdm einen Drink ~** to get sb a drink; (*Cocktail*) to make *or* mix sb a drink; **das Essen ~** to get the meal.
   11. (*mit unpersönlichem Objekt*) **mach's kurz!** make it *or* be brief; **mach's gut!** all the best; **er wird's nicht mehr lange ~** (*inf*) he won't last long; **es mit jdm ~** (*inf: Verkehr haben*) to make *or* do it with sb (*inf*); **es jdm ~** (*sl: befriedigen*) to bring sb off (*sl*); **mit mir kann man's ja ~!** (*inf*) the things I put up with! (*inf*); **das läßt er nicht mit sich ~** he won't stand for that.
   12. (*ausmachen, schaden*) to matter. **macht nichts!** (it) doesn't matter; **macht das was?** does that matter?; **das macht mir doch nichts!** that doesn't matter to me; **der Regen/die Kälte macht mir nichts** I don't mind the rain/cold *etc*; **die Kälte macht dem Motor nichts** the cold doesn't hurt the engine; **es macht mir nichts, durch den Regen zu gehen** I don't mind walking in the rain.
   13. (*gewinnen, erzielen*) *Punkte, Frei-*

spiel, Preis to get, to win; *Doktor, Diplom (studieren für)* to do; *(abschließen)* to get, to do; *(verdienen) Gewinne, Defizit* to make.

14. *in Verbindung mit adj siehe auch dort* to make. **jdn nervös/unglücklich ~** to make sb nervous/unhappy; **etw größer/kleiner ~** to make sth bigger/smaller; **etw sauber/schmutzig ~** to get sth clean/dirty; **etw leer/kürzer ~** to empty/shorten sth; **einen Stuhl frei ~** to vacate a chair; **jdn alt/jung ~** *(aussehen lassen)* to make sb look old/young; **jdn wieder sehend ~** to make sb see again; **mach's dir doch bequem/gemütlich** make yourself comfortable/at home; **mach es ihm nicht noch schwerer** don't make it harder for him; **er macht es sich** *(dat)* **nicht leicht** he doesn't make it easy for himself.

15. *(in Verbindung mit prep)* **etw aus jdm/etw ~** *(darstellen, interpretieren als)* to make sth of sb/sth; *(verwandeln in)* to make sth (out) of sb/out of sth, to turn or make sb/sth into sth; **eine große Sache aus etw ~** to make a big thing of sth; **aus dem Haus könnte man schon etwas ~** you could really make something of that house; **jdn/etw zu etw ~** *(verwandeln in)* to turn sb/sth into sth; *(Rolle, Image, Status geben)* to make sb/sth sth; **jdm etw zur Hölle/Qual ~** to make sth hell/a misery for sb; **jdn zum Wortführer/Sklaven/zu seiner Frau ~** to make sb spokesman/a slave/one's wife.

16. *(Funktionsverb) siehe auch n* **auf jdn/etw Jagd ~** to hunt sb/sth; **Schicht/Nachtdienst ~** to work shifts/do night duty; **jdm die Rechnung ~** to make up sb's bill; **einen Spaziergang/Kopfsprung/Handstand ~** to go for a walk/to take a header/to do a handstand; **Pause/Halt ~** to have a break/call a halt; **ein Fragezeichen/einen Strich ~** to put a question mark/dash; **eine Prüfung ~** to do *or* take an exam; **ein Spiel ~** to play a game.

17. *(ordnen, reparieren, säubern)* to do. **die Küche muß mal wieder gemacht werden** *(gereinigt, gestrichen)* the kitchen needs doing again; **das Auto/den Kühlschrank ~ lassen** to have the car/refrigerator seen to *or* done; **er macht mir die Haare/Zähne** *(inf)* he does my hair/teeth; **das Bett ~** to make the bed; **mach den Fleck aus den Hosen** get that stain out of your trousers.

18. *(inf: ergeben)* to make; *(Math)* to be. **drei und fünf macht** *or* **~ acht** three and five make(s) *or* is *or* are eight; **fünf mal vier macht** *or* **~ zwanzig** five fours are twenty, five times four is twenty; **das macht (zusammen)** 23 altogether that's 23; **was** *or* **wieviel macht sechs geteilt durch zwei?** what is six divided by two?; **100 cm ~ einen Meter** 100 cm make a metre; **was macht die Rechnung?** how much is the bill?, what does the bill come to?

19. *(kosten)* to be. **was** *or* **wieviel macht das (alles zusammen)?** how much is that altogether?, what does that come

to *or* make altogether?

20. *(inf: eine bestimmte Rolle übernehmen)* Dolmetscher, Schiedsrichter to be; *(Theat)* to play. **den Ghostwriter für jdn ~** to act as sb's ghost writer, to ghost for sb.

21. *(inf: Notdurft verrichten)* to do. **groß/klein ~** to do a big/little job *(babytalk)*; **einen Haufen** *or* **sein Geschäft ~** to do one's business *(euph)*.

22. *(inf: hineintun)* to put. **er machte sich** *(dat)* **Zucker in den Kaffee** he put some sugar in his coffee, he sugared his coffee.

II *vi* **1.** *(inf: sich beeilen)* to get a move on *(inf)*. **mach schon/mach (mal 'n bißchen) schnell/schneller!** get a move on! *(inf)*, hurry up; **ich mach ja schon!** I am hurrying; **sie machten, daß sie nach Hause kamen** they hurried home.

2. *(inf)* **in etw** *(dat)* **~** *(beruflich)* to be in sth; *(pej: sich interessiert zeigen an)* to be into sth *(sl)*; **er macht in Politik/Malerei** he's in politics/doing some painting; **auf etw** *(acc)* **~** to play sth; **jetzt macht sie auf große Dame** she's playing the lady now; **sie macht auf verständnisvoll/gebildet** she's doing her understanding/cultured bit *(inf)*; **jetzt macht sie auf beleidigt** now she's playing the injured innocent; **er macht auf Schau** he's out for effect.

3. **laß ihn nur ~** *(hindre ihn nicht)* just let him do it; *(verlaß dich auf ihn)* just leave it to him; **laß mich mal ~** let me do it; *(ich bringe das in Ordnung)* let me see to that; **gut, mache ich** right, will do *(inf)* or I'll do that.

4. *(inf: Notdurft verrichten)* to go to the toilet; *(Hund etc)* to do its business *(euph)*. **(sich** *dat*) **in die Hosen ~** *(lit, fig)* to wet oneself; **ins Bett ~** to wet the bed.

5. *(dial: fahren, reisen)* to go. **nach Amerika ~** to go to America.

6. **das macht müde/gesund/schlank** that makes you tired/healthy/slim; **das Kleid macht alt/schlank** that dress makes you look old/slim.

III *vr* **1.** *(sich entwickeln)* to come on *or* along. **wie macht sich der Garten?** how is the garden coming on *or* along?

2. *(passen)* to look. **der Schal macht sich sehr hübsch zu dem Kleid** the scarf looks very pretty with that dress.

3. **sich an etw** *(acc)* **~** to get down to sth/doing sth; **sich auf den Weg ~** to get going; **sich über das Essen ~** *(inf)* to get stuck in *(inf)*.

4. **sich verständlich/wichtig ~** to make oneself understood/important; **sich bei jdm beliebt/verhaßt ~** to make oneself popular with/hated by sb.

5. **sich** *(dat)* **viel aus jdm/etw ~** to like sb/sth; **sich** *(dat)* **wenig aus jdm/etw ~** not to be very keen on sb/sth; **sich** *(dat)* **nichts aus etw ~** *(sich nicht ärgern)* not to let sth bother one; *(keinen Wert legen auf)* not to be very keen on sth; **mach dir nichts daraus** don't let it bother you; **sich** *(dat)* **einen schönen Abend/ein paar gemütliche Stunden ~** to have a nice evening/a few pleasant hours; **sich** *(dat)*

ein Vergnügen aus etw ~ to take delight in sth; **sich** (*dat*) **Umstände/Mühe** ~ to go to a lot of bother/trouble; **sich** (*dat*) **Sorgen/Hoffnungen** ~ to worry/get hopeful; **sich** (*dat*) **jdn zum Freund/ Feind** ~ to make sb one's friend/enemy; **sich** (*dat*) **etw zur Aufgabe/zum Grundsatz/Motto** ~ to make sth one's job/a principle/a motto.
6. sich zum Fürsprecher ~ to make oneself spokesman.

Machenschaften *pl* wheelings and dealings *pl*, machinations *pl*.

Macher(in *f*) *m* **-s, -** (*inf*) doer, man/ woman of action.

-macher(in *f*) *m in cpds* -maker.

Macherlohn *m* labour charge; (*bei Kleidung*) making-up charge.

Machete *f* **-, -n** machete.

machiavellistisch [makiavɛl-] *adj* Machiavellian.

Machismo [ma'tʃɪsmo] *m* **-s,** *no pl* machismo.

Macho ['matʃo] *m* **-s, -s** macho (*inf*).

Macht *f* **-, ⁻e 1.** *no pl* (*Einfluß, Kraft*) power; (*Stärke auch*) might. **die** ~ **der Gewohnheit/Verhältnisse/des Schicksals** the force of habit/circumstance(s)/ destiny; **alles, was in unserer** ~ **steht, alles in unserer** ~ **Stehende** everything (with)in our power; **mit aller** ~ with might and main, with all one's might; ~ **geht vor Recht** (*Prov*) might is right (*Prov*).
2. *no pl* (*Herrschaft, Befehlsgewalt*) power. **die** ~ **ergreifen/erringen** to seize/gain power; **an die** ~ **gelangen** (*form*) *or* **kommen** to come to power; **an der** ~ **sein/bleiben** to be/remain in power; **seine** ~ **behaupten** to maintain control, to continue to hold sway; **die** ~ **übernehmen** to assume power, to take over.
3. (*dated: Heeres*~) forces *pl*.
4. (*außerirdische Kraft, Groß*~) power. **die ⁻e der Finsternis** (*old*) the Powers of Darkness (*old*).

Machtbefugnis *f* power, authority *no pl*; **Machtbereich** *m* sphere of influence *or* control; **Machtblock** *m* power bloc; **Machtentfaltung** *f* display of power; **zur Zeit der größten** ~ at the height *or* peak of its power; **Machtergreifung** *f* seizure of power; **Machtfülle** *f* power *no indef art*; **Machtgier** *f* lust for power; **Machthaber(in** *f*) *m* **-s, -** ruler; (*pej*) dictator; **Machthunger** *m* craving *or* hunger for power; **machthungrig** *adj* power-hungry; ~ **sein** to crave power.

mächtig I *adj* **1.** (*einflußreich*) powerful. **die M**~**en (dieser Erde)** the powerful (of this world).
2. (*sehr groß*) mighty; *Baum, Felsen auch, Körper* massive; *Stimme, Wirkung, Schlag, auch* powerful; *Essen* heavy; (*inf: enorm*) *Hunger, Durst, Glück* terrific (*inf*), tremendous. ~**e Angst** *or* **einen** ~**en Bammel haben** (*inf*) to be scared stiff.
3. (*liter*) **seiner selbst** (*gen*) *or* **seiner Sinne** (*gen*) **nicht** ~ **sein** not to be in control of oneself; **einer Sprache** (*gen*) ~

sein to have a good command of a language.
II *adv* (*inf: sehr*) terrifically (*inf*), tremendously; *schneien, brüllen, sich beeilen* like mad (*inf*). **sich** ~ **anstrengen** to make a terrific (*inf*) *or* tremendous effort; **da hast du dich** ~ **getäuscht** you've made a big mistake there.

Mächtigkeit *f* (*Größe*) mightiness; (*von Baum, Felsen auch, von Körper*) massiveness; (*von Stimme, Wirkung, Schlag, Schultern auch*) powerfulness; (*von Essen*) heaviness; (*Geol, Min*) thickness.

Machtkampf *m* power struggle, struggle for power; **machtlos** *adj* powerless; (*hilflos*) helpless; **gegen diese Argumente war ich** ~ I was powerless against these arguments; **Machtlosigkeit** *f, no pl* powerlessness; helplessness; **Machtmißbrauch** *m* abuse *or* misuse of power; **Machtmittel** *nt* instrument of power; **Machtmonopol** *nt* monopoly of power; **Machtpolitik** *f* power politics *pl*; **Machtposition** *f* position of power; **Machtprobe** *f* trial of strength; **Machtstellung** *f* position of power; (*einflußreiche Stellung auch*) powerful position; **Machtstreben** *nt* striving for power; **Machtstruktur** *f* power structure; **Machttechniker** *m* power-monger; **Machtübernahme** *f* takeover (*durch* by); **Machtverhältnisse** *pl* balance of power *sing*; **machtvoll** *adj* powerful; **Machtvollkommenheit** *f* absolute power; **Machtwechsel** *m* changeover of power; **Machtwort** *nt* word (*gen* from); **ein** ~ **sprechen** to exercise one's authority.

Machwerk *nt* (*pej*) sorry effort.

Mach-Zahl *f* (*Phys*) Mach number.

Macke *f* **-, -n** (*inf*) **1.** (*Tick, Knall*) quirk. **eine** ~ **haben** (*sl*) to be cracked (*inf*), to have a screw loose (*inf*). **2.** (*Fehler, Schadstelle*) fault; (*bei Maschinen auch*) defect; (*bei Kartoffeln*) bad patch.

Macker *m* **-s, -** (*inf*) fellow (*inf*), bloke (*Brit inf*), guy (*inf*). **spiel hier nicht den** ~ don't come the tough guy here (*inf*).

MAD [ɛm|a:'de:] *m - abbr of* **Militärischer Abschirmdienst** ≃ MI 5 (*Brit*), CIA (*US*).

Madagaskar *nt* **-s** Madagascar; (*Pol: heutzutage*) Malagasy Republic.

Madagasse *m* **-n, -n, Madagassin** *f* Madagascan; Malagasy.

madagassisch *adj* Madagascan; Malagasy.

Madam *f* **-, -s** *or* **-en** (*hum dated*) lady. **meine** ~ my old woman *or* lady (*inf*).

Mädchen *nt* girl; (*Tochter auch*) daughter; (*dated: Freundin*) girl(friend); (*Dienst*~) maid. **ein Mädchen** ~ a virgin; **ein** ~ **für alles** (*inf*) a dogsbody; (*im Haushalt auch*) a maid-of-all-work.

Mädchenbuch *nt* book for girls; **mädchenhaft** *adj* girlish; **sich** ~ **kleiden** to dress like a girl; ~ **aussehen** to look like a (young) girl; **Mädchenhandel** *m* white slave trade; **Mädchenhändler** *m* white slaver, white slave trader; **Mädchenklasse** *f* girls' class *or* form; **Mädchenkleidung** f girls' clothing or clothes pl; **Mädchenname** m **1.** (Vorname) girl's name; ~n girls' names; **2.** (von verheirateter Frau) maiden name; **Mädchenpensionat** nt (dated) girls' boarding school; **Mädchenschule** f girls' school; **Mädchenzimmer** nt (dated) maid's room; (für Tochter) girl's room.

Made f -, -n maggot. **wie die ~ im Speck leben** (inf) to live or be in clover, to live in (the lap of) luxury.

Madeira(wein) [ma'de:ra-] m -s, -s Madeira.

Mädel nt -s, -(s) (dial), **Mad(e)l** nt -s, -n (Aus) lass (dial), girl.

Madenwurm m threadworm.

Mäderl nt -s, -n (Aus) little lass (dial) or girl.

madig adj maggoty; Obst auch wormeaten. **jdn/etw ~ machen** (inf) to run sb/sth down; **jdm etw ~ machen** (inf) to put sb off sth.

Madl nt -s, -n (Aus), **Mädle** nt -s, - (S Ger) siehe **Mädel**.

Madonna f -, **Madonnen** Madonna.

Madonnenbild nt (picture of the) Madonna; **madonnenhaft** adj madonnalike.

Madrid nt -s Madrid.

Madrider adj attr Madrid.

Madrider(in f) m native of Madrid; (Einwohner) inhabitant of Madrid.

Madrigal nt -s, -e madrigal.

Maestro [ma'ɛstro] m -s, -s or **Maestri** maestro.

Ma(f)fia f -, no pl Mafia.

Ma(f)fia-Boß m Mafia boss.

Mafioso m -, **Mafiosi** mafioso.

Magazin nt -s, -e **1.** (Lager) storeroom; (esp für Sprengstoff, Waffen, old: Speicher auch) magazine; (Bibliotheks~) stockroom. **2.** (am Gewehr) magazine. **3.** (Zeitschrift) magazine, journal; (TV, Rad) magazine programme.

Magaziner m -s, - (Sw), **Magazineur** [-'nø:ɐ] m (Aus) storeman.

Magazinsendung f (Rad, TV) magazine programme.

Magd f -, ⁼e **1.** (old) (Dienst~) maid; (Landarbeiterin) farm lass or girl; (Kuh~) milkmaid. **2.** (liter: Mädchen, Jungfrau) maid(en) (old, liter). **Maria, die reine ~/die ~ des Herrn** Mary, the holy virgin/the handmaid of the Lord.

Mägd(e)lein nt (obs, poet) maid(en) (old, liter).

Magen m -s, ⁼ or - stomach, tummy (inf). **mit leerem ~, auf nüchternen ~** on an empty stomach; **(die) Liebe geht durch den ~** (Prov) the way to a man's heart is through his stomach (prov); **etw liegt jdm** (schwer or wie Blei or bleiern) **im ~** (inf) sth lies heavily on sb's stomach; (fig) sth preys on sb's mind; **jdm auf den ~ schlagen** (inf) to upset sb's stomach, to give sb an upset stomach; (fig) to upset sb; **sich** (dat) **den ~ verderben** or **verkorksen** (inf) to get an upset stomach, to upset one's stomach.

Magenbeschwerden pl stomach or tummy (inf) trouble sing; **Magenbitter**

m bitters pl; **Magenblutung** f stomach bleeding or haemorrhaging; **Magen-Darm-Katarrh** m gastroenteritis; **Magen-Darm-Trakt** m gastro-intestinal tract; **Magendrücken** nt -s, - stomachache; **Magengegend** f stomach region; **Magengeschwür** nt stomach ulcer; **Magengrube** f pit of the stomach; **ein Schlag in die ~** a blow in the solar plexus; **Magenknurren** nt -s, no pl tummy (inf) or stomach rumbles pl; **Magenkrampf** m stomach cramp; **magenkrank** adj with stomach trouble; **~ sein** to have stomach trouble; **Magenkrebs** m stomach cancer, cancer of the stomach; **Magenleiden** nt stomach disorder or complaint; **magenleidend** adj siehe **magenkrank**; **Magensaft** m gastric juice; **Magensäure** f gastric acid; **Magenschleimhaut** f stomach lining; **Magenschleimhautentzündung** f gastritis; **Magenschmerzen** pl stomach-ache sing, tummy-ache sing (inf); (Krämpfe auch) stomach pains pl; **Magenspiegelung** f gastroscopy (spec); **Magenspülung** f irrigation of the stomach.

Magenta nt -, no pl magenta.

Magenverstimmung f upset stomach, stomach upset.

mager adj **1.** (fettarm) Fleisch lean; Kost low-fat, low in fat. **~ essen** to be on a low-fat diet.
 2. (dünn) thin, skinny (inf); (abgemagert) emaciated; (Typ) Druck roman.
 3. (unfruchtbar) Boden, Felder poor, infertile.
 4. (dürftig) meagre; Ernte, Ertrag auch lean; (Tech) Mischung weak; Ergebnis poor. **die sieben ~en Jahre** the seven lean years.

Magerkeit f, no pl siehe adj **1.** leanness; low fat level (gen in). **2.** thinness, skinniness (inf); emaciation. **3.** poorness.

Magermilch f skimmed milk; **Magermotor** m lean-burn engine; **Magerquark** m low-fat curd cheese; **Magersucht** f (Med) anorexia.

Magie f, no pl magic.

Magier ['ma:giɐ] m -s, - magician.

magisch adj magic(al); Quadrat, (Tech) Auge, (Econ) Dreieck, (Phys) Zahlen magic. **nach ~en Vorstellungen** according to various concepts of magic; **mit ~er Gewalt** with magical force; (fig) as if by magic; **von jdm/etw ~ angezogen werden** to be attracted to sb/sth as if by magic.

Magister m -s, - ~ (Artium) (Univ) M.A., Master of Arts; ~ (pharmaciae) (abbr **Mag. pharm.**) (Aus) M. Sc. or Master of Science in pharmacology.

Magistrat(in f) m -(e)s, -e municipal authorities pl.

Magma nt -s, **Magmen** (Geol) magma.

magna cum laude ['magna'kʊm'laʊdə] adv (Univ) magna cum laude.

Magnat(in f) m -en, -en magnate (auch Hist).

Magnesia f -, no pl (Chem) magnesia; (Sport) chalk.

Magnesium nt -s, no pl (abbr **Mg**)

magnesium.

Magnet m -s or -en, -e(n) (lit, fig) magnet.

Magnet- in cpds magnetic; **Magnetaufzeichnung** f magnetic recording; **Magnetbahn** f magnetic railway; **Magnetband** nt magnetic tape; **Magnetbildverfahren** nt video recording; **Magneteisenstein** m lodestone, magnetite; **Magnetfeld** nt magnetic field.

magnetisch adj (lit, fig) magnetic. **eine ~e Anziehungskraft auf jdn ausüben** (fig) to have a magnetic attraction for sb.

magnetisieren* vt Metall to magnetize; jdn to use animal magnetism on.

Magnetismus m, no pl magnetism; (Mesmerismus) animal magnetism.

Magnetkarte f magnetic card; (Bank etc auch) cashpoint card; **Magnetkartenleser** m magnetic card reader; **Magnetkern** m (magnet) core; **Magnetkompaß** m magnetic compass; **Magnetnadel** f magnetic needle.

Magnetophon ® nt -(e)s, -e steel tape recorder, magnetophone ®; **Magnetophonband** ® nt steel recording tape; **Magnetosphäre** f magnetosphere.

Magnetplatte f (Comput) magnetic disk; **Magnetpol** m magnetic pole; **Magnetschalter** m (Aut) solenoid switch; **Magnetspule** f coil; **Magnetstreifen** m magnetic strip; **Magnettonband** nt magnetic tape; **Magnettongerät** nt magnetic (sound) recorder; **Magnetzündung** f (Aut) magneto ignition.

Magnifikat nt -(s), no pl magnificat.

Magnifizenz f (Univ) (Euer or Eure)/Seine ~ Your/His Magnificence (title given to German university rectors).

Magnolie [mag'no:liə] f magnolia.

Magnumflasche f magnum (bottle).

mäh interj baa.

Mahagoni nt -s, no pl mahogany.

Maharadscha m -s, -s maharaja(h).

Maharani f -, -s maharani.

Mähbinder m reaper-binder, reaping-and-binding machine.

Mahd¹ f -, -en (dial) reaping; (das Abgemähte) cut grass.

Mahd² nt -(e)s, ⁻er (Sw, Aus) mountain pasture.

Mähdrescher m combine (harvester).

mähen¹ I vt Gras to cut; (für Heu) Getreide auch to reap; Rasen to mow. II vi to reap; (Rasen ~) to mow.

mähen² vi (Schaf) to bleat.

Mäher m -s, - mower; (von Getreide) reaper.

Mahl nt -(e)s, -e or ⁻er (liter) meal, repast (form); (Gast~) banquet. **beim ~e sitzen** (liter) to be at table.

mahlen pret **mahlte**, ptp **gemahlen** I vt to grind. II vi/to grind; (Räder) to spin.

Mahlgut nt material to be ground; (Getreide) grain (to be ground), grist.

mählich adj (poet) siehe **allmählich**.

Mahlstein m millstone; (prähistorisch) quern; **Mahlstrom** m siehe **Malstrom**; **Mahlzahn** m grinder.

Mahlzeit f meal. ~! (inf) greeting used

around mealtimes; (guten Appetit) enjoy your meal; (prost) ~! (iro inf) that's just great (inf) or swell (esp US inf).

Mähmaschine f mower; (Rasen~ auch) mowing machine; (Getreide~) reaper.

Mahnbescheid, Mahnbrief m reminder.

Mähne f -, -n (lit, fig) mane. **du hast wieder eine ~!** (inf) you're looking rather wild and woolly again (inf).

mahnen I vt 1. (erinnern) to remind (wegen, an +acc of); (warnend, mißbilligend) to admonish (wegen, an +acc on account of); Schuldner to send a reminder to. **jdn schriftlich ~** to remind sb in writing; **gemahnt werden** (Schuldner) to receive a reminder; **eine ~de Stimme** (liter) an admonishing or admonitory voice.

2. (auffordern) **jdn zur Eile/Geduld/Ruhe ~** to urge or (warnend, mißbilligend) admonish sb to hurry/be patient/be quiet; **jdn zur Mäßigkeit ~** to urge sb to be moderate, to urge moderation on sb.

II vi 1. (wegen Schulden) to send a reminder.

2. **zur Eile/Geduld ~** to urge haste/patience; **der Lehrer mahnte zur Ruhe** the teacher called for quiet; **die Uhr mahnte zur Eile** the clock indicated that haste was called for.

Mahnmal nt (geh) memorial; **Mahnruf** m (geh) exhortation; **Mahnschreiben** nt reminder.

Mahnung f 1. (Ermahnung) exhortation; (warnend, mißbilligend) admonition. 2. (geh: warnende Erinnerung) reminder. **zur ~ an** (+acc) in memory of. 3. (Mahnbrief) reminder.

Mahnwache f (Pol) picket; **eine demonstrative ~** a protest picket; **jdn als institutionelle ~ einstellen** to appoint sb as an official watchdog.

Mähre f -, -n (old, pej) nag, jade.

Mähren nt -s Moravia.

mährisch adj Moravian.

Mai m -(e)s or - or (poet) -en, -e May. **der Erste ~** May Day; **des Lebens ~** (poet) the springtime of one's life (poet); **wie einst im ~** (as if) in the first bloom or flush of youth, as if young again; siehe auch **März**.

Mai- in cpds May; (Pol) May Day; **Maibaum** m maypole; **Maibowle** f white wine punch (flavoured with woodruff).

Maid f -, -en (old, liter) maid(en) (old, liter); (hum) wench (old, hum).

Maifeiertag m (form) May Day no art; **Maiglöckchen** nt lily of the valley; **Maikäfer** m cockchafer; **Maikönigin** f Queen of (the) May; **Maikundgebung** f May Day rally.

Mailand nt -s Milan.

Mailänder adj attr Milan. **die ~ Scala** La Scala.

Mailänder(in f) m -s, - Milanese.

mailändisch adj Milanese.

Mailbox [me:l'bɔks] f -, -en (Comput) mailbox.

Main m -s Main.

Mainlinie f line formed by the River Main

roughly dividing North and South Germany.

Mais *m* **-es**, *no pl* maize, (Indian) corn (*esp US*).

Maisbrot *nt* corn bread.

Maische *f* **-**, **-n** (*Bier~*) mash; (*Wein~*) must; (*Schnaps~*) wort.

maischen *vt* to mash; *Trauben* to ferment.

Maisflocken *pl* cornflakes *pl*; **maisgelb** *adj* corn-coloured; **Maiskolben** *m* corn cob; (*Gericht*) corn on the cob; **Maiskorn** *nt* grain of maize *or* corn (*esp US*); (*als Sammelbegriff*) maize *or* corn (*esp US*) grain; **Maismehl** *nt* maize *or* corn flour (*esp US*).

Maisonette [mɛːzoˈnɛt], **Maisonette-Wohnung** *f* maisonette.

Maisstärke *f* cornflour, cornstarch (*US*).

Maître de plaisir [mɛtrə(d)plɛˈziːr] *m* **- - -**, **-s - -** (*old, hum*) Master of Ceremonies.

Majestät *f* **1.** (*Titel*) Majesty. **Seine/Ihre/ Eure** *or* **Euer** ~ His/Her/Your Majesty; **die (kaiserlichen) ~en ...** their (Imperial) Majesties ... **2.** (*liter*) majesty, grandeur.

majestätisch *adj* majestic.

Majestätsbeleidigung *f* lèse-majesté; **Majestätsverbrechen** *nt* (*Jur*) crime against the crown.

Majolika *f* **-**, **-s** *or* **Majoliken** majolica.

Majonäse *f* **-**, **-n** *siehe* **Mayonnaise.**

Major *m* **-s**, **-e** (*Mil*) major; (*in Luftwaffe*) squadron leader (*Brit*), major (*US*).

Majoran *m* **-s**, **-e** marjoram.

Majorette *f* majorette.

majorisieren* *vt* to outvote.

Majorität *f* majority. **die ~ haben** to have a majority.

Majoritäts- *in cpds* majority.

Majorsrang *m* (*Mil*) rank of major. **im ~ sein** to hold the rank of major.

Majorz *m* **-es**, *no pl* (*Sw*) first-past-the-post system.

Majuskel *f* **-**, **-n** (*geh*) majuscule (*spec*), capital (letter).

MAK *abbr of* **Maximale Arbeitsplatzkonzentration** *maximum permitted exposure level of pollution at the place of work.* **~-Liste** *list of products or materials which are harmful to health.*

makaber *adj* macabre; *Witz, Geschichte* sick.

Makedonien [-iən] *nt* **-s** Macedonia.

Makedonier(in *f)* [-iɐ, -iərɪn] *m* **-s**, **-** Macedonian.

Makel *m* **-s**, **-** **1.** (*Schandfleck*) stigma. **ohne ~** without a stain on one's reputation; **ein ~ auf seiner blütenreinen Weste** a blot on his escutcheon; **mit einem ~ behaftet sein** (*liter*) to be stigmatized. **2.** (*Fehler*) blemish; (*bei Waren*) flaw, defect. **ohne ~** without blemish, flawless.

Mäkelei *f* carping *no pl*, fault-finding *no pl* (*an +dat, über +acc* about, over).

mäk(e)lig *adj* (*inf*) finicky (*inf*).

makellos *adj* *Reinheit, Frische* spotless; *Charakter, Lebenswandel, Gesinnung* unimpeachable; *Figur, Haut, Frisur* perfect, flawless; *Kleidung, Haare* immaculate; *Alibi* watertight.

Makellosigkeit *f* (*Reinheit*) spotlessness; (*moralisch*) unimpeachability; (*von Haut*) flawlessness; (*von Kleidung*) immaculateness.

makeln I *vi* to act as a broker. **II** *vt* to be a broker for.

mäkeln *vi* (*inf*) (*nörgeln*) to carp, to cavil (*an +dat* at); (*zu wählerisch sein*) to be finicky (*inf*) (*an +dat* about, over).

Make-up [meːkˈ|ap] *nt* **-s**, **-s** make-up; (*flüssig*) foundation, liquid make-up. **sie braucht zwei Stunden fürs ~** she needs two hours for her *or* to put on her make-up.

Makkaroni *pl* macaroni *sing.*

Makler(in *f)* *m* **-s**, **-** broker; (*Grundstücks~*) estate agent; (*fig*) middleman. **der ehrliche ~** (*fig*) the honest broker.

Mäkler(in *f)* *m* **-s**, **-** **1.** *siehe* **Makler(in).** **2.** (*inf*) (*nörglerisch*) fault-finder, carper; (*wählerisch*) fusspot (*inf*).

Maklergebühr *f* broker's commission, brokerage.

Mako *m or f or nt* **-(s)**, **-s** (*Tex*) Egyptian cotton.

Makrele *f* **-**, **-n** mackerel.

Makro *nt* **-s**, **-s** (*Comput*) macro.

Makro- *in cpds* macro-; **Makrobefehl** *m* (*Comput*) macro command; **makrobiotisch** *adj* macrobiotic; **Makroklima** *nt* macro-climate; **Makrokosmos** *m* macrocosm.

Makrone *f* **-**, **-n** macaroon.

Makroökonomie *f* macro-economics *sing*; **makrozephal** *adj* megacephalic.

Makulatur *f* (*Typ*) wastepaper; (*fig pej*) rubbish. **~ reden** (*inf*) to talk rubbish (*inf*) *or* trash (*inf*).

Makulaturbogen *m* (*Typ*) waste *or* spoiled sheet.

makulieren* *vt* to pulp.

Mal¹ *nt* **-(e)s**, **-e** *or* (*poet*) **¨er** **1.** (*Fleck*) mark; (*fig liter: Kennzeichen auch*) brand, sign. **2.** (*liter: Ehren~*) memorial, monument. **3.** (*Sport*) (*Schlagball*) base; (*Rugby*) posts *pl*; (*~feld*) touch.

Mal² *nt* **-(e)s**, **-e** time. **das eine ~** once; **erinnerst du dich an das eine ~ in Düsseldorf?** do you remember that time in Düsseldorf?; **nur das eine ~** just (the) once; (**nur**) **dieses eine ~** (just) this once; **das eine oder andere ~** now and then *or* again, from time to time; **ein/kein einziges ~** once/not once; **wenn du bloß ein einziges ~ auf mich hören würdest** if you would only listen to me for once; **manch liebes ~**, **manches liebe ~** (*dated*) many a time; **ein für alle ~e** once and for all; **voriges** *or* **das vorige ~** the time before; **das soundsovielte** *or* **x-te ~** (*inf*) the umpteenth (*inf*) *or* nth time; **ein erstes ~** (*liter*) for the first time ever; **ein letztes ~** (*liter*) one last time; **als ich letztes** *or* **das letzte ~ in London war** (the) last time I was in London; **beim ersten ~** the first time; **beim zweiten/letzten ~** the second/last time; **zum ersten/letzten ~** for the first/last time; **zu wiederholten ~en** repeatedly, time and again; **von ~ zu ~** each *or* every time; **er wird von ~ zu ~ besser/dümmer** he gets better and better/more and more stupid, he gets better/more stupid each *or* every time; **für dieses ~** for the time being, for now; **mit einem ~e** all at once, all of a sudden, suddenly.

…al[1] *adv* (*Math*) times; (*bei Maßangaben*) by. **zwei ~ zwei** (*Math*) two times two, two twos, twice two.

…al[2] *adv* (*inf*) *siehe* **einmal**.

…mal *adv suf* times.

…laga(wein) *m* **-s, -s** malaga.

Malaie [ma'laiə] *m* **-n, -n, Malaiin** [ma'laiɪn] *f* Malay.

…nalaiisch [ma'laiɪʃ] *adj* Malayan, Malay *attr.* **M~er Bund** (*Hist*) Federation of Malaya.

Malaiisch(e) [ma'laiɪʃ(ə)] *nt* Malay; *siehe auch* **Deutsch(e)**.

Malaise [ma'lɛːzə] *f* **-, -n** *or* (*Sw*) *nt* **-s, -** (*geh*) malaise.

Malaria *f* **-,** *no pl* malaria.

Malaysia [ma'laizia] *nt* **-s** Malaysia.

Malaysier(in *f*) [ma'laiziɐ, -iərɪn] *m* **-s, -** Malaysian.

Malbuch *nt* colouring book.

Malediven [male'diːvn] *pl* Maldives *pl*, Maldive Islands *pl*.

malen I *vti* to paint; (*inf:* zeichnen) to draw; (*inf:* langsam schreiben) to write with painstaking care. **sich ~ lassen** to have one's portrait painted; **etw rosig/ schwarz ~** (*fig*) to paint a rosy/black picture of sth; **er hat während des Vortrags (Männchen) gemalt** he was doodling during the talk; **er malt** (*als Beruf*) he's a painter *or* an artist.
II *vr* **1.** to paint *or* do a self-portrait, to paint a picture of oneself.
2. (*fig liter*) to show itself.

Maler *m* **-s, -** painter; (*Kunst~ auch*) artist.

Malerei *f* (*no pl: Malkunst*) art; (*Bild*) painting; (*Zeichnung*) drawing.

Malerfarbe *f* paint.

Malerin *f* (woman) painter, artist.

malerisch *adj* **1.** (*bildnerisch*) in painting; *Talent, Können* as a painter. **das ~e Schaffen Leonardos** Leonardo's painting; **seine ~en Mittel** his technique as a painter.
2. (*pittoresk*) picturesque; *Altstadt, Fachwerkhaus auch* quaint; *Landschaft auch* scenic.

Malerleinwand *f* artist's canvas; **Malermeister(in** *f*) *m* (master) painter; **Malerschule** *f* school of painting.

Malheur [ma'løːɐ] *nt* **-s, -s** *or* **-e** mishap. **ihm ist ein kleines ~ passiert** (*inf*) he's had a little accident (*auch euph*) *or* a mishap; **das ist doch kein ~!** it's not serious.

maligne *adj* (*Med*) malignant.

maliziös *adj* (*liter*) malicious.

Malkasten *m* paintbox.

Mallorca [ma'lɔrka, ma'jɔrka] *nt* **-s** Majorca, Mallorca.

malnehmen *vti sep irreg* to multiply (*mit* by).

Maloche *f* **-,** *no pl* (*sl*) graft (*sl*). **auf ~ sein** to be grafting (*sl*); **du mußt zur ~** you've got to go to work.

malochen* *vi* (*sl*) to graft (*sl*), to sweat away (*inf*).

Malocher(in *f*) *m* **-s, -** (*sl*) grafter (*inf*).

Malstift *m* crayon.

Malstrom *m* Maelstrom; (*fig liter*) maelstrom.

Malta *nt* **-s** Malta.

Maltechnik *f* painting technique.

Malteser *m* **-s, -** Maltese.

Malteserkreuz *nt* Maltese cross (*auch Tech*); **Malteserorden** *m* (Order of the) Knights *pl* of Malta *or* of St John.

Maltose *f* **-,** *no pl* maltose.

malträtieren* *vt* to ill-treat, to maltreat.

Malus *m* **-ses, -** *or* **-se** (*Insur*) supplementary (high-risk) premium; (*Univ*) minus point.

Malve ['malvə] *f* **-, -n** (*Bot*) mallow; (*Stockrose*) hollyhock.

malvenfarbig, malvenfarben *adj* mauve.

Malvinen [mal'viːnən] *pl* Malvinas *pl*.

Malz *nt* **-es,** *no pl* malt.

Malzbier *nt* malt beer; **Malzbonbon** *nt* or *m* malt lozenge.

Malzeichen *nt* multiplication sign.

mälzen *vti* to malt.

Mälzer(in *f*) *m* **-s, -** maltster.

Mälzerei *f* malthouse, malting.

Malzextrakt *m* malt extract; **Malzkaffee** *m* coffee substitute made from barley *malt*; **Malzzucker** *m* maltose, malt sugar.

Mama[1] *f* **-, -s** (*inf*) mummy, mommy (*US*).

Mama[2] *f* **-, -s** (*dated*) mama (*dated*).

Mamakind *nt* (*pej*) mummy's boy/girl; **Mamasöhnchen** *nt* (*pej*) mummy's darling.

Mami *f* **-, -s** (*inf*) *siehe* **Mama**[1].

Mammographie *f* **-,** *no pl* mammography.

Mammon *m* **-s,** *no pl* Mammon. **der schnöde ~** Mammon, filthy lucre; **dem ~ dienen** to serve Mammon.

Mammut *nt* **-s, -s** *or* **-e** mammoth.

Mammut- *in cpds* (*lit, fig*) mammoth; (*lange dauernd*) marathon; **Mammutbaum** *m* sequoia, giant redwood; **Mammutprozeß** *m* marathon trial.

mampfen *vti* (*inf*) to munch, to chomp (*inf*). **ich brauche was zu ~** I want something to eat.

Mamsell *f* **-, -en** *or* **-s** (*dated hum*) lady; (*old: Wirtschafterin*) housekeeper.

man[1] *indef pron dat* **einem,** *acc* **einen**
1. you, one; (*ich*) one; (*wir*) we. **~ kann nie wissen** you *or* one can never tell, there's no knowing; **das tut ~ nicht** that's not done; **~ wird doch wohl noch fragen dürfen** there's no law against asking.
2. (*jemand*) somebody, someone. **~ hat mir gesagt ...** I was told ..., somebody told me ...; **~ hat mir erklärt, daß ...** it was explained *or* somebody explained to me that ...; **~ hat festgestellt, daß ...** it has been established that ...
3. (*die Leute*) they *pl*, people *pl*. **früher glaubte ~** they *or* people used to believe; **~ will die alten Häuser niederreißen** they want to pull down the old houses; **diese Farbe trägt ~ nicht mehr** this colour isn't worn any more; **~ hat**

öfters versucht, ... many attempts have been made ...
4. ~ wende sich an ... apply to ...
man² adv (N Ger inf) just. **denn ~ los!** let's go then!; **~ sachte!** (just) take it easy!
Management ['mænɪdʒmənt] nt **-s, -s** management.
managen ['mɛnɪdʒn] vt (inf) to manage; (hinkriegen auch) to fix.
Manager(in f) ['mɛnɪdʒɐ, -ərɪn] m **-s, -** manager.
Managerkrankheit f (inf) executivitis (hum), stress disease.
manch indef pron **1.** inv (in Zusammensetzung mit ein, eine(r, s), substantiviertem Adjektiv und (liter) Substantiv) many a. **~ eine(r), ~ ein Mensch** many a person, (a good) many people, quite a few people; **~ einem kann man nie Vernunft beibringen** you can never teach sense to some people; **~ anderer** many another; **~ Schönes** (geh) many a beautiful thing; **~ Erlebnis/schöne Geschichte/Kind** (all liter) many an experience/a lovely story/a child.
2. (adjektivisch) **~e(r, s)** a good many +pl, a fair number of +pl, quite a few +pl; many a +sing; (pl: einige) some +pl; **~er, der ...** many a person who ..., many pl who ..., a good many people pl who ..., some (people) pl who ...; **~e hundert Mark** some or several hundreds of marks; **~es Schöne** a number of or quite a few or a good many beautiful things.
3. (substantivisch) **~e(r)** a good many (people/men/women etc) pl, many a person/man/woman etc; (pl: einige) some (people/men/women etc); **~es** (vieles) a good many things, a number of things, quite a few things all pl; (einiges) some things pl; **so** or **gar** (old) **~es** a good many things pl, quite a few things pl; **in ~em hat er recht** he's right about a lot of/some things.
mancherlei adj inv (adjektivisch mit pl n) various, a number of; (substantivisch) various things pl, a number of things.
mancher|orts, mancher|orten adv in a number of places, in many a place.
Manchester [man'ʃɛstɐ] m **-s,** no pl (Tex) broad-ribbed cord(uroy).
manchmal adv sometimes.
Mandant(in f) m (Jur) client.
Mandarin m **-s, -e** (Hist) mandarin.
Mandarine f mandarin (orange), tangerine.
Mandat nt **1.** (Auftrag, Vollmacht) mandate (auch Pol), authorization (gen from); (von Anwalt) brief; (Parl: Abgeordnetensitz) seat. **sein ~ niederlegen** (Parl) to resign one's seat; **imperatives ~** (Pol) fixed mandate. **2.** siehe **Mandatsgebiet.**
Mandatar(in f) m **1.** (rare: Beauftragter) mandatary (form), agent. **2.** (Aus) member of parliament, representative.
Mandatsstaat m mandatary.
Mandatsgebiet nt mandated territory, mandate; **Mandatsträger(in** f) m mandate holder; **Mandatsverlust** m loss of

a seat.
Mandel f **-, -n 1.** almond. **2.** (Anat) tonsil.
Mandelaugen pl (geh) almond eyes pl; **mandeläugig** adj (geh) almond-eyed; **Mandelbaum** m almond tree; **Mandelentzündung** f tonsillitis; **mandelförmig** adj almond-shaped; **Mandelkern** m almond (kernel); **Mandelkleie** f almond meal; **Mandelöl** nt almond oil.
Manderl (Aus), **Mandl** (S Ger) nt **-s, -n** (inf) **1.** (Männchen) little man. **2.** (Vogelscheuche) scarecrow.
Mandoline f mandolin.
Mandrill m **-s, -e** (Zool) mandrill.
Mandschu nt **-(s),** no pl (Ling) Manchu.
Mandschurei f **- die ~** Manchuria.
mandschurisch adj Manchurian.
Manege [ma'ne:ʒə] f **-, -n** ring, arena.
mang prep +dat or acc (N Ger inf) among(st).
Mangan [maŋ'ga:n] nt **-s,** no pl (abbr **Mn**) manganese.
Mangan- in cpds manganese; **Manganeisen** nt ferro-manganese.
Mangel¹ f **-, -n** mangle; (Heiß~) rotary iron. **durch die ~ drehen** to put through the mangle; (fig inf) to put through it (inf); Prüfung auch to put through the mill; **jdn in die ~ nehmen/in der ~ haben** (fig inf) to give sb a going-over (inf); (ausfragen auch) to give sb a grilling (inf).
Mangel² m **-s, = 1.** (Fehler) fault; (bei Maschine auch) defect; (Unzulänglichkeit auch) shortcoming; (Charakter~) flaw.
2. no pl (das Fehlen) lack (an +dat of); (Knappheit auch) shortage (an +dat of); (Med auch) deficiency (an +dat of). **aus ~** or **wegen ~s an** (+dat) for lack of, due to a lack of; **wegen ~s an Beweisen** for lack of evidence; **~ an Vitamin C** lack of vitamin C, vitamin C deficiency; **es besteht** or **herrscht ~ an etw** (dat) there is a lack/shortage of sth; **~ an etw** (dat) **haben** or **leiden** (geh) to be short of sth, to lack sth, to have a lack of sth.
3. no pl (Entbehrung) privation, need, want. **~ leiden** (geh) to go short, to suffer hardship or privation; **keinen ~ leiden** to want for nothing.
Mängelbericht m list of faults.
Mangelberuf m understaffed profession; **Mangelerscheinung** f (Med) deficiency symptom.
mängelfrei adj free of faults or defects.
mangelhaft adj (schlecht) poor; Beleuchtung, Ausrüstung auch inadequate; Informationen, Interesse insufficient; (fehlerhaft) Sprachkenntnisse, Ware faulty; (Schulnote auch) unsatisfactory.
Mangelkrankheit f deficiency disease.
mangeln¹ I vt Wäsche to (put through the) mangle; (heiß ~) to iron, to press. **II** vi to use the mangle/rotary iron.
mangeln² vi impers **es mangelt an etw** (dat) there is a lack of sth; (unzureichend vorhanden auch) there is a shortage of sth; **er ließ es an nichts ~** he made sure that he/they etc lacked nothing or that nothing was lacking; **es mangelt jdm an etw** (dat) sb lacks sth; **es mangelt ihm an Selbstvertrauen/Erfahrung** he is lack-

ing in *or* he lacks self-confidence/
experience; ~des **Selbstvertrauen/
Verständnis** a lack of self-confidence/
understanding; **wegen ~der Aufmerksamkeit** through not paying attention;
**das Kino wurde wegen ~der Sicherheit
geschlossen** the cinema was closed because of inadequate safety precautions.

II *vi* **etw mangelt jdm/einer Sache** sb/
sth lacks sth; (*Verständnis, Selbstvertrauen, Erfahrung auch*) sb is lacking in
sth.

Mängelrüge *f* (*Admin*) complaint.
mangels *prep* +*gen* (*form*) for lack of.
Mangelware *f* scarce commodity,
commodity in short supply; ~ **sein** (*fig*)
to be a rare thing; (*Ärzte, gute Lehrer*)
not to grow on trees; **Mangel-
wirtschaft** *f* economy of shortages.
Mango ['maŋgo] *f* (*Bot*) -, -**nen**
[maŋ'go:nən] *or* -**s** (*auch* ~**pflaume**)
mango.
Mangobaum *m* mango tree.
Mangold ['maŋgɔlt] *m* -(**e)s, -e** mangel
(-wurzel).
Mangrove [maŋ'gro:və] *f* -, -**n** mangrove.
Mangrovensumpf *m* mangrove swamp.
Manie *f* (*Med, fig*) mania; (*fig auch*) obsession.
Manier *f* -, -**en 1.** *no pl* (*Art und Weise*)
manner; (*eines Künstlers*) style. **in über-
zeugender** ~ in a most convincing manner. **2.** ~**en** *pl* (*Umgangsformen*) manners; ~**en lernen** to learn (some) manners, to learn (how) to behave; **was sind
das für** ~**en** (*inf*) that's no way to behave. **3.** (*Angewohnheit*) affectation.
maniert *adj* affected; *Benehmen auch*
mannered.
Manierismus *m* (*Liter, Art*) mannerism.
manierlich I *adj Kind* well-mannered,
well-behaved; *Benehmen* good; *Aussehen, Frisur, Kleidung* respectable. **II** *adv*
essen politely; *sich benehmen* properly;
sich kleiden respectably.
Manifest *nt* -(**e)s, -e 1.** manifesto. **2.**
(*Naut*) manifest.
manifest *adj* (*geh*) manifest.
Manifestant(in *f*) *m* (*Sw*) demonstrator.
Manifestation *f* manifestation; (*offen-
kundiger Beweis*) demonstration; (*Sw:
Kundgebung*) demonstration.
manifestieren* (*geh*) **I** *vt* to demonstrate,
to manifest. **II** *vi* (*Sw*) to demonstrate.
III *vr* to manifest oneself.
Maniküre *f* -, -**n 1.** (*Handpflege*) mani-
cure.
2. (*Handpflegerin*) manicurist.
maniküren* *vt* to manicure.
Manila *nt* -**s** Manil(l)a.
Maniok *m* -**s, -s** (*Bot*) cassava.
Maniokwurzel *f* cassava root.
Manipulant(in *f*) *m* manipulator; (*Aus:
Amtshelfer*) assistant.
Manipulation *f* manipulation; (*Trick*)
manoeuvre.
Manipulator *m* (*Tech*) manipulator; (*fig*)
conjurer, magician.
manipulierbar *adj* manipulable. **leicht/
schwer** ~ easily manipulated/difficult to
manipulate.
Manipulierbarkeit *f* manipulability.

manipulieren* *vt* to manipulate.
Manipulierung *f* manipulation.
manisch *adj* manic. ~**-depressiv, ~-
melancholisch** manic-depressive; ~**-
melancholische Krankheit** manic depression.
Manko *nt* -**s, -s 1.** (*Comm: Fehlbetrag*)
deficit. ~ **haben** (*inf*) *or* **machen** (*inf*) to
be short (*inf*); ~ **machen** (*inf: bei Verkauf*) to make a loss. **2.** (*fig: Nachteil*)
shortcoming.
Mann *m* -(**e)s, ¨er 1.** man. **ein Überschuß
an** ¨**ern** a surplus of males *or* men; **der
böse** *or* **schwarze** ~ the bogeyman; **ein
feiner** ~ a (perfect) gentleman; **ein** ~
aus dem Volk(e) a man of the people;
der ~ **im Mond(e)** the man in the moon;
ein ~ **der Feder/Wissenschaft** a man of
letters/science; **ein** ~ **des Todes** a dead
man, a man marked for death; **ein** ~ **von
Wort** a man of his word; **wo** ¨**er noch**
¨**er sind** where men are men; **er ist unser** ~ he's the man for us, he's our man;
er ist nicht der ~ **dafür** *or* **danach** he's
not the man for that; (*nicht seine Art*)
he's not the sort; **drei** ~ **hoch** (*inf*) three
of them together; **wie ein** ~ as a *or* one
man; **auf den** ~ **dressiert sein** to be
trained to go for people; **etw an den** ~
bringen (*inf*) to get rid of sth; **seinen** ~
stehen to hold one's own; (*auf eigenen
Füßen stehen*) to stand on one's own two
feet; **einen kleinen** ~ **im Ohr haben**
(*hum sl*) to be crazy (*inf*); **und ein** ~, **ein
Wort, er hat's auch gemacht** and, as
good as his word, he did it; ~ **an** ~ close
together, next to one another; ~ **für** ~
(*einzeln hintereinander*) one after the
other; (*allesamt*) every single one; ~
gegen ~ man against man; **pro** ~ per
head; **ein Gespräch unter** ¨**ern** *or* **von** ~
zu ~ a man-to-man talk.

2. (*Ehe~*) husband. **jdn an den** ~
bringen (*inf*) to marry sb off (*inf*), to
find sb a husband; ~ **und Frau werden**
to become man and wife.

3. *pl* **Leute** (*Besatzungsmitglied*)
hand, man. **20** ~ 20 hands *or* men; **mit**
~ **und Maus untergehen** to go down with
all hands; (*Passagierschiff*) to go down
with no survivors.

4. *pl* **Leute** (*Teilnehmer, Sport,
Cards*) player, man. **auf den** ~ **spielen** to
play the ball at one's opponent; (*beim
Zuspielen*) to pass accurately; **den dritten** ~ **spielen** (*Cards*) to play *or* take the
third hand.

5. (*inf: als Interjektion*) (my) God
(*inf*); (*auffordernd, bewundernd, erstaunt auch*) hey, (hey) man (*sl*). ~, **das
kannst du doch nicht machen!** hey, you
can't do that!; **mach schnell,** ~! hurry
up, man!; ~, **oh** ~! oh boy! (*inf*); (**mein**)
lieber ~! my God! (*inf*); (*erstaunt, bewundernd auch*) wow! (*inf*).
mannbar *adj* **1.** *Junge* sexually mature;
(*mutig*) brave. **2.** *Mädchen* marriageable.
Männchen *nt dim of* **Mann 1.** little man;
(*Zwerg*) man(n)ikin. ~ **malen** to draw
(little) matchstick men, ≈ to doodle. **2.**
(*Biol*) male; (*Vogel~ auch*) cock. **3.** ~

machen (*Tier*) to sit up on its hind legs; (*Hund*) to (sit up and) beg; (*pej inf*) (*Mensch*) to grovel; (*hum: Soldat*) to jump smartly to attention.

Mannen pl (*Hist: Gefolgsleute*) men pl.

Mannequin [manə'kɛ̃:, 'manəkɛ̃] nt **-s, -s** (fashion) model.

Männer pl of **Mann**.

Männer- in cpds men's; (*eines Mannes*) man's; **Männerbekanntschaft** f usu pl man friend, boyfriend; **Männerchor** m male-voice choir; **Männerdomäne** f male domain; **technische Berufe sind noch immer** ~ the technical professions remain a male preserve; **Männerfang** m **auf** ~ **ausgehen/sein** to go/be looking for a man/men; (*zwecks Heirat*) to go/be husband-hunting; **Männerfreundschaft** f friendship between men; **Männergesangverein** m male choral society; **Männergesellschaft** f (*Sociol*) male-dominated society; (*Gesellschaft von Männern*) all-male company; **Männerhaß** m hatred of men; **Männerhaus** nt men's house; **Männerherrschaft** f male domination; **Männermagazin** nt magazine for men; **männermordend** adj man-eating; **Männersache** f (*Angelegenheit*) man's business; (*Arbeit*) job for a man, man's job; ~**n** men's affairs; **Fußball war früher** ~ football used to be a male preserve; **Männerstimme** f man's voice; (*Mus*) male voice; **Männertreu** f **-, -** (*Bot*) speedwell; **Männerüberschuß** m surplus of men.

Mannesalter nt manhood no art; **im besten** ~ **sein** to be in one's prime or in the prime of (one's) life; **Mannesjahre** pl years of manhood pl; **in die** ~ **kommen** to reach manhood; **Manneskraft** f (*dated, hum*) virility; **Mannesstolz** m masculine pride; **Manneswürde** f (*old*) accoutrements of manhood pl; (*hum*) dignity as a man.

mannhaft adj manly no adv; (*tapfer*) manful, valiant; (*entschlossen*) resolute; *Widerstand* stout.

Mannhaftigkeit f, no pl siehe adj manliness; manfulness; valour; resolution; stoutness.

mannigfach adj attr manifold, multifarious.

mannigfaltig adj diverse, varied.

Männlein nt dim of **Mann** little man; (*Zwerg*) man(n)ikin. ~ **und Weiblein** (*hum inf*) boys and girls.

männlich adj **1.** male; *Reim, Wort* masculine. **2.** (*fig: mannhaft*) *Stärke, Wesen* manly; *Auftreten, Stimme auch* masculine; *Frau* masculine, mannish.

Männlichkeit f (*fig*) manliness; (*von Auftreten, Stimme auch*) masculinity; (*von Frau*) masculinity, mannishness.

Männlichkeitswahn m machismo.

Mannloch nt (*Tech*) manhole.

Mannsbild nt (*dated pej*) fellow, male.

Mannschaft f (*Sport, fig*) team; (*Naut, Aviat*) crew. ~**(en)** (*Mil*) men pl.

Mannschafts- in cpds (*Sport*) team; **Mannschaftsaufstellung** f team lineup; (*das Aufstellen*) selection of the team; **Mannschaftsdienstgrad** m (*Mil*)

other rank usu pl; **Mannschaftsführer** m (*Sport*) (team) captain; **Mannschaftsgeist** m team spirit; **Mannschaftskampf** m (*Sport*) team event; (*Naut, Aviat*) crew's rations pl; **Mannschaftsraum** m (*Sport*) team quarters pl; (*Mil*) men's quarters pl; (*Naut*) crew's quarters pl; (*Umkleideraum*) changing rooms pl; **Mannschaftssieger** m (*Sport*) winning team; **Mannschaftsspiel** nt, **Mannschaftssport** m team sport; **Mannschaftswagen** m police van; (*Mil*) troop carrier; **Mannschaftswertung** f (*Sport*) team score.

mannshoch adj as high as a man; **der Schnee liegt** ~ the snow is six feet deep; **Mannsleute** pl (*dated inf*) men pl; **Mannsperson** f (*dated pej*) siehe **Mannsbild; mannstoll** adj man-mad (*inf*); **Mannstollheit** f nymphomania; **Mannsvolk** nt (*dated inf*) men pl.

Mannweib nt (*pej*) masculine or mannish woman.

Manometer nt (*Tech*) pressure gauge. ~! (*inf*) wow! (*inf*), boy oh boy! (*inf*).

Manöver [ma'nø:vɐ] nt **-s, -** (*lit, fig*) manoeuvre. **ins** ~ **gehen** or **ziehen** to go on manoeuvres; **nach größeren** ~**n** ... (*Mot, fig*) after a lot of manoeuvring ...

Manövergelände nt exercise area; (*ständig*) ranges pl; **Manöverkritik** f (*fig*) inquest, post-mortem; **Manöverschaden** m damage resulting from military manoeuvres.

manövrieren* [manø'vri:rən] vti (*lit, fig*) to manoeuvre.

Manövrier- [manø'vri:ɐ]: **manövrierfähig** adj manoeuvrable; **manövrierunfähig** adj disabled.

Mansarde f **-, -n** garret; (*Boden*) attic.

Manschette f **1.** (*Ärmelaufschlag*) cuff. **2.** (*Umhüllung*) frill. **3.** (*Tech: Dichtung*) sleeve. **4.** (*Sport: Würgegriff*) stranglehold. ~**n haben** (*inf*) to be scared stupid (*inf*); **vor seinem Vater/der Prüfung hat er mächtige** ~**n** (*inf*) his father/the thought of the exam scares him stupid; ~**n kriegen** (*inf*) to get cold feet.

Manschettenknopf m cufflink.

Mantel m **-s,** ⸚ **1.** coat; (*Cape*) cloak. **2.** (*Tech*) (*Glocken*~) cope; (*Rohr*~) jacket; (*Geschoß*~) jacket, casing; (*Kabel*~) casing; (*Reifen*~) outer tyre, casing. **3.** (*Math*) curved surface. **4.** (*Fin*) share certificate. **5.** (*Comm: Firmen*~) form. **6.** (*Zool*) mantle, pallium. **7.** (*fig*) cloak, mantle. **etw mit dem** ~ **des Vergessens zudecken** to forgive and forget sth.

Mäntelchen nt dim of **Mantel**. **einer Sache** (*dat*) **ein** ~ **umhängen** to cover sth up.

Mantel- in cpds (*Tex*) coat; **Mantelgeschoß** nt jacketed bullet; **Mantelgesetz** nt siehe **Rahmengesetz; Mantelpavian** m sacred or hamadryas baboon; **Mantelstoff** m coating, coat fabric; **Manteltarifvertrag** m (*Ind*) general agreement on conditions of employment; **Mantel- und Degen-Film** m swashbuckling film.

Manual *nt* -s, -e 1. (*Mus*) manual. 2. (*old Comm*) daily ledger.

manuell *adj Arbeit* manual. **etw ~ bedienen** to operate sth manually *or* by hand.

Manufaktur *f* (*old, Sociol*) 1. *no pl* manufacture. 2. (*Fabrik*) factory, manufactory (*old*).

Manufakturwaren *pl* manufactured goods *pl*; (*Textilien*) textiles *pl*.

Manuskript *nt* -(e)s, -e manuscript; (*Rad, Film, TV*) script.

Maoismus *m* Maoism.

Maori *m* -(s), -(s) Maori.

Mappe *f* -, -n (*Aktenhefter*) folder, file; (*Aktentasche*) briefcase; (*Schul~*) (school) bag; (*Feder~*) pencil case.

Mär *f* -, -en (*old*) *siehe* **Märe**.

Marabu *m* -s, -s (*Orn*) marabou.

Marabut *m* -(s), -(s) (*Rel*) marabout.

Maracuja *f* (*Bot*) -, -s passion fruit.

Marathon¹ *m* -s, -s marathon.

Marathon² *nt* -s, -s (*fig*) marathon.

Marathon- *in cpds* marathon; **Marathonlauf** *m* marathon; **Marathonläufer(in** *f*) *m* marathon runner.

Märchen *nt* -s, - fairytale, fairy story; (*inf*) tall story.

Märchen- *in cpds* fairytale; **Märchenbuch** *nt* book of fairytales; **Märchenerzähler(in** *f*) *m* teller of fairytales; (*fig*) storyteller; **Märchenfilm** *m* film of a fairytale; **märchenhaft** *adj* fairytale *attr*, fabulous; (*fig*) fabulous, fantastic; **Märchenland** *nt* fairyland; **Märchenprinz** *m* Prince Charming; (*fig auch*) fairytale prince; **Märchenstunde** *f* story time.

Marder *m* -s, - marten.

Mär(e) *f* -(e), -en (*old*) (*Nachricht*) tidings *pl*, news; (*Märchen*) (fairy)tale; (*hum inf*) fairy story.

Margarete *f* - Margaret.

Margarine [(*Aus*) -'riːn] *f* margarine.

Marge ['marʒɔ] *f* -, -n (*Comm*) margin.

Margerite *f* -, -n daisy, marguerite.

marginal *adj* (*geh*) marginal.

Marginalie [-iə] *f usu pl* marginalia *pl*.

Maria *f* - Mary. **die Mutter ~** the Virgin Mary, Our (Blessed) Lady.

Mariä Empfängnis *f* the Immaculate Conception; **Mariä Geburt** *f* (the) Nativity of Mary; **Mariä Himmelfahrt** *f* Assumption.

Marien- [-iɔn]: **Marienaltar** *m* Lady altar; **Marienbild** *nt* picture of the Virgin Mary; **Marienfest** *nt* Lady Day; **Marienkäfer** *m* ladybird; **Marienkult** *m* Mariolatry (*form*), cult of the Virgin Mary; **Marienleben** *nt* (*Art, Liter*) Life of the Virgin Mary; **Marienverehrung** *f* adoration *or* veneration of the Virgin Mary.

Marihuana [mari'huaːna] *nt* -s, *no pl* marijuana.

Marille *f* -, -n (*Aus*) apricot.

Marinade *f* (*Cook*) marinade; (*Soße*) mayonnaise-based sauce. **~n** *pl* (*Fischkonserven*) canned *or* tinned (*Brit*) fish.

Marine *f* navy.

Marine- *in cpds* naval; **marineblau** *adj*

navy blue; **Marineflieger(in** *f*) *m* naval pilot; **Marineflugzeug** *nt* naval aircraft *or* plane; **Marineinfanterie** *f* marines *pl*; **Marinemaler(in** *f*) *m* marine *or* seascape painter; **Marineminister(in** *f*) *m* minister of naval affairs; **Marineministerium** *nt* ministry of naval affairs.

Mariner *m* -s, - (*inf*) sailor.

Marinesoldat(in *f*) *m* marine; **Marinetruppen** *pl* marines *pl*.

marinieren* *vt Fisch, Fleisch* to marinate, to marinade. **marinierter Hering** pickled herring.

Marionette *f* marionette, puppet; (*fig*) puppet.

Marionetten- *in cpds* puppet; **Marionettenspieler(in** *f*) *m* puppeteer; **Marionettentheater** *nt* puppet theatre.

maritim *adj* maritime.

Mark¹ *nt* -(e)s, *no pl* (*Knochen~*) marrow; (*Bot: Gewebe~*) medulla, pith. **Brühe mit ~** (*Cook*) consommé with beef marrow; **bis ins ~** (*fig*) to the core; **jdn bis ins ~ treffen** (*fig*) to cut sb to the quick; **es geht mir durch ~ und Bein** (*inf*) *or* **durch ~ und Pfennig** (*hum inf*) it goes right through me; **jdm das ~ aus den Knochen saugen** (*liter*) to bleed sb dry.

Mark² *f* -, -en 1. (*Grenzland*) borderland. **die ~ Brandenburg, die ~** (*inf*) the Mark Brandenburg, the Brandenburg Marches.
2. (*Rugby*) touch.

Mark³ *f* -, - *or* (*hum*) ⁻er mark. **Deutsche ~** German mark, deutschmark; **vier ~ zwanzig** four marks twenty (pfennigs); **mit jeder ~ rechnen, die** *or* **jede ~ umdrehen** to think twice before spending anything; **mit jeder ~ rechnen müssen** to have to count every penny.

markant *adj* (*ausgeprägt*) clear-cut; *Schriftzüge* clearly defined; (*hervorstechend*) *Kinn* prominent; (*auffallend*) *Erscheinung, Persönlichkeit* striking.

markdurchdringend *adj* (*geh*) bloodcurdling.

Marke *f* -, -n 1. (*bei Lebens- und Genußmitteln*) brand; (*bei Industriegütern*) make. **du bist (vielleicht) eine ~!** (*inf*) you're a right *or* fine one (*inf*); **eine komische ~** (*fig inf*) a queer *or* rum customer *or* character.
2. (*Brief~*) stamp. **zehn ~n à** *or* **zu fünfzig** ten fifty-pfennig stamps.
3. (*Essen~*) voucher; (*Rabatt~*) (trading) stamp; (*Lebensmittel~*) coupon; (*old: Renten~*) stamp.
4. (*Erkennungs~*) disc, tag; (*Garderoben~*) cloakroom counter *or* (*Zettel*) ticket *or* check (*US*); (*Polizei~*) badge; (*Spiel~*) chip; (*Pfand~*) token.
5. (*Rekord~*) record; (*Wasserstands~*) watermark.

märken *vt* (*Aus*) *Wäsche* to mark.

Markenartikel *m* proprietary article; **Markenbutter** *f* non-blended butter, best quality butter; **Markenerzeugnis, Markenfabrikat** *nt* proprietary article; **Markenname** *m* brand *or* proprietary name; **Markenschutz** *m* protection of trademarks.

Marker *m* **-s, -(s) 1.** (*Med*) marker. **2.** (*Markierstift*) highlighter.

mark|erschütternd *adj siehe* **markdurchdringend.**

Marketender(in *f*) *m* **-s, -** (*Hist*) sutler.

Marketenderware *f* (*Mil*) goods *pl or* (*einzelner Artikel*) article sold at army stores.

Marketing *nt* **-s,** *no pl* marketing.

Mark- (*Hist*): **Markgraf** *m* margrave; **Markgräfin** *f* margravine; **markgräflich** *adj* margravial; **Markgrafschaft** *f* margravate.

markieren* I *vt* (*lit, fig, Sport*) to mark; (*inf: vortäuschen*) to play. **den starken Mann ~** to come the strong man; **den Dummen** *or* **Dusseligen ~** (*inf*) to act daft (*inf*).

II *vi* (*inf: so tun, als ob*) to put it on (*inf*). **markier doch nicht!** stop putting it on.

Markierstift *m* highlighter.

Markierung *f* marking; (*Zeichen*) mark.

Markierungslinie *f* (marking) line; **Markierungspunkt** *m* marker; **Markierungszeichen** *nt* (*Comput*) marker.

markig *adj* (*kraftvoll, kernig*) vigorous, pithy; (*iro: pathetisch*) grandiloquent, bombastic.

märkisch *adj* of/from the Mark Brandenburg.

Markise *f* **-, -n** awning, (sun)blind.

Markknochen *m* (*Cook*) marrowbone.

Markscheide *f* (*Min*) boundary line.

Markscheider(in *f*) *m* **-s, -** mine surveyor.

Markstein *m* (*lit, fig*) milestone; (*an Feldern etc*) boundary stone; **Markstück** *nt* (one-) mark piece; **markstückgroß** *adj* the size of a one-mark piece.

Markt *m* **-(e)s, ⸚e 1.** market; (*Jahr~*) fair. **zum** *or* **auf den ~ gehen** to go to (the) market/to the fair; **~ abhalten** to hold *or* have a market; **dienstags/jede Woche einmal ist ~** *or* **wird ~ abgehalten** there is a market every Tuesday/week.

2. (*Comm*) market; (*Warenverkehr*) trade. **auf dem** *or* **am ~** on the market; **auf den ~ bringen** to put on the market; **etw in großen Mengen auf den ~ werfen** to flood the market with sth; **auf den ~ gebracht werden** to come on the market.

3. (*~platz*) marketplace, market square. **am ~** in the marketplace; **am ~ wohnen** to live on the marketplace.

4. (*geh: ~flecken*) small market town.

Markt- *in cpds* market; **Marktabsprache** *f* marketing agreement; **Marktanalyse** *f* market analysis; **Marktanteil** *m* market share, share of the market; **marktbeherrschend** *adj ~* **sein, eine ~e Stellung einnehmen** to control *or* dominate the market; **Marktbericht** *m* (*Fin*) stock market report; **Marktbude** *f* market stall; **Marktfahrer(in** *f*) *m* (*Aus*) (travelling) marketman/woman; **Marktflecken** *m* small market town; **Marktforscher(in** *f*) *m* market researcher; **Marktforschung** *f* market research; **Marktfrau** *f* market woman, (woman) stallholder; **Marktführer** *m* market leader; **marktgängig** *adj* marketable;

Preis current; **marktgerecht** *adj* in line with *or* geared to market requirements; **Markthalle** *f* covered market; **Markthelfer(in** *f*) *m* market hand; **Marktlage** *f* state of the market; **Marktlücke** *f* gap in the market; **in eine ~ stoßen** to fill a gap in the market; **Marktmacht** *f*, *no pl* market power; **Marktnische** *f* (market) niche; **Marktplatz** *m* marketplace, market square; **am/auf dem ~** on/in the marketplace; **Marktpreis** *m* market price, market rate; **Marktpsychologie** *f* marketing psychology; **Marktrecht** *nt* (*Hist*) market rights *pl*; **marktreif** *adj Produkt* ready for the market; **Marktreife** *f* **ein Produkt zur ~ entwickeln** to develop a product into a marketable commodity; **Marktschreier(in** *f*) *m* barker, market crier; **marktschreierisch** *adj* loud and vociferous; (*fig*) blatant; **Marktstand** *m* market stall *or* stand; **Marktstudie** *f* market survey; **Marktweib** *nt* (*pej*) market woman; (*fig*) fish-wife; **Marktwert** *m* market value; **Marktwirtschaft** *f* market economy; **marktwirtschaftlich** *adj attr* free enterprise; **~wirtschaftliche Prinzipien** market principles.

Markus *m* - Mark.

Markus|evangelium *nt* St Mark's Gospel, Gospel according to St Mark.

Marmarameer *nt* Sea of Marmara.

Marmel *f* **-, -n** marble.

Marmelade *f* jam; (*Orangen~*) marmalade.

Marmeladenbrot *nt* jam sandwich; (*Scheibe*) slice of bread and jam; **Marmeladenglas** *nt* jam-jar.

marmeln *vi* to play marbles.

Marmor *m* **-s, -e** marble.

Marmor- *in cpds* marble; **Marmorbild** *nt* (*liter*) marble statue; **Marmorbruch** *m* marble quarry.

marmorieren* *vt* to marble. **mit marmoriertem Schnitt** with marbled edges, marbled.

Marmorkuchen *m* marble cake.

marmorn *adj* marble.

marode *adj* (*inf*) washed-out (*inf*); *Wirtschaft* ailing.

Marodeur [-'døːɐ] *m* marauder.

marodieren* *vi* to maraud.

Marokkaner(in *f*) *m* **-s, -** Moroccan.

marokkanisch *adj* Moroccan.

Marokko *nt* **-s** Morocco.

Marone¹ *f* **-, -n, Maroni** *f* **-, -** (sweet *or* Spanish) chestnut.

Marone² *f* **-, -n Maronenpilz** *m* chestnut boletus, boletus badius (*spec*).

Maronibrater(in *f*) *m* **-s, -** (*Aus*) chestnut man/woman (*inf*), chestnut vendor.

Marotte *f* **-, -n** quirk. **das ist ihre ~** that's one of her little quirks.

Marquis [mar'kiː] *m* **-, -** marquis, marquess.

Marquise [mar'kiːzə] *f* **-, -n** marquise, marchioness.

Mars¹ *m* **-,** *no pl* (*Myth, Astron*) Mars.

Mars² *m* **-, -e** (*Naut*) top.

Marsbewohner(in *f*) *m* Martian.

marsch *interj* **1.** (*Mil*) march. **vorwärts ~!** forward march!; (**im Laufschritt,**) **~! ~!**

(at the double,) quick march! **2.** (*inf*) off with you. **~ ins Bett!** off to bed with you at the double *or* chop, chop (*inf*)!; **raus hier, ~! ~!** get out of here at the double *or* chop, chop (*inf*)!

Marsch¹ *m* **-(e)s, ⸚e 1.** (*das Marschieren*) march; (*Wanderung*) hike. **einen ~ machen** to go on a march/hike; **sich in ~ setzen** to move off. **2.** (*~musik*) march. **jdm den ~ blasen** (*inf*) to give sb a rocket (*inf*).

Marsch² *f* **-, -en** marsh, fen.

Marschall *m* **-s, Marschälle** (field) marshal.

Marschallstab *m* (field) marshal's baton. **den ~ im Tornister haben** (*fig*) to be a potential leader of men.

Marschbefehl *m* (*Mil*) (*für Truppen*) marching orders *pl*; (*für einzelnen*) travel orders *pl*; **marschbereit** *adj* ready to move; **Marschboden** *m* marshy soil.

Marschendorf *nt* fenland village.

Marschflugkörper *m* cruise missile; **Marschgepäck** *nt* pack.

marschieren* *vi aux sein* to march; (*fig*) to march off, to take oneself off. **getrennt ~, vereint schlagen** to unite for the attack.

Marschkolonne *f* column; **Marschkompaß** *m* compass; **Marschland** *nt* marsh(land), fen; **marschmäßig** *adj* *Ausrüstung* marching *attr*; (*für Wanderung*) hiking *attr*; **~ angezogen** dressed for marching/hiking; **Marschmusik** *f* military marches *pl*; **Marschorder** *f* (*Mil*) marching orders *pl*; (*fig*) go-ahead; **Marschordnung** *f* marching order; **Marschpause** *f* halt; **Marschrichtung** *f*, **Marschroute** *f* (*lit*) route of march; (*fig*) line of approach; **Marschtempo** *nt* marching time; (*Mus*) march time *or* tempo; **Marschverpflegung** *f* rations *pl*; (*Mil*) field rations *pl*.

Marseille [mar'zɛːj, mar'sɛːj] *nt* **-s** Marseilles.

Marshallplan ['marʃal-] *m* (*Pol*) Marshall Plan.

Marsmensch *m* Martian.

Marssegel *nt* (*Naut*) topsail.

Marstall *m* **-(e)s, Marställe** (*Hist*) royal stables *pl*.

Marter *f* **-, -n** (*liter*) torment. **das kann zur ~ werden** it can be a painful ordeal.

Marterl *nt* **-s, -n** (*S Ger, Aus*) wayside shrine with a crucifix.

martern (*liter*) **I** *vt* to torture, to torment. **jdn zu Tode ~** to torture sb to death. **II** *vr* to torment *or* torture oneself.

Marterpfahl *m* stake.

Marterung *f* (*geh*) torment.

martialisch [mar'tsiaːlɪʃ] *adj* (*geh*) martial, warlike.

Martini *nt* **-,** *no pl* (*Eccl*) Martinmas.

Martinshorn ® *nt* (*von Polizei und Feuerwehr*) siren. **mit ~** with its siren blaring *or* going.

Märtyrer, Martyrer (*Eccl*) *m* **-s, -** (*Eccl, fig*) martyr. **jdn zum ~ machen** to make a martyr of sb; **sich als ~ aufspielen** (*pej*) to make a martyr of oneself.

Märty(re)rin, Marty(re)rin (*Eccl*) *f* martyr.

Märtyrerkrone *f* martyr's crown; **Märtyrertod** *m* martyr's death; **den ~ sterben** to die a martyr's death; **Märtyrertum** *nt* martyrdom.

Martyrium *nt* **1.** (*Opfertod*) martyrdom; (*fig*) ordeal. **2.** (*Grabkirche*) martyry.

Marxismus *m* Marxism.

Marxismus-Leninismus *m* Marxism-Leninism.

Marxist(in *f*) *m* Marxist.

marxistisch *adj* Marxist.

Marxsch *adj attr* Marxian. **die ~e Dialektik** Marx's *or* Marxian dialectic.

März *m* **-(es)** *or* **-en** (*geh*), **-e** March. **im ~** in March; **im Monat ~** in the month of March; **heute ist der zweite ~** today is the second of March *or* is March the second *or* March second (*US*); (*geschrieben*) today is 2nd March *or* March 2nd; **am ersten ~ fahren wir nach ...** on the first of March we are going to ...; **in diesem ~** this March; **im Laufe des ~** during March; **der ~ war sehr warm** March was very warm; **Anfang/Ende/Mitte ~** at the beginning/end/in the middle of March; **den 4. ~ 1992** March 4th, 1992, 4th March 1992.

März(en)becher *m* (*Bot*) snowflake.

Märzen *nt* **-(s), -, März(en)bier** *nt* strong light beer.

Marzipan *nt* [martsi'paːn, (*Aus*) 'martsipaːn] **-s, -e** marzipan.

Märzrevolution *f* (*Hist*) Revolution of March 1848; **Märzveilchen** *nt* sweet violet.

Masche *f* **-, -n 1.** (*Strick~, Häkel~*) stitch; (*von Netz*) hole; (*von Kettenhemd*) link; (*Lauf~*) ladder (*Brit*), run. **die ~n eines Netzes** the mesh *sing* of a net; (**jdm**) **durch die ~n schlüpfen** to slip through sb's/the net *or* fingers; **durch die ~n des Gesetzes schlüpfen** to slip through a loophole in the law.

2. (*S Ger, Aus: Schleife*) bow.

3. (*inf*) (*Trick*) trick, dodge (*inf*); (*Eigenart*) fad, craze. **die ~ raushaben** to know how to do it; **er versucht es immer noch auf die alte ~** he's still trying the same old trick; **das ist die ~!** that's the thing!; **das ist seine neueste** that's his latest (fad *or* craze).

Maschendraht *m* wire netting; **Maschendrahtzaun** *m* wire-netting fence; **maschenfest** *adj* *Strümpfe* non-run; **Maschennetz** *nt* mesh, net; **Maschenwerk** *nt* (*fig*) **sich im ~ von etw verfangen** to become enmeshed in sth.

Maschin- (*Aus*) in cpds siehe **Maschine(n)-**.

Maschine *f* machine; (*Motor*) engine; (*Flugzeug*) plane; (*Schreib~*) typewriter; (*inf: Motorrad*) bike. **eine bloße ~ sein** (*fig*) to be no more than a machine; **zur ~ werden** (*fig*) to become a machine; **etw auf** *or* **mit der ~ schreiben** to type sth; **ich habe den Brief meiner Sekretärin in die ~ diktiert** my secretary typed the letter as I dictated it.

maschinell I *adj* *Herstellung, Bearbeitung* mechanical, machine *attr*. **II** *adv* mechanically, by machine; *Übersetzung* machine *attr*.

Maschinenantrieb *m* machine drive; **mit ~** machine-driven, mechanically driven; **Maschinenarbeit** *f* machine work; **Maschinenbau** *m* mechanical engineering; **Maschinenbauer(in** *f*) *m* mechanical engineer; **Maschinenbauingenieur(in** *f*) *m* mechanical engineer; **Maschinendiktat** *nt* typing directly from dictation; **Maschinenfabrik** *f* engineering works *sing or pl*; **Maschinengarn** *nt* machine thread; **maschinengeschrieben** *adj* typewritten, typed; **Maschinengeschütz** *nt* machine-gun; **maschinengestrickt** *adj* machine-knitted; **Maschinengewehr** *nt* machine-gun; **mit ~(en) beschießen** to machine-gun; **Maschinenhaus** *nt* machine room; **Maschinenindustrie** *f* engineering industry; **Maschinenkraft** *f* mechanical power; **maschinenlesbar** *adj* machine-readable; **Maschinenlesbarkeit** *f* machine-readability; **Maschinenöl** *nt* lubricating oil; **Maschinenpark** *m* plant; **Maschinenpistole** *f* submachine gun; **Maschinenraum** *m* plant room; (*Naut*) engine-room; **Maschinensaal** *m* machine room; (*Typ*) pressroom; (*in Setzerei*) caseroom; **Maschinensatz** *m* 1. machine unit; 2. (*Typ*) machine setting *or* composition; **Maschinenschaden** *m* mechanical fault; (*Aviat*) engine fault; **Maschinenschlosser(in** *f*) *m* machine fitter.

maschine(n)schreiben *vi sep irreg* (*Kleinschreibung nur bei infin und ptp*) to type; **sie schreibt Maschine** she types; **Maschine(n)schreiben** *nt* typing, typewriting; **Maschine(n)schreiber(in** *f*) *m* typist.

Maschinenschrift *f* typescript, typing; (*Schriftart*) typing; **in ~** typed, typewritten; **maschinenschriftlich** *adj* typewritten *no adv*; **Maschinensetzer(in** *f*) *m* machine compositor *or* typesetter; **Maschinensprache** *f* machine language; **Maschinenstürmer** *m* **-s, -** machine wrecker; (*Hist*) Luddite; **Maschinenstürmerei** *f* Luddism; **Maschinenteil** *nt* machine part; **Maschinenwärter(in** *f*) *m* machine minder; **Maschinenzeitalter** *nt* machine age.

Maschinerie *f* 1. (*dated: Mechanismus*) piece of machinery. 2. (*Bühnen~*) stage machinery. 3. (*fig: Getriebe*) machinery.

Maschinist(in *f*) *m* (*Schiffs~*) engineer; (*Eisenbahn~*) engine-driver, engineer (*US*).

Maser¹ *f* **-, -n** vein. **Holz mit feinen ~n** wood with a fine grain.

Maser² ['me:zɐ, 'ma:zɐ] *m* **-s, -** (*Phys*) maser.

Maserholz *nt* grained wood.

masern I *vt* to grain. **II** *vi* to become grained.

Masern *pl* measles *sing*. **die ~ haben** to have (the) measles.

Maserung *f* grain.

Maske *f* **-, -n** 1. (*lit, fig, Sport, Med*) mask. **sein Gesicht wurde** *or* **erstarrte zur ~** his face froze (into a mask); **die ~ fallen las-**

sen *or* **abwerfen** (*fig*) to throw off one's mask; **jdm die ~ herunterreißen** *or* **vom Gesicht reißen** (*fig*) to unmask sb; **ohne ~** (*fig*) undisguised; **unter der ~ von etw** (*fig*) under the guise of sth.
  2. (*Theat: Aufmachung*) make-up. **~ machen** to make up.
  3. (*maskierte Person*) mask, domino (*old*); (*fig*) phony (*inf*).
  4. (*Typ, Comput*) mask.
  5. (*Tech*) frame.

Maskenball *m* masked ball; **Maskenbildner(in** *f*) *m* make-up artist; **maskenhaft** *adj* mask-like, like a mask; **Maskenkleid, Maskenkostüm** *nt* fancy-dress costume; **Maskenverleih** *m* fancy-dress hire, theatrical costumier; **Maskenzug** *m* carnival procession.

Maskerade *f* (*Verkleidung*) costume; (*old*) masquerade.

maskieren* **I** *vt* 1. (*verkleiden*) to dress up; (*unkenntlich machen*) to disguise. 2. (*verbergen*) to mask, to disguise. **II** *vr* to dress up; (*sich unkenntlich machen*) to disguise oneself. **sich als jd/etw ~** (*fig*) to masquerade as sb/sth.

maskiert *adj* masked.

Maskierung *f* 1. (*das Verkleiden*) dressing up; (*Sich-Unkenntlichmachen*) disguising oneself. 2. (*Verkleidung*) fancy-dress costume; (*von Spion*) disguise. 3. (*Verhüllung*) masking.

Maskottchen *nt* (lucky) mascot.

maskulin *adj* 1. (*Gram, Poet*) masculine. 2. [masku'li:n] (*betont männlich*) masculine.

Maskulinum *nt* **-s, Maskulina** masculine noun.

Masochismus *m* **-,** *no pl* masochism.

Masochist(in *f*) *m* masochist.

masochistisch *adj* masochist.

maß *pret of* **messen**.

Maß¹ *nt* **-es, -e** 1. (*~einheit*) measure (*für* of); (*Zollstock*) rule; (*Bandmaß*) tape measure. **~e und Gewichte** weights and measures; **das ~ aller Dinge** (*fig*) the measure of all things; **das richtige** *or* **rechte ~ halten** (*fig*) to strike the right balance; **mit zweierlei** *or* **verschiedenem ~ messen** (*fig*) to operate a double standard; **das ~ ist voll** (*fig*) that's enough (of that), enough's enough; **und, um das ~ vollzumachen ...** (*fig*) and to cap it all ...; **in reichem ~(e)** abundantly; **in reichem ~(e) vorhanden sein** to be abundant; (*Energie, Zeit*) to be plentiful; **das (übliche) ~ überschreiten, über das übliche ~ hinausgehen** to overstep the mark; **die edlen ~e dieser Plastik** (*geh*) the noble proportions of this statue.
  2. (*Meßgröße*) measurement; (*von Zimmer, Möbelstück auch*) dimension. **ihre ~e sind: ...** her measurements *or* vital statistics are ...; **sich** (*dat*) **etw nach ~ anfertigen lassen** to have sth made to measure *or* order (*US*); **~ nehmen** to measure up; **bei jdm ~ nehmen** to measure sb, to take sb's measurements; **Schuhe/Hemden nach ~** shoes/shirts made to measure *or* order (*US*), custom (*US*) shoes/shirts.

3. (*Ausmaß*) extent, degree. **ein solches/gewisses ~ an** *or* **von ...** such a degree/a certain degree of ...; **in hohem ~(e)** to a high degree; **in solchem ~(e)** *or* **in einem ~(e), daß ...** to such an extent that ...; **in nicht geringem ~(e)** in no small measure; **in großem ~e** to a great extent; **in vollem ~e** fully; **die Bäcker verlangen eine Lohnerhöhung in gleichem ~e wie die Fleischer** the bakers are demanding a pay rise comparable to *or* with that of the butchers; **in besonderem ~e** especially; **in gewissem/höherem** *or* **stärkerem/beschränktem ~** to a certain/greater/limited degree *or* extent; **in höchstem ~e** extremely; **über alle ~en** (*geh*) beyond (all) measure.

4. (*Mäßigung*) moderation. **in** *or* **mit ~en** in moderation; **weder ~ noch Ziel kennen** to know no bounds; **ohne ~ und Ziel** immoderately.

Maß² *f* -, - (*S Ger, Aus*) litre (tankard) of beer. **zwei ~ Bier** two litres of beer.

Massage [ma'sa:ʒə] *f* -, **-n** massage. **~n nehmen** to have massage treatment.

Massagepraxis *f* physiotherapy centre; **Massagesalon** *m* (*euph*) massage parlour; **Massagestab** *m* vibrator.

Massaker *nt* -s, - massacre.

massakrieren* *vt* (*dated*, *inf*) to massacre.

Maßangabe *f* measurement; (*bei Hohlmaßen*) volume *no pl*; **Maßanzug** *m* made-to-measure *or* bespoke *or* made-to-order (*US*) *or* custom (*US*) suit; **Maßarbeit** *f* (*inf*) **das war ~** that was a neat bit of work.

Masse *f* -, **-n 1.** (*Stoff*) mass; (*Cook*) mixture. **die ~ im Guß der Glocke** the molten metal for casting the bell; **die wogenden ~n ihres Körpers** the heaving bulk of her body.

2. (*große Menge*) heaps *pl* (*inf*), stacks *pl* (*inf*); (*von Besuchern*) host. **die (breite) ~ der Bevölkerung** the bulk of the population; **eine ganze ~** (*inf*) a lot *or* a great deal; **sie kamen in wahren ~n** they came in droves *or* in their thousands; **die ~ muß es bringen** (*Comm*) the profit only comes with quantity.

3. (*Menschenmenge*) crowd.

4. (*Bevölkerungs~*) masses *pl* (*auch pej*). **die breite ~** the masses *pl*.

5. (*Konkurs~*) assets *pl*; (*Erb~*) estate.

6. (*Phys*) mass.

Maßeinheit *f* unit of measurement; **Maßeinteilung** *f* (measuring) scale.

Massekabel *nt* ground cable.

Massel *m* -s, *no pl* (*sl*) **~ haben** to be dead lucky (*inf*).

Massen- *in cpds* mass; **Massenabsatz** *m* bulk selling; **das ist kein Artikel für den ~** that isn't intended for the mass market; **Massenandrang** *m* crush; **Massenangebot** *nt* glut; **sie waren im ~ auf dem Markt** there was a glut of them on the market; **Massenanziehung** *f* (*Phys*) gravitation; **Massenarbeitslosigkeit** *f* mass unemployment; **Massenartikel** *m* mass-produced article; **Massenaufgebot** *nt* large body; **in einem ~**

erscheinen to turn up in force; **Massenauflauf** *m, no pl* crowds *pl* of people; **es gab einen ~ am Unfallort** huge crowds of people gathered at the scene of the accident; **Massenbedarf** *m* requirements *pl* of the masses; (*Comm*) requirements *pl* of the mass market; **Massenbedarfsgüter** *pl* basic consumer goods *pl*; **Massenbeeinflussung** *f* mass propaganda; **Massenbeförderungsmittel** *nt* means of mass transportation *sing*; **Massenentlassung** *f* mass redundancy; **Massenfabrikation, Massenfertigung** *f* mass production; **Massenflucht** *f* mass exodus; **Massengesellschaft** *f* faceless society; **Massengrab** *nt* mass grave; **Massengüter** *pl* bulk goods *pl*; **massenhaft** *adj* on a huge *or* massive scale; **~ Fanbriefe/Sekt** (*inf*) masses of fan letters/champagne (*inf*); **Massenkarambolage** *f* multiple (car) crash, pile-up (*inf*); **Massenkommunikationsmittel** *nt* mass medium *usu pl*; **Massenmedien** *pl* mass media *pl*; **Massenmord** *m* mass murder; **Massenmörder(in** *f*) *m* mass murderer; **Massenpartei** *f* party of the masses; **Massenproduktion** *f* mass production; **Massenpsychologie** *f* crowd psychology; **Massenpsychose** *f* mass hysteria; **Massenspeicher** *m* (*Comput*) disk capacity, mass storage (device); **Massentierhaltung** *f* intensive livestock farming; **Massenverkehrsmittel** *nt* means of mass transportation *sing*.

Massenvernichtung *f* mass extermination; **Massenvernichtungswaffe** *f* weapon of mass destruction.

Massenwahn *m* mass hysteria; **Massenware** *f* mass-produced article; **massenweise** *adj* on a massive scale; **Massenwirkung** *f* mass effect.

Masseur [ma'søːɐ] *m* masseur.

Masseurin [-'søːrɪn] *f* (*Berufsbezeichnung*) masseuse.

Masseuse [-'søːzə] *f* (*in Eros-Center*) masseuse.

Maßgabe *f* (*form*) stipulation. **mit der ~, daß ...** with the proviso that ..., on (the) condition that ...; **nach ~** (+*gen*) according to.

maßgebend, maßgeblich *adj* (*entscheidend, ausschlaggebend*) *Einfluß, Bedingungen* decisive; *Meinung* definitive; *Text* definitive, authoritative; *Fachmann* authoritative; (*wichtig*) *Persönlichkeit* leading; *Beteiligung* substantial; (*zuständig*) competent. **~e Kreise** influential circles; **von ~er Seite** from the corridors of power; **das ist hier nicht ~** that doesn't weigh *or* signify here; **das war für mich nicht ~** that didn't weigh with me.

maßgeschneidert *adj* *Anzug* made-to-measure, made-to-order (*US*), custom *attr* (*US*).

Maßhalteappell *m,* **Maßhalteparole** *f* appeal for moderation.

maßhalten *vi sep irreg* to be moderate, to practise moderation.

massieren¹* **I** *vt* to massage. **II** *vi* to give (a) massage.

massieren²* I *vt* to mass. II *vr* to amass; (*Truppen*) to mass.

massig I *adj* massive, huge.

II *adv* (*inf: sehr viel*) ~ **Arbeit/Geld** masses *or* stacks of work/money (*inf*).

mäßig *adj* 1. moderate; *Preise auch* reasonable. **in etw** (*dat*) ~ **sein** to be moderate in sth; **etw** ~ **tun** to do sth in moderation; ~ **essen** to eat with moderation; ~ **rauchen** to smoke in moderation; ~, **aber regelmäßig** in moderation but regularly.

2. (*unterdurchschnittlich*) *Leistung, Schulnote* mediocre, indifferent; *Begabung, Beifall* moderate; *Gesundheit* middling, indifferent.

mäßigen I *vt* (*mildern*) *Anforderungen* to moderate; *Sprache auch* to tone down; *Zorn, Ungeduld* to curb, to check. **sein Tempo** ~ to slacken one's pace, to slow down.

II *vr* (*im Essen, Trinken, Temperament*) to restrain *or* control oneself; (*Sturm*) to abate, to die down. ~ **Sie sich!** control yourself!; ~ **Sie sich in Ihren Worten!** tone down your language!

Massigkeit *f* massiveness, hugeness.

Mäßigkeit *f* 1. (*beim Essen, Trinken*) moderation, restraint; (*von Forderungen, Preisen*) moderateness. ~ **üben** to exercise *or* show moderation *or* restraint. 2. (*Mittelmäßigkeit*) mediocrity; (*von Begabung, Beifall*) moderateness.

Mäßigung *f* restraint; (*beim Essen auch*) moderation.

massiv *adj* 1. (*pur, nicht hohl, stabil*) solid. 2. (*heftig*) *Beleidigung* gross; *Drohung, Kritik* heavy; *Anschuldigung* severe.

Massiv *nt* **-s, -e** (*Geol*) massif.

Maßkleidung *f* made-to-measure *or* made-to-order (*US*) *or* custom (*US*) clothing; **Maßkrug** *m* litre beer mug; (*Steinkrug*) stein; **Maßliebchen** *nt* (*Gänseblümchen*) daisy.

maßlos I *adj* extreme; (*übermäßig*) *Forderungen auch* excessive; (*grenzenlos*) *Trauer, Freude, Ehrgeiz auch* boundless; *Mensch* (*in Forderungen auch, in Essen*) immoderate. **er war** ~ **in seiner Wut/Freude** his rage/joy knew no bounds; **er trinkt** ~ he drinks to excess.

II *adv* (*äußerst*) extremely; *übertreiben* grossly, hugely. **es ist alles** ~ **traurig** (*inf*) it's all very *or* terribly (*inf*) sad.

Maßlosigkeit *f siehe adj* extremeness; excessiveness; boundlessness; lack of moderation.

Maßnahme *f* -, -n measure. ~**n treffen, um etw zu tun** to take steps *or* measures to do sth; ~**n gegen jdn/etw ergreifen** to take measures against sb/sth; **vor** ~**n zurückschrecken** to shrink from taking action.

Maßregel *f* rule.

maßregeln *vt insep* (*zurechtweisen*) to reprimand, to rebuke, to reprove; (*bestrafen*) to discipline; (*Sport*) to penalize.

Maßreg(e)lung *f* 1. *no pl siehe vt* reprimanding, rebuking, reproval; disciplining; penalizing. 2. (*Rüge*) reprimand, re-

buke; (*von Beamten*) disciplinary action; (*Sport*) penalty.

Maßschneider(in *f*) *m* bespoke *or* custom (*US*) tailor.

Maßstab *m* 1. (*Lineal*) ruler; (*Zollstock*) rule.

2. (*Karten*~) scale. **die Karte hat einen kleinen/großen** ~ it's a small-/large-scale map, the map is on a small/large scale; **beim/im** ~ **1:1000** on a scale of 1:1000; **im** ~ **1:25000 gezeichnet** drawn to a scale of 1:25000; **etw in verkleinertem** ~ **darstellen** to scale sth down.

3. (*fig: Richtlinie, Kriterium*) standard. **einen hohen/strengen** ~ **anlegen** to apply a high/strict standard (*an* +*acc* to); **für jdn als** *or* **zum** ~ **dienen, für jdn einen** ~ **abgeben** to serve as a model for sb; **sich** (*dat*) **jdn/etw zum** ~ **nehmen** to take sb/sth as a yardstick; **das ist für mich kein** ~ I don't take that as my yardstick.

maßstäblich *adj* scale *attr*, to scale.

maßstab(s)gerecht, maßstab(s)getreu *adj* (true) to scale; **eine** ~**gerechte Karte** an accurate scale map.

maßvoll *adj* moderate; **Maßvorlage** *f* (*Ftbl*) spot-on (*inf*) *or* accurate pass; **Maßwerk** *nt* (*Archit*) tracery.

Mast¹ *m* **-(e)s, -en** *or* **-e** (*Naut, Rad, TV*) mast; (*Stange*) pole; (*Elec*) pylon.

Mast² *f* -, **-en** (*das Mästen*) fattening; (*Futter*) feed; (*Schweine*~) mast.

Mastbaum *m* mast; **Mastdarm** *m* rectum.

mästen I *vt* to fatten. II *vr* (*inf*) to gorge *or* stuff (*inf*) oneself.

Mästerei *f* (*Schweine*~) pig fattening unit.

Mast- *in cpds* (*zu mästen*) feeder; (*gemästet*) fattened; **Mastfutter** *nt* (*fattening*) feed; (*für Schweine*) mast.

Mastino *m* **-s, Mastini** mastiff.

Mastkorb *m* (*Naut*) top; **Mastschwein** *nt* (*zu mästen*) porker; (*gemästet*) fattened pig.

Masturbation *f* masturbation.

masturbieren* *vtir* to masturbate.

Matador *m* **-s, -e** (*Stierkämpfer*) matador; (*fig*) kingpin.

Match [mɛtʃ] *nt or m* **-(e)s, -e(s)** match.

Matchball *m* (*Tennis*) match point; **Matchbeutel, Matchsack** *m* duffel bag.

Mate ['maːtə] *m* -, *no pl* maté, Paraguay tea.

Mater *f* -, **-n** (*Typ*) *siehe* **Matrize.**

Material *nt* **-s, -ien** [-iən] material; (*Bau*~, *Utensilien, Gerät*) materials *pl*; (*Beweis*~, *Belastungs*~) evidence. **rollendes** ~ (*Rail*) rolling stock.

Materialfehler *m* material defect, defect in the material.

Materialisation *f* materialization.

materialisieren* *vtr* to materialize.

Materialismus *m* materialism.

Materialist(in *f*) *m* materialist.

materialistisch *adj* materialist(ic); (*pej*) materialistic.

Materialkosten *pl* cost of materials *sing*; **Materialprüfung** *f* testing of materials; **Materialsammlung** *f* collection of material; **ich habe jetzt die ~ abgeschlossen** I have now finished collecting or gathering the material; **Materialschaden** m material defect, defect in the material; **Materialschlacht** f (Mil) matériel battle.

Materie [-iə] f 1. no pl (Phys, Philos) matter no art. 2. (Stoff, Thema) subject-matter no indef art. **die ~ beherrschen** to know one's stuff.

materiell adj 1. (Philos) material, physical; Recht substantive. 2. (wirtschaftlich) financial; Vorteile auch material; (gewinnsüchtig) materialistic. **~ eingestellt sein** to be materialistic; **nur ~e Interessen haben** to be only interested in material things.

Mathe f -, no pl (Sch sl) maths sing (Brit inf), math (US inf).

Mathematik f mathematics sing no art.

Mathematiker(in f) m -s, - mathematician.

mathematisch adj mathematical.

Matinee f -, -n [-e:ən] matinée.

Matjeshering, Matjes m -, - (inf) young herring.

Matratze f -, -n mattress.

Matratzenlager nt **für die Kinder ein ~ herrichten** to put down a mattress for the children.

Mätresse f mistress.

matriarchalisch adj matriarchal.

Matriarchat nt matriarchy, matriarchate.

Matrikel f -, -n (old, Aus) register; (Univ: Aufnahmeverzeichnis) matriculation register. **Student mit kleiner/großer ~** occasional/full-time student.

Matrikelnummer f (Univ) registration or matriculation number.

Matrix f -, **Matrizen** or **Matrizes** [ma'tri:tse:s] (Math, Med, Biol) matrix.

Matrixdrucker m dot-matrix (printer).

Matrize f -, -n (Typ) matrix, mould; (für Schreibmaschine) stencil. **etw auf ~ schreiben** to stencil sth.

Matrone f -, -n matron.

matronenhaft adj matronly.

Matrose m -n, -n sailor; (als Rang) rating (Brit), ordinary seaman.

Matrosen- in cpds sailor; **Matrosenanzug** m sailor suit; **Matrosenmütze** f sailor's cap; **Matrosenuniform** f sailor's uniform.

Matsch m -(e)s, no pl (inf: breiige Masse) mush; (Schlamm) mud, sludge; (Schnee~) slush.

matschig adj (inf: breiig) gooey (inf), mushy; (schlammig) muddy, sludgy; Schnee slushy.

Matschwetter nt (inf) muddy/slushy weather or conditions pl.

matt adj 1. (schwach) Kranker weak; Stimme, Lächeln auch faint; Glieder weary. **sich ~ fühlen** to have no energy.

2. (glanzlos) Augen, Metall, Farbe dull; (nicht glänzend) Farbe, Papier mat(t); (trübe) Licht dim, subdued; Glühbirne opal, pearl; Spiegel cloudy, dull.

3. (undurchsichtig) Glas frosted, opaque.

4. (fig) Ausdruck, Witz, Schluß lame,

feeble; Echo faint; (St Ex: flau) slack.

5. (Chess) (check)mate. **jdn ~ setzen** to checkmate sb (auch fig), to mate sb.

Matt nt -s, -s (Chess) (check)mate.

mattblau adj pale blue.

Matte¹ f -, -n mat. **auf der ~ stehen** (inf: bereit sein) to be there and ready for action; **du mußt um sechs bei mir auf der ~ stehen** you must be at my place at six; **jdn auf die ~ legen** to floor sb; (fig inf) to make mincemeat of sb (inf).

Matte² f -, -n (liter, Sw, Aus) alpine meadow.

Mattglanz m mat(t) finish; **Mattglas** nt frosted or ground glass; **Mattgold** nt dull gold; (Farbe) pale gold.

Matthäi [ma'tɛ:i] gen of **Matthäus. bei ihm ist ~ am letzten** he's had it (inf).

Matthäus [ma'tɛ:ʊs] m **Matthäi** Matthew.

Matthäus|evangelium nt St Matthew's Gospel, Gospel according to St Matthew.

Mattheit f siehe adj 1. weakness; faintness; weariness; lack of energy. 2. dullness; mat(t) finish; dimness; opal or pearl finish; cloudiness. 3. opacity. 4. lameness, feebleness; faintness; slackness.

mattieren* vt to give a mat(t) finish to. **mattiert sein** to have a mat(t) finish; **mattierte Gläser** frosted glasses.

Mattigkeit f weariness; (von Kranken) weakness.

Mattscheibe f 1. (Phot) focus(s)ing screen; (inf: Fernseher) telly (Brit inf), (goggle-) box (Brit inf), tube (US inf).

2. (inf) **eine ~ haben/kriegen** (dumm sein) to be soft/go soft in the head (inf); (nicht klar denken können) to have/get a mental block; **als ich das gesagt habe, muß ich wohl eine ~ gehabt haben** I can't have been really with it when I said that (inf).

Matur, Maturum nt -s, no pl (old) **Matura** f -, no pl (Aus, Sw) siehe **Abitur.**

Maturand(in f) m -en, -en (old, Sw), **Maturant(in** f) m (Aus) siehe **Abiturient(in).**

maturieren* vi (Aus: Abitur machen) to take one's school-leaving exam, to graduate (from high school) (US).

Maturität f (Sw: Hochschulreife) matriculation exam(ination).

Maturitäts- in cpds siehe **Reife-.**

Matz m -es, ⁻e (dated inf) laddie (inf).

Mätzchen nt (inf) antic. **~ machen** to play or fool around (inf); **mach keine ~, schmeiß die Kanone weg!** don't try anything funny, just drop the gun! 2. dim of **Matz.**

Matze f -, -n, **Matzen** m -s, - (Cook) matzo.

mau adj pred (inf) poor, bad. **mir ist ~** I feel poorly (inf); **die Geschäfte gehen ~** business is slack.

Mauer f -, -n 1. wall. **etw mit einer ~ umgeben** to wall sth in; **in den ~n der Stadt** (fig) in the city. 2. (fig: des Schweigens) wall. **die ~n einreißen** to tear down the barriers.

Mauerblümchen *nt* (*fig inf*) (*beim Tanzen*) wallflower; (*schüchternes Mädchen*) shy young thing; **Mauerhaken** *m* (*Bergsteigen*) piton, peg; **Mauerkrone** *f* wall coping.

mauern I *vi* 1. to build, to lay bricks. 2. (*Cards*) to hold back; (*Ftbl sl*) to stonewall (*sl*), to play defensively; (*fig*) to stall, to stonewall (*esp Parl*). **II** *vt* to build; (*mit Zement verfugen*) to build with mortar. **der Beckenrand muß gemauert werden** the edge of the pool must be bedded in mortar.

Maueröffnung *f* opening of the Berlin Wall; **Mauerschwalbe** *f*, **Mauersegler** *m* swift; **Mauerspecht** *m* somebody who broke off pieces of the Berlin Wall as a souvenir; **Mauerspeis** *m* -es, *no pl*, **Mauerspeise** *f* (*esp S Ger*) *siehe* **Mörtel**; **Mauerstein** *m* building stone; **Mauerverband** *m* bond; **Mauervorsprung** *m* projection on a/the wall; **Mauerwerk** *nt* 1. (*Steinmauer*) stonework, masonry; 2. (*die Mauern*) walls *pl*.

Mauke *f* -, *no pl* (*Vet*) malanders *pl*.

Mauken *pl* (*dial inf*) hooves *pl* (*hum*).

Maul *nt* -(e)s, **Mäuler** mouth; (*von Löwen etc*) jaws *pl*; (*sl: von Menschen*) gob (*sl*). **ein böses** *or* **ungewaschenes** *or* **gottloses** ~ (*inf*) an evil *or* a wicked *or* malicious tongue; **ein loses** *or* **lockeres** ~ **haben** (*sl*) (*frech sein*) to be an impudent so-and-so (*inf*); **jdm übers** ~ **fahren** (*sl*) to choke sb off (*inf*); **das** ~ **zu weit aufreißen** *or* **zu voll nehmen** (*inf*) to be too cocksure (*inf*); **ein großes** ~ **haben** (*sl*) to have a big mouth, to be a big-mouth (*inf*); **(hungrige) Mäuler stopfen** (*inf*) to feed *or* fill (hungry) mouths; **darüber werden sich die Leute das** ~ **zerreißen** (*inf*) that will start people's tongues wagging; **dem Volk** *or* **den Leuten aufs** ~ **schauen** (*inf*) to listen to what people really say; (*Meinung ermitteln*) to sound out public opinion, to listen to the man in the street; **halt's** ~**!** (*sl*), ~ **halten!** (*sl*) shut your face *or* trap *or* gob (*all sl*); **jdm das** ~ **stopfen** (*sl*) to shut sb up; **sich** (*dat*) **das** ~ **verbrennen** (*inf*) to talk one's way *or* oneself into trouble.

Maulaffen *pl* (*dated inf*): ~ **feilhalten** to stand gawping *or* gaping; **Maulbeerbaum** *m* mulberry (tree); **Maulbeere** *f* mulberry.

maulen *vi* (*inf*) to moan.

Maulesel *m* mule, hinny; **maulfaul** *adj* (*inf*) uncommunicative; **Maulheld(in** *f*) *m* (*pej*) loud-mouth (*inf*), show-off.

Maulkorb *m* (*lit, fig*) muzzle. **einem Hund/jdm einen** ~ **umhängen** to put a muzzle on a dog, to muzzle a dog/sb.

Maulkorb- (*fig inf*): **Maulkorberlaß** *m* decree muzzling freedom of speech; **Maulkorbgesetz** *nt* law muzzling freedom of speech.

Maulschelle *f* (*dated inf*) slap in the face; **Maulsperre** *f*: **er kriegte die** ~ (*inf*) his mouth dropped open; **Maultaschen** *pl* (*Cook*) pasta squares *pl*; **Maultier** *nt* mule; **Maul- und Klauenseuche** *f* (*Vet*) foot-and-mouth disease.

Maulwurf *m* -(e)s, **Maulwürfe** (*auch fig*) mole.

Maulwurfshaufen, **Maulwurfshügel** *m* mole-hill.

maunzen *vi* (*S Ger*) (*winseln*) to whine; (*Katze*) to mewl.

Maure *m* -n, -n (*Hist*) Moor.

Maurer(in *f*) *m* -s, - bricklayer, brickie (*inf*). ~ **lernen** to learn bricklaying *or* to be a bricklayer; **pünktlich wie die** ~ (*hum*) super-punctual.

Mau(r)er|arbeit *f* bricklaying (work) *no pl*.

Maurergeselle *m*, **Maurergesellin** *f* journeyman bricklayer; **Maurerhammer** *m* bricklayer's hammer; **Maurerhandwerk** *nt* bricklaying.

Mau(r)erkelle *f* (bricklayer's) trowel.

Maurerkolonne *f* bricklaying gang; **Maurermeister(in** *f*) *m* master builder; **Maurerpolier** *m* foreman bricklayer.

Mauretanien [-iən] *nt* -s Mauritania, Mauretania.

Maurin *f* (*Hist*) Moor.

maurisch *adj* Moorish.

Maus *f* -, **Mäuse** 1. mouse. **weiße** ~ (*fig inf*) traffic cop (*inf*); **weiße Mäuse sehen** (*fig*) to see pink elephants (*inf*). 2. (*fig Frau*) **kleine** ~ little mouse; **eine graue** ~ (*inf*) a mouse (*inf*). 3. (*Comput*) mouse. 4. **Mäuse** *pl* (*sl: Geld*) bread (*sl*), dough (*sl*).

Mauschelei *f* (*inf*) (*Korruption*) fiddle (*inf*). **das war bestimmt** ~ it was definitely a fiddle.

mauscheln *I* *vi* (*jiddisch sprechen*) to talk Yiddish. **II** *vti* (*manipulieren*) to fiddle (*inf*).

Mauscheln *nt* -s (*Cards*) cheat.

Mäuschen ['mɔʏsçən] *nt* 1. little mouse. **da möchte ich mal** ~ **sein** *or* **spielen** (*inf*) I'd love to be a fly on the wall. 2. (*fig*) sweetheart (*inf*), love (*Brit inf*), honey (*esp US*). 3. *siehe* **Musikantenknochen**.

mäuschenstill ['mɔʏsçən-] *adj* dead quiet; *Mensch auch* (as) quiet as a mouse; (*reglos*) stock-still.

Mäusebussard *m* (common) buzzard.

Mausefalle, *f* mouse-trap; (*fig*) police roadblock.

Mäusegift *nt* mouse poison.

Mauseloch *nt* mouse-hole. **sich in ein** ~ **verkriechen** (*fig*) to crawl into a hole in the ground.

mausen I *vi* to catch mice. **diese Katze maust gut** the cat is a good mouser. **II** *vt* (*dated inf*) to pinch (*inf*).

Mauser *f* -, *no pl* (*Orn*) moult. **in der** ~ **sein** to be moulting.

Mausergewehr *nt* Mauser (rifle).

Mäuserich *m* (*hum*) Mr Mouse (*hum*).

mausern *vr* 1. (*Orn*) to moult. 2. (*inf*) to blossom out (*inf*).

Mauser(pistole) *f* -, -n Mauser.

mausetot *adj* (*inf*) stone-dead, as dead as a doornail.

mausgrau *adj* 1. mouse-grey. 2. (*unauffällig*) mousy.

mausig *adj*: **sich** ~ **machen** (*inf*) to get uppish *or* bolshie *or* stroppy (*all inf*).

Mausoleum [-'leːʊm] *nt* -s, **Mausoleen** [-'leːən] mausoleum.

Maussteuerung f (*Comput*) mouse control.

Maut f -, **-en** (*S Ger, Aus*) toll.

Mautgebühr f toll(-charge); **Mautschranke** f toll barrier (*Brit*), turnpike (*US*); **Mautstelle** f tollgate; **Mautstraße** f toll-road, turnpike (*US*).

maxi adj pred maxi. ~ **tragen** to wear a maxi.

Maxi- in cpds maxi-.

maximal I adj maximum. **II** adv (*höchstens*) at most. **bis zu** ~ **$ 100** up to a maximum of $100.

Maximal- in cpds maximum.

Maxime f -, **-n** (*Liter, Philos*) maxim.

maximieren* vt (*Econ*) to maximize.

Maximierung f (*Econ*) maximization.

Maximum nt **-s, Maxima** maximum (*an* +dat of).

Maxi-Single [-sɪŋgl] f twelve-inch single.

Mayonnaise [majɔ'nɛːzə] f -, **-n** mayonnaise.

Mazedonien [-iən] nt -s siehe **Makedonien**.

Mäzen m -s, **-e** patron.

MdB, M.d.B. [ɛmdeː'beː] m -s, **-s** abbr of **Mitglied des Bundestages** Member of the "Bundestag".

MdL, M.d.L. [ɛmdeː'|ɛl] m -s, **-s** abbr of **Mitglied des Landtages** Member of the "Landtag".

m.E. abbr of **meines Erachtens** in my opinion.

Mechanik f **1.** no pl (*Phys*) mechanics sing. **2.** (*rare*) siehe **Mechanismus.**

Mechaniker(in f) m -s, - mechanic.

mechanisch adj (*alle Bedeutungen*) mechanical. ~**er Webstuhl** power loom.

mechanisieren* vt to mechanize.

Mechanisierung f mechanization.

Mechanisierungsprozeß m process of mechanization.

Mechanismus m mechanism; (*Methode, Arbeitsablauf*) machinery.

mechanistisch adj (*Philos, Psych*) mechanistic.

meck interj (*Ziege*) ~, ~! meh, meh!

Meckerei f (*inf*) moaning, grumbling, grousing.

Meckerfritze (*inf*) m belly-acher (*inf*), wailing Willie (*inf*); **Meckerliese** f (*inf*) moaning Minny (*inf*).

meckern vi (*Ziege*) to bleat; (*inf: Mensch*) to moan, to bleat (*inf*), to grouse.

Meckerziege f (*sl*) sourpuss (*inf*).

Mecklenburg-Vorpommern nt **-s** Mecklenburg-West Pomerania.

med. abbr of **medizinisch.**

Medaille [me'daljə] f -, **-n** (*Gedenkmünze*) medallion; (*bei Wettbewerben*) medal.

Medaillen- [me'daljən-]: **Medaillengewinner(in** f) m medallist, medal winner; **Medaillenspiegel** m medals table.

Medaillon [medal'jõː] nt -s, **-s 1.** (*Bildchen*) medallion; (*Schmuckkapsel*) locket. **2.** (*Cook*) médaillon.

Mediävistik [medic'vɪstɪk] f medieval studies sing or pl.

Medien ['meːdiən] pl media pl.

Medienberater(in f) m press adviser; **Medienforschung** f media research; **mediengerecht** adj suited to the media;

Mediengesetz nt media law; **Mediengigant** m media giant; **Medienkonzern** m media concern; **Medienlandschaft** f (*fig*), no pl media landscape; **Medienpolitik** f (mass) media policy; **Medienreferent(in** f) m press officer; **Medienrummel** m media excitement; **Medienverbund** m etw im ~ **lernen** to learn sth using the multi-media system; **medienwirksam** adj (*Person*) mediagenic.

Medikament nt medicine.

Medikamentenmißbrauch m drug abuse; **Medikamentensucht** f, no pl drug dependency.

medikamentös adj medicinal.

Medikus m -, **Medizi** or **-se** (*hum*) quack (*hum inf*), doc (*inf*); (*esp Student*) medic (*inf*).

medioker adj (*geh*) mediocre.

Meditation f meditation.

meditativ adj (*liter*) meditative. **in** ~**er Versunkenheit** lost in meditation.

mediterran adj Mediterranean.

meditieren* vi to meditate.

Medium nt medium; (*Gram*) middle (voice).

Medizin f -, **-en 1.** no pl (*Heilkunde*) medicine. **2.** (*inf: Heilmittel*) medicine. **das ist** ~ **für ihn** that's his medicine; (*fig: Lektion, Denkzettel*) that'll teach him a lesson.

Medizinalassistent(in f) m houseman (*Brit*), intern (*US*); **Medizinalrat** m, **Medizinalrätin** f medical officer of health; **Medizinalstatistik** f medical statistics pl.

Medizinball m (*Sport*) medicine ball.

Mediziner(in f) m -s, - **1.** doctor. **2.** (*Univ*) medic (*inf*).

medizinisch adj **1.** (*ärztlich*) medical. **M~e Fakultät** school or faculty of medicine; **M~e Klinik** clinic for internal medicine; ~**-technische Assistentin,** ~**-technischer Assistent** medical technician. **2.** (*heilend*) Kräuter, Bäder medicinal; Shampoo medicated.

Medizinmann m, pl **-männer** medicine man, witchdoctor; (*hum: Arzt*) quack (*inf*), medico (*US inf*); **Medizinschränkchen** nt medicine cabinet or cupboard; **Medizinstudent(in** f) m medical student; **Medizinstudium** nt study of medicine.

Meer nt **-(e)s, -e 1.** sea; (*Welt~*) ocean. **am** ~**(e)** by the sea; **diesseits/jenseits des** ~**es** at home/across the sea; **übers** ~ **fahren** to travel (across) the seas; **ans** ~ **fahren** to go to the sea(side); **über dem** ~ above sea-level. **2.** (*liter: riesige Menge*) sea.

Meerbusen m gulf, bay; **Bottnischer** ~ Gulf of Bothnia; **Meerenge** f straits pl, strait.

Meeresalgen pl seaweed, marine algae pl (*spec*); **Meeresarm** m arm of the sea, inlet; **Meeresbiologe** m, **Meeresbiologin** f marine biologist; **Meeresboden** m siehe **Meeresgrund**; **Meeresfauna** f marine fauna; **Meeresfisch** m saltwater fish; **Meeresflora** f marine flora; **Meeresforschung** f oceanography; **Meeresfreiheit** f (*Jur*) freedom of the seas; **Meeresgrund** m seabed, sea bottom, bottom of the sea; **Meereshöhe** f *siehe* Meeresspiegel; **Meeresklima** nt maritime climate; **Meereskunde** f oceanography; **meereskundlich** adj oceanographic(al); **Meeresschildkröte** f turtle; **Meeresspiegel** m sea-level; **über/unter dem ~** above/below sea-level; **Meeresstrand** m (*geh*) seashore, strand (*poet*); **Meeresstraße** f waterway; **Meeresströmung** f ocean current; **Meerestiefe** f depth (of the sea *or* ocean); **Meerestier** nt marine creature; **Meeresufer** nt seashore, coast.

Meergott m (*Myth*) sea-god; **Meergöttin** f sea-goddess; **meergrün** adj sea-green; **Meerjungfer**, **Meerjungfrau** f mermaid; **Meerkatze** f long-tailed monkey, guenon; **Meerrettich** m horseradish; **Meersalz** nt sea salt; **Meerschaumpfeife** f meerschaum (pipe); **Meerschweinchen** nt guineapig, cavy (*spec*); **meerumschlungen** adj (*poet*) seagirt (*poet*), sea-bound; **Meerungeheuer** nt sea-monster.

Meerwasser nt sea water.

Meerwasserentsalzung f desalination of sea water; **Meerwasserentsalzungsanlage** f desalination plant.

Meeting ['mi:tɪŋ] nt -s, -s meeting.

Mega- in cpds mega-; **Megabyte** [-'baɪt] nt megabyte; **Megahertz** nt megahertz.

Megalith m -en, -en (*Archeol*) megalith.

Megalithgrab nt (*Archeol*) dolmen, megalithic tomb.

megaloman adj (*geh*) megalomanic; **Megalomanie** f (*geh*) megalomania; **Megalopolis** [mega'lo:polɪs] f -, -polen [megalo'po:lən] megalopolis.

Megaphon [mega'fo:n] nt megaphone.

Megatonne f megaton; **Megatonnenbombe** f megaton bomb; **Megawatt** nt indecl megawatt.

Mehl nt -(e)s, -e flour; (*gröber*) meal; (*Knochen~*) bonemeal; (*Pulver, Zement~*) powder.

Mehlbeere f berry of the whitebeam; **Mehlbrei** m pap, flummery.

mehlig adj *Äpfel, Kartoffeln* mealy.

Mehlkleister m flour paste; **Mehlkloß** m dumpling; **Mehlpapp** m (*inf*) mush (*inf*); **Mehlsack** m flour bag; **Mehlschwitze** f (*Cook*) roux; **Mehlspeise** f 1. (*Gericht*) flummery; 2. (*Aus*) (*Nachspeise*) sweet, dessert; (*Kuchen*) pastry; **Mehlsuppe** f gruel; **Mehltau** m (*Bot*) mildew.

mehr I indef pron inv comp of **viel**, **sehr** more. **was wollen Sie ~?** what more do you want?; **zu ~ hat es nicht gelangt** *or* **gereicht** that was all I/you *etc* could manage; **~ will er nicht bezahlen** he doesn't want to pay (any) more; **ist das alles, ~ kostet das nicht?** is that all it costs?; **je ~ er hat, je ~ er will** (*Prov*) the more he has, the more he wants; **sich für ~ halten** (*inf*) to think one is something more; **mit ~ oder weniger Erfolg** with a greater or lesser degree of success.

II adv 1. (*in höherem Maße*) more. **immer ~** more and more; **~ oder weniger** *or* **minder** (*geh*) more or less; **~ lang als breit** more long than wide, longer than it is/they are wide; **~ ein juristisches Problem** more (of) a legal problem; **war er frech/sind Sie beleidigt/hat es Ihnen geschmeckt?** — **~ als das** was he cheeky/are you insulted/did you like it? — "cheeky/insulted/like" is not the word for it; **würden Sie das gerne tun?** — **ja, nichts ~ als das** would you like to? — there's nothing I'd rather do.

2. (+neg: sonst, *länger*) **ich habe kein Geld ~** I have no more money, I haven't any more money; **du bist doch kein Kind ~!** you're not a child any longer *or* any more!, you're no longer a child!; **es hat sich keiner ~ beworben** nobody else has applied; **es besteht keine Hoffnung ~** there's no hope left; **kein Wort ~!** not another word!; **es war niemand ~ da** there was no-one left, everyone had gone; **daran erinnert sich niemand ~** nobody can remember that any more; **wenn niemand ~ einsteigt, ...** if nobody else gets in in ...; **das benutzt man nicht ~** that's not used any more *or* any longer, it's no longer used; **er lebt nicht ~** he is dead; **das darf nicht ~ vorkommen** that must not *or* never happen again; **nicht ~** not any longer, not any more, no more, no longer; **nicht ~ lange** not much longer; **nichts ~** nothing more; **ich kann nichts ~ sagen** I can say nothing more, I can't say anything more; **nie ~** never again, nevermore (*liter*); **ich will dich nie ~ wiedersehen** I never want to see you again, I don't ever want to see you again.

Mehr nt -, no pl 1. (*esp Sw: Mehrheit*) majority. 2. (*Zuwachs*) increase. **mit einem ~ an Mühe** with more effort.

Mehrarbeit f overtime, extra time *or* work; **Mehrausgabe** f extra *or* additional expense(s *pl*); **mehrbändig** adj in several volumes, multi-volume; **Mehrbedarf** m greater need (*an* +*dat* of, for); (*Comm*) increased demand, increase in *or* extra demand (*an* +*dat* for); **Mehrbelastung** f excess load; (*fig*) extra *or* additional burden; **Mehrbenutzer-** in cpds (*Comput*) siehe Mehrplatz-; **Mehrbereichsöl** nt (*Aut*) multigrade oil; **Mehrbetrag** m 1. (*zusätzliche Zahlung*) extra *or* additional amount; 2. (*Überschuß*) surplus; **mehrdeutig** adj ambiguous, equivocal; **Mehrdeutigkeit** f ambiguity, equivocalness; **mehrdimensional** adj multidimensional; **Mehreinnahme** f additional revenue.

mehren I vt (*liter*) (*vergrößern*) to augment, to increase; (*fördern*) to further. II vr (*geh: sich vermehren*) to multiply. **seid fruchtbar und mehret Euch!** (*Bibl*) be fruitful and multiply!

Mehrer(in f**)** m -s, - (*geh*) augmenter (*form*).

mehrere indef pron several; (*verschiedene auch*) various.

mehreres indef pron several *or* various

things *pl*.

mehrerlei *indef pron inv* **1.** (*substantivisch*) several things *pl*. **2.** (*adjektivisch*) several kinds of.

mehrfach I *adj* multiple; (*zahlreich*) numerous; (*wiederholt*) repeated. **ein ~er Millionär** a multimillionaire; **der ~e Meister im 100-m-Lauf** the man who has several times been the 100 metres champion; **die Unterlagen in ~er Ausfertigung einsenden** to send in several copies of the documents.
II *adv* (*öfter*) many *or* several times; (*wiederholt*) repeatedly.

Mehrfache(s) *nt decl as adj* **das ~** *or* **ein ~s des Kostenvoranschlags** several times the estimated cost; **verdient er wirklich mehr?** — **ja, ja, das ~** *or* **ein ~s** does he earn more? — oh yes, several times as much.

Mehrfachfahrschein *m* multi-journey ticket; **Mehrfach-Kino-Komplex** *m* multi-screen cinema; **Mehrfachstecker** *m* (*Elec*) multiple adaptor; **Mehrfachtäter(in** *f*) *m* multiple offender.

Mehrfahrtenkarte *f siehe* **Mehrfachfahrschein**; **Mehrfamilienhaus** *nt* multiple dwelling (*form*), house for several families; **Mehrfarbendruck** *m* **1.** *no pl* (*Verfahren*) colour *or* polychromatic (*form*) printing; **2.** (*Druck*) colour *or* polychromatic (*form*) print; **mehrfarbig** *adj* multicoloured, polychromatic (*form*); **Mehrgewicht** *nt* additional *or* excess weight; (*Übergewicht*) excess weight.

Mehrheit *f* **1.** *no pl* (*größerer Teil*) majority (*with sing or pl vb*). **weitaus in der ~** in the vast majority.
2. (*Stimmenmehrheit*) majority. **die absolute/einfache** *or* **relative ~** an absolute/a simple *or* relative majority; **qualifizierte ~** qualified majority; **die ~ haben** *or* **besitzen/gewinnen** *or* **erringen** to have/win *or* gain a majority; **die ~ der Stimmen auf sich vereinigen** to secure a majority of votes; **die ~ verlieren** to lose one's majority; **mit zwei Stimmen ~** with a majority of two.

mehrheitlich *adj* **wir sind ~ der Ansicht, daß ...** the majority of us think(s) that ...; **der Stadtrat hat ~ beschlossen ...** the town council has reached a majority decision ...

Mehrheitsbeschaffer(in *f*) *m* (*Pol*) junior coalition partner (*securing majority*); **Mehrheitsbeschluß** *m*, **Mehrheitsentscheidung** *f* majority decision; **mehrheitsfähig** *adj* capable of winning a majority; **Mehrheitsführer(in** *f*) *m* leader of the majority faction; **Mehrheitsgrundsatz** *m* principle of majority rule; **Mehrheitsparteien** *pl* majority parties *pl*; **Mehrheitsprinzip** *nt* principle of majority rule; **Mehrheitswahl** *f* first-past-the-post election; **Mehrheitswahlrecht** *nt* first-past-the-post system, majority vote system.

mehrjährig *adj attr* of several years; **~e Klinikerfahrung** several years of clinical experience; **Mehrkampf** *m* (*Sport*) multi-discipline event; **Mehrkosten** *pl* additional costs *pl*; (*in Hotel*) additional expenses *pl*; **Mehrladegewehr** *nt*, **Mehrlader** *m* **-s**, **-** repeater, repeater rifle; **mehrmalig** *adj attr* repeated; **mehrmals** *adv* several times, repeatedly; **Mehrparteiensystem** *nt* multiparty system.

Mehrplatz- *in cpds* (*Comput*) multi-user; **mehrplatzfähig** *adj* (*Comput*) capable of supporting multi-user operation; **Mehrplatzrechner** *m* (*Comput*) multiuser system.

mehrsilbig *adj* polysyllabic, multisyllabic; **mehrsprachig** *adj* multilingual, polyglot; **~ aufwachsen** to grow up multilingual *or* speaking several languages; **Mehrsprachigkeit** *f* multilingualism; **mehrstimmig** *adj* (*Mus*) for several voices; **~es Lied** part-song; **~ singen** to sing in harmony; **Mehrstimmigkeit** *f* (*Mus*) polyphony; **mehrstöckig** *adj* multistorey; **~ bauen** to build *or* erect multistorey buildings; **Mehrstufenrakete** *f* multistage rocket; **mehrstufig** *adj* multistage; **mehrstündig** *adj attr* lasting several hours; **mit ~er Verspätung eintreffen** to arrive several hours late; **mehrtägig** *adj attr* **Konferenz** lasting several days; **nach ~er Abwesenheit** after an absence of several days, after several days' absence.

Mehrung *f* (*liter*) increase.

Mehrverbrauch *m* additional consumption.

Mehrweg- *in cpds* reusable; **Mehrwegflasche** *f* returnable bottle; **Mehrwegsystem** *nt* (*bottle or* packaging) return system; **Mehrwegverpackung** *f* reusable packaging.

Mehrwert *m* (*Econ*) added value; **mehrwertig** *adj* (*Chem*) polyvalent, multivalent; **Mehrwertsteuer** *f* value added tax, VAT; **mehrwöchig** *adj attr* lasting several weeks; **Abwesenheit** of several weeks.

Mehrzahl *f*, *no pl* **1.** (*Gram*) plural; **2.** (*Mehrheit*) majority; **mehrzeilig** *adj* of several lines.

Mehrzweck- *in cpds* multipurpose.

meiden *pret* **mied**, *ptp* **gemieden** *vt* to avoid.

Meierei *f* **1.** (*dial: Molkerei*) dairy (farm). **2.** (*old: Pachtgut*) leasehold farm.

Meile *f* **-**, **-n** mile; (*old: 4,8 km*) league. **das riecht man drei ~n gegen den Wind** (*inf*) you can smell *or* tell that a mile off (*inf*).

Meilenstein *m* (*lit, fig*) milestone; **meilenweit I** *adj* of many miles; **~e Sandstrände** miles and miles of sandy beaches; **II** *adv* for miles; **~ auseinander/entfernt** (*lit, fig*) miles apart/away; **Meilenzähler** *m* mileometer, clock (*inf*).

Meiler *m* **-s**, **-** (*Kohlen~*) charcoal kiln *or* pile; (*dated: Atom~*) (atomic) pile.

mein I *poss pron* **1.** (*adjektivisch*) my. **~ verdammtes Auto** this damn (*inf*) car of mine; **ich trinke so ~e fünf Flaschen Bier pro Tag** I drink my five bottles of beer a day.
2. (*old: substantivisch*) mine. **~ und**

dein verwechseln (*euph*) to take what doesn't belong to one.

II *pers pron gen of* **ich** (*old, poet*) of me.

Mein|eid *m* perjury *no indef art*. **einen ~ leisten** *or* **ablegen** to perjure oneself, to commit perjury.

mein|eidig *adj* perjured. **~ werden** to commit perjury, to perjure oneself.

meinen I *vi* (*denken, glauben*) to think. **ich würde/man möchte ~ I/**one would think; **ich meine, ...** I think ..., I reckon ... (*inf*); **~ Sie?** (do) you think so?, do you reckon? (*inf*); **wie ~ Sie?** I beg your pardon? (*inf*); **ich meine nur so** (*inf*) it was just a thought; **wie Sie ~!** as you wish; (*drohend auch*) have it your own way; **man sollte ~** one would have thought.

II *vt* **1.** (*der Ansicht sein*) to think. **was ~ Sie dazu?** what do you think *or* say?; **~ Sie das im Ernst?** are you serious about that?; **das will ich ~!** I quite agree!; **das sollte man ~!** one would think so.

2. (*sagen wollen*) to mean; (*inf: sagen*) to say. **was ~ Sie damit?, wie ~ Sie das?** what *or* how do you mean?; (*drohend*) (just) what do you mean by that?

3. (*geh: bedeuten*) to mean.

4. (*bezeichnen wollen*) to mean. **damit bin ich gemeint** that's meant for me, they mean/he means *etc* me.

5. (*beabsichtigen*) to mean, to intend. **so war es nicht gemeint** it wasn't meant like that; **sie meint es gut** she means well; **sie meint es nicht böse** she means no harm, she doesn't mean any harm; **die Sonne hat es aber heute wieder gut gemeint!** the sun's done its best for us again today.

meiner *pers pron gen of* **ich** of me.

meine(r, s) *poss pron* (*substantivisch*) mine. **der/die/das ~** (*geh*) mine; **ich tu das M~** (*geh*) I'll do my bit; **das M~** (*geh: Besitz*) what is mine; **die M~n** (*geh: Familie*) my people, my family.

meinerseits *adv* as far as I'm concerned, for my part. **ich ~** I personally *or* myself, I for my part; **Vorschläge/Einwände ~** suggestions/objections from me; **ganz ~!** the pleasure's (all) mine; (*iro*) so do/ are you.

meinesgleichen *pron inv* (*meiner Art*) people such as I *or* me, people like me *or* myself; (*gleichrangig*) my own kind, my equals; **Leute** *or* **Menschen ~gleichen** (*meiner Art*) people like me *or* myself; (*gleichrangig*) people of my own kind, my equals; **meinesteils** *adv* for my part.

meinethalben (*dated*), **meinetwegen** *adv* **1.** (*wegen mir*) because of me, on account of me, on my account; (*mir zuliebe auch*) for my sake; (*um mich*) about me; (*für mich*) on my behalf; **2.** (*von mir aus*) as far as I'm concerned; **~!** if you like; **wenn Ihr das tun wollt, ~, aber ...** if you want to do that, fair enough (*inf*), but ...; **meinetwillen** *adv*: **um ~** for my sake, on my account.

meinige *poss pron* **der/die/das ~** (*form, old*) mine; **die M~n** (*geh*) my family, my

people.

meins *poss pron* mine.

Meinung *f* opinion; (*Anschauung auch*) view; (*Urteil*) judgement, estimation. **eine vorgefaßte ~** a preconceived idea; **nach meiner ~, meiner ~ nach** in my opinion *or* view; **ich bin der ~, daß ...** I'm of the opinion that ..., I take the view that ...; **seine ~ ändern** to change one's opinion *or* mind; **einer ~ sein** to share the same opinion, to think the same; **was ist Ihre ~ dazu?** what's your opinion *or* view (about *or* on that)?; **von seiner ~ eingenommen sein** to be opinionated; **das ist auch meine ~!** that's just what I think; **jdm (kräftig** *or* **vernünftig) die ~ sagen** (*inf*) to give sb a piece of one's mind (*inf*).

Meinungsäußerung *f* (expression of) opinion; **Meinungsaustausch** *m* exchange of views (*über* +*acc* on, about); **meinungsbildend** *adj* opinion-forming; **~ wirken** to shape public opinion; **Meinungsbildung** *f* formation of opinion; **Meinungsforscher(in** *f*) *m* (opinion) pollster; **Meinungsforschung** *f* (public) opinion polling *or* research; **Meinungsforschungsinstitut** *nt* opinion research institute; **Meinungsfreiheit** *f* freedom of speech; **Meinungsführer(in** *f*) *m* spokesperson; **die Rolle als ~ verlieren** (*Pol*) to no longer set the (political) agenda; **Meinungsklima** *nt* climate of public opinion; **Meinungsmache** *f* (*pej inf*) propaganda; **Meinungsmacher(in** *f*) *m* (*inf*) opinion-maker, opinion-leader; **Meinungsmanipulation** *f* manipulation of (public) opinion; **Meinungsumfrage** *f* (public) opinion poll; **Meinungsumschwung** *m* swing of opinion; **Meinungsverschiedenheit** *f* difference of opinion, disagreement.

Meise *f* -, **-n** titmouse. **eine ~ haben** (*sl*) to be crackers (*inf*).

Meisenring *m* bird-feeding ring.

Meißel *m* -s, - chisel.

meißeln *vti* to chisel.

Meiß(e)ner *adj* **~ Porzellan** Dresden *or* Meissen china.

meist *adv siehe* **meistens.**

Meistbegünstigungsklausel *f* (*Econ Pol*) most-favoured-nation clause; **meistbietend** *adj* highest bidding; **~ versteigern** to sell *or* auction (off) to the highest bidder.

meisten am ~ *adv* **1.** *superl of* **viel** the most. **2.** *superl of* **sehr** most of all. **am ~ bekannt** best known.

meistens *adv* mostly, more often than not; (*zum größten Teil*) for the most part.

meistenteils *adv siehe* **meistens.**

Meister *m* -s, - **1.** (*Handwerks~*) master (craftsman); (*in Laden*) boss (*inf*); (*in Fabrik*) foreman, boss (*inf*); (*sl: als Anrede*) guv (*Brit sl*), chief (*Brit sl*), mac (*US sl*); (*Sport*) champion; (*Mannschaft*) champions *pl*. **seinen ~ machen** to take one's master craftsman's diploma.

2. (*Lehr~, Künstler*) master (*auch*

fig). **alter** ~ (*Art*) old master; ~ **vom Stuhl** (*fig*) Master of the Lodge; **er hat seinen** ~ **gefunden** (*fig*) he's met his match; ~ **einer Sache** (*gen*) **or in etw** (*dat*) past master at sth; **es ist noch kein** ~ **vom Himmel gefallen** (*Prov*) no-one is born a master.

3. (*old liter*) master. ~ **Zwirn** Snip, the tailor; ~ **Knieriem or Pfriem/Lampe** Master Cobbler/Hare; ~ **Urian** Old Nick.

meiste(r, s) *indef pron superl of* **viel**
1. (*adjektivisch*) **die** ~**n Leute** most people; **die** ~**n Leute, die ...** most people who ...; **most of the people who ...**; **du hast die** ~ **Zeit** you have (the) most time. **2.** (*substantivisch*) **die** ~**n** most people; **die** ~**n (von ihnen)** most (of them), the majority (of them); **das** ~ most of it; **du hast das** ~ you have (the) most.

Meister- *in cpds* master; **Meisterbrief** *m* master craftsman's diploma *or* certificate; **Meistergesang** *m* (*Liter*) poetry of the meistersingers; **meisterhaft I** *adj* masterly; **II** *adv* in a masterly manner; **er versteht es** ~**, zu lügen** he is brilliant at lying; **Meisterhand** *f*: **von** ~ by a master hand.

Meisterin *f* (*Handwerks*~) master craftswoman; (*in Fabrik*) forewoman; (*Sport*) champion. **Frau** ~! madam!

Meisterklasse *f* master class; **Meisterleistung** *f* masterly performance; (*iro*) brilliant achievement.

meisterlich *adj siehe* **meisterhaft**.

meistern *vt* to master; **Schwierigkeiten** to overcome. **sein Leben** ~ to come to grips with one's life.

Meisterprüfung *f* examination for master craftsman's diploma *or* certificate.

Meisterschaft *f* **1.** (*Sport*) championship; (*Veranstaltung*) championships *pl*. **2.** *no pl* (*Können*) mastery. **es zu wahrer** ~ **bringen** (*als Künstler*) to become really proficient *or* expert, to achieve real mastery *or* proficiency; (*als Dieb*) to get it down to a fine art.

Meisterschule *f* school for master craftspeople; **Meisterschüler(in** *f*) *m* (*Art, Mus*) pupil *in a master class*; **Meisterschütze** *m* marksman, crack shot; **Meisterschützin** *f* markswoman; **Meistersinger** *m* (*Hist*) meistersinger, mastersinger; **Meisterstück** *nt* (*von Handwerker*) work done to qualify as master craftsman; (*fig*) masterpiece; (*geniale Tat*) master stroke; **Meistertitel** *m* (*im Handwerk*) title of master craftsman; (*Sport*) championship title.

Meisterung *f, no pl* mastery.

Meisterwerk *nt* masterpiece.

Meistgebot *nt* highest bid, best offer; **meistgefragt** *adj attr* most popular, most in demand; *Wohngegend auch* most sought-after; **meistgekauft** *adj attr* best-selling; **meistgelesen** *adj attr* most widely read; **meistgenannt** *adj attr* most frequently mentioned.

Mekka *nt* **-s** (*Geog, fig*) Mecca.

Melancholie [melaŋko'li:] *f* melancholy.

Melancholiker(in *f*) [melaŋ'ko:likɐ, -ərɪn]

m **-s, -** melancholic.

melancholisch [melaŋ'ko:lɪʃ] *adj* melancholy.

Melange [me'lɑ̃:ʒə] *f* **-, -n 1.** (*rare: Mischung*) blend. **2.** (*Aus: Milchkaffee*) white coffee (*Brit*), coffee with milk.

Melanin *nt* **-s, -e** (*Chem*) melanin.

Melanom *nt* **-s, -e** (*Med*) melanoma.

Melasse *f* **-, -n** molasses.

Meldeamt, Meldebüro (*inf*) *nt* registration office; **Meldebehörde** *f* registration authorities *pl*; **Meldefrist** *f* registration period.

melden I *vt* **1.** (*anzeigen*) *Unfall, Verlust, ansteckende Erkrankungen* to report; (*berichten*) to report; (*registrieren*) to register; (*denunzieren*) to report. **wie soeben gemeldet wird** (*Rad, TV*) according to reports just coming in; **das wird gemeldet!** (*Sch*) I'll tell on you (*Sch inf*); **(bei jdm) nichts zu** ~ **haben** (*inf*) to have no say; **er hat hier nichts zu** ~ (*inf*) he has no say in this; **melde gehorsamst** (*old Mil*) beg to report.

2. (*ankündigen*) to announce. **ich ging zur Sekretärin und ließ mich beim Direktor** ~ I went to the secretary and asked her to tell the director that I was there; **wen darf ich** ~**?** who(m) shall I say (is here)?, who(m) shall I announce?

II *vi* (*Cards*) to meld.

III *vr* **1.** to report (*zu* for). **sich freiwillig** ~ (*Mil*) to volunteer; **sich zu or für etw** ~ (*esp Mil*) to sign up for *or* volunteer for sth; (*für Arbeitsplatz*) to apply for sth; (*für Lehrgang*) to enrol *or* sign on for sth; **sich krank/zum Dienst** ~ to report sick/for work; **sich auf eine Anzeige** ~ to answer an advertisement; **sich polizeilich or bei der Polizei** ~ to register with the police.

2. (*fig: sich ankündigen*) to announce one's presence; (*Sport, zur Prüfung*) to enter (one's name) (*zu* for); (*durch Handaufheben*) to put one's hand up, to hold up one's hand; (*Rad, TV*) to come on the air.

3. (*esp Telec: antworten*) to answer. **bitte** ~**!** (*Telec*) come in, please; **es meldet sich niemand** there's no answer.

4. (*von sich hören lassen*) to get in touch (*bei* with). **melde dich wieder** keep in touch; **seitdem hat er sich nicht mehr gemeldet** he hasn't been heard of since; **wenn du was brauchst, melde dich** if you need anything give a shout (*inf*) *or* let me know.

Meldepflicht *f* (*beim Ordnungsamt*) compulsory registration, obligation to register (*when moving house*); **polizeiliche** ~ obligation to register with the police; **meldepflichtig** *adj* **1.** obliged to register; **2.** *Krankheit* notifiable; **Meldeschein** *m* registration form; certificate of registration; **Meldeschluß** *m* closing date; **Meldestelle** *f* place of registration; **Meldezettel** *m* (*Aus*) certificate of registration.

Meldung *f* **1.** (*Mitteilung*) announcement.

2. (*Press, Rad, TV*) report (*über +acc* on, about). ~**en in Kürze** news head-

lines *pl*; ~**en vom Sport** sports news
sing.
3. (*dienstlich*) report. (**eine**) ~ **machen**
to make a report.
4. (*bei der Polizei*) report.
5. (*Sport, Examens~*) entry. **seine** ~
zurückziehen to withdraw.
6. (*Comput*) (on-screen) message.
meliert *adj Haar* greying, streaked with
grey; *Wolle* flecked. **sein Haar war grau**
~ his hair was streaked with grey.
Melisse *f -*, **-n** balm.
Melissengeist Ⓡ *m* medicinal spirit.
Melk- *in cpds* milking.
melken *pret* **melkte** *or* (*old*) **molk**, *ptp*
gemolken *or* (*rare*) **gemelkt** *vti* **1.** to
milk. **frisch gemolkene Milch** milk fresh
from the cow. **2.** (*fig inf*) to milk (*inf*), to
fleece (*inf*).
Melker *m -s, -* milker.
Melkerei *f* (*Milchwirtschaft*) dairy (farm).
Melkerin *f* milkmaid.
Melodie *f* melody; (*Weise auch*) tune.
nach der ~ **von ...** to the tune of ...
Melodien- [-'diːən-]: **Melodienfolge** *f*,
Melodienreigen *m* (*Rad*) medley of
tunes.
Melodik *f* **1.** (*Theorie*) melodics *sing*. **2.**
(*musikalische Eigenart*) musical idiom.
melodiös *adj* (*geh*) melodious.
melodisch *adj* melodic, tuneful.
Melodram(a) *nt -s,* **Melodramen** (*liter*)
melodrama (*auch fig*).
melodramatisch *adj* melodramatic (*auch
fig*).
Melone *f -*, **-n 1.** melon. **2.** (*Hut*) bowler
(*Brit*), derby (*US*).
Membran(e) *f -*, **Membrane** *or* **Membra-**
nen 1. (*Anat*) membrane. **2.** (*Phys,
Tech*) diaphragm.
Memento *nt -s,* **-s** (*liter*) admonition,
warning.
Memme *f -*, **-n** (*inf*) cissy (*sl*).
Memo *nt -s,* **-s** memo.
Memoiren [meˈmoaːrən] *pl* memoirs *pl*.
Memorandum *nt -s,* **Memoranden** *or*
Memoranda (*Pol*) memorandum.
memorieren* *vt* (*old*) **1.** to memorize, to
commit to memory. **2.** (*aufsagen*) to re-
cite (from memory).
Menage [meˈnaːʒə] *f -*, **-n 1.** (*Gewürzständer*) cruet (set). **2.** (*Aus: Verpfle-
gung*) rations *pl*.
Menagerie [menaʒəˈriː] *f* menagerie.
Menarche *f -*, *no pl* (*Med*) menarche
(*spec*), first menstruation.
Mendelevium [mendeˈleːvium] *nt, no pl*
(*abbr* **Md**) mendelevium.
mendeln *vi* (*Biol*) to mendelize (*spec*), to
conform to Mendel's laws.
Mendelsche Regeln *pl* (*Biol*) Mendel's
laws *pl*.
Menetekel *nt -s,* **-** (*liter*) warning sign,
portent. **das** ~ **an der Wand** the writing
on the wall.
Menge *f -*, **-n 1.** (*Quantum*) amount,
quantity. **in** ~**n zu** in quantities of.
    2. (*inf*) (*große Anzahl*) lot, load (*inf*);
(*Haufen auch*) pile (*inf*), heap (*inf*). **eine**
~ **a lot, lots** (*inf*); **eine** ~ **Zeit/Häuser** a
lot *or* lots (*inf*) of time/houses; **jede** ~
masses *pl* (*inf*), loads *pl* (*inf*); **jede** ~

Zeit/Geld masses (*inf*) *or* loads (*inf*) of
time/money; **wir haben jede** ~ **getrun-**
ken we drank an enormous amount *or* a
hell of a lot (*inf*); **es gab Wein jede** ~
there was masses *or* loads of wine (*inf*);
eine ganze ~ quite a lot; **sie bildet sich**
eine ~ **auf ihre Schönheit ein** she's incredibly conceited about her looks; **Bü-**
cher in ~**n** any amount of books.
    3. (*Menschen~*) crowd; (*geh: Masse*)
mass; (*das Volk*) people; (*pej: Pöbel*)
mob.
    4. (*Math*) set.
mengen I *vt* (*geh*) to mix (*unter +acc*
with). **II** *vr* to mingle (*unter +acc* with);
(*fig: sich einmischen*) to meddle, to
interfere (*in +acc* with, in).
Mengenbegriff *m* uncountable noun;
(*Math*) concept of the set; **Mengenleh-**
re *f* (*Math*) set theory; **mengenmäßig**
adj as far as quantity is concerned,
quantitative; **Mengenrabatt** *m* bulk *or*
quantity discount.
Menhir *m -s,* **-e** (*Archeol*) standing stone,
menhir.
Meningitis [meniŋˈgiːtɪs] *f -*, **Meningi-**
tiden (*Med*) meningitis.
Meniskus *m -*, **Menisken** (*Anat, Phys*)
meniscus; (*Phot auch*) meniscal lens.
Menjoubärtchen [ˈmɛnʒu-] *nt* pencil
moustache.
Mennige *f -*, *no pl* minium, red lead.
Menopause *f* (*Med*) menopause.
Mensa *f -*, **Mensen** (*Univ*) canteen, refectory (*Brit*), commons (*US*).
Mensch[1] *m* **-en,** **-en 1.** (*Person*) person,
man/woman. **ein anderer** ~ **werden** to
become a different man/woman *or*
person; **ein neuer** ~ **werden** to become a
new person *or* man/woman; **von** ~ **zu** ~
man-to-man/woman-to-woman; **es war**
kein ~ **da** there was nobody *or* not a
soul there; **als** ~ as a person; **des** ~**en**
Wille ist sein Himmelreich (*Prov*) do
what you want if it makes you happy
(*inf*); **das konnte kein** ~ **ahnen!** no-one
(on earth) could have foreseen that!;
viel unter (die) ~**en kommen** to meet a
lot of people, to get around (a lot); **man**
muß die ~**en nehmen, wie sie sind** you
have to take people as they are *or* come.
    2. (*als Gattung*) **der** ~ man; **die** ~**en**
man *sing*, human beings *pl*, people *pl*;
die Ruritanier sind gutmütige ~**en** the
Ruritanians are a good-natured race *or*
are good-natured people; ~ **bleiben**
(*inf*) to stay human; **ich bin auch nur ein**
~**!** I'm only human; **wer so etwas macht,**
ist kein ~ **mehr** somebody who does
something like that is not human; **wie**
die ersten/letzten ~**en** (*inf*) like animals;
~ **und Tier** man and beast; **alle** ~**en**
müssen sterben we are all mortal.
    3. (*die Menschheit*) **die** ~**en** mankind,
man; **des** ~**en Sohn** (*Bibl*) the Son of
Man; **alle** ~**en** everyone; **so sind die** ~**en**
that's human nature.
    4. (*inf: als Interjektion*) hey; (*erstaunt
auch*) wow, blimey (*Brit sl*). ~**, das habe**
ich ganz vergessen damn (*inf*), I completely forgot; ~**, da habe ich mich aber**
getäuscht boy, was I wrong! (*inf*); ~**,**

habe ich mich beeilt/geärgert! boy, did I rush/was I angry! (*inf*); ~ **Meier!** golly! (*inf*), gosh! (*inf*).

Mensch² *nt* -(e)s, -er (*sl*) cow (*sl*); (*liederlich*) slut.

Mensch ärgere dich nicht *nt* - - - -, *no pl* (*Spiel*) ludo (*Brit*), aggravation (*US*).

Menschen- *in cpds* human; **Menschenaffe** *m* ape, anthropoid (ape, *spec*); **menschenähnlich** *adj* man-like, like a human being/human beings; **Menschenalter** *nt* 1. (*30 Jahre*) generation; 2. (*Lebensdauer*) lifetime; **Menschenansammlung** *f* gathering (of people); **Menschenauflauf** *m* crowd (of people); **Menschenfeind(in** *f***)** *m* misanthropist; **menschenfeindlich** *adj Mensch* misanthropic; *Landschaft* hostile to man, inhospitable; **Menschenfleisch** *nt* human flesh; **Menschenfresser(in** *f***)** *m* **-s, -** 1. (*inf: Kannibale*) cannibal; (*Raubtier*) man-eater; 2. (*Myth*) ogre; **Menschenfresserei** *f* (*inf*) cannibalism; **Menschenfreund(in** *f***)** *m* philanthropist; **menschenfreundlich** *adj Mensch* philanthropic, benevolent; *Gegend* hospitable; **Menschenfreundlichkeit** *f* philanthropy, benevolence; **aus reiner** ~ from the sheer goodness of one's heart; **Menschenführung** *f* leadership; **Menschengedenken** *nt* **der kälteste Winter seit** ~ the coldest winter in living memory; **hier hat sich seit** ~ **nichts geändert** nothing has changed here from time immemorial; **Menschengestalt** *f* human form; **ein Teufel** *or* **Satan** *or* **Scheusal in** ~ a devil in disguise; **Menschengewühl** *nt* milling crowd; **Menschenhai** *m* man-eating shark, man-eater; **Menschenhand** *f* human hand; **von** ~ **geschaffen** fashioned by the hand of man; **das liegt nicht in** ~ that is beyond man's control; **Menschenhandel** *m* slave trade; (*Jur*) trafficking (in human beings); **Menschenhändler(in** *f***)** *m* slave trader; (*Jur*) trafficker (in human beings); **Menschenhaß** *m* misanthropy, hatred of people; **Menschenjagd** *f* manhunts *pl*, man-hunting; **eine** ~ a manhunt; **Menschenjäger** *m* man-hunter; **Menschenkenner(in** *f***)** *m* judge of character, connoisseur of human nature; **Menschenkenntnis** *f, no pl* knowledge of human nature; ~ **haben** to know human nature; **Menschenkette** *f* human chain; **Menschenkind** *nt* creature, soul; **Menschenkunde** *f* anthropology; **Menschenleben** *nt* human life; **ein** ~ **lang** a whole lifetime; ~ **beklagen** to report fatalities; ~ **waren nicht zu beklagen** there was no loss of life, no fatalities were reported; **Verluste an** ~ loss of human life; **menschenleer** *adj* deserted; **Menschenliebe** *f* 1. (*Bibl*) human love; 2. (*Nächstenliebe*) love of mankind, philanthropy; **aus reiner** ~ from the sheer goodness of one's heart; **Menschenmasse** *f* crowd *or* mass (of people); **Menschenmaterial** *nt* (*Mil sl*) manpower; **Menschenmenge** *f* crowd (of people); **menschenmöglich** *adj* humanly possible; **das ~mögliche tun** to do

all that is humanly possible; **Menschenopfer** *nt* 1. human sacrifice; 2. (*Menschenleben*) **es waren** ~ **zu beklagen** there were (some) fatalities; **Menschenraub** *m* (*Jur*) kidnapping.

Menschenrecht *nt* human right; **die Allgemeine Erklärung** *or* **Deklaration der** ~**e** the Universal Declaration of Human Rights; **Menschenrechtskommission** *f* Commission on Human Rights; **Menschenrechtskonvention** *f* Human Rights Convention; **Menschenrechtsverletzung** *f* violation of human rights.

Menschenscheu *f* fear of people; **menschenscheu** *adj* afraid of people; **Menschenschlag** *m* (*inf*) kind of people, breed (*inf*); **Menschenseele** *f* human soul; **keine** ~ (*fig*) not a (living) soul.

Menschenskind *interj* good heavens, heavens above.

Menschensohn *m* (*Bibl*) Son of Man; **menschenunmöglich** *adj* absolutely impossible; **das M~e versuchen/vollbringen** to attempt/achieve the impossible; **menschenunwürdig** *adj* beneath human dignity; *Behandlung* inhumane; *Behausung* unfit for human habitation; **menschenverachtend** *adj* inhuman, contemptuous of human life; **Menschenverächter(in** *f***)** *m* despiser of mankind; **Menschenverachtung** *f* contempt for mankind; **Menschenverstand** *m* human understanding *no art*; **gesunder** ~ common sense; **Menschenwerk** *nt* (*old, liter*) work of man; **alles** ~ **ist vergänglich** all works of men are transient; **Menschenwürde** *f* human dignity *no art*; **menschenwürdig** *adj Behandlung* humane; *Unterkunft* fit for human habitation; ~ **leben** to live in conditions fit for human beings.

Menschheit *f* **die** ~ mankind, humanity; **zum Wohle der** ~ for the benefit of mankind *or* the human race; **Verdienste um die/im Namen der** ~ services to/in the name of humanity.

Menschheitsgeschichte *f* history of the human race *or* of mankind.

menschlich *adj* 1. human. **das ~e Leben** human life; **der ~e Körper/Geist** the human body/mind; **die ~e Gesellschaft/Gemeinschaft** the society of man/the human community; **jede ~e Hilfe kam zu spät für sie** she was beyond human help; **sie ist mir** ~ **sympathisch** I like her as a person.

2. (*inf: zivilisiert*) human. **(einigermaßen)** ~ **aussehen** (*inf*) to look more or less human.

3. (*human*) *Behandlung etc* humane. **eine ~e Seite haben** to have a human side to one.

Menschlichkeit *f, no pl* humanity *no art*. **aus reiner** ~ on purely humanitarian grounds.

Menschwerdung *f* 1. (*Bibl*) incarnation. 2. (*Biol*) anthropogenesis.

Mensen *pl of* **Mensa**.

Menstruation [mɛnstrua'tsioːn] *f* menstruation.

menstruieren* vi to menstruate.

Mensur f (Univ) (students') fencing bout. **eine ~ schlagen** or **fechten** to fight a duel.

Mentalität f mentality.

Menthol nt -s, -e menthol.

Mentor(in f) m 1. (dated, geh) mentor. 2. (Sch) ≃ tutor.

Menü, Menu nt -s, -s 1. (Tages~) set meal or menu, table d'hôte (form). ~ **essen** to have one of the set meals, to have the set menu; ~ **des Tages** (set) meal of the day. 2. (Comput) menu.

Menuett nt -s, -e (Tanz, Kunstmusik) minuet.

Menü-, Menu- (Comput) in cpds menu; **Menüanzeige** f menu display; **Menüführung** f menu-driven operation; **menügesteuert** adj menu-driven; **Menüleiste** f menu strip; **Menüsteuerung** f siehe **Menüführung**; **Menüzeile** f menu line.

Mergel m -s, - (Geol) marl.

Mergelboden m (Geol) marly or marlacious (spec) soil.

Meridian m -s, -e (Astron, Geog) meridian.

Merinowolle f merino wool.

Meriten pl (geh) merits pl. **sich** (dat) ~ **um etw erwerben** to receive plaudits for sth; **auf seinen alten ~ ruhen** to rest on one's laurels or on one's past merits.

merkantil adj (Hist, geh) mercantile.

Merkantilismus m (Hist) mercantilism.

merkantilistisch adj (Hist) mercantilist(ic).

merkbar adj 1. (wahrnehmbar) noticeable; 2. (zu behalten) retainable; **leicht/schwer** ~ easy/difficult to remember or retain; **Merkblatt** nt leaflet; (mit Anweisungen auch) instructions pl.

merken I vt 1. (wahrnehmen, entdecken) to notice; (spüren) to feel; (erkennen) to realize. **ich merke nichts!** I can't feel anything!; **davon habe ich nichts gemerkt** I didn't notice anything; **jdn etw** ~ **lassen** to make sb feel sth; **hat er dich etwas** ~ **lassen?** did you notice anything in the way he behaved?; **woran hast du das gemerkt?** how could you tell that?; **wie soll ich das** ~? how am I supposed to tell (that)?; **du merkst auch alles!** (iro) nothing escapes you, does it?, you are observant(, aren't you)?; **das merkt jeder/keiner!** everyone/no-one will notice!; **das ist kaum zu** ~, **davon merkt man kaum etwas** it's hardly noticeable; **das ist zu** ~ you can tell; **ich merke keinen Unterschied** I can't tell the difference; (weil es keinen gibt) I can't see a difference.

2. (im Gedächtnis behalten) to remember, to retain. **das kann man leicht** ~ that's easy to remember; **merke: ...** NB or note: ...

II vr 1. (im Gedächtnis behalten) **sich** (dat) **jdn/etw** ~ to remember sb/sth; **das werde ich mir** ~!, **ich werd's mir** ~! (inf) I'll remember that, I won't forget that; **das hat er sich gemerkt** he's taken that/it to heart; **merk dir das!** mark my words!

2. (im Auge behalten) to remember, to make a note of. **sich** (dat) **eine Autonummer** ~ to make a (mental) note of a licence number; ~ **Sie sich** (dat) **den Mann!** keep an eye on that man; **diesen Schriftsteller wird man sich** (dat) ~ **müssen** this author is someone to take note of.

merklich adj noticeable, marked, distinct. **kein ~er Unterschied** no noticeable difference.

Merkmal nt -s, -e characteristic, feature; (Biol, Zool) distinctive mark or marking. „**besondere ~e: ...**" "distinguishing marks: ...".

Merkur m -s, no pl (Myth, Astron) Mercury; (obs: Quecksilber) quicksilver, mercury.

Merkvers m (Sch) jingle, mnemonic (rhyme) (form); **merkwürdig** adj strange, odd, curious; **er hat sich ganz** ~ **verändert** he has undergone a curious change; **merkwürdigerweise** adv strangely or oddly or curiously enough.

Mesalliance [meza'liã:s] f -, -n (geh) misalliance, mésalliance (geh).

meschugge adj (sl) nuts (sl), barmy (Brit sl), meshuga (US sl).

Meskalin nt -s, no pl mescalin(e).

Mesmerismus m, no pl mesmerism.

Mesner m -s, - (dial) siehe **Küster**.

Mesopotamien [-iən] nt -s Mesopotamia.

meßbar adj measurable; **Meßbecher** m (Cook) measuring jug; **Meßbuch** nt (Eccl) missal, Mass book; **Meßdaten** f readings pl; **Meßdiener(in** f) m (Eccl) server, acolyte (form).

Messe¹ f -, -n (Eccl, Mus) mass. **in die** or **zur** ~ **gehen** to go to mass; **die** ~ **lesen** or **halten** to say mass; **für jdn eine** ~ **lesen lassen** to have a mass said for sb.

Messe² f -, -n (trade) fair. **auf der** ~ at the fair.

Messe³ f -, -n (Naut, Mil) mess.

Messe- in cpds fair; **Messegelände** nt exhibition centre; **Messehalle** f fair pavilion.

messen pret **maß**, ptp **gemessen** I vti to measure; (Tech: anzeigen auch) to gauge; (Verlauf zu time; (abschätzen) Entfernung to judge, to gauge. **jds Blutdruck/Temperatur** ~ (Arzt) to take sb's blood pressure/temperature; (Instrument) to measure sb's blood pressure/temperature; **während ich lief, maß er die Zeit** I ran and he timed me or took the time; **seine Kräfte/Fähigkeiten mit jdm** ~ to match one's strength/skills against sb's, to try or measure one's strength/skills with sb; **seine Kräfte/Fähigkeiten an etw** (dat) ~ to test one's strength/skills on sth; **etw an etw** (dat) ~ (ausprobieren) to try sth out on sth; (vergleichen) to compare sth with sth; **jdn mit den Blicken** ~ (geh) to look sb up and down.

II vr 1. (mit jdm) (geh: im Wettkampf) to compete; (in geistigem Wettstreit, es jdm gleichtun wollen) to pit oneself.

2. **sich mit jdm/etw nicht** ~ **können** to

be no match for sb/sth.

Messeneuheit f trade fair first.

Messer nt -s, - knife; (Tech auch) cutter, blade; (Rasier~) (cut-throat) razor. **jdm ein ~ in den Leib stoßen, jdm ein ~ in den Bauch jagen** (inf) to stick a knife into sb; **unter dem ~ sein** (Med inf) to be under the knife; **jdm das ~ an die Kehle setzen** (lit, fig) to hold a knife to sb's throat; **die ~ wetzen** (fig) to get ready or prepare for the kill; **jdn der Mafia ans ~ liefern** to shop sb (Brit sl) or inform on sb to the Mafia; **ins (offene) ~ laufen** to walk straight into the trap; **ein Kampf/ sich bekämpfen bis aufs ~** (fig) a fight/to fight to the finish; **auf des ~s Schneide stehen** (fig) to be or hang (very much) in the balance, to be on a razor-edge or razor's edge; **es steht auf des ~s Schneide, ob ...** it's touch and go or it's very much in the balance whether ...; **es wird eine Nacht der langen ~ geben** (fig) heads will roll.

Messer- in cpds knife; **Messergriff** m, **Messerheft** nt knife handle; **Messerheld(in** f) m (inf) knifer (inf); **Messerrücken** m back of a/the knife; **messerscharf** adj (lit, fig) razor-sharp; **~ schließen** (iro) to conclude with incredible logic (iro); **Messerschmied(in** f) m cutler; **Messerschneide** f knife edge; **Messerspitze** f knife point; **eine ~ (voll)** (Cook) a pinch; **Messerstecher(in** f) m -s, - knifer (inf); **Messerstecherei** f knife fight; **zur** or **in eine ~ ausarten** to end up in a knife fight; **Messerstich** m knife thrust; (Wunde) stab wound; **Messerwerfer(in** f) m knifethrower.

Messestadt f (town with an) exhibition centre; **Messestand** m stand (at the/a fair).

Meßdaten f readings; **Meßfühler** m probe, detector; (Met) gauge; **Meßgerät** nt (für Öl, Druck) measuring instrument, gauge; **Meßgewand** nt chasuble; **Meßglas** nt graduated measure.

messianisch adj (Rel, Philos) Messianic.

Messias m -, -se (Rel, fig) Messiah.

Messing nt -s, no pl brass. **mit ~ beschlagen** brass-bound.

Messing- in cpds brass; **Messingblech** nt sheet brass; **Messingschild** nt brass plate.

Meßinstrument nt gauge.

Meßopfer nt (Eccl) Sacrifice of the Mass.

Meßstab m 1. (Surv) surveyor's staff; 2. (Aut: Ölmeßstab) dipstick; **Meßtechnik** f measurement technology, metrology; **Meßtisch** m (Surv) surveyor's table; **Meßtischblatt** nt ordnance survey map.

Messung f 1. (das Messen) measuring; (das Ablesen) reading; (von Blutdruck) taking; (Tech: das Anzeigen) gauging. 2. (Meßergebnis) measurement; (Ableseergebnis) reading.

Meßwein m (Eccl) Communion wine.

Meßwert m measurement; (Ableseergebnis) reading.

Mestize m -n, -n mestizo.

Mestizin f mestiza.

Met m -(e)s, no pl mead.

Metall nt -s, -e 1. metal. 2. (geh: der Stimme) metallic ring or timbre.

Metall- in cpds metal-; **Metallarbeiter(in** f) m metalworker; **Metallbearbeitung** f metal processing, metalworking.

metallen adj metal; (geh) Klang, Stimme metallic.

Metaller(in f) m -s, - (inf) metalworker.

Metallgeld nt specie, metallic currency; **metallhaltig** adj metalliferous, metalline.

metallic adj metallic.

Metallic- in cpds metallic.

metallisch adj metal; (metallartig), (fig) Stimme, Klang metallic. **~ glänzen** to gleam like metal.

Metallsäge f hacksaw.

Metallurg(e) m -(e)n, -(e)n, **Metallurgin** f metallurgist.

Metallurgie f metallurgy.

metallurgisch adj metallurgic(al).

metallverarbeitend adj **die ~e Industrie** the metal-processing industry; **Metallverarbeitung** f metal processing; **Metallwaren** pl hardware sing (Brit), metalware sing (US).

Metamorphose [-'fo:zə] f -, -n metamorphosis.

Metapher [me'tafɐ] f -, -n (Liter, Poet) metaphor.

Metaphorik [-'fo:rɪk] f (Liter, Poet) imagery.

metaphorisch adj (Liter, Poet) metaphoric(al).

Metaphysik f metaphysics sing.

metaphysisch adj metaphysical.

Metasprache f metalanguage.

Metastase [meta'sta:zə] f -, -n (Med) metastasis.

Metathese, Metathesis f -, **Metathesen** (Ling) metathesis.

Meteor m or nt -s, -e meteor.

Meteoreisen nt meteoric iron.

Meteorit m -en, -en meteorite.

Meteorologe m, **Meteorologin** f meteorologist; (im Wetterdienst) weather forecaster, weatherman/-woman (inf).

Meteorologie f meteorology.

meteorologisch adj meteorological.

Meteorstein m siehe Meteorit.

Meter m or nt -s, - 1. metre (Brit), meter (US). **in einer Entfernung von 40 ~(n)** at a distance of 40 metres; **in 500 ~ Höhe** at a height of 500 metres; **nach ~n** by the metre. 2. (Meterstab) metric measure.

meterdick adj metres thick; **meterhoch** adj Wellen etc enormous; **meterlang** adj metres long; **Metermaß** nt 1. (Bandmaß) tape measure, measuring tape; 2. (Stab) (metre) rule; **Meterware** f (Tex) piece goods; **meterweise** adv by the metre; **meterweit** adj (breit) metres wide; (lang) metres long; **er schoß ~ vorbei** his shot was yards or miles (inf) off target.

Methadon nt -s, no pl methadone.

Methan nt -s, no pl, **Methangas** nt methane.

Methode f -, -n 1. method. **etw mit ~ machen** to do sth methodically or systematically; **das hat ~** (inf) there's (a) method behind it; **er hat (so) seine ~n**

(*inf*) he's got his methods.

2. ~n *pl* (*Sitten*) behaviour; **was sind denn das für ~n?** what sort of way is that to behave?

Methodik *f* methodology.

methodisch *adj* methodical.

Methodist(in *f*) *m* Methodist.

methodistisch *adj* Methodist.

Methodologie *f* methodology.

methodologisch *adj* methodological.

Methusalem *m* -s Methuselah. **alt wie ~** old as Methuselah.

Methyl|alkohol *m* methyl *or* wood alcohol.

Metier [me'tie:] *nt* -s, -s (*hum*) job, profession. **sich auf sein ~ verstehen** to be good at one's job.

Metonymie *f* (*Liter*) metonymy.

Metrik *f* (*Poet, Mus*) metrics *sing*.

metrisch *adj* (*Sci*) metric; (*Poet, Mus auch*) metrical.

Metro *f* -, -s metro.

Metronom *nt* -s, -e (*Mus*) metronome.

Metropole *f* -, -n **1.** (*größte Stadt*) metropolis. **2.** (*Zentrum*) capital, centre.

Metropolit *m* -en, -en metropolitan.

Metrum *nt* -s, **Metren** metre (*Brit*), meter (*US*).

Mett *nt* -(e)s, *no pl* (*Cook dial*) (lean) minced pork/beef.

Mettage [mɛ'ta:ʒə] *f* -, -n (*Typ*) make-up; (*Arbeitsort*) make-up room.

Mette *f* -, -n (*Eccl*) matins *sing*; (*Abend~*) vespers *sing*.

Metteur(in *f*) [-'tø:ɐ, -'tø:rɪn] *m* (*Typ*) make-up man/woman.

Mettwurst *f* (smoked) pork/beef sausage.

Metzelei *f* butchery, slaughter.

metzeln *vt* to slaughter, to butcher.

Metzger(in *f*) *m* -s, - butcher.

Metzger- *siehe* **Fleischer**-.

Metzgerei *f* butcher's (shop).

Meuchelmord *m* (treacherous) murder; **Meuchelmörder(in** *f*) *m* (treacherous) assassin.

meucheln *vt* (*old*) to assassinate.

meuchlerisch *adj* (*old*) murderous; *Mörder* treacherous.

meuchlings *adv* treacherously.

Meute *f* -, -n pack (of hounds); (*fig pej*) mob. **die ~ loslassen** *or* **loskoppeln** to release the hounds.

Meuterei *f* mutiny; (*fig auch*) rebellion.

meutern *vi* to mutiny; (*inf auch*) to rebel; (*dial inf: meckern*) to moan, to grouch (*inf*). **die ~den Soldaten** the mutinous soldiers.

Mexikaner(in *f*) *m* -s, - Mexican.

mexikanisch *adj* Mexican.

Mexiko *nt* -s Mexico. **~ City**, **~-Stadt** Mexico City.

MEZ *abbr of* **mitteleuropäische Zeit** CET.

Mezzosopran *m* mezzo-soprano.

MG [ɛm'ge:] *nt* -(s), -(s) *abbr of* **Maschinengewehr.**

MHz *abbr of* **Megahertz.**

miau *interj* miaow.

miauen* *vi* to miaow.

mich I *pers pron acc of* **ich** me. **II** *reflexive pron* myself. **ich fühle ~ wohl** I feel fine.

Michael ['mɪçaeːl, 'mɪçael] *m* -s Michael.

Michaeli(s) [mɪça'eːli, mɪça'eːlɪs] *nt* -, -

Michaelmas.

Michel *m* -s Mike, Mick. **der deutsche ~** (*fig*) the plain honest German.

Michigansee ['mɪʃɪgən-] *m* Lake Michigan.

mick(e)rig *adj* (*inf*) pathetic; *Betrag auch* paltry; *altes Männchen* puny.

Mickymaus ['mɪki-] *f* Mickey Mouse.

midi *adj pred* (*Fashion*) midi.

Midi- *in cpds* midi; **Midi-Anlage** *f*, **Midi-System** *nt* midi (system).

mied *pret of* **meiden.**

Mieder *nt* -s, - **1.** (*Leibchen*) bodice. **2.** (*Korsage*) girdle.

Miederhöschen *nt* pantie-girdle; **Miederwaren** *pl* corsetry *sing*.

Mief *m* -s, *no pl* (*inf*) fug; (*muffig*) stale air; (*Gestank*) stink, pong (*Brit inf*). **der ~ der Provinz** (*fig*) the oppressive claustrophobic atmosphere of the provinces.

miefen *vi* (*inf*) to stink, to pong (*Brit inf*); (*furzen*) to make a smell. **hier mieft es** there's a pong in here; (*muffig*) the air in here is so stale.

Miene *f* -, -n (*Gesichtsausdruck*) expression, face, mien (*liter*). **eine finstere ~ machen** to look grim; **gute ~ zum bösen Spiel machen** to grin and bear it; **~ machen, etw zu tun** to make a move to do sth; **seine ~ verfinsterte** *or* **verdüsterte sich** his face darkened; **sich** (*dat*) **etw mit eisiger ~ anhören** to listen to sth in stony silence.

Mienenspiel *nt* facial expressions *pl*. **ein lebhaftes ~ haben** to express a lot with one's face.

mies *adj* (*inf*) rotten (*inf*), lousy (*inf*); *Lokal auch* crummy (*inf*); *Laune auch* foul. **jdn/etw ~ machen** to run sb/sth down; **mir ist ~** I feel lousy *or* rotten (*inf*); **in den M~en sein** (*inf*) to be in the red.

Miespeter *m* -s, - (*inf*) misery-guts (*inf*).

miesepet(e)rig *adj* (*inf*) miserable, grouchy (*inf*).

Miesmacher(in *f*) *m* (*inf*) kill-joy.

Miesmacherei *f* (*inf*) belly-aching (*sl*).

Miesmuschel *f* mussel.

Mietausfall *m* loss of rent; **Mietauto** *nt* hire(d) car; **Mietbeihilfe** *f* rent allowance *or* subsidy/rebate.

Miete¹ *f* -, -n (*für Wohnung*) rent; (*für Gegenstände*) rental. **rückständige ~** (rent) arrears; **zur ~ wohnen** to live in rented accommodation; **das ist die halbe ~** (*inf*) that's half the battle.

Miete² *f* -, -n (*Kartoffel~*) clamp (*Brit*), pit; (*Schober*) stack.

mieten *vt* to rent; *Boot, Auto auch* to hire.

Mieter(in *f*) *m* -s, - tenant; (*Untermieter*) lodger.

Miet|erhöhung *f* rent increase.

Mieterschaft *f* tenants *pl*.

Mieterschutz *m* rent control; **Mieterschutzgesetz** *nt* Rent Act.

mietfrei *adj* rent-free; **Mietgarantie** *f* proof of ability to pay rent; **Mietpartei** *f* tenant (and family); **Mietrecht** *nt* rent law; **Mietrückstände** *pl* rent arrears *pl*.

Mietshaus *nt* block of (rented) flats (*Brit*), apartment house (*US*); **Mietska-**

serne f (pej) tenement house.

Mietspiegel m rent level; **Mietverhältnis** nt tenancy; **Mietvertrag** m lease; (von Auto) rental agreement; **Mietwagen** m hire(d) car; **Mietwert** m letting or rental value; **Mietwohnung** f rented flat (Brit) or apartment (US); **Mietwucher** m exorbitant rent; ~ **ist strafbar** charging exorbitant rent(s) is a punishable offence; **Mietzahlung** f payment of the rent; **Mietzins** m (form, S Ger, Aus) rent; **Mietzuschuß** m rent subsidy.

Mieze f -, -n (inf) 1. (Katze) pussy (inf).
2. (Mädchen) chick (inf), bird (Brit inf); (als Anrede) baby (inf), honey (inf).

Miezekatze f (baby-talk) pussy(-cat).

MiG [mɪg] f -s, -s (Mil) MiG.

Migräne f -, no pl migraine.

Mikado nt -s, -s (Spiel) pick-a-stick.

Mikro nt -s, -s (inf) abbr of **Mikrofon** mike (inf).

Mikro- in cpds micro-.

Mikrobe f -, -n microbe.

Mikrochip ['miːkrotʃɪp] m microchip.

Mikrocomputer m microcomputer, micro (inf).

Mikro|elektronik f microelectronics sing.

Mikrofiche ['miːkrofiːʃ] m or nt -s, -s microfiche.

Mikrofon nt -s, -e microphone.

Mikrokosmos m microcosm.

Mikrometer nt micron; (Gerät) micrometer.

Mikron nt -s, - micron.

Mikro|organismus m microorganism.

Mikrophon nt -s, -e microphone.

Mikroprozessor m microprocessor; **Mikrosekunde** f microsecond; **Mikrosender** m microtransmitter.

Mikroskop nt -s, -e microscope.

Mikroskopie f microscopy.

mikroskopieren* I vt (rare) to examine under or with the microscope. II vi to work with a/the microscope.

mikroskopisch adj microscopic. **etw** ~ **untersuchen** to examine sth under the microscope; ~ **klein** (fig) microscopically small.

Mikrowelle f microwave.

Mikrowellenherd m microwave (oven).

Mikrozensus m sample census.

mikrozephal adj microcephalic.

Milan m -s, -e (Orn) kite.

Milbe f -, -n mite.

Milch f -, no pl milk; (Fischsamen) milt, soft roe. **dicke** ~ curd(s); ~ **geben** (Kuh) to yield milk; **das Land, wo** ~ **und Honig fließt** the land of or flowing with milk and honey; **aussehen wie** ~ **und Blut** to have a peaches-and-cream complexion.

Milch- in cpds milk; **milchartig** adj milky; **Milchbar** f milk bar; **Milchbart** m (inf) downy or fluffy beard, bum-fluff (inf); (fig pej: Jüngling) milksop; **Milchbrei** m ≃ milk pudding; **Milchbrötchen** nt roll made with milk and sugar; **Milchdrüse** f mammary gland; **Milcheiweiß** nt lactoprotein; **Milchfett** nt milk fat; **Milchflasche** f milk bottle; **Milchfrau** f (inf) dairywoman; **Milchgebiß** nt milk teeth pl; **Milchgeschäft** nt dairy; **Milchge-**

sicht nt (inf) baby face; **Milchglas** nt frosted glass; **Milchhandel** m dairy business; **Milchhändler(in** f) m dairyman/dairywoman.

milchig adj milky.

Milchkaffee m milky coffee; **Milchkanne** f milk can; (größer) (milk) churn; **Milchkuh** f milk or milch (spec) cow; (fig inf) milch cow, ever-open purse; **Milchladen** m siehe **Milchgeschäft**; **Milchmädchen** nt (inf) (Milchverkäuferin) dairy girl; **Milchmädchenrechnung** f (inf) naïve fallacy; **Milchmann** m, pl **-männer** milkman; **Milchmixgetränk** nt milk shake.

Milchner m -s, - milter.

Milchprodukt nt milk product; **Milchpulver** nt dried or powdered milk; **Milchpumpe** f breast pump; **Milchquote** f (in der EG) milk quota; **Milchreis** m round-grain rice; (als Gericht) rice pudding; **Milchsaft** m (Bot) latex; **Milchsäure** f lactic acid; **Milchsee** m (in der EG) milk lake; **Milchspeise** f milky or milk-based food; **Milchstraße** f Milky Way; **Milchstraßensystem** nt Milky Way system or galaxy; **Milchsuppe** f ≃ warm blancmange; **Milchtüte** f milk carton; **Milchwirtschaft** f dairy farming; **Milchzahn** m milk tooth; **Milchzucker** m lactose.

mild(e) adj 1. (sanft, lind) Wetter, Abend mild; Luft auch gentle.
2. (nachsichtig, barmherzig) Behandlung, Beurteilung, Richter lenient; Worte mild. **jdn** ~ **stimmen** to put sb in a mild mood; ~ **ausfallen** to be lenient; **eine** ~**e Gabe** alms pl; ~ **ausgedrückt** to put it mildly.
3. Käse, Zigaretten mild; Seife auch gentle; Speisen light.

Milde f -, no pl siehe adj 1. mildness; gentleness. 2. leniency. ~ **walten lassen** to be lenient.

mildern I vt (geh) Schmerz to ease, to soothe, to alleviate; Furcht to calm; Strafe, Urteil to moderate, to mitigate; Gegensätze to reduce, to make less crass or severe; Ausdrucksweise, Zorn to moderate. ~**de Umstände** (Jur) mitigating or extenuating circumstances.
II vr (Gegensätze) to become less crass; (Zorn) to abate.

Milderung f, no pl (von Schmerz) easing, soothing, alleviation; (von Ausdruck, des Klimas) moderation; (von Strafe) moderation, mitigation.

mildtätig adj (geh) charitable; **er war sein ganzes Leben lang** ~ he performed charitable deeds throughout his life; **Mildtätigkeit** f (geh) charity.

Milieu [mi'liø:] nt -s, -s (Umwelt) environment, milieu; (Lokalkolorit) atmosphere; (Verbrecher~) underworld; (von Prostitution) world of prostitutes.

milieugeschädigt, milieugestört adj maladjusted (due to adverse social factors); **Milieuschilderung** f background description; **Milieutheorie** f (Sociol) environmentalism no art; **Milieuwechsel** m change of environment;

(*Abwechslung*) change of scene.
militant *adj* militant.
Militanz *f, no pl* militancy.
Militär¹ *nt* **-s**, *no pl* military, armed forces
pl. **beim ~ sein** (*inf*) to be in the forces;
zum ~ einberufen werden to be called
up; **zum ~ müssen** (*inf*) to have to join
up; **zum ~ gehen** to join up; **(gegen jdn)
~ einsetzen** to use the military (against
sb); **da geht es zu wie beim ~** the place is
run like an army camp.
Militär² *m* **-s**, **-s** (army) officer.
Militär- *in cpds* military; **Militärarzt** *m*,
Militärärztin *f* army doctor; medical officer; **Militärblock** *m* military bloc *or*
pact; **Militärdienst** *m* military service;
(seinen) ~ ableisten to do national
service; **Militärgeistliche(r)** *m* (army)
chaplain; **Militärgericht** *nt* military
court, court martial; **Internationales ~**
International Military Tribunal; **vor ein
~ gestellt werden** to be tried by a court
martial, to be court-martialled; **Mili-
tärhilfe** *f* military aid.
Militaria *pl* things military *pl.*
militärisch *adj* military. **~ grüßen** to give
the military salute; **mit allen ~en Ehren**
with full military honours; **einen Konflikt ~ or mit ~en Mitteln lösen** to resolve a conflict with the use of troops; **es
geht dort streng ~ zu** it's very regimented there.
militarisieren* *vt* to militarize.
Militarismus *m, no pl* militarism.
Militarist(in *f***)** *m* militarist.
militaristisch *adj* militaristic.
Militärseelsorge *f* pastoral work in the
armed forces; **Militärwissenschaft** *f*
military science.
Military ['mɪlɪtərɪ] *f* **-**, **-s** (*Sport*) three-day
event.
Militärzeit *f* army days *pl*, days *pl* as a
soldier.
Miliz *f* **-**, **-en** militia; (*Polizei*) police.
Milizionär(in *f***)** *m* militiaman/-woman;
(*Polizist*) policeman/-woman.
Milizsoldat *m* (*old*) militiaman.
Mill. *abbr of* **Million(en).**
mille pro ~ *siehe* **Promille.**
Mille *f* **-**, **-** (*sl*) grand (*sl*). **5 ~ 5** grand (*sl*).
Millennium *nt* (*geh*) millennium.
Milliardär(in *f***)** *m* multi-millionaire, bil-
lionaire.
Milliarde *f* **-**, **-n** billion. **zwei ~n Mark** two
billion marks; **~n (von) Menschen**
billions of people.
Milliardenbetrag *m* billions.
Milliardstel *nt* **-s**, **-** billionth part.
milliardstel *adj* billionth.
milliardste(r, s) *adj* billionth.
Milli- *in cpds* milli-; **Millibar** *nt* **-s**, **-** millibar; **Milligramm** *nt* milligramme; **Milli-
meter** *m or nt* millimetre; **Milli-
meterpapier** *nt* graph paper.
Million *f* million. **eine ~ Londoner ist** *or*
sind unterwegs a million Londoners are
on their way; **zwei ~en** two millions;
zwei ~en Einwohner two million inhabitants.
Millionär(in *f***)** *m* millionaire(ss). **vom Tel-
lerwäscher zum ~** from rags to riches; **es
zum ~ bringen** to make a million.

Millionenauflage *f* million copies *pl*;
millions of copies; **Millionenerbe** *m*,
Millionenerbin *f* inheritor of millions;
millionenfach I *adj* millionfold; **II** *adv* a
million times; **Millionengeschäft** *nt*
multi-million-pound industry; **ein ~ abschließen** to conclude a (business) deal
worth millions; **Millionengewinn** *m* 1.
(*Ertrag*) profit of millions; **manche Firmen haben ~e gemacht** some firms have
made profits running into millions; **2.**
(*Lotterie~*) prize of a million; **Mil-
lionenheer** *nt* army of millions; **mil-
lionenmal** *adv* a million times; **Mil-
lionenschaden** *m* damage *no pl*
amounting to *or* running into millions;
millionenschwer *adj* (*inf*) worth a few
million; **Millionenstadt** *f* town with
over a million inhabitants.
Millionstel *nt* **-s**, **-** millionth part.
millionstel *adj* millionth.
millionste(r, s) *adj* millionth.
Millirem *nt* **-s**, **-** millirem.
Milz *f* **-**, **-en** spleen.
Milzbrand *m* (*Med, Vet*) anthrax.
Mime *m* **-n**, **-n** (*old, geh*) mime (*old*),
Thespian.
mimen (*old*) **I** *vt* to mime. **er mimt den
Unschuldigen/den Kranken** (*inf*) he's
acting the innocent/he's playing at being
sick. **II** *vi* to play-act.
Mimik *f, no pl* facial expression. **etw
durch ~ ausdrücken** to express sth fa-
cially.
Mimiker(in *f***)** *m* **-s**, **-** mime(r).
Mimikry ['mɪmɪkrɪ] *f* **-**, *no pl* (*Zool, fig*)
mimicry.
mimisch *adj* mimic.
Mimose *f* **-**, **-n** mimosa. **empfindlich wie
eine ~ sein** to be oversensitive.
mimosenhaft *adj* (*fig*) oversensitive.
Min., Minute *abbr of* **Minute(n).**
Minarett *nt* **-s**, **-e** *or* **-s** minaret.
minder *adv* less. **mehr oder ~** more or
less; **nicht mehr und nicht ~** neither
more nor less, no more and no less;
nicht ~ wichtig als no less important
than; **und das nicht ~** and no less so.
minderbemittelt *adj* (*dated*) less well-off;
geistig ~ (*iro*) mentally less gifted;
Minderbemittelte *pl decl as adj* (*dated*)
people *pl* with a limited income; (*iro*)
not very bright people *pl*; **Minderein-
nahme** *f* decrease in receipts.
mindere(r, s) *adj attr* lesser; *Güte, Qualität* inferior.
Mindergewicht *nt* short weight.
Minderheit *f* minority.
Minderheitenschutz *m* protection of
minorities.
Minderheitsregierung *f* minority government.
minderjährig *adj* who is (still) a minor;
Minderjährige(r) *mf decl as adj* minor;
Minderjährigkeit *f* minority.
mindern I *vt* (*herabsetzen*) *Würde, Verdienste* to diminish; (*verringern*) *Wert,
Qualität* to reduce, to diminish, to
erode; *Rechte* to erode; *Freude, Vergnügen* to detract from, to lessen. **II** *vr
siehe vt* to diminish; to be reduced, to diminish; to be eroded; to lessen.

Minderung f siehe vb diminishing no indef art; reduction (gen in); erosion; lessening.

minderwertig adj inferior; Waren, Material auch poor- or low-quality; Arbeit auch poor(-quality); Qualität auch low; Charakter low, base.

Minderwertigkeit f siehe adj inferiority; poor or low quality; poorness; lowness, baseness.

Minderwertigkeitsgefühl nt feeling of inferiority; ~e haben to feel inferior; **Minderwertigkeitskomplex** m inferiority complex.

Minderzahl f minority. in der ~ sein to be in the minority.

Mindest- in cpds minimum; **Mindestabstand** m minimum distance; **Mindestalter** nt minimum age; **Mindestbetrag** m minimum amount.

mindestens adv at least.

mindeste(r, s) I adj attr least, slightest; Ahnung auch faintest, foggiest (inf). nicht die ~ Angst not the slightest or least trace of fear; das ~ the (very) least; ich verstehe nicht das ~ von (der) Kunst I don't know the slightest thing about art; das wäre das ~ gewesen that's the least he/she etc could have done.

II adv zum ~n at least, at the very least; (nicht) im ~n (not) in the least; das bezweifle ich nicht im ~n I don't doubt that at all or in the slightest.

Mindest- in cpds minimum; **Mindestgebot** nt (bei Auktionen) reserve or knockdown price; **Mindestgeschwindigkeit** f minimum speed; **Mindestgröße** f minimum size; (von Menschen) minimum height; **Mindesthaltbarkeitsdatum** nt sell-by date; **Mindestlohn** m minimum wage; **Mindestmaß** nt minimum, minimum amount (an +dat of); sich auf das ~ beschränken to limit oneself to the (absolute) minimum; **Mindestpreis** m minimum price; **Mindestreserve** f (Fin) minimum reserves pl; **Mindestreservesatz** m (Fin) minimum reserve ratio; **Mindeststrafe** f minimum penalty; **Mindestumtausch** m minimum obligatory exchange; **Mindesturlaub** m minimum holiday entitlement; **Mindestzinssatz** m minimum lending rate, MLR.

Mine f -, -n 1. (Min) mine. in den ~n arbeiten to work down or in the mines.

2. (Mil) mine. auf eine ~ laufen to strike or hit a mine.

3. (Bleistift~) lead; (Kugelschreiber~, Filzstift~) reservoir; (Farb~) cartridge; (austauschbar) refill. die ~ ist leer/läuft aus the biro/felt-tip has run out/is leaking; eine neue ~ a refill/new lead.

Minenfeld nt (Mil) minefield; **Minenleger(in** f) m -s, - (Mil, Naut) minelayer; **Minenräumboot** nt minesweeper; **Minensperre** f (Mil) mine barrage; **Minensuchboot** nt, **Minensucher** m (inf) minesweeper.

Mineral nt -s, -e or -ien [-iən] mineral.

Mineralbad nt mineral bath; (Ort) spa;

(Schwimmbad) swimming-pool fed from a mineral spring; **Mineralbrunnen** m mineral spring; **Mineraldünger** m inorganic fertilizer.

Mineraliensammlung [-liən-] f collection of minerals.

mineralisch adj mineral.

Mineraloge m, **Mineralogin** f mineralogist.

Mineralogie f mineralogy.

mineralogisch adj mineralogical.

Mineralöl nt (mineral) oil; **Mineralölgesellschaft** f oil company; **Mineralölsteuer** f tax on oil; **Mineralquelle** f mineral spring; **Mineralsalz** nt mineral salt; **Mineralwasser** nt mineral water.

mini adj inv (Fashion) mini. ~ tragen/gehen to wear a mini(-skirt/-dress).

Mini- in cpds mini-.

Miniatur f (Art) miniature; (fig Liter) thumb-nail sketch.

Miniatur- in cpds miniature; **Miniaturausgabe** f miniature version; (Buch) miniature edition; **Miniaturbild** nt miniature; **Miniaturformat** nt miniature format; eine Bibel in ~ a miniature Bible; **Miniaturgemälde** nt miniature; **Miniaturmaler(in** f) m miniaturist; **Miniaturmalerei** f miniature painting; **Miniaturstaat** m tiny state or country.

Minibar f (im Hotel) mini-bar; **Minibikini** m scanty bikini; **Minicar** m minicab; **Minicomputer** m minicomputer; **Minigolf** nt crazy golf; **Mini-Kassette** f mini-cassette.

minimal I adj Unterschied, Arbeitsaufwand minimal; Verlust, Verbesserung, Steigerung marginal; Gewinn very small; Preise, Benzinverbrauch, Gehalt very low. mit ~er Anstrengung with a minimum of effort. II adv (wenigstens) at least; (geringfügig) minimally, marginally.

Minimal- in cpds minimum; **Minimalbetrag** m minimum amount; **Minimalprogramm** nt basic programme.

minimieren* vt to minimize.

Minimierung f minimization.

Minimum nt -s, **Minima** minimum (an +dat of). barometrisches ~ (Met) barometric low.

Minipille f mini-pill; **Minirock** m miniskirt; **Minispion** m miniaturized bugging device.

Minister(in f) m -s, - (Pol) minister (Brit) (für of), secretary (für for).

Ministeramt nt ministerial office.

Ministerialbeamte(r) mf ministry official; **Ministerialdirektor(in** f) m head of a government department, permanent secretary (Brit).

ministeriell adj attr ministerial.

Ministerium nt ministry (Brit), department.

Ministerpräsident(in f) m prime minister; (eines Bundeslandes) leader of a Federal German state; **Ministerrat** m council of ministers; (von EG) Council of Ministers; **Ministersessel** m ministerial post.

Ministrant(in f) m (Eccl) server.

ministrieren* vi (Eccl) to serve, to act as

server.

Minna f -, no pl (dated: Hausangestellte) maid; (fig inf) skivvy (inf). **jdn zur ~ machen** (inf) to give sb a piece of one's mind, to tear a strip off sb (inf).

Minne f -, no pl (Liter, Hist) courtly love.

Minnegesang m siehe **Minnesang**; **Minnelied** nt minnelied; **Minnesang** m minnesong; **Minnesänger**, **Minnesinger** m minnesinger.

minoisch adj Minoan.

Minorität f siehe **Minderheit**.

Minuend m -en, -en (Math) minuend.

minus I prep +gen minus, less; (Math) minus. II adv minus; (Elec) negative. **~ 10 Grad, 10 Grad ~** minus 10 degrees, 10 degrees below (zero); **~ machen** (inf) to make a loss.

Minus nt -, - 1. (Fehlbetrag) deficit; (auf Konto) overdraft; (fig: Nachteil) bad point; (in Beruf) disadvantage. 2. (~zeichen) minus (sign).

Minuspol m negative pole; **Minuspunkt** m minus or penalty point; (fig) minus point; **ein ~ für jdn sein** to count against sb, to be a point against sb; **Minustemperatur** f temperature below freezing or zero; **Minuszeichen** nt minus sign.

Minute f -, -n minute; (fig: Augenblick auch) moment. **es ist 10 Uhr und 21 ~n** (form) it is 21 minutes past 10 o'clock; **auf die ~ (genau/pünktlich)** (right) on the dot; **in letzter ~** at the last moment or minute; **~ um ~** verging or verstrich the minutes ticked by or went by; **auf die ~ kommt es nicht an** a few minutes one way or another don't matter; **es vergeht keine ~, ohne daß ...** not a moment goes by without ...

minutenlang I adj attr several minutes of; II adv for several minutes; **Minutenschnelle** f: **in ~** in minutes, in a matter of minutes; **Minutenzeiger** m minute-hand.

minutiös [minu'tsjøːs], **minuziös** adj (geh) Nachbildung, Mensch meticulous; Schilderung auch, Fragen detailed.

Minze f -, -n (Bot) mint.

Mio. abbr of **Million(en)** m.

mir pers pron dat of **ich** to me; (nach Präpositionen) me. **ein Freund von ~** a friend of mine; **von ~ aus!** (inf) I don't mind, fair enough; **~ nichts, dir nichts** (inf) (unhöflich) without so much as a by-your-leave; **es war ~ nichts, dir nichts weg** the next thing I knew I had gone; **wie du ~, so ich dir** (prov) tit for tat (inf); (als Drohung) I'll get my own back (on you); **und das ~!** why me (of all people)?; **daß ihr ~ nicht an die Bücher geht!** (inf) don't you touch those books!; **du bist ~ vielleicht einer!** (inf) you're a right one, you are! (inf).

Mirabelle f mirabelle, small yellow plum.

Mirakel nt -s, - (old) miracle.

Misanthrop(in f) m -en, -en (geh) misanthropist.

Misanthropie f (geh) misanthropy.

Mischarbeitsplatz m (Comput) mixed work station; **mischbar** adj mixable, miscible (form); **~ sein** to mix;

Mischbatterie f mixer tap; **Mischbrot** nt bread made from more than one kind of flour; **Mischehe** f mixed marriage.

mischen I vt to mix; Tabak-, Tee-, Kaffeesorten auch to blend; Karten to shuffle; (Comput) Dateien to merge. II vr (sich vermengen) to mix. **sich unter jdn/etw ~** to mix or mingle with sb/mix with sth; **sich in etw** (acc) **~** to meddle or interfere in sth; **sich in das Gespräch ~** to butt or cut into the conversation. III vi (Cards) to shuffle. **wer mischt?** whose shuffle is it?

Mischfarbe f mixed or blended colour; (Phys) secondary colour; **Mischfinanzierung** f mixed financing; **Mischform** f mixture; (von zwei Elementen auch) hybrid (form); **Mischgewebe** nt mixed fibres pl; **Mischkalkulation** f mixed calculation; **Mischkonzern** m conglomerate; **Mischkultur** f 1. (Agr) mixed cultivation; **~en anbauen** to grow different crops side by side or in the same field; 2. (Sociol) mixed culture.

Mischling m 1. (Mensch) half-caste, half-breed (pej). 2. (Zool) half-breed.

Mischmasch m -(e)s, -e (inf) hotchpotch, mishmash (aus of); (Essen auch) concoction; **Mischmaschine** f cement-mixer; **Mischpoke, Mischpoche** f -, no pl (sl) clan (inf), mob (inf); **Mischpult** nt (Rad, TV) mixing desk or panel; (von Band) sound mixer; **Mischrasse** f (Tiere) crossbreed; **Mischtrommel** f (drum in) cement-mixer.

Mischung f 1. (das Mischen) mixing; (von Tee-, Kaffee-, Tabaksorten auch) blending. 2. (lit, fig: Gemischtes) mixture; (von Tee auch) blend; (von Süßigkeiten auch) assortment; (fig auch) combination (aus of). 3. (Chem) siehe **Gemisch**.

Mischungsverhältnis nt ratio/proportions (of a mixture).

Mischvolk nt mixed race; **Mischwald** m mixed (deciduous and coniferous) forest.

miserabel adj (inf) lousy (inf); Gesundheit miserable, wretched; Gefühl ghastly; Benehmen dreadful; Leistungen auch pathetic; (gemein) Kerl nasty.

Misere f -, -n (von Leuten, Wirtschaft) plight; (von Hunger, Krieg) misery, miseries pl. **in einer ~ stecken** to be in a terrible or dreadful state; (Mensch) to be in a mess, to have run into trouble; **jdn aus einer ~ herausholen** to get sb out of trouble or a mess; **das war eine einzige ~** that was a real disaster; **es ist eine ~, wie/daß ...** it is dreadful how/that ...

Mispel f -, -n medlar (tree).

Miß, Miss f -, **Misses** Miss.

miß imper sing of **messen**.

miß|achten vt insep 1. (ignorieren) Warnung, Ratschlag to ignore, to disregard; Gesetz, Verbot to flout. 2. (geringschätzen) jdn to despise; Hilfe, Angebot to disdain.

Miß|achtung f 1. siehe vt 1. disregard; flouting. 2. (Geringschätzung) disrespect (gen for); disdain (gen of, for).

mißbehagen* vi insep +dat (geh) **das**

mißbehagte ihm that was not to his liking; **es mißbehagt mir, schon wieder umziehen zu müssen** it ill suits me to have to move again.

Mißbehagen nt (geh) (Unbehagen) uneasiness; (Mißfallen) discontent(ment). **jdm ~ bereiten** to cause sb uneasiness/discontent(ment).

Mißbildung f deformity, malformation.

mißbilligen* vt insep to disapprove of, to object to.

mißbilligend adj disapproving.

Mißbilligung f disapproval.

Mißbrauch m abuse; (falsche Anwendung) misuse; (von Notbremse, Feuerlöscher) improper use; (geh: sexuell) sexual assault (gen on). **vor ~ wird gewarnt** use only as directed; (an Notbremse) do not misuse; **unter ~ seines Amtes** in abuse of his office.

mißbrauchen* vt insep to abuse; Güte auch to impose upon; (geh: vergewaltigen) to assault. **den Namen Gottes ~** (geh) to take the Lord's name in vain; **jdn für or zu etw ~** to use sb for sth or to do sth.

mißbräuchlich adj (form) Benutzung improper; Anwendung auch incorrect.

mißdeuten* vt insep to misinterpret.

Mißdeutung f misinterpretation.

missen vt (geh) to go or do without; Erfahrung to miss. **das möchte ich nicht ~** I wouldn't do without it/miss it (for the world); **ich möchte meine Kinder nicht ~** I could not do without my children.

Miß|erfolg m failure; (Theat, Buch auch) flop.

Miß|ernte f crop failure.

Missetat f (old) misdeed, misdemeanour.

Missetäter(in f) m (old) culprit; (Verbrecher auch) wrongdoer.

mißfallen* vi insep irreg +dat to displease. **es mißfällt mir, wie er ...** I dislike the way he ...

Mißfallen nt -s, no pl displeasure (über +acc at), disapproval (über +acc of). **jds ~ erregen** to incur sb's displeasure.

Mißfallensäußerung f expression of disapproval or displeasure; **Mißfallenskundgebung** f expression or demonstration of disapproval or displeasure.

Mißgeburt f deformed person/animal; (fig inf) failure. **das Kind ist eine ~** the child was born deformed.

mißgelaunt adj (geh) bad-tempered, ill-humoured.

Mißgeschick nt mishap; (Pech, Unglück) misfortune. **ein kleines ~** a slight mishap; **vom ~ verfolgt werden** (geh) to be dogged by misfortune.

mißgestalt(et) (geh) adj misshapen.

mißgestimmt adj (geh) ill-humoured. **~ sein** to be in an ill humour.

mißglücken* vi insep aux sein to fail, to be unsuccessful. **der Versuch ist (ihm) mißglückt** the/his attempt was a failure or failed; **er wollte mich überraschen, aber es ist ihm mißglückt** he wanted to surprise me but he failed.

mißgönnen* vt insep jdm etw ~ to (be)grudge sb sth.

Mißgriff m mistake.

Mißgunst f resentment, enviousness (gegenüber of).

mißgünstig adj resentful (auf +acc towards).

mißhandeln* vt insep to ill-treat, to maltreat.

Mißhandlung f ill-treatment, maltreatment; (Kindes~) cruelty (to children).

Mißhelligkeit f (geh) disagreement, difference.

Mission f (Eccl, Pol, fig) mission; (diplomatische Vertretung) legation, mission (US); (Gruppe) delegation. **~ treiben** to do missionary work; **in der ~ tätig sein** to be a missionary.

Missionar(in f), **Missionär(in** f) (Aus) m missionary.

missionarisch adj missionary.

Missionsstellung f (fig, hum) missionary position.

missionieren* I vi to do missionary work, to proselytize; (fig) to preach, to proselytize. II vt Land, Mensch to (work to) convert, to proselytize; (fig) to convert, to proselytize.

Missionierung f conversion, proselytization.

Missionschef(in f) m head of a legation/leader of a delegation; **Missionsschule** f mission school; **Missionsschwester** f nun working at a mission.

Mißklang m discord (auch Mus), dissonance; (Mißton) discordant note. **ein ~** (fig) a note of discord, a discordant note.

Mißkredit m, no pl discredit. **jdn/etw in ~ bringen** to bring sb/sth into discredit, to discredit sb/sth; **in ~ geraten or kommen** to be discredited.

mißlang pret of mißlingen.

mißlaunig adj bad-tempered, ill-humoured.

mißlich adj (geh) awkward, difficult; Umstand auch, Verzögerung unfortunate, regrettable. **das ist ja eine ~e Sache** that is a bit awkward/unfortunate; **es steht ~ um dieses Vorhaben** the outlook for this plan is not good.

mißliebig adj unpopular. **sich (bei jdm) ~ machen** to make oneself unpopular (with sb); **~er Politiker** politician who has fallen out of favour.

mißlingen pret **mißlang**, ptp **mißlungen** vi aux sein to fail, to be unsuccessful. **der Versuch ist ihr mißlungen** her attempt failed or was unsuccessful; **das ist ihr mißlungen** she failed; **ihm mißlingt alles** everything he does goes wrong; **ein mißlungener Versuch** an unsuccessful attempt.

Mißlingen nt -s, no pl failure.

mißlungen ptp of mißlingen.

Mißmanagement nt mismanagement.

Mißmut m sullenness, moroseness; (Unzufriedenheit) displeasure, discontent. **seinen ~ über etw (acc) zeigen/äußern** to show/express one's displeasure or discontent at sth.

mißmutig adj sullen, morose; (unzufrieden) discontented; Äußerung, Aussehen disgruntled. **mach nicht so ein ~es Gesicht** don't look so morose.

mißraten* I *vi insep irreg aux sein* to go wrong; (*Kind*) to become wayward. **der Kuchen ist mir ~** my cake went wrong *or* was a failure. II *adj Kind* wayward. **der ~e Kuchen** the cake which went wrong.

Mißstand *m* disgrace *no pl*, outrage; (*allgemeiner Zustand*) bad *or* deplorable state of affairs *no pl*; (*Ungerechtigkeit*) abuse; (*Mangel*) defect. **einen ~/~e beseitigen** to remedy something which is wrong/things which are wrong; **~e in der Regierung anprangern** to inveigh against misgovernment/mismanagement.

Mißstimmung *f* 1. (*Uneinigkeit*) friction, discord. **eine ~** a note of discord, a discordant note. 2. (*Mißmut*) ill feeling *no indef art*.

Mißton *m* (*Mus, fig*) discordant note; (*fig auch*) note of discord. **~e** (*Klang*) discordant sound; (*fig*) discord.

mißtönend, *adj* discordant; *Stimme, Instrument* unpleasant(-sounding).

mißtrauen* *vi insep* +*dat* to mistrust, to be suspicious *or* wary of.

Mißtrauen *nt* -s, *no pl* mistrust, distrust (*gegenüber* of); (*esp einer Sache, Handlung gegenüber*) suspiciousness (*gegenüber* of). **~ gegen jdn/etw haben** *or* **hegen** (*geh*), **jdm/etw ~ entgegenbringen** to mistrust sb/sth, to be suspicious of sb/sth.

Mißtrauens- (*Parl*): **Mißtrauensantrag** *m* motion of no confidence; **Mißtrauensvotum** *nt* vote of no confidence.

mißtrauisch *adj* mistrustful, distrustful; (*argwöhnisch*) suspicious.

Mißvergnügen *nt* (*geh*) displeasure, disgruntlement.

mißvergnügt *adj* (*geh*) disgruntled, displeased.

Mißverhältnis *nt* discrepancy, disparity; (*in Proportionen*) imbalance. **seine Leistung steht im ~ zu seiner Bezahlung** there is a discrepancy *or* disparity between the work he does and his salary.

mißverständlich *adj* unclear. **~e Ausdrücke** expressions which could be misunderstood *or* misleading.

Mißverständnis *nt* 1. misunderstanding; (*falsche Vorstellung*) misconception. 2. *usu pl* (*Meinungsverschiedenheit*) misunderstanding, disagreement.

mißverstehen* *vt insep irreg* to misunderstand. **Sie dürfen mich nicht ~** please do not misunderstand me.

Mißwahl, Misswahl *f* beauty contest.

Mißweisung *f* (*form*) (*von Kompaß*) magnetic declination *or* variation; (*von Radar*) indication error.

Mißwirtschaft *f* maladministration, mismanagement.

Mißwuchs *m* malformed growth, malformation.

Mist *m* -es, *no pl* 1. (*Tierkot*) droppings *pl*; (*Pferde~, Kuh~*) dung; (*Dünger*) manure; (*~haufen*) manure *or* muck heap. **~ streuen** *or* **fahren** to spread manure *or* muck (*inf*); **das ist nicht auf seinem ~ gewachsen** (*inf*) he didn't think

that up himself. 2. (*inf*) (*Unsinn*) rubbish, nonsense; (*Schund*) rubbish, trash. **~!** blow!, blast! (*inf*); **so ein ~!** (*inf*) what a darned *or* blasted nuisance (*inf*); **er hat einen ~ geredet** he talked a load of rubbish; **da hat er ~ gemacht** *or* **gebaut** (*sl*) he really messed that up (*inf*); **mach keinen ~!** (*sl*) don't be a fool!

Mistbeet *nt* (*Hort*) hotbed.

Mistel *f* -, -n mistletoe *no pl*.

Mistelzweig *m* sprig of mistletoe.

misten I *vt Stall* to muck out;a *Acker* to manure. 2. (*inf*) *siehe* **ausmisten.** II *vi* (*im Stall*) to do the mucking out; (*düngen*) to do the manuring.

Mistgabel *f* pitchfork (*used for shifting manure*); **Misthaufen** *m* manure heap; **Mistkäfer** *m* dung beetle; **Mistkerl** *m* (*inf*) dirty swine (*inf*); **Miststück** *nt* (*inf*); **Mistvieh** *nt* (*sl*) (*Mann*) bastard (*sl*); (*Frau auch*) bitch (*sl*); **Mistwagen** *m* dung cart; **Mistwetter** *nt* (*inf*) lousy weather.

Miszellen *pl* (*liter*) short articles *or* items. **das fällt unter ~** that comes under miscellaneous.

mit I *prep* +*dat* 1. with; (*versehen mit auch*) and. **Tee ~ Zitrone** lemon tea, tea with lemon; **~ dem Hut in der Hand** (with) his hat in his hand; **ein Topf ~ Suppe** a pot of soup; **ein Kleid ~ Jacke** a dress and jacket; **wie wär's ~ einem Bier?** (*inf*) how about a beer?

2. (*~ Hilfe von*) with. **~ einer Zange** with *or* using a pair of pliers; **~ der Bahn/dem Bus/dem Auto** by train/bus/car; **ich fahre ~ meinem eigenen Auto zur Arbeit** I drive to work in my own car; **~ der Post** by post; **~ Gewalt** by force; **~ Bleistift/Tinte/dem Kugelschreiber schreiben** to write in pencil/ink/ballpoint; **~ dem nächsten Flugzeug/Bus kommen** to come on the next plane/bus; **~ etwas Liebe/Verständnis** with a little love/understanding; **~ einem Wort** in a word.

3. (*zeitlich*) **~ dem Glockenschlage sechs** at *or* on the stroke of six, at six on the dot; **~ achtzehn Jahren** at (the age of) eighteen; **~ einem Mal** all at once, suddenly, all of a sudden; **~ heutigem Tage** (*form*) as from today; **~ beginnendem Sommer** at the start of summer; **~ der Zeit** in time.

4. (*bei Maß-, Mengenangaben*) **~ 1 sec Vorsprung gewinnen** to win by 1 sec; **etw ~ 50.000 DM versichern** to insure sth for DM 50,000; **~ 80 km/h** at 80 km/h; **~ 4:2 gewinnen** to win 4-2.

5. (*einschließlich*) with, including. **~ mir waren es 5** there were 5 with *or* including *or* counting me.

6. (*Begleitumstand, Art und Weise, Eigenschaft*) with. **er ~ seinem Herzfehler kann das nicht** he can't do that with his heart condition; **du ~ deinen dummen Ideen** (*inf*) you and your stupid ideas; **~ Muße** at (one's) leisure; **ein junger Dichter, Rosenholz ~ Namen** (*old*) a young poet, Rosenholz by name *or* called Rosenholz; **~ einem Schlage** in

a flash; ~ **lauter Stimme** in a loud voice; ~ **Verlust** at a loss.

7. (*betreffend*) **was ist ~ ihr los?** what's the matter *or* what's up with her?; **wie geht** *or* **steht es ~ deiner Arbeit?** how is your work going?, how are you getting on with your work?; ~ **meiner Reise wird's nichts** my trip is off.

II *adv* ~ (*inf*) he wanted to come too; **er war er ist ~ der Beste der Gruppe/Mannschaft** he is one of *or* among the best in the group/the team; **das gehört ~ dazu** that's part and parcel of it; **etw ~ in Betracht ziehen** to consider sth as well.

Mit|angeklagte(r) *mf* co-defendant.

Mit|arbeit *f* cooperation, collaboration; (*Hilfe auch*) assistance; (*Teilnahme*) participation (*auch Sch*). ~ **bei/an etw** work on sth; **er ist an einer ~ bei diesem Projekt interessiert** he is interested in working on this project; **unter ~ von** in collaboration with.

mit|arbeiten *vi sep* (*mithelfen*) to cooperate (*bei* on); (*bei Projekt*) to collaborate. **an** *or* **bei etw ~** to work on sth; **er hat beim Bau des Hauses mitgearbeitet** he helped build the house; **beim Unterricht ~** to take an active part in lessons; **seine Frau arbeitet mit** (*inf*) his wife works too.

Mit|arbeiter(in *f*) *m* (*Betriebsangehöriger*) employee; (*Kollege*) colleague; (*an Projekt*) collaborator. **die ~ an diesem Projekt** those who work on this project; **freier ~** freelance.

Mit|arbeiterstab *m* staff.

Mitbegründer(in *f*) *m* co-founder.

mitbekommen* *vt sep irreg* **1. etw ~** to get *or* be given sth to take with one; *Rat, Ausbildung* to get *or* be given sth; (*als Mitgift*) to be given sth as a dowry. **2.** (*inf*) (*verstehen*) to get (*inf*); (*bemerken*) to realize. **hast du das noch nicht ~?** (*erfahren*) you mean you didn't know that?

mitbenutzen*, **mitbenützen*** (*S Ger*) *vt sep* to share (the use of).

Mitbenutzung *f* joint use.

Mitbesitz *m* co-ownership, joint ownership/property. ~ **an etw** (*dat*) **haben** to have a share in the ownership of sth.

Mitbesitzer(in *f*) *m* joint owner, co-owner.

mitbestimmen* *sep* **I** *vi* to have a say (*bei* in); to participate (*bei* in). **~d sein** *or* **wirken** to have an influence (*bei, für* on). **II** *vt* to have an influence on.

Mitbestimmung *f* (*Pol*) co-determination, participation (*bei* in). ~ **am Arbeitsplatz** worker participation.

Mitbestimmungsrecht *nt* right of participation (*in decision making etc*).

Mitbewerber(in *f*) *m* competitor; (*für Stelle*) (fellow) applicant.

Mitbewohner(in *f*) *m* (fellow) occupant. **die ~ in unserem Haus** the other occupants of the house.

mitbringen *vt sep irreg* **1.** (*beim Kommen bringen*) to bring; *Freund, Begleiter* to bring along; (*beim Zurückkommen*) to bring back. **jdm etw ~** to bring sth for sb

or sb sth; **jdm etw von der Stadt/vom Bäcker ~** to bring (sb) sth back from town/fetch (sb) sth from the baker's; **was sollen wir der Gastgeberin ~?** what should we take to our hostess?; **die richtige Einstellung ~** to have the right attitude; **Sie haben schönes Wetter mitgebracht!** lovely weather you've brought with you!

2. *Mitgift, Kinder* to bring with one. **etw in die Ehe ~** to have sth when one gets married; **sie hat ein ansehnliches Vermögen in die Ehe mitgebracht** she brought a considerable fortune with her when she got married; **sie hat zwei Kinder aus der ersten Ehe mitgebracht** she has two children from her first marriage.

3. (*fig*) *Befähigung, Voraussetzung* to have, to possess.

Mitbringsel *nt* (*Geschenk*) small present; (*Andenken*) souvenir.

Mitbürger(in *f*) *m* fellow citizen. **meine Stuttgarter ~** my fellow citizens from Stuttgart; (*in Anrede*) fellow citizens of Stuttgart; **die älteren ~** senior citizens.

mitdenken *vi sep irreg* (*Gedankengänge/Beweisführung mitvollziehen*) to follow sb's train of thought/line of argument. **zum Glück hat er mitgedacht** luckily he did not let me/us *etc* forget; **denk mal mit** help me/us *etc* think.

mitdürfen *vi sep irreg* **wir durften nicht mit** we weren't allowed to go along.

mit|einander *adv* with each other, with one another; (*gemeinsam*) together. **alle ~!** all together; **wir haben lange ~ geredet** we had a long talk; **sie reden nicht mehr ~** they are not talking (to each other *or* one another) any more; **guten Tag ~** (*esp S Ger*) hello everybody *or* all.

Mit|einander *nt* -s, *no pl* cooperation. **ein ~ ist besser als ein Gegeneinander** it is better to work with each other than against each other.

mit|empfinden* *sep irreg* **I** *vt* to feel too, to share. **II** *vi* **mit jdm ~** to feel for sb, to sympathize with sb.

Mit|empfinden *nt* sympathy.

Mit|erbe *m*, **Mit|erbin** *f* joint heir. **außer ihm sind es noch 4 ~n** there are 4 other heirs apart from him.

mit|erleben *vt sep Krieg* to live through; (*im Fernsehen*) to watch.

mit|essen *sep irreg* **I** *vt Schale* to eat as well; *Mahlzeit* to share. **II** *vi* (**bei jdm**) ~ to eat *or* have a meal with sb; **willst du nicht ~?** why don't you want something to eat too?

Mit|esser *m* -s, - blackhead.

mitfahren *vi sep irreg aux sein* to go (with sb). **sie fährt mit** she is going too/with me/us *etc*; (**mit jdm**) ~ to go with sb; (*auf Reise auch*) to travel with sb; (*mitgenommen werden*) to get a lift with sb, to be given a lift by sb; **jdn ~ lassen** to allow sb to go; (*jdn mitnehmen*) to give sb a lift; **kann ich (mit Ihnen) ~?** can you give me a lift?; **er fährt jeden Morgen mit mir im Auto mit** I give him a lift in my car every morning; **wieviel Leute können bei dir ~?** how many people can you take (with you)?

Mitfahrer(in f) m fellow-passenger; (*vom Fahrer aus gesehen*) passenger.

Mitfahrerzentrale f agency for arranging lifts.

Mitfahrgelegenheit f lift. ~en nach Rom lifts offered to Rome.

mitfühlen vi sep siehe **mitempfinden**.

mitfühlend adj sympathetic, compassionate.

mitführen vt sep Papiere, Ware to carry (with one); (*Fluß*) to carry along.

mitgeben vt sep irreg jdn jdm ~ to send sb along with sb; jdm etw ~ to give sb sth to take with them; Rat, Erziehung to give sb sth; das gebe ich dir noch mit take that (with you) too.

Mitgefangene(r) mf fellow prisoner.

Mitgefühl nt sympathy.

mitgehen vi sep irreg aux sein **1.** to go too or along. mit jdm ~ to go with sb; (*begleiten auch*) to accompany sb; gehen Sie mit? are you going (too)?; ich gehe bis zur Ecke mit I'll go to the corner with you/him.
2. (*fig: Publikum*) to respond (favourably) (*mit* to). man merkt, wie die Zuhörer richtig (mit ihm) ~ you can see that the audience is really with him.
3. (*inf*) etw ~ lassen to lift sth (*inf*).

Mitgift f -, -en dowry.

Mitgiftjäger m (*inf*) dowry-hunter.

Mitglied nt member (gen, bei, in +dat of). ~ eines Komitees sein to sit on or be a member of a committee.

Mitgliederversammlung f general meeting.

Mitgliedsausweis m membership card; **Mitgliedsbeitrag** m membership subscription or fee or dues pl.

Mitgliedschaft f membership.

Mitgliedsstaat m member state or country.

mithaben vt sep irreg etw ~ to have sth (with one); jdn ~ to have brought sb with one; hast du alles mit? have you got everything?

mithalten vi sep irreg (sich beteiligen) to join in (*mit* with); (bei Leistung, Tempo nachkommen) (*mit* with) to keep up, to keep pace; (bei Versteigerung) to stay in the bidding. in der Kneipe hat er immer feste mitgehalten in the pub he would always drink as much as the rest; bei einer Diskussion ~ können to be able to hold one's own in a discussion; er kann so erstklassig Englisch, da kann keiner ~ he speaks such excellent English, noone can touch him (*inf*).

mithelfen vi sep irreg to help. beim Bau des Hauses ~ to help build the house; hilf doch ein bißchen mit give us or lend us a hand.

Mitherausgeber m co-editor, joint editor; (*Verlag*) co-publisher.

Mithilfe f assistance, aid. unter ~ der Kollegen with the aid or assistance of colleagues.

mithin adv (geh) therefore, consequently.

mithören sep **I** vt to listen to (too); Gespräch to overhear; (heimlich) to listen in on; ich habe alles mitgehört I heard

everything.
II vi (zusammen mit jdm) to listen (too); (Radio hören, Gespräch belauschen) to listen in (bei on); (zufällig) to overhear. Feind hört mit (Mil prov) careless talk costs lives; (fig hum) someone may be listening.

Mitinhaber(in f) m joint-owner, coowner; (von Firma auch) joint-proprietor.

mitkämpfen vi sep to fight. mit jdm ~ to fight alongside sb.

Mitkämpfer(in f) m (im Krieg) comrade-in-arms; (Sport) team-mate; partner.

mitklingen vi sep irreg (Ton, Saite) to sound, to resonate. in ihrer Äußerung klang ein leichter Vorwurf mit there was a slight note of reproach in her remark; Assoziationen, die bei diesem Wort ~ associations contained in this word.

mitkommen vi sep irreg aux sein **1.** to come along (mit with); (Sendung, Brief) to come, to arrive. kommst du auch mit? are you coming too?; ich kann nicht ~ I can't come; komm doch mit! (do) come with us/me etc!, why don't you come too?; kommst du mit ins Kino? are you coming to the cinema (with me/us)?; bis zum Bahnhof ~ to come as far as the station.
2. (*inf*) (mithalten) to keep up; (verstehen) to follow. da komme ich nicht mit that's beyond me; sie kommt in der Schule/im Französisch gut mit she is getting on well at school/with French.

mitkönnen vi sep irreg (inf) **1.** to be able to come/go (mit with). **2.** (usu neg) (inf: verstehen) to be able to follow. da kann ich nicht mehr mit I can't follow that.

mitkriegen vt sep (inf) siehe **mitbekommen**.

mitlaufen vi sep irreg aux sein to run (mit with); (Rad, Zeiger) to turn. er läuft beim 100-m-Lauf mit he's running in the 100 metres.

Mitläufer(in f) m (Pol, pej) fellow traveller.

Mitlaut m consonant.

Mitleid nt, no pl pity, compassion (mit for); (Mitgefühl) sympathy (mit with, for).

Mitleidenschaft f: jdn/etw in ~ ziehen to affect sb/sth (detrimentally).

mitleidig adj pitying; (mitfühlend) sympathetic; Mensch auch compassionate. ~ lächeln to smile pityingly.

mitleid(s)los adj pitiless, heartless; **Mitleid(s)losigkeit** f pitilessness, heartlessness; **mitleid(s)voll** adj sympathetic, compassionate.

mitlernen vti sep to learn too; (durch jdn lernen) to learn (mit from).

mitlesen vti sep irreg to read too; Text to follow. etw (mit jdm) ~ to read sth at the same time as sb.

mitmachen vti sep **1.** (teilnehmen) Spiel, Singen to join in; Reise, Expedition, Ausflug to go on; Kurs to do; Mode to follow. etw or bei etw ~ to join in sth; er macht alles mit he always joins in (all the fun); jede Mode ~ to follow every fashion; bei der Mode or da mache ich nicht

mit that's not my scene (*inf*); **meine Augen/meine Beine machen nicht mehr mit** my eyes/legs are giving up; **wenn das Wetter mitmacht** if the weather cooperates.

2. (*inf: einverstanden sein*) **da kann ich nicht ~** I can't go along with that; **das mache ich nicht mehr mit** I've had quite enough (of that); **ich mache das nicht mehr lange mit** I won't take that much longer.

3. (*erleben*) to live through, to experience; (*erleiden*) to go through. **sie hat viel mitgemacht** she has been through a lot in her time.

Mitmensch *m* fellow man *or* creature, neighbour. **wir müssen in jedem den ~en sehen** we must see people as neighbours.

mitmenschlich *adj Kontakte, Probleme* human; *Verhalten* considerate.

mitmischen *vi sep* (*sl*) (*sich beteiligen*) to be involved (*in* +*dat*, *bei* in); (*sich einmischen*) to interfere (*in* +*dat*, *bei* in sth).

mitmüssen *vi sep irreg* to have to go/come too.

Mitnahme *f* -, *no pl* **die ~ von etw empfehlen** to recommend sb to take sth with them.

Mitnahmemarkt *m* cash and carry.

mitnehmen *vt sep irreg* **1.** to take (with one); (*ausleihen*) to borrow; (*kaufen*) to take. **jdn (im Auto) ~** to give sb a lift; **der Bus konnte nicht alle ~** the bus couldn't take everyone; **sie nimmt alles mit, was sich bietet** she makes the most of everything life has to offer; **(das ist) zum M~** please take one; **einmal Pommes frites zum M~** a bag of chips to take away (*Brit*), French fries to go (*US*).

2. (*erschöpfen*) *jdn* to exhaust, to weaken; (*beschädigen*) to be bad for. **mitgenommen aussehen** to look the worse for wear.

3. (*stehlen*) to walk off with.

4. (*inf*) *Sehenswürdigkeit, Veranstaltung* to take in.

mitnichten *adv* (*old*) not at all, by no means, in no way.

Mitra *f* -, **Mitren** (*Eccl*) mitre.

Mitrauchen *nt* passive smoking.

Mitraucher(in *f*) *m* passive smoker.

mitrechnen *vt sep* to count; *Betrag* to count in.

mitreden *sep* **I** *vi* (*Meinung äußern*) to join in (*bei etw* sth); (*mitbestimmen*) to have a say (*bei* in). **da kann er nicht ~** he wouldn't know anything about that; **da kann ich ~** I should know; **da kann ich aus Erfahrung ~** I know from my own experience; **sie will überall ~** (*inf*) she always has to have her say.

II *vt* **da möchte ich auch ein Wörtchen ~** I'd like to have some say (in this) too.

mitreisen *vi sep aux sein* to go/travel too (*mit* with).

Mitreisende(r) *mf* fellow passenger/traveller.

mitreißen *vt sep irreg* (*Fluß, Lawine*) to sweep *or* carry away; (*Fahrzeug*) to carry along. **seine Rede hat alle mitgeris-**

sen everyone was carried away by his speech.

mitreißend *adj Rhythmus, Enthusiasmus* infectious; *Reden, Marschmusik* rousing; *Film, Fußballspiel* thrilling, exciting.

mitsamt *prep* +*dat* together with.

mitschicken *vt sep* (*in Brief*) to enclose.

mitschleifen *vt sep* to drag along.

mitschleppen *vt sep* **jdn/etw ~** to drag *or* cart (*inf*) sb/sth with one *or* along.

mitschneiden *vt sep irreg* to record.

Mitschnitt *m* recording.

mitschreiben *sep irreg* **I** *vt* **etw ~** to write *or* take sth down; (*Sekretärin*) to take sth down. **II** *vi* to take notes. **nicht so schnell, ich kann nicht mehr ~** not so fast, I can't keep up.

Mitschrift *f* record; (*von Vorlesung*) notes *pl*. **zur ~** for the record; **nicht zur ~ bestimmt** *or* **gedacht** off the record.

Mitschuld *f* share of the blame *or* responsibility (*an* +*dat* for); (*an einem Verbrechen*) complicity (*an* +*dat* in). **ihn trifft eine ~** a share of the blame falls on *or* must be taken by him; (*an Verbrechen*) he is implicated (*an* +*dat* in).

mitschuldig *adj* (*an Verbrechen*) implicated (*an* +*dat* in); (*an Unfall*) partly responsible *or* to blame (*an* +*dat* for). **sich ~ machen** to incur (some) blame (*an* +*dat* for); (*an Verbrechen*) to become implicated (*an* +*dat* in).

Mitschuldige(r) *mf* accomplice; (*Helfershelfer*) accessory.

Mitschüler(in *f*) *m* school-friend; (*in derselben Klasse*) class-mate.

mitschwingen *vi sep irreg* (*lit*) to resonate too. **was bei** *or* **in diesem Wort mitschwingt** the overtones *or* associations contained in *or* conjured up by this word; **es schwang ein Ton von Enttäuschung mit** there was a note of disappointment.

mitsingen *sep irreg* **I** *vt* to join in (singing). **II** *vi* to join in the singing, to sing along. **in einer Oper/einem Chor ~** to sing in an opera/choir.

mitspielen *vi sep* **1.** to play too; (*in Mannschaft*) to play (*bei* in). **in einem Film/bei einem Theaterstück ~** to be in a film/play; **wer spielt mit?** who wants to play?; (*in Mannschaft*) who's playing?; (*Theat*) who's in it?

2. (*fig inf: mitmachen*) to play along (*inf*).

3. (*Gründe, Motive*) to play a part *or* role (*bei* in), to be involved (*bei* in).

4. (*Schaden zufügen*) **er hat ihr übel** *or* **schlimm mitgespielt** he has treated her badly; **das Leben hat ihr übel mitgespielt** she has had a hard life, life has been hard to her.

Mitspieler(in *f*) *m* (*Sport*) player; (*Theat*) member of the cast. **seine ~** his teammates; the other members of the cast.

Mitsprache *f* a say.

Mitspracherecht *nt* right to a say in a matter. **jdm ein ~ einräumen** *or* **gewähren** to allow *or* grant sb a say (*bei* in).

mitsprechen *sep irreg* **I** *vt Gebet* to join in (saying). **etw (mit jdm) ~** to say sth with

or at the same time as sb. **II** *vi* to join in.
bei etw ~ to join in sth; *(mitbestimmen)*
to have a say in sth.

Mitstreiter(in *f)* *m* *(geh)* comrade-in-
arms.

mittag *adv* **gestern/heute/morgen ~ at**
midday yesterday/today/tomorrow,
yesterday/today/tomorrow lunchtime;
Dienstag ~ midday Tuesday, Tuesday
(at) midday, Tuesday lunchtime.

Mittag¹ *m* **-(e)s, -e 1.** midday. **gegen ~**
around *or* about midday *or* noon; **über
~ at** midday, at lunchtime(s); **jeden ~**
every day at midday, every lunchtime;
jeden ~ gegen halb eins every day at half
past twelve; **des ~s** *(geh)* around noon
or midday; **eines ~s** *(geh)* one day
around noon *or* midday; **zu ~ essen** to
have lunch *or* dinner *or* one's midday
meal; **etwas Warmes zu ~ essen** to have
a cooked lunch.
  2. *(old, liter: Süden)* south.
  3. *(inf: Pause)* lunch-hour, lunch-
break. **~ machen/haben** to take/have
one's lunch-hour *or* lunch-break; **sie
macht gerade ~** she's (off) at lunch.

Mittag² *nt* **-s,** *no pl (inf)* lunch.

Mittag|essen *nt* lunch, midday meal. **er
kam zum ~** he came to lunch; **sie saßen
beim ~** they were having lunch *or* their
midday meal.

mittägig *adj attr* midday.

mittäglich *adj attr* midday, lunchtime;
Schläfchen afternoon.

mittags *adv* at lunchtime. **~ warm essen**
to have a hot meal at midday; **~ (um) 12
Uhr, (um) 12 Uhr ~ at** 12 noon, at 12
o'clock midday.

Mittagsbrot *nt (dial)* lunch; **Mittagsglut**
(geh), **Mittagshitze** *f* midday *or* noon-
day heat, heat of midday; **Mittagsmahl**
nt (geh), **Mittagsmahlzeit** *f* midday
meal; **Mittagspause** *f* lunch-hour,
lunch-break; **~ machen/haben** to take/
have one's lunch-hour *or* lunch-break;
(Geschäft etc) to close at lunchtime;
Mittagsruhe *f* period of quiet (after
lunch); *(in Geschäft)* midday-closing;
Mittagsschlaf *m* afternoon nap; **Mit-
tagssonne** *f* midday sun; **Mittagsstun-
de** *f* midday, noon; **um die** *or* **zur** *(geh)*
~ around midday *or* noon; **Mittags-
tisch** *m* **1.** dinner-table; **den ~ decken** to
lay the table for lunch; **am ~ sitzen** to be
sitting (at the table) having lunch; **2.**
(im Restaurant) businessman's lunch;
Mittagszeit *f* lunchtime; **während** *or* **in
der ~ at** lunchtime; **um die ~** around
midday *or* lunch-time; **zur ~** *(geh)* at
midday.

Mittäter(in *f)* *m* accomplice.

Mittäterschaft *f* complicity.

Mittdreißiger(in *f)* *m* man/woman in his/
her mid-thirties.

Mitte *f* **-, -n 1.** middle; *(fig auch, von
Kreis, Kugel)* centre; *(der Stadt, Sport)*
centre. **das Reich der ~** *(geh)* the Middle Kingdom; **~ August** in the middle of
August; **~ des Jahres/des Monats** halfway through the year/month; **er ist ~
Vierzig** *or* he's in his mid-forties; **die goldene ~** the golden mean; **die rechte ~ a**

happy medium; **in der ~** in the middle;
(zwischen zwei Menschen) in between
(them/us *etc*); *(zwischen Ortschaften)*
halfway, midway; **sie nahmen sie in die
~** they took her between them.
  2. *(Pol)* centre. **die linke/rechte ~**
centre-left/-right; **in der ~ stehen** to be
moderate; **in der ~ zwischen ...** midway
between ...
  3. *(Gruppe, Gesellschaft)* **einer aus
unserer ~** one of us *or* our number; **ich
möchte gern in eurer ~ sein** I would like
to be with you; **in unserer ~** with us, in
our midst, among(st) us; **er wurde aus
unserer ~ gerissen** he was taken from
our midst *or* from amongst us.

mitteilen *sep* **I** *vt* **jdm etw ~** to tell sb sth;
(benachrichtigen) to inform sb of *or*
about sth, to communicate sth to sb
(form); *(bekanntgeben)* to announce sth
to sb; *(Comm, Admin)* to inform *or* notify sb of sth; **wir erlauben uns, Ihnen
mitzuteilen, daß ...** we beg to inform
you that ...; **teile ihm die Nachricht schonend mit** break the news to him gently.
  II *vr* **1.** to communicate *(jdm* with sb).
er kann sich gut/schlecht ~ he finds it
easy/difficult to communicate.
  2. *(geh: Stimmung)* to communicate
itself *(jdm* to sb).

mitteilsam *adj* communicative; *(pej)*
talkative, garrulous.

Mitteilung *f* *(Bekanntgabe)* announcement; *(Erklärung)* statement; *(Benachrichtigung)* notification; *(Comm,
Admin)* communication; *(an Mitarbeiter
etc)* memo **jdm (eine) ~ (von etw) machen** *(form)* to inform sb (of sth), to report (sth) to sb; *(bekanntgeben)* to
announce sth to sb; *(Erklärung abgeben)* to make a statement (about sth) to
sb; *(benachrichtigen)* to inform *or* notify
sb (of sth); **eine ~ bekommen, daß ...** to
hear that ...

Mitteilungsbedürfnis *nt* need to talk to
other people.

mittel *adj siehe* **mittlere(r, s).**

Mittel *nt* **-s, -** **1.** *(Math: Durchschnitt)*
average. **im ~** on average; **arithme-
tisches/geometrisches ~** arithmetical/
geometrical mean.
  2. *(~ zum Zweck, Transport~)* means
sing; *(Maßnahme, Methode)* way,
method; *(Werbe~, Propaganda~, zur
Verkehrskontrolle)* device; *(Lehr~)* aid.
~ und Wege finden to find ways and
means; **~ zum Zweck** a means to an
end; **kein ~ unversucht lassen** to try
everything; **~ gegen die Inflation** ways of
beating inflation; **als letztes** *or* **äußerstes
~** as a last resort; **zu anderen ~n greifen, andere ~ anwenden** to use *or* employ other means *or* methods; **ihm ist jedes ~ recht** he will do anything (to
achieve his ends); **ihm war jedes ~
recht, dazu war ihm jedes ~ recht** he did
not care how he did it *or* what means he
used to achieve his ends; **er ist in der
Wahl seiner ~ nicht zimperlich** he is not
fussy about what methods he chooses;
etw mit allen ~n verhindern/bekämpfen
to do one's utmost *or* everything one

can to prevent/oppose sth; **sie hat mit allen ~n gekämpft, um ...** she fought
tooth and nail to ...
3. *pl* (*Geld~*) funds *pl*, resources *pl*;
(*Privat~*) means *pl*, resources *pl*.
4. *meist nicht übersetzt* (*Medikament,
kosmetisch*) preparation; (*Med auch*)
drug; (*Medizin*) medicine; **welches ~
nimmst du?** what do you use *or* (*Med:
einnehmen*) take?; **ein ~ zum Einreiben**
something *or* a lotion/an ointment/a
cream to be rubbed in; **das ist ein ~
gegen Durchfall/(meine) Schuppen** that
is for diarrhoea/dandruff; **~ sich** (*dat*)
**ein ~ (gegen Kopfschmerzen/Husten)
verschreiben lassen** to get the doctor to
prescribe something (for headaches/a
cough); **es gibt kein ~ gegen Schnupfen**
there is no cure for the common cold;
das beste ~ für *or* **gegen etw** the best
cure *or* remedy for sth.

Mittelachse *f* (*von Fläche, Körper*) central axis; (*von Auto*) central axle;
Mittelalter *nt* Middle Ages *pl*; **da herrschen Zustände wie im ~!** (*inf*) it is positively medieval there; **mittelalterlich**
adj medieval; **Mittelamerika** *nt* Central
America (and the Caribbean); **mittel-
amerikanisch** *adj* Central American;
mittelbar *adj* indirect (*auch Jur*); *Schaden* consequential; **Mittelbau** *m* 1. (*Gebäude*) central block; 2. (*Univ*) non-
professorial teaching staff; **mittel-
deutsch** *adj* (*Geog, Ling*) Central German; (*dated Pol*) East German;
Mitteldeutsch(e) *nt* Central German
dialects *pl*; **Mittelding** *nt* (*Mischung*)
cross; **ein ~** (*weder das eine noch das
andere*) something in between; **Mittel-
europa** *nt* Central Europe; **Mittel-
europäer(in** *f*) *m* Central European;
mitteleuropäisch *adj* Central
European; **~e Zeit** Central European
Time; **mittelfein** *adj* *Erbsen* medium-
sized; *Kaffee, Mehl* medium-ground;
Mittelfeld *nt* (*Sport*) midfield; (*die
Spieler auch*) midfield players *pl*;
Mittelfinger *m* middle finger;
mittelfristig *adj* *Finanzplanung, Kredite* medium-term; *Voraussage* medium-
range; **Mittelgebirge** *nt* low mountain
range; **Mittelgewicht** *nt* middleweight;
Meister im ~ middleweight champion;
mittelgroß *adj* medium-sized;
mittelhochdeutsch *adj* Middle High
German; **Mittelhochdeutsch(e)** *nt*
Middle High German; **Mittelklasse** *f* 1.
(*Comm*) middle of the market; 2. (*Sociol*) middle classes *pl*; **Mittelklassewa-
gen** *m* mid-range *or* middle of the range
car; **mittelländisch** *adj*: **das M~e Meer**
(*form*) the Mediterranean Sea;
Mittellinie *f* (*von Sport*) centre-half;
Mittellinie *f* centre line; **mittellos** *adj*
without means; (*arm*) impoverished;
Mittellosigkeit *f* lack of means; (*Armut*) impoverishment; **Mittelmaß** *nt*
mediocrity *no art*; **das (gesunde) ~** the
happy medium; **seine Leistungen bewegen sich im ~** his performance is no
more than mediocre; **mittelmäßig I** *adj*
mediocre; *Schriftsteller, Spieler auch* in-

different; **als Redner gibt er eine recht
~e Figur ab** he's a pretty mediocre *or* indifferent speaker; **II** *adv* indifferently;
wie gefällt es dir hier? — so ~ how do
you like it here? — so-so; **Mittelmäßigkeit** *f* mediocrity.

Mittelmeer *nt* Mediterranean (Sea).
Mittelmeerraum *m* Mediterranean (region), Med (*inf*).
**Mittel|ohrentzündung, Mittelohr(ver)-
eiterung** *f* inflammation of the middle
ear, otitis (media) (*spec*).
mittelprächtig *adj* (*hum inf*) reasonable,
not bad *pred*, so-so *pred* (*inf*); (*ziemlich
schlecht*) pretty awful (*inf*); **Mittelpunkt** *m* (*Math, räumlich*) centre; (*fig:
visuell*) focal point; **er muß immer ~
sein** he always has to be the centre of
attention; **Mittelpunktschule** *f* school
at the centre of a rural catchment area.
mittels (*geh*), **mittelst** (*old*) prep +*gen or
dat* by means of.
Mittelscheitel *m* centre parting (*Brit*) *or*
part (*US*); **Mittelschicht** *f* (*Sociol*) middle class; **Mittelschiff** *nt* (*Archit*) nave;
Mittelschule *f* 1. (*inf: Realschule*) ≃
secondary modern school (*Brit*), junior
high (*US*); 2. (*Sw, Aus, inf: Oberschule*)
secondary school, high school (*US*).
Mittelsmann *m, pl* -**männer** *or* -**leute,
Mittelsperson** (*form*) *f* intermediary.
mittelst *prep* (*old*) *siehe* **mittels.**
Mittelstand *m* middle classes *pl*;
mittelständisch *adj* 1. middle-class; 2.
Betrieb medium-sized; 3. (*Pol*) centrist;
Mittelständler(in *f*) *m* -**s,** - 1. middle-
class person; 2. (*Comm*) medium-sized
company; 3. (*Pol*) centrist; **Mittelstel-
lung** *f* medium setting; (*fig*) intermediate position; **Mittelstimme** *f* (*Mus*)
middle part.
Mittelstrecke *f* (*Sport*) middle-distance
event; (*Aviat*) medium haul; (*von Rakete*) medium range.
Mittelstreckenflugzeug *nt* medium-haul
aircraft; **Mittelstreckenlauf** *m* middle-
distance race; (*Disziplin*) middle-
distance running; **Mittelstreckenläu-
fer(in** *f*) *m* middle-distance runner;
Mittelstreckenrakete *f* intermediate-
range *or* medium-range missile;
Mittelstreckenwaffe *f* intermediate-
range weapon.
Mittelstreifen *m* central reservation
(*Brit*), median (strip) (*US*); **Mittelstück**
nt middle *or* centre part; (*von Braten*)
middle; **Mittelstufe** *f* (*Sch*) middle
school (*Brit*), junior high (*US*);
Mittelstürmer(in *f*) *m* (*Sport*) centre-
forward; **Mittelweg** *m* middle course;
der goldene ~ the happy medium, the
golden mean; **einen ~ einschlagen** to
steer a middle course; **einen ~ suchen** to
try to find a happy medium;
Mittelwelle *f* (*Rad*) medium wave
(band); **Mittelwert** *m* mean;
Mittelwort *nt* (*Gram*) participle; **~ der
Gegenwart/Vergangenheit** present/past
participle.
mitten *adv* **~ an/in/auf/bei etw** (right) in
the middle of sth; **~ aus etw** (right) from
the middle of sth; (*aus Gedränge auch*)

from the midst of sth; ~ **durch etw** (right) through the middle of sth; ~ **darin/darein** (right) in the middle of it; ~ **darunter** (*räumlich*) right under it/them; (*dabei*) right amongst *or* in the middle of it/them; ~ **im Urwald** in the middle *or* depths of the jungle; ~ **in der Luft/im Atlantik** in mid-air/mid-Atlantic; ~ **ins Gesicht** right in the face; **es ist noch** ~ **in der Nacht** it's still the middle of the night; ~ **im Leben** in the middle of life; ~ **in** *or* **bei der Arbeit** when I *etc* am/was *etc* in the middle of working; ~ **beim Frühstück/Essen sein** to be in the middle of (one's) breakfast/of eating; ~ **unter uns** (right) in our midst; **der Stock brach** ~ **entzwei** the stick broke clean in two.

mittendrin *adv* (right) in the middle of it; ~ **in der Stadt/der Arbeit** (right) in the middle of the town/one's work; **mittendrunter** *adv* (*räumlich*) right at the bottom; (*dabei*) (right) amongst it/them; **mittendurch** *adv* (right) through the middle; **mittenmang** (*N Ger*) **I** *prep* +*dat or* (*sl*) *acc* among; **II** *adv* (right) in the middle of it/them.

Mitternacht *f* midnight *no art*.

mitternächtlich *adj attr* midnight. **zu ~er Stunde** (*geh*) at the midnight hour.

Mitternachtssonne *f* midnight sun; **Mitternachtsstunde** *f* witching hour.

Mittfünfziger(in *f*) *m* man/woman in his/her mid-fifties.

Mittler(in *f*) *m* **-s**, **-** mediator; (*liter: Ideen, Sprache*) medium.

mittlere(r, s) *adj attr* **1.** (*dazwischenliegend*) middle. **der/die/das** ~ the middle one; **der M~ Osten** the Middle East; **der** ~ **Weg** (*fig*) the middle course.

2. (*den Mittelwert bildend*) medium; (*mittelschwer*) *Kursus, Aufgabe* intermediate; (*durchschnittlich*) average; (*Math*) mean. **von ~m Wert** of medium value; **~n Alters** middle-aged; *siehe* **Reife**.

Mittlerrolle *f* role of mediator, mediatory role; **mittlerweile** *adv* in the meantime; **ich habe mich** ~ **daran gewöhnt** I've got used to it in the meantime.

mittschiffs *adv* (*Naut*) (a)midships; **Mittsechziger(in** *f*) *m* man/woman in his/her mid-sixties; **Mittsiebziger(in** *f*) *m* man/woman in his/her mid-seventies; **Mittsommer** *m* midsummer; **Mittsommernacht** *f* Midsummer's Night.

mittun *vi sep irreg* (*inf*) to join in.

Mittvierziger(in *f*) *m* man/woman in his/her mid-forties; **Mittwoch** *m* **-s**, **-e** Wednesday; *siehe auch* **Dienstag**; **mittwochs** *adv* on Wednesdays; *siehe auch* **dienstags**.

mit|unter *adv* from time to time, now and then *or* again, (every) once in a while.

mitver|antwortlich *adj* jointly responsible *pred*.

Mitver|antwortung *f* share of the responsibility. ~ **haben** to have *or* bear a share of the responsibility; **die** *or* **jede** ~ **ablehnen** to abnegate (all) responsibility.

mitverdienen* *vi sep* to (go out to) work as well.

Mitverfasser(in *f*) *m* co-author.

Mitverschulden *nt* **ihm wurde ein** ~ **nachgewiesen** he was shown to have been partially *or* partly to blame; **ihn trifft ein** ~ **an diesem Vorfall** he was partially *or* partly to blame for this incident.

Mitverschwör(e)ne(r) *mf decl as adj* fellow thinker/idealist, crony (*hum inf*); (*pej, bei Verbrechen*) conspirator. **Mitverschwörer(in** *f*) *m* conspirator.

mitversichern* *vt sep* to include in the insurance.

Mitwelt *f* **die** ~ the people *or* those about one; **es dauerte lange, bis die** ~ **seine Leistungen würdigte** it was a long time before his contemporaries learnt to appreciate his achievements.

mitwirken *vi sep* to play a part (*an* +*dat*, *bei* in); (*Fakten, Faktoren auch*) to contribute (*an* +*dat*, *bei* to); (*beteiligt sein*) to be involved (*an* +*dat*, *bei* in); (*Schriftsteller, Regisseur*) to collaborate (*an* +*dat*, *bei* on); (*mitspielen*) (*Schauspieler, Diskussionsteilnehmer*) to take part (*an* +*dat*, *bei* in); (*in Film*) to appear (*an* +*dat*, *bei* in); (*Tänzer, Orchester, Chor*) to perform (*an* +*dat*, *bei* in). **ohne das M~ des Ministers wäre das unmöglich gewesen** it would have been impossible without the minister's involvement.

Mitwirkende(r) *mf decl as adj* participant (*an* +*dat*, *bei* in); (*Mitspieler*) performer (*an* +*dat*, *bei* in); (*Schauspieler*) actor (*an* +*dat*, *bei* in). **die ~n** (*Theat*) the cast *pl*.

Mitwirkung *f* (*Beteiligung, Mitarbeit*) involvement (*an* +*dat*, *bei* in); (*Zusammenarbeit*) cooperation (*an* +*dat*, *bei* in); (*an Buch, Film*) collaboration (*an* +*dat*, *bei* on); (*Teilnahme*) (*an Diskussion, Projekt*) participation (*an* +*dat*, *bei* in); (*von Schauspieler*) appearance (*an* +*dat*, *bei* in); (*von Tänzer, Orchester, Chor*) performance (*an* +*dat*, *bei* in). **unter** ~ **von** with the assistance *or* aid *or* help of.

Mitwisser(in *f*) *m* **-s**, **-** (*Jur*) accessory (*gen* to). ~ **sein** to know about it; ~ **einer Sache** (*gen*) **sein** to know about sth; **jdn zum** ~ **machen** to tell sb (all) about it; (*Jur*) to make sb an accessory; **er wollte nicht so viele** ~ **haben** he didn't want so many people to know about it.

mitwollen *vi sep* to want to go/come along.

mitzählen *vti sep siehe* **mitrechnen**.

mitziehen *vi sep irreg aux sein* (*fig inf*) to go along with it.

Mixbecher *m* (cocktail) shaker.

mixen *vt Getränke*, (*Rad, TV*) to mix.

Mixer *m* **-s**, **-** **1.** *auch* ~**in** *f* (*Bar~*) cocktail waiter/waitress. **2.** (*Küchen~*) blender; (*Rührmaschine*) mixer. **3.** *auch* ~**in** *f* (*Film, Rad, TV*) mixer.

Mixgetränk *nt* mixed drink; (*alkoholisch*) cocktail; (*Milch~*) milkshake.

Mixtur *f* (*Pharm, Mus, fig*) mixture.

mm *abbr of* **Millimeter**.

Mob *m* **-s**, *no pl* (*pej*) mob.

Mobbing ['mɔbɪŋ] *nt* mobbing.

Möbel *nt* -s, - (~**stück**) piece of furniture. ~ *pl* furniture *sing*; ~ **rücken** to shift the furniture.

Möbel- *in cpds* furniture; **Möbellager** *nt* furniture showroom; **Möbelpacker** *m* furniture packer, removal man; **Möbelschreiner(in** *f*) *m* cabinetmaker; **Möbelspedition** *f* removal firm; **Möbelstoff** *m* furnishing fabric; **Möbelstück** *nt* piece of furniture; **Möbeltischler(in** *f*) *m* cabinetmaker; **Möbelwagen** *m* removal van (*Brit*) *or* truck, pantechnicon.

mobil *adj* **1.** mobile; (*Comm, Jur*) *Vermögen, Kapital* movable. ~**es Vermögen** movables *pl*; ~ **machen** (*Mil*) to mobilize. **2.** (*inf: flink, munter*) lively. **jdn** ~ **machen** to liven sb up.

Mobile ['mo:bilə] *nt* -s, -s mobile.

Mobiliar *nt* -s, *no pl* furnishings *pl*.

mobilisieren* *vt* (*Mil, fig*) to mobilize; (*Comm*) *Kapital* to make liquid. **die Straße** *or* **den Mob** ~ to rouse the mob.

Mobilität *f* mobility (*auch Sociol*); (*geistige* ~) agility.

Mobilmachung *f* (*Mil*) mobilization; **die** ~ **ausrufen/beschließen** to mobilize/ decide to mobilize; **Mobiltelefon** *nt* portable phone.

möblieren* *vt* to furnish. **neu** ~ to refurnish; **ein möbliertes Zimmer** a furnished room; **ein möblierter Herr** (*hum inf*) a lodger; **möbliert wohnen** to live in furnished accommodation.

Mocca *m* -s, -s *siehe* **Mokka**.

mochte *pret of* **mögen**.

Möchtegern- *in cpds* (*iro*) would-be.

modal *adj* (*Gram*) modal.

Modalität *f* **1.** *usu pl* (*von Plan, Vertrag*) arrangement; (*von Verfahren, Arbeit*) procedure. **2.** (*Philos*) modality.

Modal- (*Gram*): **Modalsatz** *m* (adverbial) clause of manner; **Modalverb** *nt* modal verb.

Mode *f* -, -n fashion; (*Sitte*) custom. ~**n** (*Kleider*) fashions, fashionwear *sing*, apparel *sing* (*esp US*); ~ **sein** to be fashionable *or* the fashion *or* in vogue; (*Sitte*) to be the custom; **das ist jetzt** ~ that's the latest fashion; **Radfahren/ Alaska wird jetzt große** ~ cycling/ Alaska is becoming very fashionable nowadays; **in** ~/**aus der** ~ **kommen** to come into/go out of fashion; **die** ~ *or* **alle** ~**n mitmachen, mit** *or* **nach der** ~ **gehen, sich nach der** ~ **richten** to keep up with the latest fashions; **sich nach der** ~ **kleiden** to dress in the height of fashion; **wir wollen keine neuen** ~**n einführen** (*inf*) we don't want any new-fangled ideas.

Modeartikel *m* fashion accessory; **Modearzt** *m*, **Modeärztin** *f* fashionable doctor; **modebewußt** *adj* fashion-conscious; **Modefarbe** *f* fashionable colour, in-colour (*inf*); **Modegeschäft** *nt* fashion shop; **Modehaus** *nt* fashion house; **Modeheft**, **Modejournal** *nt* fashion magazine; **Modekrankheit** *f* fashionable complaint.

Model¹ *nt* -s, - (*Cook*) wooden mould.

Model² *nt* -s, s model.

Modell *nt* -s, -e **1.** model; (*naturgetreu auch*) mock-up. **2.** (*Art, Foto*~) model. **zu etw** ~ **stehen** to be the model for sth; **jdm** ~ **stehen/sitzen** to sit for sb.

Modelleisenbahn *f* model railway; (*als Spielzeug*) train set; **Modellflugzeug** *nt* model aeroplane *or* airplane (*US*).

modellieren* *vti* to model.

Modelliermasse *f* modelling clay.

Modellkleid *nt* model (dress); **Modellversuch** *m* (*esp Sch*) experiment; **Modellzeichnung** *f* drawing of a model; (*Art*) drawing from a model.

modeln *vt* to model.

Modem *nt* (*Comput*) -s, -e modem.

Modenschau *f* fashion show.

Modepuppe *f*, **Modepüppchen** *nt* (*pej*) dolly bird.

Moder *m* -s, *no pl* mustiness; (*geh: Verwesung*) decay; (*Schimmel*) mildew. **es riecht nach** ~ it smells musty; **in** ~ **übergehen** to decay; (*Grabsteine*) to become mildewed.

Moderation *f* (*Rad, TV*) presentation. **die** ~ **heute abend hat: ...** tonight's presenter is ...

Moderator *m*, **Moderatorin** *f* presenter.

moderieren* *vti* (*Rad, TV*) to present. **das M**~ the presentation.

mod(e)rig *adj Geruch* musty.

modern¹ *vi aux sein or haben* to rot.

modern² *adj* modern *no adv*; (*zeitgemäß*) *Maschine, Vorrichtung auch* up-to-date *no adv*; (*modisch*) fashionable; *Politik, Ansichten, Eltern, Lehrer* progressive. ~ **sein** (*Kleidung, Möbel*) to be fashionable; ~ **werden** to come into fashion, to become fashionable; **ein** ~ **eingerichtetes Zimmer** a modern room; **der** ~**e Mensch** modern man.

Moderne *f* -, *no pl* (*geh*) modern age. **das Zeitalter der** ~ the modern age.

modernisieren* *vt Gebäude* to modernize; *Gesetz, Arbeitsmethoden, Betrieb auch* to bring up to date; *Kleidung* to revamp, to make more fashionable.

Modernismus *m* modernism.

modernistisch *adj* modernistic.

Modernität *f* (*geh*) modernity.

Modesache *f* **das ist reine** ~ it's just the fashion; **Modesalon** *m* siehe **Modehaus**; **Modeschau** *f* siehe **Modenschau**; **Modeschmuck** *m* costume jewellery; **Modeschöpfer(in** *f*) *m* fashion designer, couturier/couturière; **Modeschrei** *m* **der letzte** ~ the latest fashion; **Modetanz** *m* popular dance; **Modetorheit** *f* fashion fad; **Modewort** *nt* in-word, vogue *or* trendy (*inf*) word, buzzword; **Modezeichner(in/)** *m* fashion illustrator; **Modezeitschrift** *f* fashion magazine.

Modi *pl of* **Modus**.

modifizieren* *vt* to modify.

Modifizierung *f* modification.

modisch *adj* stylish, fashionable, modish.

Modistin *f* milliner.

Modul¹ *m* -s, -n (*Archit*) module; (*Math*) modulus.

Modul² *nt* -s, -e (*Comput*) module.

modular *adj* (*Comput*) modular.

Modulation f modulation.
modulieren* vt to modulate.
Modus m -, **Modi 1.** way. ~ **vivendi** (geh) modus vivendi. **2.** (Gram) mood. **3.** (Comput) mode.
Mofa nt -s, -s small moped, motor-assisted bicycle (form).
Mogelei f cheating no pl.
mogeln vi to cheat. **beim Kartenspiel/bei der Prüfung** ~ to cheat at cards/in an exam; **nicht** ~! no cheating!
Mogelpackung f misleading packaging; **den Wählern eine** ~ **verkaufen** (fig) to sell the electorate false promises; **Mogelzettel** m (Sch) crib.
mögen pret **mochte**, ptp **gemocht I** vt to like. ~ **Sie ihn/Operettenmusik?** do you like him/operetta?; **ich mag ihn/Operettenmusik nicht** I don't like or care for him/operetta; **sie mag das (gern)** she (really) likes that; **sie mag kein Sauerkraut** she doesn't like sauerkraut; **was möchten Sie, bitte?** what would you like?; (Verkäufer) what can I do for you?; ~ **Sie eine Praline/etwas Wein?** (form) would you like or care for a chocolate/some wine?; **nein danke, ich möchte lieber Tee** no thank you, I would prefer tea or rather have tea.
II vi **1.** (wollen) (eine Praline/etwas Wein ~) to like one/some; (etw tun ~) to like to. **ich mag nicht mehr** I've had enough; **kommen Sie mit? — ich möchte gern, aber ...** are you coming too? — I'd like to, but ...
2. (gehen/fahren wollen) to want to go. **ich möchte (gern) nach Hause** I want to go home; **ich möchte lieber in die Stadt** I would prefer to go or I would rather go into town.
III ptp ~ modal aux vb **1.** (im Konjunktiv: Wunsch) to like to +infin. **möchten Sie etwas essen?** would you like or care for something to eat?; **wir möchten (gern) etwas trinken** we would like something to drink; **ich möchte gern Herrn Schmidt sprechen** I would like to speak to Mr Schmidt; **hier möchte ich nicht wohnen** I wouldn't like to live here; **ich möchte dazu nichts sagen** I don't want to say anything about that, no comment; **ich hätte gern/lieber dabeisein** ~ I would like or have liked/prefer or have preferred to have been there; **das möchte ich auch wissen** I'd like to know that too; **möge er/mögest du Erfolg haben** (old) may he/you be successful.
2. (im Konjunktiv: einschränkend) **man möchte meinen, daß ...** you would think that ...; **ich möchte fast sagen ... I** would almost say ...
3. (geh: Einräumung) **es mag wohl sein, daß er recht hat, aber ...** he may well be right, but ...; **wie dem auch sein mag** however that may be; **was sie auch sagen mag** whatever she says; **oder wie er auch heißen mag** or whatever he is or might be or may be called; **es mag für dieses Mal hingehen** it's all right this time; **mag kommen was da will** come what may; **von mir aus mag er warten** as

far as I'm concerned he can wait.
4. (Vermutung) **es mochten etwa fünf Stunden vergangen sein** about five hours must or would have passed; **sie mag/mochte etwa zwanzig sein** she must or would be/have been about twenty; **wie alt mag sie sein?** how old might or would she be?, how old is she, I wonder?; **wo mag sie das gehört haben?** where could or might she have heard that?; **was mag das wohl heißen?** what might that mean?
5. (wollen) to want. **sie mag nicht bleiben** she doesn't want to stay.
6. (Aufforderung, indirekte Rede) (sagen Sie ihm,) **er möchte zu mir kommen** would you tell him to come and see me; **Sie möchten zu Hause anrufen** you should call home; **du möchtest dich brieflich melden** you should write.
Mogler(in f) m -s, - cheat.
möglich adj **1.** possible; (ausführbar auch) feasible. **alles** ~**e** everything you or one can think of; **alles M**~**e tun** to do everything possible or everything one can; **aus allen** ~**en Richtungen** from all directions; **so viel/bald wie** ~ as much/soon as possible; **das ist schon** or **wohl** or **durchaus** ~ that's quite possible; **wenn es irgend** ~ **ist** if (it's) at all possible; **können Sie es** ~ **machen, daß Sie schon morgen kommen** or **schon morgen zu kommen?** could you manage to come tomorrow?; **es war mir nicht** ~ **mitzukommen** I couldn't manage to come, it wasn't possible for me to come; **das ist doch nicht** ~! that's impossible!; **nicht** ~! never!, impossible!; **das wäre woanders nicht** ~ that couldn't happen anywhere else; **ist denn so was** ~? would you credit it? (inf); **er tat sein** ~**stes** he did his utmost or all he could.
2. (attr: eventuell) Kunden, Interessenten, Nachfolger potential, possible. **alle** ~**en Fälle** every eventuality; **alles M**~**e bedenken** to consider everything.
möglicherweise adv possibly. ~ **kommt er morgen** he may or might (possibly) come tomorrow; **ich habe meinen Regenschirm** ~ **im Bus vergessen** I may or might (possibly) have left my umbrella on the bus; **da liegt** ~ **ein Mißverständnis vor** it's possible that there is a misunderstanding, there is possibly a misunderstanding.
Möglichkeit f **1.** possibility; (no pl: Ausführbarkeit auch) feasibility. **es besteht die** ~, **daß ...** there is a possibility that ..., it is possible that ...; **es besteht die** ~ **zu kündigen** it would (always) be possible to hand in your notice; **alle** ~**en in Betracht ziehen** to take all the possibilities into account; **nach** ~ if possible; **ist denn das die** ~?, **ist es die** ~! (inf) it's impossible!, I don't believe it!
2. (Aussicht) chance; (Gelegenheit auch) opportunity. **die** ~ **haben, etw zu tun** to have the or a chance/the or an opportunity to do sth or of doing sth; **er hatte keine andere** ~ he had no other choice or alternative.
möglichst adv ~ **genau/schnell/oft** as accurately/quickly/often as possible; **in**

~ **kurzer Zeit** as quickly as possible.

Mohair [mo'hɛːɐ] *m* **-s, -e** (*Tex*) mohair.

Mohammedaner(in *f*) [mohame'daːnɐ, -ərɪn] *m* **-s, -** (*dated*) Mohammedan (*dated*).

mohammedanisch [mohame'daːnɪʃ] *adj* (*dated*) Mohammedan (*dated*).

Mohikaner(in *f*) [mohi'kaːnɐ, -ərin] *m* **-s, -** Mohican. **der letzte ~, der Letzte der ~** (*lit*) the last of the Mohicans; (*fig*) the very last one.

Mohn *m* **-(e)s, -e** 1. poppy. 2. (~**samen**) poppy seed.

Mohn- *in cpds* poppy; (*Cook*) (poppy) seed; **Mohnblume** *f* poppy; **Mohnkuchen** *m* poppy-seed cake.

Mohr *m* **-en, -en** (*old*) (blacka)moor (*old*). **Othello, der ~ von Venedig** Othello, the Moor of Venice; **der ~ hat seine Schuldigkeit getan, der ~ kann gehen** (*prov*) as soon as you've served your purpose they've no further interest in you.

Möhre *f* **-, -n** carrot.

Mohrenkopf *m* *small chocolate-covered cream cake.*

Mohrrübe *f* carrot.

Moiré [moa'reː] *m or nt* **-s, -s** (*Tex*) moiré.

mokant *adj* (*geh*) sardonic, mocking.

Mokassin *m* **-s, -s** moccasin.

Mokick *nt* **-s, -s** moped with a kick-starter.

mokieren* *vr* to sneer (*über* +*acc* at).

Mokka *m* **-s, -s** mocha.

Mokkalöffel *m* coffee spoon; **Mokkatasse** *f*, **Mokkatäßchen** *nt* coffee cup.

Molch *m* **-(e)s, -e** salamander.

Moldau *f* **- 1.** (*Fluß*) Vltava. 2. (*Republik*) Moldavia.

Moldawien *nt* **-s** Moldavia.

Mole *f* **-, -n** (*Naut*) mole.

Molekül *nt* **-s, -e** molecule.

molekular *adj* molecular.

Molekularbiologe *m*, **Molekularbiologin** *f* molecular biologist; **Molekularbiologie** *f* molecular biology.

molk *pret of* **melken.**

Molke *f* **-, *no pl*** whey.

Molkerei *f* dairy.

Molkereibutter *f* blended butter; **Molkereigenossenschaft** *f* dairy cooperative; **Molkereiprodukt** *nt* dairy product.

Moll *nt* **-, -** (*Mus*) minor (key). **in ~ übergehen** to go into the minor; **a-~** A minor; **a-~-Tonleiter** scale of A minor; **Violinkonzert Nummer 4 a-~** violin concerto Number 4 in A minor; **alles in ~ sehen** to see only the gloomy side of things.

Molle *f* **-, -n** (*Berlin*) beer. **eine ~ mit Korn** a beer and a (glass of) schnapps.

mollig *adj* (*inf*) 1. cosy; (*warm, behaglich auch*) snug. 2. (*rundlich*) plump.

Molltonart *f* minor key; **Molltonleiter** *f* minor scale.

Molluske *f* **-, -n** (*spec*) mollusc.

Moloch *m* **-s, -e** Moloch.

Molotowcocktail ['moːlotɔfkɔkteːl] *m* Molotov cocktail.

Molybdän *nt* **-s, *no pl*** (*abbr* **Mo**) molybdenum.

Moment¹ *m* **-(e)s, -e** moment. **jeden ~**

any time *or* minute *or* moment; **einen ~, bitte** one minute *or* moment please; **kleinen ~!** just a second *or* tick (*inf*)!; **~ mal!** just a minute!; **im ~** at the moment; **im letzten/richtigen ~** at the last/right moment; **im ersten ~** for a moment.

Moment² *nt* **-(e)s, -e** 1. (*Bestandteil*) element. 2. (*Umstand*) fact; (*Faktor*) factor. 3. (*Phys*) moment; (*Kraftwirkung*) momentum.

momentan I *adj* 1. (*vorübergehend*) momentary. 2. (*augenblicklich*) present *attr*. **II** *adv* 1. (*vorübergehend*) for a moment, momentarily. 2. (*augenblicklich*) at the moment, at present.

Monaco ['moːnako, mo'nako] *nt* **-s** Monaco.

Monade *f* (*Philos*) monad.

Monarch(in *f*) *m* **-en, -en** monarch.

Monarchie *f* monarchy.

monarchisch *adj* monarchic(al).

Monarchist(in *f*) *m* monarchist.

monarchistisch *adj* monarchistic.

Monat *m* **-(e)s, -e** month. **der ~ Mai** the month of May; **sie ist im sechsten ~ (schwanger)** she's over five months pregnant *or* gone (*inf*), she's in the sixth month; **was verdient er im ~?** how much does he earn a month?; **am 12. dieses ~s** on the 12th (of this month); **auf ~e hinaus** months ahead; **jdn zu drei ~en (Haft) verurteilen** to sentence sb to three months' imprisonment, to send sb down for three months (*inf*); **von ~ zu ~** month by month.

monatelang I *adj attr* Verhandlungen, Kämpfe which go/went *etc* on for months. **seine ~e Abwesenheit** his months of absence; **nach ~em Warten** after waiting for months *or* months of waiting; **mit ~er Verspätung** months late. **II** *adv* for months.

-monatig *adj suf* -month. **ein drei~er Urlaub** a three-month holiday.

monatlich *adj* monthly. **~ stattfinden** to take place every month.

-monatlich *adj suf* zwei-/drei~ every two/three months; **all~** every month.

Monatsanfang *m* beginning of the month; **Monatsbinde** *f* sanitary towel; **Monatsblutung** *f* menstrual period; **Monatseinkommen** *nt* monthly income; **Monatsende** *nt* end of the month; **Monatserste(r)** *m decl as adj* first (day) of the month; **Monatsfrist** *f* innerhalb *or* binnen ~ within a month; **Monatsgehalt** *nt* monthly salary; **ein ~** one month's salary; **Monatshälfte** *f* half of the month; **Monatskarte** *f* monthly season ticket; **Monatslohn** *m* monthly wage; **~ bekommen** to be paid monthly; **Monatsmitte** *f* middle of the month; **Monatsname** *m* name of the/a month; **Monatsrate** *f* monthly instalment; **Monatsschrift** *f* monthly (journal *or* periodical).

monat(s)weise I *adv* every month, monthly. **II** *adj* monthly.

Mönch *m* **-(e)s, -e** monk; (*Bettel~ auch*) friar. **wie ein ~ leben** to live like a monk.

mönchisch *adj* monastic. **ein ~es Leben**

führen (*fig*) to live like a monk.
Mönchskloster *nt* monastery; (*von Bettelmönchen*) friary; **Mönchskutte** *f* monk's/friar's habit; **Mönchsleben** *nt* monastic life; **Mönchsorden** *m* monastic order.
Mönch(s)tum *nt* monasticism.
Mönchszelle *f* monastic cell.
Mond *m* -(e)s, -e 1. moon. **den ~ anbellen** (*fig*) to bay at the moon; **auf** *or* **hinter dem ~ leben** (*inf*) to be *or* live behind the times; **du lebst wohl auf dem ~!** (*inf*) where have you been?; **drei Meilen hinter dem ~** (*inf*) in the Stone Age (*hum*); **in den ~ gucken** (*inf*) to go empty-handed; **deine Uhr geht nach dem ~** (*inf*) your watch/clock is way out (*inf*). 2. (*old: Monat*) moon (*old*), month.
mondän *adj* chic.
Mondaufgang *m* moonrise; **Mondauto** *nt* moon buggy *or* rover; **mondbeschienen** *adj* (*geh*) bathed in moonlight, moonlit; **Mondfinsternis** *f* eclipse of the moon, lunar eclipse; **Mondgesicht** *nt* moonface; (*gemalt*) *simple representation of a face*; **Mondgestein** *nt* moon rocks *pl*; **Mondgöttin** *f* moon goddess; **mondhell** *adj* moonlit; **~ erleuchtet** lit by the moon, moonlit; **Mondjahr** *nt* lunar year; **Mondkrater** *m* lunar crater; **Mond(lande)fähre** *f* (*Space*) lunar module; **Mondlandschaft** *f* lunar landscape; **Mondlandung** *f* lunar *or* moon landing; **Mondlicht** *nt* moonlight; **mondlos** *adj* (*geh*) moonless; **Mondoberfläche** *f* surface of the moon; **Mondphasen** *pl* phases of the moon *pl*; **Mondschein** *m* moonlight; **der kann mir mal im ~ begegnen!** (*inf*) he can get stuffed (*sl*); **Mondsichel** *f* (*liter*) crescent moon; **Mondsonde** *f* (*Space*) lunar probe; **Mondstein** *m* moonstone; **mondsüchtig** *adj* **~ sein** to sleepwalk; **Mondsüchtigkeit** *f* sleepwalking, somnambulism (*form*); **Mondumlaufbahn** *f* (*Space*) lunar orbit; **Monduntergang** *f* moonset.
Monegasse *m* -n, -n, **Monegassin** *f* Monegasque.
monetär *adj* monetary.
Monetarismus *m* (*Econ*) monetarism.
Monetarist(in *f*) *m* (*Econ*) monetarist.
Moneten *pl* (*sl*) bread *sing* (*sl*), dough *sing* (*sl*).
Mongole *m* -n, -n, **Mongolin** *f* Mongolian, Mongol.
Mongolei *f* **die ~** Mongolia; **die Innere/Äußere ~** Inner/Outer Mongolia.
Mongolenfalte *f* epicanthus; **Mongolenfleck** *m* Mongolian spot.
mongolid *adj* Mongoloid.
Mongolin *f siehe* **Mongole.**
mongolisch *adj* Mongolian.
Mongolismus *m* (*Med*) mongolism.
mongoloid *adj* (*Med*) mongoloid.
monieren* I *vt* to complain about. **sie hat moniert, daß ...** she complained that ... II *vi* to complain.
Monismus *m* (*Philos*) monism.
Monitor *m* (*TV, Phys*) monitor.
Mono-, mono- *in cpds* mono-; **mono-**

chrom [mono'kro:m] *adj* monochrome; **monocolor** *adj* (*Aus*) **eine ~colore Regierung** a single-party government; **monogam** *adj* monogamous; **Monogamie** *f* monogamy; **Monogramm** *nt* monogram; **Monographie** *f* monograph; **monokausal** I *adj* monocausal; II *adv* **ein Problem ~ sehen** to attribute a problem to a single cause.
Monokel *nt* -s, - monocle.
Monokultur *f* (*Agr*) monoculture.
Monolith *m* -en, -(e)n monolith.
monolithisch *adj* (*auch fig*) monolithic.
Monolog *m* -(e)s, -e (*Liter, fig*) monologue; (*Selbstgespräch*) soliloquy. **einen ~ sprechen** to hold a monologue/give a soliloquy; **einen ~ halten** (*fig*) to hold a monologue, to talk on and on.
monologisieren* *vi siehe* *n* to hold a monologue; to soliloquize.
Monomanie *f* (*geh*) monomania; (*fig*) obsession.
Monopol *nt* -s, -e monopoly (*auf* +*acc*, *für* on).
Monopol- *in cpds* monopoly; **Monopolbildung** *f* monopolization *no pl*.
monopolisieren* *vt* (*lit, fig*) to monopolize.
Monopolisierung *f* monopolization.
Monopolist(in *f*) *m* monopolist.
Monopolkapital *nt* (*Kapital*) monopoly capital; (*Kapitalisten*) monopoly capitalism; **Monopolkapitalismus** *m* monopoly capitalism; **monopolkapitalistisch** *adj* monopolistic; **Monopolstellung** *f* monopoly.
Monotheismus [monote'ismʊs] *m* monotheism.
monoton *adj* monotonous.
Monotonie *f* monotony.
Monoxid (*spec*), **Monoxyd** *nt* monoxide.
Monster *nt* -s, - (*inf*) *siehe* **Monstrum.**
Monster- *in cpds* (*usu pej*) mammoth, monster; **Monsterfilm** *m* mammoth (film) production.
Monstranz *f* (*Eccl*) monstrance.
Monstren *pl of* **Monstrum.**
monströs *adj* monstrous; (*riesig groß*) monster.
Monstrosität *f* monstrosity; (*riesige Größe*) monstrous size; (*Ungeheuer*) monster.
Monstrum *nt* -s, **Monstren** *or* (*geh*) **Monstra** (*Ungeheuer*) monster; (*fig: Mißbildung*) monstrosity; (*inf: schweres Möbel*) hulking great piece of furniture (*inf*).
Monsun *m* -s, -e monsoon.
Monsunregen *m* monsoon rain.
Montag *m* Monday; *siehe* **Dienstag, blau.**
Montage [mɔn'ta:ʒə] *f* -, -n 1. (*Tech*) (*Aufstellung*) installation; (*von Gerüst*) erection; (*Zusammenbau*) assembly; (*Typ*) stripping. **auf ~** (*dat*) **sein** to be away on a job. 2. (*Art, Liter*) montage; (*Film*) editing.
Montageband *nt* assembly line; **Montagehalle** *f* assembly shop; **Montagewerk** *nt* assembly plant.
montags *adv* on Mondays; *siehe* **dienstags.**
Montagsauto *nt* (*hum*) problem car.

Montanindustrie f coal and steel industry; **Montanunion** f European Coal and Steel Community.

Monte Carlo [-'karlo] nt Monte Carlo.

Monteur(in f) [mɔn'tøːɐ, -'tøːrɪn] m (Tech) fitter; (Aut) mechanic; (Heizungs~, Fernmelde~, Elektro~) engineer; (Elec) electrician.

Monteur|anzug [-'tøːɐ-] m boiler suit.

montieren* vt 1. (Tech) to install; (zusammenbauen) to assemble; (befestigen) Kotflügel, Autoantenne to fit (auf or an +acc to); Dachantenne to put up; (aufstellen) Gerüst to erect.
2. (Art, Film, Liter) Einzelteile to create a montage from. **aus etw montiert sein** to be a montage of sth.

Montur f (inf) (hum: Arbeitskleidung) gear (inf), rig-out (inf); (Aus: Uniform) uniform.

Monument nt monument.

monumental adj monumental.

Monumental- in cpds monumental.

Moonboots ['muːnbuːts] pl moon boots pl.

Moor nt -(e)s, -e bog; (Hoch~) moor.

Moorbad nt mud-bath; **Moorboden** m marshy soil; **Moorhuhn** nt grouse.

moorig adj boggy.

Moorkolonie f fen community; **Moorland** nt marshland; (Hochmoor) moorland; **Moorpackung** f mudpack.

Moos¹ nt -es, -e moss. **von ~ überzogen** overgrown with moss, moss-grown; **~ ansetzen** to become covered with moss, to become moss-grown; (fig) to become hoary with age.

Moos² nt -es, no pl (sl) bread (sl), dough (sl).

moosig adj mossy.

Moosrose f, **Moosröschen** nt moss rose.

Mop m -s, -s mop.

Moped nt -s, -s moped.

Mopedfahrer(in f) m moped rider.

Mops m -es, ⸚e 1. (Hund) pug (dog). 2. (Dickwanst) roly-poly (inf), dumpling (inf). 3. ~e pl (sl: Geld) bread sing (sl), dough sing (sl). 4. ~e pl (dated sl: Busen) tits pl (sl).

mopsen vt (dated inf) to nick (Brit inf), to pinch (inf).

mopsfidel adj (dated inf) chirpy (inf); **Mopsgesicht** nt (inf) pug-face, puggy face (inf).

mopsig adj (inf) 1. Gesicht puggy (inf). 2. (frech) **sich ~ machen, ~ werden** to get cheeky (esp Brit) or fresh (esp US).

Moral f -, no pl 1. (Sittlichkeit) morals pl; (gesellschaftliche Norm auch) morality. **eine hohe/keine ~ haben** to have high moral standards/no morals; **private ~** personal morals; **die ~ sinkt/steigt** moral standards are declining/rising; **die bürgerliche/sozialistische ~** bourgeois/socialist morality; **gegen die (geltende) ~ verstoßen** to violate the (accepted) moral code; **eine doppelte ~** double standards pl, a double standard; **~ predigen** to moralize (jdm to sb).
2. (Lehre, Nutzanwendung) moral. **und die ~ von der Geschicht'** and the moral of this story.

3. (Ethik) ethics pl, moral code.
4. (Disziplin: von Volk, Soldaten) morale. **die ~ sinkt** morale is falling or getting lower.

Moral- in cpds moral; **Moralapostel** m (pej) upholder of moral standards.

moralisch adj moral. **ein ~ hochstehender Mensch** a person of high moral standing; **das war eine ~e Ohrfeige für die Regierung** that was one in the eye for the government (inf); **einen/seinen M~en haben** (inf) to have (a fit of) the blues (inf), to be down in the dumps (inf).

moralisieren* vi to moralize.

Moralist(in f) m moralist.

moralistisch adj moralistic.

Moralität f morality; (Theat) morality play.

Moralkodex m moral code; **Moralphilosophie** f moral philosophy; **Moralprediger(in** f) m moralizer; **Moralpredigt** f homily, sermon; **~en halten** to moralize; **jdm eine ~ halten** to give sb a homily or sermon; **Moraltheologie** f moral theology.

Moräne f -, -n (Geol) moraine.

Morast m -(e)s, -e or **Moräste** (lit, fig) mire, quagmire; (Sumpf auch) morass.

morastig adj marshy; (schlammig) muddy.

Moratorium nt moratorium.

morbid adj (Med) morbid; (fig geh) degenerate.

Morbidität f morbidity, morbidness; (fig geh) degeneracy.

Morbus-Down-Syndrom [-'daʊn-] nt Down's syndrome.

Morchel f -, -n (Bot) morel.

Mord m -(e)s, -e murder, homicide (US) (an +dat of); (an Politiker) assassination (an +dat of). **wegen ~es** for murder or homicide (US); „~ an altem Mann" "old man slain or murdered"; **politischer ~** political killing; **das ist ja ~!** (inf) it's (sheer) murder! (inf); **dann gibt es ~ und Totschlag** (inf) all hell will be let loose (inf), there'll be hell to pay (inf).

Mordanklage f murder charge, charge of homicide (US); **~ erheben** to lay a murder charge or a charge of homicide (US); **unter ~ stehen** to be on a murder charge or charge of homicide (US); **Mordanschlag** m assassination (auf +acc of); (erfolglos) assassination attempt (auf +acc on), attempted assassination (auf +acc of); **einen ~ verüben** to carry out an assassination attempt; **einen ~ auf jdn verüben** to assassinate/try to assassinate sb; **Morddrohung** f threat on one's life, murder threat.

morden vti (liter) to murder, to kill, to slay (liter). **das sinnlose M~** senseless killing.

Mörder(in f) m -s, - murderer (auch Jur), killer; (Attentäter) assassin.

Mörderbande f gang or bunch of murderers or killers; **Mördergrube** f: **aus seinem Herzen keine ~ machen** to speak frankly; **Mörderhand** f (old): **durch ~ fallen/sterben** to die or perish (old) at the hands of a murderer.

mörderisch I *adj* (*fig*) (*schrecklich*) dreadful, terrible, murderous; *Tempo auch* breakneck *attr*; *Preise* iniquitous; *Konkurrenzkampf* cutthroat. **II** *adv* (*inf*: *entsetzlich*) dreadfully, terribly, murderously. ~ **fluchen** to curse like blazes (*inf*).

Mordfall *m* murder *or* homicide (*US*) (case); **der** ~ **Dr. Praun** the Dr Praun murder *or* homicide (*US*) (case); **Mordinstrument** *nt* murder weapon; **Mordkommission** *f* murder squad, homicide squad *or* division (*US*); **Mordlust** *f* desire to kill; **Mordprozeß** *m* murder trial.

Mords- *in cpds* (*inf*) incredible, terrible, awful; (*toll, prima*) hell of a (*inf*); **Mordsding** *nt* (*inf*) whopper (*inf*); **Mordsdusel** *m* (*inf*) tremendous stroke of luck; **einen** ~ **haben** to be dead lucky (*inf*); **Mordsgaudi** *f* (*S Ger inf*) whale of a time (*inf*); **Mordsglück** *nt* (*inf*) *siehe* **Mordsdusel**; **Mordskerl** *m* (*inf*) **1.** (*verwegener Mensch*) hell of a guy (*inf*); **2.** (*starker Mann*) enormous fellow *or* guy (*inf*); **Mordskrach** *m* (*inf*) hell of a (*inf*) *or* fearful *or* terrible din; **Mordslärm** *m* (*inf*) hell of a (*inf*) *or* fearful *or* terrible noise; **mordsmäßig** (*inf*) **I** *adj* incredible; **II** *adv* (+*vb*) incredibly, terribly, awfully; (+*adj, ptp auch*) helluva (*sl*), bloody (*Brit sl*); **Mordswut** *f* (*inf*) terrible temper *or* rage; **eine** ~ **im Bauch haben** to be in a hell of a (*inf*) *or* terrible temper *or* rage.

Mordtat *f* (*liter*) murderous deed. **Mordverdacht** *m* suspicion of murder; **unter** ~ (*dat*) **stehen** to be suspected of murder; **Mordwaffe** *f* murder weapon.

Mores ['moːreːs] *pl*: **jdn** ~ **lehren** (*dated inf*) to teach sb some manners.

Morgen *m* **-s, - 1.** (*Tagesanfang*) morning. **am** ~, **des** ~**s** (*geh*) in the morning; **gegen** ~ towards (the) morning; **bis in den** ~ (**hinein**) into the wee small hours *or* the early hours; **am nächsten** *or* **den nächsten** ~ the next morning; **eines** ~**s** one morning; **den ganzen** ~ (**über**) the whole morning; **es wird** ~ day is breaking; **der** ~ **dämmert** *or* **bricht an, der** ~ **graut** *or* **zieht herauf** (*all liter*) dawn is breaking; **guten** ~! good morning; ~! (*inf*) morning, hello, hi (*inf*); (**jdm**) **guten** ~ **sagen** to say good morning (to sb); (*morgens kurz besuchen*) to say hello to sb.

2. *no pl* (*old, liter: Osten*) East.

3. (*liter: Zukunft*) dawn. **der** ~ **einer neuen Zeit bricht an** a new age is dawning.

4. (*Measure*) ≃ acre. **drei** ~ **Land** three acres of land.

morgen *adv* **1.** tomorrow. ~ **früh/mittag/abend** tomorrow morning/lunchtime/evening; ~ **in acht Tagen** tomorrow week, a week (from) tomorrow; ~ **um diese(lbe) Zeit** this time tomorrow; **bis** ~**/**~ **früh!** see you tomorrow/in the morning; **Kartoffeln gibt es erst wieder** ~ we/they *etc* won't have any potatoes till tomorrow; **hast du** ~ **Zeit?** are you

free tomorrow?; ~, ~, **nur nicht heute, sagen alle faulen Leute** (*Prov*) tomorrow never comes (*Prov*); ~ **ist auch (noch) ein Tag!** (*Prov*) there's always tomorrow.

2. gestern ~ yesterday morning.

Morgendämmerung *f siehe* **Morgengrauen**.

morgendlich *adj* morning *attr*; (*früh*~) early morning *attr*. **die** ~**e Stille** the quiet of the early morning.

Morgenfrühe *f* early morning; **sie brachen in aller** ~ **auf** they left at break of dawn; **Morgengabe** *f* (*Hist*) gift given to a bride by her husband after the wedding night; **Morgengrauen** *nt* **-s, -** dawn, daybreak; **im** *or* **beim** ~ in the first light of dawn; **Morgengymnastik** *f* morning exercises *pl*; ~ **machen** to do one's morning exercises; **Morgenland** *nt* (*old, liter*) Orient, East; **die Weisen aus dem** ~ the Three Wise Men from the East; **morgenländisch** *adj* (*old, iro*) Oriental, Eastern; **Morgenlicht** *nt* early morning light; **Morgenluft** *f* early morning air; ~ **wittern** (*fig inf*) to see one's chance; **Morgenmantel** *m* dressing-gown; (*für Damen auch*) housecoat; **Morgenmuffel** *m* (*inf*) **er ist ein schrecklicher** ~ he's terribly grumpy in the mornings (*inf*); **Morgenpost** *f* morning post (*Brit*) *or* mail; **Morgenrock** *m* housecoat; **Morgenrot** *nt* **-s,** *no pl*, **Morgenröte** *f* **-, -n** sunrise; (*fig*) dawn(ing); ~ **deutet auf schlechtes Wetter hin** (*Med, fig*) red sky in the morning, shepherd's warning (*prov*).

morgens *adv* in the morning. (**um**) **drei Uhr** ~, ~ (**um**) **drei Uhr** at three o'clock in the morning, at three a.m.; ~ **und abends** morning and evening; (*fig: dauernd*) morning, noon and night; **von** ~ **bis mittags/abends** in the morning/from morning to night; **nur** ~ mornings only; **Freitag** ~ on Friday morning.

Morgensonne *f* morning sun; ~ **haben** to get *or* catch the morning sun; **Morgenstern** *m* morning star; (*Schlagwaffe auch*) flail; **Morgenstunde** *f* morning hour; **zu früher** ~ early in the morning; **bis in die frühen** ~**n** into the early hours *or* wee small hours; **Morgenstund hat Gold im Mund** (*Prov*) the early bird catches the worm (*Prov*); **Morgenzug** *m* early (morning) train.

morgig *adj attr* tomorrow's. **die** ~**e Veranstaltung/Zeitung** tomorrow's event/paper; **der** ~**e Tag** tomorrow; **sein** ~**er Besuch** his visit tomorrow.

moribund *adj* (*Med, fig*) moribund.

Moritat ['moːritaːt] *f* **-, -en 1.** (*Vortrag*) street ballad. **2.** (*Geschehen*) murderous deed.

Mormone *m* **-n, -n, Mormonin** *f* Mormon.

Morphem [mɔr'feːm] *nt* **-s, -e** morpheme.

Morphin [mɔr'fiːn] *nt* **-s,** *no pl* (*Chem*) *siehe* **Morphium**.

Morphinist(in *f*) *m* morphine addict.

Morphium ['mɔrfiʊm] *nt* **-s,** *no pl* morphine, morphia.

morphiumsüchtig *adj* addicted to

morphine.

Morphologie [mɔrfolo'giː] f morphology.

morphologisch [mɔrfo'loːgɪʃ] adj morphological.

morsch adj (lit, fig) rotten; *Knochen* brittle; *Gebäude* ramshackle.

Morsealphabet nt Morse (code); **im ~** in Morse (code); **Morseapparat** m Morse telegraph.

morsen I vi to send a message in Morse (code). II vt to send in Morse (code).

Mörser m -s, - mortar (*auch Mil*). **etw im ~ zerstoßen** to crush sth with a pestle and mortar.

Morsezeichen nt Morse signal.

Mortadella f -, no pl mortadella, baloney (*US*).

Mortalität f, no pl mortality rate.

Mörtel m -s, - (*zum Mauern*) mortar; (*Putz*) stucco.

Mosaik nt -s, -e(n) (lit, fig) mosaic.

Mosaik- in cpds mosaic; **mosaikartig** adj like a mosaic, tessellated no adv; **Mosaikfußboden** m mosaic or tessellated floor; **Mosaikstein** m tessera.

mosaisch adj Mosaic.

Mosambik [mosam'bɪk, -'biːk] nt -s Mozambique.

Moschee f -, -n [-'eːən] mosque.

Moschus m -, no pl musk.

Moschus|ochse m musk-ox.

Möse f -, -n (*vulg*) cunt (*vulg*).

Mosel¹ f - (*Geog*) Moselle.

Mosel² m -s, -, **Moselwein** m Moselle (wine).

mosern vi (*dial inf*) to gripe (*inf*).

Moses¹ m - or (*liter*) **Mosis** Moses. **bin ich ~?** (*hum inf*) don't ask me.

Moses² m -, - (*Naut inf*) ship's boy.

Moskau nt -s Moscow.

Moskauer adj attr Moscow attr.

Moskauer(in f) m -s, - Muscovite.

Moskito m -s, -s mosquito.

Moskitonetz nt mosquito net.

Moskowiter(in f) m -s, - Muscovite.

Moslem m -s, -s Moslem.

moslemisch adj attr Moslem.

Moslime f -, -n Moslem.

Most m -(e)s, -e 1. (*unfermented*) fruit juice; (*für Wein*) must. 2. (*S Ger, Sw: Obstwein*) fruit wine; (*Birnen~*) perry; (*Apfel~*) cider.

Most|apfel m cider apple.

Mostgewicht nt specific gravity of the must.

Mostrich m -s, no pl (*dial*) mustard.

Motel nt -s, -s motel.

Motette f (*Mus*) motet.

Motion f 1. (*Sw: Antrag*) motion. 2. (*Gram: Abwandlung*) inflexion (for gender).

Motiv nt -s, -e 1. (*Psych, Jur, fig*) motive. **das ~ einer Tat** the motive for a deed; **aus welchem ~ heraus?** for what motive/reason?, what are your/his etc motives?; **ohne erkennbares ~** without any apparent motive. 2. (*Art, Liter*) subject; (*Leit~, Topos, Mus*) motif.

Motivation [-va'tsioːn] f motivation.

motivieren* [moti'viːrən] vt 1. (*begründen*) **etw (jdm gegenüber) ~** to give (sb) reasons for sth; (*rechtfertigend*) to justify sth (to sb); *Verhalten, Sinneswandel, Abwesenheit* to account for sth (to sb). 2. (*anregen*) to motivate.

Motivierung f motivation; (*erklärende Rechtfertigung*) explanation.

Moto-Cross nt -, -e motocross.

Motor ['moːtɔr, mo'toːɐ] m -s, -en [mo'toːrən] motor; (*von Fahrzeug*) engine; (*fig*) driving force (gen in).

Motorantrieb m motor drive; **mit ~** motor-driven; **Motorblock** m engine block; **Motorboot** nt motorboat.

Motor(en)geräusch nt sound of the/an engine/engines; **Motor(en)lärm** m noise or roar of (the) engines; **Motor(en)öl** nt engine oil.

Motorhaube f bonnet (*Brit*), hood (*US*); (*Aviat*) engine cowling.

Motorik f (*Physiol*) motor activity; (*Lehre*) study of motor activity.

Motoriker(in f) m -s, - (*Pysch*) motor type.

motorisch adj (*Physiol*) motor attr.

motorisieren* vt to motorize; *Landwirtschaft* to mechanize; (*mit Motor ausstatten*) to fit with an engine. **sich ~** to get motorized, to buy a car/motorcycle etc.

Motorisierung f, no pl siehe vt motorization; mechanization; fitting with an engine.

Motorjacht f motor yacht; **Motorkühlung** f engine cooling system; **Motorleistung** f engine performance.

Motorrad ['moːtɔraːt, mo'toːɐraːt] nt motorbike, motorcycle.

Motorradfahrer(in f) m motorcyclist; **Motorradrennen** nt motorcycle race; (*Sportart*) motorcycle racing; **Motorradrennfahrer(in** f) m motorcycle racer; **Motorradsport** m motorcycle racing.

Motorraum m engine compartment; **Motorroller** m (motor) scooter; **Motorsäge** f power saw; **Motorschaden** m engine trouble no pl; **Motorschiff** nt motor vessel or ship; **Motorschlitten** m motorized sleigh; **Motorsport** m motor sport.

Motte f -, -n moth. **von ~n zerfressen** moth-eaten; **angezogen wie die ~n vom Licht** attracted like moths to a flame; **du kriegst die ~n!** (*sl*) blow me! (*inf*).

mottenfest adj mothproof; **Mottenkiste** f (*fig*) **etw aus der ~ hervorholen** to dig sth out; **aus der ~ des 19. Jahrhunderts stammen** (*inf*) to be a relic of the 19th century; **Mottenkugel** f mothball; **Mottenpulver** nt moth powder; **mottenzerfressen** adj moth-eaten.

Motto nt -s, -s 1. (*Wahlspruch*) motto. **unter'm ~ ... stehen** to have ... as a or one's motto. 2. (*in Buch*) epigraph. 3. (*Kennwort*) password.

motzen vi (*sl*) to beef (*inf*), to grouse (*inf*).

moussieren* [mu'siːrən] vi to effervesce.

Möwe f -, -n seagull, gull.

Mozambique [mozam'bɪk, -'biːk] nt -s siehe **Mosambik**.

Mozartkugel f round chocolate filled with

nougat and marzipan; **Mozartschleife** *f*
Mozart cravat.

MP 1. [ɛm'peː] *abbr of* **Militärpolizei** Military Police. **2.** [ɛm'piː] *abbr of* **Maschinenpistole.**

Mrd. *abbr of* **Milliarde.**

MS [ɛm'|ɛs] *abbr of* **Multiple Sklerose** MS.

MS-krank *adj* suffering from MS; **MS-kranke(r)** *mf decl as adj* MS sufferer, person with MS.

Ms., Mskr. *abbr of* **Manuskript** ms.

MTA [ɛmteː'|aː] *mf abbr of* **medizinisch-technische Assistentin, medizinisch-technischer Assistent.**

Mücke *f* -, **-n 1.** (*Insekt*) mosquito, midge, gnat. **aus einer ~ einen Elefanten machen** (*inf*) to make a mountain out of a molehill. **2.** (*sl: Geld*) (**ein paar**) **~n** (some) dough (*sl*).

Muckefuck *m* -s, *no pl* (*inf*) coffee substitute, ersatz coffee.

mucken I *vi* (*inf*) to mutter. **ohne zu ~** without a murmur. **II** *vr* to make a sound.

Mucken *pl* (*inf*) moods *pl*. (**seine**) **~ haben** to be moody; (*Sache*) to be temperamental; (*zu diesem Zeitpunkt*) (*Mensch*) to be in one of one's moods; (*Sache*) to play up; **jdm die ~ austreiben** to sort sb out (*inf*).

Mückenstich *m* mosquito *or* gnat bite.

Mucker *m* -s, - **1.** (*dated*) creep (*inf*). **2.** (*sl: Musiker*) (session) musician.

muck(i)sch *adj* (*dial*) peeved.

Mucks *m* -es, **-e** (*inf*) sound. **einen/keinen ~ sagen** to make/not to make a sound; (*widersprechend*) to say/not to say a word; **ohne einen ~** (*widerspruchslos*) without a murmur.

mucksen *vr* (*inf*) **sich nicht ~** not to budge (*inf*), not to move (a muscle); (*sich nicht äußern*) not to make a sound; (*Mensch*) not to say a dickybird (*inf*), not to make a sound.

mucksmäuschenstill [-'mɔysçən-] *adj* (*inf*) (as) quiet as a mouse.

müde *adj* **1.** tired; (*erschöpft auch*) weary; *Haupt* weary. **sich ~ laufen** to tire oneself out running about.
2. (*überdrüssig*) tired, weary. **einer Sache** (*gen*) **~ werden** to tire *or* weary of sth, to grow tired *or* weary of sth; **einer Sache** (*gen*) **~ sein** to be tired *or* weary of sth; **des Wartens ~ sein** to be tired of waiting; **sie wird nicht ~, das zu tun** she never tires *or* wearies of doing that; **~ abwinken** to make a weary gesture (with one's hand); **keine ~ Mark** (*inf*) not a single penny.

Müdigkeit *f* (*Schlafbedürfnis*) tiredness; (*Schläfrigkeit*) sleepiness; (*Erschöpfung auch*) weariness, fatigue. **vor ~** (*dat*) **umfallen** to drop from exhaustion; **nur keine ~ vorschützen!** (*inf*) don't (you) tell me you're tired.

Mudschaheddin, Mudschahidin *m* -(s), - Mujaheddin.

Müesli ['myːɛsli] *nt* -s, -s (*Sw*) muesli.

Muezzin [mu'ɛtsiːn] *m* -s, -s muezzin.

Muff¹ *m* -s, *no pl* (*N Ger*) **1.** (*Schimmel, Moder*) mildew. **2.** (*Modergeruch*) musty smell, mustiness; (*fig: Rück-*

ständigkeit) fustiness.

Muff² *m* -(e)s, -e muff.

Muffe *f* -, **-n 1.** (*Tech*) sleeve. **2.** (*sl*) **~ kriegen/haben** to be scared stiff (*inf*), to get/have the shits (*sl*); **ihm geht die ~** (**eins zu hunderttausend**) he's scared stiff (*inf*).

Muffel *m* -s, - **1.** (*Hunt: Maul*) muzzle. **2.** (*inf: mürrischer Mensch*) grouch, grouser.

-muffel *m in cpds* (*inf*) stick-in-the-mud where ... is/are concerned (*inf*).

muff(e)lig *adj* (*inf*) grumpy.

muffeln I *vi* (*inf*) (*mürrisch sein*) to be grumpy. **II** *vti* (*mürrisch reden*) to mutter.

Muffensausen *nt* (*sl*): **~ kriegen/haben** to get/be scared stiff (*inf*).

muffig *adj* **1.** *Geruch* musty. **2.** *Gesicht* grumpy.

müffig *adj* (*dial*) musty.

mufflig *adj* (*inf*) grumpy.

muh *interj* moo.

Mühe *f* -, **-n** trouble; (*Anstrengung auch*) effort; (*Arbeitsaufwand auch*) bother. **ohne ~** without any trouble *or* bother; **nur mit ~** only just; **mit Müh und Not** (*inf*) with great difficulty; **er kann mit Müh und Not seinen Namen schreiben** (*inf*) he can just about write his name; **alle/viel ~ haben** to have a tremendous amount of/a great deal of trouble *or* bother (*etw zu tun* doing sth); **wenig/ keine ~ haben** not to have much trouble *or* bother (*etw zu tun* doing sth); **jdm/etw seine ~ haben** to have a great deal of trouble *or* bother with sb/sth; **es ist der** (*gen*) *or* **die ~ wert, es lohnt die ~** it's worth the trouble *or* bother (*etw zu tun* of doing sth); **die kleine ~ hat sich gelohnt** it was worth the little bit of trouble; **sich** (*dat*) **etwas/mehr/keine ~ geben** to take some/more/no trouble *or* bother; **er hat sich** (*dat*) **große ~ gegeben** he has taken great pains *or* a lot of trouble; **gib dir keine ~!** (*sei still*) save your breath; (*hör auf*) don't bother, save yourself the trouble; **sich** (*dat*) **die ~ machen/nicht machen, etw zu tun** to take the trouble to do sth, to go to the trouble *or* bother of doing sth/not to bother to do sth; **machen Sie sich** (*dat*) **keine ~!** (please) don't go to any trouble *or* bother; **sie hatte sich die ~ umsonst gemacht** her efforts were wasted; **jdm ~ machen** to give sb some trouble *or* bother; **wenn es Ihnen keine ~ macht** if it isn't any *or* too much trouble *or* bother; **viel ~ auf etw** (*acc*) **verwenden** to take a lot of trouble *or* bother with sth; **es hat viel ~ gekostet** it took a great deal of trouble; **verlorene ~** a waste of effort.

mühelos *adj* effortless; *Sieg, Aufstieg auch* easy.

mühen *vi* to moo, to low.

mühen *vr* to strive (*um* for). **sosehr er sich auch mühte ...** strive as he might ...

mühevoll *adj* laborious, arduous; *Leben* arduous.

Mühlbach *m* mill-stream.

Mühle *f* -, **-n 1.** mill; (*Kaffee~*) grinder. **2.** (*fig*) (*Routine*) treadmill; (*Bürokratie*) wheels of bureaucracy pl. 3. (~spiel) nine men's morris. 4. (inf) (Flugzeug) crate (inf); (Auto auch) banger (inf), jalopy (inf); (Fahrrad) boneshaker (inf).

ühlgraben m mill race; **Mühlrad** nt millwheel; **Mühlstein** m millstone.

ühlespiel nt das ~ nine men's morris.

ühme f -, -n (obs) aunt.

ühsal ['myːzaːl] f -, -e (geh) tribulation; (Strapaze) toil. **die ~e des Lebens** the trials and tribulations of life.

ühsam ['myːzaːm] I adj Aufstieg, Weg, Leben arduous; Aufgabe, Amt auch laborious. II adv with difficulty. **nur ~ vorwärtskommen** to make painfully slow progress; **~ verdientes Geld** hard-earned money.

ühselig ['myːzeːlɪç] adj arduous, toilsome (geh). **Ihr M~en und Beladenen** (Bibl) ye that labour and are heavy laden; **sich ~ ernähren** or **durchschlagen** to toil for one's living.

Mulatte m -n, -n, **Mulattin** f mulatto.

Mulde f -, -n 1. (Geländesenkung) hollow. 2. (Trog) trough. 3. (für Bauschutt) skip.

Muli nt or m -s, -(s) 1. (Maultier) mule. 2. (Ind inf: Gabelstapler) fork-lift (inf).

Mull m -(e)s, -e 1. (Torf~) garden peat. 2. (Gewebe) muslin; (Med) gauze.

Müll m -(e)s, no pl (Haushalts~) rubbish, garbage (esp US), trash (US), refuse (form); (Gerümpel) rubbish, junk, garbage (esp US); (Industrie~) waste; (inf: Unsinn) rubbish (inf), trash (inf). **etw in den ~ werfen** to throw sth out; „**~ abladen verboten"** "dumping prohibited", "no tipping" (Brit).

Müllabfuhr f (Müllabholung) refuse or garbage (US) or trash (US) collection; (Stadtreinigung) refuse etc collection department; **Müllabladeplatz** m rubbish dump or tip (Brit), dump.

Mullah m -s, -s Mullah.

Müllberg m rubbish heap.

Mullbinde f gauze bandage.

Müllcontainer m rubbish or garbage (US) skip, dumpster (US); **Mülldeponie** f waste disposal site (form), sanitary (land)fill (US form); **Mülleimer** m rubbish bin (Brit), garbage can (US).

Müller(in f) m -s, - miller.

Müllerin f (obs) miller's wife. **~ Art** (Cook) meunière; **Forelle (nach) ~ Art** trout meunière.

Müllgrube f rubbish (Brit) or refuse pit; **Müllhaufen** m rubbish or garbage (US) or trash (US) heap; **Müllkippe** f rubbish or garbage (US) dump; **Müllkutscher** (N Ger), **Müllmann** m, pl -männer or **Mülleute** (inf) dustman (Brit), trash collector (US); **Müllschaufel**, **Müllschippe** f dustpan; **Müllschlucker** m -s, - refuse chute; **Müllsortierung** f, no pl sifting of waste; **Müllsortieranlage** f refuse-sorting plant; **Mülltonne** f dustbin (Brit), ashcan (US), trashcan (US); **Mülltüte** f bin liner; **Müllverbrennungsanlage** f incinerating plant; **Müllverfüllung** f, no pl waste relocation; **Müllverwertung** f refuse utilization; **Müllverwertungswerk** nt waste

reprocessing plant; **Müllvolumen** nt waste volume; **Müllwagen** m dust-cart (Brit), garbage truck (US).

Mullwindel f gauze nappy (Brit) or diaper (US).

mulmig adj (inf: bedenklich) uncomfortable. **es wird ~** things are getting (a bit) uncomfortable; **ich hatte ein ~es Gefühl im Magen, mir war ~ zumute** (lit) I felt queasy; (fig) I had butterflies (in my tummy) (inf).

Multi m -s, -s (inf) multinational (organization).

Multi- in cpds multi-; **multifunktional** adj multi-function(al); **Multifunktionstastatur** f (Comput) multi-functional keyboard; m **multikulturell** adj (Gesellschaft) multicultural; **multilateral** adj multilateral; **Multimillionär(in** f) m multimillionaire; **multinational** adj multinational.

multipel adj multiple. **multiple Sklerose** multiple sclerosis.

Multiplikand m -en, -en (Math) multiplicand.

Multiplikation f multiplication.

Multiplikationszeichen nt multiplication sign.

Multiplikator m (Math, fig) multiplier.

multiplizieren* I vt (lit, fig) to multiply (mit by). II vr (fig) to multiply.

Multitalent nt all-rounder.

Mumie ['muːmiə] f mummy. **wie eine wandelnde ~** (inf) like death warmed up (inf).

mumifizieren* vt to mummify.

Mumm m -s, no pl (inf) 1. (Kraft) strength. 2. (Mut) spunk (dated inf), guts pl (inf).

Mummelgreis m (inf) old dodderer (inf).

Mümmelmann m, pl -männer (hum) hare.

mummeln I vti 1. (undeutlich reden) to mumble. 2. (behaglich kauen) to chew slowly, to munch. **II** vtr (einhüllen) **jdn/ sich in etw** (acc) **~** to wrap or muffle sb/ oneself up in sth; **sich ins Bett ~** to huddle up in bed.

mümmeln vi to nibble.

Mummenschanz m -es, no pl masquerade.

Mumpitz m -es, no pl (inf) balderdash (dated inf).

Mumps m or (inf) f -, no pl (the) mumps sing.

München nt -s Munich.

Münch(e)ner adj attr Munich. **das ~ Abkommen** (Hist) the Munich Agreement.

Münch(e)ner(in f) m -s, - native of Munich; (Einwohner) inhabitant of Munich.

Münchhausen m -s, -(s) (fig) yarn-spinner.

Münchhaus(en)iade f cock-and-bull story, tall story.

Mund m -(e)s, ⁻er mouth; (inf: Mundwerk) tongue. **ein Glas an den ~ setzen** to raise a glass to one's mouth or lips; **~ und Nase aufsperren** to gape (with astonishment or amazement); **etw in den ~ nehmen** to put sth in one's mouth; **dieses Wort nehme ich nicht in**

den ~ I never use that word; **den ~ auf-machen** or **auftun** (lit, fig) to open one's mouth; (fig: seine Meinung sagen) to speak up; **einen großen ~ haben** (fig) (aufschneiden) to talk big (inf); (frech sein) to be cheeky (esp Brit) or fresh (esp US); **jdm den ~ verbieten** to order sb to be quiet; **halt den ~!** shut up! (inf), hold your tongue!; **er kann den ~ einfach nicht halten** (inf) he can't keep his big mouth shut (inf); **jdm über den ~ fahren** to cut sb short; **jdm den ~ stopfen** (inf) to shut sb up (inf); **Sie haben mir das in den ~ gelegt** you're putting words into my mouth; **in aller ~e sein** to be on everyone's lips; **wie aus einem ~e** with one voice; **von ~ zu ~ gehen** to be passed on from person to person; **und das** or **so etwas aus deinem/seinem** etc **~(e)!** and (that) coming from you/him etc too!; **an jds ~(e)** (dat) **hängen** (fig) to hang on sb's every word; **Sie nehmen mir das Wort aus dem ~(e)** you've taken the (very) words out of my mouth; **jdm nach dem ~(e) reden** (inf) to say what sb wants to hear; **sie ist nicht auf den ~ gefallen** (inf) she's never at a loss for words; **den ~ (zu/reichlich) voll nehmen** (inf) to talk (too/pretty) big (inf); **den ~ aufreißen** (sl) to talk big (inf).

Mund|art f dialect. **~ sprechen** to speak dialect.

Mund|artdichter(in f) m dialect poet; **Mund|artdichtung** f dialect poetry/literature.

mund|artlich adj dialect(al). **das Wort wird ~ gebraucht** it's a dialect word, the word is used in dialect.

Mundatmung f oral breathing; **Munddusche** f water jet.

Mündel nt or (Jur) m **-s**, - ward.

mündelsicher adj ≈ gilt-edged no adv.

munden vi (geh) **jdm trefflich/köstlich ~** to taste excellent/delicious to sb; **sich** (dat) **etw ~ lassen** to savour sth; **es mundete ihm nicht, es wollte ihm nicht ~** he found it unpalatable.

münden vi aux sein or haben (Bach, Fluß) to flow (in +acc into); (Straße, Gang) to lead (in +acc, auf +acc into); (fig: Fragen, Probleme) to lead (in +acc or dat to). **die B 3 mündet bei Celle in die B 1** the B3 joins the B1 at Celle.

mundfaul adj (inf) too lazy to say much; **sei doch nicht so m~!** make an effort and say something!; **Mundflora** f (Med) (bacterial) flora of the oral cavity or mouth; **mundgerecht** adj bite-sized; **etw ~ schneiden** to cut sth into bite-sized pieces; **jdm etw ~ machen** (fig) to make sth attractive or palatable to sb; **Mundgeruch** m bad breath, halitosis; **etwas gegen ~ tun** to do something about one's (bad) breath; **Mundharmonika** f mouth organ, harmonica; **Mundhöhle** f oral cavity.

mundig adj (geh) appetizing, savoury; Wein full-bodied.

mündig adj of age; (fig) mature, responsible. **~ werden** to come of age, to reach or attain one's majority; **jdn (für) ~ erklären** to declare sb of age; **der ~e Bür-**

ger the politically mature citizen.

Mündigkeit f majority; (fig) maturity, responsibility.

mündlich adj verbal; Prüfung, Leistung oral. **~e Verhandlung** (Jur) hearing; **einen Fall ~ verhandeln** (Jur) to hear a case; **etw durch ~e Überlieferung weitergeben** to pass sth on by word of mouth; **das M~e** (inf: Sch, Univ) (in Fremdsprache) the viva (voce); (bei Dissertation) the viva (voce); **alles andere** or **weitere ~!** I'll tell you the rest when I see you.

Mundpflege f oral hygiene no art; **Mundpropaganda** f verbal propaganda; **Mundraub** m (Jur) theft of comestibles for personal consumption; **Mundschenk** m (Hist) cupbearer; (fig) wine-waiter; **Mundschutz** m mask (over one's mouth).

M-und-S-Reifen ['ɛmʊnt'ɛs-] m winter tyre.

Mundstück nt (von Pfeife, Blasinstrument) mouthpiece; (von Zigarette) tip; **ohne/mit ~** untipped/tipped; **mundtot** adj (inf) **jdn ~ machen** to silence sb; **Mundtuch** nt serviette, napkin.

Mündung f (von Fluß, Rohr) mouth; (Trichter~) estuary; (von Straße) end; (Gewehr~, Kanonen~) muzzle. **die ~ des Missouri in den Mississippi** the confluence of the Missouri and the Mississippi, the point where the Missouri flows into the Mississippi.

Mündungsfeuer nt flash from the muzzle.

Mundverkehr m oral intercourse; **Mundvoll** m ein/ein paar **~** a mouthful/a few mouthfuls; **Mundwasser** nt mouthwash; **Mundwerk** nt (inf) **ein gutes** or **flinkes ~ haben** to be a fast talker (inf); **ein böses ~ haben** to have a vicious tongue (in one's head); **ein freches/loses** or **lockeres/großes ~ haben** to be cheeky (esp Brit) or fresh (esp US)/have a big mouth (inf)/talk big (inf); **Mundwinkel** m corner of one's mouth; **Mund-zu-Mund-Beatmung** f mouth-to-mouth resuscitation.

Munition f ammunition; (Mil: als Sammelbegriff) munitions pl. **~ fassen** (Mil) to be supplied with ammunition/munitions; **keine ~ mehr haben** (lit, fig) to have run out of ammunition; **seine ~ verschießen** (lit) to use up one's ammunition; (fig) to shoot one's bolt.

munitionieren* vt to provide with ammunition.

Munitionsfabrik f munitions or ordnance factory; **Munitionslager** nt munitions or ammunition dump or store.

munkeln vti **man munkelt** or **es wird gemunkelt, daß ...** it's rumoured or there's a rumour that ...; **ich habe ~ hören, daß ...** I've heard it rumoured that ...; **man munkelt allerlei** you hear all kinds of rumours; **im Dunkeln ist gut ~** darkness is the friend of thieves/lovers.

Mun-Sekte f Moonies pl.

Münster nt **-s**, - minster, cathedral.

munter adj **1.** (lebhaft) lively no adv; Farben bright, gay; (fröhlich) cheerful, merry. **~ werden** to liven up; **~ und ver-**

gnügt bright and cheery. **2.** (*wach*) awake; (*aufgestanden*) up and about. **jdn ~/wieder ~ machen** to wake sb up/to wake sb up (again).

Munterkeit *f* (*Lebhaftigkeit*) liveliness; (*von Farben*) brightness; (*Fröhlichkeit*) cheerfulness, merriness.

Muntermacher *m* (*Med inf*) stimulant, pick-me-up (*inf*).

Münzautomat *m* slot machine.

Münze *f* -, -n **1.** (*Geldstück*) coin; (*Münzsystem*) coinage. **jdn etw mit *or* in gleicher ~ heimzahlen** (*fig*) to pay sb back in his own coin for sth. **2.** (*Münzanstalt*) mint.

Münz|einwurf *m* (coin) slot.

münzen *vt* to mint, to coin. **das war auf ihn gemünzt** (*fig*) that was aimed at *or* meant for him.

Münz(en)sammlung *f* coin *or* numismatic (*form*) collection.

Münzfälscher(in *f*) *m* (*Jur*) counterfeiter (*of coins*); **Münzfälschung** *f* (*Jur*) counterfeiting of coins; **Münzfernsprecher** *m* (*form*) pay phone; (*Telefonzelle auch*) callbox (*Brit*); **Münzgaszähler** *m* slot gas meter; **Münzgeld** *nt* coin; **Münzgewicht** *nt* coin weight; **Münzsammlung** *f* siehe **Münz(en)sammlung**; **Münzschacht** *f* coin slot; **Münzspielautomat** *m*, **Münzspielgerät** *nt* (*form*) coin-operated gaming machine (*form*), slot machine; **Münzsystem** *nt* coinage; **Münztank** *m* coin-operated petrol (*Brit*) *or* gas(oline) (*US*) pump; **Münztelefon** *nt* siehe **Münzfernsprecher**; **Münzwechsler** *m* change machine.

Muräne *f* -, -n moray.

mürb(e) *adj* **1.** crumbly; *Gestein auch* friable; (*zerbröckelnd*) crumbling; *Holz, Stoff auch* rotten. **2.** *Fleisch* tender; (*abgehangen*) well-hung. **~ klopfen** to tenderize, to hammer. **3.** (*fig: zermürbt*) **jdn ~ machen** to wear sb down; **~ werden/sein** to be worn down; **jdn ~ kriegen** to break sb.

Mürbeteig *m* short(-crust) pastry.

Murks *m* -es, *no pl* (*inf*) **~ machen** to bungle things (*inf*), to botch things up (*inf*); **das ist ~!** that's a botch-up (*inf*); **so ein ~!** what a botch-up! (*inf*).

murksen *vi* (*inf*) to fiddle around; (*vermurksen*) to bungle things (*inf*), to botch things up (*inf*).

Murmel *f* -, -n marble.

murmeln I *vti* to murmur; (*undeutlich*) to mumble; (*brummeln*) to mutter. **etw vor sich** (*acc*) **hin ~** to mutter sth to oneself. **II** *vi* (*mit Murmeln spielen*) to play marbles.

Murmeltier *nt* marmot.

murren *vi* to grumble (*über* +*acc* about). **etw ohne M~** *or* **ohne zu ~ ertragen** to put up with sth without grumbling.

mürrisch *adj* (*abweisend*) sullen, morose, surly; (*schlechtgelaunt*) grumpy.

Mus *nt* *or* *m* -es, -e mush; (*Apfel~, Kartoffel~*) puree; (*Pflaumen~*) jam. **sie wurden fast zu ~ zerdrückt** *or* zer-

quetscht (*inf*) they were (nearly) squeezed to death; **jdn zu ~ schlagen** (*inf*) to make mincemeat of sb (*inf*).

Muschel *f* -, -n **1.** mussel (*auch* Cook), bivalve; (*Schale*) shell. **2.** (*Ohr~*) external ear, pinna. **3.** (*Telec*) (*Sprech~*) mouthpiece; (*Hör~*) ear-piece.

Muschelbank *f* mussel bed; **Muschelkalk** *m* Muschelkalk (*spec*).

Muschi *f* -, -s (*sl*) pussy (*sl*).

Muschkote *m* -n, -n (*Mil sl*) private.

Muse *f* -, -n (*Myth*) Muse. **die heitere** *or* **leichte ~** (*fig*) light entertainment; **von der ~ geküßt werden** (*fig*) to be inspired.

museal *adj* (*geh*) museum *attr.* **das Haus sieht zu ~ aus** the house looks too much like a museum.

Muselman(in *f*) *m* -en, -en, **Muselmann** *m, pl* -männer (*dated*), **Muselmännin** *f* (*dated*) Moslem.

Musentempel *m* (*old, liter*) theatre.

Museum [mu'ze:ʊm] *nt* -s, **Museen** [mu'ze:ən] museum.

Museumsdiener(in *f*) *m* (*dated*) museum attendant; **Museumsführer(in** *f*) *m* museum guide; **museumsreif** *adj* (*hum*) antique; **~ sein** to be almost a museum piece; **Museumsstück** *nt* museum piece.

Musical ['mju:zikl] *nt* -s, -s musical.

Musicbox ['mju:zik-] *f* -, -en siehe **Musikbox**.

Musik *f* -, -en **1.** music. **die ~ lieben** to love music; **etw in ~ setzen** (*geh*) to set *or* put sth to music; **~ machen** to play some music; **das ist ~ in meinen Ohren** (*fig*) that's music to my ears. **2.** (*~kapelle*) band. **hier ist die ~!** (*fig inf*) this is where it's at (*sl*).

Musik|akademie *f* musical academy, academy of music.

Musikalien [-iən] *pl* music *sing*.

Musikalienhandlung [-iən-] *f* music shop (*Brit*) *or* store.

musikalisch *adj* musical. **jdn ~ ausbilden** to give sb a musical training *or* a training in music.

Musikalität *f*, *no pl* musicalness, musicality.

Musikant(in *f*) *m* musician, minstrel (*old*).

Musikantenknochen *m* funny bone (*Brit*), crazy bone (*US*).

Musikautomat *m* musical box (*Brit*), music box (*US*); (*Musikbox*) jukebox; **musikbegeistert** *adj* fond of music, music-loving *attr*; **Musikbegleitung** *f* musical accompaniment; **Musikberieselung** *f* (*inf*) constant background music; **Musikbetrieb** *m* music industry; **Musikbox** *f* jukebox; **Musikdrama** *nt* music drama.

Musiker(in *f*) *m* -s, - musician.

Musikerziehung *f* (*form*) musical education; **Musikfreund(in** *f*) *m* music-lover; **Musikgeschichte** *f* history of music; **Musikhochschule** *f* college of music; **Musikinstrument** *nt* musical instrument; **Musikkapelle** *f* band; **Musikkassette** *f* music cassette; **Musikkonserve** *f* (*inf*) canned music *no pl*; **Musikkorps**

nt music corps *sing*; **Musikkritik** *f* music criticism; (*Rezension auch*) music crit; (*Kritikerschaft*) music critics *pl*; **Musikkritiker(in** *f*) *m* music critic; **Musiklehrer(in** *f*) *m* music teacher; **Musiklexikon** *nt* encyclopaedia/dictionary of music; **Musikliebhaber(in** *f*) *m* music-lover; **Musiksaal** *m* music room; **Musikstück** *nt* piece of music; **Musiktheater** *nt* music theatre; **Musiktruhe** *f* radiogram, radio-phonograph (*US*); **Musikunterricht** *m* music lessons *pl*; (*Sch*) music.

Musikus *m* -, **Musizi** (*hum*) musician.

Musikwissenschaft *f* musicology; **Musikwissenschaftler(in** *f*) *m* musicologist; **Musikzimmer** *nt* music room.

musisch *adj* Fächer, Gymnasium (fine) arts *attr*; Begabung for the arts; Erziehung in the (fine) arts; Veranlagung, Mensch artistic.

Musizi *pl of* Musikus.

musizieren* *vi* to play a musical instrument. **sie saßen auf dem Marktplatz und musizierten** they sat in the market place playing their instruments; **sonntags abends wird bei uns immer musiziert** we always have a musical evening on Sundays.

Muskat *m* -(e)s, -e *siehe* Muskatnuß.

Muskatblüte *f* mace.

Muskateller(wein) *m* -s, - muscatel.

Muskatnuß *f* nutmeg.

Muskel *m* -s, -n muscle. (viele) ~n haben to be muscular; seine ~n spielen lassen (*lit, fig*) to flex one's muscles.

Muskeldystrophie *f* muscular dystrophy; **Muskelfaser** *f* muscle fibre; **Muskelfaserriß** *m* torn muscle fibre; **Muskelkater** *m* aching muscles *pl*; ~ haben to be stiff; **Muskelkraft** *f* physical strength; **Muskelkrampf** *m* muscle cramp *no indef art*; **Muskelmann** *m*, **Muskelpaket** *nt*, **Muskelprotz** *m* (*inf*) muscleman (*inf*); **Muskelriß** *m* torn muscle; **sich** (*dat*) **einen** ~ **zuziehen** to tear a muscle; **Muskelschmerzen** *pl* muscle pains *pl*; **Muskelschwund** *m* muscular atrophy *or* wasting; **Muskelspiel** *nt* muscle play; **Muskelstarre** *f* muscular rigidity; **Muskelzerrung** *f* pulled muscle.

Muskete *f* -, -n musket.

Musketier *m* -s, -e musketeer.

Muskulatur *f* muscular system, musculature (*spec*).

muskulös *adj* muscular. ~ **gebaut sein** to have a muscular build.

Müsli *nt* -(s), -s muesli; (*pej: Person*) health (food) freak.

Muslim *m* -s, -s, **Muslime** *f* Moslem.

Muß *nt* -, *no pl* **es ist ein/kein** ~ it's/it's not a must.

Mußbestimmung *f* fixed regulation.

Muße *f* -, *no pl* leisure. (die) ~ **für etw finden** to find the time and leisure for sth; **sich** (*dat*) ~ **gönnen** to allow oneself some (time for) leisure; **etw mit** ~ **tun** to do sth in a leisurely way.

Muß|ehe *f* (*inf*) shotgun wedding (*inf*).

müssen I *modal aux vb pret* **mußte**, *ptp* ~ 1. (*Zwang*) to have to; (*Notwendig-*

keit auch) to need to. **ich muß** (*Zwang*) I have to, I must *only pres tense*, I've got to (*esp Brit*); (*Notwendigkeit auch*) I need to; **ich muß nicht** (*Zwang*) I don't have to, I haven't got to (*esp Brit*); (*Notwendigkeit auch*) I don't need to, I needn't; **muß er?** must he?, does he have to?, has he got to? (*esp Brit*); **mußtest du?** did you have to?; **das hat er tun/nicht tun** ~ he had to/didn't have to do it; **er hatte es tun** ~ he had had to do it; **es mußte ins Haus gebracht werden** it had to be brought inside; **das muß irgendwann mal gemacht werden** it will have to be done some time; **ich hätte es sonst allein tun** ~ otherwise I would have had to do it alone; **ich muß jeden Tag um sechs Uhr aufstehen** I have to get up at six every day; **ich muß jetzt gehen** *or* **weg** (*inf*) I must be going *or* be off now, I must go now, I'll have to go now; **man mußte lachen/weinen** you couldn't help laughing/crying, you had to laugh/cry; **wir** ~ **Ihnen leider mitteilen, daß ...** we regret to (have to) inform you ...; **muß das (denn) sein?** is that (really) necessary?; must you/he?, do you/does he have to?; **das muß sein** it's necessary; I do/he does have to; **das mußte (ja so) kommen** that had to happen, that was bound to happen; **das muß man sich** (*dat*) **mal vorstellen!** (just) imagine that!, think of that!; **jetzt muß ich dir mal was sagen** now let me tell you something; **was habe ich da hören** ~? what's this I hear?

2. (*sollen*) **das müßte ich/müßtest du eigentlich wissen** I/you ought to *or* should know that; **ich hätte es gestern tun** ~ I ought to *or* should have done it yesterday; **das mußt du nicht tun!** you oughtn't to *or* shouldn't do that.

3. (*Vermutung, Wahrscheinlichkeit*) **es muß geregnet haben** it must have rained; **es muß wahr sein** it must be true, it has *or* it's got to be true; **es muß nicht wahr sein** it needn't be true; **er muß es gewesen sein** it must have been him, it has *or* it's got to have been him; **es müßten zehntausend Zuschauer im Stadion gewesen sein** there must have been ten thousand spectators in the stadium; **er müßte schon da sein** he should be there by now; **so muß es gewesen sein** that's how it must have been; **was** ~ **bloß die Leute (von uns) denken!** what must people think (of us)!; **was muß bloß in ihm vorgehen?** what goes on in his mind?

4. (*Wunsch*) (**viel**) **Geld müßte man haben!** if only I were rich!; **man müßte noch mal von vorn anfangen können!** if only one could begin again!; **man müßte noch mal zwanzig sein!** oh, to be twenty again!

II *vi pret* **mußte**, *ptp* **gemußt** 1. to have to go. **ich muß jetzt zur Schule** I must *or* I've got to (*esp Brit*) *or* I have to go to school now; **wann müßt ihr zur Schule?** when do you have to go to school?; **der Brief muß heute noch zur Post** the letter must be *or* has to be mailed today.

2. (*inf*) **ich muß mal** I need to go to the loo (*Brit inf*) *or* bathroom (*esp US*).

3. (*gezwungen sein*) to have to. **hast du gewollt? — nein, gemußt** did you want to? — no, I had to; **kein Mensch muß ~** there's no such thing as 'must'.

Mußestunde f hour of leisure. **seine ~n** one's leisure hours.

Mußheirat f (*inf*) siehe **Mußehe**.

müßig adj (*untätig*) idle; *Leben, Tage, Stunden* of leisure; (*überflüssig, unnütz*) futile, pointless, otiose (*form*).

Müßiggang m (*geh*) siehe adj idleness; **sich dem ~ hingeben** to lead a life of idleness *or* an idle life; **~ ist aller Laster Anfang** (*Prov*) the devil finds work for idle hands (*Prov*); **Müßiggänger(in** f) m -s, - idler.

mußte pret of **müssen**.

Mustang m -s, -s mustang.

Muster nt -s, - **1.** (*Vorlage, Dessin*) pattern; (*für Brief, Bewerbung*) specimen. **nach einem ~ stricken** to knit from a pattern.

2. (*Probestück*) sample; (*Buch, Korrekturfahne*) specimen. **~ ohne Wert** sample of no commercial value.

3. (*fig: Vorbild*) model (*an* +dat of); (*Verhaltens~*) pattern. **als ~ dienen** to serve as a model; **er ist ein ~ von einem Ehemann/Staatsbürger** he is a model husband/citizen; **ein ~ an Tugend** a paragon of virtue.

Muster- in cpds model; **Musterbeispiel** nt classic *or* prime example; **Musterbetrieb** m model factory/farm *etc*; **Musterbuch** nt pattern book; **Musterehe** f perfect marriage; **Musterexemplar** nt fine specimen; **ein ~ von einer Frau/ einem Idioten** a model wife/a perfect idiot; **Mustergatte** m model husband; **mustergültig** adj exemplary; **Mustergültigkeit** f exemplariness; **musterhaft** adj exemplary; **er hat sich ~ verhalten** his conduct was exemplary; **Musterknabe** m (*iro*) paragon; **Musterkoffer** m sample case; **Musterkollektion** f collection of samples; (*Fashion*) collection of models; **Musterländle** nt (*inf*) **das ~** Baden-Württemberg.

mustern vt **1.** (*betrachten*) to scrutinize, to look over, to survey. **jdn kühl/skeptisch ~** to survey or eye sb coolly/sceptically; **jdn von oben bis unten ~** *or* **von Kopf bis Fuß ~** to look sb up and down, to scrutinize sb from head to toe.

2. (*Mil: inspizieren*) to inspect, to review.

3. (*Mil: für Wehrdienst*) **jdn ~** to give sb his/her medical.

4. *Stoff siehe* **gemustert.**

Musterpackung f sample pack; (*Attrappe*) display pack; **Musterprozeß** m test case; **Musterschüler(in** f) m model pupil; (*fig*) star pupil; **Mustersendung** f selection of samples; **Musterstadt** f model town.

Musterung f **1.** pattern. **2.** (*Mil*) (*von Truppen*) inspection, review; (*von Rekruten*) medical examination for military

service. **3.** (*durch Blicke*) scrutiny.

Musterungskommission f recruiting *or* draft (*US*) board.

Mut m -(e)s, no pl **1.** courage, pluck (*inf*); (*Zuversicht*) heart. **~ fassen** to pluck up courage; **~/keinen ~ haben** to have (a lot of/some)/not to have any courage; **mit frischem ~** with new heart; **nur ~!** don't lose heart!, cheer up!; **keep your pecker up!** (*Brit inf*); **jdm den ~ nehmen** to discourage sb, to make sb lose heart; **den ~ verlieren** to lose heart; **~/wieder ~ bekommen** to gain confidence/to take heart; **jdm ~ zusprechen** *or* **machen** to encourage sb; **das gab ihr wieder neuen ~** that gave her new heart; **ihm sank der ~** his heart sank; **mit dem ~ der Verzweiflung** with the courage born of desperation *or* despair; **der ~ zum Leben** the will to live.

2. (*old: Laune, Stimmung*) spirits pl. **frohen/guten ~es sein** to be of good cheer (*old*), to be in good spirits; **mit frohem ~** with good cheer (*old*).

Mutation f **1.** mutation. **2.** (*Med*) breaking of the voice. **er hat die ~ gerade hinter sich** his voice has just broken.

Mutbeweis m proof of his *etc* courage.

Mütchen nt sein **~ an jdm kühlen** (*inf*) to take it out on sb (*inf*).

muten vi (*Min*) to divine.

Muter(in f) m (*Min*) diviner.

mutieren* vi **1.** (*sich erblich ändern*) to mutate. **2.** (*Med, Aus*) **er hat schon mutiert** his voice has already broken.

mutig adj (*tapfer*) courageous, brave, plucky (*inf*). **dem M~en gehört die Welt** (*Prov*) fortune favours the brave (*Prov*).

mutlos adj (*niedergeschlagen*) discouraged no adv, disheartened no adv; (*bedrückt*) despondent, dejected; **jdn ~ machen** to discourage sb, to make sb lose heart; **Mutlosigkeit** f siehe adj discouragement, disheartenment; despondency, dejection.

mutmaßen vti insep to conjecture. **es wurde viel über seine Abwesenheit gemutmaßt** there was a lot of conjecture as to the reason for his absence.

mutmaßlich I adj attr Vater presumed; *Täter, Terrorist* suspected. II adv **alle Fahrgäste sind ~ ums Leben gekommen** it is presumed that all the passengers were killed.

Mutmaßung f conjecture. **wir müssen uns auf ~en stützen** we can only conjecture.

Mutprobe f test of courage.

Muttchen nt (*inf*) **1.** (*Mutter*) mummy (*inf*), mommy (*US inf*). **2.** (*biedere Hausfrau*) little housewife. **3.** (*alte Frau*) grandma.

Mutter[1] f -, ͏: mother. **sie ist jetzt ~** she's a mother now; **~ werden** to have a baby; **sie ist ~ von drei Kindern** she's a mother of three; **als Frau und ~** as a wife and a mother; **~ Natur/Erde** (*liter*) Mother Nature/Earth; **die ~ der Kompanie** (*Mil hum*) the sergeant-major; **wie bei ~n** (*dial*) just like (at) home; (*Essen*) just like mother makes/used to make.

Mutter[2] f -, -n (*Tech*) nut.

Mutterbindung *f* attachment between mother and child; **Mutterboden** *m* topsoil; **Mutterbrust** *f* mother's breast; (*Ernährung*) mother's milk; **an der ~** at one's mother's breast.

Mütterchen *nt* 1. *siehe* **Muttchen 1..** 2. *siehe* **Muttchen 3.. 3. ~ Rußland** Mother Russia.

Muttererde *f* topsoil; (*liter: Heimaterde*) native soil; **Mutterfahrzeug** *nt* (*Space*) parent ship; **Mutterfigur** *f* mother figure; **Mutterfirma** *f* parent company; **Mutterfreuden** *pl* the joys of motherhood *pl*.

Müttergenesungsheim *nt* rest centre for mothers, especially of large families; **Müttergenesungswerk** *nt* organization providing rest for mothers.

Muttergesellschaft *f* (*Comm*) parent company; **Mutterglück** *nt* das **~** the joy of motherhood; **Muttergottes** *f* -, *no pl* Mother of God; (*Abbild*) Madonna; **Mutterhaus** *nt* (*Rel*) training centre; (*von Kloster*) mother house; **Mutterherz** *nt* maternal heart; **Mutterinstinkt** *m* maternal instinct; **Mutterkirche** *f* mother church; **Mutterkomplex** *m* mother complex; **Mutterkorn** *nt* (*Bot*) ergot; **Mutterkuchen** *m* (*Anat*) placenta; **Mutterkult** *m* mother cult; **Mutterland** *nt* mother country; **Mutterleib** *m* womb.

Mütterlein *nt siehe* **Mütterchen 1., 2.**

mütterlich *adj* 1. maternal; Seite, Linie *auch* distaff. **die ~en Pflichten** one's duties as a mother; **auf ~er Seite** on his/her *etc* mother's side, on the distaff side. 2. (*liebevoll besorgt*) motherly *no adv*. **jdn ~ umsorgen** to mother sb.

mütterlicherseits *adv* on his/her *etc* mother's side, on the distaff side. **sein Großvater ~** his maternal grandfather.

Mütterlichkeit *f* motherliness.

Mutterliebe *f* motherly love; **mutterlos** *adj* motherless; **Muttermal** *nt* birthmark, mole; **Muttermilch** *f* mother's milk; **etw mit der ~ einsaugen** (*fig*) to learn sth from the cradle; **Muttermord** *m* matricide; **Muttermund** *m* (*Anat*) cervix, neck of the uterus *or* womb.

Mutternschlüssel *m* (*Tech*) spanner.

Mutterpferd *nt* dam; **Mutterpflanze** *f* parent (plant); **Mutterplatine** *f* (*Comput*) siehe **Hauptplatine**; **Mutterrecht** *nt* (*Sociol*) matriarchy; **mutterrechtlich** *adj* (*Sociol*) matriarch(al); **Mutterschaf** *nt* ewe.

Mutterschaft *f* motherhood; (*nach Entbindung*) maternity.

Mutterschaftsgeld *nt* maternity grant; **Mutterschaftsurlaub** *m* maternity leave.

Mutterschiff *nt* (*Space*) parent ship; **Mutterschutz** *m* maternity regulations;

Mutterschutzgesetz *nt* law for the protection of expectant and nursing mothers; **Mutterschwein** *nt* sow; **mutterseelenallein** *adj, adv* all alone, all on one's own; **Muttersöhnchen** *nt* (*pej*) mummy's boy; **Muttersprache** *f* native language, mother tongue; **Gälisch ist seine ~** Gaelic is his native language, he's a native speaker of Gaelic; **Muttersprachler(in** *f*) *m* native speaker; **Mutterstelle** *f*: **bei jdm ~ vertreten** to be like a mother to sb; (*Jur*) to stand in loco parentis to sb.

Müttersterblichkeit *f* mortality in childbirth.

Muttertag *m* Mother's Day; **Muttertier** *nt* mother (animal); (*Zuchttier*) brood animal; **Mutterwitz** *m* (*Schläue*) mother wit; (*Humor*) natural wit.

Mutti *f* -, **-s** (*inf*) mummy, mum, mommy (*US*).

Mutwille *m* **-ns**, *no pl* 1. (*geh: Übermut*) mischief. **aus bloßem** *or* **reinem ~n** out of pure mischief. 2. (*böse Absicht*) malice. **etw mit** *or* **aus ~n tun** to do sth out of malice.

mutwillig I *adj* 1. (*geh: übermütig*) Streiche, Dummheiten mischievous. 2. (*böswillig*) malicious; Beschädigung, Zerstörung *auch* wilful. **II** *adv* (*absichtlich*) zerstören wilfully.

Mütze *f* -, **-n** cap. **die ~ ziehen** to doff one's cap; (*fig*) to take one's hat off (*vor jdm* to sb); **was auf die ~ kriegen** (*inf*) to get a ticking-off (*inf*); (*verprügelt werden*) to get thumped (*inf*); **eine ~ voll Schlaf** (*inf*) a good kip (*inf*).

Mützenschirm *m* peak.

MW *abbr of* **Megawatt**.

MwSt., MWSt. *abbr of* **Mehrwertsteuer** VAT.

Myanmar *nt* **-s** (*früher Birma*) Myanmar.

Myriade *f* (*lit, fig*) myriad.

Myrrhe ['mYrə] *f* -, **-n** myrrh.

Myrrhen|öl *nt* oil of myrrh.

Myrte *f* -, **-n** myrtle.

Myrtenkranz *m* myrtle wreath.

Mysterien- **~spiel** [-iən-] *nt* (*Theat*) mystery play.

mysteriös *adj* mysterious.

Mysterium *nt* (*alle Bedeutungen*) mystery.

Mystifikation *f* mystification.

mystifizieren* *vt* to mysticize.

Mystifizierung *f* mystification.

Mystik *f* mysticism *no art*.

Mystiker(in *f*) *m* **-s**, **-** mystic.

mystisch *adj* mystic(al); (*fig: geheimnisvoll*) mysterious.

mythisch *adj* mythical.

Mythologie *f* mythology.

mythologisch *adj* mythologic(al).

Mythos, Mythus *m* -, **Mythen** (*lit, fig*) myth. **er war zeitlebens von einem ~ umgeben** he was a legend in his time.

N

N, n [ɛn] *nt* -, - N, n. **n-te** nth.
N *abbr of* **Norden.**
'n [n] (*inf*) *abbr of* **ein, einen.**
na¹ *interj* (*inf*) **1.** (*Frage, Anrede*) well;
(*Aufforderung*) then. **~, kommst du
mit?** well, are you coming?, are you
coming?

2. (*zögernde Zustimmung, Resignation*) well. **~ ja** well; **~ ja, aber nur noch
zehn Minuten** well yes *or* I suppose so,
but only another ten minutes; **~ gut, ~
schön** all right, OK (*inf*).

3. (*Bestätigung, Erleichterung*) well.
~ also!, ~ eben! (well,) there you are
(then)!; **~ und ob!** (*auf jeden Fall*) you
bet! (*inf*), not half! (*inf*); (*und wie auch*)
and how! (*inf*).

4. (*Beschwichtigung*) come (on)
(now).

5. (*Ermahnung*) now; (*Zurückweisung*) well. **~ (~)!** now, now!, now
then!; **~ warte!** just you wait!; **~ so was**
or **so etwas!** well, I never!; **~ und?** so
what?; **~ ich danke!** no thank you!

6. (*Zweifel*) well. **~!, wenn das mal
klappt!** well, if it comes off.
na² *adv* (*S Ger, Aus inf*) siehe **nein.**
Nabe *f* -, **-n** hub.
Nabel *m* -**s**, - (*Anat*) navel, umbilicus
(*spec*); (*Bot*) hilum. **der ~ der Welt** (*fig*)
the hub of the universe, the centre of
the world.
Nabelbinde *f* umbilical bandage;
Nabelbruch *m* umbilical hernia;
Nabelschau *f* **~ betreiben** to be bound
up in oneself; **Nabelschnur** *f* (*Anat*)
umbilical cord.
nach I *prep* +*dat* **1.** (*örtlich*) to. **ich nahm
den Zug ~ Mailand** (*bis*) I took the train
to Milan; (*in Richtung*) I took the Milan
train *or* the train for Milan; **das Schiff/
der Zug fährt ~ Kiel** the boat is bound
for Kiel, the boat/train is going to Kiel;
er ist schon ~ London abgefahren he has
already left for London; **~ Osten/
Westen** eastward(s)/westward(s), to the
east/west; **von Osten ~ Westen** from
(the) east to (the) west; **~ links/rechts**
(to the) left/right; **von links ~ rechts**
from (the) left to (the) right; **~ jeder
Richtung** *or* **allen Richtungen** (*lit*) in all
directions; (*fig*) on all sides; **~ hinten/
vorn** to the back/front; (*in Wagen/Zug
auch*) to the rear/front; **~ ... zu** towards
...; **~ Norden zu** *or* **hin** to(wards) the
north.

2. *in Verbindung mit vb siehe auch
dort* **~ jdm/etw suchen** to look for sb/
sth; **sich ~ etw sehnen** to long for sth; **~
etw schmecken/riechen** to taste/smell of
sth.

3. (*zeitlich*) after. **fünf (Minuten) ~
drei** five (minutes) past *or* after (*US*)
three; **~ Christi Geburt** *or* **unserer Zeit-**

rechnung AD, anno Domini (*form*); **sie
kam ~ zehn Minuten** she came ten minutes later *or* after ten minutes; **~ zehn
Minuten war sie wieder da** she was back
in ten minutes *or* ten minutes later; **~
zehn Minuten wurde ich schon unruhig**
after ten minutes I was getting worried;
~ Empfang *or* **Erhalt** *or* **Eingang** on receipt; **drei Tage ~ Empfang** three days
after receipt; **~ allem, was geschehen ist**
after all that has happened.

4. (*Reihenfolge*) after. **eine(r, s) ~
dem/der anderen** one after another *or*
the other; **die dritte Straße ~ dem Rathaus** the third road after *or* past the
town hall; **(bitte) ~ Ihnen!** after you!;
der Leutnant kommt ~ dem Major (*inf*)
a lieutenant comes after a major; **~
„mit" steht der Dativ** "mit" is followed
by *or* takes the dative.

5. (*laut, entsprechend*) according to;
(*im Einklang mit*) in accordance with. **~
dem Gesetz, dem Gesetz ~** according to
the law; **~ römischem Gesetz** according
to *or* under Roman law; **~ Artikel 142c**
under article 142c; **manche Arbeiter
werden ~ Zeit, andere ~ Leistung bezahlt** some workers are paid by the
hour, others according to productivity;
etw ~ Gewicht kaufen to buy sth by
weight; **~ Verfassern/Gedichtanfängen**
in order of *or* according to authors/first
lines; **die Uhr ~ dem Radio stellen** to put
a clock right by the radio; **seiner Natur
~ ist er sehr sanft** he's very gentle by nature; **seiner Veranlagung ~ hätte er Musiker werden sollen** with his temperament he should have been a musician;
ihrer Sprache ~ (zu urteilen) from her
language, judging by her language; **~
dem, was er gesagt hat** from *or* according to what he's said; **~ allem, was ich
gehört habe** from what I've heard; **~ allem, was ich weiß** as far as I know; **Knödel ~ schwäbischer Art** Swabian dumplings.

6. (*angelehnt an*) after. **~ dem Russi-
schen** after the Russian; **~ einem Gedicht von Schiller** after a poem by
Schiller.

**7. er wurde ~ seinem Großvater ge-
nannt** he was called after *or* for (*US*) his
grandfather.

II *adv* **1.** (*räumlich*) **mir ~!** (*old*)
follow me!

2. (*zeitlich*) **~ und ~** little by little,
gradually; **~ wie vor** still; **wir treffen uns
~ wie vor im „Goldenen Handschuh"**
we still meet in the "Golden Glove" as
always.
nach|äffen *vt sep* (*pej*) *Moden, Ideen* to
ape; *jdn* to take off, to mimic; (*imitieren*) to copy.
nach|ahmen *vt sep* to imitate; (*karikie-*

ren) to take off, to mimic; (*nacheifern auch*) to emulate; (*kopieren*) to copy.

nach|ahmenswert *adj* exemplary.

Nach|ahmer(in *f*) *m* **-s, -** imitator; (*eines großen Vorbilds*) emulator; (*pej: Art, Liter*) copyist.

Nach|ahmermedikament, Nachahmerpräparat *nt* generic drug.

Nach|ahmung *f siehe vt* **1.** (*das Imitieren*) imitation; taking off, mimicking; emulation; copying. **etw zur ~ anraten** *or* **empfehlen** to recommend sth as an example. **2.** (*die Imitation*) imitation; take-off, impression; emulation; copy.

Nach|ahmungstäter(in *f*) *m* copy-cat criminal.

nach|arbeiten *sep* I *vt* **1.** (*aufholen*) to make up. **2.** (*überarbeiten*) to work over; (*Art*) to touch up. **3.** (*nachbilden*) to copy, to reproduce. II *vi* **wir müssen morgen ~** we'll have to make up the work tomorrow.

Nachbar ['naxbaːɐ] *m* **-n** *or* **-s, -n** neighbour; (*in ~wohnung, ~haus auch*) next-door neighbour. **Herr X war beim Konzert mein ~** Mr X sat next to me at the concert; **ich war eben bei ~s** (*inf*) I've just been round to the neighbours; **~s Garten** the next-door garden; **die lieben ~n** (*iro*) the neighbours.

Nachbardorf *nt* neighbouring village; **Nachbarhaus** *nt* house next door, neighbouring house. **in unserem ~** in the house next door (to us).

Nachbarin *f* neighbour.

Nachbarland *nt* neighbouring country.

nachbarlich *adj* (*freundlich*) neighbourly *no adv*; (*benachbart*) neighbouring *no adv*.

Nachbarschaft *f* (*Gegend*) neighbourhood; (*Nachbarn*) neighbours *pl*; (*Nähe*) vicinity. **gute ~ halten** *or* **pflegen** to keep on good terms with the neighbours.

Nachbarschaftshilfe *f* neighbourly help; **man ist ja wohl zu ein bißchen ~ verpflichtet** you have to help your neighbours a bit.

Nachbarsfrau *f* lady next door; **Nachbarskind** *nt* child next door; **Nachbarsleute** *pl* neighbours *pl*; (*von nebenan auch*) people next door *pl*.

Nachbarstaat *m* neighbouring state; **Nachbarstadt** *f* neighbouring town.

Nachbeben *nt* aftershock.

Nachbehandlung *f* (*Med*) follow-up treatment *no indef art*.

nachbereiten* *vt sep* (*Sch*) to assess *or* evaluate afterwards.

nachbessern *sep* I *vt* to retouch; *Gesetz, Beschluß* to amend. II *vi* to make improvements.

Nachbesserungsklausel *f* clause improving the terms of a/the contract.

nachbestellen* *vt sep* to order some more; (*Comm*) to reorder, to put in a repeat order for; (*nachträglich*) to put in *or* make a late order for. **ich habe gerade noch Sekt/noch zwei Flaschen Sekt nachbestellt** I've just ordered some more champagne/another two bottles of champagne.

Nachbestellung *f* (*gen* for) repeat order; (*nachträgliche Bestellung*) late order.

nachbeten *vt sep* (*inf*) to repeat parrot-fashion, to parrot.

Nachbeter(in *f*) *m* (*inf*) echoer, parrot (*inf*).

nachbezahlen* *sep* I *vt* to pay; (*später*) to pay later. **Steuern ~** to pay back-tax. II *vi* to pay the rest.

Nachbild *nt* (*Opt*) after-image.

nachbilden *vt sep* to copy; (*exakt*) to reproduce. **einer Sache** (*dat*) **nachgebildet sein** to be modelled on sth, to be a copy/reproduction of sth.

Nachbildung *f* copy; (*exakt*) reproduction.

nachblättern *vi sep* to have a quick look. **in etw** (*dat*) **~** to flick through sth again.

nachbleiben *vi sep irreg aux sein* (*dial*) to stay behind.

nachblicken *vi sep siehe* **nachsehen** I **1.**

Nachblutung *f* (*Med*) secondary haemorrhage; (*nach Operation*) post-operative haemorrhage; (*nach Geburt*) post-partum haemorrhage.

nachbohren *sep* I *vt Öffnung* to drill out. II *vi* (*lit*) to drill out some more; (*fig inf*) to probe.

Nachbrenner *m* (*Aviat*) after-burner.

nachbringen *vt sep irreg* (*hinterherbringen*) to bring afterwards; (*zusätzlich servieren*) to bring some more. **er brachte mir den Schirm nach** he came after me with my umbrella.

nachchristlich *adj* **in den ersten ~en Jahrhunderten** in the first centuries AD.

nachdatieren* *vt sep* to postdate.

nachdem *conj* **1.** (*zeitlich*) after. **2.** (*modal*) *siehe* **je**[1] III **2.**. **3.** (*S Ger: kausal*) since.

nachdenken *vi sep irreg* to think (*über +acc* about). **darüber darf man gar nicht ~** it doesn't bear thinking about; **laut ~** to think aloud, to think out loud; **denk doch mal nach!** think about it!; **denk mal gut** *or* **scharf nach!** think carefully!

Nachdenken *nt* thought, reflection. **nach langem ~** after (giving the matter) considerable thought; **gib mir ein bißchen Zeit zum ~** give me a bit of time to think (about it).

nachdenklich *adj Mensch, Miene* thoughtful, pensive; *Geschichte, Worte* thought-provoking. **jdn ~ stimmen** *or* **machen** to set sb thinking; **~ gestimmt sein** to be in a thoughtful mood.

Nachdenklichkeit *f*, *no pl* thoughtfulness, pensiveness.

Nachdichtung *f* (*Liter*) free rendering.

nachdrängen *vi sep aux sein* to push from behind. **jdm ~** to throng after sb (*liter*).

Nachdruck *m* **1.** *no pl* (*Betonung*) stress, emphasis; (*Tatkraft*) vigour, energy. **besonderen ~ darauf legen, daß ...** to put special emphasis on the fact that ..., to stress *or* emphasize particularly that ...; **etw mit ~ betreiben/sagen** to pursue sth with vigour/to say sth emphatically.

2. (*das Nachdrucken*) reprinting; (*das Nachgedruckte*) reprint. **„~ verboten"** "no part of this publication may be reproduced without the prior permission of the publishers".

nachdrucken *vt sep* to reprint.

nachdrücklich *adj* emphatic; *Warnung auch* firm. ~ **auf etw** (*dat*) **bestehen** to insist firmly (up)on sth; **jdm** ~ **raten** *or* **jdm den** ~**en Rat geben, etw zu tun** to advise sb strongly *or* to urge sb to do sth; **jdn** ~ **warnen** to give sb a firm warning.

Nachdrücklichkeit *f* insistence.

nachdrucksvoll *adj* emphatic.

nachdunkeln *vi sep aux sein* to get *or* grow darker; (*Bild*) to darken.

Nachdurst *m* (*nach Alkoholgenuß*) dehydration. ~ **haben** to be dehydrated.

nach|eifern *vi sep* jdm/einer Sache ~ to emulate sb/sth.

nach|einander *adv* (*räumlich*) one after another *or* the other; (*zeitlich auch*) in succession. **zweimal** ~ twice running *or* in a row; **kurz/unmittelbar** ~ shortly/immediately after each other.

nach|empfinden* *vt sep irreg* **1.** *Stimmung* to feel; *Gedicht, Lied* to relate to. **niemand kann Werthers Schmerz** ~ noone can really feel Werther's grief; **das kann ich ihr** ~ I can understand her feelings *or* how she feels/felt. **2.** (*nachgestalten*) to adapt (*dat* from).

Nachen *m* **-s, -** (*liter*) barque (*poet*).

Nach|erbe *m* remainderman (*spec*).

Nach|ernte *f* second harvest; (*Ähren~*) gleaning; (*Ertrag*) gleanings *pl*. ~ **halten** to glean the remains of the harvest.

nach|erzählen* *vt sep* to retell. **dem Türkischen nacherzählt** (*geh*) adapted from the Turkish.

Nach|erzählung *f* retelling; (*Sch*) (story) reproduction.

nach|exerzieren* *vi sep* (*Mil*) to do extra drill.

Nachf. *abbr of* **Nachfolger.**

Nachfahr *m* **-s, -en** (*geh*) descendant.

nachfahren *vi sep irreg aux sein* to follow (on). **jdm** ~ to follow sb.

Nachfaßaktion *f* (*in der Werbung*) follow-up campaign.

nachfassen *sep* **I** *vi* **1.** (*nachgreifen*) to get a firmer grip; (*noch einmal zufassen*) to regain one's grip. **2.** (*inf: nachforschen*) to probe a bit deeper. **3.** (*inf: Essen* ~) to have a second helping. **II** *vt* (*inf: nachholen*) to have a second helping of. **Essen** ~ to have a second helping.

nachfeiern *vti sep* (*später feiern*) to celebrate later.

nachfeilen *vt sep* to file off.

nachfinanzieren* *vt sep* to find additional finance for.

Nachfolge *f, no pl* **1.** succession. **jds/die** ~ **antreten** to succeed sb/succeed. **2.** (*Nacheiferung*) emulation. **die** ~ **Christi** the imitation of Christ.

nachfolgen *vi sep aux sein* **1.** (*hinterherkommen*) to follow (on). **jdm** ~ to follow sb; **jdm im Amt** ~ to succeed sb in office; **sie ist ihrem Gatten nachgefolgt** (*euph*) she has gone to join her husband (*euph*). **2.** +*dat* (*Anhänger sein*) to follow.

nachfolgend *adj* following. **wie im** ~**en**

ausgeführt as detailed below; ~**es, das** N~**e** the following; **können/konnten Sie aus den** ~**en Beispielen etwas entnehmen?** can/could you gather anything from the following/subsequent examples?

Nachfolge- *in cpds* follow-up; **Nachfolgemodell** *nt* (*von Produkt, Auto*) successor, follow-up model (*gen* to); **Nachfolgeorganisation** *f* successor organization.

Nachfolger(in *f*) *m* **-s, -** (*im Amt*) successor. **Friedrich Reißnagel** ~ successors to Friedrich Reißnagel.

Nachfolgestaat *m* succession state.

nachfordern *vt sep* to put in another demand for.

Nachforderung *f* subsequent demand.

nachforschen *vi sep* to try to find out; (*polizeilich*) to carry out an investigation (*dat* into); (*amtlich*) to make enquiries (*dat* into).

Nachforschung *f* enquiry; (*polizeilich*) investigation. ~**en anstellen** to make enquiries.

Nachfrage *f* **1.** (*Comm*) demand (*nach, in* +*dat* for). **danach besteht eine rege/keine** ~ there is a great/no demand for it. **2.** (*Erkundigung*) enquiry. **danke der** ~ (*form*) thank you for your concern; (*inf*) nice of you to ask.

nachfragen *vi sep* to ask, to enquire.

Nachfrageschub *m* surge in demand; **Nachfrageüberhang** *m* surplus demand.

Nachfrist *f* extension. **jdm eine** ~ **setzen** to extend sb's deadline, to give *or* grant sb an extension.

nachfühlen *vt sep siehe* **nachempfinden.**

nachfüllen *vt sep leeres Glas* to refill; *halbleeres Glas, Batterie* to top up. **darf ich (Ihr Glas)** ~**?** can I fill/top you up?, would you like a refill?

Nachfüllpackung *f* refillable container.

nachgären *vi sep irreg aux haben or sein* to be lagered.

Nachgärung *f* lagering.

nachgeben *sep irreg* **I** *vi* **1.** to give way (*dat* to); (*federn*) to give; (*fig*) (*Mensch*) to give in *or* way (*dat* to); (*aufgeben*) to give up *or* in.

2. (*Comm: Preise, Kurse*) to drop, to fall.

II *vt* **darf ich Ihnen noch etwas Gemüse** ~**?** may I give you a few more vegetables?; **er ließ sich** (*dat*) **Fleisch** ~ he had another helping of meat.

nachgeboren *adj* **1.** (*mit großem Altersunterschied*) late(r)-born. **die** N~**en** (*geh*) future generations. **2.** (*nach Tod des Vaters geboren*) posthumous.

Nachgebühr *f* excess (postage).

Nachgeburt *f* (*Gewebe*) afterbirth; (*Vorgang*) expulsion of the afterbirth.

Nachgefühl *nt* feeling.

nachgehen *vi sep irreg aux sein* **1.** +*dat* (*hinterhergehen*) to follow; **jdm auch** to go after.

2. (*Uhr*) to be slow. **deine Uhr geht fünf Minuten nach** your clock is five minutes slow.

3. +*dat* (*ausüben*) *Beruf* to practise;

Studium, Vergnügungen, Interesse to pursue; *Geschäften* to go about. **welcher Tätigkeit gehen Sie nach?** what is your occupation? **4.** +*dat* (*erforschen*) to investigate, to look into. **5.** +*dat* (*zu denken geben*) to haunt.

nachgelassen *adj Werke, Briefe, Papiere* posthumously published. **seine ~en, bis heute nicht veröffentlichten Fragmente** the fragments he left which remain unpublished to this day.

nachgemacht *adj Gold, Leder* imitation; *Geld* counterfeit.

nachge|ordnet *adj* (*form*) *Behörde, Dienststelle* subordinate.

nachgerade *adv* (*geradezu*) practically, virtually; (*nach wie vor*) still.

Nachgeschmack *m* (*fig*) aftertaste. **einen üblen ~ hinterlassen** (*fig*) to leave a bad *or* nasty taste in one's *or* the mouth.

nachgestellt *adj* (*Gram*) postpositive.

nachgewiesenermaßen *adv siehe* **erwiesenermaßen.**

nachgiebig *adj* **1.** *Material* pliable; *Boden, Wand* yielding. **~ sein** to be pliable/to give. **2.** (*fig*) *Mensch, Haltung* soft; (*entgegenkommend*) accommodating, compliant. **sie behandelt die Kinder zu ~** she's too soft with the children; **jdn ~ machen** to soften sb up.

Nachgiebigkeit *f siehe adj* **1.** pliability; softness. **2.** softness; compliance.

nachgießen *vti sep irreg Wasser, Milch* to add. **er trinkt so schnell, daß man ständig ~ muß** he drinks so fast that you keep having to top up his glass; **darf ich Ihnen (noch etwas Wein) ~?** would you like some more (wine)?

nachgrübeln *vi sep* to think (*über* +*acc* about); (*sich Gedanken machen*) to ponder (*über* +*acc* on), to muse (*über* +*acc* about).

nachgucken *vti sep siehe* **nachsehen.**

nachhaken *vi sep* (*inf*) to dig deeper. **bei jdm ~** to pump sb (*inf*).

Nachhall *m* reverberation; (*fig*) (*Anklang*) response (*auf* +*acc* to); (*Nachklang*) echo. **künstlicher ~** echo effect, artificial echo; **das Echo hatte einen langen ~** the echo went on reverberating a long while.

nachhallen *vi sep* to reverberate.

nachhaltig *adj* lasting *no adv*; *Widerstand* sustained *no adv*. **ihre Gesundheit hat sich ~ gebessert** there has been a lasting improvement in her health; **~e Entwicklung** sustainable development.

nachhängen *vi sep irreg* +*dat* to give oneself up to, to abandon oneself to. **seinen Erinnerungen ~** to lose oneself in one's memories.

Nachhauseweg *m* way home.

nachhelfen *vi sep irreg* to help. **jdm ~** to help sb, to give sb a hand; **sie hat ihrer Schönheit etwas nachgeholfen** she has improved a little on Mother Nature *or* given nature a helping hand; **meine Güte, bist du braun! — na, ich hab' auch ein bißchen nachgeholfen** good heavens, you're brown! — well, I did help things along a bit.

nachher *adv* **1.** (*danach*) afterwards; (*später auch*) later. **bis ~** see you later! **2.** (*inf: möglicherweise*) **~ stimmt das gar nicht** that might not be true at all, (it) could be that's not true at all.

Nachhilfe *f* help, assistance; (*Sch*) private coaching *or* tuition *or* tutoring (*US*).

Nachhilfelehrer(in *f*) *m* private tutor, crammer (*inf*); **Nachhilfestunde** *f* private lesson; **Nachhilfeunterricht** *m* private coaching *or* tuition *or* tutoring (*US*).

nachhinein *adv*: **im ~** afterwards; (*rückblickend*) in retrospect.

nachhinken *vi sep aux sein* (*fig inf*) to lag behind. **hinter jdm/etw ~** to lag behind sb/sth.

Nachholbedarf *m* **einen ~ an etw** (*dat*) **haben** to have a lot to catch up on in the way of sth, to have a lot of sth to catch up on.

nachholen *vt sep* **1.** (*nachkommen lassen*) to get sb to join one; (*von Übersee auch*) to fetch *or* get sb over. **2.** (*aufholen*) *Versäumtes* to make up.

Nachhut ['naːxhuːt] *f* -, **-en** (*Mil*) rearguard. **bei der ~** in the rearguard.

Nach|impfung *f* (*Zweitimpfung*) reinoculation; (*Wiederholungsimpfung*) booster.

nach|industriell *adj* (*Sociol*) post-industrial.

nachjagen *vi sep aux sein* +*dat* to chase (after); *Vergnügungen, dem Glück auch* to pursue.

Nachkauf *m* further purchase. **10 Jahre ~ garantiert** availability guaranteed for 10 years.

nachkaufen *vt sep* to buy later. **kann man diese Knöpfe auch ~?** is it possible to buy replacements for these buttons?

Nachkaufgarantie *f* availability guarantee.

Nachklang *m* **der ~ der Mandolinen** the sound of the mandolines dying away; **ein ferner ~ von Mallarmé** a distant echo of Mallarmé.

nachklassisch *adj* post-classical.

nachklingen *vi sep irreg aux sein* (*Ton, Echo*) to go on sounding; (*Worte, Erinnerung*) to linger on, to linger. **die Melodie klang noch lange in mir nach** the tune stayed in my head for some time.

Nachkomme *m* -**n**, **-n** descendant. **ohne ~n** without issue (*form*).

nachkommen *vi sep irreg aux sein* **1.** (*später kommen*) to follow *or* come (on) later. **jdm ~** to follow sb; **wir kommen gleich nach** we'll follow *or* come in just a couple of minutes; **Sie können Ihr Gepäck ~ lassen** you can have your luggage sent on (after). **2.** (*mitkommen, Schritt halten*) to keep up. **ich komme nicht nach!** I can't keep up (with you/them etc). **3.** +*dat* (*erfüllen*) *seiner Pflicht* to fulfil, to carry out; *einer Anordnung, Forderung, einem Wunsch* to comply with.

Nachkommenschaft *f* descendants *pl*, issue (*form*). **seine zahlreiche ~** his numerous progeny *pl or* descendants.

Nachkömmling m 1. (*Nachzügler*) late arrival, latecomer; (*Kind*) afterthought (*hum*). 2. (*old: Nachkomme*) descendant.

nachkontrollieren* vt sep to check (over).

Nachkriegs- in cpds post-war; **nachkriegsdeutsch** adj postwar German; **Nachkriegsdeutschland** nt postwar Germany; **Nachkriegszeit** f postwar period.

Nachkühlstrang m (*bei Kraftwerk*) cooling phase.

Nachkur ['naːxkuːɐ] f follow-up cure.

nachladen vti sep irreg to reload.

Nachlaß m -lasses, -lasse or -lässe 1. (*Preis~*) discount, reduction (*auf* +acc on). 2. (*Erbschaft*) estate. **den ~ eröffnen** to read the will; **literarischer ~** unpublished works pl; **Gedichte aus dem ~** unpublished poems.

nachlassen sep irreg I vt 1. Preis, Summe to reduce. **10% vom Preis ~** to give a 10% discount or reduction.

2. (*old: hinterlassen*) to bequeath.

II vi to decrease, to diminish; (*Interesse auch*) to flag, to wane; (*Sehvermögen, Gehör auch*) to deteriorate; (*Regen, Sturm, Nasenbluten*) to ease off or up; (*Leistung, Geschäfte*) to fall or drop off; (*Preise*) to fall, to drop. **nicht ~!** keep it up!; **er hat in letzter Zeit sehr nachgelassen** he hasn't been nearly as good recently; **das hat nachgelassen** it's got better; **sobald die Kälte nachläßt** as soon as it gets a bit warmer.

Nachlaßgericht nt probate court; **Nachlaßgläubiger(in** f) m (*Jur*) creditor of the estate.

nachlässig adj careless, negligent; Arbeit auch slipshod; (*unachtsam*) thoughtless. **~ gekleidet** carelessly dressed.

Nachlässigkeit f siehe adj carelessness; thoughtlessness.

Nachlaßpfleger(in f), **Nachlaßverwalter(in** f) m executor; **Nachlaßverwaltung** f administration of the estate.

nachlaufen vi sep irreg aux sein +dat **jdm/einer Sache ~** to run after sb/sth; (*fig auch*) to chase sb/sth; **den Mädchen ~** to chase girls.

nachlegen sep vt noch Kohlen/Holz ~ to put some more coal/wood on (the fire).

Nachlese f second harvest; (*Ähren~*) gleaning; (*Ertrag*) gleanings pl; (*Liter*) further selection.

nachlesen sep irreg I vt 1. Ähren to glean. **Beeren/Kartoffeln ~** to gather late berries/potatoes.

2. (*in einem Buch*) to read; (*nachschlagen*) to look up; (*nachprüfen*) to check up. **man kann das in der Bibel ~** it says so in the Bible.

II vi 1. to have a second harvest; (*Ähren ~*) to glean.

2. (*nachschlagen*) to look it up; (*nachprüfen*) to check up.

nachliefern sep I vt (*später liefern*) to deliver at a later date; (*zuzüglich liefern*) to make a further delivery of; (*inf: später abgeben*) Unterlagen to hand in later. **könnten Sie mir noch einen Zentner ~?**

could you deliver another hundredweight? II vi to make further deliveries.

Nachlieferung f delivery. **wir warten auf die ~** we're waiting for the rest to be delivered.

nachlösen sep I vi to pay on the train/ when one gets off; (*zur Weiterfahrt*) to pay the extra.

II vt Fahrkarte to buy on the train/ when one gets off; (*zur Weiterfahrt*) to buy another.

Nachlöseschalter m excess fares (counter).

nachm. abbr of **nachmittags** p.m.

nachmachen vt sep 1. (*nachahmen*) to copy; (*nachäffen*) to take off, to mimic. **sie macht mir alles nach** she copies everything I do; **das mach' mir mal einer nach!, das macht mir so schnell keiner nach!, das soll erst mal einer ~!** I'd like to see anyone else do that!

2. (*fälschen*) Unterschrift to forge; Geld auch to counterfeit; (*imitieren*) to copy.

3. (*inf: nachholen*) to make up.

nachmalig adj (*old*) der **~e Präsident** the future president; **der ~e Präsident X** President X, as he was to become.

nachmals adv (*old*) later, subsequently.

nachmessen sep irreg I vt to measure again; Temperatur to take again; (*prüfend messen*) to check. II vi to check.

Nachmieter(in f) m next tenant. **unser ~** the tenant after us; **wir müssen einen ~ finden** we have to find someone to take over the flat etc.

Nachmittag m afternoon. **am ~** in the afternoon; **am heutigen ~** this afternoon; **am ~ des 14. Oktober** on the afternoon of October 14th; **im Laufe** or **während des ~s** during or in the course of the afternoon; (*heute*) sometime this afternoon; **vom ~ an** from about two o'clock; **bis zum ~** till the afternoon; **des ~s** (*geh*) in the afternoon.

nachmittag adv gestern/morgen/Dienstag/heute ~ yesterday/tomorrow/ Tuesday/this afternoon.

nachmittägig adj attr afternoon.

nachmittäglich adj no pred afternoon attr. **die ~ stattfindenden Kurse** the afternoon courses.

nachmittags adv in the afternoon; (*jeden Nachmittag*) in the afternoon(s). **von ~ an** from about two o'clock; **Dienstag** or **dienstags ~** every Tuesday afternoon, on Tuesday afternoons; **er ißt immer erst ~** he never eats till (the) afternoon.

Nachmittagsschlaf m ~ **halten** to have a sleep after lunch; **Nachmittagsschläfchen** nt (*inf*) sein ~ halten to have one's afternoon nap or post-prandial snooze (*hum*); **Nachmittagsstunde** f hour of the afternoon; **Nachmittagsvorstellung** f matinée (performance).

Nachnahme f -, -n cash or collect (*US*) on delivery, COD; (*inf: ~sendung*) COD parcel. **etw als** or **per ~ schicken** to send sth COD.

Nachnahmegebühr f COD charge; **Nachnahmesendung** f COD parcel.

Nachname m surname, family or last

name. **wie heißt du mit ~n?** what is your surname?

nachnehmen *vti sep irreg* to take (some) more.

nachplappern *vt sep* to repeat parrot-fashion. **jdm alles ~** to repeat everything sb says parrot-fashion.

Nachporto *nt* excess (postage).

nachprüfbar *adj* verifiable. **die Ergebnisse sind jederzeit ~** the results can be verified *or* checked at any time.

nachprüfen *sep* **I** *vt* **1.** *Aussagen, Tatsachen* to verify, to check. **2.** (*später prüfen*) *Kandidaten* to examine at a later date. **II** *vi* to check.

Nachprüfung *f* **1.** (*von Aussagen, Tatsachen*) check (*gen* on). **bei der ~ der Meldungen** when the reports were checked. **2.** (*spätere Prüfung*) later examination.

nachrechnen *vti sep* to check. **rechne noch einmal nach!** you'd better do your sums again, you'd better check your arithmetic.

Nachrede *f* **1.** (*Verunglimpfung*) **üble ~** (*Jur*) defamation of character; **üble ~ über jdn verbreiten** *or* **führen** to cast aspersions on sb's character; **in üble ~ geraten** *or* **kommen** to get a bad reputation. **2.** (*Epilog*) epilogue.

Nachredner(in *f*) *m* later *or* subsequent speaker. **mein ~** the speaker after me.

nachreichen *vt sep* to hand in later.

Nachreife *f* afterripening.

nachreifen *vi sep aux sein* to afterripen.

nachreisen *vi sep aux sein* **jdm ~** to follow sb.

nachreiten *vi sep irreg aux sein* +*dat* to ride after.

nachrennen *vi sep irreg aux sein* (*inf*) *siehe* **nachlaufen.**

Nachricht *f* -, -**en 1.** (*Mitteilung, Botschaft*) message; (*Meldung*) (piece of) news. **eine ~** a message; some news, a piece of news; **die ~en** the news *sing* (*auch Rad, TV*); **~en hören** to listen to the news; „**Sie hören ~en"** "this *or* here is the news"; **das sind aber schlechte ~en** that's bad news; **wer teilt ihm diese unangenehme ~ mit?** who's going to break this unpleasant (piece of) news to him?; **die letzte ~ von ihm kam aus Indien** the last news of him was from India; **~ erhalten, daß ...** to receive (the) news that ...; **wir geben Ihnen ~** we'll let you know.
2. (*Bestätigung*) confirmation. **wir sind bezüglich unserer Bestellung immer noch ohne ~** we are still awaiting confirmation of our order.

Nachrichtenagentur *f* news agency; **nachrichtenarm** *adj* in **~en Monaten** in the silly season; **Nachrichtenbüro** *nt* news agency; **Nachrichtendienst** *m* **1.** (*Rad, TV*) news service; **2.** (*Pol, Mil*) intelligence (service); **nachrichtendienstlich** *adj* **Erkenntnisse** intelligence *attr*; **Vorschriften** intelligence service *attr*; **~ erfaßt sein** to be on the files of the intelligence service; **Nachrichtenmagazin** *nt* news magazine; **Nachrichtenredaktion** *f* news depart-

---

ment *or* room; **wie wir von der ~ erfahren, ...** as we hear from the news desk, ...; **Nachrichtensatellit** *m* (tele)communications satellite; news satellite; **Nachrichtensperre** *f* news blackout *or* embargo; **Nachrichtensprecher(in** *f*) *m* newsreader, newscaster; **Nachrichtentechnik** *f* telecommunications *sing*; **Nachrichtenübermittlung** *f* communication; **Nachrichtenverbindung** *f* line of communication (*zu* with, to); **Nachrichtenwesen** *nt* communications *pl*.

nachrücken *vi sep aux sein* to move up; (*auf Stelle, Posten*) to succeed (*auf* +*acc* to); (*Mil*) to advance. **dem Feind/nach Hanoi ~** to advance on the enemy/on Hanoi.

Nachrücker(in *f*) *m* -**s**, - successor, replacement.

Nachrückerphase *f* period of succession, transition period.

Nachruf *m* obituary.

nachrufen *vti sep irreg* +*dat* to shout after.

Nachruhm *m* fame after death.

nachrühmen *vt sep* **jdm etw ~** to praise sb for sth.

nachrüsten *sep* **I** *vi* (*Mil*) to deploy new arms; (*modernisieren*) to modernize. **II** *vt* *Kraftwerk* to modernize; *Auto* to refit.

Nachrüstsatz *m* (*Aut*) additional component; (*von Spiel*) supplement.

Nachrüstung *f* **1.** (*Mil*) deployment of new arms; (*Modernisierung*) arms modernization. **2.** (*Tech: von Kraftwerk*) modernization; (*von Auto*) refit.

Nachrüstungsabkommen *nt* (*Mil*) agreement to deploy new arms; **Nachrüstungsbeschluß** *m* (*Mil*) decision to deploy new arms.

nachsagen *vt sep* **1.** (*wiederholen*) to repeat. **jdm alles ~** to repeat everything sb says; **das ist kein Grund für dich, es nachzusagen** that's no reason for you to say it too.
2. jdm etw ~ to accuse sb of sth; **jdm Schlechtes ~** to speak ill of sb; **man kann ihr nichts ~** you can't say anything against her; **ihm wird nachgesagt, daß ...** it's said that he ...; **das lasse ich mir nicht ~!** I'm not having that said of me!

Nachsaison *f* off-season.

nachsalzen *sep* **I** *vt* to add more salt to. **II** *vi* to add more salt.

Nachsatz *m* **1.** (*Nachschrift*) postscript; (*Nachtrag*) afterthought. **in einem ~ sagte er, daß ...** he added, as an afterthought, that ... **2.** (*Gram*) clause in sentence final position.

nachschaffen *vt sep irreg* to reproduce.

nachschauen *vti sep siehe* **nachsehen I, II 1.**

nachschenken *vti sep* **jdm etw ~** to top sb up with sth; **darf ich Ihnen noch (etwas) ~?** may I top you up *or* top up your glass *or* give you a refill?; **darf ich (dir) noch etwas Wein ~?** can I give you a little *or* a drop more wine?

nachschicken *vt sep* to send on, to forward. **bitte ~!** please forward.

nachschieben *vt sep irreg* **Erklärung, Be-**

gründung to provide afterwards. **einer Sache** (*dat*) **etw ~** to follow sth up with sth; **nachgeschobene Gründe** rationalizations.

Nachschlag *m* **1.** (*Mus*) nachschlag (*spec*), turn ending a trill. **freier ~** any grace note following the main note. **2.** (*inf*) second helping.

nachschlagen *sep irreg* I *vt* Stelle, Zitat to look up. II *vi* **1.** aux sein (*ähneln*) **jdm ~** to take after sb. **2.** (*in Lexikon*) to look.

Nachschlagewerk *nt* reference book *or* work.

nachschleichen *vi sep irreg aux sein* +*dat* to creep after.

nachschleifen[1] *vt sep* (*hinterherschleifen*) to drag along.

nachschleifen[2] *vt sep irreg* **eine Linse/ein Messer ~** to grind a lens a little more/to sharpen up a knife.

nachschleppen *vt sep* **jdm etw ~** to lug sth after sb.

nachschleudern *vt sep* (*fig*) **jdm etw ~** to fling *or* hurl sth after sb.

Nachschlüssel *m* duplicate key; (*Dietrich*) skeleton key.

nachschmeißen *vt sep irreg* (*inf*) **jdm etw ~** to fling sth after sb; **das ist ja nachgeschmissen!** it's a real bargain.

nachschnüffeln *vi sep* (*inf*) to poke *or* sniff around (*inf*). **jdm ~** to spy on sb.

nachschreiben *vt sep irreg* (*nachträglich schreiben*) to write later; (*abschreiben*) to write out.

Nachschrift *f* (*Protokoll*) transcript; (*Zugefügtes*) (*abbr* NS) postscript, PS. **er hat eine ~ der Vorlesung angefertigt** he wrote up the lecture afterwards.

Nachschub ['naːʃuːp] *m* (*Mil*) supplies *pl* (*an* +*dat* of); (*Material*) reinforcements *pl*.

Nachschub- *in cpds* (*Mil*) supply.

Nachschuß *m* **1.** (*Comm*) additional payment; (*St Ex*) marginal call. **2.** (*Ftbl*) second shot.

nachschütten *vt sep* Kies, Sand to tip in (some) more; Kohlen to put on (some) more; (*inf: nachgießen*) to pour (some) more.

nachschwatzen, nachschwätzen (*S Ger, Aus*) *vt sep* (*inf*) siehe **nachplappern.**

nachsehen *sep irreg* I *vi* **1.** jdm/einer Sache ~ to follow sb/sth with one's eyes, to watch sb/sth; (*hinterherschauen*) to gaze after sb/sth.
2. (*gucken*) to have a look (and see), to look and see; (*nachschlagen*) to (have a) look.
II *vt* **1.** to (have a) look at; (*prüfen*) to check; Schulaufgaben to mark; (*nachschlagen*) to look up.
2. (*verzeihen*) **jdm etw ~** to forgive sb (for) sth.

Nachsehen *nt:* **das ~ haben** to be left standing; (*keine Chance haben*) not to get a look-in (*inf*), not to get anywhere; (*nichts bekommen*) to be left empty-handed.

Nachsendeanschrift *f* forwarding address; **Nachsendeantrag** *m* application to have one's mail forwarded.

nachsenden *vt sep irreg* to forward. **bitte ~!** please forward.

nachsetzen *sep* I *vi* **jdm ~** to pursue sb. II *vt* Fuß to drag.

Nachsicht *f* -, *no pl* (*Milde*) leniency, clemency; (*Geduld*) forbearance. **er wurde ohne ~ bestraft** he was punished without mercy; **er kennt keine ~** he knows no mercy; **~ üben** *or* **haben** to be lenient/forbearing; **jdn mit ~ behandeln** to show leniency *or* clemency to sb, to be forbearing with sb; **jdn um ~ bitten** to ask sb to be lenient/forbearing.

nachsichtig, nachsichtsvoll *adj* (*milde*) lenient; (*geduldig*) forbearing (*gegen, mit* with).

Nachsilbe *f* suffix.

nachsingen *vt sep irreg* to sing.

nachsinnen *vi sep irreg* to ponder (*über* +*acc* over, about).

nachsitzen *vi sep irreg* (*Sch*) **~ (müssen)** to be kept in, to have detention; **jdn ~ lassen** to keep sb in, to give sb detention.

Nachsommer *m* Indian summer.

Nachsorge *f* (*Med*) after-care.

Nachsorgeklinik *f* after-care clinic.

Nachspann *m* -s, -e credits *pl*.

Nachspeise *f* dessert, sweet (*Brit*). **als ~** for dessert.

Nachspiel *nt* (*Theat*) epilogue; (*Mus*) closing section, postlude (*form*); (*fig*) sequel. **das geht noch ohne ~ ab** that's bound to have repercussions; **das wird noch ein unangenehmes ~ haben** that will have unpleasant consequences; **ein gerichtliches ~ haben** to have legal repercussions.

nachspielen *sep* I *vt* to play. II *vi* (*Sport*) to play extra time (*Brit*) *or* overtime (*US*); (*wegen Verletzungen*) to play injury time. **der Schiedsrichter ließ ~** the referee allowed extra time (*Brit*) *or* overtime (*US*)/injury time.

nachspionieren* *vi sep* (*inf*) **jdm ~** to spy on sb.

nachsprechen *sep irreg* I *vt* to repeat. **jdm etw ~** to repeat sth after sb. II *vi* **wir mußten ihm ~** we had to repeat what he said.

nachspülen *vti sep* to rinse. **ein Bier zum N~** (*inf*) a beer to wash it down.

nachspüren *vi sep* +*dat* to track *or* hunt down; einem Tier to track; einer Fährte to follow; einem Verbrechen, Fehler to go *or* look into.

nächst *prep* +*dat* (*rare, geh*) (*örtlich*) next to, beside; (*außer*) apart *or* aside from.

nächstbeste *adj attr* **der/die/das ~ ...** the first ... I/you *etc* see; **der ~ Zug/Job** the first train/job that comes along.

nachstehen *vi sep irreg* **jdm ~** to take second place to sb; **keinem ~** to be second to none (*in* +*dat* in); **jdm in nichts** (*dat*) **~** to be sb's equal in every way; **jdm an Intelligenz** (*dat*) **nicht ~** to be every bit as intelligent as sb.

nachstehend *adj attr* Bemerkung, Ausführungen following; (*Gram*) postpositive (*form*). **im ~en** below, in the following; **im ~en der Kläger genannt** here(in)after referred to as the plaintiff;

~es müssen Sie beachten you must take note of the following; das ~e Adjektiv the adjective which follows the noun.

nachsteigen *vi sep irreg aux sein* jdm ~ (*lit*) to climb up after sb; (*fig inf*) to run after *or* chase sb.

nachstellen *sep* I *vt* 1. (*Gram*) im Französischen wird das Adjektiv (dem Substantiv) nachgestellt in French the adjective is put after the noun. 2. (*Tech*) to adjust. 3. einen Vorfall/den Unfallhergang ~ to reconstruct an incident/the accident. II *vi* jdm ~ to follow sb; (*aufdringlich umwerben*) to pester sb; einem Tier ~ to hunt an animal.

Nachstellung *f* 1. (*Gram*) postposition (*form*). 2. (*Tech*) adjustment. 3. *usu pl* (*old*) (*Verfolgung*) pursuit *no pl*; (*Aufdringlichkeit*) pestering *no pl*.

Nächstenliebe *f* brotherly love; (*Barmherzigkeit*) compassion. ~ üben to love one's neighbour as oneself.

nächstens *adv* 1. (*das nächste Mal*) (the) next time; (*bald einmal*) some time soon, before long. 2. (*am Ende*) next.

nächste(r, s) *adj superl of* nah(e) 1. (*nächstgelegen*) nearest. der ~ Nachbar/das ~ Telefon the nearest neighbour/telephone; ist dies der ~ Weg zum Bahnhof? is this the shortest *or* quickest way to the station?; in ~r Nähe/Entfernung in the immediate vicinity/not far away; aus ~r Entfernung/Nähe from close by; sehen, betrachten at close quarters; schießen at close range.
2. (*räumlich*) next. im ~n Haus next door.
3. (*zeitlich*) next. ~s Mal next time; bis zum ~n Mal! till the next time!, see you (some time)!; Dienstag ~r Woche Tuesday next week; Ende ~en Monats at the end of next month; am ~en Morgen/Tag(e) (the) next morning/day; ~r Tage, in den ~n Tagen in the next few days; bei ~er *or* bei der ~n Gelegenheit at the earliest opportunity; in ~r Zukunft in the near future; in ~r Zeit some time soon; der ~e, bitte next please; first please (*US, Scot*).
4. *Angehörige, Freunde* closest. die ~n Verwandten the immediate family; der ~ Angehörige the next of kin.
5. (*in Adverbialkonstruktionen*) am ~n closest; (*räumlich auch*) nearest; fürs ~ for the time being.

Nächste(r) *mf decl as adj* (*Mitmensch*) neighbour (*fig*). jeder ist sich selbst der ~ (*Prov*) it's every man for himself; du sollst deinen ~n lieben wie dich selbst (*Bibl*) (thou shalt) love thy neighbour as thyself.

Nächste(s) *nt decl as adj* das ~ the next thing; (*das erste*) the first thing; als ~s next/first; das ~ wäre, ... the next/first thing *or* step would be ...

nächstfolgend *adj attr* next; **nächstgelegen** *adj attr* nearest; **nächsthöher** *adj attr* one higher; **die ~e Klasse** one class higher; **nächstliegend** *adj attr* (*lit*) nearest; (*fig*) most obvious; **das N~e** the

most obvious thing (to do); **nächstmöglich** *adj attr* next possible.

nachstreben *vi sep* jdm/einer Sache ~ to emulate sb/to strive after sth.

nachsuchen *vi sep* 1. to look. such mal nach, ob ... (have a) look and see if ... 2. (*form: beantragen*) um etw ~ to request sth (*bei jdm* of sb), to apply for sth (*bei jdm* to sb).

Nacht *f -, ~e* (*lit, fig*) night. es wird/ist/war ~ it's getting/it is/was dark; als die ~ hereinbrach at nightfall, as night fell; in der *or* bei ~ at night; in der ~ vom 12. zum 13. April during the night of April 12th to 13th; in der ~ auf Dienstag during Monday night; diese ~ tonight; des ~s (*geh*) at night; spät in der ~ late in the *or* at night; in tiefster ~ at dead of night; bis tief in die ~ *or* bis in die späte ~ arbeiten to work late *or* far into the night; vor der ~ (*S Ger*) before evening; über ~ (*lit, fig*) overnight; über ~ bleiben to stay the night; zu(r) ~ essen (*S Ger, Aus*) to have supper; sich (*dat*) die ~ um die Ohren schlagen (*inf*) to make a night of it; die ~ zum Tage machen to stay up all night (working *etc*); eines ~s one night; ganze ~e for nights (on end); gute ~! good night!; na, dann gute ~! (*inf*) what a prospect!, what an outlook!; bei ~ und Nebel (*inf*) at dead of night; es wurde mir ~ vor den Augen everything went black; die ~ der Barbarei/des Krieges (*liter*) the darkness of barbarism/war (*liter*); es wurde ~ über Deutschland (*liter*) the sun went down on Germany (*liter*).

nacht *adv* heute ~ tonight; (*letzte~*) last night; Dienstag ~ (on) Tuesday night; 12 Uhr ~ (*Aus*) midnight.

Nacht- *in cpds* night; **Nachtarbeit** *f* night-work; **Nachtasyl** *nt* night shelter; **Nachtausgabe** *f* late final (edition); **Nachtblindheit** *f* night blindness; **Nachtdienst** *m* (*von Person*) night duty; (*von Apotheke*) all-night service; ~ haben (*Person*) to be on night duty; (*Apotheke*) to be open all night.

Nachteil *m* -(e)s, -e disadvantage; (*Schaden auch*) detriment. ~e von *or* durch etw haben to lose by sth; jdm ~e bringen to bring sb disadvantages, to be disadvantageous to sb; im ~ sein, sich im ~ befinden to be at a disadvantage (*jdm gegenüber* with sb); daraus entstanden *or* erwuchsen ihm ~e this brought its disadvantages for him; der ~, allein zu leben the disadvantage of living alone; er hat sich zu seinem ~ verändert he has changed for the worse; das soll nicht Ihr ~ sein you won't lose by it.

nachteilig *adj* (*ungünstig*) disadvantageous; (*schädlich*) detrimental. es ist nichts N~es über ihn bekannt nothing unfavourable is known about him; er hat sich sehr ~ über mich geäußert he spoke very unfavourably about me; jdn ~ behandeln to treat sb unfavourably.

nächtelang *adv* night after night, for nights (on end).

nachten *vi impers* (*Sw, poet*) es nachtet it's growing dark, darkness *or* night is falling.

Nachtessen nt (S Ger, Aus) supper, dinner; **Nachteule** f (fig inf) night owl; **Nachtfahrverbot** nt ban on night-time driving; **Nachtfalter** m moth; **Nachtflug** m night flight; **Nachtflugverbot** nt ban on night flights; **Nachtfrost** m night frost; **Nachtgebet** nt evening prayer; **sein/das ~ sprechen** to say one's bedtime prayers; **Nachtgeschirr** nt (old, hum) chamber pot; **Nachtgespenst** nt ghost (that walks at night); **Nachtgewand** nt (geh) nightrobe; **Nachthemd** nt (Damen~) nightie, nightdress; (Herren~) nightshirt; **Nachthimmel** m night sky, sky at night.

Nachtigall f -, -en nightingale. **~, ick hör' dir trapsen** (hum dial) I see it all now, now I see what you're/he's etc after.

nächtigen vi (geh) to spend the night.

Nachtisch m dessert, sweet (Brit); (zu Hause auch) pudding.

Nachtkästchen nt (S Ger, Aus) bedside table; **Nachtklub** m night club; **Nachtlager** nt (Unterkunft) place for the night; (Mil auch) bivouac; **sein ~ aufschlagen** to settle or bed down for the night; (Mil) to bivouac; **Nachtleben** nt night life.

nächtlich adj attr (jede Nacht) nightly; (in der Nacht) night. **die ~e Stadt** the town at night; **zu ~er Stunde** at a late hour; **~e Ruhestörung** (Jur) breach of the peace during the night.

Nachtlokal nt night club or spot; **Nachtluft** f night air; **Nachtmahl** nt (Aus) supper; **nachtmahlen** vi insep (Aus) to have supper; **Nachtmensch** m night person; **Nachtmütze** f nightcap (lit).

nachtönen vi sep to resound.

Nachtportier m night porter; **Nachtprogramm** nt late-night programme; **Nachtquartier** nt **ein ~** somewhere for the night, a place to sleep.

Nachtrag m -(e)s, **Nachträge** postscript; (zu einem Buch) supplement.

nachtragen vt sep irreg **1.** (hinterhertragen) **jdm etw ~** (lit) to go after sb with sth, to take sth after sb; (fig) to hold sth against sb, to bear sb a grudge for sth. **2.** (hinzufügen) to add; **Summe** to enter up.

nachtragend adj unforgiving.

nachträglich adj (zusätzlich) additional; (später) later; (verspätet) belated.

Nachtrags- in cpds supplementary; **Nachtragshaushalt** m (Pol) supplementary budget.

nachtrauern vi sep +dat to mourn.

Nachtruhe f night's rest or sleep; (im Krankenhaus) lights-out.

nachts adv at night. **dienstags ~** (on) Tuesday nights.

Nachtschalter m night desk; **Nachtschatten** m, no pl (Bot) nightshade; **Nachtschattengewächs** nt (Bot) solanum (spec); (fig inf) night bird; **Nachtschicht** f night shift; **~ haben** to be on night shift or nights; **nachtschlafend** adj: **bei** or **zu ~er Zeit**

or **Stunde** in the middle of the night; **Nachtschwärmer** m (Zool) moth; (fig hum) night owl; **Nachtschwester** f night nurse; **Nachtsichtgerät** nt night vision aid; **Nachtspeicherofen** m storage heater; **Nachtstrom** m off-peak electricity; **Nachtstuhl** m (old) commode.

nachts|über adv by night.

Nachttarif m (Verkehrsmittel) night fares pl; (Strom) off-peak rate; **Nachttier** nt nocturnal animal; **Nachttisch** m bedside table; **Nachttischlampe**, **Nachttischleuchte** f bedside lamp; **Nachttopf** m chamber pot.

nachtun vt sep irreg **es jdm ~** to copy or emulate sb.

Nacht-und-Nebel-Aktion f cloak-and-dagger operation; **Nachtvogel** m nocturnal or night bird; **Nachtvorstellung** f late-night performance; **Nachtwache** f night-watch; (im Krankenhaus) night duty; **bei einem Kranken ~ halten** to sit with a patient through the night; **~ haben** to be on night duty or on nights; **Nachtwächter** m (Hist) (night) watch; (in Betrieben) night watchman; (inf) dope (inf); **nachtwandeln** vi insep aux sein or haben to sleepwalk, to walk in one's sleep; **Nachtwanderung** f night ramble or walk; **Nachtwandler(in** f) m -s, - sleepwalker; **nachtwandlerisch** adj **mit ~er Sicherheit** with instinctive assurance; **Nachtzeit** f night-time; **Nachtzeug** nt night things pl; **Nachtzug** m night train; **Nachtzuschlag** m night supplement.

Nach|untersuchung f (spätere Untersuchung) check-up.

nachversichern* vt sep **Sie müssen neuerworbene Wertgegenstände ~** you must revise your insurance to cover newly-acquired valuables.

nachvollziehbar adj comprehensible.

nachvollziehen* vt sep irreg to understand, to comprehend.

nachwachsen vi sep irreg aux sein to grow again. **die neue Generation, die jetzt nachwächst** the young generation who are now taking their place in society.

Nachwahl f (Pol) ≃ by-election.

Nachwehen pl after-pains pl; (fig) painful aftermath sing.

nachweinen vi sep +dat to mourn. **dieser Sache weine ich keine Träne nach** or **nicht nach** I won't shed any tears over that.

Nachweis m -es, -e (Beweis) proof (gen, für, über +acc of); (Zeugnis) certificate; (Zahlungs~) proof of payment (über +acc of). **als** or **zum ~** as proof; **den ~ für etw erbringen** or **führen** or **liefern** to furnish proof of sth.

nachweisbar adj (beweisbar) provable; **Fehler, Irrtum** demonstrable; (Tech) detectable. **dem Angeklagten ist keinerlei Schuld ~** it cannot be proved that the accused is in any way guilty.

nachweisen vt sep irreg (beweisen, aufzeigen) to prove; **Staatsangehörigkeit, Identität** auch to establish proof of; (Tech) to detect. **die Polizei konnte ihm nichts ~** the police could not prove anything against him; **dem Angeklagten konnte seine Schuld nicht nachgewiesen werden** the accused's guilt could not be proved.

nachweislich *adj* provable; *Fehler, Irrtum* demonstrable. **er war ~ in London** it can be proved that he was in London.

Nachwelt *f* **die ~** posterity.

nachwerfen *vt sep irreg* **jdm etw ~** (*lit*) to throw sth after *or* at sb; **das ist nachgeworfen** (*inf*) that's dirt cheap (*inf*) *or* a gift.

nachwiegen *sep irreg* **I** *vt* to weigh again. **II** *vi* to check the weight.

nachwinken *vi sep* **jdm ~** to wave (goodbye) to sb.

Nachwinter *m* late winter.

nachwirken *vi sep* to continue to have an effect.

Nachwirkung *f* after-effect; (*fig*) consequence.

Nachwort *nt* epilogue.

Nachwuchs *m* **1.** (*fig: junge Kräfte*) young people *pl* (in the profession/sport *etc*). **es mangelt an ~** there's a lack of young blood; **der wissenschaftliche ~** the new generation of academics, the up-and-coming academics.
2. (*hum: Nachkommen*) offspring *pl*.

Nachwuchsautor(in *f*) *m* up-and-coming young author; **Nachwuchskraft** *f* junior member of the staff; **Nachwuchsparlamentarier(in** *f*) *m* junior parliamentarian; **Nachwuchsschauspieler(in** *f*) *m* talented young actor/actress; **Nachwuchssorgen** *pl* recruitment problems *pl*; **Nachwuchsspieler(in** *f*) *m* (*Sport*) junior.

nachzahlen *vti sep* to pay extra; (*später zahlen*) to pay later. **20 Pfennig ~** to pay 20 pfennigs extra.

nachzählen *vti sep* to check.

Nachzahlung *f* (*nachträglich*) backpayment; (*zusätzlich*) additional payment.

nachzeichnen *vt sep siehe* **nachziehen I 2.**

Nachzeitigkeit *f* (*Gram*) posteriority.

nachziehen *sep irreg* **I** *vt* **1.** (*hinterherziehen*) **etw ~** to pull *or* drag sth behind one; **das rechte Bein ~** to drag one's right leg.
2. *Linie, Umriß* to go over; *Lippen* to paint over *or* in; *Augenbrauen* to pencil over *or* in.
3. *Schraube, Seil* to tighten (up).
II *vi* **1.** *aux sein* +*dat* (*folgen*) to follow.
2. (*Schach*) to make the next move; (*inf: gleichtun*) to follow suit.

Nachzug *m* **1.** (*Rail*) relief train. **2.** (*von Familie, Ehepartner*) joining one's family (*in country of immigration*). **der ~ wurde nur Kindern unter 10 gestattet** only children under 10 were allowed to join their families.

Nachzügler(in *f*) ['na:xtsy:klɐ, -ərɪn] *m* -s, - latecomer, late arrival (*auch fig*).

Nackedei *m* -(e)s, -e *or* -s (*hum inf*) naked body *or* person; (*Kind*) little bare monkey (*hum inf*).

Nacken *m* -s, - (nape of the) neck. **den ~**

beugen (*fig*) to submit; **jdm den ~ steifen** to encourage sb, to back sb up; **jdn im ~ haben** (*inf*) to have sb after one *or* on one's tail; **jdm im ~ sitzen** (*inf*) to breathe down sb's neck; **ihm sitzt die Furcht/der Geiz im ~** he's frightened out of his wits (*inf*)/he's a miserly so-and-so (*inf*); **den ~ steif halten** (*inf*) to stand one's ground, to stand fast; **er hat einen unbeugsamen ~** he's an unbending character.

nackend *adj* (*inf*) *Mensch* naked.

Nackenhaar *nt* hair at the nape of the neck; **Nackenhebel** *m* (*Sport*) nelson; **Nackenrolle** *f* bolster; **Nackenschlag** *m* rabbit-punch; (*fig*) hard knock; **Nackenschutz** *m* neck guard; **Nackenstütze** *f* (*Aut*) headrest, head restraint.

nackig, nackert (*Aus*) *adj* (*inf*) bare; *Mensch auch* starkers *pred* (*inf*).

nackt *adj* **1.** *Mensch* naked, nude (*esp Art*); *Arm, Kinn, Haut etc* bare; *neugeborenes Tier* naked. **~ herumlaufen** to run around naked or in the nude; **~ baden/schlafen** to bathe/sleep in the nude; **er stand ganz ~ da** he was standing there stark naked *or* absolutely starkers (*inf*).
2. (*unbewachsen, unbedeckt*) *Erde, Wand* bare; *Schwert* naked.
3. (*fig*) (*unverblümt*) naked; *Wahrheit auch* plain; *Wirklichkeit auch* stark; *Tatsachen, Zahlen* bare. **mit ~en Worten** without mincing one's words; **die ~e Armut** naked *or* sheer poverty; **das ~e Leben retten** to escape with one's bare life.

Nacktbaden *nt* nude bathing, swimming in the nude; **Nacktbadestrand** *m* nudist beach.

Nackte(r) *mf decl as adj* nude.

Nacktheit *f* nakedness; (*von Mensch auch*) nudity; (*Kahlheit*) bareness; (*von Landschaft auch*) starkness; **Nacktkultur** *f* nudism, naturism; **Nacktmodell** *nt* nude model; **Nacktschnecke** *f* slug; **Nackttänzer(in** *f*) *m* nude dancer.

Nadel *f* -, -n **1.** needle; (*Grammophon~, Gravier~, Radier~ auch*) stylus; (*Steck~, Comput: von Drucker*) pin; (*Häkel~*) hook; (*inf: Spritze*) needle. **mit ~ und Faden umgehen können** to be able to wield a needle and thread; **er sitzt wie auf ~n** (*inf*) he's like a cat on hot bricks (*inf*); **an der ~ hängen** (*sl*) to be hooked on heroin; **von der ~ kommen** (*sl*) to kick the habit.
2. (*Haar~, Hut~, Krawatten~*) pin; (*Brosche*) brooch.
3. (*Blatt~, Eis~, Kristall~*) needle.

Nadelarbeit *f* needlework *no pl*; **eine ~** a piece of needlework; **Nadelbaum** *m* conifer; **Nadelbrief** *m* packet of needles; **Nadelbüchse** *f* pin tin; **Nadeldrucker** *m* dot-matrix printer; **Nadeleinfädler** *m* -s, - needle-threader; **Nadelhölzer** *pl* conifers *pl*; **Nadelkissen** *nt* pin-cushion; **Nadelkopf** *m* pinhead.

nadeln *vi* (*Baum*) to shed (its needles).

Nadelöhr *nt* eye of a needle; **Nadelspitze** *f* point *or* tip (of a needle); (*Handarbeit*) needle-point (lace); **Nadelstärke** f size of needle; **Nadelstich** m prick; (beim Nähen, Med) stitch; **jdm ~e versetzen** (fig) to needle sb; **eine Politik der ~e** a policy of pinpricks; **Nadelstreifen** pl pinstripes pl; **Nadelstreifenanzug** m pinstripe(d) suit; **Nadelwald** m coniferous forest.

Nadir m **-s**, no pl nadir.

Nadler m suf **-s**, - (Comput inf) 24-~ 24-pin printer.

Nagel m **-s**, ⁼ nail (auch Anat); (Zwecke) tack; (aus Holz) peg; (an Schuhen) hobnail, stud; (Med) pin. **sich** (dat) **etw unter den ~ reißen** or **ritzen** (inf) to pinch sth (inf); **etw an den ~ hängen** (fig) to chuck sth in (inf); **den ~ auf den Kopf treffen** (fig) to hit the nail on the head; **~ mit Köpfen machen** (inf) to do the job or thing properly.

Nagelbett nt (Anat) bed of the nail; **Nagelbohrer** m gimlet; **Nagelbrett** nt (von Fakir) bed of nails; **Nagelbürste** f nailbrush; **Nagelfeile** f nailfile; **Nagelhaut** f cuticle; **Nagelhautentferner** m **-s**, - cuticle-remover.

Nägelkauen nt **-s**, no pl nail-biting.

Nagelknipser m **-s**, - nail clippers pl; **Nagelkopf** m head (of a/the nail); **Nagellack** m nail varnish or polish; **Nagellackentferner** m nail varnish remover.

nageln vt to nail (an +acc, auf +acc (on)to); Teppich auch to tack; (Med) to pin; (mit Nägeln versehen) to hobnail or stud.

nagelneu adj (inf) brand new; **Nagelpflege** f nail care; **~ machen** to give oneself a manicure; **Nagelprobe** f (fig) acid test; **Nagelreiniger** m **-s**, - nail-cleaner; **Nagelschere** f (pair of) nail-scissors pl; **Nagelschuh** m hobnailed boot; (Bergstiefel) climbing boot; **Nagelzange** f nail clippers pl; (Tech) (pair of) pincers pl.

nagen I vi (lit, fig) to gnaw (an +dat at); (knabbern) to nibble (an +dat at); (Rost, Wasser) to eat (an +dat into). **an einem Knochen ~** to gnaw (on or at) a bone.

II vt to gnaw. **wir haben nichts zu ~ noch zu beißen** (old) we've eaten our last crust.

nagend adj Hunger gnawing; Zweifel, Gewissen nagging.

Nager m **-s**, -, **Nagetier** nt rodent.

nah adj, adv siehe **nah(e) 1, 2**.

Nah|aufnahme f (Phot) close-up.

Näh|arbeit f sewing no pl. **eine ~** a piece of sewing.

nah(e) I adj, comp **näher**, superl **nächste(r, s) 1.** (örtlich) near pred, close pred, nearby. **der N~e Osten** the Middle East; **von ~em** from close to, at close quarters; **jdm ~ sein** to be near (to) sb; **Rettung/Hilfe ist nah** help is at hand.

2. (zeitlich) near pred, approaching, nigh (liter) pred. **die ~e Zukunft** the near future.

3. (eng) Freund, Beziehung close.

II adv, comp **näher**, superl **am**

nächsten 1. (örtlich) near, close. **~e an** near or close to; **~e bei** close to or by, near; **~ beieinander** close together; **~ liegend** nearby; **~ vor** right in front of; **von ~ und fern** from near and far; **jdm zu ~ treten** (fig) to offend sb; **jdm/einer Sache zu ~ kommen** to get too close to sb/sth.

2. (zeitlich) **mein Prüfungstermin rückt allmählich ~** my examination is getting close; **Weihnachten steht ~ bevor** Christmas is just (a)round the corner or is almost upon us; **~ bevorstehend** approaching; **sie ist ~ an (die) Achtzig** she's almost or nearing eighty.

3. (eng) closely. **mit jdm ~ verwandt sein** to be a near relative of sb's, to be closely related to sb.

III prep +dat near (to), close to. **der Ohnmacht/dem Wahnsinn ~e sein** to be on the verge of fainting/madness.

Nähe f **-**, no pl **1.** (örtlich) (Nahesein) nearness, closeness, proximity; (Umgebung, Nachbarschaft) vicinity, neighbourhood. **in meiner ~/der ~ des Gebäudes** near me/the building, in the vicinity of the building; **aus der ~** from close to, at close quarters. **2.** (zeitlich) closeness.

nahebei adv nearby, close to or by.

nahebringen vt sep irreg +dat (fig) **jdm etw ~** to bring sth home to sb, to impress sth on sb; **jdn jdm ~** to bring sb close to sb.

nahegehen vi sep irreg aux sein +dat (fig) to upset; **jdm~** to affect sb deeply.

Näh|einstellung f (Film) close-up (shot).

nahekommen vi sep irreg aux sein +dat (fig) **jdm ~** (vertraut werden) to get on close terms with sb, to get close to sb; **jdm/einer Sache ~** (fast gleichen) to come close or near to sb/sth; **sich or einander ~** to become close; **das kommt der Wahrheit schon eher nahe** that is getting nearer the truth.

nahelegen vt sep (fig) **jdm etw ~** to suggest sth to sb; **jdm ~, etw zu tun** to advise sb to do sth; **er legte es mir nahe, von mir aus zu kündigen** he put it to me that I should resign.

naheliegen vi sep irreg (fig: Idee, Frage, Lösung) to suggest itself. **die Vermutung/die Annahme/der Verdacht liegt nahe, daß ...** it seems reasonable to suppose/assume/suspect that ...; **der Gedanke lag nahe, ihn zum Teilhaber zu machen** the idea of making him a partner seemed to suggest itself.

naheliegend adj Gedanke, Lösung which suggests itself; Verdacht, Vermutung natural. **das N~e wäre ...** the obvious thing to do would be ...; **aus ~en Gründen** for obvious reasons.

nahen vir aux sein (liter) to approach (jdm/einer Sache sb/sth), to draw near or nigh (liter) (jdm/einer Sache to sb/sth).

nähen I vt to sew; (mit Stichen befestigen auch) to stitch; Kleid to make; Wunde, Verletzten to stitch (up), to suture (spec). **mit der Maschine/mit der or von Hand genäht** machine-/hand-sewn, sewn by machine/hand; **sich** (*dat*) **die Finger wund** ~ to sew one's fingers to the bone. **II** *vi* to sew.

III *vr* **dieser Stoff näht sich sehr gut/ schlecht** this material is very easy/ difficult to sew.

näher *comp of* **nah(e) I** *adj* **1.** (*örtlich*) closer, nearer. **jdm/einer Sache** ~ closer to *or* nearer (to) sb/sth; **dieser Weg ist** ~ this road is shorter *or* quicker; **die ~e Umgebung** the immediate vicinity. **2.** (*zeitlich*) closer, sooner *pred*. **3.** (*genauer*) *Auskünfte, Einzelheiten* further *attr*, more detailed *or* precise. **4.** (*enger*) *Verwandter, Bekannter, Beziehungen* closer. **die ~e Verwandtschaft** the immediate family.

II *adv* **1.** (*örtlich, zeitlich*) closer, nearer. ~ **kommen** *or* **rücken** to come *or* draw nearer, to approach; **bitte treten Sie** ~ just step up!; (*Beamter, Arzt*) please come over here. **2.** (*genauer*) more closely; *besprechen, erklären, ausführen* in more detail. **ich habe mir das Bild** ~ **angesehen** I had a closer look at the picture; **sich mit etw** ~ **befassen** *or* **beschäftigen** to go into sth; **jdn/etw** ~ **kennenlernen** to get to know sb/sth better; **ich kenne ihn nicht** ~ I don't know him well; **der Sache** (*dat*) ~ **kommen** to be nearer the mark.

näherbringen *vt sep irreg* +*dat* **jdm etw** ~ to give sb an understanding of sth.

Näherei *f* **1.** (*no pl: das Nähen*) sewing; (*Näharbeit*) piece of sewing. **2.** (*Betrieb*) sewing works *sing or pl*; (*für Kleider*) garment factory.

Nähere(s) *nt decl as adj* details *pl*; (*über Stellenangebot*) further details *pl*. **ich kann mich des ~n nicht entsinnen** (*geh*) I can't remember the (precise) details.

Nah|erholungsgebiet *nt* recreational area (*close to a town*).

Näherin *f* seamstress.

näherkommen *vi sep irreg aux sein* (*fig*) **jdm** ~ to get closer to sb; **sie sind sich** *or* **einander nähergekommen** they've become closer.

näherliegen *vi sep irreg* (*fig*) to be more obvious; (*Verdacht auch*) to be more natural. **ich denke, daß diese Entscheidung näherliegt** I think this is the more obvious decision; **das N~de** the more obvious course.

nähern I *vr sich* (**jdm/einer Sache**) ~ to approach (sb/sth), to get closer *or* draw nearer (to sb/sth); **der Abend näherte sich seinem Ende** the evening was drawing to a close.

II *vt* to bring or draw closer.

näherstehen *vi sep irreg* +*dat* (*fig*) to be closer to.

nähertreten *vi sep irreg aux sein* +*dat* (*fig*) to get closer to.

Näherung *f* (*Math*) approximation.

Näherungswert *m* (*Math*) approximate value.

nahestehen *vi sep irreg* +*dat* (*fig*) to be close to; (*Pol*) to sympathize with. **sich** ~ (*Menschen, Ideen*) to be close; **wir stehen uns (geistig) sehr nahe** our views

are very close; **eine den Konservativen ~de Zeitung** a paper with Conservative sympathies *or* leanings.

nahezu *adv* nearly, almost, virtually. **das ist ja** ~ **Wucher** that's little short of profiteering.

Nähfaden *m*, **Nähgarn** *nt* (sewing) cotton *or* thread.

Nahkampf *m* (*Mil*) close combat, hand-to-hand fighting.

Nahkampfmittel, **Nahkampfwaffen** *pl* close- *or* short-range weapons *pl*.

Nähkästchen *nt*, **Nähkasten** *m* workbox, sewing box; **aus dem Nähkästchen plaudern** (*inf*) to give away private details; **Nähkorb** *m* work-basket, sewing basket.

nahm *pret of* **nehmen.**

Nähmaschine *f* sewing machine; **Nähnadel** *f* needle.

Nah|ost *m* **in/aus** ~ in/from the Middle East.

nah|östlich *adj attr* Middle East(ern).

Nährboden *m* (*lit*) fertile soil; (*für Bakterien*) culture medium; (*fig*) breeding-ground; **ein guter** ~ (*lit*) fertile *or* good soil *or* land; **diese Ideen fanden keinen** ~ these ideas didn't take root; **Nährcreme** *f* skin food.

nähren (*geh*) **I** *vt* to feed; (*fig*) (*steigern*) to increase, to feed; *Hoffnungen* to build up; (*haben*) to nurse; *Hoffnungen* to nurture, to nurse. **er sieht gut genährt aus** he looks well-fed; **das Handwerk nährt seinen Mann** there's a good living to be made as a craftsman.

II *vr* to feed oneself; (*Tiere*) to feed. **sich von** *or* **mit etw** ~ to live on sth.

III *vi* to be nourishing.

nahrhaft *adj* *Kost* nourishing, nutritious; *Boden* fertile, rich. **ein ~es Essen** a square meal.

Nährkraft *f* nutritional value; **Nährlösung** *f* nutrient solution; **Nährmittel** *pl* cereal products *pl*; **Nährstoff** *m usu pl* nutrient, nutriment.

Nahrung *f*, *no pl* food. **flüssige/feste** ~ liquids/solids *pl*; **geistige** ~ intellectual stimulation; **sie verweigerten jegliche** ~ they refused all nourishment; **einer Sache** (*dat*) (**neue**) ~ **geben** to help to nourish *or* feed sth; **dadurch fand** *or* **erhielt die ganze Sache neue** ~ that just added fuel to the fire.

Nahrungsaufnahme *f* eating, ingestion (of food) (*form*); **die** ~ **verweigern** to refuse food *or* sustenance; **Nahrungskette** *f* (*Biol*) food chain; **Nahrungsmangel** *m* food shortage.

Nahrungsmittel *nt* food(stuff).

Nahrungsmittelchemie *f* food chemistry; **Nahrungsmittelindustrie** *f* food industry; **Nahrungsmittelvergiftung** *f* food poisoning.

Nahrungssuche *f* search for food; **Nahrungs- und Genußmittelindustrie** *f* food and allied industries *pl*; **Nahrungsverweigerung** *f* refusal of food, refusal to eat.

Nährwert *m* nutritional value. **das hat doch keinen (praktischen)** ~ (*inf*) it's pretty pointless.

Nähseide f sewing-silk, silk thread.

Naht f -, -̈e seam; (Tech auch) join; (Med) stitches pl, suture (spec); (Anat) suture. **aus allen -̈en platzen** to be bursting at the seams.

Nähtisch(chen nt) m sewing-table.

nahtlos adj (lit) Teil, Anzug seamless; (fig) Übergang smooth, imperceptible. **Vorlesung und Diskussion gingen ~ ineinander über** there was a smooth transition from the lecture to the discussion.

Nahtstelle f 1. (lit) siehe **Naht. 2.** (fig) link.

Nahverkehr m local traffic. **der öffentliche ~** local public transport; **im ~** on local runs or journeys.

Nahverkehrsmittel pl means of local transport pl; **Nahverkehrszug** m local train.

nahverwandt adj attr closely-related. **N~e** close relatives.

Nähzeug nt sewing kit, sewing things pl.

Nähziel nt immediate aim or objective.

naiv adj naive; (ungekünstelt auch) ingenuous. **die N~e** (Theat) the Ingénue.

Naivität [naivi'tɛːt] f naivety.

Naivling m (inf) simpleton. **wie kann man bloß so ein ~ sein!** how can anyone be so naive!

Name m -ns, -n, **Namen** m -s, - (Benennung) name; (fig: Ruf) name, reputation. **ein angenommener ~** an assumed name; **der volle ~** his/her/their etc full name; **mit ~n, des ~ns** (geh) by the name of, called; **dem ~n nach** by name; **ich kenne das Stück nur dem ~n nach** I've heard of the play but that's all; **dem ~n nach müßte sie Griechin sein** judging by her name she must be Greek; **auf jds ~n** (acc) in sb's name; **unter dem ~n** under the name of; **er nannte seinen ~n** he gave his name; **Ihr ~, bitte?** your or the name, please?; **wie war doch gleich Ihr ~?** what was the name?; **dazu gebe ich meinen ~n nicht her** I won't lend my name to that; **der ~ tut nichts zur Sache** his/my etc name's irrelevant; **einen ~n haben** (fig) to have a name; **sich** (dat) **einen ~n machen** to make a name for oneself; **die Dinge** or **das Kind** (inf) **beim (rechten) ~n nennen** to call a spade a spade, to face facts; **im ~n** (+gen) on or in (US) behalf of; **im ~n des Volkes** in the name of the people; **im ~n des Gesetzes** in the name of the law; **in Gottes ~n!** (inf) for heaven's sake (inf).

Namengebung f naming; **Namengedächtnis** nt memory for names.

namenlos I adj 1. nameless (auch fig), unnamed; Helfer anonymous. **er will ~ bleiben** he wishes to remain anonymous; **die Millionen der N~en** the nameless millions. 2. (geh: unsäglich) nameless, unspeakable, unutterable. **II** adv (geh: äußerst) unspeakably, unutterably.

namens I adv (mit Namen) by the name of, called, named. **II** prep+gen (form: im Auftrag) in the name of.

Namen(s)- in cpds name; **Namen(s)änderung** f change of name; **Namen(s)-gebung** f naming; **Namen(s)liste** f list of names, name list; **Namen(s)nennung** f naming names; **auf ~ wollen wir doch verzichten** we don't need to name names; **Namen(s)papier** nt (Fin) registered security; **Namen(s)register** nt list of names, name list; **Namen(s)schild** nt nameplate; **Namen(s)schuldverschreibung** f (Fin) registered bond; **Namenstag** m name day, Saint's day; **Namen(s)verzeichnis** nt list of names, name list; **Namensvetter** m namesake; **Namenszeichen** nt initials pl; **Namenszug** m signature; (Monogramm) monogram.

namentlich I adj by name. **wir bitten, von einer ~en Aufführung der Spender absehen** we would request you to refrain from naming the donors; **~e Abstimmung** roll call vote; **~er Aufruf** roll call. **II** adv (e)specially, in particular, particularly.

Namenwechsel m change of name.

namhaft adj 1. (bekannt) famous, well-known. **~ machen** (form) to identify. 2. (beträchtlich) considerable, substantial.

Namibia nt -s Namibia.

namibisch adj Namibian.

nämlich I adv 1. namely, to wit (Jur, hum); (geschrieben) viz. 2. (denn) **es ging nicht schneller, wir haben ~ einen Umweg machen müssen** we couldn't be any quicker, we had to make a detour you see. **II** adj der/die/das ~e (old) the same.

nannte pret of **nennen.**

Nanogramm nt nanogram; **Nanometer** m or nt nanometer; **Nanosekunde** f nanosecond.

nanu interj well I never. **~, wer ist das denn?** hello (hello), who's this?

Napalm nt -s, no pl napalm.

Napalmbombe f napalm bomb.

Napf m -(e)s, -̈e bowl.

Napfkuchen m ≃ ring-shaped pound-cake.

Naphthalin [nafta'liːn] nt -s, no pl naphthalene.

napoleonisch adj Napoleonic.

Nappa(leder) nt -(s), -s napa leather.

Narbe f -, -n 1. (lit, fig) scar; (Pocken~) pock(mark). 2. (Bot) stigma. 3. (Gras~) turf. 4. (Leder~) grain.

Narbenbildung f scarring; **Narbengesicht** nt scarred face; (als Name) scarface.

narbig adj scarred.

Narkose f -, -n an(a)esthesia. **jdm eine ~ geben** to put sb under an(a)esthetic; **in der ~ liegen** to be under an(a)esthetic; **ohne ~** without an(a)esthetic.

Narkoseapparat m an(a)esthetic apparatus no indef art; **Narkosearzt** m, **Narkoseärztin** f an(a)esthetist; **Narkosemaske** f an(a)esthetic mask; **Narkosezwischenfall** m complication during an(a)esthesia.

Narkotikum nt -s, **Narkotika** (Med) narcotic.

narkotisch adj narcotic; Düfte overpowering. **der süße Geruch wirkte ~ auf uns** the sweet smell had a druglike effect on us.

narkotisieren* vt (lit, fig) to drug.

Narr m **-en, -en** fool; (Hof~ auch) jester. **den ~en spielen** to act or play the fool; **die ~en werden nicht alle** (Prov) there's one born every minute (inf); **jdn zum ~en haben** or **halten** to make a fool of sb; **er ist ein verliebter ~** he is love's fool.

narrativ adj narrative.

narren vt (geh) **jdn ~** (zum besten haben) to make a fool of or fool sb; (täuschen) to dupe or fool sb.

Narrenfreiheit f freedom to do whatever one wants; **sie hat bei ihm ~** he gives her (a) free rein; **narrenhaft** adj foolish; **Narrenhände** pl: **~ beschmieren Tisch und Wände** (Prov) only fools go round defacing things; **Narrenhaus** nt madhouse; **du gehörst ins ~** you need locking up or putting away; **Narrenkappe** f fool's or jester's cap; **narrensicher** adj foolproof; **Narrenstreich** m (old) prank; (dumme Tat) act of stupidity; **Narrenzepter** nt jester's or fool's sceptre, bauble; **das ~ führen** to carry the fool's sceptre.

Narretei f (geh) folly.

Narrheit f **1.** no pl folly, stupidity. **2.** (Streich) prank; (dumme Tat) act of stupidity, stupid thing to do.

Närrin f fool.

närrisch adj foolish, silly; (verrückt) mad; (inf: sehr) madly. **die ~en Tage** Fasching and the period leading up to it; **das ~e Treiben** Fasching celebrations; **sich wie ~ gebärden** to act like a madman, to act crazy; **ganz ~ auf jdn/etw sein** (inf) to be crazy about or mad (keen) on sb/sth (inf).

Narziß m **-sses, -sse** (liter) Narcissus.

Narzisse f **-, -n** narcissus.

Narzißmus m narcissism.

Narzißt m **-en, -en** (Psych) narcissist.

narzißtisch adj narcissistic.

NASA ['na:za] f - NASA.

Nasal m **-s, -e** nasal.

nasal adj nasal. **~er Ton** nasal twang.

Nasallaut m nasal (sound).

naschen I vi to eat sweet things; (heimlich kosten) to pinch a bit (inf). **darf ich mal ~?** can I try a bit?; **an etw** (dat) **~** to pinch a bit of sth; (anknabbern) to (have a) nibble at sth; **er hat von allem nur genascht** he only had a taste of everything; **die Kinder haben den ganzen Tag nur genascht** the children have been nibbling all day.

II vt to nibble. **sie nascht gern Süßigkeiten** she has a sweet tooth; **hast du was zum N~?** have you got something for my sweet tooth?

Näschen ['nɛ:sçən] nt dim of Nase.

Nascher(in f) m **-s, -** nibbler; (der Süßes mag) sweet-eater.

Nascherei f **1.** no pl nibbling; (von Süßigkeiten) sweet-eating. **2.** ~en pl (Süßigkeiten) sweets and biscuits pl (Brit), candy and cookies pl (US).

naschhaft adj fond of sweet things; **die Kinder sind so ~** the children are always nibbling at things; **Naschkatze** f

(inf) guzzler; **eine ~ sein** to have a sweet tooth.

Nase f **-, -n 1.** (Organ, Sinn, fig) nose. **durch die ~ reden** to talk through one's nose; **mir blutet die ~, meine ~ blutet** I've got a nosebleed, my nose is bleeding; **sich** (dat) **die ~ putzen** (sich schnäuzen) to blow one's nose; **pro ~** (hum) per head; **es liegt vor deiner ~** (inf) it's right in front of or right under your nose (inf); **wir haben die Weinberge genau vor der ~** (inf) the vine slopes are right on our doorstep; (immer) **der ~ nachgehen** (inf) to follow one's nose; **die richtige ~ für etw haben** (inf) to have a nose for sth; **faß dich an deine eigene ~!** (inf) you can (iro) or can't talk!; **jdm etw/die Würmer aus der ~ ziehen** (inf) to drag sth/it all out of sb; **jdm etw unter die ~ reiben** (inf) to rub sb's nose or face in sth (inf); **jdm auf der ~ herumtanzen** (inf) to play sb up (inf); **seine ~ gefällt mir nicht** (inf) I don't like his face; **es muß nicht immer nach deiner ~ gehen** (inf) you can't always have things your way; **ihm wurde ein Neuer vor die ~ gesetzt** (inf) they put a new man over him; **ich sah es ihm an der ~ an** (inf) I could see it on or written all over his face (inf); **auf der ~ liegen** (inf) (krank sein) to be laid up; (hingefallen sein) to be flat on one's face (inf); **steck deine ~ ins Buch!** (inf) get on with your book; **auf die ~ fallen** (lit, fig) or **fliegen** (inf) to fall flat on one's face; **jdm etw vor der ~ wegschnappen** (inf) just to beat sb to sth; **der Zug fuhr ihm vor der ~ weg** (inf) he missed the train by inches or seconds; **jdm die Tür vor der ~ zuschlagen** (inf) to slam the door in sb's face; **jdm eine** (**lange) ~ drehen** or **machen** (inf) to cock a snook at sb, to thumb one's nose at sb; **jdm etw unter die ~ halten** to shove sth right under sb's nose (inf); **jdn mit der ~ draufstoßen** (inf) to point it out to sb; (überdeutlich werden) to make it more than obvious to sb; **jdm eins auf die ~ geben** (lit) to punch sb on the nose; (fig) to tell sb what's what, to put sb in his place; **die ~ voll haben** (inf) to be fed up (inf), to have had enough; **die ~ von jdm/etw voll haben** (inf) to be sick (to death) of sb/sth (inf), to be fed up to the back teeth with sb/sth (inf); **jdn an der ~ herumführen** (als Täuschung) to lead sb by the nose; (als Scherz) to pull sb's leg; **jdm etw auf die ~ binden** (inf) to tell sb all about sth; **jdm auf die ~ binden, daß ...** (inf) to tell sb that ...; **das werde ich ihm gerade auf die ~ binden** (iro) you think I'd tell him that!; **er steckt seine ~ in alles (hinein)** (inf) he pokes his nose into everything; **er sieht nicht weiter als seine ~** (inf) he can't see further than the end of his nose; **die ~ vorn haben** (inf) to be ahead by a nose; (in Forschung auch) to be one step ahead.

2. (von Schiff, Flugzeug, Auto) nose.

3. (Farbtropfen) run.

4. (Fels~) overhang.

nas(e)lang adv: **alle ~** all the time, again and again.

äseln vi to talk or speak through one's nose.

äselnd adj nasal.

Nasenatmung f breathing through the nose; **Nasenbär** m coati; **Nasenbein** nt nose bone, nasal bone; **Nasenbluten** nt a nosebleed/nosebleeds; **ich habe ~** my nose is bleeding, I have a nosebleed; **Nasenflügel** m side of the nose; **seine ~ fingen an zu zittern** his nose or nostrils began to twitch; **Nasenhöhle** f nasal cavity; **Nasenlänge** f (fig) **mit einer** or **um eine ~ gewinnen** to win by a nose; **jdm eine ~ voraus sein** to be a hair's breadth ahead of sb; **Nasenloch** nt nostril; **Nasenrücken** m bridge or ridge of the nose; **Nasenscheidewand** f nasal septum (spec); **Nasenschleimhaut** f mucous membrane (of the nose); **Nasenspitze** f tip of the/sb's nose; **ich seh es dir an der ~ an** I can tell by your face, I can see it written all over your face; **Nasenspray** m or nt nasal or nose spray; **Nasenstüber** m -s, - bump on the nose; (fig) to tick or tell sb off; **Nasentropfen** pl nose drops pl; **Nasenwurzel** f bridge (of the nose).

Naserümpfen nt wrinkling (up) or screwing up one's nose; **auf etw** (acc) **mit ~ reagieren** to turn one's nose up at sth; **naserümpfend** adj **er sagte ~** screwing up or wrinkling (up) his nose, he said; **die ~en Eltern** the disapproving parents; **naseweis** adj (dated) cheeky, saucy; (vorlaut) forward, precocious; (neugierig) nos(e)y (inf), inquisitive; **Naseweis** m -es, -e (Vorlauter) cheeky (esp Brit) or precocious brat or monkey (inf); (Neugieriger) nos(e)y parker (inf).

nasführen vt insep jdn ~ (als Täuschung) to lead sb by the nose; (als Scherz) to pull sb's leg (inf); **ich war der/die Genasführte** I was the dupe.

Nashorn nt rhinoceros, rhino.

Naß nt **Nasses**, no pl (liter, hum) water; (Getränk) liquid. **hinein ins kühle ~** (hum) into the foaming brine.

naß adj, comp **nasser** or **nässer**, superl **nasseste(r, s)** or **nässeste(r, s)** or (adv) **am nassesten** or **nässesten** wet. **etw ~ machen** to make sth wet; (für bestimmten Zweck) to wet sth; (Bügelwäsche to dampen sth; **sich ~ machen** (inf) to wet oneself; **das Bett ~ machen** to wet the bed; **nun mach dich bloß nicht ~!** (sl) keep your shirt (inf) or hair (Brit inf) on!, don't get your knickers in a twist! (Brit sl); **durch und durch ~** wet through; **wie ein nasser Sack** (sl) like a wet rag (inf); **ein nasses Grab** (fig) a watery grave; **der nasse Tod** (fig) a watery death.

Nassauer m -s, - (inf) sponger (inf), scrounger.

nassauern vi (inf) to sponge (inf), to scrounge (bei jdm on or off sb).

Nässe f -, no pl wetness, damp(ness), moisture. **in der ~ stehen** to stand in the wet; „**vor ~ schützen**" "keep dry"; **vor ~ triefen** to be dripping or wringing wet.

nässen I vi (Wunde) to weep, to discharge. **II** vt (liter: feucht machen) to

dampen, to wet, to moisten; **Bett** to wet.

naßforsch adj (inf) brash; **naßkalt** adj cold or chilly and damp, raw; **Naßrasur** f **die ~** wet shaving; **eine ~** a wet shave; **Naßwäsche** f wet washing; **Naßzelle** f wet cell.

Nastuch ['na:stu:x] nt (S Ger, Aus, Sw) handkerchief.

Natal nt -s Natal.

Nation f nation. **die Vereinten ~en** the United Nations.

national adj national; (patriotisch) nationalist(ic). **die Inflation muß ~ eingedämmt werden** inflation must be checked nationally or at the national level.

National- in cpds national; **nationalbewußt** adj nationally conscious; **Nationalbewußtsein** nt national consciousness; **Nationalbibliothek** f national library; **Nationalcharakter** m national character; **Nationalchina** nt Nationalist China; **nationalchinesisch** adj Chinese Nationalist; **Nationaleinkommen** nt national income; **Nationalelf** f international (football) team; **die italienische ~** the Italian (international) team, the Italian eleven; **er hat dreimal in der ~ gespielt** he's played for his country three times, he's been capped three times; **Nationalepos** nt national epic; **Nationalfarben** pl national colours pl; **Nationalfeiertag** m national holiday; **Nationalflagge** f national flag; **Nationalgarde** f National Guard; **Nationalgefühl** nt national feeling or sentiment; **Nationalgericht** nt national dish; **Nationalgetränk** nt national drink; **Nationalheld(in** f) m national hero; **Nationalhymne** f national anthem.

nationalisieren* [natsionali'zi:rən] vt **1.** (einbürgern) to naturalize. **2.** (verstaatlichen) to nationalize.

Nationalisierung f **1.** naturalization. **2.** nationalization.

Nationalismus [natsiona'lısmʊs] m nationalism.

Nationalist(in f) [natsiona'lıst(ın)] m nationalist.

nationalistisch [natsiona'lıstıʃ] adj nationalist(ic).

Nationalität [natsionali'tɛ:t] f nationality.

Nationalitätenfrage f problem of different nationalities (within one state); **Nationalitätenstaat** m multinational state.

Nationalitätskennzeichen nt nationality sticker or (aus Metall) plate.

National- [natsio'na:l-]: **Nationalmannschaft** f international team; **er spielt in der schottischen ~** he plays for Scotland or in the Scotland team; **Nationalökonomie** f economics sing; **Nationalpark** m national park; **Nationalpreis** m (DDR) annual award for achievement in science, arts and technology; national prize or award; **Nationalrat** m **1.** (Sw) National Council; (Aus) National Assembly; **2.** (Sw) member of the National Council, ≃ MP; (Aus) deputy of or to the National Assembly, ≃ MP; **Na-**

tionalsozialismus *m* National Social-ism; **Nationalsozialist(in** *f)* *m* National Socialist; **Nationalspieler(in** *f)* *m* inter-national (footballer *etc*); **Nationalstaat** *m* nation-state; **Nationalstolz** *m* na-tional pride; **Nationalstraße** *f* national highway; **Nationaltheater** *nt* national theatre; **Nationaltracht** *f* national dress *or* costume; **Nationalversammlung** *f* National Assembly.

NATO, Nato *f* -: **die ~** NATO.

Nato-Doppelbeschluß *m* NATO twin-track policy; **Nato-Stützpunkt** *m* NATO base.

Natrium *nt no pl (abbr* Na) sodium.

Natron *nt* -s, *no pl sodium compound, esp bicarbonate of soda.* **kohlensaures ~** sodium carbonate; **doppeltkohlensaures ~** bicarbonate of soda, sodium bicarbo-nate, bicarb (*inf*).

Natronlauge *f* caustic soda, sodium hydroxide.

Natter *f* -, **-n** adder, viper; (*fig*) snake, serpent. **eine ~ am Busen nähren** (*liter*) to nurture a viper at one's breast *or* bos-om.

Natur *f* 1. *no pl (Kosmos, Schöpfungs-ordnung)* nature. **die drei Reiche der ~** the three kingdoms of nature, the three natural kingdoms; **~ und Kultur** nature and civilization; **wider die ~ sein** to be unnatural *or* against nature.

2. *no pl (freies Land)* countryside. **in der freien ~** in the open countryside.

3. *no pl (~zustand)* nature. **ist ihr Haar gefärbt? — nein das ist alles ~** is her hair dyed? — no, it's natural; **ich bin von ~ aus schüchtern** I am shy by na-ture; **sein Haar ist von ~ aus blond** his hair is naturally blond; **zurück zur ~!** back to nature; **nach der ~ zeichnen/ malen** to draw/paint from nature.

4. (*Beschaffenheit, Wesensart*) nature; (*Mensch*) type. **es liegt in der ~ der Sa-che** *or* **der Dinge** it is in the nature of things; **das geht gegen meine/seine** *etc* **~** it goes against the grain; **eine Frage all-gemeiner ~** a question of a general na-ture; **zurückhaltender ~ sein** to be of a retiring nature; **das ist ihm zur zweiten ~ geworden** it's become second nature to him; **sie ist eine gutmütige ~** she's a good-natured type *or* soul.

natur *adj inv (Cook)* **Schnitzel/Fisch ~** *cutlet/fish not cooked in breadcrumbs;* **Zitrone ~** freshly-squeezed lemon juice.

Naturalien [-ian] *pl* 1. natural produce. **in ~ bezahlen** to pay in kind; **Handel mit ~** barter(ing) with goods. 2. (*Naturge-schichte*) natural history specimens *pl*.

naturalisieren* *vt* 1. (*Jur*) to naturalize. 2. (*Biol, Zool*) **naturalisiert werden, sich ~** to be naturalized, to naturalize.

Naturalismus *m* naturalism.

Naturalist(in *f)* *m* naturalist.

naturalistisch *adj* naturalistic; *Maler* na-turalist(ic).

Naturapostel *m* (*hum*) health fiend (*inf*); **Naturbeobachtung** *f* observation of nature; **Naturbeschreibung** *f* descrip-tion of nature; **Naturbursche** *m* nature-boy (*inf*); **Naturdenkmal** *nt*

---

natural monument.

nature [na'ty:ɐ] (*Sw*), **naturell** (*geh*) *adj inv* (*Cook*) *siehe* **natur.**

Naturell *nt* -s, -e temperament, disposi-tion.

Naturereignis *nt* (impressive) natural phenomenon, phenomenon of nature; **Naturerscheinung** *f* natural phenom-enon; **Naturfarbe** *f* 1. natural colour; 2. (*auch* Naturfarbstoff) natural dye; **na-turfarben** *adj* natural-coloured; **Natur-faser** *f* natural fibre; **Naturforscher(in** *f)* *m* natural scientist; **Naturforschung** *f* natural science; **Naturfreund(in** *f)* *m* nature-lover; **naturgegeben** *adj* (*lit*) natural; (*fig auch*) normal; **naturgemäß** *adj* natural; **~ ist es im Mittelmeerraum wärmer als in Skandi-navien** in the nature of things it is warmer in the Mediterranean than in Scandinavia; **Naturgeschichte** *f* natural history; **Naturgesetz** *nt* law of nature; **naturgetreu** *adj* lifelike, true to life; (*in Lebensgröße*) life-size, full-scale; **etw ~ wiedergeben** to reproduce sth true to life; **naturhaft** *adj* (*geh*) natural; **Natur-heilkunde** *f* nature healing; **Naturheil-verfahren** *nt* natural cure *or* remedy; **Naturkatastrophe** *f* natural disaster; **Naturkind** *nt* child of nature; **Naturkostladen** *m* health food shop; **Naturkraft** *f* natural energy *or* force; **Naturkunde** *f* natural history; **natur-kundlich** *adj* Forschung, Zeitschrift na-tural history; **Naturlandschaft** *f* natural *or* virgin landscape; **Naturlehrpfad** *m* nature trail.

natürlich I *adj* (*alle Bedeutungen*) natural. **in seiner ~en Größe** life-size; **eines ~en Todes sterben** to die from *or* of natural causes, to die a natural death; **es ist doch** (**nur zu**) **~, daß ...** it's (only) natural that ...; **die ~ste Sache** (**von**) **der Welt** the most natural thing in the world; **es geht nicht mit ~en Dingen zu** *or* **nicht ~ zu** there's something odd *or* fishy (*inf*) going on, I smell a rat (*inf*); **~e Grenze** natural frontier *or* boundary.

II *adv* 1. naturally. **die Krankheit ver-lief ganz ~** the illness took its natural course.

2. (*selbstverständlich*) naturally, of course. **~!** naturally!, of course!, certainly!, sure! (*esp US*), surely!

natürlicherweise *adv* naturally, of course.

Natürlichkeit *f* naturalness.

Naturmensch *m* child of nature; **Naturnotwendigkeit** *f* physical inevita-bility; **Naturpark** *m* ≃ national park; **Naturphilosophie** *f* philosophy of na-ture; **Naturprodukt** *nt* natural product; **Naturprodukte** natural produce *sing*; **Naturrecht** *nt* natural right; **naturrein** *adj* natural, pure, unadulterated; **Naturschätze** *pl* natural resources *pl*; **Naturschauspiel** *nt* natural spectacle, spectacle of nature; **Naturschutz** *m* conservation, nature conservancy; **unter ~ stehen** to be listed, to be legally pro-tected; **Naturschutzgebiet** *nt* nature reserve; **Natur(schutz)park** *m* ≃

national park; **Naturseide** f natural silk; **Naturstein** m natural stone; **Naturtalent** nt natural prodigy; **sie ist ein ~** she is a natural; **Naturtheater** nt open-air theatre; **Naturtrieb** m (natural) instinct; **naturverbunden** adj natureloving, attached to nature; **Naturverehrung** f nature worship; **Naturvolk** nt primitive people.

naturw. abbr of **naturwissenschaftlich.**

Naturwissenschaft f natural sciences pl; (Zweig) natural science; **Naturwissenschaftler(in** f) m (natural) scientist; **naturwissenschaftlich** adj scientific; **Naturwunder** nt miracle of nature, natural wonder; **Naturzustand** m natural state.

'nauf adv (dial) siehe **hinauf.**

'naus adv (dial) siehe **hinaus.**

Nautik f, no pl nautical science, navigation.

nautisch adj navigational; Instrumente auch, Ausbildung, Ausdruck nautical. **~e Meile** nautical or sea mile.

Navigation [naviga'tsio:n] f navigation.

Navigationsfehler m navigational error; **Navigationsoffizier** m navigation officer; **Navigationsraum** m charthouse, chartroom.

Navigator [navi'ga:tɔr] m (Aviat) navigator, navigation officer.

navigieren* [navi'gi:rən] vti to navigate.

Nazarener m -s, - Nazarene.

Nazi m -s, -s Nazi.

Nazismus m (pej) Nazi(i)sm; (Ausdruck) Nazi term.

nazistisch adj (pej) Nazi.

Nazizeit f Nazi period.

NB [ɛn'be:] abbr of **nota bene** NB.

n.Br. abbr of **nördlicher Breite.**

NC [ɛn'tse:] m -(s), -(s) (Univ) abbr of **Numerus clausus.**

NC-Fach nt (Univ) subject with restricted entry.

n.Chr. abbr of **nach Christus** AD.

NDR [ɛnde:'|ɛr] m -s abbr of **Norddeutscher Rundfunk.**

ne adv (inf) no, nope (inf), nay (old, dial).

'ne (inf) abbr of **eine.**

Neandertaler m -s, - Neanderthal man.

Neapel nt -s Naples.

Neapolitaner(in f) m -s, - Neapolitan; (Aus: Waffel) waffle.

nebbich interj (sl) (schade) shame; (nun, wenn schon) so what.

Nebel m -s, - mist; (dichter) fog; (mit Abgasen) smog; (Mil: künstlich) smoke; (Astron) nebula; (fig) mist, haze. **über der ganzen Sache lag ein ~** (fig) the whole affair was shrouded in mystery; **bei ~** in mist/fog.

Nebelauflösung f **nach ~** after the fog has lifted; **Nebelbank** f fog bank; **Nebelbildung** f fog; **stellenweise ~** foggy patches; **Nebelgranate** f smoke grenade or canister.

nebelhaft adj (fig) nebulous. **es liegt in ~er Ferne** it's in the dim distance.

Nebelhorn nt (Naut) foghorn.

neb(e)lig adj misty; (bei dichterem Nebel) foggy.

Nebelkammer f (Phys) cloud chamber;

Nebelkrähe f hooded crow; **Nebelmeer** nt sea of mist.

nebeln vi impers **es nebelt** it's misty/foggy.

Nebelscheinwerfer m (Aut) fog lamp; **Nebelschleier** m (geh) veil of mist; **Nebel(schluß)leuchte** f (Aut) rear fog-light; **Nebelschwaden** m usu pl waft of mist; **Nebelwand** f wall or bank of fog; (Mil) smokescreen; **Nebelwetter** nt misty/foggy weather.

neben prep 1. (örtlich: +dat/acc) beside, next to. **er fuhr ~ dem Zug her** he kept level with the train; **er ging ~ ihr he** walked beside her; **ich stelle ihn ~ die größten Denker des 17. Jahrhunderts** I rank him among or with the greatest thinkers of the 17th century.

2. (außer: +dat) apart from, besides, aside from (esp US). **du sollst keine anderen Götter haben ~ mir** (Bibl) thou shalt have no other gods before me (Bibl); **~ anderen Dingen** along with or as well as or amongst other things.

3. (verglichen mit: +dat) compared with or to.

Nebenabsicht f **eine ~ haben** or **verfolgen** to have a secondary aim or objective; **Nebenaltar** m side altar; **Nebenamt** nt secondary or additional office; **nebenamtlich** adj Tätigkeit secondary, additional; **das macht er nur ~** he does that just as a secondary occupation.

neben|an adv next door. **die Tür ~** the next door.

Nebenanschluß m (Telec) extension; **Nebenarbeit** f 1. (Zusatzarbeit) extra work no indef art, no pl, extra job; 2. (Zweitberuf) second or extra job, sideline, side job; **Nebenarm** m branch; **Nebenausgabe** f incidental expense; **Nebenausgang** m side exit; **Nebenbedeutung** f secondary meaning or connotation.

nebenbei adv 1. (gleichzeitig) at the same time. **etw ~ machen** to do sth on the side.

2. (außerdem) additionally, in addition. **die ~ entstandenen Kosten** the additional expenses.

3. (beiläufig) incidentally. **~ bemerkt** or **gesagt** by the way, incidentally, by the by(e); **das mache ich so ~** (inf) that's just a sideline; (kein Problem) I'll do that with no bother (inf).

Nebenberuf m second or extra job, sideline, side job; **er ist im ~ Nachtwächter** he has a second job as a night watchman, he moonlights as a night watchman (inf); **nebenberuflich I** adj extra, supplementary; **~e Arbeit/Tätigkeit** extra work/job, sideline, side job; **II** adv as a second job, as a sideline (inf), as a side job (inf); **er verdient ~ mehr als hauptberuflich** he earns more from his second job or from his moonlighting (inf) than he does from his main job; **Nebenbeschäftigung, Nebenbetätigung** f 1. (Zweitberuf) second or extra job, sideline, side job; 2. (Ablenkung) **beim Fernsehen brauche ich immer eine kleine ~** I always need something else to do while I'm watching television;

Nebenbetrieb m 1. branch industry; 2. (*Filiale*) (*Büro*) branch (office); (*Werk*) subsidiary factory; **Nebenbuhler(in** f) m rival; **Nebendarsteller(in** f) m supporting actor/actress; **die Nebendarsteller** the supporting cast *sing*.

neben|einander adv 1. (*räumlich*) side by side; (*bei Rennen*) neck and neck. **sie gingen ~ durchs Ziel** they were neck and neck at the finish; **drei ~, zu dritt ~** three abreast. 2. (*zeitlich*) simultaneously, at the same time.

Neben|einander nt -s, no pl juxtaposition.

neben|einanderher adv side by side. **sie leben nur noch ~** (*Ehepaar*) they're just two people living in the same house.

neben|einanderlegen vt sep to lay side by side or next to each other; **neben|einanderschalten** vt sep (*Elec*) to put in parallel; **neben|einandersitzen** vi sep irreg (*S Ger: aux sein*) to sit side by side or next to each other; **neben|einanderstellen** vt sep to place or put side by side or next to each other; (*fig: vergleichen*) to compare.

Nebeneingang m side entrance; **Nebeneinkünfte, Nebeneinnahmen** pl additional or supplementary income, extra money; **Nebenerscheinung** f concomitant; (*von Krankheit*) secondary symptom; **Nebenerwerb** m second occupation; **Nebenfach** nt (*Sch, Univ*) subsidiary (subject), minor (*US*); **Nebenfluß** m tributary; **Nebenform** f (*Biol*) variety; (*Ling*) variant; **Nebenfrage** f side issue; **Nebenfrau** f concubine; **Nebengebäude** nt 1. (*Zusatzgebäude*) annex(e), outbuilding; 2. (*Nachbargebäude*) neighbouring or adjacent building; **Nebengleis** nt (*Rail*) siding, sidetrack (*US*); **Nebengeräusch** nt (*Rad, Telec*) interference, noise; (*bei Plattenspieler*) noise; **Nebengewerbe** nt second occupation; **Nebenhandlung** f (*Liter*) subplot; **Nebenhaus** nt house next door, neighbouring house.

nebenher adv 1. (*zusätzlich*) in addition, on the side. 2. (*gleichzeitig*) at the same time, simultaneously.

nebenher- pref alongside, beside it/him etc.

nebenhin adv (*beiläufig*) in passing, by the way, casually.

Nebenhöhle f (*Physiol*) sinus (of the nose); **Nebenhöhlenentzündung** f (*Med*) sinusitis; **Nebenkläger(in** f) m (*Jur*) joint plaintiff; **Nebenkosten** pl additional costs pl; **Nebenkriegsschauplatz** m secondary theatre of war; **Nebenlinie** f 1. (*Familie*) collateral line; 2. (*Rail*) branch line; **Nebenmann** m, pl **Nebenmänner** Ihr ~ the person next to you, your neighbour; **Nebenniere** f suprarenal gland or capsule, adrenal body.

neben|ordnen vt sep infin and ptp only (*Gram*) to coordinate.

Nebenordnung f (*Gram*) coordination; **Nebenperson** f minor character; **Nebenplatz** m next seat; **Nebenprodukt** nt by-product; **Nebenraum** m (*be-*

nachbart) adjoining or next room; (*weniger wichtig*) side room; **Nebenrolle** f supporting rôle; (*fig*) minor rôle; **das spielt für mich nur eine ~** that's only of minor concern to me; **Nebensache** f minor matter, trifle, triviality; **das ist ~** that's irrelevant or not the point; **nebensächlich** adj minor, peripheral; **etw als ~ abtun** to dismiss sth as irrelevant or beside the point; **es ist doch völlig ~, wann er kommt** it doesn't matter a bit or it's quite irrelevant when he comes; **Nebensächliches** minor matters pl, trifles pl, trivia(lities) pl; **Nebensächlichkeit** f triviality; **Nebensaison** f low season; **Nebensatz** m (*Gram*) subordinate clause.

nebenschalten vt sep (*Elec*) to wire or connect in parallel.

Nebensonne f mock sun, sundog, parhelion (*spec*); **nebenstehend** adj **~e** Erklärungen/Verbesserung explanations/correction in the margin; **~e Abbildung** illustration opposite; **Nebenstelle** f (*Telec*) extension; (*Comm*) branch; (*Post*) sub-post office; **Nebenstrafe** f additional penalty; **Nebenstraße** f (*in der Stadt*) side street; (*Landstraße*) minor road, by-road; **Nebenstrecke** f (*Rail*) branch or local line; **Nebenthema** nt (*Mus*) minor theme; **Nebentisch** m adjacent table; **am ~** at the next table; **Nebenton** m (*Ling*) secondary stress; **Nebenursache** f secondary cause; **Nebenverdienst** m secondary or side (*inf*) income; **Nebenweg** m byway; **auf ~en** (*lit, fig*) by a roundabout route; **Nebenwinkel** m (*Math*) adjacent angle; **Nebenwirkung** f side effect; **Nebenwohnung** f 1. next(-door) flat, flat next door; 2. (*Zweitwohnung*) second flat; **Nebenzimmer** nt next or adjoining room; **in einem ~** in an adjoining room; **Nebenzweck** m secondary aim.

neblig adj misty; (*bei dichterem Nebel*) foggy.

nebst prep +dat together with. **viele Grüße, Onkel Otto ~ Familie** greetings from Uncle Otto and family.

nebulos, nebulös adj nebulous. **er redete so ~es Zeug** he was so vague or woolly (*inf*).

Necessaire [nesɛˈsɛːɐ] nt -s, -s (*Kulturbeutel*) vanity bag or case; (*zur Nagelpflege*) manicure case; (*Nähzeug*) sewing bag.

necken vt to tease. **jdn mit jdm/etw ~** to tease sb about sb/sth. II vr **sich** or **einander ~, sich mit jdm ~** to tease each other, to have a tease (*inf*); **was sich neckt, das liebt sich** (*Prov*) teasing is a sign of affection.

Neckerei f teasing no pl.

neckisch adj (*scherzhaft*) merry, teasing; *Einfall, Melodie* amusing; *Unterhaltung* bantering; (*inf: kokett, keß*) *Kleid, Frisur* coquettish, saucy; *Spielchen* mischievous, naughty. **~!** (*inf*) kinky! (*inf*).

nee adv (*inf*) no, nope (*inf*). **~, so was!** no, really!

Neffe m -n, -n nephew.

Negation f negation.

Negativ nt (Phot) negative.

negativ adj negative. **jdm auf eine Frage ~ antworten** to answer sb's question in the negative; **sich ~ zu etw äußern** to speak negatively about sth; **ich beurteile seine Arbeit sehr ~** I have a very negative view of his work; **die Untersuchung verlief ~** the examination proved negative.

Negativbild nt negative; **Negativdruck** m reversing out; **Negativfilm** m negative (film); **Negativkopie** f (Typ) negative copy.

Neger m -s, - 1. (pej) negro. 2. (TV sl) (Gedächtnishilfe) idiot card; (Verdunklungstafel) gobo.

neger adj pred (Aus inf) broke (inf).

Negerin f (pej) negress, negro woman.

Negerkrause f (dated) frizzy hair; **Negerkuß** m chocolate marshmallow; **Negersklave** m (Hist) negro slave.

negieren* vt (verneinen) Satz to negate; (bestreiten) Tatsache, Behauptung to deny.

Negligé, Négligé [negli'ʒeː] (Sw) nt -s, -s negligee, negligé.

negrid adj Rasse negro.

negroid adj negroid.

nehmen pret **nahm**, ptp **genommen** vti 1. (ergreifen) to take. **etw in die Hand ~** (lit) to pick sth up; (fig) to take sth in hand; **etw an sich** (acc) **~** (aufbewahren) to take care or charge of sth, to look after sth; (sich aneignen) to take sth (for oneself).

2. (wegnehmen) to take; Schmerz to take away, to relieve; (versperren) Blick, Sicht to block. **jdm etw ~** to take sth (away) from sb; **jdm die Hoffnung/ den Glauben/seine Illusionen/die Freude ~** to take away sb's hope/faith/illusions/ joy, to rob or deprive sb of his hope/ faith/illusions/joy; **um ihm die Angst zu ~** to stop him being afraid; **er ließ es sich** (dat) **nicht ~, mich persönlich hinauszubegleiten** he insisted on showing me out himself; **diesen Erfolg lasse ich mir nicht ~** I won't be robbed of this success; **wo her ~ und nicht stehlen?** (inf) where on earth am I going to find any/one etc?; **sie ~ sich** (dat) **nichts** (inf) there's nothing to choose between them, one's as good as the other.

3. (benutzen) Auto, Zug to take; Bürste, Zutaten, Farbe to use. **man nehme ...** (Cook) take ...; **sich** (dat) **etw ~** Zimmer, Wohnung to take sth; (sich bedienen auch) to help oneself to sth; **sich** (dat) **einen Anwalt/eine Hilfe ~** to get a lawyer/some help; **~ Sie sich doch bitte!** please help yourself.

4. (annehmen) Geschenk to take; (berechnen) to charge. **was ~ Sie dafür?** how much will you take for it?; **jdn zu sich ~** to take sb in; **Gott hat ihn zu sich genommen** (euph) he has been called home to his maker; **etw ~, wie es kommt** to take sth as it comes; **jdn ~, wie er ist** to take sb as he is; **etw auf sich** (acc) **~** to take sth upon oneself; **er ist immer der N~de** he does all the taking, with

him it's just take take take (inf).

5. (einnehmen) to take; Essen auch to have. **sie nimmt Rauschgift/die Pille** she's on or she takes drugs/the pill; **etw zu sich ~** to take sth; **der Patient hat nichts zu sich ~ können** the patient has been unable to take nourishment.

6. (auffassen) to take; (behandeln) to handle, to treat. **wenn Sie das so ~ wollen** if you care or choose to take it that way; **etw für ein** or **als Zeichen ~** to take sth as a sign or an omen; **wie man's nimmt** (inf) depending on your point of view; **wissen, wie man jdn ~ muß** or **soll** to know how to take sb.

7. (auswählen) to take; Essen, Menü auch to have.

8. Hürde, Festung, Stadt, Frau to take; Schwierigkeiten to overcome. **das Auto nahm den Berg im dritten Gang** the car took the hill in third gear.

9. in festen Verbindungen mit n siehe dort.

Nehmer m -s, - 1. (old) recipient. 2. (Käufer) taker.

Nehrung f spit (of land).

Neid m -(e)s, no pl envy, jealousy. **aus ~** out of envy or jealousy; **der ~ der Besitzlosen** (inf) sour grapes (inf); **der blanke ~** sheer envy; **grün (und gelb) vor ~** (inf) green with envy; **das muß ihm der ~ lassen** (inf) you have to say that much for him, give the devil his due; **jds** (acc) or **bei jdm ~ erregen** to make sb jealous or envious, to arouse sb's jealousy; **vor ~ platzen** (inf) or **vergehen** to die of envy.

neiden vt **jdm etw ~** to envy sb (for) sth.

Neider(in f) m -s, - envious or jealous person. **reiche Leute haben viele ~** rich people are much envied.

neiderfüllt adj filled with or full of envy or jealousy, envious, jealous; **Neidhammel** m (inf) jealous or envious person; **der alte/du alter ~!** he's/you're just jealous.

neidisch, neidig (S Ger, Aus) adj jealous, envious. **auf jdn/etw ~ sein** to be jealous of sb/sth; **etw ~** or **mit ~en Blicken betrachten** to look enviously at sth, to cast covetous glances at sth.

neidlos adj ungrudging, without envy.

Neige f -, -n 1. (Überrest) remains pl. **das Glas bis zur ~ leeren** (liter) to drain the cup to the dregs; **etw bis zur ~ auskosten** (genießen) to savour sth to the full; **etw bis zur bitteren ~ auskosten** or **kennenlernen** to suffer sth to the full.

2. no pl (geh: Ende) **zur ~ gehen** to draw to an end or a close; **die Sonne geht zur ~** the sun is sinking; **die Vorräte gehen zur ~** the provisions are fast becoming exhausted.

neigen I vt (beugen) Kopf, Körper to bend; (zum Gruß) to bow; (kippen) Behälter, Glas to tip, to tilt, to incline. **die Bäume ~ ihre Zweige bis zur Erde** (geh) the trees bow their branches to the ground; **geneigte Ebene** sloping surface, slope, incline.

II vr (Ebene) to slope, to incline; (Mensch) to bend; (liter: sich verneigen) to bow; (*unter Last: Bäume*) to bow; (*Gebäude*) to lean; (*kippen*) to tip (up), to tilt (up); (*Schiff*) to list; (*liter: Tag, Leben*) to draw to a close or an end. **sich nach vorne/hinten ~** (*Mensch*) to lean or bend forward/backwards; (*Auto*) to tilt forward/backwards; (*Schiff, Wippe*) to dip/tilt up; **ein leicht zur Seite geneigtes Gebäude** a building which is leaning or tilting over slightly; **mit seitwärts geneigtem Kopf** with his/her head held on or to one side.

III *vi* **zu etw ~** to tend to sth, to have a tendency to sth; (*für etw anfällig sein*) to be susceptible or prone to sth; **er neigt zum Trinken** he has a tendency to drink; **er neigt zum Sozialismus** he tends or leans towards socialism, he has socialist leanings; **zu der Ansicht** or **Annahme ~, daß ...** to tend or lean towards the view that ...

Neigung *f* **1.** (*das Neigen*) inclination; (*Gefälle auch*) incline, slope, gradient (*esp Rail*); (*Schräglage auch*) tilt; (*von Schiff*) list; (*von Magnetnadel*) dip; (*Astron*) inclination.

2. (*Tendenz*) tendency; (*Med auch*) proneness; (*Hingezogensein, Veranlagung*) leaning *usu pl*; (*Hang, Lust*) inclination. **er hat eine ~ zum Trinken** he has a tendency to drink; **künstlerische/politische ~en** artistic/political leanings; **etw aus ~ tun** to do sth by inclination; **keine/geringe ~ verspüren, etw zu tun** to have or feel no/little inclination to do sth.

3. (*Zuneigung*) affection, fondness. **zu jdm eine ~ fassen** to take a liking to sb; **jds ~ erwidern** to return sb's affection.

Neigungsehe *f* love match; **Neigungswinkel** *m* angle of inclination.

nein *adv* no; (*Überraschung*) no. **kommt er? — ~!** is he coming? — no, (he isn't); **ich sage nicht ~** I wouldn't say no; **~ und abermals ~** for the last time - no!; **~, ~ und nochmals ~** I won't say it again - no, spelt NO!; **Hunderte, ~ Tausende** hundreds, no or nay (*liter*) thousands; **~, so was!** well I never!, you don't say!; **~ doch!** no!; **o ~!, aber ~!** certainly not!, of course not!; **~ wie nett, mich mal zu besuchen!** well, how nice of you to visit me.

Nein *nt* **-s,** *no pl* no. **bei seinem ~ bleiben** to stick to one's refusal, to remain adamant; **mit Ja oder ~ stimmen** to vote yes or aye (*Pol*) or no or nay (*US Pol*).

Neinsager(in *f*) *m* **-s, -** er ist ein ewiger **~** he always says no; **Neinstimme** *f* (*Pol*) no(-vote), nay (*US*).

Nekrolog *m* **-(e)s, -e** (*liter*) obituary (notice), necrology (*form*); **Nekrophilie** *f* necrophilia.

Nektar *m* **-s,** *no pl* (*Myth, Bot, Frucht~*) nectar.

Nektarine *f* nectarine.

Nelke *f* **-, -n 1.** pink; (*gefüllt*) carnation. **2.** (*Gewürz*) clove.

'nem *abbr of* **einem.**

Nemesis *f* **-,** *no pl* nemesis.

'nen *abbr of* **einen.**

nennbar *adj* specifiable; *Gefühl, Phäno-*

men, Gedanke etc nam(e)able. **nicht ~** unspecifiable; unnam(e)able.

nennen *pret* **nannte,** *ptp* **genannt I** *vt* **1.** (*bezeichnen*) to call; (*einen bestimmten Namen geben auch*) to name. **jdn nach jdm ~** to name sb after or for (*US*) sb; **Friedrich II., genannt „der Große"** Frederick II, known as Frederick the Great; **das nenne ich Mut!** that's what I call courage!; **das nennst du schön?** you call that beautiful?

2. (*angeben, aufzählen*) to name. **die genannten Namen** the names mentioned; **können Sie mir einen guten Anwalt ~?** could you give me the name of a good lawyer?

3. (*erwähnen*) to mention. **das (weiter oben) Genannte** the above; **das genannte Schloß** the above-mentioned castle, the castle referred to.

II *vr* to call oneself; (*heißen*) to be called, to call oneself. **er nennt sich nur so** that's just what he calls himself; **und so was nennt sich Liebe/modern** (*inf*) and they call that love/modern.

nennenswert *adj* considerable, not inconsiderable. **nicht ~** negligible, not worth mentioning; **keine ~en Schwierigkeiten** no great difficulties, no difficulties worth mentioning; **nichts N~es** nothing worth mentioning, nothing of any consequence.

Nenner *m* **-s, -** (*Math*) denominator. **etw auf einen (gemeinsamen) ~ bringen** (*lit, fig*) to reduce sth to a common denominator.

Nennform *f* infinitive; **Nennonkel** *m* **er ist kein richtiger Onkel, sondern nur ein ~** he's not a proper uncle, I just call him uncle; **Nenntante** *f siehe* **Nennonkel.**

Nennung *f* (*das Nennen*) naming; (*Sport*) entry.

Nennwert *m* (*Fin*) nominal or face or par value; **zum ~** at par; **über/unter dem ~** above/below par; **nennwertlos** *adj Aktie* nonpar.

neo-, Neo-, *in cpds* neo-.

Neodym *nt, no pl* (*abbr* **Nd**) neodymium.

Neologismus *m* neologism.

Neon *nt no pl* (*abbr* **Ne**) neon.

Neonazi *m* neo-nazi; **Neonazismus** *m* neo-nazism; **neonazistisch** *adj* neo-nazi.

Neonlicht *nt* neon light; **Neonreklame** *f* neon sign; **Neonröhre** *f* neon tube or strip.

Nepal *nt* **-s** Nepal.

nepalesisch *adj* Nepalese.

Nepotismus *m* nepotism.

Nepp *m* **-s,** *no pl* (*inf*) **so ein ~!, das ist ja ~!** that's daylight or highway robbery! (*inf*), it's a rip-off (*sl*).

neppen *vt* (*inf*) to fleece (*inf*), to rip off (*sl*). **da bist du aber geneppt worden!** they must have seen you coming (*inf*).

Nepplokal *nt* (*inf*) clipjoint (*inf*).

Neptun *m* **-s** Neptune.

Neptunium *nt, no pl* (*abbr* **Np**) neptunium.

'ner *abbr of* **einer.**

Nerv [nɛrf] *m* **-s** or **-en, -en** nerve; (*Bot auch*) vein. **leicht die ~en verlieren** to scare easily, to get nervous easily; **er hat trotz allem die ~en behalten** in spite of everything he kept calm or didn't lose his cool (sl); (Selbstbeherrschung verlieren) in spite of everything he didn't lose control; **die ~en sind mit ihm durchgegangen** he lost control or his cool (sl), he snapped (inf); **gute/schlechte** or **schwache ~en haben** to have strong or good/bad or weak nerves; **der hat (vielleicht) ~en!** (inf) he's got a cheek (inf) or nerve! (inf); **er hat ~en wie Drahtseile** or **Stricke** he has nerves of steel; **es geht** or **fällt mir auf die ~en** (inf) it gets on my nerves; **jdm den (letzten) ~ rauben** (inf) to break or shatter sb's nerve; **den ~ haben, etw zu tun** to have the nerve to do sth; **jdn am ~ treffen** to touch a raw nerve; **das kostet ~en** it's a strain on the nerves; **das kostete ihn ~en** it was a strain on his nerves.

nerven ['nɛrfn] (inf) **I** vt **jdn ~** to get on sb's nerves. **genervt sein** (nervös sein) to be worked up; (gereizt sein) to be irritated. **II** vi **das nervt** it gets on your nerves.

Nerven- ['nɛrfn-]: **Nervenanspannung** f nervous tension; **Nervenarzt** m, **Nervenärztin** f neurologist; **nervenaufreibend** adj nerve-racking; **Nervenbahn** f nerve; **Nervenbelastung** f strain on the nerves; **nervenberuhigend** adj sedative; **Nervenberuhigungsmittel** nt sedative, tranquillizer; **Nervenbündel** nt fascicle; (fig inf) bag or bundle of nerves (inf); **Nervenchirurgie** f neurosurgery; **Nervenentzündung** f neuritis; **Nervenfaser** f nerve fibre; **Nervengas** nt (Mil) nerve gas; **Nervengift** nt neurotoxin; **Nervenheilanstalt** f psychiatric or mental hospital; **Nervenheilkunde** f neurology; **Nervenkitzel** m (fig) thrill; **etw als einen äußersten ~ empfinden** to get a big thrill or kick (inf) out of sth, to find sth really thrilling; **Nervenklinik** f psychiatric clinic; **Nervenkostüm** nt (hum) **ein starkes/schwaches ~ haben** to have strong/weak nerves; **Nervenkraft** f strong nerves pl; **es erforderte einige ~** it took strong nerves; **meine ~ ist erschöpft** my nerves can't take any more; **nervenkrank** adj (geistig) mentally ill or disturbed; (körperlich) suffering from a nervous disease; **Nervenkrankheit** f (geistig) mental illness or disorder; (körperlich) nervous disease or disorder; **Nervenkrieg** m (fig) war of nerves; **Nervenlähmung** f neuroparalysis; **Nervenleiden** nt nervous complaint or condition; **Nervennahrung** f (fig) **das ist ~** it's good for my nerves; **Nervenprobe** f trial; **Nervensache** f (inf) question of nerves; **reine ~!** it's all a question of nerves; **Nervensäge** f (inf) pain (in the neck) (inf); **Nervenschmerz** m neuralgia no pl; **Nervenschock** m nervous shock; **nervenschwach** adj with weak nerves, neurasthenic; **Nervenschwäche** f weak nerves pl, neurasthenia; **nervenstärkend** adj nerve-strengthening, tonic; **Nervenstrang** m nerve fibre; **Nervensystem** nt nervous system; **Nervenzelle** f nerve cell; **Nervenzentrum** nt (Physiol, fig) nerve centre; **Nervenzusammenbruch** m nervous breakdown, crack-up (inf).

nervig ['nɛrvɪç] adj **1.** Faust, Hand, Gestalt sinewy, wiry. **2.** (inf) Musik, Lärm irritating. **Mensch, wie ~!** God, how irritating!; **der ist vielleicht ~** he gets on your nerves.

nervlich ['nɛrflɪç] adj **der ~e Zustand des Patienten** the state of the patient's nerves; **er ist ~ erschöpft** his nerves are at breaking point; **~ bedingt** nervous.

nervös [nɛr'vøːs] adj nervous; (aufgeregt auch) jumpy (inf), jittery (inf), on edge. **die Krankheit ist rein ~ bedingt** the illness is purely nervous in origin; **jdn ~ machen** to make sb nervous; (ärgern) to get on sb's nerves.

Nervosität [nɛrvozi'tɛːt] f nervousness; (Stimmung) tension.

nervtötend ['nɛrf-] adj (inf) Geräusch, Gerede nerve-racking; Arbeit soul-destroying.

Nerz m **-es, -e** mink.

Nerzmantel m mink coat.

Nessel¹ f **-, -n** (Bot) nettle. **~n** (Quaddeln) nettle rash; **sich in die ~n setzen** (inf) to put oneself in a spot (inf).

Nessel² m **-s, -** (auch **~tuch, ~stoff**) (untreated) cotton.

Nesselfieber nt nettle rash; **Nesselschlafsack** m sheet sleeping bag; **Nesseltier** nt cnidarian (spec).

Nest nt **-(e)s, -er 1.** (Brutstätte) nest.
2. (fig: Schlupfwinkel) hideout, lair. **ein ~ von Dieben** a den of thieves; **das ~ leer finden** to find the bird/birds has/have flown.
3. (fig: Heim) nest, home. **sein eigenes ~ beschmutzen** to foul one's own nest; **sich ins warme ~ setzen** (inf) to marry (into) money/to move straight into a good job.
4. (fig ing: Bett) bed. **raus aus dem ~!** rise and shine! (inf), show a leg! (inf).
5. (pej inf: Ort) (schäbig) dump (inf), hole (inf), one-horse town (inf); (klein) little place.

Nestbeschmutzer(in f**)** m (pej) runner-down (inf) or denigrator of one's family/country; **Nestbeschmutzung** f (pej) running-down (inf) or denigration of one's family/country.

nesteln vi **an etw** (dat) **~** to fumble or fiddle (around) with sth.

Nestflüchter m **-s, -** - bird that leaves the nest early; (fig) person who leaves the family home at an early age; **Nesthäkchen** nt baby of the family; **Nesthocker** m **-s, -** nidicolous bird.

Nestor m Nestor; (fig) doyen.

Nestorin f (fig) doyenne.

Nestwärme f (fig) happy home life.

nett adj nice; (hübsch auch) pretty, cute. **ein ganz ~es Sümmchen** a nice little sum; **eine ~e Stange Geld kosten** (inf) to cost a pretty penny (inf) or tidy sum (inf); **das kann ja ~ werden!** (iro) that'll be nice or great (inf) (I don't think!); **sei so ~ und räum' auf!** would you mind clearing up?, would you like to clear up?; **Oma war so ~ und hat schon abge-waschen** Grandma very nicely *or* kindly did the washing-up; **~, daß Sie gekom-men sind!** nice *or* good of you to come; **das war (nicht) ~ von ihm** that was(n't very) nice of him.

netterweise *adv* kindly.

Nettigkeit *f* **1.** *no pl* (*nette Art*) kindness, goodness. **2.** (*nette Worte*) **~en** nice *or* kind words *or* things.

netto *adv* (*Comm*) net. **ich verdiene ~ 2000 DM** *or* **2000 DM ~ im Monat** I earn DM 2000 net a month, I net DM 2000 a month.

Netto- *in cpds* net; **Nettoertrag** *m* net profit; **Nettokurs** *m* net rate.

Netz *nt* **-es, -e 1.** net; (*Spinnen~*) web; (*Haar~*) (hair)net; (*Einkaufs~*) string bag, net bag; (*Gepäck~*) (luggage) rack; (*fig: von Lügen, Heuchelei*) tissue, web; (*Maschenwerk*) netting. **Fische mit dem ~ fangen** to catch fish with nets, to net fish; **ans ~ gehen** (*Sport*) to go up to the net; **ins ~ gehen** (*Ftbl*) to go into the (back of the) net; (*Tennis*) to hit the net; **ins ~ schlagen** to play into the net; **~!** (*Tennis*) let!; **in jds ~ geraten** (*fig*) to fall into sb's clutches; **sich im eigenen ~ ver-stricken** to be caught in one's own trap, to be hoist with one's own petard (*prov*); **jdm ins ~ gehen** (*fig*) to fall into sb's trap; **jdm durchs ~ gehen** (*fig*) to give sb the slip.
  2. (*System*) network; (*Strom~*) mains *sing or pl*; (*Überland~*) (national) grid; (*Comput*) network. **das soziale ~** the so-cial security net; **ans ~ gehen** to be con-nected to the grid; **Strom geht ins ~** the grid is supplied with electricity; **das Werk mußte vom ~ genommen werden** the power station had to be shut down.
  3. (*Math*) net; (*Kartengitter*) grid.

Netzanschluß *m* (*Elec*) mains connec-tion; **netzartig** *adj* netlike, reticular (*form*); **Netzauge** *nt* compound eye; **Netzball** *m* (*Tennis*) netball.

netzen *vti* to moisten, to wet.

Netzfrequenz *f* mains frequency; **Netzgardine** *f* net curtain; **Netzgarn** *nt* netting yarn; **Netzgerät** *nt* mains receiver; **Netzgewebe** *nt* gauze; **Netzgewölbe** *nt* (*Archit*) fan vault.

Netzhaut *f* retina.

Netzhautablösung *f* detachment of the retina; **Netzhautentzündung** *f* retini-tis.

Netzhemd *nt* string vest (*Brit*) *or* under-shirt (*US*); **Netzkarte** *f* (*Rail*) unlimited travel ticket, runabout ticket (*Brit*); **Netzmagen** *m* (*Zool*) second stomach; **Netzplan** *m* critical path (diagram); **Netzplantechnik** *f* critical path meth-od; **Netzspannung** *f* mains voltage; **Netzspiel** *nt* net game; **Netzstrümpfe** *pl* fish-net stockings *pl*; **Netzteil** *nt* mains adaptor.

Netzwerk *nt* (*Elec, Comput, fig*) network; (*aus Draht*) netting.

Netzwerk- (*Comput*): **Netzwerkkarte** *f* network card; **Netzwerkserver** *m* net-work server; **Netzwerktreiber** *m* net-work driver.

---

neu *adj* new; *Seite, Kräfte, Hoffnung, Truppen auch* fresh; (*kürzlich entstan-den auch*) recent; *Wäsche, Socken* clean; *Wein* young. **das N~e Testament** the New Testament; **die N~e Welt** the New World; **jdm zum ~en Jahr Glück wün-schen** to wish sb (a) happy new year; **ein ~er Anfang** a fresh *or* new start; **~eren Datums of** (more) recent date; **~e Hoffnung schöpfen** to take new *or* fresh hope; **eine ~e Mode/ein ~er Tanz** a new fashion/dance; **die ~(e)ste Mode/der ~(e)ste Tanz** the latest fashion/dance; **die ~esten Nachrichten** the latest news; **die ~eren Sprachen** modern languages; **ein ganz ~er Wagen** a brand-new car; **das ist mir ~!** that's new(s) to me; **mir ist die Sache ~** this is all new to me; **sich wie ein ~er Mensch fühlen** to feel like a new person; **eine ~e Bearbeitung** a revised edition; (*von Oper etc*) a new version; **Geschichte der ~eren Zeit** re-cent *or* modern history; **in ~erer Zeit** in modern times; **erst in ~erer Zeit** only re-cently; **viele alte Leute finden sich in der ~en Zeit nicht mehr zurecht** a lot of old people can't get on in the modern world; **seit ~(e)stem** recently; **seit ~(e)stem gibt es ...** since recently there has been ...; **aufs ~e** (*geh*) afresh, anew; **auf ein ~es!** (*als Toast*) (here's) to the New Year!; (*Aufmunterung*) let's try again; **der/die N~e** the newcomer, the new man/boy/ woman/girl; the new president/pope *etc*/ the new guy (*inf*); **die N~en** the new-comers, the new people; **N~e Welle** new wave; **was ist das N~e an dem Buch?** what's new about the book?; **das N~(e)ste in der Mode/auf dem Gebiet der Weltraumforschung** the latest in fashion/in the field of space research; **weißt du schon das N~(e)ste?** have you heard the latest (news)?; **was gibt's N~es?** (*inf*) what's the latest?, what's new?; **das N~(e)ste vom Tage** the latest news, up-to-the-minute news; **das N~(e)ste vom N~en** the very latest (things); **von ~em** (*von vorn*) from the beginning, afresh, from scratch; (*wie-der*) again; **~ beginnen** to make a fresh start *or* start again from scratch; **die Rol-len ~ besetzen** to recast the rôles; **die Akten ~ ordnen** to re-order the files; **das Buch ist ~ erschienen** the book is a re-cent publication *or* has recently *or* just come out *or* appeared; **er ist ~ hinzuge-kommen** he's joined (him/them) re-cently; **ein Zimmer ~ einrichten** to re-furnish a room; **sich/jdn ~ einkleiden** to buy oneself/sb a new set of clothes.

Neuanfertigung *f* (making (up) (*Pro-dukt*) newly-made article; **die ~ eines Anzugs dauert vier Wochen** it takes four weeks to make up a suit; **Neuankömm-ling** *m* newcomer; **Neuanschaffung** *f* new purchase *or* acquisition; **eine ~ würde sich rentieren** it would be worth buying a new machine/part *etc*; **neuapostolisch** *adj* New Apostolic.

neu|artig *adj* new. **ein ~es Wörterbuch** a new type of dictionary; **es ist ganz ~** it is of a completely new type, it is a completely new departure.

Neu|artigkeit f novelty.

Neuauflage f reprint; (*mit Verbesserungen*) new edition; **Neuausgabe** f new edition.

Neubau m new house/building.

Neubaugebiet nt development area; **Neubausiedlung** f new housing estate; **Neubauviertel** nt new district; **Neubauwohnung** f newly-built flat.

Neubearbeitet adj attr new; **Neubearbeitung** f revised edition; (*von Oper etc*) new version; (*das Neubearbeiten*) revision; reworking; **Neubeginn** m new beginning(s); **Neubelebung** f revival; **Neubesetzung** f replacement; (*Theat*) recasting; **in der ~** in the recast version; **eine ~ dieses Postens wurde nötig** it was necessary to find a replacement for this position; **Neubildung** f (*neues Gebilde*) new entity; (*Regierung*) restructuring (*Ling*) neologism; (*Med*) renewal, repair; **eine staatliche ~** a newly-formed state; **bei der ~ von Begriffen** in the formation of new concepts; **Neubürger(in** f) m new citizen; **Neu-Delhi** nt -s New Delhi; **neudeutsch** adj (*usu pej*) new German, neo-German; **Neudruck** m reprint; **Neueinrichtung** f refurnishing; (*Möbel*) new furniture or furnishings pl; **Neueinstellung** f new appointment; **Neuengland** nt New England; **neuenglisch** adj modern English; **neuentdeckt** adj attr newly or recently discovered; **Neuentdeckung** f rediscovery; (*Mensch*) new discovery; (*Ort*) newly discovered place; **neuentwickelt** adj attr newly developed; **Neuentwicklung** f new development.

neuerdings adv recently; (*rare: von neuem*) again.

Neuerer m -s, - (*dated*) innovator.

neuerlich I adv lately, recently, of late; (*rare: nochmals*) again. II adj recent; (*wiederholt*) further.

neueröffnet adj attr newly-opened; (*wiedereröffnet*) reopened; **Neueröffnung** f (*Wiedereröffnung*) reopening; **die ~ der Fluglinie** the opening of the new airline; **es gab zwanzig Geschäftsschließungen und nur zwei ~en** twenty shops were closed and only two new ones opened; **Neuerscheinung** f (*Buch*) new or recent publication; (*Schallplatte, CD*) new release; (*Neuheit*) new or recent phenomenon.

Neuerung f innovation; (*Reform*) reform.

neuerungssüchtig adj over-anxious to carry out reforms, reform-mad (*inf*).

Neu|erwerbung f new acquisition.

neu(e)stens adv lately, recently.

Neufassung f new or revised version; **Neufundland** nt Newfoundland; **Neufundländer** m -s, - (*Hund*) Newfoundland (dog); **neugebacken** adj attr freshor newly-baked; (*fig*) newly-fledged, brand-new; **neugeboren** adj newborn; **sich wie ~ fühlen** to feel (like) a new man/woman; **Neugeborene(s)** nt decl as adj newborn child; **Neugeburt** f (*Neugeborenes*) newborn child/animal; (*Neuerscheinung*) new phenomenon;

(*Wiedergeburt*) rebirth; **die ~en** the newborn; **neugeschaffen** adj attr newly created; **neugestalten*** vt sep to rearrange, to reorder; Platz, Stadion to redesign, to give a new layout; **neugewählt** adj attr newly elected.

Neugier(de) f -, no pl curiosity, inquisitiveness; (*pej auch*) nosiness (*inf*). **aus ~** out of curiosity; **seine ~ befriedigen** to satisfy one's curiosity.

neugierig adj inquisitive, curious (*auf +acc* about); (*pej*) prying, nos(e)y (*inf*); (*gespannt*) longing or curious to know. **ein N~er** an inquisitive person; (*pej auch*) a nos(e)y parker (*inf*); **jdn ~ machen** to excite or arouse sb's curiosity; **ich bin ~, ob** I wonder if; **da bin ich aber ~!** this should be interesting, I can hardly wait (*inf*); **sei nicht so ~!** don't be so inquisitive or nos(e)y (*inf*) or such a nos(e)y parker (*inf*)!

Neugliederung f reorganization, restructuring; **Neugotik** f Gothic revival, neo-Gothic style; **neugotisch** adj neo-Gothic; **neugriechisch** adj Modern Greek; **Neugriechisch(e)** nt Modern Greek; **siehe auch Deutsch(e)**; **Neugründung** f (*Wiederbegründung*) re-establishment, refoundation; **die ~ von Universitäten** the founding of new universities; **Neuguinea** nt New Guinea.

Neuheit f 1. no pl novelty. **es wird bald den Reiz der ~ verlieren** the novelty will soon wear off. 2. innovation, new thing/ idea. **dieses Gerät ist eine ~ auf dem Markt** this apparatus has only recently come on(to) the market.

neuhochdeutsch adj New High German. **das N~e** New High German.

Neuigkeit f (piece of) news. **die ~en** the news sing; **die ~ des Tages** the big news of the day.

Neu|inszenierung f new production.

Neujahr nt New Year. **~ begehen** or **feiern** to celebrate the New Year; **Pros(i)t ~!** (here's) to the New Year!

Neujahrsabend m New Year's Eve, Hogmanay (*Scot*); **Neujahrsfest** nt New Year's Day; **Neujahrsglückwunsch** m New Year greeting; **Neujahrskarte** f New Year card; **Neujahrstag** m New Year's day.

Neukaledonien nt -s New Caledonia; **Neukaledonier(in** f) m -s, - New Caledonian; **Neuland** nt, no pl virgin land or territory, uncultivated land; (*fig*) new territory or ground; **er betrat wissenschaftliches ~** he broke new ground in science; **neulateinisch** adj neo-Latin, new Latin.

neulich adv recently, the other day. **~ abend(s)** the other evening.

Neuling m newcomer, new man/woman/ boy/girl; (*pej auch*) beginner, greenhorn (*inf*).

neumodisch adj (*pej*) new-fangled (*pej*), fashionable.

Neumond m new moon. **bei ~** at new moon; **heute ist ~** there's a new moon today.

Neun f -, -en nine. **die ~ ist eine heilige Zahl** nine is a sacred number; **er hat die**

~ **ausgespielt** he played the nine; **ach du grüne ~e!** (*inf*) well I'm blowed! (*inf*); *siehe auch* **Vier.**

neun *num* nine. (*beim Kegeln*) **alle ~(e)** strike!; **er warf alle ~(e)** he got a strike; *siehe auch* **vier.**

Neun|auge *nt* lamprey.

Neuneck *nt* nonagon; **neuneckig** *adj* nonagonal.

Neunerprobe *f* (*Math*) casting out nines.

neunhundert *num* nine hundred; *siehe auch* **vierhundert**; **neunmal** *adv* nine times; *siehe auch* **viermal**; **neunmalklug** *adj* (*iro*) smart-aleck *attr*; **du bist ein ganz N~er!** you're a real smart-aleck; **neunschwänzig** *adj*: **die ~e Katze** the cat-o'-nine-tails; **neuntausend** *num* nine thousand; *siehe auch* **viertausend.**

Neuntel *nt* **-s, -** ninth; *siehe auch* **Viertel**[1].

neuntens *adv* ninth(ly), in the ninth place.

neunte(r, s) *adj* ninth; *siehe auch* **vierte(r, s).**

neunzehn *num* nineteen; *siehe auch* **vierzehn.**

neunzehnte(r, s) *adj* nineteenth; *siehe auch* **vierte(r, s).**

neunzig *num* ninety. *siehe auch* **vierzig.**

Neunziger(in *f*) *m* **-s, -** (*Mensch*) ninety-year-old, nonagenarian; *siehe auch* **Vierziger(in).**

neunzigste(r, s) *adj* ninetieth; *siehe* **vierte(r, s).**

Neuordnung *f* reorganization, reordering; (*Reform*) reform; **Neuorientierung** *f* reorientation; **Neuphilologe** *m* modern linguist; **Neuphilologie** *f* modern languages *sing or pl*; **Neuphilologin** *f* modern linguist; **Neuprägung** *f* (*Münze*) new minting; (*Begriff*) new coinage.

Neuralgie *f* neuralgia.

neuralgisch *adj* neuralgic. **ein ~er Punkt** a trouble area; **diese Kreuzung/Zypern ist ein ~er Punkt** this crossroads/Cyprus is a trouble area *or* trouble spot.

Neuraltherapie *f* neural therapy.

Neurasthenie *f* neurasthenia.

Neurastheniker(in *f*) *m* **-s, -** neurasthenic.

neurasthenisch *adj* neurasthenic.

Neureg(e)lung *f* adjustment, revision; **eine ~ des Verkehrs** a new traffic management scheme; **neureich** *adj* nouveau riche; **Neureiche(r)** *mf* nouveau riche; **die ~n** the nouveaux riches.

Neuritis *f* **-, Neuritiden** neuritis.

Neuro- *in cpds* neuro; **Neurochirurgie** *f* neurosurgery; **Neurologe** *m* neurologist; **Neurologie** *f* neurology; **Neurologin** *f* neurologist; **neurologisch** *adj* neurological.

Neuron *nt* **-s, -e(n)** [-'ro:nə(n)] neuron.

Neuropathie *f* neuropathy; **Neuropathologie** *f* neuropathology.

Neurose *f* **-, -n** neurosis.

Neurotiker(in *f*) *m* **-s, -** neurotic.

neurotisch *adj* neurotic.

Neuschnee *m* fresh snow; **Neuschöpfung** *f* new creation; (*Ausdruck*) invention; **Neuseeland** *nt* New Zealand;

Neuseeländer(in *f*) *m*; New Zealander

neuseeländisch *adj* New Zealand;

Neusilber *nt* nickel silver; **Neusprachler(in** *f*) *m* **-s, -** modern linguist; **neusprachlich** *adj* modern language; **~er Zweig** (*Sch*) modern language side; **~es Gymnasium** ≃ grammar school (*Brit*), high school (*esp US, Scot*) stressing modern languages; **Neustadt** *f* new part of a town.

neustens *adv siehe* **neu(e)stens.**

Neutöner(in *f*) *m* **-s, -** (*Mus*) exponent of the New Music.

neutral *adj* neutral; (*rare: Gram*) neuter. **die N~en** (*Pol*) the neutrals.

Neutralisation *f* neutralization. **die ~ eines Rennens** (*Sport*) the suspension of a race.

neutralisieren* *vt* to neutralize. **das Rennen wurde neutralisiert** (*Sport*) the race was suspended.

Neutralisierung *f* neutralization.

Neutralismus *m* (*Pol*) neutralism.

Neutralität *f* neutrality.

Neutralitätspolitik *f* policy of neutrality; **Neutralitätszeichen** *nt* sign of neutrality.

Neutrino *nt* **-s, -s** neutrino.

Neutron *nt* **-s, -en** [nɔy'tro:nən] neutron.

Neutronen- *in cpds* neutron; **Neutronenbombe** *f* neutron bomb; **Neutronenstrahlen** *pl* neutron rays *pl*; **Neutronenstrahlung** *f* neutron radiation.

Neutrum *nt* **-s, Neutra** *or* **Neutren** (*Gram, fig*) neuter. **ein ~** (*Gram*) a neuter noun; **sie wirkt auf mich wie ein ~** I don't think of her as a woman.

neuvermählt *adj* newly married *or* wed; **die N~en** the newly-weds; **Neuverschuldung** *f* new borrowings *pl*; **Neuwagen** *m* new car; **Neuwahl** *f* (*Pol*) new election, re-election; **die ~ des Präsidenten** the election of a new president; **Neuwert** *m* purchase price; **neuwertig** *adj* as new; **Neuzeit** *f* modern age *or* era, modern times *pl*; **Literatur/ Gesellschaft der ~** modern literature/ society; **neuzeitlich** *adj* modern; **Neuzüchtung** *f* new breed; (*Pflanze*) new variety; **Neuzugang** *m* new entry; **Neuzulassung** *f* (*Aut*) ≃ registration of a new vehicle; **die meisten gestohlenen Autos waren ~en** most of the stolen cars were *or* had new registrations.

New Age [nju:'eɪdʒ] *nt* **-, *no pl*** new age.

Newcomer [nju:'kamɐ] *m* **-(s), -** newcomer.

New York ['nju:'jɔ:k] *nt* **-s** New York.

New Yorker *adj attr* New York.

New Yorker(in *f*) *m* New Yorker.

New Wave [nju:'weɪv] *f* **-, *no pl*** new wave.

Nibelungentreue *f* unshakeable loyalty.

nicht *adv* **1.** (*Verneinung*) not. **er raucht ~** (*augenblicklich*) he is not *or* isn't smoking; (*gewöhnlich*) he does not *or* doesn't smoke; **alle lachten, nur er ~** everybody laughed except him, everybody laughed, only he didn't; **kommst du? — nein, ich komme ~** are you coming? — no, I'm not (coming); **ich weiß auch ~, warum** I really don't know why;

ich kann das ~ — ich auch ~ I can't do it — neither *or* nor can I; **~ mehr** *or* **länger** not any longer; **~ mehr als** no *or* not more than; **~ mehr und ~ weniger als** no more and no less than; **~ heute und ~ morgen** neither today nor tomorrow; **~ ihn meinte ich, sondern sie** I didn't mean him, I meant her, it's not him I meant but her; **er ~!** not him, not he (*form*); **~ (ein)mal** not even.

2. (*Bitte, Gebot, Verbot*) **~ berühren!** do not touch! (*gesprochen*) don't touch; **ärgere dich ~!** don't be angry, do not be angry (*often liter*); **~ rauchen!** no smoking; **~!** don't!, no!; **tu's ~!** don't do it!; **~ doch!** stop it!, don't!; **bitte ~!** please don't; **nur das ~!** anything but that!; **nun wein mal ~ gleich!** now don't start crying.

3. (*rhetorisch*) **er kommt/sie kommen** *etc*, **~** (**wahr**)? he's coming/they're coming *etc*, isn't he/aren't they? *or* is he not/ are they not?; **er kommt ~, ~ wahr?** he isn't coming, is he?; **ich darf kommen, ~ (wahr)?** I can come, can't I *or* can I?; **das ist schön, ~ (wahr)?** it's nice, isn't it?; **jetzt wollen wir Schluß machen, ~?** let's leave it now, right *or* OK?

4. (*doppelte Verneinung*) **~ uninteressant/unschön** not uninteresting/ unattractive.

5. (*Verwunderung, Resignation*) **was die Kinder ~ alles wissen!** the things children know about!; **was ich ~ alles durchmachen muß!** the things I have to go through!

Nicht-, nicht- *pref* non-.

Nichtachtung *f* (*+gen* for) disregard, lack of regard; **jdn mit ~ strafen** to send sb to Coventry; **~ des Gerichts** contempt of court; **nichtamtlich** *adj* unofficial; **Nichtangriffspakt** *m* non-aggression pact; **Nichtbeachtung, Nichtbefolgung** *f* non-observance; **nichtberufstätig** *adj attr* non-employed.

Nichte *f* -, -**n** niece.

nichtehelich *adj* (*Jur*) *Kinder, Abstammung* illegitimate; *Mutter* unmarried; *Vater* natural; **~e Beziehungen zu jdm unterhalten** to cohabit with sb; **Kinder aus ~en Beziehungen** children born outside wedlock (*form*); **Nichteinhaltung** *f* non-compliance (*+gen* with), non-observance (*+gen* of); **Nichteinmischung** *f* (*Pol*) non-intervention, non-interference; **Nichterscheinen** *nt* non-appearance, failure to appear; **Nichtfachmann** *m*, **Nichtfachfrau** *f* non-specialist, non-expert; **nichtflüchtig** *adj* (*Chem, Comput*) non-volatile; **Nichtgefallen** *nt*: **bei ~ (zurück)** if not satisfied (return).

nichtig *adj* **1.** (*Jur: ungültig*) invalid, void. **etw für ~ erklären** to declare sth invalid; *Ehe auch* to annul sth; **dadurch** *or* **hierdurch ist der Vertrag ~ geworden** the treaty has thereby become invalid.

2. (*unbedeutend*) trifling, trivial; *Versuch* vain; (*fig*) vain.

Nichtigkeit *f* **1.** (*Jur: Ungültigkeit*) voidness, invalidity, nullity. **2.** (*Bedeutungslosigkeit*) triviality, vainness,

emptiness. **3.** *usu pl* (*Kleinigkeit*) trifle, triviality, trivia *pl*.

Nichtigkeitserklärung *f* (*Jur*) annulment; **Nichtigkeitsklage** *f* (*Jur*) nullity suit.

Nichtkombattant *m* (*form*) non-combatant; **nichtleitend** *adj* (*Elec*) non-conducting; **Nichtleiter** *m* -**s**, - (*Elec*) non-conductor; **Nichtmetall** *nt* nonmetal; **Nichtmitglied** *nt* non-member; **nichtöffentlich** *adj attr* not open to the public, private; **~öffentliche Sitzung/Konferenz** meeting/conference in camera (*Jur*) *or* behind closed doors; **nichtorganisiert** *adj attr Arbeiter* non-organized, non-union(ized); **Nichtraucher(in** *f*) *m* (*auch Rail*) non-smoker; **ich bin ~** I don't smoke, I'm a non-smoker; **„~"** "no smoking" (*Brit*), "non-smoking" car" (*US*); **Nichtraucherabteil** *nt* no-smoking compartment; **nichtrostend** *adj attr* rustproof, non-rust; *Stahl* stainless.

Nichts *nt* **1.** -, *no pl* (*Philos*) nothingness; (*Leere*) emptiness, void; (*Kleinigkeit*) trifle, triviality, trivia *pl*. **etw aus dem ~ erschaffen/aufbauen** to create sth out of nothing(ness) *or* the void/to build sth up from nothing; **vor dem ~ stehen** to be left with nothing.

2. -**es**, -**e** (*Mensch*) nobody, nonentity, (*mere*) cipher.

nichts *indef pron inv* nothing; (*fragend, bedingend auch*) not … anything. **ich weiß ~** I know nothing, I don't know anything; **~ als** nothing but; **~ (anderes) als** nothing/not … anything but *or* except; **~ von Bedeutung** nothing of (any) importance; **~ Besseres/Neues** nothing better/new; **~ da!** (*inf*) (*weg da*) no you don't!; (*ausgeschlossen*) nothing doing (*inf*), no chance (*inf*); **~ zu danken!** don't mention it, not at all; **für** *or* **um ~** for nothing; **das ist ~ für mich** that's not (for) me, that's not my thing (*inf*) *or* not my cup of tea (*Brit inf*); **für ~ und wieder ~** (*inf*) for nothing at all, for damn all (*sl*); **~ zu machen** nothing doing (*inf*), you've had that (*inf*), nix (*sl*); (**es war**) **~ mehr zu machen** there was nothing more that could be done; **~ mehr** nothing more, not … anything more; **ich weiß ~ Näheres** *or* **Genaues** I don't know any details; **das war wohl ~** (*sl*) that's not much good, you can't win them all (*inf*); **~ wie raus/rein/hin** (*inf*) let's get out/in/over there (on the double); **aus ~ wird ~** (*Prov*) you can't make something out of nothing; **ich mag** *or* **will ~ mehr davon hören** I don't want to hear any more about it; **er ist zu ~ nutze** *or* **zu gebrauchen** he's useless *or* hopeless.

nichts|ahnend *adj* unsuspecting.

Nichtschwimmer(in *f*) *m* non-swimmer; **sie ist ~in** she's a non-swimmer; **Nichtschwimmerbecken** *nt* pool for non-swimmers.

nichtsdestotrotz *adv* notwithstanding (*form*), nonetheless; **nichtsdestoweniger** *adv* nevertheless, nonetheless.

Nichtsein, Nicht-Sein *nt* non-existence, non-being.

Nichtseßhafte(r) *mf decl as adj (form)* person of no fixed abode *(form)*.

Nichtskönner(in *f) m* washout *(inf)*, incompetent person; **er ist ein ~** he's (worse than) useless; **Nichtsnutz** *m* **-es, -e** good-for-nothing, useless bungler; **nichtsnutzig** *adj* useless, hopeless; *(unartig)* good-for-nothing; **nichtssagend** *adj Buch, Rede, Worte* empty, meaningless; *Vergnügen* trivial, trite, frivolous; *Mensch* insignificant; *Gesichtsausdruck* blank, vacant, expressionless; *Erklärung, Redensart* meaningless; **Nichtstuer(in** *f) m* **-s, -** idler, loafer; **Nichtstun** *nt* idleness, inactivity; *(Muße)* leisure; **das süße ~** dolce far niente, idle bliss; **viel Zeit mit ~ verbringen** to spend a lot of time doing nothing; **nichtswürdig** *adj* base, despicable; *Mensch auch* worthless.

Nichttänzer(in *f) m* non-dancer; **ich bin ~** I don't dance; **Nichttrinker(in** *f) m* non-drinker; **er ist ~** he doesn't drink; **Nichtübereinstimmung** *f* discrepancy *(+gen* in, of, between); *(Meinungsunterschied)* differences *pl*, disagreement; **Nichtveranlagungsbescheid** *m (Fin)* non-assessment declaration; **Nichtveranlagungsbescheinigung** *f (Fin)* non-assessment note; **Nichtverbreitung** *f (von Kernwaffen)* non-proliferation; **Nichtvorhandensein** *nt* absence; **Nichtwissen** *nt* ignorance; **sich mit ~ entschuldigen** to plead ignorance; **Nichtzahlung** *f (form)* non-payment; **im Falle der ~, bei ~** in default of payment; **Nichtzustandekommen** *nt (form)* non-completion; **Nichtzutreffende(s)** *nt decl as adj* **(etwas)** **~s** something incorrect; **~s (bitte) streichen!** (please) delete as applicable.

Nickel *nt, no pl (abbr* Ni) nickel.

Nickelbrille *f* metal-rimmed glasses *pl*.

nicken *vi* 1. *(lit, fig)* to nod. **mit dem Kopf ~** to nod one's head; **ein leichtes N~** a slight nod. 2. *(inf: schlummern)* to snooze, to doze, to nod.

Nickerchen *nt (inf)* nap, snooze, forty winks *(inf)*. **ein ~ machen** to take *or* have forty winks *or* a nap *or* a snooze.

Nicki *m* **-s, -s** velour pullover.

nie *adv* never. **~ im Leben** never ever; **machst du das? — ~ im Leben!** will you do it? — not on your life; **~ und nimmer** never ever; **~ wieder** *or* **mehr** never again; **ein ~ wiedergutzumachender Fehler** a mistake that can never be put right; **fast ~** hardly ever.

nieder I *adj attr* 1. *(esp S Ger: niedrig)* low. **die ~e Jagd** small game hunting.

2. *(weniger bedeutend)* lower; *Beamte auch* minor; *(geringer) Geburt, Herkunft* lowly; *Volk* common; *Klasse, Stand* lower; *(Comput)* *Programmiersprache* lower(-level). **der ~e Adel** the gentry, the lower *or* lesser aristocracy.

3. *Triebe, Instinkt* low, base; *Arbeit* menial.

4. *(dated) Kulturstufe* low, primitive; *Entwicklungsstufe* low, early.

II *adv* down. **die Waffen ~!** lay down your arms; **auf und ~** up and down; **das Auf und N~** *(lit)* the bobbing up and down; *(fig)* the ups and (the) downs *pl*; **~ mit dem Kaiser!** down with the Kaiser!

Nieder-, nieder- *pref (Geog)* lower.

niederbeugen *sep* **I** *vt (lit, fig)* to bow down. **II** *vr* to bend down.

niederbrennen *vti sep (irreg) (vi: aux sein)* to burn down.

niederbringen *vt sep irreg Bohrung* to sink.

niederbrüllen *vt sep Redner* to shout down.

niederbügeln *vt sep (inf) Person, Einwand, Argument* to demolish. **jdn rhetorisch ~** to demolish sb with rhetoric.

niederdeutsch *adj* 1. *(Geog)* North German. 2. *(Ling)* Low German.

Niederdeutsch(e) *nt* Low German; *siehe auch* **Deutsch(e)**.

Niederdruck *m (Tech)* low pressure.

niederdrücken *vt sep* 1. *(lit)* to press down; *Taste, Hebel auch* to press, to push, to depress *(form)*. 2. *(bedrücken)* **jdn ~** to depress sb, to get sb down *(inf)*; **~d** depressing; *siehe* **niedergedrückt**.

Niederfrequenz *f* low frequency; *(Akustik)* audio frequency.

Niedergang *m* 1. *(fig: Verfall)* decline, fall. 2. *(Naut)* companionway.

niedergedrückt *adj* depressed, dejected.

niedergehen *vi sep irreg aux sein* to descend; *(Aviat)* to descend, to come down; *(Fallschirmspringer)* to drop; *(Vorhang)* to fall, to drop; *(Regen)* to fall; *(Gewitter)* to break *(auch fig)*; *(Boxer)* to go down.

niedergeschlagen I *ptp of* **niederschlagen**. **II** *adj* dejected, despondent.

Niedergeschlagenheit *f* dejection, despondency.

niederhalten *vt sep irreg* to hold *or* keep down; *Volk* to oppress.

niederhauen *vt sep irreg Baum* to cut *or* chop down, to fell; *Gegner* to floor, to knock down, to fell.

niederholen *vt sep Segel, Flagge* to haul down, to lower; *Ballon* to bring down.

Niederholz *nt, no pl* underwood, underbrush.

niederkämpfen *vt sep Feuer* to fight down *or* back; *Feind* to overcome; *Tränen* to fight back.

niederkauern *vir (vi: aux sein)* to crouch *or* cower down.

niederknallen *vt sep* to shoot down.

niederknien *vi sep aux sein* to kneel down.

niederknüppeln *vt sep* to club down.

niederkommen *vi sep irreg aux sein (old)* to be delivered *(old) (m..t* of).

Niederkunft *f* **-, =̈e** *(old)* delivery.

Niederlage *f* 1. *(Mil, Sport, fig)* defeat; *(Mißerfolg)* failure, defeat. **eine ~ einstecken müssen** *or* **erleiden** to suffer a defeat; **jdm eine ~ zufügen** *or* **beibringen** to defeat sb, to inflict a defeat on sb. 2. *(Lager)* warehouse, store, depot. 3. *(Filiale)* branch (office).

Niederlande *pl*: **die ~** the Netherlands

sing or pl, the Low Countries *pl*.
◄iederländer(in *f*) *m* **-s, -** Dutchman/
Dutchwoman. **die ~** the Dutch.
◄iederländisch *adj* Dutch, Netherlands.
◄iederländisch(e) *nt* Dutch; *siehe auch*
Deutsch(e).
◄iederlassen *vr sep irreg* **1.** to sit down;
(*sich niederlegen*) to lie down; (*Vögel*) to
land, to alight.
    2. (*Wohnsitz nehmen*) to settle
(down).
    3. (*Praxis, Geschäft eröffnen*) to set
up in business, to establish oneself, to
set up shop (*inf*). **sich als Arzt/**
Rechtsanwalt ~ to set up (a practice) as
a doctor/lawyer; **die niedergelassenen**
Ärzte general practitioners, GPs; **die**
niedergelassenen Rechtsanwälte lawyers
in private practice.
Niederlassung *f* **1.** *no pl* (*das Nieder-*
lassen) settling, settlement; (*eines Arz-*
tes) establishment, setting-up. **2.** (*Sied-*
lung) settlement. **3.** (*Comm*) registered
office; (*Zweigstelle*) branch.
niederlegen *sep* I *vt* **1.** *Gegenstand, Men-*
schen to lay *or* put *or* set down; *Last*
auch to cast off; (*liter, Bibl*) *Kranz, Blu-*
men to lay; *Waffen* to lay down.
    2. (*aufgeben*) *Dienst, Amt, Mandat* to
resign (from), to give up; *Krone, Regie-*
rung, Führung to renounce, to give up.
die Arbeit ~ (*aufhören*) to stop
work(ing); (*streiken*) to down tools.
    3. (*schriftlich festlegen*) to write *or* set
down.
    II *vr* to lie down. **da legst' di' nieder!**
(*S Ger inf*) well I'm blowed! (*inf*), by the
'eck! (*N Engl dial*).
Niederlegung *f* **1.** (*von Kranz*) laying.
    2. (*von Amt, Dienst, Mandat*) resigna-
tion (from); (*von Kommando*) resignation (of); (*der Krone*) abdication. **~ der**
Arbeit industrial action.
    3. (*schriftlich*) setting-out. **eine schrift-**
liche ~meiner Gedanken setting out *or*
putting down my thoughts in writing.
niedermachen, niedermetzeln *vt sep* to
massacre, to butcher.
niedermähen *vt sep* (*lit, fig*) to mow
down.
Nieder|österreich *nt* Lower Austria.
niederprasseln *vi sep aux sein* (*Regen,*
Hagel) to beat down, to hammer down;
(*fig: Beschimpfungen, Vorwürfe*) to rain
or hail down.
niederreißen *vt sep irreg jdn* to pull *or*
drag down; *Gebäude* to pull *or* knock
down; (*fig*) *Schranken* to tear down.
Niederrhein *m* Lower Rhine.
Niedersachsen *nt* Lower Saxony.
niedersausen *vi sep aux sein* to rain *or*
hail down.
niederschießen *sep irreg* I *vt* to shoot
down. II *vi aux sein* (*Vogel etc*) to shoot
or plummet down.
Niederschlag *m* **1.** (*Met*) precipitation
(*form*); (*Chem*) precipitate; (*Bodensatz*)
sediment, dregs *pl*. **radioaktiver ~**
(radioactive) fallout; **für morgen sind**
heftige ~e gemeldet tomorrow there will
be heavy rain/hail/snow; **in diesem Ge-**
dicht haben seine eigenen Erfahrungen

ihren **~ gefunden** his own experiences
are reflected *or* find expression in this
poem.
    2. (*Mus*) downbeat.
    3. (*Boxen*) knockdown blow; (*über 10*
Sekunden) knockout, KO. **~ bis 10**
knockout, KO. **Sieg durch ~** win by a
knockout.
niederschlagen *sep irreg* I *vt* **1.** *jdn* to
knock down, to fell; (*Regen, Hagel*) *Ge-*
treide to beat down, to flatten; *Kragen,*
Hutkrempe to turn down; *Aufstand, Re-*
volte to quell, to put down, to suppress;
Augen, Blick to lower, to cast down
(*liter.*
    2. (*erlassen*) *Steuerschuld* to waive.
ein Verfahren ~ (*Jur*) to dismiss a case.
    3. (*Chem*) to precipitate.
    II *vr* (*Flüssigkeit*) to condense; (*Bo-*
densatz) to settle; (*Chem*) to precipitate;
(*Met*) to fall. **die Untersuchung schlug**
sich in einer Reform nieder the investigation resulted in a reform; **sich in etw**
(*dat*) **~** (*Erfahrungen*) to find expression in sth.
niederschlagsarm *adj* with low precipitation (*form*); low-rainfall *attr*; with little
snow; **die Südinsel ist ~ärmer** the
south island has a lower rainfall/less
snow *or* a lower level of precipitation
(*form*); **niederschlagsfrei** *adj* dry,
without precipitation (*form*); **Nieder-**
schlagsmenge *f* rainfall/snowfall, precipitation (*form*); **niederschlagsreich**
adj with a lot of precipitation (*form*)
high rainfall *attr*; with a lot of snow.
Niederschlagung *f* (*von Strafverfahren*)
dismissal; (*eines Aufstands*) suppression.
niederschmettern *vt sep* to smash *or*
batter down; (*fig*) to shatter.
niederschmetternd *adj Nachricht, Er-*
gebnis shattering.
niederschreiben *vt sep irreg* to write
down.
niederschreien *vt sep irreg* to shout
down.
Niederschrift *f* (*das Niederschreiben*)
writing down; (*Niedergeschriebenes*)
notes *pl*; (*Schulaufsatz*) composition,
essay; (*Protokoll*) (*einer Sitzung*) minutes *pl*; (*Jur*) record; (*von Band-*
aufzeichnung) transcript. **die erste ~ ei-**
nes Gedichts/Romans the first draft of a
poem/novel.
niedersetzen *sep* I *vt Kind, Glas* to put *or*
set down. II *vr* to sit down; (*Vogel*) to
perch, to settle, to alight.
niedersinken *vi sep irreg aux sein* (*geh*) to
sink down.
Niederspannung *f* (*Elec*) low voltage *or*
tension.
niederstechen *vt sep irreg* to stab *or* knife
(down).
niederstimmen *vt sep* to vote down.
niederstoßen *sep irreg* I *vt* to knock
down. II *vi aux sein* (*Raubvogel*) to
shoot *or* plummet down.
niederstrecken *sep* (*geh*) I *vt* to lay low.
II *vr* to lie down, to stretch out.
niederstürzen *vi sep aux sein* to crash
down.

niedertourig [-tuːrɪç] adj Motor, Maschine low-revving. ~ **fahren** to drive with low revs.

Niedertracht f, no pl despicableness, vileness; (als Rache) malice, spite. **so viel ~ hätte ich ihm nicht zugetraut** I would not have suspected him of such a despicable or vile act; **die ~, mit der er bei seinen Betrügereien vorgegangen ist** the despicable way he went about his deceptions.

niederträchtig adj despicable, vile; (rachsüchtig) malicious, spiteful. **jdn ~ verraten** to betray sb in a despicable way.

Niederträchtigkeit f 1. no pl siehe **Niedertracht**. 2. (Tat) despicable/malicious behaviour no pl. **das ist eine ~** that's despicable.

niedertrampeln vt sep to trample underfoot.

niedertreten vt sep irreg to tread or trample down; Erde to tread or stamp down; Teppich to wear (down).

Niederung f (Senke) depression; (Mündungsgebiet) flats pl; (sumpfig) marsh. **die ~en des Lebens** the dark or seamy side of life; **in solche ~en begebe ich mich nicht** (fig) I will not sink to such depths.

niederwalzen vt sep to flatten.

niederwerfen sep irreg **I** vt to throw or hurl or cast (liter) down; Aufstand to suppress, to put down; Gegner (lit) to throw down, to floor; (fig) to defeat, to overcome. **er wurde von einer Krankheit niedergeworfen** he was laid low by or with an illness.

II vr to throw oneself down, to prostrate oneself.

Niederwerfung f (von Aufstand) suppression.

Niederwild nt small game.

niederzwingen vt sep irreg (lit) to force down; (fig) to defeat, to vanquish.

niedlich adj sweet, cute, pretty little attr. **das Kätzchen lag so ~ auf meinem Bett** the kitten looked so sweet lying on my bed.

Niednagel m agnail.

niedrig adj 1. (tief) low. ~ **fliegen** to fly low.

2. (gering) low; Stand, Herkunft, Geburt auch lowly, humble. **~ste Preise** lowest or rock-bottom prices; **ich schätze seine Chancen sehr ~ ein** I don't think much of his chances, I think his chances are very slim or small; **von jdm ~ denken, jdn ~ einschätzen** to have a low or poor opinion of sb.

3. (gemein) low no adv, base.

Niedrigkeit f 1. lowness. **die ~ der Häuser** the low-built style of the houses. 2. (von Gedanken, Beweggründen) lowness, baseness.

Niedrigstrahlung f low-level radiation; **Niedrigwasser** nt (Naut) low tide, low water.

niemals adv never.

niemand indef pron nobody, no-one. **es war ~ zu Hause** there was nobody or no-one at home, there wasn't anybody or anyone at home; **~ anders or anderer**

(S Ger) **kam** nobody else came; ~ **anders or anderer** (S Ger) **war da** there wasn't anybody else there, nobody else was there; **ich habe ~ anders or anderen** (S Ger) **gesehen** I didn't see anybody else; **herein kam ~ anders or anderer** (S Ger) **als der Kanzler selbst** in came the Chancellor himself, no less, in came none other than the Chancellor himself; ~ **Fremdes** no strangers, not ... any strangers; **er hat es ~(em) gesagt** he hasn't told anybody, he has told no-one; **sag das ~(em)!** don't tell anybody.

Niemand m -s, no pl or ist ein ~ he's a nobody.

Niemandsland nt no man's land.

Niere f -, -n kidney. **künstliche ~** kidney machine, artificial kidney; **es geht mir an die ~n** (inf) it gets me down.

Nieren- in cpds (Anat) renal; **Nierenbecken** nt pelvis of the kidney; **Nierenbeckenentzündung** f pyelitis (spec); **Nierenentzündung** f nephritis (spec); **nierenförmig** adj kidney-shaped; **Nierenkolik** f renal colic; **nierenkrank** adj suffering from a kidney disease; **Nierenkrankheit** f, **Nierenleiden** nt kidney disease; **Nierenschale** f kidney dish; **Nierenschützer** m kidney belt; **Nierenstein** m kidney stone, renal calculus (spec); **Nierensteinzertrümmerer** m -s, - lithotripter (spec); **Nierentasche** f bum bag; **Nierentisch** m kidney-shaped table; **Nierenwärmer** m -s, - kidney warmer.

nieseln vi impers to drizzle.

Nieselregen m drizzle.

niesen vi to sneeze.

Niespulver nt sneezing powder.

Nießbrauch m (Jur) usufruct.

Nieswurz f -, no pl (Bot) hellebore.

Niet m -(e)s, -e (spec), **Niete** f -, -n rivet; (auf Kleidung) stud.

Niete f -, -n (Los) blank; (inf: Mensch) dead loss (inf), wash-out (inf). **eine ~ ziehen** (lit) to draw a blank.

nieten vt to rivet.

Nietenhose f (pair of) studded jeans pl.

niet- und nagelfest adj (inf) nailed or screwed down.

Niger¹ m -s (Fluß) Niger.

Niger² nt -s (Staat) Niger.

Nigeria nt -s Nigeria.

Nigerianer(in f) m -s, - Nigerian.

Nigger m -s, - (pej) nigger (pej), coon (pej).

Nihilismus [nihiˈlɪsmʊs] m nihilism.

Nihilist(in f) [nihiˈlɪst(ɪn)] m nihilist.

nihilistisch [nihiˈlɪstɪʃ] adj nihilistic.

Nikolaus m 1. (Name) Nicholas. 2. -, -e or (hum inf) **Nikoläuse** St Nicholas; (~tag) St Nicholas' Day.

Nikotin nt -s, no pl nicotine.

nikotinarm adj low-nicotine; **nikotinfrei** adj nicotine-free; **Nikotingehalt** m nicotine content; **nikotinhaltig** adj containing nicotine; **Zigarren sind ~er als Zigaretten** cigars contain more nicotine than cigarettes; **Nikotinvergiftung** f nicotine poisoning.

Nil m -s Nile.

Nildelta nt Nile Delta; **Nilpferd** nt hippopotamus, hippo.

Nimbus *m* -, **-se** (*Heiligenschein*) halo, aureole; (*fig*) aura. **im ~ der Heiligkeit stehen** to be thought of as a saint.

nimm *imper sing of* **nehmen.**

nimmer *adv* 1. (*liter: niemals*) never. 2. (*S Ger, Aus*) = **nicht mehr.**

nimmermehr *adv* (*liter*) nevermore (*liter*), never again. **nie und ~** never ever.

nimmermüde *adj attr* tireless, untiring.

Nimmersatt *m* **-(e)s, -e** glutton. **ein ~ sein** to be insatiable.

Nimmerwiedersehen *nt* (*inf*) **auf ~!** I don't *or* I never want to see you again; **auf ~ verschwinden** to disappear never to be seen again.

Niob(ium) *nt, no pl* (*abbr* Nb) niobium.

Nippel *m* **-s,** - (*Tech*) nipple.

nippen *vti* to nip (*an +dat* at). **vom Wein ~** to sip (at) the wine.

Nippes, Nippsachen *pl* ornaments *pl*, knick-knacks *pl*, bric-à-brac *sing*.

Nippflut, Nippzeit *f* neap tide.

Nippon *nt* **-s** Japan.

nirgendhin *adv siehe* **nirgendwohin.**

nirgends *adv* nowhere, not ... anywhere. **ihm gefällt es ~** he doesn't like it anywhere; **überall und ~** here, there and everywhere; **er ist überall und ~ zu Hause** he has no real home; **er fühlt sich ~ so wohl wie ...** there's nowhere *or* there isn't anywhere he feels so happy as ...

nirgend(s)her *adv* from nowhere, not ... from anywhere.

nirgend(s)hin *adv siehe* **nirgendwohin.**

nirgendwo *adv siehe* **nirgends.**

nirgendwohin *adv* nowhere, not ... anywhere. **wohin gehst du? — ~** where are you going? — nowhere; **wenn man ~ gehen kann, um zu übernachten** if you've got nowhere *or* if you haven't got anywhere to spend the night.

Nirosta ® *m* -, *no pl* stainless steel.

Nirwana *nt* **-s** (*inf*) nirvana.

Nische *f* -, **-n** niche, alcove; (*Koch~*) recess.

Nisse *f* -, **-n** nit.

Nissenhütte *f* Nissen hut.

nisten I *vi* to nest; (*fig*) to take possession (*in +dat* of). II *vr* **Haß nistete sich in ihr Herz** (*liter*) hatred gripped *or* filled her heart.

Nistkasten *m* nest(ing) box; **Nistplatz** *m* nesting place; **Nistzeit** *f* nesting time, (the) nesting season.

Nitrat *nt* nitrate.

nitrieren* *vt* to nitrate.

Nitrit *nt* **-s, -e** nitrite.

Nitro- ['nitro] *in cpds* nitro; **Nitroglyzerin** *nt* nitroglycerine; **Nitrolack** *m* nitrocellulose paint; **Nitroverdünnung** *f* cellulose thinner.

Niveau [ni'vo:] *nt* **-s, -s** (*lit, fig*) level. **auf gleichem ~ liegen** to be on the same level; **intelligenzmäßig steht er auf dem ~ eines Dreijährigen** he has the mental age of a three-year-old; **diese Schule hat ein hohes ~** this school has high standards; **unter ~** below par; **unter meinem ~** beneath me; **~/kein/wenig ~ haben** to be of a high/low/fairly low standard;

(*Mensch*) to be cultured/not at all/not very cultured; **ein Hotel mit ~** a hotel with class.

Niveau- [ni'vo:]: **Niveaulinie** *f* contour line; **niveaulos** *adj* mediocre; **niveauvoll** *adj* high-class.

nivellieren* [nivɛ'li:rən] I *vt* (*lit, fig*) to level off *or* out. II *vi* (*Surv*) to level.

nix *indef pron* (*inf*) *siehe* **nichts.**

Nixe *f* -, **-n** water-sprite, water-nymph, nix(ie); (*mit Fischschwanz*) mermaid; (*hum: Bade~*) bathing belle.

Nizza *nt* **-s** Nice.

NN *abbr of* **Normalnull.**

NNO *abbr of* **Nordnordost** NNE.

NNW *abbr of* **Nordnordwest** NNW.

NO *abbr of* **Nordosten.**

nobel *adj* (*edelmütig*) noble; (*inf*) (*großzügig*) generous, lavish; (*kostspielig*) extravagant; (*elegant*) posh (*inf*). **~ geht die Welt zugrunde** (*iro*) there's nothing like bowing out in style; **sich ~ zeigen** (*inf*) to be generous; **ein nobler Kunde** (*iro inf*) a pleasant customer, a nice type of person.

Nobelherberge *f* (*inf*) posh *or* classy hotel (*inf*).

Nobelium *nt, no pl* (*abbr* No) nobelium.

Nobelpreis *m* Nobel prize.

Nobelpreisträger(in *f*) *m* Nobel prize winner.

Noblesse [no'blɛsə] *f* -, *no pl* (*geh*) noblesse. **dafür hat er zu viel ~** he's much too high-minded for that.

noch I *adv* 1. (*weiterhin, bis jetzt, wie zuvor*) still. **~ nicht** still not, not yet; **bist du fertig? — ~ nicht** are you ready? — not yet; **er ist ~ nicht da** he still isn't here, he isn't here yet; **immer ~, ~ immer** still; **sie ist immer ~ nicht fertig** she still isn't ready (yet), she isn't ready yet; **er dachte ~ lange an sie** it was a long time before he stopped thinking of her; **du bist ~ zu klein** you're still too young; **er schläft ~** he's still asleep, he is sleeping yet (*liter*); **~ nie** never; **ich gehe kaum ~ aus** I hardly go out any more; **ich möchte gerne ~ bleiben** I'd like to stay on longer.

2. (*irgendwann*) some time, one day. **er wird sich (schon) ~ daran gewöhnen** he'll get used to it (some time *or* one day); **das kann ~ passieren** that just might happen, that might still happen; **er wird ~ kommen** he'll come (yet).

3. (*eben, nicht später als*) **das muß ~ vor Dienstag fertig sein** it has to be ready by Tuesday; **ich habe ihn ~ vor zwei Tagen gesehen** I saw him only two days ago; **er ist ~ am selben Tag gestorben** he died the very same day; **ich tue das ~ heute** *or* **heute ~** I'll do it today *or* this very day; **~ im 18. Jahrhundert** as late as the 18th century; **gerade ~ (only) just; ~ gestern war er frisch und munter** (only) yesterday he was still bright and cheerful; **~ keine drei Tage** not three days.

4. (*einschränkend*) (only) just. (**gerade) ~ gut genug** (only) just good enough.

5. (*außerdem, zusätzlich*) **wer war ~ ~**

da? who else was there?; **(gibt es) ~ et-was?** (is there) anything else?; **ich will ~ etwas sagen** there's something else *or* another thing I want to say; **~ etwas Fleisch** some more meat, a bit more meat; **~ einer** another (one); **~ ein Bier** another beer; **~ zwei Bier** two more beers, another two beers; **~ einmal** *or* **mal** (once) again, once more; **und es regnete auch ~** *or* **~ dazu** and on top of that it was raining; **dumm und ~ dazu** frech stupid and cheeky with it (*inf*); **ich gebe Ihnen ~ zwei dazu** I'll give you two extra; **~ ein Wort!** (not) another word!

6. (*bei Vergleichen*) even, still, yet. **~ größer** even *or* still *or* yet bigger; **er will ~ mehr haben** he wants even *or* still more; **das ist ~ besser** that's even better, that's better still *or* still better; **das ist ~ viel wichtiger als ...** that is far more important yet *or* still than ...; **seien sie auch ~ so klein** however small they may *or* might be; **und wenn du auch ~ so bittest ...** however much you ask ...

7. (*inf*) **wir fanden Fehler ~ und ~er** (*hum inf*) we found tons (*inf*) *or* loads (*inf*) of mistakes; **Geld ~ und ~er** (*hum inf*) heaps and heaps of money (*inf*); **er kann ~ und ~er erzählen** he can go on telling stories for ever; **ich kann Ihnen Beispiele ~ und ~er geben** I can give you any number of examples; **sie hat ~ und ~er versucht, ...** she tried again and again to ...

  II *conj* (*weder ... ~ ...*) nor. **nicht X, ~ Y, ~ Z** not X nor Y nor Z.

Nochgeschäft *nt* (*Fin*) option to double.

nochmalig *adj attr* renewed. **eine ~e Überprüfung** another check.

nochmals *adv* again.

Nockenwelle *f* camshaft.

No-future- [noˈfjuːtʃ ə] *in cpds* no-future; **No-future-Generation** *f* no-future generation.

NOK [ɛnloːˈka] *nt* -s *abbr of* **Nationales Olympisches Komitee.**

nölen *vi* (*N Ger inf*) to moan.

nolens volens [ˈnoːlɛns ˈvoːlɛns] *adv* (*geh*) like it or not *or* no, willy-nilly.

Nolimetangere [ˈnoːlimeˈtaŋɡərə] *nt* -, - (*Bot*) touch-me-not.

Nomade *m* -n, -n (*lit, fig*) nomad.

Nomaden- *in cpds* nomadic; **nomadenhaft** *adj* (*lit, fig*) nomadic; **Nomadentum** *nt* nomadism.

Nomadin *f* (*lit, fig*) nomad.

nomadisieren* *vi* to lead a nomadic existence. **~de Stämme** nomadic tribes.

Nomen *nt* -s, **Nomina** (*Gram*) noun. **n~ est omen** (*geh*) true to your/his *etc* name.

Nomenklatur *f* nomenclature.

Nomina *pl of* **Nomen.**

nominal *adj* nominal.

Nominal- *in cpds* (*Gram, Fin*) nominal; **Nominalstil** *m* nominal style; **Nominalwert** *m* (*Fin*) nominal *or* face *or* par value; **Nominalzins** *m* (*Fin*) nominal interest rate.

Nomination *f* (*Eccl*) nomination.

Nominativ *m* nominative.

nominell *adj* nominal.

nominieren* *vt* to nominate.

Nonchalance [nõʃaˈlãːs] *f* -, *no pl* (*geh*) nonchalance.

nonchalant [nõʃaˈlãː] *adj* (*geh*) nonchalant.

Nonkonformist(in *f*) *m* nonconformist.

nonkonformistisch *adj* nonconformist.

Nonne *f* -, -n **1.** nun. **2.** (*Schmetterling*) nun moth. **3.** (*Dachziegel*) concave tile.

nonnenhaft *adj* nunnish; **sie tut so ~** she pretends to be so chaste; **Nonnenkloster** *nt* convent, nunnery (*old, hum*).

Nonplusultra *nt* -s, *no pl* (*geh*) ultimate, non plus ultra.

Nonsens *m* -(es), *no pl* nonsense.

nonstop [nɔnˈʃtɔp, nɔnˈstɔp] *adv* nonstop.

Nonstop- *in cpds* non-stop; **Nonstopflug** *m* non-stop flight; **Nonstopkino** *nt* cinema with a continuous programme.

nonverbal *adj* non-verbal.

Noppe *f* -, -n (*Gummi~*) nipple, knob; (*von Tischtennisschläger auch*) pimple; (*Knoten*) burl; (*Schlinge*) loop. **Garn mit ~n** bouclé; **ein Teppich mit ~n** a loop pile carpet.

Nord *m* -(e)s, (*rare*) -e **1.** (*Naut, Met, liter*) north. **aus** *or* **von/nach ~** from the/ to the north. **2.** (*liter: Wind*) north wind.

Nord- *in cpds* (*in Ländernamen*) (*politisch*) North; (*geographisch auch*) the North of ...; Northern; **Nordafrika** *nt* North Africa; **Nordamerika** *nt* North America; **Nordatlantik** *m* North Atlantic; **Nordatlantikpakt** *m* North Atlantic Treaty; **nordatlantisch** *adj* North Atlantic; **~es Verteidigungsbündnis** NATO Alliance; **norddeutsch** *adj* North German; *Dialekt, Spezialität, Mentalität auch* Northern German; **die N~en** the North Germans; **Norddeutschland** *nt* North(ern) Germany, the North of Germany.

Norden *m* -s, *no pl* north; (*von Land*) North. **aus dem ~, von ~ (her)** from the north; **gegen** *or* **gen** (*liter*) *or* **nach ~** north(wards), to the north; **nach ~ hin** to the north; **im hohen ~** in the far north; **weiter** *or* **höher im ~** further north; **im ~ Frankreichs** in the north of France, in northern France.

Nordengland *nt* the North of England; **Nordhalbkugel** *f* northern hemisphere; **nordirisch** *adj* Northern Irish; **Nordirland** *nt* Northern Ireland, Ulster.

nordisch *adj Wälder* northern; *Völker, Sprache* nordic. **~e Kombination** (*Ski*) nordic combined.

Nordistik *f* nordic studies *sing*.

Nordkap *nt* North Cape; **Nordkorea** *nt* North Korea; **Nordküste** *f* north(ern) coast; **Nordländer(in** *f*) *m* -s, - northern; (*Skandinavier*) Scandinavian.

nördlich I *adj* northern; *Kurs, Wind, Richtung* northerly. **der ~e Polarkreis** the Arctic Circle; **der ~e Wendekreis** the Tropic of Cancer; **52 Grad ~er Breite** 52 degrees north.

  II *adv* (to the) north. **~ von Köln (gelegen)** north of Cologne; **es liegt ~er** *or* **weiter ~** it is further (to the) north.

  III *prep* +*gen* (to the) north of.

Nordlicht *nt* northern lights *pl*, aurora

borealis; (*fig hum: Mensch*) Northerner.

Nordnordost *m* (*Naut, Met, liter*) north-north-east, nor'-nor'-east (*Naut*); **Nordnordosten** *m* north-north-east, nor'-nor'-east (*Naut*); **nordnordöstlich** *adj* north-north-east(erly), nor'-nor'-east-(erly) (*Naut*); **Nordnordwest** *m* (*Naut, Met, liter*) north-north-west, nor'-nor'-west (*Naut*); **Nordnordwesten** *m* north-north-west, nor'-nor'-west (*Naut*); **nordnordwestlich** *adj* north-north-west(erly), nor'-nor'-west(erly) (*Naut*).

Nord|ost *m* 1. (*Met, Naut, liter*) north-east, nor'-east (*Naut*). **aus** ~ from the north-east. 2. (*liter: Wind*) north-east(erly) wind, north-easter, nor'-easter (*Naut*).

Nord|ost- *in cpds* north-east; (*bei Namen*) North-East.

Nord|osten *m* north-east; (*von Land*) North East. **aus** *or* **von** ~ from the north-east; **nach** ~ to the north-east, north-east(wards).

nord|östlich I *adj Gegend* north-eastern; *Wind* north-east(erly). II *adv* (to the) north-east. III *prep* +*gen* (to the) north-east of.

Nord-Ostsee-Kanal *m* Kiel Canal.

Nordpol *m* North Pole.

Nordpolargebiet *nt* Arctic (Zone). **Nordpolarmeer** *nt* Arctic Ocean.

Nordrhein-Westfalen *nt* North Rhine-Westphalia.

Nordsee *f* North Sea.

Nordseite *f* north(ern) side; (*von Berg*) north(ern) face; **Nordstaaten** *pl* (*Hist*) northern states *pl*, Union; **Nordstern** *m* North Star, Polar Star; **Nord-Süd-Gefälle** *nt* north-south divide; **Nordwand** *f* (*von Berg*) north face.

nordwärts *adv* north(wards). **der Wind dreht** ~ the wind is moving round to the north.

Nordwest *m* 1. (*Met, Naut, liter*) north-west. **aus** ~ from the north-west. 2. (*liter: Wind*) north-west(erly) wind, north-wester, nor'-wester (*Naut*).

Nordwest- *in cpds* north-west; (*bei Namen*) North-West.

Nordwesten *m* north-west; (*von Land*) North-West. **aus** *or* **von** ~ from the north-west; **nach** ~ to the north-west, north-west(wards).

nordwestlich I *adj Gegend* north-western; *Wind* north-west(erly). II *adv* (to the) north-west. III *prep* +*gen* (to the) north-west of.

Nordwind *m* north wind.

Nörgelei *f* moaning, grumbling; (*Krittelei*) carping.

nörgeln *vi* to moan, to grumble; (*kritteln*) to carp, to niggle (*an* +*dat* about). **er hat immer an allem zu** ~ he always finds something to moan about.

Nörgler(in *f)* *m* **-s, -** grumbler, moaner; (*Krittler*) carper, niggler.

Norm *f* **-, -en** 1. norm; (*Größenvorschrift*) standard (specification). **als** ~ **gelten, die** ~ **sein** to be (considered) normal, to be the usual thing. 2. (*Leistungssoll*)

quota, norm. **die** ~ **erreichen** to achieve one's quota, to meet one's target.

normal *adj* normal; *Format, Maß, Gewicht* standard. **benimm dich doch mal** ~! act like a normal human being, can't you?; **bist du noch** ~? (*inf*) have you gone mad?

Normal- *in cpds* 1. (*üblich*) normal; 2. (*genormt*) standard; **Normalbenzin** *nt* regular (petrol (*Brit*) *or* gas *US*).

Normale *f* **-(n), -n** (*Math*) normal.

normalerweise *adv* normally, usually.

Normalfall *m* normal case; **im** ~ normally, usually; **Normalfilm** *m* standard film; **Normalgewicht** *nt* normal weight; (*genormt*) standard weight.

normalisieren* I *vt* to normalize. II *vr* to return *or* get back to normal.

Normalisierung *f* normalization.

Normalität *f* normality, normalcy.

Normalmaß *nt* standard (measure); **Normalnull** *nt* **-s**, *no pl* (*abbr* **NN**) ≃ sea level; **Normalspur** *f* (*Rail*) standard gauge; **Normaluhr** *f* (*old*) (synchronized) clock; **Normalverbraucher(in** *f)* *m* average consumer; **Otto** ~ (*inf*) Joe Bloggs (*Brit inf*), John Doe (*US*); **Normalzeit** *f* standard time; **Normalzustand** *m* normal state; (*normale Verhältnisse*) normal conditions *pl*.

Normandie *f* **-** Normandy.

Normanne *m* **-n, -n**, **Normannin** *f* Norman.

normannisch *adj* Norman.

normativ *adj* normative.

Normblatt *nt* standard specifications sheet.

normen *vt* to standardize.

Normenkontrollklage *f* (*Jur*) legal proceedings brought to ask for judicial review.

normieren* *vt* to standardize.

Normierung *f* standardization.

Normschrift *f* standard print/handwriting.

Normung *f* (*Tech*) standardization.

normwidrig *adj* deviant; (*Tech*) nonstandard.

Norwegen *nt* **-s** Norway.

Norweger(in *f)* *m* **-s, -** Norwegian.

Norwegerpullover *m* Norwegian pullover.

norwegisch *adj* Norwegian.

Norwegisch(e) *nt* Norwegian; *siehe auch* **Deutsch(e)**.

Nostalgie *f* nostalgia.

nostalgisch *adj* nostalgic.

Not *f* **-, ⁻e** 1. *no pl* (*Mangel, Elend*) need(iness), want, poverty. **hier herrscht große** ~ there is great poverty here; **eine Zeit der** ~ a time of need, a lean time; **aus** ~ out of poverty; ~ **leiden** to suffer deprivation; **jds** ~ (*acc*) **lindern** to improve sb's lot; **in** ~ **leben** to live in poverty; **wenn** ~ **am Mann ist** if you/they *etc* are short (*inf*); (*im Notfall*) in an emergency; ~ **macht erfinderisch** (*Prov*) necessity is the mother of invention (*Prov*); **in der** ~ **frißt der Teufel Fliegen** *or* **schmeckt jedes Brot** (*Prov*) beggars can't be choosers (*prov*); ~ **kennt kein Gebot** (*Prov*) necessity

knows no law (*Prov*).
2. (*Bedrängnis*) distress *no pl*, affliction; (*Problem*) problem. **die ~e des Alltags** the problems of everyday living; **in seiner ~** in his hour of need; **in unserer ~ blieb uns nichts anderes übrig** in this emergency we had no choice; **jdm seine ~ klagen** to tell sb one's troubles, to cry on sb's shoulder (*inf*); **in ~ sein** to be in distress; **in ~ geraten** to get into serious difficulties; **Freunde in der ~ (gehen tausend auf ein Lot)** (*Prov*) a friend in need (is a friend indeed) (*Prov*); **der/als Retter in der ~** sb's knight/like a knight in shining armour; **Hilfe in höchster ~** help in the nick of time; **in Ängsten und ~en schweben** to be in fear and trembling; **jdm in der ~ beistehen** to help sb in *or* through times of trouble *or* in his need.
3. *no pl* (*Sorge, Mühe*) difficulty, trouble. **er hat seine liebe ~ mit ihr/damit** he really has problems with her/it, he really has his work cut out with her/it (*inf*); **die Eltern hatten ~, ihre fünf Kinder zu ernähren** the parents had difficulty in feeding their five children; **es hat damit keine ~** (*old*) there's no rush.
4. (*Zwang, Notwendigkeit*) necessity. **der ~ gehorchend** bowing to necessity; **etw nicht ohne ~ tun** not to do sth without having to; **zur ~** if necessary, if need(s) be; (*gerade noch*) at a pinch, just about; **aus der ~ eine Tugend machen** to make a virtue (out) of necessity.

not *adj* (*geh*) **~ tun** to be necessary; **ihm tat Hilfe ~** he needed help; **uns allen täte ein bißchen mehr Bescheidenheit ~** we could all benefit from a little more modesty.

Notabeln *pl* (*geh*) notabilities *pl*.

nota bene *adv* (*geh*) please note, let it be noted.

Not|anker *m* sheet anchor.

Notar(in *f*) *m* notary public.

Notariat *nt* notary's office.

notariell *adj* notarial. **~ beglaubigt** legally certified.

Notarzt *m*, **Notärztin** *f* emergency doctor; **Notarztwagen** *m* emergency doctor's car; **den ~ rufen** to call the emergency doctor.

Notation *f* (*Comput, Mus*) notation.

Notaufnahme *f* casualty (unit); **Notaufnahmelager** *nt* reception centre, transit camp; **Notausgang** *m* emergency exit; **Notbehelf** *m* stopgap (measure), makeshift; **Notbeleuchtung** *f* emergency lighting; **Notbremse** *f* emergency brake, communication cord (*Brit*); **die ~ ziehen** to pull the emergency brake; (*Ftbl sl: foulen*) to hack sb down, to commit a blatant foul; **Notbremsung** *f* emergency stop; **Notdienst** *m* **~ haben** (*Apotheke*) to be open 24 hours; (*Arzt*) to be on call.

Notdurft *f* -, *no pl* **1.** (*euph geh*) call of nature (*euph*). **seine ~ verrichten** to relieve oneself, to answer the *or* a call of nature (*euph*). **2.** (*old*) need. **des Lebens ~** the bare necessities of life; **des Leibes ~** enough to keep body and soul together.

notdürftig *adj* (*kaum ausreichend*) meagre, poor; (*behelfsmäßig*) makeshift *no adv*, rough and ready *no adv*; **Kleidung** scanty. **wir konnten uns mit den Einheimischen ~ verständigen** we could just about communicate with the natives; **nachdem wir den Reifen ~ geflickt hatten** when we had patched up the tyre in a makeshift *or* rough-and-ready way.

Note *f* -, **-n 1.** (*Mus*) note. **ganze ~** semibreve (*Brit*), whole note (*US*); **halbe ~** minim (*Brit*), half note (*US*); **~n** *pl* music; **~n lesen** to read music; **nach ~n spielen/singen** to play/sing from music; **nach ~n** (*fig inf*) thoroughly.
2. (*Sch*) mark.
3. (*Pol*) note.
4. (*Bank~*) (bank)note, bill (*US*).
5. *no pl* (*Eigenart*) (*in bezug auf Gespräch, Brief*) note; (*in bezug auf Beziehungen, Atmosphäre*) tone, character; (*in bezug auf Einrichtung, Kleidung*) touch. **das ist meine persönliche ~** that's my trademark; **einer Sache** (*dat*) **eine persönliche ~ verleihen** to give sth a personal touch; **ein Parfüm mit einer herben ~** a perfume with something tangy about it *or* with a tangy quality.

Notenaustausch *m* (*Pol*) exchange of notes; **Notenbank** *f* issuing bank, bank of issue; **Notenblatt** *nt* sheet of music; **Notenheft** *nt* (*mit Noten*) book of music; (*ohne Noten*) manuscript book; **Notenlinie** *f* lines *pl* (of a stave); **Papier mit ~n** manuscript paper; **Notenpapier** *nt* manuscript paper; **Notenpresse** *f* money press; **Notenschlüssel** *m* clef; **Notenschrift** *f* musical notation; **Notenständer** *m* music stand; **Notenumlauf** *m* (*Fin*) circulation (of banknotes).

Notfall *m* emergency. **für den ~ nehme ich einen Schirm mit** I'll take an umbrella (just) in case; **im ~** if necessary, if need(s) be; **bei einem ~** in case of emergency.

notfalls *adv* if necessary, if need(s) be.

Notflagge *f* distress flag.

notgedrungen I *adj* essential, imperative. **II** *adv* of necessity, perforce. **ich muß mich ~ dazu bereit erklären** I'm forced to agree, I've no choice but to agree, I must perforce agree.

Notgeld *nt* emergency money; **Notgemeinschaft** *f* emergency organization; **im Luftschutzbunker waren wir alle eine ~** in the air raid shelter we were all brothers in misfortune; **Notgroschen** *m* nest egg; **sich** (*dat*) **einen ~ zurücklegen** to put some money away for a rainy day; **Nothafen** *m* harbour of refuge; **wegen der Epidemie mußte das Schiff einen ~ anlaufen** because of the epidemic the ship had to make an emergency stop; **Nothelfer** *m* (*Rel*) auxiliary saint; **Nothilfe** *f* assistance in an emergency.

notieren* I *vti* **1.** (*Notizen machen*) to note down, to make a note of; (*schnell*) to jot down. **ich notiere (mir) den Namen** I'll make a note of the name; **was möch-**

ten Sie bestellen? ich **notiere** what would you like to order? I'll make a note of it *or* I'll take it down. **2.** (*vormerken*) (*Comm*) *Auftrag* to note, to book. **zu welchem Termin waren Sie notiert?** what time was your appointment?; **jdn ~** to put sb's name *or* sb down. **3.** (*St Ex: festlegen*) to quote (*mit* at). **II** *vi* (*St Ex: wert sein*) to be quoted (*auf +acc* at).

otierung *f* **1.** (*Comm*) note. **2.** (*St Ex*) quotation. **3.** (*Mus*) notation.

ötig I *adj* necessary. **ist das unbedingt ~?** is that really *or* absolutely necessary?; **es ist nicht ~, zu sagen, wie ...** it's not necessary *or* there's no need to say how ...; **es ist nicht ~, daß er kommt** it's not necessary *or* there's no need for him to come, he doesn't need to come; **das war wirklich nicht ~** that really wasn't necessary, there was no need for that; (*nach spitzer Bemerkung auch*) that was uncalled for; **wenn ~** if necessary, if need(s) be; **etw ~ haben** to need sth; **etw bitter ~ haben** to need sth badly; **er hat das natürlich nicht ~** (*iro*) but, of course, he's different; **ich habe es nicht ~, mich von dir anschreien zu lassen** I don't need *or* have to let you shout at me; **die haben's gerade ~** (*inf*) that's the last thing they need; **du hast es gerade ~, so zu reden** (*inf*) you can *or* can't talk (*inf*), you're a fine one to talk (*inf*); **das habe ich nicht ~!** I can do without that, I don't need that; **etw ~ machen** to necessitate sth, to make sth necessary; **das N~e** the necessary; **das Nötigste** the (bare) necessities *or* essentials.

II *adv* (*dringend*) **etw ~ brauchen** to need something urgently; **ich muß mal ~** (*inf*) I'm dying to go (*inf*).

nötigen *vt* (*geh: zwingen*) to force, to compel; (*Jur*) to coerce; (*auffordern*) to urge, to press. **jdn ins Zimmer ~** to force sb to go into a room; **sich ~ lassen** to need prompting *or* urging; **lassen Sie sich nicht (erst) ~!** don't wait to be asked.

nötigenfalls *adv* (*form*) if necessary, if need(s) be.

Nötigung *f* (*Zwang*) compulsion; (*Jur*) coercion.

Notiz *f* -, **-en 1.** (*Vermerk*) note; (*Zeitungs~*) item. **sich** (*dat*) **~en machen** to make *or* take notes; **sich** (*dat*) **eine ~ von etw machen** to make a note of sth. **2. ~ nehmen von** to pay attention to, to take notice of; **keine ~ nehmen von** to ignore; **nimm keine ~!** take no notice, don't take any notice.

Notizblock *m* notepad, jotter; **Notizbuch** *nt* notebook; **Notizzettel** *m* piece of paper; **er hinterließ mir einen ~ mit seiner Adresse** he left me a note of his address on a piece of paper.

Notjahr *nt* year of need, difficult year; **Notkühlsystem** *nt* emergency cooling system.

Notlage *f* crisis; (*Elend*) plight. **in ~n** in an emergency; **die wirtschaftliche ~ Großbritanniens** Great Britain's econo-

mic plight; **jds ~** (*acc*) **ausnützen** to exploit sb's situation; **in eine ~ geraten** to get into serious difficulties; **sich in einer ~ befinden** to find oneself in serious difficulties.

notlanden *pret* **notlandete** *ptp* **notgelandet** *vi aux sein* to make a forced landing *or* an emergency landing.

Notlandung *f* forced *or* emergency landing.

notleidend *adj* needy; **die N~en** the needy.

Notlösung *f* compromise *or* less-than-ideal solution; (*provisorisch*) temporary solution; **Notlüge** *f* white lie; **Notnagel** *m* (*fig inf*) last resort; **Notopfer** *nt* emergency levy.

notorisch *adj* notorious.

Notruf *m* (*Telec*) (*Gespräch*) emergency call; (*Nummer*) emergency number; **Notrufsäule** *f* emergency telephone; **Notrutsche** *f* (*Aviat*) escape chute.

notschlachten *pret* **notschlachtete**, *ptp* **notgeschlachtet** *vt* to destroy, to put down.

Notsignal *nt* distress signal; **Notsituation** *f* emergency; **Notsitz** *m* foldaway seat, tip-up seat.

Notstand *m* crisis; (*Pol*) state of emergency; (*Jur*) emergency. **innerer ~** domestic *or* internal state of emergency; **äußerer ~** threat of invasion *or* attack; **ziviler ~** disaster; **den ~ ausrufen** to declare a state of emergency; **einen ~ beheben** to end *or* put an end to a crisis.

Notstandsgebiet *nt* (*wirtschaftlich*) depressed *or* deprived area; (*bei Katastrophen*) disaster area; **Notstandsgesetze** *pl*, **Notstandsverfassung** *f* (*Pol*) emergency laws *pl*.

Notstromaggregat *nt* emergency power generator; **Nottaufe** *f* emergency baptism.

Notunterkunft *f* emergency accommodation; **Notverband** *m* emergency *or* first-aid dressing; **Notverordnung** *f* emergency decree.

notwassern *pret* **notwasserte**, *ptp* **notgewassert**, *infin auch* **notzuwassern** *vi* to ditch (*Aviat sl*), to make a crash-landing in the sea.

Notwehr *f*, *no pl* self-defence. **aus/in ~** in self-defence.

notwendig *adj* necessary; (*unvermeidlich auch*) inevitable. **~ brauchen** to need urgently; **es folgt ~** it necessarily follows; **ich habe alles N~e erledigt** I've done everything (that's) necessary; **das N~ste** the (bare) necessities *or* essentials; **sich auf das N~ste beschränken** to stick to essentials.

notwendigerweise *adv* of necessity, necessarily, inevitably.

Notwendigkeit *f* **1.** *no pl* necessity. **mit ~** of necessity; **die ~, etw zu tun** the necessity of doing sth. **2.** (*notwendige Sache*) necessity, essential.

Notzeichen *nt* distress signal.

Notzucht *f* (*Jur*) rape. **~ begehen** *or* **verüben** to commit rape (*an +dat* on).

notzüchtigen, *pret* **notzüchtigte**, *ptp* **genotzüchtigt** *vt* (*Jur*) to rape, to ravish, to violate.

Nougat, Nugat ['nu:gat] *m or nt* -s, -s nougat.

Nova *pl of* **Novum.**

Novelle [no'vɛlə] *f* 1. novella. 2. (*Pol*) amendment.

novellieren* [novɛ'li:rən] *vt* (*Pol*) to amend.

Novellierung [novɛ'li:ruŋ] *f* (*Pol*) amendment.

Novellist(in *f*) [novɛ'lɪst(ɪn)] *m* novella writer.

novellistisch [novɛ'lɪstɪʃ] *adj* novella-like.

November [no'vɛmbɐ] *m* -s, - November; *siehe* **März.**

Novität [novi'tɛ:t] *f* (*geh*) innovation, novelty; (*Buch*) new publication; (*Theat*) new play.

Novize [no'vi:tsə] *m* -n, -n, *f* -, -n novice.

Noviziat [novi'tsia:t] *nt* novitiate.

Novizin *f* novice.

Novum ['no:vʊm] *nt* -s, **Nova** ['no:va] novelty.

NPD [ɛnpe:'de:] *f* - *abbr of* **Nationaldemokratische Partei Deutschlands.**

Nr. *abbr of* **Nummer, Nummer** No.

NS *abbr of* **Nachschrift** PS; **nationalsozialistisch.**

NT *abbr of* **Neues Testament** NT.

Nu *m*: im ~ in no time, in a flash *or* trice.

Nuance ['nyã:sə] *f* -, -n (*kleiner Unterschied*) nuance; (*Kleinigkeit*) shade. **um eine ~ zu laut** a shade too loud.

nuancenreich *adj* full of nuances.

nuancieren* [nyã'si:rən] *vt* to nuance.

'nüber *adv* (*dial*) *siehe* **hinüber.**

nüchtern *adj* 1. (*ohne Essen*) **der Patient muß ~ sein** the patient must have an empty stomach; **mit ~em/auf ~en Magen** with/on an empty stomach; **das war ein Schreck auf ~en Magen** (*hum*) my heart skipped a beat.
2. (*nicht betrunken*) sober. **wieder ~ werden** to sober up.
3. (*sachlich, vernünftig*) down-to-earth *no adv*, rational; *Mensch auch* no-nonsense *attr*; *Zahlen, Tatsachen* bare, plain.
4. (*schmucklos*) sober; *Essen* (*fade*) dull, insipid; (*nicht gewürzt*) plain.

Nüchternheit *f* 1. **überzeugen Sie sich von der ~ des Patienten** make sure that the patient's stomach is empty.
2. (*Unbetrunkenheit*) soberness, sobriety.
3. (*Sachlichkeit, Vernünftigkeit*) rationality.
4. (*Schmucklosigkeit*) soberness; (*von Essen*) (*fade*) dul(l)ness, insipidness, insipidity; (*Ungewürztheit*) plainness.

Nuckel *m* -s, - (*inf*) (*auf Fläschchen*) teat (*Brit*), nipple (*US*); (*Schnuller*) dummy (*Brit*), pacifier (*US*).

nuckeln *vi* (*inf*) (*Mensch*) to suck (*an +dat* at); (*Tier*) to suckle (*an +dat* from). **am Daumen ~** to suck one's thumb.

Nudel *f* -, -n *usu pl* 1. (*als Beilage*) pasta *no pl*; (*als Suppeneinlage, chinesische*) noodle; (*Faden~*) vermicelli *pl*. 2. (*inf: Mensch*) (*dick*) dumpling (*inf*); (*ko-*

misch) character.

Nudelbrett *nt* pastryboard; **nudeldick** *adj* (*inf*) podgy (*inf*); **Nudelholz** *nt* rolling pin.

nudeln *vt Gans* to force-feed; (*inf*) *Kind* to stuff (*inf*), to overfeed. **ich bin genudelt** (*inf*) I'm full to bursting (*inf*).

Nudelsuppe *f* noodle soup; **Nudelteig** *m* pasta/noodle dough.

Nudismus *m* nudism.

Nudist(in *f*) *m* nudist.

Nudität *f usu pl* (*geh*) nude (picture).

Nugat *m or nt* -s, -s nougat.

nuklear *adj attr* nuclear.

Nuklear- *in cpds* nuclear; **Nuklearindustrie** *f* nuclear industry; **Nuklearmacht** *f* nuclear power; **Nuklearmedizin** *f* nuclear medicine; **Nuklearpark** *m* nuclear arsenal; **Nukleartest** *m* nuclear test.

Nukleinsäure *f* nucleic acid.

Nukleon *nt* -s, **Nukleonen** nucleon.

Nukleus ['nu:kleʊs] *m* -, **Nuklei** ['nu:klei] nucleus.

Nuklid *nt* -s, -e nuclide.

Null¹ *f* -, -en 1. (*Zahl*) nought, naught (*US*), zero; (*Gefrierpunkt*) zero. **die ~** the figure nought, zero; **das Thermometer steht auf ~** the thermometer is at *or* on zero; **gleich ~ sein** to be absolutely nil *or* zero; **in ~ Komma nichts** (*inf*) in less than no time; **seine Stimmung sank auf *or* unter ~** (*inf*) he sank into the depths of gloom; **im Jahre ~** in the year nought; **die Stunde ~** the new starting point.
2. (*inf: Mensch*) dead loss (*inf*).

Null² *m or nt* -(s), -s (*Cards*) nullo.

null zero; (*inf: kein*) zero (*sl*); (*Telec*) O [əʊ] (*Brit*), zero (*US*); (*Sport*) nil, nothing; (*Tennis*) love. **~ Komma eins** (nought) point one; **es ist ~ Uhr zehn** it's ten past twelve *or* midnight; **zwei Minuten ~ Sekunden** (*bei Zeitansagen*) two minutes precisely; (*bei Rennen*) two minutes dead *or* flat; **~ Grad** zero degrees; **~ Fehler** no *or* zero (*sl*) mistakes; **es steht ~ zu ~** there's no score; **das Spiel wurde ~ zu ~ beendet** the game was a goalless draw; **~ zu eins** one-nil, one-nothing; **~ und nichtig** (*Jur*) null and void.

null|achtfünfzehn, null|achtfuffzehn (*inf*) **I** *adj inv* run-of-the-mill (*inf*). **II** *adv* in a run-of-the-mill way.

Null-Bock- (*sl*) *in cpds* apathetic; **Null-Bock-Generation** *f* "couldn't care less" generation.

Nulldiät *f* starvation diet.

Nulleiter *m getrennt*: **Null-leiter** (*Elec*) earth (wire) (*Brit*), ground (wire) (*US*).

Nullmenge *f* (*Math*) empty set; **Nullmeridian** *m* Greenwich *or* prime Meridian.

Null-Null *nt or m* -, no pl (*inf*) loo (*Brit inf*), restroom (*US*).

Nullnummer *f* (*von Zeitung etc*) pilot.

Nullösung *f getrennt*: **Null-lösung** (*Pol*) zero option.

Null ouvert [u've:ɐ] *m or* (*rare*) *nt* - -, - -s (*Cards*) null ouvert.

Nullpunkt *m* zero. **absoluter ~** absolute

zero; **die Stimmung sank unter den ~** the atmosphere froze; **auf dem ~ ange-kommen sein** (*fig*) to have sunk to *or* reached rock-bottom.

ullspiel *nt* (*Cards*) nullo; **Nullstellung** *f* zero position; **in der ~ sein** to be on zero; **Nulltarif** *m* (*für Verkehrsmittel*) free travel; (*freier Eintritt*) free admission; **zum ~** (*hum*) free of charge; **Nullwachstum** *nt* (*Pol*) zero growth.

Numerale *nt* **-s, Numeralia** *or* **Numeralien** [-liən] (*Gram*) numeral.

Numeri *pl of* **Numerus.**

numerieren* *vt* to number.

Numerierung *f* numbering.

numerisch *adj* numeric(al).

Numero *nt* **-s, -s** (*old, hum*) **~ eins/zwei** number one/two.

Numerus *m* **-, Numeri** (*Gram*) number. **~ clausus** (*Univ*) restricted entry.

Numismatik *f* numismatics *sing*.

Nummer *f* **-, -n** (*Math, von Zeitschrift, Varieté~*) number; (*Größe*) size; (*inf: Mensch*) character; (*sl: Koitus*) screw (*sl*); (*mit Prostituierter*) trick (*sl*). **unser Haus hat die ~ 25** our house is number 25; **Bahnhofstraße ~ 15** number 15 Bahnhofstraße; **nur eine ~ unter vielen sein** (*fig*) to be a cog (in the machine); **er hat eine ruhige ~** (*inf*) he's onto a cushy number (*inf*); **auf ~ Sicher gehen** (*inf*) to play (it) safe; **auf** *or* **in ~ Sicher sein** (*sl*) to be in the jug (*sl*) *or* can (*US sl*); **Gesprächsthema ~ eins** the number one talking point; **sie ist die ~ eins in Hollywood** she's number one *or* the number one star in Hollywood; **eine ~ abziehen** (*sl*) to put on an act; **eine ~ machen** *or* **schieben** (*sl*) to have it off *or* away (*sl*).

Nummernkonto *nt* (*Fin*) numbered account; **Nummernschild** *nt* (*Aut*) number plate, registration plate (*Brit*), license plate (*US*); **Nummernspeicher** *m* (*Telec*) memory.

nun I *adv* **1.** (*jetzt*) now. **von ~ an** from now on, as from *or* of now, from here on in (*US*); **~, da er da ist, können wir anfangen** now that he's here we can get started; **~ erst, erst ~** only now; **~ ist aber genug!** now that's enough; **~ endlich** (now) at last; **was ~?** what now?; **was ~ (schon wieder)?** what (is it) now?

2. (*danach*) then. **~ erst ging er** only then did he go.

3. ich bin ~ eben dumm I'm just stupid, that's all; **er will ~ mal nicht** he simply doesn't want to; **dann muß ich das ~ wohl tun!** then I'll just have to do it; **~, wenn's unbedingt sein muß** well, if I/you *etc* really must; **~, du hast ja recht, wenn du das sagst, aber ...** well *or* OK (*inf*) *or* fair enough (*inf*), what you say is true but ...; **das ist ~ (ein)mal so** that's just the way things are; **~ ja** *or* **gut, aber ...** all right *or* OK (*inf*), but ...; **~ ja** well yes; **~ gut** (well) all right, (well) OK (*inf*); **~, meinetwegen** well, as far as I'm concerned; **~ erst recht!** just for that (I'll do it)!; **~ taten wir's erst recht nicht** it was just because they/he/she *etc* said/did that, we didn't do it.

4. (*Folge*) now. **das hast du ~ davon!**

(it) serves you right.

5. (*Aufforderung*) come on, go on. **~ denn** (*geh*) well then; **~, wird's bald?** (*inf*) come on then, hurry up then.

6. (*bei Fragen*) well. **~?** well?

7. (*beschwichtigend*) come on. **~, ~!** (*warnend*) come on now, come, come, now, now; (*tröstend*) there, there.

II *conj* (*obs*) since (that *obs*), now that.

nunmehr *adv* (*geh*) (*jetzt*) now, at this point; (*von jetzt an*) henceforth (*form*), from now on, as from *or* of now. **die ~ herrschende Partei** the currently ruling party.

'nunter *adv* (*dial*) *abbr of* **hinunter.**

Nuntius ['nʊntsiʊs] *m* **-, Nuntien** ['nʊntsiən] nuncio.

nur *adv* **1.** (*einschränkend*) only, just. **..., ~ müßte er etwas gründlicher sein ...** but *or* only he should be rather more thorough; **ich habe ~ ein Stück Brot gegessen** I've only eaten a piece of bread, I've eaten only *or* just a piece of bread; **alle, ~ ich nicht** everyone except *or* but me; **~ ich weiß** I'm the only one who knows, only I know; **~ schade, daß ...** it's just a pity that ...; **~ daß** it's just that, only; **~ noch zwei Minuten** only *or* just two minutes left *or* to go; **der Kranke ißt fast ~ noch Obst** the sick man eats virtually nothing but fruit these days; **nicht ~ ..., sondern auch** not only *or* just ... but also; **alles, ~ das nicht!** anything but that!; **warum möchtest du das denn wissen? — ach, ~ so!** why do you want to know? — I just do *or* oh just because *or* oh no special reason; **ich hab' das ~ so gesagt** I was just talking; **warum hast du das gemacht? — ~ so** why did you do that? — I just did; **~ kann man nie wissen, ob ...** only *or* but you never can *or* can never tell if ...

2. (*verstärkend*) just. **wie schnell er ~ redet** doesn't he speak fast!; **daß es ~ so krachte** making a terrible din; **er fuhr, so schnell er ~ (fahren) konnte** he drove just as fast as he possibly could, he drove for all he was worth.

3. (*mit Fragepronomen*) -ever, on earth (*inf*). **was/wer/wie** *etc* **~?** but what/who/how *etc*?; **was hat er ~?** whatever *or* what on earth is the matter with him?; **wie kannst du ~ (so etwas sagen)?** how could you (say such a thing)?; **sie bekommt alles, was sie ~ will** she gets whatever she wants.

4. (*Wunsch, Bedingung*) **wenn er ~ (erst) käme** if only he would come, if he would only come; **wüßte ich ~, wie** if only I knew how, if I only knew how; **es wird klappen, wenn er ~ nicht die Nerven verliert** it will be all right as long as *or* so long as (*inf*) *or* provided (that) he doesn't lose his nerve.

5. (*mit Negationen*) just, ... whatever you do. **laß das ~ niemand wissen!** just don't let anyone find out, (but) don't let anyone find out whatever you do; **sagen Sie das ~ nicht Ihrer Frau!** just don't tell your wife (whatever you do).

6. (*Aufforderung*) just. **geh ~!** just go,

go on; ~ **zu!** go on; **sieh** ~ just look; ~ **her damit!** (*inf*) let's have it; **sagen Sie es** ~, **Sie brauchen es** ~ **zu sagen** just say (the word), you only have to say (the word); **er soll** ~ **lachen!** let him laugh.

7. ~ **mehr** (*dial, esp Aus*) only ... left; **ich habe** ~ **mehr eine Mark** I've only one mark left.

Nurhausfrau *f* full-time housewife.

Nürnberg *nt* **-s** Nuremberg.

nuscheln *vti* (*inf*) to mutter, to mumble.

Nuß *f* **-**, **Nüsse 1.** nut. **eine harte** ~ **zu knacken haben** (*fig*) to have a tough nut to crack. **2.** (*inf: Mensch*) **eine taube** ~ a dead loss (*inf*), a wash-out (*inf*); **eine doofe** ~ a stupid twit (*Brit inf*) or clown (*inf*). **3.** (*inf: Kopf*~) punch (in the head).

Nußbaum *m* (*Baum*) walnut tree; (*Holz*) walnut; **nußbraun** *adj* nutbrown, hazel; **Nußknacker** *m* nutcracker, (pair of) nutcrackers *pl*; **Nußkohle** *f* nut coal; **Nußschale** *f* nutshell; (*fig: Boot*) cockleshell, frail little boat.

Nüster *f* **-**, **-n** nostril.

Nut *f* **-**, **-en** (*spec*), **Nute** *f* **-**, **-n** groove, flute, chase; (*zur Einfügung*) rabbet, slot; (*Keil*~) keyway, key seat. ~ **und Feder** tongue and groove; ~ **und Zapfen** mortise and tenon.

Nutria *f* **-**, **-s** (*Tier, Pelz*) coypu, nutria (*rare*).

Nutte *f* **-**, **-n** (*inf*) tart (*inf*), pro (*Brit sl*), hooker (*esp US sl*).

Nut- und Federbrett *nt* tongue and groove board.

Nutz|anwendung *f* practical application; (*einer Geschichte*) moral.

nutzbar *adj* us(e)able, utilizable; *Bodenschätze* exploitable; *Boden* fertile, productive. ~ **machen** to make us(e)able or utilizable; *Sonnenenergie* to utilize, to harness, to turn to good use; *Bodenschätze* to exploit.

Nutzbarkeit *f* siehe *adj* us(e)ability, utilizability; exploitability; fertility, productivity.

Nutzbarmachung *f* utilization; (*von Bodenschätzen*) exploitation.

nutzbringend *adj* profitable. **etw** ~ **anwenden** to use sth profitably or to good effect, to put sth to good use.

nütze, nutz (*S Ger, Aus*) *adj pred* **zu etw/ nichts** ~ **sein** to be useful for sth/to be no use for anything.

Nutz|effekt *m* effectiveness, efficiency.

Nutzen *m* **-s**, **- 1.** use; (*Nützlichkeit*) usefulness. **es hat keinen** ~, **das zu tun** there's no use or point (in) doing that; **zum** ~ **der Öffentlichkeit** for the benefit of the public; **jdm von** ~ **sein** to be useful or of use to sb; (*einer anderen Person auch*) to be of service to sb.

2. (*Vorteil*) advantage, benefit; (*Gewinn*) profit. **jdm** ~ **bringen** (*Vorteil*) to be of advantage to sb; (*Gewinn*) to bring sb profit, to prove profitable to sb; **sich** (*dat*) **großen** ~ **von etw versprechen** to expect to benefit or profit greatly from sth; **von etw** ~ **haben** to gain or profit by sth; **aus etw** ~ **ziehen** to reap the benefits of sth.

nutzen, nützen I *vi* to be of use, to be useful (*jdm zu etw* to sb for sth). **die Ermahnungen haben genützt/nichts genützt** the warnings had the desired effect/ didn't do any good; **es nützt nichts** it's no use or good, it's useless; **alle Anstrengungen haben nichts genützt** all our efforts were useless or in vain; **da nützt alles nichts** there's nothing to be done; **das nützt (mir/dir) nichts** that won't help (me/you); **das nützt niemandem** that's of no use to anybody; **es nützt wenig** it isn't much use or good; **wozu soll das alles** ~? what's the use or point of that?

II *vt* to make use of, to use; *Gelegenheit* to take advantage of. **nütze den Tag!** gather ye rosebuds while ye may (*liter*).

Nutzer(in *f*) *m* user.

nutzergerecht *adj* user-friendly.

Nutzfahrzeug *nt* (*Comm*) commercial vehicle, goods vehicle; **Nutzfläche** *f* utilizable or us(e)able floor space; (*Agr*) (agriculturally) productive land; **Nutzgarten** *m* vegetable or kitchen garden; **Nutzholz** *nt* (utilizable) timber; **Nutzlast** *f* payload; **Nutzleistung** *f* efficiency, effective capacity or output; (*Aut*) performance.

nützlich *adj* useful; *Hinweis, Wissen, Kenntnisse, Buch auch* helpful. **er könnte dir eines Tages sehr** ~ **werden** he might be very useful to you one day; **sich** ~ **machen** to make oneself useful; **kann ich Ihnen** ~ **sein?** may I be of service to you?

Nützlichkeit *f* usefulness, utility (*form*); (*Vorteil*) advantage; (*Dienlichkeit*) usefulness, helpfulness.

Nützlichkeitsdenken *nt* utilitarian thinking; **Nützlichkeitsprinzip** *nt* utility principle.

Nützling *m* beneficial insect.

nutzlos *adj* **1.** useless; (*unergiebig, vergeblich*) futile, vain *attr*, in vain *pred*. **es ist völlig** ~, **das zu tun** it's absolutely useless or pointless or futile doing that; **er hat seine Zeit** ~ **mit Spielen zugebracht** he frittered away or wasted his time playing.

2. (*unnötig*) needless. **sein Leben** ~ **aufs Spiel setzen** to risk one's life needlessly or unnecessarily.

Nutzlosigkeit *f* uselessness; (*Uneinträglichkeit, Vergeblichkeit*) futility, vainness.

Nutznießer(in *f*) *m* **-s**, **-** beneficiary; (*Jur*) usufructuary.

Nutznießung *f* (*Jur*) usufruct.

Nutzpflanze *f* useful plant; **Nutztier** *nt* working animal.

Nutzung *f* (*Gebrauch*) use; (*das Ausnutzen*) exploitation; **ich habe ihm meinen Garten zur** ~ **überlassen** I gave him the use of my garden.

Nutzungsdauer *f* (useful) life; **Nutzungsrecht** *nt* (*Jur*) usufruct; **Nutzungsvertrag** *m* contract granting use; (*im Verlagswesen*) rights contract.

n.u.Z. *abbr of* **nach unserer Zeitrechnung** by our calendar.

NW *abbr of* **Nordwesten** NW.

Nylon ['nailɔn] ® *nt* **-(s)**, *no pl* nylon.

Nylonstrumpf ['nailɔn-] *m* nylon (stock-ing).
Nymphchen ['nʏmf-] *nt* nymphet.
Nymphe ['nʏmfə] *f* -, **-n** (*Myth*) nymph; (*fig*) sylph; (*Zool*) nymph(a). **die ~n** (*Anat*) the nymphae *pl*.

Nymphomanie [nʏmfo-] *f* nymphomania.
Nymphomanin [nʏmfo-] *f* nymphoma-niac.
nymphomanisch [nʏmfo-] *adj* nympho-maniac.

O

O, o [o:] *nt* -, - O, o.

O *abbr of* **Osten.**

o *interj* oh. ~ **Sünder!** (*liter*) O sinner!

O|ase *f* -, -n oasis; (*fig*) haven, oasis.

ob I *conj* **1.** (*indirekte Frage*) if, whether.
wir gehen spazieren, ~ **es regnet oder
nicht** we're going for a walk whether it
rains or not; **Sie müssen kommen,** ~ **Sie
(nun) wollen oder nicht** like it or not,
you have to come; ~ **reich,** ~ **arm**
whether rich or poor; ~ **er (wohl) morgen kommt?** I wonder if he'll come tomorrow?; ~ **wir jetzt Pause machen?**
shall we have a break now?; ~ **ich nicht
lieber gehe?** maybe I'd better go, hadn't
I better go?; ~ **ich keine Angst gehabt
hätte, fragte er** hadn't I been afraid, he
asked; **er hat gefragt,** ~ **du's geklaut
hast** — ~ **ich was?** (*inf*) he asked if you
pinched it — if I what?; **kommst du mit?**
— **was?** — ~ **du mitkommen willst?** are
you coming? — what? — are you coming?
2. (*verstärkend*) **und** ~ (*inf*) you bet
(*inf*), of course; **und** ~ **ich das gesehen
habe!** you bet (*inf*) *or* of course I saw it!
3. (*vergleichend*) **als** ~ as if; **(so) tun
als** ~ (*inf*) to pretend; **tu nicht so als** ~**!**
stop pretending!
4. ~ **... auch,** ~ **... gleich** (*liter*) even
though.
II *prep* + *gen* **1.** (*old, liter*) on account
of.
2. (*in Ortsnamen*) (up)on.

OB [o:'be:] *m* -**s**, -**s** *abbr of* **Oberbürger-
meister.**

o.B. *abbr of* **ohne Befund.**

Obacht *f* -, *no pl* (*esp S Ger*) ~**!** watch
out!, look out!, careful!; ~ **geben auf**
(+*acc*) (*aufmerken*) to pay attention to;
(*bewachen*) to keep an eye on; **du mußt**
~ **geben, daß du keine Fehler machst**
you must be careful not to make any
mistakes; **gib** *or* **hab doch** ~**!** (*inf*) be
careful!, watch it! (*inf*).

Obdach *nt, no pl* (*geh*) shelter. **jdm (ein)**
~ **gewähren** *or* **geben** to give *or* offer sb
shelter; **kein** ~ **haben** to be homeless;
(*vorübergehend*) to have no shelter.

obdachlos *adj* homeless; ~ **werden** to
be made homeless; **Obdachlose(r)** *mf
decl as adj* homeless person; **die** ~**n** the
homeless.

Obdachlosenasyl, Obdachlosenheim *nt*
hostel/shelter for the homeless.

Obdachlosigkeit *f* homelessness.

Obduktion *f* post-mortem (examination),
autopsy.

obduzieren* *vt* to carry out *or* do a post-
mortem *or* autopsy on.

O-Beine *pl* (*inf*) bow *or* bandy legs *pl*.

o-beinig *adj* bow- *or* bandy-legged.

Obelisk *m* -**en**, -**en** obelisk.

oben *adv* **1.** (*am oberen Ende*) at the top;

(*an der Oberfläche*) on the surface; (*im
Hause*) upstairs; (*in der Höhe*) up. **(hier)**
~**!** (*auf Kisten*) this way *or* this side up!;
~ **und unten (von etw) verwechseln** to
get sth upside down; **wo ist** ~ **(bei dem
Bild)?** which is the top (of the picture)?,
which is the right way up (for the
picture)?; **die Leute, die** ~ **wohnen** the
people on the floor above us/you *etc or*
(who live) upstairs; **wir möchten lieber**
~ **wohnen** we'd rather live high(er) up;
möchten Sie lieber ~ **schlafen?** (*im oberen Bett*) would you like the top bunk *or*
to sleep on top?; **wir wohnen rechts** ~ *or*
~ **rechts** we live on the top floor to the
right; ~ **rechts** *or* **rechts** ~ **(in der Ecke)**
in the top right-hand corner; **die Abbil-
dung** ~ **links** *or* **links** ~ **auf der Schautafel**
the illustration on the top left *or* in the
top left-hand corner of the diagram; **der
ist** ~ **nicht ganz richtig** (*inf*) he's not
quite right up top (*inf*); ~ **ohne gehen** *or*
tragen (*inf*) to be topless; **ganz** ~ right at
the top; **ganz** ~ **auf dem Stapel/in der
Rangordnung** right at the top of the
pile/of the hierarchy; **hier/dort** ~ up
here/there; **die ganze Sache steht mir bis
hier** ~ (*inf*) I'm sick to death of *or* fed
up to the back teeth with the whole
thing (*inf*); **bis** ~ **(hin)** to the top; **hoch**
~ high (up) above; ~ **auf dem Berg/der
Leiter/dem Dach** on top of the
mountain/ladder/roof; ~ **am Himmel** up
in the sky; ~ **im Himmel** up in heaven,
in heaven above (*liter*); ~ **im Norden** up
(in the) north; **nach** ~ up, upwards; (*im
Hause*) upstairs; **der Fahrstuhl fährt
nach** ~ the lift is going up; **wir sind mit
dem Fahrstuhl nach** ~ **gefahren** we went
up in the lift; **der Weg nach** ~ (*fig*) the
road to the top; **endlich hat sie den Weg
nach** ~ **geschafft** (*fig*) she finally got to
the top *or* made it (to the top); **nach** ~
zu *or* **hin** towards the top; **von** ~ **(her)**
down; (*im Hause*) down(stairs); **ich
komme gerade von** ~ (*am Berg*) I've just
come from the top; (*im Hause*) I've just
been upstairs; **von** ~ **bis unten** from top
to bottom; (*von Mensch*) from top to
toe; **jdn von** ~ **bis unten mustern** to look
sb up and down; **jdn von** ~ **herab behandeln** to be condescending to sb, to treat
sb condescendingly; **jdn von** ~ **herab ansehen** to look down on sb; **weiter** ~
further up; **das Gehöft liegt weiter** ~ (**am
Berg/im Tal**) the farm is further *or* higher up (the mountain/valley).
2. (*inf: die Vorgesetzten*) **die da** ~ the
powers that be (*inf*), the top brass (*inf*);
das wird ~ **entschieden** that's decided
higher up; **etw nach** ~ **(weiter)melden/
weitergeben** to report sth/to pass sth on
to a superior; **der Befehl kommt von** ~
it's orders from above.

3. (*vorher*) above. **siehe** ~ see above; **wie** ~ **erwähnt** as mentioned above; **der** ~ **schon erwähnte Herr** the above-mentioned *or* aforementioned gentleman; **der weiter** ~ **erwähnte Fall** the case referred to before *or* above.

obenan *adv* at the top *or* on (the) top; **sein Name steht** ~**an** (**auf der Liste**) his name is (at the) top (of the list); **er will immer** ~**an sein** (*fig*) he always wants to be on top; **obenauf** *adv* on (the) top; (*an der Oberfläche*) on the top *or* surface; **gestern war er krank, aber heute ist er wieder** ~**auf** (*inf*) he wasn't well yesterday, but he's back on form today; **sie ist immer** ~**auf** (*inf*) she is always bright and cheery (*inf*); **obendrauf** *adv* (*inf*) on top; **obendrein** *adv* (*inf*) on top of everything (*inf*); **obenerwähnt** *adj attr* above-mentioned; **obenhin** *adv* superficially; **etw nur so** ~**hin sagen** to say sth lightly *or* casually *or* in an off-hand way; **oben-ohne** *adj attr* topless; **oben-ohne-Bedienung** *f* topless waitress service.

Ober *m* **-s, -. 1.** (*Kellner*) waiter. **Herr** ~**!** waiter! **2.** (*Cards*) ≈ Queen.

Ober- *in cpds* (*Geog*) Upper; (*im Rang*) senior, chief; (*fig*) first class; **Oberarm** *m* upper arm; **Oberarzt** *m*, **Oberärztin** *f* senior physician; **Oberaufseher(in** *f*) *m* (head) supervisor, superintendent; (*im Gefängnis*) head warden *or* guard; **Oberaufsicht** *f* supervision, superintendence; **Oberbau** *m* **1.** (*von Brücke*) superstructure; **2.** (*Rail*) permanent way; **Oberbefehl** *m* (*Mil*) supreme command; **den** ~ **haben** to be commander-in-chief *or* supreme commander, to be in supreme command (*über* +acc of); **Oberbefehlshaber** *m* (*Mil*) commander-in-chief, supreme commander; **Oberbegriff** *m* generic term; **Oberbekleidung** *f* outer clothing, top clothes; **Oberbett** *nt* quilt; **Oberbürgermeister(in** *f*) *m* mayor; (*von englischer Großstadt*) Lord Mayor; (*Scot*) provost; **Oberdeck** *nt* upper *or* top deck; **Oberdeutsch** *adj* (*Ling*) Upper German.

obere(r, s) *adj attr* Ende, Stockwerke, (*Schul)klassen* upper, top; *Flußlauf* upper. **die O**~**n** (*inf*) the top brass (*inf*), the bosses; (*Eccl*) the superiors; **die** ~**en Zehntausend** (*inf*) high society.

Oberfaul *adj* (*inf*) very peculiar *or* odd *or* funny (*inf*); **Oberfeldwebel** *m* **1.** (*Heer*) staff sergeant (*Brit*), first sergeant (*US*); **2.** (*Luftwaffe*) flight sergeant (*Brit*), master sergeant (*US*).

Oberfläche *f* surface; (*Tech, Math*) surface area. **an die** ~ **kommen** (*lit*) to come to the surface, to surface; (*fig*) to emerge; **an der** ~ **schwimmen** to float; **an der** ~ **bleiben** (*lit*) to remain on the surface; **die Unterhaltung plätscherte an der** ~ **dahin** the conversation never got beyond small talk.

oberflächlich *adj* **1.** (*an der Oberfläche*) superficial. ~**e Verletzung** surface wound.

2. (*flüchtig*) superficial; *Kenntnisse*

auch shallow. **bei** ~**er Betrachtung** at a quick glance; **seine Kenntnisse sind nur** ~ his knowledge doesn't go very deep *or* far *or* doesn't go beyond the surface; ~ **arbeiten** to work superficially; **eine Arbeit** ~ **machen** to do a job superficially, to skip through a piece of work; **etw** ~ **lesen** to skim through sth; **jdn (nur)** ~ **kennen** to know sb (only) slightly, to have a nodding acquaintance with sb; **etw (nur)** ~ **kennen** to have (only) a shallow *or* superficial knowledge of sth; **nach** ~**er Schätzung** at a rough estimate *or* guess.

3. (*seicht*) *Mensch, Unterhaltung* superficial, shallow.

Oberflächlichkeit *f* superficiality.

Oberförster(in *f*) *m* head forester; **Oberfranken** *nt* **-s** Upper Franconia; **obergärig** *adj Bier* top fermented; **Obergefreite(r)** *m* **1.** (*Heer*) lance-corporal (*Brit*), private first class (*US*); **2.** (*Luftwaffe*) senior aircraftsman (*Brit*), airman first class (*US*); **3.** (*Marine*) seaman first class (*Brit*), seaman (*US*); **Obergeschoß** *nt* upper *or* top floor; **im zweiten** ~ on the second (*Brit*) *or* (*US*) third floor; **Obergrenze** *f* upper limit; **oberhalb I** *prep* +*gen* above; **II** *adv* above; ~ **von Basel** above Basel; **weiter** ~ further *or* higher up; **Oberhand** *f* (*fig*) upper hand; **die** ~ **gewinnen** *or* **bekommen** to get *or* gain the upper hand (*über* +acc over); to get the better (of sb/sth); **die** ~ **haben** to have the upper hand; **Oberhaupt** *nt* (*Repräsentant*) head; (*Anführer*) leader; **Oberhaus** *nt* (*Pol*) upper house; (*in GB*) House of Lords; **Oberhemd** *nt* shirt; **Oberherrschaft** *f* sovereignty, supremacy (*über* +acc over); **unter der** ~ **Englands** under English rule; **Oberhirte** *m* spiritual head *or* leader; **Oberhoheit** *f* supremacy, sovereignty, overlordship.

Oberin *f* **1.** (*im Krankenhaus*) matron. **2.** (*Eccl*) Mother Superior.

Oberingenieur(in *f*) *m* chief engineer; **Oberinspektor(in** *f*) *m* senior inspector; **oberirdisch** *adj* above ground; **Oberkellner** *m* head waiter; **Oberkiefer** *m* upper jaw; **Oberkirchenrat** *m* **1.** church assembly; **2.** member of the church assembly; **Oberklasse** *f* **1.** (*Sch*) **Oberklassen** top classes *or* forms; **2.** (*Sociol*) upper class; **Oberkleid** *nt* (*liter*) outer garment(s); **Oberkleidung** *f* outer clothing; **Oberkommandierende(r)** *m decl as adj* Commander-in-Chief, Supreme Commander; **Oberkommando** *nt* (*Oberbefehl*) Supreme Command; (*Befehlsstab*) headquarters *pl*; **Oberkörper** *m* trunk, upper part of the body; **mit bloßem** *or* **freiem** *or* **nacktem** ~ stripped to the waist; **den** ~ **frei machen** to strip to the waist; **Oberland** *nt* (*Geog*) uplands; **das Berner** ~ the Bernese Oberland; **Oberlandesgericht** *nt* provincial high court and court of appeal; **oberlastig** *adj* (*Naut*) top-heavy; **Oberlauf** *m* upper reaches *pl*; **am** ~ **des Rheins** in the upper reaches of the Rhine; **Oberleder** *nt* (leather) uppers *pl*; **Oberlehrer(in** *f***)** *m* (*old*) senior primary school teacher; **Oberleitung** *f* **1.** (*Führung*) direction; **die ~ eines Projekts haben** to be in overall charge of a project; **2.** (*Elec*) overhead cable; **Oberleutnant** *m* **1.** (*Heer*) lieutenant (*Brit*), first lieutenant (*US*); **2.** (*Luftwaffe*) flying officer (*Brit*), first lieutenant (*US*); **3.** (*Marine*) **~ zur See** lieutenant; **Oberlicht** *nt* (*hochgelegenes Fenster*) small, high window; (*Lüftungsklappe, über einer Tür*) fanlight, transom (window); **Oberlid** *nt* upper lid; **Oberliga** *f* (*Sport*) top *or* first league; **Oberlippe** *f* upper lip; **Obermaat** *m* (*Naut*) ≃ leading seaman; **Obermaterial** *nt* (*von Schuh*) upper; **Oberpostdirektion** *f* (*Behörde*) regional post office (administration); (*Bezirk*) postal area *or* district; **~ Köln** Cologne postal district; **Oberpriester** *m* high priest; **Oberprima** *f* top form of German grammar school ≃ upper sixth (*Brit*), ≃ senior grade (*US*); **Oberprimaner(in** *f***)** *m* ≃ sixth former (*Brit*), ≃ senior (*US*); **oberrheinisch** *adj* upper Rhine; **die ~e Tiefebene** the upper Rhine valley.

Obers *nt* -, *no pl* (*Aus*) cream.

Oberschenkel *m* thigh; **Oberschenkelbruch** *m* broken thighbone *or* femur, fracture of the thighbone *or* femur; **Oberschenkelhals** *m* head of the thighbone *or* femur; **Oberschenkelknochen** *m* thighbone, femur; **Oberschicht** *f* top layer; (*Sociol*) upper strata (of society) *pl*; **oberschlächtig** *adj* Mühle overshot; **Oberschule** *f* (*dated: Gymnasium*) grammar school (*Brit*), high school (*US*); (*DDR: weiterführende Schule*) secondary school; **Oberschüler(in** *f***)** *m* (*dated: Gymnasiast*) grammar school pupil (*Brit*), high school student (*US*); (*DDR: an weiterführenden Schulen*) secondary school pupil; **Oberschulrat** *m*, **Oberschulrätin** *f* school inspector, HMI (*Brit inf*); **Oberschwester** *f* senior nursing officer; **Oberseite** *f* top (side); **Obersekunda** *f* seventh year of German secondary school; **Obersekundaner(in** *f***)** *m* pupil in seventh year of German secondary school.

Oberst *m* -en, -e(n) **1.** (*Heer*) colonel. **2.** (*Luftwaffe*) group captain (*Brit*), colonel (*US*).

Oberstaatsanwalt *m*, **Oberstaatsanwältin** *f* public prosecutor, procurator fiscal (*Scot*), district attorney (*US*); **Oberstadt** *f* upper town, upper part of a town; **Oberstadtdirektor(in** *f***)** *m* town clerk; **Obersteiger** *m* head foreman (in a mine).

oberste(r, s) *adj* **1.** (*ganz oben*) Stockwerk, Schicht topmost, uppermost, very top. **das O~e zuunterst kehren** to turn everything *or* things upside down.

2. Gebot, Gesetz, Prinzip supreme; Dienstgrad highest, most senior, top. **die ~n Kreise der Gesellschaft** the upper circles *or* echelons of society; **O~er Gerichtshof** supreme court; (*in GB*) High Court (of Justice); (*in USA*) Supreme Court.

Oberstimme *f* soprano; (*Knaben~*) treble; (*Diskant*) descant.

Oberstleutnant *m* **1.** (*Heer*) lieutenant colonel. **2.** (*Luftwaffe*) wing commander (*Brit*), lieutenant colonel (*US*).

Oberstübchen *nt* (*inf*): **er ist nicht ganz richtig im ~** he's not quite right up top (*inf*); **Oberstudiendirektor(in** *f***)** *m* headmaster (*Brit*), principal (*US*); **Oberstudienrat** *m*, **Oberstudienrätin** *f* senior teacher; **Oberstufe** *f* upper school; (*Univ*) advanced level; **Oberteil** *nt or m* upper part, top; **Obertertia** *f* fifth year of German secondary school; **Obertertianer(in** *f***)** *m* pupil in fifth year of German secondary school; **Obertöne** *pl* (*Mus, fig*) overtone(s); **Oberwasser** *nt* **1.** (*von Wehr*) backwater; **2.** (*fig inf*) **sobald sein älterer Bruder dabei ist, hat er (wieder) ~** as soon as his elder brother is there he opens up *or* out (again); **Oberweite** *f* bust measurement; **sie hat ~ 94** she has a 38-inch bust.

obgleich *conj* although, (even) though.

Obhut *f* -, *no pl* (*geh*) (*Aufsicht*) care; (*Verwahrung*) keeping, care. **jdn/etw jds ~** (*dat*) **anvertrauen** to place *or* put sb/sth in sb's care; **jdn in ~ nehmen** to take care of sb, to look after sb.

obige(r, s) *adj attr* above. **vergleiche ~ Abbildung** compare the illustration above *or* the above illustration.

Objekt *nt* -(e)s, -e (*auch Gram*) object; (*Comm: Grundstück etc*) property; (*Phot*) subject. **das ~ der Untersuchung** the object under examination.

objektiv *adj* objective. **~ über etw** (*acc*) **urteilen** to make an objective judgement about sth, to judge sth objectively; **etw ~ betrachten** to view sth objectively.

Objektiv *nt* (object) lens, objective.

objektivieren* [ɔpjekti'viːrən] **I** *vi* to objectify. **II** *vt* Problem to treat objectively, to objectivize.

Objektivität *f* objectivity.

Objektsatz *m* (*Gram*) object clause; **Objektschutz** *m* protection of property; **Objektträger** *m* slide.

Oblate *f* -, -n wafer; (*Eccl*) host.

obliegen *sep or* (*esp S Ger, Aus*)* *insep irreg aux haben or sein* (+*dat*) **I** *vi* (*old*) einer Aufgabe, seinen Studien to apply oneself to (*form*). **II** *vi impers* (*form*) **es obliegt ihm** it's incumbent upon him (*form*); **ihm oblag die Betreuung der Flüchtlinge** he was responsible for looking after the refugees.

obligat *adj* obligatory. **mit ~em Cembalo** (*Mus*) with (a) cembalo obligato.

Obligation *f* (*auch Fin*) obligation.

obligatorisch *adj* obligatory; Fächer, Vorlesung compulsory; Qualifikationen necessary, requisite.

Obligo *nt* -s, -s (*Fin*) guarantee. **ohne ~** without recourse.

Obmann *m*, *pl* **-männer** *or* **-leute**, **Obmännin** *f* representative.

Oboe [o'boːə] *f* -, -n oboe.

Oboist(in *f***)** [obo'ɪst(ɪn)] *m* oboist, oboe player.

Obolus *m* -, **-se** contribution.

Obrigkeit f 1. (*als Begriff*) authority. 2. (*Behörden*) **die** ~ the authorities *pl*; **die geistliche/weltliche** ~ the spiritual/ secular authorities.

obrigkeitlich *adj* authoritarian.

Obrigkeitsstaat m authoritarian state.

Obrist m colonel.

obschon *conj* (*liter*) although, albeit (*nur in verbloser Konstruktion*).

Observanz [ɔpzɛr'vants] f observance. **ein Orden (von) der strengen** ~ a strict *or* closed order.

Observatorium [ɔpzɛrva'to:riʊm] *nt* observatory.

observieren* [ɔpzɛr'vi:rən] *vt* (*form*) to observe. **er ist schon einige Monate observiert worden** he has been under surveillance for several months.

obsiegen *vi sep or insep** (*obs, Jur*) to prevail (*dat* over).

obskur *adj* 1. (*unbekannt*) obscure. 2. (*verdächtig*) *Gestalten, Kneipe, Gassen* suspect, dubious.

Obskurantismus m obscurantism.

obsolet *adj* (*liter*) obsolete.

Obst *nt* **-(e)s**, *no pl* fruit.

Obstbau m fruit-growing; **Obstbaum** m fruit-tree; **Obstgarten** m orchard.

obstinat *adj* (*geh*) obstinate.

Obst kuchen m fruit flan/tart.

Obstler m **-s**, **-** (*dial*) fruit schnapps.

Obstmesser *nt* fruit-knife.

Obstruktion f 1. (*Med*) obstruction, blockage. 2. (*Pol*) obstruction, filibuster. ~ **betreiben** to obstruct, to block, to filibuster.

Obstsaft m fruit juice; **Obsttag** m **legen Sie jede Woche einen** ~ **ein** eat only fruit one day a week; **Obsttorte** f fruit flan/ tart; **Obstwasser** *nt* fruit schnapps; **Obstwein** m fruit wine.

obszön *adj* obscene.

Obszönität f obscenity.

Obus m **-ses**, **-se** (*inf*) trolley (*inf*), trolley bus.

obwalten* *vi sep or insep* (*form: herrschen*) to prevail.

obwohl *conj* although, (even) though.

obzwar *conj* (*rare*) *siehe* **obwohl**.

Ochs(e) ['ɔks(ə)] m **-n**, **-n** 1. ox, bullock. ~ **am Spieß** roast ox; **er stand da wie der** ~ **vorm Scheunentor** *or* **am Berg** (*inf*) he stood there like a cow at a five-barred gate (*inf*). 2. (*inf: Dummkopf*) twit (*Brit inf*), ass (*inf*), dope (*inf*).

ochsen ['ɔksn] (*Sch sl*) **I** *vt* to swot up (*inf*), to mug up (*inf*). **II** *vi* to swot (up) (*inf*), to mug (up) (*inf*), to cram (*inf*).

Ochsen- ['ɔksn-]: **Ochsenfrosch** m bullfrog; **Ochsengespann** *nt* yoke of oxen; **Ochsenschwanzsuppe** f oxtail soup; **Ochsentour** f (*inf*) 1. (*Schinderei*) slog (*inf*), sweat (*inf*). 2. **sich über die** ~ **heraufdienen** to work one's way up the hard way; **Ochsenziemer** m bull's pizzle, bullwhip.

ochsig ['ɔksɪç] *adv* (*S Ger inf*) really hard.

Öchsle ['œkslə] *nt* **-s**, **-** measure of alcohol content of drink according to its specific gravity.

Ocker m *or nt* **-s**, **-** ochre.

ockerbraun, **ockergelb** *adj* ochre.

OCR-Schrift [o:tse:'|ɛr-] OCR font.

od. *abbr of* **oder.**

Ode f **-**, **-n** ode.

öd(e) *adj* 1. (*verlassen*) *Stadt, Strand* deserted, empty, abandoned; (*unbewohnt*) desolate, empty, bleak; (*unbebaut*) waste, barren. **öd und leer** dreary and desolate. 2. (*fig: fade*) dull, dreary, tedious; *Dasein, Stunden auch* barren.

Öde f **-**, **-n** (*liter*) 1. (*einsame Gegend*) desert, wasteland. 2. (*Langeweile*) barrenness, dreariness, monotony.

Odem m **-s**, *no pl* (*poet, Bibl*) breath.

Ödem *nt* **-s**, **-e** oedema, edema.

oder *conj* 1. or. ~ **aber** or else; ~ **auch** or even *or* maybe *or* perhaps; **eins** ~ **das andere** one or the other, it's either or; **entweder** ... ~ either ... or.
2. (*in Fragen*) **so war's doch,** ~ **(etwa) nicht?** that was what happened, wasn't it?, wasn't that how it happened?, it happened like that, didn't it?; **du kommst doch,** ~? you're coming, aren't you?; **der Mörder hat sein Opfer nie vorher gesehen,** ~ **doch?** the murderer had never seen his victim before, or had he?; ~ **soll ich lieber mitkommen?** maybe I should come along?; **lassen wir es so,** ~? let's leave it at that, right *or* OK?

Oder f - Oder.

Oder-Neiße-Grenze, **Oder-Neiße-Linie** f (*Hist*) Oder-Neisse-Line.

ödipal *adj* oedipal.

Ödipuskomplex m Oedipus complex.

Odium *nt* **-s**, *no pl* (*liter*) odium.

Ödland *nt* wasteland.

Odyssee f **-**, **-n** [-e:ən] (*Liter*) Odyssey; (*fig*) odyssey.

OECD-Land [o:|e:tse:'de:-] *nt* OECD member country.

Öfchen *nt* dim of **Ofen**.

Ofen m **-s**, ¨ 1. (*Heiz*~) heater; (*Elektro*~, *Gas*~ *auch*) fire; (*Öl*~, *Petroleum*~ *auch*) stove; (*Kohle*~) stove; (*Heizungs*~) boiler. **hinter dem** ~ **hocken** to be a stay-at-home; **jetzt ist der** ~ **aus** (*sl*) that's it (*inf*), that does it (*inf*). 2. (*Herd*) oven, stove; (*Kohle*~) stove, range; (*Back*~) oven. 3. (*Tech*) furnace, oven; (*Brenn*~) kiln; (*Trocken*~) drying oven *or* kiln; (*Hoch*~) blast furnace; (*Schmelz*~) smelting furnace.

Ofenbank f fireside (bench), hearth; **auf der** ~ by the hearth *or* fire *or* fireside; **Ofenblech** *nt* tray for catching falling coals; **Ofenecke** f inglenook; **ofenfertig** *adj Gericht* oven ready; **ofenfrisch** *adj Brot* oven fresh; **Ofenheizung** f stove heating; **Ofenklappe** f 1. stove door; 2. (*Lüftungsklappe*) damper; **Ofenrohr** *nt* stovepipe; (*old inf: Zylinder*) stovepipe (hat); **Ofenröhre** f (*slow*) oven; **Ofenschirm** m firescreen; **Ofensetzer** m stove fitter; **Ofentür** f stove door.

Off *nt* - (*TV, Theat*) offstage. **aus dem** ~ offstage; **eine Stimme aus dem** ~ a voice off; **aus dem** ~ **kommen** to come on-stage, to come from offstage.

offen *adj* 1. open; *Bein* ulcerated; *Flamme, Licht* naked; *Feuer* open; *Haare* loose. **ein ~er Brief** an open letter; **die Haare ~ tragen** to wear one's hair loose; **der Laden hat bis 7 Uhr ~** the shop is *or* stays open until 7 o'clock; **das Turnier ist für alle ~** the tournament is open to everybody; **die Teilnahme ist für alle ~** anyone can take part; **~er Wein** wine by the carafe/glass; **Wein ~ verkaufen** to sell wine on draught; **auf ~er Strecke** (*Straße*) on the open road; (*Rail*) between stations; **wir hielten auf ~er Strecke** we stopped in the middle of nowhere; **auf ~er Straße** in the middle of the street; (*Landstraße*) on the open road; **auf ~er See** on the open sea; **Beifall auf ~er Szene** spontaneous applause, an outburst of applause; **~e Flanke** (*Mil*) open *or* exposed flank; **endlich lag das Ziel ~ vor ihnen (da)** at last their goal lay before them; **mit ~em Munde dastehen** (*fig*) to stand gaping; **mit ~em Munde atmen** to breathe with one's mouth open; **~e Türen einrennen** (*fig*) to kick at an open door; **Tag der ~en Tür** open day; **ein ~es Haus haben** *or* **führen** to keep open house; **überall ~e Türen finden** (*fig*) to find a warm welcome everywhere; **Politik der ~en Tür** open-door policy; **jdn mit ~en Armen empfangen** to greet *or* welcome sb with open arms; **mit ~en Augen** *or* **Sinnen durchs Leben gehen** to go through life with one's eyes open; **eine ~e Hand haben** (*fig*) to be openhanded; **allem Neuen gegenüber ~ sein** to be open *or* receptive to (all) new ideas; **~e Handelsgesellschaft** general partnership.

2. (*frei*) *Stelle* vacant. **~e Stellen** vacancies; (*Press auch*) "situations vacant".

3. (*unerledigt, unentschieden*) *Frage, Ausgang, Partie* open; *Rechnung* outstanding.

4. (*aufrichtig, freimütig*) *Mensch, Bekenntnis, Aussprache* open. **er hat einen ~en Blick** he's got an open *or* honest face; **er hat keinen ~en Blick** he's got a shifty look in his eyes; **~ gestanden** *or* **gesagt** to tell you the truth, quite honestly, to be frank; **etw ~ zugeben** to confess *or* admit (to) sth openly *or* frankly; **seine Meinung ~ sagen** to speak one's mind, to say what one thinks; **~ mit jdm reden** to speak openly to sb, to be frank with sb.

offenbar I *adj* obvious. **sein Zögern machte ~, daß ...** it showed *or* was obvious from the way he hesitated that ...; **~ werden** to become obvious *or* clear, to emerge.

II *adv* (*vermutlich*) apparently. **da haben Sie sich ~ geirrt** you seem to have made a mistake.

offenbaren* *insep ptp auch* (*old*) **geoffenbart** (*geh*) **I** *vt* to reveal. **II** *vr* **1.** (*erweisen*) to show *or* reveal itself/ oneself. **sich als etw ~** to show oneself to be sth. **2.** (*kundtun*) **sich jdm ~** to reveal oneself to sb; (*Liebe erklären*) to reveal one's feelings to sb.

Offenbarung *f* revelation.

Offenbarungs|eid *m* (*Jur*) oath of disclo-

sure *or* manifestation. **den ~ leisten** (*lit*) to swear an oath of disclosure *or* manifestation; **mit diesem Programm hat die Partei ihren ~ geleistet** with this programme the party has revealed its political bankruptcy.

offenbleiben *vi sep irreg aux sein* to remain open; **alle ~gebliebenen Probleme** all unsolved *or* remaining problems; **offenhalten** *vt sep irreg* to keep open; **die Ohren ~** to keep one's ear to the ground *or* open.

Offenheit *f* openness, frankness, candour. **schonungslose ~** brutal frankness.

offenherzig *adj* **1.** open, frank, candid; *Mensch auch* open-hearted, outspoken; **2.** (*hum inf*) *Kleid* revealing; **Offenherzigkeit** *f* openness, frankness, candour; **offenkundig** *adj* obvious, clear; *Beweise* clear; *Lüge, Interesse* obvious, manifest; **es ist ~, daß ~ ...** it is obvious *or* clear *or* evident that ...; **offenlassen** *vt sep irreg* to leave open; **Offenmarktpolitik** *f* (*Fin*) free market policy; **offensichtlich** *adj* obvious; *Irrtum, Lüge auch* blatant; *Unterschied auch* clear; **er hat sich da ganz ~ vertan** he's obviously *or* clearly *or* evidently made a mistake there.

offensiv *adj* offensive.

Offensive *f* offensive. **in die ~ gehen** to take the offensive.

Offensivkrieg *m* offensive war; **Offensivrakete** *f* offensive missile; **Offensivwaffe** *f* offensive weapon.

offenstehen *vi sep irreg* (*S Ger auch: aux sein*) **1.** (*Tür, Fenster*) to be open; (*Knopf*) to be undone.

2. (*Comm: Rechnung, Betrag*) to be *or* remain unpaid *or* unsettled, to be outstanding.

3. jdm ~ (*fig: zugänglich sein*) to be open to sb; **die (ganze) Welt steht ihm offen** he has the (whole) world at his feet, the world's his oyster; **es steht ihr offen, sich uns anzuschließen** she's free to join us.

öffentlich *adj* **1.** (*allgemein zugänglich, sichtbar*) *attr* public; *pred* open to the public, public; *adv* in public, publicly. **etw ~ bekanntmachen** to make sth public, to publicize sth; **~ versteigern** to sell by public auction, to auction publicly; **eine Persönlichkeit des ~en Lebens** a person in public life *or* in the public eye; **im ~en Leben stehen** to be in public life; **jdn ~ anschuldigen/hinrichten** to accuse/execute sb publicly; **~es Ärgernis erregen** to cause public annoyance.

2. *attr* (*die Allgemeinheit betreffend*) *Wohl, Interesse* public. **die ~e Meinung** public opinion; **die ~e Ordnung** law and order; **~es Recht** (*Jur*) public law; **Anstalt des ~en Rechts** public institution.

3. (*staatlich*) public. **~e Schule** state school, public school (*US*); **die ~e Hand** (central/local) government; **Ausgaben der ~en Hand** public spending; **~e Verkehrsmittel** public transport.

Öffentlichkeit *f* **1. der Verteidiger bestand auf der ~ der Verhandlung** the defence counsel insisted that the trial take place

in public; ~ der **Rechtsprechung** administration of justice in open court; **die ~ einer Versammlung herstellen** to make a meeting public.
2. (*Allgemeinheit*) the (general) public. **die ~ scheuen** to shun publicity; **in** *or* **vor aller ~** in public; **unter Ausschluß der ~** in secret *or* private; (*Jur*) in camera; **mit etw an** *or* **vor die ~ treten, etw vor die ~ bringen** to bring sth to the public eye *or* before the public; **etw der ~ übergeben** (*form*) (*eröffnen*) to declare sth officially open; (*veröffentlichen*) to publish sth.
Öffentlichkeitsarbeit *f* public relations work; **öffentlichkeitsscheu** *adj* publicity-shy; **öffentlichkeitswirksam** *adj* **~ sein** to be effective (as) publicity, to be good publicity.
öffentlich-rechtlich *adj attr* (under) public law.
offerieren* *vt* (*Comm, form*) to offer.
Offerte *f* -, -**n** (*Comm*) offer.
Offizialdelikt *nt* (*Jur*) offence for which proceedings are brought directly by the public prosecutor's department.
offiziell *adj* Meinung, Erklärung, Besuch official; Einladung, Besuch auch formal. **etw ~ bekanntgeben** to announce sth officially; **wie von ~er Seite verlautet** according to official sources; **auf dem Empfang ging es schrecklich ~ zu** the reception was terribly formal.
Offizier *m* -**s**, -**e** officer. **~ werden** to become an officer, to get *or* be given *or* gain a commission; (*als Beruf*) to become *or* be an army officer; **erster/zweiter ~** first/second officer.
Offiziersanwärter *m* officer cadet; **Offizierskasino** *nt* officers' mess; **Offizierskorps** *nt* officer corps, the officers *pl*; **Offiziersmesse** *f* officers' mess; **Offizierspatent** *nt* (*old*) commission.
offiziös *adj* (*geh*) semiofficial.
Off-Kino *nt* arts *or* repertory (*US*) cinema.
Off-line-Betrieb [ɔf'laɪn-] *m* (*Comput*) off-line mode.
öffnen I *vt* to open. **jdm den Blick für etw ~** to open sb's eyes to sth, to make sb aware *or* conscious of sth; **eine Leiche ~** to open (up) a corpse; **das Museum wird um 10 geöffnet** the museum is open *or* opens at 10; „**hier ~**" "open this end *or* here"; **eine Datei ~** (*Comput*) to open a file.
II *vi* to open. **es hat geklingelt, könnten Sie mal ~?** that was the doorbell, would you answer it *or* would you get it?; **der Nachtportier öffnete mir** the night porter opened the door for me.
III *vr* (*Tür, Blume, Augen*) to open; **sich einer Sache ~** to become receptive to sth; (*weiter werden*) to open out. **die Erde öffnete sich** the ground opened (up); **das Tal öffnet sich nach Süden** the valley opens *or* is open to the south.
Öffner *m* -**s**, - opener.
Öffnung *f* **1.** *no pl* (*das Öffnen*) opening. **~ der Leiche** post-mortem, autopsy; **eine Politik der ~** a policy of openness. **2.** (*offene Stelle*) opening.
Öffnungskurs *m* (*Pol*) process of opening

up; **Öffnungspolitik** *f* policy of openness; **Öffnungszeiten** *pl* hours of business *pl*.
Offsetdruck [ˈɔfsɛt-] *m* offset (printing).
oft *adv*, *comp* **~er**, (*rare*) *superl* **am ~esten** (*häufig*) often, frequently; (*in kurzen Abständen*) frequently. **der Bus fährt nicht ~, die Bahn verkehrt ~er** the bus doesn't go very often, the train goes more often; **schon so ~, ~ genug** often enough; **wie ~ fährt der Bus?** how often *or* frequently does the bus go?; **wie ~ warst du schon in Deutschland?** how often *or* how many times have you been to Germany?; frequently; **je ~er ...** the more often *or* frequently; **je ~er ...** the more often ...
öfter(s) *adv* on occasion, (every) once in a while; (*wiederholt*) from time to time, (every) now and then. **~ mal was Neues** (*inf*) variety is the spice of life (*prov*).
oftmals *adv* (*geh*) often, oft (*poet*), oftimes (*poet*).
oh *interj* oh.
Oheim, Ohm *m* -**s**, -**e** (*old*) uncle.
OHG *abbr of* **Offene Handelsgesellschaft.**
Ohm *nt* -(**s**), - (*Phys*) ohm. **~sches Gesetz** Ohm's Law.
ohne I *prep* +*acc* **1.** without. **~ (die) Vororte hat die Stadt 100.000 Einwohner** the city has 100,000 inhabitants excluding *or* not including *or* not counting the suburbs; **~ mich!** count me out!; **er ist nicht ~** (*inf*) he's not bad (*inf*), he's got what it takes (*inf*); **die Sache ist (gar) nicht (so) ~** (*inf*) (*interessant*) it's not bad; (*schwierig*) it's not that easy (*inf*); **~ ihn wären wir immer noch dort** without him *or* but for him *or* if it weren't for him we'd still be there; **~ etw sein** to be without *or* minus (*inf*) sth; **~ Auto** without a *or* one's car; **~ einen** *or* **jeden Pfennig Geld** penniless, without a penny *or* dime (*US*), without two halfpennies to rub together.
2. ich hätte das ~ weiteres getan I'd have done it without a second thought *or* without thinking twice about it; **so etwas kann man ~ weiteres sagen** it's quite all right to say that; **ich würde ~ weiteres sagen, daß ...** I would not hesitate to say that ...; **er hat den Brief ~ weiteres unterschrieben** he signed the letter just like that *or* straight away; **ihm können Sie ~ weiteres vertrauen** you can trust him implicitly; **das läßt sich ~ weiteres arrangieren** that can easily be arranged; **hast du das Geld gekriegt? — ja, ~ weiteres** did you get the money? — yes, no bother (*inf*); **dem Kerl kann man nicht ~ weiteres glauben** you can't just believe anything *or* whatever this guy says; **das kann man nicht ~ weiteres voraussetzen** you can't just assume that automatically; **diesem Vorschlag kann ich nicht ~ weiteres zustimmen** I can't accept the suggestion without some qualification.
II *conj* **~ zu zögern** without hesitating; **~ daß ich ihn darum gebeten hätte, kam er mich besuchen** he came to see me without my *or* me inviting him; **wer redet, ~ gefragt zu sein ...** anybody who talks without being asked ...

ohnedem (*old*), **ohnedies** *adv siehe* **ohnehin**; **ohnegleichen** *adj inv* unparalleled; **ein Erfolg** ~ an unparalleled success; **seine Frechheit ist** ~ I've never known anybody have such a nerve; **er singt** ~ as a singer he is without compare *or* he's in a class by himself; **ohnehin** *adv* anyway; **wir sind** ~ **zu viele** there are too many of us already *or* as it is; **es ist** ~ **schon spät** it's already late, it's late enough already, it's late enough as it is; **das hat** ~ **keinen Zweck** there is no point in (doing) that anyway.

Ohnmacht *f* -, **-en** 1. (*Med*) faint, swoon (*old*). **in** ~ **fallen** to faint, to swoon (*old*); **aus der** ~ **erwachen** to come round *or* to, to recover consciousness. 2. (*geh: Machtlosigkeit*) powerlessness, helplessness, impotence.

ohnmächtig *adj* 1. (*bewußtlos*) unconscious. ~ **werden** to faint, to pass out; **Hilfe, sie ist** ~! help, she's fainted!; ~ **sank sie in seine Arme** she fainted *or* collapsed unconscious into his arms.
2. (*geh: machtlos*) powerless, impotent, helpless. ~**e Wut,** ~**er Zorn** impotent *or* helpless rage; **einer Sache** (*dat*) ~ **gegenüberstehen** to stand *or* be helpless in the face of sth; ~ **zusehen** to look on helplessly.

Ohnmachtsanfall *m* (*lit, fig*) fainting fit. **als ich das hörte, habe ich fast einen** ~ **bekommen** (*inf*) when I heard that I nearly fainted *or* nearly passed out.

oho *interj* oho, hello; *siehe* **klein**.

Ohr *nt* -(**e**)**s**, **-en** *ear.* **seine** ~**en sind nicht mehr so gut** his hearing isn't too good any more; **auf einem** ~(**e**) **taub sein** to be deaf in one ear; **auf dem** ~ **bin ich taub** (*fig*) nothing doing (*inf*), I won't hear of it; **bei jdm ein aufmerksames/geneigtes/ offenes** ~ **finden** to find sb a ready/willing/sympathetic listener; **lange** ~**en machen** (*inf*) to prick up one's ears; **ein musikalisches** ~ **haben** to have a musical ear *or* an ear for music; **ein scharfes** *or* **feines** ~ **haben** to have a good ear; **die** ~**en hängenlassen** (*inf*) to look down in the mouth (*inf*) *or* downhearted *or* down in the dumps (*inf*); **die** ~**en anlegen** to put its ears back; **mach** *or* **sperr die** ~**en auf!** (*inf*) wash *or* clean out your ears (*inf*); **mir klingen die** ~**en** my ears are burning; **jdm die** ~**en volljammern** (*inf*) to keep (going) on *or* moaning at sb; **die Wände haben** ~**en** walls have ears; **ganz** ~ **sein** (*hum*) to be all ears; **sich aufs** ~ **legen** *or* **hauen** (*inf*) to turn in (*inf*), to hit the hay (*inf*), to kip down (*inf*); **sitzt er auf seinen** ~**en?** (*inf*) is he deaf *or* something?; **jdm die** ~**en langziehen** (*inf*) to tweak sb's ear(s); **für deutsche/englische** ~**en klingt das komisch** that sounds odd to German/English ears; **diese Nachricht war nicht für fremde** ~**en bestimmt** this piece of news was not meant for other ears; **jdm eins hinter die** ~**en geben** (*inf*) to give sb a clip round the ear; **jdm etw um die** ~**en hauen** (*inf*) *or* **schlagen** (*inf*) to hit sb over the head with sth; **schreib es dir hinter die** ~**en** (*inf*) will you (finally) get

that into your (thick) head (*inf*), has that sunk in? (*inf*); **noch naß** *or* **feucht** *or* **nicht trocken hinter den** ~**en sein** to be still wet behind the ears; **jdm etw ins** ~ **sagen** to whisper sth in sb's ear; **die Melodie geht (leicht) ins** ~ the tune is very catchy; **du hast wohl Watte in den** ~**en!** (*inf*) are you deaf or something?, is there something wrong with your ears?; **ich habe seine Worte noch deutlich im** ~ I can still hear his words clearly, his words are still ringing in my ears; **jdm in den** ~**en liegen** to badger sb, to keep on at sb (*inf*); **mit halbem** ~(**e**) **hin-** *or* **zuhören** to half listen *or* listen with half an ear; **jdn übers** ~ **hauen** to take sb for a ride (*inf*), to pull a fast one on sb (*inf*); **bis über die** *or* **beide** ~**en verliebt sein** to be head over heels in love; **viel um die** ~**en haben** (*inf*) to have a lot on (one's plate) (*inf*), to be rushed off one's feet (*inf*); **es ist mir zu** ~**en gekommen** it has come to my ears (*form*); **dein Wort in Gottes** ~ God willing.

Öhr *nt* -(**e**)**s**, **-e** eye.

Ohrenarzt *m,* **Ohrenärztin** *f* ear specialist; **ohrenbetäubend** *adj* (*fig*) earsplitting, deafening; **Ohrenentzündung** *f* ear infection; **Ohrenklappe** *f* earflap; **Ohrensausen** *nt* (*Med*) buzzing in one's ears; **Ohrenschmalz** *nt* earwax; **Ohrenschmaus** *m* das Konzert war ein richtiger ~ the concert was a real delight to hear *or* a feast *or* treat for the ears; **Ohrenschmerzen** *pl* earache; **Ohrenschützer** *pl* earmuffs *pl;* **Ohrensessel** *m* wing chair; **Ohrenstöpsel** *m* ear plug; **Ohrenzeuge** *m,* **Ohrenzeugin** *f* earwitness.

Ohrfeige *f* -, **-n** slap (on *or* round the face); (*als Strafe*) box on *or* clip round the ears. **jdm eine** ~ **geben** *or* **verabreichen** to slap sb's face; **eine** ~ **bekommen** to get a slap round the face.

ohrfeigen *vt insep* **jdn** ~ to slap *or* hit sb, to box sb's ears; **ich könnte mich selbst** ~**, daß ich das gemacht habe** I could hit *or* kick myself for doing it.

Ohrfeigengesicht *nt* (*inf*) fish face (*inf*). **er hat so ein richtiges** ~ he's got the sort of face you'd like to put your fist into.

Ohrgehänge *nt* (*form*) drop earrings; (*hum*) dangly earrings; **Ohrhänger** *m* earring; **Ohrläppchen** *nt* (ear)lobe; **Ohrmuschel** *f* (outer) ear, auricle (*form*).

Ohropax ® *nt* -, - ear plugs *pl.*

Ohrring *m* earring; **Ohrstecker** *m* stud earring; **Ohrwurm** *m* earwig; **der Schlager ist ein richtiger** ~ (*inf*) that's a really catchy record (*inf*).

oje, ojemine, ojerum (*old*) *interj* oh dear.

Okapi *nt* -**s**, **-s** okapi.

okkult *adj* occult. **das O**~**e** the occult.

Okkultismus *m* occultism.

Okkupant *m* occupier. **die** ~**en** the occupying forces *or* powers.

Okkupation *f* occupation.

okkupieren* *vt* to occupy.

Öko- *in cpds* eco-, ecological; (*Umwelt betreffend auch*) environmental; **Ökobauer** *m,* **Ökobäuerin** *f* (*inf*) ecologically-minded farmer; **Ökokriminelle(r)** *mf* environmental vandal; **Ökokrise** *f* ecological crisis; **Ökoladen** *m* wholefood shop.

Ökologe *m*, **Ökologin** *f* ecologist.

Ökologie *f* ecology.

Ökologiebewegung *f* ecology movement.

ökologisch *adj* ecological, environmental. **~es Gleichgewicht** ecological balance.

Ökonom *m* 1. economist. 2. (*obs*) bailiff.

Ökonomie *f* 1. (*Wirtschaftlichkeit*) economy. **durch kluge ~ hat er das Unternehmen wieder auf die Beine gestellt** by clever economies he put the concern back on its feet again.
   2. (*Wirtschaft*) economy.
   3. (*Wirtschaftswissenschaft*) economics *sing*. **politische ~ studieren** to study political economy.

Ökonomin *f* economist.

ökonomisch *adj* 1. economic. 2. (*sparsam*) economic(al).

Ökopapier *nt* recycled paper; **Öko-Partei** *f* ecology party; **Ökopazifismus** *m* environmental pacifism; **Öko-Politiker(in** *f)* *m* ecologist politician; **Ökosphäre** *f* ecosphere; **Ökosystem** *nt* ecosystem.

Oktaeder [ɔkta'|eːdə] *nt* **-s,** - octohedron.

Oktanzahl *f* octane number *or* rating. **Benzin mit einer hohen ~** high octane petrol.

Oktav *nt* **-s, -e** octavo.

Oktavband *m* octavo volume.

Oktave [ɔk'taːvə] *f* **-, -n** octave.

Oktett *nt* **-s, -e** octet.

Oktober *m* **-s,** - October; *siehe* **März.**

Oktoberfest *nt* Munich beer festival.

Oktoberrevolution *f* October Revolution.

oktroyieren* [ɔktroa'jiːrən] *vt* (*geh*) to force, to impose (*jdm etw* sth on sb).

Okular *nt* **-s, -e** eyepiece, ocular.

okulieren* *vt Obstbäume, Rosen* to graft, to bud.

Ökumene *f* **-,** *no pl* ecumenical movement.

ökumenisch *adj* ecumenical. **~es Konzil** Ecumenical Council.

Okzident *m* **-s,** *no pl* (*liter*) occident.

Öl *nt* **-(e)s, -e** oil. **auf ~ stoßen** to strike oil; **~ fördern** to extract oil; **ätherische ~e** (*Chem*) essential oils; **in ~ malen** to paint in oils; **~ auf die Wogen gießen** (*prov*) to pour oil on troubled waters; **~ ins Feuer gießen** (*prov*) to add fuel to the fire (*prov*).

Ölabscheider *m* oil separator; **Ölbaum** *m* olive tree; **Ölberg** *m* Mount of Olives; **Ölbild** *nt* oil painting, oil; **Ölbohrung** *f* oil drilling, drilling for oil.

Oldie ['ouldi] *m* **-s, -s** (*inf: Schlager*) (golden) oldie (*inf*).

Öldruck *m* 1. (*Bild*) oleograph; 2. (*Tech*) oil pressure; **Öldruckbremse** *f* hydraulic brake.

Oldtimer ['ouldtaɪmɐ] *m* **-s, -** 1. (*Auto*) veteran car; (*Rail*) historic train; (*Aviat*) veteran plane, old bus *or* crate (*pej inf*). 2. (*Sport*) veteran, old timer.

Ole|ander *m* **-s, -** oleander.

ölen *vt* to oil. **wie geölt** (*inf*) like clockwork (*inf*); **wie ein geölter Blitz** (*inf*) like (a streak of) greased lightning (*inf*).

Ölexportland *nt* oil-exporting country; **Ölfarbe** *f* oil-based paint; (*Art*) oil (paint *or* colour); **mit ~n malen** to paint in oils *or* oil colours; **Ölfeld** *nt* oil field; **Ölfilm** *m* film of oil; **Ölförderland** *nt* oil-producing country; **Ölgemälde** *nt* oil painting; **Ölgesellschaft** *f* oil company; **Ölgötze** *m* (*inf*) **wie ein ~** like a stuffed *or* tailor's dummy (*inf*); **Ölheizung** *f* oil-fired central heating.

ölig *adj* oily; (*fig auch*) greasy.

Oligarchie *f* oligarchy.

Öl|industrie *f* oil industry.

oliv *adj pred* olive(-green).

Olive [o'liːvə] *f* **-, -n** olive.

Olivenbaum *m* olive tree; **Olivenhain** *m* olive grove; **Olivenöl** *nt* olive oil.

olivgrün *adj* olive-green.

Ölkanal *m* oil duct; **Ölkanne** *f*, **Ölkännchen** *nt* oil can; **Ölkonzern** *m* oil company; **Ölkrise** *f* oil crisis; **Ölkuchen** *m* oil cake; **Ölkühlung** *f* oil cooling; **mit ~** oil-cooled.

oll *adj* (*N Ger inf*) old. **das sind ~e Kamellen** (*inf*) that's nothing new, that's old hat (*inf*); **je ~er, je doller** (*prov inf*) there's no fox like an old fox (*prov inf*).

Öllache *f* oil slick.

Olle(r) *mf decl as adj* (*N Ger*) **der ~** the old man; **mein ~r** (*inf*) my *or* the old man (*inf*); **meine ~** (*inf*) my old woman (*inf*), the old lady (*inf*).

Öllieferant *m* oil producer; **Ölmalerei** *f* oil painting; **Ölmeßstab** *m* (*Aut*) dip stick; **Ölmühle** *f* oil mill; **Ölmulti** *m* (*inf*) oil conglomerate; **Ölofen** *m* oil stove *or* heater; **Ölpapier** *nt* oil paper; **Ölpest** *f* oil pollution; **Ölquelle** *f* oil well; **ölreich** *adj* oil-rich; **Ölsardine** *f* sardine; **6 Leute im Wagen, da sitzt ihr ja wie die ~n** (*inf*) with 6 people in the car, you must be crammed in like sardines (*inf*); **Ölscheich** *m* (*pej*) oil sheik; **Ölschicht** *f* layer of oil; **Ölschiefer** *m* oil shale; **Ölstand** *m* oil level; **Ölstandsanzeiger** *m* oil pressure gauge; **Ölteppich** *m* oil slick.

Ölung *f* oiling. **die Letzte ~** (*Eccl*) extreme unction, the last rites.

Ölverbrauch *m* oil consumption; **Ölverknappung** *f* oil shortage; **Ölvorkommen** *nt* oil deposit; **Ölwanne** *f* (*Aut*) sump (*Brit*), oil pan (*US*); **Ölwechsel** *m* oil change; **den ~ machen** to change the oil, to do an oil change.

Olymp *m* **-s** 1. (*Berg*) Mount Olympus. **die Götter des ~** the gods of *or* on Mount Olympus. 2. (*Theat*) **der ~** the gods.

Olympiade *f* 1. (*Olympische Spiele*) Olympic Games *pl*, Olympics *pl*. 2. (*liter: Zeitraum*) Olympiad.

Olympiasieger(in *f)* *m* Olympic champion *or* gold-medallist; **Olympiastadion** *nt* Olympic stadium.

olympisch *adj* 1. (*den Olymp betreffend*) Olympian (*auch fig*). **die ~en Götter, die O~en** (*liter*) the gods of *or* on Mount Olympus, the Olympian deities (*liter*).

2. (*die Olympiade betreffend*) Olympic. **die O~en Spiele** the Olympic Games.

Ölzeug *nt* oilskins *pl*; **Ölzweig** *m* (*lit, fig*) olive-branch.

Oma *f* -, -s (*inf*) granny (*inf*), grandma (*inf*). **die alte ~ da drüben** the old dear (*inf*) *or* old granny (*inf*) over there.

Oman *nt* -s Oman.

Omaner(in *f*) *m* -s, - Omani.

omanisch *adj* Omani.

Ombudsmann *m, pl* -**männer** ombudsman.

Omelett [ɔm(ə)'lɛt] *nt* -(e)s, -e *or* -s, **Omelette** *f* -, -n omelette.

Omen *nt* -s, - *or* **Omina** omen.

ominös *adj* (*geh*) ominous, sinister.

Omnibus *m* bus; (*im Überlandverkehr*) bus, coach (*Brit*).

Omnibuslinie *f* bus route; **Omnibusverkehr** *m* (*Stadtverkehr*) bus service; (*Überlandverkehr*) bus *or* coach (*Brit*) service.

omnipotent *adj* (*liter*) omnipotent.

Onanie *f* masturbation, onanism.

onanieren* *vi* to masturbate.

Onanist(in *f*) *m* masturbator.

Ondit [õ'di:] *nt* -, -s (*geh*) **einem ~ zufolge** as the rumour has it, as is being noised abroad (*liter*).

ondulieren* *vt* (*old*) to crimp.

Onkel *m* -s, - **1.** uncle.

2. (*Kindersprache: erwachsener Mann*) uncle. **sag dem ~ guten Tag!** say hallo to the nice man!; **der ~ Doktor** the nice doctor.

3. (*inf*) **der große** *or* **dicke ~** your/his *etc* big toe; **über den ~ gehen** to walk pigeon-toed.

Onkelehe *f* cohabitation of widow with a man so that she keeps pension rights; **onkelhaft** *adj* avuncular.

Onkologe *m*, **Onkologin** *f* oncologist.

Onkologie *f* (*Med*) oncology.

On-line- [ɔn'laɪn-] (*Comput*): **On-line-Betrieb** *m* on-line mode; **On-line-Datenbank** *f* on-line database.

ONO *abbr of* Ostnordost ENE.

Onomasiologie *f* onomastics *sing*.

onomatopoetisch [onomatopo'e:tɪʃ] *adj* (*form*) onomatopoetic.

ontisch *adj* (*Philos*) ontic.

Ontogenese *f* -, *no pl* ontogenesis, ontogeny.

Ontologie *f* ontology.

ontologisch *adj* ontological.

Onyx *m* -(es), -e onyx.

OP [o:'pe:] *m* -s, -s *abbr of* **Operationssaal.**

Opa *m* -s, -s (*inf*) grandpa (*inf*), grandad (*inf*); (*fig*) old grandpa *or* grandad. **na ~, nun mach mal schneller!** come on grandpa, hurry up!

opak *adj* opaque.

Opal *m* -s, -e opal.

Op-art *f* -, *no pl* op art.

Opazität *f* opacity.

OPEC ['o:pɛk] *f* - **die ~** OPEC; **~-Länder** OPEC countries *pl*.

Oper *f* -, -n opera; (*Ensemble*) Opera; (*Opernhaus*) Opera, Opera House. **in die ~ gehen** to go to the opera; **an die** *or* **zur ~ gehen** to become an opera singer.

Operateur(in *f*) [-'tø:ɐ] *m* **1.** (*Med*) surgeon. **2.** (*old: im Kino*) projectionist.

Operation *f* operation.

Operationsnarbe *f* operation scar; **Operationssaal** *m* operating theatre (*Brit*) *or* room (*US*); **Operationsschwester** *f* theatre sister (*Brit*), operating room nurse (*US*).

operativ *adj* **1.** (*Med*) operative, surgical. **das ist nur durch einen ~en Eingriff zu beseitigen** that can only be removed by (means of) surgery; **eine Geschwulst ~ entfernen** to remove a growth surgically *or* by surgery.

2. (*Mil*) *Pläne, Planung, Stab* operational, strategic. **~ denken** to think strategically.

Operator *m*, **Operatorin** *f* (computer) operator.

Operette *f* operetta.

Operettenkaiser *m* (*hum*) stage emperor.

operieren* **I** *vt Patienten, Krebs, Magen* to operate on. **jdn am Magen ~** to operate *or* perform an operation on sb's stomach; **der Blinddarm muß sofort operiert werden** that appendix must be operated on at once *or* needs immediate surgery.

II *vi* **1.** (*Med*) to operate. **die Ärzte haben drei Stunden an ihm operiert** the doctors operated on him for three hours; **sich ~ lassen** to have an operation.

2. (*Mil*) to operate.

3. (*fig: arbeiten*) to operate. **wir müssen in den Verhandlungen sehr vorsichtig ~** we must go *or* tread very carefully in the negotiations.

Opernarie *f* (operatic) aria; **Opernball** *m* opera ball; **Opernglas** *nt* opera glasses *pl*; **Opernhaus** *nt* opera house; **Opernsänger(in** *f*) *m* opera singer.

Opfer *nt* -s, - **1.** (~*gabe*) sacrifice (*auch fig*). **zum** *or* **als ~** as a sacrifice; **sie brachten ein ~ aus Wein und Wasser dar** they made an offering of water and wine; **jdm etw zum ~ bringen** *or* **als ~ darbringen** to offer sth as a sacrifice to sb, to make a sacrificial offering of sth to sb; **für ihre Kinder scheut sie keine ~** she sacrifices everything for her children, for her children she considers no sacrifice too great; **wir müssen alle ~ bringen** we must all make sacrifices.

2. (*geschädigte Person*) victim. **jdm/einer Sache zum ~ fallen** to be (the) victim of sb/sth; **sie fiel seinem Charme zum ~** she fell victim to his charm; **täglich werden 28 Kinder ~ des Straßenverkehrs** every day 28 children are the victims of road accidents; **das Erdbeben forderte viele ~** the earthquake took a heavy toll *or* claimed many victims.

opferbereit *adj* ready *or* willing to make sacrifices; **Opferbereitschaft** *f* readiness *or* willingness to make sacrifices; **opferfreudig** *adj* willing to make sacrifices; **Opfergabe** *f* (*liter*) (sacrificial) offering; (*Eccl*) offering; **Opfergang** *m* (*liter*) sacrifice of one's honour/life; **Opferlamm** *nt* sacrificial lamb; **Opfermut** *m* (*geh*) self-sacrifice.

opfern I *vt* **1.** (*als Opfer darbringen*) to sacrifice, to immolate (*form*); *Tiere auch* to make a sacrifice of; *Feldfrüchte* to offer (up). **sein Leben** ~ to give up *or* sacrifice one's life. **2.** (*fig: aufgeben*) to give up, to sacrifice. **II** *vi* to make a sacrifice, to sacrifice. **III** *vr* **1.** (*sein Leben hingeben*) to sacrifice oneself *or* one's life. **2.** (*inf: sich bereit erklären*) to be a martyr (*inf*). **wer opfert sich, die Reste aufzuessen?** who's going to be a martyr and eat up the remains?, who's going to volunteer to eat up the remains?

Opferpfennig *m* small contribution; **Opferstätte** *f* sacrificial altar; **Opferstock** *m* offertory box; **Opfertier** *nt* sacrificial animal; **Opfertod** *m* self-sacrifice, death; **er rettete durch seinen ~ den anderen das Leben** by sacrificing his own life, he saved the lives of the others.

Opferung *f* (*das Opfern*) sacrifice; (*Eccl*) offertory.

Opferwille *m* spirit of sacrifice; **opferwillig** *adj* self-sacrificing, willing to make sacrifices.

Opiat *nt* opiate.

Opium *nt* **-s**, *no pl* opium.

Opiumhöhle *f* opium den; **Opiumraucher(in** *f*) *m* opium smoker.

Opponent(in *f*) *m* opponent.

opponieren* *vi* to oppose (*gegen jdn/etw* sb/sth), to offer opposition (*gegen* to). **ihr müßt auch immer ~** do you always have to oppose *or* be against everything?

opportun *adj* (*geh*) opportune.

Opportunismus *m* opportunism.

Opportunist(in *f*) *m* opportunist.

opportunistisch *adj* opportunistic, opportunist. **~ handeln** to act in an opportunist fashion; **~e Infektion** (*Med*) secondary infection.

Opportunität *f* (*geh*) opportuneness, appropriateness.

Opposition *f* opposition. **etw aus (lauter) ~ tun** to do sth out of *or* from (sheer) contrariness; **diese Gruppe macht ständig ~ (gegen den Klassenlehrer)** (*inf*) this group is always making trouble (for the teacher).

oppositionell *adj Gruppen, Kräfte* opposition.

OP-Schwester [oː'peː-] *f abbr of* **Operationsschwester.**

Optativ *m* optative.

optieren* *vi* (*Pol form*) ~ **für** to opt for.

Optik *f* **1.** (*Phys*) optics. **2.** (*Linsensystem*) lens system. **du hast wohl einen Knick in der ~!** (*sl*) can't you see straight? (*inf*), are you blind?; **das ist eine Frage der ~** (*fig*) it depends on your point of view; **in** *or* **aus seiner ~** in his eyes. **3.** (*Mode, Aussehen*) look; (*Schein*) appearances *pl*. **das ist nur hier wegen der ~** it's just here because it looks good *or* for visual *or* optical effect; **etw in die rechte ~ bringen** to put sth into the right perspective.

Optiker(in *f*) *m* **-s**, **-** optician.

optimal *adj* optimal, optimum *attr*.

optimieren* *vt* to optimize.

Optimismus *m* optimism.

Optimist(in *f*) *m* optimist.

optimistisch *adj* optimistic.

Optimum *nt* **-s**, **Optima** optimum.

Option [ɔp'tsioːn] *f* **1.** (*Wahl*) option (*für* in favour of). **2.** (*Anrecht*) option (*auf +acc* on).

Optionsanleihe *f* optional bond; **Optionsausübung** *f* exercise (of option); **Optionsempfänger** *m* grantee (of an option); **Optionsfixierer** *m* option issuer; **Optionsfrist** *f* option period; **Optionspreis** *m* option price; **Optionsrecht** *nt* option right; **Optionsschein** *m* warrant.

optisch *adj* visual; *Gesetze, Instrumente* optical. **~er Eindruck** visual *or* optical effect; **~e Täuschung** optical illusion.

opulent *adj Kostüme, Geldsumme* lavish; *Mahl auch* sumptuous.

Opus *nt* **-**, (*rare*) *pl* **Opera** work; (*Mus, hum*) opus; (*Gesamtwerk*) (complete) works *pl*, opus.

Orakel *nt* **-s**, **-** oracle. **das ~ befragen** to consult the oracle; **er spricht in ~n** (*fig*) he speaks like an oracle, he has an oracular way of putting things.

orakeln* *vi* to prognosticate (*hum*).

oral *adj* oral.

Oralerotik *f* oral eroticism.

Orange¹ [o'rãːʒə] *f* **-**, **-n** (*Frucht*) orange.

Orange² [o'rãːʒə] *nt* **-**, *or* (*inf*) **-s** orange.

orange [o'rãːʒə] *adj inv* orange.

Orangeade [orã'ʒaːdə] *f* orangeade.

Orangeat [orã'ʒaːt] *nt* candied (orange) peel.

orange(n)- [o'rãːʒə(n)-]: **orange(n)farben, orange(n)farbig** *adj* orange(-coloured).

Orangenmarmelade [o'rãːʒən-] *f* orange marmalade.

Orangerie [orãʒə'riː] *f* orangery.

Orang-Utan *m* **-s**, **-s** orang-utan, orang-outang.

Oratorium *nt* **1.** (*Mus*) oratorio. **2.** (*Betraum*) oratory.

Orbit *m* **-s**, **-s** orbit.

Orchester [ɔr'kɛstɐ] *nt* **-s**, **-**. **1.** orchestra. **2.** (*~raum*) orchestra (pit).

Orchestergraben *m* orchestra pit.

orchestral [ɔrkɛs'traːl] *adj* orchestral.

orchestrieren* [ɔrkɛs'triːrən, (*old*) ɔrçɛs'triːrən] *vt* to orchestrate.

Orchidee *f* **-**, **-n** [-'deːən] orchid.

Orden *m* **-s**, **-**. **1.** (*Gemeinschaft*) (holy) order. **in einen ~ (ein)treten, einem ~ beitreten** to become a monk/nun. **2.** (*Ehrenzeichen*) decoration; (*Mil auch*) medal. ~ **tragen** to wear one's decorations; **jdm einen ~ (für etw) verleihen** to decorate sb (for sth); **einen ~ bekommen** to be decorated, to receive a decoration.

ordengeschmückt *adj* decorated, covered in decorations *or* (*Mil auch*) medals.

Ordensband *nt* ribbon; (*Mil*) medal ribbon; **Ordensbruder** *m* **1.** (*Eccl*) monk; **meine ~** my brother monks; **2.**

(*von Ritterorden*) brother member (of an order); **Ordensburg** *f medieval castle built by a religious order*; **Ordensfrau** *f* (*old*) nun; **Ordensgeistliche(r)** *m* priest in a religious order; **Ordenskleid** *nt* (*liter*) habit; **Ordensregel** *f* rule (of the order); **Ordensschwester** *f* nursing sister *or* nun; **Ordenstracht** *f* habit.

ordentlich *adj* **1.** *Mensch, Zimmer* tidy, neat, orderly. **in ihrem Haushalt geht es sehr ~ zu** she runs a very orderly household; **bei ihr sieht es immer ~ aus** her house always looks neat and tidy; **~ arbeiten** to be a thorough and precise worker.
2. (*ordnungsgemäß*) **~es Gericht** court of law, law court; **~es Mitglied** full member; **~er Professor** (full) professor.
3. (*anständig*) respectable. **sich ~ benehmen** to behave properly.
4. (*inf: tüchtig*) **~ essen** to eat (really) well *or* heartily; **ihr habt sicher Hunger, greift ~ zu** you're sure to be hungry, tuck in; **ein ~es Frühstück** a proper *or* good breakfast; **eine ~e Tracht Prügel** a real beating, a proper hiding.
5. (*inf: richtig*) real, proper.
6. (*annehmbar, ganz gut*) *Preis, Leistung* reasonable.

Order *f* **-, -s** *or* **-n 1.** (*Comm: Auftrag*) order. **an ~ lautend** made out to order.
2. (*dated: Anweisung*) order. **jdm ~ erteilen** to order *or* direct *or* instruct sb; **sich an eine ~ halten** to keep to one's orders.

ordern *vt* (*Comm*) to order.
Ordinalia *pl* ordinals *pl*.
Ordinalzahl *f* ordinal number.
ordinär *adj* **1.** (*gemein, unfein*) vulgar, common. **2.** (*alltäglich*) ordinary. **was, Sie wollen so viel für eine ganz ~e Kiste?** what, you're wanting that much for a perfectly ordinary box *or* for that old box? **3.** (*old Comm: regulär*) *Preis* regular, normal.
Ordinariat *nt* **1.** (*Univ*) chair. **2. Bischöfliches ~** bishop's palace; (*Amt*) bishopric.
Ordinarius *m* **-, Ordinarien** [-iən] (*Univ*) professor (*für* of).
Ordinate *f* **-, -n** ordinate.
Ordinaten|achse *f* axis of ordinates.
Ordination *f* **1.** (*Eccl*) ordination, ordaining. **2.** (*old Med*) (*Verordnung*) prescription; (*Sprechstunde*) surgery. **3.** (*Aus*) (doctor's) surgery (*Brit*) *or* office (*US*).
ordinieren* **I** *vt* **1.** (*Eccl*) to ordain. **sich ~ lassen** to be ordained. **2.** (*old Med*) to prescribe. **II** *vi* (*old Med*) to hold *or* have surgery (hours).
ordnen I *vt* **1.** *Gedanken, Einfälle, Material* to order, to organize; *Demonstrationszug, Verkehrswesen* to organize; *Akten, Finanzen, Hinterlassenschaft, Privatleben* to put in order, to straighten out.
2. (*sortieren*) to order, to arrange.
II *vr* to get into order. **allmählich ordnete sich das Bild** (*fig*) the picture gradually became clear, things gradually fell into place.
Ordner *m* **-s, -** **1.** (in *f*) steward; (*bei De-*

monstration auch) marshal. **2.** (*Akten~*) file.

Ordnung *f* **1.** (*das Ordnen*) ordering. **bei der ~ der Papiere** when putting the papers in order.
2. (*geordneter Zustand*) order. **~ halten** to keep things tidy; **du mußt mal ein bißchen ~ in deinen Sachen halten** you must keep your affairs a bit more in order, you must order your affairs a bit more; **~ schaffen, für ~ sorgen** to sort things out, to put things in order, to tidy things up; **Sie müssen mehr für ~ in Ihrer Klasse sorgen** you'll have to keep more discipline in your class, you'll have to keep your class in better order; **auf ~ halten** *or* **sehen** to be tidy; **etw in ~ halten** to keep sth in order; *Garten, Haus auch* to keep sth tidy; **etw in ~ bringen** (*reparieren*) to fix sth; (*herrichten*) to put sth in order; (*bereinigen*) to clear sth up, to sort sth out; **ich finde es (ganz) in ~, daß ...** I think *or* find it quite right that ...; (**das ist) in ~!** (*inf*) (that's) OK (*inf*) *or* all right!; **geht in ~** (*inf*) sure (*inf*), that's all right *or* fine *or* OK (*inf*); **Ihre Bestellung geht in ~** we'll see to your order, we'll put your order through; **der ist in ~** (*inf*) he's OK (*inf*) *or* all right (*inf*); **da ist etwas nicht in ~** there's something wrong there; **mit ihm/der Maschine ist etwas nicht in ~** there's something wrong *or* the matter with him/the machine; **die Maschine ist (wieder) in ~** the machine's fixed *or* in order *or* all right (again); **es ist alles in bester** *or* **schönster ~** everything's fine, things couldn't be better; **jdn zur ~ rufen** to call sb to order; **ein Kind zur ~ anhalten** *or* **erziehen** to teach a child tidy habits; **~ muß sein!** we must have order!; **~ ist das halbe Leben** (*Prov*) tidiness *or* a tidy mind is half the battle; **hier** *or* **bei uns herrscht ~** we like to have a little order around here.
3. (*Gesetzmäßigkeit*) routine. **alles muß (bei ihm) seine ~ haben** (*räumlich*) he has to have everything in its right *or* proper place; (*zeitlich*) he does everything according to a fixed schedule; **das Kind braucht seine ~** the child needs a routine.
4. (*Vorschrift*) rules *pl*. **sich an eine ~ halten** to stick *or* keep to the rules; **ich frage nur der ~ halber** it's only a routine *or* formal question, I'm only asking as a matter of form.
5. (*Rang, Biol*) order. **Straße erster ~** first-class road; **das war ein Fauxpas erster ~** (*inf*) that was a faux pas of the first order *or* first water (*inf*); **ein Stern fünfter ~** a star of the fifth magnitude.

Ordnungsamt *nt* ≃ town clerk's office; **ordnungsgemäß** *adj* according to *or* in accordance with the rules, proper; **ich werde mich selber um die ~e Abfertigung ihrer Bestellung kümmern** I will see to it myself that your order is properly *or* correctly dealt with; **der Prozeß ist ~ abgelaufen** the trial took its proper course; **ordnungshalber** *adv* as a matter of form, for the sake of form;

Ordnungshüter(in f) m (hum) custodian of the law (hum); **Ordnungsliebe** f liking things to be tidy; **ordnungsliebend** adj tidy, tidy-minded; **Ordnungsruf** m call to order; **in der Debatte mußte der Präsident mehrere ~e erteilen** during the debate the chairman had to call the meeting to order several times; **einen ~ bekommen** to be called to order; **Ordnungssinn** m idea or conception of tidiness or order; **Ordnungsstrafe** f fine; **jdn mit einer ~ belegen** to fine sb; **ordnungswidrig** adj irregular; Parken, Verhalten (im Straßenverkehr) illegal; **~ handeln** to go against or infringe rules or regulations; **Ordnungswidrigkeit** f infringement (of law or rule); **Ordnungszahl** f 1. (Math) ordinal number; 2. (Phys) atomic number.

Ordonnanz f orderly.

Ordonnanz|offizier m aide-de-camp, ADC.

Organ nt -s, -e 1. (Med, Biol) organ. **kein ~ für etw haben** (inf) not to have any feel for sth.
　　2. (inf: Stimme) voice.
　　3. (fig: Zeitschrift) organ, mouthpiece.
　　4. (Behörde) organ, instrument; (Beauftragter) agent; (der Polizei) branch, division. **die ausführenden ~e** the executors; **beratendes ~** advisory body.

Organbank f organ bank; **Organhandel** m sale of (transplant) organs.

Organisation f organization.

Organisationsplan m organization chart; **Organisationsprogrammierer** m (Comput) application programmer; **Organisationstalent** nt talent or flair for organization.

Organisator m, **Organisatorin** f organizer.

organisatorisch adj organizational. **eine ~e Höchstleistung** a masterpiece of organization; **er ist ein ~es Talent** he has a gift for organizing or organization; **das hat ~ gar nicht geklappt** organizationally, it was a failure.

organisch adj Chemie, Verbindung organic; Erkrankung physical. **ein ~es Ganzes** an organic whole; **sich ~ einfügen** to merge, to blend (in +acc with, into).

organisieren* I vti 1. to organize. **sie kann ausgezeichnet ~** she's excellent at organizing. 2. (sl: stehlen) to lift (sl), to get hold of. **II** vr to organize.

organisiert adj organized.

Organismus m organism.

Organist(in f) m (Mus) organist.

Organklage f action brought against the Bundestag or Bundesrat by a Land or political party; **Organspende** f organ donation; **Organspender(in** f) m donor (of an organ); **Organspenderausweis** m donor card; **Organverpflanzung** f transplant(ation) (of organs).

Organza m -s, no pl organza.

Orgasmus m orgasm.

orgastisch adj orgasmic.

Orgel f -, -n (Mus) organ.

orgeln vi 1. (inf: Orgel spielen) to play the organ. 2. (Hunt: Hirsch) to bell.

Orgelpfeife f organ pipe. **die Kinder standen da wie die ~n** (hum) the children were standing in order of height or were standing like a row of Russian dolls.

orgiastisch adj orgiastic.

Orgie [-iə] f orgy. **~n feiern** (lit) to have orgies/an orgy; (fig) to go wild; (Phantasie) to run riot.

Orient ['oːriɛnt, o'riɛnt] m -s, no pl 1. (liter) Orient. **der Vordere ~** the Near East; **vom ~ zum Okzident** from east to west. 2. (inf) ≃ Middle East.

Orientale [oriɛn'taːlə] m -n, -n, **Orientalin** f person from the Middle East.

orientalisch [oriɛn'taːliʃ] adj Middle Eastern.

Orientalist(in f) [oriɛnta'list(in)] m ≃ specialist in Middle Eastern and oriental studies.

Orientalistik [oriɛnta'listik] f ≃ Middle Eastern studies.

orientieren* [oriɛn'tiːrən] **I** vti 1. (unterrichten) to put sb in the picture (über +acc about). **unser Katalog orientiert (Sie) über unsere Sonderangebote** our catalogue gives (you) information on or about our special offers; **darüber ist er gut/falsch/ nicht orientiert** he is well/ wrongly/not informed on or about that.
　　2. (ausrichten) (lit, fig) to orient, to orientate (nach, auf +acc to, towards). **ein positivistisch orientierter Denker** a positivistically orientated thinker; **links orientiert sein** to tend to the left; **links orientierte Gruppen** left-wing groups.
　　3. (hinweisen) (auf +acc to) to orient, to orientate.
　　II vr 1. (sich unterrichten) to inform oneself (über +acc about or on).
　　2. (sich zurechtfinden) to orientate oneself (an +dat, nach by), to find or get one's bearings. **in einer fremden Stadt kann ich mich gar nicht ~** I just can't find my way around in a strange city; **von da an kann ich mich alleine ~** I can find my own way from there.
　　3. (sich einstellen) to adapt or orientate (oneself) (an +dat, auf +acc to).

Orientierung [oriɛn'tiːruŋ] f 1. (Unterrichtung) information. **zu Ihrer ~** for your information. 2. (das Zurechtfinden) orientation. **hier fällt einem die ~ schwer** it's difficult to find or get one's bearings here; **die ~ verlieren** to lose one's bearings. 3. (das Ausrichten) orientation.

Orientierungspunkt m point of reference; **Orientierungssinn** m sense of direction; **Orientierungsstufe** f (Sch) period during which pupils are selected to attend different schools.

Orig. abbr of **Original**.

Original nt -s, -e 1. original. 2. (Mensch) character.

original adj original. **~ Meißener Porzellan** real or genuine Meissen porcelain; **~ aus USA** guaranteed from USA.

Originalausgabe f first edition; **Originaleinzug** m (bei Kopierer) automatic sheet feed; **Originalfassung** f original (version); **in der englischen** ~ in the original English version; **originalgetreu** *adj* true to the original; **etw** ~ **nachmalen** to paint a very faithful copy of sth.

Originalität *f, no pl* **1.** (*Echtheit*) authenticity, genuineness. **2.** (*Urtümlichkeit*) originality.

Originalton *m* original soundtrack; (*fig*) **im** ~ **Thatcher** in Thatcher's own words; **Originalübertragung** *f* live broadcast; **Originalverpackung** *f* original packaging; **in** ~ (*ungeöffnet*) unopened.

originär *adj Idee* original.

originell *adj* (*selbständig*) *Idee, Argumentation, Interpretation* original; (*neu*) novel; (*geistreich*) witty. **das hat er sich** (*dat*) **sehr** ~ **ausgedacht** that's a very original idea of his.

Orkan *m* **-(e)s, -e 1.** hurricane. **der Sturm schwoll zum** ~ **an** the storm increased to hurricane force. **2.** (*fig*) storm.

orkanartig *adj Wind* gale-force; *Beifall* thunderous; **Orkanstärke** *f* hurricane force.

Ornament *nt* decoration, ornament.

ornamental *adj* ornamental.

ornamentieren* *vt* to embellish, to ornament.

Ornat *m* **-(e)s, -e** regalia *pl*; (*Eccl*) vestments *pl*; (*Jur*) official robes *pl*. **in vollem** ~ (*inf*) dressed up to the nines (*inf*).

Ornithologe *m*, **Ornithologin** *f* ornithologist.

orphisch *adj* Orphic.

Ort¹ *m* **-(e)s, -e 1.** (*Platz, Stelle*) place. ~ **des Treffens** meeting place, venue; **ein** ~ **der Stille/des Friedens** a place of quiet/of peace; ~ **der Handlung** (*Theat*) scene of the action; **an den** ~ **der Tat** *or* **des Verbrechens zurückkehren** to return to the scene of the crime; **hier ist nicht der** ~, **darüber zu sprechen** this is not the (time or) place to talk about that; **am angegebenen** ~ **in the place quoted**, loc cit *abbr*; **ohne** ~ **und Jahr** without indication of place and date of publication; **an** ~ **und Stelle** on the spot, there and then; **an** ~ **und Stelle ankommen** to arrive (at one's destination); **das ist höheren** ~**s entschieden worden** (*hum, form*) the decision came from higher places *or* from above.

2. (~*schaft*) place. **in einem kleinen** ~ **in Cornwall** in a little spot in Cornwall; **jeder größere** ~ **hat ein Postamt** a place of any size has a post office; ~**e über 100.000 Einwohner** places with more than *or* with over 100,000 inhabitants; **er ist im ganzen** ~ **bekannt** everyone knows him, the whole village/town *etc* knows him; **am** ~ **in the place; das beste Hotel am** ~ the best hotel in town; **wir haben keinen Arzt am** ~ we have no resident doctor; **am** ~ **wohnen** to live in the same village/town; **mitten im** ~ in the centre (of the place/town); **der nächste** ~ the next village/town *etc*; **von** ~ **zu** ~ from place to place.

Ort² *m* **-(e)s, ⁻er** (*Min*) coal face, (working) face. **vor** ~ at the (coal) face; (*fig*) on the spot; **Wartungsarbeiten vor** ~

durchführen to carry out on-the-spot *or* on-site servicing.

Örtchen *nt* **das (stille)** ~ (*inf*) the smallest room (*inf*).

orten *vt U-Boot, Flugzeug* to locate, to fix the position of, to get a fix on; *Heringsschwarm* to locate.

orthodox *adj* (*lit, fig*) orthodox.

Orthodoxie *f* orthodoxy.

Orthographie *f* orthography.

orthographisch *adj* orthographic(al). **er schreibt nicht immer** ~ **richtig** his spelling is not always correct.

Orthopäde *m* **-n, -n, Orthopädin** *f* orthopaedist, orthopaedic specialist.

orthopädisch *adj* orthopaedic.

örtlich *adj* local. **das ist** ~ **verschieden** it varies from place to place; **der Konflikt war** ~ **begrenzt** it was limited to a local encounter; **jdn/etw** ~ **betäuben** to give sb/sth a local anaesthetic.

Örtlichkeit *f* locality. **sich mit der** ~**/den** ~**en vertraut machen** to get to know the place; **er ist mit den** ~**en gut vertraut** he knows his way about; **die** ~**en** (*euph*) the cloakroom (*euph*).

Ortsangabe *f* place of publication; (*bei Anschriften*) (name of the) town; **ohne** ~ no place of publication indicated; **ortsansässig** *adj* local; **eine schon lange** ~**e Familie** a long established local family; **sind Sie schon lange** ~? have you been living here *or* locally for a long time?; **die O**~**en** the local residents.

Ortschaft *f* **-, -en** village; town. **geschlossene** ~ built-up *or* restricted area.

ortsfest *adj* fixed; **ortsfremd** *adj* nonlocal; **ich bin hier** ~ I'm a stranger here; **Ortsgespräch** *nt* (*Telec*) local call; **Ortsgruppe** *f* local branch *or* group; **Ortskenntnis** *f* local knowledge; **(gute)** ~**se haben** to know one's way around (well); **Ortsklasse** *f* classification of area according to cost of living for estimating salary weighting allowances; **Ortskrankenkasse** *f* **Allgemeine** ~ compulsory medical insurance scheme for workers, old people etc; **ortskundig** *adj* **nehmen Sie sich einen** ~**en Führer** get a guide who knows his way around; **ich bin nicht sehr** ~ I don't know my way around very well; **ein O**~**er** somebody who knows his way around *or* who knows the place; **Ortsmitte** *f* centre; **Ortsname** *m* place name; **Ortsnetz** *nt* (*Telec*) local (telephone) exchange area; (*Elec*) local grid; **Ortsnetzkennzahl** *f* (*Telec*) dialling code; **Ortsschild** *nt* place name sign; **Ortssinn** *m* sense of direction; **Ortstarif** *m* (*Telec*) charge for local phone-call; **ortsüblich** *adj* local; ~**e Mieten** standard local rents; **das ist hier** ~ it is usual *or* customary here, it is (a) local custom here; **Ortsverband** *m* local committee; **Ortsverkehr** *m* local traffic; **Gebühren im** ~ (*Telec*) charges for local (phone) calls; **Ortszeit** *f* local time; **Ortszulage** *f*, **Ortszuschlag** *m* (local) weighting allowance.

Ortung *f* locating. **bei (der)** ~ **eines feindlichen U-Boots ...** when locating an *or* fixing the position of *or* getting a fix on an enemy submarine ...

O-Saft m (inf) orange juice.
Öse f -, -n loop; (an Kleidung) eye.
Ösenzange f eyelet punch.
Oslo nt -s Oslo.
Osloer(in f) ['ɔsloːɐ, -ərɪn] m person from Oslo.
Osmane m -n, -n, **Osmanin** f Ottoman.
osmanisch adj Ottoman.
Osmium nt, no pl (abbr Os) osmium.
Osmose f -, no pl osmosis.
OSO abbr of Ostsüdost.
Ossi m -s, -s (inf) Easterner, East German.
Ost m -(e)s, no pl (liter) 1. East. aus ~ und West from East and West; von ~ nach West from East to West; der Wind kommt aus ~ the wind is coming from the East; wo ~ und West zusammentreffen where East and West meet, where East meets West; **10 Mark** ~ (inf) 10 East German marks.
    2. (liter: ~wind) East or easterly wind.
Ost- in cpds (bei Ländern, Erdteilen) (als politische Einheit) East; (geographisch auch) Eastern, the East of ...; (bei Städten, Inseln) East; **Ostafrika** nt East Africa; **Ostasien** nt Eastern Asia; **Ost-Berlin** nt East Berlin; **Ostberliner I** (in f) m East Berliner; **II** adj attr East Berlin; **Ostblock** m (Hist) Eastern bloc; **Ostblockland** nt (Hist), **Ostblockstaat** m (Hist) country belonging to the Eastern bloc, Eastern bloc country, Iron Curtain country; **ostdeutsch** adj East German; **Ostdeutschland** nt (Hist) East Germany; (Geog) Eastern Germany.
Osten m -s, no pl 1. east; (von Land) East. der Ferne ~ the Far East; der Nahe ~ the Middle East, the Near East; der Mittlere ~ area stretching from Iran and Iraq to India, Middle East; im Nahen und Mittleren ~ in the Middle East; aus dem ~, von ~ her from the east; gegen or gen (liter) or nach ~ east(wards), to the east; nach ~ (hin) to the east; im ~ der Stadt/des Landes in the east of the town/country; weiter in ~ further east; im ~ Frankreichs in the east of France, in eastern France.
    2. (Hist) der ~ (Ostdeutschland) East Germany; (Ostblock) the East; East Berlin.
ostentativ adj (geh) pointed. der Botschafter drehte sich ~ um und verließ den Raum the ambassador pointedly turned round and left the room.
Osterei nt Easter egg; **Osterfeiertag** m Easter holiday; **am 2.** ~ on Easter Monday; **über die** ~e fahren wir weg we're going away over the Easter weekend; **Osterfest** nt Easter; **Osterfeuer** nt bonfire lit on Easter Saturday; **Osterglocke** f daffodil; **Osterhase** m Easter bunny; **Osterinsel** f Easter Island; **Osterlamm** nt paschal lamb.
österlich adj Easter.
Ostermarsch m Easter peace march; **Ostermontag** m Easter Monday; **Ostermorgen** m Easter morning.

Ostern nt -, - Easter. frohe or fröhliche ~! Happy Easter!; (zu or über) ~ fahren wir weg we're going away at or over Easter.
Österreich nt -s Austria. ~-Ungarn (Hist) Austria-Hungary.
Österreicher(in f) m -s, - Austrian. er ist ~ he's (an) Austrian.
österreichisch adj Austrian. ~-ungarisch (Hist) Austro-Hungarian.
Ostersonntag m Easter Sunday; **Osterspiel** nt Easter (passion) play; **Osterwoche** f Easter week.
Osteuropa nt East(ern) Europe; **osteuropäisch** adj East European; **Ostfriese** m, **Ostfriesin** f East Frisian; **ostfriesisch** adj East Frisian; **Ostfriesische Inseln** pl East Frisian Islands; **Ostfriesland** nt -s East Frisia; **Ostgeld** nt (inf) formerly the East German Mark; **ostgermanisch** adj (Ling) East Germanic; **Ostgoten** pl (Hist) Ostrogoths pl.
Ostinato nt or m -s, -s or **Ostinati** (Mus) ostinato.
Ostkirche f Orthodox or Eastern Church; **Ostkolonisation** f (Hist) German medieval colonization of Eastern Europe; **Ostküste** f East coast.
Ostler(in f) m -s, - (inf) East German.
östlich I adj Richtung, Winde easterly; Gebiete eastern. **30°** ~er Länge 30° (longitude) east.
    II adv ~ von Hamburg (to the) east of Hamburg.
    III prep +gen ~ des Rheins (to the) east of the Rhine.
Ostmark f 1. (Hist) Austria; 2. (inf) formerly the East German Mark; **Ostnordost(en)** m east-north-east; **Ostpolitik** f (Hist) Ostpolitik, West German foreign policy regarding the Eastern block especially East Germany and East Berlin; **Ostpreußen** nt East Prussia; **ostpreußisch** adj East Prussian.
Östrogen nt -s, -e oestrogen (Brit), estrogen (US).
Ostrom nt (Hist) Eastern (Roman) Empire, Byzantine Empire; **oströmisch** adj Byzantine.
Ostsee f: die ~ the Baltic (Sea).
Ostsee in cpds Baltic.
Oststaaten pl (in USA) the Eastern or East coast states; **Ostsüdost(en)** m east-south-east; **Ostverträge** pl (Pol) political, social and economic agreements made between East and West Germany in 1970; **ostwärts** adv eastwards; **Ost-West-Verhandlungen** pl East-West negotiations; **Ostwind** m east or easterly wind.
oszillieren* vi to oscillate.
Oszillograph m oscillograph.
O-Ton m abbr of Originalton.
Otter¹ m -s, - otter.
Otter² f -, -n viper, adder.
Ottomane f -, -n ottoman.
Ottomotor m internal combustion engine, otto engine.
ÖTV [øːteːˈfau] abbr of Gewerkschaft Öffentliche Dienste, Transport und Verkehr ≃ TGWU (Brit).

out [aut] *adj pred Mode* out.
Outing ['autɪŋ] *nt (das Veröffentlichen von angeblich homosexuellen Prominenten)* outing.
Ouvertüre [uvɛr'tyːrə] *f -, -n* overture.
oval [o'vaːl] *adj* oval.
Oval [o'vaːl] *nt -s, -e* oval.
Ovation [ova'tsioːn] *f (geh)* ovation. **jdm eine ~** *or* **~en darbringen** to give sb an ovation *or* a standing ovation.
Overall ['ouvərɔːl] *m -s, -s* overalls *pl.*
Overhead- ['oːvɛhɛd-]: **Overheadfolie** *f* transparency; **Overheadprojektor** *m* overhead projector.
Overkill ['oːvɛkɪl] *m -(s)* overkill.
ÖVP [øːfau'peː] *f - abbr of* **Österreichische Volkspartei.**
Ovulation [ovula'tsioːn] *f* ovulation.
Ovulationshemmer *m -s, -* ovulation in-

hibitor.
Oxid, Oxyd *nt -(e)s, -e* oxide.
Oxidation, Oxydation *f* oxidation.
oxidieren*, oxydieren* *vti (vi: aux sein or haben)* to oxidize.
Ozean *m -s, -e* ocean.
Ozeandampfer *m* ocean steamer.
Ozeanien [-iən] *nt -s* Oceania.
ozeanisch *adj Flora* oceanic; *Sprachen* Oceanic.
Ozeanographie *f* oceanography.
Ozeanriese *m (inf)* ocean liner.
Ozelot *m -s, -e* ocelot.
Ozon *nt or (inf)* *m -s, no pl* ozone.
Ozon- *in cpds* ozone; **Ozonhülle** *f* ozone layer; **Ozonloch** *nt* hole in the ozone layer; **Ozonschicht** *f* ozone layer; **Ozonschild** *m* ozone shield; **Ozonschwund** *m* ozone depletion.

P

P, p [peː] *nt* **-**, - P, p.

Paar *nt* **-s, -e** pair; (*Mann und Frau auch*) couple. **ein ~ Schuhe** a pair of shoes; **ein ~ Würstchen** a couple of *or* two sausages; **ein ~ bilden** to make *or* form a pair; **ein ~ werden** (*liter*) to become man and wife (*form*), to be made one (*liter*); **ein ungleiches ~** an odd pair; (*Menschen auch*) an odd *or* unlikely couple.

paar *adj inv* **ein ~** a few; (*zwei oder drei auch*) a couple of; **ein ~ Male** a few times, a couple of times, once or twice; **schreiben Sie mir ein ~ Zeilen** drop me a line; **die ~ Pfennige, die es kostet ...** the few pence that it costs ...; **der Bus fährt alle ~ Minuten** there's a bus every few minutes; **wenn er alle ~ Minuten mit einer Frage kommt ...** if he comes along with a question every other minute ...; **du kriegst ein ~!** (*inf*) I'll land you one! (*inf*).

paaren I *vt Tiere* to mate, to pair; (*Sport*) to match. **in seinen Bemerkungen sind Witz und Geist gepaart** his remarks show a combination of wit and intellect, in his remarks wit is coupled with intellect. **II** *vr* (*Tiere*) to mate, to copulate; (*fig*) to be coupled *or* combined.

paarig *adj* in pairs. *Blätter* paired.

Paarlauf *m*, **Paarlaufen** *nt* pair-skating, pairs *pl*; **paarlaufen** *vi sep irreg aux sein infin, ptp only* to pair-skate.

paarmal *adv* **ein ~** a few times; (*zwei-oder dreimal auch*) a couple of times.

Paarreim *m* (*Poet*) rhyming couplet.

Paarung *f* **1.** (*Sport, fig liter*) combination; (*Sport: Gegnerschaft*) draw, match. **2.** (*Kopulation*) mating, copulation; (*Kreuzung*) crossing, mating.

Paarungszeit *f* mating season.

paarweise *adv* in pairs, in twos.

Pacht *f* **-, -en** lease; (*Entgelt*) rent. **etw in ~ geben** to lease (out), to let out sth on lease; **etw in ~ nehmen** to take sth on lease, to lease sth; **etw in** *or* **zur ~ haben** to have sth on lease *or* (on) leasehold.

Pachtbrief *m* lease.

pachten *vt* to take a lease on, to lease. **du hast das Sofa doch nicht für dich gepachtet** (*inf*) don't hog the sofa (*inf*), you haven't got a monopoly on the sofa (*inf*); **er tat so, als hätte er die Weisheit für sich (allein) gepachtet** (*inf*) he behaved as though he was the only clever person around.

Pächter(in *f*) *m* **-s, -** tenant, leaseholder, lessee (*form*). **er ist ~ auf einem Bauernhof** *or* **eines Bauernhofs** he's a tenant farmer.

Pachtertrag *m* net rent; **Pachtgut** *nt*, **Pachthof** *m* smallholding; **Pachtvertrag** *m* lease; **pachtweise** *adv* leasehold, on lease; **Pachtzins** *m* rent.

Pack¹ *m* **-(e)s, -e** *or* **=e** (*von Zeitungen,*

Büchern, Wäsche*) stack, pile; (*zusammengeschnürt*) bundle, pack. **zwei ~(e) Spielkarten two packs of (playing) cards.

Pack² *nt* **-s,** *no pl* (*pej*) riffraff *pl* (*pej*).

Päckchen *nt* package, (small) parcel; (*Post*) small packet; (*Packung*) packet, pack. **ein ~ Zigaretten** a packet *or* pack (*esp US*) of cigarettes; **ein ~ Spielkarten** a pack of (playing) cards; **ein ~ aufgeben** to post *or* mail a small parcel.

Pack|eis *nt* pack ice.

packeln *vi* (*Aus inf, pej*) to make a deal (*inf*).

packen I *vti* **1.** *Koffer* to pack; *Paket* to make up; (*verstauen*) to stow *or* pack (away). **Sachen in ein Paket ~** to make things up into a parcel; **etw ins Paket ~** to put *or* pack sth into the parcel; **etw in Holzwolle/Watte ~** to pack sth (up) in wood shavings/to pack *or* wrap sth (up) in cotton wool; **jdn ins Bett ~** (*inf*) to tuck sb up (in bed).
2. (*fassen*) to grab (hold of), to seize, to grasp; (*Gefühle*) to grip, to seize. **jdn am** *or* **beim Kragen ~** (*inf*) to grab *or* seize sb by the collar; **von der Leidenschaft gepackt** in the grip of passion; **jdn bei der Ehre ~** to appeal to sb's sense of honour; **den hat es aber ganz schön gepackt** (*inf*) he's got it bad(ly) (*inf*).
3. (*fig: mitreißen*) to grip, to thrill. **das Theaterstück hat mich gepackt** I was really gripped by the play.
4. (*sl: schaffen*) to manage. **hast du die Prüfung gepackt?** did you (manage to) get through the exam?
5. (*inf: gehen*) **~ wir's!** let's go.
6. (*inf: kapieren*) **er packt es nie** he'll never get it (*inf*).
II *vr* (*inf*) to clear off. **packt euch (fort)!** clear off! (*inf*), beat it! (*inf*).

Packen *m* **-s, -** heap, pile, stack; (*zusammengeschnürt*) package, bundle. **ein ~ Arbeit** (*inf*) a pile of work.

Packer(in *f*) *m* **-s, -** packer.

Packerei *f* **1.** packing department. **2.** *no pl* (*inf*) packing.

Packesel *m* pack-ass, pack-mule; (*fig*) packhorse; **Packleinen** *nt f* burlap, gunny, bagging; **Packpapier** *nt* wrapping *or* brown paper; **Packpferd** *nt* packhorse; **Packraum** *m* packing department; **Packsattel** *m* pack-saddle; **Packtasche** *f* saddle-bag; **Packtier** *nt* pack animal, beast of burden.

Packung *f* **1.** (*Schachtel*) packet, pack; (*von Pralinen*) box. **eine ~ Zigaretten** a packet *or* pack (*esp US*) of cigarettes. **2.** (*Med*) compress, pack; (*Kosmetik*) beauty pack. **3.** (*Tech*) gasket; (*Straßenbau*) pitching *no pl*, ballast *no pl*. **4.** (*inf: Niederlage*) thrashing, hammering (*inf*).

Packungsbeilage *f* (*bei Medikamenten*)

enclosed instructions *pl* for use.

Packwagen *m* luggage van (*Brit*), baggage car (*US*); **Packzettel** *m* packing slip, docket.

Pädagoge *m*, **Pädagogin** *f* educationalist, pedagogue (*form*).

Pädagogik *f* education, educational theory, pedagogy (*rare*).

pädagogisch *adj* educational, pedagogical (*form*). **P~e Hochschule** college of education, teacher-training college (*for primary teachers*); **eine ~e Ausbildung** a training in education, a pedagogical training; **seine ~en Fähigkeiten** his ability to teach, his teaching ability; **das ist nicht sehr ~** that's not a very educationally sound thing to do; **~ falsch** wrong from an educational point of view.

pädagogisieren* *vt* (*pädagogisch ausrichten*) to bring into line with educational *or* pedagogical theory.

Paddel *nt* -s, - paddle.

Paddelboot *nt* canoe.

paddeln *vi aux sein or haben* to paddle; (*als Sport*) to canoe; (*schwimmen*) to dog-paddle.

Paddler(in *f*) *m* -s, - canoeist.

Päderast *m* -en, -en pederast.

Päderastie *f* pederasty.

Pädiatrie *f* p(a)ediatrics *sing*.

pädiatrisch *adj* p(a)ediatric.

Pädophile(r) *mf decl as adj* paedophile (*Brit*), pedophile (*US*).

Pädophilie *f* paedophilia (*Brit*), pedophilia (*US*).

paff *interj* bang.

paffen **I** *vi* (*inf*) **1.** (*heftig rauchen*) to puff away. **2.** (*nicht inhalieren*) to puff. **du paffst ja bloß!** you're just puffing at it! **II** *vt* to puff (away) at.

Page ['pa:ʒə] *m* -n, -n (*Hist*) page; (*Hotel~*) page (boy), bellboy, bellhop (*US*).

Pagenkopf *m* page-boy (hair style *or* cut).

paginieren* *vt* to paginate.

Pagode *f* -, -n pagoda.

pah *interj* bah, pooh, poof.

Paillette [pai'jɛtə] *f* sequin.

Pak *f* -, -s *abbr of* **Panzerabwehrkanone** anti-tank gun.

Paket *nt* -s, -e (*Bündel*) pile, stack; (*zusammengeschnürt*) bundle, package; (*Packung*) packet; (*Post*) parcel; (*fig: von Angeboten, Gesetzentwürfen*) package; (*Aktien~*) dossier; (*Comput*) package.

Paketadresse *f* stick-on address label; **Paketannahme** *f* parcels office; **Paketausgabe** *f* parcels office; **Paketboot** *nt* packet (boat), mailboat; **Paketkarte** *f* dispatch form; **Paketpost** *f* parcel post; **Paketschalter** *m* parcels counter.

Pakistan *nt* -s Pakistan.

Pakistaner(in *f*) *m* -s, -, **Pakistani** *m* -(s), -(s) Pakistani.

Pakt *m* -(e)s, -e pact, agreement. **einen ~ (ab)schließen (mit)** to make a pact *or* agreement *or* deal (*inf*) (with); **einem ~ beitreten** to enter into an agreement.

paktieren* *vi* **1.** (*old: Bündnis schließen*) to make a pact *or* an agreement. **2.** (*pej*) to make a deal (*inf*).

Paladin *m* -s, -e (*Hist*) paladin; (*pej*) (*Ge-*

folgsmann) henchman, hireling.

Palais [pa'lɛː] *nt* -, - palace.

paläo- *pref* palaeo-.

Palast *m* -(e)s, **Paläste** (*lit, fig*) palace.

palastartig *adj* palatial.

Palästina *nt* -s Palestine.

Palästinenser(in *f*) -s, - Palestinian.

Palästinensertuch *nt* keffiyeh, kaffiyeh.

Palastrevolution *f* (*lit, fig*) palace revolution; **Palastwache** *f* palace guard.

palatal *adj* palatal.

Palatal *m* -s, -e palatal (sound).

Palatschinke *f* -, -n (*Aus*) stuffed pancake.

Palaver [pa'laːvɐ] *nt* -s, - (*lit, fig inf*) palaver.

palavern* [pa'laːvɐn] *vi* (*lit, fig inf*) to palaver.

Paletot ['paləto] *m* -s, -s (*obs*) greatcoat, overcoat.

Palette *f* **1.** (*Malerei*) palette; (*fig*) range. **2.** (*Stapelplatte*) pallet.

paletti *adv* (*sl*) OK (*inf*).

Palisade *f* palisade.

Palisadenzaun *m* palisade, stockade.

Palisander(holz *nt*) *m* -s, - jacaranda.

Palladium *nt*, *no pl* (*abbr* **Pd**) palladium.

Palme *f* -, -n palm. **jdn auf die ~ bringen** (*inf*) to make sb see red (*inf*), to make sb's blood boil (*inf*).

Palmfett *nt* (*Palmbutter*) palm butter; (*Palmöl*) palm oil.

Palmin ® *nt* -s, *no pl* cooking fat (*made from coconut oil*).

Palmkätzchen *nt* pussy willow, catkin; **Palmlilie** *f* yucca; **Palmöl** *nt* palm oil; **Palmsonntag** *m* Palm Sunday; **Palmwedel** *m* palm leaf; **Palmwein** *m* palm wine; **Palmzweig** *m* palm leaf.

Pampa *f* -, -s pampas *pl*.

Pampasgras *nt* pampas grass.

Pampe *f* -, *no pl* paste; (*pej*) slop (*inf*), mush (*inf*).

Pampelmuse *f* -, -n grapefruit.

Pamphlet *nt* -(e)s, -e lampoon.

pampig *adj* (*inf*) **1.** (*breiig*) gooey (*inf*); *Kartoffeln* soggy. **2.** (*frech*) stroppy (*inf*).

Pan *m* -s (*Myth*) Pan.

pan- *pref* pan-. **panamerikanisch** pan-American; **panarabisch** pan-Arab; **Panslawismus** pan-Slavism.

Panama *nt* -s, -s **1.** Panama. **2.** (*auch* **~hut**) Panama (hat).

Panamakanal *m* Panama Canal.

panaschieren* **I** *vi* (*Pol*) to split one's ticket. **II** *vt* **panaschierte Blätter** variegated leaves.

panchromatisch [pankro'maːtɪʃ] *adj* panchromatic.

Panda *m* -s, -s panda.

Pandämonium *nt* (*Myth, fig*) pandemonium.

Pandemie *f* (*Med*) pandemic.

Paneel *nt* -s, -e (*form*) (*einzeln*) panel; (*Täfelung*) panelling, wainscoting.

Panflöte *f* panpipes *pl*, Pan's pipes *pl*.

päng *interj* bang.

Panier *nt* -s, -e (*obs*) banner, standard. **sich** (*dat*) **etw aufs ~ schreiben** (*fig*) to take *or* adopt sth as one's motto.

panieren* *vt* to bread, to coat with bread-

aniermehl 895 **Papier**

crumbs.

aniermehl nt breadcrumbs pl.

anik f -, -en panic. (eine) ~ brach aus or breitete sich aus panic broke out or spread, there was panic; **in ~ ausbrechen** to panic, to get into a panic; **von ~ ergriffen** panic-stricken; **nur keine ~!** don't panic!

Panikkauf m (Comm) panic buying; **Panikmache** f (inf) panicmongering; **Panikverkauf** m (Comm) panic selling.

panisch adj no pred panic-stricken. ~e Angst panic-stricken fear, terror; **sie hat ~e Angst vor Schlangen** she's terrified of snakes, snakes scare her out of her wits; **er hatte eine ~e Angst zu ertrinken** he was terrified of drowning; ~er Schrecken panic; **sich ~ fürchten (vor)** to be terrified or petrified (by).

Pankreas nt -, **Pankreaten** (Anat) pancreas.

Panne f -, -n **1.** (Störung) hitch (inf), breakdown, trouble no indef art; (Reifen~) puncture, flat (tyre), blow-out (inf). **ich hatte eine ~ mit dem Fahrrad** I had some trouble with my bike/I had a puncture etc; **ich hatte eine ~ mit dem Auto** my car broke down/I had a puncture etc; **mit der neuen Maschine passieren dauernd ~n** things keep going wrong with the new machine, the new machine keeps breaking down.

2. (fig inf) slip, boob (Brit inf), goof (US inf). **mit jdm/etw eine ~ erleben** to have (a bit of) trouble with sb/sth; **uns ist eine ~ passiert** we've made a slip etc or we've slipped up or boobed (Brit inf) or goofed (US inf); **da ist eine ~ passiert mit dem Brief** something has gone wrong with the letter.

Pannendienst m, **Pannenhilfe** f breakdown service; **Pannenkoffer** m emergency toolkit; **Pannenkurs** m car maintenance course.

Pan|optikum nt -s, **Pan|optiken** (von Kuriositäten) collection of curios; (von Wachsfiguren) waxworks pl.

Panorama nt -s, **Panoramen** panorama.

Panoramaaufnahme f panorama, panoramic view; **Panoramabus** m coach with panoramic windows, panorama coach; **Panoramaspiegel** m (Aut) panoramic mirror.

panschen I vt to adulterate; (verdünnen) to water down, to dilute. **II** vi (inf) to splash (about).

Panscher(in f) m -s, - (inf) **1.** (pej) adulterator. **2. du bist vielleicht ein ~!** you're a messy thing!

Pansen m -s, - (Zool) rumen; (N Ger inf) belly (inf).

Pantalons [pãta'lõ:s] pl pantaloons pl.

Pantheismus m pantheism.

Pantheist(in f) m pantheist.

pantheistisch adj pantheistic.

Panther m -s, - panther.

Pantine f (N Ger) clog.

Pantoffel m -s, -n slipper. **unterm ~ stehen** (inf) to be henpecked; **unter den ~ kommen** or **geraten** (inf) to become a henpecked husband.

Pantöffelchen nt slipper.

Pantoffelheld m (pej inf) henpecked husband; **Pantoffelkino** nt (inf) telly (Brit inf), (goggle-)box (Brit inf), tube (US inf); **Pantoffeltierchen** nt (Biol) slipper animalcule, paramecium (spec).

Pantolette f slip-on (shoe).

Pantomime¹ f -, -n mime.

Pantomime² m -n, -n mime.

pantomimisch adj Darstellung in mime. **sich ~ verständlich machen** to communicate with gestures.

pantschen vti siehe **panschen.**

Panzer m -s, - **1.** (Mil) tank. **die deutschen ~** the German tanks pl or armour sing.

2. (Hist: Rüstung) armour no indef art, suit of armour.

3. (Panzerung) armour plating, armour plate.

4. (von Schildkröte, Insekt) shell; (dicke Haut) armour.

5. (fig) shield. **sich mit einem ~ (gegen etw) umgeben** to harden oneself (against sth); **sich mit einem ~ aus etw umgeben** to put up or erect a defensive barrier of sth.

Panzerabwehr f anti-tank defence; (Truppe) anti-tank unit; **Panzerabwehrkanone** f anti-tank gun; **panzerbrechend** adj armour-piercing; **Panzerdivision** f armoured division; **Panzerfaust** f bazooka; **Panzerglas** nt bulletproof glass; **Panzergraben** m anti-tank ditch; **Panzergrenadier** m armoured infantryman; **Panzerhemd** nt coat of mail; **Panzerkampfwagen** m armoured vehicle; **Panzerkreuzer** m (Naut) (armoured) cruiser.

panzern I vt to armour-plate. **gepanzerte Fahrzeuge** armoured vehicles. **II** vr (lit) to put on one's armour; (fig) to arm oneself.

Panzerplatte f armour plating no pl, armour plate; **Panzerschrank** m safe; **Panzerspähwagen** m armoured scout car; **Panzersperre** f anti-tank obstacle, tank trap; **Panzertruppe** f tanks pl, tank division; **Panzerturm** m tank turret.

Panzerung f armour plating; (fig) shield.

Panzerwagen m armoured car; **Panzerweste** f bulletproof vest.

Papa¹ m -s, -s (inf) daddy (inf), pa (US inf).

Papa² m -s, -s papa.

Papagallo m -s, **Papagalli** (pej) (Latin) wolf or romeo.

Papagei m -s, -en parrot. **er plappert alles wie ein ~ nach** he repeats everything parrot fashion, he parrots everything he/she etc says.

Papageienkrankheit f (Med) parrot fever, psittacosis.

Papaya f -, -s papaya.

Papeterie [papetə'ri:] f (Sw) stationer's.

Papi m -s, -s (inf) daddy (inf).

Papier nt -s, -e **1.** no pl (Material) paper. **ein Blatt ~** a sheet or piece of paper; **das existiert nur auf dem ~** it only exists on paper; **das steht nur auf dem ~** that's only on paper, that's only in theory; **seine Gedanken zu ~ bringen** to set or put one's thoughts down on paper or in writing, to commit one's thoughts to paper; ~ **ist geduldig** (*Prov*) you can say what you like on paper, you can write what you like. **2.** (*politisches Dokument, Schriftstück*) paper. **3.** ~**e** *pl* (identity) papers *pl*; (*Urkunden*) documents *pl*; **er hatte keine** ~**e bei sich** he had no *or* he was carrying no means of identification on him; **seine** ~**e bekommen** (*entlassen werden*) to get one's cards. **4.** (*Fin, Wert*~) security.

Papierdeutsch *nt* (*pej*) officialese, gobbledygook (*inf*); **Papiereinzug** *m* paper feed.

papier(e)n *adj* **1.** (*lit form*) paper. **2.** (*fig*) *Stil, Sprache* prosy, bookish.

Papierfabrik *f* paper mill; **Papierfetzen** *m* scrap *or* (little) bit of paper; **Papierformat** *nt* paper size; **Papiergeld** *nt* paper money; **Papierkorb** *m* (waste) paper basket *or* bin; **Papierkram** *m* (*inf*) bumf (*inf*); **Papierkrieg** *m* (*inf*) **erst nach einem langen** ~ after going through a lot of red tape; **einen** ~ (**mit jdm**) **führen** to go through a lot of red tape (with sb); **Papiermaché** [papiema'ʃeː] *nt* **-s, -s** papier-mâché; **Papiermanschette** *f* paper frill; (*am Ärmel*) false cuff; **Papiermühle** *f* paper mill; **Papierschere** *f* paper scissors *pl*; **Papierschlange** *f* streamer; **Papierschnitzel** *m or nt* scrap of paper; (*Konfetti*) confetti; **Papierserviette** *f* paper serviette *or* napkin; **Papiertaschentuch** *nt* paper hanky *or* handkerchief, tissue; **Papiertiger** *m* (*fig*) paper tiger; **papierverarbeitend** *adj attr* paper-processing; **Papierwährung** *f* paper currency; **Papierwaren** *pl* stationery *no pl*; **Papierwarenhandlung** *f* stationer's (shop); **Papierzuführung** *f* (*Comput*) sheetfeed.

Papist(in *f*) *m* (*pej*) papist (*pej*).

papistisch *adj* (*Hist*) papal; (*pej*) popish.

papp *adj* (*inf*) **ich kann nicht mehr** ~ **sagen** I'm full to bursting (*inf*), I'm about to go pop (*inf*).

Pappband *m* (*Einband*) pasteboard; (*Buch*) hardback; **Pappbecher** *m* paper cup; **Pappdeckel** *m* (thin) cardboard.

Pappe *f* **-, -n 1.** (*Pappdeckel*) cardboard; (*Dach*~) roofing felt. **dieser linke Haken war nicht von** ~ (*inf*) that left hook really had some weight *or* force behind it, that was no mean left hook; **X ist ein guter Sprinter, aber Y ist auch nicht von** ~ (*inf*) X is good but Y is no mean sprinter either. **2.** (*S Ger inf*) (*Leim*) glue; (*Brei*) paste; (*pej*) slop (*pej inf*), mush (*pej inf*).

Papp|einband *m* pasteboard.

Pappel *f* **-, -n** poplar.

päppeln *vt* (*inf*) to nourish.

pappen (*inf*) **I** *vt* to stick, to glue (*an or auf* +*acc* on). **II** *vi* (*inf*) (*klebrig sein*) to be sticky; (*Schnee*) to pack. **der Leim pappt gut** the glue sticks *or* holds well.

Pappendeckel *m* (*S Ger*) (thin) cardboard; **Pappenheimer** *pl*: **ich kenne meine** ~ (*inf*) I know you lot/that lot (in-

side out) (*inf*); **Pappenstiel** *m* (*fig inf*): **das ist doch ein** ~ (*billig*) that's chicken feed (*inf*); (*leicht*) that's child's play (*inf*); **das ist keinen** ~ **wert** that's not worth a thing *or* a penny *or* a straw; **das hab ich für einen** ~ **gekauft** I bought it for a song *or* for next to nothing.

papperlapapp *interj* (*inf*) rubbish, (stuff and) nonsense.

pappig *adj* (*inf*) sticky.

Pappkamerad *m* (*Mil sl*) silhouette target; **Pappkarton** *m* (*Schachtel*) cardboard box; (*Material*) cardboard; **Pappmaché** ['papmaʃeː] *nt* **-s, -s** papier-mâché; **Pappnase** *f* false nose; **Pappschachtel** *f* cardboard box; **Pappschnee** *m* wet *or* sticky snow; **Pappteller** *m* paper plate.

Paprika *m* **-s, -(s)** (*no pl: Gewürz*) paprika; (~*schote*) pepper.

Paprikaschote *f* pepper; (*rote* ~ *auch*) pimento (*US*). **gefüllte** ~**n** stuffed peppers.

Paps *m* **-, no pl** (*inf*) dad (*inf*), daddy (*inf*), pops (*US inf*).

Papst *m* **-(e)s, ⸚e** pope; (*fig*) high priest.

päpstlich *adj* papal; (*fig pej*) pontifical. ~**er als der Papst sein** to be more Catholic than the Pope, to be more royal than the king.

Papsttum *nt*, *no pl* papacy; **Papstwahl** *f* papal elections *pl*; **Papstwürde** *f* papal office.

Papua-Neuguinea [-gi'neːa] *nt* Papua New Guinea.

Papyrus *m* **-, Papyri** papyrus.

Papyrusrolle *f* papyrus (scroll).

Parabel *f* **-, -n 1.** (*Liter*) parable. **2.** (*Math*) parabola, parabolic curve.

parabolisch *adj* **1.** (*Liter*) parabolic. **2.** (*Math*) parabolic.

Parabolantenne *f* satellite dish, parabolic receiving dish; **Parabolspiegel** *m* parabolic reflector *or* mirror.

Parade *f* **1.** (*Mil*) parade, review. **die** ~ **abnehmen** to take the salute. **2.** (*Sport: Fechten, Boxen*) parry; (*Ballspiele*) save; (*Reiten*) check. **3.** (*fig*) **jdm in die** ~ **fahren** to cut sb off short.

Paradebeispiel *nt* prime example.

Paradeiser *m* **-s, -** (*Aus*) tomato.

Paradekissen *nt* scatter cushion; **Parademarsch** *m* parade step; (*Stechschritt*) goose-step; **Paradepferd** *nt* show horse; (*fig*) showpiece; **Paradeplatz** *m* parade ground; **Paradeschritt** *m* siehe **Parademarsch**; **Paradestück** *nt* (*fig*) showpiece; (*Gegenstand auch*) pièce de résistance; **Paradeuniform** *f* dress uniform.

paradieren* *vi* to parade. **mit etw** ~ (*fig*) to show off *or* flaunt sth.

Paradies *nt* **-es, -e** (*lit, fig*) paradise. **die Vertreibung aus dem** ~ the expulsion from Paradise; **hier ist es so schön wie im** ~ it's like paradise here, this is paradise; **ein** ~ **für Kinder** a children's paradise, a paradise for children; **das** ~ **auf Erden** heaven on earth.

paradiesisch *adj* (*fig*) heavenly, paradisiac(al) (*liter*). **hier ist es** ~ **schön** it's (like) paradise here, this is paradise; ~ **leere Strände** blissfully empty beaches.

Paradiesvogel *m* **1.** bird of paradise. **2.** (*fig*) eccentric.

Paradigma *nt* **-s, Paradigmen** paradigm.

paradigmatisch *adj* paradigmatic.

paradox *adj* paradoxical.

Paradox *nt* **-es, -e, Paradoxon** *nt* **-s, Paradoxa** paradox.

paradoxerweise *adv* paradoxically.

Paradoxie *f* paradox, paradoxicalness.

Paraffin *nt* **-s, -e** (*Chem*) (~**öl**) (liquid) paraffin; (~**wachs**) paraffin wax.

Paragraph *m* (*Jur*) section; (*Abschnitt*) paragraph.

Paragraphenreiter(in *f*) *m* (*inf*) pedant, stickler for the rules; **Paragraphenwerk** *nt* rules and regulations *pl*; **Paragraphenzeichen** *nt* paragraph (marker).

Parallaxe *f* **-, -n** (*Math*) parallax.

parallel *adj* parallel. ~ **laufen** to run parallel; **der Weg (ver)läuft ~ zum Fluß** the path runs *or* is parallel to the river; **die Entwicklung dort verläuft ~ zu der in der BRD** the development there is parallel to *or* parallels that of (West) Germany.

Paralleldrucker *m* (*Comput*) parallel printer.

Parallele *f* **-, -n** (*lit*) parallel (line); (*fig*) parallel. **eine ~ zu etw ziehen** (*lit*) to draw a line parallel to sth; (*fig*) to draw a parallel to sth.

Parallelfall *m* parallel (case).

Parallelismus *m* parallelism.

Parallelität *f* parallelism.

Parallelklasse *f* parallel class; **Parallelkreis** *m* parallel (of latitude).

Parallelogramm *nt* **-s, -e** parallelogram.

Parallelschaltung *f* parallel connection; **Parallelschwung** *m* (*Ski*) parallel turn; **Parallelzugriff** *m* (*Comput*) parallel access.

Paralyse *f* **-, -n** (*Med, fig*) paralysis.

paralysieren *vt* (*Med, fig*) to paralyse.

Paralytiker(in *f*) *m* **-s, -** (*Med*) paralytic.

paralytisch *adj* paralytic.

Parameter *m* **-s, -** parameter.

Paramedizin *f* alternative medicine.

paramilitärisch *adj* paramilitary.

Paranoia [para'nɔya] *f* **-**, *no pl* paranoia.

paranoid [parano'iːt] *adj* paranoid.

Paranoiker(in *f*) [para'noːikɐ, -ərɪn] *m* **-s, - paranoiac.

paranoisch [para'noːiʃ] *adj* paranoiac.

Paranuß *f* (*Bot*) Brazil nut.

Paraphe *f* **-, -n** (*form*) (*Namenszug*) signature; (*Namenszeichen*) initials *pl*.

paraphieren *vt* (*Pol*) to initial.

Paraphrase *f* paraphrase; (*Mus*) variation.

paraphrasieren *vt* to paraphrase; (*Mus*) to write variations on.

Parapsychologie *f* parapsychology.

Parasit *m* **-en, -en** (*Biol, fig*) parasite.

parasitär, parasitisch *adj* (*Biol, fig*) parasitic(al). ~ **leben** to live parasitically.

Parasol *m or nt* **-s, -s** *or* **-e** (*old*) parasol.

parat *adj* Antwort, Beispiel ready, prepared; *Werkzeug* handy, ready. **halte dich ~** be ready; **er hatte immer eine**

Ausrede ~ he always had an excuse ready *or* on tap (*inf*), he was always ready with an excuse; **seine stets ~e Ausrede** his ever-ready excuse.

Parataxe *f* **-, -n** (*Ling*) coordination; (*ohne Konjunktion*) parataxis.

Pärchen *nt* (courting) couple.

pärchenweise *adv* in pairs.

Parcours [par'kuːɐ] *m* **-, -** show-jumping course; (*Sportart*) show-jumping. **einen ~ reiten** to jump a course.

pardauz *interj* (*old*) whoops.

Pardon [par'dõ] *m or nt* **-s**, *no pl* **1.** pardon. **jdn um ~ bitten** to ask sb's pardon; **jdm kein(en) ~ geben** (*old*) to show sb no mercy, to give sb no quarter. **2.** (*inf*) **kein ~ kennen** to be ruthless; **wenn er sich** (*dat*) **was in den Kopf gesetzt hat, gibt's kein ~** *or* **kennt er kein ~** once he's set on something he's merciless *or* ruthless; **das Zeug räumst du auf, da gibt's kein ~** you'll clear that stuff up and that's that! (*inf*).

pardon [par'dõ] *interj* (*Verzeihung*) sorry; (*nicht verstanden*) sorry, beg pardon, pardon me (*US*). **o ~!** sorry!, I'm so sorry!

Parenthese *f* **-, -n** parenthesis. **etw in ~ setzen** to put sth in parentheses.

parenthetisch *adj* parenthetic(al).

par excellence [parɛksɛ'lãːs] *adv* par excellence.

Parforce- [par'fɔrs]: **Parforcejagd** *f* hunt, course; (*Jagdart*) coursing; **Parforceritt** *m* forced ride.

Parfüm *nt* **-s, -e** *or* **-s** perfume, scent.

Parfümerie *f* perfumery.

Parfümfläschchen *nt* scent *or* perfume bottle.

parfümieren *vt* **I** *vt* to scent, to perfume. **II** *vr* to put perfume *or* scent on.

Parfümzerstäuber *m* scent spray, perfume *or* scent atomizer.

pari *adv* (*Fin*) par. **al ~** at par (value), at nominal value; **über ~** above par, at a premium; **unter ~** below par, at a discount; **die Chancen stehen ~ (~)** the odds are even *or* fifty-fifty.

Paria *m* **-s, -s** (*lit, fig*) pariah.

parieren *vt* **I** *vt* **1.** (*Fechten, fig*) to parry; (*Ftbl*) to deflect. **2.** (*Reiten*) to rein in. **II** *vi* to obey, to do what one is told. **aufs Wort ~** to jump to it.

Paris *nt* **- Paris.

Pariser[1] *m* **-s, - 1.** Parisian. **2.** (*inf: Kondom*) French letter (*inf*).

Pariser[2] *adj attr* Parisian, Paris.

Pariserin *f* Parisienne.

Parität *f* (*Gleichstellung*) parity, equality; (*von Währung*) parity, par of exchange; (*Comput*) parity.

paritätisch *adj* equal. ~**e Mitbestimmung** equal representation.

Park *m* **-s, -s** park; (*von Schloß*) grounds *pl*.

Parka *m* **-(s), -s** *or f* **-, -s** parka.

Park-and-ride System ['paːkənd'raɪd-] *nt* park and ride system.

Parkanlage *f* park; **Parkbahn** *f* (*Space*) parking orbit; **Parkbank** *f* park bench; **Parkbucht** *f* parking bay; **Parkdeck** *nt* parking level.

parken *vti (auch Comput)* to park. **ein ~des Auto** a parked car; **„P~ verboten!"** "No Parking"; **sein Auto parkte ...** his car was parked ...
Parkett *nt* **-s, -e 1.** *(Fußboden)* parquet (flooring). **ein Zimmer mit ~ auslegen** to lay parquet (flooring) in a room; **sich auf jedem ~ bewegen können** *(fig)* to be able to move in any society; **auf dem internationalen ~** in international circles. **2.** *(Tanzfläche)* (dance) floor. **eine tolle Nummer aufs ~ legen** *(inf)* to put on a great show. **3.** *(Theat)* stalls *pl*, parquet *(US)*. **wir sitzen ~** *(inf)* we sit in the stalls.
Parkett(fuß)boden *m* parquet floor.
parkettieren* *vt* to lay with parquet, to lay *or* put down parquet in, to parquet.
Parkettplatz, Parkettsitz *m (Theat)* seat in the stalls *or* parquet *(US)*.
Parkgebühr *f* parking fee; **Parkhaus** *nt* multi-storey car park.
parkieren* *vti (Sw) siehe* **parken.**
Parkingmeter *m (Sw)* parking meter.
Parkinsonsche Krankheit *f* Parkinson's disease.
Parkkralle *f* wheel clamp; **Parklandschaft** *f* parkland; **Parklicht** *nt* parking light; **Parklücke** *f* parking space; **Parkmöglichkeit** *f* parking facility; **Parkplatz** *m* car park, parking lot *(esp US)*; *(für Einzelwagen)* (parking) space, place to park; **bewachter/ unbewachter ~** car park with/without an attendant; **Parkplatznot** *f* dearth of parking spaces; **Parkraum** *m* parking space; **Parkscheibe** *f* parking disk; **Parkschein** *m* carpark ticket; **Parkstudium** *nt (Univ)* interim course of study *(while waiting for a place)*; **Parksünder(in** *f)* *m* parking offender; **Parkuhr** *f* parking meter; **Parkverbot** *nt* parking ban; **hier ist ~** there's no parking *or* you're not allowed to park here; **Parkverbotsschild** *nt* no-parking sign; **Parkwächter(in** *f)* *m (Aut)* car-park attendant; *(von Anlagen)* park keeper *or* attendant; **Parkzeit** *f* parking time.
Parlament *nt* parliament. **das ~ auflösen** to dissolve parliament; **jdn ins ~ wählen** to elect sb to parliament.
Parlamentär *m* peace envoy, negotiator.
Parlamentarier(in *f)* [-iɐ, -iərɪn] *m* **-s, -** parliamentarian.
parlamentarisch *adj* parliamentary. **~ regieren** to govern by a parliament; **~er Staatssekretär im Verteidigungsministerium** non-Cabinet minister with special responsibility for defence; **der P~e Rat** the Parliamentary Council; **~e Demokratie** parliamentary democracy.
Parlamentarismus *m* parliamentarianism.
Parlamentsausschuß *m* parliamentary committee; **Parlamentsbeschluß** *m* vote *or* decision of parliament; **Parlamentsferien** *pl* recess; **Parlamentsgebäude** *nt* parliamentary building(s); *(in London)* Houses of Parliament *pl*; *(in Washington)* Capitol; **Parlamentsmitglied** *nt* member of parliament; *(in GB)* Member of Parliament,

MP; *(in USA)* Congressman; **Parlamentssitzung** *f* sitting (of parliament); **Parlamentswahl** *f usu pl* parliamentary election(s).
parlieren* *vi (dated)* to talk away.
Parmaschinken *m* Parma ham.
Parmesan(käse) *m* **-s, no pl** Parmesan (cheese).
Parnaß *m* **-sses** *(liter)* (Mount) Parnassus.
Parodie *f* parody, take-off *(auf +acc* on, *zu* of). **eine ~ von jdm geben** to do a parody *or* take-off of sb, to take sb off.
parodieren* *vt (karikieren)* to take off, to parody.
Parodist(in *f)* *m* parodist; *(von Persönlichkeiten)* impersonator.
parodistisch *adj* parodistic *(liter)*. **~e Sendung** parody, take-off; **er hat ~e Fähigkeiten** he's good at taking people off, he's a good impersonator.
Parodontose *f* **-, -n** periodontosis *(spec)*, shrinking gums.
Parole *f* **-, -n 1.** *(Mil)* password. **2.** *(fig: Wahlspruch)* motto, watchword; *(Pol)* slogan.
Paroli *nt:* **jdm ~ bieten** *(geh)* to defy sb.
Parsing ['paːsɪŋ] *nt (Comput)* parsing.
Part *m* **-s, -e 1.** *(Anteil)* share. **2.** *(Theat, Mus)* part.
Partei *f* **1.** *(Pol)* party. **bei** *or* **in der ~** in the party; **die ~ wechseln** to change parties; **als Bundespräsident steht er über den ~en** as Federal President he takes no part in party politics.
2. *(Jur)* party. **die streitenden ~en** the disputing parties; **die vertragsschließenden ~en** the contracting parties.
3. *(fig)* **~ sein** to be bias(s)ed; **jds ~** *(acc)* *or* **für jdn ~ ergreifen** *or* **nehmen** to take sb's side *or* part, to side with sb; **gegen jdn ~ ergreifen** *or* **nehmen** to take sides against sb; **ein Richter sollte über den ~en stehen** a judge should be impartial.
4. *(im Mietshaus)* tenant.
Parteiabzeichen *nt* party badge; **Parteiapparat** *m* party machinery *or* apparatus; **Parteiausschlußverfahren** *nt* expulsion proceedings *pl*; **Parteibonze** *m (pej)* party bigwig *or* boss; **Parteibuch** *nt* party membership book; **das richtige ~ haben** to belong to the right party; **Parteichef(in** *f)* *m* party leader *or* boss; **Parteichinesisch** *nt (pej)* party jargon.
Parteienfinanzierung *f* party financing.
Parteifrau *f (Pol)* female politician; **Parteifreund** *m* fellow party member; **Parteiführer(in** *f)* *m* party leader; **Parteiführung** *f* leadership of a party; *(Vorstand)* party leaders *pl or* executive; **Parteigänger(in** *f)* *m* **-s, -** *(pej)* party supporter *or* follower; **Parteigenosse** *m*, **Parteigenossin** *f* party member; **parteiintern** *adj* internal party; **etw ~ lösen** to solve sth within the party.
parteiisch *adj* bias(s)ed, partial.
Parteikongreß *m* convention, party congress.
parteilich *adj* **1.** *(rare: parteiisch)* bias(s)ed. **2.** *(eine Partei betreffend)* party.

Maßnahmen, die nicht ~ gebunden sind measures which are independent of party politics.

arteilichkeit f bias, partiality.

arteilinie f party line. **auf die ~ einschwenken** to toe the party line.

arteilos adj Abgeordneter, Kandidat independent, non-party. **der Journalist war ~** the journalist wasn't attached to or aligned with any party.

'arteilose(r) mf decl as adj independent.

'arteilosigkeit f independence.

'arteimitglied nt party member; **Parteinahme** f -, -n partisanship; **Parteiorgan** nt party organ; **Parteipolitik** f party politics pl; **parteipolitisch** adj party political; **Parteipräsidium** nt party executive committee; **Parteiprogramm** nt (party) manifesto or programme; **Parteispende** f party donation; **Parteispendenaffäre** f party donations scandal; **Parteitag** m party conference or convention.

Parteiungen pl (old) factions pl.

Parteiversammlung f party meeting; **Parteivolk** nt grass roots pl of the party; **Parteivorsitzende(r)** m party leader; **Parteivorstand** m party executive; **Parteiwesen** nt party system; **Parteizugehörigkeit** f party membership; **was hat er für eine ~?** what party does he belong to?

parterre [par'tɛr] adv on the ground (Brit) or first (US) floor.

Parterre [par'tɛr] nt -s, -s 1. (von Gebäude) ground floor (Brit), first floor (US). **im ~ wohnen** to live on the ground floor. 2. (old Theat) rear stalls, pit (Brit), parterre (US).

Parterrewohnung f ground-floor flat (Brit), first-floor apartment (US).

partial- [par'tsia:l] in cpds partial.

Partie f 1. (Teil, Ausschnitt) part.
2. (Theat) part, role; (Mus) part.
3. (Sport) game; (Fechten) round. **eine ~ Schach spielen** to play or have a game of chess; **die ~ verloren geben** (lit, fig) to give the game up as lost.
4. (old: Land~) outing, trip.
5. (Comm) lot, batch.
6. (inf) catch. **eine gute ~ (für jdn) sein** to be a good catch (for sb); **eine gute ~ (mit jdm) machen** to marry (into) money.
7. **mit von der ~ sein** to join in, to be in on it; **da bin ich mit von der ~** count me in, I'm with you.
8. (Aus: Arbeitergruppe) gang.

partiell [par'tsiɛl] adj partial. **diese Lösung ist ~ richtig** this solution is partly or partially right.

partienweise [par'ti:ən-] adv (Comm) in lots.

Partikel f -, -n (Gram, Phys) particle.

Partikelschleuder f (Phys) particle accelerator.

Partikularismus m particularism.

Partikularist(in f) m particularist.

partikularistisch adj particularistic.

Partisan(in f) m -s or -en, -en partisan.

Partisanenkrieg m partisan war; (Art des Krieges) guerrilla warfare.

partitiv adj (Gram) partitive.

Partitur f (Mus) score.

Partizip nt -s, -ien [-iən] (Gram) participle. **~ Präsens/Perfekt** present/past participle.

Partizipation f participation (an + dat in).

Partizipialkonstruktion f participial construction; **Partizipialsatz** m participial clause.

partizipieren* vi (geh) to participate (an + dat in).

Partner(in f) m -s, - partner; (Film) costar. **als jds ~ spielen** (in Film) to play opposite sb; (Sport) to be partnered by sb, to be sb's partner.

Partnerschaft f partnership; (Städte~) twinning.

partnerschaftlich adj ~es Verhältnis (relationship based on) partnership; ~e Zusammenarbeit working together as partners; **in gutem ~em Einvernehmen** in a spirit of partnership; **das haben wir ~ gelöst** we solved it together or jointly.

Partnerstaat m partner (country); **Partnerstadt** f twin town; **Partnertausch** m 1. (Tanz, Tennis) change of partners; 2. (sexuell) partner-swopping; **Partnerwahl** f choice of partner; **Partnerwechsel** m siehe Partnertausch 1.

partout [par'tu:] adv (dated) **er will ~ ins Kino gehen** he insists on going to the cinema; **sie will ~ nicht nach Hause gehen** she just doesn't want to go home.

Party ['pa:ɐti] f -, -s or **Parties** party. **eine ~ geben or veranstalten** to give or have a party; **bei or auf einer ~** at a party; **auf eine or zu einer ~ gehen** to go to a party.

Partylöwe m, **Partylöwin** f (iro) socialite; **Partyservice** m party catering service.

Parvenü [parve'ny:, -və'ny:] m -s, -s (dated) parvenu, upstart.

Parzelle f plot, lot, parcel of land.

parzellieren* vt to parcel out.

Pasch m -(e)s, -e or ⁻e (beim Würfelspiel) doublets pl.

Pascha m -s, -s pasha. **wie ein ~** like Lord Muck (inf).

Paspel f -, -n piping no pl.

paspelieren*, paspeln vt to pipe.

Paß m Passes, Pässe 1. passport. 2. (im Gebirge) pass. 3. (Ballspiele) pass. 4. (Reitsport) amble.

passabel adj passable, reasonable; Aussehen auch presentable.

Passage [pa'sa:ʒə] f -, -n (alle Bedeutungen) passage; (Ladenstraße) arcade.

Passagier(in f) [pasa'ʒi:ɐ(-rɪn)] m passenger. **ein blinder ~** a stowaway.

Passagierdampfer m passenger steamer; **Passagierflugzeug** nt passenger aircraft, air-liner; **Passagierin** f siehe Passagier(in); **Passagierliste** f passenger list.

Passah ['pasa] -s, no pl, **Passahfest** nt (Feast of the) Passover.

Paß|amt nt passport office.

Passant(in f) m passer-by.

Passat(wind) m -s, -e trade wind.

Paßbild nt passport photo(graph).

passé [pa'se:] adj pred passé. **diese Mode**

ist längst ~ this fashion went out long ago; **die Sache ist längst ~** that's all ancient history (*inf*), that's all in the past.

Passe *f* -, -n yoke.

passen¹ I *vi* **1.** (*die richtige Größe, Form haben*) to fit. **die Schuhe ~ (mir)** gut the shoes fit (me) well *or* are a good fit (for me); **dieser Schlüssel paßt nicht (ins Schloß)** this key doesn't *or* won't fit (the lock); **wie angegossen ~** to fit like a glove.

2. (*harmonieren*) **zu etw ~** to go with sth; **zu etw im Ton ~** to match sth; **zu jdm ~** (*Mensch*) to be suited to sb, to suit sb; **zueinander ~** to go together; (*Menschen auch*) to be suited (to each other), to suit each other, to be well matched; **sie paßt gut zu ihm** she suits him well, she's well suited to him, she's just right for him; **das paßt zu ihm, so etwas zu sagen** that's just like him to say that; **es paßt nicht zu dir, Bier zu trinken** it doesn't look right for you to drink beer, you don't look right drinking beer; **so ein formeller Ausdruck paßt nicht in diesen Satz** such a formal expression is out of place *or* is all wrong in this sentence; **das Bild paßt besser in das andere Zimmer** the picture would look *or* go better in the other room; **er paßt nicht in dieses Team** he doesn't fit *or* is out of place in this team.

3. (*genehm sein*) to suit, to be suitable *or* convenient. **er paßt mir einfach nicht** I just don't like him; **Sonntag paßt uns nicht** Sunday is no good for us; **das paßt mir gar nicht** (*kommt ungelegen*) that isn't at all convenient, that doesn't suit me at all; (*gefällt mir nicht*) I don't like that at all, I don't think much of that; **das paßt mir gar nicht, daß du schon gehst** I don't want you to go now; **wenn's dem Chef paßt ...** if it suits the boss ..., if the boss gets the idea into his head ...; **du kannst doch nicht einfach kommen, wann es dir paßt** you can't just come when it suits you *or* when you like; **das könnte dir so ~!** (*inf*) you'd like *or* love that, wouldn't you?

II *vr* (*inf*) to be proper. **ein solches Benehmen paßt sich nicht hier** you can't behave like that here.

III *vt* to fix.

passen² *vi* (*Cards*) to pass. **(ich) passe!** (I) pass!; **bei dieser Frage muß ich ~** (*fig*) I'll have to pass on this question.

passen³ *vti* (*Ftbl*) to pass.

passend *adj* **1.** (*in Größe, Form*) gut/schlecht ~es well-/ill-fitting; **er trägt kaum mal einen ~en Anzug** he hardly ever wears a suit that fits; **ein ~er Schlüssel (zu diesem Schloß)** a key that fits *or* to fit (this lock).

2. (*in Farbe, Stil*) matching. **etwas dazu P~es** something that goes with it *or* to go with it *or* to match; **eine im Ton genau dazu ~e Tasche** a bag which matches it exactly.

3. (*genehm*) *Zeit, Termin* convenient, suitable. **er kam zu jeder ~en und unpassenden Zeit** he came at any time, no matter how inconvenient.

4. (*angemessen*) *Bemerkung, Benehmen, Kleidung* suitable, appropriate, fitting; *Wort* right, proper. **sie trägt zu jeder Gelegenheit einen ~en Hut** she always wears a hat to suit *or* match the occasion; **er findet immer das ~e Wort** he always knows the right thing to say.

5. *Geld* exact. **haben Sie es ~?** have you got it exactly?, have you got the right money?

Passepartout [paspar'tuː] *m or nt* -s, -s (*alle Bedeutungen*) passe-partout.

Paßform *f* fit; **eine gute ~ haben** to be a good fit; **Paßfoto** *nt* passport photo (graph); **Paßgang** *m* amble; **im ~ gehen** to amble; **Paßgänger** *m* -s, - ambler; **Paßhöhe** *f* top of the pass.

passierbar *adj* passable; *Fluß, Kanal* negotiable.

passieren* **I** *vt* **1.** *auch vi* to pass. **der Zug passierte die Brükke/zwei Stationen** the train crossed *or* went *or* passed over the bridge/went through *or* passed (through) two stations; **die Grenze ~** to cross (over) *or* pass (over *or* through) the border; **die Zensur ~** to get through the censor, to be passed by the censor; **jdn ungehindert ~ lassen** to let sb pass.

2. (*Cook*) to strain.

II *vi aux sein* (*sich ereignen*) to happen (*mit* to). **ihm ist etwas Schreckliches passiert** something terrible has happened to him; **ihm ist beim Bergsteigen etwas passiert** he had an accident while mountaineering; **ist ihm etwas passiert?** has anything happened to him?; **was ist denn passiert?** what's the matter?; **es wird dir schon nichts ~** nobody's going to hurt you, nothing is going to happen to you; **es ist ein Unfall passiert** there has been an accident; **das kann auch nur mir ~!** that could only happen to me!, just my luck!; **daß mir das ja nicht noch mal passiert!** see that it doesn't happen again!; **jetzt ist es passiert!** jetzt kriegen wir Ärger that's done it *or* torn it (*inf*), now we'll be in trouble; **so was ist mir noch nie passiert!** that's never happened to me before!; (*empört*) I've never known anything like it!

Passierschein *m* pass, permit; **Passierschlag** *m* (*Tennis*) passing shot; **Passiersieb** *nt* strainer.

Passion *f* passion; (*religiös*) Passion. **er ist Jäger aus ~** he has a passion for hunting.

passioniert *adj* enthusiastic, passionate.

Passionsblume *f* passion flower; **Passionsspiel** *nt* Passion play; **Passionswoche** *f* Holy Week, Passion Week; **Passionszeit** *f* (*Karwoche*) Holy *or* Passion Week; (*Fastenzeit*) Lent.

passiv *adj* passive. **sich ~ verhalten** to be passive; **~e Bestechung** corruption *no pl*, corrupt practices *pl*; **~es Mitglied** non-active member; **~es Rauchen** passive smoking; **~er Widerstand** passive resistance; **~er Wortschatz** passive vocabulary; **~e Handelsbilanz** (*Comm*) adverse trade balance.

Passiv *nt* -s, -e (*Gram*) passive (voice).

Passiva [pa'si:va], **Passiven** [pa'si:vn] *pl* (*Comm*) liabilities *pl*.

Passivbildung *f* (*Gram*) formation of the passive; **Passivfähigkeit** *f* (*Gram*) ability to form the passive; **Passivgeschäft** *nt* (*Fin*) deposit business.

Passivität [pasivi'tε:t] *f* passiveness, passivity; (*Chem*) passivity.

Passiv- (*Comm*) *in cpds* debit.

Passivrauchen *nt* passive smoking.

Paßkontrolle *f* passport control; **Paßstelle** *f* passport office; **Paßstraße** *f* (mountain) pass.

Passus *m* -, - passage.

Paßwort *nt* (*Comput*) password.

Paßzwang *m* requirement to carry a passport. **es besteht kein ~** you don't have to carry a passport.

Paste *f* -, -n, **Pasta** *f* -, **Pasten** paste.

Pastell *nt* -s, -e pastel. **in ~ arbeiten** to work in pastels.

Pastellfarbe *f* pastel (crayon); (*Farbton*) pastel (shade *or* colour); **pastellfarben** *adj* pastel(-coloured); **etw ~ streichen** to paint sth in pastel colours *or* in pastels; **Pastellmaler(in** *f*) *m* pastellist; **Pastellmalerei** *f* drawing in pastels, pastel drawing; **Pastellstift** *m* pastel (crayon); **Pastellton** *m* pastel shade *or* tone.

Pastete *f* -, -n 1. (*Schüssel~*) pie; (*Pastetchen*) vol-au-vent; (*ungefüllt*) vol-au-vent case. 2. (*Leber~*) pâté.

Pasteurisation [pastøriza'tsio:n] *f* pasteurization.

pasteurisieren* [pastøri'zi:rən] *vt* to pasteurize.

Pastille *f* -, -n pastille.

Pastor *m siehe* Pfarrer(in).

pastoral *adj* pastoral.

Pastorale *nt* -s, -s *or f* -, -n (*Mus*) pastorale; (*Art*) pastoral.

Pastorin *f siehe* Pfarrer(in).

Pate *m* -n, -n 1. (*Taufzeuge*) godfather, godparent; (*Firmzeuge*) sponsor. **bei einem Kind ~ stehen** to be a child's godparent/sponsor; **bei etw ~ gestanden haben** (*fig*) to be the force behind sth. 2. (*obs: Täufling*) godchild.

Patene *f* -, -n (*Eccl*) paten.

Patenkind *nt* godchild; godson; goddaughter; **Patenonkel** *m* godfather; **Patenschaft** *f* godparenthood; sponsorship; **er übernimmt die ~ für das Kind** he's going to be the child's godfather; **Patensohn** *m* godson; **Patenstadt** *f* twin(ned) town.

patent *adj* ingenious, clever; *Lösung auch* neat; (*praktisch*) *Mensch, Messer auch* handy (*inf*); *Werkzeug auch* nifty (*inf*). **ein ~er Kerl** a great guy/girl (*inf*); **sie ist eine ~e Frau** she's a tremendous woman.

Patent *nt* -(e)s, -e 1. (*Erfindung, Urkunde*) patent; (*inf: Mechanismus*) apparatus. **etw als** *or* **zum ~ anmelden**, **ein ~ auf** *or* **für etw anmelden** to apply for a patent on *or* for sth; **ein ~ auf eine Erfindung haben** to have a patent on an invention; **„zum ~ angemeldet"** patent pending. 2. (*Ernennungsurkunde*) commission. 3. (*Sw*) permit, licence.

Patentamt *nt* Patent Office.

Patentante *f* godmother.

Patentanwalt *m*, **Patentanwältin** *f* patent agent *or* attorney; **patentfähig** *adj* patentable; **Patentgesetz** *nt* Patents Act.

patentierbar *adj* patentable.

patentieren* *vt* to patent. **sich** (*dat*) **etw ~ lassen** to take out a patent on sth, to have sth patented.

Patentinhaber(in *f*) *m* patentee, patent-holder; **Patentlösung** *f* (*fig*) easy answer, patent remedy.

Patentochter *f* goddaughter.

Patentrecht *nt* patent law; **Patentrezept** *nt* (*fig*) easy answer, patent remedy; **Patentschrift** *f* patent specification; **Patentschutz** *m* patent right, protection by (letters) patent; **Patenturkunde** *f* letters patent *pl*; **Patentverschluß** *m* swing stopper.

Pater *m* -s, - *or* **Patres** (*Eccl*) Father.

Paternoster¹ *nt* -s, - (*Gebet*) Lord's Prayer, paternoster.

Paternoster² *m* -s, - (*Aufzug*) paternoster.

pathetisch *adj* emotional; *Beschreibung auch* dramatic; *Rede, Stil auch* emotive; *Gehabe auch* histrionic. **das war zu ~ gespielt** it was overacted.

Pathologe *m*, **Pathologin** *f* pathologist.

Pathologie *f* pathology.

pathologisch *adj* pathological.

Pathos *nt* -, *no pl* emotiveness, emotionalism. **ein Gedicht mit ~ vortragen** to read a poem with feeling; **die Rede enthielt zuviel falsches ~** the speech contained too much false emotionalism; **mit viel ~ in der Stimme** in a voice charged with emotion.

Patience [pa'siã:s] *f* -, -n patience *no pl*. **~n legen** to play patience; **eine ~ legen** to play (a game of) patience.

Patient(in *f*) [pa'tsient(ın)] *m* -en, -en patient. **ich bin ~ von** *or* **bei Dr. X** I'm Dr X's patient, I'm being treated by Dr X.

Patin *f* godmother, godparent; (*Firm~*) sponsor.

Patina *f* -, *no pl* (*lit, fig*) patina. **~ ansetzen** (*lit*) to patinate, to become coated with a patina; (*fig*) to take on a hallowed air of tradition.

patinieren* *vt* to patinate, to coat with a patina.

Patres *pl of* Pater.

Patriarch *m* -en, -en (*lit, fig*) patriarch.

patriarchalisch *adj* (*lit, fig*) patriarchal. **er regiert ~** he rules patriarchally.

Patriarchat *nt* patriarchy.

Patriot(in *f*) *m* -en, -en patriot.

patriotisch *adj* patriotic. **~ gesinnt** patriotically-minded, patriotic.

Patriotismus *m* patriotism.

Patrize *f* -, -n punch.

Patriziat *nt* patriciate.

Patrizier(in *f*) [-iɐ, -iərın] *m* patrician.

Patriziergeschlecht *nt* patrician family.

patrizisch *adj* patrician.

Patron *m* -s, -e 1. (*Eccl*) patron saint. 2. (*old: Schirmherr*) patron. 3. (*inf*) frecher ~ cheeky beggar (*inf*).

Patronage [patro'na:ʒə] *f* -, -n patronage.

Patronat *nt* patronage (*über* +*acc* of). **unter jds ~** (*dat*) **stehen** to be under sb's patronage.

Patrone *f* -, -n (*Film, Mil, von Füller*) cartridge; (*Tex*) point paper design.

Patronengurt *m* ammunition belt; **Patronengürtel** *m* cartridge belt, bandolier; **Patronenhülse** *f* cartridge case; **Patronentasche** *f* ammunition pouch.

Patronin *f* 1. (*Eccl*) patron saint. 2. (*old: Schirmherrin*) patron, patroness.

Patronymikon *nt* -s, **Patronymika** patronymic.

Patrouille [pa'trʊljə] *f* -, -n patrol. **~ gehen** to patrol.

Patrouillen- [pa'trʊljən-]: **Patrouillenboot** *nt* patrol boat; **Patrouillengang** *m* patrol.

patrouillieren* [patrʊl'jiːrən] *vi* to patrol.

patsch *interj* splash, splat; (*bei Ohrfeige*) smack.

Patsch *m* -es, -e (*inf*) smack, slap.

Patsche *f* -, -n (*inf*) 1. (*Hand*) paw (*inf*). 2. (*Matsch*) mud; (*Schneematsch*) slush; (*fig*) jam (*inf*), fix (*inf*), (tight) spot (*inf*). **in der ~ sitzen** *or* **stecken** to be in a jam *etc*; **jdm aus der ~ helfen, jdn aus der ~ ziehen** to get sb out of a jam *etc*. 3. (*Feuer~*) beater; (*Fliegen~*) swat.

patschen *vi* 1. to splash. **das Baby patschte mit der Hand in die Suppe** the baby went splat *or* splash with his hand in the soup; **er ist durch die Pfützen gepatscht** he splashed *or* went splashing through the puddles. 2. (*inf*) **das Baby patschte auf den Tisch/an die Möbel** the baby smacked *or* slapped the table/the furniture (with its hands); **die Kinder ~ mit den Händen** the children clap their hands (together); **der Hund patschte über den Flur** the dog padded across the hall.

Patschhand *f* (*inf*), **Patschhändchen** *nt* (*inf*) paw (*inf*), mitt (*inf*); (*von Kindern*) (little) hand; **patschnaß** *adj* (*inf*) soaking *or* dripping wet.

patt *adj pred, adv* (*Chess, fig*) in stalemate. **das Spiel endete ~** the game ended in (a) stalemate.

Patt *nt* -s, -s (*lit, fig*) stalemate. **ein ~ erreichen** to reach *or* come to (a) stalemate.

Pattsituation *f* (*lit, fig*) stalemate. **aus einer ~ herauskommen** to get out of a stalemate, to break the deadlock.

patzen *vi* (*inf*) to slip up, to boob (*Brit inf*), to goof (*US inf*). **der Pianist/Schauspieler hat gepatzt** the pianist/actor fluffed a passage/his lines *or* boobed *etc*.

Patzen *m* -s, - (*Aus*) blotch, splodge; (*Tinte auch*) blot.

Patzer *m* -s, - (*inf: Fehler*) slip, boob (*Brit inf*), goof (*US inf*). **mir ist ein ~ unterlaufen** I made a slip *or* boob.

patzig *adj* (*inf*) snotty (*inf*), insolent.

Pauke *f* -, -n 1. (*Mus*) kettledrum, timpani *pl*. **mit ~n und Trompeten empfangen** to roll out the red carpet for sb, to give sb the red-carpet treatment; **mit ~n und Trompeten durchfallen** (*inf*) to fail

miserably *or* dismally; **auf die ~ hauen** (*inf*) (*angeben*) to blow one's own trumpet, to brag; (*feiern*) to paint the town red. 2. (*dated Sch: Schule*) swot-shop (*dated sl*).

pauken I *vi* 1. (*inf: Pauke spielen*) to drum. 2. (*von Korpsstudenten*) to fence. 3. (*inf: lernen*) to swot (*inf*), to cram (*inf*). **meine Mutter hat immer mit mir gepaukt** my mother always helped me with my swotting. **II** *vt* to swot up (*inf*). **mit jdm Geschichtszahlen ~** to help sb swot up their dates.

Paukenschlag *m* drum beat; **wie ein ~** (*fig*) like a thunderbolt; **die Sinfonie mit dem ~** the Surprise Symphony; **Paukenschlegel** *m* drumstick; **Paukenspieler(in** *f*) *m* drummer.

Pauker *m* -s, - 1. (*inf: Paukenspieler*) drummer. 2. (*Sch inf: Lehrer*) teacher. **da geht unser ~** there's sir (*inf*).

Paukerei *f* 1. (*inf: das Paukespielen*) drumming. 2. (*Sch inf*) swotting (*inf*). **ich hab diese ~ satt** I'm fed up with school.

Paukist(in *f*) *m* timpanist.

Paulusbrief *m* Paul's Epistle.

Pausbacken *pl* chubby cheeks *pl*.

pausbäckig *adj* chubby-cheeked.

pauschal *adj* 1. (*vorläufig geschätzt*) estimated; (*einheitlich*) flat-rate *attr only*; (*inklusiv*) inclusive. **die Werkstatt berechnet ~ pro Inspektion 60 DM** the garage has a flat rate of DM 60 per service; **die Einkommensteuer kann ~ festgesetzt werden** income tax can be set at a flat rate; **die Gebühren werden ~ bezahlt** the charges are paid in a lump sum; **Strom berechnen wir Ihnen ~** we'll charge you a flat rate for electricity. 2. (*fig*) **so ~ kann man das nicht sagen** that's much too sweeping a statement; **ein Volk ~ verurteilen** to condemn a people wholesale *or* lock, stock and barrel; **diese Probleme hat er ganz ~ in einem kurzen Kapitel behandelt** he treated these problems all lumped together in a single short chapter.

Pauschale *f* -, -n (*Einheitspreis*) flat rate; (*vorläufig geschätzter Betrag*) estimated amount.

Pauschalgebühr *f* (*Einheitsgebühr*) flat rate (charge); (*vorläufig geschätzter Betrag*) estimated charge.

pauschalieren* *vt* to estimate at a flat rate *or* in a lump sum.

Pauschalpreis *m* (*Einheitspreis*) flat rate; (*vorläufig geschätzter Betrag*) estimated price; (*Inklusivpreis*) inclusive *or* all-in price; **Pauschalreise** *f* package holiday/tour; **Pauschalsumme** *f* lump sum; **Pauschaltarif** *m* flat rate; **Pauschalurteil** *nt* sweeping statement; **er neigt sehr zu ~en** he tends to make sweeping statements; **Pauschalversicherung** *f* comprehensive insurance *no pl*.

Pauschbetrag *m* flat rate.

Pause *f* -, -n 1. (*Unterbrechung*) break; (*Rast*) rest; (*das Innehalten*) pause; (*Theat*) interval, intermission; (*Sch*) break, recess (*US*); (*Pol*) recess. (**eine**) ~ **machen, eine** ~ **einlegen** (*sich entspannen*) to take *or* have *or* make a break; (*rasten*) to rest, to have *or* take a rest; (*innehalten*) to pause, to make a pause; **nach einer langen** ~ **sagte er ...** after a long silence he said ...; **immer wieder entstanden** ~**n in der Unterhaltung** the conversation was full of gaps *or* silences; **ohne** ~ **arbeiten** to work non-stop *or* without stopping *or* continuously; **die große** ~ break, recess (*US*); (*in einer Grundschule*) playtime.

2. (*Mus*) rest. **die** ~**n einhalten** to make the rests; **eine halbe/ganze** ~ a minim (*Brit*) *or* half-note (*US*)/semibreve (*Brit*) *or* whole-note (*US*) rest.

3. (*Durchzeichnung*) tracing; (*Photokopie*) (photo)copy.

pausen *vt* to trace.

Pausenbrot *nt* something to eat at break; **Pausenfüller** *m* stopgap; **Pausenhof** *m* playground, schoolyard; **pausenlos** *adj* no *pred* non-stop, continuous, incessant; **er arbeitet** ~ he works non-stop; **Pausenpfiff** *m* (*Sport*) time-out whistle; (*zur Halbzeit*) half-time whistle; **Pausenstand** *m* half-time score; score at the interval; **Pausenzeichen** *nt* (*Mus*) rest; (*Rad*) call sign.

pausieren* *vi* to (take *or* have a) break. **der Torwart mußte wegen einer Verletzung** ~ the goalkeeper had to rest up because of injury.

Pauspapier *nt* tracing paper; (*Kohlepapier*) carbon paper.

Pavian ['pa:via:n] *m* -s, -e baboon.

Pavillon ['pavıl'jõ:] *m* -s, -s pavilion.

Pazifik *m* -s Pacific.

pazifisch *adj* Pacific. **der P**~**e Ozean** the Pacific (Ocean).

Pazifismus *m* pacifism.

Pazifist(in *f*) *m* pacifist.

pazifistisch *adj* pacifist.

PC [pe:'tse:] *m* -s, -s *abbr of* **Personalcomputer** PC.

PDS [pe:de:'ɛs] *f* - *abbr of* **Partei des Demokratischen Sozialismus**.

Pech *nt* -(e)s, -e **1.** (*Stoff*) pitch. **ihr Haar ist schwarz wie** ~ her hair is jet black; **die beiden halten zusammen wie** ~ **und Schwefel** (*inf*) the two are as thick as thieves *or* are inseparable.

2. *no pl* (*inf: Mißgeschick*) bad *or* hard *or* tough (*inf*) luck. **bei etw** ~ **haben** to be unlucky in *or* with sth, to have bad *or* tough (*inf*) *or* lousy (*inf*) luck in *or* with sth; ~ **gehabt!** tough! (*inf*); **sie ist vom** ~ **verfolgt** bad luck follows her around; **das ist sein** ~**!** that's his hard *or* bad *or* tough (*inf*) luck!; **so ein** ~**!** just my/our *etc* luck!

Pechblende *f* (*Min*) pitchblende; **Pechdraht** *m* waxed thread; **Pechfackel** *f* (pitch) torch, link; **pech(raben)-schwarz** *adj* (*inf*) pitch-black; *Haar* jet-black; **Pechsträhne** *f* (*inf*) run *or* streak of bad luck, unlucky patch; **eine** ~ **haben** to have a run *or* streak of bad luck, to go through an unlucky patch; **Pechvogel** *m* (*inf*) unlucky person, walking disaster area (*hum inf*);

(*Frau auch*) Calamity Jane.

Pedal *nt* -s, -e pedal. (**fest**) **in die** ~**e treten** to pedal (hard).

Pedant(in *f*) *m* pedant.

Pedanterie *f* pedantry.

pedantisch *adj* pedantic.

Peddigrohr *nt* cane.

Pediküre *f* -, -n **1.** *no pl* (*Fußpflege*) pedicure. **2.** (*Fußpflegerin*) chiropodist.

pediküren* *vt* to give a pedicure to.

Peep-Show ['pi:pʃo:] *f* peep show.

Pegel *m* -s, - (*in Flüssen, Kanälen, Meer*) water depth gauge; (*Elec*) level recorder.

Pegelstand *m* water level.

Peilantenne *f* directional antenna.

peilen *vt Wassertiefe* to sound, to plumb; *U-Boot, Sender, Standort* to get a fix on, to get *or* take the bearings of; *Richtung* to plot; (*entdecken*) to detect. **die Lage** ~ (*inf*) to see how the land lies, to see which way the wind's blowing; **über den Daumen gepeilt** (*inf*) roughly speaking, at a rough estimate.

Peilfunk *m* radio direction finder; **Peilstation** *f* direction finding station.

Peilung *f* (*von Wassertiefe*) sounding, plumbing; (*von U-Boot, Sender*) locating; (*von Richtung*) plotting.

Pein *f* -, *no pl* (*geh*) agony, suffering.

peinigen *vt* (*geh*) to torture; (*fig*) to torment. **jdn bis aufs Blut** ~ (*fig*) to torment sb mercilessly; **von Schmerzen/Zweifeln gepeinigt** tormented by pain/doubt, racked with pain/doubt.

Peiniger *m* -s, - (*geh*) tormentor.

Peinigung *f* (*geh*) torment.

peinlich *adj* **1.** (*unangenehm*) (painfully) embarrassing; *Lage, Fragen auch* awkward; *Überraschung* nasty. **es war ihm** ~**(, daß ...)** he was *or* felt embarrassed (because ...); **es ist mir sehr** ~**, aber ich muß es Ihnen einmal sagen** I don't know how to put it, but you really ought to know; **das ist mir ja so** ~ I feel awful about it; ~ **berührt sein** (*hum*) to be profoundly shocked (*iro*); ~ **wirken** to be embarrassing, to cause embarrassment.

2. (*gewissenhaft*) painstaking, meticulous; *Sparsamkeit* careful. **in seinem Zimmer/auf seinem Schreibtisch herrschte** ~**e** *or* ~**ste Ordnung** his room/his desk was meticulously *or* scrupulously tidy; **jdn einem** ~**en Verhör unterziehen** to question sb very closely; ~ **sauber** scrupulously *or* meticulously clean; **der Koffer wurde** ~ **genau untersucht** the case was gone through very thoroughly *or* was given a very thorough going-over (*inf*).

Peinlichkeit *f* (*Unangenehmheit*) awkwardness, embarrassment. **diese** ~**en auf der Bühne** these embarrassing *or* painful (*inf*) scenes on stage.

peinvoll *adj* (*old*) painful.

Peitsche *f* -, -n whip. **er gab seinem Pferd die** ~ he whipped his horse on.

peitschen *vti* to whip; (*fig*) to lash.

Peitschenhieb *m* stroke, lash; **Peitschenknall** *m* crack of a whip; **Peitschenleuchte** *f* street lamp; **Peit-**

schenschlag m lash of a whip; **Peitschenschnur** f (whip)lash, thong; **Peitschenstiel** m whip handle, whipstock.

pejorativ adj pejorative.

Pekinese m -n, -n pekinese, peke (inf).

Peking nt -s Peking.

Pektin nt -s, -e pectin.

pekuniär adj (dated) pecuniary, financial.

Pelerine f cape.

Pelikan m -s, -e pelican.

Pelle f -, -n (inf) skin. **der Chef sitzt mir auf der ~** (inf) I've got the boss on my back (inf); **er geht mir nicht von der ~** (inf) he won't stop pestering me.

pellen (inf) I vt Kartoffeln, Wurst to skin, to peel; siehe **Ei.** II vr (Mensch, Körperhaut) to peel. **meine Haut pellt sich** my skin's peeling, I'm peeling.

Pellkartoffeln pl potatoes pl boiled in their jackets.

Peloponnes m -(es) or f - Peloponnese.

Pelz m -es, -e fur; (nicht gegerbt auch) pelt, hide, skin; (Kleidung) fur; (fig: Haarwuchs) fur no pl. **jdm eins auf den ~ brennen** (inf) to singe sb's hide; **sich** (dat) **die Sonnen auf den ~ brennen lassen** (inf) to toast oneself (inf).

Pelzbesatz m fur trimming; **pelzbesetzt** adj trimmed with fur, fur-trimmed; **Pelzfutter** nt fur lining; **pelzgefüttert** adj fur-lined, lined with fur; **Pelzhändler(in** f) m furrier; (Fellhändler) fur trader.

pelzig adj furry; Zunge furred(-over), furry.

Pelzimitation f imitation fur; **Pelzkragen** m fur collar; **Pelzmantel** m fur coat; **Pelzmütze** f fur hat; **Pelzstiefel** m fur or furry (inf) boot; (pelzgefüttert) fur-lined boot; **Pelzstoff** m fur fabric; **Pelztier** nt animal with a valuable fur, animal prized for its fur; **Pelztierfarm** f fur farm; **Pelztierjäger** m skin-hunter; (Fallensteller) (fur-)trapper; **Pelztierzucht** f fur-farming; **pelzverbrämt** adj fur-trimmed; **Pelzwaren** pl furs; **Pelzwerk** nt fur.

Pen-Club m PEN Club.

Pendant [pã'dã:] nt -s, -s counterpart, opposite number.

Pendel nt -s, - pendulum. **das ~ schlug nach der entgegengesetzten Seite aus** (fig) the pendulum swung in the other direction.

Pendelausschlag m swing of a/the pendulum; **Pendelflugdienst** m shuttle service.

pendeln vi 1. (schwingen) to swing (to and fro), to oscillate (form). **er ließ die Beine ~** he let his legs dangle, he dangled his legs. 2. aux sein (hin- und herfahren) (Zug, Fähre) to run or operate a shuttle-service, to shuttle; (Mensch) to commute; (fig) to vacillate, to fluctuate.

Pendelschwingung f swing of the pendulum; (Phys auch) oscillation (of a pendulum); **Pendeltür** f swing door; **Pendeluhr** f pendulum clock; **Pendelverkehr** m shuttle service; (Berufsverkehr) commuter traffic.

Pendler(in f) m -s, - commuter.

Penes pl of **Penis.**

penetrant adj 1. Gestank, Geschmack penetrating, pungent; Gestank, Parfüm auch overpowering. **das schmeckt ~ nach Knoblauch** you can't taste anything for garlic, it has a very strong taste of garlic.

2. (fig: aufdringlich) pushing, insistent. **seine Selbstsicherheit ist schon ~** his self-confidence is overpowering; **ein ~er Kerl** a pest, a nuisance.

Penetranz f, no pl (von Geruch, Geschmack) pungency; (fig: Aufdringlichkeit) insistence, aggressiveness. **er ist von einer unausstehlichen ~** he's unbearably overpowering.

Penetration f penetration.

penetrieren* vt (geh) to penetrate.

peng interj bang.

penibel adj 1. pernickety (inf), precise, exact. 2. (dial: peinlich) Lage, Angelegenheit painful, embarrassing.

Penis m -, -se or **Penes** penis.

Penizillin nt -s, -e penicillin.

Pennäler(in f) m -s, - (dated) high-school boy/girl, grammar-school boy/girl (Brit).

Pennbruder m (pej inf) tramp, bum (inf), hobo (US).

Penne f -, -n 1. (Sch sl) school. 2. (pej inf: Herberge) doss house (inf), flophouse (inf).

pennen vi (inf) to kip down (inf). **ich habe gerade ein bißchen gepennt** I've just been having a bit of a kip-down (inf); (nicht aufgepaßt) I wasn't really listening just now; **der Meier pennt schon wieder im Unterricht** Meier's having a little sleep again during the lesson; **du bist daran, penn nicht!** it's your turn, wake up!

Penner(in f) m -s, - (inf) 1. tramp, bum (inf), hobo (US). 2. (verschlafener Mensch) sleepyhead (inf).

Pensa, Pensen pl of **Pensum.**

Pension [pen'zio:n] f -, -en 1. (Fremdenheim) guest-house, pension.

2. no pl (Verpflegung, Kostgeld) board. **halbe/volle ~** half/full board.

3. (Ruhegehalt) pension, superannuation.

4. no pl (Ruhestand) retirement. **in ~ gehen** to retire, to go into retirement; **in ~ sein** to be retired, to be in retirement.

Pensionär(in f) [penzio'nɛːɐ, -ɛːərɪn] m 1. (Pension beziehend) pensioner; (im Ruhestand befindlich) retired person. 2. (esp Sw: Pensionsgast) paying guest; (ständiger Pensionsgast) boarder.

Pensionat [penzio'naːt] nt (dated) boarding school.

pensionieren* [pensio'niːrən] vt to pension off, to retire. **sich ~ lassen** to retire.

pensioniert adj retired, in retirement.

Pensionierung f (Zustand) retirement; (Vorgang) pensioning-off.

Pensionist(in f) [pensio'nɪst] m (S Ger, Aus) siehe **Pensionär(in)** 1.

Pensionsalter nt retiring or retirement age; **Pensionsanspruch** m right to a pension; **pensionsberechtigt** adj entitled to a pension; **Pensionsgast** m paying guest; **Pensionskasse** f pension fund; **Pensionspreis** m price for full board; ~ **DM 21** full board DM 21; **pensionsreif** adj (inf) ready for retirement; **Pensionsrückstellungen** pl pension reserve(s).

Pensum nt -s, **Pensa** or **Pensen** workload; (Sch) curriculum. **tägliches** ~ daily quota; **er hat sein** ~ **nicht geschafft** he didn't achieve his target; **ein hohes** or **großes** ~ **an Arbeit** a heavy workload.

Pentagon nt -s, **-e** pentagon.

Pentagramm nt pentagram.

Pentameter m (Poet) pentameter.

Pentateuch m -s Pentateuch.

Penthouse ['penthaus] nt -, **-s, Penthouse-Wohnung** f penthouse (flat).

Pep m -(s), no pl (inf) pep (inf), life. **etw mit** ~ **machen** to put a bit of pep (inf) or life or zip (inf) into doing sth; **das Kleid hat** ~ that dress has style or flair.

Peperoni f -, - chilli.

Pepita m or nt -s, **-s** shepherd('s) check or plaid.

peppig adj (inf) lively, upbeat.

Pepsin nt -s, **-e** pepsin.

Peptid nt -(e)s, **-e** peptide.

per prep 1. (mittels, durch) by. ~ **Adresse** (Comm) care of, c/o; **mit jdm** ~ **du sein** (inf) to be on Christian-name terms or first-name terms with sb; ~ **procura** (Comm) per procura, pp abbr, for; ~ **pedes** (hum) on shanks's pony (hum), on foot; ~ **se** per se; ~ **definitionem** by definition.

2. (Comm: gegen) against. ~ **cassa** against cash.

3. (Comm: bis, am) by.

4. (Comm: pro) per.

perennierend adj perennial.

perfekt adj 1. (vollkommen) perfect. ~ **Englisch sprechen** to speak perfect English, to speak English perfectly.

2. pred (abgemacht) settled. **etw** ~ **machen** to settle or conclude sth; **die Sache** ~ **machen** to clinch the deal, to settle the matter; **der Vertrag ist** ~ the contract is signed, sealed and delivered (inf), the contract is all settled.

Perfekt nt -s, **-e** perfect (tense).

Perfektion f perfection. **das war Artistik in höchster** ~ that was the epitome of artistry, that was perfect artistry.

perfektionieren* [pɛrfɛktsio'niːrən] vt (geh) to perfect.

Perfektionismus [pɛrfɛktsio'nɪsmʊs] m perfectionism.

Perfektionist(in f) [pɛrfɛktsio'nɪst(ɪn)] m perfectionist.

perfektionistisch [pɛrfɛktsio'nɪstɪʃ] adj perfectionist.

perfektiv adj perfective.

perfid(e) adj (geh) perfidious.

Perfidie f (geh) perfidy.

Perforation f perforation.

perforieren* vt to perforate.

Performance [pɔːˈfɔːməns] f -, **-s** [-mənsɪz] (Theat) performance.

Performanz f no pl (Ling) performance.

Pergament nt 1. (präparierte Tierhaut) parchment; (Kalbs~ auch) vellum. **dieses Buch ist in** ~ **gebunden** this book is

vellum-bound or bound in vellum. **2.** (Handschrift) parchment. **3.** (~papier) greaseproof paper.

Pergamentband m vellum(-bound) book.

Pergamentpapier nt greaseproof paper;

Pergamentrolle f (parchment) scroll.

Pergola f -, **Pergolen** arbour, bower.

Periode f -, **-n** period (auch Physiol); (von Wetter auch) spell; (Math) repetend; (Elec) cycle. **0,33** ~ 0.33 recurring; **ihre** ~ **ist ausgeblieben** she didn't get or have her period.

Periodensystem nt periodic system; (Tafel) periodic table.

Periodikum nt -s, **Periodika** usu pl periodical.

periodisch adj periodic(al); (regelmäßig) regular; (Phys) periodic. **~er Dezimalbruch** recurring fraction.

periodisieren* vt to divide up into periods.

Periodizität f periodicity.

Peripetie f peripetia.

peripher adj (geh) peripheral.

Peripherie f periphery; (von Kreis) circumference; (von Stadt) outskirts pl. **an der** ~ **Bonns** in or on the outskirts of Bonn.

Peripheriegerät nt (Comput) peripheral.

Periskop nt -s, **-e** periscope.

periskopisch adj periscopic.

Peristaltik f peristalsis.

Perle f -, **-n** 1. (Muschel~) pearl. **~n vor die Säue werfen** (prov) to cast pearls before swine (prov). **2.** (aus Glas, Holz) bead; (Luftbläschen) bubble; (von Wasser, Schweiß) bead, drop, droplet. **3.** (fig) pearl, gem; (dated inf: Hausmädchen) maid.

perlen vi (sprudeln) to sparkle, to bubble, to effervesce; (fallen, rollen) to trickle, to roll. **~des Lachen** (liter) rippling or bubbling laughter; **der Tau perlt auf den Blättern** drops or beads of dew glisten on the leaves; **der Schweiß perlte ihm von/auf der Stirn** beads of sweat were running down/stood out on his forehead; **Wasser perlt auf einer Fettschicht** water forms into droplets on a greasy surface.

Perlenauster f pearl oyster; **perlenbestickt** adj embroidered or decorated with pearls; **Perlenfischer** m pearl fisher, pearler; **Perlenfischerei** f pearl fishing; **Perlenkette** f nt string of pearls, pearl necklace, pearls pl; **Perlenschnur** f string of beads, beads pl; **Perlenstickerei** f beadwork; **Perlentaucher** m pearl diver.

Perlfang m (Knitting) knit one, purl one; **Perlgarn** nt mercerized yarn; **perlgrau** adj pearl grey; **Perlhuhn** nt guinea fowl; **Perlmuschel** f pearl oyster; **Perlmutt** nt -s, no pl, **Perlmutter** f -, no pl or nt -s, no pl mother-of-pearl; **Perlmuttknopf** m (mother-of-)pearl button; **perlmuttern** adj mother-of-pearl; (fig) pearly.

Perlon ® nt -s, no pl ≈ nylon.

Perlonstrümpfe pl nylons pl, nylon stockings pl.

Perlschrift f (*Typ*) pearl; **Perlwein** m sparkling wine; **Perlzwiebel** f cocktail or pearl onion.

permanent adj permanent.

Permanenz f permanence. **in ~** continually, constantly.

permeabel adj (*Bot, Phys, Tech*) permeable.

permissiv adj permissive.

Permissivität f, no pl permissiveness.

Perpendikel m or nt -s, - (*von Uhr*) pendulum.

perpetuieren vt (*geh*) to perpetuate.

Perpetuum mobile nt - -, - -(s) perpetual motion machine.

perplex adj dumbfounded, thunderstruck.

Perron [pɛ'rõ:] m -s, -s (*old, Sw, Aus*) platform.

Persenning f -, -e(n) tarpaulin, tarp (*US inf*).

Perser(in f) m -s, - Persian.

Perser(teppich) m Persian carpet; (*Brücke*) Persian rug.

Pershing ['pɜːʃɪŋ] f -, -s (*inf*), **Pershing-Rakete** f Pershing missile.

Persianer m -s, - 1. (*Pelz*) Persian lamb. 2. (*auch* **~mantel**) Persian lamb (coat).

Persien [-iən] nt -s Persia.

Persiflage [pɛrzi'flaːʒə] f -, -n pastiche, satire (*gen, auf*+*acc* on, of).

persiflieren* vt to satirize, to write a pastiche of.

Persilschein m (*hum inf*) clean bill of health (*inf*); (*Hist*) denazification certificate. **jdm einen ~ ausstellen** to absolve sb of all responsibility.

persisch adj Persian. **P~er Golf** Persian Gulf.

Person f -, -en 1. (*Einzel~*) person, individual. **jede ~ bezahlt ...** each person or everybody pays ...; **~en** people, persons (*form*); **eine aus 6 ~en bestehende Familie** a family of 6; **pro ~** per person; **die eigene ~** oneself; **was seine eigene ~ betrifft** as for himself; **ich für meine ~...** I myself ..., as for myself I ..., I for my part ...; **in (eigener) ~ erscheinen** to appear in person or personally; **er ist Finanz- und Außenminister in einer ~** he's the Chancellor of the Exchequer and Foreign Secretary rolled into one; **jdn zur ~ vernehmen** (*Jur*) to question sb concerning his identity; **natürliche/juristische ~** (*Jur*) natural/juristic or artificial person; **die drei göttlichen ~en** the Holy Trinity, God in three persons; **eine hochgestellte ~** a high-ranking personage or person. 2. (*Mensch*) person; (*pej: Frau*) female. **sie ist die Geduld in ~** she's patience personified; **Tiere treten in Fabeln als ~en auf** animals figure in fables as human beings or as people; **die ~ des Königs ist unantastbar** (the person of) the king is inviolable; **es geht um die ~ des Kanzlers, nicht um das Amt** it concerns the chancellor as a person, not the office; **lassen wir seine ~ aus dem Spiel** let's leave personalities out of it. 3. (*Liter, Theat*) character. **die ~en der Handlung** the characters (in the

action); (*Theat auch*) the dramatis personae; **eine stumme ~** a non-speaking part. 4. (*Gram*) person.

Personal nt -s, no pl personnel, staff; (*Dienerschaft auch*) servants pl. **fliegendes ~** aircrew; **ständiges ~** permanent staff; **ausreichend/ungenügend mit ~ versehen sein** to be adequately staffed/understaffed.

Personalabbau m reductions pl in staff or personnel, personnel or staff cuts pl; **Personalabteilung** f personnel (department); **Personalakte** f personal file; **Personalangaben** pl particulars pl; **Personalausweis** m identity card; **Personalbestand** m number of staff or employees or personnel; **Personalbüro** nt personnel (department); **Personalchef(in** f) m personnel manager/manageress; **Personalcomputer** m personal computer; **Personaldecke** f personnel cover; **eine dünne ~** a very tight personnel situation; **Personaldirektor(in** f) m personnel director; **Personaleinsparung** f personnel reduction or cut-down; **Personalgesellschaft** f unlimited company.

Personalien [-iən] pl particulars pl.

personalisieren* vti to personalize. **er personalisiert immer alles** he always personalizes everything or reduces everything to a personal level.

Personalkartei f personnel index; **Personalkosten** pl personnel costs pl; **Personalpolitik** f staff or personnel policy; **Personalpronomen** nt personal pronoun; **Personalrat** m (*Ausschuß*) staff council for civil servants; **Personalrat** m, **Personalrätin** f representative on a staff council for civil servants; **Personalunion** f personal union; **er ist Kanzler und Parteivorsitzender in ~** (*geh*) he is at the same time Prime Minister and party chairman; **Personalvertretungsgesetz** nt employees' representation law.

Persona non grata f, no pl persona non grata.

Persönchen nt (*inf*) little lady (*inf*).

personell adj staff attr, personnel attr. **die Verzögerungen unserer Produktion sind ~ bedingt** the delays in production are caused by staff or personnel problems.

Personenaufzug m (passenger) lift (*Brit*), elevator (*US*); **Personenbeförderung** f carriage or conveyance of passengers; **Personenbeschreibung** f (personal) description; **personenbezogen** adj Daten, Informationen personal; **Personengedächtnis** nt memory for faces; **Personengesellschaft** f partnership; **Personenkraftwagen** m (*form*) (private) car, motorcar (*form*), automobile (*US*); **Personenkreis** m group of people; **Personenkult** m personality cult; **mit Michael Jackson wird viel ~ getrieben** a great personality cult has been built up around Michael Jackson; **Personenrufanlage** f pager, bleeper; **Personenschaden** m injury to persons; **~ ist bei dem Unfall nicht entstanden** no-one was injured *or* received any injuries in the accident; **Personenschutz** *m* personal security; **Personenstand** *m* marital status; **Personenstandsregister** *nt* register of births, marriages and deaths; **Personenverkehr** *m* passenger services *pl*; **Personenversicherung** *f* personal injury insurance; **Personenverzeichnis** *nt* register (of persons); (*Liter*) list of characters; **Personenwaage** *f* scales *pl*, pair of scales; **Personenwagen** *m* (*Aut*) (private) car, automobile (*US*); **Personenzahl** *f* number of persons (*form*) *or* people; **Personenzug** *m* (*Gegensatz: Schnellzug*) slow *or* stopping train; (*Gegensatz: Güterzug*) passenger train.

Personifikation *f* personification.

personifizieren* *vt* to personify. **er läuft herum wie das personifizierte schlechte Gewissen** he's going around with guilt written all over his face.

Personifizierung *f* personification.

persönlich I *adj* personal; *Atmosphäre, Umgangsformen* friendly. **~e Auslagen** out-of-pocket *or* personal expenses; **~e Meinung** personal *or* one's own opinion; **~ werden** to get personal; **~es Fürwort** personal pronoun.

II *adv* personally; (*auf Briefen*) private (and confidential). **der Chef ~** the boss himself *or* in person *or* personally; **etw ~ meinen/nehmen** *or* **auffassen** to mean/take sth personally; **er interessiert sich ~ für seine Leute** he takes a personal interest in his people; **~ erscheinen** to appear in person *or* personally; **~ haften** (*Comm*) to be personally liable.

Persönlichkeit *f* **1.** *no pl* (*Charakter*) personality. **er besitzt wenig ~** he hasn't got much personality. **2.** (*bedeutender Mensch*) personality. **er ist eine ~** he's quite a personality; **~en des öffentlichen Lebens** public figures.

Persönlichkeitsentfaltung *f* personality development, development of the personality; **Persönlichkeitsmerkmal** *nt* personality trait; **Persönlichkeitsprofil** *nt* psychological profile; **Persönlichkeitstest** *m* personality test; **Persönlichkeitsveränderung** *f* personality change; **Persönlichkeitswahl** *f* *electoral system in which a vote is cast for a candidate rather than a party.*

Perspektive [-'tiːvə] *f* (*Art, Opt*) perspective; (*Blickpunkt*) angle; (*Gesichtspunkt*) point of view, angle; (*fig: Zukunftsausblick*) prospects *pl*. **aus dieser ~ wirkt das Haus viel größer** the house looks much bigger from this angle; **das eröffnet ganz neue ~n für uns** that opens new horizons for us.

perspektivisch [-'tiːvɪʃ] *adj* perspective *attr*; in perspective. **die Zeichnung ist nicht ~** the drawing is not in perspective; **~e Verkürzung** foreshortening.

perspektivlos *adj* without prospects.

Perspektivlosigkeit *f* lack of prospects.

Peru *nt* -s Peru.

Peruaner(in *f*) *m* -s, - Peruvian.

peruanisch *adj* Peruvian.

Perücke *f* -, -n wig.

pervers [pɛr'vɛrs] *adj* perverted, warped (*inf*). **ein ~er Mensch** a pervert.

Perversion [pɛrvɛr'zioːn] *f* perversion.

Perversität [pɛrvɛrzi'tɛːt] *f* perversion.

pervertieren* [pɛrvɛr'tiːrən] **I** *vt* to pervert, to warp. **II** *vi aux sein* to become *or* get perverted.

pesen *vi aux sein* (*inf*) to belt (*inf*), to charge (*inf*).

Pessar *nt* -s, -e pessary; (*zur Empfängnisverhütung*) cap, diaphragm.

Pessimismus *m* pessimism.

Pessimist(in *f*) *m* pessimist.

pessimistisch *adj* pessimistic. **etw ~ beurteilen** to take a pessimistic view of sth, to view sth pessimistically.

Pest *f* -, *no pl* (*Hist, Med*) plague, pestilence, pest. **jdn/etw wie die ~ hassen** (*inf*) to loathe (and detest) sb/sth, to hate sb's guts (*inf*); **jdn wie die ~ meiden** (*inf*) to avoid sb like the plague; **wie die ~ stinken** (*inf*) to stink to high heaven (*inf*); **jdm die ~ an den Hals wünschen** (*inf*) to wish sb would drop dead (*inf*).

pestartig *adj* (*Med*) pestilential; (*fig*) *Gestank* fetid, miasmic (*liter*); **Pestbeule** *f* plague spot; **Pestgestank** *m* (foul) stench, stink; **Pesthauch** *m* (*poet*) miasma (*liter*), fetor (*liter*).

Pestilenz *f* (*old*) pestilence.

pestkrank *adj* sick of the plague (*old*), plague-stricken; **Pestkranke(r)** *mf* person with *or* who has the plague; **die ~n** those who had (been stricken by) the plague.

Petersilie [-iə] *f* parsley. **du siehst aus, als wäre dir die ~ verhagelt** (*inf*) you look as though you've lost a pound and found a sixpence (*inf*).

Peterskirche *f* St Peter's.

Peterwagen *m* (*inf*) police *or* patrol car, panda car (*Brit*).

Petition *f* petition.

Petitionsrecht *nt* right to petition.

Petrischale *f* Petri dish.

Petrochemie *f* petrochemistry; **Petrochemisch** *adj* petrochemical; **Petrodollar** *m* petrodollar.

Petroleum [pe'troːleum] *nt* -s, *no pl* paraffin (oil), kerosene (*esp US*).

Petroleumkocher *m* paraffin stove, primus (stove); **Petroleumlampe** *f* paraffin *or* oil *or* kerosene (*esp US*) lamp.

Petrus *m* - (*Bibl*) Peter.

Petticoat ['petikoːt] *m* -s, -s stiff(ened) petticoat.

Petting *nt* -s, -s petting.

petto *adv*: **etw in ~ haben** (*inf*) to have sth up one's sleeve (*inf*).

Petunie [-iə] *f* petunia.

Petz *m* -es, -e (*liter*) **Meister ~** (Master) Bruin.

Petze *f* -, -n (*Sch sl*) sneak (*Sch sl*), telltale (tit) (*Sch sl*).

petzen (*inf*) **I** *vt* **der petzt alles** he always tells; **er hat gepetzt, daß ...** he (went and) told that ...; **er hat's dem Lehrer gepetzt** he told sir (*Sch sl*). **II** *vi* to tell (tales).

Petzer(in *f*) *m* -s, - (*inf*) *siehe* **Petze.**

peu à peu [pøa'pø] *adv* (*inf*) gradually, little by little.

Pf abbr of **Pfennig.**

Pfad m -(e)s, -e path, track; (*Comput*) path. **den ~ der Tugend wandeln** (*liter*) to follow the path of virtue.

Pfader -s, - (*Sw*), **Pfadfinder** m (boy) scout. **er ist bei den ~n** he's in the (Boy) Scouts.

Pfadfinderin f girl guide (*Brit*), girl scout (*US*).

Pfaffe m -n, -n (*pej*) parson.

pfäffisch adj (*pej*) sanctimonious (*pej*).

Pfahl m -s, ⁓e post; (*Zaun~ auch*) stake; (*Stütze auch*) support; (*Palisade*) palisade, pale, stake; (*Brücken~*) pile, pier; (*Marter~*) stake. **jdm ein ~ im Fleisch sein** (*liter*) to be a thorn in sb's flesh.

Pfahlbau m -s, -ten 1. no pl (*Bauweise*) building on stilts; 2. (*Haus*) pile dwelling, house built on stilts; **Pfahlbrücke** f pile bridge; **Pfahldorf** nt pile village.

pfählen vt 1. (*Hort*) to stake. 2. (*hinrichten*) to impale.

Pfahlwerk nt (*Stützwand*) pilework; (*Palisade*) palisade, paling; **Pfahlwurzel** f taproot.

Pfalz f -, -en 1. no pl (*Rhein~*) Rhineland or Lower Palatinate, Rheinpfalz. 2. no pl (*Ober~*) Upper Palatinate. 3. (*Hist*) (*Burg*) palace.

Pfälzer(in f) m -s, - 1. person from the Rhineland/Upper Palatinate. **er ist (ein) ~** he comes from the (Rhineland/ Upper) Palatinate. 2. (*Wein*) wine from the Rhineland Palatinate.

Pfalzgraf m (*Hist*) count palatine; **pfalzgräflich** adj of a/the count palatine.

pfälzisch adj Palatine, of the (Rhineland) Palatinate.

Pfand nt -(e)s, ⁓er security, pledge; (*beim Pfänderspiel*) forfeit; (*Flaschen~*) deposit; (*fig*) pledge. **etw als ~ geben, etw zum ~ setzen** (*liter*) to pledge sth, to give sth as (a) security; (*fig*) to pledge sth; (*beim Pfänderspiel*) to pay sth as a forfeit; **ich gebe mein Wort als ~** I pledge my word; **auf der Flasche ist ~** there's something (back) on the bottle (*inf*), there's a deposit on the bottle; **auf der Flasche ist 20 Pf ~** there's 20 pfennig (back) on the bottle (*inf*); **ein ~ einlösen** to redeem a pledge; **etw als ~ behalten** to keep sth as (a) security, to hold sth in pledge.

pfändbar adj (*Jur*) distrainable (*form*), attachable (*form*). **der Fernseher ist nicht ~** the bailiffs can't take the television.

Pfandbrief m bond, debenture.

pfänden vt (*Jur*) to impound, to seize, to distrain upon (*form*). **man hat ihm die Möbel gepfändet** the bailiffs or they took away his furniture; **jdn ~** to impound or seize some of sb's possessions; **jdn ~ lassen** to get the bailiffs onto sb.

Pfänderspiel nt (game of) forfeits.

Pfandflasche f returnable bottle; **Pfandhaus** nt pawnshop, pawnbroker's; **Pfandleihe** f 1. (*das Leihen*) pawnbroking; 2. (*Pfandhaus*) pawnshop, pawnbroker's; **Pfandleiher(in** f) m -s, - pawnbroker; **Pfandrecht** nt right of distraint

(*an* +dat upon) (*form*), lien (*an* +dat on) (*form*); **Pfandschein** m pawn ticket.

Pfändung f seizure, distraint (*form*), attachment (*form*). **der Gerichtsvollzieher kam zur ~** the bailiff came to seize or impound their possessions.

Pfändungsverfügung f distress warrant.

Pfanne f -, -n (*Cook*) pan; (*Anat*) socket; (*Dach~*) pantile; (*Zünd~*) pan. **ein paar Eier in die ~ schlagen** or **hauen** (*inf*) to bung a couple of eggs in the pan (*inf*), to fry up a couple of eggs; **jdn in die ~ hauen** (*sl*) to do the dirty on sb (*inf*); (*vernichtend schlagen*) to wipe the floor with sb (*inf*), to give sb a thrashing (*inf*) or hammering (*Brit sl*); (*ausschimpfen*) to bawl sb out (*inf*).

Pfannengericht nt (*Cook*) fry-up.

Pfann(en)kuchen m pancake. **Berliner ~** (jam) doughnut; **wie ein ~ aufgehen** (*inf*) to turn into or to get to be a real dumpling (*inf*) or roly-poly (*inf*).

Pfarr|amt nt priest's office.

Pfarrbezirk m, **Pfarre** f -, -n (*old*) parish.

Pfarrei f (*Gemeinde*) parish; (*Amtsräume*) priest's office.

Pfarrer(in f) m -s, - (*katholisch, evangelisch*) parish priest; (*anglikanisch auch*) vicar; (*von Freikirchen*) minister; (*Gefängnis~, Militär~*) chaplain, padre. **guten Morgen, Herr ~!** good morning, (*katholisch*) Father or (*evangelisch, anglikanisch*) Vicar or (*von Freikirchen*) Mr ... or (*Gefängnis etc*) Padre.

Pfarrgemeinde f parish; **Pfarrhaus** nt (*anglikanisch*) vicarage; (*methodistisch, Scot*) manse; (*katholisch*) presbytery; **Pfarrhelfer(in** f) m curate; **Pfarrkirche** f parish church; **Pfarrstelle** f parish, (church) living, benefice.

Pfau m -(e)s or -en, -en peacock.

Pfauenauge nt (*Tag~*) peacock butterfly; (*Nacht~*) peacock moth; **Pfauenfeder** f peacock feather; **Pfauenhenne** f peahen.

Pfeffer m -s, - pepper. **~ und Salz** (*lit*) salt and pepper; (*Stoffmuster*) pepper-and-salt; **er kann hingehen** or **bleiben, wo der ~ wächst!** (*inf*) he can go to hell (*sl*), he can take a running jump (*inf*); **sie hat ~ im Hintern** (*inf*) or **Arsch** (*vulg*) she's got lots of get-up-and-go (*inf*).

pfeff(e)rig adj peppery.

Pfefferkorn nt peppercorn; **Pfefferkuchen** m gingerbread; **Pfefferkuchenhäuschen** nt gingerbread house.

Pfefferminz(bonbon) nt -es, -(e) peppermint.

Pfefferminze f -, no pl peppermint.

Pfefferminzgeschmack m peppermint flavour; **Pfefferminzlikör** m crème de menthe; **Pfefferminztee** m peppermint tea.

Pfeffermühle f pepper-mill.

pfeffern vt 1. (*Cook*) to season with pepper, to pepper. 2. (*inf*) (*heftig werfen*) to fling, to hurl. **jdm eine ~, jdm eine gepfefferte Ohrfeige geben** to give sb a clout (*inf*), to clout sb one (*inf*).

Pfeffernuß f gingerbread biscuit; **Pfeffersteak** nt pepper steak; **Pfefferstrauch**

m pepper (plant); **Pfeffer-und-Salz-Muster** *nt* pepper-and-salt (pattern).

Pfeifchen *nt dim of* Pfeife 2.

Pfeife *f* -, **-n 1.** whistle; (*Quer~*) fife (*esp Mil*), piccolo; (*Bootsmanns~, Orgel~*) pipe. **nach jds ~ tanzen** to dance to sb's tune. **2.** (*zum Rauchen*) pipe. **eine ~ rauchen** to smoke *or* have a pipe; **~ rauchen** to smoke a pipe. **3.** (*inf: Versager*) wash-out (*inf*).

pfeifen *pret* **pfiff**, *ptp* **gepfiffen** *vti* to whistle (*dat* for); (*auf einer Trillerpfeife*) to blow one's whistle; (*Mus: auf einer Pfeife spielen*) to pipe; (*inf*) *Spiel* to ref (*inf*). **mit P~ und Trommeln zogen sie durch die Stadt** they made their way through the town amid piping and drumming *or* with pipes piping and drums beating; **auf dem letzten Loch ~** (*inf*) (*erschöpft sein*) to be on one's last legs (*inf*); (*finanziell*) to be on one's beam ends (*inf*); **ich pfeife darauf!** (*inf*) I couldn't care less, I don't give a damn (*inf*); **ich pfeife auf seine Meinung** (*inf*) I couldn't care less about what he thinks; **das ~ ja schon die Spatzen von den Dächern** that's common knowledge, it's all over town; **~der Atem** wheezing; **sein Atem ging ~d** his breath was coming in wheezes *or* wheezily.

Pfeifendeckel *m* pipe lid; **Pfeifenkopf** *m* bowl (of a pipe); **Pfeifenreiniger** *m* pipe-cleaner; **Pfeifenständer** *m* pipe stand *or* rack; **Pfeifenstopfer** *m* tamper; **Pfeifentabak** *m* pipe tobacco; **Pfeifenwerk** *nt* pipes *pl*, pipework.

Pfeifer(in *f)* *m* -s, - piper, fifer (*esp Mil*)

Pfeiferei *f* (*inf*) whistling.

Pfeifkessel *m* whistling kettle; **Pfeifkonzert** *nt* barrage *or* hail of catcalls *or* whistles; **Pfeifton** *m* whistle, whistling sound *or* tone.

Pfeil *m* -s, **-e** arrow; (*bei Armbrust auch*) bolt; (*Wurf~*) dart. **~ und Bogen** bow and arrow; **die ~e seines Spotts** (*liter*) the barbs of his mockery; **alle seine ~e verschossen haben** (*fig*) to have run out of arguments, to have shot one's bolt; **Amors ~** Cupid's arrow *or* dart; **er schoß wie ein ~ davon** he was off like a shot.

Pfeiler *m* -s, - (*lit, fig*) pillar; (*Brücken~ auch*) pier; (*von Hängebrücke*) pylon; (*Stütz~*) buttress.

pfeilförmig *adj* arrow-shaped, V-shaped; **~ angeordnet** arranged in the shape of an arrow *or* in a V; **pfeilgerade** *adj* as straight as a die; **eine ~ Linie** a dead-straight line; **der Vogel flog ~ von einem Baum zum nächsten** the bird flew straight as an arrow from one tree to the next; **Pfeilgift** *nt* arrow poison; **Pfeilköcher** *m* quiver; **pfeilschnell** *adj* as quick as lightning, as swift as an arrow (*liter*); **er startete ~** he was off like a shot; **Pfeilschuß** *m* arrowshot; **durch einen ~ getötet** killed by an arrow; **Pfeilspitze** *f* arrowhead, tip of an arrow; **Pfeiltaste** *f* (*Comput*) arrow key; **Pfeilwurfspiel** *nt* darts *pl*; **Pfeilwurz** *f* arrowroot *no pl*.

Pfennig *m* -s, -e *or* (*nach Zahlenangabe*) -

pfennig (*one hundredth of a mark*). **30 ~** 30 pfennigs; **er hat keinen ~ Geld** he hasn't got a penny to his name *or* two pennies to rub together *or* a dime (*US*); **es ist keinen ~ wert** (*fig*) it's not worth a thing *or* a red cent (*US*); **dem/dafür gebe ich keinen ~** (*lit*) I won't give him/it a penny; **für seine Chancen gebe ich keinen ~** I don't give much for his chances (*inf*), I wouldn't put much money on his chances (*inf*); **nicht für fünf ~** (*inf*) not the slightest (bit of); **er hat nicht für fünf ~ Anstand/Verstand** (*inf*) he hasn't an ounce of respectability/intelligence; **auf den ~ sehen** (*fig*) to watch *or* count every penny; **mit dem *or* jedem ~ rechnen müssen** (*fig*) to have to watch *or* count every penny; **jeden ~ (dreimal) umdrehen** (*fig inf*) to think twice about every penny one spends; **wer den ~ nicht ehrt, ist des Talers nicht wert** (*Prov*) take care of the pennies, and the pounds will look after themselves (*Prov*).

Pfennigabsatz *m* stiletto heel; **Pfennigbetrag** *m* (amount in) pence *or* pennies; **es war nur ein ~** it was only a matter of pence *or* pennies; **Pfennigfuchser(in** *f)* *m* -s, - (*inf*) skinflint (*inf*), miser (*inf*); **pfenniggroß** *adj* **ein ~es Geschwür** a boil the size of a sixpence; **Pfennigstück** *nt* pfennig (piece); **pfennigweise** *adv* penny by penny, one penny at a time; *siehe* Groschen.

Pferch *m* -es, -e fold, pen.

pferchen *vt* to cram, to pack.

Pferd *nt* -(e)s, -e (*Tier, Turngerät*) horse; (*Reit~ auch*) mount; (*beim Schachspiel*) knight, horse (*US inf*). **zu ~** on horseback; **aufs falsche/richtige ~ setzen** (*lit, fig*) to back the wrong/right horse; **die ~e gehen ihm leicht durch** (*fig*) he flies off the handle easily (*inf*); **immer langsam *or* sachte mit den jungen ~en** (*inf*) hold your horses (*inf*); **wie ein ~ arbeiten** (*inf*) to work like a Trojan; **das hält ja kein ~ aus** (*inf*) it's more than flesh and blood can stand; **keine zehn ~e brächten mich dahin** (*inf*) wild horses wouldn't drag me there; **mit ihm kann man ~e stehlen** (*inf*), **er ist ein Kerl zum ~e stehlen** (*inf*) he's a great sport (*inf*); **er ist unser bestes ~ im Stall** he's our best man; **ich glaub, mich tritt ein ~** (*sl*) blow me down (*inf*), struth (*sl*).

Pferdeapfel *m* piece of horse-dung; **Pferdeäpfel** *m* horse-droppings *pl or* dung *no pl*; **Pferdebahn** *f* horse-drawn tram, horsecar (*US*); **Pferdebremse** *f* horsefly; **Pferdedecke** *f* horse blanket; **Pferdedieb(in** *f)* *m* horse thief; **Pferdedroschke** *f* hackney-cab; **Pferdefleisch** *nt* horsemeat *or* -flesh; **Pferdefuhrwerk** *nt* horse and cart; **Pferdefuß** *m* (*fig: des Teufels*) cloven hoof; **die Sache hat aber einen ~** there's just one snag; **Pferdegebiß** *nt* horsey mouth *or* teeth; **Pferdegesicht** *nt* horsey face, face like a horse; **Pferdehaar** *nt* horsehair; (*fig*) very thick hair; **Pferdehändler(in** *f)* *m* horse dealer; **Pferdehuf** *m* horse's hoof; **Pferdeknecht** *m* groom; **Pferdekoppel**

f paddock; **Pferdelänge** *f* length; **Pferderennbahn** *f* race course *or* track; **Pferderennen** *nt* (*Sportart*) (horse-)racing; (*einzelnes Rennen*) (horse-)race; **Pferdeschlachter** *m* knacker; **Pferdeschlachterei** *f* knacker's; **Pferdeschlitten** *m* horse-drawn sleigh; **Pferdeschwanz** *m* horse's tail; (*Frisur*) pony-tail; **Pferdesport** *m* equestrian sport; **Pferdestall** *m* stable; **Pferdestärke** *f* horse power *no pl*, hp *abbr*; **Pferdewagen** *m* (*für Personen*) horse and carriage, trap, horse-buggy (*US*); (*für Lasten*) horse and cart; **Pferdezucht** *f* horse breeding; (*Gestüt*) stud-farm; **Pferdezüchter(in** *f*) *m* horse breeder.

pfiff *pret* of pfeifen.

Pfiff *m* **-s, -e 1.** whistle; (*Theat auch*) catcall.

2. (*Reiz*) flair, style. **der Soße fehlt noch der letzte ~** the sauce still needs that extra something; **einem Kleid den richtigen ~ geben** to add flair to a dress, to give a dress real style.

3. (*inf: Trick*) **jetzt hast du den ~ heraus** you've got the knack *or* hang of it now (*inf*).

Pfifferling *m* chanterelle. **er kümmert sich keinen ~ um seine Kinder** (*inf*) he doesn't give *or* care a fig *or* give a damn about his children (*inf*); **keinen ~ wert** (*inf*) not worth a thing.

pfiffig *adj* smart, sharp, cute.

Pfiffigkeit *f* sharpness, cuteness.

Pfiffikus *m* **- or -ses, -se** (*dated*) crafty thing (*inf*).

Pfingsten *nt* **-, -** Whitsun, Pentecost (*Eccl*). **zu** *or* **an ~** at Whitsun.

Pfingstfest *nt*.

Pfingstmontag *m* Whit Monday; **Pfingstochse** *m*: **herausgeputzt wie ein ~** (*inf*) dressed *or* done up to the nines (*inf*); **Pfingstrose** *f* peony; **Pfingstsonntag** *m* Whit Sunday, Pentecost (*Eccl*); **Pfingstwoche** *f* Whit week.

Pfirsich *m* **-s, -e** peach.

Pfirsichbaum *m* peach tree; **Pfirsichblüte** *f* peach blossom; **pfirsichfarben** *adj* peach(-coloured); **Pfirsichhaut** *f* (*lit*) peach skin; (*fig*) peaches-and-cream complexion.

Pflanze *f* **-, -n 1.** (*Gewächs*) plant. **2.** (*inf: Mensch*) **er/sie ist eine komische** *or* **seltsame ~** he/she is an odd bird (*inf*).

pflanzen I *vt* to plant. **einem Kind etw ins Herz ~** (*liter*) to implant sth in the heart of a child (*liter*). **II** *vr* (*inf*) to plant (*inf*) *or* plonk (*inf*) oneself.

Pflanzenbutter *f* vegetable butter; **Pflanzenfaser** *f* plant fibre; **Pflanzenfett** *nt* vegetable fat; **pflanzenfressend** *adj attr* herbivorous; **Pflanzenfresser** *m* herbivore; **Pflanzenkost** *f* vegetable foodstuffs *pl*; **Pflanzenkunde** *f* botany; **Pflanzenreich** *nt* vegetable kingdom; **Pflanzenschädling** *m* pest; garden pest; **Pflanzenschutz** *m* protection of plants; (*gegen Ungeziefer*) pest control; **Pflanzenschutzmittel** *nt* pesticide; **Pflanzenwelt** *f* plant world; **die ~ des Mittelmeers** the plant life *or* the flora of

the Mediterranean.

Pflanzer(in *f*) *m* **-s, -** planter.

Pflanzkartoffel *f* seed potato.

pflanzlich *adj attr* vegetable.

Pflänzling *m* seedling.

Pflanzschale *f* planting dish; **Pflanztrog** *m* plant trough.

Pflanzung *f* (*das Pflanzen*) planting; (*Plantage*) plantation.

Pflaster *nt* **-s, - 1.** (*Heft~*) (sticking-)plaster; (*fig: Entschädigung*) sop (*auf +acc* to). **das ~ erneuern** to put on a fresh *or* new (piece of) (sticking-)plaster.

2. (*Straßen~*) (road) surface; (*Kopfstein~*) cobbles *pl*. **~ treten** (*inf*) to trudge the streets, to trudge *or* traipse around; **ein gefährliches** *or* **heißes ~** (*inf*) a dangerous place; **ein teures ~** (*inf*) a pricey place (*inf*).

Pflasterer *m* **-s, -** road worker.

Pflastermaler(in *f*) *m* pavement artist; **pflastermüde** *adj* (*inf*) dead on one's feet (*inf*).

pflastern *vt* **1.** Straße, Hof to surface; (*mit Kopfsteinpflaster*) to cobble; (*mit Steinplatten*) to pave. **eine Straße neu ~** to resurface a road; *siehe* **Vorsatz. 2.** (*inf: ohrfeigen*) **jdm eine ~** to sock sb (one) (*inf*).

Pflasterstein *m* (*Kopfstein*) cobble(-stone); (*Steinplatte*) paving stone, flagstone.

Pflasterung *f* surfacing; (*mit Kopfsteinpflaster*) cobbling; (*mit Steinplatten*) paving; (*Pflaster*) surface; (*Kopfsteinpflaster*) cobbles *pl*; (*Steinplatten*) paving *no pl*.

Pflaume *f* **-, -n 1.** plum. **getrocknete ~** prune. **2.** (*inf: Mensch*) dope (*inf*), twit (*Brit inf*). **3.** (*vulg*) cunt (*vulg*).

Pflaumenbaum *m* plum(tree); **Pflaumenkern** *m* plum stone; **Pflaumenkompott** *nt* stewed plums *pl*; **Pflaumenkuchen** *m* plum tart; **Pflaumenmus** *nt* plum jam; **pflaumenweich** *adj* (*inf*) soft; (*pej*) Haltung spineless.

Pflege *f* **-, no pl** care; (*von Kranken auch*) nursing; (*von Garten auch*) attention; (*von Beziehungen, Künsten*) fostering, cultivation; (*von Maschinen, Gebäuden*) maintenance, upkeep. **jdn/etw in ~ nehmen** to look after sb/sth; **sie gaben den Hund bei den Nachbarn in ~** they gave their dog to the neighbours to look after; **ein Kind in ~ nehmen** (*dauernd*) to foster a child; **ein Kind in ~ geben** to have a child fostered; (*von Behörden*) to foster a child out (*zu jdm* with sb); **der Garten/Kranke braucht viel ~** the garden/sick man needs a lot of care and attention; **das Kind/der Hund hat bei uns gute ~** the child/dog is well looked after *or* cared for by us.

pflegebedürftig *adj* in need of care (and attention); **wenn alte Leute ~ werden** when old people start to need looking after; **Pflegeeltern** *pl* foster parents *pl*; **Pflegefall** *m* case for nursing *or* care; **Pflegegeld** *nt* (*für Pflegekinder*) boarding-out allowance; (*für Kranke*) attendance allowance; **Pflegeheim** *nt* nursing home; **Pflegekind** *nt* foster child; **Pflegekosten** *pl* nursing fees *pl*; **Pflegekostenversicherung** *f* private nursing insurance; **pflegeleicht** *adj* easy-care; (*fig auch*) easy to handle; **Pflegemittel** *nt* (*Kosmetikum*) cosmetic care product; (*Aut*) cleaning product; **Pflegemutter** *f* foster mother.

pflegen I *vt* to look after, to care for; *Kranke auch* to nurse; *Garten, Blumen, Rasen auch* to tend; *Haar, Bart auch* to groom; *Beziehungen, Kunst, Freundschaft* to foster, to cultivate; *Maschinen, Gebäude, Denkmäler* to maintain, to keep up. **etw regelmäßig ~** to attend to sth regularly, to pay regular attention to sth.

II *vi* (*gewöhnlich tun*) to be in the habit (*zu* of), to be accustomed (*zu* to). **sie pflegte zu sagen** she used to say, she was in the habit of saying; **zum Mittagessen pflegt er Bier zu trinken** he's in the habit of drinking beer with his lunch, he usually drinks beer with his lunch; **wie man zu sagen pflegt** as they say.

III *vr* **1.** to care about one's appearance. **2.** (*sich schonen*) to take it or things easy (*inf*).

Pflegepersonal *nt* nursing staff.

Pfleger *m* **-s, -** (*im Krankenhaus*) orderly; (*voll qualifiziert*) (male) nurse; (*Vormund*) guardian; (*Nachlaß~*) trustee.

Pflegerin *f* nurse.

pflegerisch *adj* nursing.

Pflegesatz *m* hospital and nursing charges *pl*; **Pflegeserie** *f* (*Kosmetika*) line of cosmetic products; **Pflegesohn** *m* foster son; **Pflegestation** *f* nursing ward; **Pflegetochter** *f* foster daughter; **Pflegevater** *m* foster father; **Pflegeversicherung** *f siehe* Pflegekostenversicherung.

pfleglich *adj* careful. **etw ~ behandeln** to treat sth carefully or with care.

Pflegling *m* foster child; (*Mündel*) ward.

Pflegschaft *f* (*Vormundschaft*) guardianship, tutelage (*form*).

Pflicht *f* **-, -en 1.** (*Verpflichtung*) duty. **ich habe die traurige ~ ...** it is my sad duty ...; **als Abteilungsleiter hat er die ~, ...** it's his duty or responsibility as head of department ...; **Rechte und ~en** rights and responsibilities; **seine ~ erfüllen** to do one's duty; **jdn in die ~ nehmen** to remind sb of his duty; **eheliche ~en** conjugal or marital duties; **die ~ ruft** duty calls; **ich habe es mir zur ~ gemacht** I've taken it upon myself, I've made it my duty; **ich tue nur meine ~** I'm only doing my duty; **etw nur aus ~ tun** to do sth merely because one has to; **das/Schulbesuch ist ~** you have to do that/to go to school, it's/going to school is compulsory; **es ist seine (verdammte** *inf*) **~ und Schuldigkeit(, daß zu tun)** he damn well or jolly well ought to do (it) (*inf*).

2. (*Sport*) compulsory section or exercises *pl*. **bei der ~** in the compulsory section or exercises.

Pflichtbesuch *m* duty visit; **pflichtbewußt** *adj* conscientious, conscious of one's duties; **er ist sehr ~** he takes his duties very seriously, he has a great sense of duty; **Pflichtbewußtsein** *nt* sense of duty; **Pflichteifer** *m* zeal; **pflichteifrig** *adj* zealous.

Pflichterfüllung *f* fulfillment of one's duty; **Pflichtexemplar** *nt* deposit copy; **Pflichtfach** *nt* compulsory subject; **Deutsch ist ~** German is compulsory or is a compulsory subject; **Pflichtgefühl** *nt* sense of duty; **pflichtgemäß** *adj* dutiful; **ich teile Ihnen ~ mit** it is my duty to inform you; **pflichtgetreu** *adj* dutiful; **Pflichtkür** *f* compulsory exercise; **Pflichtlauf** *m* (*Eiskunstlauf*) compulsory figures *pl*; **Pflichtlektüre** *f* compulsory reading; (*Sch auch*) set book(s); **pflichtschuldig** *adj* dutiful; **Pflichtteil** *m* or *nt* statutory portion (*of a deceased person's estate that must be left, eg to a child*); **pflichttreu** *adj* dutiful; **Pflichttreue** *f* devotion to duty; **Pflichtübung** *f* compulsory exercise; **pflichtvergessen** *adj* irresponsible; **Pflichtvergessenheit** *f* neglect of duty, irresponsibility; **Pflichtverletzung** *f* breach of duty; **Pflichtversäumnis** *f* neglect or dereliction of duty *no pl*; **pflichtversichert** *adj* compulsorily insured; **Pflichtversicherte(r)** *mf* compulsorily insured person; **Pflichtversicherung** *f* compulsory insurance; **Pflichtverteidiger(in** *f*) *m* counsel for the defence appointed by the court and paid from the legal aid fund; **Pflichtvorlesung** *f* compulsory lecture; **pflichtwidrig** *adj* contrary to duty; **er hat sich ~ verhalten** he behaved in a manner contrary to (his) duty.

Pflock *m* **-(e)s, ~e** peg; (*für Tiere*) stake. **einen ~** or **ein paar ~e zurückstecken** (*fig*) to back-pedal a bit.

pflücken *vt* to pick, to pluck; (*sammeln*) to pick.

Pflücker(in *f*) *m* **-s, -** picker.

Pflug *m* **-es, ~e** plough (*Brit*), plow (*US*). **unter dem ~** under the plough.

Pflugbogen *m* (*Ski*) snowplough (*Brit*) or snowplow (*US*) turn.

pflügen *vti* (*lit, fig*) to plough (*Brit*), to plow (*US*); (*lit auch*) to till (*liter*). **das Schiff pflügte die Wellen** (*liter*) the ship ploughed (through) the waves.

Pflüger *m* **-s, -** ploughman (*Brit*), plowman (*US*).

Pflugschar *f* **-, -en** ploughshare (*Brit*), plowshare (*US*); **Pflugsterz** *m* ploughhandle (*Brit*), plow-handle (*US*).

Pfort|ader *f* portal vein.

Pforte *f* **-, -n** (*Tor*) gate; (*Geog*) gap. **das Theater hat seine ~n für immer geschlossen** the theatre has closed its doors for good; **die ~n des Himmels** (*liter*) the gates or portals (*liter*) of Heaven.

Pförtner *m* **-s, -** (*Anat*) pylorus.

Pförtner(in *f*) *m* **-s, -** porter; (*von Fabrik*) gateman; (*von Wohnhaus, Behörde*) doorkeeper; (*von Schloß*) gatekeeper.

Pförtnerloge [-lo:ʒə] *f* porter's office; (*in Fabrik*) gatehouse; (*in Wohnhaus, Büro*) doorman's office.

Pfosten *m* **-s, -** post; (*senkrechter Balken*)

upright; (*Fenster~*) jamb; (*Tür~*) jamb, doorpost; (*Stütze*) support, prop; (*Ftbl*) (goal)post, upright.

Pfostenschuß *m* (*Ftbl*) **das war nur ein ~** it hit the (goal)post *or* upright.

Pfötchen *nt dim of* **Pfote** little paw.

Pfote *f* -, **-n 1.** paw. **2.** (*inf: Hand*) mitt (*inf*), paw (*inf*). **sich** (*dat*) **die ~n verbrennen** (*inf*) to burn one's fingers. **3.** (*inf: schlechte Handschrift*) scribble, scrawl.

Pfriem *m* **-(e)s, -e** awl.

Pfropf *m* **-(e)s, -e** *or* **-̈e, Pfropfen** *m* **-s, -** (*Stöpsel*) stopper; (*Kork, Sekt~*) cork; (*Watte~*) plug; (*von Faß, Korbflasche*) bung; (*Med: Blut~*) (blood) clot; (*verstopfend*) blockage.

pfropfen *vt* **1.** *Pflanzen* to graft. **2.** (*verschließen*) *Flasche* to bung. **3.** (*inf: hineinzwängen*) to cram. **gepfropft voll** jam-packed (*inf*), crammed full.

Pfröpfling *m* graft, scion.

Pfropfmesser *nt* grafting knife; **Pfropfreis** *nt* graft, scion.

Pfründe *f* -, **-n** (*Kirchenamt*) (church) living, benefice; (*Einkünfte auch*) prebend; (*fig*) sinecure.

Pfuhl *m* **-s, -e** (*liter*) mudhole; (*fig*) (quag)mire, slough (*liter*).

pfui *interj* (*Ekel*) ugh, yuck; (*Mißbilligung*) tut tut; (*zu Hunden*) oy, hey; (*Buhruf*) boo. **faß das nicht an, das ist ~** (*inf*) don't touch it, it's dirty *or* nasty; **~ Teufel** *or* **Deibel** *or* **Spinne** (*all inf*) ugh, yuck; **~, schäm dich** shame on you!; **da kann ich nur ~ sagen** it's simply disgraceful.

Pfuiruf *m* boo.

Pfund *nt* **-(e)s, -e** *or* (*nach Zahlenangabe*) **- 1.** (*Gewicht*) (*in Deutschland*) 500 grams, half a kilo(gram); (*in England*) pound. **drei ~ Äpfel** three pounds of apples; **er bewegte seine ~e mit Mühe** he moved his great bulk with effort. **2.** (*Währungseinheit*) pound. **in ~ in** pounds; **zwanzig ~ Sterling** twenty pounds sterling; **mit seinem ~e wuchern** (*liter*) to make the most of one's opportunities *or* chances.

Pfund- *in cpds* pound; **Pfundbetrag** *m* amount in pounds, sterling sum.

-pfünder *m* **-s, -** *in cpds* -pounder; (*Brot*) -pound loaf.

pfundig *adj* (*dated inf*) great *no adv*, fantastic, swell *no adv* (*US*). **das hast du ~ gemacht** you've made a great job of that.

Pfunds- *in cpds* (*inf*) great (*inf*), swell (*US inf*), super (*inf*); **Pfundskerl** *m* (*inf*) great guy (*inf*).

pfundweise *adv* by the pound.

Pfusch *m* **-(e)s,** *no pl* (*inf*) (*das Pfuschen*) bungling *no pl*.

Pfusch|arbeit *f* (*inf*) slapdash work. **sie haben richtige ~ geleistet** they did a really sloppy job (*inf*).

pfuschen *vi* **1.** to bungle; (*einen Fehler machen*) to slip up, to come unstuck (*inf*). **jdm ins Handwerk ~** to poke one's nose into *or* meddle in sb's affairs. **2.** (*Sch*) to cheat.

Pfuscher(in *f*) *m* **-s, -** (*inf*) bungler,

botcher (*inf*).

Pfuscherei *f* (*das Pfuschen*) bungling *no pl*.

Pfütze *f* -, **-n** puddle.

PH [pe:'ha:] *f* -, **-s** *abbr of* **Pädagogische Hochschule.**

Phalanx *f* -, **Phalangen** (*Hist Mil*) phalanx; (*fig*) battery.

Phallen, Phalli *pl of* **Phallus.**

phallisch *adj* phallic.

Phallus *m* -, **-se** *or* **Phalli** *or* **Phallen** phallus.

Phalluskult *m* phallus worship; **Phallussymbol** *nt* phallic symbol.

Phänomen *nt* **-s, -e** phenomenon. **dieser Mensch ist ein ~** this person is phenomenal *or* is an absolute phenomenon.

phänomenal *adj* phenomenal.

Phänomenologie *f* phenomenology.

Phänotyp *m* **-s, -en** phenotype.

Phantasie *f* **1.** *no pl* (*Einbildung*) imagination. **er hat ~** he's got imagination. **eine schmutzige ~ haben** to have a dirty mind; **in seiner ~** in his mind *or* imagination; **er spielt ohne ~** he plays unimaginatively *or* without any imagination. **2.** *usu pl* (*Trugbild*) fantasy.

phantasiearm *adj* unimaginative, lacking in imagination; **phantasiebegabt** *adj* imaginative; **Phantasiebild** *nt* fantasy (picture); **Phantasiegebilde** *nt* (*Einbildung*) figment of the *or* one's imagination; **phantasielos** *adj* unimaginative, lacking in imagination; **Phantasielosigkeit** *f* lack of imagination, unimaginativeness; **phantasiereich** *adj* siehe **phantasievoll.**

phantasieren* **I** *vi* to fantasize (*von* about); (*von Schlimmem*) to have visions (*von* of); (*Med*) to be delirious; (*Mus*) to improvise. **er phantasiert von einem großen Haus auf dem Lande** he has fantasies about a big house in the country.

II *vt* *Geschichte* to dream up; (*Mus*) to improvise. **was phantasierst du denn da?** (*inf*) what are you (going) on about? (*inf*); **er phantasiert, daß die Welt untergeht** he has visions of the world coming to an end.

phantasievoll *adj* highly imaginative.

Phantast(in *f*) *m* **-en, -en** dreamer, visionary.

Phantasterei *f* fantasy.

phantastisch *adj* fantastic; (*unglaublich auch*) incredible.

Phantom *nt* **-s, -e 1.** (*Trugbild*) phantom. **einem ~ nachjagen** (*fig*) to tilt at windmills. **2.** (*Modell*) (*für Unterricht*) anatomical model, manikin.

Phantombild *nt* identikit (picture); **Phantomschmerz** *m* phantom limb pain.

Pharao *m* -s, **Pharaonen** Pharaoh.

Pharaonen- *in cpds* of the Pharaohs.

Pharisäer *m* **-s, -** (*Hist*) pharisee; (*fig auch*) hypocrite; (*Cook*) coffee with rum and cream.

pharisäerhaft, pharisäisch *adj* pharisaic(al); (*fig auch*) holier-than-thou, self-righteous.

Pharisäertum *nt* (*fig*) self-righteousness.

Pharmahersteller *m* drug manufacturer;

Pharmaindustrie f pharmaceuticals industry.

Pharmakologe m, **Pharmakologin** f pharmacologist.

Pharmakologie f pharmacology.

pharmakologisch adj pharmacological.

Pharmamarkt m pharmaceuticals market; **Pharmaprodukt** nt pharmaceutical product; **Pharmaproduzent(in** f) m pharmaceuticals producer; **Pharmareferent(in** f) m medical representative; **Pharmarückstände** pl pharmaceutical effluents pl; **Pharmaunternehmen** nt pharmaceuticals company.

Pharmazeut(in f) m **-en, -en** pharmacist, druggist (US).

Pharmazeutik f siehe **Pharmazie**.

pharmazeutisch adj pharmaceutical. ~-**technische Assistentin**, ~-**technischer Assistent** pharmaceutical assistant.

Pharmazie f pharmacy, pharmaceutics sing.

Phase f -, **-n** phase.

Phasenspannung f voltage to neutral, phase voltage; **Phasenverschiebung** f phase difference or displacement.

Phenol nt **-s**, no pl phenol.

Philanthrop(in f) m **-en, -en** philanthropist.

Philanthropie f philanthropy.

philanthropisch adj philanthropic(al).

Philatelie f philately.

Philatelist(in f) m philatelist.

philatelistisch adj philatelic.

Philharmonie f (Orchester) philharmonia, philharmonic (orchestra); (Konzertsaal) philharmonic hall.

Philharmoniker m **-s**, - (Musiker) member of a philharmonic orchestra. **die ~** the philharmonic (orchestra).

philharmonisch adj philharmonic.

Philippika f -, **Philippiken** (Hist) Philippic; (fig) philippic.

Philippine m **-n, -n, Philippinin** f Filipino.

Philippinen pl Philippines pl, Philippine Islands pl.

philippinisch adj Filipino.

Philister m **-s**, - (lit) Philistine; (fig) philistine.

philisterhaft adj (fig) philistine. **sich ~ verhalten** to behave like a philistine.

Philologe m, **Philologin** f philologist.

Philologie f philology.

philologisch adj philological.

Philosoph(in f) m **-en, -en** philosopher.

Philosophie f philosophy.

philosophieren* vi to philosophize (über +acc about).

philosophisch adj philosophical.

Phiole f -, **-n** phial, vial.

Phlegma nt **-s**, no pl apathy, torpor, torpidity.

Phlegmatiker(in f) m **-s**, - apathetic person.

phlegmatisch adj apathetic.

Phlox [flɔks] m **-es, -e** or f -, **-e** phlox.

Phobie [fo'biː] f phobia (vor +dat about).

Phon [foːn] nt **-s, -s** phon.

Phonem nt **-s, -e** phoneme.

Phonetik f phonetics sing.

Phonetiker(in f) m **-s**, - phonetician.

phonetisch adj phonetic. ~**e Schrift** pho-

netic transcription or script; **etw ~ schreiben** to write or transcribe sth phonetically or in phonetics.

Phönix m **-(es), -e** phoenix. **wie ein ~ aus der Asche steigen** to rise like a phoenix from the ashes.

Phönizier(in f) [-iə, -iərɪn] m **-s**, - Phoenician.

phönizisch adj Phoenician.

Phonobranche f hi-fi industry.

Phonologie f phonology.

phonologisch adj phonological.

Phonotypistin f audio-typist.

phonstark adj Lautsprecher powerful; Lärm loud; **Phonstärke** f decibel; **Phonzahl** f decibel level.

Phosgen [fɔs'geːn] nt **-s**, no pl phosgene.

Phosphat [fɔs'faːt] nt phosphate.

phosphat- [fɔs'faːt-]: **phosphatfrei** adj phosphate-free; **phosphathaltig** adj containing phosphates.

Phosphor ['fɔsfɔr] m **-s**, no pl (abbr **P**) phosphorus.

Phosphoreszenz f phosphorescence.

phosphoreszieren* vi to phosphoresce.

phosphorhaltig adj phosphorous.

phosphorig adj ~**e Säure** phosphorous acid.

Phosphorsäure f phosphoric acid; **Phosphorvergiftung** f phosphorus poisoning.

Photo- in cpds photo; siehe auch **Foto-**; **Photochemie** f photochemistry; **photoelektrisch** adj photoelectric.

Photon nt **-s, -en** photon.

Photosynthese f photosynthesis; **phototrop** adj phototropic; **photovoltaisch** [-vɔl'taːɪʃ] adj photovoltaic; **Photozelle** f photoelectric cell.

Phrase f -, **-n** phrase; (pej) empty or hollow phrase. **abgedroschene ~** cliché, hackneyed phrase; **das sind alles nur ~n** that's just (so many) words, that's just talk; **leere** or **hohle ~n** empty or hollow words or phrases; ~**n dreschen** (inf) to churn out one cliché after another.

Phrasendrescher(in f) m (pej) windbag; **Phrasendrescherei** f (pej) phrasemongering; (Geschwafel) hot air, **phrasenhaft** adj empty, hollow; **er drückt sich ~ aus** he speaks in empty phrases; **phrasenreich** adj cliché-ridden.

Phraseologie f phraseology; (Buch) dictionary of idioms.

phraseologisch adj phraseological. ~**es Wörterbuch** dictionary of idioms.

phrasieren* vt to phrase.

Phrasierung f phrasing.

pH-Wert [peːˈhaː-] m pH-value.

Physik f -, no pl physics sing.

physikalisch adj physical. ~**e Experimente durchführen** to carry out physics experiments or experiments in physics; **das ist ~ nicht erklärbar** that can't be explained by physics; ~**e Therapie** physiotherapy, physical therapy.

Physiker(in f) m **-s**, - physicist; (Student auch) physics student.

Physiksaal m physics lab or laboratory.

Physikum nt **-s**, no pl (Univ) preliminary examination in medicine.

Physiognomie [fyziogno'miː] f (liter)

physiognomy.

Physiologe m, **Physiologin** f physiologist.

Physiologie f physiology.

physiologisch adj physiological.

Physiotherapeut(in f) m physiotherapist.

Physiotherapie f physiotherapy, physical therapy.

physisch adj physical.

Pi nt -(s), -s pi. etw ~ mal Daumen (inf) or Schnauze (sl) machen to do sth off the top of one's head.

Pianino nt -s, -s pianino, cottage or piccolo piano.

Pianist(in f) m pianist.

Piano nt -s, -s (geh: Klavier) piano.

Pianoforte nt -s, -s pianoforte.

picheln vi (inf) to booze (inf), to knock it back (inf).

Picke f -, -n pick(axe).

Pickel m -s, - **1.** spot, pimple. **2.** (Spitzhacke) pick(axe); (Eis~) ice axe.

Pickelhaube f spiked (leather) helmet.

pick(e)lig adj spotty, pimply.

picken vti to peck (nach at).

Picknick nt -s, -s or -e picnic. ~ machen to have a picnic.

picknicken vi to (have a) picnic.

Piefke m -s, -s **1.** (Aus inf: Deutscher) Kraut (inf), Jerry (inf). **2.** ein kleiner ~ a (little) pipsqueak.

piekfein adj (inf) posh (inf), swish (inf).

pieksauber adj (inf) spotless, clean as a whistle or a new penny.

piep interj tweet(-tweet), chirp(-chirp), cheep(-cheep). er traute sich nicht mal ~ zu sagen or machen (inf) he wouldn't have dared (to) say boo to a goose (inf).

Piep m -s, -e (inf) er sagt keinen ~ he doesn't say a (single) word; keinen ~ mehr machen to have had it (inf); du hast ja einen ~! you're off your head (inf).

piepe, piepegal adj pred (inf) all one (inf). das ist mir ~! (inf) I couldn't care less (inf), it's all one to me (inf).

piepen vi (Vogel) to cheep, to chirrup; (Kinderstimme) to pipe, to squeak; (Maus) to squeak; (Funkgerät) to bleep. bei dir piept's wohl! (inf) are you off your head?; es war zum P~! (inf) it was a scream (inf).

Piepen pl (dated sl) lolly (inf), dough (sl).

Piepmatz m (baby-talk: Vogel) dickybird (baby-talk).

piepsen vi siehe piepen.

Piepser m -s, - (inf) **1.** siehe Piep. **2.** (Telec) bleeper.

piepsig adj (inf) squeaky.

Piepsstimme f (inf) squeaky voice.

Pier m -s, -s or -e or f -, -s jetty, pier.

piesacken vt (inf) (quälen) to torment; (belästigen) to pester.

Pietà [pie'ta] f -, -s pietà.

Pietät [pie'tɛːt] f (Ehrfurcht vor den Toten) reverence no pl; (Achtung) respect (gegenüber jdm/etw, vor etw (dat) for sb/sth); (Frömmelei) piety. das verstößt gegen jede ~ that goes against every feeling of respect or sense of reverence.

pietätlos [pie'tɛːt-] adj irreverent, lacking in respect, impious.

Pietätlosigkeit [pie'tɛːt-] f irreverence, impiety; (Tat) impious act.

pietätvoll [pie'tɛːt-] adj pious, reverent.

Pietismus [pie'tɪsmʊs] m Pietism; (pej) pietism, piety, piousness.

Pietist(in f) [pie'tɪst(ɪn)] m Pietist; (pej auch) holy Joe (inf).

pietistisch [pie'tɪstɪʃ] adj pietistic; (pej auch) pious.

piff paff interj bang bang, pow pow (inf).

Pigment nt pigment.

Pigmentation f pigmentation.

Pigmentfleck m pigmentation mark.

pigmentieren* (form) **I** vi to become pigmented, to pigment. **II** vt to pigment.

Pik¹ m (inf) einen ~ auf jdn haben to have something or a grudge against sb.

Pik² nt -s, - (Cards) (no pl: Farbe) spades pl; (~karte) spade. ~-As ace of spades; dastehen wie ~-Sieben (inf) to look completely bewildered or at a loss.

pikant adj piquant; Witz, Geschichte auch racy.

Pikanterie f **1.** siehe adj piquancy; raciness. **2.** (Bemerkung) piquant or racy remark.

Pike f -, -n pike. von der ~ auf dienen (fig) to rise from the ranks, to work one's way up; etw von der ~ auf lernen (fig) to learn sth starting from the bottom.

Pikee m or nt -s, -s piqué.

pikieren* vt Blumen to prick out, to transplant; Bäume to transplant.

pikiert adj (inf) put out, peeved, piqued. sie machte ein ~es Gesicht she looked put out or peeved; ~ reagieren to get put out or peeved.

Pikkolo m -s, -s **1.** (Kellnerlehrling) apprentice or trainee waiter. **2.** (fig: kleine Ausgabe) mini-version, baby; (auch ~flasche) quarter bottle of champagne. **3.** (Mus: auch ~flöte) piccolo.

Piktogramm nt -s, -e pictogram.

Pilger(in f) m -s, - pilgrim.

Pilgerfahrt f pilgrimage. auf ~ gehen to go on a pilgrimage.

pilgern vi aux sein to make a pilgrimage; (inf: gehen) to make or wend one's way.

Pilgerstab m pilgrim's staff.

Pille f -, -n pill, tablet; (Antibaby~) pill. die ~ danach the morning-after pill; eine ~ (ein)nehmen or schlucken to take a pill; sie nimmt die ~ she's on the pill, she takes the pill; das war eine bittere ~ für ihn (fig) that was a bitter pill for him (to swallow); jdm eine bittere ~ versüßen (fig) to sugar or sweeten the pill for sb.

Pillendreher m **1.** (Zool) scarab; **2.** (inf pej: Apotheker) chemist, druggist (US).

Pillenknick m birth-rate slump caused by the pill.

Pilot(in f) m -en, -en pilot.

Pilotanlage f pilot plant; **Pilotfilm** m pilot film; **Pilotprojekt** nt pilot scheme; **Pilotstudie** f pilot study.

Pils -, -, **Pils(e)ner** nt -s, - pils, pilsner.

Pilz m -es, -e **1.** fungus; (giftig) toadstool; (eßbar) mushroom; (Mikro~) mould; (Atom~) mushroom cloud. in die ~e gehen (inf) to go mushrooming or mushroom-picking; wie ~e aus der Erde or

aus dem Boden schießen or **sprießen** to spring up like mushrooms, to mushroom.
2. (*Haut~*) ringworm; (*Fuß~ auch*) athlete's foot.

pilzförmig *adj* mushroom-shaped.

Pilzkopf *m* (*inf*) Beatle; (*Frisur*) Beatle haircut; **Pilzkrankheit** *f* fungal disease; **Pilzkunde** *f* mycology; **pilztötend** *adj* fungicidal; **Pilzvergiftung** *f* fungus poisoning.

Pimmel *m* -s, - (*inf: Penis*) willie (*inf*).

pimp(e)lig *adj* (*inf*) (*wehleidig*) soppy (*inf*); (*verweichlicht auch*) namby-pamby (*inf*).

Pimperlinge *pl* (*dated inf*) **die paar ~** the odd penny.

pimpern (*sl*) **I** *vt* to have it off with (*sl*). **II** *vi* to have it off (*sl*).

Pimpf *m* -(e)s, -e **1.** (*inf*) squirt (*pej*). **2.** (*Hist*) member of Hitlerian organization for 10 — 14-year-olds.

Pin *m* -s, -s (*Comput: von Stecker*) pin.

pingelig *adj* (*inf*) finicky (*inf*), fussy, nit-picking (*inf*).

Pingpong *nt* -s, -s (*inf*) ping-pong.

Pinguin ['pɪŋguiːn] *m* -s, -e penguin.

Pinie ['piːniə] *f* pine (tree).

pink *adj pred* pink.

Pinkel *m* -s, - (*inf*) **ein feiner** or **vornehmer ~** a swell, Lord Muck (*inf*).

pinkeln *vi* (*inf*) to pee (*inf*), to piddle (*inf*). **ich muß mal ~** I need a pee (*inf*).

Pinkelpause *f* (*inf*) break. **der Bus hielt zu einer ~** the bus made a toilet stop or a convenience stop.

Pinke(pinke) *f* -, *no pl* (*dated sl*) dough (*sl*), lolly (*sl*). **heute gibt's ~** pay-day today!

pinkfarben *adj* pink.

Pinne *f* -, -n **1.** (*inf: Stift*) pin. **2.** (*für Kompaßnadel*) pivot. **3.** (*Ruder~*) tiller.

Pinnwand *f* notice board (*Brit*), bulletin board (*US*).

Pinscher *m* -s, - pinscher; (*inf: Mensch*) self-important little pipsqueak (*inf*).

Pinsel *m* -s, - **1.** brush; (*Hunt*) tuft of hair. **2.** (*inf*) **ein eingebildeter ~** a self-opinionated twit (*inf*), a jumped-up so-and-so (*inf*). **3.** (*sl: Penis*) willie (*inf*).

Pinselei *f* (*pej*) daubing (*pej*); (*Gemälde auch*) daub (*pej*).

Pinselführung *f* brushwork.

pinseln *vti* (*inf: streichen*) to paint (*auch Med*); (*pej: malen*) to daub; (*inf: schreiben*) to pen.

Pinselstrich *m* stroke (of a brush), brush-stroke.

Pinte *f* -, -n **1.** (*inf: Lokal*) boozer (*Brit inf*). **2.** (*Measure*) pint.

Pin-up-girl [pɪn'apgœrl] *nt* -s, -s pin-up (girl).

Pinzette *f* (pair of) tweezers *pl*.

Pionier *m* -s, -e **1.** (*Mil*) sapper, engineer. **2.** *auch* **~in** *f* (*fig*) pioneer. **3.** (*DDR*) member of a political organization similar to the Boy Scouts.

Pionierarbeit *f* pioneering work; **Pioniergeist** *m* pioneering spirit.

Pipapo *nt* -s, *no pl* (*inf*) **das ganze ~** the whole caboodle (*inf*); **eine Party mit allem ~** a party with all the works.

Pipeline ['paiplain] *f* -, -s pipeline.

Pipette *f* pipette.

Pipi *nt* or *m* -s, -s (*baby-talk*) wee(-wee) (*baby-talk*). **~ machen** to do or have a wee(-wee).

Pipifax *nt* or *m* -, *no pl* (*inf*) nonsense.

Piranha [pi'ranja] *m* -(s), -s piranha.

Pirat(in *f*) *m* -en, -en pirate; (*Luft~*) hijacker.

Piratenakt *m* act of piracy; **Piratenschiff** *nt* pirate ship; **Piratensender** *m* pirate radio station.

Piraterie *f* (*lit, fig*) piracy.

Pirol *m* -s, -e oriole.

Pirouette [pi'ruɛtə] *f* pirouette.

Pirsch *f* -, *no pl* stalk. **auf (die) ~ gehen** to go stalking.

pirschen *vi* to stalk, to go stalking.

Pirschgang *m* stalk. **auf ~ gehen** to go stalking.

pispern *vi* (*dial*) to whisper.

Pisse *f* -, *no pl* (*vulg*) piss (*vulg*).

pissen *vi* (*vulg*) to (have a) piss (*vulg*); (*regnen*) to piss down (*vulg*).

Pissoir [pɪ'soaːɐ] *nt* -s, -s or -e (*dated*) urinal.

Pistazie [pɪs'taːtsiə] *f* pistachio.

Piste *f* -, -n (*Ski*) piste, (ski-)run; (*Rennbahn*) track, circuit; (*Aviat*) runway, tarmac; (*behelfsmäßig*) landing-strip, air-strip; (*im Zirkus*) barrier.

Pistenraupe *f* piste caterpillar or basher (*inf*); **Pistensau** *f* (*Ski sl*), **Pistenschreck** *m* (*Ski inf*) hooligan on the piste.

Pistole *f* -, -n **1.** pistol. **jdn mit vorgehaltener ~ zwingen** to force sb at gunpoint; **jdm die ~ auf die Brust setzen** (*fig*) to hold a pistol to sb's head; **wie aus der ~ geschossen** (*fig*) like a shot. **2.** (*Hist: Goldmünze*) pistole.

Pistolenkugel *f* (pistol) bullet; **Pistolenschuß** *m* pistol shot; **Pistolentasche** *f* holster.

Pit-Bull-Terrier *m* pit bull-terrier.

pitsch(e)naß, pitsch(e)patsch(e)naß (*inf*) *adj* soaking (wet); *Kleidung, Mensch auch* dripping (wet).

pitsch, patsch *interj* pitter-patter.

pittoresk *adj* picturesque.

Pixel *nt* -s, -s (*Comput*) pixel.

Pizza *f* -, -s pizza.

Pizzeria *f* -, -s pizzeria.

Pkw ['peːkaːveː] *m* -s, -s siehe **Personenkraftwagen.**

Placebo [pla'tseːbo] *nt* -s, -s placebo.

placieren* [pla'tsiːrən] *vt siehe* **plazieren.**

Placierung *f siehe* **Plazierung.**

placken *vr* (*inf*) to slave (away) (*inf*).

Placken *m* -s, - (*dial*) patch.

Plackerei *f* (*inf*) grind (*inf*).

pladdern (*N Ger*) **I** *vi aux sein* (*Regen*) to pelt (down). **II** *vi impers* to pelt down.

plädieren* *vi* (*Jur, fig*) to plead (*für, auf* +*acc* for).

Plädoyer [plɛdoa'jeː] *nt* -s, -s (*Jur*) address to the jury, summation (*US*), summing up; (*fig*) plea.

Plafond [pla'fõː] *m* -s, -s (*lit, fig*) ceiling.

Plage *f* -, -n **1.** plague. **2.** (*fig: Mühe*) nuisance. **sie hat ihre ~ mit ihm** he's a trial for her; **zu einer ~ werden** to become a nuisance.

Plagegeist *m* nuisance, pest.

plagen I *vt* to plague, to torment; (*mit Bitten und Fragen auch*) to pester, to harass. **dich plagt doch etwas, heraus mit der Sprache** something's worrying *or* bothering you, out with it; **ein geplagter Mann** a harassed man.
  II *vr* **1.** (*leiden*) to be troubled *or* bothered (*mit* by). **schon die ganze Woche plage ich mich mit meinem Heuschnupfen** I've been bothered *or* troubled all week by my hay fever, my hay fever's been bothering *or* troubling me all week.
  2. (*arbeiten*) to slave *or* slog away (*inf*); (*sich Mühe geben*) to go to *or* take a lot of trouble *or* great pains (*mit* over *or* with).

Plagiat *nt* plagiarism. **da hat er ein ~ begangen** that's a plagiarism, he plagiarized that.

Plagiator(in *f*) *m* plagiarist.

plagiieren* *vti* to plagiarize.

Plaid [pleːt] *nt or m* **-s, -s** tartan travelling rug.

Plakafarbe ® *f* poster paint.

Plakat *nt* **-(e)s, -e** (*an Litfaßsäulen etc*) poster, bill; (*aus Pappe*) placard.

Plakatfarbe *f* poster paint.

plakatieren* *vt* to placard; (*fig*) to broadcast.

plakativ *adj Wirkung* striking, bold; *Sprache* pithy.

Plakatmaler(in *f*) *m* poster painter *or* artist; **Plakatsäule** *f* advertisement pillar; **Plakatschrift** *f* block lettering; **Plakatwerbung** *f* poster advertising.

Plakette *f* (*Abzeichen*) badge; (*an Wänden*) plaque.

plan *adj* flat, level; *Ebene, Fläche* plane *attr*.

Plan[1] *m* **-(e)s, ⁻e 1.** plan. **die ⁻e zur Renovierung der Stadt** the plans for the renovation of the city; **den ~ fassen, etw zu tun** to form the intention of doing sth, to plan to do sth; **wir haben den ~, ...** we're planning to ...; **⁻e machen** *or* **schmieden** to make plans, to plan; **nach ~ verlaufen** to run *or* go according to plan.
  2. (*Stadt~*) (street-)map, town plan; (*Grundriß, Bau~*) plan, blueprint; (*Zeittafel*) timetable.

Plan[2] *m* **auf dem ~ erscheinen, auf den ~ treten** (*fig*) to arrive *or* come on the scene; **jdn auf den ~ rufen** (*fig*) to bring sb into the arena.

Plane *f* **-, -n** tarpaulin, tarp (*US inf*); (*von LKW*) hood; (*Schutzdach*) canopy, awning.

planen *vti* to plan; *Attentat, Verbrechen auch* to plot.

Planer(in *f*) *m* **-s, -** planner.

Plan|erfüllung *f* realization of a/the plan. **uns trennen nur noch 5% von der ~** we're only 5% short of our planned target.

planerisch *adj* planning. **~e Ausarbeitung** working out of the plans; **~ vorgehen** to proceed methodically.

Planet *m* **-en, -en** planet.

planetarisch *adj* planetary.

Planetarium *nt* planetarium.

Planetenbahn *f* planetary orbit.

Planetoid *m* **-en, -en** planetoid, asteroid.

Planfeststellungsverfahren *nt* (*Build*) planning permission hearings *pl*.

planieren* *vt Boden* to level (off); *Werkstück* to planish.

Planierraupe *f* bulldozer.

Planke *f* **-, -n** plank, board; (*Leit~*) crash barrier. **~n** (*Umzäunung*) fencing, boarding (*gen* round).

Plänkelei *f* (*old Mil*) skirmish; (*fig auch*) squabble.

plänkeln *vi* (*old Mil*) to skirmish, to engage in skirmishes; (*fig*) to squabble, to have a squabble.

Plankton *nt* **-s,** *no pl* plankton.

planlos *adj* unmethodical, unsystematic; (*ziellos*) random.

Planlosigkeit *f* lack of planning.

planmäßig *adj* (*wie geplant*) as planned, according to plan; (*pünktlich*) on schedule, as scheduled; (*methodisch*) methodical. **~e Ankunft/Abfahrt** scheduled time of arrival/departure; **~ kommt der Zug um 7 Uhr an** the train is scheduled to arrive *or* is due in at 7 o'clock.

Planmäßigkeit *f* (*Methodik*) methodicalness, method; (*Pünktlichkeit*) punctuality; (*Regelmäßigkeit*) regularity.

Planquadrat *nt* grid square.

Planschbecken *nt* paddling pool.

planschen *vi* to splash around.

Planscherei *f* splashing around.

Plansoll *nt* output target; **Planstelle** *f* post.

Plantage [plan'taːʒə] *f* **-, -n** plantation.

Planung *f* planning. **diese Straße ist noch in ~** this road is still being planned; **schon in der ~** in *or* at the planning stage.

Planungsabteilung *f* planning department; **Planungskommission** *f* planning commission.

Planwagen *m* covered wagon; **Planwirtschaft** *f* planned economy.

Plappermaul *nt* (*inf*) (*Mund*) big mouth (*inf*); (*Kind*) chatterbox (*inf*); (*Schwätzer*) tittle-tattler (*inf*), blabber (*inf*).

plappern I *vi* to prattle, to chatter. **II** *vt* **was plapperst du denn da für Blödsinn?** don't talk rubbish.

plärren *vti* (*inf: weinen*) to howl, to bawl; (*Radio*) to blare (out); (*schreien*) to yell, to shriek; (*unschön singen*) to screech.

Pläsier *nt* **-s, -e** (*dated*) pleasure, delight. **nun laß ihm doch sein ~** let him have his bit of fun.

Pläsierchen *nt*: **jedem Tierchen sein ~** (*hum*) each to his own.

Plasma *nt* **-s, Plasmen** plasma.

Plastik[1] *nt* **-s, -s** (*Kunststoff*) plastic.

Plastik[2] *f* **1.** (*Bildhauerkunst*) sculpture, plastic art (*form*). **2.** (*Skulptur*) sculpture. **3.** (*Med*) plastic surgery. **4.** (*fig: Anschaulichkeit*) vividness.

Plastikbeutel *m* plastic bag, carrier bag; **Plastikbombe** *f* plastic bomb; **Plastikfolie** *f* plastic film; **Plastiksprengstoff** *m* plastic explosive; **sie benutzten ~** they used plastic explosives; **Plastiktüte** *f* plastic bag.

Plastilin *nt* **-s, -e** plasticine ®.

plastisch *adj* **1.** (*knetbar*) malleable, plastic, workable.

2. (*dreidimensional*) three-dimensional, 3-D; (*fig: anschaulich*) vivid. **das kann ich mir ~ vorstellen** I can just imagine *or* picture it.

3. (*Art*) plastic. **~e Arbeiten** sculptures, plastic works.

4. (*Med*) plastic.

Plastizität *f, no pl* **1.** (*Formbarkeit*) malleability, plasticity, workability. **2.** (*fig: Anschaulichkeit*) vividness, graphicness.

Platane *f* -, **-n** plane tree.

Plateau [pla'to:] *nt* **-s, -s** plateau; (*Tafelland auch*) tableland.

Plateausohle [pla'to:-] *f* platform sole.

Platin *nt* **-s,** *no pl* (*abbr* **Pt**) platinum.

platinblond *adj* platinum blonde.

Platine *f* -, **-n** (*Comput*) circuit board.

Platitüde *f* -, **-n** platitude.

Plato(n) *m* - Plato.

Platoniker(in *f*) *m* **-s,** - Platonist.

platonisch *adj* Platonic, Platonist; (*nicht sexuell*) platonic; (*geh: unverbindlich*) non-committal.

platsch *interj* splash, splosh.

platschen *vi* (*inf*) to splash; (*regnen*) to pelt, to pour.

plätschern *vi* (*Bach*) to babble, to splash; (*Brunnen*) to splash; (*Regen*) to patter; (*planschen*) to splash (about *or* around). **eine ~de Unterhaltung** light conversation.

platt *adj* **1.** (*flach*) flat. **etw ~ drücken** to press sth flat, to flatten sth; **einen P~en** (*inf*) *or* **einen ~en Reifen haben** to have a flat (*inf*) *or* a flat tyre; **das ~e Land** the flat country; (*nicht Stadt*) the country.

2. (*fig: geistlos*) Bemerkung, Witz flat, boring, dull; *Mensch* dull, uninspired.

3. (*inf: verblüfft*) **~ sein** to be flabbergasted (*inf*); **da bist du ~, nicht?** that's surprised you.

Platt *nt* **-(s),** *no pl* (*inf*) Low German, Plattdeutsch.

Plättbrett *nt* (*dial*) ironing-board; (*sl*) skinny Lizzy (*inf*).

Plättchen *nt* little tile; (*Computers*) microchip.

plattdeutsch *adj* Low German.

Plattdeutsch(e) *nt* Low German, Plattdeutsch.

Platte *f* -, **-n** **1.** (*Holz~*) piece of wood, wood *no pl*, board; (*zur Wandverkleidung*) panel; (*Tischtennis~*) ping-pong table; (*Glas~/Metall~/Plastik~*) piece *or* sheet of glass/metal/plastic; (*Beton~, Stein~*) slab; (*zum Pflastern*) paving stone, flagstone; (*Kachel, Fliese*) tile; (*Grab~*) gravestone, slab; (*Herd~*) hotplate; (*Tisch~*) (table-)top; (*ausziehbare*) leaf; (*Felsen~*) shelf, ledge; (*Geog: ebenes Land*) flat *or* low land; (*Druckstock*) plate; (*Phot*) plate; (*Gebiß*) (dental) plate; (*Gedenktafel*) plaque; (*Comput*) disk. **ein Ereignis auf die ~ bannen** to capture an event on film; **die ~ putzen** (*inf*) to hop it (*inf*).

2. (*Fleisch-, Gemüseteller*) serving-dish, plate; (*Torten~*) cake plate; (*mit Fuß*) cake-stand. **eine ~ Aufschnitt** a plate of selected cold meats; **kalte ~** cold dish.

3. (*Schall~*) record, disc. **etw auf ~ sprechen/aufnehmen** to make a record of sth, to record sth; **eine ~ mit Marschmusik** a record of march music.

4. (*fig inf*) **die ~ kenne ich schon** I've heard all that before, I know that line; **er legte die alte ~ auf** he started on his old theme; **leg doch mal eine neue ~ auf!** change the record, can't you!; **die ~ hat einen Sprung** he, she *etc* sounds like a broken record.

5. (*inf: Glatze*) bald head; (*kahle Stelle*) bald spot *or* patch.

Plätte *f* -, **-n** (*N Ger inf*), **Plätt|eisen** *nt* (*dial, Hist*) iron, smoothing iron (*Hist*).

plätten *vt* (*dial*) to iron, to press.

Plattenlabel [-'leɪbl] *nt* record label; **Plattenlaufwerk** *nt* (*Comput*) disk drive; **Plattenleger** *m* **-s,** - paver; **Plattensammlung** *f* record collection; **Plattensee** *m* der ~ Lake Balaton; **Plattenspieler** *m* record-player; **Plattenteller** *m* turntable; **Plattenwechsler** *m* **-s,** - autochanger, record changer; **Plattenweg** *m* paved path.

Plattfisch *m* flatfish; **Plattform** *f* -, **-en** platform; (*fig: Grundlage*) basis; **Plattfuß** *m* flat foot; (*inf: Reifenpanne*) flat (*inf*); **plattfüßig** *adj, adv* flat-footed; **Plattheit** *f* **1.** *no pl* (*Flachheit*) flatness; (*Geistlosigkeit auch*) dullness; **2.** *usu pl* (*Redensart*) commonplace, platitude, cliché.

plattieren* *vt Metall* to plate.

plattnasig *adj* flat-nosed; **Plattstich** *m* satin stitch.

Plättwäsche *f* (*dial*) ironing.

Platz *m* **-es,** ⁻e **1.** (*freier Raum*) room, space. **~ für jdn/etw schaffen** to make room for sb/sth; **~ für etw finden** to find room *or* space for sth; **~ greifen** to spread, to gain ground; **brauchen** to take up *or* occupy room *or* space; **~ für etw (frei) lassen** to leave room *or* space for sth; **mehr als 10 Leute haben hier nicht ~** there's not room *or* space for more than 10 people here; **jdm den (ganzen) ~ wegnehmen** to take up all the room; **jdm ~ machen** to make room for sb; (*vorbeigehen lassen*) to make way for sb (*auch fig*); **~ machen** to get out of the way (*inf*); **mach mal ein bißchen ~** make a bit of room; **~ für jdn/etw bieten** to hold sb/sth, to have room for sb/sth; **~ da!** (*inf*) (get) out of the way there! (*inf*), gangway! (*inf*).

2. (*Sitzplatz*) seat. **~ nehmen** to take a seat; **bitte ~ nehmen zum Mittagessen** please take your seats for lunch; **behalten Sie doch bitte ~!** (*form*) please remain seated (*form*); **ist hier noch ein ~ frei?** is there a free seat here?; **dieser ~ ist belegt** *or* **besetzt** this seat's taken, this is somebody's seat; **sich von seinem ~ erheben** (*geh*) to rise (*form*); **der Saal hat 2.000 ⁻e** the hall seats 2,000 *or* has seating for 2,000 *or* has 2,000 seats; **mit jdm den ~ tauschen** *or* **wechseln** to change places with sb; **erster/zweiter** ~ front/rear stalls; ~! (*zum Hund*) sit!

3. (*Stelle, Standort, Rang, Sport*) place. **das Buch steht nicht an seinem** ~ the book isn't in (its) place; **etw (wieder) an seinen** ~ **stellen** to put sth (back) in (its) place; **fehl** or **nicht am** ~**e sein** to be out of place; **auf die** ~**e, fertig, los!** (*beim Sport*) on your marks, get set, go!, ready, steady, go!; **er wich nicht vom** ~**(e)** he wouldn't yield (an inch); **seinen** ~ **behaupten** to stand one's ground, to hold one's own; **das Buch hat einen festen** ~ **auf der Bestsellerliste** the book is firmly established on the bestseller list; **ihr** ~ **ist an der Seite ihres Mannes** her (proper) place is at her husband's side; **den ersten** ~ **einnehmen** (*fig*) to come first; **auf** ~ **zwei** in second place; **jdn auf** ~ **drei/den zweiten** ~ **verweisen** to beat sb into third/second place; **jdn auf die** ~**e verweisen** (*fig*) to beat sb; **auf** ~ **wetten** to make a place bet; **ein** ~ **an der Sonne** (*lit, fig*) a place in the sun.

4. (*Arbeits*~, *Studien*~) place. **im Kindergarten sind noch ein paar** ~**e frei** there are still a few vacancies or places left in the kindergarten.

5. (*umbaute Fläche*) square. **auf dem** ~ in or on the square; **ein freier** ~ **vor der Kirche** an open space in front of the church.

6. (*Sport*~) playing field; (*Ftbl, Hockey*) pitch, field; (*Handball*~, *Tennis*~) court; (*Golf*~) (golf) course, (golf) links pl. **einen Spieler vom** ~ **stellen** or **verweisen** to send a player off; **auf gegnerischem/eigenem** ~ away/at home.

7. (*Ort*) town, place; (*Handels*~) centre. **das erste Hotel** or **Haus am** ~ the best hotel in town or in the place.

8. (*Lager*~) (store or storage) yard.

9. (*Bau*~) site.

Platzangst f (*Psych*) agoraphobia; (*inf: Beklemmung*) claustrophobia; ~ **bekommen** to get claustrophobic or claustrophobia; **Platzanweiser(in** f) m -s, - usher(ette).

Plätzchen nt **1.** dim of **Platz** spot, little place. **2.** (*Gebäck*) biscuit (*Brit*), cookie (*US*).

platzen vi aux sein **1.** (*aufreißen*) to burst; (*Naht, Hose, Haut*) to split; (*explodieren: Granate, Bombe*) to explode; (*einen Riß bekommen*) to crack. **mir ist unterwegs ein Reifen geplatzt** I had a blow-out on the way, a tyre burst on the way; **ihm ist eine Ader geplatzt** he burst a bloodvessel; **wenn du so weiterißt, platzt du!** if you go on eating like that you'll burst; **wir sind vor Lachen fast geplatzt** we split our sides laughing, we laughed till our sides ached or split; **ins Zimmer** ~ (*inf*) to burst into the room; (**vor Wut/Neid/Ungeduld**) ~ (*inf*) to be bursting (with rage/envy/impatience).

2. (*inf: scheitern*) (*Plan, Geschäft*) to fall through; (*Freundschaft*) to break up; (*Theorie*) to fall down, to collapse; (*Spionagering, Verschwörung*) to collapse; (*Wechsel*) to bounce (*inf*). **die**

Verlobung ist geplatzt the engagement is (all) off; **etw** ~ **lassen** *Plan* to make sth fall through; *Freundschaft, Verlobung* to break sth up; *Theorie* to explode sth; *Spionagering* to break sth up, to smash sth; *Wechsel* to make sth bounce (*inf*).

Platzhalter m place-marker; (*fig*) custodian; (*Comput*) free variable parameter, free definable parameter; **Platzherren** pl (*Sport inf*) home team; **Platzhirsch** m (*lit, fig*) dominant male; **Platzkarte** f (*Rail*) seat reservation (ticket); **Platzkonzert** m open-air concert; **Platzmangel** m shortage or lack of space or room; **Platzmiete** f (*Theat*) season ticket; (*Sport*) ground rent; **Platzpatrone** f blank (cartridge); **Platzregen** m cloudburst; **das ist nur ein** ~ it's only a (passing) shower; **Platzreservierung** f seat reservation; **platzsparend** adj space-saving attr; **etw** ~ **stapeln** to stack sth away compactly or with a minimum use of space; **Platzverweis** m sending-off; **es gab drei** ~**e** three players were sent off; **Platzwahl** f toss-up; **die** ~ **haben/verlieren** to win/lose the toss; **die** ~ **vornehmen** to toss up; **Platzwart** m (*Sport*) groundsman; **Platzwechsel** m change of place; (*Sport*) change of position; **Platzwette** f place bet; **Platzwunde** f cut, laceration.

Plauderei f chat, conversation; (*Press*) feature; (*TV, Rad*) chat show.

Plauderer m -s, -, **Plauderin** f conversationalist.

plaudern vi to chat, to talk (*über* +acc, *von* about); (*verraten*) to talk. **mit ihm läßt sich gut** ~ he's easy to talk to.

Plauderstündchen nt chat; **Plaudertasche** f (*inf*) chatterbox (*inf*); **Plauderton** m conversational or chatty tone.

Plausch m -(e)s, -e (*inf*) chat.

plauschen vi (*inf*) to chat, to have a chat or a natter (*Brit inf*).

plausibel adj plausible. **jdm etw** ~ **machen** to make sth clear to sb, to explain sth to sb.

Plausibilität f plausibility.

plauz interj (*old*) crash, bang.

Plauz m -es, -e (*inf*) (*Geräusch*) bang, crash; (*Fall*) fall.

Plauze f -, -n (*dial inf*) chest. **es auf der** ~ **haben** (*inf*) to have a chesty cough, to be chesty (*inf*).

Playback ['pleıbæk] nt -s, -s (*Band*) (*bei der Schallplatte*) backing track; (*TV*) recording; (~*verfahren*) (*bei der Schallplatte*) double-tracking no pl; (*TV*) miming no pl.

Playboy ['pleıbɔı] m -s, -s playboy.

Plazenta f -, -s or **Plazenten** placenta.

Plazet nt -s, -s approval, OK (*inf*). **sein** ~ **zu etw geben** to approve or OK sth, to give sth one's approval or OK.

Plazeur(in f) [pla'tsøːɐ, -'øːrın] m (*Fin*) securities investor.

plazieren* I vt **1.** (*Platz anweisen*) to put; *Soldaten, Wächter* to put, to place, to position; (*Tennis*) to seed. **der Kellner plazierte uns in die** or **der Nähe der Band** the waiter directed or showed us to a place or put us near the band.

2. (*zielen*) *Ball* to place, to position; *Schlag, Faust* to land. **gut plazierte Aufschläge** well-placed *or* well-positioned services; **ein (gut) plazierter Schlag** a well-placed *or* well-aimed blow; **plaziert schießen** to position one's shots well.

3. (*anlegen*) *Geld* to put, to place.

II *vr* **1.** (*inf: sich setzen, stellen etc*) to plant oneself (*inf*).

2. (*Sport*) to be placed, to get a place; (*Tennis*) to be seeded. **der Läufer konnte sich gut/nicht ~** the runner was well-placed/wasn't even placed.

Plazierung *f* (*bei Rennen*) order; (*Tennis*) seeding; (*Platz*) place. **welche ~ hatte er?** where did he come in?, what position did he come in?

Plebejer(in *f*) *m* **-s, -** (*lit, fig*) plebeian, pleb (*inf*).

plebejisch *adj* (*lit*) plebeian *no adv*; (*fig auch*) plebby (*inf*), common. **sich ~ benehmen** to behave like a pleb (*inf*).

Plebiszit *nt* **-(e)s, -e** plebiscite.

Plebs[1] *f* **-**, *no pl* (*Hist*) plebs *pl*.

Plebs[2] *m* **-es**, *no pl* (*pej*) plebs *pl*.

pleite *adj pred, adv* (*inf*) *Mensch* broke (*inf*); *Firma auch* bust (*inf*). **~ gehen** to go bust.

Pleite *f* **-**, **-n** (*inf*) bankruptcy, collapse; (*fig*) flop (*inf*), washout (*inf*). **~ machen** to go bankrupt *or* bust (*inf*); **damit/mit ihm haben wir eine ~ erlebt** it/he was a disaster.

Pleitegeier *m* (*inf*) (*drohende Pleite*) vulture. **über der Firma schwebt der ~** the vultures are *or* the threat of bankruptcy is hovering over the firm.

Plektron, Plektrum *nt* **-s, Plektren** *or* **Plektra** plectrum.

Plempe *f* **-**, **-n** (*dial*) dishwater (*inf*).

plempern *vi* (*inf*) **1.** (*trödeln*) to dawdle. **2.** (*verschütten*) to splash.

plemplem *adj pred* (*sl*) nuts (*sl*), round the bend (*Brit inf*).

Plena *pl of* **Plenum**.

Plenarsaal *m* chamber; **Plenarversammlung** *f* plenary session.

Plenum *nt* **-s, Plena** plenum.

Pleonasmus *m* pleonasm.

pleonastisch *adj* pleonastic.

Pleuelstange *f* connecting rod.

Plexiglas ® *nt* acrylic glass.

plieren, plinkern *vi* (*N Ger*) to screw up one's eyes.

Plissee *nt* **-s, -s** pleats *pl*, pleating *no pl*.

Plisseerock *m* pleated skirt.

plissieren* *vt* to pleat.

PLO [peːɛlˈoː] *f* - PLO.

PLO-Führung *f* PLO leadership.

Plombe *f* **-**, **-n** **1.** (*Siegel*) lead seal. **2.** (*Zahn~*) filling.

plombieren* *vt* **1.** (*versiegeln*) to seal, to put a seal on. **2.** *Zahn* to fill. **er hat mir zwei Zähne plombiert** he did two fillings.

Plombierung *f* **1.** (*das Versiegeln*) sealing; (*Vorrichtung*) seal. **2.** (*beim Zahn*) filling.

Plörre *f* **-**, **-n** (*dial*) dishwater.

Plot *m* or *nt* **-s, -s** (*Liter*) plot.

Plotter *m* **-s, -** (*Comput*) plotter.

plötzlich I *adj* sudden. **II** *adv* suddenly, all of a sudden. **aber etwas ~!** (*inf*) make it

snappy! (*inf*), look sharp! (*inf*); **das kommt alles so ~** (*inf*) it all happens so suddenly.

Plötzlichkeit *f* suddenness.

Pluderhose *f* harem pants *pl*, Turkish trousers *pl*.

Plumeau [plyˈmoː] *nt* **-s, -s** eiderdown, quilt.

plump *adj* *Figur, Hände, Form* ungainly *no adv*; *Bewegung, Gang auch* awkward; *Ausdruck* clumsy; *Bemerkung* crass; *Mittel, Schmeichelei, Lüge, Betrug* obvious, crude. **etw ~ ausdrücken** to express sth clumsily; **sich ~ verhalten** to behave crassly; **~e Annäherungsversuche** very obvious advances.

Plumpheit *f siehe adj* ungainliness; awkwardness; clumsiness; crassness; obviousness, crudeness.

plumps *interj* bang; (*lauter*) crash.

Plumps *m* **-es, -e** (*inf*) (*Fall*) fall, tumble; (*Geräusch*) bump, thud. **mit einem ~ ins Wasser fallen** to fall into the water with a splash.

plumpsen *vi aux sein* (*inf*) to tumble, to fall. **ich ließ mich einfach aufs Bett ~** I just flopped (down) onto the bed; **er plumpste ins Wasser** he went splash into the water, he fell into the water with a splash.

Plumpsklo(sett) *nt* (*inf*) earth closet.

plump-vertraulich I *adj* hail-fellow-well-met. **II** *adv* in a hail-fellow-well-met sort of way.

Plunder *m* **-s**, *no pl* junk, rubbish.

Plünd(e)rer(in *f*) *m* **-s, -** looter, plunderer.

Plundergebäck *nt* flaky pastry.

plündern *vti* to loot, to plunder, to pillage; (*ausrauben*) to raid; *Obstbaum* to strip.

Plünderung *f* looting, pillage, plunder.

Plural *m* **-s, -e** plural.

Pluraletantum *nt* **-s, -s** *or* **Pluraliatantum** plural noun.

pluralisch *adj* plural.

Pluralismus *m* pluralism.

pluralistisch *adj* pluralistic.

Pluralität *f* plurality; (*Mehrheit*) majority, plurality (*US*).

plus I *prep* +*gen* plus. **II** *adv* plus. **bei ~ 5 Grad** *or* **5 Grad ~** at 5 degrees (above freezing *or* zero); **~ minus 10** plus or minus 10; **das Ergebnis war ~ minus null** nothing was gained, nothing was lost; **mit ~ minus null abschließen** to break even. **III** *conj* **Karl ~ Ehefrau** (*inf*) Karl plus wife.

Plus *nt* **-**, **-** **1.** (*~zeichen*) plus (sign). **ein ~ machen** to put a plus (sign).

2. (*Phys inf: ~pol*) positive (pole).

3. (*Comm*) (*Zuwachs*) increase; (*Gewinn*) profit; (*Überschuß*) surplus.

4. (*fig: Vorteil*) advantage. **das ist ein ~ für dich** that's a point in your favour.

Plüsch *m* **-(e)s, -e** plush. **Stofftiere aus ~** soft toys made of fur fabric.

Plüsch- *in cpds* plush; **Plüschbär** *m* furry teddy bear.

Plüschtier *nt* ≈ soft toy.

Pluspol *m* (*Elec*) positive pole; **Pluspunkt** *m* (*Sport*) point; (*Sch*) extra mark; (*fig*) advantage; **einen ~ machen**

to win a point; **Plusquamperfekt** *nt* pluperfect, past perfect.

plustern I *vt Federn* to fluff up. **II** *vr* to fluff oneself up.

Pluszeichen *nt* plus sign.

Plutokrat(in *f)* *m* **-en, -en** plutocrat.

Plutokratie *f* plutocracy.

Plutonium *nt, no pl (abbr* Pn) plutonium.

Plutoniumgewinnung *f* plutonium extraction; **Plutoniumwirtschaft** *f* plutonium industry.

PLZ [pe:ɛl'tset] *f abbr of* **Postleitzahl.**

Pneu [pnøː] *m* **-s, -s** *(esp Sw)* tyre.

pneumatisch [pnɔy'maːtɪʃ] *adj* pneumatic. **~e Kammer** pressure chamber.

Po *m* **-s, -s** *(inf) siehe* **Popo.**

Pöbel *m* **-s,** *no pl* rabble, mob.

Pöbelei *f* vulgarity, bad language *no pl.*

pöbelhaft *adj* uncouth, vulgar; **Pöbelherrschaft** *f* mob rule.

pöbeln *vi* to swear, to use bad language.

pochen *vi* to knock; *(leise auch)* to tap; *(heftig)* to thump, to bang; *(Herz)* to pound, to thump; *(Blut)* to throb, to pound. **auf etw** *(acc)* **~** *(fig)* to insist on sth; **auf sein (gutes) Recht ~** to insist on *or* stand up for one's rights.

pochieren* [pɔ'ʃiːrən] *vt Ei* to poach.

Pocke *f* **-, -n** pock. **~n** *pl* smallpox.

Pockennarbe *f* pockmark; **pockennarbig** *adj* pockmarked; **Pocken(schutz)impfung** *f* smallpox vaccination.

Pocket- *in cpds* pocket.

Podest *nt or m* **-(e)s, -e** *(Sockel)* pedestal *(auch fig)*; *(Podium)* platform; *(Treppenabsatz)* landing.

Podex *m* **-es, -e** *(hum inf)* posterior *(hum inf)*, behind *(inf)*.

Podium *nt (lit, fig)* platform; *(des Dirigenten)* podium; *(bei Diskussion)* panel.

Podiumsdiskussion *f,* **Podiumsgespräch** *nt* panel discussion, brains trust.

Poem *nt* **-s, -e** *(usu pej)* poem, doggerel *(pej) no indef art.*

Poesie [poe'ziː] *f (lit, fig)* poetry.

Poesie|album *nt* autograph book.

Poet(in *f)* *m* **-en, -en** *(old: Dichter)* poet, bard *(liter)*; *(pej)* poetaster, versifier.

Poetaster [poe'taste] *m* **-s, -** *(old pej)* poetaster.

Poetik *f* poetics *sing.*

poetisch *adj* poetic. **eine ~e Ader haben** to have a poetic streak.

Pogrom *nt or m* **-s, -e** pogrom.

Pogromstimmung *f* bloodthirsty mood.

Pointe ['poɛ̃tə] *f* **-, -n** *(eines Witzes)* punch-line; *(einer Geschichte)* point.

pointieren* [poɛ̃'tiːrən] *vt* to emphasize, to stress.

pointiert [poɛ̃'tiːɐt] *adj* trenchant, pithy.

Pokal *m* **-s, -e** *(zum Trinken)* goblet; *(Sport)* cup. **das Endspiel um den ~** the cup final.

Pokalsieger *m* cup-winners *pl*; **Pokalspiel** *nt* cup-tie.

Pökel *m* **-s,** - brine, pickle.

Pökelfleisch *nt* salt meat; **Pökelhering** *m* salt *or* pickled herring.

pökeln *vt Fleisch, Fisch* to salt, to pickle.

Poker *nt* **-s,** *no pl* poker.

Pokergesicht *nt,* **Pokermiene** *f* poker face.

pokern *vi* to play poker. **um etw ~** *(fig)* to haggle for sth.

Pol *m* **-s, -e** pole. **der ruhende ~** *(fig)* the calming influence.

polar *adj* polar. **~e Kälte** arctic coldness.

Polar- *in cpds* polar; **Polarfuchs** *m* arctic fox.

polarisieren* I *vt* to polarize. **II** *vr* to polarize, to become polarized.

Polarisierung *f* polarization.

Polarität *f* polarity.

Polarkreis *m* polar circle; **nördlicher/ südlicher ~** Arctic/Antarctic circle; **Polarlicht** *nt* polar lights *pl*; **Polarstern** *m* Pole Star, North Star, Polaris; **Polarzone** *f* Frigid Zone, polar region.

Polder *m* **-s,** - polder.

Polderdeich *m* polder dyke.

Pole *m* **-n, -n** Pole. **er ist ~** he's Polish, he's a Pole.

Polemik *f* polemics *sing*; *(Streitschrift)* polemic. **die ~ dieses Artikels** the polemic nature of this article; **seine ~ ist kaum mehr erträglich** his polemics are becoming unbearable.

Polemiker(in *f)* *m* **-s, -** controversialist, polemicist.

polemisch *adj* polemic(al).

polemisieren* *vi* to polemicize. **~ gegen** to inveigh against.

polen *vt* to polarize.

Polen *nt* **-s** Poland. **noch ist ~ nicht verloren** *(prov)* the day is or all is not yet lost.

Polente *f* **-,** *no pl (inf)* cops *pl (inf)*, fuzz *pl (inf)*.

Police [po'liːsə] *f* **-, -n** (insurance) policy.

Polier *m* **-s, -e** site foreman.

polieren* *vt* to polish; *Schuhe auch* to shine; *(fig)* to polish or brush up. **jdm die Fresse** *or* **Schnauze** *or* **Visage ~** *(sl)* to smash sb's face in *(sl)*.

Poliermittel *nt* polish; **Poliertuch** *nt* polishing cloth; **Polierwachs** *nt* wax polish.

Poliklinik *f (Krankenhaus)* clinic *(for outpatients only)*; *(Abteilung)* outpatients' department, outpatients *sing.*

Polin *f* Pole, Polish woman.

Polio *f* **-,** *no pl* polio, poliomyelitis.

Politbarometer *nt (fig)* political barometer; **Politbühne** *f* political stage; **Politbüro** *nt* Politburo.

Politesse *f* (woman) traffic warden.

Politik *f* **1.** *no pl* politics *sing*; *(politischer Standpunkt)* politics *pl.* **welche ~ vertritt er?** what are his politics?; **in die ~ gehen** to go into politics; **über ~ sprechen** to talk (about) politics.

2. *(bestimmte ~)* policy. **eine ~ verfolgen** *or* **betreiben** to pursue a policy; **ihre gesamte ~** all their policies.

Politika *pl of* **Politikum.**

Politiker(in *f)* *m* **-s, -** politician. **führender ~** leading politician, statesman.

Politikum *nt* **-s, Politika** political issue.

Politikwissenschaft *f siehe* **Politologie.**

politisch *adj* political; *(klug)* politic, judicious. **jdn ~ schulen** to educate sb politically; **er ist ein P~er** he's a political prisoner.

politisieren* I *vi* to talk politics, to politicize. **II** *vt* to politicize; *jdn* to make politically aware.

Politisierung f politicization.

Polit|ökonomie f political economy.

Politologe m, **Politologin** f political scientist.

Politologie f political science, politics sing.

Politur f (Poliermittel) polish; (Glanz) shine, polish; (das Polieren) polishing.

Polizei f police pl; (Gebäude) police station. **auf die** or **zur ~ gehen** to go to the police; **er ist bei der ~** he's in the police (force); siehe **dumm.**

Polizei- in cpds police; **Polizeiaktion** f police operation; **Polizeiapparat** m police force; **Polizeiaufgebot** nt police presence; **Polizeiaufsicht** f police supervision; **unter ~ stehen** to have to report regularly to the police; **Polizeibeamte(r)** m, **Polizeibeamtin** f police official; (Polizist) police officer; **Polizeibehörde** f police authorities pl; **Polizeichef(in** f) m chief constable, chief of police (US); **Polizeidienststelle** f (form) police station; **Polizeidirektion** f police headquarters pl; **Polizeifunk** m police radio; **Polizeigriff** m wrist-hold, police hold; **er wurde im ~ abgeführt** they put a wrist-hold on him and led him away, he was frogmarched away; **Polizeihaft** f detention; **Polizeihund** m police dog; **Polizeikette** f police cordon; **Polizeiknüppel** m truncheon; **Polizeikommissar(in** f) m (police) inspector.

polizeilich adj no pred police attr. **diese Regelung ist ~ angeordnet** this is a police regulation, this regulation is by order of the police; **~es Führungszeugnis** certificate issued by the police, stating that the holder has no criminal record; **er wird ~ überwacht** he's being watched by the police; **~ verboten** against the law; „**Parken ~ verboten**" "police notice — no parking".

Polizeipräsident(in f) m chief constable, chief of police (US); **Polizeipräsidium** nt police headquarters pl; **Polizeirevier** nt 1. (Polizeiwache) police station; **ins** or **aufs ~ gehen** to go (down) to the (police) station; 2. (Bezirk) (police) district, precinct (US), patch (inf); **Polizeischutz** m police protection; **Polizeisirene** f (police) siren, hee-haw (inf); **Polizeispitzel** m (police) informer, nark (Brit sl); **Polizeistaat** m police state; **Polizeistreife** f police patrol; **Polizeistunde** f closing time; **Polizeiverordnung** f police regulation; **Polizeiwache** f siehe Polizeirevier 1.; **Polizeiwesen** nt police force; **polizeiwidrig** adj illegal; **sich ~ verhalten** to break the law.

Polizist m policeman.

Polizistin f policewoman.

Polka f -, -s polka.

Polkappe f polar icecap.

Pollen m -s, - pollen.

Pollenflug m pollen count.

Poller m -s, - capstan, bollard.

Pollution f (Med) (seminal) emission.

polnisch adj Polish. **~e Wirtschaft** (inf)

shambles sing.

Polnisch(e) nt Polish.

Polo nt -s, -s polo.

Polohemd nt sports shirt; (für Frau) casual blouse.

Polonaise [polo'nɛːzə], **Polonäse** f -, -n polonaise.

Polonium nt, no pl (abbr Po) polonium.

Polster nt or (Aus) m -s, - 1. cushion; (Polsterung) upholstery no pl; (bei Kleidung) pad, padding no pl. **das ~ vom Sessel muß erneuert werden** the chair needs re-upholstering.

2. (fig) (Fett~) flab no pl (inf), layer of fat; (Bauch) spare tyre; (Geldreserve) reserves pl.

Polsterer(in f) m -s, - upholsterer.

Polstergarnitur f three-piece suite; **Polstermöbel** pl upholstered furniture.

polstern vt to upholster; Kleidung, Tür to pad. **etw neu ~** to re-upholster sth; **sie ist gut gepolstert** she's well-upholstered or well-padded; **sie ist finanziell gut gepolstert** she's not short of the odd penny.

Polstersessel m armchair, easy chair; **Polsterstoff** m upholstery or upholstering fabric; **Polsterstuhl** m upholstered or padded chair; **Polstertür** f padded door.

Polsterung f (Polster) upholstery; (das Polstern) upholstering.

Polter|abend m party on the eve of a wedding, at which old crockery is smashed to bring good luck, ≈ shower (US).

Poltergeist m poltergeist.

poltern vi 1. to crash about; (~d umfallen) to go crash. **die Kinder ~ oben** the children are crashing about or banging about upstairs or are making a din or racket (inf) upstairs; **was hat da eben so gepoltert?** what was that crash or bang?; **es fiel ~d zu Boden** it crashed to the floor, it fell with a crash to the floor; **es poltert (an der Tür/vor dem Haus)** there's a real racket (inf) or din going on (at the door/in front of the house).

2. aux sein (sich laut bewegen) to crash, to bang. **über das Pflaster ~** to clatter over the cobbles.

3. (inf: schimpfen) to rant (and rave), to carry on (inf).

4. (inf: Polterabend feiern) to celebrate on the eve of a wedding.

Polyamid nt -(e)s, -e polyamide; **polychloriert** [-klo'riːɐt] adj polychlorinated; **Polyester** m -s, - polyester; **polygam** adj polygamous; **Polygamie** f polygamy; **polyglott** adj polyglot no adv.

Polyp m -en, -en 1. (Zool) polyp. 2. (Med) **~en** adenoids. 3. (hum inf) (Polizist) cop (inf).

Polytechnikum nt polytechnic, poly (inf); **polytechnisch** adj polytechnic.

Pomade f hair-cream; (Hist, für krause Haare) pomade.

pomadig adj (inf) 1. Haare smarmed down (inf). 2. (schleimig) smarmy (inf). 3. (langsam) sluggish.

Pomeranze f -, -n Seville or bitter orange.

Pommes frites [pɔm'frits] pl chips pl (Brit), French fries pl (US), French fried

potatoes *pl* (*form*).
Pomp *m* **-(e)s**, *no pl* pomp.
pompös *adj* grandiose.
Poncho *m* **-s**, **-s** poncho.
Pond *nt* **-s**, **-** (*Phys*) weight of 1 gramme mass under standard gravity.
Pontifex *m* **-**, **Pontifizes** Pontifex.
Pontifikal|amt *nt* Pontifical Mass.
Pontifikat *nt or m* **-(e)s**, **-e** pontificate.
Pontius ['pɔntsiʊs] *m*: **von ~ zu Pilatus** from pillar to post.
Ponton [põ'tõ:, pɔn'tõ:, 'pɔntõ] *m* **-s**, **-s** pontoon.
Pontonbrücke *f* pontoon bridge.
Pony[1] ['pɔni] *nt* **-s**, **-s** pony.
Pony[2] ['pɔni] *m* **-s**, **-s** (*Frisur*) fringe, bangs *pl* (*US*).
Ponyfrisur *f* hairstyle with a fringe *or* with bangs (*US*).
Pool [pu:l] *m* **-s**, **-s** pool; (*Fin*) pool.
Pool(billard) ['pu:l(bɪljart)] *nt* pool, pocket billiards *no pl*.
Pop *m* **-s**, *no pl* (*Mus*) pop; (*Art*) pop-art; (*Mode*) pop fashion.
Popanz *m* **-es**, **-e** 1. (*Schreckgespenst*) bogey, bugbear. 2. (*willenloser Mensch*) puppet.
Popcorn [-kɔ:n] *nt* **-s**, *no pl* popcorn.
Pope *m* **-n**, **-n** priest; (*pej*) cleric.
Popel *m* **-s**, **-** (*inf*) (*Nasen~*) bogey (*babytalk*), (piece of) snot (*sl*); (*Mensch*) pleb (*inf*), prole (*inf*).
pop(e)lig *adj* (*inf*) 1. (*knauserig*) stingy (*inf*). **~e zwei Mark** a lousy two marks (*inf*). 2. (*dürftig*) crummy (*inf*). 3. (*spießig*) small-minded, narrow-minded.
Popelin *m* **-s**, **-e**, **Popeline** *f* **-**, **-** poplin.
popeln *vi* (*inf*) (**in der Nase**) **~** to pick one's nose.
Popgruppe *f* pop group; **Popmusik** *f* pop music.
Popo *m* **-s**, **-s** (*inf*) bottom, behind (*inf*), botty (*baby-talk*).
Popper *m* **-s**, **-** preppie.
popperhaft *adj* preppie.
poppig *adj* (*inf*) (*Art, Mus*) pop *no adv*; *Kleidung* trendy.
Popsänger(in *f*) *m* pop singer; **Popstar** *m* pop star; **Popszene** *f* pop scene.
populär *adj* popular (*bei* with).
popularisieren* *vt* to popularize.
Popularität *f* popularity.
populärwissenschaftlich *adj* popular science. **etw ~ darstellen** to present sth in a popular scientific way.
Population *f* (*Biol, Sociol*) population.
Populismus *m* (*Pol*) populism.
Populist(in *f*) *m* populist.
populistisch *adj* populist.
Pore *f* **-**, **-n** pore.
porig *adj Gestein* porous. **die Haut ist ~** the skin has pores.
Porno *m* **-s**, **-s** (*inf*) porn (*inf*).
Porno- *in cpds* (*inf*) porn (*inf*); **Pornofilm** *m* porn *or* blue film.
Pornographie *f* pornography.
pornographisch *adj* pornographic.
porös *adj* (*durchlässig*) porous; (*brüchig: Gummi, Leder*) perished. **~ werden** to perish.
Porosität *f* porosity.
Porree ['pɔre] *m* **-s**, **-s** leek.

Port[1] *m* **-(e)s**, **-e** 1. (*poet*) haven (*poet*). 2. (**~wein**) port.
Port[2] *m* **-s**, **-s** (*Comput*) port.
portabel *adj* portable.
Portabilität *f* portability.
Portable ['pɔrtəbl] *nt* **-s**, **-s** portable TV *or* television (set).
Portal *nt* **-s**, **-e** portal.
Portefeuille [pɔrt(ə)'fø:j] *nt* **-s**, **-s** (*Pol, obs*) portfolio; (*obs: Brieftasche*) wallet.
Portemonnaie [pɔrtmɔ'ne:, pɔrtmɔ'nɛ:] *nt* **-s**, **-s** purse.
Porti *pl of* **Porto**.
Portier [pɔr'tie:] *m* **-s**, **-s** porter.
portieren* *vt* (*Sw, Pol*) to put up.
Portierloge [pɔr'tie:lo:ʒə] *f* porter's lodge.
Portion *f* 1. (*beim Essen*) portion, helping. **eine halbe ~** a half portion; (*fig inf*) a half-pint (*inf*); **eine zweite ~** a second helping; **eine ~ Kaffee** a pot of coffee; **eine ~ Butter** a portion of butter.
2. (*fig inf: Anteil*) amount. **er besitzt eine ganze ~ Frechheit** he's got a fair amount of cheek (*inf*).
portionenweise, portionsweise *adv* in helpings *or* portions.
Porto *nt* **-s**, **-s** *or* **Porti** postage *no pl* (*für* on, for); (*für Kisten*) carriage. **~ zahlt Empfänger** postage to be paid by addressee; **das ~ für den Brief macht eine Mark** the postage on *or* for the letter is one mark.
Portoauslagen *pl* postal *or* postage expenses *pl*; **portofrei** *adj* post free, postage paid; **Portokasse** *f* ≈ petty cash (*for postal expenses*); **portopflichtig** *adj* liable *or* subject to postage.
Porträt [pɔr'trɛ:] *nt* **-s**, **-s** (*lit, fig*) portrait.
Porträt|aufnahme *f* portrait photo (graph).
porträtieren* *vt* (*fig*) to portray. **jdn ~** to paint a portrait of sb, to paint sb's portrait.
Porträtist(in *f*) *m* portrait painter, portraitist.
Porträtmaler(in *f*) *m* portrait painter, portraitist; **Porträtmalerei** *f* portraiture; **Porträtstudie** *f* sketch for a portrait.
Portugal *nt* **-s** Portugal.
Portugiese *m*, **-n**, **-n**, **Portugiesin** *f* Portuguese.
portugiesisch *adj* Portuguese.
Portwein *m* port.
Porzellan *nt* **-s**, **-e** (*Material*) china, porcelain; (*Geschirr*) china. **unnötig ~ zerbrechen** *or* **zerschlagen** (*fig*) to cause a lot of unnecessary bother *or* trouble.
Porzellan- *in cpds* china, porcelain; **Porzellanerde** *f* china clay, kaolin; **Porzellanladen** *m* china shop; **Porzellanmanufaktur** *f* porcelain *or* china factory; (*Herstellung*) porcelain *or* china production.
Posaune *f* **-**, **-n** trombone; (*fig*) trumpet. **die ~n des Jüngsten Gerichts** the last trump.
posaunen* (*inf*) **I** *vi* (*Posaune spielen*) to play the trombone. **II** *vti* (*fig: laut sprechen*) to bellow, to bawl, to yell. **etw in alle Welt** *or* **in die Gegend ~** to shout

sth from the rooftops *or* hilltops, to tell *or* proclaim sth to the whole world.

Posaunenbläser(in *f*) *m* trombonist, trombone player; **Posaunenengel** *m* (*lit*) cherub with a trumpet; (*fig*) (little) chubby-cheeks (*inf*).

Posaunist(in *f*) *m siehe* **Posaunenbläser(in**).

Pose *f* -, -n pose.

posieren* *vi* to pose.

Position *f* position; (*Comm: Posten einer Liste*) item. **in gesicherter ~ sein** to have a secure position.

positionieren* *vt* (*Comput*) to position.

Positionierung *f* positioning.

Positionslampe *f*, **Positionslicht** *nt* navigation light; **Positionspapier** *nt* (*Pol*) policy document.

positiv *adj* positive. **eine ~e Antwort** an answer in the affirmative, an affirmative (answer); **ich weiß nichts P~es** I don't know anything definite; **~ zu etw stehen** to be in favour of sth; **sich ~ zu einer Sache äußern** to respond *or* react positively to sth.

Positiv[1] *m* (*Gram*) positive.

Positiv[2] *nt* 1. (*Phot*) positive. 2. (*Orgel*) harmonium.

Positivismus *m* positivism.

positivistisch *adj* positivist.

Positur *f* posture; (*stehend auch*) stance. **sich in ~ setzen/stellen** to take up *or* adopt a posture; **sich in ~ werfen** to strike a pose.

Posse *f* -, -n farce.

Possen *m* -s, - (*dated*) prank, tomfoolery *no pl.* **~ reißen** to lark *or* fool *or* clown around; **jdm einen ~ spielen** to play a prank on sb; **mit jdm ~ treiben** (*old*) to play pranks on sb.

possenhaft *adj* farcical; **Possenreißer(in** *f*) *m* -s, - clown, buffoon.

possessiv *adj* possessive.

Possessiv(pronomen *nt* -s, -e, **Possessivum** *nt* possessive pronoun.

possierlich *adj* comical, funny.

Post *f* -, -en post, mail; (*~amt*, *~wesen*) post office. **war die ~ schon da?** has the post *or* mail come yet?; **ist ~ für mich da?** is there any post *or* mail for me?, are there any letters for me?; **er las seine ~** he read his mail; **etw mit der ~ schikken** to send sth by post *or* mail; **etw auf die ~ geben** to post *or* mail sth; **auf die ~ or zur ~ gehen** to go to the post office; **mit gleicher ~** by the same post; **mit getrennter ~** under separate cover; **mit der ersten ~ kommen** to come with *or* in the first post.

Post|abholer(in *f*) *m* -s, - *someone who collects his mail from a PO box*.

postalisch *adj* postal.

Postament *nt* pedestal, base.

Postamt *nt* post office; **Postanschrift** *f* postal address; **Postanweisung** *f remittance paid in at a Post Office and delivered by post* ≈ postal (*Brit*) *or* money order; **Postauto** *nt* post-office van; (*Lieferwagen*) mail van (*Brit*) *or* truck (*US*); (*Bus*) mail bus; **Postbeamte(r)** *m*, **Postbeamtin** *f* post office official; **Postbezirk** *m* postal district *or* area *or*

zone (*US*); **Postboot** *nt* mail boat, packet (boat); **Postbote** *m*, **Postbotin** *f*, postman/postwoman, mailman/mailwoman (*US*); **Postbus** *m* mail bus.

Postdienst *m* postal service, the mails *pl* (*US*).

Posten *m* -s, - 1. (*Anstellung*) post, position, job.
2. (*Mil: Wachmann*) guard; (*am Eingang auch*) sentry; (*Stelle*) post. **~ stehen** to stand guard; (*am Eingang auch*) to stand sentry; **~ beziehen** to take up one's post; **~ aufstellen** to post guards, to mount a guard.
3. **auf dem ~ sein** (*aufpassen*) to be awake; (*gesund sein*) to be fit; **nicht ganz auf dem ~ sein** to be (a bit) under the weather, to be off-colour.
4. (*Streik~*) picket. **~ aufstellen** to set up pickets *or* a picket-line.
5. (*Comm: Warenmenge*) quantity, lot.
6. (*Comm: im Etat*) item, entry.

Postendienst *m* guard duty; **Postenkette** *f* cordon.

Poster ['pɔstɐ] *nt* -s, -(s) poster.

Postfach *nt* post-office *or* PO box; **Postfachnummer** *f* (PO *or* post-office) box number; **postfertig** *adj* ready for posting *or* for the post; **Postflugzeug** *nt* mail plane; **postfrisch** *adj* mint; **Postgebühr** *f* postal (and telephone) charge *or* rate; **Postgeheimnis** *nt* secrecy of the post.

Postgiro- [-ʒiːro]: **Postgiroamt** *nt* National Giro office (*Brit*); **Postgirokonto** *nt* National *or* Post Office Giro account (*Brit*).

Posthalterei *f* coaching house *or* inn; **Posthorn** *nt* post-horn.

posthum *adj* posthumous.

postieren* **I** *vt* to post, to station, to position. **II** *vr* to station *or* position oneself.

Postillion [pɔstɪl'joːn, 'pɔstɪljoːn] *m* -s, -e mail coach driver.

Postkarte *f* postcard, postal card (*US*), postal (*US inf*).

Postkartenformat *nt*, **Postkartengröße** *f* postcard size; **in ~ postcard sized.

Postkasten *m* pillar box (*Brit*), postbox, mailbox (*US*); **Postkutsche** *f* mail coach, stagecoach; **postlagernd** **I** *adj* to be called for; **II** *adv* poste restante (*Brit*), general delivery (*US*); **Postleitzahl** *f* post(al) code, Zip code (*US*).

Postler(in *f*) *m* -s, - (*inf*) post office official/worker.

Postmeister(in *f*) *m* postmaster, postmistress; **Postminister(in** *f*) *m* postmaster general; **postmodern** *adj* postmodern; **Postmoderne** *f* postmodern era; **postnuklear** *adj* post-nuclear; **Postpaket** *nt* parcel (*sent by post*); **Postsache** *f* matter sent postage paid *no pl*; **Postsack** *m* mailbag; **Postschalter** *m* post office counter; **Postscheck** *m* (Post Office *or* National) Giro cheque (*Brit*); **Postscheckamt** *nt siehe* **Postgiroamt**; **Postscheckkonto** *nt siehe* **Postgirokonto**; **Postskript** *nt* -(e)s, -e, **Postskriptum** *nt* -s, -e *or* **Postskripta** postscript, PS; **Postsparbuch** *nt* Post

Office savings book; **Postsparkasse** f Post Office savings bank; **Poststelle** f sub post office; **Poststempel** m postmark; **Datum des ~s** date as postmark; **Postüberweisung** f Girobank transfer.

Postulat nt (Annahme) postulate; (Eccl: Probezeit) postulancy.

postulieren* vt to postulate.

postum adj posthumous.

Postvermerk m postmark; **Postwagen** m (Rail) mail car or van (Brit); **postwendend** adv by return (of post), by return mail; **Postwertzeichen** nt (form) postage stamp (form); **Postwesen** nt Post Office; **Postwurfsendung** f direct-mail advertising; **Postzug** m mail train; **Postzustellung** f postal or mail delivery; **Postzustellungsurkunde** f registered post certificate.

Potemkinsche Dörfer pl façade, sham.

potent adj potent; (fig) Phantasie powerful; Mensch high-powered.

Potentat(in f) m -en, -en potentate.

Potential [potɛn'tsiaːl] nt -s, -e potential.

potentiell [potɛn'tsiɛl] adj potential. **er ist ~ mein Gegner** he's a potential opponent, he's potentially my opponent.

Potenz f 1. (Med) potency; (fig) ability. **schöpferische ~** creative power.
2. (Math) power. **zweite/dritte ~** square/cube; **eine Zahl in die sechste ~ erheben** to raise a number to the power of six or to the sixth power; **in höchster ~** (fig) to the highest degree.

potenzieren* vt (Math) to raise to the power of; (fig: steigern) to multiply, to increase. **2 potenziert mit 4** 2 to the power of 4, 2 to the fourth.

Potpourri ['pɔtpuri] nt -s, -s (Mus) potpourri, medley (aus +dat of); (fig) potpourri, assortment.

Pott m -(e)s, ⁻e (inf) pot; (Schiff) ship, tub (hum inf).

Pottasche f potash; **Pottfisch** m sperm whale; **potthäßlich** adj (inf) ugly as sin, plug-ugly (inf); **Pottwal** m sperm whale.

potz Blitz, potztausend interj (old) upon my soul (old).

Poularde [pu-] f poulard(e).

poussieren [pu'siːrən] I vi (dated inf: flirten) to flirt. II vt (old: schmeicheln) **jdn ~** to curry favour with sb.

power ['poːvɐ] adj (dial) poor; Essen, Geschenke meagre.

Power ['pauɐ] f -, no pl (inf) power.

Powerfrau ['pauɐ-] f (sl) high-powered career woman.

powern ['pauɐn] vi (sl) to get things moving.

PR [peː'ʔɛr] abbr of **Public Relations** PR.

prä- pref pre-.

Präambel f preamble (gen to).

Pracht f -, no pl splendour, magnificence; (fig: Herrlichkeit) splendour. **in seiner vollen** or **ganzen ~** in all its splendour or magnificence; **große ~ entfalten** to put on a show or display of great splendour; **es ist eine wahre ~** it's (really) marvellous or fantastic; **er kann singen, daß es eine ~ ist** he can sing marvellously or fantastically.

Prachtausgabe f de luxe edition; **Prachtbau** m splendid or magnificent building; **Prachtentfaltung** f display of splendour, magnificent display; **Prachtexemplar** nt splendid or prime specimen, beauty (inf); (von Buch: Prachtausgabe) de luxe copy; (fig: Mensch) fine specimen; **mein ~ von Sohn** (iro) my brilliant son (iro).

prächtig adj (prunkvoll) splendid, magnificent; (großartig) splendid, marvellous.

Prachtkerl m (inf) great guy (inf), good bloke (Brit inf); (Prachtexemplar) beauty (inf); **Prachtstraße** f boulevard, magnificent avenue; **Prachtstück** nt siehe **Prachtexemplar**; **prachtvoll** adj siehe **prächtig**; **Prachtweib** nt (inf) fine specimen of a woman or of womanhood.

Prädestination f predestination.

prädestinieren* vt to predestine, to predetermine. **sein diplomatisches Geschick prädestinierte ihn zum Politiker** with his diplomatic skill he was predestined to be a politician.

Prädikat nt (Gram) predicate; (Bewertung) rating; (Sch: Zensur) grade; (Rangbezeichnung) title. **Wein mit ~** special quality wine.

prädikativ adj predicative.

Prädikativ(um) nt predicative noun/adjective/pronoun.

Prädikatsnomen nt predicative noun/pronoun; **Prädikatswein** m top quality wine.

prädisponieren* vt to predispose (für to).

Präemptivschlag m (Mil) pre-emptive strike.

Präfekt(in f) m -en, -en prefect.

Präferenz f (geh) preference.

Präfix nt -es, -e prefix.

Prag nt -s Prague. **~er Frühling** (Pol) Spring of Prague.

Präge f -, -n, **Prägeanstalt** f mint.

prägen vt 1. to stamp; Münzen to mint, to strike; Leder, Papier, Metall to emboss; (erfinden) Begriffe, Wörter to coin.
2. (fig: formen) Charakter to shape, to mould; (Erlebnis, Kummer, Erfahrungen) jdn to leave its/their mark on. **ein vom Leid geprägtes Gesicht** a face marked by suffering; **das moderne Drama ist durch Brecht geprägt worden** Brecht had a forming or formative influence on modern drama.
3. (kennzeichnen) Stadtbild, Landschaft etc to characterize.

prägend adj Erlebnis formative.

PR-Agentur [peː'ʔɛr-] f PR agency.

Prägeort m mint; **Prägestempel** m die, stamp; **Prägestock** m punch.

Pragmatiker(in f) m -s, - pragmatist.

pragmatisch adj pragmatic.

Pragmatismus m pragmatism.

prägnant adj succinct, concise, terse.

Prägnanz f succinctness, conciseness, terse-ness.

Prägung f 1. siehe vt (1., 2.) stamping; minting, striking; embossing; coining; shaping, moulding. 2. (auf Münzen) strike; (auf Leder, Metall, Papier) embossing.

3. (*Eigenart*) character; (*von Charakter*) mould. **4.** (*Biol*) fixation.

prähistorisch *adj* prehistoric.

prahlen *vi* (*mit* about) to boast, to brag, to swank (*inf*).

Prahler(in *f*) *m* **-s,** - boaster, bragger, braggard.

Prahlerei *f* (*Großsprecherei*) boasting *no pl*, bragging *no pl*; (*das Zurschaustellen*) showing-off, swank (*inf*). ~**en** boasts, showing-off, swanking (*inf*).

prahlerisch *adj* (*großsprecherisch*) boastful, bragging *attr*; (*großtuerisch*) swanky (*inf*).

Prahlhans *m* **-es, -hänse** (*inf*) show-off.

Prahm *m* **-(e)s, -e** *or* **=e** barge, pra(a)m.

präjudizieren *vt insep* (*Jur*) to prejudge.

Praktik *f* (*Methode*) procedure, method; (*usu pl: Kniff*) practice, trick. **undurchsichtige** ~**en** shady *or* dark practices.

Praktika *pl* of **Praktikum.**

praktikabel *adj* practicable, practical.

Praktikant(in *f*) *m* *student doing a period of practical training*, trainee.

Praktiker(in *f*) *m* **-s,** - practical man/ woman; (*auf wissenschaftlichem Gebiet auch*) practician; (*inf: praktischer Arzt*) GP.

Praktikum *nt* **-s, Praktika** practical, (period of) practical training.

praktisch I *adj* practical; (*nützlich auch*) handy. **sie hat einen** ~**en Verstand** she's practically minded; ~**er Arzt** general practitioner; ~**es Jahr** practical year; ~**e Ausbildung** practical *or* in-job training; ~**es Beispiel** concrete example.

II *adv* (*in der Praxis*) in practice; (*geschickt*) practically; (*so gut wie*) practically, virtually.

praktizieren* I *vi* to practise. **ein** ~**der Katholik** a practising Catholic. **II** *vt* **1.** (*pej: ausführen*) to put into practice, to practise. **2.** (*inf: geschickt an eine Stelle bringen*) to conjure.

Prälat *m* **-en, -en** prelate.

Präliminarien [-iən] *pl* preliminary talks *or* discussions *pl*.

Praline *f*, **Praliné, Pralinee** (*Aus*) *nt* **-s, -s** chocolate, chocolate candy (*US*).

prall *adj* Sack, Beutel, Brieftasche bulging; *Segel* billowing, full; *Tomaten* firm; *Euter* swollen, full; *Luftballon* hard; *Wange* full, chubby; *Brüste* full, well-rounded; *Hintern* well-rounded; *Arme, Schenkel* big strong *attr*; *Sonne* blazing. ~**gefüllt** filled to bursting; **das Segel war** ~ **vom Wind gefüllt** the sail billowed out in the wind; **die Sonne brannte** ~ **auf den Strand** the sun blazed *or* beat down onto the beach.

prallen *vi aux sein* **gegen etw** ~ to collide with sth, to crash into sth; (*Ball*) to bounce against *or* off sth; **er prallte mit dem Kopf gegen die Windschutzscheibe** he hit *or* crashed his head on *or* against the windscreen; **die Sonne prallte auf die Fenster** the sun beat *or* blazed down on the windows.

Prallheit *f* (*von Ballon*) hardness; (*von Brüsten, Hintern*) fullness, well-roundedness; (*von Euter*) fullness, swollenness. **die** ~ **der Segel** the fullness of the

sails, the billowing sails.

prallvoll *adj* full to bursting; *Brieftasche* bulging.

Präludium *nt* prelude; (*sexuell*) foreplay.

Prämie [-iə] *f* premium; (*Belohnung*) bonus; (*Preis*) prize.

Prämien- [-iən]: **prämienbegünstigt** *adj* concession- *or* premium-carrying, with benefit of premiums; **Prämiengeschäft** *nt* (*Handel*) option dealing; (*Abschluß*) option; **Prämienlos** *nt* winning premium bond; **prämiensparen** *vi sep infin, ptp only* to save on a system benefiting from government premiums in addition to interest.

prämieren*, prämiieren* *vt* (*auszeichnen*) to give an award; (*belohnen*) to give a bonus. **etw mit dem ersten Preis/ mit 1000 Mark** ~ to award sth first prize/a prize of 1000 marks *or* a 1000 mark prize.

Prämierung, Prämiierung *f* **1.** (*das Prämieren*) **für diesen Film kommt eine** ~ **nicht in Frage** we can't possibly give this film an award. **2.** (*Veranstaltung*) presentation. **die** ~ **der Preisträger** the presentation to the prizewinners.

Prämisse *f* **-, -n** premise.

pränatal *adj attr* prenatal; *Vorsorge* antenatal.

prangen *vi* (*liter*) to be resplendent. **an der Tür prangte ein Schild/sein Name in großen Lettern** a notice hung *or* splendent on the door/his name was emblazoned in big letters on the door.

Pranger *m* **-s,** - stocks *pl*, pillory. **jdn/etw an den** ~ **stellen** (*fig*) to pillory sb/sth; **am** ~ **stehen** (*lit*) to be in the stocks *or* pillory; (*fig*) to be being pilloried.

Pranke *f* **-, -n** (*Tier*~) paw; (*inf: Hand*) paw (*inf*), mauler (*inf*).

Prankenhieb *m* swipe *or* blow from a paw.

PR-Anzeige [peː'|ɛr-] *f* promotional advert.

Präparat *nt* preparation; (*für Mikroskop*) slide preparation.

Präparator *m*, **Präparatorin** *f* lab technician.

präparieren* I *vt* **1.** (*konservieren*) to preserve. **2.** (*Med: zerlegen*) to dissect. **3.** (*geh: vorbereiten*) to prepare. **II** *vr* (*dated*) to prepare (oneself), to do one's preparation (*für, auf* +*acc* for).

Präposition *f* preposition.

präpositional *adj* prepositional.

Prärie *f* prairie.

Präriewolf *m* prairie wolf, coyote.

Präsens *nt* -, **Präsenzien** [-iən] present (tense).

präsent *adj* (*anwesend*) present; (*geistig rege*) alert. **etw** ~ **haben** to have sth at hand; **sein Name ist mir nicht** ~ his name escapes me.

Präsent *nt* **-s, -e** present, gift.

präsentabel *adj* presentable.

Präsentation *f* presentation.

präsentieren* I *vt* to present. **jdm etw** ~ to present sb with sth; **präsentiert das Gewehr!** present arms! **II** *vr* (*sich zeigen*) to present oneself; (*sich vorstellen auch*) to introduce oneself. **III** *vi* (*Mil*) to pre-

sent arms.
Präsentierteller *m* (*old*) salver. **auf dem ~ sitzen** (*fig*) to be on show.
Präsenz *f* -, *no pl* (*geh*) presence.
Präsenzbibliothek *f* reference library; **Präsenzliste** *f* (attendance) register.
Praseodym *nt*, *no pl* (*abbr* **Pr**) praseodymium.
Präser *m* **-s**, **-** (*inf*) *abbr of* **Präservativ.**
Präservativ [prɛzɛrva'tiːf] *nt* contraceptive, condom, sheath.
Präsident(in *f*) *m* president. **Herr/Frau ~** Mister/Madam President.
Präsidentenwahl *f* presidential election.
Präsidentschaft *f* presidency.
Präsidentschaftskandidat(in *f*) *m* presidential candidate.
präsidieren* *vi* to preside. **einem Ausschuß ~** to preside over *or* be president of a committee.
Präsidium *nt* (*Vorsitz*) presidency; (*Führungsgruppe*) committee; (*Polizei~*) (police) headquarters *pl*. **ins ~ gewählt werden** to be elected to the committee; **das ~ übernehmen** to take the chair.
prasseln *vi* **1.** *aux sein* to clatter; (*Regen, Hagel*) to drum; (*fig: Vorwürfe, Fragen*) to rain *or* hail down. **2.** (*Feuer*) to crackle.
prassen *vi* (*schlemmen*) to feast; (*in Luxus leben*) to live the high life.
Prasser(in *f*) *m* **-s**, **-** glutton; (*Verschwender*) spendthrift.
Prasserei *f* (*Schlemmerei*) feasting; (*Luxusleben*) high life.
Prätendent(in *f*) *m* pretender.
prätentiös [prɛtɛn'tsjøːs] *adj* pretentious.
Präteritum *nt* **-s**, **Präterita** preterite.
Pratze *f* -, **-n** (*S Ger inf*) paw; (*fig: Hand*) paw (*inf*), mauler (*sl*).
präventiv [prɛvɛn'tiːf] *adj* prevent(at)ive.
Präventivbehandlung *f* (*Med*) preventive treatment; **Präventivkrieg** *m* preventive *or* pre-emptive war; **Präventivmedizin** *f* preventive medicine; **Präventivschlag** *m* (*Mil*) pre-emptive strike.
Praxis *f* -, **Praxen 1.** (*no pl*) practice; (*Erfahrung*) experience; (*Brauch*) practice, custom. **in der ~** in practice; **die ~ sieht anders aus** the facts are different; **eine Idee in die ~ umsetzen** to put an idea into practice; **ein Mann der ~** a man with practical experience; **ein Beispiel aus der ~** an example from real life; **seine langjährige ~** his long years of experience. **2.** (*eines Arztes, Rechtsanwalts*) practice. **3.** (*Behandlungsräume, Sprechstunde*) surgery (*Brit*), doctor's office (*US*); (*Anwaltsbüro*) office.
praxisfern, praxisfremd *adj* impractical; **praxisnah** *adj* practical; **praxisorientiert** *adj* practical.
Präzedenzfall *m* precedent. **einen ~ schaffen** to set *or* create *or* establish a precedent.
präzis(e) *adj* precise.
präzisieren* *vt* to state more precisely; (*zusammenfassen*) to summarize.
Präzision *f* precision.

Präzisions- *in cpds* precision; **Präzisionsarbeit** *f* precision work; **Präzisionsschütze** *m* marksman.
predigen I *vt* **1.** to preach. **solche Leute ~ immer Moral** people like that are always preaching (about) *or* sermonizing about morality. **2.** (*fig*) **jdm etw ~** to lecture sb on sth; **sie predigt ihm andauernd, daß er sich die Zähne putzen soll** she keeps lecturing him on the importance of cleaning his teeth.
II *vi* to give a sermon, to preach; (*fig: mahnen*) to preach, to sermonize. **tauben Ohren ~** to preach to deaf ears.
Prediger(in *f*) *m* **-s**, **-** preacher/woman preacher.
Predigt *f* -, **-en** (*lit, fig*) sermon.
Predigttext *m* text for a sermon.
Preis *m* **-es**, **-e 1.** price (*für* of); (*Fahrgeld*) fare (*für* for); (*Gebühr, Honorar*) fee (*für* of). **der ~ für die Hose beträgt 70 Mark** the price of the trousers is 70 marks; **(weit) unter(m) ~** cut-price; **zum halben ~** half-price; **um jeden ~** (*fig*) at all costs; **ich gehe um keinen ~ hier weg** (*fig*) I'm not leaving here at any price; **auch um den ~ seines eignen Glücks** even at the expense of his own happiness.
2. (*bei Wettbewerben*) prize; (*Auszeichnung*) award. **in diesem Rennen ist kein ~ ausgesetzt** there's no prize in *or* for this race; **den ersten ~ gewinnen** to win (the) first prize; **jdm einen ~ zusprechen** *or* **zuerkennen** *or* **verleihen** to award *or* give sb a prize/to give sb an award.
3. (*Belohnung*) reward. **einen ~ auf jds Kopf aussetzen** to put a price on sb's head.
4. *no pl* (*liter: Lob*) praise (*auf +acc* of). **ein Gedicht zum ~ von ...** a poem in praise of ...
Preisabbau *m* price reduction; **Preisabsprache** *f* price-fixing *no pl*; **Preisänderung** *f* price change; **Preisangabe** *f* price quotation; **alle Kleider sind mit ~** all dresses are priced, the prices of all dresses are given; **Preisanstieg** *m* rise in prices; **Preisaufgabe** *f* prize competition; **Preisaufschlag** *m* supplementary charge, supplement; **Preisauftrieb** *m* price increase; **Preisausschreiben** *nt* competition; **preisbewußt** *adj* price-conscious; **Preisbindung** *f* price fixing; **Preisbrecher** *m* (*Produkt*) (all-time) bargain, snip (*inf*); (*Firma*) undercutter; **diese Firma wirkt als ~ auf dem Markt** this firm undercuts the market; **Preisdisziplin** *f* price restraint; **Preiseinbruch** *m* price collapse.
Preiselbeere *f* cranberry.
preisempfindlich *adj* price-sensitive.
preisen *pret* **pries**, *ptp* **gepriesen** *vt* (*geh*) to extol, to praise, to laud (*liter*). **Gott sei gepriesen** praise be to God; **sich glücklich ~** to consider *or* count *or* think oneself lucky.
Preisentwicklung *f* price trend; **Preiserhöhung** *f* price increase; **Preisermä-**

ßigung f price reduction; **Preisexplosion** f price explosion; **Preisfrage** f 1. question of price; 2. (beim Preisausschreiben) prize question (in a competition); (inf: schwierige Frage) sixty-four-thousand dollar question (inf), big question; **Preisfreigabe** f liberalisation of prices; **Preisgabe** f (geh) (Aufgabe) surrender, relinquishment, abandoning; (von Geheimnis) betrayal, divulgence.

preisgeben vt sep irreg (geh) 1. (ausliefern) to expose, to leave to the mercy of. jdm/einer Sache preisgegeben sein to be exposed to or at the mercy of sb/sth. 2. (aufgeben) to abandon, to relinquish; Gebiete auch to surrender. 3. (verraten) to betray; Geheimnis auch to divulge.

Preisgefüge nt price structure; **preisgekrönt** adj award-winning; ~ **werden** to be given an award; **Preisgericht** nt jury, team of judges; **Preisgrenze** f price limit; **preisgünstig** adj inexpensive; **etw** ~ **bekommen** to get sth at a low or good price; **Preisindex** m price index; **Preisklasse** f price range; **die gehobene** ~ the upper price range; **Preiskontrolle** f price control; **Preiskrieg** m price war; **Preislage** f price range; **in jeder** ~ at all prices, at prices to suit every pocket; **Preis-Leistungsverhältnis** nt cost effectiveness.

preislich adj no pred price attr, in price. dieses Angebot ist ~ **sehr günstig** this offer is a bargain.

Preisliste f price list; **Preisnachlaß** m price reduction; **10%** ~ **bei Barbezahlung** 10% off cash sales; **Preisniveau** nt price level; **Preispolitik** f pricing policy; **Preisrätsel** nt prize competition; **Preisrichter(in** f) m judge (in a competition), jury-member; **Preisschießen** nt shooting competition or contest, shoot; **Preisschild** nt price-tag; **Preisschlager** m (all-time) bargain; **Preisschwankung** f price fluctuation; **Preissenkung** f price cut; **Preisspanne** f price margin; **preisstabil** adj stable in price; **Preisstabilität** f stability of prices; **Preissteigerung** f price increase; **Preissteigerungsrate** f rate of price increases; **Preisstopp** m price freeze; **Preissturz** m sudden fall or drop in prices; **Preisträger(in** f) m prizewinner; (Kulturpreis) award-winner; **Preistreiber(in** f) m person who forces prices up; **Preistreiberei** f forcing up of prices; (Wucher) profiteering; **Preisverfall** m drop-off in prices; **Preisvergleich** m price comparison; **einen** ~ **machen** to shop around; **Preisverleihung** f presentation (of prizes/awards); **preiswert** adj good value pred; **ein (sehr)** ~**es Angebot** a (real) bargain; **hier kann man** ~ **einkaufen** you get good value (for money) here.

prekär adj (peinlich) awkward, embarrassing; (schwierig) precarious.

Prellball m game similar to volleyball in which the ball is bounced over the net; **Prellbock** m (Rail) buffers pl, buffer-stop; **der** ~ **sein** (fig) to be the scapegoat

or fallguy (esp US inf).

prellen I vt 1. to bruise; (anschlagen) to hit. 2. (fig inf: betrügen) to swindle, to cheat. **jdm um etw** ~ to swindle or cheat sb out of sth; **die Zeche** ~ to avoid paying the bill. 3. (Sport) to bounce. II vr to bruise oneself. **ich habe mich am Arm geprellt** I've bruised my arm.

Prellerei f swindle, fraud.

Prellschuß m ricochet, ricocheting bullet.

Prellung f bruise, contusion.

Premier [prə'mie:, pre-] m -s, -s premier.

Premiere [prə'mie:rə, pre-, -'mie:rə] f -, -n premiere.

Premierenpublikum nt premiere audience no pl.

Premierminister(in f) [prə'mie:-, pre-] m prime minister.

Presbyterianer(in f) m Presbyterian.

presbyterianisch adj Presbyterian.

preschen vi aux sein (inf) to tear, to dash.

Presse f -, -n 1. (mechanische ~) press; (Sch sl: Privatschule) crammer (sl). **frisch** or **eben aus der** ~ hot from the press. 2. (Zeitungen) press. **eine gute** ~ **haben** to have or get a good press.

Presseagentur f press or news agency; **Presseamt** nt press office; **Presseattaché** m press attaché; **Presseausweis** m press card; **Pressebericht** m press report; **Pressebüro** nt siehe Presseagentur; **Pressedienst** m news service; **Presseempfang** m press reception; **Presseerklärung** f statement to the press, press release; **Pressefotograf(in** f) m press photographer; **Pressefreiheit** f freedom of the press; **Pressegesetz** nt press law; **Pressejargon** m journalese; **Pressekampagne** f press campaign; **Pressekarte** f press or review ticket; **Pressekommentar** m press commentary; **Pressekonferenz** f press conference; **Pressemeldung** f press report; **Pressemitteilung** f press release or announcement.

pressen I vt to press; Obst auch to squeeze; hohe Töne to squeeze out; (fig: zwingen) to force (in +acc into); (fig dated: unterdrücken) to oppress. II vi (Sänger) to squeeze the/one's notes out.

Pressenotiz f paragraph in the press; **Presseorgan** nt organ; **Presserecht** nt press laws pl; **Pressereferent(in** f) m press officer; **Pressesprecher(in** f) m press officer; **Pressestelle** f press office; **Pressestimme** f press commentary; **Pressetribüne** f press box; (Parl) press gallery; **Pressevertreter(in** f) m representative of the press; **Pressewesen** nt press.

Preßglas nt pressed glass.

pressieren* (S Ger, Aus, Sw) I vi to be in a hurry. II vi impers **es pressiert** it's urgent; **(bei) ihm pressiert es immer** he's always in a hurry.

Pression f pressure.

Preßkohle f briquette.

Preßluft f compressed air.

Preßluftbohrer m pneumatic drill; **Preßlufthammer** m pneumatic or air hammer.

Prestige [prɛs'tiːʒə] *nt* -s, *no pl* prestige.
Prestigefrage *f* question *or* matter of prestige; **Prestigegewinn** *m* gain in prestige; **Prestigeverlust** *m* loss of prestige.
Pretiosen [pre'tsioːzn] *pl* (*geh*) valuables *pl*.
Preuße *m* -n, -n, **Preußin** *f* Prussian. **so schnell schießen die ~n nicht** (*inf*) things don't happen that fast.
Preußen *nt* -s Prussia.
preußisch *adj* Prussian.
preziös *adj* (*geh*) precious.
PR-Fachfrau [peː'|ɛr-] *f* PR specialist.
PR-Fachmann [peː'|ɛr-] *m* PR specialist.
Pricke *f* -, -n (*Naut*) shallows marker.
prickeln *vi* (*kribbeln*) to tingle; (*kitzeln*) to tickle; (*Bläschen bilden*) to sparkle, to bubble. **die Limonade prickelt in der Nase** the lemonade's tickling my nose; **ein angenehmes P~ auf der Haut** a pleasant tingling of the skin; **ich spürte ein P~ in meinem Bein** I had pins and needles in my leg.
prickelnd *adj siehe vi* tingling; tickling; sparkling, bubbling; (*fig: würzig*) piquant; (*fig: erregend*) *Gefühl* tingling. **der ~e Reiz der Neuheit** the thrill of novelty.
Priel *m* -(e)s, -e narrow channel (*in North Sea mud flats*), tideway.
Priem *m* -(e)s, -e quid of tobacco.
priemen *vi* to chew tobacco.
pries *pret of* **preisen**.
Priester *m* -s, - priest.
Priesteramt *nt* priesthood.
Priesterin *f* priestess.
priesterlich *adj* priestly *no adv*; *Kleidung auch* clerical.
Priesterrock *m* cassock; **Priesterschaft** *f* priesthood; **Priesterseminar** *nt* seminary; **Priestertum** *nt* priesthood; **Priesterweihe** *f* ordination (to the priesthood); **die ~ empfangen** to be ordained (to the priesthood *or* as a priest).
prima *adj inv* (*inf*) fantastic (*inf*), great *no adv* (*inf*). **das hast du ~ gemacht** you did that fantastically (well) *or* beautifully *or* just great.
Prima *f* -, **Primen** (*Sch*) eighth and ninth year of German secondary school; (*Aus*) first year of secondary school.
Primaballerina *f* prima ballerina; **Primadonna** *f* -, **-donnen** prima donna.
Primaner(in *f*) *m* -s, - (*Sch*) ≃ sixth-former; (*Aus*) first-former.
primär *adj* primary.
Primärenergie *f* primary energy; **Primärliteratur** *f* primary literature *or* sources *pl*.
Primarlehrer(in *f*) *m* (*Sw*) primary school teacher; **Primarschule** *f* (*Sw*) primary *or* junior school.
Primas *m* -, -se *or* **Primaten** (*Eccl*) primate; (*in Zigeunerkapelle*) first violin.
Primat[1] *m or nt* -(e)s, -e priority, primacy (*vor* +*dat* over); (*des Papstes*) primacy; (*Erstgeburtsrecht*) primogeniture.
Primat[2] *m* -en, -en (*Zool*) primate.
Primaten *pl of* **Primas, Primat**[2].
Primel *f* -, -n (*Wald~*) (wild) primrose;

(*Schlüsselblume*) cowslip; (*farbige Garten~*) primula. **wie eine ~ eingehen** (*fig*) to fade *or* wither away.
Primen *pl of* **Prima**.
Primi *pl of* **Primus**.
primitiv *adj* primitive; *Maschine auch* crude.
Primitive(r) *mf decl as adj* primitive person; (*Art*) primitive.
Primitivität *f siehe adj* primitiveness; crudeness.
Primitivling *m* (*pej inf*) peasant (*pej inf*), primitive (*pej inf*).
Primus *m* -, -se *or* **Primi** top of the class *or* form, top *or* star pupil.
Primzahl *f* prime (number).
Prinz *m* -en, -en prince. **unser kleiner ~** (*inf*) our son and heir (*inf*).
Prinzessin *f* princess. **eine ~ auf der Erbse** (*fig*) a hot-house plant.
Prinzgemahl *m* prince consort.
Prinzip *nt* -s, -ien [-iən] *or* (*rare*) -e principle. **aus ~** on principle; **im ~** in principle; **das funktioniert nach einem einfachen ~** it works on a simple principle; **er ist ein Mann von** *or* **mit ~ien** he is a man of principle.
prinzipiell *adj* (*im Prinzip*) in principle; (*aus Prinzip*) on principle. **~ bin ich einverstanden** I agree in principle; **das tue ich ~ nicht** I won't do that on principle.
Prinzipien- [-iən-]: **prinzipienfest** *adj* firm-principled; **er ist ein ~er Mann** he's a man of very firm principles; **Prinzipienfrage** *f* matter *or* question of principle; **prinzipienlos** *adj* unprincipled; **Prinzipienlosigkeit** *f* lack of principle(s); **Prinzipienreiter(in** *f*) *m* (*pej*) stickler for one's principles; **Prinzipienreiterei** *f* (*pej*) going-on about principles (*pej*).
Prinzregent *m* prince regent.
Prior *m* prior.
Priorin *f* prioress.
Priorität *f* priority. **~en** *pl* (*Comm*) preference shares *pl*, preferred stock (*US*); **~ vor etw** (*dat*) **haben** to have *or* take priority *or* precedence over sth; **~en setzen** to establish one's priorities.
Prioritätenliste *f* list of priorities.
Prise *f* -, -n **1.** (*kleine Menge*) pinch. **2.** (*Naut*) prize.
Prisma *nt* -s, **Prismen** prism.
prismatisch *adj* prismatic.
Prismen *pl of* **Prisma**.
Prismenglas *nt* prismatic telescope.
Pritsche *f* -, -n **1.** (*Narren~*) fool's wand. **2.** (*von LKW*) platform. **3.** (*Liegestatt*) plank bed.
Pritschenwagen *m* platform truck.
privat [pri'vaːt] *adj* private; *Telefonnummer auch* home *attr*. **~ ist der Chef sehr freundlich** the boss is very friendly out(side) of work; **~ ist er ganz anders** he's quite different socially; **jdn ~ sprechen** to speak to sb in private *or* privately; **etw an P~ verkaufen** (*Comm*) to sell sth to the public *or* to private individuals; **~ versichert sein** to be privately insured; **~ behandelt werden** to have private treatment; **~ liegen** to be in a private ward.

Privat- *in cpds* private; **Privatadresse** *f* private *or* home address; **Privatangelegenheit** *f* private matter; **das ist meine ~** that's my own business, that's a private matter; **Privatbesitz** *m* private property; **Privatdetektiv(in** *f***)** *m* private detective *or* investigator *or* eye (*inf*); **Privatdozent(in** *f***)** *m* outside lecturer; **Privateigentum** *nt* private property; **Privatfernsehen** *nt* commercial television; **Privatfunk** *m* commercial broadcasting; **Privatgelehrte(r)** *m* scholar; **Privatgespräch** *nt* private conversation *or* talk; (*am Telefon*) private call.

Privatier [priva'tie:] *m* **-s, -s** (*dated*) man of independent *or* private means.

Privatinitiative *f* private initiative; **Privatinteresse** *nt* private interest.

privatisieren* [privati'zi:rən] **I** *vt* to privatize. **II** *vi* to live on a private income *or* on independent means.

Privatisierung *f* privatization.

Privatklage *f* private action *or* suit; **Privatkläger(in** *f***)** *m* private litigant; **Privatklinik** *f* private clinic *or* hospital, nursing-home; **Privatleben** *nt* private life; **Privatlehrer(in** *f***)** *m* private tutor; **Privatmann** *m*, *pl* **Privatleute** private person *or* individual; **Privatnummer** *f* home number; **Privatpatient(in** *f***)** *m* private patient; **Privatperson** *f* private individual *or* person; **Privatquartier** *nt* private quarters *pl*; **Privatrecht** *nt* private *or* civil law; **privatrechtlich** *adj* *Klage, Verfahren* private *or* civil law *attr*; **Privatsache** *f* private matter; **das ist meine ~** that's my own business, that's a private matter; **Privatschule** *f* private school; (*Eliteschule auch*) public school (*Brit*); **Privatsekretär(in** *f***)** *m* private secretary; **Privatunterricht** *m* private tuition; **Privatvergnügen** *nt* (*inf*) private pleasure; **Privatvermögen** *nt* private fortune; **Privatversicherung** *f* private insurance; **Privatweg** *m* private way; **Privatwirtschaft** *f* private industry; **Privatwohnung** *f* private flat (*Brit*) *or* apartment (*US*)/house.

Privileg [privi'le:k] *nt* **-(e)s, -ien** [-iən] *or* **-e** privilege.

privilegieren* [privile'gi:rən] *vt* to favour, to privilege. **die privilegierten Schichten** the privileged classes.

pro *prep per*; **~ Jahr** per annum (*form*), a *or* per year; **~ Person** per person; **~ Kopf** per person, per capita (*form*); **~ Stück** each, apiece.

Pro *nt* (**das**) **~ und (das) Kontra** the pros and cons *pl*.

Proband(in *f***)** *m* **-en, -en** guinea-pig, experimentee.

probat *adj no adv* tried, proved, tested.

Probe *f* **-, -n 1.** (*Prüfung*) test. **eine ~ auf etw** (*acc*) **machen** to test sth, to do a test on sth; **die ~ (auf eine Rechnung) machen** to check a calculation; **er ist auf ~ angestellt** he's employed for a probationary period; **jdn/etw auf ~ nehmen** to take sb/sth on trial; **jdn/etw auf die ~ stellen** to put sb/sth to the test, to try sb/sth; **meine Geduld wurde auf eine harte ~ gestellt** my patience was sorely tried;

jdn/etw einer ~ unterziehen to subject sb/sth to a test; **zur ~** for a trial, to try out.

2. (*Theat*) rehearsal. **~n abhalten** to rehearse, to hold rehearsals.

3. (*Teststück, Beispiel*) sample. **er gab eine ~ seines Könnens** he showed what he could do.

Probeabzug *m* proof; **Probealarm** *m* practice alarm; **heute ist ~ the** alarms will be tested today; **Probearbeit** *f* test *or* specimen piece, trial work *no pl*; **Probebelastung** *f* stress test; **Probebohrung** *f* test drill, probe; **Probedruck** *m* trial print; **Probeexemplar** *nt* specimen (copy); **probefahren** *sep irreg infin, ptp only* **I** *vt* to test-drive; **II** *vi aux sein* to go for a test drive *or* run; **Probefahrt** *f* test drive *or* run/trial sail; **eine ~ machen** to go for a test drive *etc*; **Probeflug** *m* test flight; **probehalber** *adv* for a test; **Probejahr** *nt* probationary year; **Probelauf** *m* test *or* trial run; (*Sport*) practice run; **Probelehrer(in** *f***)** *m* (*Aus*) probationary teacher.

proben *vti* to rehearse.

Probenarbeit *f* rehearsals *pl*; **Probenentnahme** *f* sampling.

Probenummer *f* trial copy; **Probeseite** *f* specimen *or* sample page; **Probesendung** *f* sample pack; **probeweise** *adv* on a trial basis; **ich habe mir ~ einen anderen Kaffee gekauft** I've bought another kind of coffee to try (out); **Probezeit** *f* probationary *or* trial period.

probieren* **I** *vt* (*versuchen*) to try, to have a go *or* try at; (*kosten*) *Speisen, Getränke* to try, to taste, to sample; (*prüfen*) to try (out), to test. **~ Sie es noch mal!** try (it) again!, have another go *or* try!; **laß es mich mal ~!** let me try!, let me have a try *or* a go!

II *vi* **1.** (*versuchen*) to try, to have a try *or* go. **P~ geht über Studieren** (*Prov*) the proof of the pudding is in the eating (*Prov*).

2. (*kosten*) to have a taste, to try.

Probierer(in *f***)** *m* **-s, -** taster.

Probierglas *nt* **1.** taster, tasting glass. **2.** (*Chem*) test-tube.

Problem *nt* **-s, -e** problem. **vor einem ~ stehen** to be faced *or* confronted with a problem; **das wird zum ~** it's becoming (something of) a problem.

Problematik *f* (*Schwierigkeit*) problem, difficulty (*gen* with); (*Fragwürdigkeit*) questionability, problematic nature.

problematisch *adj* problematic; (*fragwürdig*) questionable.

Problembewußtsein *nt* appreciation of the difficulties *or* problem; **Problemkind** *nt* problem child; **Problemkreis** *m* problem area; **problemlos** *adj* trouble-free, problem-free; **problemorientiert** *adj* (*auch Comput*) problem-orientated; **Problemstellung** *f* way of looking at a problem; **Problemstück** *nt* problem play.

Procedere [pro:'tse:dərə] *nt* **-, -** (*geh*) proceedings *pl*.

Produkt *nt* **-(e)s, -e** (*lit, fig*) product. **land-**

wirtschaftliche ~e agricultural produce *no pl or* products; **das** ~ **aus 2 mal 2** the product of 2 × 2; **ein** ~ **seiner Phantasie** a figment of his imagination.

Produktenhandel *m* produce business *or* trade.

Produkthaftung *f* product liability.

Produktion *f* production.

Produktions- *in cpds* production; **Produktionsanlagen** *pl* production plant; **Produktionsausfall** *m* loss of production; **Produktionsbeschränkung** *f* limitation of production; **Produktionsgenossenschaft** *f* (*DDR*) collective, cooperative; **landwirtschaftliche** ~ collective farm; **Produktionskosten** *pl* production costs *pl*; **Produktionskraft** *f* production capacity; **Produktionsleistung** *f* (potential) output, production capacity; **Produktionsleiter(in** *f*) *m* production manager; **produktionsmäßig I** *adj* production *attr*; **II** *adv* in terms of production; **Produktionsmenge** *f* output; **Produktionsmittel** *pl* means of production *pl*; **produktionsreif** *adj* ready to go into production; **Produktionsrückgang** *m* drop in production; **Produktionsstätte** *f* production centre; **Produktionszweig** *m* line of production.

produktiv *adj* productive.

Produktivität *f* productivity.

Produktivkräfte *pl* (*Sociol*) productive forces *pl*, forces of production *pl*.

Produktmanager(in *f*) *m* product manager; **Produktpalette** *f* product spectrum.

Produzent(in *f*) *m* producer.

produzieren* I *vt* 1. *auch vi* to produce. 2. (*inf: hervorbringen*) *Lärm* to make; *Entschuldigung* to come up with (*inf*); *Romane* to churn out (*inf*). **II** *vr* (*pej*) to show off.

Pro Familia *f* family planning organization.

profan *adj* (*weltlich*) secular, profane; (*gewöhnlich*) mundane.

Profanbau *m* secular building.

Profession *f* (*old form*) profession.

Professional [proˈfɛʃənəl] *m* **-s, -s** professional.

Professionalität *f* professionalism.

professionell *adj* professional.

Professor *m* 1. (*Hochschul*~) professor. 2. (*Aus, S Ger: Gymnasial*~) master/ mistress. **Herr** ~! Sir!; **Frau** ~! Miss!

professoral *adj* (*geh*) professorial.

Professorenschaft *f* professors *pl*.

Professorin *f* (lady) professor.

Professur *f* chair (*für* in, of).

Profi *m* **-s, -s** (*inf*) pro (*inf*).

Profil *nt* **-s, -e** 1. (*von Gesicht*) profile; (*Archit*) elevation; (*fig: Ansehen*) image. **im** ~ in profile; ~ **haben** *or* **besitzen** (*fig*) to have a (distinctive *or* personal) image; **dadurch hat er an** ~ **gewonnen/verloren** that improved/damaged his image. 2. (*von Reifen, Schuhsohle*) tread. 3. (*Querschnitt*) cross-section; (*Längsschnitt*) vertical section; (*Geog*) (vertical) section; (*Aviat*) wing section; (*fig: Skizze*) profile. **im** ~ in section.

Profilager *nt* (*Sport inf*) **ins** ~ (**über**)**wechseln** to turn *or* go professional.

profilieren* I *vt* (*mit Profil versehen*) *Schuhsohlen, Reifen* to put a tread on; (*fig: scharf umreißen*) to define. **II** *vr* (*sich ein Image geben*) to create a distinctive personal image for oneself; (*Besonderes leisten*) to distinguish oneself.

profiliert *adj* *Schuhe, Reifen* with a tread, treaded; (*fig: scharf umrissen*) clear-cut *no adv*; (*fig: hervorstechend*) distinctive. **ein** ~**er Wissenschaftler** a scientist who has made his mark.

Profilierung *f* (*das Sich-Profilieren*) making one's mark *no art*.

profillos *adj* *Politiker, Firma* lacking any distinct (personal) image; *Sohle, Reifen* treadless.

Profilneurose *f* (*hum*) neurosis about one's image, image problem; **Profilsohle** *f* sole with a tread, treaded sole; **Profilstahl** *m* sectional steel.

Profit *m* **-(e)s, -e** profit. ~ **aus etw schlagen** *or* **ziehen** (*lit*) to make a profit from *or* out of sth; (*fig*) to reap the benefits *or* to profit from sth; **den/keinen** ~ **von etw haben** to profit/not to profit from sth; **ohne/mit** ~ **arbeiten** to work unprofitably/profitably.

profitabel *adj* profitable.

profitbringend *adj* profitable; **Profitdenken** *nt* profit orientation; **Profitgier** *f* greed for profit, profit lust; **profitgierig** *adj* greedy for profit, profit-greedy.

profitieren* *vti* to profit; (*fig auch*) to gain. **viel/etwas** ~ (*lit*) to make a large profit/to make something of a profit; (*fig*) to profit greatly/somewhat; **davon hat er wenig profitiert** (*lit*) he didn't make much of a profit from it; (*fig*) he didn't profit much *or* didn't gain a great deal from it; **dabei kann ich nur** ~ I only stand to gain from it, I can't lose.

Profitjäger(in *f*), **Profitmacher(in** *f*) *m* (*inf*) profiteer; **Profitmacherei** *f* (*inf*) profiteering; **Profitmaximierung** *f* maximization of profit(s *pl*); **Profitstreben** *nt* profit seeking.

pro forma *adv* as a matter of form, for appearance's sake.

Pro-forma-Rechnung *f* pro forma invoice.

profund *adj* (*geh*) profound, deep. **er ist ein** ~**er Kenner** +*gen* he has a profound *or* deep knowledge of …

Prognose *f* **-, -n** prediction, prognosis; (*Wetter*~) forecast. **eine** ~ **stellen/wagen** to give *or* make/venture a prediction *or* prognosis.

prognostisch *adj* prognostic.

prognostizieren* *vt* to predict, to prognosticate (*form*).

Programm *nt* **-s, -e** programme, program (*US, Comput*); (*Tagesordnung*) agenda; (*Theat: Vorstellungsablauf auch*) bill; (*TV: Sender*) channel; (*Sendefolge*) programmes *pl*; (*gedrucktes Radio*~, *TV*~) programme guide; (*Verlags*~) list; (*beim Pferderennen*) card; (*Kollektion*) range. **nach** ~ as planned; **auf dem** ~ **stehen** to be on the programme/agenda;

ein ~ **für den Urlaub machen** to work out a programme for one's holidays; **für heute habe ich schon ein** ~ I've already got something planned for today; **unser** ~ **für den heutigen Abend** our programmes for this evening.

Programm|anbieter(in *f*) *m* (*TV*) programme maker.

programmatisch *adj* programmatic.

Programmfolge *f* order of programmes *or* (*Theat*) acts; **Programmfüller** *m* (*inf*) (programme) filler; **programmgemäß** *adj* according to plan *or* programme; **Programmgestaltung** *f* programme planning; **Programmheft** *nt* programme; **Programmhinweis** *m* (*Rad, TV*) programme announcement.

programmierbar *adj* programmable.

programmieren* *vt* 1. (*auch vi*) to programme, to program (*US, Comput*); (*fig auch*) to condition. **auf etw** (*acc*) **programmiert sein** (*fig*) to be geared *or* conditioned to sth; **programmiertes Lernen** programmed learning. 2. (*entwerfen*) to draw up a programme for; (*planen*) to schedule, to plan.

Programmierer(in *f*) *m* -s, - programmer.

Programmiersprache *f* programming language.

Programmierung *f* programming; (*fig auch*) conditioning.

Programmkino *nt* arts *or* repertory (*US*) cinema; **Programmpunkt** *m* item on the agenda; (*TV*) programme; (*bei Show*) act.

Programmusik *f* getrennt: **Programmmusik** programme music.

Programmspeicher *m* (*von Compact Disc*) programmable memory; **Programmübersicht** *f* run-down of the programmes; **Programmvorschau** *f* preview (*für* of); (*Film*) trailer; **Programmzeitschrift** *f* programme guide; **Programmzettel** *m* programme.

Progreß *m* -sses, -sse progress.

Progression *f* progression.

progressiv *adj* progressive.

Prohibition *f* Prohibition.

Projekt *nt* -(e)s, -e project.

Projektgruppe *f* project team.

projektieren* *vt* (*entwerfen*) to plan, to project, to lay plans for; (*planen*) to project.

Projektil *nt* -s, -e (*form*) projectile.

Projektion *f* projection.

Projektionsebene *f* plane of projection; **Projektionsfläche** *f* projection surface; **Projektionslampe** *f* projection lamp.

Projektleiter(in *f*) *m* project leader.

Projektor *m* projector.

projizieren* *vt* to project.

Proklamation *f* proclamation.

proklamieren* *vt* to proclaim.

Pro-Kopf- in cpds per capita; **Pro-Kopf-Einkommen** *nt* per capita income.

Prokura *f* -, **Prokuren** (*form*) procuration (*form*), general commercial power of attorney. **jdm** ~ **erteilen** to grant sb general commercial power of attorney.

Prokurist(in *f*) *m* holder of a general power of attorney, ≈ company secretary (*Brit*).

Prolet(in *f*) *m* -en, -en (*pej*) prole (*pej*), pleb (*pej*).

Proletariat *nt* proletariat.

Proletarier(in *f*) [-ɪɐ] *m* -s, - proletarian. ~ **aller Länder, vereinigt euch!** workers of the world, unite!

proletarisch *adj* proletarian.

proletarisieren* *vt* to proletarianize.

proletenhaft *adj* (*pej*) plebeian (*pej*), plebby (*pej inf*).

Prolog *m* -(e)s, -e prologue.

Prolongation *f* (*St Ex*) carryover.

Prolongationsgeschäft *nt* (*St Ex*) carryover; **Prolongationssatz** *m* (*St Ex*) carryover rate.

prolongieren* [prolɔŋ'giːrən] *vt* to prolong, to extend.

Promenade *f* (*old: Spaziergang*) promenade, constitutional (*old, hum*); (*Spazierweg*) promenade.

Promenadendeck *nt* promenade deck; **Promenadenkonzert** *nt* promenade concert; **Promenadenmischung** *f* (*hum*) mongrel, cross-breed.

promenieren* *vi aux sein* (*geh*) to promenade.

Promethium *nt, no pl* (*abbr* **Pm**) promethium.

Promi *m* -s, -s (*Pol sl*) star politician.

Promille *nt* -(s), - thousandth (part); (*inf: Alkoholspiegel*) alcohol level. **er hat zuviel** ~ (**im Blut**) he has too much alcohol in his blood, his alcohol level is too high; **0,8** ~ 80 millilitres alcohol level.

Promillegrenze *f* legal (alcohol) limit.

prominent *adj* prominent.

Prominente(r) *mf decl as adj* prominent figure, VIP.

Prominenten- in cpds posh; **Prominentensuite** *f* VIP suite.

Prominenz *f* VIP's *pl*, prominent figures *pl*.

Promiskuität [promɪskui'tɛːt] *f* promiscuity.

Promotion¹ *f* (*Univ*) doctorate, PhD. **während seiner** ~ while he was doing his doctorate *or* PhD.

Promotion² [prə'mouʃən] *f* (*Comm*) promotion.

Promotor *m*, **Promotorin** *f* promoter.

promovieren* [promo'viːrən] **I** *vi* to do a doctorate *or* a doctor's degree *or* a PhD (*über* +*acc* in); (*Doktorwürde erhalten*) to receive a doctorate. **II** *vt* to confer a doctorate *or* the degree of doctor on.

prompt I *adj* prompt. **II** *adv* promptly; (*natürlich*) naturally, of course.

Promptheit *f* promptness, promptitude (*form*).

Pronomen *nt* -s, - *or* **Pronomina** pronoun.

pronominal *adj* pronominal.

Pronominaladjektiv *nt* pronominal adjective; **Pronominaladverb** *nt* pronominal adverb.

prononciert [pronõ'siːɐt] *adj* (*geh*) (*deutlich*) distinct, clear; (*nachdrücklich*) definite.

Propädeutik *f* preparatory course.

propädeutisch *adj* preparatory.

Propaganda *f* -, *no pl* propaganda; (*dated: Werbung*) publicity. ~ **für etw ma-**

chen or **treiben** to make propaganda for sth; ~ **mit etw machen** to make propaganda out of sth; **das ist (doch) alles nur** ~ that's just (so much) propaganda.

Propagandaapparat *m* propaganda machine; **Propagandafeldzug** *m* propaganda campaign; (*Werbefeldzug*) publicity campaign; **propagandawirksam** *adj* effective or good propaganda *pred*.

Propagandist(in *f*) *m* **1.** propagandist. **2.** (*Comm*) demonstrator.

propagandistisch *adj* propagandist(ic). **etw** ~ **ausnutzen** to use sth as propaganda.

propagieren* *vt* to propagate.

Propan *nt* -s, *no pl* propane.

Propangas *nt* propane gas.

Propeller *m* -s, - (*Luftschraube*) propeller, prop (*inf*), airscrew; (*Schiffsschraube*) propeller, screw.

Propellerantrieb *m* propeller-drive; **ein Flugzeug mit** ~ a propeller-driven plane; **Propellerflugzeug** *nt* propeller-driven plane; **Propellerturbine** *f* turbo-prop.

proper *adj* (*inf*) trim, neat, (clean and) tidy.

Prophet *m* -en, -en prophet.

Prophetie [profe'tiː] *f* prophecy.

Prophetin *f* prophetess.

prophetisch *adj* prophetic.

prophezeien* *vt* to prophesy; (*vorhersagen auch*) to predict, to foretell. **das kann ich dir** ~! I can promise you that!

Prophezeiung *f* prophecy.

Prophylaktikum *nt* -s, **Prophylaktika** (*Med*) prophylactic; (*Präservativ*) contraceptive.

prophylaktisch *adj* prophylactic (*form*), preventive.

Prophylaxe *f* -, -n prophylaxis.

Proportion *f* proportion.

proportional [proportsio'naːl] *adj* proportional, proportionate. **die Steuern steigen** ~ **zum Einkommen** taxes increase in proportion to or proportionally to income; **umgekehrt** ~ (*Math*) in inverse proportion.

proportioniert [proportsio'niːɐt] *adj* proportioned.

Proporz *m* -es, -e proportional representation *no art*.

proppe(n)voll *adj* (*inf*) jam-packed (*inf*).

Propst *m* -(e)s, ⁻e provost.

Prorektor(in *f*) *m* (*old Sch*) deputy rector; (*Univ*) deputy vice-chancellor.

Prosa *f* -, *no pl* prose; (*fig*) prosaicness.

Prosadichtung *f* prose writing.

Prosaiker(in *f*) [pro'zaːikɐ] *m* -s, - (*fig: nüchterner Mensch*) prosaic person.

prosaisch [pro'zaːɪʃ] *adj* **1.** (*nüchtern*) prosaic. **2.** (*Liter*) prose *attr*, prosaic (*form*).

Proseminar *nt* an introductory seminar course for students in their first and second year.

prosit *interj* your health. ~ **Neujahr!** (here's to) the New Year!

Prosit *nt* -s, -s toast. **ein** ~ **der Köchin!** here's to the cook!; **auf jdn ein** ~ **ausbringen** to toast sb, to drink to sb, to

---

drink sb's health.

Prosodie *f* prosody.

prosodisch *adj* prosodic.

Prospekt [pro'spɛkt] *m* -(e)s, -e **1.** (*Reklameschrift*) brochure, pamphlet (*gen* about); (*Werbezettel*) leaflet; (*Verzeichnis*) catalogue. **2.** (*Ansicht*) view, prospect (*old*). **3.** (*Theat*) back-drop, back-cloth.

prospektieren* [prospɛk'tiːrən] *vt* to prospect (in).

prospektiv [prospɛk'tiːf] *adj* prospective.

Prospektmaterial [pro'spɛkt-] *nt* brochures *pl*, pamphlets *pl*, literature.

prosperieren* [prospe'riːrən] *vi* (*geh*) to prosper.

prost *interj* cheers, cheerio; (*hum: beim Niesen*) bless you. **na denn** ~! cheers then!, bottoms up! (*hum*).

Prostata *f* -, *no pl* prostate gland; (*inf: Prostataleiden*) prostate.

prosten *vi* to say cheers.

prostituieren* [prostitu'iːrən] **I** *vr* (*lit, fig*) to prostitute oneself. **II** *vt* (*old*) to prostitute.

Prostituierte [prostitu'iːɐtə] *f* -n, -n prostitute.

Prostitution [prostitu'tsioːn] *f* prostitution.

Protactinium *nt*, *no pl* (*abbr* **Pa**) protactinium.

Protagonist(in *f*) *m* (*lit, fig*) protagonist.

Protegé [prote'ʒeː] *m* -s, -s protégé.

protegieren* [prote'ʒiːrən] *vt* Schriftsteller, Projekt to sponsor; Land, Regime to support. **er wird vom Chef protegiert** he's the boss's protégé.

Protein *nt* -s, -e protein.

Protektion *f* (*Schutz*) protection; (*Begünstigung*) patronage. **unter jds** ~ (*dat*) **stehen** (*Schutz*) to be under sb's protection; (*Begünstigung*) to be under sb's patronage.

Protektionismus [protɛktsio'nɪsmʊs] *m* **1.** (*Econ*) protectionism. **2.** (*Günstlingswirtschaft*) nepotism.

Protektor *m*, **Protektorin** *f* (*old: Beschützer*) protector; (*Schirmherr*) patron.

Protektorat *nt* (*Schirmherrschaft*) patronage; (*Schutzgebiet*) protectorate.

Protest *m* -(e)s, -e **1.** protest. (**scharfen**) ~ **gegen jdn/etw erheben** to make a (strong) protest against sb/sth; **etw aus** ~ **tun** to do sth in protest or as a protest; **unter** ~ protesting; (*gezwungen*) under protest. **2.** (*Fin*) **einen Wechsel zu** ~ **gehen lassen** to protest a bill.

Protestaktion *f* protest.

Protestant(in *f*) *m* Protestant.

protestantisch *adj* Protestant.

Protestantismus *m* Protestantism.

Protestbewegung *f* protest movement; **Protestdemonstration** *f* (protest) demonstration, demo (*inf*).

protestieren* **I** *vi* to protest (*gegen* against, about). **II** *vt* (*Fin*) to protest.

Protestkundgebung *f* (protest) rally.

Protestler(in *f*) *m* -s, - (*inf*) protester.

Protestmarsch *m* protest march; **Protestnote** *f* (*Pol*) letter of protest;

Protestsänger(in *f)* *m* protest singer; **Protestsong** *m* protest song; **Proteststurm** *m* storm of protest; **Protestwähler(in** *f)* *m* protest voter; **Protestwelle** *f* wave of protest.

Prothese *f* -, **-n 1.** artificial limb/joint, prosthesis (*Med, form*); (*Gebiß*) set of dentures. **2.** (*Ling*) prothesis.

Prothesenträger(in *f)* *m* **1.** person with an artificial limb. **er ist** ~ he has an artificial limb. **2.** (*Gebiß*) denture-wearer.

Protokoll *nt* -s, **-e 1.** (*Niederschrift*) record; (*Bericht*) report; (*von Sitzung*) minutes *pl*; (*bei Polizei*) statement; (*bei Gericht*) transcript. **das** ~ **aufnehmen** to take sth down; (*bei Sitzung*) to take (down) the minutes; (*bei Polizei*) to take (down) sb's statement; (*bei Gericht*) to keep a record of the proceedings, to make a transcript of the proceedings; **(das)** ~ **führen** (*bei Sitzung*) to take *or* keep the minutes; (*bei Gericht*) to keep a record of *or* make a transcript of the proceedings; (*beim Unterricht*) to write a report; **etw zu** ~ **geben** to have sth put on record; (*bei Polizei*) to say sth in one's statement; **etw zu** ~ **nehmen** to take sth down, to record sth.
    2. (*diplomatisch*) protocol.
    3. (*Strafzettel*) ticket.
    4. (*Comput*) protocol.

Protokollant(in *f)* *m* secretary; (*Jur*) clerk (of the court).

protokollarisch *adj* **1.** (*protokolliert*) on record; (*in Sitzung*) minuted. **2.** (*zeremoniell*) ~**e Vorschriften** rules of protocol; ~ **ist das so geregelt, daß ...** protocol requires that ...

Protokollchef(in *f)* *m* head of protocol; **Protokollführer(in** *f)* *m* siehe **Protokollant(in).**

protokollieren* I *vi* (*bei Sitzung*) to take the minutes (down); (*bei Polizei*) to take a/the statement down; (*in der Schule*) to write notes. **II** *vt* to take down; *Sitzung* to minute; *Bemerkung auch* to put *or* enter in the minutes; *Stunde* to write up.

Proton *nt* -s, **Protonen** proton.

Proto- *in cpds* proto-; **Protoplasma** *nt* protoplasm; **Prototyp** *m* (*Erstanfertigung*) prototype; (*Inbegriff auch*) archetype.

Protz *m* -es *or* -en, -e(n) (*inf*) swank (*inf*).

protzen *vi* (*inf*) to show off. **mit etw** ~ to show sth off.

Protzerei *f* (*inf*) showing off, swanking (*inf*).

protzig *adj* (*inf*) swanky (*inf*), showy (*inf*).

Provenienz [prove'niɛnts] *f* (*geh*) provenance.

Provenzale [proven'tsaːlə, proven'saːlə, provaˈsaːlə] *m* -n, -n, **Provenzalin** *f* Provençal.

provenzalisch [proven'tsaːlɪʃ, proven-'saːlɪʃ] *adj* Provençal.

Proviant [pro'viant] *m* -s, (*rare*) -e provisions *pl*, supplies *pl* (*esp Mil*); (*Reise~*) food for the journey. **sich mit** ~ **versehen** to lay in provisions/to buy food for the journey.

Proviantlager *nt* supply camp.

Provinz [pro'vɪnts] *f* -, **-en** province; (*im Gegensatz zur Stadt*) provinces *pl* (*auch pej*), country. **das ist finsterste** *or* **hinterste** ~ (*pej*) it's so provincial, it's a cultural backwater.

Provinz- *in cpds* provincial; **Provinzbewohner(in** *f)* *m* provincial.

provinziell [provɪn'tsiɛl] *adj* provincial (*auch pej*).

Provinzler(in *f)* [pro'vɪntslɐ, -ərɪn] *m* -s, - (*pej*) provincial.

provinzlerisch [pro'vɪntslərɪʃ] *adj* (*pej*) provincial.

Provision [provi'zioːn] *f* commission.

Provisionsbasis *f* commission basis. **auf** ~ **arbeiten** to work on a commission basis.

provisorisch [provi'zoːrɪʃ] *adj* provisional, temporary. ~**e Regierung** caretaker *or* provisional government; **das ist alles noch sehr** ~ **in unserem Haus** things are still very makeshift in our house; **Straßen mit** ~**em Belag** roads with a temporary surface; **ich habe den Stuhl** ~ **repariert** I've fixed the chair up for the time being.

Provisorium [provi'zoːriʊm] *nt* stop-gap, temporary *or* provisional arrangement.

provokant [provo'kant] *adj* provocative, provoking.

Provokateur(in *f)* [provoka'tøːɐ, -'tøːrɪn] *m* troublemaker; (*Pol auch*) agitator, agent provocateur.

Provokation [provoka'tsioːn] *f* provocation.

provokativ, provokatorisch [provoka-] *adj* provocative, provoking.

provozieren* [provo'tsiːrən] *vti* to provoke.

Prozedur *f* **1.** (*Vorgang*) procedure. **ein Auto zu bauen ist eine lange** ~ making a car is a lengthy procedure *or* business.
    2. (*pej*) carry-on (*inf*), palaver (*inf*). **die** ~ **beim Zahnarzt** the ordeal at the dentist's.

Prozent *nt* -(e)s, -e *or* (*nach Zahlenangaben*) - per cent *no pl.* ~**e** percentage; **fünf** ~ five per cent; **wieviel** ~? what percentage?; **zu zehn** ~ at ten per cent; **zu hohen** ~**en** at a high percentage; **etw in** ~**en ausdrücken** to express sth as a percentage *or* in per cent; **dieser Whisky hat 35** ~ **(Alkoholgehalt)** this whisky contains 35 per cent alcohol; ~**e (in einem Geschäft) bekommen** to get a discount (in a shop).

Prozentbasis *f* percentage *or* (*von Vertreter auch*) commission basis. **auf** ~ **arbeiten** to work on a commission basis.

Prozentpunkt *m* point; **Prozentrechnung** *f* percentage calculation; **Prozentsatz** *m* percentage; (*Zins*) rate of interest, interest rate.

prozentual *adj* percentage *attr.* ~**er Anteil** percentage; **etw** ~ **ausdrücken/rechnen** to express/calculate sth as a percentage *or* in percentages; ~ **gut abschneiden** to get a good percentage; **die Beteiligung war** ~ **sehr hoch** that's a very high percentage.

prozentuell *adj* (*esp Aus*) siehe **prozentual.**

Prozeß m -sses, -sse 1. (*Straf~*) trial; (*Rechtsfall*) (court) case. einen ~ gewinnen/verlieren to win/lose a case; gegen jdn einen ~ anstrengen to take *or* institute legal proceedings against sb, to bring an action against sb; es ist sehr teuer, einen ~ zu führen going to court *or* taking legal action is very expensive; es zum ~ kommen lassen to go to court; es kann zum ~ kommen it might come to a court case; jdm den ~ machen (*inf*) to take sb to court; mit jdm/etw kurzen ~ machen (*fig inf*) to make short work of sb/sth (*inf*).
2. (*Vorgang*). process.

Prozeßakten pl case files pl; **prozeßfähig** adj able *or* entitled to take legal action; **Prozeßfähigkeit** f ability *or* entitlement to take legal action; **prozeßführend** adj ~e Partei litigant; **Prozeßführung** f handling of a case; **Prozeßhansel** m (*inf*) someone who is always going to law.

prozessieren* vi to go to court. sie haben jahrelang gegen mich prozessiert they've been bringing an action against me for years, they've had a case going on against me for years.

Prozession f procession.

Prozeßkosten pl legal costs pl; er mußte die ~ tragen he had to pay costs.

Prozessor m (*Comput*) processor.

Prozeßordnung f code *or* rules of procedure, legal procedure; **Prozeßrecht** nt procedural law; **Prozeßsprache** f (*Comput*) processing language; **prozeßunfähig** adj unable to take legal action; **Prozeßunfähigkeit** f inability to take legal action; **Prozeßvollmacht** f, no pl power of attorney (*for a lawsuit*); (*Formular*) letter of attorney.

prüde adj prudish.

Prüderie f prudishness, prudery.

prüfen I vt 1. (*auch vi*) (*Sch, Univ*) jdn to examine; *Kenntnisse* auch to test. jdn in etw (*dat*) ~ to examine sb in sth; morgen wird in Englisch geprüft the English exams are tomorrow; schriftlich geprüft werden to have a written examination; ein staatlich geprüfter Dolmetscher a qualified interpreter.
2. (*überprüfen*) to check (*auf +acc* for); (*untersuchen*) to examine, to check; (*durch Ausprobieren*) to test; (*auf die Probe stellen*) to test; *Alibi* to check (out), to check up on; *Geschäftsbücher* to audit, to check, to examine; *Lebensmittel, Wein* to inspect, to test. es wird geprüft, ob alle anwesend sind they check *or* there's a check to see if everyone is present; den Wein auf sein Aroma ~ to sniff *or* test the bouquet of the wine; Metall auf den Anteil an Fremdstoffen ~ to check the level of impurities in metal; wir werden die Beschwerde ~ we'll look into *or* investigate the complaint; sie wollte ihn nur ~ she only wanted to test him; drum prüfe, wer sich ewig bindet (*prov*) marry in haste, repent at leisure (*Prov*).
3. (*erwägen*) to consider. etw nochmals ~ to reconsider *or* review sth.

4. (*mustern*) to scrutinize. ein ~der Blick a searching look.
5. (*heimsuchen*) to try, to afflict. ein schwer geprüfter Vater a sorely tried *or* much afflicted father.
II vr (*geh*) to search one's heart. du mußt dich selber ~, ob ... you must decide for yourself *or* you must enquire of yourself (*liter*) whether ...

Prüfer(in f) m -s, - examiner; (*Wirtschafts~*) inspector.

Prüfgerät nt testing apparatus *or* equipment.

Prüfling m examinee, (examination) candidate.

Prüfstand m test bed; (*Space*) test stand; **Prüfstein** m (*fig*) touchstone (*für* of *or* for), measure (*für* of).

Prüfung f 1. (*Sch, Univ*) exam, examination. eine ~ machen to take *or* do an exam.
2. (*Überprüfung*) check, checking no indef art; (*Untersuchung*) examination, checking no indef art; (*durch Ausprobieren*) test, testing no indef art; (*von Geschäftsbüchern*) audit, examination, checking no indef art; (*von Lebensmitteln, Wein*) inspection, testing no indef art. eine gründliche ~ einer Maschine vornehmen to check *or* examine *or* test a machine thoroughly, to give a machine a thorough check *or* examination *or* test; bei nochmaliger ~ der Rechnung on rechecking the account; er führt (*Wirtschafts*)~en bei Firmen durch he audits firms' books; nach/bei ~ Ihrer Beschwerde/dieser Sache ... after/on looking into *or* investigating your complaint/the matter.
3. (*Erwägung*) consideration. die ~ seiner Entscheidung the reconsideration of one's decision.
4. (*Heimsuchung*) test, trial.

Prüfungsanforderung f examination requirement; **Prüfungsangst** f exam nerves pl; **Prüfungsarbeit** f dissertation; **Prüfungsaufgabe** f exam(ination) question; **Prüfungsgebühr** f examination fee; **Prüfungskommission** f board of examiners, examining board; **Prüfungsordnung** f exam(ination) regulations pl; **Prüfungstermin** m (*Sch, Univ*) date of examination *or* test; (*Jur*) meeting of creditors; **Prüfungsunterlagen** pl exam(ination) papers pl; **Prüfungszeugnis** nt exam(ination) certificate.

Prüfverfahren nt test procedure.

Prügel m -s, - 1. (*Stock*) club, cudgel. 2. pl (*inf: Schläge*) beating, thrashing. ~ bekommen *or* beziehen (*lit, fig*) to get a beating *or* thrashing.

Prügelei f (*inf*) fight, punch-up (*Brit inf*).

Prügelknabe m (*fig*) whipping boy.

prügeln I vti to beat. II vr to fight. sich mit jdm ~ to fight sb; sich um etw (*acc*) ~ to fight over *or* for sth.

Prügelstrafe f corporal punishment; **Prügelszene** f fight; (*Theat*) fight scene.

Prunk m -s, no pl (*Pracht*) splendour, magnificence, resplendence; (*von Saal, Rokoko auch*) sumptuousness; (*von*

Stadt, Gebäude auch) grandeur; (*von höfischer Zeremonie auch*) pomp and circumstance, pageantry. **Ludwig XIV liebte ~ Louis XIV had a passion for grandeur; der ~ im Saal** the splendour *or* magnificence *or* resplendence of the hall; **großen ~ entfalten** to put on a show of great splendour.

Prunk- *in cpds* magnificent, resplendent.

prunken *vi* to be resplendent. **mit etw ~** to flaunt sth, to make a great show of sth.

Prunkgemach *nt* state apartment; **prunklos** *adj* unostentatious, modest; **Prunksaal** *m* sumptuous *or* palatial room; **Prunkstück** *nt* showpiece; **Prunksucht** *f* great love of splendour, passion for the grand scale; **prunksüchtig** *adj* ~ **sein** to have a craving for splendour; **prunkvoll** *adj* splendid, magnificent.

prusten *vi* (*inf*) to snort. **sie prustete laut vor Lachen** she gave a loud snort (of laughter).

PS [peː'ɛs] *nt* ~ *abbr of* **Pferdestärke** hp.

P.S., PS [peː'ɛs] *nt* -, - *abbr of* **Postskript(um)** PS.

Psalm *m* **-s, -en** psalm.

Psalmist *m* psalmist.

Psalter *m* **-s, - 1.** (*Eccl*) psalter. **2.** (*Mus*) psaltery.

pseudo- *in cpds* pseudo.

Pseudokrupp *m* (*Med*) pseudo-croup.

Pseudonym *nt* **-s, -e** pseudonym; (*eines Schriftstellers auch*) nom de plume, pen-name.

psst *interj* pst; (*ruhig*) sh, hush.

Psyche *f* -, **-n** psyche; (*Myth*) Psyche.

psychedelisch *adj* psychedelic.

Psychiater(in *f*) *m* **-s, -** psychiatrist.

Psychiatrie *f* psychiatry.

psychiatrisch *adj* psychiatric.

psychisch *adj* Belastung, Auswirkungen, *Defekt* emotional, psychological; *Phänomen, Erscheinung* psychic; *Vorgänge* psychological. **~e Erkrankung** mental illness; **eine ~ bedingte Krankheit** a psychologically determined illness; **~ gestört** emotionally *or* psychologically disturbed; **jdn ~ beanspruchen** to make emotional *or* psychological demands on sb; **er ist ~ völlig am Ende** his nerves can't take any more.

Psycho- *in cpds* psycho-; **Psychoanalyse** *f* psychoanalysis; **Psychoanalytiker(in** *f*) *m* psychoanalyst; **psychoanalytisch** *adj* psychoanalytic(al); **jdn ~ behandeln** to psychoanalyze sb; **Psychodiagnostik** *f* psychodiagnostics *sing*; **psychogen** *adj* psychogenic; **Psychogramm** *nt* **-s, -e** profile (*auch fig*), psychograph; **Psychologe** *m*, **Psychologin** *f* psychologist; **Psychologie** *f* psychology; **psychologisch** *adj* psychological; **~e Kriegsführung** psychological warfare; **psychologisieren** *vt* to psychologize; **Psychoneurose** *f* psychoneurosis; **Psychopath(in** *f*) *m* **-en, -en** psychopath; **Psychopathie** *f* psychopathy; **psychopathisch** *adj* psychopathic; **Psychopharmakon** *nt* **-s, -pharmaka** *usu pl* psychiatric drug.

Psychose *f* -, **-n** psychosis.

Psychosomatik *f* psychosomatics *sing*; **psychosomatisch** *adj* psychosomatic; **Psychoterror** ['psyçoˈ] *m* psychological terror; **Psychotherapeut(in** *f*) *m* psychotherapist; **psychotherapeutisch** *adj* psychotherapeutic; **Psychotherapie** *f* psychotherapy.

Psychotiker(in *f*) *m* **-s, -** psychotic.

psychotisch *adj* psychotic.

PTA [peːteːˈaː] *abbr of* **pharmazeutischtechnische Assistentin, pharmazeutischtechnischer Assistent.**

pubertär *adj* of puberty, adolescent. **~ bedingte Störungen** disorders caused by puberty, adolescent disorders.

Pubertät *f* puberty. **er steckt mitten in der ~** he's going through his adolescence.

Pubertätsalter *nt* age of puberty; **im ~ at** the age of puberty; **Pubertätszeit** *f* puberty (period).

pubertieren* *vi* to reach puberty. **~d** pubescent.

Publicity [pʌˈblɪsɪtɪ] *f* -, *no pl* publicity. **publicityscheu** *adj* **er ist ~** he shuns publicity; **publicityträchtig** *adj* which generates (a lot of) publicity.

Public Relations [pʌblɪkrɪˈleɪʃənz] *pl* public relations *pl*.

publik *adj pred* public. **~ werden** to become public knowledge; **die Sache ist längst ~** that's long been common knowledge.

Publikation *f* publication.

Publikum *nt* **-s,** *no pl* public; (*Zuschauer, Zuhörer*) audience; (*Sport*) crowd. **er muß ja immer ein ~ haben** (*fig*) he always has to have an audience; **das ~ in dem Lokal ist sehr gemischt** you get a very mixed group of people using this pub, the customers in this pub are very mixed; **in diesem Lokal verkehrt ein sehr schlechtes ~** this pub attracts a very bad type of customer *or* a very bad clientele; **sein ~ finden** to find a public.

Publikumserfolg *m* success with the public, popular success; **Publikumsgeschmack** *m* public *or* popular taste; **Publikumsinteresse** *nt* interest of the public; **Publikumsliebling** *m* darling of the public; **Publikumsmagnet** *m* crowd-puller; **Publikumsrenner** *m* **-s, -** (*inf*) hit with the public (*inf*); **Publikumsverkehr** *m* ~ **im Rathaus ist von 8 bis 12 Uhr** the town hall is open to the public from 8 till 12 o'clock; **„heute kein ~"** "closed today for public business"; **publikumswirksam** *adj* ~ **sein** to have public appeal; **ein Stück ~ inszenieren** to produce a play in a popular way *or* with a view to public appeal.

publizieren* *vti* to publish. **er hat in verschiedenen Fachzeitschriften publiziert** he's had things *or* work published *or* he has been published in various journals.

Publizist(in *f*) *m* publicist; (*Journalist*) journalist.

Publizistik *f* journalism.

publizistisch *adj* journalistic. **sich ~ betätigen** to write for newspapers.

Publizität *f* publicity.

Puck *m* **-s, -s** puck.

puckern *vi* (*inf*) to throb. **es puckert im Zahn** my tooth's throbbing.

Pudding *m* -s, -s *thick custard-based dessert often flavoured with vanilla, chocolate etc* ≃ blancmange. **kaltgerührter ~** instant whip.

Puddingpulver *nt* custard powder.

Pudel *m* -s, -. 1. (*Hund*) poodle. **das ist des ~s Kern** (*fig*) that's what it's really all about. 2. (*inf: Fehlwurf beim Kegeln*) miss.

Pudelmütze *f* bobble cap *or* hat, pompom hat (*inf*); **pudelnackt** *adj* (*inf*) stark-naked, starkers *pred* (*inf*); **pudelnaß** *adj* dripping *or* soaking wet, drenched; **pudelwohl** *adj* (*inf*) **sich ~ fühlen** to feel completely contented.

Puder *m or* (*inf*) *nt* -s, - powder.

Puderdose *f* powder tin; (*für Gesichtspuder*) (powder) compact.

puderig *adj* powdery.

pudern I *vt* to powder. **sich** (*dat*) **das Gesicht ~** to powder one's face. II *vr* (*Puder auftragen*) to powder oneself; (*Puder benutzen*) to use powder. **ich muß mich noch ~** I still have to powder my nose *or* face.

Puderquaste *f* powder puff; **Puderzucker** *m* icing sugar.

pueril [pue'riːl] *adj* (*geh*) puerile; (*knabenhaft*) boyish.

Puertoricaner(in *f*) [puɛrtoriˈkaːnɐ, -ərɪn] *m* -s, - Puerto Rican.

Puerto Rico [puˈɛrtoˈriːko] *nt* - -s Puerto Rico.

puff *interj* bang.

Puff¹ *m* -(e)s, ̈-e 1. (*Stoß*) thump, blow; (*in die Seite*) prod, dig; (*vertraulich*) nudge. **einen ~** *or* **einige ~e aushalten können** (*fig*) to be thick-skinned. 2. (*Geräusch*) bang.

Puff² *m* -(e)s, -e 1. (*Wäsche~*) linen basket. 2. (*Bausch*) puff. 3. (*Sitz~*) pouf(fe).

Puff³ *m or nt* -s, -s (*inf*) brothel, whorehouse (*sl*), cathouse (*esp US inf*).

Puff|ärmel *m* puff(ed) sleeve.

puffen I *vt* 1. (*schlagen*) to thump, to hit; (*in die Seite*) to prod, to dig; (*vertraulich stoßen*) to nudge. 2. *Rauch* to puff. 3. *Ärmel* to puff. II *vi* (*inf: puff machen*) to go bang; (*leise*) to go phut (*inf*); (*Rauch, Abgase*) to puff.

Puffer *m* -s, - (*Rail, Comput*) buffer.

Pufferspeicher *m* (*Comput*) buffer memory; **Pufferstaat** *m* buffer state; **Pufferzone** *f* buffer zone.

Puffmais *m* popcorn; **Puffmutter** *f* (*inf*) madam(e), bawd; **Puffreis** *m* puffed rice.

puh *interj* (*Abscheu*) ugh; (*Erleichterung*) phew.

pulen I *vi* (*inf*) to pick. **in der Nase ~** to pick one's nose; **an einem Loch ~** to pick (at) a hole. II *vt* (*N Ger*) *Krabben* to shell; *Erbsen auch* to pod.

Pulk *m* -s, -s *or* (*rare*) -e 1. (*Mil*) group. 2. (*Menge*) (*von Menschen*) throng; (*von Dingen*) pile.

Pull-down-Menü *nt* (*Comput*) pull-down menu.

Pulle *f* -, -n (*inf*) bottle. **eine ~ Schnaps a** bottle of schnapps; **volle ~ fahren** (*sl*) to drive flat out (*inf*) *or* full pelt (*inf*).

pullen *vi* (*Naut*) to row.

pulle(r)n *vi* (*inf*) to pee (*inf*).

Pulli *m* -s, -s (*inf*), **Pullover** [pʊˈloːvɐ] *m* -s, - jumper (*Brit*), pullover, sweater, jersey.

Pullunder *m* -s, - tank top, slipover.

Puls *m* -es, -e (*lit, fig*) pulse. **sein ~ geht** *or* **schlägt regelmäßig** his pulse is regular; **jdm den ~ fühlen** to feel *or* take sb's pulse; **sein Ohr am ~ der Zeit haben** to have one's finger on the pulse of the time(s).

Puls|ader *f* artery. **sich** (*dat*) **die ~(n) aufschneiden** to slash one's wrists.

pulsen *vi* (*liter*) to pulse, to pulsate, to throb.

pulsieren* *vi* (*lit, fig*) to pulsate, to throb.

Pulsschlag *m* pulse-beat; (*fig*) pulse; (*das Pulsieren*) throbbing, pulsing, pulsation; **in Schwabing spürte sie den ~ der Großstadt** in Schwabing she felt the throbbing *or* puls(at)ing of the city; **den ~ der Zeit spüren** to feel life pulsing around one; **Pulswärmer** *m* -s, - wristlet; **Pulszahl** *f* pulse count.

Pult *nt* -(e)s, -e desk.

Pulver ['pʊlfɐ, -lvɐ] *nt* -s, - powder; (*Schieß~*) gunpowder, powder; (*sl: Geld*) dough (*sl*). **er hat das ~ nicht erfunden** (*fig*) he'll never set the Thames on fire (*prov*); **sein ~ verschossen haben** (*fig*) to have shot one's bolt.

Pulverdampf *m* gunsmoke, gunpowder smoke; **Pulverfaß** *nt* barrel of gunpowder, powder barrel *or* keg; (*fig*) powder keg, volcano; (**wie) auf einem ~ sitzen** (*fig*) to be sitting on (top of) a volcano; **Nordirland gleicht einem ~** Northern Ireland is like a powder keg; **pulverfein** *adj* finely ground.

pulv(e)rig ['pʊlf(ə)rɪç, -lv(ə)rɪç] *adj* powdery *no adv*.

Pulverisator [pʊlveriˈzaːtɔr] *m* pulverizer.

pulverisieren* [pʊlveriˈziːrən] *vt* to pulverize, to powder.

Pulverkaffee *m* (*inf*) instant coffee; **Pulverkammer** *f* (*Hist*), **Pulvermagazin** *nt* magazine.

pulvern ['pʊlfɐn] I *vt* to pulverize, to powder. **zu Silvester werden Millionenbeträge in die Luft gepulvert** on New Year's Eve vast sums of money go up in smoke. II *vi* (*inf*) to shoot.

Pulverschnee *m* powder snow; **Pulverturm** *m* (*Hist*) magazine.

Puma *m* -s, -s puma.

Pummel *m* -s, - (*inf*), **Pummelchen** *nt* (*inf*) dumpling (*inf*), pudding (*inf*), roly-poly (*inf*).

pumm(e)lig *adj* (*inf*) chubby, plump.

Pump *m* -(e)s, *no pl* (*inf*) credit, tick (*inf*). **etw auf ~ kaufen** to buy sth on credit *or* on tick; **auf ~ leben** to live on credit *or* tick.

Pumpe *f* -, -n 1. pump. 2. (*inf: Herz*) ticker (*inf*).

pumpen *vti* 1. to pump. 2. (*inf: entleihen*) to borrow; (*verleihen*) to lend, to loan. (**sich** *dat*) **Geld bei jdm ~** to borrow money from *or* off (*inf*) sb.

Pumpenschwengel *m* pump handle.

pumpern *vi* (*S Ger, Aus inf*) to thump, to hammer.

Pumpernickel *m* **-s,** - pumpernickel.

Pumphose *f* baggy breeches *pl*, knickerbockers *pl*; (*Unterhose*) knickerbockers *pl*.

Pumps [pœmps] *m* **-,** - pump.

Pumpstation *f* pumping station.

puncto *prep* +*gen*: **in ~ X** where X *or* in so far as X is concerned.

Punier(in *f*) ['puːniɐ, -iərin] *m* **-s,** - Phoenician.

punisch *adj* Punic.

Punk [paŋk] *m* **-s,** *no pl* punk.

Punker(in *f*) ['paŋkɐ, -ərin] *m* **-s,** - punk.

Punkt *m* **-(e)s, -e 1.** (*Tupfen*) spot, dot. **grüne ~e in den Augen** green flecks in one's eyes; **das Schiff war nur noch ein kleiner ~ in der Ferne** the ship was only a small speck *or* dot *or* spot in the distance.

2. (*Satzzeichen*) full stop, period (*esp US*); (*Typ*) point; (*auf dem i, Mus, Auslassungszeichen,* ~ *von Punktlinie, Comput*) dot. **einen ~ setzen** *or* **machen** to put a full stop; **der Satz endet mit drei ~en** the sentence ends with a row of dots *or* with suspension points; **nun mach aber mal einen ~!** (*inf*) come off it! (*inf*); **einen ~ hinter eine Angelegenheit setzen** to make an end to a matter; **ohne ~ und Komma reden** (*inf*) to talk nineteen to the dozen (*inf*), to rattle on and on (*inf*); **und sagte, ~, ~, ~** and said dot, dot, dot.

3. (*Stelle*) point. **zwischen den ~en A und B** between (the) points A and B; **~ 12 Uhr** at 12 o'clock on the dot; **wir sind auf ~ or an dem ~ angelangt, wo ...** we have reached the stage *or* point where ...; **ein dunkler ~** (*fig*) a dark chapter; **bis zu einem gewissen ~** up to a certain point.

4. (*Bewertungseinheit*) point, mark; (*bei Prüfung*) mark. **nach ~en siegen/ führen** to win/lead on points.

5. (*bei Diskussion, von Vertrag*) point. **in diesem ~** on this point; **etw ~ für ~ widerlegen** to disprove sth point by point; **etw in allen ~en widerlegen** to refute sth in every respect; **der strittige ~** the disputed point, the area of dispute; **sein Aufsatz ist in vielen ~en anfechtbar** many points in his essay are disputable.

Punktball *m* punchball, punchbag.

Pünktchen *nt* little dot *or* spot. **drei ~** three dots; **da fehlt aber auch nicht das ~ auf dem i!** (*fig*) it's got every i dotted and every t crossed.

Punktfeuer *nt* (*Mil*) precision fire; **punktgleich** *adj* (*Sport*) level; **die beiden Mannschaften liegen ~** the two teams are lying level (on points) *or* are level pegging; **Punktgleichheit** *f* (*Sport*) level score; **bei ~** if the scores are level.

punktieren* *vt* **1.** (*Med*) to aspirate. **2.** (*mit Punkten versehen*) to dot; *Fläche auch* to stipple. **einen Umriß ~** to dot in an outline; **punktierte Linie** dotted line.

Punktion *f* (*Med*) aspiration.

pünktlich I *adj* **1.** punctual. **2.** (*genau*) exact, precise, meticulous.

II *adv* on time. **er kam ~ um 3 Uhr** he came punctually at 3 o'clock *or* at 3 o'clock sharp; **der Zug kommt immer sehr ~** the train is always dead on time *or* very punctual; **~ dasein** to be there on time; **es wird ~ erledigt** it will be promptly dealt with; (*rechtzeitig*) it will be dealt with on time.

Pünktlichkeit *f* punctuality.

Punktmatrix *f* (*Comput*) dot matrix; **Punktniederlage** *f* defeat on points, points defeat.

Punktrichter(in *f*) *m* judge; **Punktschrift** *f* Braille; **punktschweißen** *vti sep infin, ptp only* (*Tech*) to spot-weld; **Punktsieg** *m* win on points, points win; **Punktsieger(in** *f*) *m* winner on points; **Punktspiel** *nt* league game, game decided on points.

punktuell *adj* selective, dealing with certain points. **wir haben uns nur ~ mit diesem Thema befaßt** we only dealt with certain *or* selected points of this topic; **einige ~e Ergänzungen anbringen** to expand a few points; **die Kontrollen erfolgten nur ~** they only did spot checks.

Punktum *interj* and that's flat, and that's that. **Schluß, aus, ~!** and that's/that was the end of that!

Punktwertung *f* points system; **in der ~ liegt er vorne** he's leading on points; **Punktzahl** *f* score.

Punsch *m* **-es, -e** (hot) punch.

Punze *f* **-, -n 1.** (*Tech*) punch. **2.** (*Aus: Gütezeichen*) hallmark.

punzen *vt* **1.** (*Tech*) to punch. **2.** (*Aus*) *Gold* to hallmark.

Pup *m* **-(e)s, -e** *siehe* **Pups.**

pupen *vi siehe* **pupsen.**

Pupille *f* **-, -n** pupil.

Pupillenerweiterung *f* dilation of the pupil; **Pupillenverengung** *f* contraction of the pupil, miosis (*spec*).

Püppchen *nt* **1.** (*kleine Puppe*) little doll *or* dolly (*inf*). **2.** (*hübsches Mädchen*) little sweetie; (*Teenager*) dolly bird (*inf*). **ein süßes kleines ~** a sweet little thing.

Puppe *f* **-, -n 1.** (*Kinderspielzeug*) doll, dolly (*inf*); (*Marionette*) puppet, marionette; (*Schaufenster~, Mil: Übungs~*) dummy; (*inf: Mädchen*) doll (*inf*), bird (*esp Brit inf*); (*als Anrede*) baby (*inf*), doll (*esp US inf*). **die ~n tanzen lassen** (*inf*) to paint the town red (*inf*), to live it up (*inf*); **bis in die ~n schlafen** (*inf*) to sleep to all hours.

2. (*Zool*) pupa.

Puppen- *in cpds* doll's; **Puppendoktor(in** *f*) *m* dolls' doctor; **Puppengesicht** *nt* baby-doll face; **Puppenhaus** *nt* doll's house, dollhouse (*US*); **Puppenspiel** *nt* puppet show; **Puppenspieler(in** *f*) *m* puppeteer; **Puppenstube** *f* doll's house, dollhouse (*US*); **Puppentheater** *nt* puppet theatre; **Puppenwagen** *m* doll's pram.

puppern *vi* (*inf*) (*zittern*) to tremble, to shake, to quake; (*klopfen*) to thump, to thud.

Pups *m* **-es, -e, Pupser** *m* **-s,** - (*inf: Furz*) rude noise/smell.

pupsen *vi* (*inf*) to make a rude noise/smell.

pur *adj* (*rein*) pure; (*unverdünnt*) neat, straight; (*bloß, völlig*) sheer, pure. **~er Unsinn** absolute nonsense; **~er Wahnsinn** sheer *or* pure *or* absolute madness; **~er Zufall** sheer *or* mere coincidence; **Whisky ~** straight *or* neat whisky.

Püree *nt* **-s, -s** puree; (*Kartoffel~*) mashed *or* creamed potatoes *pl*.

Purgatorium *nt* purgatory.

pürieren* *vt* to puree.

Purismus *m* purism.

Purist(in *f*) *m* purist.

puristisch *adj* puristic.

Puritaner(in *f*) *m* **-s, -** Puritan.

puritanisch *adj* (*Hist*) Puritan; (*pej*) puritanical.

Puritanismus *m* Puritanism.

Purpur *m* **-s,** *no pl* crimson. **den ~ tragen** (*fig*) to wear the purple.

purpurfarben, purpurfarbig *adj* crimson; **der Morgenhimmel strahlte ~** the morning sky shone a deep crimson; **Purpurmantel** *m* crimson *or* purple robe.

purpurn *adj* (*liter*) crimson.

purpurrot *adj* crimson (red).

Purzelbaum *m* somersault. **einen ~ machen** *or* **schlagen** *or* **schießen** to turn *or* do a somersault.

purzeln *vi aux sein* to tumble. **über etw** (*acc*) **~** to trip *or* fall over sth.

Puschen *m* **-s, -** (*N Ger*) slipper.

puschen, pushen ['puʃən] *vt* to push.

pusselig *adj* (*inf*) *Mensch* pernickety (*inf*), finicky (*inf*), fussy; *Arbeit, Aufgabe* fiddly (*inf*).

pusseln *vi* (*inf*) **1.** to fuss. **sie pusselt den ganzen Tag im Haus** she fusses about the house all day. **2.** (*herumbasteln*) to fiddle about.

Pußta *f* **-, Pußten** puszta (*plain in Hungary*).

Puste *f* **-,** *no pl* (*inf*) puff (*inf*), breath. **außer ~ sein** to be puffed out (*inf*), to be out of puff (*inf*); (**ja**) **~(kuchen)!** (*inf*) no chance! (*inf*).

Pusteblume *f* (*inf*) dandelion.

Pustekuchen *interj* (*inf*) fiddlesticks (*inf*).

Pustel *f* **-, -n** (*Pickel*) spot, pimple; (*Med*) pustule.

pusten (*inf*) **I** *vi* (*blasen*) to puff, to blow; (*keuchen*) to puff (and pant). **II** *vt* **1.** (*blasen*) to puff, to blow. **2.** (*inf*) **dem werd' ich was ~!** I'll tell him where he can get off! (*inf*).

Pusterohr *nt* (*inf*) pea-shooter.

putativ *adj* (*geh*) putative.

Pute *f* **-, -n** turkey (hen). **dumme ~** (*inf*) silly goose (*inf*); **eingebildete ~** (*inf*) conceited *or* stuck-up little madam (*inf*).

Putenschnitzel *nt* (*Cook*) turkey breast in breadcrumbs.

Puter *m* **-s, -** turkey (cock).

puterrot *adj* scarlet, bright red. **~ werden** to go as red as a beetroot (*inf*), to go scarlet *or* bright red.

Putsch *m* **-(e)s, -e** coup (d'état), revolt, putsch.

putschen *vi* to rebel, to revolt. **in Süd-**

amerika wird permanent geputscht they're always having coups *or* revolts in South America.

Putschist(in *f*) *m* rebel.

Putschversuch *m* attempted coup (d'état).

Putte *f* **-, -n** (*Art*) cherub.

putten *vt* to putt.

put(t) put(t) *interj* chick, chick, chick.

Putz *m* **-es,** *no pl* **1.** (*dated: Kleidung*) finery; (*Besatz*) frills and furbelows *pl*.
 2. (*Build*) plaster; (*Rauh~*) roughcast. **eine Mauer mit ~ verkleiden** *or* **bewerfen** to plaster *or* roughcast a wall; **unter ~** under the plaster.
 3. auf den ~ hauen (*inf*) (*angeben*) to show off; (*ausgelassen feiern*) to have a rave-up (*inf*); (*meckern*) to kick up a fuss (*inf*).

putzen I *vt* **1.** to clean; (*scheuern auch*) to scrub; (*polieren auch*) to polish; (*wischen auch*) to wipe; *Gemüse* to clean; *Pferd* to brush down, to groom; *Docht* to trim. **die Schuhe ~** to clean *or* polish one's shoes; **Fenster ~** to clean the windows; **sich** (*dat*) **die Nase ~** to wipe one's nose; (*sich schneuzen*) to blow one's nose; **sich** (*dat*) **die Zähne ~** to clean *or* brush one's teeth; **einem Baby den Hintern/die Nase ~** to wipe a baby's bottom/nose.
 2. (*dated: schmücken*) to decorate.
 3. *Mauer* to roughcast, to plaster.
 II *vr* **1.** (*sich säubern*) to wash *or* clean oneself.
 2. (*dated: sich schmücken*) to dress *or* do oneself up.

Putzerei *f* **1.** *no pl* (*inf*) cleaning. **hör doch endlich mal auf mit der ~!** will you stop all this damn cleaning! (*inf*). **2.** (*Aus: Reinigung*) dry cleaner's.

Putzfrau *f* cleaner, cleaning lady, charwoman) (*Brit*).

putzig *adj* (*inf*) (*komisch*) funny, comical, amusing; (*niedlich*) cute; (*merkwürdig*) funny, strange, odd.

Putzlappen *m* cloth; **Putzleder** *nt* chamois *or* chammy (leather), wash-leather; **Putzmacherin** *f* (*dated*) milliner; **Putzmann** *m* cleaning man; **Putzmittel** *nt* (*zum Scheuern*) cleanser, cleansing agent; (*zum Polieren*) polish; **Putzmittel** *pl* cleaning things *pl*; **putzmunter** *adj* (*inf*) full of beans (*inf*); **Putzschere** *f* wick trimmer; **Putzsucht** *f* (*dated*) obsession with dressing up; **putzsüchtig** *adj* (*dated*) excessively fond of dressing up; **Putztag** *m* cleaning day; **Putzteufel** *m* (*inf: Frau*) maniac for housework; **sie ist ein richtiger ~** she's excessively house-proud; **Putztuch** *nt* (*Staubtuch*) duster; (*Wischlappen*) cloth; **Putzzeug** *nt* cleaning things *pl*; **Putzwolle** *f* wire *or* steel wool; **Putzwolle** *nt* cleaning things *pl*.

puzzeln [ˈpʌzəln] *vi* to do a jigsaw (puzzle).

Puzzle(spiel) [ˈpazl-, ˈpasl-] *nt* **-s, -s** jigsaw (puzzle).

PVC [peːfauˈtseː] *nt* **-(s)** PVC.

Pygmäe [pyˈgmɛːə] *m* **-n, -n** Pygmy.

pygmäenhaft *adj* pygmy-like, pygmy *attr*.

Pyjama [pyˈdʒaːma, pyˈʒaːma, piˈdʒaːma,

pi'ʒaːma] *m* **-s, -s** pair of pyjamas (*Brit*) *or* pajamas (*US*) *sing*, pyjamas *pl* (*Brit*), pajamas *pl* (*US*). **wo ist mein** ~**?** where are my pyjamas?; **im** ~ in his pyjamas.

'yjamahose *f* pyjama (*Brit*) *or* pajama (*US*) trousers *pl*.

'ylon *m* **-en, -en, Pylone** *f* **-, -n** (*Archit, von Brücken*) pylon; (*Absperrmarkierung*) traffic cone.

Pyramide *f* **-, -n** pyramid.

pyramidenförmig *adj* pyramid-shaped *no adv*, pyramidal (*form*). ~ **konstruiert** built in the shape of a pyramid.

Pyrenäen [pyreˈnɛːən] *pl* **die** ~ the Pyre-nees *pl*.

Pyrenäenhalb|insel *f* Iberian Peninsula.

Pyrolyse *f* **-, -n** pyrolysis; **Pyromane** *m* **-n, -n, Pyromanin** *f* pyromaniac; **Pyromanie** *f* pyromania; **Pyrotechnik** *f* pyrotechnics *sing*; **Pyrotechniker(in** *f*) *m* pyrotechnist; **pyrotechnisch** *adj* pyrotechnic.

Pyrrhussieg [ˈpyrʊs-] *m* Pyrrhic victory.

pythagoreisch [pytagoˈreːɪʃ] *adj* Pythagorean. ~**er Lehrsatz** Pythagoras's theorem, law of Pythagoras.

Python(schlange *f*) [ˈpyːtɔn-] *m* **-s, -s** python.

Q

Q, q [kuː] *nt* -, - Q, q.
qkm *abbr of* **Quadratkilometer.**
qm *abbr of* **Quadratmeter.**
Qu-, qu- [kv-].
quabbelig *adj* Frosch, Qualle slimy; *Pudding* wobbly.
quabbeln *vi* to wobble.
Quacksalber(in *f)* *m* -s, - (*pej*) quack (doctor).
Quacksalberei *f* quackery, quack medicine.
quacksalbern *vi insep* to quack (*rare*). **sowas nenne ich ~** I'd call that quack medicine *or* quackery.
Quaddel *f* -, -n hives *pl*, rash; (*durch Insekten*) bite; (*von Sonne*) heat spot.
Quader *m* -s, - *or* *f* -, -n (*Math*) cuboid, rectangular solid; (*Archit: auch* **~stein**) ashlar, square stone block.
Quadrant *m* quadrant.
Quadrat¹ *nt* (*Fläche, Potenz*) square. **eine Zahl ins ~ erheben** to square a number; **vier zum ~** four squared; **drei Meter im ~** three metres square.
Quadrat² *nt* -(e)s, -e(n) (*Typ*) quad, quadrat.
Quadrat- *in cpds* square.
quadratisch *adj* Form square; (*Math*) Gleichung quadratic.
Quadratlatschen *pl* (*inf*) (*Schuhe*) clodhoppers (*inf*), beetle-crushers (*inf*); (*Füße*) plates of meat (*Brit sl*); **Quadratmeter** *m or nt* square metre; **Quadratschädel** *m* (*inf: Kopf*) big head, great bonce (*Brit inf*).
Quadratur *f* quadrature. **die ~ des Kreises** the squaring of the circle; **das käme der ~ des Kreises gleich** that's like trying to square the circle.
Quadratwurzel *f* square root; **Quadratzahl** *f* square number.
quadrieren* *vt* Zahl to square.
Quadriga *f* -, **Quadrigen** four-horsed chariot.
Quadrille [kvaˈdrɪljə, ka-] *f* -, -n quadrille.
Quadrophonie *f* quadrophonic sound, quadrophony.
quadrophonisch *adj* quadrophonic.
Quai [keː, kɛː] *m or nt* -s, -s quay.
quak *interj* (*von Frosch*) croak; (*von Ente*) quack.
quaken *vi* (*Frosch*) to croak; (*Ente*) to quack; (*inf: Mensch*) to squawk (*inf*), to screech (*inf*).
quäken *vti* (*inf*) to screech, to squawk.
Quäker(in *f)* *m* -s, - Quaker.
Qual *f* -, -en (*Schmerz*) (*körperlich*) pain, agony; (*seelisch*) agony, anguish. **tapfer ertrug er alle ~en** he bore all his suffering *or* pain bravely; **jds ~(en) lindern** *or* **mildern** (*liter*) to lessen sb's suffering; **unter großen ~en sterben** to die in agony *or* great pain; **sein Leben war eine einzige ~** his life was a living death; **es ist**

eine ~, das mit ansehen zu müssen it is agonizing to watch; **die letzten Monate waren für mich eine ~** the last few months have been sheer agony for me; **jeder Schritt/das Bücken wurde ihm zur ~** every step/bending down was agony for him; **er machte ihr den Aufenthalt/das Leben/die Tage zur ~** he made her stay/her life/her days a misery; **es bereitete ihm ~en, sie so leiden zu sehen** it tormented him to see her suffering so; **die ~en des Gewissens** (*geh*)/**des Zweifels** agonies of conscience/of doubt *or* indecision.
quälen I *vt* to torment; *Tiere auch* to tease; (*inf*) Motor to punish; (*mit Bitten etc*) to pester, to plague. **jdn zu Tode ~** to torture sb to death; **~de Ungewißheit/Zweifel** agonizing uncertainty/doubts, agonies of uncertainty/doubt; **~der Schmerz** agonizing *or* excruciating pain.
II *vr* **1.** (*seelisch*) to torture *or* torment oneself; (*leiden*) to suffer, to be in agony.
2. (*sich abmühen*) to struggle. **sie quälte sich in die enge Hose** she struggled into *or* squeezed herself into her tight slacks; **sich durch ein Buch ~** to struggle *or* plough *or* wade through a book; **ich quäle mich jeden Morgen aus dem Bett** it's a struggle for me to get out of bed every morning; **das Auto quälte sich über den Berg** the car laboured *or* struggled over the hill.
Quälerei *f* **1.** (*Grausamkeit*) atrocity, torture; (*seelische, nervliche Belastung*) agony, torment. **diese Tierversuche sind in meinen Augen ~** in my view these experiments on animals are cruel; **die letzten Monate waren eine einzige ~** the last few months were sheer agony *or* were one long agony.
2. (*mühsame Arbeit*) struggle. **das war vielleicht eine ~!** that was really a struggle *or* hard going.
quälerisch *adj attr* tormenting, agonizing.
Quälgeist *m* (*inf*) pest (*inf*).
Qualifikation *f* qualification. **für diese Arbeit fehlt ihm die nötige ~** he lacks the necessary qualifications for this work; **er hat die ~ zu diesem Amt** he has the qualifications *or* is qualified for this office; **mit diesem Sieg gelang der Mannschaft die ~** the team qualified with this win; **zur ~ fehlten ihr nur wenige Zentimeter/Sekunden** she only needed a few more centimetres/seconds to qualify.
Qualifikationsspiel *nt* qualifying match *or* game.
qualifizieren* I *vt* **1.** (*befähigen*) to qualify (*für, zu* for).
2. (*geh: differenzieren*) to qualify.
3. (*geh: einstufen*) to designate, to la-

bel, to qualify. **man hat den Artikel als minderwertig qualifiziert** the article has been designated *or* labelled poor quality.
II *vr* **1.** (*allgemein, Sport*) to qualify. **er hat sich zum Facharbeiter qualifiziert** he qualifed as a specialist.
2. (*sich erweisen*) to show *or* reveal oneself (*als* to be).
qualifiziert *adj* **1.** *Arbeiter, Nachwuchs* qualified; *Arbeit* expert, professional.
2. (*Pol*) *Mehrheit* requisite.
Qualität *f* quality. **dieses Leder ist in der ~ besser als das andere** this leather is better quality than that; **von der ~ her** as far as quality is concerned, for quality; **die Ware ist von ausgezeichneter ~** the product is (of) top quality.
qualitativ *adj* qualitative.
Qualitäts- *in cpds* quality; **Qualitätsarbeit** *f* quality work; **Qualitätserzeugnis** *nt* quality product; **Qualitätskontrolle** *f* quality check *or* control; **Qualitätswein** *m* wine of certified origin and quality.
Qualle *f* -, **-n** jellyfish.
Qualm *m* **-(e)s**, *no pl* (thick *or* dense) smoke; (*Tabaks~*) fug.
qualmen I *vi* **1.** to give off smoke, to smoke. **es qualmt aus dem Schornstein** clouds of smoke are coming *or* billowing from the chimney.
2. (*inf: Mensch*) to smoke. **sie qualmt einem die ganze Bude voll** she fills the whole place with smoke.
II *vt* (*inf*) *Zigarette, Pfeife* to puff away at (*inf*).
Qualmerei *f* (*inf*) smoking; (*von Ofen*) smoke.
qualmig *adj* smoke-filled, smoky.
qualvoll *adj* painful; *Schmerzen* agonizing, excruciating; *Vorstellung, Gedanke* agonizing; *Anblick* harrowing.
Quant *nt* **-s**, **-en** quantum.
quanteln *vt* to quantize.
Quanten *pl* **1.** *pl of* **Quant, Quantum.**
2. (*sl: Füße*) feet, plates of meat (*Brit sl*).
Quantenmechanik *f* quantum mechanics *sing*; **Quantentheorie** *f* quantum theory.
Quantität *f* quantity.
quantitativ *adj* quantitative.
Quantum *nt* **-s**, **Quanten** (*Menge, Anzahl*) quantum, quantity; (*Anteil*) quota, quantum (*an +dat* of).
Quappe *f* -, **-n 1.** (*Kaul~*) tadpole.
2. (*Aal~*) burbot.
Quarantäne *f* -, **-n** quarantine. **in ~ liegen** *or* **sein** to be in quarantine; **unter ~ stellen** *Personen* to put in quarantine; *Gebiet, Stadt auch* to put under quarantine, to quarantine off; **über das Gebiet wurde sofort ~ verhängt** the area was immediately placed in *or* under quarantine *or* was quarantined off.
Quarantänestation *f* quarantine *or* isolation ward.
Quark¹ *m* **-s**, *no pl* **1.** soft (*curd*) cheese.
2. (*inf: bedeutende Sache*) (little) trifle. **so ein ~!** stuff and nonsense!; **~ reden** to talk rubbish; **das geht ihn einen ~ an!** it's none of his

business!
Quark² *nt* **-s**, **-s** (*Phys*) quark.
Quarkspeise *f* pudding made with curd cheese, sugar, milk, fruit *etc*; **Quarktasche** *f*, **Quarkteilchen** *nt* curd cheese turnover.
Quart¹ *f* -, **-en 1.** (*Mus: auch ~e*) fourth. **ein Sprung über eine ~ nach oben/unten** a jump up/down a fourth. **2.** (*Fechten*) quarte.
Quart² *nt* **-s**, **-e 1.** (*old: Maß*) ≈ quart.
2. (*Typ*) *no pl siehe* **Quartformat.**
Quarta *f* -, **Quarten** (*Sch*) third year of German secondary school.
Quartal *nt* **-s**, **-e** quarter (year). **es muß jedes ~ bezahlt werden** it has to be paid quarterly *or* every quarter.
Quartal(s)abschluß *m* end of the quarter; **Quartal(s)säufer(in** *f)* *m* periodic heavy drinker; **quartal(s)weise** *adj* quarterly.
Quartaner(in *f)* *m* **-s**, - (*Sch*) pupil in third year of German secondary school.
Quartär *nt* **-s**, *no pl* quaternary.
Quartband *m* quarto volume.
Quarte *f* -, **-n** *siehe* **Quart¹ 1.**
Quarten *pl of* **Quart¹, Quarta, Quarte.**
Quartett *nt* **-(e)s**, **-e 1.** (*Mus*) quartet.
2. (*Cards*) (*Spiel*) ≈ happy families; (*Karten*) set of four cards.
Quartformat *nt* quarto (format).
Quartier *nt* **-s**, **-e 1.** (*Unterkunft*) accommodation. **wir sollten uns ein ~ suchen** we should look for accommodation *or* a place to stay; **wir hatten unser ~ in einem alten Bauernhof** we stayed in an old farmhouse.
2. (*Mil*) quarters *pl*, billet. **bei jdm in ~ liegen** to be quartered *or* billeted with *or* on sb; **~ machen** to arrange quarters *or* billets.
3. (*Stadtviertel*) district, quarter.
Quartiermeister *m* (*old Mil*) quartermaster.
Quarz *m* **-es**, **-e** quartz.
Quarzglas *nt* quartz glass; **Quarzlampe** *f* quartz lamp; **Quarzuhr** *f* quartz clock/watch.
quasi I *adv* virtually. **II** *pref* quasi. **~wissenschaftlich** quasi-scientific.
Quasselei *f* (*inf*) gabbling (*inf*), gabbing (*inf*), blethering (*inf*).
quasseln *vti* to gabble (*inf*), to blether (*inf*). **was quasselst du denn da für ein dummes Zeug?** what are you blethering about now? (*inf*).
Quasselstrippe *f* (*inf*) chatterbox (*inf*); (*beleidigend*) windbag (*inf*), blabbermouth (*inf*).
Quast *m* **-(e)s**, **-e** (*dial*) wide paint brush.
Quaste *f* -, **-n** (*Troddel*) tassle; (*von Pinsel*) brush, bristles *pl*; (*Schwanz~*) tuft.
Quästur *f* (*Univ*) bursary.
quatsch *interj* squelch.
Quatsch *m* **-es**, *no pl* **1.** (*inf: Unsinn*) rubbish. **das ist der größte ~, den ich je gehört habe** that is the biggest load of rubbish I have ever heard; **ach ~!** rubbish!; **so ein ~!** what (a load of) rubbish; **~ mit Soße!** stuff and nonsense!

2. (*inf: Dummheiten*) nonsense. **hört doch endlich mit dem ~ auf!** stop being so stupid *or* silly!; **was soll denn der ~!** what's all this nonsense in aid of then!; **laß den ~** cut it out! (*inf*); **~ machen** to mess about *or* around (*inf*); **mach damit keinen ~** don't mess about *or* around with it (*inf*), don't do anything stupid with it; **mach keinen ~, sonst knallt's** don't try anything silly *or* funny *or* I'll shoot.

quatschen[1] (*inf*) I *vti* (*dummes Zeug reden*) to gab (away) (*inf*), to blather (*inf*), to gabble (*inf*). **sie quatscht mal wieder einen Blödsinn** she's talking a load of nonsense *or* rubbish again.

II *vi* **1.** (*plaudern*) to blather (*inf*), to chatter, to natter (*Brit inf*). **er hat stundenlang gequatscht** he blathered *or* gabbled on for hours; **ich hab' mit ihm am Telefon gequatscht** I had a good natter with him on the phone.

2. (*etw ausplaudern*) to squeal (*inf*), to talk.

quatschen[2] *vi* (*Schlamm*) to squelch.

Quatscherei *f* (*inf*) blathering (*inf*), yacking (*inf*); (*in der Schule*) chattering.

Quatschkopf *m* (*pej inf*) (*Schwätzer*) windbag (*inf*); (*Dummkopf*) fool, twit (*Brit inf*); **quatschnaß** *adj* (*inf*) soaking *or* dripping wet.

Quecke *f* -, -**n** couch grass.

Quecksilber *nt* (*abbr* Hg) mercury, quicksilver. **~ im Leib haben** (*fig*) to have ants in one's pants (*inf*).

Quecksilber- *in cpds* mercury.

quecksilb(e)rig *adj* (*fig*) fidgety, restless.

Quell *m* -(e)s, -e (*poet*) spring, source.

Quelle *f* -, -**n 1.** spring; (*von Fluß auch*) source; (*Erdöl~, Gas~*) well. **heiße ~n** hot springs; **eine ~ erschließen** to develop *or* exploit a source.

2. (*fig*) (*Ursprung*) source; (*für Waren*) source (of supply), supplier. **die ~ allen Übels** the root of all evil; **eine ~ der Freude** a source of pleasure; **aus zuverlässiger/sicherer ~** from a reliable/trustworthy source; **an der ~ sitzen** (*fig*) to be well-placed; to be able to get inside information.

quellen I *vi pret* **quoll,** *ptp* **gequollen** *aux* **sein 1.** (*herausfließen*) to pour, to stream, to well. **die Augen quollen ihm aus dem Kopf** his eyes were popping out of his head.

2. (*Holz, Reis, Erbsen*) to swell. **lassen Sie die Bohnen über Nacht ~ leave** the beans to soak overnight.

II *vt pret* **quellte,** *ptp* **gequellt** (*rare*) *Erbsen* to soak.

Quellenangabe *f* reference; **Quellenforschung** *f* source research; **Quellensammlung** *f* (collection of) source material; (*Quellenwerk*) source book; **Quellensteuer** *f* (*Econ*) tax at source; **Quellenstudium** *nt* study of sources; **ich bin immer noch mit dem ~ beschäftigt** I am still studying the sources.

Quellfluß *m* source (river); **Quellgebiet** *nt* headwaters *pl*; **Quellprogramm** *nt* (*Comput*) source program; **Quell-**

wasser *nt* spring water.

Quengelei *f* (*inf*) whining.

queng(e)lig *adj* whining. **die Kinder wurden ~** the children started to whine.

quengeln *vi* (*inf*) to whine.

Quengler(in *f*) *m* -**s,** - (*inf*) whiner.

Quentchen *nt* (*old*) tiny bit, spot. **ein ~ Salz** a speck *or* dash of salt; **ein ~ Glück** a modicum of luck; **ein ~ Mut** a scrap of courage; **kein ~** not a jot, not an iota.

quer *adv* (*schräg*) crossways, crosswise, diagonally; (*rechtwinklig*) at right angles. **sollen wir den Teppich lieber ~ legen?** why don't we lay the carpet crosswise *or* crossways *or* diagonally?; **er legte sich ~ aufs Bett** he lay down across the bed; **die Spur verläuft ~ zum Hang** the path runs across the slope; **die Straße/Linie verläuft ~** the road/the line runs at right angles; **der Wagen stand ~ zur Fahrbahn** the car was at right angles to the road; **der Lastzug lag ~ über der Straße** the truck was lying (diagonally/at right angles) across the road; **~ durch etw gehen/laufen** *etc* to cross sth, to go through sth; **~ über etw** (*acc*) **gehen/laufen** to cross sth, to go across sth; **der Hund ist ~ über die Wäsche gelaufen** the dog ran straight *or* right over *or* across the washing; **den Stoff ~ nehmen** to use the cross-grain of the material.

querab *adv* (*Naut*) abeam; **Querbalken** *m* crossbeam; (*von Türrahmen*) transom, lintel; (*Sport*) crossbar; (*Her*) bar; (*Mus*) line joining quavers *etc*; **querbeet** *adv* (*inf*) (*wahllos*) at random; (*durcheinander*) all over the place (*inf*); (*querfeldein*) across country; **Querdenker(in** *f*) *m* maverick; **querdurch** *adv* straight through.

Quere *f* -, *no pl* **der ~ nach** widthways, breadthways; **jdm in die ~ kommen** to cross sb's path; **es muß ihm etwas in die ~ gekommen sein, sonst hätte er sich nicht verspätet** something must have cropped up otherwise he would not be late.

Querele *f* -, -**n** *usu pl* (*geh*) dispute, quarrel.

queren *vti* to cross.

querfeldein *adv* across country.

Querfeldeinlauf *m* cross-country (run); (*Wettbewerb*) cross-country (race); **Querfeldeinrennen** *nt* cross-country; (*Motorrad~*) motocross; (*Fahrrad~*) cyclecross.

Querflöte *f* (transverse) flute; **Querformat** *nt* oblong format; **wenn du das Foto im ~ machst** if you take the photo lengthways; **quergehen** *vi sep irreg aux sein* (*inf*) to go wrong; **heute geht mir alles quer** I can't do a thing right today; **quergestreift** *adj attr* horizontally striped, cross-striped; **Querkopf** *m* (*inf*) awkward so-and-so (*inf*) *or* customer (*inf*); **querköpfig** *adj* awkward, perverse; **Querlage** *f* (*Med*) transverse presentation, crossbirth; **Querlatte** *f* crossbar; **querlegen** *vr sep* (*fig auch*) to be awkward; **Querpaß** *m* cross; **Querpfeife** *f* fife; **Querruder** *nt* aileron; **querschießen** *vi sep irreg* (*inf*) to be awkward, to spoil things; **Querschiff** nt transept; **Querschläger** m ricochet (shot).

Querschnitt m (lit, fig) cross-section.

querschnitt(s)gelähmt adj paraplegic; **seit dem Autounfall ist er ~** since the car accident he has been paralyzed from the waist down; **Querschnitt(s)-gelähmte(r)** mf paraplegic; **Querschnitt(s)lähmung** f paraplegia; **Querschnitt(s)zeichnung** f sectional drawing.

querschreiben vt sep irreg (Fin) Wechsel to accept, to underwrite; **Querschuß** m (fig) objection; **querstellen** vr sep (fig inf) to be awkward; **Querstraße** f das ist eine **~ zur Hauptstraße** it runs at right angles to the high street; **in dieser ~ muß das Geschäft sein** the shop must be down this turning; **bei** or **an der zweiten ~ fahren Sie links ab** turn (off to the) left at the second junction, go left at the second turning; **Querstreifen** m horizontal stripe; **Querstrich** m (horizontal) stroke or line; (Typ inf: Gedankenstrich) dash; (Bruchstrich) line; **einen ~ durch etw machen** to put a line through sth; (streichen auch) to cross sth out; **er macht beim T nie die ~e** he always forgets to cross his T's; **Quersumme** f (Math) sum of digits of a number; **die ~ bilden** to add the digits in a number; **Quertreiber(in** f) m (inf) troublemaker, awkward customer (inf); **Quertreiberei** f (inf) awkwardness, troublemaking.

Querulant(in f) m grouser (inf), grumbler.

querulieren* vi to grouse (inf), to grumble.

Querverbindung f connection, link; (von Eisenbahn) connecting line; (von Straße) link road; **hier läßt sich doch eine ~ zur deutschen Geschichte herstellen** you can surely make a connection here with German history, you can surely link this up with German history; **Querverweis** m cross-reference.

quetschen I vt (drücken) to squash, to crush; (aus einer Tube) to squeeze; Kartoffeln to mash; (Med: usu pass) to crush. **etw in etw** (acc) **~** to squeeze or squash sth into sth; **jdm/sich den Finger ~** to squash sb's/one's finger; **du hast mir den Finger in der Tür gequetscht** you caught my finger in the door.

II vr (sich klemmen) to be caught or squashed or crushed; (sich zwängen) to squeeze (oneself). **du kannst dich noch ins Auto ~** you can still squeeze into the car.

Quetschkommode f (hum inf) squeeze box (inf).

Quetschung, Quetschwunde f (Med) bruise, contusion (form).

Queue [kø:] nt or m **-s, -s** (Billard) cue.

Quiche [kiʃ] f quiche.

quicklebendig adj (inf) Kind lively, active; ältere Person auch spry.

quiek interj squeak.

quiek(s)en vi to squeal, to squeak.

quietschen vi (Tür, Schloß) to squeak; (Reifen, Mensch) to squeal. **das Kind quietschte vergnügt** or **vor Vergnügen** (inf) the child squealed with delight.

quietschfidel, quietschvergnügt adj (inf) happy as a sandboy.

Quinta f **-, Quinten** (Sch) second year of German secondary school.

Quintaner(in f) m **-s, -** (Sch) pupil in second year of German secondary school.

Quint f **-, -en** 1. (Mus: auch Quinte) fifth. 2. (Fechten) quinte.

Quinten pl of **Quinta, Quinte.**

Quintessenz f quintessence.

Quintett nt **-(e)s, -e** quintet.

Quintole f **-, -n** quintuplet.

Quirl m **-s, -e** 1. (Cook) whisk, beater. 2. (Bot) whorl, verticil. 3. (dated inf: Mensch) live wire (inf).

quirlen vt to whisk, to beat.

quirlig adj lively, effervescent.

Quisling m (Pol pej) quisling.

quitt adj **~ sein (mit jdm)** to be quits or even (with sb).

Quitte f **-, -n** quince.

quitte(n)gelb adj (sickly) yellow.

quittieren* I vt 1. (bestätigen) Betrag, Rechnung, Empfang to give a receipt for. **lassen Sie sich** (dat) **die Rechnung ~** get a receipt for the bill. 2. (beantworten) to meet, to answer, to counter. 3. (verlassen) Dienst to quit, to resign.

II vi 1. (bestätigen) to sign. 2. (old: zurücktreten) to quit, to resign.

Quittung f 1. receipt. **gegen ~** on production of a receipt; **eine ~ über 500 Mark** a receipt for 500 marks; **eine ~ ausstellen** (über or für etw) to make out or give a receipt (for sth).

2. (fig) **das ist die ~ für Ihre Unverschämtheit** that is what you get for being so insolent; that's what comes of being so insolent; **das ist die ~ dafür, daß ...** that's the price you have to pay for ...; **jetzt haben Sie die ~!** now you have paid the penalty!; **du wirst die ~ für deine Faulheit bekommen** you'll pay the penalty for being lazy.

Quittungsblock m receipt book.

Quiz [kvɪs] nt **-, -** quiz.

Quizmaster ['kvɪsma:stɐ] m **-s, -** quizmaster.

quoll pret of **quellen.**

Quorum nt **-s,** no pl quorum.

Quote f **-, -n** 1. (Statistik) (Anteilsziffer) proportion; (Rate) rate. 2. (Econ, Quantum) quota.

Quotelung f apportionment.

Quotenregelung f quota system.

Quotient [kvo'tsiɛnt] m quotient.

quotieren* vt (Comm) Preis, Kurs to quote.

Quotierung f (Comm) quotation.

QWERTY-Tastatur ['kvɛrti-] f QWERTY keyboard.

QWERTZ-Tastatur ['kvɛrts-] f QWERTZ keyboard.

R

R, r [ɛr] *nt* -, - R, r. **das R rollen** to roll one's r's.
Rabatt *m* -(e)s, -e discount. **mit 10% ~ at** *or* **with (a) 10% discount.**
Rabatte *f* (*Beet*) border.
Rabattmarke *f* (*Comm*) (trading) stamp.
Rabatz *m* -es, *no pl* (*inf*) row, din, shindy (*sl*).
Rabauke *m* -n, -n (*inf*) hooligan, lout (*inf*).
Rabbi *m* -(s), -s, *or* **Rabbinen, Rabbiner** *m* -s, - rabbi.
rabbinisch *adj* rabbinical.
Rabe *m* -n, -n raven. **wie ein ~ stehlen** (*inf*) to thieve like a magpie.
Rabeneltern *pl* (*inf*) bad parents *pl*; **Rabenmutter** *f* (*inf*) bad mother; **rabenschwarz** *adj Nacht* pitch-black, black as pitch; *Augen, Seele auch* coalblack, black as coal; *Haare* jet-black, raven(-black); **Rabenvater** *m* (*inf*) bad father.
rabiat *adj Kerl* violent, rough; *Autofahrer* breakneck, wild; *Geschäftsleute* ruthless; *Umgangston* aggressive; *Methoden, Konkurrenz* ruthless, cut-throat. **~ werden** (*wütend*) to go wild; (*aggressiv*) to get violent *or* physical (*inf*).
Rabulist(in *f*) *m* sophist, quibbler.
Rabulistik *f* sophistry, quibbling.
rabulistisch *adj* sophistic, quibbling.
Rache *f* -, *no pl* revenge, vengeance. **die ~ des kleinen Mannes** (*inf*) sweet revenge; **Tag der ~** (*liter*) day of reckoning; **das ist die ~ für deine Untat** this is the retribution for your misdeed; **auf ~ sinnen** to contemplate *or* plot revenge; **~ schwören** to swear vengeance; **(an jdm) ~ nehmen** *or* **üben** to take revenge *or* have one's revenge (on *or* upon sb); **etw aus ~ tun** to do sth in revenge; **~ ist süß** (*prov*) revenge is sweet (*prov*).
Racheakt *m* act of revenge *or* vengeance; **Racheengel** *m* avenging angel; **Rachegefühl** *nt* feeling of bitter resentment; **~e haben** to harbour bitter resentment; **Rachegöttin** *f* avenging goddess, goddess of vengeance.
Rachen *m* -s, - throat, pharynx (*spec*); (*von großen Tieren*) jaws *pl*; (*fig*) jaws *pl*, abyss, maw. **jdm etw in den ~ werfen** *or* **schmeißen** (*inf*) to shove sth down sb's throat (*inf*); **jdm den ~ stopfen** (*inf*) to give sb what he/she wants.
rächen I *vt jdn, Untat* to avenge (*etw an jdm* sth on sb). **er schwor, diese Schmach zu ~** he swore to seek vengeance for *or* to avenge this dishonour; **dieses Unrecht werde ich noch an ihm ~** I intend to avenge myself on him for this injustice.
II *vr* (*Mensch*) to get one's revenge, to take revenge *or* vengeance (*an jdm für etw* on sb for sth); (*Schuld, Sünde, Un-*

tat) to be avenged. **deine Faulheit/ Unehrlichkeit wird sich ~** you'll pay for being so lazy/dishonest.
Rachenblütler *m* -s, - (*Bot*) figwort; **Rachenhöhle** *f* pharynx, pharyngeal cavity; **Rachenkatarrh** *m* pharyngitis; **Rachenmandel** *f* pharyngeal tonsil; **Rachenputzer** *m* (*hum inf*) gutrot (*inf*).
Racheplan *m* plan of revenge. **Rachepläne schmieden** to plot revenge.
Rächer(in *f*) *m* -s, - avenger.
Racheschwur *m* oath of revenge *or* vengeance.
Rachgier *f* vindictiveness; **rachgierig** *adj* vindictive.
Rachitis *f* -, *no pl* rickets, rachitis (*spec*).
rachitisch *adj* rickety, rachitic (*spec*); *Symptom* of rickets.
Rachsucht *f* vindictiveness; **rachsüchtig** *adj* vindictive.
Racker *m* -s, - (*inf: Kind*) rascal, scamp, monkey (*all inf*).
rackern *vir* (*inf*) to slave (away) (*inf*).
Racket ['rɛkət, ra'kɛt] *nt* -s, -s (*Aus*) siehe **Rakett.**
Raclette [ra'klɛt] *nt or f* -s, -s raclette.
Rad¹ *nt* -(e)s, ¨er 1. wheel; (*Rolle*) castor; (*Zahn~*) gearwheel; (*Sport*) cartwheel. **ein ~ schlagen** (*Sport*) to do *or* turn a cartwheel; **der Pfau schlägt ein ~** the peacock is turning out its tail *or* spreading its tail *or* opening its fan; **jdn aufs ~ flechten** (*Hist*) to break sb on the wheel; **alle ¨er greifen ineinander, ein ~ greift ins andere** (*fig*) it all knits together, all the parts knit together; **nur ein ~ *or* Rädchen im Getriebe sein** (*fig*) to be only a cog in the works; **das ~ der Geschichte** the wheels of history; **das ~ der Geschichte *or* Zeit läßt sich nicht zurückdrehen** you can't turn *or* put the clock back; **unter die ¨er kommen** *or* **geraten** (*inf*) to get *or* fall into bad ways; **das fünfte ~ am Wagen sein** (*inf*) to be in the way.
2. (*Fahr~*) bicycle, bike (*inf*), cycle. **mit dem ~ fahren/kommen** to go/come by bicycle; *siehe* **radfahren.**
Rad² *nt* -(s), - (*Maßeinheit*) rad.
Rad|achse *f* axle(tree).
Radar *m or nt* -s, *no pl* radar.
Radar- *in cpds* radar; **Radarabwehrnetz** *nt* (*Mil*) radar defence network; **Radaranlage** *f* radar (equipment) *no indef art*; **Radarfalle** *f* speed trap; **Radargerät** *nt* radar unit; **Radarkontrolle** *f* radar speed check; **Radarschirm** *m* radar screen, radarscope.
Radau *m* -s, *no pl* (*inf*) row, din, racket (*inf*). **~ machen** to kick up a row; (*Unruhe stiften*) to cause *or* make trouble.
Radaubruder *m* (*inf*) rowdy (*inf*), hooligan, yobbo (*Brit inf*).
Rad|aufhängung *f* (*Aut*) (wheel) suspen-

sion.

Radball *m, no pl* bicycle polo.

Rädchen *nt dim of* **Rad** small wheel; *(für Schnittmuster)* tracing wheel; *(Cook)* pastry wheel; *siehe* **Rad.**

Raddampfer *m* paddle-steamer.

Rade *f -, -n* corncockle.

radebrechen *vti insep* to speak broken English/German *etc.* **er radebrechte auf Italienisch, er wolle ...** he said in broken Italian that he wanted ...

radeln *vi aux sein (inf)* to cycle.

rädeln *vt Schnittmuster* to trace; *(Cook)* to cut out.

Rädelsführer(in *f)* *m* ringleader.

rädern *vt (Hist)* to break on the wheel; *siehe* **gerädert.**

Räderwerk *nt (Mech)* mechanism, works *pl; (fig)* machinery, cogs *pl.*

radfahren *vi sep irreg aux sein (Kleinschreibung nur bei infin und ptp)* **1.** to cycle. **ich fahre Rad** I ride a bicycle; **kannst du ~?** can you ride a bike?; **R~ verboten** no cycling. **2.** *(pej inf: kriechen)* to crawl *(inf)*, to suck up *(inf).*

Radfahrer(in *f)* *m* **1.** cyclist. **2.** *(pej inf)* crawler *(inf).*

Radgabel *f* fork.

Radi *m -s, - (S Ger, Aus)* radish. **einen ~ kriegen** *(inf)* to get a rocket *(inf).*

radial *adj* radial.

Radialgeschwindigkeit *f (Astron)* radial velocity.

Radiator *m* radiator.

Radicchio [ra'dɪkjo] *m -s, -dicchi* [-'diki] radicchio.

radieren* *vti* **1.** to rub out, to erase. **auf dieser Seite hat er dreimal radiert** he's rubbed three things out on this page, there are three erasures on this page. **2.** *(Art)* to etch.

Radierer *m -s, - 1. (inf) siehe* **Radiergummi. 2.** *(Art)* etcher.

Radiergummi *m* rubber *(Brit)*, eraser *(esp US, form)*; **Radierkunst** *f (Art)* etching; **Radiermesser** *nt* (steel) eraser, erasing knife; **Radiernadel** *f (Art)* etching needle.

Radierung *f (Art)* etching.

Radieschen [ra'diːsçən] *nt* radish. **sich** *(dat)* **die ~ von unten an-** *or* **besehen** *(hum sl)* to be pushing up the daisies *(hum).*

radikal *adj* radical; *Vereinfachung, Methode auch* drastic; *Vertilgung, Entfernen* total; *Verneinung* categorical; *Ablehnung* flat, categorical. **mit diesen Mißbräuchen muß ~ Schluß gemacht werden** a definitive stop must be put to these abuses; **etw ~ verneinen/ablehnen** to deny sth categorically/to refuse sth flatly; **~ vorgehen** to be drastic; **~ gegen etw vorgehen** to take radical steps against sth.

Radikal *nt -s, -e (Math)* root; *(Chem)* radical.

Radikalen|erlaß *m (Pol)* ban on the employment of radical teachers and civil servants.

Radikale(r) *mf decl as adj* radical.

radikalisieren* *vt* to radicalize.

Radikalisierung *f* radicalization.

Radikalismus *m (Pol)* radicalism.

Radikalkur *f (inf)* drastic remedy, kill-or-cure remedy.

Radio *nt or (Sw, S Ger auch) m -s, -s* radio, wireless *(esp Brit)*. **~ hören** to listen to the radio; **im ~** on the radio.

Radio- *in cpds* radio; **radioaktiv** *adj* radioactive; **~ machen** to activate, to make radioactive; **~er Niederschlag** (radioactive) fall-out; **Radioaktivität** *f* radioactivity; **Radioapparat** *m siehe* **Radiogerät; Radioastronomie** *f* radio astronomy; **Radiochemie** *f* radiochemistry; **Radiodurchsage** *f* radio announcement; **Radioempfänger** *m* radio (set); *(von Funkamateur)* radio receiver; **Radiogerät** *nt* radio (set); **Radiogramm** *nt (Med)* X-ray (photograph), radiograph *(esp US)*; **Radiographie** *f* radiography; **Radioisotop** *nt* radioisotope; **Radiokarbonmethode** *f* radiocarbon (dating) technique *or* method; **Radiokompaß** *m (Aviat, Naut)* radio compass, automatic direction finder; **Radiologie** *f (Med)* radiology; **Radiolyse** *f* radiolysis; **Radiomechaniker(in** *f)* *m* radio technician *or* engineer; **Radiometrie** *f* radiometry; **Radioquelle** *f (Astron)* radio source; **Radiorecorder** *m* radio recorder; **Radioröhre** *f* radio valve *(esp Brit) or* tube *(esp US)*; **Radiosender** *m (Rundfunkanstalt)* radio station; *(Sendeeinrichtung)* radio transmitter; **Radiosendung** *f* radio programme; **Radioskopie** *f* radioscopy; **Radiosonde** *f* (radio-equipped) weather balloon, radiosonde; **Radiostation** *f* radio *or* broadcasting station; **Radiotechnik** *f* radio technology; **Radiotelegrafie** *f* radiotelegraphy; **Radioteleskop** *nt* radio telescope; **Radiotherapie** *f* radiotherapy; **Radiowecker** *m* radio alarm (clock).

Radium *nt, no pl (abbr* **Ra)** radium.

radiumhaltig *adj* containing radium; **~ sein** to contain radium; **Radiumtherapie** *f* radium therapy *or* treatment.

Radius *m -,* **Radien** [-iən] radius.

Radkappe *f* hub cap; **Radkasten** *m* wheel casing; *(Naut)* paddle-box; **Radkranz** *m* rim (of a/the wheel); **Radlager** *nt* wheel bearing.

Radler(in *f)* *m -s, - (inf)* cyclist.

Radlermaß *f (S Ger inf)* shandy.

Radnabe *f* (wheel) hub.

Radon *nt -s, no pl (abbr* **Rn)** radon.

Radrennbahn *f* cycle (racing) track; **Radrennen** *nt (Sportart)* cycle racing; *(einzelnes Rennen)* cycle race; **Radrennfahrer(in** *f)* *m* racing cyclist; **Radrennsport** *m* cycle racing; **radschlagen** *vi sep irreg (Kleinschreibung nur bei infin und ptp)* to do *or* turn cartwheels; **ich schlage Rad** I do cartwheels; **Radschuh** *m* brake; **Radsport** *m* cycling; **Radsportler(in** *f)* *m* cyclist; **Radstand** *m (Aut, Rail)* wheelbase; **Radsturz** *m (Aut)* camber; **Radtour** *f* bike ride; *(länger)* cycling *or* cycle tour; **Radwechsel** *m* wheel change; **(einen) ~ machen** to change a wheel, to do a wheel change; **Radweg** *m* cycleway.

RAF [ɛr|a:'|ɛf] *f abbr of* **Rote Armee Fraktion**.

raffeln *vti* (*dial*) to grate.

raffen *vt* **1.** (*anhäufen*) to pile, to heap. **sein ganzes Leben hat er nur Geld gerafft** he spent his whole life making money; **etw an sich** (*acc*) ~ to grab *or* snatch sth. **2.** *Stoff, Gardine* to gather; *Rock* to gather up. **3.** (*sl: verstehen*) to suss (*inf*).

Raffgier *f* greed, avarice; **raffgierig** *adj* greedy, grasping.

Raffinade *f* (*Zucker*) refined sugar.

Raffination *f* (*von Öl, Zucker*) refining.

Raffinement [rafinə'mãː] *nt* **-s, -s** (*geh*) *siehe* **Raffinesse 2**.

Raffinerie *f* refinery.

Raffinesse *f* **1.** (*Feinheit*) refinement, finesse *no pl.* **ein Auto mit allen ~n** a car with all the refinements. **2.** (*Durchtriebenheit*) cunning *no pl*, craftiness *no pl*, wiliness *no pl.* **mit allen ~n** with all one's cunning.

raffinieren* *vt Zucker, Öl* to refine.

raffiniert *adj* **1.** *Zucker, Öl* refined. **2.** (*inf*) *Kleid, Frisur, Apparat, Kleidung* fancy (*inf*), stylish; *Apparat* fancy (*inf*). **sie kleidet sich sehr** ~ she certainly knows how to dress. **3.** (*schlau*) clever, cunning; (*durchtrieben auch*) crafty. **sie ist eine ~e Frau** she knows all the tricks in the book; **ein ~es Luder** (*pej*) a cunning bitch (*inf*).

Raffiniertheit *f siehe adj* **2., 3.** fanciness (*inf*), stylishness; fanciness (*inf*); cleverness, cunning; craftiness.

Raffke *m* **-s, -s** (*inf*) money-grubber (*inf*).

RAF- [ɛr|a:'|ɛf-]: **RAF-Kader** *m* unit of the Red Army Faction; **RAF-Mitglied** *nt* member of the Red Army Faction.

Rage ['ra:ʒə] *f* -, *no pl* **1.** (*Wut*) rage, fury. **jdn in** ~ **bringen** to infuriate sb; **in** ~ **kommen** *or* **geraten** to get *or* become furious, to fly into a rage *or* fury. **2.** (*inf: Aufregung, Eile*) hurry, rush.

ragen *vi* to rise, to tower, to loom; (*heraus~*) to jut out.

Raglan- *in cpds* raglan; **Raglanärmel** *m* raglan sleeve.

Ragout [ra'guː] *nt* **-s, -s** ragout.

Ragtime ['ræg-] *m* **-(s)**, *no pl* ragtime.

Rah(e) *f* **-(e), -(e)n** (*Naut*) yard.

Rahm *m* **-(e)s,** *no pl* (*dial*) cream.

Rähmchen *nt dim of* **Rahmen**; (*Dia~*) mount.

rahmen *vt* to frame; *Dias* to mount.

Rahmen *m* **-s, - 1.** frame. **2.** (*fig*) (*Bereich, Liter*: ~*handlung*) framework; (*Atmosphäre*) setting; (*Größe*) scale. **im** ~ **within the framework** (*gen of*); **seine Verdienste wurden im** ~ **einer kleinen Feier gewürdigt** his services were honoured in a small ceremony; **im** ~ **des Möglichen** within the bounds of possibility; **im** ~ **bleiben** not to go too far; **aus dem** ~ **fallen** to go too far; **mußt du denn immer aus dem** ~ **fallen!** do you always have to show yourself up?; **ein Geschenk/Getränk, das aus dem** ~ **des Üblichen fällt** a present/drink with a difference; **in den** ~ **von etw passen, sich in den** ~ **von etw einfügen** to fit (in)

or blend in with sth, to go with sth; **den** ~ **von etw sprengen, über den** ~ **von etw hinausgehen** to go beyond the scope of sth; **das würde den** ~ **sprengen** it would be beyond my/our *etc* scope; **einer Feier einen würdigen/den richtigen** ~ **geben** to provide the appropriate setting for a celebration; **in größerem/kleinerem** ~ on a large/small scale.

Rahmenantenne *f* frame aerial (*esp Brit*) *or* antenna; **Rahmenerzählung** *f* (*Liter*) framework story; **Rahmengesetz** *nt* general outline of a law providing guidelines for specific elaboration; **Rahmenhandlung** *f* (*Liter*) background story, story which forms the framework; **Rahmenplan** *m* framework, outline plan; **Rahmenprogramm** *nt* **1.** framework; (*von Veranstaltung*) supporting acts *pl*; **2.** framework, outline plan; **Rahmenrichtlinien** *pl* guidelines (*for*); **Rahmentarifvertrag** *m siehe* **Manteltarifvertrag**.

rahmig *adj* (*dial*) creamy.

Rahmkäse *m* cream cheese.

Rahmsoße *f* gravy with cream.

Rahsegel *nt* (*Naut*) square sail.

Rain *m* **-(e)s, -e** (*liter*) margin, marge (*poet*).

räkeln *vr siehe* **rekeln**.

Rakete *f* **-, -n** rocket (*auch Space*); (*Mil auch*) missile. **ferngelenkte** *or* **ferngesteuerte** ~ guided missile.

Raketen- *in cpds* rocket; (*Mil auch*) missile; **Raketenabschuß** *m* (*rocket*) launch(ing); **Raketen(abschuß)basis** *f* (*Mil*) missile *or* rocket base; (*Space*) launch(ing) site. **Raketen|abwehr** *f* antimissile defence. **Raketen|abwehrrakete** *f* antimissile missile.

Raketenantrieb *m* rocket propulsion; **mit** ~ rocket-propelled; **Raketenapparat** *m* rocket(-line) apparatus; **raketenbestückt** *adj* missile-carrying *or* -equipped; **Raketenflugzeug** *nt* rocket-propelled aircraft; **Raketensatz** *m* set of rockets/missiles; **Raketenstart** *m* (*rocket*) launch(ing); (*Start mittels Raketen*) rocket-assisted take-off; **Raketenstufe** *f* stage (of a rocket/missile); **Raketenstützpunkt** *m* missile base; **Raketenversuchsgelände** *nt* rocket range; (*Space*) launch(ing) site; **Raketenwerfer** *m* rocket launcher; **Raketenzeitalter** *nt* space age.

Rakett *nt* **-s, -s** *or* **-e** (*old Sport*) racket, racquet.

Rallye ['rali, 'rɛli] *f* -, **-s** rally. **eine** ~ **fahren** to drive in a rally; ~ **fahren** to go rallying.

Rallyefahrer(in *f***)** *m* rally-driver.

RAM [ram] *nt* **-s, -s** (*Comput*) RAM.

Rambo *m* **-s, -s** Rambo, tough guy.

Rammbock *m siehe* **Ramme**; **rammdösig** *adj* (*inf*) giddy, dizzy.

Ramme *f* -, **-n** ram(mer); (*für Pfähle*) pile-driver.

Rammelei *f* **1.** (*inf: Gedränge*) crush, scrum (*inf*). **2.** (*sl*) banging away (*sl*).

rammeln I *vir* (*dial: herumtoben*) to charge about *or* around. **II** *vi* (*Hunt*) to mate; (*sl*) to have it off *or* away (*sl*).

rammen vt to ram.

Rammler m -s, - buck.

Rampe f -, -n 1. ramp. 2. (*Theat*) apron, forestage.

Rampenlicht nt (*Theat*) footlights pl. **sie möchte im ~ stehen** (*Theat*) she'd like to go on the stage; (*fig*) she wants to be in the limelight; **im ~ der Öffentlichkeit stehen** (*fig*) to be in the limelight.

ramponieren* vt (*inf*) to ruin; *Möbel* to bash about (*inf*). **er sah ziemlich ramponiert aus** he looked the worse for wear (*inf*).

Ramsch m -(e)s, no pl 1. (*inf*) junk, rubbish, trash. 2. (*Skat*) **(einen) ~ spielen** to play (a) ramsch.

ramschen I vi 1. (*inf*) to buy cheap junk. 2. (*beim Skat*) to play (a) ramsch. II vt (*Comm*) to buy up.

Ramschladen m (*pej*) junk shop; **Ramschware** f (*pej*) trashy goods pl, rubbish.

RAM-Speicher m (*Comput*) RAM memory.

ran interj (*inf*) come on, go it (*inf*). **~ an den Feind!** let's go get 'em! (*inf*); **~ an die Bouletten** (*sl*) get stuck in (*inf*); *siehe* **heran**.

Rand m -es, ⁻er 1. edge; (*von Weg, Straße, Schwimmbecken auch*) side; (*von Brunnen, Tasse*) top, rim, brim; (*von Abgrund*) brink. **voll bis zum ~** full to the brim, brimful; **am ~e erwähnen, zur Sprache kommen** by the way, in passing; *interessieren* marginally; *beteiligt sein* marginally, on the fringe; *miterleben* on the sidelines; **etw am ~e bemerken** or **vermerken** to mention sth in passing or in parentheses; **am ~e des Waldes** at the edge of the forest; **am ~e der Stadt** on the outskirts of the town; **am ~e der Verzweiflung/des Wahnsinns** on the verge of despair/madness; **am ~e des Grabes/Todes** at death's door; **am ~e des Untergangs** or **Ruins** on the brink or verge of ruin; **die Schweizer haben den Krieg nur am ~e miterlebt** the Swiss were only marginally involved in the war or only experienced the war from the sidelines; **eine kleine Szene am ~e des Krieges** a small incident on the fringe of the war; **am ~e der Gesellschaft/der politischen Landschaft** on the fringes of society/the political scene.

2. (*Umrandung*) border; (*Teller~*) edge, side; (*Brillen~*) rim; (*von Hut*) brim; (*Seiten~, Buch~, Heft~*) margin. **mit schwarzem ~** black-edged, with a black border; **etw an den ~ schreiben** to write sth in the margin.

3. (*Schmutz~*) ring; (*um Augen auch*) circle; (*in der Badewanne auch*) tidemark. **rote ~⁻er um die Augen haben** to have red rims around one's eyes.

4. (*fig*) **das versteht sich am ~e** that goes without saying; **sie waren außer ~ und Band** there was no holding them, they were going wild; **allein komme ich damit nicht zu ~e** I can't manage (it) by myself; **halt den ~!** (*sl*) shut your face (*sl*).

randalieren* vi to rampage (about). **~de**

Jugendliche (young) hooligans; **die Jugendlichen zogen ~d durch die Straßen** the youths rampaged or went on the rampage or ran wild through the streets; **die Gefangenen fingen an zu ~** the prisoners started to get violent.

Randalierer(in f) m -s, - hooligan, trouble-maker.

Randausgleich m (*Comput*) justification; **Randbemerkung** f note in the margin, marginal note; (*fig*) (passing) comment; **etw in einer ~ erwähnen** (*fig*) to mention sth in passing.

Rande f -, -n (*Sw*) beetroot.

rändeln vt *Münze* to mill.

rändern vt to edge, to border.

Randerscheinung f matter of peripheral importance; (*Nebenwirkung*) side effect; **das Problem des ... ist nur eine ~** the problem of ... is only of peripheral importance; **Randfigur** f minor figure; **Randgebiet** nt (*Geog*) edge, fringe; (*Pol*) border territory; (*fig*) subsidiary; **Randglosse** f marginal note; **Randgruppe** f fringe group.

randlos adj *Brille* rimless; *Hut* brimless; **Randpersönlichkeit** f (*Sociol*) marginal man; **randständig** adj *Personen* marginal; *Bevölkerungsgruppen* minority; **Randstein** m siehe **Bordstein**; **Randsteller** m -s, - margin stop; **randvoll** adj *Glas* full to the brim; *Flugzeug* packed; (*inf: betrunken*) smashed (*inf*); **Randzone** f peripheral zone or area; **in der ~** on the periphery; **diese Staaten sind vorerst noch ~n der Weltpolitik** these states are still on the periphery or perimeter of world politics.

Ranft m -(e)s, ⁻e (*dial*) crust, heel (*US, Scot, dial*).

rang pret of **ringen**.

Rang m -(e)s, ⁻e 1. (*Mil*) rank; (*in Firma*) position; (*gesellschaftliche Stellung auch*) position, station (*dated*). **im ~(e) eines Hauptmanns stehen** to have the rank of captain; **im ~ höher/tiefer stehen** to have a higher/lower rank/position, to rank higher/lower; **einen hohen ~ bekleiden** to hold a high office; (*Mil*) to have a high rank; **ein Mann von ~ und Würden** a man of considerable or high standing, a man of status; **ein Mann ohne ~ und Namen** a man without any standing or reputation; **jdm den ~ streitig machen** (*fig*) to challenge sb's position; **jdm den ~ ablaufen** (*fig*) to outstrip sb.

2. (*Qualität*) quality, class. **ein Künstler/Wissenschaftler von ~** an artist/scientist of standing, a top artist/scientist; **von hohem ~** high-class; **ein Essen ersten ~es** a first-class or first-rate meal; **minderen ~es** low-class, second-rate.

3. (*Theat*) circle. **erster/zweiter ~** dress/upper circle, first/second circle; **wir sitzen (erster/zweiter) ~ Mitte** (*inf*) we're sitting in the middle of the (dress/upper) circle; **vor leeren/überfüllten ~en spielen** to play to an empty/a packed house.

4. **~e** pl (*Sport*) stands pl.

5. (*Gewinnklasse*) prize category.
Rangabzeichen nt (*Mil*) badge of rank, insignia; **Rangälteste(r)** m (*Mil*) senior officer.

Range f -, -n urchin.

rangehen vi sep irreg aux sein (*inf*) to get stuck in (*inf*). **geh ran!** go on!

Rangelei f (*inf*) siehe **Gerangel**.

rangeln (*inf*) I vi to scrap; (*um Sonderangebote auch*) to tussle (*um* for); (*um Posten*) to wrangle (*um* for). II vr to sprawl about.

Rangfolge f order of rank (*esp Mil*) or standing; **Ranghöchste(r)** mf decl as adj senior person/member etc; (*Mil*) highest-ranking officer.

Rangierbahnhof [rã'ʒiː-ɐ-] m marshalling yard.

rangieren* [rã'ʒiːrən] I vt 1. (*Rail*) to shunt, to switch (*US*).
2. (*inf: abschieben*) to shove (*inf*), to shunt (*inf*).
II vi (*Rang einnehmen*) to rank. **er rangiert gleich hinter** or **unter dem Abteilungsleiter** he comes directly beneath the head of department; **seine Familie rangiert nur am Rande in seinem Leben** his family take second place; **an erster/letzter Stelle** ~ to come first/last, to take first/last place.

Rangierer [rã'ʒiːrɐ] m -s, - (*Rail*) shunter.
Rangier- [rã'ʒiːɐ-]: **Rangiergleis** nt siding, sidetrack (*US*); **Rangierlok(omotive)**, **Rangiermaschine** f shunter, switcher (*US*).

Rangliste f 1. (*Mil*) active list; 2. (*Sport*) (results) table; **Rangloge** f (*Theat*) box (in the circle); **rangmäßig** adj according to rank; ~ **stehe ich unter ihm** I'm lower than him in rank; **Rangordnung** f hierarchy; (*Mil*) (order of) ranks; **Rangstufe** f rank; **auf der gleichen** ~ **stehen** to be of or to have the same rank; **Rangunterschied** m social distinction; (*Mil*) difference of rank; **wir machen hier keine** ~e we're not status-conscious here.

ranhalten vr sep irreg (*inf*) 1. (*sich beeilen, sich umtun*) to get a move on (*inf*). 2. (*schnell zugreifen*) to dig in (*inf*), to get stuck in (*inf*).

rank adj (*liter*) ~ **und schlank** slender and supple; *Mädchen auch* slim and sylphlike.

Ranke f -, -n tendril; (*von Brom-, Himbeeren*) branch; (*von Erdbeeren*) stalk; (*von Weinrebe*) shoot.

Ränke pl (*liter*) intrigue, cabal (*liter*). ~ **schmieden** to hatch a plot, to intrigue, to cabal (*liter*).

ranken I vr **sich um etw** ~ to entwine itself around sth; (*fig: Geschichten*) to have grown up around sth. II vi aux haben or sein **an etw** (*dat*) ~ to entwine itself around sth.

Rankengewächs nt climbing plant, climber; (*Efeu*) creeper; **Rankenwerk** nt (*Art*) arabesques pl; (*fig*) embellishment.

Ränkeschmied m (*liter*) intriguer; **Ränkespiel** nt (*liter*) intrigue, cabal (*liter*).

ranklotzen vi sep (*sl*) to get stuck in (*inf*).

rankommen vi sep irreg aux sein (*inf*) **an etw** (*acc*) ~ to get at sth; **an die Helga ist nicht ranzukommen** you won't get anywhere with Helga (*inf*); **an unseren Chef ist schwer ranzukommen** our boss isn't very easy to get at (*inf*); **niemanden an sich** ~ **lassen** to be standoffish (*inf*), to keep oneself to oneself; siehe **herankommen**.

ranlassen vt sep irreg (*inf*) **jdn** ~ to let sb have a go; **sie läßt jeden ran** (*sl*) she's anybody's (*inf*).

ranmachen vr sep (*inf*) siehe **heranmachen**.

rann pret of **rinnen**.

rannte pret of **rennen**.

ranschmeißen vr sep irreg (*inf*) **sich an jdn** ~ to fling oneself at sb (*inf*).

Ränzel nt or m -s, - (*old, dial*) knapsack, pack. **sein** ~ **schnüren** (*liter*) to pack up one's belongings.

Ranzen m -s, - 1. (*Schul~*) satchel. 2. (*inf: Bauch*) belly (*inf*), gut (*sl*). **sich** (*dat*) **den** ~ **voll schlagen** to stuff oneself (*inf*) or one's face (*sl*). 3. (*inf: Buckel*) hunchback, hump(back). **jdm** (*ordentlich*) **den** ~ **vollhauen** to give sb a (good) thrashing.

ranzig adj rancid.

rapid(e) adj rapid.

Rappe m -n, -n black horse.

Rappel m -s, - (*inf*) 1. (*Fimmel*) craze; (*Klaps*) crazy mood. **seinen** ~ **kriegen** to get one of one's crazes/crazy moods; **du hast wohl einen** ~! you must be crazy! 2. (*Wutanfall*) **einen** ~ **haben/kriegen** to be in a foul or filthy mood or temper/to throw a fit; **dabei kann man ja einen** ~ **kriegen** it's enough to drive you mad or up the wall (*inf*).

rapp(e)lig adj (*inf*) 1. (*verrückt*) crazy, cracked (*inf*). **bei dem Lärm kann man ja** ~ **werden** the noise is enough to drive you crazy or round the twist (*inf*). 2. (*nervös, unruhig*) jumpy (*inf*).

rappeln vi (*inf*) (*lärmen*) to rattle; (*Aus: verrückt sein*) to be crazy. **es rappelt an der Tür** somebody is shaking or rattling the door; **bei dir rappelt's wohl!** (*inf*) are you crazy?; **bei dem rappelt's manchmal** he just flips sometimes (*sl*).

Rappen m -s, - (*Sw*) centime.

Rapport m -(e)s, -e 1. (*old*) report. **sich zum** ~ **melden** to report; **er ist beim Kommandeur zum** ~ he's making a report to the commander. 2. (*Psych*) rapport.

Raps m -es, -e (*Bot*) rape.

Rapsöl nt rape(seed) oil.

Raptus m -, -se (*Med*) fit, raptus (*spec*).

Rapunzel f -, -n 1. (*Bot*) corn salad, lamb's lettuce. 2. (*Märchen*) Rapunzel.

Rapunzelsalat m corn salad.

rar adj rare. **sich** ~ **machen** (*inf*) to keep or stay away; (*sich zurückziehen*) to make oneself scarce.

Rarität f rarity.

Raritätenkabinett nt collection of rare objects or curios.

rasant adj 1. *Schuß-, Flugbahn* level, flat. 2. (*inf*) *Tempo, Spurt* terrific, lightning *attr* (*inf*); *Auto, Fahrer* fast; *Aufstieg, Karriere* meteoric; *Entwicklung, Zerfall* rapid. **das ist vielleicht ein ~es Auto** this car really can shift (*inf*); **sie fuhr ~ die Straße hinunter** she tore *or* raced down the street.

3. (*inf: imponierend*) *Frau* vivacious; *Leistung* terrific.

Rasanz *f, no pl* **1.** (*Mil*) levelness, flatness.

2. (*inf: Geschwindigkeit*) speed. **er jagte mit unheimlicher ~ davon** he tore off at a terrific speed *or* lick (*inf*); **er nahm die Kurve mit gekonnter ~** he took the bend fast and well *or* with daredevil skill; **etw mit ~ tun** to do sth in great style.

rasch I *adj* **1.** (*schnell*) quick, rapid, swift; *Tempo* great.

2. (*übereilt*) rash, (over-)hasty.

II *adv* **1.** quickly, rapidly, swiftly. **nicht so ~!** not so fast *or* quick; **~ machen** to hurry (up), to get a move on (*inf*); **ich habe so ~ wie möglich gemacht** I was as quick *or* fast as I could be.

2. mit etw ~ bei der Hand sein to be rash *or* (over-)hasty about sth, to be too quick off the mark with sth (*inf*).

rascheln *vi* to rustle. **es raschelt (im Stroh/Laub)** there's something rustling (in the straw/leaves); **mit etw ~** to rustle sth.

rasen *vi* **1.** (*wüten, toben*) to rave; (*Sturm*) to rage. **er raste vor Schmerz/Wut** he was going wild with pain/he was mad with rage; **er raste vor Eifersucht** he was half-crazed with jealousy; **die Zuschauer rasten vor Begeisterung** the spectators were/went wild with excitement.

2. *aux sein* (*sich schnell bewegen*) to race, to tear; (*Puls*) to race. **der Rennwagen raste in die Menge/gegen einen Baum** the racing car crashed *or* smashed into the crowd/a tree; **das Auto raste in den Fluß** the car crashed into the river; **ras doch nicht so!** (*inf*) don't go so fast!; **die Zeit rast** time flies.

3. *aux sein* (*inf: herumhetzen*) to race *or* run around.

Rasen *m -s, -* lawn, grass *no indef art, no pl*; (*von Sportplatz*) turf, grass; (*Sportplatz*) field, pitch; (*Tennis*) court. **„bitte den ~ nicht betreten"** "please keep off the grass".

Rasenbank *f* grassy bank; **rasenbedeckt, rasenbewachsen** *adj* grassy, grass-covered, covered with grass.

rasend I *adj* **1.** (*enorm*) terrific; *Eile auch* tearing; *Hunger, Durst auch* raging; *Beifall auch* wild, rapturous; *Eifersucht* burning; *Schmerz auch* excruciating. **~e Kopfschmerzen** a splitting headache.

2. (*wütend*) furious, livid, raging. **jdn ~ machen** to make sb furious *or* livid *or* wild (*inf*); **er macht mich noch ~** he'll drive me crazy; **ich könnte ~ werden I** could scream; **es ist zum R~werden** it's absolutely infuriating *or* maddening.

II *adv* (*inf*) terrifically, enormously; *weh tun, sich beeilen, applaudieren* like mad (*inf*) *or* crazy (*inf*); *lieben, verliebt, eifersüchtig sein* madly (*inf*). **~ viel Geld** heaps *or* pots of money (*inf*); **~ gern!** I'd simply love to!

Rasende(r) *mf decl as adj* madman/madwoman, maniac.

Rasenfläche *f* lawn; **Rasenmäher** *m*, **Rasenmähmaschine** *f* lawn-mower; **Rasenplatz** *m* (*Ftbl*) field, pitch; (*Tennis*) grass court; **Rasensport** *m* sport played on grass, outdoor sport; **Rasensprenger** *m -s, -* (lawn) sprinkler; **Rasenstück** *nt* patch of grass.

Raser(in *f*) *m -s, -* (*inf*) speed maniac (*inf*) *or* merchant (*inf*).

Raserei *f* **1.** (*Wut*) fury, rage, frenzy. **2.** (*inf: schnelles Fahren, Gehen*) mad rush.

Rasier- *in cpds* shaving; **Rasierapparat** *m* razor; (*elektrisch auch*) shaver; **Rasiercreme** *f* shaving cream.

rasieren* I *vt* **1.** to shave. **sich ~ lassen** to have a shave; **sie rasiert sich** (*dat*) **die Beine** she shaves her legs. **2.** (*inf: streifen*) to scrape. **II** *vr* to (have a) shave. **sich naß/trocken ~** to have a wet shave/to use an electric shaver.

Rasierklinge *f* razor blade; **Rasiermesser** *nt* (open) razor, cut-throat razor; **Rasierpinsel** *m* shaving brush; **Rasierschale** *f* shaving mug; **Rasierseife** *f* shaving soap; **Rasierwasser** *nt* aftershave/pre-shave (lotion); **Rasierzeug** *nt* shaving things *pl or* tackle (*inf*) *or* equipment.

Räson [rɛ'zõ:] *f -, no pl* **er will keine ~ annehmen** he refuses to *or* won't listen to reason; **jdn zur ~ bringen** to make sb listen to reason, to make sb see sense.

räsonieren* *vi* (*old*) to grumble.

Raspel *f -, -n* **1.** (*Holzfeile*) rasp. **2.** (*Cook*) grater.

raspeln *vt* to grate; *Holz* to rasp.

raß, räß *adj* (*S Ger, Sw*) *Most, Speise* sharp; *Witz* earthy; *Pferd* fiery; *Kellnerin* buxom; (*Sw*) *Mensch* spirited.

Rasse *f -, -n* (*Menschen~*) race; (*Tier~*) breed; (*fig*) spirit, hot-bloodedness. **das Mädchen hat ~** she's a hot-blooded girl; **das Pferd/der Hund hat ~** that horse/dog has spirit.

Rassehund *m* pedigree *or* thoroughbred dog.

Rassel *f -, -n* rattle.

Rasselbande *f* (*dated inf*) mischievous bunch (*inf*).

rasseln *vi* **1.** to rattle. **mit** *or* **an etw** (*dat*) **~** to rattle sth. **2.** *aux sein* (*inf*) **durch eine Prüfung ~** to flunk an exam (*inf*).

Rassen- *in cpds* racial; **Rassendiskriminierung** *f* racial discrimination; **Rassendoktrin** *f* racial doctrine; **Rassenforschung** *f* (*dated*) ethnogeny (*form*), racial research; **Rassenfrage** *f* race *or* racial problem; **Rassenhaß** *m* race *or* racial hatred; **Rassenhygiene** *f* (*NS*) eugenics *sing*; **Rassenkrawall** *m* race *or* racial riot; **Rassenkreuzung** *f* (*von Tieren*) cross-breeding; (*Tier*) crossbreed, crossbred; **Rassenkunde** *f* ethnogeny (*form*), study of race; **Rassenmerkmal** *nt* racial characteristic; **Rassenmischung** *f* mixture of races; (*bei Tieren*) cross-breeding; (*Tier*) crossbreed, crossbred; **Rassenproblem**

nt race *or* racial problem; **Rassenschranke** *f* racial barrier, barrier of race; *(Farbige betreffend)* colour bar; **Rassentrennung** *f* racial segregation; **Rassenunruhen** *pl* racial disturbances *pl*.

Rassepferd *nt* thoroughbred (horse); **rasserein** *adj siehe* **reinrassig; Rassereinheit** *f* racial purity; **Rassevieh** *nt* thoroughbred *or* pure-bred animal(s).

rassig *adj Pferd, Auto* sleek; *Frau* vivacious and hot-blooded; *Erscheinung, Gesichtszüge* sharp, striking; *Wein* spirited, lively; *Zigeuner, Spanier* fiery, hot-blooded.

rassisch *adj* racial. **jdn ~ verfolgen** to persecute sb because of his/her race.

Rassismus *m* racialism, racism.

Rassist(in *f)* *m* racist.

rassistisch *adj* racialist, racist.

Rast *f* -, *no pl* rest, repose *(liter)*. **~ machen** to stop (to eat); *(Mil)* to make a halt; **er gönnt sich keine ~** he won't rest, he allows himself no respite; **ohne ~ und Ruh** *(liter)* without pause for rest, without respite.

Raste *f* -, **-n** notch.

rasten *vi* to rest; *(Mil)* to make a halt. **er hat nicht gerastet und geruht, bis ...** *(liter)* he did not rest until ...; **wer rastet, der rostet** *(Prov)* you have to keep active; you have to keep in practice.

Raster *nt* **-s,** **-** *(Archit)* grid; *(Typ)* halftone *or* raster screen; *(Phot: Gitter)* screen; *(TV)* raster; *(fig)* framework.

Rasterätzung *f* halftone (engraving); **Rasterfahndung** *f* computer search.

Rasterpunkt *m* *(Typ)* (halftone) dot; *(TV)* picture element; *(Typ)* halftone screening.

Rasterung *f (TV)* scanning.

Rasthaus *nt* (travellers') inn; *(an Autobahn: auch* **Rasthof)** service area *(including motel)*; **rastlos** *adj (unruhig)* restless; *(unermüdlich)* tireless, untiring; **~ tätig sein** to work tirelessly *or* ceaselessly; **Rastlosigkeit** *f* restlessness; **Rastplatz** *m* resting place, place to rest; *(an Autostraßen)* picnic area; **Raststätte** *f* service area, services *pl*.

Rasur *f* 1. *(Bart~)* shave; *(das Rasieren)* shaving. 2. *(radierte Stelle)* erasure.

Rat *m* **-(e)s** 1. *pl* **Ratschläge** *(Empfehlung)* advice *no pl*, counsel *no pl (liter)*. **ein ~** a piece of advice; **jdm einen ~ geben** to give sb a piece of advice; **jdm den ~ geben, etw zu tun** to advise sb to do sth; **jdn um ~ fragen, sich** *(dat)* **bei jdm ~ holen** to ask sb's advice *or* sb for advice; **gegen jds ~ handeln** to go against *or* act against *or* ignore sb's advice; **auf jds ~** *(acc)* **(hin)** on *or* following sb's advice; **jdm mit ~ und Tat beistehen** *or* **zur Seite stehen** to support sb *or* back sb up in (both) word and deed; **da ist guter ~ teuer** it's hard to know what to do.

2. *no pl (Beratung)* **mit jdm zu ~e gehen** *(liter)* to seek sb's advice, to consult sb; **ich muß erst mit mir zu ~e gehen** I'll have to consider it first; **jdn/etw zu ~e ziehen** to consult sb/sth; **einen Anwalt/**

Arzt zu ~e ziehen to take legal/medical advice, to consult a lawyer/doctor; **einen Kollegen zu ~e ziehen** to get a second opinion, to consult a colleague.

3. *no pl (Abhilfe)* **~ schaffen** *(liter)* to show what is to be done; **sie wußte sich** *(dat)* **keinen ~ mehr** she was at her wits' end; **sich** *(dat)* **keinen ~ mit etw wissen** not to know what to do about sth.

4. *pl* **~e** *(Körperschaft)* council; *(Sowjet)* soviet. **der ~ der Gemeinde/ Stadt** ≈ the district council; **der Große ~** *(Sw)* the cantonal parliament; **der Hohe ~** *(Bibl)* the Sanhedrin; **den ~ einberufen** to call a council meeting; **im ~ sitzen** to be on the council.

5. *pl* **~e** *(Person)* senior official; *siehe* **wissenschaftlich, geheim.**

Rate *f* -, **-n** instalment *(Brit)*, installment *(US)*. **auf ~n kaufen** to buy in instalments *or* on hire purchase *(Brit)* or on the installment plan *(US)*; **in ~n zahlen** to pay in instalments.

raten *pret* **riet,** *ptp* **geraten** *vti* 1. *(Ratschläge geben)* to advise. **jdm gut/ richtig/schlecht ~** to give sb good/correct/bad advice; **jdm zu etw ~** to recommend sth to sb, to advise sb to do/ take/buy *etc* sth; **jdm ~, etw nicht zu tun** to advise sb not to do sth, to advise sb against doing sth; **zu dieser langen Reise kann ich dir nicht ~** I must advise you against making this long journey; **das würde ich dir nicht ~** I wouldn't advise *or* recommend it; **das möchte ich dir nicht ~** *or* **geraten haben** I wouldn't advise *or* recommend it, I wouldn't if I were you; **das möchte ich dir auch geraten haben!** you better had *(inf)*, see that you do/are *(inf)*; **was** *or* **wozu ~ Sie mir?** what do you advise *or* recommend?; **laß dir ~!** take some advice, be advised; **ich weiß mir nicht zu ~** *(old)* I'm at a loss; **wem nicht zu ~ ist, dem ist auch nicht zu helfen** *(prov)* a bit of advice never hurt anybody; **ich halte es für geraten** I think it would be advisable.

2. *(erraten, herausfinden)* to guess; *Kreuzworträtsel etc* to solve, to do. **hin und her ~** to make all sorts of guesses; **rate mal!** (have a) guess; **dreimal darfst du ~** I'll give you three guesses *(auch iro)*; **das rätst du nie!** you'll never guess!; **(gut) geraten!** good guess!; **falsch geraten!** wrong!; **das kann ich nur ~** I can only make a guess, I can only guess at it.

Ratenkauf *m* *(Kaufart)* hire purchase *(Brit)*, HP *(Brit inf)*, the installment plan *(US)*; **ratenweise** *adv* in instalments; **Ratenzahlung** *f* *(Zahlung einer Rate)* payment of an instalment; *(Zahlung in Raten)* payment by instalments.

Räteregierung *f* soviet government.

Räterepublik *f (Hist)* soviet republic *(esp in Bavaria 1919)*.

Ratespiel *nt* guessing game; *(TV)* quiz; *(Beruferaten etc auch)* panel game.

Ratgeber(in *f)* *m* adviser, counsellor *(form)*; **Rathaus** *nt* town hall; *(einer Großstadt)* city hall; **Rathaussaal** *m* council chamber.

Ratifikation f ratification.
ratifizieren* vt to ratify.
Ratifizierung f ratification.
Rätin f siehe **Rat** 5.
Ratio ['ra:tsio] f -, no pl reason. **es ist ein Gebot der ~, zu ...** reason demands that ..., it's only rational to ...
Ration [ra'tsio:n] f ration. **jeder bekommt eine bestimmte ~** everyone gets fixed rations; **eiserne ~** iron rations pl.
rational [ratsio'na:l] adj rational.
rationalisieren* [ratsionali'zi:rən] vti to rationalize.
Rationalisierung [ratsionali'zi:ruŋ] f rationalization.
Rationalisierungsmaßnahme f rationalization or efficiency measure; **Rationalisierungsschutz**m job protection measures pl.
Rationalismus [ratsiona'lɪsmʊs] m rationalism.
Rationalist(in f) [ratsiona'lɪst] m rationalist.
rationalistisch [ratsiona'lɪstɪʃ] adj rationalist(ic).
Rationalität [ratsionali'tɛ:t] f rationality; (Leistungsfähigkeit) efficiency.
rationell [ratsio'nɛl] adj efficient.
rationenweise [ratsio:nən-] adv in rations.
rationieren* [ratsio'ni:rən] vt to ration.
Rationierung [ratsio'ni:ruŋ] f rationing.
Rationierungssystem nt rationing system.
rationsweise [ratsi'o:ns-] adv in rations.
ratlos adj helpless. **ich bin völlig ~(, was ich tun soll)** I'm at a complete loss (as to what to do), I just don't know what to do; **~e Eltern** parents who are at a loss to know what to do with their children; **sie machte ein ~es Gesicht** she looked helpless or at a loss; **einer Sache** (dat) **~ gegenüberstehen** to be at a loss when faced with sth.
Ratlosigkeit f helplessness. **in meiner ~ ...** not knowing what to do ..., being at a loss ...
Rätoromane m, **Rätoromanin** f Rhaetian.
rätoromanisch adj Rhaetian; Sprache Rhaeto-Romanic.
ratsam adj advisable. **ich halte es für ~, das zu tun** I think it (would be) advisable to do that.
Ratsbeschluß m decision of the local council.
ratsch interj rip.
Ratsche, Rätsche f -, -n (S Ger, Aus) rattle.
ratschen, rätschen vi (S Ger, Sw) **1.** (mit der Ratsche) to rattle. **2.** (inf: schwatzen) to blather (inf).
Ratschlag m piece or bit of advice. **ein guter ~** a good piece of advice, good advice; **jdm einen ~ geben** or **erteilen** to give sb a piece of advice or some advice.
ratschlagen vi insep to deliberate, to consult (together).
Ratschluß m (liter) decision. **Gottes ~** the will of God.
Rätsel nt -s, - **1.** riddle; (Kreuzwort~) crossword (puzzle); (Silben~, Bilder~)

puzzle. **jdm ein ~ aufgeben** to give or ask sb a riddle; **das plötzliche Verschwinden des Zeugen gab der Polizei ~ auf** the sudden disappearance of the witness baffled the police.
2. (fig: Geheimnis) riddle, mystery, enigma (um of). **die Polizei konnte das ~ lösen** the police have solved the riddle or mystery; **vor einem ~ stehen** to be faced with a riddle or mystery, to be baffled; **es ist mir ein ~, wie ...** it's a mystery to me how ..., it baffles or beats (inf) me how ...; **er ist mir ein ~** he's a mystery or an enigma to me; **in ~n sprechen** to talk in riddles; **das ist des ~s Lösung!** that's the answer.
Rätselecke f puzzle corner; **Rätselfrage** f (Quizfrage) question; **rätselhaft** adj mysterious; Gesichtsausdruck, Lächeln auch enigmatic; **auf ~e Weise** mysteriously; **es ist mir ~** it's a mystery to me, it baffles me; **Rätselhaftigkeit** f mysteriousness; **Rätselheft** nt puzzle book.
rätseln vi to puzzle (over sth), to rack one's brains.
Rätselraten nt guessing game; **~ ist nicht meine starke Seite** guessing isn't/guessing games aren't my forte; **rätselvoll** adj (geh) mysterious; **Rätselzeitung** f siehe **Rätselheft**.
Ratsherr(in f) m councillor (esp Brit), councilman/-woman (US); **Ratskeller** m rathskeller (US) (cellar bar/restaurant under the town hall); **Ratssitzung** f council meeting.
ratsuchend adj seeking advice. **sich ~ an jdn wenden** to turn to sb for advice; **R~e** people/those wanting or seeking advice.
Rattan nt -s, no pl rattan.
Ratte f -, -n rat. **eine widerliche ~** (sl) a dirty rat (sl); **die ~n verlassen das sinkende Schiff** (prov) the rats are leaving the sinking ship.
Rattenbekämpfung f rat control; **Rattenfänger** m rat-catcher; (Hund) ratter; (fig) rabble-rouser; **der ~ von Hameln** the Pied Piper of Hamelin; **Rattengift** nt rat poison; **Rattenschwanz** m **1.** (lit) rat's tail; **2.** usu pl (inf: Zopf) bunch; **3.** (fig inf: Serie, Folge) string.
rattern vi (als Bewegungsverb: aux sein) to rattle, to clatter; (Maschinengewehr) to chatter.
ratzekahl adv (inf) completely, totally. **alles ~ aufessen** (Vorräte) to eat the cupboard bare (inf); (Portion) to polish off the lot (inf).
ratzen vi (dial inf) to kip (inf). **ich hab' vielleicht geratzt** I had a really good kip (inf).
Raub m -(e)s, no pl **1.** (das Rauben) robbery. **auf ~ ausgehen** (Tiere) to go out hunting or on the prowl; (Räuber) to go out pillaging.
2. (Entführung) abduction. **der ~ der Sabinerinnen** the rape of the Sabine women.
3. (Beute) booty, loot, spoils pl. **ein ~ der Flammen werden** (liter) to fall victim to the flames.
Raubbau m, no pl overexploitation (of

natural resources); (*am Wald*) overfelling; (*an Ackern*) overcropping; (*an Weideland*) overgrazing; ~ **an etw** (*dat*) **treiben** to overexploit sth; **mit seiner Gesundheit** ~ **treiben** to ruin one's health; **Raubdruck** *m* pirate(d) copy; (*das Drucken*) pirating.

rauben I *vt* **1.** (*wegnehmen*) to steal. **jdm etw** ~ to rob sb of sth.
2. (*entführen*) to abduct, to carry off.
3. (*fig*) **jdm etw** ~ to rob sb of sth; **das hat uns viel Zeit geraubt** it cost us a lot of time; **jdm die Unschuld** ~ (*obs, iro*) to take sb's virginity; **du raubst mir noch die letzten Nerven!** you'll drive me mad *or* crazy (*inf*).
II *vi* to rob, to plunder, to pillage.

Räuber(in *f*) *m* **-s,** - robber, brigand (*old*); (*bei Bankūberfall auch*) raider; (*Wegelagerer*) highwayman. **Ali Baba und die vierzig** ~ Ali Baba and the forty thieves; **unter die** ~ **fallen** *or* **geraten** to fall among thieves; **der Fuchs ist ein** ~ the fox is a beast of prey *or* a predator; ~ **und Gendarm** cops and robbers.

Räuberbande *f* robber band, band of robbers; (*pej*) bunch of thieves.
Räuberei *f* (*inf*) robbery.
Räubergeschichte *f* **1.** story about robbers; **2.** (*fig*) cock-and-bull story (*inf*); **Räuberhauptmann** *m* robberchief; **Räuberhöhle** *f* **1.** (*lit*) robbers' cave; **2.** (*fig inf*) (*Spelunke*) low dive (*inf*); (*Durcheinander*) pigsty.
räuberisch *adj* rapacious, predatory. ~**er Diebstahl** (*Jur*) theft in which force or the threat of violence is used to remain in possession of the stolen goods; ~**e Erpressung** (*Jur*) armed robbery, *robbery using the threat of violence*; **in** ~**er Absicht** with intent to rob.
Räuberzivil *nt* (*hum inf*) scruffy old clothes *pl* (*inf*).
Raubfisch *m* predatory fish, predator; **Raubgier** *f* (*liter*) rapacity; **raubgierig** *adj* (*liter*) rapacious; **Raubkatze** *f* (predatory) big cat; **Raubkopie** *f* pirate(d) copy; **Raubkrieg** *m* war of conquest; **der** ~ **gegen unser Land** the rape of our country; **Raubmord** *m* robbery with murder; **Raubmörder(in** *f*) *m* robber and murderer; **Raubpressung** *f* pirate(d) copy; **Raubritter** *m* robber baron.
Raubtier *nt* predator, beast of prey.
Raubtierkäfig *m* lion's/tiger's *etc* cage.
Raubüberfall *m* robbery; (*auf Bank etc auch*) raid; **einen** ~ **auf jdn begehen** to hold sb up; „~ **auf Taxifahrer**" "taxidriver attacked and robbed"; **Raubvogel** *m* bird of prey, predator; **Raubwild** *nt* (*Hunt*) predatory game; **Raubzeug** *nt* (*Hunt*) vermin *pl*; **Raubzug** *m* series *sing* of robberies; (*pej: Angriffskrieg*) rape (*nach, gegen* of); (*von Tieren*) hunting excursion; **auf** ~ **gehen** (*Einbrecher*) to commit a series of robberies; (*Tier*) to go hunting *or* on the prowl.
Rauch *m* **-(e)s,** *no pl* smoke; (*giftig auch*) fumes *pl*. **in** ~ **und Flammen aufgehen** to go up in smoke *or* flames; **in** ~ **aufgehen** (*lit, fig*), **sich in** ~ **auflösen** (*fig*) to go up in smoke; **Würste in den** ~ **hängen** to hang sausages up to smoke; **kein** ~ **ohne Feuer** (*Prov*) there's no smoke without fire (*prov*).

Rauchabzug *m* smoke outlet; **rauchbar** *adj* smok(e)able; **hast du was** ~**es?** have you got anything to smoke?; **Rauchbombe** *f* smoke bomb.
rauchen I *vi* (*Rauch abgeben*) to smoke, to give off smoke. **mir raucht der Kopf** my head's spinning.
II *vti* to smoke. **möchten Sie** ~? do you want to smoke?; (*Zigarette anbietend*) would you like a smoke *or* a cigarette?; **nach dem Essen rauche ich gern I** like a *or* to smoke after a meal; **eine** ~ to have a smoke; **hast du was zu** ~? have you got a smoke?; „**R**~ **verboten**" "no smoking"; **sich** (*dat*) **das R**~ **an-/abgewöhnen** to take up/give up smoking; **viel** *or* **stark** ~ to be a heavy smoker, to smoke a lot; ~ **Sie?** do you smoke?
Rauchentwicklung *f* production *or* formation of smoke. **mit großer/geringer** ~ with high/low smoke levels.
Raucher *m* **-s,** - **1.** smoker. **2.** (*Rail:* ~*abteil*) smoker, smoking compartment.
Raucher[aal *m* smoked eel.
Raucherabteil *nt* smoking compartment, smoker; **Raucherbein** *nt* hardening of the arteries (in the leg) (*caused by smoking*).
Räucherfaß *nt* (*Eccl*) censer; **Räuchergefäß** *nt* incense burner; **Räucherhering** *m* kipper, smoked herring.
Raucherhusten *m* smoker's cough.
Raucherin *f* smoker.
Räucherkammer *f* smoking chamber, smokehouse; **Räucherkerze** *f* incense cone; **Räucherlachs** *m* smoked salmon.
räuchern I *vt* to smoke. **II** *vi* (*inf: mit Weihrauch*) to burn incense.
Räucherschinken *m* smoked ham; **Räucherspeck** *m* ≃ smoked bacon; **Räucherstäbchen** *nt* joss stick; **Räucherwaren** *pl* smoked foods *pl*.
Rauchfahne *f* smoke trail, trail of smoke; **Rauchfang** *m* **1.** (*Rauchabzug*) chimney hood; **2.** (*Aus*) chimney; **Rauchfangkehrer(in** *f*) *m* (*Aus*) (chimney) sweep; **Rauchfaß** *nt* (*Eccl*) censer; **Rauchfleisch** *nt* smoked meat; **rauchfrei** *adj* smokeless; **Rauchgase** *pl* fumes *pl*; **Rauchgasentschwefelung** *f* flue gas desulphurization; **Rauchgasentschwefelungsanlage** *f* flue gas desulphurization plant; **rauchgeschwängert** *adj* smoke-filled, heavy with smoke; **rauchgeschwärzt** *adj* blackened by smoke, smoke-blackened; **Rauchglas** *nt* smoked glass; **Rauchglocke** *f* pall of smoke.
rauchig *adj* smoky.
Rauchpilz *m* mushroom cloud; **Rauchquarz** *m* smoky quartz, cairngorm; **Rauchsalon** *m* smoking *or* smoke room; **Rauchsäule** *f* column *or* pillar of smoke; **Rauchschwaden** *pl* drifts of smoke *pl*; **Rauchschwalbe** *f* swallow; **Rauchsignal** *nt* smoke signal; **Rauchtabak** *m* (*form*) tobacco;

Rauchtisch(chen nt) m smoker's table;
Rauchtopas m siehe **Rauchquarz;**
Rauchutensilien pl smoker's requisites
pl; **Rauchverbot** nt smoking ban, ban
on smoking; **hier herrscht ~** smoking is
not allowed here, there's no smoking
here; **Rauchvergiftung** f fume poisoning; **eine ~ erleiden** to be overcome by
fumes; **Rauchverzehrer** m -s, - smoke
dispeller, small, often ornamental device
for neutralizing tobacco smoke; **Rauchwaren**1 pl tobacco (products pl);
Rauchwaren2 pl (Pelze) furs pl;
Rauchwarenhändler(in f) m furrier;
Rauchwolke f cloud of smoke; **Rauch-
zeichen** nt smoke signal; **Rauchzim-
mer** nt smoking or smoke room.
Räude f -, -n (Vet) mange.
räudig adj mange. **du ~er Hund!** (old inf)
you dirty dog!
rauf adv (inf) ~! (get) up!; siehe **herauf,
hinauf.**
Raufbold m -(e)s, -e (dated) ruffian,
roughneck.
raufen I vt Unkraut to pull up; Flachs to
pull. **sich** (dat) **die Haare ~** to tear (at)
one's hair. II vir to scrap, to fight.
Rauferei f scrap, rough-house (inf). **nur
eine harmlose ~** just a harmless little
scrap.
Raufhandel m (old, form) affray (form);
Rauflust f pugnacity; **rauflustig** adj
ready for a fight or scrap, pugnacious.
rauh I 1. rough. **eine ~e Schale haben**
(fig) to be a rough diamond.
2. Hals, Kehle sore; Stimme husky;
(heiser) hoarse; (unfreundlich) rough.
3. Wetter rough, raw; Wind, Luft raw;
See rough; Klima, Winter harsh, raw;
(unwirtlich) Gebiet bleak, stark; Stadt
tough. **im ~en Norden** in the rugged
north; **(die) ~e Wirklichkeit** harsh reality, the hard facts pl; **hier herrschen ja
~e Methoden** their/his etc methods are
brutal.
4. (barsch, grob) Benehmen, Wesen
rough; (hart) Mann tough, rugged; Sitten auch rough-and-ready; Ton, Worte,
Behandlung auch harsh. **~, aber herzlich** bluff; Begrüßung, Ton rough but
jovial; **er ist ~, aber herzlich** he's a
rough diamond.
5. (inf) **in ~en Mengen** by the ton
(inf), galore (inf); **Zucker in ~en Mengen** sugar by the ton, sugar galore.
Rauhbein nt (inf) rough diamond;
rauhbeinig adj (inf) rough-and-ready.
Rauheit f, no pl siehe adj **1.** roughness.
2. soreness; huskiness; hoarseness;
roughness. 3. roughness, rawness; rawness; roughness; harshness; bleakness;
toughness. 4. roughness; toughness;
rough-and-readiness; harshness.
Rauhfasertapete f woodchip paper;
Rauhhaardackel m wire-haired dachshund; **Rauhputz** m roughcast; **Rauhreif**
m hoarfrost, white frost; (gefrorener Nebel) rime.
Raum m -(e)s, **Räume 1.** no pl (Platz)
room, space; (Weite) expanse. **~ schaffen** to make some space or room; **auf
engstem ~ leben** to live in a very

confined space; **eine Frage in den ~ stellen** to pose a question; **eine Frage im ~
stehen lassen** to leave a question unresolved or hanging.
2. (Spielraum) room, scope.
3. (Zimmer) room.
4. (Gebiet, Bereich) area; (fig) sphere.
der ~ Frankfurt the Frankfurt area; **im
geistigen ~** in the intellectual sphere; **~
gewinnen** (Mil, fig) to gain ground.
5. no pl (Phys, Space) space no art.
der leere ~ the void.
Raumanzug m spacesuit; **Raumauftei-
lung** f floor plan; **Raumausstatter(in** f)
m -s, - interior decorator; **Raumbild** nt
stereoscopic or 3-D picture;
Raumbildverfahren nt stereoscopy.
Räumboot nt minesweeper.
Raum|einheit f unit of volume.
räumen I vt **1.** (verlassen) Gebäude, Gebiet to clear, to evacuate; (Mil: Truppen) to move out of, to withdraw from;
Wohnung to vacate, to move out of; Ho-
telzimmer to vacate, to check out of;
Sitzplatz to vacate, to give up. **wir müssen die Wohnung bis Mittwoch ~** we
have to be out of the flat by Wednesday.
2. (leeren) Gebäude, Straße, Warenlager to clear (von of). „**wir ~**" "clearance sale"; **wegen Einsturzgefahr mußte
das Gebäude geräumt werden** the building had to be evacuated or cleared because of the danger of it collapsing.
3. (woanders hinbringen) to shift, to
move; (entfernen) Schnee, Schutt auch
to clear (away); Minen to clear; (auf
See) to sweep, to clear. **räum deine Sachen in den Schrank** put your things
away in the cupboard; **er hat seine Sachen aus dem Schrank geräumt** he
cleared his things out of the cupboard.
II vi (auf~) to clear up; (um~) to rearrange things. **in etw** (dat) **~** to
rummage around in sth.
Raumersparnis f space-saving; **aus Gründen der ~** to save space, for reasons of
space; **Raumfähre** f space shuttle;
Raumfahrer(in f) m spaceman/-woman,
astronaut; (sowjetisch) cosmonaut.
Raumfahrt f space travel no art or flight
no art. **die Ausgaben für die ~ erhöhen**
to increase the space budget; **mit der
Entwicklung der ~** with the development of space technology; **das Zeitalter
der ~** the space age; **bemannte ~**
manned space travel.
Raumfahrt- in cpds space; **Raumfahrt-
behörde** f space authority; **Raumfahrt-
medizin** f space medicine; **Raumfahrt-
programm** nt space programme;
Raumfahrttechnik f space technology.
Raumfahrzeug nt spacecraft.
Räumfahrzeug nt bulldozer; (für Schnee)
snow-clearer.
Raumflug m space flight; (Forschungsflug
auch) space mission; **Raumforschung** f
space research; **Raumgestaltung** f
interior design; **Raumgitter** nt (Min)
(crystal or space) lattice; **Rauminhalt** m
volume, (cubic) capacity; **Raumkapsel**
f space capsule; **Raumklang** m stereoscopic sound; **Raumlehre** f geometry.

räumlich adj 1. (den Raum betreffend) spatial. ~e Verhältnisse physical conditions; ~e Nähe physical closeness, spatial proximity; wir wohnen ~ sehr beengt we live in very cramped conditions; rein ~ ist das unmöglich given the space it's impossible.

2. (dreidimensional) three-dimensional. ~es Anschauungsvermögen capacity to think in three dimensions; ~ sehen to see in three dimensions or three-dimensionally; ich kann mir das nicht ~ vorstellen I can't really picture it.

Räumlichkeit f 1. no pl three-dimensionality. 2. ~en pl premises pl.

Raummangel m lack of space or room; **Raummaß** nt unit of volume; **Raummeter** m or nt cubic metre (of stacked wood); **Raumnot** f shortage of space; **Raumordnung** f environmental planning; **Raumordnungsplan** m development plan; **Raumpfleger(in** f) m cleaner, cleaning lady.

Räumflug m snowplough, snowplow (US).

Raumplanung f (das Planen) development planning; (Plan) development plan; **Raumschiff** nt spaceship; **Raumsonde** f space probe; **Raumstation** f space station; **Raumtransporter** m space shuttle.

Räumtrupp m clearance gang or workers pl.

Räumung f clearing; (von Wohnung, Gebäude) vacation; (wegen Gefahr) evacuation; (unter Zwang) eviction; (von Lager, Vorräten, Geschäft) clearance. „wegen ~ alle Preise radikal herabgesetzt!" "all prices reduced to clear".

Räumungsarbeiten pl clearance operations pl; **Räumungsbefehl** m eviction order; **Räumungsklage** f action for eviction; **Räumungsverkauf** m clearance sale.

Raumverschwendung f waste of space.

raunen vti (liter) to whisper. es ging ein R~ durch die Menge a murmur went through the crowd.

raunzen vi (inf: S Ger, Aus) to grouse (inf), to grouch (inf).

Raupe f -, -n 1. caterpillar. 2. (Planier~) caterpillar; (Kette) caterpillar track.

Raupenfahrzeug nt caterpillar (vehicle); **Raupenkette** f caterpillar track; **Raupenschlepper** m caterpillar (tractor).

raus adv (inf) ~! (get) out!; siehe heraus, hinaus.

Rausch m -(e)s, **Räusche 1.** (Trunkenheit) intoxication, inebriation; (Drogen~) state of euphoria, high (sl). sich (dat) einen ~ antrinken to get drunk; einen ~ haben to be drunk; etw im ~ tun/sagen to do/say sth under the influence or while one is drunk; seinen ~ ausschlafen to sleep it off.

2. (liter: Ekstase) ecstasy, transport (liter), rapture; (Blut~, Mord~) frenzy. im ~ der Leidenschaft inflamed with passion; der ~ der Geschwindigkeit the thrill of speed.

rausch|arm adj (Rad) low-noise.

Rauschebart m (inf) big bushy beard;

(Mann) man with a big bushy beard, beardy (hum inf).

rauschen vi 1. (Wasser, Meer, Wasserfall) to roar; (sanft) to murmur; (Brandung) to boom, to roar; (Baum, Wald) to rustle; (Wind) to murmur; (Seide) to rustle, to swish; (Korn) to swish; (Regen) to pour or swoosh down; (Radio, Lautsprecher) to hiss; (Muschel) to sing; (Applaus) to resound. im ~den Walde in the gently murmuring forest; mit ~den Flügeln with a swish or swoosh of its wings; ~de Feste glittering parties; eine ~e Ballnacht a glittering ball.

2. aux sein (sich bewegen) (Bach) to rush; (Bumerang, Geschoß) to whoosh.

3. aux sein (inf: Mensch) to sweep. sie rauschte in das/aus dem Zimmer she swept into/out of the room.

rauschfrei adj low-noise; **Rauschfreiheit** f, no pl low-noise performance.

Rauschgift nt drug, narcotic; (Drogen) drugs pl, narcotics pl. ~ nehmen to take drugs; (regelmäßig auch) to be on drugs.

Rauschgifthandel m drug trafficking; **Rauschgifthändler(in** f) m drug trafficker; **Rauschgiftsucht** f drug addiction; **rauschgiftsüchtig** adj drug-addicted; er ist ~ he's addicted to drugs, he's a drug addict; **Rauschgiftsüchtige(r)** mf drug addict.

Rauschgold nt gold foil; **Rauschgoldengel** m ≈ Christmas tree fairy; **rauschhaft** adj (fig) ecstatic; **Rauschmittel** nt (form) intoxicant (form).

raus|ekeln vt sep (inf) to freeze out (inf).

rausfeuern vt sep (inf) to chuck or sling out (inf).

rausfliegen vi sep irreg aux sein (inf) to be chucked or slung out (inf); (entlassen werden auch) to be given the boot (inf) or the push (inf).

rauskriegen vt sep (inf) to get out; (herausfinden) to find out; (lösen können) to be able to do.

rauspauken vt sep (inf) jdn ~ to get sb out of trouble or off the hook (inf); mein Anwalt hat mich rausgepaukt my lawyer got me off.

räuspern vr to clear one's throat.

rausreißen vt sep irreg (inf) jdn ~ to save sb, to save sb's bacon (inf), to get sb out of trouble; der Mittelstürmer/das hat noch alles rausgerissen the centre-forward/that saved the day.

rausschmeißen vt sep irreg (inf) to chuck or sling or kick out (all inf); (entlassen auch) to give the boot (inf); (wegwerfen) to chuck out or away (inf); Geld to chuck away (inf), to chuck down the drain (inf). das ist rausgeschmissenes Geld that's money down the drain (inf).

Rausschmeißer(in f) m -s, - (inf) bouncer; (letzter Tanz) last number or dance.

Rausschmiß m -sses, -sse (inf) booting out (inf). man drohte uns mit dem ~ they threatened us with the boot (inf) or push (inf).

Raute f -, -n 1. (Bot) rue. 2. (Math) rhombus; (Her) lozenge.

rautenförmig *adj* rhomboid, diamond-shaped, lozenge-shaped.

Ravioli [ravi'o:li] *pl* ravioli *sing*.

Rayon [rɛ'jõ:] *m* **-s, -s** (*Aus*) department; (*old*) region.

Razzia ['ratsia] *f* **-, Razzien** ['ratsiən] raid, swoop (*inf*). **die Polizei machte in ein paar Lokalen** ~ the police swooped on (*inf*) *or* raided *or* made a raid on three *or* four bars.

Re *nt* **-s, -s** (*Cards*) redouble. ~ **ansagen** to redouble.

Reader ['ri:də] *m* **-s, -** - (*Lehrbuch*) reader.

Reagens *nt* **-, Reagenzien** [-iən], **Reagenz** *nt* **-es, -ien** [-iən] (*Chem*) reagent.

Reagenzglas *nt* (*Chem*) test-tube.

reagieren* *vi* to react (*auf* +*acc* to). **auf etw** (*acc*) **verärgert** ~ to react angrily to sth; **miteinander** ~ (*Chem*) to react (together).

Reaktion *f* 1. reaction (*auf* +*acc* to). 2. (*Pol pej*) reaction. **ein Vertreter der** ~ a representative of reactionary thinking.

reaktionär [reaktsio'nɛːɐ] *adj* (*Pol pej*) reactionary.

Reaktionär(in *f*) [reaktsio'nɛːɐ, -ərɪn] *m* (*pej*) reactionary.

Reaktionsfähigkeit *f* reactions *pl*; (*Chem*) reactivity; **Alkohol vermindert die** ~ alcohol slows down the *or* one's reactions; **Reaktionsgeschwindigkeit** *f* speed of reaction; **reaktionsschnell** *adj* with fast reactions; ~ **sein** to have fast reactions; **Reaktionswärme** *f* (*Chem*) heat of reaction; **Reaktionszeit** *f* reaction time.

reaktivieren* *vt* (*Sci*) to re-activate; (*Agr, Biol, fig*) to revive; *Kenntnisse, Können* to brush up, to polish up; *Glieder* to rehabilitate; (*Mil*) to call up again.

Reaktivierung *f siehe vt* reactivation; revival; brushing *or* polishing up; rehabilitation; new call-up.

Reaktor *m* reactor.

Reaktorblock *m* reactor block; **Reaktorkern** *m* reactor core; **Reaktorsicherheit** *f* reactor safety; **Reaktorunglück** *nt* nuclear disaster.

real *adj* real; (*wirklichkeitsbezogen*) realistic.

Realeinkommen *nt* real income; **Realenzyklopädie** *f* specialist dictionary/encyclopaedia; **Realgymnasium** *nt* ≃ grammar school (*Brit*), high school (*esp US*) (*stressing modern languages, maths and science*).

Realien [re'a:liən] *pl* realities *pl*, real facts *pl*; (*old Sch*) science and modern languages *pl*.

Realinjurie [-iə] *f* (*Jur*) ≃ assault.

Realisation *f* (*Verwirklichung, Fin*) realization; (*TV, Rad, Theat*) production.

realisierbar *adj* 1. practicable, feasible, realizable. 2. (*Fin*) realizable.

Realisierbarkeit *f* practicability, feasibility, realizability.

realisieren* *vt* 1. *Pläne, Ideen, Programm* to carry out; (*TV, Rad, Theat*) to produce. 2. (*Fin*) to realize; *Verkauf* to make, to conclude. 3. (*verstehen*) to realize.

Realisierung *f siehe* **Realisation**.

Realismus *m* realism.

Realist(in *f*) *m* realist.

realistisch *adj* realistic.

Realität *f* 1. reality. **die** ~ **anerkennen** to face facts; ~**en** *pl* (*Gegebenheiten*) realities *pl*, facts *pl*. 2. ~**en** *pl* (*Aus: Grundstücke*) real estate.

Realitätenhändler(in *f*) *m* (*Aus*) (real) estate agent, realtor (*US*).

realitätsfremd *adj* out of touch with reality; **Realitätssinn** *m* sense of realism; **er hat einen gesunden** ~ he has a firm hold on reality.

realiter [re'a:litɐ] *adv* (*geh*) in reality, in (point of) fact.

Realkapital *nt* physical assets *pl*, nonmonetary capital; **Realkatalog** *m* subject catalogue; **Realkonkurrenz** *f* (*Jur*) **in** ~ **mit** in conjunction with; **Reallexikon** *nt* specialist dictionary/encyclopaedia; **Reallohn** *m* real wages *pl*.

Realo *m* **-s, -s** (*Pol sl*) political realist (*of the Green Party*).

Realpolitik *f* political realism, Realpolitik; **Realpolitiker(in** *f*) *m* political realist; **Realschule** *f* ≃ secondary school, secondary modern school (*Brit*); (*Aus*) ≃ grammar school (*Brit*), high school (*US*); **Realschüler(in** *f*) *m* ≃ secondary modern pupil (*Brit*), student at secondary school (*US*); (*Aus*) ≃ grammar school pupil (*Brit*), high school student (*US*).

Re|animation *f* (*Med*) resuscitation.

re|animieren* *vt* (*Med*) to resuscitate.

Rebe *f* **-, -n** (*Ranke*) shoot; (*Weinstock*) vine.

Rebell(in *f*) *m* **-en, -en** rebel.

rebellieren* *vi* to rebel, to revolt.

Rebellion *f* rebellion, revolt.

rebellisch *adj* rebellious.

Rebensaft *m* (*liter*) wine, juice of the vine (*liter*), grape (*liter*).

Rebhuhn *nt* (common) partridge.

Reblaus *f* phylloxera (*spec*), vine pest; **Rebschnur** *f* (*Aus*) rope; **Rebsorte** *f* type of vine; **Rebstock** *m* vine.

Rebus *m or nt* **-, -se** rebus, picture puzzle.

Rechaud [re'ʃo:] *m or nt* **-s, -s** spirit burner; tea/coffee *etc* warmer; (*für Fondue*) spirit burner.

Rechen *m* **-s, -** (*S Ger*) (*Harke*) rake; (*Gitter an Bächen, Flüssen*) grill.

rechen *vt* (*S Ger*) to rake.

Rechenanlage *f* computer; **Rechenart** *f* type of calculation; **die vier** ~**en** the four arithmetical operations; **Rechenaufgabe** *f* sum, (arithmetical) problem; **Rechenautomat** *m* (automatic) adding machine, comptometer; **Rechenbrett** *nt* abacus; **Rechenbuch** *nt* arithmetic book; **Rechenexempel** *nt* sum; **das ist doch ein ganz einfaches** ~ it's a matter of simple arithmetic; **Rechenfehler** *m* miscalculation, (arithmetical) error *or* mistake; **Rechenfunktion** *f* (*Comput*) computational function; **Rechengeschwindigkeit** *f* (*Comput*) processing speed; **Rechenheft** *nt* arithmetic book; **Rechenkünstler(in** *f*) *m* mathematical genius *or* wizard (*inf*); **Rechenlehrer(in** *f*) *m* arithmetic teacher; **Rechenmaschine** *f* adding machine.

Rechenschaft *f* account. **jdm über etw** (*acc*) ~ **geben** *or* **ablegen** to account to sb for sth, to give *or* render account to sb for sth (*liter*); **sich** (*dat*) **über etw** (*acc*) ~ **ablegen** to account to oneself for sth; **jdm** ~ **schuldig sein** *or* **schulden** to be accountable to sb, to have to account to sb; **dafür bist du mir** ~ **schuldig** you owe me an explanation for that; **jdn (für etw) zur** ~ **ziehen** to call sb to account (for *or* over sth); **(von jdm)** ~ **verlangen** *or* **fordern** to demand an explanation *or* account (from sb).

Rechenschaftsbericht *m* report.

Rechenschieber, Rechenstab *m* slide-rule; **Rechentabelle** *f* ready-reckoner; **Rechentafel** *f* arithmetic slate; (*an der Wand*) (squared) blackboard; **Rechenwerk** *nt* (*Comput*) arithmetic unit; **Rechenzeit** *f* (*Comput*) computer time; **Rechenzentrum** *nt* computer centre.

Recherche [re'ʃɛrʃə, rə-] *f* **-, -n** investigation, enquiry. **~n anstellen** to make investigations *or* enquiries (*über etw* (*acc*) about *or* into sth).

recherchieren* [reʃɛr'ʃiːrən, rə-] *vti* to investigate.

rechnen I *vt* **1.** (*addieren etc*) to work out, to calculate; *Aufgabe* to work out. **wir ~ gerade Additionsbeispiele** we're doing addition sums at the moment; **rund gerechnet** in round figures; **was für einen Unsinn hast du da gerechnet!** how did you get that absurd result?, how did you work that out?

2. (*einstufen*) to count. **jdn/etw zu etw ~, jdn/etw unter etw** (*acc*) ~ to count sb among sth, to class sb/sth as sth; **er wird zu den größten Physikern gerechnet** he is rated as *or* is reckoned to be one of the greatest physicists, he is counted among the greatest physicists.

3. (*veranschlagen*) to estimate, to reckon. **wir hatten nur drei Tage gerechnet** we were only reckoning on three days; **für vier Personen rechnet man ca. zwei Pfund Fleisch** for four people you should reckon on about two pounds of meat; **das ist zu hoch/niedrig gerechnet** that's too high/low (an estimate).

4. (*einberechnen*) to include, to count, to take into account. **alles in allem gerechnet** all in all, taking everything into account; **den Ärger/die Unkosten mit dazu gerechnet** what with all the trouble/expense too *or* on top of that.

II *vi* **1.** (*addieren etc*) to do *or* make a calculation/calculations; (*esp Sch*) to do sums. **falsch/richtig** ~ to go wrong *or* make a mistake (in one's calculations)/ to calculate correctly; **(da hast du) falsch gerechnet!** you got that wrong; **gut/ schlecht** ~ **können** to be good/bad at sums (*esp Sch*) *or* arithmetic *or* with figures; ~ **lernen** to learn arithmetic.

2. (*eingestuft werden*) to count. **er rechnet noch als Kind** he still counts as a child.

3. (*sich verlassen*) **auf jdn/etw** ~ to

reckon *or* count on sb/sth.

4. mit jdm/etw ~ (*erwarten, einkalkulieren*) to reckon on *or* with sb/sth; (*berücksichtigen*) to reckon with sb/sth; **du mußt damit** ~, **daß es regnet** you must reckon on *or* with it raining; **mit ihm/ dieser Partei wird man** ~ **müssen** he/this party will have to be reckoned with; **damit hatte ich nicht gerechnet** I wasn't expecting that, I hadn't reckoned on *or* with that; **er rechnet mit einem Sieg** he reckons he'll win; **mit allem/dem Schlimmsten** ~ to be prepared for anything/the worst; **wir hatten nicht mehr mit ihm/seinem Kommen gerechnet** we hadn't reckoned on him coming any more; **damit** ~ **müssen, daß ...** to have to be prepared for the fact that ..., **to have to expect that ...**; **ich rechne morgen fest mit dir** I'll be expecting you tomorrow.

5. (*inf: haushalten*) to be thrifty, to economize. **seine Frau kann gut** ~ his wife knows how to economize, his wife is thrifty.

III *vr* to pay off, to turn out to be profitable. **etw rechnet sich schlecht/ nicht** sth is barely/not economical.

Rechnen *nt* **-s**, *no pl* arithmetic; (*esp Sch*) sums *pl*.

Rechner *m* **-s**, **- 1.** arithmetician. **ein guter** ~ **sein** to be good at arithmetic *or* figures. **2.** (*Elektronen~*) computer; (*Taschen~*) calculator.

rechnergesteuert *adj* computer-controlled; **rechnergestützt** *adj* computer-aided.

rechnerisch *adj* arithmetical. **ein ~es Beispiel** an example with some figures; **ich bin rein** ~ **überzeugt, aber ...** I'm convinced as far as the figures go but ...

Rechnerverbund *m* computer network. **um den** ~ **zu erleichtern** to make networking easier; **sie arbeiten im** ~ they use networking *or* a computer network.

Rechnung *f* **1.** (*Berechnung*) calculation; (*als Aufgabe*) sum. **die** ~ **geht nicht auf** (*lit*) the sum doesn't work out; (*fig*) it won't work (out).

2. (*schriftliche Kostenforderung*) bill (*Brit*), check (*US*); (*von Firma auch*) invoice. **das geht auf meine** ~ I'm paying, this one's on me; **auf** ~ **kaufen/bestellen** to buy/order on account; **laut** ~ as per invoice; **laut** ~ **vom 5. Juli** as per our invoice of July 5th; **auf** *or* **für eigene** ~ on one's own account; **(jdm) etw in** ~ **stellen** to charge (sb) for sth; **einer Sache** (*dat*) ~ **tragen** to take sth into account, to bear sth in mind; **auf seine** ~ **kommen** to have one's money's worth; **wenn du das glaubst, dann hast du die** ~ **ohne den Wirt gemacht** (*inf*) if you think that, you've got another think coming; **aber er hatte die** ~ **ohne den Wirt gemacht** (*inf*) but there was one thing he hadn't reckoned with.

Rechnungsabschluß *m* making-up of (the) accounts; **den** ~ **machen** to do the books; **Rechnungsamt** *nt* audit office; **Rechnungsbetrag** *m* (total) amount of a bill *or* check (*US*)/invoice/account; **Rechnungsbuch** *nt* account(s) book *or* ledger; **Rechnungseinheit** *f* unit of account; **Rechnungsführer(in** *f*) *m* chief accountant; **Rechnungsführung** *f siehe* **Buchführung**; **Rechnungshof** *m* ≃ Auditor-General's office (*Brit*), audit division (*US*); **Rechnungsjahr** *nt* financial *or* fiscal year; **Rechnungslegung** *f* tendering of account; **Rechnungsprüfer(in** *f*) *m* auditor; **Rechnungsprüfung** *f* audit.

Recht *nt* -(e)s, -e **1.** (*Rechtsordnung, sittliche Norm*) law; (*Gerechtigkeit auch*) justice. ~ **sprechen** to administer *or* dispense justice; **nach geltendem/englischem** ~ in law/in *or* under *or* according to English law; ~ **muß** ~ **bleiben** (*Naturrecht*) fair's fair; (*Gesetz*) the law's the law; **für das** ~ **kämpfen** to fight for justice; **das Gericht hat für** ~ **erkannt ...** the court has reached the following verdict *or* has decided ...; **von** ~**s wegen** legally, as of right; (*inf: eigentlich*) by rights (*inf*).

2. ~e *pl* (*form: Rechtswissenschaft*) jurisprudence; **Doktor der** *or* **beider** ~e Doctor of Laws.

3. (*Anspruch, Berechtigung*) right (*auf +acc* to). **sein** ~ **fordern** to demand one's rights; **seine** ~**e geltend machen** to insist on one's rights; **ich nehme mir das** ~**, das zu tun** I shall make so bold as to do that; **sein** ~ **bekommen** *or* **erhalten** *or* **kriegen** (*inf*) to get one's rights, to get what is one's by right; **zu seinem** ~ **kommen** (*lit*) to gain one's rights; (*fig*) to come into one's own; **auch das Vergnügen muß zu seinem** ~ **kommen** there has to be a place for pleasure too; **der Körper verlangt sein** ~ (**auf Schlaf**) the body demands its due *or* its rightful sleep; **gleiches** ~ **für alle!** equal rights for all!; **gleiche** ~**e, gleiche Pflichten** equal rights, equal duties; **das** ~ **des Stärkeren** the law of the jungle; **mit** *or* **zu** ~ rightly, with justification; **und (das) mit** ~ and rightly so; **Sie stellen diese Frage ganz zu** ~ you are quite right to ask this question; **im** ~ **sein** to be in the right; **das ist mein gutes** ~ it's my right; **es ist unser gutes** ~**, zu erfahren ...** we have every right to know ...; **woher nimmt er das** ~**, das zu sagen?** what gives him the right to say that?; **mit welchem** ~? by what right?

recht I *adj* **1.** (*richtig*) right. **mir ist es** ~**, es soll mir** ~ **sein** it's all right *or* OK (*inf*) by me; **ganz** ~! quite right; **ist schon** ~! (*inf*) that's all right, that's OK (*inf*); **alles, was** ~ **ist** (*empört*) there is a limit, fair's fair; (*anerkennend*) you can't deny it; **ich will zum Bahnhof, bin ich hier** ~? (*esp S Ger*) I want to get to the station, am I going the right way?; **bin ich hier** ~ **bei Schmidts?** (*esp S Ger*) is this the Smiths' place (all right *inf*)?; **hier geht es nicht mit** ~**en Dingen zu** there's something odd *or* not right here; **ich habe keine** ~**e Lust** I don't particularly feel like it; **aus dem Jungen kann nichts R**~**es werden** that boy will come to no good;

aus ihm ist nichts R~**es geworden** (*beruflich*) he never really made it; **er hat nichts R**~**es gelernt** he didn't learn any real trade; **nach dem R**~**en sehen** to see that everything's OK (*inf*); **Tag, ich wollte nur mal nach dem R**~**en sehen** hello, I just thought I'd come and see how you're doing *or* how things are; **es ist nicht mehr als** ~ **und billig** it's only right and proper; **was dem einen** ~ **ist, ist dem andern billig** (*Prov*) what's sauce for the goose is sauce for the gander (*Prov*).

2. ~ **haben** to be right; **er hat** ~ **bekommen** he was right; ~ **behalten** to be right; **er will immer** ~ **behalten** he always has to be right; **jdm** ~ **geben** to agree with sb, to admit that sb is right; ~ **daran tun, zu ...** to be *or* do right to ...

II *adv* **1.** (*richtig*) properly; (*wirklich*) really. **verstehen Sie mich** ~ don't get me wrong (*inf*), don't misunderstand me; **wenn ich Sie** ~ **verstehe** if I understand you rightly *or* aright (*form*); **sehe/höre ich** ~? am I seeing/hearing things?; **ich werde daraus nicht** ~ **klug** I don't really *or* rightly know what to make of it; **das geschieht ihm** ~ it serves him right; **du kommst gerade** ~**, um ...** you're just in time to ...; **das ist** *or* **kommt mir gerade** ~ (*inf*) that suits me fine; **du kommst mir gerade** ~ (*iro*) you're all I needed; **gehe ich** ~ **in der Annahme, daß ...?** am I right *or* correct in assuming that ...?; **hat es dir gefallen?** — **nicht so** ~ did you like it? — not really; **ich weiß nicht** ~ I don't really *or* rightly know; **man kann ihm nichts** ~ **machen** you can't do anything right for him; **man kann es nicht allen** ~ **machen** you can't please all of the people all of the time.

2. (*ziemlich, ganz*) quite, fairly, pretty (*inf*). ~ **viel** quite a lot.

3. (*sehr*) very, right (*dial*). ~ **herzlichen Dank!** thank you very much indeed.

Rechte *f* -n, -n **1.** (*Hand*) right hand; (*Boxen*) right. **2.** (*Pol*) right, Right.

Rechteck *nt* rectangle; **rechteckig** *adj* rectangular.

Rechtehandregel *f* (*Phys*) right-hand rule.

rechten *vi* (*geh*) to argue, to dispute.

Rechtens *gen of* **Recht** (*form*) **es ist** ~/ **nicht** ~**, daß er das gemacht hat** he was/ was not within his rights to do that; **die Sache war nicht** ~ the matter was not right *or* (*Jur*) legal.

rechte(r, s) *adj attr* **1.** right, right-hand. ~**r Hand** on *or* to the right; **auf der** ~**n Seite** on the right-hand side, on the right; **jds** ~ **Hand sein** to be sb's right-hand man. **2.** **ein** ~**r Winkel** a right angle. **3.** (*konservativ*) right-wing, rightist. **der** ~ **Flügel** the right wing. **4.** (*beim Stricken*) plain. **eine** ~ **Masche** (*beim Stricken*) plain. **eine** ~ **Masche** to knit sth.

rechterseits *adv* on the right-hand side.

rechtfertigen *insep* **I** *vt* to justify; (*berechtigt erscheinen lassen auch*) to warrant. **das ist durch nichts zu** ~ that can in no

way be justified, that is completely unjustifiable. **II** *vr* to justify oneself.

Rechtfertigung *f* *siehe* *vt* justification;
warranting. **zu meiner ~** in my defence,
in justification of what I did/said *etc.*

Rechtfertigungsgrund *m* (*Jur*) justification; **Rechtfertigungsschrift** *f* apologia; **Rechtfertigungsversuch** *m* attempt at self-justification.

rechtgläubig *adj* orthodox; **Rechtgläu-
bigkeit** *f* orthodoxy; **Rechthaber(in** *f*)
m **-s**, **-** (*pej*) know-all (*inf*), self-
opinionated person; **Rechthaberei** *f*
(*pej*) know-all attitude (*inf*), self-
opinionatedness; **rechthaberisch** *adj*
know-all *attr* (*inf*), self-opinionated; **er
ist so ~** he's such a know-all (*inf*), he's
so self-opinionated.

rechtlich *adj* **1.** (*gesetzlich*) legal. **~ verpflichtet** bound by law, legally obliged; **~**
zulässig permissible in law, legal; **~
nicht zulässig** not permissible in law,
illegal; **~ unmöglich** impossible for legal
reasons.
2. (*old: redlich*) honest, upright,
upstanding (*old*). **~ denken/handeln** to
think/act in an honest *etc* way.

rechtlos *adj* **1.** without rights; **2.** *Zustand*
lawless; **Rechtlose(r)** *mf decl as adj*
person with no rights; (*Vogelfreier*) outlaw; **Rechtlosigkeit** *f* **1.** (*von Mensch*)
lack of rights; **in völliger ~ leben** to have
no rights whatever; **2.** (*in Land*) lawlessness; **rechtmäßig** *adj* (*legitim*) lawful,
legitimate; *Erben, Thronfolger, Besitzer
auch* rightful; (*dem Gesetz entsprechend*) legal, in accordance with the
law; **für ~ erklären** to legitimize; to declare legal; **Rechtmäßigkeit** *f* (*Legitimität*) legitimacy; (*Legalität*) legality.

rechts I *adv* **1.** on the right. **nach ~** (to
the) right; **von ~** from the right; **~ von
etw** (on *or* to the) right of sth; **~ von
jdm** to *or* on sb's right; (*Pol*) to the right
of sb; **weiter ~** further to the right; **sich
~ einordnen** to move into *or* take the
right-hand lane; **~ vor links** right before
left (*rule of the priority system for driving*); **sich ~ halten** to keep (to the) right;
Augen ~! (*Mil*) eyes right!; **~ stehen** *or*
sein (*Pol*) to be right-wing *or* on the
right *or* a right-winger; **ich weiß nicht
mehr, wo ~ und links ist** (*inf*) I don't
know whether I'm coming or going
(*inf*).
2. **~ stricken** to knit (plain); **ein ganz
~ gestrickter Pullover** a pullover knitted
in garter stitch; **zwei ~, zwei links** (*beim
Stricken*) knit two, purl two, two plain,
two purl.
II *prep* +*gen* **~ des Rheins** to *or* on
the right of the Rhine.

Rechts- *in cpds* (*Jur*) legal; **Rechtsabbie-
ger(in** *f*) *m* **-s**, **-** motorist/cyclist/car *etc*
turning right; **Rechtsabbiegerspur** *f*
right-hand turn-off lane; **Rechtsangele-
genheit** *f* legal matter; **Rechtsan-
spruch** *m* legal right *or* entitlement; **einen ~ auf etw** (*acc*) **haben** to be legally
entitled to sth, to have a legal right *etc* to
sth; **aus etw einen ~ ableiten** to use sth
to create a legal precedent; **Rechtsan-

walt *m*, **Rechtsanwältin** *f* lawyer,
attorney (*US*); (*als Berater auch*) solici-
tor (*Brit*); (*vor Gericht auch*) barrister
(*Brit*); (*vor Gericht auch*) advocate
(*Scot*); **sein ~ behauptete vor Gericht,
...** his counsel maintained in court ...;
sich (*dat*) **einen ~ nehmen** to get a lawyer *or* an attorney (*US*) *etc*; **Rechtsauf-
fassung** *f* **1.** conception of legality; **2.**
(*Auslegung*) interpretation of the law;
Rechtsauskunft *f* legal advice; **Rechts-
ausleger** *m* (*Boxen*) southpaw; (*Pol
hum*) extreme right-winger (of a party);
Rechtsaußen *m* **-**, **-** (*Ftbl*) outside-right;
(*Pol inf*) extreme right-winger; **Rechtsbeistand** *m* legal advice; (*Mensch*) legal
adviser; **Rechtsberater(in** *f*) *m* legal
adviser; **Rechtsbeugung** *f* perversion
of the course of justice; **Rechtsbre-
cher(in** *f*) *m* **-s**, **-** law-breaker, criminal;
Rechtsbruch *m* breach *or* infringement
of the law.

rechtschaffen I *adj* **1.** (*ehrlich, redlich*)
honest, upright. **2.** (*inf: stark, groß*) **~en
Durst/Hunger haben** to be really thirsty/
hungry, to be parched (*inf*)/to be starving (*inf*). **II** *adv* really, tremendously.
sich ~ bemühen to try really hard.

Rechtschaffenheit *f* honesty, uprightness.

rechtschreiben *vi infin only* to spell.

Rechtschreiben *nt* spelling.

Rechtschreibfehler *m* spelling mistake;
**Rechtschreibkontrolle, Rechtschreib-
prüfung** *f* (*Comput*) spelling check,
spell check; (*Programm*) spelling checker, spell checker; **Rechtschreibreform**
f spelling reform.

Rechtschreibung *f* spelling.

Rechtsdrall *m* (*im Gewehrlauf*) clockwise
rifling; (*von Geschoß, Billardball*)
swerve to the right; (*Pol inf*) leaning to
the right; **einen ~ haben** to swerve/pull/
lean to the right.

Rechts|empfinden *nt* sense of justice.

rechtsextrem *adj* right-wing extremist
attr; **Rechtsextremismus** *m* right-wing
extremism; **Rechtsextremist(in** *f*) *m*
right-wing extremist; **rechtsfähig** *adj*
(*Jur*) legally responsible, having legal
capacity (*form*); **Rechtsfähigkeit** *f*
(*Jur*) legal responsibility *or* capacity
(*form*); **Rechtsfall** *m* court case; (*in der
Rechtsgeschichte auch*) legal case;
Rechtsfrage *f* legal question *or* issue;
Rechtsfrieden *m* (*Jur*) peace under the
law; **Rechtsgang** *m* (*Jur*) legal procedure; **im ersten ~** at the first courtcase;
rechtsgängig *adj* (*Tech*) right-handed;
Rechtsgefühl *nt siehe* **Rechtsempfin-
den**; **Rechtsgelehrsamkeit** *f* (*old*) *siehe*
Rechtswissenschaft; **Rechtsgelehrte(r)**
mf jurist, legal scholar; **rechtsgerichtet**
adj (*Pol*) right-wing; **Rechtsgeschäft** *nt*
legal transaction; **Rechtsgeschichte** *f*
legal history; **Rechtsgewinde** *nt* right-
handed thread; **Rechtsgrund** *m* legal
justification; **Rechtsgrundsatz** *m* legal
maxim; **rechtsgültig** *adj* legally valid,
legal; *Vertrag auch* legally binding;
Rechtsgut *nt* something enjoying legal
protection, legally protected right;

Rechtsgutachten nt legal report; **Rechtshaken** m (Boxen) right hook; **Rechtshandel** m (liter) lawsuit; **Rechtshänder(in** f) m -s, - right-handed person, right-hander (esp Sport); ~ **sein** to be right-handed; **rechtshändig** adj right-handed; **Rechtshändigkeit** f right-handedness; **Rechtshandlung** f legal act; **rechtshängig** adj (Jur) sub judice pred; **rechtsherum** adv (round) to the right; sich drehen etc auch clockwise; **Rechtshilfe** f (mutual) assistance in law enforcement; **Rechtshilfeabkommen** nt law enforcement treaty; **Rechtskraft** f, no pl force of law; (Gültigkeit: von Vertrag etc) legal validity; ~ **erlangen** to become law, to come into force; **die ~ eines Urteils** the finality or legal force of a verdict; **rechtskräftig** adj having the force of law; Urteil final; Vertrag legally valid; ~ **sein/werden** (Verordnung) to have the force of law/to become law; (Urteil) to be/become final; (Gesetz) to be in/come into force; **rechtskundig** adj familiar with or versed in the law; **Rechtskurve** f (von Straße) right-hand bend; (von Bahn auch) right-hand curve; **Rechtslage** f legal position; **rechtslastig** adj listing to the right; Auto auch down at the right; (fig) leaning to the right; ~ **sein** to list to/be down at/lean to the right; **rechtsläufig** adj Gewinde right-handed; Schrift left-to-right; **Rechtslehre** f siehe Rechtswissenschaft; **Rechtslehrer(in** f) m (form) professor of jurisprudence (form); **Rechtsmittel** nt means of legal redress; ~ **einlegen** to lodge an appeal; **Rechtsmittelbelehrung** f statement of rights of redress or appeal; **Rechtsnachfolger(in** f) m legal successor; **Rechtsnorm** f legal norm; **Rechtsordnung** f eine ~ a system of laws; **die ~** the law; **Rechtspartei** f right-wing party; **Rechtspflege** f administration of justice; **Rechtsphilosophie** f philosophy of law.

Rechtsprechung f 1. (Rechtspflege) administration of justice; (Gerichtsbarkeit) jurisdiction. 2. (richterliche Tätigkeit) administering or dispensation of justice. 3. (bisherige Urteile) precedents pl.

rechtsradikal adj (Pol) radical right-wing; **die R~en** the right-wing radicals; **Rechtsradikalismus** m right-wing radicalism; **Rechtsreferendar(in** f) m articled clerk; ~ **sein** to be under articles; **rechtsrheinisch** adj to or on the right of the Rhine; **Rechtsruck** m (Pol) swing to the right; **rechtsrum** adv (inf) to the right; **Rechtsschutz** m legal protection; **Rechtsschutzversicherung** f legal costs insurance; **rechtsseitig** adj on the right(-hand) side; ~ **gelähmt** paralysed in the right side; **Rechtssprache** f legal terminology or language; **Rechtsspruch** m verdict; **Rechtsstaat** m state under the rule of law; **rechtsstaatlich** adj of a state under the rule of law; **seine ~e Gesinnung** his predisposition for law and order; **Rechtsstaatlichkeit** f rule of

law; (einer Maßnahme) legality; **rechtsstehend** adj attr right-hand, on the right; (Pol) right-wing, on the right; **Rechtsstellung** f legal position; **Rechtssteuerung** f right-hand drive; **Rechtsstreit** m lawsuit; **Rechtstitel** m legal title.

rechtsuchend adj attr seeking justice.

rechts|um adv (Mil) to the right.

Rechtsunsicherheit f uncertainty (about one's legal position); **rechtsverbindlich** adj legally binding; Auskunft legally valid; **Rechtsverdreher(in** f) m -s, - (pej) shyster (inf), Philadelphia lawyer (US); (hum inf) legal eagle (inf); **Rechtsvergleichung** f comparative law; **Rechtsverkehr** m driving on the right no def art; **in Deutschland ist ~** in Germany they drive on the right; **Rechtsverletzung** f infringement or breach of the law; **Rechtsverordnung** f ≈ statutory order; **Rechtsvertreter(in** f) m legal representative; **Rechtsweg** m legal action; **den ~ beschreiten** to have recourse to or take legal action, to go to law; **unter Ausschluß des ~es** without possibility of recourse to legal action; **der ~ ist ausgeschlossen** ≈ the judges' decision is final; **rechtswidrig** adj illegal; **Rechtswidrigkeit** f illegality; **Rechtswissenschaft** f jurisprudence.

rechtwink(e)lig adj right-angled; **rechtzeitig** I adj (früh genug) timely; (pünktlich) punctual; **um ~e Anmeldung wird gebeten** you are requested to apply in good time; II adv (früh genug) in (good) time; (pünktlich) on time; **gerade noch ~ ankommen** to arrive or be just in time.

Recital [ri:'saitl] nt -s, -s (Mus) recital.

Reck nt -(e)s, -e (Sport) horizontal bar.

Recke m -n, -n (obs) warrior.

recken I vt 1. (aus-, emporstrecken) to stretch. **den Kopf/Hals ~** to crane one's neck; **die Glieder ~** to stretch (oneself), to have a stretch. 2. (dial: glattziehen) etw ~ to pull the creases out of sth. II vr to stretch (oneself). **sich ~ und strecken** to have a good stretch.

Reckstange f horizontal bar; **Reckturnen** nt bar exercises pl.

Recorder [re'kɔrdɐ] m -s, - (cassette) recorder.

recyclebar [ri:'saıkla:r] adj recyclable.

recyceln* [ri:'saikəln] vt to recycle.

Recycling [ri:'saiklıŋ] nt -s, no pl recycling.

Recyclinghof m recycling plant; **Recyclingpapier** nt recycled paper; **Recyclingwerk** nt recycling plant.

Redakteur(in f) [-'tø:ɐ, -'tø:rın] m editor.

Redaktion f 1. (das Redigieren) editing. **die ~ dieses Buches hatte XY** this book was edited by XY. 2. (Personal) editorial staff. 3. (~sbüro) editorial office(s). **der Reporter rief seine ~ an** the reporter phoned his office or paper.

redaktionell [redaktsio'nɛl] adj editorial. **die ~e Leitung im Ressort Wirtschaft hat Herr Müller** Herr Müller is the editor responsible for business and finance; **etw ~ überarbeiten** to edit sth.

Redaktionskonferenz f editorial conference; **Redaktionsschluß** m time of going to press; **diese Nachricht ist vor/nach ~ eingegangen** this news item arrived before/after the paper went to press or bed (sl).

Redaktor(in f) m (Sw) editor.

Redaktrice [-'tri:sə] f -, -n (Aus) editor.

Rede f -, -n 1. speech; (Ansprache) address. **die Kunst der ~** (form) the art of rhetoric; **eine ~ halten** or **schwingen** (sl) to make or give a speech; **die ~ des Bundeskanzlers** the Chancellor's speech, the speech given by the Chancellor; **der langen ~ kurzer Sinn** (prov) the long and the short of it.

2. (Äußerungen, Worte) words pl, language no pl. **seine frechen ~n** his cheek; **große ~n führen** or **schwingen** (sl) to talk big (inf); **das ist meine ~!** that's what I've always said; **das ist nicht der ~ wert** it's not worth mentioning; **(es ist) nicht der ~ wert!** don't mention it, it was nothing.

3. (das Reden, Gespräch) conversation, talk. **jdm in die ~ fallen** to interrupt sb; **die ~ fiel** or **kam auf** (+acc) the conversation or talk turned to; **die in ~ stehende Person** (form) the person in question or under discussion; **von Ihnen war eben die ~** we were just talking about you; **aber davon war doch nie die ~** but no-one was ever talking about that; **wovon ist die ~?** what are you/we etc talking about?; **von einer Gehaltserhöhung kann keine ~ sein** there can be no question of a salary increase; **davon kann keine ~ sein** it's out of the question.

4. (Ling, Liter) speech. **direkte/indirekte ~** direct/indirect speech or discourse (US); **gebundene/ungebundene ~** verse/prose; **in freier ~** without (consulting) notes.

5. (Gerücht, Nachrede) rumour. **kümmere dich doch nicht um die ~n der Leute!** don't worry (about) what people say.

6. (Rechenschaft) (jdm) **~ (und Antwort) stehen** to justify oneself to sb; **(jdm) für etw ~ und Antwort stehen** to account (to sb) for sth; **jdn zur ~ stellen** to take sb to task.

Rededuell nt verbal exchange or duel; **Redefigur** f (Liter) figure of speech; **Redefluß** m volubility; **er stockte plötzlich in seinem ~** his flow of words suddenly stopped; **ich will Ihren ~ nicht unterbrechen, aber ...** I don't wish to interrupt your flow but ...; **Redefreiheit** f freedom of speech; **Redegabe** f eloquence; **redegewandt** adj eloquent; **Redekunst** f **die ~** rhetoric.

reden I vi 1. (sprechen) to talk, to speak. **R~ während des Unterrichts** talking in class; **mit sich selbst/jdm ~** to talk or speak to oneself/sb; **wie redest du denn mit deiner Mutter!** that's no way to talk or speak to your mother!; **so lasse ich nicht mit mir ~!** I won't be spoken to like that!; **sie hat geredet und geredet** she talked and talked; **mit jdm über jdn/etw ~** to talk or speak to or with sb about

sb/sth; **~ wir nicht mehr davon** or **darüber** let's not talk or speak about it any more, let's drop it (inf); **~ Sie doch nicht!** (inf) come off it! (inf); **(viel) von sich ~ machen** to become (very much) a talking point; **das Buch/er macht viel von sich ~** everyone is talking about the book/him; **du hast gut** or **leicht ~!** it's all very well for you to talk); **ich habe mit Ihnen zu ~!** I would like to speak or talk to you, I would like a word with you; **ich rede gegen eine Wand** or **Mauer** it's like talking to a brick wall (inf); **darüber läßt** or **ließe sich ~** that's a possibility; (über Preis, Bedingungen) I think we could discuss that; **darüber läßt** or **ließe sich eher ~** that's more like it, now you're talking; **er läßt mit sich ~** he could be persuaded; (in bezug auf Preis) he's open to offers; (gesprächsbereit) he's open to discussion; **sie läßt nicht mit sich ~** she is adamant; (bei eigenen Forderungen auch) she won't take no for an answer; **R~ ist Silber, Schweigen ist Gold** (Prov) (speech is silver but) silence is golden (Prov); **das ist ja mein R~ (seit 33)** (inf) I've been saying that for (donkey's inf) years.

2. (klatschen) to talk (über +acc about). **schlecht von jdm ~** to talk or speak ill of sb; **in so einem Dorf wird natürlich viel geredet** in a village like that naturally people talk a lot.

3. (eine Rede halten) to speak. **er redet nicht gerne öffentlich** he doesn't like public speaking; **er kann nicht/gut ~** he is no/a good talker or (als Redner) speaker.

4. (euph: gestehen, aussagen) to talk. **jdn zum R~ bringen** to get sb to talk, to make sb talk; **er will nicht ~** he won't talk.

II vt 1. to talk; **Worte** to say. **einige Worte ~** to say a few words; **kein Wort ~** not to say or speak a word; **sich (dat) etw von der Seele** or **vom Herzen ~** to get sth off one's chest; **jdm/einer Sache das Wort ~** to speak (out) in favour of sb/sth.

2. (klatschen) to say. **es kann dir doch nicht egal sein, was über dich geredet wird** it must matter to you what people say about you; **Schlechtes von jdm** or **über jdn ~** to say bad things about sb.

III vr **sich heiser ~** to talk oneself hoarse; **sich in Zorn** or **Wut ~** to talk oneself into a fury.

Redens|art f (Phrase) hackneyed expression, cliché; (Redewendung) expression, idiom; (Sprichwort) saying; (leere Versprechung) empty promise. **das ist nur so eine ~** it's just a way of speaking; **bloße ~en** empty talk.

Redenschreiber(in f) m speechwriter.

Rederei f 1. (Geschwätz) chattering no pl, talking no pl. **du mit deiner ~, du bist doch zu feige dazu** you're all talk, you're too scared to do it. **2.** (Klatsch) gossip no pl, talk no pl. **zu ~en Anlaß geben** to make people talk, to give rise to gossip.

Redeschwall m torrent or flood of words; **Redestrom** m flow of words; **Rede-**

verbot *nt* ban on speaking; **jdm ~ erteilen** to ban sb from speaking; **Redeweise** *f* style *or* manner (of speaking); **Redewendung** *f* idiom, idiomatic expression.

redigieren* *vt* to edit.

Rediskontgeschäft *nt* rediscount.

Rediskontierung *f* rediscounting.

redlich *adj* honest. **~ denken** to be honest; **~ handeln** to be honest, to act honestly; **er meint es ~** he is being honest; **sich** *(dat)* **~ verdient haben** to have really *or* genuinely earned sth; **Geld, Gut** to have acquired sth by honest means; **~ (mit jdm) teilen** to share (things) equally (with sb); **sich ~ durchs Leben schlagen** to make an honest living.

Redlichkeit *f* honesty.

Redner(in *f)* *m* **-s, -** speaker; *(Rhetoriker)* orator. **ich bin kein (großer) ~ aber ...** unaccustomed as I am to public speaking ...

Rednerbühne *f* platform, rostrum; **Rednergabe** *f* gift of oratory.

rednerisch *adj* rhetorical, oratorical. **~e Begabung** talent for public speaking; **~ begabt sein** to be a gifted speaker.

Rednerpult *nt* lectern.

redselig *adj* talkative.

Redseligkeit *f* talkativeness.

Reduktion *f* **1.** *(Einschränkung)* diminution; *(von Ausgaben, Verbrauch)* reduction *(gen* in). **2.** *(Zurückführung)* reduction *(auf* +*acc* to). **3.** *(Chem)* reduction.

Reduktionsmittel *nt* *(Chem)* reducing agent.

redundant *adj* redundant.

Redundanz *f* redundancy, redundance *no pl.*

Reduplikation *f* reduplication.

reduplizieren* *vt* to reduplicate.

reduzierbar, reduzibel *adj* reducible *(auf* +*acc* to).

reduzieren* **I** *vt* **1.** *(einschränken)* to reduce. **2.** *(zurückführen)* to reduce *(auf* +*acc* to). **3.** *(Chem)* to reduce. **II** *vr* to decrease, to diminish.

Reduzierung *f siehe* **Reduktion.**

Reede *f* **-, -n** *(Naut)* roads *pl*, roadstead. **auf der ~ liegen** to be (lying) in the roads.

Reeder(in *f)* *m* **-s, -** ship owner.

Reederei *f* shipping company.

Reedereiflagge *f* house flag.

reell *adj* **1.** *(ehrlich)* honest, straight, on the level *(inf)*; *(Comm)* *Geschäft, Firma* solid, sound; *Preis* realistic, fair; *Bedienung* good. **das ist etwas R~es!** it's the real thing. **2.** *(wirklich, echt)* real. **3.** *(Math)* *Zahlen* real.

Reet *nt* **-s,** *no pl* *(N Ger)* reed.

Reetdach *nt* thatched roof; **reetgedeckt** *adj* thatched.

REFA-Fachmann, REFA-Mann ['re:fa-] *(inf)* *m* time and motion expert *or* man *(inf)*, work-study man *(inf)*.

Refektorium *nt* *(Eccl)* refectory.

Referat *nt* **1.** *(Univ)* seminar paper; *(Sch)* project. **ein ~ vortragen** *or* **halten** to give *or* read *or* present a seminar paper/ to present a project. **2.** *(Admin: Ressort)*

department.

Referendar(in *f)* *m* trainee (in civil service); *(Studien~)* student teacher; *(Gerichts~)* articled clerk.

Referendarzeit *f* traineeship; *(Studien~)* teacher training; *(Gerichts~)* time under articles.

Referendum *nt* **-s, Referenden** *or* **Referenda** referendum.

Referent(in *f)* *m* *(Sachbearbeiter)* consultant, expert; *(Redner, Berichterstatter)* speaker; *(Univ: Gutachter)* examiner.

Referenz *f* reference. **jdn als ~ angeben** to give sb as a referee.

referieren* *vi* to (give a) report, to give a review *(über* +*acc* on).

Reff *nt* **-(e)s, -e** *(Naut)* reef.

reffen *vt* *(Naut)* to reef.

Refinanzierung *f* financing of financing, rediscounting.

Reflektant(in *f)* *m* *(dated)* *(Kauflustiger)* prospective purchaser; *(Stellungsbewerber)* applicant.

reflektieren* **I** *vt* to reflect. **II** *vi* **1.** *(nachdenken)* to reflect, to ponder *(über* +*acc* (up)on). **2.** *(streben nach)* **auf etw** *(acc)* **~** to be interested in sth. **3.** *(Phys)* to reflect. **entblendete Rückspiegel ~ nicht** tinted rear-view mirrors eliminate dazzle.

Reflektor *m* reflector.

reflektorisch **I** *adj* **1.** *(motorisch)* reflex. **2.** *(geistig)* reflective. **II** *adv* by reflex action.

Reflex *m* **-es, -e** **1.** *(Sci)* reflection. **2.** *(Physiol)* reflex.

Reflexbewegung *f* reflex action.

Reflexion *f* **1.** *(Phys)* reflection. **2.** *(Überlegung)* reflection. **über etw** *(acc)* **~en anstellen** to reflect on sth.

Reflexionswinkel *m* *(Phys)* angle of reflection.

reflexiv *adj* *(Gram)* reflexive.

Reflexiv *nt* **-s, -e, Reflexivum** *nt* reflexive (pronoun/verb).

Reflexivpronomen *nt* reflexive pronoun.

Reflexzonenmassage *f* reflexology.

Reform *f* **-, -en** reform.

Reformation *f* Reformation.

Reformationsfest *nt* Reformation Day *(Oct 31st)*.

Reformator(in *f)* *m* reformer; *(Hist)* Reformer.

reformatorisch *adj* reforming.

reformbedürftig *adj* in need of reform; **Reformbestrebungen** *pl* striving for *or* after reform; **Reformbewegung** *f* reform movement.

Reformer(in *f)* *m* **-s, -** reformer.

reformerisch *adj* reforming.

reformfreudig *adj* avid for reform; **Reformhaus** *nt* health food shop.

reformieren* *vt* to reform.

reformiert *adj* *(Eccl)* Reformed.

Reformierte(r) *mf decl as adj* member of the Reformed Church.

Reformismus *m* *(Pol)* reformism.

Reformist(in *f)* *m* *(Pol)* reformist.

reformistisch *adj* *(Pol)* reformist.

Reformkurs *m* policy of reform; **einen ~ steuern** to follow a policy of reform;

Reformplan *m* plan for reform.
Refrain [rə'frɛː, re-] *m* **-s, -s** (*Mus*) chorus, refrain.
Refraktion *f* (*Phys*) refraction.
Refugium *nt* (*geh*) refuge.
Regal *nt* **-s, -e 1.** (*Bord*) shelves *pl*; (*Typ*) stand. **2.** (*Mus*) (*tragbare Orgel*) regal; (*Orgelteil*) vox humana.
Regatta *f*-, **Regatten** regatta.
Regattastrecke *f* regatta course.
Reg. Bez. *abbr of* **Regierungsbezirk.**
rege *adj* **1.** (*betriebsam*) active, busy; *Verkehr* busy; *Handel* flourishing; *Briefwechsel* lively. **ein ~s Treiben** a busy to-and-fro, a hustle and bustle; **auf dem Marktplatz herrschte ein ~s Treiben** the market place was bustling with activity *or* life; **Tendenz ~** (*St Ex*) brisk activity; **~ werden** to become active.
    2. (*lebhaft*) lively; *Unterhaltung auch* animated; *Phantasie auch* vivid; *Interesse auch* avid. **ein ~r Geist** a lively soul; (*Verstand*) an active mind; **körperlich und geistig ~ sein** to be mentally and physically active, to be active in mind and body; **noch sehr ~ sein** to be very active still; **~ Beteiligung** lively participation; (*zahlreich*) good attendance *or* turnout.
    3. (*zahlreich*) numerous; (*häufig*) frequent. **~r Besuch** high attendance; **das Museum wurde ~ besucht** the museum was very well visited.
Regel *f* -, **-n 1.** (*Vorschrift, Norm*) rule; (*Verordnung*) regulation. **die ~n der ärztlichen Kunst** the rules of the medical profession; **nach allen ~n der Kunst** (*fig*) thoroughly; **sie überredete ihn nach allen ~n der Kunst, ...** she used every trick in the book to persuade him ...
    2. (*Gewohnheit*) habit, rule. **sich** (*dat*) **etw zur ~ machen** to make a habit *or* rule of sth; **in der ~** as a rule; **zur ~ werden** to become a habit.
    3. (*Monatsblutung*) period; (*Menstruation*) menstruation *no art.* **die ~ haben/bekommen** to have/get one's period, to menstruate.
Regelarbeitszeit *f* core working hours *pl*; **regelbar** *adj* (*steuerbar*) adjustable; (*klärbar*) easily arranged; **Regelfall** *m* rule; **im ~** as a rule; **regellos** *adj* (*ungeregelt*) irregular; (*unordentlich*) disorderly, haphazard; **in ~er Folge** at irregular intervals; **ein ~es Durcheinander** a disorderly confusion; **Regellosigkeit** *f siehe adj* irregularity; disorderliness, haphazardness; **regelmäßig** *adj* regular; *Lebensweise auch* well-ordered, orderly; **~ spazierengehen** to take regular walks; **er kommt ~ zu spät** he's always late; **Regelmäßigkeit** *f* regularity; **er kommt mit sturer ~ zu spät** he is persistently late.
regeln I *vt* **1.** (*regulieren*) *Verkehr* to control; *Temperatur auch* to regulate.
    2. (*erledigen*) to see to; (*endgültig*) to settle; *Problem* to sort out; (*in Ordnung bringen*) *Unstimmigkeiten* to settle, to resolve; *Finanzen* to put in order. **das läßt sich ~** that can be arranged; **das werde ich schon ~** I'll see to it.

    3. (*festsetzen, einrichten*) to settle. **wir haben die Sache so geregelt ...** we have arranged things like this ...; **gesetzlich geregelt sein** to be laid down by law.
    II *vr* to sort itself out, to resolve itself.
regelrecht I *adj* real, proper; *Betrug, Erpressung, Beleidigung* downright; **er wollte einen ~en Prozeß** he wanted a full-blown trial; **das Spiel artete in eine ~e Schlägerei aus** the match degenerated into a regular brawl; **II** *adv* really; *unverschämt, beleidigend* downright; **Regelstudienzeit** *f* period of time within which a student must complete his studies; **Regeltechnik** *f* control engineering.
Regelung *f* **1.** (*Regulierung*) regulation, control(ling).
    2. (*Erledigung*) settling, settlement; (*von Unstimmigkeiten*) resolution. **ich habe die ~ meiner finanziellen Angelegenheiten meinem Bruder übertragen** I have entrusted my brother with the management of my financial affairs; **ich werde für die ~ dieser Angelegenheit sorgen** I shall see to this matter.
    3. (*Abmachung*) arrangement; (*Bestimmung*) ruling. **wir haben eine ~ gefunden** we have come to an arrangement.
Regelungstechnik *f* control engineering.
regelwidrig *adj* against the rules; (*gegen Verordnungen verstoßend*) against the regulations; **ein ~er Einwurf/Elfmeter** a foul throw-in/an improperly taken penalty; **Regelwidrigkeit** *f* irregularity; (*Verstoß auch*) breach of the rules; (*Verstoß gegen Verordnungen auch*) breach of regulations.
regen I *vt* (*bewegen*) to move. **keinen Finger (mehr) ~** (*fig*) not to lift a finger (any more).
    II *vr* (*Mensch, Glied, Baum*) to move, to stir; (*Gefühl, Gewissen, Zweifel, Wind*) to stir. **unter den Zuhörern regte sich Widerspruch** there were mutterings of disapproval from the audience; **kein Lüftchen regt sich** (*poet*) not a breeze stirs the air; **reg dich!** look lively!; **sich nicht/kaum ~ können** not/hardly to be able to move; **sich ~ bringt Segen** (*Prov*) hard work brings its own reward.
Regen *m* **-s,** - rain; (*fig: von Schimpfwörtern, Blumen*) shower. **in den ~ kommen** to be caught in the rain; **es gibt bald ~** it's going to rain soon; **in/bei strömendem ~** in the pouring rain; **ein warmer ~** (*fig*) a windfall; **jdn im ~ stehenlassen** (*fig*) to leave sb out in the cold; **vom ~ in die Traufe kommen** (*prov*) to fall out of the frying-pan into the fire (*prov*).
regenarm *adj* dry, rainless; **Regenbö** *f* rainy squall; **Regenbogen** *m* rainbow; **Regenbogenfarben** *pl* colours *pl* of the rainbow; **in allen ~ schillern** to shine like shot silk, to iridesce (*liter*); **Regenhaut** *f* (*Anat*) iris; **Regenpresse** *f* trashy *or* pulp magazines *pl*; **Regendach** *nt* canopy; **regendicht** *adj* rainproof.
Regeneration *f* regeneration; (*fig auch*) revitalization.

regenerationsfähig *adj* capable of regeneration; (*fig auch*) capable of regenerating itself *or* of revitalization.

regenerativ *adj* regenerative.

Regenerator *m* (*Tech*) regenerator.

regenerieren* I *vr* (*Biol*) to regenerate; (*fig*) to revitalize *or* regenerate oneself/itself; (*nach Anstrengung, Schock*) to recover. **II** *vt* (*Biol*) to regenerate; (*fig auch*) to revitalize.

Regenfall *m usu pl* (fall of) rain; **tropische ~e** tropical rains; **Regenfaß** *nt* water-butt, rain barrel; **regenfrei** *adj* rainless; **Regenguß** *m* downpour; **Regenhaut** ® *f* plastic mac (*Brit inf*) *or* raincoat; **Regenhut** *m* waterproof hat, rainhat; **Regenkleidung** *f* rainwear; **Regenmantel** *m* raincoat, mac (*Brit inf*), mac(k)intosh (*esp Brit*); **Regenpfeifer** *m* plover; **regenreich** *adj* rainy, wet; **Regenrinne** *f siehe* **Dachrinne**; **Regenschatten** *m* (*Geog*) rain shadow; **Regenschauer** *m* shower (of rain); **Regenschirm** *m* umbrella.

Regent(in *f*) *m* sovereign, reigning monarch; (*Stellvertreter*) regent.

Regentag *m* rainy day; **Regentonne** *f* water-butt, rain barrel; **Regentropfen** *m* raindrop.

Regentschaft *f* reign; (*Stellvertretung*) regency. **die ~ antreten** to ascend the throne; (*als Stellvertreter*) to become regent.

Regenwald *m* (*Geog*) rain forest; **Regenwasser** *nt* rainwater; **Regenwetter** *nt* rainy weather, rain; **er macht ein Gesicht wie drei** *or* **sieben Tage ~** (*inf*) he's got a face as long as a month of Sundays (*inf*); **Regenwolke** *f* rain cloud; **Regenwurm** *m* earthworm; **Regenzeit** *f* rainy season, rains *pl*.

Reggae ['rεge:] *m* **-(s)**, *no pl* reggae.

Regie [re'ʒi:] *f* **1.** (*künstlerische Leitung*) direction; (*Theat, Rad, TV auch*) production (*Brit*). **die ~ bei etw haben** *or* **führen** to direct/produce sth; (*fig*) to be in charge of sth; **unter der ~ von** directed/produced by; **„~: A.G. Meier"** "Producer/Director A.G. Meier".

2. (*Leitung, Verwaltung*) management. **etw in eigener ~ führen** to control sth directly *or* personally; **etw in eigene ~ nehmen** to take *or* assume direct *or* personal control of sth; **etw in eigener ~ tun** to do sth oneself.

Regie- [re'ʒi:-]: **Regieanweisung** *f* (stage) direction; **Regieassistent(in** *f*) *m* assistant producer/director; **Regiebetrieb** *m* (*Admin*) state-owned factory; **Regiefehler** *m* (*fig*) slip-up; **Regiefilm** *m* **sein erster ~** the first film he directed; **Regiepult** *nt* (*Rad*) control desk *or* console.

regieren* I *vi* (*herrschen*) to rule; (*Monarch auch, fig*) to reign. **der R~de Bürgermeister von Berlin** the Mayor of Berlin. **II** *vt* (*beherrschen, lenken*) Staat to rule (over), to govern; (*Monarch auch*) to reign over; *Markt, Fahrzeug* to control; (*Gram*) to govern.

Regierung *f* **1.** (*Kabinett*) government. **die ~ Wilson** the Wilson government.

2. (*Herrschaft*) government; (*Zeitabschnitt*) period of government; (*nichtdemokratisch*) rule; (*von Monarch*) reign. **an die ~ kommen** to come to power; (*durch Wahl auch*) to come into *or* take office; **die ~ antreten** to take power; (*nach Wahl auch*) to take office.

regierungsamtlich *adj* governmental; **Regierungsanhänger(in** *f*) *m* government supporter; **Regierungsantritt** *m* coming to power; (*nach Wahl auch*) taking of office; **bei ~ when** the government took power/office; **Regierungsbank** *f* government bench; **Regierungsbeamte(r)** *m*, **Regierungsbeamtin** *f* government official; **Regierungsbezirk** *m* primary administrative division of a "Land", ≃ region (*Brit*), ≃ county (*US*); **Regierungschef(in** *f*) *m* head of a/the government; **der belgische ~** the head of the Belgian government; **Regierungsdirektor(in** *f*) *m* senior government official; **Regierungserklärung** *f* government policy statement; **Regierungsfähigkeit** *f* ability to govern; **regierungsfeindlich** *adj* anti-government *no adv*; **Regierungsform** *f* form *or* type of government; **regierungsfreundlich** *adj* pro-government *no adv*; **Regierungsgeschäfte** *pl* government business *sing*; **Regierungshauptstadt** *f* administrative capital; **Regierungskreise** *pl* government circles *pl*; **Regierungskrise** *f* government(al) crisis; **Regierungspartei** *f* ruling *or* governing party, party in power; **Regierungspräsident(in** *f*) *m* chief administrator *of a Regierungsbezirk*, ≃ chairman/-woman of the regional council (*Brit*), ≃ county manager/-manageress (*US*); **Regierungsrat** *m* senior civil servant; (*Sw: Organ*) legislature; **Regierungssitz** *m* seat of government; **Regierungssprecher(in** *f*) *m* government spokesman/-woman; **Regierungssystem** *nt* system of government, governmental system; **regierungstreu** *adj* loyal to the government; **Regierungsumbildung** *f* cabinet reshuffle; **Regierungsvorlage** *f* government bill; **Regierungswechsel** *m* change of government; **Regierungszeit** *f* rule; (*von Monarch auch*) reign; (*von gewählter Regierung, Präsident*) period *or* term of office.

Regime [re'ʒi:m] *nt* **-s**, **-s** (*pej*) regime.

Regimekritiker(in *f*) *m* critic of the regime, dissident.

Regiment *nt* **-(e)s**, **-e** *or* (*Einheit*) **-er 1.** (*old: Herrschaft*) rule. **das ~ führen** (*inf*) to be the boss (*inf*), to give the orders; **ein strenges** *or* **straffes ~ führen** (*inf*) to be strict; (*Vorgesetzter auch*) to run a tight ship (*inf*). **2.** (*Mil*) regiment.

Regiments- *in cpds* regimental; **Regimentskommandeur** *m* regimental commander.

Region *f* region.

regional *adj* regional. **~ verschieden** *or* **unterschiedlich sein** to vary from one region to another.

Regionalismus *m* regionalism.

Regionalliga *f* regional league (*lower leagues of professional clubs*); **Regionalprogramm** *nt* (*TV, Rad*) regional station *or* (*TV auch*) channel; (*Sendung*) regional programme; **Regionalschnellbahn** *f* (*Rail*) high-speed regional railway.

Regisseur(in *f*) [reʒɪˈsøːɐ, -ˈsøːrɪn] *m* director; (*Theat, Rad, TV auch*) producer (*Brit*).

Register *nt* **-s**, **- 1.** (*amtliche Liste*) register. **ein ~ (über etw** *acc*) **führen** to keep a register (of sth); **etw ins ~ (eines Amtes) eintragen** to register sth (with an office).
2. (*Stichwortverzeichnis*) index.
3. (*Mus*) register; (*von Orgel auch*) stop. **alle ~ spielen lassen** *or* **ziehen** (*fig*) to pull out all the stops; **andere ~ ziehen** (*fig*) to get tough.

Registertonne *f* (*Naut*) register ton; **Registerzug** *m* (*Mus: bei Orgel*) stop.

Registrator *m* (*old*) registrar.

Registratur *f* **1.** (*das Registrieren*) registration. **2.** (*Büro*) records office. **3.** (*Aktenschrank*) filing cabinet. **4.** (*Mus: bei Orgel*) stops *pl.*

registrieren* *vti* **1.** (*eintragen, verzeichnen*) to register; (*zusammenzählen*) to calculate. **2.** (*inf: zur Kenntnis nehmen*) to note. **sie hat überhaupt nicht registriert, daß ich nicht da war** the fact that I wasn't there didn't register with her at all.

Registrierkasse *f* cash register; **Registrierstelle** *f* registration office.

Registrierung *f* registration.

Reglement [reɡləˈmãː] *nt* **-s**, **-s** (*old*) rules *pl*, conventions *pl.*

reglementieren* *vt* to regulate; *jdn* to regiment.

Reglementierung *f* siehe *vt* regulation; regimentation.

Regler *m* **-s**, **-** regulator, control; (*Elektromotor, Fernsteuerung*) control(ler); (*von Benzinmotor*) governor.

Reglette *f* (*Typ*) lead.

reglos *adj* motionless.

regnen *vti impers* to rain. **es regnet in Strömen** it's pouring (with rain); **es regnet Glückwünsche/Proteste** congratulations/protests are pouring in; **es regnete Vorwürfe** reproaches hailed down.

regnerisch *adj* rainy.

Regreß *m* **-sses**, **-sse 1.** (*Philos*) regress. **2.** (*Jur*) recourse, redress. **einen ~ auf jdn** *or* **an jdm nehmen** to have recourse against sb.

Regreß|anspruch *m* (*Jur*) claim for compensation.

Regression *f* regression, retrogression.

regressiv *adj* (*Biol*) regressive, retrogressive; (*fig*) retrograde, retrogressive.

Regreßpflicht *f* liability for compensation; **regreßpflichtig** *adj* liable for compensation.

regsam *adj* active, alert, lively.

regulär *adj* (*üblich*) normal; (*vorschriftsmäßig*) proper, regular; *Arbeitszeit* normal, basic, regular. **~e Truppen** regular troops, regulars; **~e Bankge-**

---

schäfte normal banking transactions; **etw ~ kaufen/verkaufen** (*zum normalen Preis*) to buy/sell sth at the normal price.

Regulation *f* (*Biol*) regulation.

regulativ *adj* regulatory, regulative. **in etw** (*acc*) **~ eingreifen** to regulate sth.

Regulativ *nt* counterbalance (*Med*). **als ~ wirken** to have a regulating effect.

Regulator *m* wall clock.

regulierbar *adj* regul(at)able, adjustable.

regulieren* **I** *vt* **1.** to regulate; (*nachstellen auch*) to adjust.
2. *Rechnung, Forderung* to settle.
II *vr* to become more regular. **sich von selbst ~** to be self-regulating.

Regulierhebel *m* (*Tech*) regulating lever.

Regulierung *f* regulation; (*Nachstellung auch*) adjustment.

Regung *f* (*Bewegung*) movement; (*des Gefühls, des Gewissens, von Mitleid*) stirring. **ohne jede ~** without a flicker (of emotion); **zu keiner ~ fähig sein** (*fig*) to be paralyzed.

regungslos *adj* motionless.

Regungslosigkeit *f* motionlessness.

Reh *nt* **-s**, **-e** deer; (*im Gegensatz zu Hirsch*) roedeer. **scheu wie ein ~** (*as*) timid as a fawn.

Reha- *in cpds abbr of* **Rehabilitations-**.

Rehabilitand *m* **-en**, **-en** person undergoing rehabilitation.

Rehabilitation *f* rehabilitation; (*von Ruf, Ehre*) vindication.

Rehabilitationsklinik *f* rehabilitation clinic; **Rehabilitationszentrum** *nt* rehabilitation centre.

rehabilitieren* **I** *vt* to rehabilitate; *Ruf, Ehre* to vindicate. **II** *vr* to rehabilitate (*form*) *or* vindicate oneself.

Rehabilitierung *f* siehe **Rehabilitation**.

Rehbock *m* roebuck; **Rehbraten** *m* roast venison; **rehbraun** *adj* russet; *Augen* hazel; **Rehgeiß** *f* doe (*of the roedeer*); **Rehkitz** *nt* fawn *or* kid (*of the roedeer*); **Rehkeule** *f* (*Cook*) haunch of venison; **Rehleder** *nt* deerskin.

Rehposten *m* (*Hunt: grober Schrot*) buckshot; **Rehrücken** *m* (*Cook*) saddle of venison; **Rehwild** *nt* (*Hunt*) roedeer.

Reibach *m* **-s**, *no pl* (*inf*) killing (*inf*). **einen ~ machen** (*inf*) to make a killing (*inf*).

Reibe *f* **-**, **-n** (*Cook*) grater.

Reib|eisen *nt* rasp; (*Cook*) grater.

Reibekuchen *m* (*Cook dial*) ≃ potato fritter; **Reibelaut** *m* (*Ling*) fricative.

reiben *pret* **rieb**, *ptp* **gerieben** **I** *vti* **1.** to rub. **etw blank ~** to rub sth till it shines; **etw** *or* **an etw** (*dat*) **~** to rub sth; **sich** (*dat*) **die Augen (vor Müdigkeit) ~** to rub one's eyes (because one is tired); **sich** (*dat*) **die Hände ~** to rub one's hands.
2. (*zerkleinern*) to grate.
II *vr* to rub oneself (*an* +*dat* on, against). **ich würde mich ständig an ihm ~** there would always be friction between him and me; **sich an etw** (*dat*) **wund ~** to scrape oneself raw on sth; **ich habe mich beim Radfahren wund gerieben** I got chafed cycling.

Reiberei *f usu pl* (*inf*) friction *no pl*. (**kleinere**) **~en** (short) periods of friction;

ihre ständigen ~en the constant friction between them.

Reibfläche f (für Streichholz) striking surface; (von Reibe) scraping surface.

Reibung f 1. (das Reiben) rubbing; (Phys) friction. 2. (fig) friction no pl. **es kommt zu** ~en friction occurs.

Reibungselektrizität f frictional electricity; **Reibungsfläche** f (fig) source of friction; (viele) ~n **bieten** to be a potential cause of friction; **reibungslos** adj frictionless; (fig inf) trouble-free; ~ **verlaufen** to go off smoothly or without a hitch; **Reibungsverlust** m friction(al) loss; **Reibungswärme** f (Phys) frictional heat.

Reich nt -(e)s, -e 1. (Herrschaft(sgebiet), Imperium) empire; (König~) realm, kingdom. **das** ~ **der aufgehenden Sonne** (liter) the land of the rising sun; **das Deutsche** ~ the German Reich; (bis 1919 auch) the German Empire; **das Dritte** ~ (NS) the Third Reich; **das himmlische** ~ (liter) the Kingdom of Heaven, the Heavenly Kingdom; **das** ~ **Gottes** the Kingdom of God.

2. (Bereich, Gebiet) realm. **das** ~ **der Tiere/Pflanzen** the animal/vegetable kingdom; **das** ~ **der Natur** the world or realm of nature; **das ist mein** ~ (fig) that is my domain; **da bin ich in meinem** ~ that's where I'm in my element.

reich adj 1. (vermögend, wohlhabend) rich, wealthy; Erbschaft substantial; Partie, Heirat good. ~ **heiraten** (inf) to marry (into) money.

2. (kostbar) costly no adv, rich; Schmuck costly no adv, expensive. ~ **geschmückt** richly decorated; Mensch richly adorned; **ein** ~ **ausgestattetes Haus** a richly or lavishly furnished house; **eine** ~ **ausgestattete Bibliothek** a well stocked library; ~ **mit Vorräten ausgestattet** well or amply stocked up with supplies.

3. (ergiebig, üppig) rich, copious; Ernte auch bountiful, abundant; Mahl sumptuous, lavish. **jdn** ~ **belohnen** to reward sb well, to give sb a rich reward; **damit bin ich** ~ **belohnt** (fig) I am richly or amply rewarded; **jdn** ~ **beschenken** to shower sb with presents; ~ **an etw** (dat) **sein** to be rich in sth; ~ **an Fischen/ Wild/Steinen** abounding with or full of fish/game/stones; **er ist** ~ **an Erfahrungen** he has had a wealth of experiences.

4. (groß, vielfältig) large, copious; Auswahl wide, large; Erfahrungen, Kenntnisse wide; Blattwerk, Vegetation rich, luxuriant. **eine** ~**e Fülle** a rich abundance; **in** ~**em Maße vorhanden sein** to abound, to be found in large quantities; ~ **illustriert** richly or copiously illustrated.

reichbegütert adj wealthy, affluent.

reichen I vi 1. (sich erstrecken) to stretch, to extend (bis zu to), to reach (bis zu etw sth); (Stimme) to carry (bis zu to), to reach (bis zu jdm/etw sb/sth); (Kleidungsstück) to reach (bis zu etw sth). **sein Swimmingpool reicht bis an mein Grundstück** his swimming pool comes

right up to my land; **der Garten reicht bis ans Ufer** the garden stretches or extends or goes right down to the riverbank; **das Wasser reicht mir bis zum Hals** the water comes up to my neck; **jdm bis zur Schulter** ~ to come up to sb's shoulder; **er reicht mit dem Kopf bis zur Decke** his head reaches or touches the ceiling; **so weit** ~ **meine Beziehungen/Fähigkeiten nicht** my connections are not that extensive; **... aber sein Arm reichte nicht so weit** ... but his arm wouldn't reach that far; **so weit das Auge reicht** as far as the eye can see.

2. (langen) to be enough, to suffice (form); (zeitlich auch) to last. **der Saal reicht nicht für so viele Leute** the room isn't big enough or won't suffice (form) for so many people; **der Zucker reicht nicht** there won't be enough sugar; **reicht mein Geld noch bis zum Monatsende?** will my money last until the end of the month?; **reicht das Licht zum Lesen?** is there enough light to read by?; **dazu reicht meine Geduld/**~ **meine Fähigkeiten nicht** I haven't got enough patience/I'm not skilled enough for that; **das muß für vier Leute** ~ that will have to be enough or suffice (form) or do (inf) for four people; **das sollte eigentlich** ~ that should be enough, that should do (inf); **mir reicht's** (inf) (habe die Nase voll) I've had enough (inf); (habe genug gehabt) that's enough for me; **jetzt reicht's (mir aber)!** that's the last straw!; (Schluß) that's enough!

3. (inf) **mit dem Essen/der Zeit** ~ to have enough food/time.

II vt (entgegenhalten) to hand; (geben auch) to give; (herüber~, hinüber~ auch) to pass (over); (anbieten) to serve; (Eccl) Abendmahl to give, to administer. **jdm etw** ~ to hand/give/pass sb sth, to hand/give/pass sth to sb; **sie reichte mir die Wange zum Kuß** she proffered her cheek for a kiss; **jdm die Hand** ~ to hold out one's hand (to sb); **sich die Hände** ~ to join hands; (zur Begrüßung) to shake hands; **es wurden Erfrischungen gereicht** refreshments were served.

Reiche(r) mf decl as adj rich or wealthy man/woman etc. **die** ~n the rich or wealthy.

reichgeschmückt adj attr richly adorned; Gegenstand auch richly decorated; **reichhaltig** adj extensive; Auswahl auch wide, large; Essen rich; Programm varied; **Reichhaltigkeit** f siehe adj extensiveness; wideness; richness; variety; **die** ~ **der Auswahl** the range of choice.

reichlich I adj 1. (sehr viel, groß) ample, large, substantial; Vorrat auch plentiful; Portion, Trinkgeld auch generous; Geschenke numerous.

2. (mehr als genügend) Zeit, Geld, Platz ample, plenty of; Belohnung ample.

3. (inf: mindestens) good. **eine** ~**e Stunde** a good hour.

II adv 1. (sehr viel) belohnen, sich eindecken amply; verdienen richly. **jdn** ~ **beschenken** to give sb lots of or numerous presents; ~ **Trinkgeld geben** to tip generously.

2. (*mehr als genügend*) ~ **Zeit/Geld haben** to have plenty of *or* ample time/ money; ~ **vorhanden sein** to abound, to exist in plenty; **der Mantel ist ~ ausgefallen** the coat is on the big side; **das war ~ gewogen/abgemessen** that was very generously weighed out/measured out; **das ist ~ gerechnet** that's a generous estimate.

3. (*inf: mindestens*) ~ **1.000 Mark** a good 1,000 marks.

4. (*inf: ziemlich*) pretty.

Reichsacht *f* (*Hist*) outlawry in the Emperor's name; **Reichsadler** *m* (*Her, Hist*) imperial eagle; **Reichsapfel** *m* (*Her, Hist*) imperial orb; **Reichsbahn** *f* (*DDR*) East German State Railways; **Reichsgebiet** *nt* prewar Germany; **im ~** inside Germany's prewar boundaries; **Reichsgericht** *nt* (*Hist*) German supreme court (*until 1945*); **Reichsgrenze** *f* border of the empire; prewar German border; **Reichshauptstadt** *f* (*1933-45*) capital of the Reich; (*vor 1933*) imperial capital; **Reichskanzler** *m* (*bis 1918*) Imperial Chancellor; (*1918-34*) German Chancellor; **Reichsmark** *f* reichsmark, (old) German mark; **Reichspräsident** *m* German president (*until 1934*); **Reichsregierung** *f* German government (*until 1945*); **Reichsstadt** *f* (*Hist*) free city (of the Holy Roman Empire); **freie ~** free city; **Reichsstände** *pl* (*Hist*) estates of the Empire *pl*; **Reichstag** *m* Parliament; (*in Deutschland 1871-1945*) Reichstag; (*in Deutschland vor 1871, in Japan*) Imperial Diet; **Reichstagsbrand** *m* burning of the Reichstag; **reichsunmittelbar** *adj* (*Hist*) self-governing under the Kaiser; **Reichswehr** *f* German army (*1921-35*).

Reichtum *m* **1.** wealth *no pl*, richness *no pl*; (*Besitz*) riches *pl.* **zu ~ kommen** to become rich, to make one's fortune; **~er erwerben** to gain riches; **die ~er der Erde/des Meeres** the riches of the earth/ sea; **der innere** *or* **seelische ~** richness of spirit; **damit kann man keine ~er gewinnen** you won't get rich that way.

2. (*fig: Fülle, Reichhaltigkeit*) wealth, abundance (*an +dat* of). **der ~ an Fischen** the abundance of fish.

reichverziert *adj attr* richly ornamented.

Reichweite *f* (*von Geschoß, Sender*) range; (*greifbare Nähe*) reach; (*fig: Einflußbereich*) scope. **in ~** within range/the reach (*gen* of); **jd ist in ~** sb is nearby *or* around; **außer ~** out of range/reach (*gen* of); **innerhalb der ~ +gen** within range/the scope of; **außerhalb der ~ +gen** outside the range of/ beyond the scope of.

Reif¹ *m* **-(e)s,** *no pl siehe* **Rauhreif.**

Reif² *m* **-(e)s, -e** (*old, geh*) (*Stirn~, Diadem*) circlet; (*Arm~*) bangle; (*Fingerring*) ring; (*im Rock*) hoop.

reif *adj* **1.** (*voll entwickelt*) Früchte, Getreide ripe; Mensch, Ei mature. **der Pickel/ das Geschwür ist ~** (*inf*) the spot/ abscess has come to a head.

2. (*erfahren, älter*) mature. **in ~(er)em Alter, in den ~eren Jahren** in one's mature(r) years; **die ~ere Jugend** those of mellower years; **im ~eren Alter von ...** at the ripe old age of ...

3. (*vorbereitet*) ready, ripe; (*durchdacht*) Urteil, Arbeit, Gedanken mature. **~ zur Veröffentlichung** ready *or* ripe for publication; **die Zeit ist ~/noch nicht ~** the time is ripe/not yet ripe; **eine ~e Leistung** (*inf*) a brilliant achievement.

4. für etw ~ sein (*inf*) to be ready for sth; **~ sein** (*sl*) to be in for it (*inf*) *or* for the high jump (*inf*).

Reife *f* **-,** *no pl* **1.** (*das Reifen*) ripening.

2. (*das Reifsein*) ripeness; (*Geschlechts~, von Ei*) maturity. **zur ~ kommen** to ripen; (*geh: Mädchen*) to come to *or* reach maturity; **zur ~ bringen** to ripen.

3. (*fig: von Menschen, Gedanken*) maturity. **ihm fehlt die (sittliche) ~** he lacks maturity, he's too immature.

4. mittlere ~ (*Sch*) first public examination in secondary school, ≃ O-Levels *pl* (*Brit*); **Zeugnis der ~** (*form*) siehe **Reifezeugnis.**

Reifegrad *m* degree of ripeness.

reifen¹ *vi impers* **es reift** there has been/ will be a frost.

reifen² **I** *vt* Obst to ripen; jdn to mature. **das hat ihn zum Manne gereift** (*geh*) that made a man out of him; *siehe* **gereift.**

II *vi aux sein* **1.** (*Obst*) to ripen; (*Mensch, Ei*) to mature. **er reifte zum Manne** he became a man.

2. (*fig: Plan, Entscheidung*) to mature; **zur Gewißheit ~** to harden into certainty.

Reifen *m* **-s, -** tyre (*Brit*), tire (*US*); (*Spiel~, von Faß, von Rock*) hoop; (*Arm~*) bangle. **(den) ~ treiben/spielen** to bowl a hoop.

Reifendefekt *m* *siehe* **Reifenpanne. Reifendruck** *m* tyre pressure; **Reifenpanne** *f* puncture, flat; (*geplatzt auch*) blowout; **Reifenschaden** *m* **1.** faulty tyre; **2.** *siehe* **Reifenpanne; Reifenwechsel** *m* tyre-change.

Reifeprüfung *f* (*Sch*) *siehe* **Abitur. Reifezeit** *f* ripening time; (*von Ei*) period of incubation; (*Pubertät*) puberty *no def art*; **Reifezeugnis** *nt* (*Sch*) "Abitur" certificate, ≃ A-Level certificate (*Brit*), high-school graduation certificate (*US*).

reiflich *adj* thorough, careful. **nach ~er Überlegung** after careful consideration, upon mature reflection (*geh*); **sich** (*dat*) **etw ~ überlegen** to consider sth carefully.

Reifrock *m* (*Hist*) farthingale, hoop skirt.

Reifung *f* ripening; (*von Ei*) maturing, maturation.

Reifungsprozeß *m* process of ripening; (*von Ei*) maturation process.

Reigen *m* **-s, -** round dance, roundel(ay) (*old*); (*fig geh*) round. **den ~ eröffnen** *or* **anführen** (*fig geh*) to lead off; **den ~ beschließen** (*fig geh*) to bring up the rear; **ein bunter ~ von Melodien** a varied selection of melodies.

Reihe f -, -n **1.** (geregelte Anordnung) row, line; (Sitz~, beim Stricken) row; (fig: von Beispielen, Reden) series sing. **in ~n zu** (je) **drei antreten/marschieren** to line up/march in rows of three or in threes; **sich in einer ~ aufstellen** to line up, to form a row or line; **in einer ~ stehen** to stand in a row or line; **in Reih und Glied antreten** to line up in formation; **aus der ~ tanzen** (fig inf) to be different; (gegen Konventionen verstoßen) to step out of line; **die ~ herumgehen** (Gegenstand) to be passed around, to go the rounds; **die ~n schließen** (Mil) to close ranks; **die ~n lichten sich** (fig) the ranks are thinning; **in den eigenen ~n** within our/their etc own ranks; **die ~ eröffnen** (fig) to start off; **in einer ~ mit jdm stehen** (fig) to be on a par with sb; **sich in eine ~ mit jdm stellen** (fig) to put oneself on a par with sb.

2. (Reihenfolge) **er ist an der ~** it's his turn, he's next; (beim Spiel auch) it's his go; **er kommt an die ~** he's next, it's his turn or him (inf) next; **warte, bis du an die ~ kommst** wait till it's your turn/go; **der ~ nach, nach der ~** in order, in turn; **sie sollen der ~ nach hereinkommen** they are to come in one by one or one at a time; **erzähl mal der ~ nach, wie alles war** tell us how it was in the order it all happened; **außer der ~** out of order; (bei Spielen auch) out of turn; (zusätzlich, nicht wie gewöhnlich) out of the usual way of things; **wenn ich das Auto mal außer der ~ brauche** if I should happen to need the car at a time when I don't normally have it; **es kommt ganz selten vor, daß ich mal außer der ~ da bin** it's very rare for me to be there out of my routine.

3. (Serie, Math, Mus) series sing; (Biol: Ordnung) order.

4. (unbestimmte Anzahl) number. **in der ~ der Stars** amongst the ranks of the stars; **eine ganze ~ (von)** a whole lot (of); **eine ganze ~ von Beispielen** a whole string of examples.

5. (inf: Ordnung) **aus der ~ kommen** (in Unordnung geraten) to get out of order; (verwirrt werden) to lose one's equilibrium; (gesundheitlich) to fall ill; **wieder in die ~ kommen** to get one's equilibrium back; (gesundheitlich) to get back on form; **nicht in der ~ sein** not to be well or one hundred per cent (inf); **in die ~ bringen** to put in order, to put straight; **etw auf die ~ kriegen** (inf) to handle sth, to get sth together.

reihen I vt **1.** Perlen auf eine Schnur ~ to string beads (on a thread); **sie reihte die Pilzstücke auf einen Faden** she strung the pieces of mushroom up (on a thread).

2. (Sew) to tack.

II vr **etw reiht sich an etw** (acc) sth follows (after) sth; **eine Enttäuschung reihte sich an die andere** let-down followed let-down.

Reihen m -s, - (S Ger) instep.

Reihendorf nt village built along a road, ribbon development (spec).

Reihenfolge f order; (notwendige Aufeinanderfolge) sequence. **der ~ nach** in sequence; **in zwangloser ~** in no particular or special order; **alphabetische/zeitliche ~** alphabetical/chronological order.

Reihenhaus nt terraced house (Brit), town house (US); **Reihen(haus)-siedlung** f estate of terraced houses; **Reihenschaltung** f (Elec) series connection; **in ~** in series; **Reihenuntersuchung** f mass screening; **reihenweise** adv **1.** (in Reihen) in rows; **2.** (fig: in großer Anzahl) by the dozen; **sie sind ~ ohnmächtig geworden** they fainted by the dozen, dozens of them fainted.

Reiher m -s, - heron. **kotzen wie ein ~** (sl) to spew or puke one's guts up (sl).

Reiherfeder f heron's feather; (als Hutschmuck) aigrette; **Reiherhorst** m heron's nest.

reihern vi (sl) to puke (up) (sl).

Reiherschnabel m (Bot) common stork's-bill.

reih|um adv round. **es geht ~** everybody takes their turn; **etw ~ gehen lassen** to pass sth round.

Reim m -(e)s, -e rhyme. **ein ~ auf „Hut"** a rhyme for "hat"; **~e bilden** or **machen** or **drechseln** (hum) or **schmieden** (hum) to make or write rhymes, to versify (hum); **etw in ~e bringen** to make sth rhyme; **sich** (dat) **einen ~ auf etw** (acc) **machen** (inf) to make sense of sth; **ich mache mir so meinen ~ darauf** (inf) I can put two and two together (inf), I think I can see what's going on; **ich kann mir keinen ~ darauf machen** (inf) I can't make head (n)or tail of it, I can see no rhyme (n)or reason in it.

reimen I vt to rhyme (auf +acc, mit with). **ich kann das Wort nicht ~** I can't find a rhyme for this word or anything to rhyme with this word. **II** vi to make up rhymes, to rhyme (liter), to versify (hum). **III** vr to rhyme (auf +acc, mit with). **das reimt sich nicht** (fig) it doesn't hang together or make sense.

Reimerei f **1.** (das Reimen) versifying. **2.** (Gedicht) doggerel no pl. **eine ~** a piece of doggerel.

Reimlexikon nt rhyming dictionary; **Reimpaar** nt rhyming couplet.

Re|import m (Fin, Comm) reimportation.

Reimwort nt, pl **-wörter** rhyme; **ein ~ zu etw finden** to find a rhyme for sth or a word to rhyme with sth.

rein¹ adv (inf) = herein, hinein.

rein² **I** adj **1.** pure; (absolut, völlig auch) sheer; Wahrheit plain, straight, unvarnished; Gewinn clear. **das ist die ~ste Freude/der ~ste Hohn** it's pure or sheer joy/mockery; **er ist der ~ste Künstler/Akrobat** he's a real artist/acrobat; **das Kind ist der ~ste Vater** (dial) the child is just like his father; **er ist die ~ste Bestie** he's an absolute or downright brute; **mit ihren Kindern hat sie nicht immer die ~ste Freude** she doesn't find her children exactly an unmixed blessing; **die ~e Arbeit kostet ...** the work alone costs ...;

er ist ein Demokrat ~sten Wassers or von ~stem Wasser he is the archetypal or a pure democrat; jdm ~en Wein einschenken (fig) to give it to sb straight (from the shoulder); eine ~e Jungenklasse an all boys' class; eine ~e Industriestadt a purely industrial town.

2. (sauber) clean; Haut, Teint clear, pure. etw ~ machen to clean sth; ~ klingen to make a pure sound; ~ singen to have a pure voice; ~en Tisch machen (fig) to get things straight, to sort things out; ich habe ~e Hände (fig) my hands are clean.

3. (klar, übersichtlich) etw ins ~e schreiben to write out a fair copy of sth, to write sth out neatly; etw ins ~e bringen to clear sth up; die Sache ist ins ~e gekommen things are cleared up, things have cleared themselves up; mit sich selbst ins ~e kommen to get things straight with oneself, to straighten or sort things out with oneself; mit etw ins ~e kommen to get straight about sth; mit jdm/sich selbst im ~en sein to have got things straightened or sorted out with sb/oneself; mit seinem Gewissen im ~en sein to have a clear conscience; er ist mit sich selbst nicht im ~en he is at odds with himself.

4. (unschuldig) pure; Gewissen clear. er ist ~ von Schuld (old) he is free of guilt; dem R~en ist alles ~ (prov) to the pure all things are pure.

II adv 1. (ausschließlich) purely. ~ hypothetisch gesprochen speaking purely hypothetically.

2. (inf: ganz, völlig) absolutely. ~ alles/unmöglich absolutely everything/impossible; ~ gar nichts absolutely nothing, sweet Fanny Adams (sl).

Reineclaude [rɛnəˈkloːdə] f -, -n greengage.

Reineke Fuchs m (Liter) Reynard the Fox.

Rein(e)machefrau f cleaner, cleaning lady.

reinemachen vi sep to do the cleaning, to clean.

Reinemachen nt -s, no pl (inf) cleaning.

Reinerlös, Reinertrag m net profit(s) or proceeds pl.

Reinette [rɛˈnɛtə] f rennet.

rein(e)weg adv (inf) completely, absolutely. das ist ~ eine Frechheit/erlogen it's a downright cheek/lie.

Reinfall m (inf) disaster (inf); (Pleite auch) flop (inf). mit der Waschmaschine/dem Kollegen haben wir einen ~ erlebt the washing machine/this colleague was a real disaster.

reinfallen vi sep irreg aux sein (inf) siehe hereinfallen, hineinfallen.

Re|infektion f reinfection.

Reingeschmeckte(r) mf decl as adj (S Ger) outsider.

Reingewicht nt net(t) weight; Reingewinn m net(t) profit; Reinhaltung f keeping clean; (von Wasser auch, von Rasse) keeping pure.

Reinheit f purity; (Sauberkeit) cleanness; (von Haut) clearness.

Reinheitsgebot nt beer/wine/milk/food purity regulations pl; Reinheitsgrad m (Chem) (degree of) purity.

reinigen I vt 1. (saubermachen, putzen) to clean; (chemisch auch) to dry-clean. etw chemisch ~ to dry-clean sth; sich (dat) die Hände ~ to clean one's hands.

2. (säubern) to purify; Metall to refine; Blut auch to cleanse. ein ~des Gewitter (fig inf) a row which clears/cleared the air.

3. (zensieren) Text to clean up, to bowdlerize; Sprache to purify. eine Sprache/einen Text von etw ~ to purify or purge a language/text of sth.

II vr to clean itself; (Mensch) to cleanse oneself. normalerweise kann ein Fluß sich von selbst ~ normally a river can cleanse itself or keep itself clean; sich von einer Schuld/einem Verdacht ~ (geh) to cleanse oneself of a sin (geh)/to clear oneself of suspicion.

Reiniger m -s, - cleaner.

Reinigung f 1. (das Saubermachen) cleaning. 2. (chemische ~) (Vorgang) dry cleaning; (Anstalt) (dry) cleaner's. 3. (das Säubern) purification; (von Metall) refining; (von Blut auch) cleansing. 4. (von Text) cleaning up, bowdlerization; (von Sprache) purification. 5. (Rel) purification.

Reinigungscreme f cleansing cream; Reinigungsmilch f cleansing milk; Reinigungsmittel nt cleansing agent.

Re|inkarnation f reincarnation.

reinkriechen vi sep (inf) aux sein (fig sl) jdm hinten ~ to suck up to sb (inf).

reinkriegen vt sep (inf) to get in.

Reinkultur f (Biol) cultivation of pure cultures. Kitsch/Faschismus in ~ (inf) pure unadulterated rubbish/fascism.

reinlegen vt sep (inf) siehe hereinlegen, hineinlegen.

reinleinen adj pure linen.

reinlich adj 1. (sauberkeitsliebend) cleanly. 2. (ordentlich) neat, tidy. 3. (gründlich, klar) clear.

Reinlichkeit f siehe adj 1. cleanliness. 2. neatness, tidiness. 3. clearness.

Reinluftgebiet nt pollution-free zone; Reinmachefrau f cleaner, cleaning lady; reinrassig adj of pure race, pureblooded; Hund pedigree; Pferd thoroughbred; Reinrassigkeit f racial purity; (von Tier) pure breeding; reinreiten vt sep irreg jdn (ganz schön) ~ (inf) to get sb into a (right) mess (inf); Reinschiff nt (Naut): ~ machen ≈ to swab the decks; Reinschrift f writing out a fair copy no art; (Geschriebenes) fair copy; reinseiden adj pure silk; reintun vr (inf) sich (dat) etw ~ to imagine sth; das muß man sich mal ~ just imagine that; Reinvermögen nt net assets pl; reinwaschen vr sep irreg I vt (von of) to clear; (von Sünden) to cleanse; II vr (fig) to clear oneself; (von Sünden) to cleanse oneself; reinweg adv siehe rein(e)weg; reinwollen adj pure wool; reinwürgen vt (inf) Essen etc to force down; jdm einen ~ to do the dirty on sb (inf); reinziehen vr (inf) sich (dat) etw

~ *Drogen* to take sth; *Musik* to listen to sth; *Film* to watch sth; *Getränk* to knock sth back; *Essen* to guzzle sth down; (*vorstellen*) to imagine sth; (*akzeptieren*) to take sth in.

Reis¹ *nt* **-es, -er** (*old, liter*) (*Zweig*) twig, sprig; (*Pfropf~*) scion.

Reis² *m* **-es, -e** rice. **Huhn auf ~** chicken with rice.

Reisauflauf *m* rice pudding; **Reisbrei** *m* ≃ creamed rice.

Reise *f* **-, -n** journey, trip; (*Schiffs~*) voyage; (*Space*) voyage, journey; (*Geschäfts~*) trip. **seine ~n durch Europa** his travels through Europe; **eine ~ mit der Eisenbahn/dem Auto** a train/car journey, a journey by rail/car; **eine ~ zu Schiff** a sea voyage; (*Kreuzfahrt*) a cruise; **er plant eine ~ durch Afrika** he's planning to travel through Africa; **eine ~ machen** to go on a journey; **wir konnten die geplante ~ nicht machen** we couldn't go away as planned; **er hat in seinem Leben viele interessante ~n gemacht** he has travelled to a lot of interesting places in his lifetime; **wann machst du die nächste ~?** when are you off (on your travels) again?, when's the next trip?; **die ~ nach Afrika habe ich allein gemacht** I travelled to Africa by myself; **auf ~n sein** to be away (travelling); **er geht viel auf ~n** he travels a lot; **wohin geht die ~?** where are you off to?; **die letzte ~ antreten** (*euph liter*) to enter upon one's last journey (*liter*); **glückliche** *or* **gute ~!** bon voyage!, have a good journey!; **wenn einer eine ~ tut, so kann er was erzählen** (*prov*) strange things happen when you're abroad.

Reiseandenken *nt* souvenir; **Reiseantritt** *m* start of a/the journey; **vor/bei ~** before/at the start of a/the journey; **Reiseapotheke** *f* first aid kit; **Reisebedarf** *m* travel requisites *pl*; **Reisebegleiter(in** *f*) *m* travelling companion; (*Reiseleiter*) courier; (*für Kinder*) chaperon; **Reisebekanntschaft** *f* acquaintance made while travelling; **Reisebericht** *m* report *or* account of one's journey; (*Buch*) travel story; (*Film*) travel film, travelogue; (*in Tagebuch*) holiday diary; **Reisebeschreibung** *f* description of a journey/one's travels *etc*; (*traveller's*) tale, travel book *or* story/film; (*Film*) travelogue; **Reisebüro** *nt* travel agency; **Reisecar** *m* (*Sw*) coach (*Brit*), bus; **Reiseeindrücke** *pl* travel impressions *pl*; **Reisefachkraft** *f* travel agent; **reisefertig** *adj* ready (to go *or* leave); **Reisefieber** *nt* (*fig*) travel nerves *pl*; **Reiseflughöhe** *f* cruising altitude; **Reiseführer** *m* (*Buch*) guidebook; (*Person*) *siehe* **Reiseleiter**; **Reisegefährte** *m*, **Reisegefährtin** *f* travelling companion; **Reisegeld** *nt* fare; **Reisegenehmigung** *f* travel permit; **Reisegepäck** *nt* luggage, baggage (*esp US, Aviat*); **Reisegepäckversicherung** *f* baggage insurance; **Reisegeschwindigkeit** *f* cruising speed; **Reisegesellschaft** *f* (tourist) party; (*im*

Bus auch) coach party; (*inf: Veranstalter*) tour operator; **eine japanische ~** a party of Japanese tourists; **Reisekoffer** *m* suitcase; **Reisekosten** *pl* travelling expenses *pl*; **Reisekostenabrechnung** *f* claim for travelling expenses; **Reisekostenvergütung** *f* payment *or* reimbursement of travelling expenses; **100 Mark ~ 100 marks** (in respect of) travelling expenses; **Reisekrankheit** *f* travel sickness; **Reiseland** *nt* holiday destination; **Reiseleiter(in** *f*) *m* courier; **Reiseleitung** *f* (*das Leiten*) organization of a/the tourist party; (*Reiseleiter*) courier(s); **Reiselektüre** *f* reading-matter (for a journey); **etw als ~ mitnehmen** to take sth to read on the journey; **Reiselust** *f* travel urge, wanderlust; **mich packt die ~** I've got itchy feet (*inf*) *or* the travel bug (*inf*); **reiselustig** *adj* fond of *or* keen on travel(ling), travel-mad (*inf*); **Reisemitbringsel** *nt* souvenir.

reisen *vi aux sein* to travel. **in den Urlaub ~** to go away on holiday; **in etw** (*dat*) **~** (*Comm*) to travel in sth; **viel gereist sein** to have travelled a lot, to be well-travelled.

Reisende(r) *mf decl as adj* traveller; (*Fahrgast*) passenger; (*Comm*) (commercial) traveller, travelling salesman.

Reisenecessaire *nt* (*für Nagelpflege*) travelling manicure set; (*Nähzeug*) travelling sewing kit; **Reiseonkel** *m* (*hum inf*) globetrotter (*hum*); **Reisepaß** *m* passport; **Reisepläne** *pl* plans *pl* (for a/the journey); **meine Mutter schmiedet dauernd irgendwelche ~** my mother is always planning some journey *or* trip or other; **Reiseprospekt** *m* travel brochure; **Reiseproviant** *m* food for the journey, provisions *pl* (*usu hum*).

Reiserei *f* (endless) travelling around.

Reiseroute *f* route, itinerary; **Reiseruf** *m* personal message; **Reisescheck** *m* traveller's cheque (*Brit*), traveler's check (*US*); **Reiseschilderung** *f* description of a journey/one's travels; (*Buch*) travel story; **Reiseschreibmaschine** *f* portable typewriter; **Reisespesen** *pl* travelling expenses *pl*; **Reisestipendium** *nt* travelling scholarship; **Reisetante** *f* (*hum inf*) globetrotter (*hum*); **Reisetasche** *f* holdall, travelling bag; **Reiseveranstalter(in** *f*) *m* tour operator; **Reiseverkehr** *m* holiday traffic; **Reiseversicherung** *f* travel insurance; **Reisevorbereitungen** *pl* travel preparations *pl*, preparations for a/the journey; **Reisewecker** *m* travelling alarm clock; **Reisewelle** *f* **die ~ setzt ein** the holiday season is underway; **die ~ nach Süden** the wave of holidaymakers heading south, the surge of holidaymakers to the south; **Reisewetter** *nt* travelling weather; **Reisewetterbericht** *m* holiday weather forecast; **Reisezeit** *f* time for travelling; **die beste ~ für Ägypten** the best time to go to Egypt; **Reiseziel** *nt* destination.

Reisfeld *nt* paddy-field.

Reisig nt -s, no pl brushwood, twigs pl.

Reisigbesen m besom; **Reisigbündel** nt bundle of twigs, faggot.

Reiskorn nt grain of rice; **Reismehl** nt ground rice; **Reispapier** nt (Art, Cook) rice paper.

Reiß|aus nt: ~ nehmen (inf) to clear off (inf), to take to one's heels.

Reißblei nt graphite; **Reißbrett** nt drawing-board; **Reißbrettstift** m drawing pin (Brit), thumb tack (US).

Reisschleim m rice water; **Reisschnaps** m rice spirit.

reißen pret **riß**, ptp **gerissen** I vt 1. (zer~) to tear, to rip. **ein Loch ins Kleid** ~ to tear or rip a hole in one's dress.

2. (ab~, ent~, herunter~, weg~) to tear, to pull, to rip (etw von etw sth off sth); (mit~, zerren) to pull, to drag. **jdn zu Boden** ~ to pull or drag sb to the ground; **jdn/etw in die Tiefe** ~ to pull or drag sb/sth down into the depths; **der Fluß hat die Brücke mit sich gerissen** the river swept the bridge away; **aus diesem Leben gerissen** snatched from this life; **jdn aus seinen Gedanken** ~ to interrupt sb's thoughts; (aufmuntern) to make sb snap out of it; **jdn aus dem Schlaf/seinen Träumen** ~ to wake sb from his sleep/ dreams; **jdn ins Verderben** ~ to ruin sb; **hin und her gerissen werden/sein** (fig) to be torn.

3. **etw an sich** (acc) ~ to seize sth; Macht auch to usurp sth; Unterhaltung to monopolize sth.

4. (Sport) (Gewichtheben) to snatch; (Hochsprung, Pferderennen) to knock off or down.

5. (töten) to take, to kill.

6. (inf: machen) Witze to crack (inf); Possen to play.

7. (Wunde beibringen) **sich** (dat) **eine Wunde an etw** (dat) ~ to cut oneself on sth; **sich** (dat) **etw blutig** ~ to tear sth open.

II vi 1. aux sein (zer~) to tear, to rip; (Muskel) to tear; (Seil) to tear, to break, to snap; (Risse bekommen) to crack. **mir ist die Kette/der Faden gerissen** my chain/thread has broken or snapped; **da riß mir die Geduld** or **der Geduldsfaden** then my patience gave out or snapped; **es reißt mir in allen Gliedern** (inf) I'm aching all over; **wenn alle Stricke** or **Stränge** ~ (fig inf) if the worst comes to the worst, if all else fails.

2. (zerren) (an +dat at) to pull, to tug; (wütend) to tear.

3. (Sport) (Gewichtheben) to snatch; (Hochsprung, Pferderennen) to knock the bar off or down.

III vr 1. (sich verletzen) to cut oneself (an +dat on).

2. (sich los~) to tear oneself/itself.

3. (inf) **sich um jdn/etw** ~ to scramble to get sb/sth.

Reißen nt -s, no pl 1. (Gewichtheben: Disziplin) snatch. 2. (inf: Glieder~) ache.

reißend adj Fluß torrential, raging; Tier rapacious; Schmerzen searing; Verkauf, Absatz massive. **~en Absatz finden** to sell like hot cakes (inf).

Reißer m -s, - (Theat, Film, Buch: inf) thriller; (inf: Ware) hot item (inf) or line (inf), big seller.

reißerisch adj sensational.

Reißfeder f (Art) (drawing) pen; **reißfest** adj tearproof; **Reißkohle** f (Art) charcoal; **Reißleine** f ripcord; **Reißnagel** m siehe Reißzwecke; **Reißschiene** f T-square; **Reißstift** m siehe Reißzwecke; **Reißverschluß** m zip (-fastener) (Brit), zipper; **den** ~ **an etw** (dat) **auf-/zumachen** to zip sth up/to unzip sth; **Reißverschlußprinzip** nt principle of alternation; **Reißwolf** m shredder, shredding machine; **Reißwolle** f shoddy; **Reißzeug** nt drawing instruments pl; **Reißzirkel** m drawing compass(es); **Reißzwecke** f drawing pin (Brit), thumb tack (US).

Reistag m day of eating only rice (as part of a diet); **Reiswein** m rice wine.

Reitanzug m riding-habit; **Reitbahn** f arena.

reiten pret **ritt**, ptp **geritten** I vi aux sein 1. to ride. **auf etw** (dat) ~ to ride (on) sth; **im Schritt/Trab/Galopp** ~ to ride at a walk/trot/gallop; **geritten kommen** to ride up, to come riding up; **das Schiff reitet vor Anker** (Naut) the ship is riding at anchor; **auf diesem Messer kann man** ~! (inf) you couldn't cut butter with this knife!

2. (sl: koitieren) to ride (sl).

II vt to ride. **Schritt/Trab/Galopp** ~ to ride at a walk/trot/gallop; **ein schnelles Tempo** ~ to ride at a fast pace; **sich** (dat) **Schwielen** ~ to get saddle-sore; **jdn zu Boden** or **über den Haufen** (inf) ~ to trample sb down; **Prinzipien** ~ (inf) to insist on one's principles.

Reiter m -s, - 1. rider, horseman; (Mil) cavalryman. **ein Trupp preußischer** ~ a troop of Prussian horse. 2. (an Waage) rider; (Kartei~) index-tab. 3. (Mil: Absperrblock) barrier. **spanische** ~ pl barbed-wire barricade.

Reiterangriff m cavalry charge.

Reiterei f 1. (Mil) cavalry. 2. (inf: das Reiten) riding.

Reiterin f rider, horsewoman.

Reiterregiment nt cavalry regiment.

Reitersmann m, pl **-männer** (liter) horseman.

Reiterstandbild nt equestrian statue.

Reitgerte f riding crop; **Reithose** f riding-breeches pl; (Hunt, Sport) jodhpurs pl; **Reitjacke** f riding jacket; **Reitkleid** nt riding-habit; **Reitknecht** m (old) groom; **Reitkunst** f horsemanship, riding skill; **Reitpeitsche** f riding whip; **Reitpferd** nt saddle-horse, mount; **Reitsattel** m (riding) saddle; **Reitschule** f riding school; **Reitsitz** m riding position; (rittlings) straddling position; **im** ~ **sitzen** to sit astride (auf etw (dat) sth); **Reitsport** m (horse-)riding, equestrian sport (form); **Reitstall** m riding-stable; **Reitstiefel** m riding-boot; **Reitstunde** f riding lesson; **Reittier** nt mount, animal used for riding; **Reitturnier** nt horse show; (Geländereiten) point-to-point; **Reit- und Fahr-**

turnier nt horse show; **Reitunterricht** m riding lessons pl; **Reitweg** m bridlepath; **Reitzeug** nt riding equipment or things pl.

Reiz m -es, -e 1. (Physiol) stimulus. **einen ~ auf etw** (acc) **ausüben** to act as a stimulus on sth.

2. (Verlockung) attraction, appeal; (des Unbekannten, Fremdartigen, der Großstadt auch) lure; (Zauber) charm. **der ~ der Neuheit/des Verbotenen** the lure or appeal of novelty/forbidden fruits; (**auf jdn**) **einen ~ ausüben** to have or hold great attraction(s) (for sb); **das erhöht den ~** it adds to the thrill or pleasure; **einen/keinen ~ für jdn haben** to appeal/not to appeal to sb; **seinen** or **den ~ verlieren** to lose all one's/its charm; **an ~ verlieren** to be losing one's/its charm or attraction or appeal, to begin to pall; **seine ~e spielen lassen** to display one's charms; **weibliche ~e** feminine charms; **seine ~e zeigen** (euph, iro) to reveal one's charms.

reizbar adj (empfindlich) sensitive, touchy (inf); (erregbar) irritable; (Med) irritable, sensitive; **leicht ~ sein** to be very sensitive/irritable; (ständig erregbar auch) to be quick-tempered or hottempered; **Reizbarkeit** f siehe adj sensitiveness, sensitivity, touchiness (inf); irritability, sensitivity; **reizempfänglich** adj responsive; (Physiol) receptive to stimuli.

reizen I vt 1. (Physiol) to irritate; (stimulieren) to stimulate.

2. (verlocken) to appeal to. **jds/den Gaumen ~** to make sb's/one's mouth water; **jds Verlangen ~** to waken or rouse sb's desire; **es würde mich ja sehr ~, ...** I'd love to ...; **es reizt mich, nach Skye zu fahren** I've got an itch to go to Skye; **Ihr Angebot reizt mich sehr** I find your offer very tempting; **sie versteht es, Männer zu ~** she knows how to appeal to men.

3. (ärgern) to annoy; Tier auch to tease; (herausfordern) to provoke. **ein gereiztes Nashorn** a rhinoceros when provoked; **jds Zorn ~** to arouse sb's anger; **die Kinder reizten sie bis zur Weißglut** the children really made her see red.

4. (Skat) to bid.

II vi 1. (Med) to irritate; (stimulieren) to stimulate. **auf der Haut ~** to irritate the skin; **der Rauch reizt zum Husten** the smoke makes you cough; **zum Widerspruch ~** to invite contradiction.

2. (Skat) to bid. **hoch ~** (lit, fig) to make a high bid.

reizend adj charming. **es ist ~ (von dir)** it is charming or lovely (of you); **das ist ja ~** (iro) (that's) charming.

Reizgas nt irritant gas; **Reizhusten** m chesty cough; (nervös) nervous cough.

Reizker m -s, - (Bot) saffron milk-cap.

Reizklima nt bracing climate; (fig) charged atmosphere; **reizlos** adj dull, uninspiring; **das ist ja ~** that's no fun; **Reizmittel** nt (Med) stimulant; **Reizschwelle** f (Physiol) stimulus or abso-

lute threshold; **Reizstoff** m irritant; **Reizthema** nt controversial issue; **Reiztherapie** f (Med) stimulation therapy; **Reizüberflutung** f overstimulation.

Reizung f 1. (Med) stimulation; (krankhaft) irritation. 2. (Herausforderung) provocation.

reizvoll adj charming, delightful; Aufgabe, Beruf attractive; **die Aussicht ist nicht gerade ~** the prospect is not particularly enticing or appealing; **es wäre ~, mal dahin zu fahren/das ganz anders zu machen** it would be lovely to go there some time/it would be interesting to do it quite differently; **Reizwäsche** f (inf) sexy underwear; **Reizwort** nt emotive word.

Rekapitulation f recapitulation.

rekapitulieren* vt to recapitulate.

rekeln vr (inf) (sich herumlümmeln) to loll about (inf); (sich strecken) to stretch. **sich noch ein paar Minuten im Bett ~** to stretch out in bed for a few more minutes; **die Katze rekelte sich behaglich in der Sonne** the cat lay lazily sunning itself.

Reklamation f query; (Beschwerde) complaint. „**spätere ~en können nicht anerkannt werden**" "we regret that money cannot be refunded after purchase".

Reklame f -, -n 1. (Werbewesen, Werbung) advertising. **~ für jdn/etw machen** to advertise sb/sth; (fig) to do a bit of advertising for sb/sth; **mit jdm/etw ~ machen** (pej) to show sb off/to show off about sth; **das ist keine gute ~ für die Firma** it's not a very good advertisement for the company.

2. (Einzelwerbung) advertisement, advert (Brit inf), ad (inf); (TV, Rad auch) commercial.

Reklameartikel m free gift, sales gimmick (often pej); (Probe) (free) sample; **Reklamebroschüre** f (advertising) brochure, handout; **~n** advertising literature; **Reklamefilm** m advertising film, commercial; **Reklameplakat** nt (advertising) poster, advertisement; **Reklameschild** nt advertising sign; **Reklamesendung** f commercial break, commercials pl; **eine verkappte ~** a disguised commercial; **Reklamespot** m (advertising) spot, commercial; **Reklametafel** f hoarding; **Reklametrick** m sales trick; **Reklametrommel** f: **die ~ für jdn/etw rühren** (inf) to beat the (big) drum for sb/sth; **Reklamezettel** m (advertising) leaflet, handout.

reklamieren* I vi (Einspruch erheben) to complain, to make a complaint. **bei jdm wegen etw ~** to complain to sb about sth; **die Rechnung kann nicht stimmen, da würde ich ~** the bill can't be right, I would query it.

II vt 1. (bemängeln) to complain about (etw bei jdm sth to sb); Rechnungsposten to query (etw bei jdm sth with sb).

2. (in Anspruch nehmen) **jdn/etw für sich ~** to lay claim to sb/sth, to claim sb/sth as one's own.

rekommandieren* vt (Aus) Brief, Sendung to register. **einen Brief rekommandiert aufgeben** to register a letter, to send a letter by registered mail.
Rekompens f (Aus, Admin) compensation.
rekonstruieren* vt to reconstruct.
Rekonstruktion f reconstruction.
Rekonvaleszent(in f) [rekɔnvalɛs-'tsɛnt(ɪn)] m convalescent.
Rekonvaleszenz [rekɔnvalɛs'tsɛnts] f convalescence.
Rekord m -s, -e record. **einen neuen ~ aufstellen** to set a new record; **einen ~ brechen/einstellen** to break/equal a record; **das Zeitalter der ~e** the age of superlatives; (des Fortschritts) the age of achievement.
Rekord- in cpds record; **Rekordbrecher(in** f) m record breaker; **Rekordhalter(in** f), **Rekordinhaber(in** f) m record-holder; **Rekordlauf** m record(-breaking) run; **Rekordmarke** f (Sport, fig) record; **die bisherige ~ im Weitsprung war ...** till now the long-jump record stood at or was ...; **auf der ~ (von)** at the record or (fig) record level (of); **Rekordversuch** m attempt on the/a record; **Rekordzeit** f record time.
Rekrut(in f) m -en, -en (Mil) recruit.
Rekrutenausbildung f (Mil) basic training; **Rekrutenaushebung** f (old Mil) levy (of).
rekrutieren* I vt (Mil, fig) to recruit. II vr (fig) **sich ~ aus** to be recruited or drawn from.
Rekrutierung f recruitment, recruiting.
Rekrutierungsstelle f (Mil) recruiting centre.
Rekta pl of **Rektum**.
rektal adj (Med) rectal. **~ einführen** to insert through the rectum; **Temperatur ~ messen** to take the temperature rectally.
Rektifikation f 1. (old) correction; (Berichtigung auch) rectification. 2. (Chem, Math) rectification.
rektifizieren* vt 1. (old) to correct; (berichtigen auch) to rectify. 2. (Chem, Math) to rectify.
Rektion f (Gram) government. **die ~ eines Verbs** the case governed by a verb.
Rektor m, **Rektorin** f (Sch) headteacher, principal (esp US); (Univ) vice-chancellor, rector (US); (von Fachhochschule) principal.
Rektorat nt (Sch) (Amt, Amtszeit) headship, principalship (esp US); (Zimmer) headmaster's/-mistress's study, principal's room (esp US); (Univ) vice-chancellorship, rectorship (US); vice-chancellor's or rector's (US) office; (in Fachhochschule) principalship; principal's office.
Rektoratsrede f (Univ) (vice-chancellor's or rector's US) inaugural address.
Rektorin f siehe **Rektor**.
Rektum nt -s, **Rekta** (form) rectum.
Relais [rə'lɛː] nt - [rə'lɛː(s)], - [rə'lɛːs] (Elec) relay.
Relaisstation f (Elec) relay station.
Relation f relation. **in einer/keiner ~ zu etw stehen** to bear some/no relation to sth.
relational adj (Comput) relational.
relativ I adj relative. **~e Mehrheit** (Parl) simple majority; **alles ist ~** everything is relative. II adv relatively.
Relativ nt relative pronoun.
Relativ|adverb nt relative adverb.
relativieren* [relati'viːrən] (geh) I vt Begriff, Behauptung to qualify. II vi to see things or to think in relative terms.
Relativismus [-'vɪsmʊs] m relativism.
relativistisch [-'vɪstɪʃ] adj relativistic.
Relativität [relativi'tɛːt] f relativity.
Relativitätstheorie f theory of relativity, relativity theory no art.
Relativpronomen nt relative pronoun; **Relativsatz** m relative clause.
relaxt [riː'lɛkst] adj (sl) relaxed, laid-back (sl).
Relegation f (form) expulsion.
relegieren* vt (form) to expel.
relevant [rele'vant] adj relevant.
Relevanz [rele'vants] f relevance.
Relief [reli'ɛf] nt -s, -s or -e relief.
Reliefdruck m relief printing; **Reliefkarte** f relief map.
Religion f religion; (Schulfach) religious instruction or education, RI (inf), RE (inf).
Religionsbekenntnis nt denomination; **Religionsersatz** m substitute for religion; **Religionsfreiheit** f religious freedom, freedom of worship; **Religionsfriede(n)** m religious peace; **Religionsgemeinschaft** f religious community; **Religionsgeschichte** f history of religion; **Religionskrieg** m religious war, war of religion; **Religionslehre** f religious education or instruction; **Religionslehrer(in** f) m teacher of religious education, RI or RE teacher (inf); **religionslos** adj not religious; (bekenntnislos) non-denominational; **Religionsstifter(in** f) m founder of a religion; **Religionsstreit** m religious controversy; **Religionsstunde** f religious education or instruction lesson, RI or RE lesson (inf); **Religionsunterricht** m 1. siehe **Religionslehre**; 2. siehe **Religionsstunde**; **Religionswissenschaft** f religious studies pl; **vergleichende ~** comparative religion; **Religionszugehörigkeit** f religious affiliation, religion.
religiös adj religious. **~ erzogen werden** to have or receive a religious upbringing.
Religiosität f religiousness. **ein Mensch von tiefer ~** a deeply religious person.
Relikt nt -(e)s, -e relic.
Reling f -, -s or -e (Naut) (deck) rail.
Reliquiar nt reliquary.
Reliquie [-iə] f relic.
Relocate-Funktion [riː·lo'keːt-] f relocate function.
Rem, rem nt -, - (Einheit) rem.
Remake ['riːmeɪk] nt -s, -s remake.
Remigrant(in f) m returning/returned emigrant.
remilitarisieren* vti to remilitarize.
Reminiszenz f (geh) (Erinnerung) memory (an +acc of); (Ähnlichkeit) similarity, resemblance (an +acc to).

remis [rə'miː] *adj inv* drawn. ~ **spielen** to draw; **die Partie ist** ~ the game has ended in a draw *or* has been drawn; **die Vereine trennten sich** ~ the clubs held each other to a draw.

Remis [rə'miː] *nt* - [rə'miː(s)], - [rə'miːs] *or* **-en** [rə'miːzn] **1.** (*Schach, Sport*) draw. **gegen jdn ein** ~ **erzielen** to hold sb to a draw. **2.** (*fig*) stalemate *or* deadlock. **mit einem** ~ in stalemate *or* deadlock.

Remise *f* -, **-n** (*old*) shed, outbuilding.

Remittende *f* -, **-n** (*Comm*) return.

Remittent(in *f*) *m* (*Fin*) payee.

remittieren* **I** *vt* (*Comm*) *Waren* to return; *Geld* to remit. **II** *vi* (*Med: nachlassen*) to remit (*form*).

Remmidemmi *nt* **-s**, *no pl* (*sl*) (*Krach*) row, rumpus (*inf*); (*Trubel*) rave-up (*sl*). ~ **machen** to make a row *etc*/to have a rave-up (*sl*).

Remoulade [remu'laːdə], **Remouladensoße** *f* (*Cook*) remoulade.

rempeln *vti* (*inf*) to barge (*jdn* into sb) (*inf*), to jostle, to elbow; (*im Sport*) to barge (*jdn* into sb); (*foulen*) to push.

REM-Phase *f* REM sleep.

Rem(p)ter *m* **-s**, - (*in Klöstern*) refectory; (*in Burgen*) banquet(ing) hall.

Remuneration *f* (*Aus*) (*Gratifikation*) bonus; (*Vergütung*) remuneration.

Ren *nt* **-s**, **-e** reindeer.

Renaissance [rənɛ'sãːs] *f* -, **-en 1.** (*Hist*) renaissance. **2.** (*fig*) revival, rebirth; (*von Kunstformen auch*) renaissance.

Renaissance- [rənɛ'sãːs-] *in cpds* renaissance; **Renaissancemensch** *m* renaissance man *no art*.

Rendezvous [rãde'vuː, 'rãːdevu] *nt* - [-'vuː(s)], - [-'vuːs] rendezvous (*geh, hum*), date (*inf*); (*Space*) rendezvous.

Rendezvousmanöver *nt* (*Space*) rendezvous manoeuvre.

Rendite *f* -, **-n** (*Fin*) yield, return on capital.

Renegat *m* **-en**, **-en** (*Eccl, Pol*) renegade.

Reneklode *f* -, **-n** greengage.

Renette *f* rennet.

renitent *adj* awkward, refractory.

Renitenz *f* awkwardness, refractoriness.

Renke *f* -, **-n** whitefish.

Renn- *in cpds* race; **Rennbahn** *f* (race)track; **Rennboot** *nt* powerboat.

rennen *pret* **rannte**, *ptp* **gerannt** **I** *vi aux sein* **1.** (*schnell laufen*) to run; (*Sport*) (*Mensch, Tier*) to run, to race; (*Auto*) to race. **um die Wette** ~ to have a race; **ins Verderben** *or* **Unglück** ~ to rush headlong into disaster; (**aufs Klo**) ~ (*inf*) to run (to the loo *Brit inf or* bathroom *US*). **2.** (*inf: hingehen*) to run (off). **sie rennt wegen jeder Kleinigkeit zum Chef** she goes running (off) to the boss at the slightest little thing; **er rennt zu jedem Fußballspiel** he goes to every football match. **3.** (*stoßen*) **an** *or* **gegen jdn/etw** ~ to run *or* bump *or* bang into sb/sth; **er rannte mit dem Kopf gegen ...** he bumped *or* banged his head against ...; **mit dem Kopf durch/gegen die Wand** ~ (*fig*) to bang one's head against a brick wall.

II *vt* **1.** *aux haben or sein* (*Sport*) to run.

2. jdn zu Boden *or* **über den Haufen** ~ to knock sb down *or* over; **sich** (*dat*) (**an etw**) **ein Loch in den Kopf** ~ to crack one's head (against sth).

3. (*stoßen*) *Messer* to run.

Rennen *nt* **-s**, - running; (*Sport*) (*Vorgang*) racing; (*Veranstaltung*) race. **totes** ~ dead heat; **gehst du zum** ~? (*bei Pferde*~, *Hunde*~) are you going to the races?, are you going racing?; (*bei Auto*~) are you going to the racing?; **gut im** ~ **liegen** (*lit, fig*) to be well placed; **das** ~ **ist gelaufen** (*lit*) the race is over; (*fig*) it's all over; **das** ~ **machen** (*lit, fig*) to win the race); **aus dem** ~ **ausscheiden** (*lit, fig*) to drop out; **das** ~ **aufgeben** (*lit*) to drop out (of the race); (*fig auch*) to throw in the towel.

Renner *m* **-s**, - (*inf: Verkaufsschlager*) winner, worldbeater; (*Pferd auch*) flier.

Rennerei *f* (*inf*) (*lit, fig: das Herumrennen*) running around; (*Hetze*) mad chase (*inf*).

Rennfahrer(in *f*) *m* (*Rad*~) racing cyclist; (*Motorrad*~) racing motorcyclist; (*Auto*~) racing driver; **Rennjacht** *f* racing yacht; **Rennlenkstange** *f* drop handlebars *pl*; **Rennmaschine** *f* racer; **Rennpferd** *nt* racehorse; **aus einem Ackergaul kann man kein** ~ **machen** (*prov*) you can't make a silk purse out of a sow's ear (*Prov*); **Rennpiste** *f* (race)track; **Rennplatz** *m* racecourse; **Rennrad** *nt* racing bicycle *or* bike (*inf*); **Rennrodeln** *nt* bob(sleigh) racing; **Rennschlitten** *m* bob(sleigh), bobsled; **Rennschuhe** *pl* (*Sport*) spikes *pl*; **Rennsport** *m* racing; **Rennstall** *m* (*Tiere, Zucht*) stable; **Rennstrecke** *f* (*Rennbahn*) (race)track; (*zu laufende Strecke*) course, distance; **eine** ~ **von 100 km** a 100 km course, a distance of 100km; **Rennveranstaltung** *f* races *pl*, race meeting; **Rennwagen** *m* racing car; **Rennwette** *f* bet (on a race); **Ergebnisse der** ~**n** betting results.

Renommee *nt* **-s**, **-s** reputation, name.

Renommierclub *m* posh club.

renommieren* *vi* to show off, to swank (*inf*); (*aufschneiden auch*) to brag.

Renommierfigur *f* famous name; **Renommierstück** *nt* pride and joy, showpiece.

renommiert *adj* renowned, famed, famous (*wegen* for).

renovieren* [reno'viːrən] *vt* to renovate; (*tapezieren etc*) to redecorate, to do up (*inf*).

Renovierung [reno'viːruŋ] *f* renovation.

rentabel *adj* profitable; *Firma auch* viable. ~ **wirtschaften** (*gut einteilen*) to spend one's money sensibly; (*mit Gewinn arbeiten*) to make *or* show a profit; ~ **kalkulieren** (*gut einteilen*) to budget sensibly; (*Gewinn einplanen*) to think in terms of profit(s), to go for profit(s); **das ist eine rentable Sache** *or* **Angelegenheit** it will pay (off).

Rentabilität *f* profitability; (*von Firma auch*) viability.

Rente *f* -, **-n** (*Alters*~, *Invaliden*~) pension; (aus Versicherung, Lebens~) annuity; (aus Vermögen) income, (St Ex: ~npapier) fixed-interest security. **auf ~ gehen** (inf)/**sein** (inf) to start drawing one's pension/to be on a pension; **jdn auf ~ setzen** (inf) to pension sb off (inf).

Rentenalter nt retirement age; **Rentenanhebung** f pension increase; **Rentenanpassung** f tying of pensions to the national average wage; **Rentenanspruch** m right to a pension; **Rentenbasis** f annuity basis; **Rentenbemessungsgrundlage** f basis of calculation of a/the pension/pensions; **Rentenberechnung** f calculation of a/the pension/pensions; **rentenberechtigt** adj entitled to a pension; Alter pensionable; **Rentenbescheid** m notice of the amount of one's pension; **Rentenbesteuerung** f taxation of pensions; **Rentenempfänger(in** f) m pensioner; **Rentenerhöhung** f pension increase; **Rentenfinanzierung** f financing of pensions; **Rentenfonds** m fixed-income fund; **Rentenmark** f (Hist) rentenmark; **Rentenmarkt** m market in fixed-interest securities; **Rentenoptionshandel** m bond option dealing; **Rentenpapier** nt fixed-interest security; **Rentenpolitik** f pension policy; **Rentenreform** f reform of pensions; **Rentenversicherung** f pension scheme; **Rentenversicherungsbeitrag** m pension scheme contribution; **Rentenwerte** pl fixed-interest securities pl.

Rentier[1] nt reindeer.

Rentier[2] [rɛn'tie:] m -s, -s (old) man of private means, gentleman of leisure.

rentieren* vr to be worthwhile; (Geschäft, Unternehmen auch, Maschine) to pay. **es hat sich doch rentiert, daß ich noch ein bißchen dageblieben bin** it was worth(while) staying on a bit; **das rentiert (sich) nicht** it's not worth it; **ein Auto rentiert sich für mich nicht** it's not worth my having a car.

rentierlich adj profitable, viable.

Rentner(in f) m -s, - pensioner; (Alters~ auch) senior citizen, old age pensioner (Brit).

re|okkupieren* vt (Mil) to reoccupy.

Re|organisation, Re|organisierung f reorganization.

re|organisieren* vt to reorganize.

reparabel adj repairable.

Reparation f reparations pl. ~**en leisten** or **zahlen** to pay or make reparations.

Reparationszahlungen pl reparations pl.

Reparatur f repair. ~**en am Auto** car repairs; ~**en am Haus vornehmen** to do some repairs on or to the house; **in ~** being repaired; **etw in ~ geben** to have sth repaired or mended; Auto to have sth repaired.

reparaturanfällig adj prone to break down; **reparaturbedürftig** adj in need of repair; **Reparaturkosten** pl repair costs pl; **Reparaturwerkstatt** f workshop; (Auto~) garage.

reparieren* vt to repair, to mend; Auto to repair.

Repartierung f (Fin) scaling down, allot-

ment.

repatriieren* vt 1. (wieder einbürgern) to renaturalize. 2. (heimschicken) to repatriate.

Repatriierung f siehe vt renaturalization; repatriation.

Repertoire [reper'toa:ɐ] nt -s, -s repertory, repertoire (auch fig).

Repertoire- [reper'toa:ɐ-]: **Repertoirestück** nt repertory or stock play; **Repertoiretheater** nt repertory theatre, rep (inf).

Repetent(in f) m (form, Aus) pupil who has to repeat a year.

repetieren* I vt 1. (old) Stoff, Vokabeln to revise.

2. (wiederholen) to repeat; (form, Aus) Klasse to repeat, to take again; Jahr to repeat, to stay down for.

II vi 1. (old) to do revision, to revise. 2. (form, Aus) to stay down, to repeat a class.

Repetiergewehr nt (old) repeating rifle.

Repetition f 1. (old: von Stoff) revision. 2. (Wiederholung) repetition.

Repetitor m, **Repetitorin** f (Univ) coach, crammer (inf).

Repetitorium nt (Buch) revision book; (Unterricht) revision or cramming (inf) course.

Replik f -, -en 1. (Jur) replication; (fig geh) riposte, reply. 2. (Art) replica.

replizieren* vti 1. (Jur) to reply; (fig geh auch) to ripost. 2. (Art) to make a replica of.

Report m -(e)s, -e report; (Enthüllungsbericht auch) exposé. **Schulmädchen-/ Fensterputzer~** Confessions of a Schoolgirl/Window-Cleaner.

Reportage [repɔr'ta:ʒə] f -, -n report.

Reporter(in f) m -s, - reporter. **Sport-/ Wirtschafts~** sports/economics correspondent.

Reportgeschäft nt (Fin) contango.

Reposition f (Med) resetting.

repräsentabel adj impressive, prestigious; Frau (highly) presentable.

Repräsentant(in f) m representative.

Repräsentantenhaus nt (US Pol) House of Representatives.

Repräsentanz f 1. (Pol) representation. 2. (Geschäftsvertretung) branch.

Repräsentation f 1. (Stellvertretung) representation.

2. **der ~ dienen** to create a good image, to have good prestige value; **die Diplomatenfrau fand die Pflichten der ~ sehr anstrengend** the diplomat's wife found her life of official and social functions very tiring; **die einzige Funktion des Monarchen ist heute die ~** the sole function of the monarch today is that of an official figurehead.

repräsentativ adj 1. (stellvertretend, typisch) representative (für of).

2. Haus, Auto, Ausstattung prestigious; Erscheinung auch presentable, personable. **zu ~en Zwecken** for purposes of prestige.

3. **die ~en Pflichten eines Botschafters** the social duties of an ambassador; **seine Stellung schließt ~e Pflichten ein** his job

includes being a public/social representative of his company; **der ~e Aufwand des Königshauses/der Firma** the expenditure for maintaining the royal household's/company's image.

Repräsentativ|umfrage f representative survey.

repräsentieren* I vt to represent. **II** vi to perform official duties. **eine Diplomatenfrau muß ~ können** a diplomat's wife must be able to perform social duties.

Repressalie [-iə] f reprisal. **~n anwenden** or **ergreifen** to take reprisals.

Repression f repression.

repressionsfrei adj free of repression.

repressiv adj repressive.

Reprise f -, -n (Mus) recapitulation; (TV, Rad) repeat; (Film, Theat) rerun; (nach längerer Zeit) revival.

Reprivatisierung [reprivati'zi:ruŋ] f denationalization.

Repro f -, -s (Typ sl) abbr of **Reproduktion**.

Reproduktion f reproduction; (Typ auch) repro (sl).

Reproduktionsprozeß m reproductive process; **Reproduktionstechnik** f reproduction technology.

reproduktiv adj reproductive. **er arbeitet rein ~** he merely reproduces what others have done.

reproduzierbar adj reproducible.

reproduzieren* vt to reproduce.

Repro- in cpds repro; **Reprofilm** m repro film; **Reprofotografie** f repro photography; **Reprographie** f (Typ) reprography.

Reptil nt -s, -ien [-iən] reptile.

Reptilienfonds [-iən-] m slush fund.

Republik f -, -en republic.

Republikaner(in f) m -s, - republican.

republikanisch adj republican.

Republikflucht f (DDR) illegal crossing of the border; **republikflüchtig** adj (DDR) illegally emigrated; **~ werden** to cross the border illegally.

Repunze f -, -n hallmark, plate-mark.

Reputation f (old) (good) reputation.

reputierlich adj (old) reputable, of good or high renown (old, geh).

Requiem ['re:kviεm] nt -s, -s or (Aus) **Requien** ['re:kviən] requiem.

requirieren* vt (Mil) to requisition, to commandeer.

Requisit nt -s, -en equipment no pl, requisite (form). **ein unerläßliches ~** an indispensable piece of equipment; **~en** (Theat) props, properties (form).

Requisiteur(in f) [-'tø:ɐ, -'tø:rɪn] m (Theat) props or property manager/manageress.

Requisition f requisition(ing), commandeering.

resch adj (Aus) (knusprig) Brötchen crisp, crunchy, crispy; (fig: lebhaft) Frau dynamic.

Reseda -, **Reseden, Resede** f -, -n (Gattung) reseda; (Garten~) mignonette.

reservat [rezεr'va:t] adj (Aus) classified.

Reservat [rezεr'va:t] nt 1. (old: Sonderrecht) right, discretionary power.

sich (dat) **das ~ vorbehalten, etw zu machen** to reserve the right to do sth. 2. (Wildpark) reserve. 3. (für Volksstämme) reservation.

Reservation [rezεrva'tsio:n] f 1. (old: Sonderrecht) siehe **Reservat** 1.. 2. (für Volksstämme) reservation.

Reserve [re'zεrvə] f -, -n 1. (Vorrat) reserve(s) (an +dat of); (Geld) savings pl; (Mil, Sport) reserves pl. (noch) etw in ~ haben to have sth (still) in reserve; in ~ liegen (Mil) to stay back in reserve.

2. (Zurückhaltung) reserve; (Bedenken) reservation. **jdn aus der ~ locken** to break down sb's reserve, to bring sb out of his shell (inf); **aus der ~ heraustreten** to lose one's reserve, to come out of one's shell (inf).

Reservebank f (Sport) substitutes or reserves bench; **er saß nur auf der ~** he only sat on the bench; **Reservekanister** m spare can; **Reservemann** m, pl -männer or -leute (Sport) reserve; **Reserverad** nt spare (wheel); **Reservereifen** m spare (tyre); **Reservespieler(in** f) m (Sport) reserve; (Krikket) 12th man; **Reservetank** m reserve tank; **Reserveübung** f (army) reserve training no pl.

reservieren* [rezεr'vi:rən] vt to reserve.

reserviert adj Platz, Mensch reserved.

Reserviertheit f reserve, reservedness.

Reservierung f reservation.

Reservist [rezεr'vɪst] m reservist.

Reservoir [rezεr'voa:ɐ] nt -s, -e reservoir; (fig auch) pool.

Reset-Taste [ri:'sεt-] f (Comput) reset key.

resident adj (Comput) resident.

Resident m envoy, resident (rare).

Residenz f 1. (Wohnung) residence, residency. 2. (Hauptstadt) royal seat or capital.

Residenzstadt f royal seat or capital.

residieren* vi to reside.

Residuum nt -s, **Residuen** [re'zi:duən] (geh) residue, residuum (form).

Resignation f (geh) resignation. **(über etw** acc) **in ~ verfallen, sich der ~ überlassen** to become resigned (to sth).

resignieren* vi to give up. **resigniert** resigned; **... sagte er ~d** or **resigniert** ... he said with resignation or in a resigned way.

resistent adj (auch Med) resistant (gegen to).

Resistenz f (auch Med) resistance (gegen to).

resolut adj determined.

Resolution f (Pol) (Beschluß) resolution; (Bittschrift) petition.

Resonanz f 1. (Mus, Phys) resonance. 2. (fig) response (auf +acc to). **keine/wenig/große ~ finden** to meet with or get no/little/a good response.

Resonanzboden m sounding-board; **Resonanzkasten** m soundbox.

Resopal ® nt -s, no pl Formica ®.

resorbieren* vt to absorb.

Resorption f absorption.

resozialisieren* vt to rehabilitate.

Resozialisierung f rehabilitation.

resp. *abbr of* **respektive.**

Respekt *m* **-s,** *no pl* (*Achtung*) respect; (*Angst*) fear. **jdm ~ einflößen** (*Achtung*) to command *or* inspire respect from sb; (*Angst*) to put the fear of God into sb; **vor jdm den ~ verlieren** to lose one's respect for sb; **bei allem ~** (**vor jdm/etw**) with all due respect (to sb/for sth); **vor jdm/etw ~ haben** (*Achtung*) to respect sb/sth, to have respect for sb/sth; (*Angst*) to be afraid of sb/sth; **sich** (*dat*) **~ verschaffen** to make oneself respected; **allen ~!** well done!

respektabel *adj* respectable.

respektieren* *vt* to respect; **Wechsel** to honour.

respektive [respɛk'tiːvə] *adv* (*geh, Comm*) **1.** (*jeweils*) and ... respectively. **Fritz und Franz verdienen 40 ~ 50 Mark pro Tag** Fritz and Franz earn 40 and 50 marks per day respectively.
2. (*anders ausgedrückt*) or rather; (*genauer gesagt*) (or) more precisely.
3. (*oder*) or.

respektlos *adj* disrespectful, irreverent; **eine ~e Person** an irreverent person; **Respektlosigkeit** *f* **1.** (*no pl: Verhalten*) disrespect(fulness), lack of respect, irreverence; **2.** (*Bemerkung*) disrespectful remark *or* comment.

Respektsperson *f* person to be respected; (*Beamter*) person in authority.

Respekttage *pl* (*Comm*) days of grace; **respektvoll** *adj* respectful.

Respiration *f* (*form*) respiration.

Respirations|apparat, Respirator *m* respirator.

respirieren* *vi* (*form*) to respire.

Ressentiment [rɛsãti'mãː, rə-] *nt* **-s, -s** resentment *no pl*, feeling of resentment (*gegen* against).

Ressort [rɛ'soːɐ] *nt* **-s, -s** department. **in das ~ von jdm/etw fallen** to be sb's/sth's department.

Ressortminister(in *f*) *m* department minister; **der ~ für die Polizei** the minister responsible for the police.

Rest *m* **-(e)s, -e 1.** rest. **die ~e einer Kirche/Stadt/Kultur** the remains *or* remnants of a church/city/civilization; **90% sind schon fertig, den ~ mache ich** 90% is done, I'll do the rest *or* remainder; **der letzte ~** the last bit; **der letzte ~ vom Schützenfest** (*hum*) the last little bit; **bis auf einen ~** except for a little bit *or* a small amount; **dieser kleine ~** this little bit that's left (over); **der kümmerliche ~** (*von meinem Geld*) all that's left, the miserable remains; (*vom Essen*) the sad remnants; **der ~ ist für Sie** (*beim Bezahlen*) keep the change; **jdm/einer Sache den ~ geben** (*inf*) to finish sb/sth off.
2. ~e *pl* (*Essens~*) left-overs *pl*.
3. (*Stoff~*) remnant.
4. (*Math*) remainder. **2 ~ 3** 2 and 3 over, 2 remainder 3.

Rest- *in cpds* remaining.

Rest|auflage *f* remainder(ed) stock, remainders *pl*.

Restaurant [rɛsto'rãː] *nt* **-s, -s** restaurant.

Restaurateur(in *f*) [rɛstora'tøːɐ, -'tøːrɪn]

m (*old*) restaurateur.

Restauration¹ *f* restoration. **die ~** (*Hist*) the Restoration.

Restauration² [rɛstora'tsioːn] *f* (*old, Aus*) inn, tavern (*old*); (*im Bahnhof*) refreshment rooms *pl*.

Restaurator *m*, **Restauratorin** *f* restorer.

restaurieren* *vt* to restore.

Restaurierung *f* restoration.

Restbestand *m* remaining stock; **Restbetrag** *m* balance.

Resteessen *nt* left-overs *pl*; **Resteverkauf** *m* remnants sale.

restituieren* *vt* (*form*) to make restitution of (*form*).

Restlaufzeit *f* (*Fin*) remaining term.

restlich *adj* remaining, rest of the ... **die ~en** the rest, remainder.

restlos I *adj* complete, total. **II** *adv* completely, totally; *begeistert* wildly.

Restmenge *f* residue; **Restposten** *m* (*Comm*) remaining stock; **ein ~** remaining stock; **ein großer ~ Bücher/Zucker** a lot of books/sugar left in stock; **„~"** "reduced to clear".

Restriktion *f* (*form*) restriction.

Restriktionsmaßnahme *f* restriction, restrictive measure.

restriktiv *adj* (*geh*) restrictive.

Restrisiko *nt* residual risk; **Restsumme** *f* balance, amount remaining; **Restwert** *m* residual; **Restzahlung** *f* final payment, payment of the balance.

Resultante *f* **-, -n** (*Math*) resultant.

Resultat *nt* result; (*von Prüfung auch*) results *pl*. **zu einem ~ kommen** to come to *or* arrive at a conclusion.

resultieren* *vi* (*geh*) to result (*in* + *dat* in). **aus etw ~** to be the result of sth, to result from sth; **aus dem Gesagten resultiert, daß ...** from what was said one must conclude that ...; **die daraus ~den ... the resulting ...

Resümee, Resumé (*Aus, Sw*) [rezy'meː] *nt* **-s, -s** (*geh*) summary, résumé; (*am Ende einer Rede auch*) recapitulation.

resümieren* *vti* (*geh*) to summarize, to sum up; (*am Ende einer Rede auch*) to recapitulate.

Retardation *f* retardation.

retardieren* *vt* to retard. **ein ~des Moment** a delaying factor *or* element.

retirieren* *vi* aux sein (*old Mil, hum*) to beat a retreat.

Retorte *f* **-, -n** (*Chem*) retort. **aus der ~** (*inf*) synthetic; **Baby aus der ~** test-tube baby.

Retortenbaby *nt* test-tube baby.

retour [rɛ'tuːɐ] *adv* (*Aus, dial*) back.

Retourbillett [rɛ'tuːɐbil'jɛt] *nt* (*Sw*) return (ticket), round-trip ticket (*US*).

Retoure [rɛ'tuːrə] *f* **-, -n** *usu pl* (*Aus*) return.

Retour- [rɛ'tuːɐ-]: **Retourgang** *m* (*Aus*) reverse (gear); **Retourkarte** *f* (*Aus*) return (ticket), round-trip ticket (*US*); **Retourkutsche** *f* (*inf*) (*Worte*) retort; (*Handlung*) retribution.

retournieren* [rɛtur'niːrən] *vt* (*old, Aus*) to return.

Retourspiel [rɛ'tuːɐ-] *nt* (*Aus*) return (match).

retrospektiv (*liter*) **I** *adj* retrospective.
II *adv* in retrospect.
Retrospektive *f* (*liter*) retrospective.
Retrovirus *nt* retrovirus.
retten I *vt* to save; (*aus Gefahr auch, befreien*) to rescue; (*Comput*) *Datei* to recover. **jdm das Leben ~** to save sb's life; **jdn vor jdm/etw ~** to save sb from sb/ sth; **ein ~der Gedanke** a bright idea that saved the situation *or* his/our *etc* bacon (*inf*); **der Patient/die alte Kirche ist noch/nicht mehr zu ~** the patient/the old church can still be saved *or* is not yet past saving/is past saving; **bist du noch zu ~?** (*inf*) are you out of your mind, have you gone completely round the bend? (*inf*).
    II *vr* to escape. **sich auf/unter etw** (*acc*)**/aus etw ~** to escape onto/under/ from sth; **sich vor jdm/etw ~** to escape (from) sb/sth; **sich durch die Flucht ~** to escape; **sich vor etw nicht mehr ~ können** *or* **zu ~ wissen** (*fig*) to be swamped with sth; **rette sich, wer kann!** (it's) every man for himself!
Retter(in *f*) *m* **-s, -** rescuer, saviour (*liter*), deliverer (*liter*); (*Rel*) Saviour.
Rettich *m* **-s, -e** radish.
Rettung *f* rescue, deliverance (*liter*); (*von Waren*) recovery; (*Rel*) salvation, deliverance. **die ~ und Erhaltung historischer Denkmäler** the saving and preservation of historical monuments; **Gesellschaft zur ~ Schiffbrüchiger** Lifeboat Service; **die ~ kam in letzter Minute** the situation was saved in the last minute; (*für Schiffbrüchige*) help came in the nick of time; **auf ~ hoffen** to hope to be saved; **an seine (eigene) ~ denken** to worry about one's own safety; **für den Patienten/unsere Wirtschaft gibt es keine ~ mehr** the patient/our economy is beyond saving, our economy is beyond salvation; **das war meine ~** that saved me, that was my salvation; **das war meine ~, daß ...** I was saved by the fact that ...; **das war meine letzte ~** that was my last hope; (*hat mich gerettet*) that was my salvation, that saved me.
Rettungsaktion *f* rescue operation; **Rettungsanker** *m* sheet anchor; (*fig*) anchor; **Rettungsarzt** *m*, **-ärztin** *f siehe* **Notarzt**; **Rettungsboje** *f* lifebelt; (*Hosenboje*) breeches buoy; **Rettungsboot** *nt* lifeboat; **Rettungsdienst** *m* rescue service; **Rettungsfloß** *nt* life-raft; **Rettungsflugwacht** *f* air rescue service; **Rettungsflugzeug** *nt* rescue aircraft; **Rettungsgürtel** *m* lifebelt; **Rettungshubschrauber** *m* rescue helicopter; **Rettungsinsel** *f* inflatable life-raft; **Rettungsleine** *f* lifeline; **Rettungsleiter** *f* rescue ladder; **rettungslos I** *adj* beyond saving; *Lage* hopeless, irredeemable; *Verlust* irrecoverable; **II** *adv verloren* hopelessly, irretrievably; **Rettungsmannschaft** *f* rescue team *or* party; **Rettungsmedaille** *f* lifesaving medal; **Rettungsring** *m* lifebuoy, lifebelt; (*hum: Bauch*) spare tyre (*hum*);

Rettungsschwimmen *nt* lifesaving; **Rettungsschwimmer(in** *f*) *m* lifesaver; (*am Strand*) lifeguard; **Rettungsstation** *f* rescue centre; (*für Erste Hilfe*) first-aid post; (*mit Rettungsbooten*) lifeboat *or* coastguard station; **Rettungsversuch** *m* rescue attempt *or* bid; (*von Arzt*) attempt to save sb; **Rettungswagen** *m* ambulance; **Rettungswesen** *nt* rescue services *pl*.
Retusche *f* **-, -n** (*Phot*) retouching.
Retuscheur(in *f*) [retu'ʃøːɐ, -'ʃøːrɪn] *m* retoucher.
retuschieren* *vt* (*Phot*) to retouch, to touch up (*inf, auch fig*).
Reue *f* **-**, *no pl* remorse, repentance (*auch Rel*) (*über* +*acc* at, about), repentance (*auch Rel*) (*über* +*acc* of), rue (*old, liter*) (*über* +*acc* at, of); (*Bedauern*) regret (*über* +*acc* at, about).
reuelos *adj* unrepentant.
reuen *vt* (*geh*) **etw reut jdn** sb regrets *or* rues (*geh, old*) sth; **es reut mich, daß ich das getan habe** I regret *or* rue (*geh, old*) having done that.
reuevoll *adj siehe* **reumütig**.
reumütig *adj* (*voller Reue*) remorseful, repentant; *Sünder, Missetäter* contrite, penitent; (*betreten, zerknirscht*) rueful. **~ gestand er ...** full of remorse he confessed ...; **du wirst bald ~ zu mir zurückkommen, sagte der Ehemann** you'll soon come back feeling sorry, said the husband.
Reuse *f* **-, -n** fish trap.
reüssieren* *vi* (*old*) to succeed, to be successful (*bei, mit* with).
Revanche [re'vãːʃ(ə)] *f* **-, -n 1.** (*Sport*) revenge; (*~partie*) return match. **du mußt ihm ~ geben!** you'll have to let him have his revenge, you'll have to give him a return match. **2.** *no pl* (*Pol*) revenge, vengeance.
Revanche- [re'vãːʃə-]: **Revanchekrieg** *m* war of revenge; **Revanchepartie** *f* (*Sport*) return match; **Revanchepolitik** *f* (*pej*) revanchist policy/politics *pl*.
revanchieren* [revã'ʃiːrən] *vr* **1.** (*sich rächen*) to get one's revenge, to get one's own back (*bei jdm für etw* on sb for sth).
    2. (*sich erkenntlich zeigen*) to reciprocate. **ich werde mich bei Gelegenheit mal ~** I'll return the compliment some time; (*für Hilfe*) I'll do the same for you one day, I'll return the favour one day; **sich bei jdm für eine Einladung/seine Gastfreundschaft ~** to return sb's invitation/ hospitality.
Revanchismus [revã'ʃɪsmʊs] *m* revanchism.
Revanchist(in *f*) [revã'ʃɪst(ɪn)] *m* revanchist.
Reverenz [reve'rɛnts] *f* (*old*) (*Hochachtung*) reverence; (*Verbeugung*) obeisance, reverence (*old*). **jdm seine ~ erweisen** to show one's reverence *or* respect for sb; **seine ~en machen** to make one's obeisances (*old*), to bow.
Revers¹ [re'veːɐ, re'vɛːɐ, rə'-] *nt or m* **-, -** (*an Kleidung*) lapel, revere, revers (*esp US*).

Revers² [re'vɛrs] *m* **-es, -e** *or* [rə'vɛːɐ, rə'vɛːɐ] *m* **-, -** *(old: Rückseite)* reverse.

Revers³ [re'vɛrs] *m* **-es, -e** *(Erklärung)* declaration.

reversibel [revɛr'ziːbl] *adj* reversible.

revidieren* [revi'diːrən] *vt* to revise; *Korrekturen* to check; *(Comm)* to audit, to check.

Revier [re'viːɐ] *nt* **-s, -e** **1.** *(Polizei~)* *(Dienststelle)* (police) station, station house *(US)*; *(Dienstbereich)* beat, district, precinct *(US)*, patch *(inf)*; *(von Prostituierter)* beat, patch *(inf)*.
 2. *(Zool: Gebiet)* territory. **die Küche ist mein ~** the kitchen is my territory.
 3. *(Hunt: Jagd~)* hunting ground, shoot.
 4. *(old: Gebiet, Gegend)* district, area.
 5. *(Mil: Kranken~)* sick-bay. **auf dem** *or* **im ~ liegen** to be in the sick-bay.
 6. *(Min: Kohlen~)* (coal)mine. **im ~ an der Ruhr** in the mines of the Ruhr; **das ~** the Ruhr; the Saar.

Revierförster(in *f)* *m* forester, forest ranger *(US)*; **revierkrank** *adj (old Mil)* hospitalized, in the sick-bay; **Revierwache** *f* duty room; **Revierwachtmeister** *m* station sergeant.

Revirement [revirə'mãː, revir'mãː] *nt* **-s, -s** *(Pol)* reshuffle.

Revision [revi'zioːn] *f* **1.** *(von Meinung, Politik)* revision.
 2. *(Comm: Prüfung)* audit.
 3. *(Typ: letzte Überprüfung)* final (proof-)read.
 4. *(Jur: Urteilsanfechtung)* appeal *(an +acc* to).

Revisionismus [revizio'nɪsmʊs] *m (Pol)* revisionism.

Revisionist(in *f)* [revizio'nɪst(ɪn)] *m (Pol)* revisionist.

revisionistisch [revizio'nɪstɪʃ] *adj (Pol)* revisionist.

Revisionsgericht *nt* court of appeal, appeal court; **Revisionsverhandlung** *f* appeal hearing.

Revisor [re'viːzɔr] *m,* **Revisorin** *f* *(Comm)* auditor; *(Typ)* proof-reader.

Revolte [re'vɔltə] *f* **-, -n** revolt.

revoltieren* [revɔl'tiːrən] *vi* to revolt, to rebel; *(fig: Magen)* to rebel.

Revolution [revolu'tsioːn] *f (lit, fig)* revolution. **eine ~ der Moral** a moral revolution, a revolution in morals.

revolutionär [revolutsio'nɛːɐ] *adj (lit, fig)* revolutionary.

Revolutionär(in *f)* [revolutsio'nɛːɐ, -'nɛːərɪn] *m* revolutionary.

revolutionieren* [revolutsio'niːrən] *vt* to revolutionize.

Revolutions- *in cpds* revolutionary.

Revoluzzer(in *f)* [revo'lʊtsɐ, -ərɪn] *m* **-s, -** *(pej)* would-be revolutionary.

Revolver [re'vɔlvɐ] *m* **-s, -** revolver, gun.

Revolverblatt *nt (pej)* scandal sheet; **Revolverheld(in** *f)* *m (pej)* gunslinger; **Revolverlauf** *m* barrel (of a/the revolver); **Revolvermündung** *f* mouth (of a/the revolver); **plötzlich starrte er in eine ~** he suddenly found himself staring down the barrel of a revolver; **Revolverpresse** *f (pej)* gutter press.

Revue [rə'vyː] *f* **-, -n** [-yːən] **1.** *(Theat)* revue.
 2. *(rare: Zeitschrift)* review.
 3. *(old, Mil)* review. **etw ~ passieren lassen** *(fig)* to let sth parade before one, to pass sth in review.

Revuetänzerin [rə'vyː-] *f* chorus-girl.

Rezensent(in *f)* *m* reviewer.

rezensieren* *vt* to review.

Rezension *f* review, write-up *(inf)*.

Rezensions|exemplar *nt* review copy.

rezent *adj* **1.** *(Biol)* living; *(Ethnologie)* *Kulturen* surviving. **2.** *(dial: pikant)* tart, sour.

Rezept *nt* **-(e)s, -e** **1.** *(Med)* prescription; *(fig)* cure, remedy *(für, gegen* for). **auf ~ on** prescription. **2.** *(Cook, fig)* recipe.

Rezeptblock *m* prescription pad; **rezeptfrei I** *adj* available without prescription; **II** *adv* over the counter, without a prescription.

Rezeption *f* **1.** *(geh: Übernahme)* adoption. **2.** *(von Hotel: Empfang)* reception.

rezeptiv *adj* receptive.

Rezeptpflicht *f* prescription requirement; **der ~ unterliegen** to be available only on prescription; **rezeptpflichtig** *adj* available only on prescription, ethical *(spec)*.

Rezeptur *f (form)* dispensing.

Rezession *f (Econ)* recession.

rezessiv *adj (Biol)* recessive.

reziprok *adj (Math, Gram)* reciprocal. **sich ~ zueinander verhalten** to be in a reciprocal relationship.

Rezitation *f* recitation.

Rezitativ *nt (Mus)* recitative.

Rezitator *m,* **Rezitatorin** *f* reciter.

rezitieren* *vti* to recite.

R-Gespräch ['ɛr-] *nt* transfer *or* reverse charge call *(Brit)*, collect call. **ein ~ führen** to make a transfer charge call, to transfer *or* reverse the charges *(Brit)*, to call collect *(US)*.

Rh [ɛr'haː] *abbr of* **Rhesusfaktor positiv**.

rh [ɛr'haː] *abbr of* **Rhesusfaktor negativ**.

Rhabarber *m* **-s,** *no pl (auch Gemurmel)* rhubarb.

Rhapsodie *f (Mus, Liter)* rhapsody.

rhapsodisch *adj (Mus, Liter)* rhapsodic(al).

Rhein *m* **-s** Rhine.

rheinab(wärts) *adv* down the Rhine; **Rheinarmee** *f* British Army of the Rhine; **rheinauf(wärts)** *adv* up the Rhine; **Rheinfall** *m* Rhine Falls *pl*, Falls of the Rhine *pl*.

rheinisch *adj attr* Rhenish, Rhineland.

Rheinländer *m* **-s, -** **1.** Rhinelander; **2.** *(Tanz)* ≃ schottische; **Rheinländerin** *f* *siehe* **Rheinländer 1.**; **rheinländisch** *adj* Rhenish, Rhineland; **Rheinland-Pfalz** *nt* Rhineland-Palatinate; **Rheinwein** *m* Rhine wine, Rhenish (wine); *(weißer auch)* hock.

Rhenium *nt, no pl (abbr* **Re***)* rhenium.

Rhesusaffe *m* rhesus monkey; **Rhesusfaktor** *m (Med)* rhesus *or* Rh factor; **Rhesus(faktor) positiv/negativ** rhesus positive/negative.

Rhetorik *f* rhetoric.

Rhetoriker(in *f)* *m* **-s, -** rhetorician

(form), master of rhetoric; *(Redner)* orator.

rhetorisch *adj* rhetorical. **~e Frage** rhetorical question.

Rheuma *nt* **-s,** *no pl* rheumatism.

Rheumatiker(in *f)* *m* **-s, -** rheumatic, rheumatism sufferer.

rheumatisch *adj* rheumatic.

Rheumatismus *m* rheumatism.

Rheumatologe *m,* **Rheumatologin** *f* rheumatologist.

Rhinozeros *nt* **-(ses), -se** rhinoceros, rhino *(inf)*; *(inf: Dummkopf)* fool, sap *(inf)*.

Rhizom *nt* **-s, -e** *(Bot)* rhizome.

Rhodesien [-iən] *nt* **-s** Rhodesia.

Rhodesier(in *f)* [-iɐ, -iərɪn] *m* **-s, -** Rhodesian.

rhodesisch *adj* Rhodesian.

Rhodium *nt, no pl (abbr* **Rh)** rhodium.

Rhododendron [rodo'dɛndrɔn] *m or nt* **-s, Rhododendren** rhododendron.

Rhodos ['roːdɔs, 'rɔdɔs] *nt* **-** Rhodes.

rhombisch *adj* rhomboid(al).

Rhombus *m* **-, Rhomben** rhombus, rhomb.

Rhythmik *f* rhythmics *sing*; *(inf: Rhythmus)* rhythm.

Rhythmiker(in *f)* *m* **-s, -** rhythmist.

rhythmisch *adj* rhythmic(al). **~e Prosa** rhythmic prose; **~e Gymnastik** rhythmics *sing*, music and movement.

rhythmisieren* *vt* to make rhythmic, to put rhythm into. **rhythmisiert** rhythmic.

Rhythmus *m (Mus, Poet, fig)* rhythm.

RIAS *abbr of* **Rundfunk im amerikanischen Sektor** *former broadcasting station in the American sector (of Berlin).*

Ribis(e)l *f -, -n (Aus) siehe* **Johannisbeere.**

Ribonukleinsäure *f (abbr* **RNS)** ribonucleic acid.

Richtantenne *f* directional aerial *(esp Brit) or* antenna; **Richtbeil** *nt* executioner's axe; **Richtblei** *nt* plumbline, plummet.

richten I *vt* **1.** *(lenken)* to direct *(auf +acc* towards), to point *(auf +acc* at, towards); *Gewehr auch* to train *(auf +acc* on); *Scheinwerfer auch* to turn *(auf +acc* on); *Augen, Blicke, Aufmerksamkeit* to direct, to turn *(auf +acc* towards), to focus *(auf +acc* on); *Pläne, Wünsche, Tun* to direct *(auf +acc* towards). **den Kurs nach Norden/Osten ~** to set *or* steer a northerly/easterly course; **einen Verdacht gegen jdn ~** to suspect sb.

2. *(aus~)* **etw nach jdm/etw ~** to suit *or* fit sth to sb/sth; *Lebensstil, Verhalten* to orientate sth to sb/sth.

3. *(adressieren) Briefe, Anfragen* to address, to send *(an +acc* to); *Bitten, Forderungen, Gesuch* to address, to make *(an +acc* to); *Kritik, Vorwurf* to level, to direct, to aim *(gegen* at, against).

4. *(S Ger) (zurechtmachen)* to prepare, to get ready; *(in Ordnung bringen)* to do, to fix; *(reparieren)* to fix; *Essen auch* to get, to fix; *Haare* to do; *Tisch* to lay *(Brit)*, to set; *Betten* to make, to do.

jdm ein Bad ~ *(form, S Ger)* to draw *(form) or* run a bath for sb.

5. *(einstellen)* to set; *(S Ger: geradebiegen)* to straighten (out), to bend straight.

6. *(Aus pej)* **sich's** *(dat)* **~** to get oneself off *(inf)*.

7. *(old: hinrichten)* to execute, to put to death. **sich selbst ~** *(liter)* to find death by one's own hand *(liter)*; **sich von selbst ~** *(fig)* to condemn oneself.

II *vr* **1.** *(sich hinwenden)* to focus, to be focussed *(auf +acc* on), to be directed *(auf +acc* towards); *(Gedanken, Augen auch)* to turn, to be turned *(auf +acc* towards).

2. *(sich wenden)* to consult *(an jdn* sb); *(Maßnahme, Vorwurf)* to be directed *or* aimed *(gegen* at).

3. *(sich anpassen)* to follow *(nach jdm/etw* sb/sth). **sich nach den Vorschriften ~** to go by the rules; **sich nach jds Wünschen ~** to comply with *or* go along with sb's wishes; **mir ist es egal, ob wir früher oder später gehen, ich richte mich nach dir** I don't mind if we go earlier or later, I'll fit in with you *or* I'll do what you do; **warum sollte die Frau sich immer nach dem Mann ~?** why should the woman always do what the man wants?; **sich nach den Sternen/der Wettervorhersage ~** to go by the stars/the weather forecast/what he maintains; **und richte dich (gefälligst) danach!** *(inf)* (kindly) do as you're told.

4. *(abhängen von)* to depend *(nach* on).

5. *(S Ger: sich zurechtmachen)* to get ready. **für die Party brauchst du dich nicht extra zu ~** you don't have to get specially done up for the party *(inf)*.

III *vi (liter: urteilen)* to judge *(über jdn* sb), to pass judgement *(über +acc* on). **milde/streng ~** to be mild/harsh in one's judgement; **richtet nicht, auf daß ihr nicht gerichtet werdet!** *(Bibl)* judge not, that ye be not judged *(Bibl)*.

Richter(in *f)* *m* **-s, -** judge. **jdn/etw vor den ~ bringen** to take sb/sth to court; **der gesetzliche ~** the right to a fair trial; **die ~** the Bench, the judiciary, the judges *pl*; **sich zum ~ aufwerfen** *or* **machen** *(fig)* to set (oneself) up in judgement; **der höchste ~** *(liter: Gott)* the Supreme Judge; **vor dem höchsten ~ stehen** *(liter: vor Gott)* to stand before the Judgement Seat *or* the Throne of Judgement.

Richteramt *nt* judicial office; **das ~ ausüben** to sit on the Bench; **richterlich** *adj attr* judicial; **Richterschaft** *f* judiciary, Bench; **Richter-Skala** *f (Geol)* Richter scale; **Richterspruch** *m* **1.** *(Jur)* ≃ judgement; **2.** *(Sport)* judges' decision; *(Pferderennen)* stewards' decision; **Richterstuhl** *m* Bench.

Richtfest *nt* topping-out ceremony; **Richtfeuer** *nt (Naut)* leading lights *pl*; *(Aviat)* approach lights *pl*; **Richtfunk** *m* directional radio; **Richtfunkverbindung** *f* micro-wave link; **Richtgeschwindigkeit** *f* recommended speed.

richtig I *adj* **1.** right *no comp*; *(zutreffend auch)* correct. **eine ~e Erkenntnis/**

Voraussetzung a correct realization/pre-supposition; **der ~e Mann am ~en Ort** the right man for the job; **ich halte es für ~/das ~ste, ...** I think it would be right/best ...; **nicht ganz ~ (im Kopf) sein** (*inf*) to be not quite right (in the head) (*inf*); **bin ich hier ~ bei Müller?** (*inf*) is this right for the Müllers?; **der Junge ist ~** (*inf*) that boy's all right (*inf*) or OK (*inf*).

2. (*wirklich, echt*) real, proper. **der ~e Vater/die ~e Mutter** the real father/mother; **ein ~er Drache/Idiot** a real or proper or right (*inf*) dragon/idiot.

II *adv* **1.** (*korrekt*) correctly, right; *passen, funktionieren, liegen auch* properly. **die Uhr geht ~** the clock is right or correct; **habe ich ~ gehört?** (*iro*) do my ears deceive me?, am I hearing things?; (*Gerücht betreffend*) is it right what I've heard?; **du kommst gerade ~!** you're just in time; (*iro*) you're just what I need.

2. (*inf: ganz und gar*) really, proper (*dial*), real (*esp US inf*); *sich schämen, verlegen, schlagen auch* thoroughly.

3. (*wahrhaftig*) right, correct. **du bist doch Konrads Schwester — ~!** you're Konrad's sister — (that's) right; **das ist doch Paul! — ach ja, ~** that's Paul — oh yes, so it is; **wir dachten, es würde gleich regnen und ~, kaum ...** we thought it would soon start raining and, sure enough, scarcely ...

Richtige(r) *mf decl as adj* right person/man/woman etc; (*zum Heiraten auch*) Mr/Miss Right. **du bist mir der ~!** (*iro*) you're a fine or right one (*inf*), some mothers do have them! (*inf*); **sechs ~ im Lotto** ≃ to win the pools.

Richtige(s) *nt decl as adj* right thing. **das ist das ~** that's right; **das ist genau das ~** that's just right or the thing or the job (*inf*); **ich habe nichts ~s gegessen/gelernt** I haven't had a proper meal/I didn't really learn anything; **ich habe noch nicht das ~/endlich was ~s gefunden** I haven't found anything right or suitable/at last I've found something suitable.

richtiggehend I *adj attr Uhr, Waage* accurate; (*inf: regelrecht*) real, regular (*inf*), proper. **II** *adv* (*inf*) **~ intelligent** really intelligent; **das ist ja ~ Betrug** that's downright deceit.

Richtigkeit *f* correctness, accuracy; (*von Verhalten, Vorgehen, einer Entscheidung*) rightness, correctness. **an der ~ von etw zweifeln** to doubt whether sth is correct or right; **die ~ einer Abschrift bescheinigen** to certify a copy as being accurate; **das hat schon seine ~** it's right enough; **es wird schon seine ~ haben** it's bound to be right or OK (*inf*).

richtigliegen *vi sep irreg* (*inf*) to fit in; **bei jdm ~** to get on well with sb; **richtigstellen** *vt sep* to correct; **ich muß Ihre Behauptung ~** I must put you right there; **Richtigstellung** *f* correction.

Richtkranz *m*, **Richtkrone** *f* (*Build*) wreath used in the topping-out ceremo-

ny; **Richtlinie** *f* guideline; (*Europäische Gemeinschaft*) directive; **Richtmikrophon** *nt* directional microphone or mike (*inf*); **Richtplatz** *m* place of execution; **Richtpreis** *m* recommended price; **Richtschnur** *f* **1.** (*Build*) guide line; (*senkrecht*) plumb-line; **2.** (*fig: Grundsatz*) guiding principle; **Richtspruch** *m* (*old*) judgement; **Richtstätte** *f* (*old*) place of execution; **Richtstrahlantenne** *f*, **Richtstrahler** *m* beam or directional antenna.

Richtung *f* **1.** direction. **in ~ Hamburg/Süden** towards Hamburg/the south, in the direction of Hamburg/(in a southerly direction; (*auf Autobahn*) towards Hamburg/on the southbound carriageway (*Brit*) or lane; **in nördliche ~** northwards, towards the north, in a northerly direction; **die Autobahn/der Zug ~ Hamburg** the Hamburg autobahn/train; **nach allen ~en/in alle ~en** in all directions; **die ~ ändern** or **wechseln** to change direction(s); **die ~ anzeigen** to indicate the direction, to point the way; (*mit Fahrzeug*) to indicate which way one is going to turn; **eine ~ nehmen** or **einschlagen** to head or drive/walk in a direction; **eine neue ~ bekommen** to change course, to take a new turn or direction; **einem Gespräch eine bestimmte ~ geben** to turn a conversation in a particular direction; **er will sich nach keiner ~ hin festlegen** he won't commit himself in any way at all; **in jeder ~** each way, in each direction; (*fig: in jeder Hinsicht*) in every respect; **irgend etwas in der** or **dieser ~** something along those/these lines.

2. (*Tendenz*) trend; (*in der Kunst, einer Partei auch*) line; (*die Vertreter einer ~*) movement; (*Denk~, Lehrmeinung*) school of thought; **die herrschende ~** the prevailing trend; **die beiden ~en in der katholischen Kirche** the two lines of thought in the Catholic church; **sie gehören den verschiedensten politischen ~en an** they have the most varied political sympathies; **die ganze ~ paßt uns nicht!** that's not the sort of thing we want.

richtunggebend *adj* pointing the way; (*in der Mode*) trendsetting. **für jdn/etw ~ sein** to set the pattern for sb/sth.

Richtungsänderung *f* change of or in direction; **Richtungskampf** *m* (*Pol*) factional dispute; **richtungslos** *adj* lacking a sense of direction; **Richtungsstreit** *m* (*Pol*) factional dispute; **Richtungswechsel** *m* (*lit, fig*) change of direction.

richtungweisend *adj* pointing the way. **~ sein** to point the way (ahead).

Richtwert *m* guideline; **Richtzahl** *f* approximate figure.

Ricke *f* -, **-n** doe.

rieb *pret* of **reiben**.

riechen *pret* **roch**, *ptp* **gerochen I** *vti* to smell. **gut/schlecht ~** to smell good/bad; **nach etw ~** to smell of sth; **an jdm/etw ~** to smell sb/sth, to sniff (at) sb/sth; **ich rieche Gas I** (can) smell gas; **ich rieche das Gewürz gern** I like the smell of this spice; **aus dem Mund ~** to have bad breath; **riech mal** have a sniff *or* smell; **das riecht nach Betrug/Verrat** *(fig inf)* that smacks of deceit/treachery; **Lunte** *or* **den Braten ~** *(fig sl)* to smell a rat *(inf)*; **ich kann das nicht ~** *(inf)* I can't stand the smell of it; *(fig: nicht leiden)* I can't stand it; **jdn nicht ~ können** *(inf)* not to be able to stand sb, to hate sb's guts *(inf)*; **das konnte ich doch nicht ~!** *(inf)* how was I (supposed) to know?, I'm not psychic *(inf)*.

II *vi (Geruchssinn haben)* to have a sense of smell, to be able to smell. **nicht mehr ~ können** to have lost one's sense of smell.

III *vi impers* to smell. **es riecht angebrannt** there's a smell of burning, there's a burning smell; **es riecht nach Gas** there's a smell of gas.

Riecher *m* **-s, -** *(inf)* **einen guten** *or* **den richtigen ~ (für etw) haben** *(inf)* to have a nose (for sth) *(inf)*; **da habe ich doch den richtigen ~ gehabt!** I knew it all along!

Riechfläschchen *nt* (bottle of) smelling salts *pl*; **Riechnerv** *m* olfactory nerve; **Riechsalz** *nt* smelling salts *pl*; **Riechstoff** *m* aromatic substance.

Ried *nt* **-s, -e 1.** *(Schilf)* reeds *pl*. **2.** *(S Ger: Moor)* marsh.

Riedgras *nt* sedge.

rief *pret of* rufen.

Riefe *f* **-, -n** groove, channel; *(in Säulen)* flute.

Riege *f* **-, -n** *(Sport)* team, squad.

Riegel *m* **-s, - 1.** *(Verschluß)* bolt. **den ~ an etw** *(dat)* **vorlegen** to bolt sth; **vergiß nicht, den ~ vorzulegen!** don't forget to bolt the door *etc*; **den ~ an etw** *(dat)* **zurückschieben** to unbolt sth; **einer Sache** *(dat)* **einen ~ vorschieben** *(fig)* to put a stop to sth, to clamp down on sth.
2. *(Schokolade)* bar; *(Seife auch)* cake.
3. *(Sew)* *(Lasche)* tab; *(von Jackett)* strap; *(für Haken)* eye; *(am Knopfloch)* bar tack.

Riegelstellung *f (Mil)* switch line *or* position; **Riegelwerk** *nt (dial)* half-timbering.

Riemchenschuh *m* strap shoe.

Riemen[1] *m* **-s, -** *(Treib~, Gürtel)* belt; *(an Schuhen, Kleidung, Koffer~, Gepäck~)* strap; *(Schnürsenkel)* leather shoelace; *(Peitschen~)* thong; *(vulg: Penis)* prick *(vulg)*, cock *(vulg)*. **jdn mit einem ~ verdreschen** to strap sb, to give sb the strap *or* belt; **den ~ enger schnallen** *(fig)* to tighten one's belt; **sich am ~ reißen** *(fig inf)* to get a grip on oneself.

Riemen[2] *m* **-s, -** *(Sport)* oar. **die ~ einlegen** to ship oars; **sich in die ~ legen** *(lit, fig)* to put one's back into it.

Ries *nt* **-es, -e** *(Measure)* German ream, ≈ 2 reams.

Riese[1] **das macht nach Adam ~ DM 3,50** *(hum inf)* the way I learned it at school that makes DM 3.50.

Riese[2] *m* **-n, -n** *(lit, fig)* giant; *(sl: Tausendmarkschein)* 1000 mark note, big one *(esp US sl)*. **ein böser ~** an ogre; **ein ~ von Mensch** *or* **von einem Menschen** a giant of a man/woman.

Rieselfelder *pl* sewage farm.

rieseln *vi aux sein (Wasser, Sand)* to trickle; *(Regen)* to drizzle; *(Schnee)* to float *or* flutter down. **der Kalk rieselt von der Wand** lime is crumbling off the wall; **Schuppen ~ ihm vom Kopf** dandruff is flaking off his head; **ein Schauder rieselte mir über den Rücken/durch alle Glieder** a shiver went down my spine/through me.

Riesen- *pref* gigantic, enormous, colossal; *(Zool, Bot auch)* giant; **Riesenameise** *f* carpenter ant; **Riesenchance** *f* tremendous chance; **Riesenerfolg** *m* gigantic success; *(Theat, Film)* smash hit; **Riesenfräulein** *nt* giantess; **Riesengebirge** *nt (Geog)* Sudeten Mountains *pl*; **Riesengestalt** *f* **1.** *(Größe)* gigantic frame; **2.** *(Riese)* giant; **riesengroß**, **riesenhaft** *adj siehe* riesig; **Riesenhai** *m* basking shark; **Riesenhunger** *m (inf)* enormous appetite; **ich habe einen ~** *(inf)* I could eat a horse *(inf)*; **Riesenkraft** *f* gigantic strength; **Riesenrad** *nt* big *or* Ferris wheel; **Riesensalamander** *m* giant salamander; **Riesenschildkröte** *f* giant tortoise; **Riesenschlange** *f* boa; **Riesenschritt** *m* giant step *or* stride; **sich mit ~en nähern** *(fig)* to be drawing on apace; **Riesenslalom** *m* giant slalom; **Riesentrara** *nt (inf)* ballyhoo, great fuss *or* to-do *(inf)*; **Riesenwerk** *nt* colossal work; *(Gesamtwerk)* colossal works *pl*; **Riesenwuchs** *m* giantism; *(Med auch)* gigantism.

riesig I *adj* gigantic, colossal, enormous. **II** *adv (inf: sehr)* enormously, tremendously, immensely.

Riesin *f* giantess.

Riesling *m* Riesling.

riet *pret of* raten.

Riff[1] *nt* **-(e)s, -e** *(Felsklippe)* reef.

Riff[2] *m* **-(e)s, -s** *(Mus)* riff.

Riffel *f* **-, -n** *(Tex)* (flax) hackle, flax comb.

riffeln *vt Flachs* to comb.

Rigg *nt* **-s**, *no pl (Naut)* rigging.

rigide *adj (geh)* rigid.

Rigidität *f (Med, Psych)* rigidity.

Rigorismus *m (geh)* rigour.

rigoros *adj* rigorous. **ich bleibe dabei, da bin ich ganz ~** I'm sticking to that, I'm adamant.

Rigorosität *f* rigorousness.

Rigorosum *nt* **-s, Rigorosa** *or (Aus)* **Rigorosen** *(Univ)* (doctoral *or* PhD) viva.

Rikscha *f* **-, -s** rickshaw.

Rille *f* **-, -n** groove; *(in Säule)* flute.

Rillenprofil *nt* tread.

rin- *pref (dial) siehe* herein-, hinein-.

Rind *nt* **-(e)s, -er 1.** *(Tier)* cow. **~er cattle** *pl*; **10 ~er** 10 head of cattle. **2.** *(inf: Rindfleisch)* beef. **vom ~** beef *attr*; **Hackfleisch vom ~** minced *(Brit)* or ground *(US)* beef, mince.

Rinde *f* **-, -n** *(Baum~)* bark; *(Brot~)* crust; *(Käse~)* rind; *(Anat)* cortex.

rindenlos *adj Baum* barkless; *Käse* rindless.

Rinderbouillon *f* beef stock *or* bouillon *(form)*; **Rinderbraten** *m (roh)* joint of beef; (*gebraten*) roast beef *no indef art*; **Rinderbremse** *f* horsefly; **Rinderbrühe** *f* beef broth; **Rinderbrust** *f* brisket (of beef); **Rinderfilet** *nt* fillet of beef); **Rinderherde** *f* herd of cattle; **Rinderhirt** *m* cowherd; (*in Nordamerika*) cowboy; (*in Südamerika*) gaucho; (*in Australien*) drover.

rindern *vi* (*Kuh*) to be on *or* in heat.

Rinderpest *f* (*Vet*) rinderpest; **Rindertalg** *m* beef dripping; **Rinderzucht** *f* cattle farming *or* raising; **Rinderzunge** *f* ox tongue.

Rindfleisch *nt* beef.

Rinds- *in cpds* (*Aus, S Ger*) *siehe* **Rinder-**; **Rindsleder** *nt* leather; **rindsledern** *adj attr* leather; **Rindsstück** *nt* (*Cook*) joint of beef.

Rindvieh *nt* 1. *no pl* cattle. **10 Stück** ~ 10 head of cattle. 2. *pl* **Rindviecher** (*sl*) ass (*inf*).

Ring *m* **-(e)s, -e** 1. ring; (*Ketten*~) link; (*Wurf*~) quoit; (*Einweck*~) seal, rubber; (*Rettungs*~) lifebuoy, lifebelt. **die ~e tauschen** *or* **wechseln** to exchange rings.
2. (*Kreis*) (*Jahres*~, *Rauch*~) ring; (*auf dem Wasser, von Menschen auch*) circle; (~*straße*) ring road.
3. (*Sport*) (*Box*~) ring; (*von Schießscheibe*) ring, circle. ~**e** (*Turnen*) rings; **acht ~e schießen** to score an eight; ~ **frei!** seconds out *or* away!; (*fig*) clear the decks!
4. (*Astron, Met, Chem*) ring.
5. (*Vereinigung*) circle, group; (*von Großhändlern, Erzeugern*) group; (*Bande*) ring.
6. (*geh: Kreislauf*) circle, cycle. **der ~ schließt sich** the circle is completed *or* closed, the wheel comes *or* turns full circle.

Ringbahn *f* circle line; **Ringbuch** *nt* ring binder; **Ringbucheinlage** *f* loose-leaf pad.

Ringel *m* **-s, -** ring; (*Locke*) ringlet.

Ringelblume *f* marigold.

Ringelgans *f* marsh goose.

ring(e)lig *adj* ringleted.

Ringellocke *f* ringlet. ~**n tragen** to wear one's hair in ringlets, to have ringlets.

ringeln I *vt* (*Pflanze*) to (en)twine; *Schwanz auch* to curl.
II *vr* to go curly, to curl; (*Rauch*) to curl up(wards). **die Schlange ringelte sich durch das Unterholz** the snake wriggled through the undergrowth; **die Schlange ringelte sich um den Baum** the snake coiled *or* curled itself around the tree.

Ringelnatter *f* grass snake; **Ringelpie(t)z** *m* **-es, -e** (*hum inf*) hop (*inf*); ~ **mit Anfassen** hop (*inf*); **Ringelreigen, Ringelreihen** *m* ring-a-ring-o' roses'; **Ringelschwanz** *m*, **Ringelschwänzchen** *nt* (*inf*) curly tail; **Ringelspiel** *nt* (*Aus*) merry-go-round, roundabout (*Brit*); **Ringeltaube** *f* woodpigeon, ringdove; **Ringelwurm** *m* ringed worm, annelid (*spec*).

ringen *pret* **rang**, *ptp* **gerungen** I *vt* **die Hände ~** to wring one's hands; **er rang**

ihr das Messer aus der Hand he wrenched *or* wrested the knife from her hand.
II *vi* 1. (*lit, fig: kämpfen*) to wrestle. **mit sich/dem Tode ~** to wrestle with oneself/death; **mit den Tränen ~** to struggle *or* fight to keep back one's tears.
2. (*streben*) **nach** *or* **um etw ~** to struggle for sth; **er rang um Fassung** he struggled to maintain his composure; **ums Überleben ~** (*geh*) to struggle to survive.

Ringen *nt* **-s,** *no pl* (*Sport*) wrestling; (*fig*) struggle.

Ringer(in *f*) *m* **-s, -** wrestler.

Ringergriff *m* wrestling hold.

Ringfahndung *f* dragnet; **Ringfinger** *m* ring finger; **ringförmig** *adj* ring-like; **der Wallgraben umschließt die Stadt ~** the rampart rings *or* encircles the town; ~**e Verbindungen** (*Chem*) cyclic *or* ring compounds; **Ringkampf** *m* fight; (*Sport*) wrestling match; **Ringkämpfer(in** *f*) *m* wrestler; **Ringlein** *nt* ring; **Ringlotte** *f* **-, -n** (*Aus*) greengage; **Ringmauer** *f* circular wall; **die ~ rund um die Burg** the wall encircling *or* surrounding the castle; **Ringmuskel** *m* sphincter; **Ringordner** *m* ring binder; **Ringrichter(in** *f*) *m* (*Sport*) referee.

rings *adv* (all) around. **die Stadt ist ~ von Bergen umgeben** the town is completely surrounded *or* encircled by mountains, there are mountains all around the town; **ich bin ~ um die Kirche gegangen** I went all the way round (the outside of) the church; **wir mußten uns alle ~ im Kreis aufstellen** we all had to get into *or* make a circle.

Ringscheibe *f* (*Sport*) target (*marked with concentric rings*); **Ringsendung** *f* (*Rad, TV*) link up (transmission).

ringsherum *adv* all (the way) around.

Ringstraße *f* ring road.

ringsum *adv* (all) around; ~ **konnte ich nichts sehen** I could see nothing around me; **ringsumher** *adv* around.

Ringtausch *m* exchange of rings; (*von Wohnungen*) three-way house exchange; **Ringtennis** *nt* (*Sport*) quoits sing, deck tennis; **Ringvorlesung** *f* series of lectures by different speakers.

Rinne *f* **-, -n** (*Rille*) groove; (*Furche, Abfluß*~, *Fahr*~) channel; (*Dach*~, *inf: Rinnstein*) gutter; (*Geog*) gap.

rinnen *pret* **rann**, *ptp* **geronnen** *vi aux sein* (*fließen*) to run. **das Blut rann ihm in Strömen aus der Wunde** blood streamed from his wound; **die Zeit rinnt (dahin)** (*geh*) time is slipping away (*geh*); **das Geld rinnt ihm durch die Finger** (*fig*) money slips through his fingers.

Rinnsal *nt* **-(e)s, -e** rivulet; **Rinnstein** *m* (*Gosse*) gutter; (*old: Ausguß*) drain; **jdn aus dem ~ holen** *or* **auflesen** (*fig*) to pick sb out of the gutter; **im ~ enden** to come to a sorry end.

Rippchen *nt* (*Cook*) slightly cured pork rib.

Rippe *f* **-, -n** 1. (*Anat, Cook*) rib. **bei ihm kann man die ~n zählen** (*inf*) you could play a tune on his ribs (*inf*); **er hat nichts auf den ~n** (*inf*) he's just skin and bones; **... damit du was auf die ~n kriegst** (*inf*) ... to put a bit of flesh on you; **ich kann es mir nicht aus den ~n schneiden** (*inf*).

2. (*Blatt~, Gewölbe~, Boots~*) rib.

3. (*von Heizkörper, Kühlaggregat*) fin.

rippen *vt* to rib.

Rippenbogen *m* (*Anat*) costal arch; **Rippenbruch** *m* broken *or* fractured rib; **Rippenfell** *nt* pleura; **Rippenfellentzündung** *f* pleurisy; **Rippengewölbe** *nt* (*Archit*) ribbed vaulting; **Rippenspeer** *m or nt* (*Cook*) spare rib; **Kaßler** *or* **Kasseler ~** *slightly cured pork spare rib*; **Rippenstoß** *m* nudge, dig in the ribs; (*schmerzhaft*) thump (*inf*) *or* dig in the ribs; **ein freundschaftlicher ~** (*fig*) a quiet *or* friendly word; **Rippenstrickpulli** *m* ribbed sweater.

Rippli *pl* (*Sw*) ribs *pl*.

rips *interj* **~, raps!** rip!

Rips *m* **-es, -e** (*Tex*) rep.

Risiko *nt* **-s, -s** *or* **Risiken** *or* (*Aus*) **Risken** risk. **auf eigenes ~** at one's own risk; **bitte, Sie können das machen, aber auf eigenes ~** do it by all means, but on your own head be it; **ohne ~** without risk; **etw ohne ~ tun** to do sth without taking a risk; **es ist nicht ohne ~, das zu tun** there is a risk involved in doing that, doing that is not without risk; **die Sache ist ohne ~** there's no risk involved; **als gutes ~ gelten** to be a good (credit) risk.

Risikobereitschaft *f* **sie hat eine hohe ~** she is prepared to take high risks; **Risikofaktor** *m* risk factor; **Risikofreude** *f siehe* **Risikobereitschaft**; **risikofreudig** *adj* venturesome, prepared to take risks; **Risikogruppe** *f* (high-)risk group; **Risikokapital** *nt* (*Fin*) risk *or* venture capital; **Risikoversicherung** *f* term insurance.

riskant *adj* risky, chancy (*inf*). **das ist mir zu ~** that's too risky *or* chancy for me.

riskieren* *vt* **1.** (*aufs Spiel setzen*) to risk. **etwas/nichts ~** to take risks *or* chances/ no risks *or* chances; **seine Stellung/sein Geld ~** to risk losing one's job/money, to put one's job/money at risk; **sein Geld bei etw ~** to risk one's money on sth.

2. (*wagen*) to venture. **traust du dich, hier runterzuspringen? — ja, ich riskier's!** do you think you dare jump down? — yes, I'll risk *or* chance it!; **in Gegenwart seiner Frau riskiert er kein Wort** when his wife is present he dare not say a word.

Rispe *f* **-, -n** (*Bot*) panicle.

riß *pret of* **reißen**.

Riß *m* **Risses, Risse** (*in Stoff, Papier*) tear, rip; (*in Erde, Gestein*) crevice, fissure; (*Sprung in Wand, Behälter*) crack; (*Haut~*) chap; (*fig: Kluft*) rift, split. **die Freundschaft hat einen (tiefen) ~ bekommen** a rift has developed in their friendship; **durch das Volk geht ein tiefer ~** there is a deep split in the people, the people are deeply divided.

rissig *adj* **Boden, Wand,** *Leder* cracked; **Haut, Hände** chapped.

Rißwunde *f* laceration, lacerated wound.

Rist *m* **-(e)s, -e 1.** (*am Fuß*) instep; (*an der Hand*) back (of the hand). **2.** (*beim Pferd*) withers *pl*.

Riten *pl of* **Ritus.**

ritsch *interj* **~, ratsch!** rip!

ritt *pret of* **reiten.**

Ritt *m* **-(e)s, -e** ride. **einen ~ machen** to go for a ride; **in scharfem ~ jagte er über die Felder** riding furiously he chased across the fields.

Ritter *m* **-s, - 1.** (*im Mittelalter, im alten Rom*) knight; (*Kavalier*) cavalier. **fahrender ~** knight errant; **jdn zum ~ schlagen** to knight sb, to dub sb knight; **der ~ von der traurigen Gestalt** the Knight of the Sorrowful Countenance; **ein ~ ohne Furcht und Tadel** (*lit*) a doughty knight; (*fig*) a knight in shining armour.

2. (*Adelstitel*) ≃ Sir. **X ~ von Y** ≃ Sir X of Y.

3. (*Ordensträger*) knight.

4. (*Schmetterling*) swallowtail.

5. (*Cook*) **arme ~** *pl* sweet French toast soaked in milk.

Ritterburg *f* knight's castle; **Rittergut** *nt* ≃ manor; **Ritterkreuz** *nt* (*Mil*) Knight's Cross; **Ritterkreuzträger(in** *f*) *m* holder of the Knight's Cross; **ritterlich** *adj* (*lit*) knightly; (*fig*) chivalrous; **Ritterlichkeit** *f* chivalry, chivalrousness; **Ritterorden** *m* order of knights; **der Deutsche ~** the Teutonic Order; **Ritterrüstung** *f* knight's armour; **Ritterschlag** *m* (*Hist*) dubbing; **den ~ empfangen** to be knighted, to be dubbed knight.

Rittersmann *m, pl* **-leute** (*poet*) knight.

Rittersporn *m* (*Bot*) larkspur, delphinium; **Ritterstand** *m* knighthood; **in den ~ erhoben werden** to be raised to the knighthood, to be knighted; **Rittertum** *nt* knighthood; **Ritterwesen** *nt* knighthood; **Ritterzeit** *f* Age of Chivalry.

rittlings *adv* astride (*auf etw* (*dat*) sth).

Rittmeister *m* (*old Mil*) cavalry captain, captain (of horse).

Ritual *nt* **-s, -e** *or* **-ien** [-iən] (*lit, fig*) ritual.

Ritualien [-iən] *pl* (*Eccl*) ritual objects *pl*.

Ritualmord *m* ritual murder.

rituell *adj* ritual.

Ritus *m* **-, Riten** rite; (*fig*) ritual.

Ritz *m* **-es, -e 1.** (*Kratzer*) scratch. **2.** (*Spalte*) chink, crack.

Ritze *f* **-, -n** (*Riß, Po~*) crack; (*Fuge*) join, gap. **auf der ~ schlafen** (*hum inf*) to sleep in the middle.

Ritzel *nt* **-s, -** (*Tech*) pinion.

ritzen I *vt* to scratch; (*einritzen*) Initialen, Namen auch to carve. **die Sache ist geritzt** (*inf*) it's all fixed up. **II** *vr* to scratch oneself.

Ritzer *m* **-s, -** (*inf*) scratch.

Rivale [ri'va:lə] *m* **-n, -n, Rivalin** [ri'va:lɪn] *f* rival.

rivalisieren* [rivali'zi:rən] *vi* **mit jdm ~** to compete with sb; **34 ~de Parteien** 34 rival parties.

Rivalität [rivali'tɛːt] *f* rivalry.

Riviera [ri'vie:ra] *f* - Riviera.

Rizinus m -, - or -se 1. (*Bot*) castor-oil plant. 2. (*auch* ~öl) castor oil.
RNS [ɛr|ɛn'|ɛs] *abbr of* **Ribonukleinsäure** RNA.
Roadie [roːdɪ] m -s, -s roadie.
Roastbeef ['roːstbiːf] nt -s, -s (*roh*) beef; (*gebraten*) roast beef.
Robbe f -, -n seal.
robben vi *aus sein* (*Mil*) to crawl.
Robbenfang m, **Robbenjagd** f seal cull.
Robe f -, -n 1. (*Abendkleid*) evening gown. **in großer ~** in evening dress. 2. (*Amtstracht*) (official) robe *or* robes pl.
Robinie [-iə] f robinia.
Robinsonade f Robinsonade; (*Sport*) flying save (*towards attacker*).
roboten vi (*sl*) to slave (*inf*).
Roboter ['rɔbɔtɐ, roˈbɔtɐ] m -s, - 1. robot. 2. (*sl: Schwerstarbeiter*) slave (*inf*). 3. (*Sport*) ball-feeder.
Robotertechnik, Robotik f robotics *sing or pl.*
robust adj *Mensch, Gesundheit* robust; *Material* tough.
Robustheit f *siehe adj* robustness; toughness.
roch *pret of* **riechen**.
Rochade [rɔˈxaːdə, rɔˈʃaːdə] f (*Chess*) castling; (*Ftbl*) switch-over, change of position. **die kleine** *or* **kurze/große** *or* **lange ~** castling king's side/queen's side.
Röcheln nt -s, *no pl* groan; (*Todes~*) death rattle. **das ~ der Verletzten** the groans *or* groaning of the wounded.
röcheln vi to groan; (*Sterbender*) to give the death rattle.
Rochen m -s, - ray.
rochieren* [rɔˈxiːrən, rɔˈʃiːrən] vi to castle; (*Ftbl*) to change *or* switch positions.
Rock[1] m -(e)s, ⸚e 1. (*Damen~*) skirt; (*Schotten~*) kilt; (*Sw: Kleid*) dress. 2. (*geh: Herren~*) jacket. **der grüne ~ (des Försters)** (*old*) the green coat of a forester; **der schwarze ~ (des Geistlichen)** (*old*) the black gown *or* cassock of a priest.
Rock[2] m -s, *no pl* (*Mus*) rock.
Rockaufschlag m lapel; **Rockband** f rock band; **Rockbarde** m rock poet.
Röckchen nt *dim of* **Rock**[1].
rocken vi (*Mus*) to rock.
Rocken m -s, - (*Tex*) distaff.
Rocker m -s, - rocker.
Rockfalte f (*von Damenrock*) inverted pleat; (*von Jackett*) vent; **Rockfestival** nt rock festival; **Rockfutter** nt skirt lining.
rockig adj *Musik* rock-like.
Rockmusik f rock music; **Rockröhre** f (*sl*) rock singer; **Rocksaum** m hem of a/the skirt; **Rockschoß** m coat-tail; **an jds Rockschößen hängen, sich jdm an die Rockschöße hängen** (*inf*) to cling to sb's coat-tails (*inf*); **Rockschuppen** m (*sl*) rock venue, rock club; **Rockstar** m rock star; **Rockzipfel** m: **der Mutter am ~** *or* **an Mutters ~ hängen** (*inf*) to cling to (one's) mother's apron-strings (*inf*).
Rodehacke f mattock.
Rodel m -s, -, (*S Ger, Aus*) f -, -n sledge, toboggan, sleigh.

Rodelbahn f toboggan-run.
rodeln vi *aux sein or haben* to toboggan (*auch Sport*), to sledge.
Rodelschlitten m toboggan, sledge; **Rodelsport** m tobogganning.
roden vt *Wald, Land* to clear; *Kartoffeln* to lift.
Rodeo m *or* nt -s, -s rodeo.
Rodler(in f) m -s, - tobogganer; (*Sport auch*) tobogganist.
Rodung f (*das Roden, Siedlung*) clearing.
Rogen m -s, - roe.
Rog(e)ner m -s, - spawner.
Roggen m -s, *no pl* rye.
roh adj 1. (*ungebraten, ungekocht*) raw; *Milch* ordinary. 2. (*unbearbeitet*) *Bretter* rough; *Stein auch* undressed, unhewn; *Diamant auch* uncut; *Eisen, Metall* crude; *Felle* untreated. **die Statue/das Bild/das Manuskript ist im ~en fertig** the rough shape of the statue/the rough sketch of the picture/the rough draft of the manuscript is finished. 3. (*unkultiviert, brutal*) rough. **~e Gewalt** brute force; **wo ~e Kräfte sinnlos walten ...** (*prov*) brute force does it.
Rohbau m (*Bauabschnitt*) shell (of a/the house); **das Haus ist im ~ fertig(gestellt)** the house is structurally complete; **die ~ten** the shells of the unfinished houses;
Rohbaumwolle f raw cotton; **Rohbenzin** nt naphtha; **Rohdiamant** m rough *or* uncut *or* unpolished diamond;
Roheisen nt pig iron.
Roheit f 1. *no pl* (*Eigenschaft*) roughness; (*Brutalität auch*) brutality. 2. (*Tat*) brutality. 3. (*ungekochter Zustand*) rawness.
Rohentwurf m rough draft; **Rohertrag** m gross proceeds pl.
roherweise adv roughly.
Rohfaser f raw fibre; **Rohgewicht** nt gross weight; **Rohgummi** m *or* nt raw rubber; **Rohkost** f raw fruit and vegetables pl; **Rohleder** nt rawhide, untanned leather; **Rohling** m 1. (*Grobian*) brute, ruffian; 2. (*Tech*) blank; **Rohmaterial** nt raw material; **Rohöl** nt crude oil; **Rohprodukt** nt raw material.
Rohr nt -(e)s, -e 1. (*Schilf~*) reed; (*Röhricht, Schilf*) reeds pl; (*Zucker~*) cane; (*für Stühle*) cane, wicker *no pl.* **wie eine schwankendes ~ im Wind** (*liter*) like a reed in the wind (*liter*). 2. (*Tech, Mech*) pipe; (*Geschütz~*) (gun) barrel; (*Blas~*) blowpipe. **aus allen ~en feuern** to fire with all its guns. 3. (*dial, Aus: Backröhre*) oven.
Rohrammer f (*Orn*) reed bunting; **Rohrblatt** nt (*Mus*) reed; **Rohrbruch** m burst pipe.
Röhrchen nt tube; (*Chem*) test tube; (*inf: zur Alkoholkontrolle*) breathalyzer. **ins ~ blasen** (*inf*) to be breathalyzed, to have *or* take a breathalyzer test.
Rohrdommel f -, -n (*Orn*) bittern.
Röhre f -, -n 1. (*Ofen~*) warming oven; (*Back~*) oven; (*Drainage~*) drainage pipe. **in die ~ gucken** (*inf*) to be left out. 2. (*Neon~*) (neon) tube *or* strip; (*Elektronen~*) valve (*Brit*), tube (*US*);

(*fig: Fernseher*) telly (*Brit inf*), box (*Brit inf*), tube (*US inf*). in die ~ gucken *or* glotzen (*inf*) to watch telly (*Brit inf*) *or* the tube (*US inf*), to sit in front of the box (*Brit inf*).
3. (*Höhlung, Hohlkörper*) tube; (*in Knochen*) cavity.
4. (*Hunt: Gang im Tierbau*) gallery.

röhren *vi* (*Hunt*) to bell; (*Motorrad, Mensch*) to roar.

Röhrenhose *f* (*inf*) drainpipe trousers *pl*; **Röhrenknochen** *m* long bone; **Röhrenpilz** *m* (*Bot*) boletus.

Rohrflöte *f* (*Mus*) reed pipe; (*Orgelflöte*) rohrflöte, rohr flute; (*Panflöte*) pan pipes *pl*; **Rohrgeflecht** *nt* wickerwork, basketwork.

Rohricht *nt* -s, -e (*old*) reeds *pl*, reed bed.

Rohrkrepierer *m* -s, - (*Mil sl*) barrel burst; **zum ~ werden, ein ~ sein** (*fig*) to backfire; **Rohrleger(in** *f*) *m* -s, - pipe fitter; **Rohrleitung** *f* pipe, conduit.

Röhrling *m* (*Bot*) boletus.

Rohrmatte *f* rush *or* reed mat; **Rohrmuffe** *f* (*Tech*) socket; **Rohrnetz** *nt* network of pipes; **Rohrpalme** *f* calamus; **Rohrpost** *f* pneumatic dispatch system; **Rohrsänger** *m* (*Orn*) warbler; **Rohrspatz** *m*: **schimpfen wie ein ~** (*inf*) to make a fuss; (*Schimpfwörter gebrauchen*) to curse and swear; **Rohrstock** *m* cane; **Rohrstuhl** *m* basketwork *or* wickerwork chair; **Rohrzange** *f* pipe wrench; **Rohrzucker** *m* cane sugar.

Rohseide *f* wild silk.

Rohstoff *m* raw material; (*St Ex*) commodity; **Rohstoffbörse** *f* commodities market; **Rohstofffonds** *m* commodity fund; **Rohstoffmarkt** *m siehe* **Rohstoffbörse**; **Rohstoffpreis** *m* commodity price; **Rohstoffquelle** *f* source of raw materials.

Rohtabak *m* tobacco; (*ungetrocknet*) uncured tobacco; (*ungeschnitten*) leaf tobacco; **Rohübersetzung** *f* rough translation; **Rohzucker** *m* crude *or* unrefined sugar; **Rohzustand** *m* natural *or* unprocessed state *or* condition; **das Denkmal/Manuskript ist noch im ~** the memorial/manuscript is still in a fairly rough state.

Rokoko *nt* -(s), *no pl* Rococo period; (*Stil*) Rococo, rococo.

Rolladen *m* -s, **Rolläden** *or* - getrennt **Roll-laden** (*an Fenster, Tür*) shutters *pl*; (*von Schreibtisch*) roll top.

Rollbahn *f* (*Aviat*) taxiway; (*Start-, Landebahn*) runway; **Rollbraten** *m* (*Cook*) roast; **Rollbrett** *nt siehe* **Skateboard**.

Röllchen *nt* little roll; (*von Garn*) reel.

Rolle *f* -, **-n 1.** (*Zusammengerolltes*) roll; (*Garn~, Zwirn~*) reel, bobbin (*spec*); (*Papier~*) reel; (*Urkunde*) scroll. **eine ~ Garn/Zwirn** a reel of thread; **eine ~ Bindfaden** a ball of string; **eine ~ Film** a roll of film; (*im Kino*) a reel of film.
2. (*walzenförmig*) roller; (*an Möbeln, Kisten*) caster, castor; (*an Flaschenzug*) pulley; (*Gardinen~*) runner.
3. (*dial: Wäschemangel*) roller iron.
4. (*Sport*) forward roll; (*Aviat*) roll. **eine ~ machen** to do a forward roll/roll;

die ~ rückwärts the backward roll.
5. (*Theat, Film, fig*) role, part; (*Sociol*) role. **es war ein Spiel mit vertauschten ~n** (*fig*) it was a situation where the roles were reversed; **ein Stück mit verteilten ~n lesen** to read a play with the parts cast *or* (*in Schule*) given out; **eine Ehe mit streng verteilten ~n** a marriage with strict allocation of roles; **jds ~ bei etw** (*fig*) sb's role *or* part in sth; **in der ~ von jdm/etw auftreten** to appear in the role of sb/sth; **er gefällt sich** (*dat*) **in der ~ des ...** (*fig*) he likes to think of *or* see himself in the role of the ...; **sich in die ~ eines anderen versetzen** (*fig*) to put oneself in sb else's place; **bei** *or* **in etw** (*dat*) **eine ~ spielen** to play a part in sth; (*Mensch auch*) to play a role in sth; **als Verteidiger hat er eine klägliche ~ gespielt** as a defence counsel he was not up to much *or* he left much to be desired; **etw spielt eine große ~ (bei jdm)** sth is very important (to sb); **es spielt keine ~, (ob) ...** it doesn't matter (whether) ..., it doesn't make any difference (whether) ...; **das spielt hier keine ~** that does not concern us now, that is irrelevant; **bei ihm spielt Geld keine ~** with him money is no object; **aus der ~ fallen** (*fig*) to say the wrong thing; to do the wrong thing; **du bist aber gestern wirklich aus der ~ gefallen!** you really behaved badly yesterday!; **seine ~ ausgespielt haben** (*fig*) to have played one's part.

rollen I *vi* **1.** *aux sein* to roll; (*Flugzeug*) to taxi. **der Stein kommt ins R~** (*fig*) the ball has started rolling; **etw/den Stein ins R~ bringen** (*fig*) to set *or* start sth/the ball rolling; **es werden einige Köpfe ~** heads will roll.
2. mit den Augen ~ to roll one's eyes.
II *vt* to roll; *Teig* to roll out; *Teppich, Papier* to roll up; (*dial: mangeln*) *Wäsche, Bettücher* to mangle.
III *vr* to curl up; (*Schlange auch*) to curl itself up.

Rollenbesetzung *f* (*Theat, Film*) casting; **Rollenbild** *nt* (*Sociol*) role model; **Rollenerwartung** *f* (*Sociol*) role expectation; **Rollenfach** *nt* (*Theat*) character *or* type part; **der jugendliche Liebhaber ist sein ~** he's a character actor specializing in the young lover; **Rollengedicht** *nt* (*Liter*) dramatic monologue; **Rollenkonflikt** *m* role conflict; **Rollenlager** *nt* roller bearings *pl*; **Rollen-Offset-Verfahren** *nt* rotary offset process; **Rollenprüfstand** *m* (*Tech*) rolling road dynamometer; **rollenspezifisch** *adj* role-specific; **Rollenspiel** *nt* (*Sociol*) role play; **Rollenverhalten** *nt* (*Sociol*) behavioural role; **Rollenverständnis** *nt* understanding of one's role; **Rollenverteilung** *f* (*Sociol*) role allocation.

Roller *m* -s, - **1.** scooter. **2.** (*Naut: Welle*) roller. **3.** (*Aus: Rollo*) (roller) blind. **4.** (*Orn*) **Harzer ~** canary, roller. **5.** (*Walze*) roller.

rollern *vi aux sein* to ride one's scooter.

Rollfeld *nt* runway; **Rollfilm** *m* roll film; **Rollfuhrdienst** *m* road-rail haulage;

Rollgeld *nt* carriage, freight charge; **Rollgerste** *f* (*Agr*) pot-barley, hulled barley; **Rollgut** *nt* (*Rail*) freight; **Rollhockey** *nt* roller-skate hockey.
Rolli *m* -s, -s (*Fashion inf*) roll neck.
rollig *adj* (*inf*) *Katze* on heat.
Rollkommando *nt* raiding party; **Rollkragen** *m* roll *or* polo neck; **Rollkragenpullover** *m* polo-neck sweater; **Rollkunstlauf** *m* roller-skating; **Rollkur** *f* (*Med*) *treatment for stomach disorders where the patient takes medicine, lies for 5 minutes on his back, 5 minutes on his side, then on his front*; **Rollmops** *m* rollmops.
Rollo *nt* -s, -s (roller) blind.
Rollschinken *m* smoked ham; **Rollschnellauf** *m* speed (roller-)skating; **Rollschrank** *m* roll-fronted cupboard.
Rollschuh *m* roller-skate. ~ **laufen** to roller-skate.
Rollschuhbahn *f* roller-skating rink; **Rollschuhläufer(in** *f*) *m* roller-skater.
Rollsitz *m* (*im Rennboot*) sliding seat; **Rollsplitt** *m* loose chippings *pl*; **Rollsteg** *m* travolator, moving pavement (*Brit*), mobile walkway (*US*); (*Naut*) gangplank, gangway; **Rollstuhl** *m* wheelchair; **Rollstuhlfahrer(in** *f*) *m* wheelchair user; **rollgerecht** *adj* suitable for wheelchairs; **Rolltabak** *m* tobacco plug; **Rolltreppe** *f* escalator.
ROM [rɔm] *nt* -s, -s (*Comput*) ROM.
Rom *nt* -s Rome. ~ **ist auch nicht an einem Tag erbaut worden** (*prov*) Rome wasn't built in a day (*Prov*); **viele Wege führen nach** ~ (*Prov*) all roads lead to Rome (*Prov*); **das sind Zustände wie im alten** ~ (*inf*) (*unmoralisch*) it's disgraceful; (*primitiv*) it's medieval (*inf*).
Roma *pl* (*Zigeuner*) Romany.
Roman *m* -s, -e novel; (*höfisch, ritterlich auch*) romance. **ich könnte einen** ~ **schreiben!** (*inf*) I could write a book about it!; (jdm) **einen ganzen** ~ **erzählen** (*inf*) to give sb a long rigmarole (*inf*); **erzähl keine** ~e! (*inf*) don't tell stories! (*inf*).
Roman|autor(in *f*) *m*, **Romancier** [romã'sie:] *m* -s, -s novelist.
Romane *m* -n, -n person speaking a Romance language.
romanhaft *adj* like a novel; **Romanheft** *nt* cheap pulp novel, penny dreadful (*dated*); **Romanheld(in** *f*) *m* hero/heroine of a/the novel.
Romanik *f* (*Archit, Art*) Romanesque period; (*Stil*) Romanesque (style).
Romanin *f siehe* **Romane**.
romanisch *adj Volk, Sprache* Romance; (*Art*) Romanesque.
Romanist(in *f*) *m* (*Univ*) teacher/student/ scholar of Romance languages and literature.
Romanistik *f* (*Univ*) Romance languages and literature.
Romanleser(in *f*) *m* novel reader; **Romanliteratur** *f* fiction, novels *pl*; **Romanschreiber(in** *f*) *m* (*inf*) novelist; (*pej*) scribbler; **Romanschriftsteller(in** *f*) *m* novelist.
Romantik *f* 1. (*Liter, Art, Mus*) Romanti-

cism; (*Epoche*) Age of Romanticism, Romantic period. 2. (*fig*) romance, romanticism; (*Gefühl, Einstellung*) romanticism. **keinen Sinn für** ~ **haben** to have no sense of romance.
Romantiker(in *f*) *m* -s, - (*Liter, Art, Mus*) Romantic; (*fig*) romantic.
romantisch *adj* romantic; (*Liter etc*) Romantic.
romantisieren* *vt* to romanticize.
romantsch *adj siehe* **rätoromanisch**.
Romanze *f* -, -n (*Liter, Mus, fig*) romance.
Römer *m* -s, - (*Weinglas*) wineglass in various sizes with clear glass bowl and green or brown coiled stem.
Römer(in *f*) *m* -s, - Roman. **die alten** ~ the (ancient) Romans.
Römerreich *nt* Roman Empire; **Römerstraße** *f* Roman road; **Römertopf** ® *m* (*Cook*) ≃ (chicken) brick; **Römertum** *nt* Roman culture *etc*; **die Haupttugenden des** ~s the main virtues of Rome.
römisch *adj* Roman. ~ **12** 12 in Roman numerals.
römisch-katholisch *adj* Roman Catholic.
Rommé [rɔ'me:, 'rɔme] *nt* -s, *no pl* rummy.
Rondeau *nt* -s, -s 1. [rõ'do:] (*Liter, Mus*) rondeau, rondel. 2. [rɔn'do:] (*Aus: Rondell*) circular flowerbed.
Rondell *nt* -s, -e 1. (*Archit*) round tower. 2. circular flowerbed.
Rondo *nt* -s, -s (*Mus*) rondo.
röntgen *vt* to X-ray; *Körperteil auch* to take an X-ray of.
Röntgen *nt* -s, *no pl* X-raying. **er ist zur Zeit beim** ~ he's being X-rayed at the moment.
Röntgenapparat *m* X-ray equipment *no indef art, no pl*; **Röntgenaufnahme** *f* X-ray (plate); **Röntgenaugen** *pl* (*hum*) X-ray eyes *pl* (*hum*); **Röntgenbestrahlung** *f* radiotherapy, X-ray treatment *or* therapy; **Röntgendiagnostik** *f* X-ray diagnosis; **Röntgenfilm** *m* X-ray film.
röntgenisieren* *vt* (*Aus*) *siehe* **röntgen**.
Röntgenlaser [-'le:zɐ] *m* X-ray laser.
Röntgenogramm *nt* -s, -e X-ray (plate), radiograph (*esp US*).
Röntgenographie *f* radiography.
Röntgenologe *m*, **Röntgenologin** *f* radiologist, roentgenologist (*form*).
Röntgenologie *f* radiology, roentgenology (*form*).
Röntgenpaß *m* X-ray registration card; **Röntgenreihenuntersuchung** *f* X-ray screening; **Röntgenröhre** *f* X-ray tube; **Röntgenstrahlen** *pl* X-rays *pl*; **jdn mit** ~ **behandeln** to treat sb with X-rays, to give sb X-ray treatment; **Röntgenuntersuchung** *f* X-ray examination.
rören *vi siehe* **röhren**.
rosa *adj inv* pink. **ein** ~ *or* ~**nes** (*inf*) **Kleid** a pink dress; **die Welt durch eine** ~(**rote**) **Brille sehen** to see the world through rose-coloured *or* rose-tinted glasses; **in** ~(**rotem**) **Licht** in a rosy light; **er malt die Zukunft** ~**rot** he paints a rosy picture of the future.

Rosa *nt* -s, -s pink.

rosafarben, rosafarbig, rosarot *siehe* **rosa.**

rösch *adj* (*S Ger: knusprig*) *Brot* crusty; *Fleisch* crisp; *Mädchen* bonnie (*esp N Engl, Scot*).

Röschen ['rø:sçən] *nt* (little) rose; (*von Rosenkohl*) Brussel(s) sprout.

Rose *f* -, -n **1.** (*Blume*) rose; (*Kompaßblatt auch*) compass card; (*Archit*) rose window. **er ist nicht auf ~n gebettet** (*fig*) life isn't a bed of roses for him; **keine ~ ohne Dornen** (*prov*) no rose without a thorn (*prov*). **2.** (*Med*) erysipelas (*spec*), rose. **3.** (*Hunt: am Hirschgeweih*) burr.

rosé *adj inv* pink. **Schuhe in ~** pink shoes.

Rosé *m* -s, -s rosé (wine).

Rosenblatt *nt* rose petal; **Rosenduft** *m* scent *or* perfume of roses; **rosenfarben, rosenfarbig** *adj* rose-coloured, pink, rosy; **Rosengarten** *m* rose garden; **Rosengewächse** *pl* rosaceae *pl* (*spec*); **Rosenholz** *nt* rosewood; **Rosenknospe** *f* rosebud; **Rosenkohl** *m* Brussel(s) sprouts *pl*; **Rosenkranz** *m* (*Eccl*) rosary; **den ~ beten** to say a rosary; **Rosenkriege** *pl* (*Hist*) the Wars of the Roses *pl*; **Rosenmontag** *m* *Monday preceding Ash Wednesday*; **Rsenmontagszug** *m* *Carnival parade which takes place on the Monday preceding Ash Wednesday*; **Rosenöl** *nt* attar of roses; **Rosenquarz** *m* rose quartz; **rosenrot** *adj* *Wangen, Lippen* rosy (red); **Schneeweißchen und R~** (*Liter*) Snow White and Rose Red; **Rosenstock** *m* rose (tree); **Rosenstrauch** *m* rosebush; **Rosenzucht** *f* rose-growing; **Rosenzüchter(in** *f*) *m* rose-grower.

Rosette *f* rosette.

Roséwein *m* rosé wine.

rosig *adj* (*lit, fig*) rosy. **etw in ~em Licht sehen** (*inf*) to see sth in a rosy light; **etw in ~en Farben schildern** (*inf*) to paint a glowing *or* rosy picture of sth, to show sth in a rosy light.

Rosine *f* raisin. **(große) ~n im Kopf haben** (*inf*) to have big ideas; **sich** (*dat*) **die (besten** *or* **größten) ~n (aus dem Kuchen) herauspicken** (*inf*) to take the pick of the bunch.

Rosinenbomber *m* (*hum*) *plane which flew food etc into Berlin during the 1948 airlift.*

Röslein *nt* (little) rose.

Rosmarin *m* -s, *no pl* rosemary.

Roß *nt* **Rosses, Rosse** *or* (*S Ger, Aus, Sw*) **Rösser** (*liter*) steed; (*S Ger, Aus, Sw*) horse; (*inf: Dummkopf*) dolt (*inf*). **~ und Reiter nennen** (*fig geh*) to name names.

Roßapfel *m* (*hum inf*) horse droppings *pl*; **Roßbreiten** *pl* (*Naut*) horse latitudes *pl*.

Rössel, Rößl *nt* -s, - (*Chess*) knight; (*S Ger: Pferd*) horse.

Rösselsprung *m* **1.** (*Chess*) knight's move. **2.** (*Rätselart*) *type of crossword puzzle in which certain individual letters make up a phrase or saying.*

Roßhaar *nt* horsehair; **Roßkastanie** *f* horse chestnut; **Roßkur** *f* (*hum*) drastic cure, kill-or-cure remedy; **eine ~**

(durch)machen to follow a drastic cure.

Rößli(spiel), Rössliritti *nt* -s, - (*Sw*) merry-go-round, roundabout (*Brit*).

Roßschlächter *m* horse butcher; **Roßschlächterei** *f* horse butchery; **Roßtäuscher** *m* (*old, fig*) horse-trader; **Roßtäuscherei** *f* (*fig*) horse-trading *no pl*.

Rost¹ *m* -(e)s, *no pl* (*auch Bot*) rust. **~ ansetzen** to start to rust.

Rost² *m* -(e)s, -e (*Ofen~*) grill; (*Gitter~*) grating, grille; (*dial: Bett~*) base, frame. **auf dem ~ braten** (*Cook*) to barbecue, to grill on charcoal.

rostbeständig *adj* rust-resistant; **Rostbraten** *m* (*Cook*) ≃ roast; **Rostbratwurst** *f* barbecue sausage; **rostbraun** *adj* russet; *Haar* auburn.

Röstbrot [*S Ger:* 'rø:st, *N Ger:* 'rœst-] *nt siehe* **Toast.**

rosten *vi aux sein or haben* to rust, to get rusty (*auch fig*). **alte Liebe rostet nicht** (*Prov*) old love never dies; *siehe* **rasten.**

rösten [*S Ger:* 'rø:stən, *N Ger:* 'rœstən] *vt* **1.** *Kaffee* to roast; *Brot* to toast. **sich in der Sonne ~ lassen** to lie in the sun and bake. **2.** *Erz* to roast, to calcine.

Rösterei [*S Ger:* rø:st'-, *N Ger:* rœst'-] *f* roast(ing) house. **frisch aus der ~** fresh from the roast, freshly roasted.

rostfarben, rostfarbig *adj siehe* **rostbraun; Rostfleck** *m* spot *or* patch of rust, rust spot *or* patch; **rostfrei** *adj* (*Stahl*) stainless.

röstfrisch [*S Ger:* 'rø:st-, *N Ger:* 'rœst-] *adj* *Kaffee* freshly roasted.

Rösti [*S Ger:* 'rø:sti, *N Ger:* 'rœsti] *pl* fried grated potatoes.

rostig *adj* (*lit, fig*) rusty.

Röstkartoffeln [*S Ger:* 'rø:st-, *N Ger:* 'rœst-] *pl* fried *or* sauté potatoes.

Rostlaube *f* (*hum*) rust-heap (*hum*); **rostrot** *adj* rust-coloured, russet; **Rostschutz** *m* anti-rust protection; **Rostschutzfarbe** *f* anti-rust paint; **Rostschutzmittel** *nt* rust-proofer; **Rost|umwandler** *m* (*Aut*) rust converter.

Röstzwiebeln [*S Ger:* 'rø:st-, *N Ger:* 'rœst-] *pl* fried onions *pl*.

rot *adj comp* ⁼**er** *or* (*esp fig*) **-er**, *superl* ⁼**este(r, s)** *or* (*esp fig*) **-este(r, s)**, *adv* **am** ⁼**esten** *or* (*esp fig*) **am -esten** red (*auch Pol*). **~e Bete** *or* **Rüben** beetroot; **~e Karte** (*Ftbl*) red card; **das R~e Kreuz** the Red Cross; **der R~e Halbmond** the Red Crescent; **der R~e Platz** Red Square; **das R~e Meer** the Red Sea; **die R~e Armee** the Red Army; **die R~en** (*pej*) the reds; **in den ~en Zahlen stekken** to be in the red; **Gewalt zieht sich wie ein ~er Faden durch die Geschichte** violence runs like a thread through history; **~ werden** to blush, to go red (*inf*); **bis über beide Ohren ~ werden** to blush furiously, to turn crimson; **~ wie ein Krebs** red as a lobster; **~e Ohren bekommen** (*hum*), **einen ~en Kopf bekommen** *or* **kriegen** (*inf*) to blush, to go red (*inf*); **~ (angehaucht) sein** (*Pol inf*) to have left-wing leanings; **sich** (*dat*) **etw ~ (im Kalender) anstrei-**

chen (*inf*) to make sth a red-letter day.
Rot *nt* **-s, -s** *or* - red; (*Wangen~*) rouge.
bei *or* **auf ~** at red; **bei ~ anhalten!** stop
at red, stop when the lights are (at) red;
die Ampel stand auf ~ the lights were
(at) red; **bei ~ über die Ampel fahren** to
jump *or* shoot (*inf*) the lights.
Rotarier [ro'taːriɐ] *m* **-s,** - rotarian.
Rot|armist *m* soldier in *or* of the Red
Army. **die ~en zogen durch die Stadt** the
Red Army moved through the town.
Rotation *f* (*Phys, Pol*) rotation; (*Math
auch*) curl.
Rotationsachse *f* (*Math, Phys*) axis of rotation; **rotationsbedingt** *adj* (*auch Pol*)
subject to a rota system; **Rotations-
druck** *m* (*Typ*) rotary (press) printing;
Rotationsmaschine, Rotationspresse
f (*Typ*) rotary press; **Rotationsprinzip**
nt (*Pol*) rota system.
Rotauge *nt* (*Zool*) roach; **rotbäckig, rot-
backig** *adj* rosy-cheeked; **Rotbarsch** *m*
rosefish; **Rotbart** *m* red-beard; **Kaiser ~**
Emperor Frederick Barbarossa;
rotbärtig *adj* red-bearded; **rotblond**
adj Haar sandy; *Mann* sandy-haired;
Frau, Tönung, (*Frauen*)*haar* strawberry
blonde; **rotbraun** *adj* reddish brown;
Rotbuche *f* (common) beech; **Rotdorn**
m hawthorn.
Röte *f* **-,** *no pl* redness, red; (*Erröten*)
blush. **die ~ des Abendhimmels** the red
glow of the evening sky; **die ~ stieg ihr
ins Gesicht** her face reddened.
Rote-Armee-Fraktion *f* Red Army Faction.
Rote Khmer *pl* Khmer Rouge *pl*.
Rötel *m* **-s,** - red chalk.
Röteln *pl* German measles *sing*.
röten I *vt* to redden, to make red; *Himmel*
to turn red. **die frische Luft rötete ihre
Wangen** the fresh air gave her rosy
cheeks *or* made her cheeks (go) red; **ein
gerötetes Gesicht** a flushed face. **II** *vr* to
turn *or* become red, to flush.
Rotfilter *nt or m* (*Phot*) red filter; **Rot-
front** *f* (*Pol*) red front; **Rotfuchs** *m* red
fox; (*Pferd*) sorrel *or* bay (horse); (*fig
inf*) carrot-top (*inf*); **Rotgardist** *m* Red
Guard; **rotgerändert** *adj* red-rimmed;
rotgesichtig *adj* florid, red-faced; **rot-
glühend** *adj Metall* red-hot; **der ~e
Abendhimmel** the red glow of the evening sky; **Rotglut** *f* (*Metal*) red heat;
rot-grün *adj* red-green; **die ~e Koalition**
the Red-Green coalition; **Rot-
grünblindheit** *f* red-green colour-
blindness; **Rotguß** *m* (*Metal*) red brass;
rothaarig *adj* red-haired; **Rothaut** *f*
(*dated hum*) redskin; **Rothirsch** *m* red
deer.
rotieren* *vi* (*auch Pol*) to rotate. **anfangen zu ~** (*sl*) to get into a flap (*inf*); **am
R~ sein** (*sl*) to be rushing around like a
mad thing (*inf*).
Rotkäppchen *nt* (*Liter*) Little Red Rid-
inghood; **Rotkehlchen** *nt* robin;
Rotkohl *m* red cabbage; **Rotkopf** *m*
(*inf*) redhead; **Rotkraut** *nt* (*S Ger, Aus*)
red cabbage.
Rotkreuzlotterie *f* Red Cross lottery;
Rotkreuzschwester *f* Red Cross nurse.

Rotlauf *m* **-s,** *no pl* (*Vet*) swine erysipelas
(*spec*).
rötlich *adj* reddish.
Rotlicht *nt* red light.
Rotlicht-Milieu *nt* demi-monde; **Rotlicht-
revier, Rotlichtviertel** *nt* red-light district.
Rotor *m* rotor.
Rotorflügel *m* (*Aviat*) rotor blade.
Rotschwänzchen *nt* redstart; **rotsehen**
vi sep irreg (*inf*) to see red (*inf*); **Rotstift**
m red pencil; **den ~ ansetzen** (*fig*) to cut
sth back drastically; **dem ~ zum Opfer
fallen** (*fig*) to be scrapped *or* rejected *or*
cancelled; **Rottanne** *f* Norway spruce.
Rotte *f* **-, -n** gang; (*bei Jugendorganisation*) troop; (*Mil*) rank; (*Mil Aviat, Mil
Naut*) pair (*of planes*/*ships operating together*); (*von Hunden*) pack; (*Hunt: von
Sauen*) herd, sounder (*spec*).
Rottweiler *m* **-s,** - Rottweiler.
Rotunde *f* **-, -n** (*Archit*) rotunda.
Rötung *f* reddening.
rotverheult *adj* **~e Augen** eyes red from
crying; **rotwangig** *adj* rosy-cheeked;
Rotwein *m* red wine; **Rotwelsch(e)** *nt*
decl as adj argot, thieves' cant; **Rotwild**
nt red deer; **Rotwurst** *f* ≃ black
pudding.
Rotz *m* **-es,** *no pl* **1.** (*sl*) snot (*inf*). **jdm ~
auf die Backe schmieren** (*sl*) to suck up
to sb (*inf*); **~ und Wasser heulen** (*inf*) to
blubber; **Baron** *or* **Graf ~** (*inf*) Lord
Muck (*inf*); **der ganze ~** (*sl*) the whole
bloody (*Brit*) *or* goddam (*US*) show (*sl*).
2. (*Vet*) glanders *sing*, farcy. **den ~
haben** to have glanders.
Rotzbengel, Rotzbub (*S Ger, Aus*) *m*
(*inf*) snotty-nosed brat (*inf*).
rotzen *vi* (*sl*) to blow one's nose.
Rotzfahne *f* (*sl*) snot-rag (*sl*); **rotzfrech**
adj (*inf*) cocky (*inf*); **Rotzjunge** *m* (*inf*)
snotty-nosed kid (*inf*); **Rotzlappen** *m*
(*sl*) snot-rag (*sl*); **Rotzlöffel** (*sl*),
Rotzlümmel (*sl*) *m* cheeky brat
(*inf*); **Rotznase** *f* **1.** (*sl*) snotty nose
(*inf*); **2.** (*inf: Kind*) snotty-nosed brat
(*inf*); **rotznäsig** *adj* (*sl*) **1.** snotty-
nosed (*inf*); **2.** (*frech*) snotty (*sl*).
Rotzunge *f* (*Zool*) witch flounder.
Rouge [ruːʒ] *nt* **-s, -s** rouge, blusher.
Roulade [ru'laːdə] *f* (*Cook*) ≃ beef olive.
Rouleau [ru'loː] *nt* **-s, -s** (roller) blind.
Roulett(e) [ru'lɛt(ə)] *nt* **-s,** - *or* **-s** roulette.
roulieren* [ru'liːrən] *vt* (*Sew*) to roll.
Route ['ruːtə] *f* **-, -n** route. **wir sind die ~
über Bremen gefahren** we took the Bre-
men route.
Routine [ru'tiːnə] *f* **1.** (*Erfahrung*) experience; (*Gewohnheit, Trott*) routine. **das
ist bei mir zur ~ geworden** that has become routine for me. **2.** (*Comput*) routine.
Routineangelegenheit *f* routine matter;
routinemäßig I *adj* routine; **II** *adv* **das
wird ~ überprüft** it's checked as a
matter of routine; **ich werde das ~ abwickeln** I'll deal with it in the usual way;
Routinesache *f* routine matter; **Rou-
tineuntersuchung** *f* routine examination.
routiniert [ruti'niːɐt] *adj* experienced.

Rowdy ['raudi] *m* -s, -s *or* **Rowdies** hooligan; (*zerstörerisch*) vandal; (*lärmend*) rowdy (type); (*Verkehrs~*) roadhog (*inf*).

Rowdytum ['rauditu:m] *nt, no pl* hooliganism; vandalism.

Royalismus [roaja'lɪsmʊs] *m* royalism.

Royalist(in *f*) [roaja'lɪst(ɪn)] *m* royalist.

royalistisch [roaja'lɪstɪʃ] *adj* royalist.

Rubbellotterie *f* scratch card lottery; **Rubbelmassage** *f* body scrub.

rubbeln *vti* to rub.

Rübe *f* -, -n **1.** turnip. **gelbe ~** (*S Ger, Sw: Mohr~*) carrot; **rote ~** beetroot; **weiße ~** white turnip; **jdn über die ~n jagen** (*sl*) to send sb packing (*inf*).
2. (*sl: Kopf*) nut (*inf*). **eins auf die ~ bekommen** *or* **kriegen** to get a bash on the nut (*inf*); **jdm eins über die ~ ziehen** to give sb a bash *or* crack on the nut (*inf*); **die ~ (für etw) hinhalten** to take the rap (for sth) (*inf*); **jdm die ~ abhakken** (*sl*) to have sb's guts for garters (*sl*); **~ ab!** off with his/her head!

Rubel *m* -s, - rouble. **der ~ rollt** (*inf*) the money's rolling in (*inf*).

Rübensaft *m*, **Rübenkraut** *nt* sugar beet syrup; **Rübenzucker** *m* beet sugar.

rüber- *in cpds* (*inf*) *siehe auch* **herüber-, hinüber-; rüberbringen** *vt sep irreg* (*inf*) *Botschaft, Feeling* to get across, to communicate; **rüberkommen** *vi sep* **1.** *siehe* **herüberkommen; 2.** (*inf*) **sie kam gut rüber** she came across well; **es kam viel/nichts rüber bei dem Meeting** a lot/ not much came out of the meeting; **rüberziehen** *sep irreg* **I** *vti siehe* **herüberziehen; II** *vt* (*inf: schlagen*) **jdm eine ~ geben** to give sb one (*inf*), to stick one on sb (*sl*).

Rübezahl *m* -s *spirit of the Sudeten Mountains*.

Rubidium *nt, no pl* (*abbr* Rb) rubidium.

Rubikon *m* -s Rubicon.

Rubin *m* -s, -e ruby.

rubinrot *adj* ruby-red, ruby.

Rüböl *nt* rapeseed oil, rape oil.

Rubrik *f* **1.** (*Kategorie*) category. **das gehört in die ~ ,,Militaria"** this belongs under the category *or* heading "military". **2.** (*Zeitungs~*) section, column.

rubrizieren* *vt* to categorize, to put under a heading/headings.

Rubrizierung *f* categorization.

Rübsame(n) *m* -(n)s, *no pl* (*Bot*) rape.

Ruch *m* -(e)s, ¨-e (*geh*) **jdn/etw in den ~ bringen** to bring sb/sth into disrepute; **ein ~ von Korruption** the smell *or* whiff of corruption.

ruchbar *adj* **~ werden** (*geh*) to become known; **ruchlos** *adj* (*old, liter*) dastardly (*liter*); **Ruchlosigkeit** *f* (*old, liter*) dastardliness (*liter*).

ruck *interj siehe* **hau ruck, ruck, zuck.**

Ruck *m* -(e)s, -e jerk, tug; (*von Fahrzeug*) jolt, jerk; (*Pol*) swing, shift. **auf einen** *or* **mit einem ~** in one go, with one heave; **er stand mit einem ~ auf** he sprang to his feet, he stood up suddenly; **sich** (*dat*) **einen ~ geben** (*inf*) to make an effort, to give oneself a kick up the backside (*hum inf*); **etw in einem ~ erledigen** to do sth

at one fell swoop.

Rückansicht *f* back *or* rear view; **Rückantwort** *f* reply, answer; **um ~ wird gebeten** please reply; **Telegramm mit ~** reply-paid telegram.

ruck|artig I *adj* jerky. **das Auto machte einige ~e Bewegungen** the car jerked a few times. **II** *adv* jerkily. **er stand ~ auf** he shot to his feet.

Rückäußerung *f* reply, answer; **Rückberufung** *f* recall; **Rückbesinnung** *f* recollection; **rückbezüglich I** *adj* (*Gram*) reflexive **II** *prep + gen* (*form*) regarding; **Rückbildung** *f* (*Ling*) back-formation; (*Biol*) degeneration; **Rückblende** *f* flashback; **Rückblick** *m* look back (*auf +acc* at); **im ~ auf etw** (*acc*) looking back on sth; **einen ~ auf etw** (*acc*) **werfen** to look back on *or* at sth; **rückblickend** *adj* retrospective; **~ läßt sich sagen, daß ...** in retrospect *or* retrospectively *or* looking back we can say that ...; **rückdatieren*** *vt sep infin, ptp only* to backdate; **rückdrehend** *adj* (*Met*) *Wind* backing.

rucken *vi* (*Fahrzeug*) to jerk, to jolt; (*Taube*) to coo.

Rücken *m* -s, - (*Anat, Stuhl~, Hand~, Sew*) back; (*Nasen~*) ridge; (*Fuß~*) instep; (*Messer~*) blunt edge, back; (*Hügel~, Berg~*) crest; (*Buch~*) spine. **auf dem/den ~** on one's back; **den Feind im ~ haben** to have the enemy in one's rear; **die Sonne im ~ haben** to have the sun behind one *or* in one's back; **den Wind im ~ haben** to have a tail *or* following wind; **er hat doch die Firma des Vaters im ~** but he's got his father's firm behind him; **ich habe nicht gern jemanden im ~** I don't like having somebody sitting/standing right behind my back; **jdm die Hände auf den ~ binden** to tie sb's hands behind his back; **mit dem ~ zur Tür/Wand** with one's back to the door/wall; **mit dem ~ zur Wand stehen** (*fig*) (*aus Feigheit*) to cover oneself; (*aus Unterlegenheit*) to have one's back to the wall; **der verlängerte ~** (*hum inf*) one's posterior (*hum inf*); **~ an ~** back to back; **ein schöner ~ kann auch entzücken** (*hum inf*) you've got a lovely back; **hinter jds ~** (*dat*) (*fig*) behind sb's back; **jdm/einer Sache den ~ kehren** (*lit, fig*) *or* **zuwenden** (*lit*) *or* **wenden** (*fig*) *or* **zudrehen** (*lit*) to turn one's back on sb/ sth; **jdm in den ~ fallen** (*fig*) to stab sb in the back; (*Mil*) to attack sb from the rear; **sich** (*dat*) **den ~ freihalten** (*inf*) *or* **decken** to cover oneself; **jdm den ~ dekken** (*fig inf*) to back sb up (*inf*); **jdm den ~ stärken** *or* **steifen** (*fig inf*) to give sb encouragement.

rücken I *vi aux sein* to move; (*Platz machen*) to move up *or* (*zur Seite auch*) over; (*weiter~: Zeiger*) to move on (*auf +acc* to). **näher ~** to move *or* come closer; (*Zeit*) to come *or* get closer; **ins Feld** (*old*)/**ins Manöver/an die Front ~** to take the field/to go off on manoeuvres/to go up to the front; **mit etw ~** to move sth; **sie rückten ungeduldig mit den Stühlen** they shuffled their chairs about impatiently; **an etw** (*dat*) **~** *an Uhrzeiger* to move sth; *an Krawatte* to pull sth (straight); (*schieben*) to push at sth; (*ziehen*) to pull at sth; **an jds Seite** (*acc*) **~** to move up close beside sb; **an jds Stelle** (*acc*) **~** to take sb's place; **nicht von der Stelle ~** not to budge an inch (*inf*); **in weite Ferne ~** to recede into the distance; **jdm auf den Leib** *or* **Pelz** (*inf*) *or* **die Pelle** (*sl*) **~** (*zu nahe kommen*) to crowd sb; (*sich jdn vorknöpfen*) to get on at sb; (*hum: besuchen*) to move in on sb; **einer Sache** (*dat*) **zu Leibe ~** to have a go at sth, to tackle sth.

II *vt* to move.

Rückendeckung *f* (*fig*) backing; **jdm ~ geben** to back sb; **Rückenflosse** *f* dorsal fin; **Rückenflug** *m* (*Aviat*) inverted flight; **Rückenkraulen** *nt* (*Sport*) back crawl, backstroke; **rückenkraulen** *vi sep infin only* to do *or* swim back crawl *or* backstroke; **Rückenlage** *f* supine position; **er mußte 3 Monate in ~ verbringen** he had to spend 3 months lying (flat) on his back *or* in a supine position (*form*); **Rückenlehne** *f* back, back-rest; **Rückenmark** *nt* spinal cord; **Rückenmark(s)entzündung** *f* myelitis; **Rückenmuskel** *m* back muscle; **Rückenmuskulatur** *f* back muscles *pl*, muscles of the/one's back *pl*; **Rückenschmerz(en** *pl*) *m* backache; **ich habe ~** I've got backache, my back aches; **Rückenschwimmen** *nt* backstroke, swimming on one's back; **rückenschwimmen** *vi sep infin only* to swim on one's back, to do the *or* swim backstroke; **Rückenstärkung** *f* (*fig*) moral support; **Rückenstück** *nt* (*Cook*) (*vom Rind*) chine; (*vom Reh, Hammel*) saddle; **ein schönes ~** a nice piece of back; **Rückentrage** *f* carrying-frame.

Rück|entwicklung *f* (*allgemein*) fall-off (*gen* in); (*Biol*) degeneration.

Rückenwind *m* tail *or* following wind.

Rückerinnerung *f* memory (*an* +*acc* of); **rückerstatten*** *vt sep infin, ptp only* to refund; *Ausgaben* to reimburse; **Rückerstattung** *f* refund; reimbursement; **Rückfahrkarte** *f*, **Rückfahrschein** *m* return ticket, round-trip ticket (*US*); **Rückfahrscheinwerfer** *m* (*Aut*) reversing light; **Rückfahrt** *f* return journey; **Rückfall** *m* (*Med, fig*) relapse; (*Jur*) subsequent offence, repetition of an/the offence; **Diebstahl im ~** a repeated case of theft; **rückfällig** *adj* (*Med, fig*) relapsed; (*Jur*) recidivistic (*form*); **ein ~er Dieb** a thief who repeats his offence; **~ werden** (*Med*) to have a relapse; (*fig*) to relapse; (*Jur*) to lapse back into crime; **Rückfällige(r)** *mf decl as adj* (*Med, fig*) person who relapses/ has relapsed; (*Jur*) subsequent offender, recidivist (*form*); **Rückfalltäter(in** *f*) *m* recidivist (*form*), recidivistic offender (*form*); **Rückflug** *m* return flight; **Rückfluß** *m* reflux, flowing back; (*von Investitionen, Kapital*) return; **Rückforderung** *f* **~ des Geldes/des Buches** demand for the return of the money/the book; **Rückfrage** *f* question; **nach ~ bei**

der Zentrale … after querying *or* checking this with the exchange …; **bei jdm ~ halten** to query it/sth with sb; **rückfragen** *vi sep infin, ptp only* to inquire, to check; **ich habe im Fundbüro rückgefragt** I inquired *or* checked at the lost-property office; **ich muß beim Chef ~** I'll have to check with the boss *or* query it with the boss; **Rückfront** *f* back, rear façade; **Rückführgebühr** *f* (*bei Leihwagen*) drop-off charge; **Rückführung** *f* **1.** (*Deduktion*) tracing back; **2.** (*von Menschen*) repatriation, return; **3.** (*Fin: von Kredit*) repayment; **Rückgabe** *f* return; **Rückgaberecht** *nt* right of return; **Rückgang** *m* fall, drop (*gen* in); **einen ~** *or* **~e zu verzeichnen haben** to report a drop *or* fall; **rückgängig** *adj* **1.** (*Comm: zurückgehend*) declining, falling, dropping; **2. ~ machen** (*widerrufen*) to undo; *Bestellung, Geschäft, Vertrag, Termin* to cancel; *Verlobung, Hochzeit* to call off; *chemischen Prozeß* to reverse; **Rückgebäude** *nt* rear building; **rückgebildet** *adj* (*Biol*) degenerate; **Rückgewinnung** *f* recovery; (*von Land, Gebiet*) reclaiming, reclamation; (*aus verbrauchten Stoffen*) recycling; **Rückgliederung** *f* (*Pol*) reintegration.

Rückgrat *nt* **-(e)s, -e** spine, backbone. **er ist ein Mensch ohne ~** (*fig*) he's a spineless creature, he's got no backbone; **das ~ der Wirtschaft** the backbone *or* mainstay of the economy; **jdm das ~ stärken** (*inf*) to give sb encouragement *or* a boost; **jdm das ~ brechen** to break *or* ruin sb.

Rückgratverkrümmung *f* curvature of the spine.

Rückgriff *m* **durch einen ~ auf jdn/etw** by reverting to sb/sth; **erlauben Sie mir einen ~ auf bereits Gesagtes** allow me to revert to something that has already been said; **Rückhalt** *m* **1.** (*Unterstützung*) support, backing; **an jdm einen ~ haben** to find a support in sb; **2.** (*Einschränkung*) **ohne ~** without reservation; **Rückhaltebecken** *nt* storage pond; **rückhaltlos** *adj* complete; *Unterstützung auch* unqualified; *Vertrauen auch* implicit; **sich ~ zu etw bekennen** to proclaim one's total allegiance to sth; **Rückhand** *f* (*Sport*) backhand; **den Ball (mit der) ~ schlagen** to hit the ball (on one's) backhand.

ruckizucki *adv* (*inf*) *siehe* **ruck, zuck.**

Rückkampf *m* (*Sport*) return match; **Rückkauf** *m* repurchase; **Rückkaufsrecht** *nt* right of repurchase; **Rückkaufswert** *m* repurchase value.

Rückkehr *f* **-,** *no pl* return. **bei seiner ~** on his return; **jdn zur ~ (nach X/zu jdm) bewegen** to persuade sb to return (to X/ to sb).

Rückkehrförderungsgesetz, Rückkehrhilfegesetz *nt* law encouraging the return of immigrants to their native country; **rückkehrwillig** *adj* willing to return.

rückkoppeln *vti sep infin, ptp only* (*alle Bedeutungen*) to feed back; **Rück-**

kopp(e)lung *f* feedback **Rücklage** *f* (*Fin: Reserve*) reserve, reserves *pl*; (*Ersparnisse auch*) savings *pl*; **Rücklauf** *m*, *no pl* (*Tech*) reverse running; (*von Maschinenteil*) return travel; (*Gegenströmung*) countercurrent; (*TV*) flyback; (*Naut*) slip; (*beim Tonband*) fast rewind; (*von Schußwaffe*) recoil; (*von Pfandflaschen, Fragebögen*) returns *pl*; **ein guter ~** a good number of returns; **rückläufig** *adj* declining, falling, dropping; *Tendenz* downward; **eine ~e Entwicklung** a decline, a falling off; **~es Wörterbuch** reverse index; **Rücklicht** *nt* tail *or* rear light; (*bei Fahrrad auch*) back light; **rücklings** *adv* (*rückwärts*) backwards; (*von hinten*) from behind; (*auf dem Rücken*) on one's back.

Rückmeldung *f* 1. (*Univ*) re-registration; 2. (*Comput*) echo; **Rücknahme** *f* -, -n taking back; **die ~ des Gerätes ist unmöglich** it is impossible for us to take this set back; **Rücknahmepreis** *m* repurchase price; **Rücknahmeverpflichtung** *f* manufacturers' obligation to take back used packaging etc; **Rückpaß** *m* (*Sport*) return pass; **Rückporto** *nt* return postage; **Rückprall** *m* rebound; (*von Kugel, Stein*) ricochet; **Rückprämie** *f* (*Fin*) put premium; **Rückprämiengeschäft** *nt* (*Fin*) put; **Rückreise** *f* return journey; **Rückreiseverkehr** *m* homebound traffic.

Rückruf *m* 1. (*am Telefon*) **Herr X hat angerufen und bittet um ~** Mr X called and asked you to call (him) back; 2. (*Jur*) rescission of permission to manufacture under licence; **Rückrufaktion** *f* callback campaign.

Rucksack *m* rucksack, backpack (*US*).
Rucksacktourist(in *f*) *m* backpacker.

Rückschau *f* reflection (*auf +acc* on); (*in Medien*) review (*auf +acc* of); **~ halten** to reminisce, to reflect; **auf etw** (*acc*) **~ halten** to look back on sth; **Rückschein** *m ≈* recorded delivery slip; **Rückschlag** *m* (*von Ball*) rebound; (*von Gewehr*) recoil; (*fig*) set-back; (*bei Patient*) relapse; **Rückschläger** *m* (*Sport*) receiver; **Rückschlagventil** *nt* check valve; **Rückschluß** *m* conclusion; **den ~ ziehen, daß ...** to draw the conclusion *or* to conclude that ...; **Rückschlüsse ziehen** (*euph*) to draw one's own conclusions (*aus* from); **Rückschritt** *m* (*fig*) retrograde step, step backwards; **ein gesellschaftlicher ~** a retrograde social step, a social step backwards; **rückschrittlich** *adj* reactionary; *Entwicklung* retrograde.

Rückseite *f* back; (*von Blatt Papier, Geldschein auch*) reverse; (*von Buchseite, Münze*) reverse, verso; (*von Zeitung*) back page; (*von Mond auch*) far side; (*von Gebäude auch*) rear. **siehe ~** see over(leaf).
rückseitig *adj* on the back *or* reverse. **die ~en Bemerkungen** the remarks overleaf; **das Papier soll auch ~ beschrieben werden** you should write on both sides of the paper.

rucksen *vi* (*Taube*) to coo.
Rücksendung *f* return.
Rücksicht *f* -, -en (*Schonung, Nachsicht*) consideration. **~en** (*Gründe, Interessen*) considerations *pl*; **aus** *or* **mit ~ auf jdn/etw** out of consideration for sb/sth; **ohne ~ auf jdn/etw** with no consideration for sb/sth; **ohne ~ auf Verluste** (*inf*) regardless; **auf jdn/etw ~ nehmen** to consider sb/sth, to show consideration for sb/sth; **er kennt keine ~** he's ruthless; **da kenne ich keine ~!** I can be ruthless.
Rücksichtnahme *f* -, *no pl* consideration.
rücksichtslos *adj* 1. inconsiderate, thoughtless; (*im Verkehr*) reckless; **er verfolgt ~ seine Interessen** he follows his own interests without consideration for others; 2. (*unbarmherzig*) ruthless; **Rücksichtslosigkeit** *f* 1. inconsiderateness *no pl*, thoughtlessness *no pl*; **das ist doch eine ~!** how inconsiderate *or* thoughtless; 2. ruthlessness; **rücksichtsvoll** *adj* considerate, thoughtful (*gegenüber, gegen* towards).

Rücksitz *m* (*von Fahrrad, Motorrad*) pillion; (*von Auto*) back seat; **Rückspiegel** *m* (*Aut*) rear(-view) *or* driving mirror; (*außen*) outside mirror; **Rückspiel** *nt* (*Sport*) return match; **Rücksprache** *f* consultation; **laut ~ mit Herrn Müller ...** according to Herr Müller ...; **~ mit jdm nehmen** *or* **halten** to confer with *or* consult (with) sb; **rückspulen** *vt sep infin, ptp only* Tonband, Film to rewind; **Rückspulautomatik** *f* (*von Kamera, Video*) automatic rewind; **Rückspulknopf** *m* (*von Kamera*) rewind knob; **Rückspultaste** *f* (*von Tonbandgerät*) rewind key.

Rückstand *m* 1. (*Überrest*) remains *pl*; (*bei Verbrennung, Bodensatz*) residue.
2. (*Verzug*) delay; (*bei Aufträgen*) backlog. **im ~ sein/in ~ geraten** to be/fall behind; (*bei Zahlungen auch*) to be/get in arrears *pl*; **seinen ~ aufholen** to make up for one's delay/to catch up on a backlog; (*bei Zahlungen*) to catch up on one's payments; (*in Leistungen*) to catch up.
3. (*Sport*) amount by which one is behind. **mit 0:2 im ~ sein** to be 2 goals/points *etc* down.
rückständig *adj* 1. (*überfällig*) Betrag overdue; *Mensch* in arrears. **~er Betrag** amount overdue.
2. (*zurückgeblieben*) Land, Mensch backward; *Methoden, Ansichten auch* antiquated. **~ denken** to have antiquated ideas.
Rückständigkeit *f*, *no pl* backwardness.
rückstand(s)frei *adj* without residue; *Verbrennung auch* clean.
Rückstau *m* (*von Wasser*) backwater; (*von Autos*) tailback; **Rück(stell)taste** *f*.
Rücktritt *m* 1. (*Amtsniederlegung*) resignation; (*von König*) abdication. **seinen ~ einreichen** *or* **erklären** to hand in *or* tender (*form*) one's resignation. 2. (*Jur*) (*von Vertrag*) withdrawal (*von* from), rescission (*form*) (*von* of). **~ vom Versuch** abandonment of intent.

Rücktrittbremse *f* backpedal *or* coaster brake.

Rücktrittsdrohung *f* threat to resign/abdicate; **Rücktrittsgesuch** *nt* resignation; **das ~ einreichen** to tender one's resignation (*form*); **Rücktrittsklausel** *f* withdrawal clause; **Rücktrittsrecht** *nt* right of withdrawal.

rückübersetzen* *vt sep infin, ptp only* to translate back into the original language; **Rückübersetzung** *f* retranslation into the original language; **rückvergüten*** *vt sep infin, ptp only* to refund (*jdm etw* sb sth); **Rückvergütung** *f* refund; **Rückversicherer** *m* reinsurer; (*fig*) hedger; **rückversichern*** *sep* **I** *vti* to reinsure; **II** *vr* to check (up *or* back); **Rückversicherung** *f* reinsurance; **Rückverweis** *m* reference back; **rückverweisen*** *vti sep irreg infin, ptp only* to refer back; **Rückwand** *f* (*von Zimmer, Gebäude*) back wall; (*von Möbelstück*) back; **Rückwanderung** *f* re-migration; **rückwärtig** *adj* back; *Tür, Eingang, Ausgang auch,* (*Mil*) rear.

rückwärts *adv* **1.** (*zurück, rücklings*) backwards. **Rolle/Salto ~** backward roll/back somersault; **~ einparken** to back *or* reverse into a parking space. **2.** (*Aus: hinten*) behind, at the back. **von ~** from behind.

Rückwärtsdrehung *f* reverse turn; **Rückwärtsgang** *m* reverse gear; **den ~ einlegen** to change into reverse, to put the car *etc* into reverse; **im ~ fahren** to reverse.

Rückweg *m* way back. **auf dem ~ vorbeikommen** to call in on one's way back; **den ~ antreten, sich auf den ~ begeben** to set off back; **sich auf den ~ machen** to head back; **jdm den ~ abschneiden** to cut off sb's line of retreat.

ruckweise *adv* jerkily. **sich ~ bewegen** to jerk, to move jerkily.

rückwirkend *adj* (*Jur*) retrospective; *Lohn-, Gehaltserhöhung* backdated; **es wird ~ vom 1. Mai bezahlt** it will be backdated to the 1st May; **das Gesetz tritt ~ vom 1. Januar in Kraft** the law is made retrospective to the 1st January; **Rückwirkung** *f* repercussion; **eine Zahlung/Gesetzesänderung mit ~ vom ...** a payment backdated to/an amendment made retrospective to ...; **rückzahlbar** *adj* repayable; **Rückzahlung** *f* repayment; **Rückzieher** *m* -s, - (*inf*) **einen ~ machen** to back out (*inf*).

ruck, zuck I *interj* heave; (*beim Schieben*) push. **II** *adv* in a flash; (*Imperativ*) jump to it. **das geht ~, ~** it won't take a second; **wenn er nicht gehorcht, fliegt er raus, das geht ~, ~** if he doesn't obey he'll be out, just like that.

Rückzug *m* (*Mil*) retreat. **auf dem ~ in** the retreat; **den ~ antreten** (*lit, fig*) to retreat, to beat a retreat.

Rückzugsgefecht *nt* (*Mil, fig*) rearguard action.

Rüde *m* -n, -n (*Männchen*) dog, male; (*Hetzhund*) hound.

rüde, rüd (*Aus*) *adj* impolite; *Antwort*

curt, brusque. **das war sehr ~ von dir** that was a very rude thing to do.

Rudel *nt* -s, - (*von Hunden, Wölfen*) pack; (*von Wildschweinen, Hirschen*) herd; (*fig dated*) swarm, horde. **in ~n auftreten** to go round in packs/herds/swarms *or* hordes.

Ruder *nt* -s, - (*von ~boot, Galeere*) oar; (*Naut, Aviat: Steuer~*) rudder; (*fig: Führung*) helm. **das ~ fest in der Hand haben** (*fig*) to be in control of the situation; **die ~ auslegen/einziehen** to put out/ship oars; **am ~ sein** (*lit, fig*)/**ans ~ kommen** (*fig*) to be at/to take over (at) the helm; **sich in die ~ legen** (*lit, fig*), **sich für etw in die ~ legen** (*fig*) to put one's back into it/sth; **das ~ herumwerfen** (*fig*) to change course *or* tack; **aus dem ~ laufen** (*fig*) to get out of hand.

Ruderbank *f* rowing seat; (*in Galeere*) rowing bench; **Ruderblatt** *nt* (*oar*) blade; **Ruderboot** *nt* rowing boat, row-boat (*esp US*); **Ruderdolle** *f* rowlock.

Ruderer *m* -s, - oarsman, rower.

Rudergänger *m* -s, - (*Naut*) helmsman.

Ruderhaus *nt* (*Naut*) wheelhouse, pilot house.

Ruderin *f* oarswoman, rower.

rudern I *vi* **1.** *aux haben or sein* to row. **2.** (*Schwimmvögel*) to paddle. **mit den Armen ~** (*fig*) to flail *or* wave one's arms about. **II** *vt* to row.

Ruderpinne *f* tiller; **Ruderregatta** *f* rowing regatta; **Ruderschlag** *m* stroke; **Rudersport** *m* rowing *no def art*; **Ruderstange** *f* tiller.

Rudiment *nt* rudiment.

rudimentär *adj* rudimentary; (*Biol*) *Organ auch* vestigial. **~ ausgebildet** rudimentary.

Ruf *m* -(e)s, -e **1.** (*Aus~, Vogel~, fig: Auf~*) call; (*lauter*) shout; (*Schrei, gellend*) cry. **ein ~ ertönte** a cry rang out; **in den ~ „,..." ausbrechen** to burst into cries *or* shouts of "...“; **der ~ des Muezzins** the call of the muezzin; **der ~ der Wildnis** the call of the wild; **dem ~ des Herzens/Gewissens folgen** (*fig*) to obey the voice of one's heart/conscience; **der ~ nach Freiheit/Gerechtigkeit** (*fig*) the call for freedom/justice; **der ~ nach dem Henker** (*fig*) the call to bring back hanging/the chair *etc*; **der ~ zu den Waffen** the call to arms.

2. (*Ansehen, Leumund*) reputation. **einen guten ~ haben** *or* **genießen, sich eines guten ~es erfreuen** (*geh*) to have *or* enjoy a good reputation; **dem ~ nach** by reputation; **eine Firma von ~** a firm with a good reputation *or* of high repute, a firm with a good name; **sich** (*dat*) **einen ~ als etw erwerben** to build up a reputation *or* make a name for oneself as sth; **ein Mann von schlechtem ~** a man with a bad reputation *or* of low repute, a man with a bad name; **von üblem** *or* **zweifelhaftem ~ sein** to have a bad reputation; **jdn/etw in schlechten ~ bringen** to give sb/sth a bad name; **jdn bei jdm in schlechten ~ bringen** to bring sb into disrepute with sb; **sie/das ist besser als ihr/sein ~** she/it is better than she/it is made out to be, she/it is not as black as she/it is painted.

3. (*Univ: Berufung*) offer of a chair *or* professorship. **er hat einen ~ nach Mainz erhalten** he has been offered a chair *or* professorship at Mainz.

4. (*Fernruf*) telephone number. „**~: 2785**" "Tel: 2785".

Rüfe *f* -, **-n** (*Sw: Erdrutsch*) landslide.

rufen *pret* **rief,** *ptp* **gerufen I** *vi* to call; (*Mensch: laut ~*) to shout; (*Gong, Glokke, Horn*) to sound (*zu* for). **um Hilfe ~** to call *or* cry for help; **die Pflicht ruft** duty calls; **die Arbeit ruft** my/your *etc* work is waiting; **nach jdm/etw ~** to call for sb/sth; **nach dem Henker ~** (*fig*) to call for the return of hanging/the chair *etc*.

II *vi impers* **es ruft eine Stimme** a voice is calling; **es hat gerufen** somebody called.

III *vt* **1.** to call; (*aus~*) to cry; (*Mensch: laut ~*) to shout. **jdm/sich etw in Erinnerung** *or* **ins Gedächtnis ~** to bring back (memories of) sth to sb/to recall sth; **jdn zur Ordnung ~** to call sb to order; **jdn zu den Waffen ~** to call sb to arms; **bravo/da capo ~** to shout hooray/encore.

2. (*kommen lassen*) to send for; *Arzt, Polizei auch, Taxi* to call. **jdn zu sich ~** to send for sb; **Gott hat sie zu sich gerufen** God has called her to Him; **Sie haben mich ~ lassen?** you called, sir/madam?; **~ Sie ihn bitte!** please send him to me; **jdn zu Hilfe ~** to call on sb to help; **du kommst wie gerufen** you're just the man/woman I wanted; **das kommt mir wie gerufen** that's just what I needed; (*kommt mir gelegen*) that suits me fine (*inf*).

Rufen *nt* **-s,** *no pl* calling *no indef art*; (*von Mensch: laut*) shouting *no indef art*. **haben Sie das ~ nicht gehört?** didn't you hear him/her *etc* calling/shouting?

Rufer *m* **-s, - der ~ in der Wüste** the voice (crying) in the wilderness.

Rüffel *m* **-s, -** (*inf*) telling- *or* ticking-off (*inf*).

rüffeln *vt* (*inf*) to tell *or* tick off (*inf*).

Rufmord *m* character assassination; **Rufmordkampagne** *f* smear campaign; **Rufname** *m* forename (by which one is generally known); **Rufnummer** *f* telephone number; **Rufnummernspeicher** *m* (*von Telefon*) memory; **Rufreservierung** *f* (*von Telefax*) polling; **Rufsäule** *f* (*für Taxi*) telephone; (*Mot: Not~*) emergency telephone; **Rufweite** *f*: **in ~** within earshot, within calling distance; **außer ~** out of earshot; **Rufzeichen** *nt* **1.** (*Telec*) call sign; (*von Telefon*) ringing tone; **2.** (*Aus*) exclamation mark.

Rugby ['rakbɪ] *nt* **-,** *no pl* rugby, rugger (*inf*).

Rugbyspiel *nt* (*Veranstaltung*) rugby match. **das ~** (*Sportart*) rugby.

Rüge *f* **-, -n** (*Verweis*) reprimand, rebuke; (*Kritik*) criticism *no indef art*; (*scharfe Kritik*) censure *no indef art*. **jdm eine ~ erteilen** to reprimand *or* rebuke/

criticize/censure sb (*für, wegen* for).

rügen *vt* (*form*) *jdn* to reprimand (*wegen, für* for); *etw* to reprehend. **ich muß dein Verhalten ~** I must reprimand you for your behaviour.

Ruhe *f* **-,** *no pl* **1.** (*Schweigen, Stille*) quiet, silence. **~!** quiet!, silence!; **~, bitte!** quiet, please; **gebt ~!** be quiet!; **ihr sollt ~ geben!** once and for all — (will you) be quiet!; **jdn zur ~ ermahnen** to tell sb to be quiet; **sich** (*dat*) **~ verschaffen** to get quiet *or* silence; **es herrscht ~** all is silent, silence reigns; (*fig: Disziplin, Frieden*) all is quiet; **~ halten** (*lit, fig*) to keep quiet *or* silent; **die ~ der Natur** the stillness of nature; **himmlische ~** heavenly peace; **~ und Frieden** peace and quiet; **in ~ und Abgeschiedenheit** in peaceful seclusion; **die ~ vor dem Sturm** (*fig*) the calm before the storm.

2. (*Ungestörtheit, Frieden*) peace, quiet; (*~stätte*) resting place. **~ ausstrahlen** to radiate a sense of calm; **in ~ und Frieden leben** to live a quiet life; **~ und Ordnung** law and order; **~ ist die erste Bürgerpflicht** (*prov*) the main thing is to keep calm/quiet; **die ~ wiederherstellen** to restore order; **ich brauche meine ~** I need a bit of peace; **laß mich in ~!** leave me in peace, stop bothering me; **ich will meine ~ haben!** leave *or* let me alone *or* be; **dann hat die liebe Seele Ruh** (*prov*) then perhaps we'll get a bit of peace; **vor jdm ~ haben wollen** to want a rest from sb; (*endgültig*) to want to get *or* be rid of sb; **jdm keine ~ lassen** *or* **gönnen** (*Mensch*) not to give sb any peace; **keine ~ geben** to keep on and on; **das läßt ihm keine ~** he can't stop thinking about it; **zur ~ kommen** to get some peace; (*solide werden*) to settle down; **jdn zur ~ kommen lassen** to give sb a chance to rest; **keine ~ finden (können)** to know no peace, not to be able to find any peace of mind; **jdn zur letzten ~ betten** (*euph*) to lay sb to rest (*euph*); **die letzte ~ finden** (*euph*) to be laid to rest (*euph*).

3. (*Erholung*) rest, repose (*euph*); (*~ stand*) retirement; (*Stillstand*) rest. **der Patient braucht viel ~** the patient needs a great deal of rest; **das Pendel befindet sich in ~** the pendulum is stationary; **jdm keine ~ gönnen** not to give sb a minute's rest; **sich zur ~ begeben** (*form*), **zur ~ gehen** (*form*) to retire (to bed) (*form*); **angenehme ~!** sleep well!; **sich zur ~ setzen** to retire.

4. (*Gelassenheit*) calm(ness); (*Disziplin*) quiet, order. **die ~ weghaben** (*inf*) to be unflappable (*inf*); **~ bewahren** to keep calm; **die ~ selbst sein** to be calmness itself; **jdn aus der ~ bringen** to throw sb (*inf*); **sich nicht aus der ~ bringen lassen, nicht aus der ~ zu bringen sein** not to (let oneself) get worked up; **er trank noch in aller ~ seinen Kaffee** he drank his coffee as if he had all the time in the world; **überlege es dir in aller ~** think about it calmly; **sich** (*dat*) **etw in ~ ansehen** to look at sth in one's own time; **immer mit der ~** (*inf*) don't panic.

Ruhebank f bench, seat; **Ruhebedürfnis** nt need for quiet/peace/rest; **ruhebedürftig** adj in need of quiet/peace/rest; **Ruhebett** nt bed; **Ruhegehalt** nt (form) superannuation; **Ruhegeld** nt (form), **Ruhegenuß** m (Aus) pension; **Ruhekissen** nt bolster; **Ruhelage** f (von Mensch) reclining position; (Med: bei Bruch) immobile position; (von Zeiger) neutral position; **ruheliebend** adj fond of peace and quiet; **ruhelos** adj restless; **eine ~e Zeit** a time of unrest; **Ruhelosigkeit** f restlessness.

ruhen vi 1. (aus~) to rest; **ich möchte etwas ~** I want to take a short rest, I want to rest a little; **nicht (eher) ~ und nicht ~ und rasten, bis ...** (fig) not to rest until ...; **(ich) wünsche, wohl geruht zu haben!** (form) I trust that you slept well (form).
2. (geh: liegen) to rest (an or auf +dat on); (Gebäude auch) to be supported (auf +dat by); (Fluch) to lie (auf +dat on). **möge Gottes Segen auf dir ~** may God's blessing be with you; **auf ihm ruht ein Verdacht** suspicion hangs over him.
3. (stillstehen) to stop; (Maschinen) to stand idle; (Arbeit auch, Verkehr) to cease; (Waffen) to be laid down; (unterbrochen sein: Verfahren, Verhandlung, Vertrag) to be suspended. **laß die Arbeit jetzt ~** (geh) leave your work now.
4. (tot und begraben sein) to lie, to be buried. **„hier ruht (in Gott) ...‟** "here lies ...‟; **„ruhe in Frieden!‟** "Rest in Peace"; **„ruhe sanft!‟** "rest eternal".
ruhend adj resting; Kapital dormant; Maschinen idle; Verkehr stationary. **~e Venus** Venus reclining.
ruhenlassen vt sep irreg Vergangenheit, Angelegenheit to let rest; Verhandlungen, Prozeß to adjourn; Teig to allow to rest.
Ruhepause f break; (wenig Betrieb, Arbeit) slack or quiet period; **eine ~ einlegen** to take or have a break; **Ruheplatz** m resting place; **Ruheraum** m rest room; **Ruhesitz** m (Haus) retirement home; **er hat seinen ~ in Ehlscheid aufgeschlagen** he has retired to Ehlscheid; **Ruhestand** m retirement; **im ~ sein/leben** to be retired; **er ist Bankdirektor im ~** he is a retired bank director; **in den ~ treten** or **gehen** to retire, to go into retirement; **jdn in den ~ versetzen** to retire sb; **Ruheständler(in** f) m -s, - retired person; **Ruhestatt, Ruhestätte** f resting-place; **ruhestörend** adj **~er Lärm** (Jur) disturbance of the peace; **Ruhestörer(in** f) m disturber of the peace; **Ruhestörung** f (Jur) disturbance of the peace; **Ruhetag** m rest-day, day off; (von Geschäft) closing day; **einen ~ einlegen** to have a day's rest, to take a day off; **„Mittwoch ~‟** "closed (on) Wednesdays"; **Ruhezeit** f rest period; (Saison) off-season.
ruhig I adj 1. (still) quiet; Wetter, Meer calm. **seid ~!** be quiet!; **ihr sollt ~ sein!** (will you) be quiet!; **sitz doch ~!** sit still!
2. (geruhsam) quiet; Urlaub, Feiertage, Leben auch peaceful; Farbe restful; (ohne Störung) Überfahrt, Verlauf

smooth; (Tech auch) smooth. **gegen 6 Uhr wird es ~er** it quietens down around 6 o'clock; **das Flugzeug liegt ~ in der Luft** the plane is flying smoothly; **alles geht seinen ~en Gang** everything is going smoothly.
3. (gelassen) calm; Gewissen easy. **nur ~ (Blut)!** keep calm, take it easy (inf); **bei ~er Überlegung** on (mature) consideration; **du wirst auch noch ~er!** you'll calm down one day; **du kannst/Sie können ganz ~ sein** I can assure you.
4. (sicher) Hand, Blick steady.
5. (teilnahmslos) calm. **etw ~ mitansehen** to stand by and watch sth; **~ dabeistehen** just to stand by.
II adv **du kannst ~ hierbleiben** feel free to stay here, you're welcome to stay here if you want; **ihr könnt ~ gehen, ich passe schon auf** you just go and I'll look after things; **man kann ~ behaupten/sagen/annehmen, daß ...** (mit Recht) one may well assert/say/assume that ..., one need have no hesitation in or about asserting/saying/assuming that ...; **die können ~ etwas mehr zahlen** (leicht) they could easily pay a little more; **wir können ~ darüber sprechen** we can talk about it if you want; **du könntest ~ mal etwas für mich tun!** it's about time you did something for me!
Ruhm m -es, no pl glory; (Berühmtheit) fame; (Lob) praise; **mit etw keinen ~ ernten** (inf) not to win any medals with or for sth; **sich in seinem ~ sonnen** to rest on one's laurels.
ruhmbedeckt adj covered with glory.
rühmen I vt (preisen, empfehlen) to praise, to sing the praises of; Tugenden, Schönheit auch to extol; **jdn ~d erwähnen** to give sb an honourable mention; **etw ~d hervorheben** to single sth out for or give sth special praise.
II vr **sich einer Sache** (gen) **~** (prahlen) to boast about sth; (stolz sein) to pride oneself on sth; **sich einer Sache** (gen) **~ können** to be able to boast of sth; **die Stadt rühmt sich eines eigenen Schwimmbads** (iro) the town boasts its own swimming pool; **ohne mich zu ~** without wishing to boast.
rühmenswert adj praiseworthy, laudable.
Ruhmesblatt nt (fig) glorious chapter; **Ruhmestag** m glorious day; **Ruhmestat** f glorious deed.
rühmlich adj praiseworthy, laudable; Ausnahme notable. **kein ~es Ende finden** or **nehmen** to meet a bad end; **sich ~ hervortun** to distinguish oneself.
ruhmlos adj inglorious; **ruhmreich** adj (liter) glorious; **Ruhmsucht** f thirst for glory; **ruhmvoll** adj glorious.
Ruhr¹ f - (Geog) Ruhr.
Ruhr² f -, no pl (Krankheit) dysentery.
Rührei nt scrambled egg; (als Gericht) scrambled eggs pl.
rühren I vi 1. (um~) to stir.
2. an etw (acc) **~** (anfassen) to touch sth; (fig: erwähnen) to touch on sth; **daran wollen wir nicht ~** let's not go into it; (in bezug auf Vergangenes) let sleeping

dogs lie.

3. von etw ~ to stem from sth; **das rührt daher, daß ...** that is because ...; **daher rührt sein Mißtrauen!** so that is the reason for his distrust.

II vt **1.** (um~) Teig, Farbe to stir; (schlagen) Eier to beat.

2. (bewegen) to move. **er rührte kein Glied** he didn't stir at all; **er rührte keinen Finger** or **keine Hand, um mir zu helfen** (inf) he didn't lift a finger to help me (inf).

3. (Gemüt bewegen) to move; Herz to stir. **das kann mich nicht ~!** that leaves me cold; (stört mich nicht) that doesn't bother me; **jdn zu Tränen ~** to move sb to tears; **sie war äußerst gerührt** she was extremely moved or touched.

4. (Mus) Trommel to strike, to beat.

5. **ihn hat der Schlag gerührt** (inf) he was thunderstruck; **ich glaubte, mich rührt der Schlag** (inf) you could have knocked me down with a feather (inf); siehe **Donner.**

III vr **1.** (sich bewegen) (Blatt, Mensch) to stir; (Körperteil) to move; (sich von der Stelle bewegen) to move; (aktiv sein) to buck up (inf); (sich beeilen) to bestir oneself, to get a move on (inf). **rührt Euch!** (Mil) at ease!; **kein Lüftchen rührte sich** the air was still, there was not the slightest breeze; **er rührt sich nicht mehr** (inf) he won't get up again; **hier kann man sich nicht ~** you can't move in here; **nichts hat sich gerührt** nothing happened.

2. (Gewissen, Mitleid, Reue) to stir, to be awakened; (inf: sich melden) to say something. **sie hat sich schon 2 Jahre nicht gerührt** (inf) I haven't heard from her for 2 years.

Rühren nt **-s,** no pl stirring. **ein menschliches ~** (verspüren) (to feel) a stirring of human pity; (hum) (to have to answer) a or the call of nature (hum).

rührend adj touching. **das ist ~ von Ihnen** that is sweet of you.

Ruhrgebiet nt Ruhr (area).

rührig adj active.

Rührlöffel m mixing spoon; **Rührmaschine** f mixer; (in Bäckerei) mixing machine; **Rührmichnichtan** nt -, - (Bot) touch-me-not.

Ruhrpott m (inf) Ruhr (Basin or Valley).

rührselig adj (pej) touching, tear-jerking (pej inf); **Rührseligkeit** f, no pl sentimentality; **Rührstück** nt (Theat) melodrama; **Rührteig** m sponge mixture.

Rührung f, no pl emotion. **vor ~ nicht sprechen können** to be choked with emotion.

Ruin m -s, no pl ruin. **vor dem ~ stehen** to be on the brink or verge of ruin; **seinem/dem ~ entgegengehen** to be on the way to ruin; **du bist noch mein ~!** (hum inf) you'll be the ruin of me.

Ruine f -, -n (lit, fig) ruin.

ruinieren* vt to ruin. **sich ~** to ruin oneself.

ruinös adj ruinous.

rülpsen vi to belch. **das R~** belching.

Rülpser m -s, - (inf) belch.

rum adv (inf) siehe **herum.**

Rum [(S Ger, Aus auch) ruːm] m -s, -s rum.

Rumäne m -n, -n, **Rumänin** f Romanian.

Rumänien [-iən] nt -s Romania.

rumänisch adj Romanian.

Rumänisch(e) nt Romanian; siehe auch **Deutsch(e).**

Rumba f -, -s or (inf) m -s, -s rumba. **~ tanzen** to (dance the) rumba.

Rumbakugel, Rumbarassel f maraca.

rumflachsen vi sep (inf) to have a laugh, to joke around.

rumkommen vi sep irreg (inf) **1.** siehe **herumkommen. 2. dabei kommt nichts rum** nothing will come out of it.

rumkriegen vt sep (inf) jdn ~ to talk sb round.

Rummel m -s, no pl **1.** (inf) (Betrieb) (hustle and) bustle; (Getöse) racket (inf); (Aufheben) fuss (inf). **der ganze ~** the whole business or carry-on (inf); **den ~ kennen** to know all about it; **großen ~ um jdn/etw machen** to make a great fuss or to-do about sb/sth (inf).

2. (~platz) fair. **auf den ~ gehen** to go to the fair.

Rummelplatz m (inf) fairground.

Rummy ['rœmi] nt -s, -s (Aus) rummy.

rumoren* **I** vi to make a noise; (Mensch) to rumble about; (Bauch) to rumble; (Gewissen) to play up; (Gedanke) to float about. **etw rumort in den Köpfen** sth is going through people's minds.

II vi impers **es rumort in meinem Magen** or **Bauch** my stomach's rumbling; **es rumort im Volk** (fig) there is growing unrest among the people.

Rumpelkammer f (inf) junk room (inf).

rumpeln vi **1.** (Geräusch machen) to rumble. **er fiel ~d die Treppe hinunter** he fell down the stairs with a clatter.

2. aux sein (sich polternd bewegen) to rumble; (Mensch) to clatter.

Rumpelstilzchen nt -s Rumpelstiltskin.

Rumpf m -(e)s, -e trunk; (Sport) body; (von geschlachtetem Tier) carcass; (Statue) torso; (von Schiff) hull; (von Flugzeug) fuselage. **~ beugt/streckt!** (Sport) bend/stretch.

Rumpfbeuge f forward bend.

rümpfen vt die Nase ~ to turn up one's nose (über +acc at).

Rumpsteak ['rumpsteːk] nt rump steak.

rums interj bang.

Rumtopf m rumpot (soft fruit in rum); **Rumverschnitt** m blended rum.

Run [ran] m -s, -s run (auf +acc on).

rund I adj round; Figur, Arme plump; Ton, Klang full; Wein mellow. **du wirst mit jedem Jahr ~er** you're getting bigger or plumper every year; **~e 50 Jahre/2000 Mark** a good 50 years/2,000 marks; **ein ~es Dutzend Leute** a dozen or more people; **das Kind machte ~e Augen** the child's eyes grew round; **Konferenz am ~en Tisch** round-table talks pl; **die Sache wird ~** it all works out.

II adv **1.** (herum) (a)round. **~ um** right (a)round; **~ um die Uhr** right (a)round the clock.

2. (ungefähr) (round) about, roughly.

~ **gerechnet 200** call it 200.
3. (*fig: glattweg*) *abschlagen, ablehnen* flatly.
4. (*Aut*) **der Motor läuft** ~ the engine runs smoothly.
Rundbau *m* rotunda; **Rundblick** *m* panorama; **Rundbogen** *m* (*Archit*) round arch; **Rundbrief** *m* circular.
Runde *f* -, **-n 1.** (*Gesellschaft*) company. **sich zu einer gemütlichen** ~ **treffen** to meet informally.
2. (*Rundgang*) walk, turn; (*von Wachmann*) rounds *pl*; (*von Briefträger*) round. **die/seine** ~ **machen** to do the/one's rounds; (*Gastgeberin*) to circulate; (*herumgegeben werden*) to be passed round; **das Gerücht machte die** ~ the rumour did the rounds *or* went around; **eine** ~ **durch die Lokale machen** to go on a pub crawl; **eine** ~ **um etw machen** to go for a walk *or* take a turn round sth; (*mit Fahrzeug*) to ride round sth; **zwei** ~**n um etw machen** to do two circuits of sth.
3. (*Sport*) (*bei Rennen*) lap; (*von Turnier, Wettkampf*) round; (*Gesprächs*~, *Verhandlungs*~) round. **seine** ~**n drehen** *or* **ziehen** to do one's laps; **über die** ~**n kommen** (*Sport, fig*) to pull through; **etw über die** ~**n bringen** (*fig*) to manage sth, to get through sth; **eine** ~ **schlafen** (*inf*) to have a kip (*inf*).
4. (*von Getränken*) round. (**für jdn**) **eine** ~ **spendieren** *or* **ausgeben** *or* **schmeißen** (*sl*) to buy *or* stand (sb) a round.
5. (*liter: Umkreis*) surroundings *pl*. **in die/der** ~ round about.
runden I *vt Lippen* to round. **II** *vr* (*lit: rund werden*) (*Bauch*) to become round; (*Gesicht auch*) to become full; (*Lippen*) to grow round.
runderneuern* *vt insep infin, ptp only* to remould; **runderneuerte Reifen** remoulds; **Rundfahrt** *f* tour; **eine** ~ **machen/an einer** ~ **teilnehmen** to go on a tour; **Rundfrage** *f* survey (*an +acc, unter +dat* of).
Rundfunk *m* broadcasting; (*besonders Hörfunk*) radio, wireless (*esp Brit dated*); (*Organisation*) broadcasting company *or* corporation. **der** ~ **überträgt etw** sth is broadcast; **im/über** ~ on the radio; ~ **hören** to listen to the radio; **beim** ~ **arbeiten** *or* (*tätig*) **sein** to work *or* be in broadcasting.
Rundfunk- *in cpds* radio; **Rundfunkanstalt** *f* broadcasting corporation; **Rundfunkempfang** *m* radio reception; **Rundfunkempfänger** *m* radio receiver; **Rundfunkgebühr** *f* radio licence fee; **Rundfunkgerät** *nt* radio set; **Rundfunkgesellschaft** *f* broadcasting company; **Rundfunkhörer(in** *f*) *m* (radio) listener; **Rundfunkprogramm** *nt* (*Kanal, inf: Sendung*) radio programme; (*Sendefolge*) radio programmes; (*gedruck*) radio programme guide; **Rundfunksatellit** *m* TV satellite; **Rundfunksender** *m* **1.** (*Sendeanlage*) radio transmitter; **2.** (*Sendeanstalt*) radio station; **Rundfunksendung** *f*

radio programme; **Rundfunksprecher(in** *f*) *m* radio announcer; **Rundfunkstation** *f* radio station; **Rundfunktechnik** *f* radiotechnology; **Rundfunktechniker(in** *f*) *m* radio engineer; **Rundfunkteilnehmer(in** *f*) *m* owner of a radio set; **Rundfunkübertragung** *f* radio broadcast; **Rundfunkzeitschrift** *f* radio programme guide.
Rundgang *m* (*Spaziergang*) walk; (*zur Besichtigung*) tour (*durch* of); (*von Wachmann*) rounds *pl*; (*von Briefträger*) round. **einen** ~ **machen** to go for a walk; to go on a tour; **seinen** ~ **machen** to do one's rounds/round.
rundgehen *vi sep irreg* (*inf*) **1. jetzt geht's rund** this is where the fun starts (*inf*); **wenn er das erfährt, geht's rund** there'll be all hell let loose when he finds out (*inf*); **es geht rund, wenn sie zu Besuch kommen** there's never a dull moment when they come to visit; **es geht rund im Büro** there's a lot on at the office.
2. (*herumgehen*) to do the rounds. **die Neuigkeit ist schon rundgegangen** the news has already got round.
Rundgesang *m* (*Mus*) chorus song (*in which a different person sings each verse*); (*Kanon*) round; **rundheraus** *adv* flatly, bluntly, straight out; ~ **gesagt** frankly; **rundherum** *adv* all round; (*fig inf: völlig*) totally; **Rundkopfschraube** *f* round-headed *or* button-head (*US*) screw; **rundlich** *adj* plump; **Rundlichkeit** *f* plumpness; **Rundling** *m* circular village grouped round a green, nuclear village; **Rundreise** *f* tour (*durch* of); **Rundrücken** *m* (*Med*) round shoulders *pl*; **Rundruf** *m* per ~ with a series of phonecalls; **Rundschau** *f* (*Rad, TV*) magazine programme; **Rundschnitt** *m* round haircut; **Rundschreiben** *nt* circular; **Rundsicht** *f* panorama; **Rundstricknadel** *f* circular needle; **Rundstück** *nt* (*N Ger*) roll; **rundum** *adv* all around; (*fig*) completely, totally; **Rundumschlag** *m* (*lit, fig*) sweeping blow; **Rundumsicht** *f* panoramic view.
Rundung *f* curve.
Rundwanderweg *m* circular route; **rundweg** *adv siehe* **rundheraus**; **Rundzange** *f* round-nosed pliers *pl*.
Rune *f* -, **-n** rune.
Runen- *in cpds* runic; **Runenschrift** *f* runic writing; **Runenstein** *m* rune-stone; **Runenzeichen** *nt* runic character.
Runge *f* -, **-n** stake.
Runkelrübe *f*, **Runkel** *f* -, **-n** (*Aus*) mangel-wurzel.
Runologe *m*, **Runologin** *f* runologist.
runter *adv* (*inf*) *siehe* **herunter, hinunter.** ~! down!
runter- *pref* (*inf*) down; **runterhauen** *vt sep* (*inf*) **1.** (*ohrfeigen*) **jdm eine** *or* **ein paar** ~ to give sb a clip round the ear; **2.** (*schreiben*) **einen Text** ~ to bang out a text (*inf*); **runterholen** *vt sep* to get down; **jdm/sich einen** ~ (*sl*) to jerk sb/(oneself) off (*sl*); **runterkommen** *vi sep irreg aux sein* (*sl: von Drogen*) to come

off drugs/heroin *etc;* **runterlassen** *vt sep irreg siehe* **herunterlassen; die Hosen ~** (*sl*) to come clean (*inf*); **runtersein** *vi sep irreg aux sein* (*Zusammenschreibung nur bei infin und ptp*) (*inf*) (*erschöpft sein*) to be run down; (*sl: vom Rauschgift*) to be off drugs/heroin *etc;* **mit den Nerven ~** to be at the end of one's tether (*inf*).

Runzel *f* -, -n wrinkle; (*auf Stirn auch*) line. **~n bekommen** (*Mensch*) to get wrinkles; (*Haut*) to get *or* become wrinkled.

runz(e)lig *adj* wrinkled; *Stirn auch* lined.

runzeln **I** *vt Stirn* to wrinkle, to crease; *Brauen* to knit. **II** *vr* to become wrinkled.

Rüpel *m* -s, - lout, yob(bo) (*Brit sl*).

Rüpelei *f* (*rüpelhafte Art*) loutishness; (*rüpelhafte Handlung/Bemerkung*) loutish act/remark.

rüpelhaft *adj* loutish.

rupfen *vt Federvieh* to pluck; *Gras, Unkraut* to pull up. **jdn ~** (*fig inf*) to fleece sb (*inf*), to take sb to the cleaners (*inf*); **wie ein gerupftes Huhn aussehen** to look like a shorn sheep.

Rupfen *m* -s, - (*Tex*) gunny; (*für Wandbehänge*) hessian.

Rupie ['ru:piə] *f* rupee.

ruppig *adj* (*grob*) rough; *Benehmen, Antwort* gruff; *Äußeres* scruffy (*inf*); *Autofahren* wild. **~ spielen** to play rough.

Ruprecht *m* Rupert; *siehe* **Knecht.**

Rüsche *f* -, -n ruche, frill.

Ruß *m* -es, *no pl* soot; (*von Kerze*) smoke; (*von Petroleumlampe*) lampblack.

Russe *m* -n, -n Russian, Russian man/ boy.

Rüssel *m* -s, - snout (*auch sl: Nase*); (*Elefanten~*) trunk; (*von Insekt*) proboscis.

rußen **I** *vi* (*Öllampe, Kerze*) to smoke; (*Ofen*) to produce soot. **es rußt** there's a lot of soot; **eine stark ~de Lampe** a very smoky lamp.

II *vt* (*Sw, S Ger*) **den Ofen/den Kamin ~** to clean the soot out of the stove/to sweep the chimney.

Russenkittel *m* smock.

Rußfleck *m* sooty mark; **Rußflocke** *f* soot particle; **rußgeschwärzt** *adj* sootblackened.

rußig *adj* sooty.

Russin *f* Russian, Russian woman/girl.

russisch *adj* Russian. **~es Roulett** Russian roulette; **~e Eier** (*Cook*) egg(s) mayonnaise; **~er Salat** (*Cook*) Russian salad; **R~es Brot** (*Cook*) alphabet biscuits.

Russisch(e) *nt* Russian; *siehe auch* **Deutsch(e).**

Rußland *nt* -s Russia.

rüsten **I** *vi* (*Mil*) to arm. **zum Krieg/ Kampf ~** to arm for war/battle; **gut/ schlecht gerüstet sein** to be well/badly armed; **um die Wette ~** to be involved in an arms race.

II *vr* to prepare (*zu* for); (*lit, fig: sich wappnen*) to arm oneself (*gegen* for). **sich zur Abreise/zum Fest ~** to get ready to leave/to prepare for the festival.

Rüster *f* -, -n elm.

Rüster(n)holz *nt* elm(wood).

rüstig *adj* sprightly.

Rüstigkeit *f* sprightliness.

rustikal *adj* rustic. **sich ~ einrichten** to furnish one's home in a rustic *or* farmhouse style.

Rüstkammer *f* (*Mil, fig*) armoury.

Rüstung *f* **1.** (*das Rüsten*) armament; (*Waffen*) arms *pl*, weapons *pl*. **2.** (*Ritter~*) armour.

Rüstungs- *in cpds* arms; **Rüstungsbegrenzung** *f* arms limitation; **Rüstungsbegrenzungsverhandlungen** *pl* arms limitation talks *pl*; **Rüstungsbeschränkung** *f* arms limitation; **Rüstungsexport** *m* arms export; **Rüstungsfabrik** *f* armaments *or* ordnance factory; **Rüstungsgegner(in** *f*) *m* supporter of disarmament; **Rüstungsindustrie** *f* armaments industry; **Rüstungskontrolle** *f* arms control; **Rüstungskontrollverhandlungen** *pl* arms control talks *pl*; **Rüstungswettlauf** *m* arms race.

Rüstzeug *nt, no pl* (*fig*) qualifications *pl*.

Rute *f* -, -n **1.** (*Gerte*) switch; (*esp Stock zum Züchtigen*) cane, rod; (*Birken~*) birch (rod); (*von Gertenbündel*) birch. **jdn mit einer ~ schlagen** to cane/birch sb, to beat sb with a cane/birch; **mit eiserner ~ regieren** (*fig*) to rule with a rod of iron.

2. (*Wünschel~*) (divining *or* dowsing) rod; (*Angel~*) (fishing) rod.

3. (*Hunt: Schwanz*) tail.

4. (*Tierpenis*) penis.

5. (*Aus: Schneebesen*) whisk.

Rutenbündel *nt* (*Hist*) fasces *pl*; **Rutengänger(in** *f*) *m* -s, - diviner, dowser; **Rutengehen** *nt* dowsing.

Ruthenium *nt, no pl* (*abbr* **Ru**) ruthenium.

Rütlischwur *m* (*Hist*) oath taken on the Rütli Mountain by the founders of Switzerland.

rutsch *interj* whee, whoomph.

Rutsch *m* -es, -e slip, slide, fall; (*Erd~*) landslide; (*von Steinen*) rockfall; (*fig Pol*) shift, swing; (*inf: Ausflug*) trip, outing. **guten ~!** (*inf*) have a good new year!; **in einem ~** in one go.

Rutschbahn *f*, **Rutsche** *f* -, -n (*Mech*) chute; (*Kinder~*) slide.

rutschen *vi aux sein* **1.** (*gleiten*) to slide; (*aus~, entgleiten*) to slip; (*Aut*) to skid; (*fig: Preise, Kurse*) to slip; (*Regime, Hierarchie*) to crumble. **auf dem Stuhl hin und her ~** to fidget *or* shift around on one's chair.

2. (*inf: rücken*) to move *or* shove (*inf*) up. **zur Seite ~** to move *or* shove (*inf*) up *or* over; **ein Stück(chen) ~** to move *or* shove (*inf*) up a bit.

3. (*herunter~*) to slip down; (*Essen, Tablette*) to go down.

4. (*auf Rutschbahn*) to slide. **darf ich mal ~?** can I have a go on the slide?

5. (*~d kriechen*) to crawl. **auf den Knien ~** (*lit*) to move along on one's knees.

Rutscher *m* -s, - (*Aus*) (*Abstecher*) small detour; (*kleine Strecke*) stone's throw.

rutschfest *adj* non-slip; **Rutschgefahr** *f* danger of skidding; „~" "slippery road".

rutschig *adj* slippery, slippy (*inf*).

Rutschpartie *f* (*hum inf*) (*das Ausrutschen*) slip; (*von Auto*) skid; **rutschsicher** *adj* non-slip.

rütteln I *vt* to shake (about); *Getreide* to riddle, to sieve. **jdn am Arm/an der Schulter** ~ to shake sb's arm/shoulder, to shake sb by the arm/shoulder.

II *vi* to shake; (*Fahrzeug*) to jolt; (*Fenster, Tür: im Wind*) to rattle. **an etw** (*dat*) ~ **an Tür, Fenster** to rattle (at) sth; (*fig*) **an Grundsätzen, Glauben** to shake sth; **daran ist nicht** *or* **daran gibt es nichts zu** ~ (*inf*) there's no doubt about that.

Rüttelsieb *nt* sieve, riddle.

S

S, s [ɛs] *nt* -, - S, s.

S *abbr of* **Süden** S.

S. *abbr of* **Seite** p.

s. *abbr of* **siehe** see.

SA [ɛs'|aː] *f* -, *no pl* (*NS*) *abbr of* **Sturmab-teilung.**

Saal *m* -(e)s, **Säle** hall; (*für Sitzungen*) room; (*Lese~*) reading room; (*Tanz~*, *Ball~*) ballroom; (*für Hochzeiten*, *Empfänge*) function suite; (*Theater~*) auditorium.

Saalordner(in *f*) *m* usher; **Saalschlacht** *f* (*inf*) brawl, punch-up (*inf*); **Saaltochter** *f* (*Sw*) waitress.

Saar *f* - Saar.

Saargebiet, Saarland *nt* Saarland; **Saarländer(in** *f*) *m* -s, - Saarlander; **saarländisch** *adj* (of the) Saarland.

Saat *f* -, **-en 1.** (*Samen*, ~*gut*) seed(s) (*auch fig*). **wenn die ~ aufgeht** (*lit*) when the seed begins to grow; (*fig*) when the seeds bear fruit; **die ~ für etw legen** (*fig*) to sow the seed(s) of sth; **wie die ~, so die Ernte** (*prov*)/**ohne ~ keine Ernte** (*prov*) as you sow, so shall you reap (*Prov*). **3.** (*junges Getreide*) young crop(s), seedlings *pl*.

Saatfeld *nt* cornfield (*Brit*), grainfield; **Saatgut** *nt*, *no pl* seed(s); **Saatkartoffel** *f* seed potato; **Saatkorn** *nt* seed corn; **Saatkrähe** *f* rook; **Saatzeit** *f* seedtime, sowing time.

Sabbat *m* -s, -e Sabbath.

Sabbatschänder(in *f*) *m* -s, - desecrator of the Sabbath.

sabbeln *vti* (*dial*) *siehe* **sabbern.**

Sabber *m* -s, *no pl* (*dial*) slobber, saliva, slaver.

Sabberei *f* (*inf*) (*dial*) slobbering; (*fig: Geschwätz*) drivel (*inf*).

Sabberlätzchen *nt* (*dial*) bib.

sabbern (*inf*) **I** *vi* to slobber, to slaver. **vor sich hin ~** (*fig*) to mutter away to oneself. **II** *vt* to blather (*inf*).

Säbel *m* -s, - sabre; (*Krumm~*) scimitar. **jdn auf ~ fordern** to challenge sb to a (sabre) duel; **mit dem rasseln** (*fig*) to rattle the sabre.

Säbelbeine *pl* (*inf*) bow *or* bandy legs *pl*; **Säbelfechten** *nt* sabre fencing; **Säbelgerassel** *nt siehe* **Säbelrasseln.**

säbeln (*inf*) **I** *vt* to saw away at. **II** *vi* to saw away (*an* +*dat* at).

Säbelrasseln *nt* -s, *no pl* sabre-rattling; **säbelrasselnd** *adj* sabre-rattling; **Säbelraßler(in** *f*) *m* -s, - sabre-rattler.

Sabotage [zabo'taːʒə] *f* -, **-n** sabotage. **~ treiben** to perform acts of sabotage.

Sabotage|akt *m* act of sabotage.

Saboteur(in *f*) [-'tøːɐ, -'tøːrɪn] *m* saboteur.

sabotieren* *vt* to sabotage.

Sa(c)charin *nt* -s, *no pl* saccharin.

Sachbearbeiter(in *f*) *m* specialist; (*Beamter*) official in charge (*für* of); **Sachbereich** *m* (specialist) area; **Sachbeschädigung** *f* damage to property; **sachbezogen** *adj* Wissen, Fragen, Angaben relevant, pertinent; **Sachbuch** *nt* non-fiction book; **sachdienlich** *adj* useful.

Sache *f* -, **-n 1.** thing; (*Gegenstand auch*) object; (*Jur: Eigentum*) article of property. **~n** *pl* (*inf: Zeug*) things *pl*; (*Jur*) property; **das liegt in der Natur der ~** that's in the nature of things; **~n gibt's(, die gibt's gar nicht)!** (*inf*) would you credit it! (*inf*).
2. (*Angelegenheit*) matter; (*Rechtsstreit, Rechtsfall*) case; (*Aufgabe*) job. **eine ~ der Polizei/der Behörden** a matter for the police/authorities; **es ist ~ der Polizei/der Behörden, das zu tun** it's up to the police/authorities to do that; **das mit dem Präsidenten war eine unangenehme ~** that was an unpleasant business with the president; **das ist eine ganz tolle/ unangenehme ~** it's really fantastic/unpleasant; **die ~ macht sich** (*inf*) things are coming along; **ich habe mir die ~ anders vorgestellt** I had imagined things differently; **das ist eine andere ~** that's a different matter, that's a different kettle of fish (*inf*); **das ist meine/seine ~** that's my/his affair *or* business; **in ~n** *or* **in der ~ A gegen B** (*Jur*) in the case (of) A versus B; **das ist nicht jedermanns ~** it's not everyone's cup of tea (*inf*); **er versteht seine ~** he knows what he's doing *or* what he's about (*inf*); **er macht seine ~ gut** he's doing very well; (*beruflich*) he's doing a good job; **diese Frage können wir nicht hier mitbesprechen, das ist eine ~ für sich** we can't discuss this question now, it's a separate issue all to itself; **was meinen Sie zu diesen Streiks? — das ist eine ~ für sich** what do you think about these strikes? — that's another story; **das ist so eine ~** (*inf*) it's a bit tricky, it's a bit of a problem; **der ~ zuliebe** for the love of it; **die ~ mit der Bank ist also geplatzt** so the bank job fell through; **solche ~n liegen mir nicht** I don't like things like that.
3. (*Vorfall*) business, affair. **~n** *pl* (*Vorkommnisse*) things *pl*; **die ~ mit dem verschwundenen Schlüssel** the business *or* affair with the disappearing key; **machst du bei der ~ mit?** are you with us?; **bei der ~ mache ich nicht mit** I'll have nothing to do with it; **was hat die Polizei zu der ~ gesagt?** what did the police say about *or* about all this business?; **das ist (eine) beschlossene ~** it's (all) settled; **die ~ hat geklappt/ist schiefgegangen** everything *or* it worked/

went wrong; **mach keine ~n!** (*inf*) don't be silly *or* daft! (*inf*); **was machst du bloß für ~n!** (*inf*) the things you do!; **was sind denn das für ~n?** what's all this?

4. (*Frage, Problem*) matter, question; (*Thema*) subject; (*Ideal, Anliegen*) cause. **eine ~ der Erziehung/des Geschmacks** a matter *or* question of education/taste; **mehr kann ich zu der ~ nicht sagen** that's all I can say on the subject; **zur ~!** let's get on with it; (*Parl, Jur*) come to the point!; **das tut nichts zur ~** that doesn't matter; **sich** (*dat*) **seiner ~ sicher** *or* **gewiß sein** to be sure of one's ground; **bei der ~ sein** to be with it (*inf*), to be on the ball (*inf*); **sie war nicht bei der ~** her mind was elsewhere; **bei der ~ bleiben** to keep one's mind on the job; (*bei Diskussion*) to keep to the point.

5. (*Sachlage*) things *pl, no art.* **so steht die ~** also so that's the way things are; **die ~ ist die, daß ...** the thing is that ...; **jdm sagen, was ~ ist** (*inf*) to tell sb what's what; **neben der ~ liegen** to be beside the point.

6. (*Tempo*) **mit 60/100 ~n** (*inf*) at 60/100.

-sache *f in cpds* a matter of ...

Sachertorte *f a rich chocolate cake*, sachertorte.

Sachfrage *f* factual question; **Sach- und Personalfragen** questions relating to work and to personnel matters; **sachfremd** *adj* irrelevant; **Sachgebiet** *nt* subject area; **sachgemäß**, **sachgerecht** *adj* proper; **bei ~er Anwendung** if used properly; **Sachkatalog** *m* subject index; **Sachkenner(in** *f*) *m* expert (*in +dat* on); **~ auf einem** *or* **für ein Gebiet sein** to be an expert in a field; **Sachkenntnis** *f* (*in bezug auf Wissensgebiet*) knowledge of the/his subject; (*in bezug auf Sachlage*) knowledge of the facts; **Sachkunde** *f, no pl* **1.** *siehe* **Sachkenntnis; 2.** (*Schulfach*) general knowledge; **sachkundig** *adj* (well-)informed *no adv*; **sich ~ machen** to inform oneself; **~ antworten** to give an informed answer; **Sachkundige(r)** *mf decl as adj siehe* **Sachkenner; Sachlage** *f* situation, state of affairs.

sachlich *adj* **1.** (*faktisch*) *Irrtum, Angaben* factual; *Unterschied auch* material; *Grund, Einwand* practical; (*sachbezogen*) *Frage, Wissen* relevant.

2. (*objektiv*) *Kritik, Bemerkung* objective; (*nüchtern, unemotional*) matter-of-fact. **bleiben Sie mal ~** don't get carried away; (*nicht persönlich werden*) don't get personal, stay objective.

3. (*schmucklos*) functional, business-like.

sächlich *adj* (*Gram*) neuter.

Sachlichkeit *f* **1.** *siehe adj* **2.** objectivity; matter-of-factness. **mit ~ kommt man weiter** you get on better if you stay objective. **2.** (*Schmucklosigkeit*) functionality. **die Neue ~** (*Art, Archit*) the new functionalism.

Sachmittel *pl* (*form*) materials *pl*; (*Zubehör*) equipment *no pl*; **Sachregister** *nt*

subject index; **Sachschaden** *m* damage (to property); **bei dem Unfall hatte ich nur ~** only my car was damaged in the accident.

Sachse ['zaksə] *m* **-n, -n, Sächsin** ['zɛksɪn] *f* Saxon.

sächseln ['zɛksln] *vi* (*inf*) to speak with a Saxon accent *or* in the Saxon dialect.

Sachsen ['zaksn] *nt* **-s** Saxony.

Sachsen-Anhalt *nt* **-s** Saxony-Anhalt.

sächsisch ['zɛksɪʃ] *adj* Saxon. **~er** Genitiv Saxon genitive.

Sächsisch(e) ['zɛksɪʃ(ə)] *nt* Saxon (dialect); *siehe auch* **Deutsch(e)**.

Sachspende *f* gift. **wir bitten um Geld- und ~n** we are asking for donations of money, food and clothes.

sacht(e) *adj* (*leise*) soft; (*sanft*) gentle; (*vorsichtig*) cautious, careful; (*allmählich*) gentle, gradual. **mit ~n Schritten** softly; **~, ~!** (*inf*) take it easy!

Sachverhalt *m* **-(e)s, -e** facts *pl* (of the case); **Sachverstand** *m* expertise; **Sachverständige(r)** *mf decl as adj* expert, specialist; (*Jur*) expert witness; **Sachwalter(in** *f*) *m* **-s, -** (*geh*) (*Verwalter*) agent; (*Treuhänder*) trustee; (*fig: Fürsprecher*) champion; **Sachwert** *m* real *or* intrinsic value; **Sachwerte** *pl* material assets *pl*; **Sachwörterbuch** *nt* specialist dictionary; **~ der Kunst/Botanik** dictionary of art/botany, art/botanical dictionary; **Sachzwang** *m* practical constraint; **Sachzwängen unterliegen** *or* **unter Sachzwängen** (*dat*) **stehen** to be constrained by circumstances.

Sack *m* **-(e)s, ⁼e 1.** sack; (*aus Papier, Plastik*) bag. **drei ~ Kartoffeln/Kohlen** three sacks of potatoes/sacks *or* bags of coal; **in ~ und Asche** in sackcloth and ashes; **mit ~ und Pack** (*inf*) with bag and baggage; **den ~ schlägt man, und den Esel meint man** (*Prov*) to kick the dog and mean the master (*prov*); **ich habe in den ~ gehauen** (*sl*) I chucked it (in) (*sl*), I packed it in (*inf*); **jdn in den ~ stecken** (*fig inf*) to put sb in the shade.

2. (*Anat, Zool*) sac.

3. (*S Ger, Aus: Hosentasche*) (trouser (*Brit*) *or* pants *US*) pocket. **Geld im ~ haben** to have money in one's pocket.

4. (*vulg: Hoden*) balls *pl* (*sl*).

5. (*sl: Kerl, Bursche*) sod (*Brit sl*), bastard (*sl*), cunt (*vulg*). **fauler ~** lazy bugger (*Brit sl*) *or* bastard (*sl*).

Sackbahnhof *m* terminus.

Säckel *m* **-s, -** (*S Ger*) (*Beutel*) bag; (*Hosentasche*) pocket; (*Geld~*) money-bag. **tief in den ~ greifen müssen** to have to dig deep (into one's pockets); **sich** (*dat*) **den ~ füllen** to line one's (own) pockets; *siehe* **Staatssäckel**.

sacken *vi aux sein* (*lit, fig*) to sink; (*Flugzeug*) to lose height; (*durchhängen*) to sag. **in die Knie ~** to sag at the knees.

säckeweise *adj* by the sack/bag.

Sackgasse *f* dead end, blind alley, cul-de-sac (*esp Brit*); (*fig*) dead end; **in eine ~ geraten** (*fig*) to finish up a blind alley; (*Verhandlungen*) to reach an impasse; **in einer ~ stecken** (*fig*) to be (stuck) up a blind alley; (*mit Bemühungen*) to have come to a dead end; **Sackhüpfen** *nt* -s, *no pl* sack-race; **Sackkarre** *f* barrow, hand-cart; **Sackkleid** *nt* sack dress; **Sackleinen** *nt*, **Sackleinwand** *f* sacking, burlap (*US*); **Sackpfeife** *f* bagpipes *pl*; **Sacktuch** *nt* 1. *siehe* **Sackleinen**; 2. (*S Ger, Aus, Sw*) handkerchief.

Sadismus *m* 1. *no pl* sadism. 2. (*Handlung*) sadistic act.

Sadist(in f) *m* sadist.

sadistisch *adj* sadistic.

Sadomasochismus *m* sado-masochism.

säen *vti* to sow; (*fig*) to sow (the seeds of). **dünn** or **spärlich** or **nicht dick gesät** (*fig*) thin on the ground, few and far between.

Safari *f* -, -s safari. **eine ~ machen** to go on safari.

Safarianzug *m* safari suit; **Safaripark** *m* safari park.

Safe [ze:f] *m* or *nt* -s, -s safe.

Saffian *m* -s, *no pl* **Saffianleder** *nt* morocco (leather).

Safran *m* -s, -e (*Krokus, Gewürz*) saffron.

Saft *m* -(e)s, -̈e (*Obst~*) (fruit) juice; (*Pflanzen~*) sap; (*Braten~, Fleisch~*) juice; (*Flüssigkeit*) liquid; (*Husten~*) syrup; (*Magen~*) juices *pl*; (*old: Körper~*) humour (*old*); (*inf: Strom, Benzin*) juice (*inf*). **der ~ der Reben** the juice of the grape; **im ~ stehen** (*spec, fig*) to be full of sap; **von ~ und Kraft** (*fig*) dynamic, vital, vibrant; **ohne ~ und Kraft** (*fig*) wishy-washy (*inf*), effete.

Saftbraten *m* (*Cook*) roast.

saftig *adj* 1. (*voll Saft*) *Obst, Fleisch* juicy; *Wiese, Grün* lush. 2. (*inf: kräftig*) *Witz* juicy (*inf*); *Rechnung, Ohrfeige* hefty (*inf*); *Brief, Antwort, Ausdrucksweise* potent. **da habe ich ihm einen ~en Brief geschrieben** so I wrote him a pretty potent letter *or* one hell of a letter (*inf*).

Saftigkeit *f* (*von Obst, Witz*) juiciness; (*von Wiese etc*) lushness.

Saftkur *f* fruit-juice diet; **Saftladen** *m* (*pej inf*) dump (*pej inf*); **saftlos** *adj* not juicy, juiceless; **Saftpresse** *f* fruit-press; **Saftsack** *m* (*sl*) stupid bastard (*sl*) or bugger (*Brit sl*).

saft- und kraftlos *adj* wishy-washy (*inf*), effete.

Saga *f* -, -s saga.

Sage *f* -, -n legend; (*altnordische*) saga. **es geht die ~, daß ...** legend has it that ...; (*Gerücht*) rumour has it that ...

Säge *f* -, -n 1. (*Werkzeug*) saw. 2. (*Aus: ~werk*) sawmill.

Sägeblatt *nt* saw blade; **Sägebock** *m* sawhorse; **Sägefisch** *m* sawfish; **Sägemaschine** *f* mechanical saw; **Sägemehl** *nt* sawdust; **Sägemesser** *nt* serrated knife; **Sägemühle** *f* sawmill.

sagen *vt* 1. (*äußern*) to say. **jdm etw ~** to say sth to sb; (*mitteilen, ausrichten*) to tell sb sth; (*dat*) **etw ~** to say sth to oneself; **das hättest du dir selbst ~ können** *or* **müssen!** you might have known *or* realised that!; **unter uns gesagt** between you and me (and the gatepost *hum inf*); **genauer/deutlicher gesagt** to put it more precisely/clearly; **könnten**

Sie mir ~ ...? could you tell me ...?; **ich sag's ihm** I'll tell him; **jdm etw ~ lassen** to ask somebody sth to tell sb; **ich habe mir ~ lassen, ...** I've been told ...; **was ich mir von ihm nicht alles ~ lassen muß!** the things I have to take from him!; **das kann ich Ihnen nicht ~** I couldn't say, I don't know; **das kann ich noch nicht ~** (that) I can't say yet; **so was sagt man doch nicht!** you mustn't say things like that; (*bei Schimpfen, Fluchen*) (watch *or* mind your) language!; **sag nicht so etwas** *or* **so was!** (*inf*) don't say things like that!, don't talk like that!; **wie kannst du so etwas ~?** how can you say such things?; **das sage ich nicht!** I'm not saying *or* telling; **was ich noch ~ wollte, ...** (*inf*) there's something else I wanted to say ...; **oh, was ich noch ~ wollte, vergiß nicht ...** (*inf*) by the way, don't forget ...; **dann will ich nichts gesagt haben** in that case forget I said anything; **wie ich schon sagte** as I said before; **ich sage, wie es ist** I'm just telling you the way it is; **es ist nicht zu ~** it doesn't bear thinking about!; (*entrüstet*) there just aren't any words to describe it!; **um nicht zu ~** not to say, to call the shots (*inf*).

2. (*befehlen*) **jdm ~, er solle etw tun** to tell sb to do sth; **hat er im Betrieb etwas zu ~?** does he have a say in the firm?; **du hast hier (gar) nichts zu ~** that isn't for you to say; **das S~ haben** to have the say, to call the shots (*inf*); **hier habe ich das S~** what I say goes!; **laß dir von mir ~** *or* **gesagt sein, .../laß dir das gesagt sein** let me tell you, take it from me; **er läßt sich** (*dat*) **nichts ~** he won't be told, you can't tell him anything; **das laß ich mir von dem nicht ~** I won't take that from him; **sie ließen es sich** (*dat*) **nicht zweimal ~** they didn't need to be told a second time.

3. (*Meinung äußern*) to say. **was ~ Sie dazu?** what do you think about it?; **was soll man dazu ~?** what can you say?; **haben Sie dazu etwas zu ~?** do you have anything to say (about *or* on that?); **das möchte** *or* **will ich nicht ~** I wouldn't say that; **das würde ich (wieder) nicht ~** I wouldn't say that; **ich sag's ja immer ...** I always say ..., I've always said ...; **ich möchte fast ~, ...** I'd almost say ..., one could almost say ...; **wenn ich so ~ darf** if I may say so; **sag, was du willst, ...** (*inf*) say what you like ...; **da soll noch einer ~, ...** never let it be said ...

4. (*bedeuten, meinen*) to mean. **was will er damit ~?** what does he mean (by that)?; **willst du vielleicht ~, daß ...** are you trying to tell me *or* to say that ...?, do you mean to tell me *or* to say that ...?; **ich will damit nicht ~, daß ...** I don't mean to imply *or* to say that ...; **damit ist nichts gesagt** that doesn't mean anything; **damit ist alles gesagt** that says everything, that says it all; **sein Gesicht sagte alles** it was written all over his face; **damit ist nicht gesagt, daß ...** that doesn't mean (to say) that ...; **das hat nichts zu ~** that doesn't mean anything;

sagt dir der Name etwas? does the name mean anything to you? **5.** (*Redewendungen*) ~ **Sie mal/sag mal,** ... tell me, ..., say, ... **nun ~ Sie/ sag mal selber, ist das nicht unpraktisch?** you must admit that's impractical; **wem ~ Sie das!** you don't need to tell *me* that!; **sag bloß!** you don't say, get away (*Brit inf*); **was Sie nicht ~!** you don't say!; **ich sage gar nichts mehr!** I'm not saying another word; (*verblüfft*) good heavens!, did you ever! (*inf*); **das kann man wohl ~** you can say that again!; **ich muß schon ~** I must say; **wie man so sagt** as they say, as the saying goes; **das ist nicht gesagt** that's by no means certain; **das ist schnell gesagt** I can tell you in two words; (*leicht gesagt*) that's easily said; **leichter gesagt als getan** easier said than done; **gesagt, getan** no sooner said than done; **wie (schon) gesagt** as I/you *etc* said; **sage und schreibe 100 Mark** 100 marks, would you believe it.

sägen I *vti* to saw.
II *vi* (*inf*) to snore, to saw wood (*US inf*).

Sagendichtung *f* sagas *pl*; **sagenhaft** *adj* **1.** (*nach Art einer Sage*) legendary; **2.** (*enorm*) fabulous; **3.** (*inf: hervorragend*) fantastic (*inf*), terrific (*inf*); **sagenumwoben** *adj* legendary.

Sägerei *f* **1.** *siehe* **Sägewerk. 2.** *no pl* (*inf*) sawing.

Sägespäne *pl* wood shavings *pl*; **Sägewerk** *nt* sawmill; **Sägezahn** *m* saw tooth.

Sago *m or nt* **-s,** *no pl* sago.

Sagopalme *f* sago palm.

sah *pret of* **sehen.**

Sahara [za'haːra, 'zaːhara] *f* - Sahara (Desert).

Sahel *m* **-(s)** Sahel.

Sahne *f* -, *no pl* cream.

Sahnebaiser *nt* cream meringue; **Sahnebonbon** *m or nt* toffee; **Sahneeis** *nt* ice-cream; **Sahnekäse** *m* cream cheese; **Sahnetorte** *f* cream gateau.

sahnig *m* char(r).

Saibling *m* char(r).

Saison [zɛ'zõː, zɛ'zɔŋ] *f* -, **-s** *or* (*Aus*) **-en** season. **außerhalb der ~, in der stillen** *or* **toten ~** in the off-season.

saisonal [zɛzo'naːl] *adj* seasonal.

Saison- [zɛ'zõː] *in cpds* seasonal; **Saisonarbeit** *f* seasonal work; **saisonbedingt** *adj* seasonal; **Saisonbeginn** *m* start of the season; **saisonbereinigt** *adj* seasonally adjusted; **Saisonbetrieb** *m* (*Hochsaison*) high season; (*Saisongeschäft*) seasonal business; **Saisoneröffnung** *f* opening of the season; **Saisongeschäft** *nt* seasonal business; **Saisonschluß** *m* end of the season; **Saisonschwankung** *f* seasonal fluctuation; **Saisonwanderung** *f* (*Econ*) seasonal movement of labour; **Saisonzuschlag** *m* in-season supplement.

Saite *f* -, **-n 1.** (*Mus, Sport*) string. **2.** (*fig geh*) **eine ~ in jdm zum Klingen bringen** to strike a chord in sb; **eine empfindliche ~ berühren** to touch a tender *or* sore

spot; **andere ~n aufziehen** (*inf*) to get tough.

Saiteninstrument *nt* string(ed) instrument; **Saitenspiel** *nt, no pl* playing of a stringed instrument; **Saiten(würstchen)** *nt* (*S Ger*) frankfurter.

Sakko *m or nt* **-s,** **-s** sports jacket (*Brit*), sport coat (*US*); (*aus Samt*) jacket.

sakra *interj* (*S Ger, Aus*) good God, my God.

sakral *adj* sacred, sacral.

Sakralkunst *f* religious art, sacral art.

Sakrament *nt* sacrament. **~ (noch mal)!** (*sl*) Jesus Christ! (*sl*).

sakramental *adj* sacramental.

Sakrileg *nt* **-s,** **-e, Sakrilegium** *nt* (*geh*) sacrilege.

Sakristei *f* sacristy.

sakrosankt *adj* sacrosanct.

säkular *adj* **1.** (*weltlich*) secular. **2.** (*zeitüberdauernd*) timeless.

Säkularisation *f* secularization.

säkularisieren* *vt* to secularize.

Säkulum *nt* **-s, Säkula** (*geh*) century.

Salamander *m* **-s,** - salamander.

Salami *f* -, **-s** salami.

Salamitaktik *f* (*inf*) policy of small steps.

Salär *nt* **-s,** **-e** (*old, Sw*) salary.

Salat *m* **-(e)s,** **-e 1.** (*Pflanze, Kopf~*) lettuce. **2.** (*Gericht*) salad. **da haben wir den ~!** (*inf*) now we're in a fine mess (*inf*).

Salatbesteck *nt* salad servers *pl*; **Salatgurke** *f* cucumber; **Salatkartoffel** *f* potato *used for potato salad*; **Salatkopf** *m* (head of) lettuce; **Salatöl** *nt* salad oil; **Salatpflanze** *f* **1.** (*Setzling*) lettuce (plant); **2.** (*Sorte*) salad; **Salatplatte** *f* salad; **Salatschleuder** *f* salad drainer; **Salatschüssel** *f* salad bowl; **Salatsoße** *f* salad dressing.

salbadern* *vi* to prate.

Salbe *f* -, **-n** ointment.

Salbei *m* **-s,** *nt* or *f* -, *no pl* sage.

salben *vt* (*liter*) to anoint. **jdn zum König ~** to anoint sb king.

Salbung *f* anointing, unction.

salbungsvoll *adj* (*pej*) unctuous (*pej*).

Salchow *m* (*Eiskunstlauf*) salchow.

saldieren* *vt* (*Comm*) to balance; (*Aus*) to confirm payment.

Saldo *m* **-s,** **-s** *or* **Saldi** *or* **Salden** (*Fin*) balance. **per ~** (*lit, fig*) on balance; **per ~ bezahlen** to pay off the balance in full.

Saldoübertrag, Saldovortrag m (*Fin*) balance brought forward *or* carried forward.

Säle *pl of* **Saal.**

Saline *f* salt-works *sing or pl*.

Salizylsäure *f* salicylic acid.

Salm *m* **-(e)s,** **-e 1.** (*Lachs*) salmon. **2.** (*inf: Gerede*) rigmarole (*inf*).

Salmiak *m or nt* **-s,** *no pl* sal ammoniac, ammonium chloride.

Salmiakgeist *m* (liquid) ammonia; **Salmiakpastille** *f* *bitter-tasting* lozenge, liquorice imp ®.

Salmonellen *pl* salmonellae *pl*.

Salmonellenvergiftung *f* salmonella (poisoning).

Salomo(n) *m* **-s** *or* (*geh*) **Salomonis** Solomon.

salomonisch *adj* of Solomon; *Urteil* worthy of a Solomon. **ein wahrhaft ~es Urteil!** a real Solomon!

Salon [za'lõː, za'lɔŋ] *m* **-s, -s 1.** drawing room; (*Naut*) saloon. **2.** (*Friseur~, Mode~, Kosmetik~*) salon. **3.** (*Hist: Zirkel*) salon. **4.** (*auf Messe*) stand, exhibition stand. **5.** (*Kunst~*) exhibition room.

Salon- [za'lõː-]: **Salonanarchist(in** *f*) *m* (*pej*) drawing-room revolutionary; **salonfähig** *adj* (*iro*) socially acceptable; *Leute, Aussehen* presentable; **ein nicht ~er Witz** an objectionable joke; (*unanständig auch*) a rude *or* naughty joke; **Salonlöwe** *m* lounge lizard; **Salonmusik** *f* palm court music; **Salonwagen** *m* (*Rail*) Pullman (carriage), special coach.

salopp *adj* **1.** (*nachlässig*) sloppy, slovenly; *Manieren* slovenly; *Ausdruck, Sprache* slangy. **2.** (*ungezwungen*) casual.

Salpeter *m* **-s,** *no pl* saltpetre, nitre.

salpet(e)rig *adj* nitrous.

Salpetersäure *f* nitric acid.

Salto *m* **-s, -s** *or* **Salti** somersault; (*Turmspringen auch*) turn. **ein anderthalbfacher ~** a one-and-a-half somersault *or* turn; **einen ~ mortale machen** (*Zirkus*) to perform a death-defying leap; (*Aviat*) to loop the loop.

Salut *m* **-(e)s, -e** (*Mil*) salute. **~ schießen** to fire a salute; **21 Schuß ~** 21-gun salute.

salutieren* *vti* (*Mil*) to salute.

Salutschuß *m* **man gab** *or* **feuerte fünf Salutschüsse ab** a five-gun salute was fired.

Salve ['zalvə] *f* **-, -n** salvo, volley; (*Ehren~*) salvo; (*Lach~*) burst of laughter. **eine ~ auf jdn abschießen** (*lit, fig*) to fire a salvo *or* volley at sb.

salvieren *vt* (*geh*) to exculpate.

Salz *nt* **-es, -e** salt. **in ~ legen** to salt down *or* away; **das ist das ~ in der Suppe** (*fig*) that's what gives it that extra something; **wie eine Suppe ohne ~** (*fig*) like ham without eggs (*hum*); **er gönnt einem nicht das ~ in der Suppe** he even begrudges you the air you breathe.

salzarm *adj* (*Cook*) low-salt, with a low salt content; **~ essen/leben** to eat low-salt food/to live on a low-salt diet; **Salzbergwerk** *nt* salt mine; **Salzbrezel** *f* pretzel.

salzen *vt pret* **salzte,** *ptp* **gesalzen** to salt; *siehe* **gesalzen**.

Salzfaß, Salzfäßchen *nt* salt cellar; **salzfrei** *adj* salt-free; *Diät auch* no-salt *attr*; **Salzgebäck** *nt* savoury biscuits *pl*; **Salzgurke** *f* pickled gherkin; **salzhaltig** *adj* salty, saline; **Salzhering** *m* salted herring.

salzig *adj* salty, salt.

Salzigkeit *f* saltiness.

Salzkartoffeln *pl* boiled potatoes *pl*; **Salzkorn** *nt* grain of salt; **Salzlake** *f* brine; **salzlos** *adj* salt-free; **~ essen** not to eat salt; **Salzlösung** *f* saline solution; **Salzmandel** *f* salted almond; **Salzsäule** *f:* **zur ~ erstarren** (*Bibl*) to turn into a pillar of salt; (*fig*) to stand as though rooted to the spot; **Salzsäure** *f* hydro-

chloric acid; **Salzsee** *m* salt lake; **Salzsiederei** *f* (*Hist*) saltworks *sing or pl*; **Salzsole** *f* brine; **Salzstange** *f* pretzel stick; **Salzstock** *m* salt mine; **Salzstreuer** *m* **-s, -** salt shaker, salt cellar; **Salzwasser** *nt* salt water; **Salzwüste** *f* salt desert, salt flat.

SA-Mann *m, pl* **SA-Leute** [ɛsˈʔaː-] (*NS*) storm-trooper, SA-man.

Samariter *m* **-s, - 1.** (*Bibl, fig*) Samaritan. **der Barmherzige ~** the good Samaritan. **2.** (*Angehöriger des Arbeiter-Samariterbunds*) first-aid volunteer, ≃ St John's Ambulance man (*Brit*).

Samariterdienst *m* act of mercy. **jdm einen ~ erweisen** to be a good Samaritan to sb.

Samarium *nt, no pl* (*abbr* **Sm**) samarium.

Samba *m* **-s, -s** *or f* **-, -s** samba.

Sambesi *m* **-(s)** Zambesi.

Sambia *nt* **-s** Zambia.

Sambier(in *f*) [-iɐ, -iɐrɪn] *m* **-s, -** Zambian.

sambisch *adj* Zambian.

Samen *m* **-s, - 1.** (*Bot, fig*) seed; (*fig auch*) seeds *pl*. **2.** (*Menschen~, Tier~*) sperm. **3.** (*liter, Bibl: Nachkommen*) seed (*liter, Bibl*).

Samenanlage *f* (*Bot*) ovule; **Samenbank** *f* sperm bank; **Samenblase** *f* seminal vesicle; **Samenerguß** *m* ejaculation, emission of semen, seminal discharge *or* emission; **Samenfaden** *m* spermatozoon; **Samenflüssigkeit** *f* semen, seminal fluid; **Samenhandlung** *f* seed shop; **Samenkapsel** *f* seed capsule; **Samenkorn** *nt* seed; **Samenleiter** *m* vas deferens; **Samenspender** *m* sperm donor; **Samenstrang** *m* spermatic cord; **Samenzelle** *f* sperm cell; **Samenzwiebel** *f* seed onion.

Sämereien *pl* seeds *pl*.

sämig *adj* thick, creamy.

Sämischleder *nt* chamois (leather).

Sämling *m* seedling.

Sammelalbum *nt* (collector's) album; **Sammelanschluß** *m* (*Telec*) private (branch) exchange; (*von Privathäusern*) party line; **Sammelband** *m* anthology; **Sammelbecken** *nt* collecting tank; (*Geol*) catchment area; (*fig*) melting pot (*von* for); **Sammelbegriff** *m* (*Gram*) collective name *or* term; **Sammelbestellung** *f* joint *or* collective order; **Sammelbezeichnung** *f siehe* **Sammelbegriff**; **Sammelbüchse** *f* collecting tin *or* box; **Sammeldepot** *nt* (*Fin*) collective securities deposit; **Sammelfahrschein** *m,* **Sammelkarte** *f* (*für mehrere Fahrten*) multi-journey ticket; (*für mehrere Personen*) group ticket; **Sammelmappe** *f* file.

sammeln I *vt* to collect; *Holz, Ähren, Fakten, Material, Erfahrungen auch* to gather; *Blumen, Pilze* to pick, to gather; *Truppen, Anhänger* to gather, to assemble. **neue Kräfte ~** to build up one's energy again.

II *vr* **1.** (*zusammenkommen*) to gather, to collect; (*sich anhäufen: Wasser, Geld*) to collect, to accumulate; (*Lichtstrahlen*) to converge, to meet. **2.** (*sich konzentrieren*) to collect *or*

compose oneself *or* one's thoughts; *siehe* **gesammelt.**
III *vi* to collect (*für* for).

Sammelname *m siehe* **Sammelbegriff; Sammelnummer** *f* (*Telec*) private exchange number, switchboard number; **Sammelpaß** *m* group passport; **Sammelplatz** *m* **1.** (*Treffpunkt*) assembly point; **2.** (*Lagerplatz*) collecting point; (*Deponie*) dump; **Sammelpunkt** *m* **1.** (*Treffpunkt*) assembly point; **2.** (*Opt*) focus; **Sammelstecker** *m* (*Elec*) plugboard; **Sammelstelle** *f siehe* **Sammelplatz.**

Sammelsurium *nt* conglomeration.

Sammeltasse *f* ornamental cup, saucer and plate; **Sammeltransport** *m* (*von Gütern*) general shipment; (*von Personen*) group transport; **Sammelvisum** *nt* collective visa.

Sammet *m* **-s, -e** (*obs, Sw*) velvet.

Sammler(in *f*) *m* **-s, -** collector; (*von Beeren*) picker; (*von Holz*) gatherer.

Sammlung *f* **1.** collection. **2.** (*fig: Konzentration*) composure. **ihm fehlt die innere** ~ he lacks composure; **zur** ~ **(meiner Gedanken)** to collect myself *or* my thoughts.

Sammlungsbewegung *f* coalition movement.

Samowar *m* **-s, -e** samovar.

Samstag *m* **-(e)s, -e** Saturday; *siehe* **Dienstag.**

samstägig *adj* Saturday.

samstags *adv* on Saturdays.

samt I *prep* +*dat* along *or* together with. **sie kam** ~ **Katze** (*hum*) she came complete with cat. **II** *adv* ~ **und sonders** the whole lot (of them/us/you).

Samt *m* **-(e)s, -e** velvet. **in** ~ **und Seide** (*liter*) in silks and satins.

Samt- *in cpds* velvet; **samtartig** *adj* velvety, like velvet; **Samtband** *nt* velvet ribbon.

samten *adj* (*liter*) velvet.

Samthandschuh *m* velvet glove. **jdn mit** ~**en anfassen** (*inf*) to handle sb with kid gloves (*inf*).

samtig *adj* velvety.

sämtlich *adj* (*alle*) all; (*vollständig*) complete. ~**e Unterlagen waren verschwunden, die Unterlagen waren** ~ **verschwunden** all the *or* every one of the documents had disappeared; **Schillers** ~**e Werke** the complete works of Schiller; ~**e Anwesenden** all those present; **sie mußten** ~**en Besitz zurücklassen** they had to leave all their possessions behind.

Samtpfötchen *nt* (*inf*) velvet paw; **samtweich** *adj* (*as*) soft as velvet, velvet-soft, velvety.

Sanatorium *nt* sanatorium.

Sand *m* **-(e)s, -e** sand; (*Scheuer*~) scouring powder. **mit** ~ **bestreuen** to sand; **das/die gibt's wie** ~ **am Meer** (*inf*) there are heaps of them (*inf*); **auf** ~ **laufen** *or* **geraten** to run aground; **auf** ~ **bauen** (*fig*) to build upon sandy ground; **jdm** ~ **in die Augen streuen** (*fig*) to throw dust in sb's eyes; ~ **ins Getriebe streuen** to throw a spanner in the works; **im** ~**e verlaufen** (*inf*) to peter out, to come to

naught *or* nothing; **den Kopf in den** ~ **stecken** to stick *or* bury *or* hide one's head in the sand; **etw in den** ~ **setzen** (*inf*) Projekt, Prüfung to blow sth (*inf*); *Geld* to squander sth.

Sandale *f* **-, -n** sandal.

Sandalette *f* high-heeled sandal.

Sand- *in cpds* sand; **Sandbank** *f* sandbank, sandbar; **Sandboden** *m* sandy soil; **Sanddorn** *m* (*Bot*) sea buckthorn.

Sandelholz *nt* sandalwood.

sandeln *vi* (*S Ger, Aus, Sw*) to play in the sand.

Sandelöl *nt* sandalwood oil.

sandfarben, sandfarbig *adj* sand-coloured; **Sandgrube** *f* sandpit (*esp Brit*), sandbox (*US*); (*Golf*) bunker, sand trap; **Sandhaufen** *m* pile *or* heap of sand; **Sandhose** *f* sand column *or* spout, dust devil.

sandig *adj* sandy.

Sandinist(in *f*) *m* Sandinista.

Sandkasten *m* sandpit (*esp Brit*), sandbox (*US*); (*Mil*) sand table; **Sandkastenspiele** *pl* (*Mil*) sand-table exercises *pl*; (*fig*) tactical manoeuvrings *pl*; **Sandkorn** *nt* grain of sand; **Sandkuchen** *m* (*Cook*) sand-cake (*a Madeira-type cake*); **Sandmann** *m*, **Sandmännchen** *nt* (*in Geschichten*) sandman; **Sandpapier** *nt* sandpaper; **Sandsack** *m* sandbag; (*Boxen*) punchbag.

Sandstein *m* sandstone. **ein Haus aus rotem** ~ a red sandstone house, a brownstone (house) (*US*).

Sandstein- *in cpds* sandstone; **Sandsteinfels(en)** *m* sandstone cliff.

sandstrahlen *vti insep* to sandblast; **Sandstrahlgebläse** *nt* sandblasting equipment *no indef art, no pl*; **Sandstrand** *m* sandy beach; **Sandsturm** *m* sandstorm.

sandte *pret of* **senden**[1].

Sanduhr *f* hour-glass; (*Eieruhr*) eggtimer.

Sandwich ['zɛntvɪtʃ] *nt or m* **-(s), -(e)s** sandwich.

Sandwichbauweise *f* sandwich construction; **Sandwichmann** *m, pl* **-männer** (*hum*) sandwichman.

Sandwüste *f* sandy waste; (*Geog*) (sandy) desert.

sanft *adj* gentle; *Berührung, Stimme, Farbe, Licht, Wind, Regen auch* soft; *Unterlage, Haut* soft; *Schlaf, Tod* peaceful. **sich** ~ **anfühlen** to feel soft; **mit** ~**er Gewalt** gently but firmly; **mit** ~**er Hand** with a gentle hand; **von** ~**er Hand** by a woman's fair hand; **sie lächelte** ~ she smiled softly; **sie schaute das Kind mit** ~**en Augen an** she looked tenderly at the child; ~ **schlafen** to be sleeping peacefully; **er ist** ~ **entschlafen** (*euph*) he passed away peacefully, he fell gently asleep (*auch iro*); ~ **wie ein Lamm** (as) gentle as a lamb.

Sänfte *f* **-, -n** litter; (*esp im 17., 18. Jh. Europas*) sedan-chair; (*in Indien*) palanquin; (*auf Elefant*) howdah.

Sanftheit *f siehe adj* gentleness; softness.

Sanftmut *f, no pl* (*liter*) gentleness.

sanftmütig adj (liter) gentle; (Bibl) meek.

sang pret of **singen**.

Sang m -(e)s, ˉe (old) (Gesang) song; (das Singen) singing. **mit ~ und Klang** (lit) with drums drumming and pipes piping; (fig iro) durchfallen disastrously, catastrophically; entlassen werden with a lot of hullaballoo.

Sänger m -s, - **1.** singer; (esp Jazz~, Pop~ auch) vocalist. **2.** (old liter: Dichter) bard (old), poet. **da(rüber) schweigt des ~s Höflichkeit** modesty forbids me to say. **3.** (Singvogel) songbird, songster.

Sängerbund m choral union; **Sängerfest** nt choral festival.

Sängerin f singer; (esp Jazz~, Pop~) vocalist.

Sangesbruder m (inf) chorister; **Sangesfreude, Sangeslust** f (dated) love of song or singing; **sangesfreudig, sangeslustig** adj (dated) fond of singing.

Sanguiniker(in f) [zaŋ'gui:nikɐ, -ərɪn] m -s, - (Psych) sanguine person.

sanguinisch [zaŋ'gui:nɪʃ] adj (Psych) sanguine.

sang- und klanglos adv (inf) without any ado, quietly. **sie ist ~ verschwunden** she just simply disappeared.

Sani m -s, -s (Mil inf) medical orderly.

sanieren* **I** vt **1.** to renovate; Stadtteil to redevelop.

2. (Econ) Unternehmen, Wirtschaft to put (back) on it's feet, to put on an even keel, to rehabilitate.

II vr **1.** (inf: Mensch) to line one's own pocket (inf). **bei dem Geschäft hat er sich saniert** he made a killing on the deal (inf).

2. (Unternehmen, Wirtschaft, Industrie) to put itself on an even keel, to put itself (back) in good shape.

Sanierung f **1.** siehe vt **1.** renovation; redevelopment.

2. (Econ) rehabilitation. **Maßnahmen zur ~ des Dollars** measures to put the dollar back on an even keel or on its feet again.

3. (inf: Bereicherung) self-enrichment.

Sanierungsgebiet nt redevelopment area; **Sanierungsmaßnahme** f (für Gebiete) redevelopment measure; (Econ) rehabilitation measure; **Sanierungsplan** m redevelopment plan or scheme; (Econ) rehabilitation plan.

sanitär adj no pred sanitary. **~e Anlagen** sanitation (facilities), sanitary facilities.

Sanität f (Aus, Sw) **1.** medical service; (Krankenpflege) nursing. **2.** (inf: Krankenwagen) ambulance.

Sanitäter(in f) m -s, - first-aid attendant; (Mil) (medical) orderly; (in Krankenwagen) ambulance man/woman.

Sanitätsauto nt ambulance; **Sanitätsdienst** m (Mil) medical duty; (Heeresabteilung) medical corps; **Sanitätsflugzeug** nt ambulance plane, air ambulance; **Sanitätsgefreite(r)** m (medical) orderly; **Sanitätskasten** m first-aid box or kit; **Sanitätskompanie** f

medical company; **Sanitätsoffizier(in** f) m (Mil) Medical Officer, MO; **Sanitätstruppe** f medical corps; **Sanitätswagen** m ambulance; **Sanitätswesen** nt (Mil) medical service.

sank pret of **sinken**.

Sanka ['zaŋka] m -s, -s (Mil inf) ambulance.

Sankt adj inv saint. **~ Nikolaus** Santa (Claus), Father Christmas; (Rel) St or Saint Nicholas.

Sanktion f sanction.

sanktionieren* vt to sanction.

Sanktionierung f sanctioning.

Sankt-Lorenz-Strom m St Lawrence river.

Sankt-Nimmerleins-Tag m (hum) never-never day. **ja ja, am ~** yes yes, and pigs might fly (hum).

sann pret of **sinnen**.

San(n)yas(s)in mf-(s), -(s) sannyasin.

Sansibar nt -s Zanzibar.

Sanskrit nt -s, no pl Sanskrit.

Saphir m -s, -e sapphire.

sapperlot, sapperment interj (old) stap me (old), upon my soul (old).

sapphisch ['zapfɪʃ, 'zafɪʃ] adj Sapphic.

Sarazene m -n, -n **Sarazenin** f Saracen.

Sarde m -n, -n, **Sardin** f Sardinian.

Sardelle f anchovy.

Sardellenbutter f anchovy butter; **Sardellenpaste** f anchovy paste.

Sardin f siehe **Sarde**.

Sardine f sardine.

Sardinenbüchse f sardine-tin. **wie in einer ~** (fig inf) like sardines (inf).

Sardinien [-iən] nt -s Sardinia.

sardinisch, sardisch adj Sardinian.

sardonisch adj (liter) sardonic.

Sarg m -(e)s, ˉe coffin, casket (US). **ein Nagel zu jds ~ sein** (hum inf) to be a nail in sb's coffin.

Sargdeckel m coffin lid, casket lid (US); **Sargnagel** m coffin nail; (fig inf auch: Zigarette) cancer-stick (hum inf); **Sargtischler(in** f) m coffin-maker, casket-maker (US); **Sargträger** m pall-bearer.

Sarkasmus m sarcasm.

sarkastisch adj sarcastic.

Sarkophag m -(e)s, -e sarcophagus.

saß pret of **sitzen**.

Satan m -s, -e (Bibl, fig) Satan. **dieses Weib ist ein ~** this woman is a (she-)-devil.

satanisch adj satanic.

Satansbraten m (hum inf) young devil; **Satanskult** m satan-cult; **Satanspilz** m Satan's mushroom, boletus satanas (spec).

Satellit m -en, -en (alle Bedeutungen) satellite.

Satelliten- in cpds satellite; **Satellitenabwehrwaffe** f anti-satellite weapon; **Satellitenbahn** f satellite orbit; **Satellitenbild** nt (TV) satellite picture; **Satellitenfernsehen** nt satellite television; **Satellitenfoto** nt satellite picture; **Satellitenkommunikation** f satellite communication; **Satellitenschüssel** f (TV inf) satellite dish; **Satellitenstaat** m satellite state; **Satellitenstadt** f satellite town; **Satellitenstation** f space station; **Satellitenübertragung** f (*Rad, TV*) satellite transmission.

Satin [za'tɛ̃:] m **-s, -s** satin; (*Baumwoll∼*) sateen.

Satinpapier [za'tɛ̃:-] nt glazed paper.

Satire f **-, -n** satire (*auf* +acc on).

Satiriker(in f) m **-s, -** satirist.

satirisch adj satirical.

Satisfaktion f (*old*) satisfaction.

satisfaktionsfähig adj (*old*) capable of giving satisfaction.

satt adj **1.** (*gesättigt*) *Mensch* replete (*hum, form*), full (up) (*inf*); *Magen, Gefühl* full; (*sl: betrunken*) smashed (*sl*), bloated (*sl*). ∼ **sein** to have had enough (to eat), to be full (up) (*inf*); ∼ **werden** to have enough to eat; **von so was kann man doch nicht** ∼ **werden** it's not enough to satisfy you or fill you up; **das macht** ∼ it's filling; **sich (an etw** *dat*) ∼ **essen** to eat one's fill (of sth); (*überdrüssig werden auch*) to have had one's fill (of sth); **sie haben nicht** ∼ **zu essen** (*inf*) they don't have enough to eat; **wie soll sie ihre Kinder** ∼ **kriegen?** (*inf*) how is she supposed to feed her children?; **er ist kaum** ∼ **zu kriegen** (*inf: lit, fig*) he's insatiable; **er konnte sich an ihr nicht** ∼ **sehen/hören** he could not see/hear enough of her; **wie ein** ∼**er Säugling** (*inf*) with a look of contentment, like a contented cow (*inf*).
2. jdn/etw ∼ **haben** or **sein** to be fed up with sb/sth (*inf*); **jdn/etw kriegen** (*inf*) to get fed up with sb/sth (*inf*).
3. (*blasiert, übersättigt*) well-fed; (*selbstgefällig*) smug.
4. (*kräftig, voll*) *Farben, Klang* rich, full; (*inf*) *Applaus* resounding; (*inf*) *Mehrheit* comfortable; ∼**e 100 Mark/10 Prozent** (*inf*) a cool 100 marks/10 per cent (*inf*).

Sattel m **-s, ∙̈ 1.** saddle. **ohne/mit** ∼ **reiten** to ride bareback or without a saddle/ with a saddle; **sich in den** ∼ **schwingen** to swing (oneself) into the saddle; (*auf Fahrrad*) to jump onto one's bicycle; **sich im** ∼ **halten** (*lit, fig*) to stay in the saddle; **jdn in den** ∼ **heben** (*lit*) to lift sb into the saddle; (*fig*) to help sb to power; **fest im** ∼ **sitzen** (*fig*) to be firmly in the saddle.
2. (*Berg∼*) saddle; (*Geigen∼*) nut; (*Nasen∼*) bridge.

Satteldach nt saddle roof; **Satteldecke** f saddlecloth; **sattelfest** adj ∼ **sein** (*Reiter*) to have a good seat; **in etw** (*dat*) ∼ **sein** (*fig*) to have a firm grasp of sth.

satteln vt *Pferd* to saddle (up). **für etw gesattelt sein** (*fig*) to be ready for sth.

Sattelnase f saddlenose; **Sattelpferd** nt saddle horse; **Sattelplatz** m paddock; **Sattelschlepper** m articulated lorry (*Brit*), artic (*Brit inf*), semitrailer (*US*), semi (*US inf*); **Satteltasche** f saddlebag; (*Gepäcktasche am Fahrrad, aus Stroh*) pannier; **Sattelzeug** nt saddlery; **Sattelzug** m *siehe* **Sattelschlepper.**

Sattheit f **1.** (*Gefühl*) feeling of repletion or of being full. **2.** (*von Farben*) richness, fullness.

sättigen I vt **1.** *Hunger, Neugier* to satisfy,

to satiate; **jdn** to make replete; (*ernähren*) to feed, to provide with food. **ich bin gesättigt** I am or feel replete. **2.** (*Comm, Chem*) to saturate. **II** vi to be filling. **III** vr **sich an etw** (*dat*) or **mit etw** ∼ to eat one's fill of sth.

sättigend adj *Essen* filling.

Sättigung f **1.** (*geh*) (*Sattsein*) repletion. **die** ∼ **der Hungrigen** the feeding of the hungry; **das Essen dient nicht nur der** ∼ eating does not only serve to satisfy hunger. **2.** (*Chem, Comm, von Farbe*) saturation.

Sättigungsgrad m degree of saturation; **Sättigungspunkt** m saturation point.

Sattler(in f) m **-s, -** saddler; (*Polsterer*) upholsterer.

Sattlerei f *siehe* **Sattler** saddlery; upholstery; (*Werkstatt*) saddler's; upholsterer's.

sattsam adv amply; *bekannt* sufficiently.

saturieren* I vt (*geh*) to satisfy, to content. **II** vr (*geh*) to do well for oneself.

saturiert adj (*geh*) *Markt* saturated; *Klasse* prosperous.

Saturn m **-s** (*Myth, Astron*) Saturn. **die Ringe des** ∼**s** the rings of Saturn.

Satyr m **-s** or **-n, -n** or **-e** satyr.

Satz m **-es, ∙̈e 1.** sentence; (*Teilsatz*) clause; (*Jur: Gesetzabschnitt*) clause. **mitten im** ∼ in mid-sentence; **abhängiger/selbständiger** ∼ subordinate/principal clause; **eingeschobener** ∼ appositional phrase.
2. (*Lehr∼, Philos*) proposition; (*Math*) theorem. **der** ∼ **des Pythagoras** Pythagoras' theorem.
3. (*Typ*) (*das Setzen*) setting; (*das Gesetzte*) type *no pl.* **das Buch ist im** ∼ the book is being set.
4. (*Mus*) movement.
5. (*Boden∼*) dregs *pl*; (*Kaffee∼*) grounds *pl*; (*Tee∼ auch*) leaves *pl.*
6. (*Zusammengehöriges*) set; (*Hunt: Wurf*) litter.
7. (*Sport*) set; (*Tischtennis*) game.
8. (*Tarif∼*) charge; (*Spesen∼*) allowance.
9. (*Sprung*) leap, jump. **einen** ∼ **machen** or **tun** to leap, to jump; **mit einem** ∼ in one leap or bound.

Satzaussage f (*Gram*) predicate; **Satzball** m (*Sport*) set point; (*Tischtennis*) game point; **Satzband** nt (*Typ*) typesetting tape; **Satzbau** m sentence construction; **Satzbefehl** m (*Typ*) typographical command; **Satzergänzung** f (*Gram*) object; **Satzfehler** m (*Typ*) printer's error; **Satzgefüge** nt (*Gram*) complex sentence; **Satzgegenstand** m (*Gram*) subject; **Satzglied** nt part of a/ the sentence; **Satzherstellung** f (*Typ*) typesetting; **Satzlehre** f (*Gram*) syntax; **Satzmelodie** f (*Phon*) intonation; **Satzreihe** f compound sentence; **Satzspiegel** m (*Typ*) type area, area of type; **Satzteil** m part or constituent of a/the sentence.

Satzung f constitution, statutes *pl*; (*Vereins∼*) rules *pl.*

satzungsgemäß adj according to the statutes/rules.

Satzverbindung f clause construction; **Satzverlust** m (Tennis) loss of a set; **Satzzeichen** nt punctuation mark; **Satzzusammenhang** m context of the sentence.

Sau f -, **Säue** or (Hunt) **-en 1.** sow; (inf: Schwein) pig; (Hunt) wild boar. **die ~ rauslassen** (fig sl) to let it all hang out (sl); (sich äußern) to speak out; **wie eine gestochene ~ bluten** (sl) to bleed like a (stuck) pig (inf); **wie eine gesengte ~** (sl) like a maniac (inf).

2. (pej inf: Schmutzfink) dirty swine (inf); (Frau auch) bitch (sl). **du alte ~!** (vulg) you dirty bastard (sl); (Frau auch) you dirty bitch (sl).

3. (fig sl) **da war keine ~ zu sehen** there wasn't a bloody (Brit sl) or goddamn (sl) soul to be seen; **jdn zur ~ machen** to bawl sb out (inf); **unter aller ~** bloody (Brit sl) or goddamn (sl) awful or lousy.

sauber adj **1.** (rein, reinlich) clean. **~ sein** (Hund etc) to be house-trained; (Kind) to be (potty-)trained; **etw ~ putzen** to clean sth; **~ singen/spielen** to sing/play on key.

2. (ordentlich) neat, tidy; (Aus, S Ger: hübsch) Mädel pretty; (exakt) accurate.

3. (anständig) honest, upstanding. **~ bleiben** to keep one's hands clean; **bleib ~!** (sl) keep your nose clean (inf).

4. (inf: großartig) fantastic, great. **~! ~!** that's the stuff! (inf); **du bist mir ja ein ~er Freund!** (iro) a fine friend you are! (iro).

sauberhalten vt sep irreg to keep clean.

Sauberkeit f **1.** (Hygiene, Ordentlichkeit) cleanliness; (Reinheit) (von Wasser, Luft) cleanness; (von Tönen) accuracy. **2.** (Anständigkeit) honesty, upstandingness.

Sauberkeitsfimmel m (pej) mania for cleanliness, thing about cleanliness (inf).

säuberlich adj neat and tidy. **fein ~** neatly and tidily.

saubermachen vt sep to clean.

Saubermann m (inf) cleanliness freak (inf), Mr Clean, (inf). **die Saubermänner** (fig: moralisch) the squeaky-clean brigade (inf).

säubern vt **1.** to clean. **er säuberte seinen Anzug von den Blutflecken** he cleaned the bloodstains off his jacket.

2. (fig euph) Partei, Buch to purge (von of); Saal, (Mil) Gegend to clear (von of).

Säuberung f siehe vt **1.** cleaning. **2.** purging; clearing; expurgation; (Pol: Aktion) purge.

Säuberungs|aktion f cleaning-up operation; (Pol) purge.

saublöd, saublöde adj (sl) bloody (Brit sl) or damn (inf) stupid (inf); **sich ~ anstellen** to behave like a bloody (Brit sl) or damn (inf) idiot (inf); **Saubohne** f broad bean.

Sauce ['zo:sə] f -, **-n** siehe **Soße**.

Sauciere [zo'sie:rə, -'sie:rə] f -, **-n** sauce boat.

Saudi m -(s), -(s) Saudi.

Saudiaraber(in f) m Saudi; **Saudi-**

Arabien nt Saudi Arabia.

saudumm adj (inf) damn stupid (inf). **sich ~ benehmen** to behave like a stupid idiot (inf).

sauen vi **1.** to litter. **2.** (inf: Dreck machen) to make a mess.

sauer adj **1.** (nicht süß) sour; Wein, Bonbons acid(ic), sharp; Obst auch sharp, tart. **saure Drops** acid drops.

2. (verdorben) off pred; Milch auch sour; Geruch sour, sickly. **~ werden** to go sour or off, to turn (sour).

3. Gurke, Hering pickled; Sahne soured. **~ einlegen** to pickle.

4. (sumpfig) Wiese, Boden acidic.

5. (Chem) acid(ic). **~ reagieren** to react acidically; **saurer Regen** acid rain.

6. (inf: schlecht gelaunt) (auf +acc with) mad (inf), cross. **eine ~e Miene machen** to look sour or annoyed; **~ reagieren** to get annoyed.

7. (unerfreulich, unter Schwierigkeiten) **~ erworbenes Geld** hard-earned money; **jdm das Leben ~ machen** to make sb's life a misery, to make life miserable for sb; **gib ihm Saures!** (sl) let him have it! (inf).

Sauerampfer m sorrel; **Sauerbraten** m braised beef (marinaded in vinegar), sauerbraten (US); **Sauerbrunnen** m **1.** (Heilquelle) acidic spring; **2.** (Wasser) acidic mineral water.

Sauerei f (sl) **1.** (Unflätigkeit) **~en erzählen** to tell filthy stories; **eine einzige ~** a load of filth. **2.** **das ist eine ~!, so eine ~!** it's a bloody (Brit sl) or downright disgrace or scandal. **3.** (Dreck) mess. **(eine) ~ machen** to make a mess.

Sauerkirsche f sour cherry; **Sauerklee** m wood sorrel, oxalis; **Sauerkohl** m (dial), **Sauerkraut** nt sauerkraut, pickled cabbage.

säuerlich adj (lit, fig) sour; Wein auch sharp; Obst auch sharp, tart.

Sauermilch f sour milk.

säuern I vt Brot, Teig to leaven. II vi to go or turn sour, to sour.

Sauerstoff m, no pl (abbr O) oxygen.

Sauerstoff- in cpds oxygen; **Sauerstoffapparat** m breathing apparatus; **sauerstoffarm** adj low in oxygen; (zu wenig) oxygen-deficient; **Sauerstoffflasche** f oxygen cylinder or (kleiner) bottle; **Sauerstoffgerät** nt breathing apparatus; (Med) (für künstliche Beatmung) respirator; (für Erste Hilfe) resuscitator; **sauerstoffhaltig** adj containing oxygen; **Sauerstoffmangel** m lack of oxygen; (akut) oxygen deficiency; **Sauerstoffmaske** f oxygen mask; **Sauerstoffzelt** nt oxygen tent.

Sauerteig m sour dough; **Sauertopf** m (old, hum) sourpuss (inf).

Säuerung f leavening.

Saufaus m -, -, **Saufbold** m -(e)s, -e (old pej) sot (old), drunkard; **Saufbruder** m (pej inf) (Kumpan) drinking companion; (Säufer) soak (inf), boozer (inf).

saufen pret **soff**, ptp **gesoffen** vti **1.** (Tiere) to drink. **2.** (sl: Mensch) to booze (inf), to drink. **sich dumm/zu Tode ~** to drink oneself silly/to death;

wie ein Loch ~ to drink like a fish.

Säufer(in *f*) *m* **-s, -** (*inf*) boozer (*inf*), drunkard.

Sauferei *f* (*inf*) **1.** (*Trinkgelage*) booze-up (*inf*). **2.** *no pl* (*Trunksucht*) boozing (*inf*).

Säuferleber *f* (*inf*) gin-drinker's liver (*inf*); **Säufernase** *f* boozer's nose; **Säuferwahn(sinn)** *m* the DT's *pl* (*inf*).

Saufgelage *nt* (*pej inf*) drinking bout, booze-up (*inf*); **Saufkumpan, Saufkumpel** *m* (*pej inf*) drinking pal.

Saugbagger *m* suction dredger.

saugen *pret* **sog** *or* **saugte,** *ptp* **gesogen** *or* **gesaugt** *vti* to suck; (*Pflanze, Schwamm*) to draw up, to absorb; (*inf: mit Staubsauger*) to hoover. ~ **to suck sth;** *an* **Pfeife to draw on sth.**

säugen *vt* to suckle.

Sauger *m* **-s, - 1.** (*auf Flasche*) teat (*Brit*), nipple (*US*); (*Schnuller*) dummy (*Brit*), pacifier (*US*). **2.** (*inf: Staub*~) Hoover®.

Säuger *m* **-s, -, Säugetier** *nt* mammal.

saugfähig *adj* absorbent; **Saugfähigkeit** *f* absorbency; **Saugglocke** *f* (*Med*) vacuum extractor, ventouse (*spec*); **Saugglockengeburt** *f* (*Med*) suction *or* ventouse (*spec*) delivery.

Säugling *m* baby, infant (*form*).

Säuglings- *in cpds* baby, infant (*form*); **Säuglingsalter** *nt* babyhood; **Säuglingsfürsorge** *f* infant welfare; **Säuglingspflege** *f* babycare; **Säuglingsschwester** *f* infant nurse; **Säuglingssterblichkeit** *f* infant mortality.

Saugnapf *m* sucker; **Saugorgan** *nt* suctorial organ (*form*); **Saugpumpe** *f* suction pump; (*für Brust*) breast pump; **Saugrohr, Saugröhrchen** *nt* pipette; **Saugrüssel** *m* (*Zool*) proboscis; **Saugwürmer** *pl* trematodes *pl* (*spec*).

Sauhatz *f* (*Hunt*) wild boar hunt; **Sauhaufen** *m* (*sl*) bunch of layabouts (*inf*); **Sauhirt** *m* (*old*) swineherd (*old*); **Sauhund** *m* (*dated sl*) bastard (*sl*).

säuisch *adj* (*sl*) *Benehmen, Witze* filthy, swinish (*sl*).

saukalt *adj* (*sl*) bloody (*Brit sl*) *or* damn (*inf*) cold; **Saukälte** *f* (*sl*) bloody (*Brit sl*) *or* damn (*inf*) freezing weather; **Saukerl** *m* (*sl*) bastard (*sl*); **Sauklaue** *f* (*sl*) scrawl (*inf*).

Säule *f* **-, -n** column; (*Rauch*~, *Wasser*~ *auch, inf: Pfeiler, fig: Stütze*) pillar. **die ~n des Herkules the Pillars of Hercules.**

säulenförmig *adj* like a column/columns, columnar (*form*); **Säulenfuß** *m* base; **Säulengang** *m* colonnade; (*um einen Hof*) peristyle; **Säulenhalle** *f* columned hall; **Säulenheilige(r)** *mf* stylite; **Säulenordnung** *f* order (of columns); **die dorische ~** the Doric Order; **Säulenreihe** *f* row of columns; **Säulentempel** *m* colonnaded temple.

Saulus *m* **-** (*Bibl*) Saul. **vom ~ zum Paulus werden** (*fig liter*) to have seen the light.

Saum *m* **-(e)s, Säume** (*Stoffumschlag*) hem; (*Naht*) seam; (*fig: Wald*~) edge. **ein schmaler ~ am Horizont** a thin band of cloud on the horizon.

saumäßig (*sl*) **I** *adj* lousy (*inf*); (*zur Verstärkung*) hell of a (*inf*). **II** *adv* lousily (*inf*); (*zur Verstärkung*) like hell (*inf*).

säumen[1] *vt* (*Sew*) to hem; (*fig geh*) to line.

säumen[2] *vi* (*geh*) to tarry (*geh*).

säumig *adj* (*geh*) *Schuldner* defaulting; *Zahlung* outstanding, overdue; *Schüler* dilatory. ~ **sein/bleiben/werden** to be/ remain/get behind.

Saumpfad *m* mule track; **saumselig** *adj* (*old geh*) dilatory; **Saumseligkeit** *f* (*old geh*) dilatoriness; **Saumtier** *nt* pack animal.

Sauna *f* **-, -s** *or* **Saunen** sauna.

saunieren *vi* to have a sauna.

Saupreuße *m* (*S Ger sl*) Prussian swine.

Säure *f* **-, -n 1.** (*Chem, Magen*~) acid. **2.** *siehe* **sauer 1.** sourness; acidity, sharpness; tartness. **dieser Wein hat zuviel ~** this wine is too sharp.

säurearm *adj* low in acid; **Säurebad** *nt* acid bath; **säurebeständig, säurefest** *adj* acid-resistant; **säurefrei** *adj* acid-free.

Sauregurkenzeit *f* bad time *or* period; (*in den Medien*) silly season.

säurehaltig *adj* acidic; **säurelöslich** *adj* acid-soluble.

Saure(s) *nt decl as adj siehe* **sauer 7.**

Säurezünder *m* acid fuse.

Saurier [-iɐ] *m* **-s, -** dinosaur, saurian (*spec*).

Saus *m*: **in ~ und Braus leben** to live like a lord.

Sause *f* **-, -n** (*inf*) pub crawl. **eine ~ machen** to go on a pub crawl.

säuseln I *vi* (*Wind*) to murmur, to sigh; (*Blätter*) to rustle; (*Mensch*) to purr. **mit ~der Stimme** in a purring voice. **II** *vt* to murmur, to purr.

sausen *vi* **1.** (*Ohren, Kopf*) to buzz; (*Wind*) to whistle; (*Sturm*) to roar. **mir ~ die Ohren, es saust mir in den Ohren** my ears are buzzing.
   2. *aux sein* (*Geschoß, Peitsche*) to whistle.
   3. *aux sein* (*inf: Mensch*) to tear (*inf*), to charge (*inf*); (*Fahrzeug*) to roar. **in den Graben ~** to fly into the ditch; **durch eine Prüfung ~** to fail *or* flunk (*inf*) an exam.
   4. **einen ~ lassen** (*sl*) to let off (*sl*) (a fart *vulg*).

sausenlassen *vt sep irreg* (*inf*) **jdn/etw ~** to drop sb/sth; **das Kino heute abend laß ich sausen** I'll not bother going to the cinema tonight.

Saustall *m* (*sl*) (*unordentlich*) pigsty (*inf*); (*chaotisch*) mess; **Sauwetter** *nt* (*sl*) bloody (*Brit sl*) *or* damn (*inf*) awful weather; **sauwohl** *adj pred* (*sl*) bloody (*Brit sl*) *or* really good; **mir ist** *or* **ich fühle mich ~** I feel bloody (*Brit sl*) *or* really good; **Sauwut** *f* (*sl*) flaming rage (*inf*); **eine ~ (im Bauch) haben** to be flaming mad; **eine ~ auf jdn/etw haben** to be flaming mad at sb/sth.

Savanne [za'vanə] *f* **-, -n** savanna(h).

saven [se:vn] *vti* (*Comput inf*) to save.

Saxophon *nt* **-(e)s, -e** saxophone, sax (*inf*).

Saxophonist(in *f)* *m* saxophone player, saxophonist.

SB- [ɛs'beː-] *in cpds* self-service.

S-Bahn ['ɛs-] *f abbr of* **Schnellbahn, Stadtbahn; S-Bahnhof** ['ɛs-] *m* suburban line station; **S-Bahn-Netz** ['ɛs-] *nt* suburban rail network.

SBB *abbr of* **Schweizerische Bundesbahn.**

s. Br. *abbr of* **südlicher Breite.**

Scanner ['skɛnɐ] *m* (*Med*, *Comput*) scanner.

sch *interj* shh; (*zum Fortscheuchen*) shoo.

Schabe *f* -, - *nt* cockroach.

Schabefleisch *nt* (*Cook dial*) minced steak (*Brit*), ground beef (*US*) (*often eaten raw*).

Schab(e)messer *nt* scraping knife.

schaben *vt* to scrape; *Fleisch* to chop finely; *Leder, Fell* to shave.

Schaber *m* -s, - scraper.

Schabernack *m* -(e)s, -e 1. prank, practical joke. **jdm einen ~ spielen/mit jdm einen ~ treiben** to play a prank on sb; **allerlei ~ treiben** to get up to all sorts of pranks. 2. (*Kind*) monkey (*inf*).

schäbig *adj* 1. (*abgetragen*) shabby. 2. (*niederträchtig*) mean, shabby; (*geizig*) mean, stingy; *Bezahlung* poor, shabby.

Schäbigkeit *f siehe adj* 1. shabbiness. 2. meanness, shabbiness; stinginess; poorness; (*Verhalten*) mean *or* shabby behaviour *no pl*.

Schablone *f* -, -n 1. stencil; (*Muster*) template.
   2. (*fig pej*) (*bei Arbeit, Arbeitsweise*) routine, pattern; (*beim Reden*) cliché. **in ~n denken** to think in a stereotyped way; **in ~n reden** to speak in clichés; **etw geht nach ~** sth follows the same routine; **das ist alles nur ~** that's all just for show.

schablonenhaft I *adj* (*pej*) *Denken, Vorstellungen, Argumente* stereotyped; *Ausdrucksweise* clichéd. **II** *adv* in stereotypes/clichés.

Schabracke *f* -, -n 1. (*Satteldecke*) saddlecloth. 2. (*altes Pferd*) nag; (*sl: alte Frau*) hag. 3. (*Querbehang*) pelmet.

Schach *nt* -s, *no pl* chess; (*Stellung im Spiel*) check. **kannst du ~ (spielen)?** can you play chess?; **~ (dem König)!** check; **~ und matt** checkmate; **im ~ stehen** *or* **sein** to be in check; **jdm ~ bieten** (*lit*) to put sb in check, to check sb; (*fig*) to thwart sb; **jdn in ~ halten** (*fig*) to stall sb; (*mit Pistole*) to cover sb, to keep sb covered.

Schachaufgabe *f* chess problem; **Schachbrett** *nt* chessboard; **schachbrettartig** *adj* chequered; **die Straßen sind ~ angeordnet** the roads are laid out like a grid; **Schachbrettmuster** *nt* chequered pattern.

Schacher *m* -s, *no pl* (*pej*) (*das Feilschen*) haggling (*um* over); (*Wucher*) sharp practice; (*fig Pol auch*) horse-trading (*um* about). **~ treiben** to indulge in haggling *etc*.

Schächer *m* -s, - (*Bibl*) thief.

Schacherei *f* (*pej*) *siehe* **Schacher.**

Schacherer *m* -s, - (*pej*) haggler; (*Wucherer*) sharper; (*Pol*) horse-trader.

schachern *vi* (*pej*) **um etw ~** to haggle over sth.

Schachfeld *nt* square (on a chessboard); **Schachfigur** *f* chess piece, chessman; (*fig*) pawn; **schachmatt** *adj* (*lit*) (check)mated; (*fig: erschöpft*) exhausted, shattered (*inf*); **~!** (check)- mate; **jdn ~ setzen** (*lit*) to (check)mate sb; (*fig*) to snooker sb (*inf*); **Schachpartie** *f* game of chess; **Schachspiel** *nt* (*Spiel*) game of chess; (*Spielart*) chess *no art*; (*Brett und Figuren*) chess set; **Schachspieler(in** *f)* *m* chess player.

Schacht *m* -(e)s, ⸚e shaft; (*Brunnen~*) well; (*Straßen~*) manhole; (*Kanalisations~*) drain.

Schachtel *f* -, -n 1. box; (*Zigaretten~*) packet. **eine ~ Streichhölzer/Pralinen** a box of matches/chocolates. 2. (*sl: Frau*) bag (*sl*).

Schachtelhalm *m* (*Bot*) horsetail; **Schachtelsatz** *m* complicated *or* multiclause sentence.

Schachturnier *nt* chess tournament; **Schachzug** *m* (*fig*) move.

Schade *m* (*old*): **es soll dein ~ nicht sein** it will not be to your disadvantage.

schade *adj pred* (*das ist aber*) **~!** what a pity *or* shame; **es ist (zu) ~, daß ...** it's a (real) pity *or* shame that ...; **es ist ~ um jdn/etw** it's a pity *or* shame about sb/sth; **um sie ist es nicht ~** she's no great loss; **für etw zu ~ sein** to be too good for sth; **sich** (*dat*) **für etw zu ~ sein** to consider oneself too good for sth; **sich** (*dat*) **für nichts zu ~ sein** to consider nothing (to be) beneath one.

Schädel *m* -s, - skull. **jdm den ~ einschlagen** to beat sb's skull *or* head in; **sich** (*dat*) **den ~ einrennen** (*inf*) to crack one's skull; **mir brummt der ~** (*inf*) my head is going round and round; (*vor Kopfschmerzen*) my head is throbbing; **einen dicken ~ haben** (*fig inf*) to be stubborn.

Schädelbasisbruch *m* fracture at the base of the skull; **Schädelbruch** *m* fractured skull; **Schädeldecke** *f* top of the skull; **Schädellage** *f* vertex presentation.

schaden *vi* +*dat* to damage, to harm; *einem Menschen* to harm, to hurt; *jds Ruf* to damage. **sich** (*dat*) **selbst ~** to harm *or* hurt oneself, to do oneself harm; **das/ Rauchen schadet Ihrer Gesundheit/ Ihnen** that/smoking is bad for your health/you; **das schadet nichts** it does no harm; (*macht nichts*) that doesn't matter; **es kann nichts ~, wenn ...** it would do no harm if ...; **das kann nicht(s) ~** that won't do any harm, it wouldn't hurt; **das schadet dir gar nichts** it serves you right.

Schaden *m* -s, ⸚ 1. (*Beschädigung, Zerstörung*) damage *no pl, no indef art* (*durch* caused by); (*Personen~*) injury; (*Verlust*) loss; (*Unheil, Leid*) harm. **einen ~ verursachen** to cause damage; **ich habe einen ~ am Auto** my car has been damaged; **es ist nicht zu deinem ~** it won't do you any harm; **zu ~ kommen** to suffer; (*physisch*) to be hurt *or* in-

jured; **nicht zu ~ kommen** not to come
to any harm; **jdm/einer Sache ~ zufügen**
to harm sb/to harm or damage sth;
geringe/einige ~ aufweisen to have
suffered little/some damage; **aus** or
durch ~ wird man klug (*Prov*) you learn
by or from your mistakes; **wer den ~
hat, braucht für den Spott nicht zu sorgen** (*Prov*) don't mock the afflicted.
2. (*Defekt*) fault; (*körperlicher Mangel*) defect. **~ an der Lunge** lung damage; **~ aufweisen** to be defective;
(*Organ*) to be damaged; **ein ~ an der
Leber** a damaged liver.

Schadenersatz m siehe **Schadensersatz;
Schadenfeststellung** f assessment of
damage; **Schadenfreiheitsrabatt** m no
claims bonus; **Schadenfreude** f malicious joy, gloating; **... sagte er mit ~ ...**
he gloated; **schadenfroh** adj gloating.

Schadensbegrenzung f damage limitation.

Schadens|ersatz m compensation, dam-
ages pl. **jdn auf ~ verklagen** to claim
compensation from sb; **~ leisten** to pay
compensation.

Schadensfall m **im ~** (*Insur*) in the event
of a claim; **Schadensregulierung** f
settlement of damages.

schadhaft adj no adv faulty, defective;
(*beschädigt*) damaged; (*abgenutzt*) Kleidung worn; Zähne decayed.

schädigen vt to damage; jdn to hurt, to
harm; Firma auch to hurt.

Schädigung f siehe vt (gen done to) damage; hurt, harm.

schädlich adj harmful; Wirkung, Einflüsse
detrimental, damaging. **~ für etw sein** to
be damaging to sth.

Schädlichkeit f harmfulness.

Schädling m pest.

Schädlingsbekämpfung f pest control no
art; **Schädlingsbekämpfungsmittel** nt
pesticide.

schadlos adj **sich an jdm/etw ~ halten** to
take advantage of sb/sth; **wir halten uns
dafür am Bier ~** (*hum*) ... but we'll
make up for it on the beer.

Schadstoff m harmful substance.

schadstoffarm adj **~ sein** to contain a
low level of harmful substances;
Schadstoffausstoß m emissions;
Schadstoffbelastung f (von Umwelt)
pollution; **Schadstoffgehalt** m level of
harmful substances (gen in); (der Luft)
pollution content (gen of); **Schadstoff-
konzentration** f concentration of harmful substances.

Schaf nt -(e)s, -e sheep; (inf: Dummkopf)
twit (Brit inf), dope (inf). **das schwarze
~ sein** to be the black sheep.

Schafbock m ram.

Schäfchen nt lamb, little sheep; (inf:
Dummerchen) silly billy (inf). **~ pl** (Gemeinde, Anvertraute) flock sing; **sein ~
ins trockene bringen** (prov) take oneself all right (inf); **sein ~ im trockenen
haben** to have feathered one's own nest.

Schäfchenwolken pl cotton-wool clouds
pl, fleecy clouds pl.

Schäfer m -s, - shepherd.

Schäferdichtung f (Liter) pastoral po-

etry.

Schäferhund m alsatian (dog) (Brit),
German shepherd (dog) (US).

Schäferin f shepherdess.

Schäferroman m (Liter) pastoral novel;
Schäferstündchen nt (euph hum) bit of
hanky-panky (hum inf).

Schaffell nt sheepskin.

Schaffen nt -s, no pl **die Freude am ~** the
joy of creation; **sein musikalisches/
künstlerisches ~** his musical/artistic
works pl or creations pl; **auf dem Höhepunkt seines ~s** at the peak of his creative powers or prowess.

schaffen[1] pret **schuf,** ptp **geschaffen** vt 1.
to create. **die ~de Natur** the creative
power of nature; **der ~de Mensch** the
creative human being; **dafür ist er wie
geschaffen** he's just made for it; **wie ihn
Gott geschaffen hatte** as God made him.
2. pret auch **schaffte** (herstellen) to
make; Bedingungen, Möglichkeiten, System, Methode to create. **Raum** or **Platz
~** to make room; **Ruhe ~** to establish
order.

schaffen[2] **I** vt 1. (bewältigen, zustande
bringen) Aufgabe, Hürde, Portion to
manage; Prüfung to pass. **~ wir das zeitlich?** are we going to make it?; **schaffst
du's noch?** (inf) can you manage?; **wir
haben's geschafft** we've managed it;
(Arbeit erledigt) we've done it; (gut
angekommen) we've made it; **so, das
hätten wir** or **das wäre geschafft!** there,
that's done; **das ist nich zu ~** that can't
be done; **wir haben nicht viel geschafft**
or **geschafft gekriegt** (inf) we haven't
managed to do much or haven't got
much done; **er schafft es noch, daß ich
ihn rauswerfe/er rausgeworfen wird** he'll
end up with me throwing him out/(by)
being thrown out.
2. (inf: überwältigen) jdn to see off
(inf). **das hat mich geschafft** it took it out
of me; (nervlich) it got on top of me; **geschafft sein** to be shattered (inf).
3. (bringen) etw in etw (acc) **~** to put
sth in sth; **wie sollen wir das in den
Keller/auf den Berg ~?** how will we
manage to get that into the cellar/up the
mountain?; **einen Koffer zum Bahnhof
~** to take a case to the station; **etw aus
der Welt ~** to settle sth (for good); **sich
(dat) etw vom Hals(e)** or **Leib(e) ~** to
get sb/sth off one's back.
4. (verursachen) Ärger, Unruhe, Verdruß to cause, to create.
II vi 1. (tun) to do. **ich habe damit
nichts zu ~** that has nothing to do with
me; **was haben Sie dort zu ~?** what do
you think you're doing (there)?; **sich
(dat) an etw** (dat) **zu ~ machen** to fiddle
about with sth.
2. (zusetzen) jdm (sehr or schwer) zu
~ machen to cause sb (a lot of) trouble;
(bekümmern) to worry sb (a lot); **das
macht ihr heute noch zu ~** she still
worries about it today.
3. (S Ger: arbeiten) to work.

Schaffensdrang m energy; (von Künstler) creative urge; **Schaffensfreude** f
(creative) zest or enthusiasm;

Schaffenskraft f creativity.
Schaffleisch nt mutton.
Schaffner(in f) m -s, - (im Bus) conductor; (Rail) ticket collector; (im Zug) guard (Brit), conductor (US), ticket inspector; (im Schlafwagen) attendant.
schaffnerlos adj without a conductor etc. ~e **Busse** one-man buses.
Schaffung f creation.
Schaf- siehe auch **Schafs-; Schafgarbe** f yarrow; **Schafherde** f flock of sheep; **Schafhirt(in** f) m shepherd; **Schafhürde** f sheep pen, (sheep)fold.
Schäflein nt (lit, fig) lamb; (pl fig) flock sing or pl.
Schafott nt -(e)s, -e scaffold.
Schafpelz m siehe **Schafspelz; Schafschur** f sheepshearing.
Schafskäse m sheep's milk cheese; **Schafskopf** m 1. sheep's head; (pej: Dummkopf) blockhead, dolt, numskull; 2. (Cards) German card game, a simplified version of skat; **Schafsmilch** f sheep's milk; **Schafspelz** m sheepskin; siehe **Wolf**.
Schafstall m sheepfold.
Schaft m -(e)s, -e shaft (auch Archit); (von Gewehr) stock; (von Stiefel) leg; (von Schraube, Schlüssel) shank; (Bot) stalk.
Schaftstiefel pl high boots pl; (Mil) jackboots pl.
Schafwolle f sheep's wool; **Schafzucht** f sheep breeding no art.
Schakal m -s, -e jackal.
Schäker m -s, - (inf) flirt; (Witzbold) joker.
Schäkerei f (inf) flirting; (Witzelei) fooling around.
Schäkerin f (inf) flirt, coquette; (Witzbold) joker.
schäkern vi to flirt; (necken) to play about.
Schal m -s, -s or -e scarf; (Umschlagtuch) shawl.
schal adj Getränk flat; Wasser, Geschmack stale; (fig: geistlos) Witz stale, weak; Leben empty; Gerede vapid, empty.
Schälchen nt dim of **Schale¹** (small) bowl.
Schale¹ f -, -n bowl; (flach, zum Servieren) dish; (von Waage) pan; (Sekt~) champagne glass; (S Ger, Aus: Tasse) cup.
Schale² f -, -n (von Obst, Gemüse) skin; (abgeschält) peel no pl; (von Nüssen, Eiern, Muscheln) shell; (von Getreide) husk, hull; (Hunt) hoof; (fig: äußeres Auftreten) appearance. **sich in ~ werfen** or **schmeißen** (inf) to get dressed up; (Frau auch) to get dolled up (inf).
schälen I vti to peel; Tomate, Mandel to skin; Erbsen, Eier to shell; Getreide to husk. **II** vr to peel. **sich aus den Kleidern ~** to peel off (one's clothes); **ich schäle mich auf der Nase** my nose is peeling.
Schal(en)|obst nt nuts pl.
Schalensessel m shell chair; **Schalensitz** m bucket seat.
Schalheit f flatness; (von Wasser, Geschmack) staleness; (fig: Geistlosigkeit, von Witz) staleness, weakness.

Schalholz nt shuttering wood.
Schalk m -(e)s, -e or -e joker. **ihm sitzt der ~ im Nacken** he's in a devilish mood; **ihr schaut der ~ aus den Augen** she (always) has a roguish or mischievous look on her face.
schalkhaft adj roguish, mischievous.
Schall m -s, -e or -e sound. **Name ist ~ und Rauch** what's in a name?; **das ist alles ~ und Rauch** it's all hollow words.
Schallbecher m (Mus) bell; **Schallboden** m sound(ing)-board; **schalldämmen** vt to soundproof; **schalldämmend** adj sound-deadening; **Schalldämmung** f sound absorption; (Abdichtung gegen Schall) soundproofing; **schalldämpfend** adj Wirkung sound-muffling or -deadening; Material soundproofing; **Schalldämpfer** m sound absorber; (von Auto) silencer (Brit), muffler (US); (von Gewehr) silencer; (Mus) mute; **schalldicht** adj soundproof; **~ abgeschlossen sein** to be fully soundproofed.
schallen pret **schallte** or (old) **scholl**, ptp **geschallt** or (old) **geschollen** vi to sound; (Stimme, Glocke, Beifall) to ring (out); (widerhallen) to resound, to echo.
schallend adj Beifall, Ohrfeige resounding; Gelächter ringing. **~ lachen** to roar with laughter.
Schallgeschwindigkeit f speed of sound; **Schallgrenze, Schallmauer** f sound barrier; **Schallisolierung** f soundproofing; **Schallmessung** f sound ranging.
Schallplatte f record.
Schallplattenalbum nt record case; **Schallplattenarchiv** nt (gramophone) record archive; **Schallplattenaufnahme** f (gramophone) recording.
Schallschluckhaube f (Comput) acoustic hood; **schallschluckend** adj soundabsorbent; Material soundproofing; **Schallschutzfenster** nt soundproof window; **schallsicher** adj soundproof; **schalltot** adj Raum completely soundproof, anechoic (spec); **Schalltrichter** m horn; (von Trompeten) bell; **Schallwelle** f soundwave.
Schalmei f shawm.
Schal|obst nt nuts pl.
Schalotte f -, -n shallot.
schalt pret of **schelten**.
Schaltanlage f switchgear; **Schaltbild** nt circuit diagram, wiring diagram; **Schaltbrett** nt switchboard, control panel.
schalten I vt 1. to switch, to turn; (in Gang bringen) to switch or turn on; Leitung to connect. **etw auf „2" ~** to turn or switch sth to "2"; **etw auf die höchste Stufe ~** to turn sth on full, to turn sth full on or up; **das Gerät läßt sich schwer ~** or **schaltet sich schwer** this device has a difficult switch (to operate); **das Auto läßt sich spielend ~** or **schaltet sich leicht** it's easy to change gear in this car.
2. Werbespot, Zeitungsanzeige to place.
II vi 1. (Gerät) to switch (auf +acc to); (Aut) to change gear. **in den 2. Gang ~** to change or shift (US) (up/down)

into 2nd gear. **2.** (*fig: verfahren, handeln*) ~ **und walten** to bustle around; **frei ~ (und walten) können** to have a free hand (to do as one pleases); **jdn frei ~ und walten lassen** to give sb a free hand, to let sb manage things as he sees fit. **3.** (*inf: begreifen*) to latch on (*inf*), to get it (*inf*), to get the message (*inf*); (*reagieren*) to react.

Schalter *m* **-s, - 1.** (*Elec etc*) switch. **2.** (*in Post, Bank, Amt*) counter; (*mit Fenster auch*) window.

Schalterbeamte(r) *m*, **Schalterbeamtin** *f* counter clerk; (*im Bahnhof*) ticket clerk; **Schalterdienst** *m* counter duty; **Schalterhalle** *f*, **Schalterraum** *m* (*in Post*) hall; (*in Bank*) (banking) hall; (*im Bahnhof*) booking *or* ticket hall; **Schalterstunden** *pl* hours of business *pl*, business hours *pl*.

Schaltgetriebe *nt* manual transmission, stick shift (*US*); **Schalthebel** *m* switch lever; (*Aut*) gear lever, gearshift (lever); **an den ~n der Macht sitzen** to hold the reins of power.

Schaltier *nt* crustacean.

Schaltjahr *nt* leap year; **Schaltkasten** *m* switchbox; **Schaltknüppel** *m* (*Aut*) gear lever; (*Aviat*) joystick; **Schaltkreis** *m* (*Tech*) (switching) circuit; **Schaltpause** *f* (*TV, Rad*) pause (*before going over to another region or station*); **Schaltplan** *m* siehe **Schaltbild**; **Schaltpult** *nt* control desk; **Schaltsatz** *m* (*Ling*) parenthetic clause; **Schaltschritt** *m* (*von Schreibmaschine*) horizontal spacing; **Schaltskizze** *f* siehe **Schaltbild**; **Schaltstelle** *f* (*fig*) coordinating point; **Schalttafel** *f* siehe **Schaltbrett**; **Schalttag** *m* leap day; **Schaltzentrale** *f* (*lit*) control centre; (*fig*) nerve centre.

Schaltung *f* switching; (*Elec*) wiring; (*Aut*) gear change, gearshift.

Schaluppe *f* -, -n sloop.

Schalwild *nt* hoofed game.

Scham *f* -, no pl **1.** shame. **er wurde rot vor ~** he went red with shame; **ich hätte vor ~ (in den Boden) versinken können** I wanted the floor to swallow me up *or* to open up under me; **er versteckte sich vor ~** he hid himself in shame; **aus falscher ~** from a false sense of shame; **nur keine falsche ~!** (*inf*) no need to feel *or* be embarrassed!, no need for embarrassment!; **sie hat kein bißchen ~ (im Leibe)** she doesn't have an ounce of shame (in her); **ohne ~** unashamedly.

2. (*geh: Genitalien*) private parts *pl*; (*von Frau*) pudenda *pl*.

Schamane *m* -n, -n, **Schamanin** *f* shaman.

Schambein *nt* pubic bone; **Schamberg** *m* (*geh*) siehe **Schamhügel**.

schämen *vr* to be ashamed. **du solltest dich ~!, du sollst dich was ~** (*inf*) you ought to be ashamed of yourself!; **sich einer Sache** (*gen*) *or* **für** *or* **wegen etw ~** to be ashamed of sth; **sich jds/einer Sache** *or* **wegen jdm/etw** (*inf*) ~ to be ashamed of sb/sth; **sich für jdn ~** to be ashamed for sb; **sich vor jdm ~** to be *or*

feel ashamed in front of sb; **schäme dich!** shame on you!

Schamgefühl *nt* sense of shame; **ganz ohne ~ sein** to have no (no sense of) shame; **Schamgegend** *f* pubic region; **Schamgrenze** *f* **keine ~ haben** to have no sense of shame; **da liegt meine ~** that's going too far for me; **Schamhaar** *nt* pubic hair; **schamhaft** *adj* modest; (*verschämt*) bashful, coy; **Schamhaftigkeit** *f* modesty; **Schamhügel** *m* mount of Venus, mons veneris (*form*); **Schamlippen** *pl* labia *pl*, lips *pl* of the vulva; **schamlos** *adj* shameless; (*unanständig auch*) indecent; (*unverschämt auch*) brazen; *Frechheit, Lüge* brazen, barefaced; **~e Reden führen** to make indecent remarks; **Schamlosigkeit** *f* siehe *adj* shamelessness; indecency; brazenness.

Schamott *m* **-s,** *no pl* (*inf*) junk (*inf*), trash (*inf*), rubbish.

Schamotte *f* -, *no pl* fireclay.

Schamottestein *m* firestone; **Schamotteziegel** *m* firebrick.

Schampus *m* **-s,** *no pl* (*dated inf*) champers *sing* (*dated inf*).

schamrot *adj* red (with shame); **~ werden** *or* **anlaufen** to turn red *or* to blush *or* flush with shame; **Schamröte** *f* flush *or* blush of shame; **die ~ stieg ihr ins Gesicht** her face flushed with shame; **Schamteile** *pl* private parts *pl*, genitals *pl*.

schandbar *adj* shameful, disgraceful.

Schande *f* -, *no pl* disgrace; (*Unehre auch*) shame, ignominy. **er ist eine ~ für seine Familie** he is a disgrace to his family; **das ist eine (wahre) ~!** this is a(n absolute) disgrace!; **es ist doch keine ~, Gefühle zu zeigen** *or* **wenn man Gefühle zeigt** there is no shame *or* disgrace in showing one's feelings; **~ über jdn bringen** to bring disgrace *or* shame upon sb, to disgrace sb; **~ über dich!** (*dated*) shame on you!; **jdm/einer Sache ~ machen** to be a disgrace to sb/sth; **mach mir keine ~** don't show me up (*inf*), don't be a disgrace to me; **zu meiner (großen) ~ muß ich gestehen, ...** to my great *or* eternal shame I have to admit that ...

schänden *vt* *Leichnam, Grab, Denkmal* to violate, to defile; *Heiligtum auch* to desecrate; *Sabbat, Sonntag* to violate, to desecrate; *Frauen, Kinder* to violate; *Ansehen, Namen* to dishonour, to discredit, to sully.

Schandfleck *m* blot (*in +dat* on); (*Gebäude auch*) eyesore; **er war der ~ der Familie** he was the disgrace of his family.

schändlich *adj* disgraceful, shameful. **jdn ~ im Stich lassen/betrügen** shamefully to leave sb in the lurch/to deceive sb shamefully.

Schändlichkeit *f* disgracefulness, shamefulness.

Schandmal *nt* brand, stigma; **Schandmaul** *nt* (*pej*) malicious *or* evil tongue; **er ist ein ~** he has a malicious *or* an evil tongue; **Schandpfahl** *m* pillory; **Schandtat** *f* scandalous *or* disgraceful deed; (*hum*) prank, escapade; **zu jeder ~ bereit sein** (*inf*) to be always ready for mischief *or* a lark (*inf*).

Schändung *f siehe vt* violation, defilement; desecration; violation; dishonouring, discrediting, sullying.

schangh__aien__* *vt* (*Naut*) to shanghai.

Schankbetrieb *m* bar service; **nach 24__00__ kein ~ mehr** the bar closes at 12 midnight; **Sch__a__nkbier** *nt* draught beer.

Schanker *m* **-s**, - chancre.

Schankerlaubnis *f* licence (*of publican*) (*Brit*), excise license (*US*); **Sch__a__nk-fräulein** *nt* (*Aus*) barmaid; **Schankkonzession** *f siehe* **Schankerlaubnis; Sch__a__nkstube** *f* (public) bar (*Brit*), saloon (*US*); **Sch__a__nktisch** *m* bar; **Sch__a__nkwirt(in** *f*) *m* (*old*) taverner (*old*), publican (*Brit*), saloon keeper (*US*), barkeeper (*US*); **Sch__a__nkwirtschaft** *f* (*old, Aus*) tavern (*old*), public house (*Brit*), saloon (*US*).

Schanze *f* **-, -n** (*Mil*) fieldwork, entrenchment; (*Naut*) quarterdeck; (*Sport*) (ski-) jump.

schanzen *vi* (*Mil*) to dig (trenches).

Sch__a__r__1__ *f* **-, -en** crowd, throng (*liter*); (*von Vögeln*) flock; (*von Insekten, Heuschrecken*) swarm; (*Reiter~, Soldaten~*) band, company; (*von Jägern*) party; (*Pfadfinder*) company, troop; (*von Engeln*) host, band, throng (*liter*). **~en von Hausfrauen** stürzten sich auf die Sonderangebote hordes *or* crowds of housewives descended on the special offers; **die Schlachtenbummler verließen das Stadion in (hellen) ~en** the away supporters left the stadium in droves *or* swarmed away from the stadium.

Sch__a__r__2__ *f* **-, -en** (*Pflug~*) (plough)share (*Brit*), (plow)share (*US*).

Schar__a__de *f* charade. **~ spielen** to play charades.

Scharbockskraut *nt* (lesser) celandine.

Sch__ä__re *f* **-, -n** skerry.

scharen I *vt* **Menschen/Anhänger um sich ~** to gather people/to rally supporters around one. **II** *vr* **sich um jdn ~** to gather around sb; (*Anhänger auch*) to rally around sb.

scharenweise *adv* (*in bezug auf Menschen*) in droves. **die Heuschrecken/Vögel fielen ~ über die Saat her** swarms of locusts/whole flocks of birds descended on the seedcrop; **~ drängten sich die Leute vor dem Schaufenster** people crowded *or* thronged in front of the shop window.

scharf *adj, comp* **__¨__er,** *superl* **__¨__ste(r, s)** *or adv* **am __¨__sten 1.** *Kante, Kurve* sharp; *Messer, Klinge auch* keen *attr* (*liter*); (*durchdringend*) *Wind* keen, biting, cutting; *Kälte* biting; *Luft* raw, keen; *Frost* sharp, keen; *Ton* piercing, shrill. **das ,,s" wird oft ~ ausgesprochen** "s" is often voiceless *or* pronounced as an "s" and not a "z"; **das ~e s** (*inf, Aus*) the "scharfes s" (*German symbol* β); **ein Messer ~ machen** to sharpen a knife.

2. (*stark gewürzt*) hot; (*mit Salz, Pfeffer*) highly seasoned; *Geruch, Geschmack* pungent, acrid; *Käse* strong,

sharp; *Alkohol* (*stark*) strong; (*brennend*) fiery; (*ätzend*) *Waschmittel, Lösung* caustic. **~ würzen** to season highly, to make hot (*inf*); **Fleisch ~ anbraten** to sear meat; **~e Sachen** (*inf*) hard stuff (*inf*).

3. (*hart, streng*) *Mittel, Maßnahmen* tough, severe, drastic; (*inf*) *Prüfung, Untersuchung* strict, tough; *Lehrer, Polizist* tough; *Bewachung* close, tight; *Hund* fierce. **jdn ~ bewachen** to guard sb closely.

4. (*schonungslos, stark*) *Worte, Kritik* sharp, biting, harsh; *Widerstand, Konkurrenz* fierce, tough; *Gegner, Protest* strong, fierce; *Auseinandersetzung* bitter, fierce. **eine ~e Zunge haben** to have a sharp tongue, to be sharp-tongued; **jdn/etw in ~er Form kritisieren** to criticize sb/sth in strong terms; **etw in ~ster Form** *or* **aufs ~ste verurteilen** to condemn sth in the strongest possible terms; **das ist ja das ~ste!** (*sl*) this is too much! (*inf*); **das ~ste war, mich zu belügen** (*sl*) worst of all, I was lied to.

5. (*deutlich, klar, genau*) sharp; *Unterschied auch* marked; *Brille, Linse* sharply focusing; *Augen auch* keen; *Töne* clear, precise; *Verstand, Intelligenz, Gehör auch* keen, acute; *Beobachter* keen. **etw ~ einstellen** *Bild, Diaprojektor* to bring sth into focus; *Sender* to tune sth in (properly); **~ eingestellt** in (sharp) focus; (properly) tuned in; **~ sehen/hören** to have sharp eyes/ears; **~ aufpassen/zuhören** to pay close attention/to listen closely; **jdn ~ ansehen** to give sb a scrutinizing look; (*mißbilligend*) to look sharply at sb; **etw ~ umreißen** (*fig*) to outline sth precisely *or* clearly; **~ nachdenken** to have a good *or* long think, to think long and hard; **~ kalkulieren** to calculate exactly.

6. (*heftig, schnell*) *Ritt, Trab* hard. **~ reiten** to ride hard; **ein ~es Tempo fahren** (*inf*) to drive hell for leather (*inf*), to drive at quite a lick (*inf*); **einen ~en Stil fahren** (*inf*) to drive hard; **~ bremsen** to brake sharply *or* hard.

7. (*echt*) *Munition Schuß* live. **etw ~ machen** to arm sth; **~e Schüsse abgeben** to shoot *or* fire live bullets; **das Gewehr war ~ geladen** the rifle was loaded with live ammunition; **~ schießen** (*lit*) (*mit ~er Munition*) to shoot with live ammunition; (*auf den Mann*) to aim to hit; (*fig*) to let fly.

8. (*sl*) (*geil*) randy (*Brit inf*), horny (*inf*); (*aufreizend*) *Frau, Kleidung, Bilder* sexy (*inf*); *Film* sexy (*inf*), blue *attr*; (*aufregend*) *Auto, Film* cool (*inf*), great (*inf*). **~ werden** to get turned on (*inf*), to get randy (*Brit inf*) *or* horny (*inf*); **jdn ~ machen** to turn sb on (*inf*); **auf jdn/etw ~ sein** (*inf*) to be keen on (*inf*) *or* hot for (*sl*) sb/sth, to fancy sb/sth (*inf*); **der Alte ist ~ wie Nachbars Lumpi** he's a randy old beggar (*sl*).

Scharfblick *m* (*fig*) perspicacity, keen insight, penetration.

Sch__ä__rfe *f* **-, -n** *siehe adj 1.-5.* **1.** sharpness;

keenness; shrillness.
   2. hotness; pungency; causticity.
   3. toughness, severity; closeness, tightness. **mit ~ vorgehen** to take tough *or* severe *or* drastic measures.
   4. sharpness, harshness; ferocity, toughness; bitterness. **ich möchte in aller ~ sagen, daß ...** I'm going to be quite harsh (about this) and say that ...
   5. sharpness; sharp focus; keenness; clarity; (*an Kamera, Fernsehen*) focus; (*an Radio*) tuning. **dem Bild fehlt die ~** the picture lacks sharpness (of focus) *or* definition.
Scharf|einstellung *f* focusing.
schärfen *vt* (*lit, fig*) to sharpen.
scharfkantig *adj* with sharp edges, sharp-edged; **Scharfmacher(in** *f*) *m* (*inf*) rabble-rouser, agitator; **Scharfrichter** *m* executioner; **Scharfschütze** *m* marksman; **scharfsichtig** *adj* keen-*or* sharp-sighted; (*fig*) perspicacious, clear-sighted; **Scharfsinn** *m* astuteness, acumen, keen perception; **scharfsinnig** *adj* Bemerkung astute, penetrating; *Detektiv* astute, sharp-witted.
Scharlach *m* **-s**, *no pl* **1.** scarlet. **2.** (*~fieber*) scarlet fever.
scharlachrot *adj* scarlet (red).
Scharlatan *m* **-s, -e** charlatan; (*Arzt auch*) quack.
Scharlatanerie *f* charlatanism.
Scharmützel *nt* **-s, -** (*old*) skirmish, brush with the enemy.
Scharnier **-s, -e, Scharniergelenk** *nt* hinge.
Schärpe *f* **-, -n** sash.
scharren *vti* to scrape; (*Pferd, Hund*) to paw; (*Huhn*) to scratch; (*verscharren*) to bury (hurriedly). **mit dem Huf ~** to paw the ground.
Scharte *f* **-, -n** nick; (*in Bergkamm*) wind-gap; (*Schieß~*) embrasure; (*in Kampfwagen*) gunport. **eine ~ auswetzen** (*fig*) to make amends, to patch things up.
schartig *adj* jagged, notched.
scharwenzeln *vi aux sein or haben* (*inf*) to dance attendance (**um** (up)on).
Schaschlik *nt* **-s, -s** (shish-)kebab.
schassen *vt* (*inf*) to chuck out (*inf*), to boot out (*inf*).
Schatten *m* **-s, -** (*lit, fig*) shadow; (*schattige Stelle*) shade; (*Geist*) shade. **im ~ sitzen** to sit in the shade; **40 Grad im ~** 40 degrees in the shade; **~ geben** *or* **spenden** to give *or* provide shade; **einen ~ auf etw** (*acc*) **werfen** (*lit*) to cast a shadow on sth; (*fig*) to cast a shadow *or* cloud (up)on sth; **große Ereignisse werfen ihre ~ voraus** great events are often foreshadowed; **in jds ~** (*dat*) **stehen** (*fig*) to stand *or* be in sb's shadow; **jdn/etw in den ~ stellen** (*fig*) to put sb/sth in the shade, to overshadow *or* eclipse sb/sth; **man kann nicht über seinen eigenen ~ springen** (*fig*) the leopard cannot change his spots (*prov*); **nur noch ein ~ (seiner selbst) sein** to be (only) a shadow of one's former self; **Reich der ~** (*liter*) realm of shades (*liter*); **es fiel nicht der leiseste ~ des Verdachts auf ihn** not a

shadow of suspicion fell on him; **nicht der ~ eines Beweises** not the slightest proof; **~ unter den Augen** shadows under the eyes; **du hast ja einen ~** (*sl*) you must be nuts (*sl*).
Schattenbild *nt* silhouette; (*in Schattenspiel*) shadow picture, shadow(graph); **Schattenboxen** *nt* shadow-boxing; **Schattendasein** *nt* shadowy existence; **Schattendruck** *m* (*Comput*) shadow printing; **Schattenflagge** *f* (*Naut*) flag of convenience; **schattenhaft** *adj* shadowy, shadow-like; (*fig: vage*) shadowy, fuzzy, vague; **Schattenkabinett** *nt* (*Pol*) shadow cabinet; **schattenlos** *adj* shadowless; **Schattenmorelle** *f* morello cherry; **schattenreich** *adj* shady; **Schattenreich** *nt* (*liter*) realm of shadows (*liter*) *or* shades (*liter*); **Schattenriß** *m* silhouette; **Schattenseite** *f* shady side; (*von Planeten*) dark side; (*fig: Nachteil*) drawback, disadvantage; **die ~(n) des Lebens** the dark side of life, life's dark side; (*in Milieu, Slums*) the seamy side of life; **schattenspendend** *adj attr* shady; **Schattenspiel** *nt* shadow play *or* show; (*Art*) contrast, shadow play; **Schattenwirtschaft** *f* black economy.
schattieren * vt to shade.
Schattierung *f* (*lit, fig*) shade; (*das Schattieren*) shading. **aller politischen ~en** of every political shade.
schattig *adj* shady.
Schatulle *f* **-, -n** casket; (*Geld~*) coffer; (*pej inf*) bag (*inf*).
Schatz *m* **-es, -̈e 1.** (*lit, fig*) treasure. **-̈e** *pl* (*Bodenschätze*) natural resources *pl*; (*Reichtum*) riches *pl*, wealth *sing*; **nach -̈en graben** to dig for (buried) treasure; **du bist ein ~!** (*inf*) you're a (real) treasure!
   2. (*Liebling*) sweetheart; (*als Anrede*) love, darling.
Schatzamt *nt* Treasury; **Schatzanweisung** *f* treasury bond.
schätzbar *adj* assessable. **gut/schlecht/schwer ~** easy/hard/difficult to assess *or* estimate.
Schätzchen *nt* darling.
schätzen I *vt* **1.** (*veranschlagen*) to estimate, to assess (*auf +acc* at); *Wertgegenstand, Gemälde* to value, to appraise; (*annehmen*) to reckon, to think. **die Besucherzahl wurde auf 500.000 geschätzt** the number of visitors was estimated at *or* to be 500,000; **wie alt ~ Sie mich denn?** how old do you reckon I am *or* would you say I am, then?; **was schätzt du, wie lange/wie viele/wie alt ...?** how long/how many/how old ... do you reckon *or* would you say ...?; **was/wieviel schätzt du denn?** what/how much do you reckon it is *or* would you say it was?
   2. (*würdigen*) to regard highly, to value. **jdn ~** to think highly of sb, to hold sb in high regard *or* esteem; **mein geschätzter Kollege** (*form*) my esteemed colleague (*form*); **etw zu ~ wissen** to appreciate sth; **das schätzt er (überhaupt) nicht** he doesn't care for *or* appreciate

that (at all); **sich glücklich ~** to consider or deem (form) oneself lucky. **II** vi (veranschlagen, raten) to guess. **schätz mal** have a guess.

schätzenlernen vt sep to come to appreciate or value.

schätzenswert adj estimable.

Schätzer(in f) m -s, - valuer; (Insur) assessor.

Schatzgräber(in f) m -s, - treasurehunter; **Schatzkammer** f treasure chamber or vault; **Schatzkanzler(in** f) m (Pol) minister of finance, Chancellor of the Exchequer (Brit), secretary to the Treasury (US); **Schatzkästchen, Schatzkästlein** nt casket, (small) treasure chest; (fig: als Buchtitel) treasury; **Schatzmeister(in** f) m treasurer; **Schatzobligation** f (Fin) treasury bond.

Schätzpreis m valuation price.

Schatzschein m (Fin) treasury note.

Schätzung f estimate; (das Schätzen) estimation; (von Wertgegenstand) valuation, appraisal. **nach meiner ~ ...** I reckon that ...; (ungefähr) approximately, roughly.

schätzungsweise adv (so vermutet man) it is estimated or thought; (ungefähr) approximately, roughly; (so schätze ich) I think, I reckon. **die Inflationsrate wird sich ~ verdoppeln** it is thought or estimated (that) the rate of inflation will double; **es werden ~ 3.000 Zuschauer kommen** an estimated 3,000 spectators will come; **wann wirst du ~ kommen?** when do you think or reckon you'll come?

Schatzwechsel m (Fin) treasury bill.

Schätzwert m estimated value.

Schau f -, -en 1. (Vorführung) show; (Ausstellung auch) display, exhibition. **etw zur ~ stellen** (ausstellen) to put sth on show, to display or exhibit or show sth; (fig) to make a show of sth, to parade sth; (protzen mit) to show off sth; **etw zur ~ tragen** to display sth. **2.** (inf) **eine ~ abziehen** to put on a display or show; (Theater machen) to make a big show (inf); **das ist nur ~** it's only show; **jdm die ~ stehlen** to steal the show from sb.

Schaubild nt diagram; (Kurve) graph; **Schaubude** f (show) booth; **Schaubühne** f (old) theatre; (fig) stage, scene.

Schauder m -s, - shudder; (vor Angst, Kälte auch) shiver. **ein ~ lief mir über den Rücken** a shiver/shudder ran down my spine.

schauderhaft adj (lit) horrible, ghastly, terrible; (fig inf) terrible, dreadful, awful.

schaudern vi (vor Grauen, Abscheu) to shudder; (vor Kälte, Angst auch) to shiver; (vor Ehrfurcht) to tremble, to quiver. **mich schauderte bei dem Anblick/Gedanken** I shuddered/shivered/trembled or quivered at the sight/thought (of it).

schauen I vi (esp dial) to look. **verärgert/traurig ~** to look angry/sad **auf etw** (acc) **~** to look at sth; **um sich ~** to look

around (one); **jdm (fest) in die Augen ~** to look sb (straight) in the eye; **jdm (verliebt) in die Augen ~** to gaze (adoringly) into sb's eyes; **nach jdm/etw ~** (suchen) to look for sb/sth; (sich kümmern um) to look after sb/sth; **da schaust du aber!** there, see!, there you are!; **schau, schau!** (inf), **da schau her!** (S Ger) well, well!, what do you know! (inf), how about that! (inf); **schau, daß du ...** see or mind (that) you ... **II** vt (geh) to see, to behold (old, liter); (erkennen) to see. **Gott ~** to see God.

Schauer m -s, - 1. (Regen~) shower. **2.** (Schauder) shudder.

Schauergeschichte f horror story; (Liter) gothic tale or story; (inf: Lügengeschichte) horror story.

schauerlich adj 1. horrific, horrible; Anblick, Schrei, Erzählung auch spinechilling, bloodcurdling; (gruselig) eerie, creepy (inf). **2.** (inf: fürchterlich) terrible, dreadful, awful.

Schauermann m, pl -leute docker, longshoreman (US); **Schauermärchen** nt (inf) horror story.

schauern I vi to shudder. **II** vt impers **mich schauert** I shudder; **mich schauert bei dem bloßen Gedanken** the very thought (of it) makes me shudder.

Schauerroman m (lit, fig inf) horror story; (Liter auch) Gothic novel.

Schaufel f -, -n shovel; (kleiner: für Mehl, Zucker) scoop; (Kehricht~) dustpan; (von Bagger) scoop; (von Schaufelrad) paddle; (von Wasserrad, Turbine) vane; (Geweih~) palm. **zwei ~n (voll) Sand/Kies** two shovelful)s of sand/gravel.

schaufeln vti to shovel; Grab, Grube to dig.

Schaufenster nt display window; (von Geschäft auch) shop window.

Schaufensterauslage f window display; **Schaufensterbummel** m windowshopping; **einen ~ machen** to go window-shopping; **Schaufenstergestaltung** f window-dressing; **Schaufensterkrankheit** f intermittent claudication; **Schaufensterpuppe** f display dummy.

Schauflug m stunt flight; **Schaugeschäft** nt show business; **Schaukampf** m exhibition bout or fight; **Schaukasten** m showcase.

Schaukel f -, -n swing.

schaukeln I vi 1. (mit Schaukel) to swing; (im Schaukelstuhl) to rock. **auf or mit dem Stuhl ~** to swing or rock back and forth in one's chair, to tip one's chair back and forth.

2. (sich hin und her bewegen) to swing or sway (to and fro or back and forth); (sich auf und ab bewegen) to rock up and down; (Fahrzeug) to bounce (up and down); (Schiff) to rock, to pitch and toss.

II vt to rock. **jdn durch die Gegend ~** (inf) to take sb for a ride round the place (inf); **wir werden das Kind** or **das** or **die Sache schon ~** (inf) we'll manage it.

Schaukelpferd *nt* rocking horse; **Schaukelpolitik** *f* seesaw(ing) politics *pl*/policy; **Schaukelstuhl** *m* rocking chair.

Schaulaufen *nt* exhibition skating; (*Veranstaltung*) skating display; **schaulustig** *adj* curious; **Schaulustige** *pl decl as adj* (curious) onlookers *pl*, rubbernecks *pl* (*US inf*).

Schaum *m* **-s**, **Schäume** foam, froth; (*Seifen~*, *Shampoo~*) lather; (*von Waschmittel*) lather, suds *pl*; (*Cook: auf Speisen, Getränken*) froth; (*auf Marmelade, Flüssen, Sümpfen*) scum; (*von Bier*) head, froth. ~ **vor dem Mund haben** (*lit, fig*) to froth *or* foam at the mouth; **etw zu ~ schlagen** (*Cook*) to beat *or* whip sth until frothy; ~ **schlagen** (*fig inf*) to be all hot air.

Schaumbad *nt* bubble *or* foam bath; **Schaumblase** *f* bubble.

schäumen I *vi* to foam, to froth; (*Seife, Shampoo, Waschmittel*) to lather (up); (*Limonade, Wein*) to bubble; (*inf: wütend sein*) to foam at the mouth. **das Waschmittel schäumt stark/schwach** it's a high-/low-lather detergent; **vor Wut ~** to be foaming with rage.
II *vt* **Kunststoff ~** to produce foam synthetics.

Schaumfestiger *m* mousse; **Schaumgummi** *nt or m* foam rubber.

schaumig *adj siehe* **Schaum** foamy, frothy; lathery; sudsy; scummy.

Schaumkrone *f* whitecap, white crest *or* horse; **Schaumlöffel** *m* skimmer; **Schaumlöscher** *m*, **Schaumlöschgerät** *nt* foam extinguisher.

Schaummittel *nt* foaming agent.

Schaumschlägerei *f* (*fig inf*) hot air (*inf*); **Schaumstoff** *m* foam material; **Schaumwein** *m* sparkling wine.

Schauplatz *m* scene; **vom ~ berichten** to give an on-the-spot report; **am ~ sein** to be on *or* at the scene *or* on the spot; **vom ~ (der Politik) abtreten** to leave the (political) scene *or* arena; **Schauprozeß** *m* show trial.

schaurig *adj* gruesome; *Schrei* spine-chilling, bloodcurdling; (*inf: sehr schlecht*) dreadful, abysmal (*inf*), awful.

schaurig-schön *adj* gruesomely beautiful; (*unheimlich*) eerily beautiful.

Schauspiel *nt* **1.** (*Theat*) drama, play. **2.** (*fig*) spectacle. **wir wollen doch den Leuten kein ~ bieten** let's not make a spectacle of ourselves.

Schauspieler *m* actor, player; (*fig*) (play-)actor.

Schauspielerei *f* acting; (*fig: Verstellung*) play-acting.

Schauspielerin *f* (*lit*) actress; (*fig*) (play-) actress.

schauspielerisch I *adj* acting. **II** *adv* as regards acting, as far as (the) acting is/was concerned.

schauspielern *vi insep* to act; (*fig*) to (play-) act.

Schauspielhaus *nt* playhouse, theatre; **Schauspielkunst** *f* dramatic art, drama; (*in bezug auf Schauspieler*) acting; **Schauspielschule** *f* drama school;

Schauspielschüler(in *f***)** *m* drama student; **Schauspielunterricht** *m* acting *or* drama lessons *pl or* classes *pl*.

Schausteller(in *f***)** *m* **-s**, **-** - fairground and circus performer; **Schaustück** *nt* showpiece; **Schautafel** *f* (*zur Information*) (notice)board; (*Schaubild*) diagram.

Scheck *m* **-s**, **-s** *or* (*rare*) **-e** cheque (*Brit*), check (*US*). **mit (einem) ~ per ~ bezahlen** to pay by cheque; **ein ~ auf** *or* **über DM 200** a cheque for DM 200.

Scheckbetrug *m* cheque/check fraud; **Scheckbuch** *nt* chequebook (*Brit*), checkbook (*US*).

Schecke *m* **-n**, **-n** *or f* **-**, **-n** (*Pferd*) dappled horse/pony; (*Rind*) spotted ox/bull/cow.

Scheckfälschung *f* cheque/check forgery; **Scheckheft** *nt siehe* **Scheckbuch**.

scheckig *adj* spotted; *Pferd* dappled; (*inf: kunterbunt*) gaudy; (*verfärbt*) blotchy, patchy.

Scheckkarte *f* cheque card (*Brit*), check card (*US*), banker's card; **Scheckverkehr** *m* cheque/check transactions *pl*.

scheel *adj* (*mißgünstig*) envious, jealous; (*abschätzig*) disparaging. **ein ~er Blick** a dirty look; **jdn ~ ansehen** to give sb a dirty look; (*abschätzig*) to look askance at sb.

Scheffel *m* **-s**, **-** (*Gefäß, Hohlmaß*) ≃ bushel (*contains anything from 30 to 300 litres*). **sein Licht unter den ~ stellen** (*inf*) to hide one's light under a bushel.

scheffeln I *vt* *Gold, Orden* to pile up, to accumulate; *Geld* to rake in (*inf*). **II** *vi* **er scheffelt seit Jahren** he's been raking it in for years (*inf*).

scheffelweise *adv* in large quantities, by the sackful. ~ **Geld verdienen** to be raking it in (*inf*).

scheibchenweise *adv* (*fig*) bit by bit, little by little, a bit *or* little at a time.

Scheibe *f* **-**, **-n 1.** disc; (*Schieß~*) target; (*Eishockey*) puck; (*Wähl~*) dial; (*Tech*) (*Unterleg~*, *Dichtungs~*) washer; (*Kupplungs~*, *Brems~*) disc; (*Töpfer~*) wheel; (*inf: Schallplatte*) disc (*inf*).
2. (*abgeschnittene ~*) slice; (*Längs~*: *von Orange*) segment. **etw in ~n schneiden** to slice sth (up), to cut sth (up) into slices; **von ihm könntest du dir eine ~ abschneiden** (*fig inf*) you could take a leaf out of his book (*inf*).
3. (*Glas~*) (window)pane; (*Fenster, von Auto*) window; (*inf: Windschutz~*) windscreen (*Brit*), windshield (*US*); (*Spiegel~*) glass.

Scheibenbremse *f* disc brake; **Scheibengardine** *f* glass curtain; **Scheibenhonig** *m* comb honey; **~!** (*euph inf*) sugar! (*euph inf*); **Scheibenkleister** *interj* (*euph inf*) sugar! (*euph inf*); **Scheibenkupplung** *f* disc *or* plate clutch; **Scheibenschießen** *nt* target shooting; **Scheibenwaschanlage** *f* windscreen (*Brit*) *or* windshield (*US*) washers *pl*; **scheibenweise** *adv* in slices; **Scheibenwischer** *m* windscreen (*Brit*) *or* windshield (*US*) wiper; **Scheibenwischerblatt** *nt* windscreen

(*Brit*) *or* windshield (*US*) wiper blade.

Scheich *m* -s, -e sheik(h); (*inf*) bloke (*Brit inf*), guy (*inf*).

Scheichtum *nt* sheik(h)dom.

Scheide *f* -, -n **1.** sheath; (*von Schwert auch*) scabbard; (*Vagina*) vagina. **das Schwert aus der ~ ziehen** to unsheathe *or* draw one's sword; **das Schwert in die ~ stecken** to put up *or* sheathe one's sword. **2.** (*obs, fig: Grenze*) border.

Scheideanstalt *f* separating works *sing or pl*; **Scheidelinie** *f* (*lit*) border(line); (*fig*) dividing line; **Scheidemittel** *nt* (*Chem*) separating agent.

scheiden *pret* **schied**, *ptp* **geschieden** I *vt* **1.** (*geh: trennen*) to separate; (*voneinander ~ auch*) to divide; (*Chem*) to separate (out).

2. (*auflösen*) *Ehe* to dissolve; *Eheleute* to divorce. **eine geschiedene Frau** a divorced woman, a divorcee; **sich ~ lassen** to get divorced, to get a divorce; **er will sich von ihr ~ lassen** he wants to divorce her *or* to get a divorce (from her); **von dem Moment an waren wir (zwei) geschiedene Leute** (*inf*) after that it was the parting of the ways for us (*inf*).

II *vi aux sein* (*geh*) (*sich trennen*) to part; (*weggehen*) to depart. **aus dem Dienst/Amt ~** to retire from service/ one's office; **aus dem Leben ~** to depart this life.

III *vr* (*Wege*) to divide, to part, to separate; (*Meinungen*) to diverge, to part company.

Scheidenkrampf *m* vaginal cramp, vaginismus (*form*).

Scheidewasser *nt* (*Chem*) nitric acid, aqua fortis; **Scheideweg** *m* (*fig*) crossroads *sing*; **am ~ stehen** to be at a crossroads.

Scheidung *f* **1.** (*das Scheiden*) separation. **2.** (*Ehe~*) divorce. **die ~ dieser Ehe** the dissolution of this marriage; **in ~ leben** *or* **liegen** to be in the middle of divorce proceedings, to be getting a divorce; **die ~ einreichen** to file a petition for divorce.

Scheidungsgrund *m* grounds *pl* for divorce; (*hum: Mensch*) reason for his/her *etc* divorce; **Scheidungsklage** *f* petition for divorce; **Scheidungsprozeß** *m* divorce proceedings *pl*; **Scheidungsurteil** *nt* decree of divorce.

Schein[1] *m* -s, *no pl* **1.** (*Licht*) light; (*matt*) glow; (*von Gold, Schwert*) gleam, glint. **einen (hellen) ~ auf etw** (*acc*) **werfen** to shine (brightly) on sth, to cast a (bright) light on sth.

2. (*An~*) appearances *pl*; (*Vortäuschung*) pretence, sham. **~ und Sein** appearance and reality; **der ~ trügt** *or* **täuscht** appearances are deceptive; **dem ~ nach** on the face of it, to all appearances; **den ~ wahren** to keep up appearances; **etw nur zum ~ tun** only to pretend to do sth, to make only a pretence *or* a show of doing sth.

Schein[2] *m* -s, -e (*Geld~*) note, bill (*US*); (*Bescheinigung*) certificate; (*Univ*) (end of semester) certificate.

Scheinasylant *m* asylum-seeker who false-

ly *claims to be politically persecuted*.

scheinbar *adj* apparent, seeming *attr*; (*vorgegeben*) feigned, ostensible; **er hörte ~ interessiert zu** he listened with apparent *or* seeming/feigned interest; **Scheinblüte** *f* illusory flowering; (*Econ*) illusory boom; **Scheinehe** *f* fictitious *or* sham marriage.

scheinen *pret* **schien**, *ptp* **geschienen** *vi* **1.** (*leuchten*) to shine.

2. *auch vi impers* (*den Anschein geben*) to seem, to appear. **es scheint, daß .../als (ob)** ... it seems *or* appears that .../als if ...; **mir scheint, (daß)** ... it seems *or* appears to me that ...; **wie es scheint** as it seems *or* would appear, apparently; **es scheint nur so** it only seems *or* appears to be like that; **du hast scheint's vergessen, daß** ... (*dial inf*) you seem to have forgotten that ...

Scheinfirma *f* dummy *or* fictitous firm; **Scheinfriede** *m* phoney peace, peace in name only, semblance *no pl* of peace; **Scheingefecht** *nt* mock *or* sham fight; **scheinheilig** *adj* hypocritical; (*Arglosigkeit vortäuschend*) innocent; **~ tun** to be hypocritical; (*Arglosigkeit vortäuschen*) to act innocent, to play *or* act the innocent; **Scheinheilige(r)** *mf siehe adj* hypocrite; sham; **Scheinheiligkeit** *f siehe adj* hypocrisy; feigned innocence; **Scheinschwangerschaft** *f* false pregnancy; **Scheintod** *m* apparent death, suspended animation; **scheintot** *adj* in a state of apparent death *or* of suspended animation; **Scheinwerfer** *m* (*zum Beleuchten*) floodlight; (*im Theater*) spotlight; (*Such~*) searchlight; (*Aut*) (head)light, headlamp; **Scheinwerferlicht** *nt siehe* **Scheinwerfer** floodlight(ing); spotlight; searchlight (beam), light *or* beam of the headlights *or* headlamps; (*fig*) limelight; **im ~ (der Öffentlichkeit) stehen** (*fig*) to be in the glare of publicity.

Scheiß *m* -, *no pl* (*sl*) shit (*vulg*), crap (*vulg*). **ein ~** a load of shit (*vulg*) *or* crap (*vulg*); **~ machen** (*herumalbern*) to bugger (*sl*) *or* mess (*inf*) about; (*Fehler machen*) to make a balls-up (*vulg*); **mach keinen ~!** don't do anything so bloody (*Brit sl*) *or* damn (*inf*) silly; **red' doch keinen ~!** don't talk crap! (*vulg*), cut (out) the crap! (*vulg*).

Scheiß- *in cpds* (*sl*) bloody (*Brit sl*), bleeding (*Brit sl*), damn(ed) (*inf*), fucking (*vulg*).

Scheißdreck *m* (*sl*) (*blödes Gerede, schlechte Ware*) load of shit (*vulg*); (*unangenehme Sache, Arbeit*) effing thing (*sl*), bloody thing (*Brit sl*); (*Angelegenheiten*) effing business (*sl*), bloody business (*Brit sl*). **~!** shit! (*vulg*); **wegen jedem ~** about every effing (*sl*) *or* bloody (*Brit sl*) little thing; **das geht dich einen ~ an** it's none of your effing (*sl*) *or* bloody (*Brit sl*) business, it's got bugger-all to do with you (*sl*); **sich einen ~ um jdn/etw kümmern** not to give a shit (*vulg*) *or* a bloody damn (*Brit sl*) about sb/sth.

Scheiße *f* -, *no pl* (*vulg: Kot*) shit (*vulg*),

crap (*vulg*); (*sl*) (*unangenehme Lage*) shit (*vulg*); (*Unsinn*) shit (*vulg*), crap (*vulg*). ~ **sein** to be bloody awful (*Brit sl*) or goddamn (*sl*) awful; (*ärgerlich*) to be a bloody (*Brit sl*) or goddamn (*sl*) nuisance; **das ist doch alles** ~ it's all a bloody mess (*Brit sl*), it's all shit (*vulg*); (*Unsinn*) it's all a load of shit (*vulg*); **in der** ~ **sitzen** to be in the shit (*vulg*), to be up shit creek (*vulg*).

scheiß|egal *adj* (*sl*) **das ist mir doch** ~! I don't give a shit (*vulg*) or a bloody damn (*Brit sl*).

scheißen *pret* **schiß**, *ptp* **geschissen** *vi* (*vulg*) to shit (*vulg*), to crap (*vulg*). **sich** (*dat*) **vor Angst in die Hosen** ~ to have or get the shits (*vulg*), to shit oneself (*vulg*); **auf etw** (*acc*) ~ (*fig*) not to give a shit about sth (*vulg*); **scheiß der Hund drauf** to hell with that! (*sl*), bugger that! (*sl*).

Scheißer *m* -s, - (*sl: Arschloch*) bugger (*sl*); (*inf: Kosename*) chubby cheeks *sing* (*hum inf*).

Scheißerei (*sl*), **Scheißeritis** (*hum inf*) *f* **die** ~ the runs (*inf*), the shits (*vulg*).

scheißfreundlich *adj* (*sl*) as nice as pie (*iro inf*); **Scheißhaus** *nt* (*vulg*) shithouse (*vulg*); **Scheißkerl** *m* (*sl*) bastard (*sl*), sod (*sl*), son-of-a-bitch (*US sl*), mother(fucker) (*US vulg*); **scheiß-vornehm** *adj* (*sl*) bloody posh (*Brit sl*).

Scheit *m* -(e)s, -e or (*Aus, Sw*) -er log, piece of wood.

Scheitel *m* -s, - 1. (*Haar~*) parting (*Brit*), part (*US*). **vom** ~ **bis zur Sohle** from top to toe. 2. (*höchster Punkt*) vertex.

scheiteln *vt* to part.

Scheitelpunkt *m* vertex; **Scheitelwinkel** *m* vertical angle.

Scheiterhaufen *m* (*funeral*) pyre; (*Hist: zur Hinrichtung*) stake. **die Hexe wurde auf dem** ~ **verbrannt** the witch was burned at the stake.

scheitern *vi aux sein* (*an* +*dat* because of) (*Mensch, Unternehmen*) to fail; (*Verhandlungen, Ehe*) to break down; (*Plan, Vorhaben auch*) to fall through; (*Regierung*) to founder (*an* +*dat* on); (*Mannschaft*) to be defeated (*an* +*dat* by).

Scheitern *nt* -s, *no pl siehe vi* failure; breakdown; falling through; foundering; defeat. **zum** ~ **verurteilt** doomed to failure; **etw zum** ~ **bringen** to make sth fail/break down/fall through.

Schelf *m or nt* -s, -e (*Geog*) (continental) shelf.

Schellack *m* -(e)s, -e shellac.

Schelle *f* -, -n 1. bell; (*dial: Klingel*) (door)bell. 2. (*Tech*) clamp. 3. (*Hand~*) handcuff. 4. (*dial*) *siehe* **Ohrfeige**. 5. (*Cards*) ~**n** *pl* ≃ diamonds *sing or pl* (*shaped like bells on traditional German cards*).

schellen *vi* to ring (*nach jdm* for sb). **es hat geschellt** the bell has gone; **bei jdm** or **an jds Tür** (*dat*) ~ to ring at sb's door.

Schellenbaum *m* (*Mus*) Turkish crescent, pavillon chinois; **Schellenkappe** *f* cap and bells, fool's cap.

Schellfisch *m* haddock.

Schelm *m* -(e)s, -e (*dated: Spaßvogel*) rogue, wag (*dated*); (*obs: Gauner*) knave (*obs*); (*Liter*) picaro. **den** ~ **im Nacken haben** to be up to mischief; **ein** ~, **der Böses denkt** honi soit qui mal y pense (*prov*), evil to him who evil thinks (*prov*).

Schelmengesicht *nt* mischievous face; **Schelmenroman** *m* picaresque novel; **Schelmenstreich** *m* (*dated*) roguish prank; **Schelmenstück** *nt* (*dated*) knavery (*old*); (*obs: Missetat*) villainous deed (*old*).

schelmisch *adj* mischievous.

Schelte *f* -, -n scolding; (*Kritik*) attack. **er hat** ~ **bekommen** to get a scolding.

schelten *pret* **schalt**, *ptp* **gescholten** I *vt* to scold, to chide. **jdn einen Dummkopf** ~ to call sb a blockhead. II *vi* (*schimpfen*) to curse. **über** or **auf jdn/etw** ~ to curse sb/sth, to rail at sb/sth (*old*); **mit jdm** ~ to scold sb.

Scheltwort *nt* word of abuse. ~**e** words of abuse, invective *sing*.

Schema *nt* -s, **Schemen** or -ta scheme; (*Darstellung*) diagram; (*Ordnung, Vorlage auch*) plan; (*Muster*) pattern; (*Philos, Psych*) schema. **nach** ~ **F** in the same (old) way; **etw nach einem** ~ **machen** to do sth according to a pattern.

schematisch *adj* schematic; (*mechanisch*) mechanical.

schematisieren* *vti* to schematize.

Schemel *m* -s, - stool.

Schemen *m* -s, - silhouette; (*Gespenst*) spectre.

schemenhaft I *adj* shadowy. II *adv* **etw** ~ **sehen/zeichnen** to see the outlines of sth/to sketch sth in; **die Bäume hoben sich** ~ **gegen den Himmel ab** the trees were silhouetted against the sky.

Schenke *f* -, -n tavern, inn.

Schenkel *m* -s, - 1. (*Anat*) (*Ober~*) thigh. **sich** (*dat*) **auf die** ~ **schlagen** to slap one's thighs; **dem Pferd die** ~ **geben** to press a horse on. 2. (*von Zirkel*) leg; (*von Zange, Schere*) shank; (*Math: von Winkel*) side.

Schenkelbruch *m* fracture of the thigh(bone) or femur; **Schenkelhalsbruch** *m* fracture of the neck of the femur.

schenken I *vt* 1. (*Geschenk geben*) **jdm etw** ~ to give sb sth or give sth to sb (as a present or gift); **sich** (*dat*) (*gegenseitig*) **etw** ~ to give each other sth (as a present or gift); **etw geschenkt bekommen/sich** (*dat*) **etw** ~ **lassen** to get sth as a present or gift; **etw zum Geburtstag/zu Weihnachten geschenkt bekommen** to get sth for one's birthday/for Christmas; **ich möchte nichts geschenkt haben!** (*lit*) I don't want any presents!; (*fig: bevorzugt werden*) I don't want any special treatment!; **ich nehme nichts geschenkt!** I'm not accepting any presents!; **das ist geschenkt!** (*inf*) (*ist ein Geschenk*) it's a present; (*nicht der Rede wert*) that's no great shakes (*inf*); (*sl: nichts wert*) forget it! (*inf*); **das ist** (*fast*) **geschenkt!** (*inf: billig*) that's dirt cheap (*inf*) or a give-away (*inf*); **das möchte ich nicht mal ge-**

schenkt haben! I wouldn't want it if it was given to me; **einem geschenkten Gaul sieht man nicht ins Maul** (*Prov*) don't look a gift horse in the mouth (*Prov*).

2. (*erlassen*) **jdm etw** ~ to let sb off sth; **ihm ist nie etwas geschenkt worden** (*fig*) he never had it easy.

3. *in Verbindung mit n siehe auch dort* **jdm die Freiheit/das Leben** ~ (*begnadigen*) to set sb free/to spare sb's life; **einem Kind das Leben** ~ (*geh*) to give birth to a child; **jdm seine Liebe/seine Aufmerksamkeit** ~ to give sb one's love/ one's attention; **jdm/einer Sache (keinen) Glauben** ~ to give (no) credence to sb/sth; **jdm Vertrauen** ~ to put one's trust in sb.

II *vi* to give presents.

III *vr* **1. sich** (*dat*) **etw** ~ to skip sth (*inf*); **deine Komplimente kannst du dir** ~**!** you can keep your compliments (*inf*); **sich** (*dat*) **die Mühe** ~ to save oneself the trouble; **er hat sich** (*dat*) **nichts geschenkt** he spared no pains.

2. sich jdm ~ (*liter: Frau*) to give oneself to sb.

Schenkung *f* (*Jur*) gift.

Schenkungssteuer *f* gift tax; **Schenkungsurkunde** *f* deed of gift.

scheppern *vi* (*dial*) to clatter. **es hat gescheppert** there was a clatter; (*loser, Gegenstand*) there was a rattle; (*Autounfall*) there was a bang; (*Ohrfeige*) he/she got a clip round the ear.

Scherbe *f* -, **-n** fragment, (broken) piece; (*Glas*~, *Porzellan*~, *Keramik*~) broken piece of glass/china/pottery; (*Archeol*) shard, potsherd. **etw in** ~**n schlagen** to shatter sth; **in** ~**n gehen** to break, to shatter; (*fig*) to fall *or* go to pieces; **die** ~**n zusammenkehren** to sweep up the (broken) pieces; (*fig*) to pick up the pieces; **es hat** ~**n gegeben** (*fig*) there was lots of trouble; (*bei Streit*) sparks flew; ~**n bringen Glück** (*Prov*) broken crockery brings you luck.

Scherbengericht *nt* ostracism; **über jdn ein** ~ **abhalten** (*geh*) to ostracize sb; **Scherbenhaufen** *m* pile of smashed crockery; **er stand vor dem** ~ **seiner Ehe** he was faced with the ruins of his marriage.

Schere *f* -, **-n 1.** (*Werkzeug*) (*klein*) scissors *pl*; (*groß*) shears *pl*; (*Draht*~) wire-cutters *pl*; (*fig: Kluft*) divide. **eine** ~ a pair of scissors/shears/wire-cutters. **2.** (*Zool*) pincer; (*von Hummer, Krebs auch*) claw. **3.** (*Turnen, Ringen*) scissors *sing*.

scheren¹ *pret* **schor,** *ptp* **geschoren** *vt* to clip; *Schaf,* (*Tech*) to shear; *Haare* to crop; *Bart* (*rasieren*) to shave; (*stutzen*) to trim. **kurz geschoren** cropped short.

scheren² *vtr* (*inf*) **1. sich nicht um jdn/etw** ~ not to care *or* bother about sb/sth; **was schert mich das?** what do I care (about that)?, what's that to me?

2. scher dich (weg)! scram! (*inf*), beat it! (*inf*); **scher dich heim!** go home!; **scher dich ins Bett!** get to bed!

Scherengitter *nt* concertina barrier;

Scherenschlag *m* scissors kick; **Scherenschleifer** *m* scissor(s) grinder, knife grinder; **Scherenschnitt** *m* silhouette.

Schererei *f usu pl* (*inf*) trouble *no pl*.

Scherflein *nt* (*Bibl*) mite. **sein** ~ (**zu etw**) **beitragen** *or* **dazu geben** *or* **beisteuern** (*Geld*) to contribute one's mite (towards sth); (*fig*) to do one's bit (for sth) (*inf*).

Scherge *m* -**n,** -**n** (*geh: Büttel*) thug.

Scherkopf *m* shaving head; **Schermesser** *nt* shearing knife; **Scherwind** *m* (*Met*) wind shear.

Scherz¹ *m* -**es,** -**e** joke, jest; (*Unfug*) tomfoolery *no pl.* **aus** *or* **zum/im** ~ as a joke/in jest; **einen** ~ **machen** to make a joke; (*Streich*) to play a joke; **mach keine** ~**e!** (*inf*) you're joking!, you must be kidding! (*inf*); **mit so etwas macht man keine** ~**e** you don't joke *or* make jokes about things like that; **seine** ~**e über jdn/etw machen** to make *or* crack jokes about sb/sth; **seine** ~**e (mit jdm) treiben** to play jokes; **... und solche** ~**e** (*inf*) ... and what have you (*inf*); (*ganz*) **ohne** ~**!** (*inf*) no kidding! (*inf*).

Scherz|artikel *m usu pl* joke (article).

scherzen *vi* (*old, geh*) to joke, to jest; (*albern*) to banter; (*nicht ernst nehmen*) to trifle (*mit* with). **ich scherze nicht** (*old, geh*) I'm not joking; **Sie belieben wohl zu** ~**!** (*old, geh*) surely you are in jest (*old, liter*); **mit jdm/etw ist nicht zu** ~ one can't trifle with sb/sth.

Scherzfrage *f* riddle; **Scherzgedicht** *nt* humorous poem; **scherzhaft** *adj* jocular, jovial; *Angelegenheit* joking; (*spaßig*) *Einfall* playful; **etw** ~ **sagen/ meinen** to say sth jokingly *or* as a joke *or* in jest/to mean sth as a joke; **Scherzkeks** *m* (*inf*) joker (*inf*).

Scherzo ['skɛrtso] *nt* -**s,** -**s** *or* **Scherzi** scherzo.

Scherzwort *nt* witticism, jocular *or* joking remark.

schesen *vi aux sein* (*dial*) to rush.

scheu *adj* (*schüchtern*) shy; (*ängstlich*) *Reh, Tier auch* timid; (*zaghaft*) *Versuche, Worte* cautious. **jdn** ~ **machen** to make sb shy; (*ängstigen*) to frighten *or* scare sb; **mach doch die Pferde** *or* **Gäule nicht** ~ (*fig inf*) keep your hair on (*inf*); ~ **werden** (*Pferd*) to be frightened.

Scheu *f* -, *no pl* fear (*vor +dat* of); (*Schüchternheit*) shyness; (*von Reh, Tier*) shyness, timidity; (*Hemmung*) inhibition; (*Ehrfurcht*) awe. **seine** ~ **verlieren** to lose one's inhibitions; **ohne jede** ~ without any inhibition; *sprechen* quite freely.

scheuchen *vt* to shoo (away); (*verscheuchen*) to frighten *or* scare away.

scheuen I *vt Kosten, Arbeit* to shy away from; *Menschen, Licht* to shun. **weder Mühe noch Kosten** ~ to spare neither trouble nor expense; **keine Mühe** ~ to go to endless trouble.

II *vr* **sich vor etw** (*dat*) ~ (*Angst haben*) to be afraid of sth; (*zurückschrecken*) to shy away from sth; **sich (davor)** ~**, etw zu tun** (*Angst haben*) to be afraid of doing sth; (*zurückschrecken*) to shrink back from doing sth; **und ich scheue mich nicht, das zu sagen** and I'm not afraid of saying it. **III** vi (*Pferd*) to shy (*vor* +*dat* at).

Sch̲e̲uer f -, -n barn.

Sch̲e̲uerbesen m scrubbing broom; **Sch̲e̲uerbürste** f scrubbing brush; **Sch̲e̲uerfrau** f char (*Brit*), cleaning woman; **Sch̲e̲uerlappen** m floorcloth; **Sch̲e̲uerleiste** f skirting board (*Brit*), baseboard (*US*).

sch̲e̲uern I vti **1.** (*putzen*) to scour; (*mit Bürste*) to scrub. **2.** (*reiben*) to chafe. **der Kragen scheuert am Hals** the collar chafes at the neck. **3.** **jdm eine ~** (*inf*) to clout sb one (*inf*). **II** vr **sich (an etw** *dat*) **~** to rub (against sth); **sich** (*acc*) **(wund) ~** to chafe oneself.

Sch̲e̲uersand m scouring powder; **Sch̲e̲uertuch** nt floorcloth.

Sch̲e̲uklappe f blinker. **~n haben** or **tragen** (*lit, fig*) to be blinkered, to wear blinkers.

Sch̲e̲une f -, -n barn.

Sch̲e̲unendrescher m: **wie ein ~ fressen** (*inf*) to eat like a horse (*inf*); **Sch̲e̲unentor** nt barn door.

Sch̲e̲usal nt -s, -e or (*inf*) **Sch̲e̲usäler** monster.

sch̲e̲ußlich adj dreadful; (*abstoßend häßlich*) hideous. **es hat ~ weh getan** (*inf*) it was horribly or terribly painful.

Sch̲e̲ußlichkeit f siehe adj dreadfulness; hideousness.

Sch̲i̲ m -s, -er or - siehe Ski.

Sch̲i̲cht f -, -en **1.** (*Lage*) layer; (*dünne ~*) film; (*Geol, Sci auch*) stratum; (*Farb~*) coat; (*der Gesellschaft*) level, stratum. **breite ~en der Bevölkerung** large sections of the population; **aus allen ~en (der Bevölkerung)** from all walks of life. **2.** (*Arbeitsabschnitt, -gruppe*) shift. **er hat jetzt ~, er ist auf ~** (*inf*) he's on shift; **~ arbeiten** to work shifts.

Sch̲i̲chtarbeit f shift-work; **Sch̲i̲chtarbeiter(in** f**)** m shift-worker.

sch̲i̲chten I vt to layer; **Holz, Heu, Bücher** to stack. **II** vr (*Geol*) to form layers; (*Gestein*) to stratify.

Sch̲i̲chtlohn m shift(-work) rates pl; **Sch̲i̲chtstoff** m laminate; **Sch̲i̲chtstoffplatte** f laminated sheet.

Sch̲i̲chtung f layering; (*von Holz, Heu, Büchern*) stacking; (*Sociol, Geol, Met*) stratification.

Sch̲i̲chtwechsel m change of shifts; **um 6 Uhr ist ~ bei uns** we change shifts at six o'clock; **sch̲i̲chtweise** adv in layers; (*Farbe, Lack*) in coats.

sch̲i̲ck adj elegant, smart; **Frauenmode** chic; **Haus, Wohnung** auch, **Möbel** stylish; **Auto** smart.

Sch̲i̲ck m -s, no pl style; (*von Frauenmode, Frau auch*) chic.

sch̲i̲cken I vti to send. **(jdm) etw ~** to send sth (to sb), to send (sb) sth; **jdn einkaufen/Bier holen ~** to send sb to do the shopping/to fetch or for some beer; **(jdn) nach jdm/etw ~** to send (sb) for

sb/sth. **II** vr, vr impers to be fitting or proper. **das schickt sich nicht für ein Mädchen** it does not befit or become a girl. **III** vr (*old: sich abfinden*) **sich in etw** (*acc*) **~** to resign or reconcile oneself to sth; **schließlich schickte er sich drein** eventually he became reconciled to this.

Sch̲i̲ckeria f -, no pl (iro) in-people pl.

Sch̲i̲cki, Sch̲i̲ckimicki m -(s), -s (sl) trendy.

sch̲i̲cklich adj Kleidung proper, fitting; **Verhalten** seemly, becoming. **es ist nicht ~ zu pfeifen** it is unseemly or unbecoming to whistle.

Sch̲i̲cksal nt -s, -e fate, destiny; (*Pech*) fate. **das ~ wollte es, (daß) ...** as fate would have it, ...; **~ spielen** to play at fate; **die ~e der Flüchtlinge** the fate of the refugees; **manche schweren ~e** many a difficult fate; **er hat ein schweres ~ gehabt** or **durchgemacht** fate has been unkind to him; **(das ist) ~** (*inf*) that's life; **jdn seinem ~ überlassen** to leave or abandon sb to his fate; **dem ~ haben wir es zu verdanken, daß ...** we have to thank our good fortune that ...; **das ~ hat es gut mit uns gemeint** fortune has smiled on us.

sch̲i̲cksalhaft adj fateful.

Sch̲i̲cksalsfrage f fateful question; **Sch̲i̲cksalsgemeinschaft** f **wir waren eine ~** we shared a common destiny; **Sch̲i̲cksalsglaube** m fatalism; **Sch̲i̲cksalsgöttin** f goddess of destiny; **die ~nen** the Fates; (*Nornen*) the Norns; **Sch̲i̲cksalsschlag** m great misfortune, stroke of fate; **Sch̲i̲cksalswende** f change in fortune.

Sch̲i̲ckse f -, -n (pej inf) floozy (pej inf).

Sch̲i̲ebebühne f traverser; (*Theat*) sliding stage; **Sch̲i̲ebedach** nt sunroof; **Sch̲i̲ebefenster** nt sliding window.

sch̲i̲eben pret **schob**, ptp **geschoben** I vt **1.** to push, to shove; **Fahrrad, Rollstuhl** auch to wheel. **etw von sich** (*dat*) **~** (*fig*) to put sth aside; **Schuld, Verantwortung** to reject sth; **er hat etw vor sich** (*dat*) **her ~** (*fig*) to put off sth; **etw auf jdn/etw ~** to blame sb/sth for sth, to put the blame onto sb/sth; **die Schuld/ Verantwortung auf jdn ~** to put the blame on sb/the responsibility at sb's door. **2.** (*stecken*) to put; **Hände** auch to slip. **jdm/sich etw in den Mund ~** to put sth into sb's/one's mouth. **3.** (*inf: handeln mit*) to traffic in. **4.** (*inf*) **Wache/Dienst ~** to do guard duty/duty. **II** vi **1.** to push, to shove. **2.** (*inf*) **mit etw ~** to traffic in sth. **3.** (*inf: begünstigen*) to wangle (*inf*). **da wurde viel geschoben** there was a lot of wangling (*inf*) going on. **III** vr **1.** (*mit Anstrengung*) to push, to shove. **sich an die Spitze ~** to push one's way to the front. **2.** (*sich bewegen*) to move.

Sch̲i̲eber m -s, - **1.** slide; (*inf: Bettpfanne*) bedpan; (*Eßbesteck für Kinder*) pusher. **2.** (*inf: Tanz*) shuffle. **3.** (*auch ~in* f)

(*Schwarzhändler*) black marketeer; (*Waffen~*) gun-runner.

Schieberei *f* (*inf*) **1.** (*Drängelei*) pushing, shoving. **2.** (*Begünstigung*) wangling (*inf*).

Schiebergeschäft *nt* shady deal; (*Schwarzhandel*) siehe **Schieber 3.** black marketeering; trafficking; **Schiebermütze** *f* flat cap.

Schiebesitz *m* sliding seat; **Schiebetür** *f* sliding door; **Schiebewand** *f* sliding partition (wall).

Schieblehre *f* calliper rule.

Schiebung *f* (*Begünstigung*) string-pulling; (*Sport*) rigging; (*Schiebergeschäfte*) shady deals *pl*. **der ~ bezichtigt werden** to be accused of rigging; **das war doch ~** that was rigged *or* a fix.

schied *pret of* **scheiden.**

schiedlich *adv:* **~ und friedlich** amicably.

Schiedsgericht *nt*, **Schiedsgerichtshof** *m* court of arbitration; **Schiedsmann** *m*, *pl* **-leute** arbitrator, arbiter; **Schiedsrichter(in** *f*) *m* arbitrator, arbiter, umpire; (*Fußball, Eishockey, Boxen*) referee; (*Hockey, Tennis, Federball, Kricket, Mil*) umpire; (*Preisrichter*) judge; **schiedsrichtern** *vi insep* (*inf*) *siehe* **Schiedsrichter** to arbitrate, to umpire; to referee; to judge; **Schiedsspruch** *m* (arbitral) award; **Schiedsstelle** *f* arbitration service; **Schiedsverfahren** *nt* arbitration proceedings *pl*.

schief *adj* crooked, not straight *pred*; (*nach einer Seite geneigt*) lopsided, tilted; *Winkel* oblique; *Blick, Lächeln* wry; *Absätze* worn(-down); (*fig: unzutreffend*) inappropriate; *Deutung* inappropriate; *Bild* distorted. **das Bild hängt ~** the picture is crooked *or* isn't straight; **~e Ebene** (*Phys*) inclined plane; **auf die ~e Bahn geraten** *or* **kommen** (*fig*) to leave the straight and narrow; **du siehst die Sache ganz ~!** (*fig*) you're looking at it all wrong!; **jdn ~ ansehen** (*fig*) to look askance at sb; **einen ~en Mund ziehen** (*fig inf*) to pull a (wry) face; **der S~e Turm von Pisa** the Leaning Tower of Pisa.

Schiefer *m* **-s,** **-** (*Gesteinsart*) slate.

Schieferdach *nt* slate roof; **schiefergrau** *adj* slate-grey; **Schieferplatte** *f* slate; **Schieferstift** *m* slate pencil; **Schiefertafel** *f* slate.

schiefgehen *vi sep irreg aux sein* to go wrong; **es wird schon ~!** (*hum*) it'll be OK (*inf*); **schiefgewickelt** *adj pred* (*inf*) on the wrong track; **da bist du ~** you've got a surprise coming to you there (*inf*).

schieflachen *vr sep* (*inf*) to kill oneself (laughing) (*inf*); **Schieflage** *f* (*fig*) difficulties *pl*; **schieflaufen** *sep irreg* **I** *vt siehe* **schieftreten; II** *vi aux sein* (*inf*) to go wrong; **schiefliegen** *vi sep* (*inf*) to be wrong; **mit einer Meinung ~** to be on the wrong track; **schieftreten** *vt sep irreg Absätze* to wear down; **die Schuhe ~** to wear down the heels of one's shoes; **schiefwink(e)lig** *adj* oblique-angled.

schiel|äugig *adj* cross-eyed, squint-eyed, boss-eyed.

schielen *vi* to squint, to be cross-eyed *or* boss-eyed. **auf** *or* **mit einem Auge ~** to have a squint in one eye; **auf etw** (*acc*) **~** (*inf*) to steal a glance at sth; **nach jdm/etw ~** (*inf*) to look at sb/sth out of the corner of one's eye; (*begehrlich*) to eye sb/sth up; (*heimlich*) to sneak a look at sb/sth.

schien *pret of* **scheinen.**

Schienbein *nt* shin; (*~knochen*) shinbone. **jdm gegen** *or* **vor das ~ treten** to kick sb on the shin(s).

Schienbeinschoner, Schienbeinschutz, Schienbeinschützer *m* shin-pad, shin-guard.

Schiene *f* **-,** **-n 1.** rail; (*Med*) splint; (*von Lineal*) edge, guide; (*von Winkelmesser*) blade. **auf oberster ~ backen** (*im Backofen*) to bake at the top of the oven; **~n** (*Rail*) track *sing*, rails *pl*; **aus den ~n springen** jump the rails.

2. (*fig*) **auf der Tennis-~** on the tennis circuit; **auf der politischen ~** along political lines; **ein Problem auf der politischen/pragmatischen ~ lösen** to solve a problem by political means/pragmatically; **auf der emotionalen ~** on an emotional level.

schienen *vt Arm, Bein* to put in a splint/splints, to splint.

Schienenbus *m* rail bus; **Schienenfahrzeug** *nt* track vehicle; **schienengleich** *adj* **~er Straßenübergang** level crossing (*Brit*), grade crossing (*US*); **Schienennetz** *nt* (*Rail*) rail network; **Schienenräumer** *m* **-s,** **-** track clearer; **Schienenstrang** *m* (section of) track; **Schienenweg** *m* railway (*Brit*) *or* railroad (*US*) line; **etw auf dem ~ versenden** to send sth by rail.

schier¹ *adj* pure; (*fig*) sheer.

schier² *adv* (*beinahe*) nearly, almost.

Schierling *m* hemlock.

Schierlingsbecher *m* (cup of) hemlock.

Schießbefehl *m* order to fire *or* shoot; **Schießbude** *f* shooting gallery; **Schießbudenfigur** *f* target figure *or* doll; (*fig inf*) clown; **Schießeisen** *nt* (*sl*) shooting iron (*sl*).

schießen *pret* **schoß,** *ptp* **geschossen I** *vt* to shoot; *Kugel, Rakete* to fire; (*Ftbl*) to kick; *Tor auch* to score; (*mit Stock, Schläger*) to hit. **jdn in den Kopf ~** to shoot sb in the head; **etw an der Schießbude ~** to win sth at the shooting gallery; **ein paar Bilder ~** (*Phot inf*) to take a few shots; **sie hat ihn zum Krüppel geschossen** she shot and crippled him.

II *vi* **1.** to shoot. **auf jdn/etw ~** to shoot at sb/sth; **nach etw ~** to shoot at sth; **aufs Tor/ins Netz ~** to shoot *or* kick at goal/into the net; **das ist zum S~** (*inf*) that's a scream (*inf*).

2. *aux sein* (**in die Höhe ~**) to shoot up; (*Samenstand entwickeln*) to run to seed. **die Pflanzen/Kinder sind in die Höhe geschossen** the plants/children have shot up; **aus dem Boden ~** (*lit, fig*) to spring *or* sprout up.

3. *aux sein* (*inf: sich schnell bewegen*)

to shoot. **er ist** or **kam um die Ecke ge-schossen** he shot round the corner; **jdm durch den Kopf ~** (fig) to flash through sb's mind.
4. aux sein (Flüssigkeit) to shoot; (spritzen) to spurt. **das Blut schoß ihm ins Gesicht** blood rushed or shot to his face.
III vr to have a shoot-out.
Schießerei f gun battle, shoot-out; (das Schießen) shooting.
Schießgewehr nt (hum) gun; **Schieß-hund** m: **wie ein ~ aufpassen** (inf) to keep a close watch, to watch like a hawk; **Schießkunst** f marksmanship no pl; **Schießplatz** m (shooting or firing) range; **Schießprügel** m (sl) iron (sl); **Schießpulver** nt gunpowder; **Schieß-scharte** f embrasure; **Schießscheibe** f target; **Schießsport** m shooting; **Schießstand** m shooting range; (Schießbude) shooting gallery.
Schiff nt -(e)s, -e **1.** ship. **das ~ der Wüste** (geh) the ship of the desert. **2.** (Archit) (Mittel~) nave; (Seiten~) aisle; (Quer~) transept. **3.** (Typ: Setz~) galley.
Schiffahrt f getrennt: **Schiff-fahrt** shipping; (~skunde) navigation.
Schiffahrtsgesellschaft f shipping company; **Schiffahrtskunde** f navigation; **Schiffahrtslinie** f **1.** (Schiffsweg) shipping route; **2.** (Unternehmen) shipping line; **Schiffahrtsrecht** nt maritime law; **Schiffahrtsstraße** f, **Schiffahrts-weg** m (Kanal) waterway; (Schiffahrtslinie) shipping route or lane.
schiffbar adj navigable; **Schiffbau** m shipbuilding; **Schiffbauer** m shipwright; **Schiffbruch** m shipwreck; **~ erleiden** (lit) to be shipwrecked; (fig) to fail; (Unternehmen) to founder; **schiffbrüchig** adj shipwrecked; **~ werden** to be shipwrecked; **Schiffbrüchige(r)** mf decl as adj shipwrecked person.
Schiffchen nt **1.** (zum Spielen) little boat. **2.** (Mil, Fashion) forage cap. **3.** (Tex, Sew) shuttle. **4.** (Bot) keel, carina (spec).
schiffen I vi **1.** aux sein (old) (Schiff fahren) to ship (old), to go by ship; (Schiff steuern) to steer. **2.** (sl: urinieren) to piss (sl). II vi impers (sl: regnen) to piss down (sl).
Schiffer(in f) m -s, - boatman, sailor; (von Lastkahn) bargee; (Kapitän) skipper.
Schifferklavier nt accordion; **Schiffer-knoten** m sailor's knot; **Schiffermütze** f yachting cap; **Schifferscheiße** f (vulg) **dumm wie ~** (sl) thick as pigshit (vulg).
Schiffs- in cpds ship's; **Schiffsarzt** m, **Schiffsärztin** f ship's doctor; **Schiffs-bauch** m bilge; **Schiffsbesatzung** f ship's company.
Schiffschaukel f swing boat.
Schiffseigner(in f) m (form) shipowner; **Schiffsjunge** m ship's boy; **Schiffs-kapitän(in** f) m ship's captain; **Schiffskarte** f chart; **Schiffskoch** m, **Schiffsköchin** f ship's cook; **Schiffs-ladung** f shipload; **Schiffsmak-ler(in** f) m ship-broker; **Schiffs-**

mannschaft f ship's crew; **Schiffs-modell** nt model ship; **Schiffspa-piere** pl ship's papers pl; **Schiffs-raum** m hold; **Schiffsrumpf** m hull; **Schiffsschnabel** m bow; **Schiffs-schraube** f ship's propeller; **Schiffs-tagebuch** nt ship's log; **Schiffs-tau** nt (ship's) rope; **Schiffs-taufe** f christening or naming of a/the ship; **Schiffsverbindung** f connecting boat service; **Schiffsverkehr** m shipping; **Schiffswerft** f shipyard; **Schiffs-zwieback** m ship's biscuit.
Schiit(in f) m -en, -en Shiite.
schiitisch adj Shiite.
Schikane f -, -n **1.** harassment; (von Mitschülern) bullying no pl. **diese neuer-lichen ~n an der Grenze** this recent harassment at the border; **das hat er aus rei-ner ~ gemacht** he did it out of sheer bloody-mindedness.
2. mit allen ~n (inf) with all the trimmings.
3. (Sport) chicane.
schikanieren* vt to harass; Ehepartner, Freundin to mess around; Mitschüler to bully. **ich lasse mich nicht weiter von die-sem Weibsstück ~** I won't let this female mess me around any more (inf).
schikanös adj Mensch bloody-minded; Maßnahme harassing; Mitschüler, Ehe-mann, Vorgesetzter bullying. **jdn ~ be-handeln** to mess sb around, to give sb a rough time.
Schild[1] m -(e)s, -e shield; (Wappen~) escutcheon; (von ~kröte) shell, cara-pace (spec). **etwas/nichts Gutes im ~e führen** (fig) to be up to something/to be up to no good.
Schild[2] nt -(e)s, -er (Aushang, Waren~, Verkehrs~) sign; (Wegweiser) signpost; (Namens~, Tür~) nameplate; (Kenn-zeichen) number plate (Brit), license plate (US); (Preis~) ticket; (Etikett, an Käfig, Gepäck) label; (an Monument, Haus, Grab) plaque; (von Mütze) peak. **im Fenster stand ein ~** there was a sign or notice in the window.
Schildbürger(in f) m (Liter) ≃ Goth-amite; (hum) fool.
Schildbürgerstreich m foolish act. **das war ein ~** that was a stupid thing to do, that was a bit Irish (hum inf).
Schilddrüse f thyroid gland. **an der ~ lei-den** to have a thyroid complaint.
Schilderer m -s, - portrayer.
Schilderhaus, **Schilderhäuschen** nt sentry-box; **Schildermaler(in** f) m sign-writer.
schildern vt Ereignisse, Erlebnisse, Vor-gänge to describe; (skizzieren) to out-line; Menschen, Landschaften to por-tray. **es ist kaum zu ~** it's almost impos-sible to describe; **~ Sie den Verlauf des Unfalls** give an account of how the acci-dent happened.
Schilderung f (Beschreibung) descrip-tion; (Bericht, von Zeuge) account; (lite-rarische ~) portrayal.
Schilderwald m (hum) forest or jungle of traffic signs.
Schildknappe m (Hist) squire, shield-

bearer; **Schildkröte** f (Land~) tortoise; (Wasser~) turtle; **Schildkrötensuppe** f turtle soup; **Schildlaus** f scale insect; **Schildpatt** nt -s, no pl tortoiseshell; **Schildwache** f (old) sentry; ~ **stehen** to stand sentry.

Schilf nt -(e)s, -e reed; (mit ~ bewachsene Fläche) reeds pl.

Schilfdach nt thatched roof; **Schilfgras** nt, **Schilfrohr** nt siehe **Schilf**.

Schiller m -s, no pl 1. (Schimmer, Glanz) shimmer. 2. (Wein) rosé (wine).

Schillerkragen m Byron collar; **Schillerlocke** f 1. (Gebäck) cream horn; 2. (Räucherfisch) strip of smoked rocksalmon.

schillern vi to shimmer.

schillernd adj Farben, Stoffe shimmering; (in Regenbogenfarben) iridescent; (fig) Charakter enigmatic. ~e **Seide** shot silk.

Schilling m -s, - or (bei Geldstücken) -e shilling; (Aus) schilling.

schilpen vi to twitter, to chirp.

schilt imper sing of **schelten**.

Schimäre f -, -n chimera.

Schimmel¹ m -s, - (Pferd) white horse, grey. **ein weißer** ~ (hum) a pleonasm.

Schimmel² m -s no pl (auf Nahrungsmitteln) mould; (auf Leder, Papier) mildew.

schimm(e)lig adj siehe **Schimmel²** mouldy; mildewy. ~ **riechen** to smell mouldy; ~ **werden** to go mouldy; to become covered with mildew.

schimmeln vi aux sein or haben (Nahrungsmittel) to go mouldy; (Leder, Papier) to go mildewy.

Schimmelpilz m mould; **Schimmelreiter** m (Myth) ghost rider.

Schimmer m -s, no pl glimmer, gleam; (von Licht, Perlen, Seide) shimmer; (von Metall) gleam; (im Haar) sheen. **beim** ~ **der Lampe/Kerzen** by or in the soft glow of the lamp/glimmer of the candles; **keinen (blassen)** ~ **von etw haben** (inf) not to have the slightest idea or the faintest (inf) about sth.

schimmern vi to glimmer, to gleam; (Licht auch, Perlen, Seide) to shimmer; (Metall) to gleam. **der Stoff/ihr Haar schimmert rötlich** the material/her hair has a tinge of red.

Schimpanse m -n, -n chimpanzee, chimp (inf).

Schimpf m -(e)s, no pl insult, affront. **mit** ~ **und Schande** in disgrace.

schimpfen I vi to get angry; (sich beklagen) to moan, to grumble, to bitch (inf); (fluchen) to swear, to curse; (Vögel, Affen) to bitch (inf). **mit jdm** ~ to scold sb, to tell sb off; **heute hat der Lehrer (fürchterlich) geschimpft, weil ich ...** the teacher told me off today because I ... (inf); **auf** or **über jdn/etw** ~ to bitch (inf) about sb/sth, to curse (about or at) sb/sth.

II vt (aus~) to tell off, to scold. **jdn einen Idioten** ~ to call sb an idiot.

III vr **sich etw** ~ (inf) to call oneself sth.

Schimpferei f cursing and swearing; (Geschimpfe) scolding; (Beschimpfung)

row, set-to (inf), slanging match (inf); (das Murren) moaning, grumbling, bitching (inf); (von Vögeln, Affen) bitching (inf).

Schimpfkanonade f barrage of abuse.

schimpflich adj (geh) (beleidigend) insulting; (schmachvoll) humiliating. **jdn** ~ **verjagen** to drive sb away in disgrace.

Schimpfname m nickname; **Tricky Dicky war sein** ~ they dubbed him Tricky Dicky; **Schimpfwort** nt swearword; **mit Schimpfwörtern um sich werfen** to curse and swear.

Schind|anger m (old) knacker's yard.

Schindel f -, -n shingle.

Schindeldach nt shingle roof.

schinden pret **schindete** or (rare) **schund**, ptp **geschunden** I vt 1. (quälen) Gefangene, Tiere to maltreat; (ausbeuten) to overwork, to drive hard; Maschine, Motor, Auto to flog. **der geschundene Leib Christi** the broken body of Christ.

2. (inf: herausschlagen) Zeilen to pad (out); Arbeitsstunden to pile up. **Zeit** ~ to play for time; (bei jdm) **Eindruck** ~ to make a good impression (on sb), to impress (sb); **Mitleid** ~ to get some sympathy.

II vr (hart arbeiten) to struggle; (sich quälen) to strain. **sich mit etw** ~ to slave away at sth.

Schinder(in f) m -s, - 1. (old: Abdecker) knacker. 2. (fig: Quäler) slavedriver.

Schinderei f 1. (old: Abdeckerei) knacker's yard. 2. (Plackerei) struggle; (Arbeit) slavery no indef art.

Schindluder nt (inf) **mit jdm** ~ **treiben** to make sb suffer; **mit etw** ~ **treiben** to misuse sth; **mit seiner Gesundheit/seinen Kräften** ~ **treiben** to abuse one's health/strength.

Schindmähre f (old) nag.

Schinken m -s, - 1. ham; (gekocht und geräuchert auch) gammon. 2. (pej inf) hackneyed and clichéed play/book/film; (großes Buch) tome; (großes Bild) great daub (pej inf).

Schinkenbrötchen nt ham roll; **Schinkenröllchen** nt roll of ham; **Schinkenspeck** m bacon; **Schinkenwurst** f ham sausage.

Schinn m -s, no pl, **Schinnen** pl (N Ger) dandruff no pl.

Schippe f -, -n 1. (esp N Ger: Schaufel) shovel, spade. **jdn auf die** ~ **nehmen** (fig inf) to pull sb's leg (inf); **dem Tod von der** ~ **springen** (inf) to be snatched from the jaws of death. 2. (Cards) spades.

schippen vt to shovel. **Schnee** ~ to clear the snow.

schippern vi aux sein (inf) to sail.

Schiri m -s, -s (Ftbl inf) ref (inf).

Schirm m -(e)s, -e 1. (Regen~) umbrella; (Sonnen~) sunshade, parasol; (von Pilz~) cap.

2. (Mützen~) peak. **eine Mütze mit** ~ a peaked cap.

3. (Röntgen~, Wand~, Ofen~) screen; (Lampen~) shade.

Schirmbild nt X-ray (picture); **Schirmbildaufnahme** f (form) X-ray;

Schirmbildstelle f X-ray unit.
schirmen vt (geh) to shield, to protect (vor +dat from, gegen against).
Schirmfutteral nt umbrella cover or case; **Schirmherr(in** f) m patron; (Frau auch) patroness; **Schirmherrschaft** f patronage; unter der ~ von under the patronage of; (von Organisation) under the auspices of; die ~ übernehmen to become patron; **Schirmhülle** f umbrella cover; **Schirmmütze** f peaked cap; **Schirmpilz** m parasol mushroom; **Schirmständer** m umbrella stand.
Schirokko m -s, -s sirocco.
Schisma ['ʃɪsma, 'sçɪ-] nt -s, **Schismen** or (geh) **-ta** (Eccl, Pol) schism.
schiß pret of **scheißen**.
Schiß m -sses, no pl (sl) shit (vulg), crap (vulg). (fürchterlichen) ~ haben to be shit scared (vor +dat of) (vulg); ~ kriegen to get the shits (vulg).
schizophren adj 1. (Med) schizophrenic. 2. (pej: widersinnig) contradictory, topsy-turvy.
Schizophrenie f 1. (Med) schizophrenia. 2. (pej: Widersinn) contradictoriness. das ist die reinste ~ that's a flat contradiction.
schlabberig adj (inf) slithery, slimy; Maul slobbery; Brei, Suppe watery.
schlabbern (inf) I vi to slobber, to slurp. er schlabberte beim Essen he slobbered or slurped his food. II vt to slurp.
Schlacht f -, -en battle. die ~ bei or um X the battle of X; in die ~ gehen or ziehen to go into battle; jdm eine ~ liefern to fight sb, to battle with sb; die Kelten lieferten den Römern eine ~, die ... the Celts gave the Romans a battle that ...
Schlachtbank f: jdn (wie ein Lamm) zur ~ führen to lead sb (like a lamb) to the slaughter.
schlachten I vt Schwein, Kuh to slaughter, to butcher; Huhn, Kaninchen, Opfertier to slaughter, to kill; (hum) Sparschwein to break into.
II vi to do one's slaughtering. unser Fleischer schlachtet selbst our butcher does his own slaughtering.
Schlachtenbummler(in f) m (inf: Sport) visiting or away supporter or fan; **Schlachtenmaler(in** f) m painter of battle scenes.
Schlachter(in f) m -s, - (esp N Ger) butcher.
Schlächter(in f) m -s, - (dial, fig) butcher.
Schlachterei f (esp N Ger) butcher's (shop).
Schlächterei f 1. (dial) butcher's (shop). 2. (fig: Blutbad) slaughter, butchery no pl, massacre.
Schlachtfeld nt battle-field; auf dem ~ bleiben (lit) to fall in battle; (fig) (nach Schlägerei) to be left lying; (esp Pol) to be finished; das Zimmer sieht aus wie ein ~ the room looks like a battle-field or looks as if a bomb has hit it (inf);
Schlachtfest nt a country feast to eat up meat from freshly slaughtered pigs; **Schlachtgesang** m battle song; **Schlachtgetümmel** nt thick of the battle, fray; **Schlachtgewicht** nt

dressed weight; **Schlachthaus** nt, **Schlachthof** m slaughter-house, abattoir; **Schlachtkreuzer** m battle cruiser; **Schlachtlinie** f battle line; **Schlachtmesser** nt butcher's knife; **Schlachtopfer** nt sacrifice; (Mensch) human sacrifice; **Schlachtordnung** f battle formation; **Schlachtplan** m battle plan; (für Feldzug) campaign plan; (fig auch) plan of action; **Schlachtplatte** f (Cook) ham, German sausage, made with meat from freshly slaughtered pigs and served with sauerkraut; **schlachtreif** adj (lit, fig) ready for the slaughter; **Schlachtroß** nt (liter) warhorse, charger; (fig inf) heavyweight; **Schlachtruf** m battle cry; **Schlachtschiff** nt battleship.
Schlachtung f siehe vt slaughter(ing), butchering; killing.
Schlachtvieh nt, no pl animals pl for slaughter; (Rinder auch) beef cattle pl.
Schlacke f -, -n (Verbrennungsrückstand) clinker no pl; (Aschenteile auch) cinders pl; (Metal) slag no pl; (Geol) scoria pl (spec), slag no pl; (Physiol) waste products pl.
Schlackenbahn f (Sport) cinder track; **schlackenfrei, schlackenlos** adj (ohne Verbrennungsrückstand) non-clinker attr, clinker-free; (ohne Stoffwechselrückstand) free of waste products; **Anthrazit brennt ~** anthracite burns without clinkering.
schlackern vi (inf) to tremble, to shake; (vor Angst auch) to quake; (Kleidung) to hang loosely, to be baggy. mit den Knien ~ to tremble at the knees; mit den Ohren ~ (fig) to be (left) speechless.
Schlaf m -(e)s, no pl sleep. einen leichten/festen/tiefen ~ haben to be a light/sound/deep sleeper; keinen ~ finden to be unable to sleep; um seinen ~ kommen/gebracht werden to lose sleep; (überhaupt nicht schlafen) not to get any sleep; jdn um seinen ~ bringen to keep sb awake; halb im ~ half asleep; im ~ reden to talk in one's sleep; ein Kind in den ~ singen to sing a child to sleep; sich (dat) den ~ aus den Augen reiben to rub the sleep out of one's eyes; in tiefstem ~ liegen to be sound or fast asleep; aus dem ~ erwachen (geh) to awake, to waken (from sleep); den Seinen gibt's der Herr im ~ the devil looks after his own; es fällt mir nicht im ~(e) ein, das zu tun I wouldn't dream of doing that; das macht or tut or kann er im ~ (fig inf) he can do that in his sleep.
Schlafanzug m pyjamas pl (Brit), pajamas pl (US); **schlafbedürftig** adj (besonders) ~ sein to be in need of lots of sleep.
Schläfchen nt nap, snooze. ein ~ machen to have a nap or snooze.
Schlafcouch f studio couch, sofa bed.
Schläfe f -, -n temple. graue ~n greying temples.
schlafen pret **schlief**, ptp **geschlafen** I vi to sleep; (nicht wach sein auch) to be asleep; (euph: tot sein) to be asleep (euph); (geh: Stadt, Land auch) to be

quiet, to slumber (*liter*); (*inf: nicht aufpassen*) (*bei bestimmter Gelegenheit*) to be asleep; (*immer*) not to pay attention. **er schläft immer noch** he's still asleep, he's still sleeping; **tief** *or* **fest ~** (*zu diesem Zeitpunkt*) to be fast *or* sound asleep; (*immer*) to be a deep *or* sound sleeper; **~ gehen** to go to bed; **sich ~ legen** to lie down to sleep; **jdn ~ legen** to put sb to bed; **schläfst du schon?** are you asleep?; **lange ~** to sleep for a long time; (*spät aufstehen*) to sleep late, to have a long lie (in); **schlaf gut** *or* (*geh*) **wohl** sleep well; **hast du gut geschlafen?** did you sleep well?, did you have a good sleep?; **mittags** *or* **über Mittag ~** to have an afternoon nap; **~ wie ein Murmeltier** *or* **Bär** *or* **Sack** *or* **Stein** *or* **eine Ratte** (*all inf*) to sleep like a log; **bei jdm ~** to stay overnight with sb; **er kann nachts nicht mehr ~** (*fig*) he can't sleep nights; **das läßt ihn nicht ~** (*fig*) it preys on his mind; **darüber muß ich erst mal ~** (*fig: überdenken*) I'll have to sleep on it; **mit jdm ~** (*euph*) to sleep with sb; **sie schläft mit jedem** she sleeps around; **schlaf nicht!** wake up!

II *vr impers* **auf dieser Matratze schläft es sich schlecht** this mattress is terrible to sleep on.

Schläfenbein *nt* temporal bone.

schlafend I *adj* sleeping. **im ~en Zustand** asleep. **II** *adv* asleep. **sich ~ stellen** to pretend to be asleep.

Schlafengehen *nt* going to bed.

Schlafenszeit *f* bedtime.

Schlaf|entzug *m* sleep deprivation.

Schläfer(in *f*) *m* **-s,** **-** sleeper; (*fig*) dozy person (*inf*).

schlaff *adj* limp; (*locker*) *Seil, Segel* loose, slack; *Moral* lax, loose; *Disziplin* lax; *Haut* flabby, loose; *Muskeln* flabby, floppy; (*erschöpft*) worn-out, shattered (*inf*), exhausted; (*energielos*) listless.

Schlaffheit *f siehe adj* limpness; looseness, slackness; flabbiness, floppiness; exhaustion; listlessness.

Schlafgelegenheit *f* place to sleep; **wir haben ~ für mehrere Leute** we can put up several people; **Schlafgemach** *nt* (*geh*) bedchamber (*liter*).

Schlafittchen *nt*: **jdn am** *or* **beim ~ nehmen** *or* **kriegen** (*inf*) to take sb by the scruff of the neck; (*zurechtweisen*) to give sb a dressing down (*inf*).

Schlafkammer *f* (*dial*) bedroom; **Schlafkrankheit** *f* sleeping sickness; **Schlaflied** *nt* lullaby; **schlaflos** *adj* (*lit, fig*) sleepless; **~ liegen** to lie awake; **Schlaflosigkeit** *f* sleeplessness, insomnia (*Med*); **Schlafmittel** *nt* sleeping drug *or* pill; (*fig iro*) soporific; **Schlafmittelvergiftung** *f* (*poisoning from an*) overdose of sleeping pills, ≈ barbiturate poisoning; **Schlafmütze** *f* **1.** nightcap; **2.** (*inf*) dope (*inf*); **schlafmützig** *adj* (*inf*) dozy (*inf*), dopey (*inf*); **Schlafpille** *f* (*inf*) sleeping pill; **Schlafraum** *m* dormitory, dorm (*inf*).

schläfrig *adj* sleepy; *Mensch auch* drowsy; (*fig auch: träge*) lethargic.

Schläfrigkeit *f siehe adj* sleepiness;

drowsiness; lethargy.

Schlafrock *m* dressing-gown; **Schlafsaal** *m* dormitory; **Schlafsack** *m* sleeping-bag; **Schlafsacktourist(in** *f*) *m* backpacker; **Schlafsessel** *m* reclining seat; **Schlafsofa** *nt* sofabed, bed-settee (*Brit*); **Schlafstadt** *f* dormitory town; **Schlafstelle** *f* place to sleep; **Schlafstörung** *f* sleeplessness, insomnia; **Schlafstube** *f* (*dial*) bedroom; **Schlafsucht** *f* hypersomnia; **Schlaftablette** *f* sleeping pill; **Schlaftrunk** *m* (*old*) sleeping draught (*old*); (*hum inf: Alkohol*) nightcap; **schlaftrunken I** *adj* (*geh*) drowsy, half asleep; **II** *adv* drowsily, half-asleep; **Schlafwagen** *m* sleeping-car, sleeper; **Schlafwagenkarte** *f* sleeper ticket; **Schlafwagenplatz** *m* berth.

schlafwandeln *vi insep aux sein or haben* to sleepwalk, to walk in one's sleep, to somnambulate (*form*); **Schlafwandler(in** *f*) *m* **-s,** **-** sleepwalker, somnambulist (*form*); **schlafwandlerisch** *adj* (*geh*) sleepwalking *attr*, somnambulatory (*form*); **mit ~er Sicherheit** *wählen, Fragen beantworten* intuitively, instinctively; **Schlafzimmer** *nt* bedroom; **Schlafzimmerblick** *m* (*hum inf*) come-to-bed eyes *pl* (*inf*); **Schlafzimmergeschichte** *f* (*inf*) sexual adventure, bedroom antic (*inf*).

Schlag *m* **-(e)s,** **⁻e 1.** (*lit, fig*) blow; (*Faust~ auch*) punch; (*mit der Handfläche*) smack, slap; (*leichter*) pat; (*Handkanten~, Judo*) chop (*inf*); (*Ohrfeige*) cuff, clout; (*mit dem Fuß, Huf*) kick; (*Ftbl sl: Schuß*) shot; (*mit Rohrstock*) stroke; (*Peitschen~*) stroke, lash; (*einmaliges Klopfen*) knock; (*dumpf*) thump, thud; (*leichtes Pochen*) tap; (*Glocken~*) chime; (*Standuhr~*) stroke; (*von Metronom*) tick, beat; (*Gehirn~, ~anfall, Kolben~, Ruder~, Schwimmen, Tennis*) stroke; (*Herz~, Puls~, Trommel~, Wellen~*) beat; (*Blitz~*) bolt, stroke; (*Donner~*) clap; (*Strom~*) shock. **man hörte die ⁻e des Hammers/der Trommeln** you could hear the clanging of the hammer/beating of the drums; **~e kriegen** to get a hiding *or* thrashing *or* beating; **zum entscheidenden ~ ausholen** (*fig*) to strike the decisive blow; **~ auf ~** (*fig*) in quick succession, one after the other; **~ or s~** (*Aus*) **acht Uhr** (*inf*) at eight on the dot (*inf*), on the stroke of eight; **ein ~ ins Gesicht** (*lit, fig*) a slap in the face; **ein ~ ins Kontor** (*inf*) a nasty shock *or* surprise; **ein ~ ins Wasser** (*inf*) a washout (*inf*), a letdown (*inf*); **mit einem** *or* **auf einen ~** (*inf*) all at once; (*auf einmal, zugleich auch*) in one go; **mit einem ~ berühmt werden** to become famous overnight; **die haben keinen ~ getan** (*inf*) they haven't done a stroke (of work); **einen ~ weghaben** (*sl*) (*blöd sein*) to have a screw loose (*inf*); (*betrunken sein*) to be tiddly (*inf*); **ihn hat der ~ getroffen** (*Med*) he had a stroke; **ich dachte, mich rührt** *or* **trifft der ~** (*inf*) I was flabbergasted (*inf*) *or* thunderstruck; **ich glaube, mich trifft**

der ~ I don't believe it.
2. (*inf: Wesensart*) type (of person).
vom ~ **der Südländer sein** to be a Southern type; **vom gleichen ~ sein** to be cast
in the same mould; (*pej*) to be tarred
with the same brush; **vom alten ~** of the
old school.
3. (*Vogel~*) song.
4. (*dated*: *Wagen~*) door.
5. (*Tauben~*) cote.
6. (*Aus*: *~sahne*) cream.
7. (*inf*: *Portion*) helping.
8. (*sl*) **er hat ~ bei Frauen** he has a
way with the ladies.
Schlagabtausch *m* (*Boxen*) exchange of
blows; (*fig*) (verbal) exchange; **offener
~** public exchange (of views);
Schlagader *f* artery; **Schlaganfall** *m*
stroke; **schlagartig I** *adj* sudden,
abrupt; **II** *adv* suddenly; **Schlagball** *m*
rounders *sing*; (*Ball*) rounders ball;
schlagbar *adj* beatable; **diese Mannschaft ist durchaus ~** this team is by no
means invincible *or* unbeatable;
Schlagbaum *m* barrier; **Schlagbohrer**
m, **Schlagbohrmaschine** *f* hammer
drill.
Schläge *pl of* Schlag.
Schlägel *m* **-s**, **-** (*Min*) (miner's) hammer.
~ **und Eisen** crossed hammers, *miner's
symbol.*
schlagen *pret* **schlug**, *ptp* **geschlagen I**
vti **1.** to hit; (*hauen*) to beat; (*einmal
zu~, treffen auch*) to strike; (*mit der flachen Hand*) to slap, to smack; (*leichter*)
to pat; (*mit der Faust*) to punch; (*mit
Schläger*) to hit; (*treten*) to kick; (*mit
Hammer, Pickel*) *Nagel, Loch* to knock.
jdn bewußtlos ~ to knock sb out *or* unconscious; (*mit vielen Schlägen*) to beat
sb unconscious; **etw in Stücke** *or* **kurz
und klein ~** to smash sth up *or* to pieces;
um sich ~ to lash out; **mit dem Hammer
auf den Nagel ~** to hit the nail with the
hammer; **mit der Faust an die Tür/auf
den Tisch ~** to beat *or* thump on the
door/table with one's fist; **gegen die Tür
~** to hammer on the door; **jdm auf die
Schulter ~** to slap sb on the back;
(*leichter*) to pat sb on the back; **jdm auf
den Kopf ~** to hit sb on the head; **jdm
ein Buch auf den Kopf ~** to hit sb on the
head with a book; **jdm etw aus der Hand
~** to knock sth out of sb's hand; **jdm** *or*
(*rare*) **jdn ins Gesicht ~** to hit/slap/
punch sb in the face; **einer Sache** (*dat*)
ins Gesicht ~ (*fig*) to be a slap in the face
for sth.
2. *Teig, Eier* to beat; (*mit Schneebesen*) to whisk; *Sahne* to whip. **ein Ei in
die Pfanne/die Suppe ~** to crack an egg
into the pan/beat an egg into the soup.
3. (*läuten*) to chime; *Stunde* to strike.
die Uhr hat 12 geschlagen the clock has
struck 12; **eine geschlagene Stunde** a full
hour; **wissen, was die Glocke geschlagen
hat** (*fig inf*) to know what's what (*inf*).
4. (*heftig flattern*) **mit den Flügeln ~**,
to beat *or* flap its wings.
5. (*Chess*) to take, to capture.
II *vt* **1.** (*besiegen, übertreffen*) *Gegner,
Rekord* to beat. **jdn in etw** (*dat*) **~** to

beat sb at sth; **unsere Mannschaft schlug
den Gegner (mit) 2:1** our team beat their
opponents (by) 2-1; **na ja, ehe ich mich
~ lasse!** (*hum inf*) yes, I don't mind if I
do, I suppose you could twist my arm
(*hum inf*); **sich geschlagen geben** to
admit that one is beaten, to admit defeat.
2. (*geh: treffen*) **ein vom Schicksal ge-
schlagener Mann** a man dogged by fate.
3. (*Bibl: bestrafen*) to strike (down),
to smite (*Bibl*). **mit Blindheit** (*lit, fig*)/
Dummheit geschlagen sein to be blind/
dumb.
4. (*fällen*) to fell.
5. (*fechten*) *Mensuren* to fight.
6. (*geh: krallen, beißen*) **seine Fänge/
Zähne in etw** (*acc*) **~** to sink one's
talons/teeth into sth.
7. (*Hunt: töten*) to kill.
8. (*spielen*) *Trommel* to beat; (*geh*)
Harfe, Laute to pluck, to play. **das S~
der Trommeln** the beat(ing) of the
drums.
9. (*prägen*) *Münzen* to mint, to coin;
Medaillen auch to strike.
10. (*hinzufügen*) to add (*auf* +*acc, zu*
to); *Gebiet* to annexe.
11. *in Verbindung mit n siehe auch
dort. Kreis, Bogen* to describe; *Purzelbaum, Rad* to do; *Alarm, Funken* to
raise; *Krach* to make. **Profit aus etw ~**
to make a profit from sth; (*fig*) to profit
from sth; **eine Schlacht ~** to fight a
battle.
12. den Kragen nach oben ~ to turn
up one's collar; **die Hände vors Gesicht
~** to cover one's face with one's hands.
13. (*wickeln*) to wrap.
III *vi* **1.** (*Herz, Puls*) to beat; (*heftig*)
to pound, to throb. **sein Puls schlug unregelmäßig** his pulse was irregular.
2. *aux sein* (*auftreffen*) **mit dem Kopf
auf/gegen etw** (*acc*) **~** to hit one's head
on/against sth.
3. *aux sein* (*gelangen*) **ein leises Wimmern schlug an sein Ohr** he could hear a
faint whimpering.
4. (*Regen*) to beat; (*Wellen auch*) to
pound.
5. *aux sein or haben* (*Flammen*) to
shoot out (*aus* of); (*Rauch*) to pour out
(*aus* of).
6. (*Blitz*) to strike (*in etw acc*) sth).
7. (*singen: Nachtigall, Fink*) to sing.
8. *aux sein* (*inf: ähneln*) **er schlägt sehr
nach seinem Vater** he takes after his
father a lot.
9. (*betreffen*) **in jds Fach/Gebiet** (*acc*)
~ to be in sb's field/line.
10. *aux sein* (*esp Med: in Mitleidenschaft ziehen*) **auf die Augen/Nieren ~** to
affect the eyes/kidneys; **jdm auf die Augen ~** to affect sb's eyes.
IV *vr* **1.** (*sich prügeln*) to fight; (*sich
duellieren*) to duel (*auf* +*dat* with). **als
Schuljunge habe ich mich oft geschlagen**
I often had fights when I was a schoolboy; **sich mit jdm ~** to have a fight with
sb; (*duellieren*) to duel with sb; **sich um
etw ~** (*lit, fig*) to fight over sth.
2. (*sich bewähren*) to do, to fare. **sich**

tapfer *or* **gut** ~ to make a good showing.
3. (*sich begeben*) **sich nach rechts/ Norden** ~ to strike out to the right/for the North; **sich auf jds Seite** (*acc*) ~ to side with sb; (*die Fronten wechseln*) to go over to sb.

schlagend *adj* (*treffend*) Bemerkung, Vergleich apt, appropriate; (*überzeugend*) Beweis striking, convincing. **etw** ~ **beweisen/widerlegen** to prove/refute sth convincingly; *siehe* **Verbindung.**

Schlager *m* **-s, - 1.** (*Mus*) pop-song; (*erfolgreich*) hit-song, hit. **2.** (*inf*) (*Erfolg*) hit; (*Waren*) bargain; (*Verkaufs~, Buch*) bestseller.

Schläger *m* **-s, - 1.** (*Tennis~, Federball~*) racquet (*Brit*), racket (*US*); (*Hockey~, Eishockey~*) stick; (*Golf~*) club; (*Krikket~, Baseball~*) bat; (*Tischtennis*) bat, paddle; (*Polo~*) mallet.
2. (*Spieler*) (*Kricket*) batsman; (*Baseball*) batter.
3. (*Raufbold*) thug, ruffian.

Schlägerbande *f* gang of thugs.
Schlägerei *f* fight, brawl.
Schlägerin *f siehe* **Schläger** 2., 3.
Schlagermusik *f* pop music.
Schlägermütze *f* cap.
Schlagerparade *f* hit-parade; **Schlagersänger(in** *f*) *m* pop singer; **Schlagersendung** *f* pop music programme; **Schlagertext** *m* (pop music) lyrics *pl*; **Schlagertexter(in** *f*) *m* writer of pop music lyrics, lyricist.
Schlagertyp *m* (*inf*) thug.
schlagfertig *adj* quick-witted; **Schlagfertigkeit** *f* quick-wittedness; **Schlaginstrument** *nt* percussion instrument; **Schlagkraft** *f* (*lit, fig*) power; (*Boxen*) punch(ing power); (*Mil*) strike power; **schlagkräftig** *adj* Boxer, Armee, Argumente powerful; Beweise clear-cut; **Schlaglicht** *nt* (*Art, Phot*) highlight; **Schlagloch** *nt* pothole; **Schlagmann** *m, pl* **-männer** (*Rudern*) stroke; (*Kricket*) batsman; (*Baseball*) batter; **Schlagobers** *nt* -, - (*Aus*), **Schlagrahm** *m* (*S Ger*) *siehe* **Schlagsahne; Schlagring** *m* **1.** knuckleduster; **2.** (*Mus*) plectrum; **Schlagsahne** *f* (whipping) cream; (*geschlagen*) whipped cream; **Schlagseite** *f* (*Naut*) list; ~ **haben** (*Naut*) to be listing, to have a list; (*hum inf*) to be half-seas over (*inf*); **Schlagstock** *m* (*form*) truncheon, baton, nightstick (*US*); **Schlagstöcke einsetzen** to charge with batons; **Schlagstockeinsatz** *m* (*form*) baton charge; **Schlagwort** *nt* **1.** *pl* **Schlagwörter** (*Stichwort*) headword; **2.** *pl* **Schlagworte** (*Parole*) catchword, slogan; **Schlagwortkatalog** *m* subject catalogue; **Schlagzeile** *f* headline; **~n machen** (*inf*) to hit the headlines; **schlagzeilen** *vt* to headline; **Schlagzeug** *nt* drums *pl*; (*in Orchester*) percussion *no pl*; **Schlagzeuger(in** *f*) *m* **-s, -** drummer; (*inf*: *im Orchester*) percussionist.
schlaksig (*esp N Ger inf*) **I** *adj* gangling, gawky. **II** *adv* in a gangling way,

gawkily.
Schlamassel *m or nt* **-s, -** (*inf*) (*Durcheinander*) mix-up; (*mißliche Lage*) mess. **da haben wir den** ~ now we're in a right mess (*inf*).
Schlamm *m* **-(e)s, -e** *or* **⸚e** mud; (*Schlick auch*) sludge.
Schlammbad *nt* mudbath.
schlammig *adj* muddy; (*schlickig auch*) sludgy.
Schlämmkreide *f* whiting.
Schlammschlacht *f* (*fig, Pol*) mudslinging.
Schlampe *f* **-, -n** (*pej inf*) slut (*inf*).
schlampen *vi* (*inf*) to be sloppy (in one's work). **bei einer Arbeit** ~ to do a piece of work sloppily; **die Behörden haben wieder einmal geschlampt** (once again) the authorities have done a sloppy job.
Schlamperei *f* (*inf*) sloppiness; (*schlechte Arbeit*) sloppy work; (*Unordentlichkeit*) untidiness. **das ist eine ~!** that's a disgrace.
schlampig *adj* (*inf*) sloppy, careless; Arbeit auch slipshod; (*unordentlich*) untidy; (*liederlich*) slovenly.
schlang *pret of* **schlingen**[1] *and* **schlingen**[2].
Schlange *f* **-, -n 1.** snake, serpent (*liter*); (*fig: Frau*) Jezebel. **die** ~ (*Astron*) Serpens, the Serpent; **eine falsche** ~ a snake in the grass.
2. (*Menschen~, Auto~*) queue (*Brit*), line (*US*). ~ **stehen** to queue (up) (*Brit*), to stand in line (*US*).
3. (*Tech*) coil.
Schlängellinie *f* wavy line.
schlängeln *vr* (*Weg*) to wind (its way), to snake; (*Fluß auch*) to meander; (*Schlange*) to wriggle. **sich um etw** ~ to wind around sth; **sich durch etw** ~ (*fig*) to worm one's way or wriggle through sth; **eine geschlängelte Linie** a wavy line.
schlangenartig *adj* snakelike; **Schlangenbeschwörer** *m* **-s, -** snake-charmer; **Schlangenbiß** *m* snakebite; **Schlangengift** *nt* snake venom *or* poison; **schlangenhaft** *adj* snake-like; **Schlangenhaut** *f* snake's skin; (*Leder*) snakeskin; **Schlangenleder** *nt* snakeskin; **Schlangenlinie** *f* (in) ~n **fahren** to swerve about; **Schlangenmensch** *m* contortionist.
Schlangestehen *nt* queuing (*Brit*), standing in line (*US*).
schlank *adj* slim; Hals, Bäume auch slender. ~ **werden** to slim; **ihr Kleid macht sie** ~ her dress makes her look slim; **Joghurt macht** ~ yoghourt is slimming *or* is good for the figure; **sich** ~ **machen** (*fig*) to breathe in.
Schlankheit *f siehe adj* slimness; slenderness.
Schlankheitskur *f* diet; (*Med*) course of slimming treatment. **eine** ~ **machen/ anfangen** to be/go on a diet.
schlankweg *adv* (*inf*) ablehnen, sagen point-blank, flatly.
schlapp *adj* (*inf*) (*erschöpft, kraftlos*) worn-out, shattered (*inf*); (*energielos*) listless, floppy; (*nach Krankheit*) rundown; (*feige*) Haltung, Gesinnung, Mensch lily-livered (*inf*), yellow (*inf*).

sich ~ lachen (*inf*) to laugh oneself silly.

Schlappe *f -, -n* (*inf*) set-back; (*esp Sport*) defeat. **eine ~ erleiden** *or* **einstecken (müssen)** to suffer a set-back/defeat.

schlappen I *vi aux sein or haben* (*inf*) (*lose sitzen*) to be baggy; (*Schuhe*) to flap. **II** *vt* (*Tier*) to lap.

Schlappen *m -s, -* (*inf*) slipper.

Schlappheit *f* (*Erschöpfung*) exhaustion, fatigue; (*Energielosigkeit*) listlessness, floppiness; (*Feigheit*) cowardice, yellowness (*inf*).

Schlapphut *m* floppy hat; **schlappmachen** *vi sep* (*inf*) to wilt; (*zusammenbrechen*) to collapse; **die meisten Manager machen mit 40 schlapp** most managers are finished by the time they're 40; **Leute, die bei jeder Gelegenheit ~**, people who can't take it *or* who can't stand the pace (*inf*); **Schlappohr** *nt* (*hum: Kaninchen*) bunny (rabbit) (*inf*); **Schlappohren** *pl* floppy ears *pl*; **Schlappschwanz** *m* (*pej inf*) wimp (*inf*).

Schlaraffenland *nt* Cockaigne, land of milk and honey.

schlau *adj* clever, smart; *Mensch, Idee auch* shrewd; (*gerissen*) cunning, crafty, wily; *Sprüche* clever. **er ist ein ~er Kopf** he has a good head on his shoulders; **ein ~er Bursche** a crafty *or* cunning devil (*inf*); **sie tut immer so ~** she always thinks she's so clever *or* smart; **etw ~ anfangen** *or* **anstellen** to manage sth cleverly; **ich werde nicht ~ aus ihm** I can't make him out.

Schlaube *f -, -n* (*dial*) skin.

Schlauberger(in *f*) *m -s, -* (*inf*) cleverdick (*inf*), smart-alec (*inf*).

Schlauch *m -(e)s, Schläuche* **1.** hose; (*Garten~ auch*) hosepipe; (*Fahrrad~, Auto~*) (inner) tube; (*Wein~*) skin. **auf dem ~ stehen** (*inf*) to be at a loose end. **2.** (*inf: Strapaze*) slog (*inf*), grind. **3.** (*sl: Übersetzungshilfe*) crib (*inf*).

Schlauchboot *nt* rubber dinghy.

schlauchen I *vt* **1.** (*inf*) (*Reise, Arbeit*) *jdn* to wear out; (*Chef*) to drive hard. **2.** (*sl*) *Zigaretten, Geld* to scrounge (*inf*). **II** *vi* **1.** (*inf: Kraft kosten*) to wear you/one *etc* out, to take it out of you/one *etc* (*inf*). **2.** (*sl: schmarotzen*) to scrounge (*inf*).

schlauchlos *adj Reifen* tubeless.

Schläue *f -, no pl* cunning, craftiness.

Schlaufe *f -, -n* (*an Kleidungsstück, Schuh*) loop; (*Aufhänger*) hanger.

Schlauheit, *f siehe* **schlau** cleverness, smartness; shrewdness; cunning, craftiness, guile; easiness, cushiness (*inf*); (*Bemerkung*) clever remark.

Schlaukopf *m*, **Schlaule** *nt -s, -* (*S Ger inf*), **Schlaumeier** *m siehe* **Schlauberger.**

Schlawiner *m -s, -* (*hum inf*) villain, rogue.

schlecht I *adj* **1.** bad; *Zustand, Aussprache, Geschmack, Zensur, Leistung auch* poor; *Qualität auch* poor, inferior; *Luft auch* stale; *Zeiten auch* hard. **das S~e in der Welt/im Menschen** the evil in the world/in man; **das ist ein ~er Scherz** that

is a dirty trick; **er ist in Latein ~er als ich** he is worse at Latin than I am; **sich zum S~en wenden** to take a turn for the worse; **nur S~es von jdm** *or* **über jdn sagen** not to have a good word to say for sb.

2. *pred* (*ungenießbar*) off. **die Milch/ das Fleisch ist ~** the milk/meat has gone off *or* is off; **~ werden** to go off.

3. (*gesundheitlich*) *Zustand* poor; *Nieren, Herz* bad; *Durchblutung* bad, poor. **jdm ist (es) ~** sb feels sick *or* ill; **es ist zum S~werden** (*fig inf*) it makes *or* is enough to make you sick (*inf*); **in ~er Verfassung sein** to be in a bad way; **~ aussehen** (*Mensch*) to look bad *or* sick *or* ill; (*Lage*) to look bad; **mit jdm/etw sieht es ~ aus** sb/sth looks in a bad way.

II *adv* **1.** badly. **sich ~ vertragen** (*Menschen*) to get along badly; (*Dinge, Farben*) not to go well together; **an jdm ~ handeln** to do sb wrong, to wrong sb; **~ über jdn sprechen/von jdm denken** to speak/think ill of sb.

2. (*mit Schwierigkeiten*) *hören, sehen* badly; *lernen, begreifen* with difficulty. **er kann ~ nein sagen** he finds it hard to say no, he can't say no; **da kann man ~ nein sagen** you can hardly say no *or* it's hard to say no to that; **heute geht es ~** today is not very convenient; **das läßt sich ~ machen, das geht ~** that's not really possible *or* on (*inf*); **er ist ~ zu verstehen** he is hard to understand; **sie kann sich ~ anpassen** she finds it difficult *or* hard to adjust; **das kann ich ~ sagen** it's hard to say, I can't really say; **sie kann es sich ~ leisten, zu ...** she can ill afford to ...; **ich kann sie ~ sehen** I can't see her very well.

3. *in festen Redewendungen* **auf jdn/ etw ~ zu sprechen sein** not to have a good word to say for sb/sth; **~ gerechnet** at the very least; **~ und recht, mehr ~ als recht** (*hum*) after a fashion.

4. (*inf*) **er hat nicht ~ gestaunt** he wasn't half surprised (*inf*).

schlechtberaten *adj attr* ill-advised; **schlechtbezahlt** *adj attr* badly paid.

schlechterdings *adv* (*völlig*) absolutely; (*nahezu*) virtually.

schlechtgehen *vi impers sep irreg aux sein* **es geht jdm schlecht** sb is in a bad way; (*finanziell*) sb is doing badly; **wenn er das erfährt, geht's dir schlecht** if he hears about that you'll be for it (*inf*); **schlechtgelaunt** *adj attr* bad-tempered; **schlechthin** *adv* (*vollkommen*) quite, absolutely; (*als solches, in seiner Gesamtheit*) as such, per se; **er gilt als** *or* **ist der romantische Komponist ~** he is the epitome of the Romantic composer.

Schlechtigkeit *f* **1.** *no pl* badness; (*qualitativ auch*) inferiority. **2.** (*Tat*) misdeed.

schlechtmachen *vt sep* to denigrate, to run down; **Schlechtwettergeld** *nt* bad-weather money *or* pay; **Schlechtwetterperiode** *f* spell of bad weather.

schlecken (*Aus, S Ger*) **I** *vti siehe* **lecken²**. **II** *vi* (*Süßigkeiten essen*) to eat sweets (*Brit*) *or* candies (*US*). **Lust auf was zum S~ haben** to feel like eating something

sweet.

Schleckerei f (*Aus, S Ger*) **1.** *no pl* (*das Lecken*) licking. **2.** *no pl* (*das Naschen*) eating sweet things. **die ~ der Kinder** the children eating sweet things. **3.** (*Leckerbissen*) delicacy; (*Süßigkeit*) sweet (*Brit*), candy (*US*).

Schleckermaul nt (*hum inf*) **sie ist ein richtiges ~** she really has a sweet tooth.

Schlegel m **-s, -** **1.** stick; (*Trommel~ auch*) drumstick. **2.** (*Min*) miner's hammer. **3.** (*S Ger, Aus: Cook*) leg; (*von Geflügel auch*) drumstick.

Schlehe f **-, -n** sloe.

Schlei m **-(e)s, -e** (*Zool*) tench.

schleichen *pret* **schlich,** *ptp* **geschlichen** **I** *vi aux sein* to creep; (*heimlich auch*) to sneak, to steal; (*Fahrzeug*) to crawl; (*fig: Zeit*) to crawl (by). **um das Haus ~** to prowl around the house.

II *vr* **1.** to creep, to sneak, to steal; (*fig: Mißtrauen*) to enter. **sich in jds Vertrauen** (*acc*) **~** to worm one's way into sb's confidence.

2. (*Aus: weggehen*) to go away. **schleich dich** get lost (*inf*).

schleichend *adj attr* creeping; *Krankheit, Gift* insidious; *Fieber* lingering.

Schleicher(in f) m **-s, -** hypocrite.

Schleicherei f hypocrisy, insincerity.

Schleichhandel m illicit trading (*mit* in); **der ~ mit Waffen/Alkohol** gun-running/bootlegging; **Schleichpfad, Schleichweg** m secret or hidden path; **auf Schleichwegen** (*fig*) on the quiet, surreptitiously; **Schleichwerbung** f a plug; **~ vermeiden** to avoid making plugs.

Schleie f **-, -n** (*Zool*) tench.

Schleier m **-s, -** (*lit, fig*) veil; (*von Wolken, Nebel auch*) haze. **das Foto hat einen ~** the photo is foggy or fogged; **einen ~ vor den Augen haben/wie durch einen ~ sehen** to have a mist in front of one's eyes; **den ~ (des Geheimnisses) lüften** to lift the veil of secrecy; **einen ~ über etw** (*acc*) **ziehen** or **breiten** (*fig*) to draw a veil over sth; **den ~ nehmen** (*geh*) to take the veil.

Schleiereule f barn owl; **schleierhaft** *adj* (*inf*) baffling, mysterious; **es ist mir völlig ~** it's a complete mystery to me; **Schleierkraut** nt (*Bot*) gypsophila; **Schleierschwanz** m goldfish; **Schleiertanz** m veil-dance.

Schleifbank f grinding machine.

Schleife f **-, -n 1.** loop (*auch Aviat, Comput, beim Schlittschuhlaufen*); (*Fluß~*) bow, horse-shoe bend; (*Straßen~*) twisty bend. **2.** (*von Band*) bow; (*Schuh~*) bow(-knot); (*Fliege*) bow tie; (*Kranz~*) ribbon.

schleifen[1] **I** *vt* **1.** (*lit, fig*) to drag; (*ziehen auch*) to haul; (*Mus*) *Töne, Noten* to slur. **jdn vor Gericht ~** (*fig*) to drag or haul sb into court; **jdn ins Konzert ~** (*hum inf*) to drag sb along to a concert.

2. (*niederreißen*) to raze (to the ground).

II *vi* **1.** *aux sein* or *haben* to trail, to drag.

2. (*reiben*) to rub. **die Kupplung ~ las-**

sen (*Aut*) to slip the clutch; **die Zügel ~ lassen** (*lit, fig*) to slacken the reins.

schleifen[2] *pret* **schliff,** *ptp* **geschliffen** *vt* **1.** *Rasiermesser, Messer, Schere* to sharpen, to whet; *Beil, Sense auch* to grind; *Werkstück, Linse* to grind; *Parkett* to sand; *Edelstein, Glas* to cut; *siehe* **geschliffen. 2.** (*inf: drillen*) **jdn ~** to drill sb hard.

Schleifer m **-s, -** **1.** grinder; (*Edelstein~*) cutter. **2.** (*Mus*) slurred note. **3.** (*Mil sl*) slave-driver.

Schleiferin f *siehe* **Schleifer 1.**

Schleiflack m (coloured) lacquer or varnish; **Schleiflackmöbel** pl laquered furniture *sing*; **Schleifmaschine** f grinding machine; **Schleifpapier** nt abrasive paper; **Schleifrad** nt, **Schleifscheibe** f grinding wheel; **Schleifstein** m grinding stone, grindstone; **er sitzt da wie ein Affe auf dem ~** (*sl*) he looks a proper idiot or a proper Charlie (*inf*) sitting there.

Schleifung f razing.

Schleim m **-(e)s, -e 1.** slime; (*Med*) mucus; (*in Atemorganen auch*) phlegm; (*Bot*) mucilage. **2.** (*Cook*) gruel.

schleimen *vi* to leave a coating or film; (*fig inf: schmeicheln*) to fawn, to crawl (*inf*).

Schleimer(in f) m **-s, -** (*inf*) crawler (*inf*).

Schleimhaut f mucous membrane.

schleimig *adj* **1.** slimy; (*Med*) mucous; (*Bot*) mucilaginous. **2.** (*pej: unterwürfig*) slimy (*inf*).

Schleimigkeit f (*pej*) sliminess (*inf*).

schleimlösend *adj* expectorant; **Schleimpilz** m slime mould or fungus; **Schleimscheißer** m (*sl*) bootlicker (*inf*), arse-licker (*vulg*).

schlemmen **I** *vi* (*üppig essen*) to feast, to have a feast; (*üppig leben*) to live it up. **II** *vt* to feast on.

Schlemmer(in f) m **-s, -** gourmet, bon vivant.

Schlemmerei f feasting; (*Mahl*) feast.

Schlemmermahl nt feast, banquet.

schlendern *vi aux sein* to stroll, to amble.

Schlendrian m **-(e)s, no pl** (*inf*) casualness, inefficiency; (*Trott*) rut.

Schlenker m **-s, -** swerve. **einen ~ machen** to swerve.

schlenkern **I** *vti* to swing, to dangle. **mit den Beinen ~, die Beine ~** to swing or dangle one's legs. **II** *vi* (*Auto*) to swerve, to sway.

schlenzen *vi* (*Sport*) to scoop.

Schlepp m (*Naut, fig*): **jdn/etw in ~ nehmen** to take sb/sth in tow; **in** or **im ~ haben** to have in tow.

Schleppdampfer m tug(boat).

Schleppe f **-, -n 1.** (*von Kleid*) train. **2.** (*Hunt*) drag.

schleppen **I** *vt* (*tragen*) *Lasten* to lug, to schlepp (*US sl*); (*zerren*) to drag, to haul, to schlepp (*US sl*); *Auto, Schiff* to tow; (*fig*) to drag; (*inf*) *Kleidung* to wear continually. **jdn vor den Richter ~** to haul sb (up) before the judge.

II *vi* (*inf: nachschleifen*) to drag, to trail.

III *vr* to drag or haul oneself;

(Verhandlungen) to drag on.

schleppend *adj Gang* dragging, shuffling; *Bedienung, Abfertigung* sluggish, slow; *Absatz, Nachfrage* slack, sluggish; *Gesang* dragging, slow. **die Unterhaltung kam nur ~ in Gang** conversation was very slow to start *or* started sluggishly.

Schleppenträger(in *f)* *m* trainbearer.

Schlepper *m* **-s, -** 1. *(Aut)* tractor. 2. *(Naut)* tug. 3. *(sl: Zuhälter, für Lokal)* tout. 4. *(Univ sl)* somebody who writes an exam paper for somebody else.

Schlepperei *f (inf)* lugging around *or* about.

Schleppkahn *m* lighter, (canal) barge; *(Wurfmaschine)* catapult, onager; *(Zwille)* catapult, slingshot *(US)*. 2. *(Zentrifuge)* centrifuge; *(für Honig)* extractor; *(Wäsche~)* spin-drier. **Schleppplift** *m* ski tow; **Schleppplohn** *m* *(Naut)* towage; **Schleppnetz** *nt* trawl (net); **Schleppnetzfahndung** *f* dragnet; **Schleppschiff** *nt* tug(boat); **Schlepptau** *nt (Naut)* tow rope; *(Aviat)* dragrope, trail rope; **ein Schiff/jdn ins ~ nehmen** to take a ship/sb in tow.

Schlesien [-iən] *nt* **-s** Silesia.

Schlesier(in *f)* [-iɐ, -iərɪn] *m* **-s, -** Silesian.

schlesisch *adj* Silesian.

Schleswig-Holstein *nt* **-s** Schleswig-Holstein.

Schleuder *f* **-, -n** 1. *(Waffe)* sling; *(Wurfmaschine)* catapult, onager; *(Zwille)* catapult, slingshot *(US)*. 2. *(Zentrifuge)* centrifuge; *(für Honig)* extractor; *(Wäsche~)* spin-drier.

Schleuderball *m (Sport)* 1. *heavy leather ball with a strap attached, swung round the head and then thrown*; 2. *no pl a game using such a ball*; **Schleudergefahr** *f (Mot)* risk of skidding; „**Achtung ~**" "slippery road ahead"; **Schleuderhonig** *m* extracted honey; **Schleudermaschine** *f (Wurfmaschine)* catapult, onager; *(für Milch etc)* centrifuge; *(für Honig)* extractor.

schleudern I *vti* 1. *(werfen)* to hurl, to sling, to fling. **jdm etw ins Gesicht** *or* **an den Kopf ~** to hurl *or* fling sth in sb's face.

2. *(Tech)* to centrifuge, to spin; *Honig* to extract; *Wäsche* to spin-dry.

II *vi aux sein or haben (Aut)* to skid. **ins S~ kommen** *or* **geraten** to go into a skid; *(fig inf)* to run into trouble.

Schleuderpreis *m* giveaway price, throwaway price; **immer noch die alten ~e** we're still practically giving it/them away; **Schleudersitz** *m (Aviat)* ejection *or* ejector seat; *(fig)* hot seat; **Schleuderspur** *f* skidmark; **Schleuderstart** *m (Aviat)* catapult start.

schleunig *adj attr usu superl* prompt, speedy; *Schritte* quick, rapid. **nur ~stes Eingreifen kann jetzt helfen** only immediate measures can help now.

schleunigst *adv* at once, straight away, immediately. **verschwinde, aber ~!** beat it, on the double!; **ein Bier, aber ~!** a beer, and make it snappy!

Schleuse *f* **-, -n** *(für Schiffe)* lock; *(zur Regulierung des Wasserlaufs)* sluice, floodgate; *(für Abwasser)* sluice.

schleusen *vt* *Schiffe* to pass through a lock, to lock; *Wasser* to channel; *(langsam) Menschen* to filter; *Antrag* to

channel; *(fig: heimlich)* to smuggle. **er wurde in den Saal geschleust** he was smuggled into the hall.

Schleusenkammer *f* (lock) basin; **Schleusenmeister** *m* lockmaster; **Schleusentor** *nt (für Schiffe)* lock gate; *(zur Regulierung des Wasserlaufs)* sluice gate, floodgate; **Schleusenwärter** *m* lock keeper.

Schleusung *f* lockage, locking. **bei der ~ größerer Schiffe** when putting bigger ships through the locks.

Schlich *m* **-(e)s, -e** *usu pl* ruse, trick, wile *usu pl*. **alle ~e kennen** to know all the tricks; **jdm auf** *or* **hinter die ~e kommen** to catch on to sb, to get on to sb, to get wise to sb.

schlich *pret of* **schleichen.**

schlicht *adj* simple. **die ~e Wahrheit/Tatsache** the plain *or* simple truth/fact; **~ und einfach** plain and simple; **das ist ~ und einfach nicht wahr** that's just simply not true; **der ~e Menschenverstand** basic common sense; **das geht über den ~en Menschenverstand** this is beyond the normal human comprehension; **diese Gedichte sind ~ und ergreifend** *(iro)* these poems are not exactly brilliant; **unser Abschied war ~ und ergreifend** our parting was short and sweet.

schlichten *vti* 1. *Streit (vermitteln)* to mediate, to arbitrate *(esp Ind)*; *(beilegen)* to settle. **zwischen zwei Ländern ~** to mediate between two countries; **~n in den Streit eingreifen** to intervene in the quarrel (to settle it).

2. *(glätten) Werkzeug, Leder, Gewebe* to dress; *(Tech)* to smooth (off).

Schlichter(in *f)* *m* **-s, -** mediator; *(Ind)* arbitrator.

Schlichtfeile *f* smooth-cut file.

Schlichtheit *f* simplicity.

Schlichthobel *m* smoothing plane.

Schlichtung *f* *siehe vti 1.* mediation, arbitration; settlement.

Schlichtungsstelle *f* arbitration *or* conciliation board; **Schlichtungsverhandlungen** *pl* arbitration (negotiations); **Schlichtungsversuch** *m* attempt at mediation *or* arbitration.

Schlick *m* **-(e)s, -e** silt, ooze, mud; *(Öl~)* slick.

schliddern *vi aux haben or sein (N Ger)* *siehe* **schlittern.**

schlief *pret of* **schlafen.**

Schliere *f* **-, -n** streak, schlieren *pl (Tech)*.

Schließe *f* **-, -n** fastening, fastener.

schließen *pret* **schloß,** *ptp* **geschlossen I** *vt* 1. *(zumachen)* to close, to shut; *(verriegeln)* to bolt; *(Betrieb einstellen)* to close *or* shut down; *Stromkreis* to close. **eine Lücke ~** *(lit)* to close a gap; *(fig auch)* to fill a gap; **die Reihen ~** *(Mil)* to close ranks.

2. *(beenden) Versammlung* to close, to conclude, to wind up; *Brief* to conclude, to close.

3. *(eingehen) Vertrag, Bündnis* to conclude; *Frieden auch* to make; *Bündnis auch* to enter into; *Freundschaft* to form. **wo wurde Ihre Ehe geschlossen?**

where did your marriage take place?
4. (*geh: umfassen*) etw in sich (*dat*) ~
(*lit, fig*) to contain sth, to include sth;
(*indirekt*) to imply sth; **jdn in die Arme
~** to embrace sb; **jdn/etw in sein Herz ~**
to take sb/sth to one's heart.
5. (*befestigen*) etw an etw (*acc*) ~ to
fasten sth to sth; **daran schloß er eine Bemerkung** he added a remark (to this).
II *vr* to close, to shut; (*Wunde*) to
close; (*fig geh: Wunde*) to heal. **daran
schließt sich eine Diskussion** this is
followed by a discussion; **sich um etw ~**
to close around sth.
III *vi* **1.** to close, to shut; (*Betrieb einstellen*) to close *or* shut down;
(*Schlüssel*) to fit. **die Tür schließt nicht**
the door doesn't *or* won't close *or* shut;
„geschlossen" "closed".
2. (*enden*) to close, to conclude; (*St
Ex*) to close. **leider muß ich jetzt ~** (*in
Brief*) I'm afraid I must conclude *or*
close now.
3. (*schlußfolgern*) to infer. **aus etw auf
etw** (*acc*) **~** to infer sth from sth; **auf etw**
(*acc*) **~ lassen** to indicate sth, to suggest
sth; **von sich auf andere ~** to judge
others by one's own standards; *siehe* **geschlossen**.
Schließfach *nt* left-luggage locker; (*Postfach*) post-office box, PO box; (*Bankfach*) safe-deposit box; **Schließkorb** *m*
hamper.
schließlich *adv* (*endlich*) in the end,
finally, eventually; (*immerhin*) after all.
er kam ~ doch he came after all; **~ und
endlich** at long last.
Schließmuskel *m* (*Anat*) sphincter.
Schließung *f* **1.** (*das Schließen*) closing,
shutting; (*Betriebseinstellung*) closure.
2. (*Beendigung*) (*einer Versammlung*)
closing, breaking-up; (*von Debatte*) conclusion, closing; (*Geschäftsschluß*)
closing(-time); (*Parl*) closure.
Schliff *m* -(e)s, -e (*von Glas, von Edelstein*) cut; (*fig: Umgangsformen*) refinement, polish. **jdm ~ beibringen** *or* **geben**
to give sb some polish *or* refinement;
einer Sache/jdm den letzten ~ geben
(*fig*) to put the finishing touch(es) to
sth/to perfect sb.
schliff *pret* of **schleifen²**.
schlimm *adj* **1.** (*moralisch*) bad, wicked;
(*unartig auch*) naughty. **es gibt S~ere als
ihn** there are worse than him; **Sie sind ja
ein ganz S~er!** you *are* naughty *or*
wicked.
2. (*inf: krank, entzündet*) bad.
3. (*übel*) bad; *Krankheit auch* nasty;
Wunde auch nasty, ugly; *Nachricht auch*
awful, terrible. **sich ~ verletzen** to hurt
oneself badly; **~, ~!** terrible, terrible!;
das war ~ that was awful *or* terrible; **~
genug, daß ...** it is/was bad enough that
...; **das finde ich nicht ~** I don't find that
so bad; **eine ~e Geschichte** (*inf*) a nasty
state of affairs; **eine ~e Zeit** bad times
pl; **das ist halb so/nicht so ~!** that's not
so bad!, it doesn't matter!; **er ist ~ dran**
(*inf*) he's in a bad way; **es steht ~ (um
ihn)** things aren't looking too good (for
him); **zu Anfang war es ~ für ihn** in the

beginning he had a hard time of it; **ist es
~ oder etwas S~es?** is it bad?; **wenn es
ganz ~ kommt** if things get really bad;
wenn es nichts S~eres ist! if that's all it
is!; **es gibt S~eres** it *or* things could be
worse; **es hätte ~er kommen können** it
or things could have been worse; **~er
kann es nicht mehr werden** things can
hardly get any worse; **um so** *or* **desto ~er**
all the worse; **im ~sten Fall** if the worst
comes to the worst; **das S~ste** the worst;
das S~ste liegt hinter uns the worst (of
it) is behind us.
schlimmstenfalls *adv* at (the) worst. **~
wird er nur sein Geld verlieren** at worst,
he will only lose his money; **~ kann ich
dir £ 100 leihen** if the worst comes to the
worst I can lend you £100.
Schlinge *f* -, -n loop; (*an Galgen*) noose;
(*Med: Armbinde*) sling; (*Falle*) snare.
~n legen to set snares; **den Kopf** *or* **sich
aus der ~ ziehen** (*fig*) to get out of a
tight spot.
Schlingel *m* -s, - rascal.
schlingen¹ *pret* **schlang**, *ptp* **geschlungen** (*geh*) **I** *vt* (*binden*) *Knoten* to
tie; (*umbinden*) *Schal* to wrap; (*flechten
auch*) to plait. **die Arme um jdn ~** to
wrap one's arms around sb, to hug sb. **II**
vr **sich um etw ~** to coil (itself) around
sth; (*Pflanze auch*) to twine (itself)
around sth.
schlingen² *pret* **schlang**, *ptp* **geschlungen** *vi* to bolt one's food.
schlingern *vi* (*Schiff*) to roll; (*fig*) to lurch
from side to side.
Schlinggewächs *nt*, **Schlingpflanze** *f*
creeper.
Schlips *m* -es, -e tie, necktie (*US*). **mit ~
und Kragen** (*inf*) wearing a collar and
tie; **jdm auf den ~ treten** (*inf*) to tread
on sb's toes; **sich auf den ~ getreten fühlen** (*inf*) to feel offended, to be put out
(*inf*).
Schlitten *m* -s, - **1.** sledge, sled
(*Pferde~*) sleigh; (*Rodel~*) toboggan.
~ fahren to go tobogganing; **mit jdm ~
fahren** (*inf*) to have sb on the carpet
(*inf*), to give sb a bawling out (*inf*).
2. (*Tech*) (*Schreibmaschinen~*) carriage; (*zum Stapellauf*) cradle.
3. (*sl: Auto*) car, motor (*inf*).
Schlittenfahren *nt* sledging; (*Rodeln*) tobogganing; (*mit Pferdeschlitten*) sleigh-
ing; **Schlittenpartie** *f* sleigh ride.
Schlitterbahn *f* slide.
schlittern *vi* **1.** aux sein *or* haben
(*absichtlich*) to slide. **2.** aux sein
(*ausrutschen*) to slide, to slip; (*Wagen*)
to skid; (*fig*) to slide, to stumble. **in den
Konkurs/Krieg ~** to slide into
bankruptcy/war.
Schlittschuh *m* (ice-)skate. **~ laufen** *or*
fahren (*inf*) to (ice-) skate.
Schlittschuhlaufen *nt* (ice-)skating;
Schlittschuhläufer(in *f*) *m* (ice-)skater;
Schlittschuhschritt *m* skating step.
Schlitz *m* -es, -e slit; (*Einwurf~*) slot;
(*Hosen~*) fly, flies *pl*; (*Kleider~*) slit;
(*Jackett~*) vent.
Schlitzauge *nt* slit *or* slant eye; (*pej: Chi-
nese*) Chink (*pej*); **schlitzäugig** *adj* slit-

or slant-eyed.

schlitzen *vt* to slit.

Schlitzohr *nt* (*fig*) sly fox; **schlitzohrig** *adj* (*fig*) shifty, crafty; **Schlitzverschluß** *m* (*Phot*) focal-plane shutter.

schlohweiß *adj Haare* snow-white.

schloß *pret of* **schließen.**

Schloß *nt* -sses, ⸗sser 1. castle; (*Palast*) palace; (*großes Herrschaftshaus*) mansion, stately home; (*in Frankreich*) château. **Schlösser und Burgen** castles and stately homes; **Schlösser im Mond** (*fig*) castles in the air, castles in Spain.
  2. (*Tür~, Gewehr~*) lock; (*Vorhänge~*) padlock; (*an Handtasche*) fastener, clasp. **ins ~ fallen** to lock (itself); **die Tür ins ~ werfen** to slam the door shut; **hinter ~ und Riegel sitzen/bringen** to be/put behind bars.

schloßartig *adj* palatial; **Schloßberg** *m* castle *etc* hill.

Schlosser(in *f*) *m* -s, - fitter, metalworker; (*für Schlösser*) locksmith.

Schlosserei *f* 1. (*~handwerk*) metalworking. 2. (*~werkstatt*) metalworking shop.

Schlosserhandwerk *nt* metalworking; **Schlossermeister(in** *f*) *m* master fitter; **Schlosserwerkstatt** *f* metalworking shop.

Schloßgarten *m* castle *etc* gardens *pl*; **Schloßherr(in** *f*) *m* owner of a castle *etc*; (*Adliger*) lord of the castle; **Schloßhund** *m*: **heulen wie ein ~** (*inf*) to howl one's head off (*inf*); **Schloßpark** *m* castle *etc* grounds *pl*, estate; **Schloßplatz** *m* castle *etc* square; **Schloßvogt** *m* (*Hist*) castellan.

Schlot *m* -(e)s, -e *or* (*rare*) ⸗e 1. (*Schornstein*) chimney (stack), smokestack; (*Naut, Rail auch*) funnel; (*von Vulkan*) chimney. **rauchen** *or* **qualmen wie ein ~** (*inf*) to smoke like a chimney (*inf*). 2. (*inf: Flegel*) slob (*inf*), peasant (*inf*).

schlott(e)rig *adj* (*inf*) 1. (*zitternd*) shivering *attr*; (*vor Angst, Erschöpfung*) trembling *attr*. 2. *Kleider* baggy.

schlottern *vi* 1. (*zittern*) to shiver; (*vor Angst, Erschöpfung*) to tremble. **an allen Gliedern ~** to shake all over; **er schlotterte mit den Knien** he was shaking at the knees, his knees were knocking. 2. (*Kleider*) to hang loose, to be baggy.

Schlucht *f* -, -en gorge, ravine.

schluchzen *vti* (*lit, fig*) to sob.

Schluchzer *m* -s, - sob.

Schluck *m* -(e)s, -e *or* (*rare*) ⸗e drink; (*ein bißchen*) drop; (*das Schlucken*) swallow; (*großer*) gulp; (*kleiner*) sip. **der erste ~ war mir ungewohnt** the first mouthful tasted strange; **er stürzte das Bier in einem ~ herunter** he downed the beer in one gulp *or* in one go; **etw ~ für ~ austrinken** to drink every drop; **einen (kräftigen) ~ nehmen** to take a (long) drink *or* swig (*inf*).

Schluck|auf *m* -s, *no pl* hiccups *pl*. **einen/den ~ haben** to have (the) hiccups.

Schlückchen *nt dim of* **Schluck** drop; (*von Alkohol auch*) nip.

schlückchenweise *adv* in short sips. **~ trinken** to sip.

schlucken I *vt* 1. to swallow; (*hastig*) to

gulp down; (*sl*) *Alkohol* to booze (*inf*).
  2. (*inf: absorbieren, kosten*) to swallow up; *Benzin, Öl* to guzzle.
  3. (*inf: hinnehmen*) *Beleidigung* to swallow, to take.
  II *vi* to swallow; (*hastig*) to gulp; (*sl*) to booze (*inf*). **da mußte ich erst mal trocken** *or* **dreimal ~** (*inf*) I had to take a deep breath *or* to count to ten.

Schlucker *m* -s, - (*inf*): **armer ~** poor devil.

Schluckimpfung *f* oral vaccination; **Schluckspecht** *m* (*inf*) boozer (*inf*); **schluckweise** *adv* in sips.

Schluderei *f* (*inf*) sloppiness, bungling. **das ist eine ~!** how sloppy can you get!

schlud(e)rig *adj* (*inf*) *Arbeit* sloppy, slipshod *no adv*. **~ arbeiten** to work sloppily *or* in a slipshod way.

schludern (*inf*) **I** *vt* to skimp. **das ist geschludert!** this is a sloppy piece of work!
  II *vi* to do sloppy work, to work sloppily.

schludrig *adj* (*inf*) *siehe* **schlud(e)rig.**

schlug *pret of* **schlagen.**

Schlummer *m* -s, *no pl* (*liter*) (light) slumber (*liter*).

Schlummerlied *nt* (*geh*) cradlesong, lullaby.

schlummern *vi* (*geh*) to slumber (*geh*); (*fig auch*) to lie dormant.

Schlummertaste *f* (*an Radiowecker*) snooze button.

Schlund *m* -(e)s, ⸗e (*Anat*) pharynx, gullet; (*fig liter*) maw (*liter*).

Schlupf *m* -(e)s, *no pl* (*Elec, Naut*) slip; (*Tech*) slip, slippage.

schlüpfen *vi aux sein* to slip; (*Küken*) to hatch (out).

Schlüpfer *m* -s, - panties *pl*, knickers *pl*.

Schlupfloch *nt* hole, gap; (*Versteck*) hideout, lair; (*fig*) loophole.

schlüpfrig *adj* 1. slippery. 2. (*fig*) *Bemerkung* lewd, risqué.

Schlüpfrigkeit *f siehe adj* slipperiness; lewdness.

Schlupfwespe *f* ichneumon (fly) (*form*); **Schlupfwinkel** *m* hiding place; (*fig*) quiet corner.

schlürfen *vi aux sein* to shuffle.

schlürfen I *vt* to slurp; (*mit Genuß*) to savour. **er schlürfte die letzten Tropfen** he slurped up the last drops. **II** *vi* to slurp.

Schluß *m* -sses, ⸗sse 1. *no pl* (*Ende*) end; (*eines Romans, Gedichts, Theaterstücks auch*) ending, conclusion; (*hinterer Teil*) back, end, rear. **~! das wird's tun!**, stop!; **~ für heute!** that's it *or* all for today, that'll do for today; **~ damit!** stop it!, that'll do!; **und damit ~!** ... and that's that!, ... and that's the end of it!; **nun ist aber ~!**, **~ jetzt!** that's enough now!; **dann ist ~** that'll be it!; **~ folgt** to be concluded; **am/zum ~ des Jahres** at the end of the year; **zum ~ sangen wir ...** at the end we sang ...; **bis zum ~ bleiben** to stay to the end; **zum ~ kommen** to conclude; **zum ~ möchte ich noch darauf hinweisen, daß ...** to conclude *or* in conclusion I would like to point out that ...; **~ machen** (*inf*) (*aufhören*) to finish, to call it a day (*inf*); (*zumachen*) to close, to shut;

(*Selbstmord begehen*) to put an end to oneself, to end it all; (*Freundschaft beenden*) to break *or* call it off; **ich muß ~ machen** (*in Brief*) I'll have to finish off now; (*am Telefon*) I'll have to go now; **mit etw ~ machen** to stop *or* end sth, to finish with sth (*inf*). **2.** (*Folgerung*) conclusion. **aus etw den ~ ziehen, daß ...** to draw the conclusion *or* to conclude from sth that ...; **ich ziehe meine Schlüsse daraus!** I can draw my own conclusions! **3.** (*Tech*) **die Tür hat einen guten/schlechten ~** the door is a good/bad fit. **4.** (*Mus*) cadence.

Schlußakkord *m* final chord; **Schlußakt** *m* (*lit, fig*) final act; **Schlußakte** *f* (*Pol*) final agreement; **Schlußbemerkung** *f* final observation, concluding remark; **Schlußbestimmung** *f* final clause; **Schlußbilanz** *f* (*lit*) final balance (sheet); (*fig*) final position.

Schlüssel *m* -s, - (*lit, fig*) key; (*Chiffren~ auch*) cipher; (*Sch: Lösungsheft*) key; (*Tech*) spanner, wrench; (*Verteilungs~*) ratio (of distribution); (*Mus*) clef.

Schlüsselanhänger *m* keyring pendant; **Schlüsselbein** *nt* collarbone, clavicle (*form*); **Schlüsselblume** *f* cowslip; **Schlüsselbrett** *nt* keyboard; **Schlüsselbund** *m or nt* key ring; bunch of keys; **Schlüsseldienst** *m* key cutting service; **Schlüsselerlebnis** *nt* (*Psych*) crucial experience; **schlüsselfertig** *adj* *Neubau* ready for moving into, ready for occupancy; **Schlüsselfigur** *f* key figure; **Schlüsselindustrie** *f* key industry; **Schlüsselkind** *nt* (*inf*) latchkey child (*inf*); **Schlüsselloch** *nt* keyhole; **Schlüsselposition** *f* key position; **Schlüsselring** *m* key ring; **Schlüsselroman** *m* roman à clef; **Schlüsselstellung** *f* key position; **Schlüsseltasche** *f* key wallet; **Schlüsselwort** *nt* keyword; (*für Schloß*) combination, code.

schlußendlich *adv* (*geh*) to conclude, in conclusion *or* closing; **Schlußergebnis** *nt* final result; **schlußfolgern** *vi insep* to conclude, to infer; **Schlußfolgerung** *f* conclusion, inference; **Schlußformel** *f* (*in Brief*) complimentary close; (*bei Vertrag*) final clause.

schlüssig *adj* conclusive. **sich** (*dat*) (**über etw** *acc*) **~ sein** to have made up one's mind (about sth).

Schlüssigkeit *f* conclusiveness.

Schlußkapitel *nt* concluding *or* final chapter; **Schlußkommuniqué** *nt* final communiqué; **Schlußläufer(in** *f*) *m* last runner; (*in Staffel*) anchor(man); **Schlußlicht** *nt* rear light, tail light; (*inf: bei Rennen*) tailender, back marker; **~ der Tabelle/in der Klasse sein** to be bottom of the table/class; **das ~ bilden** (*fig*) (*beim Laufen*) to bring up the rear; (*in einer Tabelle*) to be bottom of the league; **Schlußmann** *m*, *pl* -**männer** (*Sport sl*) goalie (*inf*), keeper (*inf*); **Schlußpfiff** *m* final whistle; **Schlußphase** *f* final stages *pl*; **Schlußpunkt** *m*: **einen ~ unter etw** (*acc*) **setzen** to round

off sth; (*bei etwas Unangenehmem*) to write sth off; **Schlußrunde** *f* (*Boxen, fig*) final round; (*in Rennsport, Leichtathletik*) final lap; (*bei Ausscheidungskämpfen*) final heat; (*Endausscheidung*) final(s); **Schlußrundenteilnehmer(in** *f*) *m* finalist; **Schlußsatz** *m* closing *or* concluding sentence; (*Logik*) conclusion; (*Mus*) last *or* final movement; **Schlußsprung** *m* standing jump; (*beim Turnen*) finishing jump; **Schlußstand** *m* final result; (*von Spiel auch*) final score; **Schlußstein** *m* (*Archit, fig*) keystone; **Schlußstrich** *m* (*fig*) final stroke; **einen ~ unter etw** (*acc*) **ziehen** to consider sth finished; **Schlußverkauf** *m* (end-of-season) sale; **Schlußwort** *nt* closing words *or* remarks *pl*; (*Schlußrede*) closing *or* concluding speech; (*Nachwort*) postscript.

Schmach *f* -, *no pl* (*geh*) disgrace, ignominy, shame *no indef art*; (*Demütigung auch*) humiliation. **etw als ~ empfinden** to see sth as a disgrace; to feel humiliated by sth.

schmachten *vi* (*geh*) **1.** (*leiden*) to languish. **vor Durst ~** to be parched; **vor Hunger ~** to starve. **2.** (*sich sehnen*) **nach jdm/etw ~** to pine *or* yearn for sb/sth.

schmachtend *adj* yearning, soulful; *Liebhaber* languishing.

Schmachtfetzen *m* (*dated hum*) tearjerker (*inf*).

schmächtig *adj* slight, frail, weedy (*pej*).

Schmächtigkeit *f* slightness, frailty, weediness (*pej*).

Schmachtlappen *m* (*dated hum*) Romeo (*inf*); **Schmachtlocke** *f* (*dated hum*) kiss-curl.

schmachvoll *adj* (*geh*) *Niederlage* ignominious; (*demütigend auch*) *Frieden* humiliating.

Schmackes *pl* (*dial inf*) **1.** (*Schläge*) **~ kriegen** to get a smacking. **2.** (*Schwung*) **er knallte das Buch mit ~ auf den Tisch** he slammed *or* banged (*inf*) the book down on the table; **das muß man mit ~ machen!** (*richtig zuschlagen*) give it a good clout (*inf*) *or* bang (*inf*).

schmackhaft *adj* (*wohlschmeckend*) palatable, tasty; (*appetitanregend*) appetizing. **jdm etw ~ machen** (*fig*) to make sth palatable to sb.

Schmackhaftigkeit *f* palatability.

Schmähbrief *m* defamatory *or* abusive letter.

schmähen *vti* (*geh*) to abuse, to revile (*liter*), to vituperate against (*liter*).

schmählich *adj* (*geh*) ignominious, shameful; (*demütigend*) humiliating.

Schmährede *f* (*geh*) invective, diatribe; **~n (gegen jdn) führen** to launch diatribes (against sb); **Schmähschrift** *f* defamatory piece of writing; (*Satire*) lampoon.

Schmähung *f* (*geh*) abuse, vituperation (*liter*). (**gegen jdn**) **~en und Verwünschungen ausstoßen** to hurl abuse (at sb).

schmal *adj*, *comp* -**er** *or* ⁻**er**, *superl* -**ste(r, s)** *or* ⁻**ste(r, s)**, *adv superl* **am -sten** *or* -

¨sten 1. narrow; *Hüfte, Taille auch, Mensch* slim, slender; *Band, Buch* slim; *Gelenke, Lippen* thin. **er ist sehr ~ geworden** he has got very thin. **2.** (*fig: karg*) meagre, slender. **~e Kost** slender fare.

schmalbrüstig *adj* narrow-chested; (*fig*) limited.

schmälern *vt* to diminish, to reduce, to lessen; (*heruntermachen*) to detract from, to belittle, to diminish.

Schmälerung *f siehe vt* diminishing, reduction, lessening; detraction, belittlement. **eine ~ seines Ruhms** a detraction from *or* diminishing of his fame.

Schmalfilm *m* cine-film; **Schmalfilmkamera** *f* cine-camera; **Schmalhans** *m* (*inf*): **bei ihnen/uns ist ~ Küchenmeister** their/our cupboard is nearly always bare; **schmallippig** *adj* thin-lipped; **Schmalseite** *f* narrow side; **Schmalspur** *f* (*Rail*) narrow gauge; **Schmalspur-** *in cpds* (*pej*) small-time; **Schmalspurbahn** *f* narrow-gauge railway.

Schmalz¹ *nt* -es, -e **1.** fat; (*Schweine~*) lard; (*Braten~*) dripping. **2.** *siehe* **Ohrenschmalz.**

Schmalz² *m* -es, *no pl* (*pej inf*) schmaltz (*inf*).

schmalzen *vti* to drool; *Lied* to croon.

schmalzig *adj* (*pej inf*) schmaltzy (*inf*), slushy (*inf*).

schmarotzen* *vi* to sponge, to scrounge, to freeload (*esp US*) (*bei* on, off); (*Biol*) to be parasitic (*bei* on).

Schmarotzer(in *f*) *m* -s, - (*Biol*) parasite; (*fig auch*) sponger, freeloader (*esp US*).

schmarotzerhaft, schmarotzerisch *adj* (*Biol, fig*) parasitic.

Schmarotzertum *nt, no pl* (*Biol, fig*) parasitism.

Schmarre *f* -, -n (*dial*) cut, gash; (*Narbe*) scar.

Schmarr(e)n *m* -s, - **1.** (*S Ger, Aus*) (*Cook*) pancake cut up into small pieces. **2.** (*inf: Quatsch*) rubbish, tripe (*inf*).

Schmatz *m* -es, -e (*inf: Kuß*) smacker.

schmatzen *vi* to eat noisily. **er aß ~d seine Suppe** he slurped his soup; **schmatz nicht so!** don't make so much noise when you eat!; **mit den Lippen ~** to smack one's lips; **Oma küßte das Kind ~d** grandma gave the child a real smacker of a kiss.

schmauchen I *vt* to puff away at. **II** *vi* to puff away.

Schmaus *m* -es, **Schmäuse** (*dated*) feast.

schmausen (*geh*) **I** *vi* to feast. **II** *vt* to feast on.

schmecken I *vi* (*Geschmack haben*) to taste (*nach* of); (*gut ~*) to be good, to taste good *or* lovely; (*probieren auch*) to have a taste. **ihm schmeckt es** (*gut finden*) he likes it; (*Appetit haben*) he likes his food; **ihm schmeckt es nicht** (*keinen Appetit*) he's lost his appetite, he's off his food; **das schmeckt ihm nicht** (*lit, fig*) he doesn't like it; **die Arbeit schmeckt ihm nicht** this work doesn't agree with him, he has no taste for this work; **wie schmeckt die Ehe?** how does

marriage agree with you?; **nach etw ~** (*fig*) to smack of sth; **das schmeckt nach nichts** it's tasteless; **das schmeckt nach mehr!** (*inf*) it tastes more-ish (*hum inf*); **schmeckt es (Ihnen)?** do you like it?, is it good?; are you enjoying your food *or* meal? (*esp form*); **das hat geschmeckt** that was good; **und das schmeckt!** and it tastes so good, and it's so good; **das schmeckt nicht (gut)** it doesn't taste good *or* nice; **es schmeckt mir ausgezeichnet** it is *or* tastes really excellent; **Hauptsache, es schmeckt** (*inf*) the main thing is it tastes nice; **es sich ~ lassen** to tuck in.

II *vt* to taste; (*probieren auch*) to have a taste of. **etw zu ~ bekommen** (*fig inf*) to have a taste of sth.

Schmeichelei *f* flattery; (*Komplimente auch*) flattering remark *or* compliment. **so eine ~!** such flattery!

schmeichelhaft *adj* flattering; *Bemerkung auch* complimentary.

schmeicheln *vi* **1.** to flatter (*jdm* sb); (*um etw zu erreichen auch*) to butter up (*inf*) (*jdm* sb). **es schmeichelt mir, daß ...** it flatters me that ... **2.** (*verschönern*) to flatter. **das Bild ist aber geschmeichelt!** the picture is very flattering.

Schmeichler(in *f*) *m* -s, - flatterer; (*Kriecher*) sycophant, fawner.

schmeichlerisch *adj* flattering; (*lobhudelnd auch*) unctuous, fawning, sycophantic.

schmeißen *pret* **schmiß**, *ptp* **geschmissen** (*inf*) **I** *vt* **1.** (*werfen*) to sling (*inf*), to chuck (*inf*), to fling; *Tür* to slam. **sich auf etw** (*acc*) **~** to throw oneself into sth; **die Frauen schmissen sich auf die Sonderangebote** the women made a rush at the special offers; **sich jdm an den Hals ~** (*fig*) to throw oneself at sb. **2.** (*spendieren*) **eine Runde** *or* **Lage ~** to stand a round; **eine Party ~** (*sl*) to throw a party. **3.** (*managen*) **den Laden ~** to run the (whole) show; **die Sache ~** to handle it.

II *vi* (*werfen*) to throw, to chuck (*inf*). **mit Steinen ~** to throw *or* chuck (*inf*) stones; **mit etw um sich ~** to throw sth about, to chuck sth around (*inf*); **mit Fremdwörtern um sich ~** to bandy loanwords *or* foreign words about.

Schmeißfliege *f* bluebottle.

Schmelz *m* -(e)s, -e (*Glasur*) glaze; (*Zahn~*) enamel; (*geh*) (*einer Farbe*) lustre, glow; (*Wohllaut*) melodiousness, mellifluousness.

schmelzbar *adj* fusible, meltable; **Eisen ist leicht ~** iron is easily melted *or* melts easily; **Schmelzbarkeit** *f* fusibility.

Schmelze *f* -, -n **1.** (*Metal*) melt. **2.** (*Schmelzen*) melting; (*Metal: von Erz*) smelting. **3.** (*Schmelzhütte*) smelting plant *or* works *sing or pl*.

schmelzen *pret* **schmolz**, *ptp* **geschmolzen I** *vi aux sein* (*lit, fig: erweichen*) to melt; (*Reaktorkern*) to melt down; (*fig: schwinden auch*) to melt away. **II** *vt Metall, Fett* to melt; *Erz* to smelt.

schmelzend *adj* (*geh*) *Gesang, Ton, Stim-*

me mellifluous.

Schmelzglas *nt* enamel; **Schmelzhütte** *f* smelting plant *or* works *sing or pl*; **Schmelzkäse** *m* cheese spread; **Schmelzofen** *m* melting furnace; (*für Erze*) smelting furnace; **Schmelzpunkt** *m* melting point; **Schmelztiegel** *m* (*lit, fig*) melting pot; **Schmelzwasser** *nt* melted snow and ice; (*Geog, Phys*) meltwater.

Schmerbauch *m* (*inf*) paunch, potbelly; **schmerbäuchig** *adj* (*inf*) paunchy, potbellied.

Schmerle *f* -, -n loach.

Schmerz *m* -es, -en pain *pl rare*; (*Kummer auch*) grief *no pl*. ihre ~en her pain; **dumpfer** ~ ache; **stechender** ~ stabbing pain; **sie schrie vor** ~en she cried out in pain; ~en **haben** to be in pain; ~en **in der Nierengegend/in den Ohren haben** to have a pain in the kidneys/to have earache; **wo haben Sie** ~en? where does it hurt?, where's the pain?; **wenn der Patient wieder** ~en **bekommt ...** if the patient starts feeling pain again ...; **jdm** ~en **bereiten** to cause sb pain; (*seelisch auch*) to pain sb; **mit** ~en (*fig*) regretfully; **unter** ~en painfully; (*fig*) regretfully; **jdn mit** ~(en) **erfüllen** (*fig*) to grieve *or* hurt sb.

schmerzbetäubend *adj* pain-killing; **schmerzempfindlich** *adj Mensch* sensitive to pain; *Wunde, Körperteil* tender; **Schmerzempfindlichkeit** *f siehe adj* sensitivity to pain; tenderness.

schmerzen (*geh*) **I** *vt* to hurt, to pain; (*körperlich*) to hurt. **II** *vi* to hurt; (*Wunde*) to be sore; (*Kopf, Bauch auch*) to ache. **mir schmerzt der Kopf** my head aches; **es schmerzt** (*lit, fig*) it hurts; **eine** ~de **Stelle** a painful spot *or* area.

Schmerzensgeld *nt* (*Jur*) damages *pl*; **Schmerzenslaut** *m* (*geh*) cry of pain; **Schmerzensschrei** *m* scream of pain.

schmerzerfüllt *adj* (*geh*) racked with pain; (*seelisch*) grief-stricken; **schmerzfrei** *adj* free of pain; *Operation* painless; **Schmerzgrenze** *f* pain barrier; **schmerzhaft** *adj* (*lit, fig*) painful; **Schmerzkranke(r)** *mf person suffering from chronic pains*; **schmerzlich** *adj* (*geh*) painful; *Lächeln* sad; **es ist mir sehr** ~, **Ihnen mitteilen zu müssen, daß ...** it is my painful duty to inform you that ...; **schmerzlindernd** *adj* pain-relieving, analgesic; **schmerzlos** *adj* (*lit, fig*) painless; ~er less painful; **Schmerzmittel** *nt* pain-killing drug, pain-killer; **schmerzstillend** *adj* pain-killing, analgesic (*Med*); ~es **Mittel** pain-killing drug, pain-killer, analgesic (*Med*); **Schmerztablette** *f* pain-killer, ≈ aspirin (*inf*); **schmerzverzerrt** *adj* pain-racked, agonized; **schmerzvoll** *adj* (*fig*) painful.

Schmetterball *m* smash.

Schmetterling *m* (*Zool, inf: Schwimmart*) butterfly.

Schmetterlingsblütler *m* -s, - **die** ~ the papilionaceae (*spec*); **Schmetterlingsnetz** *nt* butterfly net; **Schmetterlingsstil** *m* butterfly stroke.

schmettern **I** *vt* **1.** (*schleudern*) to smash; *Tür* to slam; (*Sport*) *Ball* to smash.
  2. *Lied* to bellow out.
  II *vi* **1.** (*Sport*) to smash, to hit a smash.
  2. (*Trompete*) to blare (out); (*Sänger*) to bellow.

Schmied(in *f*) *m* -(e)s, -e (black)smith.

Schmiede *f* -, -n smithy, forge.

Schmiedearbeit *f* (*das Schmieden*) forging; (*Gegenstand*) piece of wrought-iron work; **Schmiedeeisen** *nt* wrought iron; **schmiedeeisern** *adj* wrought-iron; **Schmiedehammer** *m* blacksmith's hammer.

schmieden *vt* to forge (*zu* into); (*fig: zusammenfügen auch*) to mould; (*ersinnen*) *Plan* to hatch, to concoct; (*hum*) *Verse* to concoct. **geschmiedet sein** (*Gartentür*) to be made of wrought-iron; **jdn in Ketten** ~ (*liter*) to bind sb in chains.

Schmiedin *f siehe* **Schmied**.

schmiegen **I** *vr* **sich an jdn** ~ to cuddle *or* snuggle up to sb; **sich an/in etw** (*acc*) ~ to nestle *or* snuggle into sth; **die Weinberge/Häuser** ~ **sich an die sanften Hänge** the vineyards/houses nestle into the gentle slopes.
  II *vt* **etw an/in etw** (*acc*) ~ to nestle sth into sth; **etw um etw** ~ to wrap sth around sth.

schmiegsam *adj* supple; *Stoff* soft; (*fig: anpassungsfähig*) adaptable, flexible.

Schmiere *f* -, -n **1.** (*inf*) grease; (*Salbe*) ointment; (*feuchter Schmutz auch*) mud; (*pej: Schminke*) paint; (*Aufstrich*) spread.
  2. (*pej*) (*Wanderbühne*) (troop of) barnstormers; (*schlechtes Theater*) fleapit.
  3. (*sl*) ~ **stehen** to be the look-out, to keep cave (*dated Brit Sch sl*).

schmieren **I** *vt* **1.** (*streichen*) to smear; *Butter, Aufstrich* to spread; *Brot* to butter; *Salbe, Make-up* to rub in (*in* +*acc* -to); (*einfetten, ölen*) to grease; (*Tech*) *Achsen, Gelenke* to grease, to lubricate. **es geht** *or* **läuft wie geschmiert** it's going like clockwork; **jdm eine** ~ (*inf*) to clout sb one (*inf*).
  2. (*pej: schreiben*) to scrawl.
  3. (*inf: bestechen*) **jdn** ~ to grease sb's palm (*inf*).
  II *vi* **1.** (*pej*) (*schreiben*) to scrawl; (*malen*) to daub.
  2. (*Stift, Radiergummi, Scheibenwischer*) to smear.
  3. (*inf: bestechen*) to give a bribe/bribes.

Schmierenkomödiant(in *f*) *m* (*pej*) ham (actor); **Schmierenkomödie** *f* (*pej*) slapstick farce, pantomime; (*fig*) pantomime, farce; **Schmierentheater** *nt* (*pej*) (troop of) barnstormers; (*schlechtes Theater*) flea-pit.

Schmierer(in *f*) *m* -s, - (*pej inf*) scrawler, scribbler; (*von Parolen*) slogan dauber; (*an Gebäuden*) graffiti writer; (*Maler*) dauber; (*Autor, Journalist*) hack, scribbler.

Schmiererei *f* (*pej inf*) (*Geschriebenes*)

scrawl, scribble; (*Parolen*) graffiti *pl*; (*Malerei*) daubing; (*das Schmieren von Parolen*) scrawling, scribbling.

Schmierfett *nt* (lubricating) grease; **Schmierfink** *m* (*pej*) **1.** (*Autor, Journalist*) hack, scribbler; (*Skandaljournalist*) muckraker (*inf*); **2.** (*Schüler*) messy writer, scrawler; **Schmiergeld** *nt* (*inf*) bribe, bribe-money; **Schmierheft** *nt* jotter, rough-book.

schmierig *adj* greasy; *Restaurant auch* grimy; (*fig*) (*unanständig*) dirty, filthy; (*schleimig*) greasy, smarmy (*inf*).

Schmierkäse *m* (*inf*) cheese spread; **Schmiermittel** *nt* lubricant; **Schmieröl** *nt* lubricating oil; **Schmierpapier** *nt* rough *or* jotting paper; **Schmierseife** *f* soft soap.

Schmierung *f* lubrication.

Schmierzettel *m* piece of rough *or* jotting paper.

schmilz *imper sing of* **schmelzen.**

Schminke *f* -, -n make-up.

schminken I *vt* to make up. **sich** (*dat*) **die Lippen/Augen** ~ to put on lipstick/eye make-up. **II** *vr* to make oneself up, to put on make-up. **sich zu stark** ~ to wear too much make-up.

Schminkkoffer *m* vanity case; **Schminktäschchen** *nt* make-up bag; **Schminktisch** *m* dressing table.

schmirgeln I *vt* to sand, to rub down. **II** *vi* to sand.

Schmirgelpapier *nt* sandpaper; **Schmirgelscheibe** *f* sanding disc.

Schmiß *m* -sses, -sse **1.** (*Fechtwunde*) gash, wound; (*Narbe*) duelling scar. **2.** (*dated: Schwung*) dash, élan. ~ **haben** (*Musik*) to go with a swing; (*Mensch*) to have go (*inf*).

schmiß *pret of* **schmeißen.**

schmissig *adj* (*dated*) dashing; *Musik auch* spirited.

Schmöker *m* -s, - book (*usu of light literature*); (*dick*) tome.

schmökern (*inf*) **I** *vi* to bury oneself in a book; (*in Büchern blättern*) to browse. **II** *vt* to bury oneself in.

Schmollecke *f siehe* **Schmollwinkel.**

schmollen *vi* to pout; (*gekränkt sein*) to sulk. **mit jdm** ~ to be annoyed with sb.

Schmollmund *m* pout; **einen** ~ **machen** to pout; **Schmollwinkel** *m* (*inf*) **im** ~ **sitzen** to have the sulks (*inf*); **sich in den** ~ **zurückziehen** to go off into a corner to sulk.

schmolz *pret of* **schmelzen.**

Schmorbrand *m* smouldering fire; **Schmorbraten** *m* pot-roast.

schmoren I *vt* to braise; *Braten auch* to pot-roast. **II** *vi* **1.** (*Cook*) to braise; (*inf: schwitzen*) to roast, to swelter. **jdn (im eigenen Saft** *or* **Fett)** ~ **lassen** to leave sb to stew in his/her own juice). **2.** (*unbearbeitet liegen*) to lie there.

Schmorfleisch *nt* (*Cook*) braising steak; (*Braten*) pot roast.

Schmu *m* -s, *no pl* (*inf*) cheating; (*esp mit Geld auch*) fiddling (*inf*). **das ist** ~! that's a cheat *or* a fiddle! (*inf*); ~ **machen** to cheat; to fiddle (*inf*); **bei der Abrechnung/Prüfung** ~ **machen** to

fiddle the expenses/cheat in the exam.

schmuck *adj* (*dated*) *Haus* neat, tidy; *Schiff* neat, trim; *Bursche, Mädel* smart, spruce; *Paar* smart.

Schmuck *m* -(e)s, (*rare*) -e **1.** (~*stücke*) jewellery (*Brit*) *no pl*, jewelry *no pl*. **2.** (*Verzierung*) decoration; (*fig*) embellishment. **der** ~ **am Christbaum** the decorations on the Christmas tree; **im** ~ **der Blumen/Fahnen** (*liter*) decked with flowers/flags.

schmücken I *vt* to decorate, to adorn; *Rede* to embellish. **die mit Blumenkränzen geschmückten Tänzerinnen** the dancers adorned with garlands of flowers; **mit Juwelen geschmückt** bejewelled; ~**des Beiwerk/Beiwort** embellishment. **II** *vr* (*zum Fest*) (*Mensch*) to adorn oneself; (*Stadt*) to be decorated. **sich mit Blumenkränzen** ~ to garland oneself with flowers.

Schmuckgegenstand *m* ornament; (*Ring*) piece of jewellery; **Schmuckkassette** *f*, **Schmuckkästchen** *nt*, **Schmuckkasten** *m* jewellery box; **schmucklos** *adj* plain; *Fassade* unadorned; *Einrichtung, Stil auch* simple; (*fig*) *Stil, Prosa* simple, unadorned; **Schmucklosigkeit** *f siehe adj* plainness; unadornedness; simplicity; **Schmucksachen** *pl* jewellery (*Brit*) *sing*, jewelry *sing*; **Schmuckstein** *m* (*Edelstein*) precious stone, gem; (*Halbedelstein*) semi-precious stone; **Schmuckstück** *nt* (*Ring*) piece of jewellery; (*Schmuckgegenstand*) ornament; (*fig: Prachtstück*) gem; (*fig inf*) (*Frau*) better half (*inf*); **Schmuckwaren** *pl* jewellery (*Brit*) *sing*, jewelry *sing*.

Schmuddel *m* -s, *no pl* (*N Ger inf*) (*Schmutz*) mess; (*auf Straße*) dirt, mud.

Schmuddelei *f* (*inf*) mess *no pl*.

schmudd(e)lig *adj* messy; (*schmutzig auch*) dirty; (*schmierig, unsauber*) filthy; (*schlampig*) *Bedienung* sloppy; *Frau, Schüler* sloppy, slovenly.

Schmuddelkind *nt* (*fig*) (street) urchin; **Schmuddellook** [-luk] *m* (*iro*) urchin look (*iro*).

Schmuggel *m* -s, *no pl* smuggling. ~ **treiben** to smuggle; **der** ~ **von Heroin** heroin smuggling.

Schmuggelei *f* smuggling *no pl*. **seine kleinen** ~**en** his small-scale smuggling.

schmuggeln *vti* (*lit, fig*) to smuggle. **mit etw** ~ to smuggle sth.

Schmuggeln *nt* -s, *no pl* smuggling.

Schmuggelware *f* smuggled goods *pl*, contraband *no pl*.

Schmuggler(in *f*) *m* -s, - smuggler. ~ **von Rauschgift/Waffen** drug-smuggler/arms smuggler, gun-runner.

Schmugglerbande *f* smuggling ring, ring of smugglers.

schmunzeln *vi* to smile.

Schmunzeln *nt* -s, *no pl* smile.

Schmus *m* -es, *no pl* (*inf*) (*Unsinn*) nonsense; (*Schmeicheleien*) soft-soap (*inf*). ~ **erzählen** to talk nonsense.

schmusen *vi* (*inf*) (*zärtlich sein*) to cuddle; (*mit Freund, Freundin auch*) to canoodle (*inf*). **mit jdm** ~ to cuddle sb, to canoodle with sb (*inf*).

Schmusepuppe *f* cuddly toy.

schmusig *adj* (*inf*) smoochy (*inf*).

Schmutz *m* **-es,** *no pl* 1. dirt; (*Schlamm auch*) mud. **die Handwerker haben viel ~ gemacht** the workmen have made a lot of mess; **sie leben in ~** they live in real squalor; **der Stoff nimmt leicht ~ an** the material dirties easily.
  2. (*fig*) filth, dirt, smut. **~ und Schund** obscene *or* offensive material; **jdn/etw in den ~ ziehen** *or* **zerren** to drag sb/sth through the mud.

schmutzen *vi* to get dirty.

Schmutzfänger *m* dust trap; **Schmutz-fink** *m* (*inf*) (*unsauberer Mensch*) dirty slob (*inf*); (*Kind*) mucky pup (*inf*); (*fig*) (*Mann*) dirty old man; (*Journalist*) muckraker (*inf*); **Schmutzfleck** *m* dirty mark; **Schmutzfracht** *f* dirty cargo.

schmutzig *adj* (*unsauber, unanständig*) dirty, filthy; *Geschäft* dirty; *Wit-ze, Geschichten auch* smutty. **sich ~ machen** to get oneself dirty; **~e Wäsche (vor anderen Leuten) waschen** to wash one's dirty linen in public; **~e Reden führen** to use bad *or* foul language.

Schmutzigkeit *f siehe adj* dirtiness, filthi-ness; dirtiness, sordidness; smuttiness; (*Witz, Bemerkung*) dirty *etc* joke/remark.

Schmutzkampagne *f* smear campaign; **Schmutztitel** *m* (*Typ*) half-title; **Schmutzwäsche** *f* dirty washing; **Schmutzwasser** *nt* dirty water.

Schnabel *m* **-s, :** 1. (*Vogel~*) beak, bill.
  2. (*von Kanne*) spout; (*von Krug*) lip; (*von Schiff*) prow.
  3. (*Mus: Mundstück*) mouthpiece.
  4. (*inf: Mund*) mouth. **halt den ~!** shut your mouth (*inf*) *or* trap (*sl*); **den ~ aufreißen** (*vor Erstaunen*) to gape; (*re-den*) to open one's big mouth (*inf*); **mach doch den ~ auf** say something; **re-den, wie einem der ~ gewachsen ist** to say exactly what comes into one's head; (*unaffektiert*) to talk naturally.

Schnabelhieb *m* peck.

schnäbeln *vi* (*lit, fig*) to bill and coo.

Schnabelschuh *m* pointed shoe (with turned-up toe); **Schnabeltasse** *f* feed-ing cup; **Schnabeltier** *nt* duckbilled platypus.

Schnack *m* **-(e)s, -s** (*N Ger inf*) (*Un-terhaltung*) chat; (*Ausspruch*) silly *or* amusing phrase. **das ist ein dummer ~** that's a silly phrase.

schnackeln *vi* (*S Ger*) **mit den Fingern ~** to snap *or* click one's fingers; **jdm ~ die Knie** sb's knees are trembling *or* shak-ing; **es hat (bei jdm) geschnackelt** it's clicked.

schnacken *vi* (*N Ger*) to chat.

Schnake *f* **-, -n** 1. (*inf: Stechmücke*) gnat, midge. 2. (*Weberknecht*) daddy-long-legs.

Schnalle *f* **-, -n** 1. (*Schuh~, Gürtel~*) buckle. 2. (*an Handtasche, Buch*) clasp. 3. (*Aus, S Ger: Tür~*) handle. 4. (*sl: Flittchen*) tarty type (*inf*).

schnallen *vt* 1. to strap; *Gürtel* to buckle, to fasten; 2. (*inf: begreifen*) **etw ~** to

catch on to sth; **hast du das noch immer nicht geschnallt?** have you still not caught on?

Schnallenschuh *m* buckled shoe.

schnalzen *vi* **mit der Peitsche ~** to crack one's whip, to give a crack of one's whip; **mit der Zunge ~** to click one's tongue.

Schnalzer *m* **-s, -** (*inf*) (*mit Zunge*) click; (*von Peitsche*) crack.

Schnalzlaut *m* (*Ling*) click.

schnapp *interj* snap; *siehe* **schnipp.**

Schnäppchen *nt* bargain. **ein ~ machen** to get a bargain.

schnappen I *vi* 1. **nach jdm/etw ~** to snap *or* take a snap at sb/sth; (*greifen*) to snatch *or* grab at sb/sth.
  2. *aux sein* (*sich bewegen*) to spring up. **die Tür schnappt ins Schloß** the door snaps *or* clicks shut.
  II *vt* (*inf*) 1. (*ergreifen*) to snatch, to grab. **jdn am Arm ~** to grab sb's arm *or* sb by the arm; **schnapp dir einen Zettel** grab a piece of paper (*inf*).
  2. (*fangen*) to catch, to nab (*inf*).

Schnappmesser *nt* clasp-knife; **Schnappschloß** *nt* (*an Tür*) springlock; (*an Schmuck*) spring clasp; **Schnapp-schuß** *m* (*Foto*) snap(shot); **Schnapp-verschluß** *m* snap lock.

Schnaps *m* **-es, :e** (*klarer ~*) schnapps; (*inf: Branntwein*) spirits *pl*; (*inf: Alko-hol*) drink, booze (*inf*), liquor (*esp US inf*). **ich möchte lieber einen ~ trinken** I'd rather have a short (*inf*).

Schnapsbrenner *m* distiller; **Schnaps-brennerei** *f* 1. (*Gebäude*) distillery; 2. *no pl* (*das Brennen*) distilling of spirits *or* liquor; **Schnapsbruder** *m* (*inf*) boo-zer (*inf*).

Schnäpschen ['ʃnɛpsçən] *nt* (*inf*) little drink, wee dram (*esp Scot*).

Schnapsfahne *f* (*inf*) boozy breath (*inf*); **Schnapsflasche** *f* bottle of booze (*inf*) *or* spirits *or* liquor; **Schnapsglas** *nt* small glass for spirits; **Schnapsidee** *f* (*inf*) crazy *or* crackpot idea; **Schnapsladen** *m* off-licence (*Brit*), liq-uor store (*US*); **Schnapsleiche** *f* (*inf*) drunk; **Schnapsnase** *f* (*inf*) boozer's nose (*inf*); **Schnapszahl** *f* (*inf*) multi-digit number with all digits identical.

schnarchen *vi* to snore.

Schnarcher(in *f*) *m* **-s, -** snorer.

Schnarre *f* **-, -n** rattle.

schnarren *vi* (*Wecker, Radio, Saite*) to buzz; (*Maschine, Spinnrad*) to clatter; (*Uhrwerk*) to creak; (*Vogel*) to croak. **mit ~der Stimme** in a rasping *or* grating voice.

Schnattergans, Schnatterliese *f*, **Schnattermaul** *nt* (*all inf*) chatterbox.

schnattern *vi* (*Gans*) to gabble; (*Ente*) to quack; (*Affen*) to chatter, to gibber; (*inf: schwatzen*) to natter (*inf*). **sie schnattert vor Kälte** her teeth are chattering with (the) cold.

schnauben *pret* **schnaubte** *or* (*old*) **schnob,** *ptp* **geschnaubt** *or* (*old*) **ge-schnoben** I *vi* 1. (*Tier*) to snort. 2. **vor Wut/Entrüstung ~** to snort with rage/indignation. II *vr* **sich** (*dat*) **die Nase ~,**

sich ~ to blow one's nose.

schnaufen *vi* **1.** (*schwer atmen*) to wheeze; (*keuchen*) to puff, to pant; (*fig*) (*Lokomotive*) to puff; (*inf: Auto*) to struggle. **2.** (*esp S Ger: atmen*) to breathe. **3.** *aux sein* (*sich keuchend bewegen: Auto*) to struggle. **ich bin in den fünften Stock geschnauft** (*inf*) I went/came puffing and panting up to the fifth floor.

Schnaufer *m* **-s, -** (*inf*) breath. **ein ~ frische Luft** a breath of fresh air; **den letzten ~ tun** to breathe one's last.

Schnauferl *nt* **-s, -** *or* (*Aus*) **-n** (*hum: Oldtimer*) veteran car.

Schnauzbart *m* walrus moustache.

Schnauze *f* **-, -n 1.** (*von Tier*) muzzle. **eine feuchte ~ haben** to have a wet nose; **mit einer Maus in der ~** with a mouse in its mouth.
2. (*Ausguß an Kaffeekanne*) spout; (*an Krug*) lip.
3. (*inf*) (*von Fahrzeugen*) front; (*von Flugzeug, Schiff*) nose.
4. (*sl: Mund*) gob (*sl*), trap (*sl*). **~!** shut your gob (*sl*) *or* trap (*sl*); **auf die ~ fallen** to fall flat on one's face; (*fig*) to come a cropper (*inf*); **die ~ (gestrichen) voll haben** to be fed up to the back teeth (*inf*); **eine große ~ haben** to have a big mouth, to be a big-mouth (*inf*); **die ~ halten** to hold one's tongue; **etw frei nach ~ machen** to do sth any old how (*inf*).

schnauzen *vi* (*inf*) to shout; (*jdn anfahren*) to snap, to bark.

Schnauzer *m* **-s, - 1.** (*Hundeart*) schnauzer. **2.** (*inf*) *siehe* **Schnauzbart.**

Schnecke *f* **-, -n 1.** (*Zool, fig*) snail; (*Nackt~*) slug; (*Cook auch*) escargot; **jdn zur ~ machen** (*inf*) to give sb a real bawling-out (*inf*).
2. (*Anat*) cochlea (*spec*).
3. (*Tech*) (*Schraube*) worm, endless screw; (*Förder~*) worm *or* screw conveyor.
4. *usu pl* (*Frisur*) earphone.
5. (*Cook: Gebäck*) ≃ Chelsea bun.

Schneckengehäuse, Schneckenhaus *nt* snail-shell; **sich in sein ~ zurückziehen** (*fig inf*) to retreat into one's shell; **Schneckenpost** *f* (*hum inf*) **du bist wohl mit der ~ gefahren?** you must have crawled your way here; **Schneckentempo** *nt* (*inf*) **im ~** at a snail's pace.

Schnee *m* **-s,** *no pl* **1.** (*auch TV*) snow. **vom ~ eingeschlossen sein** to be snowbound; **im Jahre ~** (*Aus*) ages ago; **das ist ~ von gestern** that's old hat.
2. (*Ei~*) whisked egg-white. **Eiweiß zu ~ schlagen** to whisk the egg-white(s) till stiff.
3. (*sl: Heroin, Kokain*) snow (*sl*).

Schneeanzug *m* snow suit; **schneearm** *adj* **~e Gebiete** areas with little snowfall; **Schneeball** *m* snowball; (*Bot*) snowball, guelder rose; **Schneeballeffekt** *m*, **Schneeballprinzip** *nt* snowball effect; **Schneeballschlacht** *f* snowball fight; **eine ~ machen** to have a snowball fight; **Schneeballsystem** *nt* accumulative process; (*Comm*) pyramid selling; **das**

vermehrt sich nach dem ~ it snowballs; **schneebedeckt** *adj* snow-covered; *Berg auch* snow-capped; **Schneebesen** *m* (*Cook*) whisk; **schneeblind** *adj* (*inf*) blind; **Schneeblindheit** *f* snow blindness; **Schneebrille** *f* snow-goggles *pl*; **Schneedecke** *f* blanket *or* (*Met*) covering of snow; **Schnee-Eule** *f* snowy owl; **Schneefall** *m* snowfall, fall of snow; **dichter ~ behindert die Sicht** heavy falling snow is impairing visibility; **Schneeflocke** *f* snowflake; **Schneefräse** *f* snow blower; **schneefrei** *adj* free of snow; **Schneegans** *f* snow goose; **Schneegestöber** *nt* (*leicht*) snow flurry; (*stark*) snowstorm; **Schneeglätte** *f* hard-packed snow *no pl*; **Schneeglöckchen** *nt* snowdrop; **Schneegrenze** *f* snow-line; **Schneehase** *m* blue hare; **Schneehemd** *nt* (*Mil*) white anorak for camouflage in snow; **Schneehütte** *f* hut made of snow; **Schneekanone** *f* snow cannon; **Schneekette** *f* (*Aut*) snow chain; **Schneekönig** *m*: **sich freuen wie ein ~** to be as pleased as Punch; **Schneemann** *m, pl* **-männer** snowman; **Schneematsch** *m* slush; **Schneemobil** *nt* snowmobile; **Schneepflug** *m* (*Tech, Ski*) snowplough (*Brit*), snowplow (*US*); **Schneeraupe** *f* snow cat; **Schneeregen** *m* sleet; **Schneeschaufel, Schneeschippe** *f* snow-shovel, snowpusher (*US*); **Schneeschmelze** *f* thaw; **Schneeschuh** *m* snow-shoe; (*dated: Ski*) ski; **Schneesturm** *m* snowstorm; (*stärker*) blizzard; **Schneetreiben** *nt* driving snow; **Schneeverhältnisse** *pl* snow conditions *pl*; **Schneeverwehung** *f* snowdrift; **Schneewächte** *f* snow cornice; **Schneewasser** *nt* water from melting snow, snowmelt (*US*); **Schneewehe** *f* snowdrift; **schneeweiß** *adj* snow-white, as white as snow; *Haare* snowy-white; *Hände* lily-white; *Gewissen* clear; **Schneeweißchen, Schneewittchen** *nt* Snow White.

Schneid *m* **-(e)s,** *no pl,* (*Aus*) *f* **-,** *no pl* (*inf*) guts *pl* (*inf*), nerve, courage. **~/keinen ~ haben** to have/not to have guts (*inf*); **den ~ verlieren** to lose one's nerve.

Schneidbrenner *m* (*Tech*) oxyacetylene cutter, cutting torch.

Schneide *f* **-, -n** (*sharp or* cutting) edge; (*von Messer, Schwert*) blade; *siehe* **Messer.**

schneiden *pret* **schnitt,** *ptp* **geschnitten**
I *vi* to cut; (*Med*) to operate; (*bei Geburt*) to do an episiotomy; **der Wind/die Kälte schneidet** the wind is biting/it is bitingly cold; **jdm ins Herz** *or* **in die Seele ~** to cut sb to the quick.
II *vt* **1.** *Papier, Haare,* (*fig: meiden*) to cut; *Getreide auch* to mow; (*klein~*) *Schnittlauch, Gemüse etc* to chop; (*Sport*) *Ball* to slice, to cut; (*schnitzen*) *Namen, Figuren* to carve; (*Math auch*) to intersect with; (*Weg*) to cross. **eine Kurve ~** to cut a corner; **sein schön/scharf geschnittenes Gesicht** his clean-

cut/sharp features *or* face; **Gesichter** *or*
Grimassen ~ to make *or* pull faces; **die
Luft ist zum S~** (*fig inf*) the air is very
bad; **jdn** ~ (*beim Überholen*) to cut in
on sb; (*ignorieren*) to cut sb dead; **weit/
eng geschnitten sein** (*Sew*) to be cut
wide/narrow.
   2. *Film, Tonband* to edit.
   3. (*inf: operieren*) to operate on; *Furunkel* to lance. **jdn** ~ to cut sb open
(*inf*); (*bei Geburt*) to give sb an episiotomy; **geschnitten werden** (*bei Geburt*) to have an episiotomy.
   III *vr* **1.** (*Mensch*) to cut oneself. **sich
in den Finger** ~ to cut one's finger.
   2. (*inf: sich täuschen*) **da hat er sich
aber geschnitten!** he's made a big mistake, he's very mistaken.
   3. (*Linien, Straßen*) to intersect.
schneidend *adj* biting; *Hohn, Bemerkung
auch* cutting; *Wind, Kälte auch* piercing,
bitter; *Schmerz* sharp, searing; *Stimme,
Ton* piercing.
Schneider *m* -s, -. **1.** (*Beruf*) tailor; (*Damen*~) dressmaker.
   2. (*Cards*); **im** ~ **sein** to have less than
half points; **aus dem** ~ **sein** to have
slightly more than half points; (*fig*) to be
out of the woods.
   3. (*Gerät*) cutter; (*inf: für Brot*) slicer.
   4. (*Schnake*) daddy-longlegs.
Schneideraum *m* (*Film*~) cutting room,
editing suite.
Schneiderei *f* **1.** *no pl* (*Handwerk*) tailoring; (*für Damen*) dressmaking. **2.**
(*Werkstatt*) tailor's/dressmaker's.
Schneiderhandwerk *nt* tailoring *no art*;
dressmaking *no art*.
Schneiderin *f* siehe **Schneider 1.**
Schneiderkostüm *nt* tailored suit;
Schneiderkreide *f* tailor's chalk;
Schneidermeister(in *f*) *m* master
tailor/dressmaker.
schneidern I *vi* (*beruflich*) to be a tailor/
dressmaker; (*als Hobby*) to do dressmaking. **II** *vt* to make, to sew; *Herrenanzug* to tailor, to make.
Schneiderpuppe *f* tailor's/dressmaker's
dummy; **Schneidersitz** *m* **im** ~ **sitzen** to
sit cross-legged; **Schneiderwerkstatt** *f*
tailor's/dressmaker's workshop.
Schneidetisch *m* (*Film*) editing *or* cutting
table; **Schneidewerkzeug** *nt* cutting
tool; **Schneidezahn** *m* incisor.
schneidig *adj* dashing, sharp; *Musik* rousing; *Tempo* fast.
Schneidigkeit *f* (*von Mensch*) dashing
character; (*von Musik*) rousing character *or* tempo; (*von Tempo*) speed.
schneien I *vi impers* to snow.
   II *vt impers* **es schneit dicke Flocken**
big flakes (of snow) are falling; **es
schneite Konfetti** confetti rained down.
   III *vi aux sein* (*fig*) to rain down. **jdm
ins Haus** ~ (*inf*) (*Besuch*) to drop in on
sb; (*Rechnung, Brief*) to arrive through
one's letterbox *or* in the post.
Schneise *f* -, -n break; (*Wald*~) aisle,
lane; (*Feuer*~) firebreak; (*Flug*~) path.
schnell *adj* quick; *Bedienung, Fahrt, Tempo, Läufer auch* fast; *Auto, Zug, Verkehr, Fahrer, Strecke* fast; *Schritte, Puls,*

Verbesserung auch fast, rapid; *Abreise,
Bote, Hilfe* speedy; *Antwort auch*
speedy, prompt; *Genesung, Besserung*
quick, rapid, speedy. ~ **gehen/fahren** to
walk/drive quickly *or* fast; **etw in** ~**em
Tempo singen** to sing sth quickly *or* fast;
sie wird ~ **böse/ist** ~ **verärgert** she loses
her temper quickly, she is quick to get
angry; **er ist sehr** ~ **mit seinem Urteil/
seiner Kritik** he's very quick to judge/to
criticize; **nicht so** ~**!** not so fast!; **kannst
du das vorher noch** ~ **machen?** (*inf*) can
you do that quickly first?; **ich muß mir
nur noch** ~ **die Haare kämmen** I must
just give my hair a quick comb; **sein Puls
ging** ~ his pulse was very fast; **das geht**
~ (*grundsätzlich*) it doesn't take long;
das mache ich gleich, das geht ~ I'll do
that now, it won't take long; **das ging** ~
that was quick; **an der Grenze ist es** ~
gegangen things went very quickly at the
border; **das ging alles viel zu** ~ it all happened much too quickly *or* fast; **das werden wir** ~ **erledigt haben** we'll soon have
that finished; ~ **machen!** hurry (up)!;
das werde ich so ~ **nicht vergessen/
wieder tun** I won't forget that/do that
again in a hurry; **das werden wir** ~ **sehen**
(*bald*) we'll soon see about that; **diese
dünnen Gläser gehen** ~ **kaputt** these
thin glasses break easily; ~**es Geld/eine**
~**e Mark (machen)** (*inf*) (to make) a fast
buck (*inf*).
Schnellbahn *f* high-speed railway;
Schnellboot *nt* speedboat; **Schnell-
dienst** *m* express service; **Schnell-
drucker** *m* high-speed printer.
Schnelle *f* -, -n **1.** *no pl* (*Schnelligkeit*)
quickness, speed. **2.** (*Strom*~) rapids *pl*.
3. etw auf die ~ **machen** to do sth
quickly *or* in a rush; **das läßt sich nicht
auf die** ~ **machen** we can't rush that,
that will take time; **Sex/ein Bier auf die**
~ (*inf*) a quickie (*inf*).
schnellebig *adj getrennt:* **schnell-lebig** *Zeit*
fast-moving.
Schnelleingreiftruppe *f* Rapid Reaction
Force.
schnellen *vi aux sein* (*lit, fig*) to shoot. **in
die Höhe** ~ to shoot up; **ein Gummiband**
~ **lassen** to flick a rubber band.
Schnellfeuer *nt* (*Mil*) rapid fire;
Schnellfeuergeschütz *nt* automatic
rifle; **Schnellfeuergewehr** *nt* automatic
pistol; **Schnellfeuerwaffe** *f* rapid-fire
weapon; **schnellfüßig** *adj* (*geh*) fleet-
footed (*liter*), fleet of foot (*liter*);
Schnellgaststätte *f* fast-food restaurant, cafeteria, fast-food store (*US*);
Schnellgericht *nt* **1.** (*Jur*) summary
court; **2.** (*Cook*) convenience food;
Schnellhefter *m* spring folder.
Schnelligkeit *f* (*von Auto, Verkehr,
Abreise*) speed; (*von Bewegung, Tempo
auch*) quickness; (*von Schritten, Besserung, Verbesserung auch, von Puls*)
rapidity; (*von Bote, Hilfe*) speediness;
(*von Antwort*) speediness, promptness.
Schnellimbiß *m* **1.** (*Essen*) (quick) snack;
2. (*Raum*) snack-bar; **Schnellkoch-
platte** *f* high-speed ring;
Schnellkochtopf *m* (*Dampfkochtopf*)

pressure cooker; (*Wasserkochtopf*) ≃ electric kettle; **Schnellkurs** *m* crash course; **Schnellpaket** *nt* express parcel; **Schnellpresse** *f* high-speed printing machine *or* press; **Schnellreinigung** *f* express cleaning service; **Schnellrücklauf** *m* fast rewind; **Schnellschrift** *f* (*Comput*) draft quality.

schnellstens *adv* as quickly as possible.

Schnellstraße *f* expressway; **Schnellsuchlauf** *m* rapid search; **Schnellverfahren** *nt* (*Jur*) summary trial; (*Mil*) summary court-martial; **im ~ abgeurteilt werden** to be sentenced by a summary court/court-martial; **Schnellvorlauf** *m* fast forward; **Schnellzug** *m* fast train; **Schnellzugzuschlag** *m* supplementary charge for travel on a fast train; (*inf: Karte*) supplementary ticket.

Schnepfe *f* -, -n snipe; (*pej inf*) silly cow (*sl*).

schnetzeln *vt* (*S Ger, Sw*) *Frucht, Gemüse* to slice; *Fleisch* to shred.

schneuzen I *vr* to blow one's nose. II *vt* **einem Kind/sich die Nase ~** to blow a child's/one's nose.

Schnickschnack *m* -s, *no pl* (*inf*) (*Unsinn*) twaddle (*inf*) no indef art, poppycock (*inf*) no indef art; (*Kinkerlitzchen*) paraphernalia (*inf*) no indef art. **ach ~!** (*dated*) balderdash! (*dated inf*), fiddlesticks! (*dated inf*).

schniefen *vi* (*dial*) to sniffle.

schniegeln (*inf*) I *vt* Kleidung, Kinder, Auto to spruce up. II *vr* to get spruced up, to spruce oneself up; *siehe* **geschniegelt**.

schnieke *adj* (*N Ger sl: schick*) swish (*inf*).

schnipp *interj* snip. **~, schnapp** snip, snip.

Schnippchen *nt* (*inf*) **jdm ein ~ schlagen** to play a trick on sb, to trick sb; **dem Tod ein ~ schlagen** to cheat death.

Schnippel *m or nt* -s, - (*inf*) *siehe* **Schnipsel**.

schnippeln *vti* (*inf*) to snip (*an +dat* at); (*mit Messer*) to hack (*an +dat* at).

schnippen I *vi* **mit den Fingern ~** to snap one's fingers. II *vt* **etw von etw ~** to flick sth off *or* from sth.

schnippisch *adj* saucy, pert.

Schnipsel *m or nt* -s, - (*inf*) scrap; (*Papier~*) scrap *or* bit of paper.

schnipseln *vti* (*inf*) *siehe* **schnippeln**.

schnipsen *vti* (*inf*) *siehe* **schnippen**.

schnitt *pret of* **schneiden**.

Schnitt *m* -(e)s, -e 1. cut; (*Kerbe auch*) notch, nick; (*Med auch*) incision; (*von Heu, Getreide*) crop.
2. (*Haar~*) (hair)cut. **einen kurzen ~ bitte** cut it short please.
3. (*Sew*) cut; (*~muster*) pattern.
4. (*Form*) (*von Edelstein*) cut; (*von Gesicht, Augen*) shape; (*von Profil*) line.
5. (*Film*) editing *no pl*. **der Film ist jetzt beim ~** the film is now being edited *or* cut; **~: L. Schwarz** editor − L. Schwarz.
6. (*Math*) (*~punkt*) (point of) intersection; (*~fläche*) section; (*inf: Durch~*) average. **im ~** on average.
7. (*Längs~, Quer~*) section. **im ~ ge-**

zeichnet drawn in section.
8. (*inf: Gewinn*) profit.

Schnittblumen *pl* cut flowers *pl*; (*im Garten*) flowers (suitable) for cutting; **Schnittbohnen** *pl* French *or* green beans *pl*.

Schnitte *f* -, -n slice; (*belegt*) open sandwich; (*zusammengeklappt*) sandwich. **womit soll ich dir eine ~ belegen?** what shall I put on your (slice of) bread?

Schnittebene *f* (*Math*) sectional plane.

Schnitter(in *f*) *m* -s, - reaper.

schnittfest *adj* *Tomaten* firm; **Schnittfläche** *f* section.

schnittig *adj* stylish; *Tempo* snappy.

Schnittlauch *m*, *no pl* chives *pl*; **Schnittlauchlocken** *pl* (*hum inf*) straight hair; **Schnittlinie** *f* (*Math*) line of intersection; (*Sew*) cutting line; **Schnittmenge** *f* (*Math*) intersection; **Schnittmuster** *nt* (*Sew*) (paper) pattern; **Schnittmusterbogen** *m* (*Sew*) pattern chart; **Schnittpunkt** *m* (*von Straßen*) intersection; (*Math auch*) point of intersection; **Schnittstelle** *f* cut; (*Comput*) interface; **Schnittwinkel** *m* angle of intersection; **Schnittwunde** *f* cut; (*tief*) gash.

Schnitz *m* -es, -e (*S Ger, Aus*) piece; (*von Orange auch*) segment.

Schnitzel[1] *nt or m* -s, - (*Papier~*) bit *or* scrap of paper; (*Holz~*) shaving; (*Fetzen, Karotten~, Kartoffel~*) shred, sliver. **~ pl** (*Abfälle*) scraps *pl*.

Schnitzel[2] *nt* -s, - (*Cook*) veal/pork cutlet, schnitzel.

Schnitzeljagd *f* paper-chase.

schnitzeln *vt* *Gemüse* to shred; *Holz* to chop (up) (into sticks).

schnitzen *vti* to carve. **wir haben in der Schule S~ gelernt** we learnt wood carving at school.

Schnitzer *m* -s, - 1. wood carver. 2. (*inf*) (*in Benehmen*) blunder, boob (*Brit inf*), goof (*US inf*); (*Fehler*) howler (*inf*).

Schnitzerei *f* (wood-)carving.

Schnitzerin *f* *siehe* **Schnitzer 1**.

Schnitzkunst *f* (art of) wood carving; **Schnitzmesser** *nt* wood-carving knife; **Schnitzwerk** *nt* (wood) carving.

schnob (*old*) *pret of* **schnauben**.

schnodd(e)rig *adj* (*inf*) rude and offhand, brash.

Schnodd(e)rigkeit *f* (*inf*) brashness.

schnöd(e) *adj* (*niederträchtig*) despicable, contemptible, base; *Geiz, Verrat* base; *Gewinn* vile; *Behandlung, Ton, Antwort* contemptuous, disdainful. **~r Mammon/ ~s Geld** filthy lucre; **jdn ~ verlassen** to leave sb in a most despicable fashion.

Schnorchel *m* -s, - (*von U-Boot, Taucher*) snorkel; (*~maske*) snorkel mask.

Schnörkel *m* -s, - flourish; (*an Möbeln, Säulen*) scroll; (*fig: Unterschrift*) squiggle (*hum*), signature.

schnörkelig *adj* ornate; *Schrift auch* full of flourishes.

schnörkellos *adj* without frills.

schnorren *vti* (*inf*), to cadge (*inf*) to scrounge (*inf*) (*bei* from).

Schnorrer(in *f*) *m* -s, - (*inf*) cadger (*inf*), scrounger (*inf*).

Schnösel m -s, - (inf) snotty(-nosed) little upstart (inf).

schnöselig adj (inf) Benehmen, Jugendlicher snotty (inf), snotty-nosed (inf).

Schnuckelchen nt (inf) sweetheart, pet, baby (esp US).

schnuckelig adj (inf) (gemütlich) snug, cosy; Wärme cosy; (niedlich) cute.

Schnüffelei f (inf) 1. (von Hund, Mensch) snuffling no pl, sniffing no pl; (von Mensch auch) sniffling no pl. 2. (fig: das Spionieren) snooping no pl (inf).

schnüffeln vi 1. (schnuppern, riechen) to sniff; (Hund auch) to snuffle. **an etw** (dat) ~ to sniff (at) sth. 2. (fig inf: spionieren) to snoop around (inf), to nose around or about (inf). 3. (von Drogen) to sniff.

Schnüffler(in f) m -s, - (inf) (fig) snooper (inf), Nosey Parker (inf); (Detektiv) sleuth (inf), private eye (inf); (von Drogen) glue-sniffer.

Schnuller m -s, - (inf) dummy (Brit), pacifier (US); (auf Flasche) teat (Brit), nipple (US).

Schnulze f -, -n (inf pej) schmaltzy film/song/play (inf). **das sind alles ~n** it's all schmaltz (inf).

Schnulzensänger(in f) m (inf pej) singer of slushy songs.

schnulzig adj (inf pej) slushy, soppy, schmaltzy (all inf).

schnupfen vti Kokain to snort, to sniff. **Tabak ~** to take snuff.

Schnupfen m -s, - cold, headcold. **(einen) ~ bekommen, sich** (dat) **einen ~ holen** (inf) to catch (a) cold; **(einen) ~ haben** to have a cold.

Schnupftabak m snuff; **Schnupftabak(s)dose** f snuffbox; **Schnupftuch** nt (S Ger) handkerchief, hanky (inf).

schnuppe adj pred (inf) **jdm ~ sein** to be all the same to sb; **das Wohl seiner Angestellten ist ihm völlig ~** he couldn't care less (inf) about the welfare of his employees.

schnuppern I vi (Hund, Mensch) to sniff; (Hund auch) to sniff. **an etw** (dat) ~ to sniff (at) sth. II vt to sniff.

Schnur f -, -̈e (Bindfaden) string; (Kordel, an Vorhang) cord; (Litze) braid no indef art, no pl, piping no indef art, no pl; (Zelt~) guy (rope); (Angel~) (fishing) line; (Kabel) flex, lead.

Schnürband nt lace; **Schnürboden** m (Theat) flies pl.

Schnürchen nt dim of **Schnur** bit of string. **es läuft** or **geht** or **klappt alles wie am ~** everything's going like clockwork; **etw wie am ~ hersagen** to say or recite sth off pat.

schnüren I vt Paket, Strohbündel to tie up; Schuhe auch, Mieder to lace (up); Körper to lace in. **Schuhe zum S~** lace-up shoes, lace-ups. II vi 1. (inf: eng sein) to be too tight. 2. (aux sein (Hunt) to run in a straight line. III vr (Frauen) to lace oneself up or in.

schnurgerade adj (dead) straight; ~ **auf jdn/etw zugehen** to make a bee-line for sb/sth (inf), to go straight up to sb/sth; **Schnurkeramik** f (Archeol) string ce-

ramics sing.

schnurlos adj Telefon cordless.

Schnürmieder nt lace-up corset.

Schnurrbart m moustache (Brit), mustache (US).

schnurrbärtig adj with a moustache, mustachioed.

Schnurre f -, -n 1. (Erzählung) funny story. 2. (Posse) farce.

schnurren vi (Katze) to purr; (Spinnrad) to hum, to whirr.

Schnurrhaare pl whiskers pl.

Schnürriemen m siehe **Schnürsenkel**.

schnurrig adj amusing, droll; alter Mann quaint, funny.

Schnürschuh m lace-up or laced shoe; **Schnürsenkel** m shoelace; (für Stiefel) bootlace; **Schnürstiefel** m lace-up or laced boot.

schnurstracks adv straight, directly. ~ **auf jdn/etw zugehen** to make a bee-line for sb/sth (inf), to go straight up to sb/sth.

schnurz adj (inf) **das ist ihm** ~ he couldn't care less (about it) (inf), he couldn't give a darn (about it) (inf).

Schnute f -, -n (inf) (Mund) mouth; (Schmollmund) pout; (pej: Mundwerk) big mouth (inf). **eine ~ ziehen** or **machen** to pout, to pull a face.

schob pret of **schieben**.

Schober m -s, - (S Ger, Aus) 1. (Scheune) barn. 2. (Heuhaufen) haystack or -rick.

Schock¹ nt -(e)s, -e (obs) three score (old).

Schock² m -(e)s, -s or (rare) -e (Schreck, elektrisch) shock. **unter ~ stehen** to be in (a state of) shock.

Schockeinwirkung f state of shock; **unter ~ stehen** to be in (a state of) shock.

schocken vt (inf) to shock. **jdn elektrisch** ~ (Med) to give sb an electric shock, to administer an electric shock to sb (form).

Schocker m -s, - (inf) shock film/novel, film/novel aimed to shock.

schockfarbe f electric colour.

schockieren* vti to shock; (stärker) to scandalize; **~d** shocking; **schockiert sein** to be shocked (über +acc at).

Schocktherapie f shock therapy; (elektrisch auch) electro-convulsive therapy.

schofel, schof(e)lig adj (inf) Behandlung, Ausrede mean, rotten no adv (inf); Spende, Geschenk, Mahlzeit miserable.

Schöffe m -n, -n ≃ juror.

Schöffenamt nt ≃ jury service; **Schöffenbank** f ≃ jury bench; **Schöffengericht** nt court (with jury); **einen Fall vor einem ~ verhandeln** ≃ to try a case by jury.

Schöffin f ≃ juror.

schoflig adj (inf) siehe **schofel**.

Schokolade f chocolate.

Schokoladen- in cpds chocolate; **schokoladenbraun** adj chocolate-coloured; **Schokoladenguß** m chocolate icing; **Schokoladenraspel** f chocolate flake; **Schokoladenriegel** m chocolate bar; **Schokoladenseite** f (fig) attractive side; **sich von seiner ~ zeigen** to show oneself at one's best.

Schokoriegel *m* chocolate bar.
Scholastik *f* scholasticism.
Scholastiker(in *f*) *m* **-s,** - scholastic.
scholastisch *adj* scholastic.
Scholle[1] *f* -, -n (*Fisch*) plaice.
Scholle[2] *f* -, -n (*Eis~*) (ice) floe; (*Erd~*) clod (of earth). **mit der ~ verbunden sein** (*fig*) to be a son of the soil.
Scholli *m*: **mein lieber ~!** (*inf*) (*drohend*) now look here!; (*erstaunt*) my goodness me!, my oh my!
schon *adv* **1.** (*bereits*) already; (*in Fragen: überhaupt ~*) ever. **er ist ~ da** he's there already, he's already there; **ist er ~ da?** is he there yet?; **warst du ~ dort?** have you been there yet?; (*je*) have you ever been there?; **danke, ich habe ~** (*inf*) no thank you, I have some (already); **ich habe den Film ~ gesehen** I've already seen that film, I've seen that film before; **ich werde ~ bedient** I'm (already) being served; **mußt du ~ gehen?** must you go already *or* so soon?; **ich bin ~ drei Jahre alt** I'm *three* (years old); **er wollte ~ die Hoffnung aufgeben, als ...** he was just about to give up hope when ...
2. (*mit Zeitangaben*) **ich warte nun ~ seit drei Wochen** I've already been waiting (for) three weeks; **~ vor drei Wochen** three weeks ago; **~ am frühen Morgen** early in the morning; **~ damals** even then; **~ damals, als ...** even when ...; **~ früher wußte man ...** even in years gone by they knew ...; **~ vor 100 Jahren/im 13. Jahrhundert** as far back as 100 years ago/as early *or* as far back as the 13th century; **das haben wir ~ gestern** *or* **gestern ~ gemacht** we did that yesterday; **~ am nächsten Tag** the very next day; **es ist ~ 11 Uhr** it's 11 o'clock already; **der Briefträger kommt ~ um 6 Uhr** the postman comes as early as 6 o'clock; **kommt er ~ heute?** will he come today (already)?
3. **~ (ein)mal** before; (*in Fragen: je*) ever; **ich habe das ~ mal gehört** I've heard that before; **warst du ~ (ein)mal dort?** have you ever been there?; **ich habe Sie ~ (ein)mal gesehen** I've met *or* seen you before somewhere; **ich habe dir ~ (ein)mal gesagt, daß ...** I've already told you once that ...; **das habe ich dir doch ~ hundertmal gesagt** I've told you that a hundred times (before); **ich habe das Buch ~ zweimal gelesen** I've read that book twice already; **das habe ich ~ oft gehört** I've heard that often; **das ist ~ längst vorbei/vergessen** that's long past/forgotten; **ich bin ~ lange fertig** I've been ready for ages; **wie lange wartest du ~?** how long have you been waiting?; **wartest du ~ lange?** have you been waiting (for) long?; **wie ~ so oft** as so often (before); **wie ~ erwähnt** as has (already) been mentioned; **~ immer** always; **~ wieder zurück** back already; **da ist sie ~ wieder** (*zum x-ten Male*) there she is again, she's back again; (*~ zurück*) she's back already; **was, ~ wieder?** what — *again*?; **was denn nun ~ wieder?** what is it *now*?
4. (*allein, bloß*) just; (*ohnehin*) any-

way. **allein ~ das Gefühl ...** just the very feeling ...; **~ die Tatsache, daß ...** just the fact that ..., the very fact that ...; **wenn ich das ~ sehe/höre/lese!** if I even see/hear/read that!; **~ deswegen** if only because of that; **~ weil** if only because.
5. (*bestimmt*) all right. **du wirst ~ sehen** you'll see (all right); **das wirst du ~ noch lernen** you'll learn that one day.
6. (*ungeduldig*) **hör ~ auf damit!** will you stop that!; **so antworte ~!** come on, answer; **geh ~** go on; **nun sag ~!** come on, tell me/us *etc*; **mach ~!** get a move on! (*inf*), get on with it!; **wenn doch ~ ...!** if only ...; **ich komme ja ~!** I'm just coming!, I'm on my way! (*inf*).
7. (*tatsächlich, allerdings*) really. **das ist ~ eine Frechheit!** what a cheek!, that's a real cheek!; **das ist ~ etwas, (wenn ...)** it's really something (if ...); **da gehört ~ Mut/Geschick dazu** that takes real courage/skill; **da müßten wir ~ großes Glück haben** we'd be very lucky; **das ist ~ möglich** that's quite possible, that's not impossible; **das mußt du ~ machen!** you really ought to do that.
8. (*bedingt*) siehe **wenn, wennschon.**
9. (*einschränkend*) **~** *or* **ja ~, aber ...** (*inf*) yes (well), but ...; **da haben Sie recht, aber ...** yes, you're right (there), but ...
10. (*in rhetorischen Fragen*) **was macht das ~, wenn ...** what(ever) does it matter if ...; (*was hilft das ~*) what(ever) use is it if ...; **wer fragt ~ danach, ob ...** who wants to know if ...; **500 km, was ist das ~ bei den heutigen Flugverbindungen?** 500 km is nothing with today's air travel; **10 Mark, was ist das ~, was sind heute ~ 10 Mark?** 10 marks goes nowhere these days, what's 10 marks these days?.
11. (*inf: Füllwort*) **und wenn ~!, na wenn ~!** so what? (*inf*); **~ gut!** all right, okay (*inf*); **ich verstehe ~** I understand; **ich weiß ~** I know; **danke, es geht ~** thank you, I/we *etc* will manage.
schön I *adj* **1.** (*hübsch anzusehen*) beautiful, lovely; *Mann* handsome. **das S~e** beauty; **na, ~es Kind** (*inf*) well then, beautiful (*inf*).
2. (*nett, angenehm*) good; *Erlebnis, Stimme, Musik, Wetter auch* lovely; *Gelegenheit* great, splendid. **die ~en Künste** the fine arts; **die ~e Literatur** belles-lettres; **das ist ein ~er Tod** that's a good way to die; **eines ~en Tages** one fine day; (*wieder*) **in ~ster Ordnung** (*nach Krach*) back to normal (again); **in ~ster Eintracht/Harmonie** in perfect harmony; **das S~ste daran ist ...** the beauty of it is ..., the nicest *or* best thing about it is ...; **~e Ferien/~en Urlaub!** have a good *or* nice holiday; **~es Wochenende** have a good *or* nice weekend; **~en guten Tag** a very good morning/evening *etc* to you; **war es ~ im Urlaub?** did you have a nice *or* good holiday; **~, daß du gekommen bist** (how) nice of you to come; **~er, heißer Kaffee** nice hot coffee; **ein ~er frischer Wind** a nice fresh wind.

3. (*iro*) *Unordnung* fine, nice, lovely; *Überraschung, Wetter* lovely; *Unsinn, Frechheit* absolute. **da hast du etwas S~es angerichtet** you've made a fine *or* nice *or* lovely mess/muddle; **du bist mir ein ~er Freund** a fine friend you are, you're some friend; **du machst** *or* **das sind mir ja ~e Sachen** *or* **Geschichten** here's *or* this is a pretty state of things, here's a pretty kettle of fish (*inf*); **von dir hört man ~e Sachen** *or* **Geschichten** I've been hearing some nice *or* fine things about you; **das wäre ja noch ~er** (*inf*) that's (just) too much!; **es wird immer ~er** (*inf*) things are going from bad to worse.

4. (*inf: gut*) nice. **das war nicht ~ von dir** (*inf*) that wasn't very nice of you; **zu ~, um wahr zu sein** (*inf*) too good to be true; **~, ~,** (*also*) **~, sehr ~, na ~** fine, okay, all right; **~ und gut, aber ...** (that's) all well and good but ..., that's all very well but ...

5. (*beträchtlich, groß*) *Erfolg* great; *Strecke, Stück Arbeit, Alter* good. **ein ~es Stück weiterkommen** to make good progress; **das hat eine ~e Stange Geld gekostet** (*inf*) that cost a pretty penny.

II *adv* **1.** (*bei Verben*) (*gut*) well; *sich waschen, verarbeiten lassen* easily; *scheinen* brightly; *schreiben* beautifully; (*richtig, genau*) *ansehen, durchlesen* carefully. **sich ~ anziehen** to get dressed up; **es ~ haben** to be well off; (*im Urlaub etc*) to have a good time (of it).

2. (*angenehm*) **~ weich/warm/stark** nice and soft/warm/strong.

3. (*bei Wünschen*) **schlaf ~** sleep well; **amüsiere dich ~** have a nice *or* good time; **erhole dich ~** have a good rest.

4. (*inf: brav, lieb*) nicely. **iß mal ~ deinen Teller leer** eat it all up nicely (now), be a good girl/boy and eat it all up; **sei ~ still/ordentlich** (*als Aufforderung*) be nice and quiet/tidy; **sei ~ brav** be a good boy/girl; **fahr ~ langsam** drive nice and slowly.

5. (*inf: sehr, ziemlich*) (*vor Verb, Partizip*) really; (*vor Adjektiv auch*) pretty. **sich** (*dat*) **~ weh tun** to hurt oneself a lot; **jdn ~ erschrecken** to give sb quite a *or* a real fright; **ganz ~ teuer/kalt** pretty expensive/cold; **ganz ~ lange** quite a while; **~ viel Geld kosten** to cost a pretty penny.

Schonbezug *m* (*für Matratzen*) mattress cover; (*für Möbel*) loose cover; (*für Autositz*) seat cover.

Schöne *f* **-n, -n** (*liter, hum: Mädchen*) beauty, belle (*liter, hum*).

schonen I *vt Gesundheit, Herz, Körperteil, Buch, Kleider* to look after, to take care of; *eigene Nerven* to go easy on; *jds Nerven, Gefühle, Kraft* to spare; *Gegner, Kind* to be easy on; (*nicht stark beansprunchen*) *Teppich, Schuhsohlen* to save; (*Mensch*) *Bremsen, Auto* to go easy on; *Füße,* (*iro*) *Gehirn* to save; (*schützen*) to protect. **ein Waschmittel, das die Hände/Wäsche schont** a detergent that is kind to your hands/ washing; **ein Licht, das die Augen schont** lighting that is easy on *or* kind to the eyes; **er muß den Arm noch ~** he still has to be careful with *or* look after his arm; **um seine Nerven/die Nerven seiner Mutter zu ~** for the sake of his/his mother's nerves; **du brauchst mich nicht zu ~, sag ruhig die Wahrheit** you don't need to spare me *or* my feelings — just tell me the truth.

II *vr* to look after *or* take care of oneself; (*Patient auch*) to take things easy.

schönen *vt* **1.** *Farbe* to brighten. **2.** *Wein* to clarify. **3.** *Statistik, Zahlen* to dress up.

schonend *adj* gentle; (*rücksichtsvoll*) considerate; *Waschmittel auch, Politur* mild. **jdm etw ~ beibringen** to break sth to sb gently; **jdn ~ behandeln** to be *or* go easy on sb; *Kranken* to treat gently; **etw ~ behandeln** to treat sth with care.

Schoner[1] *m* **-s, -** (*Naut*) schooner.

Schoner[2] *m* **-s, -** cover; (*für Rükkenlehnen*) antimacassar, chairback; (*Ärmel~*) sleeve-protector.

schönfärben *sep* I *vt* (*fig*) to gloss over; **II** *vi* to gloss things over; **Schönfärberei** *f* (*fig*) glossing things over.

Schonfrist *f* period of grace; **eine ~ von 12 Tagen** 12 days' grace; **Schongang** *m* (*bei Waschmaschine*) gentle action wash.

Schöngeist *m* aesthete.

schöngeistig *adj* aesthetic. **~e Literatur** belletristic literature.

Schönheit *f* beauty.

Schönheitschirurgie *f* cosmetic surgery; **Schönheitsfarm** *f* beauty farm; **Schönheitsfehler** *m* blemish; (*von Gegenstand*) flaw; **Schönheitsfleck** *m* beauty spot; **Schönheitsideal** *nt* ideal of beauty; **Schönheitskönigin** *f* beauty queen; **Schönheitskonkurrenz** *f* beauty contest; **Schönheitsoperation** *f* cosmetic operation; **Schönheitspflästerchen** *nt* (artificial) beauty spot; **Schönheitspflege** *f* beauty care; **Schönheitssalon** *m* beauty parlour *or* salon; **Schönheitssinn** *m* sense of beauty; **Schönheitswettbewerb** *m* beauty contest.

Schonkost *f* light diet; (*Spezialdiät*) special diet.

Schönling *m* (*pej*) pansy (*inf*), pretty boy (*inf*).

schönmachen *sep* I *vt Kind* to dress up; *Wohnung, Straßen* to decorate; **II** *vr* to get dressed up, to dress (oneself) up; (*sich schminken*) to make (oneself) up; **III** *vi* (*Hund*) to sit up (and beg); **Schönredner(in** *f)* *m* flatterer, smoothtalker; **Schönschreibdrucker** *m* letterquality printer; **Schönschreiben** *nt* (*Sch*) writing; **Schönschrift** *f* **in ~** in one's best (copy-book) (hand)writing.

schönstens *adv* most beautifully; *bitten, fragen* respectfully. **jdn ~ grüßen** to give sb one's kindest regards.

Schöntuerei *f* flattery, blandishments *pl*, soft-soap (*inf*); **schöntun** *vi sep irreg* **jdm ~** (*schmeicheln*) to flatter *or* softsoap (*inf*) sb; (*sich lieb Kind machen*) to pay court to sb, to play *or* suck (*inf*) up to sb.

Schonung f 1. (*Waldbestand*) (protected) forest plantation area.
2. (*das Schonen*) (*von Gefühlen, Kraft*) sparing; (*von Teppich, Schuhsohlen, Kleider*) saving; (*das Schützen*) protection. **der Patient/Arm braucht noch ein paar Wochen** ~ the patient/arm still needs looking after for a few weeks; **zur** ~ **meiner Gefühle/der Gefühle anderer** to spare my feelings/the feelings of others; **zur** ~ **Ihrer Augen/Waschmaschine** to look after your eyes/washing machine; **zur** ~ **des Getriebes** to give your gears a longer life.
3. (*Nachsicht, Milde*) mercy.

schonungsbedürftig adj in need of care; (*in bezug auf Gefühle, Nerven*) in need of careful handling; **schonungslos** adj ruthless, merciless; *Wahrheit* blunt; *Kritik* savage; **Schonungslosigkeit** f ruthlessness, mercilessness; (*von Kritik*) savageness; **mit einer solchen** ~ so ruthlessly, so mercilessly; so savagely; **schonungsvoll** adj gentle.

Schonwald m protected woodland.

Schönwetter nt (*lit*) fine weather. ~ **machen** (*fig inf*) to smooth things over; **bei jdm um** ~ **bitten** (*fig inf*) to be as nice as pie to sb (*inf*).

Schönwetterfront f warm front; **Schönwetterperiode** f period of fine weather; **Schönwetterwolke** f (*inf*) cloud that means good weather.

Schonzeit f close season; (*fig*) honeymoon period.

Schopf m -(e)s, =e (shock of) hair; (*von Vogel*) tuft, crest. **jdn beim** ~ **packen** to grab sb by the hair; **eine Gelegenheit beim** ~ **ergreifen** or **packen** or **fassen** to seize or grasp an opportunity with both hands.

schöpfen vt 1. auch vi (*aus* from) *Wasser* to scoop; *Suppe* to ladle; *Papier* to dip. **Wasser aus einem Boot** ~ to bale out a boat.
2. *Atem* to draw, to take; *Mut, Kraft* to summon up; *Vertrauen, Hoffnung* to find. **Vertrauen/Hoffnung/Mut aus etw** ~ to draw confidence/hope/courage from sth.
3. auch vi (old: schaffen) *Kunstwerk* to create; *neuen Ausdruck, Wörter auch* to coin, to invent.

Schöpfer m -s, - creator; (*Gott*) Creator. **seinem** ~ **danken** to thank one's Maker or Creator.

schöpferisch adj creative. ~**er Augenblick** moment of inspiration, creative moment; ~**e Pause** (*hum*) pause for inspiration; ~ **tätig sein** to be creative.

Schöpferkraft f creative power, creativity.

Schöpfkelle f, **Schöpflöffel** m ladle.

Schöpfung f creation; (*Wort, Ausdruck*) coinage, invention. **die** ~ (*Rel*) the Creation; (*die Welt*) Creation.

Schöpfungsgeschichte f story of the Creation.

Schoppen m -s, - (old: Flüssigkeitsmaß) half-litre (measure); (*S Ger: Glas Wein*) glass of wine; (*S Ger: Glas Bier*) ≃ half-

pint of beer, glass of beer.

Schöps m -es, -e (*Aus*) siehe Hammel.

schor pret of scheren[1].

Schorf m -(e)s, -e 1. crust, scaly skin; (*Wund~*) scab. 2. (*Pflanzenkrankheit*) scab.

schorfig adj 1. *Wunde* that has formed a scab; *Haut* scaly. 2. *Pflanzen* scabby.

Schorle f -, -n or nt -s, -s spritzer.

Schornstein m chimney; (*von Schiff, Lokomotive*) funnel, (smoke)stack; (*von Fabrik auch*) stack. **etw in den** ~ **schreiben** (*inf*) to write sth off (as a dead loss *inf*); **damit der** ~ **raucht** (*inf*) to keep body and soul together.

Schornsteinbrand m chimney fire; **Schornsteinfeger(in** f), **Schornsteinkehrer(in** f) m -s, - chimney-sweep.

schoß pret of schießen.

Schoß[1] m -sses, -sse (*Bot*) shoot.

Schoß[2] -es, =e m 1. lap. **die Hände in den** ~ **legen** (*lit*) to put one's hands in one's lap; (*fig*) to sit back (and take it easy); **das ist ihm nicht in den** ~ **gefallen** (*fig*) it wasn't handed (to) him on a plate, it didn't just fall into his lap.
2. (*geh*) (*Mutterleib*) womb. **im** ~**e der Familie/Kirche** in the bosom of one's family/of the church; **im** ~ **der Erde** in the bowels of the earth.
3. (*an Kleidungsstück*) tail.

Schößchen nt dim of Schoß[2] 3.

Schößchenjacke f peplum jacket.

Schoßhund m lap-dog; **Schoßkind** nt spoilt child; **Mamas** ~ mummy's little boy/girl.

Schot f -, -en, **Schote** f -, -n (*Naut*) sheet.

Schote f -, -n 1. (*Bot*) pod. ~**n** (*inf: Erbsen*) peas (in the pod). 2. (*inf*) yarn, tall story.

Schott nt -(e)s, -e(n) (*Naut*) bulkhead. **die** ~**en dichtmachen** (*inf*) to close up shop.

Schotte m -n, -n Scot, Scotsman. **er ist** ~ he's a Scot, he's Scottish; **die** ~**n** the Scots, the Scottish.

Schottenkaro, **Schottenmuster** nt tartan; **Rock mit** or **im** ~ tartan skirt; **Schottenpreis** m (*hum*) rock-bottom price; **Schottenrock** m tartan skirt; kilt.

Schotter m -s, - gravel; (*im Straßenbau*) (road-)metal; (*Rail*) ballast; (*inf: Geld*) dough (*inf*).

Schotterdecke f gravel surface.

schottern vt siehe n to gravel (over); to metal; to ballast.

Schotterstraße f gravel road.

Schottin f Scot, Scotswoman. **sie ist** ~ she's a Scot, she's Scottish; **die** ~**nen** Scottish women, Scotswomen.

schottisch adj Scottish, Scots.

Schottland nt -s Scotland.

schraffieren* vt to hatch.

Schraffierung, **Schraffur** f hatching.

schräg I adj 1. (*schief, geneigt*) sloping; *Schrift auch* slanting; *Augen* slanted, slanting; *Kante* bevelled.
2. (*nicht gerade, nicht parallel*) oblique; *Linie auch* diagonal.
3. (*inf: verdächtig*) suspicious, fishy (*inf*). **ein** ~**er Vogel** a queer fish (*inf*).
4. *Musik, Vorstellungen, Leute* weird.

II *adv* **1.** (*geneigt*) at an angle; *halten* on the slant, slanting; (*krumm auch*) skew, off the straight, skew-whiff (*inf*). **den Hut ~ aufsetzen** to put one's hat on at an angle; **~ stehende Augen** slanting *or* slanted eyes.

2. (*nicht gerade, nicht parallel*) obliquely; *überqueren, gestreift* diagonally; (*Sew*) on the bias; *schneiden* on the cross *or* bias. **~ gegenüber/hinter** diagonally opposite/behind; **~ rechts/links** diagonally to the right/left; **~ rechts/ links abbiegen** (*Auto, Fähre*) to bear *or* fork right/left; **die Straße biegt ~ ab** the road forks off; **~ gedruckt** in italics; **den Kopf ~ halten** to hold one's head at an angle *or* cocked to one side; **~ parken** to park at an angle; **die Sonne schien ~ ins Fenster** the sun slanted in through the window; **jdn ~ ansehen** *or* **angucken** (*lit*) to look at sb out of the corner of one's eye; (*fig*) to look askance at sb; **~ zum Hang queren/fahren** to traverse; **~ zum Fadenlauf** on the bias.

Schräge *f* **-, -n 1.** (*schräge Fläche*) slope, sloping surface; (*schräge Kante*) bevel(led edge). **2.** (*Schrägheit*) slant, angle; (*von Dach auch*) pitch, slope; (*im Zimmer*) sloping ceiling. **eine ~ haben** to be on the slant, to slope, to slant; (*Zimmer*) to have a sloping ceiling.

Schrägheck *nt* (*am Auto*) coupé back; (*Auto*) coupé.

Schrägkante *f* bevelled edge; **Schräglage** *f* angle, slant; (*von Flugzeug*) bank(ing); (*im Mutterleib*) oblique position; **schräglaufend** *adj* diagonal, oblique; **Schräglinie** *f* diagonal line, oblique (line); **Schrägschrift** *f* (*Handschrift*) slanting hand(writing) *or* writing; (*Typ*) italics *pl*; **Schrägstreifen** *m* **1.** (*Muster*) diagonal stripe; **2.** (*Sew*) bias binding; **Schrägstrich** *m* oblique.

schrak (*old*) *pret of* **schrecken**.

Schramme *f* **-, -n** scratch.

Schrammelmusik *f popular Viennese music for violins, guitar and accordion.*

Schrammeln *pl* (*Aus*) *quartet playing Schrammelmusik.*

schrammen I *vt* to scratch. **sich** (*dat*) **den Arm/sich ~** to scratch one's arm/ oneself. **II** *vi* **über den Boden ~** to scrape across the floor; **haarscharf am Bankrott ~** to come within an inch of bankruptcy.

Schrank *m* **-(e)s, ⸚e** cupboard, closet (*US*); (*Kleider~*) wardrobe; (*für Bücher*) bookcase; (*im Wohnzimmer, Vitrinen~, Medizin~ auch*) cabinet; (*Platten~*) record cabinet; (*Umkleide~, Mil: Spind*) locker; (*inf: Mann*) giant.

Schrankbett *nt* fold-away bed.

Schränkchen *nt dim of* **Schrank** small cupboard; (*Arznei~*) cabinet.

Schranke *f* **-, -n 1.** barrier; (*Barrikade*) barricade; (*Rail: Gatter*) gate; (*fig*) (*Grenze*) limit; (*Hindernis*) barrier. **vor den ~n des Gerichts** before the court; **keine ~n kennen** to know no bounds; (*Mensch*) not to know when to stop; **er kennt keine ~n mehr** there's no restraining him; **sich in ~n halten** to keep *or* to

remain within reasonable limits.

2. **~n** *pl* (*Hist*) lists *pl*; **jdn in die ~n fordern** (*fig*) to challenge sb; **jdn in seine ~n (ver)weisen** (*fig*) to put sb in his place.

Schranken *m* **-s, -** (*Aus*) (level-crossing) barrier.

schrankenlos *adj* (*fig*) *Weiten* boundless, unbounded, unlimited; *Verhalten, Forderungen, Ansprüche* unrestrained, unbridled; **Schrankenlosigkeit** *f siehe adj* boundlessness; unrestraint (*gen* in), unrestrainedness; **Schrankenwärter(in** *f)* *m* gatekeeper (*at level crossing*).

Schrankfach *nt* shelf; **im obersten ~** on the top shelf; **schrankfertig** *adj Wäsche* washed and ironed; **Schrankkoffer** *m* wardrobe trunk; **Schrankspiegel** *m* wardrobe mirror; **Schrankwand** *f* wall unit.

Schränkzange *f* saw set pliers.

Schrapnell *nt* **-s, -e** *or* **-s** shrapnel.

Schrapper *m* **-s, -** scraper.

Schrat, Schratt *m* **-(e)s, -e** forest demon.

Schraubdeckel *m* screw(-on) lid.

Schraube *f* **-, -n 1.** screw; (*ohne Spitze*) bolt. **bei ihr ist eine ~ locker** (*inf*) she's got a screw loose (*inf*). **2.** (*Naut, Aviat*) propeller, prop (*inf*). **3.** (*Sport*) twist. **4.** **alte ~** (*pej inf*) old bag (*inf*).

schrauben *vti* to screw. **etw höher/ niedriger ~** to screw sth up/down; **etw fester ~** to screw sth tighter; **etw in die Höhe ~** (*fig*) *Preise, Rekorde* to push sth up; *Ansprüche, Erwartungen* to raise; **das Flugzeug schraubte sich in die Höhe** the plane spiralled upwards; *siehe geschraubt*.

Schraubenbolzen *m* bolt; **Schraubendampfer** *m* propeller-driven steamer; **Schraubendreher** *m* screwdriver; **Schraubengewinde** *nt* screw thread; **Schraubenkopf** *m* screw head; **Schraubenmutter** *f* nut; **Schraubenschlüssel** *m* spanner; **Schraubenwindung** *f* screw thread; (*Umdrehung*) turn; **Schraubenzieher** *m* **-s, -** screwdriver.

Schraubfassung *f* screw fixture (*on light bulb*); **Schraubstock** *m* vice; **etw wie ein ~ umklammern** (*fig*) to clasp sth in a vice-like grip; **Schraubverschluß** *m* screw top *or* cap.

Schrebergarten *m* allotment (*Brit*), garden plot.

Schreck *m* **-s,** (*rare*) **-e** fright, scare. **vor ~** in fright; *zittern* with fright; **zu meinem großen ~(en)** to my great horror *or* dismay; **einen ~(en) bekommen** to get a fright *or* scare; **jdm einen ~(en) einjagen** to give sb a fright *or* scare; **der ~ fuhr mir in die Glieder** *or* **Knochen** my knees turned to jelly (*inf*); **mir sitzt** *or* **steckt der ~ noch in allen Gliedern** *or* **Knochen** my knees are still like jelly (*inf*); **auf den ~ (hin)** to get over the fright; **sich vom ersten ~ erholen** to recover from the initial shock; **mit dem ~(en) davonkommen** to get off *or* escape with no more than a fright; **o ~ laß nach** (*hum inf*) for goodness sake! (*inf*), for heaven's sake! (*inf*).

Schreckbild *nt* terrible *or* awful vision,

nightmare.

schrecken *pret* **schreckte,** *ptp* **geschreckt** I *vt* **1.** (*ängstigen*) to frighten, to scare; (*stärker*) to terrify. **jdn aus seinen Träumen ~** to startle sb out of his dreams. **2.** (*Cook*) to dip quickly in cold water.

II *pret auch* (*old*) **schrak,** *ptp auch* (*old*) **geschrocken** *vi aux sein* **aus dem Schlaf/aus den Gedanken ~** to be startled out of one's sleep/be startled.

Schrecken *m* **-s, -** **1.** (*plötzliches Erschrecken*) *siehe* **Schreck. 2.** (*Furcht, Entsetzen*) terror, horror. **einer Sache** (*dat*) **den ~ nehmen** to make a thing less frightening *or* terrifying; **er war der ~ der ganzen Lehrerschaft** he was the terror of all the teachers; **das Gleichgewicht des ~s** the balance of terror.

schrecken|erregend *adj* terrifying, horrifying.

schreckensblaß, schreckensbleich *adj* as white as a sheet *or* ghost; **Schreckensbotschaft** *f* terrible *or* alarming piece of news; **Schreckensherrschaft** *f* (reign of) terror; **Schreckenskammer** *f* chamber of horrors; **Schreckensnachricht** *f* terrible news *no pl or* piece of news; **Schreckenstat** *f* atrocity; **Schreckensvision** *f* terrifying *or* terrible vision.

Schreckgespenst *nt* nightmare; **das ~ des Krieges/der Inflation** the bogey of war/inflation; **schreckhaft** *adj* easily startled; *Mensch auch* jumpy (*inf*); **Schreckhaftigkeit** *f* nervousness; jumpiness (*inf*).

schrecklich *adj* terrible, dreadful; (*inf: sehr, groß auch*) awful, frightful; *Freude* great. **sich ~ freuen** (*inf*) to be terribly *or* awfully *or* frightfully pleased; **~ gerne!** (*inf*) I'd absolutely love to; **~ schimpfen** to swear dreadfully *or* terribly.

Schreknis *nt* (*old*) horror(s *pl*), terror(s *pl*).

Schreckschraube *f* (*pej inf*) (old) battleaxe (*inf*); (*in bezug auf Äußeres*) dolled-up old bag (*sl*); **Schreckschuß** *m* (*lit*) warning shot; **einen ~ abgeben** (*lit, fig*) to give *or* fire a warning shot; **Schreckschußpistole** *f* blank gun; **Schrecksekunde** *f* moment of shock.

Schrei *m* **-(e)s, -e** cry, shout; (*brüllender*) yell; (*gellender*) scream; (*von Vogel, Wild*) cry, call; (*von Esel*) bray; (*von Eule*) screech; (*von Hahn*) crow. **einen ~ ausstoßen** to give a cry *or* shout/yell/ scream *or* shriek; **einen ~ unterdrücken** to suppress a cry; **ein spitzer ~** a sharp cry; **ein ~ der Entrüstung** an (indignant) outcry; **der letzte ~** (*inf*) the latest thing, all the rage (*inf*); **nach dem letzten ~ gekleidet** (*inf*) dressed in the latest style *or* in the height of fashion.

Schreibart *f* style; **Schreibblock** *m* (writing) pad.

Schreibe *f* (*inf*) writing.

schreiben *pret* **schrieb,** *ptp* **geschrieben** I *vt* **1.** to write; (*ausstellen*) *Scheck auch, Rechnung* to make out, to write out;

(*mit Schreibmaschine*) to type (out); *Klassenarbeit, Übersetzung, Examen* to do; (*berichten: Zeitung*) to say; (*nieder~*) to write (down). **sie schreibt einen guten Stil** she has *or* writes a good style; **jdm** *or* **an jdn einen Brief ~** to write a letter to sb, to write sb a letter; **jdm ein paar Zeilen ~** to write *or* drop sb a few lines, to write a few lines to sb; **etw auf Diskette ~** to write sth to disk; **sich** (*dat*) **etw von der Seele** *or* **dem Herzen ~** to get sth off one's chest; **wo steht das geschrieben?** where does it say that?; **es steht geschrieben** (*Rel*) it is written; **es steht Ihnen auf der Stirn** *or* **im Gesicht geschrieben** it's written all over your face.

2. (*orthographisch*) to spell. **ein Wort falsch ~** to misspell a word, to spell a word wrong(ly); **etw groß/klein ~** to write *or* spell sth with a capital/small letter.

3. (*Datum*) **wir ~ heute den 10. Mai** today is the 10th May; **den Wievielten ~ wir heute?** what is the date today?; **man schrieb das Jahr 1939** the year was 1939, it was (in) 1939.

4. (*verbuchen*) **jdm etw auf sein (Bank)konto/die Rechnung ~** to credit sth to sb's (bank) account/to put sth on sb's bill.

II *vi* to write; (*Schriftsteller sein auch*) to be a writer; (*tippen*) to type; (*berichten*) to say. **jdm ~** to write to sb, to write sb (*US*); **ich schrieb ihm, daß ... ich** wrote and told him that ...; **er schreibt orthographisch richtig** his spelling is correct; **an einem Roman ~** to be working on *or* writing a novel; **über etw** (*acc*) **~** (*abhandeln*) to write about sth; (*Univ auch*) to work on sth; **ich kann nicht mit der Maschine ~** I can't type; **wieviel Anschläge schreibt sie pro Minute?** what is her (typing) speed?, how many words a minute can *or* does she do?; **mit Bleistift ~** to write in pencil, to write with a pencil; **hast du was zum S~?** have you something *or* anything to write with?

III *vr* **1.** (*korrespondieren*) to write (to one another *or* to each other), to correspond. **ich schreibe mich schon lange mit ihm** (*inf*) I've been writing to him for a long time.

2. (*geschrieben werden*) to be spelt. **wie schreibt es sich?** how does he spell his name?, how is his name spelt?; **wie schreibt sich das?** how is that spelt?, how do you spell that?

3. (*dated: heißen*) to call oneself. **seit wann schreibst du dich wieder mit deinem Mädchennamen?** how long have you been calling yourself by your maiden name again?

Schreiben *nt* **-s, -** **1.** *no pl* writing. **2.** (*Mitteilung*) communication (*form*); (*Brief auch*) letter.

Schreiber *m* **-s, -** **1.** (*Verfasser*) writer, author; (*Brief~*) (letter-)writer; (*Hist*) scribe; (*Angestellter, Gerichts~*) clerk; (*Sw: Schriftführer*) secretary; (*pej: Schriftsteller*) scribbler.

2. (*inf: Schreibgerät*) writing implement.

3. (*Tech*) (*Fahrten~*) tachograph; (*an Meßgerät*) recording instrument, recorder; (*Fern~*) teleprinter, telex.

Schreiberei f (*inf*) (*das Schreiben, Geschriebenes*) writing *no indef art*; (*Schriftverkehr*) paperwork *no indef art, no pl*; (*pej: von Schriftsteller*) scribbling.

Schreiberin f *siehe* **Schreiber 1.**

Schreiberling m (*pej*) (*Schriftsteller*) scribbler; (*kleiner Angestellter*) pen-pusher.

schreibfaul adj lazy (about letter-writing); **ich bin ~** I'm no great letter-writer, I'm a poor correspondent; **Schreibfeder** f (pen) nib; (*Federhalter*) ink pen; (*Gänsefeder*) quill (pen); **Schreibfehler** m (spelling) mistake; (*aus Flüchtigkeit*) slip of the pen; **Schreibgerät** nt writing implement; (*Tech*) recording instrument, recorder; **schreibgeschützt** adj (*Comput*) write-protected; **Schreibheft** nt exercise book; (*Schönschreibheft*) copy-book; **Schreibkraft** f typist; **Schreibkrampf** m writer's cramp; **Schreib-/Lesekopf** m (*Comput*) read-write head; **Schreibmaschine** f typewriter; **auf** *or* **mit der ~ schreiben** to type; **mit der ~ geschrieben** typewritten, typed; **Schreibmaschinenpapier** nt typing paper; **Schreibmaterial** nt writing materials *pl*, stationery *no pl*; **Schreibpapier** nt (typing) paper; (*Briefpapier*) writing paper, letter paper, notepaper; **Schreibpult** nt (writing) desk; **Schreibschrift** f cursive (hand)writing, script; (*Typ*) script; **Schreibstube** f (*Hist*) writing room; (*Büro*) (typists') office, typing room; (*Mil*) orderly room; **Schreibtafel** f (*Hist*) tablet; (*für Schüler*) slate; (*Wandtafel*) blackboard; **Schreibtisch** m desk; **Schreibtischtäter** m mastermind *or* brains *sing* behind the scenes (of a/the crime); **Schreibübung** f writing exercise.

Schreibung f spelling. **falsche ~ eines Namens** misspelling of a name.

schreibunkundig adj unable to write; **Schreibunterlage** f pad; (*auf Schreibtisch*) desk pad; **Schreibwaren** *pl* stationery *sing*, writing materials *pl*; **Schreibwarenhändler(in** f) m stationer; **Schreibwarenhandlung** f stationer's (shop), stationery shop; **Schreibweise** f (*Stil*) style; (*Rechtschreibung*) spelling; **Schreibwerk** nt typing mechanism; **Schreibwerkaufzug** m carriage return; **Schreibzeug** nt writing things *pl*; **Schreibzimmer** nt (*Büro*) (typists') office, typing room.

schreien pret **schrie**, ptp **geschrie(e)n** I vi to shout, to cry out; (*gellend*) to scream; (*vor Angst, vor Schmerzen*) to cry out/to scream; (*kreischend*) to shriek; (*brüllen*) to yell; (*inf: laut reden*) to shout; (*inf: schlecht und laut singen*) to screech; (*heulen, weinen: Kind*) to howl; (*jammern*) to moan; (*Esel*) to bray; (*Vogel, Wild*) to call; (*Eule, Käuzchen*) to screech; (*Hahn*) to crow. **es war zum S~** (*inf*) it was a scream (*inf*)

or a hoot (*inf*); **nach jdm ~** to shout for sb; **nach etw ~** (*fig*) to cry out for sth.

II vt *Befehle* to shout (out). **jdm etw ins Gesicht ~** to shout sth in sb's face.

III vr **sich heiser ~** to shout oneself hoarse; (*Baby*) to cry itself hoarse.

schreiend adj *Farben* loud, garish, gaudy; *Unrecht* glaring, flagrant.

Schreier(in f) m -s, - (*inf*) (*Unruhestifter*) rowdy, noisy troublemaker; (*fig: Nörgler*) moaner, grouser (*inf*).

Schreierei f (*inf*) bawling (*inf*) *no pl*, yelling *no pl*.

Schreihals m (*inf*) (*Baby*) bawler (*inf*); (*Unruhestifter*) rowdy, noisy troublemaker; **Schreikrampf** m screaming fit.

Schrein m -(e)s, -e (*geh*) shrine; (*Reliquien~ auch*) reliquary; (*old: Sarg*) coffin.

Schreiner(in f) m -s, - (*esp S Ger*) carpenter.

schreinern (*esp S Ger*) I vi to do carpentry. II vt to make.

schreiten pret **schritt**, ptp **geschritten** vi aux sein (*geh*) (*schnell gehen*) to stride; (*liter: Zeit*) to march on; (*feierlich gehen*) to walk; (*vorwärts*) to proceed; (*stolzieren*) to strut, to stalk. **im Zimmer auf und ab ~** to stride *or* pace up and down the room; **es wird Zeit, daß wir zur Tat ~** it's time we got down to work *or* action; **zum Äußersten ~** to take extreme measures; **zur Abstimmung/Wahl ~** to proceed *or* go to a vote.

schrie pret of **schreien.**

schrieb pret of **schreiben.**

Schrieb m -s, -e (*inf*) missive (*hum*).

Schrift f -, -en 1. writing; (*Hand~ auch*) handwriting; (*~system*) script; (*Typ*) type, typeface, font. **gotische** *or* **deutsche ~** Gothic script; **in kyrillischer ~ schreiben** to write in the Cyrillic alphabet *or* in (the) Cyrillic script; **er hat eine schlechte ~** he has bad handwriting.

2. (*~stück*) document; (*Bericht*) report; (*Eingabe*) petition.

3. (*Broschüre*) leaflet; (*Buch*) work; (*kürzere Abhandlung*) paper. **seine früheren ~en** his early writings *or* works; **Schopenhauers sämtliche ~en** the complete works of Schopenhauer; **die (Heilige) ~** the (Holy) Scriptures *pl*.

Schriftart f (*Handschrift*) script; (*Typ*) type, typeface; **Schriftauslegung** f (*Bibl*) interpretation (of the Bible); **Schriftbild** nt script; **Schriftdeutsch** nt (*nicht Umgangssprache*) written German; (*nicht Dialekt*) standard German; **Schriftdeutung** f graphology; **Schriftform** f (*Jur*) **dieser Vertrag erfordert die ~** this contract must be drawn up in writing; **Schriftführer(in** f) m sec-retary; (*Protokollführer auch*) clerk; **Schriftgelehrte(r)** mf (*Bibl*) scribe; **Schriftgießer(in** f) m typefounder; **Schriftgrad** m type size; **Schriftguß** m typefounding; **Schriftkunst** f calligraphy; (*fig*) literary art; m editor; **Schriftleiter(in** f) m editor; **Schriftleitung** f (*Redaktionsstab*) editorial staff *pl*; (*Redaktionsleitung*) editorship; **Schriftlesung** f (*Eccl*) lesson.

schriftlich I adj written. **in ~er Form/auf**

~em Wege in writing; die ~e Prüfung, das S~e (inf) the written exam; ich habe nichts S~es darüber I haven't got anything in writing.
II adv in writing. ich bin ~ eingeladen worden I have had a written invitation; ich muß mich bei ihm ~ für das Geschenk bedanken I must write and thank him for the present; etw ~ festhalten/niederlegen/machen (inf) to put sth down in writing; das kann ich Ihnen ~ geben (fig inf) I can tell you that for free (inf).

Schriftprobe f (Handschrift) specimen of one's handwriting; (Typ) specimen (proof); **Schriftrolle** f scroll; **Schriftsachverständige(r)** mf handwriting expert; **Schriftsatz** m 1. (Jur) legal document; 2. (Typ) form(e); **Schriftsetzer(in** f) m typesetter, compositor, comp (Typ sl); **Schriftsprache** f (nicht Umgangssprache) written language; (nicht Dialekt) standard language; die französische ~ written/(good) standard French; **schriftsprachlich** adj Ausdruck, Konstruktion used in the written language.

Schriftsteller m -s, - author, writer.
Schriftstellerei f writing.
Schriftstellerin f author(ess), writer.
schriftstellerisch adj literary. ~ tätig sein to write; er ist ~ begabt he has literary talent or talent as a writer.
schriftstellern* vi insep (inf) to try one's hand at writing or as an author.
Schriftstellername m pen name, nom de plume.
Schriftstück nt paper; (Jur) document; **Schrifttum** nt, no pl literature; **Schriftverkehr** m correspondence; im ~ stehen to be in correspondence; **Schriftwechsel** m siehe Schriftverkehr; **Schriftzeichen** nt character; **Schriftzug** m usu pl stroke; (Duktus) hand.

schrill adj Ton, Stimme shrill; (fig) Mißton, Mißklang jarring; Fest, Musik brash; Farbe garish. sie lachte ~ auf she gave a shriek or screech of laughter; ~ angezogen sein to be loudly dressed.

schrillen vi to shrill; (Stimme auch) to sound shrilly.

Schrippe f -, -n (dial) (bread) roll.

schritt pret of schreiten.

Schritt m -(e)s, -e 1. (lit, fig) step; (weit ausholend) stride; (hörbar) footstep. mit schnellen/langsamen ~en quickly/slowly, with quick/slow steps; mit schleppenden ~en dragging one's feet, with dragging feet; einen ~ zurücktreten/zur Seite gehen to step back/aside or to one side; ~ vor ~ setzen to put one foot in front of the other; ein paar ~e spazierengehen to go for or take a short walk or stroll; einen ~ machen or tun to take a step; kleine or kurze/große or lange ~e machen to take small steps/long strides; die ersten ~e machen or tun to take one's first steps; (fig) to take the first step; den ersten ~ tun (fig) to make the first move; (etw beginnen) to take the first step; ~e gegen jdn/etw unternehmen to take steps against sb/sth; auf

~ und Tritt (lit, fig) wherever or everywhere one goes; ~ um or für ~ step by step; (fig auch) little by little, gradually; Politik der kleinen ~e step-by-step or gradualistic policy.
2. (Gang) walk, gait; (Tempo) pace. ~ halten (lit, fig) to keep pace, to keep up; mit der Zeit ~ halten to keep abreast of the times; einen schnellen/unwahrscheinlichen ~ am Leib (inf) or an sich (dat) haben to walk quickly/incredibly quickly; gemessenen/leichten/langsamen ~es (geh) with measured/light/slow step(s) or tread; seinen ~ or seine ~e beschleunigen (geh) to increase one's pace, to speed up.
3. (~geschwindigkeit) walking pace. (im) ~ fahren to go at a crawl, to drive at walking speed; „~fahren" "dead slow"; im ~ reiten/gehen to walk.
4. (Maßangabe) ≈ yard. mit zehn ~ or ~en Abstand at a distance of ten paces; sich (dat) jdn drei ~(e) vom Leib halten (inf) to keep sb at arm's length.
5. (Hosen~) crotch; (~weite) crotch measurement.

Schrittempo nt getrennt **Schritt-tempo** walking speed. im ~ fahren to crawl along; „~" "dead slow".

Schrittlänge f length of one's stride.

Schrittmacher m (Sport, Med) pacemaker; (fig auch) pacesetter. die Universitäten waren ~ der Revolution the universities were in the van(guard) of or led the way in the revolution.

Schrittmacherdienste pl (fig) jdm ~ leisten to smooth the path or way for sb; **Schrittmachermaschine** f (Sport) pace-maker.

schrittweise I adv gradually, little by little; II adj gradual; **Schrittweite** f (Sew: von Hose) (waist-to-)crotch measurement; (von Kleid, Rock) hemline; **Schrittzähler** m pedometer.

schroff adj (rauh, barsch) curt, brusque; (kraß, abrupt) Übergang, Bruch abrupt; (steil, jäh) Fels, Klippe precipitous, steep. ~e Gegensätze stark or sharp contrasts.

Schroffheit f siehe adj (schroffes Wort) curt remark.

schröpfen vt (Blut absaugen) to bleed, to cup (old). jdn ~ (fig) to fleece sb (inf), to rip sb off (sl).

Schröpfkopf m (Med) cupping glass.

Schrot m or nt 1. whole-corn/-rye etc meal; (Weizen) wholemeal (Brit), wholewheat (US). ein Schotte von echtem ~ und Korn a true Scot; er ist ein Bauer von echtem ~ und Korn he is a farmer through and through; vom alten ~ und Korn (fig) of the old school.
2. (Hunt) shot.

Schrotbrot nt whole-corn/-rye etc bread; wholemeal (Brit) or wholewheat (US) bread; **Schrotbüchse** f (Hunt) shotgun.

schroten vt Getreide to grind coarsely; Alteisen to break up.

Schrotflinte f shotgun; **Schrotkorn** nt 1. grain; 2. (Hunt) pellet; **Schrotkugel** f pellet; **Schrotladung** f round of shot; **Schrotmehl** nt whole-corn/-rye etc flour; (*Weizen*) wholemeal (*Brit*) or wholewheat (*US*) flour; **Schrotschuß** *m* round of shot *or* pellets.

Schrott *m* -(e)s, *no pl* scrap metal; (*aus Eisen auch*) old iron.

Schrotthändler(in *f*) *m* scrap dealer *or* merchant; **Schrotthaufen** *m* (*lit*) scrap heap; (*fig: Auto*) pile *or* heap of scrap; **Schrottplatz** *m* scrap yard; **schrottreif** *adj* ready for the scrap heap, only fit for scrap; **Schrottwert** *m* scrap value.

schrubben I *vti* to scrub. **das Deck ~** to swab *or* scrub the deck/decks. **II** *vr* to scrub oneself.

Schrubber *m* -s, - (long-handled) scrubbing brush.

Schrulle *f* -, -n 1. quirk. **was hast du dir denn da für eine ~ in den Kopf gesetzt?** (*inf*) what strange idea have you got into your head now? 2. (*pej: alte Frau*) old crone.

schrullenhaft, schrullig *adj* odd, cranky.

Schrullenhaftigkeit, Schrulligkeit *f* crankiness.

schrump(e)lig *adj* (*inf*) wrinkled.

schrumpfen *vi aux sein* 1. (*lit*) to shrink; (*Leber, Niere*) to atrophy; (*Muskeln*) to waste, to atrophy; (*Metall, Gestein*) to contract; (*runzlig werden*) to get wrinkled.
2. (*fig*) to shrink; (*Kapital auch, Exporte, Mitgliederschaft, Interesse*) to dwindle; (*Währung*) to depreciate; (*Industriezweig*) to decline.

Schrumpfkopf *m* shrunken head; **Schrumpfleber** *f* cirrhosis of the liver; **Schrumpfniere** *f* cirrhosis of the kidney.

Schrumpfung *f* shrinking; (*Raumverlust*) shrinkage; (*von Fundamenten, Metall*) contraction; (*Med*) atrophy(ing); (*von Kapital, Arbeitskräften, Exporten*) dwindling, diminution; (*von Währung*) depreciation; (*von Industriezweig*) decline.

schrumplig *adj* (*inf*) wrinkled.

Schrund *m* -(e)s, ̈-e (*Berg~*) crevasse.

Schrunde *f* -, -n (*in der Haut*) crack; (*durch Kälte*) chap; (*Fels~, Gletscherspalte*) crevasse.

schrundig *adj* cracked; (*durch Kälte*) chapped.

schruppen *vt* 1. (*Tech*) (*mit Feile*) to rough-file; (*mit Hobel*) to rough-plane; (*mit Maschine*) to rough-machine. 2. *siehe* **schrubben**.

Schub *m* -(e)s, ̈-e 1. (*Stoß*) push, shove. 2. (*Phys*) (*Vortriebskraft*) thrust; (*Scherung*) shear. 3. (*Med*) phase. 4. (*Anzahl*) batch. 5. (*Kegel~*) throw. **alle neune auf einen ~** a strike; **auf zwei ̈-e** in two throws. 6. (*inf: ~fach*) drawer.

Schuber *m* -s, - slipcase.

Schubfach *nt* drawer; **Schubhaft** *f* (*Jur*) *siehe* **Abschiebehaft**; **Schubkarre** *f*, **Schubkarren** *m* wheelbarrow; **Schubkasten** *m* drawer; **Schubkraft** *f* (*Phys*) thrust; (*Scherung*) shearing stress.

Schublade *f* -, -n drawer.

Schubladkasten *m* (*Aus*) chest of drawers.

Schublehre *f* vernier calliper.

Schubs *m* -es, -e (*inf*) shove (*inf*), push; (*Aufmerksamkeit erregend*) nudge. **jdm einen ~ geben** to give sb a shove (*inf*) or push/nudge; (*fig*) to give sb a prod.

Schubschiff *nt* tug (boat) (*which pushes*).

schubsen *vti* (*inf*) to shove (*inf*), to push; (*Aufmerksamkeit erregend*) to nudge.

schubweise *adv* in batches; (*Med*) in phases.

schüchtern *adj* shy; (*scheu auch*) bashful. **einen ~en Versuch unternehmen** (*iro*) to make a half-hearted attempt.

Schüchternheit *f* shyness; (*Scheu auch*) bashfulness.

schuf *pret of* **schaffen**¹.

Schufa *f abbr of* **Schutzgemeinschaft für allgemeine Kreditsicherung** ≃ credit investigation company.

Schuft *m* -(e)s, -e heel (*inf*), cad, blackguard (*old*).

schuften *vi* (*inf*) to graft (away) (*sl*), to slave away. **wie ein Pferd ~** (*inf*) to work like a horse *or* a Trojan.

Schufterei *f* (*inf*) graft (*sl*), hard work.

schuftig *adj* mean, shabby.

Schuftigkeit *f* meanness, shabbiness.

Schuh *m* -(e)s, -e 1. shoe. **jdm etw in die ~e schieben** (*inf*) to lay the blame for sth at sb's door, to put the blame for sth on sb; **wissen, wo jdn der ~ drückt** to know what is bothering *or* troubling sb 2. (*Brems~ etc*) shoe.

Schuh- *in cpds* shoe; **Schuhabsatz** *m* heel (of a/one's shoe); **Schuhanzieher** *m* shoehorn; **Schuhband** *nt* shoelace; **Schuhcreme** *f* shoe polish *or* cream; **Schuhgröße** *f* shoe size; **Schuhhaus** *nt* shoe shop; **Schuhlöffel** *m* shoehorn; **Schuhmacher(in** *f*) *m* shoemaker; (*Flickschuster*) cobbler; **Schuhnummer** *f* (*inf*) shoe size; **jds ~ sein** (*fig*) to be sb's cup of tea (*inf*); **ein paar/mindestens zwei ~n zu groß für jdn** (*fig*) out of sb's league; **Schuhplattler** *m* -s, - *Bavarian folk dance*; **Schuhputzer** *m* bootblack, shoe-shine boy (*US*); **Schuhputzmittel** *nt* shoe polish; **Schuhriemen** *m* strap (of a/one's shoe); (*Schnürsenkel*) shoelace; **Schuhsohle** *f* sole (of a/one's shoe); **~n sparen** to save shoe-leather; **Schuhspanner** *m* shoetree; **Schuhwaren** *pl* footwear *sing*; **Schuhwerk** *nt*, *no pl* footwear; **Schuhwichse** *f* (*inf*) shoe polish; **Schuhzeug** *nt*, *no pl* footwear.

Schuko-®: **Schukosteckdose** *f* safety socket; **Schukostecker** *m* safety plug.

Schulabgänger(in *f*) *m* -s, - schoolleaver; **Schulalter** *nt* school age; **im ~** of school age; **Schulamt** *nt* education authority; **Schulanfang** *m* beginning of term; (*Schuleintritt*) first day at school; **morgen ist ~** school starts tomorrow; **Schulanfänger(in** *f*) *m* child just starting school; **Schularbeit** *f* 1. *usu pl* homework *no pl*, prep *no pl* (*Brit inf*); 2. (*Aus*) test; **Schularzt** *m*, **Schulärztin** *f* school doctor; **Schulaufgaben** *pl* homework *sing*; **Schulaufsatz** *m* class essay; **Schulausflug** *m* school outing *or* trip; **Schulausgabe** *f* school edition; **Schulbank** *f* school desk; **die ~ drücken**

(inf) to go to school; **Schulbeginn** m (Schuljahresbeginn) beginning of the school year; (nach Ferien) beginning of term; (der) ~ **ist um neun** school starts at nine; **Schulbehörde** f education authority; **Schulbeispiel** nt (fig) classic example (für of); **Schulbesuch** m school attendance; **Schulbildung** f (school) education; **Schulbuch** nt schoolbook, textbook; **Schulbuchverlag** m educational publishing company; **Schulbus** m school bus.

schuld adj pred ~ **sein** or **haben** to be to blame (an +dat for); **er war** or **hatte ~ an dem Streit** the argument was his fault, he was to blame for the argument; **du hast** or **bist selbst ~** that's your own fault, that's nobody's fault but your own; **jdm/einer Sache ~ geben** to blame sb/sth.

Schuld f -, -en **1.** no pl (Ursache, Verantwortlichkeit) **die ~ an etw** (dat) **haben** or **tragen** (geh) to be to blame for sth; **die ~ auf sich** (acc) **nehmen** to take the blame; **jdm die ~ geben** or **zuschreiben** or **zuschieben** to blame sb; **die ~ bei anderen suchen** to try to blame somebody else; **die ~ liegt bei mir** I am to blame (for that); **das ist meine/deine ~** that is my/your fault, I am/you are to blame (for that); **das ist meine eigene ~** it's my own fault, I've nobody but or only myself to blame; **durch meine/deine ~** because of me/you.

2. no pl (~haftigkeit, ~gefühl) guilt; (Unrecht) wrong; (Rel: Sünde) sin; (im Vaterunser) trespasses pl. **die Strafe sollte in einem angemessenen Verhältnis zur ~ stehen** the punishment should be appropriate to the degree of culpability; **sich frei von ~ fühlen** to consider oneself completely blameless; **ich bin mir keiner ~ bewußt** I'm not aware of having done anything wrong; **ich bin mir meiner ~ bewußt** I know that I have done wrong; **ihm konnte keine ~ nachgewiesen werden** it couldn't be proved that he had done anything wrong; **~ auf sich** (acc) **laden** to burden oneself with a deep sense of guilt; **seine ~ sühnen** to atone for one's sins; **für seine ~ büßen** to pay for one's sin/sins; **~ und Sühne** crime and punishment.

3. (Zahlungsverpflichtung) debt. **ich stehe tief in seiner ~** (lit) I'm deeply in debt to him; (fig) I'm deeply indebted to him; **~en machen** to run up debts; **~en haben** to be in debt; **DM 10.000 ~en haben** to have debts totalling or of DM10,000, to be in debt to the tune of DM10,000; **mehr ~en als Haare auf dem Kopf haben** (inf) to be up to one's ears in debt (inf); **das Haus ist frei von ~en** the house is unmortgaged.

Schuldanerkenntnis nt admission of one's guilt; (Schuldschein) promissory note, IOU; **Schuldbekenntnis** nt confession; **schuldbeladen** adj burdened with guilt; **Schuldbeweis** m proof or evidence of one's guilt; **schuldbewußt** adj Mensch feeling guilty; Gesicht, Mie-

ne guilty; **Schuldbewußtsein** nt feelings of guilt pl; **Schuldbuch** nt (Econ) Debt Register; **Schuldbuchforderung** f (Econ) Debt Register Claims.

schulden vt to owe. **das schulde ich ihm** I owe him that, I owe it to him; **jdm Dank ~** to owe sb a debt of gratitude.

Schuldendienst m (Econ) debt servicing; **schuldenfrei** adj free of debt(s); Besitz unmortgaged; **Schuldenlast** f debts pl; **Schuldenmasse** f (Jur) aggregate liabilities pl; **Schuldentilgung** f discharge of one's debt(s).

Schuldfähigkeit f (Jur) verminderte ~ diminished responsibility; **Schuldforderung** f claim; **Schuldfrage** f question of guilt; **schuldfrei** adj blameless; **Schuldgefühl** nt sense no pl or feeling of guilt; **schuldhaft** adj (Jur) culpable.

Schuldiener m (old) school janitor or caretaker; **Schuldienst** m (school-) teaching no art; **in den ~ gehen** to go into teaching; **im ~** (tätig) **sein** to be a teacher, to be in the teaching profession.

schuldig adj **1.** (schuldhaft, straffällig, schuldbeladen) guilty; (verantwortlich) to blame pred (an +dat for); (Rel) sinful. **einer Sache** (gen) **~ sein** to be guilty of sth; **jdn einer Tat** (gen) **(für) ~ erklären** or **befinden** (Jur) to find sb guilty of or to convict sb of an offence; **sich einer Sache** (gen) **~ machen** to be guilty of sth; **jdn ~ sprechen** to find or pronounce sb guilty, to convict sb; **sich ~ bekennen** to admit one's guilt; (Jur) to plead guilty; **~ geschieden sein** to be the guilty party in a/the divorce; **an jdm ~ werden** (geh) to wrong sb.

2. (geh: gebührend) due. **jdm die ~e Achtung/den ~en Respekt zollen** to give sb the attention/respect due to him/her.

3. (verpflichtet) **jdm etw** (acc) **~ sein** (lit, fig) to owe sb sth; **was bin ich Ihnen ~?** how much or what do I owe you?; **jdm Dank ~ sein** to owe sb a debt of gratitude; **sie blieb mir die Antwort ~/ nicht ~** she didn't answer me or didn't have an answer/she hit back at me; **er blieb ihr nichts ~** (fig) he gave (her) as good as he got.

Schuldige(r) mf decl as adj guilty person; (zivilrechtlich) guilty party.

Schuldiger m -s, - (Bibl) trespasser. **wie auch wir vergeben unseren ~n** as we forgive those who trespass against us.

Schuldigkeit f, no pl duty. **seine ~ tun** to do one's duty.

Schuldirektor m headmaster (esp Brit), principal; **Schuldirektorin** f headmistress (esp Brit), principal.

Schuldkomplex m guilt complex; **schuldlos** adj (an Verbrechen) innocent (an +dat of); (an Fehler, Unglück) blameless, free from blame; **er war vollständig ~ an dem Unglück** he was in no way to blame for the accident; **~ geschieden sein** to be the innocent party in a/the divorce.

Schuldner(in f) m -s, - debtor.

Schuldnerberater(in f) m debt

counsellor; **Schuldnerstaat** *m* debtor nation.

Schuldprinzip *nt* (*Jur*) principle of the guilty party; **Schuldrecht** *nt* (*Jur*) law of contract; **Schuldschein** *m* IOU, promissory note; **Schuldscheindarlehen** *f* loan against borrower's note; **Schuldspruch** *m* verdict of guilty; **Schuldturm** *m* (*Hist*) debtors' prison; **Schuldunfähigkeit** *f* (*Jur*) incapacity; **Schuldzuweisung** *f* accusation, assignment of guilt.

Schule *f* -, -n 1. (*Lehranstalt, Lehrmeinung, künstlerische Richtung*) school. **in die** *or* **zur** ~ **kommen/gehen** to start school/go to school; **er hat nie eine** ~ **besucht** he has never been to school; **auf** *or* **in der** ~ at school; **die** ~ **wechseln** to change schools; **von der** ~ **abgehen** to leave school; **sie ist an der** ~ she is a (school)teacher; **die** ~ **ist aus** school is over, the schools are out; **durch eine harte** ~ **gegangen sein** (*fig*) to have learned in a hard school; ~ **machen** to become the accepted thing; **aus der** ~ **plaudern** to tell tales out of school (*inf*); **ein Kavalier der alten** ~ a gentleman of the old school.

2. (*Reiten*) school of riding.

schulen *vt* to train; *Auge, Gedächtnis, Pferd auch* to school; (*Pol*) to give political instruction to.

Schulenglisch *nt* schoolboy/schoolgirl English; **mein** ~ the English I learnt at school; **schulentlassen** *adj* **kaum** ~, **begann er …** hardly had he left school when he began …; **die** ~**e Jugend** the young people who have recently left school; **Schulentlassene** *pl* schoolleavers *pl*; **Schulentlassung** *f* **nach seiner/der** ~ after leaving school; **Schulentlassungsfeier** *f* schoolleavers' day; **Schulentlassungszeugnis** *nt* school-leaving certificate.

Schüler(in *f*) *m* -s, - schoolboy/schoolgirl; (*einer bestimmten Schule*) pupil; (*einer Oberschule auch*) student; (*Jünger*) follower, disciple. **als** ~ **habe ich …** when I was at school I …; **alle** ~ **und** ~**innen dieser Stadt** all the schoolchildren of this town; **ein ehemaliger** ~ **(der Schule)** an old boy *or* pupil (of the school).

Schüleraustausch *m* school *or* student exchange; **Schülerausweis** *m* (school) student card; **schülerhaft** *adj* schoolboyish/schoolgirlish; (*pej*) childish, puerile; **Schülerheim** *nt* (school) boarding house.

Schülerin *f siehe* **Schüler(in).**

Schülerkarte *f* school season-ticket; **Schülerlotse** *m* pupil acting as roadcrossing warden; **Schülermitverwaltung** *f* school *or* student council; **Schülerparlament** *nt* inter-school student council; **Schülerschaft** *f* pupils *pl*; **Schülersprache** *f* school slang; **Schülervertretung** *f* pupil *or* student representation; **Schülerzeitung** *f* school magazine.

Schulfach *nt* school subject; **Schulfeier** *f* school function; **Schulferien** *pl* school holidays *pl* (*Brit*) *or* vacation; **Schulfernsehen** *nt* schools' *or* educational television; **Schulfest** *nt* school function; **schulfrei** *adj* **ein** ~**er Nachmittag** an afternoon when one doesn't have to go to school; **nächsten Samstag ist** ~ there's no school next Saturday; **die Kinder haben morgen** ~ the children don't have to go to school tomorrow; **Schulfreund(in** *f*) *m* schoolfriend; **Schulfunk** *m* schools' radio; **Schulgebäude** *nt* school building; **Schulgebrauch** *m*: **zum** *or* **für den** ~ for use in schools; **Schulgelände** *nt* school grounds *pl*; **Schulgeld** *nt* school fees *pl*; **Schulgesetz** *nt* education act; **Schulgrammatik** *f* (school) grammar book *or* grammar (*inf*); **Schulhaus** *nt* schoolhouse; **Schulheft** *nt* exercise book; **Schulhof** *m* school playground (*Brit*), schoolyard.

schulisch *adj Leistungen, Probleme, Verbesserung* at school; (*rein akademisch*) scholastic; *Angelegenheiten* school *attr*. **seine** ~**en Leistungen/Probleme** his progress/problems at school; **er hat** ~ **große Fortschritte gemacht** he has improved greatly at school.

Schuljahr *nt* school year; (*Klasse*) year; **ihre** ~**e** her schooldays; **Schuljugend** *f* schoolchildren *pl*; **Schuljunge** *m* schoolboy; **Schulkamerad(in** *f*) *m* schoolmate, schoolfriend; **Schulkenntnisse** *pl* knowledge *sing* acquired at school; **Schulkind** *nt* schoolchild; **Schulklasse** *f* (school) class; **Schullandheim** *nt* country house used by school classes for short visits; **Schullehrer(in** *f*) *m* schoolteacher; **Schulleiter** *m* headmaster (*esp Brit*), principal; **Schulleiterin** *f* headmistress (*esp Brit*), principal; **Schullektüre** *f* book/books read in schools; ~ **sein** to be read in schools; **Schulmädchen** *nt* schoolgirl; **Schulmappe** *f* schoolbag; **schulmäßig** *adj Unterricht, Kurs, Lehrbuch* didactic; **es war alles** ~ **reglementiert** everything was regimented just like in school; **Schulmedizin** *f* orthodox medicine; **Schulmediziner(in** *f*) *m* orthodox medical practitioner; **Schulmeinung** *f* received opinion; **Schulmeister** *m* (*old, hum, pej*) schoolmaster; **schulmeisterlich** *adj* (*pej*) schoolmasterish; **sich** ~ **aufspielen** to play the schoolmaster; **schulmeistern** *insep* **I** *vt* to lecture (at *or* to); **II** *vi* to lecture; **Schulordnung** *f* school rules *pl*; **Schulpflicht** *f* compulsory school attendance *no art*; **allgemeine** ~ compulsory school attendance for all children; **es besteht** ~ school attendance is compulsory; **schulpflichtig** *adj Kind* required to attend school; **Schulpolitik** *f* education policy; **Schulpsychologe** *m*, **Schulpsychologin** *f* educational psychologist; **Schulranzen** *m* (school) satchel; **Schulrat** *m*, **Schulrätin** *f* schools inspector; **Schulreform** *f* educational reform; **Schulreife** *f* school readiness (*spec*); **die** ~ **haben** to be ready to go to school; **Schulschiff** *nt* training ship; **Schulschluß** *m* end of school; (*vor den Ferien*) end of term; ~ **ist um 13¹⁰** school finishes at 13.10; **kurz nach** ~ just after school finishes/finished; **Schulschwänzen** *nt* truancy; **Schulschwänzer(in** *f)* *m* -s, - truant; **Schulspeisung** *f* free school meals *pl*; **Schulsport** *m* school sport; **Schulsprecher(in** *f)* *m* head boy/girl (*Brit*); **Schulsprengel** *m* (*Aus*) (school) catchment area; **Schulstreß** *m* stress at school; **Schulstunde** *f* (school) period *or* lesson; **Schulsystem** *nt* school system; **Schultag** *m* schoolday; **der erste** ~ the/one's first day at school; **Schultasche** *f* schoolbag.

Schulter *f* -, -n shoulder. **mit gebeugten/hängenden ~n gehen** to be round-shouldered, to have round/sloping shoulders; (*fig: niedergeschlagen*) to look careworn/down in the mouth *or* downcast; **breite ~n haben** (*lit*) to be broad-shouldered, to have broad shoulders; (*fig*) to have a broad back; **er ließ die ~n hängen** he was slouching; (*niedergeschlagen*) he hung his head; **sich** (*dat*) **eine Jacke über die ~n hängen** to put a jacket round one's shoulders; **sich** (*dat*) **den Fotoapparat über die ~ hängen** to sling one's camera over one's shoulder; **jdm die Hand auf die ~ legen** to put one's hand on sb's shoulder; **jdm auf die ~ klopfen** *or* **schlagen** to give sb a slap on the back, to clap sb on the back; (*lobend*) to pat sb on the back; **jdn um die ~ fassen** to put one's arm round sb's shoulders; ~ **an** ~ (*dichtgedrängt*) shoulder to shoulder; (*gemeinsam, solidarisch*) side by side; **die** *or* **mit den ~n zucken** to shrug one's shoulders; **die Verantwortung ruht auf seinen ~n** the responsibility rests on his shoulders *or* lies at his door; **etw auf die leichte ~ nehmen** to take sth lightly.

Schulterblatt *nt* shoulder blade; **schulterfrei** *adj Kleid* off-the-shoulder; (*ohne Träger*) strapless; (*mit Nackenträger*) halterneck; **Schultergelenk** *nt* shoulder joint; **Schulterhöhe** *f* shoulder height; **in** ~ at shoulder level *or* height; **Schulterklappe** *f* (*Mil*) epaulette; **schulterlang** *adj* shoulder-length.

schultern *vt* to shoulder. **das Gewehr** ~ to shoulder arms.

Schulterpolster *nt* shoulder pad; **Schulterriemen** *m* shoulder strap; **Schulterschluß** *m*, *no pl* shoulder-to-shoulder stance, solidarity; (*Solidarisierung*) closing of ranks; **Schultersieg** *m* (*Sport*) fall; **Schulterstand** *m* (*Sport*) shoulder stand; **Schulterstück** *nt* **1.** (*Mil*) epaulette; **2.** (*Cook*) piece of shoulder; **Schulterwurf** *m* (*Sport*) shoulder-throw.

Schultheiß *m* -en, -en (*Hist*) mayor.

Schulträger *m* (*form*) **der** ~ (*dieser Schule*) **ist der Staat** the school is supported *or* maintained by the State; **Schultüte** *f* large conical bag of sweets given to children on their first day at school; **Schultyp** *m* type of school.

Schulung *f* (*Ausbildung, Übung*) training; (*von Auge, Gedächtnis, Pferd auch*) schooling; (*Pol*) political instruction.

Schulungsdiskette *f* tutorial diskette; **Schulungslager** *nt* training camp.

Schuluniform *f* school uniform; **Schulunterricht** *m* school lessons *pl*; **Schulversager(in** *f)* *m* failure at school; **Schulwanderung** *f* school hike; **Schulweg** *m* way to/from school; (*Entfernung*) distance to/from school; (*Route*) route to/from school; **ich habe einen** ~ **von 20 Minuten** it takes me 20 minutes to get to/from school; **Schulweisheit** *f* (*pej*) booklearning; **Schulwesen** *nt* school system; **Schulwissen** *nt* knowledge acquired at school; **Schulwörterbuch** *nt* school dictionary.

Schulze *m* -n, -n (*Hist*) *siehe* **Schultheiß.**

Schulzeit *f* (*Schuljahre*) schooldays *pl*; **nach 13jähriger** ~ after 13 years at school; **seit der** ~ since we/they *etc* were at school, since our/their *etc* schooldays; **Schulzeitung** *f* school magazine; **Schulzentrum** *nt* school complex; **Schulzeugnis** *nt* school report; **Schulzwang** *m siehe* **Schulpflicht.**

schummeln *vi* (*inf*) to cheat. **in Latein/beim Kartenspiel** ~ to cheat in Latin/at cards.

schumm(e)rig *adj Beleuchtung* dim; *Raum* dimly-lit. **bei ~em Licht** in the half-light.

schummern I *vi impers* (*N Ger*) **es schummert** dusk is falling. **II** *vt* (*Geog*) to shade (in).

Schummerstunde *f* (*N Ger*) twilight hour.

schund (*rare*) *pret of* **schinden.**

Schund *m* -(e)s, *no pl* (*pej*) trash, rubbish.

Schundliteratur *f* trash, trashy *or* pulp literature.

Schunkellied *nt* German drinking song.

schunkeln *vi* to link arms and sway from side to side.

Schupfen *m* -s, - (*esp S Ger*) *siehe* **Schuppen.**

Schupfer *m* -s, - (*Aus*) *siehe* **Schubs.**

Schupo¹ *f* -, *no pl abbr of* **Schutzpolizei.**

Schupo² *m* -s, -s (*dated inf*) *abbr of* **Schutzpolizist** cop (*inf*).

Schuppe *f* -, -n **1.** (*Bot, Zool*) scale; (*von Ritterrüstung, Tierpanzer*) plate. **es fiel mir wie ~n von den Augen** the scales fell from my eyes. **2.** (*Kopf~*) ~**n** *pl* dandruff *sing*.

Schuppen *m* -s, - **1.** shed; (*Flugzeug~*) hangar. **2.** (*inf*) (*Haus, Wohnung*) joint (*sl*), hole (*pej inf*), hovel (*pej*); (*übles Lokal*) dive (*inf*).

schuppen I *vt Fische* to scale. **II** *vr* to flake.

schuppenartig *adj* scale-like; **die Ziegel sind** ~ **angeordnet** the tiles are arranged so that they overlap; **Schuppenflechte** *f* (*Med*) psoriasis (*spec*); **Schuppenpanzer** *m* scale armour; **Schuppentier** *nt* scaly ant-eater.

schuppig *adj* scaly; (*abblätternd auch*) flaking. **die Haut löst sich** ~ **ab** his skin is flaking (off).

Schur f -, -en (*das Scheren*) shearing; (*geschorene Wolle*) clip.

schüren vt 1. *Feuer, Glut* to rake, to poke. 2. (*fig*) to stir up; *Zorn, Eifersucht, Leidenschaft, Haß* to fan the flames of.

schürfen I vi (*Min*) to prospect (*nach* for). **tief ~** (*fig*) to dig deep. **II** vt *Bodenschätze* to mine. **III** vtr to graze oneself. **sich** (*dat*) **die Haut ~, sich ~** to graze oneself *or* one's skin; **sich am Knie ~** to graze one's knee.

Schürfrecht nt mining rights pl; **Schürfwunde** f graze, abrasion.

Schürhaken m poker.

schürigeln vt (*inf*) (*hart anfahren*) to lay into (*inf*); (*schikanieren*) to bully.

Schurke m -n, -n (*dated*) villain, scoundrel, rogue.

schurkisch adj (*dated*) base, despicable.

Schurwolle f virgin wool. „**reine ~**" "pure new wool".

Schurz m -es, -e loincloth; (*von Schmied, Arbeiter, dial*) apron.

Schürze f -, -n apron; (*Frauen~, Kinder~ mit Latz auch*) pinafore, pinny (*inf*). **sich** (*dat*) **eine ~ umbinden** to put an apron on; **er ist hinter jeder ~ her** (*dated inf*), **er läuft jeder ~ nach** (*dated inf*) he runs after anything in a skirt (*inf*).

schürzen vt 1. (*dated*) *Rock* to gather (up). 2. (*geh: schlingen*) *Knoten* to tie; *Faden* to knot, to tie a knot in. 3. (*geh: aufwerfen*) **die Lippen/den Mund ~** (*zum Pfeifen*) to purse one's lips; (*verführerisch*) to pout.

Schürzenband nt siehe **Schürzenzipfel**; **Schürzenjäger** m (*inf*) philanderer, one for the girls (*inf*); **Schürzenzipfel** m apron-string; **er hängt der Mutter noch am ~** he's still tied to his mother's apron strings.

Schuß m -sses, ⸚sse 1. shot; (~ *Munition*) round. **sechs ~** *or* **Schüsse** six shots/rounds; **zum ~ kommen** to have a chance to shoot; **ein ~ ins Schwarze** (*lit, fig*) a bull's-eye; **weit vom ~ sein** (*fig inf*) to be miles from where the action is (*inf*); **er ist keinen ~ Pulver wert** (*fig*) he is not worth tuppence (*inf*); **das war ein ~ vor den Bug** (*fig*) that was a warning not to be ignored; **ein ~ in den Ofen** (*sl*) a complete waste of time.
2. (*Min: Sprengung*) blast, charge.
3. (*Ftbl*) kick; (*zum Tor auch*) shot. **zum ~ kommen** to get the ball; (*zum Tor*) to get a chance to shoot.
4. (*Ski*) schuss. **im ~ fahren** to schuss.
5. (*Spritzer*) (*von Wein, Essig*) dash; (*von Whisky*) shot; (*von Humor, Leichtsinn auch*) touch.
6. (*Tex: Querfäden*) weft, woof.
7. (*sl: mit Rauschgift*) shot. **einen ~ setzen** *or* **drücken** to shoot up (*sl*); **sich** (*dat*) **den goldenen ~ setzen** to OD (*sl*).
8. (*inf*) **in ~ sein/kommen** to be in/get into (good) shape; (*Mensch, Sportler auch*) to be on form/get into good form; (*Schüler, Klasse*) to be/get up to the mark; (*Party*) to be going well/get going; **etw in ~ bringen/halten** to knock sth into shape/keep sth in good shape;

Schulklasse to bring/keep sth up to the mark; *Party* to get/keep sth going.

schußbereit adj ready to fire; *Gewehr auch* cocked.

Schussel m -s, - (*inf*) *or* f -, -n (*inf*) dolt (*inf*); (*zerstreut*) scatterbrain (*inf*); (*ungeschickt*) clumsy clot (*inf*).

Schüssel f -, -n bowl; (*Servier~ auch*) dish; (*Wasch~*) basin. **vor leeren ~n sitzen** (*nach dem Essen*) to sit staring at the dirty dishes; (*in Notzeit*) to go hungry.

schusselig adj (*inf*) daft; (*zerstreut*) scatterbrained (*inf*), muddle-headed (*inf*); (*ungeschickt*) clumsy, all thumbs pred.

Schusseligkeit f (*inf*) daftness; (*Zerstreutheit*) muddleheadedness (*inf*); (*Ungeschick*) clumsiness.

schusseln vi (*inf*) (*zerstreut sein*) to be scatterbrained (*inf*) *or* muddle-headed (*inf*); (*ungeschickt vorgehen*) to be clumsy; (*sich ungeschickt bewegen*) to bumble (*inf*).

Schußfaden m (*Tex*) weft thread; **Schußfahrt** f (*Ski*) schuss; (*das Schußfahren*) schussing; **Schußfeld** nt field of fire; (*Übungsplatz*) firing range; **schußfest** adj bulletproof; **Schußgeschwindigkeit** f velocity (*of bullet etc*); **Schußkanal** m (*Med*) path of a/the bullet through the body; **Schußlinie** f line of fire; (*fig auch*) firing line; **schußsicher** adj bulletproof; **Schußverletzung** f bullet wound; **Schußwaffe** f firearm; **Schußwaffengebrauch** m (*form*) use of firearms; **Schußwechsel** m exchange of shots *or* fire; **Schußweite** f range (of fire); **in/außer ~** within/out of range; **Schußwinkel** m angle of fire; **Schußwunde** f bullet wound.

Schuster(in f) m -s, - shoemaker; (*Flick~*) cobbler. **auf ~s Rappen** (*hum*) by Shanks's pony; **~, bleib bei deinem Leisten!** (*Prov*) cobbler, stick to your last (*Prov*).

Schusterahle f shoemaker's awl; **Schusterdraht** m waxed thread.

Schusterei f 1. (*Werkstatt*) shoemaker's; (*von Flickschuster*) cobbler's. 2. (*pej inf: Pfuscherei*) botching (*inf*).

Schusterhandwerk nt shoemaking; cobbling; **Schusterjunge** m 1. (*old: Schusterlehrling*) shoemaker's/cobbler's apprentice; 2. (*Typ*) widow.

schustern vi 1. to cobble *or* repair *or* mend shoes. 2. (*pej inf*) to do a botch job (*inf*).

Schusterpech nt shoemaker's *or* cobbler's wax; **Schusterwerkstatt** f shoemaker's/cobbler's workshop.

Schute f -, -n 1. (*Naut*) lighter. 2. (*Damenhut*) poke (bonnet).

Schutt m -(e)s, no pl (*Trümmer, Bau~*) rubble; (*Geol*) debris, detritus (*spec*). „**~ abladen verboten**" "no tipping"; **eine Stadt in ~ und Asche legen** to reduce a town to rubble; **in ~ und Asche liegen** to be in ruins.

Schutt|abladeplatz m tip, dump.

Schüttbeton m cast concrete; **Schüttboden** m strawloft; (*für Getreide*) granary.

Schütte f -, -n **1.** (*Bund*) stock. **2.** (*Behälter*) wall-mounted drawer-like canister for sugar, flour etc.

Schüttelbecher m (cocktail) shaker; **Schüttelfrost** m (*Med*) shivering fit, fit of the shivers (*inf*); **Schüttellähmung** f (*Med*) Parkinson's disease.

schütteln I vt to shake; (*rütteln*) to shake about, to jolt (about). **den** *or* **mit dem Kopf ~** to shake one's head; **von Angst geschüttelt werden** to be gripped with fear; **von Fieber geschüttelt werden** to be racked with fever.

II vr to shake oneself; (*vor Kälte*) to shiver (*vor* with); (*vor Ekel*) to shudder (*vor* with, in). **sich vor Lachen ~** to shake with laughter.

Schüttelreim m goat rhyme, *rhyme in which the consonants of the rhyming syllables are transposed in the next line*; **Schüttelrutsche** f (*Tech*) vibrating chute; **Schüttelsieb** nt riddle.

schütten I vt to tip; *Flüssigkeiten* to pour; (*ver~*) to spill. **II** vi impers (*inf*) **es schüttet** it's pouring (with rain), it's pouring (down), it's bucketing (down) (*inf*).

schütter adj *Haar* thin.

Schüttgut nt bulk goods pl.

Schutthalde f (*Schutthaufen*) rubble tip; (*Geol*) scree slope; **Schutthaufen** m pile *or* heap of rubble; **Schuttkegel** m (*Geol*) cone of scree *or* debris; **Schuttmulde** f skip; **Schuttplatz** m tip.

Schutz m -es, no pl protection (*vor* +dat, *gegen* against, from); (*Zuflucht auch*) shelter, refuge (*vor* +dat, *gegen* from); (*der Natur, Umwelt*) conservation; (*esp Mil: Deckung*) cover. **jdn um ~ bitten** to ask sb for protection; **bei jdm ~ suchen** to look to sb for protection; to seek shelter *or* refuge with sb; **unter einem Baum ~ suchen** to shelter under a tree, to take *or* seek refuge under a tree; **im ~(e) der Nacht** *or* **Dunkelheit** under cover of night *or* darkness; **zum ~ der Augen** to protect the eyes; **jdn in ~ nehmen** (*fig*) to take sb's part, to stand up for sb.

Schutzanstrich m protective coat; **Schutzanzug** m protective clothing no indef art, no pl; **schutzbedürftig** adj in need of protection; **Schutzbefohlene(r)** mf decl as adj siehe **Schützling**; **Schutzbehauptung** f lie to cover oneself; **Schutzblech** nt mudguard; **Schutzbrief** m **1.** (letter of) safeconduct; **2.** siehe **Auslandsschutzbrief**; **Schutzbrille** f protective goggles pl; **Schutzbündnis** nt defensive alliance; **Schutzdach** nt porch; (*an Haltestelle*) shelter; **Schutzdeck** nt shelter deck.

Schütze m -n, -n **1.** marksman; (*Schießsportler*) rifleman; (*Hunt*) hunter; (*Bogen~*) archer; (*Hist*) bowman, archer; (*Ftbl: Tor~*) scorer. **er ist der beste ~** he is the best shot.
2. (*Mil: Dienstgrad*) private; (*Maschinengewehr~*) gunner.
3. (*Astrol*) Sagittarius no art; (*Astron*

auch) Archer. **sie ist ~** she's Sagittarius *or* a Sagittarian.

schützen I vt to protect (*vor* +dat, *gegen* from, against); (*Zuflucht bieten auch*) to shelter (*vor* +dat, *gegen* from); (*absichern: Versicherung auch*) to safeguard; (*esp Mil: Deckung geben*) to cover. **urheberrechtlich/gesetzlich/patentrechtlich geschützt** protected by copyright/ registered/patented; **ein geschützter Platz** a sheltered spot *or* place; **vor Hitze/Sonnenlicht ~!** keep away from heat/sunlight; **vor Nässe ~!** keep dry; **Gott schütze dich!** (*old*) (may) the Lord protect *or* keep you.

II vi to give *or* offer protection (*vor* +dat, *gegen* against, from); (*Zuflucht bieten auch*) to give *or* offer shelter (*vor* +dat, *gegen* from); (*esp Mil: Deckung geben*) to give cover.

III vr to protect oneself (*vor* +dat, *gegen* from, against); (*sich absichern auch*) to safeguard oneself (*vor* +dat, *gegen* against). **er weiß sich zu ~** he knows how to look after himself.

schützend adj protective. **ein ~es Dach** (*gegen Wetter*) a shelter; **ein ~es Dach über sich** (dat) **haben** to be under cover; **seine ~e Hand über jdn halten** to take sb under one's wing.

Schützenfest nt fair featuring shooting matches.

Schutz|engel m guardian angel.

Schützengraben m trench; **Schützenhaus** nt clubhouse (*of a rifle club*); **Schützenhilfe** f (*fig*) support; **jdm ~ geben** to back sb up, to support sb; **Schützenkette** f (*Mil*) firing line; **Schützenkönig** m champion rifleman at a *Schützenfest*; **Schützenlinie** f (*Mil*) firing line; **Schützenloch** nt (*Mil*) foxhole; **Schützenpanzer(wagen)** m armoured personnel carrier; **Schützenverein** m rifle *or* shooting club.

Schutzfarbe, Schutzfärbung f (*Biol*) protective *or* adaptive colouring; **Schutzfrist** f term of copyright; **Schutzgebiet** nt (*Pol*) protectorate; **Schutzgebühr** f (token) fee; **Schutzgebühren** pl (*euph sl*) protection money sing; **Schutzgeist** m (*Myth*) protecting *or* tutelary (*liter*) spirit; **Schutzgeländer** nt guard-rail; **Schutzgeld** nt protection money; **Schutzgitter** nt (*um Denkmal*) protective barrier; (*vor Maschine, Fenster, Tür*) protective grille; (*um Leute zu schützen*) safety barrier/grille; (*vor Kamin*) (fire)guard; **Schutzgott** m tutelary god (*liter*); **Schutzgöttin** f (*Myth*) tutelary goddess (*liter*); **Schutzhafen** m port of refuge; (*Winterhafen*) winter harbour; **Schutzhaft** f (*Jur*) protective custody; (*Pol*) preventive detention; **Schutzhandschuh** m protective glove; **Schutzhaube** f protective hood; (*für Schreibmaschine*) cover; **Schutzhaut** f protective covering; **Schutzheilige(r)** mf patron saint; **Schutzhelm** m safety helmet; (*von Bauarbeiter auch*) hard hat (*inf*); **Schutzherr(in** f) m patron; **Schutzherrschaft** f (*Pol*) protection, protectorate; (*Patronat*) patronage; **Schutzhülle** *f* protective cover; (*Buchumschlag*) dust cover *or* jacket; **Schutzhütte** *f* shelter, refuge; **schutzimpfen** *pret* **schutzimpfte**, *ptp* **schutzgeimpft**, *infin auch* **schutzzuimpfen** *vt* to vaccinate, to inoculate; **Schutzimpfung** *f* vaccination, inoculation; **Schutzkappe** *f* (protective) cap; **Schutzklausel** *f* protective *or* let-out clause; **Schutzkleidung** *f* protective clothing; **Schutzkontakt** *m* (*Elec*) safety contact.

Schützling *m* protégé; (*esp Kind*) charge.

schutzlos *adj* (*wehrlos*) defenceless; (*gegen Kälte*) without protection, unprotected. **jdm/einer Sache ~ ausgeliefert** *or* **preisgegeben sein** to be at the mercy of sb/sth, to be defenceless/without protection against sb/sth.

Schutzmacht *f* (*Pol*) protecting power, protector; **Schutzmann** *m*, *pl* **-leute** (*dated*) policeman, constable (*Brit*); **Schutzmantel** *m* (*Tech*) protective casing; (*gegen Strahlen*) radiation shield; (*der Haut*) protective layer; **Schutzmarke** *f* trademark; **Schutzmaske** *f* (protective) mask; **Schutzmaßnahme** *f* precaution, precautionary measure; (*vorbeugend*) preventive measure; **Schutzmauer** *f* protecting wall; (*von Festung*) defensive wall; **Schutzmechanismus** *m* (*esp Psych*) protective mechanism; **Schutzmittel** *nt* means of protection *sing*; (*Substanz*) protective substance; (*Med auch*) prophylactic (*gegen* for); **Schutznetz** *nt* (*im Zirkus*) safety net; (*an Damenfahrrad*) skirt guard; (*gegen Stechmücken*) mosquito net; **Schutzpatron(in** *f*) *m* saint; **Schutzpolizei** *f* (*form*) police force, constabulary (*Brit form*); **Schutzpolizist(in** *f*) *m* (*form*) police officer, (police) constable (*Brit*), policeman/policewoman; **Schutzraum** *m* shelter; **Schutzschicht** *f* protective layer; (*Überzug*) protective coating; **Schutzschild** *m* shield; (*an Geschützen*) gun shield; **Schutzschirm** *m* (*Tech*) protective screen; **Schutzstaffel** *f* (*NS*) SS; **schutzsuchend** *adj* seeking protection; (*nach Obdach*) seeking refuge *or* shelter; **Schutztruppe** *f* (*Hist*) colonial army *or* force; **Schutzumschlag** *m* dust cover *or* jacket; **Schutzverband** *m* **1.** protective association; **der ~ der ...** (*in Namen*) the Association for the Protection of ...; **2.** (*Med*) protective bandage *or* dressing; **Schutzvorrichtung** *f* safety device; **Schutzwald** *m* barrier woodland; **Schutzwall** *m* protective wall (*gegen* to keep out), barrier; **Schutzweg** *m* (*Aus*) pedestrian crossing; **schutzwürdig** *adj* worthy of protection; *Gebäude, Sitten* worth preserving, worthy of preservation; **Schutzzoll** *m* protective duty *or* tariff.

Schwa *nt* **-s**, *no pl* (*Ling*) schwa.

schwabbelig *adj* (*inf*) *Körperteil* flabby; *Gelee* wobbly.

schwabbeln *vi* (*inf*) to wobble (about).

Schwabbelscheibe *f* (*Tech*) buffing wheel.

Schwabe *m* **-n**, **-n** Swabian.

schwäbeln *vi* (*inf*) to speak Swabian *or* the Swabian dialect; (*mit Akzent*) to speak with a Swabian accent.

Schwaben *nt* **-s** Swabia.

Schwabenstreich *m* piece of folly.

Schwäbin *f* Swabian (woman/girl).

schwäbisch *adj* Swabian. **die S~e Alb** the Swabian mountains *pl*.

schwach *adj*, *comp* **¨-er**, *superl* **¨-ste(r, s)** *or adv* **am ¨-sten** weak (*auch Gram*); *Greis, Begründung, Aufführung, Alibi, Widerstand auch* feeble; *Konstitution auch* frail; *Gesundheit, Beteiligung, Gedächtnis* poor; *Ton, Anzeichen, Hoffnung, Bewegung* faint, slight; *Gehör* poor, dull; *Stimme auch* feeble; faint; *Licht* poor, dim; *Wind* light; (*Comm*) *Nachfrage, Geschäft* slack, poor. **~e Augen** weak *or* poor (eye)sight; **das ist ein ~es Bild** (*inf*) *or* **eine ~e Leistung** (*inf*) that's a poor show (*inf*); **jds ~e Seite/Stelle** sb's weak point/spot; **ein ~er Trost** cold *or* small comfort; **in einem ~en Augenblick**, **in einer ~en Stunde** in a moment of weakness, in a weak moment; **jdn ~ machen** (*inf*) to soften sb up, to talk sb round; **mach mich nicht ~!** (*inf*) don't say that! (*inf*); **in etw** (*dat*) **~ sein** to be weak in sth; **auf ~en Beinen** *or* **Füßen stehen** (*fig*) to be on shaky ground; (*Theorie*) to be shaky; **jdn an seiner ~en** *or* **~sten Stelle treffen** to strike at *or* hit sb's weak spot; **mir wird ~** (*lit*) I feel faint; (*fig inf*) it makes me sick (*inf*); **nur nicht ~ werden!** don't weaken!; **~er werden** to grow weaker, to weaken; (*Augen*) to fail, to grow worse; (*Stimme*) to grow fainter; (*Licht*) to (grow) dim; (*Ton*) to fade; (*Nachfrage*) to fall off, to slacken; **~ besiedelt** *or* **bevölkert** sparsely populated; **~ besucht** poorly attended; **~ gesalzen/gesüßt** slightly salted/sweetened; **die S~en** the weak; **der S~ere** the weaker (person); (*gegenüber Gegner*) the underdog.

schwachbesiedelt, **schwachbevölkert** *adj attr* sparsely populated; **schwachbetont** *adj attr* weakly stressed; **schwachbewegt** *adj attr Meer* gently rolling; **schwachbrüstig** *adj* (*hum*) feeble.

Schwäche *f* **-**, **-n 1.** *no pl siehe adj* weakness; feebleness; frailty; poorness; faintness, slightness; dullness; dimness; lightness; slackness. **eine ~ überkam sie** a feeling of weakness came over her.

2. (*Nachteil, Fehler*) weakness.

3. (*Vorliebe*) weakness (*für* for).

4. (*Charaktermangel*) weakness, failing. **menschliche ~n** human failings *or* frailties; **jeder Mensch hat seine ~n** we all have our little weaknesses *or* failings.

Schwächeanfall *m* sudden feeling of weakness.

schwächen I *vt* (*lit*, *fig*) to weaken. **II** *vr* to weaken oneself. **III** *vi* **etw schwächt** sth has a weakening effect.

Schwächezustand *m* condition of weakness *or* debility (*spec*), weak condition.

Schwachheit f 1. no pl (fig) weakness, frailty. 2. no pl (rare: Kraftlosigkeit) siehe Schwäche 1. 3. (inf) bilde dir nur keine ~en ein! don't fool or kid yourself! (inf).

Schwachkopf m (inf) dimwit (inf), idiot, thickie (inf); **schwachköpfig** adj (inf) daft, idiotic.

schwächlich adj weakly; (zart auch) puny.

Schwächling m (lit, fig) weakling.

Schwachpunkt m weak point; **schwachradioaktiv** adj with low-level radioactivity; **schwachsichtig** adj (Med) poor- or weak-sighted; **Schwachsichtigkeit** f (Med) dimness of vision, amblyopia (spec); **Schwachsinn** m (Med) mental deficiency, feeble-mindedness (dated); (fig inf) (unsinnige Tat) idiocy no indef art; (Quatsch) rubbish (inf); **leichter/ mittelschwerer/schwerer** ~ mild/severe to moderate/profound mental deficiency, moronism/imbecility/idiocy; **schwachsinnig** adj (Med) mentally deficient, feeble-minded (dated); (fig inf) daft, idiotic; **Schwachsinnige(r)** mf decl as adj mental defective, feeble-minded person (dated); (fig inf) idiot, moron (inf), imbecile (inf); **Schwachstelle** f weak point.

Schwachstrom m (Elec) low-voltage or weak current.

Schwachstromleitung f low-voltage (current) line; **Schwachstromtechnik** f (dated) communications engineering or technology.

Schwächung f weakening.

Schwade f -, -n, **Schwaden** m -s, - swath(e), windrow (spec).

Schwaden m -s, - usu pl cloud.

Schwadron f -, -en (Mil Hist) squadron.

schwadronieren* vi to bluster.

Schwafelei f (pej inf) drivel no pl (inf), twaddle no pl (inf); (das Schwafelei) drivelling or blethering on (inf).

schwafeln (pej inf) I vi to drivel (on), to blether (on), to talk drivel (all inf); (in einer Prüfung) to waffle (inf). II vt dummes Zeug ~ to talk drivel (inf); was schwafelst du da? what are you drivelling or blethering on about? (inf).

Schwafler(in f) m -s, - (pej inf) wind-bag, gas-bag, bletherer (all inf).

Schwager m -s, = brother-in-law.

Schwägerin f sister-in-law.

Schwägerschaft f (Jur) relationship by marriage, affinity (spec).

Schwalbe f -, -n swallow. eine ~ macht noch keinen Sommer (Prov) one swallow doesn't make a summer (Prov).

Schwalbennest nt 1. swallow's nest; 2. (Naut) sponson; 3. (Cook) bird's nest soup; **Schwalbennestersuppe** f bird's nest soup; **Schwalbenschwanz** m 1. (Zool) swallowtail (butterfly); 2. (inf) (Frack) swallow-tailed coat, swallowtails pl, cutaway; (Frackschoß) (swallow-)tails pl; 3. (Tech) dovetail; mit einem ~ verbinden to dovetail.

Schwall m -(e)s, -e flood, torrent; (von Worten auch) effusion.

schwamm pret of schwimmen.

Schwamm m -(e)s, =e 1. sponge. etw mit dem ~ abwischen to sponge sth (down), to wipe sth with a sponge; ~ drüber! (inf) (let's) forget it! 2. (Haus~) dry rot. den ~ haben to have dry rot. 3. (Feuer~) touchwood, tinder, punk all no pl.

Schwämmchen nt 1. dim of Schwamm. 2. (Med) thrush.

schwammig adj 1. (lit) spongy. 2. (fig) Gesicht, Hände puffy, bloated; (vage) Begriff woolly.

Schwan m -(e)s, =e swan. mein lieber ~! (inf) (überrascht) my goodness!; (drohend) my lad/girl.

schwand pret of schwinden.

schwanen vi impers ihm schwante etwas he had forebodings, he sensed something might happen; mir schwant nichts Gutes I don't like it, I've a feeling something nasty is going to happen.

Schwanengesang m (fig) swansong; **Schwanenhals** m swan's neck; (fig) swanlike neck; (Tech) goose-neck, swan-neck; **Schwanensee** m Swan Lake; **Schwanenteich** m swan pond; **schwanenweiß** adj (geh) lily-white.

schwang pret of schwingen.

Schwang m: im ~(e) sein to be in vogue, to be "in" (inf); (in der Entwicklung) to be afoot.

schwanger adj pregnant. ~ sein or gehen to be pregnant; mit etw ~ gehen (fig) to be big with sth; mit großen Ideen ~ gehen (fig) to be full of great ideas.

Schwangere f decl as adj pregnant woman.

schwängern vt to make pregnant, to impregnate (form). mit etw geschwängert sein (fig) to be impregnated with sth; die Luft war mit Rauch geschwängert the air was thick with smoke.

Schwangerschaft f pregnancy.

Schwangerschaftsabbruch m termination of pregnancy, abortion; **Schwangerschaftsgymnastik** f antenatal exercises pl; **Schwangerschaftsnachweis** m pregnancy test; **Schwangerschaftsnarbe** f, **Schwangerschaftsstreifen** m stretch mark; **Schwangerschaftstest** m pregnancy test; **Schwangerschaftsverhütung** f contraception.

schwank adj (poet): ~en Schrittes with faltering steps, shakily, falteringly.

Schwank m -(e)s, =e (Liter) merry or comical tale; (Theat) farce. ein ~ aus der Jugendzeit (hum) a tale of one's youthful exploits.

schwanken vi 1. (wanken, sich wiegen) to sway; (Schiff) (auf und ab) to pitch; (seitwärts) to roll; (beben) to shake, to rock. der Boden schwankte unter meinen Füßen (lit, fig) the ground rocked beneath my feet.
2. aux sein (gehen) to stagger, to totter.
3. (Preise, Temperatur, Stimmung) to fluctuate, to vary; (Gesundheit, Gebrauch) to vary; (Phys, Math) to fluctuate; (Kompaßnadel) to swing, to

oscillate.

4. (*hin und her gerissen werden*) to vacillate; (*wechseln*) to alternate.

5. (*zögern*) to hesitate; (*sich nicht schlüssig sein*) to waver, to vacillate. ~, **ob** to hesitate as to whether, to be undecided (as to) whether.

6. ins S~ kommen *or* geraten (*Baum, Gebäude*) to start to sway; (*Erde*) to start to shake *or* rock; (*Preise, Kurs, Temperatur*) to start to fluctuate *or* vary; (*Autorität, Überzeugung*) to begin to waver; (*Institution*) to begin to totter.

schwankend *adj* **1.** *siehe vi 1.* swaying; pitching; rolling; shaking, rocking. **auf ~en Füßen/~em Boden stehen** (*fig*) to be shaky/to be on shaky ground.

2. *Mensch* staggering; *Gang* rolling; *Schritt* unsteady.

3. *siehe vi 3.* fluctuating *esp attr*; varying; oscillating; *Kurs, Gesundheit auch* unstable.

4. (*unschlüssig*) uncertain, wavering *attr*; (*zögernd*) hesitant; (*unbeständig*) vacillating, unsteady. **jdn ~ machen** to make sb waver; **~ werden** to waver.

Schwankung *f* **1.** (*hin und her*) swaying *no pl*; (*auf und ab*) shaking *no pl*, rocking *no pl*. **um die ~en des Turms zu messen** to measure the extent to which the tower sways.

2. (*von Preisen, Temperatur, Stimmung*) fluctuation, variation (*gen* in); (*von Kompaßnadel*) oscillation. **seelische ~en** fluctuations in one's mental state, mental ups and downs (*inf*).

Schwanz *m* **-es,** ⸚**e 1.** (*lit, auch fig*) tail; (*inf: von Zug*) (tail-)end. **den ~ zwischen die Beine klemmen und abhauen** (*lit, fig sl*) to put one's tail between one's legs and run; **den ~ hängen lassen** (*lit*) to let its tail droop; (*fig inf*) to be down in the dumps (*inf*); **das Pferd beim *or* am ~ aufzäumen** to do things back to front; **kein ~** (*inf*) not a (blessed) soul (*inf*).

2. (*sl: Penis*) prick (*vulg*), cock (*vulg*).

schwänzeln *vi* **1.** (*Hund: mit dem Schwanz wedeln*) to wag its tail. **2.** (*fig pej: Mensch*) to crawl (*inf*). **3.** *aux sein* (*geziert gehen*) to sashay (*esp US inf*).

schwänzen (*inf*) **I** *vt Stunde, Vorlesung* to skip (*inf*), to cut (*inf*); *Schule* to play truant *or* hooky (*esp US inf*) from, to skive off (*Brit sl*). **II** *vi* to play truant, to play hooky (*esp US inf*), to skive (*Brit sl*).

Schwanzende *nt* end *or* tip of the tail; (*fig*) tail-end; (*von Flugzeug*) tail; **Schwanzfeder** *f* tail feather; **Schwanzflosse** *f* tail *or* caudal fin; (*Aviat*) tail fin; **schwanzlastig** *adj* (*Aviat*) tail-heavy; **schwanzlos** *adj* tail-less (*auch Aviat*) **Schwanzspitze** *f* tip of the/its tail; **Schwanzstachel** *m* (*Zool*) sting (in the tail); **Schwanzwirbel** *m* (*Anat*) caudal vertebra.

schwapp *interj* slosh, splash; (*schwups*) slap, smack.

schwappen *vi* **1.** to slosh around. **2.** *aux sein* (*über~*) to splash, to slosh. **die Modewelle schwappt nach Europa** the fash-

ion spills over into Europe.

schwären *vi* (*liter*) to fester. **eine ~de Wunde** (*lit, fig*) a festering sore.

Schwarm *m* **-(e)s,** ⸚**e 1.** swarm; (*Flugzeugformation*) flight.

2. (*inf*) (*Angebeteter*) idol; (*Schauspieler, Popsänger auch*) heart-throb (*inf*); (*Vorliebe*) passion, big thing (*inf*). **der neue Englischlehrer ist ihr ~** she's got a crush on the new English teacher (*inf*).

schwärmen *vi* **1.** *aux sein* to swarm.

2. (*begeistert reden*) to enthuse (*von* about), to go into raptures (*von* about). **für jdn/etw ~** (*außerordentlich angetan sein*) to be mad *or* wild *or* crazy about sb/sth (*inf*); (*verliebt sein, verehren auch*) to worship sb/sth, to be smitten with sb/sth (*geh, hum*); **ins S~ kommen** *or* **geraten** to go *or* fall into raptures; **ich schwärme nicht gerade für ihn** (*iro*) I'm not exactly crazy about him (*inf*).

Schwärmer *m* **-s, - 1.** (*Begeisterter*) enthusiast, zealot; (*Phantast*) dreamer, visionary; (*sentimentaler ~*) sentimentalist. **2.** (*Zool*) hawkmoth, sphinx moth. **3.** (*Feuerwerkskörper*) jumping jack.

Schwärmerei *f* (*Begeisterung*) enthusiasm; (*in Worten ausgedrückt*) effusion *no pl*; (*Leidenschaft*) passion; (*Verzückung*) rapture. **sich in ~en über jdn/etw ergehen** to go into raptures over sb/sth.

Schwärmerin *f siehe* **Schwärmer 1.**

schwärmerisch *adj* (*begeistert*) enthusiastic; *Worte, Übertreibung* effusive; (*verliebt*) infatuated, gooey (*inf*); (*verzückt*) enraptured; *Illusion, Glaube, Gemüt* fanciful.

Schwarmgeist *m* (*Phantast*) visionary; (*Eiferer*) zealot; **schwarmweise** *adv* in swarms.

Schwärmzeit *f* swarming time.

Schwarte *f* **-, -n 1.** (*Speck~*) rind; (*Hunt: Haut*) skin, hide; (*Abfallholz*) slab. **arbeiten, daß *or* bis die ~ kracht** (*inf*) *or* **knackt** (*inf*) to work oneself into the ground (*inf*). **2.** (*inf*) (*Buch*) old book, tome (*hum*); (*Gemälde*) daub(ing) (*pej*); (*Sch sl*) crib (*inf*).

Schwartenmagen *m* (*Cook*) brawn.

schwarz *adj, comp* ⸚**er,** *superl* ⸚**este(r, s)** *or adv* **am** ⸚**esten 1.** (*lit, auch fig*) black; (*schmutzig auch*) dirty; (*stark sonnengebräunt*) deeply tanned, brown. **~e Blattern** *or* **Pocken** smallpox; **~e Diamanten** black diamonds; **der S~e Erdteil** the Dark Continent; **der S~e Freitag** (*Fin*) Black Friday; **~es Gold** (*fig*) black gold; **~er Humor** black humour; **~er Kaffee/Tee** black coffee/tea; **die S~e Kunst** (*Buchdruckerkunst*) (the art of) printing; (*Magie*) the Black Art; **~e Liste** blacklist; **jdn auf die ~e Liste setzen** to blacklist sb, to put sb on the blacklist; **~es Loch** black hole; **~e Magie** Black Magic; **der ~e Mann** (*Schornsteinfeger*) the (chimney-)sweep; (*Kinderschreck*) the bogeyman; **das S~e Meer** the Black Sea; **eine ~e Messe** a Black Mass; **~er Peter** (*Cards*) children's card-game; **jdm den S~en Peter zuschieben** *or* **zuspielen** (*fig*) (*die Verantwortung abschieben*) to pass the buck to sb (*inf*), to leave sb holding the baby; (*etw Unangenehmes abschieben*) to give sb the worst of the deal; **das ~e Schaf (in der Familie)** the black sheep (of the family); **eine ~e Seele** a black *or* evil soul; **ein ~er Tag** a black day; **der ~e Tod** the Black Death; **die S~e Witwe** the Black Widow (spider); **etw ~ auf weiß haben** to have sth in black and white; **~ wie die Nacht/wie Ebenholz** jet-black; **sich ~ ärgern** to get extremely annoyed, to get hopping mad (*inf*); **er wurde ~ vor Ärger** his face went black; **mir wurde ~ vor den Augen** everything went black, I blacked out; **er kam ~ wie ein Neger aus dem Urlaub zurück** (*dated*) he came back from his holidays as brown as a berry; **~ werden** (*Cards*) to lose every trick, to be whitewashed (*inf*); **da kannst du warten/ schreien, bis du ~ wirst** (*inf*) you can wait till the cows come home (*inf*)/shout until you're blue in the face (*inf*).

2. (*inf: ungesetzlich*) illicit. **der ~e Markt** the black market; **sich** (*dat*) **etw ~ besorgen** to get sth illicitly/on the black market; **~ über die Grenze gehen** to cross the border illegally; **etw ~ verdienen** to earn sth on the side (*inf*).

3. (*inf: katholisch*) Catholic, Papist (*pej*). **dort wählen alle ~** they all vote conservative there.

Schwarz *nt* -, *no pl inv* black. **in ~ gehen** to wear black.

Schwarz|afrika *nt* Black Africa; **Schwarz- arbeit** *f* illicit work, work on the side (*inf*); (*nach Feierabend*) moonlighting (*inf*); **schwarzarbeiten** *vi sep* to do illicit work, to work on the side (*inf*); to moonlight (*inf*); **Schwarzarbeiter(in** *f)* *m* person doing illicit work *or* work on the side (*inf*); moonlighter (*inf*); **schwarzäugig** *adj* dark-eyed; *Schönheit auch* sloe-eyed (*liter*); **schwarzblau** *adj* bluish black, inky blue; *Tinte* blue- black; **Schwarzblech** *nt* black plate; **schwarzbraun** *adj* dark brown; **Schwarzbrenner** *m* illicit distiller, moonshine distiller (*inf*); **Schwarz- brennerei** *f* illicit still, moonshine still (*inf*); **Schwarzbrot** *nt* (*braun*) brown rye bread; (*schwarz, wie Pumpernickel*) black bread, pumpernickel; **Schwarz- bunte** *f* -n, -n Friesian; **Schwarzdorn** *m* (*Bot*) blackthorn; **Schwarzdrossel** *f* blackbird.

Schwarze *f* -n, -n black woman; (*Schwarzhaarige*) brunette.

Schwärze *f* -, -n **1.** (*no pl: Dunkelheit*) blackness. **2.** (*Farbe*) black dye; (*Druk- ker~*) printer's ink.

schwärzen *vtr* to blacken.

Schwarze(r) *m decl as adj* black; (*Schwarzhaariger*) dark man/boy; (*pej sl: Katholik*) Catholic, Papist (*pej*); **die ~n** (*pej sl*) the Conservatives.

Schwarze(s) *nt decl as adj* black. **das kleine ~** (*inf*) one's *or* a little black dress; **ins ~ treffen** (*lit, fig*) to score a bull's- eye; **jdm nicht das ~ unter den Nägeln gönnen** (*dated*) to begrudge sb the very air he/she breathes.

schwarzfahren *vi sep irreg aux sein* (*ohne zu zahlen*) to travel without paying, to dodge paying the fare (*inf*); (*ohne Führerschein*) to drive without a licence; **Schwarzfahrer(in** *f)* *m* fare dodger (*inf*); driver without a licence; **Schwarzfahrt** *f* ride without paying; drive without a licence; **Schwarzfilm** *m* (*Typ*) film; **Schwarzfilter** *m* (*Phot*) black filter; **Schwarzgeld** *nt* illegal earnings *pl*; **schwarzgestreift** *adj attr* with black stripes; **schwarzhaarig** *adj* black-haired; **eine ~e** a brunette; **Schwarzhandel** *m*, *no pl* black market; (*Tätigkeit*) black-marketeering; **im ~ on** the black market; **Schwarzhändler(in** *f)* *m* black marketeer; **Schwarz- hemden** *pl* (*Hist*) Blackshirts *pl*; **schwarzhören** *vi sep* (*Rad*) to use a radio without having a licence; **Schwarzhörer(in** *f)* *m* (*Rad*) radio- owner without a licence; **Schwarzkittel** *m* (*inf*) wild boar; (*pej: Geistlicher*) priest.

schwärzlich *adj* blackish; *Haut* dusky.

schwarzmalen *sep* **I** *vi* to be pessimistic; **II** *vt* to be pessimistic about; **Schwarz- maler(in** *f)* *m* pessimist; **Schwarzmale- rei** *f* pessimism; **Schwarzmarkt** *m* black market; **Schwarzmarktpreis** *m* black-market price; **Schwarzpappel** *f* black poplar; **Schwarzpulver** *nt* black (gun)powder; **Schwarzrock** *m* (*pej*) priest; **Schwarz-Rot-Gold** *nt*: **Fahne/Farben ~** the black-red-and-gold flag/colours (*of Germany*); **schwarz- rotgolden** *adj* *Fahne* black-red-and- gold; **schwarzschlachten** *sep* **I** *vi* to slaughter pigs *etc* illegally *or* illicitly; **II** *vt* to slaughter illegally *or* illicitly; **schwarzsehen** *sep irreg* **I** *vt* to be pessi- mistic about; **II** *vi* **1.** to be pessimistic; **für jdn/etw ~** to be pessimistic about sb/sth; **2.** (*TV*) to watch TV without a li- cence; **Schwarzseher(in** *f)* *m* **1.** pessimist; **2.** (*TV*) TV licence-dodger (*inf*); **Schwarzseherei** *f* pessimism (*inf*); **schwarzseherisch** *adj* pessimistic, gloomy; **Schwarzsender** *m* pirate (radio) station; **Schwarzspecht** *m* black woodpecker.

Schwärzung *f* blackening.

Schwarzwald *m* Black Forest; **Schwarz- wälder(in** *f)* *m* -s, - inhabitant of/person from the Black Forest; **Schwarzwälder Kirschwasser** *nt* kirsch; **Schwarzwälder Kirschtorte** *f* Black Forest gateau.

schwarzweiß *adj* black-and-white *attr*, black and white.

Schwarzweißaufnahme *f* black-and- white (shot); **Schwarzweißempfänger** *m* black-and-white *or* monochrome set; **Schwarzweißfernsehen** *nt* black-and- white *or* monochrome television; **Schwarzweißfernseher** *m* black-and- white *or* monochrome television (set); **Schwarzweißfilm** *m* black-and-white film; **Schwarzweißfoto** *nt* black-and- white (photo); **Schwarzweißgerät** *nt* black-and-white *or* monochrome set; **schwarzweißmalen** *vti sep* (*fig*) to depict in black and white (terms); **das kann man doch nicht so ~** it's not as black and white as that; **Schwarzweißmalerei** f (*fig*) black-and-white portrayal; **schwarzweißrot** adj black-white-and-red (*the colours of the German imperial flag*); **Schwarzweißrot** nt: **die Farben/ Fahne ~** the black-white-and-red colours/flag; **Schwarzweißzeichnung** f black-and-white (drawing).

Schwarzwild nt wild boars pl; **Schwarzwurzel** f viper's grass; (*Cook*) salsify.

Schwatz m **-es, -e** (*inf*) chat, chinwag (*inf*). **auf einen ~ kommen** to come (round) for a chat.

Schwatzbase, (*S Ger*) **Schwätzbase** f (*inf*) gossip.

Schwätzchen nt dim of **Schwatz**.

schwatzen vti (*N Ger*) to talk; (*pej*) (*unaufhörlich*) to chatter; (*über belanglose, oberflächliche Dinge, kindisch*) to prattle; (*Unsinn reden*) to blether (*inf*); (*klatschen*) to gossip. **dummes Zeug ~** to talk a lot of rubbish (*inf*) or drivel (*inf*).

schwätzen vti (*S Ger, Aus*) siehe **schwatzen**.

Schwätzer(in f) m **-s,** - (*pej*) chatterer; (*Kind, Schüler*) chatterbox; (*Schwafler*) wind-bag, gas-bag, bletherer (*all inf*); (*Klatschmaul*) gossip.

schwatzhaft adj (*geschwätzig*) talkative, garrulous; (*klatschsüchtig*) gossipy.

Schwatzhaftigkeit f siehe adj talkativeness, garrulousness; gossipy nature.

Schwebe f **-,** no pl **sich in der ~ halten** (*Ballon*) to hover, to float in the air; (*Waage*) to balance; (*fig*) to hang in the balance; **in der ~ sein/bleiben** (*fig*) to be/remain in the balance, to be/remain undecided; (*Jur, Comm*) to be/remain pending.

Schwebebahn f suspension railway; (*Seilbahn*) cable railway; **Schwebebalken, Schwebebaum** m (*Sport*) beam.

schweben vi **1.** to hang; (*in der Luft, in Flüssigkeit auch*) to float; (*an Seil auch*) to be suspended; to dangle; (*sich unbeweglich in der Luft halten: Geier*) to hover; (*nachklingen, zurückbleiben: Klänge, Parfüm*) to linger (on). **und der Geist Gottes schwebte über den Wassern** (*Bibl*) and the Spirit of the Lord moved over the waters (*Bibl*); **ihr war, als ob sie schwebte** she felt as if she was walking or floating on air; **etw schwebt jdm vor Augen** (*fig*) sb envisages sth, sb has sth in mind; (*Bild*) sb sees sth in his mind's eye; **in großer Gefahr ~** to be in great danger; **in höheren Regionen** or **Sphären** or **über den Wolken ~** to have one's head in the clouds.

2. aux sein (*durch die Luft gleiten*) to float, to sail; (*hoch~*) to soar; (*nieder~*) to float down; (*an Seil*) to swing; (*sich leichtfüßig bewegen*) to glide, to float.

3. (*schwanken*) to hover, to waver; (*Angelegenheit*) to be in the balance, to be undecided; (*Jur*) to be pending.

schwebend adj (*Tech, Chem*) suspended; (*fig*) *Fragen* unresolved, undecided;

Verfahren, (*Comm*) *Geschäft* pending; (*Comm*) *Schulden* floating; (*Poet*) *Betonung* hovering.

Schwebezug m hovertrain; **Schwebezustand** m (*fig*) state of suspense; (*zwischen zwei Stadien*) in-between state.

Schwebstaub m floating dust; **Schwebstoff** m suspended matter; (*in Luft*) airborne particles pl.

Schwede m **-n, -n** Swede. **alter ~** (*inf*) (my) old fruit (*Brit inf*) or chap.

Schweden nt **-s** Sweden.

Schwedenplatte f (*Cook*) smorgasbord; **Schwedenpunsch** m arrack punch, Swedish punch; **Schwedenstahl** m Swedish steel.

Schwedin f Swede, Swedish girl/woman.

schwedisch adj Swedish. **hinter ~en Gardinen** (*inf*) behind bars; **hinter ~e Gardinen kommen** (*inf*) to be put behind bars.

Schwedisch(e) nt Swedish; *siehe auch* **Deutsch(e)**.

Schwefel m **-s,** no pl (*abbr* **S**) sulphur, brimstone (*old, Bibl*).

Schwefel- in cpds sulphur; **schwefelartig** adj sulphur(e)ous; **Schwefelblume, Schwefelblüte** f flowers of sulphur; **Schwefeldioxid** nt sulphur dioxide; **schwefelgelb** adj sulphurous yellow; **schwefelhaltig** adj containing sulphur, sulphur(e)ous.

schwefelig adj siehe **schweflig**.

Schwefelkohlenstoff m carbon disulphide.

schwefeln vt to sulphurize.

Schwefelsäure f sulphuric acid.

Schwefelverbindung f sulphur compound; **Schwefelwasserstoff** m hydrogen sulphide, sulphuretted hydrogen.

schweflig adj sulphurous. **es roch ~** there was a smell of sulphur.

Schweif m **-(e)s, -e** (*auch Astron*) tail.

schweifen I vi aux sein (*lit geh, fig*) to roam, to wander, to rove. **warum in die Ferne ~ ...?** why roam so far afield ...?; **seine Gedanken in die Vergangenheit ~ lassen** to let one's thoughts roam or wander over the past. **II** vt *Bretter, Blechgefäß* to curve.

Schweifhaar nt tail hair(s); **Schweifstern** m comet.

Schweifung f curving; (*geschweifte Form*) curve.

schweifwedeln vi insep (*Hund*) to wag its tail; (*fig old: liebedienern*) to fawn.

Schweigegeld nt hush-money; **Schweigemarsch** m silent march (of protest); **Schweigeminute** f one minute('s) silence.

schweigen pret **schwieg,** ptp **geschwiegen** vi to be silent; (*still sein auch*) to keep quiet; (*sich nicht äußern auch*) to remain silent, to say nothing; (*aufhören: Musik, Geräusch, Wind*) to cease, to stop. **~ Sie!** be silent or quiet!; **kannst du ~?** can you keep a secret?; **seit gestern ~ die Waffen** yesterday the guns fell silent; **plötzlich schwieg er** suddenly he fell silent or went silent; **er kann ~ wie ein Grab** he knows how to keep quiet; **auf etw** (*acc*)**/zu etw ~** to make no

reply to sth; **ganz zu ~ von ..., von ...
ganz zu ~** to say nothing of ...
Schweigen nt -s, no pl silence. **jdn zum ~
bringen** to silence sb (auch euph); **(es
herrscht) ~ im Walde** (there is) dead silence.

schweigend adj silent. **die ~e Mehrheit**
the silent majority; **~ über etw** (acc) **hinweggehen** to pass over sth in silence; **~
zuhören** to listen in silence or silently.

Schweigepflicht f pledge of secrecy; (von
Anwalt) requirement of confidentiality.
die ärztliche ~ medical confidentiality or
secrecy; **die priesterliche ~** a priest's
duty to remain silent; **unter ~ stehen** to
be bound to observe confidentiality.

schweigsam adj silent, quiet; (als Charaktereigenschaft) taciturn, reticent;
(verschwiegen) discreet.

Schwein nt -s, -e **1.** pig, hog (US);
(Fleisch) pork. **~e** pl pigs pl, hogs pl
(US), swine pl; **sich wie die ~e benehmen** (inf) to behave like pigs (inf); **bluten wie ein ~** (sl) to bleed like a stuck
pig; **mit jdm (zusammen) ~e gehütet haben** (hum) to be on familiar terms (with
sb).
2. (inf: Mensch) pig (inf), swine; (gemein, Schweinehund) swine (inf),
bastard (sl). **ein armes/faules ~** a poor/
lazy sod or bastard (all sl); **kein ~** nobody, not one single person.
3. no pl (inf: Glück) **~ haben** to be
lucky; **~ gehabt!** that's a bit of luck.

Schweinchen nt dim of Schwein little pig;
(baby-talk) piggy(-wiggy) (baby-talk);
(fig inf: kleiner Schmutzfink) mucky pup
(inf).

Schweinebande f (fig inf) pack;
Schweinebauch m (Cook) belly of
pork; **Schweinebraten** m joint of pork;
(gekocht) roast pork; **Schweinebucht** f
(Geog) **die ~** the Bay of Pigs;
Schweinefett nt pig fat; **Schweinefilet**
nt fillet of pork; **Schweinefleisch** nt
pork; **Schweinefraß** m (fig sl) muck
(inf); **Schweinefutter** nt pig feed;
(flüssig) pig swill; **Schweinegeld** nt (sl)
ein ~ a packet (inf); **Schweinehaltung**
f pig-keeping; **Schweinehirt(e)** m (esp
liter) swineherd (esp old, liter);
Schweinehund m (sl) bastard (sl),
swine (inf); **den inneren ~ überwinden**
(inf) to conquer one's weaker self;
Schweinekerl m (sl) swine (inf),
bastard (sl); **Schweinekoben,
Schweinekofen** m pigsty; **Schweine-
kotelett** nt pork chop; **Schweinemast**
f pig-fattening; (Futter) pig food;
Schweinemett nt (N Ger Cook)
minced (Brit) or ground (US) pork;
Schweinepest f (Vet) swine fever.

Schweinerei f (inf) **1.** no pl mess. **es ist
eine ~, wenn ...** it's disgusting if ...; **so
eine ~!** how disgusting!
2. (Skandal) scandal; (Gemeinheit)
dirty or mean trick (inf). **ich finde es eine
~, wie er sie behandelt** I think it's disgusting the way he treats her; **(so eine)
~!** what a dirty trick! (inf).
3. (Zote) smutty or dirty joke; (unzüchtige Handlung) indecent act. **~en**

machen to do dirty or filthy things; **das
Buch besteht nur aus ~en** the book is
just a lot of filth.

Schweinerippchen nt (Cook) cured pork
chop; **Schweinerotlauf** m (Vet) swine
erysipelas (spec).

schweinern adj pork. **S~es** pork.

Schweinerüssel m pig's snout;
Schweineschmalz nt dripping; (als
Kochfett) lard; **Schweineschnitzel** nt
pork cutlet, escalope of pork;
Schweinestall m (lit, fig) pigsty, pig
pen (esp US); (korruptes System)
corrupt shambles sing; **Schweinezucht**
f pig-breeding; (Hof) pig farm;
Schweinezüchter(in f) m pig-breeder.

Schwein|igel m (inf) dirty pig (inf) or so-
and-so (inf).

Schwein|igelei f (inf) (Witz) dirty or
smutty joke; (Bemerkung) dirty or
smutty remark; (das Schweinigeln) dirty
or smutty jokes pl/remarks pl.

schwein|igeln vi insep (inf) (Witze
erzählen) to tell dirty jokes; (Bemerkungen machen) to make dirty or smutty remarks; (Schmutz machen) to make a
mess.

schweinisch adj (inf) Benehmen piggish
(inf), swinish (inf); Witz dirty. **benimm
dich nicht so ~!** stop behaving like a pig!

Schweinkram m (inf) dirt, filth.

Schweinsaugen, Schweinsäuglein pl
(inf) piggy eyes pl (inf); **Schweinsblase**
f pig's bladder; **Schweinsborste** f pig's
bristle; **Schweinsfüße** pl (Cook dial)
(pig's) trotters pl; **Schweinsgalopp** m:
im ~ davonlaufen (hum inf) to go ga-
lumphing off (inf); **Schweinshaxe** f (S
Ger Cook) knuckle of pork;
Schweinskopf m (Cook) pig's head;
Schweinsleder nt pigskin; **schweins-
ledern** adj pigskin; **Schweinsohr** nt
pig's ear; (Gebäck) (kidney-shaped) pastry; **Schweinsstelze** f (Aus) siehe
Schweinsfüße.

Schweiß m -es, no pl sweat; (von Mensch
auch) perspiration; (Hunt) blood. **in ~
geraten** or **kommen** to break into a
sweat, to start sweating/perspiring; **der
~ brach ihm aus allen Poren** he was
absolutely dripping with sweat; **der ~
brach ihm aus** he broke out in a sweat;
naß von ~ soaked with perspiration or
sweat; **kalter ~** cold sweat; **das hat viel
~ gekostet** it was a sweat (inf); **im ~
seines Angesichts** (Bibl) in the sweat of
his brow (Bibl).

Schweißabsonderung f perspiration;
Schweißapparat m welding equipment
no indef art, no pl; **Schweißausbruch**
m sweating no indef art, no pl;
Schweißband nt sweatband; **schweiß-
bar** adj (Tech) weldable;
schweißbedeckt adj covered in sweat;
Schweißbrenner m (Tech) welding
torch; **Schweißbrille** f (Tech) welding
goggles pl; **Schweißdraht** m (Tech)
welding rod or wire; **Schweißdrüse** f
(Anat) sweat or perspiratory (form)
gland.

schweißen I vt (Tech) to weld. **II** vi **1.**
(Tech) to weld. **2.** (Hunt) to bleed.

Schweißer(in *f)* *m* **-s,** - *(Tech)* welder.

Schweißfährte *f* *(Hunt)* trail of blood, blood track; **Schweißflamme** *f* welding flame; **Schweißfleck** *m* sweat stain, perspiration mark; **Schweißfuß** *m* sweaty foot; **schweißgebadet** *adj* bathed in sweat; *Mensch auch* bathed in perspiration; **Schweißgeruch** *m* smell of sweat *or* perspiration; **Schweißhund** *m (Hunt)* bloodhound.

schweißig *adj* sweaty; *(Hunt) Tier* bleeding; *Fährte* bloody.

Schweißnaht *f* *(Tech)* weld, welded joint; **schweißnaß** *adj* sweaty; **Schweißperle** *f* bead of perspiration *or* sweat; **Schweißstelle** *f* weld; **Schweißtechnik** *f* welding (engineering); **schweißtreibend** *adj* causing perspiration, sudorific *(spec)*; ~**es Mittel** sudorific *(spec)*; **schweißtriefend** *adj* dripping with perspiration *or* sweat; **Schweißtropfen** *m* drop of sweat *or* perspiration; **Schweißtuch** *nt* 1. *(obs: Taschentuch)* handkerchief; 2. **das ~ der Veronika** the sudarium, Veronica's veil; **schweißüberströmt** *adj* streaming *or* running with sweat.

Schweiz *f* - **die ~** Switzerland.

Schweizer I *m* **-s,** - 1. Swiss. 2. *(Melker)* dairyman. 3. *(Eccl: Pförtner)* beadle. 4. *(päpstlicher Leibgardist)* Swiss Guard. **II** *adj attr* Swiss. **~ Käse** Swiss cheese.

Schweizerdeutsch *nt* Swiss German; **schweizerdeutsch** *adj* Swiss-German; **Schweizerfranken** *m* Swiss franc.

Schweizergarde *f* Swiss Guard.

Schweizerin *f* Swiss (woman/girl).

schweizerisch *adj* Swiss.

Schwelbrand *m* smouldering fire.

schwelen I *vi* (*lit, fig*) to smoulder. **II** *vt Rasen* to burn off (slowly); *Koks* to carbonize at a low temperature.

schwelgen *vi* to indulge oneself *(in +dat* in). **wir schwelgten in Kaviar und Sekt** we feasted on caviar and champagne; **in Farben/Worten ~** to revel in colour/in the sound of words; **im Überfluß ~** to live in the lap of luxury; **in Erinnerungen ~** to indulge in reminiscences.

Schwelgerei *f* high living *no pl*, indulgence *no pl*; *(Schlemmerei)* feasting *no pl*.

schwelgerisch *adj (üppig) Mahl, Farbe* sumptuous; *Akkorde auch* voluptuous; *(genießerisch)* self-indulgent.

Schwelkoks *m* low-temperature coke.

Schwelle *f* **-, -n** 1. *(Tür~, fig, Psych)* threshold; *(Stein)* sill; *(auf Straße)* ramp. **einen Fuß über die ~ setzen** to set foot in sb's house; **er darf mir nicht mehr über die ~ kommen, er darf meine ~ nie wieder betreten** he shall *or* may not darken my door again *(liter)*, he may not cross my threshold again *(liter)*; **an der ~ einer neuen Zeit** on the threshold of a new era; **an der ~ des Grabes** at death's door.
　2. *(Rail)* sleeper *(Brit)*, tie *(US)*.
　3. *(Geog)* rise.

schwellen I *vi pret* **schwoll,** *ptp* **geschwollen** *aux sein* to swell; *(lit: Körperteile auch)* to swell up. **der Wind**

schwoll zum Sturm the wind grew into a storm; **ihm schwoll der Kamm** *(inf) (vor Wut)* he saw red; *siehe* **geschwollen.**
　II *vt (geh) Segel* to swell *or* belly (out); *(fig) Brust* to swell.

Schwellen|angst *f (Psych)* fear of entering a place; *(fig)* fear of embarking on something new.

schwellend *adj (geh)* swelling; *Lippen* full.

Schwellenland *nt* Newly Industrializing Country, NIC; **Schwellenmacht** *f* rising power; **Schwellenwert** *m (Phys, Psych)* threshold value.

Schweller *m* **-s,** - *(Mus)* swell.

Schwellkörper *m (Anat)* erectile tissue.

Schwellung *f* swelling; *(von Penis)* tumescence *(spec)*.

Schwemme *f* **-, -n** 1. *(für Tiere)* watering place. 2. *(Überfluß)* glut *(an +dat* of). 3. *(Kneipe)* bar, public bar *(Brit)*. 4. *(Aus: im Warenhaus)* bargain basement.

-schwemme *f in cpds* glut of.

schwemmen *vt (treiben) Sand* to wash; *Vieh* to water; *(wässern) Felle* to soak; *(Aus: spülen) Wäsche* to rinse.

Schwemmland *nt* alluvial land; **Schwemmsand** *m* alluvial sand.

Schwengel *m* **-s,** - *(Glocken~)* clapper; *(Pumpen~)* handle; *(sl: Penis)* dong *(US sl)*, tool *(sl)*.

Schwenk *m* **-(e)s, -s** *(Drehung)* wheel; *(Film)* pan, panning shot; *(fig)* aboutturn. **einen ~ machen** *(Kolonne)* to swing *or* wheel around.

Schwenkarm *m* swivel arm; **schwenkbar** *adj* swivelling; *Lampe auch* swivel *attr*; *Geschütz* traversable; **Schwenkbereich** *m* jib range.

schwenken I *vt* 1. *(schwingen)* to wave; *(herumfuchteln mit auch)* to brandish.
　2. *Lampe* to swivel; *Kran* to swing, to slew; *Geschütz auch* to traverse, to swing; *Kamera* to pan.
　3. *(Cook) Kartoffeln, Nudeln* to toss.
　4. *Tanzpartnerin* to swing round, to spin (round).
　II *vi aux sein* to swing; *(Kolonne von Soldaten, Autos etc)* to wheel; *(Geschütz auch)* to traverse; *(Kamera)* to pan; *(fig)* to swing over, to switch. **links schwenkt!** *(Mil)* left wheel!

Schwenker *m* **-s,** - balloon glass.

Schwenkflügel *m (Tech)* swing-wing; **Schwenkkartoffeln** *pl* sauté potatoes *pl*; **Schwenkkran** *m* swing crane; **Schwenksockel** *m (Comput)* swivel base.

Schwenkung *f* swing; *(Mil)* wheel; *(von Kran auch)* slewing; *(von Geschütz)* traverse; *(von Kamera)* pan(ning). **eine ~ vollziehen** *(Mil)* to wheel; *(fig)* to swing around.

schwer I *adj* 1. *(lit, fig)* heavy; *(massiv) Gold* solid. **ein 10 kg ~er Sack** a sack weighing 10 kgs *or* 10 kgs in weight; **~ beladen/bewaffnet sein** to be heavily laden/armed; **~ auf jdm/etw liegen/ lasten** to lie/weigh heavily on sb/sth; **die Beine wurden mir ~** my legs grew heavy.
　2. *(stark) Fahrzeug, Maschine* power-

ful; *Artillerie, Kavallerie, Wein, Parfüm* heavy; *Zigarre* strong; *(nährstoffreich) Boden* rich. **~es Wasser** (*Phys*) heavy water.

3. (*heftig*) *Sturm, See, Angriff* heavy; *Winter* hard, severe.

4. (*ernst*) *Sorge, Bedenken, Unrecht, Unfall, Verlust, Krankheit* serious, grave; *Fehler, Enttäuschung, Beleidigung auch* big; *Zeit, Leben, Schicksal* hard; *Leiden, Strafe, Buße* severe; *Musik* heavy. **~ erkältet sein** to have a heavy cold; **~e Verluste** heavy losses; **~ geprüft sein** to be sorely tried; **S~es erlebt** *or* **durchgemacht haben** to have been through (some) hard times, to have had a hard time (of it); **~ verletzt/ krank sein** to be seriously wounded/ill; **~ stürzen/verunglücken** to have a heavy fall/serious accident; **~ bestraft werden** to be punished severely; **das war ein ~er Schlag für ihn** it was a hard blow for him.

5. (*hart, anstrengend*) *Amt, Aufgabe, Dienst, Arbeit, Tag* hard; *Geburt, Tod* difficult. **es ~ haben** to have a hard time (of it); **~ schuften müssen** to have to work hard.

6. (*schwierig*) *Frage, Entscheidung, Übung* hard, difficult, tough. **~ zu sehen/sagen** hard *or* difficult to see/say; **sich ~ entschließen können** to find it hard *or* difficult to decide.

7. (*inf: enorm*) **~es Geld machen** to make a packet (*inf*).

II *adv* (*inf: sehr*) really; *gekränkt, verletzt* deeply. **da mußte ich ~ aufpassen** I really had to watch out; **~ reich** stinking rich (*inf*); **~ betrunken** rolling drunk (*inf*); **~ verdienen** to earn a packet (*inf*); **ich werde mich ~ hüten** there's no way (I will) (*inf*); **er ist ~ in Ordnung** he's OK (*inf*), he's a good bloke (*Brit inf*) *or* guy (*inf*).

Schwerarbeit *f* heavy labour; **Schwerarbeiter(in** *f*) *m* labourer; **Schwerathlet(in** *f*) *m* weight-lifter; boxer; wrestler; **Schwerathletik** *f* weight-lifting sports, boxing, wrestling etc; **Schwerbehinderte(r)** *mf* seriously handicapped person; **schwerbeladen** *adj attr* heavily-laden; **Schwerbenzin** *nt* heavy benzene, naphtha; **schwerbepackt** *adj attr* heavily-loaded *or* -laden; **schwerbeschädigt** *adj attr* (seriously) disabled; **Schwerbeschädigte(r)** *mf* disabled person; **schwerbewaffnet** *adj attr* heavily armed; **schwerblütig** *adj* serious, ponderous; **ein ~er Mensch** a ponderous (sort of) person.

Schwere *f* -, *no pl siehe adj* **1.** heaviness. **2.** power; heaviness; strength; richness. **3.** heaviness; hardness, severity. **4.** seriousness, gravity; hardness; severity. **die ganze ~ des Gesetzes** the full severity of the law. **5.** hardness; difficulty. **6.** (*Phys: Schwerkraft*) gravitation.

Schwerefeld *nt* field of gravity, gravitational field; **schwerelos** *adj* weightless; **Schwerelosigkeit** *f* weightlessness.

Schwerenöter *m* -s, - (*dated*) philander-

er.

schwer|erziehbar *adj attr* maladjusted.

schwerfallen *vi sep irreg aux sein* to be difficult *or* hard (*jdm* for sb). **das dürfte dir doch nicht ~** you shouldn't find that too difficult *or* hard.

schwerfällig *adj* (*unbeholfen*) *Gang, Bewegungen* clumsy, heavy, awkward; (*langsam*) *Verstand* slow, dull, ponderous; *Stil, Übersetzung* awkward, ponderous, cumbersome. **~ gehen/sprechen** to walk/speak clumsily *or* awkwardly.

schwergeprüft *adj attr* sorely afflicted; **Schwergewicht** *nt* **1.** (*Sport, fig*) heavyweight; **2.** (*Nachdruck*) stress, emphasis; **das ~ verlagern** to shift the emphasis; **das ~ auf etw** (*acc*) **legen** to put the stress *or* emphasis on sth; **schwergewichtig** *adj* heavyweight; **Schwergewichtler(in** *f*) *m* -s, - (*Sport*) heavyweight; **schwerhörig** *adj* hard of hearing; **Schwerhörigkeit** *f* hardness of hearing; **Schwerindustrie** *f* heavy industry; **Schwerkraft** *f* gravity; **schwerkrank** *adj attr* seriously *or* critically *or* dangerously ill; **Schwerkranke(r)** *mf* seriously *or* critically *or* dangerously ill patient; **schwerkriegsbeschädigt** *adj attr* seriously disabled (*in war*).

schwerlich *adv* hardly, scarcely.

schwerlöslich *adj attr* not easily dissoluble; **schwermachen** *vt sep* **1.** **jdm das Herz ~** to make sb's heart sad *or* heavy; **jdm das Leben ~** to make life difficult *or* hard for sb; **2.** **es jdm/sich ~** to make it *or* things difficult *or* hard for sb/oneself; **Schwermetall** *nt* heavy metal.

Schwermut *f* -, *no pl* melancholy.

schwermütig *adj* melancholy.

schwernehmen *vt sep irreg* **etw ~** to take sth hard.

Schwer|öl *nt* heavy oil.

Schwerpunkt *m* (*Phys*) centre of gravity; (*fig*) (*Zentrum*) centre, main focus; (*Hauptgewicht*) main emphasis *or* stress; **den ~ auf etw** (*acc*) **legen** to put the main emphasis *or* stress on sth.

Schwerpunktbildung *f* concentration; **Schwerpunktindustrie** *f* main industry; **schwerpunktmäßig** *adj* **eine ~e Betrachtung** a look at the main points; **~ konzentrieren wir uns auf ...** principally we concentrate on ...; **Schwerpunktstreik** *m* pinpoint strike; **Schwerpunktverlagerung** *f* shift of emphasis.

schwerreich *adj attr* (*inf*) stinking rich (*inf*).

Schwerstarbeiter *m* heavy labourer; **Schwerstbeschädigte(r)** *mf* totally disabled person.

Schwert *nt* -(e)s, -er **1.** sword. **das ~ ziehen** *or* **zücken** to draw one's sword. **2.** (*von Segelboot*) centreboard.

Schwertertanz *m* sword dance.

Schwertfisch *m* swordfish; **schwertförmig** *adj* sword-shaped; *Blatt auch* gladiate (*spec*); **Schwertgriff** *m* (sword) hilt; **Schwerthieb** *m* sword stroke, stroke *or* blow of the sword; **Schwertklinge** *f* sword blade;

Schwertknauf m (sword) pommel;
Schwertleite f -, -n (Hist) accolade;
Schwertlilie f (Bot) iris; **Schwert-
schlucker(in** f) m -s, - sword-swallower;
Schwertstreich m siehe **Schwerthieb**.

schwertun vr sep irreg (inf) sich (dat) mit
or bei etw ~ to make heavy weather of
sth (inf).

Schwertwal m killer whale.

Schwerverbrecher(in f) m criminal, felon
(esp Jur); **schwerverdaulich** adj attr
Speisen indigestible; (fig auch) difficult;
schwerverdient adj attr Geld hard-
earned; **schwerverletzt** adj attr seriously injured; **Schwerverletzte(r)** mf
serious casualty; (bei Unfall etc auch)
seriously injured person; **schwer-
verständlich** adj attr difficult or hard to
understand, incomprehensible; **schwer-
verträglich** adj attr Speisen indigestible;
Medikament not easily assimilable or
assimilated; **schwerverwundet** adj attr
seriously wounded; **Schwerver-
wundete(r)** mf major casualty;
Schwerwasserreaktor m heavy water
reactor; **schwerwiegend** adj (fig) serious.

Schwester f -, -n sister; (Kranken~)
nurse; (Stations~) sister; (Ordens~)
nun, sister; (Gemeinde~) district nurse;
(inf: ~firma) sister or associate(d)
company.

Schwesterchen nt little sister, baby
sister.

Schwesterherz nt (inf) (dear) sister, sis
(inf).

Schwesterlein nt siehe **Schwesterchen**.

schwesterlich adj sisterly.

Schwesternheim nt nurses' home;
Schwesternhelferin f nursing auxiliary
(Brit) or assistant (US); **Schwestern-
liebe** f sisterly love; **Schwesternorden**
m sisterhood; **Schwesternpaar** nt two
sisters pl; **Schwesternschaft** f nursing
staff; (von Orden) sisterhood;
Schwesternschule f nurses' training
college; **Schwesterntracht** f nurse's
uniform; **Schwesternwohnheim** nt
nurses' home.

Schwesterpartei f sister party;
Schwesterschiff nt sister ship.

schwieg pret of **schweigen**.

Schwiegereltern pl parents-in-law pl;
Schwiegerleute (inf) in-laws pl (inf);
Schwiegermama (inf), **Schwieger-
mutter** f mother-in-law; **Schwieger-
papa** m (inf) siehe **Schwiegervater**;
Schwiegersohn m son-in-law;
Schwiegertochter f daughter-in-law;
Schwiegervater m father-in-law.

Schwiele f -, -n callus; (Vernarbung)
welt.

schwielig adj Hände callused.

schwierig adj difficult; (schwer zu lernen
auch) hard. **er ist ein ~er Fall** he is a
problem.

Schwierigkeit f difficulty. **in ~en geraten**
or **kommen** to get into difficulties or
trouble; **jdm ~en machen** to make
difficulties or trouble for sb; **es macht
mir überhaupt keine ~en** it won't be at
all difficult for me; **warum mußt du bloß**

immer ~en machen! why must you
always be difficult or make difficulties!;
jdn in ~en (acc) **bringen** to create
difficulties for sb; **mach keine ~en!** (inf)
don't be difficult, don't make any
trouble; **ohne ~en** without any
difficulty; **~en haben, etw zu tun** to have
difficulties doing sth.

Schwierigkeitsgrad m degree of
difficulty.

schwill imper sing of **schwellen**.

Schwimmbad nt swimming pool;
(Hallenbad) swimming baths pl;
Schwimmbagger m dredger;
Schwimmbahn f lane; **Schwimm-
bassin, Schwimmbecken** nt (swimming) pool; **Schwimmbewegungen** pl
swimming action sing; (Schwimmzüge)
swimming strokes pl; **Schwimmblase** f
(Zool) air bladder; **Schwimmdock** nt
floating dock.

schwimmen pret **schwamm**, ptp **geschwommen** aux sein D vi 1. auch aux
haben to swim. ~ **gehen** to go swimming
or for a swim; **er ist über den Fluß geschwommen** he swam (across) the river.
   2. (auf dem Wasser treiben) to float.
seine Schiffe ~ auf allen Meeren his
ships are afloat on every ocean.
   3. (inf: überschwemmt sein, triefen)
(Boden) to be swimming (inf), to be
awash. **in Fett** (dat) ~ to be swimming in
fat; **in seinem Blut** ~ to be soaked in
blood; **in Tränen** ~ to be bathed in
tears; **in** or **im Geld** ~ to be rolling in it
or in money (inf).
   4. (fig: unsicher sein) to be at sea, to
flounder.
   5. **es schwimmt mir vor den Augen** I
feel giddy or dizzy, everything's going
round.
   II vt auch aux haben (Sport) to swim.

Schwimmen nt -s, no pl swimming. **zum
~ gehen** to go swimming; **ins ~ geraten**
or **kommen** (fig) to begin to flounder.

schwimmend adj floating. **~es Fett** deep
fat.

Schwimmer m -s, - 1. swimmer. 2. (Tech,
Angeln) float.

Schwimmerbecken nt swimmer's pool.

Schwimmerin f swimmer.

schwimmfähig adj Material buoyant;
Fahrzeug, Flugzeug amphibious; Boot,
Floß floatable; ~ **sein** to be able to
float; (Material) to float, to be buoyant;
Schwimmflosse f fin; (von Taucher
auch, von Wal, Robbe) flipper;
Schwimmflügel m water wing;
Schwimmfuß m web-foot, webbed
foot; **Schwimmgürtel** m swimming or
cork belt; **Schwimmhalle** f swimming
bath(s pl), (indoor) swimming pool;
Schwimmhaut f (Orn) web;
Schwimmkran m floating crane;
Schwimmlage f swimming position;
Schwimmlehrer(in f) m swimming instructor; **Schwimmsport** m swimming
no art; **Schwimmstadion** nt swimming
stadium, international swimming pool;
Schwimmstil m stroke; (Technik)
(swimming) style; **Schwimmstoß** m
stroke; **Schwimmübungen** pl swim-

ming exercises *pl*; **Schwimmunterricht**
m swimming lessons *pl*; **Schwimm-
verein** *m* swimming club;
Schwimmvogel *m* waterbird, waterfowl; **Schwimmweste** *f* life jacket.
Schwindel *m* **-s**, *no pl* **1.** (*Gleichgewichtsstörung*) dizziness; (*esp nach Drehen
auch*) giddiness.

2. (*Lüge*) lie; (*Betrug*) swindle, fraud;
(*Vertrauensmißbrauch*) con (*inf*). **mit
den Subventionen wird viel ~ getrieben**
a lot of swindling *or* cheating goes on
with the subsidies; **das ist alles ~, was er
da sagt** what he says is all a pack of lies
or a big con (*inf*); **glaub doch nicht an
diesen ~!** don't be taken in!; **den ~ kenne ich!** (*inf*), **auf den ~ falle ich nicht
herein!** (*inf*) that's an old trick.

3. (*inf: Kram*) **der ganze ~** the whole
caboodle (*inf*) *or* shoot (*inf*); **ich will von
dem ganzen ~ nichts mehr wissen!** I
don't want to hear another thing about
the whole damn business (*inf*).
Schwindel|anfall *m* dizzy turn, attack of
dizziness.
Schwindelei *f* (*inf*) (*leichte Lüge*) fib
(*inf*); (*leichter Betrug*) swindle. **seine
ständige ~** his constant fibbing (*inf*).
schwindelerregend *adj* **1.** causing dizziness, vertiginous (*form*); **in ~er Höhe**
at a dizzy height; **2.** *Preise* astronomical;
Schwindelfirma *f* bogus firm *or* company; **schwindelfrei** *adj* **Wendy ist nicht ~**
Wendy can't stand heights, Wendy
suffers from vertigo; **sie ist völlig ~** she
has a good head for heights, she doesn't
suffer from vertigo at all; **Schwin-
delgefühl** *nt* feeling of dizziness; (*esp
nach Drehen auch*) feeling of giddiness.
schwind(e)lig *adj* dizzy; (*esp nach Drehen*) giddy. **mir ist *or* ich bin ~** I feel
dizzy/giddy; **mir wird leicht ~** I get
dizzy/giddy easily.
schwindeln I *vi* **1.** **mir *or* mich** (*rare*)
schwindelt I feel dizzy *or* (*esp vom Drehen*) giddy; **mir schwindelte der Kopf,
mein Kopf schwindelte** my head was
reeling; **der Gedanke macht mich ~** (*fig*)
my head reels *or* I feel dizzy at the
thought; **in ~der Höhe** at a dizzy height.

2. (*inf: lügen*) to tell fibs (*inf*).
II *vt* (*inf*) **das ist alles geschwindelt** it's
all lies.
III *vr* **sich durch die Kontrollen ~** to
con *or* wangle one's way through the
checkpoint (*inf*); **sich durchs Leben/
durch die Schule ~** to con one's way
through life/school.
schwinden *pret* **schwand,** *ptp* **geschwunden** *vi aux sein* **1.** (*abnehmen*)
to dwindle; (*Schönheit*) to fade, to
wane; (*allmählich ver~*) (*Hoffnung
auch, Angst, Zeit*) to fade away; (*Kräfte*)
to fade, to fail. **im S~ begriffen sein** to
be dwindling; (*Schönheit*) to be on the
wane; **ihm schwand der Mut** his courage
failed him; **ihm schwanden die Sinne**
(*geh*) he grew faint; **aus der Erinnerung
~** to fade from (one's) memory.

2. (*verblassen: Farben*) to fade; (*leiser
werden: Ton auch*) to fade *or* die away;
(*sich auflösen: Dunkelheit*) to fade

away, to retreat (*liter*).

3. (*Tech: Holz, Metall, Ton*) to
shrink, to contract.
Schwindler(in *f*) *m* **-s**, **-** swindler; (*Hochstapler*) con-man, con merchant (*inf*);
(*Lügner*) liar, fibber (*inf*).
schwindlerisch *adj* fraudulent.
Schwindsucht *f* (*dated*) consumption. **die
(galoppierende) ~ haben** (*dated*) to have
galloping consumption; (*fig hum*) to
suffer from a sort of wasting disease.
schwindsüchtig *adj* (*dated*) consumptive;
(*fig hum*) shrinking, ailing.
Schwindsüchtige(r) *mf* (*dated*) consumptive.
Schwinge *f* **-**, **-n** (*geh: Flügel*) wing, pinion (*poet*). **auf den ~n der Poesie/
Begeisterung** on wings of poetry/
passion.
schwingen *pret* **schwang,** *ptp* **geschwungen** I *vt* to swing; (*drohend*)
Schwert, Stock to brandish; *Hut, Zauberstab, Fahne* to wave. **den Becher ~**
(*hum*) to quaff a glass (*old, hum*).
II *vr* **sich auf etw** (*acc*) **~** to leap *or*
jump onto sth, to swing oneself onto sth;
sich über etw (*acc*) **~** to vault across *or*
over sth, to swing oneself over sth; **sich
in etw** (*acc*) **~** to vault into sth, to swing
oneself into sth; **sich in die Luft *or* Höhe
~** (*geh*) to soar (up) into the air; **sich auf
den Thron ~** (*fig*) to usurp the throne;
**die Brücke schwingt sich elegant über
das Tal** the bridge sweeps elegantly over
the valley.
III *vi* **1.** to swing.

2. (*vibrieren: Brücke, Saite*) to vibrate; (*Wellen*) to oscillate.

3. (*geh*) (*nachklingen*) to linger. **in ih-
ren Worten schwang leichte Kritik** her
words had a tone of mild criticism.
Schwingen *nt* **-s**, *no pl* (*Sw Sport*) (*kind
of*) wrestling.
Schwinger *m* **-s**, **-** (*Boxen*) swing; (*Sw*)
wrestler.
Schwingflügel *m* casement window;
Schwinghebel *m* (*Aut*) rocker arm;
Schwingschleifer *m* (*orbital*) sander;
Schwingtür *f* swing door.
Schwingung *f* (*Phys*) vibration; (*von
Wellen*) oscillation; (*fig*) vibration. **in ~
kommen** to begin to swing *or* (*Saite*) to
vibrate *or* (*Wellen*) to oscillate; **etw in
~(en) versetzen** to set sth swinging; to
start sth vibrating; to start sth oscillating.
Schwingungszahl *f* (*Phys*) frequency of
oscillation.
schwipp *interj* **~, schwapp** splish-splash.
Schwippschwager *m* (*inf*) sister-in-law's
husband; sister-in-law's/brother-in-law's
brother; **Schwippschwägerin** *f* (*inf*)
brother-in-law's wife; brother-in-law's/
sister-in-law's sister.
Schwips *m* **-es**, **-e** (*inf*) **einen (kleinen) ~
haben** to be tiddly (*Brit inf*) *or* (*slightly*)
tipsy.
schwirren *vi aux sein* to whizz; (*Bienen,
Fliegen*) to buzz. **unzählige Gerüchte ~
durch die Presse** the press is buzzing
with countless rumours; **die Gedanken/
Zahlen schwirrten mir durch den Kopf**

thoughts/figures were whirling around in *or* buzzing through my head; **mir schwirrt der Kopf** my head is buzzing.
Schwitzbad *nt* Turkish bath; (*Dampfbad*) steam bath.
Schwitze *f* -, **-n** (*Cook*) roux.
schwitzen I *vi* (*lit, fig*) to sweat; (*Mensch auch*) to perspire; (*Fenster*) to steam up. **II** *vt* **1.** *Harz* to sweat.
2. (*Cook*) *Mehl* to brown in fat.
III *vr* **sich naß** ~ to get drenched in sweat.
Schwitzen *nt* **-s**, *no pl* sweating; (*von Mensch auch*) perspiration.
Schwitzkasten *m* (*Ringen*) headlock; **jdn in den** ~ **nehmen** to get sb in a headlock, to put a headlock on sb; **Schwitzkur** *f* sweating cure; **Schwitzpackung** *f* hot pack; **Schwitzwasser** *nt* condensation.
Schwof *m* **-(e)s**, **-e** (*inf*) hop (*inf*), dance.
schwofen *vi* (*inf*) to dance. ~ **gehen** to go to a hop (*inf*) *or* dance.
schwoll *pret of* **schwellen**.
schwören *pret* **schwor**, *ptp* **geschworen** *vti* to swear. **ich schwöre es(, so wahr mir Gott helfe)** I swear it (so help me God); **auf die Bibel/die Verfassung** ~ to swear on the Bible/the Constitution; **er schwor bei Gott/seiner Ehre, nichts davon gewußt zu haben** he swore by God/by *or* on his honour that he knew nothing about it; **ich kann darauf** ~, **daß ...** I could swear to it that ...; **ich hätte** ~ **mögen** *or* **geschworen, daß ...** I could have sworn that ...; **jdm/sich etw** ~ to swear sth to sb/oneself; **ich spreche nie mehr mit ihm, das habe ich mir geschworen** I have sworn never to speak to him again; **er macht das nie wieder, das hat er ihr geschworen** he has sworn to her that he'll never do it again; **sie schworen sich** (*dat*) **ewige Liebe** they swore (each other) eternal love; **auf jdn/etw** ~ (*fig*) to swear by sb/sth.
Schwuchtel *f* -, **-n** (*sl*) queen (*sl*).
schwul *adj* (*inf*) gay, queer (*pej inf*).
schwül *adj* (*lit, fig*) *Tag, Schönheit, Stimmung* sultry; *Wetter, Tag auch* close, muggy; (*dumpf-sinnlich*) *Träume, Phantasien* sensuous; *Beleuchtung* murky.
Schwüle *f* -, *no pl siehe adj* sultriness; closeness, mugginess; sensuousness. **in dieser** ~ in this sultry weather.
Schwulenbar *f* (*inf*), **Schwulenlokal** *nt* (*inf*) gay bar; **Schwulenstrich** *m* (*sl*) gay *or* queer (*pej*) beat (*inf*).
Schwule(r) *mf decl as adj* (*inf*) gay, queer (*pej inf*), fag (*US pej sl*).
Schwulität *f* (*inf*) trouble *no indef art*, difficulty. **in** ~**en geraten** *or* **kommen** to get into a fix (*inf*); **jdn in** ~**en bringen** to get sb into trouble *or* hot water (*inf*).
Schwulst *m* **-(e)s**, *no pl* (*pej*) (*in der Sprache*) bombast, fustian, pompousness; (*in der Kunst*) bombast, ornateness, floridness.
schwulstig *adj* **1.** *siehe* **geschwollen**. **2.** (*esp Aus*) *siehe* **schwülstig**.
schwülstig *adj* (*pej*) *Stil, Redeweise* bombastic, fustian, pompous.
schwumm(e)rig *adj* (*inf*) (*nervös*) un-

easy, apprehensive; (*dial: schwindelig*) dizzy, giddy; (*unwohl*) funny (*inf*). **mir wird** ~ I feel uneasy/dizzy/funny (*inf*).
Schwund *m* **-(e)s**, *no pl* **1.** (*Abnahme, Rückgang*) decrease (*gen* in), decline (*gen* in), dwindling (*gen* of). **2.** (*von Material*) shrinkage; (*Tech: Abfall*) waste. **3.** (*Rad*) fading. **4.** (*Med*) atrophy. **5.** (*Ling: Vokal etc*) loss.
Schwundausgleich *m* (*Rad*) automatic frequency control, anti-fade device; **Schwundstufe** *f* (*Ling*) zero grade.
Schwung *m* **-(e)s**, **-e 1.** swing; (*ausholende Handbewegung*) flourish; (*Sprung*) leap. **etw in** ~ **setzen** to set sth in motion.
2. *no pl* (*fig: Elan*) verve, zest; (*von Mensch auch*) go (*inf*); (*lit: Antrieb*) momentum. **in** ~ **kommen** (*lit: Schlitten*) to gather *or* gain momentum; (*fig auch*) to get going; **jdn/etw in** ~ **bringen** (*lit, fig*) to get sb/sth going; **die Sache** *or* **den Laden in** ~ **bringen** (*inf*) to get things going; ~ **in die Sache** *or* **den Laden bringen** (*inf*) to put a bit of life into things, to liven things up; **jdm/etw** ~ **geben** (*lit*) to give sb/sth momentum; (*fig auch*) to get sb/sth going; **in** ~ **sein** (*fig*) to be in full swing; **etw mit** ~ **tun** to do sth with zest; **voller/ohne** ~ full of/lacking life *or* verve *or* zest.
3. (*Linienführung*) sweep.
4. *no pl* (*inf: Menge*) (*Sachen*) stack, pile (*inf*); (*Leute*) bunch.
Schwungfeder *f* (*Orn*) wing feather; **schwunghaft** *adj Handel* flourishing, roaring; **sich** ~ **entwickeln** to grow hand over fist; **Schwungkraft** *f* centrifugal force; **schwunglos** *adj* lacking in verve *or* zest, lacking life; *Mensch auch* lacking go (*inf*); **Schwungrad** *nt* flywheel.
schwungvoll *adj* **1.** *Linie, Bewegung, Handschrift* sweeping. **2.** (*mitreißend*) *Rede, Aufführung* lively. **es hätte etwas** ~**er gespielt werden müssen** it should have been played with somewhat more zest *or* verve.
schwupp *interj* in a flash, as quick as a flash. ~! **da ist er hingefallen** bang! down he fell; **und** ~ **hatte der Zauberer ... ** and hey presto, the conjurer had ...
Schwur *m* **-(e)s**, **-e** (*Eid*) oath; (*Gelübde*) vow.
Schwurfinger *pl* thumb, first finger and second finger, raised in swearing an oath; **Schwurgericht** *nt* court with a jury; **Schwurgerichtsverfahren** *nt* trial by jury *no def art*.
Science-fiction ['saɪənsfɪkʃən] *f* -, **-s** science fiction, sci-fi (*inf*).
Scotchterrier ['skɔtʃtɛriɐ] *m* Scotch terrier, Scottie.
Scriptgirl ['skrɪptgøːɐl, -gœrl] *nt* (*Film*) script girl.
Scylla ['stsʏla] *f* -, *no pl* (*Myth*) *siehe* **Szylla**.
SDR [ɛsdeːˈ|ɛr] *m* - *abbr of* **Süddeutscher Rundfunk**.
Seal [siːl] *m* *or nt* **-s**, **-s** sealskin.
Séance [se'ãːsə] *f* -, **-n** séance.
Seborrhöe [zebɔ'røː] *f* -, *no pl* dandruff,

seborrh(o)ea (*spec*).

sec *abbr of* Sekunde.

sechs [zɛks] *num* six; *siehe auch* vier.

Sechs- [zɛks-] *in cpds* six; *siehe auch* vier-; **Sechsachteltakt** *m* (*Mus*) six-eight time; **Sechseck** *nt* hexagon; **sechseckig** *adj* hexagonal.

Sechser ['zɛksɐ] *m* **-s, - 1.** (*obs*) six-kreutzer/-groschen *etc* piece; (*dial inf*) five-pfennig piece. **nicht für einen ~ Verstand haben** (*Brit*) not to have a scrap *or* a ha'p'orth (*Brit*) of sense; **einen ~ im Lotto haben** ≈ to win the pools. **2.** six; *siehe auch* Vierer.

sechserlei ['zɛksɐ'lai] *adj inv* six kinds of; *siehe auch* viererlei.

Sechs- [zɛks-]: **sechsfach I** *adj* sixfold; **II** *adv* sixfold, six times; *siehe auch* vierfach; **Sechsfüßer** *m* **-s, -** (*Zool*) hexapod; **sechshundert** *num* six hundred; **Sechskampf** *m* *gymnastic competition with six events*; **sechsmal** *adv* six times; **sechsspurig** *adj* six-lane; **Sechstagerennen** *nt* six-day (bicycle) race; **sechstägig** *adj* six-day; **sechstausend** *num* six thousand; **ein Sechstausender** *a mountain six thousand metres in height.*

Sechstel ['zɛkstl] *nt* **-s, -** sixth; *siehe auch* Viertel[1].

sechstens ['zɛkstns] *adv* sixth(ly), in the sixth place.

sechste(r, s) ['zɛkstə] *adj* sixth. **einen ~n Sinn für etw haben, den ~n Sinn haben** to have a sixth sense (for sth); *siehe auch* vierte(r, s).

Sechsundsechzig ['zɛks|ʊnt'zɛçtsɪç] *nt* **-,** *no pl* (*Cards*) sixty-six.

Sechszylinder ['zɛks-] *m* six-cylinder car/engine.

sechzehn ['zɛçtse:n] *num* sixteen; *siehe auch* vierzehn.

Sechzehntel(note *f*) *nt* **-s, -** (*Mus*) semiquaver (*Brit*), sixteenth note (*US*).

sechzig ['zɛçtsɪç] *num* sixty; *siehe auch* vierzig.

Sechziger(in *f*) *m* **-s, -** sixty-year-old, sexagenarian.

Secondhandladen [sɛkənd'hɛnd-] *m* secondhand shop.

SED [ɛsle:'de:] *f* (*Hist*) - *abbr of* Sozialistische Einheitspartei Deutschlands.

Sedativ (*Pharm*) *nt* sedative.

Sediment *nt* (*Geol*) sediment.

sedimentär *adj* (*Geol*) sedimentary.

Sedimentgestein *nt* (*Geol*) sedimentary rock.

See[1] *f* **-, -n** [ze:ən] sea. **rauhe** *or* **schwere ~** rough *or* heavy seas; **an der ~** by the sea, at the seaside; **an die ~ fahren** to go to the sea(side); **auf hoher ~** on the high seas; **auf ~** at sea; **in ~ gehen** *or* **stechen** to put to sea; **zur ~ fahren** to be a merchant seaman; **zur ~ gehen** to go to sea.

See[2] *m* **-s, -n** [ze:ən] lake; (*in Schottland*) loch; (*Teich*) pond.

Seeaal *m* **1.** (*Zool*) conger (eel); **2.** (*Comm*) dogfish; **Seeadler** *m* sea eagle; **Seealpen** *pl* (*Geog*) Maritime Alps *pl*; **Seeamt** *nt* (*Admin*) maritime court; **Seeanemone** *f* sea anemone; **Seebad**

nt (*Kurort*) seaside resort; **Seebär** *m* **1.** (*hum inf*) seadog (*inf*); **2.** (*Zool*) fur seal; **Seebeben** *nt* seaquake; **seebeschädigt** *adj* (*form*) Schiff damaged at sea; **Seeboden** *m* bottom *or* bed of a/the sea/lake; **See-Elefant** *m* sea-elephant; **seeerfahren** *adj* Volk experienced at navigation *or* seafaring; **seefahrend** *adj* attr Volk seafaring; **Seefahrer(in** *f*) *m* seafarer; **Sindbad der ~** Sinbad the Sailor.

Seefahrt *f* **1.** (*Fahrt*) (sea) voyage; (*Vergnügungsfahrt*) cruise. **2.** (*Schiffahrt*) seafaring *no art*. **die ~ lernen** to learn to sail; **die Regeln der ~** the rules of the sea.

Seefahrtsamt *nt* shipping board; **Seefahrtsbuch** *nt* (seaman's) registration book; **Seefahrtsschule** *f* merchant navy training college.

seefest *adj* **1.** Mensch not subject to seasickness; **~ sein** to be a good sailor; **2.** *siehe* seetüchtig; **3.** Ladung for sea transport; **Seefisch** *m* salt-water fish; **Seefischerei** *f* sea fishing; **Seefracht** *f* sea freight; **Seefrachtbrief** *m* (*Comm*) bill of lading; **Seefunk(dienst)** *m* shipping radio service; **Seegang** *m* swell; **starker** *or* **hoher ~** heavy *or* rough seas *or* swell; **Seegefecht** *nt* sea *or* naval battle; **Seegemälde** *nt* seascape; **seegestützt** *adj* (*Mil*) sea-based; Flugkörper *auch* sea-launched; **Seegras** *nt* (*Bot*) eelgrass, sea grass *or* hay; **Seegrasmatratze** *f* sea grass mattress; **Seehafen** *m* seaport; **Seehandel** *m* maritime trade; **Seehase** *m* lumpsucker; **Seeherrschaft** *f* naval *or* maritime supremacy; **Seehöhe** *f* sea level; **Seehund** *m* seal; **Seehundsfell** *nt* sealskin; **Seeigel** *m* sea urchin; **Seejungfrau** *f* (*Myth*) mermaid; **Seekadett** *m* (*Mil*) naval cadet; **Seekanal** *m* (maritime) canal; **Seekarte** *f* sea *or* nautical chart; **Seekatze** *f* catfish; **seeklar** *adj* ready to sail; **Seeklima** *nt* maritime climate; **seekrank** *adj* seasick; **Seekrankheit** *f* seasickness; **Seekrieg(führung** *f*) *m* naval war(fare); **Seekriegsrecht** *nt* laws of naval warfare *pl*; **Seekuh** *f* (*Zool*) seacow, manatee; **Seelachs** *m* (*Cook*) pollack.

Seelchen *nt* (*inf*) dear soul.

Seele *f* **-, -n 1.** (*Rel, fig*) soul; (*Herzstück, Mittelpunkt*) life and soul. **seine ~ aushauchen** (*euph liter*) to breathe one's last (*liter*); **von ganzer ~** with all one's heart (and soul); **aus tiefster** *or* **innerster ~** with all one's heart and with all one's soul; **danken** from the bottom of one's heart; **jdm aus der ~** *or* **aus tiefster ~ sprechen** to express exactly what sb feels; **das liegt mir auf der ~** it weighs heavily on my mind; **sich** (*dat*) **etw von der ~ reden** to get sth off one's chest; **sich** (*dat*) **die ~ aus dem Leib reden** (*inf*) to talk until one is blue in the face (*inf*); **das tut mir in der ~ weh** I am deeply distressed; **zwei ~n und ein Gedanke** (*prov*) two minds with but a single thought; **zwei ~n wohnen in meiner Brust** (*liter*) I am torn; **dann/nun hat die**

liebe or **arme** ~ **Ruh** that'll put him/us etc out of his/our misery. **2.** (Mensch) soul. **eine** ~ **von Mensch** or **von einem Menschen** an absolute dear. **3.** (von Feuerwaffen) bore. **4.** (von Tau) core.

Seelenachse f axis (of the bore); **Seelenamt** nt (Eccl) requiem; **Seelenarzt** m, **Seelenärztin** f psychologist; **Seelenfriede(n)** m (geh) peace of mind; **Seelengröße** f (geh) greatness of mind, magnanimity; **seelengut** adj kindhearted; **Seelengüte** f (geh) kindheartedness; **Seelenheil** nt spiritual salvation, salvation of one's soul; (fig) spiritual welfare; **Seelenhirt(e)** m (geh, iro) pastor; **Seelenleben** nt inner life; **seelenlos** adj soulless; **Seelenmassage** f (hum inf) gentle persuasion; **Seelenmesse** f (Eccl) requiem mass; **Seelennot, Seelenpein, Seelenqual** f (geh) (mental) anguish; **Seelenruhe** f calmness, coolness; **in aller** ~ calmly; (kaltblütig) as cool as you please; **seelenruhig** adv calmly; (kaltblütig) as cool as you please, as cool as a cucumber (inf); **Seelentröster** m (hum) (Schnaps) pick-me-up (inf); **Seelenverkäufer** m (Hist) seller of souls; (fig pej) (Heuerbaas) press-gang officer; (Schiff) death trap; **seelenverwandt** adj congenial (geh); **sie waren** ~ they were kindred spirits; **Seelenverwandtschaft** f affinity, congeniality of spirit (geh); **seelenvoll** adj soulful; **Seelenwanderung** f (Rel) transmigration of souls, metempsychosis; **Seelenzustand** m psychological or mental state.

Seeleute pl of Seemann; **Seelilie** f sea lily.

seelisch adj (Rel) spiritual; (geistig) mental, psychological; Erschütterung, Belastung emotional; Grausamkeit mental. ~ **bedingt sein** to be psychologically conditioned, to have psychological causes; **~e Kraft zu etw haben** to have the strength of mind for sth.

Seelotse m, **Seelotsin** f pilot.

Seelöwe m sea lion.

Seelsorge f, no pl spiritual welfare. **in der** ~ **arbeiten** to do spiritual welfare work with a church.

Seelsorger(in f) m **-s, -** pastor.

seelsorgerisch, seelsorg(er)lich adj pastoral.

Seeluft f sea air; **Seemacht** f naval or sea or maritime power.

Seemann m, pl **-leute** sailor, seaman, mariner (esp liter).

seemännisch I adj Ausbildung, Sprache nautical; Tradition auch seafaring. **das ist typisch** ~ that is typical of sailors. **II** adv nautically. ~ **heißen sie ...** in nautical or sailors' language they are called ...

Seemannsamt nt shipping board; **Seemannsausdruck** m nautical or sailors' term; **Seemannsbrauch** m seafaring custom; **Seemannsgang** m sailor's walk; **Seemannsgarn** nt, no pl (inf) sail-

or's yarn; ~ **spinnen** to spin a yarn; **Seemannsheim** nt sailors' home; **Seemannslied** nt sea shanty; **Seemannslos** nt a sailor's lot; **Seemannsmission** f mission to seamen, seamen's mission; **Seemannssprache** f nautical or sailors' slang; **Seemannstod** m sailor's death.

seemäßig adj Verpackung seaworthy; **Seemeile** f nautical or sea mile; **Seemine** f (sea) mine.

Seengebiet ['ze:ən-] nt lakeland district.

Seenot f, no pl distress. **in** ~ **geraten** to get into distress.

Seenotkreuzer m (motor) lifeboat; **Seenot(rettungs)dienst** m sea rescue service; **Seenotzeichen** nt nautical distress signal.

Seenymphe f mermaid; **Seeotter** m sea otter; **Seepferd(chen)** nt sea-horse; **Seeräuber** m pirate; (in Mittelamerika im 17., 18. Jh. auch) buccaneer; **Seeräuberei** f piracy; **Seeräuberschiff** nt pirate (ship); buccaneer; **Seerecht** nt maritime law; **Seereise** f (sea) voyage; (Kreuzfahrt) cruise; **Seerose** f waterlily; **Seesack** m seabag, sailor's kitbag; **Seesalz** nt sea or bay salt; **Seesand** m sea sand; **Seeschiff** nt seagoing or oceangoing ship or vessel; **Seeschiffahrt** f maritime or ocean shipping; **Seeschildkröte** f sea turtle; **Seeschlacht** f naval or sea battle; **Seeschlange** f sea snake; (Myth) sea serpent; **Seeschwalbe** f tern; **Seesieg** m naval victory; **Seestadt** f seaside town; **Seestern** m (Zool) starfish; **Seestreitkräfte** pl forces pl, navy; **Seestück** nt (Art) seascape; **Seetang** m seaweed; **Seeteufel** m (Zool) monkfish; **Seetransport** m shipment or transport by sea, sea transport; **seetüchtig** adj seaworthy; **Seetüchtigkeit** f seaworthiness; **Seeufer** nt lakeside; (von großem See auch) (lake) shore; **Seeungeheuer** nt sea monster; **Seeversicherung** f marine insurance; **Seevogel** m sea bird; **Seevolk** nt (Nation) seafaring nation or people; (inf: Seeleute) seafaring people pl; **seewärts** adv (in Richtung Meer) seaward(s), toward(s) the sea; (in Richtung (Binnen)see) toward(s) the lake; **Seewasser** nt (Meerwasser) sea water; (Wasser eines Sees) lake water; **Seeweg** m sea route; **auf dem** ~ **reisen** to go or travel by sea; **Seewesen** nt maritime affairs pl, no art; **Seewetterdienst** m meteorological service, Met Office (Brit inf); **Seewind** m sea breeze, onshore wind; **Seezeichen** nt navigational aid; **Seezunge** f sole.

Segel nt **-s, -** sail. **mit vollen ~n** under full sail or canvas; (fig) with gusto; **unter ~ gehen** (Naut) to set sail; **die ~ streichen** (Naut) to strike sail; (fig) to give in.

Segelboot nt sailing boat (Brit), sailboat (US); **Segelfahrt** f sail; **segelfliegen** vi infin only to glide; **Segelfliegen** nt gliding; **Segelflieger(in** f) m glider pilot; **Segelfliegerei** f gliding; **Segelflug** m (no pl: Segelfliegerei) gliding; (Flug im Segelflugzeug) glider flight; **Segelflug-**

platz *m* gliding field; **Segelflugzeug** *nt* glider; (*leichter gebaut auch*) sailplane; **Segeljacht** *f* (sailing) yacht, sailboat (*US*); **Segelkarte** *f* chart; **Segelklasse** *f* (*Sport*) (yacht) class; **Segelklub** *m* sailing club; **Segelmacher(in** *f*) *m* sailmaker.

segeln *vti* 1. *aux haben or sein* (*lit, fig*) to sail. **eine Strecke** ~ to sail a course; **eine Regatta** ~ to sail in a regatta; ~ **gehen** to go for a sail.
  2. *aux sein* (*inf*) **durch eine Prüfung** ~ to flop in an exam (*inf*), to fail (in) an exam.

Segeln *nt* -s, *no pl* sailing.

Segelohren *pl* (*hum*) flappy ears *pl* (*inf*); **Segelpartie** *f* sail, sailing trip; **Segelregatta** *f* sailing *or* yachting regatta; **Segelschiff** *nt* sailing ship *or* vessel; **Segelschulschiff** *nt* training sailing ship; **Segelsport** *m* sailing *no art*; **Segeltörn** *m* cruise (on a yacht etc); **Segeltuch** *nt* canvas.

Segen *m* -s, - 1. (*lit, fig*) blessing; (*Eccl: Gnadengebet auch*) benediction. **es ist ein** ~, **daß** ... it is a blessing that ...; **jdm den** ~ **erteilen** *or* **spenden** to give sb one's blessing *or* benediction; **meinen** ~ **hat er, er hat meinen** ~ he has my blessing.
  2. (*Heil, Erfolg*) blessing, boon, godsend. **ein wahrer** ~ a real blessing *or* boon; **zum** ~ **der Menschheit werden** to be for *or* redound to (*liter*) the benefit of mankind.
  3. (*liter: Ertrag, Lohn*) fruits *pl*.

segenbringend *adj* beneficent.

segensreich *adj* beneficial; *Tätigkeit* beneficent; **Segenswunsch** *m* (*liter*) blessing.

Segler *m* -s, - 1. (*Segelsportler*) yachtsman, sailor. 2. (*Schiff*) sailing vessel. 3. (*Orn*) swift.

Seglerin *f* yachtswoman.

Segment *nt* segment.

segmental *adj* segmental.

segmentär *adj* segmentary.

segmentieren* *vt* to segment.

Segmentierung *f* segmentation.

segnen *vt* (*Rel*) to bless; *siehe* **gesegnet.**

Segnung *f* (*Rel*) blessing, benediction.

Segregation *f* (*Sociol*) segregation.

sehbehindert *adj* partially sighted.

sehen *pret* **sah,** *ptp* **gesehen I** *vt* 1. to see; (*an*~ *auch*) to look at; *Fernsehsendung auch* to watch. **gut/schlecht zu** ~ **sein** to be easily seen/difficult to see; **sieht man das?** does it show?; **das kann man** ~ you can see that, you can tell that (just by looking); **siehst du irgendwo mein Buch?** can you see my book anywhere?; **da gibt es nichts zu** ~ there is nothing to see *or* to be seen; **darf ich das mal** ~? can I have a look at that?, can I see that?; **das muß man gesehen haben** it has to be seen to be believed; (*läßt sich nicht beschreiben*) you have to see it for yourself; **ich kann den Mantel/den Menschen nicht mehr** ~ I can't stand the sight of that coat/him any more; **jdn kommen/weggehen** ~ to see sb coming/leaving; **jdn/etw zu** ~ **bekommen** to get

to see sb/sth; **Sie** ~ **jetzt eine Direktübertragung** ... we now bring you a live broadcast ...; **Sie sahen eine Direktübertragung** ... that was *or* you have been watching a live broadcast ...; **den möchte ich** ~**, der** ... I'd like to meet the man who ...; **da sieht man es mal wieder!** that's typical!, it all goes to show (*inf*); **hat man so was schon gesehen!** (*inf*) did you ever see anything like it!
  2. (*treffen*) to see. **sich** *or* **einander** (*acc*) ~ to see each other; **also, wir** ~ **uns morgen** right, I'll see you tomorrow; **ich freue mich, Sie zu** ~! nice to see you.
  3. (*erkennen, feststellen, glauben*) to see. **sich/jdn als etw** ~ to see oneself/sb as sth; **etw in jdm** ~ to see sth in sb; **das müssen wir erst mal** ~ that remains to be seen; **das wollen wir (doch) erst mal** ~! we'll see about that!; **das wollen wir (doch) erst mal** ~**, ob** ... we'll see if ...
  4. (*betrachten, beurteilen*) to see; (*deuten, interpretieren auch*) to look at. **wie siehst du das?** how do you see it?; **das darf man nicht so** ~ you shouldn't look at it like that, that's not the way to look at it; **du siehst das/ihn nicht richtig** you've got it/him wrong; **das sehe ich anders, so sehe ich das nicht** that's not how I see it; **rein menschlich/dienstlich gesehen** looking at it personally/officially, from a purely personal/official point of view; **so gesehen** looked at *or* regarded in this way; **du hast wohl keine Lust, oder wie sehe ich das?** (*inf*) you don't feel like it, do you or right?
  5. **sich** ~ **lassen** to put in an appearance, to appear; **er hat sich schon lange nicht mehr zu Hause** ~ **lassen** he hasn't shown up at home (*inf*) *or* put in an appearance at home for a long time; **er läßt sich kaum noch bei uns** ~ he hardly comes to see us any more; **lassen Sie sich doch mal wieder** ~! do come again!; **er kann sich in der Nachbarschaft nicht mehr** ~ **lassen** he can't show his face in the neighbourhood any more; **kann ich mich in diesem Anzug** ~ **lassen?** do I look all right in this suit?; **das neue Rathaus kann sich** ~ **lassen** the new town hall is certainly something to be proud of.

  II *vr* **sich betrogen/getäuscht/enttäuscht** ~ to see oneself cheated/deceived/to feel disappointed; **sich genötigt** *or* **veranlaßt** ~**, zu** ... to see *or* find it necessary to ...; **sich gezwungen** ~**, zu** ... to see *or* find oneself obliged to ...; **sich in der Lage** ~**, zu** ... (*form*) to see *or* find oneself in a position to ... (*form*).

  III *vi* 1. to see. **siehe oben/unten** see above/below; **siehe!** (*esp Bibl*)/**sehet!** (*old, liter, Bibl*) lo! (*Bibl*), behold! (*Bibl*); **sieh(e) da!** (*geh*) behold! (*liter*); **siehst du (wohl)!, siehste!** (*inf*) you see!; **sieh doch!** look (here)!; ~ **Sie mal!** look!; **er sieht gut/schlecht** he can/cannot see very well; **scharf/weit** ~ **(können)** to be able to see clearly/a long way; ~**den Auges** (*geh*) with open eyes, with one's eyes open; **willst du mal** ~? do you want to see *or* look?, do you want to have a

look?; **laß mal ~** let me see *or* look *or* have a look, give us a look (*inf*); **jdm über die Schulter ~** to look over sb's shoulder; **na siehst du** (there you are,) you see?; **Sie sind beschäftigt, wie ich sehe** I can see you're busy; **ich sehe schon, du willst nicht** I can see you don't want to; **wir werden schon ~** we'll see; **wir wollen ~** we'll have to see; **mal ~, ob ... (inf)** we'll see; **jeder muß ~, wo er bleibt** (it's) every man for himself; **sieh, daß du ...** make sure *or* see (that) you ...
2. (*herausragen*) **aus etw ~** to be sticking *or* peeping *or* peeking (*inf*) out of sth; **das Boot sah kaum aus dem Wasser** the boat hardly showed above the water.
3. nach jdm ~ (*jdn betreuen*) to look after sb; (*jdn besuchen*) to go/come to see sb; **nach etw ~** to look after sth; **ich muß nur mal eben nach den Kartoffeln ~** I've just got to (have a) look at the potatoes; **nach der Post ~** to see if there are any letters.
4. auf etw (*acc*) **~** to pay attention to sth, to care about sth.
Sehen *nt* **-s,** *no pl* seeing; (*Sehkraft*) sight, vision. **ich kenne ihn nur vom ~** I only know him by sight.
sehenswürdig, sehenswert *adj* worth seeing. **ein ~es Schloß** a castle (which is) worth seeing.
Sehenswürdigkeit *f* sight. **die Kneipe ist wirklich eine ~!** that pub is really (a sight) worth seeing!; **die ~en (einer Stadt) besichtigen** to go sightseeing (in a city), to see the sights (of a city).
Seher ['ze:ɐ] *m* **-s, -** (*liter*) seer; (*Hunt*) eye.
Seherblick *m* (*geh*) prophetic eye; **den ~ haben** to have a prophetic eye; **Sehergabe** *f* (*geh*) gift of prophecy, prophetic gift.
Seherin ['ze:ərɪn] *f* seer.
seherisch ['ze:ərɪʃ] *adj attr* prophetic.
Sehfehler *m* visual *or* sight defect; **Sehfeld** *nt siehe* **Gesichtsfeld**; **Sehkraft** *f* (eye)sight; **Sehkreis** *m siehe* **Gesichtskreis**; **Sehloch** *nt* (*Opt*) pupil.
Sehne *f* **-, -n 1.** (*Anat*) tendon, sinew. **2.** (*Bogen~*) string. **3.** (*Math*) chord.
sehnen *vr* **sich nach jdm/etw ~** to long *or* yearn for sb/sth; (*schmachtend*) to pine for sb/sth.
Sehnen *nt* **-s,** *no pl siehe* **Sehnsucht**.
Sehnenreflex *m* tendon reflex; **Sehnenscheidenentzündung** *f* tendovaginitis (*spec*), inflammation of a tendon and its sheath; **Sehnenzerrung** *f* pulled tendon.
Sehnerv *m* optic nerve.
sehnig *adj* Gestalt, Mensch sinewy, wiry; *Fleisch* stringy.
sehnlich *adj* ardent; *Erwartung* eager. **sein ~ster Wunsch** his fondest *or* most ardent (*geh*) wish; **sich** (*dat*) **etw ~st wünschen** to long for sth with all one's heart; **wir alle hatten sie ~(st) erwartet** we had all been (most) eagerly awaiting her.
Sehnsucht *f* **-, ̈-e** longing, yearning (*nach*

for); (*schmachtend*) pining. **~ haben** to have a longing *or* yearning.
sehnsüchtig *adj* longing, yearning; *Verlangen, Wunsch* ardent; *Erwartung, Ungeduld* eager; *Brief* full of longing *or* yearning.
sehnsuchtsvoll *adj* longing, yearning; *Blick, Augen, Brief, Schilderung, Musik* wistful.
Seh|organ *nt* visual organ.
sehr *adv, comp* (**noch**) **mehr,** *superl* **am meisten 1.** (*mit adj, adv*) very. **~ verbunden!** (*dated form*) much obliged; **er ist ~ dafür/dagegen** he is very much in favour of it, he is all for it/he is very much against it; **hat er ~ viel getrunken?** did he drink very much?; **er hat ~ viel getrunken** he drank a lot; **es geht ihm ~ viel besser** he is very much better; **wir haben ~ viel Zeit/Geld** we have plenty of time/money *or* a lot of time/money *or* lots of time/money; **wir haben nicht ~ viel Zeit/Geld** we don't have very much time/money.
2. (*mit vb*) very much, a lot. **so ~** so much; **sich über etw** (*acc*) **so ~ ärgern/freuen, daß ...** to be so (very) annoyed/pleased about sth that ...; **wie ~** how much; **wie ~ er sich auch ...** however much he ...; **sich ~ vorsehen** to be very careful *or* very much on the lookout; **sich** (*dat*) **etw ~ überlegen** to consider sth very carefully; **sich ~ anstrengen** to try very hard; **es lohnt sich ~** it's very *or* well worthwhile; **~ weinen** to cry a lot *or* a great deal; **hat sie ~ geweint?** did she cry very much *or* a lot?; **es regnet ~** it's raining hard *or* heavily; **regnet es ~?** is it raining very much *or* a lot?; **freust du dich? — ja, ~!** are you pleased? — yes, very; **freust du dich darauf? — ja, ~** are you looking forward to it? — yes, very much; **tut es weh? — ja, ~/nein, nicht ~** does it hurt? — yes, a lot/no, not very much *or* not a lot; **~ sogar!** yes, very much so (in fact); **zu ~** too much; **man sollte sich nicht zu ~ ärgern** one shouldn't get too annoyed.
sehren *vt* (*old, dial*) *siehe* **verletzen**.
Sehrohr *nt* periscope; **Sehschärfe** *f* keenness of sight, visual acuity; **Sehschlitz** *m* slit; (*von Panzer*) observation slit; **Sehschwäche** *f* poor eyesight; **Sehstörung** *f* visual defect; **wenn ~en auftreten** when the vision becomes disturbed; **Sehtest** *m* eye test; **Sehvermögen** *nt* powers of vision *pl*; **Sehweite** *f siehe* **Sichtweite**.
sei *imper sing,* 1. *and* 3. *pers sing subjunc of* **sein**.
Seich *m* **-(e)s,** *no pl,* **Seiche** *f* **-,** *no pl* **1.** (*dial sl*) piss (*vulg*). **2.** (*inf: Geschwätz*) drivel (*inf*).
seichen *vi* **1.** (*dial sl*) to piss (*vulg*). **2.** (*inf*) *siehe* **schwafeln**.
seicht *adj* (*lit, fig*) shallow. **die ~e Stelle** the shallows *pl*.
seid 2. *pers pl present, imper pl of* **sein**.
Seide *f* **-, -n** silk.
Seidel *nt* **-s, - 1.** (*Gefäß*) stein, (beer) mug. **2.** (*S Ger: altes Maß*) half-litre, ≃ pint.

Seidelbast m (Bot) daphne.

seiden adj attr (aus Seide) silk, silken (liter).

Seiden- in cpds silk; **seidenartig** adj silky, silk-like; **Seidenatlas** m silk satin; **Seidenband** nt silk ribbon; **Seidenfaden** m, **Seidengarn** nt silk thread; **Seidengewebe** nt silk fabric; **Seidenglanz** m silky or silken sheen; **Seidenpapier** nt tissue paper; (Phot) satin-finished paper; **Seidenraupe** f silkworm; **Seidenraupenzucht** f silkworm breeding; **Seidenschwanz** m (Orn) waxwing; **Seidenspinner** m 1. (Zool) silk(worm) moth; 2. auch **Seidenspinnerin** f (als Beruf) silk spinner; **Seidenspinnerei** f 1. silk spinning; 2. (Betrieb) silk mill; **Seidenstoff** m silk cloth or fabric; **Seidenstraße** f (Hist) silk road; **Seidenstrumpf** m silk stocking; **seidenweich** adj soft as silk, silky soft.

seidig adj (wie Seide) silky, silken.

Seiende(s) nt decl as adj (Philos) being no art.

Seife f, -, -n 1. soap. 2. (Geol) alluvial deposit.

seifen vt 1. (ein~, ab~) to soap. 2. (Min) to wash.

Seifenblase f soap-bubble; (fig) bubble; **~n machen** to blow (soap-)bubbles; **Seifenflocken** pl soapflakes pl; **Seifenkistenrennen** nt soap-box derby; **Seifenlauge** f (soap)suds pl; **Seifennapf** m shaving mug; **Seifenoper** f (inf) soap (opera); **Seifenpulver** nt soap powder; **Seifenschale** f soap dish; **Seifenschaum** m lather; **Seifenspender** m soap dispenser; **Seifenwasser** nt soapy water.

seifig adj soapy; (fig) soppy.

Seigerschacht m (Min) perpendicular shaft.

seihen vt (sieben) to sieve.

Seiher m -s, - (esp S Ger, Aus) colander.

Seil nt -(e)s, -e rope; (Kabel) cable; (Hoch~) tightrope, high-wire. **auf dem ~ tanzen** (fig) to be walking a tightrope.

Seilbahn f cable railway; (Bergbahn auch) funicular; **Seilbrücke** f rope bridge.

Seiler(in f) m -s, - ropemaker.

Seilerbahn f ropewalk.

Seilerei f 1. (Seilerhandwerk) ropemaking. 2. (Seilerwerkstatt) ropewalk.

Seilfähre f cable ferry; **seilhüpfen** vi sep aux sein to skip; **Seilschaft** f (Bergsteigen) rope, roped party; (fig) established group of people working together (in politics) **Seilschwebebahn** f cable railway; (Bergseilbahn auch) funicular; **seilspringen** vi sep irreg aux sein to skip; **Seiltanz** m tightrope or high-wire act; **seiltanzen** vi sep to walk the tightrope or high-wire; **Seiltänzer(in** f) m tightrope walker, high-wire performer; **Seilwinde** f winch.

Seim m -(e)s, -e viscous or glutinous substance.

seimig adj viscous, glutinous.

Sein nt -s, no pl being no art; (Philos) (Existenz, Da~ auch) existence no art; (Wesen, So~) essence, suchness. **~ und**

Schein appearance and reality; **~ oder Nichtsein** to be or not to be.

sein[1] pret **war**, ptp **gewesen** aux sein I vi 1. to be. **wir waren** we were; **wir sind gewesen** we have been, we've been; **sei (mir)/seien Sie (mir) nicht böse, aber ...** don't be angry (with me) but ...; **sei/seid so nett und ...** be so kind as to ...; **du bist wohl verrückt!** (inf) you must be crazy; **ist das heiß/kalt!** that's really hot/cold!, is that hot/cold!; **das wäre gut** that would or that'd (inf) be a good thing; **es wäre schön gewesen** it would or it'd (inf) have been nice; **er ist Lehrer/Inder/ein Verwandter/der Chef** he is a teacher/(an) Indian/a relative/the boss; **was sind Sie (beruflich)?** what do you do?; **er ist immer noch nichts** he still hasn't become anything; **Liverpool ist Fußballmeister/ eine große Stadt** Liverpool are football champions/is a large town; **in der Küche sind noch viele** there's (inf) or there are still plenty in the kitchen; **drei und vier ist or sind sieben** three and four is or are seven; **x sei 4** let x be or equal 4; **wenn ich Sie/er wäre** if I were or was you/him or he (form); **er war es nicht** it wasn't him; **niemand will es gewesen ~** nobody admits that it was him/her or them (inf); **das kann schon ~** that may well be; **und das wäre?** and what would or might that be?; **das wär's!** that's all, that's it; **wie war das noch?** what was that again?; **wie war das noch mit dem Witz?** how did that joke go now?; **bist du's/ist er's?** is that you/him?; **wer ist da?** who's there?; **ist da jemand?** is (there) anybody there?; **er ist aus Genf/aus guter Familie** he is or comes from Geneva/a good family; **morgen bin ich im Büro/in Rom** I'll or I will or I shall be in the office/in Rome tomorrow; **waren Sie mal in Rom?** have you ever been to Rome?; **wir waren baden/essen** we went swimming/out for a meal; **wo warst du so lange?** where have you been all this time?, what kept you?; **er war vier Jahre hier, bevor er ...** he had been here for four years before he ...; **es sind über zwanzig Jahre her, daß ...** it is more than twenty years since ...

2. (mit infin +zu) **du bist nicht zu sehen** you cannot be seen; **das war ja vorauszusehen** that was to be expected; **das war nicht vorauszusehen** we couldn't have known that; **der Brief ist persönlich abzugeben** the letter is to be delivered by hand; **wie ist das zu verstehen?** how is that to be understood?; **er ist nicht zu ersetzen** he cannot be replaced.

3. **was ist?** what's the matter?, what is it?; **ist was?** what is it?; (paßt dir was nicht) is something the matter?; **was ist mit dir/ihm?** what or how about you/ him?; (was hast du/hat er?) what's wrong or the matter or up (inf) with you/him?; **das kann nicht ~** that can't be (true); **wie wäre es mit ...?** how about ...?, what about ...?; **sei es, daß ..., sei es, daß ...** whether ... or ...; **nun, wie ist es?** well, how or what about it?; **wie wäre es, wenn wir ihn besuchen würden?**

what about *or* how about going to see
him?, why don't we go to see him?
    4. (*dasein, existieren*) to be. **wenn du
nicht gewesen wärest ...** if it hadn't been
for you ...; **er ist nicht mehr** (*euph*) he is
no more (*euph liter*); **alles, was (bis
jetzt/damals) war** all that has/had been
(*liter*).
    5. (*in unpersönlicher Konstruktion*)
mir ist schlecht *or* **übel** I feel ill; **mir ist
kalt** I'm cold; **was ist mit Ihnen?** what's
the matter with you?; **mir ist, als hätte
ich ihn früher schon einmal gesehen** I
have a feeling I've seen him before.
    II *v aux* to have. **er ist/war jahrelang
krank gewesen** he has/had been *or* he's/
he'd been ill for years; **sie ist gestern
nicht zu Hause gewesen** she was not *or*
wasn't at home yesterday; **er ist verschwunden** he has *or* he's disappeared;
er ist geschlagen worden he has been
beaten.

sein² **I** *poss pron* **1.** (*adjektivisch*) (*bei
Männern*) his; (*bei Dingen, Abstrakta*)
its; (*bei Mädchen*) her; (*bei Tieren*) its,
his/her; (*bei Ländern, Städten*) its, her;
(*bei Schiffen*) her, its; (*auf ,,man" bezüglich*) one's (*Brit*), his (*US*), your.
wenn man ~ Leben betrachtet when one
looks at one's *or* his (*US*) life, when you
look at your life; **jeder hat ~e Probleme**
everybody has his *or* their (*inf*)
problems; **~e komische Frau** that peculiar wife of his, his peculiar wife; **~e
zwanzig Zigaretten** his/her/one's twenty
cigarettes; **er wiegt gut ~e zwei Zentner**
(*inf*) he weighs a good two hundred
pounds.
    2. (*old: substantivisch*) his.
    II *pers pron gen of* **er, es¹** (*old, poet*)
ich werde ewig ~ gedenken I shall remember him forever.
seiner *pers pron gen of* **er, es¹** (*geh*) **ge-
denke ~** remember him; **er war ~ nicht
mächtig** he was not in command of
himself.
seine(r, s) *poss pron* (*substantivisch*) his.
der/die/das ~ (*geh*) his; **das S~ tun** (*geh*)
to do one's (*Brit*) his (*US*) bit; **er hat
das S~ getan** (*geh*) he did his bit; **jedem
das S~** each to his own; **sie ist die S~ geworden** (*liter*) she has become his (*liter*);
die S~n (*geh*) his family, his people;
(*auf ,,man" bezüglich*) one's (*Brit*) *or*
his (*US*) family *or* people; **das S~** (*geh:
Besitz*) what is his; (*auf ,,man" bezüglich*) what is one's own (*Brit*) *or* his
(*US*).
seinerseits *adv* (*von ihm*) on his part;
seinerzeit *adv* at that time;
seinerzeitig *adj attr* (*Aus*) then *attr*.
seines *poss pron siehe* **seine(r, s).**
seinesgleichen *pron inv* (*gleichgestellt*)
his equals *pl*; (*auf ,,man" bezüglich*)
one's (*Brit*) *or* his (*US*) equals;
(*gleichartig*) his kind *pl*; of one's own
kind; (*pej*) the likes of him *pl*. **jdn wie ~
behandeln** to treat sb as an equal *or* on
equal terms; **das hat nicht** *or* **sucht ~** it is
unparalleled.
seinethalben (*dated*), **seinetwegen** *adv*
    1. (*wegen ihm*) because of him, on

account of him, on his account; (*ihm zuliebe auch*) for his sake; (*um ihn*) about
him; (*für ihn*) on his behalf; **2.** (*von ihm
aus*) as far as he is concerned;
seinetwillen *adv*: **um ~** for his sake, for
him.
seinige *poss pron* **der/die/das ~** (*form,
old*) *siehe* **seine(r, s).**
seinlassen *vt sep irreg* **etw ~** (*aufhören*)
to stop sth/doing sth; (*nicht tun*) to drop
sth, to leave sth; **jdn/etw ~** to leave sb/
sth alone, to let sb/sth be; **laß es sein!**
stop that!; **du hättest es ~ sollen** you
should have left well alone; **sie kann es
einfach nicht ~** she just can't stop
herself.
seins *poss pron* his.
seismisch *adj* seismic.
Seismogramm *nt* seismogram.
Seismograph *m* seismograph.
Seismologie *f* seismology.
seit **I** *prep* +*dat* (*Zeitpunkt*) since;
(*Zeitdauer*) for, in (*esp US*). **~ wann?**
since when?; **~ Jahren** for years; **ich
habe ihn ~ Jahren nicht gesehen** I
haven't seen him for *or* in (*esp US*)
years; **ich bin ~ zwei Jahren hier** I have
been here for two years; **schon ~ zwei
Jahren nicht mehr** not for two years, not
since two years ago; **wir warten schon ~
zwei Stunden** we have been *or* we've
been waiting (for) two hours; **~ etwa
einer Woche** since about a week ago, for
about a week.
    II *conj* since.
seitdem **I** *adv* since then. **II** *conj* since.
Seite *f* -, -n **1.** (*auch Abstammungslinie,
Charakterzug*) side. **die hintere/vordere
~** the back/front; **zu** *or* **auf beiden ~n**
des Fensters/des Hauses/der Straße on
both sides of the window/house/street;
~ an ~ side by side; **an jds ~** (*dat*)**gehen**
to walk at *or* by sb's side *or* beside sb;
halt dich an meiner ~! stay by my side;
er ging *or* **wich uns nicht von der ~** he
never left our side; **jdn von der ~ ansehen** to give sb a sidelong glance; **auf die**
or **zur ~ gehen** *or* **treten** to step aside; **an
der ~ (einer Reihe) sitzen** to sit at the
end (of a row); **zur ~ sprechen/sehen** to
speak/look to one side; **zur ~** (*Theat*)
aside; **die ~n wechseln** (*Sport*) to change
ends *or* over; (*fig*) to change sides; **jdn
auf seine ~ bringen** *or* **ziehen** to get sb
on one's side; **auf einer ~ gelähmt sein**
to be paralyzed in one side; **die Hände in
die ~n gestemmt** with arms akimbo,
with one's hands on one's hips; **jedes
Ding** *or* **alles hat zwei ~n** there are two
sides to everything; **jdm zur ~ stehen**
(*fig*) to stand by sb's side; **auf jds** (*dat*) **~
stehen** *or* **sein** (*fig*) to be on one's side; **das
Recht ist auf ihrer ~** she has right on her
side; **etw auf die ~ legen** (*lit, fig*) to put
sth on one side, to put sth aside;
(*kippen*) to put sth on its side; **jdn zur ~
nehmen** to take sb aside *or* on one side;
**auf der einen ~..., auf der anderen (~)
...** on the one hand ..., on the other
(hand) ...; **jds starke ~** sb's forte, sb's
strong point; **jds schwache ~** sb's weakness, sb's weak spot; **sich von seiner be-**

sten ~ zeigen to show oneself at one's best; **neue ~n an jdm/etw entdecken** to discover new sides to sb/sth; **von dieser ~ kenne ich ihn gar nicht** I didn't know that side of him.

2. (*Richtung*) **von allen ~n** (*lit, fig*) from all sides; **nach allen ~n auseinandergehen** to scatter in all directions; **sich nach allen ~n umsehen/vergewissern** to look around on all sides/to check up on all sides; **er erfuhr es von dritter ~** (*fig*) he heard it from a third party; **bisher wurden von keiner ~ Einwände erhoben** so far no objections have been voiced from any quarter; **die Behauptung wurde von keiner ~/von allen ~n/von beiden ~n bestritten** nobody challenged the claim/the claim was challenged by all/both parties; **von meiner ~ aus** (*fig*) on my part.

3. (*Buch~, Zeitungs~*) page. **die erste/letzte ~** the first/last page; (*von Zeitung*) the front/back page.

seiten *prep* +*gen* **auf/von ~** on the part of.

Seiten- *in cpds* side; (*esp Tech, Sci*) lateral; **Seitenaltar** *m* side altar; **Seitenangabe** *f* page reference; **Seitenansicht** *f* side view; (*Tech*) side elevation; **Seitenarm** *m* branch, feeder; (*von Fluß*) branch; **Seitenausgang** *m* side exit; **Seitenblick** *m* sidelong glance; **mit einem ~ auf** (+*acc*) (*fig*) with one eye on; **Seiteneinsteiger(in** *f*) *m* (*fig*) person who comes in through the back door; **Seitenfläche** *f* (*Tech*) lateral face *or* surface; **Seitenflosse** *f* (*Aviat*) fin; **Seitenflügel** *m* side wing; (*von Altar*) wing; **Seitengang** *m* (*Naut*) side strake; (*Rail*) (side) corridor; **Seitengasse** *f* side-street, back-street; **Seitengebäude** *nt* side building; (*auf Hof*) outhouse; (*Anbau*) annex(e); **Seitengewehr** *nt* bayonet; **Seitenhieb** *m* (*Fechten*) side cut; (*fig*) side-swipe; **Seitenkante** *f* lateral edge; **Seitenlage** *f* side position; **in ~ schlafen** to sleep on one's side; **seitenlang** *adj* several pages long, going on for pages; **etw ~ beschreiben** to devote pages to describing sth; **sich ~ über etw** (*acc*) **auslassen** to go on for pages about sth; **Seitenlänge** *f* length of a/the side; **ein gleichseitiges Dreieck mit der ~ 4,5 cm** an equilateral triangle whose sides are 4.5 cm long; **Seitenlehne** *f* arm(rest); **Seitenleitwerk** *nt* (*Aviat*) rudder (assembly); **Seitenlinie** *f* **1.** (*Rail*) branch line; **2.** (*von Fürstengeschlecht*) collateral line; **3.** (*Tennis*) sideline; (*Ftbl*) touchline; **Seitenruder** *nt* (*Aviat*) rudder.

seitens *prep* +*gen* (*form*) on the part of.

Seitenscheitel *m* side parting (*Brit*), side part (*US*); **Seitenschiff** *nt* (*Archit*) (side) aisle; **Seitensprung** *m* (*fig*) bit on the side (*inf*) *no pl*, (little) infidelity; **die Versuchung, ~e zu machen** the temptation to have a bit on the side (*inf*); **Seitenstechen** *nt* stitch; **~ haben/bekommen** to have/get a stitch; **Seitenstraße** *f* side-street, side road; **Seitenstreifen** *m* verge; (*der Auto-*

bahn) hard shoulder, shoulder (*US*); **"~ nicht befahrbar"** "soft verges" (*Brit*), "soft shoulder" (*US*); **Seitental** *nt* valley; **Seitentasche** *f* side pocket; **Seitenteil** *m or nt* side; **seitenverkehrt** *adj* the wrong way round; **Seitenvorschub** *m* (*beim Drucker*) form feed; **Seitenwagen** *m* sidecar; **Seitenwand** *f* side wall; (*von Schiff*) side; **Seitenwände** *pl* (*Theat*) wings *pl*; **Seitenwechsel** *m* (*Sport*) changeover; **Seitenweg** *m* side road, byway, back road; **Seitenwind** *m* crosswind; **Seitenzahl** *f* **1.** page number; **2.** (*Gesamtzahl*) number of pages.

seither [zaitˈheːɐ] *adv* since then.

seitherig [zaitˈheːrɪç] *adj siehe* **bisherig**.

seitlich I *adj* lateral (*esp Sci, Tech*), side *attr*. **die ~e Begrenzung der Straße wird durch einen weißen Streifen markiert** the side of the road is marked by a white line.

II *adv* at the side; (*von der Seite*) from the side. **~ von** at the side of; **er ist mir ~ ins Auto gefahren** he crashed into the side of my car.

III *prep* +*gen* **to** *or* at the side of.

seitwärts *adv* sideways. **sich ~ halten** to keep to the side.

Sek., sek. *abbr of* **Sekunde** sec.

Sekans *m* -, - *or* **Sekanten, Sekante** *f* -, -n (*Math*) secant.

Sekret *nt* -(e)s, -e (*Physiol*) secretion.

Sekretär *m* **1.** secretary. **2.** (*Schreibschrank*) bureau, secretaire. **3.** (*Orn*) secretary-bird.

Sekretariat *nt* office.

Sekretärin *f* secretary.

Sekretion *f* (*Physiol*) secretion.

Sekt *m* -(e)s, -e sparkling wine, champagne.

Sekte *f* -, -n sect.

Sektfrühstück *nt* champagne breakfast; **Sektglas** *nt* champagne glass.

Sektierer(in *f*) *m* -s, - sectarian.

sektiererisch *adj* sectarian.

Sektierertum *nt* sectarianism.

Sektion *f* **1.** section; (: *Abteilung*) department. **2.** (*Obduktion*) post-mortem (examination), autopsy.

Sektionsbefund *m* post-mortem *or* autopsy findings *pl*; **Sektionschef(in** *f*) *m* (*von Abteilung*) head of department; **Sektionssaal** *m* dissection room; **sektionsweise** *adv* in sections.

Sektkelch *m* champagne flute.

Sektor *m* sector (*auch Comput*); (*Sachgebiet*) field.

Sektorengrenze *f* sector boundary.

Sektschale *f* champagne glass.

Sekunda *f* -, **Sekunden** (*Sch*) sixth and seventh year of German secondary school.

Sekundaner(in *f*) *m* -s, - (*Sch*) pupil in sixth and seventh year of German secondary school.

Sekundant(in *f*) *m* second.

sekundär *adj* secondary.

Sekundär- *in cpds* secondary.

Sekundarlehrer(in *f*) *m* (*Sw*) secondary *or* high (*esp US*) school teacher.

Sekundärliteratur *f* secondary literature.

Sekundärrohstoffe *mpl* secondary raw materials.

Sekundarschule *f (Sw)* secondary school; **Sekundarstufe** *f* secondary *or* high *(esp US)* school level.

Sekunde *f -, -n (auch Mus, Math)* second. **eine ~, bitte!** just a *or* one second, please; **auf die ~ genau** to the second.

Sekunden *pl of* **Sekunda, Sekunde.**

Sekundenbruchteil *m* split second, fraction of a second; **Sekundengeschwindigkeit** *f siehe* **Sekundenschnelle; sekundenlang I** *adj* of a few seconds; **II** *adv* for a few seconds; **Sekundenschnelle** *f:* **in ~** in a matter of seconds; **Sekundenzeiger** *m* second hand.

sekundieren* *vi +dat* to second; *(unterstützen auch)* to back up. **jdm (bei einem Duell) ~** to act as *or* be sb's second (in a duel).

selber *dem pron siehe* **selbst I.**

selbe(r, s) *pron siehe* **derselbe, dieselbe, dasselbe.**

Selbermachen *nt* do-it-yourself, DIY *(inf); (von Kleidern)* making one's own. **Möbel/Spielzeug zum ~** do-it-yourself furniture/build-it-yourself toys.

selbig *pron (obs, Bibl)* the same.

selbst I *dem pron* 1. **ich/er/sie/das Haus/die Katze ~** I myself/he himself/she herself/the house itself/the cat itself; **wir/Sie/sie/die Häuser ~** we ourselves/you yourselves/they themselves/the houses themselves; **er ist gar nicht mehr er ~** he's not himself any more; **du Esel! — ~ einer** *(inf)* you idiot! — same to you *(inf);* **sie ist die Güte/Tugend ~** she's kindness/virtue itself; **~ ist der Mann/die Frau!** self-reliance is the name of the game *(inf);* **er wäscht seine Wäsche ~** he does his washing himself, he does his own washing; **zu sich ~ kommen** to collect one's thoughts; **eine Sache um ihrer ~ willen tun** to do sth for its own sake; **sie tut mir ~ leid** I feel very sorry for her myself.

2. *(ohne Hilfe)* alone, by oneself/himself/yourself *etc*, on one's/his/your *etc* own.

3. **von ~** by myself/yourself/himself/itself/ourselves *etc;* **das funktoniert von ~** it works by itself *or* automatically; **das regelt sich alles von ~** it'll sort itself out (by itself); **er kam ganz von ~** he came of his own accord *or* off his own bat *(inf).*

II *adv* even. **~ der Minister/Gott** even the Minister/God (himself); **~ wenn** even if.

Selbst *nt, -, no pl* self.

Selbstachtung *f* self-respect, self-esteem.

selbständig *adj* independent; *(steuerlich)* self-employed; *(rare: getrennt)* separate. **~ denken** to think for oneself; **~ arbeiten/handeln** to work/act independently *or* on one's own; **~ sein** *(beruflich)* to have set up on one's own; **sich ~ machen** *(beruflich)* to set up on one's own, to start one's own business; *(hum)* to go off on its own; *(verschwinden)* to grow legs *(hum);* **das entscheidet er ~** he

decides that on his own *or* by himself *or* independently.

Selbständige(r) *mf decl as adj* independent businessman/woman; *(steuerlich)* self-employed person.

Selbständigkeit *f* independence. **~ im Denken lernen** to learn to think for oneself.

Selbstanklage *f* self-accusation; **Selbstanzeige** *f* 1. *(steuerlich)* voluntary declaration; 2. **~ erstatten** to come forward oneself; **Selbstaufopferung** *f* self-sacrifice; **Selbstauslöser** *m (Phot)* delayed-action shutter release, delay timer; **Selbstbedienung** *f* self-service; **Selbstbedienungsladen** *m* self-service shop *(esp Brit) or* store; **Selbstbefreiung** *f* self-liberation; *(Jur)* prison escape without outside assistance; **Selbstbefriedigung** *f* masturbation; *(fig auch)* self-gratification; **Selbstbefruchtung** *f (Biol)* self-fertilization; **Selbstbehauptung** *f* self-assertion; **Selbstbeherrschung** *f* self-control; **die ~ wahren/verlieren** to keep/lose one's self-control *or* temper; **Selbstbekenntnis** *nt* confession; **Selbstbeobachtung** *f* self-observation; **Selbstbesinnung** *f* self-contemplation; **zur ~ kommen** to reflect; **Selbstbespiegelung** *f (pej)* self-admiration; **Selbstbestätigung** *f* self-affirmation; **das empfand er als ~** it boosted his ego; **Selbstbestäubung** *f (Bot)* self-pollination; **Selbstbestimmung** *f* self-determination; **Selbstbestimmungsrecht** *nt* right of self-determination; **Selbstbeteiligung** *f (Insur)* (percentage) excess; **Selbstbetrug** *m* self-deception; **Selbstbeweihräucherung** *f (pej)* self-congratulation, self-adulation, self-admiration; **Selbstbewunderung** *f* self-admiration; **selbstbewußt** *adj* 1. *(selbstsicher)* self-assured, self-confident; *(eingebildet)* self-important; 2. *(Philos)* self-aware, self-conscious; **Selbstbewußtsein** *nt* 1. self-assurance, self-confidence; *(Einbildung)* self-importance; 2. *(Philos)* self-awareness, self-consciousness; **Selbstbildnis** *nt* self-portrait; **Selbstdarstellung** *f* self-portrayal; **Selbstdisziplin** *f* self-discipline; **Selbsteinschätzung** *f* self-assessment; **eine gesunde ~** a healthy self-awareness; **Selbstentfaltung** *f* self-development; *(Philos)* unfolding; **Selbstentzündung** *f* spontaneous combustion; **Selbsterfahrung** *f* self-awareness; **Selbsterfahrungsgruppe** *f* encounter group; **Selbsterhaltung** *f* self-preservation, survival; **Selbsterhaltungstrieb** *m* survival instinct, instinct of self-preservation; **Selbsterkenntnis** *f* self-knowledge; **~ ist der erste Schritt zur Besserung** *(prov)* self-knowledge is the first step towards self-improvement; **selbsternannt** *adj* self-appointed; *(in bezug auf Titel)* self-styled; **Selbsterniedrigung** *f* self-abasement; **Selbsterziehung** *f* self-discipline; **Selbstfahrer** *m* 1. *(Kranken-*

fahrstuhl) self-propelling wheelchair; **2.** *(auch* **Selbstfahrerin** *f) (Aut) person who drives a hired car himself;* **Autovermietung für** ~ self-drive car hire; **wir vermieten nur an** ~ we only have self-drive; **selbstfinanzierend** *adj* self-financing; **Selbstfinanzierung** *f* self-financing; **in/durch** ~ with one's own resources *or* means; **Selbstfindung** *f* finding one's self; **selbstgebacken** *adj* home-baked, home-made; **selbstgebaut** *adj* home-made, self-made; *Haus* self-built; **selbstgebraut** *adj Bier* home-brewed; **Selbstgedrehte** *f decl as adj* roll-up *(inf);* ~ **rauchen** to roll one's own; **selbstgefällig** *adj* self-satisfied, smug, complacent; **Selbstgefälligkeit** *f* self-satisfaction, smugness, complacency; **Selbstgefühl** *nt* self-esteem; **ein übertriebenes** ~ **besitzen** to have an exaggerated opinion of oneself, to have an oversized ego *(inf);* **selbstgemacht** *adj Möbel* home-made, self-made; *Marmelade* home-made; **selbstgenügsam** *adj* **1.** *(bescheiden)* modest (in one's demands); **2.** *(sich selbst genug)* self-sufficient; **Selbstgenügsamkeit** *f siehe adj* **1.** modesty (in one's demands); **2.** self-sufficiency; **selbstgerecht** *adj* self-righteous; **Selbstgerechtigkeit** *f* self-righteousness; **selbstgesponnen** *adj* homespun; **Selbstgespräch** *nt* ~**e führen** *or* **halten** to talk to oneself; **selbstgestrickt** *adj* **1.** *Pullover* hand-knitted; **ist das** ~? did you knit it yourself?; **2.** *Methode* homespun, amateurish; **Selbsthaß** *m* self-hate, self-hatred; **Selbstheilungskraft** *f* self-healing power; **selbstherrlich** *adj (pej)* **1.** *(eigenwillig)* high-handed; **2.** *(selbstgefällig, selbstgerecht)* self-satisfied; **Selbstherrlichkeit** *f (pej) siehe adj* **1.** high-handedness; **2.** self-satisfaction; **Selbsthilfe** *f* self-help; **zur** ~ **greifen** to take matters into one's own hands; **Selbsthilfegruppe** *f* self-help group; **Selbstironie** *f* self-mockery, self-irony.

selbstisch *adj (geh)* selfish.

Selbstisolierung *f* self-isolation; **Selbstjustiz** *f* arbitrary law; ~ **üben** to take the law into one's own hands; **Selbstklebeetikett** *nt* self-adhesive label; **selbstklebend** *adj* self-adhesive; **Selbstkontrolle** *f* check on oneself; *(von Computer)* automatic check; **zur** ~ to keep a check on oneself; **der Computer hat** ~ the computer is self-checking *or* has an automatic check; **Selbstkosten** *pl (Econ)* prime costs *pl;* **Selbstkostenbeteiligung** *f (Insur)* excess; **Selbstkostenpreis** *m* cost price; **zum** ~ at cost; **Selbstkritik** *f* self-criticism; **selbstkritisch** *adj* self-critical; **Selbstlader** *m* -s, - self-loader, semi-automatic weapon *or* firearm; **Selbstlaut** *m* vowel; **Selbstlerner(in** *f) m* autodidact *(form);* **er ist** ~ he is self-taught; **dies Buch ist geeignet für** ~ this book is suitable for people teaching themselves; **Selbstlob** *nt siehe* **Eigenlob**; **selbstlos** *adj* selfless; **Selbstlosigkeit** *f* selflessness; **Selbst-**

mitleid *nt* self-pity; **Selbstmord** *m (lit, fig)* suicide; **Selbstmörder(in** *f) m* suicide. **ich bin doch kein** ~! *(inf)* I have no desire to commit suicide; **selbstmörderisch** *adj (lit, fig)* suicidal. **in** ~**er Absicht** intending to commit suicide; **Selbstmordgedanken** *pl* suicidal thoughts *pl;* **sich mit** ~ **tragen** to contemplate suicide; **selbstmordgefährdet** *adj* suicidal; **Selbstmordkommando** *nt* suicide squad; **Selbstmordversuch** *m* suicide attempt, attempted suicide; **Selbstporträt** *nt siehe* **Selbstbildnis**; **selbstquälerisch** *adj* self-tormenting; **selbstredend** *adv* of course, naturally; **Selbstregierung** *f* self-government; **Selbstreinigungskraft** *f* self-purifying power; **selbstschuldnerisch** *adj (Jur) Bürgschaft* directly enforceable; *Bürge* directly suable; **Selbstschuß** *m* set-gun, spring-gun; **Selbstschutz** *m* self-protection; **selbstsicher** *adj* self-assured, self-confident; **Selbstsicherheit** *f* self-assurance, self-confidence; **Selbststudium** *nt* private study; **etw im** ~ **lernen** to learn sth by studying on one's own; **Selbstsucht** *f* egoism; **selbstsüchtig** *adj* egoistic; **selbsttätig** *adj* **1.** *(automatisch)* automatic, self-acting; **damit sich nicht** ~ **ein Schuß lösen kann** so that a gun can't fire by itself; **2.** *(eigenständig)* independent; **Selbsttäuschung** *f* self-deception; **Selbsttest** *m (von Maschine)* self-test; **Selbsttor** *nt siehe* **Eigentor**; **Selbsttötung** *f* suicide; **Selbstüberschätzung** *f* over-estimation of one's abilities; **das ist eine** ~, **wenn er meint ...** he's over-estimating himself *or* his abilities if he thinks ...; **Selbstüberwindung** *f* will-power; **das war echte** ~ that shows real will-power; **Selbstverachtung** *f* self-contempt; **Selbstverbraucher(in** *f) m* **Verkauf nur an** ~ goods not for resale; **Selbstverbrennung** *f* **sich durch** ~ **töten** to burn oneself to death; **selbstverdient** *adj* ~**es Geld** money one has earned oneself; **sein** ~**es Motorrad** the motorbike he bought with the money he earned; **selbstverfaßt** *adj* of one's own composition; **alle seine Reden sind** ~ he writes all his speeches himself; **selbstvergessen** *adj* absent-minded; *Blick* faraway; ~ **dasitzen** to sit there lost to the world; **Selbstvergessenheit** *f* absent-mindedness; **Selbstverlag** *m* **im** ~ **erschienen** published oneself *or* at one's own expense; **Selbstverleugnung** *f* self-denial; **Selbstvernichtung** *f* self-destruction; **Selbstverschulden** *nt* one's own fault; **wenn** ~ **vorliegt ...** if the claimant is himself at fault ...; **selbstverschuldet** *adj* **wenn der Unfall/Verlust** ~ **ist** if the claimant is himself responsible *or* to blame for the accident/loss; **Selbstversicherung** *f* personal insurance; **Selbstversorger(in** *f) m* **1.** ~ **sein** to be self-sufficient *or* self-reliant; **2.** *(im Urlaub)* self-caterer; **Appartements/**

Urlaub für ~ self-catering apartments/ holiday; **Selbstversorgung** f self-sufficiency, self-reliance; (in Urlaub) self-catering; **selbstverständlich I** adj Freundlichkeit natural; Wahrheit self-evident; das ist doch ~! that goes without saying, that's obvious; **vielen Dank für Ihre Hilfe — aber das ist doch ~** thanks for your help — it's no more than anybody would have done; **kann ich mitkommen? — aber das ist doch ~** can I come too? — but of course; das ist keineswegs ~ it's by no means a matter of course, it cannot be taken for granted; etw für ~ halten to take sth for granted; **II** adv of course; wie ~ as if it were the most natural thing in the world; **Selbstverständlichkeit** f naturalness; (Unbefangenheit) casualness no indef art; (von Wahrheit) self-evidence; (selbstverständliche Wahrheit) self-evident truth; **nichts zu danken, das wäre doch eine ~** think nothing of it, it was no more than anyone would have done; **etw für eine ~ halten** to take sth as a matter of course; **das sind heute ~en** those are things we take for granted today; **Selbstverständnis** nt jds ~ the way sb sees himself/herself; **nach seinem eigenen ~** as he sees himself; **Selbstverstümmelung** f self-inflicted wound; (das Verstümmeln) self-mutilation; **Selbstversuch** m experiment on oneself; **Selbstverteidigung** f self-defence; **Selbstvertrauen** nt self-confidence; **Selbstverwaltung** f self-administration; (Verwaltungskörper) self-governing body; **Selbstverwirklichung** f self-realization; **Selbstvorwurf** m self-reproach; **Selbstwählferndienst** m (Telec) automatic dialling service, subscriber trunk dialling (Brit), STD (Brit); **Selbstwählfernverkehr** m (Telec) automatic dialling, STD system (Brit); **Selbstwertgefühl** nt feeling of one's own worth or value, self-esteem; **selbstzerstörerisch** adj self-destructive; **Selbstzerstörung** f self-destruction; **selbstzufrieden** adj self-satisfied; **Selbstzufriedenheit** f self-satisfaction; **selbstzündend** adj self-igniting; **Selbstzweck** m end in itself; **als ~** as an end in itself.

selchen vti (S Ger, Aus) Fleisch to smoke.

Selchfleisch nt (S Ger, Aus) smoked meat.

selektieren* vt to select.

Selektion f selection.

selektiv adj selective.

Selektivität [zelektivi'tɛːt] f (Rad) selectivity; (fig) selectiveness.

Selen nt -s, no pl (abbr Se) selenium.

selig adj 1. (Rel) blessed; (old: verstorben) late. ~ die Armen im Geiste, denn ... (Bibl) blessed are the poor in spirit, for ... (Bibl); **bis an mein ~es Ende** (old, hum) until the day I die; **mein Vater ~** (old), **mein ~er Vater** (old) my late father; **~ entschlafen** (liter) departed this life; **Gott hab ihn ~** (old) God rest his soul.

2. (überglücklich) overjoyed; Lächeln

auch beatific (liter); Stunden blissful; (inf: beschwipst) tipsy (inf), merry (inf).

Selige(r) mf decl as adj 1. (Eccl) blessed (inf). die ~n the Blessed. 2. (old) mein/ Ihr ~r my/your late husband.

Seligkeit f 1. (Rel) salvation. ewige ~ eternal salvation. 2. (Glück) (supreme) happiness, bliss.

seligpreisen vt sep irreg 1. (Bibl) to bless; 2. (liter: verherrlichen) to glorify; **seligsprechen** vt sep irreg (Eccl) to beatify; **Seligsprechung** f (Eccl) beatification.

Sellerie m -s, -(s) or f -, - celeriac; (Stangen~) celery.

selten I adj rare; (kaum vorkommend auch) scarce. du bist ja in letzter Zeit ein **~er Gast** you're a stranger here these days. **II** adv (nicht oft) rarely, seldom; (besonders) exceptionally. nur/höchst ~ very/extremely rarely or seldom; ~ so **gelacht!** (inf) what a laugh! (inf).

Seltenheit f 1. no pl (seltenes Vorkommen) rareness, rarity. 2. (seltene Sache) rarity. das ist keine ~ bei ihr it's nothing unusual with her.

Seltenheitswert m rarity value.

Selters nt -, - (inf), **Selter(s)wasser** nt soda (water).

seltsam adj strange; (komisch auch) odd, peculiar. ~ berührt strangely moved.

seltsamerweise adv strangely enough.

Seltsamkeit f 1. no pl (Sonderbarkeit) strangeness, oddness, peculiarity. 2. (seltsame Sache) oddity.

Semantik f semantics sing.

semantisch adj semantic.

Semaphor [zema'foːɐ̯] nt or m -s, -e (Naut, Rail) semaphore.

Semasiologie f (Ling) semasiology.

Semester nt -s, - (Univ) semester (US), term (of a half-year's duration). im 7./8. ~ sein to be in one's 4th year; die älteren ~ the older or senior students; ein älteres ~ a senior student; (hum) an old boy/girl.

Semesterferien pl (Univ) vacation sing; **Semesterschluß** m (Univ) end of term, end of the semester (US).

Semi- in cpds semi-; **Semifinale** ['zeːmiː-] nt (Sport) semifinal(s); **Semikolon** [zemi'koːlɔn] nt -s, -s or -kola semicolon.

Seminar nt -s, -e or (Aus) -ien [-iən] 1. (Univ) department; (~übung) seminar. 2. (Priester~) seminary. 3. (Lehrer~, Studien~) teacher training college, college of education.

Seminararbeit f seminar paper.

Seminarist m (Eccl) seminarist.

Seminarschein m (Univ) certificate of attendance for one semester (US) or half-year; **Seminarübung** f (Univ) seminar.

Semiologie f semiology.

Semiotik f semiotics sing.

semipermeabel adj semipermeable.

Semit(in f) m -en, -en Semite.

semitisch adj Semitic.

Semmel f -, -n (dial) roll. geriebene ~ breadcrumbs pl.

semmelblond adj (dated) flaxen-haired;

Semmelbrösel(n) *pl* breadcrumbs *pl*; **Semmelknödel** (*S Ger, Aus*) *m* bread dumpling; **Semmelmehl** *nt* breadcrumbs *pl*.

sen. *abbr of* **senior** sen.

Senat *m* -(e)s, -e **1.** (*Pol, Univ*) senate. **2.** (*Jur*) Supreme Court.

Senator *m*, **Senatorin** *f* senator.

Senats- *in cpds* of the senate; **Senatsausschuß** *m* senate committee; **senatseigen** *adj* belonging to the senate.

Sendeanlage *f* transmitting installation; **Sendeantenne** *f* transmitting aerial; **Sendebereich** *m* transmission range; **Sendefolge** *f* **1.** (*Sendung in Fortsetzungen*) series *sing*; (*einzelne Folge*) episode; **2.** (*Programmfolge*) programmes *pl*; **Sendegebiet** *nt* transmission area; **Sendeleiter(in** *f*) *m* producer.

senden[1] *pret* **sandte** *or* **sendete**, *ptp* **gesandt** *or* **gesendet** **I** *vt* to send (*an* +*acc* to). **jdm etw** ~ to send sb sth, to send sth to sb. **II** *vi* **nach jdm** ~ to send for sb.

senden[2] *vti* (*Rad, TV*) to broadcast; *Signal etc* to transmit.

Sendepause *f* interval. **danach tritt eine** ~ **bis 6 Uhr ein** afterwards we shall be going off the air until 6 o'clock; **auf meine Frage hin herrschte** ~ my question was met by deathly silence.

Sender *m* -s, - transmitter; (~*kanal*) (*Rad*) station; (*TV*) channel (*Brit*), station (*esp US*). **der** ~ **Prag** Radio Prague.

Senderaum *m* studio; **Sendereihe** *f* (radio/television) series.

Sendereinstellung *f* tuning; **Sender-Empfänger** *m* transceiver; **Sender-suchlauf** *m* search tuning.

Sendesaal *m* studio; **Sendeschluß** *m* (*Rad, TV*) closedown, end of broadcasts; **und nun bis** ~ and now until we close down; **Sendeturm** *m* radio tower; **Sendezeichen** *nt* call sign; **Sendezeit** *f* broadcasting time; **und damit geht unsere heutige** ~ **zu Ende** and that concludes our programmes for today; **in der besten** ~ in prime time.

Sendschreiben *nt* (*liter*) circular letter.

Sendung *f* **1.** *no pl* (*das Senden*) sending. **2.** (*Post~*) letter; (*Päckchen*) packet; (*Paket*) parcel; (*Comm*) consignment. **3.** (*Rad, TV*) programme; (*Rad auch*) broadcast; (*das Senden*) broadcasting; (*von Signal*) transmission; **auf** ~ **gehen/sein** to go/be on the air. **4.** (*liter: Aufgabe*) mission.

Sendungsbewußtsein *nt* sense of mission.

Seneszenz *f* (*Med*) senescence.

Senf *m* -(e)s, -e mustard. **seinen** ~ **dazugeben** (*inf*) to get one's three ha'p'orth in (*Brit inf*), to have one's say.

senffarben, **senffarbig** *adj* mustard (-coloured); **Senfgas** *nt* (*Chem*) mustard gas; **Senfgurke** *f* gherkin pickled with *mustard seeds*; **Senfkorn** *nt* mustard seed; **Senfmehl** *nt* flour of mustard; **Senfpackung** *f* (*Med*) mustard poultice; **Senfsoße**, **Senftunke** (*dial*) *f* mustard sauce; **Senfumschlag** *m* (*Med*)

mustard poultice.

Senge *pl* (*dated inf*) ~ **kriegen** to get a good hiding.

sengen **I** *vt* to singe. **II** *vi* to scorch. ~**d und brennend** (*old, liter*) with fire and sword.

senil *adj* (*pej*) senile.

Senilität *f*, *no pl* (*pej*) senility.

senior *adj* **Franz Schulz** ~ Franz Schulz senior.

Senior *m* **1.** (*auch* ~**chef**) boss, old boy (*inf*). **kann ich mal den** ~ **sprechen?** can I speak to Mr X senior? **2.** (*Sport*) senior player. **die** ~**en** the seniors, the senior team. **3.** ~**en** *pl* senior citizens *pl*; (*hum*) old folk *pl*.

Seniorenhotel *nt* hotel for the elderly; **Seniorenkarte** *f* pensioner's *or* senior citizen's ticket; **Seniorenmannschaft** *f* senior team; **Seniorenpaß** *m* senior citizen's travel pass; **Senioren-(wohn)haus**, **Senioren(wohn)heim** *nt* old people's home.

Seniorpartner(in *f*) *m* senior partner.

Senkblei *nt siehe* **Senklot.**

Senke *f* -, -n valley.

Senkel *m* -s, - **1.** lace. **2.** *siehe* **Senklot.**

senken **I** *vt* to lower; *Lanze, Fahne* to dip; *Kopf* to bow; *Preis, Steuern auch* to decrease; (*Tech*) *Schraube, Loch, Schacht* to sink; (*Hort*) *Schößlinge, Wurzeln* to plant.

II *vr* to sink; (*Decke*) to sag; (*Grab, Haus, Boden, Straße auch*) to subside; (*Flugzeug*) to descend; (*Wasserspiegel auch*) to go down, to drop, to fall; (*Stimme*) to drop; (*liter: Nacht*) to fall, to descend (*über, auf* +*acc* on). **dann senkte sich ihr Blick** then she looked down, then she lowered her eyes *or* her gaze (*liter*).

Senkfuß *m* (*Med*) fallen arches *pl*; **Senkfußeinlage** *f* arch support; **Senkgrube** *f* cesspit; **Senkkasten** *m* caisson; **Senkkopfschraube** *f* countersunk screw; **Senklot** *nt* plumbline; (*Gewicht*) plummet.

senkrecht *adj* vertical; (*Math*) perpendicular. **immer schön** ~ **bleiben!** (*inf*) keep your end up (*inf*).

Senkrechte *f* *decl as adj* vertical; (*Math*) perpendicular.

Senkrechtstarter *m* (*Aviat*) vertical take-off aircraft; (*fig inf*) (*auch* ~**in** *f*) whizz kid (*inf*).

Senkung *f* **1.** sinking; (*von Boden, Straße*) subsidence; (*von Wasserspiegel*) fall (*gen* in), drop (*gen* in); (*als Maßnahme*) lowering; (*von Decke*) sag(ging); (*von Stimme*) lowering; (*von Preisen*) lowering (*von* of), decrease (*von* in).

2. (*Poet*) thesis.

3. (*Med*) *siehe* **Blutsenkung.**

Senn *m* -(e)s, -e, **Senne** *m* -n, -n (*S Ger, Aus*) *siehe* **Senner.**

Senne *f* -, -n (*S Ger, Aus*) Alpine pasture.

Senner *m* -s, - (Alpine) dairyman.

Sennerei *f* (*Gebäude*) Alpine dairy; (*Wirtschaftsform*) Alpine dairy farming.

Sennerin *f* (Alpine) dairymaid.

Sennhütte *f* Alpine dairy hut.

Sensation f sensation.

sensationell [zɛnzatsio'nɛl] adj sensational.

Sensationsblatt nt scandal sheet; **Sensationsgier** f (pej) sensation-seeking; **aus ~** for the sheer sensation; **Sensationslust** f desire for sensation; **sensationslüstern** adj sensation-seeking; **sensationslustig** adj sensation-loving; **Sensationsmache** f (inf) sensationalism; **Sensationsmeldung, Sensationsnachricht** f sensational news sing; **eine ~** a sensation, a scoop, a sensational piece of news; **Sensationspresse** f sensational papers pl, yellow press; **Sensationsprozeß** m sensational trial.

Sense f -, -n 1. scythe. 2. (inf) jetzt/dann ist ~! that's the end!; **es ist nichts mehr da, ~!** there's none left, all gone!

Sensenmann m (liter) Death no art, Reaper (liter).

sensibel adj sensitive; (heikel auch) problematic, delicate.

sensibilisieren* vt to sensitize.

Sensibilisierung f sensitization.

Sensibilität f sensitivity; (Feingefühl auch) sensibility.

sensitiv adj (geh) sensitive.

Sensitivität f (geh) sensitivity.

Sensor m sensor.

sensoriell adj siehe **sensorisch.**

sensorisch adj sensory.

Sensortaste f touch-sensitive button.

Sensualismus m (Philos) sensualism, sensationalism.

Sensualität f sensuality.

sensuell adj siehe **sensorisch.**

Sentenz f aphorism.

sentenziös adj sententious.

Sentiment [säti'mã:] nt -s, -s (liter) siehe **Empfindung.**

sentimental, sentimentalisch (old) adj sentimental.

Sentimentalität f sentimentality.

separat adj separate; (in sich abgeschlossen) Wohnung, Zimmer self-contained.

Separatfriede(n) m separate peace.

Separatismus m (Pol) separatism.

Separatist(in f) m (Pol) separatist.

separatistisch adj (Pol) separatist.

Séparée [zepa're:] nt -s, -s private room; (Nische) private booth.

sepia adj inv sepia.

Sepia f -, **Sepien** [-iən] 1. (Zool) cuttlefish. 2. no pl (Farbstoff) sepia (ink).

Sepiaschale f cuttle-fish shell; **Sepiazeichnung** f sepia (drawing).

Sepsis f -, **Sepsen** (Med) sepsis.

September m -(s), - September; siehe auch **März.**

Septett nt -(e)s, -e (Mus) septet(te).

Septime f -, -n, **Septim** f -, -en (Aus) (Mus) seventh.

septisch adj septic.

sequentiell adj sequential.

Sequenz f sequence; (Cards auch) flush, run.

sequestrieren* vt (Jur) to sequester, to sequestrate.

Sera pl of **Serum.**

Serail [ze'ra:j, ze'rai(l)] nt -s, -s seraglio.

Seraph ['ze:raf] m -s, -e or -im [-i:m] ser-

aph.

Serbe m -n, -n Serbian.

Serbien ['zɛrbiən] nt -s Serbia.

Serbin f Serbian (woman/girl).

serbisch adj Serbian.

Serbokroatisch(e) nt Serbo-Croat; siehe auch **Deutsch(e).**

Seren pl of **Serum.**

Serenade f serenade.

Serie ['ze:riə] f series sing; (von Waren auch) line; (Billard) break. **in ~ gehen** to go into production, to go onto the production line; **in ~ hergestellt werden** to be mass-produced; **das Gesetz der ~** the law of averages.

seriell adj Herstellung series attr; (Comput) serial. **~ hergestellt werden** to be mass-produced; **~e Musik** serial music.

Serien- ['ze:riən-]: **Serienfabrikation, Serienfertigung** f series production; **Serienherstellung** f series production; **serienmäßig I** adj Autos production attr; Ausstattung standard; Herstellung series attr; **II** adv herstellen in series; **das wird ~ eingebaut** it's a standard fitting; **Seriennummer** f serial number; **Serienproduktion** f series production; **in ~ gehen** to go into production, to go onto the production line; **serienreif** adj (Aut) ready to go into production; **Serienschaltung** f (Elec) series connection; **serienweise** adv produzieren in series; (inf: in Mengen) wholesale.

Serigraphie f 1. (Verfahren) silk-screen printing, serigraphy (spec). 2. (Bild) silk-screen print, serigraph (spec).

seriös adj serious; (anständig) respectable; Firma reputable.

Seriosität f siehe **seriös** seriousness; respectability; reputableness.

Sermon m -s, -e (pej) sermon, lecture.

Serodiagnostik f serodiagnosis.

Serologie f serology.

serologisch adj serological.

Serpentine f winding road, zigzag; (Kurve) double bend. **die Straße führt in ~n den Berg hinauf** the road winds or zigzags its way up the mountain.

Serpentinenstraße f winding or serpentine road.

Serum nt -s, **Seren** or **Sera** serum.

Serumbehandlung, Serumtherapie f serotherapy, serum-therapy.

Service¹ [zɛr'vi:s] nt -(s), - [auch zɛr'vi:sə] (Geschirr) dinner/coffee etc service; (Gläser~) set.

Service² ['sə:vɪs] m or nt -, -s (Comm, Sport) service; (Sport auch) serve.

servieren* [zɛr'vi:rən] **I** vt to serve (jdm etw sb sth, sth to sb); (inf: anbieten) to serve up (inf) (jdm for sb). **jdm den Ball ~** (Ftbl etc) to pass the ball to sb; (Tennis) to hit the ball right to sb; **er bekam den Ball toll serviert** the ball was beautifully set up for him.

    II vi to serve. **es ist serviert!** lunch/dinner etc is served.

Serviererin f waitress.

Servier- [zɛr'vi:r-]: **Serviertisch** m serving table; **Serviertochter** f (Sw) waitress; **Servierwagen** m trolley.

Serviette [zɛr'viːtə] *f* serviette, napkin.
Serviettenring *m* serviette *or* napkin ring.
servil [zɛr'viːl] *adj* (*geh*) servile.
Servilität [zɛrvili'tɛːt] *f* (*geh*) servility.
Servo- ['zɛrvo-] (*Tech*): **Servobremse** *f* power *or* servo(-assisted) brake; **Servolenkung** *f* power *or* servo(-assisted) steering.
Servus ['zɛrvʊs] *interj* (*Aus, S Ger*) (*beim Treffen*) hello; (*beim Abschied*) goodbye, so long (*inf*), cheerio (*Brit inf*).
Sesam *m* -s, -s sesame. ~, **öffne dich!** open Sesame!
Sessel *m* -s, - easy chair; (*Polstersessel*) armchair; (*Aus: Stuhl*) chair.
Sessellehne *f* (chair) arm; **Sessellift** *m* chairlift.
seßhaft *adj* settled; (*ansässig*) resident. ~ **werden, sich ~ machen** to settle down.
Seßhaftigkeit *f*, *no pl* settled form of existence; (*von Lebensweise*) settledness.
Session *f siehe* **Sitzungsperiode**.
Set *m or nt* -s, -s **1.** set. **2.** (*Deckchen*) place mat, tablemat.
Setter *m* -s, - setter.
Setzei *nt* fried egg.
setzen I *vt* **1.** (*hintun, hinbringen*) to put, to place, to set; (*sitzen lassen*) to sit, to place, to put. **etw auf die Rechnung/Speisekarte** ~ to put sth on the bill/ menu; **etw an den Mund/die Lippen** ~ to put sth to one's mouth/lips; **jdn an Land** ~ to put *or* set sb ashore; **jdn über den Fluß** ~ to take sb across the river; **Fische in einen Teich** ~ to stock a pond with fish; **ein Stück auf den Spielplan** ~ to put on a play; **etw auf die Tagesordnung** ~ to put sth on the agenda; **etw in die Zeitung** ~ to put sth in the paper; **sich** (*dat*) **etw in den Kopf** *or* **Schädel** (*inf*) ~ to take sth into one's head; **dann setzt es was** *or* **Hiebe** *or* **Prügel** (*all inf*) there'll be trouble; **seine Hoffnung/sein Vertrauen in jdn/etw** ~ to put *or* place one's hopes/trust in sb/sth; **seinen Ehrgeiz in etw** (*acc*) ~ to make sth one's goal; **sein Leben an etw** (*acc*) ~ (*geh*) to devote one's life to sth.
2. (*Hort: pflanzen*) to set, to plant; (*aufziehen*) Ständer, Laternen to put up; (*Naut*) Segel to set; (*Typ*) to set; (*geh: formulieren*) Worte to choose. **ein Gedicht/einen Text in Musik** ~ to set a poem/words to music.
3. Preis, Summe to put (*auf* +acc on); (*bei Gesellschaftsspielen*) Stein, Figur to move. **Geld auf ein Pferd** ~ to put *or* place *or* stake money on a horse; **auf seinen Kopf sind 100.000 Dollar gesetzt** there's 100,000 dollars on his head.
4. (*errichten, aufstellen*) to build; Denkmal auch to erect, to put *or* set up; (*fig*) Norm to set. **jdm ein Grabmal/Denkmal** ~ to put *or* set up *or* build a monument to sb.
5. (*schreiben*) Komma, Punkt to put. **seinen Namen unter etw** (*acc*) ~ to put one's signature to sth.
6. (*bestimmen*) Ziel, Grenze, Termin to set; (*annehmen*) Hypothese to

assume, to posit (*form*). **jdm/sich ein Ziel/eine Frist** ~ to set sb/oneself a goal/ deadline; **den Fall** ~ to make the assumption; **sei gesetzt**.
7. (*Hunt: gebären*) to bear, to produce.
8. **jdm eine Spritze** ~ to give sb an injection; **sich** (*dat*) **einen Schuß** ~ (*sl*) to shoot up (*sl*).
II *vr* **1.** (*Platz nehmen*) to sit down; (*Vogel*) to perch, to alight. **sich auf einen Stuhl/seinen Platz** ~ to sit down on a chair/at one's place; **sich ins Auto** ~ to get into the car; **sich in die Sonne/ins Licht** ~ to sit in the sun/light; **sich jdm auf den Schoß** ~ to sit on sb's lap; **sich zu jdm** ~ to sit with sb; **wollen Sie sich nicht zu uns** ~? won't you join us?; **darf ich mich zu Ihnen** ~? may I join you?; **bitte** ~ **Sie sich** please sit down, please take a seat; **setz dich doch** sit yourself down (*inf*).
2. (*Kaffee, Tee, Lösung*) to settle.
3. (*sich festsetzen: Staub, Geruch, Läuse*) to get (*in* +acc into).
III *vi* **1.** (*bei Glücksspiel, Wetten*) to bet. **auf ein Pferd** ~ to bet on *or* to place a bet on *or* to back a horse; **auf jdn/etw** ~ (*lit, fig*) to put one's money on sb/sth, to back sb/sth; **hoch/niedrig** ~ to play for high/low stakes.
2. (*Typ*) to set.
3. (*springen*) (*Pferd, Läufer*) to jump; (*Mil*) to cross. **über einen Graben/Zaun/ ein Hindernis** ~ to jump (over) *or* clear a ditch/fence/hurdle; **über einen Fluß** ~ to cross a river.
Setzer(in *f*) *m* -s, - (*Typ*) compositor, typesetter, comp (*Typ sl*).
Setzerei *f*, **Setzersaal** *m* (*Typ*) composing room, caseroom.
Setzfehler *m* (*Typ*) printer's error, literal; **Setzkasten** *m* case; **Setzlatte** *f* (*Surv*) aligning pole; **Setzling** *m* **1.** (*Hort*) seedling; **2.** (*Fisch*) fry; **Setzschiff** *nt* (*Typ*) galley; **Setzwaage** *f* spirit level.
Seuche *f* -, -n epidemic; (*fig pej*) scourge.
seuchenartig *adj* epidemic; **sich** ~ **ausbreiten** to spread like the plague; **Seuchenbekämpfung** *f* epidemic control; **Seuchengebiet** *nt* epidemic *or* infested area *or* zone; **Seuchengefahr** *f* danger of epidemic; **Seuchenherd** *m* centre of an/the epidemic.
seufzen *vti* to sigh.
Seufzer *m* -s, - sigh.
Sex [*auch* sɛks] *m* -(es), *no pl* sex. **sie hat viel** ~ she's very sexy.
Sex-Appeal [-ə'piːl] *m* -s, *no pl* sex appeal; **Sexbombe** *f* (*inf*) sex bomb (*inf*); **Sexfilm** *m* sex film, skin flick (*sl*); **Sexfoto** *nt* sexy photo.
Sexismus *m* sexism.
Sexist(in *f*) *m* sexist.
sexistisch *adj* sexist.
Sexkontrolle *f* sex check; **Sexmagazin** *nt* sex magazine; **Sexmuffel** *m* (*hum inf*) sexless person; **Sexobjekt** *nt* sex object.
Sexologe *m*, **Sexologin** *f* sexologist.
Sexologie *f* sexology.
Sexprotz *m* (*hum inf*) sexual athlete; **Sexshop** ['zɛksʃɔp] *m* sex shop.

Sexta f -, **Sexten** (*Sch*) ≃ *first year in a German secondary school*; *top year in an Austrian secondary school*.

Sextaner(in f) m -s, - *pupil in the first year of a German secondary school*; *pupil in the top year of an Austrian secondary school*.

Sextanerblase f (*hum inf*) weak *or* Chinese (*hum sl*) bladder.

Sextant m (*Naut*) sextant.

Sexte f -, -n (*Mus*) sixth.

Sexten pl of **Sexta**.

Sextett nt -(e)s, -e (*Mus*) sextet(te).

Sextourismus m sex tourism; **Sextourist(in** f) m sex tourist.

sexual adj (*rare*) sexual.

Sexualempfinden nt sexual feeling; **Sexualerziehung** f sex education; **Sexualforscher(in** f) m sexologist; **Sexualforschung** f sexology; **Sexualhormon** nt sex hormone; **Sexualhygiene** f sex(ual) hygiene.

sexualisieren* vt to eroticize.

Sexualisierung f eroticization.

Sexualität f, no pl sexuality.

Sexualkunde f (*Sch*) sex education; **Sexualleben** nt sex life; **Sexualmoral** f sexual morals pl; **Sexualmord** m sex killing; **Sexualmörder** m sex murderer; **Sexualobjekt** nt sex object; **Sexualpädagogik** f sex education; **Sexualpartner(in** f) m sexual partner; **Sexualpraktik** f usu pl sexual practices pl; **Sexualtrieb** m sex(ual) drive; **Sexualwissenschaft** f sexology.

sexuell adj sexual.

Sexus m -, - (*geh*) sexuality.

sexy ['sɛksi, 'zɛksi] adj pred (*inf*) sexy (*inf*).

Sezession f secession.

Sezessionist(in f) m secessionist.

sezessionistisch adj secessionist.

Sezessionskrieg m American Civil War.

sezieren* vti (*lit, fig*) to dissect.

Seziersaal m dissecting room.

SFB [ɛslɛf'be:] m - abbr of **Sender Freies Berlin**.

S-förmig ['ɛs-] adj S-shaped.

sfr abbr of **Schweizer Franken** sfr.

Sgraffito [sgra'fi:to] nt -s, -s or **Sgraffiti** [sgra'fi:ti] (*Art*) sgraffito.

Shakehands ['ʃeːkhɛnts] nt -, - (*inf*) handshake. ~ **machen** to shake hands, to press the flesh (*hum inf*).

Shakespearebühne ['ʃeːkspiːɐ-] f Elizabethan stage.

Shakespearesch, Shakespearisch ['ʃeːkspiːrɛʃ, -ɪʃ] adj Shakespearean.

shampoo(n) [ʃam'puː(n), ʃam'poː(n), 'ʃampoː(n)] nt -s, -s shampoo.

shampoonieren* [ʃampu'niːrən, ʃampo'n-] vt to shampoo.

Sheriff ['ʃɛrɪf] m -s, -s sheriff.

Sherpa ['ʃɛrpa] m -s, -s Sherpa.

Sherry ['ʃɛri] m -s, -s sherry.

Shetland- ['ʃɛtlant-]: **Shetlandinseln** pl Shetland Islands pl, Shetlands pl; **Shetlandpony** nt Shetland pony; **Shetlandwolle** f Shetland wool.

Shopping-Center ['ʃɔpɪŋsɛntɐ] nt shopping centre.

Shorts [ʃoːɐts, ʃɔrts] pl (pair of) shorts pl.

Shorty ['ʃoːɐti, 'ʃɔrti] nt -s, -s or **Shorties** shorty pyjamas pl.

Show [ʃoː] f -, -s show. **eine ~ abziehen** (*inf*) to put on a show (*inf*).

Showgeschäft nt show business; **Showmaster** ['ʃoːmaːstɐ] m -s, - compère, emcee (*US*).

Shredder ['ʃrɛdɐ] m -s, - shredder, shredding machine.

siamesisch adj Siamese. ~e **Katze** Siamese cat; ~e **Zwillinge** Siamese twins.

Siamkatze f Siamese (cat).

Sibirien [zi'biːriən] nt -s Siberia.

sibirisch adj Siberian. ~e **Kälte** Siberian *or* arctic conditions pl.

sibyllinisch [zibʏ'liːnɪʃ] adj (*liter, fig*) sibylline, sibyllic.

sich refl pron 1. (*acc*) (+infin, bei ,,man") oneself; (3. pers sing) himself; herself; itself; (*Höflichkeitsform*) yourself; yourselves; (3. pers pl) themselves.
   2. (*dat*) (+infin, bei ,,man") to oneself; (3. pers sing) to himself; to herself; to itself; (*Höflichkeitsform*) to yourself/yourselves; (3. pers pl) to themselves. ~ **die Haare waschen/färben** to wash/dye one's hair; **er hat ~ das Bein gebrochen** he has broken his leg; **sie hat ~ einen Pulli gekauft/gestrickt** she bought/knitted herself a pullover, she bought/knitted a pullover for herself.
   3. acc, dat (*mit prep*) (+infin, bei ,,man") one; (3. pers sing) him; her; it; (*Höflichkeitsform*) you; (3. pers pl) them. **wenn man keinen Paß bei ~** (*dat*) **hat** if one hasn't a passport with one *or* him (*US*), if you haven't a passport with you; **nur an ~** (*acc*) **denken** to think only of oneself; **wenn er jemanden zu ~** (*dat*) **einlädt** if he invites somebody round to his place.
   4. (*einander*) each other, one another.
   5. (*impers*) **hier sitzt/singt es ~ gut** it's good to sit/sing here **dieses Auto fährt ~ gut** this car drives well.

Sichel f -, -n sickle; (*Mond~*) crescent.

sicher I adj 1. (*gewiß*) certain, sure. **der ~e Tod/Sieg** certain death/victory; (sich dat) **einer Sache** (gen) ~ **sein** to be sure *or* certain of sth; **sich** (dat) **jds/seiner selbst** ~ **sein** to be sure of sb/oneself; (sich dat) **seiner Sache** (gen) ~ **sein** to be sure of what one is doing/saying; **soviel ist ~ that/this much is certain; **ist das ~?** is that certain?; **man weiß nichts S~es** we don't know anything certain.
   2. (*geschützt, gefahrlos*) safe; (*geborgen*) secure; *Investition auch* secure. **vor jdm/etw ~ sein** to be safe from sb/sth; ~ **leben** to live *or* lead a secure life; ~ **ist ~** you can't be too sure.
   3. (*zuverlässig*) reliable; *Methode auch* sure-fire attr (*inf*); *Fahrer, Schwimmer* safe; (*fest*) *Gefühl, Zusage* certain, definite; *Hand, Einkommen, Job* steady; *Stellung* secure. **ein ~er Schütze** a sure shot; ~ **auf den Beinen sein** to be steady on one's legs; **mit ~em Instinkt** with a sure instinct.
   4. (*selbstbewußt*) (self-)confident, (self-)assured. ~ **wirken/auftreten** to give an impression of (self-)confidence

or (self-) assurance.

II *adv* **1.** *fahren* safely.

2. (*natürlich*) of course. ~! of course, sure (*esp US*).

3. (*bestimmt*) **das wolltest du ~ nicht sagen** surely you didn't mean that; **du hast dich ~ verrechnet** you must have counted wrongly; **das weiß ich ganz ~** I know that for certain *or* for sure; **das ist ganz ~ das Beste** it's quite certainly the best; **das hat er ~ vergessen** I'm sure he's forgotten it; (*garantiert*) he's sure to have forgotten it; **er kommt ~ auch mit** he's bound *or* sure *or* certain to want to come too.

sichergehen *vi sep irreg aux sein* to be sure; (*sich vergewissern auch*) to make sure.

Sicherheit *f* **1.** *no pl* (*Gewißheit*) certainty. **mit an ~ grenzender Wahrscheinlichkeit** almost certainly; **das ist mit ~ richtig** that is definitely right.

2. *no pl* (*Schutz, das Sichersein*) safety; (*als Aufgabe von Sicherheitsbeamten*) security. **~ und Ordnung** law and order; **die öffentliche ~** public safety *or* security; **die ~ der Bevölkerung** the safety *or* security of the population; **soziale ~** social security; **jdn/etw in ~ bringen** to get sb/sth to safety; **sich in ~ bringen** to get (oneself) to safety; **es gelang mir in letzter Minute, mich im Keller in ~ zu bringen** at the last minute I managed to get to the safety of the cellar; **~ im Straßen-/Flugverkehr** road/air safety; **in ~ sein, sich in ~ befinden** to be safe; **sich in ~ wiegen** *or* **wähnen** to think oneself safe; **jdn in ~ wiegen/wähnen** to lull sb into a (false) sense of security/to think sb safe; **der ~ halber** in the interests of safety; (*um sicherzugehen*) to be on the safe side.

3. *no pl* (*Zuverlässigkeit*) (*von Mittel, Methode, Geschmack, Instinkt*) reliability, sureness; (*Festigkeit*) (*der Hand, beim Balancieren*) steadiness; (*von Fahrer, Schwimmer*) competence; (*von Hand, Job, Einkommen*) steadiness; (*von Stellung*) security. **mit tödlicher ~** with deadly accuracy.

4. *no pl* (*Selbstbewußtsein*) (self-) confidence, (self-)assurance. **~ im Auftreten** self-confident *etc* manner.

5. *no pl* (*Gewandtheit*) confidence, assurance, sureness.

6. (*Comm*) security; (*Pfand*) surety. **~ leisten** (*Comm*) to offer security; (*Jur*) to stand *or* go bail.

Sicherheitsabstand *m* safe distance; **Sicherheitsauto** *nt* safe car; **Sicherheitsbeamte(r)** *mf* security officer; (*Pol auch*) security agent *or* man; **Sicherheitsbehälter** *m* (*von Atomreaktor*) containment dome; **Sicherheitsbehörde** *f* security service; **Sicherheitsberater(in** *f***)** *m* safety adviser; **Sicherheitsbestimmungen** *pl* safety regulations *pl*; (*betrieblich, Pol*) security controls *pl or* regulations *pl*; **Sicherheitsbindung** *f* (*Ski*) safety binding; **Sicherheitsbügel** *m* (*an Sessellift*) safety bar; **Sicherheitsfaktor** *m* secu-

rity factor; **Sicherheitsgarantie** *f* safety guarantee; **Sicherheitsglas** *nt* safety glass; **Sicherheitsgurt** *m* (*in Flugzeug*) seat belt; (*in Auto auch*) safety belt; **sicherheitshalber** *adv* to be on the safe side; **Sicherheitshülle** *f* (*von Atomreaktor*) shell; **Sicherheitskette** *f* safety chain; **Sicherheitskontrolle** *f* security check; **Sicherheitskräfte** *pl* security forces *pl*; **Sicherheitsleistung** *f* (*Comm*) surety; (*Jur*) bail; **Sicherheitsmaßnahme** *f* safety precaution *or* measure; (*betrieblich, Pol*) security measure; **Sicherheitsnadel** *f* safety pin; **Sicherheitsrat** *m* security council; **Sicherheitsrisiko** *nt* security risk; **Sicherheitsschleuse** *f* security door system; **Sicherheitsschloß** *nt* safety *or* Yale ® lock; **Sicherheitsschlüssel** *m* special key (*for safety locks*), Yale ® key; **Sicherheitstruppen** *pl* security troops *pl*; **Sicherheitsventil** *nt* safety valve; **Sicherheitsverschluß** *m* safety catch; **Sicherheitsvorkehrung** *f* safety precaution; (*betrieblich, Pol*) security precaution.

sicherlich *adv siehe* **sicher II 2., 3.**

sichern I *vt* **1.** (*gegen, vor +dat* against) to safeguard; (*absichern*) to protect; (*Mil auch*) to protect, to cover; (*sicher machen*) *Tür, Wagen, Fahrrad* to secure; *Bergsteiger* to belay, to secure; (*Mil*) to protect, to cover; (*Comput*) *Daten* to save. **eine Feuerwaffe ~** to put the safety catch of a firearm on.

2. jdm/sich etw ~ to get *or* secure sth for sb/oneself.

II *vr* to protect oneself; (*Bergsteigen*) to belay *or* secure oneself. **sich vor etw** (*dat*) *or* **gegen etw ~** to protect oneself against sth, to guard against sth.

sicherstellen *vt sep* **1.** (*in Gewahrsam nehmen*) *Waffen, Drogen* to take possession of. **das Tatfahrzeug wurde sichergestellt** the vehicle used in the crime was found (and taken in). **2.** (*garantieren*) to guarantee.

Sicherstellung *f siehe vt* **1.** taking possession; finding. **2.** guarantee.

Sicherung *f* **1.** *siehe vt* **1.** safeguarding; protection; securing; belaying. **2.** (*Schutz*) safeguard. **3.** (*Elec*) fuse; (*von Waffe*) safety catch. **da ist (bei) ihm die ~ durchgebrannt** (*fig inf*) he blew a fuse (*inf*).

Sicherungskopie *f* (*Comput*) back-up copy; **Sicherungsverkauf** *m* (*Fin*) hedge selling; **Sicherungsverwahrung** *f* (*Jur*) preventive detention.

Sicht *f* -, *no pl* **1.** (*Sehweite*) visibility. **die ~ betrug teilweise nur 20 Meter** at times visibility was down to 20 metres; **eine ~ von 30 Metern** 30 metres' visibility; **in ~ sein/kommen** to be in/come into sight; **aus meiner/seiner ~** (*fig*) as I see/he sees it, from my/his point of view; **auf lange/ kurze ~** (*fig*) in the long/short term.

2. (*Ausblick*) view.

3. (*Comm*) **auf** *or* **bei ~** at sight; **acht Tage nach ~** one week after sight.

sichtbar *adj* (*lit, fig*) visible. **~ werden** (*fig*) to become apparent; **allmählich**

wurden Fortschritte ~ it could gradually be seen that progress was being made.
Sichtbarkeit f, no pl visibility.
Sichtbeton m exposed concrete; **Sichteinlage** f (Fin) sight or demand deposit.
sichten vt 1. (erblicken) to sight. 2. (durchsehen) to look through, to examine, to inspect; (ordnen) to sift through.
Sichtflug m contact flight; **Sichtgerät** nt monitor; (Comput) VDU, visual display unit; **Sichtgrenze** f visual limit; **Sichtkartei** f visible card index; **Sichtkontakt** m eye contact.
sichtlich I adj obvious. II adv obviously, visibly.
Sichtung f siehe vt 1. sighting. 2. looking through (einer Sache (gen) sth), examination, inspection. 3. sifting.
Sichtverhältnisse pl visibility sing; **Sichtvermerk** m endorsement; (im Paß) visa (stamp); **Sichtwechsel** m (Fin) bill payable on demand; **Sichtweite** f visibility no art; **außer ~** out of sight.
Sickergrube f soakaway.
sickern vi aux sein to seep; (dickere Flüssigkeit auch) to ooze; (in Tropfen) to drip; (fig) to leak out. **in die Presse ~** to be leaked to the press.
Sickerwasser nt water seeping through the ground.
Sideboard ['saidbɔ:d] nt -s, -s sideboard.
siderisch adj (Astron) sidereal.
sie pers pron 3. pers 1. sing gen **ihrer**, dat **ihr**, acc **sie** (von Frau, weiblichem Tier) (nom) she; (acc) her; (von Dingen) it; (von Behörde, Polizei) (nom) they pl; (acc) them pl. **wenn ich ~ wäre ...** if I were her or she (form) ...; **~ ist es** it's her, it is she (form); **wer hat das gemacht? — ~** who did that? — she did or her!; **wer ist der Täter? — ~** who is the person responsible? — she is or her!; **~ war es nicht, ich war's** it wasn't her, it was me; **~ und du/ich** you and she/she and I.
2. pl gen **ihrer**, dat **ihnen**, acc **sie** (nom) they; (acc) them. **~ sind es** it's them; **~ sind es, die ...** it's them or it is they (form) who ...; **wer hat's zuerst bemerkt? — ~** who noticed it first? — they did or them (inf).
3. (obs: als Anrede) **S~** sing you, thee (obs); pl you.
Sie I pers pron 2. pers sing or pl with 3. pers pl vb gen **Ihrer**, dat **Ihnen**, acc **Sie** you; (im Imperativ) nicht übersetzt. **beeilen ~ sich!** hurry up!; **he, ~!**(inf) hey, you!
II nt -s, no pl polite or "Sie" form of address. **jdn per or mit ~ anreden** to use the polite form of address to sb, to call sb "Sie".
Sieb nt -(e)s, -e sieve; (für Erde auch) riddle; (für Korn, Gold auch) screen; (Tee~) strainer; (Gemüse~) colander. **ein Gedächtnis wie ein ~ haben** to have a memory like a sieve.
Siebbein nt (Anat) ethmoid (bone); **Siebdruck** m (silk-)screen print;

(~verfahren) (silk-)screen printing.
sieben[1] I vt to pass through a sieve; Korn, Gold to screen; (Cook) to sift.
II vi (fig inf) **solche Unternehmen ~ sehr** organisations like that pick and choose very carefully or are very selective; **es wird stark gesiebt** they pick and choose or are very selective; **bei der Prüfung wird stark gesiebt** the exam will weed a lot of people out.
sieben[2] num seven. **die S~ Weltwunder** the seven wonders of the world; **die S~ Freien Künste** the humanities, the (seven) liberal arts; **die ~ fetten und die ~ mageren Jahre** (Bibl) the seven fat and the seven lean years; siehe auch **vier**.
Sieben f -, - or -en seven; siehe **Vier**.
Sieben- in cpds siehe auch **Vier-**; **siebenarmig** adj Leuchter seven-armed; **Siebenbürgen** nt (Geog) Transylvania; **Siebeneck** nt heptagon; **Siebengestirn** nt (Astron) Pleiades pl; **Siebenhügelstadt** f city of the seven hills; **siebenhundert** num seven hundred; **siebenjährig** adj seven-year-old; (sieben Jahre dauernd) seven-year attr; **der ~e Krieg** the Seven-Years' War; **siebenmal** adv seven times; **Siebenmeilenstiefel** pl (Liter) seven-league boots pl; **Siebenmeter** m (Sport) penalty; **Siebenmonatskind** nt seven-month baby; **Siebensachen** pl (inf) belongings pl, things pl; **Siebenschläfer** m 1. (Zool) edible or fat dormouse; 2. 27th June, day which is said to determine the weather for the next seven weeks; **siebentausend** num seven thousand.
Siebentel, Siebtel nt -s, - seventh.
siebentens, siebtens adv seventh(ly), in seventh place.
siebente(r, s) adj siehe **siebte(r, s)**.
siebte(r, s) adj seventh; siehe auch **vierte(r, s)**.
siebzehn num seventeen. **S~ und Vier** (Cards) pontoon; siehe auch **vierzehn**.
siebzig num seventy; siehe auch **vierzig**.
Siebziger(in f) m -s, -, **Siebzigjährige(r)** mf decl as adj seventy-year-old, septuagenarian.
siech adj (old, liter) ailing, infirm.
Siechtum nt, no pl (liter) infirmity.
siedeln vi to settle.
sieden pret **siedete** or **sott**, ptp **gesiedet** or **gesotten** I vi (Wasser, Zucker) to boil; (Aus, S Ger) to simmer.
II vt Seife, Leim to produce by boiling; (Aus, S Ger) to simmer. **~d heiß/ ~de Hitze** boiling or scalding hot/heat; (von Klima auch) sweltering hot/ sweltering heat; siehe **gesotten**.
Siedepunkt m (Phys, fig) boiling-point; **Siedewasserreaktor** m boiling water reactor.
Siedler(in f) m -s, - settler; (Bauer) smallholder.
Siedlung f 1. (Ansiedlung) settlement. 2. (Siedlerstelle) smallholding. 3. (Wohn~) housing scheme or estate.
Siedlungshaus nt house on a housing scheme.
Sieg m -(e)s, -e victory (über +acc over); (in Wettkampf auch) win (über +acc

over). **um den ~ kämpfen** to fight for victory; **den ~ davontragen** *or* **erringen** to be victorious; (*in Wettkampf auch*) to be the winner/winners; **einer Sache** (*dat*) **zum ~ verhelfen** to help sth to triumph; **von ~ zu ~ schreiten** (*geh*) to heap victory upon victory.

Siegel *nt* **-s, -** seal. **unter dem ~ der Verschwiegenheit** under the seal of secrecy. **Siegellack** *m* sealing wax.

siegeln *vt* **Urkunde** to affix a/one's seal to; (*ver~*) **Brief** to seal.

Siegelring *m* signet ring; **Siegelwachs** *nt* sealing wax.

siegen *vi* (*Mil*) to be victorious; (*fig auch*) to triumph; (*in Wettkampf*) to win. **über jdn/etw ~** (*Mil*) to vanquish sb/sth; (*fig*) to triumph over sb/sth; (*in Wettkampf*) to beat sb/sth, to win against sb/sth; **ich kam, sah und siegte** I came, I saw, I conquered.

Sieger *m* **-s, -** victor; (*in Wettkampf*) winner. **zweiter ~** runner-up; **als ~ hervorgehen** to emerge victorious.

Sieger|ehrung *f* (*Sport*) presentation ceremony.

Siegerin *f* victress (*liter*); (*in Wettkampf*) winner.

Siegerkranz *m* victor's laurels *pl*; **Siegermacht** *f usu pl* (*Pol*) victorious power; **Siegerpose** *f* victory pose; **Siegerstraße** *f* road to victory; **Siegerurkunde** *f* (*Sport*) winner's certificate.

siegesbewußt *adj* confident of victory; **Siegesdenkmal** *nt* victory monument; **Siegesfeier** *f* victory celebrations *pl*; (*Sport*) victory celebration; **siegesgewiß** *adj siehe* **siegessicher**; **Siegesgöttin** *f* goddess of victory; **Siegeskranz** *m* victor's laurels *pl*; **Siegespalme** *f* palm (of victory); **Siegespreis** *m* winner's prize; (*Boxen*) winner's purse; **Siegesserie** *f* series *sing* of victories/wins; **siegessicher** *adj* certain *or* sure of victory; **Siegestaumel** *m* triumphant euphoria; **siegestrunken** *adj* (*liter*) drunk with victory; **Siegeszug** *m* triumphal march.

sieggewohnt *adj* used to victory/winning; **sieghaft** *adj siehe* **siegesbewußt**; **siegreich** *adj* victorious, triumphant; (*in Wettkampf*) winning *attr*, successful.

sieh, siehe *imper sing of* **sehen**.

siehste (*inf*) 2. *pers sing present of* **sehen** (*inf*) (you) see.

Siel *nt or m* **-(e)s, -e** (*Schleuse*) sluice; (*Abwasserkanal*) sewer.

Siele *f* **-, -n** trace. **in den ~n sterben** (*fig*) to die in harness.

siena ['ziɛːna] *adj inv* sienna.

Sierra [si'ɛra] *f* **-, -s** *or* **Sierren** [si'ɛrən] (*Geog*) sierra.

Sievert *nt* **-, -** (*Phys*) (*abbr* Sv) sievert.

siezen *vt* **jdn/sich ~** to use the formal term of address to sb/each other, to address sb/each other as "Sie".

Sigel *nt* **-s, -, Sigle** ['ziːgl] *f* **-, -n** short form.

Signal *nt* **-s, -e** signal. **(ein) ~ geben** to give a signal; **mit der Hupe (ein) ~ geben** to hoot (as a signal); **~e setzen** (*fig*) to blaze a trail.

Signal|anlage *f* signals *pl*, set of signals.

Signalement [zɪgnələ'mãː, -mɛnt] *nt* **-s, -s** (*Sw*) (personal) description.

Signalflagge *f* signal flag; **Signalgast** *m* signalman; **Signalhorn** *nt* (*Hunt*) (hunting) horn; (*Mil*) bugle.

signalisieren* *vt* (*lit, fig*) to signal.

Signalkelle *f* signalling disc; **Signallampe, Signallaterne** *f* signalling lamp; (*installiert*) signal lamp; **Signalmast** *m* signal mast; **Signalpfeife** *f* whistle; **Signalpistole** *f* Very pistol; **Signaltechnik** *f* signalling; **Signalwirkung** *f* signal; **davon ging eine ~ aus** this acted as a signal.

Signatar(in *f*) *m* (*form*) signatory (*gen* to).

Signatarmächte *fpl* signatory powers *pl*.

Signatur *f* **1.** (*Unterschrift, Buch~*) signature. **2.** (*auf Landkarten*) symbol. **3.** (*Bibliotheks~*) shelf mark.

Signet [zɪ'gneːt, zɪ'gnɛt, zɪn'jeː] *nt* **-s, -s** (*Typ*) publisher's mark.

signieren* *vt* to sign; (*mit Anfangsbuchstaben auch*) to initial.

Signierung *f*, *no pl siehe vt* signing; initialling.

signifikant *adj* (*geh*) significant.

Silage [zi'laːʒə] *f* **-**, *no pl* (*Agr*) silage.

Silbe *f* **-, -n** syllable. **~ für ~** (*fig*) word for word; **er hat es mit keiner ~ erwähnt** he didn't say a word about it.

Silbenrätsel *nt* word game in which the answers are obtained by combining syllables from a given list; **Silbenschrift** *f* syllabary; **Silbentrennung** *f* syllabification; (*Typ, Comput*) hyphenation; **silbenweise** *adv* in syllables.

Silber *nt* **-s**, *no pl* (*abbr* Ag) silver; (*Tafelbesteck auch*) silverware; (*Her*) argent. **aus ~** made of silver.

Silber- *in cpds* silver; **Silberbesteck** *nt* silver(ware), silver cutlery; **Silberblick** *m* (*inf*) squint; **Silberdistel** *f* carline thistle; **silberfarben, silberfarbig** *adj* silver(-coloured); (*Her*) argent; **Silberfischchen** *nt* silverfish; **Silberfolie** *f* silver foil; **Silberfuchs** *m* silver fox; **Silbergeld** *nt* silver; **silbergrau** *adj* silver(y)-grey; **Silberhaar** *nt* (*poet*) silver(y) hair; (*von Mann auch*) hoary head (*poet*); **silberhaltig** *adj* silver-bearing, argentiferous (*spec*); **silberhell** *adj* **Stimme, Lachen** silvery; **Silberhochzeit** *f* silver wedding (anniversary); **Silberling** *m* (*Bibl*) piece of silver; **Silberlöwe** *m* puma; **Silbermedaille** *f* silver medal.

silbern *adj* (*von*) **Licht, Stimme, Haare** silvery (*liter*), silvern (*poet*). **~e Hochzeit** silver wedding (anniversary).

Silberpappel *f* white poplar; **Silberschmied(in** *f*) *m* silversmith; **Silberstreif(en)** *m* (*fig*) **es zeichnete sich ein ~ am Horizont ab** you/they *etc* could see light at the end of the tunnel; **Silberstück** *nt* silver coin; **Silbertanne** *f siehe* **Edeltanne; Silberwaren** *pl* silver *sing*; **silberweiß** *adj* silvery white.

-silbig *adj suf* **fünf~/zehn~ sein** to have five/ten syllables; **ein sechs~es Wort** a word with six syllables.

silbrig *adj* silvery.

Silhouette [zɪl'lʊɛtə] *f* silhouette. **sich als ~ gegen etw abheben** *or* **abzeichnen** to be silhouetted against sth.

Silikat, Silicat (*spec*) *nt* **-(e)s, -e** silicate.

Silikon *nt* **-s, -e** silicone.

Silikose *f* **-, -n** (*Med*) silicosis.

Silizium *nt, no pl* (*abbr* **Si**) silicon.

Siliziumscheibe *f* silicon chip.

Silo *m* **-s, -s** silo.

Silur *nt* **-s** (*Geog*) Silurian.

Silvaner [zɪl'vaːnɐ] *m* **-s, -** sylvaner (grape/wine).

Silvester [zɪl'vɛstɐ] *m* or *nt* **-s, -** New Year's Eve, Hogmanay (*esp Scot*).

Silvesterabend *m* New Year's Eve, Hogmanay (*esp Scot*); **Silvesterfeier** *f* New Year's Eve *or* New Year party; **Silvesternacht** *f* night of New Year's Eve *or* Hogmanay (*esp Scot*).

Simbabwe *nt* **-s** Zimbabwe.

Simonie *f* simony.

simpel *adj* simple; *Mensch auch* simpleminded; (*vereinfacht*) simplistic.

Simpel *m* **-s, -** (*inf*) simpleton.

Simplex *nt* **-, -e** *or* **Simplizia** (*Gram*) simplex.

Simplifikation *f* (*geh*) simplification.

simplifizieren* *vt* (*geh*) to simplify.

Sims *m* or *nt* **-es, -e** (*Fenster~*) (window)sill; (*außen auch*) (window)-ledge; (*Gesims*) ledge; (*Kamin~*) mantelpiece.

Simulant(in *f*) *m* malingerer.

Simulation *f* simulation.

Simulator *m* (*Sci*) simulator.

simulieren* I *vi* 1. to feign illness. **er simuliert nur** he's shamming; (*um sich zu drücken auch*) he's malingering. 2. (*inf: nachdenken*) to meditate, to ruminate.
II *vt* 1. *Krankheit* to feign, to sham. 2. (*Sci*) to simulate.

simultan *adj* simultaneous.

Simultandolmetschen *nt* **-s,** *no pl* simultaneous translation; **Simultandolmetscher(in** *f*) *m* simultaneous translator.

Simultaneität [zimʊltanei'tɛːt], **Simultanität** *f* (*geh*) simultaneity, simultaneousness.

sin. *abbr of* **Sinus.**

Sinai ['zi:nai] *m* **-(s)**, **Sinaihalb|insel** *f* Sinai (Peninsula).

sind *1. and 3. pers pl, with* **Sie** *sing and pl present of* **sein.**

sine tempore *adv* (*abbr* **s.t.**) (*Univ*) punctually.

Sinfonie *f* symphony.

Sinfonieorchester *nt* symphony orchestra.

Sinfoniker(in *f*) *m* **-s, -** member of a symphony orchestra. **die Bamberger ~** the Bamberg Symphony Orchestra.

sinfonisch *adj* symphonic.

Singapur ['zɪŋgapuːɐ̯] *nt* **-s** Singapore.

singbar *adj* singable; **schwer ~ sein** to be hard to sing.

singen *pret* **sang,** *ptp* **gesungen** I *vi* 1. (*lit, fig*) to sing; (*esp Eccl: eintönig, feierlich*) to chant; (*Telegraphendrähte auch*) to buzz, to hum. **zur Gitarre ~ to**

sing to the guitar; **ein ~der Tonfall** a lilt, a lilting accent.
2. (*sl: gestehen*) to squeal (*sl*), to sing (*sl*), to talk.
II *vt* (*lit, fig*) to sing; (*esp Eccl*) *Psalmen, Kanon* to chant. **jdn in den Schlaf** *or* **Schlummer** (*liter*) **~** to sing sb to sleep; **das kann ich schon ~** (*inf*) I know it backwards.
III *vr* **sich heiser ~** to sing oneself hoarse; **sich müde ~** to sing until one is tired; **das Lied singt sich leicht** it's an easy song to sing.

Singerei *f* (*inf*) singing.

Singhalese [zɪŋga'leːzə] *m* **-n, -n**, **Singhalesin** *f* Sin(g)halese.

Singhalesisch(e) [zɪŋga'leːzɪʃ(ə)] *nt decl as adj* Sin(g)halese.

Single¹ ['sɪŋgl] *f* **-, -(s)** (*Schallplatte*) single.

Single² ['sɪŋgl] *nt* **-, -(s)** (*Tennis*) singles *sing*.

Single³ ['sɪŋgl] *m* **-s, -s** (*Alleinlebender*) single. **Urlaub für ~s** singles' holiday.

Singlebar ['sɪŋgl-] *f* singles' bar.

Singsang *m* **-s, -s** 1. (*Liedchen*) ditty; 2. (*Gesang*) monotonous singing; 3. (*singende Sprechweise*) singsong; **Singspiel** *nt* lyrical drama; **Singstimme** *f* vocal part.

Singular *m* **-s, -e** (*Gram*) singular. **im ~ stehen** to be (in the) singular; **den ~ zu etw bilden** to form the singular of sth.

singulär *adj* (*geh*) unique.

singularisch *adj* (*Gram*) singular.

Singvogel *m* song-bird; **Singweise** *f* way of singing.

sinister *adj* (*geh*) sinister.

sinken *pret* **sank,** *ptp* **gesunken** *vi aux sein* 1. to sink; (*Schiff auch*) to go down; (*Ballon*) to descend; (*Nebel*) to come down, to descend (*liter*). **auf den Grund ~** to sink to the bottom; **auf einen Stuhl/zu Boden ~** to sink into a chair/to the ground; **ins Bett ~** to fall into bed; **in Ohnmacht ~** (*geh*) to swoon, to fall into a faint; **ich hätte in die Erde ~ mögen** I wished the earth would (open and) swallow me up; **sein Stern ist im** *or* **am S~** (*geh*) his star is waning; **die Arme/den Kopf ~ lassen** to let one's arms/head drop.
2. (*Boden, Gebäude*) to subside, to sink; (*Fundament*) to settle. **in Staub** *or* **Trümmer/in Schutt und Asche ~** (*geh*) to fall in ruins/be reduced to a pile of rubble.
3. (*niedriger werden: Wasserspiegel, Temperatur, Preise*) to fall, to drop.
4. (*schwinden*) (*Ansehen, Vertrauen*) to diminish; (*Einfluß auch*) to wane, to decline; (*Hoffnung, Stimmung*) to sink. **den Mut/die Hoffnung ~ lassen** to lose courage/hope.
5. (*moralisch*) to sink. **tief gesunken sein** to have sunk low; **in jds Meinung/Achtung** (*dat*) **~** to go down in sb's estimation.

Sinn *m* **-(e)s, -e** 1. (*Wahrnehmungsfähigkeit*) sense. **die ~e** (*sinnliche Begierde*) one's desires; **seiner ~e** (*gen*) **nicht mehr mächtig sein, nicht mehr**

Herr seiner ~e (*gen*) **sein** to have lost all control over oneself.

2. ~e *pl* (*Bewußtsein*) senses *pl*, consciousness; **er war von** *or* **nicht bei ~en** he was out of his senses *or* mind; **wie von ~en** like one demented; **bist du noch bei ~en?** have you taken leave of your senses?

3. (*Gedanken, Denkweise*) mind. **sich** (*dat*) **jdn/etw aus dem ~ schlagen** to put sb/(all idea of) sth out of one's mind, to forget all about sb/sth; **es kommt** *or* **will mir nicht aus dem ~** (*geh*) I can't get it out of my mind; **es kam mir plötzlich in den ~** it suddenly came to me; **das will mir einfach nicht in den ~** I just can't understand it; **etw im ~ haben** to have sth in mind; **anderen ~es werden** (*geh*) to change one's mind; **(mit jdm) eines ~es sein** (*geh*) to be of the same mind (as sb), to be of one mind.

4. (*Wunsch*) inclination. **danach steht ihm der ~** (*geh*) that is his wish.

5. (*Verständnis, Empfänglichkeit*) feeling. **dafür fehlt ihm der ~** he has no feeling for that sort of thing; **~ für Humor/Gerechtigkeit haben** to have a sense of humour/justice; **~ für Kunst/ das Höhere haben** to appreciate art/ higher things.

6. (*Geist*) spirit. **im ~e des Gesetzes** according to the spirit of the law; **in jds ~e** (*dat*) **handeln** to act as sb would have wished; **im ~e des Verstorbenen** in accordance with the wishes of the deceased; **das ist nicht in meinem ~e** that is not what I myself/he himself would have done/wished; **das wäre nicht im ~e unserer Kunden** it would not be in the interests of our customers.

7. (*Zweck*) point. **das ist nicht der ~ der Sache** that is not the point, that is not the object of the exercise; **~ und Zweck einer Sache** (*gen*) (the aim and) object of sth; **der ~ des Lebens** the meaning of life; **ohne ~ und Verstand sein** to make no sense at all; **das hat keinen ~** there is no point *or* sense in that; **was hat denn das für einen ~?** what's the point of *or* in that *or* the sense in that?

8. (*Bedeutung*) meaning; (*von Wort, Ausdruck auch*) sense. **im übertragenen/weiteren ~** in the figurative/broader sense; **der Satz (er)gibt keinen ~** the sentence doesn't make sense.

Sinnbild *nt* symbol; **sinnbildlich** *adj* symbolic(al).

sinnen *pret* **sann,** *ptp* **gesonnen** (*geh*) **I** *vi* **1.** (*nachdenken*) to meditate, to ponder, to muse; (*grübeln*) to brood. **über etw** (*acc*) **~** to reflect on/brood over sth.

2. (*planen*) **auf etw** (*acc*) **~** to devise sth, to think sth up, to think of sth; **auf Verrat/Rache ~** to plot treason/revenge; **all sein S~ und Trachten** all his mind and energies.

II *vt* (*old liter*) *Verrat, Rache* to plot.

Sinnenfreude *f* enjoyment of the pleasures of life.

sinnentleert *adj* bereft of content; **sinnentstellend** *adj* **~ sein** to distort the meaning; **~ übersetzt** translated so that the meaning is/was distorted.

Sinnenwelt *f* (*liter*) material world.

Sinnesänderung *f* change of mind *or* heart; **Sinneseindruck** *m* sensory impression, impression on the senses; **Sinnesnerv** *m* sensory nerve; **Sinnesorgan** *nt* sense organ; **Sinnesreiz** *m* sensory stimulus; **Sinnestäuschung** *f* hallucination; **Sinneswahrnehmung** *f* sensory perception *no pl*; **Sinneswandel** *m* change of mind *or* heart.

sinnfällig *adj* manifest, obvious; **Sinngebung** *f* (*geh*) giving meaning (+*gen* to); (*Sinn*) meaning; **sinngemäß** *adj* **1.** (*inhaltlich*) **etw ~ wiedergeben** to give the gist of sth; **2.** (*analog*) corresponding, analogous; **etw ~ anwenden** to apply sth by analogy; **sinngetreu** *adj* *Übersetzung* faithful (to the sense *or* meaning).

sinnieren* *vi* to brood (*über* +*acc* over), to ruminate (*über* +*acc* about).

sinnig *adj* apt; *Vorrichtung* practical; (*iro: wenig sinnvoll*) clever.

sinnlich *adj* **1.** (*Philos*) *Empfindung, Eindrücke* sensory, sensorial. **die ~e Welt** the material world; **~ wahrnehmbar** perceptible by the senses. **2.** (*vital, sinnenfroh*) sensuous; (*erotisch*) sensual. **~e Liebe** sensual love.

Sinnlichkeit *f* **1.** (*Philos*) sensory *or* sensorial nature. **2.** (*Vitalität, Sinnenfreude*) sensuousness; (*Erotik*) sensuality.

sinnlos *adj* **1.** (*unsinnig*) *Redensarten, Geschwätz* meaningless; *Verhalten, Töten* senseless.

2. (*zwecklos*) pointless, futile, senseless; *Hoffnung* forlorn. **es ist/wäre ~, zu ...** it is/would be pointless *or* futile to ...; **das ist völlig ~** there's no sense in that, that's completely pointless.

3. *Wut* blind; *Hast* desperate. **~ betrunken** blind drunk.

Sinnlosigkeit *f* **1.** *siehe adj 1.* (*Unsinnigkeit*) meaninglessness; senselessness. **2.** *siehe adj 2.* (*Zwecklosigkeit*) pointlessness, futility, senselessness; forlornness.

sinnreich *adj* *Deutung* meaningful; (*zweckdienlich*) *Einrichtung, Erfindung* useful; **Sinnspruch** *m* epigram; **sinnverwandt** *adj* synonymous; **~e Wörter** synonyms; **Sinnverwandtschaft** *f* synonymity; **sinnvoll** *adj* **1.** *Satz* meaningful; **2.** (*fig*) (*vernünftig*) sensible; (*nützlich*) useful; **sinnwidrig** *adj* nonsensical, absurd.

Sinologe *m,* **Sinologin** *f* Sinologist.

Sinologie *f* Sinology.

Sinter *m* **-s, -** (*Miner*) sinter.

sintern *vti* to sinter.

Sintflut *f* (*Bibl*) Flood. **nach mir/uns die ~** (*inf*) it doesn't matter what happens when I've/we've gone.

sintflutartig *adj* **~e Regenfälle** torrential rain.

Sinus *m* **-, -** *or* **-se** **1.** (*Math*) sine. **2.** (*Anat*) sinus.

Sioux ['ziːʊks] *m* **-, -** Sioux.

Siphon ['zi:fõ] *m* **-s, -s** siphon.
Sippe *f* **-, -n** (extended) family, kinship group (*spec*); (*inf*: *Verwandtschaft*) family, clan (*inf*); (*Zool*) species *sing*.
Sippenälteste(r) *mf* head of the family; **Sippenhaft** (*inf*), **Sippenhaftung** *f* liability of all the members of a family for the crimes of one member; **Sippenverband** *m* kinship group.
Sippschaft *f* (*pej inf*) (*Familie*) tribe (*inf*); (*Bande, Gesindel auch*) bunch (*inf*).
Sire [si:r] *interj* (*old liter*) Sire (*old*).
Sirene *f* **-, -n** (*Myth, Tech, fig*) siren; (*Zool*) sirenian.
Sirenengeheul *nt* wail of a/the siren/ sirens; **Sirenengesang** *m* siren song.
sirren *vi siehe* surren.
Sirup *m* **-s, -e** syrup; (*schwarz, aus Zuk- kerrohr auch*) treacle.
Sisal(hanf) *m* **-s** sisal (hemp).
Sisalteppich *m* sisal mat.
sistieren* *vt* (*Jur*) Verdächtigen to detain; *Verfahren* to adjourn.
Sisyphus|arbeit ['zi:zyfus-] *f* Sisyphean task (*liter*), never-ending task.
Sitte *f* **-, -n 1.** (*Brauch*) custom; (*Mode*) practice. ~ **sein** to be the custom/the practice; ~**n und Gebräuche** customs and traditions.
2. *usu pl* (*gutes Benehmen*) manners *pl*; (*Sittlichkeit*) morals *pl*. **gegen die (gu- ten)** ~**n verstoßen,** ~ **und Anstand ver- letzen** to offend common decency; **gute** ~**n** good manners *pl*; **was sind denn das für** ~**n?** what sort of behaviour is that!
3. (*sl: Sittenpolizei*) Vice squad.
Sittenapostel *m* (*pej*) moralizer; **Sitten- bild** *nt* (*Art*) genre picture; **Sitten- dezernat** *nt* vice squad; **Sittengemälde** *nt siehe* Sittenbild; **Sittengeschichte** *f* ~ **Roms** history of Roman life and customs; **Sittengesetz** *nt* moral law; **Sittenkodex** *m* moral code; **Sittenlehre** *f* ethics *sing*; **sittenlos** *adj* immoral; **Sittenlosigkeit** *f* immorality; **Sittenpolizei** *f* vice squad; **sittenstreng** *adj* highly moral; **Sitten- strenge** *f* strict morality; **Sittenstrolch** *m* (*Press sl*) sex fiend; **Sittenverfall** *m* decline *or* drop in moral standards; **sittenwidrig** *adj* (*form*) immoral.
Sittich *m* **-s, -e** parakeet.
sittlich *adj* moral. **ihm fehlt die** ~**e Reife** he's morally immature; **er verlor jeden** ~**en Halt** he became morally unstable.
Sittlichkeit *f, no pl* morality.
Sittlichkeitsdelikt *nt* sexual offence; **Sittlichkeitsverbrechen** *nt* sex crime; **Sittlichkeitsverbrecher** *m* sex offend- er.
sittsam *adj* demure.
Sittsamkeit *f* demureness.
Situation *f* situation; (*persönliche Lage auch*) position.
Situationskomik *f* comicalness *or* come- dy of the situation/situations; (*Art com- Komik*) situation comedy, sitcom (*inf*).
situiert *adj* gut/schlecht ~ **sein** to be well/ poorly situated financially; *siehe* **gutsi- tuiert.**
Sitz *m* **-es, -e 1.** (~**platz, Parl**) seat. ~ **und Stimme haben** to have a seat and a

vote.
2. (*von Regierung, Graf, Universität, fig*) seat; (*Wohn~*) residence, domicile (*form*); (*von Firma, Verwaltung*) head- quarters *pl*. **diese Stadt ist der** ~ **der** Forstverwaltung the forestry authority has its headquarters in this town.
3. *no pl* (*Tech, von Kleidungsstück*) sit; (*von der Größe her*) fit. **einen guten/ schlechten** ~ **haben** to sit/fit well/badly.
4. *no pl* (*von Reiter*) seat.
Sitzbad *nt* sitz *or* hip bath; **Sitzbadewanne** *f* sitz *or* hip bath; **Sitzbank** *f* bench; **Sitzblockade** *f* sit-in; **Sitzdemonstrant(in** *f***)** *m* sit-down de- monstrator.
sitzen *vi pret* **saß,** *ptp* **gesessen** *aux ha- ben or* (*Aus, S Ger, Sw*) **sein 1.** to sit; (*auf Mauer, Stuhllehne auch, Vogel*) to perch. **bleiben Sie bitte** ~**!, bitte bleiben Sie** ~**!** please don't get up; ~ **Sie be- quem?** are you comfortable?; **hier sitzt man sehr bequem** it's very comfortable sitting here; **auf der Toilette** ~ to be on (*inf*) *or* in the toilet; **etw im S~** **tun** to do sth sitting down; **beim Mittagessen** ~ to be having lunch; **beim Wein/Schach** ~ to sit over a glass of wine/a game of chess; **an einer Aufgabe/über den Büchern** ~ to sit over a task/one's books.
2. (*Modell* ~) to sit (*jdm* for sb).
3. (*seinen Sitz haben*) (*Regierung, Gericht*) to sit; (*Firma*) to have its head- quarters.
4. (*Mitglied sein*) (*im Parlament*) to have a seat (*in* +*dat* in); (*im Vorstand, Aufsichtsrat*) to be *or* sit (*in* +*dat* on).
5. (*inf: im Gefängnis* ~) to be inside (*inf*). **gesessen haben** to have done time (*inf*), to have been inside (*inf*); **er mußte zwei Jahre** ~ he had to do two years (*inf*).
6. (*sein*) to be. **er sitzt in Bulgarien/im Kultusministerium** (*inf*) he's in Bul- garia/the ministry of culture; **die Verfol- ger saßen uns auf den Fersen** our pursuers were hard on our heels.
7. (*angebracht sein: Deckel, Schrau- be*) to sit. **der Deckel/die Schraube sitzt fest** the lid is on tightly/the screw is in tightly; **locker** ~ to be loose.
8. (*stecken*) to be (stuck). **fest** ~ to be stuck tight(ly); **der Splitter saß fest in meinem Fuß** the splinter wouldn't come out of my foot.
9. (*im Gedächtnis* ~) to have sunk in.
10. (*seinen Herd haben*) (*Infektion, Schmerz*) to be; (*fig: Übel, Haß, Schmerz auch*) to lie.
11. (*Kleid, Frisur*) to sit. **deine Kra- watte sitzt nicht richtig** your tie isn't straight; **sein Hut saß schief** his hat was (on) crooked.
12. (*inf: treffen*) to hit home. **das saß** *or* **hat gesessen!** that hit home.
13. einen ~ **haben** (*inf*) to have had one too many.
sitzenbleiben *vi sep irreg aux sein* (*inf*) **1.** (*Sch*) to stay down (a year), to have to repeat a year. **2. auf einer Ware** ~ to be left with a product. **3.** (*Mädchen*) (*beim Tanz*) to be left sitting; (*nicht heiraten*)

to be left on the shelf (*inf*).
Sitzenbleiber(in) *m* -s, - (*inf*) pupil who has to repeat a year.
sitzend *adj attr Lebensweise* sedentary.
sitzenlassen *vt sep irreg ptp* ~ *or* **sitzengelassen** (*inf*) **1.** (*Sch: nicht versetzen*) to keep down (a year). **2.** (*hinnehmen*) **eine Beleidigung auf sich** (*dat*) ~ to stand for *or* take an insult. **3. jdn** ~ (*im Stich lassen*) to leave sb in the lurch; (*warten lassen*) to leave sb waiting; *Freund(in)* (*durch Nichterscheinen*) to stand sb up. **4.** (*nicht heiraten*) to jilt, to walk out on.
Sitzfleisch *nt* (*inf*) ability to sit still; ~ **haben** to be able to sit still; (*hum: Besucher*) to stay a long time; **Sitzgelegenheit** *f* seats *pl*, seating (accommodation); **eine** ~ **suchen** to look for somewhere to sit *or* for a seat; **Sitzkissen** *nt* (floor) cushion; **Sitzordnung** *f* seating plan; **Sitzplatz** *m* seat; **Sitzreihe** *f* row of seats; **Sitzstreik** *m* sit-in.
Sitzung *f* **1.** (*Konferenz*) meeting; (*Jur: Gerichtsverhandlung*) session; (*Parlaments*~) sitting. **2.** (*Einzel*~) (*bei Künstler*) sitting; (*bei Zahnarzt*) visit; (*sl: Toilettenbesuch*) session. **spiritistische** ~ séance.
Sitzungsbericht *m* minutes *pl*; **Sitzungsperiode** *f* (*Parl*) session; (*Jur*) term; **Sitzungssaal** *m* conference hall; (*Jur*) courtroom; **Sitzungszimmer** *nt* conference room.
sixtinisch *adj* Sistine.
Sizilianer(in *f*) *m* -s, - Sicilian.
sizilianisch *adj* Sicilian.
Sizilien [zi'tsi:liən] *nt* -s Sicily.
Skai ® *nt* -(s), *no pl* imitation leather.
Skala *f* -, **Skalen** *or* -s (*Gradeinteilung, Mus*) scale; (*Reihe gleichartiger Dinge*) range; (*fig*) gamut, range.
Skalp *m* -s, -e scalp.
Skalpell *nt* -s, -e scalpel.
skalpieren* *vt* to scalp.
Skandal *m* -s, -e scandal; (*inf: Krach*) to-do (*inf*), fuss. **einen** ~ **machen** to create *or* cause a scandal; **to** make a to-do (*inf*) *or* fuss; **das ist ein** ~! it's scandalous *or* a scandal.
Skandalblatt *nt* (*pej*) scandal sheet; **Skandalgeschichte** *f* (bit *or* piece of) scandal; **Skandalnudel** *f* (*hum*) **sie ist eine richtige** ~ she's always involved in some scandal or other.
skandalös *adj* scandalous.
Skandalpresse *f* (*pej*) gutter press; **Skandalprozeß** *m* sensational trial *or* case; **skandalträchtig** *adj* potentially scandalous; **skandalumwittert** *adj* (*Press sl*) surrounded by scandal.
skandieren* *vti* to scan.
Skandinavien [skandi'na:viən] *nt* -s Scandinavia.
Skandinavier(in *f*) [skandi'na:viɐ, -iərɪn] *m* -s, - Scandinavian.
skandinavisch *adj* Scandinavian.
Skandium *nt*, *no pl* (*abbr* Sc) scandium.
Skarabäus [skara'bɛ:ʊs] *m* -, **Skarabäen**

[-'bɛ:ən] scarab.
Skat *m* -(e)s, -e (*Cards*) skat. ~ **spielen** *or* **dreschen** (*inf*) *or* **kloppen** (*sl*) to play skat.
Skateboard ['ske:tbɔ:d] *nt* -s, -s skateboard.
Skateboard- ['ske:tbɔ:d-]: **Skateboardbahn** *f* skateboard rink; **Skateboardfahrer(in** *f*) *m* skateboarder.
Skatspieler(in *f*) *m* skat player.
Skelett *nt* -(e)s, -e (*lit, fig*) skeleton.
Skepsis *f* -, *no pl* scepticism. **mit/voller** ~ sceptically.
Skeptiker(in *f*) *m* -s, - sceptic.
skeptisch *adj* sceptical.
Sketch [skɛtʃ] *m* -(es), -e(s) (*Art, Theat*) sketch.
Ski [ʃi:] *m* -s, - *or* -er [ʃi:ɐ] ski. ~ **laufen** *or* **fahren** to ski.
Ski- *in cpds* ski; **Skianzug** *m* ski suit; **Skiausrüstung** *f* skiing gear; **Skibob** *m* skibob; **Skibrille** *f* ski goggles *pl*.
Skier ['ʃi:ɐ] *pl of* Ski.
Ski- ['ʃi:-]: **Skifahrer(in** *f*) *m* skier; **Skifliegen** *nt*, **Skiflug** *m* ski flying; **Skigebiet** *nt* ski(ing) area; **Skigymnastik** *f* skiing exercises *pl*; **Skihase** *m*, **Skihaserl** *nt* -s, -n (*hum inf*) girl skier; **Skihose** *f* (pair of) ski pants *pl*; **Skihütte** *f* ski hut *or* lodge (*US*); **Skikurs** *m* skiing course; **Skilauf** *m* skiing; **Skiläufer(in** *f*) *m* skier; **Skilehrer(in** *f*) *m* ski instructor; **Skilift** *m* ski-lift; **Skipaß** *m* ski pass; **Skipiste** *f* ski-run; **Skischuh** *m* ski boot; **Skischule** *f* ski school; **Skisport** *m* skiing; **Skispringen** *nt* ski jumping; **Skispringer(in** *f*) *m* ski-jumper; **Skistock** *m* ski stick; **Skiträger** *m* (*Aut*) ski rack, ski roof carrier (*US*); **Skizirkus** *m* ski circus.
Skizze ['skɪtsə] *f* -, -n sketch; (*fig: Grundriß*) outline, plan.
Skizzen- ['skɪtsn-]: **Skizzenbuch** *nt* sketchbook; **skizzenhaft** *adj* Zeichnung roughly sketched; *Beschreibung* (given) in broad outline.
skizzieren* [skɪ'tsi:rən] *vt* to sketch; (*fig*) *Plan* to outline.
Sklave ['skla:və, 'skla:fə] *m* -n, -n slave. ~ **einer Sache** (*gen*) **sein** (*fig*) to be a slave to sth; **jdn zum** ~**n machen** to make a slave of sb; (*fig*) to enslave sb, to make sb one's slave.
Sklaven- ['skla:vn-, 'skla:fn-]: **Sklavenarbeit** *f* slavery; (*Arbeit von Sklaven*) work of slaves; **Sklavengaleere** *f* slave galley; **Sklavenhalter** *m* slave-holder; **Sklavenhaltergesellschaft** *f* slave-owning society; **Sklavenhandel** *m* slave trade; **Sklavenhändler** *m* slave-trader, slaver; **Sklavenmarkt** *m* slave market; **Sklaventreiber(in** *f*) *m* (*lit, fig*) slave-driver.
Sklaverei [skla:və'rai, -a:fə'rai] *f no pl* (*lit, fig*) slavery *no art*.
Sklavin ['skla:vɪn, 'skla:fɪn] *f* (*lit, fig*) slave.
sklavisch ['skla:vɪʃ, 'skla:fɪʃ] *adj* slavish.
Sklerose *f* -, *no pl* sclerosis.
skontieren* *vt* **jdm etw** ~ to give sb a cash discount on sth.
Skonto *nt or m* -s, -s *or* **Skonti** cash dis-

count. **bei Barzahlung 3% ~ 3%** discount for cash; **jdm ~ geben** or **gewähren** (form) to give or allow sb a discount for cash.

Skorbut m -(e)s, no pl scurvy.

Skorpion m -s, -e (Zool) scorpion; (Astrol) Scorpio.

Skript nt -(e)s, -en **1.** pl usu **-s** (Film) (film) script. **2.** (Univ) (set of) lecture notes pl. **ein ~ anfertigen** to take lecture notes.

Skriptum nt -s, **Skripten** or **Skripta** (Univ, esp Aus) siehe **Skript 2.**

Skrotum nt -s, **Skrota** (Med) scrotum.

Skrupel m -s, - usu pl scruple. **keine ~ haben** or **kennen** to have no scruples; **er hatte keine ~, das zu tun** he didn't scruple to do it; **ohne (jeden) ~** without (the slightest) scruple.

skrupellos adj unscrupulous; **Skrupellosigkeit** f unscrupulousness.

skrupulös adj (geh) scrupulous.

Skullboot ['skʊlboːt] nt sculling boat.

skullen ['skʊlən] vi (Sport) to scull.

Skulptur f sculpture.

Skunk m -s, -e or -e skunk.

skurril adj (geh) droll, comical.

Skurrilität f (geh) drollery.

S-Kurve ['ɛs-] f S-bend.

Slalom m -s, -s slalom. **(im) ~ fahren** (fig inf) to drive a crazy zig-zag course.

Slang [slɛŋ] m -s, no pl slang.

S-Laut ['ɛs-] m (stimmlos) 's'-sound; (stimmhaft) 'z'-sound.

Slawe m -n, -n, **Slawin** f Slav.

slawisch adj Slavonic, Slavic.

Slawist(in f) m Slavonicist, Slavist.

Slawistik f Slavonic studies sing.

Slip m -s, -s (pair of) briefs pl; (Damen~ auch) (pair of) panties pl.

Slip|einlage f panty liner.

Slipper m -s, - slip-on shoe.

Slogan ['sloːgn] m -s, -s slogan.

Slowake m -n, -n, **Slowakin** f Slovak.

Slowakei f - **die ~** Slovakia.

slowakisch adj Slovakian, Slovak. **S~e Republik** Slovak Republic.

Slowene m -n, -n, **Slowenin** f Slovene.

Slowenien [slo'veːniən] nt -s Slovenia.

slowenisch adj Slovenian.

Slowfox ['sloːfɔks] m -(es), -e slow foxtrot.

Slum [slam] m -s, -s slum.

S.M. abbr of **Seine(r) Majestät** HM.

sm abbr of **Seemeile.**

Smaragd m -(e)s, -e emerald.

smaragdgrün adj emerald-green.

Smog m -(s), -s smog.

Smogalarm m smog alert; **Smogalarmstufe** f **~ 1** smog warning level 1; **Smogverordnung** f smog regulations pl.

Smok|arbeit f (Sew) smocking.

Smoking ['smoːkɪŋ] m -s, -s dinnerjacket, dj (inf), tuxedo (US), tux (US inf).

Smutje m -s, -s (Naut) ship's cook.

Snack [snɛk] m -s, -s snack (meal).

Snob m -s, -s snob.

Snobismus m snobbery, snobbishness.

snobistisch adj snobbish.

SO abbr of **Südosten** SE.

s.o. abbr of **siehe oben.**

so I adv **1.** (mit adj, adv) so; (mit vb: ~ sehr) so much. **~ groß** so big; **eine ~ große Frau** such a big woman; **es ist gar nicht ~ einfach** it's really not so easy; **~ groß wie ...** as big as ...; **~ groß, daß ...** so big that ...; **er ist ~ gelaufen** he ran so fast; **ich habe ~ gearbeitet** I worked so hard; **~ gut es geht** as best or well as I/he etc can; **er ist nicht ~ dumm, das zu glauben** he's not so stupid as to believe that, he's not stupid enough to believe that; **sie hat sich ~ gefreut** she was so or really pleased; **das hat ihn ~ geärgert, daß ...** that annoyed him so much that ...; **ich freue mich ~ sehr, daß du kommst** I'm so pleased you're coming.

2. (auf diese Weise, von dieser Art) like this/that, this/that way, thus (form). **mach es nicht ~** don't do it like that or that way; **du sollst es ~ machen, ...** do it like this or this way ...; **mach es ~, wie er es vorgeschlagen hat** do it the way or as or like (inf) he suggested; **ist das tatsächlich ~?** is that really so?; **~ ist sie nun einmal** that's the way she is, that's what she's like; **sei doch nicht ~** don't be like that; **~ ist es nicht gewesen** it wasn't like that, that's not how it was; **es ist vielleicht besser ~** perhaps it's better like that or that way; **~ ist das!** that's the way things are, that's how it is; **(ach) ~ ist das!** I see!; **ist das ~?** is that so?; **~ oder/und ~** either way; **und ~ weiter (und ~ fort)** and so (and so forth); **gut ~!** fine!, good!; **das ist gut ~** that's fine; **das ist auch gut~!** (and) a good thing too!; **mir ist (es) ~, als ob ...** it seems to me as if ...; **~ geht es, wenn ...** that's what happens if ...; **... und ~ ist es also geschehen** ... and so that is what happened; **das kam ~: ...** this is what happened ..., it happened like this ...; **es verhält sich ~: ...** the facts are thus (form) or as follows ...; **das habe ich nur ~ gesagt** I didn't really mean it.

3. (etwa) about, or so. **ich komme ~ um 8 Uhr** I'll come at about 8, I'll come at 8 or so or thereabouts; **sie heißt doch Malitzki oder ~** she's called Malitzki or something.

4. (inf: umsonst) for nothing.

5. (als Füllwort) nicht übersetzt. **~ dann und wann** now and then; **~ beeil dich doch!** do hurry up!; **~ mancher** a number of people pl, quite a few people pl.

6. (solch) **~ ein Gebäude/Fehler** a building/mistake like that, such a building/mistake; **~ ein guter Lehrer/ schlechtes Bild** such a good teacher/bad picture; **~ ein Idiot!** what an idiot!; **hast du ~ etwas schon einmal gesehen?** have you ever seen anything like it?; **~ (et)was ist noch nie vorgekommen** nothing like that has ever happened; **sie ist doch Lehrerin oder ~ was** she's a teacher or something like that; **na ~ was!** well I never!; **~ etwas Schönes** something as beautiful as that; **~ einer wie ich/er** somebody like or a person such as myself or me/him; siehe **um III 2.**

II *conj* **1.** ~ **daß** so that.
  2. ~ **wie es jetzt ist** as *or* the way things are at the moment.
  3. ~ **klein er auch sein mag** however small he may be; ~ **wahr ich lebe** as true as I'm standing here.
  4. (*old: falls*) if, provided that. ~ **der Herrgott will, sehen wir uns wieder** God willing, we shall see one another again.
  III *interj* so; (*wirklich*) oh, really; (*abschließend*) well, right. **er ist schon da** — ~ **he's here already** — is he? *or* oh *or* really; ~, **das wär's für heute** well *or* right *or* so, that's it for today; ~, ~**! well** well.

sobald *conj* as soon as.

Söckchen *nt dim of* **Socke**.

Socke *f* -, -**n** sock. **sich auf die ~n machen** (*inf*) to get going (*inf*); **von den ~n sein** (*inf*) to be flabbergasted (*inf*), to be knocked for six (*inf*).

Sockel *m* -**s**, - base; (*von Denkmal, Statue*) plinth, pedestal, socle (*spec*); (*Elec*) socket; (*für Birne*) holder.

Sockelbetrag *m* basic sum; **Sockelrente** *f* basic pension.

Socken *m* -**s**, - (*S Ger, Aus*) sock.

Sockenhalter *m* (sock) suspender (*Brit*), garter.

Soda *f* -, *no pl*, *nt* -**s**, *no pl* soda.

sodann *adv* (*old*) thereupon (*old, form*), then.

sodaß *conj* (*Aus*) = **so daß**.

Sodawasser *nt* soda water.

Sodbrennen *nt* heartburn.

Sode *f* -, -**n** (*Rasenstück, Torfscholle*) turf, sod.

Sodomie *f* buggery, bestiality.

so|eben *adv* just (this moment). ~ **hören wir** *or* **haben wir gehört ...** we have just (this moment) heard ...; ~ **erschienen** just out *or* published.

Sofa *nt* -**s**, -**s** sofa, settee (*esp Brit*).

Sofabett *nt* bed-settee (*Brit*), sofa bed; **Sofakissen** *nt* sofa cushion.

sofern *conj* provided (that). ~ **... nicht** if ... not.

soff *pret of* **saufen**.

Sofia ['zɔfia, 'zɔːfia] *nt* -**s** (*Geog*) Sofia.

Sofioter(in *f*) *m* -**s**, - Sofian.

sofort *adv* immediately, straight *or* right away, at once. ~ **nach ...** immediately after ...; **komm hierher, aber** *or* **und zwar ~!** come here this instant *or* at once!; (**ich**) **komme ~!** (I'm) just coming!; (*Kellner*) I'll be right with you.

Sofortbildkamera *f* Polaroid ® camera, instant camera; **Soforthilfe** *f* emergency relief *or* aid.

sofortig *adj* immediate, instant.

Sofortmaßnahme *f* immediate measure.

Soft|eis, Soft-Eis ['sɔft-] *nt* soft ice-cream.

Softi *m* -**s**, -**s** (*inf*) caring type.

Software ['sɔftwɛːɐ] *f* -, -**s** (*Comput*) software.

Softwarepaket ['sɔftwɛːɐ-] *nt* software package.

sog *pret of* **saugen**.

sog. *abbr of* **sogenannt**.

Sog *m* -(**e**)**s**, -**e** (*saugende Kraft*) suction; (*bei Schiff*) wake; (*bei Flugzeug,*

Fahrzeug) slipstream; (*von Strudel*) vortex; (*von Brandungswelle*) undertow; (*fig*) maelstrom.

sogar *adv* even. **er kam ~** he even came; **schön, ~ sehr schön** beautiful, in fact very beautiful; **ich kann sie gut leiden, ich finde sie ~ sehr nett** I like her, in fact I think she's very nice; **ich habe sie nicht nur gesehen, sondern ~ geküßt** I didn't just see her, I actually kissed her (as well).

sogenannt *adj attr* as it/he *etc* is called; (*angeblich*) so-called.

sogleich *adv siehe* **sofort**.

Sogwirkung *f* suction; (*fig*) knock-on effect.

Sohle *f* -, -**n** **1.** (*Fuß~*) sole; (*Einlage*) insole. **auf leisen ~n** (*poet*) softly, noiselessly; **mit nackten ~n** barefoot; **eine kesse ~ aufs Parkett legen** (*inf hum*) to put up a good show on the dance floor.
  2. (*Boden*) bottom; (*Tal~ auch*) floor; (*Fluß~ auch*) bed.
  3. (*Min*) (*Grubenboden*) floor; (*Stollen*) level.

sohlen *vt* to sole.

Sohl(en)leder *nt* sole leather.

Sohn *m* -(**e**)**s**, ̈-**e** (*lit, fig*) son. **Gottes ~, der ~ Gottes** (*Bibl*) the Son of God; **des Menschen ~** (*Bibl*) the Son of Man; **na, mein ~** well, son *or* sonny.

Söhnchen *nt dim of* **Sohn**.

Sohnemann *m* (*dial inf*) son, sonny.

soigniert [soanˈjiːɐt] *adj* (*geh*) elegant; (*bei Frauen auch*) soignée; (*bei Männern auch*) soigné.

Soiree [soaˈreː] *f* -, -**n** [-eːən] soirée.

Soja *f* -, **Sojen** soya, soy.

Sojabohne *f* soya bean, soybean; **Sojabohnenkeime** *pl* bean sprouts *pl*; **Sojasoße** *f* soya sauce.

Sokrates ['zɔːkratɛs] *m* - Socrates.

sokratisch *adj* Socratic.

solang(e) *conj* as *or* so long as.

Solarium *nt* -**s**, **Solarien** solarium.

Solar- *in cpds* solar; **Solarenergie** *f* solar energy; **Solarkollektor** *m* solar panel; **Solarkraftwerk** *nt* solar power station; **Solarplexus** *m* -, - (*Anat*) solar plexus; **Solarzelle** *f* solar cell.

Solbad *nt* (*Bad*) salt-water *or* brine bath; (*Badeort*) salt-water spa.

solch *adj inv*, **solche(r, s)** *adj* such. **ein ~er Mensch, ~ ein Mensch** such a person, a person like that/this; ~**e Menschen** people like that, such people; ~**es Wetter/Glück** such weather/luck; **wir haben ~en Durst/~e Angst** we're so thirsty/afraid; ~ **langer Weg** such a long way; **der Mensch als ~er** man as such; ~**es** that kind of thing; ~**e** (*Leute*) such people; **Experten und ~e, die es werden wollen** experts and people who would like to be experts; **Rechtsanwälte gibt es ~e und ~e** there are lawyers and lawyers.

solcherart, solcherlei *adj attr inv* (*geh*) such; **solchermaßen** *adv* (*old*) to such an extent, so.

Sold *m* -(**e**)**s**, *no pl* (*Mil*) pay. **in jds ~** (*dat*) **stehen** (*old*) to be in sb's employ; (*pej*) to be in sb's pay.

Soldat m -en, -en soldier. **bei den ~en sein** (dated) to be in the army, to be a soldier; **~ werden** to join the army, to become a soldier; **~ spielen** to play soldiers.

Soldatenfriedhof m military cemetery; **Soldatenlied** nt army or soldier's song; **Soldatenrat** m soldiers' council; **Soldatenrock** m (old) military or soldier's uniform; **Soldatensprache** f military or soldier's slang; **Soldatentum** nt soldiership no art, soldiery no art; (Tradition) military tradition.

Soldateska f -, **Soldatesken** (pej) band of soldiers.

Soldatin f soldier.

soldatisch adj (militärisch) military; (soldatengemäß) soldierly.

Soldbuch nt (Hist) military passbook.

Söldner m -s, - mercenary.

Söldnerheer nt army of mercenaries, mercenary army; **Söldnertruppe** f mercenary force.

Sole f -, -n brine, salt water.

Solei ['zo:l|ai] nt pickled egg.

Soli pl of **Solo.**

solid adj siehe **solid(e).**

Solidarbeitrag m (von Interessengemeinschaft) donation (to public funds, social services etc); **Solidargemeinschaft** f solidarity committee.

solidarisch adj **sich mit jdm ~ erklären** to declare one's solidarity with sb; **eine ~e Haltung zeigen** to show (one's) solidarity; **sich mit jdm ~ fühlen** to feel solidarity with sb; **~ mit jdm handeln** to act in solidarity with sb.

solidarisieren* vr **sich ~ mit** to show (one's) solidarity with.

Solidarität f solidarity.

Solidaritätsadresse f message of solidarity; **Solidaritätsbeitrag** m solidarity tax; **Solidaritätsgefühl** nt feeling of solidarity; **Solidaritätsstreik** m sympathy strike.

Solidarpakt m solidarity pact.

solid(e) adj Haus, Möbel solid, sturdy; Arbeit, Wissen, Mechaniker sound; Mensch, Leben, Lokal respectable; Firma solid; Preise reasonable.

Solidität f siehe adj solidness, sturdiness; soundness; respectability; reasonableness.

Solist(in f) m (Mus) soloist.

solistisch adj, adv solo.

Solitär m solitaire; (Diamant) diamond solitaire, solitaire diamond.

Soll nt -(s), -(s) 1. (Schuld) debit; (Schuldseite) debit side. **~ und Haben** debit and credit. 2. (Comm: Planaufgabe) target.

sollen I modal aux vb pret **sollte**, ptp **~** 1. (bei Befehl, Anordnung, Verpflichtung, Plan) to be to. **was soll ich/er tun?** what shall or should I/should he do?, what am I/is he to do?; (was sind meine etc Aufgaben auch) what am I/is he meant to do?; **soll ich Ihnen helfen?** shall or can I help you?; **soll ich dir mal sagen, wie ...?** shall I tell you how ...?; **du weißt, daß du das nicht tun sollst** you know that you shouldn't do that or aren't to do that; (das ist nicht deine Aufgabe auch) you

know that you're not meant to do that; **er weiß nicht, was er tun soll** he doesn't know what to do or what he should do; **sie sagte ihm, er solle draußen warten** she told him (that he was) to wait or that he should wait outside; **er wurde wütend, weil er draußen warten sollte** he was livid that he was told to wait outside; **sie sagte mir, was ich tun sollte/alles tun soll** she told me what to do or what I should do/everthing I should do or am meant to do; **es soll nicht wieder vorkommen** it shan't or won't happen again; **er soll reinkommen** let him come in, tell him to come in; **der soll nur kommen!** just let him come!; **und da soll man nicht böse werden/nicht lachen!** and then they expect you/me etc not to get cross/not to laugh; **niemand soll sagen, daß ...** let no-one say that ..., no-one shall say that ...; **ich soll Ihnen sagen, daß ...** I am to tell you or I've been asked to tell you that ...; **ich soll dir schöne Grüße von Renate bestellen** Renate asked me to give you her best wishes; **du sollst nicht töten** (Bibl) thou shalt not kill; **das Haus soll nächste Woche gestrichen werden** the house is (meant) to be painted next week; **das Gebäude soll ein Museum werden** the building is (meant) to become a museum.

2. (konjunktivisch) **was sollte ich/er deiner Meinung nach tun?** what do you think I/he should do or ought to do?; **so etwas sollte man nicht tun** one shouldn't do or oughtn't to do that; **das hättest du nicht tun ~** you shouldn't have or oughtn't to have done that; **das hättest du sehen ~!** you should have seen it!; **du solltest lieber etwas früher kommen/zu Hause bleiben** it would be better if you came early/stayed at home.

3. (bei Vermutung, Erwartung) to be supposed or meant to. **er soll heute kommen** he should come today, he is supposed or meant to come today; **sie soll krank sein** I've heard she's ill, she's supposed to be ill; **Xanthippe soll zänkisch gewesen sein** Xanthippe is supposed or said to have been quarrelsome; **das soll gar nicht so einfach sein** they say it's not that easy; **was soll das heißen?** what's that supposed or meant to mean?; **wer soll das sein?** who is that supposed or meant to be?

4. (können, mögen) **mir soll es gleich sein** it's all the same to me; **so etwas soll es geben** these things happen; **man sollte glauben, daß ...** you would think that ...; **sollte das möglich sein?** is that possible?, can that be possible?

5. (konditional) **sollte das passieren, ...** if that should happen ..., should that happen ...; **sollte ich unrecht haben, tut es mir leid** I'm sorry if I should be wrong, I'm sorry should I be wrong.

6. subjunc (geh: jdm beschieden sein) **es hat nicht ~ sein** it wasn't to be; **Jahre sollten vergehen, bevor ...** years were to pass before ...; **es sollte nicht lange dauern, bis ...** it was not to be long until ...

II *vi pret* **sollte,** *ptp* **gesollt 1. soll ich?** should I?; **ja, du sollst** yes, you should; **er hätte ~** he should have.
2. was soll das? what's all this?; (*warum denn das*) what's that for?; **was soll's?** what the hell (*inf*) or heck (*inf*)?; **was soll der Quatsch/Mist?** (*inf*) what do you/they think you're/they're playing at? (*inf*); **was soll ich dort?** what would I do there?
III *vt pret* **sollte,** *ptp* **gesollt das sollst/solltest du nicht** you shouldn't do that; **das hast du nicht gesollt** you shouldn't have done that.

Söller *m* **-s,** - balcony.

Sollseite *f* (*Fin*) debit-side; **Sollstärke** *f* required or authorized strength; **Sollzinsen** *pl* (*Fin*) interest owing *sing*.

solo *adv* (*Mus*) solo; (*fig inf*) on one's own, alone.

Solo *nt* **-s, Soli** (*alle Bedeutungen*) solo.

Solo- *in cpds* solo; **Sologesang** *m* solo; **Sologeschäft** *nt* (*St Ex*) outright transaction.

solvent [zɔl'vɛnt] *adj* (*Fin*) solvent.

Solvenz [zɔl'vɛnts] *f* (*Fin*) solvency.

Somali *m* **-(s),** **-(s)** Somali.

Somalia *nt* **-s** Somalia.

Somalier(in *f*) [-iɐ, -iərɪn] *m* **-s,** - Somali.

somalisch *adj* Somali.

somatisch *adj* (*Med*) somatic.

Sombrero *m* **-s, -s** sombrero.

somit *adv* consequently, therefore.

Sommer *m* **-s,** - summer. **im ~, des ~s** (*geh*) in (the) summer; **im nächsten ~** next summer; **im ~ des Jahres 1991** in the summer of 1991; **~ wie** or **und Winter** all year round.

Sommer- *in cpds* summer; **Sommerabend** *m* summer('s) evening; **Sommeranfang** *m* beginning of summer; **Sommerferien** *pl* summer holidays *pl* (*Brit*) or vacation (*esp US*); (*Jur, Parl*) summer recess; **in die ~ fahren** to go away for the *one's* summer holidays (*Brit*) or vacation (*US*); **in die ~ gehen** to begin one's summer holidays (*Brit*) or vacation (*US*); (*Sch auch*) to break up for the summer (holidays) (*Brit*); (*Univ*) to go down for the summer; (*Jur, Parl*) to go into the summer recess; **Sommerfrische** *f* (*dated*) **1.** *no pl* (*Sommerurlaub*) summer holiday or vacation (*US*) or break; **2.** (*Ort*) summer resort; **Sommergast** *m* summer guest; **Sommergerste** *f* spring barley; **Sommergetreide** *nt* spring cereal; **Sommerhalbjahr** *nt* summer semester, ≃ summer term (*Brit*); **Sommerhaus** *nt* holiday home; **Sommerkleidung** *f* summer clothing; (*esp Comm*) summerwear.

sommerlich *adj* (*sommerartig, heiter*) summery; (*Sommer-*) summer *attr*. **~ gekleidet sein** to be in summer clothes.

Sommerloch *nt* (*inf*) silly season; **Sommermonat** *m* summer month; **Sommernacht** *f* summer('s) night; **Sommerolympiade** *f* Summer Olympics *pl*; **Sommerpause** *f* summer break; (*Jur, Parl*) summer recess;

Sommerreifen *m* normal tyre.

sommers *adv* (*geh*) in summer. **~ wie winters** all year round.

Sommersaison *f* summer season; **Sommerschlußverkauf** *m* summer sale; **Sommersemester** *nt* (*Univ*) summer semester, ≃ summer term (*Brit*); **Sommersitz** *m* summer residence; **Sommerspiele** *pl* **die Olympischen ~** the Summer Olympics or Olympic Games; **Sommersprosse** *f* freckle; **sommersprossig** *adj* freckled; **Sommertag** *m* summer's day; **Sommertheater** *nt* open-air theatre; **Sommerweizen** *m* spring wheat; **Sommerwetter** *nt* summer weather; **Sommerwohnung** *f* holiday flat (*Brit*) or apartment; **Sommerzeit** *f* summer time *no art*; (*geh: Sommer*) summertime; **zur ~** (*geh*) in summertime.

Somnambulismus *m* (*spec*) somnambulism.

Sonargerät *nt* sonar (device).

Sonate *f* **-, -n** sonata.

Sonde *f* **-, -n** (*Space, Med: zur Untersuchung*) probe; (*Med: zur Ernährung*) tube; (*Met*) sonde.

sonder *prep* +*acc* (*obs*) without.

Sonder- *in cpds* special; **Sonderabdruck** *m* (*Typ*) offprint; **Sonderanfertigung** *f* special model; **eine ~ sein** to have been made specially; **Sonderangebot** *nt* special offer; **im ~ sein** to be on special offer; **Sonderausführung** *f* special model or version; (*Auto auch*) custombuilt model; **Sonderausgabe** *f* **1.** special edition; **2. Sonderausgaben** *pl* (*Fin*) additional or extra expenses *pl*.

sonderbar *adj* strange, peculiar, odd.

sonderbarerweise *adv* strangely enough, strange to say.

Sonderbeauftragte(r) *mf* (*Pol*) special emissary; **Sonderberichterstatter(in** *f*) *m* (*Press*) special correspondent; **Sonderbotschafter(in** *f*) *m* ambassador extraordinary; **Sonderdruck** *m* (*Typ*) offprint; **Sondereinsatz** *m* special action; **Sonderfahrt** *f* special excursion or trip; **,,~''** (*auf Schild*) "special"; **Sonderfall** *m* special case; (*Ausnahme*) exception; **Sondergenehmigung** *f* special permission; (*Schein*) special permit; **Sondergericht** *nt* special court; **sondergleichen** *adj inv* **eine Frechheit/ Geschmacklosigkeit ~** the height of cheek/bad taste; **Sonderklasse** *f* special class; (*von Obst*) top grade; **Sonderkommando** *nt* special unit; **Sonderkonto** *nt* special account.

sonderlich I *adj attr* particular, especial, special. **ohne ~e Begeisterung** without any particular enthusiasm, without much enthusiasm. **II** *adv* particularly, especially.

Sonderling *m* eccentric.

Sondermarke *f* special issue (stamp); **Sondermaschine** *f* special plane or aircraft; **Sondermeldung** *f* (*Rad, TV*) special announcement; **Sondermüll** *m* hazardous waste; **Sondermülldeponie** *f* hazardous waste depot.

sondern[1] *conj* but. **~?** where/who/what

etc then?; **wir fahren nicht nach Spanien, ~ nach Frankreich** we're not going to Spain, we're going to France, we're not going to Spain but to France; **nicht nur ..., ~ auch** not only ... but also.

sondern² *vt (old, geh)* to separate (*von* from); *siehe* **gesondert.**

Sondernummer *f (Press)* special edition *or* issue; **Sonderpreis** *m* special reduced price; **Sonderrecht** *nt* (special) privilege; **Sonderregelung** *f* special provision.

sonders *adv siehe* **samt.**

Sonderschule *f school for children with learning difficulties;* **Sonderschullehrer(in** *f) m teacher at a school for children with learning difficulties;* **Sondersitzung** *f* special session; (*von Vorstand*) special meeting; **Sonderstellung** *f* special position; **Sonderstempel** *m (bei der Post)* special postmark; **Sonderurlaub** *m (Mil)* special leave; (*für Todesfall etc*) compassionate leave; **Sonderwünsche** *pl* special requests *pl;* **Sonderzeichen** *nt (Comput)* special character; **Sonderziehungsrechte** *pl (Fin)* special drawing rights *pl;* **Sonderzug** *m* special train.

sondieren* **I** *vt* to sound out. **die Lage ~** to find out how the land lies. **II** *vi* to sound things out.

Sondierung *f* sounding out *no pl.*

Sondierungsgespräch *nt* exploratory discussion *or* talk.

Sonett *nt* **-(e)s, -e** sonnet.

Song [sɔŋ] *m* **-s, -s** song.

Sonn|abend *m* Saturday; *siehe auch* **Dienstag.**

sonn|abends *adv* on Saturdays, on a Saturday.

Sonne *f* **-, -n** sun; (*Sonnenlicht auch*) sunlight. **die liebe ~** (*poet, inf*), **Frau ~** (*poet*) the sun; **unter der ~** (*fig geh*) under the sun; **an *or* in die ~ gehen** to go out in the sun(shine); **das Zimmer hat wenig ~** the room doesn't get much sun(light); **die ~ bringt es an den Tag** (*prov*) truth will out (*prov*).

sonnen *vr* to sun oneself. **sich in etw** (*dat*) **~** (*fig*) to bask in sth.

Sonnenanbeter(in *f) m (lit, fig)* sun-worshipper; **Sonnenaufgang** *m* sunrise, sun-up; **Sonnenbad** *nt* sunbathing *no pl;* **ein ~ nehmen** to sunbathe, to bask in the sun; **sonnenbaden** *vi sep infin, ptp only* to sunbathe; **Sonnenbahn** *f* sun's path; **Sonnenball** *m (liter)* fiery orb (*liter*); **Sonnenblende** *f (Phot)* lens hood.

Sonnenblume *f* sunflower.

Sonnenblumenkern *m* sunflower seed; **Sonnenblumenöl** *nt* sunflower oil.

Sonnenbrand *m* sunburn *no art;* **Sonnenbräune** *f* suntan; **Sonnenbrille** *f* (pair of) sunglasses *pl,* shades *pl (US);* **Sonnendach** *nt* awning, sun-blind; (*Aut dated*) sun(shine)-roof; **Sonnendeck** *nt (Naut)* sundeck; **sonnendurchflutet** *adj (geh)* sunny, with the sun streaming in; **Sonnenenergie** *f* solar energy; **Sonnenfinsternis** *f* solar eclipse,

eclipse of the sun; **Sonnenfleck** *m (Astron)* sunspot; **sonnengebräunt** *adj* suntanned; **Sonnengeflecht** *nt (Physiol)* solar plexus; **Sonnengenerator** *m (an Satellit)* solar generator; **Sonnenglanz** *m (poet),* **Sonnenglut** *f (geh)* blazing heat of the sun; **Sonnengott** *m* sungod; **sonnenhell** *adj* sunny, sunlit; **Sonnenhitze** *f* heat of the sun; **sonnenhungrig** *adj* hungry for the sun; **Sonnenhungrige** *pl* sun-seekers *pl;* **Sonnenhut** *m* sunhat; **Sonnenjahr** *nt (Astron)* solar year; **sonnenklar** *adj (inf)* clear as daylight, crystal-clear; **Sonnenkollektor** *m* solar panel; **Sonnenkönig** *m (Hist)* Sun King, Roi Soleil; **Sonnenkraftwerk** *nt* solar power station; **Sonnenlicht** *nt* sunlight; **Sonnenmilch** *f* suntan lotion; **Sonnenöl** *nt* suntan oil; **Sonnenpaddel** *nt (inf: Sonnengenerator)* solar paddle (*inf*); **Sonnenrad** *nt (Hist)* (representation of the) sun; **Sonnenschein** *m* sunshine; **bei ~/strahlendem ~** in the sunshine/in brilliant sunshine; **Sonnenschirm** *m* sun-shade; (*für Frauen auch*) parasol; **Sonnenschutz** *m* protection against the sun; **Sonnenschutzfaktor** *m* protection factor; **Sonnensegel** *nt* awning; **Sonnenseite** *f* side facing the sun, sunny side (*auch fig*); **Sonnenstand** *m* position of the sun; **Sonnenstich** *m* heatstroke *no art,* sunstroke *no art;* **du hast wohl einen ~!** (*inf*) you must have been out in the sun too long!; **Sonnenstrahl** *m* sunbeam, ray of sunshine; (*esp Astron, Phys*) sun-ray; **Sonnensystem** *nt* solar system; **Sonnentag** *m* sunny day; (*Met auch*) day of sunshine; (*Astron*) solar day; **Sonnenuhr** *f* sundial; **Sonnenuntergang** *m* sunset, sundown; **sonnenverbrannt** *adj Vegetation* scorched; *Mensch* sunburnt; **Sonnenwende** *f* solstice; **Sonnenwendfeier** *f siehe* **Sonnwendfeier; Sonnenwind** *m (Phys)* solar wind.

sonnig *adj* sunny.

Sonnseite *f (Aus) siehe* **Sonnenseite; sonnseitig** *adv (Aus)* **~ gelegen** facing the sun.

Sonntag *m* Sunday; *siehe auch* **Dienstag.**

sonntägig *adj attr* Sunday.

sonntäglich *adj* Sunday *attr.* **~ gekleidet** dressed in one's Sunday best.

sonntags *adv* on Sundays, on a Sunday; *siehe auch* **dienstags.**

Sonntags- *in cpds* Sunday; **Sonntagsarbeit** *f* Sunday working; **Sonntagsausflug** *m* Sunday trip; **Sonntagsbeilage** *f* Sunday supplement; **Sonntagsdienst** *m (von Polizist etc)* Sunday duty; **~ haben** (*Apotheke*) to be open on Sundays; **Sonntagsfahrer(in** *f) m (pej)* Sunday driver; **Sonntagskind** *nt (lit)* Sunday's child; **ein ~ sein** (*fig*) to have been born under a lucky star; **Sonntagskleidung** *f* Sunday clothes *pl;* **Sonntagsmaler(in** *f) m* Sunday painter; **Sonntagsrede** *f (iro)* **~n halten** to get up on one's soapbox from time to time; **Sonntagsredner(in** *f) m (iro)* soap-box speaker; **Sonntagsruhe** f die ~ stören/einhalten to contravene the observance of/to observe Sunday as a day of rest; **Sonntagsschule** f Sunday school; **Sonntagsstaat** m (hum) Sunday best; **Sonntagszeitung** f Sunday paper.

Sonn- und Feiertage pl Sundays and public holidays pl.

sonn- und feiertags adv on Sundays and public holidays.

Sonnwendfeier f midsummer/midwinter celebrations pl; **Sonnwendfeuer** nt bonfire at midsummer/midwinter celebrations.

Sonographie f (Med) sonography.

sonor adj sonorous.

sonst I adv 1. (außerdem) (mit pron, adv) else; (mit n) other. ~ keine Besucher/Zeitungen no other visitors/papers; ~ noch Fragen? any other questions?; wer/wie (denn) ~? who/how else?; bringst du all deine Freunde mit? — was denn ~? are you bringing all your friends? — of course; ~ niemand or keiner/(noch) jemand or wer (inf) nobody/somebody else; er und ~ keiner nobody else but he, he and nobody else, he and he alone; wenn du ~ irgend jemanden kennst if you know somebody or anybody else or any other person; er denkt, er ist ~ wer (inf) he thinks he's somebody special, he thinks he's the bee's knees (inf) or the cat's whiskers (inf); ~ nichts/noch etwas nothing/something else; ~ noch etwas? is that all?, anything else?; (in Geschäft auch) will there be anything else?, will that be all?; ~ bist du gesund or geht's dir gut? (iro inf) are you feeling okay? (inf); ~ willst du nichts? (iro inf) anything else you'd like?; und wer weiß was ~ noch alles and goodness knows what else; wo warst du ~ überall? where else did you go?

2. (andernfalls, im übrigen) otherwise. wie geht's ~? how are things apart from that or otherwise?

3. (in anderer Hinsicht) in other ways. wenn ich Ihnen ~ noch behilflich sein kann if I can help you in any or some other way.

4. (gewöhnlich) usually. genau wie/anders als ~ the same as/different from usual; mehr/weniger als ~ more/less than usual; der ~ so mürrische Herr Grün war heute direkt freundlich Mr Grün, who is usually so grumpy, was really friendly today.

5. (früher) alles war wie ~ everything was as it always used to be; war das auch ~ der Fall? was that always the case?

II conj otherwise, or (else).

sonstig adj attr other; Fragen, Auskünfte further. aber ihre ~en Leistungen sind verhältnismäßig gut but her performance otherwise is quite good; „S~es" "other".

sonstjemand indef pron (inf) siehe **sonstwer**; **sonstwas** indef pron (inf) da kann ja ~ passieren anything could happen; von mir aus kannst du ~ machen as far as I'm concerned you can do what-

ever you like; ich habe ~ versucht I've tried everything; **sonstwer** indef pron (inf) das kannst du sonstwem schenken you can give that to some other sucker (sl) or to somebody else; das kannst du sonstwem erzählen! tell that to the marines! (inf); da kann ~ kommen, wir machen keine Ausnahmen it doesn't matter who it is, we're not making any exceptions; **sonstwie** adv (inf) (in) some other way; (sehr) like mad (inf) or crazy (inf); **sonstwo** adv (inf) somewhere else; ~, nur nicht hier anywhere (else) but here; **sonstwohin** adv (inf) somewhere else; das kannst du dir ~ stecken! (sl) you can stuff that! (sl), you know where you can put that! (sl).

so|oft conj whenever.

Soor m -(e)s, -e (Med) thrush no art.

Sophismus m sophism.

Sophist(in f) m sophist.

Sophisterei f sophistry.

Sopran m -s, -e soprano; (Knaben~, Instrumenten~ auch) treble; (Chorstimmen) sopranos pl; trebles pl.

Sopranist m treble.

Sopranistin f soprano.

Sorbinsäure f sorbic acid.

Sore f -, no pl (sl) loot, swag (hum).

Sorge f -, -n worry; (Ärger auch) trouble; (Kummer auch) care. frei von ~n free of care or worries; keine ~! (inf) don't (you) worry!; ~ haben, ob/daß ... to be worried whether /that ...; wir betrachten diese Entwicklung mit ~ we view this development with concern; ~n haben to have problems; weniger/nichts als ~n haben to have fewer/nothing but worries or headaches (inf); ich habe solche ~ I'm so worried; du hast ~n! (iro) you think you've got troubles! (inf); ~n haben die Leute! the worries people have!; mit dem haben wir nichts als ~n we've had nothing but trouble with him/that; jdm ~n machen (Kummer bereiten) to cause sb a lot of worry; (beunruhigen) to worry sb; es macht mir ~n, daß ... it worries me that ...; in ~ (dat) sein to be worried; sich (dat) ~n machen to worry; machen Sie sich deshalb keine ~n don't worry about that; seien Sie ohne ~! (geh) do not fear (liter) or worry; lassen Sie das meine ~ sein let me worry about that; für etw ~ tragen (geh) to attend or see to sth, to take care of sth; dafür ~ tragen, daß ... (geh) to see to it that ...

sorgeberechtigt adj ~ sein to have custody; **Sorgeberechtigte(r)** mf person having custody.

sorgen I vr to worry. sich ~ um to be worried or to worry about.

II vi ~ für (sich kümmern um) to take care of, to look after; (betreuen auch) to care for; (vorsorgen für) to provide for; (herbeischaffen) Proviant, Musik to provide; (bewirken) to ensure; dafür ~, daß ... to see to it that ..., to make sure that ...; für einen reibungslosen Ablauf ~ to make sure that things go smoothly; dafür ist gesorgt that's taken care of.

Sorgenfalte f worry line; **sorgenfrei** adj free of care; (heiter, sich keine

Sorgen machend) carefree; **Sorgenkind** *nt* (*inf*) problem child; (*fig auch*) biggest headache (*inf*); **Sorgenlast** *f* (*geh*) burden of one's cares; **sorgenlos** *adj siehe* **sorgenfrei**; **sorgenschwer** *adj Stimme, Blick* troubled; *Leben* full of cares; **sorgenvoll** *adj* worried; *Leben* full of worries.

Sorgerecht *nt* (*Jur*) custody.

Sorgfalt *f* -, *no pl* care. **ohne ~ arbeiten** to work carelessly; **viel ~ auf etw** (*acc*) **verwenden** to take a lot of care over sth.

sorgfältig *adj* careful.

Sorgfaltspflicht *f* (*Jur*) duty of care to a child. **Verletzung der ~** negligence of one's duties as a parent/guardian.

sorglos *adj* (*unbekümmert*) carefree; (*nachlässig*) careless. **jdm ~ vertrauen** to trust sb implicitly.

Sorglosigkeit *f siehe adj* carefreeness; carelessness.

sorgsam *adj* careful.

Sorte *f* -, -n **1.** sort, type, kind; (*von Waren*) variety, type; (*Qualität, Klasse*) grade; (*Marke*) brand. **beste** *or* **erste ~** top quality *or* grade; **diese Psychiater sind eine ganz komische ~** these psychiatrists are quite a peculiar bunch (*inf*).
2. (*Fin*) *usu pl* foreign currency.

Sorter *m* -s, - *siehe* **Sortiermaschine**.

sortieren* *vt* to sort (*auch Comput*); *Waren* (*nach Qualität, Größe auch*) to grade. **etw in einen Schrank/ein Regal ~** to sort sth and put it in a cupboard/bookcase.

Sortierer(in *f*) *m* -s, - sorter.

Sortierlauf *m* (*Comput*) sort run; **Sortiermaschine** *f* sorting machine, sorter.

Sortiment *nt* **1.** assortment; (*von Waren auch*) range; (*Sammlung auch*) collection. **2.** (*Buchhandel*) retail book trade.

Sortimenter(in *f*) *m* -s, - retail bookseller, book retailer.

Sortimentsbuchhändler(in *f*) *m siehe* **Sortimenter(in)**; **Sortimentsbuchhandlung** *f* retail bookshop (*esp Brit*) or bookstore (*esp US*).

SOS [ɛs|oː|ˈɛs] *nt* -, - SOS. **~ funken** to put out an SOS.

sosehr *conj* however much, no matter how much.

Sosein *nt* (*Philos*) essence.

soso I *adv* (*inf: einigermaßen*) so-so (*inf*), middling (*inf*). II *interj* ~! I see!; (*erstaunt*) well well!; (*indigniert, iro auch*) really!; (*interessiert-gelassen auch*) oh yes?; (*drohend*) well!

Soße *f* -, -n sauce; (*Braten~*) gravy; (*pej inf*) gunge (*inf*).

Soßenlöffel *m* gravy spoon.

sott *pret of* **sieden**.

Souffleur [zuˈfløːɐ] *m*, **Souffleuse** [zuˈfløːzə] *f* (*Theat*) prompter.

Souffleurkasten [zuˈfløːɐ-] *m* (*Theat*) prompt-box.

soufflieren* [zuˈfliːrən] *vti* (*Theat*) to prompt. **jdm (den Text) ~** to prompt sb.

so|undso *adv* ~ **lange** for such and such a time; ~ **groß/breit** of such and such a size/width; ~ **oft** n (number of) times; ~ **viele** so and so many; **Paragraph ~** article such-and-such *or* so-and-so; **er**

sagte, mach das ~ he said, do it in such and such a way.

So|undso *m* -s, -s **Herr ~** Mr So-and-so.

so|undsovielte(r, s) *adj* umpteenth. **am/bis zum S~n** (*Datum*) on/by such and such a date; **er ist der S~, der ...** he's the umpteenth person who ... (*inf*).

Souper [zuˈpeː] *nt* -s, -s (*geh*) dinner.

soupieren* [zuˈpiːrən] *vi* (*geh*) to dine.

Soutane [zuˈtaːnə] *f* -, -n (*Eccl*) cassock.

Souterrain [zutɛˈrɛ̃ː, ˈzuːtɛrɛ̃] *nt* -s, -s basement.

Souvenir [zuvəˈniːɐ] *nt* -s, -s souvenir.

souverän [zuvəˈrɛːn] *adj* sovereign *no adv*; (*fig*) supremely good; (*überlegen*) (most) superior *no adv*. **das Land wurde** ~ the country became a sovereign state; ~ **regieren** to rule as (the) sovereign, to have sovereign power, to be sovereign; ~ **siegen** to win a commanding victory; **sein Gebiet/die Lage ~ beherrschen** to have a commanding knowledge of one's field/to be in full command of a situation; **er ist ganz ~ darüber hinweggegangen** he blithely ignored it.

Souverän [zuvəˈrɛːn] *m* -s, -e sovereign; (*Parlament, Organisation*) sovereign power.

Souveränität [zuvərɛniˈtɛːt] *f* sovereignty; (*fig*) (*Überlegenheit*) superiority; (*Leichtigkeit*) supreme ease.

soviel I *adv* so much. **halb/doppelt ~** half/twice as much; ~ **als** *or* **wie ...** as much as ...; **nimm dir ~ du willst** take as much as you like; **noch einmal ~** the same again; (*doppelt ~*) twice as much; **das ist ~ wie eine Zusage** that is tantamount to *or* that amounts to a promise; ~ **für heute!** that's all for today.
II *conj* as *or* so far as. ~ **ich weiß, nicht!** not as *or* so far as I know; ~ **ich auch ...** however much I ...

sovielmal I *adv* so many times. II *conj* ~ ... **auch ...** no matter how many times ..., however many times ...

soweit I *adv* **1.** by and large, on the whole; (*bis jetzt*) up to now; (*bis zu diesem Punkt*) thus far. ~ **ganz gut** (*inf*) not too bad; ~ **wie** *or* **als möglich** as far as possible; **ich bin ~ fertig** I'm more or less ready.
2. ~ **sein** to be finished *or* (*bereit*) ready; **seid ihr schon ~, daß ihr anfangen könnt?** are you ready to start?; **wie lange dauert es noch, bis der Film anfängt? — es ist gleich ~** how long will it be before the film begins? — it'll soon be time.
II *conj* as *or* so far as; (*insofern*) in so far as. ~ **ich sehe** as *or* so far as I can tell *or* see.

sowenig I *adv* no more, not any more (*wie than*). **sie ist mir ~ sympathisch wie dir** I don't like her any more than you do; ~ **wie** *or* **als möglich** as little as possible. II *conj* however little, little as. ~ **ich auch ...** however little I ...

sowie *conj* **1.** (*sobald*) as soon as, the moment (*inf*). **2.** (*und auch*) as well as.

sowieso *adv* anyway, anyhow, in any case. **das ~!** obviously!, of course!, that goes without saying.

Sowjet *m* -s, -s Soviet; **Sowjetbürger (in** *f***)** *m* (*Hist*) Soviet citizen.
sowjetisch *adj* Soviet.
Sowjetrepublik *f* (*Hist*) Soviet Republic; **Union der Sozialistischen** ~**en** (*Hist*) Union of Soviet Socialist Republics; **Sowjetunion** *f* (*Hist*) Soviet Union.
sowohl *conj* ~ ... **als** *or* **wie (auch)** both ... and, ... as well as.
Sozi *m* -s, -s (*pej inf*) Socialist.
sozial *adj* social; (~ *bewußt*) socially conscious; (*an das Gemeinwohl denkend*) public-spirited. **die** ~**en Berufe** the caring professions; ~**er Wohnungsbau** ≈ council house building (*Brit*); ~**es Jahr** *year spent by young person as voluntary assistant in hospitals, social services etc*; ~**e Indikation** (*bei Abtreibung*) social factor; ~**er Friede** social harmony; ~ **denken** to be socially minded; **ich habe heute meinen** ~**en Tag!** (*inf*) I'm feeling charitable today.
Sozialabbau *m* cuts *pl* in social services; **Sozialabgaben** *pl* social security contributions *pl*; **Sozialamt** *nt* social security office; **Sozialarbeit** *f* social work; **Sozialarbeiter(in** *f***)** *m* social worker; **Sozialberuf** *m* caring profession; **Sozialdemokrat(in** *f***)** *m* social democrat; **Sozialdemokratie** *f* social democracy; **sozialdemokratisch** *adj* social-democratic; **Sozialeinrichtungen** *pl* social facilities *pl*; **Sozialfall** *m* hardship case; **Sozialforschung** *f* social research; **Sozialfürsorge** *f* (*dated*) *siehe* **Sozialhilfe**; **Sozialgericht** *nt* (social) welfare tribunal; **Sozialgeschichte** *f* social history; **Sozialgesetzgebung** *f* social welfare legislation; **Sozialhilfe** *f* income support, welfare (aid) (*US*).
Sozialisation *f* (*Psych, Sociol*) socialization.
sozialisieren* *vt* (*Psych, Sociol, Ind*) to socialize; (*Pol: verstaatlichen*) to nationalize.
Sozialisierung *f* *siehe* *vt* socialization; nationalization.
Sozialismus *m* socialism.
Sozialist(in *f***)** *m* socialist.
sozialistisch *adj* socialist.
Sozialleistungen *pl* employers' contribution (*sometimes including pension scheme payments*); **sozialökonomisch** *adj* socioeconomic; **Sozialpädagoge** *m*, **Sozialpädagogin** *f* social education worker; **Sozialpädagogik** *f* social education; **Sozialpartner** *pl* unions and management *pl*; **wenn einer der** ~ ... if either unions or management ...; **Sozialplan** *m* redundancy payments scheme; **Sozialpolitik** *f* social policy; **sozialpolitisch** *adj* socio-political; **Sozialprestige** *nt* social standing; **Sozialprodukt** *nt* national product; **Sozialpsychologie** *f* social psychology; **Sozialrecht** *nt* social legislation; **Sozialreform** *f* social reform; **Sozialrente** *f* social security pension; **Sozialstaat** *m* welfare state; **Sozialstation** *f* health and advice centre; **Sozialstruktur** *f* social structure; **Sozialversicherung** *f* national insurance (*Brit*), social security

(*US*); **Sozialversicherungsträger** *m* ≈ Department of Social Security; **Sozialwissenschaften** *pl* social sciences *pl*; **Sozialwissenschaftler(in** *f***)** *m* social scientist; **sozialwissenschaftlich** *adj attr* social science; **Sozialwohnung** *f* council flat (*Brit*), state-subsidized apartment; **Sozialzulage** *f* (welfare) allowance.
Soziogramm *nt* sociogram; **Soziographie** *f* sociography; **soziokulturell** *adj* socio-cultural; **Soziolekt** *m* -(e)s, -e sociolect; **Soziolinguistik** *f* sociolinguistics *sing*.
Soziologe *m*, **Soziologin** *f* sociologist.
Soziologie *f* sociology.
soziologisch *adj* sociological.
Soziometrie *f* sociometry; **sozioökonomisch** *adj* socioeconomic.
Sozius *m* -, -se **1.** (*Partner*) partner. **2.** (*Beifahrer*) pillion rider *or* passenger; (*inf:* ~*sitz*) pillion (seat).
Soziussitz *m* pillion (seat).
sozusagen *adv* so to speak, as it were.
Spachtel *m* -s, - *or* -f -, -n **1.** (*Werkzeug*) spatula. **2.** (*spec:* ~*masse*) filler.
Spachtelmasse *f* filler.
spachteln **I** *vt* *Mauerfugen, Ritzen* to fill (in), to smooth over, to stop. **II** *vi* to do some filling; (*inf: essen*) to tuck in.
Spagat¹ *m or nt* -(e)s, -e (*lit*) splits *pl*; (*fig*) balancing act. ~ **machen** to do the splits.
Spagat² *m* -(e)s, -e (*S Ger, Aus: Bindfaden*) string.
Spaghetti¹ [ʃpa'gɛti] *pl* spaghetti *sing*.
Spaghetti² *m* -(s), -s, **Spaghettifresser(in** *f***)** *m* -s, - (*pej sl: Italiener*) wop (*pej sl*), eyetie (*sl*).
Spaghettiträger *m* (*Fashion*) shoestring strap.
spähen *vi* to peer; (*durch Löcher auch*) to peep; (*vorsichtig auch*) to peek; (*old Mil*) to reconnoitre, to scout. **nach jdm/ etw** ~ to look out for sth/sb.
Späher(in *f***)** *m* -s, - (*old Mil*) scout; (*Posten*) lookout.
Spähtrupp *m* (*Mil*) reconnaissance *or* scouting party *or* patrol.
Spalier *nt* -s, -e **1.** trellis; (*für Obst auch*) espalier. **am** ~ **ziehen** to trellis/espalier, to train on a trellis/an espalier. **2.** (*von Menschen*) row, line; (*zur Ehrenbezeigung*) guard of honour.
Spalierobst *nt* wall fruit.
Spalt *m* -(e)s, -e (*Öffnung*) gap, opening; (*zwischen Vorhängen etc auch*) chink; (*Riß*) crack; (*Fels*~) crevice, fissure. **die Tür stand einen** ~ **offen** the door was slightly ajar; **die Tür/Augen einen** ~ **öffnen** to open the door/one's eyes slightly.
spaltbar *adj* (*Phys*) *Material* fissile.
Spaltbreit *m*: **etw einen** ~ **öffnen** to open sth slightly.
spaltbreit *adj* **ein** ~**er Schlitz** a narrow crack.
Spalte *f* -, -n **1.** (*esp Geol*) fissure; (*Fels*~ *auch*) cleft, crevice; (*Gletscher*~) crevasse; (*in Wand*) crack; (*sl: Vagina*) hole (*sl*). **2.** (*Typ, Press*) column.
spalten *ptp auch* **gespalten I** *vt* (*lit, fig*) to split; (*Chem*) *Öl* to crack (*spec*); *Holz* to

chop. **bei dieser Frage sind die Meinungen gespalten** opinions are divided on this question; *siehe* **gespalten.** **II** *vr* to split; (*Meinungen*) to be split.

Spaltmaterial *nt* fissile material; **Spaltpilz** *m usu pl* bacterium.

Spaltung *f* (*lit, fig*) splitting; (*von Atomkernen auch*) fission; (*von Öl*) cracking (*spec*); (*in Partei*) split; (*eines Landes*) split, division. **die ~ der Persönlichkeit/des Bewußtseins** the split in his *etc* personality/mind.

Span *m* -(e)s, ¨e (*Hobel~*) shaving; (*Bohr~ auch*) boring; (*zum Feueranzünden*) piece of kindling; (*Metall~*) filing.

spänen *vt Holzboden* to scour with steel wool.

Spanferkel *nt* suck(l)ing pig.

Spange *f* -, -n clasp; (*Haar~*) hair slide (*Brit*), barrette (*US*); (*Schuh~*) strap, bar; (*Schnalle*) buckle; (*Arm~*) bangle.

Spaniel ['ʃpaːnɪel] *m* -s, -s spaniel.

Spanien ['ʃpaːnɪen] *nt* -s Spain.

Spanier(in *f*) ['ʃpaːnɪɐ, -ɪərɪn] *m* -s, - Spaniard. **die ~** the Spanish, the Spaniards; **stolz wie ein ~** sein (*prov*) to be (very) proud; *siehe* **Deutsche(r).**

spanisch *adj* Spanish. **~e Wand** (folding) screen; **das kommt mir ~ vor** (*inf*) that seems odd to me.

Spanisch(e) *nt* Spanish; *siehe auch* **Deutsch(e).**

Spankorb *m* chip basket.

Spann *m* -(e)s, -e instep.

spann *pret of* **spinnen.**

Spannbeton *m* prestressed concrete; **Spannbettuch** *nt* fitted sheet.

Spanne *f* -, -n (*altes Längenmaß*) span; (*geh: Zeit~*) while; (*Verdienst~*) margin. **eine ~ Zeit** (*geh*) a space *or* span of time.

spannen I *vt* **1.** *Saite, Seil* to tighten, to tauten; *Bogen* to draw; *Feder* to tension; *Muskeln* to tense, to flex; *Strickteile, Wolle* to stretch; *Gewehr, (Abzugs)hahn, (Kamera)verschluß* to cock. **einen Tennisschläger ~** to put a tennis racket in a/the press.

2. (*straff befestigen*) *Werkstück* to clamp; *Wäscheleine* to put up; *Netz, Plane, Bildleinwand* to stretch. **einen Bogen in die Schreibmaschine ~** to insert *or* put a sheet in the typewriter.

3. (*fig*) **seine Erwartungen zu hoch ~** to pitch one's expectations too high.

4. (*inf: merken*) to catch on to (*inf*), to get wise to (*inf*).

II *vr* **1.** (*Haut*) to go *or* become taut; (*Muskeln auch*) to tense.

2. sich über etw (*acc*) **~** (*Regenbogen, Brücke*) to span sth; (*Haut*) to stretch over sth.

III *vi* **1.** (*Kleidung*) to be (too) tight; (*Haut*) to be taut.

2. (*Gewehr* **~**) to cock; (*Kamera* **~**) to cock the shutter.

spannend *adj* exciting; (*stärker*) thrilling. **mach's nicht so ~!** (*inf*) don't keep me/us in suspense.

Spanner *m* -s, - **1.** (*für Tennisschläger*) press; (*Hosen~*) hanger; (*Schuh~*)

shoetree; (*Stiefel~*) boot-tree. **2.** (*Zool*) geometer moth; (*Raupe*) looper. **3.** (*inf: Voyeur*) peeping Tom.

Spannkraft *f* (*von Feder, Bremse*) tension; (*von Muskel*) tone, tonus (*spec*); (*fig*) vigour; **spannkräftig** *adj* (*fig*) vigorous.

Spannung *f* **1.** *no pl* (*von Seil, Feder, Muskel*) tension, tautness; (*Mech: innerer Druck*) stress.

2. (*Elec*) voltage, tension. **unter ~ stehen** to be live.

3. *no pl* (*fig*) excitement; (*Spannungsgeladenheit*) suspense, tension. **mit großer/atemloser ~** with great/breathless excitement; **etw mit ~ erwarten** to await sth full of suspense; **seine mit ~ erwarteten Memoiren sind endlich erschienen** his eagerly awaited memoirs have appeared at last.

4. *no pl* (*innerlich, nervlich*) tension.

5. *usu pl* (*Feindseligkeit*) tension *no pl.*

Spannungsabfall *m* voltage drop; **Spannungsfeld** *nt* (*lit*) electric field; (*fig*) area of conflict; **spannungsfrei** *adj* (*lit*) *Metall, Glas* unstressed; (*fig*) relaxed; **Spannungsgebiet** *nt* (*Pol*) flashpoint, area of tension; **Spannungskopfschmerz** *m usu pl* tension headache; **Spannungsmesser** *m* -s, - (*Elec*) voltmeter; **Spannungsmoment** *nt* (*fig*) suspense-creating factor; **Spannungsprüfer** *m* voltage detector; **Spannungsstoß** *m* surge.

Spannweite *f* (*Math*) range; (*Archit*) span; (*Aviat*) (wing)span; (*von Vogelflügeln*) wingspread, (wing)span.

Spanplatte *f* chipboard.

Spant *nt* -(e)s, -en (*Naut*) rib; (*Aviat*) frame.

Sparbrief *m* (*Fin*) savings certificate; **Sparbuch** *nt* savings book; (*bei Bank auch*) bankbook, passbook; **Sparbüchse, Spardose** *f* piggy bank; **Spareckzins** *m* basic savings rate; **Spareinlage** *f* savings deposit.

sparen I *vt* to save; *Energie auch* to conserve. **dadurch habe ich (mir) viel Arbeit gespart** I saved (myself) a lot of work that way; **spar dir deine guten Ratschläge!** (*inf*) you can keep your advice!; **diese Mühe/das hätten Sie sich** (*dat*) **~ können** you could have saved *or* spared yourself the trouble/the bother; **diese Bemerkung hätten Sie sich** (*dat*) **~ können!** you should have kept that remark to yourself!

II *vi* to save; (*sparsam sein, haushalten*) to economize, to make savings. **an etw** (*dat*) **~** to be sparing with sth; (*mit etw haushalten*) to economize *or* save on sth; **er hatte nicht mit Lob gespart** he was unstinting *or* lavish in his praise; **für** *or* **auf etw** (*acc*) **~** to save up for sth; **am falschen Ort ~** to make false economies, to make savings in the wrong place; **spare in der Zeit, so hast du in der Not** (*Prov*) waste not, want not (*Prov*).

Sparer(in *f*) *m* -s, - (*bei Bank*) saver.

Sparerfreibetrag *m* saver's tax-free amount.

Sparflamme f low flame; (*Zündflamme*) pilot light. **auf ~** (*fig inf*) just ticking over (*inf*); **auf ~ kochen** (*fig*) to soft-pedal (*inf*), to go easy.

Spargel m **-s, -,** (*Sw*) f **-, -n** asparagus.

Spargelder pl savings pl; **Spargroschen** m nest egg; **Sparguthaben** nt savings account; **Sparkasse** f savings bank; **Sparkassenbuch** nt siehe **Sparbuch**; **Sparkonto** nt savings or deposit account.

spärlich adj sparse; *Ausbeute, Reste, Einkünfte, Kenntnisse* meagre, scanty; *Beleuchtung* poor; *(Be)kleidung* scanty, skimpy; *Nachfrage* poor, low. **~ bekleidet** scantily clad or dressed; **~ bevölkert** sparsely or thinly populated; **~ beleuchtet** poorly lit; **die Geldmittel fließen nur ~** the money is only coming slowly or in dribs and drabs.

Spärlichkeit f siehe adj sparseness; meagreness, scantiness; poorness; skimpiness; low level.

Sparmaßnahme f economy measure; **Sparpackung** f economy size (pack); **Sparpfennig** m nest egg; **Sparpolitik** f cost-cutting policy; **Sparprämie** f savings premium; **Sparpreis** m economy price.

Sparren m **-s, -** - rafter. **du hast ja einen ~ (zuviel im Kopf)** (*inf*) you must have a screw loose (*inf*).

Sparring ['ʃpariŋ, 'ʃparɪŋ] nt **-s,** no pl (*Boxen*) sparring.

sparsam adj thrifty; (*haushälterisch, wirtschaftlich*) economical. **~ leben** to live economically; **~ im Verbrauch** economical; **mit etw ~ umgehen** or **sein** to be sparing with sth; **~ verwenden** to use sparingly; **von einer Möglichkeit nur ~(en) Gebrauch machen** to make little use of an opportunity.

Sparsamkeit f thrift; (*das Haushalten*) economizing. **~ im Verbrauch** economicalness.

Sparschwein nt piggy bank.

Spartakiade [ʃparta'kia:də, sp-] f Spartakiad.

Spartaner(in f) [ʃpar'ta:nɐ, -ərɪn, sp-] m **-s, -** Spartan.

spartanisch [ʃpar'ta:nɪʃ, sp-] adj (*lit*) Spartan; (*fig auch*) spartan. **~ leben** to lead a Spartan or spartan life.

Spartarif m discount price. **zum ~ einkaufen** to shop at discount prices.

Sparte f **-, -n** **1.** (*Comm*) (*Branche*) line of business; (*Teilgebiet*) branch, area. **2.** (*Rubrik*) column, section.

Sparvertrag m savings agreement; **Sparzins** m interest no pl (on a savings account); **Sparzulage** f savings bonus.

spasmisch, spasmodisch adj (*Med*) spasmodic, spasmic.

Spaß m **-es, ⸚e** (*no pl: Vergnügen*) fun; (*Scherz*) joke; (*Streich*) prank, lark (*Brit inf*). **laß die dummen ⸚e!** stop fooling around!; **~ beiseite** joking apart; **viel ~!** have fun (*auch iro*), have a good time!, enjoy yourself/yourselves!; **wir haben viel ~ gehabt** we had a lot of fun or a really good time, we enjoyed ourselves a lot; **an etw** (*dat*) **~ haben** to enjoy sth; **er**

hat viel **~ an seinem Garten** his garden gives him a lot of pleasure; **es macht mir ~/keinen ~(, das zu tun)** it's fun/no fun (doing it), I enjoy or like/don't enjoy or like (doing) it; **wenn's dir ~ macht** if you want to, if it turns you on (*sl*); **Hauptsache, es macht ~** the main thing is to have fun or to enjoy yourself; **es macht ~/keinen ~** it's fun/no fun; **ich hab' doch nur ~ gemacht!** I was only joking or kidding (*inf*)!, it was only (in) fun; **(nur so,) zum or aus ~** (just) for fun, (just) for the fun or hell of it (*inf*); **etw aus or im or zum ~ sagen** to say sth as a joke or in fun; **das sage ich nicht bloß zum ~** I'm not saying that for the fun of it, I kid you not (*hum inf*); **da hört der ~ auf, das ist kein ~ mehr** that's going beyond a joke **aus (dem) ~ wurde Ernst** the fun turned deadly earnest; **~ muß sein** there's no harm in a bit of fun; **sich** (*dat*) **einen ~ daraus machen, etw zu tun** to get enjoyment or a kick (*inf*) out of doing sth; **seinen ~ mit jdm treiben** to make fun of sb; (*sich mit jdm vergnügen*) to have one's fun with sb; **laß/gönn ihm doch seinen or den ~!** let him enjoy himself or have his fun; **er versteht keinen ~** he has no sense of humour; (*er läßt nicht mit sich spaßen*) he doesn't stand for any nonsense; **da verstehe ich keinen ~!** I won't stand for any nonsense; **das war ein teurer ~** (*inf*) that was an expensive business (*inf*).

Späßchen nt dim of **Spaß** little joke.

spaßen vi (*dated*) to joke, to jest. **mit Blutvergiftung ist nicht zu ~** blood poisoning is no joke or joking matter; **mit ihm ist nicht zu ~** he doesn't stand for any nonsense.

spaßeshalber adv for the fun of it, for fun.

spaßhaft, spaßig adj funny, droll.

Spaßmacher(in f) m (*Spaßvogel*) joker; (*im Zirkus*) clown; **Spaßverderber(in** f) m **-s, -** spoilsport, wet blanket, killjoy; **Spaßvogel** m joker.

Spastiker(in f) ['ʃpastikɐ, -ərɪn, 'sp-] m **s, -** spastic.

spastisch ['ʃpastɪʃ, 'sp-] adj spastic. **~ gelähmt** suffering from spastic paralysis.

Spat m **-(e)s, -e** **1.** (*Miner*) spar. **2.** no pl (*Vet*) spavin.

spät I adj late; *Reue, Ruhm, Glück* belated. **am ~en Nachmittag** in the late afternoon; **im ~en 18. Jahrhundert** in the late 18th century; **die ~en Werke Shakespeares** Shakespeare's late(r) works; **ein ~es Mädchen** (*inf, dated*) an old maid.

  II adv late. **~ in der Nacht/am Tage** late at night/in the day; **es ist/wird schon ~** it is/is getting late; **heute abend wird es ~** it'll be a late night tonight; (*nach Hause kommen*) I/he etc will be late this evening; **gestern ist es (bei der Arbeit) ~ geworden** I worked late yesterday; **gestern ist es ziemlich ~ geworden** it was quite late yesterday; **von früh bis ~** from morning till night; **wie ~ ist es?** what's the time?; **zu ~** too late; **er kommt morgens regelmäßig fünf Minuten zu ~** he's always five minutes late in the mornings; **wir sind ~ dran** we're late; **er hat erst ~ mit dem Schreiben angefangen** he only started writing late in life.

Spät- *in cpds* late; **Spätaussiedler(in** *f)* *m* emigrant of German origin from Eastern European state.

Spatel *m* -s, - spatula.

Spaten *m* -s, - spade.

Spatenstich *m* cut of the spade. **den ersten ~ tun** to turn the first sod.

Spät|entwickler(in *f)* *m* late developer.

später *comp of* **spät I** *adj* later; (*zukünftig*) future. **in der ~en Zukunft** further on in the future.

II *adv* later (on). **das werden wir ~ erledigen** we'll settle that later (on); **ein paar Minuten ~** a few minutes later; **~ als** later than; **was will er denn ~ (einmal) werden?** what does he want to do later (on)?; **an ~ denken** to think of the future; **bis ~!** see you later!

spätestens *adv* at the latest. **~ morgen/in einer Stunde** tomorrow/in one hour at the latest; **~ um 8 Uhr** not later than 8 o'clock, by 8 o'clock at the latest; **bis ~ in einer Woche** in one week at the latest.

Spätfolge *f usu pl* late effect; **Spätgebärende** *f* woman having her (first) child around forty, elderly prim (*inf*); **Spätheimkehrer** *m* late returnee (*from a prisoner-of-war camp*); **Spätherbst** *m* late autumn, late fall (*US*); **Spätjahr** *nt* (*liter*) autumn, fall (*US*); **Spätlese** *f* late vintage; **Spätschaden** *m usu pl* longterm damage; **Spätschicht** *f* late shift; **Spätsommer** *m* late summer; **Spätvorstellung** *f* late show.

Spatz *m* -en, -en 1. sparrow. **wie ein ~ essen** to peck at one's food; **besser ein ~ in der Hand als eine Taube auf dem Dach** (*Prov*) a bird in the hand is worth two in the bush (*Prov*). 2. (*inf: Kind*) tot, mite; (*Anrede*) darling, honey.

Spätzchen *nt dim of* **Spatz** little sparrow; (*inf: Kind*) tot, mite; (*Anrede*) honeybun (*inf*), sweetie pie (*inf*).

Spatzenhirn *nt* (*pej*) birdbrain (*inf*).

Spätzle *pl* (*S Ger Cook*) spaetzle (*sort of pasta*).

Spätzünder *m* (*hum inf*) **~ sein** (*schwer von Begriff*) to be slow on the uptake; (*spät im Leben mit etw anfangen*) to be a late starter; **Spätzündung** *f* retarded ignition; **~ haben** (*inf*) to be slow on the uptake.

spazieren* *vi aux sein* to stroll; (*stolzieren*) to strut. **wir waren ~** we went for a walk *or* stroll.

spazierenfahren *sep irreg* **I** *vi aux sein* (*im Auto*) to go for a drive *or* ride *or* run; (*mit Fahrrad, Motorrad*) to go for a ride; **ich will nur ein bißchen ~** I just want to go for a little drive *or* ride *or* run; **II** *vt* **jdn ~** to take sb for a drive *or* ride *or* run; **das Baby (im Kinderwagen) ~** to take the baby for a walk (in the pram); **spazierenführen** *vt sep* **jdn ~** to take sb for a walk; **spazierengehen** *vi sep irreg aux sein* to go for a walk *or* stroll; **ich gehe jetzt ein bißchen spazieren** I'm going to go for a little walk *or*

stroll now.

Spazierfahrt *f* (*im Auto*) ride, drive, run; (*mit Fahrrad, Motorrad*) ride; **eine ~ machen** to go for a ride; **Spaziergang** *m* walk, stroll; (*fig*) child's play *no art*, doddle (*inf*); (*Match*) walkover; **einen ~ machen** to go for a walk *or* stroll; **Spaziergänger(in** *f)* *m* -s, - stroller; **Spazierritt** *m* ride; **Spazierstock** *m* walking stick.

SPD [espe:'de:] *f* - *abbr of* **Sozialdemokratische Partei Deutschlands**.

Specht *m* -(e)s, -e woodpecker.

Speck *m* -(e)s, -e bacon fat; (*Schinken~, durchwachsener ~*) bacon; (*inf: bei Mensch*) fat, flab (*inf*). **mit ~ fängt man Mäuse** (*Prov*) you have to throw a sprat to catch a mackerel; **~ ansetzen** (*inf*) to get fat, to put on weight, to put it on (*inf*); **ran an den ~** (*inf*) let's get stuck in (*inf*).

Speckbauch *m* (*inf*) potbelly (*inf*), paunch.

speckig *adj* greasy.

Specknacken *m* fat neck; **Speckscheibe** *f* (bacon) rasher; **Speckschwarte** *f* bacon rind; **wie eine ~ glänzen** (*inf*) to shine greasily; **Speckseite** *f* side of bacon; **Speckstein** *m* (*Miner*) soapstone.

Spediteur(in *f)* [ʃpedi'tø:ɐ(rin)] *m* carrier, haulier, haulage contractor; (*Zwischen~*) forwarding agent; (*von Schiffsfracht*) shipper, shipping agent; (*Umzugsfirma*) furniture remover.

Spedition *f* 1. (*das Spedieren*) carriage, transporting; (*auf dem Wasserweg*) shipping. 2. (*Firma*) haulage contractor; (*Zwischen~*) forwarding agency; (*Schiffskontor*) shipping agency; (*Umzugsfirma*) removal firm; (*Versandabteilung*) forwarding department.

Speditionsfirma *f*, **Speditionsgeschäft** *nt* haulage contractor; (*Zwischenspediteur*) forwarding agency; (*Schiffskontor*) shipping agency; (*Umzugsfirma*) removal firm.

Speer *m* -(e)s, -e spear; (*Sport*) javelin.

Speerspitze *f* (*lit, fig*) spearhead; **Speerwerfen** *nt* (*Sport*) **das ~** the javelin, throwing the javelin; **im ~** in the javelin; **Speerwerfer(in** *f)* *m* (*Sport*) javelin thrower.

Speiche *f* -, -n 1. spoke. 2. (*Anat*) radius.

Speichel *m* -s, *no pl* saliva, spittle.

Speicheldrüse *f* salivary gland; **Speichelfluß** *m* salivation; **Speichellecker(in** *f)* *m* -s, - (*pej inf*) lickspittle, toady, bootlicker (*inf*); **Speichelleckerei** *f* (*pej inf*) toadying, bootlicking (*inf*).

Speicher *m* -s, - (*Lagerhaus*) storehouse; (*im Haus*) loft, attic; (*Wasser~*) tank, reservoir; (*Comput*) memory, store. **auf dem ~** in the loft *or* attic.

Speicherbecken *nt* reservoir; **Speicherchip** *m* (*Comput*) memory chip; **Speichereinheit** *f* (*Comput*) storage device; **Speichererweiterung** *f* (*Comput*) memory expansion; **Speicherfunktion** *f* (*Comput*) memory function; **Speicherkapazität** *f* storage capacity; (*Comput*) memory capacity; **Speicherkraftwerk** *nt* storage power station.

speichern I vt to store; (ab~) to save; (fig) Gefühle to store up. **II** vr to accumulate.

Speicherofen m storage heater; **Speicherplatz** m (Comput) storage space; **speicherresident** adj (Comput) memory-resident; **Speicherschreibmaschine** f memory typewriter; **Speicherschutz** m (Tech) memory protection.

Speicherung f storing, storage.

Speicherverwaltung f (Comput) memory management.

speien pret **spie,** ptp **gespie(e)n** vti to spit, to expectorate (spec); Lava, Feuer to spew (forth); Wasser to spout; Flammen, Dämpfe to belch (forth or out); (sich übergeben) to vomit. **der Drache spie Feuer** the dragon breathed fire.

Speis m -es, no pl (S Ger) mortar.

Speise f -, -n **1.** (geh: Nahrung) food, fare (liter); (Gericht) dish. **~n und Getränke** meals and beverages; **vielen Dank für Speis und Trank** many thanks for the meal; **kalte und warme ~n** hot and cold meals; **erlesene ~n** choice dishes.

2. no pl (Mörtel) mortar.

3. (Metal) speiss; (Glocken~) bell metal.

Speisebrei m chyme; **Speiseeis** nt icecream; **Speisefett** nt cooking or edible fat; **Speisekammer** f larder, pantry; **Speisekarte** f menu; **Speiselokal** nt restaurant.

speisen (hum) ptp **gespiesen I** vti (geh) to eat, to dine (form). **zu Abend ~** to have dinner, to dine (in the evening) (form); **zu Mittag ~** to lunch; **etw ~** to eat sth, to dine on sth (form); **was wünschen Sie zu ~?** what do you wish to eat, sir/madam?

II vt (liter, Tech) to feed; (old) Gast to dine.

Speisenaufzug m dumb waiter, service lift.

Speiseöl nt salad oil; (zum Braten) cooking or edible oil; **Speisequark** m (soft) curd cheese; **Speisereste** pl left-overs pl; (zwischen den Zähnen) food particles pl; **Speiseröhre** f (Anat) gullet; **Speisesaal** m dining hall; (in Hotel) dining room; (auf Schiffen) dining saloon; (in Klöstern, Internaten auch) refectory; **Speisewagen** m (Rail) dining car, restaurant car, diner (esp US); **Speisewärmer** m hot plate; **Speisezettel** m menu; **Speisezimmer** nt dining room.

Speisung f (geh) feeding; (Tech auch) supply.

speiübel adj mir ist ~ I think I'm going to be sick or to throw up; **wenn man das sieht, kann einem ~ werden** the sight of that is enough to make you feel sick.

Spektabilität [ʃpɛktabiliˈtɛːt, sp-] f (dated Univ) (Mr) Dean.

Spektakel¹ m -s, - (inf) row, rumpus (inf); (Aufregung) fuss, bother, palaver (inf).

Spektakel² [ʃpɛkˈtaːkl, sp-] nt -s, - (old) spectacle, show.

spektakulär [ʃpɛktakuˈlɛːɐ, sp-] adj spectacular.

Spektra pl of **Spektrum.**

Spektral- [ʃpɛkˈtraːl-, sp-]: **Spektralanalyse** f spectrum analysis; **Spektralfarbe** f colour of the spectrum.

Spektren pl of **Spektrum.**

Spektroskop [ʃpɛktroˈskoːp, sp-] nt -s, -e spectroscope.

Spektrum [ˈʃpɛktrʊm, 'sp-] nt -s, **Spektren** or **Spektra** spectrum.

Spekulant(in f) m speculator.

Spekulation f **1.** (Fin) speculation (mit in). **~ mit Grundstücken** property speculation. **2.** (Vermutung) speculation. **~en anstellen** to make speculations; **man stellt schon ~en an, ob ...** people are already speculating as to whether ...

Spekulationsgeschäft nt speculative transaction or operation; **es war ein ~, aber es hat sich gelohnt** it was a gamble but it was worth it; **Spekulationsgewinn** m speculative gains pl or profit; **Spekulationsobjekt** nt object of speculation.

Spekulatius [ʃpekuˈlaːtsiʊs] m -, - spiced biscuit (Brit) or cookie (US).

spekulativ adj speculative.

spekulieren* vi **1.** (Fin) to speculate (mit in); siehe Baisse, Hausse. **2.** (Vermutungen anstellen) to speculate. **auf etw** (acc) **~** (inf) to have hopes of sth.

Spelunke f -, -n (pej inf) dive (inf).

Spelz m -es, -e (Agr) spelt.

Spelze f -, -n (Bot) husk; (von Gras) glume.

spendabel adj (inf) generous, open-handed.

Spende f -, -n donation; (Beitrag) contribution. **eine ~ geben** or **machen** to give a donation/contribution, to donate/contribute something; **bitte eine kleine ~!** please give or donate or contribute something (for charity).

spenden vti Lebensmittel, Blut, Geld to donate, to give; (beitragen) Geld to contribute; Abendmahl, Segen to administer; Schatten to afford, to offer; Trost to give. **bitte ~ Sie für das Rote Kreuz!** please donate/contribute something to or for the Red Cross.

Spendenaffäre f donations scandal; **Spendenaufkommen** nt revenue from donations; **Spendenbeschaffung** f procuring of donations; **Spendenkonto** nt donations account; **Spendensammler(in** f) m fund-raiser; **Spendenwaschanlage** f (Pol sl) money-laundering facility.

Spender m -s, - (Seifen~ etc) dispenser.

Spender(in f) m -s, - donator; (Beitragleistender) contributor; (Med) donor. **wer war der edle ~?** (inf) to whom am I indebted?

spendieren* vt to buy, to get (jdm etw sb sth, sth for sb). **spendierst du mir einen?** (inf) are you going to buy or stand me a drink?; **das spendiere ich** it's on me.

Spendierhosen pl (inf) seine ~ anhaben to be in a generous mood.

Spengler(in f) m -s, - (dial: Klempner) plumber.

Sperber *m* -s, - sparrowhawk.

Sperenzchen, Sperenzien [-iən] *pl* (*inf*) ~ **machen** (*inf*) to be difficult.

Sperling *m* sparrow.

Sperma *nt* -s, **Spermen** *or* **-ta** sperm.

spermizid *adj* spermicidal.

Spermizid *nt* -(e)s, -e spermicide.

sperr|angelweit *adv* (*inf*) ~ **offen** wide open.

Sperrbezirk *m* no-go area, prohibited area; **Sperrdifferential** *nt* (*Aut*) locking differential.

Sperre *f* -, -n **1.** barrier; (*Polizei~*) roadblock; (*Mil*) obstacle; (*Tech*) locking device.
2. (*Verbot, Sport*) ban; (*Blockierung*) blockade; (*Comm*) embargo; (*Nachrichten~*) (news) blackout.
3. (*Psych*) mental block.

sperren I *vt* **1.** (*schließen*) *Grenze, Hafen, Straße, Brücke, Tunnel* to close; *Platz, Gegend auch* to close off; (*Tech*) to lock. **etw für jdn/etw** ~ to close sth to sb/sth.
2. (*Comm*) *Konto* to block, to freeze; *Scheck* to stop.
3. (*Sport: ausschließen*) to ban, to bar.
4. (*Sport: behindern*) *Gegner* to obstruct, to block.
5. (*verbieten*) *Einfuhr, Ausfuhr* to ban. **jdm den Urlaub/das Gehalt** ~ to stop sb's holidays/salary; **jdm den Ausgang** ~ (*Mil*) to confine sb to barracks.
6. (*abstellen*) *Gas, Strom, Telefon* to cut off, to disconnect. **jdm den Strom/das Telefon** ~ to cut off *or* disconnect sb's electricity/telephone.
7. (*einschließen*) **jdn in etw** (*acc*) ~ to shut *or* lock sb in sth.
8. (*Typ*) to space out.
II *vr* **sich (gegen etw)** ~ to ba(u)lk *or* jib (at sth).
III *vi* (*Sport*) to obstruct. **S~ ist nicht zulässig** obstruction is not allowed.

Sperrfeuer *nt* (*Mil, fig*) barrage; **Sperrfrist** *f* waiting period (*auch Jur*); (*Sport*) (period of) suspension; **Sperrgebiet** *nt* no-go area, prohibited area *or* zone; **Sperrgut** *nt* bulky freight *or* goods *pl*; **Sperrholz** *nt* plywood.

sperrig *adj* bulky; (*unhandlich*) unwieldy.

Sperrkette *f* chain; (*an Haustür*) safety chain; **Sperrklausel** *f* exclusion clause; **Sperrklinke** *f* pawl; **Sperrkonto** *nt* blocked account; **Sperrkreis** *m* (*Rad*) wave trap; **Sperrmauer** *f* wall; **Sperrminorität** *f* (*Fin*) blocking minority; **Sperrmüll** *m* bulky refuse; **Sperrmüllabfuhr** *f* removal of bulky refuse; **Sperrschrift** *m* (*Typ*) spaced type; **Sperrsitz** *m* (*im Kino*) back seats *pl*; (*im Zirkus*) front seats *pl*; (*old: im Theater*) stalls *pl*, orchestra; **Sperrstück** *m* (*Fin*) blocked security; **Sperrstunde** *f* closing time.

Sperrung *f* **1.** *siehe vt* closing; closing off; locking; blocking; stopping; banning; barring; stoppage; cutting off, disconnection, disconnecting; spacing. **2.** *siehe* **Sperre 2.**

Sperrvermerk *m* (*in Dokumenten*) restricted notice; **Sperrzoll** *m* prohibitive tariff; **Sperrzone** *f siehe* **Sperrgebiet.**

Spesen *pl* (*auch Fin*) expenses *pl*. **auf** ~ **reisen/essen** to travel/eat on expenses; **außer** ~ **nichts gewesen** nothing doing, no joy (*Brit inf*).

spesenfrei *adj* free of charge; **Spesenkonto** *nt* expense account; **Spesenritter** *m* (*inf*) expense-account type (*inf*).

Spezerei *f usu pl* (*old*) spice; (*Delikatesse*) exotic delicacy.

Spezi *m* -s, -s **1.** (*S Ger inf*) pal (*inf*), mate (*inf*). **2.** (*Getränk*) Coca Cola ® and lemonade.

Spezialarzt *m*, **Spezialärztin** *f* specialist; **Spezialausführung** *f* special model *or* version; **ein Modell in** ~ a special version; **Spezialdisziplin** *f* special discipline; **Spezialfach** *nt* special subject; **Spezialfahrzeug** *nt* special-purpose vehicle; **Spezialfall** *m* special case; **Spezialgebiet** *nt* special field *or* topic; **Spezialgeschäft** *nt* specialist shop; **ein** ~ **für Sportkleidung** a sportswear specialist's.

spezialisieren* I *vr* **sich (auf etw** *acc*) ~ to specialize (in sth). **II** *vt* (*old: spezifizieren*) to specify, to itemize.

Spezialisierung *f* specialization.

Spezialist(in *f*) *m* specialist (*für* in). **er ist vielleicht ein** ~! (*iro*) what a wally!

Spezialistentum *nt* specialization.

Spezialität *f* **1.** speciality (*esp Brit*), specialty (*esp US*). **2.** ~**en** *pl* (*Cook*) specialities *pl*.

Spezialitätenrestaurant *nt* speciality restaurant.

speziell I *adj* special; (*außerordentlich, individualisierend auch*) especial. **auf Ihr (ganz) S~es!** your good health!; **er ist mein ganz** ~**er Freund** he's a very special friend of mine (*auch iro*). **II** *adv* (e)specially.

Spezies ['ʃpeːtsiɛs, 'sp-] *f* -, - (*Biol*) species *sing*. **die** ~ **Mensch** the human species.

Spezifikation *f* specification; (*Aufgliederung*) classification.

spezifisch *adj* specific.

spezifizieren* *vt* to specify; (*einzeln aufführen auch*) to itemize.

Spezifizierung *f* specification, specifying; (*Einzelaufführung auch*) itemization, itemizing.

Sphäre *f* -, -n (*lit, fig*) sphere.

Sphärenmusik *f* music of the spheres.

sphärisch *adj* spherical; *Klänge, Musik* celestial.

Sphinx *f* -, -e sphinx.

Spickbraten *m* larded roast.

spicken I *vt* (*Cook*) *Braten* to lard; (*inf: bestechen*) to bribe, to square (*inf*). **eine (gut) gespickte Brieftasche** a well-lined wallet; **mit Fehlern/Zitaten gespickt** peppered with mistakes/quotations, larded with quotations. **II** *vi* (*Sch sl*) to copy, to crib (*inf*) (*bei* off, from).

Spickzettel *m* crib.

spie *pret of* **speien.**

Spiegel *m* -s, - **1.** mirror, glass (*old*); (*Med*) speculum; (*fig*) mirror. **in den** ~ **schauen** *or* **sehen** to look in the mirror; **glatt wie ein** ~ like glass; **im** ~ **der Öf-**

fentlichkeit *or* der öffentlichen Meinung as seen by the public, as reflected in public opinion; **jdm den ~ vorhalten** *(fig)* to hold up a mirror to sb. **2.** (*Wasser~, Alkohol~, Zucker~*) level. **3.** (*Aufschlag*) lapel; (*Mil: Kragen~*) tab.

Spiegelbild *nt* (*lit, fig*) reflection; (*seitenverkehrtes Bild*) mirror image; **spiegelbildlich** *adj Zeichnung* mirror image; **spiegelblank** *adj* shining, bright as a mirror; **sie hat den Herd ~ geputzt** she polished the cooker until it shone like a mirror; **Spiegelei** *nt* fried egg; **Spiegelfechterei** *f* (*fig*) (*Scheingefecht*) shadow-boxing; (*Heuchelei, Vortäuschung*) sham, bluff; **Spiegelfernrohr** *nt* reflector (telescope); **spiegelfrei** *adj Brille, Bildschirm* nonreflecting; **Spiegelglas** *nt* mirror glass; **spiegelglatt** *adj* like glass, glassy, as smooth as glass; **spiegelgleich** *adj* symmetrical; **Spiegelkarpfen** *m* mirror carp.

spiegeln I *vi* (*reflektieren*) to reflect (the light); (*glitzern*) to gleam, to shine. **II** *vt* to reflect, to mirror. **III** *vr* to be mirrored *or* reflected; (*sich betrachten*) to look at one's reflection.

Spiegelreflexkamera *f* reflex camera; **Spiegelschrift** *f* mirror writing; **etw in ~ schreiben** to write sth backwards.

Spiegelung *f* reflection; (*Luft~*) mirage.

Spieker *m* **-s, -** (*N Ger: Speicher*) storehouse.

Spiel *nt* **-(e)s, -e 1.** (*Unterhaltungs~, Glücks~, Sport, Tennis*) game; (*Wettkampf~ auch*) match; (*Theat: Stück*) play; (*fig: eine Leichtigkeit*) child's play *no art*. **ein ~ spielen** (*lit, fig*) to play a game; **im ~ sein** (*lit*) to be in the game; (*fig*) to be involved *or* at work; **die Kräfte, die hier mit im ~ waren** the forces which were at play here; **das ~ verloren geben** to give the game up for lost; (*fig*) to throw in the towel; **machen Sie ihr ~!** place your bets!, faites vos jeux; **jdn ins ~ schicken** (*Sport*) to send sb on; **jdn aus dem ~ nehmen** (*Sport*) to take sb off.

2. (*das Spielen, Spielweise*) play(ing); (*Mus, Theat*) playing; (*Sport*) play; (*bei Glücksspielen*) gambling; **stör das Kind nicht beim ~** don't disturb the child while he's playing *or* at play; **stummes ~** miming.

3. (*Bewegung, Zusammenspiel*) play. **~ der Hände** hand movements; **das (freie) ~ der Kräfte** the (free) (inter)play of forces; **das ~ der Wellen** the play of the waves.

4. ein ~ des Schicksals *or* **Zufalls** a whim of fate.

5. (*Spielzubehör*) game; (*Karten*) deck, pack; (*Satz*) set. **führen Sie auch ~e?** do you have games?

6. (*von Stricknadeln*) set.

7. (*Tech*) (free) play; (*~raum*) clearance.

8. (*fig*) **das ist ein ~ mit dem Feuer** that's playing with fire; **leichtes ~ (mit** *or*

bei jdm) haben to have an easy job of it (with sb); **bei den einfachen Bauern hatten die Betrüger leichtes ~** the simple peasants were easy game for the swindlers; **das ~ ist aus** the game's up; **die Hand** *or* **Finger im ~ haben** to be involved, to have a hand in affairs; **jdn/etw aus dem ~ lassen** to leave *or* keep sb/sth out of it; **etw mit ins ~ bringen** to bring in *or* up sth; **etw aufs ~ setzen** to put sth at stake *or* on the line (*inf*), to risk sth; **auf dem ~(e) stehen** to be at stake; **sein ~ mit jdm treiben** to play games with sb.

Spielalter *nt* playing stage; **Spielanzug** *m* playsuit, rompers *pl*; **Spielart** *f* variety; **Spielautomat** *m* gambling *or* gaming machine; (*zum Geldgewinnen*) fruit machine, one-armed bandit (*hum inf*); **Spielball** *m* (*Volleyball*) match-ball, game-ball (*US*); (*Tennis*) game point; (*Billard*) cue ball; (*fig*) plaything; **ein ~ der Wellen sein** (*geh*) to be at the mercy of *or* be tossed about by the waves; **Spielbank** *f* casino; **spielbar** *adj* playable; **Spielbeginn** *m* start of play; **gleich nach ~** just after the start of play; **Spielbein** *nt* free leg; **Spielbrett** *nt* board; (*Basketball*) backboard.

Spielchen *nt* (*inf*) little game.

Spielcomputer *m* game computer; **Spieldose** *f* musical box (*Brit*), music box (*US*).

spielen I *vt* to play. **jdm einen Streich ~** to play a trick on sb; **Klavier/Flöte ~** to play the piano/the flute; **was wird heute im Kino gespielt?** what's on at the cinema today?, what's showing at the cinema today?; **sie ~ einen Film von ...** they're showing a film by ...; **den Unschuldigen ~** to play the innocent; **den Beleidigten ~** to act all offended; **sie spielt die große Dame** she's playing *or* acting the grand lady; **was wird hier gespielt?** (*inf*) what's going on here?

II *vi* (*Theat*) (*Schauspieler*) to act, to play; (*Stück*) to be on, to play; (*Film*) to be on, to show; (*beim Glücksspiel*) to gamble. **die Mannschaft hat gut/schlecht gespielt** the team had a good/bad game, the team played well/badly; **bei ihm spielt das Radio den ganzen Tag** he has the radio on all day; **seine Beziehungen ~ lassen** to bring one's connections to bear *or* into play; **seine Muskeln ~ lassen** to ripple one's muscles; **wie das Leben so spielt** life's funny like that; **in der Hauptrolle spielt X X** is playing the lead; **das Stück spielt im 18. Jahrhundert/in Italien** the play is set in the 18th century/in Italy; **nervös spielte er mit dem Bleistift** he played *or* toyed nervously with the pencil; **mit dem Gedanken ~, etw zu tun** to toy *or* play with the idea of doing sth; **mit jdm/jds Liebe/Gefühlen ~** to play (around) with sb/sb's affections/feelings; **ein Lächeln spielte um ihre Lippen** a smile played about her lips; **ihr Haar spielt ins Rötliche** her hair has a reddish tinge.

III *vr* **sich müde ~** to tire oneself out playing; **sich warm ~** to warm up; **sich in den Vordergrund ~** to push oneself into the foreground; **auf nassem Boden spielt es sich schlecht** (*Sport*) wet ground isn't very good to play on.

spielend I *adj* playing. **II** *adv* easily. **das ist ~ leicht** that's very easy.

Spiel|ende *nt* end of play. **kurz vor ~** just before the end of play.

Spieleport *m* (*Comput*) games port.

Spieler(in *f*) *m* -s, - player; (*Theat auch*) actor/actress; (*Glücks~*) gambler.

Spielerei *f* **1.** *no pl* (*das Spielen*) playing; (*beim Glücksspiel*) gambling; (*das Herumspielen*) playing *or* fooling *or* fiddling (*inf*) about *or* around; (*Kinderspiel*) child's play *no art*, doddle (*inf*). **das ist nur ~** I am/he is *etc* just playing *or* fooling about. **2.** (*Gegenstand*) frivolity; (*Gerät auch*) gadget.

spielerisch I *adj* **1.** (*verspielt*) Geste, Katze playful. **2. mit ~er Leichtigkeit** with the greatest of ease, with consummate ease. **3.** (*Sport*) playing; (*Theat*) acting. **~es Können** playing/acting ability; **die ~e Leistung** the playing/acting. **II** *adv* **1.** (*verspielt*) playfully. **2.** (*mit Leichtigkeit*) with the greatest of ease, with consummate ease. **3.** (*Sport*) in playing terms; (*Theat*) in acting terms.

Spielernatur *f* gambler; **Spielerwechsel** *m* substitution.

Spielfeld *nt* field, pitch (*Brit*); (*Tennis, Squash, Basketball*) court; **Spielfigur** *f* piece; **Spielfilm** *m* feature film; **Spielfläche** *f* playing area; (*bei Gesellschaftsspielen*) playing surface; **Spielfolge** *f* (*Sport*) order of play; (*Theat*) programme; **spielfrei** *adj* (*Theat, Sport*) **~er Tag** rest-day; **die ~e Zeit** the close season; **der Sonntag ist ~** (*Sport*) there is no game on Sundays; **spielfreudig** *adj* keen, enthusiastic; **Spielführer(in** *f*) *m* (team) captain; **Spielgefährte** *m*, **Spielgefährtin** *f* playmate, playfellow; **Spielgeld** *nt* **1.** (*Einsatz*) stake; **2.** (*unechtes Geld*) play money, toy money; **Spielgeschehen** *nt* (*Sport*) play, action; **Spielgestatter(in** *f*) *m* (*Sport*) key player; **Spielhalle** *f* amusement arcade; **Spielhölle** *f* gambling den; **Spielkamerad(in** *f*) *m* siehe Spielgefährte; **Spielkarte** *f* playing card; **Spielkasino** *nt* (gambling) casino; **Spielklasse** *f* division; **Spielleidenschaft** *f* passion for gambling, gambling mania; **Spielleiter(in** *f*) *m* **1.** siehe Regisseur(in); **2.** (*Conférencier*) master of ceremonies, emcee (*inf*); **Spielmacher(in** *f*) *m* key player; **Spielmann** *m*, *pl* -leute (*Hist*) minstrel; (*Mitglied eines Spielmannszuges*) bandsman; **Spielmannszug** *m* (brass) band; **Spielmarke** *f* chip, counter; **Spielminute** *f* minute (of play); **Spielplan** *m* (*Theat, Film*) programme; **ein Stück vom ~ absetzen** to drop a play (from the programme); **Spielplatz** *m* (*für Kinder*) playground; (*Sport*) playing-field; **Spielraum** *m* room to move; (*fig*) scope; (*zeitlich*) time; (*bei Planung*) leeway; (*Tech*) clearance, (free) play; **Spielregel** *f* (*lit, fig*) rule of the game; **sich an die ~n halten, die ~n beachten** (*lit, fig*) to stick to the rules (of the game), to play the game; **gegen die ~n verstoßen** (*lit, fig*) to break the rules, not to play the game; **Spielrunde** *f* round; **Spielsaal** *m* gaming hall; **Spielsachen** *pl* toys *pl*, playthings *pl*; **Spielsaison** *f* (*Theat, Sport*) season; **Spielschuld** *f* gambling debt; **Spielstand** *m* score; **bei einem ~ von ...** with the score (standing) at ...; **Spielsucht** *f* compulsive gambling; **Spielsüchtige(r)** *mf* compulsive gambler; **Spielteufel** *m* gambling urge *or* bug (*inf*); **vom ~ besessen sein** (*inf*) to have the gambling bug (*inf*); **Spieltisch** *m* games table; (*beim Glückspiel*) gaming *or* gambling table; **Spieltrieb** *m* play instinct; **Spieluhr** *f* musical box (*Brit*), music box (*US*); **Spielunterbrechung** *f* stoppage; **Spielverbot** *nt* (*Sport*) ban; **~ haben** to be banned; **Spielverderber(in** *f*) *m* -s, - spoilsport; **Spielverlängerung** *f* extra time (*Brit*), overtime (*US*); (*wegen Verletzung auch*) injury time (*Brit*); **es gab eine ~ (von 30 Minuten)** (30 minutes') extra time *etc* was played; **Spielverlauf** *m* action, play; **Spielwaren** *pl* toys *pl*; **Spielwarenhandlung** *f* toy shop (*Brit*) *or* store (*esp US*); **Spielweise** *f* way of playing; **offensive/defensive/unfaire ~** attacking/defensive/unfair play; **Spielwerk** *nt* musical mechanism; **Spielwiese** *f* playing field; (*fig*) playground; **Spielzeit** *f* **1.** (*Saison*) season; **2.** (*Spieldauer*) playing time; **die normale ~** (*Sport*) normal time; **nach dreimonatiger ~ wurde das Stück abgesetzt** the play was taken off after a three-month run.

Spielzeug *nt* toy; toys *pl*, playthings *pl*; (*fig auch*) plaything.

Spielzeug- *in cpds* toy; **Spielzeugeisenbahn** *f* toy train set.

Spielzimmer *nt* playroom.

Spiere -, -n, **Spier** *f* -, -en (*Naut*) spar, boom.

Spieß *m* -es, -e **1.** (*Stich- und Wurfwaffe*) spear; (*Brat~*) spit; (*kleiner*) skewer. **am ~ gebraten** roasted on the spit, spitroast(ed); **wie am ~(e) schreien** (*inf*) to squeal like a stuck pig; **den ~ umkehren** *or* **umdrehen** (*fig*) to turn the tables. **2.** (*Mil sl*) sarge (*sl*). **3.** (*Typ*) work-up (*US*), spacing mark.

Spießbraten *m* joint roasted on a spit.

Spießbürger(in *f*) *m* (*pej*) (petit) bourgeois. **ihre Eltern sind richtige ~** her parents are typically middle-class.

spießbürgerlich *adj* middle-class, (petit) bourgeois.

Spießbürgertum *nt* (petit-)bourgeois conformism, middle-class values *pl*.

spießen *vt* **etw auf etw** (*acc*) **~** (*auf Pfahl*) to impale sth on sth; (*auf Gabel*) to skewer sth on sth; (*auf größeren Bratspieß*) to spit sth on sth; (*auf Nadel*) to pin sth on sth.

Spießer(in *f*) *m* -s, - (*pej inf*) siehe Spießbürger(in).

Spießgeselle *m* (*old*) companion; (*hum: Komplize*) crony (*inf*).

spießig *adj* (*inf*) *siehe* **spießbürgerlich**.

Spießrute *f* switch. ~n **laufen** (*fig*) to run the gauntlet.

Spießrutenlauf *m* (*fig*) running the gauntlet. **für ihn wird jeder Gang durch die Stadt zum** ~ every time he walks through town it's like running the gauntlet.

Spikes [ʃpaiks, sp-] *pl* (*Sportschuhe, Stifte*) spikes *pl*; (*Autoreifen*) studded tyres *pl*; (*Stifte an Reifen*) studs *pl*.

spinal *adj* (*Med*) spinal. ~**e Kinderlähmung** poliomyelitis.

Spinat *m* -**(e)s**, *no pl* spinach.

Spinatwachtel *f* (*pej inf*) old cow (*inf*) or baggage (*inf*).

Spind *m or nt* -**(e)s**, -**e** (*Mil, Sport*) locker; (*old: Vorratskammer*) cupboard.

Spindel *f* -, -**n** spindle; (*Treppen~*) newel.

spindeldürr *adj* (*pej*) spindly, thin as a rake. ~**e Beine** spindle-shanks (*inf*), spindly legs.

Spinett *nt* -**s**, -**e** (*Mus*) spinet.

Spinnaker [ˈʃpɪnakɐ] *m* -**s**, - (*Naut*) spinnaker.

Spinne *f* -, -**n** spider; (*Wäsche~*) rotary clothes line.

spinnefeind *adj pred* (*inf*) **sich** *or* **einander** (*dat*) ~ **sein** to be deadly enemies.

spinnen *pret* **spann**, *ptp* **gesponnen** I *vt* to spin; (*old liter: ersinnen*) Verrat, Ränke to plot; Lügen to concoct, to invent; Geschichte to spin. **ein Netz von Lügen** *or* **ein Lügengewebe** ~ to weave a web of lies.

II *vi* 1. (*lit*) to spin.

2. (*inf*) (*leicht verrückt sein*) to be crazy *or* nutty (*inf*) *or* screwy (*inf*); (*Unsinn reden*) to talk rubbish; (*Lügengeschichten erzählen*) to make it up, to tell tall stories. **sag mal, spinn' ich, oder ...?** am I imagining things or ...?; **ich denk' ich spinn'** I don't believe it; **ich spinn' doch nicht so way** (*inf*); **spinn doch nicht!** come off it! (*inf*); **du spinnst wohl!**, **spinnst du?** you must be crazy!, are you crazy!; **ich dein Auto waschen?, du spinnst wohl!** me clean your car!, you've got to be joking *or* kidding (*inf*).

Spinnennetz *nt* cobweb, spider's web.

Spinner(in *f*) *m* -**s**, - 1. spinner. 2. (*inf*) nutcase (*inf*), screwball (*esp US inf*). **du** ~, **das stimmt doch nicht!** are you crazy?, that's not true at all! 3. (*Zool*) silkworm moth.

Spinnerei *f* 1. (*das Spinnen*) spinning. 2. (*Spinnwerkstatt*) spinning mill. 3. (*inf*) crazy behaviour *no pl*; crazy thing; (*Unsinn*) rubbish, garbage (*inf*). **deine** ~**en glaubt dir doch kein Mensch!** nobody's going to believe all that rubbish.

spinnert *adj* (*inf*) crazy (*inf*).

Spinnfaser *f* spinning fibre; **Spinngewebe** *nt* cobweb, spider's web; **Spinnmaschine** *f* spinning-machine; **Spinnrad** *nt* spinning-wheel; **Spinnrocken** *m* -**s**, - distaff; **Spinnstube** *f* spinning-room; **Spinnwebe** *f* -, -**n** cobweb, spider's web.

Spion *m* -**s**, -**e** spy; (*inf: Guckloch*) spy-

hole, peephole; (*Fensterspiegel*) busybody, window mirror.

Spionage [ʃpioˈnaːʒə] *f* -, *no pl* spying, espionage. ~ **treiben** to spy, to carry on espionage; **unter dem Verdacht der** ~ **für ...** on suspicion of spying for ...

Spionageabwehr *f* counter-intelligence *or* counter-espionage (service); **Spionagedienst** *m* (*inf*) secret service; **Spionagenetz** *nt* spy network; **Spionagering** *m* spy-ring; **Spionagesatellit** *m* spy satellite.

spionieren* *vi* to spy; (*fig inf: nachforschen*) to snoop *or* poke about (*inf*).

Spionin *f* spy.

Spirale *f* -, -**n** spiral; (*geometrisch, Sci auch*) helix; (*Med*) coil.

Spiralfeder *f* coil spring; **spiralförmig** *adj* spiral.

spiralig *adj* (*rare*) spiral, helical.

Spiralnebel *m* (*Astron*) spiral nebula.

Spirans [ˈʃpiːrans, ˈsp-] *f* -, **Spiranten**, **Spirant** [ʃpiˈrant, sp-] *m* (*Ling*) fricative, spirant.

Spiritismus [ʃpiriˈtɪsmʊs, sp-] *m* spiritualism, spiritism.

Spiritist(in *f*) [ʃpiriˈtɪst(ɪn), sp-] *m* spiritualist.

spiritistisch [ʃpiriˈtɪstɪʃ, sp-] *adj* spiritualist.

Spiritual [ˈspɪrɪtjʊəl] *m or nt* -**s**, -**s** (*negro*) spiritual.

spirituell [ʃpiriˈtuɛl, sp-] *adj* spiritual.

Spirituosen [ʃpiriˈtuoːzn, sp-] *pl* spirits *pl*.

Spiritus *m* -, *no pl* 1. [ˈʃp-] (*Alkohol*) spirit. **mit** ~ **kochen** to cook with a spirit stove; **etw in** ~ **legen** to put sth in alcohol. 2. [sp-] (*Ling*) spiritus.

Spirituskocher *m* spirit stove; **Spirituslampe** *f* spirit lamp.

Spital *nt* -**s**, -̈**er** (*old, Aus, Sw: Krankenhaus*) hospital, spital (*obs*).

spitz *adj* 1. (*mit einer Spitze*) pointed; (*nicht stumpf*) Bleistift, Nadel sharp; (*Math*) Winkel acute. **die Feder dieses Füllhalters ist nicht** ~ **genug** the nib on this fountain pen is too broad; ~**e Schuhe** pointed shoes, winkle-pickers (*hum inf*); ~**e Klammern** angle brackets; ~ **zulaufen** *or* **zugehen** to taper (off), to run to a point; **etw mit** ~**en Fingern anfassen** (*inf*) to pick sth up gingerly; **über einen** ~**en Stein stolpern** *to pronounce* "sp" *and* "st" *as in English.*

2. (*gehässig*) Bemerkung pointed, barbed; Zunge sharp.

3. (*kränklich*) Aussehen, Gesicht pinched, haggard, peaky.

4. (*sl: lüstern*) randy (*Brit inf*), horny (*inf*). ~ **wie Nachbars Lumpi** as randy *or* horny as (*Frau*) a bitch in heat *or* (*Mann*) an old goat (*all inf*); **jdn** ~ **machen** to turn sb on (*sl*).

Spitz *m* -**es**, -**e** (*Hunderasse*) spitz, pomeranian.

Spitzbart *m* goatee; **spitzbärtig** *adj* with a goatee, goateed; **Spitzbauch** *m* potbelly (*inf*); **spitzbekommen*** *vt sep irreg* (*inf*) **etw** ~ to cotton on to sth (*inf*), to get wise to sth (*inf*); ~, **daß ...** to cotton on *or* get wise to the fact that ... (*inf*); **Spitzbogen** *m* pointed arch, ogive (spec); **Spitzbub(e)** m (old) villain, rogue; (dial inf: Schlingel) scamp (inf), scallywag (inf); **Spitzbubenstreich** m (dated) nasty or knavish (old) trick; **Spitzbübin** f siehe Spitzbub(e); **spitzbübisch** adj roguish, mischievous.

Spitze f -, -n **1.** (Schwert~, Nadel~, Pfeil~, Bleistift~, Kinn~) point; (Schuh~) pointed toe; (Finger~, Nasen~, Bart~, Spargel~) tip; (Zigarren~, Haar~) end; (Berg~, Fels~) peak, top; (Baum~, Turm~, Giebel~) top; (Pyramiden~) top, apex (form); (Dreiecks~) top, vertex (form). **etw auf die ~ treiben** to carry sth too far or to extremes; **einer Sache (dat) die ~ abbrechen/nehmen** (fig) to take the sting out of sth. **2.** (fig: Höchstwert) peak; (inf: Höchstgeschwindigkeit) top speed. **dieser Sportwagen fährt 200 ~** (inf) this sports car has a top speed of 200. **3.** (Führung) head; (vorderes Ende) front; (esp Mil: von Kolonne) head; (Tabellen~) top. **die ~n der Gesellschaft** the leading lights of society; **an der ~ stehen** to be at the head; (auf Tabelle) to be (at the) top (of the table); **an der ~ liegen** (Sport, fig) to be in front or in the lead; **die ~ halten** (Sport, fig) to keep the lead; **sich an die ~ setzen** to put oneself at the head; (in Wettbewerb Sport) to go into or take the lead; (auf Tabelle) to go to the top (of the table); (im Pferderennen) to take up the running; **die ~ des Unternehmens** the top or head of the company. **4.** (Zigaretten-, Zigarrenhalter) (cigarette/cigar) holder. **5.** (fig: Stichelei) dig. **das ist eine ~ gegen Sie** that's a dig at you, that's directed at you; **die ~ zurückgeben** to give tit for tat. **6.** (Gewebe) lace. **Höschen mit ~n** panties with lace borders. **7.** (inf: prima) great (inf).

Spitzel(in f**)** m -s, - (Informant) informer; (Spion) spy; (Schnüffler) snooper; (Polizei~) police informer, nark (Brit sl).

Spitzeldienste pl informing no pl. **für jdn ~ leisten** to act as an informer for sb.

spitzeln vi to spy; (Spitzeldienste leisten) to act as an informer.

spitzen I vt (spitz machen) Bleistift to sharpen; Lippen, Mund to purse; (zum Küssen) to pucker; Ohren (lit, fig) to prick up. **spitzt doch die Ohren, dann versteht ihr auch, was ich sage!** open your ears and then you'll understand what I'm saying!

II vir (inf) (sich) **auf etw (acc) ~** to look forward to sth.

III vi (dial inf) (aufpassen) to keep a look-out, to keep one's eyes skinned (inf); (heimlich spähen) to peek.

Spitzen- in cpds top; (aus Spitze) lace; **Spitzenbelastung** f peak (load); **Spitzenbluse** f lace blouse; **Spitzendeckchen** nt, **Spitzendecke** f lace doily; **Spitzenerzeugnis** nt top(-quality) product; **Spitzenfunktionär(in** f**)** m

top official; **Spitzengehalt** nt top salary; **Spitzengeschwindigkeit** f top speed; **Spitzengremien** pl leading or top committees pl; **Spitzengruppe** f top group; (Sport: Spitzenfeld) leading group; **Spitzenhöschen** nt lace panties pl; **Spitzenkandidat(in** f**)** m top candidate; **Spitzenklasse** f top class; **Sekt/ein Auto der ~** top-class champagne/a top-class car; **~!** (inf) great! (inf); **Spitzenkönner(in** f**)** m ace, first-rate or top-class talent; **Spitzenleistung** f top performance; (von Maschine, Auto) peak performance; (bei der Herstellung von Produkten, Energie) peak output; (fig: ausgezeichnete Leistung) top-class or first-rate performance; (Sport: Rekord) record (performance); **Spitzenposition** f leading or top position; **Spitzenreiter(in** f**)** m (Sport) leader; (fig) (Kandidat) front-runner; (Ware) top seller; (Film, Stück) hit; (Schlager) top of the pops, number one; **Spitzensportler(in** f**)** m top(-class) sportsman/-woman; **Spitzenstellung** f leading position; **Spitzensteuersatz** m top rate of income tax; **Spitzentanz** m dance on points, toe-dance (US); **Spitzentechnologie** f state-of-the-art technology; **Spitzenverband** m leading organization or group; **Spitzenverdienst** m stop salary; **Spitzenverkehrszeit** f peak period; **Spitzenwein** m top-quality wine; **Spitzenwert** m peak; **Spitzenzeit** f (Sport) record time; (Hauptverkehrszeit) rush hour.

Spitzer m -s, - (inf) (pencil-)sharpener.

Spitzfeile f taper file; **spitzfindig** adj over-subtle, over-precise; (haarspalterisch auch) hairsplitting, nit-picking (inf); Unterschied auch over-nice; **Spitzfindigkeit** f over-subtlety, over-precision no pl; (Haarspalterei auch) hairsplitting no pl, nit-picking no pl (inf); (von Unterschied auch) over-nicety; **spitzgiebelig** adj with pointed gables; **spitzhaben** vt sep irreg (inf) **etw ~** to have cottoned on to sth (inf), to have got wise to sth (inf); **Spitzhacke** f pick-axe;

Spitzkehre f (Rail) switchback turn; (Ski) kick-turn; **Spitzkopf** m pointed head; **spitzkriegen** vt sep (inf) siehe spitzbekommen; **Spitzkühler** m (hum inf) potbelly; **Spitzmarke** f (Typ) sidehead; **Spitzmaus** f shrew; **Spitzname** m nickname; **mit dem ~n** nicknamed; **Spitzwegerich** m (Bot) ribwort; **spitzwink(e)lig** adj (Math) Dreieck acute-angled; Gasse sharp-cornered, angular; **spitzzüngig** adj sharp-tongued.

Spleen [ʃpliːn] m -s, -s (inf) (Angewohnheit) strange or crazy habit, eccentricity, quirk (of behaviour); (Idee) crazy idea or notion; (Fimmel) obsession. **du hast ja einen ~!** you're round the bend (inf) or off your head (inf).

spleenig ['ʃpliːnɪç] adj (inf) crazy, nutty (inf).

spleißen pret **spliß**, ptp **gesplissen** vt **1.**

(*dial, old*) *Holz* to split. **2.** (*Naut*) *Taue, Leinen* to splice.

splendid [ʃplɛnˈdiːt, sp-] *adj* (*geh*) generous.

Splint *m* **-(e)s, -e** cotter (pin), split pin.

Splintentreiber *m* pin punch.

spliß *pret of* **spleißen**.

Splitt *m* **-(e)s, -e** stone chippings *pl*; (*Streumittel*) grit.

Splitter *m* **-s, -** (*Holz~, Metall~, Knochen~*) splinter; (*Glas~ auch, Granat~*) fragment.

Splitterbombe *f* (*Mil*) fragmentation bomb; **splitter(faser)nackt** *adj* (*inf*) stark-naked, starkers *pred* (*Brit hum inf*); **Splitterfraktur** *f* (*Med*) splintered *or* comminuted (*spec*) fracture; **splitterfrei** *adj* *Glas* shatterproof; **Splittergraben** *m* (*Mil*) slit trench; **Splittergruppe** *f* (*Pol*) splinter group.

splitt(e)rig *adj* splintering.

splittern *vi aux sein or haben* (*Holz, Glas*) to splinter.

Splitterpartei *f* (*Pol*) splinter party.

Splittingsystem [ˈʃplɪtɪŋ-, ˈsp-] *nt* (*Fin*) tax system in which husband and wife each pay income tax on half the total of their combined incomes.

SPÖ [espeːˈʔøː] *f* - *abbr of* **Sozialistische Partei Österreichs** Austrian Socialist Party.

Spoiler [ˈʃpɔylɐ] *m* **-s, -** spoiler.

sponsern *vt* to sponsor.

Sponsor *m*, **Sponsorin** *f* sponsor.

spontan [ʃpɔnˈtaːn, sp-] *adj* spontaneous.

Spontaneität [ʃpɔntaneiˈtɛːt, sp-] *f* spontaneity.

Sponti *m* **-s, -s** (*Pol sl*) member of alternative movement rejecting traditional procedures.

sporadisch [ʃpoˈraːdɪʃ, sp-] *adj* sporadic.

Spore *f* **-, -n** (*Biol*) spore.

Sporen *pl of* **Sporn, Spore**.

sporenklirrend *adv* (*old*) with a clatter of spurs.

Sporentierchen *pl* (*Biol*) sporozoa *pl*.

Sporn *m* **-(e)s, Sporen** *usu pl* (*auch Zool, Bot*) spur; (*Naut auch*) ram; (*Rad*) tailwheel. **einem Pferd die Sporen geben** to spur a horse, to give a horse a touch of the spurs; **sich** (*dat*) **die (ersten) Sporen verdienen** (*fig*) to win one's spurs.

spornen *vt* (*geh*) to spur; (*fig*) to spur on.

spornstreichs *adv* (*old*) post-haste, straight away.

Sport *m* **-(e)s,** (*rare*) **-e** sport; (*Zeitvertreib*) hobby, pastime. **treiben Sie ~?** do you do any sport?; **er treibt viel ~** he goes in for *or* he does a lot of sport; **etw aus** *or* **zum ~ betreiben** to do sth as a hobby *or* for fun; **sich** (*dat*) **einen ~ aus etw machen** (*inf*) to get a kick out of sth (*inf*).

Sportabzeichen *nt* sports certificate; **Sportangler(in** *f*) *m* angler; **Sportanzug** *m* sports clothes *pl*; (*Trainingsanzug*) track suit; **Sportart** *f* (kind of) sport; **Sportartikel** *m* **1.** ~ *pl* sports equipment *with sing vb*; **ein ~** a piece of sports equipment; **2.** (*inf: Sportbericht*) sports report; **sportbegeistert** *adj* keen on sport, sports-mad (*inf*); **ein ~er** a

sports enthusiast *or* fan; **Sportbeilage** *f* sports section *or* page(s *pl*); **Sportbericht** *m* sports report; **Sportereignis** *nt* sporting event; **Sportfechten** *nt* fencing; **Sportfeld** *nt* sports ground; **Sportfest** *nt* sports festival; **Sportflieger(in** *f*) *m* amateur pilot; **Sportflugzeug** *nt* sporting aircraft; **Sportfreund(in** *f*) *m* sport(s)-fan; **Sportgeist** *m* sportsmanship; **Sportgerät** *nt* piece of sports equipment; **~e** sports equipment; **Sportgeschäft** *nt* sports shop (*Brit*) *or* store (*esp US*); **Sporthalle** *f* sports hall; **Sporthemd** *nt* casual *or* sports *or* sport (*US*) shirt; **Sporthochschule** *f* college of physical education; **Sportjackett** *nt* sports jacket (*Brit*), sport coat (*US*); **Sportkleidung** *f* sportswear; **Sportklub** *m* sports club; **Sportlehrer(in** *f*) *m* sports instructor; (*Sch*) PE *or* physical education teacher; (*für Sport im Freien*) games master (*Brit*) *or* teacher (*Brit*), sport teacher.

Sportler *m* **-s, -** sportsman, athlete.

Sportlerherz *nt* athlete's heart.

Sportlerin *f* sportswoman, (woman) athlete.

sportlich *adj* **1.** (*den Sport betreffend*) sporting. **~ gesehen, ...** from a sporting point of view ...
   2. *Mensch* sporty; (*durchtrainiert*) athletic.
   3. (*fair*) sporting, sportsmanlike *no adv*.
   4. *Kleidung* casual; (*~-schick*) natty (*inf*), snazzy (*inf*), smart but casual; (*wie Sportkleidung aussehend*) sporty. **~ gekleidet** casually dressed/wearing smart but casual clothes, smartly but casually dressed; **eine ~e Note** a sporty touch.
   5. *Auto* sporty.

Sportlichkeit *f* **1.** (*von Menschen*) sportiness; (*Durchtrainiertheit*) athletic appearance. **er bewies seine ~, indem er über den Zaun sprang** he proved how athletic he was by jumping over the fence. **2.** (*Fairneß*) sportsmanship; (*von Verhalten auch, um Entscheidung*) sporting nature. **3.** (*von Kleidung*) *siehe adj* **4.** casualness; nattiness (*inf*), snazziness (*inf*), casual smartness; sportiness.

Sportmantel *m* casual coat; **sportmäßig** *adj siehe* **sportsmäßig**; **Sportmedizin** *f* sports medicine; **Sportmeldung, Sportnachricht** *f* **Sportnachrichten** *pl* sports news *with sing vb or* reports *pl*; **eine wichtige Sportmeldung** *or* **Sportnachricht** an important piece of sports news; **Sportplatz** *m* sports field; (*in der Schule*) playing field(s *pl*); **Sportrad** *nt* sports cycle *or* bike (*inf*); **Sportredakteur(in** *f*) *m* sports editor; **Sportreportage** *f* sports reporting; (*Bericht*) sports report; **die ~ über die Weltmeisterschaft** the coverage of the world championships; **Sportschlitten** *m* racing toboggan; **Sportschuh** *m* casual shoe.

Sportsfreund(in *f*) *m* (*fig inf*) buddy (*inf*); **wenn der ~ da ...** if this guy ... (*inf*); **Sportskanone** *f* (*inf*) sporting ace (*inf*); **Sportsmann** *m*, *pl* **-männer** *or* **-leute**

(*dated*) sportsman; (*inf: als Anrede*) sport (*esp Austral inf*), mate (*inf*); **sportsmäßig** *adj* sporty; **sich ~ betätigen** to do sport.

Sportunfall *m* sporting accident; **Sportveranstaltung** *f* sporting event; **Sportverein** *m* sports club; **Sportwagen** *m* sports (*Brit*) *or* sport (*US*) car; (*für Kind*) pushchair (*Brit*), (baby-)stroller (*US*).

Spot [spɔt] *m* **-s, -s** commercial, advertisement, ad (*inf*).

Spot- ['spɔt-]: **Sportgeschäft** *nt* (*Fin*) spot transaction; **Sportlight** [-lait] *nt* **-s, -s** spotlight; **Sportmarkt** *m* (*Fin*) spot market.

Spott *m* **-(e)s,** *no pl* mockery; (*höhnisch auch*) ridicule, derision. **~ und Hohn ernten** to earn scorn and derision, to be laughed out of court; **jdn dem ~ preisgeben** to hold sb up to ridicule; **dem ~ preisgegeben sein** to be held up to ridicule, to be made fun of; **seinen ~ mit jdm treiben** to make fun of sb.

Spottbild *nt* (*fig*) travesty, mockery; **das ~ eines Präsidenten** a travesty *etc* of a president; **spottbillig** *adj* dirt-cheap (*inf*); **das habe ich ~ gekauft** I bought it for a song (*inf*) *or* for practically nothing, I bought it dirt-cheap (*inf*); **Spottdrossel** *f* mocking-bird; (*dated fig: Spötter*) tease, mocker.

Spöttelei *f* (*das Spotten*) mocking; (*ironische Bemerkung*) mocking remark.

spötteln *vi* to mock (*über jdn/etw* sb/sth), to poke gentle fun (*über jdn/etw* at sb/sth).

spotten *vi* **1.** to mock, to poke fun; (*höhnen auch*) to ridicule, to be derisive. **über jdn/etw ~** to mock sb/sth, to poke fun at sb/sth, to ridicule sb/sth; (*höhnisch auch*) to deride sb/sth, to ridicule sb/sth; **spotte nur!** it's all very well for you to mock.
2. *+gen* (*old, liter: hohnsprechen*) to mock; (*geh: mißachten*) *der Gefahr* to be contemptuous of, to scorn. **das spottet jeder Beschreibung** that simply defies *or* beggars description.

Spötter(in *f*) *m* **-s, -** (*satirischer Mensch*) wit, satirist; (*jd, der über etw spottet*) mocker.

Spottfigur *f* joke figure, ludicrous character; **eine ~ sein** to be a figure of fun, to be an object of ridicule; **Spottgeburt** *f* (*liter*) freak, monstrosity; **Spottgedicht** *nt* satirical poem.

spöttisch *adj* mocking; (*höhnisch auch*) ridiculing, derisive.

Spottlied *nt* satirical song; **Spottlust** *f* love of mockery, inclination to mock; **spottlustig** *adj* given to mockery, inclined to mock; **Spottpreis** *m* ridiculously *or* ludicrously low price; **für einen ~** for a song (*inf*); **Spottrede** *f* satirical *or* lampooning speech; **Spottsucht** *f* compulsive mocking; **spottsüchtig** *adj* who/which delights in (constant) mockery; **Spottvers** *m* satirical verse.

sprach *pret* of **sprechen.**

Sprachatlas *m* linguistic atlas; **Sprachautonomie** *f* (*Pol*) linguistic autonomy;

Sprachbarriere *f* language barrier; **Sprachbau** *m* linguistic structure; **sprachbegabt** *adj* good at languages, linguistically talented *or* gifted; **Sprachbegabung** *f* talent for languages, linguistic talent; **Sprachdenkmal** *nt* linguistic monument.

Sprache *f* **-, -n** language; (*das Sprechen*) speech; (*Sprechweise*) speech, way of speaking; (*Fähigkeit, zu sprechen*) power *or* faculty of speech. **eine/die ~ sprechen** to (be able to) speak a language/the language *or* lingo (*inf*); **die ~ analysieren** to analyze language; **die ~ der Musik** the language of music; **in französischer ~** in French; **die gleiche ~ sprechen** (*lit, fig*) to speak the same language; **das spricht eine klare** *or* **deutliche ~** (*fig*) that speaks for itself, it's obvious what that means; **er spricht jetzt eine ganz andere ~** (*fig*) he's changed his tune now; **heraus mit der ~!** (*inf*) come on, out with it!; **die ~ auf etw** (*acc*) **bringen** to bring the conversation round to sth; **zur ~ kommen** to be mentioned *or* brought up, to come up; **etw zur ~ bringen** to bring sth up, to mention sth; **die ~ verlieren** to lose the power of speech; **hast du die ~ verloren?** have you lost your tongue?, has the cat got your tongue? (*inf*); **die ~ wiederfinden** to be able to speak again; **es raubt** *or* **verschlägt einem die ~** it takes your breath away.

Spracheigentümlichkeit *f* linguistic peculiarity *or* idiosyncrasy.

Sprachengewirr *nt* babel of tongues (*usu hum*), mixture *or* welter of languages.

Spracherwerb *m* language acquisition; **Spracherziehung** *f* (*form*) language education; **Sprachfamilie** *f* family of languages, language family; **Sprachfehler** *m* speech defect *or* impediment; **Sprachforscher(in** *f*) *m* linguist(ic researcher); (*Philologe*) philologist; **Sprachforschung** *f* linguistic research; (*Philologie*) philology; **Sprachführer** *m* phrase-book; **Sprachgebiet** *nt* language area; **ein französisches ~** a French-speaking area; **Sprachgebrauch** *m* (linguistic) usage; **moderner deutscher ~** modern German usage; **Sprachgefühl** *nt* feeling for language; **Sprachgemeinschaft** *f* speech community; **Sprachgenie** *nt* linguistic genius; **Sprachgeschichte** *f* linguistic history; **die ~ des Mongolischen** the history of the Mongolian language; **Sprachgesetze** *pl* linguistic laws *pl*; **Sprachgewalt** *f* power of expression, eloquence; **sprachgewaltig** *adj* eloquent; **ein ~er Redner** a powerful speaker; **sprachgewandt** *adj* articulate, fluent; **Sprachgrenze** *f* linguistic *or* language boundary; **Sprachgut** *nt* linguistic heritage; **Sprachinsel** *f* linguistic enclave *or* island; **Sprachkenntnisse** *pl* linguistic proficiency *sing*; **mit englischen ~n** with a knowledge of English; **haben Sie irgendwelche ~?** do you know any languages?; **~ erwünscht** (knowledge of) languages desirable; **Sprachkompetenz** f linguistic competence; **Sprachkritik** f linguistic criticism; **sprachkundig** adj (in mehreren Sprachen) proficient in or good at (foreign) languages; (in einer bestimmten Sprache) linguistically proficient; **Sprachkurs(us)** m language course; **Sprachlabor** nt language laboratory or lab (inf); **Sprachlandschaft** f linguistic geography; **Sprachlehre** f (Grammatik, Grammatikbuch) grammar; **Sprachlehrer(in** f) m language teacher; **Sprachlehrgang** m language course.

sprachlich adj linguistic; Unterricht, Schwierigkeiten language attr; Fehler grammatical. ~ **falsch/richtig** ungrammatical/grammatical, grammatically incorrect/correct; **eine intelligente Analyse, auch** ~ **gut** an intelligent analysis, well written too.

sprachlos adj (ohne Sprache) speechless; (erstaunt) speechless, dumbfounded. **ich bin** ~! I'm speechless; **da ist man (einfach)** ~ (inf) that's quite or really something (inf).

Sprachlosigkeit f speechlessness.
Sprachmelodie f intonation, speech melody; **Sprachpflege** f concern for the purity of language; **Sprachphilosophie** f philosophy of language; **Sprachpsychologie** f psychology of language; **Sprachregel** f grammatical rule, rule of grammar; (für Aussprache) pronunciation rule; (Ling) linguistic rule, rule of language; **Sprachregelung** f (Bestimmung) linguistic ruling; (Formulierung) wording, phrasing; **Sprachregler** m linguistic arbiter; **Sprachreinheit** f linguistic purity; **Sprachrohr** nt (Megaphon) megaphone; (fig) mouthpiece; **sich zum** ~ **einer Sache/Gruppe machen** to become the spokesman for or mouthpiece (usu pej) of sth/a group; **Sprachschatz** m (geh) vocabulary; **Sprachschöpfung** f linguistic innovation; **Sprachschule** f language school; **Sprachsilbe** f syllable; **Sprachsoziologie** f sociology of language; **Sprachstamm** m (language) stock; **Sprachstörung** f speech disorder; **Sprachstudium** nt study of languages/a language, linguistic or language studies pl; **Sprachtalent** nt talent or gift for languages; **Sprachtheorie** f theory of language; **Sprachübung** f linguistic or language exercise; **Sprachunterricht** m language teaching or instruction; **der französische** ~ French teaching, the teaching of French; ~/**französischen** ~ **erteilen** to give language lessons/French lessons; **Sprachurlaub** m language-learning holiday; **Sprachverfall** m decay of language; **Sprachvergleichung** f comparative analysis (of languages); **Sprachvermögen** nt faculty of language; **Sprachverwandtschaft** f linguistic relationship or kinship; **Sprachverwirrung** f confused mixture of languages, confusion of tongues (Bibl); **Sprachwissenschaft** f linguis

tics sing; (Philologie) philology; **verglechende** ~**en** comparative linguistics/ philology; **Sprachwissenschaftler(in** f) m linguist; (Philologe) philologist; **sprachwissenschaftlich** adj linguistic; **Sprachzentrum** nt area of the brain responsible for language; **Sprachzweig** m (language) branch.

sprang pret of **springen**.
Spray [ʃpreː, spreː] m or nt -**s**, -**s** spray.
Spraydose ['ʃpreː-, 'spreː-] f aerosol (can), spray.
sprayen ['ʃpreːən, 'sp-] vti to spray.
Sprayer(in f) ['ʃpreːɐ, -ərɪn, 'sp-] sprayer.
Sprechanlage f intercom; **Sprechblase** f balloon; **Sprechbühne** f theatre, stage; **Sprechchor** m chorus; (fig) chorus of voices; **im** ~ **rufen** to shout in unison, to chorus; **Sprecheinheit** f (Telec) unit.

sprechen pret **sprach**, ptp **gesprochen** I vi to speak (über +acc, von about, of); (reden, sich unterhalten auch) to talk (über +acc, von about). **viel** ~ to talk a lot; **frei** ~ to extemporize, to speak off the cuff (inf); **er spricht wenig** he doesn't say or talk very much; ~ **Sie!** (form) speak away!; **sprich doch endlich!** say something; **also sprach ...** thus spoke ..., thus spake ... (liter, Bibl); **im Traum or Schlaf** ~ to talk in one's sleep; **gut/ schön** ~ to speak well/beautifully; **im Rundfunk/Fernsehen** ~ to speak on the radio/on television; **es spricht/es** ~ ... the speaker is/the speakers are ...; **die Vernunft** ~ **lassen** to listen to reason, to let the voice of reason be heard; **sein Herz** ~ **lassen** to follow the dictates of one's heart; **schlecht or nicht gut auf jdn zu** ~ **sein** to be on bad terms with sb; **mit jdm** ~ to speak or talk with or to sb; **mit sich selbst** ~ to talk to oneself; **ich muß mit dir** ~ I must talk or speak with you; **ich habe mit dir zu** ~ I want to have a word or a few words with you; **wie sprichst du mit mir?** who do you think you're talking to?; **so spricht man nicht mit seinem Großvater** that's no way to talk or speak to your grandfather; **sie spricht nicht mit jedem** she doesn't speak or talk to just anybody; **wir** ~ **nicht mehr miteinander** we are no longer on speaking terms, we're not speaking any more; **mit wem spreche ich?** to whom am I speaking, please?; ~ **wir nicht mehr darüber!** let's not talk about that any more, let's drop the subject; **darüber spricht man nicht** one doesn't talk about or speak of such things; **ich weiß nicht, wovon Sie** ~ I don't know what you're talking about; ~ **wir von etwas anderem** let's talk about something else, let's change the subject; **wir haben gerade von dir gesprochen** we were just talking about you; **für jdn/etw** ~ to speak for sb/sth, to speak on (Brit) or in (US) behalf of sb/sth; **es spricht für jdn/ etw(, daß ...)** it says something for sb/sth (that ...), it speaks well for sb/sth (that ...); **das spricht für ihn** that's a point in his favour, that says something for him; **es spricht nicht für die Firma, daß ...** it doesn't say much for the firm that ...;

das spricht für sich (selbst) that speaks for itself; **es spricht vieles dafür** there's a lot to be said for it; **es spricht vieles dafür, daß ...** there is every reason to believe that ...; **was spricht dafür/dagegen?** what is there to be said for/against it?; **aus seinen Worten sprach Verachtung/Hoffnung** his words expressed contempt/hope; **er sprach vor den Studenten/dem Ärztekongreß** he spoke to the students/the medical conference; **ganz allgemein gesprochen** generally speaking.

II vt **1.** (sagen) to say, to speak; *eine Sprache, Mundart* to speak; (aufsagen) *Gebet* to say; *Gedicht* to say, to recite. **es wurde viel gesprochen** a lot of talking was done; **~ Sie Japanisch?** do you speak Japanese?; **hier spricht man Spanisch** Spanish spoken, we speak Spanish.

2. *Urteil* to pronounce.

3. (mit jdm reden) to speak to. **kann ich bitte Herrn Kurz ~?** may I speak to Mr Kurz, please?; **ich bin für niemanden zu ~** I can't see anybody, I'm not available; **ich hätte gern Herrn Bremer gesprochen** could I speak to Mr Bremer?; **kann ich Sie einen Augenblick** or **kurz ~?** can I see you for a moment?, can I have a quick word?; **für Sie bin ich jederzeit zu ~** I'm always at your disposal; **wir ~ uns noch!** you haven't heard the last of this!

Sprecher(in) f) m **-s,** - speaker; (Nachrichten~) newscaster, newsreader; (für Dokumentarfilme, Stücke) narrator; (Ansager) announcer; (Wortführer) spokesman. **sich zum ~ von jdm/etw machen** to become the spokesman of sb/sth.

Sprecherziehung f speech training, elocution; **sprechfaul** adj taciturn; **Sprechfunk** m radio-telephone system; **Sprechfunkgerät** nt radiotelephone; (tragbar auch) walkie-talkie; **Sprechfunkverkehr** m local radio traffic; **Sprechgebühr** f (Telec) call charge; **Sprechgesang** m (Mus) speech-song, sprechgesang; **Sprechmuschel** f (Telec) mouthpiece; **Sprechorgan** nt organ of speech, speech organ; **Sprechplatte** f spoken-word record; **Sprechprobe** f voice trial; **Sprechpuppe** f talking or speaking doll; **Sprechrolle** f speaking part; **Sprechsilbe** f (Ling) (phonetic) syllable; **Sprechstimme** f speaking voice; (Mus) sprechstimme, speech voice; **Sprechstunde** f consultation (hour); (von Arzt) surgery (Brit), doctor's office (US); **~n** consultation hours; (von Arzt) surgery (Brit) or consulting hours; **~ halten** to hold surgery (Brit); **Sprechstundenhilfe** f (doctor's) receptionist; **Sprechtaste** f "talk" button or switch; **Sprechunterricht** m elocution lessons pl; **Sprechweise** f way of speaking; **Sprechwerkzeuge** pl organs of speech; **Sprechzeit** f **1.** (Sprechstunde) consulting time; (von Arzt) surgery time (Brit); **2.** (Besuchszeit: in Gefängnis, Kloster) visiting

time; **3.** (Telec) call time; **Sprechzimmer** nt consulting room.

Spreite f -, **-n** (leaf) blade.

Spreizdübel m cavity plug.

spreizen I vt *Flügel, Gefieder* to spread; *Finger, Zehen auch* to splay (out); *Beine auch* to open; (Sport) to straddle.
II vr (sich sträuben) to kick up (inf); **sich gegen etw ~** to kick against sth.

Spreizfuß m splayfoot; **Spreizschritt** m (Sport) straddle.

Sprengarbeiten pl blasting operations pl; „**~**" "blasting"; **Sprengbombe** f high-explosive bomb.

Sprengel m -s, - (Kirchspiel) parish; (Diözese) diocese.

sprengen I vt **1.** to blow up; *Fels* to blast.
2. *Türschloß, Tor* to force (open); *Tresor* to break open; *Bande, Fesseln* to burst, to break; *Eisdecke, Versammlung* to break up; (Spiel)bank to break.
3. (bespr-itzen) to sprinkle; *Beete, Rasen auch* to water; *Wäsche* to sprinkle (with water); (versprtizen) *Wasser* to sprinkle, to spray.
II vi **1.** to blast.
2. aux sein (liter: kraftvoll reiten) to thunder.

Sprengkammer f demolition chamber; **Sprengkapsel** f detonator; **Sprengkommando** nt demolition squad; **Sprengkopf** m warhead; **Sprengkörper** m explosive device; **Sprengkraft** f explosive force; **Sprengladung** f explosive charge; **Sprengmeister(in** f) m (in Steinbruch) blaster; (bei Abbrucharbeiten) demolition expert; **Sprengsatz** m explosive device.

Sprengstoff m explosive.

Sprengstoffanschlag m, **Sprengstoffattentat** nt bomb attack; (erfolgreich auch) bombing; **auf ihn/das Haus wurde ein ~ verübt** he was the subject of a bomb attack/there was a bomb attack on the house.

Sprengung f siehe vt **1.** blowing-up; blasting. **2.** forcing (open); breaking open; bursting; breaking; breaking-up. **3.** sprinkling; watering; sprinkling (with water); spraying.

Sprengwagen m water(ing)-cart, street sprinkler; **Sprengwirkung** f explosive effect.

Sprenkel m -s, - (Tupfen) spot, speckle.

sprenkeln vt *Farbe* to sprinkle spots of; *siehe* **gesprenkelt.**

Spreu f -, no pl chaff. **die ~ vom Weizen trennen** or **sondern** (fig) to separate the wheat from the chaff.

sprich imper sing of **sprechen.**

Sprichwort nt, pl **-̈er** proverb.

sprichwörtlich adj (lit, fig) proverbial.

sprießen pret **sproß** or **sprießte**, ptp **gesprossen** vi aux sein (aus der Erde) to come up, to spring up; (Knospen, Blätter) to shoot; (fig geh: Liebe, Zuneigung) to burgeon (liter).

Spriet nt -(e)s, -e (Naut) sprit.

Springbrunnen m fountain.

springen pret **sprang**, ptp **gesprungen** I vi aux sein **1.** (lit, fig, Sport, bei Brett-

spielen) to jump; (*mit Schwung auch*) to leap, to spring; (*beim Stabhochsprung*) to vault; (*Raubtier*) to pounce; (*sich springend fortbewegen*) to bound; (*hüpfen, seilhüpfen*) to skip; (*auf einem Bein hüpfen*) to hop; (*Ball*) to bounce; (*Wassersport*) to dive; (*S Ger inf: eilen*) to nip (*Brit inf*), to pop (*inf*). **singen/ tanzen und ~** to sing and leap about/ dance and leap about; **jdm an den Hals** *or* **die Kehle** *or* **die Gurgel** (*inf*) **~** to leap *or* fly at sb's throat; (*fig*) to fly at sb, to go for sb; **ich hätte ihm an die Kehle ~ können** I could have strangled him; **aus dem Gleis** *or* **den Schienen ~** to jump the rails; **ins Aus ~** (*Sport*) to go out (of play).

2. etw ~ lassen (*inf*) to fork out for sth (*inf*); *Runde* to stand sth; *Geld* to fork out sth; **für jdn etw ~ lassen** (*inf*) to treat sb to sth; *esp Getränke auch* to stand sb sth; **das hat der Chef ~ lassen!** (*inf*) that was on the boss! (*inf*).

3. (*geh: hervorsprudeln*) to spring; (*Wasserstrahl, Quelle auch, Blutstrahl*) to spurt; (*Funken*) to leap.

4. (*Saite, Glas, Porzellan*) to break; (*Risse bekommen*) to crack; (*sich lösen: Knopf*) to come off (*von etw sth*).

5. (*geh: aufplatzen*) to burst (forth).

II *vt aux haben* **einen (neuen) Rekord ~** (*Sport*) to make a record jump.

Springen *nt* **-s, -** (*Sport*) jumping; (*Wassersport*) diving.

springend *adj* **der ~e Punkt** the crucial point.

Springer(in *f*) *m* **-s, -** **1.** jumper; (*Wassersport*) diver. **2.** (*Chess*) knight. **3.** (*Ind*) stand-in.

Springflut *f* spring tide; **Springform** *f* (*Cook*) springform; **Springkraut** *nt* (*Bot*) touch-me-not; **springlebendig** *adj* lively, full of beans (*inf*); **Springpferd** *nt* jumper; **Springreiten** *nt* show jumping; **Springrollo** *nt* roller blind; **Springseil** *nt* skipping rope; **Springturnier** *nt* show jumping competition.

Sprinkler *m* **-s, -** sprinkler.

Sprinkler|anlage *f* sprinkler system.

Sprint *m* **-s, -s** sprint.

sprinten *vti aux sein* to sprint.

Sprinter(in *f*) *m* **-s, -** sprinter.

Sprit *m* **-(e)s, -e** (*inf: Benzin*) gas (*inf*), juice (*inf*); (*Rohspiritus*) neat spirit, pure alcohol.

Spritzbeutel *m* icing *or* piping bag; **Spritzdüse** *f* nozzle; (*Tech*) jet.

Spritze *f* **-, -n** syringe; (*Feuer~*) hose; (*Injektion*) injection, jab (*inf*). **eine ~ bekommen** to have an injection *or* a jab (*inf*); **an der ~ hängen** (*sl*) to shoot up (*sl*), to be on heroin.

spritzen I *vti* **1.** to spray; (*in einem Strahl auch*) *Wasser* to squirt; (*Cook*) *Zuckerguß* to pipe; (*verspritzen*) *Wasser, Schmutz* to splash; (*Fahrzeug*) to spray, to spatter. **die Feuerwehr spritzte (Wasser) in das brennende Gebäude** the firemen directed their hoses into the burning building.

2. (*lackieren*) *Auto* to spray.

3. *Wein* to dilute with soda water/ mineral water. *siehe* **Gespritzte(r)**.

4. (*injizieren*) *Serum* to inject; *Heroin auch* to shoot (*sl*); (*eine Injektion geben*) to give injections/an injection. **wir müssen (dem Kranken) Morphium ~** we have to give (the patient) a morphine injection; **er spritzt seit einem Jahr** (*inf*) he has been shooting *or* mainlining for a year (*sl*).

II *vi* **1.** *aux haben or sein* (*Wasser, Schlamm*) to spray, to splash; (*heißes Fett*) to spit; (*in einem Strahl*) to spurt; (*aus einer Tube, Wasserpistole*) to squirt. **es spritzte gewaltig, als er ins Wasser plumpste** there was an enormous splash when he fell into the water.

2. *aux sein* (*inf: eilen*) to dash, to nip (*Brit inf*).

Spritzenhaus *nt* fire station; **Spritzenwagen** *m* (*old*) fire engine.

Spritzer *m* **-s, -** (*Farb~, Wasser~*) splash; (*von Parfüm, Mineralwasser auch*) dash.

Spritzfahrt *f* (*inf*) spin (*inf*); **eine ~ machen** to go for a spin (*inf*); **Spritzguß** *m* injection moulding; (*Metal*) die-casting.

spritzig *adj Wein* tangy, piquant; *Auto* lively, nippy (*Brit inf*), zippy (*inf*); *Aufführung, Dialog* sparkling, lively; (*witzig*) witty. **das Kabarett war ~ und witzig** the cabaret was full of wit and sparkle.

II *adv aufführen, darstellen* with sparkle; *schreiben* racily; (*witzig*) wittily.

Spritzlack *m* spray(ing) paint; **Spritzlackierung** *f* spraying; **Spritzpistole** *f* spray-gun; **Spritztour** *f siehe* **Spritzfahrt**; **Spritztülle** *f* nozzle.

spröd(e) *adj Glas, Stein, Haar* brittle; *Haut* rough; *Stimme* thin; (*fig*) *Material* obdurate, recalcitrant; (*abweisend*) aloof; *Charme* austere.

sproß *pret of* **sprießen.**

Sproß *m* **-sses, -sse** shoot; (*fig: Nachkomme*) scion (*liter*).

Sprosse *f* **-, -n** (*lit, fig*) rung; (*Fenster~*) (*senkrecht*) mullion; (*waagerecht*) transom; (*Geweih~*) branch, point, tine.

Sprossenfenster *nt* lattice window; **Sprossenwand** *f* (*Sport*) wall bars *pl*.

Sprößling *m* shoot; (*fig hum*) offspring.

Sprotte *f* **-, -n** sprat.

Spruch *m* **-(e)s, -e 1.** saying; (*Sinn~ auch*) aphorism; (*Maxime auch*) adage, maxim; (*Wahl~*) motto; (*Bibel~*) quotation, quote; (*Poet: Gedicht*) medieval lyric poem. **die ~e Salomos** (*Bibl*) (the Book of) Proverbs; **~e** (*inf: Gerede*) patter *no pl* (*inf*); **~e machen** (*inf*) *or* **klopfen** (*inf*) **or kloppen** (*sl*) to talk fancy (*inf*); (*angeben*) to talk big (*inf*); **mach keine ~e!** (*inf*) come off it! (*inf*); **das sind doch nur ~e!** that's just talk.

2. (*Richter~*) judgement; (*Frei~/ Schuld~*) verdict; (*Strafurteil*) sentence; (*Schieds~*) ruling.

Spruchband *nt* banner.

Spruchdichtung *f* (*Poet*) medieval lyric poetry.

Sprücheklopfer(in *f*) *m* (*inf*) pattermerchant (*inf*); (*Angeber*) big talker (*inf*).

Sprüchlein nt dim of **Spruch. sein ~ her-sagen** to say one's (little) piece.

spruchreif adj (inf) **die Sache ist noch nicht ~** it's not definite yet so we'd better not talk about it.

Sprudel m **-s, -** (saurer ~) mineral water; (süßer ~) fizzy drink.

sprudeln I vi 1. (schäumen) (Wasser, Quelle) to bubble; (Sekt, Limonade) to effervesce, to fizz; (fig: vor Freude, guten Ideen) to bubble. 2. aux sein (hervor~) (Wasser) to bubble; (fig: Worte) to pour out. II vt (Aus: quirlen) to whisk.

sprudelnd adj (lit) Getränke fizzy, effervescent; (fig) Temperament, Witz bubbling, bubbly (inf), effervescent.

Sprudeltablette f effervescent tablet.

Sprühaktion f slogan-spraying operation; **Sprühdose** f spray (can); (unter Druck stehend auch) aerosol (can).

sprühen I vi 1. aux haben or sein to spray; (Funken) to fly.
2. (fig) (vor Witz) to bubble over, to effervesce; (Augen) (vor Freude) to sparkle; (vor Zorn) to glitter, to flash.
II vt to spray; (fig: Augen) to flash. **er sprühte Lack auf die beschädigte Stelle** he sprayed the damaged spot with paint.

sprühend adj Laune, Temperament bubbling, bubbly (inf), effervescent; Witz sparkling, bubbling.

Sprühflugzeug nt crop-spraying plane; **Sprühnebel** m mist; **Sprühregen** m drizzle, fine rain.

Sprung m **-(e)s, ‑e** 1. jump; (schwungvoll, fig: Gedanken~ auch) leap; (Hüpfer) skip; (auf einem Bein) hop; (Satz) bound; (von Raubtier) pounce; (Wassersport) dive. **einen ~/einen kleinen ~ machen** to jump/do a small jump; **zum ~ ansetzen** (lit) to get ready to jump etc; (fig) to get ready to pounce; **sie wagte den ~ nicht** (fig) she didn't dare (to) take the plunge; **ein großer ~ nach vorn** (fig) a great leap forward; **damit kann man keine großen ‑̃e machen** (inf) you can't exactly live it up (inf); **auf dem ~ sein** or **stehen, etw zu tun** to be about to do sth; **immer auf dem ~ sein** (inf) to be always on the go (inf); (aufmerksam) to be always on the ball (inf); **jdm auf die ‑̃e helfen** (wohlwollend) to give sb a (helping) hand; (drohend) to show sb what's what.
2. (inf: kurze Strecke) stone's throw (inf). **bis zum Postamt ist es nur ein ~** the post office is only a stone's throw from here (inf); **auf einen ~ bei jdm vorbeikommen** to drop or pop in to see sb (inf).
3. (Riß) crack. **einen ~ haben/bekommen** to be cracked/to crack.
4. (Agr: Begattung) mounting. **dieser Hengst eignet sich nicht zum ~** this stallion isn't suitable for stud purposes.

Sprungbein nt 1. (Anat) anklebone; 2. (Sport) takeoff leg; **sprungbereit** adj ready to jump; Katze ready to pounce; (fig hum) ready to go; **Sprungbrett** nt (lit, fig) springboard; **Sprungdeckel** m spring lid; **Sprungfeder** f spring;

Sprunggelenk nt ankle joint; (von Pferd) hock; **Sprunggrube** f (Sport) (landing) pit; **sprunghaft** I adj 1. Mensch, Charakter volatile; Denken disjointed; 2. (rapide) Aufstieg, Entwicklung rapid; Preisanstieg auch sharp; II adv ansteigen, entwickeln by leaps and bounds; **Sprunghaftigkeit** f siehe adj 1. volatile nature, volatility; disjointedness; 2. rapidity, rapidness; sharpness; **Sprungkraft** f (Sport) takeoff power, leg power; **Sprunglauf** m (Ski) ski-jumping; **Sprungnetz** nt (jumping) net, life net (US); **Sprungschanze** f (Ski) ski-jump; **Sprungstab** m (vaulting) pole; **Sprungtuch** nt jumping sheet or blanket, life net (US); **Sprungturm** m diving platform.

Spucke f **-,** no pl (inf) spittle, spit. **da bleibt einem die ~ weg!** (inf) it's flabbergasting (inf); **als ich das hörte, blieb mir die ~ weg** when I heard that I was flabbergasted (inf) or you could have knocked me down with a feather (inf).

spucken vti to spit; (inf: sich übergeben) to throw up (inf), to be sick; (fig inf) Lava, Flammen to spew (out); (inf: Maschine, Motor) to give the occasional hiccup (inf). **in die Hände ~** (lit) to spit on one's hands; (fig) to roll up one's sleeves.

Spucknapf m spittoon.

Spuk m **-(e)s, -e** 1. (Geistererscheinung) der ~ fing um Mitternacht an the ghosts started to walk at midnight; **ich glaube nicht an diesen ~** I don't believe the place is haunted. 2. (fig) (Lärm) din, racket (inf); (Aufheben) fuss, to-do (inf), palaver (inf).

spuken vi to haunt. **an einem Ort/in einem Schloß ~** to haunt or walk a place/castle; **es spukt auf dem Friedhof/im alten Haus** the cemetery/old house is haunted; **hier spukt es** this place is haunted; **durch den Film spukten wunderliche Gestalten** the film was haunted by weird and wonderful apparitions; **das spukt noch immer in den Köpfen** that still has a hold on people's minds.

Spukgeschichte f ghost story; **Spukschloß** nt haunted castle.

Spülbecken nt sink.

Spule f **-, -n** 1. spool, reel; (Nähmaschinen~, Ind) bobbin; (Elec) coil. 2. (Federkiel) quill.

Spüle f **-, -n** sink.

spulen vt to spool (auch Comput), to reel; (auf~ auch) to wind onto a spool or reel/bobbin.

spülen vti 1. (aus~, ab~) to rinse; Wunde to wash; Darm to irrigate; Vagina to douche Geschirr to wash up; (auf der Toilette) to flush. **du spülst und ich trockne ab** you wash and I'll dry; **vergiß nicht zu ~** don't forget to flush the toilet.
2. (Wellen etc) to wash. **etw an Land ~** to wash sth ashore.

Spüler(in f**)** m **-s, -** dishwasher, washer-up.

Spülicht nt **-s, -e** (old) dishwater.

Spülkasten m cistern; **Spülklosett** nt flush toilet, water closet; **Spüllappen** m dishcloth; **Spülmaschine** f (automatic) dishwasher; **spülmaschinenfest** adj dishwasher-proof; **Spülmittel** nt washing-up liquid; **Spülschüssel** f washing-up bowl; **Spültisch** m sink (unit).

Spülung f rinsing; (Wasser~) flush; (Med) (Darm~) irrigation; (Vaginal~) douche; (Aut) scavenging.

Spülwasser nt (beim Abwaschen) dishwater, washing-up water; (beim Wäschewaschen) rinsing water.

Spulwurm m roundworm, ascarid (Med).

Spund m -(e)s, ‥e 1. bung, spigot; (Holztechnik) tongue. 2. pl -e junger ~ (inf) young pup (dated inf).

spunden vt Faß to bung.

Spundloch nt bunghole; **Spundwand** f (Build) bulkhead.

Spur f -, -en 1. (Abdruck im Boden) track; (Hunt auch) spoor no pl; (hinterlassenes Zeichen) trace, sign; (Brems~) skidmarks pl; (Blut~, Schleim~ Fährte zur Verfolgung) trail. **von den Tätern fehlt jede** ~ there is no clue as to the whereabouts of the persons responsible; **der Täter hat keine ~en hinterlassen** the culprit left no traces or marks; **jds ~ aufnehmen** to take up sb's trail; **jdm auf der ~ sein** to be on sb's trail; **auf der richtigen/falschen ~ sein** (lit, fig) to be on the right/wrong track; **jdn auf jds ~ bringen** to put sb onto sb's trail or onto sb; **jdn auf die richtige ~ bringen** (fig) to put sb on(to) the right track; **jdm auf die ~ kommen** to get onto sb; **auf or in jds ~en wandeln** (fig) to follow in sb's footsteps; **(seine) ~en hinterlassen** (fig) to leave its mark; **ohne/nicht ohne ~(en) an jdm vorübergehen** to have no effect on sb/to leave its mark on sb.
2. (fig: kleine Menge, Überrest) trace; (von Pfeffer, Paprika) touch, soupçon; (von Vernunft, Anstand, Talent) scrap, ounce. **von Anstand/Takt keine ~** (inf) no decency/tact at all; **von Liebe keine ~** (inf) love doesn't/didn't come into it; **keine ~** (inf), **nicht die ~** (inf) not/nothing at all; **eine ~ zu laut/grell** a shade or a touch too loud/garish.
3. (Fahrbahn) lane. **auf der linken ~ fahren** to drive in the left-hand lane; **in der ~ bleiben** to keep in lane.
4. (Aut: gerade Fahrtrichtung) tracking. **~ halten** (beim Bremsen) to hold its course; (nach Unfall) to track properly; **aus der ~ geraten** or **kommen** (durch Seitenwind) to go off course; (beim Bremsen) to skid.
5. (~weite) (Rail) gauge; (Aut) track.
6. (Comput) track.

spürbar adj noticeable, perceptible.

spuren I vi (Ski) Loipe to make, to lay.
II vi (Ski) to make or lay a track; (Aut) to track; (inf) to obey; (sich fügen) to toe the line; (funktionieren: Maschine, Projekt) to run smoothly, to go well. **bei dem Lehrer wird gespurt** (inf) he makes you obey, that teacher.

spüren I vt to feel; (intuitiv erfassen) jds Haß, Zuneigung, Unwillen auch to

sense. **sie spürte, daß der Erdboden leicht bebte** she felt the earth trembling underfoot; **sie ließ mich ihr Mißfallen ~** she made no attempt to hide her displeasure, she let me know that she was displeased; **etw in allen Gliedern ~** (lit, fig) to feel sth in every bone of one's body; **davon ist nichts zu ~** there is no sign of it, it's not noticeable; **etw zu ~ bekommen** (lit) to feel sth; (fig) to feel the (full) force of sth; **jds Spott, Anerkennung** to meet with sth; (bereuen) to suffer for sth, to regret sth; **es zu ~ bekommen, daß ...** to feel the effects of the fact that ...; **ihr werdet es noch zu ~ bekommen, daß ihr so faul seid** some day you'll regret being so lazy; **sie bekamen es deutlich zu ~, daß sie Weiße waren** they were made very conscious or aware of the fact that they were whites.
II vti (Hunt) (nach) etw ~ to track sth, to follow the scent of sth.

Spurenelement nt trace element; **Spurensicherung** f securing of evidence; **die Leute von der ~** the forensic people.

Spürhund m tracker dog; (inf: Mensch) sleuth.

spurlos adj without trace. ~ **verschwinden** to disappear or vanish without trace, to vanish into thin air; ~ **an jdm vorübergehen** to have no effect on sb; (Ereignis, Erfahrung auch) to wash over sb; **das ist nicht ~ an ihm vorübergegangen** it left its mark on him.

Spürnase f (Hunt) nose; **eine ~ für etw haben** (fig inf) to have a (good) nose for sth; **Spürsinn** m (Hunt, fig) nose.

Spurt m -s, -s or -e spurt; (End~, fig) final spurt. **zum ~ ansetzen** (lit, fig) to make a final spurt.

spurten vi aux sein (Sport) to spurt; (zum Endspurt ansetzen) to make a final spurt; (inf: rennen) to sprint, to dash.

Spurweite f (Rail) gauge; (Aut) track.

sputen vr (old, dial) to hurry, to make haste (old, liter).

Squash [skvɔʃ] nt -, no pl squash.

Squashhalle f squash courts pl; **Squashschläger** m squash racket.

Sri Lanka nt Sri Lanka.

Srilanker(in f**)** m Sri Lankan.

srilankisch adj Sri Lankan.

SS¹ [ɛs'ɛs] nt -, - (Univ) abbr of **Sommersemester**.

SS² [ɛs'ɛs] f -, no pl (NS) abbr of **Schutzstaffel** SS.

SSO abbr of **Südsüdost** SSE.

SSV [ɛsɛs'fau] m -s, -s abbr of **Sommerschlußverkauf**.

SSW abbr of **Südsüdwest** SSW.

st interj (Aufmerksamkeit erregend) psst; (Ruhe gebietend) shh.

s.t. [ɛs'teː] adv abbr of **sine tempore**.

St. abbr of 1. **Stück**. 2. **Sankt** St.

Staat m -(e)s, -en 1. state; (Land) country. **die ~en** (inf) the States (inf); **ein ~ im ~e** a state within a state; **von ~s wegen** on a governmental level; **im Interesse/zum Wohl des ~es** in the national interest or in the interests of the state/ for the good of the nation; **beim ~ arbei-**

ten *or* **sein** (*inf*) to be employed by the government *or* state.
   2. (*Ameisen~, Bienen~*) colony.
   3. (*fig*) (*Pracht*) pomp; (*Kleidung, Schmuck*) finery. **in vollem ~** in all one's finery; (*Würdenträger*) in full regalia; **damit ist kein ~ zu machen** that's nothing to write home about (*inf*).

Staatenbund *m* confederation (of states); **staatenlos** *adj* stateless; **Staatenlose(r)** *mf decl as adj* stateless person; **staatenübergreifend** *adj* supranational.

staatlich I *adj* state *attr*; *Gelder, Unterstützung auch* government *attr*; (*staatseigen*) *Betrieb, Güter auch* state-owned; (*~ geführt*) state-run.
   II *adv* by the state. **~ subventioniert** subsidized by the state, state-subsidized; **~anerkannt** state-approved, government approved; **~ geprüft** state-certified.

staatlicherseits *adv* on a governmental level.

Staatsabgaben *pl* (government) taxes *pl*; **Staatsaffäre** *f* (*lit*) affair of state; **Staatsakt** *m* (*lit*) state occasion; (*fig inf*) song and dance (*inf*); **er wurde in** *or* **mit einem feierlichen ~ verabschiedet** his farewell was a state occasion; **Staatsaktion** *f* major operation; **Staatsamt** *nt* public office; **Staatsangehörige(r)** *mf decl as adj* national; (*einer Monarchie auch*) subject; **Staatsangehörigkeit** *f* nationality; **Staatsangehörigkeitsnachweis** *m* proof of nationality; **Staatsanleihe** *f* government bond; **Staatsanwalt** *m*, **Staatsanwältin** *f* prosecuting attorney (*US*), public prosecutor; **der ~ forderte ...** the prosecution called for ...; **Staatsanwaltschaft** *f* prosecuting attorney's office (*US*), public prosecutor's office; (*Anwälte*) prosecuting attorneys *pl* (*US*), public prosecutors *pl*; **Staatsapparat** *m* apparatus of state; **Staatsarchiv** *nt* state archives *pl*; **Staatsausgaben** *pl* public spending *sing or* expenditure *sing*; **Staatsbahn** *f* state-owned *or* national railway(s *pl*); **Staatsbank** *f* national *or* state bank; **Staatsbankrott** *m* national bankruptcy; **Staatsbeamte(r)** *m*, **Staatsbeamtin** *f* public servant; **Staatsbegräbnis** *nt* state funeral; **Staatsbesitz** *m* state property; **(in) ~ sein** to be state-owned; **Staatsbesuch** *m* state visit; **Staatsbetrieb** *m* state-owned *or* nationalized enterprise; **Staatsbibliothek** *f* national library; **Staatsbürger(in** *f*) *m* citizen; **Staatsbürgerkunde** *f* (*Sch*) civics *sing*; **staatsbürgerlich** *adj attr* civic; *Rechte* civil; **Staatsbürgerschaft** *f* citizenship; **Staatschef(in** *f*) *m* head of state; **Staatsdefizit** *nt* public deficit; **Staatsdiener(in** *f*) *m* public servant; **Staatsdienst** *m* civil service; **staatseigen** *adj* state-owned; **Staatseigentum** *nt* state property *no art*, property of the state; **Staatsempfang** *m* state reception; **Staatsexamen** *nt* state exam(ination), ≈ first degree, *university degree required for the teaching profession*; **Staatsfeier-**

tag *m* national holiday; **Staatsfeind(in** *f*) *m* enemy of the state; **staatsfeindlich** *adj* hostile to the state; **Staatsfinanzen** *pl* public finances *pl*; **Staatsflagge** *f* national flag; **Staatsform** *f* type of state; **Staatsgebiet** *nt* national territory *no art*; **staatsgefährdend** *adj* threatening the security of the state; **Staatsgefährdung** *f* threat to the security of the state; **Staatsgeheimnis** *nt* (*lit, fig hum*) state secret; **Staatsgelder** *pl* public funds *pl*; **Staatsgewalt** *f* authority of the state; **Staatsgrenze** *f* state frontier *or* border; **Staatshandelsland** *nt* state-trading country; **Staatshaushalt** *m* national budget; **Staatshoheit** *f* sovereignty; **Staatskanzlei** *f* state chancellery; **Staatskarosse** *f* state carriage; **Staatskasse** *f* treasury, public purse; **Staatskirche** *f* state church; **Staatskosten** *pl* public expenses *pl*; **auf ~** at the public expense; **Staatslehre** *f* political science; **Staatslotterie** *f* national *or* state lottery; **Staatsmann** *m* statesman; **staatsmännisch** *adj* statesmanlike; **Staatsminister(in** *f*) *m* state minister; **Staatsmonopol** *nt* state monopoly; **Staatsoberhaupt** *nt* head of state; **Staatsordnung** *f* system of government; **Staatsorgan** *nt* organ of the state; **Staatspartei** *f* official party; **staatspolitisch** *adj* political; **Staatspolizei** *f* state police, ≈ Special Branch (*Brit*); **die Geheime ~** (*NS*) the Gestapo; **Staatspräsident(in** *f*) *m* president; **Staatsprüfung** *f* (*form*) *siehe* Staatsexamen; **Staatsraison, Staatsräson** *f* reasons of state; **Staatsrat** *m* **1.** (*Kollegium*) council of state; **2.** (*Hist: Titel*) councillor of state; **Staatsratsvorsitzende(r)** *m* (*DDR*) head of state; **Staatsrecht** *nt* **1.** national law; **2.** (*Verfassungsrecht*) constitutional law; **Staatsregierung** *f* state government; **Staatsreligion** *f* state religion; **Staatsrente** *f* state *or* government pension; **Staatsruder** *nt* (*geh*) helm of (the) state; **Staatssäckel** *m* (*old, hum*) national coffers *pl*; **Staatsschatz** *m* national treasury; **Staatsschiff** *nt* (*liter*) ship of state; **Staatsschuld** *f* (*Fin*) national debt; **Staatssekretär(in** *f*) *m* (*BRD: Beamter*) ≈ permanent secretary (*Brit*), under-secretary (*US*); **Staatssicherheit** *f* national *or* state security; **Staatssicherheitsdienst** *m* (*DDR*) national *or* state security service; **Staatsstreich** *m* coup (d'état); **Staatstheater** *nt* state theatre; **staatstragend** *adj* *Politiker* representing the interests of the state; *Partei* established; *Rede* statesmanlike; **~ ausgedrückt** expressed in a statesmanlike manner; **Staatsunternehmen** *nt* state-owned enterprise; **Staatsverbrechen** *nt* political crime; (*fig*) major crime; **Staatsverdrossenheit** *f* political apathy, disillusionment with the state (*or* politics of the state); **Staatsverfassung** *f* (national) constitution; **Staatsvermögen** *nt* national *or* public assets *pl*; **Staatsverschuldung** *f* public *or* (*esp Brit*) national debt;

Staatsvertrag *m* international treaty; **Staatsverwaltung** *f* administration of the state; **Staatswald** *m* state-owned forest; **Staatswesen** *nt* state; **Staatswissenschaft(en** *pl)* *f* (*dated*) political science.

Stab *m* -(e)s, ¨e 1. rod; (*Gitter~*) bar; (*Spazierstock*) stick; (*Bischofs~*) crosier; (*Hirten~*) crook; (*Marschall~*, *Dirigenten~*, *für Staffellauf, von Majorette*) baton; (*als Amtzeichen*) mace; (*für ~hochsprung, Zelt~*) pole; (*Meß~*) (*measuring*) rod *or* stick; (*Zauber~*) wand. **den ~ über jdn brechen** (*fig*) to condemn sb; **den ~ führen** (*Mus geh*) to conduct.

   2. (*Mitarbeiter~*, *Mil*) staff; (*von Experten*) panel; (*Mil: Hauptquartier*) headquarters *sing or pl*.

Stäbchen *nt dim of* **Stab** (*Eß~*) chopstick; (*Kragen~*) (collar) stiffener; (*Korsett~*) bone; (*Anat: der Netzhaut*) rod; (*beim Häkeln*) treble; (*inf: Zigarette*) ciggy (*inf*).

stabförmig *adj* rod-shaped; **Stabführung** *f* (*Mus*) conducting; **unter der ~ von** conducted by *or* under the baton of; **Stabhochspringer(in** *f)* *m* pole-vaulter; **Stabhochsprung** *m* pole vault.

stabil [ʃtaˈbiːl, st-] *adj* *Möbel, Schuhe, Kind* sturdy, robust; *Währung, Beziehung, Charakter* stable; *Gesundheit* sound.

Stabilisation [ʃtabilizaˈtsioːn, st-] *f* stabilization.

Stabilisator [ʃtabiliˈzaːtoːɐ, st-] *m* stabilizer.

stabilisieren* [ʃtabiliˈziːrən, st-] **I** *vt* to stabilize. **II** *vr* to stabilize, to become stable.

Stabilität [ʃtabiliˈtɛːt, st-] *f* stability.

Stablampe *f* (electric) torch, flashlight (*US*); **Stabmagnet** *m* bar magnet; **Stabreim** *m* alliteration.

Stabsarzt *m*, **Stabsärztin** *f* (*Mil*) captain in the medical corps; **Stabschef** *m* (*Mil inf*) chief of staff; **Stabsfeldwebel** *m* (*Mil*) warrant officer class II (*Brit*); master sergeant (*US*); **Stabsoffizier** *m* (*Mil*) staff officer; (*Rang*) field officer.

Stabwechsel *m* (*Sport*) baton change, change-over.

stach *pret of* **stechen**.

Stachel *m* -s, -n (*von Rosen, Ginster*) thorn, prickle; (*von Kakteen, Stachelhäutern, Igel*) spine; (*von ~schwein*) quill, spine; (*auf ~draht*) spike; (*zum Viehantrieb*) goad; (*Gift~: von Bienen*) sting; (*fig liter*) (*von Ehrgeiz, Neugier*) spur; (*von Vorwurf, Haß*) sting. **ein ~ im Fleisch** (*liter*) a thorn in the flesh *or* side.

Stachelbeere *f* gooseberry; **Stachelbeerstrauch** *m* gooseberry bush.

Stacheldraht *m* barbed wire.

Stacheldrahtzaun *m* barbed-wire fence.

stachelförmig *adj* spiky; (*Biol*) spiniform *no adv*; **Stachelhalsband** *nt* spiked (dog) collar.

stach(e)lig *adj* *Rosen, Ginster* thorny; *Kaktus, Igel* spiny; (*sich ~ anfühlend*) prickly; *Kinn, Bart* bristly.

Stachelrochen *m* stingray; **Stachel-**

schwein *nt* porcupine.

Stadel *m* -s, - (*S Ger, Aus, Sw*) barn.

Stadion *nt* -s, **Stadien** [-iən] stadium.

Stadium *nt* -s, **Stadien** [-iən] stage. **im vorgerückten/letzten ~** (*Med*) at an advanced/terminal stage; **er hat Krebs im vorgerückten/letzten ~** he has advanced/terminal cancer.

städt. *abbr of* **städtisch**.

Stadt *f* -, ¨e 1. town; (*Groß~*) city. **die ~ Paris** the city of Paris; **~ und Land** town and country; **in ~ und Land** throughout the land, the length and breadth of the land; **die ganze ~ spricht davon** it's all over town, the whole town is talking about it, it's the talk of the town; **in die ~ gehen** to go into town.

   2. (*~verwaltung*) (town) council; (*von Groß~*) corporation. **bei der ~ angestellt sein** to be working for the council/corporation; **die ~ Ulm** Ulm Corporation.

Stadtarmut *f* urban poverty; **stadtauswärts** *adv* out of town; **Stadtautobahn** *f* urban motorway (*Brit*) *or* freeway (*US*); **Stadtbad** *nt* municipal swimming pool *or* baths *pl*; **Stadtbahn** *f* suburban railway (*Brit*), city railroad (*US*); **stadtbekannt** *adj* well-known, known all over town; **Stadtbewohner(in** *f)* *m* town-dweller; (*von Großstadt*) city-dweller; **Stadtbewohner** *pl* townspeople; city-people; **Stadtbezirk** *m* municipal district; **Stadtbild** *nt* urban features *pl*, townscape; cityscape; **Stadtbücherei** *f* municipal *or* town/city (lending) library; **Stadtbummel** *m* stroll in the *or* through town.

Städtchen *nt dim of* **Stadt** small town.

Stadtchronik *f* town/city chronicles *pl*; **Stadtdirektor(in** *f)* *m* town clerk (*Brit*), town/city manager (*US*).

Städtebau *m* urban development; **städtebaulich I** *adj* urban development *attr*; **II** *adv* as regards urban development.

stadt\|einwärts *adv* into town.

Städtepartnerschaft *f* town twinning; **Städteplanung** *f* town *or* urban planning.

Städter(in *f)* *m* -s, - town-dweller; (*Groß~*) city-dweller.

Stadtfahrt *f* journey within a/the town/city; **Stadtflucht** *f* exodus from the cities; **Stadtgas** *nt* town gas; **Stadtgebiet** *nt* municipal area; (*von Großstadt auch*) city zone; **Stadtgemeinde** *f* municipality; **Stadtgespräch** *nt* 1. (das) ~ sein to be the talk of the town; 2. (*Telec*) local call; **Stadtgrenze** *f* town/city boundary; **Stadtgue(r)rilla** *f* urban guerrilla; **Stadthaus** *nt* townhouse.

städtisch *adj* municipal, town/city *attr*; (*nach Art einer Stadt*) urban. **die ~e Bevölkerung** the town/city *or* urban population; **die ~e Lebensweise** the urban way of life, town/city life.

Stadtkämmerer(in *f)* *m* town/city treasurer; **Stadtkasse** *f* town/city treasury; **Stadtkern** *m* town/city centre; **Stadtkommandant** *m* military governor (of a town/city); **Stadtkreis** m town/city borough; **Stadtmagazin** nt listings magazine, entertainment and events guide; **Stadtmauer** f city wall; **Stadtmensch** m town/city person; **Stadtmitte** f town/city centre, down town (US); **Stadtoberhaupt** nt head of a/the town/city; **Stadtpark** m town/city or municipal park; **Stadtparlament** nt city council; **Stadtplan** m (street) map (of a/the town); (Archit) town/city plan; **Stadtplanung** f town planning; **Stadtrand** m outskirts pl (of a/the town/city); **am** ~ on the outskirts (of the town/city); **Stadtrandsiedlung** f suburban housing scheme; **Stadtrat** m 1. (Behörde) (town/city) council; 2. (auch **Stadträtin** f) (Mitglied) (town/city) councillor; **Stadtrecht** nt (Hist) town charter; **Stadtrundfahrt** f (sightseeing) tour of a/the town/city; **Stadtstaat** m city state; **Stadtstreicher(in** f) m -s, - town/city tramp; **Stadtstreicherei** f urban vagrancy; **Stadtteil** m district, part of town; **Stadttheater** nt municipal theatre; **Stadttor** nt town/city gate; **Stadtväter** pl (old, hum) city fathers pl or elders pl; **Stadtverkehr** m 1. (Straßenverkehr) town/city traffic; 2. (örtlicher Nahverkehr) local town/city transport; **Stadtverordnete(r)** mf decl as adj town/city councillor; **Stadtverwaltung** f (town/city) council; **Stadtviertel** nt district, part of town; **Stadtwappen** nt municipal coat of arms; **Stadtwerke** pl town's/city's department of works; **Stadtwohnung** f town/city apartment or flat (Brit); **Stadtzentrum** nt town/city centre.

Stafette f (Hist) courier, messenger.

Staffage [ʃtaˈfaːʒə] f -, -n (Art: Beiwerk) staffage; (fig) window-dressing.

Staffel f -, -n 1. (Formation) (Mil, Naut, Aviat) echelon; (Aviat: Einheit) squadron. ~ **fliegen** to fly in echelon formation. 2. (Sport) relay (race); (Mannschaft) relay team; (fig) relay. ~ **laufen/schwimmen** to run/swim in a relay (race).

Staffelei f easel.

Staffellauf m relay (race).

staffeln vt 1. Gehälter, Tarife, Fahrpreise to grade, to graduate; Anfangszeiten, Startplätze to stagger. **nach Dienstalter gestaffelte Gehälter** salaries graded according to years of service.
2. (in Formation bringen) to draw up in an echelon. **gestaffelte Formation** (Aviat) echelon formation.

Staffelschwimmen nt relay swimming.

Staff(e)lung f siehe **staffeln** 1. grading, graduating; staggering. 2. drawing up in an echelon.

Stag nt -(e)s, -e(n) (Naut) stay.

Stagflation [ʃtakflaˈtsioːn, st-] f (Econ) stagflation.

Stagnation [ʃtagnaˈtsioːn, st-] f stagnation, stagnancy.

stagnieren* [ʃtaˈgniːrən, st-] vi to stagnate.

stahl pret of **stehlen**.

Stahl m -(e)s, -e or ⸚e steel; (old liter:

Schwert auch) blade. **Nerven aus** or **wie** ~ nerves of steel.

Stahl- in cpds steel; **Stahlbau** m steel-girder construction; **Stahlbeton** m reinforced concrete; **stahlblau** adj steelblue; **Stahlblech** nt sheet-steel; (Stück) steel sheet; **Stahlbramme** f steel girder.

stählen I vt Körper, Muskeln, Nerven to harden, to toughen. **seinen Mut** ~ to steel oneself. II vr to toughen or harden oneself; (sich wappnen) to steel oneself.

stählern adj Waffen, Ketten steel; (fig) Muskeln, Wille of iron, iron attr; Nerven of steel; Blick steely.

Stahlgerüst nt tubular steel scaffolding; (Gerippe) steel-girder frame; **stahlgrau** adj steel-grey; **stahlhart** adj (as) hard as steel; **Stahlhelm** m (Mil) steel helmet; **Stahlhelm-Fraktion** f (Pol) hawks pl, hardliners pl; **Stahlhelmstraße** f temporary (steel) overpass; **Stahlkammer** f strongroom; **Stahlkocher(in** f) m steelworker; **Stahlmantelgeschoß** nt steel jacket bullet; **Stahlrohr** nt tubular steel; (Stück) steel tube; **Stahlrohrmöbel** pl tubular steel furniture sing; **Stahlroß** nt (hum) bike (inf), velocipede (form, hum); **Stahlträger** m steel girder; **Stahlwaren** pl steel goods pl, steelware sing; **Stahlwerk** nt steelworks sing or pl.

stak (geh) pret of **stecken** 1.

Stake f -, -n **Staken** m -s, - (N Ger) (punt/barge) pole.

staken vti (vi: aux sein) to pole; Stocherkahn auch to punt; (fig) to stalk.

Staket nt -(e)s, -e, **Staketenzaun** m paling.

Stakkato [ʃtaˈkaːto, st-] nt -s, -s or **Stakkati** staccato.

staksen vi aux sein (inf) to stalk; (unsicher) to teeter; (steif) to hobble. **mit** ~**den Schritten gehen** to stalk/teeter/hobble.

staksig adj (unbeholfen) gawky. ~ **gehen** (steif) to hobble; (unsicher) to teeter.

Stalagmit [ʃtalaˈgmiːt, st-, -mɪt] m -en or -s, -en stalagmite.

Stalaktit [ʃtalakˈtiːt, ʃt-, -tɪt] m -en or -s, -en stalactite.

Stalinismus [staliˈnɪsmʊs] m Stalinism.

Stalinist(in f) [staliˈnɪst(ɪn)] m Stalinist.

stalinistisch [staliˈnɪstɪʃ] adj Stalinist.

Stalin|orgel [ˈstaːlin-, ˈʃt-] f multiple rocket launcher.

Stall m -(e)s, ⸚e 1. (Pferde~, Gestüt, Aut: Renn~) stable; (Kuh~) cowshed, (cow) barn (US), byre (Brit); (Hühner~) hen-house, coop; (Kaninchen~) hutch; (Schaf~) (sheep)cote; (Schweine~) (pig)sty, (pig)pen (US). **den** ~ **ausmisten** to clean out the stable etc; (fig) to clean out the Augean stables; **ein (ganzer)** ~ **voll Kinder** (inf) a (whole) pack of children.
2. (inf: Hosenschlitz) flies pl, fly (esp US).

Stallaterne f getrennt **Stall-laterne** stable lamp.

Stallbursche m siehe **Stallknecht**; **Stalldung**, **Stalldünger** m farmyard manure; **Stallhase** *m* (*hum*) rabbit; **Stallknecht** *m* farm hand; (*für Pferde*) stableman, stable lad *or* hand; (*für Kühe*) cowhand; **Stallmagd** *f* farm girl; (*für Pferde*) stable maid; (*Kuhmagd*) milkmaid; **Stallmeister(in** *f*) *m* equerry.

Stallung(en *pl*) *f* stables *pl*.

Stallwache *f* (*fig*) watchdog.

Stamm *m* -(e)s, ⸚e **1**. (*Baum~*) trunk.
 2. (*Ling*) stem.
 3. (*Volks~*) tribe; (*Abstammung*) line; (*Biol*) phylum **aus königlichem ~** of royal blood *or* stock *or* lineage; **aus dem ~e Davids** of the line of David, of David's line; **vom ~e Nimm sein** (*hum*) to be one of the takers of this world.
 4. (*Kern, fester Bestand*) regulars *pl*; (*Kunden auch*) regular customers *pl*; (*von Mannschaft*) regular team-members *pl*; (*Arbeiter*) regular *or* permanent workforce; (*Angestellte*) permanent staff *pl*. **ein fester ~ von Kunden** regular customers, regulars; **zum ~ gehören** to be one of the regulars *etc*.

Stammaktie *f* (*St Ex*) ordinary *or* common (*US*) share; **Stammbaum** *m* family *or* genealogical tree; (*Biol*) phylogenetic tree; (*von Zuchttieren*) pedigree; (*Ling*) tree; **einen guten ~ haben** (*lit, hum*) to have a good pedigree; **Stammbelegschaft** *f* permanent *or* regular workforce; (*Angestellte*) regular staff *pl*; **Stammbuch** *nt siehe* **Familienbuch**; **Stammburg** *f* ancestral castle; **Stammdaten** *pl* (*Comput*) master data; **Stammeinlage** *f* (*Fin*) capital investment in ordinary shares *or* common stock (*US*).

stammeln *vti* to stammer.

Stamm|eltern *pl* progenitors *pl*.

stammen *vi* to come (*von, aus* from); (*zeitlich*) to date (*von, aus* from); (*Gram auch*) to be derived (*von, aus* from). **woher ~ Sie?** where do you come from (originally)?; **die Bibliothek/Uhr stammt von seinem Großvater** the library/watch originally belonged to his grandfather.

Stammes- *in cpds* tribal; **Stammesgenosse** *m*, **Stammesgenossin** *f* member of a/the tribe, tribesman/-woman; **Stammesgeschichte** *f* (*Biol*) phylogeny; **stammesgeschichtlich** *adj* (*Biol*) phylogenetic.

Stammform *f* base form; **Stammgast** *m* regular; **Stammgericht** *nt* standard meal; **Stammgut** *nt* family estate; **Stammhalter** *m* son and heir; **Stammhaus** *nt* (*Comm*) parent branch; (*Gesellschaft*) parent company; (*Fabrik*) parent factory; **Stammholz** *nt* trunk wood.

stämmig *adj* (*gedrungen*) stocky, thickset *no adv*; (*kräftig*) sturdy.

Stämmigkeit *f siehe adj* stockiness; sturdiness.

Stammkapital *nt* (*Fin*) ordinary share *or* common stock (*US*) capital; **Stammkneipe** *f* (*inf*) local (*Brit inf*); **Stammkunde** *m*, **Stammkundin** *f* regular (customer); **Stammkundschaft** *f* regulars *pl*, regular customers *pl*.

Stammler(in *f*) *m* -s, - stammerer.

Stammlokal *nt* favourite café/restaurant *etc*; (*Kneipe*) local (*Brit*); **Stammpersonal** *nt* permanent staff *pl*; **Stammplatz** *m* usual *or* regular seat; **Stammsilbe** *f* radical, root syllable; **Stammsitz** *m* (*von Firma*) headquarters *sing or pl*; (*von Geschlecht*) ancestral seat; (*im Theater*) regular seat; **Stammtafel** *f* genealogical table; **Stammtisch** *m* (*Tisch in Gasthaus*) table reserved for the regulars; (*~runde*) group of regulars; **er hat mittwochs seinen ~** Wednesday is his night for meeting his friends at the pub; **Stammtischpolitiker(in** *f*) *m* (*pej*) armchair *or* alehouse politician; **Stammtischrunde** *f* group of regulars.

Stammutter *f getrennt* **Stamm-mutter** progenitrix (*form*).

Stammvater *m* progenitor (*form*); **stammverwandt** *adj* related; **Wörter** cognate, derived from the same root; **Stammvokal** *m* radical *or* root vowel; **Stammwähler(in** *f*) *m* (*Pol*) staunch supporter, loyal voter; **Stammwürze** *f* original wort.

stampfen I *vi* **1**. (*laut auftreten*) to stamp; (*auf und nieder gehen: Maschine*) to pound. **mit dem Fuß/den Hufen ~** to stamp one's foot/to paw the ground with its hooves.
 2. *aux sein* (*gehen*) (*mit schweren Schritten*) to tramp; (*wütend*) to stamp; (*stapfen*) to trudge.
 3. *aux haben or sein* (*Schiff*) to pitch.
 II *vt* **1**. (*festtrampeln*) Lehm, Sand to stamp; Trauben to press; (*mit den Füßen*) to tread.
 2. (*mit Stampfer*) to mash; (*im Mörser*) to pound.

Stampfer *m* -s, - (*Stampfgerät*) pounder.

stand *pret of* **stehen**.

Stand *m* -(e)s, ⸚e **1**. *no pl* (*das Stehen*) standing position; (*~fläche*) place to stand; (*für Gegenstand*) stand. **aus dem ~** from a standing position; **ein Sprung/Start aus dem ~** a standing jump/start; **bei jdm** *or* **gegen jdn einen schweren ~ haben** (*fig*) to have a hard time of it with sb; **aus dem ~ (heraus)** (*inf*) off the cuff.
 2. (*Markt~*) stand; (*Taxi~ auch*) rank.
 3. *no pl* (*Lage*) state; (*Niveau, Fin: Kurs*) level; (*Zähler~, Thermometer~, Barometer~*) reading, level; (*Kassen~, Konto~*) balance; (*von Gestirnen*) position; (*Sport: Spiel~*) score. **beim jetzigen ~ der Dinge** the way things stand *or* are at the moment; **der neueste ~ der Forschung** the latest developments in research; **etw auf den neuesten ~ bringen** to bring sth up to date; **auf den neuesten ~ der Technik sein** (*Gerät*) to be state-of-the-art technology; **im ~ der Sklaverei/Knechtschaft** in a state of slavery/bondage; **~: November 1990** as at November 1990.
 4. (*soziale Stellung*) station, status; (*Klasse*) rank, class; (*Beruf, Gewerbe*) profession; (*Reichs~*) estate. **Name und ~** (*old*) name and profession; **ein Mann**

von (hohem) ~ (old) a man of (high) rank.

Standard ['ʃtandart, 'st-] m -s, -s standard.

Standard- in cpds standard.

standardisieren* [ʃtandardi'ziːrən, st-] vt to standardize.

Standardisierung [ʃt-, st-] f standardization.

Standarte f -, -n 1. (Mil, Pol) standard. 2. (Hunt) brush.

Standbein nt (Sport) pivot leg; (Art) standing leg; (fig) pillar; **Standbild** nt statue; (TV) freeze frame.

Ständchen nt serenade. jdm ein ~ bringen to serenade sb.

Ständeparlament nt parliament of estates.

Stander m -s, - pennant.

Ständer m -s, - (Hut~, Noten~, Karten~) stand; (Pfeifen~, Schallplatten~ auch) rack; (Pfeiler) upright; (Elec) stator; (sl: Erektion) hard-on (sl).

Ständerat ['ʃtɛndəraːt] m (Sw Parl) upper chamber; (Abgeordneter) member of the upper chamber.

Standesamt nt registry office (Brit); **standesamtlich** adj ~e Trauung registry office (Brit) or civil wedding; sich ~ trauen lassen to get married in a registry office; **Standesbeamte(r)** m, **Standesbeamtin** f registrar; **Standesbewußtsein** nt status consciousness; **Standesdünkel** m snobbishness, snobbery; **Standesehre** f honour as a nobleman/officer; (von Ärzten, Handwerkern) professional honour; **standesgemäß** I adj befitting one's rank or station (dated); II adv in a manner befitting one's rank or station (dated); **Standesherr** m (Hist) mediatized prince; **Standesorganisation** f professional association; **Standesprivileg** nt class privilege.

Ständestaat m (Hist) corporate or corporative state.

Standesunterschied m class difference.

standfest adj Tisch, Leiter stable, steady; (fig) steadfast; **Standfestigkeit** f stability (auch Sci); (fig auch) steadfastness; **Standfoto** nt still (photograph); **Standgeld** nt stallage; **Standgericht** nt (Mil) drumhead court martial; vor ein ~ gestellt werden to be summarily court-martialled; **standhaft** adj steadfast, strong; er weigerte sich ~ he staunchly or steadfastly refused; **Standhaftigkeit** f steadfastness; staunchness, resolution; **standhalten** vi sep irreg (Mensch) to stand firm; (Gebäude, Brücke) to hold; (+dat) to withstand, to stand up to; Versuchungen (dat) ~ to resist temptation; einer/der Prüfung ~ to stand up to or bear close examination; **Standheizung** f (Aut) stationary heating.

ständig adj 1. (dauernd) permanent; Praxis, Regel established; Korrespondent (Press) resident; Mitglied full; Einkommen regular. ~er Ausschuß standing committee.

2. (unaufhörlich) constant, continual. müssen Sie mich ~ unterbrechen? must you keep (on) interrupting me?, must you constantly interrupt me?; sie kommt ~ zu spät she's constantly or always late; sie beklagt sich ~ she's forever or always complaining; sie ist ~ krank she's always ill; passiert das oft? — ~ does it happen often? — always, all the time.

Standlicht nt sidelights pl. mit ~ fahren to drive on sidelights.

Stand|ort m location; (von Schütze, Schiff) position; (Mil) garrison; (Bot) habitat; (von Pflanzungen) site; (fig) position.

Stand|ortälteste(r) m (Mil) senior officer of a garrison, post senior officer (US); **Stand|ortbestimmung** f (fig) definition of the position; **Stand|ortfaktor** m usu pl (Econ) locational factor.

Standpauke f (inf) lecture (inf), telling-off (inf); jdm eine ~ halten to give sb a lecture (inf) or telling-off (inf), to tell sb off (inf); **Standplatz** m stand; (für Taxis auch) rank; **Standpunkt** m 1. (rare: Beobachtungsplatz) vantage point, viewpoint; 2. (Meinung) point of view, standpoint; auf dem ~ stehen or den ~ vertreten, daß ... to take the view that ...; jdm seinen ~ klarmachen to make one's point of view clear to sb; das ist doch kein or vielleicht ein (iro) ~! what kind of attitude is that!; **Standquartier** nt (Mil) base; **Standrecht** nt (Mil) military law (invoked in times of emergency); ~ verhängen to impose military law (über +acc on); **standrechtlich** adj ~ erschießen to put straight before a firing squad; eine ~e Erschießung an on-the-spot execution; **standsicher** adj stable; Mensch steady (on one's feet/skis etc); **Standsicherheit** f siehe adj stability; steadiness; **Standspur** f (Aut) hard shoulder; **Standuhr** f grandfather clock.

Stange f -, -n 1. (langer, runder Stab) pole; (Querstab) bar; (Ballett~) barre; (Kleider~, Teppich~) rail; (Gardinen~, Leiste für Treppenläufer) rod; (Vogel~) perch; (Hühner~) perch, roost; (Gebiß~) bit; (Hunt: Schwanz) brush; (Geweihteil) branch (of antlers); (fig: dünner Mensch) beanpole (inf).

2. (längliche Gegenstand) stick. eine ~ Zigaretten a carton of 200 cigarettes.

3. (zylinderförmiges Glas) tall glass.

4. (Redewendungen) ein Anzug von der ~ a suit off the peg; von der ~ kaufen to buy off the peg; jdn bei der ~ halten (inf) to keep or hold sb; bei der ~ bleiben (inf) to stick at it (inf); jdm die ~ halten (inf) to stick up for sb (inf), to stand up for sb; eine schöne ~ Geld (inf) a tidy sum (inf); eine ~ angeben (sl) to show off like crazy (inf), to lay it on thick (inf).

Stangenbohne f runner bean; **Stangenbrot** nt French bread; (Laib) French loaf; **Stangenspargel** m asparagus spears pl.

stank pret of **stinken**.

Stänkerei f (inf) grousing.

Stänk(er)er m -s, - (inf) grouser.

stänkern vi (inf) 1. (Unfrieden stiften) to

stir things up (*inf*). **2.** (*Gestank verbreiten*) to make a stink (*inf*).

Stanniol [ʃta'nioːl, st-] *nt* **-s, -e** silver foil.

Stanniolpapier *nt* silver paper.

Stanze *f* -, **-n 1.** (*für Prägestempel, Bleche*) die, stamp; (*Loch~*) punch. **2.** (*Poet*) eight-line stanza.

stanzen *vt* to press; (*prägen*) to stamp, to emboss; *Löcher* to punch.

Stanzer(in *f*) *m* -**s,** - press worker.

Stapel *m* **-s,** - **1.** (*geschichteter Haufen, fig: Vorrat*) stack, pile.
2. (*Comm*) (*~platz*) store, depot.
3. (*Naut: Schiffs~*) stocks *pl*. **auf ~ legen** to lay down; **auf ~ liegen** to be on the stocks; **vom ~ laufen** to be launched; **vom ~ lassen** to launch; (*fig*) to come out with (*inf*).
4. (*von Wolle, Baumwolle*) staple.

Stapelkasten *m* crate; **Stapellauf** *m* (*Naut*) launching.

stapeln I *vt* to stack; (*lagern*) to store. **II** *vr* to pile up.

Stapelstuhl *m* stackable chair.

Stapelverarbeitung *f* (*Comput*) batch processing.

Stapfe *f* -, **-n, Stapfen** *m* **-s,** - footprint.

stapfen *vi aux sein* to trudge, to plod.

Star¹ *m* **-(e)s, -e** (*Orn*) starling.

Star² *m* **-(e)s, -e** (*Med*) grauer/grüner/ schwarzer ~ cataract/glaucoma/ amaurosis (*spec*); **jdm den ~ stechen** (*fig*) to tell sb some home truths.

Star³ [ʃtaːɐ, staːɐ] *m* **-s, -s** (*Film*) star; (*fig auch*) leading light.

Star|allüren *pl* (*inf*) airs and graces *pl*.

starb *pret of* **sterben.**

Starbesetzung *f* star cast; **Starbrille** *f* pair of glasses fitted with cataract lenses.

Star(en)kasten *m* nesting box (for starlings).

Stargage *f* (*Press*) top fee; **Stargast** *m* (*Press*) star guest.

stark I *adj comp* **-er,** *superl* **-ste(r, s) 1.** (*kräftig, konzentriert*) strong (*auch Gram*); (*mächtig*) *Stimme, Staat, Partei auch* powerful. **~ bleiben** to be strong; (*im Glauben*) to hold firm; **sich für etw ~ machen** (*inf*) to stand up for sth; **den ~en Mann spielen** *or* **markieren** *or* **mimen** (*all inf*) to play the big guy (*inf*); **das ist seine ~e Seite** that is his strong point *or* his forte; **das ist ~** *or* **ein ~es Stück** (*inf*) *or* **~er Tobak!** that's a bit much!; (*eine Unverschämtheit auch*) that's a bit thick! (*inf*).
2. (*dick*) thick; (*euph: korpulent*) *Dame, Herr* large, well-built (*euph*); *Arme, Beine* large, strong (*euph*). **Kostüme für ~ere Damen** costumes for the fuller figure.
3. (*beträchtlich, heftig*) *Schmerzen, Kälte* severe; *Frost auch, Regen, Schneefall, Verkehr, Raucher, Trinker, Druck* heavy; *Sturm* violent; *Erkältung* bad, heavy; *Wind, Strömung, Eindruck* strong; *Appetit, Esser* hearty; *Beifall* hearty, loud; *Fieber* high; *Trauer, Schmerz* deep; *Übertreibung, Widerhall, Bedenken* considerable, great. **~e Abneigung** strong dislike.
4. (*leistungsfähig*) *Motor* powerful;

Sportler able; *Mannschaft, Brille, Arznei* strong. **er ist in Englisch nicht sehr ~** he isn't very strong in English.
5. (*zahlreich*) *Auflage, Gefolge* large; *Nachfrage* great, big. **wir hoffen auf ~e Beteiligung** we are hoping that a large number of people will take part; **zehn Mann ~** ten strong; **das Buch ist 300 Seiten ~** the book is 300 pages long.
6. (*inf: hervorragend*) *Leistung, Werk* great (*inf*). **sein ~stes Buch** his best book.

II *adv, comp* **-er,** *superl* **am -sten 1.** (*mit vb*) a lot; (*mit adj, ptp*) very; *regnen, rauchen auch* heavily; *beeindrucken auch* greatly; *übertreiben auch* greatly, grossly; *vertreten, dagegen sein* strongly; *abgenutzt, beschmutzt, beschädigt* badly; *vergrößert, verkleinert* greatly. **~ wirken** to have a strong effect; **~ gesalzen/gewürzt** very salty/highly spiced; **~ behaart sein** to be very hairy, to have a lot of hair; **~er behaart sein** to have more hair; **die Ausstellung wurde ~ besucht** there were a lot of visitors to the exhibition; **das Auto zieht ~ nach links** the car is pulling badly to the left; **er ist ~ erkältet** he has a bad *or* heavy cold.
2. (*inf: hervorragend*) really well. **die singt unheimlich ~** she's a really great singer (*inf*), she sings really well.

Starkbier *nt* strong beer.

Stärke¹ *f* -, **-n 1.** strength (*auch fig*); (*von Stimme auch*) power.
2. (*Dicke, Durchmesser*) thickness; (*Macht*) power.
3. (*Heftigkeit*) (*von Strömung, Wind, Einfluß*) strength; (*von Eindruck auch, von Leid*) intensity; (*von Regen, Frost, Verkehr, Druck*) heaviness; (*von Sturm, Abneigung*) violence; (*von Schmerzen, Kälte, Erkältung, Fieber*) severity; (*von Appetit*) heartiness.
4. (*Leistungsfähigkeit*) (*von Motor*) power; (*von Sportmannschaft, Arznei, Brille*) strength.
5. (*Anzahl*) (*von Gefolge, Heer, Mannschaft*) size, strength; (*von Beteiligung, Nachfrage*) amount; (*Auflage*) size.
6. (*fig: starke Seite*) strength, strong point.

Stärke² *f* -, **-n** (*Chem*) starch.

Stärkemehl *nt* (*Cook*) thickening agent, ≈ cornflour (*Brit*), cornstarch (*US*).

stärken I *vt* **1.** (*kräftigen*) (*lit, fig*) to strengthen; *Selbstbewußtsein* to boost, to increase; *Gesundheit* to improve. **2.** (*erfrischen*) to fortify. **3.** *Wäsche* to starch. **II** *vi* to be fortifying. **das stärkt** it fortifies you; **~des Mittel** tonic. **III** *vr* to fortify oneself.

Starkstrom *m* (*Elec*) heavy current.

Starkstrom- *in cpds* power; **Starkstromkabel** *nt* power cable; **Starkstromleitung** *f* power line; (*Kabel*) power lead; **Starkstromtechnik** *f branches of electrical engineering not connected with telecommunications.*

Starkult *m* star-cult.

Stärkung *f* **1.** strengthening (*auch fig*); (*des Selbstbewußtseins*) boosting. **das**

dient der ~ der **Gesundheit** it is beneficial to the health. **2.** (*Erfrischung*) refreshment. **eine ~ zu sich nehmen** to take *or* have some refreshment.
Stärkungsmittel *nt* (*Med*) tonic.
Starlet ['ʃtaːrlɛt, 'st-] *nt* **-s, -s** (*Film*) starlet.
Star|operation *f* cataract operation.
starr *adj* **1.** stiff; (*unbeweglich*) rigid. **~ vor Frost** stiff with frost; **meine Finger sind vor Kälte ganz ~** my fingers are frozen stiff *or* stiff with cold.
2. (*unbewegt*) *Augen* glassy; *Blick auch* fixed. **jdn ~ ansehen** to look fixedly at sb, to stare at sb.
3. (*regungslos*) paralyzed. **~ vor Schrecken/Entsetzen** paralyzed with fear/horror; **~ vor Staunen** dumbfounded.
4. (*nicht flexibel*) *Regelung, Prinzip* inflexible, rigid; *Haltung auch* intransigent. **~ an etw** (*dat*) **festhalten** to hold rigidly to sth.
Starre *f* **-**, *no pl* stiffness, rigidity.
starren *vi* **1.** (*starr blicken*) to stare (*auf +acc* at). **ins Leere ~** to stare *or* gaze into space; **jdm ins Gesicht ~** to stare sb in the face; **vor sich** (*acc*) **hin ~** to stare straight ahead; **was ~ Sie so?** what are you staring at?
2. von Gewehren ~ to bristle with guns.
3. (*steif sein*) to be stiff (*von, vor +dat* with). **vor Dreck ~** to be thick *or* covered with dirt; (*Kleidung*) to be stiff with dirt.
4. (*abstehen*) to jut up/out.
Starrflügler *m* (*Aviat*) fixed-wing aircraft.
Starrheit *f siehe adj* stiffness; rigidity; glassiness; fixedness; paralysis; inflexibility; intransigence.
Starrkopf *m* (*Mensch*) stubborn *or* obstinate mule; **starrköpfig** *adj* stubborn, obstinate; **Starrkrampf** *m* (*Med*) tetanus, lockjaw; **Starrsinn** *m* stubbornness, mulishness; **starrsinnig** *adj* stubborn, mulish; **Starrsucht** *f* (*Med*) catalepsy.
Start *m* **-s, -s 1.** (*Sport*) start; (*~platz, ~linie auch*) starting line; (*Pferderennen auch*) starting post; (*Autorennen auch*) starting grid. **am~ sein** to be at the start/on *or* at the starting line/at the starting post/on the starting grid; (*Läufer*) to be on their blocks; **das Zeichen zum ~ geben** to give the starting signal; **einen guten/schlechten ~ haben** (*lit, fig*) to get (off to) a good/bad start.
2. (*Aviat*) take-off; (*Raketen~*) launch. **der Maschine den ~ freigeben** to clear the plane for take-off.
Startabbruch *m* aborted take-off; **Startautomatik** *f* (*Aut*) automatic choke; **Startbahn** *f* (*Aviat*) runway; **Start- und Lande-Bahn** runway; **startberechtigt** *adj* (*Sport*) eligible (to enter); **startbereit** *adj* (*Sport, fig*) ready to start *or* go, ready for (the) off (*inf*); (*Aviat*) ready for take-off; (*Space*) ready for lift-off; **Startblock** *m* (*Sport*) starting block.
starten I *vi aux sein* to start; (*Aviat*) to

take off; (*zum Start antreten*) to take part; to run; to swim; (*Pferde- or Autorennen*) to race; (*inf: abreisen*) to set off.
II *vt Satelliten, Rakete* to launch; *Unternehmen, Kampagne auch, Motor* to start; *Expedition* to get under way.
Starter *m* **-s, -** (*Aut, Sport*) starter.
Starterklappe *f* (*Aut*) choke.
Starterlaubnis *f* (*Sport*) permission to take part/run/swim/race; (*Aviat*) clearance for take-off; **Startflagge** *f* starting flag; **Startfreigabe** *f* clearance for take-off; **Startgeld** *nt* (*Sport*) entry fee; **Startgerät** *nt* (*für Raketen*) launcher; **Starthilfe** *f* (*Aviat*) rocket-assisted take-off; (*fig*) initial aid; **im Winter braucht mein Auto ~** my car won't start on its own in winter; **jdm ~ geben** (*fig*) to help sb get off the ground; **Starthilfekabel** *nt* jump leads (*Brit*) *pl*, jumper cable (*US*); **Startkapital** *nt* starting capital; **startklar** *adj* (*Aviat*) clear(ed) for take-off; (*Sport*) ready to start *or* for the off; **Startkommando** *nt* (*Sport*) starting signal; (*Aviat*) take-off command; **Startlinie** *f* (*Sport*) starting line; **Startloch** *nt* (*Sport*) starting hole; **in den Startlöchern** on their marks; **Startmaschine** *f* (*Sport*) starting gate; **Startnummer** *f* number; **Startplatz** *m* (*Sport*) starting place; (*für Läufer*) marks *pl*; (*Autorennen*) starting grid; **Startrampe** *f* (*Space*) launching pad; **Startschuß** *m* (*Sport*) starting signal; (*fig*) signal (*zu* for); **vor dem ~** before the gun; **den ~ geben** to fire the (starting) pistol; (*fig*) to open the door; (*Erlaubnis geben*) to give the go-ahead; **Startsprung** *m* racing dive; **Startverbot** *nt* (*Aviat*) ban on take-off; (*Sport*) ban; **~ bekommen** to be banned *or* barred; **Start-Ziel-Sieg** *m* (*Sport*) runaway victory.
Stasi *m* **-**, *no pl abbr of* **Staatssicherheitsdienst** (*DDR*).
Statement ['steːtmənt] *nt* **-s, -s** statement; **ein ~ abgeben** to issue a statement.
Statik ['ʃtaːtɪk, 'st-] *f* **1.** (*Sci*) statics *sing*. **2.** (*Build*) structural engineering.
Statiker(in *f*) ['ʃtaːtɪkɐ, -ərɪn, 'st-] *m* **-s, -** (*Tech*) structural engineer.
Station *f* **1.** station; (*Haltestelle*) stop; (*fig: Abschnitt*) (*von Reise*) stage; (*von Leben*) phase. **~ machen** to stop off. **2.** (*Kranken~*) ward. **er liegt auf ~ drei** he is in ward three.
stationär [ʃtatsioˈnɛːɐ] *adj* stationary; (*Med*) in-patient *attr*. **~er Patient** inpatient; **~ behandeln** to treat in hospital.
stationieren* [ʃtatsioˈniːrən] *vt Truppen* to station; *Atomwaffen* to deploy.
Stationierung [ʃtatsioˈniːrʊŋ] *f siehe vt* stationing; deployment.
Stationsarzt *m*, **Stationsärztin** *f* ward doctor; **Stationsschwester** *f* ward sister; **Stationsvorsteher(in** *f*) *m* (*Rail*) station-master, station-agent (*US*); **Stationswahltaste** *f* tuning button.
statisch ['ʃtaːtɪʃ, 'st-] *adj* (*lit, fig*) static; *Gesetze* of statics. **das Gebäude ist ~ ein-**

wandfrei the building is structurally sound.

Statist m (*Film*) extra; (*Theat*) supernumerary; (*fig*) cipher.

Statistenrolle f (*lit, fig*) minor role; (*Film, Theat auch*) walk-on part, bit part.

Statisterie f (*Film*) extras pl; (*Theat*) supernumeraries pl.

Statistik [ʃtaˈtɪstɪk, st-] f statistics sing. **eine ~** a set of statistics; **die ~en** the statistics pl.

Statistiker(in f) [ʃtaˈtɪstɪkɐ, -ərɪn, st-] m **-s, -** statistician.

Statistin f siehe **Statist**.

statistisch [ʃtaˈtɪstɪʃ, st-] adj statistical.

Stativ nt tripod.

statt I prep +gen or (*old, inf, wenn kein Artikel*) +dat instead of. **~ dessen** instead; **~ meiner/seiner/ihrer** etc in my/his/her etc place, instead of me/him/her etc; **~ Urlaub(s)** in lieu of or instead of holiday; **~ Karten** heading of an announcement expressing thanks for condolences in place of individual replies.

 II conj instead of. **~ zu bleiben** instead of staying; **~ zu bleiben, wollte ich lieber ...** rather than stay I wanted to ...

Statt f -, no pl (*form*) stead (*form*), place. **an meiner/seiner/ihrer** etc **~** in my/his/her etc stead (*form*) or place; **an Kindes ~ annehmen** (*Jur*) to adopt.

Stätte f -, -n (*geh*) place. **eine bleibende ~** a permanent home.

stattfinden vi sep irreg to take place; (*Veranstaltung auch*) to be held; (*Ereignis auch*) to occur; **stattgeben** vi sep irreg +dat (*form*) to grant; **statthaft** adj pred permitted, allowed; **Statthalter(in** f) m governor.

stattlich adj 1. (*hochgewachsen, groß*) Tier magnificent; Bursche strapping, powerfully built; (*eindrucksvoll*) Erscheinung, Fünfziger imposing; (*ansehnlich*) Gebäude, Anwesen, Park magnificent, splendid. **ein ~er Mann** a fine figure of a man.

 2. (*umfangreich*) Sammlung impressive; (*beträchtlich*) Summe, Anzahl, Einnahmen handsome, considerable.

Stattlichkeit f, no pl siehe adj 1. magnificence; powerful build; imposingness; splendour; (*von Mann*) imposing figure. 2. impressiveness; handsomeness.

Statue [ˈʃtaːtuə, st-] f -, -n statue.

statuenhaft [ˈʃtaːtuən-, 'st-] adj statuesque; (*unbeweglich*) like a statue, statue-like.

Statuette [ʃtaˈtuɛtə, st-] f statuette.

statuieren* [ʃtatuˈiːrən, st-] vt **ein Exempel an jdm ~** to make an example of sb; **um ein Exempel zu ~** as an example or warning to others; **ein Exempel mit etw ~** to use sth as a warning.

Statur f build.

Status [ˈʃtaːtʊs, 'st-] m -, - status. **~ quo/ ~ quo ante** status quo.

Statussymbol nt status symbol; **Statuszeile** f (*Comput*) status line.

Statut [ʃtaˈtuːt, st-] nt **-(e)s, -en** statute.

statutarisch [ʃtatuˈtaːrɪʃ, st-] adj statutory. **das ist ~ nicht möglich** that is

excluded by statute.

Stau m **-(e)s, -e** or **-s** 1. (*Wasserstauung*) build-up; (*Verkehrsstauung*) traffic jam. **ein ~ von 3 km** a 3km tailback. 2. siehe **Stauung**.

Staub m **-(e)s, -e** or **Stäube** dust; (*Bot*) pollen. **~ saugen** to vacuum, to hoover ®; **~ wischen** to dust; **zu ~ werden** (*liter*) to turn to dust; (*wieder*) to return to dust (*liter*); **sich vor jdm in den ~ werfen** to throw oneself at sb's feet; **vor jdm im ~ kriechen** (*lit, fig*) to grovel before sb or at sb's feet; **sich aus dem ~e machen** (*inf*) to clear off (*inf*).

Staub- in cpds dust; **Staubbeutel** m 1. (*Bot*) anther; 2. (*von Staubsauger*) dust bag.

Staubecken nt reservoir.

stauben vi to be dusty; (*Staub machen, aufwirbeln*) to make or create a lot of dust. **bei Trockenheit staubt es mehr** there's a lot more dust around when it's dry.

stäuben I vt Mehl/Puder auf etw (*acc*) **~** to dust sth with flour/powder, to sprinkle flour/powder on sth. II vi aux sein (*rare*) (*zerstieben*) to scatter; (*Wasser*) to spray.

Staubfaden m (*Bot*) filament; **Staubfänger** m (*inf*) dust collector; **Staubflocke** f piece of fluff; **Staubgefäß** nt (*Bot*) stamen.

staubig adj dusty.

Staubkamm m fine-tooth comb; **Staubkorn** nt speck of dust, dust particle; **Staublappen** m duster; **Staublunge** f (*Med*) dust on the lung; (*von Kohlenstaub*) black lung, silicosis; **staubsaugen** vi insep, ptp **staubgesaugt** to vacuum, to hoover ®; **Staubsauger** m vacuum cleaner, hoover ®; **Staubschicht** f layer of dust; **Staubtuch** nt duster; **Staubwedel** m feather duster; **Staubwolke** f cloud of dust.

stauchen vt 1. (*zusammendrücken*) to compress (*auch Tech*), to squash (*inf*). 2. (*inf*) to give a dressing-down.

Staudamm m dam.

Staude f -, -n (*Hort*) herbaceous perennial (plant); (*Busch*) shrub; (*Bananen~, Tabak~, Rosenkohl~*) plant.

stauen I vt 1. Wasser, Fluß to dam (up); Blut to stop or stem the flow of. 2. (*Naut*) to stow (away).

 II vr (*sich anhäufen*) to pile up; (*ins Stocken geraten*) to get jammed; (*Wasser, fig*) to build up; (*Menschen*) to crowd; (*Blut*) to accumulate; (*durch Abbinden*) to be cut off. **die Menschen stauten sich in den Gängen** people were jamming the corridors; **der Verkehr staute sich über eine Strecke von 2 km** there was a 2km tailback.

Stauer m **-s, -** (*Naut*) stevedore.

Staugefahr f risk of congestion; „**~**" "delays likely"; **Staumauer** f dam wall.

staunen vi to be astonished or amazed (*über* +acc at). **~d** in astonishment or amazement; **da kann man nur noch or bloß ~** it's just amazing; **da staunst du, was?** (*inf*) you didn't expect that, did you!

Staunen nt -s, no pl astonishment, amazement (*über* +acc at). **jdn in ~ versetzen** to amaze or astonish sb.

staunenswert adj astonishing, amazing.

Staupe f -, -n (*Vet*) distemper.

Stauraum m storage space; **Stausee** m reservoir, artificial lake.

Stauung f 1. (*Stockung*) pile-up; (*in Lieferungen*, *Post*) hold-up; (*von Menschen*) jam; (*von Verkehr*) tailback. **bei einer ~ der Züge im Bahnhof** when the station gets congested; **eine ~ des Verkehrs** a traffic jam. 2. (*von Wasser*) build-up (of water). **zur ~ eines Flusses** to block a river. 3. (*Blut~*) congestion no pl.

Steak [steːk] nt -s, -s steak.

Stearin [ʃteaˈriːn, st-] nt -s, -e stearin.

Stechbecken nt (*Med*) bed-pan; **Stechbeitel** m chisel.

stechen pret **stach**, ptp **gestochen** I vi 1. (*Dorn, Stachel*) to prick; (*Insekt mit Stachel*) to sting; (*Mücken, Moskitos*) to bite; (*mit Messer*) to (make a) stab (*nach* at); (*Sonne*) to beat down; (*mit Stechkarte*) (*bei Ankunft*) to clock in or on; (*bei Weggang*) to clock out or off. **der Geruch sticht in die Nase** the smell stings one's nose; **mit etw in etw** (acc) **~** to stick sth in(to) sth; **jdm durch ein Ohrläppchen ~** to pierce sb's ears. 2. (*Cards*) to take the trick. 3. (*Sport*) to have a play-/jump-/shoot-off. 4. (*Farbe: spielen*) **die Farbe sticht ins Rötliche** the colour has a tinge of red or a reddish tinge.

II vt 1. (*Dorn, Stachel*) to prick; (*Insekt mit Stachel*) to sting; (*Mücken, Moskitos*) to bite; (*mit Messer*) to stab; *Löcher* to pierce. **die Kontrolluhr ~** to clock on or in/out. 2. (*Cards*) to take. 3. (*ausschneiden, herauslösen*) *Spargel, Torf, Rasen* to cut. 4. (*ab~*) *Schwein, Kalb* to stick, to kill; (*Angeln*) *Aale* to spear. 5. (*gravieren*) to engrave. **wie gestochen schreiben** to write a clear hand.

III vr to prick oneself (*an* +dat on, *mit* with). **sich** (acc or dat) **in den Finger ~** to prick one's finger.

IV vti impers **es sticht** it is prickly; **es sticht mir** or **mich im Rücken** I have a sharp pain in my back.

Stechen nt -s, - 1. (*Sport*) play-/jump-/shoot-off. 2. (*Schmerz*) sharp pain.

stechend adj piercing; (*jäh*) *Schmerz* sharp; (*durchdringend*) *Augen, Blick auch* penetrating; (*beißend*) *Geruch* pungent.

Stechkahn m punt; **Stechkarte** f clocking-in card; **Stechmücke** f gnat, midge, mosquito; **Stechpalme** f holly; **Stechschritt** m (*Mil*) goose-step; **Stechuhr** f time-clock; **Stechzirkel** m (pair of) dividers.

Steckbrief m "wanted" poster; (*fig*) personal description; **steckbrieflich** adv **~ gesucht werden** to be wanted or on the wanted list; **Steckdose** f (*Elec*)

(wall)socket.

Stecken m -s, - stick.

stecken I vi pret **steckte** or **stak** (*geh*), ptp **gesteckt** 1. (*festsitzen*) to be stuck; (*an-* or *eingesteckt sein*) to be; (*Nadel, Splitter*) to be (sticking); (*Brosche, Abzeichen*) to be (pinned). **eine Blume im Knopfloch ~ haben** to have a flower in one's buttonhole; **er steckte in einem neuen Anzug** (*hum*) he was all done up in a new suit (*inf*); **der Schlüssel steckt** the key is in the lock. 2. (*verborgen sein*) to be (hiding). **wo steckt er?** where has he got to?; **wo hast du die ganze Zeit gesteckt?** where have you been (hiding) all this time?; **darin steckt viel Mühe** a lot of work or trouble has gone into or has been put into that; **da steckt etwas dahinter** (*inf*) there's something behind it; **in ihm steckt etwas** he certainly has it in him; **zeigen, was in einem steckt** to show what one is made of, to show one's mettle. 3. (*strotzen von*) **voll** or **voller Fehler/ Nadeln/Witz ~** to be full of mistakes/ pins/wit. 4. (*verwickelt sein in*) **tief in Schulden ~** to be deep(ly) in debt; **in einer Krise ~** to be in the throes of a crisis.

II vt pret **steckte**, ptp **gesteckt** 1. to put; *Haare* to put up; *Brosche* to pin (*an* +acc onto). **die Hände in die Taschen ~** to put or stick (*inf*) one's hands in one's pockets; **das Hemd in die Hose ~** to tuck one's shirt in (one's trousers); **jdn ins Bett ~** (*inf*) to put sb to bed (*inf*); **jdn ins Gefängnis ~** (*inf*) to put sb in prison (*inf*), to put sb away or inside (*inf*); **jdn in Uniform ~** (*inf*) to put sb in uniform. 2. (*Sew*) to pin. **den Saum eines Kleides ~** to pin up the hem of a dress. 3. (*inf: investieren*) *Geld, Mühe* to put (*in* +acc into); *Zeit* to devote (*in* +acc to). 4. **jdm etw ~** (*inf*) to tell sb sth; **es jdm ~** (*inf*) to give sb a piece of one's mind. 5. (*pflanzen*) to set.

steckenbleiben vi sep irreg aux sein to stick fast, to get stuck; (*Kugel*) to be lodged; (*in der Rede*) to falter; (*beim Gedichtaufsagen*) to get stuck; **etw bleibt jdm im Halse stecken** (*lit, fig*) sth sticks in sb's throat; **steckenlassen** vt sep irreg to leave; **den Schlüssel ~** to leave the key in the lock; **laß dein Geld stecken!** leave your money where it is or in your pocket!; **Steckenpferd** nt (*lit, fig*) hobby-horse; **sein ~ reiten** (*fig*) to be on one's hobby-horse.

Stecker m -s, - (*Elec*) plug.

Steckkissen nt papoose; **Steckkontakt** m (*Elec*) plug.

Stecknadel f pin. **keine ~ hätte zu Boden fallen können** there wasn't room to breathe; **man hätte eine ~ fallen hören können** you could have heard a pin drop; **eine ~ im Heuhaufen** or **Heuschober suchen** (*fig*) to look for a needle in a hay-stack.

Stecknadelkissen nt pincushion; **Steckplatz** m (*Comput*) slot; **Steckreis** nt (*Hort*) cutting; **Steckrübe** f swede

(*Brit*), rutabaga (*US*); **Steckschloß** *nt* bicycle lock; **Steckschlüssel** *m* box spanner; **Steckschuß** *m* bullet lodged in the body; **Steckzwiebel** *f* bulb.

Stefan *m* - Stephen.

Steg *m* -(e)s, -e **1.** (*Brücke*) footbridge; (*Landungs~*) landing stage; (*old: Pfad*) path. **2.** (*Mus, Brillen~*) bridge; (*Tech: an Eisenträgern*) vertical plate, web. **3.** (*Hosen~*) strap (*under the foot*). **4.** (*Typ*) furniture.

Steghose *f* stirrup pants *pl*.

Stegreif *m* aus dem ~ **spielen** (*Theat*) to improvise, to ad-lib; **eine Rede aus dem** ~ **halten** to make an impromptu *or* off-the-cuff *or* ad-lib speech; **etw aus dem** ~ **tun** to do sth just like that.

Stegreifdichter(in *f***)** *m* extempore poet; **Stegreifrede** *f* impromptu speech; **Stegreifspiel** *nt* (*Theat*) improvisation.

Steh|aufmännchen *nt* (*Spielzeug*) tumbler; (*fig*) somebody who always bounces back.

Stehcafé *nt* stand-up café.

stehen *pret* **stand**, *ptp* **gestanden** *aux* **haben** *or* (*S Ger, Aus, Sw*) **sein I** *vi* **1.** (*in aufrechter Stellung sein*) to stand; (*warten auch*) to wait; (*Penis*) to be erect; (*inf: fertig sein*) to be finished; (*inf: geregelt sein*) to be settled. **fest/sicher** ~ to stand firm(ly)/securely; (*Mensch*) to have a firm/safe foothold; **gebückt/ krumm** ~ to slouch; **unter der Dusche** ~ to be in the shower; **an der Bushaltestelle** ~ to stand *or* wait at the bus-stop; **neben jdm zu** ~ **kommen** (*Mensch*) to end up beside sb; **ich kann nicht mehr** ~ **I** can't stand (up) any longer; **der Weizen steht gut** the wheat is growing well; **der Kaffee ist so stark, daß der Löffel drin steht** (*hum*) the coffee is so strong that the spoon will almost stand up in it; **so wahr ich hier stehe** as sure as I'm standing here; **hier stehe ich, ich kann nicht anders!** (*Hist*) here I stand, I can do no other; **mit jdm/etw** ~ **und fallen** to depend on sb/sth; (*wesentlich sein für*) to stand *or* fall by sb/sth; **mit ihm steht und fällt die Firma** he's the kingpin of the organization; **seine Hose steht vor Dreck** (*inf*) his trousers are stiff with dirt; **er steht (ihm)** (*sl*), **er hat einen** ~ (*sl*) he has a hard-on (*sl*); **das/die Sache steht** (*inf*) that/the whole business is finally settled.

2. (*sich befinden*) to be. **die Vase/die Tasse steht auf dem Tisch** the vase is (standing)/the cup is on the table; **mein Auto steht seit Wochen vor der Tür** my car has been standing *or* sitting (*inf*) outside for weeks; **meine alte Schule steht noch** my old school is still standing *or* is still there; **vor der Tür stand ein Fremder** there was a stranger (standing) at the door; **auf der Fahrbahn stand Wasser** there was water on the road; **ihm steht der Schweiß auf der Stirn** his forehead is covered in sweat; **am Himmel** ~ to be in the sky; **der Mond steht am Himmel** the moon is shining; **die Sonne steht abends tief/im Westen** the sun is in the evening is deep in the sky/in the West; **unter Schock** ~ to be in a state of

shock; **unter Drogeneinwirkung/Alkohol** ~ to be under the influence of drugs/ alcohol; **kurz vor dem Krieg** ~ to be on the brink of war; **vor einer Entscheidung** ~ to be faced with a decision; **im 83. Lebensjahr** ~ to be in one's 83rd year; **ich tue, was in meinen Kräften/meiner Macht steht** I'll do everything I can/in my power; **das steht zu erwarten/ fürchten** (*geh*) that is to be expected/ feared.

3. (*geschrieben, gedruckt sein*) to be; (*aufgeführt sein auch*) to appear. **wo steht das?** (*lit*) where does it say that?; (*fig*) who says so?; **was steht da/in dem Brief?** what does it/the letter say?, what does it say there/in the letter?; **das steht im Gesetz** the law says so, that is what the law says; **es stand im „Kurier"** it was in the "Courier"; **das steht bei Nietzsche** it says that in Nietzsche; **das steht in der Bibel (geschrieben)** it says that *or* so in the Bible, the Bible says so; **es steht geschrieben** (*Bibl*) it is written (*Bibl*).

4. (*angehalten haben*) to have stopped; (*Maschine, Fließband auch*) to be at a standstill. **meine Uhr steht** my watch has stopped; **der ganze Verkehr steht** all traffic is at a complete standstill.

5. (*inf: geparkt haben*) to be parked. **wo** ~ **Sie?** where are *or* have you parked?

6. (*anzeigen*) (*Rekord*) to stand (*auf* +*dat* at); (*Mannschaft*) to be (*auf* +*dat* in). **der Pegel steht auf 3.48 m** the water mark is at *or* is showing 3.48 m; **die Kompaßnadel steht auf** *or* **nach Norden** the compass needle is indicating *or* pointing north; **wie steht das Spiel?** what is the score?; **es steht 0:0** neither side has scored, there is still no score; **es steht 2:1 für München** the score is *or* it is 2-1 for Munich; **es/die Sache steht mir bis hier (oben)** (*inf*) I'm fed up to the back-teeth with it (*inf*), I'm sick and tired of it (*inf*).

7. (*Gram*) (*bei Satzstellung*) to come; (*bei Zeit, Fall, Modus*) to be; (*gefolgt werden von*) to take. **mit dem Dativ/ Akkusativ** ~ to take *or* govern the dative/accusative.

8. (*passen zu*) **jdm** ~ to suit sb.

9. (*Belohnung, Strafe*) **auf Betrug steht eine Gefängnisstrafe** the penalty for fraud is imprisonment, fraud is punishable by imprisonment; **auf die Ergreifung der Täter steht eine Belohnung** there is a reward for *or* a reward has been offered for the capture of the persons responsible.

10. (*bewertet werden: Währung, Kurs*) to be *or* stand (*auf* +*dat* at). **wie steht das Pfund?** how does the pound stand?; **am besten steht der Schweizerfranken** the Swiss franc is strongest.

11. (*Redewendungen*) **zu seinem Versprechen** ~ to stand by *or* keep one's promise; **zu dem, was man gesagt hat,** ~ to stick to what one has said; **zu seinen Behauptungen/seiner Überzeugung** ~ to stand by what one says/by one's convictions; **zum Sozialismus** ~ to be a staunch socialist; **zu jdm** ~ to stand *or* stick by sb; **wie** ~ **Sie dazu?** what are your views *or* what is your opinion on that?; **für etw** ~ to stand for sth; **auf jdn/etw** ~ (*sl*) to be mad about sb/sth (*inf*), to go for sb/sth (*inf*), to be into sb/sth (*sl*); **hinter jdm/etw** ~ to be behind sb/sth; **das steht (ganz) bei Ihnen** (*form*) that is (entirely) up to you.

II *vr* **wie** ~ **sich Müllers jetzt?** how are things with the Müllers now?; **sich gut/ schlecht** ~ to be well-off/badly off; **sich bei** *or* **mit jdm/etw gut/schlecht** ~ to be well-off/badly off with sb/sth; **sich mit jdm gut/schlecht** ~ (*sich verstehen*) to get on well/badly with sb.

III *vi impers* **es steht schlecht/gut/ besser um jdn** (*bei Aussichten*) things look *or* it looks bad/good/better for sb; (*gesundheitlich, finanziell*) sb is doing badly/well/better; **es steht schlecht/gut/ besser um etw** things look *or* it looks bad/good/better for sth, sth is doing badly/well/better; **wie steht's?** how are *or* how's things?; **wie steht es damit?** how about it?; **wie steht es mit ...?** what is the position regarding ...?

IV *vt Posten, Wache* to stand. **sich** (*acc*) **müde** ~, **sich** (*dat*) **die Beine in den Bauch** (*inf*) ~ to stand until one is ready to drop.

Stehen *nt* **-s,** *no pl* **1.** standing. **das viele** ~ all this standing; **etw im** ~ **tun** to do sth standing up.

2. (*Halt*) stop, standstill. **zum** ~ **bringen** to stop; *Lokomotive, LKW, Verkehr, Produktion auch* to bring to a standstill *or* halt *or* stop; *Produktion, Heer, Vormarsch auch* to halt; **zum** ~ **kommen** to stop; (*Lokomotive, LKW, Verkehr, Produktion auch*) to come to a standstill *or* halt *or* stop.

stehenbleiben *vi sep irreg aux sein* **1.** (*anhalten*) to stop; (*Zug, LKW, Verkehr, Produktion auch*) to come to a standstill *or* halt *or* stop; (*Aut: Motor auch*) to cut out; (*beim Lesen auch*) to leave off. ~! stop!; (*Mil*) halt!

2. (*nicht weitergehen*) (*Mensch, Tier*) to stay; (*Entwicklung*) to stop; (*Zeit*) to stand still; (*Auto, Zug*) to stand.

3. (*vergessen* *or* *zurückgelassen werden*) to be left (behind). **mein Regenschirm muß im Büro stehengeblieben sein** I must have left my umbrella in the office.

4. (*im Text unverändert bleiben*) to be left (in). **soll das so** ~? should that stay *or* be left as it is?

stehend *adj attr Fahrzeug* stationary; *Wasser, Gewässer* stagnant; (*ständig*) *Heer* standing, regular; *Start* (*Radfahren*) standing. ~**e Redensart** stock phrase; ~**en Fußes** (*liter*) instanter, immediately; ~**es Gut** (*Naut*) standing rigging.

stehenlassen *ptp* ~ *or* **stehengelassen** *vt sep irreg* to leave; (*zurücklassen, vergessen auch*) to leave behind; (*Cook*) to let stand; *Essen, Getränk* to leave (untouched); *Fehler* to leave (in). **laßt das (an der Tafel) stehen** leave it (on the

board); **alles stehen- und liegenlassen** to drop everything; (*Flüchtlinge*) to leave everything behind; **jdn einfach** ~ to leave sb standing (there), to walk off and leave sb; **sich** (*dat*) **einen Bart** ~ to grow a beard; **jdn vor der Tür/in der Kälte** ~ to leave sb standing outside/in the cold.

Steher *m* **-s,** **-** (*Pferderennen, fig*) stayer; (*Radfahren*) motor-paced rider.

Steherrennen *nt* (*Radfahren*) motor-paced race.

Stehgeiger(in *f*) *m* café violinist; **Stehkneipe** *f* stand-up bar; **Stehkonvent** *m* (*hum*) stand-up do (*inf*); **Stehkragen** *m* stand-up collar; (*von Geistlichen auch*) dog collar; **Stehlampe** *f* standard lamp.

stehlen *pret* **stahl,** *ptp* **gestohlen I** *vti* to steal. **jdm die Ruhe** ~ to disturb sb; **jdm die Zeit** ~ to waste sb's time; *siehe* **gestohlen.**

II *vr* to steal. **sich in das/aus dem Haus** ~ to steal into/out of the house.

Stehlokal *nt* stand-up café; **Stehplatz** *m* **ich bekam nur noch einen** ~ I had to stand; **ein** ~ **kostet 5 Mark** a ticket for standing room costs 5 marks, it costs 5 marks to stand; ~**e** standing room *sing*; **zwei** ~**e, bitte** two standing, please; **die Anzahl der** ~**e ist begrenzt** only a limited number of people are allowed to stand; **Stehpult** *nt* high desk; **Stehvermögen** *nt* staying power, stamina.

Steiermark *f* - Styria.

steif *adj* **1.** stiff; *Grog auch* strong; *Penis auch* hard, erect. ~ **vor Kälte** stiff *or* numb with cold; **eine** ~**e Brise** a stiff breeze; **ein** ~**er Hals** a stiff neck; **ein** ~**er Hut** a homburg (hat); (*Melone*) a bowler (hat), a derby (*US*); **sich** ~ (**wie ein Brett**) **machen** to go rigid; **das Eiweiß** ~ **schlagen** to beat the egg white until stiff; ~ **und fest auf etw** (*dat*) **beharren** to insist stubbornly *or* obstinately on sth; **ein S**~**er** (*sl*) a hard-on (*sl*).

2. (*gestärkt*) starched; *Kragen auch* stiff.

3. (*förmlich*) stiff; *Empfang, Konventionen, Begrüßung, Abend* formal.

steifen *vt* to stiffen; *Wäsche* to starch.

Steifftier ® *nt* soft toy (animal).

Steifheit *f siehe adj* **1.** stiffness; strength; hardness, erectness. **2.** starchedness; stiffness. **3.** stiffness; formality.

Steig *m* **-(e)s, -e** steep track.

Steigbügel *m* stirrup. **jdm den** ~ **halten** (*fig*) to help sb on.

Steigbügelhalter(in *f*) *m* (*esp Pol pej*) **jds** ~ **sein** to help sb to come to power.

Steige *f* **-, -n** (*dial*) **1.** *siehe* **Steig. 2.** *siehe* **Stiege.**

Steig|eisen *nt* climbing iron *usu pl*; (*Bergsteigen*) crampon; (*an Mauer*) rung (in the wall).

steigen *pret* **stieg,** *ptp* **gestiegen** *aux sein* **I** *vi* **1.** (*klettern*) to climb. **auf einen Berg/Turm/Baum** ~ to climb (up) a mountain/tower/tree; **aufs Fahrrad/ Pferd** ~ to get on(to) the/one's bicycle/ get on(to) *or* mount the/one's horse; **ins Bett/in die Straßenbahn** ~ to get into bed/on the tram; **in die Badewanne** ~ **to climb** or **get into the bath; in die Kleider** ~ (inf) to put on one's clothes; **vom Fahrrad/Pferd** ~ to get off or dismount from the/one's bicycle/horse; **aus dem Bett** ~ to get out of bed; **aus dem Zug** ~ to get off the train; **wer hoch steigt, fällt tief** (Prov) the bigger they come the harder they fall (prov).

2. (sich aufwärts bewegen) to rise; (Vogel auch) to soar; (Flugzeug, Straße) to climb; (sich aufbäumen: Pferd) to rear; (sich auflösen: Nebel) to lift; (sich erhöhen) (Preis, Zahl, Gehalt) to increase, to go up, to rise; (Fieber) to go up; (zunehmen) (Chancen, Mißtrauen, Ungeduld) to increase; (Spannung) to increase, to mount. **Drachen** ~ **lassen** to fly kites; **der Gestank/Duft stieg ihm in die Nase** the stench/smell reached his nostrils; **das Blut stieg ihm in den Kopf/das Gesicht** the blood rushed to his head/face; **in jds Achtung** (dat) ~ to rise in sb's estimation; **die allgemeine/meine Stimmung stieg** the general mood improved/my spirits rose.

3. (inf: stattfinden) to be. **steigt die Demonstration oder nicht?** is the demonstration on or not?; **bei Helga steigt Sonnabend eine Party** Helga's having a party on Saturday.

II vt Treppen, Stufen to climb (up).

Steiger m -s, - (Min) pit foreman.

Steigerer m -s, - bidder.

steigern I vt **1.** to increase; Geschwindigkeit auch to raise (auf +acc to); Not, Gefahr auch to intensify; Wert auch to add to; Wirkung auch to heighten; Farbe to intensify, to heighten; (verschlimmern) Übel, Zorn to aggravate.

2. (Gram) to compare.

3. (ersteigern) to buy at an auction.

II vr **1.** (sich erhöhen) to increase; (Geschwindigkeit auch) to rise; (Gefahr auch) to intensify; (Wirkung auch) to be heightened; (Farben) to be intensified; (Zorn, Übel) to be aggravated, to worsen. **seine Schmerzen steigerten sich ins Unerträgliche** his pain became unbearable.

2. (sich verbessern) to improve.

3. (hinein~) **sich in etw** (acc) ~ to work oneself (up) into sth.

Steigerung f **1.** siehe vt **1.** (das Steigern) increase (gen in); rise (gen in); intensification; heightening; aggravation. **2.** (Verbesserung) improvement. **3.** (Gram) comparative.

steigerungsfähig adj improvable; **Steigerungsform** f (Gram) comparative/superlative form; **Steigerungsstufe** f (Gram) degree of comparison.

Steigfähigkeit f (Aut) hill-climbing or pulling capacity; (Aviat) climbing capacity; ~ **beweisen** to pull well; **Steigflug** m (Aviat) climb, ascent.

Steigung f (Hang) slope; (von Hang, Straße, Math) gradient; (Gewinde~) pitch. **eine** ~ **von 10%** a gradient of one in ten or of 10%.

steil adj **1.** steep. **eine** ~**e Karriere** (fig) a rapid rise. **2.** (senkrecht) upright. **sich** ~

aufrichten to sit/stand up straight. **3.** (Sport) ~**e Vorlage,** ~**er Paß** through ball. **4.** (dated sl) super (inf), smashing (inf). **ein** ~**er Zahn** (dated sl) a smasher (inf).

Steilhang m steep slope; **Steilheck** nt hatchback; **Steilküste** f steep coast; (Klippen) cliffs pl; **Steilpaß** m, **Steilvorlage** f (Sport) through ball; **Steilwand** f steep face; **Steilwandfahrer(in** f) m wall-of-death rider; **Steilwandzelt** nt frame tent.

Stein m -(e)s, -e **1.** (auch Bot, Med) stone; (Feuer~) flint; (Edel~ auch, in Uhr) jewel; (Spiel~) piece. **der** ~ **der Weisen** (lit, fig) the philosophers' stone; **es blieb kein** ~ **auf dem anderen** everything was smashed to pieces; (bei Gebäuden, Mauern) not a stone was left standing; **das könnte einen** ~ **erweichen** that would move the hardest heart to pity; **mir fällt ein** ~ **vom Herzen!** (fig) that's a load off my mind!; **bei jdm einen** ~ **im Brett haben** (fig inf) to be well in with sb (inf); **den ersten** ~ **(auf jdn) werfen** (prov) to cast the first stone (at sb).

2. (Bau~, Natur~) stone; (groß, esp Hohlblock) block; (kleiner, esp Ziegel~) brick.

3. no pl (Material) stone. **ein Haus aus** ~ a house made of stone, a stone house; **ein Herz aus** ~ (fig) a heart of stone; **es friert** ~ **und Bein** (fig inf) it's freezing cold outside; ~ **und Bein schwören** (fig inf) to swear blind (inf); **zu** ~ **erstarren** or **werden** to turn to stone; (fig) to be as if turned to stone.

Steinadler m golden eagle; **steinalt** adj ancient, as old as the hills; **Steinbau** m, pl -**bauten 1.** no pl building in stone no art; **2.** (Gebäude) stone building; **Steinbock** m **1.** (Zool) ibex; **2.** (Astrol) Capricorn; **Steinboden** m stone floor; **Steinbohrer** m masonry drill; (Gesteinsbohrer) rock drill; **Steinbruch** m quarry; **Steinbrucharbeiter** m quarryman, quarry worker; **Steinbutt** m (Zool) turbot; **Steindruck** m (Typ) lithography; **Steineiche** f holm oak.

steinern adj stone; (fig) stony. **ein** ~**es Herz** a heart of stone.

Steinerweichen nt **zum** ~ **weinen** to cry heartbreakingly; **steinerweichend** adj heart-rending, heartbreaking; **Steinfraß** m stone erosion; **Steinfußboden** m stone floor; **Steingarten** m rockery, rock garden; **steingrau** adj stone-grey; **Steingut** nt stoneware; **Steinhagel** m hail of stones.

steinhart adj (as) hard as a rock, rock hard.

steinig adj stony. **ein** ~**er Weg** (fig) a path of trial and tribulation.

steinigen vt to stone.

Steinkohle f hard coal.

Steinkohlenbergbau m coal mining; **Steinkohlenbergwerk** nt coal mine, colliery; **Steinkohlenrevier** nt coal-mining area.

Steinkrug m (aus Steingut/Steinzeug) (Kanne) earthenware/stoneware jug; (Becher) earthenware/stoneware mug;

(*für Bier*) stein; **Steinleiden** *nt* (*Nieren-/Blasen-/Gallensteine*) kidney/ bladder stones *pl*; gallstones *pl*; **ein ~ haben** to suffer from kidney *etc* stones; **Steinmetz(in** *f*) *m* **-en, -en** stonemason; **Steinobst** *nt* stone fruit; **Steinpilz** *m* boletus edulis (*spec*); **Steinplatte** *f* stone slab; (*zum Pflastern*) flagstone; **steinreich** *adj* (*inf*) stinking rich (*inf*), rolling in it (*inf*); **Steinsalz** *nt* rock salt; **Steinschlag** *m* rockfall; „**Achtung ~**" "danger falling stones"; **Steinschlaggefahr** *f* danger of rockfall(s); **Steinschleuder** *f* catapult; **Steinschneider** *m* gem-cutter; **Steintafel** *f* stone tablet; **Steintopf** *m* (*aus Steingut/Steinzeug*) earthenware/stoneware pot; **Steinwurf** *m* (*fig*) stone's throw; **Steinwüste** *f* stony desert; (*fig*) concrete jungle; **Steinzeit** *f* Stone Age; **steinzeitlich** *adj* Stone Age *attr*; **Steinzeug** *nt* stoneware.

Steirer(in *f*) *m* **-s, -** Styrian.

steirisch *adj* Styrian.

Steiß *m* **-es, -e** (*Anat*) coccyx; (*hum inf*) tail (*inf*), behind.

Steißbein *nt* (*Anat*) coccyx; **Steißgeburt** *f* (*Med*) breech birth *or* delivery; **Steißlage** *f* (*Med*) breech presentation.

Stele ['ʃteːlə, 'ʃteːlə] *f* **-, -n** (*Bot, Archeol*) stele.

Stellage [ʃtɛ'laːʒə] *f* **-, -n** (*inf: Gestell*) rack, frame; (*dial inf: Beine*) pins *pl* (*inf*).

stellar [ʃtɛ'laːɐ, st-] *adj* (*Astron*) stellar.

Stelldich|ein *nt* **-(s), -(s)** (*dated*) rendezvous, tryst (*old*). **sich** (*dat*) **ein ~ geben** (*fig*) to come together.

Stelle *f* **-, -n 1.** place, spot; (*Standort*) place; (*Fleck: rostend, naß, faul*) patch. **an dieser ~** in this place, on this spot; **eine gute ~ zum Parken/Picknicken** a good place *or* spot to park/for a picnic; **legen Sie das an eine andere ~** put it in a different place; **diese ~ muß repariert werden** this bit needs repairing, it needs to be repaired; **eine kahle ~ am Kopf** a bald patch on one's head; **eine wunde/entzündete ~ am Finger** a cut/an inflammation on one's finger, a cut/an inflamed finger; **Salbe auf die Wunde/ aufgeriebene ~ auftragen** apply ointment to the affected area; **eine empfindliche ~** (*lit*) a sensitive spot *or* place; (*fig*) a sensitive point; **eine schwache ~** a weak spot; (*fig auch*) a weak point; **auf der ~ laufen** to run on the spot; **auf der ~ treten** (*lit*) to mark time; (*fig*) not to make any progress *or* headway; **auf der ~** (*fig: sofort*) on the spot; **kommen, gehen** straight *or* right away; **nicht von der ~ kommen** not to make any progress *or* headway; (*fig auch*) to be bogged down; **etw nicht von der ~ kriegen** (*inf*) *or* **bekommen** to be unable to move *or* shift sth; **sich nicht von der ~ rühren** *or* **bewegen** to refuse to budge (*inf*) *or* move; **zur ~ sein** to be on the spot; (*bereit, etw zu tun*) to be at hand; **sich bei jdm zur ~ melden** (*Mil*) to report to sb. **2.** (*in Buch*) place; (*Abschnitt*) passage; (*Text~, esp beim Zitieren*) ref-

erence; (*Bibel~*) verse; (*Mus*) passage. **an dieser ~** here; **an anderer ~** elsewhere, in another place.

3. (*in Reihenfolge, Ordnung, Liste*) place; (*in Tabelle, Hierarchie auch*) position. **an erster ~** in the first place, first; **an erster/zweiter ~ geht es um ...** in the first instance *or* first/secondly it's a question of ...; (*bei jdm*) **an erster/letzter ~ kommen** to come first/last (for sb); **an erster/zweiter ~ stehen** to be first/ second, to be in first/second place; (*in bezug auf Wichtigkeit*) to come first/ second; **an führender ~ stehen** to be in *or* have a leading position.

4. (*Math*) figure, digit; (*hinter Komma*) place. **drei ~n hinter dem Komma** three decimal places; **eine Zahl mit drei ~n** a three-figure number.

5. (*Lage, Platz, Aufgabenbereich*) place. **an ~ von** *or* (*+gen*) in place of, instead of; **an jds ~** (*acc*) **treten** to take sb's place; **das erledige ich/ich gehe an deiner ~** I'll do that for you/I'll go in your place; **ich möchte jetzt nicht an seiner ~ sein** I wouldn't like to be in his position *or* shoes; **an deiner ~ würde ich ...** in your position *or* if I were you I would ...

6. (*Posten*) job.

7. (*Dienst~*) office; (*Behörde*) authority. **da bist du bei mir/ihm an der richtigen ~!** (*inf*) you've come to the right place; **sich an höherer ~ beschweren** to complain to somebody higher up *or* to a higher authority.

stellen I *vt* **1.** (*hin~*) to put; (*an bestimmten Platz legen auch*) to place. **jdm etw auf den Tisch ~** to put sth on the table for sb; **jdn über/unter jdn ~** (*fig*) to put *or* place sb above/below sb; **auf sich** (*acc*) **selbst gestellt sein** (*fig*) to have to fend for oneself.

2. (*in senkrechte Position bringen*) to stand. **die Ohren ~** to prick up its ears; **du solltest es ~, nicht legen** you should stand it up, not lay it down.

3. (*anordnen*) to arrange. **das sollten Sie anders ~** you should put it in a different position.

4. (*er~*) (*jdm*) **eine Diagnose ~** to provide (sb with) a diagnosis, to make a diagnosis (for sb); **jdm sein Horoskop ~** to draw up *or* cast sb's horoscope.

5. (*arrangieren*) *Szene* to arrange; *Aufnahme* to pose.

6. (*beschaffen, aufbieten*) to provide.

7. (*ein~*) to set (*auf +acc* at); *Uhr* to set (*auf +acc* for). **das Radio lauter/ leiser ~** to turn the radio up/down; **die Heizung höher/kleiner ~** to turn the heating up/down.

8. (*finanziell*) **gut/besser/schlecht gestellt** well/better/badly off.

9. (*erwischen*) to catch; (*fig inf*) to corner.

10. *in Verbindung mit n siehe auch dort.* **Aufgabe, Thema, Bedingung, Termin** to set (*jdm* sb); *Frage* to put (*jdm, an jdn* to sb); *Antrag, Forderung* to make.

11. (*in Redewendungen*) **etw in jds Be-**

lieben or **Ermessen** (acc) ~ to leave sth to sb's discretion, to leave sth up to sb; **jdn unter jds Aufsicht** (acc) ~ to place or put sb under sb's care; **jdn vor ein Problem/eine Aufgabe** ~ to confront sb with a problem/task; **jdn vor eine Entscheidung** ~ to put sb in the position of having to make a decision.

II vr **1.** to (go and) stand (an +acc at, by); (sich auf~, sich einordnen) to position oneself; (sich aufrecht hin~) to stand up. **sich auf (die) Zehenspitzen** ~ to stand on tip-toe; **sich gegen jdn/etw** ~ (fig) to oppose sb/sth; **sich hinter jdn/etw** ~ (fig) to support or back sb/sth, to stand by sb/sth; **sich jdm in den Weg/vor die Nase** ~ to stand in sb's way (auch fig)/right in front of sb.

2. (Gegenstand, Körperteil) **sich senkrecht** ~ to stand or come up; **sich in die Höhe** ~ to stand up; (Ohren) to prick up.

3. (fig: sich verhalten) **wie stellst du dich zu ...?** how do you regard ...?, what do you think of ...?; **sich gut mit jdm** ~ to be on good terms with sb.

4. (inf: finanziell) **sich gut/schlecht** ~ to be well/badly off.

5. (sich ein~: Gerät) to set itself (auf +acc at). **die Heizung stellt sich von selbst kleiner** the heating turns itself down.

6. (sich ausliefern, antreten) to give oneself up, to surrender (jdm to sb). **sich der Kritik** ~ to lay oneself open to criticism; **sich den Journalisten/den Fragen der Journalisten** ~ to make oneself available to the reporters/to be prepared to answer reporters' questions; **sich einer Herausforderung/einem Herausforderer** ~ to take up a challenge/take on a challenger; **sich (jdm) zum Kampf** ~ to be prepared to do battle (with sb).

7. (sich ver~) **sich krank/schlafend** ~ to pretend to be ill/asleep.

8. (fig: entstehen) to arise (für for). **es stellten sich uns** (dat) **allerlei Probleme** we were faced or confronted with all sorts of problems.

Stellenangebot nt offer of employment, job offer; „~e" "situations vacant", "vacancies"; **Stellenanzeige, Stellenausschreibung** f job advertisement or ad (inf); **Stellenbeschreibung** f job description; **Stellengesuch** nt advertisement seeking employment, "employment wanted" advertisement; „~e" "situations wanted"; **Stellenmarkt** m employment or job market; (in Zeitung) appointments section; **Stellenvermittlung** f employment bureau or centre; (privat auch) employment agency; **stellenweise** adv in places, here and there; **Stellenwert** m (Math) place value; (fig) status; **einen hohen** ~ **haben** to play an important role.

Stellmacher m (N Ger) (Wagenbauer) cartwright; (esp von Wagenrädern) wheelwright; **Stellmacherei** f cartmaking; (Werkstatt) cartwright's/ wheelwright's (work-)shop; **Stellplatz**

m (für Auto) parking space; **Stellschraube** f (Tech) adjusting or set screw.

Stellung f **1.** (lit, fig, Mil) position. **in** ~ **bringen/gehen** to bring/get into position, to place in position/take up one's position; **die** ~ **halten** (Mil) to hold one's position; (hum) to hold the fort; ~ **beziehen** (Mil) to move into position; (fig) to declare one's position, to make it clear where one stands; **zu etw** ~ **nehmen** to give one's opinion on sth, to comment on sth; **für jdn/etw** ~ **nehmen** or **beziehen** to come out in favour of sb/sth; (verteidigen) to take sb's part/to defend sth; **gegen jdn/etw** ~ **nehmen** or **beziehen** to come out against sb/sth.

2. (Rang) position. **in führender/ untergeordneter** ~ in a leading/ subordinate position; **in meiner** ~ **als ...** in my capacity as ...; **gesellschaftliche** ~ social status or standing.

3. (Posten) position, post, situation (dated, form). **bei jdm in** ~ **sein** to be in sb's employment or employ (form); **ohne** ~ **sein** to be without employment or unemployed.

Stellungnahme f -, -n statement (zu on). **sich** (dat) **seine** ~ **vorbehalten, sich einer** ~ (gen) **enthalten** to decline to comment; **eine** ~ **zu etw abgeben** to make a statement on sth; **was ist Ihre** ~ **dazu?** what is your position on this?

Stellungsbefehl m (Mil) call up, draft papers pl (US); **Stellungsfehler** m (Sport) positional error; **Stellungskrieg** m positional warfare no indef art; **stellungslos** adj without employment, unemployed; **Stellungsspiel** nt (Sport) positional play no indef art; **Stellungssuche** f search for employment; **auf** ~ **sein** to be looking for employment or a position; **Stellungswechsel** m change of employment.

stellvertretend adj (von Amts wegen) deputy attr; (vorübergehend) acting attr; ~ **für jdn** deputizing or acting for sb ~ **für jdn handeln** to deputize or act for sb; ~ **für jdn/etw stehen** to stand in for sb/ sth or in place of sb/sth; **Stellvertreter(in** f) m (acting) representative; (von Amts wegen) deputy; (von Arzt) locum; **Stellvertretung** f (Stellvertreter) representative; (von Amts wegen) deputy; (von Arzt) locum; **die** ~ **für jdn übernehmen** to represent sb; (von Amts wegen) to stand in or deputize for sb; **in** ~ +gen for, on behalf of; **Stellwand** f partition wall; **Stellwerk** nt (Rail) signal box (Brit)/ signal or switch tower (US).

Stelze f -, -n **1.** stilt; (inf: Bein) leg, pin (inf). **auf** ~**n gehen** to walk on stilts; (fig: Lyrik) to be stilted. **2.** (Orn) wagtail. **3.** (Aus: Schweins~) pig's trotter.

stelzen vi aux sein (inf) to stalk.

Stelzfuß m wooden leg, peg (inf), peg-leg; (Mensch) peg-leg; **Stelzvögel** pl (Orn) waders pl.

Stemmbogen m (Ski) stem turn.

Stemm|eisen nt crowbar.

stemmen I vt **1.** (stützen) to press; Ellen-

bogen to prop. **die Arme in die Seiten** *or* **Hüften gestemmt** with arms akimbo; **die Arme in die Hüften ~** to put one's hands on one's hips; **er hatte die Arme in die Hüften gestemmt** he stood with arms akimbo.

2. (*hoch~*) to lift (above one's head).

3. (*meißeln*) to chisel; (*kräftiger*) *Loch* to knock (*in +acc* in).

II *vr* **sich gegen etw ~** to brace oneself against sth; (*fig*) to set oneself against sth, to oppose sth.

III *vi* (*Ski*) to stem.

Stemmschwung *m* (*Ski*) stem turn.

Stempel *m* **-s, -** **1.** (*Gummi~*) (rubber-) stamp.

2. (*Abdruck*) stamp; (*Post~*) postmark; (*Vieh~*) brand, mark; (*auf Silber, Gold*) hallmark. **jdm/einer Sache einen/ seinen ~ aufdrücken** (*fig*) to make a/ one's mark on sb/sth; **den ~** +*gen or* **von tragen** to bear the stamp of.

3. (*Tech*) (*Präge~*) die; (*stangenförmig, Loch~*) punch.

4. (*Min*) prop.

5. (*Bot*) pistil.

Stempelfarbe *f* stamping ink; **Stempelgeld** *nt* (*inf*) dole (money) (*inf*); **Stempelkarte** *f* punch card; **Stempelkissen** *nt* ink pad.

stempeln **I** *vt* to stamp; *Brief* to postmark; *Briefmarke* to frank; *Gold, Silber* to hallmark. **jdn zum Lügner ~** (*fig*) to brand sb as a liar. **II** *vi* (*inf*) **1.** **~ gehen** to be/go on the dole (*inf*). **2.** (*Stempeluhr betätigen*) to clock on *or* in; (*beim Hinausgehen*) to clock off *or* out.

Stempelschneider *m* punch cutter; **Stempelständer** *m* rubber-stamp holder; **Stempeluhr** *f* time-clock.

Stempelung *f* stamping; (*von Brief*) postmarking; (*von Briefmarke*) franking; (*von Gold, Silber*) hallmarking.

Stengel *m* **-s,** **-** stem, stalk. **vom ~ fallen** (*inf*) (*Schwächeanfall haben*) to collapse; (*überrascht sein*) to be staggered (*inf*); **er fiel fast vom ~** (*inf*) he almost fell over backwards (*inf*).

Steno *f -, no pl* (*inf*) shorthand.

Stenogramm *nt* text in shorthand; (*Diktat*) shorthand dictation; **ein ~ aufnehmen** to take shorthand; **Stenogrammblock** *m* shorthand pad; **Stenograph(in** *f*) *m* (*im Büro*) shorthand secretary; (*esp in Gericht, bei Konferenz*) stenographer; **Stenographie** *f* shorthand, stenography (*dated, form*); **stenographieren*** **I** *vt* to take down in shorthand; **II** *vi* to do shorthand; **können Sie ~?** can you do shorthand?; **stenographisch** *adj* shorthand *attr*; **Stenostift** *m* shorthand pencil; **Stenotypist(in** *f*) *m* shorthand typist.

Stentorstimme *f* (*geh*) stentorian voice.

Stenz *m* **-es, -e** (*dated*) dandy.

Step *m* **-s, -s** tap-dance. **~ tanzen** to tap-dance.

Stephan, Stephen *m* **-** Stephan, Steven.

Steppdecke *f* quilt.

Steppe *f -, -n* steppe.

steppen¹ *vti* to (machine-)stitch; *wattierten Stoff* to quilt.

steppen² *vi* to tap-dance.

Steppenwolf *m* (*Zool*) prairie wolf, coyote.

Steppfuß *m* foot.

Steppke *m* **-(s), -s** (*N Ger inf*) nipper (*inf*), (little) laddie (*inf*).

Steppstich *m* (*Sew*) backstitch; (*mit Maschine*) straight stitch.

Steptanz *m* tap-dance; **Steptänzer(in** *f*) *m* tap-dancer.

Sterbebett *nt* death-bed; **auf dem ~ liegen** to be on one's death-bed; **Sterbebuch** *nt* register of deaths; **Sterbedatum** *nt* date of death; **Sterbegeld** *nt* death; **Sterbehilfe** *f* (*Euthanasie*) euthanasia; **jdm ~ geben** *or* **gewähren** to administer euthanasia to sb (*form*); **Sterbekasse** *f* death benefit fund; **Sterbelager** *nt* (*geh*) death-bed.

sterben *pret* **starb,** *ptp* **gestorben** *vti aux* **sein** to die. **jung/als Christ ~** to die young/a Christian; **einen leichten Tod/ eines natürlichen Todes ~** to have an easy death/to die a natural death; **an einer Krankheit/Verletzung ~** to die of an illness/from an injury; **daran wirst du nicht ~!** (*hum*) it won't kill you!; **vor Angst/Durst/Hunger ~** to die of fright/ thirst/starvation (*auch fig*); **er stirbt vor Angst** (*fig*) he's frightened to death, he's scared stiff (*inf*); **vor Langeweile/ Neugierde ~** to die of boredom/ curiosity; **tausend Tode ~** to die a thousand deaths; **gestorben sein** to be dead *or* deceased (*Jur, form*); **gestorben!** (*Film sl*) print it!, I'll buy it!; **er ist für mich gestorben** (*fig inf*) he might as well be dead *or* he doesn't exist as far as I'm concerned; **„und wenn sie nicht gestorben sind, so leben sie noch heute"** "and they lived happily ever after".

Sterben *nt* **-s,** *no pl* death. **Angst vor dem ~** fear of death *or* dying; **wenn es ans ~ geht** when it comes to dying; **im ~ liegen** to be dying; **zum ~ langweilig** (*inf*) deadly boring *or* dull, deadly (*inf*).

Sterbensangst *f* (*inf*) mortal fear; **sterbenselend** *adj* (*inf*) wretched, ghastly; **ich fühle mich ~** I feel wretched *or* ghastly, I feel like death (*inf*); **sterbenskrank** *adj* mortally ill; **Sterbenswort, Sterbenswörtchen** *nt* (*inf*) **er hat kein ~ gesagt** *or* **verraten** he didn't say a (single) word.

Sterbeort *m* place of death; **Sterberate** *f* death rate; **Sterbesakramente** *pl* last rites *pl or* sacraments *pl*; **Sterbeurkunde** *f* death certificate; **Sterbeziffer** *f* mortality *or* death rate; **Sterbezimmer** *nt* death chamber (*liter, form*). **Goethes ~** the room where Goethe died.

sterblich **I** *adj* mortal. **jds ~e Hülle** (*geh*) *or* (**Über)reste** sb's mortal remains *pl*. **II** *adv* (*inf*) terribly (*inf*), dreadfully (*inf*).

Sterbliche(r) *mf decl as adj* mortal.

Sterblichkeit *f* mortality *or* (*Zahl*) mortality (rate), death-rate.

Stereo ['ʃteːreo, 'st-] *nt* **in ~** in stereo.

stereo ['ʃteːreo, 'st-] *adj pred* (in) stereo.

Stereo- [ʃteːreo, st-] *in cpds* stereo; **Stereoanlage** *f* stereo unit *or* system, stereo (*inf*); **Stereoaufnahme** *f* stereo recording; **Stereobox** *f* speaker; **Stereometrie** *f* stereometry, solid geometry; **stereophon I** *adj* stereophonic; **II** *adv* stereophonically; **Stereophonie** *f* stereophony; **Stereoskop** *nt* **-s, -e** stereoscope; **Stereoskopie** *f* stereoscopy; **stereoskopisch** *adj* stereoscopic; (*dreidimensional*) 3-D, three-dimensional; **Stereo-Turm** *m* hi-fi stack; **stereotyp I** *adj* (*fig*) stereotyped, stock *attr*; *Lächeln* (*gezwungen*) stiff; (*unpersönlich*) impersonal; **II** *adv* in stereotyped fashion; stiffly; impersonally; **Stereotypdruck** *m* stereotype; **Stereotypie** *f* (*Psych*) stereotypy; (*Typ auch*) stereotype printing.

steril [ʃteˈriːl, st-] *adj* (*lit, fig*) sterile.

Sterilisation [ʃteriliza'tsioːn, st-] *f* sterilization.

sterilisieren* [ʃteriliˈziːrən, st-] *vt* to sterilize.

Sterilität [ʃteriliˈtɛːt, st-] *f* (*lit, fig*) sterility.

Sterling [ˈʃtɛrlɪŋ, 'st-] *m* **-s, -e** sterling. **30 Pfund ~** 30 pounds sterling.

Stern¹ *m* **-(e)s, -e 1.** star. **mit ~en übersät** star-spangled *attr*; *Himmel auch* starry *attr*; **unter fremden ~en sterben** (*liter*) to die in foreign climes (*poet*); **in den ~en (geschrieben) stehen** (*fig*) to be (written) in the stars; **das steht (noch) in den ~en** (*fig*) it's in the lap of the gods; **nach den ~en greifen** (*fig*) to reach for the stars; **~e sehen** (*inf*) to see stars; **sein ~ geht auf or ist im Aufgehen/sinkt or ist im Sinken** his star is in the ascendant/on the decline; **mein guter ~** my lucky star; **unter einem guten or glücklichen or günstigen ~ geboren sein** to be born under a lucky star; **unter einem guten or glücklichen or günstigen/ungünstigen ~ stehen** to be blessed with good fortune/to be ill-starred or ill-fated; **mit ihr ging am Theaterhimmel ein neuer ~ auf** with her coming a new star was born in the theatrical world.

2. (*Abzeichen*) (*von Uniform*) star. **ein Hotel/Cognac mit 3 ~en** a 3-star hotel/brandy.

Stern² *m* **-s, -e** (*Naut*) stern.

sternbedeckt *adj* starry, star-spangled; **Sternbild** *nt* (*Astron*) constellation; (*Astrol*) sign (of the zodiac).

Sternchen *nt dim of* **Stern¹ 1.** little star. **2.** (*Typ*) asterisk, star. **3.** (*Film*) starlet.

Sterndeutung *f* astrology.

Sternenbanner *nt* Star-Spangled Banner, Stars and Stripes *sing*; **sternenbedeckt** *adj* starry, star-covered; **Sternenhimmel** *m* starry sky; **Veränderungen am ~** changes in the star formation; **sternenklar** *adj* starry *attr*, starlit; **Sternenkrieg** *m* (*Pol*) Star Wars *pl*; **sternenlos** *adj* starless; **Sternenzelt** *nt* (*poet*) starry firmament (*liter*).

Sternfahrt *f* (*Mot, Pol*) rally (*where participants commence at different points*); **eine ~ nach Ulan Bator** a rally converging on Ulan Bator; **sternförmig** *adj* star-shaped, stellate (*spec*); **Sternforscher(in** *f*) *m* astronomer;

Sterngewölbe *nt* (*Archit*) stellar vault; **Sterngucker(in** *f*) *m* **-s, -** (*hum*) stargazer (*hum*); **sternhagelblau**, **sternhagelvoll** *adj* (*inf*) rolling or roaring drunk (*inf*), blotto (*sl*) *pred*; **Sternhaufen** *m* (*Astron*) star cluster; **sternhell** *adj* starlit, starry *attr*; **Sternjahr** *nt* sidereal year; **Sternkarte** *f* (*Astron*) celestial chart, star or stellar map or chart; **sternklar** *adj* starry *attr*, starlit; **Sternkunde** *f* astronomy; **Sternmarsch** *m* (*Pol*) protest march with marchers converging on assembly point from different directions; **Sternschnuppe** *f* shooting star; **Sternsinger** *mpl* carol singers *pl*; **Sternstunde** *f* great moment; **das war meine ~** that was a great moment in my life; **Sternsystem** *nt* galaxy; **Sterntag** *m* (*Astron*) sidereal day; **Sternwarte** *f* observatory; **Sternzeichen** *nt* (*Astrol*) sign of the zodiac; **Sternzeit** *f* (*Astron*) sidereal time.

Stert [ʃteːrt] *m* **-(e)s, -e** (*N Ger*), **Sterz** *m* **-es, -e 1.** (*Schwanzende*) tail; (*Cook*) parson's nose (*inf*). **2.** (*Pflug~*) handle.

stet *adj attr* constant; *Fleiß auch* steady; *Arbeit, Wind auch* steady, continuous. **~er Tropfen höhlt den Stein** (*Prov*) constant dripping wears away the stone.

Stethoskop [ʃtetoˈskoːp, st-] *nt* **-s, -e** stethoscope.

stetig *adj* steady; (*Math*) *Funktion* continuous.

Stetigkeit *f siehe adj* constancy, steadiness; continuity.

stets *adv* always. **~ zu Ihren Diensten** (*form*) always or ever (*form*) at your service; **~ der Ihre** (*old form*) yours ever.

Steuer¹ *nt* **-s, -** (*Naut*) helm, tiller; (*Aut*) (steering-)wheel; (*Aviat*) control column, controls *pl*. **am ~ stehen** (*Naut*) or **sein** (*Naut, fig*) to be at the helm; **am ~ sitzen** or **sein, hinter dem ~ sitzen** (*inf*) (*Aut*) to be at or behind the wheel, to drive; (*Aviat*) to be at the controls; **jdn ans ~ lassen** to let sb drive, to let sb take the wheel; **das ~ übernehmen** (*lit, fig*) to take over; (*lit auch*) to take (over) the helm/wheel/controls; (*fig auch*) to take the helm; **das ~ fest in der Hand haben** (*fig*) to be firmly in control, to have things firmly under control; **das ~ herumwerfen** or **-reißen** (*fig*) to turn the tide of events.

Steuer² *f* **-, -n 1.** (*Abgabe*) tax; (*Gemeinde~*) rates *pl* (*Brit*), local tax (*US*). **~n tax; (*Arten von* ~n) taxes; **~n zahlen** to pay tax; **ich bezahle 35% ~n** I pay 35% tax; **in Schweden zahlt man hohe ~n** in Sweden tax is very high or people are highly taxed; **die ~n herabsetzen** to reduce taxation, to cut tax or taxes.

2. (*inf*: ~*behörde*) **die ~** the tax people (*inf*) or authorities *pl*, the Inland Revenue (*Brit*), the Internal Revenue (*US*).

Steueraufkommen *nt* tax revenue, tax yield; **Steuerbeamte(r)** *m*, **Steuerbeamtin** *f* tax officer or official; **steuerbegünstigt** *adj* *Investitionen, Hypothek* tax-deductible; *Waren* taxed at a lower rate; **Investitionen sind ~** you get tax relief on investments; **Steuerbehörde** f tax authorities pl, inland (Brit) or internal (US) revenue authorities pl; **Steuerberater(in** f) m tax consultant; **Steuerbescheid** m tax assessment; **Steuerbetrug** m tax evasion or dodging; **Steuerbord** nt -s, no pl (Naut) starboard; **steuerehrlich** adj ~ **sein** to be an honest tax-payer; **Steuereinnahmen** pl revenue from taxation; **Steuereinnehmer(in** f) m (Hist) tax-collector; **Steuererhöhung** f tax increase; **Steuererklärung** f tax return or declaration; **Steuererleichterung** f tax benefit or (esp Brit) relief; **Steuererstattung** f tax rebate; **Steuerfahndung** f investigation of (suspected) tax evasion; (Behörde) commission for investigation of suspected tax evasion; **Steuerflucht** f tax evasion (by leaving the country); **Steuerflüchtling** m tax exile; **steuerfrei** adj tax-free, exempt from tax; **Steuerfreiheit** f tax exemption, exemption from tax; **Steuergelder** pl tax money, taxes pl; **Steuergerät** nt tuner-amplifier; (Comput) control unit; **Steuerharmonisierung** f harmonization of taxes; **Steuerhinterziehung** f tax evasion; **Steuerkarte** f notice of pay received and tax deducted; **Steuerkette** f (an Motorrad) tuning chain; **Steuerkettenspanner** m tuning chain tightener; **Steuerklasse** f tax bracket or group; **Steuerknüppel** m control column; (Aviat auch) joystick; **Steuerlast** f tax burden.

steuerlich adj tax attr. ~e **Belastung** tax burden; **es ist ~ günstiger …** for tax purposes it is better …

steuerlos adj rudderless, out of control; (fig) leaderless.

Steuermann m, pl -männer or -leute helmsman; (als Rang) (first) mate; (Rowing) cox(swain). **Zweier mit/ohne ~** coxed/coxless pairs.

Steuermannspatent nt (Naut) mate's ticket (inf) or certificate.

Steuermarke f revenue or tax stamp; (für Hunde) dog licence disc, dog tag (US); **Steuermittel** pl tax revenue(s); **etw aus ~n finanzieren** to finance sth out of public funds; **Steuermoral** f tax-payer honesty.

steuern I vt **1.** Schiff to steer, to navigate; (lotsen auch) to pilot; Flugzeug to pilot, to fly; Auto to steer; (fig) Wirtschaft, Politik to run, to control; (Comput) to control. **staatlich gesteuert** state-controlled, under state control; **einen Kurs ~** (lit, fig) to steer a course; (fig auch) to take or follow a line.

2. (regulieren) to control.

II vi **1.** aux sein to head; (Aut auch) to drive; (Naut auch) to make, to steer.

2. (am Steuer sein) (Naut) to be at the helm; (Aut) to be at the wheel; (Aviat) to be at the controls.

Steuerparadies nt tax haven; **Steuerpflicht** f liability to tax; (von Person auch) liability to pay tax; **der ~ unterlie-**

gen to be liable to tax, to be taxable; **steuerpflichtig** adj Einkommen taxable, liable to tax; Person auch liable to (pay) tax; **Steuerpolitik** f tax or taxation policy; **steuerpolitisch** adj relating to tax policy; **~e Maßnahmen der Regierung** government tax measures; **Steuerprogression** f progressive taxation; **Steuerprüfer(in** f) m tax inspector; **Steuerprüfung** f tax inspector's investigation; **Steuerrad** nt (Aviat) control wheel; (Aut) (steering-)wheel; **Steuerrecht** nt tax law; **Steuerruder** nt rudder; **Steuersatz** m rate of taxation; **Steuerschraube** f **die ~ anziehen** to put the screws on or to squeeze the taxpayer; **Steuerschuld** f tax(es pl) owing no indef art, tax liability; **Steuersenkung** f tax cut; **Steuersparmodell** nt tax relief scheme; **Steuersünder(in** f) m tax evader; **Steuersystem** nt tax system.

Steuerung f **1.** no pl (das Steuern) (von Schiff) steering, navigation; (von Flugzeug) piloting, flying; (fig) (von Politik, Wirtschaft) running, control, management; (Comput) control; (Regulierung) control, regulation; (Bekämpfung) control.

2. (Steuervorrichtung) (Aviat) controls pl; (Tech) steering apparatus or mechanism. **automatische ~** (Aviat) automatic pilot, autopilot; (Tech) automatic steering (device).

Steuerveranlagung f tax assessment; **Steuervergehen** nt tax evasion or dodging no pl; **Steuervergünstigung** f tax concession; **Steuervorteil** m tax advantage or benefit; **Steuerwerk** nt (Comput) control unit; **Steuerzahler(in** f) m taxpayer; **Steuerzeichen** nt **1.** (form) tax or revenue seal; **2.** (Comput) control character.

Steven ['ʃteːvn] m -s, - (Naut) (Vorder~) prow; (Achter~) stern.

Steward ['stjuːɐt, ʃt-] m -s, -s (Naut, Aviat) steward.

Stewardeß, Stewardess ['stjuːɐdɛs, stjuːɐ'dɛs, ʃt-] f -, -ssen stewardess.

StGB [ɛsteːgeː'beː] nt -s abbr of **Strafgesetzbuch.**

stibitzen* vt (dated hum) to swipe (inf), to pinch (inf).

stich imper sing of **stechen.**

Stich m -(e)s, -e **1.** (Insekten~) sting; (Mücken~) bite; (Nadel~) prick; (Messer~) stab.

2. (stechender Schmerz) piercing or shooting or stabbing pain; (Seiten~) stitch; (fig) pang. **~e haben** to have a stitch; **es gab mir einen ~ (ins Herz)** I was cut to the quick.

3. (Sew) stitch.

4. (Kupfer~, Stahl~) engraving.

5. (Schattierung) tinge, shade (in +acc of); (Tendenz) hint, suggestion (in +acc of). **ein ~ ins Rote** a tinge of red, a reddish tinge; **ein ~ ins Gewöhnliche/ Vulgäre** a hint or suggestion of commonness/vulgarity.

6. (Cards) trick. **einen ~ machen** or **bekommen** to get a trick.

7. jdn im ~ lassen to let sb down; (*verlassen*) to abandon *or* desert sb, to leave sb in the lurch; **etw im ~ lassen** to abandon sth.

8. ~ halten to hold water, to be valid *or* sound.

9. einen ~ haben (*Eßwaren*) to be off *or* bad, to have gone off *or* bad; (*Butter auch*) to be *or* have gone rancid; (*Milch*) to be *or* have gone sour *or* off; (*sl: Mensch: verrückt sein*) to be nuts (*inf*).

Stichel *m* -s, - (*Art*) gouge.

Stichelei *f* **1.** (*Näherei*) sewing. **2.** (*pej inf: boshafte Bemerkung*) snide (*inf*) *or* sneering remark, gibe, dig. **deine ständigen ~en kannst du dir sparen** stop getting at me *or* making digs at me.

sticheln *vi* **1.** to sew; (*sticken*) to embroider. **2.** (*pej inf: boshafte Bemerkungen machen*) to make snide (*inf*) *or* sneering remarks. **gegen jdn ~** to make digs at sb.

Stichentscheid *m* (*Pol*) result of a/the run-off (*US*), final ballot; (*Sport*) result of a/the play-off; **Stichflamme** *f* tongue of flame; **stichhalten** *vi sep irreg* (*Aus*) *siehe* Stich 9.; **stichhaltig, stichhältig** (*Aus*) *adj* sound, valid; *Beweis* conclusive; **sein Alibi ist nicht ~** his alibi doesn't hold water; **Stichkampf** *m* (*Sport*) play-off; **Stichkanal** *m* branch canal.

Stichling *m* (*Zool*) stickleback.

Stichprobe *f* spot check; (*Sociol*) (random) sample survey.

Stichsäge *f* fret-saw; **Stichtag** *m* qualifying date; **Stichwaffe** *f* stabbing weapon; **Stichwahl** *f* (*Pol*) final ballot, run-off (*US*).

Stichwort *nt* **1.** *pl* **-wörter** (*in Nachschlagewerken*) headword. **2.** *pl* **-worte** (*Theat, fig*) cue. **3.** *pl* **-worte** *usu pl* notes *pl*; (*bei Nacherzählung*) key words *pl*.

stichwortartig *adj* abbreviated, shorthand; **eine ~e Gliederung** an outline; **etw ~ zusammenfassen/wiedergeben** to summarize the main points of sth/to recount sth in a shorthand *or* abbreviated fashion; **jdn ~ über etw** (*acc*) **informieren** to give sb a brief outline of sth; **Stichwortkatalog** *m* classified catalogue; **Stichwortverzeichnis** *nt* index.

Stichwunde *f* stab wound.

Stick|arbeit *f* embroidery.

sticken *vti* to embroider.

Stickerei *f* **1.** *no pl* (*das Sticken*) embroidery, embroidering. **2.** (*Gegenstand*) embroidery.

Sticker(in *f*) *m* embroideress, embroiderer.

Stickgarn *nt* embroidery thread *or* silk.

stickig *adj Luft, Zimmer* stuffy, close; *Klima* sticky, humid; (*fig*) *Atmosphäre* stifling, oppressive.

Stickmaschine *f* embroidery machine; **Stickmuster** *nt* embroidery pattern; **Sticknadel** *f* embroidery needle; **Stickoxid, Stickoxyd** *nt* nitric oxide; **Stickrahmen** *m* embroidery frame.

Stickstoff *m* (*abbr* N) nitrogen.

stickstoffhaltig *adj* containing nitrogen,

nitrogenous (*spec*).

stieben *pret* **stob** *or* **stiebte**, *ptp* **gestoben** *or* **gestiebt** *vi* (*geh*) **1.** *aux haben or sein* (*sprühen*) (*Funken, Staub*) to fly; (*Schnee*) to spray, to fly; (*Wasser*) to spray. **2.** *aux sein* (*jagen, rennen*) to flee.

Stiefbruder *m* stepbrother.

Stiefel *m* -s, - **1.** boot.

2. (*inf*) **seinen** (**alten**) **~ arbeiten** *or* **weitermachen** to carry on as usual *or* in the same old way; **einen ~ zusammenreden** to talk a lot of nonsense.

3. (*Trinkgefäß*) large, boot-shaped beer glass holding 2 litres. **einen** (**ordentlichen**) **~ vertragen** (*inf*) to be able to take one's drink *or* hold one's liquor.

Stiefelabsatz *m* (boot-)heel; **Stiefelanzieher** *m* -s, - boot-jack.

Stiefelette *f* (*Frauen~*) bootee; (*Männer~*) half-boot.

Stiefelknecht *m* boot-jack.

stiefeln *vi aux sein* (*inf*) to hoof it (*inf*).

Stiefelschaft *m* -(e)s, ⁻e bootleg, leg of a/the boot.

Stief|eltern *pl* step-parents *pl*; **Stiefgeschwister** *pl* stepbrother(s) and sister(s); **Stiefkind** *nt* stepchild; (*fig*) poor cousin; **sie fühlt sich immer als ~ des Glücks** she always feels that fortune never smiles upon her; **Stiefmutter** *f* stepmother; **Stiefmütterchen** *nt* (*Bot*) pansy; **stiefmütterlich** *adj* (*fig*) **jdn/etw ~ behandeln** to pay little attention to sb/sth, to put sb/sth in second place; **Stiefschwester** *f* stepsister; **Stiefsohn** *m* stepson; **Stieftochter** *f* stepdaughter; **Stiefvater** *m* stepfather.

stieg *pret of* steigen.

Stiege *f* -, -n **1.** (*schmale Treppe*) (narrow) flight of stairs *or* staircase. **2.** (*old: 20 Stück*) score. **eine ~ Eier** a score of eggs. **3.** (*Lattenkiste*) crate.

Stiegenhaus *nt* (*S Ger, Aus*) staircase.

Stieglitz *m* -es, -e goldfinch.

stiehl *imper sing of* stehlen.

Stiel *m* -(e)s, -e **1.** (*Griff*) handle; (*Besen~ auch*) broomstick; (*Pfeifen~, Glas~*) stem. **2.** (*Stengel*) stalk; (*Blüten~*) stalk, stem, peduncle (*spec*); (*Blatt~*) leafstalk, petiole (*spec*).

Stiel|augen *pl* (*fig inf*) **~ machen** *or* **kriegen** to gape, to gawp, to goggle (*inf*); **er machte ~** his eyes (nearly) popped out of his head.

Stielkamm *m* tail comb; **stiellos** *adj Gerät* handleless, without a handle; *Blatt* stalkless; *Glas* stemless; **Stieltopf** *m* long-handled pan.

stier *adj* **1.** (*stumpfsinnig*) *Blick* vacant, blank. **2.** (*Aus, Sw inf*) *Geschäft* slack, slow; *Mensch* broke (*inf*).

Stier *m* -(e)s, -e **1.** bull; (*junger ~*) bullock. **wie ein ~ brüllen** to bawl one's head off (*inf*), to bellow like a bull; **den ~ bei den Hörnern packen** *or* **fassen** (*prov*) to take the bull by the horns (*prov*).

2. (*Astrol*) Taurus *no art*. **ich bin** (**ein**) **~** I'm (a) Taurus.

stieren *vi* (*auf* +*acc* at) to stare; (*neugierig auch*) to gape. (**lüstern**) **auf jdn ~** to ogle (*inf*) *or* eye sb; **sein Blick stierte ins**

Leere he stared vacantly into space.

Stierkampf m bull-fight; **Stierkampf-arena** f bull-ring; **Stierkämpfer** m bull-fighter; **Stiernacken** m neck like a bull, thick neck; **stiernackig** adj bull-necked; **Stieropfer** nt sacrifice of a bull.

Stiesel m -s, - (inf) boor, lout (inf).

sties(e)lig adj (inf) boorish, loutish (inf).

stieß pret of **stoßen**.

Stift[1] m -(e)s, -e **1.** (Metall~) pin; (Holz~ auch) peg; (Nagel) tack. **2.** (Blei~) pencil; (Bunt~ auch) crayon; (Filz~) felt-tip, felt-tipped pen; (Kugelschreiber) (ball-point) pen, biro ® (Brit). **3.** (inf: Lehrling) apprentice (boy).

Stift[2] nt -(e)s, -e (Dom~) cathedral chapter; (Theologie~) seminary; (old: Heim, Anstalt) home; (in Namen) foundation; (old: Bistum) diocese.

stiften vt **1.** (gründen) Kirche, Universität to found, to establish; (spenden, spendieren) to donate; Geld, Summe to put up, to donate; Universität, Stipendium to endow.
2. Verwirrung to cause; Unfrieden, Unheil auch, Frieden to bring about, to stir up; Ehe to arrange. **Gutes/Schaden ~** to do good/damage.

stiftengehen vi sep irreg aux sein (inf) to hop it (inf).

Stifter(in f) m -s, - (Gründer) founder; (Spender) donator.

Stiftsdame f (Eccl) canoness; **Stiftsherr** m (Eccl) canon; **Stiftshütte** f (Bibl) Tabernacle; **Stiftskirche** f collegiate church.

Stiftung f **1.** (Gründung) foundation, establishment; (Schenkung) donation; (von Universität, Stipendium) endowment. **2.** (Organisation) foundation.

Stiftungsurkunde f foundation charter.

Stiftzahn m post crown.

Stigma ['ʃtɪgma, st-] nt -s, -ta (Biol, Rel, fig) stigma.

Stigmatisierte(r) [ʃt-, st-] mf decl as adj (Biol, Rel) stigmatic; (fig) stigmatized person.

Stil [ʃtiːl, stiːl] m -(e)s, -e style; (Eigenart) way, manner. **im großen ~, großen ~s** in a big way; **schlechter ~** bad style; **das ist schlechter ~** (fig) that is bad form; **~ haben** (fig) to have style; **er schreibt einen sehr schwerfälligen ~** his writing style is very clumsy.

Stilanalyse f (Art, Liter) stylistic analysis; **Stilblüte** f (hum) stylistic howler; **Stilbruch** m stylistic incongruity or inconsistency; (in Roman) abrupt change in style; **Stilebene** f (Liter, Ling) style level; **stilecht** adj period attr; **~ eingerichtet** with period furniture; **Stilelement** nt stylistic element.

Stilett [ʃtiˈlɛt, st-] nt -s, -e stiletto.

Stilfehler m stylistic lapse; **Stilgefühl** nt feeling for or sense of style; **stilgerecht** adj appropriate to or in keeping with a/ the style.

stilisieren* [ʃtiliˈziːrən, st-] vt to stylize.

Stilisierung [ʃt-, st-] f stylization.

Stilist(in f) [ʃtiˈlɪst(in), st-] m stylist.

Stilistik [ʃtiˈlɪstɪk, st-] f (Liter) stylistics sing; (Handbuch) guide to good style.

stilistisch [ʃtiˈlɪstɪʃ, st-] adj stylistic. **ich muß meine Vorlesung ~ überarbeiten** I must go over my lecture to polish up the style.

Stilkunde f siehe **Stilistik**.

still adj **1.** (ruhig) quiet, silent; (lautlos) Seufzer quiet; Gebet silent; (schweigend) Vorwurf, Beobachter silent. **~ werden** to go quiet, to fall silent; **im Saal wurde es ~, der Saal wurde ~** the room fell silent; **um ihn/darum ist es ~ geworden** you don't hear anything about him/it any more; **es blieb ~** there was no sound, silence reigned; **~ weinen/leiden** to cry quietly/to suffer in silence; **~ vor sich hin arbeiten** to work away quietly; **in ~em Gedenken** in silent tribute; **in ~er Trauer** in silent grief; **im ~en** without saying anything, quietly; **ich dachte mir im ~en** I thought to myself; **sei doch ~!** be or keep quiet.
2. (unbewegt) Luft still; See auch calm. **der S~e Ozean** the Pacific (Ocean); **~ sitzen** to sit or keep still; **den Kopf/die Hände/Füße ~ halten** to keep one's head/hands/feet still; **ein Glas/ Tablett ~ halten** to hold a glass/tray steady; **~e Wasser sind tief** (Prov) still waters run deep (Prov).
3. (einsam, abgeschieden) Dorf, Tal, Straße quiet. **ein ~es Eckchen** a quiet corner; **ein ~es Plätzchen** a quiet spot.
4. (heimlich) secret. **im ~en** in secret; **er ist dem ~en Suff ergeben** (inf) he drinks on the quiet, he's a secret drinker.
5. (Comm) Gesellschafter, Teilhaber sleeping (Brit), silent (US); Reserven, Rücklagen secret, hidden. **~e Beteiligung** sleeping partnership (Brit), non-active interest.

Stille f -, no pl **1.** (Ruhe) quiet(ness), peace(fulness); (Schweigen) silence. **in der ~ der Nacht** in the still of the night; **in aller ~** quietly, calmly; **die Beerdigung fand in aller ~ statt** it was a quiet funeral.
2. (Unbewegtheit) calm(ness); (der Luft) stillness.
3. (Einsamkeit, Abgeschiedenheit) quiet, seclusion.
4. (Heimlichkeit) secrecy. **in aller ~** in secret, secretly.

Stilleben ['ʃtɪlleːbn] nt getrennt **Still-leben** still life.

stillegen vt sep getrennt **still-legen** to close or shut down; Schiff to lay up. **stillgelegtes Bergwerk** disused mine.

Stillegung f getrennt **Still-legung** siehe vt closure, shut-down; laying-up.

Stillehre f stylistics sing.

stillen I vt **1.** (zum Stillstand bringen) Tränen to stop; Schmerzen to ease, to relieve, to allay; Blutung auch to staunch, to check. **2.** (befriedigen) Neugier, Begierde, Verlangen, Hunger to satisfy, to still (liter); Durst auch to quench. **3.** Säugling to breast-feed, to nurse. **II** vi to breast-feed. **~de Mutter** nursing mother.

Stillgeld nt nursing mothers' allowance.

stillgestanden interj (Mil) halt.

Stillgruppe *f* mothers' group.

Stillhalte|abkommen *nt* (*Fin*, *fig*) moratorium.

stillhalten *vi sep irreg* to keep *or* hold still; (*fig*) to keep quiet.

Stillhalter *m* (*St Ex*) taker of an option.

stilliegen *vi sep irreg aux sein or haben getrennt still-liegen* **1.** (*außer Betrieb sein*) to be closed *or* shut down. **2.** (*lahmliegen*) to be at *or* have been brought to a standstill, to have come to a halt.

stillos *adj* lacking in style; (*fehl am Platze*) incongruous. **eine völlig ~e Zusammenstellung von Möbelstücken** a collection of furniture completely lacking (in) any sense of style.

Stillosigkeit *f siehe adj* lack of style *no pl*; incongruity.

stillschweigen *vi sep irreg* to remain silent. **zu etw ~** to stand silently by *or* remain silent in the face of sth.

Stillschweigen *nt* silence. **über etw** (*acc*) **~ bewahren** to observe *or* maintain silence about sth; **etw mit ~ übergehen** to pass over sth in silence.

stillschweigend *adj* silent; *Einverständnis* tacit. **über etw** (*acc*) **~ hinweggehen** to pass over sth in silence.

stillsitzen *vi sep irreg aux sein or haben* to sit still.

Stillstand *m* standstill; (*von Betrieb, Produktion, Verhandlungen auch*) stoppage; (*vorübergehend*) interruption; (*in Entwicklung*) halt. **bei ~ der Maschine ...** when the machine is stopped ...; **ein ~ des Herzens** a cardiac arrest; **zum ~ kommen** (*Verkehr*) to come to a standstill *or* stop; (*Produktion auch, Maschine, Motor, Herz, Blutung*) to stop; **etw zum ~ bringen** *Verkehr* to bring sth to a standstill *or* stop; *Produktion auch, Maschine, Motor* to stop sth; *Blutung* to stop *or* check sth.

stillstehen *vi sep irreg aux sein or haben* **1.** (*Produktion, Handel*) to be at a standstill; (*Fabrik, Maschine auch*) to be *or* stand idle; (*Verkehr auch*) to be stopped; (*Herz*) to have stopped. **die Zeit schien stillzustehen** time seemed to stand still *or* to stop. **2.** (*stehenbleiben*) to stop; (*Maschine*) to stop working. **keinen Moment ~** not to stop for a moment; **mein Herz stand still vor Schreck** I was so frightened my heart stood still.

stillvergnügt *adj* contented.

Stillzeit *f* lactation period.

Stilmittel *nt* stylistic device; **Stilmöbel** *pl* period furniture *sing*; **stilrein** *adj* stylistically correct; **Stilübung** *f* exercise in stylistic composition; **stilvoll** *adj* stylish; **stilwidrig** *adj* (stylistically) incongruous *or* inappropriate; **Stilwörterbuch** *nt* dictionary of correct usage.

Stimmabgabe *f* voting; **sie kommen zur ~** they come to vote *or* cast their votes; **Stimmaufwand** *m* vocal effort; **Stimmband** *nt usu pl* vocal cord; **seine ~er strapazieren** to strain one's voice; (*fig*) to talk one's head off; **stimmberechtigt** *adj* entitled to vote; **Stimmberechtigte(r)** *mf decl as adj*

person entitled to vote; **Stimmbezirk** *m* constituency; **Stimmbildung** *f* **1.** voice production; **2.** (*Ausbildung*) voice training; **Stimmbruch** *m siehe* **Stimmwechsel.**

Stimme *f* **-, -n 1.** voice; (*Mus: Part*) part; (*Orgel~*) register; (*fig*) (*Meinungsäußerung*) voice; (*Sprachrohr*) mouthpiece, voice; (*liter: Ruf*) call. **mit leiser/lauter ~** in a soft/loud voice; **gut/nicht bei ~ sein** to be in good/bad voice; **erste/zweite/dritte ~** (*in Chor*) first/second/third part; **bei einem Lied die erste/zweite ~ singen** to sing the top part *or* melody of/descant to a song; **die ~n mehren sich, die ...** there is a growing body of (public) opinion that ..., there is a growing number of people calling for ...; **die ~ der Öffentlichkeit/des Volkes** (*geh*) public opinion/the voice of the people; **die ~ der Wahrheit** the voice of truth; **der ~ des Herzens folgen** to follow the leanings *or* dictates of one's heart; **der ~ der Vernunft folgen** to be guided by reason, to listen to the voice of reason.

2. (*Wahl~*, *Votum*) vote. **eine/keine ~ haben** to have the vote/not to be entitled to vote; (*Mitspracherecht*) to have a/no say *or* voice; **seine ~ abgeben** to cast one's vote, to vote; **jdm/einer Partei seine ~ geben** to vote for sb/a party; **die abgegebenen ~n** the votes cast.

stimmen I *vi* **1.** (*richtig sein*) to be right; (*zutreffen auch*) to be correct. **stimmt es, daß ...?** is it true that ...?; **das stimmt** that's right; **das stimmt nicht** that's not right, that's wrong; **hier stimmt was nicht!** there's something wrong here; **mit ihr stimmt etwas nicht** there's something wrong *or* the matter with her; **stimmt so!** that's all right, keep the change.

2. (*wählen, sich entscheiden*) to vote. **für/gegen jdn/etw ~** to vote for/against sb/sth.

II *vt Instrument* to tune. **etw höher/niedriger ~** to raise/lower the pitch of sth, to tune sth up/down, to sharpen/flatten sth; **jdn froh/traurig ~** to make sb (feel) cheerful/sad; **jdn gegen etw ~** (*geh*) to prejudice *or* turn sb against sth.

Stimmenauszählung *f* count (of votes); **Stimmenfang** *m* (*inf*) canvassing, vote-getting (*inf*); **Stimmengewirr** *nt* babble of voices; **Stimmengleichheit** *f* tie, tied vote; **bei ~** in the event of a tie *or* tied vote; **Stimmenhören** *nt* (*Psych, Med*) hearing voices; **Stimmenkauf** *m* vote-buying, buying votes; **Stimmenmehrheit** *f* majority of votes; **Stimmensplitting** [-ʃplɪtɪŋ, -sp-] *nt* **-s,** *no pl* (*Pol*) splitting one's vote.

Stimm|enthaltung *f* abstention.

Stimmer(in *f*) *m* **-s, -** (*Mus*) tuner.

Stimmgabel *f* tuning fork; **stimmgewaltig** *adj* (*geh*) with a strong *or* powerful voice; **stimmhaft** *adj* (*Ling*) voiced; **~ ausgesprochen werden** to be voiced.

stimmig *adj Umfeld* ordered; *Argumente* coherent.

Stimmigkeit *f* coherence.

Stimmlage f (*Mus*) voice, register.

stimmlich adj vocal. **ihre ~en Qualitäten** the quality of her voice; **~ hat er nicht viel zu bieten** he doesn't have much of a voice.

Stimmliste f voting list; **stimmlos** adj (*Ling*) voiceless, unvoiced; **~ ausgesprochen werden** not to be voiced; **Stimmrecht** nt right to vote; **Stimmritze** f glottis; **Stimmumfang** m vocal range.

Stimmung f 1. (*Gemütszustand*) mood; (*Atmosphäre auch*) atmosphere; (*bei der Truppe, unter den Arbeitern*) morale. **in (guter)/gehobener/schlechter ~** in a good mood/in high spirits/in a bad mood; **wir hatten eine tolle ~** we were in a tremendous mood; **in ~ kommen/sein** to liven up/to be in a good mood; **ich bin nicht in der ~ zum Tanzen** I'm not in the mood for dancing.
2. (*Meinung*) opinion. **~ gegen/für jdn/etw machen** to stir up (public) opinion against/in favour of sb/sth.
3. (*St Ex*) mood.
4. (*Mus*) (*das Stimmen*) tuning; (*das Gestimmtsein*) pitch.

Stimmungsbarometer nt (*esp Pol*) barometer of public opinion; **Stimmungsbild** nt atmospheric picture; **dieser Bericht gibt ein eindrucksvolles ~** this report conveys the general atmosphere extremely well; **Stimmungskanone** f (*inf*) life and soul of the party; **Stimmungskapelle** f band which plays light music; **Stimmungslage** f atmosphere; **Stimmungsmache** f, no pl (*pej*) cheap propaganda; **Stimmungsmusik** f light music; **Stimmungsumschwung** m change of atmosphere; (*Pol*) swing (in public opinion); (*St Ex*) change in trend; **stimmungsvoll** adj Bild idyllic; Atmosphäre tremendous; Gedicht, Beschreibung full of atmosphere, atmospheric; **Stimmungswandel** m change of atmosphere; (*Pol*) change in (public) opinion.

Stimmvieh nt (*pej*) gullible voters pl; **Stimmvolk** nt voters pl, electorate; **Stimmwechsel** m **er ist im ~** his voice is breaking; **Stimmwerkzeuge** pl vocal organs pl; **Stimmzettel** m ballot paper.

Stimulans ['ʃtiːmulans, st-] nt -, **Stimulantia** [ʃtimuˈlantsia, st-] or **Stimulanzien** [ʃtimuˈlantsiən, st-] (*Med, fig*) stimulant.

Stimulation [ʃtimulaˈtsioːn, st-] f (*Med, fig*) stimulation.

stimulieren* [ʃtimuˈliːrən, st-] vt (*Med, fig*) to stimulate.

Stimulus ['ʃtiːmulus, st-] m -, **Stimuli** (*Psych*) stimulus; (*fig auch*) stimulant.

Stinkbombe f stink bomb; **Stinkdrüse** f (*Zool*) scent gland.

stinken pret **stank**, ptp **gestunken** vi 1. (*nach* of) to stink, to reek, to pong (*Brit inf*). **er stinkt nach Kneipe** he smells of drink; **wie ein Bock** or **Wiedehopf** or **eine Wachtel** or **die Pest ~** (*inf*) to stink to high heaven (*inf*).
2. (*fig inf*) **er stinkt nach Geld** he's

stinking rich (*inf*); **er stinkt vor Faulheit** he's bone-idle; **das stinkt zum Himmel** it's an absolute scandal or absolutely appalling; **an der Sache stinkt etwas** there's something fishy about it (*inf*); **die Sache stinkt mir** (*sl*), **mir stinkt's!** (*sl*) I'm fed up to the back teeth (with it) (*inf*).

stinkend adj stinking, foul-smelling.

stinkfaul adj (*inf*) bone-idle, bone-lazy.

stinkig adj (*inf*) stinking (*inf*); (*verärgert*) pissed off (*sl*).

stinklangweilig adj (*inf*) deadly boring or dull; **Stinklaune** f (*inf*) stinking (*inf*) or foul mood; **Stinkmorchel** f (*Bot*) stinkhorn; **stinknormal** adj (*inf*) boringly normal or ordinary; **stinkreich** adj (*inf*) stinking rich (*inf*); **Stinktier** nt skunk; **stinkvornehm** adj (*inf*) posh (*inf*), swanky (*inf*); Lokal auch swish (*inf*); **Stinkwut** f (*inf*) raging temper; **eine ~ (auf jdn) haben** to be livid (with sb).

Stint m -(e)s, -e (*Zool*) smelt, sparling.

Stipendiat(in f) m -en, -en scholarship holder, person receiving a scholarship/ grant.

Stipendium nt (*als Auszeichnung erhalten*) scholarship; (*zur allgemeinen Unterstützung des Studiums*) grant.

Stippe f -, -n (*dial*) sauce; (*Braten~*) gravy.

stippen vti (*dial*) to dunk (*inf*); jdn to duck.

Stippvisite f (*inf*) flying visit.

Stipulation [ʃtipulaˈtsioːn, st-] f (*Jur*) stipulation.

stipulieren* [ʃtipuˈliːrən, st-] vti to stipulate.

stirb imper sing of **sterben**.

Stirn f -, -en forehead, brow (*esp liter*). **sich/jdm das Haar aus der ~ streichen** to brush one's/sb's hair out of one's/his/her face; **den Hut in die ~ drücken** to pull one's hat down over one's eyes; **es steht ihm auf der ~ geschrieben** (*geh*) it is written in his face; **die ~ haben** or **besitzen, zu ...** to have the effrontery or nerve or gall to ...; **jdm/einer Sache die ~ bieten** (*geh*) to stand up to sb/sth, to defy sb/sth.

Stirnband nt headband; **Stirnbein** nt frontal bone; **Stirnfalte** f wrinkle (on one's forehead); **Stirnglatze** f receding hair-line; **Stirnhöhle** f frontal sinus; **Stirnhöhlenkatarrh** m, **Stirnhöhlenvereiterung** f sinusitis; **Stirnlocke** f quiff, cowlick; **Stirnrad** nt (*Tech*) spurwheel; **Stirnriemen** m brow band; **Stirnrunzeln** nt -s, no pl frown; **Stirnseite** f end wall, gable-end; **Stirnwand** f end wall.

Stoa ['ʃtoːa, st-] f -, no pl (*Philos*) Stoics pl, Stoic school.

stob pret of **stieben**.

stöbern vi to rummage (*in* +dat in, durch through).

Stocherkahn m punt.

stochern vi to poke (*in* +dat at); (*im Essen*) to pick (*in* +dat at). **er stochert mit einem Schürhaken im Feuer** he poked the fire; **sich** (*dat*) **in den Zähnen ~** to pick one's teeth.

Stock m -(e)s, ¨e 1. stick; (Rohr~) cane; (Takt~) baton; (Zeige~) pointer; (Billard~) cue. **er stand da (steif) wie ein ~** or **als ob er einen ~ verschluckt hätte** he stood there as stiff as a poker; **am ~ gehen** to walk with (the aid of) a stick; (fig inf) to be in a bad way; (nach viel Arbeit) to be dead-beat (inf); (finanziell) to be in difficulties.
  2. (Wurzel~) roots pl.
  3. (Pflanze) (Reb~) vine; (Rosen~) rose-bush; (Bäumchen) rose-tree; (Blumen~) pot-plant. **über ~ und Stein** up hill and down dale.
  4. (Bienen~) hive.
  5. (Geol: Gesteinsmasse) massif, rock mass.
  6. (Hist) stocks pl. **jdn in den ~ legen** to put sb in the stocks.
  7. pl - (~werk) floor, storey (Brit), story (US). **das Haus hat drei ~ or ist drei ~ hoch** the house is three storeys/stories high; **im ersten ~** on the first floor (Brit), on the second floor (US).
  8. [stɔk] pl -s (Econ) stock.
stockbesoffen (sl), **stockbetrunken** (inf) adj blind or dead drunk; **Stockbett** nt bunk bed; **stockblind** adj (inf) as blind as a bat, completely blind.
Stöckchen nt dim of Stock 1., 3.
stockdumm adj (inf) thick (as two short planks) (inf); **stockdunkel** adj (inf) pitch-dark.
Stöckel nt -s, - (Aus) outhouse.
Stöckel|absatz m stiletto heel.
stöckeln vi aux sein (inf) to trip, to mince.
Stöckelschuh m stiletto, stiletto-heeled shoe.
stocken vi 1. (Herz, Puls) to miss or skip a beat; (Gedanken, Worte) to falter; (nicht vorangehen) (Arbeit, Entwicklung) to make no progress; (Unterhaltung, Gespräch) to flag; (Verkehr) to be held up or halted; **ihm stockte der Atem** he caught his breath; **ins S~ geraten** or **kommen** (Unterhaltung, Gespräch) to begin to flag.
  2. (stagnieren) (Verhandlungen) to break off or stop (temporarily); (Geschäfte, Handel) to slacken or drop off.
  3. (innehalten) (in der Rede) to falter; (im Satz) to break off, to stop short.
  4. (gerinnen) (Blut) to thicken; (S Ger, Aus: Milch) to curdle, to go sour. **das Blut stockte ihm in den Adern** (geh) the blood froze in his veins.
  5. (stockig werden) (Wäsche, Papier, Bücher) to become mildewed, to go mouldy.
stockend adj faltering, hesitant.
Stock|ente f mallard.
stockfinster adj (inf) pitch-dark, pitch-black; **Stockfisch** m dried cod; (pej: Mensch) dull old stick, stick-in-the-mud; **Stockfleck** m mark caused by mould or mildew; **stockfleckig** adj mouldy, mildewed; **Stockhieb** m siehe Stockschlag.
Stockholm nt -s Stockholm.
Stockholmer adj Stockholm attr.
Stockholmer(in f) m native of Stockholm; (Einwohner) inhabitant of Stockholm.
stockig adj Geruch, Luft musty; Papier, Wäsche mildewed, mouldy.
stockkatholisch adj (inf) Catholic through and through; **stockkonservativ** adj (inf) arch-conservative.
stocknüchtern adj (inf) stone-cold sober (inf); **stocksauer** adj (sl) pissed-off (sl); **Stockschirm** m walking-length umbrella; **Stockschlag** m blow (from a stick); (mit Rohrstock) stroke of the cane; **Stockschnupfen** m permanent cold; **stocksteif** adj (inf) as stiff as a poker; **stocktaub** adj (inf) as deaf as a post.
Stockung f 1. (vorübergehender Stillstand) interruption, hold-up (gen, in +dat in); (Verkehrs~) congestion, traffic-jam, hold-up. **der Verkehr läuft wieder ohne ~en** traffic is flowing smoothly again.
  2. (von Verhandlungen) breakdown (gen of, in); (von Geschäften, Handel) slackening or dropping off (gen in).
  3. (Pause, Unterbrechung) (im Gespräch) break, lull; (in der Rede) pause, hesitation.
  4. (Gerinnung) thickening; (von Milch) curdling.
stockvoll adj (sl: betrunken) blind or dead drunk (inf), pissed (sl).
Stockwerk nt floor, storey (Brit), story (US). **im 5. ~** on the 5th (Brit) or 6th (US) floor; **ein Haus mit vier ~en** a four-storeyed (Brit) or four-storied (US) building.
Stoff m -(e)s, -e 1. material, fabric; (als Materialart) cloth.
  2. (no pl: Materie) matter. **~ und Form** (Philos) matter and form.
  3. (Substanz, Chem) substance; (Papier~) pulp. **tierische/pflanzliche ~e** animal substance/vegetable matter.
  4. (Gegenstand, Thema) subject (matter); (Unterhaltungs~, Diskussions~) topic, subject; (Material) material. **~ für ein** or **zu einem Buch sammeln** to collect material for a book; **der Vortrag bot reichlich ~ für eine Diskussion** the lecture provided plenty of material or topics for discussion.
  5. (inf: Rauschgift) dope (sl), stuff (sl).
Stoffbahn f length of material; **Stoffballen** m roll or bolt of material or cloth; **stoffbespannt** adj fabric-covered.
Stoffel m -s, - (pej inf) lout (inf), boor.
stoff(e)lig adj (pej inf) uncouth, boorish.
Stoffetzen m getrennt Stoff-fetzen scrap of cloth.
stofflich adj (Philos) material; (den Inhalt betreffend) as regards subject matter.
Stofflichkeit f (Philos) materiality.
Stoffpuppe f rag doll; **Stoffrest** m remnant; **Stofftier** nt soft toy.
Stoffülle f getrennt Stoff-fülle wealth of material.
Stoffwechsel m metabolism.
Stoffwechselkrankheit f metabolic disease or disorder; **Stoffwechselstörung** f metabolic disturbance.

stöhnen vi (alle Bedeutungen) to groan; (klagen auch) to moan. ~d with a groan.

Stöhnen nt -s, no pl (lit, fig) groaning no pl; (Stöhnlaut) groan.

Stoiker(in f) ['ʃtoːikɐ, -ərɪn, st-] m -s, - (Philos) Stoic (philosopher); (fig) stoic.

stoisch ['ʃtoːiʃ, st-] adj (Philos) Stoic; (fig) stoic(al).

Stoizismus [ʃtoi'tsɪsmʊs, st-] m (Philos) Stoicism; (fig) stoicism.

Stola ['ʃtoːla, st-] f -, **Stolen** stole.

Stolle f -, -n siehe **Stollen** 2.

Stollen m -s, - 1. (Min, Mil) gallery, tunnel. 2. (Cook) fruit loaf (eaten at Christmas), stollen (US). 3. (Zapfen) (Hufeisen) calk(in); (Schuh~) stud.

Stolperdraht m trip-wire; (fig) stumbling-block.

stolp(e)rig adj Gang stumbling; Weg uneven, bumpy.

stolpern vi aux sein to stumble, to trip (über +acc over); (fig: zu Fall kommen) to come a cropper (inf), to come unstuck (inf). **ins S~kommen** or **geraten** (lit) to come a cropper (inf); (fig auch) to slip up.

stolz adj 1. proud (auf +acc of). ~ **wie ein Pfau** as proud as a peacock; **warum so ~?** why so proud?; (bei Begegnung) don't you know me any more?; **darauf kannst du ~ sein** that's something to be proud of.
2. (imposant) Bauwerk, Schiff majestic, impressive; (iro: stattlich) Preis, Summe princely. ~ **erhebt sich die Burg über der kleinen Stadt** the castle rises proudly above the little town.

Stolz m -es, no pl pride. **sein Garten/Sohn ist sein ganzer ~** his garden/son is his pride and joy; **voller ~ auf etw** (acc) **sein** to be very proud of sth; **ich habe auch meinen ~** I do have my pride; **seinen ~ in etw** (acc) **setzen** to take a pride in sth.

stolzieren* vi aux sein to strut, to swagger; (hochmütig, beleidigt) to stalk.

stop [ʃtɔp, stɔp] interj stop; (auf Verkehrsschild auch) halt (Brit).

Stop-and-go-Verkehr [stɔpənd'goː-] m stop-go traffic, slow-moving traffic.

Stopfei nt ≃ darning mushroom.

stopfen I vt 1. (aus~, füllen) to stuff; Pfeife, Loch, Wurst to fill; (inf) Taschen auch to cram. **jdm den Mund** (inf) or **das Maul** (sl) ~ to silence sb.
2. (hinein~) to stuff; Korken auch to ram. **gierig stopfte er alles in sich hinein, was man ihm auftischte** he greedily stuffed down everything they served up.
3. (ver~) Trompete to mute; (mit Stöpsel) to plug, to stop.
4. (ausbessern, flicken) Loch, Strümpfe to darn, to mend; siehe **gestopft**.
II vi 1. (Speisen) (ver~) to cause constipation, to constipate; (sättigen) to be filling.
2. (inf: gierig essen) to bolt or wolf (down) one's food, to stuff oneself (inf).
3. (flicken) to darn, to do darning.

Stopfen m -s, - (dial) stopper; (Korken) cork.

Stopfer m -s, - (Pfeifen~) tamper.

Stopfgarn nt darning cotton or thread;

Stopfnadel f darning needle; **Stopfpilz** m (Sew) darning mushroom.

stopp [ʃtɔp] interj stop.

Stopp [ʃtɔp] m -s, -s stop, halt; (Lohn~) freeze.

Stoppball m (Tennis) dropshot.

Stoppel¹ f -, -n (Getreide~, Bart~) stubble.

Stoppel² m -s, - (Aus) siehe **Stöpsel**.

Stoppelbart m stubbly beard, stubble; **Stoppelfeld** nt stubble-field; **Stoppelhaar** nt bristly hair.

stopp(e)lig adj Bart stubbly; Kinn auch bristly.

stoppen I vt 1. to stop; Gehälter, Preise to freeze; (Ftbl) Ball auch to trap. 2. (Zeit abnehmen) to time. **er hat die Laufzeit/ Zeit genau gestoppt** he timed exactly how long it took. II vi to stop.

Stopper m -s, - 1. auch ~**in** f (Ftbl) centre half. 2. (Naut) stopper. 3. (Zeitnehmer) timekeeper.

Stopplicht nt stop-light, red light; (Aut) brake light.

Stoppschild nt stop or halt (Brit) sign; **Stoppstraße** f road with stop signs, secondary road, stop street (US); **Stoppuhr** f stop-watch.

Stöpsel m -s, - (von Waschbecken, Badewanne) plug; (Telec auch) jack; (Pfropfen) stopper; (Korken) cork; (inf: Knirps) little fellow.

stöpseln vti (Telec) to connect.

Stöpselzieher m -s, - (Aus) corkscrew.

Stör¹ m -(e)s, -e (Zool) sturgeon.

Stör² f (Aus): **in** or **auf die ~ gehen** to work at the customer's home.

Störaktion f disruptive action no pl; **störanfällig** adj susceptible to interference.

Storch m -(e)s, ⁼e stork. **wie der ~ im Salat einherstolzieren/gehen** (inf) to stalk about/to pick one's way carefully; **der ~ hat sie ins Bein gebissen** (dated hum) she's expecting a little stranger (hum).

Storchennest nt stork's nest.

Störchin f female stork.

Storchschnabel m 1. (Bot) cranesbill, crane's-bill. 2. (Tech) pantograph.

Store [ʃtoːɐ, stoːɐ] m -s, -s usu pl net curtain; (Sw) shutters pl.

stören I vt 1. (beeinträchtigen) Schlaf, öffentliche Ordnung, Frieden to disturb; Verhältnis, Harmonie, Gesamteindruck to spoil; Rundfunkempfang to interfere with; (absichtlich) to jam. **jds Pläne ~** to interfere with sb's plans.
2. Handlungsablauf, Prozeß, Vorlesung, Feier to disrupt.
3. (unangenehm berühren) to disturb, to bother. **was mich an ihm/daran stört** what I don't like about him/it; **entschuldigen Sie, wenn ich Sie störe** I'm sorry to bother you, I'm sorry if I'm disturbing you; **lassen Sie sich nicht ~!** don't let me disturb you, don't mind me; **stört es Sie, wenn ich rauche?** do you mind if I smoke?, does it bother you if I smoke?; **würden Sie bitte aufhören zu rauchen, es stört mich** would you mind not smoking, I find it annoying; **das stört mich nicht** that doesn't bother me, I don't mind; **sie**

läßt sich durch nichts ~ she doesn't let anything bother her.

II *vr* **sich an etw** (*dat*) ~ to be bothered about; **ich störe mich an seiner Unpünktlichkeit** I take exception to his unpunctuality.

III *vi* **1.** (*lästig, im Weg sein*) to get in the way; (*unterbrechen*) to interrupt; (*Belästigung darstellen: Musik, Lärm*) to be disturbing. **bitte nicht** ~! please do not disturb!; **ich möchte nicht** ~ I don't want to be in the way *or* to be a nuisance, I don't want to interrupt; (*in Privatsphäre*) I don't want to intrude; **störe ich?** am I intruding?; **etw als** ~**d empfinden** to find sth bothersome; **ein** ~**der Lärm** a disturbing noise; **ein** ~**der Umstand** a nuisance, an annoyance; **eine** ~**de Begleiterscheinung** a troublesome side-effect.

2. (*unangenehm auffallen*) to spoil the effect, to stick out. **ein hübsches Gesicht, aber die große Nase stört doch etwas** a pretty face, though the big nose does spoil the effect.

Störenfried *m* -(e)s, -e, **Störer(in** *f)* *m* -s, - trouble-maker.

Störfaktor *m* source of friction, disruptive factor; **Störfall** *m* (*in Kernkraftwerk*) malfunction, accident; **störfrei** *adj* free from interference; **Störgeräusch** *nt* (*Rad, TV*) interference; **Störmanöver** *nt* disruptive action.

Storni *pl of* **Storno.**

stornieren* [ʃtɔrˈniːrən, st-] *vti* (*Comm*) *Auftrag* to cancel; *Buchungsfehler* to reverse.

Storno [ˈʃtɔrno, ˈst-] *m or nt* -s, **Storni** (*Comm*) (*von Buchungsfehler*) reversal; (*von Auftrag*) cancellation.

störrisch, störrig (*rare*) *adj* stubborn, obstinate; *Kind, Pferd* unmanageable, disobedient, refractory; *Pferd* restive; *Haare* unmanageable; *siehe* **Esel.**

Störsender *m* (*Rad*) jamming transmitter, jammer.

Störung *f* **1.** disturbance.

2. (*von Ablauf, Verhandlungen*) disruption. **die Demonstranten beschlossen die** ~ **der Parlamentssitzung** the demonstrators decided to disrupt the parliamentary session.

3. (*Verkehrs*~) hold-up. **es kam immer wieder zu** ~**en des Verkehrs** there were continual hold-ups (in the traffic), the traffic was continually held up.

4. (*Tech*) fault, trouble *no indef art.* **eine** ~ trouble, a fault; **in der Leitung muß eine** ~ **sein** there must be a fault on the line.

5. (*Met*) disturbance.

6. (*Rad*) interference; (*absichtlich*) jamming. **atmosphärische** ~ atmospherics *pl.*

7. (*Med*) disorder. **gesundheitliche/ geistige/nervöse** ~**en** physical/mental/ nervous disorders, nervous trouble.

Störungsanzeige *f* fault indicator; **störungsfrei** *adj* trouble-free; (*Rad*) free from interference; **der Verkehr ist/ läuft wieder** ~ the traffic is moving freely again; **Störungsstelle** *f* (*Telec*)

faults service.

Story [ˈstoːri, ˈstɔri] *f* -, -s *or* **Stories** story.

Stoß *m* -es, ⁼e **1.** push, shove (*inf*); (*leicht*) poke; (*mit Faust*) punch; (*mit Fuß*) kick; (*mit Ellbogen*) nudge, dig; (*mit Kopf, Hörnern*) butt; (*Dolch*~) stab, thrust; (*Kugelstoßen*) put, throw; (*Fechten*) thrust; (*Schwimm*~) stroke; (*Atem*~) gasp **sich** (*dat*) *or* **seinem Herzen einen** ~ **geben** to pluck up *or* take courage; **das gab ihm den letzten** ~ (*fig*) that was the last straw *or* final blow (for him).

2. (*Anprall*) impact; (*Erd*~) tremor; (*eines Wagens*) jolt, bump.

3. (*Med*) intensive course of drugs.

4. (*Stapel*) pile, stack.

5. (*Rail: Schienen*~) (rail) joint.

6. (*Sew:* ~*band*) selvage; (*Tech: Kante*) butt joint. **auf** ~ edge to edge.

7. (*Mil: Feuer*~) volley, burst of fire; (*Trompeten*~) blast, blow (*in* +*acc* on).

8. (*Min*) stope, face.

9. (*Hunt*) tail feathers *pl.*

Stoßband *nt* (*Sew*) selvage; **Stoßdämpfer** *m* (*Aut*) shock absorber.

Stößel *m* -s, - pestle; (*Aut: Ventil*~) tappet.

stoßen *pret* **stieß,** *ptp* **gestoßen I** *vt* **1.** (*einen Stoß versetzen*) to push, to shove (*inf*); (*leicht*) to poke; (*mit Faust*) to punch; (*mit Fuß*) to kick; (*mit Ellbogen*) to nudge, to dig; (*mit Kopf, Hörnern*) to butt; (*stechen*) *Dolch* to plunge, to thrust; (*vulg*) to fuck (*vulg*), to shag (*vulg*), to poke (*sl*). **sich** (*dat*) **den Kopf** *or* **sich** (*acc*) **an den Kopf** ~ to hit one's head; **jdm** *or* **jdn in die Seite** ~ to nudge sb, to dig sb in the ribs; **jdn von sich** ~ to push sb away; (*fig*) to cast sb aside; **jdn/ etw zur Seite** ~ to push sb/sth aside; (*mit Fuß*) to kick sb/sth aside *or* to one side; **er stieß den Ball mit dem Kopf ins Tor** he headed the ball into the goal.

2. (*werfen*) to push; (*Sport*) *Kugel* to put. **jdn von der Treppe/aus dem Zug** ~ to push sb down the stairs/out of *or* off the train.

3. (*zerkleinern*) *Zimt, Pfeffer, Zucker* to pound.

4. (*Sw: schieben, drücken*) to push.

II *vr* to bump *or* bang *or* knock oneself. **sich an etw** (*dat*) ~ (*lit*) to bump *etc* oneself on *or* against sth; (*fig*) to take exception to sth, to disapprove of sth.

III *vi* **1.** (*mit den Hörnern*) to butt (*nach* at).

2. (*Tech*) to butt (*an* +*acc* against).

3. (*Gewichtheben*) to jerk.

4. *aux sein* (*treffen, prallen*) to run *or* bump into (*auch fig*); (*herab*~*: Vogel*) to swoop down (*auf* +*acc* on). **an etw** (*acc*) ~ to bump into *or* hit sth; (*grenzen*) to border on sth; **gegen etw** ~ to run into sth; **zu jdm** ~ to meet up with sb, to join sb; **auf jdn** ~ to bump *or* run into sb; **auf etw** (*acc*) ~ (*Straße*) to lead onto *or* onto sth; (*Schiff*) to hit sth, to run into *or* against sth; (*fig: entdecken*) to come upon *or* across sth; **auf Erdöl/Grundwasser** ~ to strike oil/to discover underground water; **auf Widerstand/Ablehnung/Zustimmung** ~ to meet with *or* encounter resistance/to meet with disapproval/approval.

5. (*old: blasen*) to blow, to sound; *siehe* **Horn.**

stoßfest *adj* shock-proof; **Stoßgebet** *nt* quick prayer; **ein** ~ **zum Himmel schikken** to say a quick prayer; **Stoßgeschäft** *nt* business with short periods of peak activity; (*Saisonarbeit*) seasonal business; **Stoßkarrette** *f* (*Sw: Schubkarre*) wheelbarrow; **Stoßkraft** *f* force; (*Mil*) combat strength; **Stoßseufzer** *m* deep sigh; **stoßsicher** *adj* shock-proof; **Stoßstange** *f* (*Aut*) bumper; **Stoßtherapie** *f* (*Med*) intensive course of drug treatment; **Stoßtrupp** *m* (*Mil*) raiding party; **Stoßverkehr** *m* rush-hour (traffic); **Stoßwaffe** *f* thrust weapon; **stoßweise** *adv* **1.** (*ruckartig*) spasmodically, by fits and starts; ~ **atmen** to pant; **2.** (*stapelweise*) by the pile; **Stoßzahn** *m* tusk; **Stoßzeit** *f* (*im Verkehr*) rush-hour; (*in Geschäft*) peak period, busy time.

Stotterei *f* (*inf*) stuttering; (*fig*) stuttering and stammering.

Stotterer *m* -s, -, **Stotterin** *f* stutterer.

stottern *vti* to stutter; (*Motor*) to splutter. **leicht/stark** ~ to have a slight/bad stutter, to stutter slightly/badly; **ins S**~ **kommen** to start stuttering; **etw auf S**~ **kaufen** (*inf*) to buy sth on the never-never (*Brit inf*) *or* on the cuff (*US inf*).

Stotzen *m* -s, - (*esp S Ger*) **1.** (*Baumstumpf*) (tree-)stump. **2.** (*Bottich*) tub, vat.

Stövchen *nt* (teapot- *etc*) warmer.

StPO [ɛsteːpeːˈʔoː] *f* - *abbr of* **Strafprozeßordnung.**

Str. *abbr of* **Straße** St.

stracks *adv* straight, immediately.

Strafandrohung *f* threat of punishment; **unter** ~ on *or* under threat of penalty; **Strafanstalt** *f* penal institution, prison; **Strafantrag** *m* action, legal proceedings *pl*; ~ **stellen** to institute legal proceedings; **Strafantritt** *m* commencement of (prison) sentence; **Strafanzeige** *f* ~ **gegen jdn erstatten** to bring a charge against sb; **Strafarbeit** *f* (*Sch*) punishment; (*schriftlich*) lines *pl*; **Strafaufschub** *m* (*Jur*) suspension of sentence; (*von Todesstrafe*) reprieve; **Strafaussetzung** *f* (*Jur*) suspension of sentence; ~ **zur Bewährung** probation; **Strafbank** *f* (*Sport*) penalty bench, sin-bin (*inf*).

strafbar *adj* Vergehen punishable. **~e Handlung** punishable offence; **das ist ~!** that's an offence; **sich** ~ **machen** to commit an offence.

Strafbataillon *nt* (*Mil*) punishment battalion; **Strafbefehl** *m* (*Jur*) order of summary punishment (from a local court, on the application of the DPP); **Strafbestimmung** *f* (*Jur*) penal laws *pl*, legal sanction.

Strafe *f* -, -n punishment; (*Jur, Sport*) penalty; (*Geld~*) fine; (*Gefängnis~*) sentence. **etw bei** ~ **verbieten** to make

sth punishable by law, to prohibit sth by law; **es ist bei** ~ **verboten, ...** it is a punishable *or* prosecutable offence ...; **etw unter** ~ **stellen** to make sth a punishable offence; **unter** ~ **stehen** to be a punishable offence; **bei** ~ **von** on pain *or* penalty of; **seine** ~ **abbüßen** *or* **absitzen** *or* **abbrummen** (*inf*) to serve one's sentence, to do one's time (*inf*); **eine** ~ **von drei Jahren Gefängnis** a three-year prison sentence; ~ **zahlen** to pay a fine; **100 Dollar** ~ **zahlen** to pay a $100 fine, to be fined $100; **zur** ~ as a punishment; ~ **muß sein!** discipline is necessary; **seine verdiente** *or* **gerechte** ~ **bekommen** to get one's just deserts, to be duly punished; **das ist die (gerechte)** ~ **dafür(, daß du gelogen hast)** that's your punishment (for lying), that's what you get (for lying); **etw als** ~ **empfinden** (*als lästig*) to find sth a bind (*inf*); (*als Bestrafung*) to see sth as a punishment; **dieses Kind ist eine** ~ this child is a pain (in the neck) (*inf*).

strafen **I** *vt* **1.** (*be~*) to punish. **jdn (für etw/mit etw)** ~ to punish sb (for sth/with sth); **mit etw gestraft sein** to be cursed with sth; **mit seinen Kindern/dieser Arbeit ist er wirklich gestraft** his children are a real trial to him/he finds this work a real bind (*inf*); **sie ist vom Schicksal gestraft** she is cursed by Fate, she has the curse of Fate upon her; **er ist gestraft genug** he has been punished enough; *siehe* **Verachtung.**

2. (*old Jur*) **jdn an seinem Leben/ Vermögen** ~ to sentence sb to death/to fine sb; *siehe* **Lüge.**

II *vi* to punish.

strafend *adj attr* punitive; *Blick, Worte* reproachful.

Strafentlassene(r) *mf decl as adj* ex-convict, discharged prisoner; **Strafentlassung** *f* discharge, release (from prison); **Straferlaß** *m* remission (of sentence); **straferschwerend** *adj Umstand* aggravating; **(als)** ~ **kam hinzu, daß ...** the offence/crime was compounded by the fact that ...; **strafexerzieren*** *vi insep* (*Mil*) to do punishment drill; **Strafexpedition** *f* punitive expedition.

straff *adj Seil* tight, taut; *Haut* smooth; *Busen* firm; *Haltung, Gestalt* erect; **(~ sitzend)** *Hose* tight, close-fitting; (*fig: streng*) *Disziplin, Organisation* strict, tight. ~ **sitzen** to fit tightly, to be close-fitting *or* tight; **etw** ~ **spannen** *or* **ziehen** to tighten sth; *Decke, Laken* to pull sth tight; **die Leine muß** ~ **gespannt sein** the line has to be tight; **das Haar** ~ **zurückkämmen** to comb one's hair back severely.

straffällig *adj* ~ **werden** to commit a criminal offence; **~e(r)S** *mf* offender.

straffen **I** *vt* to tighten; (*spannen*) *Seil, Leine auch* to tauten; (*raffen*) *Handlung, Darstellung* to make more taut, to tighten up. **sich** (*dat*) **die Gesichtshaut/ den Busen** ~ **lassen** to have a face-lift/to have one's breasts lifted.

II *vr* to tighten, to become taut;

(Haut) to become smooth; *(Busen)* to become firm; *(sich aufrichten)* to stiffen.

Straffheit *f, no pl siehe adj* tightness, tautness; smoothness; firmness; erectness; strictness.

straffrei *adj* ~ **bleiben/ausgehen** to go unpunished; **Straffreiheit** *f* impunity; exemption from punishment; **Strafgebühr** *f* surcharge; **Strafgefangene(r)** *mf* detainee, prisoner; **Strafgericht** *nt* criminal court; **ein** ~ **abhalten** to hold a trial; **das göttliche** *or* **himmlische** ~ divine judgement; **ein** ~ **brach über ihn herein** *(fig)* the wrath of God descended upon him; **Strafgerichtsbarkeit** *f* jurisdiction; **Strafgesetz** *nt* criminal *or* penal law; **Strafgesetzbuch** *nt* Criminal Code; **Strafgesetzgebung** *f* penal legislation; **Strafjustiz** *f* criminal justice *no art*; **Strafkammer** *f* division for criminal matters (of a court); **Strafkolonie** *f* penal colony; **Strafkompanie** *f* *(Mil)* punishment battalion; **Straflager** *nt* disciplinary *or* punishment camp.

sträflich I *adj (lit, fig)* criminal. II *adv* vernachlässigen criminally.

Sträfling *m* prisoner.

Sträflingskleidung *f* prison clothing.

Strafmandat *nt* ticket; **Strafmaß** *nt* sentence; **das höchste** ~ the maximum penalty *or* sentence; **strafmildernd** *adj* extenuating, mitigating; **Strafmilderung** *f* mitigation *or* commutation of the/a sentence; **Strafminute** *f (Sport)* penalty minute; **strafmündig** *adj* of the age of criminal responsibility; **Strafnachlaß** *m* remission; **Strafporto** *nt* excess postage; **Strafpredigt** *f* reprimand, dressing-down; **jdm eine** ~ **halten** to give sb a lecture *or* dressing-down; **Strafprozeß** *m* criminal proceedings *pl*, criminal action *or* case; **Strafprozeßordnung** *f* code of criminal procedure; **Strafraum** *m (Sport)* penalty area *or* *(Ftbl auch)* box; **Strafrecht** *nt* criminal law; **Strafrechtler(in** *f)* *m* **-s**, - expert in criminal law, penologist; **strafrechtlich** *adj* criminal; **jdn/etw** ~ **verfolgen** to prosecute sb/sth; **das ist aber kein** ~**es Problem** but that is not a problem of criminal law; **Strafregister** *nt* police *or* criminal records *pl*; *(hum inf)* record; **ein Eintrag im** ~ an entry in the police *or* criminal records *pl*; **einen Eintrag im** ~ **haben** to have a record; **er hat ein langes** ~ he has a long (criminal) record; *(hum inf)* he's got a bad record; **Strafrichter(in** *f)* *m* criminal judge; **Strafsache** *f* criminal matter; **Strafschuß** *m (Sport)* penalty (shot); **Strafsenat** *m* criminal division (of the Court of Appeal and Federal Supreme Court); **Strafstoß** *m (Ftbl etc)* penalty (kick); *(Hockey etc)* penalty (shot); **Straftat** *f* criminal offence *or* act; **Straftäter(in** *f)* *m* offender, criminal; **Strafumwandlung** *f (Jur)* commutation of a/the penalty; **Strafverbüßung** *f* serving of a sentence; **nach seiner** ~ after serving his sentence; **Strafverfahren** *nt* criminal proceedings *pl*, criminal action *or* case; **Strafverfolgung** *f* criminal prosecution;

strafverschärfend *adj siehe* **straferschwerend**; **strafversetzen*** *vt insep Beamte* to transfer for disciplinary reasons; **Strafversetzung** *f* (disciplinary) transfer; **Strafverteidiger(in** *f)* *m* counsel for the defence, defence counsel *or* lawyer; **Strafvollstreckung** *f* execution of the/a sentence; **Strafvollzug** *m* penal system; **offener** ~ non-confinement; **Strafvollzugsanstalt** *f (form)* penal institution; **Strafwurf** *m (Sport)* penalty throw; **Strafzettel** *m (inf)* ticket.

Strahl *m* **-(e)s, -en 1.** *(lit, fig)* ray; *(Licht*~ *auch)* shaft *or* beam of light; *(Sonnen*~*)* shaft of light; *(Radio*~, *Laser*~*)* beam; *(poet: das Leuchten)* light. **im** ~ **einer Taschenlampe** by the light *or* in the beam of a torch.

2. *(Wasser*~, *Luft*~*)* jet.

Strahlantrieb *m (Aviat)* jet propulsion.

Strahlemann *m, pl* **-männer** *(inf)* golden boy *(inf)*.

strahlen *vi* **1.** *(Sonne, Licht)* to shine; *(Sender)* to beam; *(glühen)* to glow *(vor* +*dat* with); *(Heizofen)* to radiate; *(radioaktiv)* to give off radioactivity.

2. *(leuchten)* to gleam, to sparkle; *(fig: Gesicht)* to beam. **der Himmel strahlte** the sky was bright; **das ganze Haus strahlte vor Sauberkeit** the whole house was sparkling clean; **was strahlst du so?** what are you beaming about?, what are you so happy about?; **er/sie strahlte vor Freude** he/she was beaming with happiness, she was radiant with happiness; **er strahlte (übers ganze Gesicht)** he was beaming all over his face; *siehe* **strahlend**.

strählen *vt (S Ger, Sw)* to comb.

Strahlenbehandlung *f (Med)* ray treatment; **Strahlenbelastung** *f* radiation; **Strahlenbiologie** *f* radiobiology; **Strahlenbündel** *nt* pencil of rays.

strahlend *adj* radiant; *Wetter, Tag* bright, glorious; *Gesicht auch* beaming; *(radioaktiv)* radioactive. ~**es Lachen** beaming smile, beam; **der Tag war** ~ **schön** a glorious day; **mit** ~**em Gesicht** with a beaming face; *(von Frau, Kind auch)* with a radiant face; **er sah sie** ~ **an** he beamed at her; **sie sah ihn** ~ **an** she looked at him, beaming *or* radiant with happiness.

Strahlendosis *f* dose of radiation; **strahlenförmig** *adj* radial; **sich** ~ **ausbreiten** to radiate out; **strahlengeschädigt** *adj* suffering from radiation damage; *Organ* damaged by radiation; **die S**~**en** *pl* the radiation victims; **Strahlenheilkunde** *f* radiotherapy; **strahlenkrank** *adj* radiation sick; **Strahlenkranke(r)** *mf* person with radiation sickness; **Strahlenkrankheit** *f* radiation sickness; **Strahlenpilz** *m* rayfungus; **Strahlenquelle** *f* source of radiation; **Strahlenschäden** *pl* radiation injuries *pl*; *(von Organ auch)* radiation damage *sing*; **Strahlenschutz** *m* radiation protection; **Strahlentherapie** *f* radiotherapy; **Strahlentod** *m* death through radiation; **Strahlentierchen** *nt* radiolarian; **strahlenverseucht** *adj* contaminated (with radiation); **Strahlenwaffe** *f* laser weapon.

Strahler *m* (*Lampe*) spotlight.

Strahlkraft *f* radiation intensity; **Strahlmaterial** *nt* radioactive material; **Strahltriebwerk** *nt* jet engine; **Strahlturbine** *f* turbo-jet.

Strahlung *f* radiation.

Strahlungsenergie *f* radiation *or* radiant energy; **Strahlungsgürtel** *m* Van Allen belt; **der ~ der Erde** the Van Allen belt; **Strahlungsintensität** *f* dose of radiation; **Strahlungswärme** *f* radiant heat.

Strahlverfahren *nt* (jet-)blasting.

Strähne *f* -, -n, **Strähn** *m* -(e)s, -e (*Aus*) (*Haar~*) strand; (*Längenmaß: Woll~, Garn~*) skein, hank.

strähnig *adj* Haar straggly. **das Haar fiel ihr ~ auf die Schultern** her hair fell in strands *or* in rats' tails (*pej inf*) on her shoulders.

Stramin *m* -s, -e evenweave (embroidery) fabric.

stramm *adj* (*straff*) Seil, Hose tight; *Seil auch* taut; (*schneidig*) Haltung, Soldat erect, upright; (*kräftig, drall*) Mädchen, Junge strapping; *Junge, Beine* sturdy; *Brust* firm; (*inf: tüchtig*) Marsch, Arbeit strenuous, tough, hard; *Tag, Programm* packed; *Leistung* solid; (*überzeugt*) staunch; (*sl: betrunken*) tight (*inf*). **~ sitzen** to stand *or* close-fitting, to fit tightly; **~e Haltung annehmen** to stand to attention; **~ arbeiten** (*inf*) to work hard, to get down to it (*inf*); **~ marschieren** (*inf*) to march hard; **~er Max** *open sandwich of boiled ham and fried egg*.

strammstehen *vi sep irreg* (Mil *inf*) to stand to attention; **strammziehen** *vt sep irreg* Seil, Hose to pull tight, to tighten; *Socken* to pull up; **jdm den Hosenboden** *or* **die Hosen ~** (*inf*) to give sb a good hiding (*inf*).

Strampelhöschen [-'hø:sçən] *nt* rompers *pl.*

strampeln *vi* **1.** to flail *or* thrash about; (*Baby*) to thrash about. **das Baby strampelte mit Armen und Beinen** the baby was kicking its feet and waving its arms about. **2.** *aux sein* (*inf: radfahren*) to pedal. **3.** (*inf: sich abrackern*) to (sweat and) slave.

Strampelsack *m* (*für Säuglinge*) carrynest.

Strand *m* -(e)s, ˟e (*Meeres~*) beach, strand (*poet*); (*Seeufer*) shore; (*poet: Flußufer*) bank. **am ~** on the beach.

Strandanzug *m* beach suit; **Strandbad** *nt* (seawater) swimming pool; (*Badeort*) bathing resort.

stranden *vi aux sein* to run aground, to be stranded; (*fig*) to fail.

Strandgut *nt* (*lit, fig*) flotsam and jetsam; **Strandhafer** *m* marram (grass); **Strandhaubitze** *f*: **blau** *or* **voll wie eine ~** (*inf*) as drunk as a lord (*inf*), rolling drunk (*inf*); **Strandhotel** *nt* seaside hotel; **Strandkleidung** *f* beachwear; **Strandkorb** *m* wicker beach chair with a hood; **Strandläufer** *m* (*Orn*) sand-

piper; **Strandpromenade** *f* promenade; **Strandrecht** *nt* right of salvage.

Strandvogt *m* beach warden; **Strandwache** *f* lifeguard; (*Dienst*) lifeguard duty; **Strandwächter(in** *f*) *m* lifeguard; **Strandweg** *m* beach path.

Strang *m* -(e)s, ˟e (*Nerven~, Muskel~*) cord; (*Strick auch*) rope; (*Woll~, Garn~*) hank, skein; (*am Pferdegeschirr*) trace, tug; (*Rail: Schienen~*) track. **jdn zum Tod durch den ~ verurteilen** to sentence sb to be hanged; **der Tod durch den ~** death by hanging; **am gleichen** *or* **an demselben ~ ziehen** (*fig*) to act in concert; **über die ˟e schlagen** *or* **hauen** (*inf*) to get carried away (*inf*).

Strangulation *f* strangulation.

strangulieren* *vt* to strangle.

Strapaze *f* -, -n strain.

strapazfähig *adj* (*Aus*) siehe **strapazierfähig.**

strapazieren* **I** *vt* to be a strain on, to take a lot out of; *Schuhe, Kleidung* to be hard on, to give a lot of hard wear to; (*fig inf*) Redensart, Begriff to flog (to death) (*inf*); Nerven to strain, to try. **II** *vr* to tax oneself.

strapazierfähig *adj* Schuhe, Kleidung hard-wearing, durable; (*fig inf*) Nerven strong, tough.

strapaziös *adj* (*lit, fig*) wearing, exhausting.

Straps *m* -es, -e suspender belt (*Brit*), garter belt (*US*).

Straß *m* - *or* -sses, *no pl* paste.

straßauf *adv*: **~, straßab** up and down the street.

Straßburg *nt* -s Strasbourg, Strassburg.

Straße *f* -, -n **1.** road; (*in Stadt, Dorf*) street, road (*Brit*); (*kleine Land~*) lane. **an der ~** by the roadside; **auf die ~ gehen** (*lit*) to go out on the street; (*als Demonstrant*) to take to the streets, to go out into the streets; **auf der ~ liegen** (*fig inf*) to be out of work; (*als Wohnungsloser*) to be on the streets; (*als Faulenzer, Asozialer*) to hang around the streets *or* around street corners; (*Kraftfahrer*) to have broken down; **auf die ~ gesetzt werden** (*inf*) to be turned out (onto the streets); (*als Arbeiter*) to be sacked (*inf*), to get the sack (*inf*); **über die ~ gehen** to cross the road/street); **er wohnt drei ~n weiter** he lives three blocks further on; **er ist aus unserer ~** he's from our street; **davon spricht die ganze ~** the whole street's talking about it; **Verkauf über die ~** take-away (*Brit*) *or* take-out (*US*) sales; (*von Getränken*) off-licence sales (*Brit*), package store sales *pl* (*US*); **etw über die ~ verkaufen** to sell sth to take away (*Brit*) *or* to take out (*US*); **das Geld liegt/liegt nicht auf der ~** money is there for the asking/ money doesn't grow on trees; **der Mann auf der ~** (*fig*) the man in the street.

2. (*Meerenge*) strait(s *pl*). **die ~ von Dover/Gibraltar/Messina** the Straits of Dover/Gibraltar/Messina.

3. (*Mob, Pöbel*) **die ~** the masses *pl*, the rabble.

4. (*Tech*) (*Fertigungs~*) (production)

line; (*Walz~*) train.
Straßenanzug *m* lounge suit (*Brit*), business suit (*US*); **Straßenarbeiten** *pl* roadworks *pl*; **Straßenarbeiter** *m* roadmender.
Straßenbahn *f* (*Wagen*) tram (*Brit*), streetcar (*US*); (*Netz*) tramway(s) (*Brit*), streetcar system (*US*).
Straßenbahner(in *f*) *m* -s, - (*inf*) tramway (*Brit*) *or* streetcar (*US*) employee.
Straßenbahnfahrer(in *f*) *m* tram/streetcar driver, motorman (*US*); **Straßenbahnhaltestelle** *f* tram/streetcar stop; **Straßenbahnlinie** *f* tramline (*Brit*), tram route (*Brit*), streetcar line (*US*); **mit der ~ 11 fahren** to take the number 11 tram/streetcar; **Straßenbahnschaffner(in** *f*) *m* tram/streetcar conductor; **Straßenbahnschiene** *f* tramline (*Brit*), tram (*Brit*) *or* streetcar (*US*) rail.
Straßenbau *m* road construction; **Straßenbauamt** *nt* highways *or* (*städtisch*) roads department; **Straßenbekanntschaft** *f* passing *or* nodding acquaintance; **Straßenbelag** *m* road surface; **Straßenbeleuchtung** *f* street lighting; **Straßenbenutzungsgebühr** *f* (road) toll; **Straßenbild** *nt* street scene; **Straßenböschung** *f* embankment; **Straßenbreite** *f* width of a/the road; **Straßendecke** *f* road surface; **Straßendorf** *nt* linear village; **Straßenecke** *f* street corner; **ein paar ~n weiter** a few blocks further; **Straßeneinmündung** *f* road junction; **Straßenfeger(in** *f*) *m* -s, - road sweeper; **Straßenfest** *nt* street party; **Straßenführung** *f* route; **Straßengabelung** *f* fork (in a/the road); **Straßenglätte** *f* slippery road surface; **Straßengraben** *m* ditch; **Straßenhandel** *m* street trading; **Straßenhändler(in** *f*) *m* street trader; (*mit Obst, Fisch auch*) costermonger; **Straßenjunge** *m* (*pej*) street urchin, street arab; **Straßenkampf** *m* street fighting *no pl*; **Straßenkämpfer(in** *f*) *m* street fighter; **Straßenkarte** *f* street map; **Straßenkehrer(in** *f*) *m* -s, - road sweeper; **Straßenkleid** *nt* outdoor dress; **Straßenkreuzer** *m* -s, - (*inf*) limousine; **Straßenkreuzung** *f* crossroads *sing or pl*, intersection (*US*); **Straßenlage** *f* (*Aut*) road holding; **dieses Auto hat eine gute ~** this car holds the road well or has good road holding; **Straßenlärm** *m* street noise; **Straßenlaterne** *f* street lamp; **Straßenmädchen** *nt* (*dated*) streetwalker, prostitute; **Straßenmeisterei** *f* road maintenance department; **Straßenmusikant(in** *f*) *m* street musician; **Straßenname** *m* street name; **Straßennetz** *nt* road network *or* system; **Straßenpflaster** *n* (road) surface; **Straßenrand** *m* roadside; **Straßenraub** *m* mugging (*inf*), street robbery; (*durch Wegelagerer*) highway robbery; **Straßenräuber** *m* (*dated*) mugger (*inf*), thief, footpad (*old*); (*Wegelagerer*) highwayman; **Straßen-**

reinigung *f* street cleaning; **Straßenrennen** *nt* road race; **Straßensammlung** *f* street collection; **Straßensänger(in** *f*) *m* street singer; **Straßenschäden** *pl* damage *sing* to the road surface; „**Achtung ~**" "uneven road surface"; **Straßenschild** *nt* street sign; **Straßenschlacht** *f* street battle; **Straßenschuh** *m* walking shoe; **Straßenseite** *f* side of a/the road; **Straßensperre** *f* roadblock; **Straßensperrung** *f* closing (off) of a/the road; **Straßenstrich** *m* (*inf*) walking the streets, street-walking; (*Gegend*) red-light district; **auf den ~ gehen** to walk the streets; **Straßentheater** *nt* street theatre; **Straßentunnel** *m* (road) tunnel; **Straßenüberführung** *f* footbridge, pedestrian bridge; **Straßenunterführung** *f* underpass, subway; **Straßenverhältnisse** *pl* road conditions *pl*; **Straßenverkauf** *m* street-trading; take-away (*Brit*) or take-out (*US*) sales *pl*; (*Außer-Haus-Verkauf*) (*von alkoholischen Getränken*) off-licence sales *pl* (*Brit*), package store sales *pl* (*US*); (*Verkaufsstelle*) take-away (*Brit*), take-out (*US*); (*für alkoholische Getränke*) off-licence (*Brit*), package store (*US*); **Straßenverkäufer(in** *f*) *m* street seller *or* vendor; (*von Obst, Fisch etc auch*) costermonger; **Straßenverkehr** *m* traffic; **Straßenverkehrsordnung** *f* (*Jur*) Road Traffic Act; **Straßenverzeichnis** *nt* index of street names; (*in Buchform auch*) street directory; **Straßenwacht** *f* road patrol; **Straßenwalze** *f* road-roller, steam roller; **Straßenzug** *m* street; **Straßenzustand** *m* road conditions *pl*; **Straßenzustandsbericht** *m* road report.
Stratege *m* -n, -n strategist.
Strategie *f* strategy.
Strategiepapier *nt* (*Pol*) strategy document.
Strategin *f* strategist.
strategisch *adj* strategic.
stratifizieren* *vt* (*Geol, Agr*) to stratify.
Stratosphäre *f* -, *no pl* stratosphere.
stratosphärisch *adj* stratospheric.
Stratus *m* -, **Strati**, **Stratuswolke** *f* (*Met*) stratus (cloud).
sträuben I *vr* 1. (*Haare, Fell*) to stand on end; (*Gefieder*) to become ruffled. **der Katze sträubt sich das Fell** (*aggressiv*) the cat raises its hackles; **da ~ sich einem die Haare** it's enough to make your hair stand on end.
   2. (*fig*) to resist (*gegen etw* sth). **die Feder/die Zunge sträubt sich, das zu schildern** (*geh*) one hesitates to put it down on paper/to say it; **es sträubt sich alles in mir, das zu tun** I am most reluctant to do it.
   II *vt Gefieder* to ruffle.
Strauch *m* -(e)s, **Sträucher** bush, shrub.
Strauchdieb *m* (*old*) footpad (*old*).
straucheln *vi aux sein* 1. (*geh: stolpern*) to stumble, to trip. 2. (*fig*) (*auf die schiefe Bahn geraten*) to transgress; (*Mädchen*) to go astray. **die Gestrauchelten** the

reprobates.

Strauchwerk *nt, no pl (Gebüsch)* bushes *pl*, shrubs *pl*; *(Gestrüpp)* undergrowth.

Strauß¹ *m -es, -e* ostrich. **wie der Vogel ~** like an ostrich.

Strauß² *m -es, Sträuße* **1.** bunch; *(Blumen~)* bunch of flowers; *(als Geschenk)* bouquet, bunch of flowers; *(kleiner ~, Biedermeier~)* posy. **einen ~ binden** to tie flowers/twigs into a bunch; *(Blumen~ auch)* to make up a bouquet.

2. *(old: Kampf, fig)* struggle, battle. **mit jdm einen harten ~ ausfechten** *(lit, fig)* to have a hard struggle *or* fight with sb.

Straußenfeder *f* ostrich feather *or* plume.

Strauß(en)wirtschaft *f (Aus)* place which sells home-grown wine when a broom is displayed outside.

Streb *m -(e)s, -e (Min)* coal face. **im ~ arbeiten** to work on the coal face.

Strebe *f -, -n* brace, strut; *(Decken~)* joist; *(von Flugzeug)* strut.

Strebebalken *m* diagonal brace *or* strut; **Strebebogen** *m* flying buttress.

streben *vi (geh)* **1.** *(den Drang haben, sich bemühen)* to strive *(nach, an +acc, zu* for); *(Sch pej)* to swot *(inf)*. **danach ~, etw zu tun** to strive to do sth; **die Pflanze strebt nach Licht** the plant seeks the light; **der Fluß strebt zum Meer** the river flows towards the sea.

2. *aux sein (sich bewegen)* **nach** *or* **zu etw ~** to make one's way to sth; *(Armee)* to push towards sth.

3. *aux sein* **in die Höhe/zum Himmel ~** to rise *or* soar aloft.

Streben *nt -s, no pl* **1.** *(Drängen, Sinnen)* striving *(nach* for); *(nach Ruhm, Geld)* aspiration *(nach* to); *(Bemühen)* efforts *pl*. **2.** *(Tendenz)* shift, movement.

Strebepfeiler *m* buttress.

Streber(in *f) m -s, - (pej inf)* pushy person; *(Sch)* swot *(inf)*.

strebsam *adj* assiduous, industrious.

Strebsamkeit *f, no pl* assiduity, industriousness.

Streckbett *nt (Med)* orthopaedic bed *with traction facilities.*

Strecke *f -, -n* **1.** *(Entfernung zwischen zwei Punkten, Sport)* distance; *(Math)* line *(between two points)*. **eine ~ zurücklegen** to cover a distance; **eine ziemliche** *or* **gute ~ entfernt sein** *(lit, fig)* to be a long way away.

2. *(Abschnitt) (von Straße, Fluß)* stretch; *(von Bahnlinie)* section.

3. *(Weg, Route)* route; *(Straße)* road; *(Bahnlinie, Sport: Bahn)* track; *(fig: Passage)* passage. **welche ~ bist du gekommen?** which way *or* route did you come?; **für die ~ London-Glasgow brauchen wir 5 Stunden** the journey from London to Glasgow will take us 5 hours; **auf der ~ sein** to be in the race; **auf** *or* **an der ~ Paris-Brüssel** on the way from Paris to Brussels; **auf der ~ arbeiten** *(Rail)* to work on the track; **auf freier** *or* **offener ~** *(esp Rail)* on the open line, between stations; **auf weite ~n (hin)** *(lit, fig)* for long stretches; **auf der ~ bleiben** *(bei Rennen)* to drop out of the running;

(in Konkurrenzkampf) to fall by the wayside.

4. *(Hunt) (Jagdbeute)* bag, kill. **zur ~ bringen** to bag, to kill; *(fig) Verbrecher* to hunt down.

5. *(Min)* gallery.

strecken I *vt* **1.** *Arme, Beine, Oberkörper* to stretch; *Hals* to crane; *(Sch: sich melden)* Finger, Hand to raise, to put up. **den Kopf aus dem Fenster/durch die Tür ~** to stick one's head out of the window/through the door; **jdn zu Boden ~** to knock sb to the floor.

2. *(im Streckverband) Bein, Arm* to straighten.

3. *(Metal) Blech, Eisen* to hammer out.

4. *(inf: absichtlich verlängern) Vorräte, Geld* to eke out, to stretch; *Arbeit* to drag out *(inf)*; *Essen* to make go further; *(verdünnen)* to thin down, to dilute.

II *vr (sich recken)* to have a stretch, to stretch; *(inf: wachsen)* to shoot up *(inf)*.

Streckenabschnitt *m (Rail)* section of the line *or* track, track section; **Streckenarbeiter** *m (Rail)* plate-layer; **Streckenbegehung** *f (Rail)* track inspection; **Streckenführung** *f (Rail)* route; **Streckennetz** *nt* rail network; **Streckenrekord** *m (Sport)* track record; **Streckenstillegung** *f (Rail)* line closure; **Streckenwärter** *m (Rail)* track inspector; **streckenweise** *adv* in parts *or* places.

Strecker *m -s, -,* **Streckmuskel** *m (Anat)* extensor (muscle).

Streckverband *m (Med)* bandage used in traction.

Streetworker ['striːtwøːkɐ, -wœːkɐ] *m -s, - (Sozialarbeiter)* community worker.

Streich *m -(e)s, -e* **1.** *(Schabernack)* prank, trick. **jdm einen ~ spielen** *(lit)* to play a trick on sb; *(fig: Gedächtnis)* to play tricks on sb; **immer zu ~en aufgelegt sein** to be always up to pranks *or* tricks.

2. *(old, liter)* blow; *(mit Rute, Peitsche)* stroke, lash. **auf einen ~** at one blow; *(fig auch)* in one go *(inf)*.

Streichel|einheiten *pl* tender loving care *sing.*

streicheln *vti* to stroke; *(liebkosen)* to caress. **jdm die Wange/das Haar ~** to stroke/caress sb's cheek/hair.

streichen *pret* **strich**, *ptp* **gestrichen I** *vt*

1. to stroke. **etw glatt~** to smooth sth (out); **sich** *(dat)* **die Haare aus dem Gesicht/der Stirn ~** to push one's hair back from one's face/forehead; *siehe* **gestrichen.**

2. *(auftragen) Butter, Brot* to spread; *Salbe, Farbe* to apply, to put on. **sich** *(dat)* **ein Brot (mit Butter) ~** to butter oneself a slice of bread; **sich ~ lassen** to spread easily.

3. *(an~: mit Farbe)* to paint. **frisch gestrichen!** wet paint.

4. *Geige, Cello* to bow.

5. *(tilgen) Zeile, Satz* to delete, to cross out; *Auftrag, Plan, Zug* to cancel; *Schulden* to write off; *Zuschuß* to cut. **jdn/etw von** *or* **aus der Liste ~** to take sb/sth off the list, to delete sb/sth from the list; **etw aus seinem Gedächtnis ~** (*geh*) to erase sth from one's memory. **6.** (*Naut*) *Segel, Flagge, Ruder* to strike.

II *vi* **1.** (*über etw hinfahren*) to stroke. **mit der Hand über etw** (*acc*) **~** to stroke sth (with one's hand).

2. *aux sein* (*streifen*) to brush past (*an etw* (*dat*) sth); (*Wind*) to waft. **um/durch etw ~** (*herum~*) to prowl around/ through sth; **die Katze strich mir um die Beine** the cat rubbed against my legs; **durch den Wald/die Felder ~** (*old, geh*) to ramble *or* wander through the woods/fields.

3. *aux sein* (*Vögel*) to sweep (*über* +*acc* over).

4. (*malen*) to paint.

Streicher *pl* (*Mus*) strings *pl*.

streichfähig *adj* easy to spread; **streichfertig** *adj* ready to use *or* apply; **Streichholz** *nt* match; **Streichholz-schachtel** *f* matchbox; **Streichin-strument** *nt* string(ed) instrument; **die ~e** the strings; **Streichkäse** *m* cheese spread; **Streichmusik** *f* music for strings; **Streichorchester** *nt* string orchestra; **Streichquartett** *nt* string quartet; **Streichriemen** *m* strop.

Streichung *f* (*Tilgung*) (*von Zeile, Satz*) deletion; (*Kürzung*) cut; (*von Auftrag, Plan, Zug*) cancellation; (*von Schulden*) writing off; (*von Zuschüssen*) cutting.

Streichwurst *f* sausage for spreading, ≈ meat paste.

Streifband *nt* wrapper.

Streifbanddepot *nt* (*Fin*) individual safe-deposit box room; **Streifbandzeitung** *f* *newspaper sent at printed paper rate*.

Streife *f* **-, -n** (*Patrouille*) patrol. **auf ~ gehen/sein** to go/be on patrol; **seine ~ machen** to do one's rounds, to patrol; **ein Polizist auf ~** a policeman on his beat.

streifen I *vt* **1.** (*flüchtig berühren*) to touch, to brush (against); (*Kugel*) to graze; (*Billardkugel*) to kiss; (*Auto*) to scrape. **jdn an der Schulter ~** to touch sb on the shoulder; **jdn mit einem Blick ~** to glance fleetingly at sb.

2. (*fig: flüchtig erwähnen*) to touch (up)on.

3. (*ab~, überziehen*) **die Schuhe von den Füßen ~** to slip one's shoes off; **den Ring vom Finger ~** to slip *or* take the ring off one's finger; **sich** (*dat*) **die Hand-schuhe über die Finger ~** to pull on one's gloves; **er streifte sich** (*dat*) **den Pullover über den Kopf** (*an-/ausziehen*) he slipped the pullover on/off over his head.

II *vi* (*geh*) **1.** *aux sein* (*wandern*) to roam, to wander; (*Fuchs*) to prowl. **(ziellos) durch das Land/die Wälder ~** to roam the country/the forests.

2. *aux sein* (*flüchtig berühren: Blick*) **sie ließ ihren Blick über die Menge ~** she scanned the crowd.

3. (*fig: grenzen*) to border (*an* +*acc* on).

Streifen *m* **-s, -** **1.** (*Stück, Band*) strip;

(*Speck~*) rasher. **ein ~ Land** *or* **Landes** (*geh*)/**Speck** a strip of land/bacon. **2.** (*Strich*) stripe; (*Farb~*) streak. **3.** (*Loch~, Klebe~*) tape. **4.** (*Tresse*) braid; (*Mil*) stripe. **5.** (*Film*) film; (*Abschnitt*) strip of film.

6. (*Linie*) line.

Streifendienst *m* patrol duty; **Streifen-muster** *nt* stripy design *or* pattern; **ein Anzug mit ~** a striped suit; **Streifenpolizei** *f* patrol police; **Streifenpolizist(in** *f)* *m* policeman/ policewoman on patrol; **Streifenwagen** *m* patrol car.

streifig *adj* streaky.

Streiflicht *nt* (*fig*) highlight; **ein ~ auf etw** (*acc*) **werfen** to highlight sth; **Streif-schuß** *m* graze; **Streifzug** *m* raid; (*Bummel*) expedition; (*fig: kurzer Überblick*) brief survey (*durch* of).

Streik *m* **-(e)s, -s** *or* (*rare*) **-e** strike. **zum ~ aufrufen** to call a strike; **jdn zum ~ aufrufen** to call sb out on strike; **in den ~ treten** to come out *or* go on strike.

Streikaufruf *m* strike call; **Streik-brecher(in** *f)* *m* **-s, -** strikebreaker, blackleg (*pej*), scab (*pej*).

streiken *vi* to be on strike, to strike; (*in den Streik treten*) to come out *or* go on strike, to strike; (*hum inf*) (*nicht funktionieren*) to pack up (*inf*); (*Magen*) to protest; (*Gedächtnis*) to fail. **der Kühlschrank streikt schon wieder** (*inf*) the fridge has packed up again (*inf*) *or* is on the blink again (*inf*); **wenn ich heute abwaschen soll, streike ich** (*inf*) if I have to do the washing up today, I'll go on strike (*inf*).

Streikende(r) *mf decl as adj* striker.

Streikgeld *nt* strike pay; **Streikkasse** *f* strike fund; **Streikposten** *m* picket; **~ aufstellen** to put up pickets; **~ stehen** to picket; **Streikrecht** *nt* right *or* freedom to strike; **Streikwelle** *f* wave *or* series of strikes.

Streit *m* **-(e)s, -e** **1.** argument (*über* +*acc* about); (*leichter*) quarrel, squabble; (*zwischen Eheleuten, Kindern auch*) fight; (*Fehde*) feud; (*Auseinander-setzung*) dispute. **~ haben** to be arguing *or* quarrelling; **wegen etw mit jdm (ei-nen) ~ haben** to argue with sb about sth, to have an argument with sb about sth; **wegen einer Sache ~ bekommen** to get into an argument over sth; **~ anfangen** to start an argument; **~ suchen** to be looking for an argument *or* a quarrel; **in ~ liegen** (*Gefühle*) to conflict; **mit jdm in ~ liegen** to be at loggerheads with sb.

2. (*old, liter: Kampf*) battle. **zum ~(e) rüsten** to arm oneself for battle.

Streit|axt *f* (*Hist*) battleaxe.

streitbar *adj* **1.** (*streitlustig*) pugnacious. **2.** (*old: tapfer*) valiant.

streiten *pret* **stritt,** *ptp* **gestritten I** *vi* **1.** to argue; (*leichter*) to quarrel, to squabble; (*Eheleute, Kinder auch*) to fight; (*Gefühle*) to conflict; (*Jur: pro-zessieren*) to take legal action. **mit Waffen/Fäusten ~** to fight with weapons/one's fists; **Scheu und Neugier**

stritten in ihr she had conflicting feelings of shyness and curiosity; **die S~den** the arguers, the people fighting; **es wird immer noch gestritten, ob ...** the argument about whether ... is still going on.

2. über etw (acc) **~** to dispute or argue about or over sth; (Jur) to go to court over sth; **darüber kann man** or **läßt sich ~** that's a debatable or moot point; **die ~den Parteien** (Jur) the litigants.

3. (old, liter) (kämpfen) to fight; (in Wettbewerb) to compete (um for).

II vr to argue, to quarrel, to squabble; (Eheleute, Kinder auch) to fall out. **wir wollen uns deswegen nicht ~!** don't let's fall out over that!; **man streitet sich, ob ...** there is argument as to whether ...

Streiter(in f) m -s, - (geh) fighter (für for); (für Prinzip auch) champion (für of).

Streiterei f (inf) arguing no pl; quarrelling no pl; (zwischen Eheleuten, Kindern auch) fighting no pl. **eine ~** an argument.

Streitfall m dispute, conflict; (Jur) case; **im ~** in case of dispute or conflict; **Streitfrage** f dispute; **Streitgegenstand** m matter in dispute; (strittiger Punkt) matter of dispute; **Streitgespräch** nt debate, discussion; (Liter, Univ auch) disputation; **Streithahn** m (inf) squabbler; **Streithammel** m (inf), **Streithans(e)l** m -s, - (S Ger, Aus inf) quarrelsome person.

streitig adj jdm das Recht auf etw (acc) **~ machen** to dispute sb's right to sth.

Streitigkeiten pl quarrels pl, squabbles pl.

Streitkräfte pl forces pl, troops pl; **streitlustig** adj (geh) argumentative; (aggressiv) aggressive; **Streitmacht** f armed forces pl; **Streitroß** nt war-horse; **Streitsache** f dispute; (Jur) case; **Streitschrift** f polemic; **Streitsucht** f quarrelsomeness; **streitsüchtig** adj quarrelsome; **Streitwagen** m (Hist) chariot; **Streitwert** m (Jur) amount in dispute.

streng adj **1.** strict; Regel, Kontrolle auch, Maßnahmen stringent; Bestrafung severe; Anforderungen rigorous; Ausdruck, Blick, Gesicht stern; Sitten, Disziplin auch rigid; Stillschweigen, Diskretion absolute; Mode, Schnitt severe; Kritik, Urteil harsh, severe; Richter severe, stern; Lebensführung, Schönheit, Form austere; Examen stiff; **~ durchgreifen** to take rigorous or stringent action; **~ gegen sich selbst sein** to be strict or severe on or with oneself; **sich ~ an etw halten** to keep strictly or rigidly to sth, to observe sth strictly or rigidly; **~ geheim** top secret; **~ vertraulich** strictly confidential; **~ nach Vorschrift** strictly according to regulations; **~(stens) verboten!** strictly prohibited.

2. (durchdringend) Geruch, Geschmack pungent; Frost, Kälte, Winter intense, severe.

3. (~gläubig) Katholik, Moslem strict.

Strenge f -, no pl siehe adj **1.** strictness;

stringency; severity; rigorousness; sternness; rigidity; absoluteness; severity; harshness, severity; severity, sternness; austerity; stiffness. **2.** pungency; intensity, severity. **3.** strictness.

strenggenommen adv strictly speaking; (eigentlich) actually; **strenggläubig** adj strict; **strengnehmen** vt sep irreg to take seriously; **es mit etw ~ sein** to be strict about sth; **wenn man es strengnimmt** strictly speaking.

Streptokokken [ʃtrɛptoˈkɔk(ə)n, st-] pl (Med) streptococci pl.

Stresemann m -s, no pl formal, dark suit with striped trousers.

Streß [ʃtrɛs, st-] m -sses, -sse (alle Bedeutungen) stress. **der tägliche ~ im Büro** the daily stress or hassle (inf) in the office; **im ~ sein** to be under stress; **ich bin heute im ~** I'm feeling hassled today (inf).

stressen vt to put under stress. **gestreßt sein** to be under stress.

streßfrei adj stress-free; **streßgeplagt** adj under stress; **~e Manager** highly stressed executives, executives suffering from stress.

streßig adj stressful.

Streßkrankheit f stress disease; **Streßsituation** f stress situation.

Stretchstoff ['strɛtʃ-] m stretch fabric.

Streu f -, no pl straw; (aus Sägespänen) sawdust.

streuen I vt Futter, Samen to scatter; Blumen auch to strew; Dünger, Stroh, Sand, Kies to spread; Gewürze, Zucker to sprinkle; Straße, Gehweg to grit; to salt. **die Regierung ließ ~, daß ...** the government gave reason to believe, that ... **II** vi **1.** (Streumittel anwenden) to grit; to put down salt. **2.** (Salzstreuer) to sprinkle. **3.** (Linse, Gewehr) to scatter.

Streuer m -s, - shaker; (Salz~) cellar; (Pfeffer~) pot; (Zucker~ auch) castor; (Mehl~ auch) dredger.

Streufahrzeug nt gritter, sander.

streunen vi **1.** to roam about, to wander about or around; (Hund, Katze) to stray. **2.** aux sein **durch etw/in etw** (dat) **~** to roam or wander through/around sth.

Streupflicht f obligation on householder to keep area in front of house gritted in icy weather; **Streusalz** nt salt (for icy roads); **Streusand** m sand; (für Straße) grit.

Streusel nt -s, - (Cook) crumble (mixture).

Streuselkuchen m thin sponge cake with crumble topping.

Streuung f (Statistik) mean variation; (Phys) scattering.

Streuwagen m (road) gritter; **Streuzucker** m (grob) granulated sugar; (fein) castor sugar.

strich pret of **streichen**.

Strich m -(e)s, -e **1.** line; (Quer~) dash; (Schräg~) oblique, slash (esp US); (Feder~, Pinsel~) stroke; (von Land) stretch. **etw mit (ein paar) knappen ~en zeichnen** (lit, fig) to sketch or outline sth with a few brief strokes; **jdm einen ~**

durch die Rechnung/einen Plan machen to thwart sb's plans/plan; **einen ~ (unter etw** *acc***) machen** *or* **ziehen** (*fig*) to forget sth; **unterm ~ sein** (*inf*) not to be up to scratch; **unterm ~** at the final count; **sie ist nur noch ein ~ (in der Landschaft** *hum***)** (*inf*) she's as thin as a rake now.
2. (*von Teppich*) pile; (*von Samt auch, von Gewebe*) nap; (*von Fell, Haar*) direction of growth. **gegen den ~ bürsten** (*lit*) to brush the wrong way; **es geht (mir) gegen den ~** (*inf*) it goes against the grain; **jdn nach ~ und Faden versohlen** (*inf*) to give sb a thorough *or* good hiding.
3. (*Mus: Bogen~*) stroke, bow. **einen harten/weichen ~ haben** to bow heavily/lightly.
4. (*inf*) (*Prostitution*) prostitution *no art*; (*Bordellgegend*) red-light district. **auf den ~ gehen** to be/go on the game (*sl*), to be/become a prostitute.
5. (*von Schwalben*) flight.
Strichätzung *f* (*Typ*) line etching; **Strichcode** *m* bar code (*Brit*), universal product code (*US*).
stricheln I *vi* to sketch it in; (*schraffieren*) to hatch. **II** *vt* to sketch in; to hatch. **eine gestrichelte Linie** a broken line.
Stricher *m* -s, - (*pej*) rent boy (*inf*).
Strichjunge *m* (*inf*) rentboy; **Strichmädchen** *nt* (*inf*) tart (*inf*), hooker (*esp US sl*); **Strichliste** *f* check list; **Strichpunkt** *m* semi-colon; **strichweise** *adv* (*Met*) here and there; **~ Regen** rain in places; **Strichzeichnung** *f* line drawing.
Strick¹ *m* -(e)s, -e **1.** rope; (*dünner, als Gürtel*) cord. **jdm aus etw einen ~ drehen** to use sth against sb; **zum ~ greifen** (*inf*) to hang oneself; **dann kann ich mir einen ~ nehmen** *or* **kaufen** (*inf*) I may as well pack it all in (*inf*).
2. (*inf: Schelm*) rascal.
Strick² *m* (*inf*) knitwear.
Strickarbeit *f* knitting *no pl*; **eine ~** a piece of knitting; **Strickbeutel** *m* knitting bag.
stricken *vti* to knit.
Stricker(in *f***)** *m* -s, - knitter.
Strickerei *f* **1.** knitting *no indef art, no pl*. **2.** (*Betrieb*) knitware factory.
Strickgarn *nt* knitting wool; **Strickhandschuhe** *pl* knitted gloves *pl*; **Strickjacke** *f* cardigan; **Strickkleid** *nt* knitted dress; **Strickleiter** *f* rope ladder; **Strickmaschine** *f* knitting machine; **Strickmuster** *nt* (*lit*) knitting pattern; (*fig*) pattern; **Stricknadel** *f* knitting needle; **Strickwaren** *pl* knitwear *sing*; **Strickweste** *f* knitted waistcoat; (*mit Ärmeln*) cardigan; **Strickwolle** *f* knitting wool; **Strickzeug** *nt* knitting.
Striegel *m* -s, - currycomb.
striegeln I *vt* **1.** to curry(comb); (*fig inf: kämmen*) to comb. **2.** (*inf: hart behandeln*) **jdn ~** to put sb through the hoop (*inf*). **II** *vr* (*inf*) to spruce oneself up.
Strieme *f* -, -n, **Striemen** *m* -s, - weal.
striemig *adj Haut* marked with weals.
stringent *adj* (*geh*) stringent; *Handlung*

tight. **etw ~ nachweisen** to provide rigorous proof for sth.
strikt [ʃtrɪkt, st-] *adj* strict.
Strip [ʃtrɪp, strɪp] *m* -s, -s (*inf*) strip(tease).
Strippe *f* -, -n (*inf*) **1.** (*Bindfaden*) string. **2.** (*Telefonleitung*) phone, blower (*Brit inf*). **an der ~ hängen/sich an die ~ hängen** to get/be on the phone *or* blower (*Brit sl*); **jdn an der ~ haben** to have sb on the line *or* phone *or* blower (*Brit sl*).
strippen [ʃtrɪpn, ʹstrɪpn] *vi* to strip, to do a striptease act.
Stripper(in *f***)** [ʹʃtrɪpɐ, -ərɪn, st-] *m* -s, - (*inf*) stripper.
Striptease [ʹstrɪptiːs, st-] *m or nt* -, *no pl* striptease.
Stripteasetänzer(in *f***)** [ʹstrɪptiːs-, st-] *m* stripper.
stritt *pret of* **streiten**.
strittig *adj* contentious, controversial. **noch ~** still in dispute.
Strizzi *m* -s, -s (*Aus inf*) pimp.
Stroboskop *nt* -s, -e stroboscope.
Stroboskopblitz *m* stroboscopic light.
stroboskopisch *adj* stroboscopic.
Stroboskoplampe *f* strobe light.
Stroh *nt* -(e)s, *no pl* straw; (*Dach~*) thatch. **~ im Kopf haben** (*inf*) to have sawdust between one's ears (*inf*); *siehe* **dreschen**.
Strohballen *m* bale of straw; **strohblond** *adj Mensch* flaxen-haired; *Haare* flaxen, straw-coloured; **Strohblume** *f* strawflower; **Strohdach** *nt* thatched roof; **strohdumm** *adj* thick (*inf*); **strohfarben** *adj* straw-coloured; *Haare auch* flaxen; **Strohfeuer** *nt*: **ein ~ sein** (*fig*) to be a passing fancy; **strohgedeckt** *adj* thatched; **Strohhalm** *m* straw; **sich an einen ~ klammern, nach einem ~ greifen** to clutch at a straw; **Strohhut** *m* straw hat; **Strohhütte** *f* thatched hut.
strohig *adj Gemüse* tough; *Orangen etc* dry; *Haar* dull and lifeless.
Strohkopf *m* (*inf*) blockhead (*inf*); **Strohlager** *nt* pallet, straw mattress; **Strohmann** *m*, *pl* -**männer** (*fig*) front man; (*Cards*) dummy; **Strohmatte** *f* straw mat; **Strohpuppe** *f* scarecrow; **Strohsack** *m* palliasse; **heiliger ~!** (*dated inf*) good(ness) gracious (me)!; **Strohwitwe** *f* grass widow; **Strohwitwer** *m* grass widower.
Strolch *m* -(e)s, -e (*dated pej*) rogue, rascal.
strolchen *vi aux sein* to roam about. **durch etw/in etw** (*dat*) **~** to roam through/around sth.
Strom *m* -(e)s, ⸚e **1.** (large) river; (*Strömung*) current; (*von Schweiß, Blut*) river; (*von Besuchern, Flüchen*) stream. **ein reißender ~** a raging torrent; **~e und Flüsse Europas** rivers of Europe; **ein ~ von Tränen** (*geh*) floods of tears *pl*; **in ~en regnen** to be pouring with rain; **der Wein floß in ~en** the wine flowed like water; **der ~ der Zeit** (*geh*) the flow of time; **mit dem/gegen den ~ schwimmen** (*lit*) to swim with/against the current; (*fig*) to swim *or* go with/against the tide.

2. (*Elec*) current; (*Elektrizität*) electricity. **~ führen, unter ~ stehen** (*lit*) to be live; **mit ~ heizen** to have electric heating; **der ~ ist ausgefallen** the power *or* electricity is off.

strom|ab *adv* downstream; **Stromabnehmer** *m* **1.** (*Tech*) pantograph; **2.** (*Stromverbraucher*) user *or* consumer of electricity; **stromabwärts** *adv* downstream; **stromauf(wärts)** *adv* upstream; **Stromausfall** *m* power failure; **Strombett** *nt* riverbed.

strömen *vi aux sein* to stream; (*Blut auch, Gas*) to flow; (*heraus~*) to pour (*aus* from); (*Menschen auch*) to flock (*aus* out of). **bei ~dem Regen** in the pouring rain.

Stromer(in *f*) *m* **-s, -** (*inf*) rover; (*Landstreicher*) tramp, hobo (*esp US*).

stromern *vi aux sein* (*inf*) to roam *or* wander about.

Stromerzeugung *f* power generation; **stromführend** *adj attr* (*Elec*) *Leitung* live; **Stromkabel** *nt* electric *or* power cable; **Stromkreis** *m* (electrical) circuit; **Stromleitung** *f* electric cables *pl*; **Stromlinienform** [-liːniən-] *f* streamlined design; (*von Auto auch*) streamlined body; **stromlinienförmig** [-liːniən-] *adj* streamlined; **Stromnetz** *nt* electricity *or* power supply system; **Stromschiene** *f* (*Rail*) live *or* conductor rail; **Stromschnelle** *f* rapids *pl*; **Stromsperre** *f* power cut; **Stromstärke** *f* strength of the/an electric current; **Stromstoß** *m* electric shock.

Strömung *f* current; (*fig auch*) trend.

Stromverbrauch *m* electricity *or* power consumption; **Stromversorgung** *f* electricity *or* power supply; **Stromwender** *m* **-s, -** commutator; **Stromzähler** *m* electricity meter.

Strontium ['ʃtrɔntsiʊm, st-] *nt, no pl* (*abbr* Sr) strontium.

Strophe *f* **-, -n** verse; (*in Gedicht auch*) stanza.

strophisch I *adj* stanzaic. **II** *adv* in stanzas.

strotzen *vi* to be full (*von, vor* +*dat* of), to abound (*von, vor* +*dat* with); (*von Kraft, Gesundheit, Lebensfreude*) to be bursting (*von* with); (*von Waffen*) to be bristling (*von, vor* +*dat* with). **von Schmutz ~** to be thick *or* covered with dirt.

strubb(e)lig *adj* (*inf*) *Haar, Fell* tousled.

Strubbelkopf *m* (*inf*) tousled hair; (*Mensch*) tousle-head.

Strudel *m* **-s, -. 1.** (*lit, fig*) whirlpool; (*von Ereignissen, Vergnügen*) whirl. **2.** (*Cook*) strudel.

strudeln *vi* to whirl, to swirl.

Struktur *f* structure; (*von Stoff*) texture; (*Webart*) weave.

Strukturalismus *m* structuralism.

strukturalistisch *adj* structuralist.

Struktur|analyse *f* structural analysis.

strukturell *adj* structural.

Strukturformel *f* (*Chem*) structural formula.

strukturieren* *vt* to structure.

Strukturierung *f* structuring.

Strukturkrise *f* structural crisis; **Strukturpolitik** *f* structural policy; **Strukturproblem** *nt* structural problem; **strukturschwach** *adj* lacking in infrastructure; **die ~en Gebiete Bayerns** the parts of Bavaria with less well-developed infrastructure; **Strukturschwäche** *f* lack of infrastructure; **Strukturwandel** *m* structural change (*gen* in).

Strumpf *m* **-(e)s, ̈e 1.** sock; (*Damen~*) stocking. **ein Paar ̈e** a pair of socks/stockings; **auf ̈en** in one's stockinged feet; **sich auf die ̈e machen** (*inf*) to get going (*inf*). **2.** (*Spar~*) **sein Geld im ~ haben** ≈ to keep one's money under the mattress.

Strumpfband *nt* garter; **Strumpffabrik** *f* hosiery factory; **Strumpfhalter** *m* **-s, -** suspender (*Brit*), garter (*US*); **Strumpfhaltergürtel** *m* suspender belt (*Brit*), garter belt (*US*); **Strumpfhose** *f* tights *pl* (*esp Brit*), panty-hose; **eine ~** a pair of tights (*esp Brit*) *or* panty-hose; **Strumpfmaske** *f* stocking mask; **Strumpfwaren** *pl* hosiery *sing*; **Strumpfwirker(in** *f*) *m* **-s, -** hosiery worker.

Strunk *m* **-(e)s, ̈e** stalk.

struppig *adj* unkempt; *Tier* shaggy.

Struwwelpeter ['ʃtruvl-] *m* tousle-head. **der ~** (*Liter*) shock-headed Peter, Struwwelpeter.

Strychnin [ʃtryç'niːn, st-] *nt* **-s, *no pl*** strychnine.

Stübchen *nt dim of* Stube little room.

Stube *f* **-, -n** (*dated, dial*) room; (*dial: Wohnzimmer*) lounge; (*in Kaserne*) barrack room. **auf der ~** (*Mil*) in one's barrack room, in one's quarters; (*Sch*) in one's study/dormitory; **die gute ~** the parlour (*dated*); (*immer*) **herein in die gute ~!** (*hum inf*) come right in; **in der ~ hocken** (*inf*) to sit around indoors.

Stubenälteste(r) *mf* (*Mil*) senior soldier in a/the barrack room; (*Sch*) study/dormitory prefect; **Stubenappell** *m* (*Mil*) barrack room inspection; (*Sch*) study/dormitory inspection; **Stubenarrest** *m* confinement to one's room *or* (*Mil*) quarters; **~ haben** to be confined to one's room/quarters; **Stubendienst** *m* (*Mil*) fatigue duty, barrack room duty; (*Sch*) study/dormitory cleaning duty; **~ haben** to be on fatigue duty *etc*; **Stubenfliege** *f* (common) housefly; **Stubenhocker(in** *f*) *m* **-s, -** (*pej inf*) house-mouse (*inf*); **Stubenkamerad(in** *f*) *m* roommate; **Stubenmädchen** *nt* (*dated*) chambermaid; **stubenrein** *adj* *Katze, Hund* house-trained; (*hum*) *Witz* clean.

Stuck *m* **-(e)s, *no pl*** stucco; (*zur Zimmerverzierung*) moulding.

Stück *nt* **-(e)s, -e** *or* (*nach Zahlenangaben*) **-** **1.** piece; (*von Vieh, Wild*) head; (*von Zucker*) lump; (*Ausstellungs~ auch*) item; (*Seife*) bar, cake; (*von abgegrenztem Land*) plot. **ich nehme fünf ~** I'll take five; **12 ~** (*Eier*) twelve *or* a dozen (eggs); **20 ~ Vieh** 20 head of cattle; **sechs ~ von diesen Apfelsinen** six of these oranges; **12 ~, ~er 12** (*hum*) 12 all told; **50 Pfennig das ~, pro ~ 50 Pfennig** 50 pfennigs each; **im** *or* **am ~** in one piece; *Käse, Wurst auch* unsliced; **aus einem ~** in one piece; **~ für ~** (*ein Exemplar nach dem andern*) one by one; **etw nach ~ verkaufen** to sell sth by the piece; **nach ~ bezahlt werden** to be on piecework; **das größte/beste ~** (**Fleisch**) the biggest/best piece (of meat); **ein ~ Garten** a patch of garden.

2. (*Teil, Abschnitt*) piece, bit; (*von Buch, Rede, Reise*) part; (*von Straße*) stretch. **ich möchte nur ein kleines ~** I only want a little bit *or* a small piece; **~ für ~** (*einen Teil um den andern*) bit by bit; **in ~e gehen/zerspringen** to be broken/smashed to pieces; **etw in ~e schlagen** to smash sth to pieces *or* smithereens; **etw in ~e reißen** to tear sth to pieces *or* shreds; **sich für jdn in ~e reißen lassen** to do anything for sb; **in allen ~en** on every matter; *übereinstimmen auch* in every detail; **ich komme ein ~ (des Weges) mit** I'll come some *or* part of the way with you.

3. ein ~ spazierengehen to go for a walk; **ein gutes ~ weiterkommen** to make considerable progress *or* headway; **ein schweres ~ Arbeit** a tough job; **ein schönes ~ Geld** (*inf*) a tidy sum, a pretty penny (*inf*); **das ist (doch) ein starkes ~!** (*inf*) that's a bit much *or* thick (*inf*); **große ~e auf jdn halten** to think much *or* highly of sb, to have a high opinion of sb; **aus freien ~en** of one's own free will.

4. (*Fin*) share.

5. (*Bühnen~*) play; (*Musik~*) piece.

6. (*inf: Mensch*) beggar (*inf*), so-and-so (*inf*). **mein bestes ~** (*hum inf*) my pride and joy; **ein ~ Dreck** *or* **Mist** (*sl*) a bitch (*inf*), a cow (*inf*); (*Mann*) a bastard (*sl*).

Stuck|arbeit *f* stucco work *no pl*; (*in Zimmer*) moulding.

Stückchen *nt dim of* Stück 1., 2., 5.

Stuckdecke *f* stucco(ed) ceiling.

stücke(l)n I *vt* to patch. **II** *vi* to patch it together.

stucken *vi* (*Aus inf*) to swot (*inf*), to cram (*inf*).

Stückeschreiber(in *f*) *m* dramatist, playwright.

Stückgut *nt* (*Rail*) parcel service; **etw als ~ schicken** to send sth as a parcel; **Stückleistung** *f* production capacity; **Stücklohn** *m* piece(work) rate; **Stücknotierung** *f* quotation per unit; **Stückpreis** *m* unit price; (*Comm auch*) price for one; **stückweise** *adv* bit by bit, little by little; **~ verkaufen** to sell individually; **Stückwerk** *nt, no pl* incomplete *or* unfinished work; **~ sein/ bleiben** to be/remain incomplete *or* unfinished; **Stückzahl** *f* number of pieces *or* items; **Stückzins** *m* (*Fin*) accrued interest.

stud. *abbr of* studiosus. **stud. med./phil.** student of medicine/humanities.

Student *m* student; (*Aus: Schüler*) schoolboy; (*einer bestimmten Schule*)

pupil.

Studentenausweis *m* student card; **Studentenbewegung** *f* student movement; **Studentenblume** *f* French marigold; **Studentenbude** *f* (*inf*) student digs *pl*; **Studentenfutter** *nt* nuts and raisins; **Studentengemeinde** *f* student religious society; **Studentenleben** *nt* student life; **Studentenlokal** *nt* students' pub; **Studentenpfarrer(in** *f*) university/college chaplain; **Studentenrabatt** *m* student discount; **Studentenschaft** *f* students *pl*, student body; **Studentensprache** *f* student slang; **Studentenverbindung** *f* students' society *or* association; (*für Männer auch*) fraternity (*US*); (*für Frauen auch*) sorority (*US*); **Studentenwerk** *nt* student administration; **Studentenwohnheim** *nt* hall of residence, student hostel.

Studentin *f* student; (*Aus: Schülerin*) schoolgirl; (*einer bestimmten Schule*) pupil.

studentisch *adj attr* student *attr*.

Studie ['ʃtuːdiə] *f* study (*über +acc* of); (*Entwurf auch*) sketch; (*Abhandlung*) essay (*über +acc* on).

Studien- ['ʃtuːdiən-]: **Studienabbrecher(in** *f*) *m* **-s, -** *student who fails to complete his/her course of study*; **Studienabschluß** *m* completion of a course of study; **die Universität ohne ~ verlassen** to leave university without graduating; **Studienanfänger(in** *f*) *m* first year student; **Studienassessor(in** *f*) *m graduate teacher who has recently completed his/her training*; **Studienberatung** *f* course guidance service; **Studienbuch** *nt book in which the courses one has attended are entered*; **Studiendirektor(in** *f*) *m* (*von Fachschule*) principal; (*in Gymnasium*) ≃ deputy principal; **Studienfach** *nt* subject; **Studienfahrt** *f* study trip; (*Sch*) educational trip; **Studienförderung** *f* study grant; (*an Universität*) university grant; **Studienfreund(in** *f*) *m* university/college friend; **Studiengang** *m* course of studies; **Studiengebühren** *pl* tuition fees *pl*; **studienhalber** *adv* for the purpose of study *or* studying; **Studieninhalte** *pl* course contents *pl*; **Studienjahr** *nt* academic year; **Studienplan** *m* course of study; **Studienplatz** *m* university/college place; **ein ~ in Medizin** a place to study medicine; **Studienrat** *m*, **Studienrätin** *f* teacher at a secondary school; **Studienreferendar(in** *f*) *m* student teacher; **Studienreform** *f* university/college reform; **Studienreise** *f* study trip; (*Sch*) educational trip; **Studienseminar** *nt* teacher training course; **sie ist im ~ in Essen** she is doing her teacher training in Essen; **Studienzeit** *f* **1.** student days *pl*; **2.** (*Dauer*) duration of a course of studies; **Studienzeitbegrenzung** *f* limitation on the length of courses of studies; **Studienzweck** *m* **für ~e, zu ~en** for the purposes of study, for study purposes.

studieren* I *vi* to study; (*Student sein*) to

be a student, to be at university/college, to be at school (*US inf*). **ich studiere an der Universität Bonn** I am (a student) at Bonn University; **wo haben Sie studiert?** what university/college did you go to?

II *vt* to study; (*an Uni auch*) to read; (*genau betrachten*) to scrutinize. **sie hat vier Semester Jura studiert** she has studied law for two years.

Studierende(r) *mf decl as adj* student.

studiert *adj* (*inf*) educated. **~ sein** to have been at university/college; **ein S~er/eine S~e** (*dated*) an intellectual.

Studierzimmer *nt* study.

Studio *nt* -s, -s studio.

Studiobühne *f* studio theatre.

Studiosus *m* -s, **Studiosi** (*old, hum*) student.

Studium *nt* study; (*Hochschul~*) studies *pl*; (*genaue Betrachtung auch*) scrutiny. **sein ~ beginnen** *or* **aufnehmen** (*form*) to begin one's studies, to go to university/college; **das ~ hat fünf Jahre gedauert** the course of study lasted five years; **während seines ~s** while he is/was *etc* a student *or* at university/college; **das ~ der Mathematik, das mathematische ~** the study of mathematics, mathematical studies *pl*; **er war gerade beim ~ des Börsenberichts, als ...** he was just studying the stock exchange report when ...; **seine Studien zu etw machen** to study sth.

Studium generale *nt* - -, *no pl* general course of studies. **ein ~ machen** to do a general degree.

Stufe *f* -, -n **1.** step; (*Gelände~ auch*) terrace; (*Mus: Ton~*) degree; (*bei Rock*) tier; (*zum Kürzen*) tuck; (*im Haar*) layer. **mehrere ~n auf einmal nehmen** to run up the stairs two or three at a time.

2. (*fig*) stage; (*Niveau*) level; (*Rang*) grade; (*Gram: Steigerungs~*) degree. **eine ~ höher als ...** a step up from ...; **die höchste/tiefste ~** the height *or* pinnacle/the depths *pl*; **mit jdm auf gleicher ~ stehen** to be on a level with sb; **jdn/sich mit jdm/etw auf die gleiche** *or* **eine ~ stellen** to put *or* place sb/oneself on a level *or* par with sb/sth.

stufen *vt* Schüler, Preise to grade; Haare to layer; Land to terrace.

Stufenbarren *m* asymmetric bar; **stufenförmig I** *adj* (*lit*) stepped; Landschaft terraced; (*fig*) gradual; **II** *adv* (*lit*) in steps; angelegt in terraces; (*fig*) in stages, gradually; **Stufenführerschein** *m* (graded) motorcycle licence; **Stufenheck** *nt* im Auto mit ~ a saloon car; **Stufenleiter** *f* (*fig*) ladder (*gen* to); **stufenlos** *adj* Schaltung infinitely variable; (*fig: gleitend*) smooth; **Stufenplan** *m* step-by-step plan (*zu* for); **Stufenrakete** *f* multi-stage rocket; **Stufenschalter** *m* (*Elec*) sequence switch; **Stufenschnitt** *m* (*von Haaren*) layered cut; **Stufentarif** *m* (*Econ*) graduated tariff; **stufenweise I** *adv* step by step, gradually; **II** *adj attr* gradual.

stufig *adj* stepped; Land terraced; Haar layered.

Stufung *f* gradation.

Stuhl *m* -(e)s, ¨e **1.** chair. **ist dieser ~ noch frei?** is this chair taken?, is this somebody's chair?; **sich zwischen zwei ~e setzen** (*fig*) to fall between two stools; **ich wäre fast vom ~ gefallen** (*inf*) I nearly fell off my chair (*inf*); **das haut einen vom ~** (*sl*) it knocks you sideways (*inf*); **jdm den ~ vor die Tür setzen** (*fig*) to kick sb out (*inf*).

2. (*Königs~*) throne. **der Apostolische** *or* **Heilige** *or* **Päpstliche ~** the Apostolic *or* Holy *or* Papal See; **der ~ Petri** the See of Rome; **vor Gottes ~ gerufen werden** to be called before one's Maker.

3. (*Lehramt*) chair (*gen* of, *für* of, in).

4. *siehe* Stuhlgang.

Stuhlbein *nt* chair leg; **Stuhlentleerung** *f* (*form*) evacuation of the bowels; **Stuhlgang** *m, no pl* bowel movement; **regelmäßig ~ haben** to have regular bowels; **~/keinen ~ haben** to have had/not to have had a bowel movement; **Stuhllehne** *f* back of a chair.

Stuka ['ʃtuːka, 'ʃtʊka] *m* -s, -s *abbr of* Sturzkampfflugzeug stuka, dive bomber.

Stukkateur(in *f*) [ʃtʊka'tøːɐ, -'tørɪn] *m* plasterer (*who works with stucco*).

Stukkatur *f* stucco (work), ornamental plasterwork.

Stulle *f* -, -n (*N Ger*) slice of bread and butter; sandwich.

Stulpe *f* -, -n cuff; (*von Handschuh*) gauntlet.

stülpen *vt* den Kragen nach oben ~ to turn up one's collar; **etw auf/über etw** (*acc*) **~** to put sth on/over sth; **etw nach innen/außen ~** to turn sth to the inside/outside; **sich** (*dat*) **den Hut auf den Kopf ~** to clap *or* slap on one's hat.

Stülpenhandschuh *m* gauntlet; **Stülpenstiefel** *m* top boot.

Stülpnase *f* snub *or* turned-up nose.

stumm *adj* **1.** (*lit, fig*) dumb. **die ~e Kreatur** (*geh*) the dumb creatures *pl*; **~ vor Schmerz** in silent agony; **~er Diener** (*Servierwagen*) dumb waiter; (*Kleiderständer*) valet.

2. (*schweigend*) mute; Anklage, Blick, Gebet auch silent. **sie sah mich ~ an** she looked at me without speaking *or* without saying a word; **~ bleiben** to stay silent; *siehe* Fisch.

3. (*Gram*) mute, silent.

4. *Rolle* non-speaking; Film, Szene silent.

Stummel *m* -s, - **1.** (*Zigatten~*, *Zigarren~*) end, stub, butt; (*Kerzen~*) stub; (*von Gliedmaßen, Zahn*) stump. **2.** (*Stummelschwanz*) dock.

Stummelpfeife *f* short-stemmed pipe.

Stumme(r) *mf decl as adj* dumb *or* mute person. **die ~n** the dumb.

Stummfilm *m* silent film.

Stumpen *m* -s, - cheroot.

Stümper(in *f*) *m* -s, - (*pej*) **1.** amateur. **2.** (*Pfuscher*) bungler.

Stümperei *f* (*pej*) **1.** amateur work. **2.** (*Pfuscherei*) bungling; (*stümperhafte Arbeit*) botched *or* bungled job.

stümperhaft *adj* (*pej*) (*nicht fach-*

männisch) amateurish; *(schlecht auch)* botched *no adv*, bungled *no adv*.

stümpern *vi (auf Klavier, bei Schach)* to play in an amateurish way *(auf +dat* on). **bei einer Arbeit** ~ to do a job in an amateur way.

stumpf *adj* **1.** blunt; *Nase* snub, turned-up. **Rhabarber macht die Zähne** ~ rhubarb sets one's teeth on edge. **2.** *(fig) Haar, Farbe, Mensch* dull; *Blick, Sinne auch* dulled. ~ **vor sich hin brüten** to sit brooding impassively. **3.** *(Math) Winkel* obtuse; *Kegel* truncated. **4.** *(Poet) Reim* masculine.

Stumpf *m* -(e)s, ‑e stump; *(Bleistift~)* stub. **etw mit** ~ **und Stiel ausrotten** to eradicate sth root and branch.

Stumpfheit *f* **1.** bluntness. **2.** *(fig)* dullness.

Stumpfsinn *m* mindlessness; *(Langweiligkeit)* monotony, tedium; **das ist doch** ~ that's a tedious business; **stumpfsinnig** *adj* mindless; *(langweilig)* monotonous, tedious; **stumpfwink(e)lig** *adj (Math) Winkel, Dreieck* obtuse.

Stündchen *nt dim of* **Stunde**. **ein paar** ~ an hour or so.

Stunde *f* -, -n **1.** hour. **eine viertel/halbe/dreiviertel** ~ a quarter of an hour/half an hour/three-quarters of an hour; **in einer dreiviertel** ~ in three-quarters of an hour; **eine ganze/gute/knappe** ~ a whole/good hour/barely an hour; **eine halbe** ~ **Pause** a half-hour break, a break of half an hour; **eine** ~ **entfernt** an hour away; **jede** ~ every hour; ~ **um** ~, ~**n um** ~**n** hour after hour; **von** ~ **zu** ~ hourly, from hour to hour; **sein Befinden wird von** ~ **zu** ~ **schlechter** his condition is becoming worse hour by hour *or* worse every hour; **90 Meilen in der** ~ 90 miles per *or* an hour. **2.** *(Augenblick, Zeitpunkt)* time. **zu dieser** ~ at this/that time; **zu jeder** ~ at any time; **zu später** ~ at a late hour; **bis zur** ~ up to the present moment, as yet; **die** ~ **X** *(Mil)* the impending onslaught; **sich auf die** ~ **X vorbereiten** *(fig)* to prepare for the inevitable; **eine schwache/schwere** ~ a moment of weakness/a time of difficulty; **seine** ~ **kommen** *or* **nahen fühlen** *(geh: Tod)* to feel one's hour (of death) approaching; **seine** ~ **hat geschlagen** *(fig)* his hour has come; **eine schwerste** ~ his darkest hour; **die** ~ **der Wahrheit** the moment of truth. **3.** *(Unterricht)* lesson; *(Unterrichts~ auch)* class, period. **sonnabends haben wir vier** ~**n** on Saturday we have four lessons; **in der zweiten** ~ **haben wir Latein** in the second period we have Latin; ~**n geben/nehmen** to give/have *or* take lessons.

stunden *vt* **jdm etw** ~ to give sb time to pay sth; **jdm etw zwei Wochen** ~ to give sb two weeks to pay sth.

Stundengeschwindigkeit *f* speed per hour; **eine** ~ **von 90 km** a speed of 90 km per hour; **Stundenglas** *nt* hour-glass; **Stundenhotel** *nt* hotel where rooms are

rented by the hour; **Stundenkilometer** *pl* kilometres per *or* an hour *pl*.

stundenlang I *adj* lasting several hours. **nach** ~**em Warten** after hours of waiting. **II** *adv* for hours.

Stundenlohn *m* hourly wage; ~ **bekommen** to be paid by the hour; **Stundenplan** *m (Sch)* time-table; **stundenweise** *adv (pro Stunde)* by the hour; *(stündlich)* every hour; **Kellner** ~ **gesucht** part-time waiters required; **Stundenzeiger** *m* hour-hand.

Stündlein *nt* **ein** ~ a short while; **sein letztes** ~ **hat geschlagen** *(stirbt)* his last hour has come; *(fig inf)* he's had it *(inf)*.

stündlich I *adj* hourly. **II** *adv* hourly, every hour.

Stundung *f* deferment of payment.

Stunk *m* -s, *no pl (inf)* stink *(inf)*, row *(inf)*. ~ **machen** to kick up a stink *(inf)*; **dann gibt es** ~ then there'll be a stink *(inf)*.

stupid(e) *adj (geh)* mindless.

Stups *m* -es, -e nudge.

stupsen *vt* to nudge.

Stupsnase *f* snub nose.

stur *adj* stolid; *(unnachgiebig)* obdurate; *Nein, Arbeiten* dogged; *(hartnäckig)* pig-headed, stubborn; *(querköpfig)* cussed. ~ **weitermachen/-reden/-gehen** *etc* to carry on regardless *or* doggedly; **er fuhr** ~ **geradeaus** he just carried straight on; **sich** ~ **stellen, auf** ~ **stellen** *(inf)* to dig one's heels in; **ein** ~**er Bock** *(inf)* a pig-headed fellow.

Sturheit *f siehe adj* stolidness; obdurateness; doggedness; pig-headedness, stubbornness; cussedness.

Sturm *m* -(e)s, ‑e **1.** *(lit, fig)* storm; *(Orkan auch)* gale. **in** ~ **und Regen** in wind and rain; **das Barometer steht auf** ~ *(lit)* the barometer is indicating stormy weather; *(fig)* there's a storm brewing; **die Ruhe vor dem** ~ the calm before the storm; **ein** ~ **im Wasserglas** *(fig)* a storm in a teacup; ~ **läuten** to keep one's finger on the doorbell; *(Alarm schlagen)* to ring *or* sound the alarm bell; **ein** ~ **der Begeisterung** a wave of enthusiasm; ~ **und Drang** *(Liter)* Storm and Stress, Sturm and Drang; *(fig)* emotion. **2.** *(Angriff)* attack; *(Mil auch)* assault; *(Sport: Stürmerreihe)* forward line. **etw im** ~ **nehmen** *(Mil, fig)* to take sth by storm; **zum** ~ **blasen** *(Mil, fig)* to sound the attack; **gegen etw** ~ **laufen** *(fig)* to be up in arms against sth; **ein** ~ **auf die Banken/Aktien** a run on the banks/shares; **ein** ~ **auf die Karten/Plätze** a rush for tickets/seats; **der** ~ **auf die Bastille** the storming of the Bastille.

Sturmabteilung *f (NS)* Storm Troopers *pl*; **Sturmangriff** *m (Mil)* assault *(auf +acc* on); **sturmbewegt** *adj* stormy, storm-tossed *(liter)*; **Sturmbö** *f* squall; **Sturmbock** *m (Mil)* battering-ram; **Sturmboot** *nt (Mil)* assault boat.

stürmen I *vi* **1.** *(Meer)* to rage; *(Wind auch)* to blow; *(Sport)* to attack; *(Mil)* to attack, to assault *(gegen etw* sth). **2.** *(Sport) (als Stürmer spielen)* to play forward; *(angreifen)* to attack. **3.** *aux sein* *(rennen)* to storm.

  II *vi impers* to be blowing a gale.

  III *vt* (*Mil, fig*) to storm; *Bank* to make a run on.

Stürmer(in *f)* *m* -s, - (*Sport*) forward; (*Ftbl auch*) striker; (*fig: Draufgänger*) go-getter (*inf*). ~ **und Dränger** (*Liter*) writer of the Storm and Stress period; (*fig*) ≃ angry young man.

Stürmerreihe *f* (*Sport*) forward line.

Sturmfahne *f* warning flag; (*Mil Hist*) standard; (*fig*) steadfast; **Sturmflut** *f* storm tide; **sturmfrei** *adj* (*Mil*) unassailable; **bei mir ist heute abend ~e Bude** (*inf*) it's open house at my place tonight; **ich habe eine ~e Bude** (*inf*) where I live I can do as I please; **Sturmgepäck** *nt* combat *or* light pack; **sturmgepeitscht** *adj* (*geh*) storm-lashed (*liter*); **Sturmhaube** *f* (*Hist*) helmet, morion.

stürmisch *adj* **1.** *Meer, Überfahrt* rough, stormy; *Wetter, Tag* blustery; (*mit Regen*) stormy. **2.** (*fig*) tempestuous; (*aufregend*) *Zeit, Jugend* stormy, turbulent; *Entwicklung* rapid; *Liebhaber* passionate, ardent; *Jubel, Beifall* tumultuous, frenzied. **nicht so ~** take it easy.

Sturmlaterne *f* hurricane lamp; **Sturmlauf** *m* trot; **im ~** at a trot; **Sturmleiter** *f* scaling ladder; **Sturmschaden** *m* storm damage *no pl*; **Sturmschritt** *m* (*Mil, fig*) double-quick pace; **im ~** at the double; **Sturmsegel** *nt* storm sail; **Sturmspitze** *f* (*Mil, Sport*) spearhead; **sturmstark** *adj* (*Sport*) **eine ~e Mannschaft** a team with a strong forward line; **Sturmtrupp** *m* (*Mil*) assault troop; **Sturm-und-Drang-Zeit** *f* (*Liter*) Storm and Stress *or* Sturm und Drang period; **Sturmvogel** *m* petrel; (*Albatros*) albatross; **Sturmwarnung** *f* gale warning; **Sturmwind** *m* whirlwind.

Sturz *m* -es, ⸗e **1.** (*von* from, off, *aus* out of) fall. **einen ~ tun** to have a fall. **2.** (*in Temperatur, Preis*) drop, fall; (*von Börsenkurs*) slump. **3.** (*von Regierung, Minister*) fall; (*durch Coup, von König*) overthrow. **4.** (*Archit*) lintel. **5.** (*Rad~*) camber.

Sturzbach *m* (*lit*) fast-flowing stream; (*fig*) stream, torrent; **sturzbesoffen, sturzbetrunken** *adj* (*inf*) pissed as a newt (*sl*).

stürzen I *vi aux sein* **1.** to fall (*von* from, off); (*geh: steil abfallen*) to plunge; (*hervor~*) to stream. **ins Wasser ~** to plunge into the water; **vom Pferd ~** to fall off a/one's horse; **er ist schwer/ unglücklich gestürzt** he had a heavy/bad fall.

  2. (*fig: abgesetzt werden*) to fall.

  3. (*rennen*) to rush, to dash. **sie kam ins Zimmer gestürzt** she burst *or* came bursting into the room.

  II *vt* **1.** (*werfen*) to fling, to hurl. **jdn aus dem Fenster ~** to fling *or* hurl sb out of the window; **jdn ins Unglück *or* Verderben ~** to bring disaster to sb.

  2. (*kippen*) to turn upside down; *Pudding* to turn out. **„nicht ~!"** "this side up"; **etw über etw** (*acc*) **~** to put sth

over sth.

  3. (*absetzen*) *Regierung, Minister* to bring down, to topple; (*durch Coup*) to overthrow; *König* to depose.

  III *vr* **sich zu Tode ~** to fall to one's death; (*absichtlich*) to jump to one's death; **sich auf jdn/etw ~** to pounce on sb/sth; *auf Essen* to fall on sth; *auf Zeitung* to grab sth; *auf den Feind* to attack sb/sth; **sich ins Wasser ~** to fling *or* hurl oneself into the water; (*sich ertränken*) to drown oneself; **sich in die Arbeit ~** to throw oneself into one's work; **sich in Schulden ~** to plunge into debt; **sich ins Unglück/Verderben ~** to plunge headlong into disaster/ruin; **sich ins Vergnügen ~** to fling oneself into a round of pleasure; **sich in Unkosten ~** to go to great expense.

Sturzflug *m* (nose)dive; **etw im ~ angreifen** to dive and attack sth; **Sturzhelm** *m* crash helmet; **Sturzkampfflugzeug** *nt* dive bomber; **Sturzsee** *f* (*Naut*) breaker.

Stuß *m* -sses, *no pl* (*inf*) nonsense, rubbish (*inf*), codswallop (*Brit inf*). **was für ein ~** what a load of nonsense *etc* (*inf*).

Stute *f* -, -n mare.

Stutenfohlen, Stutenfüllen *nt* filly.

Stützapparat *m* calliper, brace; (*für Kopf*) collar; **Stützbalken** *m* beam; (*in Decke*) joist; (*quer*) crossbeam.

Stütze *f* -, -n **1.** support; (*Pfeiler*) pillar; (*für Wäscheleine*) prop; (*Buch~*) rest.

  2. (*Halt*) support; (*Fuß~*) foot-rest.

  3. (*fig*) (*Hilfe*) help, aid (*für* to); (*Beistand*) support; (*wichtiger Mensch*) mainstay; (*dated: Hausgehilfin*) (domestic) help. **die ~n der Gesellschaft** the pillars of society.

  4. (*inf: Arbeitslosengeld*) dole (*Brit inf*), welfare (*US*). **~ bekommen** to be on the dole, to be on welfare.

stutzen¹ *vi* to stop short; (*zögern*) to hesitate.

stutzen² *vt* to trim; *Baum auch* to prune; *Flügel, Ohren, Hecke* to clip; *Schwanz* to dock.

Stutzen *m* -s, - **1.** (*Gewehr*) carbine. **2.** (*Rohrstück*) connecting piece; (*Endstück*) nozzle. **3.** (*Strumpf*) woollen gaiter.

stützen I *vt* (*Halt geben*) to support; *Gebäude, Mauer* to shore up; *Währung auch* to back; (*fig: untermauern auch*) to back up. **einen Verdacht auf etw** (*acc*) **~** to base *or* found a suspicion on sth; **die Ellbogen auf den Tisch ~** to prop *or* rest one's elbows on the table; **den Kopf in die Hände ~** to hold one's head in one's hands.

  II *vr* **sich auf jdn/etw ~** (*lit*) to lean on sb/sth; (*fig*) to count on sb/sth; (*Beweise, Verteidigung, Theorie*) to be based on sb/sth; **können Sie sich auf Fakten ~?** can you produce facts to bear out what you're saying?; **in seiner Dissertation stützte er sich weitgehend auf diese Theorie** he based his thesis closely on this theory.

Stutzer *m* -s, - **1.** (*pej, old*) fop, dandy. **2.**

(*Mantel*) three-quarter length coat.
stutzerhaft *adj* foppish, dandified.
Stutzflügel *m* baby grand (piano).
Stützgewebe *nt* (*Med*) stroma (*spec*).
stutzig *adj pred* ~ **werden** (*argwöhnisch*) to become *or* grow suspicious; (*verwundert*) to begin to wonder; **jdn** ~ **machen** to make sb suspicious; **das hat mich** ~ **gemacht** that made me wonder; (*argwöhnisch*) that made me suspicious.
Stützkorsett *nt* support corset; **Stützmauer** *f* retaining wall; **Stützpfeiler** *m* supporting pillar *or* column; (*von Brükke auch*) pier; **Stützpreis** *m* (*Econ*) support price; **Stützpunkt** *m* (*Mil, fig*) base; (*Ausbildungsstätte*) centre; **Stützrad** *nt* (*an Fahrrad*) stabilizer; **Stützstange** *f* supporting pole.
Stützungskäufe *pl* purchases to support share prices, currency rate *etc*; **Stützungsmaßnahme** *f* supporting measure.
StVO *abbr of* **Straßenverkehrsordnung.**
stylen ['stail-] *vt Wagen, Wohnung* to design; *Frisur* to style; *siehe* **gestylt.**
Styropor ® [st-, ʃt-] *nt* **-s** polystyrene.
s.u. *abbr of* **siehe unten.**
Suaheli[1] [zua'he:li] *m* **-(s), -(s)** Swahili.
Suaheli[2] [zua'he:li] *nt* **-(s),** *no pl* (*Sprache*) Swahili; *siehe auch* **Deutsch(e).**
sub-, Sub- *in cpds* sub-.
sub|altern *adj* (*pej*) *Stellung, Beamter* subordinate; *Gesinnung* obsequious, subservient; (*unselbständig*) unselbfreiliant.
Subdominante *f* **-, -n** (*Mus*) subdominant.
Subjekt *nt* **-(e)s, -e** 1. subject. 2. (*pej: Mensch*) customer (*inf*), character (*inf*).
subjektiv *adj* subjective.
Subjektivismus [-'vɪsmʊs] *m, no pl* (*Philos*) subjectivism.
Subjektivität [-vɪ'tɛːt] *f* subjectivity.
Subjektsatz *m* (*Gram*) noun clause as subject.
Subkontinent *m* subcontinent; **Subkultur** *f* subculture; **subkutan** *adj* (*Med*) subcutaneous.
sublim *adj* (*geh*) sublime, lofty; *Einfühlungsvermögen, Charakter* refined; *Interpretation* eloquent.
Sublimat *nt* (*Chem*) 1. (*Niederschlag*) sublimate. 2. (*Quecksilberverbindung*) mercuric chloride.
sublimieren* *vt* 1. (*geh, Psych*) to sublimate. 2. (*Chem*) to sublimate, to sublime.
submarin *adj* marine.
Sub|ordination *f* subordination.
Subskribent(in *f*) *m* subscriber.
subskribieren* *vti* (**auf**) **etw** (*acc*) ~ to subscribe to sth.
Subskription *f* subscription (*gen, auf* +*acc* to).
Subskriptionspreis *m* subscription price.
substantiell [zupstan'tsiɛl] *adj* 1. (*Philos*) (*stofflich*) material; (*wesenhaft*) essential.
2. (*fig geh: bedeutsam, inhaltlich*) fundamental.
3. (*nahrhaft*) substantial, solid.
Substantiv ['zupstanti:f] *nt* **-s, -e** *or* (*rare*)

-a noun.
substantivieren* [zupstanti'vi:rən] *vt* to nominalize.
substantivisch ['zupstanti:vɪʃ] *adj* nominal.
Substanz [zup'stants] *f* 1. substance; (*Wesen*) essence. **etw in seiner** ~ **treffen** to affect the substance of sth. 2. (*Fin*) capital assets *pl*. **von der** ~ **zehren** to live on one's capital.
substanzlos *adj* insubstantial; **substanzreich** *adj* solid; *Aufsatz auch* meaty (*inf*); **Substanzverlust** *m* loss of volume; (*Gewichtsverlust*) loss of weight; (*fig*) loss of significance *or* importance.
substituieren* [zupstitu'i:rən] *vt* (*geh*) **A durch B** ~ to substitute B for A, to replace A with B.
Substitut(in *f*) [zupsti'tu:t(ɪn)] *m* **-en, -en** deputy *or* assistant departmental manager.
Substitution [zupstitu'tsio:n] *f* (*geh*) **die** ~ **von A durch B** the substitution of B for A, the replacement of A by B.
Substrat [zup'stra:t] *nt* substratum.
subsumieren* [zupzu-] *vti* to subsume (*unter* +*dat* to).
subtil *adj* (*geh*) subtle.
Subtilität *f* (*geh*) subtlety.
Subtrahend [zuptra'hɛnt] *m* **-en, -en** (*Math*) subtrahend.
subtrahieren* [zuptra'hi:rən] *vti* to subtract.
Subtraktion *f* subtraction.
Subtraktionszeichen *nt* subtraction sign.
Subtropen ['zuptro:pn] *pl* subtropics *pl*.
subtropisch ['zuptro:pɪʃ] *adj* subtropical.
Subvention [zupvɛn'tsio:n] *f* subsidy; (*von Regierung, Behörden auch*) subvention.
subventionieren* [zupvɛntsio'ni:rən] *vt* to subsidize.
Subversion [zupvɛr'zio:n] *f* (*Pol*) subversion.
subversiv [zupvɛr'zi:f] *adj* subversive. **sich** ~ **betätigen** to engage in subversive activities.
Suchaktion *f* search operation; **Suchanzeige** *f* missing person/dog *etc* report; **eine** ~ **aufgeben** to report sb's/sth's missing; **Suchbild** *nt* (*Rätsel*) picture puzzle; **Suchdienst** *m* missing persons tracing service.
Suche *f* **-,** *no pl* search (*nach* for). **auf die** ~ **nach jdm/etw gehen, sich auf die** ~ **nach jdm/etw machen** to go in search of sb/sth; **auf der** ~ **nach etw sein** to be looking for sth.
suchen I *vt* 1. to look for; (*stärker, intensiv*) to search for (*auch Comput*). **Abenteuer** ~ to go out in search of adventure; **die Gefahr** ~ to look for *or* seek danger; **sich** (*dat*) **einen Mann/eine Frau** ~ to look for a husband/wife (for oneself); **Verkäufer(in) gesucht** sales person wanted; **gesucht!** wanted (*wegen* for); **Streit/Ärger (mit jdm)** ~ to be looking for trouble/a quarrel (with sb); **Schutz vor etw** (*dat*) ~ to seek shelter from sth; **was suchst du hier?** what are you doing here?; **du hast hier nichts zu**

~ you have no business being here; **sei-nesgleichen** ~ to be unparalleled.

2. (*wünschen, streben nach*) to seek; (*versuchen auch*) to strive, to try. **er sucht, die tragischen Erlebnisse zu vergessen** he is trying to forget the tragic events; **sein Recht/seinen Vorteil** ~ to be out for one's rights/one's own advantage.

II *vi* to search, to hunt. **nach etw** ~ to look for sth; (*stärker*) to search *or* hunt for sth; (*sprachlos sein*) to be at a loss for words; **S~ und Ersetzen** (*Comput*) search and replace; **such!** (*zu Hund*) seek!, find!; **suchet, so werdet ihr finden!** (*Bibl*) seek and ye shall find (*Bibl*).

Sucher *m* **-s**, **- 1.** (*geh*) seeker. **2.** (*Phot*) viewfinder; (*Astron*) finder.

Suchfunktion *f* (*Comput*) search function; **Suchlauf** *m* (*bei Hi-Fi- Geräten*) search; **Suchlauffunktion** *f* search function; **Suchmannschaft** *f* search party; **Suchmeldung** *f* SOS message; (*von ~Suchdienst*) missing person announcement; **Suchscheinwerfer** *m* searchlight.

Sucht *f* **-, -̈e** edition (*nach* to); (*fig*) obsession (*nach* with). **eine krankhafte ~ haben, etw zu tun** (*fig*) to be obsessed with doing sth; **das Trinken ist bei ihm zur ~ geworden** he has become addicted to drink; **an einer ~ leiden** to be an addict.

Suchtdroge *f* addictive drug; **sucht-erzeugend** *adj* addictive; **Suchtgefahr** *f* danger of addiction.

süchtig *adj* addicted (*nach* to). **von** *or* **nach etw** ~ **werden/sein** to get *or* become/be addicted to sth; ~ **machen** (*Droge*) to be addictive.

Süchtige(r) *mf decl as adj* addict.

Süchtigkeit *f* addiction (*nach* to).

Suchtkranke(r) *mf* addict; **Suchtmittel** *nt* addictive drug; **Suchtmittel-mißbrauch** *m* drug abuse.

Sud *m* **-(e)s, -e** liquid; (*esp von Fleisch, für Suppe*) stock. **der ~ des Gemüses/der Kartoffeln/des Fleisches** the vegetable water/potato water/meat stock.

Süd *m* **-(e)s, (rare) -e 1.** (*Naut, Met, liter*) south. **aus** *or* **von/nach** ~ from/to the south. **2.** (*liter: Wind*) south wind, southerly (wind).

Süd- *in cpds* (*in Ländernamen, politisch*) South; (*geographisch auch*) the South of ..., Southern; **Südafrika** *nt* South Africa; **Südamerika** *nt* South America.

Sudan [zu'da:n, 'zu:dan] *m* **-s der** ~ the Sudan.

Sudaner(in *f*) *m* **-s, -, Sudanese** *m* **-n, -n, Sudanesin** *f* Sudanese.

sudanesisch, sudanisch *adj* Sudanese.

süddeutsch *adj* South German; *Dialekt, Spezialität, Mentalität auch* Southern German; **die S~en** the South Germans; **Süddeutschland** *nt* South(ern) Germany, the South of Germany.

Sudelei *f* (*inf*) (*geschrieben*) scrawling; (*gezeichnet*) daubing; (*an Mauern*) graffiti.

sudeln *vti* (*inf*) (*schreiben*) to scrawl; (*zeichnen*) to daub.

Süden *m* **-s, no pl** south; (*von Land*) South. **aus dem** ~, **vom** ~ **her** from the south; **gegen** *or* **gen** (*liter*) *or* **nach** ~ south(wards), to the south; **nach** ~ **hin** to the south; **im** ~ **des Landes** in the south of the country; **im tiefen** ~ in the deep *or* far south; **weiter** *or* **tiefer im** ~ further south; **im** ~ **Frankreichs** in southern France.

Süd|england *nt* the South of England.

Sudeten *pl* (*Geog*) **die** ~ the Sudeten(land).

Sudetenland *nt* **das** ~ the Sudetenland.

Südfrankreich *nt* the South of France; **Südfrüchte** *pl* citrus and tropical fruit(s *pl*); **Südhalbkugel** *f* southern hemisphere; **auf der** ~ in the southern hemisphere.

Sudhaus *nt* (*in Brauerei*) brewing room.

Süditalien *nt* Southern Italy; **Süd-italiener(in** *f*) *m* southern Italian; **Südjemen** *m* South Yemen; **Südkorea** *nt* South Korea; **Südküste** *f* south(ern) coast; **die** ~ **Englands** the south coast of England; **Südlage** *f* southern aspect; **Südländer(in** *f*) *m* **-s, -** southerner; (*Italiener etc*) Mediterranean *or* Latin type; **südländisch** *adj* southern; (*italienisch etc*) Mediterranean, Latin; *Temperament* Latin.

südlich I *adj* **1.** southern; *Kurs, Wind, Richtung* southerly. **der** ~**e Polarkreis** the Antarctic Circle; **52 Grad** ~**er Breite** 52 degrees south.

2. (*mediterran*) Mediterranean, Latin; *Temperament* Latin.

II *adv* (to the) south. ~ **von Wien (gelegen)** (to the) south of Vienna; **es liegt** ~**er** *or* **weiter** ~ it is further (to the) south.

III *prep* +*gen* (to the) south of.

Südlicht *nt* southern lights *pl*, aurora australis; **Süd-Nord-Gefälle** *nt* North-South divide.

Süd|ost *m* **1.** (*Met, Naut, liter*) south-east, sou'-east (*Naut*). **aus** *or* **von** ~ from the south-east; **nach** ~ to the south-east, south-east(wards). **2.** (*liter: Wind*) south-east(erly) (wind), sou'-easterly (*Naut*).

Süd|ost- *in cpds* south-east; (*bei Namen*) South-East.

Süd|osten *m* south-east; (*von Land*) South East. **aus** *or* **von** ~ from the south-east; **nach** ~ to the south-east, south-east(wards).

süd|östlich I *adj Gegend* south-eastern; *Wind* south-east(erly). **II** *adv* (to the) south-east. **III** *prep* +*gen* (to the) south-east of.

Südpol *m* South Pole; **Südpolargebiet** *nt* Antarctic (region), area of the South Pole; **Südpolarmeer** *nt* Antarctic Ocean; **Südsee** *f* South Seas *pl*, South Pacific; **Südseeinsulaner(in** *f*) *m* South Sea Islander; **Südseite** *f* south(ern) side; (*von Berg*) south(ern) face; **Südstaat** *m* southern state; **die** ~**en** (*US*) the Southern States; **Süd-staatler(in** *f*) *m* (*US*) Southerner.

Südsüdost *m* (*Naut, Met, liter*) south-south-east, sou'-sou'-east (*Naut*); **Süd-**

südosten m south-south-east, sou'-sou'-east (*Naut*); **südsüdöstlich** adj south-south-east(erly), sou'-sou'-east(erly) (*Naut*); **Südsüdwest** m (*Naut, Met, liter*) south-south-west, sou'-sou'-west (*Naut*); **Südsüdwesten** m south-south-west, sou'-sou'-west (*Naut*); **südsüdwestlich** adj south-south-west(erly), sou'-sou'-west(erly) (*Naut*).

Südtirol nt South(ern) Tyrol; **Südtiroler(in** *f*) m South Tyrolean; **Südvietnam** nt South Vietnam; **Südwand** f (*von Berg*) south face.

südwärts adv south(wards). **der Wind dreht** ~ the wind is moving round to the south.

Südwest[1] m **1.** (*Naut, Met, liter*) south-west. **aus** ~ from the south-west. **2.** (*liter: Wind*) south-west(erly) wind, south-wester(ly), sou'-wester (*Naut*).

Südwest[2], **Südwestafrika** nt South West Africa.

Südwest- in cpds south-west; (*bei Namen*) South-West.

Südwesten m south-west; (*von Land*) South West. **aus** or **von** ~ from the south-west; **nach** ~ to the south-west, south-west(wards).

Südwester m -s, - (*Hut*) sou'wester.

südwestlich I adj Gegend south-western; Wind south-west(erly). II adv (to the) south-west. III prep +gen (to the) south-west of.

Südwind m south wind.

Sueskanal m Suez Canal.

Suff m -(e)s, no pl (*inf*) **dem** ~ **ergeben** or **verfallen sein** to be on the bottle (*inf*); **etw im** ~ **sagen** to say sth when one is tight (*inf*) or plastered (*sl*).

süffeln vi (*inf*) to tipple (*inf*).

süffig adj light and sweet.

süffisant (*geh*) adj smug, complacent.

Suffix nt -es, -e suffix.

Suffragette f suffragette.

suggerieren* vt to suggest. **jdm etw** ~ to influence sb by suggesting sth; **jdm** ~, **daß ...** to get sb to believe that ...

suggestibel (*geh*) adj suggestible.

Suggestion f suggestion.

suggestiv adj suggestive.

Suggestivfrage f leading question.

Suhle f -, -n muddy pool.

suhlen vr (*lit, fig*) to wallow.

Sühne f -, -n (*Rel, geh*) atonement; (*von Schuld*) expiation. **als** ~ **für etw** to atone for sth; **das Verbrechen fand seine** ~ the crime was atoned for.

sühnen I vt Unrecht, Verbrechen to atone for; Schuld to expiate. II vi to atone.

Sühneopfer nt (*Rel*) expiatory sacrifice; **Sühnetermin** m (*Jur*) conciliatory hearing.

Suite ['sviːtə, 'zuiːtə] f -, -n suite; (*Gefolge*) retinue.

Suizid [zui'tsiːt] m or nt -(e)s, -e (*form*) suicide.

Suizid- [zui'tsiːt-]: **Suizidgefahr** f risk of suicide; **suizidgefährdet** adj suicidal; **Suizidgefährdete(r)** mf suicidal person; **Suizidversuch** m suicide attempt.

Sujet [sy'ʒeː] nt -s, -s (*geh*) subject.

sukzessiv(e) adj gradual.

Sulfat nt sulphate.

Sulfid nt -(e)s, -e sulphide.

Sulfit nt -s, -e sulphite.

Sulfonamid nt -(e)s, -e sulphonamide.

Sultan ['zʊltaːn] m -s, -e sultan.

Sultanat nt sultanate.

Sultanin f sultana.

Sultanine f (*Rosine*) sultana.

Sülze f -, -n, **Sulz** f -, -en (*esp S Ger, Aus, Sw*) brawn.

sülzen I vt **1.** (*dial inf*) to go on and on about (*inf*). **2.** (*Cook*) to pickle in aspic. II vi (*dial inf*) to go on and on (*inf*).

Sülzkotelett nt cutlet in aspic.

Sumatra [zu'maːtra, 'zuːmatra] nt -s Sumatra.

Sumerer(in *f*) m -s, - (*Hist*) Sumerian.

sumerisch adj (*Hist*) Sumerian.

summ interj buzz. ~ **machen** to buzz.

summa cum laude adv (*Univ*) summa cum laude (*US*), with distinction.

Summand m -en, -en (*Math*) summand.

summarisch I adj (*auch Jur*) summary; Zusammenfassung summarizing. II adv etw ~ **zusammenfassen** to summarize sth.

summa summarum adv (*geh*) all in all, on the whole.

Sümmchen nt dim of Summe. **ein nettes** ~ (*hum*) a tidy sum, a pretty penny (*inf*).

Summe f -, -n sum; (*Gesamt*~ *auch*) total; (*fig*) sum total. **die** ~ **aus etw ziehen** to sum up or evaluate sth.

summen I vt Melodie to hum. II vi to buzz; (*Mensch, Motor*) to hum. III vi impers **es summt** there is a buzzing/humming noise.

Summer m -s, - buzzer.

summieren* I vt to sum up. II vr to mount up. **das summiert sich** it (all) adds or mounts up.

Summton m, **Summzeichen** nt buzz, buzzing sound.

Sumpf m -(e)s, ̈e marsh; (*Morast*) mud; (*in tropischen Ländern*) swamp. **im** ~ **der Großstadt** in the squalor and corruption of the big city.

Sumpfboden m marshy ground; **Sumpfdotterblume** f marsh marigold.

sumpfen vi (*inf*) to live it up (*inf*).

Sumpffieber nt malaria; **Sumpfhuhn** nt moorhen; (*inf: unsolider Mensch*) fast-liver (*inf*).

sumpfig adj marshy, swampy.

Sumpfland nt marshland; (*in tropischen Ländern*) swampland; **Sumpfotter** m mink; **Sumpfpflanze** f marsh plant; **Sumpfvogel** m wader.

Sund m -(e)s, -e sound, straits pl.

Sünde f -, -n sin. **eine** ~ **begehen** to sin, to commit a sin; **jdm seine** ~**n vergeben** to forgive sb his sins; **es ist eine** ~ **und Schande** (*inf*) it's a crying shame.

Sündenbabel nt hotbed of vice; **Sündenbekenntnis** nt confession of one's sins; (*Gebet*) confession (of sins); **Sündenbock** m (*inf*) scapegoat, whipping boy; **jdn zum** ~ **machen** to make sb one's scapegoat; **Sündenfall** m (*Rel*) Fall (of Man); **sündenfrei** adj free from sin, without sin; **Sündenpfuhl** m den of iniquity; **Sündenregister** nt (fig) list of sins; **jds ~** the list of sb's sins; **Sündenvergebung** f forgiveness or remission of sins.

Sünder m **-s,** - sinner. **armer ~** (Eccl) miserable sinner; (old) criminal under sentence of death; (fig) poor wretch; **na, alter ~!** (dated inf) well, you old rogue! (inf).

Sünderin f sinner.

Sündflut f, no pl siehe Sintflut.

sündhaft adj (lit) sinful; (fig inf) Preise wicked. **~ teuer** (inf) wickedly expensive.

sündig adj sinful. **~ werden** to sin (an +dat against).

sündigen vi to sin (an +dat against); (hum) to indulge. **gegen die Natur ~** to commit a crime against nature; **gegen seine Gesundheit ~** to jeopardize one's health.

sündteuer adj (Aus) wickedly expensive.

Super[1] nt **-s,** no pl (Benzin) four-star (petrol) (Brit), premium (US), super.

Super[2] m **-s,** - (Rad) superhet (radio set).

super (inf) **I** adj inv super, smashing, great (all inf). **II** adv (mit adj) really, incredibly (inf); (mit vb) really or incredibly (inf) well.

Super- in cpds super-; (sehr) ultra-; **Super-8-Film** m super-8 film.

superb [zu'pɛrp], **süperb** (dated geh) adj splendid, superb, premium (US).

Superbenzin nt ≃ 4-star petrol (Brit), premium (US); **Superchip** m (Comput) superchip; **superfein** adj Qualität top attr; Eßwaren top-quality; (inf) posh (inf); **Superintendent** m (Eccl) superintendent.

Superior m, **Superiorin** f superior.

superklug adj (iro inf) brilliant. **du bist ein S~er** (Besserwisser) you are a (real) knowall (inf); (Dummkopf) you're brilliant, you are (inf).

Superlativ ['zu:pɛlati:f, zupɛla'ti:f] m (Gram, fig) superlative.

superlativisch adj (Gram) superlative; (fig) grand. **ins S~e geraten** to assume massive proportions, to snowball in a big way (inf).

superleicht adj (inf) Zigaretten extra mild; (kinderleicht) dead easy (inf); **Supermacht** f superpower; **Supermann** m, pl **-männer** superman; **Supermarkt** m supermarket; **supermodern** adj (inf) ultramodern; **Supernova** f supernova; **superschnell** adj (inf) ultrafast; **Superschnellzug** m high-speed train; **Superstar** m (inf) superstar.

Suppe f **-, -n** soup; (sämig mit Einlage) broth; (klare Brühe) bouillon; (fig inf: Nebel) pea-souper (inf). **klare ~** consommé; **jdm ein schöne ~ einbrocken** (inf) to get sb into a pretty pickle (inf) or nice mess; **du mußt die ~ auslöffeln, die du dir eingebrockt hast** (inf) you've made your bed, now you must lie on it (prov); **jdm die ~ versalzen, jdm in die ~ spucken** (inf) to put a spoke in sb's wheel (inf), to queer sb's pitch (inf);

siehe **Haar, Salz.**

Suppen- in cpds soup; **Suppenfleisch** nt meat for making soup; (gekocht) boiled beef/pork etc; **Suppengemüse** nt vegetables pl for making soup; **Suppengrün** nt herbs and vegetables pl for making soup; **Suppenhuhn** nt boiling fowl; **Suppenkaspar, Suppenkasper** m (inf) poor eater; (Suppenfreund) soup-fan (inf); **Suppennudel** f vermicelli pl, noodles pl; **Suppenschüssel** f tureen; **Suppenwürfel** m stock cube; **Suppenwürze** f soup seasoning.

Supplement [zʊple'mɛnt] nt (geh) supplement.

Supplementband m supplementary volume; **Supplementwinkel** m supplementary angle.

Suppositorium nt (Med) suppository.

supraleitend adj (Phys) superconductive; **Supraleiter** m (Phys) superconductor; **Supraleitung** f (Phys) superconductivity; **supranational** adj supranational; **Supranaturalismus** m supernaturalism.

Supremat m or nt **-(e)s, -e, Suprematie** f (geh) supremacy.

Sure f **-, -n** (im Koran) sura(h).

Surfbrett ['zø:ɛf-, 'zœrf-, s-] nt surfboard.

surfen ['zø:ɛfən, 'zœrfən, s-] vi to surf.

Surfer(in f) ['zø:ɛfɐ, 'zœrfɐ, -ərin, s-] m surfer.

Surfing ['zø:ɛfɪŋ, 'zœr-, s-] nt **-s,** no pl (Sport) surfing.

surreal adj surreal.

Surrealismus m, no pl surrealism.

surrealistisch adj surrealist(ic).

surren vi **1.** to hum; (Insekt auch) to buzz; (Motor auch, Kamera, Insektenflügel) to whirr. **2.** aux sein (sich bewegen: Insekt) to buzz.

Surrogat nt surrogate.

suspekt [zʊs'pɛkt] adj suspicious. **jdm ~ sein** to seem suspicious to sb.

suspendieren* [zʊspɛn'di:rən] vt to suspend (von from).

Suspension [zʊspɛn'zio:n] f (alle Bedeutungen) suspension.

Suspensorium [zʊspɛn'zo:riʊm] nt (Med) suspensory.

süß adj (lit, fig) sweet. **etw ~ machen** to sweeten sth; Tee, Kaffee (mit Zucker) to sugar sth; **gern ~ essen** to have a sweet tooth, to be fond of sweet things; **sie ist eine S~e** (inf) (ißt gerne) she has a sweet tooth; **das ~e Leben** the good life; **es auf die ~e Tour or auf die S~e versuchen** (inf) to turn on the charm; **(mein) S~er/(meine) S~e** (inf) my sweetheart; (als Anrede auch) my sweet, sweetie (-pie) (inf).

Süße f **-,** no pl (lit, fig) sweetness.

süßen I vt to sweeten; (mit Zucker) Tee, Kaffee to sugar. **II** vi **mit Honig ~** to use honey as a sweetener.

Süßholz nt liquorice. **~ raspeln** (fig) to turn on the blarney; **du kannst aufhören, ~ zu raspeln** you can stop soft-soaping me/him etc (inf).

Süßholzraspler(in f) m **-s,** - (hum) soft-soaper (inf).

Süßigkeit f **1.** no pl (lit, fig) sweetness. **2.**

~en *pl* sweets *pl* (*Brit*), candy (*US*).
Süßkartoffel *f* sweet potato; **Süßkirsche** *f* sweet cherry.
süßlich *adj* **1.** (*leicht süß*) sweetish, slightly sweet; (*unangenehm süß*) sickly (sweet), cloying. **2.** (*fig*) *Töne, Miene* terribly sweet; *Lächeln auch* sugary; *Worte auch* honeyed; *Farben, Geschmack* pretty-pretty (*inf*); (*kitschig*) mawkish.
Süßmost *m* unfermented fruit juice; **Süßrahmbutter** *f* creamery butter; **süßsauer** *adj* sweet-and-sour; *Gurken* pickled; (*fig: gezwungen freundlich*) *Lächeln* forced; *Miene* artificially friendly; **Süßspeise** *f* sweet dish; **Süßstoff** *m* sweetener; **Süßwaren** *pl* confectionery *sing*; **Süßwarengeschäft** *nt* sweetshop (*Brit*), candy store (*US*), confectioner's; **Süßwasser** *nt* freshwater; **Süßwasserfisch** *m* freshwater fish.
Sutane *f* -, -n (*Eccl*) cassock.
SW *abbr of* **Südwesten** SW.
Swastika ['svastika] *f* -, **Swastiken** swastika.
Swimming-pool ['svɪmɪŋpuːl] *m* -s, -s swimming pool.
Swing *m* -s, *no pl* (*Mus, Fin*) swing.
swingen *vi* (*Mus*) to swing.
syllabisch *adj* syllabic.
Syllogismus *m* (*Philos*) syllogism.
Sylphe *m* -n, -n, *f* -, -n (*Myth*) sylph.
Sylt *nt* -s Sylt.
Sylvaner [zʏl'vaːnɐ] *m* -s, - Sylvaner (wine/grape).
Sylvester [zʏl'vɛstɐ] *nt* -s, - New Year's Eve *or* Hogmanay (*esp Scot*).
Symbiose *f* -, -n symbiosis.
symbiotisch *adj* symbiotic.
Symbol *nt* -s, -e symbol.
Symbolfigur *f* symbol, symbolic figure.
Symbolik *f* symbolism.
symbolisch *adj* symbolic(al) (*für of*).
symbolisieren* *vt* to symbolize.
Symbolismus *m* symbolism.
Symbolist(in *f)* *m* symbolist.
symbolistisch *adj* symbolist(ic).
Symbolkraft *f* symbolic force *or* power; **symbolträchtig** *adj* heavily symbolic, full of symbolism.
Symmetrie *f* symmetry.
Symmetrieachse *f* axis of symmetry.
symmetrisch *adj* symmetric(al).
Sympathie [zʏmpa'tiː] *f* (*Zuneigung*) liking; (*Mitgefühl, Solidaritätsgefühl*) sympathy. **für jdn/etw ~ haben** to have a liking for/a certain amount of sympathy with sb/sth; **diese Maßnahmen haben meine volle ~** I sympathize completely with these measures; **durch seine Unverschämtheit hat er meine ~/hat er sich** (*dat*) **alle ~(n) verscherzt** he has turned me/everyone against him with his rudeness.
Sympathiekundgebung *f* demonstration of support; **Sympathiestreik** *m* sympathy strike; **in ~ (mit jdm) treten** to come out in sympathy (with sb); **Sympathiewerte** *pl* popularity rating *sing*.
Sympathikus *m* -, *no pl* (*Physiol*) sympathetic nerve.
Sympathisant(in *f)* *m* sympathizer.

sympathisch *adj* **1.** pleasant, nice, simpatico (*esp US inf*). **er/es ist mir ~** I like him/it; **er/es war mir gleich ~** I liked him/it at once, I took to him/it at once, I took an immediate liking to him/it.
2. (*Anat, Physiol*) sympathetic.
sympathisieren* *vi* to sympathize (*mit* with).
Symphonie [zʏmfo'niː] *f* symphony.
Symphonie- *in cpds siehe* **Sinfonie-**.
Symphoniker(in *f)* *m* -s, - *siehe* **Sinfoniker(in)**.
symphonisch *adj* symphonic.
Symposion [zʏm'poːziɔn], **Symposium** [zʏm'poːziʊm] *nt* -s, **Symposien** [zʏm'poːziən] symposium.
Symptom *nt* -s, -e symptom.
symptomatisch *adj* symptomatic (*für of*).
Synagoge *f* -, -n synagogue.
synchron [zʏn'kroːn] *adj* synchronous; (*Ling*) synchronic.
Synchrongetriebe [zʏn'kroːn-] *nt* (*Aut*) synchromesh gearbox.
Synchronisation [zʏnkroniza'tsioːn] *f* (*Film, TV*) synchronization; (*Übersetzung*) dubbing.
synchronisieren* [zʏnkroni'ziːrən] *vt* to synchronize; (*übersetzen*) *Film* to dub.
Synchronschwimmen [zʏn'kroːn-] *nt* synchronized swimming.
Syndikalismus *m*, *no pl* syndicalism.
syndikalistisch *adj* syndicalist(ic).
Syndikat *nt* (*Kartell*) syndicate.
Syndikus *m* -, **Syndiken** *or* **Syndizi** (*Geschäftsführer*) syndic; (*Justitiar*) (company) lawyer.
Syndrom *nt* -s, -e syndrome.
Synergie *f* synergy.
Synkope *f* -, -n **1.** ['zʏnkopə] syncope, syncopation. **2.** [zʏn'koːpə] (*Mus*) syncopation.
synkopieren* *vt* to syncopate.
synkopisch *adj* syncopic, syncopated (*esp Mus*).
Synkretismus *m*, *no pl* syncretism.
Synodale(r) *mf decl as adj* (*Eccl*) synod member.
Synode *f* -, -n (*Eccl*) synod.
Synonym [zyno'nyːm] *nt* -s, -e synonym.
synonym(isch) [zyno'nyːm(ɪʃ)] *adj* synonymous.
Synonymwörterbuch *nt* dictionary of synonyms, thesaurus.
Synopse *f* -, -n, **Synopsis** *f* -, **Synopsen** synopsis; (*Bibl*) synoptic Gospels *pl*, Synoptics *pl*.
Synoptiker *pl* (*Bibl*) Synoptics *pl*; (*Apostel*) Synoptists *pl*.
Syntagma *nt* -s, **Syntagmen** *or* -ta (*Ling*) syntactic construction.
syntaktisch *adj* syntactic(al).
Syntax *f* -, -en syntax.
Synthese *f* -, -n synthesis.
Synthesizer ['sɪntəsaizɐ] *m* synthesizer.
Synthetik *f*, *no pl* **1.** (*Math*) synthesis. **2.** (*Kunstfaser*) synthetic fibre.
synthetisch *adj* synthetic; *Stoff, Faser auch* man-made. **etw ~ herstellen** to make *or* produce sth synthetically.
synthetisieren* *vt* to syntheticize.
Syphilis ['zyːfilɪs] *f* -, *no pl* syphilis.
syphiliskrank *adj* syphilitic, suffering

from syphilis. ~ **sein** to have syphilis.
Syphilitiker(in *f) m* **-s,** - syphilitic.
syphilitisch *adj* syphilitic.
Syrer(in *f) m* **-s,** - Syrian.
Syrien ['zy:riən] *nt* **-s** Syria.
Syrier(in *f)* [-iɐ, -iərɪn] *m* **-s,** - Syrian.
syrisch *adj* Syrian.
Syrisch(e) *nt, no pl* Syriac; *siehe auch*
Deutsch(e).
System [zʏs'te:m] *nt* **-s, -e** system (*auch*
Comput); (*Ordnung, Ordnungsprinzip*
auch) method. **etw mit ~ machen** to do
sth systematically; **etw mit einem ~ ma-**
chen to do sth according to a system; **~**
in etw (*acc*) **bringen** to get *or* bring some
system into sth; **Apparate verschiedener**
~e machinery of different designs; **ein ~**
von Straßen/Kanälen a road/canal
system.
Systemanalyse *f* systems analysis.
Systematik *f, no pl* **1.** (*systematisches*
Ordnen) system. **2.** (*Lehre, Klassifika-*
tion) systematology.
Systematiker(in *f) m* **-s,** - systematist;
(*fig*) systematic person.
systematisch *adj* systematic.
systematisieren* *vt* to systematize.
systembedingt *adj* determined by the
system; **Systemdiskette** *f* systems disk;
Systemfehler *m* (*Comput*) system
error; **systemimmanent** *adj* inherent
in the system.
systemisch *adj* systemic.
systemkonform *adj* in conformity with
the system; **Systemkritiker(in** *f) m* critic of the system; **systemkritisch** *adj*

critical of the system; **systemlos** *adj* unsystematic; **Systemsoftware** *f* systems
software; **Systemspezialist(in** *f) m*
(*Comput*) systems specialist; **System-**
treue *f* loyalty to the system; **Sy-**
stemveränderer *m* (*Pol pej*) **die Partei**
besteht aus lauter ~n the whole party is
just a bunch of people out to change the
system; **Systemveränderung** *f* change
in the system.
Systole ['zʏstolə, -'to:lə] *f* **-, -n** (*Med*)
systole.
Szenar *nt* **-s, -e, Szenario** *nt* **-s, -s, Sze-**
narium *nt* scenario.
Szene ['stse:nə] *f* **-, -n 1.** (*Theat, fig*)
scene; (*Theat: Bühnenausstattung*) set;
(*sl: Drogen~ etc*) scene; (*sl: Milieu*) subculture. **in ~** (*acc*) **gehen** to be staged;
etw in ~ setzen (*lit, fig*) to stage sth; **sich**
in ~ setzen to play to the gallery; **sich in**
der ~ auskennen (*sl*) to know the scene.
2. (*fig: Zank, Streit*) scene. **jdm eine ~**
machen to make a scene in front of sb.
-szene *f in cpds* (*sl*) scene (*sl*).
Szenenfolge *f* sequence of scenes;
Szenenwechsel *m* scene change.
Szenerie *f* (*Theat, fig*) scenery.
szenisch *adj* (*Theat*) scenic.
Szepter ['stsɛptə] *nt* **-s,** - sceptre.
Szilla *f* -, **Szillen** (*Bot*) scilla.
Szintigramm *nt* scintigram; **Szintigraph**
m scintigraph; **Szintigraphie** *f* scinti-
graphy.
Szylla ['stsʏla] *f* - (*Myth*) Scylla. **zwischen**
~ und Charybdis (*liter*) between Scylla
and Charybdis.

T

T, t [te:] *nt* -, - T, t.

t *abbr of* **Tonne.**

Tabak ['ta:bak, 'tabak, *(Aus)* ta'bak] *m* - s, -e tobacco; *(Schnupf~)* snuff.

Tabak- *in cpds* tobacco; **Tabakbeutel** *m* tobacco pouch; **Tabakgenuß** *m* (tobacco) smoking; **Tabakhändler(in** *f)* *m* *(im Großhandel)* tobacco merchant; *(im Einzelhandel)* tobacconist; **Tabakladen** *m* tobacconist's, tobacco shop; **Tabakmischung** *f* blend (of tobaccos), (tobacco) mixture; **Tabakpfeife** *f* pipe; **Tabakrauch** *m* tobacco smoke.

Tabaksbeutel *m* tobacco pouch; **Tabaksdose** *f* tobacco tin; *(für Schnupftabak)* snuff-box; **Tabakspfeife** *f* pipe.

Tabaksteuer *f* duty on tobacco; **Tabaktrafik** [ta'bak-] *f (Aus)* tobacconist's, tobacco shop; **Tabaktrafikant(in** *f)* [ta'bak-] *m (Aus)* tobacconist; **Tabakwaren** *pl* tobacco; „~" tobacconist's.

Tabatiere [taba'tie:rə] *f* -, -n *(Aus)* tobacco tin; *(old: Schnupftabakdose)* snuff-box.

tabellarisch *adj* tabular. **bitte fügen Sie einen ~en Lebenslauf bei** please write out your curriculum vitae in tabular form.

Tabelle *f* table; *(Diagramm)* chart; *(Sport)* (league) table.

Tabellenform *f*: **in ~** in tabular form, in tables/a table; as a chart, in chart form; **Tabellenführer** *m (Sport)* league leaders *pl*; **~ sein** to be at the top of the (league) table; **Tabellengestaltung** *f (an Schreibmaschine)* tabulation; **Tabellenkalkulation** *f (Comput)* spreadsheet; **Tabellenkalkulationsprogramm** *nt (Comput)* spreadsheet (program); **Tabellenplatz** *m (Sport)* place *or* position in the league; **auf den letzten ~ fallen** to drop to the bottom of the table; **Tabellenstand** *m (Sport)* league situation.

Tabelliermaschine *f* tabulator, tabulating machine.

Tabernakel *nt or m* -s, - tabernacle.

Tablett *nt* -(e)s, -s *or* -e tray. **jdm etw auf einem silbernen ~ servieren** to hand sb sth on a plate; **muß man dir alles/die Einladung auf einem silbernen ~ servieren?** do you have to have everything done for you/do you want an official invitation?

Tablette *f* tablet, pill.

Tablettenform *f*: **in ~** in tablet form; **Tablettenmißbrauch** *m* pill abuse; **Tablettenröhre** *f* tablet tube; tube of tablets; **Tablettensucht** *f* addiction to pills, compulsive pill-taking; **tablettensüchtig** *adj* addicted to pills; **sie ist ~** she's always popping pills *(inf)*; **Tablettensüchtige(r)** *mf* pill addict, pill-

popper *(inf)*.

Tabu *nt* -s, -s taboo.

tabu *adj pred* taboo.

tabuieren* *vt (geh)* to make taboo, to taboo.

Tabuierung *f (geh)* taboo(ing).

tabuisieren* *vt siehe* **tabuieren.**

Tabula rasa *f* - -, *no pl (Philos)* tabula rasa. **t~ ~ machen** *(inf)* to make a clean sweep.

Tabulator *m* tabulator, tab *(inf)*.

Tabuschranke *f* taboo; **Tabuwort** *nt* taboo word *or* expression.

Tach(e)les *no art (sl)* **(mit jdm) ~ reden** to have a talk with sb; **nun wollen wir beide mal ~ reden** let's do some straight talking, let's talk turkey *(US inf)*.

tachinieren* *vi (Aus inf)* to laze *or* loaf about *(inf)*.

Tachinierer(in *f)* *m* -s, - *(Aus inf)* layabout *(inf)*, loafer *(inf)*.

Tacho *m* -s, -s *(inf)* speedo *(Brit inf)*, speedometer.

Tachometer *m or nt* -s, - speedometer.

Tacker *m* -s, - *(inf)* stapler.

Tadel *m* -s, - *(Verweis)* reprimand; *(Vorwurf)* reproach; *(Kritik)* criticism, censure; *(geh: Makel)* blemish, taint; *(Sch: Eintragung ins Klassenbuch)* black mark. **ein Leben ohne jeden ~** *(geh)* an unblemished *or* spotless *or* blameless life.

tadellos I *adj* perfect; **Deutsch etc auch** faultless; **Benehmen auch** faultless, irreproachable; **Leben** blameless; *(inf)* splendid, first-class. **II** *adv* perfectly; faultlessly; irreproachably; **gekleidet** immaculately.

tadeln *vt jdn* to rebuke, to reprimand; **jds Benehmen** to criticize, to express one's disapproval of.

tadelnswert *adj* reprehensible, blameworthy.

Tadels|antrag *m (Parl)* motion of censure, censure motion.

Tadschikistan *nt* -s Tadzhikistan.

Tafel *f* -, -n **1.** *(Platte)* slab; *(Holz~)* panel; *(~ Schokolade)* bar; *(Gedenk~)* plaque; *(Wand~)* (black)board; *(Schreib~)* slate; *(Elec: Schalt~)* control panel, console; *(Anzeige~)* board; *(Verkehrs~)* sign.

2. *(Bildseite)* plate.

3. *(form: festlicher Speisetisch)* table; *(Festmahl)* meal; *(mittags)* luncheon *(form)*; *(abends)* dinner. **jdn zur ~ bitten** to ask sb to table; **die ~ aufheben** to officially end the meal.

Tafelapfel *m* eating apple; **Tafelaufsatz** *m* centrepiece; **Tafelberg** *m (Geog)* table mountain; **Tafelbesteck** *nt* (best) silver; **Tafelbild** *nt* panel; **tafelfertig** *adj* ready to serve; **Tafelgeschäft** *nt (Fin)* counter transactions *pl*; **Tafelgeschirr**

nt tableware; **Tafelglas** *nt* sheet glass, plate glass; **Tafelland** *nt* plateau, tableland; **Tafellappen** *m* (blackboard) duster; **Tafelmalerei** *f* panel painting; **Tafelmusik** *f* musical entertainment.

tafeln *vi* (*geh*) to feast. **mit jdm** ~ to dine with sb.

täfeln *vt Wand* to wainscot; *Decke* to panel, to line with wooden panels.

Tafelobst *nt* (dessert) fruit; **Tafelöl** *nt* cooking/salad oil; **Tafelrunde** *f* company (at table); (*Liter*) Round Table; **die ganze** ~ **applaudierte** the whole table applauded; **Tafelsalz** *nt* table salt; **Tafelsilber** *nt* silver; **Tafelspitz** *m* (*Cook*) soured boiled rump.

Täf(e)lung *f siehe* **täfeln** wainscoting; (wooden) panelling.

Tafelwasser *nt* mineral water; **Tafelwein** *m* table wine.

Taft *m* **-(e)s, -e** taffeta.

taften *adj* taffeta.

Tag *m* **-(e)s, -e 1.** day. **am** ~**(e) des/der ...** (on) the day of ...; **am** ~ during the day; **alle** ~**e** (*inf*), **jeden** ~ every day; **am vorigen** ~**(e)**, **am** ~**(e) vorher** the day before, the previous day; **auf den** ~ **(genau)** to the day; **auf ein paar** ~**e** for a few days; **auf seine alten** ~**e** at his age; **bei** ~ **und Nacht** night and day, day and night; **bis in unsere** ~**e** up to the present day; **diese** (*inf*) *or* **dieser** ~**e** (*bald*) in the next few days; **den ganzen** ~ **(lang)** (*lit, fig*) all day long, the whole day; **eines** ~**es** one day; **eines** ~**es wirst du ...** one day *or* one of these days you'll ...; **eines (schönen *or* guten)** ~**es** one (fine) day; **sich** (*dat*) **einen schönen/faulen** ~ **machen** to have a nice/lazy day; ~ **für** *or* **um** ~ day by day; **in unseren** *or* **den heutigen** ~**en** these days, nowadays; **unter** ~**s** (*dial*) during the daytime; **von** ~ **zu** ~ from day to day, every day; ~ **der Arbeit** Labour Day; **der** ~ **des Herrn** (*Eccl*) the Lord's Day; **welcher** ~ **ist heute?** what day is it today?, what's today?; **ein** ~ **wie jeder andere** a day like any other; **guten** ~**!** hello (*inf*), good day (*dated form*); (*esp bei Vorstellung*) how-do-you-do; (*vormittags auch*) good morning; (*nachmittags auch*) good afternoon; ~**!** (*inf*) hello, hi (*inf*); morning (*inf*); afternoon (*inf*); **ich wollte nur guten** ~ **sagen** I just wanted to have a chat; **zweimal am** ~**(e)** twice daily *or* a day; **von einem** ~ **auf den anderen** overnight; **der** ~ **X** D-Day (*fig*); **er erzählt** *or* **redet viel, wenn der** ~ **lang ist** (*inf*) he'll tell you anything if you let him; **seinen guten/schlechten** ~ **haben** to have a good/bad *or* off day, to have one of one's good/bad *or* off days; **das war heute wieder ein** ~**!** (*inf*) what a day!; **das Thema/Ereignis des** ~**es** the talking-point/event of the day; **Sie hören jetzt die Nachrichten des** ~**es** and now the *or* today's news; **in den** ~ **hinein leben** to take each day as it comes, to live from day to day; ~ **und Nacht** night and day, day and night; **das ist ein Unterschied wie** ~ **und Nacht** they are as different as chalk and cheese.

2. (*Tageslicht*) **bei** ~**(e) ankommen** while it's light; *arbeiten, reisen* during the day; **es wird schon** ~ it's getting light already; **es ist** ~ it's light; **solange (es) noch** ~ **ist** while it's still light; **an den** ~ **kommen** (*fig*) to come to light; **etw an den** ~ **bringen** to bring sth to light; **er legte großes Interesse an den** ~ he showed great interest.

3. (*inf: Menstruation*) **meine/ihre** ~**e** my/her period; **sie hat ihre** ~**e (bekommen)** it's that time of the month for her.

4. (*Min*) **über/unter** ~**e arbeiten** to work above/below ground *or* underground, to work on *or* at/below the surface.

-tag *m in cpds* (*Konferenz*) convention.

tag|aus *adv* ~, **tagein** day in, day out, day after day.

Tagchen ['taxçɛn] *interj* (*hum*) hello there.

Tagebau *m, pl* **-e** (*Min*) open-cast mining; **Tageblatt** *nt* daily (news)paper, local rag (*inf*); **Göttinger** ~ Göttingen Daily News; **Tagebuch** *nt* diary, journal (*liter, form*); **(über etw** *acc*) ~ **führen** to keep a diary (of sth); **Tagedieb** *m* (*dated*) idler, wastrel; **Tagegeld** *nt* daily allowance.

tag|ein *adv siehe* **tagaus**.

tagelang *adj* lasting for days; **nach** ~**er Unterbrechung** after an interruption of several days, after an interruption lasting several days; ~**e Regenfälle** several days' rain; **er war** ~**e verschwunden** he disappeared for (several) days; **Tagelohn** *m* (*dated*) daily wage(s); **Tagelöhner(in** *f*) *m* **-s, -** day labourer.

tagen I *vi impers* (*geh*) **es tagt** day is breaking *or* dawning; **es begann schon zu** ~ day was breaking *or* dawning, (the) dawn was breaking.

II *vi* (*konferieren*) to sit. **wir haben noch bis in die frühen Morgen getagt** (*inf*) we had an all-night sitting (*inf*).

Tagereise *f* day's journey.

Tagesablauf *m* day; **Tagesanbruch** *m* daybreak, dawn; **Tagesarbeit** *f* day's work; **Tagesauftrag** *m* (*St Ex*) day order; **Tagesausflug** *m* day trip *or* excursion, day's outing; **Tagesbedarf** *m* daily requirement; **Tagesbefehl** *m* (*Mil*) order of the day; **Tagescreme** *f* day cream; **Tagesdecke** *f* bedspread; **Tagesdienst** *m* duty day; **Tageseinnahmen** *pl* day's takings *pl*; **Tagesereignis** *nt* event of the day; **Tagesfestpreis** *m* fixed daily rate; **Tagesfragen** *pl* issues of the day, day-to-day matters; **Tagesgeld** *nt* (*Fin*) overnight money; **Tagesgeschehen** *nt* events *pl* of the day; **Tagesgespräch** *nt* talk of the town; **Tageshälfte** *f* half of the day; **Tageskarte** *f* **1.** (*Speisekarte*) menu of the day; **2.** (*Fahr-, Eintrittskarte*) day ticket; **Tageskasse** *f* **1.** (*Theat*) box-office; **2.** (*Econ*) day's takings *pl*; **Tagesklinik** *f* day clinic; **Tageskurs** *m* (*St Ex*) (*von Effekten*) current price; (*von Devisen*) current rate; **Tageslauf** *m* day; **Tagesleistung** *f* daily workload; (*von Maschine, Schriftsteller etc*) daily output; (*von Milchkuh* *auch*) daily yield; (*Sport*) performance of the day; **Tageslicht** *nt, no pl* daylight; **ans ~ kommen** (*fig*) to come to light; **das ~ scheuen** to be a creature of the night, to shun the daylight; **Tageslichtprojektor** *m* overhead projector; **Tageslohn** *m* day's wages; **Tageslosung** *f* (*Mil*) password of the day; **Tagesmarsch** *m* day's march; **Tagesmenü** *nt* menu of the day; **Tagesmutter** *f* child-minder; **Tagesnachrichten** *pl* (today's) news *sing*; **Tagesordnung** *f* agenda, order of the day (*form*); **zur ~!** keep to the agenda!; **etw auf die ~ setzen** to put sth on the agenda; **auf der ~ stehen** to be on the agenda; **zur ~ übergehen** to proceed to the agenda; (*an die Arbeit gehen*) to get down to business; (*wie üblich weitermachen*) to carry on as usual; **an der ~ sein** (*fig*) to be the order of the day; **Tagesordnungspunkt** *m* item on the agenda; **Tagespauschale** *f* fixed daily amount; **Tagespreis** *m* (*Comm*) current price; **gestern betrug der ~ ...** yesterday's price was ...; **Tagespresse** *f* daily (news)papers *or* press; **Tagesration** *f* daily rations; **Tagesraum** *m* day room; **Tagesreise** *f* 1. (*Entfernung*) day's journey; 2. (*Ausflug*) day trip; **Tagessatz** *m* daily rate; **Tagesschau** *f* (*TV*) news *sing*; **Tagesstätte** *f* (*für Kinder*) day care centre; **Tagessuppe** *f* soup of the day; **Tageszeit** *f* time (of day); **zu jeder Tages- und Nachtzeit** at all hours of the day and night; **zu dieser ~ kommst du nach Hause?!** what sort of time do you call this to come home!; **Tageszeitung** *f* daily (paper).

tageweise *adv* on a daily basis; **Tagewerk** *nt* (*geh*) day's work.

Tagfahrt *f* (*Min*) ascent; **taghell** *adj* (as) bright as day; **es war schon ~** it was already broad daylight.

tägl. *abbr of* **täglich.**

täglich I *adj* daily; (*attr: gewöhnlich*) everyday. **~e Gelder** (*Comm*) call-money; **~e Zinsen** (*Comm*) daily interest; **das reicht gerade fürs ~e Leben** it's just about enough to get by on; **sein ~(es) Brot verdienen** to earn a living; **das ist unser ~(es) Brot** (*fig: Ärger*) it is our stock-in-trade; **das ist so wichtig wie das ~e Brot** it's as important as life itself.

II *adv* every day. **einmal ~** once a day *or* daily.

Tagmem *nt* **-s, -e** (*Ling*) tagmeme.

tags *adv* 1. **~ zuvor** the day before, the previous day; **~ darauf** *or* **danach** the next *or* following day. 2. (*bei Tag*) in the daytime, by day.

Tagschicht *f* day shift. **~ haben** to be on (the) day shift.

tags|über *adv* during the day.

tagtäglich I *adj* daily; **II** *adv* every (single) day; **Tagtraum** *m* daydream; **Tagträumer(in** *f)* *m* daydreamer; **Tagundnachtgleiche** *f* equinox.

Tagung *f* conference; (*von Ausschuß*) sitting, session.

Tagungsort *m* venue (of a/the confer-

ence); **Tagungsteilnehmer(in** *f)* *m* conferee, person attending a conference.

Tahiti [ta'hi:ti] *nt* **-s** Tahiti.

Tahitianer(in *f)* [tahi:'tia:nɐ, -ərɪn] *m* **-s, -, Tahitier(in** *f)* [ta'hi:tiɐ, -ərɪn] *m* **-s, -** Tahitian.

tahitisch [ta'hi:tɪʃ] *adj* Tahitian.

Taifun *m* **-s, -e** typhoon.

Taiga *f* **-, *no pl*** taiga.

Taille ['taljə] *f* **-, -n** waist; (*bei Kleidungsstücken auch*) waistline. **auf seine ~ achten** to watch one's waistline; **zu eng in der ~** too tight at the waist; **ein Kleid auf ~** a fitted dress.

Taillenweite ['taljən-] *f* waist measurement.

taillieren* [ta'ji:rən] *vt* to fit (at the waist).

tailliert [ta'ji:ɐt] *adj* waisted, fitted; *Hemd auch* slimfit.

Taiwan *nt* **-s** Taiwan.

Taiwanese *m* **-n, -n, Taiwanesin** *f* Taiwanese.

taiwanesisch *adj* Taiwan(ese).

Take [te:k] *nt or m* **-, -s** (*Film, TV*) take.

Takel *nt* **-s, -** (*Naut*) tackle.

Takelage [taka'la:ʒə] *f* **-, -n** (*Naut*) rigging, tackle.

takeln *vt* (*Naut*) to rig.

Takt *m* **-(e)s, -e 1.** (*Einheit*) (*Mus*) bar; (*Phon, Poet*) foot.

2. (*Rhythmus*) time. **den ~ schlagen** to beat time; (**den**) **~ halten** to keep time; **im ~ bleiben** to stay in time; **den ~ verlieren/wechseln** to lose/change the beat, to change (the) time; **im ~ singen/ tanzen** to sing/dance in time (to the music); **gegen den ~** out of time; **im/gegen den ~ marschieren** to be in/out of step; **den ~ angeben** to give the beat *or* time; **im ~ der Musik** in time to *or* with music; **das Publikum klatschte den ~ dazu** the audience clapped in time to the music.

3. (*Aut*) stroke.

4. (*Ind*) phase.

5. *no pl* (*Taktgefühl*) tact. **mit dem ihm eigenen ~** with his great tact(fulness); **er hat keinen ~ im Leibe** (*inf*) he hasn't an ounce of tact in him.

Taktfahrplan *m* (*Rail*) *timetable of departures at regular intervals;* **taktfest** *adj* (*Mus*) 1. able to keep time; 2. (*inf*) (*gesundheitlich*) fighting fit (*inf*); (*sicher*) sure of his *etc* stuff (*inf*); **Taktfolge** *f* (*form*) sequence; **Taktfrequenz** *f* (*Comput*) clock speed; **Taktgefühl** *nt* 1. sense of tact; 2. (*rare: Mus*) sense of rhythm *or* time.

taktieren* *vi* 1. to manoeuvre. **so kann man nicht ~** you can't use those tactics. 2. (*rare: Mus*) to beat time.

Taktik *f* tactics *pl*. **eine ~** tactics *pl*, a tactical approach; **man muß mit ~ vorgehen** you have to use tactics; **~ der verbrannten Erde** (*Mil*) scorched earth policy.

Taktiker(in *f)* *m* **-s, -** tactician.

taktisch *adj* tactical. **~ vorgehen** to use tactics; **~ klug** good tactics.

taktlos *adj* tactless; **Taktlosigkeit** *f* tactlessness; **es war eine ~ sondergleichen** it was a particularly tactless thing to do/say; **Taktmaß** *nt* (*Mus*) time;

Taktstock *m* baton; **Taktstrich** *m* (*Mus*) bar (line); **taktvoll** *adj* tactful; **Taktwechsel** *m* (*Mus*) change of time, time change.

Tal *nt* -(e)s, ⁻er valley, vale (*poet*). **zu ~e** into the valley.

tal|ab(wärts) *adv* 1. down into the valley. 2. (*flußabwärts*) downriver, downstream.

Talar *m* -s, -e (*Univ*) gown; (*Eccl auch*) cassock; (*Jur*) robe(s).

tal|aufwärts *adv* 1. up the valley. 2. (*flußaufwärts*) upriver, upstream.

Talent *nt* -(e)s, -e 1. (*Begabung*) talent (*zu* for). **ein großes ~ haben** to be very talented; **sie hat viel ~ zum Singen/zur Schauspielerin** she has a great talent *or* gift for singing/acting.
2. (*begabter Mensch*) talented person. **junge ~e** young talent; **er ist ein großes ~** he is very talented.

talentiert *adj* talented, gifted. **die Mannschaft lieferte ein ~es Spiel** the team played a game of great skill *or* a brilliant game.

talentlos *adj* untalented; **Talentprobe** *f* audition; **Talentsuche** *f* search for talent; **wir sind auf ~** we are looking for new talent.

Taler *m* -s, - (*Hist*) Thaler; (*inf*) mark, ≈ quid (*inf*), ≈ buck (*US inf*).

Talfahrt *f* (*bergabwärts*) descent; (*flußabwärts*) downriver trip; (*fig*) decline.

Talg *m* -(e)s, -e tallow; (*Cook*) suet; (*Hautabsonderung*) sebum.

Talgdrüse *f* (*Physiol*) sebaceous gland.

Talisman *m* -s, -e talisman, (lucky) charm; (*Maskottchen*) mascot.

Talje *f* -, -n (*Naut*) block and tackle.

Talk *m* -(e)s, *no pl* talc(um).

Talkessel *m* basin, hollow.

Talkpuder *m or nt* talcum powder.

Talkshow ['tɔ:kʃoː] *f* -, -s (*TV*) talk show, chat show (*Brit*).

Talkum *nt* 1. *siehe* **Talk**. 2. (*Puder*) talc, talcum powder.

Tallandschaft *f* valley; valleys *pl*.

Talmi *nt* -s, *no pl* (*geh*) pinchbeck; (*fig*) rubbish, trash. **~-Religion** sham religion.

Talmud *m* -(e)s, -e Talmud.

Talmulde *f* basin, hollow.

Talon [ta'lõ] *m* -s, -s (*St Ex*) renewal coupon.

Talschaft *f* (*Sw, Aus*) valley inhabitants *pl or* dwellers *pl or* folk; **Talsenke** *f* hollow (of a/the valley); **Talsohle** *f* bottom of a/the valley, valley bottom; (*fig*) rock bottom; **in der ~** (*fig*) at rock bottom, in the doldrums; **Talsperre** *f* dam; **Talstation** *f* base camp; (*Skilift etc*) station at the bottom of a skilift *etc*; **talwärts** *adv* down to the valley.

Tamarinde *f* -, -n tamarind.

Tamariske *f* -, -n tamarisk.

Tambour ['tambuːɐ] *m* -s, -e drummer.

Tambourmajor ['tambu:ɐ-] *m* drummajor.

Tamburin *nt* -s, -e tambourine.

Tamile *m* -n, -n, **Tamilin** *f* Tamil.

tamilisch *adj* Tamil.

Tamp *m* -s, -e, **Tampen** *m* -s, - (*Naut*) rope end.

Tampon ['tampɔn, tam'poːn] *m* -s, -s tampon; (*für Wunde auch*) plug.

tamponieren* *vt* to plug, to tampon.

Tamtam *nt* -s, -s 1. (*Mus*) tomtom. 2. (*inf: Wirbel*) fuss, to-do (*inf*), ballyhoo (*inf*); (*Lärm*) row, din (*inf*). **der Faschingszug zog mit großem ~ durch die Straßen** the Fasching procession paraded loudly through the streets.

Tand *m* -(e)s, *no pl* (*liter*) trinkets *pl*, knick-knacks *pl*.

tändeln *vi* (*liter*) (*liebeln*) to dally (*liter*); (*trödeln*) to (dilly-)dally, to trifle.

Tandem *nt* -s, -s tandem.

Tandler(in *f***)** *m* -s, - (*Aus*) 1. (*Trödler*) second-hand dealer. 2. (*langsamer Mensch*) slowcoach (*Brit inf*), slowpoke (*US inf*).

Tang *m* -(e)s, -e seaweed.

Tanga *m* -s, -s tanga.

Tanga-Slip *m* tanga.

Tangens ['taŋgens] *m* -, - (*Math*) tan(gent).

Tangenskurve ['taŋgens-] *f* (*Math*) tan wave.

Tangente [taŋ'gɛntə] *f* -, -n (*Math*) tangent; (*Straße*) ring-road, expressway.

tangential [taŋgɛn'tsiaːl] *adj* tangential.

Tanger ['taŋə, 'tandʒə] *nt* -s Tangier(s).

tangieren* [taŋ'giːrən] *vt* 1. (*Math*) to be tangent to. 2. (*berühren*) *Problem* to touch on; *Stadt, Gebiet* to skirt. **das tangiert das Problem nur** that is merely tangential *or* peripheral to the problem. 3. (*betreffen*) to affect; (*inf: kümmern*) to bother.

Tango ['taŋgo] *m* -s, -s tango.

Tank *m* -(e)s, -s *or* -e (*Behälter, Panzer*) tank.

Tankanzeige *f* fuel gauge; **Tankdeckel** *m* filler cap.

tanken *vti* 1. (*bei Auto*) to tank up; (*bei Rennwagen, Flugzeug*) to refuel. **wo kann man hier ~?** where can I get petrol (*Brit*) *or* gas (*US*) round here?; **ich muß noch ~** I have to get some petrol/gas; **wir hielten an, um zu ~** we stopped for petrol/gas; **ich tanke bleifrei** I use unleaded; **ich tanke nur für 10 DM** I'll just put 10 marks' worth in.
2. (*inf*) (*viel trinken*) to have a few; *frische Luft* to get, to fill one's lungs with; *neue Kräfte* to get. **er hat ganz schön** *or* **einiges getankt** he's had a few, he's really tanked up (*inf*).

Tanker *m* -s, - (*Naut*) tanker.

Tankerflotte *f* tanker fleet, fleet of tankers.

Tankfahrzeug *nt* (*Aut*) tanker; **Tankfüllmenge** *f* tank capacity; **Tankinhalt** *m* contents of the tank *pl*; **der ~ beträgt ...** the tank holds ..., the tank capacity is ... (*form*); **Tanklager** *nt* oil *or* petrol depot; **Tanklaster** *m*, **Tanklastzug** *m* tanker; **Tankmöglichkeit** *f* letzte ~ vor ... last filling station before ...; **Tanksäule** *f* petrol pump (*Brit*), gas(oline) pump (*US*); **Tankschiff** *nt* tanker; **Tankstelle** *f* filling *or* petrol (*Brit*) *or* gas(oline) (*US*) station; **Tankstutzen** *m* filler pipe;

Tankuhr f fuel gauge; **Tankverschluß** m petrol (*Brit*) *or* gas (*US*) cap; **Tankwagen** m tanker; (*Rail*) tank wagon *or* car; **Tankwart** m petrol pump (*Brit*) *or* gas station (*US*) attendant; **Tankzug** m tanker.

Tanne f -, -n fir, pine; (*Holz*) pine, deal. **sie ist schlank wie eine ~** she is as slender as a reed.

Tannenbaum m 1. fir-tree, pine-tree; 2. (*Weihnachtsbaum*) Christmas tree; **Tannennadel** f (pine) needle; **Tannenwald** m pine forest; **Tannenzapfen** m fir cone, pine cone.

Tannin nt -s, *no pl* tannin.

Tansania nt -s Tanzania.

Tansanier(in f) [tan'za:niɐ, -ərɪn] m -s, - Tanzanian.

tansanisch adj Tanzanian.

Tantal nt -s, *no pl* (*abbr* **Ta**) tantalum.

Tantalusqualen pl torments of Tantalus (*liter*). **ich litt ~** it was tantalizing.

Tantchen nt (*inf*) 1. (*Verwandte*) auntie, aunty. 2. (*alte Dame*) old dear (*inf*).

Tante f -, -n 1. (*Verwandte*) aunt, aunty, auntie. 2. (*pej inf: Frau*) old girl (*inf*), old dear (*inf*). 3. (*baby-talk: Frau*) lady. **~ Schneider/Monika** aunty *or* auntie Schneider/Monika. 4. (*Kindergartenschwester*) teacher; (*Krippenschwester*) nurse.

Tante-Emma-Laden m (*inf*) corner shop.

tantenhaft adj 1. (*inf*) old-maidish. **sie benimmt sich so richtig ~** she acts like a real old maid *or* maiden aunt. 2. (*pej: betulich*) *Ausdruck(sweise)* twee.

Tantieme [tã'tie:mə, -'tie:mə] f -, -n percentage (of the profits); (*für höhere Angestellte*) director's fee; (*für Künstler*) royalty.

Tanz m -es, ⁼e 1. dance. **dort ist heute abend ~** there's a dance *or* (*für Jugendliche*) disco there this evening; **im Goldenen Ochsen ist neuerdings auch ~** they now have dancing too at the Golden Ox; **zum ~ aufspielen** (*dated*) to strike up a dance (tune); **jdn zum ~ auffordern** to ask sb to dance *or* for a dance.
2. (*fig geh: von Licht, Schatten*) play. **ein ~ auf dem Vulkan** (*fig*) playing with fire.
3. (*inf: Aufheben*) fuss. **einen ~ um jdn machen** to make a fuss of sb.

Tanzabend m dance; **Tanzbar** f bar with dancing; **Tanzbär** m dancing bear; **Tanzbein** nt: **das ~ schwingen** (*hum*) to trip the light fantastic (*hum*), to shake a leg (*hum*); **Tanzboden** m (*Tanzfläche*) dance floor; (*Saal*) dance hall; (*dated: Veranstaltung*) dance; **Tanzcafé** nt restaurant with dancing.

Tänzchen nt *dim of* Tanz (*dated hum*) dance. **ein ~ wagen** to venture onto the floor.

Tanzdiele f (*dated*) (*Raum*) dance hall; (*Tanzfläche*) dance floor.

tänzeln vi aux haben or (*bei Richtungsangabe*) sein to mince, to sashay (*esp US*); to trip; (*Boxer*) to skip; (*Pferd*) to step delicately.

tanzen vti aux haben or (*bei*

Richtungsangabe) sein to dance; (*Boot auch*) to bob; (*Kreisel*) to spin; (*hüpfen*) to hop. **~ gehen, zum T~ gehen** to go dancing.

Tänzer(in f) m -s, - dancer; (*Partner*) (dancing) partner; (*Ballett~*) ballet dancer.

tänzerisch adj dance-like. **~ ausgebildet** trained as a dancer; **eine große ~e Leistung** a tremendous piece of dancing; **~ gestaltete Gymnastik** gymnastics done in a dance-like way *or* as a dance; **~e Darbietungen** dance acts; **sein ~es Können** his dancing ability.

Tanzfläche f dance floor; **Tanzgruppe** f dance group; (*bei Revue, TV-Show auch*) chorus; **Tanzkapelle** f dance band; **Tanzkunst** f art of dancing, dance; **Tanzkurs(us)** m dancing course; **Tanzlehrer(in** f) m dancing teacher; **Tanzlied** nt dance tune; **Tanzlokal** nt café with dancing; **Tanzmusik** f dance music; **Tanzorchester** nt dance orchestra; **Tanzpartner(in** f) m dancing partner; **Tanzplatte** f record of dance music; **Tanzplatz** m (open-air) dance floor; **Tanzsaal** m dance hall; (*in Hotel*) ballroom; **Tanzschritt** m (dance) step; **Tanzschuh** m dancing shoe; **Tanzschule** f dancing school, school of dancing; **Tanzsport** m competitive dancing; **Tanzstunde** f dancing lesson *or* class; **sie haben sich in der ~ kennengelernt** they met at dancing lessons *or* classes; **Tanztee** m thé dansant, tea-dance; **Tanzturnier** m dancing contest *or* competition; **Tanzveranstaltung** f, **Tanzvergnügen** nt dance.

Tapergreis m (*pej inf*) old dodderer (*pej inf*).

tap(e)rig adj (*pej inf*) doddering, doddery.

tapern vi (*inf*) to totter.

Tapet nt: (*inf*) **etw aufs ~ bringen** to bring sth up; **aufs ~ kommen** to be brought up, to come up.

Tapete f -, -n wallpaper. **ohne ~n** without wallpaper; **die ~n wechseln** (*fig inf*) to have a change of scenery *or* surroundings.

Tapezierbürste f wallpaper brush.

tapezieren* vt to (wall)paper; (*inf: mit Bildern*) to plaster (*inf*). **neu ~** to repaper.

Tapezierer(in f) m -s, - 1. paper-hanger, decorator. 2. (*Polsterer*) upholsterer.

Tapeziernagel m tack; **Tapeziertisch** m trestle table.

tapfer adj brave, courageous; (*wacker*) steadfast; *Soldat, Versuch auch* bold. **wir marschierten immer ~ weiter, ohne zu merken ...** we marched on blithely, not realizing ...; **halt dich** *or* **bleib ~!** (*inf*) be brave; **sich ~ schlagen** (*inf*) to put on a brave show.

Tapferkeit f *siehe adj* bravery, courage; steadfastness; boldness.

Tapferkeitsmedaille f medal for bravery.

Tapioka f -, *no pl* tapioca.

Tapir m -s, -e (*Zool*) tapir.

Tapisserie [tapɪsə'ri:] f 1. tapestry. 2. (*old, Sw*) drapery.

:app *interj* tap.

:appen *vi* **1.** *aux sein* (*tapsen*) to go/come (falteringly); (*Bär*) to lumber, to lollop (*inf*); (*dial: gehen*) to wander. **~de Schritte** faltering steps; **er ist in eine Pfütze getappt** (*inf*) he walked smack into a puddle (*inf*).
2. (*tasten*) **nach etw ~** to grope for sth; **im finstern** *or* **dunkeln ~** (*fig*) to grope in the dark.

:äppisch, tappig (*dial*) *adj* awkward, clumsy.

:apsen *vi aux sein* (*inf*) (*Kind*) to toddle; (*Bär*) to lumber, to lollop (*inf*); (*Kleintier*) to waddle.

:apsig *adj* (*inf*) awkward, clumsy.

Tara *f* **-, Taren** (*Comm*) tare.

Tarantel *f* **-, -n** tarantula. **wie von der ~ gestochen** as if stung by a bee, as if bitten by a snake.

Tarantella *f* **-, -s** *or* **Tarantellen** tarantella.

Tarif *m* **-(e)s, -e** rate; (*Wasser~, Gas~, Verkehrs~ auch*) tariff; (*Gebühr auch*) charge. **neue ~e für Löhne/Gehälter** new wage rates/salary scales; **die Gewerkschaft hat die ~e für Löhne und Gehälter gekündigt** the union has put in a new wage claim; **nach/über/unter ~ bezahlen** to pay according to/above/below the (union) rate(s).

Tarifabschluß *m* wage settlement; **Tarifautonomie** *f* (right to) free collective bargaining; **Tarifgehalt** *nt* union rates *pl*; **Tarifgruppe** *f* grade; **Tarifkommission** *f* joint working party on pay.

tariflich *adj* agreed, union. **der ~e Mindestlohn** the agreed minimum wage; **die Gehälter sind ~ festgelegt** there are fixed rates for salaries.

Tariflohn *m* standard wage; **tariflos** *adj* **~er Zustand** period when new rates are being negotiated; **Tarifpartei** *f* party to a wage agreement; **die ~en** unions and management; **Tarifpartner** *m* party to the wage/salary agreement; **die ~** union and management; (*Sozialpartner*) both sides of industry; **Tarifrunde** *f* pay round; **Tarifverhandlungen** *pl* wage/salary negotiations *pl*, negotiations on pay *pl*; **Tarifvertrag** *m* wage/pay agreement; **Tarifzone** *f* fare zone.

Tarnanstrich *m* camouflage; **Tarnanzug** *m* (*Mil*) camouflage battledress.

tarnen I *vti* to camouflage; (*fig*) *Absichten, Identität* to disguise. **Massagesalons sind meist getarnte Bordelle** massage parlours are usually a cover for brothels.
II *vr* (*Tier*) to camouflage itself; (*Mensch*) to disguise oneself.

Tarnfarbe *f* camouflage colour/paint; **Tarnkappe** *f* magic hat; **Tarnname** *m* cover name; **Tarnnetz** *nt* (*Mil*) camouflage netting.

Tarnung *f* camouflage; (*von Agent*) disguise. **die Arztpraxis ist nur eine ~** the doctor's practice is just a cover.

Tarock *m or nt* **-s, -s** tarot.

Tartanbahn *f* (*Sport*) tartan track.

Tartar *m* **-en, -en** Tartar.

Täschchen ['tɛʃçən] *nt dim of* **Tasche.**

Tasche *f* **-, -n 1.** (*Hand~*) bag (*Brit*), purse (*US*); (*Reise~*) bag; (*Backen~*) pouch; (*Akten~*) case.
2. (*bei Kleidungsstücken, Billard~*) pocket. **sich** (*dat*) **die ~n füllen** (*fig*) to line one's own pockets; **in die eigene ~ arbeiten** *or* **wirtschaften** to line one's own pockets; **etw in der ~ haben** (*inf*) to have sth in the bag (*inf*); **jdm das Geld aus der ~ locken** *or* **ziehen** (*inf*) to get sb to part with his money; **etw aus der eigenen ~ bezahlen** to pay for sth out of one's own pocket; **etw in die eigene ~ stecken** (*fig*) to put sth in one's own pocket, to pocket sth; **sich** (*dat*) **etwas in die ~ lügen** (*inf*) to kid oneself (*inf*); **jdm auf der ~ liegen** (*inf*) to live off sb *or* at sb's expense; **die Hände in die ~n stecken** (*lit*) to put one's hands in one's pockets; (*fig*) to stand idly by; **jdn in die ~ stecken** (*inf*) to put sb in the shade (*inf*).

Taschenausgabe *f* pocket edition; **Taschenbuch** *nt* paperback (book); **Taschenbuchausgabe** *f* paperback (edition); **Taschendieb(in** *f*) *m* pickpocket; **Taschendiebstahl** *m* pickpocketing; **Taschenfahrplan** *m* (pocket) timetable; **Taschenformat** *nt* pocket size; **im ~** pocket-size(d); **Taschengeld** *nt* pocket-money; **Taschenkalender** *m* pocket diary; **Taschenkrebs** *m* edible crab; **Taschenlampe** *f* torch, flashlight (*US*); **Taschenmesser** *nt* pocket-knife, penknife; **wie ein ~ zusammenklappen** (*inf*) to double up; **Taschenrechner** *m* pocket calculator; **Taschenschirm** *m* collapsible umbrella; **Taschenspiegel** *m* pocket mirror; **Taschenspielerei** *f* sleight of hand *no pl*; **Taschenspielertrick** *m* (*fig*) sleight of hand *no indef art, no pl*; **Taschentuch** *nt* handkerchief, hanky (*inf*); **Taschenuhr** *f* pocket watch; **Taschenwörterbuch** *nt* pocket dictionary.

Taschner, Täschner(in *f*) *m* **-s, -** bagmaker.

Täßchen *nt dim of* **Tasse** (little) cup. **ein ~ Tee** a quick cup of tea.

Tasse *f* **-, -n** cup; (*mit Untertasse*) cup and saucer; (*Suppen~*) bowl. **eine ~ Kaffee** a cup of coffee; **er hat nicht alle ~n im Schrank** (*inf*) he's not all there (*inf*); **eine trübe ~** (*inf*) a wet blanket (*inf*); **hoch die ~n!** (*inf*) bottoms up (*inf*).

Tastatur *f* keyboard.

Taste *f* **-, -n** key; (*Knopf an Gerät auch*) button. **in die ~n greifen** (*hum*) to strike up a tune; **auf die ~n hauen** *or* **hämmern** (*inf*) to hammer away at the keyboard; **„~ drücken"** "push button".

Tastempfinden *nt* sense of touch; **Tastempfindung** *f* tactual sensation.

tasten I *vi* to feel. **nach etw ~** (*lit, fig*) to feel *or* grope for sth; **vorsichtig ~d** feeling *or* groping one's way carefully; **~de Schritte** (*lit, fig*) tentative steps.
II *vr* to feel *or* grope one's way.
III *vti* (*drücken*) to press, to punch; *Nummer auch* to punch out; *Telex* to key; (*Typ: setzen*) to key(board).

Tastenfeld *nt* (*Comput*) keypad, keys *pl*;

Tasteninstrument nt (Mus) keyboard instrument; **Tastentelefon** nt pushbutton telephone.

Taster m -s, - 1. (Zool) siehe **Tastorgan**. 2. (Typ: Tastatur) keyboard. 3. (Typ: Setzer) keyboard operator, keyboarder.

Tasterin f siehe **Taster 3**.

Tastorgan nt organ of touch, tactile organ; **Tastsinn** m sense of touch; **Tastwerkzeug** nt siehe **Tastorgan**; **Tastzirkel** m (outside) callipers pl.

Tat f -, -en (das Handeln) action; (Einzel~ auch) act; (Helden~, Un~) deed; (Leistung) feat; (Verbrechen) crime. **ein Mann der ~** a man of action; **keine Worte sondern ~en** not words but deeds or actions; **eine ~ der Verzweiflung** an act of desperation; **als er sah, was er mit dieser ~ angerichtet hatte** when he saw what he had done by this; **eine geschichtliche ~** an historic act or deed; **eine gute/böse ~** a good/wicked deed; **eine eindrucksvolle ~ vollbringen** to do something impressive; **Leben und ~en des ...** the life and exploits of ...; **etw in die ~ umsetzen** to put sth into action; **zur ~ schreiten** to proceed to action; (hum) to get on with it; **in der ~** indeed; (wider Erwarten, erstaunlicherweise) actually.

tat pret of **tun**.

Tatar¹ m -en, -en Tartar.

Tatar² nt -(s), no pl, **Tatarbeefsteak** nt steak tartare.

Tatbestand m (Jur) facts (of the case) pl; (Sachlage) facts (of the matter) pl; **den ~ des Betrugs erfüllen** (Jur) to constitute fraud; **Tateinheit** f (Jur) commission of two or more offences in one act; **in ~ mit** concomitantly with.

Tatendrang m thirst for action, energy; **Tatendurst** m (old, hum) thirst for action; **tatendurstig** adj (old, hum) eager for action; **tatenfroh** adj (dated) enthusiastic; **tatenlos** adj idle; **~ herumstehen** to stand idly by, to stand by and do nothing; **wir mußten ~ zusehen** we could only stand and watch.

Täter(in f) m -s, - culprit; (Jur) perpetrator (form). **als ~ verdächtigt werden** to be a suspect; **nach dem ~ wird noch gefahndet** the police are still searching for the person responsible or the person who committed the crime; **wer war der ~?** who did it?; **jugendliche ~** young offenders.

Täterschaft f guilt. **die ~ leugnen/zugeben** to deny/admit one's guilt; (vor Gericht) to plead innocent/guilty.

Tatform f (Gram) active (voice).

tätig adj 1. attr active. **dadurch hat er ~e Reue bewiesen** he showed his repentance in a practical way; **in einer Sache ~ werden** (form) to take action in a matter.

2. (arbeitend) **~ sein** to work; **als was sind Sie ~?** what do you do?; **er ist im Bankwesen ~** he's in banking.

tätigen vt (Comm) to conclude, to effect; Geschäft auch to transact; (geh) Einkäufe to carry out; (geh) Anruf to make.

Tätigkeit f activity; (Beschäftigung) occupation; (Arbeit) work; (Beruf) job. **wel-**

che ~ übt sie aus? what's her occupation?; **auf eine langjährige ~ zurückblicken** to look back on many years of work; **in ~ treten** to come into operation; (Mensch) to act, to step in; **in ~ sein** (Maschine) to be operating or running; **in/außer ~ setzen** Maschine to set going or in motion/to stop; Alarmanlage to activate/to put out of action.

Tätigkeitsbereich m field of activity; **Tätigkeitsbericht** m progress report; **Tätigkeitsbeschreibung** f job description; **Tätigkeitsmerkmale** pl job characteristics pl; **Tätigkeitswort** nt (Gram) verb.

Tätigung f siehe vt conclusion, effecting; transaction; carrying out; making.

Tatkraft f, no pl energy, vigour, drive; **tatkräftig** adj energetic; Hilfe active.

tätlich adj violent. **~ werden** to become violent; **gegen jdn ~ werden** to assault sb.

Tätlichkeiten pl violence sing. **es kam zu ~** there was violence.

Tatmensch m man of action; **Tatmotiv** nt motive (for the crime); **Tatort** m scene of the crime.

tätowieren* vt to tattoo. **sich ~ lassen** to have oneself tattooed.

Tätowierung f 1. no pl (das Tätowieren) tattooing. 2. (Darstellung) tattoo.

Tatsache f fact. **~ ist aber, daß ...** but the fact (of the matter) or the truth is that ...; **~?** (inf) really?, no!; **das ist ~** (inf) that's a fact; **nackte ~n** (inf) the hard facts; (hum) girlie pictures; **jdn vor vollendete ~n stellen** to present sb with a fait accompli; **vor der vollendeten ~n stehen** to be faced with a fait accompli; **(unter) Vorspiegelung falscher ~n** (under) false pretences.

Tatsachenbericht m documentary (report).

tatsächlich I adj attr real, actual.

II adv 1. (in Wirklichkeit, objektiv) actually, really, in fact. **~ war es aber ganz anders** in (actual) fact or actually or really it was quite different.

2. (sage und schreibe) really, actually. **willst du das ~ tun?** are you really or actually going to do it?; **~?** really?; **~!** oh yes, so it/he etc is/was etc; **da kommt er! — ~!** he's coming! — so he is!

tätscheln vt to pat.

tatschen vi (pej inf) **auf etw** (acc) **~** to paw sth.

Tattergreis m (pej inf) old dodderer, doddering old man (pej).

Tatterich m (inf): **den ~ haben/bekommen** to have/get the shakes (inf).

tatt(e)rig adj (inf) Mensch doddering, doddery; Hände, Schriftzüge shaky, quivery.

tatütata interj **~! die Feuerwehr ist da!** da-da-da-da! here comes the fire engine!

Tatverdacht m suspicion (of having committed a crime); **unter ~ stehen** to be under suspicion; **tatverdächtig** adj suspected; **Tatverdächtige(r)** mf suspect; **Tatwaffe** f weapon (used in the crime); (bei Mord) murder weapon.

Tatze f -, -n (lit, fig) paw.

Tatzeit f time of the incident or crime; **Tatzeuge** m, **Tatzeugin** f witness (to the incident or crime).

Tau¹ m -(e)s, no pl dew.

Tau² nt -(e)s, -e (Seil) rope; (Naut auch) hawser.

taub adj deaf; Glieder numb; Gestein dead; Metall dull; Ähre unfruitful; Nuß empty. **sich ~ stellen** to pretend not to hear; **gegen** or **für etw ~ sein** (fig) to be deaf to sth.

Täubchen nt dim of **Taube**. **mein ~!** my little dove.

Taube f -, -n 1. (Zool) pigeon; (Turtel~ auch) dove. **hier fliegen einem die gebratenen ~n nicht in den Mund** this isn't exactly the land of milk and honey.

2. (fig, als Symbol) dove. **~n und Falken** (Pol inf) hawks and doves.

taubenblau adj blue-grey; **Taubenei** nt pigeon's/dove's egg.

taubengrau adj dove grey; **Taubenschlag** m 1. (lit) dovecot(e); (für Brieftauben) pigeon loft; 2. (fig) **hier geht es zu wie im ~** it's like Waterloo Station here (inf); **Taubensport** m pigeon racing; **Taubenzucht** f pigeon breeding or fancying.

Taube(r) mf decl as adj deaf person or man/woman etc. **die ~n** the deaf.

Tauber, Täuber m -s, -, **Täuberich** m cock pigeon.

Taubheit f 1. deafness. 2. (von Körperteil) numbness.

Täubling m (Bot) russula (toadstool).

Taubnessel f deadnettle; **taubstumm** adj deaf and dumb, deaf-mute attr; **Taubstumme(r)** mf deaf-mute; **Taubstummheit** f deaf-muteness, deaf-mutism.

Tauchboot nt siehe **Unterseeboot**.

tauchen I vi 1. aux haben or sein to dive (nach for); (als Sport auch) to skin-dive; (kurz ~) to duck under; (unter Wasser sein) to stay under water; (U-Boot auch) to submerge.

2. aux sein (fig) to disappear (in +acc into); (Boxen: abducken) to duck. **die Sonne tauchte langsam ins Meer/hinter den Horizont** the sun sank slowly into the sea/beneath the horizon.

II vt (kurz ~) to dip; Menschen, Kopf to duck; (ein~, bei Taufe) to immerse. **in Licht getaucht** (geh) bathed in light.

Tauchen nt -s, no pl diving; (Sport~ auch) skin-diving.

Taucher m -s, - diver.

Taucheranzug m diving suit; **Taucherausrüstung** f diving equipment or gear; **Taucherbrille** f diving goggles pl; **Taucherflosse** f (diving) flipper; **Taucherglocke** f diving bell; **Taucherhelm** m diving or diver's helmet.

Taucherin f diver.

Tauchmaske f diving mask; **Tauchsieder** m -s, - immersion coil (for boiling water); **Tauchsport** m (skin-)diving; **Tauchstation** f **auf ~ gehen** (U-Boot) to dive; (hum: in Schützengraben) to duck, to get one's head down; (fig: sich verstecken) to make oneself scarce; **auf ~**

sein (U-Boot) to be submerged; **Tauchtiefe** f depth; (Naut: von Fluß) navigable depth.

tauen vti (vi: aux haben or sein) (Eis, Schnee) to melt, to thaw. **es taut** it is thawing; **der Schnee taut von den Bergen/Dächern** the snow on the mountains/roofs is melting or thawing.

Tauende nt (Naut) end of a piece of rope.

Taufbecken nt font.

Taufe f -, -n baptism; (christliche auch) christening; (Schiffs~) launching (ceremony). **die ~ empfangen** to be baptized or christened; **jdm die ~ spenden** to baptize or christen sb; **ein Kind aus der ~ heben** (old) to stand sponsor to a child (old); **etw aus der ~ heben** (hum) Verein to start sth up; Plan to launch sth.

taufen vt to baptize; (bei Äquatortaufe) to duck; (nennen) to christen. **sich ~ lassen** to be baptized; **jdn auf den Namen Rufus ~** to christen sb Rufus.

Täufer m -s, -: **Johannes der ~** (Bibl) John the Baptist; **die ~** (Eccl) the Baptists.

taufeucht adj dewy, wet with dew.

Taufformel f baptism formula; **Taufgelübde** nt baptismal vows pl; **Taufkapelle** f baptistry; **Taufkleid** nt christening robe.

Täufling m child/person to be baptized.

Taufname m Christian name; **Taufpate** m godfather; **Taufpatin** f godmother; **Taufregister** nt baptismal register.

taufrisch adj (geh) dewy; (fig) fresh; (nicht müde) sprightly.

Taufschein m certificate of baptism; **Taufstein** m (baptismal) font.

taugen vi 1. (geeignet sein) to be suitable (zu, für for). **wozu soll denn das ~?** what is that supposed to be for?; **er taugt zu gar nichts** he is useless; **er taugt nicht zum Arzt** he wouldn't make a good doctor; **in der Schule taugt er nichts** he's useless or no good at school.

2. (wert sein) **etwas/nicht viel** or **nichts ~** to be good or all right/to be not much good or no good or no use; **taugt der Neue etwas?** is the new bloke any good or use?; **der Bursche taugt nicht viel/gar nichts** that bloke is a (real) bad lot (inf).

Taugenichts m -(es), -e (dated) good-for-nothing, ne'er-do-well (old).

tauglich adj Kandidat, Bewerber, Material suitable (zu for); (Mil) fit (zu for). **jdn für ~ erklären** (Mil) to declare or certify sb fit for service.

Tauglichkeit f suitability; (Mil) fitness (for service).

Tauglichkeitsgrad m (Mil) physical fitness rating (for military service).

Taumel m -s, no pl (geh: Schwindel) (attack of) dizziness or giddiness; (liter: Rausch) frenzy. **im ~ der Sinne** or **Leidenschaft** (liter) in the fever of his/her etc passion; **wie im ~** in a daze.

taum(e)lig adj dizzy, giddy.

taumeln vi aux sein to stagger; (zur Seite) to sway.

Tausch m -(e)s, -e exchange, swap; (~handel) barter. **im ~ gegen** or **für etw** in exchange for sth; **etw in ~ geben** to exchange *or* swap/barter sth; (*bei Neu-kauf*) to give in part-exchange; **jdm etw zum ~ für etw anbieten** to offer to exchange *or* swap sth for sth; **einen guten/schlechten ~ machen** to get a good/bad deal.

tauschen I *vt* to exchange, to swap; *Güter* to barter; (*aus~*) *Briefmarken, Münzen* to swap; *Geld* to change (*in +acc* into); (*inf: um~*) *Gekauftes* to change. **einen Blick mit jdm ~** (*geh*) to exchange glances with sb; **Küsse ~** (*geh*) to kiss; **wollen wir die Plätze ~?** shall we change *or* swap places?

II *vi* to swap; (*in Handel*) to barter; (*Geschenke aus~*) to exchange presents. **wollen wir ~?** shall we swap (places, stamps)?; **wir haben getauscht** we swapped, we did a swap.

täuschen I *vt* to deceive; *Vertrauen* to betray. **man kann ihn nicht ~** you can't fool him; **er wurde in seinen Erwartungen/Hoffnungen getäuscht** his expectations/hopes were disappointed; **wenn mich mein Gedächtnis nicht täuscht** if my memory serves me right; **wenn mich nicht alles täuscht** unless I'm completely wrong.

II *vr* to be wrong *or* mistaken (*in +dat, über +acc* about). **darin ~ Sie sich** you are mistaken there, that's where you're wrong.

III *vi* 1. (*irreführen*) (*Aussehen*) to be deceptive; (*Sport*) to feint. **das täuscht** that is deceptive.

2. (*Sch form: betrügen*) to cheat.

täuschend I *adj Nachahmung* remarkable; *Ähnlichkeit auch* striking. **eine ~e Ähnlichkeit mit jdm haben** to look remarkably like sb. **II** *adv* **sich** (*dat*) **~ ähnlich sehen/sein** to look/be remarkably alike *or* almost identical.

Täuscher *m* -s, - (*inf*) phoney (*inf*).

Tauscherei *f* (*inf*) exchanging, swapping.

Täuscherin *f* (*inf*) phoney (*inf*).

Tauschgeschäft *nt* exchange, swap; (*Handel*) barter (deal); **mit etw ein ~ machen** to exchange/barter sth; **Tauschgesellschaft** *f* barter society; **Tauschhandel** *m* barter; **~ treiben** to barter; **Tauschpartner(in** *f***)** *m* **~ für 2-Zimmer-Wohnung gesucht** exchange wanted for 2 room flat.

Täuschung *f* 1. (*das Täuschen*) deception. **das tat er zur ~** he did that in order to deceive.

2. (*Irrtum*) mistake, error; (*falsche Wahrnehmung*) illusion; (*Selbst~*) delusion. **er gab sich einer ~** (*dat*) **hin** he was deluding himself.

Täuschungsmanöver *nt* (*Sport*) feint; (*inf*) ploy; **Täuschungsversuch** *m* attempted deception/cheating.

Tauschwert *m* (*Sociol*) exchange value, value in exchange; **Tauschwirtschaft** *f* (*Sociol*) barter economy.

tausend *num* a *or* one thousand; **~ Dank/Grüße/Küsse** a thousand thanks/greetings/kisses; *siehe auch* **hundert**.

Tausend¹ *f* -, -en (*Zahl*) thousand.

Tausend² *nt* -s, -e thousand. **vom ~** in a *or* per thousand; **ei der ~!** (*obs*) zounds!

(*obs*); *siehe auch* **Hundert²**.

Tausend- *in cpds* a thousand; *siehe auch* **Hundert-**.

Tausender *m* -s, - 1. (*Zahl*) **ein ~** a figure in the thousands; **die ~** the thousands.

2. (*Geldschein*) thousand (mark/dollar *etc* note *or* bill).

tausenderlei *adj inv* a thousand kinds of.

Tausendfüßer (*form*), **Tausendfüßler** *m* -s, - centipede; (*Zool auch*) millipede; **die ~** the myriapods (*spec*); **Tausendjahrfeier** *f* millenary; **tausendjährig** *attr* thousand year old; (*tausend Jahre lang*) thousand year (long); **nach mehr als ~er Unterdrückung** after more than a thousand years of oppression; **das ~e Reich** (*Bibl*) the millennium; **Hitlers „T~es Reich"** Hitler's "thousand-year empire"; **Tausendkünstler** *m* jack-of-all-trades; **tausendmal** *adv* a thousand times; **ich bitte ~ um Entschuldigung** a thousand pardons; **Tausendsas(s)a** *m* -s, -s (*dated inf*) hell of a chap (*dated inf*); **Tausendschön** *nt* -s, -e, **Tausendschönchen** *nt* daisy.

Tausendstel *nt* -s, - thousandth; *siehe auch* **Hundertstel**.

tausendste(r, s) *adj* thousandth; *siehe auch* **hundertste(r, s)**.

tausendundein(e, er, es) *adj* a thousand and one; **Märchen aus ~er Nacht** Tales of the Thousand and One Nights, the Arabian Nights; **tausend(und)eins** *num* one thousand and one.

Tautologie *f* tautology.

tautologisch *adj* tautological, tautologous.

Tautropfen *m* dewdrop; **Tauwerk** *nt*, *no pl* (*Naut*) rigging; **Tauwetter** *nt* thaw; (*fig auch*) relaxation; **es ist ~** it is thawing; **bei ~** during a thaw, when it thaws; **ein kulturelles/politisches ~** a period of cultural/political relaxation; **Tauziehen** *nt* -s, *no pl* (*lit, fig*) tug-of-war.

Taverne [taˈvɛrnə] *f* -, -n (*old*) tavern (old), inn; (*in Italien*) taverna.

Taxameter *m* -s, - taximeter, clock (*inf*).

Taxator *m* (*Comm*) valuer.

Taxe *f* -, -n 1. (*Schätzung*) valuation, estimate. 2. (*Gebühr*) charge; (*Kur~*) tax; (*Gebührenordnung*) scale of charges. 3. (*dial*) *siehe* **Taxi**.

Taxi *nt* -s, -s taxi, cab, taxicab (*form*). **sich** (*dat*) **ein ~ nehmen** to take a taxi, to go by taxi; **~ fahren** to drive a taxi; (*als Fahrgast*) to go by taxi.

taxieren* *vt Preis, Wert* to estimate (*auf +acc* at); *Haus, Gemälde* to value (*auf +acc* at). **etw zu hoch ~** to overestimate/overvalue sth; **etw zu niedrig ~** to underestimate/undervalue sth; **er hat mich richtiggehend taxiert** he looked me up and down.

Taxifahrer(in *f***)** *m* taxi *or* cab driver, cabby (*inf*); **Taxifahrt** *f* taxi ride; **Taxistand** *m* taxi rank.

Taxkurs *m* rate of taxation.

Taxpreis *m* estimated price (*according to valuation*).

Taxwert *m* estimated value.

Tb(c) [teː(ˈ)beː (ˈtseː)] *f* -, -s *abbr of* **Tuberkulose** TB.

Tb(c)-krank [teː(')beː('tseː)-] *adj* ~ **sein** to have TB.

Teakholz ['tiːk-] *nt* teak. **ein Tisch aus** ~ a teak table.

Team [tiːm] *nt* **-s, -s** team.

Teamarbeit ['tiːm-] *f* teamwork; **in** ~ **by** teamwork.

Technetium [teçˈneːtsiʊm] *nt, no pl (abbr* **Tc**) technetium.

Technik *f* **1.** *(no pl: Technologie)* technology; *(als Studienfach auch)* engineering. **das Zeitalter der** ~ the technological age, the age of technology.

2. *(Arbeitsweise, Verfahren)* technique. **jdn mit der** ~ **von etw vertraut machen** to familiarize sb with the techniques *or* skills of sth; **die** ~ **des Dramas/der Musik** dramatic/musical techniques.

3. *(no pl: Funktionsweise und Aufbau)* *(von Auto, Motor)* mechanics *pl*.

4. *(inf: technische Abteilung)* technical department, backroom boys *pl (inf)*.

Technika *pl of* **Technikum**.

technikbesessen *adj* obsessed with new technology.

Techniker(in *f)* *m* **-s, -** engineer; *(Beleuchtungs~, Labor~)* technician; *(fig: Fußballspieler, Künstler)* technician.

technikfeindlich *adj* hostile to new technology, technophobic.

Technikum *nt* **-s, Technika** college of technology.

technisch *adj* **1.** *(technologisch)* technological; *Studienfach* technical. **T~e Hochschule/Universität** technological university, Institute of (Science and) Technology; ~**e Chemie/Medizin** chemical/medical engineering; **er ist** ~ **begabt** he is technically minded; **das** ~**e Zeitalter** the technological age, the age of technology.

2. *(die Ausführung betreffend)* *Schwierigkeiten, Gründe* technical; *(mechanisch)* mechanical. ~**er Zeichner** engineering draughtsman; ~**er Leiter** technical director; **das ist** ~ **unmöglich** it is technically impossible; ~**e Einzelheiten** *(fig)* technicalities, technical details; ~**e Daten** specifications.

technisieren* *vt* to mechanize.

Technisierung *f* mechanization.

Technokrat(in *f)* *m* **-en, -en** technocrat.

Technokratie *f* technocracy.

technokratisch *adj* technocratic.

Technologe *m*, **Technologin** *f* technologist.

Technologie *f* technology.

Technologiepark *m* technology park; **Technologietransfer** *m* technology transfer; **Technologiezentrum** *nt* technology park.

technologisch *adj* technological.

Techtelmechtel *nt* **-s, -** *(inf)* affair, carry-on *(inf)*. **ein** ~ **mit jdm haben** to be carrying on with sb *(inf)*.

Teckel *m* **-s, -** dachshund.

Teddy ['tɛdi] *m* **-s, -s 1.** *(auch* ~**bär)** teddy (bear). **2.** *(auch* ~**stoff)** fur fabric.

TEE [teːeːˈeː] *m* **-, -(s)** *(Rail) abbr* **Trans-Europ(a)-Express.**

Tee *m* **-s, -s** tea. **einen im** ~ **haben** *(inf)* to be tipsy *(inf)*; **einen** ~ **geben** *(dated)* to give a tea party.

Teebeutel *m* tea bag; **Teeblatt** *nt* tea-leaf; **Tee-Ei** *nt* (tea) infuser, tea ball *(esp US)*; **Teegebäck** *nt, no pl* sweet biscuits *pl*; **Teeglas** *nt* tea-glass; **Teehaus** *nt* tea-house; **Teekanne** *f* teapot; **Teekessel** *m* **1.** kettle; **2.** *(Gesellschaftsspiel)* guessing-game based on puns; **Teelicht** *nt* night-light; **Teelöffel** *m* teaspoon; *(Menge)* teaspoonful; **teelöffelweise** *adv* by the teaspoonful; **Teemaschine** *f* tea-urn; **Teemischung** *f* blend of tea.

Teenager ['tiːneːdʒɐ] *m* **-s, -** teenager.

Teenetz *nt* tea filter.

Teeny ['tiːni] *m* **-,** **Teenies** *(inf)* teeny bopper *(inf)*.

Teer *m* **-(e)s, -e** tar.

Teer(dach)pappe *f* (bituminous) roofing felt; **Teerdecke** *f* tarred (road) surface.

teeren *vt* to tar. ~ **und federn** to tar and feather.

Teerfarben, Teerfarbstoffe *pl* aniline dyes *pl*; **Teergehalt** *m* tar content; **teerhaltig** *adj* **eine wenig/stark** ~**e Zigarette** a low/high tar cigarette; ~ **sein** to contain tar.

Teerose *f* tea-rose.

Teerung *f* tarring.

Teeservice *nt* tea-set; **Teesieb** *nt* tea-strainer; **Teestrumpf** *m* tea filter; **Teestube** *f* tea-room; **Teestunde** *f* afternoon tea (time); **Teetasse** *f* tea-cup; **Teewagen** *m* tea-trolley; **Teewärmer** *m* **-s, -** tea-cosy; **Teewurst** *f* smoked German sausage for spreading.

Teich *m* **-(e)s, -e** pond. **der große** ~ *(dated inf)* the (herring) pond *(hum)*.

Teichmolch *m* smooth newt; **Teichrose** *f* yellow water lily.

Teig *m* **-(e)s, -e** dough; *(Mürbe~, Blätter~)* pastry; *(Pfannkuchen~)* batter; *(esp in Rezepten auch)* mixture.

teigig *adj* doughy; *(voller Teig)* Hände covered in dough/pastry.

Teigwaren *pl (Nudeln)* pasta *sing*.

Teil¹ *m* **-(e)s, -e 1.** part; *(von Strecke auch)* stretch; *(von Stadt auch)* district, area; *(von Gebäude auch)* area, section; *(von Zeitung)* section. **der Bau/das Projekt ist zum** ~ **fertig** the building/project is partly finished; **wir hörten zum** ~ **interessante Reden** some of the speeches we heard were interesting; **zum** ~ **...,** **zum** ~ **...** partly ..., partly ...; **zum großen/größten** ~ for the most part, mostly; **er hat die Bücher darüber zum großen/größten** ~ **gelesen** he has read many/most of the books about that; **der größere** ~ **ihres Einkommens** the bulk of her income; **ein großer** ~ **stimmte dagegen** a large number (of people) voted against it; **der dritte/vierte/fünfte** ~ a third, a quarter, a fifth *(von* of); **in zwei** ~**e zerbrechen** to break in two *or* half.

2. *(Jur: Partei, Seite)* party.

3. *(auch nt: An~)* share. **zu gleichen** ~**en erben/beitragen** to get an equal share of an inheritance/to make an equal contribution; **er hat seinen** ~ **dazu beigetragen** he did his bit *or* share; **er hat**

sein(en) ~ **bekommen** or **weg** (inf) he has (already) had his due; **sich** (dat) **sein(en)** ~ **denken** (inf) to draw one's own conclusions.

4. (auch nt) **ich für mein(en)** ~ for my part, I ..., I, for my part ...

Teil² nt -(e)s, -e **1.** part; (Bestand~ auch) component; (Ersatz~) spare, (spare) part; (sl: großer Gegenstand) thing. **etw in seine** ~e **zerlegen** Tier, Leiche to cut sth up; Motor, Möbel to take sth apart or to bits or to pieces.

2. siehe **Teil¹ 3.**, **4.**

Teilabkommen nt partial agreement/ treaty; **Teilaspekt** m aspect, part; **teilbar** adj divisible, which can be divided (durch by); **Teilbarkeit** f divisibility; **Teilbereich** m part; (in Abteilung) section; **Teilbetrag** m part (of an amount); (auf Rechnung) item; (Rate) instalment; (Zwischensumme) subtotal.

Teilchen nt particle; (dial: Gebäckstück) cake.

Teilchenbeschleuniger m (Phys) particle accelerator; **Teilchenphysik** f particle physics sing.

Teilefertigung f (Ind) manufacture of parts or components.

teilen I vt **1.** (zerlegen, trennen) to divide (up); (Math) to divide (durch by). **27 läßt sich durch 9** ~ 27 can be divided by 9; (politisch) **geteilter Meinung sein** to have different (political) opinions; **darüber sind die Meinungen geteilt** opinions differ on that; **darüber kann man geteilter Meinung sein** one can disagree about that; **etw in drei Teile** ~ to divide sth in(to) three (parts).

2. (auf~) to share (out) (unter +dat amongst). **etw mit jdm** ~ to share sth with sb.

3. (an etw teilhaben) to share. **sie haben Freud und Leid miteinander geteilt** they shared the rough and the smooth; **geteilte Freude ist doppelte Freude** (prov) a joy shared is a joy doubled (prov); **geteilter Schmerz ist halber Schmerz** (prov) a trouble shared is a trouble halved (prov); **sie teilten unser Schicksal** or **Los** they shared the same fate as us.

II vr **1.** (in Gruppen) to split up.

2. (Straße, Fluß) to fork, to divide; (Vorhang) to part.

3. sich (dat) **etw** ~ to share or split sth; **teilt euch das!** share or split that between you.

4. (fig: auseinandergehen) **in diesem Punkt** ~ **sich die Meinungen** opinion is divided on this.

III vi to share. **er teilt nicht gern** he doesn't like sharing.

Teiler m -s, - (Math) factor.

Teilerfolg m partial success; **Teilergebnis** nt partial result; **Teilerrichtungsgenehmigung** f restricted planning permission; **Teilfabrikat** nt component; **Teilfrage** f part (of a question); **Teilgebiet** nt **1.** (Bereich) branch; **2.** (räumlich) area; **Teilgenehmigung** f partial permission; **teilhaben** vi sep ir-

reg (geh) (an +dat in) (mitwirken) to have a part, to participate; **Teilhaber(in** f) m -s, - (Comm) partner; **Teilhaberschaft** f (Comm) partnership; **teilhaftig** adj (old) **einer großen Ehre** ~ **werden** to be blessed with a great honour (liter).

teilkaskoversichert adj insured with Teilkaskoversicherung; **Teilkaskoversicherung** f third party, fire and theft.

Teilmenge f (Math) subset; **teilmöbliert** adj partially furnished.

Teilnahme f -, no pl **1.** (Anwesenheit) attendance (an +dat at); (Beteiligung an Wettbewerb) participation (an +dat in). **jdn zur** ~ **an etw** (dat) **aufrufen** to urge sb to take part or participate in sth; ~ **am Straßenverkehr** (form) road use.

2. (Interesse) interest (an +dat in); (Mitgefühl) sympathy. **jdm seine herzliche/aufrichtige** ~ **aussprechen** to offer sb one's heartfelt condolences.

teilnahmeberechtigt adj eligible; **Teilnahmeberechtigung** f eligibility.

teilnahmslos adj (gleichgültig) indifferent, apathetic; (stumm leidend) listless; **Teilnahmslosigkeit** f siehe adj indifference, apathy; listlessness; **teilnahmsvoll** adj compassionate, sympathetic.

teilnehmen vi sep irreg **1. an etw** (dat) ~ (sich beteiligen) to take part or participate in sth; (anwesend sein) to attend sth; **an Wettkampf, Preisausschreiben** to take part in sth, to enter sth, to go in for sth; an Wettkampf auch to compete in sth; an Gespräch auch to join in sth; **an einem Ausflug** ~ to go on an outing; **am Krieg** ~ to fight in the war; **am Unterricht** ~ to attend school; **an einem Kurs** ~ to do a course.

2. (Anteil nehmen) to share (an +dat in).

teilnehmend adj compassionate, sympathetic. ~e **Beobachtung** (Sociol) participatory observation.

Teilnehmer(in f) m -s, - **1.** (Beteiligter bei Kongreß) participant; (Kriegs~) combatant; (bei Wettbewerb, Preisausschreiben) competitor, contestant; (Kurs~) student; (bei Ausflug) member of a party. **alle** ~ **an dem Ausflug** all those going on the outing. **2.** (Telec) subscriber. **der** ~ **meldet sich nicht** there is no reply.

Teilnehmerzahl f attendance.

Teilperücke f toupee; (für Damen) hairpiece.

teils adv partly. ~ ... ~ ... partly ... partly ...; (inf: sowohl ... als auch) both ... and ...; **die Demonstranten waren** ~ **Arbeiter,** ~ **Studenten** some of the demonstrators were workers and the others were students; ~ **heiter,** ~ **wolkig** cloudy with sunny periods; ~, ~ (als Antwort) half and half; (inf) sort of (inf).

Teilstaat m region, state; **Teilstrecke** f stretch (of road/railway); (bei Reise) stage; (bei Rennen) leg, stage; (bei öffentlichen Verkehrsmitteln) (fare-)stage;

Teilstrich m secondary graduation line; **Teilstück** nt part; (*Teilstrecke auch*) stretch.

Teilung f division.

Teilungs|artikel m (*Gram*) partitive article.

Teilverlust m partial loss.

teilweise I adv partly; (*manchmal*) sometimes. **nicht alle Schüler sind so faul,** ~ **sind sie sehr interessiert** not all the pupils are so lazy, some of them are very interested; ~ **gut** good in parts; ~ **bewölkt** cloudy in parts.

II adj attr partial.

Teilzahlung f hire-purchase; (*Rate*) instalment; **auf** ~ on hire-purchase; **Teilzahlungspreis** m hire-purchase price.

Teilzeitarbeit f part-time job/work; **teilzeitbeschäftigt** adj employed part-time; **Teilzeitbeschäftigung** f part-time job/work; **Teilzeitkraft** f part-time worker.

Teint [tɛ̃] m -s, -s complexion.

T-Eisen ['teː-] nt t- or tee-iron.

Tektonik f (*Archit, Geol*) tectonics pl.

tektonisch adj tectonic.

Tel. abbr of **Telefon.**

Telebrief m telemessage, mailgram (*US*); **Telefax** nt (*Kopie, Gerät*) fax; **telefaxen** vti insep to fax; **Telefaxgerät** nt fax machine; **Telefax-Teilnehmer** m fax subscriber.

Telefon [tele'foːn, 'teːlefoːn] nt -s, -e (tele)phone. **am** ~ **(verlangt werden)** (to be wanted) on the phone; ~ **haben** to be on the phone; **jdn ans** ~ **rufen** to get sb (to come) to the phone; **ans** ~ **gehen** to answer the phone.

Telefon- in cpds (tele)phone; **Telefonanruf** m (tele)phone call; **Telefonansage** f telephone information service; **Telefonapparat** m telephone.

Telefonat nt (tele)phone call.

Telefonauskunft f directory enquiries pl, information (*US*); **Telefonbuch** nt (tele)phone book; **Telefondraht** m telephone line; **Telefongebühr** f call charge; **Telefongespräch** nt (tele)phone call; (*Unterhaltung*) telephone conversation; **Telefonhauptanschluß** m telephone line; **Telefonhäuschen** nt (*inf*) phone box (*Brit*) or booth.

telefonieren* I vi to make a (tele)phone call. **wir haben stundenlang telefoniert** we talked or were on the phone for hours; **bei jdm** ~ to use sb's phone; **es wird entschieden zuviel telefoniert** the phones are definitely used too much; **ins Ausland/nach Amerika/Hamburg** ~ to make an international call/to call America/Hamburg; **er telefoniert den ganzen Tag** he is on the phone all day long; **mit jdm** ~ to speak to sb on the phone. **II** vt (*inf, Sw*) to phone, to ring (up), to call.

telefonisch adj telephonic. ~**e Auskunft/ Beratung** telephone information/advice service; **jdm etw** ~ **mitteilen** to tell sb sth over the phone; **er hat sich** ~ **entschuldigt** he phoned to apologize; **ich bin** ~ **erreichbar** or **zu erreichen** I can be contacted by phone.

Telefonist(in f) m telephonist; (*in Betrieb auch*) switchboard operator.

Telefonkarte f phonecard; **Telefonkunde** m telephone customer; **Telefonleitung** f telephone line; **Telefonnetz** nt telephone network; **Telefonnummer** f (tele)phone number; **Telefonrechnung** f (tele)phone bill; **Telefonsatellit** m telecommunications satellite; **Telefonseelsorge** f ≃ Samaritans pl; **Telefonüberwachung** f telephone tapping; **Telefonverbindung** f telephone line; (*zwischen Orten*) telephone link; **Telefonverstärker** m telephone amplifier; **Telefonverzeichnis** nt telephone directory; **Telefonzelle** f (tele)phone box (*Brit*) or booth; **Telefonzentrale** f (telephone) switchboard.

telegen adj telegenic.

Telegraf m -en, -en telegraph.

Telegrafenamt nt telegraph office; **Telegrafenapparat** m telegraph; **Telegrafenbüro** nt (*dated*) news agency; **Telegrafenmast** m telegraph pole.

Telegrafie f telegraphy.

telegrafieren* vti to telegram, to cable, to wire.

telegrafisch adj telegraphic. **jdm** ~ **Geld überweisen** to wire sb money.

Telegramm nt -s, -e telegram; (*Auslands*~ auch) cable.

Telegrammadresse f telegraphic address; **Telegrammstil** m staccato or telegram style, telegraphese.

Telegraph m siehe **Telegraf.**

Telegraphie f siehe **Telegrafie.**

telegraphieren* vti siehe **telegrafieren.**

Tele- ['tele-]: **Telekinese** f -, no pl telekinesis; **telekinetisch** adj telekinetic; **Telekolleg** nt ≃ Open University (*Brit*); **Telekommunikation** f telecommunications pl or (*als Fachgebiet*) sing; **Telekopie** f fax; **Telekopierer** m fax machine.

Telemark m -s, -s (*Ski*) telemark.

Tele|objektiv nt (*Phot*) telephoto lens.

Teleologie f (*Philos*) teleology.

Tele|ordern nt -s, no pl teleordering.

Telepath(in f) m -en, -en telepathist.

Telepathie f telepathy.

telepathisch adj telepathic.

Telephon- in cpds siehe **Telefon-.**

Teleprompter m -s, - autocue.

Teleskop nt -s, -e telescope.

Teleskop|auge nt telescope eye.

teleskopisch adj telescopic.

Telespiel nt video game; **Teletex** nt -, no pl teletex; **Television** [televi'zioːn] f siehe **Fernsehen.**

Telex nt -, -e telex.

Telex|anschluß m telex link.

telexen vti to telex.

Teller m -s, - 1. plate. **ein** ~ **Suppe** a plate of soup. 2. (*sl: Platten*~) turntable.

tellerförmig adj plate-shaped; **Tellergericht** nt (*Cook*) one-course meal; **Tellermine** f (*Mil*) flat anti-tank mine; **Tellerrand** m rim or edge of a/the plate; **nicht zum Blick über den** ~ **fähig sein** (*fig*) to be unable to see beyond the end of one's own nose; **Tellerwäscher(in** f) m dishwasher.

Tellur nt -s, no pl (*abbr* Te) tellurium.

Tempel *m* -s, - temple (*auch fig*).

Tempelbau *m* (*Gebäude*) temple; **Tempelschändung** *f* desecration of a temple; **Tempeltänzerin** *f* temple dancer.

Tempera(farbe) *f* tempera (colour); **Temperamalerei** *f* (*Maltechnik*) painting in tempera; (*Gemälde*) tempera painting(s).

Temperament *nt* 1. (*Wesensart*) temperament. **ein hitziges ~ haben** to be hot-tempered. 2. *no pl* (*Lebhaftigkeit*) vitality, vivacity. **viel/kein ~ haben** to be very/not to be vivacious *or* lively; **sein ~ ist mit ihm durchgegangen** he lost his temper.

temperamentlos *adj* lifeless, spiritless.

Temperamentsausbruch *m* temperamental fit *or* outburst; **Temperamentssache** *f*: **das ist ~** that's a question of temperament.

temperamentvoll *adj* vivacious, lively; *Aufführung auch* spirited; *Auto, Fahrer* nippy (*inf*).

Temperatur *f* temperature. **erhöhte ~ haben** to have a *or* be running a temperature; **die ~en sind angestiegen/ gesunken** the temperature has risen/ fallen; **bei diesen/solchen ~en** in these/ such temperatures.

Temperaturanstieg *m* rise in temperature; **Temperaturregler** *m* thermostat; **Temperaturrückgang** *m* fall in temperature; **Temperaturschwankung** *f* variation in temperature; **Temperaturskala** *f* temperature scale; **Temperatursturz** *m* sudden drop *or* fall in temperature.

Temperenzler(in *f*) *m* -s, - member of a/ the temperance league.

temperieren* *vt* **etw ~ to make sth the right temperature;** (*anwärmen*) to warm sth up; **der Raum ist angenehm temperiert** the room is at a pleasant temperature; **Rotwein leicht temperiert trinken** to drink red wine at room temperature.

Templerorden *m* (*hist*) Order of the Knights Templar.

Tempo *nt* -s, -s 1. (*Geschwindigkeit*) speed; (*Arbeits~, Schritt~ auch*) pace. **~!** (*inf*) hurry up!; **nun mach mal ein bißchen ~!** (*inf*) get a move on! (*inf*); **~ 100** speed limit (of) 100 km/h; **mit hohem ~** at a high speed; **im ~ zulegen/ nachlassen** to speed up/slow down. 2. (*Mus*) *pl* **Tempi** tempo. **das ~ einhalten** to keep time; **das ~ angeben** to set the tempo; (*fig*) to set the pace. 3. ® (*inf: Taschentuch*) paper handkerchief, tissue, Kleenex ®.

Tempolimit *nt* speed limit.

Tempora *pl of* **Tempus**.

temporal *adj* (*Gram*) temporal.

Temporalsatz *m* temporal clause.

temporär *adj* (*geh*) temporary.

Temposünder(in *f*) *m* person caught for speeding; **Tempoüberschreitung** *f* speeding.

Tempus *nt* -, **Tempora** (*Gram*) tense.

Tendenz *f* trend (*auch St Ex*); (*Neigung*) tendency; (*Absicht*) intention; (*no pl:*

Parteilichkeit) bias, slant. **die ~ haben, zu ...** to tend to ..., to have a tendency to ...; **er hat nationalistische ~en** he has nationalistic leanings.

tendenziell *adj* **eine ~e Veränderung** a change in direction; **~ ist Ruritanien ein faschistischer Staat** Ruritania is a country which shows fascist tendencies; **die Ziele der beiden Parteien unterscheiden sich ~ kaum voneinander** the aims of the two parties are broadly similar (in direction).

tendenziös *adj* tendentious.

Tendenzstück *nt* tendentious play; **Tendenzwende** *f* change of direction; (*Wendepunkt*) turning point.

Tender *m* -s, - (*Naut, Rail*) tender.

tendieren* *vi* 1. (*Fin, St Ex*) to tend. 2. **dazu ~, etw zu tun** (*neigen*) to tend to do sth; (*beabsichtigen*) to be moving towards doing sth; **zum Kommunismus/ Katholizismus ~** to have communist/ Catholic leanings *or* tendencies; **zu Erkältungen/Wutausbrüchen ~** to tend to have colds/fits of anger.

Teneriffa *nt* -s Tenerife.

Tenne *f* -, -n, **Tenn** *m* -s, -e (*Sw*) threshing floor.

Tennis *nt* -, *no pl* tennis.

Tennis- *in cpds* tennis; **Tennishalle** *f* indoor tennis centre; **Tennisplatz** *m* tennis court; **Tennisschläger** *m* tennis racquet; **Tennisschuh** *m* tennis shoe.

Tenor¹ *m* -s, *no pl* tenor.

Tenor² *m* -s, ¨-e (*Mus*) tenor.

Tenorist *m* tenor (singer).

Tenorschlüssel *m* tenor clef.

Tentakel *m or nt* -s, - tentacle.

Teppich *m* -s, -e 1. carpet (*auch fig*); (*Gobelin*) tapestry; (*inf: Wandbehang*) wall-hanging; (*inf: Brücke auch*) rug; (*Öl~*) slick. **etw unter den ~ kehren** *or* **fegen** (*lit, fig*) to sweep sth under the carpet; **bleib auf dem ~!** (*inf*) be realistic!, be reasonable!; **den roten ~ ausrollen** to bring out the red carpet. 2. (*dial inf*) *siehe* **Decke**.

Teppichboden *m* carpet(ing); **das Zimmer ist mit ~ ausgelegt** the room has wall-to-wall carpeting; **Teppichfliese** *f* carpet tile; **Teppichkehrer** *m* -s, - **Teppichkehrmaschine** *f* carpet-sweeper; **Teppichklopfer** *m* carpet-beater; **Teppichreinigung** *f* carpet cleaning/ cleaner's; **Teppichschnee** *m* carpet foam; **Teppichstange** *f* frame for hanging carpets over for beating.

Terbium *nt*, *no pl* (*abbr* **Tb**) terbium.

Term *m* -s, -e (*Math, Phys, Ling*) term.

Termin *m* -s, -e date; (*für Fertigstellung*) deadline; (*Comm: Liefertag*) delivery date; (*bei Arzt, Besprechung*) appointment; (*Sport*) fixture; (*Jur: Verhandlung*) hearing. **der letzte ~** the deadline, the last date; (*bei Bewerbung*) the closing date; **sich** (*dat*) **einen ~ geben lassen** to make an appointment.

Terminal ['tø:ɐminəl, 'tœr-] *nt or m* -s, -s terminal.

Terminbörse *f* futures market, forward exchange; **Termineinlage** *f* (*Fin*) time deposit; **Termingeld** *nt* fixed-term deposit; **termingemäß, termingerecht** *adj* on schedule, according to schedule; **Termingeschäft** *nt* deal on the forward market.

Termini *pl of* **Terminus**.

Terminkalender *m* (appointments *or* engagements) diary.

terminlich *adj* etw ~ **einrichten** to fit sth in (to one's schedule); **~e Verpflichtungen** commitments.

Terminmarkt *m* (*St Ex*) forward *or* futures market.

terminmäßig *adj siehe* **terminlich**.

Terminologie *f* terminology.

terminologisch *adj* terminological.

Terminplanung *f* time scheduling; **Terminschwierigkeiten** *pl* scheduling difficulties *pl*.

Terminus *m* -, **Termini** term. ~ **technicus** technical term.

Termite *f* -, -**n** termite, white ant.

Termitenhügel *m* termites' nest, termitarium (*form*); **Termitenstaat** *m* colony of termites.

Terpene *pl* terpenes *pl*.

Terpentin *nt or* (*Aus*) *m* -**s**, -**e** turpentine; (*inf:* ~**öl**) turps (*inf*).

Terpentin|öl *nt* oil of turpentine, turps (*inf*).

Terrain [tɛ'rɛ̃ː] *nt* -**s**, -**s** land, terrain; (*fig*) territory. **das ~ sondieren** (*Mil*) to reconnoitre the terrain; (*fig geh*) to see how the land lies; **sich auf neuem ~ bewegen** to be exploring new ground; **~ verlieren** to loose ground; **sich auf unsicheres ~ begeben** to get onto shaky ground.

Terrakotta *f* -, **Terrakotten** terracotta.

Terrarium *nt* terrarium.

Terrasse *f* -, -**n 1.** (*Geog*) terrace. **2.** (*Veranda*) terrace, patio; (*Dach~*) roof garden.

terrassenartig, terrassenförmig I *adj* terraced; **II** *adv* in terraces; **Terrassengarten** *m* terraced garden; **Terrassenhaus** *nt* split-level house.

Terrazzo *m* -**s**, **Terrazzi** terrazzo.

terrestrisch *adj* terrestrial.

Terrier ['tɛriɐ] *m* -**s**, - terrier.

Terrine *f* tureen.

territorial *adj* territorial.

Territorialarmee *f* territorial army; **Territorialgewässer** *pl* territorial waters *pl*; **Territorialhoheit** *f* territorial sovereignty.

Territorium *nt* territory.

Terror *m* -**s**, *no pl* terror; (*Terrorismus*) terrorism; (*~herrschaft*) reign of terror; (*brutale Einschüchterung*) intimidation. **die Stadt steht unter dem ~ der Mafia** the town is being terrorized by the Mafia; **blutiger ~** terrorism and bloodshed; **~ machen** (*inf*) to raise hell (*inf*).

Terrorakt *m* act of terrorism, terrorist act; **Terroranschlag** *m* terrorist attack; **Terrorherrschaft** *f* reign of terror.

terrorisieren* *vt* to terrorize; *Untergebene auch* to intimidate.

Terrorismus *m* terrorism.

Terrorismusbekämpfung *f* counterterrorism.

Terrorist(in *f*) *m* terrorist.

terroristisch *adj* terrorist *attr*.

Terrorjustiz *f* brutal, intimidatory justice; **Terrororganisation** *f* terrorist organization.

Tertia ['tɛrtsia] *f* -, **Tertien** ['tɛrtsiən] **1.** (*Sch*) (*Unter-/Ober~*) fourth/fifth year of German secondary school. **2.** *no pl* (*Typ*) 16 point type.

Tertianer(in *f*) [tɛrtsi'aːnɐ, -ərɪn] *m* -**s**, - (*Sch*) pupil in fourth/fifth year of German secondary school.

Tertiär [tɛr'tsiɛːɐ] *nt* -**s**, *no pl* (*Geol*) tertiary period.

tertiär [tɛr'tsiɛːɐ] *adj* tertiary.

Tertien *pl of* **Tertia**.

Terz *f* -, -**en** (*Mus*) third; (*Fechten*) tierce. **große/kleine ~** (*Mus*) major/minor third.

Terzett *nt* -**(e)s**, -**e** (*Mus*) trio.

Tesafilm ® *m* Sellotape ® (*Brit*), Scotch tape ® (*esp US*).

Tessin *nt* -**s das** ~ Ticino.

Test *m* -**(e)s**, -**s** *or* -**e** test.

Testament *nt* **1.** (*Jur*) will; (*fig*) legacy. **das ~ eröffnen** to read the will; **sein ~ machen** to make one's will; **du kannst dein ~ machen!** (*inf*) you'd better make your will! (*inf*); **ohne Hinterlassung eines ~s** intestate. **2.** (*Bibl*) Testament. **Altes/Neues ~** Old/New Testament.

testamentarisch *adj* testamentary. **eine ~e Verfügung** an instruction in the will; **~ festgelegt** (written) in the will.

Testamentseröffnung *f* reading of the will; **Testamentsvollstrecker(in** *f*) *m* executor; (*Frau auch*) executrix.

Testat *nt* (*Univ*) course attendance certificate.

Testator(in *f*) *m* (*Erblasser*) testator.

Testbild *nt* (*TV*) testcard; **Testbogen** *m* test paper.

testen *vt* to test (*auf* +*acc* for). **jdn auf seine Intelligenz ~** to test sb's intelligence.

Tester(in *f*) *m* -**s**, - tester.

Testfahrer(in *f*) *m* test driver; **Testfall** *m* test case; **Testfrage** *f* test question.

testieren* *vt* **1.** (*old: bescheinigen*) to certify. **jdm etw ~** to certify sth for sb. **2.** (*Jur: letztwillig verfügen*) to will.

Testikel *m* -**s**, - testicle.

Testperson *f* subject (of a test); **Testpilot(in** *f*) *m* test-pilot; **Testprogramm** *nt* (*Comput*) test program; **Testreihe** *f* series of tests; **Teststopp** *m* test ban; **Teststopp-Abkommen** *nt* test ban treaty *or* agreement; **Testverfahren** *nt* method of testing.

Tetanus *m* -, *no pl* tetanus.

Tete ['teːta, 'tɛːta] *f* -, -**n** (*Mil*) head of a column.

Tête-à-tête [tɛːtaˈtɛːt] *nt* -, -**s** tête-à-tête.

Tetraeder [tetra'|eːdɐ] *nt* -**s**, - (*Math*) tetrahedron; **Tetragon** [tetra'goːn] *nt* -**s**, -**e** (*Math*) tetragon; **Tetralogie** *f* tetralogy.

teuer *adj* expensive, dear *usu pred*; (*fig*) dear. **etw ~ kaufen/verkaufen** to buy/sell sth for *or* at a high price; **etw zu ~ kaufen** to pay too much for sth; **etw für teures Geld kaufen** to pay good money for sth; **teurer werden** to go up (in price); **Brot wieder teurer!** bread up again; **in Tokio lebt man ~/ist das Leben** ~ life is expensive in Tokyo, Tokyo is expensive; **~ aber gut** expensive but well worth the money; **das ist mir (lieb und)** ~ (*liter*) that's very dear or precious to me; **das wird ihn ~ zu stehen kommen** (*fig*) that will cost him dear; **einen Sieg ~ erkaufen** to pay dearly for victory; **sich** (*dat*) **etw ~ bezahlen lassen** to charge a high price for sth; **mein Teurer** or **T~ster/meine Teure** or **T~ste** (*old, hum*) my dearest.

Teuerung f rise in prices, rising prices *pl*.

Teuerungsrate f rate of price increases; **Teuerungszulage** f cost of living bonus or supplement; **Teuerungszuschlag** m surcharge.

Teufel m **-s, - 1.** (*lit, fig*) devil. **den ~ im Leib haben** to be possessed by the devil; **ein ~ von einem Mann/einer Frau** (*old*) a devil of a man/woman.

2. (*inf: Redewendungen*) ~ **(noch mal** or **aber auch)!** damn it (all)! (*sl*), confound it! (*inf*); **scher dich** or **geh zum ~, hol dich der ~!** go to hell (*sl*) or blazes (*inf*)!; **der ~ soll ihn/es holen!, hol ihn/es der ~** damn (*sl*) or blast (*inf*) him/it!, to hell with him/it (*sl*); **jdn zum ~ wünschen** to wish sb in hell; **jdn zum ~ jagen** or **schicken** to send sb packing (*inf*); **zum ~!** damn! (*sl*), blast! (*inf*); **wer zum ~?** who the devil (*inf*) or the hell? (*sl*); **zum ~ mit dem Ding!** damn (*sl*) or blast (*inf*) the thing!, to hell with the thing! (*sl*); **den ~ an die Wand malen** (*schwarzmalen*) to think or imagine the worst; (*Unheil heraufbeschwören*) to tempt fate or providence; **wenn man vom ~ spricht(, dann ist er nicht weit)** (*prov*) talk of the devil (and he's sure to appear) (*inf*); **das müßte schon mit dem ~ zugehen** that really would be a stroke of bad luck; **ihn muß der ~ geritten haben** he must have had a devil in him; **dann kommst** or **gerätst du in ~s Küche** then you'll be in a hell of a mess (*sl*); **wie der ~** like hell (*sl*), like the devil (*inf*); **auf ~ komm raus** like crazy (*inf*); **da ist der ~ los** all hell's been let loose (*inf*); **bist du des ~s?** (*old*) have you taken leave of your senses?; **sich den ~ um etw kümmern** or **scheren** not to give a damn (*sl*) or a fig (*inf*) about sth; **den ~ werde ich (tun)!** I'll be damned if I will! (*sl*), like hell I will! (*sl*); **der ~ steckt im Detail** it's the small things that cause problems.

Teufelei f (*inf*) devilish trick; (*Streich*) piece of devilry.

Teufelsaustreibung f casting out of devils *no pl*, exorcism; **Teufelsbeschwörung** f exorcism; (*Anrufen*) invocation of the devil; **Teufelsbrut** f (*old*) devil's or Satan's brood; **Teufelskerl** m (*dated*) devil of a fellow (*dated*); **Teufelskreis** m vicious circle; **Teufelskult** m devilworship; **Teufelsmesse** f black mass; **Teufelsweib** nt (*dated*) devil of a woman.

teuflisch adj fiendish, devilish, diabolical.

Teutone m **-n, -n, Teutonin** f Teuton.

teutonisch adj Teutonic.

Text m **-(e)s, -e** text; (*einer Urkunde auch, eines Gesetzes*) wording; (*von Lied*) words *pl*; (*von Schlager*) lyrics *pl*; (*von Film, Hörspiel, Rede*) script; (*Mus: Opern~*) libretto; (*unter Bild*) caption; (*auf Plakat*) words *pl*. **weiter im ~** (*inf*) (let's) get on with it; **ein Telegramm mit folgendem ~ ...** a telegram which said or read ...

Textaufgabe f problem; **Textbuch** nt script; (*für Lieder*) songbook; **Textdichter(in** f) m (*von Liedern*) songwriter; (*bei Oper*) librettist; **Texteingabe** f (*Comput*) text input.

texten I vt to write songs/copy. II vi siehe **Texter(in)**.

Texter(in f) m **-s, -** (*für Schlager*) songwriter; (*für Werbesprüche*) copywriter.

Textlerfasser(in f) m keyboarder.

Textil- in cpds textile; **Textilarbeiter(in** f) m textile worker; **Textilfabrik** f textile factory.

Textilien [-iən] pl linen, clothing, fabrics; (*Ind*) textiles pl.

Textilindustrie f textile industry; **Textilwaren** pl siehe **Textilien.**

Textkritik f textual criticism; **Textmodus** m (*Comput*) text mode; **Textspeicher** m (*Comput*) memory; **Textstelle** f passage; **Textsystem** nt (*Comput*) siehe **Textverarbeitungssystem.**

Textur f texture.

Textverarbeitung f word processing.

Textverarbeitungsanlage f word processor, word processing system; **Textverarbeitungsprogramm** nt word processor, word processing program; **Textverarbeitungssystem** nt word processor, word processing system.

Tezett nt (*inf*): **jdn/etw bis ins** or **zum ~ kennen** to know sb/sth inside out (*inf*).

TH [teːˈhaː] f **-, -s** abbr of **Technische Hochschule.**

Thailand nt **-s** Thailand.

Thailänder(in f) m **-s, -** Thai.

thailändisch adj Thai.

Thallium nt, no pl (abbr **Tl**) thallium.

Theater nt **-s, - 1.** theatre (*Brit*), theater (*US*); (*~kunst auch*) drama; (*Schauspielbühne*) theatre company; (*Zuschauer*) audience. **beim** or **am/im ~ arbeiten** to be on the stage/work in the theatre; **er ist** or **arbeitet beim Ulmer ~** he's with the Ulm theatre company; **heute abend wird im ~ „Othello" gezeigt** or **gegeben** "Othello" is on or is playing at the theatre tonight; **das ~ fängt um 8 Uhr an** the performance begins at 8 o'clock; **zum ~ gehen** to go on the stage; **ins ~ gehen** to go to the theatre; **das französische ~** French theatre; **~ spielen** (*lit*) to act; (*Stück aufführen*) to put on a play; (*fig*) to put on an act, to play-act; **das ist doch alles nur ~** (*fig*) it's all just playacting.

2. (*fig*) to-do (*inf*), fuss. **das war vielleicht ein ~, bis ich ...** what a palaver or performance or carry-on I had to ... (*inf*); **das ist vielleicht immer ein ~, wenn er kommt** there's always a big fuss when he comes; **(ein) ~ machen** (*Umstände*) to make a (big) fuss (*mit jdm of* sb); (*Szene auch*) to make a scene *or* a song and dance (*inf*).

Theater- *in cpds* theatre (*Brit*), theater (*US*); **Theaterabonnement** *nt* theatre subscription; **Theateraufführung** *f* stage production; (*Vorstellung, Darbietung*) performance; **Theaterbesuch** *m* visit to the theatre; **Theaterbesucher(in** *f*) *m* theatregoer; **Theaterdichter(in** *f*) *m* dramatist, playwright; **Theatergebäude** *nt* theatre; **Theaterkarte** *f* theatre ticket; **Theaterkasse** *f* theatre box office; **Theaterkritiker(in** *f*) *m* theatre *or* drama critic; **Theaterprobe** *f* rehearsal; **Theaterstück** *nt* (stage) play.

theatralisch *adj* theatrical, histrionic.

Theismus *m* theism.

Theke *f* -, -n (*Schanktisch*) bar; (*Ladentisch*) counter.

T-Helfer-Zelle [te:-] *f* T helper cell.

Thema *nt* -s, **Themen** *or* -ta (*Gegenstand*) subject, topic; (*Leitgedanke, Mus*) theme. **interessant vom ~ her** interesting as far as the subject matter is concerned; **beim ~ bleiben/vom ~ abschweifen** to stick to/stray from *or* wander off the subject *or* point; **das ~ wechseln** to change the subject; **ein/kein ~ sein** to be/not to be an issue; **aus etw ein ~ machen** to make an issue of sth; **zum ~ werden** to become an issue; **das ~ ist (für mich) erledigt** (*inf*) as far as I'm concerned the matter's closed; **~ Nr. 1** (*hum inf*) sex.

Themata *pl of* **Thema**.

Thematik *f* topic.

thematisch *adj* thematic; (*vom Thema her*) as regards subject matter. **~es Verzeichnis** subject index.

thematisieren* *vt* (*geh*) to pick out as a central theme.

Themen *pl of* **Thema**.

Themenbereich *m*, **Themenkreis** *m* topic; **Themenstellung** *f* subject; **Themenwahl** *f* choice of subject *or* topic.

Theologe *m*, **Theologin** *f* theologian.

Theologie *f* theology. **Doktor der ~** Doctor of Divinity.

theologisch *adj* theological.

Theorem *nt* -s, -e theorem.

Theoretiker(in *f*) *m* -s, - theorist, theoretician.

theoretisch *adj* theoretical. **~ gesehen** in theory, theoretically.

theoretisieren* *vi* to theorize.

Theorie *f* theory.

Theosophie *f* theosophy.

Therapeut(in *f*) *m* -en, -en therapist.

Therapeutik *f* therapeutics *sing*.

therapeutisch *adj* therapeutic(al).

Therapie *f* therapy (*auch fig*), treatment; (*Behandlungsmethode*) (method of) treatment (*gegen* for).

therapieren* *vt* to give therapy to, to treat.

Thermalbad *nt* thermal bath; (*Gebäude*) thermal baths *pl*; (*Badeort*) spa; **Thermalquelle** *f* thermal spring.

Therme *f* -, -n (*Quelle*) thermal *or* hot spring. **die ~n** the thermals; (*Hist*) the (thermal) baths.

thermisch *adj attr* (*Phys*) thermal.

Thermo- *in cpds* thermo-; **Thermochemie** *f* thermochemistry; **Thermodrukker** *m* thermal printer; **Thermodynamik** *f* thermodynamics *sing*; **Thermohose** *f* quilted trousers; **Thermokanne** *f* thermos jug.

Thermometer *nt* -s, - thermometer.

Thermometerstand *m* temperature. **bei ~ 60°** when the temperature reaches 60°, when the thermometer reads 60°.

thermonuklear *adj* thermonuclear.

Thermosflasche *f* thermos (flask) ®, vacuum flask *or* bottle (*US*).

Thermostat *m* -(e)s, -e thermostat.

Thesaurus *m* -, **Thesauri** *or* **Thesauren** thesaurus.

These *f* -, -n hypothesis, thesis; (*inf: Theorie*) theory. **Luthers 95 ~n** Luther's 95 propositions.

Thing *nt* -(e)s, -e (*Hist*) thing.

Thingplatz *m* (*Hist*) thingstead.

Thorium *nt*, *no pl* (*abbr* Th) thorium.

Thriller ['θrɪlə] *m* -s, - thriller.

Thrombose *f* -, -n thrombosis.

Thron *m* -(e)s, -e throne; (*hum inf: Nachttopf*) pot. **von seinem ~ herabsteigen** (*fig*) to come down off one's high horse.

Thronanwärter(in *f*) *m* claimant to the throne; (*Thronfolger*) heir apparent; **Thronbesteigung** *f* accession (to the throne).

thronen *vi* (*lit: auf dem Thron sitzen*) to sit enthroned; (*fig: in exponierter Stellung sitzen*) to sit in state; (*liter: überragen*) to stand in solitary splendour.

Thronerbe *m*, **Thronerbin** *f* heir to the throne; **Thronfolge** *f* line of succession; **die ~ antreten** to succeed to the throne; **Thronfolger(in** *f*) *m* -s, - heir to the throne, heir apparent; **Thronhimmel** *m* canopy; **Thronräuber(in** *f*) *m* usurper; **Thronrede** *f* King's/Queen's speech at the opening of parliament; **Thronsaal** *m* throne room.

Thulium *nt*, *no pl* (*abbr* Tm) thulium.

Thunfisch *m* tuna (fish).

Thüringen *nt* -s Thuringia.

Thüringer(in *f*) *m* -s, - Thuringian. **thüringisch** *adj* Thuringian.

Thusnelda *f* - (*N Ger, inf*) **so eine ~!** what a silly woman!

Thymian *m* -s, -e thyme.

Tiara *f* -, **Tiaren** tiara, triple crown.

Tibet *nt* -s Tibet.

Tibetaner(in *f*) *m* -s, - Tibetan.

tibetanisch *adj* Tibetan.

tick *interj* tick. **~ tack!** tick-tock!

Tick *m* -(e)s, -s tic; (*inf: Schrulle*) quirk (*inf*). **Uhren sind sein ~** he has a thing about clocks (*inf*); **einen ~ haben** (*inf*) to be crazy.

ticken *vi* to tick (away). **du tickst ja nicht richtig** you're off your rocker! (*inf*).

Ticker *m* -s, - (*inf*) telex (machine), ticker (*US*).

tickern (*inf*) **I** *vi* **aus dem Fernschreiber ~** to come out of the telex. **II** *vi* to telex.

Ticket *nt* -s, -s (plane) ticket.

Tide *f* -, -n (*N Ger*) tide.

Tie-break, Tiebreak ['taibre:k] *m* -s, -s

(*Tennis*) tiebreak(er).

tief I adj **1.** (*weit reichend*) *Tal, Wasser, Wurzeln, Schnee, Wunde, Seufzer* deep; *Verbeugung auch, Ausschnitt* low. ~**er Teller** soup plate; **die** ~**eren Ursachen** the underlying causes; **aus** ~**stem Herzen/**~**ster Seele** from the bottom of one's heart/the depths of one's soul.

2. (*sehr stark, groß*) *Ohnmacht, Schlaf, Erröten, Gefühl* deep; *Haß auch, Schmerz* intense; *Not* dire; *Verlassenheit, Einsamkeit, Elend* utter.

3. *auch adv* (*mitten in etwas liegend*) **er wohnt** ~ **in den Bergen** he lives deep in the mountains; ~ **im Wald, im** ~**en Wald** deep in the forest, in the depths of the forest; ~ **im Winter, im** ~**en Winter** in the depths of winter; ~ **in der Nacht** at dead of night; **im** ~**sten Afrika** in darkest Africa; ~ **im Innern, im** ~**sten Innern** in one's heart of hearts.

4. (*tiefgründig*) deep, profound. **der** ~**ere Sinn** the deeper meaning.

5. (*niedrig*) *Lage, Stand, Temperatur* low.

6. (*dunkel*) *Farbton, Stimme* deep; (*Mus*) low; *Ton* low. **in** ~**es Schwarz gekleidet sein** to be in deep mourning; ~ **sprechen** to talk in a deep voice; ~**er stimmen** to tune down.

II adv **1.** (*weit nach unten, innen, hinten*) a long way; *bohren, graben, eindringen, tauchen auch* deep; *sich klären* low; *untersuchen* in depth. ~ **in etw** (*acc*) **einsinken** to sink deep into sth, to sink down a long way into sth; **3 m** ~ **fallen** to fall 3 metres; ~ **sinken** (*fig*) to sink low; ~ **fallen** (*fig*) to go downhill; **bis** ~ **in etw** (*acc*) **hinein** (*örtlich*) a long way down/deep into sth; (*ganz*) ~ **unter uns** a long way below us, far below us; **seine Augen liegen** ~ **in den Höhlen** his eyes are like hollows in his face; ~ **verschneit** deep *or* thick with snow; ~ **in Gedanken** (**versunken**) deep in thought; ~ **in Schulden stecken** to be deep in debt; **jdm** ~ **in die Augen sehen** to look deep into sb's eyes; ~ **in die Tasche** *or* **den Beutel greifen müssen** (*inf*) to have to reach *or* dig deep in one's pocket; **das geht bei ihm nicht sehr** ~ (*inf*) it doesn't go very deep with him.

2. (*sehr stark*) *verletzen, atmen, erröten, schockieren, erschüttern* deeply; *schlafen auch* soundly; *fühlen, empfinden auch* acutely; *bedauern auch* profoundly; *erschrecken* terribly.

3. (*tiefgründig*) *nachdenken* deeply. **etw** ~**er begründen** to find a deeper reason for sth.

4. (*niedrig*) low. **ein Stockwerk** ~**er** one floor down *or* lower, on the floor below; **das Haus liegt** ~**er als die Straße** the house lies below (the level of) the road; **im Winter steht die Sonne** ~**er** the sun is lower (in the sky) in winter.

Tief nt **-(e)s, -e 1.** (*Met*) depression; (*im Kern, fig*) low. **ein moralisches** ~ (*fig*) a low. **2.** (*Naut: Rinne*) deep (*spec*), channel.

Tiefbau m civil engineering (*excluding the construction of building*); **Hoch- und**

Tiefbau m structural and civil engineering; **tiefbetrübt** adj attr deeply distressed; **tiefbewegt** adj attr deeply moved; **tiefblau** adj attr deep blue; **tiefblickend** adj attr (*fig*) perceptive, astute.

Tiefdruck m **1.** (*Met*) low pressure. **2.** (*Typ*) gravure.

Tiefdruckgebiet nt (*Met*) area of low pressure, depression; **Tiefdruckkeil** m (*Met*) trough of low pressure; **Tiefdruckrinne** f (*Met*) depression.

Tiefe f **-, -n** *siehe* **tief 1.** depth; (*von Verbeugung, Ausschnitt*) lowness. **unten in der** ~ far below; **in die** ~ **blicken** to look down into the depths *or* a long way; **in der** ~ **versinken** to sink into the depths; **das U-Boot ging auf** ~ the submarine dived; **aus der** ~ **meines Herzens** from the depths of my heart.

2. deepness; intensity; direness; depths *pl*.

3. deepness, profundity.

4. lowness.

5. deepness; lowness.

6. (*Art, Phot*) depth.

Tiefebene f lowland plain; **die Oberrheinische** ~ the Upper Rhine Valley; **tiefempfunden** adj attr deep(ly)-felt.

Tiefenbestrahlung f deep ray therapy; **Tiefengestein** nt plutonic rock, pluton; **Tiefenpsychologe** m depth psychologist; psychoanalyst; **Tiefenpsychologie** f depth psychology; psychoanalysis; **Tiefenpsychologin** f *siehe* **Tiefenpsychologe**; **Tiefenschärfe** f (*Phot*) depth of field; **Tiefenwirkung** f deep action; (*Art, Phot*) effect of depth.

tieferschüttert adj attr deeply disturbed; **Tiefflieger** m low-flying aircraft, hedgehopper (*inf*); **Tiefflug** m low-level *or* low-altitude flight; **er überquerte den Kanal im** ~ he crossed low over the Channel; **Tiefflugübung** f low-flying exercise; **Tiefgang** m (*Naut*) draught; (*fig inf*) depth; **Tiefgarage** f underground car park; **tiefgefroren** adj frozen; **tiefgehend** adj (*lit, fig*) deep; *Kränkung* extreme; **tiefgekühlt** adj (*gefroren*) frozen; (*sehr kalt*) chilled; **tiefgreifend** adj far-reaching; **tiefgründig** adj profound, deep; (*durchdacht*) well-grounded.

Tiefkühlfach nt freezer compartment; **Tiefkühlkost** f frozen food; **Tiefkühltruhe** f (*chest-type*) deep-freeze *or* freezer.

Tieflader m **-s, -, Tiefladewagen** m lowloader; **Tiefland** nt lowlands *pl*; **tiefliegend** adj attr *Gegend, Häuser* low-lying; *Augen* deep-set; (*nach Krankheit*) sunken; **Tiefpunkt** m low; **Tiefschlag** m (*Boxen, fig*) hit below the belt; **jdm einen** ~ **verpassen** (*lit, fig*) to hit sb below the belt; **das war ein** ~ (*lit, fig*) that was below the belt; **tiefschürfend** adj profound.

Tiefsee f deep sea.

Tiefsinn m profundity; **tiefsinnig** adj profound; **Tiefstand** m low; **Tiefstapelei** f understatement; (*auf eigene Leistung bezogen*) modesty; **tiefstapeln** vi sep to understate the case; to be modest; **Tiefstart** m crouch start.

Tiefstpreis m lowest price; „~e" "rock bottom prices"; **Tiefsttemperatur** f lowest temperature; **Tiefstwert** m lowest value.

tieftraurig adj very sad.

Tiegel m -s, - crucible.

Tier nt -(e)s, -e animal; (großes ~ auch) beast; (Haus~ auch) pet; (inf: Ungeziefer) bug (inf); (inf: Mensch) (grausam) brute; (grob) animal; (gefräßig) pig (inf). **großes** or **hohes** ~ (inf) big shot (inf); **das** ~ **im Menschen** the beast in man; **da wird der Mensch zum** ~ it brings out man's bestiality; **sich wie die ~e benehmen** to behave like animals.

Tier- in cpds animal; (Med) veterinary; (für Haustiere) pet; **Tierarzt** m, **Tierärztin** f vet, veterinary surgeon (form), veterinarian (US); **Tierasyl** nt (animal) pound.

Tierchen nt dim of **Tier** little animal. **ein niedliches** ~ a sweet little creature.

Tierfreund m animal/pet lover; **Tierfutter** nt animal food or fodder; (für Haustiere) pet food; **Tiergarten** m zoo; **Tierhalter(in** f) m (von Haustieren) petowner; (von Nutztieren) livestock owner; **Tierhandlung** f pet shop; **Tierheilkunde** f veterinary medicine; **Tierheim** nt animal home.

tierisch adj animal attr; (fig) Roheit, Grausamkeit bestial; (unzivilisiert) Benehmen, Sitten animal attr; (fig inf: unerträglich) deadly no adv (inf). ~**er Ernst** (inf) deadly seriousness; **der nervt mich** ~ (sl) he irritates me like hell (inf); **ich habe mich** ~ **geärgert** (sl) I got really furious.

Tierkreis m zodiac; **Tierkreiszeichen** nt sign of the zodiac; **Tierkunde** f zoology; **Tierliebe** f love of animals; **tierliebend** adj fond of animals, animal-loving attr; pet-loving attr; **Tiermedizin** f veterinary medicine; **Tiermehl** nt animal feed; **Tierpark** m zoo; **Tierpfleger(in** f) m zoo-keeper; **Tierquäler(in** f) m -s, - person who is cruel to animals; **ein** ~ **sein** to be cruel to animals; **Tierquälerei** f cruelty to animals; **Tierreich** nt animal kingdom; **Tierschutz** m protection of animals; **Tierschützer(in** f) m animal conservationist; **Tierschutzverein** m society for the prevention of cruelty to animals; **Tierversuch** m animal experiment; **Tierwelt** f animal kingdom; **Tierzucht** f stockbreeding.

Tiger m -s, - tiger.

Tigerauge nt tiger's-eye.

Tigerin f tigress.

tigern vi aux sein (inf) (gehen) to walk in a hurry.

Tigris m - Tigris.

Tilde f -, -n tilde.

tilgen vt (geh) 1. Schulden to pay off. 2. (beseitigen) Sünde, Unrecht, Spuren to wipe out; Erinnerung, Druckfehler to erase; Schuld to set aside; Posten (Typ, Ling) to delete.

Tilgung f siehe vt 1. repayment.
  2. wiping out; erasure; setting aside;

deletion.

tilgungsfrei adj redemption-free; **Tilgungsrate** f redemption.

Timbre ['tɛ̃:bə] nt -s, -s (geh) timbre.

timen ['taimən] vt to time.

Timer ['taimə] m -s, - timer.

Timing ['taimɪŋ] nt -, no pl timing.

tingeln vi (inf) to appear in small nightclubs/theatres etc.

Tingeltangel nt or m -s, - (dated pej) (Veranstaltung) hop (inf); (Lokal) secondrate night-club, honky-tonk (US inf).

Tinktur f tincture.

Tinnef m -s no pl (inf) rubbish, trash (inf).

Tinte f -, -n ink. **sich in die** ~ **setzen** to get (oneself) into a pickle (inf); **in der** ~ **sitzen** (inf) to be in the soup (inf).

Tintenfaß nt inkpot; (eingelassen) inkwell; **Tintenfisch** m cuttlefish; (Kalmar) squid; (achtarmig) octopus; **Tintenfleck** m (auf Kleidung) ink stain; **Tintenklecks** m ink blot; **Tintenpilz** m inkcap; **Tintenstift** m indelible pencil; **Tintenstrahldrucker** m ink-jet (printer).

Tip m -s, -s (Sport, St Ex) tip; (Andeutung) hint; (an Polizei) tip-off. **ich gebe dir einen** ~, **wie du ...** I'll give you a tip how to ...; **unser** ~ **für diesen Sommer:** ... this summer we recommend ...

Tippelbruder m (dated inf) gentleman of the road.

tippeln vi aux sein (inf) (gehen) to foot it (inf); (mit kurzen Schritten) to trip.

tippen vti 1. (klopfen) to tap (an/auf/ gegen etw (acc) sth); (zeigen) to touch (auf or an etw (acc) sth). **jdn** or **jdm auf die Schulter** ~ to tap sb on the shoulder.
  2. (inf: auf der Schreibmaschine) to type (an etw (dat) sth).
  3. (wetten) to fill in one's coupon; (im Toto, Lotto auch) to play the pools.
  4. nur vi (inf: raten) to guess. **auf jdn/ etw** ~ to put one's money on sb/sth (inf); **ich tippe darauf, daß ...** I bet (that) ...; **auf jds Sieg** (acc) ~ to back sb to win (inf).

Tipp-Ex ® nt -, no pl Tipp-Ex ®, whiteout (US). **etw mit** ~ **entfernen** to Tipp-Ex sth out.

Tippfehler m (inf) typing mistake or error.

Tippfräulein nt (inf, dated), **Tippse** f -, -n (pej) typist.

tipptapp interj pitter-patter.

tipptopp (inf) I adj immaculate; (prima) first-class, tip-top (dated inf). II adv immaculately; (prima) really well. ~ **sauber** spotless.

Tippzettel m (im Toto) football or pools coupon; (im Lotto) lottery coupon.

Tirade f tirade, diatribe.

Tirana nt -s Tirana.

tirilieren* vi (geh) to warble, to trill.

Tirol nt -s Tyrol.

Tiroler(in f) m -s, - Tyrolese, Tyrolean.

Tirolerhut m Tyrolean hat.

Tisch m -(e)s, -e table; (Schreib~) desk; (Werk~) bench; (Mahlzeit) meal. **bei** ~ at (the) table; **sich zu** or **an den** ~ **setzen** to sit down at the table; **die Gäste zu** ~ **bitten** to ask the guests to take their places; **bitte zu ~!** lunch/dinner is served!; **vor/nach ~** before/after the meal; **zu ~ sein/gehen** to be having one's lunch/dinner/to go to lunch/dinner; **er zahlte bar auf den ~** he paid cash down *or* cash on the nail (*inf*); **etw auf den ~ bringen** (*inf*) to serve sth (up); **die Beine** *or* **Füße unter jds ~ strecken** (*inf*) to eat at sb's table; **unter den ~ fallen** (*inf*) to go by the board; **jdn unter den ~ trinken** *or* **saufen** (*inf*) to drink sb under the table; **es wird gegessen, was auf den ~ kommt!** you'll eat what you're given; **zwei Parteien an einen ~ bringen** (*fig*) to get two parties round the conference table; **vom ~ sein** (*fig*) to be cleared out of the way; **etw vom ~ wischen** (*fig*) to dismiss sth; **jdn über den ~ ziehen** (*fig inf*) to take sb to the cleaners (*inf*).

Tisch- *in cpds* table; **Tischbesen** *m* crumb brush; **Tischdame** *f* (*form*) dinner partner; **Tischdecke** *f* tablecloth; **Tischende** *nt* end of a/the table; **am oberen/ unteren ~ sitzen** to sit at the head/the foot of the table; **Tischfeuerzeug** *nt* table lighter; **Tischfußball** *nt* table football; **Tischgebet** *nt* grace; **Tischgesellschaft** *f* dinner party; **Tischgespräch** *nt* table talk; **Tischherr** *m* (*form*) dinner partner; **Tischkarte** *f* place card; **Tischlampe** *f* table lamp.

Tischleindeckdich *nt* -(s) **ein ~ gefunden haben** (*fig*) to be onto a good thing (*inf*).

Tischler *m* -s - joiner, carpenter; (*Möbel~*) cabinet-maker.

Tischlerei *f* 1. (*Werkstatt*) joiner's *or* carpenter's/cabinet-maker's workshop. 2. *no pl* (*inf*) *siehe* **Tischlerhandwerk**.

Tischlerhandwerk *nt* joinery, carpentry; cabinetmaking.

Tischlerin *f siehe* **Tischler**.

tischlern (*inf*) **I** *vi* to do woodwork. **II** *vt Tisch, Regal* to make.

Tischlerwerkstatt *f siehe* **Tischlerei** 1.

Tischnachbar(in *f*) *m* neighbour (at table); **Tischordnung** *f* seating plan; **Tischplatte** *f* tabletop; **Tischrechner** *m* desk calculator; **Tischrede** *f* after-dinner speech; (*Unterhaltung*) table talk; **Tischtelefon** *nt* table telephone (*in night-club*).

Tischtennis *nt* table tennis.

Tischtennis- *in cpds* table-tennis; **Tischtennisplatte** *f* table-tennis table; **Tischtennisschläger** *m* table-tennis bat.

Tischtuch *nt* tablecloth; **Tischwäsche** *f* table linen; **Tischwein** *m* table wine; **Tischzeit** *f* mealtime; **zur ~** at mealtimes.

Titan¹ *m* -en, -en (*Myth*) Titan.

Titan² *nt* -s, *no pl* (*abbr* Ti) titanium.

titanenhaft, titanisch *adj* titanic.

Titel *m* -s, - 1. title. **jdn mit ~ ansprechen** to address sb by his/her title, to give sb his/her title; **unter dem ~** under the title; (*fig: Motto*) under the slogan. 2. (*~blatt*) title page. 3. (*von Gesetz, Etat*) section.

Titelanwärter(in *f*) *m* (main) contender for the title; **Titelbild** *nt* cover (picture); **Titelblatt** *nt* title page; **Titelheld(in** *f*) *m*

eponymous hero, hero (*mentioned in the title*); **Titelkampf** *m* (*Sport*) finals *pl*; (*Boxen*) title fight; **Titelmelodie** *f* (*von Film*) theme tune *or* music; **Titelrolle** *f* title role; **Titelschutz** *m* copyright (*of a title*); **Titelseite** *f* cover, front page; **Titelträger(in** *f*) *m* person with a title; **Titelverteidiger(in** *f*) *m* title holder.

Titte *f* -, **-n** (*vulg*) tit (*sl*), boob (*inf*).

Titularbischof *m* titular bishop.

titulieren* *vt Buch, Werk* to entitle (*mit etw* sth); *jdn* to call (*mit etw* sth), to address (*mit* as).

tizianrot *adj Haare* titian (red).

tja *interj* well.

Toast [toːst] *m* -(e)s, -e 1. (*Brot*) toast. **ein ~ some** toast. 2. (*Trinkspruch*) toast. **einen ~ auf jdn ausbringen** to propose a toast to sb.

Toastbrot ['toːst-] *nt sliced white bread for toasting*.

toasten ['toːstn] **I** *vi* to drink a toast (*auf +acc* to). **II** *vt Brot* to toast.

Toaster ['toːstɐ] *m* -s, - toaster.

Toastständer ['toːst-] *m* toast rack.

Tobak *m*: **das ist starker ~!** (*inf*) that's incredible! (*inf*).

toben *vi* 1. (*wüten*) (*Elemente, Leidenschaften, Kämpfe*) to rage; (*Mensch*) to throw a fit; (*vor Wut, Begeisterung*) to go wild (*vor* with). 2. (*ausgelassen spielen*) to rollick (about); *aux sein* (*inf: laufen*) to charge about.

Tobsucht *f* maniacal rage.

tobsüchtig *adj* raving mad.

Tobsucht|**anfall** *m* (*inf*) fit of rage. **einen ~ bekommen** to blow one's top (*inf*), to go stark raving mad (*inf*).

Tochter *f* -, ⁼ daughter; (*~firma*) subsidiary; (*Sw: Bedienstete*) girl. **die ~ des Hauses** (*form*) the daughter *or* young lady of the house; **das Fräulein ~** (*iro, form*) mademoiselle.

Töchterchen *nt* baby daughter.

Tochterfirma *f* subsidiary (firm); **Tochtergesellschaft** *f* subsidiary (company).

Tod *m* -(e)s, -e death. **~ durch Erschießen/Ersticken** death by firing squad/ suffocation; **eines natürlichen/ gewaltsamen ~es sterben** to die of natural causes/a violent death; **sich zu ~e fallen/trinken** to fall to one's death/drink oneself to death; **des ~es/ein Kind des ~es sein** to be doomed; **sich** (*dat*) **den ~ holen** to catch one's death (of cold); **in den ~ gehen** to go to one's death; **für jdn in den ~ gehen** to die for sb; **bis in den ~ bis** until death; **jdm in den ~ folgen** to follow sb; **jdn/etw auf den ~ nicht leiden** *or* **ausstehen können** (*inf*) to be unable to abide *or* stand sb/sth; **sich zu ~e langweilen** to be bored to death; **sich zu ~e schämen** to be utterly ashamed; **zu ~e betrübt sein** to be in the depths of despair.

todbringend *adj* (*geh*) *Gift* deadly, lethal; *Krankheit* fatal; **todelend** *adj* (*inf*) as miserable as sin (*inf*), utterly miserable; **todernst** *adj* (*inf*) deadly *or* absolutely serious.

Todesangst *f* mortal agony; **~e ausstehen**

(inf) to be scared to death *(inf)*;
Todesanzeige f *(als Brief)* letter
announcing sb's death; *(Annonce)* obituary *(notice)*; „~n" Deaths; **Todesart**
f death, way to die; **Todesfall** m death;
(bei Unglück auch) fatality; *(in der Familie auch)* bereavement; **Todesfurcht** f
fear of death; **Todesgefahr** f mortal
danger; **Todeskampf** m death throes pl;
Todeskandidat(in f) m condemned
man/woman *etc*; **Todeskommando** nt
death squad; **todesmutig** adj absolutely
fearless; **Todesnot** f mortal anguish; **in
~en sein** *(fig)* to be in a desperate situation; **Todesopfer** nt death, casualty, fatality; **Todesqualen** pl final or mortal
agony; **~ ausstehen** *(fig)* to suffer agony
or agonies; **Todesschuß** m fatal shot;
der ~ auf jdn the shot which killed sb;
Todesschütze m person who fires/fired
the fatal shot; *(Attentäter)* assassin;
Todesschwadron f death squad;
Todesstoß m deathblow; **jdm/einer Sache den ~ geben** or **versetzen** *(lit, fig)* to
deal sb the deathblow/deal the deathblow to sth; **Todesstrafe** f death penalty; **Todesstreifen** m *(an Grenze)* no-
man's land; **Todesstunde** f hour of
death; **Todestrieb** m *(Psych)* death
wish; **Todesursache** f cause of death;
Todesurteil nt death sentence;
Todesverachtung f *(inf)* **mit ~** with
utter disgust.

Todfeind(in f) m deadly or mortal enemy;
todgeweiht adj doomed; **todkrank** adj
dangerously or critically ill.

tödlich adj fatal; *Gefahr* mortal, deadly;
Gift deadly, lethal; *Dosis* lethal; *(inf)*
Langeweile, Ernst, Sicherheit deadly;
Beleidigung mortal. **~ verunglücken** to
be killed in an accident.

todmüde adj *(inf)* dead tired *(inf)*;
todschick adj *(inf)* dead smart *(inf)*;
todsicher *(inf)* I adj dead certain *(inf)*;
Methode, Tip sure-fire *(inf)*; **eine ~e Angelegenheit** or **Sache** a dead cert *(inf)*, a
cinch *(esp US inf)*; II adv for sure or
certain; **Todsünde** f mortal or deadly
sin; **todunglücklich** adj *(inf)* desperately unhappy.

Toe-Loop ['to:lu:p] m *(Eiskunstlauf)* toe
loop.

Tofu nt -, no pl *(Cook)* tofu.

Toga f -, **Togen** toga.

Tohuwabohu [to:huva'bo:hu] nt -(s), -s
chaos no pl. **das war ein ~** it was utter or
complete chaos.

Toilette [toa'lɛtə] f 1. *(Abort)* toilet, lavatory *(Brit)*; *(im Privathaus auch)* bathroom *(euph)*. **öffentliche ~** public con-
veniences pl *(Brit)*, comfort station
(US); **auf die ~ gehen/auf der ~ sein** to
go to/be in the toilet.
 2. no pl *(geh: Ankleiden, Körperpflege)* toilet. **~ machen** to do one's toilet *(old)*.
 3. *(geh: Kleidung)* outfit. **in großer ~**
in full dress.

Toiletten- [toa'lɛtn-] in cpds toilet; **Toi-
lettenartikel** m usu pl toiletry; **Toilet-
tenfrau** f toilet or lavatory *(Brit)*
attendant; **Toilettengarnitur** f 1. toilet

or bathroom set; 2. *(für Toilettentisch)*
dressing table set; **Toilettenpapier** nt
toilet paper; **Toilettenschrank** m bathroom cabinet; **Toilettenseife** f toilet
soap; **Toilettensitz** m toilet or lavatory
(Brit) seat; **Toilettentasche** f toilet bag;
Toilettentisch m dressing table; **Toilet-
tenwasser** nt toilet water.

toi, toi, toi interj *(inf)* *(vor Prüfung)* good
luck; *(unberufen)* touch wood.

Tokio nt -s Tokyo.

Tokioter adj attr Tokyo.

Tokioter(in f) m native of Tokyo;
(Einwohner) inhabitant of Tokyo.

tolerant adj tolerant *(gegen* of).

Toleranz f tolerance *(gegen* of).

Toleranzgrenze f limit of tolerance; **Tole-
ranzschwelle** f tolerance level or
threshold.

tolerieren* vt to tolerate.

Tolerierungsabkommen nt *(Pol)* toleration agreement; **Tolerierungspolitik**
f *(Pol)* policy of toleration.

toll adj 1. *(old: irr, tollwütig)* mad.
 2. *(wild, ausgelassen)* wild; *Streiche,
Gedanken, Treiben auch* mad. **es ging ~
her** or **zu** things were pretty wild *(inf)*.
 3. *(inf: verrückt)* mad, crazy. **das war
ein ~es Ding** that was mad or madness;
(wie) **~ regnen/fahren** to rain like mad
(inf) or crazy *(inf)*/drive like a madman
or maniac.
 4. *(inf: schlimm)* terrible. **es kommt
noch ~er!** there's more or worse to
come; **es zu ~ treiben** to go too far.
 5. *(inf: großartig)* fantastic *(inf)*.

tolldreist adj bold, (as) bold as brass.

Tolle f -, -n quiff.

tollen vi 1. to romp or rollick about. 2.
aux sein *(laufen)* to rush about.

Tollhaus nt *(old)* lunatic asylum; **Tollheit**
f 1. no pl *(old)* madness; 2. *(Tat)* mad
act; **Tollkirsche** f deadly nightshade,
belladonna; **tollkühn** adj daredevil attr,
daring; **Tollwut** f rabies; **Tollwut-
gefahr** f danger of rabies; **tollwütig** adj
rabid.

Tolpatsch m -es, -e *(inf)* clumsy or
awkward creature.

tolpatschig adj *(inf)* awkward, ungainly,
clumsy.

Tölpel m -s, - 1. *(inf)* fool. 2. *(Orn)*
gannet.

tölpelhaft adj foolish, silly.

Toluol nt -s, no pl toluol, toluene.

Tomate f -, -n tomato. **du treulose ~!** *(inf)*
you're a fine friend!

Tomaten- in cpds tomato;
Tomatenmark, Tomatenpüree nt tomato puree.

Tombola f -, -s or **Tombolen** tombola.

Tommy ['tɔmi] m -s, -s *(inf)* tommy.

Tomographie f tomography.

Ton¹ m -(e)s, -e *(Erdart)* clay.

Ton² m -(e)s, ⁻e 1. *(Laut)* sound *(auch
Rad, Film)*; *(von Zeitzeichen, im Telefon)* pip; *(Klangfarbe)* tone; *(Mus:
Note)* note. **halber/ganzer ~** semitone/
tone; **den ~ angeben** *(lit)* to give the
note; *(fig)* *(Mensch)* to set the tone;
(Thema, Farbe) to be predominant; **keinen ~ heraus-** or **hervorbringen** not to

be able to say a word; **keinen ~ sagen** or **von sich geben** not to make a sound; **hast du** or **hat der Mensch ~e!** (*inf*) did you ever! (*inf*); **dicke** or **große ~e spucken** or **reden** (*inf*) to talk big; **jdn in höchsten ~en loben** (*inf*) to praise sb to the skies or highly.
2. (*Betonung*) stress; (*Tonfall*) intonation; (*im Chinesischen*) tone.
3. (*Umgangston*) tone; (*Atmosphäre*) atmosphere. **den richtigen ~ finden** to strike the right tone; **ich verbitte mir diesen ~** I will not be spoken to like that; **einen anderen ~ anschlagen** to change one's tune; **der ~ macht die Musik** (*Prov*) it's not what you say but the way that you say it; **der gute ~** good form.
4. (*Farb~*) tone; (*Nuance*) shade.
Ton|abnehmer *m* cartridge, pick-up.
tonal *adj* tonal.
tonangebend *adj* who/which sets the tone; **~ sein** to set the tone; **Tonarm** *m* pick-up arm; **Tonart** *f* (*Mus*) key; (*fig: Tonfall*) tone; **eine andere ~ anschlagen** to change one's tune; **Tonassistent(in** *f*) *m* sound operator; **Tonassistenz** *f* sound.
Tonband *nt* tape (*mit* of); (*inf: Gerät*) tape recorder.
Tonbandaufnahme *f* tape recording; **Tonbandgerät** *nt* tape recorder.
Tonblende *f* tone control; **Tondichter(in** *f*) *m* (*geh*) composer; **Tondichtung** *f* tone poem.
tonen *vt* (*Phot*) to tone.
tönen¹ *vi* (*lit, fig: klingen*) to sound; (*schallen auch*) to resound; (*großspurig reden*) to boast. **nach etw ~** (*fig*) to contain (over)tones of sth.
tönen² *vt* to tint. **etw leicht rot ~** to tinge sth (with) red.
Toner *m* -s, - toner.
Ton|erde *f* aluminium oxide.
tönern *adj attr* clay. **auf ~en Füßen stehen** (*fig*) to be shaky.
Tonfall *m* tone of voice; (*Intonation*) intonation; **Tonfilm** *m* sound film, talkie (*inf*); **Tonfolge** *f* sequence of notes/ sounds; (*bei Film*) sound sequence; **Tonfrequenz** *f* audio frequency; **Tongefäß** *nt* earthenware vessel; **Tongeschirr** *nt* earthenware; **Tonhöhe** *f* pitch.
Tonika *f* -, **Toniken** (*Mus*) tonic.
Tonikum *nt* -s, **Tonika** tonic.
Toningenieur(in *f*) *m* sound engineer; **Tonkabine** *f* sound booth; **Tonkamera** *f* sound camera; **Tonkopf** *m* recording head; **Tonlage** *f* pitch (level); (*Tonumfang*) register; **eine ~ höher** one note higher; **Tonleiter** *f* scale; **tonlos** *adj* toneless; *Stimme auch* flat; **... sagte er ~** ... he said in a flat voice; **Tonmalerei** *f* (*Mus*) tone painting; **Tonmeister(in** *f*) *m* sound mixer.
Tonnage [tɔ'na:ʒə] *f* -, **-n** (*Naut*) tonnage.
Tonne *f* -, **-n 1.** (*Behälter*) barrel, cask; (*aus Metall*) drum; (*für Regen auch*) butt; (*Müll~*) bin (*Brit*), trash can (*US*); (*inf: Mensch*) fatty (*inf*). **2.** (*Gewicht*) metric ton(ne). **3.** (*Register~*) (register) ton. **4.** (*Naut: Boje*) buoy.

Tonnengewölbe *nt* (*Archit*) barrel vaulting.
Tonsetzer(in *f*) *m* (*geh*) composer; **Tonsilbe** *f* tonic or stressed syllable; **Tonsprache** *f* tone language; **Tonspur** *f* soundtrack; **Tonstörung** *f* sound interference; **Tonstreifen** *m* soundtrack; **Tonstudio** *nt* recording studio.
Tonsur *f* tonsure.
Tontaube *f* clay pigeon; **Tontaubenschießen** *nt* clay pigeon shooting; **Tontechniker(in** *f*) *m* sound technician; **Tonträger** *m* sound-carrier; **Tonumfang** *m* register.
Tonung *f* (*Phot*) toning.
Tönung *f* (*das Tönen*) tinting; (*Farbton*) shade, tone; (*Haar~*) hair colour.
Tonwaren *pl* earthenware *sing*; **Tonziegel** *m* brick; (*Dachziegel*) tile.
Top *nt* -s, -s (*Fashion*) top.
Top- *in cpds* top.
Topas *m* -es, -e topaz.
Topf *m* -(e)s, **¨e** pot; (*Koch~ auch*) (sauce)pan; (*Nacht~*) potty (*inf*); (*sl: Toilette*) loo (*Brit inf*), john (*US inf*). **alles in einen ~ werfen** (*fig*) to lump everything together.
Topfblume *f* potted flower.
Topfen *m* -s, - (*Aus, S Ger*) (soft) curd cheese.
Töpfer(in *f*) *m* -s, - potter; (*dial: Ofensetzer*) stove fitter.
Töpferei *f* pottery.
Töpferhandwerk *nt* potter's trade.
töpfern **I** *vi* to do pottery. **II** *vt* to make (in clay).
Töpferofen *m* kiln; **Töpferscheibe** *f* potter's wheel; **Töpferwaren** *pl* pottery *sing*; (*irden*) earthenware *sing*.
Topfhandschuh *m* ovenglove.
topfit ['tɔp'fɪt] *adj pred* in top form; (*gesundheitlich*) as fit as a fiddle.
Topfkuchen *m* (*Cook*) gugelhupf; **Topflappen** *m* ovencloth; (*kleiner*) panholder; **Topfpflanze** *f* potted plant.
Toplader *m* -s, - top loader.
Topographie *f* topography.
topographisch *adj* topographic(al).
Topologie *f* (*Math*) topology.
topp *interj* done, it's a deal.
Topp *m* -s, -e or -s (*Naut*) masthead.
Toppsegel *nt* topsail.
Tor¹ *m* -en, -en (*old, liter*) fool.
Tor² *nt* -(e)s, -e **1.** (*lit, fig: Himmels~, Höllen~*) gate; (*Durchfahrt*) gateway; (*~bogen*) archway; (*von Garage, Scheune*) door. **jdm das ~ zu etw öffnen** to open sb's eyes to sth; *zu Karriere* to open the door to sth for sb. **2.** (*Sport*) goal; (*bei Skilaufen*) gate. **im ~ stehen** to be in goal, to be the goalkeeper.
Torbogen *m* arch, archway; **Toreinfahrt** *f* entrance gate.
Toresschluß *m siehe* **Torschluß.**
Torf *m* -(e)s, *no pl* peat.
Torfboden *m* peat.
torfig *adj* peaty.
Torflügel *m* gate (*of a pair of gates*).
Torfmoor *nt* peat bog or (*trocken*) moor; **Torfmoos** *nt* sphagnum (moss); **Torfmull** *m* (loose) garden peat; **Torfstecher** *m* -s, - peat-cutter.

Torheit f foolishness, stupidity; (*törichte Handlung*) foolish or stupid action. **er hat die ~ begangen, zu ...** he was foolish or stupid enough to ...

Torhüter(in f) m goalkeeper.

töricht adj foolish, stupid; *Wunsch, Hoffnung* idle.

törichterweise adv foolishly, stupidly.

torkeln vi aux sein to stagger, to reel.

Torlatte f crossbar; **Torlinie** f goal-line; **torlos** adj goalless; **das Spiel ging ~ aus** it was a goalless draw, there was no score; **Tormann** m, pl **-männer** goalkeeper, goalie (*inf*).

Törn m **-s, -s** (*Naut*) cruise.

Tornado m **-s, -s** tornado.

Tornister m **-s, -** (*Mil*) knapsack; (*dated: Schulranzen*) satchel.

torpedieren* vt (*Naut, fig*) to torpedo.

Torpedo m **-s, -s** torpedo.

Torpedoboot nt torpedo-boat.

Torpfosten m (*Sport*) goalpost; **Torschluß** m (*fig*) **kurz vor ~** at the last minute or the eleventh hour; **Torschlußpanik** f (*inf*) last minute panic; (*von Unverheirateten*) fear of being left on the shelf; **Torschütze** m, **Torschützin** f (goal) scorer.

Torsion f torsion.

Torso m **-s, -s** or **Torsi** torso; (*fig*) skeleton.

Tort [tɔrt] m **-(e)s**, no pl (*geh*) wrong. **jdm etw zum ~ tun** to do sth to vex sb.

Törtchen nt dim of **Torte** (small) tart, tartlet.

Torte f **-, -n** gâteau; (*Obst~*) flan.

Tortelett nt **-s, -s**, **Tortelette** f (small) tart, tartlet.

Tortenboden m flan case or (*ohne Seiten*) base; **Tortendiagramm** nt pie chart; **Tortenguß** m glaze; **Tortenheber** m **-s, -** cake slice; **Tortenplatte** f cake plate.

Tortur f torture; (*fig auch*) ordeal.

Torverhältnis nt score; **Torwächter, Torwart** m goalkeeper.

tosen vi 1. to roar, to thunder; (*Wind, Sturm*) to rage. **~der Beifall** thunderous applause. 2. aux sein (*mit Ortsangabe*) to thunder.

tot adj 1. (*gestorben*) (*lit, fig*) dead; (*inf: erschöpft*) dead (*beat*) (*inf*), whacked (*inf*). **mehr ~ als lebendig** (*fig inf*) more dead than alive; **~ und begraben** forgotten; **~ geboren werden** to be stillborn; **~ umfallen** or **zu Boden fallen** to drop dead; **ich will ~ umfallen, wenn das nicht wahr ist** cross my heart and hope to die (if it isn't true) (*inf*); **~ zusammenbrechen** to collapse and die; **er war auf der Stelle ~** he died instantly; **ein ~er Mann sein** (*fig inf*) to be a goner (*inf*).

2. (*leblos*) *Ast, Pflanze, Geschäftszeit, Sprache, Leitung* dead; *Augen* sightless, blind; *Haus, Stadt* deserted; *Gegend auch, Landschaft* bleak; *Wissen* useless; *Vulkan auch* extinct; *Farbe* dull, drab; (*Rail*) *Gleis* disused. **~er Flußarm** backwater; (*Schleife*) oxbow (lake); **ein ~er Briefkasten** a dead-letter box; **der ~e Winkel** the blind spot; (*Mil*) dead angle; **das T~e Meer** the Dead Sea; **ein ~er**

Punkt (*Stillstand*) a standstill or halt; (*in Verhandlungen*) deadlock; (*körperliche Ermüdung*) low point (*of energy/ stamina*); **ich habe im Moment meinen ~en Punkt** I'm at a low ebb just now; **den ~en Punkt überwinden** to break the deadlock; (*körperlich*) to get one's second wind.

3. (*nutzlos*) *Last, Gewicht* dead; (*bei Fahrzeug auch*) *Kapital* dead. **ein ~es Rennen** (*lit, fig*) a dead heat.

total I adj total; *Staat* totalitarian. II adv totally.

Totalausverkauf m clearance sale.

Totalisator m totalizator, tote (*inf*).

totalitär I adj totalitarian. II adv in a totalitarian way.

Totalitarismus m totalitarianism.

Totalität f totality, entirety.

Totaloperation f extirpation; (*von Gebärmutter*) hysterectomy; (*mit Eierstöcken*) hysterosaphorectomy; **Totalschaden** m write-off; **~ machen** (*inf*) to write a car off.

totarbeiten vr sep (*inf*) to work oneself to death; **totärgern** vr sep (*inf*) to be/ become livid.

Totem nt **-s, -s** totem.

Totemismus m totemism.

Totempfahl m totem pole.

töten vti (*lit, fig*) to kill; *Nerv* to deaden. **er/das kann einem den Nerv ~** (*fig inf*) he/that really gets on my/one's *etc* nerves or wick (*inf*).

Totenamt nt requiem mass; **Totenbestattung** f burial of the dead; **Totenbett** nt deathbed; **totenblaß** adj deathly pale, pale as death; **Totenblässe** f deathly pallor; **totenbleich** adj siehe **totenblaß**; **Totenfeier** f funeral or burial ceremony; **Totenflecke** pl postmortem or cadaveric (*spec*) lividity *sing*; **Totenglocke** f (death) knell; **Totengräber** m gravedigger; **Totenhemd** nt shroud; **Totenklage** f lamentation of the dead; (*Liter*) lament; **Totenkopf** m 1. skull; (*als Zeichen*) death's-head; (*auf Piratenfahne, Arzneiflasche*) skull and crossbones; 2. (*Zool*) death's-head moth; **Totenkult** m cult of the dead; **Totenmaske** f death mask; **Totenmesse** f requiem mass; **Totenreich** nt (*Myth*) kingdom of the dead; **Totenschein** m death certificate; **Totensonntag** m Sunday before Advent, on which the dead are commemorated; **Totenstadt** f necropolis; **Totenstarre** f rigor mortis; **totenstill** adj deathly silent or quiet; **Totenstille** f deathly silence or quiet; **Totentanz** m dance of death, danse macabre; **Totenwache** f wake.

Tote(r) mf decl as adj dead person, dead man/woman; (*bei Unfall*) fatality; (*Mil*) casualty. **die ~n** the dead; **es gab 3 ~** 3 people died or were killed; **das ist ein Lärm, um ~ aufzuwecken** the noise is enough to waken the dead.

totfahren vt sep irreg (*inf*) to knock down and kill; **totgeboren** adj attr stillborn; **ein ~es Kind sein** (*fig*) to be doomed (to failure); **Totgeburt** f stillbirth; (*Kind*) stillborn child *or* baby; **Totgeglaubte(r)** *mf decl as adj* person *or* man/woman *etc* believed to be dead; **Totgesagte(r)** *mf decl as adj* person *or* man/woman *etc* who has been declared dead; **totkriegen** *vt sep* (*inf*) **nicht totzukriegen sein** to go on for ever; **totlachen** *vr sep* (*inf*) to kill oneself (laughing) (*inf*); **es ist zum T~** it is killingly funny *or* killing (*inf*); **totlaufen** *vr sep irreg* (*inf*) to peter out; **totmachen** *sep* (*inf*) **I** *vt* to kill; **II** *vr* (*fig*) to kill oneself.

Toto *m or* (*inf*, *Aus*, *Sw*) *nt* -**s**, -**s** (football) pools. (**im**) **~ spielen** to do the pools; **etw im ~ gewinnen** to win sth on the pools; **im ~ gewinnen** (*Hauptgewinn*) to win the pools.

Toto- *in cpds* pools; **Totoschein, Totozettel** *m* pools coupon.

totschießen *vt sep irreg* (*inf*) to shoot dead; **Totschlag** *m* (*Jur*) manslaughter; (*US*) homicide; *siehe* **Mord; totschlagen** *vt sep irreg* (*lit*, *fig*) to kill; (*inf*) **Menschen auch** to beat to death; **du kannst mich ~, ich weiß es nicht/habe es nicht** for the life of me I don't know/haven't got it; **Totschläger** *m* cudgel, club; **totschweigen** *vt sep irreg* to hush up (*inf*); **totstellen** *vr sep* to pretend to be dead, to play dead; (*Mensch auch*) to play possum (*inf*); **tottreten** *vt sep irreg* to trample to death; *Insekt etc* to tread on and kill.

Tötung *f* killing. **fahrlässige ~** culpable homicide.

Tötungsabsicht *f* intention to kill; **Tötungsversuch** *m* attempted murder.

Toupet [tu'pe:] *nt* -**s**, -**s** toupée.

toupieren* [tu'pi:rən] *vt* to backcomb.

Tour [tu:ɐ] *f* -, -**en** 1. (*Fahrt*) trip, outing; (*Ausflugs~*) tour; (*Spritz~*) (*mit Auto*) drive; (*mit Rad*) ride; (*Wanderung*) walk, hike; (*Berg~*) climb. **auf ~ gehen** to go on *or* for a trip *or* outing/on a tour/for a drive/ride/walk *or* hike/climb; **auf ~ sein** to be away on a trip *or* outing/tour; to be out for a drive/ride/walk; to be off climbing; **eine ~ machen** to go on a trip *or* outing/tour; to go for a drive/ride/walk/climb.

2. (*Umdrehung*) revolution, rev (*inf*); (*beim Tanz*) figure; (*beim Stricken*) two rows; (*mit Rundnadeln*) round. **auf ~en kommen** (*Auto*) to reach top speed; (*fig inf*) to get into top gear; (*sich aufregen*) to get worked up (*inf*); **auf vollen ~en laufen** (*lit*) to run at full *or* top speed; (*fig*) to be in full swing; **in einer ~** (*inf*) incessantly, the whole time.

3. (*inf: Art und Weise*) ploy. **mit der ~ brauchst du mir gar nicht zu kommen** don't try that one on me; **auf die krumme *or* schiefe *or* schräge ~** by dishonest means; **etw auf die weiche ~ versuchen** to try using soft soap to get sth.

Tour de force [tu:rdə'fɔrs] *f* - *no pl* tour de force.

Touren- ['tu:rən-]: **Tourenfahrer(in** *f*) *m* long-distance driver; **Tourenrad** *nt* tourer; **Tourenski** *m* cross country ski; **Tourenwagen** *m* (*im Motorsport*) saloon (car); **Tourenzahl** *f* number of

revolutions *or* revs *pl* (*inf*); **Tourenzähler** *m* rev counter.

Tourismus [tu'rɪsmʊs] *m* tourism.

Tourist [tu'rɪst] *m* tourist.

Touristenklasse [tu'rɪst(ə)n-] *f* tourist class.

Touristik [tu'rɪstɪk] *f* tourism, tourist industry.

Touristik\unternehmen [tu'rɪstɪk-] *nt* tour company.

Touristin [tu'rɪstɪn] *f* tourist.

Tournee [tʊr'ne:] *f* -, -**n** [-e:ən] *or* -**s** tour. **auf ~ gehen/sein** to go on tour/be on tour *or* touring.

Tower ['tauə] *m* -**s**, - (*Aviat*) control tower.

Toxikologe *m*, **Toxikologin** *f* toxicologist.

toxikologisch *adj* toxicological.

toxisch *adj* toxic.

Toxizität *f* -, *no pl* toxicity.

Toxoplasmose *f* -, -**n** toxoplasmosis.

Trab *m* -(**e**)**s**, *no pl* trot. **im ~** at a trot; (**im**) **~ reiten** to trot; **sich in ~ setzen** (*inf*) to get going *or* cracking (*inf*); **auf ~ sein** (*inf*) to be on the go (*inf*); **jdn in ~ halten** (*inf*) to keep sb on the go; **jdn auf (den) ~ bringen** (*inf*) to make sb get a move on (*inf*).

Trabant *m* 1. (*Astron*) satellite. 2. (*Hist*) bodyguard; (*fig*) satellite. 3. *usu pl* (*dated inf*) kiddie-wink (*inf*).

Trabantenstadt *f* satellite town.

Trabbi *m* -**s**, -**s** (*inf*) East German car.

traben *vi* 1. *aux haben or sein* to trot. **mit dem Pferd ~** to trot one's horse. 2. *aux sein* (*inf: laufen*) to trot. **ich mußte noch einmal in die Stadt ~** I had to go traipsing back into town.

Traber *m* -**s**, - trotter.

Trabrennbahn *f* trotting course; **Trabrennen** *nt* trotting; (*Veranstaltung*) trotting race.

Tracht *f* -, -**en** 1. (*Kleidung*) dress, garb; (*Volks~*) costume; (*Schwestern~*) uniform. 2. (*obs: Traglast*) load. **jdm eine ~ Prügel verabfolgen *or* verabreichen** (*inf*) to give sb a beating *or* thrashing.

trachten *vi* (*geh*) to strive (*nach* for, after). **danach ~, etw zu tun** to strive *or* endeavour to do sth; **jdm nach dem Leben ~** to be after sb's blood.

Trachtenfest *nt* festive occasion where traditional/national costume is worn; **Trachtenkostüm** *nt* suit made of thick woollen material.

trächtig *adj* (*lit*) *Tier* pregnant; (*fig geh*) laden (*von* with); *Gedanke* meaningful, significant.

Tradition [tradi'tsio:n] *f* tradition.

Traditionalist(in *f*) [traditsiona'lɪst, -ɪn] *m* traditionalist.

traditionell [traditsio'nɛl] *adj usu attr* traditional.

traditionsbewußt *adj* tradition-conscious; **traditionsgebunden** *adj* bound by tradition; **traditionsgemäß** *adv* traditionally, according to tradition; **traditionsreich** *adj* rich in tradition.

traf *pret of* **treffen**.

Trafik *f* -, -**en** (*Aus*) tobacconist's (shop).

Trafikant(in *f*) *m* (*Aus*) tobacconist.

Trafo m -(s), -s (inf) transformer.

Tragbahre f stretcher; **tragbar** adj 1. Apparat, Gerät portable; Kleid wearable; 2. (annehmbar) acceptable (für to); (erträglich) bearable.

Trage f -, -n (Bahre) litter; (Tragkorb) pannier.

träge adj 1. sluggish; Mensch, Handbewegung auch lethargic. **geistig ~** mentally lazy. 2. (Phys) Masse inert.

tragen pret **trug**, ptp **getragen** I vt 1. (durch Hochheben, befördern, dabeihaben), (fig) Schall to carry; (an einen Ort bringen) to take; (Wellen auch) to bear; (fig) Gerücht to pass on, to spread. **etw mit** or **bei sich ~** to carry sth with one; **den Brief zur Post ~** to take the letter to the post office.
2. (am Körper ~) Kleid, Brille, Rot etc, Perücke to wear; (im Moment auch) to have on; Bart, Gebiß to have; Waffen to carry. **wie trägt sie zur Zeit ihre Haare?** how is she wearing her hair now?; **getragene Kleider** second-hand clothes; (abgelegt) cast-offs.
3. (stützen, halten, fig) to support; (fig: Vertrauen, Hoffnung auch) to sustain.
4. (aushalten, Tragfähigkeit haben) to take (the weight of), to carry.
5. (hervorbringen) Zinsen to yield; Ernte auch to produce; (lit, fig) Früchte to bear. **der Baum/Acker trägt viele Früchte/viel Weizen** the tree/field produces a good crop of fruit/wheat; (in dieser Saison) the tree/field is full of fruit/wheat.
6. (trächtig sein) to be carrying.
7. (ertragen) Schicksal, Leid to endure; Kreuz to bear.
8. (übernehmen) Verluste to defray; Kosten auch to bear, to carry; Risiko to take; Folgen to take, to bear; (unterhalten) Organisation to support, to back. **die Verantwortung für etw ~** to be responsible for sth.
9. (haben) Titel, Namen, Aufschrift to bear, to have; Vermerk to have, Etikett to have. **der Brief trägt das Datum vom ...** the letter is dated ...

II vi 1. (Baum, Acker) to crop. **gut/schlecht ~** to crop well/badly, to produce a good/bad crop; (in dieser Saison) to have a good/bad crop.
2. (schwanger sein) to be pregnant.
3. (reichen: Geschütz, Stimme) to carry.
4. (Eis) to take weight. **das Eis trägt noch nicht** the ice won't take anyone's weight yet.
5. **schwer an etw** (dat) **~** to have a job carrying or to carry sth; (fig) to find sth hard to bear; **schwer zu ~ haben** to have a lot to carry; (fig) to have a heavy cross to bear.
6. **zum T~ kommen** to come to fruition; (nützlich werden) to come in useful; **etw zum T~ bringen** to bring sth to bear (in +dat on).

III vr 1. **sich gut** or **leicht/schwer** or **schlecht ~** to be easy/difficult or hard to carry; **schwere Lasten ~ sich besser auf**

dem Rücken it is better to carry heavy loads on one's back.
2. (Kleid, Stoff) to wear.
3. **sich mit etw ~** (geh) to contemplate sth.
4. (ohne Zuschüsse auskommen) to be self-supporting.

tragend adj 1. (stützend) Säule, Bauteil, Chassisteil weight- or load-bearing; (fig: bestimmend) Idee, Motiv fundamental, basic. 2. (Theat) Rolle major, main. 3. Stimme resonant. 4. (trächtig) pregnant.

Träger m -s, - 1. (an Kleidung) strap; (Hosen~) braces pl.
2. (Build) (Holz~, Beton~) (supporting) beam; (Stahl~, Eisen~) girder.
3. (Tech: Stütze von Brücken) support.
4. (Flugzeug~) carrier.
5. auch **~in** f (Mensch) (von Lasten) bearer, porter; (Aus~ von Zeitungen) delivery boy/girl; (von Namen) bearer; (rare: von Orden, Amt, Titel) bearer, holder; (von Kleidung) wearer; (eines Preises) winner.
6. (fig) (der Kultur, Staatsgewalt) representative; (einer Bewegung, Entwicklung) upholder, supporter; (einer Veranstaltung) sponsor; (Mittel) vehicle. **~ des Vereins/der Universitäten** those who support or back the club/are responsible for the universities.

Trägerflugzeug nt carrier plane; **Trägerhose** f trousers pl with straps.

Trägerin f siehe **Träger** 5.

Trägerkleid nt pinafore dress (Brit), jumper (US); (sommerlich) sundress. **Trägerlohn** m porterage; **Trägermaterial** nt base material, carrier material; **Trägerrakete** f booster, carrier rocket; **Trägerrock** m pinafore dress (Brit), jumper (US); (für Kinder) skirt with straps; **Trägerschürze** f pinafore; **Trägersystem** nt (Mil) carrier system; **Trägerwaffe** f carrier weapon.

Tragetasche f carrier bag; **Tragezeit** f gestation period.

tragfähig adj able to take a load/weight; (fig) serviceable, workable; **Tragfähigkeit** f load-/weight-bearing capacity; (von Brücke) maximum load; (fig) workability; **Tragfläche** f wing; (von Boot) hydrofoil; **Tragflügelboot** nt hydrofoil.

Trägheit f siehe adj sluggishness; lethargy; (Faulheit) laziness; (Phys) inertia.

Trägheitsgesetz nt law of inertia; **Trägheitsmoment** nt moment of inertia.

Traghimmel m canopy, baldachin.

Tragik f tragedy. **das ist die ~ der Sache, daß ...** what's tragic about it is that ...

Tragiker(in) m -s, - tragedian.

Tragikomik f tragicomedy; **tragikomisch** adj tragicomical; **Tragikomödie** f tragicomedy.

tragisch adj tragic. **etw ~ nehmen** (inf) to take sth to heart; **das ist nicht so ~** (inf) it's not the end of the world.

Tragkorb m pannier; **Tragkraft** f siehe **Tragfähigkeit**; **Traglast** f load; (Gepäck) heavy luggage (esp Brit) or baggage; **Traglufthalle** *f* air hall.

Tragöde *m* -n, -n tragedian.

Tragödie [-iə] *f* (*Liter, fig*) tragedy. **es ist eine ~ mit ihm/dieser Maschine** he/this machine is a disaster.

Tragödien- [-iən-]: **Tragödiendarsteller(in** *f*) *m* tragedian; **Tragödiendichter(in** *f*) *m* tragedian.

Tragödin *f* tragedienne.

Tragpfeiler *m* weight- *or* load-bearing pillar; (*von Brücke*) support; **Tragriemen** *m* strap; (*von Gewehr*) sling; **Tragweite** *f* (*von Geschütz etc*) range; (*fig*) consequences *pl*; (*von Gesetz*) scope; **sind Sie sich der ~ dieses Schritts/Ihres Handelns bewußt?** are you aware of the possible consequences *or* of the implications of this step/of your action?; **von großer ~ sein** to have far-reaching consequences *or* implications; **Tragwerk** *nt* (*Aviat*) wing assembly.

Trainer(in *f*) ['trɛːnɐ, 'trɛː-] *m* -s, - coach, trainer; (*von Rennpferd*) trainer; (*von Schwimmer, Tennisspieler*) coach; (*bei Fußball*) manager; (*Sw: Trainingsanzug*) track-suit.

trainieren* [trɛ'niːrən, trɛː'n-] **I** *vt* to train; *Mannschaft, Sportler auch* to coach; *Sprung, Übung, Weitsprung* to practise; *Muskel* to exercise. **Fußball/ Tennis ~** to do some football/tennis practice; **ein (gut) trainierter Sportler** an athlete who is in training; **auf etw** (*acc*) **trainiert sein** to be trained to do sth; **jdn auf** *or* **für etw** (*acc*) **~** to train *or* coach sb for sth.

II *vi* (*Sportler*) to train; (*Rennfahrer*) to practise; (*Übungen machen*) to exercise; (*üben*) to practise. **auf** *or* **für etw** (*acc*) **~** to train/practise for sth.

III *vr* to train (*auf +acc* for); (*üben*) to practise; (*um fit zu werden*) to get some exercise, to get into training.

Training ['trɛːnɪŋ, 'trɛːn-] *nt* -s, -s training *no pl*; (*Fitneß~*) exercise *no pl*; (*Autorennen*) practice; (*fig: Übung*) practice. **er geht jeden Abend zum ~** he goes training every evening; **ein 2-stündiges ~** a 2-hour training session *or* bout; **er übernimmt das ~ der Mannschaft** he's taking over the training *or* coaching of the team; **im ~ stehen** to be in training.

Trainingsanzug *m* track-suit; **Trainingshose** *f* track-suit trousers *pl*; **Trainingslager** *nt* training camp; **Trainingsmethode** *f* training method; **Trainingsmöglichkeit** *f* training facilities *pl*; **Trainingszeit** *f* practice time.

Trakt *m* -(e)s, -e (*Gebäudeteil*) section; (*Flügel*) wing.

Traktat *m or nt* -(e)s, -e **1.** (*Abhandlung*) treatise; (*Flugschrift, religiöse Schrift*) tract. **2.** (*obs: Vertrag*) treaty.

Traktätchen *nt* (*pej*) tract.

traktieren* *vt* (*inf*) (*schlecht behandeln*) to maltreat; *Menschen auch* to give a rough time (to); (*quälen*) *kleine Schwester, Tier* to torment. **jdn mit Vorwürfen ~** to keep on at sb (*inf*); **er hat ihn mit Tritten gegen das Schienbein traktiert** he kicked him on the shin.

Traktion *f* (*Aut*) traction.

Traktor *m* -s, -en tractor; (*Comput*) tractor feed.

Traktorist(in *f*) *m* (*DDR*) tractor-driver.

trällern *vti* to warble; (*Vogel auch*) to trill. **vor sich hin ~** to warble away to oneself.

Tram *f* -, -s (*dial, Sw*), **Trambahn** *f* (*S Ger*) tram (*Brit*), streetcar (*US*).

Tramp [trɛmp, tramp] *m* -s, -s tramp.

Trampel *m or nt* -s, - *or f* -, -n clumsy clot (*inf*), clumsy oaf (*inf*).

trampeln I *vi* **1.** (*mit den Füßen stampfen*) to stamp. **die Zuschauer haben getrampelt** the audience stamped their feet.
2. *aux sein* (*schwerfällig gehen*) to stamp *or* tramp along. **über die Wiese ~** to tramp across the meadow.

II *vt* **1.** (*mit Füßen bearbeiten*) *Weg* to trample. **jdn zu Tode ~** to trample sb to death.
2. (*abschütteln*) to stamp (*von* from).

Trampelpfad *m* track, path; **Trampeltier** *nt* **1.** (*Zool*) (Bactrian) camel; **2.** (*inf*) clumsy oaf (*inf*).

trampen ['trɛmpn, 'tram-] *vi aux sein* to hitch-hike, to hitch (*inf*).

Tramper(in *f*) ['trɛmpɐ, -ərɪn] *m* -s, - hitch-hiker, hitcher (*inf*).

Trampolin *nt* -s, -e trampoline.

Trampolinspringen *nt* -s, *no pl* trampolining.

Trampschiff *nt* tramp (ship); **Trampschiffahrt** *f* tramp shipping.

Tramway ['tramveː] *f* -, -s (*Aus*) siehe **Straßenbahn.**

Tran *m* -(e)s, -e **1.** (*von Fischen*) train oil.
2. (*inf*) **im ~** dop(e)y (*inf*); (*leicht betrunken*) tipsy, merry (*inf*); (*durch Drogen*) stoned (*inf*); **ich lief wie im ~ durch die Gegend** I was running around in a dream *or* a daze; **das habe ich im ~ ganz vergessen** it completely slipped my mind.

Trance ['trãːs(ə)] *f* -, -n trance.

tranceartig *adj* trance-like; **Trancezustand** *m* (state of) trance.

Tranche ['trãːʃ(ə)] *f* -, -n (*St Ex*) tranche of a bond issue; (*Anleihe*) quota share.

Tranchierbesteck [trã'ʃiːɐ-] *nt* carving set, set of carvers.

tranchieren* [trã'ʃiːrən] *vt* to carve.

Tranchiergabel *f* carving-fork; **Tranchiermesser** *nt* carving-knife.

Träne *f* -, -n tear; (*einzelne ~*) tear(drop); (*inf: Mensch*) drip (*inf*). **den ~n nahe sein** to be near to *or* on the verge of tears; **zu ~n rühren** to move to tears; **unter ~n gestand er seine Schuld/Liebe** in tears he confessed his fault/love; **~n lachen** to laugh till one cries *or* till the tears run down one's cheeks; **bittere ~n weinen** to shed bitter tears; **jdm/sich die ~n trocknen/abwischen** to dry sb's/one's eyes, to wipe away sb's/one's tears.

tränen *vi* to water.

Tränendrüse *f* lachrymal gland; **der Film drückt sehr auf die ~n** the film is a real tear-jerker (*inf*); **tränenfeucht** *adj* wet with tears; *Augen* tear-filled; **Tränenfluß** *m* flood of tears; **Tränengas** *nt* tear gas; **Tränenkanal** *m* tear duct; **tränenreich** *adj* tearful; **Tränensack** *m* lachrymal sac.

Tranfunsel, Tranfunzel f (inf) slowcoach (Brit inf), slowpoke (US inf); **tranfunzlig** adj (inf) slow, sluggish.

tranig adj like train oil; (inf) slow, sluggish.

Trank m -(e)s, ⸚e (liter) drink, draught (liter), potion (liter).

trank pret of **trinken**.

Tränke f -, -n drinking trough.

tränken vt 1. Tiere to water. 2. (durchnässen) to soak.

Trans- in cpds trans-.

Trans|aktion f transaction.

trans|atlantisch adj transatlantic.

transchieren* vt (Aus) to carve.

Trans-Europ(a)-Express m Trans-Europe Express.

Transfer m -s, -s transfer; (Psych) transference.

transferieren* vt to transfer.

Transformation f transformation.

Transformationsgrammatik f transformational grammar; **Transformationsregel** f transformation rule.

Transformator m transformer.

transformieren* vt to transform.

Transfusion f transfusion.

Transistor m transistor.

Transistorradio nt transistor radio (radio).

Transit m -s, -e transit.

Transitabkommen nt transit agreement; **Transithalle** f (Aviat) transit area; **Transithandel** m transit trade.

transitiv adj (Gram) transitive.

Transitraum m (Aviat) transit lounge; **Transitverkehr** m transit traffic; (Transithandel) transit trade; **Passagiere im ~** transit passengers pl.

transkribieren* vt to transcribe; (Mus) to arrange.

Transmission f (Mech) transmission.

Trans|ozean- in cpds transoceanic.

transparent [transpa'rɛnt] adj transparent; Gewebe diaphanous (liter); (fig geh) Argument lucid, clear.

Transparent [transpa'rɛnt] nt -(e)s, -e (Reklameschild) neon sign; (Durchscheinbild) transparency; (Spruchband) banner.

Transparentpapier nt waxed tissue paper; (zum Pausen) tracing paper.

Transparenz [transpa'rɛnts] f siehe adj transparency; diaphaneity (liter); lucidity, clarity.

transpersonal adj (Psych) transpersonal.

Transpiration [transpira'tsioːn] f (geh) perspiration; (von Pflanze) transpiration.

transpirieren* [transpi'riːrən] vi (geh) to perspire; (Pflanze) to transpire.

Transplantat [transplan'taːt] nt (Haut) graft; (Organ) transplant.

Transplantation [transplanta'tsioːn] f 1. (Med) transplant; (von Haut) graft; (Vorgang) transplantation; grafting. 2. (Bot) grafting.

transplantieren* [transplan'tiːrən] vti 1. (Med) Organ to transplant; Haut to graft. 2. (Bot) to graft.

transponieren* [transpo'niːrən] vt (Mus) to transpose.

Transport [trans'pɔrt] m -(e)s, -e 1. (das **Transportieren**) transport. **ein ~ auf dem Landweg** road transport; **beim ~ beschädigte Waren** goods damaged in transit. 2. (Fracht) consignment, shipment; (von Soldaten etc) load, transport; (von Gefangenen) transport.

transportabel [transpɔr'taːbl] adj transportable.

Transporter [trans'pɔrtɐ] m -s, - (Schiff) cargo ship; (Flugzeug) transport plane; (Auto~) transporter.

Transporteur [transpɔr'tøːɐ] m 1. (Mensch) removal man. 2. (an Nähmaschine) fabric guide, feed dog. 3. (Winkelmesser) protractor.

Transport- [trans'pɔrt-]: **transportfähig** adj moveable; **Transportflugzeug** nt transport plane or aircraft.

transportieren* [transpɔr'tiːrən] I vt to transport; Güter, Sauerstoff auch to carry; Patienten to move; Film to wind on; (Nähmaschine) to feed. II vi (Förderband) to move; (Nähmaschine) to feed; (Kamera) to wind on.

Transport- [trans'pɔrt-]: **Transportkosten** pl carriage sing; **Transportmittel** nt means of transport sing; **Transportschaden** m damage in transit; **Transportschiff** nt (Mil) transport ship; **Transportunternehmen** nt haulier, haulage firm.

Transsexuelle(r) mf decl as adj transsexual.

Transuse f -, -n (inf) slowcoach (Brit inf), slowpoke (US inf).

Transvestismus [transvɛs'tɪsmʊs] m transvestism.

Transvestit [transvɛs'tiːt] m -en, -en transvestite.

transzendent adj transcendent(al); (Math) transcendental.

transzendental adj transcendental.

Transzendenz f transcendency, transcendence.

Trantüte f (inf) slowcoach (Brit inf), slowpoke (US inf).

Trapez nt -es, -e 1. (Math) trapezium. 2. (von Artisten) trapeze.

Trapezakt m trapeze act; **trapezförmig** adj trapeziform; **Trapezkünstler(in f)** m trapeze artist.

Trapezoid nt -(e)s, -e trapezoid.

trapp, trapp interj (von Kindern) clitter clatter; (von Pferd) clip clop.

trappeln vi aux sein to clatter; (Pony) to clip-clop.

trapsen vi aux sein (inf) to galumph (inf).

Trara nt -s, -s (von Horn) tantara; (fig inf) hullabaloo (inf), to-do (inf) (um about).

Trassant m (Fin) drawer.

Trassat m -en, -en (Fin) drawee.

Trasse f -, -n (Surv) marked-out route.

Trassenführung f route.

trat pret of **treten**.

Tratsch m -(e)s, no pl (inf) gossip, scandal, tittle-tattle (inf).

tratschen vi (inf) to gossip.

Tratscherei f (inf) gossip(ing) no pl, scandalmongering no pl.

Tratschmaul nt, **Tratschtante** f (pej inf) scandalmonger, gossip.

Tratte f -, -n (Fin) draft.
Traualtar m altar.
Traube f -, -n (einzelne Beere) grape; (ganze Frucht) bunch of grapes; (Blütenstand) raceme (spec); (fig) (von Bienen) cluster; (Menschen~) bunch, cluster. ~n (Fruchtart) grapes.
Traubenlese f grape harvest; **Traubensaft** m grape juice; **Traubenzucker** m glucose, dextrose.
trauen I vi +dat to trust. einer Sache (dat) nicht ~ to be wary of sth; ich traute meinen Augen/Ohren nicht I couldn't believe my eyes/ears; ich traue dem Frieden nicht (I think) there must be something afoot, it's too good to be true.
 II vr to dare. sich (acc or (rare) dat) ~, etw zu tun to dare (to) do sth; sich auf die Straße/nach Hause/zum Chef ~ to dare to go out (of doors)/home/to one's boss.
 III vt to marry. sich standesamtlich/kirchlich ~ lassen to get married in a registry office (Brit)/in church.
Trauer f -, no pl (das Trauern, ~zeit, ~kleidung) mourning; (Schmerz, Leid) sorrow, grief. ~ haben/tragen to be in mourning; in tiefer ~ ... (much loved and) sadly missed by ...
Traueranzeige f obituary, death notice; **Trauerarbeit** f, no pl (Psych) grieving; **Trauerbinde** f black armband; **Trauerbrief** m letter announcing sb's death; **Trauerfall** m bereavement, death; **Trauerfeier** f funeral service; **Trauerflor** m black ribbon; **Trauergefolge** nt funeral procession; **Trauergemeinde** f mourners pl; **Trauerhaus** nt house of mourning; **Trauerjahr** nt year of mourning; **Trauerkarte** f card announcing sb's death; **Trauerkleidung** f mourning; **Trauerkloß** m (inf) wet blanket (inf); **Trauermarsch** m funeral march; **Trauermiene** f (inf) long face.
trauern vi to mourn (um jdn (for) sb, um etw sth); (Trauerkleidung tragen) to be in mourning. die ~den Hinterbliebenen his/her bereaved family.
Trauernachricht f sad news sing, no indef art; **Trauerrand** m black edge or border; ~er (inf) dirty fingernails; **Trauerschleier** m black or mourning veil; **Trauerspiel** nt tragedy; (fig inf) fiasco; es ist ein ~ mit ihm/dem Projekt he's really pathetic/the project is in a bad way (inf); **Trauerweide** f weeping willow; **Trauerzeit** f (period of) mourning; **Trauerzug** m funeral procession.
Traufe f -, -n eaves pl; siehe Regen.
träufeln I vt to dribble. II vi aux haben or sein (old, geh: Wasser) to trickle.
Trauformel f marriage vows pl.
traulich adj cosy. ~ zusammenleben to live together harmoniously or in harmony.
Traum m -(e)s, Träume (lit, fig) dream; (Tag~ auch) daydream, reverie. er fühlte sich wie im ~ he felt as if he were dreaming; es war immer sein ~, ein großes Haus zu besitzen he had always dreamed of owning a large house; aus

der ~!, der ~ ist aus! it's all over; aus der ~ vom neuen Auto that's put paid to your/my etc dreams of a new car; der ~ meiner schlaflosen Nächte (hum inf) the man/woman of my dreams; Träume sind Schäume dreams are but shadows.
Trauma nt -s, Traumen or -ta (Med, Psych) trauma; (fig auch) nightmare.
traumatisch adj (Psych) traumatic.
Traumarbeit f, no pl (Psych) dreaming; **Traumberuf** m dream job, job of one's dreams; **Traumbild** nt vision; **Traumdeuter(in** f) m interpreter of dreams; **Traumdeutung** f dream interpretation, interpretation of dreams.
Traumen pl of Trauma.
träumen I vi to dream; (tag~ auch) to daydream; (inf: nicht aufpassen) to (day)dream, to be in a dream. von jdm/etw ~ to dream about sb/sth; (sich ausmalen) to dream of sb/sth; mir träumte, daß ... I dreamed or dreamt that ...; träume süß! sweet dreams!; vor sich hin ~, mit offenen Augen ~ to daydream; du träumst wohl! (inf) you must be joking!; das hätte ich mir nicht ~ lassen I'd never have thought it possible.
 II vt to dream; Traum to have. etwas Schönes/Schreckliches ~ to have a pleasant/an unpleasant dream.
Träumer(in f) m -s, - (day)dreamer; (Phantast) dreamer, visionary.
Träumerei f 1. no pl (das Träumen) (day)dreaming. 2. (Vorstellung) daydream, reverie.
träumerisch adj dreamy; (schwärmerisch) wistful.
Traumfabrik f (pej) dream factory; **traumhaft** adj (phantastisch) fantastic; (wie im Traum) dreamlike.
Trauminet m -s, -e (Aus) coward.
Traumpaar nt perfect couple; **Traumreise** f trip of a lifetime, dream holiday; **Traumtänzer(in** f) m dreamer; **traumtänzerisch** adj dreamy, idealistic; **traumverloren** I adj dreamy; II adv dreamily, as if in a dream.
Traurede f marriage sermon; (im Standesamt) marriage address.
traurig adj sad; (unglücklich) Verhältnisse, Leben auch unhappy; Blick auch sorrowful; (beklagenswert) Zustand sad, sorry; Leistung, Erfolg, Rekord pathetic, sorry; Wetter miserable; Berühmtheit notorious. mit meinen Finanzen/der Wirtschaft sieht es sehr ~ aus my finances are/the economy is in a very sorry state; ~, ~ dear, dear; wie sieht es damit aus? — ~(, ~) what are the prospects for that? — not at all good or pretty bad; das ist doch ~, was er da geleistet hat what he's done is pathetic; das sind ja ~e Verhältnisse, wenn ... it is a sorry or sad state of affairs when ...; es ist ~, wenn it is sad if ...; ~ weggehen to go away sadly or feeling sad.
Traurigkeit f sadness.
Trauring m wedding ring; **Trauschein** m marriage certificate.
traut adj (liter, hum) (gemütlich) cosy; (vertraut) familiar; Freund close. im ~en Kreise among one's family and friends;

~es **Heim Glück allein** (*prov*) home sweet home.

Trauung *f* wedding, wedding *or* marriage ceremony.

Trauzeuge *m*, **Trauzeugin** *f* witness (*at marriage ceremony*).

Travestie [travɛs'tiː] *f* travesty.

travestieren* [travɛs'tiːrən] *vt* to travesty, to make a travesty of.

Trebe *f*: **auf ~ gehen/sein** (*sl*) to run away from home/to be a runaway.

Treber *pl* (*Bier~*) spent hops *pl*; (*Wein~*) marc *sing*; (*Frucht~*) pomace *sing*.

Treck *m* -s, -s trek, trail; (*Leute*) train; (*die Wagen*) wagon train.

Trecker *m* -s, - tractor.

Treff¹ *nt* -s, -s (*Cards*) club. **das ~as** the ace of clubs.

Treff² *m* -s, -s (*inf*) (*Treffen*) meeting, get-together (*inf*); (*~punkt*) haunt, rendezvous.

treffen *pret* **traf**, *ptp* **getroffen I** *vt* **1.** (*durch Schlag, Schuß*) to hit (*an/in* +*dat* on, *in* +*acc* in); (*Blitz, Faust auch, Unglück*) to strike. **auf dem Photo bist du gut getroffen** (*inf*) that's a good photo *or* picture of you.

2. (*fig: kränken*) to hurt.

3. (*betreffen*) to hit, to affect. **es trifft immer die Falschen** it's always the wrong people who are hit *or* affected; **ihn trifft keine Schuld** he's not to blame.

4. (*finden*) to hit upon, to find; (*lit, fig*) *Ton* to hit. **du hast's getroffen** (*mit Antwort*) you've hit the nail on the head.

5. (*jdm begegnen*) to meet, to run into; (*an~*) to find.

6. es gut/schlecht ~ to be fortunate *or* lucky/unlucky (*mit* with); **es mit dem Wetter/der Unterkunft gut/schlecht ~** to have good/bad weather/accommodation; **ich hätte es schlechter ~ können** it could have been worse.

7. *Anstalten* to make; *Vereinbarung* to reach; *Entscheidung auch, Vorsorge, Maßnahmen* to take.

II *vi* **1.** (*Schlag, Schuß*) to hit. **der Schuß/er hat getroffen** the shot/he hit it/him *etc*; **nicht ~** to miss; **gut/schlecht ~** to aim well/badly; **getroffen!** a hit.

2. *aux sein* (*stoßen*) **auf jdn/etw ~** to meet sb/sth, to run into sb/sth.

3. (*verletzen*) to hurt. **sich getroffen fühlen** to feel hurt; (*auf sich beziehen*) to take it personally.

III *vr* (*zusammen~*) to meet. **unsere Interessen ~ sich im Sport** we are both interested in sport.

IV *vr impers* **es trifft sich, daß ...** it (just) happens that ...; **das trifft sich gut, daß ...** it is convenient that ...

Treffen *nt* -s, - meeting; (*Sport, Mil*) encounter. **ins ~ führen** (*Mil*) to send into battle; (*fig*) to put forward.

treffend *adj* apt; *Ähnlichkeit* striking. **jdn ~ nachahmen** to do a brilliant imitation of sb.

Treffer *m* -s, - hit; (*Tor*) goal; (*fig: Erfolg*) hit; (*Gewinnlos*) winner. **einen ~ erzielen** to score a hit; (*Ftbl*) to shoot a goal.

Trefferquote *f* -, **-n** hit rate; (*Ftbl*) number of goals scored; (*bei Ratespiel*) score.

Treffgenauigkeit *f* accuracy.

trefflich *adj* (*liter*) splendid, excellent.

Treffpunkt *m* rendezvous, meeting place; **einen ~ ausmachen** to arrange where *or* somewhere to meet; **treffsicher** *adj* accurate; (*fig*) *Bemerkung* apt; *Urteil* sound, unerring; **Treffsicherheit** *f* accuracy; aptness; soundness, unerringness.

Treibanker *m* sea anchor, drag anchor; **Treibeis** *nt* drift ice.

treiben *pret* **trieb**, *ptp* **getrieben I** *vt* **1.** (*lit, fig*) to drive; (*Tech: an~ auch*) to propel; (*auf Treibjagd*) *Wild* to beat; *Teig* to make rise; (*fig: drängen*) to rush; (*an~*) to push. **jdn zum Wahnsinn/zum Selbstmord ~** to drive sb mad/to (commit) suicide; **jdn zur Eile/Arbeit ~** to make sb hurry (up)/work; **jdn zum Äußersten ~** to push sb too far; **die ~de Kraft bei etw sein** to be the driving force behind sth.

2. jdm den Schweiß/das Blut ins Gesicht ~ to make sb sweat/blush; **der Wind/der Gedanke treibt mir Tränen in die Augen** the thought brings tears to my eyes.

3. (*einschlagen*) to drive.

4. (*bearbeiten, formen*) *Metall* to beat.

5. (*ausüben, betreiben*) *Handel, Geschäfte* to do; *Studien, Politik* to pursue; *Gewerbe* to carry on; *Sport* to do; (*machen*) to do; *Schabernack, Unfug, Unsinn* to be up to; *Spaß* to have; *Aufwand* to make, to create; *Unzucht* to commit. **was treibst du?** what are you up to?; **Schiffahrt ~** to sail; **Mißbrauch mit etw ~** to abuse sth; **Handel mit etw/jdm ~** to trade in sth/with sb; **Wucher ~** to profiteer.

6. wenn du es weiter so treibst ... if you go *or* carry on like that ...; **es toll ~** to have a wild time; **es zu toll ~** to overdo it; **es schlimm ~** to behave badly; **es zu bunt** *or* **weit ~** to go too far; **es mit jdm ~** (*sl*) to have it off with sb (*Brit inf*), to have sex with sb.

7. (*hervorbringen*) *Blüten, Knospen* to sprout, to put forth; (*im Treibhaus*) to force.

II *vi* **1.** *aux sein* (*sich fortbewegen*) to drift. **sich ~ lassen** (*lit, fig*) to drift.

2. (*wachsen*) to sprout.

3. (*Bier, Kaffee, Medizin*) to have a diuretic effect; (*Hefe*) to make dough *etc* rise. **~de Medikamente** diuretics.

Treiben *nt* -s, - **1.** (*Getriebe*) hustle and bustle; (*von Schneeflocken*) swirling. **ich beobachte dein ~ schon lange** I've been watching what you've been getting up to for a long time.

2. (*Treibjagd*) battue (*spec*).

Treiber *m* (*Comput*) driver.

Treiber(in *f*) *m* -s, - (*Vieh~*) drover; (*Hunt*) beater.

Treibgas *nt* (*bei Sprühdosen*) propellant; **Treibgut** *nt* flotsam and jetsam *pl*.

Treibhaus *nt* hothouse.

Treibhauseffekt *m* (*Met*) greenhouse effect; **Treibhausgas** *nt* greenhouse gas; **Treibhausluft** *f* **1.** hothouse air; **2.** (*fig*) hot, humid atmosphere; (*im Freien* *auch*) sultry atmosphere; **Treibhaus-pflanze** *f* hothouse plant; **Treibhaus-temperatur** *f* hothouse temperature.

Treibholz *nt* driftwood; **Treibjagd** *f* battue (*spec*), shoot (*in which game is sent up by beaters*); **Treibmittel** *nt* (*in Sprühdosen*) propellant; (*Cook*) raising agent; **Treibnetz** *nt* driftnet; **Treibnetzfischerei** *f* driftnet fishing; **Treibsand** *m* quicksand; **Treibstoff** *m* fuel; (*Raketen~* *auch*) propellant.

treideln *vt* to tow.

Trema *nt* **-s, -s** *or* **-ta** dieresis.

tremolieren* *vi* to quaver.

Tremolo *nt* **-s, -s** *or* **Tremoli** tremolo.

Trenchcoat ['trɛntʃkoːt] *m* **-(s), -s** trench-coat.

Trend *m* **-s, -s** trend. **voll im ~ liegen** to follow the trend.

Trendmeldung *f* (*Pol*) report on voting trends *or* patterns; (*fig*) projection; **Trendsetter** *m* **-s, -** trendsetter; **Trendwende** *f* new trend.

trennbar *adj* separable. **ein nicht ~es Wort** an inseparable word.

trennen I *vt* **1.** (*entfernen*) Mensch, Tier to separate (*von* from); (*Tod*) to take away (*von* from); (*in Teile teilen, ab~*) to separate; Kopf, Glied to sever; (*abmachen*) to detach (*von* from); Aufgenähtes to take off, to remove; Saum, Naht to unpick, to undo.

2. (*aufspalten, scheiden*) Bestandteile, Eier, Raufende to separate; Partner, Freunde to split up; (*räumlich*) to separate; Begriffe to differentiate, to distinguish (between); Ehe to dissolve; (*nach Rasse, Geschlecht*) to segregate. **voneinander getrennt werden** to be separated; **Ursache und Folge ~** to make *or* draw a distinction between cause and results; **Gut von Böse ~** to distinguish between good and evil, to differentiate *or* distinguish good from evil; **uns trennt zu vieles** we have too little in common; **jetzt kann uns nichts mehr ~** now nothing can ever come between us; *siehe* **getrennt**.

3. (*in Bestandteile zerlegen*) Kleid to take to pieces; (*Ling*) Wort to divide, to split up; (*Chem*) Gemisch to separate (out).

II *vr* **1.** (*auseinandergehen*) to separate; (*Partner, Eheleute auch*) to split up; (*Abschied nehmen*) to part. **sich von jdm/der Firma ~** to leave sb/the firm; **die zwei Mannschaften trennten sich 2:0/1:1** the final score was 2-0/the two teams drew one-all; **sich im guten/bösen ~** to part on good/bad terms.

2. (*weggeben, verkaufen*) **sich von etw ~** to part with sth; **er konnte sich davon nicht ~** he couldn't bear to part with it; (*von Plan*) he couldn't give it up; (*von Anblick*) he couldn't take his eyes off it.

3. (*sich teilen*) (*Wege, Flüsse*) to divide. **hier ~ sich unsere Wege** (*fig*) now we must go our separate ways.

III *vi* (*zwischen Begriffen*) to draw *or* make a distinction.

trennscharf *adj* **~ sein** to have good selectivity; **Trennschärfe** *f* selectivity.

Trennung *f* **1.** (*Abschied*) parting. **2.** (*Getrenntwerden, Getrenntsein*) separation; (*in Teile*) division; (*von Begriffen*) distinction; (*von Wort*) division; (*Rassen~, Geschlechter~*) segregation.

Trennungsentschädigung *f*, **Trennungsgeld** *nt* separation allowance; **Trennungsschmerz** *m* pain of parting; **Trennungsstrich** *m* hyphen; **einen ~ ziehen** (*fig*) to make a clear distinction (*zwischen* between).

Trenn(ungs)wand *f* partition (wall); **Trenn(ungs)zeichen** *nt* hyphen.

Trense *f* **-, -n** snaffle.

trepplauf *adv*: **~, treppab** up and down stairs.

Treppe *f* **-, -n** **1.** (*Aufgang*) (flight of) stairs *pl*, staircase; (*im Freien*) (flight of) steps *pl*. **eine ~** a staircase, a flight of stairs/steps; **die ~ hinaufgehen/hinuntergehen** to go up/down the stairs, to go upstairs/downstairs; **du bist wohl die ~ hinuntergefallen!** (*fig inf*) what's happened to your hair?

2. (*inf: Stufe*) step.

3. (*inf: Stockwerk*) floor.

Treppenabsatz *m* half-landing; **Treppengeländer** *nt* banister; **Treppenhaus** *nt* stairwell; **im ~** on the stairs; **Treppenstufe** *f* step, stair.

Tresen *m* **-s, -** (*Theke*) bar; (*Ladentisch*) counter.

Tresor *m* **-s, -e** (*Raum*) strongroom, vault; (*Schrank*) safe.

Tresorknacker *m* **-s, -** (*inf*) safebreaker.

Tresse *f* **-, -n** gold/silver braid.

Tretboot *nt* pedal boat, pedalo; **Treteimer** *m* pedal bin.

treten *pret* **trat**, *ptp* **getreten I** *vi* **1.** (*ausschlagen, mit Fuß anstoßen*) to kick (*gegen etw* sth, *nach* out at).

2. *aux sein* (*mit Raumangabe*) to step. **hier kann man nicht mehr ~** there is no room to move here; **vom Schatten ins Helle ~** to move out of the shadow into the light; **näher an etw** (*acc*) **~** to move *or* step closer to sth; **vor die Kamera ~** to appear on TV/in a film *or* on the screen; **in den Vordergrund/Hintergrund ~** to step forward/back; (*fig*) to come to the forefront/to recede into the background; **an jds Stelle ~** to take sb's place.

3. *aux sein or haben* (*in Loch, Pfütze, auf Gegenstand*) to step, to tread. **jdm auf den Fuß ~** to step on sb's foot, to tread on sb's toe; **jdm auf die Füße ~** (*fig*) to tread on sb's toes; **jdm auf den Schlips** (*inf*) *or* **Schwanz** (*sl*) **~** to offend sb.

4. *aux sein or haben* (*betätigen*) **in die Pedale ~** to pedal hard; **aufs Gas(pedal) ~** (*Pedal betätigen*) to press the accelerator; (*schnell fahren*) to put one's foot down (*inf*), to step on it (*inf*); **auf die Bremse ~** to brake, to put one's foot on the brake.

5. *aux sein* (*hervor~, sichtbar werden*) **Wasser trat aus allen Ritzen und Fugen** water was coming out of every crack and cranny; **der Schweiß trat ihm auf die Stirn** sweat appeared on his forehead;

Tränen traten ihr in die Augen tears came to her eyes, her eyes filled with tears; **der Fluß trat über die Ufer** the river overflowed its banks; **der Mond trat aus den Wolken** the moon appeared from behind the clouds.
6. *aux sein (Funktionsverb)* (*beginnen*) to start, to begin; (*ein~*) to enter. **in jds Leben** (*acc*) ~ to come into *or* enter sb's life; **in den Ruhestand** ~ to retire; **in den Streik** *or* **Ausstand** ~ to go on strike; **in den Staatsdienst/Stand der Ehe** *or* **Ehestand** ~ to enter the civil service/into the state of matrimony; **mit jdm in Verbindung** ~ to get in touch with sb.
II *vt* **1.** (*einen Fußtritt geben, stoßen*) to kick; (*Sport*) *Ecke, Freistoß* to take. **jdn ans Bein** ~ to kick sb's leg *or* sb on the leg; **jdn mit dem Fuß** ~ to kick sb; **sich** (*dat*) **in den Hintern** ~ (*fig inf*) to kick oneself.
2. (*mit Fuß betätigen*) *Spinnrad, Webstuhl, Blasebalg* to operate (*using one's foot*). **die Bremse** ~ to brake, to put on the brakes; **die Pedale** ~ to pedal.
3. (*trampeln*) *Pfad, Weg, Bahn* to tread. **sich** (*dat*) **einen Splitter in den Fuß** ~ to get a splinter in one's foot.
4. (*fig*) (*schlecht behandeln*) to shove around (*inf*). **jdn** ~ (*inf: antreiben*) to get at sb.
5. (*begatten*) to tread, to mate with.

Treter *m* **-s, -** (*inf*) casual, comfortable shoe.

Tretmine *f* (*Mil*) (anti-personnel) mine; **Tretmühle** *f* (*lit, fig*) treadmill; **in der** ~ **sein** to be in a rut (*inf*); **die tägliche** ~ the daily grind; **Tretroller** *m* scooter.

treu I *adj* *Freund, Sohn, Kunde* loyal; *Diener auch* devoted; *Seele auch, Hund, Gatte* faithful; *Abbild* true; *Gedenken* respectful; (*~herzig*) trusting; *Miene* innocent. **jdm** ~ **sein/bleiben** to be/remain faithful; (*nicht betrügen auch*) to be/ remain true to sb; **sich** (*dat*) **selbst** ~ **bleiben** to be true to oneself; **seinen Grundsätzen** ~ **bleiben** to stick to *or* remain true to one's principles; **der Erfolg/das Glück ist ihr** ~ **geblieben** success kept coming her way/her luck held (out); ~ **wie Gold** faithful and loyal; (*Diener auch*) faithful as a dog; **Dein** ~**er Freund** (*old*) yours truly; **jdm etw zu** ~**en Händen übergeben** to give sth to sb for safekeeping.
II *adv* faithfully; *dienen auch* loyally; *sorgen* devotedly; (*~herzig*) trustingly; *ansehen* innocently. ~ **und brav** (*Erwachsener*) dutifully; (*Kind*) like a good boy/girl, as good as gold.

Treubruch *m* breach of faith; **treubrüchig** *adj* faithless, false; (**jdm**) ~ **werden** to break faith (with sb); **treudeutsch** *adj* truly German; (*pej*) typically German; **treudoof** *adj* (*inf*) guileless, artless, naive.

Treue *f* **-, no pl siehe treu** loyalty; devotion, devotedness; faithfulness; (*eheliche* ~) faithfulness, fidelity. **einer Flagge** ~ **geloben** to pledge allegiance to a flag; **sie gelobten einander ewige** ~ they

vowed to be eternally faithful to one another; **jdm die** ~ **halten** to keep faith with sb; (*Ehegatten*) to remain faithful to sb; **auf Treu und Glauben** in good faith; **in alter** ~ for old times' sake; **in alter** ~ **Dein** as ever, yours; *siehe* **brechen.**

Treu|eid *m* oath of loyalty *or* allegiance.
Treu(e)pflicht *f* loyalty (*owed by employee to employer and vice versa*).
Treueprämie *f* long-service bonus.
treu|ergeben *adj attr* devoted, loyal, faithful.
Treueschwur *m* oath of loyalty *or* allegiance; (*von Geliebtem*) vow to be faithful.

Treuhand *f* **-, no pl** trust; **Treuhandanstalt** *f* (*BRD*) Treuhand Agency; **Treuhänder(in** *f*) *m* **-s, -** trustee, fiduciary (*form*); **Treuhandgesellschaft** *f* trust company; **treuherzig** *adj* innocent, trusting; **treulos** *adj* disloyal, faithless; ~ **an jdm handeln** to fail sb; **du** ~**es Stück** (*inf*) you wretch; **Treulosigkeit** *f* disloyalty, faithlessness; **treusorgend** *adj attr* devoted.

Triage [tri'a:ʒə] *f* **-, -n 1.** (*Med*) triage. **2.** (*Comm*) lower grade goods *pl*.
Triangel *m or* (*Aus*) *nt* **-s, -** triangle.
Trias *f* **-, no pl** Triassic (Period).
Triathlon *m* **-, -e** (*Sport*) triathlon.
Tribun *m* **-s** *or* **-en, -e(n)** tribune.
Tribunal *nt* **-s, -e** tribunal.
Tribüne *f* **-, -n** (*Redner~*) platform, rostrum; (*Zuschauer~, Zuschauer*) stand; (*Haupt~*) grandstand.
Tribut *m* **-(e)s, -e** (*Hist*) tribute, dues *pl*; (*fig*) tribute; (*Opfer*) toll. **jdm** ~ **entrichten** *or* (*fig*) **zollen** to pay tribute to sb.
tributpflichtig *adj* tributary (*rare*), obliged to pay tribute.
Trichine *f* trichina.
Trichter *m* **-s, -** funnel; (*Bomben~*) crater; (*von Grammophon*) horn; (*von Trompete, Megaphon*) bell; (*von Hörgerät*) trumpet; (*von Lautsprecher*) cone; (*Einfüll~*) hopper. **jdn auf den** ~ **bringen** (*inf*), to give sb a clue; **auf den** ~ **kommen** (*inf*) to catch on (*inf*).
trichterförmig *adj* funnel-shaped, funnel-like.
Trick *m* **-s, -s** *or* (*rare*) **-e** trick; (*betrügerisch auch, raffiniert*) ploy, dodge; (*Tip, Rat*) tip. **ein fauler/gemeiner** ~ a mean *or* dirty trick; **keine faulen** ~**s!** no funny business! (*inf*); **den** ~ **raushaben, wie man etw macht** (*inf*) to have got the knack of doing sth; **der** ~ **dabei ist, ...** the trick is to ...; **da ist doch ein** ~ **dabei** there is a trick to (doing) it; **jdm einen** ~ **verraten** to give sb a tip.
Trickbetrug *m* confidence trick; **Trickbetrüger(in** *f*), **Trickdieb(in** *f*) *m* confidence trickster; **Trickfilm** *m* trick film; (*Zeichen~*) cartoon (film); **trickreich** *adj* (*inf*) tricky; (*raffiniert*) clever.
tricksen (*inf*) **I** *vi* to fiddle; (*Sport*) to feint. **phantastisch, wie er mit den Karten trickst** it's amazing what he can do with cards. **II** *vt* to trick.
trieb *pret of* **treiben.**
Trieb *m* **-(e)s, -e 1.** (*Psych, Natur~*)

drive; (*Drang*) urge; (*Verlangen*) desire, urge; (*Neigung, Hang*) inclination; (*Selbsterhaltungs~, Fortpflanzungs~*) instinct. **sie ist von ihren ~en beherrscht** she is guided completely by her physical urges *or* desires.

2. (*Bot*) shoot.

Triebbefriedigung f gratification of a physical urge; **Triebfeder** f (*fig*) motivating force (*gen* behind); **triebhaft** *adj Handlungen* compulsive; **Triebhandlung** f act motivated by one's physical urges; **Triebkraft** f (*Mech*) motive power; (*Bot*) germinating power; (*fig*) driving force; **Triebleben** *nt* physical activities *pl*; (*Geschlechtsleben*) sex life; **Triebmensch** m creature of instinct; **Triebrad** *nt* driving wheel; **Triebsand** m quicksand; **Triebtäter, Triebverbrecher** m sexual offender; **Triebwagen** m (*Rail*) railcar; **Triebwerk** *nt* power plant; (*in Uhr*) mechanism.

Triefauge *nt* (*Med*) bleary eye; **~n** (*pej*) watery eyes; (*von Mensch*) sheep-like eyes; **triefäugig** *adj* watery-eyed.

triefen *pret* **triefte** *or* (*geh*) **troff,** *ptp* **getrieft** *or* (*rare*) **getroffen** *vi* to be dripping wet; (*Nase*) to run; (*Auge*) to water. **~ vor** to be dripping with; (*fig pej*) to gush with; **~d vor Nässe, ~d naß** dripping wet, wet through; **~d** soaking (wet).

Triefnase f (*inf*) runny nose (*inf*).

triezen *vt* (*inf*) **jdn ~** to pester sb; (*schuften lassen*) to drive sb hard.

triff *imper sing of* **treffen.**

triftig *adj* convincing; *Entschuldigung, Grund auch* good.

Trigonometrie f trigonometry.

trigonometrisch *adj* trigonometric(al).

Trikolore f -, **-n** tricolour.

Trikot¹ [tri'ko:, 'triko] m *or* nt **-s,** *no pl* (**~stoff**) cotton jersey.

Trikot² [tri'ko:, 'triko] nt **-s, -s** (*Hemd*) shirt, jersey; (*dated: Turnanzug*) leotard; (*old: Badeanzug*) bathing costume. **das gelbe ~** (*bei Tour de France*) the yellow jersey.

Trikotage [triko'ta:ʒə] f -, **-n** cotton jersey underwear *no pl*.

Trikotwerbung [tri'ko:-] f shirt advertising.

Triller m **-s,** - (*Mus*) trill; (*von Vogel auch*) warble.

trillern *vti* to warble, to trill. **du trillerst wie eine Lerche** you sing like a lark.

Trillerpfeife f (pea-)whistle.

Trillion f -, **-en** trillion (*Brit*), quintillion (*US*).

Trilogie f trilogy.

Trimester *nt* **-s,** - term.

Trimm-Aktion f keep-fit campaign; **Trimm-dich-Gerät** *nt* keep-fit apparatus; **Trimm-dich-Pfad** m keep-fit trail.

trimmen I *vt Hund, Schiff, Flugzeug* to trim; (*inf*) *Mensch, Tier* to teach, to train; *Funkgerät* to tune. **den Motor/das Auto auf Höchstleistung ~** (*inf*) to soup up the engine/car (*inf*); **etw auf alt ~** to make sth look old; **jdn auf einen bestimmten Typ ~** to make *or* mould sb

into a certain type.

II *vr* to do keep-fit (exercises). **trimm dich durch Sport** keep fit with sport.

Trimmgerät *nt* keep-fit apparatus; **Trimmpfad** m keep-fit trail.

Trinität f (*geh*) trinity.

trinkbar *adj* drinkable.

trinken *pret* **trank,** *ptp* **getrunken I** *vt* to drink; *ein Bier, Tasse Tee, Flasche Wein auch* to have. **alles/eine Flasche leer ~** to finish off all the drink/a bottle; **ich habe nichts zu ~ im Haus** I haven't any drink in the house; **er trinkt gern einen** (*inf*) he likes his drink; (*schnell*) **einen ~ gehen** (*inf*) to go for a (quick) drink.

II *vi* to drink. **jdm zu ~ geben** to give sb a drink *or* something to drink; **laß mich mal ~** let me have a drink; **auf jds Wohl/jdn/etw ~** to drink sb's health/to sb/to sth.

III *vr* **sich voll/satt ~** to drink one's fill; (*mit Alkohol*) to get drunk; **sich arm ~** to drink one's money away.

Trinker(in f) m **-s,** - drinker; (*Alkoholiker*) alcoholic.

Trinkerheil|anstalt f (*old*) detoxification centre.

trinkfest *adj* **so ~ bin ich nicht** I can't hold my drink very well; **seine ~en Freunde** his hard-drinking friends; **trinkfreudig** *adj* fond of drinking; **Trinkgefäß** *nt* drinking vessel; **Trinkgelage** *nt* drinking session; **Trinkgeld** *nt* tip; **jdm ~ geben** to tip sb, to give sb a tip; **Trinkglas** *nt* (drinking) glass; **Trinkhalle** f (*in Heilbädern*) pump room; (*Kiosk*) refreshment kiosk; **Trinkhalm** m drinking straw; **Trinklied** *nt* drinking song; **Trinkmilch** f milk; **Trinkschale** f drinking bowl; **Trinkschokolade** f drinking chocolate; **Trinkspruch** m toast.

Trinkwasser *nt* drinking water. „**kein ~**" "not for drinking", "no drinking water".

Trinkwasserbrunnen m drinking fountain; **Trinkwasserversorgung** f provision of drinking water.

Trio *nt* **-s, -s** trio.

Triole f -, **-n** (*Mus*) triplet.

Trip m **-s, -s** (*inf*) trip.

trippeln *vi aux haben or* (*bei Richtungsangabe*) *sein* to trip; (*Kind, alte Dame*) to toddle; (*geziert*) to mince; (*Boxer*) to dance around; (*Pferd*) to frisk.

Tripper m **-s,** - gonorrhoea *no art*. **sich** (*dat*) **den ~ holen** (*inf*) to get a dose (of the clap) (*inf*).

trist *adj* dreary, dismal; *Farbe* dull.

Tritium *nt, no pl* (*abbr* **T**) tritium.

tritt *imper sing of* **treten.**

Tritt m **-(e)s, -e 1.** (*Schritt*) step; (*Gang auch*) tread. **einen falschen ~ machen** to take a wrong step; **ich hörte ~e** I heard footsteps; (*wieder*) **~ fassen** to find one's feet (again).

2. (*Gleichschritt*) step. **im ~ marschieren, ~ halten** to march in step, to keep in step.

3. (*Fuß~*) kick. **jdm einen ~ geben** to give sb a kick, to kick sb; (*fig*) (*entlassen*) to kick sb out (*inf*); (*inf: an-*

stacheln) to give sb a kick in the pants (inf) or up the backside (inf); **einen ~ in den Hintern kriegen** (inf) to get a kick in the pants (inf) or up the backside (inf); (fig) to get kicked out (inf).
4. (bei ~leiter, Stufe) step; (Gestell) steps pl; (~brett) step; (an Auto) running board.

Trittbrett nt step; (an Auto) running board; (an Nähmaschine) treadle; **Trittbrettfahrer(in** f) m (inf pej) faredodger; (fig) free-rider; **Trittleiter** f stepladder.

Triumph m -(e)s, -e triumph. **im ~** in triumph; **~e feiern** to be a great success or very successful.

triumphal adj triumphant.

Triumphbogen m triumphal arch.

triumphieren* vi (frohlocken) to rejoice, to exult. **über jdn/etw ~** (geh) to triumph over or overcome sb/sth.

triumphierend adj triumphant.

Triumphzug m triumphal procession.

Triumvirat [triomvi'ra:t] nt triumvirate.

trivial [tri'via:l] adj trivial; Gespräch auch banal, trite.

Trivialität [triviali'tɛ:t] f siehe adj triviality; banality, triteness.

Trivialliteratur [tri'via:l-] f (pej) light fiction.

Trochäus [trɔ'xɛ:ʊs] m -, **Trochäen** [trɔ'xɛ:ən] (Poet) trochee.

trocken adj **1.** dry; Gebiet auch arid. **~er Dunst** (Met) haze; **~ werden** to dry; (Brot) to go or get or become dry; **ins T~e kommen/gehen** to come/go into the dry; **im T~en sein** to be somewhere dry or sheltered; **da bleibt kein Auge ~** everyone is moved to tears; (vor Lachen) everyone laughs till they cry, everyone falls about laughing (inf); **~ Brot essen** (liter) to eat dry bread; **~ aufbewahren/lagern** to keep/store in a dry place; **sich ~ rasieren** to use an electric razor; **die Gäste ~ sitzen lassen** to leave one's guests without a drink; **auf dem ~en sitzen** (inf) to be in a tight spot (inf) or in difficulties.
2. (langweilig) dry.
3. (herb) Sekt, Sherry, (fig) Humor, Art dry.

Trockenautomat m tumble dryer; **Trockenbatterie** f dry-cell battery; **Trockenbeerenauslese** f wine made from choice grapes left on the vine to dry out at the end of the season; **Trockenblume** f dried flower; **Trockenboden** m drying room (in attic); **trockenbügeln** vt sep to iron dry; **Trockendock** nt dry dock; **Trockenei** nt dried egg; **Trockenfutter** nt dried or dehydrated food; **Trockengebiet** nt arid region; **Trockengestell** nt drying rack; **Trockenhaube** f (salon) hairdryer; **Trockenhefe** f dried yeast.

Trockenheit f (lit, fig) dryness; (von Gebiet auch) aridness; (Trockenperiode) drought.

Trockenkurs m (Sport, fig: beim Autofahren) course in which a beginner learns the basic techniques/skills out of the normal element; **einen ~ machen** to learn

the basics; **trockenlegen** vt sep **1.** Baby to change; (inf) Trinker to dry out; **2.** Sumpf, Gewässer to drain; **Trockenmaß** nt dry measure; **Trockenmilch** f dried milk; **Trockenplatz** m drying area; **Trockenrasierer** m -s, - (inf) user of electric shaver or razor; (Rasierapparat) electric shaver or razor; **Trockenrasur** f dry or electric shave; **trockenreiben** vt sep irreg to rub dry; **Trockenshampoo** nt dry shampoo; **trockensitzen** vi sep irreg (inf) to sit there without a drink/with one's glass empty; **Trockenspiritus** m solid fuel (for camping stove); **trockenstehen** vi sep irreg (Kuh) to be dry; **Trockenwäsche** f dry weight (of washing); **Trockenzeit** f **1.** (Jahreszeit) dry season; **2.** (von Wäsche) drying time.

trocknen I vt to dry. II vi aux sein to dry.

Trockner m -s, - tumble-dryer, tumbler.

Troddel f -, -n tassel.

Trödel m -s, no pl (inf) junk.

Trödelei f (inf) dawdling.

Trödelladen m junk shop.

trödeln vi to dawdle.

Trödler(in f) m -s, - **1.** (Händler) junk dealer. **2.** (inf: langsamer Mensch) dawdler, slowcoach (Brit inf), slowpoke (US inf).

troff pret of **triefen.**

Trog m -(e)s, -̈e trough; (Wasch~) tub.

trog pret of **trügen.**

Trojaner(in f) m -s, - Trojan.

trojanisch adj Trojan. **das T~e Pferd** the Trojan Horse.

Troll m -s, -e troll.

Trollblume f globe flower, trollius.

trollen vr (inf) to push off (inf).

Trommel f -, -n **1.** (Mus) drum. **die ~ rühren** (fig inf) to drum up (some) support.
2. (Tech) (in Maschine) drum; (in Revolver) revolving breech.

Trommelbremse f drum brake; **Trommelfell** nt eardrum; **da platzt einem ja das ~** (fig) the noise is earsplitting; **Trommelfeuer** nt drumfire, heavy barrage.

trommeln I vi to drum; (Regen) to beat (down). **mit den Fingern ~** to drum one's fingers. II vt Marsch, Lied to play on the drum/drums, to drum. **jdn aus dem Schlaf ~** to knock sb up (Brit inf), to wake sb up (by hammering on the door).

Trommelrevolver m revolver; **Trommelschlag** m drum beat; (das Trommeln) drumming; **Trommelschlegel** m drumstick; **Trommelsprache** f bush telegraph; **Trommelstöcke** pl drumsticks pl; **Trommelwaschmaschine** f drum washing machine; **Trommelwirbel** m drum-roll.

Trommler(in f) m -s, - drummer.

Trompete f -, -n trumpet.

trompeten* vi to trumpet.

Trompeter(in f) m -s, - trumpeter.

Tropen pl tropics pl.

Tropen- in cpds tropical; **Tropenanzug** m tropical suit; **Tropenfieber** nt malaria; **Tropenhelm** m pith-helmet, topee; **Tropenklima** nt tropical climate; **Tropenkrankheit** f tropical disease;

Tropentag *m* scorcher (*inf*); **Tropen-tauglichkeit** *f fitness for service in the tropics.*

Tropf *m* -(e)s, -̈e (*inf*) 1. (*Schelm*) rogue, rascal. **einfältiger ~** twit (*Brit inf*), dummy (*inf*); **armer ~** poor beggar (*inf*) *or* devil. 2. *no pl* (*Infusion*) drip (*inf*). **am ~ hängen** to be on a/the drip.

tröpfchenweise *adv* in dribs and drabs.

tröpfeln I *vi* 1. (*Leitung*, *Halm*) to drip; (*Nase*) to run. 2. *aux sein* (*Flüssigkeit*) to drip. **II** *vi impers* **es tröpfelt** it is spitting. **III** *vt* to drip.

tropfen *vi* to drip; (*Nase*) to run. **es tropft durch die Decke/von den Bäumen/aus der Leitung** there is water dripping through the ceiling/the rain is dripping from the trees/the pipe is dripping.

Tropfen *m* -s, - drop; (*Schweiß~ auch*) bead; (*einzelner ~ an Kanne*, *Nase*) drip; (*inf: kleine Menge*) drop. **~ pl** (*Medizin*) drops; **ein guter** *or* **edler ~** (*inf*) a good wine; **bis auf den letzten ~** to the last drop; **ein ~ auf den heißen Stein** (*fig inf*) a drop in the ocean.

Tropfenfänger *m* -s, - drip-catcher.

tropfenweise *adv* drop by drop.

Tropfinfusion *f* intravenous drip; **tropfnaß** *adj* dripping wet; **Tropfstein** *m* dripstone; (*an der Decke*) stalactite; (*am Boden*) stalagmite; **Tropfsteinhöhle** *f* dripstone cave.

Trophäe [tro'fɛːə] *f* -, -n trophy.

tropisch *adj* tropical.

Tropopause *f* (*Met*) tropopause; **Troposphäre** *f* (*Met*) troposphere.

Troß *m* -sses, -sse (*old*) baggage train. **er gehört zum ~** (*fig*) he's a hanger-on; (*hat untergeordnete Rolle*) he's an underling.

Trosse *f* -, -n cable, hawser.

Trost *m* -(e)s, *no pl* consolation, comfort. **jdm ~ zusprechen/bringen** to console *or* comfort sb; **das Kind war ihr einziger ~** the child was her only comfort; **~ im Alkohol/in der Religion suchen** to seek solace in alcohol/religion; **zum ~ kann ich Ihnen sagen, daß ...** it may comfort you to know that ...; **das ist ein schwacher** *or* **schlechter/schöner** (*iro*) **~** that's pretty cold comfort/some comfort that is!; **du bist wohl nicht ganz** *or* **recht bei ~(e)!** (*inf*) you must be out of your mind!

trösten *vt* to comfort; (*Trost zusprechen auch*) to console. **jdn/sich mit etw ~** to console sb/oneself with sth; **~ Sie sich!** never mind.

Tröster(in *f*) *m* -s, - comforter.

tröstlich *adj* cheering, comforting. **das ist ja sehr ~** (*iro*) that's some comfort.

trostlos *adj* hopeless; *Jugend*, *Verhältnisse* miserable, wretched; (*verzweifelt*) inconsolable; (*öde*, *trist*) dreary. **~ langweilig** desperately boring.

Trostlosigkeit *f*, *no pl siehe adj* hopelessness; misery, wretchedness; inconsolability; dreariness.

Trostpflaster *nt* consolation; **als ~** by way of consolation; **Trostpreis** *m* consolation prize; **trostreich** *adj* comforting; **Trostworte** *pl* words of consolation *pl*.

Tröstung *f* comfort; (*das Trösten*) comforting.

Trott *m* -s, *no pl* (slow) trot; (*fig*) routine. **im ~** at a (slow) trot; **aus dem alten ~ herauskommen** to get out of one's rut.

Trottel *m* -s, - (*inf*) idiot, dope (*inf*).

trottelig *adj* (*inf*) stupid, dopey (*inf*).

trotten *vi aux sein* to trot along; (*Pferd*) to trot slowly.

Trottoir [trɔ'toaːɐ] *nt* -s, -s *or* -e (*dated*, *S Ger*) pavement.

trotz *prep* +*gen* (*geh*) *or* +*dat* (*inf*) in spite of, despite. **~ allem** *or* **alledem** in spite of everything, for all that.

Trotz *m* -es, *no pl* defiance; (*trotziges Verhalten*) contrariness. **jdm/einer Sache zum ~** in defiance of sb/sth.

Trotz|alter *nt* defiant age. **im ~ sein** to be going through a defiant phase.

trotzdem I *adv* nevertheless. **(und) ich mache das ~!** I'll do it all the same. **II** *conj* (*strictly incorrect*) even though.

trotzen *vi* +*dat* to defy; *der Kälte*, *Klima* to withstand; *der Gefahr auch* to brave. 2. (*trotzig sein*) to be awkward *or* difficult *or* contrary.

trotzig *adj* defiant; *Kind* difficult, awkward; (*widerspenstig*) contrary.

Trotzkopf *m* (*inf*) (*Einstellung*) defiant streak; (*widerspenstig*) contrary streak; (*Mensch*) contrary so-and-so (*inf*); **sei doch nicht so ein ~** don't be so difficult; **trotzköpfig** *adj* contrary; **Trotzreaktion** *f* act of defiance.

Troubadour ['truːbaduːɐ, trubaˈduːɐ] *m* -s, -s *or* -e troubadour.

trüb(e) *adj* 1. (*unklar*) *Flüssigkeit* cloudy; (*glanzlos*, *matt*) *Glas*, *Augen*, *Himmel*, *Tag* dull; *Sonne*, *Mond*, *Licht* dim. **im ~en fischen** (*inf*) to fish in troubled waters.

2. (*fig: bedrückend*, *unerfreulich*) cheerless; *Zeiten* bleak; *Stimmung*, *Aussichten*, *Vorahnung*, *Miene* gloomy; *Erfahrung* grim. **es sieht trüb aus** things are looking pretty bleak; **~e Tasse** (*inf*) drip (*inf*); (*Spielverderber*) wet blanket (*inf*).

Trubel *m* -s, *no pl* hurly-burly.

trüben I *vt* 1. *Flüssigkeit* to make cloudy, to cloud; *Glas*, *Metall* to dull; (*geh*) *Himmel* to overcast; *Wasseroberfläche* to ruffle; *Augen*, *Blick* to dull, to cloud. **sie sieht aus, als könnte sie kein Wässerlein ~** (*inf*) she looks as if butter wouldn't melt in her mouth.

2. (*fig*) *Glück*, *Freude*, *Verhältnis* to spoil, to mar; *Beziehungen* to strain; *Laune* to dampen; *Bewußtsein*, *Erinnerung* to dull, to dim; (*geh*) *Verstand* to dull; *Urteilsvermögen* to dim.

II *vr* (*Flüssigkeit*) to go cloudy; (*Spiegel*, *Metall*) to become dull; (*geh*) (*Verstand*) to become dulled; (*Augen*) to dim; (*Himmel*) to cloud over; (*fig*) (*Stimmung*, *Laune*) to be dampened; (*Beziehungen*, *Verhältnis*) to become strained; (*Glück*, *Freude*) to be marred.

Trübheit *f no pl* cloudiness; dullness;

Trübsal *f* -, -e (*liter*) afflictions *pl*; (*no pl: Stimmung*) sorrow; **~ blasen** (*inf*) to mope; **trübselig** *adj* (*betrübt*, *verzagt*) gloomy, miserable; (*öde*, *trostlos*)

Gegend, Zeiten depressing, bleak; *Behausung, Wetter* miserable; **Trübsinn** *m, no pl* gloom, melancholy; **trübsinnig** *adj* gloomy, melancholy.

Trübung *f siehe vt* **1.** clouding; dulling; overcasting; ruffling. **2.** spoiling, marring; straining; dampening; dulling.

trudeln *vi* **1.** *aux sein or haben* (*Aviat*) to spin. **ins T~ kommen** *or* **geraten** to go into a spin. **2.** (*dial: würfeln*) to play dice.

Trüffel[1] *f -, -n* (*Pilz*) truffle.

Trüffel[2] *m -s, -* truffle.

Trug *m -(e)s, no pl* (*liter*) deception; (*der Sinne*) illusion; (*der Phantasie*) delusion.

trug *pret of* **tragen.**

Trugbild *nt* delusion; (*der Sinne*) illusion.

trügen *pret* **trog,** *ptp* **getrogen I** *vt* to deceive. **wenn mich nicht alles trügt** unless I am very much mistaken. **II** *vi* to be deceptive.

trügerisch *adj* (*liter: betrügerisch*) deceitful, false; (*irreführend*) deceptive.

Trugschluß *m* fallacy, misapprehension. **einem ~ unterliegen** to be labouring under a misapprehension.

Truhe *f -, -n* chest.

Trümmer *pl* rubble *sing*; (*Ruinen, fig: von Glück*) ruins *pl*; (*von Schiff, Flugzeug*) wreckage *sing*; (*Überreste*) remnants *pl*. **in ~ gehen** to be ruined (*auch fig*)/ wrecked.

Trümmerfeld *nt* expanse of rubble/ruins; (*fig*) scene of devastation *or* destruction; **Trümmerfrau** *f* woman who clears away rubble after bombing; **Trümmerhaufen** *m* heap of rubble.

Trumpf *m -(e)s, ⁼e* (*Cards*) (*~karte*) trump (card); (*Farbe*) trumps *pl*; (*fig*) trump card. **~ sein** to be trumps; (*fig inf: modisch sein*) to be in (*inf*); **den ~ in der Hand haben/aus der Hand geben** (*fig*) to hold the/waste one's trump card; **jdm den ~ aus der Hand nehmen** (*fig*) to trump sb.

Trumpf|as *nt* ace of trumps.

trumpfen I *vt* to trump. **II** *vi* to play a trump (card). **mit dem König ~** to play the king of trumps.

Trumpffarbe *f* trumps *pl*; **Trumpfkarte** *f* trump (card).

Trunk *m -(e)s, ⁼e* (*geh*) **1.** (*Zauber~*) potion; (*das Trinken*) drink. **2.** (*~sucht*) **dem ~ ergeben** *or* **verfallen sein** to have taken to drink.

trunken (*liter*) **I** *adj* inebriated, intoxicated; (*vor Glück*) drunk (*vor +dat* with). **II** *adv* drunkenly.

Trunkenbold *m -(e)s, -e* (*pej*) drunkard; **Trunkenheit** *f* drunkenness, inebriation, intoxication; **~ am Steuer** drunken *or* drink driving.

Trunksucht *f* alcoholism; **trunksüchtig** *adj* alcoholic; **~ werden** to become an alcoholic; **Trunksüchtige(r)** *mf* alcoholic.

Trupp *m -s, -s* bunch; (*Einheit*) group; (*Mil*) squad; (*esp berittene*) troop.

Truppe *f -, -n* **1.** (*Mil*) army, troops *pl*; (*Panzer~*) corps *sing*. **~n** *pl* troops; **zur ~ zurückkehren** to report back; **nicht von der schnellen ~ sein** (*inf*) to be slow.

2. (*Künstler~*) troupe, company.

Truppenabbau *m* reduction of troops; **Truppenabzug** *m* withdrawal of troops; **Truppenarzt** *m* (army) medical officer; **Truppenbewegung** *f usu pl* troop movement; **Truppenführer** *m* unit/ troop commander; **Truppengattung** *f* corps *sing*; **Truppenparade** *f* military parade *or* review; **Truppenschau** *f* troop inspection; **Truppenstationierung** *f* stationing of troops; **Truppenteil** *m* unit; **Truppenübung** *f* field exercise; **Truppenübungsplatz** *m* military training area.

truppweise *adv* in bunches/groups; (*Mil*) in squads/troops.

Trust [trast] *m -(e)s, -s* *or* **-e** trust.

Truthahn *m* turkey(cock); **Truthenne** *f* turkey(hen).

trutzen *vi* (*obs*) to defy.

Tschad *m* **- der ~** Chad.

tschadisch *adj* Chad *attr*.

tschau *interj* (*inf*) cheerio (*Brit inf*), so long (*inf*), ciao (*inf*).

Tscheche *m -n, -n,* **Tschechin** *f* Czech.

tschechisch *adj* Czech.

Tschechisch(e) *nt* Czech; *siehe auch* **Deutsch(e)**.

Tschechische Republik *f* Czech republic.

Tschechoslowake *m -n, -n,* **Tschechoslowakin** *f* Czechoslovak.

Tschechoslowakei *f* **-** (*Hist*) **die ~** Czechoslovakia.

tschechoslowakisch *adj* (*Hist*) Czechoslovak(ian).

tschilpen *vi* to chirp.

Tschinelle *f* (*Aus Mus*) cymbal.

tschüs *interj* (*inf*) cheerio (*Brit inf*), 'bye (*inf*), so long (*inf*).

Tsd. *abbr of* **Tausend.**

Tsetsefliege *f* tsetse fly.

T-Shirt ['tiː∫əːt] *nt -s, -s* T-shirt, tee-shirt.

T-Träger ['teː-] *m* T-bar, T-girder.

TU [teː'|uː] *f* - *abbr of* **Technische Universität.**

Tuba *f* -, **Tuben** **1.** (*Mus*) tuba. **2.** (*Anat*) tube.

Tube *f* -, **-n** tube. **auf die ~ drücken** (*inf*) to get a move on (*inf*); (*im Auto auch*) to put one's foot down (*inf*).

Tuberkel *m -s, -* *or* (*Aus auch*) *f -, -n* tubercle.

Tuberkelbazillus *m* tuberculosis bacillus.

tuberkulös *adj* tubercular, tuberculous.

Tuberkulose *f -, -n* tuberculosis.

tuberkulosekrank *adj* tubercular, tuberculous; **Tuberkulosekranke(r)** *mf* TB case, TB-sufferer.

Tuch *nt -(e)s, ⁼er* **1.** *pl* **-e** (*old: Stoff*) cloth, fabric.

2. (*Stück Stoff*) cloth; (*Tisch~*) cloth; (*Hals~, Kopf~*) scarf; (*Schulter~*) shawl; (*Hand~*) towel; (*Geschirr~*) cloth, towel; (*Taschen~*) handkerchief; (*zum Abdecken von Möbeln*) dustsheet. **das rote ~** (*des Stierkämpfers*) the bullfighter's cape; **das wirkt wie ein rotes ~ auf ihn** it makes him see red, it's like a red rag to a bull (to him).

Tuchfabrik *f* textile factory *or* mill; **Tuchfühlung** *f* physical *or* body contact; **in ~** in physical contact; (*Mil*) shoulder to shoulder; (*fig*) cheek by jowl; ~ **haben** to be in physical contact (with sb); (*fig*) to be close to sb.

tüchtig I *adj* **1.** (*fähig*) capable, competent (*in* +*dat* at); (*fleißig*) efficient; *Arbeiter* good. **etwas T~es lernen/werden** (*inf*) to get a proper training/job; ~, ~! not bad!

2. (*inf: groß*) Portion big, huge; *Stoß, Schlag* hard; *Appetit, Esser* big. **eine ~e Tracht Prügel** a good hiding; **eine ~e Portion Frechheit** a fair amount of cheek.

II *adv* **1.** (*fleißig, fest*) hard; *essen* heartily. **hilf ~ mit** lend *or* give us a hand.

2. (*inf: sehr*) good and proper (*inf*). ~ **regnen** to pelt (*inf*); **jdm ~ die Meinung sagen** to give sb a piece of one's mind; ~ **ausschimpfen** to scold thoroughly; ~ **zulangen** to tuck in (*inf*).

Tüchtigkeit *f* (*Fähigkeit*) ability, competence; (*von Arbeiter etc*) efficiency.

Tuchwaren *pl* cloth goods *pl*.

Tücke *f* -, **-n 1.** (*no pl: Bosheit*) malice.

2. (*Gefahr*) danger, peril; (*von Krankheit*) perniciousness. **voller ~n stecken** to be difficult; (*gefährlich*) to be dangerous *or* (*Berg, Fluß auch*) treacherous; **das ist die ~ des Objekts** these things have a will of their own!; **seine ~n haben** (*Maschine*) to be temperamental; (*schwierig sein*) to be difficult; (*gefährlich sein*) to be dangerous *or* (*Berg, Fluß auch*) treacherous.

3. (*des Glücks*) vagary *usu pl*; (*des Schicksals auch*) fickleness *no pl*.

tuckern *vi aux haben or* (*bei Richtungsangabe*) *sein* to put-put, to chug.

tückisch *adj* (*boshaft*) *Mensch, Blick* malicious, spiteful; *Zufall* unhappy; *Berge, Strom* treacherous; *Krankheit* pernicious.

tu(e) *imper sing of* **tun.**

Tüftelei *f* (*inf*) fiddly *or* finicky job. **das ist eine ~** that's fiddly *or* finicky.

tüftelig *adj* (*inf*) fiddly, finicky.

tüfteln *vi* (*inf*) to puzzle; (*basteln*) to fiddle about (*inf*). **an etw** (*dat*) ~ to fiddle about with sth; (*geistig*) to puzzle over sth; **er tüftelt gern** he likes doing fiddly *or* finicky things.

Tüftler(in *f*) *m* -s, - (*inf*) person who likes doing fiddly *or* finicky things.

Tugend *f* -, -en virtue. **seine ~ bewahren** to remain virtuous; (*Unschuld auch*) to keep one's virtue; *siehe* **Not.**

Tugendbold *m* -(e)s, -e (*pej*) paragon of virtue; **tugendhaft** *adj* virtuous.

Tukan *m* -s, -e toucan.

Tüll *m* -s, -e tulle; (*für Gardinen*) net.

Tülle *f* -, -n spout; (*Spritzdüse*) pipe.

Tüllgardine *f* net curtain; **Tüllspitze** *f* tulle lace.

Tulpe *f* -, -n **1.** (*Bot*) tulip. **2.** (*Glas*) tulip glass.

Tulpenzwiebel *f* tulip bulb.

tummeln *vr* **1.** (*Hunde, Kinder*) to romp (about). **2.** (*sich beeilen*) to hurry (up).

Tummelplatz *m* play area; (*fig*) hotbed.

Tümmler *m* -s, - (bottle-nosed) dolphin.

Tumor *m* -s, -en [tu'mo:rən] tumour.

Tümpel *m* -s, - pond.

Tumult *m* -(e)s, -e commotion; (*Aufruhr auch*) disturbance; (*der Gefühle*) tumult, turmoil.

tun *pret* **tat,** *ptp* **getan I** *vt* **1.** (*machen, ausführen*) to do. **etw aus Liebe/malice** ~ to do sth out of love/malice; **jdm etw zu ~ geben** to give sb sth to do; **was kann ich für Sie ~?** what can I do for you?; **was tut man in dieser Situation?** what should one do in this situation?; **wir haben getan, was wir konnten** we did what we could; **sie wußte nicht, was ~ or was sie ~ sollte** she didn't know what to do; **was ~?** what can be done?, what shall we do?; **du kannst ~ und lassen, was du willst** you can do as you please; **er bestimmt, was wir zu ~ und zu lassen haben** he tells us what to do and what not to do; **tu, was du nicht lassen kannst** well, if you must; **... aber er tut es einfach nicht ...** but he just won't (do it); **damit ist es noch nicht getan** and that's not all; **etwas/nichts gegen etw ~** to do something/nothing about sth; **Sie müssen etwas für sich ~** you should treat yourself; (*sich schonen*) you should take care of yourself; **er tut nichts als unsere Zeit vergeuden** he does nothing but waste our time; **so etwas tut man nicht!** that is just not done; **so etwas tut man als anständige Frau nicht!** a decent woman doesn't do such things.

2. (*Funktionsverb*) *Arbeit, Pflicht* to do; *Blick, Schritt* to take; *Reise* to go on. **einen Schrei ~** to cry *or* shout (out).

3. (*angehen, beteiligt sein*) **das hat etwas/nichts mit ihm/damit zu ~** that is something/nothing to do with him; **das tut nichts zur Sache** that's beside the point; **damit/mit ihm habe ich nichts zu ~/will ich nichts zu ~ haben** I have/want nothing to do with it/him; **ich habe mit mir (selbst) zu ~** I have problems (myself *or* of my own); **es mit jdm zu ~ bekommen** *or* **kriegen** (*inf*) to get into trouble with sb; **er hat es mit der Leber/dem Herzen zu ~** (*inf*) he has liver/heart trouble.

4. (*ausmachen*) **was tut's?** what does it matter?, what difference does it make?; **das tut nichts** it doesn't matter; **das tut dir/ihm nichts** it won't do you/him any harm; **darum ist es mir sehr getan** *or* **zu ~** (*geh*) I am very concerned about it.

5. (*an~, zuteil werden lassen*) **jdm etwas ~** to do something to sb; (*stärker*) to harm *or* hurt sb; **er hat mir nichts getan** he didn't do anything (to me); (*stärker*) he didn't hurt *or* harm me; **der Hund tut dir schon nichts** the dog won't hurt *or* harm you; **hat der Mann/der Lehrer/dein Chef dir was getan?** did the man/teacher/your boss do anything (to you)?; **jdm Böses** *or* **ein Leid** (*old*)/**einen Gefallen** ~ to harm sb/do sb a favour.

6. (*inf: an einen bestimmten Ort legen, geben etc*) to put.

7. (*inf: ausreichen, genügen*) to do. **das tut's für heute** that'll do for today; **unser Auto muß es noch ein Weilchen ~** we'll have to make do with our car a little while longer.

8. (*inf: funktionieren*) **die Uhr tut es nicht mehr** the watch has had it (*inf*).

II *vr* **1.** (*geschehen*) **es tut sich etwas/ nichts** there is something/nothing happening, something/nothing is happening; **hat sich in dieser Hinsicht schon etwas getan?** has anything been done about this?; **hat sich bei euch etwas getan?** have things changed (with you)?; **hier hat sich einiges getan** there have been some changes here.

2. (*mit jdm*) **sich (mit etw) dicke ~** (*inf*) to show off (about sth); **sich** (*acc or dat*) **mit etw schwer ~** to have difficulty *or* problems with sth.

III *vi* **1. zu ~ haben** (*beschäftigt sein*) to be busy, to have work to do; **in der Stadt/auf dem Finanzamt zu ~ haben** to have things to do in town/business at the tax office; **ich hatte zu ~, das wieder in Ordnung zu bringen** I had my work cut out putting *or* to put it back in order; **mit jdm zu ~ haben** to deal with sb.

2. (*sich benehmen*) to act. **so ~, als ob ...** to pretend that ...; **tu doch nicht so dumm!** stop pretending; **tust du nur so dumm?** are you just acting stupid?; **sie tut nur so** she's only pretending.

3. Sie täten gut daran, früh zu kommen (*form*) you would do well to come early; **Sie haben recht getan** (*form*) you did right.

Tun *nt* **-s**, *no pl* conduct. **sein ganzes ~, sein ~ und Lassen** everything he does; **heimliches/verbrecherisches ~** secret/ criminal actions.

Tünche *f* **-**, **-n** whitewash; (*getönt*) distemper, wash; (*fig*) veneer; (*inf: Schminke*) make-up.

tünchen *vt* to whitewash/distemper.

Tundra *f* **-**, **Tundren** tundra.

Tunell *nt* **-s**, **-e** (*dial, S Ger, Aus*) tunnel.

tunen ['tjuːnən] *vt* to tune.

Tuner ['tjuːnɐ] *m* **-s**, **-** tuner.

Tuning ['tjuːnɪŋ] *nt* **-s**, *no pl* tuning.

Tuneser(in *f*) *m*, **Tunesier(in** *f*) [-iɐ, -iərɪn] *m* **-s**, **-** Tunisian.

Tunesien [-iən] *nt* **-s** Tunisia.

tunesisch *adj* Tunisian.

Tunichtgut *m* **-(e)s**, **-e** (*dated*) ne'er-do-well (*old*), good-for-nothing.

Tunika *f* **-**, **Tuniken** tunic.

Tunke *f* **-**, **-n** sauce; (*Braten~*) gravy.

tunken *vt* to dip; (*stippen auch*) to dunk (*inf*); *jdn* to duck.

tunlich *adj* possible, feasible; (*ratsam*) advisable.

tunlichst *adv* if possible. **~ bald** as soon as possible; **ich werde es ~ vermeiden, ihm meine Meinung zu sagen** I'll do my best to avoid telling him what I think; **das wirst du ~ bleiben lassen** you'll do nothing of the kind *or* sort.

Tunnel *m* **-s**, **-** *or* **-s** tunnel.

Tunte *f* **-**, **-n** (*inf*) (*Homosexueller*) fairy (*pej inf*).

tuntenhaft *adj* (*inf pej*) fussy; *Homosexueller* effeminate.

tuntig *adj* (*inf*) **1.** (*dated: albern, zimperlich*) sissy (*inf*). **2.** (*weibisch*) effeminate, poofy (*sl*).

Tüpfel *m or nt* **-s**, **-**, **Tüpfelchen** *nt* dot.

tüpfeln *vt* to spot. **getüpfelt** spotted; (*mit kleinen Tupfen*) dotted.

tupfen *vt* to dab. **getupft** spotted.

Tupfen *m* **-s**, **-** spot; (*klein*) dot.

Tupfer *m* **-s**, **-** swab.

Tür *f* **-**, **-en** door; (*Garten~*) gate. **in der ~** in the doorway; **~ an ~ mit jdm wohnen** to live next door to sb; **an die ~ gehen** to answer the door, to go/come to the door; **Weihnachten steht vor der ~** Christmas is just (a)round the corner; **jdn vor die ~ setzen** (*inf*) to throw *or* kick (*inf*) sb out; **jdm die ~ weisen** (*geh*) to show sb the door; **jdm die ~ vor der Nase zumachen** to shut the door in sb's face; **ein jeder kehre vor seiner ~** (*prov*) everyone should set his own house in order; **die Leute haben ihm fast die ~ eingerannt** (*nach Anzeige*) he was snowed under with replies; **mit der ~ ins Haus fallen** (*inf*) to blurt it/things out; **zwischen ~ und Angel** in passing; **einer Sache** (*dat*) **~ und Tor öffnen** (*fig*) to open the way to sth.

Türangel *f* (*door*) hinge.

Turban *m* **-s**, **-e** turban.

Turbine *f* turbine.

Turbinenflugzeug *nt* turbo-jet; **Turbinentriebwerk** *nt* turbine engine; (*an Flugzeug*) turbo-jet, jet turbine engine.

Turbodiesel *m* (*Aut*) turbo-diesel engine; **Turbolader** *m* **-s**, **-** (*Aut*) turbocharger; **Turbomotor** *m* turbo-engine; **Turbo-Prop-Flugzeug** *nt* turboprop aircraft.

turbulent *adj* turbulent, tempestuous. **dort geht's ~ zu** things are in turmoil there.

Turbulenz *f* **1.** *no pl* turbulence, turmoil. **2.** (*turbulentes Ereignis*) excitement, turmoil *no pl*. **3.** (*Wirbel, Luftstrom*) turbulence *no pl*.

Türdrücker *m* (*Knauf*) doorknob; (*inf: Öffner*) buzzer (*for opening the door*).

Türe *f* **-**, **-n** (*dial*) *siehe* **Tür**.

Turf [tʊrf] *m* **-s**, **-s** **1.** (*Rennbahn*) racecourse. **2.** (*no pl: Sportart*) turf.

Türflügel *m* door (*of a pair of doors*); **Türfüllung** *f* door panel; **Türgriff** *m* door handle; **Türhüter** *m* (*obs*) doorman.

Türke *m* **-n**, **-n** Turk. **einen ~n bauen** to fiddle the figures (*inf*).

Türkei *f* **-** **die ~** Turkey.

türken *vt* (*sl*) *jdn* to diddle (*inf*); *etw* to fiddle (*inf*). **die Statistik ~** to massage the figures; **Belege ~** to falsify documents.

Türkenbund *m* **-(e)s**, **Türkenbünde** (*Bot*) Turk's cap lily.

Türkin *f* Turk, Turkish woman/girl.

Türkis¹ *m* **-es**, **-e** (*Edelstein*) turquoise.

Türkis² *nt* **-**, *no pl* (*Farbe*) turquoise.

türkis *adj* turquoise.

türkisch *adj* Turkish.

Türkisch(e) *nt decl as adj* Turkish; *siehe auch* **Deutsch(e)**.

türkisfarben, türkisgrün *adj* turquoise (-coloured).

Türklinke *f* door handle; **Türklopfer** *m* doorknocker.

Turkmenien *nt* **-s** Turkmenistan.

Turm m -(e)s, ˜e 1. tower; (spitzer Kirch~) spire; (im Schwimmbad) diving tower. 2. (Chess) castle, rook.

Turmalin m -s, -e (Miner) tourmaline.

Turmbau m (das Bauen) building a tower. **der ~ zu Babel** (Bibl) the building of the Tower of Babel.

Türmchen nt dim of **Turm** turret.

türmen I vt to pile (up). II vr to pile up; (Wolken) to build up, to bank; (Wellen) to tower up. III vi aux sein (inf: davonlaufen) to skedaddle (inf), to take to one's heels, to run off.

Turmfalke m kestrel; **turmhoch** adj towering, lofty; **Turmschwalbe** f swift; **Turmspringen** nt high diving; **Turmuhr** f clock (on a/the tower); (Kirchturm) church clock.

Turn|anzug m leotard.

turnen I vi 1. (an Geräten) to do gymnastics; (Sch) to do gym or PE or PT. **am Reck/an den Ringen/auf der Matte** ~ to work on or do exercises on the horizontal bar/rings/mat; **sie kann gut** ~ she is good at gym or PE or PT.
    2. aux sein (herumklettern) to climb about; (Kind) to romp.
    II vt Reck etc to work on, to do exercises on; Übung to do.

Turnen nt -s, no pl gymnastics sing; (inf: Leibeserziehung) gym, PE (inf), PT (inf).

Turner(in f) m -s, - gymnast.

Turnfest nt gymnastics display or festival; (von Schule) sports day; **Turngerät** nt (Reifen, Ball) (piece of) gymnastic equipment; (Reck, Barren etc) (piece of) gymnastic apparatus; **Turnhalle** f gym(nasium); (Gebäude auch) sports hall; **Turnhemd** nt gym or PE or PT shirt; **Turnhose** f gym or PE or PT shorts pl.

Turnier nt -s, -e (Ritter~, sportliche Veranstaltung) tournament; (Tanz~) competition; (Reit~) show.

Turnierpferd nt show or competition horse; **Turnierreiter(in** f) m show or competition rider; **Turniertanz** m (competition) ballroom dance/dancing.

Turnlehrer(in f) m gym or PE or PT teacher; **Turnschuh** m gym shoe, sneaker (US); **Turnübung** f gymnastic exercise; **Turnunterricht** m gymnastic instruction; (Turnstunde) gym, PE, PT.

Turnus m -, -se rota. **im (regelmäßigen)** ~ in rotation.

Turnverein m gymnastics club; **Turnzeug** nt gym or PE or PT things pl or kit.

Türöffner m (im Hotel) doorman, commissionaire; **elektrischer** ~ buzzer (for opening the door); **Türpfosten** m doorpost; **Türrahmen** m doorframe; **Türschild** nt doorplate; **Türschloß** nt door lock; **Türschnalle** f (Aus) door handle; **Türschwelle** f threshold; **Türspalt** m crack (of a/the door); **Türsprechanlage** f entry phone; **Türsteher** m -s, - doorman, bouncer; **Türsturz** m lintel.

turteln vi to bill and coo.

Turteltaube f turtle-dove. **~n** (inf: Verliebte) lovebirds, turtle-doves.

Türvorleger m doormat.

Tusch m -es, -e 1. (Mus) flourish; (von Blasinstrumenten auch) fanfare. 2. (Aus) siehe **Tusche**.

Tusche f -, -n (Auszieh~) Indian ink; (Tuschfarbe) water colour; (Wimpern~) mascara.

tuscheln vti to whisper. **hinter seinem Rücken über jdn** ~ to say things (inf) or talk behind sb's back.

tuschen vt (mit Farbe) to paint in water colour(s); (mit Ausziehtusche) to draw in Indian ink. **sich** (dat) **die Wimpern** ~ to put one's mascara on.

Tuschfarbe f water colour; **Tuschkasten** m paintbox; **Tuschzeichnung** f pen-and-ink drawing.

Tussi f -, -s (inf) female (inf).

tut interj toot.

Tüte f -, -n (aus Papier, Plastik) bag; (Eis~) cornet, cone; (von Suppenpulver) packet; (inf: für Alkoholtest) breathalyzer; (inf: Mensch) drip (inf). **in die** ~ **blasen** (inf) to be breathalyzed, to blow in the bag (inf); **~n kleben** (inf) to be in clink (inf); **das kommt nicht in die** ~**!** (inf) no way! (inf).

tuten vti to toot; (Schiff) to sound its hooter/foghorn. **von T~ und Blasen keine Ahnung haben** (inf) not to have a clue (inf).

Tutor m, **Tutorin** f tutor.

TÜV [tyf] m -s, -s abbr of **Technischer Überwachungs-Verein** ≃ MOT (Brit). **das Auto ist durch den** ~ **gekommen** the car got through or passed its MOT.

TÜV-Plakette f disc displayed on number plate showing that a car has passed the TÜV, ≃ MOT certificate.

TV [te:'fau] abbr of 1. **Television**. 2. **Turnverein**.

TV- [te:'fau-] in cpds TV; **TV-Moderator(in** f) m TV presenter; **TV-Programm** nt TV programmes pl; **TV-Sendung** f TV broadcast.

Tweed [tvi:t] m -s, -s or -e tweed.

Twen m -(s), -s person in his/her twenties.

Twinset nt or m -(s), -s twin-set, sweater-set (US).

Twist¹ m -es, -e (Garn) twist.

Twist² m -s, -s (Tanz) twist.

twisten vi to twist, to do the twist.

Tympanon nt -s, **Tympana** (Archit) tympanum.

Typ m -s, -en 1. (Modell) model. 2. (Menschenart) type. **er ist nicht mein** ~ (inf) he's not my type (inf). 3. (inf: Mensch) person, character; (sl: Mann, Freund) bloke (Brit inf), guy (inf). **dein** ~ **wird verlangt** (inf) you're wanted; **dein** ~ **ist nicht gefragt** (inf) you're not wanted round here.

Type f -, -n 1. (Typ) (Schreibmaschinen~) type bar; (Druckbuchstabe) character. **~n** (Schrift) type sing; **~n gießen** to set type. 2. (inf: Mensch) character. 3. (bei Mehl) grade.

Typen pl of **Typus**, **Type**.

Typenrad nt daisy wheel.

Typenraddrucker m daisy wheel (printer).

Typhus m -, no pl typhoid (fever).

Typhuskranke(r) *mf* typhoid case.
typisch *adj* typical (*für* of). ~ **deutsch/
Mann/Frau** typically German/male/
female; **(das ist ein) ~er Fall von denk-
ste!** (*inf*) no such luck! (*inf*).
Typographie *f* typography.
typographisch *adj* typographic(al).
Typologie *f* typology.
Typus *m* -, **Typen** type.
Tyrann *m* -en, -en (*lit, fig*) tyrant.

Tyrannei *f* tyranny.
Tyrannenmord *m* tyrannicide.
Tyrannin *f* tyrant.
tyrannisch *adj* tyrannical.
tyrannisieren* *vt* to tyrannize.
tyrrhenisch [tʏ'reːniʃ] *adj* **T~es Meer**
Tyrrhenian Sea.
Tz ['teːtset, te'tset] *nt*: **bis ins** *or* **zum** ~
completely, fully; *siehe auch* **Tezett.**

U

U, u [uː] *nt* -, - U, u; *siehe* X.

u. *abbr of* **und**.

u.a. *abbr of* **und andere(s); unter anderem/anderen.**

U.A.w.g. *abbr of* **Um Antwort wird gebeten** RSVP.

UB [uːˈbeː] *f* -, -s *abbr of* **Universitätsbibliothek.**

U-Bahn [ˈuː-] *f* underground, subway (*US*); (*in London*) tube.

U-Bahnhof [ˈuː-] *m* underground *etc* station.

übel I *adj* **1.** (*schlimm, unangenehm*) bad; *Kopfweh, Erkältung etc auch* nasty. **er war übler Laune** he was in a bad *or* nasty mood; **das ist gar nicht so ~** that's not so bad at all.

2. (*moralisch, charakterlich schlecht*) wicked, bad; *Eindruck, Ruf* bad; *Tat auch* evil. **ein übler Bursche** *or* **Kunde** (*inf*) a nasty piece of work (*inf*), a bad lot (*inf*); **das ist eine üble Sache!** it's a bad business; **ein übler Streich** a nasty trick; **auf üble** *or* **in der ~sten Weise, in übler** *or* **~ster Weise** in a most unpleasant way; **jdm Übles antun** (*geh*) to be wicked to sb, to do wicked things to sb.

3. (*physisch schlecht, eklig*) *Geschmack, Geruch, Gefühl* nasty; (*fig*) *Geschmack auch* bad. **mir wird ~** I feel ill *or* sick; **es kann einem ~ werden** it's enough to make you feel ill *or* sick.

4. (*verkommen, ~beleumdet*) *Stadtviertel* evil, bad; *Kaschemme* evil, low.

II *adv* **1.** (*schlimm, unangenehm, schlecht*) badly. **etw ~ aufnehmen** to take sth badly; **das ist ihm ~ bekommen** it did him no good at all; **~ dran sein** to be in a bad way; **das schmeckt gar nicht so ~** it doesn't taste so bad; **wie geht's? — danke, nicht ~** how's things? — not bad, thanks.

2. (*moralisch, charakterlich schlecht*) badly. **über jdn ~ reden** to say bad things about sb; **jdm etw ~ vermerken** to hold sth against sb, to take sth amiss; **jdm etw ~ auslegen** to take sth amiss.

Übel *nt* -s, - **1.** (*geh: Krankheit, Leiden*) illness, malady (*old*).

2. (*Mißstand*) ill, evil. **ein notwendiges/das kleinere ~** a necessary/the lesser evil; **das alte ~** the old trouble; **der Grund allen ~s ist, daß ...** the cause *or* root of all the trouble is that ...; **das ~ bei der Sache** the trouble.

3. (*Plage, Schaden*) evil. **von ~ sein** to be a bad thing, to be bad; **zu allem ~ ...** to make matters worse ...; **ein ~ kommt selten allein** (*Prov*) misfortunes seldom come alone.

übelgelaunt *adj attr* ill-humoured, sullen, morose; **übelgesinnt** *adj attr* (*geh*) ill-disposed.

Übelkeit *f* (*lit, fig*) nausea. **eine plötzliche ~** a sudden feeling of nausea; **~ erregen** to cause nausea.

übellaunig *adj* ill-tempered, cantankerous; **übelnehmen** *vt sep irreg* to take amiss *or* badly *or* in bad part; **jdm etw ~** to hold sth against sb, to take sth amiss *or* badly *or* in bad part; **bitte nehmen Sie es (mir) nicht übel, aber ...** please don't take it amiss *or* take offence, but ...; **übelriechend** *adj* foul-smelling, evil-smelling; **Übelsein** *nt* nausea; **Übelstand** *m* (social) evil *or* ill; **Übeltäter(in** *f*) *m* (*geh*) wrongdoer; **übelwollen** *vi sep* (*geh*) **jdm ~** to wish sb harm *or* ill, to be ill-disposed towards sb.

üben I *vt* **1.** (*praktisch erlernen*) *Aussprache, Musik, Sport* to practise; (*Mil*) to drill.

2. (*schulen, trainieren*) *Gedächtnis, Muskeln* to exercise. **mit geübtem Auge** with a practised eye; **geübt sein** to be experienced.

3. (*tun, erkennen lassen*) to exercise. **Gerechtigkeit ~** (*geh*) to be just (*gegen* to), to show fairness (*gegen* to); **Kritik an etw** (*dat*) **~** to criticize sth; **Geduld ~** to be patient.

II *vr* **sich in etw** (*dat*) **~** to practise sth; **sich in Geduld** (*dat*) **~** (*geh*) to have patience, to possess one's soul in patience.

III *vi* (*praktisch lernen*) to practise.

über I *prep* **1.** +*acc* (*räumlich*) over; (*quer ~ auch*) across; (*weiter als*) beyond. **etw ~ etw hängen/stellen** to hang/put sth over *or* above sth; **es wurde ~ alle Sender ausgestrahlt** it was broadcast over all transmitters; **er lachte ~ das ganze Gesicht** he was beaming all over his face.

2. +*dat* (*räumlich: Lage, Standort*) over, above; (*jenseits*) over, across. **zwei Grad ~ Null** two degrees (above zero); **~ der Stadt lag dichter Nebel** a thick mist hung over the town; **~ uns lachte die Sonne** the sun smiled above us; **er trug den Mantel ~ dem Arm** he was carrying his coat over his arm; **~ jdm stehen** *or* **sein** (*fig*) to be over *or* above sb; **er steht ~ der Situation** (*fig*) he is above it all.

3. +*dat* (*zeitlich: bei, während*) over. **~ der Arbeit einschlafen** to fall asleep over one's work; **etw ~ einem Glas Wein besprechen** to discuss sth over a glass of wine; **~ all der Aufregung/unserer Unterhaltung habe ich ganz vergessen, daß ...** in all the *or* what with all the excitement/what with all this chatting I quite forgot that ...; **~ Mittag geht er meist nach Hause** he usually goes home at midday.

4. +*acc* **Cäsars Sieg ~ die Gallier** Caesar's victory over the Gauls; **Gewalt ~ jdn haben** to have power over sb; **es kam**

plötzlich ~ **ihn** it suddenly came over him; **sie liebt ihn** ~ **alles** she loves him more than everything; **das geht mir** ~ **den Verstand** that's beyond my understanding; **Fluch** ~ **dich!** (obs) a curse upon you! (obs).

5. +acc (vermittels, auf dem Wege ~) via. **die Nummer erfährt man** ~ **die Auskunft** you'll get the number from or through or via directory enquiries; **wir sind** ~ **die Autobahn gekommen** we came by or via the autobahn; **nach Köln** ~ **Aachen** to Cologne via Aachen; **Zug nach Frankfurt** ~ **Wiesbaden und Mainz** train to Frankfurt via or stopping at or calling at Wiesbaden and Mainz.

6. +acc (zeitlich) (innerhalb eines Zeitraums, länger als) over. ~ **Weihnachten** over Christmas; **bis** ~ **Ostern** until after Easter; **den ganzen Sommer** ~ all summer long; **die ganze Zeit** ~ all the time; **das ganze Jahr** ~ all through the year, all year round; ~ **kurz oder lang** sooner or later.

7. +acc (bei Zahlenangaben) (in Höhe von) for; (mehr als) over. **ein Scheck** ~ **DM 20** a cheque for 20 DM; **eine Rechnung von** ~ **£ 100** a bill for over or of over £100; **Kinder** ~ **14 Jahre** children over 14 years or of 14 (years of age) and over.

8. +acc (wegen) over; (betreffend) about. **ein Buch/Film/Vortrag** ~ ... a book/film/lecture about or on ...; **was wissen Sie** ~ **ihn?** what do you know about him?; ~ **welches Thema schreiben Sie Ihr neues Buch?** what's the subject of your new book?, what's your new book about?; ~ **Politik/Wörterbücher/Fußball reden** to talk (about) politics/dictionaries/football; ~ **jdn/etw lachen** to laugh about or at sb/sth; **sich** ~ **etw freuen/ärgern** to be pleased/angry about or at sth.

9. +acc (steigernd) upon. **Fehler** ~ **Fehler** mistake upon or after mistake, one mistake after another.

II adv ~ **und** ~ all over; **er wurde** ~ **und** ~ **rot** he went red all over; **ich stekke** ~ **und** ~ **in Schulden** I am up to my ears in debt; **(das) Gewehr** ~**!** (Mil) shoulder arms!

über|aktiv adj hyperactive, overactive.

über|all adv everywhere. **ich habe dich schon** ~ **gesucht** I've been looking everywhere or all over (inf) for you; ~ **herumliegen** to be lying all over the place or shop (inf); ~ **in London/der Welt** everywhere in or all over London/the world; ~ **wo** wherever; ~ **Bescheid wissen** (wissensmäßig) to have a wide-ranging knowledge; (an Ort) to know one's way around; **sie ist** ~ **zu gebrauchen** she can do everything; **es ist** ~ **dasselbe** it's the same wherever you go; **so ist es** ~ it's the same everywhere.

über|allher adv from all over; **über|allhin** adv everywhere.

über|altert adj (Sociol) having a disproportionate number of or too high a percentage of old people; **Überalterung** f (Sociol) increase in the percentage of old people; **Überangebot** nt sur-

plus (an +dat of); **überängstlich** adj overanxious; **über|anstrengen*** insep **I** vt to overstrain, to overexert; Kräfte to overtax; Augen to strain; **II** vr to overstrain or overexert oneself; **überanstrenge dich nicht!** (iro) don't strain yourself! (iro); **Überanstrengung** f overexertion; **eine** ~ **der Nerven/Augen** a strain on the or one's nerves/eyes; **überantworten*** vt insep (geh) jdm etw ~ to hand sth over to sb, to place sth in sb's hands; **überarbeiten*** insep **I** vt to rework, to go over; **in einer überarbeiteten Fassung** published in a revised edition; **II** vr to overwork; **Überarbeitung** f, no pl **1.** (Vorgang) reworking; (Ergebnis) revision, revised version; **2.** (Überanstrengung) overwork; **überaus** adv extremely, exceedingly; **überbacken*** vt insep irreg to put in the oven/under the grill; **mit Käse** ~ au gratin; ~**e Käseschnitten** cheese on toast.

Überbau m, pl -e or (Build auch) -ten (Build, Philos) superstructure.

überbauen* vt insep to build over; (mit einem Dach) to roof over.

überbeanspruchen vt insep **1.** Menschen, Körper to overtax, to make too many demands on; (arbeitsmäßig) **überbeansprucht sein** to be overworked; **2.** Einrichtungen, Dienste to overburden; **3.** Maschine, Auto to overtax, to overstrain; **4.** Werkstoffe, Materialien to overstrain; (durch Gewicht auch) to overload; **Überbeanspruchung** f siehe vt **1.** (von Menschen) overtaxing; (arbeitsmäßig) overworking; **2.** overburdening; **3.** overtaxing, overstraining; **4.** overstraining; overloading; **Überbein** nt (an Gelenk) ganglion; **überbekommen*** vt sep irreg (inf) jdn/etw ~ to get sick of or fed up with sb/sth (inf); **überbelegen*** vt insep usu ptp to overcrowd; Kursus, Fach to oversubscribe; **Überbelegung** f siehe vt overcrowding; oversubscription; **überbelichten*** vt insep (Phot) to overexpose; **Überbelichtung** f (Phot) overexposure; **Überbeschäftigung** f overemployment; **überbesetzt** adj Behörde, Abteilung overstaffed; **überbetonen*** vt insep to overstress, to overemphasize; Hüften, obere Gesichtshälfte to overaccentuate, to overemphasize; **überbetrieblich** adj industry-wide; **Überbevölkerung** f overpopulation; **überbewerten*** vt insep (lit) to overvalue; (fig auch) to overrate; Schulleistung to mark too high; Äußerung to attach too much importance to; **Überbewertung** f (lit) overvaluing; (fig auch) overrating; **Überbezahlung** f overpayment.

überbietbar adj (fig) **kaum noch** ~ **sein** to take some beating; **ein an Vulgarität nicht mehr** ~**er Pornofilm** a porn film of unsurpassed or unsurpassable vulgarity.

überbieten* insep irreg **I** vt (bei Auktion) to outbid (um by); (fig) to outdo; Leistung, Rekord to beat. **das ist kaum noch zu** ~ it's outrageous. **II** vr **sich in etw** (dat) (gegenseitig) ~ to vie with one another or each other in sth; **sich (sel-ber)** ~ to surpass oneself.

Überbietung f siehe vt outbidding; outdoing; beating. **eine ~ dieses Rekordes** to beat this record.

überblättern* vt insep Buch to leaf or flick or glance through; Stelle to skip over or past, to miss; **überbleiben** vi sep irreg aux sein (inf) siehe **übrigbleiben**.

Überbleibsel nt -s, - remnant; (Speiserest) leftover usu pl, remains pl; (Brauch, Angewohnheit) survival, hangover; (Spur) trace.

überblenden¹ vi sep (Film, Rad: Szene) to fade; (Film auch) to dissolve; (plötzlich) to cut.

überblenden²* vt insep (ausblenden) to fade out; (überlagern) to superimpose.

Überblendung¹ f siehe vi fade; dissolve; cut; (das Überblenden) fading; dissolving; cutting.

Überblendung² f siehe vt fading out; superimposition.

Überblick m (über +acc of) **1.** (freie Sicht) view.

2. (Einblick) perspective, overall or broad view, overview. **er hat keinen ~, es fehlt ihm an ~** (dat) he lacks an overview, he has no overall picture; **den ~ verlieren** to lose track (of things).

3. (Abriß) survey; (Übersicht, Zusammenhang) synopsis, summary. **sich** (dat) **einen ~ verschaffen** to get a general idea; **Weltgeschichte im ~** compendium of world history.

überblicken* vt insep **1.** (lit) Platz, Stadt to overlook, to have or command a view of.

2. (fig) to see; Lage auch to grasp. **die Entwicklung läßt sich leicht ~** the development can be seen at a glance; **bis ich die Lage besser überblicke** until I have a better view of the situation; **das läßt sich noch nicht ~** I/we etc cannot tell or say as yet.

überbraten vt sep irreg **jdm eins ~** (sl) to land sb one (inf).

Überbreite f excess width. **Vorsicht, ~!** caution, wide load.

überbringen* vt insep irreg **jdm etw ~** to bring sb sth, to bring sth to sb; Brief auch to deliver sth to sb.

Überbringer(in f) m -s, - bringer, bearer; (von Scheck etc) bearer.

überbrückbar adj Gegensätze reconcilable. **schwer ~e Gegensätze** differences which are difficult to reconcile.

überbrücken* vt insep **1.** (old) Fluß to bridge (over). **2.** (fig) Kluft, Zeitraum to bridge; Krisenzeiten to get over or through; Gegensätze to reconcile. **die Gegensätze zwischen … ~** to bridge the gap between …

Überbrückung f siehe vt 2. (fig) bridging; getting over or through; reconciliation. **100 Mark zur ~** 100 marks to tide me/him etc over.

Überbrückungskredit m bridging loan.

überbuchen* vt insep to overbook; **überdachen*** vt insep to roof over, to cover over; **überdachte Fahrradständer/ Bushaltestelle** covered bicycle stands/bus

shelter; **Überdecke** f bedspread, bedcover, counterpane; **überdecken¹** vt sep to cover up or over; (inf: auflegen) Tischtuch to put on; **überdecken²*** insep I vt Riß, Geschmack to cover up, to conceal; II vr (sich überschneiden) to overlap; **überdehnen*** vt insep Sehne, Muskel to strain; Gummi, (fig) Begriff to overstretch; **überdenken*** vt insep irreg to think over, to consider; **etw noch einmal ~** to reconsider sth; **überdeutlich** adj all too obvious.

überdies adv (geh) **1.** (außerdem) moreover, furthermore, what is more. **2.** (ohnehin) in any case, anyway.

überdimensional adj colossal, huge, oversize(d); **überdosieren*** vt insep **nicht ~** do not exceed the dose; **Überdosis** f overdose, OD (inf); (zu große Zumessung) excessive amount; **sich** (dat) **eine ~ Heroin spritzen** to give oneself an overdose of heroin, to OD on heroin (inf); **überdrehen*** vt insep Uhr to overwind; Motor to overrev; Gewinde, Schraube to strip; **überdreht** adj (inf) overexcited; (ständig) highly charged, hyped(-up) (sl); (überkandidelt) weird; **ein ~er Typ** a weirdo (inf).

Überdruck m -s, ⸚e (Tech) excess pressure no pl.

Überdruckkabine f (Aviat) pressurized cabin; **Überdruckventil** nt pressure relief valve, blow-off valve.

Überdruß m -sses, no pl (Übersättigung) surfeit, satiety (liter) (an +dat of); (Widerwille) aversion (an +dat to), antipathy (an +dat to). **bis zum ~** ad nauseam; **er aß Kaviar bis zum ~** he ate caviar until he wearied of it or had had a surfeit of it; **~ am Leben** weariness of living or life.

überdrüssig adj jds/einer Sache (gen) ~ **sein/werden** to be weary of sb/sth/to (grow) weary of sb/sth.

überdüngen* vt sep to over-fertilize; **Überdüngung** f over-fertilization; **überdurchschnittlich I** adj above-average; **II** adv exceptionally, outstandingly; **sie verdient ~ gut** she earns more than the average; **übereck** adv at right angles (to each other or one another); **Übereifer** m siehe adj overenthusiasm, overeagerness; officiousness; **übereifrig** adj overenthusiastic, overeager, overzealous; (pej: wichtigtuerisch) officious; **übereignen*** vt insep (geh) **jdm etw ~** to make sth over to sb, to transfer sth to sb; **übereilen*** insep I vt to rush; **~ Sie nichts!** don't rush things!; **II** vr to rush; **übereil dich bloß nicht!** (iro) don't rush yourself (iro); **übereilt** adj hasty, precipitate.

über|einander adv **1.** (räumlich) on top of each other or one another, one on top of the other; **hängen** one above the other.

2. reden about each other or one another.

über|einanderlegen vt sep to put or lay one on top of the other, to put or lay on top of each other or one another; **über-|einanderliegen** vi sep irreg to lie one on top of the other, to lie on top of each

other *or* one another; **über|-
einanderschlagen** *vt sep irreg* **die Beine/
Arme** ~ to cross one's legs/to fold one's
arms.

über|einkommen *vi sep irreg aux sein* to
agree. **wir sind darin übereingekommen,
daß ...** we have agreed that ...

Über|einkommen *nt* -s, -, **Über|einkunft**
f -, ⁼e arrangement, understanding,
agreement; (*Vertrag*) agreement. **ein
Übereinkommen** *or* **eine Übereinkunft
treffen** to enter into *or* make an agreement; **ein Übereinkommen** *or* **eine Übereinkunft erzielen** to reach *or* come to an
agreement, to reach agreement.

über|einstimmen *vi sep* to agree, to con-
cur (*form*); (*Meinungen*) to tally, to concur (*form*); (*Angaben, Meßwerte, Rechnungen*) to correspond, to tally, to
agree; (*zusammenpassen: Farben, Stile*)
to match; (*Gram*) to agree; (*Dreiecke*)
to be congruent. **mit jdm in etw** (*dat*) ~
to agree with sb on sth; **wir stimmen
darin überein, daß ...** we agree *or* are
agreed that ...

über|einstimmend I *adj* corresponding;
Meinungen concurring, concurrent; *Farben* matching. **nach ~en Meldungen/
Zeugenaussagen** according to all
reports/according to mutually corrobo-
rative testimonies.

II *adv* **alle erklärten ~, daß ...** everybody agreed that ..., everybody unanimously stated that ...

Über|einstimmung *f* 1. (*Einklang,
Gleichheit*) correspondence, agreement.
**bei den Zeugenaussagen gab es nur in
zwei Punkten ~** the testimonies only
agreed *or* corresponded *or* tallied in two
particulars; **zwei Dinge in ~ bringen** to
bring two things into line; **es besteht keine ~ zwischen x und y** x and y do not
agree.

2. (*von Meinung*) agreement. **darin
besteht bei allen Beteiligten ~** all parties
involved are agreed on that; **in ~ mit
jdm/etw** in agreement with sb/in
accordance with sth.

überempfindlich *adj* (*gegen* to) oversensitive, hypersensitive (*auch Med*);
Überempfindlichkeit *f* (*gegen* to) over-
sensitivity, hypersensitivity (*auch Med*);
übererfüllen* *vt insep infin auch
überzuerfüllen** *Norm, Soll* to exceed
(*um* by); **Übererfüllung** *f* (*no pl: das
Übererfüllen*) exceeding; **bei ~ des Plan-
solls werden Sonderprämien gezahlt** anyone who exceeds the target *or* quota is
paid special premiums; **Überernährung**
f (*no pl: das Überernähren*) overfeeding;
(*Krankheit*) overeating; **überessen**[1] *vt
sep irreg sich* (*dat*) **etw ~** to grow sick of
sth; **Spargel kann ich mir gar nicht ~** I
can't eat enough asparagus; **überessen**[2]
pret **überaß,** *ptp* **übergessen** *vr insep*
to overeat; **ich habe mich an Käse ~** I've
eaten too much cheese.

überfahren[1] *sep irreg* **I** *vt* (*mit Boot*) to
take *or* ferry across. **II** *vi aux sein* to
cross over.

überfahren[2]* *vt insep irreg* 1. **jdn, Tier** to
run over, to knock down. 2. (*hinwegfah-*

ren über) to go *or* drive over. 3. (*übersehen und weiterfahren*) *Ampel* to go
through. 4. (*inf: übertölpeln*) **jdn** ~ to
stampede sb into it. 5. (*plötzlich über
einen kommen*) to come over.

Überfahrt *f* crossing.

Überfall *m* 1. (*Angriff*) attack (*auf* +*acc*
on); (*auf jdn auch*) assault (*auf* +*acc*
on); (*auf offener Straße auch*) mugging
(*auf* +*acc* of); (*auf Bank*) raid (*auf* +*acc*
on), holdup; (*auf Land*) invasion (*auf*
+*acc* of). **einen ~ auf jdn/etw verüben**
or **ausführen** to carry out an attack *etc*
on sb/sth; **dies ist ein ~, keine Bewegung!** this is a holdup *or* stick-up (*inf*),
freeze!

2. (*hum: unerwartetes Erscheinen*) invasion. **er hat einen ~ auf uns vor** he's
planning to descend on us.

überfallen* *vt insep irreg* 1. (*angreifen*) to
attack; **jdn** *auch* to assault; (*auf offener
Straße auch*) to mug; *Bank* to raid, to
hold up; *Land auch* to invade; (*Mil*)
Hauptquartier, Lager to raid.

2. (*fig geh: überkommen*) (*Gefühle,
Schlaf, Müdigkeit, Krankheit*) to come
over *or* upon; (*überraschen: Nacht*) to
overtake, to come upon suddenly. **plötzlich überfiel ihn heftiges Fieber** he
suddenly had a bad attack of fever.

3. (*fig inf*) (*überraschend besuchen*) to
descend (up)on; (*bestürmen*) to pounce
upon. **jdn mit Fragen/Wünschen** ~ to
bombard sb with questions/requests.

überfällig *adj* overdue *usu pred*; **seit einer
Woche ~ sein** to be a week overdue;
**Überfallkommando, Überfallskom-
mando** (*Aus*) *nt* flying squad, riot
squad; **überfeinert** *adj* overrefined;
überfischen* *vt insep* to overfish;
Überfischung *f* overfishing;
überfliegen* *vt insep irreg* 1. (*lit*) to fly
over, to overfly; 2. (*flüchtig ansehen*)
Buch to take a quick look at, to glance
through *or* at *or* over; **Überflieger** *m*
(*fig*) high-flyer; **überfließen**[1]* *vt insep
irreg* (*rare*) to inundate, to flood;
überfließen[2] *vi sep irreg aux sein* 1.
(*Gefäß*) to overflow; (*Flüssigkeit auch*)
to run over; 2. **ineinander ~** (*Farben*) to
run; 3. (*fig: vor Dank, Höflichkeit*) to
overflow, to gush (*vor* +*dat* with);
Überflug *m* overflight; **einem Flugzeug
den ~ verweigern** to refuse to allow an
aircraft to fly over one's territory; **über-
flügeln*** *vt insep* to outdistance, to outstrip; (*in Leistung, bei Wahl*) to outdo;
Erwartungen to surpass.

Überfluß *m* -sses, *no pl* 1. (*super*)-
abundance (*an* +*dat* of); (*Luxus*)
affluence. **Arbeit/Geld im ~** plenty of
work/money; an abundance of work/
money; **das Land des ~sses** the land of
plenty; **im ~ leben** to live in luxury; **im
~ vorhanden sein** to be in plentiful supply; **~ an etw** (*dat*) **haben, etw im ~ haben** to have plenty *or* an abundance of
sth.

2. **zu allem** *or* **zum ~** (*unnötigerweise*)
superfluously; (*obendrein*) to crown it
all (*inf*), into the bargain.

Überflußgesellschaft *f* affluent society.

überflüssig adj superfluous; (frei, entbehrlich) spare; (unnötig) unnecessary; (zwecklos) futile, useless. ~ **zu sagen, daß** ... it goes without saying that ...

überflüssigerweise adv superfluously.

überfluten* vt insep (lit, fig) to flood; (fig auch) to inundate; **Überflutung** f 1. (lit) flood; (das Überfluten) flooding no pl; 2. (fig) flooding no pl, inundation; **überfordern*** vt insep to overtax; jdn auch to ask or expect too much of; **damit ist er überfordert** that's asking or expecting too much of him; **als Abteilungsleiter wäre er doch etwas überfordert** being head of department would be too much for him or would stretch him too far; **Überforderung** f excessive demand(s) (für on); (no pl: das Überfordern) overtaxing; **überfrachten*** vt insep (fig) to overload; **ein mit Emotionen überfrachteter Begriff** a concept fraught with emotions, an emotionally loaded concept; **überfragt** adj pred stumped (for an answer); **da bin ich** ~ there you've got me, there you have me, that I don't know; **Überfremdung** f, no pl (pej) foreign infiltration; (Econ) swamping; **Überfuhr** f -, **-en** (Aus) ferry; **überführen¹** vt sep to transfer; Leichnam to transport; Wagen to drive; **überführen²** vt insep 1. siehe **überführen¹**; 2. Täter to convict (gen of), to find guilty (gen of); **Überführung** f 1. transportation; 2. no pl (Jur) conviction; 3. (Brücke über Straße) bridge (auch Rail), overpass; (Fußgänger~) footbridge; **Überfülle** f profusion, superabundance; **überfüllt** adj overcrowded; Kurs oversubscribed; (Comm) Lager overstocked, overfilled; **Überfunktion** f hyperactivity, hyperfunction(ing); **überfüttern*** vt insep to overfeed.

Übergabe f -, no pl handing over no pl; (von Neubau) opening; (Mil) surrender.

Übergang m 1. (das Überqueren) crossing.
2. (Fußgänger~) crossing, crosswalk (US); (Brücke) footbridge; (Bahn~) level crossing (Brit), grade crossing (US).
3. (Grenzübergangsstelle) checkpoint.
4. (fig: Wechsel, Überleitung) transition.

Übergangsbestimmung f interim or temporary regulation; **Übergangserscheinung** f temporary phenomenon; **übergangslos** adj without a transition; (zeitlich auch) without a transitional period; **Übergangslösung** f interim or temporary solution; **Übergangsmantel** m between-seasons coat; **Übergangsphase** f transitional phase; **Übergangsregierung** f caretaker or transitional government; **Übergangsstadium** nt transitional stage; **Übergangszeit** f 1. transitional period, period of transition; 2. (zwischen Jahreszeiten) in-between season/weather.

Übergardine f curtain, drape (US).

übergeben* insep irreg I vt 1. to hand over; (überreichen) Dokument, Zettel, Einschreiben to hand (jdm sb); Diplom to hand over (jdm to sb), to present (jdm to sb); (vermachen) to bequeath (jdm to sb); (Mil auch) to surrender. **ein Gebäude der Öffentlichkeit/eine Straße dem Verkehr** ~ to open a building to the public/a road to traffic; **eine Angelegenheit einem Rechtsanwalt** ~ to place a matter in the hands of a lawyer.
2. (weiterreichen, verleihen) Amt, Macht to hand over.
3. **einen Leichnam der Erde** ~ (liter) to commit a body to the earth.
II vr (sich erbrechen) to vomit, to be sick. **ich muß mich** ~ I'm going to be sick.

übergehen¹ vi sep irreg aux sein 1. **in etw** (acc) ~ (in einen anderen Zustand) to turn or change into sth; (Farben) to merge into sth; **in jds Besitz** (acc) ~ to become sb's property; **in Schreien** ~ to degenerate into shouting; **in andere Hände** to pass into other hands.
2. **auf jdn** ~ (geerbt, übernommen werden) to pass to sb.
3. **zu etw** ~ to go over to sth; **wir sind dazu übergegangen, Computer zu benutzen** we went over to (using) computers.

übergehen²* vt insep irreg to pass over; Kapitel, Abschnitt auch to skip; Einwände auch to ignore.

übergenau adj overprecise, pernickety (inf); **übergenug** adv more than enough; **übergeordnet** adj 1. Behörde, Dienststelle higher; **die uns ~e Behörde** the next authority above us; 2. (Gram) Satz superordinate; (Ling, Philos) Begriff generic; 3. (fig) **von ~er Bedeutung sein** to be of overriding importance; **Übergepäck** nt (Aviat) excess baggage; **übergescheit** adj (iro) know-all, know-it-all (US), smart-ass (sl) all attr; **so ein Ü~er** some clever dick (inf) or smart-ass (sl) or know-all; **übergeschnappt** I ptp of **überschnappen**; II adj (inf) crazy; **Übergewicht** nt overweight; (fig) predominance; ~ **haben** (Paket etc) to be overweight; **an** ~ **leiden**, ~ **haben** (Mensch) to be overweight; **5 Gramm** ~ 5 grammes excess weight; **das** ~ **bekommen/haben** (fig) to become predominant/to predominate; **übergewichtig** adj overweight; **übergießen*** vt insep irreg to pour over; jdn to douse; Braten to baste; **jdn/sich mit etw** ~ to pour sth over sb/oneself; (absichtlich auch) to douse sb/oneself with sth; **überglücklich** adj overjoyed; **übergreifen** vi sep irreg 1. (beim Klavierspiel) to cross one's hands (over); 2. (auf Rechte) to encroach or infringe (auf +acc on); (Feuer, Streik, Krankheit) to spread (auf +acc to); **ineinander** ~ to overlap; **übergreifend** adj (fig) Gesichtspunkte, Überlegungen general, comprehensive; **Übergriff** m (Einmischung) infringement (auf +acc of), encroachment (auf +acc on), interference no pl (auf +acc with or in); (Mil) attack (auf +acc upon), incursion (auf +acc into); **übergroß** adj oversize(d), huge, enormous; **Übergröße** f (bei Kleidung) outsize; **62 ist eine** ~ 62 is outsize; **überhaben** vt sep irreg (inf) **1.** (satt haben) to be sick (and tired) of (inf), to be fed up of or with (inf); **2.** (übrig haben) to have left (over); **für etw nichts** ~ not to like sth; **3.** Kleidung to have on.

überhandnehmen vi sep irreg to get out of control or hand; (Meinungen, Ideen) to become rife or rampant, to gain the upper hand.

Überhang m **1.** (Fels~) overhang, overhanging rock; **2.** (Comm: Überschuß) surplus (an +dat of); **überhängen** sep **I** vi irreg aux haben or sein to overhang; (hinausragen auch) to jut out; **II** vt sich (dat) **ein Gewehr** ~ to sling a rifle over one's shoulder; **sich** (dat) **einen Mantel** ~ to put or hang a coat round or over one's shoulders; **Überhangmandat** nt (Pol) seat gained as a result of votes for a specific candidate over and above the seats to which a party is entitled by the number of votes cast for the party; **überhasten*** vt insep to rush; **überhastet** adj overhasty, hurried; ~ **sprechen** to speak too fast; **überhäufen*** vt insep jdn to overwhelm, to inundate; **jdn mit Glückwünschen/Titeln** ~ to heap presents/congratulations/titles (up)on sb; **ich bin völlig mit Arbeit überhäuft** I'm completely snowed under or swamped (with work); **jdn mit Vorwürfen** ~ to heap reproaches (up)on sb('s head).

überhaupt adv **1.** (sowieso, im allgemeinen) in general; (überdies, außerdem) anyway, anyhow. **und** ~, **warum nicht?** and anyway or after all, why not?; **er sagt** ~ **immer sehr wenig** he never says very much at the best of times or anyway or anyhow; **nicht nur Rotwein, sondern Wein** ~ **mag ich nicht** it's not only red wine I don't like, I don't like wine at all.

2. (in Fragen, Verneinungen) at all. ~ **nicht** not at all; **ich denke** ~ **nicht daran, mitzukommen** I've (absolutely) no intention whatsoever of coming along; ~ **nie** never, never at all; ~ **kein Grund** no reason at all or whatsoever; **das habe ich ja** ~ **nicht gewußt** I had no idea at all; **ich habe** ~ **nichts gehört** I didn't hear anything at all, I didn't hear a thing; **das steht in** ~ **keinem Verhältnis zu ...** that bears no relationship at all or whatsoever to ...

3. (erst, eigentlich) **dann merkt man** ~ **erst, wie schön ...** then you really notice for the first time how beautiful ...; **waren Sie** ~ **schon in dem neuen Film?** have you actually been to the latest film?; **da fällt mir** ~ **ein, ...** now I remember ...; **wenn** ~ if at all; **wie ist das** ~ **möglich?** how is that possible?; **gibt es das** ~? is there really such a thing?, is there really any such thing?; **was wollen Sie** ~ **von mir?** (herausfordernd) what do you want from me?; **wer sind Sie** ~? who do you think you are?; **wissen Sie** ~, **wer ich bin?** do you realize who I am?

überheben* vr insep irreg (fig geh) to be arrogant; **sich über jdn** ~ to consider oneself superior to sb; **überheblich** adj

arrogant; **Überheblichkeit** f, no pl arrogance; **überheizen*** vt insep to overheat; **überhitzen*** vt insep to overheat; **überhitzt** adj (fig) Gemüter, Diskussion very heated pred; Phantasie wild; **überhöht** adj Kurve banked, superelevated (spec); Forderungen, Preise exorbitant, excessive.

überholen¹* vti insep **1.** Fahrzeug to overtake (esp Brit), to pass; (fig: übertreffen) to overtake. **2.** (Tech) to overhaul.

überholen² sep **I** vti (old) to ferry. **hol über!** ferry! **II** vi (Naut: Schiff) to keel over.

Überholmanöver nt (Aut) overtaking (esp Brit) or passing manoeuvre; **Überholspur** f (Aut) overtaking (esp Brit) or fast lane.

überholt adj out-dated.

Überholverbot nt restriction on overtaking (esp Brit) or passing; (als Schild) no overtaking (Brit), no passing; **auf dieser Strecke besteht** ~ no overtaking on this stretch; **Überholvorgang** m (form) overtaking (esp Brit), passing; **der** ~ **war noch nicht abgeschlossen, als das Fahrzeug ...** the vehicle had not finished overtaking etc when it ...

überhören¹* vt insep not to hear; (nicht hören wollen) to ignore. **das möchte ich überhört haben!** (I'll pretend) I didn't hear that!

überhören² vr sep sich (dat) etw ~ to be tired or sick (inf) of hearing sth.

Über-Ich nt (Psych) superego.

überinterpretieren* vt insep to over-interpret.

überirdisch adj celestial, heavenly; **überkandidelt** adj (inf) eccentric; **Überkapazität** f overcapacity; **überkauft** adj (Comm) saturated; **überkippen** vi sep aux sein to topple or keel over; (Stimme) to crack; **überkleben*** vt insep etw mit Papier ~ to stick paper over sth; **überklug** adj (pej) too clever by half, know-all attr, know-it-all (US) attr, smart-ass (sl) attr; **sei doch nicht so** ~! don't be so clever or such a know-all; **überkochen** vi sep aux sein (lit, fig) to boil over.

überkommen¹* insep irreg **I** vt (überfallen, ergreifen) to come over. **ein Gefühl der Verlassenheit überkam ihn** a feeling of desolation came over him, he was overcome by a feeling of desolation; **Furcht überkam ihn** he was overcome with fear.

II vi aux sein ptp only (überliefern) **es ist uns** (dat) ~ (old) it has come down to us, it has been handed down to us.

überkommen² vt sep irreg (Sw) to get.

überkompensieren* vt insep to overcompensate for; **überkreuz** adv siehe **Kreuz¹**; **überkriegen** vt sep (inf) **1.** (überdrüssig werden) to get tired or sick (and tired) (inf) of, to get fed up of or with (inf); **2. eins** ~ to get landed one (inf); **überkrusten*** vt insep to cover (with a layer or crust of); **überladen* I** vt insep irreg (zu stark belasten) to overload; (mit Arbeit auch) to overburden; (reichlich geben) to shower; (zu voll *packen*) *Schreibtisch, Wand auch* to clutter, to cover; (*zu stark verzieren auch*) to clutter; **II** *adj Wagen* overloaded, overladen; (*fig*) *Stil* over-ornate, flowery; *Bild* cluttered; **überlagern*** *insep* **I** *vt* **1.** **diese Schicht wird von einer anderen überlagert** another stratum overlies this one; **am Abend ist dieser Sender von einem anderen überlagert** in the evenings this station is blotted out by another one; **2.** *Thema, Problem, Konflikt* to eclipse; **II** *vr* (*sich überschneiden*) to overlap.

Überlandbus *m* country bus, coach; **Überlandleitung** *f* (*Elec*) overhead power line *or* cable; **Überlandzentrale** *f* (*Elec*) rural power station.

überlang *adj Oper, Stück* overlength; *Arme, Mantel* too long; **Überlänge** *f* excessive length; **~ haben** to be overlength; **überlappen*** *vir insep* to overlap.

überlassen* *vt insep irreg* **1.** (*haben lassen, abgeben*) **jdm etw ~** to let sb have sth.

2. (*anheimstellen*) **es jdm ~, etw zu tun** to leave it (up) to sb to do sth; **das bleibt (ganz) Ihnen ~** that's (entirely) up to you; **das müssen Sie schon mir ~** you must leave that to me; **jdm die Initiative/Wahl ~** to leave the initiative/choice (up) to sb.

3. (*in Obhut geben*) **jdm etw ~** to leave sth with sb *or* in sb's care, to entrust sth to sb's care; **sich** (*dat*) **selbst ~ sein** to be left to one's own devices, to be left to oneself; (*ohne Anleitung*) to be left to one's own resources; **jdn sich** (*dat*) **selbst ~** to leave sb to his/her own devices/resources.

4. (*preisgeben*) **sich seinem Schmerz/ seinen Gedanken/Gefühlen ~** to abandon oneself to one's pain/thoughts/ feelings; **jdn seinem Schicksal ~** to leave *or* abandon sb to his fate.

Überlassung *f, no pl* (*von Recht, Anspruch*) surrender.

überlasten* *vt insep* to put too great a strain on; *jdn* to overtax; (*Elec*) *Telefonnetz*, to overload. **überlastet sein** to be under too great a strain; (*überfordert sein*) to be overtaxed; (*Elec*) to be overloaded.

Überlastung *f* (*von Mensch*) overtaxing; (*Überlastetsein*) strain; (*Elec, durch Gewicht*) overloading. **bei ~ der Leber** when there is too much strain on the liver.

Überlauf *m* overflow.

Überlauf|anzeige *f* (*beim Taschenrechner*) decimal cut-off symbol.

überlaufen¹* *vt insep irreg* **1.** *Gegner, Abwehr* to overrun.

2. (*fig: ergreifen: Angst*) to seize. **es überlief ihn heiß** he felt hot under the collar; **es überlief ihn kalt** a cold shiver ran down his back *or* up and down his spine; **es überlief mich heiß und kalt** I went hot and cold all over.

überlaufen² *vi sep irreg aux sein* **1.** (*Wasser, Gefäß*) to overflow; (*überkochen*) to boil over. **ineinander ~** (*Farben*) to run

(into one another); **zum Ü~ voll** full to overflowing; **jetzt läuft das Maß über** (*fig*) my patience is at an end.

2. (*Mil: überwechseln*) to desert. **zum Feind ~** to go over *or* desert to the enemy.

überlaufen³ *adj* overcrowded; (*mit Touristen*) overrun.

Überläufer(in *f*) *m* (*Mil*) deserter; (*Mil auch, Pol*) turncoat.

Überlaufrohr *nt* overflow pipe.

überleben* *insep* **I** *vti* **1.** *Unglück, Operation* to survive; *die Nacht auch* to last, to live through. **das überlebe ich nicht!** (*inf*) it'll be the death of me (*inf*); **Sie werden es sicher ~** (*iro*) it won't kill you, you'll survive.

2. (*länger leben als*) to outlive, to survive (*um* by).

II *vr* **das hat sich überlebt** that's had its day; **diese Mode überlebt sich ganz schnell** this fashion will soon be a thing of the past.

Überlebende(r) *mf decl as adj* survivor.

Überlebenschance *f* chance of survival.

Überlebensgröße *f* **in ~** larger than life.

Überlebenstraining *nt* survival training.

überlegen¹* *insep* **I** *vi* (*nachdenken*) to think. **überleg doch mal!** think!; **hin und her ~** to deliberate; **ich habe hin und her überlegt** I've thought about it a lot; **ohne zu ~** without thinking; (*ohne zu zögern*) without thinking twice.

II *vt* (*überdenken, durchdenken*) to think over *or* about, to consider. **das werde ich mir ~** I'll think it over, I'll think about it, I'll give it some thought; **ich habe es mir anders/noch mal überlegt** I've changed my mind/I've had second thoughts about it; **wollen Sie es sich** (*dat*) **nicht noch einmal ~?** won't you think it over again?, won't you reconsider?; **das muß ich mir noch sehr ~** I'll have to think it over *or* consider it very carefully; **das hätten Sie sich** (*dat*) **vorher ~ müssen** you should have thought of *or* about that before *or* sooner; **es wäre zu ~** it should be considered.

überlegen² *sep vt* **jdm etw ~** to put *or* lay sth over sb.

überlegen³ **I** *adj* superior; (*hochmütig auch*) supercilious. **jdm ~ sein** to be superior to sb; **das war ein ~er Sieg** that was a good *or* convincing victory. **II** *adv* in a superior manner *or* fashion. **Bayern München hat ~ gesiegt** Bayern Munich won convincingly.

Überlegenheit *f, no pl* superiority; (*Hochmut auch*) superciliousness.

überlegt **I** *adj* (well-)considered. **II** *adv* in a considered way.

Überlegung *f* **1.** (*Nachdenken*) consideration, thought, reflection. **bei näherer/ nüchterner ~** on closer examination/on reflection; **das wäre wohl einer ~ wert** that would be worth thinking about *or* over, that would be worth considering *or* worthy of consideration; **ohne ~** without thinking.

2. (*Bemerkung*) observation. **~en anstellen** to make observations (*zu* about *or* on); **~en vortragen** to give one's views (*zu* on *or* about).

überleiten *sep* **I** *vt* Thema, Abschnitt to link up (*in* +*acc* to, with). **II** *vi* **zu etw ~** to lead up to sth; **in eine andere Tonart ~** (*Mus*) to change key.

Überleitung *f* connection; (*zur nächsten Frage, Mus*) transition.

überlesen* *vt insep irreg* **1.** (*flüchtig lesen*) to glance through *or* over *or* at. **2.** (*übersehen*) to overlook, to miss.

überliefern* *vt insep* Brauch, Tradition to hand down. **das Manuskript ist nur als Fragment überliefert** the manuscript has only come down to us in fragmentary form.

Überlieferung *f* **1.** tradition. **schriftliche ~en** (written) records. **2.** (*Brauch*) tradition, custom. **an der ~ festhalten** to hold on to tradition; **nach alter ~** according to tradition.

überlisten* *vt insep* to outwit.

überm *contr of* über dem.

übermachen* *vt insep* (*old: vermachen*) to make over (*dat* to).

Übermacht *f, no pl* superior strength *or* might; (*fig: von Gefühlen, Ideologie*) predominance. **in der ~ sein** to have the greater strength.

übermächtig *adj* Gewalt, Stärke superior; Feind, Opposition powerful, strong; Wunsch, Bedürfnis overpowering; (*fig*) Institution, Rauschgift all-powerful.

übermalen *vt sep* to paint over.

übermannen* *vt insep* (*geh*) to overcome.

Übermaß *nt, no pl* excess, excessive amount (*an* +*acc* of). **im ~ to** *or* in excess; **er hat Zeit im ~** he has more than enough time.

übermäßig **I** *adj* **1.** excessive; Schmerz, Sehnsucht violent; Freude intense. **das war nicht ~** that was not too brilliant. **2.** (*Mus*) Intervall augmented.
    II *adv* excessively; essen/trinken *auch* to excess. **sich ~ anstrengen** to overdo things; **er hat sich nicht ~ bemüht** he didn't exactly overexert himself.

Übermensch *m* **1.** (*Philos*) superman. **2.** (*fig inf*) superman; superwoman. **ich bin doch kein ~** I'm not superman/superwoman.

übermenschlich *adj* superhuman. **Ü~es leisten** to perform superhuman feats.

übermitteln* *vt insep* to convey (*jdm* to sb); (*telephonisch*) to transmit, to send.

Übermitt(e)lung *f siehe vt* conveyance; transmission, sending.

übermorgen *adv* the day after tomorrow. **~ abend/früh** the day after tomorrow in the evening/morning.

übermüden* *vt insep usu ptp* to overtire.

Übermüdung *f* overtiredness.

Übermüdungs|erscheinung *f* sign of overtiredness/fatigue.

Übermut *m* high spirits *pl*. **vor lauter ~ wußten die Kinder nicht, was sie tun sollten** the children were so full of high spirits that they didn't know what to do with themselves; **~ tut selten gut** (*prov*) (*zu Kindern*) it'll end in tears.

übermütig *adj* **1.** (*ausgelassen*) highspirited, boisterous. **2.** (*zu mutig*) cocky

(*inf*).

übern *contr of* über den.

übernächste(r, s) *adj attr* next ... but one. **das ~ Haus** the next house but one; **die ~ Woche** the week after next; **am ~n Tag war er ...** two days later *or* the next day but one he was ...; **er kommt ~en Freitag** he's coming a week on Friday *or* (on) Friday week.

übernachten* *vi insep* to sleep; (*in Hotel, Privathaus auch*) to stay; (*eine Nacht*) to spend *or* stay the night. **bei jdm ~** to stay with sb, to sleep *or* stay at sb's place.

übernächtigt, übernächtig *adj* blearyeyed.

Übernachtung *f* overnight stay. **~ und Frühstück** bed and breakfast.

Übernahme *f -, -n* **1.** takeover; (*das Übernehmen*) taking over; (*von Ausdruck, Ansicht*) adoption; (*von Zitat, Wort*) borrowing. **seit der ~ des Geschäfts durch den Sohn** since the son took over the business.
    2. (*von Amt*) assumption; (*von Verantwortung auch*) acceptance. **durch ~ dieser Aufgabe** by taking on *or* undertaking this task; **er hat sich zur ~ der Kosten/Hypothek verpflichtet** he has undertaken to pay the costs/mortgage; **bei ~ einer neuen Klasse** when taking charge of a new class.

Übernahme|angebot *nt*, **Übernahme-|offerte** *f* takeover bid.

übernational *adj* supranational.

übernatürlich *adj* supernatural.

übernehmen¹* *insep irreg* **I** *vt* **1.** to take; Aufgabe, Arbeit to take on, to undertake; Verantwortung to take on, to assume, to accept; Kosten, Hypothek to agree to pay; (*Jur*) Fall to take (on); jds Verteidigung to take on; (*kaufen*) to buy. **den Befehl** *or* **das Kommando ~** to take command *or* charge; **seit er das Amt übernommen hat** since he assumed office; **er übernimmt Ostern eine neue Klasse** he's taking charge of a new class at Easter; **lassen Sie mal, das übernehme ich!** let me take care of that.
    2. (*stellvertretend, ablösend*) to take over (*von* from); Ausdruck, Ansicht *auch* to adopt; Zitat, Wort to take, to borrow.
    3. Geschäft, Praxis to take over.
    II *vr* to take on *or* undertake too much; (*sich überanstrengen*) to overdo it; (*beim Essen*) to overeat. **~ Sie sich nur nicht!** (*iro*) don't strain yourself! (*iro*).

übernehmen² *vt sep irreg* Cape etc to put on. **das Gewehr ~** (*Mil*) to slope arms.

übernervös *adj* highly strung.

über|ordnen *vt sep* **1.** jdn jdm ~ to put *or* place *or* set sb over sb; *siehe* übergeordnet. **2.** einer Sache (*dat*) übergeordnet sein to have precedence over sth, to be superordinate to sth.

überparteilich *adj* non-party *attr*, nonpartisan; (*Parl*) Problem all-party *attr*, crossbench *attr* (*Brit*); Amt, Präsident above party politics.

Überparteilichkeit *f* non-partisanship.

Überproduktion f overproduction.
überprüfbar adj checkable.
überprüfen* vt insep (auf +acc for) to check; Gepäck auch, Maschine, Waren, (Fin) Bücher to inspect, to examine; Entscheidung, Lage, Frage to examine, to review; Ergebnisse, Teilnehmer to scrutinize; (Pol) jdn to screen. **etw erneut ~** to re-check/re-examine sth/ scrutinize sth again; **die Richtigkeit von etw ~** to check (the correctness of) sth.
Überprüfung f **1.** no pl siehe vt checking; inspection, examination; review; scrutiny; (Pol) screening. **nach ~ der Lage** after reviewing the situation, after a review of the situation. **2.** (Kontrolle) check, inspection.
überquellen vi sep irreg aux sein to overflow (von, mit with); (Cook) (Teig) to rise over the edge; (Reis) to boil over. **die Augen quollen ihm über** his eyes grew as big as saucers.
überqueren* vt insep to cross.
überragen1* vt insep **1.** (lit: größer sein) to tower above. **2.** (fig: übertreffen) to outshine (an +dat, in +dat in).
überragen2 vi sep (senkrecht) to protrude; (waagerecht) to jut out, to project.
überragend adj (fig) outstanding; Bedeutung auch paramount.
überraschen* vt insep to surprise; (überrumpeln auch) to take by surprise. **jdn bei etw ~** to surprise or catch sb doing sth; **jdn mit etw ~** to surprise sb with sth; **von einem Gewitter überrascht werden** to be caught in a storm; **lassen wir uns ~!** let's wait and see!
überraschend adj surprising; Besuch surprise attr; Tod, Weggang unexpected. **eine ~e Wendung nehmen** to take an unexpected turn; **das kam (für uns) völlig ~** that came as a complete surprise or (Sterbefall) shock (to us); **er mußte ~ nach Köln fahren** he had to go to Cologne unexpectedly.
überraschenderweise adv surprisingly.
überrascht adj surprised (über +acc at). **jdn ~ ansehen** to look at sb in surprise; **sich von etw (nicht) ~ zeigen** to show (no) surprise at sth; **da bin ich aber ~!** that's quite a surprise.
Überraschung f surprise. **zu meiner (größten) ~** to my (great) surprise, much to my surprise; **Mensch, ist das eine ~!** (inf) well, that's a surprise (and a half inf)!; **für eine ~ sorgen** to have a surprise in store; **mit ~ mußte ich sehen** or **feststellen, daß ...** I was surprised to see that ...
Überraschungsangriff m surprise attack; **Überraschungseffekt** m shock effect; **Überraschungsmoment** nt moment of surprise; **Überraschungssieger(in** f) m (Sport) surprise winner.
überreagieren* vi insep to overreact.
Überreaktion f overreaction.
überreden* vt insep to persuade, to talk round. **jdn ~, etw zu tun** to persuade sb to do sth, to talk sb into doing sth; **jdn zu etw ~** to talk sb into sth; **laß dich nicht ~** don't (let yourself) be talked

into anything.
Überredung f persuasion.
Überredungskunst f persuasiveness. **all ihre Überredungskünste** all her powers of persuasion.
überregional adj national; Zeitung, Sender auch nationwide.
überreich adj lavish, abundant; (zu reich) overabundant. **~ an etw (dat)** overflowing with sth; **jdn ~ beschenken** to lavish presents on sb.
überreichen* vt insep (jdm) etw ~ to hand sth over (to sb); (feierlich) to present sth (to sb).
überreichlich adj ample, abundant; (zu reichlich) overabundant. **in ~em Maße** in abundance; **~ essen/trinken** to eat/ drink more than ample.
Überreichung f presentation.
überreif adj overripe.
überreizen* insep **I** vt to overtax; Phantasie to overexcite; Nerven, Augen to overstrain. **II** vtr (Cards) to overbid.
überreizt adj overtaxed; Augen overstrained; (nervlich) overwrought; (zu erregt) overexcited.
überrennen* vt insep irreg to run down; (Mil) to overrun; (fig) to overwhelm.
überrepräsentiert adj overrepresented.
Überrest m remains pl; (letzte Spur: von Ruhm, Selbstachtung auch) remnant, vestige.
überrieseln* vt insep Wiese to water, to spray; (mit Gräben) to irrigate. **ein Schauer überrieselte ihn** a shiver ran down his spine; **es überrieselt mich kalt, wenn ...** it makes my blood run cold or sends a shiver down my spine when ...
Überrollbügel m (Aut) roll bar.
überrollen* vt insep to run down; (Mil, fig) to overrun. **wir dürfen uns von ihnen nicht ~ lassen** we mustn't let them steamroller us.
überrumpeln* vt insep (inf) to take by surprise, to take or catch unawares; (überwältigen) to overpower. **jdn mit einer Frage ~** to throw sb with a question.
Überrump(e)lung f surprise attack; (Überwältigung) overpowering. **durch ~** with a surprise attack.
Überrump(e)lungstaktik f surprise tactics pl.
überrunden* vt insep (Sport) to lap; (fig) to outstrip.
übers prep +acc **1.** contr of über das. **2.** (old) ~ **Jahr** in a year.
übersäen* vt insep to strew; (mit Abfall auch) to litter. **übersät** strewn; (mit Abfall auch) littered; (mit Sternen) Himmel studded; (mit Narben) covered.
übersatt adj more than full or replete (von with).
übersättigen* vt insep to satiate; Markt to glut, to oversaturate; (Chem) to supersaturate. **übersättigt sein** (Menschen) to be sated with luxuries; **das reizt ihn nicht mehr, er ist schon übersättigt** that doesn't hold any attraction for him any more, he has had a surfeit.
Übersättigung f satiety; (des Marktes) glut, oversaturation; (Chem) supersatu-

ration.

Überschall- *in cpds* supersonic; **Überschallflugzeug** *nt* supersonic aircraft, SST (*US*); **Überschallgeschwindigkeit** *f* supersonic speed; **mit ~ fliegen** to fly supersonic *or* at supersonic speeds; **Überschallknall** *m* sonic boom.

überschatten* *vt insep* (*geh*) (*lit, fig*) to overshadow; (*fig: trüben*) to cast a shadow *or* cloud over.

überschätzen* *vt insep* to overrate, to overestimate; *Entfernung, Zahl* to overestimate.

Überschätzung *f* overestimation.

überschaubar *adj Plan, Gesetzgebung* easily comprehensible, clear. **damit die Abteilung ~ bleibt** so that one can keep a general overview of *or* keep track of (*inf*) the department; **die Folgen sind noch nicht ~** the consequences cannot yet be clearly seen.

Überschaubarkeit *f* comprehensibility, clarity. **zum Zwecke der besseren ~** to give (you) a better idea.

überschauen* *vt insep siehe* **überblicken**.

überschäumen *vi sep aux sein* to froth *or* foam over; (*fig*) to brim *or* bubble (over) (*vor +dat* with); (*vor Wut*) to seethe. **~de Begeisterung** exuberant *or* effervescent *or* bubbling enthusiasm.

überschlafen* *vt insep irreg Problem* to sleep on.

Überschlag *m* 1. (*Berechnung*) (rough) estimate. 2. (*Drehung*) somersault (*auch Sport*); (*Aviat: Looping*) loop. **einen ~ machen** to turn *or* do a somersault; (*Aviat*) to loop the loop.

überschlagen¹* *insep irreg* I *vt* 1. (*auslassen*) to skip, to miss.
   2. (*berechnen*) *Kosten* to estimate (roughly).
   II *vr* 1. to somersault; (*Auto auch*) to turn over; (*Mensch: versehentlich auch*) to go head over heels; (*fig: Ereignisse*) to come thick and fast. **sich vor Hilfsbereitschaft/Freundlichkeit** (*dat*) **~** to fall over oneself to be helpful/friendly; **nun überschlag dich mal nicht!** don't get carried away.
   2. (*Stimme*) to crack.

überschlagen² *sep irreg* I *vt Beine* to cross; *Arme* to fold; *Decke* to fold *or* turn back. **mit übergeschlagenen Beinen/Armen** with one's legs crossed/arms folded. II *vi aux sein* 1. (*Wellen*) to break. 2. (*Stimmung*) **in etw** (*acc*) **~** to turn into sth.

überschlagen³ *adj Flüssigkeit* lukewarm, tepid; *Zimmer* slightly warm.

überschlägig *adj* rough, approximate; **Überschlaglaken** *nt* top sheet; **überschläglich** *adj* rough, approximate; **überschlank** *adj* too thin; **überschlau** *adj* (*inf*) too clever by half, clever-clever (*inf*), smart-aleck *attr* (*inf*).

überschnappen *vi sep aux sein* (*Stimme*) to crack, to break; (*inf: Mensch*) to crack up (*inf*); *siehe* **übergeschnappt**.

überschneiden* *vr insep irreg* (*Linien*) to intersect; (*Flächen, fig: Themen, Interessen, Ereignisse*) to overlap; (*völlig*) to coincide; (*unerwünscht*) to clash.

Überschneidung *f siehe vr* intersection; overlap *no pl*; coincidence; clash.

überschreiben* *vt insep irreg* 1. (*betiteln*) to head. 2. (*übertragen*) **etw jdm** *or* **auf jdn ~** to make *or* sign sth over to sb. 3. (*Comput*) *Daten, Diskette* to overwrite.

überschreien* *vt insep irreg* to shout down.

überschreiten* *vt insep irreg* to cross; (*fig*) to exceed; *Höhepunkt, Alter* to pass. **die Grenze des Erlaubten/des Anstands ~** to go beyond what is permissible/decent.

Überschrift *f* heading; (*Schlagzeile*) headline.

Überschuh *m* overshoe, galosh *usu pl*.

überschuldet *adj* heavily in debt; *Grundstück* heavily mortgaged.

Überschuß *m* surplus (*an +dat* of).

Überschußbeteiligung *f* surplus sharing.

überschüssig *adj* surplus.

Überschußland *nt* country producing a surplus; **Überschußproduktion** *f* surplus production.

überschütten* *vt insep* 1. (*bedecken*) **jdn/etw mit etw ~** to tip sth onto sb/sth, to cover sb/sth with sth; (*mit Flüssigkeit*) to pour sth onto sb/sth.
   2. (*überhäufen*) **jdn mit etw ~** to shower sb with sth, to heap sth on sb; *mit Vorwürfen* to heap sth on sb.

Überschwang *m* -(e)s, *no pl* exuberance. **im ~ der Freude/der Gefühle** in one's joyful exuberance/in exuberance; **im ersten ~** in the first flush of excitement.

überschwappen *vi sep aux sein* to splash over; (*aus Tasse, Teller auch*) to slop over; (*sich ausbreiten*) to spill over. **die von Amerika nach Europa ~de Drogenwelle** the drug wave spilling over from America into Europe.

überschwemmen* *vt insep* (*lit, fig*) to flood; (*Touristen*) *Land auch* to overrun, to inundate *usu pass*; (*Angebote, Anträge*) *Inserenten, Behörde auch* to inundate *usu pass*, to deluge *usu pass*; *Verbraucher, Leser* to swamp.

Überschwemmung *f* (*lit*) flood; (*das Überschwemmen*) flooding *no pl*; (*fig*) inundation; (*von Verbrauchern, Lesern*) swamping. **es kam zu ~en** there was a lot of flooding *or* were a lot of floods.

Überschwemmungsgebiet *nt* (*überschwemmtes Gebiet*) flood area; (*Geog*) floodplain; **Überschwemmungsgefahr** *f* danger of flooding; **Überschwemmungskatastrophe** *f* flood disaster.

überschwenglich *adj* effusive, gushing (*pej*).

Übersee *no art* **in/nach ~** overseas; **aus/von ~** from overseas; **Briefe für ~** overseas letters, letters to overseas destinations; **Besitzungen in ~ haben** to have overseas territories *or* territories overseas.

Überseedampfer *m* ocean liner; **Überseehafen** *m* international port; **Überseehandel** *m* overseas trade.

überseeisch ['y:bze:ɪʃ] *adj* overseas *attr*.

Überseekabel *nt* transoceanic cable; (*im Atlantik*) transatlantic cable;

Überseekoffer *m* trunk; **Übersee-verkehr** *m* overseas traffic.

übersehbar *fig*) (*erkennbar*) Folgen, Zu-sammenhänge clear; (*abschätzbar*) Ko-sten, Dauer assessable. **dieses Fachgebiet ist nicht mehr ~** it is no longer possible to have an overall view of this subject; **die Folgen sind klar/schlecht ~** the con-sequences are quite/not very clear; **der Schaden ist noch gar nicht ~** the damage cannot be assessed yet.

übersehen[1]* *vt insep irreg* **1.** (*lit*) Gegend to look over, to have a view of.

2. (*erkennen, Bescheid wissen über*) Folgen, Zusammenhänge, Sachlage to see clearly; *Fachgebiet* to have an over-all view of; (*abschätzen*) Schaden, Ko-sten, Dauer to assess.

3. (*ignorieren, nicht erkennen*) to overlook; (*nicht bemerken*) to miss, to fail to see *or* notice. **~, daß ...** to over-look the fact that ...; **etw stillschweigend ~** to pass over sth in silence.

übersehen[2] *vt sep irreg sich* (*dat*) etw ~ to get *or* grow tired *or* to tire of seeing sth.

übersein *vi sep irreg aux sein* (*Zusam-menschreibung nur bei infin und ptp*) (*inf*) jdm ist etw über sb is fed up with sth (*inf*).

übersenden* *vt insep irreg* to send; Geld *auch* to remit (*form*). **hiermit ~ wir Ih-nen ...** please find enclosed ...

übersetzbar *adj* translatable. **leicht/schwer ~** easy/hard to translate.

übersetzen[1]* *vti insep* **1.** to translate. **aus dem** *or* **vom Englischen ins Deutsche ~** to translate from English into German; **ein Buch aus dem Englischen ~** to translate a book from (the) English; **etw falsch ~** to mistranslate sth; **sich leicht/schwer ~ lassen** to be easy/hard to translate; **sich gut/schlecht ~ lassen** to translate well/badly.

2. (*Tech*) (*umwandeln*) to translate; (*übertragen*) to transmit.

übersetzen[2] *sep* **I** *vt* (*mit Fähre*) to take *or* ferry across. **II** *vi aux sein* to cross (over).

Übersetzer(in *f*) *m* **-s, -** translator.

Übersetzung *f* **1.** translation. **2.** (*Tech*) (*Umwandlung*) translation; (*Übertra-gung*) transmission; (*Herab~, Herauf~*) change in the transmission ratio; (*~sverhältnis*) transmission *or* gear ra-tio.

Übersetzungsbüro *nt* translation bureau *or* agency; **Übersetzungsfehler** *m* translation error, error in translation; **Übersetzungsverhältnis** *nt* (*Tech*) transmission *or* gear ratio.

Übersicht *f* **1.** *no pl* (*Überblick*) overall view. **die ~ verlieren** to lose track of things *or* of what's going on. **2.** (*Abriß, Resümee*) survey; (*Tabelle*) table.

übersichtlich *adj* Gelände open; (*erfaß-bar*) Darstellung clear. **eine Bibliothek muß ~ sein** a library should be clearly laid out.

Übersichtlichkeit *f siehe adj* openness; clarity.

Übersichtskarte *f* general map.

übersiedeln *sep*, **übersiedeln*** *insep vi*

aux sein to move (*von* from, *nach, in* +*acc* to).

Übersied(e)lung [*auch* 'y:bɐ-] *f* (*das Übersiedeln*) moving; (*Umzug*) move, removal (*form*).

Übersiedler(in *f*) *m* migrant; East Ger-man resettler.

übersinnlich *adj* supersensory; (*überna-türlich*) supernatural.

überspannen* *vt insep* **1.** (*Brücke, Decke*) to span. **etw mit Leinwand/Folie ~** to stretch canvas/foil over sth, to cover sth with canvas/foil. **2.** (*zu stark spannen*) to put too much strain on; (*fig*) Forderungen to push too far.

überspannt *adj* Ideen, Forderungen wild, extravagant; (*exaltiert*) eccentric; (*hyste-risch*) hysterical; Nerven overexcited.

Überspannung *f* (*Elec*) overload.

überspielen* *vt insep* **1.** (*verbergen*) to cover (up). **2.** (*übertragen*) Aufnahme to transfer. **ein Platte (auf Band) ~** to tape a record, to put a record on *or* transfer a record to tape. **3.** (*Sport*) to pass; (*aus-spielen, klar besiegen*) to outplay.

überspitzen* *vt insep* to carry too far, to exaggerate; Argument to overstate.

überspitzt **I** *adj* (*zu spitzfindig*) over-subtle, fiddly (*inf*); (*übertrieben*) exag-gerated; Argument overstated. **II** *adv* oversubtly; in an exaggerated fashion.

übersprechen* *vt insep irreg* to speak over.

überspringen[1]* *vt insep irreg* **1.** Hinder-nis, Höhe to jump, to clear. **2.** (*weiter springen als*) to jump more than. **die 2-m-Marke ~** to jump more than 2 metres. **3.** (*auslassen*) Klasse to miss (out), to skip; Kapitel, Lektion auch to leave out.

überspringen[2] *vi sep irreg aux sein* (*lit, fig*) to jump (*auf* +*acc* to); (*Begeiste-rung*) to spread quickly (*auf* +*acc* to).

übersprudeln *vi sep aux sein* (*lit, fig*) to bubble over (*vor* with); (*beim Kochen*) to boil over. **~d** (*fig*) bubbling, effervescent.

überspülen* *vt insep* to flood; (*Wellen auch*) to wash over. **überspült sein** to be awash.

überstaatlich *adj* supranational.

überstehen[1]* *vt insep irreg* (*durchstehen*) to come *or* get through; (*überleben*) to survive; (*überwinden*) to overcome; Ge-witter to weather, to ride out; Krankheit to get over, to recover from. **etw lebend ~** to survive sth, to come out of sth alive; **das Schlimmste ist jetzt überstan-den** the worst is over now; **bei überstandener Gefahr** when the danger was past; **das wäre überstanden!** thank heav-ens that's over.

überstehen[2] *vi sep irreg aux haben or sein* to jut *or* stick out, to project. **um 10 cm ~** to jut out *or* stick out 10cm.

übersteigen* *vt insep irreg* **1.** (*klettern über*) to climb over. **2.** (*hinausgehen über*) to exceed, to go beyond; (*Philos, Liter: transzendieren*) to transcend.

übersteigern* *insep* **I** *vt* Preise, Tempo to force up; Forderungen to push too far.

II *vr* to get carried away.

übersteigert *adj* excessive. **an einem ~en Selbstbewußtsein leiden** to have an inflated view of oneself.

Übersteigerung *f* (*von Emotionen*) excess; (*von Forderungen*) pushing too far.

überstellen* *vt insep* (*Admin*) to hand over.

übersteuern* *insep* **I** *vi* (*Aut*) to oversteer. **II** *vt* (*Elec*) to overmodulate.

überstimmen* *vt insep* to outvote; *Antrag* to vote down.

überstrapazieren* *insep* to wear out; *Ausrede* to wear thin. **überstrapaziert** worn out, outworn; thin.

überstreichen* *vt insep irreg* to paint/ varnish over.

überstreifen *vt sep* (**sich** *dat*) **etw ~** to slip sth on.

überströmen* *vt insep* (*überfluten*) to flood. **von Schweiß/Blut überströmt sein** to be streaming *or* running with sweat/ blood.

überstülpen *vt sep* **sich** (*dat*) **etw ~** to put on sth; **jdm/einer Sache etw ~** to put sth on sb/sth.

Überstunde *f* hour of overtime. **~n** overtime *sing*; **~n/zwei ~n machen** to do *or* work overtime/two hours overtime.

Überstundenzuschlag *m* overtime allowance. **der ~ beträgt 50%** overtime is paid at time and a half.

überstürzen* *insep* **I** *vt* to rush into; *Entscheidung auch* to rush. **man soll nichts ~** (*prov*) look before you leap (*Prov*).

     II *vr* (*Ereignisse*) to happen in a rush; (*Nachrichten*) to come fast and furious; (*Worte*) to come tumbling out. **sich beim Sprechen ~** to speak all in a rush.

überstürzt *adj* overhasty, precipitate.

Überstürzung *f* (*das Überstürzen*) rushing (+*gen* into); (*Hast*) rush.

übertariflich *adj, adv* above the agreed *or* union rate.

überteuern* *vt insep Waren* to overcharge for; *Preis* to inflate, to force up.

überteuert *adj* overexpensive; *Preise* inflated, excessive.

übertippen* *vt insep* to type over.

übertölpeln* *vt insep* to take in, to dupe.

übertönen* *vt insep* to drown.

Übertrag *m* -(e)s, ⁻e amount carried forward *or* over.

übertragbar *adj* transferable (*auch Jur, Comput*); *Methode, Maßstab* applicable (*auf* +*acc* to); *Ausdruck* translatable (*in* +*acc* into); *Krankheit* communicable (*form*) (*auf* +*acc* to), infectious; (*durch Berührung*) contagious.

übertragen¹* *insep irreg* **I** *vt* **1.** (*an eine andere Stelle bringen, an jdn übergeben*) to transfer (*auch Jur, Psych, Comput*); *Krankheit* to pass on, to transmit, to communicate (*auf* +*acc* to); (*Tech*) *Bewegung* to transmit.

     2. (*an eine andere Stelle schreiben*) to transfer; (*kopieren*) to copy (out); (*transskribieren*) to transcribe.

     3. (*übersetzen*) to render (*in* +*acc* into).

     4. (*anwenden*) *Methode, Maßstab* to apply (*auf* +*acc* to).

     5. (*Mus: in andere Tonart*) to transpose.

     6. etw auf Band ~ to tape sth, to record sth (on tape); **eine Platte auf Band ~** to transfer a record to tape, to tape a record.

     7. (*verleihen*) *Auszeichnung, Würde* to confer (*jdm* on sb); *Vollmacht, Verantwortung* to give (*jdm* sb).

     8. (*auftragen*) *Aufgabe, Mission* to assign (*jdm* to sb).

     9. (*TV, Rad*) to broadcast, to transmit. **etw im Fernsehen ~** to televise sth, to broadcast sth on television; **durch Satelliten ~ werden** to be broadcast *or* sent by satellite.

     II *vr* (*Eigenschaft, Krankheit*) to be passed on *or* communicated *or* transmitted (*auf* +*acc* to); (*Tech*) to be transmitted (*auf* +*acc* to); (*Heiterkeit*) to communicate itself, to spread (*auf* +*acc* to). **seine Fröhlichkeit hat sich auf uns ~** we were infected by his happiness.

übertragen² *adj Bedeutung* figurative.

Überträger *m* (*Med*) carrier.

Übertragung *f siehe vt* **1.** transference, transfer (*auch Comput*); passing on, transmission, communication.

     2. transference; copying (out); transcription.

     3. rendering.

     4. application.

     5. transposition.

     6. „~ auf andere Tonträger verboten" "recording forbidden in any form"; **die ~ von Platten auf Tonband** the taping of records, the transfer of records to tape.

     7. conferral; giving.

     8. assignment.

     9. broadcasting, transmission; (*Sendung*) broadcast, transmission.

Übertragungsbilanz *f* (*Econ*) balance on transfer account.

Übertragungswagen *m* outside broadcast unit.

übertreffen* *insep irreg* **I** *vt* to surpass (*an* +*dat* in); (*mehr leisten als auch*) to do better than, to outdo, to outstrip; (*übersteigen auch*) to exceed; *Rekord* to break. **jdn an Intelligenz/Schönheit ~** to be more intelligent/beautiful than sb; **jdn um vieles *or* bei weitem ~** to surpass sb by far; **alle Erwartungen ~** to exceed *or* surpass all expectations; **er ist nicht zu ~** he is unsurpassable.

     II *vr* **sich selbst ~** to surpass *or* excel oneself.

übertreiben* *vt insep irreg* **1.** (*auch vi: aufbauschen*) to exaggerate. **der „Macbeth" übertrieb stark** Macbeth overacted a lot.

     2. (*zu weit treiben*) to overdo, to carry *or* take too far *or* to extremes. **es mit der Sauberkeit ~** to carry cleanliness too far; **man kann es auch ~** you can overdo things, you can go too far.

Übertreibung *f* **1.** exaggeration; (*theatralisch*) overacting *no pl*. **man kann ohne ~ sagen …** it's no exaggeration to say …

     2. **ihre ~ der Sparsamkeit/Sauberkeit**

the way she carries economy/cleanliness too far *or* to extremes; **etw ohne ~ tun** to do sth without overdoing it.

übertreten[1] *vi sep irreg aux sein* **1.** (*Fluß*) to break its banks, to flood. **2.** (*zu anderer Partei*) to go over (*zu* to); (*in andere Schule*) to move (*in +acc* to); (*zu anderem Glauben*) to convert to. **3.** (*im Sport*) to overstep.

übertreten[2]* *vt insep irreg Grenze* to cross; (*fig*) *Gesetz, Verbot* to break, to infringe, to violate.

Übertretung *f* (*von Gesetz*) violation, infringement; (*Jur: strafbare Handlung*) misdemeanour.

übertrieben *adj* exaggerated; (*zu stark, übermäßig*) *Vorsicht, Training* excessive.

Übertriebenheit *f* exaggeratedness; (*Übermäßigkeit*) excessiveness.

Übertritt *m* (*über Grenze*) crossing (*über +acc* of); (*zu anderem Glauben*) conversion; (*zu anderer Partei*) defection; (*in andere Schule*) move (*in +acc* to). **die Zahl der ~e zur demokratischen Partei** the number of people going over to the democratic party.

übertrumpfen *vt insep* (*Cards*) to overtrump; (*fig*) to outdo.

übertun *vt sep irreg sich* (*dat*) **einen Mantel ~** (*inf*) to put a coat on; **jdm einen Schal ~** to put a scarf on sb.

übertünchen *vt insep* to whitewash; (*mit Farbton*) to distemper; (*fig*) to cover up.

über|übermorgen *adv* (*inf*) in three days, the day after the day after tomorrow.

Übervater *m* overlord.

überversichern* *vt insep* to overinsure.

Überversicherung *f* overinsurance.

übervölkern* *vt insep* to overpopulate.

Übervölkerung *f* overpopulation.

übervoll *adj* overfull (*von* with), too full; (*von Menschen, Sachen auch*) crammed (*von* with); *Glas* full to overflowing.

übervorsichtig *adj* overcautious.

übervorteilen* *vt insep* to cheat.

Übervorteilung *f* cheating.

überwachen* *vt insep* (*kontrollieren*) to supervise; (*beobachten*) to keep a watch on, to observe; *Verdächtigen* to keep under surveillance, to keep a watch on, to watch; (*auf Monitor, mit Radar, fig*) to monitor.

Überwachung *f siehe vt* supervision; observation; surveillance; monitoring.

Überwachungsstaat *f* police state.

überwältigen* *vt insep* **1.** (*lit*) to overpower; (*zahlenmäßig*) to overwhelm; (*bezwingen*) to overcome. **2.** (*fig*) (*Schlaf, Mitleid, Angst*) to overcome; (*Musik, Schönheit*) to overwhelm.

überwältigend *adj* overwhelming; *Schönheit* stunning; *Gestank, Gefühl auch* overpowering. **nicht gerade ~** nothing to write home about (*inf*).

überwechseln *vi sep aux sein* to move (*in +acc* to); (*zu Partei etc*) to go over (*zu* to); (*Wild*) to cross over.

Überweg *m* **~ für Fußgänger** pedestrian crossing.

überweisen* *vt insep irreg Geld* to transfer (*an +acc, auf +acc* to); (*weiterleiten*) *Vorschlag, Patienten* to refer (*an +acc* to). **mein Gehalt wird direkt auf mein Bankkonto überwiesen** my salary is paid directly into my bank account.

Überweisung *f* (*Geld~*) (credit) transfer, remittance; (*von Patient, Vorschlag*) referral.

Überweisungsauftrag *m* (credit) transfer order; **Überweisungsformular** *nt* (credit) transfer form; **Überweisungsschein** *m* letter of referral.

Überweite *f* large size. **Kleider in ~(n)** outsize dresses, dresses in the larger sizes.

überwerfen[1]* *vr insep irreg sich (mit jdm)** ~ to fall out (with sb).

überwerfen[2] *vt sep irreg* to put over; *Kleidungsstück* to put on; (*sehr rasch*) to throw on.

überwiegen* *insep irreg* **I** *vt* to outweigh. **II** *vi* (*das Übergewicht haben*) to be predominant, to predominate; (*das Übergewicht gewinnen*) to prevail.

überwiegend I *adj* predominant; *Mehrheit* vast. **II** *adv* predominantly, mainly.

überwinden* *insep irreg* **I** *vt* to overcome; *Schwierigkeiten, Hindernis auch* to surmount, to get over; *Enttäuschung, Angst, Scheu auch* to get over; (*hinter sich lassen*) to outgrow; *siehe* **überwunden.**

II *vr* to overcome one's inclinations. **sich ~, etw zu tun** to force oneself to do sth; **ich konnte mich nicht ~, das zu tun** *or* **nicht dazu ~** I couldn't bring myself to do it.

Überwindung *f* overcoming; (*von Schwierigkeiten, Hindernis auch*) surmounting; (*Selbst~*) will power. **das hat mich viel ~ gekostet** that was a real effort of will for me, that took me a lot of will power; **selbst bei der größten ~ könnte ich das nicht tun** I simply couldn't bring myself to do it.

überwintern* *vi insep* to (spend the) winter; (*Pflanzen*) to overwinter; (*inf: Winterschlaf halten*) to hibernate.

überwuchern* *vt insep* to overgrow, to grow over; (*fig*) to obscure.

überwunden *adj Standpunkt, Haltung* of the past; *Angst* conquered. **ein bis heute noch nicht ~es Vorurteil** a prejudice which is still prevalent today.

Überwurf *m* (*Kleidungsstück*) wrap; (*Ringen*) shoulder throw.

Überzahl *f, no pl* **in der ~ sein** to be in the majority; (*Feind*) to be superior in number; **die Frauen waren in der ~** the women outnumbered the men *or* were in the majority.

überzahlen* *vt insep Waren* to pay too much for.

überzählig *adj* (*überschüssig*) surplus; (*überflüssig*) superfluous; (*übrig*) spare.

überzeichnen* *vt insep* **1.** (*Fin*) *Anleihe* to oversubscribe. **2.** (*fig: übertrieben darstellen*) to exaggerate, to overdraw.

Überzelt *nt* fly sheet.

überzeugen* *insep* **I** *vt* to convince; (*umstimmen auch*) to persuade; (*Jur*) to satisfy. **er ließ sich nicht ~** he would not be convinced *or* persuaded, there was no convincing *or* persuading him; **ich bin davon überzeugt, daß ...** I am convinced *or* certain that ...; **Sie dürfen überzeugt sein, daß ...** you may rest assured *or* be certain that ...; **er ist sehr von sich überzeugt** he is very sure of himself.

II *vi* to be convincing, to carry conviction. **er konnte nicht ~** he wasn't convincing, he was unconvincing.

III *vr* **sich (selbst) ~** to convince oneself (*von* of), to satisfy oneself (*von* as to); (*mit eigenen Augen*) to see for oneself; **~ Sie sich selbst!** see for yourself!

überzeugend *adj* convincing.

überzeugt *adj attr* Anhänger, Vegetarier dedicated, convinced; *Christ, Moslem* devout, convinced.

Überzeugung *f* **1.** (*das Überzeugen*) convincing.

2. (*das Überzeugtsein*) conviction; (*Prinzipien*) convictions *pl*, beliefs *pl*. **meiner ~ nach ...** I am convinced (that) ..., it is my conviction that ...; **ich bin der festen ~, daß ...** I am firmly convinced *or* of the firm conviction that ...; **zu der ~ gelangen *or* kommen, daß ...**, **die ~ gewinnen, daß ...** to become convinced that ..., to arrive at the conviction that ...

Überzeugungsarbeit *f*, *no pl* convincing; **viel ~ leisten** to do a lot of convincing; **Überzeugungskraft** *f* persuasiveness, persuasive power; **Überzeugungstäter(in** *f*) *m* political/religious criminal.

überziehen¹* *insep irreg* **I** *vt* **1.** (*bedecken*) to cover; (*mit Schicht, Belag*) to coat; (*mit Metall*) to plate. **Polstermöbel neu ~ lassen** to have furniture recovered; **von Rost überzogen** covered in *or* coated with rust.

2. *Konto* to overdraw. **er hat sein Konto (um 500 Mark) überzogen** he has overdrawn his account (by 500 marks), he is (500 marks) overdrawn.

3. *Redezeit, Sendezeit* to overrun.

4. (*übertreiben*) **sein Benehmen wirkte überzogen** his behaviour seemed exaggerated *or* over the top (*inf*).

II *vi* (*Fin*) to overdraw one's account.

III *vr* (*sich bedecken: Himmel*) to cloud over, to become overcast. **der Himmel ist überzogen** the sky is overcast.

überziehen² *vt sep irreg* **1.** (sich *dat*) **etw ~** to put sth on. **2.** **jdm eins ~** (*inf*) to give sb a clout (*inf*), to clout *or* clobber sb (*inf*).

Überziehungskredit *m* overdraft provision.

überzüchten* *vt insep* to overbreed; *Motor* to overdevelop.

Überzug *m* **1.** (*Beschichtung*) coat(ing); (*aus Metall*) plating. **2.** (*Bett~, Sessel~*) cover; (*Kopfkissen~ auch*) (pillow)slip.

üblich *adj* usual; (*herkömmlich*) customary; (*typisch, normal*) normal. **wie ~** as usual; **es ist bei uns/hier ~ *or* das ~e, daß ...** it's usual for us/here to ..., it's the custom with us/here that ...; **das ist bei ihm so ~** that's usual for him; **allgemein ~ sein** to be common practice; **die**

allgemein ~en Bedingungen/Methoden the usual conditions/methods.

üblicherweise *adv* usually, normally.

Übliche(s) *nt decl as adj* **das ~** the usual things *pl*, the usual.

U-Boot *nt* submarine, sub (*inf*); (*esp Hist: der deutschen Marine*) U-boat.

U-Boot-Ausschnitt *m* (*Fashion*) boatneck; **U-Boot-gestützt** *adj* submarine-based; **U-Boot-Krieg** *m* submarine warfare *no art*.

übrig *adj* **1.** *attr* (*verbleibend*) rest of, remaining; (*andere auch*) other. **meine/die ~en Sachen** the rest of my/the things; **alle ~en Bücher** all the rest of the books, all the other *or* remaining books; **der ~e Teil des Landes** the rest of *or* remaining part of *or* remainder of the country.

2. *pred* left, left over, over; (*zu entbehren*) spare. **etw ~ haben** to have sth left/to spare; **haben Sie vielleicht eine Zigarette (für mich) ~?** could you spare (me) a cigarette?

3. (*mögen*) **für jdn/etw wenig/nichts ~ haben** not to have much/to have no time for sb/sth; **für jdn/etw etwas/viel ~ haben** to have a soft spot for *or* to be fond/ very fond of sb/sth, to have a liking/a great liking for sb/sth.

4. (*substantivisch*) **das ~e** the rest, the remainder; **alles ~e** all the rest, everything else; **die/alle ~en** the/all the rest *or* others; **im ~en** incidentally, by the way; **ein ~es tun** (*geh*) to do one more thing.

übrigbehalten *vt sep irreg* to have left over; **übrigbleiben** *vi sep irreg aux sein* to be left over, to remain; **wieviel ist übriggeblieben?** how much is left?; **da wird ihm gar nichts anderes ~** he won't have any choice *or* any other alternative; **was blieb mir anderes übrig als ...?** what choice did I have but ...?

übrigens *adv* incidentally, by the way.

übriglassen *vt sep irreg* to leave (*jdm* for sb). (**einiges**)/**viel zu wünschen ~** (*inf*) to leave something/a lot to be desired.

Übung *f* **1.** *no pl* (*das Üben, Geübtsein*) practice. **das macht die ~, das ist alles nur ~** it's a question of practice, it comes with practice; **aus der ~ kommen/außer ~ sein** to get/be out of practice; **in ~ bleiben** to keep in practice, to keep one's hand in (*inf*); **zur ~ for** *or* as practice; **~ macht den Meister** (*Prov*) practice makes perfect (*Prov*).

2. (*Veranstaltung*) practice; (*Mil, Sport, Sch*) exercise; (*Feuerwehr~*) exercise, drill; (*Univ: Kursus*) seminar.

Übungsarbeit *f* (*Sch*) practice *or* mock test; **Übungsaufgabe** *f* (*Sch*) exercise; **Übungsbuch** *nt* (*Sch*) book of exercises; **Übungsflug** *m* practice flight; **übungshalber** *adv* for practice; **Übungsheft** *nt* (*Sch*) exercise book; **Übungsmunition** *f* blank ammunition; **Übungsplatz** *m* training area *or* ground; (*Exerzierplatz*) drill ground.

UdSSR [uːdeː|εs|εsˈ|εr] *f* (*Hist*) - abbr of Union der Sozialistischen Sowjetrepubliken. **die ~** the USSR.

u.E. *abbr of* unseres Erachtens.

UEFA-Cup [uːˈɛːfaːkap] m (Ftbl) UEFA cup.

U-Eisen nt U-iron.

Ufer nt -s, - (Fluß~) bank; (See~) shore; (Küstenlinie) shoreline. **direkt am ~ gelegen** right on the water's edge or waterfront; **etw ans ~ spülen** to wash sth ashore; **der Fluß trat über die ~** the river broke or burst its banks; **das sichere ~ erreichen** to reach dry land or terra firma.

Uferbefestigung f bank reinforcement; **Uferböschung** f embankment; **Uferland(schaft** f) nt shoreland; **uferlos** adj (endlos) endless; (grenzenlos) boundless; **ins ~e gehen** (Debatte) to go on forever or interminably, to go on and on; (Kosten) to go up and up; **sonst geraten wir ins ~e** otherwise things will get out of hand; **ans U~e grenzen** (Verleumdungen) to go beyond all bounds; **Ufermauer** f sea wall; **Uferstraße** f lakeside/riverside road.

uff interj (inf) phew. **~, das wäre geschafft!** phew, that's that done!

Uffz. m -, -e abbr of **Unteroffizier** NCO.

UFO, Ufo [ˈuːfo] nt -(s), -s UFO, Ufo.

U-förmig adj U-shaped. **~ gebogen** with a U-shaped bend, bent into a U.

Uganda nt -s Uganda.

Ugander(in f) m -s, - Ugandan.

uh interj oh; (angeekelt) ugh, yuck (inf).

U-Haft f (inf) custody.

Uhr f -, -en **1.** clock; (Armband~, Taschen~) watch; (Anzeigeinstrument) gauge, dial, indicator; (Wasser~, Gas~) meter. **nach der** or **auf die** or **zur ~ sehen** to look at the clock etc; **nach meiner ~** by my watch; **wie nach der ~** (fig) like clockwork; **rund um die ~** round the clock; **seine ~ ist abgelaufen** (fig geh) the sands of time have run out for him.

2. (bei Zeitangaben) **um drei (~)** at three (o'clock); **ein ~ dreißig**, (in Ziffern) **1**³⁰ **~** half past one, 1.30 (ausgesprochen "one-thirty"); **wieviel ~ ist es?** what time is it?, what's the time?; **um wieviel ~?** (at) what time?

Uhr(arm)band nt watch strap; (aus Metall) watch bracelet.

Uhrenindustrie f watch-and-clock(-making) industry; **Uhrenvergleich** m comparison of watch/clock times; **einen ~ machen** to check or synchronize watches.

Uhrfeder f watch spring; **Uhrglas** nt (auch Sci) watch-glass; **Uhrkette** f watch chain, fob (chain); **Uhrmacher(in** f) m watch-maker; clockmaker, horologist (form); **Uhrmacherhandwerk** nt watch-making; clockmaking, horology (form); **Uhrwerk** nt clockwork mechanism (auch fig), works pl (of a watch/clock), movements pl; **Uhrzeiger** m (clock/watch) hand; **Uhrzeigersinn** m **im ~** clockwise; **entgegen dem ~** anti-or counter-clockwise; **Uhrzeit** f time (of day); **haben Sie die genaue ~?** do you have the correct time?

Uhu [ˈuːhu] m -s, -s eagle-owl.

Ukraine [auch uˈkrainə] f - **die ~** the

Ukraine.

Ukrainer(in f) [auch uˈkrainɐ, -ərɪn] m -s, - Ukrainian.

ukrainisch [auch uˈkrainɪʃ] adj Ukrainian.

UKW [uːkaːˈveː] abbr of **Ultrakurzwelle** ≃ FM.

Ulk m -(e)s, -e (inf) lark (inf); (Streich) trick, practical joke; (Spaß) fun no pl, no indef art. **~ machen** to clown or play about or around; **etw aus ~ sagen/tun** to say/do sth as a joke or in fun; **mit jdm seinen ~ treiben** (Spaß machen) to have a bit of fun with sb; (Streiche spielen) to play tricks on sb.

ulken vi (inf) to joke, to clown around. **über ihn wurde viel geulkt** they often had a bit of fun with him.

ulkig adj (inf) funny; (seltsam auch) odd, peculiar.

Ulknudel f (inf) joker (inf).

Ulme f -, -n elm.

Ulmenkrankheit f, **Ulmensterben** nt Dutch elm disease.

Ultima ratio [ˈʊltima ˈraːtsio] f --, no pl (geh) final or last resort.

Ultimaten pl of **Ultimatum**.

ultimativ adj Forderung given as an ultimatum. **wir fordern ~ eine Lohnerhöhung von 9%** we demand a pay rise of 9% and this is an ultimatum; **jdn ~ zu etw auffordern** to give sb an ultimatum to do sth.

Ultimatum nt -s, -s or **Ultimaten** ultimatum. **jdm ein ~ stellen** to give sb an ultimatum.

Ultimo m -s, -s (Comm) last (day) of the month. **per ~** by the end of the month; **bis ~** (fig) till the last minute.

Ultra- in cpds ultra; **ultrakurz** adj (Phys) ultra-short.

Ultrakurzwelle f (Phys) ultra-short wave; (Rad) ≃ very high frequency, ≃ frequency modulation.

Ultrakurzwellenempfänger m VHF receiver; **Ultrakurzwellensender** m VHF station; (Apparat) VHF transmitter.

Ultramarin nt -s, no pl ultramarine; **ultramarin(blau)** adj ultramarine; **ultramodern** adj ultramodern.

Ultraschall m (Phys) ultrasound.

Ultraschall- in cpds ultrasound; **Ultraschallaufnahme** f scan (Brit), ultrasound (picture); **Ultraschallbild** nt ultrasound picture; **Ultraschalldiagnostik** f ultrasound diagnosis; **Ultraschallgerät** nt ultrasound scanner; **Ultraschalluntersuchung** f scan (Brit), ultrasound; **Ultraschallwellen** pl ultrasonic waves pl.

ultraviolett adj ultraviolet.

um I prep +acc **1. ~ ... (herum)** round (esp Brit), around; (unbestimmter, in der Gegend von) around, about; **er hat gern Freunde ~ sich** he likes to have friends around him.

2. (nach allen Seiten) **~ sich schauen** to look around (one) or about one; **~ sich schlagen** to hit out in all directions; **etw ~ sich werfen** to throw sth around or about.

3. (zur ungefähren Zeitangabe) **~ ... (herum)** around about; (bei Uhrzeiten *auch*) at about; **die Tage ~ die Sommer-sonnenwende (herum)** the days either side of the summer solstice; **~ Weihnachten/Ostern** around Christmas/ Easter.

4. (*zur genauen Angabe der Uhrzeit*) at. **bitte kommen Sie (genau) ~ acht** please come at eight (sharp).

5. (*betreffend, über*) about. **es geht ~ das Prinzip** it's a question of principles; **es geht ~ alles** it's all or nothing; **es steht schlecht ~ seine Gesundheit** his health isn't very good.

6. (*für, Ergebnis, Ziel bezeichnend*) for. **der Kampf ~ die Stadt/den Titel** the battle for the town/the title; **~ Geld spielen** to play for money; **~ etw rufen/ bitten** to cry/ask for sth.

7. (*wegen*) **die Sorge ~ die Zukunft** concern for *or* about the future; **(es ist) schade ~ das schöne Buch** (it's a) pity *or* shame about that nice book; **sich ~ etw sorgen** to worry about sth; **es tut mir leid ~ ihn** I'm sorry for him.

8. (*bei Differenzangaben*) by. **~ 10% teurer** 10% more expensive; **er ist ~ zwei Jahre jünger als sie** he is two years younger than she is, he is younger than her by two years; **~ vieles besser** far better, better by far; **~ einiges besser** quite a bit better; **~ nichts besser/teurer** no better/dearer; **etw ~ 4 cm verkürzen** to shorten sth by 4 cm.

9. (*bei Verlust*) **jdn ~ etw bringen** to deprive sb of sth; **~ etw kommen** to be deprived of sth, to miss out on sth.

10. (*nach*) after, upon. **Stunde ~ Stunde** hour after *or* upon hour; **einen Tag ~ den anderen** day after day.

II *prep* +*gen* **~ ... willen** for the sake of; **~ Gottes willen!** for goodness *or* (*stärker*) God's sake!

III *conj* **1. ~ ... zu** (*final*) (in order) to; **er spart jeden Pfennig, ~ sich später ein Haus kaufen zu können** he is saving every penny in order to be able to buy a house later; **intelligent genug/zu intelligent, ~ ... zu** intelligent enough/too intelligent to ...; **der Fluß schlängelt sich durch das enge Tal, ~ dann in der Ebene zu einem breiten Strom anzuwachsen** the stream winds through the narrow valley and then broadens out into a wide river in the plain.

2. (*desto*) **~ so besser/schlimmer!** so much the better/worse!, all the better/ that's even worse!; **je mehr ... ~ so weniger/eher kann man ...** the more ... the less/sooner one can ...; **~ so mehr, als ...** all the more considering *or* as; **unser Urlaub ist sehr kurz, ~ so besser muß er geplant werden** as our holiday is so short, we have to plan it all the better.

IV *adv* (*ungefähr*) **~ (die) 30 Schüler** about *or* around *or* round about 30 pupils, 30 pupils or so.

um|adressieren* *vt sep* to readdress; (*und nachschicken*) to redirect.

um|ändern *vt sep* to alter; (*modifizieren auch*) to modify.

um|arbeiten *vt sep* to alter; *Buch* to re-

vise, to rewrite, to rework; *Metall* to rework. **einen Roman zu einem Drehbuch ~** to adapt a novel for the screen.

um|armen* *vt insep* to embrace (*auch euph*); (*fester*) to hug.

Um|armung *f siehe vt* embrace; hug.

Umbau *m siehe vt* rebuilding, renovation; conversion; alterations *pl* (+*gen*, *von* to); modification; reorganization; changing. **das Gebäude befindet sich im ~** the building is being rebuilt.

umbauen¹ *sep* **I** *vt Gebäude* (*gründlich renovieren*) to rebuild, to renovate; (*zu etw anderem*) to convert (*zu* into); (*umändern*) to alter; *Maschine* to modify; (*fig: Organisation*) to reorganize; (*Theat*) *Kulissen* to change.

II *vi* to rebuild.

umbauen²* *vt insep* to enclose. **der Dom ist völlig umbaut** the cathedral is completely surrounded by buildings.

umbenennen* *vt sep irreg* to rename (*in etw* sth).

Umbenennung *f* renaming.

umbesetzen* *vt sep* (*Theat*) to recast; *Mannschaft* to change, to reorganize; *Posten, Stelle* to find someone else for, to reassign.

Umbesetzung *f siehe vt* recasting; change, reorganization; reassignment. **eine ~ vornehmen** (*Theat*) to alter the cast; **~en vornehmen** (*Theat*) to recast roles; **~en im Kabinett vornehmen** to reshuffle the cabinet.

umbestellen* *sep* **I** *vi* to change one's order. **II** *vt Patienten* to give another *or* a new appointment to.

umbetten *vt sep Kranken* to move *or* transfer (to another bed); *Leichnam* to rebury, to transfer; *Fluß* to rechannel.

umbiegen *sep irreg* **I** *vt* to bend; *Fluß* to curl. **III** *vi aux sein* (*Weg*) to bend, to turn; (*zurückgehen*) to turn round *or* back.

umbilden *vt sep* (*fig*) to reorganize, to reconstruct; (*Pol*) *Kabinett* to reshuffle (*Brit*), to shake up (*US*).

Umbildung *f siehe vt* reorganization, reconstruction; reshuffle, shake-up.

umbinden *vt sep irreg* to put on; (*mit Knoten auch*) to tie on. **sich** (*dat*) **einen Schal ~** to put a scarf on.

umblättern *vti sep* to turn over.

umblicken *vr sep* to look round. **sich nach jdm/etw ~** to turn round to look at sb/ sth.

Umbra *f -, no pl* (*Astron*) umbra; (*Farbe*) umber.

umbrechen¹ *sep irreg* **I** *vt* **1.** (*umknicken*) to break down. **2.** (*umpflügen*) *Erde* to break up. **II** *vi aux sein* to break.

umbrechen²* *vti insep irreg* (*Typ*) to make up.

umbringen *sep irreg* **I** *vt* to kill (*auch fig inf*), to murder. **das ist nicht umzubringen** (*fig inf*) it's indestructible; **das bringt mich noch um!** (*inf*) it'll be the death of me! (*inf*).

II *vr* to kill oneself. **bringen Sie sich nur nicht um!** (*fig inf*) you'll kill yourself (if you go on like that)!; **er bringt sich fast um vor Höflichkeit** (*inf*) he falls over himself to be polite.

Ųmbruch m 1. radical change. 2. (*Typ*) makeup. 3. (*Agr*) ploughing (*Brit*) or plowing (*US*) up.

ųmbuchen sep I vt 1. *Reise, Termin* to alter one's booking for. 2. (*Fin*) *Betrag* to transfer. II vi 1. to alter one's booking (*auf* +acc for). 2. to transfer (*auf* +acc to).

Ųmbuchung f siehe vb 1. rebooking. 2. transfer.

ųmdenken vi sep irreg to change one's ideas or views. **darin müssen wir** ~ we'll have to rethink that.

ųmdeuten vt sep to change the meaning of; (*Liter*) to reinterpret.

ųmdirigieren* vt sep to redirect.

ųmdisponieren* vi sep to change one's arrangements or plans.

umdrängen* vt insep to throng or crowd around; (*stärker*) to mob.

ųmdrehen sep I vt 1. to turn over; (*auf den Kopf*) to turn up (the other way); (*mit der Vorderseite nach hinten*) to turn round, to turn back to front; (*von innen nach außen*) *Strumpf* to turn inside out; *Tasche* to turn (inside) out; (*von außen nach innen*) to turn back the right way; (*um die Achse*) to turn round; *Schlüssel* to turn.

2. **einem Vogel/jdm den Hals** ~ to wring a bird's/sb's neck.

3. (*verrenken*) **jdm den Arm** ~ to twist sb's arm.

II vr to turn round (*nach* to look at); (*im Bett*) to turn over. **dabei drehte sich ihm der Magen um** (*inf*) it turned his stomach.

III vi to turn round or back.

Ųmdrehung f turn; (*Phys*) revolution, rotation; (*Mot*) revolution, rev.

Ųmdrehungszahl f (number of) revolutions pl per minute/second.

um|einạnder (*emph* ụmeinander) adv about each other or one another; (*räumlich*) (a)round each other.

ụm|erziehen* vt sep irreg (*Pol euph*) to re-educate (*zu* to become).

ụmfahren¹ sep irreg I vt to run over or down, to knock down. II vi aux sein (*inf*) to go out of one's way (*by mistake*).

umfạhren²* vt insep irreg to travel or go round; (*mit dem Auto*) to drive round; (*auf Umgehungsstraße*) to bypass; (*um etw zu vermeiden*) to make a detour round, to detour; *Kap* to round, to double; *die Welt* to sail round, to circumnavigate.

Ųmfahrung f 1. siehe **umfahren²** travelling round; driving round; bypassing; detour; rounding; doubling; sailing (round), circumnavigation. 2. (*Aus*) siehe **Umgehungsstraße.**

Ųmfall m (*Pol inf*) turnaround (*inf*).

ụmfallen vi sep irreg aux sein (*Mensch*) to fall over or down; (*Baum, Gegenstand*) to fall (down); (*vornüber kippen*) to fall or topple over; (*inf: ohnmächtig werden*) to pass out, to faint; (*fig inf: nachgeben*) to give in. **vor Müdigkeit fast** ~, **zum U**~ **müde sein** to be (almost) dead on one's feet (*inf*), to be

ready or fit to drop; **vor Schreck fast** ~ (*inf*) to almost die with fright, to almost have a heart attack (*inf*); ~ **wie die Fliegen** (*inf*) to drop like flies.

Ųmfang m -(e)s, **Ųmfänge** 1. (*von Kreis*) perimeter, circumference (*auch Geom*); (*von Baum auch, Bauch*~) girth.

2. (*Fläche*) area; (*Rauminhalt*) capacity; (*Größe*) size; (*von Gepäck*) amount. **das Buch hat einen** ~ **von 800 Seiten** the book contains or has 800 pages.

3. (*fig*) (*Ausmaß*) extent; (*Reichweite*) range; (*Stimm*~) range, compass; (*von Untersuchung, Arbeit*) scope; (*von Verkehr, Verkauf*) volume. **in großem** ~ on a large scale; **in vollem** ~ fully, entirely, completely; **größeren/erschreckenden** ~ **annehmen** to assume greater/alarming proportions; **etw in vollem** ~ **übersehen können** to be able to see the full extent of sth.

umfạngen* vt insep irreg 1. **jdn mit seinen Blicken** ~ (*fig*) to fix one's eyes upon sb. 2. (*fig: umgeben*) to envelop. 3. (*geh: umarmen*) to embrace.

umfạnglich, **ụmfangreich** adj extensive; (*fig: breit*) *Wissen auch* wide; (*geräumig*) spacious; *Buch* thick.

umfạrben vt sep to dye a different colour.

umfạssen* vt insep 1. to grasp, to clasp; (*umarmen*) to embrace. **ich konnte den Baum nicht mit den Armen** ~ I couldn't get my arms (a)round the tree; **er hielt sie umfaßt** he held her close or to him, he held her in an embrace.

2. (*Mil*) to encircle, to surround.

3. (*fig*) (*einschließen*) *Zeitperiode* to cover; (*enthalten*) to contain, to include; *Seiten* to contain.

umfạssend adj (*umfangreich, weitreichend*) extensive; (*vieles enthaltend*) comprehensive; *Vollmachten, Maßnahmen auch* sweeping; *Vorbereitung* thorough; *Geständnis* full, complete.

Ųmfassung f (*Mil*) encirclement.

Ųmfeld nt surroundings pl; (*fig*) sphere. **zum** ~ **von etw gehören** to be associated with sth.

umfirmieren* insep I vt *Unternehmen* to change the name of. II vi (*von Unternehmen*) to change one's name.

Ųmfirmierung f change of name.

umfliẹgen* vt insep irreg to fly (a)round.

umfliẹßen* vt insep irreg (*lit, fig*) to flow around.

ụmformen vt sep 1. to remodel, to reshape (*in* +acc into). 2. (*Elec*) to convert. 3. (*Ling*) to transform.

Ųmformer m -s, - (*Elec*) converter.

Ųmformung f siehe vt remodelling, reshaping; conversion; transformation.

Ųmfrage f 1. (*Sociol*) survey; (*esp Pol*) (opinion) poll. **eine** ~ **halten** or **machen** or **veranstalten** to carry out or hold a survey/a poll or an opinion poll.

2. ~ **halten** to ask around.

Ųmfrage|ergebnis nt survey/poll result(s pl).

umfriẹd(ig)en* vt insep to enclose; (*mit Zaun auch*) to fence in; (*mit Mauer auch*) to wall in.

Umfried(ig)ung *f* (*Zaun, Mauer*) enclosing fence/wall. **als ~ für den Park dient eine Hecke** the park is enclosed by a hedge.

umfrisieren* *vt sep* (*inf*) **1.** *Nachrichten* to doctor (*inf*). **2. sich** (*dat*) **die Haare ~ lassen** to have one's hair restyled.

umfüllen *vt sep* to transfer into another bottle/container *etc.*

umfunktionieren* *vt sep* to change *or* alter the function of. **etw in** (+*acc*) *or* **zu etw ~** to change *or* turn sth into sth; **die Kinder haben das Wohnzimmer umfunktioniert** (*hum*) the children have done a conversion job on the livingroom (*hum*).

Umfunktionierung *f* **die ~ einer Sache** (*gen*) changing the function of sth; **die ~ der Versammlung zu einer Protestkundgebung** changing the function of the meeting and making a protest rally out of it.

Umgang¹ *m* **-s** *no pl* **1.** (*gesellschaftlicher Verkehr*) contact, dealings *pl*; (*Bekanntenkreis*) acquaintances *pl*, friends *pl*. **schlechten ~ haben** to keep bad company; **das sieht man schon/das liegt an seinem ~** you can tell that from/that's because of the company he keeps; **~ mit jdm/einer Gruppe haben** *or* **pflegen** to associate with sb/associate *or* mix with a group; **keinen/so gut wie keinen ~ mit jdm haben** to have nothing/little to do with sb; **er ist kein ~ für dich** he's not fit company *or* no company for you.
2. im ~ mit Tieren/Jugendlichen/ Vorgesetzten muß man ... in dealing with animals/young people/one's superiors one must ...; **durch ständigen ~ mit Autos/Büchern/Kindern** through having a lot to do with cars/books/children; **an den ~ mit Tieren/Kindern gewöhnt sein** to be used to animals/children; **an den ~ mit Büchern/Nachschlagewerken gewöhnt sein** to be used to having books around (one)/to using reference books.

umgänglich *adj* (*entgegenkommend*) obliging; (*gesellig*) sociable, friendly; (*verträglich*) affable, pleasant-natured.

Umgänglichkeit *f siehe adj* obliging nature; sociability, friendliness; affability, pleasant nature.

Umgangsformen *pl* manners *pl*; **Umgangssprache** *f* colloquial language *or* speech; **die deutsche ~** colloquial German; **umgangssprachlich** *adj* colloquial; **Umgangston** *m* tone, way of speaking; **hier herrscht ein rüder/ höflicher ~** people talk brusquely/ politely here.

umgarnen* *vt insep* to ensnare, to beguile.

umgaukeln* *vt insep* (*geh*) to flutter about *or* around; (*fig: mit Schmeicheleien*) to ensnare, to beguile.

umgeben* *insep irreg* **I** *vt* to surround (*auch fig*). **mit einer Mauer/einem Zaun ~ sein** to be walled/fenced in, to be surrounded by a wall/fence; **das von Weinbergen ~e Stuttgart** the town of Stuttgart, surrounded by vineyards.
II *vr* **sich mit jdm/etw ~** to surround

oneself with sb/sth.

Umgebung *f* (*Umwelt*) surroundings *pl*; (*von Stadt auch*) surrounding area; (*Nachbarschaft*) vicinity, neighbourhood; (*gesellschaftlicher Hintergrund*) background; (*Freunde, Kollegen*) people *pl* about one. **Hamburg und ~** Hamburg and the Hamburg area, Hamburg and its environs *or* the surrounding area; **in der näheren/ weiteren ~ Münchens** on the outskirts/in the environs of Munich; **zu jds** (*näherer*) **~ gehören** (*Menschen*) to be one of the people closest to sb.

Umgegend *f* surrounding area. **die ~ von London** the area around London.

umgehen¹ *vi sep irreg aux sein* **1.** (*Gerücht*) to circulate, to go (a)round *or* about; (*Grippe*) to be about; (*Gespenst*) to walk. **in diesem Schloß geht ein Gespenst um** this castle is haunted (by a ghost).
2. mit jdm/etw ~ können (*behandeln, handhaben*) to know how to handle *or* treat sb/sth; *mit Geld* to know how to handle sth; (*mit jdm/etw verfahren*) to know how to deal with *or* handle sb/sth; **mit jdm grob/behutsam ~** to treat sb roughly/gently; **wie der mit seinen Sachen umgeht!** you should see how he treats his things!; **sorgsam/verschwenderisch mit etw ~** to be careful/ lavish with sth; **sage mir, mit wem du umgehst, und ich sage dir, wer du bist** (*Prov*) you can tell the sort of person somebody is from *or* by the company he keeps.

umgehen²* *vt insep irreg* **1.** to go round; (*vermeiden*) to avoid; (*Straße*) to bypass; (*Mil*) to outflank.
2. (*fig*) to avoid; *Schwierigkeit auch, Gesetz* to circumvent, to get round, to by-pass; *Frage, Thema auch* to evade.

umgehend I *adj* immediate, prompt.
II *adv* immediately.

Umgehung *f, no pl* **1.** *siehe* **umgehen²** going round; avoidance; by-passing; outflanking; circumvention; getting round, evasion. **die ~ des Geländes** going round the grounds; **unter ~ der Vorschriften** by getting round *or* circumventing the regulations.
2. (*inf:* **~sstraße**) by-pass.

Umgehungsstraße *f* by-pass, beltway (*US*).

umgekehrt I *adj* reversed; *Reihenfolge* reverse; (*gegenteilig*) opposite, contrary; (*anders herum*) the other way around. **in die ~e Richtung fahren** to go in the opposite direction; **nein, ~!** no, the other way round; **gerade** *or* **genau ~!** quite the contrary!, just the opposite!; **die Sache war genau ~ und nicht so, wie er sie erzählte** the affair was exactly the reverse of what he said; **im ~en Verhältnis zu etw stehen** *or* **sein** to be in inverse proportion to sth.
II *adv* (*anders herum*) the other way round; (*am Satzanfang: dagegen*) conversely; *proportional* inversely. **... und/ oder ~** ... and/or vice versa; **~ als** *or* **wie** (*inf*) **...** the other way round to what ...;

es kam ~ (*inf*) the opposite happened.

umgestalten* *vt sep* to alter; (*reorganisieren*) to reorganize; (*umbilden*) to remodel; (*umordnen*) to rearrange.

Umgestaltung *f siehe vt* alteration; reorganization; remodelling; rearrangement.

umgewöhnen* *vr sep* to re-adapt.

umgraben *vt sep irreg* to dig over; *Erde* to turn (over).

umgrenzen* *vt insep* to bound, to surround; (*umfassen auch*) to enclose; (*fig*) to delimit, to define.

umgruppieren* *vt sep Möbel* to rearrange; *Mitarbeiter* to redeploy; (*auf andere Gruppen verteilen*), (*Mil*) *Truppen* to regroup.

Umgruppierung *f siehe vt* rearrangement; redeployment; regrouping.

umgucken *vr sep* (*inf*) *siehe* **umsehen.**

umhaben *vt sep irreg* (*inf*) to have on.

umhalsen* *vt sep* **jdn** ~ (*inf*) to throw one's arms around sb's neck.

Umhang *m* -(e)s, **Umhänge** cape; (*länger*) cloak; (*Umhängetuch*) shawl, wrap.

umhängen *vt sep* 1. *Rucksack* to put on; *Jacke, Schal* to drape round; *Gewehr auch* to sling on. **sich** (*dat*) **etw** ~ to put sth on; to drape sth round one; **jdm etw** ~ to put sth on sb; to drape sth around sb. 2. *Bild* to rehang.

Umhängetasche *f* shoulder bag.

umhauen *vt sep irreg* 1. to chop *or* cut down, to fell. 2. (*inf: umwerfen*) to knock over. 3. (*inf*) (*erstaunen*) to bowl over (*inf*); (*Gestank*) to knock out.

umhegen* *vt insep* (*geh*) to look after *or* care for lovingly.

umher *adv* around, about. **weit** ~ all around.

umher- *pref siehe auch* **herum-, rum-** around, about; **umherfahren** *sep irreg* **I** *vt* (*mit Auto*) to drive around *or* about; **II** *vi aux sein* to travel around *or* about; (*mit Auto*) to drive around *or* about; **umhergehen** *vi sep irreg aux sein* to walk around *or* about; **im Zimmer/ Garten** ~ to walk (a)round the room/ garden; **umherirren** *vi sep aux sein* (*in etw* (*dat*) *sth*) to wander around *or* about; (*Blick, Augen*) to roam about; **ängstlich irrte ihr Blick im Zimmer umher** her eyes anxiously scanned the room; **nach langen Jahren des U~s** after many years of wandering (around); **umherlaufen** *vi sep irreg aux sein* to walk about *or* around; (*rennen*) to run about *or* around; **im Garten** ~ to walk/ run about *or* (a)round the garden; **umherstreifen** *vi sep aux sein* to wander *or* roam about *or* around (*in etw* (*dat*) *sth*); **umherstreunen** *vi sep aux sein* (*geh*) to prowl around; **umherwandern** *vi sep aux sein* to wander *or* roam about (*in etw* (*dat*) *sth*); **umherziehen** *sep irreg* **I** *vi aux sein* to move *or* travel around (*in etw* (*dat*) *sth*); **II** *vt* to pull about *or* around.

umhinkönnen *vi sep irreg* **ich/er** *etc* **kann nicht umhin, das zu tun** I/he *etc* can't avoid doing it; (*einem Zwang folgend*)

I/he *etc* can't help doing it; **ich konnte nicht umhin** I couldn't avoid it; I couldn't help it.

umhören *vr sep* to ask around. **sich unter seinen Kollegen** ~ to ask around one's colleagues.

umhüllen* *vt insep* to wrap (up) (*mit* in). **von einem Geheimnis umhüllt** shrouded in secrecy *or* mystery.

um|interpretieren* *vt sep* to interpret differently; (*Liter*) to reinterpret.

umjubeln* *vt insep* to cheer. **ein umjubelter Popstar** a wildly acclaimed pop idol.

umkämpfen* *vt insep Entscheidung, Stadt* to dispute; *Wahlkreis, Sieg* to contest.

Umkehr *f* -, *no pl* 1. (*lit*) turning back. **jdn zur** ~ **zwingen** to force sb to turn back. 2. (*fig geh*) (*Änderung*) change; (*zur Religion*) changing one's ways. **zur** ~ **bereit sein** to be ready to change one's ways.

Umkehrschluß *m* inversion of an argument; **im** ~ **bedeutet das ...** to turn the argument on its head, it means ...

umkehrbar *adj* reversible.

umkehren *sep* **I** *vi aux sein* to turn back; (*auf demselben Weg zurückgehen*) to retrace one's steps; (*fig*) to change one's ways.
II *vt Kleidungsstück* (*von innen nach außen*) to turn inside out; (*von außen nach innen*) to turn the right way out; *Tasche* to turn (inside) out; *Reihenfolge* to reverse, to invert (*auch Gram, Math, Mus*); *Verhältnisse* (*umstoßen*) to overturn; (*auf den Kopf stellen*) to turn upside down, to invert. **das ganze Zimmer** ~ (*inf*) to turn the whole room upside down (*inf*); *siehe auch* **umgekehrt.**
III *vr* (*Verhältnisse*) to become inverted *or* reversed. **dabei kehrt sich mir der Magen um** it turns my stomach, my stomach turns (*inf*) at the sight/smell *etc* of it; **mein Inneres kehrt sich um, wenn ...** my gorge rises when ...

Umkehrfilm *m* (*Phot*) reversal film.

Umkehrlinse *f* inverting lens.

Umkehrung *f* (*von Gesagtem, Reihenfolge*) reversal, inversion (*auch Gram, Math, Mus*). **das ist eine** ~ **dessen, was ich gesagt habe** that's the opposite *or* reverse of what I said.

umkippen *sep* **I** *vt* to tip over, to upset; *Auto, Boot* to overturn, to turn over; *Leuchter, Vase* to knock over; *volles Gefäß* to upset.
II *vi aux sein* 1. to tip *or* fall over; (*Auto, Boot*) to overturn, to turn over; (*volles Gefäß, Bier*) to be spilled *or* upset.
2. (*inf: ohnmächtig werden*) to pass out.
3. (*es sich anders überlegen*) to come round.
4. (*sich umwandeln*) to tip over (*in* +*acc* into). **plötzlich kippte seine Fröhlichkeit in Depression um** suddenly his cheerfulness turned to depression.
5. (*Fluß, See*) to become polluted.

umklammern* *vt insep* to wrap one's

arms/legs around; (*umarmen auch*) to hug, to embrace; (*mit Händen*) to clasp; (*festhalten*) to cling to; (*Ringen*) to hold, to clinch; (*Mil*) to trap in a pincer movement. **sie hielt ihn/meine Hand umklammert** she held him/my hand tight, she clung (on) to him/my hand; **einander** *or* **sich ~** (*Ringen*) to go into a/be in a clinch.

Umklammerung *f* clutch; (*Umarmung*) embrace; (*Ringen*) clinch; (*Mil*) pincer movement.

umklappen *sep* **I** *vt* to fold down. **II** *vi aux sein* (*inf*) to pass out.

Umkleidekabine *f* changing cubicle; (*in Kleidungsgeschäft auch*) changing *or* fitting room.

umkleiden[1] *vr sep* to change (one's clothes). **sie ist noch nicht umgekleidet** she isn't changed yet.

umkleiden[2]* *vt insep* to cover. **die Wahrheit mit schönen Worten ~** (*fig*) to gloss over *or* varnish the truth.

Umkleideraum *m* changing room; (*esp mit Schließfächern*) locker room; (*Theat*) dressing room.

umknicken *sep* **I** *vt* **Ast** to snap; **Gras, Strohhalm** to bend over; **Papier** to fold (over). **II** *vi aux sein* (**Ast**) to snap; (**Gras, Strohhalm**) to be bent over. **mit dem Fuß ~** to twist one's ankle.

umkommen *vi sep irreg aux sein* **1.** (*sterben*) to die, to be killed, to perish (*liter*). **vor Lange(r)weile ~** (*inf*) to be bored to death (*inf*); **da kommt man ja um!** (*inf*) (*vor Hitze*) the heat is killing (*inf*); (*wegen Gestank*) it's enough to knock you out (*inf*). **2.** (*inf: verderben: Lebensmittel*) to go off or bad.

Umkreis *m* (*Umgebung*) surroundings *pl*; (*Gebiet*) area; (*Nähe*) vicinity; (*Geom*) circumcircle. **im näheren ~** in the vicinity; **im ~ von 20 Kilometern** within a radius of 20 kilometres.

umkreisen* *vt insep* to circle (around); (*Astron*) to orbit, to revolve around; (*Space*) to orbit.

Umkreisung *f* (*Space, Astron*) orbiting. **drei ~en der Erde** three orbits of the Earth; **die ~ des Feindes** circling the enemy.

umkrempeln *vt sep* **1.** to turn up; (*mehrmals*) to roll up. **2.** (*umwenden*) to turn inside out; (*inf*) **Zimmer** to turn upside down (*inf*); **Betrieb** to shake up (*inf*). **jdn ~** (*fig inf*) to change sb *or* sb's ways.

umkucken *vr sep* (*N Ger inf*) *siehe* **umsehen.**

umladen *vt sep irreg* to transfer, to reload.

Umladung *f* transfer, reloading; (*Naut*) transshipping.

Umlage *f* **eine ~ machen** to split the cost; **sie beschlossen eine ~ der Kosten** they decided to split the costs.

umlagern[1]* *vt insep* to surround; (*sich drängen um, Mil*) to besiege.

umlagern[2] *vt sep* to transfer (*in* +*acc* into); (*in anderes Lager bringen*) **Waren etc** to re-store.

Umland *nt, no pl* surrounding countryside.

Umlauf *m* **-s, Umläufe 1.** (*von Erde*) revolution; (*das Kursieren*) circulation (*auch fig*). **im ~ sein** to be circulating, to be in circulation; **in ~ bringen** to circulate; **Geld auch** to put in circulation; **Gerücht auch** to put about, to spread. **2.** (*Rundschreiben*) circular. **3.** (*Med: Fingerentzündung*) whitlow.

Umlaufbahn *f* orbit. **die ~ um den Mond/die Erde** lunar/earth orbit; **auf der ~ um die Erde sein** to be orbiting the earth.

umlaufen* *vt insep irreg* to orbit.

Umlaufzeit *f* (*Astron*) period; (*Space*) orbiting time.

Umlaut *m* **1.** *no pl* umlaut, vowel mutation. **2.** (*Laut*) vowel with umlaut, mutated vowel.

umlauten *vt sep* to mutate, to modify (*zu* into).

umlegen *vt sep* **1.** (*umhängen, umbinden*) to put round; **Verband** to put on, to apply. **jdm/sich eine Stola ~** to put a stole round sb's/one's shoulders.

2. Mauer, Baum to bring down; (*sl: zu Boden schlagen*) **Gegner** to knock down.

3. (*umklappen*) to tilt (over); **Kragen** to turn down; **Manschetten** to turn up; (*Cards*) to turn (over); **Hebel** to turn.

4. (*verlegen*) **Kranke** to transfer, to move; **Leitung** to re-lay.

5. Termin to change (*auf* +*acc* to).

6. (*verteilen*) **die 20 Mark wurden auf uns fünf umgelegt** the five of us each had to pay a contribution towards the 20 marks.

7. (*sl: ermorden*) to do in (*inf*), to bump off (*sl*).

8. (*sl*) **Mädchen** to lay (*sl*), to screw (*sl*).

umleiten *vt sep* to divert.

Umleitung *f* diversion; (*Strecke auch*) detour.

umlernen *vi sep* to retrain; (*fig*) to change one's ideas.

umliegend *adj* surrounding.

Umluft *f* (*Tech*) circulating air.

ummanteln* *vt insep* (*Tech*) to coat.

ummauern* *vt insep* to wall in (*mit* by).

ummelden *vtr sep* **jdn/sich ~** to notify (the police of) a change in sb's/one's address.

Ummeldung *f* notification of (one's) change of address.

ummodeln *vt sep* (*inf*) to change.

umnachtet *adj* (*geh*) **Geist** clouded over *pred.* **geistig ~** mentally deranged.

Umnachtung *f* **geistige ~** mental derangement; **da muß ich in geistiger ~ gewesen sein** (*iro*) I must have had a brainstorm.

umnähen *vt sep* **Saum** to stitch up.

umnebeln* *insep* **I** *vt* (*mit Tabakrauch*) to surround with smoke. **II** *vr* (*Blick*) to cloud *or* mist over. **mit umnebeltem Blick** with misty eyes.

umnieten *vt sep* (*sl: töten*) to blow away (*sl*).

umnumerieren* *vt sep* to renumber.

um|organisieren* *vt sep* to reorganize.

Um|orientierung *f* reorientation.

umpacken *vt sep* to repack.

umpflanzen vt sep to transplant; *Topfpflanze* to repot.

umpflügen vt sep to plough up.

umpolen vt sep (*Elec*) to reverse the polarity of; (*inf: ändern*) to convert (*auf + acc* to).

umquartieren* vt sep to move; *Truppen* (*in andere Kaserne*) to re-quarter; (*in anderes Privathaus*) to rebillet.

umrahmen* vt insep to frame. **die Ansprache war von musikalischen Darbietungen umrahmt** the speech was accompanied by musical offerings (before and after).

Umrahmung f setting (+*gen, von* for); (*das Umrahmen*) framing. **mit musikalischer ~** with music before and after.

umranden* vt insep to edge, to border. **tragen Sie die Postleitzahl in das stark umrandete Feld ein** write the postcode in the area marked in bold outline.

Umrandung f border, edging.

umranken* vt insep to climb or twine (a)round. **von** or **mit Efeu umrankt** twined around with ivy.

umräumen sep I vt (*anders anordnen*) to rearrange, to change (a)round; (*an anderen Platz bringen*) to shift, to move. II vi to change the furniture (a)round, to rearrange the furniture.

umrechnen vt sep to convert (*in* +*acc* into).

Umrechnung f conversion.

Umrechnungskurs m exchange rate, rate of exchange; **Umrechnungstabelle** f conversion table.

umreißen* vt insep irreg to outline. **scharf umrissen** clear-cut, well defined; *Züge auch* sharply defined.

umrennen vt sep irreg to (run into and) knock down.

umringen* vt insep to surround, to gather around; (*drängend*) to throng or crowd around. **von neugierigen Passanten umringt** surrounded/thronged by curious passers-by.

Umriß m outline; (*Kontur*) contour(s pl). **etw in Umrissen zeichnen/erzählen** to outline sth, to draw/tell sth in outline; **„Geschichte in Umrissen"** "History — A Brief Outline".

umrißhaft adj in outline.

Umrißzeichnung f outline drawing.

umrühren vt sep to stir. **etw unter ständigem U~ kochen** to boil sth stirring constantly or continually.

umrüsten vt sep 1. (*Tech*) to convert (*auf + acc* to). 2. (*Mil*) to re-equip.

ums contr of **um das**.

umsatteln sep I vt Pferd to resaddle. II vi (*inf*) (*beruflich*) to change jobs; (*Univ*) to change courses. **von etw auf etw** (*acc*) **~ to switch from sth to sth.**

Umsatz m (*Comm*) turnover. **500 Mark ~ machen** (*inf*) to do 500 marks' worth of business.

Umsatzanstieg m increase in turnover; **Umsatzbeteiligung** f commission; **Umsatzplus** nt (*Comm*) increase in turnover; **Umsatzrückgang** m drop in turnover; **Umsatzsteuer** f sales tax.

umsäumen* vt insep to line; (*Sew*) to

edge. **von Bäumen umsäumt** tree-lined.

umschalten sep I vt (*auf* +*acc* to) *Schalter* to flick; *Hebel* to push; *Strom* to convert; *Gerät* to switch over. **den Schalter auf „heiß" ~** to put the switch to "hot".

II vi (*auf anderen Sender*) to turn or change over (*auf* +*acc* to); (*im Denken, sich gewöhnen*) to change (*auf* +*acc* to); (*Aut*) to change (*Brit*), to shift (*in* +*acc* to). **„wir schalten jetzt um nach Hamburg"** "and now we go over or we're going over to Hamburg".

Umschalter m (*Elec*) (change-over) switch; (*von Schreibmaschine*) shift-key.

Umschaltpause f (*Rad, TV*) intermission, break (*before going over to somewhere else*); **Umschalttaste** f (*Comput*) shift-key.

Umschaltung f (*auf* +*acc* to) change-over; (*im Denken, Umgewöhnung*) change.

Umschau f, no pl (*fig*) review; (*TV, Rad*) magazine programme. **~ halten** to look around (*nach* for).

umschauen vr sep siehe **umsehen**.

umschichten sep I vt to restack. II vr (*Sociol*) to restructure itself.

umschichtig adv on a shift basis. **~ arbeiten** to work in shifts.

Umschichtung f 1. restacking. 2. (*Sociol*) restructuring. **soziale ~** change of social stratification, social restructuring.

umschiffen¹* vt insep to sail (a)round; *Kap auch* to round, to double (*spec*); *Erde auch* to circumnavigate.

umschiffen² vt sep to transfer; *Fracht auch* to transship.

Umschlag m 1. (*Veränderung*) (sudden) change (+*gen* in, *in* +*acc* into).

2. (*Hülle*) cover; (*Brief~*) envelope; (*als Verpackung*) wrapping; (*Buch~*) jacket.

3. (*Med*) compress; (*Packung*) poultice.

4. (*Ärmel~*) cuff; (*Hosen~*) turn-up (*Brit*), cuff (*US*).

5. (*umgeschlagene Gütermenge*) volume of traffic. **einen hohen ~ an Baumwolle haben** to handle a lot of cotton.

umschlagen sep irreg I vt 1. Seite to turn over; *Ärmel, Hosenbein, Saum* to turn up; *Teppich, Decke* to fold or turn back; *Kragen* to turn down.

2. (*um die Schultern*) Schal to put on.

3. (*umladen*) Güter to transfer, to transship. **etw vom Schiff auf die Bahn ~** to unload sth from the ship onto the train.

4. (*absetzen*) Güter to handle.

II vi aux sein (*sich ändern*) to change (suddenly); (*Wind auch*) to veer round; (*Stimme*) to break, to crack. **in etw** (*acc*) **~** to change or turn into sth; **ins Gegenteil ~** to become the opposite.

Umschlagentwurf m jacket design; **Umschlaghafen** m port of transshipment; **Umschlagklappe** f jacket flap (*of book*); **Umschlagplatz** m trade centre; **Umschlagtuch** nt shawl, wrap (*esp US*).

umschließen* vt insep irreg to surround

(auch Mil), to enclose; *(mit den Armen)* to embrace *(mit* in); *(fig: Plan, Entwurf)* to include, to encompass.

umschlingen* *vt insep irreg* 1. *(Pflanze)* to twine (a)round. 2. *(geh)* jdn *(mit den Armen)* ~ to enfold *(liter) or* clasp sb in one's arms, to embrace sb.

umschlungen *adj* eng ~ with their arms tightly round each other.

Umschluß *m (in Strafanstalt)* recreation.

umschmeicheln* *vt insep* to flatter; *(fig)* to caress.

umschmeißen *vt sep irreg (inf)* 1. *siehe* **umhauen 2., 3.**. 2. **das schmeißt meine Pläne um** that mucks my plans up *(inf)*.

umschnallen *vt sep* to buckle on.

umschreiben¹ *vt sep irreg* 1. *Text* to re-write; *(in andere Schrift)* to transcribe *(auch Phon)*, to transliterate; *(bearbeiten) Theaterstück* to adapt *(für* for).

2. *(umbuchen)* to alter, to change *(auf* +*acc* for).

3. *Hypothek* to transfer. **etw auf jdn ~/~ lassen** to transfer sth/have sth transferred to sb *or* sb's name.

umschreiben²* *vt insep irreg* 1. *(mit anderen Worten ausdrücken)* to paraphrase; *(darlegen)* to outline, to describe; *(abgrenzen)* to circumscribe; *(verhüllen) Sachverhalt* to refer to obliquely. 2. *(Ling) Verneinung* to construct.

Umschreibung¹ *f siehe* **umschreiben¹** re-writing.

Umschreibung² *f siehe* **umschreiben²** 1. *no pl* paraphrasing; outlining, description; circumscribing, circumscription; oblique reference *(gen* to). 2. *no pl* construction. 3. *(das Umschriebene)* paraphrase; outline, description; circumscription; oblique reference *(gen* to), circumlocution.

Umschrift *f* 1. *(auf Münze)* inscription, circumscription. 2. *(Ling: Transkription)* transcription *(auch Phon)*, transliteration.

umschulden *vt sep (Comm) Kredit* to convert, to fund. **ein Unternehmen ~** to transfer a firm's debt(s) to change the terms of a firm's debt(s).

Umschuldung *f* funding *no pl.*

umschulen *vt sep* 1. to retrain; *(Pol euph)* to re-educate. 2. *(auf andere Schule)* to transfer (to another school).

Umschüler(in *f)* *m* student for retraining.

Umschulung *f siehe* **vt** retraining; re-education; transfer.

umschwärmen* *vt insep* to swarm (a)round; *(Menschen auch)* to flock (a)round; *(verehren)* to idolize. **von Verehrern umschwärmt werden** *(fig)* to be besieged *or* surrounded by admirers; **eine umschwärmte Schönheit** a much-courted beauty.

Umschweife *pl* **ohne ~** straight out, plainly; **mach keine ~!** don't beat about the bush, come (straight) to the point.

umschwenken *vi sep aux sein or haben (Anhänger, Kran)* to swing out; *(fig)* to do an about-face *or* about-turn. **der Kran schwenkte nach rechts um** the crane swung to the right.

Umschwung *m* 1. *(Gymnastik)* circle. 2.

(fig) (Veränderung) drastic change; *(ins Gegenteil)* reversal, about-turn. **ein ~ zum Besseren** a drastic change for the better.

umsegeln* *vt insep* to sail round; *Kap auch* to round; *Erde auch* to circumnavigate.

Umseg(e)lung *f siehe* **vt** sailing round; rounding; circumnavigation.

umsehen *vr sep irreg* to look around *(nach* for); *(rückwärts)* to look round *or* back. **sich in der Stadt ~** to have a look (a)round the town; **sich in der Welt ~** to see something of the world; **ich möchte mich nur mal ~** *(in Geschäft)* I'm just looking, I just wanted to have a look (around); **ohne mich wird er sich noch ~** *(inf)* he's not going to find it easy without me.

umsein *vi sep irreg aux sein (Zusammenschreibung nur bei infin und ptp) (Frist, Zeit)* to be up.

Umseite *f (Press)* page two. **auf der ~** on page two.

umseitig *adj* overleaf. **die ~e Abbildung** the illustration overleaf.

umsetzen *vt sep* 1. *Pflanzen* to transplant; *Topfpflanze* to repot; *Schüler* to move (to another seat).

2. *Waren* to turn over.

3. *(Typ)* to re-set.

4. **etw in etw** *(acc)* **~** to convert sth into sth; *(Mus: transponieren)* to transpose sth into sth; *(in Verse)* to render *or* translate sth into sth; **sein Geld in Briefmarken/Alkohol ~** to spend all one's money on stamps/alcohol; **etw in die Tat ~** to translate sth into action.

Umsichgreifen *nt* **-s,** *no pl* spread.

Umsicht *f siehe* **adj** circumspection, prudence; judiciousness.

umsichtig *adj* circumspect, prudent; *Handlungsweise auch* judicious.

umsiedeln *vti sep (vi: aux sein)* to re-settle. **von einem Ort an einen anderen ~** to move from one place and settle in another.

Umsied(e)lung *f* resettlement.

Umsiedler(in *f)* *m* resettler.

umso *conj (Aus)* = **um so.**

umsonst *adv* 1. *(unentgeltlich)* free, for nothing, free of charge *(esp Comm)*. **~ sein** to be free (of charge); **das hast du nicht ~ getan!** you'll pay for that, I'll get even with you for that.

2. *(vergebens)* in vain, to no avail; *(erfolglos)* without success.

3. *(ohne Grund)* for nothing. **nicht ~** not for nothing, not without reason.

umsorgen* *vt insep* to care for.

umspannen* *vt insep* 1. **etw mit beiden Armen/der Hand ~** to get both arms/one's hand (all the way) round sth. 2. *(fig) Bereich* to encompass, to embrace.

Umspanner *m* **-s, -** *(Elec)* transformer.

Umspannstation *f,* **Umspannwerk** *nt (Elec)* transformer (station).

umspielen* *vt insep* 1. *(geh) (Rock)* to swirl about; *(Lächeln)* to play about; *(Wellen)* to lap about. 2. *(Ftbl)* to dribble round, to take out *(inf)*.

umspringen *vi sep irreg aux sein* 1.

(Wind) to veer round *(nach* to), to change; *(Bild)* to change. **2.** *(Ski)* to jump-turn. **3. mit jdm grob** ~ *(inf)* to treat sb roughly, to be rough with sb; **so kannst du nicht mit ihr** ~! *(inf)* you can't treat her like that!

umspulen *vt sep* to rewind.

umspülen* *vt insep* to wash round.

Umstand *m* **-(e)s, Umstände 1.** circumstance; *(Tatsache)* fact. **ein unvorhergesehener** ~ something unforeseen, unforeseen circumstances; **den Umständen entsprechend** much as one would expect (under the circumstances); **es geht ihm den Umständen entsprechend (gut)** he is as well as can be expected (under the circumstances); **nähere/die näheren Umstände** further details; **in anderen Umständen sein** to be expecting, to be in the family way; **unter diesen/keinen/anderen Umständen** under these/no/any other circumstances; **unter Umständen** possibly; **unter allen Umständen** at all costs. **2. Umstände** *pl (Mühe, Schwierigkeiten)* bother *sing*, trouble *sing*; *(Förmlichkeit)* fuss *sing*; **ohne (große) Umstände** without (much) fuss, without a (great) fuss; **das macht gar keine Umstände** it's no bother *or* trouble at all; **jdm Umstände machen** *or* **bereiten** to cause sb bother *or* trouble, to put sb out; **machen Sie bloß keine Umstände!** please don't go to any bother *or* trouble, please don't put yourself out.

umständehalber *adv* owing to circumstances. „~ **zu verkaufen"** "forced to sell".

umständlich *adj Arbeitsweise, Methode* (awkward and) involved; *(langsam und ungeschickt)* ponderous; *Vorbereitung* elaborate; *Erklärung, Übersetzung, Anleitung* long-winded; *Abfertigung* laborious, tedious; *Arbeit, Reise* awkward. **sei doch nicht so** ~! don't make such heavy weather of everything!, don't make everything twice as hard as it really is!; **etw** ~ **machen** to make heavy weather of doing sth; **etw** ~ **erzählen/erklären/beschreiben** to tell/explain/describe sth in a roundabout way; **das ist vielleicht** ~ what a palaver *(inf)*; **das ist mir zu** ~ that's too much palaver *(inf) or* trouble *or* bother.

Umständlichkeit *f siehe adj* involvedness; ponderousness; elaborateness; longwindedness; laboriousness, tediousness; awkwardness. **ihre** ~ the way she makes such heavy weather of everything.

Umstandsbestimmung *f* adverbial phrase; **Umstandskleid** *nt* maternity dress; **Umstandskleidung** *f* maternity wear; **Umstandskrämer** *m (inf)* fusspot *(inf)*, fussbudget *(US inf)*; **Umstandsmoden** *pl* maternity fashions *pl*; **Umstandswort** *nt* adverb.

umstecken *vt sep* **1.** *(Elec) Kontakt etc* to move; *Gerät auch* to plug into another socket. **2.** *Kleid, Saum* to pin up.

umstehend I *adj attr* **1.** *(in der Nähe stehend)* standing round about. **die U~en** the bystanders, the people standing round about. **2.** *(umseitig)* overleaf. **II**

adv overleaf.

Umsteigebahnhof *m* interchange (station); **Umsteigeberechtigung** *f* **mit diesem Fahrschein haben Sie keine** ~ you can't change (buses/trains) on this ticket; **Umsteigefahrschein** *m* transfer ticket; **Umsteigemöglichkeit** *f* **dort haben Sie** ~ you can change there *(nach* for).

umsteigen *vi sep irreg aux sein* **1.** to change *(nach* for); *(in Bus, Zug etc)* to change (buses/trains *etc)*. **bitte hier** ~ **nach Eppendorf** (all) change here for Eppendorf; **in einen anderen Wagen/von einem Auto ins andere** ~ to change *or* switch carriages/cars; **bitte beim U**~ **beeilen!** will those passengers changing here please do so quickly. **2.** *(fig inf)* to change over, to switch (over) *(auf* + *acc* to).

Umsteiger *m* **-s, -** *(inf)* transfer (ticket).

umstellen[1] *sep* **I** *vti* **1.** *Möbel* to rearrange, to change round; *(Gram) Wörter, Satz auch* to reorder; *Subjekt und Prädikat* to transpose.

2. *(anders einstellen) Hebel, Telefon, Fernsehgerät, Betrieb* to switch over; *Radio* to tune *or* switch to another station; *Uhr* to alter, to put back/forward. **auf etw** *(acc)* ~ *(Betrieb)* to go *or* switch over to sth; *auf Erdgas* to convert *or* be converted to sth; **etw auf Computer** ~ to computerize sth; **der Betrieb wird auf die Produktion von Turbinen umgestellt** the factory is switching over to producing turbines.

II *vr* to move *or* shift about; *(fig)* to get used to a different lifestyle. **sich auf etw** *(acc)* ~ to adapt *or* adjust to sth.

umstellen2* *vt insep* to surround.

Umstellung *f* **1.** *siehe* **umstellen[1] 2.** switch-over; tuning to another station; alteration, putting back/forward. ~ **auf Erdgas** conversion to natural gas; ~ **auf Computer** computerization.

2. *(fig: das Sichumstellen)* adjustment *(auf* + *acc* to). **das wird eine große** ~ **für ihn sein** it will be a big change for him.

umsteuern *vt sep Satelliten etc* to alter the course of.

umstimmen *vt sep* **1.** *Instrument* to tune to a different pitch, to retune. **2. jdn** ~ to change sb's mind; **er war nicht umzustimmen, er ließ sich nicht** ~ he was not to be persuaded.

umstoßen *vt sep irreg Gegenstand* to knock over; *(fig) (Mensch) Plan, Testament, Bestimmung* to change; *(Umstände) Plan, Berechnung* to upset.

umstritten *adj (fraglich)* controversial; *(wird noch debattiert)* disputed.

umstrukturieren* *vt sep* to restructure.

Umstrukturierung *f* restructuring.

umstülpen *vt sep* to turn upside down; *Tasche* to turn out; *Manschetten* to turn up *or* back; *Saite* to turn over; *Wörterbucheintrag* to reverse.

Umsturz *m* coup (d'état), putsch.

umstürzen I *vt sep* to overturn; *Puddingform* to turn upside down; *(fig) Regierung, Staat, Verfassung* to overthrow; *Demokratie* to destroy. ~**de Veränd**e-

rungen revolutionary changes.
II vi aux sein to fall; (Möbelstück, Wagen) to overturn.

Umstürzler(in f) m **-s,** - subversive.

umstürzlerisch adj subversive. **sich ~ betätigen** to engage in subversive activities.

Umsturzversuch m attempted coup or putsch.

umtaufen vt sep to rebaptize; (umbenennen) to rename, to rechristen.

Umtausch m exchange. **diese Waren sind vom ~ ausgeschlossen** these goods cannot be exchanged; **beim ~ bitte den Kassenzettel vorlegen** please produce the receipt when exchanging goods.

umtauschen vt sep to (ex)change; Geld to change, to convert (form) (in +acc into).

umtopfen vt sep Blumen to repot.

umtost adj (liter) buffeted (von by).

Umtriebe pl machinations pl. **umstürzlerische ~** subversive activities.

umtriebig adj (betriebsam) go-getting.

Umtrunk m drink.

umtun vr sep irreg (inf) to look around (nach for).

U-Musik f abbr of **Unterhaltungsmusik.**

umverteilen* vt sep or insep to redistribute.

Umverteilung f redistribution.

umwachsen* vt insep irreg to grow round. **ein von Bäumen ~er Teich** a pond with trees growing all round it.

umwälzen vt sep Luft, Wasser to circulate; (fig) to change radically, to revolutionize.

umwälzend adj (fig) radical; Veränderungen auch sweeping; Ereignisse revolutionary.

Umwälzpumpe f circulating pump.

Umwälzung f (Tech) circulation; (fig) radical change.

umwandelbar adj (in +acc to) convertible; Strafe commutable.

umwandeln1 sep **I** vt to change (in +acc into); (Comm, Fin, Sci) to convert (in +acc to); (Jur) Strafe to commute (in +acc to); (fig) to transform (in +acc into). **er ist wie umgewandelt** he's a changed man or a (completely) different person. **II** vr to be converted (in +acc into).

Umwandlung f siehe **umwandeln1** change; conversion; commutation; transformation.

umweben* vt insep irreg (liter) to envelop. **ein von Sagen umwobener Ort** a place around which many legends have been woven.

umwechseln vt sep Geld to change (in +acc to, into).

Umwechslung f exchange (in +acc for).

Umweg ['umve:k] m detour; (fig) roundabout way. **einen ~ machen/fahren** to go a long way round; (absichtlich auch) to make a detour; **wenn das für Sie kein ~ ist** if it doesn't take you out of your way; **auf ~en (ans Ziel kommen)** (to get there) by a roundabout or circuitous route; (fig) (to get there) in a rather roundabout way; **auf dem ~ über jdn**

(fig) indirectly via sb; **etw auf ~en erfahren** (fig) to find sth out indirectly.

Umwegfinanzierung f indirect financing.

umwehen vt sep to blow over.

Umwelt f, no pl environment.

Umwelt- in cpds environmental; **Umweltauflage** f (Admin) ecological requirement; **umweltbedingt** adj caused by the environment; **Umweltbehörde** f environmental authority; **Umweltbelastung** f ecological damage, damage to the environment; **umweltbewußt** adj environmentally or ecologically aware; **Umweltbewußtsein** nt environmental or ecological awareness; **Umweltbundesamt** nt Department of the Environment; **Umweltengel** m **der blaue ~** symbol attached to a product guaranteeing environmental friendliness; **Umwelterziehung** f education in environmental problems; **umweltfeindlich** adj ecologically harmful, damaging to the environment; **umweltfreundlich** adj environmentally or ecologically friendly, eco-friendly; **umweltgefährdend** adj harmful to the environment; **Umweltgefährdung** f endangering of the environment; **umweltgeschädigt** adj environmentally deprived; **umweltgestört** adj (Psych) maladjusted (due to adverse social factors); **Umweltgift** nt environmental pollutant; **Umweltkarte** f cheap ticket to encourage use of public transport; **Umweltkatastrophe** f ecological disaster; **Umweltkrankheiten** pl diseases pl caused by pollution; **Umweltkriminalität** f environmental crimes pl; **Umweltkrise** f ecological crisis; **Umweltministerium** nt Ministry of the Environment; **Umweltpapier** nt siehe **Umweltschutzpapier**; **Umweltpfennig** m levy on petrol (used to improve the environment); **Umweltplanung** f ecological planning; **Umweltpolitik** f ecological policy; **Umweltqualität** f quality of life; **Umweltschaden** m damage to the environment; **umweltschädlich** adj ecologically harmful, harmful to the environment; **umweltschonend** adj environmentally or ecologically friendly, eco-friendly.

Umweltschutz m conservation no art.

Umweltschützer(in f) m conservationist, environmentalist.

Umweltschutzorganisation f ecology group; **Umweltschutzpapier** nt recycled paper; **Umweltschutztechnik** f conservation technology.

Umweltsteuer f ecology tax; **Umweltsünder** m (inf) polluter; **Umweltterrorismus** m environmental terrorism; **Umweltverschmutzung** f pollution (of the environment); **Umweltverseuchung** f contamination of the environment; **Umweltverstöße** pl environmental offences pl; **umweltverträglich** adj Produkte, Stoffe ecologically harmless; **Umweltverträglichkeit** f environmental impact *or* acceptability; **Umweltverträglichkeitsprüfung** *f* assessment of environmental impact, (*esp US*) Environment Impact Statement; **Umweltwärme** *f* ambient heat; **Umweltzerstörung** *f* destruction of the environment.

umwenden *sep irreg* **I** *vt* to turn over. **II** *vr* to turn (round) (*nach* to).

umwerben* *vt insep irreg* to court.

umwerfen *vt sep irreg* **1.** *Gegenstand* to knock over; *Möbelstück* to overturn. **2.** (*fig: ändern*) to upset, to knock on the head (*inf*). **3.** *jdn* (*körperlich*) to knock down; (*Ringen*) to throw down; (*fig inf*) to stun, to bowl over. **ein Whisky wirft dich nicht gleich um** one whisky won't knock you out. **4. sich** (*dat*) **etw ~** to throw *or* put sth round one's shoulders.

umwerfend *adj* fantastic. **von ~er Komik** hilarious, a scream (*inf*).

Umwertung *f* re-evaluation.

umwickeln¹* *vt insep* to wrap round; (*mit Band, Verband auch*) to swathe (*liter*) (*mit* in); (*mit Schnur, Draht*) to wind round. **etw mit Stoff/Draht ~** to wrap cloth/wind wire round sth.

umwickeln² *vt sep* to wrap round; (*Garn*) to rewind. **jdm/sich etw ~** to wrap sth round sb/oneself.

umwinden* *vt insep irreg* (*geh*) to wind round (*mit* with).

umwittert *adj* (*geh*) surrounded (*von* by). **von Geheimnissen ~** shrouded in mystery.

umwölken* *vr insep* (*geh*) to cloud over; (*Sonne, Mond auch*) to become veiled in cloud (*liter*), to darken; (*Berggipfel*) to become shrouded in cloud; (*fig: Stern*) to cloud.

umzäunen* *vt insep* to fence round.

Umzäunung *f* (*das Umzäunen*) fencing round; (*Zaun*) fence.

umziehen *sep irreg* **I** *vi aux sein* to move (house); (*Firma etc*) to move. **nach Köln ~** to move to Cologne. **II** *vr* to change, to get changed.

umzingeln* *vt insep* to surround, to encircle.

Umzug ['ʊmtsuːk] *m* **1.** (*Wohnungs~*) move, removal. **wann soll euer ~ sein?** when are you moving? **2.** (*Festzug*) procession; (*Demonstrationszug*) parade.

Umzugskarton *m* packing case; **Umzugskosten** *pl* removal costs *pl*.

UN [uːˈʔɛn] *pl* UN sing, United Nations *sing*.

un|abänderlich *adj* **1.** (*unwiderruflich*) unalterable; *Entschluß, Urteil auch* irrevocable, irreversible. **~ feststehen** to be absolutely certain. **2.** (*ewig*) *Gesetze, Schicksal* immutable.

un|abdingbar, un|abdinglich *adj* *Voraussetzung, Forderung* indispensable; *Recht* inalienable.

un|abhängig *adj* independent (*von* of); *Journalist* freelance. **das ist ~ davon, ob/wann** *etc* that does not depend on *or* is not dependent on whether/when *etc*; **~ davon, was Sie meinen** irrespective of

or regardless of what you think; **sich ~ machen** to go one's own way; **sich von jdm/etw ~ machen** to become independent of sb/sth.

Un|abhängigkeit *f* independence.

Un|abhängigkeitsbewegung *f* independence movement; **Un|abhängigkeitserklärung** *f* declaration of independence; **Un|abhängigkeitskrieg** *m* war of independence.

un|abkömmlich *adj* (*geh*) busy, engaged *pred* (*form*).

un|ablässig *adj* continual; *Regen, Lärm auch* incessant; *Versuche, Bemühungen auch* unremitting, unceasing.

un|absehbar *adj* **1.** (*fig*) *Folgen* unforeseeable; *Schaden* incalculable, immeasurable. **auf ~e Zeit** for an indefinite period. **2.** (*lit*) interminable; *Weite* boundless. **~ lang sein** to seem to be interminable; **in ~er Weite** boundlessly; **in ~er Ferne** in the far far distance.

un|absichtlich *adj* unintentional; (*aus Versehen auch*) accidental; **unabwählbar** *adj* **er ist ~** he cannot be voted out of office; **unabweisbar, unabweislich** *adj* irrefutable; **unabwendbar** *adj* inevitable; **unachtsam** *adj* (*unaufmerksam*) inattentive; (*nicht sorgsam*) careless; (*unbedacht*) thoughtless; **Unachtsamkeit** *f siehe adj* inattentiveness; carelessness; thoughtlessness.

un|ähnlich *adj* dissimilar. **einer Sache** (*dat*) **~ sein** to be unlike sth *or* dissimilar to sth; **einander ~** unlike each other, dissimilar.

unanfechtbar *adj* *Urteil, Entscheidung, Gesetz* unchallengeable, incontestable; *Argument* unassailable; *Beweis* irrefutable; **unangebracht** *adj* *Bescheidenheit, Bemerkung* uncalled-for; *Sorge, Sparsamkeit, Bemühungen auch* misplaced; (*für Kinder, Altersstufe*) unsuitable; (*unzweckmäßig*) *Maßnahmen* inappropriate; **unangefochten** *adj* unchallenged *no adv*; *Testament, Wahlkandidat* uncontested; *Urteil, Entscheidung auch* undisputed, uncontested; **Liverpool führt ~ die Tabelle** Liverpool are unchallenged at the top of the league; **unangemeldet** *adj* unannounced *no adv*; *Besucher* unexpected; *Patient* without an appointment.

un|angemessen *adj* (*zu hoch*) unreasonable, out of all proportion; (*unzulänglich*) inadequate. **einer Sache** (*dat*) **~ sein** to be inappropriate to sth; **dem Ereignis ~ sein** to be unsuitable for *or* inappropriate to the occasion, to ill befit the occasion.

un|angenehm *adj* unpleasant; *Mensch, Arbeit, Geschmack, Geruch auch* disagreeable; (*peinlich*) *Situation auch* awkward, embarrassing; *Zwischenfall, Begegnung* embarrassing. **das ist mir immer so ~** I never like that, I don't like that at all; **es war mir ~, das tun zu müssen** I didn't like having to do it; **es ist mir ~, daß ich Sie gestört habe** I feel bad about having disturbed you; **~ berührt sein** to be embarrassed (*von* by); **er**

kann ~ werden he can get quite nasty.

unangepaßt *adj* non-conformist; **unangetastet** *adj* untouched; **~ bleiben** (*Rechte*) not to be violated; **unangreifbar** *adj Macht, Herrscher* unassailable; *Argument auch* irrefutable, unchallengeable; *Festung, Land* impregnable; **unannehmbar** *adj* unacceptable.

Un|annehmlichkeit *f usu pl* trouble *no pl*, (*lästige Mühe auch*) bother *no pl.* **~en haben/bekommen** *or* **kriegen** to be in/to get into trouble; **das macht mir nicht die geringste ~** it's no trouble *or* bother at all; **mit etw ~en haben** to have a lot of trouble with sth.

un|ansehnlich *adj* unsightly; *person* plain; *Tapete, Möbel* shabby; *Nahrungsmittel* unappetizing.

un|anständig *adj* 1. (*unkultiviert, unerzogen*) ill-mannered, bad-mannered; (*frech, unverschämt*) rude. 2. (*obszön, anstößig*) dirty; *Witz, Lied auch* rude; *Wörter auch* four-letter *attr*, rude; (*vulgär*) *Kleidung* indecent. **~e Reden führen** to talk smut.

Un|anständigkeit *f siehe adj* 1. bad *or* ill manners *pl*; rudeness *no pl.* 2. dirtiness; rudeness; indecency.

unantastbar *adj* (*nicht zu verletzen*) inviolable, sacrosanct; (*über Zweifel erhaben*) unimpeachable; **unappetitlich** *adj* (*lit, fig*) unappetizing.

Un|art *f* bad habit; (*Ungezogenheit*) rude habit.

un|artig *adj* naughty.

Un|artigkeit *f* 1. *no pl* (*Unartigsein*) naughtiness. 2. (*Handlungsweise*) naughty behaviour *no pl or* trick.

unartikuliert *adj* inarticulate; (*undeutlich*) unclear, indistinct; **unästhetisch** *adj* unappetizing; **unaufdringlich** *adj* unobtrusive; *Parfüm auch* discreet; *Mensch* unassuming.

un|auffällig I *adj* inconspicuous; (*unscheinbar, schlicht*) unobtrusive. **die Narbe/sein Hinken ist ziemlich ~** the scar/his limp isn't very noticeable; **er ist ein ziemlich ~er junger Mann** he's not the kind of young man you notice particularly. II *adv* unobtrusively, discreetly.

un|auffindbar *adj* nowhere to be found; *Verbrecher, vermißte Person* untraceable.

un|aufgefordert I *adj* unsolicited (*esp Comm*). II *adv* without being asked. **jdm ~ Prospekte zuschicken** to send sb unsolicited brochures; **~ zugesandte Manuskripte** unsolicited manuscripts.

unaufgeklärt *adj* 1. unexplained; *Verbrechen* unsolved; 2. *Mensch* ignorant; (*sexuell*) ignorant of the facts of life; **unaufgeräumt** *adj* untidy; **unaufhaltsam** *adj* 1. (*unaufhaltbar*) unstoppable; 2. (*unerbittlich*) inexorable; **unaufhörlich** *adj* continual, constant, incessant; **unauflösbar, unauflöslich** *adj* (*Math*) insoluble; (*Chem auch*), *Ehe* indissoluble; **unaufmerksam** *adj* inattentive; (*flüchtig*) *Leser* unobservant; **da war ich einen Augenblick ~** I didn't

pay attention for a moment; **Unaufmerksamkeit** *f siehe adj* inattentiveness; unobservance; **unaufrichtig** *adj* insincere; **Unaufrichtigkeit** *f* insincerity; **unaufschiebbar** *adj* urgent; **es ist ~** it can't be put off *or* delayed *or* postponed; **unausbleiblich** *adj* inevitable, unavoidable; **unausdenkbar** *adj* unimaginable, unthinkable; **unausführbar** *adj* impracticable, unfeasible; **unausgefüllt** *adj* 1. *Formular* blank; 2. *Leben, Mensch* unfulfilled.

un|ausgeglichen *adj* unbalanced; *Verhältnis auch, Vermögensverteilung* unequal; *Stil auch* disharmonious; *Mensch* (*launisch*) moody; (*verhaltensgestört*) unstable. **ein Mensch mit ~em Wesen** a person of uneven temper.

Un|ausgeglichenheit *f siehe adj* imbalance; inequality; disharmony; moodiness; instability. **die ~ seines Wesens** the unevenness of his temper.

unausgegoren *adj* immature; *Idee, Plan auch* half-baked (*inf*); *Jüngling auch* callow; **unausgeschlafen** *adj* tired; **er ist ~/sieht ~ aus** he hasn't had/looks as if he hasn't had enough sleep; **unausgesprochen** *adj* unsaid *pred*, unspoken; **unausgewogen** *adj* unbalanced; **Unausgewogenheit** *f* imbalance; **unauslöschlich** *adj* (*geh*) (*lit, fig*) indelible; **unausrottbar** *adj Unkraut* indestructible; (*fig*) *Vorurteile, Vorstellung* ineradicable.

un|aussprechlich *adj* 1. *Wort, Laut* unpronounceable. 2. *Schönheit, Leid* inexpressible. 3. (*liter: ungeheuerlich*) *Tat, Verbrechen* unspeakable. 4. **die U~en** (*hum*) one's unmentionables (*inf*).

unausstehlich *adj* intolerable; *Mensch, Art, Eigenschaft auch* insufferable; **unausweichlich** *adj* unavoidable, inevitable; *Folgen auch* inescapable; **Unausweichlichkeit** *f* inevitability; (*Dilemma*) dilemma.

unbändig *adj* 1. (*ausgelassen, ungestüm*) *Kind* boisterous. **sie freuten sich ~** they were dancing around (with joy). 2. (*ungezügelt*) unrestrained *no adv*; *Haß, Zorn auch* unbridled *no adv*; *Hunger* enormous.

unbar *adj* (*Comm*) **etw ~ bezahlen** not to pay sth in cash, to pay sth by cheque/credit card *etc*; **~e Zahlungsweise** non-cash payment; **unbarmherzig** *adj* merciless; *Mensch auch* pitiless; **Unbarmherzigkeit** *f siehe adj* mercilessness; pitilessness; **unbeabsichtigt** *adj* unintentional.

unbe|achtet *adj* unnoticed; *Warnung, Vorschläge* unheeded. **jdn/etw ~ lassen** not to take any notice of sb/sth; **das dürfen wir nicht ~ lassen** we mustn't overlook that, we mustn't leave that out of account.

unbeachtlich *adj* insignificant; **unbeanstandet** I *adj* not objected to; **etw ~ lassen** to let sth pass *or* go; II *adv* without objection; **unbeantwortet** *adj* unanswered; **unbebaut** *adj Land* undeveloped; *Grundstück* vacant; *Feld* uncultivated; **unbedacht** adj (hastig) rash; (unüberlegt) thoughtless; **Unbedachtheit** f rashness; thoughtlessness; **unbedarft** adj (inf) simple-minded; Mensch (auf bestimmtem Gebiet) green (inf), clueless (inf); (dumm) dumb (inf); **unbedeckt** adj bare.

unbedenklich I adj (ungefährlich) completely harmless, quite safe; (sorglos) thoughtless. **II** adv (ungefährlich) quite safely, without coming to any harm; (ohne zu zögern) without thinking (twice inf).

Unbedenklichkeitsbescheinigung f (Jur) document certifying that one has no taxes, loans etc outstanding.

unbedeutend adj (unwichtig) insignificant, unimportant; (geringfügig) Rückgang, Änderung minor, minimal.

unbedingt I adj attr (absolut) Ruhe, Verschwiegenheit absolute; (bedingungslos) Gehorsam, Treue auch implicit, unconditional; Anhänger unreserved; Reflex unconditioned.

II adv (auf jeden Fall) really; nötig, erforderlich absolutely. **ich muß ~ mal wieder ins Kino gehen** I really must go to the cinema again; **ich mußte sie ~ sprechen** I really or absolutely had to speak to her; (äußerst wichtig) it was imperative that I spoke to her; **müßt ihr denn ~ in meinem Arbeitszimmer spielen?** do you have to play in my study?; **er wollte ~ mit Renate verreisen** he was (hell-) bent on going away with Renate; **~!** of course!, I should say so!; **nicht ~** not necessarily; **nicht ~ nötig** not absolutely or strictly necessary.

unbeeidigt adj (Jur) unsworn usu attr, not on oath; **unbeeindruckt** adj unimpressed; **unbeeinflußt** adj uninfluenced (von by); **unbefahrbar** adj Straße, Weg impassable; Gewässer unnavigable; **unbefangen** adj 1. (unparteiisch) impartial, unbiased no adv, objective; 2. (natürlich) natural; (ungehemmt) uninhibited; **Unbefangenheit** f siehe adj 1. impartiality, objectiveness; 2. naturalness; uninhibitedness; **unbefleckt** adj (liter) spotless, unsullied, untarnished; Jungfrau undefiled; **die U~e Empfängnis** the Immaculate Conception; **unbefriedigend** adj unsatisfactory; **unbefriedigt** adj (frustriert) unsatisfied; (unerfüllt auch) unfulfilled; (unzufrieden) dissatisfied; **unbefristet** adj Arbeitsverhältnis, Vertrag for an indefinite period; Aufenthaltserlaubnis, Visum permanent; **etw ~ verlängern** to extend sth indefinitely or for an indefinite period; **unbefruchtet** adj unfertilized; **unbefugt** adj unauthorized; **Eintritt für U~e verboten, kein Zutritt für U~e** no admittance to unauthorized persons; **unbegabt** adj untalented, ungifted; **für etw ~ sein** to have no talent for sth; **unbeglichen** adj unpaid, unsettled.

unbegreiflich adj (unverständlich) incomprehensible; Leichtsinn, Irrtum, Dummheit inconceivable; (unergründlich) Menschen, Länder inscrutable. **es wird**

mir immer ~ bleiben, wie/daß ... I shall never understand how/why ...

unbegreiflicherweise adv inexplicably.

unbegrenzt adj unlimited; Möglichkeiten, Energie, Vertrauen auch limitless, boundless, infinite; Land, Meer boundless; Zeitspanne, Frist indefinite. **zeitlich ~** indefinite; **~, auf ~e Zeit** indefinitely; **er hat ~e Zeit** he has unlimited time; **in ~er Höhe** of an unlimited or indefinite amount; **es ist nach oben ~** there's no upper limit (on it), the sky's the limit (inf); **„~ haltbar"** "will keep indefinitely".

unbegründet adj Angst, Verdacht, Zweifel unfounded, groundless, without foundation; Maßnahme unwarranted. **eine Klage als ~ abweisen** to dismiss a case.

unbehaart adj hairless; (auf dem Kopf) bald.

Unbehagen nt (feeling of) uneasiness or disquiet, uneasy feeling; (Unzufriedenheit) discontent (an +dat with); (körperlich) discomfort.

unbehaglich adj uncomfortable; Gefühl auch uneasy. **sich in jds Gesellschaft (dat) ~ fühlen** to feel uncomfortable or ill at ease in sb's company.

unbehelligt adj (unbelästigt) unmolested; (unkontrolliert) unchecked; **jdn ~ lassen** to leave sb alone; (Polizei) not to stop sb; **unbeherrscht** adj uncontrolled; Mensch lacking self-control; (gierig) greedy; **~ reagieren** to react in an uncontrolled way or without any self-control; **unbehindert** adj unhindered, unimpeded; Sicht clear, uninterrupted.

unbeholfen adj clumsy, awkward; (hilflos) helpless; (plump) Annäherungsversuch clumsy.

Unbeholfenheit f, no pl siehe adj clumsiness, awkwardness; helplessness; clumsiness.

unbeirrbar adj unwavering; **unbeirrt** adj 1. (ohne sich irritieren zu lassen) unflustered; 2. unwavering.

unbekannt adj unknown; Gesicht auch unfamiliar; Flugzeug, Flugobjekt unidentified. **eine (mir) ~e Stadt/Stimme** a town/voice I didn't know, a town/voice unknown to me; **das war mir ~** I didn't know that, I was unaware of that; **dieser Herr/diese Gegend ist mir ~** I don't know or I'm not acquainted with this gentleman/area; **es wird Ihnen nicht ~ sein, daß ...** you will no doubt be aware that ...; **~e Größe** (Math, fig) unknown quantity; **aus ~er Ursache** for some unknown reason; **nach ~ verzogen** moved — address unknown; **ich bin hier ~** (inf) I'm a stranger here; **~e Täter** person or persons unknown; **Strafanzeige gegen U~** charge against person or persons unknown.

Unbekannte f -n, -n (Math) unknown.

Unbekannte(r) mf decl as adj stranger. **der große ~** (hum) the mystery man/ person etc.

unbekannterweise adv **grüße sie/ihn ~ von mir** give her/him my regards although I don't know her/him.

unbekleidet adj bare. **er war ~** he had nothing or no clothes on, he was bare.

unbekümmert adj **1.** (unbesorgt) unconcerned. **sei ganz ~** don't worry. **2.** (sorgenfrei) carefree.

Unbekümmertheit f siehe adj **1.** lack of concern. **2.** carefreeness.

unbelastet adj **1.** (ohne Last) unloaded, unladen. **das linke Bein ~ lassen** to keep one's weight off one's left leg. **2.** (ohne Schulden) unencumbered. **3.** (Pol: ohne Schuld) guiltless. **4.** (ohne Sorgen) free from care or worries. **von Hemmungen/Ängsten ~** free from inhibitions/fears.

unbelebt adj Straße, Gegend quiet; **die ~e Natur** the inanimate world, inanimate nature; **unbeleckt** adj **~ von aller Kultur sein** (inf) to be completely uncultured; **unbelehrbar** adj fixed in one's views; Rassist dyed-in-the-wool attr; **er ist ~** you can't tell him anything; **unbelesen** adj unread, unlettered; **unbeleuchtet** adj unlit; Fahrzeug without lights; **unbeliebt** adj unpopular (bei with); **sich ~ machen** to make oneself unpopular; **Unbeliebtheit** f unpopularity (bei with); **unbemannt** adj Raumflug, Station unmanned; Fahrzeug driverless; Flugzeug pilotless; (inf: ohne Mann) without a man; **unbemerkbar** adj imperceptible; **unbemerkt** adj unnoticed; (nicht gesehen auch) unobserved; **~ bleiben** to escape attention, to go unnoticed.

unbemittelt adj without means.

unbenommen adj pred (form) **es bleibt** or **ist Ihnen ~, zu ...** you are (quite) free or at liberty to ...

unbenutzbar adj unusable; **unbenutzt** adj unused.

unbeobachtet adj unobserved, unnoticed. **in einem ~en Moment** when nobody was looking; **wenn er sich ~ fühlt ...** when he thinks nobody is looking ...

unbequem adj (ungemütlich) uncomfortable, uncomfy; (lästig) Mensch, Frage, Situation inconvenient; Aufgabe unpleasant; (mühevoll) difficult. **diese Schuhe sind mir zu ~** these shoes are too uncomfortable; **der Regierung/den Behörden ~ sein** to be an embarrassment to the government/authorities.

Unbequemlichkeit f siehe adj uncomfortableness, uncomfiness; awkwardness, inconvenience; unpleasantness; difficulty.

unberechenbar adj unpredictable; **Unberechenbarkeit** f unpredictability; **unberechtigt** adj (ungerechtfertigt) unwarranted; Sorge, Kritik unfounded; (unbefugt) unauthorized; **unberechtigterweise** adv siehe adj without justification; without reason; without authority.

unberücksichtigt adj unconsidered. **etw ~ lassen** not to consider sth, to leave sth out of consideration; **die Frage ist ~ geblieben** this question has not been considered.

unberufen adj **~ (toi, toi, toi)!** touch wood!

unberührbar adj untouchable. **die U~en** the untouchables.

unberührt adj **1.** untouched; (fig) Wald virgin; Natur unspoiled. **~ sein** (Mädchen) to be a virgin; **~ in die Ehe gehen** to be a virgin when one marries; **das Essen ~ stehenlassen** to leave one's food untouched. **2.** (mitleidlos) unmoved. **das kann ihn nicht ~ lassen** he can't help but be moved by that. **3.** (unbetroffen) unaffected.

unbeschadet prep +gen (form) regardless of. **~ dessen, daß ...** regardless of the fact that ...

unbeschädigt adj undamaged; Geschirr, Glas auch intact, unbroken; Siegel unbroken; (inf) Mensch intact (inf), unharmed, in one piece (inf). **~ bleiben** not to be damaged/broken; (seelisch) to come off unscathed.

unbescheiden adj presumptuous. **darf ich mir die ~e Frage erlauben, ...?** I hope you don't think me impertinent but might I ask ...?

unbescholten adj (geh) respectable; Ruf spotless; **Unbescholtenheit** f (geh) siehe adj respectability; spotlessness.

unbeschrankt adj Bahnübergang without gates, unguarded.

unbeschränkt adj unrestricted; Macht absolute; Geldmittel, Haftung, Zeit, Geduld unlimited; Vertrauen unbounded, boundless; Freiheit, Vollmacht auch limitless. **wieviel darf ich mitnehmen? — ~** how much can I take? — there's no limit or restriction; **jdm ~e Vollmacht geben** to give sb carte blanche.

unbeschreiblich adj indescribable; Frechheit tremendous, enormous.

unbeschrieben adj blank; **unbeschwert** adj **1.** (sorgenfrei) carefree; Melodien light; Unterhaltung, Lektüre lighthearted; **2.** (ohne Gewicht) unweighted.

unbesehen adv indiscriminately; (ohne es anzusehen) without looking at it/them. **das glaube ich dir ~** I believe it if you say so.

unbesetzt adj vacant; Stuhl, Platz auch unoccupied; Schalter closed; **unbesiegbar** adj Armee invincible; Mannschaft, Sportler auch unbeatable; **unbesiegt** adj undefeated; **unbesonnen** adj rash; **Unbesonnenheit** f rashness.

unbesorgt I adj unconcerned. **Sie können ganz ~ sein** you can set your mind at rest or ease. **II** adv without worrying. **das können Sie ~ tun** you don't need to worry about doing that.

unbeständig adj Wetter (immer) changeable; (zu bestimmtem Zeitpunkt auch) unsettled; Mensch unsteady; (in Leistungen) erratic; (launisch) moody; **Unbeständigkeit** f siehe adj changeableness, changeability; unsettledness; unsteadiness; erraticness; moodiness; **unbestätigt** adj unconfirmed; **unbestechlich** adj **1.** Mensch incorruptible; **2.** Urteil, Blick unerring; **unbestimmbar** adj indeterminable.

unbestimmt adj **1.** (ungewiß) uncertain; (unentschieden auch) undecided. **2.** (un-

klar, undeutlich) Gefühl, Erinnerung vague. **etw ~ lassen** to leave sth open; **auf ~e Zeit** for an indefinite period, indefinitely. **3.** (*Gram*) indefinite.

Unbestimmtheit *f, no pl siehe adj* **1.** uncertainty. **2.** vagueness.

unbestreitbar *adj Tatsache* indisputable; *Verdienste, Fähigkeiten* unquestionable.

unbestritten *adj* undisputed, indisputable. **es ist ja ~, daß ...** nobody denies *or* disputes that ...

unbeteiligt *adj* **1.** (*uninteressiert*) indifferent; (*bei Diskussion*) uninterested. **2.** (*nicht teilnehmend*) uninvolved *no adv* (*an +dat, bei* in); (*Jur, Comm*) disinterested. **es kamen auch U~e zu Schaden** innocent bystanders were also injured.

unbetont *adj* unstressed; **unbeträchtlich** *adj* insignificant; *Unannehmlichkeiten* minor; *Aufpreis, Verbilligung* slight; **nicht ~** not inconsiderable; **unbeugsam** *adj* uncompromising, unbending; *Wille* unshakeable; **unbewacht** *adj* (*lit, fig*) unguarded; *Parkplatz* unattended; **unbewaffnet** *adj* unarmed; **unbewältigt** *adj* unconquered, unmastered; **Deutschlands ~e Vergangenheit** the past with which Germany has not yet come to terms.

unbeweglich *adj* **1.** (*nicht zu bewegen*) immovable; (*steif*) stiff; (*geistig ~*) rigid, inflexible. **ohne Auto ist man ziemlich ~** you're not very mobile *or* you can't get around much without a car; **~e Güter** (*Jur*) immovable property. **2.** (*bewegungslos*) motionless.

unbewegt *adj* motionless, unmoving; *Meer* unruffled; (*fig: unberührt*) unmoved; **unbewiesen** *adj* unproven; **unbewohnbar** *adj* uninhabitable; **unbewohnt** *adj Gegend, Insel, Planet* uninhabited; *Wohnung, Haus* unoccupied, empty; **unbewußt** *adj* unconscious; *Reflex* involuntary; **das U~e** (*Psych*) the unconscious; **unbezahlbar** *adj* **1.** (*lit: zu teuer*) prohibitively expensive, impossibly dear; *Luxus, Artikel* which one couldn't possibly afford; (*fig: komisch*) priceless; **2.** (*fig: praktisch, nützlich*) invaluable; **unbezahlt** *adj Urlaub* unpaid; *Rechnung, Schuld auch* unsettled, outstanding; **unbezähmbar** *adj Optimismus, heiteres Gemüt, Neugier* irrepressible, indomitable; *Verlangen, Lust* uncontrollable; **unbezweifelbar** *adj* undeniable; *Tatsache auch* unarguable; **unbezwingbar, unbezwinglich** *adj* unconquerable; *Gegner* invincible; *Festung* impregnable; *Drang* uncontrollable.

Unbilden *pl* (*liter*) **1.** (*des Wetters*) rigours *pl.* **2.** (*einer schweren Zeit*) trials *pl*, (trials and) tribulations *pl.*

unbillig *adj* (*Jur: ungerecht*) unjust; (*unangemessen*) unreasonable. **~e Härte** (*Jur*) undue hardship.

unblutig I *adj* bloodless; (*Med*) nonoperative; **II** *adv* without bloodshed; **unbotmäßig** *adj* (*geh*) (*undiszipliniert*) insubordinate; (*wild*) unruly; (*rebellisch*) rebellious; **unbrauchbar** *adj* (*nutzlos*) useless, (of) no use *pred*;

(*nicht zu verwenden*) unusable; **unbürokratisch I** *adj* unbureaucratic; **II** *adv* without a lot of red tape, unbureaucratically; **unchristlich** *adj* unchristian; **eine ~e Zeit** (*inf*) an ungodly hour.

und *conj* **1.** and. **~?** well?; **~ dann?** (and) what then *or* then what?; (*danach*) and then?, and after that?; **~ ähnliches** and things like that, and suchlike; **~ anderes** and other things; **er kann es nicht, ~ ich auch nicht** he can't do it, (and) nor *or* neither can I; **ich ~ ihm Geld leihen?** (*inf*) me, lend him money?; **du ~ tanzen können?** (*inf*) you dance?; **immer zwei ~ zwei** two at a time; **Gruppen zu fünf ~ fünf** groups of five; **er aß ~ aß** he ate and ate, he kept on (and on) eating; **er konnte ~ konnte nicht aufhören** he simply couldn't stop; **Unfälle, Staus, ~ ~ ~** accidents, tailbacks etc etc etc.

2. (*konzessiv*) even if. **...,~ wenn ich selbst bezahlen muß ...** even if I have to pay myself; **~ ... (auch) noch** no matter how ...; **...,~ wenn du auch noch so bettelst ...** no matter how much you beg; **~ selbst** even; **~ selbst dann** even then.

Undank *m* ingratitude. **~ ernten** to get little thanks; **~ ist der Welt Lohn** (*Prov*) never expect thanks for anything.

undankbar *adj* **1.** *Mensch* ungrateful. **2.** (*unerfreulich*) *Aufgabe, Arbeit* thankless.

Undankbarkeit *f siehe adj* **1.** ingratitude, ungratefulness. **2.** thanklessness.

undatiert *adj* undated; **undefinierbar** *adj Begriff* indefinable; **das Essen war ~** nobody could say what the food was; **undehnbar** *adj* inelastic; **undeklinierbar** *adj* indeclinable; **undemokratisch** *adj* undemocratic.

undenkbar *adj* unthinkable, inconceivable. **es/diese Möglichkeit ist nicht ~ it/** the possibility is not inconceivable.

undenklich *adj*: **seit ~en Zeiten** (*geh*) since time immemorial.

undeutlich *adj* indistinct; (*wegen Nebel auch*) hazy; *Foto auch* blurred; *Erinnerung auch* vague, hazy; *Schrift* illegible; *Ausdrucksweise, Erklärung* unclear, muddled. **~ sprechen** to speak indistinctly, to mumble; **ich konnte es nur ~ verstehen I** couldn't understand it very clearly; **sie/es war nur ~ erkennbar** *or* **zu erkennen** you couldn't see her/it at all clearly.

undicht *adj Dose, Gefäß* not air-/watertight. **das Rohr ist ~** the pipe leaks; **das Fenster ist ~** the window lets in a draught; **er/sie/es muß eine ~e Stelle haben** (*Rohr*) it must have a leak; (*Reifen*) it must have a hole in it; **im Geheimdienst muß eine ~e Stelle sein** the secret service must have a leak somewhere.

undifferenziert *adj* simplistic; (*nicht analytisch*) undifferentiated; (*gleichartig*) uniform.

Unding *nt, no pl* absurdity. **es ist ein ~, zu ...** it is preposterous *or* absurd to ...

undiplomatisch *adj* undiplomatic; **undiszipliniert** *adj* undisciplined; **Undiszipliniertheit** *f* lack of discipline;

undramatisch adj (fig) undramatic, unexciting; **unduldsam** adj intolerant (gegen of); **Unduldsamkeit** f, no pl intolerance (gegen of); **undurchdringbar, undurchdringlich** adj Gebüsch, Urwald impenetrable; Gesicht, Miene inscrutable; **undurchführbar** adj impracticable, unworkable; **undurchlässig** adj impermeable, impervious (gegen to); **undurchschaubar** adj unfathomable; Volk inscrutable; er ist ein ~er Typ (inf) you never know what game he's playing (inf); **undurchsichtig** adj 1. Fenster opaque; Papier non-transparent; Stoff non-transparent, not see-through (inf); 2. (fig pej) Mensch, Methoden devious; Motive obscure; Vorgänge, Geschäfte dark.

un|eben adj 1. Oberfläche, Fußboden, Wand uneven; Straße auch bumpy; Gelände rough, bumpy. 2. (dial inf) bad. **Un|ebenheit** f siehe adj 1. unevenness; bumpiness; roughness. kleine ~en uneven patches.

unecht adj false; (vorgetäuscht) fake; Schmuck, Edelstein, Blumen artificial, fake (usu pej); Bruch improper; **unedel** adj Metalle base; **unehelich** adj illegitimate; ~ geboren sein to be illegitimate, to have been born out of wedlock (old, form); **Unehre** f, no pl dishonour; jdm ~ machen or zur ~ gereichen (geh) to disgrace sb; **unehrenhaft** adj dishonourable; ~ (aus der Armee) entlassen werden to be given a dishonourable discharge; **unehrerbietig** adj disrespectful; **unehrlich** adj dishonest; ~ spielen to cheat; auf ~e Weise by dishonest means; **Unehrlichkeit** f dishonesty; **uneidlich** adj ~e Falschaussage (Jur) false statement made while not under oath; **uneigennützig** adj unselfish, selfless, altruistic; **Uneigennützigkeit** f unselfishness, selflessness, altruism; **uneingeladen** adj uninvited.

un|eingeschränkt I adj absolute, total; Freiheit, Rechte unlimited, unrestricted; Annahme, Zustimmung unqualified; Vertrauen auch, Lob unreserved; Handel free, unrestricted; Vollmachten plenary.
II adv siehe adj absolutely, totally; without limitation or restriction; without qualification; without reservation, unreservedly; freely, without restriction.

uneingeweiht adj uninitiated; **uneinig** adj 1. (verschiedener Meinung) in disagreement; über etw (acc) ~ sein to disagree or to be in disagreement about sth; 2. (zerstritten) divided; **Uneinigkeit** f disagreement (gen between); ~ in der Partei division within the party; **uneinnehmbar** adj impregnable.

un|eins adj pred disagreed; (zerstritten) divided. (mit jdm) ~ sein/werden to disagree with sb; ich bin mit mir selbst ~ I cannot make up my mind; die Mitglieder sind (untereinander) ~ the members are divided amongst themselves.

unempfänglich adj (für to) insusceptible, unsusceptible; (für Eindrücke auch, Atmosphäre) insensitive.

un|empfindlich adj (gegen to) insensitive; (durch Übung, Erfahrung) inured; Bazillen immune; Pflanzen hardy; Textilien practical. gegen Kälte ~e Pflanzen plants which aren't sensitive to the cold.
Un|empfindlichkeit f siehe adj insensitiveness, insensitivity; inurement; immunity; hardiness. die ~ dieses Stoffs the fact that this material is so practical.

un|endlich I adj infinite; (zeitlich) endless; Universum infinite, boundless. das U~e infinity; im U~en at infinity; (bis) ins U~e (lit, Math) to infinity; bis ins ~e (~ lange) forever; auf ~ einstellen (Phot) to focus at infinity. **II** adv endlessly; infinitely; (fig: sehr) terribly. ~ lange diskutieren to argue endlessly; ~ viele Dinge/Leute no end of things/people.

un|endlichemal, un|endlichmal adv endless times.
Un|endlichkeit f infinity; (zeitlich) endlessness; (von Universum) boundlessness. ~ von Raum und Zeit infinity of time and space.
Un|endlichkeitszeichen nt (Math) infinity symbol.

unentbehrlich adj indispensable; Kenntnisse essential; **unentdeckt** adj undiscovered; **unentgeltlich** adj free of charge; **unentrinnbar** adj (geh) inescapable.

un|entschieden adj (nicht entschieden) undecided; (entschlußlos) indecisive; (Sport) drawn. das Spiel steht immer noch 2:2 ~ the score is still level at 2 all; ~ enden or ausgehen to end in a draw; ~ spielen to draw; ein ~es Rennen a dead heat.
Un|entschieden nt -s, - (Sport) draw. mit einem ~ enden to end in a draw.

un|entschlossen adj (nicht entschieden) undecided; (entschlußlos) Mensch indecisive, irresolute. ich bin noch ~ I haven't decided or made up my mind yet; ~ stand er vor dem Haus he stood hesitating in front of the house.
Un|entschlossenheit f siehe adj undecidedness; indecision, irresoluteness.
un|entschuldbar adj inexcusable.
un|entschuldigt I adj unexcused. ~es Fernbleiben von der Arbeit/Schule absenteeism/truancy. **II** adv without an excuse.

un|entwegt I adj (mit Ausdauer) continuous, constant; (ohne aufzuhören auch) incessant; Kämpfer untiring. einige U~e a few stalwarts. **II** adv constantly; incessantly; without tiring.
unentwirrbar adj which can't be disentangled; Zusammenhänge involved.
un|erbittlich adj relentless; Mensch auch inexorable, pitiless. ~ auf jdn einschlagen to hit sb pitilessly or mercilessly.

unerfahren adj inexperienced; **Unerfahrene(r)** mf decl as adj inexperienced person/man/woman etc; **Unerfahrenheit** f inexperience, lack of experience; **unerfindlich** adj incomprehensible; Grund obscure; aus ~en Gründen for some obscure reason; **unerforschbar, unerforschlich** adj impenetrable; Wille unfathomable;

unerfreulich *adj* unpleasant; **U~es** (*schlechte Nachrichten*) bad news *sing*; (*Übles*) bad things *pl*; **unerfüllbar** *adj* unrealizable; *Wunsch, Ziel auch* unattainable; **unerfüllt** *adj* unfulfilled; **unergiebig** *adj Quelle, Thema* unproductive; *Boden, Ernte, Nachschlagewerk* poor; *Kaffee, Trauben* uneconomical; **unergründbar, unergründlich** *adj* unfathomable; **unerheblich** *adj* (*geringfügig*) insignificant; (*unwichtig auch*) unimportant, irrelevant; **nicht ~ verbessert** considerably improved; **unerhofft** *adj* unexpected.

un|erhört¹ I *adj attr* (*ungeheuer, gewaltig*) enormous; (*empörend*) outrageous; *Frechheit* incredible. **das ist ja ~!** that's quite outrageous. **II** *adv* incredibly. **~ viel** a tremendous amount (of); **~ viel wissen/arbeiten** to know a tremendous amount/to work tremendously hard; **wir müssen uns ~ beeilen** we really have to hurry; **~ aufpassen** to watch very carefully.

un|erhört² *adj Bitte, Gebet* unanswered; *Liebe* unrequited; *Liebhaber* rejected.

unerkannt *adj* unrecognized; **~ entkommen** to get away without being recognized; **unerklärbar, unerklärlich** *adj* inexplicable; **das ist mir ~** I can't understand it; **unerklärt** *adj Phänomen, Sachverhalt* unexplained; *Krieg, Liebe* undeclared; **unerläßlich** *adj* imperative.

un|erlaubt *adj* forbidden; *Betreten, Parken* unauthorized; (*ungesetzlich*) illegal. **etw ~ tun** to do sth without permission; **~e Handlung** (*Jur*) tort; **~er Waffenbesitz** illegal possession of firearms.

un|erledigt *adj* unfinished; *Post* unanswered; *Rechnung* outstanding; *Auftrag* unfulfilled; (*schwebend*) pending. **auf dem Aktenordner stand „~"** the file was marked "pending".

unermeßlich *adj* immense; *Weite, Himmel, Ozean* vast; **unermüdlich** *adj Bestrebungen, Fleiß* untiring, tireless; *Versuche* unceasing; **unerquicklich** *adj* (*unerfreulich*) unedifying; (*nutzlos*) unproductive, fruitless; **unerreichbar** *adj Ziel, Leistung, Qualität* unattainable; *Ort, Ferne* inaccessible; (*telefonisch*) unobtainable; **unerreicht** *adj* unequalled; *Ziel* unattained.

un|ersättlich *adj* insatiable; *Wissensdurst auch* inexhaustible.

unerschlossen *adj Land* undeveloped; *Boden* unexploited; **unerschöpflich** *adj* inexhaustible; **unerschrocken** *adj* intrepid, courageous; **Unerschrockenheit** *f* intrepidity, courage; **unerschütterlich** *adj* unshakeable; *Ruhe* imperturbable.

un|erschwinglich *adj* exorbitant, prohibitive. **für jdn ~ sein** to be beyond sb's means; **~ (teuer) sein** to be prohibitively expensive *or* prohibitive.

unersetzlich *adj* irreplaceable; *Mensch auch* indispensable; **unersprießlich** *adj* (*geh*) (*unerfreulich*) unedifying; (*nutzlos*) unproductive, fruitless; **unerträglich** *adj* unbearable; **unerwähnt** *adj* unmentioned; **unerwartet** *adj* unexpected; **unerwidert** *adj Brief, Behauptung* unanswered; *Liebe* unrequited; *Sympathie* one-sided; **unerwünscht** *adj Kind* unwanted; *Besuch, Effekt* unwelcome; **du bist hier ~** you're not welcome here; **unerzogen** *adj* ill-mannered; *Kind auch* badly brought up.

UNESCO [u'nɛsko] *f* **die ~** UNESCO.

unfähig *adj* **1.** *attr* incompetent. **2. ~ sein, etw zu tun** to be incapable of doing sth; (*vorübergehend*) to be unable to do sth; **einer Sache** (*gen*) *or* **zu etw ~ sein** to be incapable of sth.

Unfähigkeit *f* **1.** (*Untüchtigkeit*) incompetence. **2.** (*Nichtkönnen*) inability.

unfair *adj* unfair (*gegenüber* to); **Unfairneß, Unfairness** *f* unfairness.

Unfall *m* **-s, Unfälle** accident. **er ist bei einem ~ ums Leben gekommen** he died in an accident; **gegen ~ versichert** insured against accidents.

Unfallarzt *m*, **Unfallärztin** *f* specialist for accident injuries; **Unfallbeteiligte(r)** *mf* person/man/woman *etc* involved in an/the accident; **Unfallflucht** *f* failure to stop after *or* (*nicht melden*) report an accident; (*bei Verletzung von Personen auch*) hit-and-run driving; **~ begehen** to fail to stop after/report an accident; to commit a hit-and-run offence; **unfallflüchtig** *adj Fahrer* who fails to stop after/report an accident; hit-and-run *attr*; **Unfallfolge** *f* result of an/the accident; **unfallfrei I** *adj* accident-free; **II** *adv* without an accident; **Unfallgegner(in** *f***)** *m* plaintiff for damages; **Unfallhilfe** *f* help at the scene of an/the accident; (*Erste Hilfe*) first aid; **Unfallklinik** *f*, **Unfallkrankenhaus** *nt* accident hospital; **Unfallopfer** *nt* casualty; **Unfallort** *m* scene of an/the accident; **Unfallquote, Unfallrate** *f* accident rate; **Unfallrente** *f* accident benefits *pl*; **Unfallschaden** *m* damages *pl*; **Unfallstation** *f* accident *or* emergency ward; **Unfallstelle** *f* scene of an/the accident; **Unfalltod** *m* accidental death; **bei ~** in the event of death by misadventure; **unfallträchtig** *adj* accident-prone; **Unfallursache** *f* cause of an/the accident; **Unfallverletzte(r)** *mf* casualty; **Unfallversicherung** *f* accident insurance; **Unfallwagen** *m* car involved in an/the accident; (*inf: Rettungswagen*) ambulance; **Unfallzahl, Unfallziffer** *f* number of accidents; **steigende ~n** rising accident rates; **Unfallzeuge** *m*, **Unfallzeugin** *f* witness to an/the accident.

unfaßbar, unfaßlich *adj* incomprehensible. **es ist mir** *or* **für mich ~, wie ...** I (simply) cannot understand how ...

unfehlbar I *adj* infallible; *Instinkt* unerring; **II** *adv* without fail; **Unfehlbarkeit** *f* infallibility; **unfein** *adj* unrefined *no adv*, indelicate; **das ist ~/mehr als ~** that's bad manners/most ungentlemanly/unladylike; **unfertig** *adj* (*unvollendet*) unfinished; (*nicht vollständig*) incomplete; (*unreif*) *Mensch* immature.

Unflat ['ʊnflaːt] *m* **-(e)s, no pl** (*lit old*)

feculence (form); (fig geh) vituperation.
jdn mit ~ bewerfen (fig geh) to inveigh
against or vituperate sb.

unflätig adj (geh) offensive. **sich ~ ausdrücken** to use obscene language.

unflektiert adj (Gram) uninflected;
unflott adj (inf) not nice; **das ist gar
nicht so ~** that's not bad; **er/sie ist gar
nicht so ~** he's/she's a bit of all right
(inf); **unfolgsam** adj disobedient;
unformatiert adj (Comput) un-
formatted.

unförmig adj (formlos) shapeless; Möbel,
Auto inelegant; (groß) cumbersome;
Füße, Gesicht unshapely.

Unförmigkeit f siehe adj shapelessness;
inelegance; cumbersomeness; unshape-
liness.

unförmlich adj informal; **unfrankiert** adj
unstamped; **unfraulich** adj unfeminine.

unfrei adj 1. (politisch, Hist: leibeigen) not
free. **~ sein** (Hist) to be a bondman or in
bondage or a serf. 2. (befangen,
eingeengt) constrained, uneasy. 3. Brief
unfranked.

Unfreie(r) mf decl as adj (Hist) serf.

Unfreiheit f lack of freedom; (Hist) bondage.

unfreiwillig adj 1. (gezwungen) compulsory. **ich mußte ~ zuhören/war ~er Zeuge** I was forced to listen/was an unwilling
witness. 2. (unbeabsichtigt) Witz, Fehler
unintentional.

unfreundlich adj unfriendly (zu, gegen
to); Wetter inclement; Landschaft, Zimmer, Farbe cheerless. **jdn ~ behandeln**
to be unfriendly to sb; **jdn ~ begrüßen/
ansehen** to give sb an unfriendly
welcome/look; **~ reagieren** to react in
an unfriendly way; **ein ~er Akt** (Pol) a
hostile act.

Unfreundlichkeit f 1. siehe adj unfriendli-
ness; inclemency; cheerlessness. 2. (un-
freundliche Bemerkung) unpleasant remark.

Unfriede(n) m strife. **in ~n (mit jdm) leben** to live in conflict (with sb).

unfrisiert adj (lit) Haare uncombed;
Mensch with one's hair in a mess; (fig
inf) (nicht verfälscht) undoctored; Auto
not souped-up (sl).

unfruchtbar adj infertile; Boden auch
barren; Frau auch barren (old, liter);
(fig: Debatte) fruitless; Schaffenszeit unproductive. **~ machen** to sterilize; **die
~en Tage** (Med) the days of infertility.

Unfruchtbarkeit f siehe adj infertility;
barrenness; fruitlessness.

Unfug ['ʊnfuːk] m -s, no pl nonsense. **~
treiben or anstellen or machen** to get up
to mischief; **laß den ~!** stop that nonsense!; **wegen groben ~s** for causing a
public nuisance.

Ungar(in f) ['ʊŋɡar(ɪn)] m -n, -n Hungarian.

ungarisch ['ʊŋɡarɪʃ] adj Hungarian.

Ungarisch(e) ['ʊŋɡarɪʃ(ə)] nt Hungarian;
siehe auch **Deutsch(e)**.

Ungarn ['ʊŋɡarn] nt -s Hungary.

ungastlich adj inhospitable.

unge|achtet prep +gen in spite of, de-
spite. **~ aller Ermahnungen** despite all

warnings; **er ist sehr stark, ~ dessen,
daß er so klein ist** he's very strong, in
spite of being so small.

ungeahnt adj undreamt-of; **ungebärdig**
adj unruly; **ungebeten** adj uninvited; **er
kam ~** he came uninvited or unasked or
without an invitation; **ungebeugt** adj 1.
unbent, unbowed; 2. (Gram) uninflected; **ungebildet** adj uncultured;
(ohne Bildung) uneducated; U~e uneducated or ignorant people; **un-
geboren** adj unborn; **ungebräuchlich**
adj uncommon; **ungebraucht** adj unused; **ungebrochen** adj unbroken;
(Phys) Licht unrefracted.

Ungebühr f, no pl (old, form) impropri-
ety. **~ vor Gericht** contempt of court.

ungebührlich adj (geh) improper. **sich ~
aufregen** to get unduly excited.

ungebunden adj 1. Buch unbound; Blumen loose. 2. **in ~er Rede** in prose. 3.
(unabhängig) Leben (fancy-)free; (unverheiratet) unattached; (Pol) independent. **frei und ~** footloose and
fancy-free; **parteipolitisch ~** (politically)
independent, not attached to any political party.

ungedeckt adj 1. (schutzlos) Schachfigur
unprotected, unguarded; (Sport) Tor
undefended; Spieler unmarked, uncovered; Scheck, Kredit uncovered; 2.
Tisch unlaid.

Ungeduld f impatience. **vor ~** with impatience; **voller ~** impatiently.

ungeduldig adj impatient.

unge|eignet adj unsuitable; (für Beruf,
Stellung auch) unsuited (für to, for).

ungefähr I adj attr approximate, rough.
nach ~en Schätzungen at a rough guess
or estimate.

    II adv roughly; (bei Zahlen-, Maßan-
gaben auch) approximately. **(so) ~ dreißig** about or approximately thirty; **~ 12
Uhr** about or approximately 12 o'clock;
von ~ from nowhere; (zufällig) by
chance; **das kommt nicht von ~** it's no
accident; **diese Bemerkung kommt doch
nicht von ~** he etc didn't make this remark just by chance; **wo ~?** whereabouts?; **wie ~?** approximately how?; **so
~!** more or less!; **können Sie mir (so) ~
sagen, wieviel das kosten soll/wie Sie sich
das vorgestellt haben?** can you give me a
rough idea of or tell me roughly how
much it will cost/how you imagined it?;
~ (so) wie a bit like; **können Sie den
Mann ~ beschreiben?** can you give me/
us etc a rough description of the man?;
dann weiß ich ~ Bescheid then I've got a
rough idea; **so ~ habe ich mir das gedacht** I thought it would be something
like this.

ungefährdet adj 1. safe, unendangered
no adv; 2. (Sport) not in danger; **~ siegen** to win comfortably; **ungefährlich**
adj safe; Tier, Krankheit, Arzneimittel
harmless; **nicht ganz ~** not altogether
safe/harmless; **ungefällig** adj Mensch
unobliging; **ungefärbt** adj Haare, Stoff
undyed, natural; Lebensmittel without
(added) colouring; **ungefedert** adj
springless, without springs; **ungefiltert**

adj unfiltered; **ungefragt** *adv* unasked; **ungegerbt** *adj* untanned; **ungegliedert** *adj Körper, Stengel* unjointed; *(fig)* disjointed; *Satz, Aufsatz* unstructured.

ungehalten *adj* indignant (*über +acc* about).

Ungehaltenheit *f* indignation.

ungeheizt *adj* unheated; **ungehemmt** *adj* unrestrained.

Ungeheuer *nt* **-s, -** monster; *(fig auch)* ogre.

ungeheuer I *adj* **1.** *siehe* **ungeheuerlich.**

2. *(riesig)* enormous, immense; *(in bezug auf Länge, Weite)* vast.

3. *(frevelhaft, vermessen)* outrageous, dreadful.

II *adv* *(sehr)* enormously, tremendously; *(negativ)* terribly, awfully. **~ groß** tremendously big; **~ viele Menschen** an enormous number of people.

ungeheuerlich *adj* monstrous; *Tat auch* atrocious; *Verleumdung* outrageous; *Verdacht, Dummheit* dreadful; *Leichtsinn* outrageous, appalling.

Ungeheuerlichkeit *f* *siehe adj* monstrosity; atrocity, atrociousness; outrageousness; dreadfulness. **so eine ~!** how outrageous!; **~en** *(Verbrechen)* atrocities; *(Behauptungen)* outrageous claims.

ungehindert *adj* unhindered; **ungehobelt** *adj Brett* unplaned; *Mensch, Benehmen* boorish; **ungehörig** *adj* impertinent; **Ungehörigkeit** *f* impertinence; **ungehorsam** *adj* disobedient; **Ungehorsam** *m* disobedience; *(Mil)* insubordination; **ziviler ~** civil disobedience; **ungehört** *adv* unheard; **~ verhallen** *(fig)* to fall on deaf ears.

Ungeist *m, no pl (geh)* demon.

ungeistig *adj* unintellectual; **ungekämmt** *adj Haar* uncombed; **~ aussehen** to look unkempt; **ungeklärt** *adj* **1.** *Abwasser* untreated; **2.** *Frage, Verbrechen* unsolved; *Ursache* unknown; **ungekocht** *adj* raw; *Flüssigkeit* unboiled; *Obst* uncooked; **ungekrönt** *adj* uncrowned; **ungekühlt** *adj* unchilled; **ungekündigt** *adj*: **in ~er Stellung** not under notice (to leave); **ungekünstelt** *adj* natural, genuine; *Sprechweise* unaffected; **ungekürzt** *adj* not shortened; *Buch* unabridged; *Film* uncut; *Ausgaben* not cut back; **ungeladen** *adj* **1.** *Kamera, Gewehr* unloaded; **2.** *Gäste* uninvited; **ungeläufig** *adj* unfamiliar.

ungelegen *adj* inconvenient. **komme ich (Ihnen) ~?** is this an inconvenient time for you?; **das kam (mir) gar nicht so ~** that was really rather convenient.

Ungelegenheiten *pl* inconvenience *sing*. **jdm ~ bereiten** *or* **machen** to inconvenience sb.

ungelenk *adj* awkward; *Bewegungen auch* clumsy; **ungelenkig** *adj* not supple, stiff; *(fig inf: nicht flexibel)* inflexible, unbending; **ungelernt** *adj attr* unskilled; **ungeliebt** *adj* unloved; **ungelogen** *adv* honestly; **ungelöst** *adj* unsolved; *(Chem)* undissolved; **ungelüftet** *adj* unaired.

Ungemach ['ʊngəmaːx] *nt* **-s,** *no pl (liter)* hardship.

ungemacht *adj Bett* unmade; **ungemahlen** *adj* unground.

ungemein *adj* immense, tremendous.

ungemütlich *adj* uncomfortable; *Mensch* awkward; *Land, Wetter, Wochenende* unpleasant. **mir wird es hier ~** I'm getting a bit uncomfortable *or* uneasy; **er kann ~ werden** he can get nasty; **ich kann auch ~ werden** I can be very unpleasant if I choose.

ungenannt *adj* anonymous. **~ bleiben** to remain anonymous.

ungenau *adj* *(nicht fehlerfrei)* inaccurate; *(nicht wahrheitsgetreu)* inexact; *(vage)* vague; *(ungefähr)* rough, approximate. **~ arbeiten/messen/rechnen** to work inaccurately/measure approximately/calculate roughly.

Ungenauigkeit *f* *siehe adj* inaccuracy; inexactness; vagueness; roughness.

ungeniert ['ʊnʒeniːrt] **I** *adj* *(frei, ungehemmt)* unembarrassed, free and easy; *(bedenkenlos, taktlos)* uninhibited. **II** *adv* openly; *(bedenkenlos, taktlos)* without any inhibition. **greifen Sie bitte ~ zu** please feel free to help yourself/yourselves.

ungenießbar *adj* *(nicht zu essen)* inedible; *(nicht zu trinken)* undrinkable; *(unschmackhaft)* unpalatable; *(inf) Mensch* unbearable.

ungenügend ['ʊngənyːgnt] *adj* inadequate, insufficient; *(Sch)* unsatisfactory. **ein U~** an "unsatisfactory", the lowest mark.

ungenutzt, ungenützt *adj* unused; *Energien* unexploited; **eine Chance ~ lassen** to miss an opportunity; **ungeöffnet** *adj* unopened; **ungeordnet** *adj Bücher, Papiere* untidy, disordered; *(fig)* disordered; **~ herumliegen** to lie (about) in disorder *or* disarray; **ungepflegt** *adj Mensch* untidy, unkempt; *Park, Rasen, Hände* neglected; **ungeprüft** *adj* untested; **etw ~ übernehmen** to accept sth without testing it; *Zahlen* to accept sth without checking; *(unkritisch)* to accept sth at face value; **ungeputzt** *adj* uncleaned; *Zähne* unbrushed; *Schuhe* unpolished; **ungerade** *adj (Math)* odd; **ungeraten** *adj Kind* ill-bred; **ungerecht** *adj* unjust, unfair; **ungerechterweise** *adv* unjustly, unfairly; **ungerechtfertigt I** *adj* unjustified; *Behauptung auch* unwarranted; **II** *adv* unjustly, unduly; **Ungerechtigkeit** *f* injustice; **so eine ~!** how unjust!; **ungereimt** *adj Verse* unrhymed; *(fig)* inconsistent; **Ungereimtheit** *f (fig)* inconsistency.

ungern *adv* reluctantly. **(höchst) ~!** if I/we really have to!; **etw höchst ~ tun** to do sth very reluctantly *or* with the greatest reluctance; **das tue ich gar nicht ~** I don't mind doing that at all.

ungerufen *adj* uncalled, without being called; **ungerührt** *adj* unmoved; **ungesagt** *adj* unsaid; **ungesalzen** *adj* unsalted; **ungesattelt** *adj* unsaddled; **ungesättigt** *adj Hunger* unsatisfied; *(Chem)* unsaturated; **ungesäuert** *adj Brot* unleavened; **ungeschält** *adj Obst,*

Gemüse unpeeled; *Getreide, Reis* unhusked; *Baumstämme* unstripped; **ungeschehen** *adj* undone; **etw ~ machen** to undo sth.

Ungeschick *nt* **-s**, *no pl*, **Ungeschicklichkeit** *f* clumsiness.

ungeschickt *adj* clumsy, awkward; (*unbedacht*) careless, undiplomatic.

Ungeschicktheit *f* clumsiness.

ungeschlacht *adj* (*pej*) hulking great; *Sitten* barbaric.

ungeschlechtlich *adj* asexual; **ungeschliffen** *adj Edelstein, Glas* uncut; *Messer* blunt; (*fig*) *Benehmen, Mensch* uncouth; **ungeschmälert** *adj* undiminished; **ungeschminkt** *adj* without make-up; (*fig*) *Wahrheit* unvarnished; **etw ~ berichten** to give an unvarnished report of sth.

ungeschoren *adj* unshorn; (*fig*) spared. **jdn ~ lassen** (*inf*) to spare sb; (*ungestraft*) to let sb off (scot-free); **~ davonkommen** (*inf*) to get off (scot-free).

ungeschrieben *adj attr* unwritten; **ungeschult** *adj* untrained; **ungeschützt** *adj* unprotected; *Schachfigur auch* unguarded; (*Mil*) *Einheit* exposed; *Anlagen* undefended; (*Sport*) *Tor* undefended; **ungesehen** *adj* unseen; **ungesellig** *adj* unsociable; *Tier* nongregarious; **ungesetzlich** *adj* unlawful, illegal; **Ungesetzlichkeit** *f* unlawfulness, illegality; **ungesichert** *adj* unsecured, not secured; *Schußwaffe* cocked, with the safety catch off; **ungesittet** *adj* uncivilized; **ungestalt** *adj* (*geh*) *Mensch* misshapen, deformed; **ungestempelt** *adj* unfranked; **ungestillt** *adj Durst* unquenched; *Hunger* unappeased; *Blutung* unstaunched; *Verlangen* unfulfilled; *Neugier* unsatisfied; **ungestört** *adj* undisturbed; (*Rad, TV*) without interference; **ungestraft** *adv* with impunity.

ungestüm ['ʊngəʃtyːm] *adj* impetuous.

Ungestüm ['ʊngəʃtyːm] *nt* **-(e)s**, *no pl* impetuousness.

ungesühnt *adj* unexpiated, unatoned; **ungesund** *adj* unhealthy; (*schädlich*) harmful; **ungesüßt** *adj* unsweetened; **ungetan** *adj* undone; **etw ~ machen** to undo sth; **ungetauft** *adj* unchristened; **ungeteilt** *adj* undivided; **ungetilgt** *adj Schulden* uncleared; **ungetragen** *adj Kleidung* new, unworn; **ungetrübt** *adj* clear; *Glück, Freude* perfect, unspoilt.

Ungetüm ['ʊngətyːm] *nt* **-(e)s**, **-e** monster.

ungeübt *adj* unpractised; *Mensch* out of practice; **ungewandt** *adj* awkward; **ungewaschen** *adj* unwashed.

ungewiß *adj* uncertain; (*vage*) vague. **ein Sprung/eine Reise ins Ungewisse** (*fig*) a leap/a journey into the unknown; **jdn (über etw** *acc*) **im ungewissen lassen** to leave sb in the dark (about sth); **im ungewissen bleiben/sein** to stay/be in the dark.

Ungewißheit *f* uncertainty.

ungewöhnlich I *adj* unusual. **II** *adv* usually; (*äußerst auch*) exceptionally.

Ungewöhnlichkeit *f* unusualness.

ungewohnt *adj* (*fremdartig*) strange, un-

familiar; (*unüblich*) unusual. **das ist mir ~** I am unaccustomed to it.

ungewollt *adj* unintentional. **er mußte ~ lachen** he couldn't help laughing.

ungezählt *adj* (*unzählbar*) countless; (*nicht gezählt*) uncounted; **ungezähmt** *adj* untamed; (*fig*) uncurbed.

Ungeziefer *nt* **-s**, *no pl* pests *pl*, vermin; (*old fig*) vermin.

ungezielt *adj* unaimed. **~ schießen** to shoot without taking aim.

ungezogen *adj* ill-mannered.

Ungezogenheit *f* **1.** *no pl* unmannerliness. **2.** (*ungezogene Handlung*) bad manners *no indef art*. **so eine ~ von dir!** what bad manners!

ungezügelt I *adj* (*unbeherrscht*) unbridled; (*ausschweifend*) dissipated; **II** *adv* without restraint; **ungezwungen** *adj* casual, informal; **sich ~ bewegen** to feel quite free; **ungiftig** *adj* nonpoisonous.

Unglaube *m* unbelief, lack of faith; (*esp Philos*) scepticism.

unglaubhaft *adj* incredible, unbelievable.

ungläubig I *adj* unbelieving; (*Rel*) infidel; (*zweifelnd*) doubting, disbelieving. **~er Thomas** (*Bibl, fig*) doubting Thomas. **II** *adv* doubtingly, doubtfully, in disbelief.

Ungläubige(r) *mf* unbeliever; (*Rel*) infidel.

unglaublich *adj* unbelievable, incredible. **das grenzt ans U~e** that's almost incredible.

unglaubwürdig *adj* implausible; *Dokument* dubious; *Mensch* unreliable. **sich ~ machen** to lose credibility.

Unglaubwürdigkeit *f*, *no pl siehe adj* implausibility; dubiousness; unreliability.

ungleich I *adj* (*nicht gleichartig*) *Charaktere* dissimilar, unalike *pred*; *Größe, Farbe* different; (*nicht gleichwertig, nicht vergleichbar*) *Mittel, Waffen* unequal; (*Math*) not equal. **sie sind ein ~es Paar** they are very different.

II *adv* much, incomparably.

Ungleichbehandlung *f*, *no pl* discrimination; **Ungleichgewicht** *nt* (*fig*) imbalance.

Ungleichheit *f siehe adj* dissimilarity; difference; inequality; difference.

ungleichmäßig *adj* uneven; *Atemzüge, Gesichtszüge, Puls* irregular; **~ lang** of uneven length; **Ungleichmäßigkeit** *f siehe adj* unevenness; irregularity; **ungleichseitig** *adj* (*Math*) *Vieleck* irregular.

Ungleichung *f* (*Math*) inequation.

Unglück *nt* **-(e)s**, **-e** (*Unfall, Vorfall*) accident; (*Mißgeschick auch*) mishap; (*Schicksalsschlag*) disaster, tragedy; (*Unheil*) misfortune; (*Pech, im Aberglauben, bei Glücksspiel*) bad luck; (*Unglücklichsein*) unhappiness. **in sein ~ rennen** to head for disaster; **sich ins ~ stürzen** to rush headlong into disaster; **du stürzt mich noch ins ~!** you'll be my undoing!; **das ist auch kein ~** that is not a disaster; **so** *or* **welch ein ~!** what a disaster!; **es ist ein ~, daß ...** it is bad luck that ...; **das ~ wollte es, daß ...** as (bad) luck would have it, ...; **das bringt ~** that brings bad luck, that's unlucky; **zum ~,**

zu allem ~ to make matters worse; **ein ~ kommt selten allein** (*Prov*) it never rains but it pours (*Prov*); **~ im Spiel, Glück in der Liebe** (*prov*) unlucky at cards, lucky in love.

unglücklich *adj* 1. (*traurig*) *Mensch, Gesicht* unhappy; *Liebe* unrequited; *Liebesgeschichte* unhappy. **~ verliebt sein** to be crossed in love.
2. (*bedauerlich*) sad, unfortunate. **~ enden** *or* **ausgehen** to turn out badly, to end in disaster; **eine ~e Figur abgeben** to cut a sorry figure.

Unglückliche(r) *mf decl as adj* (*liter*) unhappy person, unhappy man/woman *etc.* **ich ~(r)!** poor me!; **der ~!** the poor man!

unglücklicherweise *adv* unfortunately.

Unglücksbotschaft *f* bad tidings *pl.*

unglückselig *adj* (*liter*) 1. (*Unglück habend*) unfortunate, hapless; (*armselig*) miserable; (*bedauernswert*) lamentable;
2. (*unglückbringend*) disastrous; **Unglückselige(r)** *mf* (*liter*) (poor) wretch; **ich ~** woe is me! (*liter*).

Unglücksfall *m* accident, mishap; **ein tragischer ~** a tragic accident; **Unglückskind** *nt*, **Unglücksmensch** *m* unlucky person, unlucky man/woman *etc*; **ich war schon immer ein ~** I've always been unlucky; **Unglücksrabe** *m* (*inf*) unlucky thing (*inf*); **Unglückstag** *m* fateful day; **Unglücksvogel** *m* (*inf*) unlucky thing (*inf*); **Unglückszahl** *f* unlucky number.

Ungnade *f* disgrace, disfavour. **bei jdm in ~ fallen** to fall out of favour with sb.

ungnädig *adj* ungracious; (*hum*) unkind, harsh. **etw ~ aufnehmen** to take sth with bad grace.

ungrammatisch *adj* ungrammatical; **ungraziös** *adj* ungraceful, inelegant.

ungültig *adj* (*nicht gültig*) invalid; (*nicht mehr gültig*) no longer valid; (*nichtig*) void; *Stimmzettel* spoilt; (*Sport*) *Tor* disallowed. „**~**" (*in Paß*) "cancelled"; **~ werden** (*Paß*) to expire; **~er Sprung** no-jump; **etw für ~ erklären** to declare sth null and void; **eine Ehe für ~ erklären** to annul a marriage.

Ungültigkeit *f* invalidity; (*Nichtigkeit*) voidness; (*von Ehe*) nullity; (*von Tor*) disallowing.

Ungunst *f* (*liter*) disfavour; (*von Umständen, Lage*) adversity; (*von Witterung*) inclemency. **zu jds ~en** to sb's disadvantage.

ungünstig *adj* unfavourable, disadvantageous; *Termin* inconvenient; *Augenblick, Wetter* bad; *Licht* unflattering.

ungünstigstenfalls *adv* if the worst comes/came to the worst.

ungut *adj* bad; *Verhältnis* auch strained. **ein ~es Gefühl haben** to have an uneasy *or* bad feeling; **nichts für ~!** no offence!

unhaltbar *adj* *Zustand* intolerable; *Vorwurf, Behauptung* untenable; *Torschuß* unstoppable; **unhandlich** *adj* unwieldy; **unharmonisch** *adj* unharmonious.

Unheil *nt* -s, *no pl* disaster. **~ stiften** *or* **anrichten** to do damage.

unheilbar *adj* incurable. **~ krank sein** to have a terminal illness.

unheilbringend *adj* fateful, ominous; **unheildrohend** *adj* (*liter*) portentous.

Unheilstifter(in *f*) *m* mischief-maker.

unheilverkündend *adj* (*liter*) ominous, fateful; **unheilvoll** *adj* disastrous.

unheimlich I *adj* 1. (*angsterregend*) frightening, eerie, sinister. **das/er ist mir ~** it/he gives me the creeps (*inf*); **mir ist ~ (zumute)** it is uncanny.
2. (*inf*) tremendous (*inf*).
II *adv* [auch ʊnˈhaimlɪç] (*inf: sehr*) incredibly (*inf*). **~ viel Geld/viele Menschen** a tremendous (*inf*) *or* an incredible (*inf*) amount of money/number of people.

unhöflich *adj* impolite; **Unhöflichkeit** *f* impoliteness.

Unhold *m* -(e)s, -e 1. (*old: Böser*) fiend.
2. (*Press sl*) monster, fiend.

unhörbar *adj* silent; *Frequenzen* inaudible; **unhygienisch** *adj* unhygienic.

Uni *f* -, -s (*inf*) varsity (*dated Brit inf*), "U" (*US inf*), university; *siehe auch* **Universität**.

uni [yˈniː] *adj pred* self-coloured, plain. **in U~blau** in plain blue.

UNICEF [ˈuːnitsɛf] *f* - (die) ~ UNICEF.

unidiomatisch *adj* unidiomatic.

uniert *adj* (*Eccl*) *Kirche* uniate.

Unierte(r) *mf decl as adj* (*Eccl*) member of a uniate church.

unifarben [yˈniː-] *adj* self-coloured, plain.

Uniform *f* -, -en uniform; *siehe* **ausziehen**.

uniform *adj* uniform.

uniformieren* *vt* 1. (*mit Uniform ausstatten*) to uniform. 2. (*einheitlich machen*) to make uniform.

uniformiert *adj* uniformed.

Uniformierte(r) *mf decl as adj* person in uniform.

Uniformrock *m* tunic.

Unikat *nt* -(e)s, -e unique specimen. **ein ~ sein** to be unique.

Unikum *nt* -s, -s *or* **Unika** 1. (*Einmaliges*) unique thing. **ein ~** a curiosity; (*Seltenheit*) a rarity. 2. (*inf*) real character.

unilateral *adj* unilateral.

uninteressant *adj* uninteresting; **sein Angebot ist für uns ~** his offer is of no interest to us; **das ist doch völlig ~** that's of absolutely no interest; **uninteressiert** *adj* (*neutral*) disinterested; (*nicht interessiert*) uninterested.

Union *f* -, -en union. **die ~** (*BRD Pol*) the CDU and CSU.

Unionsparteien *pl* (*BRD Pol*) CDU and CSU parties *pl.*

Unisono *nt* -s, -s *or* **Unisoni** (*Mus*) unison.

unisono *adv* (*Mus, fig*) in unison.

Unitarier(in *f*) [-iɐ, -iɐrɪn] *m* -s, - Unitarian.

Unitarismus *m* Unitarianism.

Unität *f* 1. *siehe* **Einheit**. 2. (*Einzigkeit*) uniqueness. 3. (*hum: Universität*) varsity (*dated Brit inf*), "U" (*US inf*), university.

Univ. *abbr of* **Universität**.

universal, universell [univer-] *adj* universal.

Universal- [univerˈzaːl-] *in cpds* all-purpose, universal; (*Mech*) universal;

Bildung general; **Universalerbe** *m* universal successor, sole heir; **Universalgenie** *nt* universal genius; **Universalgeschichte** *f* world history.

Universalien [univɛr'zaːliən] *pl* (*Philos, Ling*) universals.

Universalität [univɛrzaliˈtɛːt] *f* universality.

Universal- [univɛr'zaːl-]: **Universalmittel** *nt* universal remedy, cure-all; **Universalreiniger** *m* general-purpose cleaner.

universell [univɛr-] universal.

Universität [univɛrziˈtɛːt] *f* university. **die ~ Freiburg, die Freiburger ~** the university of Freiburg, Freiburg university.

Universitäts- *in cpds* university; *siehe auch* Hochschul-; **Universitätsbibliothek** *f* university library; **Universitätsbuchhandlung** *f* university bookshop (*Brit*) *or* bookstore (*esp US*); **Universitätsgelände** *nt* university campus; **Universitätsinstitut** *nt* university institute; **Universitätsklinik** *f* university clinic *or* hospital; **Universitätslaufbahn** *f* university career; **Universitätsstadt** *f* university town; **Universitätsstudium** *nt* (*Ausbildung*) university training; **dazu ist ein ~ erforderlich** you need a degree for that.

Universum [uniˈvɛrzʊm] *nt* **-s,** *no pl* universe.

unkameradschaftlich *adj* uncomradely; *Schüler, Verhalten* unfriendly.

Unke *f* **-, -n** toad; (*inf: Schwarzseher*) Jeremiah.

unken *vi* (*inf*) to foretell gloom.

unkenntlich *adj* unrecognizable; *Inschrift* indecipherable.

Unkenntlichkeit *f siehe adj* unrecognizableness; indecipherability. **bis zur ~** beyond recognition.

Unkenntnis *f, no pl* ignorance. **jdn in ~ über etw** (*acc*) **lassen** to leave sb in ignorance about sth; **in ~ über etw** (*acc*) **sein** to be ignorant about sth; **~ schützt vor Strafe nicht** (*Prov*) ignorance is no excuse.

Unkenruf *m* (*fig*) prophecy of doom.

unkeusch *adj* unchaste; **Unkeuschheit** *f* unchastity.

unklar *adj* (*unverständlich*) unclear; (*ungeklärt*) unclarified; (*undeutlich*) blurred, indistinct; *Wetter* hazy. **es ist mir völlig ~, wie das geschehen konnte** I (just) can't understand how that could happen; **ich bin mir darüber noch im ~en** I'm not quite clear about that yet; **über etw** (*acc*) **völlig im ~en sein** to be completely in the dark about sth.

Unklarheit *f* lack of clarity; (*über Tatsachen*) uncertainty. **darüber herrscht noch ~** it is still uncertain *or* unclear.

unkleidsam *adj* unflattering; **unklug** *adj* unwise, imprudent, ill-advised; **Unklugheit** *f* imprudence; (*Handlung*) imprudent act; **unkollegial** *adj* uncooperative; **unkompliziert** *adj* straightforward, uncomplicated; **unkontrollierbar** *adj* uncontrollable; **~ werden** (*Mißbrauch*) to get out of hand; **unkontrolliert** *adj* unchecked;

unkonventionell *adj* unconventional; **unkonzentriert** *adj* lacking in concentration; **er ist so ~** he can't concentrate; **~ arbeiten** to lack concentration in one's work; **unkorrekt** *adj* improper.

Unkosten *pl* costs *pl*; (*Ausgaben*) expenses *pl*. **die ~ (für etw) tragen** to bear the cost(s) (of sth); to pay the expenses (for sth); **das ist mit großen ~ verbunden** that involves a great deal of expense; **(mit etw) ~ haben** to incur expense (with sth); **sich in ~ stürzen** (*inf*) to go to a lot of expense; **sich in geistige ~ stürzen** (*hum*) to strain oneself (*hum, iro*).

Unkostenbeitrag *m* contribution towards costs/expenses; **Unkostenvergütung** *f* reimbursement of expenses.

Unkraut *nt* weed. **~, ~ vergeht nicht** (*Prov*) it would take more than that to finish me/him *etc* off! (*hum*).

Unkrautbekämpfung *f* weed control; **Unkrautbekämpfungsmittel** *nt* weed killer, herbicide (*form*); **Unkrautvernichtung, Unkrautvertilgung** *f* weed killing; **Unkrautvertilgungsmittel** *nt* weed killer, herbicide (*form*).

unkriegerisch *adj* unwarlike; **unkritisch** *adj* uncritical; **unkultiviert I** *adj* uncultivated; *Mensch auch* uncultured; **II** *adv* in an uncultivated *or* uncultured manner; **Unkultur** *f* (*geh*) lack of culture; **unkündbar** *adj* permanent; *Vertrag* binding, not terminable; *Anleihe* irredeemable; **in ~er Stellung** in a permanent position.

unkundig *adj* ignorant (+*gen* of). **einer Sprache ~ sein** (*geh*) to be unacquainted with *or* to have no knowledge of a language; **des Lesens/Schreibens ~ sein** to be illiterate, not to be able to read/write.

unlängst *adv* (*geh*) recently; **unlauter** *adj* (*geh*) dishonest; *Wettbewerb* unfair; **unleidlich** *adj* disagreeable, unpleasant; **unlesbar, unleserlich** *adj* unreadable; *Handschrift auch* illegible; **unleugbar** *adj* undeniable, indisputable; **unlieb** *adj*: **es ist mir nicht ~, daß ...** I am quite glad that ...

unliebsam *adj* unpleasant. **er ist dem Lehrer ~ aufgefallen** his behaviour brought him to the teacher's notice.

unliniert *adj* *Papier* unruled, unlined; **unlogisch** *adj* illogical; **unlösbar** *adj* **1.** (*fig*) (*untrennbar*) indissoluble; (*nicht lösbar*) *Problem* insoluble; *Widerspruch* irreconcilable; **2.** (*lit*) (*Chem*) insoluble; *Knoten* inextricable; **unlöslich** *adj* (*Chem*) insoluble.

Unlust *f, no pl* **1.** (*Widerwille*) reluctance. **etw mit ~ tun** to do sth reluctantly *or* with reluctance. **2.** (*Lustlosigkeit, Langeweile*) listlessness; (*St Ex*) slackness.

unlustig *adj* (*gelangweilt*) bored; (*widerwillig*) reluctant. **ich bin heute ausgesprochen ~** I just can't find any enthusiasm today.

unmanierlich *adj* (*dated*) unmannerly; **unmännlich** *adj* unmanly.

Unmasse *f* (*inf*) load (*inf*). **eine ~ Leute/Bücher** *or* **an Büchern, ~n von Leuten/**

Büchern a load of people/books (*inf*), loads *or* masses of people/books (*inf*).

unmaßgeblich *adj* (*nicht entscheidend*) *Urteil* not authoritative; (*unwichtig*) *Äußerung, Mensch* inconsequential, of no consequence. **nach meiner ~en Meinung** (*hum*) in my humble opinion (*hum*).

unmäßig *adj* excessive, immoderate. **~ essen/trinken** to eat/drink to excess. **Unmäßigkeit** *f* excessiveness, immoderateness. **~ im Essen/Trinken** excessive eating/drinking.

Unmenge *f* vast number; (*bei unzählbaren Mengenbegriffen*) vast amount. **~n von Leuten, eine ~ Leute** a vast number *or* vast numbers of people; **~n essen** to eat an enormous amount, to eat masses (*inf*).

Unmensch *m* brute, monster. **ich bin ja kein ~** I'm not an ogre.

unmenschlich *adj* 1. inhuman. 2. (*inf: ungeheuer*) tremendous, terrific.

Unmenschlichkeit *f* inhumanity.

unmerklich *adj* imperceptible; **unmeßbar** *adj* unmeasurable; **unmethodisch** *adj* unmethodical; **unmißverständlich** *adj* unequivocal, unambiguous; **jdm etw ~ zu verstehen geben** to tell sb sth in no uncertain terms.

unmittelbar I *adj* *Nähe, Nachbarschaft* immediate; (*direkt*) direct; (*Jur*) *Besitzer, Besitz* direct, actual. **aus ~er Nähe schießen** to fire at close range.

II *adv* immediately; (*ohne Umweg*) directly. **~ danach** *or* **darauf** immediately *or* straight afterwards; **~ vor** (+*dat*) (*zeitlich*) immediately before; (*räumlich*) right *or* directly in front of; **das berührt mich ~** it affects me directly.

unmöbliert *adj* unfurnished; **unmodern** *adj* old-fashioned; **~ werden** to go out of fashion.

unmöglich I *adj* impossible; (*pej inf: unpassend auch*) ridiculous. **das ist mir ~** that is impossible for me; **U~es/das U~e** the impossible; **etw ~ machen** to make sth impossible; **jdm etw ~ machen** to make it impossible for sb to do sth; **~ aussehen** (*inf*) to look ridiculous; **jdn/sich ~ machen** to make sb/oneself (look) ridiculous, to make sb look a fool/to make a fool of oneself.

II *adv* (*keinesfalls*) not possibly; (*pej inf: unpassend*) impossibly. **ich kann es ~ tun** I cannot possibly do it.

Unmöglichkeit *f* impossibility.

Unmoral *f* immorality; **unmoralisch** *adj* immoral; (*unmotiviert* I *adj* unmotivated; II *adv* without motivation; **unmündig** *adj* under-age; (*fig: geistig unselbständig*) sheep-like; **Unmündige(r)** *mf decl as adj* minor; **Unmündigkeit** *f* minority; (*fig: geistige Unselbständigkeit*) mental immaturity; **unmusikalisch** *adj* unmusical.

Unmut *m* ill-humour; (*Unzufriedenheit*) displeasure (*über* +*acc* at).

unmutig *adj* ill-humoured; (*unzufrieden*) displeased (*über* +*acc* at).

Unmutsfalte *f* frown.

unnachahmlich *adj* inimitable; **unnachgiebig** *adj* *Material* inflexible; (*fig*) *Haltung, Mensch auch* intransigent, unyielding; **sich ~ verhalten** to be obstinate *or* adamant; **Unnachgiebigkeit** *f* inflexibility; intransigence; **unnachsichtig** I *adj* severe; (*stärker*) merciless, pitiless; *Strenge* unrelenting; II *adv* hinrichten mercilessly, pitilessly; *bestrafen* severely; **unnahbar** *adj* unapproachable, inaccessible; **unnatürlich** *adj* unnatural; (*abnorm auch*) abnormal; **er ißt ~ viel** he eats an abnormal amount; **Unnatürlichkeit** *f* unnaturalness; abnormality; **unnennbar** *adj* (*liter*) unspeakable, unutterable (*liter*); **unnormal** *adj* abnormal; **unnötig** *adj* unnecessary, needless; **sich ~ aufregen** to get unnecessarily *or* needlessly excited; **unnötigerweise** *adv* unnecessarily, needlessly.

unnütz *adj* useless; *Geschwätz* idle; (*umsonst auch*) pointless. **~ Geld ausgeben** to spend money unnecessarily *or* needlessly.

UNO ['u:no] *f* -, *no pl* **die ~** the UN *sing*.

unordentlich *adj* untidy; *Lebenswandel* disorderly; **Unordentlichkeit** *f* untidiness; disorderliness.

Un|ordnung *f* disorder *no indef art*; (*in Zimmer auch*) untidiness *no indef art*; (*Durcheinander*) muddle, mess. **in ~ geraten** to get into (a state of) disorder/ become untidy/get into a muddle *or* mess; **etw in ~ bringen** to get sth in a mess, to mess sth up; **~ machen** *or* **schaffen** to put *or* throw everything into disorder, to turn everything upside down.

unorganisiert I *adj* 1. disorganized; 2. (*Arbeiter*) non-organized, non-union (-ized); II *adv* in a disorganized fashion *or* way; **unorthodox** *adj* unorthodox; **unpaar(ig)** *adj* unpaired; (*Med*) azygous (*spec*).

unparteiisch *adj* impartial, neutral; *Meinung, Richter* impartial, unbiased.

Unparteiische(r) *mf decl as adj* impartial *or* neutral person. **die Meinung eines ~n einholen** to get an impartial opinion; **der ~** (*Sport*) the referee.

unparteilich *adj* (*esp Pol*) neutral; **unpassend** *adj* (*unangebracht*) unsuitable, inappropriate; *Zeit auch* inconvenient; *Augenblick* inconvenient, inopportune; **unpassierbar** *adj* impassable.

unpäßlich *adj* (*geh*) indisposed (*form*), unwell (*auch euph*). **sich ~ fühlen** to be indisposed/feel unwell.

Unpäßlichkeit *f* (*geh*) indisposition (*form*).

Unperson *f* (*Pol*) unperson; **unpersönlich** *adj* impersonal (*auch Ling*); *Mensch* distant, aloof; **Unpersönlichkeit** *f siehe adj* impersonality; distance, aloofness; **unpfändbar** *adj* (*Jur*) unseizable; **unpolitisch** *adj* unpolitical; **unpopulär** *adj* unpopular; **unpraktisch** *adj* *Mensch* unpractical; *Maschine, Lösung* impractical; **unpräzis(e)** *adj* imprecise; **unproblematisch** *adj* (*ohne*

Probleme) unproblematic; (*einfach, leicht*) uncomplicated; **das wird nicht ganz ~ sein** it won't be without its problems; **unproduktiv** *adj* unproductive; *Kapital auch* idle.

unpünktlich *adj Mensch* unpunctual; *Zug* not on time. **~ kommen/abfahren** to come/leave late; **er ist immer ~** he's never punctual *or* on time; **die Züge dort fahren immer ~** the trains there never run to time.

Unpünktlichkeit *f* unpunctuality. **wegen der ~ der Züge** because the trains don't run to time.

unqualifiziert *adj* unqualified; *Äußerung* incompetent; **unquittiert** *adj* unreceipted; **unrasiert** *adj* unshaven.

Unrast *f -, no pl (geh)* restlessness.

Unrat ['ʊnraːt] *m -(e)s, no pl (geh)* refuse; (*fig*) filth. **~ wittern** to suspect something.

unrationell *adj* inefficient; **unratsam** *adj* inadvisable, unadvisable; **unrealistisch** *adj* unrealistic.

unrecht *adj* wrong. **auf ~e Gedanken kommen** (*dated*) to get naughty *or* wicked ideas.

Unrecht *nt -s, no pl* wrong, injustice. **zu ~ verdächtigt** wrongly, unjustly; **diese Vorurteile bestehen ganz zu ~** these prejudices are quite unfounded; **nicht zu ~** not without good reason; **im ~ sein** to be wrong; **jdn/sich ins ~ setzen** to put sb/oneself in the wrong; **ihm ist im Leben viel ~ geschehen** he has suffered many injustices *or* he has often been wronged in life; **u~ bekommen** to be shown to be wrong; **u~ haben** to be wrong; **jdm u~ geben** to contradict sb; **u~ handeln**, **u~ tun** to do wrong; **jdm u~ tun** to do sb an injustice, to do wrong by sb; **Sie haben nicht ganz u~** you're not entirely wrong.

unrechtmäßig *adj* illegitimate, unlawful, illegal; **sich etw ~ aneignen** to misappropriate sth; **unrechtmäßigerweise** *adv* illegitimately, unlawfully, illegally; wrongfully; **Unrechtmäßigkeit** *f* unlawfulness, illegality; wrongfulness.

Unrechtsbewußtsein *nt* awareness of wrongdoing; **Unrechtstatbestand** *m* illegality; **Unrechtsvereinbarung** *f* agreement to break the law.

unredlich *adj* dishonest; **Unredlichkeit** *f* dishonesty; **unreell** *adj* unfair; (*unredlich*) dishonest; *Preis, Geschäft* unreasonable; **unreflektiert** *adj Bemerkung* spontaneous; **etw ~ wiedergeben** to repeat sth without thinking.

unregelmäßig *adj* irregular (*auch Ling*); *Zähne, Gesicht, Handschrift auch* uneven. **~ essen/schlafen** not to eat/sleep regularly.

Unregelmäßigkeit *f siehe adj* irregularity; unevenness. (**finanzielle**) **~en** (financial) irregularities.

unreif *adj Obst* unripe; *Mensch, Plan, Gedanke, Werk* immature; **Unreife** *f siehe adj* unripeness; immaturity.

unrein *adj* (*schmutzig*) not clean, dirty; *Klang, Ton* impure; *Atem, Haut* bad; (*Rel*) *Speise, Tier, Mensch* unclean; *Gedanken, Taten* unchaste, impure. **etw ins ~e sprechen** to say sth off the record; **etw ins ~e schreiben** to write sth out in rough.

Unreinheit *f siehe adj* dirtiness; impurity; (*von Atem*) unpleasantness; uncleanness; unchasteness, impurity. **die ~ ihrer Haut** her bad skin.

unrentabel *adj* unprofitable.

unrettbar *adv* **~ verloren** irretrievably lost; (*wegen Krankheit*) beyond all hope; **die ~ Verdammten** those damned beyond redemption *or* salvation.

unrichtig *adj* incorrect; (*Admin*) *Angaben* false; **unrichtigerweise** *adv* incorrectly; falsely; **Unrichtigkeit** *f* incorrectness; (*Admin: von Angaben*) falseness; (*Fehler*) error, mistake; **unromantisch** *adj* unromantic.

Unruh *f -, -en* (*von Uhr*) balance spring.

Unruhe *f -, -n* **1.** *no pl* restlessness; (*Nervosität*) agitation; (*Besorgnis*) agitation, disquiet. **in ~ sein** to be restless; (*besorgt*) to be agitated *or* uneasy.
2. *no pl* (*Lärm*) noise, disturbance; (*Geschäftigkeit*) (hustle and) bustle.
3. *no pl* (*Unfrieden*) unrest *no pl*, trouble. **~ stiften** to create unrest; (*in Familie, Schule*) to make trouble.
4. (**politische**) **~n** (political) disturbances *or* unrest *no pl*.

Unruheherd *m* trouble spot; **Unruhepotential** *nt* potential (for) unrest; **Unruhestifter(in** *f*) *m* **-s, -** troublemaker.

unruhig *adj* restless; (*nervös auch*) fidgety *no adv*; (*laut, belebt*) noisy; *Schlaf* troubled *no adv*, fitful, uneasy; *Zeit* troubled, uneasy; *Bild, Muster* busy; *Meer* troubled. **ein ~er Geist** (*inf*) a restless creature.

unrühmlich *adj* inglorious. **ein ~es Ende nehmen** to have an inglorious end.

uns **I** *pers pron acc, dat of* **wir** us; (*dat auch*) to/for us. **bei ~** (*zu Hause, im Betrieb*) at our place; (*in unserer Beziehung*) between us; (*in unserem Land*) in our country; **bei ~ zu Hause/im Garten** at our house/in our garden; **einer von ~** one of us; **ein Freund von ~** a friend of ours; **das gehört ~** that is ours *or* belongs to us; **viele Grüße von ~ beiden/allen** best wishes from both/all of us.
II *refl pron acc, dat* ourselves; (*einander*) each other, one another. **wir freuten ~** we were glad; **wir wollen ~ ein neues Auto kaufen** we want to buy (ourselves) a new car; **~ selbst** ourselves; **wann sehen wir ~ wieder?** when will we see each other again?; **unter ~ gesagt** between ourselves, between you and me; **mitten unter ~** in our midst; **hier sind wir unter ~** we are alone here; **das bleibt unter ~** it won't go any further.

unsachgemäß *adj* improper. **ein Gerät ~ behandeln** to put an appliance to improper use.

unsachlich *adj* **1.** (*nicht objektiv*) unobjective. **2.** (*fehl am Platz*) uncalled-for. **~ werden** to become personal.

Unsachlichkeit *f* lack of objectivity, unobjectiveness.

unsagbar, unsäglich adj (liter) unspeakable, unutterable (liter).

unsanft adj rough; Druck ungentle; (unhöflich) rude. ~ **aus dem Schlaf gerissen werden** to be rudely awakened.

unsauber adj 1. (ungewaschen, schmutzig) dirty, not clean. 2. (unordentlich) Handschrift, Arbeit untidy; (nicht exakt) Schuß, Schlag, Schnitt inaccurate; Ton, Klang impure. 3. (unmoralisch) shady, underhand; Spielweise dirty (inf), unfair.

unschädlich adj harmless; Genußmittel, Medikament auch safe, innocuous; Bombe auch safe. **jdn/etw ~ machen** (inf) to take care of sb/sth (inf).

unscharf adj 1. blurred, fuzzy; Foto auch out of focus; Justierung unsharp; (Rad) indistinct, unclear; Erinnerung, Vorstellung indistinct, hazy. **der Sender/das Radio ist ~ eingestellt** the station/the radio is not clearly tuned. 2. Munition blank; Bomben unprimed.

Unschärfe f siehe adj 1. blurredness, fuzziness; unsharpness; indist.nctness; haziness. **begriffliche ~** lack of conceptual clarity.

unschätzbar adj incalculable, inestimable; Hilfe invaluable. **von ~em Wert** invaluable; Schmuck priceless.

unscheinbar adj inconspicuous; (unattraktiv) Aussehen, Mensch unprepossessing.

unschicklich adj unseemly, improper. **es ist ~ für eine junge Dame, das zu tun** it ill becomes a young lady or it is unseemly or improper for a young lady to do that.

unschlagbar adj unbeatable.

unschlüssig adj (unentschlossen) undecided; (zögernd) irresolute, hesitant. **sich** (dat) **~** (**über etw** acc) **sein** to be undecided (about sth); to be hesitant about sth.

Unschlüssigkeit f siehe adj indecision; irresoluteness, hesitancy.

unschön adj (häßlich) unsightly; (stärker) ugly; Gesicht plain; (unangenehm) unpleasant. **~e Szenen** ugly scenes.

Unschuld f, no pl 1. (Schuldlosigkeit) innocence. 2. (Jungfräulichkeit) virginity. 3. (Naivität, Unverdorbenheit) innocence; (fig: Mädchen) innocent. **die ~ vom Lande** (inf) a real innocent; **in aller ~** in all innocence.

unschuldig adj 1. (nicht schuldig) innocent. **an etw** (dat)**~ sein** not to be guilty of sth; **er war völlig ~ an dem Unfall** he was completely without blame in the accident, he was in no way responsible for the accident; **jdn ~ verurteilen** to convict sb when he is innocent; **er sitzt ~ im Gefängnis** he is being held, an innocent man, in prison. 2. (jungfräulich) innocent, virginal. **~ in die Ehe gehen** to be married a virgin; **er/sie ist noch ~** he/she is still a virgin. 3. (harmlos, unverdorben) innocent. **~ tun** to act the innocent.

Unschuldige(r) mf decl as adj innocent (man/child etc). **die ~n** the innocent.

Unschuldsbeteuerung f protest of innocence; **Unschuldsengel** m (inf), **Unschuldslamm** nt (inf) little innocent; **Unschuldsmiene** f innocent face or expression; **mit ~** with an air of innocence; **Unschuldsvermutung** f presumption of innocence; **unschuldsvoll** adj innocent.

unschwer adv easily, without difficulty. **das dürfte ja wohl ~ zu erraten sein** that shouldn't have been too hard to guess.

Unsegen m (Unglück) misfortune; (Fluch) curse (für (up)on).

unselbständig I adj Denken, Handeln lacking in independence, unindependent; Mensch auch dependent, unable to stand on one's own two feet. **Einkünfte aus ~er Arbeit** income from (salaried) employment.
II adv (mit fremder Hilfe) not independently. **diese Schularbeit ist ~ angefertigt worden** this exercise was not done independently.

Unselbständige(r) mf decl as adj (Fin) employed person.

Unselbständigkeit f lack of independence, dependence.

unselig adj (unglücklich) unfortunate; (verhängnisvoll) ill-fated. **Zeiten ~en Angedenkens!** unhappy memories!

unser I poss pron 1. (adjektivisch) our. **~e** or **unsre Bücher** our books.
2. (old: substantivisch) ours.
II pers pron gen of **wir** (old, Bibl, geh) of us. **~ beider gemeinsame Zukunft** our common future; **Herr, erbarme dich ~** Lord, have mercy upon us.

unser|einer, unser|eins indef pron (inf) the likes of us (inf).

uns(e)re(r, s) poss pron, nt auch **unsers** (substantivisch) ours. **der/die/das ~** (geh) ours; **wir tun das U~** (geh) we are doing our bit; **die U~n** (geh) our family; **das U~** (geh: Besitz) what is ours.

unser(er)seits adv (auf unserer Seite) for our part; (von unserer Seite) from or on our part. **den Vorschlag haben wir ~ gemacht** we made the suggestion ourselves.

uns(e)resgleichen indef pron people like us or ourselves. **Menschen ~** people like us or ourselves.

uns(e)rige(r, s) poss pron (old, geh) **der/die/das ~** ours; **die U~n** our families; **das ~** (Besitz) what is ours; **wir haben das U~ getan** we have done our part.

unseriös adj Mensch slippery, not straight; Auftreten, Aussehen, Kleidung, Bemerkung frivolous; Firma, Bank untrustworthy, shady; Zeitung not serious; Verlag low-brow; Schriftsteller, Wissenschaftler not to be taken seriously, not serious, frivolous.

unserthalben, unsertwegen adv on our behalf.

unsertwillen adv: **um ~** for our sake.

Unservater nt -s, - (Sw) siehe **Vaterunser**.

unsicher adj 1. (gefährlich) dangerous, unsafe. **die Gegend ~ machen** (fig inf) to knock about the district (inf); **sich ~ fühlen** to feel unsafe.
2. (nicht selbstbewußt, verunsichert)

insecure, unsure (of oneself). **jdn ~ machen** to make sb feel unsure of himself/
herself; **sie blickte ~ im Kreise umher**
she looked round timidly.

3. (*ungewiß, zweifelhaft*) unsure, uncertain; (*unstabil*) uncertain, unstable.

4. (*ungeübt, ungefestigt*) unsure;
Hand unsteady; *Kenntnisse* shaky. **~ auf
den Beinen** unsteady on one's feet.

Unsicherheit *f siehe adj 1.-3.* **1.** danger. **2.**
unsureness. **3.** unsureness, uncertainty;
instability.

Unsicherheitsfaktor *m* element of uncertainty.

unsichtbar *adj* (*lit, fig*) invisible.

Unsinn *m, no pl* nonsense *no indef art*,
rubbish *no indef art*. **~ machen** *or* **treiben** to do silly things; **~ reden** to talk
nonsense; **laß den ~!** stop fooling
about!; **mach keinen ~, Hände hoch!**
(*inf*) no clever stuff — put your hands
up! (*inf*); **wirklich? mach keinen ~!** (*inf*)
really? — stop messing about! (*inf*).

unsinnig I *adj* (*sinnlos*) nonsensical, foolish; (*ungerechtfertigt*) unreasonable;
(*stärker*) absurd. **II** *adv* nonsensically,
foolishly; unreasonably; absurdly.

Unsitte *f* (*schlechte Gewohnheit*) bad
habit; (*dummer Brauch*) silly custom.

unsittlich *adj* immoral; (*in sexueller
Hinsicht*) indecent.

unsolid(e) *adj Mensch* free-living; (*unredlich*) *Firma, Angebot, Geschäftsmann* unreliable. **~ leben** to have an unhealthy life-style; **ein ~es Leben führen**
to be free-living.

unsozial *adj Verhalten, Mensch* antisocial;
Maßnahmen, Politik unsocial; **unspe-
zifisch** *adj* non-specific; **unsportlich** *adj*
1. (*ungelenkig*) unathletic; **2.** (*unfair*)
unsporting; **Unsportlichkeit** *f*
(*Unfairneß*) lack of sportsmanship; **und
das bei seiner ~!** and he being so unathletic!

unsre *pron siehe* **unser.**

unsrerseits *adv siehe* **uns(er)erseits.**

unsresgleichen *indef pron siehe* **un-
s(er)esgleichen.**

unsretwegen *adv siehe* **unsertwegen.**

unsretwillen *adv siehe* **unsertwillen.**

unsrige(r, s) *poss pron siehe* **uns(e)rige(r,
s).**

unstabil *adj* unstable; **unstatthaft** *adj*
(*form*) inadmissible; (*ungesetzlich*) illegal; (*Sport*) not allowed.

unsterblich I *adj* immortal; *Liebe* undying. **jdn ~ machen** (*fig*) to immortalize
sb. **II** *adv* (*inf*) utterly. **sich ~ blamieren**
to make an utter fool *or* a complete idiot
of oneself; **~ verliebt sein** to be head
over heels *or* madly in love (*inf*).

Unsterbliche(r) *mf* immortal.

Unsterblichkeit *f* immortality. **die ~ seiner Liebe** his undying love.

Unstern *m, no pl* (*liter*) unlucky star. **die
Liebe der beiden stand unter einem ~**
they were star-crossed lovers.

unstet *adj Glück, Liebe* fickle; *Mensch*
restless; (*wankelmütig*) changeable;
Entwicklung unsteady; *Leben* unsettled.

Unstetigkeit *f siehe adj* fickleness; restlessness; changeability; unsteadiness;

unsettled nature.

unstillbar *adj* **1.** *Durst, Wissensdurst* un-
quenchable; *Verlangen, Sehnsucht,
Hunger* insatiable; **2.** *Blutstrom* uncontrollable; **unstimmig** *adj Aussagen* at
variance, differing *attr*; **in einem Punkt
sind wir noch ~** we still disagree *or*
differ on one point; **Unstimmigkeit** *f*
(*Ungenauigkeit, Fehler*) discrepancy, inconsistency; (*Streit*) difference;
unstofflich *adj* immaterial; **unstreitig**
adv indisputably, incontestably;
Unsumme *f* vast sum; **unsymmetrisch**
adj asymmetric(al).

unsympathisch *adj* unpleasant, disagreeable. **er ist ~** he's unpleasant *or* a disagreeable type; **das/er ist mir ~** I don't
like that/him.

unsystematisch *adj* unsystematic.

untad(e)lig, untadelhaft (*rare*) *adj*
impeccable; *Verhalten auch* irreproachable; *Mensch* beyond reproach.

Untat *f* atrocity, atrocious deed. **~en begehen** (*im Krieg*) to commit atrocities.

untätig *adj* (*müßig*) idle; (*nicht handelnd*)
passive; *Vulkan* inactive, dormant.

Untätigkeit *f siehe adj* idleness; passivity;
dormancy.

untauglich *adj* (*zu, für*) unsuitable;
(*für Wehrdienst*) unfit; **unteilbar** *adj* in-
divisible.

unten *adv* (*im unteren Teil, am unteren
Ende, in Rangfolge*) at the bottom; (*tiefer, drunten*) (down) below; (*an der Unterseite*) underneath; (*in Gebäude*)
(down) below, downstairs; (*inf: geographisch*) down south; (*flußab*) downstream; (*tiefer gelegen*) down there/here.
von ~ from below; **nach ~** down; **die
Säule wird nach ~ hin breiter** the
column broadens out towards the base
or bottom; **bis ~ to the bottom; ~ am
Berg/Fluß** at the bottom of the hill/down
by the river(side); **~ im Tal/Wasser/
Garten** down in the valley/water/garden;
~ auf dem Bild at the bottom of the
picture; **~ auf der Straße** down on the
street; **dort** *or* **da/hier ~** down there/
here; **weiter ~** further down; **~ bleiben**
to stay down; **rechts/links ~** down on
the right/left; **siehe ~** see below; **er ist
bei mir ~ durch** (*inf*) I'm through *or* I've
finished with him (*inf*).

untenan *adv* (*am unteren Ende*) at the far
end; (*in Reihenfolge: lit, fig*) at the
bottom; (*bei jdm*) **~ stehen** (*fig*) not to
be a priority (*with sb*), to be at the
bottom of sb's list; **untendrunter** *adv*
(*inf*) underneath; **untenerwähnt, un-
tengenannt** *adj attr* mentioned below;
der/die ~e the undermentioned (person)
(*form*), the person mentioned below;
untenherum *adv* (*inf*) down below
(*inf*); **untenliegend** *adj attr* bottom;
untenstehend *adj* following; (*lit*) standing below; **~es** the following; **das U~e**
what follows.

unter *prep* **1.** +*dat* (*~halb von*) under;
(*drunter*) underneath, below; (*U~ord-
nung ausdrückend*) under; (*zwischen,
innerhalb*) among(st); (*weniger, geringer
als*) under, below. **~ 18 Jahren/DM 50**

under 18 years (of age)/DM 50; ~ **dem Durchschnitt** below average; **Temperaturen ~ 25 Grad** temperatures below 25 degrees Celsius; **Städte ~ 10.000 Einwohner(n)** towns with a population of under *or* below 10,000; ~ **sich** (*dat*) **sein** to be by themselves; **jdn ~ sich haben** to have sb under one; ~ **etw leiden** to suffer from sth; ~ **Mittag** (*dial*) in the morning; ~ **der Woche** (*dial*) within the (working) week; ~ **anderem** inter alia, among other things.

2. +acc under. **bis ~ das Dach voll mit ...** full to the rafters with ...; ~ **Verbrecher geraten** to fall in with criminals.

Unterabteilung *f* subdivision; **Unterarm** *m* forearm; **Unterarmtasche** *f* clutch bag; **Unterart** *f* (*esp Biol*) subspecies; **Unterbau** *m*, *pl* **-ten** (*von Gebäude*) foundations *pl*; (*von Brücke, Bahnstrecke, fig*) substructure; (*bei Straßen*) (road)bed; **Unterbegriff** *m* member of a conceptual class, subsumable concept; **unterbelegt** *adj Hotel* not full; *Fortbildungskurs* under-subscribed; **unterbelichten*** *vti insep* (*Phot*) to under-expose; **unterbelichtet** *adj* (*Phot*) underexposed; **geistig ~ sein** (*hum*) to be a bit dim (*inf*); **unterbesetzt** *adj* understaffed; **unterbewerten*** *vt insep* to underrate, to undervalue; **unterbewußt** *adj* subconscious; **das U~e** the subconscious; **Unterbewußtsein** *nt* subconscious; **im ~** subconsciously; **unterbezahlt** *adj* underpaid; **Unterbezahlung** *f* underpayment; **unterbieten*** *vt insep irreg Konkurrenten* to undercut; (*fig*) to surpass; **sich gegenseitig ~** to undercut each other; **eine kaum noch zu ~de Leistung** an unsurpassable achievement (*iro*); **unterbinden*** *vt insep irreg* to stop, to prevent; (*Med*) *Blutung* to ligature; **Unterbindung** *f*, *no pl* ending; (*Med*) ligature; **unterbleiben*** *vi insep irreg aux sein* **1.** (*aufhören*) to cease, to stop; **das hat zu ~** that will have to cease *or* stop; **2.** (*nicht geschehen*) not to occur *or* happen; **das wäre besser unterblieben** (*Vorfall*) it would have been better if it had never happened; (*Bemerkung*) it would have been better left unsaid; **3.** (*versäumt werden*) to be omitted; **Unterbodenschutz** *m* (*Mot*) underseal; **unterbrechen*** *insep irreg* **I** *vt* to interrupt; *Stille, Reise, Eintönigkeit, Langeweile, Gleichförmigkeit* to break; (*langfristig*) to break off; *Telefonverbindung* to disconnect; *Spiel* to suspend, to stop; **entschuldigen Sie bitte, wenn ich Sie unterbreche** forgive me for interrupting; **wir sind unterbrochen worden** (*am Telefon*) we've been cut off; **II** *vr* to break off; **Unterbrecher** *m* **-s**, **-** (*Elec*) interrupter; (*Aut*) contact breaker; **Unterbrecherkontakt** *m* (*Elec*, *Aut*) (contact-breaker) point; **Unterbrechung** *f* interruption; break (+gen in); (*von Telefonverbindung*) disconnection; (*von Spiel*) stoppage; **ohne ~** without a break; **nach einer kurzen ~** (*Rad*, *TV*) after a short break *or* intermission;

mit ~en with a few breaks in between; **Unterbrechungsbefehl** *m* (*Comput*) break command; **unterbreiten*** *vt insep Plan* to present; (**jdm**) **einen Vorschlag ~** to make a proposal (to sb), to put a suggestion (to sb).

unterbringen *vt sep irreg* **1.** (*verstauen, Platz geben*) to put; (*in Heim, Krankenhaus*) to put up; **ich kann in meinem Auto noch einen ~** I can get one more *or* I have room for one more in my car; **das Krankenhaus kann keine neuen Patienten ~** the hospital has room for *or* can accommodate no new patients; **etw bei jdm ~** to leave sth with sb; **ich kenne ihn, aber ich kann ihn nirgends ~** (*inf*) I know him, but I just can't place him.

2. (*Unterkunft geben*) *Menschen* to accommodate; (*in Haus, Hotel, Krankenhaus auch*) to put up; *Ausstellung, Sammlung auch* to house. **gut/schlecht untergebracht sein** to have good/bad accommodation; **wie sind Sie untergebracht?** what's your accommodation like?; how are you looked after?

Unterbringung *f* accommodation.

Unterbruch *m* (*Sw*) *siehe* **Unterbrechung**.

unterbuttern *vt sep* (*inf*) **1.** to sneak in (*inf*); (*zuschießen*) to throw in. **2.** (*unterdrücken*) to ride roughshod over; (*opfern*) to sacrifice. **er wird von ihr untergebuttert** she dominates him.

Unterdeck *nt* (*Naut*) lower deck. **im ~** below deck.

unterderhand *adv* secretly; *verkaufen* privately.

unterdes(sen) *adv* (in the) meantime, meanwhile.

Unterdruck *m* (*Phys*) below atmospheric pressure; (*Med*) low blood pressure, hypotension (*spec*).

unterdrücken* *vt insep* **1.** (*zurückhalten*) *Neugier, Gähnen, Lachen* to suppress; *Gefühle, Tränen auch* to hold back, to restrain; *Antwort, Bemerkung* to hold back. **2.** (*beherrschen*) *Volk, Sklaven* to oppress, to repress; *Freiheit* to suppress; *Revolution* to suppress, to put down. **die Unterdrückten** the oppressed.

Unterdrücker(in *f*) *m* **-s**, **-** oppressor.

Unterdruckschleuse *f* vacuum lock.

Unterdrückung *f siehe vt* **1.** suppression; restraining; holding back. **2.** oppression, repression; suppression.

unterdurchschnittlich *adj* below average. **er verdient ~** he has a below average income, he earns below the average.

unter|einander *adv* **1.** (*gegenseitig*) each other; (*miteinander*) among ourselves/themselves *etc*. **Familien, die ~ heiraten** families that intermarry. **2.** (*räumlich*) one below *or* underneath the other.

unterentwickelt *adj* underdeveloped; (*inf: geistig ~*) thick (*inf*); **Unterentwicklung** *f* underdevelopment.

untere(r, s) *adj, superl* **unterste(r, s)** lower.

unterernährt *adj* undernourished, suffering from malnutrition; **Unterernährung** *f* malnutrition.

unterfangen* *vr insep irreg* (*geh*) to dare, to venture.

Unterfangen nt -s, - (geh) venture, undertaking. **ein schwieriges** ~ a difficult undertaking.

unterfassen vt sep jdn ~ to take sb's arm; **sie gingen untergefaßt** they walked along arm in arm or with arms linked.

Unterführung f underpass; (für Fußgänger auch) subway.

Unterfunktion f insufficient function no indef art, hypofunction (spec); (eine) ~ **der Schilddrüse** thyroid insufficiency, hypothyroidism (spec).

Untergang m 1. (von Schiff) sinking.

2. (von Gestirn) setting.

3. (das Zugrundegehen) (allmählich) decline; (völlig) destruction; (der Welt) end; (von Individuum) downfall, ruin. **dem** ~ **geweiht sein to be doomed; du bist noch mal mein** ~! you'll be the death of me! (inf).

Untergangsstimmung f feeling of doom.

untergärig adj Bier bottom-fermented; **Untergattung** f subgenus.

Untergebene(r) mf decl as adj subordinate; (pej: Subalterner auch) underling.

untergegangen adj Schiff sunken; Gestirn set; Volk extinct; Zivilisation, Kultur extinct, lost.

untergehen vi sep irreg aux sein 1. (versinken) to sink; (Schiff auch) to go down; (fig: im Lärm) to be submerged or drowned.

2. (Gestirn) to set. **sein Stern ist im** U~ his star is waning or on the wane.

3. (zugrundegehen) (Kultur) (allmählich) to decline; (völlig) to be destroyed; (Welt) to come to an end; (Individuum) to perish. **dort muß man sich durchsetzen, sonst geht man unter** you've got to assert yourself there or you'll go under.

untergeordnet adj Dienststelle, Stellung subordinate; Rolle auch secondary; Bedeutung secondary; **Untergeschoß** nt basement; **Untergestell** nt 1. base; (Mot) subframe; 2. (inf) (Beine) pins pl (inf); **Untergewicht** nt underweight; ~ **haben** to be underweight; **untergewichtig** adj underweight; **untergliedern*** vt insep to subdivide; **untergraben**[1]* vt insep irreg to undermine; **untergraben**[2] vt sep irreg to dig in.

Untergrund m, no pl 1. (Geol) subsoil. 2. (Farbschicht) undercoat; (Hintergrund) background. 3. (Liter, Pol) underground. **er lebt seit Jahren im** ~ he's been living underground for years; **in den** ~ **gehen** to go underground.

Untergrund- in cpds (Liter, Pol) underground; **Untergrundbahn** f underground, subway (US); (in London) tube.

Untergruppe f subgroup; **unterhaben** vt sep irreg (inf) to have (on) underneath; **unterhaken** sep I vt jdn ~ to link arms with sb; II vr **sich bei jdm** ~ to link arms with sb; **untergehakt gehen** to walk arm in arm.

unterhalb I prep +gen below; (bei Fluß auch) downstream from. II adv below; downstream. ~ **von** below; downstream from.

Unterhalt m -(e)s, no pl 1. (Lebens~) keep, maintenance (esp Jur). **für jds** ~ **aufkommen** to pay for sb's keep; **seinen** ~ **verdienen** to earn one's living. 2. (Instandhaltung) upkeep.

unterhalten[1]* insep irreg I vt 1. (versorgen, ernähren) to support; Angestellten to maintain.

2. (halten, betreiben) Geschäft to keep, to run; Konto to have; Kfz to run.

3. (instand halten) to maintain.

4. (pflegen, aufrechterhalten) Kontakte, Beziehungen to maintain.

5. Gäste, Publikum to entertain.

II vr 1. (sprechen) to talk (mit to, with). **man kann sich mit ihm gut/ schlecht/glänzend** ~ he's easy/not easy/ really easy to talk to; **man kann sich mit ihm nicht** ~ he's impossible to talk to, you can't talk to him; **sich mit jdm (über etw** acc) ~ to (have a) talk or chat with sb (about sth); **wir** ~ **uns noch!** (drohend, begütigend) we'll talk about that later.

2. (sich vergnügen) to enjoy oneself, to have a good time. **habt ihr Euch gut** ~? did you enjoy yourselves or have a good time?; **sich mit etw** ~ to amuse or entertain oneself with sth.

unterhalten[2] vt sep irreg to hold underneath.

Unterhalter(in f) m -s, - entertainer; (unterhaltsamer Mensch) conversationalist.

unterhaltsam adj entertaining.

unterhaltsberechtigt adj entitled to maintenance; **Unterhaltsgeld** nt maintenance; **Unterhaltsklage** f action for maintenance; **(gegen jdn)** ~ **erheben** to file a suit for maintenance (against sb); **Unterhaltskosten** pl (von Gebäude, Anlage) maintenance (costs pl); (von Kfz) running costs pl; **Unterhaltsleistung** f payment of maintenance; **Unterhaltspflicht** f obligation to pay maintenance; **unterhaltspflichtig** adj under obligation to pay maintenance; **Unterhaltspflichtige(r)** mf decl as adj person obliged to pay maintenance.

Unterhaltung f 1. (Gespräch) talk, chat, conversation. **eine** ~ **(mit jdm) führen** to have a talk or conversation (with sb).

2. (Amüsement) entertainment. **wir wünschen gute** or **angenehme** ~ we hope you enjoy the programme.

3. no pl (Instandhaltung) upkeep; (von Gebäuden auch, Kfz, Maschinen) maintenance.

Unterhaltungselektronik f (Industrie) consumer electronics sing; (Geräte) audio systems pl; **Unterhaltungsfilm** m light entertainment film; **Unterhaltungsindustrie** f entertainment industry; **Unterhaltungslektüre** f light reading; **Unterhaltungsliteratur** f light fiction; **Unterhaltungsmusik** f light music; **Unterhaltungsprogramm** nt light entertainment programme; **Unterhaltungssendung** f light entertainment programme; **Unterhaltungswert** m, no pl entertainment value.

Unterhändler(in f) m negotiator.

Unterhandlung f negotiation.

Unterhaus nt Lower House, House of Commons (Brit), Commons sing (Brit). **Mitglied des ~es** member of parliament, MP.

Unterhausabgeordnete(r) mf, **Unterhausmitglied** nt member of parliament, MP; **Unterhaussitzung** f session of the House; **Unterhauswahl** f Commons vote (Brit).

Unterhemd nt vest (Brit), undershirt (US).

unterhöhlen* vt insep 1. to hollow out. 2. (fig) to undermine.

Unterholz nt, no pl undergrowth.

Unterhose f (Herren~) (under)pants pl, pair of (under)pants, briefs pl; (Damen~) (pair of) pants pl or briefs pl. **lange ~n** long johns pl.

unter|irdisch adj underground; Fluß auch subterranean.

unterjochen* vt insep to subjugate.

unterjubeln vt sep (inf) 1. (andrehen) **jdm etw ~** to palm sth off on sb (inf). 2. (anlasten) **jdm etw ~** to pin sth on sb (inf).

unterkellern* vt insep to build with a cellar. **das Haus ist nicht unterkellert** the house doesn't have a cellar.

Unterkiefer m lower jaw; **Unterklasse** f 1. subclass; 2. (Sociol) lower class; **Unterkleid** nt full-length slip or petticoat; **Unterkleidung** f underwear, underclothes pl.

unterkommen vi sep irreg aux sein 1. (Unterkunft finden) to find accommodation; (inf: Stelle finden) to find a job (als as, bei with, at). **bei jdm ~** to stay at sb's (place). 2. (inf) **so etwas ist mir noch nie untergekommen!** I've never come across anything like it!

Unterkommen nt -s, - (Obdach) accommodation.

Unterkörper m lower part of the body; **unterkriechen** vi sep irreg aux sein (inf) to shack up (bei jdm with) (inf); **unterkriegen** vt sep (inf) to bring down; (deprimieren) to get down; **sich nicht ~ lassen** not to let things get one down; **unterkühlen*** vt insep Flüssigkeit, Metalle, Gas to supercool, to undercool; Körper to expose to subnormal temperatures; **unterkühlt** adj supercooled, undercooled; Körper affected by hypothermia; (fig) Atmosphäre chilly; Mensch cool; Musik, Spielweise subdued, reserved; **Unterkühlung** f, no pl (von Flüssigkeit, Metall, Gas) supercooling, undercooling; (im Freien) exposure; (Med) hypothermia.

Unterkunft f -, **Unterkünfte** 1. accommodation (Brit) no pl, accommodations pl (US), lodging. **eine ~ suchen** to look for accommodation or lodging; **~ und Verpflegung** board and lodging. 2. (von Soldaten) quarters pl; (esp in Privathaus) billet.

Unterlage f 1. base; (Schreib~, Tuch, Decke zum Bügeln auch) pad; (für Teppich) underlay; (im Bett) drawsheet. 2. usu pl (Belege, Urkunden, Papiere) document, paper.

Unterlänge f tail (of letters), descender

(spec); **Unterlaß** m: **ohn(e) ~** (old) incessantly, continuously; arbeiten auch without respite.

unterlassen* vt insep irreg (nicht tun) to refrain from; (nicht durchführen) not to carry out; (auslassen) to omit; Bemerkung, Zwischenrufe to refrain from making; etwas Dummes to refrain from doing; Trinken auch to abstain from. **keine Anstrengung** or **nichts ~** to spare no effort; **~ Sie das!** don't do that, stop that!; **er hat es ~, mich zu benachrichtigen** he failed or omitted to notify me; **warum wurde das ~?** why was it not done?; **~e Hilfeleistung** (Jur) failure to give assistance.

Unterlassung f 1. (Versäumnis) omission (of sth), failure (to do sth). **auf ~ klagen** (Jur) to ask for an injunction. 2. (Gram) **~ der Deklination** non-declension.

Unterlassungsdelikt nt (Jur) (offence of) default; **Unterlassungsklage** f (Jur) injunction suit; **Unterlassungsstraftat** f (Jur) (offence of) default; **Unterlassungssünde** f sin of omission; **Unterlassungsurteil** nt injunction.

Unterlauf m lower reaches (of a river).

unterlaufen¹* insep irreg I vi +dat aux sein (Fehler, Irrtum, Versehen) to occur. **mir ist ein Fehler/Faux pas ~** I made a mistake/faux pas. II vt Bestimmungen, Maßnahmen to get round; Steuergesetze to avoid; (umgehen) to circumvent; (zuvorkommen) to anticipate; (unterminieren) to undermine. **jdn ~** (Sport) to slip under sb's guard.

unterlaufen² adj suffused with blood. **ein mit Blut ~es Auge** a bloodshot eye.

Unterleder nt sole leather.

unterlegen¹ vt sep to put underneath; (fig) to attribute, to ascribe. **einer Sache** (dat) **einen anderen Sinn ~** to put a different interpretation or construction on sth, to read another meaning into sth.

unterlegen²* vt insep to underlay; (mit Stoff, Watte) to line; (mit Watte) to pad. **einer Melodie** (dat) **einen Text ~** to put or set words to a tune.

unterlegen³ adj inferior; (besiegt) defeated. **jdm ~ sein** to be inferior to sb, to be sb's inferior; **zahlenmäßig ~ sein** to be outnumbered, to be numerically inferior.

Unterlegene(r) mf decl as adj underdog. **der ~ sein** to be in the weaker position.

Unterlegenheit f, no pl inferiority.

Unterleib m abdomen; (im engeren Sinne: Geschlechtsorgane) lower abdomen.

Unterleibs- in cpds abdominal; (in bezug auf weibliche Geschlechtsorgane) gynaecological; **Unterleibskrebs** m cancer of the abdomen; cancer of the womb; **Unterleibsschmerzen** pl abdominal pains.

Unterleutnant m (Mil) second lieutenant.

unterliegen* vi insep irreg aux sein 1. (besiegt werden) to be defeated (+dat by), to lose (+dat to); (fig) einer Versuchung to succumb (+dat to).

2. +dat (unterworfen sein) to be subject to; einer Gebühr, Steuer to be liable

to. **es unterliegt keinem Zweifel, daß ...** it's not open to any doubt that ...

Unterlippe f bottom or lower lip.

unterm contr of **unter dem**.

untermalen* vt insep (mit Musik) to provide with background or incidental music; Film to provide a soundtrack for; (fig) to underlie.

untermauern* vt insep (Build) to underpin; (fig auch) Behauptung, Theorie to back up, to substantiate, to support.

Untermenge f (Math) subset.

untermengen vt sep to mix in, to add.

Untermensch m (NS) racist term for people of cultures the Nazis did not approve of.

Untermenü nt (Comput) submenu.

Untermiete f subtenancy. **bei jdm zur** or **in ~ wohnen** to be sb's tenant; (als Zimmerherr auch) to lodge with sb; **bei jdm zur** or **in ~ wohnen** to rent a room from sb.

Untermieter(in f) m lodger, subtenant.

unterminieren* vt insep to undermine.

untermischen vt sep to mix in, to add.

untern contr of **unter den**.

unternehmen* vt insep irreg to do; (durchführen auch) to undertake; Versuch, Vorstoß, Reise to make. **einen Ausflug ~** to go on an outing; **Schritte ~** to take steps; **etwas/nichts gegen jdn/etw ~** to do something/nothing about sb/sth, to take some/no action against sb/sth; **zu viel ~** to do too much, to take on too much.

Unternehmen nt -s, -. 1. (Firma) business, concern, enterprise. 2. (Aktion, Vorhaben) undertaking, enterprise, venture; (Mil) operation.

unternehmend I prp of **unternehmen**. II adj enterprising.

Unternehmensalthandel m trade in second-hand factory equipment; **Unternehmensberater(in** f) m management consultant; **Unternehmensfusion** f company merger; **Unternehmensleitung** f management; **die Herren in der ~** management; **Unternehmensspitze** f top management; **Unternehmensvorstand** m board of directors; **Unternehmenszusammenschluß** m siehe **Unternehmensfusion**.

Unternehmer(in f) m -s, - (business) employer; (alten Stils) entrepreneur; (Industrieller auch) industrialist. **die ~** the employers.

unternehmerisch adj entrepreneurial.

Unternehmerkreise pl in/aus **~n** in/from business circles; **Unternehmertum** nt (die Unternehmer) management no art, employers pl; (Unternehmergeist) entrepreneurship; **das freie ~** free enterprise; **Unternehmerverband** m employers' association.

Unternehmung f 1. siehe **Unternehmen**. 2. (Transaktion) undertaking.

Unternehmungsgeist m, no pl enterprise; **Unternehmungslust** f, no pl enterprise; **unternehmungslustig** adj (tatendurstig) enterprising; (abenteuerlustig auch) adventurous.

Unter|offizier m 1. (Rang) non-commissioned officer, NCO. **~ vom Dienst** duty NCO. 2. (Dienstgrad) (bei der Armee) sergeant; (bei der Luftwaffe) corporal (Brit); airman first class (US).

unterordnen sep I vt to subordinate (+dat to); siehe **untergeordnet**; II vr to subordinate oneself (+dat to); **unterordnend** adj (Gram) Konjunktion subordinating; **Unterordnung** f 1. no pl subordination; 2. (Biol) suborder.

Unterpfand nt (old, liter) pledge.

unterpflügen vt sep to plough under or in.

Unterprima f (Sch) eighth year of German secondary school, ≃ lower sixth (Brit).

Unterprimaner(in f) m (Sch) pupil in eighth year of German secondary school, ≃ sixth-former (Brit).

unterprivilegiert adj underprivileged. **U~e/die U~en** underprivileged people/ the underprivileged.

Unterprogramm nt (Comput) sub-routine.

Unterputzleitung f (Elec) concealed cable.

unterqueren* vt insep to underrun.

unterreden* vr insep sich (mit jdm) **~** to confer (with sb), to have a discussion (with sb).

Unterredung f discussion; (Pol auch) talks pl.

unterrepräsentiert adj under-represented.

Unterricht m -(e)s, no pl lessons pl, classes pl. **theoretischer/praktischer ~** theoretical/practical instruction or classes; **~ in Mathematik/Englisch** maths/English lessons or classes; **heute fällt der ~ in Englisch aus** there will be no English lesson today; (jdm) **~ geben** or **erteilen** to teach (sb) (in etw (dat)) sth; (bei jdm) **~ nehmen** or **haben** to take or have lessons (with sb); **am ~ teilnehmen** to attend classes; **zu spät zum ~ kommen** to be late for class; **im ~ aufpassen** to pay attention in class; **den ~ vorbereiten** to prepare one's lessons; **der ~ beginnt um 8 Uhr** lessons or classes start at 8 o'clock; **~ in Fremdsprachen** foreign language teaching.

unterrichten* insep I vt 1. (Unterricht geben) Schüler, Klasse, Fach to teach. **jdn in etw** (dat) **~** to teach sb sth.

2. (informieren) to inform (von, über +acc about).

II vi to teach.

III vr **sich über etw** (acc) **~** to obtain information about sth, to inform oneself about sth; **sich von jdm über etw** (acc) **~ lassen** to be informed by sb about sth.

unterrichtet adj informed. **gut ~e Kreise** well-informed circles.

Unterrichtsbetrieb m, no pl lessons pl, classes pl; (Unterrichtsroutine) teaching no art; **Unterrichtseinheit** f teaching unit; **Unterrichtsfach** nt subject; **Geschichte ist ~** history is on the curriculum; **Unterrichtsfilm** m educational film; **unterrichtsfrei** adj Stunde, Tag free; **der Montag ist ~** there are no classes on Monday; **Unterrichts-**

gegenstand *m* 1. topic, subject; 2. (*Aus*) subject; **Unterrichtsmethode** *f* teaching method; **Unterrichtsmittel** *nt* teaching aid; **Unterrichtsraum** *m* teaching room; **Unterrichtssoftware** *f* educational software; **Unterrichtssprache** *f* language in which lessons are conducted; **Unterrichtsstoff** *m* subject matter, teaching subject; **Unterrichtsstunde** *f* lesson, period; **während der ~n** during lessons; **Unterrichtsveranstaltung** *f* lesson; (*Univ*) lecture; **Unterrichtswesen** *nt* educational system; **Unterrichtsziel** *nt* teaching objective; **Unterrichtszwecke** *pl* **zu ~n** for teaching purposes.

Unterrichtung *f*, *no pl* (*Belehrung*) instruction; (*Informierung*) information.

Unterrock *m* underskirt, slip.

unterrühren *vt sep* to stir *or* mix in.

unters *contr of* **unter das.**

untersagen* *vt insep* to forbid, to prohibit. **jdm etw ~** to forbid sb sth, to prohibit sb from doing sth; (**das**) **Rauchen (ist hier) strengstens untersagt** smoking (is) strictly prohibited *or* forbidden (here); **jdm etw gerichtlich ~** to enjoin sb to do sth.

Untersatz *m* 1. mat; (*für Gläser, Flaschen*) coaster; (*für Blumentöpfe*) saucer. **etw als ~ verwenden** to use sth to put underneath. 2. (*Philos*) minor premise.

Unterschallflug *m* subsonic flight; **Unterschallgeschwindigkeit** *f* subsonic speed.

unterschätzen* *vt insep* to underestimate.

unterscheidbar *adj* distinguishable.

unterscheiden* *insep irreg* **I** *vt* (*einen Unterschied machen, trennen*) to distinguish; (*auseinanderhalten auch*) to tell apart. **A nicht von B ~ können** to be unable to tell the difference between A and B, to be unable to tell A from B; **zwei Personen (voneinander) ~** to tell two people apart; **kannst du die beiden ~?** can you tell which is which?; **das ~de Merkmal** the distinguishing feature.

II *vi* to differentiate, to distinguish.

III *vr* **sich von etw ~** to differ (from) sth; **worin unterscheidet sich eine Amsel von einer Drossel?** what is the difference between a blackbird and a thrush?

Unterscheidung *f* differentiation; (*Unterschied*) difference, distinction. **eine ~ treffen** to make a distinction.

Unterscheidungsvermögen *nt* discernment; **das ~** the power of discernment.

Unterschenkel *m* lower leg.

Unterschicht *f* (*Sociol*) lower stratum (*Sociol*), lower class.

unterschieben¹* *vt insep irreg* (*inf: unterstellen*) **jdm etw ~** to attribute sth to sb; **du unterschiebst mir immer, daß ich schwindle** you're always accusing me of cheating.

unterschieben² *vt sep irreg* 1. (*lit*) to push underneath.

2. (*fig*) **jdm etw ~** to foist sth on sb; **er wehrte sich dagegen, daß man ihm das**

Kind ~ wollte he defended himself against the charge that the child was his. 3. *siehe* **unterschieben¹.**

Unterschied *m* **-(e)s, -e** difference (*auch Math*); (*Unterscheidung auch*) distinction. **einen ~ (zwischen zwei Dingen) machen** to make a distinction (between two things); **es besteht ein ~ (zwischen ...)** there's a difference *or* distinction (between ...); **das macht keinen ~** that makes no difference; **es ist ein großer ~, ob ...** it makes a big difference whether ...; **ein feiner ~** a slight difference, a fine distinction; **zum ~ von** (*rare*) *or* **im ~ zu** (*jdm/etw*) in contrast to (sb/sth), unlike (sb/sth); **mit dem ~, daß ...** with the difference that ...; **alle ohne ~ halfen mit** everyone without exception lent a hand; **es wurden alle ohne ~ getötet** everyone was killed indiscriminately; **das ist ein gewaltiger ~!** there's a vast difference!

unterschiedlich *adj* different; (*veränderlich*) variable; (*gemischt*) varied, patchy. **das ist sehr ~** it varies a lot; **~ gut/lang** of varying quality/length; **sie haben ~ reagiert** their reactions varied.

unterschiedslos *adj* indiscriminate.

unterschlagen¹* *vt insep irreg* **Geld** to embezzle, to misappropriate; **Brief, Beweise** to withhold, to suppress; (*inf*) **Neuigkeit, Nachricht, Wort** to keep quiet about.

unterschlagen² *vt sep irreg* (*verschränken*) **Beine** to cross. **mit untergeschlagenen Beinen dasitzen** to sit cross-legged.

Unterschlagung *f* (*von Geld*) embezzlement, misappropriation; (*von Briefen, Beweisen*) withholding, suppression.

Unterschlupf *m* **-(e)s, -e** (*Obdach, Schutz*) cover, shelter; (*Versteck*) hiding-place, hide-out.

unterschlüpfen (*dial*), **unterschlupfen** *vi sep aux sein* (*inf*) (*Obdach or Schutz finden*) to take cover *or* shelter; (*Versteck finden*) to hide out (*inf*) (*bei jdm* at sb's).

unterschreiben* *insep irreg* **I** *vt* to sign. **der Brief ist mit „Müller" unterschrieben** the letter is signed "Müller"; **das kann** *or* **würde ich ~!** (*fig*) I'll subscribe to that! **II** *vi* to sign. **mit vollem Namen ~** to sign one's full name.

unterschreiten* *vt insep irreg* to fall short of; **Temperatur, Zahlenwert** to fall below.

Unterschrift *f* 1. signature. **seine ~/fünf ~en leisten** to give one's signature/one's signature five times; **jdm etw zur ~ vorlegen** to give sb sth to sign; **eigenhändige ~** personal signature; **seine ~ unter etw** (*acc*) **setzen** to put one's signature to sth, to sign sth. 2. (*Bild~*) caption.

Unterschriftenmappe *f* signature folder; **Unterschriftensammlung** *f* collection of signatures.

unterschriftsberechtigt *adj* authorized to sign; **Unterschriftsberechtigte(r)** *mf decl as adj* authorized signatory; **Unterschriftsfälschung** *f* forging of a/ the signature; **Unterschriftsprobe** *f* specimen signature; **unterschriftsreif**

adj Vertrag ready to be signed.

unterschwellig *adj* subliminal.

Unterseeboot *nt* submarine; *(ehemaliges deutsches auch)* U-boat.

unterseeisch [-zeːɪʃ] *adj* underwater, undersea, submarine.

Unterseite *f* underside; *(von Topf, Teller, Kuchen auch)* bottom; *(von Blatt)* undersurface; **an der ~** on the underside/bottom/undersurface; **Untersekunda** *f (Sch)* sixth year of German secondary school; **Untersekundaner(in** *f) m (Sch)* pupil in sixth year of German secondary school; **untersetzen** *vt sep* to put underneath; **Untersetzer** *m* **-s,** *- siehe* Untersatz 1.

untersetzt *adj* stocky.

unterspülen* *vt insep* to undermine, to wash away the base of.

Unterstaatssekretär(in *f) m* Undersecretary of State; **Unterstadt** *f* lower part of a/the town; **Unterstand** *m* shelter; *(Mil)* dugout.

unterstehen* *insep irreg* **I** *vi +dat* to be under (the control of); *jdm* to be subordinate to; *einer Behörde, dem Ministerium auch* to come under (the jurisdiction of); *dem Gesetz* to be subject to; *(in Firma)* to report to. **dem Verkaufsdirektor ~ sechs Abteilungsleiter** the sales director is in charge of six department heads.
    II *vr* to dare, to have the audacity. **untersteh dich (ja nicht)!** (don't) you dare!; **was ~ Sie sich!** how dare you!

unterstellen¹* *insep vt* **1.** *(unterordnen)* to (make) subordinate *(dat* to); *Abteilung, Ministerium auch* to put under the control of). **jdm unterstellt sein** to be under sb, to be answerable to sb; *(in Firma)* to report to sb; **ihm sind vier Mitarbeiter unterstellt** he is in charge of four employees, he has four employees subordinate to him; **jdm etw ~** to put sb in charge of sth; *(Mil)* to put sth under the command of sb *or* under sb's command.
    2. *(annehmen)* to assume, to suppose. **einmal unterstellt, es sei so gewesen** supposing *or* let us suppose (that) it was so.
    3. *(pej: unterschieben)* **jdm etw ~** to insinuate *or* imply that sb has done/said sth; **jdm Nachlässigkeit ~** to insinuate that sb has been negligent.

unterstellen² *sep* **I** *vt (abstellen, unterbringen)* to keep; *Möbel auch* to store. **II** *vr* to take shelter *or* cover.

Unterstellung *f* **1.** *(falsche Behauptung)* misrepresentation; *(Andeutung)* insinuation; *(Annahme)* assumption, presumption. **2.** *no pl (Unterordnung)* subordination *(unter +acc* to).

unterste(r, s) *adj superl* of **untere(r, s)** lowest; *(tiefste auch)* bottom; *(rangmäßig)* lowest; *(letzte)* last. **das U~ zuoberst kehren** to turn everything upside down.

untersteuern *vi insep* to understeer.

unterstreichen* *vt insep irreg (lit, fig)* to underline; *(fig: betonen auch)* to emphasize.

Unterstreichung *f siehe vt* underlining; emphasizing.

Unterströmung *f (lit, fig)* undercurrent.

Unterstufe *f (Sch)* lower school, lower grade *(US)*.

unterstützen* *vt insep* to support *(auch fig, Comput)*; *(aus öffentlichen Mitteln auch)* to subsidize; *(finanziell fördern auch)* to back, to sponsor. **jdn (moralisch) ~** to give sb (moral) support.

Unterstützung *f* **1.** *no pl (Tätigkeit, auch Comput)* support *(zu, für* for). **zur ~ seiner Behauptung** in support of his statement. **2.** *(Zuschuß)* assistance, aid; *(inf: Arbeitslosen~)* benefit. **staatliche ~** state aid; **~ beziehen** to be on social security *or* on welfare *(US)*.

unterstützungsbedürftig *adj* needy; **U~e** the needy; **Unterstützungsempfänger(in** *f) m* person on relief.

untersuchen* *vt insep* **1.** to examine *(auf +acc* for); *(erforschen)* to look into, to investigate; *(genau)* Dokumente to scrutinize; *(statistisch, soziologisch)* to sound (out), to survey; *(chemisch, technisch)* to test *(auf +acc* for). **sich ärztlich ~ lassen** to have a medical (examination) *or* a check-up; **etw gerichtlich ~** to try sth (in court); **etw chemisch ~** to test *or* analyze sth (chemically).
    2. *(nachprüfen)* to check, to verify.

Untersuchung *f siehe vt* **1.** examination; investigation *(gen, über +acc* into); scrutiny; sounding; survey; test; *(ärztlich)* examination, check-up. **2.** check, verification.

Untersuchungsausschuß *m* investigating *or* fact-finding committee; **Untersuchungsbefund** *m (Med)* result of an/the examination; *(Bericht)* examination report; **Untersuchungsergebnis** *nt (Jur)* findings *pl*; *(Med)* result of an/the examination; *(Sci)* test result; **Untersuchungsgefangene(r)** *mf* prisoner awaiting trial; **Untersuchungsgefängnis** *nt* prison *(for people awaiting trial)*; **Untersuchungshaft** *f* custody, (period of) imprisonment *or* detention while awaiting trial; **in ~ sein** *or* **sitzen** *(inf)* to be in prison *or* detention awaiting trial; **jdn in ~ nehmen** to commit sb for trial; **Untersuchungshäftling** *m* prisoner awaiting trial; **Untersuchungskommission** *f siehe* Untersuchungsausschuß; **Untersuchungsmethode** *f* examination/ investigation/research method; **Untersuchungsrichter(in** *f) m* examining magistrate; **Untersuchungszimmer** *nt (Med)* examination room; *(in Praxis)* surgery.

Untertage- *in cpds* underground; **Untertagearbeiter** *m* (coal)face worker; **Untertagebau** *m, no pl* underground mining; **Untertagedeponie** *f* underground dump.

untertags *adv (Aus, dial) siehe* tagsüber.

Untertan *m* **-en, -en** *(old: Staatsbürger)* subject; *(pej)* underling *(pej)*.

untertan *adj pred (+dat* to) subject; *(dienstbar, hörig)* subservient. **sich** *(dat)*

ein Volk ~ machen to subjugate a nation.

Untertanengeist *m* servile *or* subservient spirit.

untertänig *adj* subservient, submissive. **Ihr ~ster Diener** (*obs*) your most obedient *or* humble servant; **jdn ~st bitten** to ask sb most humbly.

Untertasse *f* saucer; **fliegende ~** flying saucer.

untertauchen *sep* **I** *vi aux sein* to dive (under); (*U-Boot auch*) to submerge; (*fig*) to disappear. **II** *vt* to immerse; *jdn* to duck.

Unterteil *nt or m* bottom *or* lower part.

unterteilen* *vt insep* to subdivide (*in* +*acc* into).

Unterteilung *f* subdivision (*in* +*acc* into).

Unterteller *m siehe* **Untertasse**; **Untertemperatur** *f* low (body) temperature; **Untertertia** *f* (*Sch*) fourth year of German secondary school; **Untertertianer(in** *f*) *m* (*Sch*) pupil in fourth year of German secondary school; **Untertitel** *m* subtitle; (*für Bild*) caption; **untertiteln*** *vt insep Film* to subtitle; *Bild* to caption; **Unterton** *m* (*Mus, fig*) undertone; **untertourig** [-tu:rɪç] *adj* with low revs; **~ fahren** to drive with low revs; **untertreiben*** *insep irreg* **I** *vt* to understate; **II** *vi* to play things down. **Untertreibung** *f* **1.** understatement; **2.** (*das Untertreiben*) playing things down *no art*; **untertunneln*** *vt insep* to tunnel under; *Berg auch* to tunnel through; **Untertunnelung** *f* tunnelling; **untervermieten*** *vti insep* to sublet, to sublease; **unterversichert** *adj* underinsured; **Unterversicherung** *f* underinsurance; **Unterversorgung** *f* inadequate provision; **unterwandern*** *vt insep* to infiltrate; **Unterwanderung** *f* infiltration.

Unterwäsche *f* **1.** *no pl* underwear *no pl*. **2.** (*für Autos*) underbody cleaning.

Unterwasserfotografie *f* underwater photography; **Unterwasserjagd** *f* scuba *or* aqualung fishing; **Unterwasserkamera** *f* underwater camera; **Unterwasserlabor** *nt* underwater laboratory, sealab; **Unterwassermassage** *f* (*Med*) underwater massage; **Unterwasserstation** *f siehe* **Unterwasserlabor**.

unterwegs *adv* on the *or* one's/its way (*nach, zu* to); (*auf Reisen*) away. **eine Karte von ~ schicken** to send a card while one is away; **bei denen ist wieder ein Kind ~** they've got another child on the way; **bei ihr ist etwas (Kleines) ~** she's expecting.

unterweisen* *vt insep irreg* (*geh*) to instruct (*in* +*dat* in).

Unterweisung *f* (*geh*) instruction.

Unterwelt *f* (*lit, fig*) underworld.

unterwerfen* *insep irreg* **I** *vt* **1.** *Volk, Land* to subjugate, to conquer. **2.** (*unterziehen*) to subject (*dat* to). **einer Sache** (*dat*) **unterworfen sein** to be subject to sth. **II** *vr* (*lit, fig*) **sich jdm/einer Sache ~** to submit to sb/sth.

Unterwerfung *f siehe vtr* **1.** subjugation,

conquest. **2.** subjection. **3.** submission.

unterworfen *adj* **der Mode/dem Zeitgeschmack ~ sein** to be subject to fashion/prevailing tastes.

unterwürfig *adj* (*pej*) obsequious.

Unterwürfigkeit *f* (*pej*) obsequiousness.

unterzeichnen* *vt insep* (*form*) to sign.

Unterzeichner(in *f*) *m* **-s, -** signatory.

Unterzeichnerstaat *m* signatory state.

Unterzeichnete(r) *mf decl as adj* (*form*) undersigned. **der rechts/links ~** the right/left signatory.

Unterzeichnung *f* signing.

Unterzeug *nt* (*inf*) underclothes *pl*.

unterziehen¹* *insep irreg* **I** *vr* **sich einer Sache** (*dat*) **~ (müssen)** to (have to) undergo sth; **sich einer Operation** (*dat*) **~** to undergo *or* have an operation; **sich einer Prüfung** (*dat*) **~** to take an examination; **sich der Mühe** (*dat*) **~, etw zu tun** (*geh*) to take the trouble to do sth.

II *vt* to subject (*dat* to). **jdn/etw einer Prüfung ~** to subject sb/sth to an examination; **jdn einer Operation ~** to perform an operation on sb.

unterziehen² *vt sep irreg* **1.** *Unterwäsche, Kleidung* to put on underneath. **sich** (*dat*) **etw ~** to put sth on underneath. **2.** (*Cook*) *Eischnee, Sahne* to fold in.

Untiefe *f* **1.** (*seichte Stelle*) shallow, shoal. **2.** (*liter: große Tiefe*) depth.

Untier *nt* monster.

untilgbar *adj* (*fig geh*) indelible.

Untote(r) *mf* **die ~n** the undead.

untragbar *adj Zustände, Belastung* intolerable, unbearable; **untrainiert** *adj* untrained; **untrennbar** *adj* inseparable; **mit etw ~ verbunden sein** (*fig*) to be inextricably linked with sth.

untreu *adj Liebhaber* unfaithful; (*einem Prinzip*) disloyal (*dat* to). **sich** (*dat*) **selbst ~ werden** to be untrue to oneself; **jdm ~ werden** to be unfaithful to sb.

Untreue *f* **1.** *siehe adj* unfaithfulness; disloyalty. **2.** (*Jur*) embezzlement.

untröstlich *adj* inconsolable (*über* +*acc* about). **er war ~, daß er ...** he was inconsolable about having ...

untrüglich *adj Gedächtnis* infallible; *Zeichen* unmistakable.

Untugend *f* (*Laster*) vice; (*schlechte Angewohnheit*) bad habit; (*Schwäche*) weakness.

untypisch *adj* untypical (*für* of), atypical.

unübel *adj*: **(gar) nicht (so) ~** not bad (at all); **unüberbietbar** *adj Preis, Rekord* unbeatable; *Frechheit, Virtuosität, Eifer* unparalleled; **unüberbrückbar** *adj* (*fig*) *Gegensätze* irreconcilable; *Kluft* unbridgeable; **unüberlegt** *adj Mensch* rash; *Entschluß, Maßnahmen auch* ill-considered; **~ handeln** to act rashly; **unübersehbar** *adj* **1.** (*nicht abschätzbar*) *Schaden, Schwierigkeiten, Folgen* inestimable, incalculable; (*nicht übersehbar*) *Menge, Häusermeer* vast, immense; **2.** (*auffällig*) *Fehler* obvious, conspicuous; **unübersetzbar** *adj* untranslatable; **unübersichtlich** *adj* **1.** *Gelände* broken; *Kurve, Stelle* blind; **2.** (*durcheinander*) *System, Plan* confused; **unübertrefflich I** *adj* matchless, unsurpassable; *Rekord* unbeatable; **II** *adv* superbly, magnificently; **unübertroffen** *adj* unsurpassed; **unüberwindlich** *adj* *Gegner, Heer* invincible; *Festung* impregnable; *Hindernis, Gegensätze, Abneigung* insuperable, insurmountable; **unüblich** *adj* not usual, not customary.

un|umgänglich *adj* essential, absolutely necessary; (*unvermeidlich*) inevitable. ~ **notwendig werden** to become absolutely essential/quite inevitable.

un|umschränkt *adj* unlimited; *Freiheit, Gewalt, Macht auch* absolute. ~ **herrschen** to have absolute rule.

un|umstößlich *adj* *Tatsache* irrefutable, incontrovertible; *Entschluß* irrevocable. ~ **feststehen** to be absolutely definite.

unumstritten *adj* indisputable, undisputed; **unumwunden** *adv* frankly; **ununterbrochen** *adj* **1.** (*nicht unterbrochen*) unbroken, uninterrupted; **2.** (*unaufhörlich*) incessant, continuous.

unver|änderlich *adj* (*gleichbleibend*) unchanging, invariable; (*unwandelbar*) unchangeable. **eine ~e Größe, eine U~e** (*Math*) a constant, an invariable.

unver|ändert *adj* unchanged. **du siehst ~ jung aus** you look just as young as ever; **unsere Weine sind immer von ~er Güte** our wines are always consistently good.

unverantwortlich *adj* irresponsible; **Unverantwortlichkeit** *f* irresponsibility; **unverarbeitet I** *adj* *Material* unprocessed, raw; (*fig*) *Eindruck* raw, undigested; **II** *adv* in a raw state; **unveräußerlich** *adj* *Rechte* inalienable; **unverbesserlich** *adj* incorrigible; **unverbildet** *adj* *Charakter, Wesen* unspoilt.

unverbindlich *adj* **1.** (*nicht bindend*) *Angebot, Preisangabe* not binding; *Besichtigung* free. **sich** (*dat*) **etw ~ schicken lassen** to have sth sent without obligation. **2.** (*vage, allgemein*) non-committal; (*nicht entgegenkommend*) abrupt, curt.

Unverbindlichkeit *f* **1.** *no pl* (*von Auskunft, Beratung*) freedom from obligation. **2.** *no pl* (*Vagheit, Allgemeinheit*) non-commitment, vagueness; (*mangelndes Entgegenkommen*) abruptness, curtness. **3.** (*Äußerung*) non-committal remark.

unverbleit *adj* lead-free, unleaded; **unverblümt** *adj* blunt; **unverbraucht** *adj* (*fig*) unspent.

unverbrüchlich *adj* (*geh*) steadfast. ~ **zu etw stehen** to stand by sth unswervingly.

unverdächtig *adj* unsuspicious; (*nicht unter Verdacht stehend*) unsuspected, above suspicion. **sich möglichst ~ benehmen** to arouse as little suspicion as possible; **das ist doch völlig ~** there's nothing suspicious about that.

unverdaulich *adj* (*lit, fig*) indigestible; **unverdaut** *adj* undigested; (*fig auch*) unassimilated; **unverderblich** *adj* unperishable, non-perishable; **unverdient** *adj* undeserved; **unverdientermaßen, unverdienterweise** *adv* undeservedly, unjustly; **unverdorben** *adj* (*lit, fig*) unspoilt, pure; **unverdrossen** *adj* unde-

terred; (*unermüdlich*) untiring, indefatigable; (*unverzagt*) undaunted; **Unverdrossenheit** *f, no pl siehe adj* undeterredness; indefatigability; undauntedness; **unverdünnt** *adj* undiluted; *Whisky* neat.

unver|ehelicht *adj* (*old, form*) unwedded, unwed. „~" (*auf Urkunde*) (*Frau*) "spinster"; (*Mann*) "bachelor"; **die ~e Eleanor X** Eleanor X, spinster.

unvereinbar *adj* incompatible; **miteinander ~ sein** to be incompatible; **Unvereinbarkeit** *f* incompatibility; **unverfälscht** *adj* (*lit, fig*) unadulterated; *Dialekt* pure; *Natürlichkeit* unaffected; *Natur* unspoilt; **unverfänglich** *adj* harmless; **das ist ~** it doesn't commit you to anything.

unverfroren *adj* insolent.

Unverfrorenheit *f* insolence.

unvergänglich *adj* *Kunstwerk, Werte, Worte, Ruhm* immortal; *Eindruck, Erinnerung, Reiz* everlasting.

Unvergänglichkeit *f siehe adj* immortality; everlastingness.

unvergessen *adj* unforgotten. **August wird (uns allen) ~ bleiben** we'll (all) remember August.

unvergeßlich *adj* unforgettable; *Erlebnis auch* memorable. **das wird mir ~ bleiben, das bleibt mir ~** I'll always remember that.

unvergleichbar *adj* incomparable; **Unvergleichbarkeit** *f* incomparability; **unvergleichlich I** *adj* unique, incomparable; **II** *adv* incomparably, immeasurably; **unvergoren** *adj* unfermented; **unverhältnismäßig** *adv* disproportionately; (*übermäßig*) excessively; **Unverhältnismäßigkeit** *f* disproportion; (*Übermäßigkeit*) excessiveness; **unverheiratet** *adj* unmarried, single; **unverhofft** *adj* unexpected; **das kam völlig ~** it was quite unexpected; **unverholen** *adj* open, unconcealed; **unverhüllt** *adj* **1.** *Tatsachen* undisguised, naked; *Wahrheit auch* unveiled; **2.** (*liter, iro: nackt*) unclad; **3.** (*unverhohlen*) open, unconcealed; **unverjährbar** *adj* (*Jur*) not subject to a statute of limitations; **unverkäuflich** *adj* (*abbr* **unverk.**) unmarketable, unsaleable; **~es Muster** free sample; „~" "not for sale"; **unverkennbar** *adj* unmistak(e)able; **unverlangt** *adj* unsolicited; **~ eingesandte Manuskripte** unsolicited manuscripts; **unverläßlich** *adj* unreliable; **unverletzlich** *adj* **1.** (*fig*) *Rechte, Grenze* inviolable; **2.** (*lit*) invulnerable; **Unverletzlichkeit** *f* (*fig*) inviolability; (*lit*) invulnerability; **unverletzt** *adj* uninjured, unhurt, unharmed; *Körperteil* undamaged; *Siegel* unbroken; **unvermählt** *adj* (*geh*) unwedded, unwed; **unvermeidbar** *adj* inevitable; **unvermeidlich** *adj* inevitable; (*nicht zu umgehen*) unavoidable; **der ~e Herr X** the inevitable Mr X; **unvermindert** *adj* undiminished; **unvermischt** *adj* separate, unmixed; (*rein*) pure; *Tee, Wein* pure, unadulterated.

unvermittelt *adj* **1.** (*plötzlich*) sudden,

unexpected. **2.** (*Philos*) immediate.

Unvermögen *nt, no pl* inability; (*Machtlosigkeit*) powerlessness.

unvermögend *adj* (*arm*) without means.

unvermutet *adj* unexpected.

Unvernunft *f* (*Torheit*) stupidity; (*mangelnder Verstand*) irrationality; (*Uneinsichtigkeit*) unreasonableness.

unvernünftig *adj siehe n* stupid; irrational; unreasonable. **das war sehr ~ von ihr** it was very stupid *or* unwise of her.

unveröffentlicht *adj* unpublished; **unverpackt** *adj* unpackaged, loose; **unverputzt** *adj* unplastered.

unverrichteterdinge, unverrichtetersache *adv* without having achieved anything.

unverrückbar *adj* (*fig*) unshakeable, unalterable; *Entschluß auch* firm, definite; *Gewißheit* absolute. **~ feststehen** to be absolutely definite.

unverschämt *adj* outrageous; *Mensch, Frage, Benehmen* impudent, impertinent; *Lüge, Verleumdung auch* blatant, barefaced. **grins/lüg nicht so ~!** take that cheeky grin off your face/don't tell such barefaced lies!

Unverschämtheit *f* **1.** *no pl siehe adj* outrageousness; impudence, impertinence; blatancy, barefacedness. **die ~ besitzen, etw zu tun** to have the impertinence *or* impudence to do sth. **2.** (*Bemerkung*) impertinence; (*Tat*) outrageous thing. **das ist eine ~!** it's outrageous!

unverschleiert *adj* **1.** unveiled; **2.** (*fig*) *Wahrheit* unvarnished; **unverschlossen** *adj* unlocked; *Briefumschlag* unsealed.

unverschuldet *adj* **ein ~er Unfall** an accident which was not his/her *etc* fault *or* which happened through no fault of his/her *etc* own; **~ in eine Notlage geraten** to get into difficulties through no fault of one's own.

unversehens *adv* all of a sudden, suddenly; (*überraschend*) unexpectedly.

unversehrt *adj Mensch* (*lit, fig*) unscathed; (*unbeschädigt*) intact *pred*; **unversiegelt** *adj* unsealed; **unversöhnlich** *adj* irreconcilable; **Unversöhnlichkeit** *f* irreconcilability; **unversorgt** *adj Familie, Kinder* unprovided-for.

Unverstand *m* lack of judgement; (*Torheit*) folly, foolishness.

unverstanden *adj* not understood; (*mißverstanden*) misunderstood. **der Arme fühlt sich ~** the poor man feels that his wife doesn't understand him/ nobody understands him.

unverständig *adj* lacking understanding, ignorant.

unverständlich *adj* (*nicht zu hören*) inaudible; (*unbegreifbar*) incomprehensible.

Unverständnis *nt, no pl* lack of understanding; (*Nichterfassen, für Kunst*) lack of appreciation.

unversteuert *adj* untaxed; **unversucht** *adj*: **nichts ~ lassen** to try everything.

unverträglich *adj* **1.** (*streitsüchtig*) cantankerous, quarrelsome. **2.** (*unverdaulich*)

indigestible; (*Med*) intolerable; (*Med: mit anderer Substanz*) incompatible.

Unverträglichkeit *f, no pl siehe adj* **1.** cantankerousness, quarrelsomeness. **2.** indigestibility; intolerance; incompatibility.

unverwandt I *adj* **~en Blickes** (*liter*) with a steadfast gaze. **II** *adv* fixedly, steadfastly.

unverwechselbar *adj* unmistak(e)able, distinctive; **unverwirklicht** *adj* unrealized; **unverwundbar** *adj* (*lit, fig*) invulnerable; **Unverwundbarkeit** *f* (*lit, fig*) invulnerability.

unverwüstlich *adj* indestructible; *Stoff, Teppich auch* tough, durable; *Gesundheit* robust; *Humor, Mensch* irrepressible.

unverzagt *adj* undaunted; **unverzeihlich** *adj* unpardonable, unforgivable; **unverzichtbar** *adj attr Recht* inalienable; *Anspruch* undeniable, indisputable; *Bedingung* indispensable; **unverzinslich** *adj* interest-free; **unverzollt** *adj* duty-free.

unverzüglich I *adj* immediate, prompt. **II** *adv* immediately, without delay, at once.

unvoll|endet *adj* unfinished. **Die „U~e" von Schubert** Schubert's Unfinished (Symphony).

unvollkommen *adj* (*unvollständig*) incomplete; (*fehlerhaft, mangelhaft*) imperfect.

Unvollkommenheit *f siehe adj* incompleteness; imperfection.

unvollständig *adj* incomplete; *Hilfsverb* defective. **er hat das Formular ~ ausgefüllt** he didn't fill the form out properly *or* correctly.

Unvollständigkeit *f* incompleteness; defectiveness.

unvorbereitet *adj* unprepared (*auf +acc* for). **eine ~e Rede halten** to make an impromptu speech, to speak off the cuff; **der Tod des Vaters traf sie ~** her father's death came unexpectedly.

unvoreingenommen *adj* unbiased, unprejudiced, impartial; **Unvoreingenommenheit** *f, no pl* impartiality; **unvorhergesehen** *adj* unforeseen; *Besuch* unexpected; **wir bekamen ~** *or* **~en Besuch** we had visitors unexpectedly, we had unexpected visitors; **unvorschriftsmäßig** *adj* not in keeping with the regulations; **ein ~ geparktes Fahrzeug** an improperly parked vehicle; **unvorsichtig** *adj* careless; (*voreilig*) rash; **unvorsichtigerweise** *adv* carelessly; (*voreilig*) rashly; **Unvorsichtigkeit** *f* carelessness; rashness; **so eine ~ von dir!** how reckless *or* rash of you!; **unvorstellbar** *adj* inconceivable; **unvorteilhaft** *adj* unfavourable, disadvantageous; *Kleid, Frisur* unbecoming; **~ aussehen** not to look one's best.

unwägbar *adj Umstand, Unterschied* imponderable; *Risiko auch* incalculable.

unwahr *adj* untrue; **unwahrhaftig** *adj* untruthful; *Gefühle* insincere; **Unwahrheit** *f* untruth.

unwahrscheinlich I adj (nicht zu erwarten, kaum denkbar) unlikely, improbable; (unglaubhaft) implausible, improbable; (inf: groß) incredible (inf).
II adv (inf) incredibly (inf). **wir haben uns ~ beeilt** we hurried as much as we possibly could; **er gab sich ~ Mühe** he took an incredible amount of trouble (inf).
unwandelbar adj (geh) 1. (unveränderlich) unalterable, immutable. 2. Treue, Liebe unwavering, steadfast.
unwegsam adj Gelände rough.
unweiblich adj unfeminine.
unweigerlich I adj attr Folge inevitable.
II adv inevitably; (fraglos) undoubtedly; (grundsätzlich) invariably.
unweit prep +gen, adv not far from.
Unwert m demerits pl. **Wert und ~ einer Sache** the merits and demerits of sth.
Unwert|urteil nt condemnation.
Unwesen nt, no pl (übler Zustand) terrible state of affairs. **dem ~ (der Rauschgiftsucht) steuern** (geh) to combat the problem (of drug addiction); **sein ~ treiben** to be up to mischief; (Landstreicher) to make trouble; (Gespenst) to walk abroad.
unwesentlich adj (nicht zur Sache gehörig) irrelevant; (unwichtig) unimportant, insignificant. **sich von einer Sache nur ~ unterscheiden** to differ only negligibly or marginally from sth; **zu einer Sache nicht/nur ~ beitragen** to make a not insignificant/only an insignificant contribution to sth.
Unwetter nt (thunder)storm. **ein ~ brach los** a storm broke.
unwichtig adj unimportant, insignificant; (belanglos) irrelevant; (verzichtbar) non-essential; **unwiderlegbar, unwiderleglich** adj irrefutable; **unwiderruflich** adj irrevocable; **die ~ letzte Vorstellung** positively or definitely the last or final performance; **es steht ~ fest, daß ... it** is absolutely definite that ...; **unwidersprochen** adj uncontradicted; Behauptung auch unchallenged; **das darf nicht ~ bleiben** we can't let this pass unchallenged; **unwiderstehlich** adj irresistible; **unwiederbringlich** adj (geh) irretrievable.
Unwille(n) m, no pl displeasure, indignation (über +acc at); (Ungeduld) irritation. **jds ~n erregen** to incur sb's displeasure; **seinem ~n Luft machen** to give vent to one's indignation.
unwillig adj indignant (über +acc about); (widerwillig) unwilling, reluctant.
unwillkommen adj unwelcome.
unwillkürlich adj spontaneous; (instinktiv) instinctive; (Physiol, Med) involuntary. **ich mußte ~ lachen** I couldn't help laughing.
unwirklich adj unreal; **Unwirklichkeit** f unreality; **unwirksam** adj (wirkungslos, auch Med) ineffective; Vertrag, Rechtsgeschäft inoperative; (nichtig) null, void; (Chem) inactive; **unwirsch** adj Mensch, Benehmen surly, gruff; Bewegung brusque; **unwirtlich** adj inhospitable; **unwirtschaftlich** adj uneconomic;

Unwirtschaftlichkeit f uneconomicalness; **Unwissen** nt ignorance; **unwissend** adj ignorant; (ahnungslos) unsuspecting; (unerfahren) inexperienced; **Unwissenheit** f, no pl siehe adj ignorance; unsuspectingness; inexperience; **~ schützt vor Strafe nicht** ignorance is no excuse or (Jur) is no defence in law; **unwissenschaftlich** adj unscientific; Textausgabe unscholarly; Essay, Ausdrucksweise unacademic; **unwissentlich** adv unwittingly, unknowingly.
unwohl adj (unpäßlich) unwell, indisposed (form); (unbehaglich) uneasy. **mir ist ~, ich fühle mich ~** I don't feel well; **in ihrer Gegenwart fühle ich mich ~** I'm ill at ease or I feel uneasy in her presence.
Unwohlsein nt indisposition; (unangenehmes Gefühl) unease. **von einem (plötzlichen) ~ befallen werden** to be taken ill suddenly.
unwohnlich adj Zimmer uncomfortable, cheerless; **Unwort** nt taboo word; **unwürdig** adj unworthy (+gen of); Verhalten undignified; (schmachvoll) degrading, shameful; **Unwürdigkeit** f siehe adj unworthiness; lack of dignity; degradation, shame.
Unzahl f eine ~ von a host of.
unzählbar adj innumerable, countless; (Ling) uncountable.
unzählig I adj innumerable, countless. **~e Male** countless times, time and again. **II** adv **~ viele** huge numbers; **~ viele Bücher** innumerable books.
unzähligemal adv countless times, time and again.
unzähmbar adj untamable; (fig auch) indomitable; **unzart** adj ungentle.
Unze f -, -n ounce.
Unzeit f: **zur ~** (geh) at an inopportune moment, inopportunely.
unzeitgemäß adj (altmodisch) old-fashioned, outmoded; (nicht in die Zeit passend) untimely; **unzensiert** adj uncensored; (Sch) ungraded; **unzerbrechlich** adj unbreakable; **unzerkaut** adj unchewed; **unzerreißbar** adj untearable; **unzerstörbar** adj indestructible; **unzertrennlich** adj inseparable.
unziemlich adj unseemly, unbecoming, indecorous; **unzivilisiert** adj (lit, fig) uncivilized.
Unzucht f, no pl (esp Jur) sexual offence. **das gilt als ~** that's regarded as a sexual offence; **~ treiben** to commit an act of prostitution; **~ mit Abhängigen/Kindern/Tieren** (Jur) illicit sexual relations with dependants/children/animals; **gewerbsmäßige ~** prostitution; **widernatürliche ~** unnatural sexual act(s pl); **~ mit jdm treiben** to fornicate with sb; **jdn zur ~ mißbrauchen** to abuse sb (for sexual purposes).
unzüchtig adj (esp Jur) indecent; Reden, Schriften obscene; Gedanken auch unchaste. **~e Handlungen** obscene acts.
unzufrieden adj dissatisfied, discontent(ed); (mißmutig) unhappy. **manche Leute sind immer ~** some people are never content or happy; **Unzufriedenheit** f, no pl siehe adj dissatisfaction,

discontent; unhappiness; discontent(ment); **unzugänglich** adj Gegend, Gebäude inaccessible; Charakter, Mensch inapproachable; (taub, unaufgeschlossen gegen) deaf, impervious (+dat to); **Unzugänglichkeit** f siehe adj inaccessibility; unapproachability; deafness, imperviousness; **unzulänglich** adj (nicht ausreichend) insufficient; (mangelhaft) inadequate; **Unzulänglichkeit** f 1. siehe adj insufficiency; inadequacy; 2. usu pl shortcomings pl; **unzulässig** adj (auch Jur) inadmissible; Gebrauch improper; Beeinflussung undue; Belastung, Geschwindigkeit excessive; **für ~ erklären** (Jur) to rule out; **unzumutbar** adj unreasonable; **unzurechnungsfähig** adj not responsible for one's actions, of unsound mind; **jdn für ~ erklären lassen** (Jur) to have sb certified (insane); **geistig ~** non compos mentis (Jur), of unsound mind; **Unzurechnungsfähigkeit** f unsoundness of mind; **~ geltend machen** to enter or put forward a plea of insanity; **unzureichend** adj insufficient, inadequate; **unzusammenhängend** adj incoherent, disjointed; **unzuständig** adj (Admin, Jur) incompetent, not competent; **sich für ~ erklären** to disclaim competence; **unzustellbar** adj undeliverable; Postsendung dead; **falls ~ bitte zurück an Absender** if undelivered, please return to sender; **unzuträglich** adj unhealthy; **jdm (gesundheitlich) or jds Gesundheit ~ sein** not to agree with sb, to be bad for sb's health; **unzutreffend** adj inappropriate, inapplicable; (unwahr) incorrect; **U~es bitte streichen** delete as applicable; **unzuverlässig** adj unreliable; **Unzuverlässigkeit** f unreliability; **unzweckmäßig** adj (nicht ratsam) inexpedient; (unpraktisch) impractical; (ungeeignet) unsuitable, inappropriate; **Unzweckmäßigkeit** f siehe adj inexpediency; impracticality; inappropriateness; **unzweideutig** adj unambiguous, unequivocal; (fig: unanständig) explicit; **unzweifelhaft I** adj undoubted, unquestionable; **II** adv without doubt, undoubtedly, indubitably.

üppig adj Wachstum luxuriant; Vegetation auch lush; Haar thick; Mahl, Ausstattung sumptuous, opulent; Rente, Gehalt lavish; Figur, Frau, Formen voluptuous; Busen ample; Leben luxurious; Phantasie rich. **nun werd mal nicht zu ~!** (inf) let's have no more of your cheek! (inf); **~ leben** to live in style; **~ wuchernde Vegetation** rampant vegetation.

Üppigkeit f siehe adj luxuriance; lushness; thickness; sumptuousness, opulence; lavishness; voluptuousness; ampleness; luxury; richness.

up to date ['aptu:'deːt] adj pred (inf) up to date; Kleidung modern.

Ur m -(e)s, -e (Zool) aurochs.

Ur- in cpds (erste) first, prime; (ursprünglich) original; **Urabstimmung** f ballot; **Uradel** m ancienne noblesse, ancient nobility; **Urahn(e)** m (Vorfahr) forefather, forebear; (Urgroßvater)

great-grandfather; **Urahne** f (Vorfahr) forebear; (Urgroßmutter) great-grandmother.

Ural m -s (Geog) 1. (Fluß) Ural. 2. (Gebirge) **der ~** the Urals pl, the Ural mountains pl.

uralt adj ancient; Problem, Brauch auch age-old. **seit ~en Zeiten** from time immemorial; **aus ~en Zeiten** from long (long) ago.

Uran nt -s, no pl (abbr U) uranium.

Urangst f (Psych) f primeval fear; **uraufführen** vt ptp **uraufgeführt** infin, ptp only to give the first performance (of), to play for the first time; Film to premiere usu pass.

Ur|aufführung f premiere; (von Theaterstück auch) first night or performance; (von Film auch) first showing.

Ur|aufführungs(film)theater, Ur|aufführungskino nt premiere cinema.

urban adj (geh) urbane.

urbanisieren* vtr (Sociol) to urbanize.

Urbanisierung f (Sociol) urbanization.

Urbanität f (geh) urbanity.

urbar adj **einen Wald/die Wüste/Land ~ machen** to clear a forest/to reclaim the desert/to cultivate land.

Urbayer(in f) m (inf) typical Bavarian; **Urbedeutung** f (Ling) original meaning; **Urbeginn** m very or first beginning; **seit ~ or von ~ an** from the beginning(s) of time; **Urbevölkerung** f natives pl, original inhabitants pl; (in Australien und Neuseeland) Aborigines pl; **Urbewohner(in** f) m native, original inhabitant; (in Australien und Neuseeland) Aborigine.

Urchristen pl (Eccl Hist) early Christians pl; **Urchristentum** nt early Christianity; **urchristlich** adj early Christian.

ureigen adj very own; **es liegt in seinem ~sten Interesse** it's in his own best interests; **ein dem Menschen ~er Hang** an inherent human quality; **Ureinwohner(in** f) m native, original inhabitant; (in Australien und Neuseeland) Aborigine; **Ureltern** pl (Vorfahren) forebears pl; (Urgroßeltern) great-grandparents pl; **Urenkel** m great-grandchild, great-grandson; **Urenkelin** f great-granddaughter; **Urfassung** f original version; **Urfehde** f (Hist) oath of truce; **~ schwören** to abjure all vengeance; **Urform** f prototype; **Urgemeinde** f (Eccl Hist) early Christian community; **urgemütlich** adj (inf) really comfortable/cosy etc; siehe **gemütlich**; **urgermanisch** adj (Ling) Proto-Germanic; (fig) essentially Germanic; **das U~e** Proto-Germanic; **Urgeschichte** f prehistory; **Urgesellschaft** f primitive society; **Urgestalt** f prototype; **Urgestein** nt prehistoric rock, primitive rocks pl; **politisches ~** (fig) a dyed-in-the-wool politician; **Urgewalt** f elemental force.

Urgroßeltern pl great-grandparents pl; **Urgroßmutter** f great-grandmother; **Urgroßvater** m great-grandfather.

Urgrund m very basis; source; **Urheber(in** f) m -s, - originator; (liter:

Schöpfer) creator; *(Jur: Verfasser)* author; **der geistige** ~ the spiritual father.

Urhebergebühr *f* copyright fee; **Urheberrecht** *nt* copyright *(an +dat* on); **urheberrechtlich** *adj, adv* on copyright *attr*; ~ **geschützt** copyright(ed); **Urheberschaft** *f* authorship; **Urheberschutz** *m* copyright.

Urheimat *f* original home(land).

urig *adj (inf) Mensch* earthy; *Lokal* ethnic.

Urin *m* **-s, -e** urine. **etw im** ~ **haben** *(sl)* to have a gut feeling about sth *(inf)*.

Urinal *nt* **-s, -e** *(Med)* urinal.

urinieren* *vti* to urinate.

Urinstinkt *m* primary *or* basic instinct; **Urkirche** *f* early Church; **Urknall** *m* *(Astron)* big bang; **urkomisch** *adj (inf)* screamingly funny *(inf)*; **Urkraft** *f* elemental force.

Urkunde *f* **-, -n** document; *(Kauf~)* deed, titledeed; *(Gründungs~)* charter; *(Sieger~, Diplom~, Bescheinigung)* certificate. **eine** ~ **(über etw** *acc)* **ausstellen** *or* **ausfertigen** *(Jur)* to draw up a document about sth; **eine** ~ **bei jdm hinterlegen** to lodge a document with sb.

Urkundenfälschung *f* forgery *or* falsification of a/the document/documents.

urkundlich *adj* documentary. ~ **verbürgt** *or* **bestätigt** authenticated; ~ **beweisen** *or* **belegen** to give documentary evidence; ~ **erwähnt** mentioned in a document.

Urlandschaft *f* primitive *or* primeval landscape.

Urlaub *m* **-(e)s, -e** *(Ferien)* holiday(s), vacation *(US)*; *(esp Mil)* leave (of absence). ~ **haben** to have a holiday *or* vacation/to have leave; **in** *or* **im** *or* **auf** *(inf)* ~ **sein** to be on holiday *or* vacation/on leave; **er mach zur Zeit (in Italien)** ~ he's on holiday *or* he's vacationing *(US)* (in Italy) at the moment; **in** ~ **fahren** to go on holiday *or* vacation/on leave; **zwei Wochen** ~ two weeks' holiday *or* vacation/leave; **(sich** *dat)* **einen Tag** ~ **nehmen** to take a day off *or* a day's holiday; ~ **bis zum Wecken** *(Mil)* night leave.

urlauben *vi (inf)* to holiday, to vacation *(US)*.

Urlauber(in *f)* *m* **-s, -** holiday-maker, vacationist *(US)*.

Urlaubsanspruch *m* holiday *or* vacation *(US)* entitlement; **Urlaubsgebiet** *nt* holiday *or* vacation *(US)* area; **Urlaubsgeld** *nt* holiday pay, holiday money; **urlaubsreif** *adj (inf)* ready for a holiday *or* vacation *(US)*; **Urlaubsreise** *f* holiday *or* vacation *(US)* trip; **eine** ~ **machen** to go on a trip; **Urlaubsplan** *m* *usu pl* holiday *or* vacation *(US)* plan; **Urlaubsschein** *m* *(Mil)* pass; **Urlaubssperre** *f* *(Mil)* ban on leave; **Urlaubsstimmung** *f* holiday mood; **Urlaubstag** *m* (one day of) holiday *or* vacation *(US)*; **die ersten drei** ~**e hat es geregnet** it rained on the first three days of the/my/his *etc* holiday; **Urlaubsvertretung** *f* temporary replacement;

ich mache hier nur ~ I'm just filling in while someone is on holiday; **Urlaubswoche** *f* (one week of) holiday *or* vacation *(US)*; **Urlaubszeit** *f* holiday *or* vacation *(US)* period *or* season.

Urlaut *m* elemental cry; **Urmensch** *m* primeval man; *(inf)* caveman *(inf)*.

Urne *f* **-, -n** urn; *(Los~)* box; *(Wahl~)* ballot-box. **zur** ~ **gehen** to go to the polls.

Urnenfeld *nt* *(Archeol)* urnfield, urnsite; **Urnenfriedhof** *m* urn cemetery, cinerarium; **Urnengang** *m* *(Pol)* going to the polls *no art*; **Urnengrab** *nt* urn grave.

Urogenital- *(Anat) in cpds* urogenital.

Urologe *m*, **Urologin** *f* urologist.

Urologie *f* urology.

urologisch *adj* urological.

Uroma *f (inf)* great-granny *(inf)*; **Uropa** *m (inf)* great-grandpa *(inf)*; **urplötzlich** *(inf)* **I** *adj attr* very sudden; **II** *adv* all of a sudden.

Ursache *f* **-, -n** cause *(auch Philos)*; *(Grund)* reason; *(Beweggrund)* motive; *(Anlaß)* occasion. ~ **und Wirkung** cause and effect; **kleine** ~, **große Wirkung** *(prov)* big oaks from little acorns grow *(prov)*; **keine** ~**!** *(auf Dank)* don't mention it, you're welcome; *(auf Entschuldigung)* that's all right; **ohne (jede)** ~ for no reason (at all); **aus nichtiger** ~ for a trifling reason/trifling reasons; **aus unbekannter/ungeklärter** ~ for no apparent reason/for reasons unknown; **ich habe alle** ~ **anzunehmen, daß ...** I have every reason to suppose that ...; **alle/keine** ~ **haben, etw zu tun** to have every/no reason to do sth; **die** ~ **für etw** *or* **einer Sache** *(gen)* **sein** to be the cause of/reason for sth.

ursächlich *adj (esp Philos)* causal. ~ **für etw sein** to be the cause of sth; **in** ~**em Zusammenhang stehen** to be causally related.

Urschlamm *m* primeval mud; **Urschleim** *m* protoplasm; **Urschrei** *m* *(Psych)* primal scream; **Urschrift** *f* original (text *or* copy); **urschriftlich I** *adj* original; **II** *adv* in the original; **Ursendung** *f* *(Rad)* first broadcast.

Ursprache *f* **1.** proto-language. **2.** *(bei Übersetzungen)* original (language), source language.

Ursprung *m* **-s, Ursprünge 1.** origin; *(Anfang auch)* beginning; *(Abstammung)* extraction. **er/dieses Wort ist keltischen** ~**s** he is of Celtic extraction/this word is Celtic in origin *or* of Celtic origin; **seinen** ~ **in etw** *(dat)* **haben, einer Sache** *(dat)* **seinen** ~ **verdanken** to originate in *or* to have one's/its origins in sth. **2.** *(old: lit, fig: Quelle)* source.

ursprünglich I *adj* **1.** *attr* original; *(anfänglich)* initial, first. **2.** *(urwüchsig)* natural; *Natur* unspoilt. **II** *adv* originally; *(anfänglich)* initially, at first, in the beginning.

Ursprünglichkeit *f* naturalness, simplicity.

Ursprungsland *nt* *(Comm)* country of origin.

Urständ f: (fröhliche) ~ **feiern** (hum) to come back with a vengeance, to come to life again.

Urstromtal nt (Geol, Geog) glacial valley (in North Germany).

Urteil nt **-s, -e 1.** judgement (auch Philos); (Entscheidung) decision; (Meinung) opinion. **nach meinem** ~ in my judgement/opinion; **ich kann darüber kein** ~ **abgeben** I am no judge of this; **sich** (dat) **ein** ~ **über etw** (acc) **erlauben/ ein** ~ **über etw fällen** to pronounce or pass judgement on sth; **sich** (dat) **kein** ~ **über etw** (acc) **erlauben können** to be in no position to judge sth; **nach dem** ~ **von Sachverständigen** according to expert opinion; **jdn in seinem** ~ **bestärken** to strengthen sb in his opinion; **mit seinem** ~ **zurückhalten** to be reticent about giving one's opinion(s); **zu dem** ~ **kommen, daß ...** to come to the conclusion that ...; **sich** (dat) **ein** ~ **über jdn/etw bilden** to form an opinion about sb/sth.
2. (Jur: Gerichts~) verdict; (Richterspruch) judgement; (Strafmaß) sentence; (Schiedsspruch) award; (Scheidungsspruch) decree. **das** ~ **über jdn sprechen** (Jur) to pass or to pronounce judgement on sb; **jdm/sich selber sein** ~ **sprechen** (fig) to pronounce sb's/one's own sentence.

urteilen vi to judge (nach by). **über etw** (acc) ~ to judge sth; (seine Meinung äußern) ~ to give one's opinion on sth; **hart/abfällig über jdn** ~ to judge sb harshly/to be disparaging about sb; **nach seinem Aussehen zu** ~ judging by or to judge by his appearance; **vorschnell** ~ to make a hasty judgement.

Urteilsbegründung f (Jur) opinion; **urteilsfähig** adj competent or able to judge; (umsichtig) discerning, discriminating; **dazu ist er** ~ **genug** his judgement is sound enough for that; **Urteilsfindung** f (Jur) reaching a verdict no art; **Urteilskraft** f, no pl power or faculty of judgement; (Umsichtigkeit) discernment, discrimination; „**Kritik der** ~" "Critique of Judgement"; **Urteilsspruch** m (Jur) judgement; (von Geschworenen) verdict; (von Strafgericht) sentence; (von Schiedsgericht) award; **Urteils- verkündung** f (Jur) pronouncement of judgement; **Urteilsvermögen** nt siehe **Urteilskraft**.

Urtext m original (text); **Urtier** nt, **Urtierchen** nt protozoon; (in der Morphologie) primordial animal; **Urtrieb** m basic drive or instinct; **urtümlich** adj siehe **urwüchsig**.

Uruguay nt -s Uruguay.

Ur|ur- in cpds great-great-.

Urvater m forefather; **urverwandt** adj

Wörter, Sprachen cognate; **Urviech** or **Urvieh** nt (inf) real character; **Urvogel** m archaeopteryx; **Urvolk** nt first people; **Urwahl** f (Pol) primary (election); **Urwähler(in** f) m (Pol) primary elector or voter.

Urwald m primeval forest; (in den Tropen) jungle.

Urwaldlaute pl (inf) jungle noises pl.

Urwelt f primeval world; **urweltlich** adj primeval, primordial; **urwüchsig** adj (unverbildet, naturhaft) natural; Natur unspoilt; (urweltlich) Flora, Fauna primeval; (ursprünglich) original, native; (bodenständig) rooted to the soil; (unberührt) Land untouched; (urgewaltig) Kraft elemental; (derb, kräftig) sturdy; Mensch rugged; Humor, Sprache earthy; **Urzeit** f primeval times pl; **seit** ~**en** since primeval times; (inf) for donkey's years (inf); **vor** ~**en** in primeval times; (inf) ages ago; **urzeitlich** adj primeval; **Urzelle** f (Biol) primordial cell; **Urzeugung** f abiogenesis; **Urzustand** m primordial or original state.

USA [uːɛsˈʔaː] pl **die** ~ the USA sing; **in die** ~ **fahren** to travel to the USA.

Usambaraveilchen nt African violet.

US-amerikanisch [uːˈɛs-] adj US-American.

Usance [yˈzãːs] f -, -n usage, custom; (Comm) practice.

Usbekistan nt -s Uzbekistan.

Usurpation f (liter) usurpation.

Usurpator m; **Usurpatorin** f (liter) usurper.

usurpieren* vt (liter) to usurp.

Usus m -s, no pl custom. **das ist hier so** ~ it's the custom here.

usw. abbr of **und so weiter** etc.

Utensil nt -s, -ien [-iən] utensil, implement.

Uterus m -, **Uteri** uterus.

Utilitarismus m Utilitarianism.

Utilitarist(in f) m Utilitarian.

utilitaristisch adj utilitarian.

Utopia nt -s, -s Utopia.

Utopie f utopia; (Wunschtraum) utopian dream.

utopisch adj utopian; (von Utopia) Utopian.

Utopismus m utopianism.

Utopist(in f) m utopian.

utopistisch adj (pej) utopian.

u.U. abbr of **unter Umständen.**

UV [uːˈfaʊ] abbr of **ultraviolett.**

UV- [uːˈfaʊ-] in cpds ultraviolet.

u.v.a.(m.) abbr of **und vieles andere (mehr).**

U.v.D. [uːfaʊˈdeː] m -s, -s abbr of **Unteroffizier vom Dienst** (Mil).

Ü-Wagen m (Rad, TV) outside broadcast vehicle.

uzen vti (inf) to tease, to kid (inf).

V

V, v [fau] *nt* -, - V, v.
V *abbr of* **Volt; Volumen.**
va banque [va'bãːk]: ~ ~ **spielen** (*geh*) to play vabanque; (*fig*) to put everything at stake.
Vabanquespiel [va'bãːk-] *nt* (*fig*) dangerous game.
Vaduz [fa'dʊts, va'duːts] *nt* - Vaduz.
vag [vaːk] *adj siehe* **vag(e).**
Vagabund [vaga'bʊnt] *m* **-en, -en** vagabond.
vagabundieren* [vagabʊn'diːrən] *vi* **1.** (*als Landstreicher leben*) to live as a vagabond/as vagabonds. **das V~** vagabondage; **ein ~des Volk** a nomadic people. **2.** *aux sein* (*umherziehen*) to rove around, to lead a vagabond life. **durch die Welt ~** to rove *or* wander all over the world.
vag(e) [vaːk, 'vaːgə] *adj* vague.
Vagheit ['vaːkhait] *f* vagueness.
Vagina [va'giːna] *f* -, **Vaginen** vagina.
vaginal [vagi'naːl] *adj* vaginal.
vakant [va'kant] *adj* (*old, form*) vacant.
Vakanz [va'kants] *f* (*old, form: Stelle*) vacancy.
Vakuum ['vaːkuʊm] *nt* **-s, Vakuen** ['vaːkuən] *or* **Vakua** (*lit, fig*) vacuum. **unter/im ~** in a vacuum.
Vakuum- ['vaːkuʊm-] *in cpds* vacuum; **Vakuumpumpe** *f* vacuum pump; **Vakuumröhre** *f* vacuum tube; **vakuumverpackt** *adj* vacuum-packed; **Vakuumverpackung** *f* vacuum pack; (*das Verpacken*) vacuum packaging.
Valentinstag ['va:lɛntiːns-] *m* (*St*) Valentine's Day.
Valenz [va'lɛnts] *f* valency.
valleri, vallera [falə'riː, falə'raː] *interj* falderal, folderol.
Valoren [va'loːrən] *pl* (*Sw*) (*Fin*) securities *pl*.
Valuta [va'luːta] *f* -, **Valuten 1.** (*Währung*) foreign currency. **2.** (*im Zahlungsverkehr*) value; (*Datum*) value date.
Vamp [vɛmp] *m* **-s, -s** vamp.
Vampir [vam'piːɐ] *m* **-s, -e** vampire; (*Zool*) vampire (bat).
Vampirismus [vampi'rɪsmʊs] *m* (*Myth*) vampirism.
Vanadin [vana'diːn] **-s, Vanadium** [va'naːdiʊm] *nt* (*abbr* V) vanadium.
Vandale [van'daːlə] *m* **-n, -n** (*Hist*) Vandal.
Vandalismus [vanda'lɪsmʊs] *m, no pl* vandalism.
Vanille [va'nɪljə, va'nɪlə] *f* -, *no pl* vanilla.
Vanille(n)- [va'nɪljə(n)-, va'nɪlə(n)-]: **Vanille(n)eis** *nt* vanilla ice-cream; **Vanille(n)geschmack** *m* vanilla flavour; **mit ~** vanilla-flavoured; **Vanille(n)sauce** *f* custard; **Vanille(n)stange** *f* vanilla pod; **Vanille(n)zucker, Vanillinzucker** *m* va-

nilla sugar.
variabel [va'riaːbl] *adj* variable.
Variabilität [variabili'tɛːt] *f* variability.
Variable [va'riaːblə] *f* **-n, -n** variable.
Variante [va'riantə] *f* -, **-n** variant (*zu* on).
Variation [varia'tsioːn] *f* (*alle Bedeutungen*) variation. **~en zu einem Thema** variations on a theme.
Varietät [varie'tɛːt] *f* (*auch Bot, Zool*) variety.
Varieté [varie'teː] *nt* **-s, -s 1.** variety (entertainment), vaudeville (*esp US*). **2.** (*Theater*) variety theatre, music hall (*Brit*), vaudeville theater (*US*).
variieren* [vari'iːrən] *vti* to vary.
Vasall(in *f*) [va'zal] *m* **-en, -en** (*Hist, fig*) vassal; **Vasallentum** *nt, no pl* vassalage.
Vase ['vaːzə] *f* -, **-n** vase.
Vasektomie [vazɛkto'miː] *f* (*spec*) vasectomy.
Vaselin [vaze'liːn] *nt* **-s,** *no pl,* **Vaseline** *f* -, *no pl* Vaseline ®.
vasomotorisch [vazomo'toːrɪʃ] *adj* vasomotor *attr*, vasomotory. **~ gestört sein** to have a vasomotory disorder.
Vater *m* **-s,** ⸚ (*lit fig*) father; (*Gott, bei Namen*) Father; (*von Zuchttieren*) sire. **~ von zwei Kindern sein** to be the father of two children; **~ unser** (*Rel*) Our Father; **unsere ~** *pl* (*geh: Vorfahren*) our (fore-)fathers *or* forebears; **die ~ der Stadt** the town/city fathers; **wie der ~, so der Sohn** (*prov*) like father, like son (*prov*); **~ Staat** (*hum*) the State.
Väterchen *nt dim of* **Vater** (*Vater*) dad(dy) (*inf*); (*alter Mann*) grandad (*inf*). **~ Staat** (*hum*) the State.
Vaterfigur *f* father figure; **Vaterfreuden** *pl* joys of fatherhood *pl*; **Vaterhaus** *nt* parental home.
Vaterland *nt* native country; (*esp Deutschland*) Fatherland. **dem ~ dienen/sein ~ lieben** to serve/love one's country.
vaterländisch *adj* (*national*) national; (*patriotisch*) patriotic.
Vaterlandsliebe *f* patriotism, love of one's country; **Vaterlandsverräter(in** *f*) *m* traitor to one's country.
väterlich *adj* (*vom Vater*) paternal; (*wie ein Vater auch*) fatherly. **er klopfte ihm ~ auf die Schulter** he gave him a fatherly pat on the shoulder.
väterlicherseits *adv* on one's father's side. **meine Großeltern ~** my paternal grandparents.
Väterlichkeit *f* fatherliness.
Vaterliebe *f* paternal *or* fatherly love; **vaterlos** *adj* fatherless; **Vatermord** *m* patricide; **Vatermörder** *m* **1.** patricide, father-killer (*inf*); **2.** (*hum: Kragen*) stand-up collar, choker (*dated*); **Vaterrecht** *nt* patriarchy.
Vaterschaft *f* fatherhood *no art*; (*esp Jur*)

paternity. **gerichtliche Feststellung der ∼** (*Jur*) affiliation.

Vaterschaftsbestimmung *f* determination of paternity; **Vaterschaftsklage** *f* paternity suit.

Vaterstadt *f* home town; **Vaterstelle** *f* **bei jdm ∼ vertreten/an ∼ stehen** to act *or* be a father to sb/take the place of sb's father; **Vatertag** *m* Father's Day; **Vaterunser** *nt* -s, - (*Rel*) Our Father; **das ∼** the Lord's Prayer.

Vati *m* -s, -s (*inf*) dad(dy) (*inf*).

Vatikan [vati'ka:n] *m* -s Vatican.

Vatikanstadt [vati'ka:n-] *f* Vatican City.

V-Ausschnitt ['fau-] *m* V-neck. **ein Pullover mit ∼** a V-neck jumper (*Brit*) *or* sweater.

v. Chr. *abbr of* **vor Christus** BC.

VDE ['faude:'|e:] *m* -s, *no pl abbr of* **Verband Deutscher Elektrotechniker.**

VEB ['fau|e:'be:] *m* -s, -s (*DDR*) *abbr of* **Volkseigener Betrieb.**

Vegetarier(in *f*) [vege'ta:riɐ, -iərɪn] *m* -s, - vegetarian.

vegetarisch [vege'ta:rɪʃ] *adj* vegetarian. **sich ∼ ernähren** to live on a vegetarian diet.

Vegetation [vegeta'tsio:n] *f* vegetation.

vegetativ [vegeta'ti:f] *adj* (*pflanzlich*) vegetative; *Nervensystem* autonomic.

vegetieren* [vege'ti:rən] *vi* to vegetate; (*kärglich leben*) to eke out a bare *or* miserable existence.

vehement [vehe'mɛnt] *adj* (*geh*) vehement.

Vehemenz [vehe'mɛnts] *f* (*geh*) vehemence.

Vehikel [ve'hi:kl] *nt* -s, - (*pej inf*) boneshaker (*inf*).

Veilchen *nt* violet; (*inf: blaues Auge*) shiner (*inf*), black eye. **blau wie ein ∼** (*inf*) drunk as a lord (*inf*), roaring drunk (*inf*).

veilchenblau *adj* violet; (*inf: betrunken*) roaring drunk (*inf*).

Veitstanz *m* (*Med*) St Vitus's dance. **einen ∼ aufführen** (*fig inf*) to jump *or* hop about like crazy (*inf*).

Vektor ['vɛktɔr] *m* vector.

Velar(laut) [ve'la:ɐ-] *m*, -s, -e velar (sound).

Velo ['ve:lo] *nt* -s, -s (*Sw*) bicycle, bike (*inf*); (*motorisiert*) moped.

Velour *nt* -s, -s *or* -e, **Velours** *nt* -, - [və'lu:ɐ, ve'lu:ɐ] (*auch* ∼**leder**) suede.

Velours [və'lu:ɐ, ve'lu:ɐ] *m* -, - (*Tex*) velour(s).

Veloursteppich [və'lu:ɐ-, ve'lu:ɐ-] *m* velvet carpet.

Vene ['ve:nə] *f* -, -n vein.

Venedig [ve'ne:dɪç] *nt* -s Venice.

Venen|entzündung [ve'ne:nən-] *f* phlebitis.

venerisch [ve'ne:rɪʃ] *adj* (*Med*) venereal.

Venezianer(in *f*) [vene'tsia:nɐ, -ərɪn] *m* -s, - Venetian.

venezianisch [vene'tsia:nɪʃ] *adj* Venetian.

Venezolaner(in *f*) [venetso'la:nɐ, -ərɪn] *m* -s, - Venezuelan.

Venezuela [vene'tsue:la] *nt* -s Venezuela.

Venia legendi ['ve:nia le:gɛndi] *f* - -, *no pl* (*Univ*) authorization to teach at a university.

venös [ve'nø:s] *adj* venous.

Ventil [vɛn'ti:l] *nt* -s, -e (*Tech*, *Mus*) valve; (*fig*) outlet.

Ventilation [vɛntila'tsio:n] *f* ventilation; (*Anlage*) ventilation system.

Ventilator [vɛnti'la:tɔr] *m* ventilator.

Venus ['ve:nʊs] *f* -, *no pl* (*Myth*, *Astron*) Venus.

ver|abfolgen* *vt* (*form*) *Medizin* to administer (*form*) (*jdm* to sb); (*verordnen*) to prescribe (*jdm* for sb).

ver|abreden* **I** *vt* to arrange; *Termin auch* to fix, to agree upon; *Mord*, *Hochverrat*, *Meuterei* to conspire in. **es war eine verabredete Sache** it was arranged beforehand; **ein vorher verabredetes Zeichen** a prearranged signal; **zum verabredeten Zeitpunkt/Ort** at the agreed time/place, at the time/place arranged; **wir haben verabredet, daß wir uns um 5 Uhr treffen** we have arranged to meet at 5 o'clock; **wie verabredet** as arranged; **schon verabredet sein** (*für* on) to have a previous *or* prior engagement (*esp form*), to have something else on (*inf*); **mit jdm verabredet sein** to have arranged to meet sb; (*geschäftlich*, *formell*) to have an appointment with sb; (*esp mit Freund*) to have a date with sb.

II *vr* **sich mit jdm/miteinander ∼** to arrange to meet sb/to meet; (*geschäftlich*, *formell*) to arrange an appointment with sb/an appointment; (*esp mit Freund*) to make a date with sb/a date.

Ver|abredung *f* (*Vereinbarung*) arrangement, agreement; (*Treffen*) engagement (*form*); (*geschäftlich*, *formell*) appointment; (*esp mit Freund*) date. **ich habe eine ∼** I'm meeting somebody.

ver|abreichen* *vt* *Tracht Prügel* to give; *Arznei auch* to administer (*form*) (*jdm* to sb).

ver|abscheuen* *vt* to detest, to abhor, to loathe.

ver|abscheuenswert *adj* detestable, abhorrent, loathsome.

ver|abschieden* **I** *vt* to say goodbye to; (*Abschiedsfeier veranstalten für*) to hold a farewell ceremony for; (*entlassen*) *Beamte*, *Truppen* to discharge; (*Pol*) *Haushaltsplan* to adopt; *Gesetz* to pass. **wie bist du von deinen Kollegen verabschiedet worden?** what sort of a farewell did your colleagues arrange for you?

II *vr* **sich (von jdm) ∼** to say goodbye (to sb), to take one's leave (of sb) (*form*), to bid sb farewell (*liter*); **er ist gegangen, ohne sich zu ∼** he left without saying goodbye.

Ver|abschiedung *f* (*von Beamten*) discharge; (*Pol*) (*von Gesetz*) passing; (*von Haushaltsplan*) adoption.

ver|absolutieren* *vt* to make absolute.

ver|achten* *vt* to despise; *jdn auch* to hold in contempt; (*liter*) *Tod*, *Gefahr* to scorn. **nicht zu ∼** (*inf*) not to be despised, not to be scoffed at, not to be sneezed at (*inf*).

ver|achtenswert *adj* despicable, contemptible.

Ver|ächter *m*: **kein ∼ von etw sein** to be

quite partial to sth.

ver|ächtlich *adj* contemptuous, scornful; (*verachtenswert*) despicable, contemptible. **jdn/etw ~ machen** to run sb down/belittle sth.

Ver|achtung *f, no pl* contempt (*von* for). **jdn mit ~ strafen** to treat sb with contempt.

ver|albern* *vt* (*inf*) to make fun of. **du willst mich wohl ~** are you pulling my leg?

ver|allgemeinern* *vti* to generalize.

Ver|allgemeinerung *f* generalization.

ver|alten* *vi aux sein* to become obsolete; (*Ansichten, Methoden*) to become antiquated; (*Mode*) to go out of date.

ver|altet *adj* obsolete; *Ansichten* antiquated; *Mode* out-of-date.

Veranda [ve'randa] *f* -, **Veranden** veranda, porch.

ver|änderlich *adj* variable; *Wetter, Mensch* changeable.

Ver|änderlichkeit *f siehe adj* variability; changeability.

ver|ändern* I *vt* to change. II *vr* to change; (*Stellung wechseln*) to change one's job. **sich zu seinem Vorteil/Nachteil ~** (*im Aussehen*) to look better/worse; (*charakterlich*) to change for the better/worse; **verändert aussehen** to look different.

Ver|änderung *f* change. **eine berufliche ~** a change of job.

ver|ängstigen* *vt* (*erschrecken*) to frighten, (*einschüchtern*) to intimidate.

ver|ankern* *vt* (*Naut, Tech*) to anchor; (*fig*) (*in +dat* in) *Rechte* (*in Gesetz*) to establish, to ground; *Gedanken* (*in Bewußtsein*) to embed, to fix.

Ver|ankerung *f* (*Naut, Tech*) (*das Verankern*) anchoring; (*das Verankertsein*) anchorage; (*fig*) (*von Rechten*) (firm) establishment; (*von Gedanken*) embedding, fixing.

ver|anlagen* *vt* to assess (*mit* at).

ver|anlagt *adj* **melancholisch ~ sein** to have a melancholy disposition; **technisch/praktisch ~ sein** to be technically/practically minded; **künstlerisch/musikalisch ~ sein** to have an artistic/a musical bent; **zu or für etw ~ sein** to be cut out for sth.

Ver|anlagung *f* **1.** (*körperlich, esp Med*) predisposition; (*charakterlich*) nature, disposition; (*Hang*) tendency; (*allgemeine Fähigkeiten*) natural abilities *pl*; (*künstlerisches, praktisches Talent*) bent. **eine ~ zum Dickwerden haben** to have a tendency to put on weight. **2.** (*von Steuern*) assessment.

ver|anlassen* *vt* **1.** **etw ~** to arrange for sth, to see to it that sth is done/carried out *etc*; (*befehlen*) to order sth; **eine Maßnahme ~** to arrange for/order a measure to be taken; **ich werde das Nötige ~** I will see (to it) that the necessary steps are taken; **wir werden alles Weitere ~** we will take care of *or* see to everything else.
2. *auch vi* (*bewirken*) to give rise (*zu* to). **jdn zu etw ~** (*Ereignis*) to lead sb to sth; (*Mensch*) to cause *or* induce sb to do sth; **jdn (dazu) ~, etw zu tun** (*Ereignis*) to lead sb to do sth; **sich (dazu) veranlaßt fühlen, etw zu tun** to feel compelled *or* obliged to do sth.

Ver|anlassung *f* cause, reason. **auf ~ von** *or* **+gen** at the instigation of; **keine ~ zu etw haben/keine ~ haben, etw zu tun** to have no cause *or* reason for sth/to do sth *or* for doing sth; **~ zu etw geben** to give cause for sth.

ver|anschaulichen* *vt* to illustrate (+*dat* to, *an* +*dat, mit* with). **sich** (*dat*) **etw ~** to picture sth (to oneself), to visualize sth; **sich** (*dat*) **~, daß ...** to see *or* realize that ...

Ver|anschaulichung *f* illustration. **zur ~** as an illustration, to illustrate sth.

ver|anschlagen* *vt* to estimate (*auf +acc* at). **etw zu hoch/niedrig ~** to overestimate/underestimate sth.

ver|anstalten* *vt* to organize, to arrange; *Wahlen* to hold; *Umfrage* to do; (*kommerziell*) *Wettkämpfe, Konzerte* to promote; *Party* to hold, to give; (*inf*) *Szene* to make.

Ver|anstalter(in *f*) *m* -s, - organizer; (*Comm: von Wettkämpfen, Konzerten*) promoter.

Ver|anstaltung *f* **1.** event (*von* organized by); (*feierlich, öffentlich*) function. **2.** *no pl* (*das Veranstalten*) organization.

Veranstaltungskalender *m* calendar of events; **Veranstaltungsprogramm** *nt* programme of events.

ver|antworten* I *vt* to accept (the) responsibility for; *die Folgen auch, sein Tun* to answer for (*vor +dat* to). (es) ~, **daß jd etw tut** to accept the responsibility for sb doing sth; **wie könnte ich es denn ~, ...?** it would be most irresponsible of me ...; **ein weiterer Streik wäre nicht zu ~** another strike would be irresponsible; **eine nicht zu ~de Fahrlässigkeit/Schlamperei** inexcusable negligence/slackness; **etw sich selbst gegenüber ~** to square sth with one's own conscience.
II *vr* **sich für** *or* **wegen etw ~** to justify sth (*vor +dat* to); (*für Missetaten*) to answer for sth (*vor +dat* before); **sich vor Gericht/Gott ~ müssen** to have to answer to the courts/God (*für, wegen* for).

ver|antwortlich *adj* responsible; (*haftbar*) liable. **jdm (gegenüber) ~ sein** to be responsible *or* answerable *or* accountable to sb; **jdn für etw ~ machen** to hold sb responsible for sth; **für etw ~ zeichnen** (*form*) (*lit*) to sign for sth; (*fig*) to take responsibility for sth; **der ~e Leiter des Projekts** the person in charge of the project.

Ver|antwortliche(r) *mf decl as adj* person responsible. **die ~n** *pl* those responsible.

Ver|antwortung *f* responsibility (*für* for). **auf eigene ~** on one's own responsibility; **auf deine ~!** you take the responsibility!, on your own head be it!; **die ~ übernehmen** to take *or* accept *or* assume (*esp form*) responsibility; **jdn zur ~ ziehen** to call sb to account.

ver|antwortungsbewußt *adj* responsible; **Ver|antwortungsbewußtsein** nt sense of responsibility; **ver|antwortungslos** adj irresponsible; **Ver|antwortungslosigkeit** f, no pl irresponsibility; **ver|antwortungsvoll** adj responsible.

ver|äppeln* vt (inf) jdn ~ to make fun of sb; (auf den Arm nehmen) to pull sb's leg (inf).

ver|arbeiten* vt to use (zu etw to make sth); (Tech, Biol) to process; Ton, Gold to work; (verbrauchen) to consume; (verdauen) to digest; (fig) to use (zu for); Stoff to treat; Daten to process; Erlebnis to assimilate, to digest; (bewältigen) to overcome.

ver|arbeitet adj 1. gut/schlecht ~ Rock well/badly finished. 2. (dial: abgearbeitet) worn.

Ver|arbeitung f 1. siehe vt use, using; processing; working; digestion; treating; assimilation, digestion; overcoming. 2. (Aussehen) finish; (Qualität) workmanship no indef art.

ver|argen* vt (geh) jdm etw ~ to hold sth against sb; jdm ~, daß ... to hold it against sb that ...; **ich kann es ihm nicht** ~, **wenn er ...** I can't blame him if he ...

ver|ärgern* vt jdn ~ to annoy sb; (stärker) to anger sb.

ver|ärgert adj annoyed; (stärker) angry.

Ver|ärgerung f annoyance; (stärker) anger.

ver|armen* vi aux sein (lit, fig) to become impoverished. **verarmt** impoverished.

Ver|armung f, no pl impoverishment.

ver|arschen* vt (sl) to take the piss out of (sl); (für dumm verkaufen) to mess or muck around (inf).

ver|arzten* vt (inf) to fix up (inf); (mit Verband) to patch up (inf); (fig hum) to sort out (inf).

ver|ästeln* vr to branch out; (fig) to ramify. **eine verästelte Organisation** a complex organization.

Ver|ästelung f branching; (fig) ramifications pl.

ver|ausgaben* vr to overexert or overtax oneself; (finanziell) to overspend. **ich habe mich total verausgabt** (finanziell) I'm completely spent out.

ver|auslagen* vt (Comm) to lay out, to disburse (form).

ver|äußern* vt (form: verkaufen) to dispose of; Rechte, Land to alienate (form).

Ver|äußerung f siehe vt disposal; alienation (form).

Verb [vɛrp] nt -s, -en verb.

verbal [vɛrˈbaːl] adj verbal (auch Gram).

Verbalinjurie [vɛrˈbaːlˈ|ɪnjuːriə] f (Jur) verbal injury.

verballhornen* vt to parody; (unabsichtlich) to get wrong.

Verballhornung f parody; (unabsichtlich) ≃ spoonerism.

Verband m -(e)s, ⸚e 1. (Med) dressing; (mit Binden) bandage. 2. (Bund) association. 3. (Mil) unit. **im** ~ **fliegen** to fly in formation. 4. (Archit) bond.

Verband(s)kasten m first-aid box; **Verband(s)material** nt dressing material;

Verband(s)päckchen nt gauze bandage; **Verband(s)stoff** m dressing; **Verband(s)watte** f surgical cottonwool (Brit), absorbent cotton (US), cotton batting (US); **Verband(s)zeug** nt dressing material.

verbannen* vt to banish (auch fig), to exile (aus from, auf to).

Verbannte(r) mf decl as adj exile.

Verbannung f banishment no art, exile no art; (das Verbannen) banishment, exiling.

verbarrikadieren* I vt to barricade. II vr to barricade oneself in (in etw (dat)) sth).

verbat pret of **verbitten**.

verbauen* vt 1. (versperren) to obstruct, to block. **sich** (dat) **alle Chancen/die Zukunft** ~ to spoil one's chances/one's prospects for the future; **jdm die Möglichkeit** ~, **etw zu tun** to ruin or spoil sb's chances of doing sth.
  2. (schlecht bauen) to construct badly.
  3. (inf: verderben) Text, Arbeit to botch (inf).

verbe|amten* vt to give the status of civil servant to.

verbeißen* irreg I vt (fig inf) **sich** (dat) **etw** ~ Zorn etc to stifle sth, to suppress sth; Bemerkung to bite back sth; Schmerz to hide sth; **sich** (dat) **das Lachen** ~ to keep a straight face. II vr **sich in etw** (acc) ~ (lit) to bite into sth; (Hund) to sink its teeth into sth; (fig) to become set or fixed on sth; siehe **verbissen**.

verbergen* irreg I vt (+dat, vor +dat from) (lit, fig) to hide, to conceal; (vor der Polizei auch) to harbour. **sein Gesicht in den Händen** ~ to bury one's face in one's hands; **jdm etw** ~ (verheimlichen) to keep sth from sb; siehe **verborgen**. II vr to hide (oneself), to conceal oneself.

verbessern* I vt 1. (besser machen) to improve; Leistung, Bestzeit to improve (up)on, to better; die Welt to reform. **eine neue, verbesserte Auflage** a new revised edition.
  2. (korrigieren) to correct.
  II vr (Lage) to improve, to get better; (Mensch) (in Leistungen) to improve, to do better; (beruflich, finanziell) to better oneself; (sich korrigieren) to correct oneself.

Verbesserung f 1. improvement (von in); (von Leistung, Bestzeit) improvement (von on); (von Buch) revision; (berufliche, finanzielle ~) betterment. 2. (Berichtigung) correction.

verbesserungsfähig adj capable of improvement; **Verbesserungsvorschlag** m suggestion for improvement.

verbeten ptp of **verbitten**.

verbeugen* vr to bow (vor +dat to).

Verbeugung f bow. **eine** ~ **vor jdm machen** to (make a) bow to sb.

verbeulen* vt to dent.

verbiegen* irreg I vt to bend (out of shape); Idee, Wahrheit to distort; siehe **verbogen**. II vr to bend; (Holz) to warp; (Metall) to buckle.

verbiestern* (inf) vr **sich in etw** (acc) ~

to become fixed on sth.

verbiestert *adj* (*inf*) (*mißmutig*) crotchety (*inf*); (*verstört*) disturbed *no adv*.

verbieten *pret* **verbot**, *ptp* **verboten** *vt* to forbid; (*amtlich auch*) to prohibit; *Zeitung, Partei* to ban, to prohibit. **jdm ~, etw zu tun** to forbid sb to do sth; (*amtlich auch*) to prohibit sb from doing sth; **jdm das Rauchen/den Zutritt/den Gebrauch von etw ~** to forbid sb to smoke/to enter/the use of sth; (*amtlich auch*) to prohibit sb from smoking/entering/using sth; **mein Taktgefühl verbietet mir eine derartige Bemerkung** tact prevents me from making such a remark; **das verbietet sich von selbst** that has to be ruled out; *siehe* **verboten**.

verbilligen* I *vt* to reduce the cost of; *Kosten, Preis* to reduce. **verbilligte Waren/Karten** reduced goods/tickets at reduced prices; **etw verbilligt abgeben** to sell sth at a reduced price.

II *vr* to get *or* become cheaper; (*Kosten, Preise auch*) to go down.

verbinden* *irreg* I *vt* 1. (*Med*) to dress; (*mit Binden*) to bandage. **jdm die Augen ~** to blindfold sb; **mit verbundenen Augen** blindfold(ed).

2. (*verknüpfen, in Kontakt bringen*) (*lit, fig*) to connect, to link; *Punkte* to join (up).

3. (*Telec*) **jdn (mit jdm) ~** to put sb through (to sb); **ich verbinde!** I'll put you through, I'll connect you; (**Sie sind hier leider**) **falsch verbunden!** I'm sorry, you've got the) wrong number!; **mit wem bin ich verbunden?** who am I speaking to?

4. (*gleichzeitig haben or tun, anschließen*) to combine.

5. (*assoziieren*) to associate.

6. (*mit sich bringen*) **mit etw verbunden sein** to involve sth, to be bound up with sth; **die damit verbundenen Kosten/Gefahren** the costs/dangers involved.

7. (*emotional*) *Menschen* to unite, to join together. **freundschaftlich/in Liebe verbunden sein** (*geh*) to be united *or* joined together in friendship/love.

II *vr* to combine (*auch Chem*) (*mit* with, *zu* to form), to join (together), to join forces (*zu* in, to form). **sich in Liebe/Freundschaft ~** (*geh*) to join together in love/friendship; **in ihrer Person ~ sich Klugheit und Schönheit** she combines both intelligence and beauty.

verbindlich *adj* 1. obliging. **~sten Dank!** (*form*) thank you kindly!, I/we thank you! 2. (*verpflichtend*) obligatory, compulsory; *Regelung, Zusage* binding; (*verläßlich*) *Auskunft* reliable. **~ zusagen** to accept definitely.

Verbindlichkeit *f siehe adj* 1. obligingness; (*höfliche Redensart*) civility *usu pl*, courtesy *usu pl*, polite word(s *pl*).

2. *no pl* obligatory *or* compulsory nature, compulsoriness; binding nature *or* force; reliability.

3. **~en** *pl* (*Comm, Jur*) obligations *pl*, commitments *pl*; (*finanziell auch*) liabilities *pl*; **seine ~en erfüllen** to fulfil one's

obligations *or* commitments; to meet one's liabilities.

Verbindung *f* 1. connection; (*persönliche, einflußreiche Beziehung auch, Kontakt*) contact (*zu, mit* with). **in ~ mit** (*zusammen mit*) in conjunction with; (*im Zusammenhang mit*) in connection with; **jdn/etw mit etw in ~ bringen** to connect sb/sth with sth; (*assoziieren*) to associate sb/sth with sth; **er/sein Name wurde mit der Affäre in ~ gebracht** he/his name was mentioned in connection with the affair; **seine ~en spielen lassen** to use one's connections, to pull a few strings (*inf*); **~en anknüpfen** *or* **aufnehmen** to get contacts; **~ mit jdm aufnehmen** to contact sb; **die ~ aufrechterhalten** to maintain contact; (*esp zwischen Freunden*) to keep in touch *or* contact; **sich (mit jdm) in ~ setzen, (mit jdm) in ~ treten** to get in touch *or* contact (with sb), to contact sb; **mit jdm in ~ stehen** to be in touch *or* contact with sb.

2. (*Verkehrs~*) connection (*nach* to). **die ~ von Berlin nach Warschau** the connections *pl* from Berlin to Warsaw; **es besteht direkte ~ nach München** there is a direct connection to Munich.

3. (*Telec: Anschluß*) line. **telefonische ~/~ durch Funk** telephonic/radio communication; **eine ~ (zu einem Ort) bekommen** to get through (to a place); **unsere ~ wurde unterbrochen** we were cut off.

4. (*Mil*) contact; (*durch Funk*) communication; (*Zusammenarbeit*) liaison. **~ aufnehmen** to make contact; to establish communication.

5. (*Kombination*) combination.

6. (*Vereinigung, Bündnis*) association; (*ehelich*) union; (*Univ*) society; (*für Männer*) fraternity (*US*); (*für Frauen*) sorority (*US*). **eine ~ mit jdm eingehen** to join together with sb.

7. (*Chem: Prozeß*) combination; (*Ergebnis*) compound (*aus* (formed out) of). **eine ~ mit etw eingehen** to form a compound with sth, to combine with sth.

Verbindungs- *in cpds* (*esp Tech, Archit*) connecting; (*Univ*) fraternity; **Verbindungsmann** *m, pl* **-leute** *or* **-männer** intermediary; (*Agent*) contact; **Verbindungsoffizier** *m* liaison officer; **Verbindungsstraße** *f* connecting road; **Verbindungsstück** *nt* connecting piece; **Verbindungsstudent** *m* member of a fraternity; **Verbindungstür** *f* connecting door.

verbissen I *ptp of* **verbeißen**. II *adj* grim; *Arbeiter* dogged, determined; *Gesicht, Miene* determined.

Verbissenheit *f, no pl siehe adj* grimness; doggedness, determination.

verbitten *pret* **verbat**, *ptp* **verbeten** *vr* **sich** (*dat*) **etw (schwer/sehr) ~** to refuse (absolutely) to tolerate sth; **das verbitte ich mir!, das will ich mir verbeten haben!** I won't have it!

verbittern* I *vt* to embitter, to make bitter. II *vi aux sein* to become embittered *or* bitter. **verbittert** embittered, bitter.

Verbitterung *f* bitterness, embitterment.

verblassen* *vi aux sein* (*lit*, *fig*) to fade; (*Mond*) to pale. **alles andere verblaßt daneben** (*fig*) everything else pales into insignificance beside it.

Verbleib *m* -(e)s, *no pl* (*form*) whereabouts *pl*.

verbleiben* *vi irreg aux sein* to remain. **etw verbleibt jdm** sb has sth left; **... verbleibe ich Ihr ...** (*form*) ... I remain, Yours sincerely ...; **wir sind so verblieben, daß wir ...** we agreed *or* arranged to ..., it was agreed *or* arranged that we ...

verbleichen *pret* **verblich**, *ptp* **verblichen** *vi aux sein* (*lit*, *fig*) to fade; (*Mond*) to pale; (*liter: sterben*) to pass away, to expire (*liter*). **verblichen** (*lit*, *fig*) faded.

verbleit *adj Benzin* leaded.

verblenden* *vt* 1. (*fig*) to blind. **verblendet sein** to be blind. 2. (*Archit*) to face.

Verblendung *f* 1. (*fig*) blindness. 2. (*Archit*) facing.

verbleuen* *vt* (*inf*) to bash up (*inf*).

verblich *pret of* **verbleichen**.

verblichen *ptp of* **verbleichen**.

Verblichene(r) *mf decl as adj* (*liter*) deceased.

verblöden* *vi aux sein* to become a zombi(e) (*inf*).

Verblödung *f* (*inf*) stupefaction. **diese Arbeit führt noch zu meiner völligen ~** this job will turn me into a zombi(e) (*inf*).

verblüffen* *vt* (*erstaunen*) to stun, to amaze; (*verwirren*) to baffle. **sich durch or von etw ~ lassen** to be taken in by sth.

Verblüffung *f, no pl siehe vt* amazement; bafflement.

verblühen* *vi aux sein* (*lit*, *fig*) to fade. **der Baum ist verblüht** the blossom has fallen from the tree; **sie sieht verblüht aus** her beauty has faded.

verbluten* I *vi aux sein* to bleed to death. II *vr* (*fig*) to spend oneself.

verbocken* *vt* (*inf*) (*verpfuschen*) to botch (*inf*); (*anstellen*) to get up to (*inf*).

verbockt *adj* (*inf*) pig-headed (*inf*); *Kind* headstrong.

verbogen I *ptp of* **verbiegen**. II *adj* bent; *Rückgrat* curved; (*fig*) twisted, warped.

verbohren* *vr* (*inf*) **sich in etw** (*acc*) **~** to become obsessed with sth; (*unbedingt wollen*) to become (dead) set on sth (*inf*).

verbohrt *adj Haltung* stubborn, obstinate; *Politiker auch, Meinung* inflexible.

Verbohrtheit *f* inflexibility.

verborgen¹* *vt* to lend out (*an* +*acc* to).

verborgen² I *ptp of* **verbergen**.
II *adj* hidden. **etw/sich ~ halten** to hide sth/to hide; **im V~en leben** to live hidden away; **so manches große Talent blüht im ~en** great talents flourish in obscurity; **im ~en wachsen/blühen** (*lit*) to grow/bloom in places hard to find; **im ~en liegen** to be not yet known.

Verborgenheit *f, no pl* seclusion.

verbot *pret of* **verbieten**.

Verbot *nt* -(e)s, -e ban. **er ging trotz meines ~s** he went even though I had for-

bidden him to do so; **trotz des ärztlichen ~es** against doctor's orders, in spite of doctor's orders; **gegen ein ~ verstoßen** to ignore a ban; **ich bin gegen das ~ irgendeiner Partei/Zeitung** I'm opposed to a ban on *or* to banning any party/newspaper.

verboten I *ptp of* **verbieten**. II *adj* forbidden; (*amtlich*) prohibited; (*gesetzeswidrig*) *Handel* illegal; *Zeitung, Partei, Buch* banned. **jdm ist etw ~** sb is forbidden to do sth; **Rauchen/Parken ~** no smoking/parking; **er sah ~ aus** (*inf*) he looked a real sight (*inf*).

Verbotsschild *nt*, **Verbotstafel** *f* (*allgemein*) notice *or* sign (prohibiting something); (*im Verkehr*) prohibition sign.

verbrach *pret of* **verbrechen**.

verbracht *ptp of* **verbringen**.

verbrachte *pret of* **verbringen**.

verbrämen* *vt* (*geh*) *Kleidungsstück* to trim; (*fig*) *Rede* to pad; *Wahrheit* to gloss over; *Kritik* to veil (*mit* in).

verbrannt I *ptp of* **verbrennen**. II *adj* burnt; (*fig*) *Erde* scorched.

Verbrauch *m* -(e)s, *no pl* consumption (*von, an* +*dat* of); (*von Geld*) expenditure; (*von Kräften*) drain (*von, an* +*dat* on). **im Winter ist der ~ an Kalorien/Energie höher** we use up more calories/energy in winter; **sparsam im ~** economical; **zum baldigen ~ bestimmt** to be used immediately.

verbrauchen* *vt* 1. (*aufbrauchen*) to use; *Vorräte* to use up; *Benzin, Wasser, Nahrungsmittel auch* to consume. **der Wagen verbraucht 10 Liter Benzin auf 100 km** the car does 10 kms to the litre.
2. (*abnützen*) *Kräfte* to exhaust; *Kleidung* to wear out. **sich ~** to wear oneself out; **verbrauchte Luft/Nerven** stale *or* stuffy air/frayed *or* tattered nerves; **sie ist schon völlig verbraucht** she is already completely spent.

Verbraucher(in *f*) *m* -s, - consumer.

Verbraucher- *in cpds* consumer; **verbraucherfeindlich** *adj* anti-consumer; **~ sein** not to be in the interest of the consumer; **verbraucherfreundlich** *adj* consumer-friendly; **Verbrauchergenossenschaft** *f* consumer cooperative; **verbrauchergerecht** *adj Verpackung* handy; **Verbrauchermarkt** *m* hypermarket; **Verbraucherpreis** *m* consumer price; **Verbraucherschutz** *m* consumer protection; **Verbraucherverband** *m* consumer council; **Verbraucherzentrale** *f* consumer advice centre.

Verbrauchsgüter *pl* consumer goods *pl*; **Verbrauchssteuer** *f* excise.

Verbrechen *nt* -s, - (*lit*, *fig*) crime (*gegen, an* +*dat* against).

verbrechen *pret* **verbrach**, *ptp* **verbrochen** *vt* 1. (*inf: anstellen*) **etwas ~** to be up to something (*inf*); **was habe ich denn jetzt schon wieder verbrochen?** what on earth have I done now?
2. (*hum inf*) *Gedicht, Kunstwerk, Übersetzung* to be the perpetrator of (*hum*).

Verbrechensbekämpfung *f* combating

crime *no art.*
Verbrecher(in *f***)** *m* **-s, -** criminal.
Verbrecheralbum *nt* rogues' gallery
(*hum*); **Verbrecherbande** *f* gang of
criminals; **Verbrechergesicht** *nt* (*pej*)
criminal face.
verbrecherisch *adj* criminal.
Verbrecherjagd *f* chase after a/the
criminal/criminals; **Verbrecherkartei** *f*
criminal records *pl*; **Verbrechertum** *nt*
criminality; **Verbrecherviertel** *nt* (*pej
inf*) shady part of town; **Ver-
brechervisage** *f* (*pej inf*) criminal face.
verbreiten* I *vt* to spread; *Ideen, Lehre
auch* to disseminate; *Zeitung* to distribute, to circulate; (*ausstrahlen*) *Wärme*
to radiate; *Licht* to shed; *Ruhe* to radiate. **eine (weit) verbreitete Ansicht** a
widely *or* commonly held opinion; **eine
verbreitete Zeitung** a newspaper with a
large circulation *or* a wide distribution.
    II *vr* **1.** to spread.
    2. sich über ein Thema ~ to expound
on *or* hold forth on a subject.
verbreitern* I *vt* to widen. II *vr* to get
wider, to widen out.
Verbreiterung *f* widening.
Verbreitung *f*, *no pl siehe vt* spreading;
dissemination; distribution, circulation;
radiation; shedding; radiation.
verbrennen* *irreg* I *vt* **1.** to burn; *Müll
auch* to incinerate; (*einäschern*) *Tote* to
cremate; (*verbrauchen*) *Gas, Kerzen* to
burn; *Strom* to use.
    2. (*versengen*) to scorch; *Finger, Haut*
to burn; *Haar* to singe; (*verbrühen*) to
scald. **sich** (*dat*) **die Zunge/den Mund** *or*
den Schnabel (*inf*) ~ (*lit*) to burn one's
tongue/mouth; (*fig*) to say too much; *siehe* **Finger.**
    II *vr* to burn oneself; (*sich verbrühen*)
to scald oneself.
    III *vi aux sein* to burn; (*Mensch, Tier*)
to burn (to death); (*niederbrennen:
Haus*) to burn down; (*durch Sonne,
Hitze*) to be scorched. **das Fleisch** ~ **lassen** to burn the meat; **alles verbrannte** *or*
war verbrannt everything was destroyed
in the fire; **alle verbrannten** everyone
died in the fire.
Verbrennung *f* **1.** *no pl* (*das Verbrennen*)
burning; (*von Müll auch*) incineration;
(*von Treibstoff*) combustion; (*von
Leiche*) cremation. **2.** (*Brandwunde*)
burn; (*Verbrühung*) scald. **starke/leichte
~en davontragen** to be badly/not seriously burned.
Verbrennungsanlage *f* incineration
plant; **Verbrennungskraftmaschine** *f*
internal combustion vehicle; **Ver-
brennungsmotor** *m* internal combustion engine; **Verbrennungsofen** *m*
furnace; (*für Müll*) incinerator; **Ver-
brennungsrückstände** *mpl* incineration residue; **Verbrennungswärme** *f*
heat of combustion.
verbriefen* *vt* to document. **verbriefte
Rechte/Sicherheit** attested rights/securi-
ty.
verbringen *pret* **verbrachte,** *ptp* **verbracht** *vt* **1.** *Zeit* to spend. **2.** (*obs, Jur:
bringen*) to take.

verbrochen *ptp of* **verbrechen.**
verbrüdern* *vr* to swear eternal friendship (*mit* to); (*politisch*) to ally oneself
(*mit* to, with).
Verbrüderung *f* avowal of friendship;
(*politisch*) alliance.
verbrühen* I *vt* to scald. II *vr* to scald
oneself.
Verbrühung *f* (*no pl: das Verbrühen*)
scalding; (*Wunde*) scald.
verbuchen* *vt* to enter (up) (in a/the
book). **einen Betrag auf ein Konto** ~ to
credit a sum to an account; **Erfolge (für
sich)** ~ to notch up *or* chalk up successes
(*inf*); **etw für sich** *or* **auf sein Konto** ~
können (*fig*) to be able to credit oneself
with sth.
verbuddeln* *vt* (*inf*) to bury.
Verbum ['vɛrbʊm] *nt* **-s, Verba** (*geh*)
verb.
verbummeln* (*inf*) I *vt* (*verlieren*) to
lose; (*vertrödeln, vergeuden*) *Nachmittag, Wochenende, Zeit* to waste, to
fritter away; (*verpassen*) *Verabredung* to
miss. II *vi aux sein* **1.** (*herunterkommen*) to go to seed. **2.** (*faul werden*) to
get lazy. **verbummelt sein** to be lazy.
Verbund *m* **-(e)s,** *no pl* (*Econ*) combine.
im ~ **arbeiten** to cooperate.
verbunden I *ptp of* **verbinden.** II *adj*
(*form: dankbar*) **jdm (für etw)** ~ **sein** to
be obliged to sb (for sth).
verbünden* *vr* to ally oneself (*mit* to);
(*Staaten*) to form an alliance. **verbündet
sein** to be allies *or* allied.
Verbundenheit *f*, *no pl* (*von Völkern*)
solidarity; (*von Menschen*) (*mit Menschen, Natur*) closeness (*mit* to); (*mit
Land, Tradition*) attachment (*mit* to). **in
tiefer** ~, ... very affectionately yours, ...
Verbündete(r) *mf decl as adj* ally.
Verbundfahrausweis *m* travel pass (*valid
for all forms of public transport*); **Ver-
bundglas** *nt* laminated glass; **Ver-
bundnetz** *nt* (*Elec*) (integrated) grid
system; **Verbundplatte** *f* sandwich
panel; **Verbundsystem** *nt* integrated
system; **Verbundwerbung** *f* joint
advertising; **Verbundwerkstoff** *m* composite material.
verbürgen* *vtr* to guarantee. **sich für
jdn/etw** ~ to vouch for sb/sth; **ein ver-
bürgtes Recht** an established right.
verbürgerlichen* *vi aux sein* to become
bourgeois.
verbüßen* *vt* to serve.
Verbüßung *f*, *no pl* serving. **zur** ~ **einer
Haftstrafe von zwei Jahren verurteilt
werden** to be sentenced to serve two
years in prison.
verbuttern* *vt* **1.** to make into butter. **2.**
(*inf*) *Geld* to spend.
verchromen* [fɛɐˈkroːmən] *vt* to
chromium-plate.
Verdacht *m* **-(e)s,** *no pl* suspicion; (*hum:
Vermutung*) hunch. **jdn in** *or* **im** ~ **haben** to suspect sb; **im** ~ **stehen, etw getan
zu haben** to be suspected of having done
sth; **jdn in** ~ **bringen** to make sb look
guilty; **den** ~ **auf jdn lenken** to throw *or*
cast suspicion on sb; **jdn wegen** ~**s einer
Sache** (*gen*) **festnehmen** to arrest sb on

suspicion of sth; **(gegen jdn)** ~ **schöpfen** to become suspicious (of sb); **es besteht** ~ **auf Krebs** (*acc*) cancer is suspected; **bei** ~ **auf Krebs** in the case of suspected cancer; **etw auf** ~ **tun** (*inf*) to do sth on spec (*inf*).

verdächtig *adj* suspicious; (~ *aussehend*) suspicious-looking. ~ **aussehen** to look suspicious; **sich** ~ **machen** to arouse suspicion; **die drei** ~**en Personen** the three suspects; **einer Sache** (*gen*) ~ **sein** to be suspected of sth.

verdächtigen* *vt* to suspect (*gen* of). **ich will niemanden** ~, **aber ...** I don't want to cast suspicion on anyone, but ...; **er wird des Diebstahls verdächtigt** he is suspected of theft.

Verdächtige(r) *mf decl as adj* suspect.

Verdächtigung *f* suspicion. **die** ~ **eines so integren Mannes ...** to suspect a man of his integrity ...

verdammen* *vt* (*esp Rel: verfluchen*) to damn; (*verurteilen*) to condemn; *siehe auch* **verdammt, Scheitern.**

verdammenswert *adj* damnable, despicable.

Verdammnis *f* (*Rel*) damnation *no art.*

verdammt I *adj, adv* (*inf*) damned (*inf*), bloody (*Brit sl*). ~**er Mist!** (*sl*) sod it! (*Brit sl*); ~**e Scheiße!** (*sl*) shit! (*sl*); ~ **hübsch** damned pretty (*inf*); **das tut** ~ **weh** that hurts like hell (*sl*); ~ **viel Geld** a hell of a lot of money (*sl*); **mir geht's** ~ **gut/schlecht** I'm on top of the world (*inf*)/in a bad way.

II *interj* (*sl*) ~! damn *or* blast (it) (*inf*); ~ **noch mal!** bloody hell (*Brit sl*), damn it all (*inf*).

Verdammte(r) *mf decl as adj* (*Rel*) **die** ~**n** the damned *pl.*

Verdammung *f* condemnation; (*Rel*) damnation.

verdampfen* *vti* (*vi: aux sein*) to vaporize; (*Cook*) to boil away.

Verdampfung *f* vaporization.

verdanken* *vt* **jdm etw** ~ to owe sth to sb; **es ist jdm/einer Sache zu** ~(, **daß ...**) it is thanks *or* due to sb/sth (that ...); **das verdanke ich dir** (*iro*) I've got you to thank for that.

verdarb *pret of* **verderben.**

verdaten* *vt* **jdn** ~ to store sb's details on computer.

verdattert *adj, adv* (*inf*) flabbergasted (*inf*).

verdauen* **I** *vt* (*lit, fig*) to digest. **II** *vi* (*Mensch*) to digest one's food; (*Magen*) to digest the food.

verdaulich *adj* digestible. **leicht** ~ easily digestible, easy to digest; **schwer** ~ hard to digest.

Verdaulichkeit *f, no pl* digestibility.

Verdauung *f* digestion. **eine gute/ schlechte** ~ **haben** to have good/poor digestion.

Verdauungsapparat *m* digestive system; **Verdauungsbeschwerden** *pl* digestive trouble *sing*; **Verdauungskanal** *m* alimentary canal, digestive tract; **Verdauungsorgan** *nt* digestive organ; **Verdauungsspaziergang** *m* constitutional; **Verdauungsstörung** *f usu pl* indiges-

tion *no pl.*

Verdeck *nt* -**(e)s**, -**e 1.** (*Dach*) (*von Kutsche, Kinderwagen*) hood (*Brit*), canopy; (*von Auto*) soft top, hood (*Brit*); (*hart*) roof; (*von Flugzeug*) canopy. **2.** (*von Passagierdampfer*) sundeck; (*von doppelstöckigem Bus*) open top deck.

verdecken* *vt* to hide, to conceal; (*zudecken*) to cover (up); *Sicht* to block; (*fig*) *Absichten, Widerspruch, Symptome* to conceal. **eine Wolke verdeckte die Sonne** a cloud hid *or* covered the sun; **sie verdeckte ihr Gesicht mit den Händen** she covered her face with her hands, she hid her face in her hands; **verdeckt** concealed; *Widerspruch* hidden; *Polizeieinsatz* undercover; **verdeckt agieren** to operate undercover; *siehe* **Karte.**

verdenken* *vt irreg* **jdm etw** ~ to hold sth against sb; **ich kann es ihm nicht** ~(, **daß er es getan hat**) I can't blame him (for doing it).

Verderb *m* -**(e)s**, *no pl* (*geh: Untergang*) ruin. **sein** ~ the ruin of him; *siehe* **Gedeih.**

verderben *pret* **verdarb**, *ptp* **verdorben I** *vt* to spoil; (*stärker*) to ruin; *Plan auch* to wreck; *Luft* to pollute; *jdn* (*moralisch*) to corrupt; (*sittlich*) to deprave, to corrupt; (*verwöhnen*) to spoil. **jdm etw** ~ *Abend, Urlaub* to spoil *or* ruin sth for sb; *Chancen, Leben, Witz* to ruin sth for sb; **sich** (*dat*) **den Magen/Appetit** ~ to give oneself an upset stomach/to spoil one's appetite; **sich** (*dat*) **die Augen/ Stimme** ~ to ruin *or* damage one's eyes *or* eyesight/voice; **die Preise** ~ to force prices down/up; **jdm die Laune** ~ to put sb in a bad mood; **jdm die Freude** *or* **den Spaß/die Lust an etw** (*dat*) ~ to spoil sb's enjoyment of sth; **es (sich** *dat*) **mit jdm** ~ to fall out with sb.

II *vi aux sein* (*Material*) to become spoiled/ruined; (*Nahrungsmittel*) to go bad *or* off; (*Ernte*) to be ruined; (*Mensch*) to become depraved *or* corrupted. **an dem Kuchen/Hemd ist nichts mehr zu** ~ the cake/shirt is absolutely ruined anyway; *siehe* **verdorben.**

Verderben *nt* -**s**, *no pl* (*Untergang, Unglück*) undoing, ruin. **in sein** ~ **rennen** to be heading for disaster; **jdn ins** ~ **stürzen** to bring ruin *or* disaster (up)on sb.

verderblich *adj* pernicious; *Einfluß auch* corrupting; *Lebensmittel* perishable.

Verderblichkeit *f, no pl* perniciousness; perishableness.

Verderbnis *f* corruption, depravity; (*Verderbtheit*) corruptness, depravity.

verderbt *adj* **1.** (*dated: moralisch*) corrupt(ed), depraved. **2.** (*Typ*) corrupt.

verdeutlichen* *vt* to show clearly; (*deutlicher machen*) to clarify, to elucidate; (*erklären*) to explain. **sich** (*dat*) **etw** ~ to think sth out for oneself; **etw besser/ näher** ~ to clarify sth further.

Verdeutlichung *f* clarification. **zur** ~ **seiner Absichten** in order to show his intentions clearly.

verdeutschen* *vt* to translate into German; (*fig inf*) to translate (into normal language).

verdichten* I vt (Phys) to compress; (fig: komprimieren) to condense; Gefühle to intensify, to heighten.

II vr to thicken; (Schneetreiben) to worsen; (Gas) to become compressed; (fig: häufen) to increase; (Verdacht, Eindruck) to deepen. **die Handlung verdichtet sich** the plot thickens; **die Gerüchte ~ sich, daß ...** the rumours that ... are increasing; **mein Eindruck verdichtete sich zur Gewißheit** my impression hardened into certainty.

Verdichter m -s, - (Tech) compressor.

verdicken* I vt to thicken; Blut to coagulate; (verbreitern) to widen; (gelieren lassen) to make set; (verstärken) to strengthen.

II vr to thicken; (Gelee) to set; (Blut) to coagulate; (Milch) to curdle; (weiter werden) to become thicker; (Rohr, Flasche) to become wider, to widen out; (anschwellen) to swell.

Verdickung f (verdickte Stelle) bulge.

verdienen* I vt 1. (einnehmen) to earn; (Gewinn machen) to make. **sein Brot** or **seinen Unterhalt ~** to earn or make one's living; **er hat an dem Auto DM 800 verdient** he made DM 800 on the car; **dabei ist nicht viel zu ~** there's not much money in that; **sich** (dat) **etw ~** to earn the money for sth; **sich** (dat) **das Studium ~** to pay for or finance one's own studies.

2. (fig) Lob, Strafe to deserve. **sich** (dat) **etw** (redlich) **verdient haben** to deserve sth, to have earned sth; Schläge auch to have had sth coming to one (inf); **er verdient es nicht anders/besser** he doesn't deserve anything else/any better.

II vi to earn; (Gewinn machen) to make (a profit) (an +dat on). **in dieser Familie ~ drei Personen** there are three wage-earners in this family; **er verdient gut/besser** he earns a lot/more; **er verdient schlecht** he doesn't earn much; **am Krieg ~** to profit from war.

Verdiener(in f) m -s, - wage-earner. **der einzige ~** the sole breadwinner.

Verdienst¹ m -(e)s, -e (Einkommen) income, earnings pl; (Profit) profit. **einen besseren ~ haben** to earn more.

Verdienst² nt -(e)s, -e 1. (Anspruch auf Anerkennung) merit; (Dank) credit. **es ist sein ~/das ~ der Wissenschaftler(, daß ...)** it is thanks to him/the scientists (that ...); **das ~ gebührt ihm allein** the credit is entirely his; **sich** (dat) **etw als ~ anrechnen** to take the credit for sth.

2. usu pl (Leistung) contribution; (wissenschaftlich auch, national) service. **ihre ~e um die Wissenschaft** her services or contribution to science; **seine ~e um das Vaterland** his services to his country; **seine ~e um die Dichtung/den Weltfrieden** his contribution to poetry/world peace; **er hat sich** (dat) **große ~e um das Vaterland erworben** he has rendered his country great service.

Verdienstausfall m loss of earnings; **Verdienstausfallentschädigung** f com-

pensation for loss of earnings; **Verdienstkreuz** nt highest decoration awarded for military or other service; **Verdienstmöglichkeit** f opportunity for earning money; **Verdienstorden** m order of merit; **Verdienstspanne** f profit margin; **verdienstvoll** adj commendable.

verdient I ptp of **verdienen**. II adj 1. Lohn, Strafe rightful; Ruhe, Lob well-deserved. 2. Wissenschaftler, Politiker, Sportler of outstanding merit. **sich um etw ~ machen** to render outstanding services to sth.

verdientermaßen, verdienterweise adv deservedly.

Verdikt [vɛr'dɪkt] nt -(e)s, -e (geh) verdict.

verdingen pret **verdingte**, ptp **verdungen** or **verdingt** (old) I vt jdn to put into service (bei with); Arbeit to give. II vr **sich** (bei jdm) **~** to enter service (with sb).

verdirb imper sing of **verderben**.

verdolmetschen* vt to translate, to interpret.

verdonnern* vt (inf) (zu Haft) to sentence, to condemn (zu to). **jdn zu etw ~, jdn dazu ~, etw zu tun** to order sb to do sth as a punishment; **jdn zu einer Geldstrafe/Gefängnisstrafe von ... ~** to fine sb .../to sentence sb to a term of ... imprisonment.

verdoppeln* I vt to double; (fig) Anstrengung to redouble. II vr to double.

Verdopp(e)lung f siehe vt doubling; redoubling.

verdorben I ptp of **verderben**. II adj 1. Lebensmittel bad, off pred; Wasser, Luft polluted; Magen upset. 2. Stimmung, Urlaub, Freude spoiled, ruined. 3. (moralisch) corrupt; (sittlich) depraved; (verzogen) Kind spoiled.

Verdorbenheit f depravity.

verdorren* vi aux sein to wither.

verdrängen* vt jdn to drive out; Gegner auch to oust; (ersetzen) to supersede, to replace; (Phys) Wasser, Luft to displace; (Met) to drive; (fig) Sorgen to dispel, to drive away; (Psych) to repress, to suppress. **jdn aus dem Amt/von der Macht ~** to oust sb; **das habe ich völlig verdrängt** (auch hum: vergessen) it completely slipped my mind (inf); **jdn/etw aus dem Bewußtsein ~** to repress or suppress all memory of sb/sth.

Verdrängung f siehe vt driving out; ousting; superseding, replacing; displacement; driving; dispelling; repression, suppression.

verdrecken* vti (vi: aux sein) (inf) to get dirty or filthy. **verdreckt** filthy (dirty).

verdrehen* vt to twist; Gelenk auch to wrench; (verknacksen) to sprain; Hals to crick; Augen to roll; jds Worte, Tatsachen auch to distort. **das Recht ~** to pervert the course of justice; **sich** (dat) **den Hals ~** (fig inf) to crane one's neck.

verdreht adj (inf) crazy (inf); Bericht confused, garbled; (psychisch durcheinander) screwed-up (sl).

Verdrehung f siehe vt twisting; adjusting;

wrenching; spraining; cricking; rolling; distortion; perversion.

verdreifachen* *vtr* to treble, to triple.

Verdreifachung *f* trebling, tripling.

verdreschen* *vt irreg* (*inf*) to beat up; (*als Strafe*) to thrash.

verdrießen *pret* **verdroß**, *ptp* **verdrossen** *vt jdn* to irritate, to annoy. **sich** (*dat*) **den Abend/den Urlaub durch etw ~ lassen** to let sth spoil one's evening/holiday; **lassen Sie es sich nicht ~!** don't be put off *or* worried by it.

verdrießlich *adj* morose; *Arbeit, Angelegenheit* irksome.

verdroß *pret of* **verdrießen**.

verdrossen I *ptp of* **verdrießen**. II *adj* (*schlechtgelaunt*) morose; (*unlustig*) *Mensch, Gesicht* unwilling, reluctant.

Verdrossenheit *f* (*schlechte Laune*) moroseness; (*Lustlosigkeit*) unwillingness, reluctance. **mit ~ arbeiten** to work unwillingly *or* reluctantly.

verdrucken* (*inf*) I *vr* to make a misprint. II *vt* to misprint.

verdrücken* I *vt* 1. *Kleider* to crumple. 2. (*inf*) *Essen* to polish off (*inf*). **der kann was ~** he's got some appetite (*inf*). II *vr* (*inf*) to beat it (*inf*). **sich heimlich ~** to slip away (unnoticed).

Verdruß *m* **-sses, -sse** frustration. **~ mit jdm haben** to get frustrated with sb; **zu jds ~** to sb's annoyance; **jdm zum ~** to spite sb.

verduften* *vi aux sein* (*inf: verschwinden*) to beat it (*inf*).

verdummen* I *vt jdn ~* (*für dumm verkaufen*) to make sb out to be stupid; (*dumm machen*) to dull sb's mind. II *vi aux sein* to stultify, to become stultified.

Verdummung *f* stultification.

verdungen *ptp of* **verdingen**.

verdunkeln* I *vt* to darken; *Bühne auch*, (*im Krieg*) to black out; *Farbe auch* to deepen; (*fig*) to make darker; (*fig*) *Zusammenhänge, Motive* to obscure. *Tatbestände ~* to suppress evidence; **die Sonne ~** (*Mond*) to eclipse the sun; (*Wolken*) to obscure the sun.

II *vr* to darken; (*Himmel auch*) to grow darker; (*Verstand*) to become dulled.

Verdunk(e)lung *f* 1. *siehe vt* darkening; blacking out; deepening; obscuring. **die ~ nicht einhalten** not to keep to the blackout. 2. (*das Dunkelwerden*) *siehe vr* darkening; dulling. 3. (*inf*) (*Vorhang*) curtain; (*Jalousie*) blind *usu pl*. 4. (*Jur*) suppression of evidence.

Verdunk(e)lungsgefahr *f* (*Jur*) danger of suppression of evidence.

verdünnen* I *vt* to thin (down); (*mit Wasser*) to water down; *Lösung* to dilute; *Gas* to rarefy. **den Teig mit Wasser ~** to add water to the dough. II *vr* (*Lösung*) to become diluted; (*Luft*) to become rarefied; (*Vegetation*) to become thinner; (*schmaler werden*) to become thinner; (*Rohr*) to become narrower.

Verdünner *m* **-s, -** thinner.

verdünnisieren* *vr* (*hum inf*) to beat a hasty retreat.

Verdünnung *f* 1. thinning; (*von Lösung*)

dilution; (*mit Wasser*) watering down; (*von Luft*) rarefaction (*form*); (*Verengung*) narrowing (*form*). 2. (*Flüssigkeit zum Verdünnen*) thinner.

verdunsten* *vi aux sein* to evaporate.

Verdunster *m* **-s, -** humidifier.

Verdunstung *f* evaporation.

verdursten* *vi aux sein* to die of thirst.

verdüstern* *vtr* to darken.

verdutzen* *vt* (*inf*) to take aback, to nonplus; (*verwirren*) to baffle.

verdutzt *adj, adv* (*inf*) taken aback, nonplussed; (*verwirrt*) baffled.

ver|ebben* *vi aux sein* to subside.

ver|edeln* *vt Metalle, Erdöl* to refine; *Fasern* to finish; (*Bot*) to graft; *Boden, Geschmack* to improve; *jdn, Charakter* to ennoble.

Ver|ed(e)lung *f siehe vt* refining; finishing; grafting; improving; ennoblement.

ver|ehelichen* *vr* (*form*) **sich (mit jdm) ~** to marry (sb).

ver|ehelicht *adj* (*form*) married.

Ver|ehelichung *f* (*form*) marriage.

ver|ehren* *vt* 1. (*hochachten*) to admire; *Gott, Maria, Heiligen* to honour; (*ehrerbietig lieben*) to worship, to adore; *siehe* **verehrt**. 2. (*schenken*) **jdm etw ~** to give sb sth.

Ver|ehrer(in *f*) *m* **-s, -** admirer.

ver|ehrt *adj* (*in Anrede*) (**sehr**) **~e Anwesende/Gäste/~es Publikum** Ladies and Gentlemen; (**sehr**) **~e gnädige Frau** (*in Brief*) (dear) Madam.

Ver|ehrung *f* (*Hochachtung*) admiration; (*von Heiligen*) worship; (*Liebe*) adoration.

ver|ehrungsvoll *adv* (*geh*) reverentially, in reverence; **ver|ehrungswürdig** *adj* (*geh*) *Mensch, Güte* commendable, praiseworthy.

ver|eiden* (*dated*), **ver|eidigen*** *vt* to swear in. **jdn auf etw** (*acc*) **~** to make *or* have sb swear on sth; **vereidigter Übersetzer** sworn translator.

Ver|eidigung, Ver|eidung (*dated*) *f* swearing in.

Ver|ein *m* **-(e)s, -e** organization; (*esp Tier~, Landschaftsschutz~ auch*) society; (*kulturell auch*) association; (*Sport~*) club; (*inf*) crowd. **ein wohltätiger ~** a charity; **ihr seid vielleicht ein ~!** (*inf*) what a bunch you are! (*inf*); **eingetragener ~** registered society *or* (*wohltätig*) charity; **im ~ mit** in conjunction with; **im ~ rufen** to shout *or* chant in unison.

ver|einbar *adj* compatible; *Aussagen* consistent. **nicht (miteinander) ~** incompatible; *Aussagen* inconsistent.

ver|einbaren* *vt* 1. (*miteinander absprechen*) to agree; *Zeit, Treffen, Tag* to arrange. **(es) ~, daß ...** to agree/arrange that ...

2. **etw mit etw ~** to reconcile sth with sth; **sich mit etw ~ lassen** to be compatible with sth; **mit etw zu ~ sein** to be compatible with sth; (*Aussagen*) to be consistent with sth; (*Ziele, Ideale*) to be reconcilable with sth.

Ver|einbarkeit *f, no pl siehe adj* compatibility; consistency.

Ver|einbarung f siehe vt 1. (das Vereinbaren) agreeing; arranging; (Abmachung) agreement; arrangement. **laut** ~ as agreed; **nach** ~ by arrangement.

ver|einbarungsgemäß adv as agreed.

ver|einen* I vt to unite; (miteinander vereinbaren) Ideen, Prinzipien to reconcile. **eine Familie wieder** ~ to reunite a family; **vereint rufen** to shout in unison; **vereint handeln** to act together or as one; **Vereinte Nationen** United Nations sing.
II vr to join together. **in ihr** ~ **sich Schönheit und Intelligenz** she combines beauty and intelligence.

ver|einfachen* vt to simplify; (Math) to reduce. **etw vereinfacht darstellen** to portray sth in simplified terms.

Ver|einfachung f simplification; (Math) reduction.

ver|einheitlichen* vt to standardize.

Ver|einheitlichung f standardization.

ver|einigen* I vt to unite; Kräfte auch to combine; Eigenschaften to bring together; (Comm) Firmen to merge (zu into); Kapital to pool; Aktion to coordinate. **etw mit etw** ~ (vereinbaren) to reconcile sth with sth; **Schönheit mit Intelligenz (in sich** dat) ~ to combine beauty with intelligence; **die beiden Standpunkte lassen sich nicht** ~ the two points of view are incompatible; **alle Stimmen auf sich** (acc) ~ to collect all the votes; **Vereinigtes Königreich** United Kingdom; **Vereinigte Staaten** United States; **Vereinigte Arabische Emirate** United Arab Emirates.
II vr to unite; (sich verbünden auch) to join forces; (Firmen) to merge; (zusammenkommen) to combine; (Töne) to blend; (Flüsse) to meet; (Zellen) to fuse; (sich versammeln) to assemble; (geh: geschlechtlich) to come together. **sich zu einem harmonischen Ganzen** ~ to merge into a harmonious whole; **sich zu einer Koalition** ~ to form a coalition.

Ver|einigung f **1.** siehe vt uniting; combining; bringing together; merging; pooling; coordination; (Math, geh: körperliche, eheliche ~) union. **2.** (Organisation) organization.

ver|einnahmen* vt (form) to take. **jdn** ~ (fig) to make demands on sb; (Beruf) to occupy sb; **sie versucht, ihn völlig zu** ~ she wants him all to herself.

Ver|einnahmung f absorption.

ver|einsamen* vi aux sein to become lonely or isolated. **vereinsamt sterben** to die lonely.

Ver|einsamung f loneliness, isolation.

Ver|einshaus nt club house; **Ver|einskamerad(in** f) m fellow club member; **Ver|einsmeier** m **-s, -** (inf) club freak (sl); **er ist ein richtiger** ~ all he thinks about is his club; **Ver|einsmeierei** f (inf) **seine** ~ **geht mir auf die Nerven** his obsession with his club is getting on my nerves; **Ver|einsmitglied** nt club member; **Ver|einsregister** nt official register of societies and associations; **Ver|einswesen** nt clubs, organizations and societies pl.

ver|eint ptp, adj siehe **vereinen**.

ver|einzeln* vt (Agr) to thin (out).

ver|einzelt I adj occasional; (Met auch) isolated; Schauer auch scattered. **II** adv occasionally; (zeitlich auch) now and then; (örtlich auch) here and there. **...** ~ **bewölkt ...** with cloudy patches.

ver|eisen* I vt (Med) to freeze. **II** vi aux sein to freeze; (Straße) to freeze or ice over; (Fensterscheibe) to ice over; (Tragfläche auch) to ice (up).

ver|eist adj Straßen, Fenster icy; Türschloß, Tragfläche iced-up.

Ver|eisung f **1.** (Med) freezing. **2.** siehe vi freezing; freezing or icing over; icing (up).

ver|eiteln* vt Plan to thwart, to foil; Verbrechen, Attentat to foil, to prevent; Versuch auch to frustrate.

Ver|eit(e)lung f siehe vt thwarting, foiling; prevention; frustration.

ver|eitern* vi aux sein to go septic; (Wunde auch) to fester. **vereitert sein** to be septic; **vereiterte Wunde** septic wound; **vereiterte Mandeln haben** to have tonsillitis.

Ver|eiterung f sepsis. ~ **der Wunde/des Zahns/der Mandeln** septic wound/dental sepsis/tonsillitis.

ver|elenden* vi aux sein to become impoverished or (Mensch auch) destitute.

Ver|elendung f impoverishment.

ver|enden* vi aux sein to perish, to die.

ver|engen* I vt to narrow, to become narrow; (Gefäße, Pupille) to contract; (Kleid, Taille) to go in; (fig: Horizont) to narrow. **II** vt to make narrower; Pupille to make contract; Horizont to narrow.

ver|engern* I vt **1.** Kleidung to take in. **2.** siehe **verengen 2. II** vr **1.** (Ärmel, Hose) to go in; (spitz zulaufen) to become narrower. **2.** siehe **verengen I.**

Ver|engung f **1.** narrowing; (von Pupille, Gefäß) contraction. **2.** (verengte Stelle) narrow part (in +dat of); (in Adern) stricture (in +dat of).

ver|erbbar adj **1.** Anlagen hereditary. **2.** Besitz heritable.

ver|erben* I vt **1.** Besitz to leave, to bequeath (dat, an +acc to); (hum) to hand on (jdm to sb), to bequeath (jdm to). **2.** Anlagen to pass on (dat, auf +acc to); Krankheit to transmit. **II** vr to be passed on/transmitted (auf +acc to).

Ver|erbung f **1.** (das Vererben) (von Besitz) leaving, bequeathing; (von Anlagen) passing on; (von Krankheit) transmission. **2.** (Lehre) heredity. **das ist** ~ (inf) it's hereditary.

Ver|erbungsforschung f genetics sing; **Ver|erbungslehre** f genetics sing.

ver|ewigen* I vt to immortalize; Zustand, Verhältnisse to perpetuate. **seine schmutzigen Finger auf der Buchseite** ~ to leave one's dirty fingermarks on the page for posterity. **II** vr (lit, fig) to immortalize oneself.

verfahren¹* vi irreg aux sein (vorgehen) to act, to proceed. **mit jdm/etw streng/schlecht** ~ to deal strictly/badly with sb/sth.

verfahren²* irreg **I** vt Geld, Zeit to spend

in travelling; *Benzin* to use up. **II** *vr* to lose one's way; *(fig) (Angelegenheit)* to get muddled; *(Mensch)* to get into a muddle.

verfahren³ *adj Angelegenheit* muddled. **eine ~e Sache** a muddle.

Verfahren *nt* **-s, -** *(Vorgehen)* actions *pl*; *(~sweise)* procedure; *(Tech)* process; *(Methode)* method; *(Jur)* proceedings *pl*. **ein ~ gegen jdn einleiten** *or* **anhängig machen** to take *or* initiate legal proceedings against sb.

verfahrensrechtlich *adj (form)* procedural; **Verfahrenstechnik** *f* process engineering; **Verfahrensweise** *f* procedure, modus operandi.

Verfall *m* **-(e)s,** *no pl* **1.** *(Zerfall)* decay; *(von Gebäude)* dilapidation; *(gesundheitlich, geistig)* decline. **etw dem ~ preisgeben** to let sth go to (rack and) ruin; **in ~ geraten** *(Gebäude)* to become dilapidated; *(stärker)* to fall into ruins.
2. *(Niedergang: von Kultur, der Sitten, sittlich)* decline; *(des Römischen Reichs auch)* fall; *(von Reichtum, Vermögen)* fall *(von* in).
3. *(das Ungültigwerden) (von Schuldansprüchen, Rechnung)* lapsing; *(von Scheck, Karte)* expiry.

verfallen¹* *vi irreg aux sein* **1.** *(zerfallen)* to decay; *(Bauwerk)* to fall into disrepair, to become dilapidated; *(Zellen)* to die; *(körperlich und geistig)* to deteriorate; *(Sitten, Kultur, Reich)* to decline. **der Patient verfällt zusehends** the patient has gone into a rapid decline.
2. *(ungültig werden) (Briefmarken, Geldscheine, Gutschein)* to become invalid; *(Scheck, Fahrkarte)* to expire; *(Strafe, Recht, Termin, Anspruch, Patent)* to lapse.
3. *(in jds Besitz übergehen)* to be forfeited. **jdm ~** to be forfeited to sb, to become the property of sb.
4. *(abhängig werden)* **jdm/einer Sache ~/~ sein** to become/be a slave to sb/sth; **dem Alkohol ~** to become/be addicted to sth; **jds Zauber ~** to become/be enslaved by sth; **jdm völlig ~ sein** to be completely under sb's spell; **einem Irrtum ~** to make a mistake, to be mistaken.
5. **auf etw** *(acc)* **~** to think of sth; *(aus Verzweiflung)* to resort to sth; **auf abstruse Gedanken ~** to start having abstruse thoughts; **wer ist denn bloß auf diesen Gedanken ~?** whoever thought this up?; **wie sind Sie bloß darauf ~?** whatever gave you that idea?
6. **in etw** *(acc)* **~** to sink into sth; **in einen tiefen Schlaf ~** to fall into a deep sleep; **in einen ganz anderen Ton ~** to adopt a completely different tone.

verfallen² *adj Gebäude* dilapidated, ruined; *Mensch (körperlich)* emaciated; *(geistig)* senile; *(abgelaufen) Karten, Briefmarken* invalid; *Strafe* lapsed; *Scheck* expired.

Verfallsdatum *nt* expiry date; *(der Haltbarkeit)* best-before date, eat-by date; **Verfallserscheinung** *f* symptom of decline *(gen* in).

verfälschen* *vt* to distort; *Wahrheit, Aus-*

sage auch, Daten to falsify; *Lebensmittel, Wein, Geschmack* to adulterate.

Verfälschung *f siehe vt* distortion; falsification; adulteration.

verfangen* *irreg* **I** *vr* to get caught. **sich in Lügen ~** to get entangled in a web of lies; **sich in Widersprüchen ~** to contradict oneself. **II** *vi* to be accepted. **bei jdm nicht ~** not to cut any ice with sb *(inf)*.

verfänglich *adj Situation* awkward, embarrassing; *Aussage, Beweismaterial, Blicke, Andeutungen* incriminating; *(gefährlich)* dangerous; *Angewohnheit* insidious; *Frage* tricky.

verfärben* **I** *vt* to discolour. **etw rot ~** to turn sth red.
II *vr* to change colour; *(Blätter auch)* to turn; *(Metall, Wäsche, Stoff)* to discolour. **sich grün/rot ~** to turn *or* go green/red; **sie verfärbte sich** she went red/white.

Verfärbung *f siehe vr* change in colour; turning; discolouring.

verfassen* *vt* to write; *Gesetz, Urkunde* to draw up.

Verfasser(in *f)* *m* **-s, -** writer; *(von Buch, Artikel auch)* author.

Verfasserschaft *f* authorship.

Verfassung *f* **1.** *(Pol)* constitution. **gegen die ~ handeln** to act unconstitutionally.
2. *(körperlich)* state (of health); *(seelisch)* state of mind. **sie ist in guter/schlechter ~** she is in good/bad shape; **seine seelische ~ ist gut/schlecht** he is in good/poor spirits.
3. *(Zustand)* state.

verfassunggebend *adj attr* constituent.

Verfassungsänderung *f* constitutional amendment; **Verfassungsbeschwerde** *f* complaint about infringement of the constitution; **verfassungsfeindlich** *adj* anticonstitutional; **Verfassungsgericht** *nt* constitutional court; **verfassungsmäßig** *adj* constitutional; **etw ~ garantieren** to guarantee sth in the constitution; **Verfassungsrecht** *nt* constitutional law; **Verfassungsschutz** *m* *(Aufgabe)* defence of the constitution; *(Organ, Amt)* office responsible for defending the constitution; **verfassungstreu** *adj* loyal to the constitution; **Verfassungstreue** *f* loyalty to the constitution; **Verfassungsurkunde** *f* constitution, constitutional charter; **verfassungswidrig** *adj* unconstitutional.

verfaulen* *vi aux sein* to decay; *(Fleisch, Gemüse auch)* to rot; *(Körper, organische Stoffe)* to decompose; *(fig)* to degenerate.

verfault *adj* decayed; *Fleisch, Obst* rotten; *Zähne auch* bad; *Körper* decomposed; *Mensch (innerlich)* degenerate.

verfechten* *vt irreg* to defend; *Lehre* to advocate, to champion; *Meinung auch* to maintain.

Verfechter(in *f)* *m* **-s, -** advocate, champion.

verfehlen* *vt* **1.** *(verpassen, nicht treffen)* to miss. **seine Worte hatten ihre Wirkung verfehlt/nicht verfehlt** his words had missed/hit their target; **den Zweck ~** not to achieve its purpose; **das Thema ~** to

be completely off the subject.
2. (*versäumen*) **nicht** ~, **etw zu tun** not to fail to do sth.

verfehlt *adj* (*unangebracht*) inappropriate; (*mißlungen*) *Leben, Angelegenheit, Planung* unsuccessful. **es ist** ~, **das zu tun** you are mistaken in doing that.

Verfehlung *f* (*Vergehen*) misdemeanour; (*Sünde*) transgression.

verfeinden *vr* to quarrel. **sich mit jdm** ~ to make an enemy of sb; **mit Nachbarn** to quarrel with sb; **verfeindet sein** to have quarrelled; (*Familie*) to be estranged; (*Staaten*) to be on hostile terms; **die verfeindeten Schwestern/ Staaten** the estranged sisters/the enemy states.

verfeinern* **I** *vt* to improve; *Methode auch* to refine. **II** *vr* to improve; (*Methoden auch*) to become refined.

verfeinert *adj Methode, Geräte* sophisticated.

Verfeinerung *f siehe vb* improvement; refining; (*von Geschmack auch*) refinement. **die zunehmende** ~ **technischer Geräte** the increasing sophistication of technical equipment.

verfemen* *vt* (*Hist*) to outlaw; (*fig*) *jdn* to ostracize; *Künstler, Ideologie, Methode, Kunstrichtung* to condemn.

Verfemte(r) *mf decl as adj* (*Hist*) outlaw; (*fig*) persona non grata.

verfertigen* *vt* to manufacture, to produce; *Liste* to draw up; (*usu iro*) *Brief, Aufsatz* to compose.

verfestigen* **I** *vt* to harden; *Flüssigkeit* to solidify; (*verstärken*) to strengthen, to reinforce.

II *vr* to harden; (*Flüssigkeit*) to solidify; (*fig*) (*Haß, Feindschaft*) to harden; (*Kenntnisse*) to be reinforced; (*Ideen, Gewohnheiten*) to become fixed *or* set; (*Demokratie, Strukturen*) to be strengthened *or* reinforced.

verfetten* *vi aux sein* (*Med*) (*Mensch*) to become fat *or* obese; (*Herz, Leber*) to become fatty *or* adipose (*spec*).

Verfettung *f* (*Med*) (*von Körper*) obesity; (*von Organ, Muskeln*) fatty degeneration, adiposity.

verfeuern* *vt* to burn; *Munition* to fire. **die ganze Munition/das ganze Öl** ~ to use up all the ammunition/oil.

verfilmen* *vt* to film, to make a film of; (*aufbrauchen*) *Film* to use up.

Verfilmung *f* (*das Verfilmen*) filming; (*Film*) film (version).

verfilzen **I** *vi aux sein* (*Wolle, Pullover*) to become felted; (*Haare*) to become matted. **verfilzt** felted/matted. **II** *vr* to become matted.

verfinstern **I** *vt* to darken; *Sonne, Mond* to eclipse. **II** *vr* (*lit, fig*) to darken.

Verfinsterung *f* darkening; (*von Sonne*) eclipse.

verflachen* **I** *vi aux sein* to flatten *or* level out; (*fig: Diskussion, Gespräch, Mensch*) to become superficial *or* trivial. **II** *vr* (*Gelände*) to flatten *or* level out.

Verflachung *f siehe vi* flattening *or* levelling out; superficiality.

verflechten* *irreg* **I** *vt* to interweave, to

intertwine; *Bänder* to interlace; (*auch fig*) *Methoden* to combine; *Firmen* to interlink. **eng mit etw verflochten sein** (*fig*) to be closely connected *or* linked with sth.

II *vr* to interweave, to intertwine; (*Bänder*) to interlace; (*sich verwirren*) to become entangled (*mit* in); (*Themen*) to interweave; (*Methoden*) to combine. **sich mit etw** ~ to become linked *or* connected with sth.

Verflechtung *f* (*das Verflochtensein*) interconnection (*gen* between); (*Pol, Econ*) integration.

verfliegen* *irreg* **I** *vi aux sein* **1.** (*fig*) (*Stimmung, Zorn*) to blow over (*inf*), to pass; (*Heimweh, Kummer*) to vanish.
2. (*sich verflüchtigen*) to vanish; (*Alkohol*) to evaporate; (*Duft*) to fade (away); (*Zeit*) to fly.

II *vr* to stray; (*Pilot, Flugzeug*) to lose one's/its bearings.

verfließen* *vi irreg aux sein* **1.** (*geh: vergehen*) to go by, to pass; *siehe* **verflossen. 2.** (*verschwimmen*) (*Farben*) to run; (*fig*) to become blurred.

verflixt (*inf*) **I** *adj* blessed (*inf*), darned (*inf*); (*kompliziert*) tricky. **du ~er Kerl!** you devil; **das ~e siebte Jahr** ≈ the seven-year itch. **II** *adv* darned (*inf*). **III** *interj* ~! blow! (*inf*).

Verflochtenheit *f, no pl* (*fig*) interconnections *pl* (*von* between).

verflossen **I** *ptp of* **verfließen. II** *adj* **1.** *Jahre, Tage* bygone; (*letzte*) last. **2.** (*inf*) one-time *attr* (*inf*). **ihr V~er** her former *or* ex-boyfriend/-fiancé/-husband.

verfluchen* *vt* to curse.

verflucht **I** *adj* (*inf*) damn (*inf*), bloody (*Brit sl*). ~ (**noch mal**)! damn (it) (*inf*); **diese ~e Tat** (*liter*) this cursed deed. **II** *adv* (*sl*) (*bei englischem adj, n*) damn (*inf*), bloody (*Brit sl*); (*bei englischem vb*) like hell (*sl*). **ich habe mich** ~ **vertan** I made one hell of a mistake (*sl*).

verflüchtigen* **I** *vt* to evaporate. **II** *vr* (*Alkohol, Kohlensäure*) to evaporate; (*Duft*) to disappear; (*Gase*) to volatilize; (*fig*) (*Bedenken, Ärger*) to be dispelled; (*hum*) (*Mensch, Gegenstand, Hoffnungen*) to vanish; (*Geld*) to go up in smoke (*inf*).

Verflüchtigung *f siehe vr* evaporation; disappearance; volatilization.

verflüssigen* *vtr* to liquefy.

Verflüssigung *f* liquefaction.

verfolgen* *vt* *Ziel, Idee, Karriere* to pursue; *jdn auch* to follow; (*jds Spuren folgen*) *jdn* to trail; *Tier* to track; (*mit Hunden*) to hunt; *Unterricht, Entwicklung, Geschichte, Spur* to follow; *Idee, Gedanken* to follow up; (*politisch, religiös*) to persecute; (*Gedanke, Erinnerung*) *jdn* to haunt. **vom Unglück/ Schicksal verfolgt werden** *or* **sein** to be dogged by ill fortune/by fate; **jdn politisch** ~ to persecute sb for political reasons; **jdn gerichtlich** ~ to prosecute sb; **jdn mit den Augen** *or* **Blicken** ~ to follow sb with one's eyes; **jdn mit Bitten/Forderungen** ~ to badger sb with requests/demands; **jdn mit Haß** ~ to pursue sb in hate; **welche Absicht verfolgt er?** what is his intention?

Verfolger(in f) m **-s, - 1.** pursuer. **2.** (politisch, wegen Gesinnung) persecutor.

Verfolgte(r) mf decl as adj **1.** quarry. **2.** (politisch, wegen Gesinnung) victim of persecution.

Verfolgung f siehe vt pursuit; following; trailing; tracking; (politische ~) persecution no pl. **die ~ aufnehmen** to take up the chase; **strafrechtliche ~** prosecution; **~ eines Ziels** pursuance of an aim.

Verfolgungsjagd f chase, pursuit; **Verfolgungsrennen** nt (Sport) pursuit race; **Verfolgungswahn** m persecution mania.

verformen* I vt to make go out of shape, to distort (zu into); (umformen) to work. **verformt sein** to be out of shape; (Mensch, Gliedmaßen) to be deformed. **II** vr to go out of shape.

Verformung f **1.** distortion. **2.** (veränderte Form) distortion; (von Mensch, Gliedmaßen) deformity.

verfrachten* vt (Comm) to transport; (Naut) to ship; (inf) jdn to bundle off (inf). **etw in den Keller/eine Kiste ~** (inf) to dump sth in the cellar/a crate.

verfranzen* vr (inf) to lose one's way; (Aviat sl) to lose one's bearings; (fig) to get in a muddle or tangle.

verfremden* vt Thema, Stoff to make unfamiliar, to defamiliarize; Werkstoffe to use in an unusual way.

Verfremdungs|effekt m (Theat, Liter) alienation or estrangement effect.

verfressen¹* vt irreg (inf) to spend or blow (inf) on food.

verfressen² adj (inf) greedy.

verfroren adj (inf) sensitive to cold; (durchgefroren) frozen, freezing cold. **~ sein** (kälteempfindlich) to feel the cold.

verfrühen* vr (Winter, Entwicklung, Zug) to come or arrive early; (Gäste) to be or come too early.

verfrüht adj (zu früh) premature; (früh) early. **solche Aufgaben sind für dieses Alter ~** exercises like this are too advanced for this age group.

verfügbar adj available.

verfugen* vt to fit flush; Fliesen to grout.

verfügen* I vi **über etw** (acc) **~** to have sth at one's disposal; (besitzen) to have sth; **über jdn/etw ~** (bestimmen über) to be in charge of sb/sth; **du kannst über mein Auto ~, wenn ich in Urlaub bin** you can use my car while I'm on holiday; **du kannst doch nicht über mein Geld ~** you can't tell me how to spend my money; **über etw** (acc) **frei ~ können** to be able to do as one wants with sth; **~ Sie über mich** I am at your disposal.

II vt to order; (gesetzlich) to decree; siehe letztwillig.

III vr (form) to proceed (form).

Verfügung f **1.** no pl (das Verfügen) possession. **jdm etw zur ~ stellen** to put sth at sb's disposal; (leihen) to lend sb sth; **jdm zur ~** or **zu jds ~ stehen** to be at sb's disposal; **(jdm) zur ~ stehen** (verfügbar sein) to be available (to sb); **sich zur ~ halten** to be available (to sb); **hal-**

te dich ab 7 Uhr zur ~ be ready from 7 o'clock; **etw zur ~ haben** to have sth at one's disposal.

2. (behördlich) order; (testamentarisch) provision; (Anweisung) instruction; siehe letztwillig.

Verfügungsgewalt f (Jur) right of disposal; **die ~ über Atomwaffen** the power to use atomic weapons; **Verfügungsrecht** nt (Jur) right of disposal (über +acc of).

verführen* vt to tempt; (esp sexuell) to seduce; die Jugend, das Volk to lead astray. **jdn zu etw ~, jdn ~, etw zu tun** to encourage sb to do sth; **ich lasse mich gern ~** you can twist my arm (inf); **diese offenen Kisten ~ ja direkt zum Diebstahl** these open boxes are an encouragement or invitation to steal.

Verführer m **-s, -** seducer.

Verführerin f seductress, temptress.

verführerisch adj seductive; (verlockend) tempting.

Verführung f seduction; (von Jugend, Volk) tempting; (Verlockung) enticement, temptation.

Verführungskunst f seductive manner; (von Werbung) persuasiveness. **ein Meister der ~** a master of seduction or (Werber) persuasion; **Verführungskünste** seductive or (von Werber) persuasive charms or ways.

verfünffachen* I vt Zahl to multiply by five, to quintuple (form). **II** vr to increase fivefold or five times.

verfüttern* vt to use as animal/bird food; (aufbrauchen) to feed (an +acc on). **etw an die Schweine/Vögel ~** to feed sth to the pigs/birds.

Vergabe f **-, -** (rare) **-n** (von Arbeiten) allocation; (von Stipendium, Auftrag) award.

Vergabestelle f (für Studienplätze) central universities admissions council.

vergack|eiern* vt (inf) jdn **~** to pull sb's leg (inf), to have sb on (inf).

vergällen* vt Alkohol to denature; (fig) jdn to embitter, to sour; Freude to spoil; Leben to sour. **jdm die Freude/das Leben ~** to spoil sb's fun/to sour sb's life.

vergaloppieren* vr (inf) (sich irren) to be on the wrong track; (übers Ziel hinausschießen) to go too far.

vergalt pret of **vergelten**.

vergammeln* (inf) **I** vi aux sein **1.** (verderben) to get spoilt; (Speisen) to go bad. **2.** (verlottern) to go to the dogs (inf). **vergammelt aussehen** to look scruffy.

II vt to waste. **ich möchte mal wieder einen Tag ~** I'd like to have a day doing nothing.

vergangen I ptp of **vergehen**. **II** adj **1.** (letzte) last. **2.** Jahre past; Zeiten, Bräuche bygone, former; Größe auch former. **das V~e** the past; **das ist alles ~ und vergessen** that is all in the past now.

Vergangenheit f past; (von Stadt, Staat auch) history; (Gram) past (tense). **die erste** or **einfache/zweite** or **vollendete/dritte ~** (Gram) the simple past/perfect/pluperfect (tense); **eine Frau mit**

~ a woman with a past; **der ~ angehö-**
ren to be a thing of the past.
Vergangenheitsbewältigung *f* process
of coming to terms with the past.
vergänglich *adj* transitory.
Vergänglichkeit *f, no pl* transitoriness.
vergasen* *vt (Tech: in Motor)* to carbu-
ret; *Ungeziefer* to gas; *Kohle* to gasify.
Vergaser *m -s, - (Aut)* carburettor.
Vergaserbrand *m* fire in the carburettor.
vergaß *pret of* vergessen.
Vergasung *f siehe vt* carburation; gassing;
gasification. **etw bis zur ~ diskutieren/**
lernen *(inf)* to discuss sth till one is blue
in the face *(inf)*/to study sth ad nauseam.
vergattern* *vt* 1. *Garten* to fence off; *Tie-*
re to fence in. 2. *(Mil)* to instruct. 3.
(inf). **jdn zu etw ~** to order sb to do sth.
vergeben* *irreg* I *vt* 1. *(weggeben) Auf-*
trag, Stipendium, Preis to award *(an*
+acc to); *Plätze, Studienplätze, Stellen*
to allocate; *Karten* to give away; *Arbeit*
to assign; *(fig) Chance, Möglichkeit* to
throw away. **ein Amt an jdn ~** to
appoint sb to an office; **zu ~ sein** to be
available; *(Stelle auch)* to be open; **~**
sein *(Gewinn)* to have been awarded *or*
won; *(Wohnung, Karten, Plätze)* to have
been taken; *(Stelle)* to have been filled;
er/sie ist schon ~ *(inf)* he/she is already
spoken for; **der nächste Tanz ist schon ~**
I've already promised the next dance.
   2. *(verzeihen)* to forgive; *Sünde auch*
to pardon. **jdm etw ~** to forgive sb (for)
sth; **das ist ~ und vergessen** that is over
and done with *or* forgiven and forgotten.
   II *vr* 1. **sich** *(dat)* **etwas/nichts ~** to
lose/not to lose face; **was vergibst du dir,**
wenn du ein bißchen netter bist? what
have you got to lose by being a bit
friendlier?
   2. *(Cards)* to misdeal.
vergebens I *adj pred* in vain, of no avail.
II *adv* in vain, vainly.
vergeblich I *adj* futile; *Bitten, Mühe auch*
vain *attr.* **alle Bitten/Versuche waren ~**
all entreaties/attempts were in vain *or* of
no avail. II *adv* in vain.
Vergeblichkeit *f, no pl* futility.
Vergebung *f, no pl* forgiveness.
vergegenwärtigen* *vr* **sich** *(dat)* **etw ~**
(vor Augen rufen) to visualize sth; *(sich*
vorstellen) to imagine sth; *(erinnern)* to
recall sth.
Vergehen *nt -s, -* 1. *(Verstoß)* offence,
misdemeanour. **~ im Amt** professional
misconduct *no pl.* 2. *no pl (geh:*
Schwinden) passing; *(von Zeit auch)*
passage; *(von Schönheit, Glück)* fading.
vergehen* *irreg* I *vi aux sein* 1. *(vorbei-*
hen) to pass; *(Liebe, Leidenschaft auch)*
to die; *(Zeit, Jahre auch)* to go by;
(Hunger, Schmerzen auch) to wear off;
(Schönheit, Glück) to fade; *(Duft)* to go,
to wear off. **wie doch die Zeit vergeht**
how time flies; **mir ist die Lust/Laune**
dazu vergangen I don't feel like it any
more; **mir ist der Appetit vergangen** I
have lost my appetite; **das vergeht wie-**
der that will pass; **es werden noch Mona-**
te ~, ehe ... it will be months before ...;

damit die Zeit vergeht in order to pass
the time.
   2. **vor etw** *(dat)* **~** to be dying of sth;
vor Angst ~ to be scared to death; **vor**
Sehnsucht ~ to pine away; **sie wollte vor**
Scham ~ she nearly died of shame.
   II *vr* **sich an jdm ~** to do sb wrong;
(unsittlich) to assault sb indecently; **sich**
an Gott/der Natur ~ to go against God/
to defile nature; **sich gegen das Gesetz/**
die guten Sitten/die Moral ~ to violate
the law/violate the law/violate or outrage propriety/
morality.
vergeigen* *vt (inf)* to bungle, to make a
mess of.
vergeistigt *adj* cerebral, spiritual.
Vergeistigung *f, no pl* spiritualization.
vergelten *vt irreg* to repay. **jdm etw ~** to
repay sb for sth; *(lohnen auch)* to reward sb's sth; **vergelt's Gott** *(old, dial)*
God bless you.
Vergeltung *f (Rache)* retaliation.
Vergeltungsmaßnahme *f* reprisal.
vergesellschaften* *vt (Pol)* to nationalize; *Privatbesitz* to take into public
ownership; *(rare: Sociol)* to socialize.
Vergesellschaftung *f, no pl siehe vt* nationalization; taking into public ownership; socialization.
vergessen *pret* **vergaß,** *ptp* **vergessen** I
vti to forget; *(liegenlassen)* to leave (behind). **daß ich es nicht vergesse** before I
forget; **das werde ich dir nie ~** I will
never forget that; **er vergißt noch mal**
seinen Kopf *(inf)* he'd forget his head if
it wasn't screwed on *(inf)*.
   II *vr (Mensch)* to forget oneself.
Vergessenheit *f, no pl* oblivion. **in ~ ge-**
raten, der ~ anheimfallen *(geh)* to be
forgotten, to fall into oblivion.
vergeßlich *adj* forgetful.
Vergeßlichkeit *f* forgetfulness.
vergeuden* *vt* to waste; *Geld, Talente*
auch to squander.
Vergeudung *f siehe vt* wasting; squandering. **das ist die reinste ~** that is (a) sheer
waste; **diese ~!** what a waste!
vergewaltigen* *vt* to rape; *(fig) Sprache*
to murder; *Volkswillen* to violate.
Vergewaltiger *m* rapist.
Vergewaltigung *f siehe vt* rape;
murder(ing); violation.
vergewissern* *vr* to make sure. **sich ei-**
ner Sache *(gen)* **or über etw** *(acc)* **~** to
make sure of sth.
vergießen* *vt irreg Kaffee, Wasser* to
spill; *Blut auch, Tränen* to shed. **ich**
habe bei der Arbeit viel Schweiß vergos-
sen I sweated blood over that job.
vergiften* I *vt (lit, fig)* to poison; *Luft*
auch to pollute. II *vr* to poison oneself
(mit, durch, an +dat with).
Vergiftung *f* poisoning *no pl; (der Luft)*
pollution. **an einer ~ sterben** to die of
poisoning.
Vergiftungserscheinung *f* symptom of
poisoning.
vergilben *vi aux sein* to go *or* become
yellow. **vergilbt** yellowed.
vergiß *imper sing of* vergessen.
Vergißmeinnicht *nt -(e)s, -(e)* forget-
me-not.

vergittern* vt to put a grille on/over; (*mit Stangen*) to put bars on/over. **vergitterte Fenster** barred windows/windows with grilles over them.

Vergitterung f (*Gitter*) grille, grating; (*Stangen*) bars pl.

verglasen* vt to glaze.

Verglasung f glazing.

Vergleich m -(e)s, -e 1. comparison; (*Liter*) simile. **~e ziehen** or **anstellen** to make or draw comparisons; **im ~ zu** or **mit** in comparison with, compared with or to; **das ist doch gar kein ~!** there is no comparison; **in keinem ~ zu etw stehen** to be out of all proportion to sth; (*Leistungen*) not to compare with sth; **dem ~ mit jdm standhalten/den ~ mit jdm aushalten** to stand or bear comparison with sb. 2. (*Jur*) settlement. **einen gütlichen/außergerichtlichen ~ schließen** to reach an amicable settlement/to settle out of court.

vergleichbar adj comparable.

Vergleichbarkeit f comparability.

vergleichen* irreg I vt to compare. **etw mit etw ~** (*prüfend*) to compare sth with sth; (*einen Vergleich herstellen zwischen*) to compare or liken sth to sth; **vergleiche oben** compare above; **sie sind nicht (miteinander) zu ~** they cannot be compared (to one another); **die kann man nicht (miteinander) ~** they cannot be compared (with one another), they are not comparable. II vr 1. **sich mit jdm ~** to compare oneself with sb; **wie könnte ich mich mit ihm ~?** how could I compare myself to him? 2. (*Jur*) to reach a settlement, to settle (*mit* with).

vergleichend adj comparative.

Vergleichsform f (*Gram*) comparative form; **Vergleichsverfahren** nt insolvency proceedings pl; **vergleichsweise** adv comparatively; **Vergleichszahl** f usu pl comparative figure.

vergletschern* vi aux sein to become glaciated.

verglimmen* vi irreg aux sein (*Zigarette*) to go out; (*Licht, Feuer auch*) to die out or away; (*fig liter*) (*Leben*) to be extinguished; (*Hoffnung*) to fade. **~de Kohle** dying cinders.

verglühen* vi aux sein (*Feuer, Feuerwerk*) to die away; (*Draht*) to burn out; (*Raumkapsel, Meteor*) to burn up; (*liter: Leidenschaft*) to fade (away), to die down.

vergnügen* I vt to amuse. II vr to enjoy oneself. **sich mit jdm/etw ~** to amuse oneself with sb/sth; **sich mit Lesen/Tennis ~** to amuse or entertain oneself by reading/playing tennis.

Vergnügen nt -s, - 1. (*Freude, Genuß*) pleasure; (*Spaß*) fun no indef art; (*Erheiterung*) amusement. **~ an etw** (*dat*) **finden** to find enjoyment or pleasure in (doing) sth; **das war ein teures ~** (*inf*) that was an expensive bit of fun; **mit ~/großem ~/größtem** or **dem größten ~** with pleasure/great pleasure/the greatest of pleasure; **viel ~!** enjoy yourself/yourselves (*auch iro*); **er hat mir viel ~ gewünscht** he said he hoped I would enjoy myself; **wir wünschen Ihnen bei der Sendung viel ~** we hope you enjoy the programme; **mit wem habe ich das ~?** (*form*) with whom do I have the pleasure of speaking? (*form*); **es ist mir ein ~** it is a pleasure for me. 2. (*dated: Veranstaltung*) entertainment.

vergnüglich adj enjoyable; *Stunden auch* pleasurable; (*erheiternd*) amusing.

vergnügt adj Abend, Stunden enjoyable; *Mensch, Gesichter, Gesellschaft* cheerful; *Lachen, Stimmung* happy. **~ aussehen/lachen** to look cheerful/laugh happily; **über etw** (*acc*) **~ sein** to be pleased or happy about sth.

Vergnügtheit f (*von Mensch, Gesicht*) cheerfulness; (*von Stimmung*) happiness.

Vergnügung f pleasure; (*Veranstaltung*) entertainment.

Vergnügungsdampfer m pleasure steamer; **Vergnügungsfahrt** f pleasure trip; **Vergnügungsindustrie** f entertainment industry; **Vergnügungspark** m amusement park; **Vergnügungsreise** f pleasure trip; **Vergnügungssteuer** f entertainment tax; **Vergnügungssucht** f craving for pleasure; **vergnügungssüchtig** adj pleasure-craving, sybaritic (*liter pej*); **Vergnügungsviertel** nt entertainments district.

vergolden* vt (*mit Blattgold*) Statue, Buchkante to gild; (*mit Gold überziehen*) Schmuck to gold-plate; (*liter: Sonne, Schein*) to bathe in gold, to turn golden; (*fig: verschönern*) Zeit, Alter, Erinnerung to enhance. **der Herbst vergoldet die Natur** autumn turns nature golden.

Vergolder(in f**)** m -s, - gilder.

vergoldet adj Nüsse gold-painted; Buchseiten gilded; Schmuck gold-plated; Natur, Stadt, Erinnerung golden.

vergönnen* vt (*geh*) **jdm etw ~** not to begrudge sb sth; **es war ihr noch vergönnt, das zu sehen** she was granted the privilege of seeing it; **diese Freude war ihm noch/nicht vergönnt** fate granted/did not grant him this pleasure.

vergöttern* vt to idolize.

Vergötterung f idolization.

vergraben* irreg I vt to bury. II vr (*Maulwurf*) to bury oneself; (*fig: zurückgezogen leben*) to hide oneself (away). **sich hinter seinen Büchern ~** to bury oneself in one's books.

vergrämen* vt (*verärgern, beleidigen*) to antagonize; (*vertreiben*) to alienate; (*verletzen*) to grieve. **jdm das Leben ~** to make life a misery for sb.

vergrämt adj (*kummervoll, bitter*) Gesicht troubled; (*verärgert*) angered.

vergrätzen* vt (*inf*) to vex.

vergraulen* vt (*inf*) to put off; (*vertreiben*) to scare off.

vergreifen* vr irreg 1. (*danebengreifen*) to make a mistake. **sich im Ton/Ausdruck ~** (*fig*) to adopt the wrong tone/use the wrong expression; *siehe* **vergriffen.**

2. sich an etw (*dat*) ~ (*an fremdem Eigentum*) to misappropriate sth; (*euph: stehlen*) to help oneself to sth (*euph*); **sich an jdm** ~ (*geschlechtlich mißbrauchen*) to assault sb (sexually); **ich vergreife mich doch nicht an kleinen Kindern** (*hum inf*) that would be baby snatching (*inf*).

vergreisen* *vi aux sein* (*Bevölkerung*) to age; (*Mensch*) to become senile. **vergreist** aged; senile.

Vergreisung *f* (*von Bevölkerung*) ageing; (*von Organismen*) senescence; (*von Mensch*) senility.

vergriffen I *ptp of* **vergreifen.** II *adj* unavailable; *Buch* out of print.

vergröbern* I *vt* to coarsen. II *vr* to become coarse.

vergrößern I *vt* (*räumlich*) *Raum, Gebäude, Fläche, Gebiet* to extend; *Abstand auch* to increase; *Maßstab, Wissen* to enlarge, to increase; *Bekanntenkreis* to enlarge, to extend; *Firma, Absatzmarkt* to expand; *Produktion* to increase; *Vollmachten* to extend; (*zahlenmäßig*) *Kapital, Mitgliederzahl, Anzahl* to increase; *Einfluß, Not, Probleme, Schmerz* to increase; *Fotografie* to enlarge, to blow up; (*Lupe, Brille*) to magnify.

II *vr* (*räumlich*) to be extended; (*Abstand*) to increase; (*Maßstab*) to be enlarged, to increase; (*Wissen*) to increase, to expand; (*Bekanntenkreis*) to be enlarged, to be extended; (*Firma, Absatzmarkt*) to expand; (*zahlenmäßig*) to increase; (*sich verstärken*) to increase; (*Pupille, Gefäße*) to dilate; (*Organ*) to become enlarged. **wir wollen uns** ~ (*inf*) we want to move to a bigger place.

III *vi* (*Lupe, Brille*) to magnify.

Vergrößerung *f* **1.** *siehe vb* extension; increase; enlargement; expansion; magnification. **in 1.000facher** ~ magnified 1,000 times. **2.** (*von Pupille, Gefäß*) dilation; (*von Organ*) enlargement. **3.** (*vergrößertes Bild*) enlargement.

Vergrößerungsapparat *m* enlarger; **Vergrößerungsglas** *nt* magnifying glass.

vergucken* *vr* (*inf*) to see wrong (*inf*). **da hab ich mich verguckt** I didn't see it properly; **sich in jdn/etw** ~ to fall for sb/sth (*inf*).

Vergünstigung *f* (*Vorteil*) privilege; (*Preisermäßigung*) reduction. **besondere** ~**en für Rentner** special rates for pensioners.

vergüten* *vt* **1.** **jdm etw** ~ *Unkosten* to reimburse sb for sth; *Preis* to refund sb sth; *Verlust, Schaden* to compensate sb for sth; *Arbeit, Leistung* to pay *or* recompense (*form*) sb for sth.

2. (*verbessern*) *Stahl* to temper; *Linse* to coat.

Vergütung *f siehe vt* **1.** reimbursement; refunding; compensation; payment, recompense.

2. tempering; coating.

verhackstücken* *vt* (*inf*) (*kritisieren*) to

tear apart, to rip to pieces (*inf*); *Musikstück* to murder (*inf*).

verhaften* *vt* to arrest. **unschuldig verhaftet werden** to be arrested and later proved innocent; **Sie sind verhaftet!** you are under arrest!

verhaftet *adj* (*geh*) **einer Sache** (*dat*) *or* **mit etw** ~ **sein** to be (closely) attached to sth; **einem Irrtum** ~ **sein** to be under a misapprehension.

Verhaftete(r) *mf decl as adj* person under arrest. **der** ~ **wurde abgeführt** the arrested man was taken away; **die zehn** ~**n** the ten people under arrest.

Verhaftung *f* arrest.

Verhaftungswelle *f* wave of arrests.

verhageln* *vi aux sein* to be damaged by hail.

verhallen* *vi aux sein* (*Geräusch*) to die away. **ihr Ruf/ihre Warnung verhallte ungehört** (*fig*) her call/her warning went unheard *or* unheeded.

verhalten[1]***** *irreg* I *vt* (*geh: zurückhalten, unterdrücken*) *Atem* to hold; *Tränen, Urin* to hold back; *seine Schritte* to curb; *Zorn* to restrain; *Lachen* to contain; *Schmerz* to control.

II *vr* **1.** (*sich benehmen: Mensch, Maschine, Preise*) to behave; (*handeln*) to act. **sich ruhig** ~ to keep quiet; (*sich nicht bewegen*) to keep still; **sich rechtswidrig** ~ to commit an offence.

2. (*Sachen, Marktlage*) to be; (*Chem*) to react. **wie verhält sich die Sache?** how do things stand?; **2 verhält sich zu 4 wie 1 zu 2** 2 is to 4 as 1 is to 2.

III *vr impers* **wie verhält es sich damit?** how do things stand?; **damit verhält es sich anders** the situation is different; **wenn sich das so verhält, …** if that is the case …

verhalten[2] I *adj* restrained; *Stimme* muted; *Atem* bated; *Wut* suppressed; *Schritte, Rhythmus* measured. II *adv* *sprechen* in a restrained manner; *kritisieren, sich äußern, lachen, weinen* with restraint.

Verhalten *nt* **-s,** *no pl* (*Benehmen*) behaviour; (*Vorgehen*) conduct; (*Chem*) reaction. **faires** ~ fair conduct.

Verhaltenheit *f* restraint. **die** ~ **des Rhythmus** the measured rhythm.

Verhaltensforscher(in *f*) *m* behavioural scientist; **Verhaltensforschung** *f* behavioural research; **verhaltensgestört** *adj* disturbed; **Verhaltensmaßregel** *f* rule of conduct; **Verhaltensmuster** *nt* behaviour pattern; **Verhaltenspsychologie** *f* behaviourism; **Verhaltensstörung** *f* behavioural disturbance; **Verhaltensweise** *f* behaviour.

Verhältnis *nt* **1.** (*Proportion*) proportion; (*Math, Mischungs~*) ratio. **im** ~ **zu** in relation *or* proportion to; **im** ~ **zu früher** (*verglichen mit*) in comparison with earlier times; **in einem/keinem** ~ **zu etw stehen** to be in/out of all proportion *or* to bear no relation to sth; **das ist im** ~ **wenig** (*im Vergleich mit anderem*) this is proportionally very little; (*relativ wenig*) that is comparatively *or* relatively little.

2. (*Beziehung*) relationship (*mit jdm/ etw* with sb/to sth); relations *pl* (*zu* with); (*zwischen Ländern, innerhalb einer Gruppe*) relations *pl* (*zu* with); (*Einstellung*) attitude (*zu* to). **ein freundschaftliches ~ zu jdm haben** to be on friendly terms with sb; **zu jdm/etw kein ~ finden können** not to be able to relate to sb/sth.

3. (*Liebes~*) affair; (*inf*) (*Geliebte*) lady-friend (*inf*); (*Geliebter*) friend. **ein ~ mit jdm haben** to have an affair with sb.

4. **~se** *pl* (*Umstände, Bedingungen*) conditions *pl*; (*finanzielle*) circumstances *pl*; **unter normalen ~sen** under normal circumstances; **so wie die ~se liegen ...** as things stand ...; **die akustischen ~se** the acoustics *pl*; **in ärmlichen ~sen leben/aus ärmlichen ~sen kommen** to live in poor conditions/come from a poor background; **über seine ~se leben** to live beyond one's means; **das geht über meine ~se** that is beyond my means; **ich bin für klare ~se** I want to know how we stand; **für klare ~se sorgen, klare ~se schaffen** to get things straight.

verhältnismäßig I *adj* **1.** (*proportional*) proportional; (*esp Jur: angemessen*) proportionate, commensurate; **2.** (*relativ*) comparative, relative; (*inf: ziemlich*) reasonable; **II** *adv* **1.** (*proportional*) proportionally; **2.** (*relativ, inf: ziemlich*) relatively; **Verhältnismäßigkeit** *f* **die ~ der Mittel** the appropriateness of the means; **Verhältniswahl** *f* proportional representation *no art*; **Verhältniswahlrecht** *nt* (system of) proportional representation; **Verhältniswort** *nt* preposition.

verhandeln* I *vt* **1.** to negotiate. **2.** (*Jur*) *Fall* to hear. **II** *vi* **1.** to negotiate (*über +acc* about); (*inf: diskutieren*) to argue. **über den Preis läßt sich ~** (*inf*) we can discuss the price. **2.** (*Jur*) to hear a/the case. **gegen jdn/in einem Fall ~** to hear sb's/a case.

Verhandlung *f* **1.** negotiations *pl*; (*das Verhandeln*) negotiation. **die zur ~ stehende Frage** the question under negotiation; **mit jdm in ~(en) stehen** to be negotiating with sb, to be engaged in negotiations with sb; **(mit jdm) in ~(en) treten** to enter into negotiations (with sb); **~en führen** to negotiate; **ich lasse mich auf keine ~(en) ein** (*inf*) I don't propose to enter into any long debates.

2. (*Jur*) hearing; (*Straf~*) trial.

Verhandlungsbasis *f* basis for negotiation(s); **~ DM 2.500** (price) DM 2,500 or near offer; **verhandlungsbereit** *adj* ready *or* prepared to negotiate; **Verhandlungsbereitschaft** *f* readiness to negotiate; **die mangelnde ~** reluctance to negotiate; **Verhandlungsdolmetschen** *nt* liaison interpreting; **verhandlungsfähig** *adj* (*Jur*) able to stand trial; **Verhandlungsgrundlage** *f* basis for negotiation(s); **Verhandlungspartner(in** *f*) *m* negotiating party; **Verhandlungstisch** *m* negotiating

table; **verhandlungsunfähig** *adj* (*Jur*) unable to stand trial; **Verhandlungsunfähigkeit** *f* (*Jur*) inability to stand trial.

verhangen *adj* overcast.

verhängen* *vt* **1.** *Embargo, Strafe, Hausarrest* to impose (*über +acc* on); *Ausnahmezustand, Notstand* to declare (*über +acc* in); (*Sport*) *Elfmeter* to award, to give.

2. (*zuhängen*) to cover (*mit* with); *Kruzifix, Statue* to veil.

Verhängnis *nt* (*schlimmes Schicksal*) undoing; (*Katastrophe*) disaster. **jdm zum** *or* **jds ~ werden** to prove *or* be sb's undoing; **er entging seinem ~ nicht** he could not escape his fate.

verhängnisvoll *adj* disastrous; *Irrtum, Fehler auch, Zögern, Entschlußlosigkeit* fatal; *Tag* fateful.

verharmlosen* *vt* to play down.

verhärmt *adj* *Mensch, Gesicht* careworn; *Ausdruck* worried.

verharren* *vi aux haben or sein* to pause; (*in einer bestimmten Stellung*) to remain. **auf einem Standpunkt/in** *or* **bei einem Entschluß ~** to adhere to a viewpoint/to a decision; **in seinem Stillschweigen ~** to maintain one's silence; (*hartnäckig*) to persist in one's silence.

verharschen* *vi aux sein* (*Schnee, Piste*) to crust.

verhärten* *vtr* (*alle Bedeutungen*) to harden. **sich** *or* **sein Herz gegen jdn/etw ~** to harden one's heart against sb/sth.

Verhärtung *f* hardening.

verhaspeln* *vr* (*inf*) to get into a muddle.

verhaßt *adj* hated; *Arbeit auch, Pflicht* hateful. **sich ~ machen** to make oneself hated (*bei* by); **das ist ihm ~** he hates that.

verhätscheln* *vt* to spoil, to pamper.

Verhau *m* **-(e)s, -e** (*zur Absperrung*) barrier; (*Käfig*) coop; (*Bretterbude*) shack; (*Unordnung*) mess.

verhauen* *irreg* (*inf*) **I** *vt* **1.** (*verprügeln*) to beat up; (*zur Strafe*) to beat. **2.** *Klassenarbeit, Prüfung* to muff (*inf*). **II** *vr* **1.** (*sich verprügeln*) to have a fight. **2.** (*beim Schreiben etc*) to make a mistake. **3.** (*sich irren*) to slip up (*inf*).

verheddern* *vr* (*inf*) to get tangled up; (*beim Sprechen*) to get in a muddle.

verheeren* *vt* to devastate; (*Truppen auch*) to lay waste.

verheerend I *adj* **1.** *Sturm, Folgen* devastating, disastrous; *Anblick* ghastly. **2.** (*inf: schrecklich*) frightful, fearful, ghastly (*all inf*). **II** *adv* (*inf: schrecklich*) frightfully (*inf*).

Verheerung *f* devastation *no pl.* **~(en) anrichten** to cause devastation.

verhehlen* *vt* to conceal, to hide. **jdm etw ~** to conceal *or* hide sth from sb; **ich möchte Ihnen nicht ~, daß ...** I have no wish to conceal the fact that ...

verheilen* *vi aux sein* (*Wunde*) to heal (up); (*fig*) to heal.

verheimlichen* *vt* to keep secret, to conceal (*jdm* from sb). **es läßt sich nicht ~, daß ...** it is impossible to conceal the fact that ...; **ich habe nichts zu ~** I have nothing to hide.

Verheimlichung f concealment; (*von Tatsache*) suppression.

verheiraten* vt to marry (*mit, an* +acc to). II vr to get married, to marry. **sich mit jdm ~** to marry sb, to get married to sb.

verheiratet adj married. **glücklich ~ sein** to be happily married; **mit jdm/etw** (*hum inf*) **~ sein** to be married to sb/sth.

Verheiratung f marriage.

verheißen* vt irreg to promise. **jdm eine große Karriere ~** to predict a great career for sb; **seine Miene verhieß nichts Gutes** his expression did not augur well; **das verheißt schönes Wetter** that heralds good weather.

Verheißung f promise. **das Land der ~** the Promised Land.

verheißungsvoll adj promising; *Anfang auch* auspicious; *Blicke* alluring. **wenig ~** unpromising; **mit ~en Worten** with promises.

verheizen* vt to burn, to use as fuel; (*fig inf*) *Sportler* to burn out; *Minister, Untergebene* to crucify. **Soldaten im Kriege ~** (*inf, fig*) to send soldiers to the slaughter.

verhelfen* vi irreg **jdm zu etw ~** to help sb to get sth; **jdm zu seinem Glück ~** to help to make sb happy; **jdm zum Sieg ~** to help sb to victory.

verherrlichen* vt *Gewalt, Krieg, Taten* to glorify; *Gott* to praise; *Tugenden* to extol; (*in Gedichten*) to celebrate.

Verherrlichung f siehe vt glorification; praising; extolment; celebration.

verhetzen* vt to incite (to violence).

verheult adj *Augen, Gesicht* puffy, swollen from crying. **du siehst so ~ aus** you really look as if you have been crying.

verhexen* vt to bewitch; (*Fee, Zauberer auch*) to cast a spell over; (*inf*) *Maschine* to put a jinx on; **jdn in etw** (*acc*) **~** to turn sb into sth (by magic); **der verhexte Prinz** the enchanted prince; **das verhexte Schloß** the bewitched castle; **heute ist alles wie verhext** (*inf*) there's a jinx on everything today; **das ist doch wie verhext** (*inf*) it's maddening (*inf*).

verhindern* vt to prevent; *Unglück auch* to avert; *Versuch, Plan* to foil, to stop. **ich konnte es nicht ~, daß er die Wahrheit erfuhr** I couldn't prevent him from finding out the truth; **das läßt sich leider nicht ~** it can't be helped, unfortunately; **er war an diesem Abend (dienstlich** or **geschäftlich) verhindert** he was unable to come that evening (for reasons of work); **ein verhinderter Politiker** (*inf*) a would-be politician.

Verhinderung f siehe vt prevention; aversion; foiling, stopping. **im Falle seiner ~** if he is unable to come.

verhohlen adj concealed, secret; *Gelächter, Schadenfreude auch, Gähnen* suppressed. **kaum ~** barely concealed/ suppressed.

verhöhnen* vt to mock, to deride.

verhohnepipeln* vt (*inf*) (*verspotten*) to send up (*inf*); (*zum besten haben*) to have on (*inf*).

Verhöhnung f mocking, ridiculing; (*Bemerkung*) gibe.

verhökern* vt (*inf*) to get rid of (*inf*).

verholzen* vi aux sein (*Bot*) to lignify.

Verhör nt -(e)s, -e questioning, interrogation; (*bei Gericht*) examination. **jdn ins ~ nehmen** to question or interrogate sb; (*bei Gericht*) to examine sb; (*inf*) to take sb to task; **jdn einem ~ unterziehen** (*form*) to subject sb to questioning or interrogation/examination.

verhören* I vt to question, to interrogate; (*bei Gericht*) to examine; (*inf*) to quiz. II vr to mishear.

verhornt adj *Haut* horny.

verhüllen* I vt to veil; *Haupt, Körperteil* to cover; (*fig auch*) to mask, to disguise. II vr (*Frau*) to veil oneself; (*Berge etc*) to become veiled.

verhüllend adj *Ausdruck* euphemistic.

Verhüllung f **1.** siehe vt veiling; covering; masking, disguising. **2.** (*die Bedeckung*) veil; cover; mask, disguise. **3.** (*Ausdruck*) euphemism.

verhundertfachen* vtr to increase a hundredfold.

verhungern* vi aux sein to starve, to die of starvation; (*inf: Hunger haben*) to be starving (*inf*). **er sah völlig verhungert aus** he looked half-starved; (*inf*) he looked absolutely famished (*inf*); **ich bin am V~** (*inf*) I'm starving (*inf*); **jdn ~ lassen** (*lit*) to let sb starve (to death).

Verhungernde(r) mf decl as adj starving person/man/woman.

Verhungerte(r) mf decl as adj person/ man/woman etc who has starved to death.

verhunzen* vt (*inf*) to ruin; *Sprache, Lied auch* to murder.

verhüten* vt to prevent. **das verhüte Gott!** God forbid!; **möge Gott ~, daß ...** God forbid that ...; **~de Maßnahmen** preventive measures; (*zur Empfängnisverhütung*) precautions.

Verhüterli nt -(s), - (*Sw: Verhütungsmittel*) contraceptive; (*hum inf: Kondom*) johnny (*inf*), rubber (*inf*).

verhütten vt to smelt.

Verhüttung f smelting.

Verhütung f prevention; (*Empfängnis~*) contraception.

Verhütungsmittel nt contraceptive.

verhutzelt adj *Gesicht, Männlein* wizened; *Haut auch* wrinkled; *Obst* shrivelled.

Verifikation [verifika'tsioːn] f verification.

verifizierbar [verifi'tsiːrbaːɐ] adj verifiable.

verifizieren* [verifi'tsiːrən] vt to verify.

verinnerlichen* vt to internalize; *jdn* to spiritualize.

verinnerlicht adj *Wesen* spiritualized.

Verinnerlichung f internalization; (*von Mensch, in Literatur*) spiritualization.

verirren* vr to get lost, to lose one's way; (*fig*) to go astray; (*Tier, Kugel*) to stray. **ein verirrtes Schaf** (*lit, fig*) a lost sheep.

Verirrung f losing one's way no art; (*fig*) aberration.

ver|jagen* vt (lit, fig) to chase away; trübe Gedanken, Kummer auch to dispel.

ver|jähren* vi aux sein to come under the statute of limitations; (Anspruch) to be in lapse. **verjährtes Verbrechen** statute-barred crime; **das ist schon längst verjährt** (inf) that's all over and done with.

Verjährung f limitation; (von Anspruch) lapse.

Verjährungsfrist f limitation period.

ver|jazzen* [fɛɐ'dʒɛsn] vt to jazz up.

ver|jubeln* vt (inf) Geld to blow (inf).

ver|jüngen* I vt to rejuvenate; (jünger aussehen lassen) to make look younger; Baumbestand to regenerate. **eine Mannschaft/das Personal ~** to build up a younger team/staff; **er kam (um Jahre) verjüngt aus dem Urlaub zurück** he came back from holiday looking years younger. II vr 1. to become younger; (Haut, Erscheinung) to become rejuvenated; (jünger aussehen) to look younger. 2. (dünner werden) to taper; (Tunnel, Rohr) to narrow.

Verjüngung f 1. rejuvenation; (von Baumbestand) regeneration. 2. siehe vr 2. tapering; narrowing.

Verjüngungskur f rejuvenation cure.

ver|juxen* vr (inf) Geld to blow (inf).

ver|kabeln vt (Telec) to link up to the cable network.

Verkabelung f (Telec) linking up to the cable network.

ver|kalken* vi aux sein (Arterien) to become hardened; (Gewebe) to calcify; (Kessel, Wasserleitung etc) to fur up; (inf: Mensch) to become furred; (inf: Mensch) to become senile.

verkalkt adj (inf) senile.

ver|kalkulieren* vr to miscalculate.

Verkalkung f siehe vi hardening; calcification; furring; (inf) senility.

verkannt adj unrecognized.

verkappt adj attr hidden; Lungenentzündung undiagnosed.

ver|kapseln* vr (Med) (Bakterien) to become encapsulated; (Parasit) to become encysted.

ver|karsten* vi aux sein to develop to karst (spec).

verkatert adj (inf) hung-over usu pred (inf).

Verkauf m -(e)s, **Verkäufe** 1. sale; (das Verkaufen) selling. **zum ~ stehen** to be up for sale; **beim ~ des Hauses** when selling the house. 2. (Abteilung) sales sing, no art.

ver|kaufen* I vti (lit, fig) to sell (für, um for). **„zu ~"** "for sale"; **jdm etw or etw an jdn ~** to sell sb sth, to sell sth to sb; **sie haben ihr Leben so teuer wie möglich verkauft** they sold their lives as dearly as possible; **er würde sogar seine Großmutter ~** he'd even sell his own grandmother; siehe **Straße, verraten, dumm**.

II vr 1. (Ware) to sell; (Mensch) to sell oneself. **er hat sich ganz und gar an die Partei verkauft** he is committed body and soul to the party.

2. (einen schlechten Kauf machen) to make a bad buy. **damit habe ich mich verkauft** that was a bad buy.

3. (fig: sich anpreisen) to sell oneself.

Verkäufer(in f) m -s, - seller; (in Geschäft) sales or shop assistant, salesperson; (im Außendienst) salesman/saleswoman/salesperson; (Jur: von Grundbesitz) vendor.

verkäuflich adj sal(e)able, marketable; (zu verkaufen) for sale. **leicht** or **gut/schwer ~** easy/hard to sell.

Verkaufs- in cpds sales; **Verkaufsabteilung** f sales department; **Verkaufsautomat** m vending machine; **Verkaufsbedingungen** pl conditions of sale pl; **Verkaufsberater(in** f) m sales consultant; **Verkaufsbüro** nt sales office; **Verkaufsförderung** f sales promotion; (Abteilung) sales promotion department; **Verkaufsgenie** nt **ein ~ sein** to be a genius at selling things; **Verkaufsleiter(in** f) m sales manager/manageress; **verkaufsoffen** adj open for business; **~er Samstag** Saturday on which most shops are open all day; **Verkaufspersonal** nt sales personnel or staff; **Verkaufspreis** m retail price; **Verkaufsschlager** m big seller.

Verkehr m -(e)s, no pl 1. traffic; (Beförderung, Verkehrsmittel) transport, transportation (US). **für den ~ freigeben, dem ~ übergeben** Straße to open to traffic; Transportmittel to bring into service; **den ~ regeln** to regulate the (flow of) traffic; **aus dem ~ ziehen** to withdraw from service.

2. (Verbindung) contact, communication; (Umgang) company; (Geschlechts~) intercourse. **in brieflichem ~ stehen** to correspond; **in seinem ~ mit Menschen** in his dealings with people; **den ~ mit jdm pflegen** (form) to associate with sb; **den ~ mit jdm abbrechen** to break off relations or contact with sb.

3. (Geschäfts~, Handels~) trade; (Umsätze, Zahlungs~) business; (Post~) service; (Umlauf) circulation. **etw in (den) ~ bringen/aus dem ~ ziehen** to put sth into/withdraw sth from circulation; **jdn aus dem ~ ziehen** (sl) (töten) to do sb in (sl); (ins Gefängnis werfen) to put sb in jug (sl).

ver|kehren* I vi 1. aux haben or sein (fahren) to run; (Flugzeug) to fly. **der Bus/das Flugzeug verkehrt regelmäßig zwischen A und B** the bus runs or goes or operates regularly/the plane goes or operates regularly between A and B.

2. (Gast sein, Kontakt pflegen) **bei jdm ~** to frequent sb's house, to visit sb (regularly); **mit jdm ~** to associate with sb; **in einem Lokal ~** to frequent a pub; **in Künstlerkreisen ~** to move in artistic circles, to mix with artists; **mit jdm brieflich/schriftlich ~** (form) to correspond with sb; **mit jdm (geschlechtlich) ~** to have (sexual) intercourse with sb.

II vt to turn (in +acc into). **etw ins Gegenteil ~** to reverse sth.

III vr to turn (in +acc into). **sich ins Gegenteil ~** to become reversed.

Verkehrs- in cpds traffic; **Verkehrsader** f artery, arterial road; **Verkehrsampel** f traffic lights pl; siehe **Ampel; Ver-**

kehrsamt nt divisional railway office; (*Verkehrsbüro*) tourist information office; **verkehrsarm** adj Zeit, Straße quiet; **ein ~es Gebiet** an area with little traffic; **Verkehrsaufkommen** nt volume of traffic; **Verkehrsbehinderung** f (*Jur*) obstruction (of traffic); **verkehrsberuhigt** adj **eine ~e Straße** a road with speed bumps and speed limits; **Verkehrsberuhigung** f traffic calming; **Verkehrsbetriebe** pl transport services pl; **Verkehrsbüro** nt tourist information office; **Verkehrschaos** nt chaos on the roads; **Verkehrsdelikt** nt traffic offence; **Verkehrsdichte** f volume of traffic, traffic density; **Verkehrsdurchsage** f traffic announcement; **Verkehrserziehung** f road safety training; **Verkehrsflughafen** m (commercial) airport; **Verkehrsflugzeug** nt commercial aircraft; **Verkehrsfunk** m radio traffic service; **Verkehrsgefährdung** f (*Jur: verkehrswidriges Fahren*) dangerous driving; **eine ~ darstellen** to be a hazard to other traffic; **verkehrsgünstig** adj Lage convenient; Ort, Viertel conveniently situated; **Verkehrshindernis** nt (traffic) obstruction; **ein ~ sein** to cause an obstruction; **Verkehrshinweis** m siehe **Verkehrsdurchsage**; **Verkehrsinsel** f traffic island; **Verkehrsknotenpunkt** m traffic junction; **Verkehrskontrolle** f traffic check; **bei jdm eine ~ machen** (*Polizei*) to stop sb; **verstärkte ~n machen** to increase traffic checks; **Verkehrslärm** m traffic noise; **Verkehrsmeldung** f traffic announcement; **~en** traffic news sing; **Verkehrsminister(in** f) m minister of transport; **Verkehrsministerium** nt ministry of transport, department of transportation (*US*); **Verkehrsmittel** nt means of transport sing; **öffentliche/ private ~** public/private transport; **Verkehrsnetz** nt traffic network; **Verkehrsopfer** nt road casualty; **Verkehrsplanung** f traffic engineering; **Verkehrspolizei** f traffic police pl; **Verkehrspolizist(in** f) m traffic policeman/ -woman; **Verkehrsregel** f traffic regulation; **Verkehrsregelung** f traffic control; **verkehrsreich** adj Straße, Gegend busy; **~e Zeit** peak (traffic) time, rushhour; **Verkehrsrowdy** m road-hog; **Verkehrsschild** nt road sign; **Verkehrsschutzmann** m (*dated*) siehe **Verkehrspolizist**; **verkehrsschwach** adj Zeit off-peak; Gebiet with little traffic; **die Nachmittagsstunden sind sehr ~** there is very light traffic in the afternoons; **verkehrssicher** adj Fahrzeug roadworthy; Straße, Brücke safe (for traffic); **Verkehrssicherheit** f siehe adj roadworthiness; safety; **Verkehrssprache** f lingua franca; **Verkehrsstau** m, **Verkehrsstauung** f traffic jam; **Verkehrsstraße** f road open to traffic; **Verkehrsstrom** m flow of traffic; **Verkehrssünder(in** f) m (*inf*) traffic offender; **Verkehrsteilnehmer(in** f) m road-user; **Verkehrstote(r)** mf road casualty; **die Zahl der ~n** the

number of deaths on the road; **verkehrstüchtig** adj Fahrzeug roadworthy; Mensch fit to drive; **Verkehrsunfall** m road accident; **Verkehrsunternehmen** nt transport company; **Verkehrsunterricht** m traffic instruction; **verkehrsuntüchtig** adj Fahrzeug unroadworthy; Mensch unfit to drive; **Verkehrsverbindung** f link; (*Anschluß*) connection; **Verkehrsverbund** m interconnecting transport system; **Verkehrsverein** m local organization concerned with upkeep of tourist attractions, facilities etc; **Verkehrsverhältnisse** pl traffic situation sing; (*Straßenzustand*) road conditions pl; **Verkehrsvolumen** nt volume of traffic; **Verkehrswacht** f traffic patrol; **Verkehrsweg** m traffic route; **Verkehrswert** m (*Fin*) current market value; **Verkehrswesen** nt transport and communications no art; **verkehrswidrig** adj contrary to road traffic regulations; **sich ~ verhalten** to break the road traffic regulations; **Verkehrszählung** f traffic census; **Verkehrszeichen** nt road sign.

verkehrt I adj wrong; Vorstellung auch, Welt topsy-turvy.

II adv wrongly. **etw ~ (herum) anhaben** (linke Seite nach außen) to have sth on inside out; (vorne nach hinten) to have sth on back to front; **etw ~ halten** to hold sth wrongly; (falsch herum) to hold sth the wrong way round; (oben nach unten) to hold sth upside down; **die Möbel alle ~ stellen** (an den falschen Platz) to put all the furniture in the wrong place; **er ist ~ herum** (inf: homosexuell) he's bent (inf); **das ist gar nicht (so) ~** (inf) that can't be bad (inf); **der ist gar nicht (so) ~** (inf) he's not such a bad sort; **das V~e** the wrong thing; **das V~este, was du tun könntest** the worst thing you could do; **der/die V~e** the wrong person; **eines Tages wirst du an den V~en geraten** one day you'll get your fingers burned.

Verkehrung f reversal; (von Rollen auch) switching. **eine ~ ins Gegenteil** a complete reversal.

verkennen* vt irreg Lage, jdn to misjudge; (unterschätzen auch) to underestimate. **ein Dichter, der zeit seines Lebens verkannt wurde** a poet who remained unrecognized in his lifetime; **ich will nicht ~, daß ...** I would not deny that ...; **es ist nicht zu ~, daß ...** it is undeniable or cannot be denied that ...

Verkennung f siehe vt misjudgement; underestimation. **in ~ der wahren Sachlage ...** misjudging the real situation ...

verketten* I vt (lit) to chain (up); Tür, Kiste to put chains/a chain on; (fig) to link. **II** vr to become interlinked, to become bound up together. **verkettet sein** (fig) to be interlinked or bound up (together).

Verkettung f (das Verketten) chaining; (Ketten) chains pl; (fig) interconnection.

verketzern* vt to denounce.

verkitschen* vt (inf) Gemälde, Literatur to make kitschy; Lied to sentimentalize.

verkitten* *vt* to cement; *Fenster* to put putty round.

verklagen* *vt* to sue (*wegen* for), to take proceedings against (*wegen* for). **jdn auf etw** (*acc*) ~ to take sb to court for sth.

verklammern* I *vt Wunde* to apply clips to; (*Tech*) *Bauteile* to brace, to put braces round; (*fig*) to link. II *vr* (*Menschen*) to embrace; (*Hände*) to interlock.

Verklammerung *f siehe vb* applying of clips (*gen* to); bracing; linking; embracing; interlocking.

verklappen *vt Abfallstoffe* to dump.

Verklappung *f* (*von Abfallstoffen*) dumping.

verklären* I *vt* to transfigure. II *vr* to become transfigured.

verklärt *adj* transfigured.

Verklärung *f* transfiguration.

verklauseln* (*rare*), **verklausulieren*** *vt Vertrag* to hedge in *or* around with (restrictive) clauses. **der Vertrag ist zu verklausuliert** the contract has too many qualifying clauses.

verkleben* I *vt* (*zusammenkleben*) to stick together; (*zukleben*) to cover (*mit* with); *Tapeten* to stick; *Haare, Verband* to make sticky; *Wunde* (*mit Pflaster*) to put a plaster on.
II *vi aux sein* (*Wunde, Eileiter*) to close; (*Augen*) to get gummed up; (*Mehl, Briefmarken, Bonbons*) to stick together.

verklebt *adj Verband, Wunde* sticky; *Augen* gummed up; *Haare* matted; *Eileiter* blocked.

verkleckern* *vt* (*inf*) to spill; (*fig*) *Zeit, Energie, Geld* to waste.

verkleiden* I *vt* 1. to disguise; (*kostümieren*) to dress up, to put into fancy dress; (*fig*) *Ideen, Absicht* to disguise, to mask. **alle waren verkleidet** everyone was dressed up *or* was in fancy dress.
2. (*verschalen*) *Wand, Schacht, Tunnel* to line; (*vertäfeln*) to panel; (*bedecken*) to cover; (*ausschlagen*) *Kiste* to line; (*verdecken*) *Heizkörper* to mask.
II *vr* to disguise oneself; (*sich kostümieren*) to dress (oneself) up. **muß man sich ~?** do you have to wear fancy dress?

Verkleidung *f* 1. disguising; dressing up; putting into fancy dress; (*Kleidung*) disguise; (*Kostüm*) fancy dress. 2. (*das Verkleiden, Material*) lining; panelling; covering; masking.

verkleinern* I *vt* to reduce; *Raum, Gebiet, Firma*, (*Lupe, Brille*) to make smaller; *Fotografie* to reduce (in size); *Maßstab* to scale down; *Abstand* to decrease; *Not, Probleme, Schuld* to minimize; *jds Leistungen, Verdienste* to belittle.
II *vr* to be reduced; (*Raum, Gebiet, Firma*) to become smaller; (*Maßstab*) to be scaled down; (*Abstand*) to decrease; (*Not, Probleme, Schuld*) to become less.
III *vi* (*Linse*) to make everything seem smaller.

Verkleinerung *f* 1. *siehe vt* reduction; making smaller; reduction (in size); scal-

ing down; decreasing; minimizing; belittling.
2. *siehe vr* reduction; becoming smaller; scaling down; decreasing; lessening.
3. (*Bild*) reduced size reproduction; (*Foto*) reduction; (*Wort*) diminutive (form); (*Mus*) diminution.

Verkleinerungsform *f* diminutive form.

verklemmen* *vr* to get *or* become stuck.

verklemmt *adj* (*inf*) *Mensch* inhibited.

verklickern* *vt* (*inf*) **jdm etw** ~ to make sth clear to sb.

verklingen* *vi irreg aux sein* to die *or* fade away; (*fig: Begeisterung, Interesse*) to fade.

verklopfen*, **verkloppen*** *vt* (*inf*) 1. **jdn** ~ to give sb what-for (*inf*). 2. (*verkaufen*) to flog (*Brit inf*), to sell.

verklumpen* *vi aux sein* to get lumpy.

verknacken* *vt* (*inf*) **jdn zu zwei Jahren/ einer Geldstrafe** ~ to do sb for (*inf*) *or* give sb two years/stick a fine on sb (*inf*); **verknackt werden** to be done (*inf*).

verknacksen* *vt* (*sich dat*) **den Knöchel** *or* **Fuß** ~ to twist one's ankle.

verknallen* (*inf*) I *vr* **sich (in jdn)** ~ to fall for sb (*inf*); **ich war damals unheimlich (in ihn) verknallt** I was head over heels in love (with him) then. II *vt Feuerwerkskörper* to let off; *Munition* to use up.

verknappen* I *vt* to cut back; *Rationen* to cut down (on). II *vr* to run short.

verknautschen* I *vt* to crush, to crumple. II *vr* (*vi: aux sein*) to crease.

verkneifen* *vr irreg* (*inf*) **sich** (*dat*) **etw** ~ to stop oneself (from) saying/doing sth; *Schmerzen* to hide sth; *Lächeln* to keep back sth; *Bemerkung* to bite back sth; **ich konnte mir das Lachen nicht** ~ I couldn't help laughing; **das kann ich mir** ~ I can manage without that (*iro*).

verkniffen I *ptp of* verkneifen. II *adj Gesicht, Miene* (*angestrengt*) strained; (*verbittert*) pinched. **etw** ~ **sehen** to take a narrow view of sth.

verknittern* *vt* to crumple.

verknöchern* *vi aux sein* (*lit, fig*) to ossify. **verknöchert** (*fig*) ossified, fossilized.

verknorpeln* *vi aux sein* to become cartilaginous.

verknoten* I *vt* to tie, to knot; (*inf*) *Paket* to tie up. II *vr* to become knotted.

verknüpfen* *vt* 1. (*verknoten*) to knot *or* tie (together); (*Comput*) to integrate.
2. (*fig*) to combine; (*in Zusammenhang bringen*) to link, to connect; *Gedanken, Geschehnisse* to associate. **mit diesem Ort sind für mich schöne Erinnerungen verknüpft** this place has happy memories for me; **so ein Umzug ist immer mit großen Ausgaben verknüpft** moving house always involves a lot of expense.

Verknüpfung *f siehe vt* knotting *or* tying (together); integration; combining, combination; linking, connecting; association.

verkochen* *vti* (*vi: aux sein*) (*Flüssigkeit*) to boil away; (*Kartoffeln, Gemüse*) to overboil.

verkohlen* I *vi aux sein* to char, to become charred; (*Braten*) to burn to a cinder. II *vt* **1.** *Holz* to char; (*Tech*) to carbonize. **2.** (*inf*) jdn ~ to have sb on (*inf*).

verkoken* *vt* to carbonize.

verkommen¹* *vi irreg aux sein* **1.** (*Mensch*) to go to the dogs, to go to pieces; (*moralisch*) to become dissolute, to go to the bad; (*Kind*) to run wild. **zu etw** ~ to degenerate into sth. **2.** (*Gebäude, Auto*) to become dilapidated, to fall to pieces; (*Stadt*) to become run-down; (*Gelände, Anlage*) to run wild. **3.** (*nicht genutzt werden: Lebensmittel, Begabung, Fähigkeiten*) to go to waste; (*Lebensmittel*) to go bad. **4.** (*Sw inf*) to get involved in a booze-up (*inf*).

verkommen² *adj Mensch* depraved; *Frau auch* abandoned; *Auto, Gebäude* dilapidated; *Garten* wild. **der sprachlich ~e Gewaltbegriff** the linguistically debased concept of violence.

Verkommenheit *f, no pl siehe adj* depravity; dilapidation, dilapidated state; wildness.

verkomplizieren* *vt* to complicate even further.

verkonsumieren* *vt* (*inf*) to get through; *Essen, Getränke auch* to consume.

verkoppeln* *vt* to connect, to couple; *Grundbesitz* to combine, to pool; (*Space*) to link (up).

verkorken* *vt* to cork (up).

verkorksen* *vt* (*inf*) to make a mess *or* cock-up (*Brit sl*) of, to mess up (*inf*); *Kind* to screw up (*sl*). **sich** (*dat*) **den Magen** ~ to upset one's stomach.

verkorkst *adj* (*inf*) ruined; *Magen* upset; *Kind, Mensch* screwed up (*sl*). **eine völlig ~e Sache** a real mess.

verkörpern* *vt* to embody, to personify; (*Theat*) to play (the part of), to portray.

Verkörperung *f* embodiment; (*Mensch auch*) personification; (*Theat*) playing, portrayal.

verkosten* *vt* (*esp Wein*) to taste.

verköstigen* *vt* to feed.

verkrachen* *vr* (*inf*) **sich (mit jdm)** ~ to fall out (with sb).

verkracht *adj* (*inf*) *Leben* ruined; *Typ, Mensch* dead-beat (*inf*); (*zerstritten*) *Nachbarn, Freunde* who have fallen out with each other; *siehe* **Existenz.**

verkraften* *vt* to cope with; (*seelisch*) *Schock, jds Tod auch* to take; (*finanziell*) to afford, to manage; (*inf: essen, trinken können*) to manage.

verkrallen* *vr* (*Katze*) to dig *or* sink its claws in; (*Hände*) to clench up. **sich in etw** (*dat*) ~ (*Katze*) to dig *or* sink its claws into sth; (*Mensch*) to dig *or* sink one's fingers into sth.

verkrampfen* *vr* to become cramped; (*Hände*) to clench up; (*Mensch*) to go tense, to tense up. **verkrampft** (*fig*) tense.

Verkrampfung *f* (*lit, fig*) tenseness, tension. **seelische** ~ mental tension.

verkriechen* *vr irreg* to creep away; (*fig*) to hide (oneself away). **sich unter den** *or* **dem Tisch** ~ to crawl *or* creep under the table; **sich ins Bett** ~ (*inf*) to run off to bed, to retreat to one's bed; **am liebsten hätte ich mich vor Scham verkrochen** I wanted the ground to open up and swallow me.

verkrümeln* I *vr* (*inf*) to disappear. II *vt* to crumble.

verkrümmen* I *vt* to bend. II *vr* to bend; (*Rückgrat*) to become curved; (*Holz*) to warp; (*Baum, Pflanze*) to grow crooked.

verkrümmt *adj* bent; *Wirbelsäule* curved; *Finger, Knochen, Bäume* crooked; *Holz* warped.

Verkrümmung *f* bend (*gen* in), distortion (*esp Tech*); (*von Holz*) warp; (*von Fingern, Knochen, Bäumen*) crookedness *no pl.* ~ **der Wirbelsäule** curvature of the spine; ~ **der Hornhaut** (*nach innen*) incurvation of the cornea; (*nach außen*) excurvation of the cornea.

verkrüppeln* I *vt* to cripple. II *vi aux sein* to become crippled; (*Zehen, Füße*) to become deformed; (*Baum*) to grow stunted.

verkrustet *adj Wunde* scabby; *Strukturen, Ansichten* decrepit.

Verkrustung *f* (*von Wunde*) scab formation; (*von Strukturen*) decrepitude; (*von Partei, Organisation*) archaic *or* fossilized structure.

verkühlen* *vr* (*inf*) to catch a cold, to get a chill. **sich** (*dat*) **die Nieren** ~ to get a chill on the kidneys.

Verkühlung *f* (*inf*) chill. ~ **der Blase** chill on the bladder.

verkümmern* *vi aux sein* (*Glied, Organ*) to atrophy; (*ein gehen: Pflanze*) to die; (*Talent*) to go to waste; (*Schönheitssinn, Interesse*) to wither away; (*Mensch*) to waste away. **emotionell/geistig** ~ to become emotionally/intellectually stunted; **wenn die natürlichen Instinkte im Menschen** ~ if man's natural instincts become stunted.

Verkümmerung *f* (*von Organ, Muskel, Glied*) atrophy; (*fig*) (*von Talent*) wasting away, atrophy; (*von Gerechtigkeitssinn, Interesse*) atrophy.

verkünden* *vt* to announce; *Urteil* to pronounce; *Evangelium* to preach; *Gesetz* to promulgate; **nichts Gutes, Unwetter** to forebode, to presage (*liter*); **Frühling, neue Zeit** to herald.

Verkünder(in *f*) *m* **-s, - ein** ~ **des Evangeliums** a preacher of the gospel; **der** ~ **einer Friedensbotschaft** a harbinger *or* herald of peace.

verkündigen* *vt* to proclaim; (*iro*) to announce; *Evangelium* to preach, to propagate. **ich verkündige euch große Freude** (*Bibl*) I bring you tidings of great joy (*Bibl*).

Verkündigung *f* proclamation; (*von Evangelium, von christlicher Lehre auch*) preaching, propagation. **Mariä** ~ the Annunciation; (*Tag auch*) Lady Day.

Verkündung *f siehe vt* announcement; pronouncement; preaching; promulgation.

verkünsteln* *vr* (*inf*) to overdo it, to go to town (*inf*). **sich an etw** (*dat*) ~ to go to town on sth (*inf*), to overdo sth.

verkupfern* *vt* to copper(-plate).

verkuppeln* *vt* (*pej*) to pair off, to get paired off. **jdn an jdn** ~ (*Zuhälter*) to procure sb for sb.

verkürzen* **I** *vt* to shorten; (*Art*) to foreshorten; *Strecke, Wege auch* to cut; *Abstand, Vorsprung* to narrow; *Zeit auch* to reduce, to cut down; *Aufenthalt* to cut short; *Lebenserwartung auch, Haltbarkeit* to reduce; *Schmerzen, Leiden* to end, to put an end to. **verkürzte Arbeitszeit** shorter working hours; **verkürzter Nebensatz** (*Gram*) elliptical subordinate clause.

II *vr* to be shortened; (*Art*) to become foreshortened; (*Strecke, Zeit auch*) to be cut; (*Abstand*) to be narrowed.

Verkürzung *f* **1.** *siehe vb* shortening; foreshortening; narrowing; reduction; cutting short; reduction; ending. **2.** (*abgekürztes Wort*) contraction.

verlachen* *vt* to ridicule, to deride, to laugh at.

Verladebrücke *f* loading bridge, gantry.

verladen* *vt irreg* **1.** to load; (*Mil*) (*in Eisenbahn*) to entrain; (*auf Schiff*) to embark; (*in Flugzeug*) to emplane. **die Güter vom Eisenbahnwaggon aufs Schiff** ~ to offload the goods from the train onto the ship. **2.** (*fig inf*) *Wähler* to dump.

Verladerampe *f* loading platform.

Verladung *f siehe vt 1.* loading; entrainment; embarkation; emplaning.

Verlag *m* **-(e)s, -e 1.** (*Buch*~) publishing house or company; (*Zeitungs*~) newspaper publisher's *sing.* ~ **Collins** Collins Publishers; **einen** ~ **finden** to find a publisher; **in** *or* **bei welchem** ~ **ist das erschienen?** who published it?

2. (*Zwischenhandelsgeschäft*) (firm of) distributors *pl*.

verlagern* **I** *vt* (*lit, fig*) *Gewicht, Schwerpunkt, Betonung* to shift; *Interessen auch* to transfer; (*lit: an anderen Ort*) to move. **II** *vr* (*lit, fig*) to shift; (*Met: Tief, Hoch*) to move; (*fig: Problem, Frage*) to change in emphasis (*auf +acc* to).

Verlagerung *f siehe vb* shift; transfer; moving, movement; change in emphasis.

Verlagsanstalt *f* publishing firm; **Verlagsbuchhandel** *m* publishing trade; **Verlagsbuchhändler(in** *f)* *m* publishing manager/manageress (*responsible for production and sales*); **Verlagsbuchhandlung** *f* publishing firm, publisher; **Verlagshaus** *nt* publishing house; **Verlagskauffrau** *f*, **Verlagskaufmann** *m* publishing manageress/manager; **Verlagsleiter(in** *f)* *m* publishing director; **Verlagsprogramm** *nt* list; **Verlagsrecht** *nt* publishing rights *pl*; **Verlagsredakteur(in** *f)* *m* (publishing) editor; **Verlagswesen** *nt* publishing *no art*.

verlanden* *vi aux sein* to silt up; (*durch Austrocknen*) to dry up.

Verlandung *f siehe vi* silting up; drying

up.

verlangen* **I** *vt* **1.** (*fordern*) to demand; (*wollen*) *Preis* to ask; *Qualifikationen, Erfahrung* to require. **was verlangt der Kunde/das Volk?** what does the customer/do the people want?; **wieviel verlangst du für dein Auto?** how much are you asking for *or* do you want for your car?

2. (*erwarten*) to ask (*von* of). **ich verlange nichts als Offenheit und Ehrlichkeit** I am asking nothing but frankness and honesty; **es wird von jdm verlangt, daß ...** it is required *or* expected of sb that ...; **das ist nicht zuviel verlangt** it's not asking too much; **das ist ein bißchen viel verlangt** that's asking rather a lot.

3. (*erfordern*) to require, to call for.

4. (*fragen nach*) to ask for; *Paß, Ausweis auch* to ask to see. **Sie werden am Telefon verlangt** you are wanted on the phone.

II *vi* ~ **nach** to ask for; (*sich sehnen nach*) to long for; (*stärker*) to crave.

III *vt impers* (*liter*) **es verlangt jdn nach jdm/etw** sb craves sth; (*nach der Heimat, Geliebten*) sb yearns for sb/sth.

Verlangen *nt* **-s, -** (*nach* for) desire; (*Sehnsucht*) yearning, longing; (*Begierde*) craving; (*Forderung*) request. **kein** ~ **nach etw haben** to have no desire *or* wish for sth; **auf** ~ on demand; **auf** ~ **des Gerichts** by order of the court; **auf** ~ **der Eltern** at the request of the parents.

verlängern* **I** *vt* **1.** to extend; (*räumlich auch*) to lengthen, to make longer; (*Math*) *Strecke auch* to produce; (*zeitlich*) *Wartezeit, Aufenthalt auch, Leben, Schmerzen, Leiden* to prolong; *Hosenbein, Ärmel* to lengthen; *Paß, Abonnement* to renew. **die Suppe/Soße** ~ (*fig inf*) to make the soup/gravy go further *or* stretch; **ein verlängertes Wochenende** a long weekend.

2. (*Sport*) *Ball, Paß* to touch *or* play on (*zu jdm* to sb).

II *vr* to be extended; (*räumlich auch*) to be lengthened; (*zeitlich auch, Leiden*) to be prolonged.

III *vi* (*Sport*) to play on.

Verlängerung *f* **1.** *siehe vt 1.* extension; lengthening; prolonging; prolongation; renewal.

2. (*Gegenstand*) extension.

3. (*Sport*) (*von Ball*) first-time pass; (*von Paß*) play-on (*zu* to); (*von Spielzeit*) extra time (*Brit*), overtime (*US*); (*nachgespielte Zeit*) injury time (*Brit*). **das Spiel geht in die** ~ they're going to play extra time *etc*, they're going into extra time *etc*; **eine** ~ **von fünf Minuten** five minutes' extra time *etc*.

Verlängerungskabel *nt*, **Verlängerungsschnur** *f* (*Elec*) extension lead.

verlangsamen* **I** *vt* to slow down *or* up; *Geschwindigkeit auch* to reduce, to decelerate; *Produktion auch* to decelerate; *Entwicklung auch* to retard. **das Tempo/seine Schritte/die Fahrt** ~ to slow down *or* up. **II** *vr* to slow down *or* up; to decelerate; to be retarded.

Verlangsamung *f siehe vb* slowing down

or up; deceleration; retarding, retardation.

Verlaß *m* **-sses,** *no pl* **auf jdn/etw ist kein ~, es ist kein ~ auf jdn/etw** there is no relying on sb/sth, you can't rely on sb/sth.

verlassen¹* *irreg* **I** *vt* to leave; (*fig: Mut, Kraft, Hoffnung*) *jdn* to desert; (*im Stich lassen*) to desert, to abandon, to forsake (*liter*); (*Comput*) *Datei* to exit. **... und da verließen sie ihn** (*iro*) ... that's as far as it goes; (*bei Arbeit, Reparatur*) ... that's as far as I/he *etc* got.

II *vr* **sich auf jdn/etw ~** to rely *or* depend on sb/sth; **darauf können Sie sich ~** you can be sure of that, you can depend on that, take my word for it.

verlassen² *adj* **1.** *Gegend, Ort, Straßen* deserted; (*öd*) desolate. **2.** *Mensch* (*allein gelassen*) deserted; (*einsam*) lonely, solitary. **einsam und ~** so all alone. **3.** (*ohne Besitzer*) *Haus, Fabrik* deserted; *Auto* abandoned.

Verlassenheit *f, no pl siehe adj 1.* desertedness; desolateness.

verläßlich *adj* reliable; *Mensch auch* dependable.

Verläßlichkeit *f siehe adj* reliability; dependability.

Verlaub *m:* **mit ~** (*old*) by your leave (*old*), with your permission; **mit ~ (zu sagen)** if you will pardon *or* forgive my saying so.

Verlauf *m* **-(e)s, Verläufe** course; (*Ausgang*) end, issue. **im ~ der Zeit** in the course of time; **im ~ des Tages/der Jahre/Monate** in *or* during the course of the day/over the (course of the) years/months; **im ~ der Verhandlung/Arbeit** in *or* during the course of the negotiations/work; **einen guten/schlechten ~ nehmen** to go well/badly; **den ~ einer Sache verfolgen/beobachten** to follow/observe the course (which) sth takes; **im weiteren ~ der Sache zeichnete sich folgende Tendenz ab** as things developed the following tendency became apparent.

verlaufen* *irreg* **I** *vi aux sein* **1.** (*ablaufen*) (*Tag, Prüfung*) to go; (*Feier, Demonstration*) to go off; (*Kindheit*) to pass; (*Untersuchung*) to proceed. **beschreiben Sie, wie diese Krankheit normalerweise verläuft** describe the course this illness usually takes; **die Verhandlung verlief in angespannter Atmosphäre** the negotiations took place in a tense atmosphere. **2.** (*sich erstrecken*) to run. **3.** (*auseinanderfließen, dial: schmelzen*) to run. **die Spur verlief im Sand/Wald** the track disappeared in the sand/forest; **~e Farben** runny colours; *siehe* **Sand.**

II *vr* **1.** (*sich verirren*) to get lost. **2.** (*verschwinden*) (*Menschenmenge*) to disperse; (*Wasser auch*) to drain away; (*sich verlieren: Spur, Weg*) to disappear.

Verlaufsform *f* (*Gram*) progressive *or* continuous form.

verlaust *adj* lice-ridden.

verlautbaren* (*form*) *vti* to announce. **es wird amtlich verlautbart, daß ...** it is officially announced that ..., a statement has been issued to the effect that ...; **etw ~ lassen** to let sth be announced *or* made known.

Verlautbarung *f* announcement; (*inoffiziell*) report.

verlauten* **I** *vi* **etwas/nichts ~ lassen** to give an/no indication, to say something/nothing; **er hat ~ lassen, daß ...** he indicated that ...

II *vi impers* **aux sein** *or* **haben es verlautet, daß ...** it is reported that ...; **wie aus Bonn verlautet** according to reports from Bonn.

verleben* *vt* to spend. **eine schöne Zeit ~** to have a nice time.

verlebt *adj* worn-out, dissipated.

verlegen¹* **I** *vt* **1.** (*an anderen Ort*) to transfer, to move.
2. (*verschieben*) to postpone (*auf* +*acc* until); (*vorverlegen*) to bring forward (*auf* +*acc* to).
3. (*an falschen Platz legen*) to mislay.
4. (*anbringen*) *Kabel, Fliesen* to lay.
5. (*drucken lassen*) to publish.

II *vr* **sich auf etw** (*acc*) **~** to resort to sth; **er hat sich neuerdings auf Golf verlegt** he has taken to golf recently.

verlegen² *adj* **1.** embarrassed *no adv.* **~ sah er zu Boden** he looked at the floor in embarrassment. **2. um Worte/eine Antwort ~ sein** to be lost *or* at a loss for words/an answer; **um Geld ~ sein** to be financially embarrassed.

Verlegenheit *f* **1.** *no pl* (*Betretenheit, Befangenheit*) embarrassment. **jdn in ~ bringen** to embarrass sb; **in ~ kommen** *or* **geraten** to get *or* become embarrassed.
2. (*unangenehme Lage*) embarrassing *or* awkward situation. **wenn er in finanzieller ~ ist** when he's in financial difficulties, when he's financially embarrassed; **ich bin (finanziell) zur Zeit leider etwas in ~** I'm afraid I'm rather short (of funds) at the moment.

Verlegenheitslösung *f* stopgap.

Verleger(in *f*) *m* **-s, -** publisher; (*Händler*) distributor.

Verlegung *f* **1.** (*räumlich*) transfer, moving. **2.** (*zeitlich*) postponement (*auf* +*acc* until); (*Vor~*) bringing forward (*auf* +*acc* to). **3.** (*von Kabeln*) laying.

verleiden* *vt* **jdm etw ~** to spoil sth for sb, to put sb off sth; **das ist mir jetzt schon verleidet** you've/he's put me off it.

Verleih *m* **-(e)s, -e 1.** (*Unternehmen*) rental *or* hire company; (*Auto~*) car rental *or* hire; (*Film~*) distributor(s). **2.** (*das Verleihen*) renting (out), hiring (out); (*Film~*) distribution. **der ~ von Büchern** the lending *or* loan of books.

verleihen* *vt irreg* **1.** (*verborgen*) to lend, to loan (*an jdn* to sb); (*gegen Gebühr*) to rent (out), to hire (out).
2. (*zuerkennen*) to award (*jdm* (to) sb); *Titel, Ehrenbürgerrechte* to confer, to bestow (*jdm* on sb); *Amt* to bestow (*jdm* upon sb).
3. (*geben, verschaffen*) to give; *Eigen-*

schaft, Klang, Note auch to lend.

Verleiher *m* **-s,** - hire *or* rental firm; (*von Kostümen*) renter, hirer; (*von Filmen*) distributor, (firm of) distributors *pl*; (*von Büchern*) lender.

Verleihung *f siehe vt 1., 2.* **1.** lending, loan(ing); renting, rental, hire, hiring. **2.** award(ing); conferment, conferring, bestowal, bestowment.

verleiten* *vt* **1.** (*verlocken*) to tempt; (*verführen*) to lead astray. **jdn zur Sünde ~** to lead sb into sin; **jdn zum Stehlen/ Lügen ~** to lead *or* encourage sb to steal/lie; **jdn zu einem Verbrechen ~** to lead *or* encourage sb to commit a crime; **jdn zum Ungehorsam ~** to encourage sb to be disobedient.
    2. (*veranlassen*) **jdn zu etw ~** to lead sb to sth; **jdn zu einem Irrtum ~** to lead sb to make *or* into making a mistake.

Verleitung *f* (*Verführung*) leading astray; (*zum Lügen, Stehlen*) encouragement.

verlernen* *vt* to forget, to unlearn. **das Tanzen ~** to forget how to dance.

verlesen* *irreg* **I** *vt* **1.** (*vorlesen*) to read (out); *Namen auch* to call out. **2.** *Gemüse, Linsen, Früchte* to sort; *Feldsalat* to clean. **II** *vr* (*beim Vorlesen*) to make a slip. **ich habe mich wohl ~** I must have read it wrong(ly), I must have misread it.

verletzbar *adj* (*lit, fig*) vulnerable.

Verletzbarkeit *f* (*lit, fig*) vulnerability.

verletzen* **I** *vt* **1.** (*verwunden*) to injure; (*in Kampf, mit Kugel, Messer*) to wound; (*fig*) *jdn* to hurt, to wound; *jds Stolz, Gefühle* to hurt, to wound, to injure; *jds Ehrgefühl* to injure, to offend; *jds Schönheitssinn, zarte Ohren* to offend. **das verletzt den guten Geschmack** it offends against good taste. **2.** *Gesetz* to break; *Pflicht, Rechte, Intimsphäre* to violate.
    II *vr* to injure oneself.

verletzend *adj Bemerkung* hurtful.

verletzlich *adj* vulnerable.

Verletzlichkeit *f* vulnerability.

Verletzte(r) *mf decl as adj* injured person; (*Unfall~ auch*) casualty; (*bei Kampf*) wounded man. **die ~n** the injured/the wounded; **es gab drei ~** three people were injured *or* hurt/wounded.

Verletzung *f* **1.** (*Wunde*) injury. **2.** *siehe vt* (*das Verletzen*) injuring; wounding; (*fig*) hurting, wounding; offending *etc.*

verleugnen* *vt* to deny; *Kind auch* to disown. **ich kann es nicht ~, daß ...** I cannot deny that ...; **es läßt sich nicht ~, daß ...** there is no denying that ...; **er läßt sich immer vor ihr ~** he always pretends not to be there when she calls; **sich (selbst) ~** to deny one's own self.

verleumden* *vt* to slander, to calumniate (*form*); (*schriftlich*) to libel.

Verleumder(in *f*) *m* **-s,** - *siehe vt* slanderer; libeller.

verleumderisch *adj siehe vt* slanderous; libellous.

Verleumdung *f* slandering; (*schriftlich*) libelling; (*Bemerkung*) slander, calumny; (*Bericht*) libel.

Verleumdungskampagne *f* smear campaign.

verlieben* *vr* to fall in love (*in +acc* with).

verliebt *adj Benehmen, Blicke, Worte* amorous. **(in jdn/etw) ~ sein** to be in love (with sb/sth); **die V~en** the courting couple/couples, the lovers.

Verliebtheit *f* being in love. **in einem Moment großer ~** feeling (all at once) tremendously in love.

verlieren *pret* **verlor,** *ptp* **verloren** **I** *vt* to lose; *Blätter auch* to shed. **jdn/etw aus dem Gedächtnis ~** to lose all memory of sb/sth, to forget sb/sth; **kein Wort über jdn/etw ~** not to say a word about sb/ sth; **wir brauchen kein Wort darüber zu ~** we don't need to waste any words on it; **an ihm hast du nichts verloren** he's no (great) loss; **das/er hat hier nichts verloren** (*inf*) that/he has no business to be here.
    II *vi* to lose. **sie hat an Charme verloren** she has lost some of her charm; **sie/ die Altstadt hat sehr verloren** she/the old town is not what she/it used to be; **durch etw ~** to lose (something) by sth.
    III *vr* **1.** (*Menschen*) to lose each other; (*Mensch: sich verirren*) to get lost, to lose one's way. **2.** (*verschwinden*) to disappear; (*verhallen*) to fade away, to die. **der Klang verlor sich in dem riesigen Saal** the sound was lost in the enormous room. **3.** (*fig*) (*geistesabwesend sein*) to become lost to the world; (*abschweifen*) to lose one's train of thought. **sich in etw** (*acc*) **~** to become absorbed in sth; **sich in etw** (*dat*) **~** to get *or* become lost in sth; *siehe* **verloren.**

Verlierer(in *f*) *m* **-s,** - loser.

Verliererstraße *f* **auf der ~ sein** (*inf*) to be on the downward slope.

Verlies *nt* **-es, -e** dungeon.

verloben* **I** *vr* (*mit zu*) to become *or* get engaged. **II** *vt* **jdn mit jdm ~** to betroth sb to sb (*old*); **verlobt sein** to be engaged (*mit to*).

Verlobte(r) *mf decl as adj* **mein ~r** my fiancé; **meine ~** my fiancée; **die ~n** the engaged couple.

Verlobung *f* engagement.

Verlobungs- *in cpds* engagement; **Verlobungsanzeige** *f* engagement announcement; **Verlobungszeit** *f* engagement.

verlocken* *vti* to entice, to tempt.

verlockend *adj* enticing, tempting.

Verlockung *f* enticement, temptation; (*Reiz*) allure.

verlogen *adj Mensch* lying, mendacious; *Komplimente, Versprechungen* false; *Moral, Freundlichkeit, Gesellschaft* hypocritical.

Verlogenheit *f siehe adj* mendacity; falseness; hypocrisy.

verlor *pret of* **verlieren.**

verloren **I** *ptp of* **verlieren.**
    II *adj* **1.** lost; (*einsam auch*) forlorn; (*Cook*) *Eier* poached. **2.** vain. **der ~e Sohn** (*Bibl*) the prodigal son; **jdn/etw ~ geben** to give sb/sth

up for lost; **auf ~em Posten kämpfen** or **stehen** to be fighting a losing battle or a lost cause.

verlorengehen vi sep irreg aux sein to get or be lost; (Zeit, Geld) to be lost or wasted. **an ihm ist ein Sänger verlorengegangen** he would have made a (good) singer, he ought to have been a singer.

Verlorenheit f forlornness.

verlöschen pret **verlosch**, ptp **verloschen** vi aux sein to go out; (Inschrift, Farbe, Tinte) to fade; (Mond, Sterne) to set; (Erinnerung, Ruhm) to fade (away). **sein Leben(slicht) ist verloschen** (liter) he has departed this life (liter).

verlosen* vt to raffle (off). **wir ~ das letzte Stück Kuchen** we'll draw lots for the last piece of cake.

Verlosung f (das Verlosen) raffling; (Lotterie) raffle, draw; (Ziehung) draw.

verlöten* vt to solder. **einen ~** (sl hum: trinken) to have a quickie (inf).

verlottern* vi aux sein (inf) (Stadt, Restaurant) to go or become run down; (Garten) to run wild; (Mensch) to go to the dogs; (moralisch) to go to the bad. **er verlottert immer mehr** he is sliding further and further downhill.

verlottert adj (inf) Stadt run-down; Garten wild; Mensch, Aussehen scruffy; (moralisch) dissolute.

verludern* (inf) **I** vi aux sein to go to the bad. **II** vt Geld to squander, to fritter away.

verlumpt adj (inf) down and out; Kleider worn-out. **~ herumlaufen** to go about in rags.

Verlust m -(e)s, -e loss. **~e** pl losses pl; (Tote auch) casualties pl; (bei Glücksspiel) losses pl; **schwere ~e haben/ machen** to sustain/make heavy losses; **mit ~ verkaufen** to sell at a loss.

Verlust|anzeige f "lost" notice; **Verlustbetrieb** m (inf) loss-making business, loss-maker, lame duck (inf); **verlustbringend** adj loss-making; **~ arbeiten** to work at a loss; **Verlustgeschäft** nt (Firma) loss-making business, loss-maker; **ich habe es schließlich verkauft, aber das war ein ~** I sold it eventually, but I made a loss or but at a loss.

verlustieren* vr (hum) to amuse oneself.

verlustig adj (form) (einer Sache (gen)) **gehen** or **werden** to forfeit or lose sth; **jdn seiner Rechte für ~ erklären** to declare sb's rights forfeit.

Verlustliste f (Mil) casualty list, list of casualties; **Verlustmeldung** f **1.** report of the loss; **der Absender muß eine ~ machen** the sender must report the loss; **2.** (Mil) casualty report, casualty figures pl; **verlustreich** adj **1.** (Comm) Firma heavily loss-making; **ein ~es Jahr** a year in which heavy losses were made; **2.** (Mil) Schlacht involving heavy losses or casualties.

vermachen* vt jdm etw ~ to leave or bequeath sth to sb, (inf: gehen) to bequeath sth to sb; **jdm etw als Schenkung ~** to bequeath sth to sb.

Vermächtnis nt bequest, legacy; (fig)

legacy.

vermahlen* vt to grind.

vermählen* (form) **I** vt to marry, to wed. **frisch vermählt sein** to be newly married or wed(ded). **II** vr sich (mit jdm) ~ to marry or wed (sb); „**wir haben uns vermählt ...**" "the marriage is announced of ...".

Vermählte(r) mf decl as adj **die beiden ~n** the newly-married couple; **die/der soeben ~** the bride/(bride)groom.

Vermählung f (form) marriage.

Vermählungs|anzeige f marriage announcement.

vermaledeit adj (old) (ac)cursed (old), damned.

vermanschen* vt (inf) to mash up.

vermarkten* vt to market; (fig) to commercialize.

Vermarktung f marketing; (fig) commercialization.

vermasseln* vt (inf) to ruin, to mess up (inf); Prüfung, Klassenarbeit to make a mess or cock-up (Brit sl) of.

vermassen* **I** vi aux sein to lose one's identity or individuality, to become stereotyped. **die Gesellschaft vermaßt immer mehr** society is becoming more and more uniform. **II** vt die Gesellschaft to make uniform.

Vermassung f loss of identity or individuality, stereotyping, de-individualization. **die ~ der Gesellschaft** the stereotyping of society.

vermatscht adj (dial) squashy.

vermauern* vt to wall or brick up.

vermehren* **I** vt to increase; (fortpflanzen) to breed; Bakterien to multiply. **vermehrt** increased; **diese Fälle treten vermehrt auf** these cases are occurring with increased or increasing frequency.

    II vr to increase; (sich fortpflanzen) to reproduce, to breed; (Bakterien) to multiply; (Pflanzen) to propagate.

Vermehrung f siehe vb increase; reproduction, breeding; multiplying; propagation.

vermeidbar adj avoidable.

vermeiden* vt irreg to avoid; Frage auch to evade. **~, daß eine Sache an die Öffentlichkeit dringt** to avoid letting a matter become public; **es läßt sich nicht ~** it cannot be avoided or helped, it is inevitable or unavoidable; **es läßt sich nicht ~, daß ...** it is inevitable or unavoidable that ...; **nicht, wenn ich es ~ kann** not if I can avoid or help it.

Vermeidung f avoidance. **die ~ eines Skandals ist nur dann möglich, wenn ...** a scandal can only be avoided if ...; **zur ~** (+gen) or **von** to avoid.

Vermeil [vɛr'mɛːj] nt -s, no pl gilded silver.

vermeinen* vt (geh) to think. **ich vermeinte, eine Stimme zu hören** I thought I heard a voice.

vermeintlich adj attr putative, supposed; Täter, Vater eines Kindes putative.

vermelden* vt **1.** (liter: mitteilen) to announce. **was hast du Neues zu ~?** (hum) what news do you have to announce *or* report? **2.** *Erfolg* to report.

vermengen* *vt* to mix; *(fig inf: durcheinanderbringen) Begriffe* to mix up, to confuse.

Vermengung *f* mixing.

vermenschlichen* *vt* to humanize; *(als Menschen darstellen auch)* to anthropomorphize.

Vermenschlichung *f siehe vt* humanization; anthropomorphization.

Vermerk *m* **-(e)s, -e** note, remark; *(im Kalender auch)* entry; *(in Paß)* observation; *(postalisch)* remark; *(Stempel)* stamp.

vermerken* *vt* **1.** to make a note of, to note (down), to write down; *(in Paß, Karte) Namen, Datum* to record. **2.** *(zur Kenntnis nehmen)* to note, to take a (mental) note of. **jdm etw übel ~** to take sth amiss.

vermessen¹* *irreg* **I** *vt* to measure; *Land, Gelände* to survey. **II** *vr* **1.** *(geh) (sich anmaßen)* to dare. **wie kann er sich ~, ...?** how dare he ...? **2.** *(falsch messen)* to measure wrongly.

vermessen² *adj (anmaßend)* presumptuous; *Diener* impudent; *(kühn) Unterfangen* bold.

Vermessenheit *f, no pl siehe adj* presumption, presumptuousness; impudence; boldness. **es wäre eine ~, das zu tun** that would be an act of some temerity.

Vermessung *f* measurement; *(von Land, Gelände)* survey.

Vermessungsamt *nt* land survey(ing) office; **Vermessungsingenieur(in f)** *m* land surveyor; **Vermessungsschiff** *nt* survey ship.

vermiesen* *vt (inf)* **jdm etw ~** to spoil sth for sb; **das hat mir den Urlaub vermiest** that spoiled my holiday.

vermietbar *adj* rentable. **schlecht ~** difficult to rent (out) *or* let (out) *(esp Brit)*; **es ist nur als Büroraum ~** it can only be rented (out) *or* let (out) *(esp Brit)* as office premises.

vermieten* **I** *vt* to rent (out), to let (out) *(esp Brit)*, to lease *(Jur)*; *Boot, Auto* to rent (out), to hire (out), to lease *(Jur)*. **Zimmer zu ~** room to let *(esp Brit) or* for rent. **II** *vi* to rent (out) *or* let (out) *(esp Brit)* a room/rooms.

Vermieter *m* **-s, -** lessor; *(von Wohnung)* landlord, lessor *(Jur)*.

Vermieterin *f* lessor; *(von Wohnung)* landlady, lessor *(Jur)*.

Vermietung *f siehe vt* renting (out), letting (out) *(esp Brit)*; rental, hiring (out).

vermindern* **I** *vt* to reduce, to decrease; *Zorn* to lessen; *Widerstandsfähigkeit, Reaktionsfähigkeit* to diminish, to reduce; *Schmerzen* to ease, to lessen, to reduce; *(Mus)* to diminish. **verminderte Zurechnungsfähigkeit** *(Jur)* diminished responsibility. **II** *vr siehe vt* to decrease; to lessen; to diminish; *(Schmerzen)* to ease off, to lessen, to decrease.

Verminderung *f siehe vb* reduction (gen

of), decrease (gen); lessening; diminution; easing.

verminen* *vt* to mine.

Verminung *f* mining.

vermischen* **I** *vt* to mix; *Tabaksorten, Teesorten* to blend. **vermischte Schriften** miscellaneous writings; **„Vermischtes"** "miscellaneous".

II *vr* to mix; *(Rassen auch)* to interbreed; *(Elemente, Klänge, Farben)* to blend, to mingle. **wo sich Tradition und Fortschritt ~** where tradition and progress are blended (together) *or* combined.

Vermischung *f siehe vb* mixing, mixture; blending; interbreeding; blending, mingling; *(von Gefühlen, Stilebenen, Metaphern)* mixture.

vermissen* *vt* to miss. **vermißt werden** to be missing; **als vermißt gemeldet sein** to be reported missing; **ich vermisse zwei silberne Teelöffel** two (of my) silver teaspoons are missing; **etw an jdm/etw ~** to find sb/sth lacking in sth; **wir haben dich bei der Party vermißt** we didn't see you at the party; **entschuldige, daß ich zu spät komme — wir hatten dich noch gar nicht vermißt** sorry I'm late — we hadn't even noticed you weren't here; **etw ~ lassen** to lack sth, to be lacking in sth.

Vermißten|anzeige *f* missing persons report. **eine ~ aufgeben** to report someone (as) missing.

Vermißte(r) *mf decl as adj* missing person.

vermittelbar *adj Idee, Gefühl* communicable; *Arbeitsloser* placeable.

Vermittelbarkeit *f* **die hohe/niedrige ~ eines Arbeitslosen** the ease/difficulty of placing an unemployed person.

vermitteln* **I** *vt* to arrange *(jdm* for sb); *Stelle, Briefpartner, Privatschüler* to find *(jdm* for sb); *Aushilfskräfte, Lehrer* to find jobs *or* positions for, to place; *(Telec) Gespräch* to put through, to connect; *Hypotheken, Kredite, Geschäfte* to arrange, to negotiate *(jdm* for sb); *Wertpapiere* to negotiate; *Lösung, Kompromiß, Waffenstillstand* to arrange, to negotiate, to mediate; *Gefühl, Bild, Idee, Einblick* to convey, to give *(jdm* to sb); *Verständnis* to give *(jdm* (to) sb); *Wissen* to impart *(jdm* to sb). **jdm etw ~** to get sth for sb; **kennen Sie jemanden, der Wohnungen vermittelt?** do you know (anybody who acts as) an agent for renting/buying flats? **ich kann dir eine billige Ferienwohnung ~** I can get you a cheap holiday flat; **wir ~ Wohnungen** we are agents for flats.

II *vi* to mediate, to act as mediator *or* a go-between. **~d eingreifen** to intervene; **~de Worte** conciliatory words.

vermittels(t) *prep* +*gen (form)* by means of.

Vermittler(in f) *m* **-s, - 1.** mediator, go-between. **2.** *(Comm)* agent; *(Fin, Heirats~)* broker; *(von Anleihe)* negotiator; *(Stellen~)* clerk in/manager of/person who works in an employment agency *or* bureau.

Vermittlergebühr *f* commission; *(Fin*

auch) brokerage; **Vermittlerrolle** f role of mediator.

Vermittlung f 1. *siehe* vt arranging, arrangement; finding; finding of jobs *or* positions (+*gen* for); placing; connection; negotiation; mediation; conveying; giving; imparting. **ich habe das Zimmer/ die Stelle durch ~ eines Freundes bekommen** I got the room/job through (the agency *of form*) *or* via a friend; **durch seine freundliche ~** with his kind help; **zur ~ eines besseren Eindrucks** to give *or* convey a better impression. 2. (*Schlichtung*) mediation. **eine ~ zwischen den beiden ist mir leider nicht gelungen** unfortunately I was unable to reconcile them *or* to bring about a reconciliation between them. 3. (*Stelle, Agentur*) agency; (*Heirats~*) marriage bureau *or* agency; (*Wohnungs~*) estate agent's *or* agency (*Brit*), realtor (*US*); (*Arbeits~*) employment agency. 4. (*Telec*) (*Amt*) exchange; (*in Firma*) switchboard; (*Mensch*) operator.

Vermittlungsamt nt (*Telec*) telephone exchange; **Vermittlungsausschuß** m mediation committee; **Vermittlungsbemühungen** pl efforts to mediate pl; **Vermittlungschance** f *usu* pl chance of being placed in a job; **Vermittlungsgebühr** f commission; **Vermittlungsversuch** m attempt at mediation.

vermöbeln* vt (*inf*) to beat up; (*als Strafe*) to thrash.

vermocht ptp of **vermögen**.

vermodern* vi aux sein to moulder, to decay.

vermögen pret **vermochte**, ptp **vermocht** vt, v aux (*geh*) **etw zu tun ~, (es) ~, etw zu tun** to be able to do sth, to be capable of doing sth; **er vermochte es nicht, sich von den Fesseln zu befreien** he was unable *or* was not able to free himself from the chains; **viel/wenig ~** to be capable of a lot/not to be capable of very much; **Geduld vermag viel bei ihm** patience works wonders with him.

Vermögen nt -s, - 1. (*Reichtum, viel Geld*) fortune. **das ist ein ~ wert** it's worth a fortune; **eine Frau, die ~ hat** a woman who has money, a woman of means; **die erste Frage war, ob ich ~ habe** the first question was whether I had private means. 2. (*Besitz*) property. **mein ganzes ~ besteht aus ...** my entire assets consist of ...; **die Verteilung des ~s in einem Land** the distribution of wealth within a country. 3. (*Können*) ability, capacity; (*Macht*) power.

vermögend adj (*reich*) wealthy, well-off. **ein ~er Mann** a man of means, a wealthy man.

Vermögensabgabe f property levy; **vermögensbildend** adj wealth-creating; **Vermögensbildung** f creation of wealth; (*durch Prämiensparen*) wealth formation by long-term saving with tax concessions; **Vermögenserklärung** f statement of property; (*Wertpapiere*)

statement of assets; **Vermögenspolitik** f policy on the distribution of wealth; **Vermögenssteuer** f wealth tax; **Vermögensverhältnisse** pl financial *or* pecuniary circumstances pl; **Vermögensverteilung** f distribution of wealth; **Vermögenswerte** pl assets pl; **vermögenswirksam** adj profitable, profit-yielding; **Geld ~ investieren** to invest money profitably; **~e Leistungen** employer's contributions to tax-deductible savings scheme; **Vermögenszuwachs** m increase of wealth.

vermottet adj (*lit, fig*) moth-eaten.

vermummen* I vt to wrap up (warm). II vr 1. to wrap (oneself) up (warm). **vermummte Gestalten in einer Winterlandschaft** muffled-up figures in a winter landscape. 2. (*sich verkleiden*) to disguise. **eine vermummte Gestalt betrat den Raum** a cloaked figure entered the room; **vermummte Demonstranten** masked demonstrators.

Vermummung f disguise; (*von Demonstranten*) covering of the face.

Vermummungsverbot nt (*Jur*) **das ~ bei Demonstrationen** the law requiring demonstrators to leave their faces uncovered.

vermurksen* vt (*inf*) **etw ~/sich** (*dat*) **etw ~** to mess sth up (*inf*), to make a mess of sth.

vermuten* vt to suspect. **ich vermute es nur** that's only an assumption, I'm only assuming that, that's only what I suspect to be the case; **wir haben ihn dort nicht vermutet** we did not expect *or* think to find/see him there; **es ist zu ~, daß ...** it may be supposed that ..., we may assume *or* presume that ...; **die Entwicklung läßt ~, daß ...** developments lead one to assume that *or* give rise to the suspicion *or* supposition that ...

vermutlich I adj attr presumable; *Täter* suspected. II adv presumably.

Vermutung f (*Annahme*) supposition, assumption; (*Mutmaßung*) conjecture; (*Verdacht*) suspicion. **die ~ liegt nahe, daß ...** there are grounds for the supposition *or* assumption that ...; **das sind alles nur ~en** that is pure conjecture, those are purely suppositions *or* assumptions; **wir sind nur auf ~en angewiesen** we have to rely on suppositions *or* assumptions *or* guesswork; **meine ~en waren doch richtig** my guess *or* suspicion was right.

vernachlässigen* I vt to neglect; (*Schicksal*) jdn to be unkind *or* harsh to. **das können wir ~** (*nicht berücksichtigen*) we can ignore that. II vr to neglect oneself *or* one's appearance.

Vernachlässigung f *siehe* vt neglect; (*Nichtberücksichtigung*) ignoring.

vernageln* vt to nail up. **etw mit Brettern ~** to board sth up.

vernagelt adj (*fig inf*) thick no adv (*inf*), wooden-headed (*inf*); (*engstirnig*) small-minded.

vernähen* vt to neaten; *Wunde* to stitch (up); (*verbrauchen*) to use up.

vernarben* vi aux sein to heal *or* close

(up).

Vernarbung f healing. **eine gute ~** a good heal.

vernarren* vr (inf) **sich in jdn/etw ~** to fall for sb/sth, to be smitten by sb/sth; **in jdn/etw vernarrt sein** to be crazy (inf) or nuts (sl) about sb/sth, to be infatuated with sb.

Vernarrtheit f, no pl infatuation (in +acc with).

vernaschen* vt Süßigkeiten to eat up; Geld to spend on sweets; (inf) Mädchen, Mann to make it with (inf).

vernebeln* vt (Mil) to cover with a smoke screen; (fig) Tatsachen to obscure, to obfuscate (form); (inf) Zimmer to fug up. **die Dinge ~** to confuse the issue, to muddy the waters.

Verneb(e)lung f, no pl; (fig: von Tatsachen) obscuring.

vernehmbar adj (hörbar) audible, perceptible.

vernehmen* vt irreg **1.** (hören) to hear. **2.** (erfahren) to hear, to learn. **3.** (Jur) Zeugen, Angeklagte to examine; (Polizei) to question. **zu diesem Fall wurden fünfzig Zeugen vernommen** fifty witnesses were heard in connection with this case.

Vernehmen nt: **dem ~ nach** from what I/we etc hear; **gutem/sicherem ~ nach** according to well-informed/reliable sources.

vernehmlich adj clear, audible. **sich ~ räuspern** to clear one's throat audibly or loudly.

Vernehmung f (Jur: von Zeugen, Angeklagten) examination; (durch Polizei) questioning.

Vernehmungsbeamte(r) m police interrogator; **vernehmungsfähig** adj able to be examined/questioned.

verneigen* vr to bow. **sich vor jdm/etw ~** (lit) to bow to sb/sth; (fig) to bow down before sb/sth.

Verneigung f bow, obeisance (form) (vor +dat before). **eine ~ machen** to bow.

verneinen* vti Frage to answer in the negative; (leugnen) Tatsache, Existenz Gottes to deny; These, Argument to dispute; (Gram, Logik) to negate. **die verneinte Form** the negative (form).

verneinend adj (auch Gram) negative. **er schüttelte ~ den Kopf** he shook his head.

Verneinung f (Leugnung) denial; (von These) disputing; (Gram, Philos) negation; (verneinte Form) negative. **die ~ meiner Frage** the negative answer to my question.

vernetzen* vt (esp Mot) to link up, to integrate; (Comput) to network.

Vernetzung f (esp Mot) linking-up, integration; (Comput) networking.

Vernetzungskonzept nt (Mot) integration concept; (Comput) networking concept.

vernichten* vt (lit, fig) to destroy; Schädlinge, Menschheit auch to exterminate; Menschheit, Feind auch to annihilate.

vernichtend adj devastating; Blick auch withering; Niederlage crushing; Kritik scathing. **~ über jdn urteilen** to make a devastating appraisal of sb; **jdn ~ schlagen** (Mil) to destroy sb utterly; (Sport) to beat sb hollow.

Vernichtung f siehe vt destruction; extermination; annihilation.

Vernichtungskrieg m war of extermination; **Vernichtungslager** nt (esp NS) extermination camp; **Vernichtungsmittel** nt insecticide; (Unkraut~) weedkiller; **Vernichtungsschlag** m devastating blow; **das war der ~ für die Regierung** that was the final blow for the government; **Vernichtungswaffe** f destructive or doomsday weapon.

vernickeln* vt to nickel-plate.

verniedlichen* vt to trivialize.

vernieten* vt to rivet.

Vernissage [vɛrnɪˈsaːʒə] f -, -n (Eröffnung) opening day.

Vernunft f -, no pl reason (auch Philos), good sense. **zur ~ kommen** to come to one's senses; **~ annehmen** to see reason; **nimm doch ~ an!** why don't you see reason?; **jdm ~ predigen** to reason with sb; **gegen alle (Regeln der) ~** against all (the laws of) reason; **~ walten lassen** (geh) to let reason prevail; **~ beweisen** to show (good) sense or common sense; **etw mit ~ essen/trinken** to eat/drink sth with appreciation; **Kinder zur ~ erziehen** to bring children up to be sensible; siehe bringen.

vernunftbegabt adj rational, endowed with reason; **Vernunftbegriff** m concept of reason; **Vernunftehe** f (lit, fig) marriage of convenience; **vernunftgemäß** adv rationally, from a rational point of view; **Vernunftglaube(n)** m rationalism; **Vernunftgründe** pl rational grounds pl; **Vernunftheirat** f marriage of convenience.

vernünftig I adj sensible; (logisch denkend) rational; (inf) (ordentlich, anständig) decent; (annehmbar) reasonable. **sei doch ~!** be sensible or reasonable!; **ich kann keinen ~en Gedanken fassen** I can't think properly.

II adv siehe adj sensibly; rationally; decently; reasonably; (tüchtig) properly (inf). **~ reden** (inf) to speak properly; **er kann ganz ~ kochen** (inf) he can cook reasonably well.

Vernünftigkeit f sensibleness; (von Mensch auch) sense.

Vernunftmensch m rational person; **vernunftwidrig** adj irrational.

veröden* **I** vt (Med) Krampfadern to sclerose. **II** vi aux sein to become desolate; (sich entvölkern auch) to become deserted; (fig: geistig ~) to become stultified.

Verödung f **1.** desolation; (Entvölkerung) depopulation; (fig) stultification. **2.** (Med: von Krampfadern) sclerosis.

veröffentlichen* vti to publish.

Veröffentlichung f publication.

verordnen* vt **1.** to prescribe, to order; Medikament auch (jdm etw sth for sb). **2.** (old: verfügen) to decree, to ordain.

Verordnung f **1.** (Med) prescription.

nach ~ des Arztes einzunehmen to be taken as directed by the doctor. **2.** (*form: Verfügung*) regulation.

verpachten* *vt* to lease, to rent out (*an* +*acc* to).

Verpächter(in *f*) *m* **-s, -** lessor.

Verpachtung *f* lease.

verpacken* *vt* to pack; (*verbraucherge-recht*), (*fig*) *Gedanken* to package; (*ein-wickeln*) to wrap.

Verpackung *f siehe vt* packing; packaging; wrapping.

Verpackungsgewicht *nt* (*Comm*) weight of packaging, tare (weight); **Ver-packungsindustrie** *f* packaging indus-try; **Verpackungsmaterial** *nt* packag-ing; **Verpackungsmüll** *m* superfluous packaging.

verpäppeln* *vt* (*inf*) to mollycoddle (*inf*), to pamper (*inf*).

verpassen* *vt* **1.** (*versäumen*) to miss; *Gelegenheit auch* to waste; *siehe* **An-schluß.**

2. (*inf: zuteilen*) **jdm etw ~** to give sb sth; (*aufzwingen*) to make sb have sth; **jdm eins** *or* **eine** *or* **eine Ohrfeige/eine Tracht Prügel ~** to clout sb one (*inf*)/ give sb a good hiding (*inf*); **jdm einen Denkzettel ~** to give sb something to think about (*inf*).

verpatzen* *vt* (*inf*) to spoil; *Vereinbarung auch* to mess up (*inf*) **sich** (*dat*) **etw ~** to spoil sth/mess sth up (*inf*)/make a mess of sth.

verpennen* (*inf*) **I** *vt* (*verpassen*) *Termin, Zeit* to miss by oversleeping; (*schlafend verbringen*) *Tag, Morgen* to sleep through; *Leben* to sleep away; (*fig: nicht bemerken*) to sleep through. **II** *vir* to oversleep.

verpennt *adj* (*inf*) sleepy; (*trottelig: Mensch*) dozy. **ein ~er Typ** (*Vielschlä-fer*) a sleepy-head (*inf*); (*Trottel*) a dummy (*inf*).

verpesten* *vt* to pollute, to contaminate. **die Luft im Büro ~** (*inf*) to stink out the office.

Verpestung *f* pollution, contamination.

verpetzen* *vt* (*inf*) to tell *or* sneak on (*inf*) (*bei* to).

verpfänden* *vt* to pawn, to (put in) hock (*inf*); (*Jur*) to mortgage. **(jdm) sein Wort ~** (*obs*) to pledge one's word (to sb).

Verpfändung *f* pawning; (*Jur*) mortgage.

verpfeifen* *vt irreg* (*inf*) to grass on (*bei* to) (*inf*).

verpflanzen* *vt* (*Bot, Med, fig*) to transplant; *Topfpflanzen* to repot; *Haut* to graft.

Verpflanzung *f siehe vt* transplantation; repotting; grafting; (*Med*) transplant.

verpflegen* **I** *vt* to feed; (*Mil*) *Heer auch* to ration. **II** *vr* **sich** (*selbst*) **~** to feed oneself; (*selbst kochen*) to cook for one-self.

Verpflegung *f* **1.** (*das Verpflegen*) cater-ing; (*Mil*) rationing. **die ~ von 4 Leuten** feeding 4 people, catering for 4 people. **2.** (*Essen*) food; (*Mil*) rations *pl*, provi-sions *pl*. **mit voller ~** including food; (*mit Vollpension*) with full board.

Verpflegungskosten *pl* cost of food *sing*;

Verpflegungsmehraufwand *m* addi-tional meal allowance.

verpflichten* **I** *vt* **1.** (*moralische Pflicht auferlegen*) to oblige, to place under an obligation. **verpflichtet sein, etw zu tun, zu etw verpflichtet sein** to be obliged to do sth; **sich verpflichten, etw zu tun, sich zu etw verpflichtet fühlen** to feel obliged to do sth; **jdm verpflichtet sein** to be under an obligation to sb; **sich jdm verpflichtet fühlen** to feel under an obligation to sb.

2. (*binden*) to commit; (*vertraglich, durch Eid, durch Handschlag*) to bind. **verpflichtet sein, etw zu tun** to be committed to doing sth; **jdn auf die Ver-fassung ~** to make sb swear to uphold the constitution; **auf die Verfassung ver-pflichtet werden** to be sworn to uphold the constitution; **~d** *Zusage, Unter-schrift, Versprechen* binding.

3. (*einstellen*) to engage; *Sportler* to sign on; (*Mil*) to enlist.

II *vi* (*moralische Pflicht darstellen*) to carry an obligation (*zu etw* to do sth); (*bindend sein*) to be binding. **das ver-pflichtet zu nichts** there is no obligation involved; *siehe* **Adel.**

III *vr* (*moralisch*) to make a commit-ment; (*eidlich, vertraglich*) to commit oneself; (*Mil*) to enlist, to sign up. **sich zu etw ~** to undertake to do sth; (*ver-traglich, eidlich*) to commit oneself to doing sth.

Verpflichtung *f* **1.** (*das Verpflichten*) obli-gation (*zu etw* to do sth); (*Pflicht auch, finanzielle ~*) commitment (*zu etw* to do sth); (*Aufgabe*) duty. **dienstliche ~en** official duties; **seinen ~en nachkommen** to fulfil one's obligations.

2. (*Einstellung*) engaging; (*von Sportlern*) signing on; (*Mil*) enlistment.

3. (*das Sich-Verpflichten*) (*für, auf* +*acc* for) signing on; (*Mil*) signing up.

verpfuschen* *vt* (*inf*) *Arbeit* to bungle, to make a mess of; *Leben, Erziehung, Ur-laub* to muck up (*inf*), to ruin.

verpiepelt, verpimpelt *adj* (*dial*) soft (*inf*). **tu nicht so ~** don't act *or* be so soft (*inf*).

verpissen* *vr* (*sl*) to piss off (*sl*).

verplanen* I *vt* *Zeit* to book up; *Geld* to budget. **II** *vr* to plan badly *or* wrongly; (*falsch berechnen*) to miscalculate.

verplappern* *vr* (*inf*) to open one's mouth too wide (*inf*).

verplaudern* **I** *vt* (*inf*) *Zeit* to talk *or* chat away. **II** *vr* (*inf*) to forget the time talk-ing *or* chatting.

verplempern* **I** *vt* (*inf*) *Zeit* to waste, to fritter away; *Geld auch* to squander. **II** *vr* to waste oneself.

verplomben* *vt* to seal.

verpönt *adj* frowned (up)on (*bei* by).

verprassen* *vt* to blow (*inf*) (*für* on). **etw sinnlos ~** to fritter sth away.

verprellen* *vt* to put off, to intimidate.

verprügeln* *vt* to thrash, to beat up.

verpuffen* *vi aux sein* to (go) pop; (*fig*) to fall flat.

verpulvern* *vt* (*inf*) to fritter away.

verpumpen* *vt* (*inf*) to lend out, to loan

(*an* +*acc* to).

verpuppen* *vr* to pupate.

verpusten* *vir* (*N Ger inf*) to get one's breath back.

Verputz *m* **-es**, *no pl* plaster, plasterwork; (*Rauhputz*) roughcast.

verputzen* *vt* **1.** *Gebäude, Wand* to plaster; (*mit Rauhputz*) to roughcast. **2.** (*inf: aufessen*) to polish off (*inf*), to demolish (*inf*).

verqualmen* *vt Zimmer* to fill with smoke; (*inf*) *Zigaretten* to smoke; *Geld* to spend on smoking. **ein verqualmtes Zimmer** a room full of smoke.

verquast *adj* (*inf: verworren*) mixed-up; *Text* garbled; *Ideen* half-baked.

verquatschen* (*inf*) **I** *vt* to chat away. **II** *vr* **1.** (*lange plaudern*) to forget the time chatting. **2.** (*Geheimnis ausplaudern*) to open one's mouth too wide (*inf*).

verquellen* *vi irreg aux sein* to swell; (*Holz auch*) to warp. **verquollene Augen** puffy *or* swollen eyes.

verquer *adj* squint, skew-whiff (*inf*). **das ist eine ~e Optik** that's a twisted way of looking at things; (*jdm*) ~ **gehen** (*schiefgehen*) to go wrong (for sb); **das kommt mir jetzt etwas ~** that could have come at a better time.

verquicken* **I** *vt* **1.** (*Chem*) to amalgamate. **2.** (*fig*) to bring together, to combine; (*vermischen*) to mix. **eng miteinander verquickt** closely related. **II** *vr* **sich (miteinander)** ~ to combine.

Verquickung *f* **1.** amalgamation. **2.** (*fig*) combination.

verquirlen* *vt* to whisk.

verrammeln* *vt* to barricade.

verramschen* *vt* (*Comm*) to sell off cheap; (*inf auch*) to flog (*Brit inf*).

Verrat *m* **-(e)s**, *no pl* betrayal (*an* +*dat* of); (*Jur*) treason (*an* +*dat* against). ~ **an jdm üben** to betray sb.

verraten* *irreg* **I** *vt* **1.** *Geheimnis, Absicht, jdn* to betray, to give away; (*bekanntgeben, ausplaudern*) to tell; (*fig: erkennen lassen*) to reveal, to show. **nichts ~!** don't say a word!; **er hat es ~** he let it out.

2. *Freunde, Vaterland, gute Sache* to betray (*an* +*acc* to). ~ **und verkauft** (*inf*) well and truly sunk (*inf*).

II *vr* to give oneself away, to betray oneself.

Verräter(in *f*) *m* **-s**, - traitor (+*gen* to).

verräterisch *adj* treacherous, perfidious (*liter*); (*Jur*) treasonable; (*verdächtig*) *Blick, Lächeln* telling, telltale *attr*.

verrauchen* **I** *vi aux sein* (*fig: Zorn*) to blow over, to subside. **II** *vt Tabak, Zigarren* to smoke; *Geld* to spend on smoking.

verräuchern* *vt* to fill with smoke.

verraucht *adj* smoky, filled with smoke.

verrauschen* *vi aux sein* (*fig*) to die *or* fade away.

verrechnen* **I** *vt* (*begleichen*) to settle; *Scheck* to clear; *Lieferung, Leistungen, Guthaben* to credit/debit to an account; (*auszahlen*) to pay out; *Gutschein* to redeem. **etw mit etw** ~ to balance sth with sth, to offset sth against sth.

II *vr* to miscalculate; (*Rechenfehler machen*) to make a mistake/mistakes; (*inf: sich täuschen*) to be mistaken. **sich um eine Mark** ~ to be out by one mark.

Verrechnung *f siehe vt* settlement; clearing; crediting/debiting to an account; paying out; redemption. **„nur zur ~"** "A/C payee only".

Verrechnungseinheit *f* clearing unit; **Verrechnungsscheck** *m* crossed (*Brit*) *or* non-negotiable cheque; voucher check (*US*).

verrecken* *vi aux sein* (*vulg*) to die; (*elend sterben*) to die a wretched death. **er ist elend verreckt** he died like a dog (*inf*); **soll er doch ~!** let him bloody well die!; **zu Tausenden** ~ to perish in their thousands; **eine nicht ums V~** *or* **ums V~ nicht tun** (*sl*) to damn well (*inf*) *or* bloody well (*Brit sl*) refuse to do sth.

verregnen* *vi aux sein* to be spoilt *or* spoiled *or* ruined by rain.

verregnet *adj* rainy, wet.

verreiben* *vt irreg* to rub (*auf* +*dat* into); *Salbe* to massage (*auf* +*dat* into).

verreisen* *vi aux sein* to go away (on a trip *or* journey). **er ist verreist/geschäftlich verreist** he's away, he's out of town/away on business; **mit dem Auto/der Bahn** ~ to go on a car/train journey; (*in Urlaub*) to go on holiday by car/train.

verreißen* *vt irreg* (*kritisieren*) to tear to pieces.

verrenken* **I** *vt* to dislocate, to put out of joint; *Hals* to crick. **sich (dat) die Zunge** ~ to twist one's tongue; **lieber sich den Bauch** *or* **Magen ~, als dem Wirt was schenken** (*prov*) waste not, want not (*prov*); *siehe* **Hals**[1]. **II** *vr* to contort oneself.

Verrenkung *f* **1.** contortion. **~en machen** to contort oneself. **2.** (*Med: das Verrenken*) dislocation.

verrennen* *vr irreg* to get carried away. **sich in etw** (*acc*) ~ to get stuck on sth.

verrichten* *vt Arbeit* to perform, to carry out; *Andacht* to perform; *Gebet* to say.

Verrichtung *f siehe vt* performing, carrying out; performing; saying. **alltägliche/häusliche ~en** routine *or* daily/domestic *or* household tasks.

verriegeln* *vt* to bolt; (*Comput*) *Tastatur* to lock.

verringern* **I** *vt* to reduce; *Leistungen* to make deteriorate. **II** *vr* to decrease; (*Qualität auch, Leistungen*) to deteriorate; (*Abstand, Vorsprung auch*) to lessen, to diminish.

Verringerung *f siehe vb* reduction; decrease; deterioration; lessening, diminution.

verrinnen* *vi irreg aux sein* (*Wasser*) to trickle away (*in* +*dat* into); (*Zeit*) to elapse.

Verriß *m* **-sses**, **-sse** slating review.

verrohen* **I** *vt* to brutalize. **II** *vi aux sein* (*Mensch, Gesellschaft*) to become brutalized; (*Sitten*) to coarsen.

Verrohung *f* brutalization.

verrosten* *vi aux sein* to rust; (*fig: steif werden*) to get rusty. **verrostet** rusty.

verrotten* *vi aux sein* to rot; *(sich organisch zersetzen)* to decompose.
verrucht *adj* despicable, loathsome; *Tat auch* heinous; *(verrufen)* disreputable.
verrücken* *vt* to move, to disarrange.
verrückt *adj* 1. *(geisteskrank)* mad, insane.
   2. *(inf)* crazy, mad. ~ **auf** *(+acc)* or **nach** crazy or mad about *(inf)*; **wie ~** like mad or crazy *(inf)*; **die Leute kamen wie ~** loads of people came *(inf)*; **so etwas V~es!** what a crazy idea!; **jdn ~ machen** to drive sb crazy or mad or wild; **~ werden** to go crazy; **bei dem Lärm kann man ja ~ werden** this noise is enough to drive you round the bend *(inf)*; **ich werd' ~, (ich zieh aufs Land)!** (well,) I'll be blowed! *(inf)*; **du bist wohl ~!** you must be crazy or mad!; **~ spielen** to play up.
Verrückte(r) *mf decl as adj (inf)* lunatic.
Verrücktheit *f (inf)* madness, craziness; *(Handlung)* mad or crazy thing.
Verrücktwerden *nt:* **zum ~** enough to drive one mad or crazy or round the bend *(inf)*.
Verruf *m* **-(e)s,** *no pl* **in ~ kommen** or **geraten** to fall into disrepute; **jdn/etw in ~ bringen** to bring sb/sth into disrepute.
verrufen *adj* disreputable.
verrühren* *vt* to mix, to stir.
verrußen* *vi aux sein* become sooty.
verrutschen* *vi aux sein* to slip.
Vers [fɛrs] *m* **-es, -e** verse *(auch Bibl)*; *(Zeile)* line. **etw in ~e bringen** or **setzen** to put sth into verse; **~e machen** or **schmieden** *(inf)* to make up poems; **ich kann mir keinen ~ darauf machen** *(fig)* there's no rhyme or reason in it.
versachlichen* *vt* to objectify.
Versachlichung *f* objectification.
versacken* *vi aux sein* 1. *(lit)* to sink, to become submerged. 2. *(fig inf)* *(lange zechen)* to get involved in a booze-up *(inf)*; *(nicht wegkommen)* to stay on; *(herunterkommen)* to go downhill.
versagen* **I** *vt* **jdm/sich etw ~** to deny sb/oneself sth; *(verweigern)* to refuse sb sth; **ich kann es mir nicht ~, eine Bemerkung zu machen** I can't refrain from making a comment; **sich jdm ~** *(geh)* to refuse to give oneself to sb; **etw bleibt** or **ist jdm versagt** sth is denied sb, sb is denied sth; *siehe* **Dienst.**
   II *vi* to fail; *(Mensch: im Leben auch)* to be a failure; *(Gewehr)* to fail to function; *(Maschine auch)* to break down. **die Beine/Nerven versagten ihm** his legs/nerves gave way; **da versagt diese Methode** this method doesn't work there.
Versagen *nt* **-s,** *no pl* failure; *(von Maschine)* breakdown. **menschliches ~** human error.
Versagensangst *f usu pl* fear of failure.
Versager(in *f)* *m* **-s, -** failure, flop *(inf)*.
Versagung *f* denial; *(Entbehrung)* privation.
Versailler Vertrag [vɛr'zaiɐ] *m* Treaty of Versailles.
Versal [vɛr'zaːl] *m* **-s, Versalien** [-'zaːliən] *usu pl (Typ)* capital letter, cap *(Typ sl)*.
versalzen¹* *vt irreg* to put too much salt

in/on, to oversalt; *(inf: verderben)* to spoil; *siehe* **Suppe.**
versalzen² *adj* **Essen** too salty.
versammeln* **I** *vt* to assemble *(auch Mil)*, to gather together; *Truppen auch* to rally, to muster. **Leute um sich ~** to gather people around or about one; **vor versammelter Mannschaft** *(inf)* in front of or before the assembled company.
   II *vr* to assemble; *(Parlament)* to sit; *(Ausschuß, Verein, Mitglieder)* to meet; *(Tagung)* to convene.
Versammlung *f* 1. *(Veranstaltung)* meeting; *(versammelte Menschen)* assembly. 2. *siehe vt* assembly, gathering (together); rallying, mustering. 3. *siehe vr* assembly; sitting; meeting; convening.
Versammlungsfreiheit *f* freedom of assembly; **Versammlungslokal** *nt* meeting place; **Versammlungsraum** *m (in Hotel)* conference room; *(form: allgemein)* assembly room; **Versammlungsrecht** *nt* right of assembly; **Versammlungsverbot** *nt* prohibition of assembly.
Versand *m* **-(e)s,** *no pl* 1. *(das Versenden)* dispatch; *(das Vertreiben)* distribution. 2. *(Abteilung)* dispatch department. 3. *(inf: ~kaufhaus)* mail order firm.
Versandabteilung *f* dispatch department; **Versandanzeige** *f* shipping or dispatch advice; **Versandartikel** *m* article for dispatch; **Versandbahnhof** *m* dispatch station; **versandbereit** *adj* ready for dispatch; **Versandbuchhandel** *m* mail order book business; **Versanddokument** *nt usu pl* shipping document.
versanden* *vi aux sein* to silt (up); *(fig)* to peter out, to fizzle out *(inf)*.
versandfertig *adj siehe* **versandbereit**; **Versandgeschäft** *nt* 1. mail order firm; 2. *siehe* **Versandhandel; Versandgut** *nt* goods *pl* for dispatch; **Versandhandel** *m* mail order business; **Versandhaus** *nt* mail order firm or house; **Versandkosten** *pl* transport(ation) costs *pl*; **Versandpapiere** *pl* transport(ation) documents *pl*; **Versandtasche** *f* padded envelope, jiffy bag ®.
Versandung *f* silting (up); *(fig)* petering out, fizzling out *(inf)*.
Versandunternehmen *nt* mail order business; **Versandweg** *m* **auf dem ~** by mail order.
Versatz *m* **-es,** *no pl* 1. *(das Versetzen)* pawning. 2. *(Min)* packing, stowing.
Versatzstück *nt* 1. *(Theat)* set piece. 2. *(fig)* setting, background.
versaubeuteln* *vt (inf)* 1. *(verschlampen)* to go and lose *(inf)*. 2. *(verderben)* to mess up *(inf)*.
versauen* *vt (sl)* to mess up *(inf)*.
versauern* *vi (inf)* **I** *vi aux sein* to stagnate. **eine versauerte alte Jungfer** an embittered old spinster. **II** *vt* **jdm etw ~** to mess sth up *(inf)* or to ruin sth (for sb).
Versauerung, Versäuerung *f (von Gewässer, Boden)* acidification.
versaufen* *irreg (inf)* **I** *vt* **Geld** to spend on booze *(inf)*. **seinen Verstand ~** to drink oneself silly. **II** *vi aux sein (dial)* 1. *(ertrinken)* to drown. 2. *(Motor)* to

flood.

versäumen* *vt* to miss; *Zeit* to lose; *Pflicht* to neglect; (*Sw: aufhalten*) jdn to delay, to hold up. (es) ~, **etw zu tun** to fail to do sth; **das Versäumte** what one has missed; **die versäumte Zeit aufholen** to make up for lost time.

Versäumnis *nt* (*Fehler, Nachlässigkeit*) failing; (*Unterlassung*) omission; (*versäumte Zeit, Sch*) absence (*gen* from); (*Jur*) default (*gen* in).

Versäumnis|urteil *nt* (*Jur*) judgement by default.

Versbau *m* versification, metrical structure.

verschachern* *vt* (*pej*) to sell off.

verschachtelt *adj Satz* encapsulated, complex. **ineinander** ~ interlocking.

verschaffen* I *vt* jdm etw ~ *Geld, Kapital, Arbeit, Stelle, Alibi* to provide *or* supply sb with sth *or* sth for sb; *Erleichterung, Genugtuung, Vergnügen* to give sb sth; *Ansehen* to earn sb sth.

  II *vr* **sich** (*dat*) **etw** ~ to obtain sth; *Kenntnisse* to acquire sth; *Ansehen, Vorteil* to gain sth; *Ruhe, Respekt* to get sth; **sich mit Gewalt Zutritt** ~ to force an entry *or* one's way in; **ich muß mir darüber Gewißheit/Klarheit** ~ I must be certain about it/I must clarify the matter.

verschalen* I *vt Wand* to panel; *Heizung* to box in, to encase; (*für Beton*) to build a framework *or* mould for. II *vi* (*für Beton*) to build a framework *or* mould.

Verschalung *f siehe vb* panelling; casing; building a framework *or* mould; (*Bretter*) framework, mould.

verschämt *adj* coy.

verschandeln* *vt* to ruin.

Verschand(e)lung *f* ruining.

verschanzen* I *vt* (*Mil*) to fortify. II *vr* (*Mil, fig*) to entrench oneself (*hinter +dat* behind); (*sich verbarrikadieren*) to barricade oneself in (*in etw* (*dat*) sth); (*Deckung suchen*) to take cover (*hinter +dat* behind).

Verschanzung *f* 1. *siehe vb* fortification; entrenchment; barricading; taking cover. 2. (*Mil: Befestigung*) fortification.

verschärfen* I *vt* (*erhöhen*) *Tempo, Aufmerksamkeit* to increase; *Gegensätze* to intensify; (*verschlimmern*) *Lage* to aggravate; *Spannungen* to heighten; (*strenger machen*) *Kontrollen, Strafe, Gesetze, Maßnahmen, Prüfungen* to tighten.

  II *vr siehe vt* to increase; to intensify; to become aggravated; to heighten, to mount; to become tighter.

verschärft I *adj* 1. *siehe vb* increased; intensified; aggravated; heightened; tightened; *Arrest* close. 2. (*inf: gut*) brilliant (*inf*), wicked (*sl*).

  II *adv* (*intensiver*) more intensively; (*strenger*) more severely; *prüfen* more closely. ~ **aufpassen** to keep a closer watch; ~ **kontrollieren** to keep a tighter control; ~ **vorgehen** to take more stringent measures.

Verschärfung *f siehe vb* increase; intensification; aggravation; heightening,

mounting; tightening.

verscharren* *vt* to bury.

verschätzen* *vr* to misjudge, to miscalculate (*in etw* (*dat*) sth). **sich um zwei Monate** ~ to be out by two months.

verschaukeln* *vt* (*inf*) to take for a ride (*inf*).

verscheiden* *vi irreg aux sein* (*geh*) to pass away, to expire.

verscheißern* *vt* (*sl*) jdn ~ to take the piss out of sb (*sl*).

verschenken* I *vt* (*lit, fig*) to give away. **sein Herz an jdn** ~ (*liter*) to give sb one's heart. II *vr* **sich an jdn** ~ to throw oneself away on sb.

verscherbeln* *vt* (*inf*) to flog (*Brit inf*), to sell.

verscherzen* *vr* **sich** (*dat*) **etw** ~ to lose *or* forfeit sth; **sich** (*dat*) **seine Chancen/jds Gunst** *or* **Wohlwollen** ~ to throw away one's chances/lose *or* forfeit sb's favour; **es sich** (*dat*) **mit jdm** ~ to spoil things (for oneself) with sb.

verscheuchen* *vt* to scare *or* frighten off *or* away; (*fig*) *Sorgen* to drive away.

verscheuern* *vt* (*inf*) to sell off, to flog off (*Brit inf*).

verschicken* *vt* 1. (*versenden*) to send out *or* off. 2. (*zur Kur*) to send away. 3. (*deportieren*) to deport.

verschiebbar *adj Möbel* movable. **leicht ~e Gegenstände** objects which are easy to move; **der Termin ist** ~ this appointment can be changed.

Verschiebebahnhof *m* (*Rail*) shunting yard; **Verschiebegleis** *nt* (*Rail*) shunting track; **Verschiebelokomotive** *f* (*Rail*) shunter.

verschieben* *irreg* I *vt* 1. (*verrücken*) to move (*auch Comput*), to shift; *Truppen* to displace; (*Rail*) *Eisenbahnwagen* to shunt; *Perspektive* to alter, to shift.

  2. (*aufschieben*) to change; (*auf später*) to postpone, to put off, to defer (*um* for).

  3. (*inf*) *Waren, Devisen* to traffic in.

  II *vr* 1. to move out of place; (*fig: Perspektive, Schwerpunkt*) to alter, to shift.

  2. (*zeitlich*) to be postponed *or* put off.

Verschiebung *f* 1. *siehe vt* moving, shifting; displacement; shunting; alteration; postponement, deferment; trafficking. 2. (*Geol*) displacement, heave. 3. (*Ling: von Lauten*) shift.

verschieden I *adj* 1. (*unterschiedlich*) different; (*unähnlich auch*) dissimilar; *Meinungen auch* differing. **die ~sten Sorten** many different kinds, all sorts; **das ist ganz** ~ (*wird* ~ *gehandhabt*) that varies, that just depends.

  2. *attr* (*mehrere, einige*) various, several.

  3. (*substantivisch*) ~**e** *pl* various *or* several people; ~**es** several things; **V~es** different things; (*in Zeitungen, Listen*) miscellaneous.

  II *adv* differently. ~ **lang/breit/hoch** to vary *or* to be different in length/breadth/height.

verschieden|artig *adj* different; (*man-*

nigfaltig) various, diverse. **die ~sten Dinge** all sorts or manner of things.

Verschieden|artigkeit f different nature; (*Mannigfaltigkeit*) variety, diversity.

verschiedenemal adv several times.

verschiedenerlei adj inv **1.** attr many different, various. **2.** (*substantivisch*) many different things, various things.

verschiedenfarbig adj different-coloured.

Verschiedenheit f difference (*gen* of, in); (*Unähnlichkeit*) dissimilarity; (*Vielfalt*) variety.

verschiedentlich adv (*mehrmals*) on several occasions, several times; (*vereinzelt*) occasionally.

verschießen* irreg I vt **1.** Munition to use up; Pfeile to shoot off; (*inf*) Fotos, Film auch to take; siehe **Pulver. 2.** (*Sport*) to miss. II vr (*inf*) **sich in jdn ~** to fall for sb (*inf*); **in jdn verschossen sein** to be crazy about sb (*inf*). III vi aux sein (*Stoff, Farbe*) to fade.

verschiffen* vt to ship; Sträfling to transport.

Verschiffung f shipment; (*von Sträflingen*) transportation.

verschimmeln* vi aux sein (*Nahrungsmittel*) to go mouldy; (*Leder, Papier*) to become mildewed. **verschimmelt** (*lit*) mouldy; mildewed, mildewy.

verschissen adj (*vulg*) Unterhose shitty (*sl*). **du hast bei mir ~** (*sl*) I'm through with you (*inf*).

verschlacken* vi aux sein (*Ofen*) to become clogged (up) with slag; (*Med: Gewebe*) to become clogged.

verschlafen* irreg I vir to oversleep. II vt Termin to miss by oversleeping; (*schlafend verbringen*) Tag, Morgen to sleep through; Leben to sleep away. III adj sleepy; (*trottelig*) Mensch dozy (*inf*).

Verschlag m -(e), -e (*abgetrennter Raum*) partitioned area; (*Schuppen*) shed; (*grob gezimmert*) shack; (*esp für Kaninchen*) hutch; (*ans Haus angebaut*) lean-to; (*unter der Treppe*) glory-hole.

verschlagen1* vt irreg I **1.** (*nehmen*) Atem to take away. **das hat mir die Sprache ~** it left me speechless.

2. (*geraten lassen*) to bring. **auf eine einsame Insel ~ werden** to be cast up on a lonely island; **an einen Ort ~ werden** to end up somewhere.

3. (*Sport*) Ball to mishit.

4. (*verblättern*) Seite, Stelle to lose.

5. (*dial: verprügeln*) to wallop (*inf*), to thrash.

verschlagen2 adj **1.** Mensch, Blick, Tier sly, artful. **2.** (*dial: lauwarm*) tepid.

Verschlagenheit f siehe adj **1.** slyness, artfulness. **2.** (*dial*) tepidness.

verschlammen* vi aux sein to silt up.

verschlampen* (*inf*) I vt **1.** (*verlieren*) to go and lose (*inf*). **2.** (*verkommen lassen*) to spoil. II vi aux sein (*Mensch*) to go to seed (*inf*).

verschlechtern* I vt to make worse, to worsen; Zustand, Lage auch to aggravate; Qualität to impair; Aussicht to diminish, to decrease. II vr to get worse, to worsen, to deteriorate; (*Leistungen*

auch) to decline. **sich finanziell/beruflich ~** to be worse off financially/to take a worse job.

Verschlechterung f siehe vr worsening, deterioration; decline. **eine finanzielle/ berufliche ~** a financial setback/a retrograde step professionally.

verschleiern* I vt to veil; (*fig auch*) to disguise, to cover up; Blick to blur.

II vr (*Frau*) to veil oneself; (*Himmel*) to become hazy; (*Blick*) to become blurred; (*träumerisch werden*) to become hazy; (*Stimme*) to become husky.

verschleiert adj Frau veiled; Augen, Aussicht misty; Berge misty, veiled in mist; Stimme husky; Blick blurred; (*träumerisch*) hazy; (*Phot*) foggy. **etw nur ~ sehen** to see sth only hazily.

Verschleierung f siehe vt veiling; disguising, covering up; blurring.

Verschleierungstaktik f cover-up (*gen* by); **Verschleierungsversuch** m attempt at covering up.

verschleifen* vt irreg to slur.

verschleimen* I vt to block or congest with phlegm. **verschleimt sein** (*Patient*) to be congested with phlegm. II vi aux sein to become blocked or congested with phlegm.

Verschleiß m -es, -e (*lit, fig*) wear and tear; (*Verbrauch*) consumption; (*Verluste*) loss. **ein ~ deiner Kräfte** a drain on your strength; **eingeplanter ~** built-in obsolescence; **ihr ~ an Männern** (*hum*) the rate she gets through men. **2.** (*Aus: Kleinverkauf*) retail trade.

verschleißen pret **verschliß,** ptp **verschlissen** I vt **1.** to wear out; (*verbrauchen*) to use up. **2.** (*Aus*) to retail. II vi aux sein to wear out; siehe **verschlissen.** III vr to wear out; (*Menschen*) to wear oneself out.

Verschleißer(in f**)** m -s, - (*Aus*) retailer.

Verschleißerscheinung f sign of wear; **Verschleißkrieg** m war of attrition; **Verschleißprüfung** f wear test; **Verschleißteil** nt part subject to wear and tear.

verschleppen* vt **1.** (*entführen*) jdn to abduct; Kunstschätze to carry off; (*inf*) etw to go off with. **2.** (*verbreiten*) Seuche to spread, to carry. **3.** (*hinauszögern*) Prozeß, Verhandlung to draw out, to protract; (*Pol*) Gesetzesänderung to delay; Krankheit to protract.

Verschleppte(r) mf decl as adj displaced person.

Verschleppung f siehe vt **1.** abduction; carrying off. **2.** spreading, carrying. **3.** protraction; delay; protraction.

Verschleppungstaktik f delaying tactics pl.

verschleudern* vt (*Comm*) to dump; (*vergeuden*) Vermögen, Geld to squander.

verschließbar adj Dosen, Gläser closeable, sealable; Tür, Schublade, Zimmer lockable.

verschließen* irreg I vt **1.** (*abschließen*) to lock (up); (*fig*) to close, to shut; (*versperren*) to bar; (*mit Riegel*) to bolt. **jdm etw ~** (*fig*) to deny sb sth; siehe **ver-**

schlossen.
2. (*wegschließen*) to lock up *or* away.
3. (*zumachen*) to close; *Glas auch, Karton auch, Brief* to seal; (*mit Pfropfen*) *Flasche* to cork. **die Augen/ Ohren/sein Herz** (vor etw *dat*) ~ to shut one's eyes/ears/heart (to sth).
II *vr* (*Reize, Sprache, Möglichkeit*) to be closed (*dat* to); (*Mensch: reserviert sein*) to shut oneself off (*dat* from). **sich vor jdm** ~ to shut oneself off from sb; **sich einer Sache** (*dat*) *or* **gegen etw** ~ to close one's mind to sth.

verschlimmbessern* *vt insep* (*hum*) to make worse, to disimprove.

verschlimmern* I *vt* to make worse, to aggravate; *Schmerzen auch* to increase. II *vr* to get worse, to worsen.

Verschlimmerung *f* worsening; (*von Schmerzen auch*) increase.

verschlingen* *irreg* I *vt* 1. to entwine, to intertwine. **er stand mit verschlungenen Armen da** he stood there with his arms folded; **ein verschlungener Pfad** a winding path.
2. (*fressen, gierig essen*) to devour; (*auffressen auch*) to swallow up; (*fig*) (*Welle, Dunkelheit*) to engulf; (*verbrauchen*) *Geld, Strom* to eat up, to consume; (*inf*) *Buch, jds Worte* to devour. **jdn mit den Augen** *or* **Blicken** ~ to devour sb with one's eyes.
II *vr* to become entwined *or* intertwined; (*zu einem Knoten*) to become entangled; (*Därme*) to become twisted.

verschliß *pret of* **verschleißen.**

verschlissen I *ptp of* **verschleißen.** II *adj* worn (out); *Kleidung, Teppich, Material auch* threadbare.

verschlossen I *ptp of* **verschließen.**
II *adj* closed; (*mit Schlüssel*) *Tür, Fach* locked; (*mit Riegel*) bolted; *Dose auch, Briefumschlag* sealed; (*fig*) (*unzugänglich*) reserved. **gut** ~ **aufbewahren** keep tightly closed; **etw bleibt jdm** ~ sth is (a) closed (book) to sb; **hinter** ~**en Türen** behind closed doors; **wir standen vor** ~**er Tür** we were left standing on the doorstep.

Verschlossenheit *f* (*von Mensch*) reserve, reticence.

verschlucken* I *vt* to swallow; (*fig auch*) *Wörter, Silben, Buchstaben* to slur; *Geld* to consume; *Schall* to deaden; *siehe* **Erdboden.** II *vr* to swallow the wrong way; (*fig*) to splutter.

Verschluß *m* **-sses,** **∵sse** 1. (*Schloß*) lock; (*luft-, wasserdicht, für Zoll*) seal; (*Deckel, Klappe*) top, lid; (*Pfropfen, Stöpsel*) stopper; (*an Kleidung*) fastener; (*an Schmuck*) catch; (*an Tasche, Buch, Schuh*) clasp. **etw unter** ~ **halten** to keep sth under lock and key. 2. (*Phot*) shutter; (*an Waffe*) breechblock. 3. (*Med, Phon*) occlusion.

verschlüsseln* *vt* to (put into) code, to encode.

Verschlüsselung *f* coding.

Verschlußlaut *m* (*Phon*) plosive; **Verschlußsache** *f* item of classified information; **Verschlußsachen** *pl* classified information *sing.*

verschmachten* *vi aux sein* to languish (*vor* +*dat* for). (*vor Durst/Hitze*) ~ (*inf*) to be dying of thirst/heat (*inf*).

verschmähen* *vt* to spurn, to scorn; *Liebhaber* to spurn, to reject. **verschmähte Liebe** unrequited love; **einen Whisky verschmähe ich nie** I never say no to a whisky.

verschmelzen* *irreg* I *vi aux sein* to melt together; (*Metalle*) to fuse; (*Farben*) to blend; (*Betriebe*) to merge; (*fig*) to blend (*zu* into). II *vt* 1. (*verbinden*) *Metalle* to fuse; *Farben* to blend; *Betriebe, Firmen* to merge. 2. *Bruchflächen* to smooth, to round off. 3. (*fig*) to unify (*zu* into).

Verschmelzung *f* 1. (*Verbindung*) fusion; (*von Reizen, Eindrücken*) blending; (*von Farben*) blending. 2. (*von Bruchflächen*) smoothing, rounding off. 3. (*fig*) (*von Völkern, Begriffen*) fusion. 4. (*Comm*) merger.

verschmerzen* *vt* to get over.

verschmieren* I *vt* 1. (*verstreichen*) *Salbe, Schmiere, Creme, Fett* to spread (*in* +*dat* over). 2. (*verputzen*) *Löcher* to fill in. 3. (*verwischen*) *Fenster, Gesicht* to smear; *Geschriebenes, Lippenstift, Schminke* to smudge. II *vi* to smudge.

verschmiert *adj* *Hände, Gesicht* smeary; *Schminke* smudged.

verschmitzt *adj* mischievous.

verschmutzen* I *vt* to dirty, to soil; *Luft, Wasser, Umwelt* to pollute; *Gewehr, Zündkerze* to foul; *Fahrbahn* to make muddy; (*Hund*) *Bürgersteig* to foul. II *vi aux sein* to get dirty; (*Luft, Wasser, Umwelt*) to become polluted.

verschmutzt *adj* dirty, soiled; *Luft* polluted. **stark** ~ very dirty, badly soiled; „~**e Fahrbahn**" "mud on road".

Verschmutzung *f* 1. *no pl siehe vi* dirtying, soiling; pollution; fouling; making muddy. 2. (*das Verschmutztsein*) dirtiness *no pl*; (*von Luft*) pollution.

verschnaufen* *vir* (*inf*) to have a breather, to have a rest.

Verschnaufpause *f* breather.

verschneiden* *vt irreg* 1. *Wein, Rum, Essigsorten* to blend. 2. (*stutzen*) *Flügel* to clip; *Hecke auch* to cut. 3. (*falsch schneiden*) *Kleid, Stoff* to cut wrongly; *Haar* to cut badly. 4. *Tiere* to geld.

verschneit *adj* snow-covered. **tief** ~ thick with snow.

Verschnitt *m* (*von Rum, Wein, Essig*) blend.

verschnörkeln* *vt* to adorn with flourishes.

verschnörkelt *adj* ornate.

Verschnörkelung *f* (*Schnörkel*) flourish.

verschnupft *adj* (*inf*) 1. (*erkältet*) *Mensch* with a cold; *Nase* bunged up (*inf*). 2. (*usu pred: beleidigt*) peeved (*inf*).

verschnüren* *vt* to tie up.

verschollen *adj* *Schiff, Flugzeug, Mensch* missing, lost without trace; *Literaturwerk* forgotten. **ein lange** ~**er Freund** a long-lost friend; **er ist** ~ (*im Krieg*) he is missing, presumed dead; **V~e(r)** missing person; (*Jur*) person presumed to be dead.

verschonen* *vt* to spare (*jdn von etw* sb sth); (*von Steuern auch*) to exempt. **verschone mich mit deinen Reden!** spare me your speeches; **verschone mich damit!** spare me that!; **von etw verschont bleiben** to escape sth.

verschöne(r)n* *vt* to improve (the appearance of); *Wohnung, Haus, Zimmer* to brighten (up).

Verschönerung, Verschönung *f siehe vt* improvement; brightening up.

Verschonung *f* sparing; (*von Steuern*) exemption.

verschrammen* **I** *vt* to scratch. **II** *vi aux* **sein** to become *or* get scratched.

verschränken* *vt* to cross over; *Arme* to fold; *Beine* to cross; *Hände* to clasp; *Hölzer* to joggle; (*Stricken*) to cable.

Verschränkung *f* 1. (*das Verschränktsein*) fold. 2. *siehe vt* crossing over; folding; crossing; clasping; jogging; cabling.

verschrauben* *vt* to screw together.

verschrecken* *vt* to frighten *or* scare off.

verschreckt *adj* frightened, scared.

verschreiben* *irreg* **I** *vt* 1. (*verordnen*) to prescribe.
    2. **seine Seele dem Teufel ~** to sign away one's soul to the devil.
    II *vr* 1. (*falsch schreiben*) to make a slip (of the pen).
    2. **sich einer Sache** (*dat*) **~** to devote *or* dedicate oneself to sth; **sich dem Teufel ~** to sell oneself to the devil.

Verschreibung *f* 1. (*Verordnung*) prescription. 2. (*Schreibfehler*) mistake, error.

verschreibungspflichtig *adj* only available on prescription, ethical.

verschrie(e)n *adj* notorious.

verschroben *adj* eccentric, odd.

Verschrobenheit *f, no pl* eccentricity.

verschrotten* *vt* to scrap.

Verschrottung *f* scrapping.

verschrumpeln* *vi aux* **sein** to shrivel.

verschüchtern* *vt* to intimidate.

verschulden* **I** *vt* (*schuldhaft verursachen*) to be to blame for, to be responsible for; *Unfall, Unglück* to cause. **II** *vi aux* **sein** (*in Schulden geraten*) to get into debt. **immer mehr ~** to get deeper and deeper into debt; **verschuldet sein** to be in debt.

Verschulden *nt* **-s**, *no pl* fault. **durch eigenes ~** through one's own fault; **ohne sein/mein ~** through no fault of his (own)/of my own *or* of mine.

Verschuldung *f* (*Schulden*) indebtedness.

verschusseln* *vt* (*inf*) (*vermasseln*) to mess *or* muck up (*inf*); (*vergessen*) to forget; (*verlegen*) to mislay, to lose.

verschütten* *vt* 1. *Flüssigkeit* to spill. 2. (*begraben*) **verschüttet werden** (*Mensch*) to be buried (alive); (*fig*) to be submerged.

verschüttet *adj* buried (alive); (*fig*) submerged.

Verschüttete(r) *mf decl as adj* buried man/woman (*in an accident*).

verschüttgehen *vi sep irreg aux* **sein** (*inf*) to get lost.

verschwägert *adj* related (by marriage) (*mit* to).

verschweigen* *vt irreg Tatsachen, Wahrheit* to hide, to conceal, to withhold (*jdm etw* sth from sb).

verschweißen* *vt* to weld (together).

verschwelen* *vti Holz* to burn; (*Tech*) *Kohle* to carbonize.

verschwenden* *vt* to waste (*auf or an* +*acc, für* on); (*leichtsinnig vertun*) *Geld* to squander.

Verschwender(in *f*) *m* **-s**, **-** spendthrift, squanderer.

verschwenderisch *adj* wasteful; *Leben* extravagant; (*üppig*) lavish, sumptuous; *Fülle* lavish. **mit etw ~ umgehen** to be lavish with sth.

Verschwendung *f* wastefulness. **~ von Geld/Zeit** waste of money/time.

Verschwendungssucht *f, no pl* extravagance; **verschwendungssüchtig** *adj* (wildly) extravagant.

verschwiegen **I** *ptp of* **verschweigen**. **II** *adj Mensch* discreet; *Ort* secluded; *siehe* **Grab**.

Verschwiegenheit *f, no pl* (*von Mensch*) discretion; (*von Ort*) seclusion. **zur ~ verpflichtet** bound to secrecy.

verschwimmen* *vi irreg aux* **sein** to become blurred *or* indistinct. **es verschwamm ihr alles vor den Augen** everything went fuzzy *or* hazy; **ineinander ~** to melt into one another, to merge (into one another); *siehe* **verschwommen**.

verschwinden* *vi irreg aux* **sein** to disappear, to vanish. **verschwinde!** clear off! (*inf*), away! (*liter*); **etw ~ lassen** (*Zauberer*) to make sth disappear *or* vanish; (*verstecken*) to dispose of sth; (*stehlen*) to steal *or* filch sth; **etw in etw** (*dat*) **~ lassen** to slip sth into sth; **neben jdm/etw ~** to pale into insignificance beside sb/sth, to be eclipsed by sb/sth; (*in bezug auf Größe*) to look minute beside sb/sth; (*mal*) **~ müssen** (*euph inf*) to have to spend a penny (*inf*).

Verschwinden *nt* **-s**, *no pl* disappearance.

verschwindend *adj Anzahl, Menge* insignificant. **~ wenig** very, very few; **~ klein** minute.

verschwistert *adj* (*miteinander*) **~ sein** to be brother and sister, to be siblings (*Sociol, Med*); (*Brüder*) to be brothers; (*Schwestern*) to be sisters; (*fig*) to be close; (*Städte*) to be twinned, to be twin towns; **~e Seelen** (*liter*) kindred spirits.

verschwitzen* *vt* 1. *Kleidung* to make sweaty. 2. (*fig inf*) to forget.

verschwitzt *adj* sweat-stained; (*feucht*) sweaty; *Mensch* sweaty.

verschwollen* *adj* swollen.

verschwommen **I** *ptp of* **verschwimmen**. **II** *adj Foto, Umrisse* blurred, fuzzy; *Berge* hazy, indistinct; *Erinnerung, Vorstellung* vague, hazy; *Argumente, Begriffe* woolly *no adv*, vague. **ich sehe alles ~** everything looks hazy to me.

verschworen **I** *ptp of* **verschwören**. **II** *adj* 1. *Gesellschaft* sworn. 2. **einer Sache** (*dat*) **~ sein** to have given oneself over to sth.

verschwören* *vr irreg* 1. to conspire, to plot (*mit* with, *gegen* against). **sich zu etw ~** to plot sth, to conspire to do sth;

sie haben sich zu einem Attentat gegen den Diktator verschworen they are conspiring *or* plotting to assassinate the dictator; **alles hat sich gegen mich verschworen** (*fig*) there's a conspiracy against me.
2. (*sich verschreiben*) **sich einer Sache** (*dat*) ~ to give oneself over to sth.

Verschwörer(r) *mf decl as adj* conspirator, plotter; (*fig*) ally, accomplice.

Verschwörer(in *f*) *m* -**s,** - conspirator.

Verschwörung *f* conspiracy, plot.

verschwunden I *ptp of* **verschwinden. II** *adj* missing, who/that has/had disappeared.

versechsfachen* [-'zɛks-] **I** *vt* to multiply by six. **II** *vr* to increase sixfold.

versehen* *irreg* **I** *vt* **1.** (*ausüben*) *Amt, Stelle* to occupy, to hold; *Dienst* to perform, to discharge (*form*); (*sich kümmern um*) to look after, to take care of; *Dienst* to provide. **den Dienst eines Kollegen** ~ to take a colleague's place, to perform a colleague's duties.
2. (*ausstatten*) **jdn mit etw** ~ to provide *or* supply sb with sth; (*ausrüsten auch*) to equip sb with sth; **etw mit etw** ~ to put sth on/in sth; (*montieren*) to fit sth with sth; **ein Buch mit einem Umschlag** ~ to provide a book with a dust-jacket; **mit Blättern/Wurzeln/Haaren** ~ **sein** to have leaves/roots/hairs; **mit Etiketten/Wegweisern** ~ **sein** to be labelled/signposted; **mit allem reichlich/wohl** ~ **sein** to be well provided for.
3. (*Eccl*) **jdn (mit den Sterbesakramenten)** ~ to administer the last rites *or* sacraments to sb.
4. (*geben*) to give. **jdn mit einer Vollmacht** ~ to invest sb with full powers; **etw mit seiner Unterschrift** ~ to affix one's signature to sth (*form*), to sign sth; **etw mit einem Stempel/Siegel** ~ to stamp sth/to affix a seal to sth.
5. (*vernachlässigen*) to omit.
II *vr* **1.** (*sich irren*) to be mistaken, to make a mistake.
2. sich mit etw ~ (*sich versorgen*) to provide oneself with sth; (*sich ausstatten*) to equip oneself with sth.
3. ehe man sich's versieht before you could turn round, before you could say Jack Robinson (*inf*).

Versehen *nt* -**s,** - (*Irrtum*) mistake, error; (*Unachtsamkeit*) inadvertence, oversight. **aus** ~ by mistake, inadvertently.

versehentlich I *adj attr* inadvertent; (*irrtümlich*) erroneous. **II** *adv* inadvertently.

versehren* *vt* (*verletzen*) to injure, to hurt; (*zum Invaliden machen*) to disable; (*beschädigen*) to damage.

Versehrtenrente *f* disability *or* invalidity pension; **Versehrtensport** *m* sport for the disabled.

Versehrte(r) *mf decl as adj* disabled person/man/woman *etc.*

verselbständigen* *vr* to become independent; (*beruflich auch*) to become self-employed.

versenden* *vt irreg or reg* to send; (*Comm auch*) to forward; *Kataloge,*

Heiratsanzeige to send (out); (*verfrachten auch*) to ship.

Versendung *f siehe vt* sending; forwarding; sending out; shipment. **die** ~ **der Kataloge** sending (out) the catalogues.

versengen* *vt* **1.** (*Sonne, mit Bügeleisen*) to scorch; (*Feuer*) to singe. **2.** (*inf: verprügeln*) to thrash, to wallop (*inf*).

versenkbar *adj* that can be lowered; *Scheinwerfer* retractable; *Nähmaschine, Tischplatte* fold-away *attr.* **nicht** ~ *Schiff* unsinkable.

versenken* **I** *vt* **1.** *Schatz, Behälter* to sink; *Leiche, Sarg* to lower; *Schiff auch* to send to the bottom; *das eigene Schiff* to scuttle. **die Hände in die Taschen** ~ to thrust one's hands into one's pockets; **den Kopf in ein Buch** ~ to bury one's head *or* to immerse oneself in a book.
2. *Schraube* to countersink; *Tischplatte* to fold away; (*Theat*) to lower. **eine Nähmaschine, die man** ~ **kann** a foldaway sewing-machine.
II *vr* **sich in etw** (*acc*) ~ to become immersed in sth; **in Gedanken auch, in Anblick** to lose oneself in sth.

Versenkung *f* **1.** *siehe vt 1.* sinking; lowering; scuttling.
2. (*Theat*) trap(door).
3. (*das Sichversenken*) immersion. **jdn aus seiner** ~ **reißen** to tear sb from (his absorption *or* immersion in) his book/work *etc*; **innere/mystische** ~ inner/mystic contemplation.
4. (*inf*) **in der** ~ **verschwinden** to vanish; (*berühmter Mensch, Buch etc*) to vanish *or* disappear from the scene, to sink into oblivion; **aus der** ~ **auftauchen** to re-appear; (*Mensch auch*) to re-emerge (on the scene).

Verseschmied(in *f*) *m* (*pej*) rhymester (*pej*), versifier (*pej*).

versessen *adj* (*fig*) **auf etw** (*acc*) ~ **sein** to be very keen on sth, to be mad *or* crazy about sth (*inf*).

Versessenheit *f* keenness (*auf* +*acc* on).

versetzen* **I** *vt* **1.** (*an andere Stelle setzen*) *Gegenstände, Möbel, Schüler* to move, to shift; *Pflanzen auch* to transplant; (*nicht geradlinig anordnen*) to stagger.
2. (*beruflich*) to transfer, to move. **jdn in einen höheren Rang** ~ to promote sb, to move sb up; *siehe* **Ruhestand.**
3. (*Sch: in höhere Klasse*) to move *or* put up.
4. (*Typ, Mus*) to transpose.
5. (*inf*) (*verkaufen*) to flog (*Brit inf*), to sell; (*verpfänden*) to pawn, to hock (*inf*).
6. (*inf: nicht erscheinen*) **jdn** ~ to stand sb up (*inf*).
7. (*in bestimmten Zustand bringen*) **etw in Bewegung/Schwingung** ~ to set sth in motion/to set sth swinging; **jdn in Wut/in fröhliche Stimmung** ~ to send sb into a rage/to put sb in a cheerful mood; **jdn in Sorge/Unruhe** ~ to worry/disturb sb; **jdn in Angst** ~ to frighten sb, to make sb afraid; **jdn in die Lage** ~, **etw zu tun** to put sb in a position to do sth.
8. (*geben*) *Stoß, Schlag, Tritt* to give. **jdm einen Stich** ~ (*fig*) to cut sb to the

quick, to wound sb (deeply); *siehe* **To-desstoß**.
9. (*mischen*) to mix.
10. (*antworten*) to retort.
II *vr* **1.** (*sich an andere Stelle setzen*) to move (to another place), to change places.
   2. sich in jdn/in jds Lage/Gefühle ~ to put oneself in sb's place *or* position.
   3. sich in eine frühere Zeit/seine Jugend ~ to take oneself back to *or* imagine oneself back in an earlier period/ one's youth.

Versetzung *f* **1.** (*beruflich*) transfer. **seine ~ in einen höheren Rang** his promotion (to a higher grade/rank). **2.** (*Sch*) moving up, being put up. **3.** (*Mus, Typ*) transposition. **4.** (*nicht geradlinige Anordnung*) staggering. **5.** (*Vermischung*) mixing.

Versetzungszeichen *nt* (*Mus*) accidental; **Versetzungszeugnis** *nt* end-of-year report.

verseuchen* *vt* (*mit Bakterien*) to infect; (*mit Gas, Giftstoffen*) to contaminate; (*fig*) to contaminate, to poison; (*Comput*) to infect with a virus.

Verseuchung *f siehe vt* infection; contamination *no pl*; poisoning *no pl*.

Verseuchungsgrad *m* contamination level.

Versform *f* (*Poet*) verse form; **Versfuß** *m* (*Poet*) (metrical) foot.

Versicherer *m* **-s, -** insurer; (*bei Lebensversicherung auch*) assurer; (*bei Schiffen*) underwriter.

versichern* **I** *vt* **1.** (*bestätigen*) to assure; (*beteuern*) to affirm, to protest. **jdm ~, daß ...** to assure sb that ...; **jdm etw ~** to assure sb of sth; **seine Unschuld** to affirm *or* protest sth to sb.
   2. (*geh*) **jdn einer Sache** (*gen*) **~** to assure sb of sth; **seien Sie versichert, daß ...** (you can *or* may) rest assured that ...
   3. (*gegen Betrag*) to insure; **Leben** *auch* to assure.
II *vr* **1.** (*Versicherung abschließen*) to insure oneself (*mit* for); (*Lebensversicherung auch*) to take out a life insurance *or* assurance policy (*mit* of).
   2. (*sich vergewissern*) to make sure.
   3. sich jds/einer Sache ~ (*geh*) to secure sb/sth.

Versicherte(r) *mf decl as adj* insured/ assured (party).

Versicherung *f* **1.** (*Bestätigung*) assurance; (*Beteuerung*) affirmation, protestation. **2.** (*Feuer~*) insurance; (*Lebens~ auch*) assurance.

Versicherungsagent(in *f*) *m* (*Aus*) insurance agent; **Versicherungsanstalt** *f* insurance company; **Versicherungsbeitrag** *m* **1.** (*bei staatlicher Versicherung*) insurance contribution; **2.** (*bei Haftpflichtversicherung*) insurance premium; **Versicherungsbetrug** *m* insurance fraud; **Versicherungsdauer** *f* period of insurance; **Versicherungsfall** *m* event of loss/damage; **Versicherungsgesellschaft** *f* insurance/ assurance company; **Versicherungskarte** *f* insurance card; **die grüne ~**

(*Mot*) the green card; **Versicherungskauffrau** *f*, **Versicherungskaufmann** *m* insurance broker; **Versicherungsmathematik** *f* actuarial theory; **Versicherungsnehmer(in** *f*) *m* (*form*) policy holder, insurant (*form*); **Versicherungspflicht** *f* compulsory insurance; **jeder Autofahrer unterliegt der ~ insurance** is compulsory for every driver; **versicherungspflichtig** *adj* subject to compulsory insurance; **Versicherungspolice** *f* insurance/assurance policy; **Versicherungsprämie** *f* insurance premium; **Versicherungssatz** *m* rate of insurance; **Versicherungsschutz** *m* insurance cover; **Versicherungssumme** *f* sum insured/assured; **Versicherungsvertreter(in** *f*) *m* insurance agent; **Versicherungswert** *m* insurance value; **Versicherungswesen** *nt* insurance (business); **Versicherungszwang** *m* compulsory insurance.

versickern* *vi aux sein* to seep away; (*fig*) (*Gespräch, Unterstützung*) to dry up; (*Interesse, Teilnahme*) to peter out.

versiebenfachen* **I** *vt* to multiply by seven. **II** *vr* to increase sevenfold.

versiegeln* *vt* **Brief, Tür** to seal (up); **Parkett** to seal.

versiegen* *vi aux sein* (*Fluß, Quelle*) to dry up, to run dry; (*fig*) (*Gespräch, Unterstützung*) to dry up; (*Interesse*) to peter out; (*Tränen*) to dry up; (*gute Laune, Humor, Kräfte*) to fail. **nie ~der Humor** never-failing *or* irrepressible humour; **nie ~de Hoffnung** never-failing *or* undying hope.

versiert [ver-] *adj* experienced, practised. **in etw** (*dat*) **~ sein** to be experienced *or* (*in bezug auf Wissen*) (well) versed in sth.

Versiertheit [ver-] *f* experience (*in +dat* in); (*in bezug auf Wissen*) knowledge (*in +dat* of).

versilbern* *vt* (*silbern bemalen*) to paint silver; (*mit Silber überziehen*) to silver (-plate); (*fig inf: verkaufen*) to flog (*Brit inf*), to sell; (*fig liter: Mond*) to silver.

versinken* *vi irreg aux sein* (*untergehen*) to sink; (*Schiff auch*) to founder. **ich hätte im Boden** *or* **in der Erde/vor Scham ~ mögen** I wished the ground would (open and) swallow me up; **im Laster/ Morast der Großstadt ~** to sink into vice/into the mire of the big city; **in etw** (*acc*) **~** (*fig*) in **Trauer, Melancholie** to sink into sth; *in* **Anblick** to lose oneself in sth; *in* **Gedanken, Musik** to become immersed in sth, to lose oneself in sth; *siehe* **versunken**.

versinnbildlichen* *vt* to symbolize, to represent.

Versinnbildlichung *f* symbolization, representation.

Version [ver'zio:n] *f* version.

versklaven* [fɛɐ'skla:vn, -a:fn] *vt* (*lit, fig*) to enslave.

Versklavung *f* enslavement.

Versmaß *nt* metre.

versnoben* *vi aux sein* (*pej*) to become snobbish *or* a snob. **versnobt** snobbish, snobby (*inf*).

versoffen adj (sl) boozy (inf). **ein ~es Genie** a drunken genius.

versohlen* vt (inf) to belt (inf); (zur Strafe auch) to leather.

versöhnen* I vt to reconcile; (besänftigen) jdn, Götter to placate, to appease; (fig) Unterschiede, jdn to reconcile. **~de Worte** conciliatory/placatory words; **das versöhnt einen dann wieder** it almost makes up for it.
  II vr to be(come) reconciled; (Streitende) to make it up. **sich mit Gott ~** to make one's peace with God; **sich mit etw ~** to reconcile oneself to sth.

versöhnlich adj Mensch conciliatory; Laune, Ton auch placatory; (nicht nachtragend) forgiving. **die Götter ~ stimmen** to placate or appease the gods.

Versöhnung f reconciliation; (Beschwichtigung) appeasement. **zur ~ opferte er den Göttern ...** to appease or placate the gods he sacrificed ...

Versöhnungsfest nt, **Versöhnungstag** m (Rel) Day of Atonement, Yom Kippur no def art; **Versöhnungspolitik** f policy of reconciliation.

versonnen adj (in Gedanken verloren) Gesichtsausdruck pensive, thoughtful; Mensch auch lost in thought; (träumerisch) Blick dreamy.

versorgen* I vt 1. Kinder, Tiere, Pflanzen, Haushalt, finanzielle Angelegenheiten to look after, to take care of; (bedienen) Maschine, Lift, Heizung to look after.
  2. (beliefern) to supply. **jdn mit etw ~** (versehen) to provide or supply sb with sth.
  3. (unterhalten) Familie to provide for, to support. **versorgt sein** to be provided for or taken care of.
  II vr 1. **sich mit etw ~** to provide oneself with sth.
  2. **sich selbst ~** to look after or take care of oneself.

Versorgung f siehe vt 1. care. **vielen Dank für die gute ~ meiner Katze/Pflanzen** many thanks for taking such good care of my cat/plants.
  2. supply. **die ~ der Truppen (mit Munition)** supplying the troops (with ammunition); **Probleme mit der ~ haben** to have supply problems; **auf Grund der schlechten ~ der Truppen** because the troops were being poorly supplied.
  3. (Unterhalt) **die ~ im Alter/einer sechsköpfigen Familie** providing for one's old age/a family of six; **der Staat übernimmt die ~ der Waisen** the state undertakes to provide for the orphans.

Versorgungsausgleich m (bei Ehescheidung) maintenance, alimony; **versorgungsberechtigt** adj entitled to maintenance; (durch Staat) entitled to (state) benefit; **Versorgungsbetrieb** m public utility; **Versorgungsempfänger(in** f) m recipient of state benefit; **Versorgungsengpaß** m supply shortage or bottleneck; **Versorgungsfahrzeug** nt (Mil) supply vehicle; **Versorgungsflugzeug** nt supply plane; **Versorgungsgüter** pl supplies pl; **Versorgungsnetz** nt (Wasser~, Gas~ etc) (supply) grid; (von Waren) supply network; **Versorgungsschwierigkeiten** pl supply problems pl; **Versorgungstruppen** pl supply troops pl; **Versorgungsweg** m supply channel.

verspannen* I vt to brace, to stay, to guy.
  II vr (Muskeln) to tense up. **verspannt** tense(d up).

Verspannung f 1. (Seile etc) bracing, stays pl. 2. (von Muskeln) tenseness no pl.

verspäten* vr 1. (zu spät kommen) to be late. **der Frühling hat sich verspätet** spring is late. 2. (nicht rechtzeitig wegkommen) to be late leaving; (aufgehalten werden) to be delayed, to be held up.

verspätet adj Zug, Flugzeug delayed, late pred; Ankunft, Eintreten, Frühling, Entwicklung late; Glückwunsch belated; Bewerbung late, belated.

Verspätung f (von Verkehrsmitteln) delay; (von Mensch) late arrival; (von Glückwunsch) belatedness. **(10 Minuten) ~ haben** to be (10 minutes) late; **eine zweistündige ~** a delay of two hours, a two-hour delay; **die ~ aufholen** to catch up lost time; **mit ~ abfahren/ankommen** to leave/arrive late; **ohne ~ ankommen** to arrive on time; **mit zwanzig Minuten ~** twenty minutes late or (von Verkehrsmitteln auch) behind schedule.

verspeisen* vt (geh) to consume.

verspekulieren* I vt to lose through speculation. II vr to ruin oneself by speculation; (fig) to miscalculate, to be out in one's speculations.

versperren* vt 1. to block; Weg auch to bar; Aussicht auch to obstruct. 2. (dial: verschließen) to lock or close up.

verspielen* I vt (lit, fig) Geld, Chancen to gamble away; Vorteile to bargain away.
  II vi (fig) **jetzt hast du verspielt** it's all up with you now, you've had it now (inf); **er hatte bei ihr verspielt** he was finished or he had had it (inf) as far as she was concerned.

verspielt adj Kind, Katze playful; Frisur pretty; Muster, Kleid pretty, dainty; Verzierung dainty.

verspinnen* irreg I vt (zu Faden) to spin; (verbrauchen) to use. II vr **die Larve verspinnt sich (zur Puppe)** the larva spins itself into or forms a cocoon; **sich in etw** (dat) **~** (fig) in Ideen to become immersed in sth; in Lügen to become embroiled or enmeshed in sth.

versponnen adj airy-fairy; Ideen auch wild attr; Mensch head-in-the-clouds pred.

verspotten* vt to mock; (höhnisch) to jeer at, to deride.

Verspottung f 1. siehe vt mocking; jeering, derision all no indef art. 2. (spöttische Rede) mockery no indef art, no pl; jeer, derision no indef art, no pl.

versprechen* irreg I vt 1. to promise (jdm etw sb sth). **aber er hat es doch versprochen!** but he promised!; siehe **hoch, Blaue.**

2. (*erwarten lassen*) to promise. **das verspricht interessant zu werden** it promises to be interesting; **das Wetter verspricht schön zu werden** the weather looks promising *or* promises to be good; **nichts Gutes ~ to be ominous, to bode ill (*liter*).**

II *vr* **1.** (*erwarten*) **sich** (*dat*) **viel/wenig von jdm/etw ~** to have high hopes/no great hopes of sb/sth; **was versprichst du dir davon?** what do you expect to achieve *or* gain (by that)? **2.** (*falsch sagen, aussprechen*) to pronounce a word/words wrong(ly); (*etwas Nicht-Gemeintes sagen*) to make a slip (of the tongue) *or* a mistake.

Versprechen *nt* **-s**, - promise.

Versprecher *m* **-s**, - (*inf*) slip (of the tongue). **ein Freudscher ~** a Freudian slip.

Versprechung *f* promise.

versprengen* *vt* **1.** *Truppen, Soldaten* to disperse, to scatter. **versprengte Soldaten** scattered soldiers. **2.** *Wasser* to sprinkle.

verspritzen* **I** *vt* **1.** (*versprühen, verteilen*) to spray; (*versprengen*) to sprinkle; *Farbe* to spray on; (*zuspritzen*) *Fugen* to seal by injection moulding; (*fig*) *Tinte* to use up. **2.** *Wasser* to splash; *Farbe* to sp(l)atter.
II *vi aux sein* (*Wasser*) to spray; (*Fett*) to sp(l)atter.

versproden* *vi aux sein* to go brittle.

versprühen* *vt* to spray; *Funken auch* to send up *or* out; (*verbrauchen*) to use. **Witz/Geist ~** (*fig*) to scintillate.

verspüren* *vt* to feel, to be conscious of. **er verspürte keine Lust, zur Arbeit zu gehen** he felt no desire to go to work.

verstaatlichen* *vt* to nationalize.

Verstaatlichung *f siehe vt* nationalization.

verstädtern* **I** *vt* to urbanize. **II** *vi aux sein* to become urbanized.

Verstädterung *f* urbanization.

Verstand *m* **-(e)s**, *no pl* (*Fähigkeit zu denken*) reason; (*Intellekt*) mind, intellect; (*Vernunft*) (common) sense; (*Urteilskraft*) (powers *pl* of) judgement. **das müßte dir dein ~ sagen** your common sense should tell you that; **den ~ verlieren** to lose one's mind; **hast du denn den ~ verloren?** have you taken leave of your senses?, are you out of your mind?; **jdn um den ~ bringen** to drive sb out of his mind; **nicht recht** *or* **ganz bei ~ sein** not to be in one's right mind; **zu ~ kommen** to come to one's senses; **das geht über meinen ~** it's beyond me, it beats me (*inf*); **da steht einem der ~ still** (*fig inf*), **da bleibt einem der ~ stehen** (*fig inf*) the mind boggles (*inf*); **etw ohne ~ tun** to do sth mindlessly; **etw ohne ~ essen/trinken** not to pay attention to what one is eating/drinking; **etw mit ~ genießen/essen/trinken** to savour *or* relish sth.

Verstandeskraft *f* mental *or* intellectual faculties *pl or* powers *pl*; **verstandesmäßig** *adj* rational; **~ leuchtet das mir ein** it makes (rational) sense to me; **Ver-**

standesmensch *m* rational person.

verständig *adj* (*vernünftig*) sensible; (*einsichtig*) understanding.

verständigen* **I** *vt* to notify, to advise (*von* of, about). **II** *vr* to communicate (with each other); (*sich einigen*) to come to an understanding *or* agreement. **sich mit jdm ~** to communicate with sb.

Verständigung *f*, *no pl* **1.** (*Benachrichtigung*) notification, advising. **2.** (*das Sichverständigen*) communication *no indef art*. **die ~ am Telefon war schlecht** the (telephone) line was bad. **3.** (*Einigung*) understanding, agreement.

Verständigungsbereitschaft *f* willingness *or* readiness to negotiate; **Verständigungsschwierigkeiten** *pl* communication difficulties *pl*; **Verständigungsversuch** *m* attempt at rapprochement.

verständlich *adj* (*begreiflich*) *Reaktion* understandable; (*intellektuell erfaßbar*) comprehensible; (*hörbar*) audible; (*klar*) *Erklärung, Ausdruck* intelligible. **allgemein ~** readily comprehensible; **eine schwer ~e Unterscheidung** a distinction that is difficult to grasp *or* understand; **jdm etw ~ machen** to make sb understand sth; **sich ~ machen** to make oneself understood; (*sich klar ausdrücken*) to make oneself clear, to express oneself intelligibly; (*gegen Lärm*) to make oneself heard; **nicht ~** incomprehensible; inaudible; unintelligible.

verständlicherweise *adv* understandably (enough).

Verständlichkeit *f*, *no pl* comprehensibility; (*Hörbarkeit*) audibility.

Verständnis *nt*, *no pl* **1.** (*das Begreifen*) understanding (*für* of), comprehension (*für* of); (*Einfühlungsvermögen, Einsicht*) understanding (*für* for); (*Mitgefühl*) sympathy (*für* for). **für etw kein ~ haben** to have no understanding/ sympathy for sth; **für Probleme, Lage** *auch* to have no feeling for sth; **für so was habe ich kein ~** I have no time for that kind of thing; **dafür hast du mein vollstes ~** you have my fullest sympathy; **wir bitten um Ihr ~** we apologize for any inconvenience. **2.** (*intellektuelles Erfassen*) (*für* of) understanding, comprehension. **mit ~ lesen/zuhören** to read/listen with understanding. **3.** (*Kunst~*) appreciation (*für* of). **4.** (*Verständigung*) understanding.

verständnislos *adj* uncomprehending; *Gesicht, Blick auch* blank; (*ohne Mitgefühl*) unsympathetic (*für* towards); (*für Kunst*) unappreciative (*für* of); **verständnisvoll** *adj* understanding; (*mitfühlend auch*) sympathetic (*für* towards); *Blick* knowing *no pred*.

verstärken* **I** *vt* *Eindruck, Truppen,* (*Sport*) to reinforce; *Argumente, Mauer auch* to strengthen; *Spannung, Zweifel* to intensify, to increase; (*Chem*) to concentrate; (*Phot*) to intensify; (*Elec*) *Signal, Strom, Spannung* to boost, to amplify; *Stimme, Musik, Musikinstrument* to amplify.

II *vr* *(fig)* to intensify; *(sich vermehren)* to increase.

Verstärker *m* **-s,** **-** *(Rad, Elec)* amplifier; *(Telec)* repeater; *(von Signalen)* booster; *(Phot)* intensifier.

Verstärkung *f* siehe *vt* reinforcement; strengthening; intensification, increase; concentration; boosting; amplification.

verstauben* *vi* aux sein to get dusty or covered in dust; *(Möbel, Bücher auch, fig)* to gather dust. **verstaubt** dusty, covered in dust; *(fig)* Ideen, Ansichten fuddy-duddy *(inf)*.

verstauchen* *vt* to sprain. **sich** *(dat)* **die Hand/den Fuß** ~ to sprain one's hand/ foot.

Verstauchung *f* sprain; *(das Verstauchen)* spraining.

verstauen* *vt* (in +dat in(to)) Gepäck to load, to pack; *(Naut)* to stow; *(hum)* Menschen to pile, to pack.

Versteck *nt* **-(e)s,** **-e** hiding-place; *(von Verbrechern)* hide-out. ~ **spielen** to play hide-and-seek.

verstecken* **I** *vt* to hide, to conceal *(vor from)*.

II *vr* to hide, to conceal oneself. **sich vor** *or* **neben jdm** ~ **können/müssen** *(fig)* to be no match for sb; **sich vor jdm** ~ to hide from sb; **sich vor** *or* **neben jdm nicht zu** ~ **brauchen** *(fig)* not to need to fear comparison with sb; **sich hinter etw** *(dat)* ~ *(fig)* to hide behind sth; **V~ spielen** to play hide-and-seek.

Versteckspiel *nt* *(lit, fig)* hide-and-seek.

versteckt *adj* 1. *(lit: verborgen)* hidden; *(nicht leicht sichtbar)* Eingang, Tür, Winkel concealed; *(abgelegen auch)* Ort secret. 2. *(fig)* Lächeln, Blick furtive; Gähnen auch disguised; Bemerkung, Andeutung veiled; Bedeutung hidden, concealed.

verstehen* *irreg* **I** *vti* 1. to understand; *(einsehen auch)* to see. **jdn/etw falsch** *or* **nicht recht** ~ to misunderstand sb/sth; **versteh mich recht** don't misunderstand me, don't get me wrong; **jdm zu** ~ **geben, daß** ... to give sb to understand that ...; **ein** ~**der Blick** a knowing look; **(ist das) verstanden?** (is that) understood?

2. *(hören)* to hear, to understand.

3. *(können, beherrschen)* to know; Sprache auch to understand. **es** ~, **etw zu tun** to know how to do sth; **es mit seinen Kollegen** ~ to know how to get on with one's colleagues; **etwas/nichts von etw** ~ to know something/nothing about sth.

4. *(auslegen)* to understand, to interpret, to see. **etw unter etw** *(dat)* ~ to understand sth by sth; **wie soll ich das** ~**?** how am I supposed to take that?; **das ist bildlich** *or* **nicht wörtlich zu** ~ that isn't to be taken literally.

II *vr* 1. to understand each other.

2. *(miteinander auskommen)* to get on or along (with each other or together); **sich mit jdm** ~ to get on with sb.

3. *(klar sein)* to go without saying. **versteht sich!** *(inf)* of course!, naturally!; **das versteht sich von selbst** that goes

without saying.

4. *(auffassen)* **sich als etw** ~ to think of or see oneself as sth.

5. **sich auf etw** *(acc)* ~ to be (an) expert at sth, to be a dab hand *(inf)* or very good at sth.

6. **sich zu etw** ~ *(form)* to agree to sth.

7. *(Comm)* to be. **die Preise** ~ **einschließlich Lieferung** prices are inclusive of delivery.

versteifen* **I** *vt* to strengthen, to reinforce; *(Tech)* to strut; *(Comm)* to tighten; *(Sew)* to stiffen.

II *vr* to stiffen up; *(fig)* (Haltung, Gegensätze) to harden; *(Maßnahmen)* to tighten (up). **sich auf etw** *(acc)* ~ *(fig)* to become set on sth; **er hat sich darauf versteift** he is set on it.

Versteifung *f* 1. no pl siehe *vt* strengthening, reinforcement; strutting; tightening; stiffening.

2. *(Verstärkung)* stiffener.

3. *(Med)* stiffening no pl.

4. *(fig)* *(von Haltung)* hardening; *(von Maßnahmen)* tightening (up); *(von Gegensätzen)* increasing intractability.

versteigen* *vr* irreg *(lit)* to get into difficulties (while climbing). **er hat sich zu der Behauptung verstiegen, daß** ... he presumed to claim that ...

versteigern* *vt* to auction (off). **etw** ~ **lassen** to put sth up for auction.

Versteigerung *f* (sale by) auction. **zur** ~ **kommen** to be put up for auction.

versteinern* **I** *vi* aux sein *(Geol)* *(Pflanzen, Tiere)* to fossilize; *(Holz)* to petrify; *(fig: Miene)* to harden. **versteinerte Pflanzen/Tiere** fossilized plants/animals; **wie versteinert (da)stehen** to stand there petrified. **II** *vr* *(fig)* Miene to harden; *(Lächeln)* to become fixed or set.

Versteinerung *f* *(Vorgang)* fossilization; petrifaction, petrification; *(versteinertes Tier)* fossil; *(fig: von Miene)* hardening.

verstellbar *adj* adjustable. **in der Höhe** ~ adjustable for height.

verstellen* **I** *vt* 1. *(anders einstellen, regulieren)* to adjust; Signal, Zahlen to alter, to change; Möbel, Gegenstände to move or shift (out of position or place); *(in Unordnung bringen)* to put in the wrong place, to misplace; *(falsch einstellen)* to adjust wrongly; Radio to alter the tuning of; Uhr to put wrong.

2. Stimme to disguise.

3. *(versperren)* to block, to obstruct; *(vollstellen)* Zimmer to clutter up.

II *vr* to move (out of position); *(fig)* to act or play a part; *(Gefühle verbergen)* to hide one's (true) feelings. **er kann sich gut** ~ he's good at playing or acting a part.

Verstellung *f* siehe *vt* 1. adjustment; alteration; moving or shifting (out of position) no indef art; misplacing no indef art. 2. disguise. 3. blockage, obstruction; cluttering up. 4. *(Vortäuschung)* pretending, feigning.

versterben* *vi* irreg aux sein to die, to pass away or on.

versteuern* *vt* to pay tax on. **versteuerte Waren/das versteuerte Einkommen**

taxed goods/income; **das zu versteuern-de Einkommen** taxable income.
Versteuerung f, no pl taxation.
verstiegen I ptp of **versteigen. II** adj (fig: überspannt) extravagant, fantastic; Pläne, Ideen auch high-flown.
Verstiegenheit f extravagance.
verstimmen* vt (lit) to put out of tune; (fig) to put out, to disgruntle.
verstimmt adj Klavier out of tune; (fig) (verdorben) Magen upset; (verärgert) put out, disgruntled.
Verstimmung f disgruntlement; (zwischen Parteien) ill-feeling, ill-will.
verstockt adj Kind, Wesen obstinate, stubborn; Sünder unrepentant, unrepenting.
Verstocktheit f, no pl siehe adj obstinacy, stubbornness; unrepentance.
verstohlen adj furtive, surreptitious.
verstopfen* vt to stop up; Ohren auch to plug; Ausguß auch to block (up); Straße to block, to jam.
verstopft adj blocked; Straßen auch jammed; Nase stuffed up, blocked (up); Mensch constipated.
Verstopfung f blockage; (Verkehrsstauung) jam; (Med) constipation.
Verstorbene(r) mf decl as adj deceased.
verstören* vt to disturb.
verstört adj disturbed; (vor Angst) distraught.
Verstörtheit f, no pl disturbed state; (vor Angst) distraction; (Verwirrung) confusion.
Verstoß m -es, ⸗e violation (gegen of); (gegen Gesetz auch) offence.
verstoßen* irreg **I** vt jdn to disown, to repudiate. **jdn aus einer Gruppe ~** to expel sb from or throw sb out of a group. **II** vi **gegen etw ~** to offend against sth; gegen Gesetz, Regel auch to contravene sth.
Verstoßene(r) mf decl as adj outcast.
verstrahlen* vt 1. Licht, Wärme to give off. 2. Tier, Mensch to expose to radiation; Gebäude, Gebiet auch to make (highly) radioactive. **lebensgefährlich verstrahlt sein** to have had a potentially lethal dose of radiation.
verstrahlt adj contaminated (by radiation).
Verstrahlung f radiation.
Verstrebung f supporting no pl; (Strebebalken) support(ing beam).
verstreichen* irreg **I** vt Salbe, Farbe to put on, to apply (auf + dat to); Butter to spread (auf + dat on); Riß to fill in; (verbrauchen) to use. **II** vi aux sein (Zeit) to pass (by), to elapse; (Frist) to expire.
verstreuen* vt to scatter; (versehentlich) to spill. **seine Kleider/Spielsachen im ganzen Zimmer ~** to scatter or strew one's clothes/toys over the (whole) room.
verstricken* vt vt 1. Wolle to use. 2. (fig) to involve, to embroil, to mix up. **in eine Angelegenheit verstrickt sein** to be mixed up or involved or embroiled in an affair. **II** vr 1. (Wolle) to knit (up). 2. (fig) to become entangled, to get tangled up.

Verstrickung f (fig) entanglement.
verstromen* vt Kohle to convert into electricity.
verströmen* vt (lit, fig) to exude; (liter) sein Blut to shed.
verstümmeln* vt to mutilate, to maim; (fig) Nachricht, Bericht to garble, to distort; Namen to mutilate. **sich selbst ~** to mutilate oneself.
Verstümmelung f siehe vt mutilation, maiming no pl; garbling no pl, distortion.
verstummen* vi aux sein (Mensch) to go or fall silent, to stop talking; (Geräusch, Gespräch, Musik, Beifall) to cease, to stop; (Wind, Glocken, Instrumente) to become silent or still (liter); (langsam verklingen) to die away; (sich langsam legen) to subside; (Gewissen) to become silent; (Gerüchte) to subside. **jdn ~ lassen** (Bemerkung, Einwurf) to silence sb; **jdn/etw zum V~ bringen** to silence sb/sth; **vor Entsetzen ~** to be struck dumb or to be speechless with terror.
Versuch m -(e)s, -e attempt (zu tun at doing, to do); (wissenschaftlich) experiment, test; (Test) trial, test; (Essay) essay; (Rugby) try. **einen ~ machen** to make an attempt; to do or carry out an experiment/a trial; **mit jdm/etw einen ~ machen** to give sb/sth a try or trial; (Forscher) to do a trial/an experiment with sb/sth; **das käme auf einen ~ an** we'll have to have a try; **sie unternahm den ~, ihn umzustimmen** she made an attempt at changing or to change his mind; **wir sollten es auf einen ~ ankommen lassen** we should give it a try.
versuchen* I vt 1. (auch vi: probieren, kosten) to try; (sich bemühen auch) to attempt. **es mit etw ~** to try sth; **versuch's doch!** try, have a try; **es mit jdm ~** to give sb a try; **versuchter Mord/Diebstahl** attempted murder/theft.
2. (in Versuchung führen) to tempt. **sich versucht fühlen** to feel tempted; **versucht sein** to be tempted.
II vr **sich an** or **in etw** (dat) **~** to try one's hand at sth.
Versuchsanlage f experimental plant; **Versuchsanstalt** f research institute; **Versuchsballon** m sounding balloon; **einen ~ steigen lassen** (fig) to fly a kite; **Versuchsbedingungen** pl test conditions pl; **Versuchsbohrung** f experimental drilling; **Versuchskaninchen** nt (lit) laboratory rabbit; (fig) guinea-pig; **Versuchsobjekt** nt test object; (fig: Mensch) guinea-pig; **Versuchsperson** f test or experimental subject; **Versuchsreihe** f series of experiments; **Versuchsstadium** nt experimental stage; **Versuchsstrecke** f test track; **Versuchstier** nt laboratory animal; **versuchsweise** adv as a trial, on a trial basis; einstellen, engagieren on probation, on trial.
Versuchung f temptation (auch Rel). **jdn in ~ führen** to lead sb into temptation; **„und führe uns nicht in ~"** "and lead us not into temptation"; **in ~ geraten** or **kommen** to be tempted.

versumpfen* vi aux sein 1. (Gebiet) to become marshy or boggy. 2. (fig inf) (verwahrlosen) to go to pot (inf); (lange zechen) to get involved in a booze-up (inf).

versündigen* vr (geh) sich an jdm/etw ~ to sin against sb/sth; sich an seiner Gesundheit ~ to abuse one's health.

Versündigung f sin (an +dat against). eine ~ an der Gesundheit an abuse of one's health.

versunken I ptp of versinken. II adj sunken, submerged; Kultur submerged; (fig) engrossed, absorbed. in Gedanken ~ lost or immersed in thought; völlig in diesen Anblick ~ completely lost in or caught up in this sight.

Versunkenheit f, no pl (fig) engrossment. seine ~ in diesen Anblick his rapt contemplation of this sight.

versüßen* vt (fig) to sweeten. jdm etw ~ to sweeten sth for sb.

Vertäfelung f panelling no pl, no indef art.

vertagen* I vti to adjourn; (verschieben) to postpone, to defer (auf +acc until, till); (Parl auch) to prorogue (form).
II vr to be adjourned, to adjourn.

Vertagung f siehe vti adjournment; postponement; prorogation (form).

vertäuen* vt (Naut) to moor.

vertauschbar adj exchangeable (gegen for); (miteinander) interchangeable.

vertauschen* vt 1. (austauschen) to exchange (gegen or mit for); (miteinander) to interchange; Auto, Plätze to change (gegen or mit for); (Elec) Pole to transpose. vertauschte Rollen reversed roles.
2. (verwechseln) Hüte, Mäntel to mix up. seinen Mantel mit einem anderen ~ to mistake another coat for one's own, to mix one's coat up with another.

Vertauschung f 1. (Austausch) exchange; (von Auto, von Plätzen) changing no pl; (Elec: von Polen) transposition. 2. (Verwechslung) mix-up; (das Vertauschen) mixing up.

verteidigen* I vt to defend. II vr to defend oneself (auch Sport); (vor Gericht) to conduct one's own defence. III vi (Sport) to defend; (als Verteidiger spielen) to be a or play as a defender.

Verteidiger(in f) m -s, - defender (auch Sport); (Fürsprecher auch) advocate; (Anwalt) defence lawyer. der ~ des Angeklagten the counsel for the defence, the defence counsel.

Verteidigung f (alle Bedeutungen) defence, defense (US). zur ~ von or gen in defence of; zu ihrer/seiner eigenen ~ in her/one's own defence.

Verteidigungs- in cpds defence; **Verteidigungsbündnis** nt defence alliance; **verteidigungsfähig** adj able to defend itself/oneself; **Verteidigungsfall** m wenn der ~ eintritt if defence should be necessary; **Verteidigungsgemeinschaft** f defence community; **Verteidigungsinitiative** f defence initiative; **Verteidigungskrieg** m defensive war; **Verteidigungsminister(in** f) m

Minister of Defence; **Verteidigungsministerium** nt Ministry of Defence; **Verteidigungsrede** f (Jur) speech for the defence; (fig) apologia; **Verteidigungsschlacht** f defensive battle; **Verteidigungsschrift** f (Jur) (written) defence statement; (fig) apologia; **Verteidigungsspieler(in** f) m defender; **Verteidigungsstellung** f defensive position; in ~ gehen to adopt a defensive position; **Verteidigungssystem** nt defence system, defences pl; **Verteidigungswaffe** f defensive weapon; **Verteidigungswille** m spirit of resistance; **Verteidigungszustand** m defence alert; im ~ in a defence alert; **Verteidigungszweck** m für ~e, zu ~en for defence purposes, for purposes of defence.

verteilen* I vt 1. (austeilen) (an +acc to, unter +acc among) to distribute; Flugblätter auch to hand out; Essen to dish out; Süßigkeiten auch to share or divide out; Preise auch to give out; (Theat) Rollen to allot, to allocate.
2. (anordnen, aufteilen) to distribute; Investitionen, Lehrstoff to spread (über +acc over); (Mil) to deploy; (verstreuen) to spread out; (streichen) Aufstrich, Farbe to spread; (streuen) Sand, Zucker, Puder to sprinkle.
II vr (Zuschauer, Polizisten) to spread (themselves) out; (Bevölkerung) to spread (itself) out; (Mil: Truppen auch) to deploy; (Farbe, Wasser) to spread (itself) out; (Med: Bakterien, Metastasen) to spread; (Reichtum) to be spread or distributed; (zeitlich) to be spread (über +acc over). auf dem ganzen Platz verteilt spread out over the square; übers ganze Land verteilt spread throughout the country.

Verteiler m -s, - 1. (Comm, Aut) distributor. 2. siehe Verteilerschlüssel.

Verteilerdeckel m distributor cap; **Verteilerkopf** m (Aut) distributor head; **Verteilernetz** nt (Elec) distribution system; (Comm) distribution network; **Verteilerschlüssel** m list of people to receive a copy.

Verteilung f distribution; (Zuteilung) allocation; (Mil) deployment; (Theat) casting.

vertelefonieren* vt (inf) Geld, Zeit to spend on the phone.

verteuern* I vt to make dearer or more expensive, to increase or raise the price of.
II vr to become dearer or more expensive, to increase in or go up in price.

Verteuerung f rise or increase in price.

verteufeln* vt to condemn.

verteufelt (inf) I adj Lage, Angelegenheit devilish (inf), tricky, awkward. ~es Glück haben to be damned or darned or deuced (dated) lucky (inf). II adv (mit adj) damned (inf), darned (inf), deuced (dated inf), devilish (dated inf); (mit vb) a lot.

Verteufelung f condemnation.

vertiefen* I vt Graben, Loch to deepen;

(fig) Eindruck *auch* to heighten; *Kenntnis, Wissen auch* to extend; *(Sch) Unterrichtsstoff* to consolidate, to reinforce; *(Mus)* to flatten.

II *vr (lit, fig)* to deepen; *(fig: Lehrstoff)* to be consolidated *or* reinforced. **sich in etw** *(acc)* ~ *(fig)* to become engrossed *or* absorbed in sth; **in etw** *(acc)* **vertieft sein** *(fig)* to be engrossed *or* absorbed in sth; *siehe* **Gedanke.**

Vertiefung *f* 1. *siehe vt* deepening; heightening; extension; consolidation, reinforcement; flattening. 2. *(in Oberfläche)* depression; *(im Boden auch)* dip, hollow. 3. *(vertieft sein)* engrossment, absorption.

vertikal [vɛrtiˈkaːl] *adj* vertical.

Vertikale [vɛrtiˈkaːlə] *f* -, -n vertical line. **in der** ~n vertically, in a vertical plane.

vertilgen* *vt* 1. *Unkraut* to destroy, to eradicate, to kill off; *Ungeziefer auch* to exterminate. 2. *(inf: aufessen)* to demolish *(inf)*, to polish off *(inf)*.

Vertilgung *f siehe vt (a)* destruction, eradication; extermination.

vertippen* *(inf)* **I** *vr* to make a typing error. **II** *vt* to mistype, to type wrongly.

vertonen* *vt* to set to music; *Theaterstück auch* to make a musical version of; *Film* to add a sound-track to.

Vertonung *f siehe vt* setting (to music); *(vertonte Fassung)* musical version, setting; adding a sound-track *(gen* to).

vertrackt *adj (inf)* awkward, tricky; *(verwickelt)* complicated, complex.

Vertrag *m* -(e)s, ⁻e contract; *(Abkommen)* agreement; *(Pol: Friedens~)* treaty. **mündlicher** ~ verbal *or* oral agreement; **laut** ~ under the terms of the contract; **jdn unter** ~ **nehmen** to contract sb; **unter** ~ **stehen** to be under contract.

vertragen* *irreg* **I** *vt* **1.** to take; *(aushalten auch)* to stand; *(dulden auch)* to tolerate, to endure, to stand for. **Eier vertrage ich nicht** *or* **kann ich nicht** ~ I can't take eggs, eggs don't agree with me; **so etwas kann ich nicht** ~ I can't stand that kind of thing; **er verträgt keinen Spaß** he can't take a joke; **viel** ~ **können** *(inf: Alkohol)* to be able to hold one's drink; **er verträgt nichts** *(inf)* he can't take his drink; **jd/etw könnte etw** ~ *(inf)* sb/sth could do with sth.

2. *(dial) Kleider* to wear out. ~ **sein** to be (well) worn.

II *vr* **sich (mit jdm)** ~ to get on *or* along (with sb); **sich wieder** ~ to be friends again; **sich mit etw** ~ *(Nahrungsmittel, Farbe)* to go with sth; *(Aussage, Verhalten)* to be consistent with sth; **diese Farben/Aussagen** ~ **sich nicht** these colours don't go together/these statements are inconsistent *or* not consistent.

verträglich I *adj* contractual. **II** *adv* by contract; *festgelegt in* the/a contract. **ein** ~ **zugesichertes Recht** a contractual right.

verträglich *adj (friedlich, umgänglich)* peaceable, easy-going, amicable; *Speise* digestible; *(bekömmlich)* wholesome; *Medikament* well tolerated *(für* by). **gut** ~ easily digestible.

Verträglichkeit *f, no pl siehe adj* amicability; digestibility; wholesomeness.

Vertrags- *in cpds* of the/a contract/an agreement/a treaty; **Vertragsabschluß** *m* conclusion of an agreement; **Vertragsbruch** *m* breach of contract; breaking of an/the agreement; breaking of a/the treaty; **vertragsbrüchig** *adj* who is in breach of contract; who has broken an/the agreement; who has broken a/the treaty; ~ **werden** to be in breach of contract; to break an/the agreement; to break a/the treaty; **Vertragsentwurf** *m* draft contract/agreement/treaty; **Vertragsgaststätte** *f* tied house; **Vertragsgegenstand** *m* object of the contract/agreement/treaty; **vertragsgemäß I** *adj* (as) stipulated in the contract/agreement/treaty; **II** *adv* as stipulated in the contract/agreement/treaty; **Vertragsgemeinschaft** *f* contractual community; **Vertragshändler(in** *f)* *m* concessionary, appointed retailer; **Vertragspartner(in** *f)* *m* party to a/the contract/treaty; **vertragsschließend** *adj* contracting; **Vertragsspieler(in** *f)* *m* player under contract; **Vertragsstrafe** *f* penalty for breach of contract; **Vertragsverletzung** *f* breach of contract; **Vertragswerk** *nt* contract; treaty; **Vertragswerkstätte** *f* authorized repair shop; **vertragswidrig I** *adj* contrary to (the terms of) the contract/agreement/treaty; **II** *adv* in breach of contract/the agreement/the treaty.

vertrauen* *vi* **jdm/einer Sache** ~ to trust sb/sth, to have trust in sb/sth; **auf jdn/etw** ~ to trust in sb/sth; **auf sein Glück** ~ to trust to luck; **sich** *(dat)* **selbst** ~ to have confidence in oneself.

Vertrauen *nt* -s, *no pl* trust, confidence *(zu, in +acc, auf +acc* in); *(Pol)* confidence. **voll** ~ full of confidence; **im** ~ *(gesagt)* strictly in confidence; **ich habe dir das im** ~ **gesagt** that's strictly in confidence, that's strictly between you and me; **im** ~ **darauf, daß** ... confident that ..., in the confidence that ...; **jdn ins** ~ **ziehen** to take sb into one's confidence.

vertrauen|erweckend *adj* **ein** ~**er Mensch/Arzt** a person/doctor who inspires confidence; **einen** ~**en Eindruck machen/**~ **aussehen** to inspire confidence.

Vertrauensarzt *m*, **Vertrauensärztin** *f* doctor who examines patients signed off sick for a lengthy period by their private doctor; **vertrauensbildend** *adj* confidence-building; **Vertrauensbildung** *f* confidence building; **Vertrauensbruch** *m* breach of confidence *or* trust; **Vertrauensfrage** *f* question *or* matter of trust; **die** ~ **stellen** *(Parl)* to ask for a vote of confidence; **Vertrauensmann** *m, pl* **Vertrauensleute** *or* **-männer** intermediary agent; *(Gewerkschaft)* (union) negotiator *or* representative; **Vertrauensperson** *f* someone to confide in, confidant(e); **Vertrauensposten** *m* position of trust; **Vertrauenssache** *f (vertrauliche Ange-*

legenheit) confidential matter; *(Frage des Vertrauens)* question *or* matter of trust; **Vertrauensschwund** *m* loss of confidence; **vertrauensselig** *adj* trusting; *(leichtgläubig auch)* credulous; **Vertrauensseligkeit** *f* trustfulness; credulity; **Vertrauensstellung** *f* position of trust; **Vertrauensverhältnis** *nt* mutual trust *no indef art*; **persönliches** ~ relationship of personal trust; **vertrauensvoll** *adj* trusting; **wende dich** ~ **an mich** you know you can always turn to me (for help); **Vertrauensvorschuß** *m* trust; **Vertrauensvotum** *nt* (*Parl*) vote of confidence; **vertrauenswürdig** *adj* trustworthy; **Vertrauenswürdigkeit** *f* trustworthiness.

vertraulich I *adj* 1. *(geheim) Angelegenheit, Ton, Gespräch* confidential. 2. *(freundschaftlich)* friendly, matey *(inf)*, pally *(inf)*; *(plump-~)* familiar. ~ **werden** to take liberties. II *adv* 1. confidentially, in confidence. 2. in a friendly/familiar way.

Vertraulichkeit *f* confidentiality; *(vertrauliche Mitteilung)* confidence; *(Aufdringlichkeit)* familiarity. **mit aller** ~ in strict(est) confidence; **plumpe/dreiste** ~ familiarity.

verträumt *adj* dreamy; *(idyllisch) Städtchen auch* sleepy.

vertraut *adj* intimate; *Freund auch* close; *(bekannt) Gesicht, Umgebung* familiar, well-known. **eine ~e Person** a close *or* an intimate friend; **sich mit etw ~ machen** to familiarize *or* acquaint oneself with sth; **sich mit dem Gedanken ~ machen, daß ...** to get used to the idea that ...; **mit etw ~ sein** to be familiar *or* well acquainted with sth; **mit jdm ~ werden** to become friendly with sb.

Vertraute(r) *mf decl as adj* close *or* intimate friend, confidant(e).

Vertrautheit *f, no pl siehe adj* intimacy; closeness; familiarity.

vertreiben* *vt irreg* to drive away; *(aus Haus)* to drive *or* turn out *(aus* of); *(aus Land)* to drive out *(aus* of), to expel *(aus* from); *(aus Amt, von Stellung)* to oust; *Feind* to drive off, to repulse; *(fig) Sorgen, Schmerzen* to drive away, to banish; *(Comm) Waren* to sell. **ich wollte Sie nicht ~, bleiben Sie doch noch ein wenig** I didn't mean to chase *or* drive you away — do stay a bit longer; **ich wollte Sie nicht von Ihrem Platz ~** I didn't mean to take your seat; **jdm/sich die Zeit mit etw ~** to help sb pass the time/to pass (away) *or* while away the time with sth.

Vertreibung *f (aus* from) expulsion; *(aus Amt)* ousting; *(von Feind)* repelling.

vertretbar *adj* justifiable; *Theorie, Argument* defensible, tenable. **nicht ~** unjustifiable; indefensible, untenable.

vertreten* *vt irreg* 1. *(jds Stelle, Dienst übernehmen) Kollegen, Arzt* to replace, to stand in for, to deputize for; *Schauspieler* to replace, to stand in for; *(fig: Funktion einer Sache übernehmen)* to replace.

2. *jds Interessen, Firma, Land, Wahl-*

kreis to represent; *Sache* to look after, to attend to; *(Rechtsanwalt) Klienten auch* to appear for; *Fall* to plead.

3. *(Comm) (Firma)* to be the agent for; *(Angestellter)* to represent.

4. *(verfechten, angehören) Standpunkt, Doktrin, Theorie* to support; *Meinung* to hold, to be of; *Ansicht* to take, to hold; *Kunstrichtung* to represent; *(rechtfertigen)* to justify *(vor* to).

5. ~ **sein** to be represented.

6. **sich** *(dat)* **den Fuß** ~ to twist *or* strain one's ankle; **sich** *(dat)* **die Beine** *or* **Füße** ~ *(inf)* to stretch one's legs.

Vertreter(in *f) m* **-s, -** 1. *(von Land, Firma)* representative; *(Comm) (Firma)* agent; *(Angestellter)* (sales) representative, rep *(inf)*. ~ **für Damenkleider** (sales) representative in ladies' wear; **ein übler** ~ *(fig inf)* a nasty piece of work *(inf)*.

2. *(Ersatz)* replacement; *(im Amt)* deputy; *(von Arzt)* locum.

3. *(Verfechter) (von Doktrin)* supporter, advocate; *(von Meinung)* holder; *(von Kunstrichtung)* representative.

Vertretung *f siehe vt 1.-4.* 1. replacement. **die ~ (für jdn) übernehmen** to replace sb, to stand in (for sb); **die ~ (für jdn) haben** to stand in (for sb), to deputize (for sb); **X spielt in ~** X is appearing in his/her place; **in ~** *(in Briefen)* on behalf of.

2. representation. **X übernimmt die ~ des Klienten/Falles** X is appearing for the client/pleading the case; **die ~ meiner Interessen** representing my interests.

3. *(Comm)* agency; representation.

4. supporting; holding; representation.

5. *siehe* **Vertreter(in)** 1., 2.

vertretungsweise *adv* as a replacement; *(bei Amtsperson)* as a deputy; **er übernimmt heute ~ meine Deutschstunde** he's taking my German lesson for me today.

Vertrieb *m* **-(e)s, -e** 1. *no pl* sales *pl*. **der ~ eines Produktes** the sale of a product; **den ~ für eine Firma haben** to have the (selling) agency for a firm. 2. *(Abteilung einer Firma)* sales department.

Vertriebene(r) *mf decl as adj* exile.

Vertriebsabteilung *f* sales department; **Vertriebserlös** *m* sales revenue; **Vertriebsgesellschaft** *f* marketing company; **Vertriebskosten** *pl* marketing costs *pl*; **Vertriebsleiter(in** *f) m* sales manager/manageress.

vertrimmen* *vt (inf)* to belt *(inf)*.

vertrinken* *vt irreg* to drink away.

vertrocknen* *vi aux sein* to dry out; *(Eßwaren)* to go dry; *(Pflanzen)* to wither, to shrivel; *(Quelle)* to dry up. **er ist ein vertrockneter Mensch** he's a dry old stick *(inf)*.

vertrödeln* *vt (inf)* to fritter away.

vertrösten* I *vt* to put off. **jdn auf ein andermal/auf später ~** to put sb off. II *vr* to be content to wait *(auf +acc* for).

vertrotteln* *vi (inf) aux sein* to vegetate.

vertun* *irreg* I *vt* to waste. II *vr (inf)* to

make a mistake *or* slip, to slip up (*inf*).

vertuschen* *vt* to hush up. ~, daß ... to hush up the fact that ...; etw vor jdm ~ to keep sth from sb.

Vertuschung *f* cover-up.

Vertuschungsversuch *m* attempt to hush things up.

ver|übeln* *vt* jdm etw ~ not to be at all pleased with sb for doing sth, to take sth amiss; ich hoffe, Sie werden mir die Frage nicht ~ I hope you won't mind my asking (this); das kann ich dir nicht ~ I can't blame you for that.

ver|üben* *vt* to commit, to perpetrate (*form*).

ver|ulken* *vt* (*inf*) to make fun of, to take the mickey out of (*inf*).

ver|unglimpfen* *vt* jdn to disparage; *Ruf, Ehre, Worte auch* to decry.

Ver|unglimpfung *f* disparagement.

ver|unglücken* *vi aux sein* (*Mensch*) to have an accident; (*Fahrzeug*) to crash. (*fig inf: mißlingen*) to go wrong. mit dem Flugzeug ~ to be in a plane crash; mit dem Auto ~ to be in a car crash, to have a car accident.

ver|unglückt *adj* (*fig*) *Versuch, Aufführung* unsuccessful.

Ver|unglückte(r) *mf decl as adj* casualty, victim. 10 Tote, 20 ~ 10 dead, 20 injured.

ver|unreinigen* *vt* Fluß, Luft, Wasser to pollute; (*beschmutzen*) to dirty, to soil; (*euph: Hund*) to foul.

Ver|unreinigung *f* siehe *vt* pollution; dirtying, soiling; fouling; (*verunreinigter Zustand: von Wasser, Luft*) pollution. ~en in der Luft/im Wasser pollutants in the atmosphere/in the water.

ver|unsichern* *vt* to make unsure *or* uncertain (*in +dat* of). jetzt hast du mich völlig verunsichert I just don't know at all any more; sie versuchten, ihn zu ~ they tried to throw him; verunsichert uncertain.

Ver|unsicherung *f* (*mangelnde Gewißheit*) uncertainty. das führte zur ~ der Wähler/Schüler it put the electors/pupils into a state of uncertainty.

ver|unstalten* *vt* to disfigure; *Landschaft auch* to scar. jdn *or* jds Gesicht ~ to spoil *or* mar sb's looks.

Ver|unstaltung *f* disfigurement.

ver|untreuen* *vt* to embezzle, to misappropriate.

Ver|untreuung *f* embezzlement, misappropriation.

ver|unzieren* *vt* Landschaft, Kunstwerk, Zimmer to spoil. jdn *or* jds Gesicht ~ to spoil sb's looks.

ver|ursachen* *vt* to cause; *Schwierigkeiten auch* to create (*dat* for), to give rise to (*dat* for); *Entrüstung, Zorn auch* to provoke. jdm große Kosten ~ to cause sb a lot of expense.

Ver|ursacher(in *f*) *m* -s, - cause. der ~ kommt für den Schaden auf the party responsible is liable for the damages.

Ver|ursacherprinzip *nt* principle that the party responsible is liable for the damages.

ver|urteilen* *vt* to condemn; (*Jur*) (*für*

schuldig befinden) to convict (*für* of); (*zu Strafe*) to sentence. jdn zu einer Geldstrafe von 1.000 DM ~ to fine sb 1,000 DM, to impose a fine of 1,000 DM on sb; jdn zum Tode ~ to condemn *or* sentence (*Jur*) sb to death; jdn zu einer Gefängnisstrafe ~ to give sb a prison sentence.

ver|urteilt *adj* zu etw ~ sein (*Jur*) to be sentenced to sth; (*fig*) to be condemned to sth; zum Tode ~ condemned *or* sentenced (*Jur*) to death; siehe Scheitern.

Ver|urteilte(r) *mf decl as adj* convicted man/woman, convict (*Jur*). der zum Tode ~ the condemned man.

Ver|urteilung *f* siehe *vt* condemnation; conviction; sentencing.

Verve ['vɛrvə] *f -, no pl* (*geh*) verve, spirit.

vervielfachen* *vtr* to multiply.

Vervielfachung *f* multiplication.

vervielfältigen* *vt* to duplicate; (*hektographieren auch*) to mimeograph; (*fotokopieren auch*) to photocopy.

Vervielfältigung *f* 1. siehe *vt* duplication; mimeographing; photocopying. 2. (*Abzug*) copy; mimeograph; photocopy.

Vervielfältigungsapparat *m* duplicating *or* copying machine, duplicator; **Vervielfältigungsgerät** *nt*, **Vervielfältigungsmaschine** *f* siehe **Vervielfältigungsapparat**; **Vervielfältigungsrecht** *nt* right of reproduction, copyright; **Vervielfältigungsverfahren** *nt* duplicating process, copying process.

vervierfachen* *vtr* to quadruple.

vervollkommnen* I *vt* to perfect. II *vr* to perfect oneself.

Vervollkommnung *f* perfection.

vervollständigen* I *vt* to complete; *Kenntnisse, gutes Essen auch* to round off; *Erlebnis* to make complete. II *vr* to be completed.

Vervollständigung *f* siehe *vt* completion; rounding off; completion.

verwachsen¹* *vi irreg aux sein* 1. (*zusammenwachsen*) to grow (in) together, to grow into one; (*Narbe*) to heal over; (*Knochen*) to knit; (*Wunde*) to heal, to close (over). mit etw ~ to grow into sth. 2. (*fig: Menschen, Gemeinschaft*) to grow closer (together). zu etw ~ to grow into sth; mit etw ~ mit Arbeit, Aufgabe, Traditionen to become caught up in sth; mit etw ~ sein to have very close ties with sth; ein Volk, das mit seinen Traditionen ~ ist a nation whose traditions are deeply rooted within it; mit jdm ~ sein to have become very close to sb.

verwachsen² *adj* 1. Mensch, Tier deformed; *Glied auch, Pflanze* malformed; (*verkümmert*) stunted. 2. (*überwuchert*) overgrown.

verwackeln* *vt* to blur.

verwählen* *vr* to misdial, to dial the wrong number.

verwahren* I *vt* (*aufbewahren*) to keep (safe). jdm etw zu ~ geben to give sth to sb for safekeeping. II *vr* sich gegen etw ~ to protest against sth.

verwahrlosen* *vi aux sein* to go to seed,

to go to pot (*inf*); (*Gebäude auch*) to fall into disrepair; (*Mensch*) to let oneself go, to neglect oneself; (*verwildern*) to run wild; (*auf die schiefe Bahn geraten*) to fall into bad ways.

verwahrlost *adj* neglected; *Mensch, Äußeres auch* unkempt. **sittlich** ~ decadent.

Verwahrlosung *f, no pl siehe vi* neglect; dilapidation; neglect (of oneself); wildness; (*moralisch*) waywardness.

Verwahrung *f* **1.** *no pl* (*von Geld*) keeping; (*von Täter*) custody, detention. **die** ~ **eines Menschen in einem Heim** putting/keeping a person in a home; **jdm etw in** ~ **geben, etw bei jdm in** ~ **geben** to give sth to sb for safekeeping; **etw in** ~ **nehmen** to take sth into safekeeping; (*Behörde*) to take possession of sth; **jdn in** ~ **nehmen** to take sb into custody. **2.** (*Einspruch*) protest. **gegen etw** ~ **einlegen** to make *or* lodge a protest against sth.

verwaisen* *vi aux sein* to become an orphan, to be orphaned; (*fig*) to be deserted *or* abandoned. **verwaist** orphaned; (*fig*) deserted, abandoned.

verwalten* *vt* to manage; *Firma auch* to run; *Angelegenheiten auch* to conduct; *Erbe, Vermögen auch* to administer; *Treuhandsgut* to hold in trust; *Amt* to hold; (*Pol*) *Provinz* to govern; (*Beamte*) to administer. **sich selbst** ~ (*Pol*) to be self-governing.

Verwalter(in *f*) *m* **-s,** - administrator; (*Treuhänder*) trustee, custodian.

Verwaltung *f* **1.** *siehe vt* management; running; conducting; administration; holding in trust; holding; government. **2.** (*Behörde, Abteilung*) administration; (*Haus~*) management. **städtische** ~ **municipal authorities** *pl*.

Verwaltungsangestellte(r) *mf* admin(istration) employee; **Verwaltungsapparat** *m* administrative machinery; **Verwaltungsbeamte(r)** *m* government (administration) official; **Verwaltungsbehörde** *f* administration; **Verwaltungsbezirk** *m* administrative district; **Verwaltungsdienst** *m* admin(istration); **Verwaltungsgebäude** *nt* admin(istration) building *or* block; **Verwaltungsgebühr** *f* administrative charge; **Verwaltungsgericht** *nt* Administrative Court; **Verwaltungskosten** *pl* administrative expenses *pl*; **Verwaltungsweg** *m* administrative channels *pl*; **auf dem** ~**e** through (the) administrative channels.

verwandelbar *adj* (*Math, Econ*) convertible.

verwandeln* **I** *vt* (*umformen*) to change, to transform; *Bett, Zimmer,* (*Math, Econ, Chem*) to convert; (*Theat*) *Szene* to change; (*Jur*) *Strafe* to commute; (*Rel*) *Brot, Wein auch* to transubstantiate. **jdn/etw in etw** (*acc*) ~ to turn sb/sth into sth; (*verzaubern auch*) to change *or* transform sb/sth into sth; **die Vorlage** ~ (*Ftbl*) to score off the pass; **Müller verwandelte den Paß zum 2:0** Müller put the pass away to make it 2-0; **ein Gebäu-** **de in einen Trümmerhaufen** ~ to reduce a building to a pile of rubble; **er ist wie verwandelt** he's a changed man. **II** *vi* (*Sport sl*) **zum 1:0** ~ to make it 1-0.

III *vr* to change; (*Zool*) to metamorphose. **sich in etw** (*acc*) *or* **zu etw** ~ to change *or* turn into sth; **Zeus hat sich in einen Stier verwandelt** Zeus turned *or* transformed himself into a bull.

Verwandlung *f* **1.** *siehe vt* transformation; conversion; change, changing; commuting; transubstantiation. **2.** *siehe vr* change; metamorphosis; (*von Göttern, von der Natur*) transformation. **eine** ~ **durchmachen** to undergo a change *or* transformation.

Verwandlungskünstler(in *f*) *m* quick-change artist.

verwandt I *ptp of* **verwenden.** **II** *adj* **1.** related (*mit* to); (*Ling auch*) cognate; *siehe* **Ecke.** **2.** (*fig*) (*mit* to) *Probleme, Methoden, Fragen, Wissenschaften* related, allied; *Philosophien, Kultur, Gefühle auch* kindred *attr*; *Denker, Geister* kindred *attr*. **~e Seelen** (*fig*) kindred spirits.

verwandte *pret of* **verwenden.**

Verwandte(r) *mf decl as adj* relation, relative.

Verwandtschaft *f* relationship; (*die Verwandten*) relations *pl*, relatives *pl*; (*fig*) affinity, kinship.

verwandtschaftlich *adj* family *attr*.

verwarnen* *vt* to caution, to warn.

Verwarnung *f* caution, warning.

Verwarnungsgeld *nt* exemplary fine.

verwaschen *adj* faded (*in the wash*); (*verwässert*) *Farbe* watery; (*fig*) wishy-washy (*inf*), woolly (*inf*).

verwässern* *vt* to water down; (*fig auch*) to dilute.

Verwässerung *f* watering down; (*fig auch*) dilution.

verweben* *vt irreg* **1.** *auch reg Garne* to weave. **2.** (*lit, fig: verflechten*) to interweave (*mit, in* +*acc* with).

verwechseln* *vt Gegenstände* to mix up, to get muddled *or* mixed up; *Begriffe, Menschen auch* to confuse. **jdn** (*mit jdm*) ~ to confuse sb with sb; (*für jdn halten auch*) to mistake sb for sb; **entschuldigen Sie, ich habe Sie verwechselt** sorry — I thought you were *or* I (mis)took you for someone else; **zum V~ ähnlich sein** to be the spitting image of each other, to be as like as two peas in a pod; **ich habe meinen Schirm verwechselt** I took somebody else's umbrella by mistake; **sie verwechselt "mir" und "mich"** (*lit*) she mixes up *or* confuses "mir" and "mich"; (*fig*) she doesn't know her grammar.

Verwechslung *f* confusion; (*Irrtum*) mistake. **die Polizei ist sicher, daß eine** ~ **völlig ausgeschlossen ist** the police are certain that there can be absolutely no mistake; **es kam deshalb zu einer** ~**, weil** ... there was a mix-up *or* confusion because ...; **das muß eine** ~ **sein, da muß es sich um eine** ~ **handeln** there must be some mistake.

verwegen *adj* daring, bold; (*tollkühn*) foolhardy, rash; (*keck*) cheeky, saucy. **den Hut ~ aufsetzen** to set one's hat at a jaunty *or* rakish angle.

Verwegenheit *f siehe adj* daring, boldness; foolhardiness, rashness; cheek(i-ness), sauciness.

verwehen* **I** *vt Blätter* to blow away, to scatter; *Spur, Pfad* to cover over, to obliterate. **vom Winde verweht** gone with the wind. **II** *vi aux sein* (*geh*) (*Worte, Musik*) to be carried away, to drift away.

verwehren* *vt* (*geh*) **jdm etw ~** to refuse *or* deny sb sth; **die neugebauten Häuser ~ ihnen jetzt den Blick auf ...** the newly built houses now bar their view of ...; **jdm ~, etw zu tun** to bar sb from doing sth.

Verwehung *f* (*Schnee~*) (snow)drift; (*Sand~*) (sand)drift.

verweichlichen* **I** *vt* **jdn ~** to make sb soft; **ein verweichlichter Mensch** a weakling; **ein verweichlichtes Muttersöhnchen** a mollycoddled mother's boy. **II** *vi aux sein* to get *or* grow soft.

Verweichlichung *f* softness. **Zentralheizung führt zur ~** central heating makes you soft.

Verweigerer *m* refusenik (*inf*); (*Kriegsdienst~*) conscientious objector.

verweigern* *vt* to refuse; *Befehl* to refuse to obey; *Kriegsdienst* to refuse to do. **jdm etw ~** to refuse *or* deny sb sth; **er kann ihr keinen Wunsch ~** he can refuse *or* deny her nothing; **die Annahme eines Briefes ~** to refuse (to accept *or* to take delivery of) a letter; **das Pferd hat (das Hindernis) verweigert** the horse refused (at the fence *or* jump); **sich jdm ~** (*euph*) to refuse (to have) intimacy with sb.

Verweigerung *f* refusal; (*von Hilfe, Auskunft auch*) denial. **die ~ einer Aussage** (*Jur*) refusal to make a statement; **~ des Kriegsdienstes** refusal to do (one's) military service; **~ des Gehorsams** disobedience.

verweilen* *vi* (*geh*) (*Mensch*) to stay; (*Blick*) to rest; (*Gedanken*) to dwell, to linger. **bei einer Sache ~** to dwell on sth.

verweint *adj Augen* tear-swollen; *Gesicht* tear-stained; *Mensch* with (a) tear-stained face. **~ aussehen** to look as though one has (just) been crying.

Verweis *m* **-es, -e** 1. (*Rüge*) reprimand, rebuke, admonishment. **jdm einen ~ erteilen** *or* **aussprechen** to reprimand *or* rebuke *or* admonish sb. 2. (*Hinweis*) reference (*auf +acc* on).

verweisen* *irreg* **I** *vt* 1. (*hinweisen*) **jdn auf etw** (*acc*)/**an jdn ~** to refer sb to sth/sb.
2. (*von der Schule*) to expel. **jdn des Landes** *or* **aus dem Lande ~** to expel sb (from the country); **jdn vom Platz** *or* **des Spielfeldes ~** to send sb off; **jdn auf den zweiten Platz ~** (*Sport*) to relegate sb to second place.
3. (*Jur*) to refer (*an +acc* to).
II *vi* **auf etw** (*acc*) **~** to refer to sth.

Verweisung *f* 1. expulsion. 2. (*Hinweis*)

siehe Verweis 2.. 3. (*Jur*) referral (*an +acc* to).

verwelken* *vi aux sein* (*Blumen*) to wilt; (*fig*) to fade. **ein verwelktes Gesicht** a worn face; **eine verwelkte Schönheit** a faded beauty.

verweltlichen* *vt* to secularize.

Verweltlichung *f* secularization.

verwendbar *adj* usable (*zu* for). **das ist nur einmal ~** it can be used once only.

Verwendbarkeit *f, no pl* usability.

verwenden *pret* **verwendete** *or* **verwandte**, *ptp* **verwendet** *or* **verwandt**
I *vt* to use; *Methode, Mittel auch* to employ; (*verwerten auch*) to make use of, to utilize. **Mühe/Fleiß auf etw** (*acc*) **~** to put effort/hard work into sth; **Zeit auf etw** (*acc*) **~** to spend time on sth.
II *vr* **sich (bei jdm) für jdn ~** to intercede (with sb) *or* to approach sb on sb's behalf.

Verwendung *f* use; (*von Mitteln auch*) employment; (*von Zeit, Geld*) expenditure (*auf +acc* on). **keine ~ für etw haben** to have no use for sth; **für alles ~ haben** (*inf*) to have a use for everything; **~ finden** to have a use, to come in handy *or* useful; **für jdn/etw ~ finden** to find a use for sb/sth.

verwendungsfähig *adj* usable; **für etw ~ sein** to be suitable for sth; **Verwendungsmöglichkeit** *f* (possible) use; **Verwendungszweck** *m* use, purpose.

verwerfen* *irreg* **I** *vt* 1. (*ablehnen*) to reject; *eigene Meinung, Ansicht* to discard; (*Jur*) *Klage, Antrag* to dismiss; *Urteil* to quash; (*kritisieren*) *Handlungsweise, Methode* to condemn. 2. *Ball* to lose. **II** *vr* 1. (*Holz*) to warp. 2. (*Geol*) to fault. 2. (*Cards*) to misdeal. **III** *vi Tier* to abort.

verwerflich *adj* reprehensible.

Verwerflichkeit *f* reprehensibleness.

Verwerfung *f* 1. *siehe vt* 1. rejection; discarding; dismissal; quashing; condemnation. 2. (*Geol*) fault. (*von Holz*) warping.

verwertbar *adj* usable.

Verwertbarkeit *f* usability.

verwerten* *vt* (*verwenden*) to make use of, to utilize; *Reste* auch, to make use of; *Kenntnisse auch* to exploit, to put to (good) use; *Erfahrungen auch* to turn to (good) account; (*kommerziell*) *Erfindung, Material* to exploit.

Verwertung *f siehe vt* utilization; using; exploitation.

verwesen* *vi aux sein* to decay; (*Fleisch*) to rot.

Verweser *m* **-s, -** (*Hist*) administrator; (*Amts~*) deputy; (*Pfarr~*) locum (tenens).

Verwesung *f, no pl* decay. **in ~ übergehen** to start to decay.

verwetten* *vt* to gamble away.

verwickeln* **I** *vt Fäden* to tangle (up), to get tangled up. **jdn in etw** (*acc*) **~** to involve sb in sth; *in Kampf, in dunkle Geschäfte auch* to get sb mixed up in sth; *in Skandal auch* to get sb mixed up in sth, to embroil sb in sth.
II *vr* (*Fäden*) to tangle (up), to be-

come tangled. **sich in etw** (*acc*) ~ (*lit*) to become entangled in sth, to get caught up in sth; (*fig*) in Widersprüche to get oneself tangled up in sth; in Skandal to get mixed up *or* involved *or* embroiled in sth.

verwickelt *adj* (*fig inf*) (*schwierig*) involved, complicated, intricate; (*verwirrt*) Mensch fuddled, confused.

Verwick(e)lung *f* involvement (*in* +*acc* in); (*in Skandal auch*) embroilment; (*Komplikation*) complication; (*Verwirrung*) confusion; (*Theat, Liter*) intrigue, intricacy (of plot).

verwildern* *vi aux sein* (*Garten*) to become overgrown, to overgrow; (*Pflanzen*) to grow wild; (*Haustier*) to become wild; (*hum inf: Mensch*) to run wild.

verwildert *adj* wild; Garten overgrown; Aussehen unkempt.

Verwilderung *f* (*von Garten*) overgrowing. **Zustand der** ~ state of neglect.

verwinden* *vt irreg* to get over.

verwinkelt *adj* full of corners.

verwirken *vt* (*geh*) to forfeit.

verwirklichen* I *vt* to realize; Hoffnung *auch* to fulfil; Idee, Plan *auch* to put into effect, to translate into action; Wunsch, Traum *auch* to make come true, to turn into a reality.

II *vr* to be realized; to be fulfilled; to be put into effect, to be translated into action; to come true, to become a reality; (*Mensch*) to fulfil oneself.

Verwirklichung *f*, *no pl* realization; (*von Hoffnung, Selbst*~) fulfilment.

verwirren* I *vt* 1. Haar to tousle; to ruffle (up); Fäden to tangle (up), to get tangled up.

2. (*durcheinanderbringen*) to confuse; (*konfus machen*) to bewilder; (*aus der Fassung bringen auch*) to fluster; Sinne, Verstand *auch* to (be)fuddle.

II *vr* (*Fäden*) to become tangled (up) *or* snarled up; (*Haare*) to become tousled *or* dishevelled; (*fig*) to become confused.

Verwirrspiel *nt* (*fig*) confusion. **ein** ~ **mit jdm treiben** to try to confuse sb.

Verwirrung *f* (*Durcheinander*, *Verlegenheit*) confusion; (*Fassungslosigkeit auch*) bewilderment. **jdn in** ~ **bringen** to confuse/bewilder sb; (*verlegen machen*) to fluster sb.

verwirtschaften* *vt* to squander away.

verwischen* I *vt* (*verschmieren*) to smudge, to blur; (*lit, fig*) Spuren to cover over; (*fig*) Eindrücke, Erinnerungen to blur. II *vr* (*lit, fig*) to become blurred; (*Schrift auch*) to become smudged; (*Erinnerung auch*) to fade.

verwittern* *vi aux sein* to weather.

verwittert *adj* Gestein weathered; Gesicht *auch* weather-beaten.

Verwitterung *f* weathering.

verwitwet *adj* widowed. **Frau Meier, ~e Schulz** Mrs Meier, the widow of Mr Schulz.

verwohnen* *vt* Wohnung to run down; Möbel to wear out.

verwöhnen* I *vt* to spoil; (*Schicksal*) to smile upon, to be good to. II *vr* to spoil

oneself.

verwohnt *adj* Wohnung lived-in *pred*; Möbel battered.

verwöhnt *adj* spoilt, spoiled; Kunde, Geschmack discriminating. **vom Schicksal/von den Göttern** ~ smiled upon by fate/the gods.

Verwöhnung *f*, *no pl* spoiling.

verworfen I *ptp of* verwerfen. II *adj* (*geh*) depraved, degenerate; Blick depraved.

verworren *adj* confused, muddled; (*verwickelt*) complicated, involved, intricate.

Verworrenheit *f*, *no pl* siehe *adj* confusion; complicatedness, intricacy.

verwundbar *adj* (*lit, fig*) vulnerable.

Verwundbarkeit *f* (*lit, fig*) vulnerability.

verwunden* *vt* to wound; (*lit auch*) to injure.

verwunderlich *adj* surprising; (*stärker*) astonishing, amazing; (*sonderbar*) strange, odd. **es ist nicht** ~, **daß** ... it is no wonder *or* not surprising that ...

verwundern* I *vt* to astonish, to amaze. II *vr* (*über* +*acc* at) to be amazed *or* astonished, to wonder. **sich über etw** (*acc*) **sehr** ~ **müssen** to be most amazed at sth.

Verwunderung *f*, *no pl* astonishment, amazement. **zu meiner größten** ~ to my great astonishment *or* amazement.

verwundet *adj* (*lit, fig*) wounded.

Verwundete(r) *mf decl as adj* casualty. **die** ~**n** (*Mil*) the wounded.

Verwundung *f* wound.

verwunschen *adj* enchanted.

verwünschen* *vt* 1. (*verfluchen*) to curse. **verwünscht** cursed, confounded. 2. (*in Märchen*) (*verzaubern*) to enchant, to put *or* cast a spell on *or* over; (*verhexen*) to bewitch.

Verwünschung *f* 1. (*Fluch*) curse, oath. 2. *no pl* (*Verzauberung*) enchantment; (*Verhexung*) bewitchment.

verwurzelt *adj* ~ **sein** (*Pflanze*) to be rooted; (*fest*) **in** *or* **mit etw** (*dat*) ~ **sein** (*fig*) to be deeply rooted in sth.

Verwurzelung *f* (*lit*) rooting; (*fig*) rootedness.

verwüsten* *vt* to devastate, to ravage; (*fig*) Gesicht to ravage.

Verwüstung *f* devastation *no pl*, ravaging *no pl*. **die** ~**en durch den Sturm** the devastation caused by *or* the ravages of the storm; ~**en anrichten** to inflict devastation.

verzagen* *vi* (*geh*) to become disheartened, to lose heart. **an etw** (*dat*) ~ to despair of sth; **nicht** ~! don't despair.

verzagt *adj* disheartened, despondent.

Verzagtheit *f*, *no pl* despondency.

verzählen* *vr* to miscount, to count wrongly.

verzahnen* *vt* Bretter to dovetail; Zahnräder to cut teeth *or* cogs in, to gear; (*fig auch*) to (inter)link. **ineinander verzahnt sein** to mesh.

verzanken* *vr* (*inf*) to quarrel, to fall out.

verzapfen* *vt* (*inf*) Unsinn to come out with; (*pej*) Gedichte, Artikel to concoct.

verzärteln* *vt* (*pej*) to mollycoddle, to pamper.

verzaubern* *vt* (*lit*) to cast a spell on *or* over, to put a spell on; (*fig*) *Mensch auch* to enchant. **jdn in etw** (*acc*) ~ to turn sb into sth; **eine verzauberte Prinzessin** an enchanted princess.

Verzauberung *f* (*lit, fig*) enchantment; (*Verhexung*) bewitchment. **die** ~ **des Prinzen in einen Frosch** turning the prince into a frog.

verzechen* *vt* (*inf*) to blow (*inf*). **das ganze Geld** ~ to blow all the money.

verzehnfachen* *vtr* to increase ten-fold.

Verzehr *m* -(e)s, *no pl* consumption.

verzehren* **I** *vt* (*form: lit, fig*) to consume. **II** *vr* (*geh*) to languish (*liter*), to eat one's heart out. **sich vor Gram/ Sorgen** ~ to be consumed by *or* with grief/worries; **sich nach jdm** ~ to pine for sb.

verzeichnen* *vt* **1.** to record; (*aufzeichnen auch*) to note; (*in einer Liste auch*) to enter; (*St Ex*) *Kurse* to quote. **gewaltige Änderungen sind zu** ~ enormous changes are to be noted; **Todesfälle waren nicht zu** ~ there were no fatalities; **einen Erfolg zu** ~ **haben** to have scored a success; **in einer Liste** ~ to list.
     2. (*falsch zeichnen*) to draw wrong(ly); (*fig*) to misrepresent, to distort.

Verzeichnis *nt* index; (*Tabelle*) table; (*Namens*~, *esp amtlich*) register; (*Aufstellung*) list; (*Comput*) directory.

verzeihen *pret* **verzieh**, *ptp* **verziehen** *vti* (*vergeben*) to forgive; (*Gott, Gebieter*) to pardon; (*entschuldigen*) to excuse, to pardon. **jdm (etw)** ~ to forgive sb (for sth); **das ist nicht zu** ~ that's unforgivable; (*nicht zu entschuldigen auch*) that's inexcusable *or* unpardonable; **es sei dir noch einmal verziehen** you're forgiven *or* excused!, we'll forgive you!; ~ **Sie!** excuse me!; (*als Entschuldigung auch*) I beg your pardon! (*form*); ~ **Sie die Störung,** ~ **Sie, daß ich stören muß** excuse me for disturbing me.

verzeihlich *adj* forgivable; (*zu entschuldigen*) excusable, pardonable.

Verzeihung *f, no pl* forgiveness; (*Entschuldigung*) pardon. ~**!** excuse me!; (*als Entschuldigung auch*) sorry!; (**jdn**) **um** ~ **bitten** (*sich entschuldigen*) to apologize (to sb); **ich bitte vielmals um** ~ I do apologize (*für* for), I'm terribly sorry (*für* about).

verzerren* **I** *vt* (*lit, fig*) to distort; *Gesicht* to contort; *Sehne, Muskel* to strain, to pull. **etw verzerrt darstellen** (*fig*) to present a distorted picture of sth. **II** *vi* (*Lautsprecher, Spiegel*) to distort. **III** *vr* to become distorted; (*Gesicht*) to become contorted (*zu* in.)

Verzerrung *f* (*lit, fig*) distortion; (*von Gesicht*) contortion; (*von Muskel, Sehne*) straining, pulling; (*Statistik*) bias.

verzetteln* *vr* **1.** to waste; *Geld, Zeit auch* to fritter away; *Energie auch* to dissipate. **2.** *Wörter, Bücher* to catalogue. **II** *vr* to waste a lot of time; (*bei Aufgabe, Diskussion*) to get bogged down.

Verzicht *m* -(e)s, -e renunciation (*auf +acc* of); (*auf Anspruch*) abandonment (*auf +acc* of); (*Opfer*) sacrifice; (*auf Recht, Eigentum, Amt*) relinquishment (*auf +acc* of); (*auf Thron*) abdication (*auf +acc* of). **der** ~ **auf Zigaretten fällt ihm schwer** he finds it hard to give up cigarettes; **ein** ~**, der mir nicht schwerfällt** that's something I can easily do without; ~ **leisten** *or* **üben** (*auf +acc*) (*form*) *siehe* **verzichten**.

verzichten* *vi* to do without; (*Opfer bringen*) to make sacrifices. **einer muß leider** ~ somebody has to do without, I'm afraid; **der Kandidat hat zugunsten eines Jüngeren verzichtet** the candidate stepped down in favour of a younger man; **danke, ich verzichte** (*iro*) not for me, thanks; **auf jdn/etw** ~ (*ohne auskommen müssen*) to do without sb/sth; *auf Alkohol, Süßigkeiten auch* to abstain from sth; (*aufgeben*) to give up sb/sth; *auf Erbschaft, Eigentum* to renounce sth; *auf Anspruch* to waive sth; *auf Recht* to relinquish sth; (*von etw absehen*) *auf Kommentar, Anzeige* to abstain from sth; *auf Kandidatur, Wiederwahl, Amt* to refuse sth; **auf den Thron** ~ to abdicate; **auf jdn/etw** ~ **können** to be able to do without sb/sth; **auf Einzelheiten** ~ **können** to be able to dispense with details.

Verzichterklärung *f* (*auf +acc* of) renunciation; (*auf finanzielle Leistungen*) disclaimer.

verzieh *pret of* **verzeihen**.

verziehen¹* *irreg* **I** *vt* **1.** *Mund, Züge* to twist (*zu* into). **das Gesicht** ~ to pull *or* make a face, to grimace; **den Mund** ~ to turn up one's mouth; **keine Miene** ~ not to turn a hair.
     2. *Stoff* to pull out of shape, to stretch; *Chassis, Gestell* to bend out of shape; *Holz* to warp.
     3. *Kinder* to spoil; *Tiere* to train badly.
     4. *Pflanzen* to thin out.
     II *vr* **1.** (*Stoff*) to go out of shape, to stretch; (*Chassis*) to be bent out of shape; (*Holz*) to warp.
     2. (*Mund, Gesicht*) to twist (*zu* into), to contort.
     3. (*verschwinden*) to disappear (*auch inf*); (*Gewitter*) to pass; (*Nebel, Wolken*) to disperse.
     III *vi aux sein* to move (*nach* to). **verzogen** (*Vermerk*) no longer at this address; **falls Empfänger verzogen** in case of change of address.

verziehen² *ptp of* **verzeihen**.

verzieren* *vt* to decorate; (*verschönern*) to embellish; (*Mus*) to ornament.

Verzierung *f siehe vt* decoration; embellishment; ornamentation; (*Mus: verzierende Noten*) ornament; *siehe* **abbrechen**.

verzinken* *vt Metalle* to galvanize.

verzinsbar *adj siehe* **verzinslich**.

verzinsen* **I** *vt* to pay interest on. **jdm sein Kapital (mit *or* zu 5%)** ~ to pay sb (5%) interest on his/her capital; **das Geld wird mit 3% verzinst** 3% interest is paid on the money, the money yields *or* bears 3% interest. **II** *vr* **sich (mit 6%)** ~

to yield *or* bear (6%) interest.

verzinslich *adj* interest-bearing *attr*, yielding *or* bearing interest. **~/fest ~ sein** to yield *or* bear interest/a fixed rate of interest; **zu 3%/einem hohen Satz ~** yielding *or* bearing 3% interest/a high rate of interest; **nicht ~** free of interest.

Verzinsung *f* (*das Verzinsen*) payment of interest (+*gen*, *von* on); (*Zinsertrag*) interest (yield *or* return) (+*gen*, *von* on); (*Zinssatz*) interest rate.

verzogen I *ptp of* **verziehen**[1]. **II** *adj* Kind badly brought up; (*verwöhnt*) spoilt; *Tier* badly trained.

verzögern* I *vt* to delay; (*verlangsamen*) to slow down. **II** *vr* to be delayed.

Verzögerung *f* **1.** delay, hold-up. **2.** *no pl* (*das Verzögern*) delaying; (*Verlangsamung*) slowing down; (*Phys*) deceleration; (*Mil*) holding action.

Verzögerungstaktik *f* delaying tactics *pl*.

verzollen* *vt* to pay duty on. **diese Waren müssen verzollt werden** you must pay duty on these articles; **haben Sie etwas zu ~?** do you have anything to declare?; **verzollt** duty-paid.

Verzollung *f* payment of duty (+*gen* on).

verzücken* *vt* to enrapture, to send into raptures *or* ecstasies.

verzückt *adj* enraptured, ecstatic. **~ lauschte er der Musik** he listened enraptured to the music.

Verzückung *f*, *no pl* rapture, ecstasy. **in ~ geraten** to go into raptures *or* ecstasies (*wegen* over).

Verzug *m* **1.** delay; (*Rückstand von Zahlung*) arrears *pl*. **ohne ~** without delay, forthwith; **bei ~ (der Zahlungen)** on default of payment; **im ~** in arrears *pl*; **mit etw in ~ geraten** to fall behind with sth; **mit Zahlungen** to fall into arrears with sth.
2. es ist Gefahr im ~ there's danger ahead.

Verzugszinsen *pl* interest payable on arrears *sing*.

verzwackt *adj* (*inf*) tricky.

verzweifeln* *vi aux sein* to despair (*an* +*dat* of). **am Leben ~** to despair of life; **nur nicht ~!** don't despair!, don't give up!; **es ist zum V~!** it makes you despair!, it drives you to despair!

verzweifelt *adj* Blick, Stimme despairing *attr*, full of despair; *Lage*, *Versuch*, *Kampf* desperate. **ich bin (völlig) ~** I'm in (the depths of) despair; (*ratlos*) I just don't know what to do, I'm at my wits' end; **..., sagte er ~** ... he said despairingly.

Verzweiflung *f* (*Gemütszustand*) despair; (*Ratlosigkeit*) desperation. **etw in seiner** *or* **aus ~ tun** to do sth in desperation; **in ~ geraten** to despair; **jdn zur** *or* **in die ~ treiben** to drive sb to despair; *siehe* **bringen**.

Verzweiflungstat *f* act of desperation.

verzweigen* *vr* (*Bäume*) to branch (out); (*Straße*) to branch (off); (*Leitung*) to branch; (*Firma*) to establish branches; (*Anat*, *fig*) to ramify.

verzweigt *adj* Baum, Familie, Firma, Straßennetz branched; (*Anat*, *fig*) rami-

fied.

Verzweigung *f siehe vr* branching (out); branching (off); branching; establishment of branches; ramification.

verzwickt *adj* (*inf*) tricky.

Vesper[1] *f* -, **-n** (*Eccl*) vespers *pl*.

Vesper[2] *nt* **-s**, - (*dial*) (*auch* **~pause**, **~zeit**) break; (*auch* **~brot**) sandwiches *pl*.

vespern (*dial*) **I** *vt* to guzzle (*inf*). **II** *vi* (*essen*) to guzzle things (*inf*); (*Pause machen*) to have a break.

Vestibül [vɛstiˈbyːl] *nt* **-s**, **-e** (*dated*, *geh*) vestibule.

Veteran [veteˈraːn] *m* **-en**, **-en** (*Mil*, *fig*) veteran; (*Aut*) vintage car.

Veterinär(in *f*) [veteriˈnɛːɐ-ˈnɛːrɪn] *m* (*old*, *form*) veterinary surgeon.

Veterinärmedizin [veteriˈnɛːɐ-] *f* veterinary medicine.

Veto [ˈveːto] *nt* **-s**, **-s** veto; *siehe* **einlegen**.

Vetorecht [ˈveːto-] *nt* right of veto.

Vettel *f* -, **-n** (*old pej*) hag.

Vetter *m* **-s**, **-n** cousin; (*in Märchen*) Brother, Brer.

Vetternwirtschaft *f* (*inf*) nepotism.

Vexierbild [vɛˈksiːɐ-] *nt* picture puzzle.

V-Form [ˈfau-] *f* V-shape. **in ~** in a V-shape, in the shape of a V.

v-förmig [ˈfau-] *adj* V-shaped, in (the shape of) a V.

vgl. *abbr of* **vergleiche** cf.

v.H. *abbr of* **vom Hundert** per cent.

VHS [fauhaːˈʔɛs] *f abbr of* **Volkshochschule**.

via [ˈviːa] *adv* via.

Viadukt [viaˈdʊkt] *m* **-(e)s**, **-e** viaduct.

Vibraphon [vibraˈfoːn] *nt* **-s**, **-e** vibraphone, vibraharp (*US*).

Vibration [vibraˈtsioːn] *f* vibration.

Vibrator [viˈbraːtɔr] *m* vibrator.

vibrieren* [viˈbriːrən] *vi* to vibrate; (*Stimme*) to quiver, to tremble; (*schwanken: Ton*) to vary, to fluctuate.

Video [ˈviːdeo] *nt* **-s**, **-s** video. **etw auf ~ aufnehmen** to video sth, to record sth on video.

Video- [ˈviːdeo-] *in cpds* video; **Videoaufnahme** *f* video recording; **Videoband** *nt* video-tape; **Videoclip** *m* video clip; **Videogerät** *nt* video (recorder); **Videokamera** *f* video camera; **Videokassette** *f* video cassette; **Videokonsole** *f* video control panel; **Videorekorder** *m* video recorder; **Videotechnik** *f* video technology; **Videotext** *m* teletext.

Videothek [video-] *f* -, **-en** video(-tape) library.

Videoverfahren [ˈviːdeo-] *nt* video *no art*.

Viech *nt* **-(e)s**, **-er** (*inf*) creature.

Viecherei *f* (*inf*) **1.** (*Quälerei*) torture *no indef art* (*inf*). **2.** (*grober Scherz*) rotten trick.

Vieh *nt* **-(e)s**, *no pl* **1.** (*Nutztiere*) livestock; (*Rinder auch*) cattle *pl*. **10 Stück ~** 10 head of livestock/cattle. **2.** (*inf*: *Tier*) animal, beast (*usu hum*). **3.** (*pej inf*: *Mensch*) swine.

Viehbestand *m* livestock; **Viehfutter** *nt* (animal) fodder *or* feed; **Viehhandel** *m* livestock/cattle trade; **Viehhändler(in** *f*) *m* livestock/cattle dealer.

viehisch *adj* brutish; *Schmerzen* beastly; (*unzivilisiert*) *Benehmen* swinish. ~ **essen** to eat like a pig; ~ **hausen** to live like an animal/animals.

Viehmarkt *m* livestock/cattle market; **Viehsalz** *nt* (*für Tiere*) cattle salt; (*zum Streuen*) road salt; **Viehseuche** *f* livestock disease; **Viehtreiber(in** *f*) *m* drover; **Viehwagen** *m* cattle truck; **Viehweide** *f* pasture; **Viehzeug** *nt* (*inf*) animals, creatures *pl*; **Viehzucht** *f* (live)stock/cattle breeding.

viel *indef pron, adj, comp* **mehr**, *superl* **meiste(r, s)** *or adv* **am meisten 1.** *sing* (*adjektivisch*) a lot of, a great deal of; (*fragend, verneint auch*) much; (*substantivisch*) a lot, a great deal; (*fragend, verneint auch*) much. ~**es** a lot of things; ~**(es), was ...,** ~**(es) von dem, was ...** a lot *or* great deal of what ...; **in** ~**em, in** ~**er Hinsicht** *or* **Beziehung** in many respects; **mit** ~**em** with a lot of things; **um** ~**es besser** a lot *or* much *or* a great deal better; **sehr** ~ **(Geld)** a lot *or* a great deal (of money); **nicht sehr** ~ **(Geld)** not very much (money); **so** ~ **(Arbeit)** so much *or* such a lot (of work); **noch (ein)mal so** ~ **(Zeit)** as much (time) again; **zweimal so** ~ **(Arbeit)** twice as much (work); **gleich** ~ **(Gewinn)** the same amount (of profit); **ziemlich** ~ **(Schmutz)** rather a lot (of dirt); **ein bißchen** ~ **(Regen)** a bit too much (rain); **furchtbar** ~ **(Regen)** an awful lot (of rain); ~ **Erfolg!** good luck!, I wish you every success!; ~ **Spaß!** have fun!, enjoy yourself/yourselves!; ~ **Neues/Schönes** a lot of *or* many new/beautiful things; **das** ~**e/sein** ~**es Geld** all that/all his money; **das** ~**e Geld/Lesen** all this money/reading; ~ **zu tun haben** to have a lot to do; **er hält** ~**/nicht** ~ **von ihm/davon** he thinks a lot *or* a great deal/doesn't think much of him/it; **das will** ~**/nicht** ~ **heißen** *or* **sagen** that's saying a lot *or* a great deal/not saying much.

2. ~**e** *pl* (*adjektivisch*) many, a lot of, a great number of; (*substantivisch*) many, a lot; **es waren nicht** ~**e auf der Party** there weren't many (people) *or* a lot (of people) at the party; **da wir so** ~**e sind** since there are so many *or* such a lot of us; **davon gibt es nicht** ~**e/nicht mehr** ~**e** there aren't many *or* a lot about/many *or* a lot left; **furchtbar** ~**e (Kinder/Bewerbungen)** a tremendous number *or* an awful lot (of children/applications); **so/zu** ~**e (Menschen/Fehler)** so/too many (people/mistakes); **er hat** ~**(e) Sorgen/Probleme** he has a lot of worries/problems; ~**e hundert Menschen** many hundreds of people; **die/seine** ~**en Fehler** the/his many mistakes; **die** ~**en Leute/Bücher!** all these people/books!; ~**e glauben, ...** many (people) *or* a lot of people believe ...; **und** ~**e andere** and many others.

3. (*adverbial: mit vb*) a lot, a great deal; (*fragend, verneint auch*) much. **er arbeitet** ~**/nicht** ~ he works a lot/doesn't work much; **er arbeitet zu/so** ~ he works too/so much *or* such a lot; **sie**

ist ~ **krank/von zu Hause weg** she's ill/away a lot; **die Straße wird (sehr/nicht)** ~ **befahren** this street is (very/not very) busy; **dieses Thema wird** ~ **diskutiert** this subject is much debated; **sich** ~ **einbilden** to think a lot of oneself.

4. (*adverbial: mit adj, adv*) much, a lot. ~ **größer** much *or* a lot bigger; **nicht** ~ **anders** not very *or* much *or* a lot different; ~ **zu ...** much too ...; ~ **zu** ~ much *or* far too much; ~ **zu** ~**e** far too many; **ich ginge** ~ **lieber ins Kino** I'd much rather go *or* I'd much prefer to go to the cinema.

vielbeschäftigt *adj attr* very busy; **vieldeutig** *adj* ambiguous; **Vieldeutigkeit** *f* ambiguity; **vieldiskutiert** *adj attr* much discussed; **Vieleck** *nt* polygon; **vieleckig** *adj* polygonal (*Math*), many-sided.

vielerlei *adj inv* **1.** various, all sorts of, many different. **2.** (*substantivisch*) all kinds *or* sorts of things.

vieler|orts *adv* in many places.

vielfach I *adj* multiple *attr*, manifold. **ein** ~**er Millionär** a multimillionaire; **auf** ~**e Weise** in many various ways; **auf** ~**en Wunsch** at the request of many people; **um ein** ~**es besser** many times better.

II *adv* many times; (*in vielen Fällen*) in many cases; (*auf* ~**e Weise**) in many ways; (*inf: häufig*) frequently. ~ **bewährt** tried and tested many times.

Vielfache(s) *nt decl as adj* (*Math*) multiple. **das kleinste gemeinsame** ~ (*Math*) the least *or* lowest common multiple; **um ein** ~**s** many times over; **der Gewinn hat sich um ein** ~**s vermehrt/ist um ein** ~**s gestiegen** the profit has been multiplied several times.

Vielfalt *f* (great) variety.

vielfältig *adj* varied, diverse.

Vielfältigkeit *f, no pl* variety, diversity.

vielfarbig *adj* multicoloured; (*Tech*) polychrome *attr*, polychromatic; **Vielflächner** *m* **-s, -** (*Math*) polyhedron; **Vielfraß** *m* **-es, -e** (*Zool, fig*) glutton; **vielgehaßt** *adj attr* much-hated; **vielgekauft** *adj attr* frequently bought, much-purchased; **vielgeliebt** *adj attr* much-loved; **vielgenannt** *adj attr* much-cited, frequently mentioned; **vielgereist** *adj attr* much-travelled; **vielgeschmäht** *adj attr* much-maligned; **vielgestaltig** *adj* variously shaped, varied in shape and form, multiform (*form*); (*fig: mannigfaltig*) varied; **in** ~**er Weise** in multifarious ways; **vielglied(e)rig** *adj* having *or* with many parts; (*Math*) polynomial; **vielhundertmal** *adv* (*liter*) hundreds upon hundreds of times, many hundreds of times; **vielköpfig** *adj* many-headed, polycephalous (*Sci, form*); (*inf*) *Familie, Schar* large.

vielleicht *adv* **1.** perhaps; (*in Bitten auch*) by any chance. **ja,** ~ yes, perhaps *or* maybe; **haben Sie** ~ **meinen Hund gesehen?** have you seen my dog by any chance?; **könnten Sie mir** ~ **sagen, wie spät es ist?** could you possibly tell me the time?; ~ **könnten Sie so freundlich sein und ...?** perhaps you'd be so kind as to

...?; ~ **sagst du mir mal, warum** you'd better tell me why; ~ **hältst du mal den Mund!** keep your mouth shut; **hat er sich ~ verirrt/weh getan?** maybe he has got lost/hurt himself; **hast du ihm das ~ erzählt?** did you perhaps tell him that?; *(entsetzt: denn etwa)* you didn't tell him that, did you?; ~ **hast du recht** perhaps you're right, you may be right, maybe you're right; ~, **daß ...** it could be that ...

2. *(wirklich, tatsächlich, inf: verstärkend)* really. **soll ich ~ 24 Stunden arbeiten?!** am I supposed to work 24 hours then?!; **willst du mir ~ erzählen, daß ...?!** do you really mean to tell me that ...?; **du bist ~ ein Idiot!** you really are an idiot!; **ich war ~ nervös!** I wasn't half nervous! *(inf)*, was I nervous!, I was as nervous as anything *(inf)*; **das ist ~ ein Haus!** that's what I call a house! *(inf)*, that's some house! *(inf)*.

3. *(ungefähr)* perhaps, about.

vielmalig *adj attr* repeated.

vielmals *adv* **1.** *(in bestimmten Wendungen)* **danke ~!** thank you very much!, many thanks! **ich bitte ~ um Entschuldigung!** I do apologize!; **er läßt ~ grüßen** he sends his best regards. **2.** *(liter: häufig)* many times, oft-times *(liter)*.

vielmehr *adv* rather; *(sondern, nur)* just. **ich glaube ~, daß ...** rather I or I rather think that ...: **nicht dumm, ~ faul** lazy rather than stupid, not stupid just lazy.

vielsagend *adj* meaningful, significant; **jdn ~ ansehen** to give sb a meaningful look; **vielschichtig** *adj (fig)* complex; *(inf)*; **vielseitig** *adj (lit)* many-sided; *Mensch, Gerät, Verwendung* versatile; *Interessen* varied; *Ausbildung* broad, all-round *attr*; **dieser Beruf ist sehr ~** there are many different sides to this job; ~ **interessiert/anwendbar** to have varied interests/many uses; **auf ~en Wunsch** by popular request; **vielsprachig** *adj* multilingual, polyglot; **vielstimmig** *adj* many-voiced; **vieltausendmal** *adv (liter)* thousands upon thousands of times, many thousands of times; **vielumworben** *adj attr* much-sought-after; *Frau, Mann* much-courted; **vielverheißend** *adj* promising, full of promise; **vielversprechend** *adj* promising, encouraging; **Vielvölkerstaat** *m* multiracial state; **Vielweiberei** *f* polygamy, polygyny; **Vielzahl** *f* multitude; **eine ~ von Abbildungen** a wealth of illustrations.

Vielzweck *in cpds* multipurpose.

vier *num* **1.** *(in die ersten/nächsten/letzten)* ~ the first/next/last four; **sie ist ~ (Jahre)** she's four (years old); **mit ~ (Jahren)** at the age of four; ~ **Millionen** four million; **es ist ~ (Uhr)** it's four (o'clock); **um/gegen ~ (Uhr)** or ~**e** *(inf)* at/around four (o'clock); ~ **Uhr ~** four minutes past four; ~**/fünf Minuten vor/nach** ~ four minutes/five (minutes) to/past four; **halb** ~ half past three; ~ **Minuten vor/nach halb** ~ twenty-six minutes past three/twenty-six minutes to four; **für** *or* **auf** ~ **Tage** for four days; **in**

~ **Tagen** in four days, in four days' time; ~ **zu drei** *(geschrieben 4:3)* four-three, four to three, 4-3; **wir waren** ~ *or* **zu ~t** *or* **zu ~en** *or* **unser** ~ *(geh)* there were four of us, we were four in number *(form)*; **wir fahren zu ~t in Urlaub** there are four of us going on holiday together; **sie kamen zu ~t** *or* ~**en** four of them came; **stellt euch** ~ **und** ~ *or* **zu je** ~ *or* **zu ~t** *or* **zu ~en auf** line up in fours; **eine Familie von ~en** *(inf)* a family of four; **Vater** ~**er Töchter** *or* **von** ~ **Töchtern** father of four daughters.

2. jdn unter ~ **Augen sprechen** to speak to sb in private *or* privately; **ein Gespräch unter** ~ **Augen** a private conversation *or* talk, a tête-à-tête; **jdn um ein Gespräch unter** ~ **Augen bitten** to ask to speak to sb privately *or* in private; ~ **Augen sehen mehr als zwei** *(prov)* two heads are better than one *(prov)*; **alle** ~**e von sich strecken** *(inf) (ausgestreckt liegen)* to stretch out; *(tot sein)* to have given up the ghost; **auf allen** ~**en** *(inf)* on all fours; **sich auf seine** ~ **Buchstaben setzen** *(hum inf)* to sit oneself down.

Vier *f* -, **-en** four; *(Buslinie)* (number) four. **die** ~ *pl (Pol)* the (Big) Four; **die Herz-**~ the four of hearts.

Vierachser *m* **-s,** - *(Aut)* four-axle vehicle; **vierarmig** *adj* with four arms; *Leuchter* with four branches; **Vier-Augen-Gespräch** *nt* personal *or* private discussion; **vierbändig** *adj* four-volume *attr*, in four volumes; **Vierbeiner** *m* **-s,** - *(hum)* four-legged friend *(hum)*; **vierbeinig** *adj* four-legged; **vierblätt(e)rig** *adj* four-leaf *attr*, four-leaved; **vierdimensional** *adj* four-dimensional; **Viereck** *nt* four-sided figure, quadrilateral *(Math)*; *(Rechteck)* rectangle; **viereckig** *adj* square; *(esp Math)* four-sided-, quadrangular, quadrilateral; *(rechteckig)* rectangular; **viereinhalb** *num* four and a half.

Vierer *m* **-s,** - *(Rudern, Sch)* four; *(Golf)* foursome; *(inf: Linie)* (number) four; *(inf: Lotto)* score of 4 correct; *(Aus, S Ger) (Ziffer)* four.

Viererbande *f (Hist)* Gang of Four; **Viererbob** *m* four-man bob; **Vierergruppe** *f* group of four; **viererlei** *adv inv* **1.** *attr Brot, Käse, Wein* four kinds *or* sorts of; *Möglichkeiten, Fälle, Größen* four different; **2.** *(substantivisch)* four different things; *(vier Sorten)* four different kinds; **Viererpasch** *m* (all) fours *no indef art*; **Viererreihe** *f* row of four; **Vierertreffen** *nt (Pol) (der vier Mächte)* four-power conference, meeting of the four powers.

vierfach I *adj* fourfold, quadruple *(esp Math)*. **die ~e Größe/Menge/Anzahl** four times the size/amount/number; **in ~er Ausfertigung** in quadruplicate; **in ~er Vergrößerung** enlarged four times.

II *adv* four times, fourfold. **das Papier** ~ **legen** *or* **nehmen** to fold the paper in four; **den Faden** ~ **nehmen** to take four threads together; **er hat den Band** ~ he has four copies of the book.

Vierfache(s) *nt decl as adj* four times the

amount, quadruple (*Math*). **das ~ von jdm verdienen** to earn four times as much as sb; **das ~ von 3 ist 12** four times 3 is 12; **zwei um das ~ vermehren** to add two to the quadruple of two; **um das ~ zunehmen** to quadruple.

Vierfachsteckdose f (*Elec*) 4-socket plug; **vierfältig** adj siehe **vierfach**; **Vierfarbendruck** m (*Verfahren*) four-colour printing; (*Erzeugnis*) four-colour print; **Vierfarb(en)stift** m four-colour pen; **Vierfelderwirtschaft** f (*Agr*) four-course rotation; **Vierflach** nt -(e)s, -e (*Math*) tetrahedron; **vierflächig** adj Körper, Gebilde tetrahedral; **Vierfüßer** m -s, - siehe **Vierfüßler**; **vierfüßig** adj four-legged, quadruped(al) (*spec*); (*Poet*) tetrameter attr, with four feet; **Vierfüßler** m -s, - (*Zool*) quadruped, tetrapod (*spec*); **Vierganggetriebe** nt four-speed gearbox; **viergeschossig** adj four-storey attr, four storeyed; **Viergespann** nt (*vier Tiere, Wagen mit vier Tieren*) four-in-hand; (*Hist: Quadriga*) quadriga; (*vier Menschen*) foursome; **viergliedrig** adj (*Math*) quadrinomial; **vierhändig** adj (*Mus*) four-handed; ~ **spielen** to play something for four hands; **vierhebig** adj (*Poet*) tetrameter; ~ **sein** to be a tetrameter.

vierhundert num four hundred.
Vierhundertjahrfeier f quatercentenary, quadricentennial (*US*).
vierhundertste(r, s) adj four hundredth.
vierhunderttausend num four hundred thousand.

Vierjahresplan m (*Econ*) four-year plan; **vierjährig, 4jährig** adj (*4 Jahre alt*) four-year-old attr; (*4 Jahre dauernd*) four-year attr, quadrennial; **ein ~es Kind** a four-year-old child, a child of four; **Vierjährige(r)** mf decl as adj four-year-old; **Vierkampf** m (*Sport*) four-part competition; **vierkant** adj, adv (*Naut*) square; **Vierkant** m or nt -(e)s, -e (*Tech*) square; (*Math*) tetrahedron; **Vierkantholz** nt squared timber; **vierkantig** adj square(-headed); siehe **achtkantig**; **Vierkantschlüssel** m square box spanner (*Brit*) or wrench; **vierköpfig** adj Ungeheuer four-headed; **eine ~e Familie** a family of four.

Vierling m quadruplet, quad (*inf*).
Viermächteabkommen nt (*Pol*) quadripartite or four-power agreement.

viermal adv four times; ~ **so viele** four times as many; **viermalig** adj done or repeated four times; ~es **Klingeln**/~e **Vorstellungen** four rings/performances; **nach ~em Versuch** after the fourth attempt; **nach ~er Aufforderung** after the fourth time of asking, after four repeated requests; **Viermaster** m -s, - (*Naut*) four-master; **viermonatig** adj attr Säugling four-month-old; Abstände four-monthly; Lieferungsfrist, Aufenthalt four months; **viermonatlich I** adj attr Erscheinen four-monthly; **II** adv erscheinen, sich wiederholen every four months; **viermotorig** adj four-engined; **Vierpfünder** m four-pounder; **vierphasig** adj (*Elec*) four-phase.

Vierradantrieb m (*Aut*) four-wheel drive; **Vierradbremse** f (*Aut*) four-wheel braking system.
vierräd(e)rig adj four-wheel attr, four-wheeled; **das Auto ist ~** that car is a four-wheeler; **viersaitig** adj four-stringed; ~ **sein** to have four strings; **vierschrötig** adj burly; **vierseitig** adj four-sided; Abkommen, Verhandlungen quadripartite; Brief, Broschüre four-page attr; **Viersilber** m -s, - (*Poet*) tetrasyllable; **viersilbig** adj four-syllable attr, quadrisyllabic, tetrasyllabic; **Viersitzer** m -s, - four-seater; **viersitzig** adj four-seater attr, with four seats; ~ **sein** to be a four-seater, to have four seats; **vierspaltig** adj four-column attr; ~ **sein** to have four columns; **Vierspänner** m -s, - four-in-hand; **vierspännig** adj Wagen four-horse attr; ~ **fahren** to drive a team of four horses or a four-in-hand; **viersprachig** adj Mensch, Wörterbuch quadrilingual; Speisekarte in four languages; ~ **aufwachsen** to grow up speaking four languages; **das Buch wird ~ angeboten** the book is available in four languages; **vierspurig** adj four-lane attr; ~ **sein** to have four lanes; **vierstellig** adj four-figure attr; (*Math*) Funktion, Dezimalbruch four-place attr; ~ **sein** to have four figures/places; **Viersternehotel** nt 4-star hotel; **vierstimmig** adj four-part attr, for four voices; ~ **singen** to sing a song for four voices; **vierstöckig** adj Haus four-storey attr, four-storeyed, four storeys high; **vierstrahlig** adj Flugzeug four-jet attr, four-engined; **vierstrophig** adj Gedicht four-verse attr, four-stanza attr; ~ **sein** to have four verses or stanzas; **Vierstufenrakete** f four-stage rocket; **vierstufig** adj four-stage attr; ~ **sein** to have four stages; **vierstündig** adj attr Reise, Vortrag four-hour; **vierstündlich I** adj attr four-hourly; **II** adv every four hours.

viert adj 1. **zu ~** siehe **vier**. 2. siehe **vierte(r, s)**.
Viertagewoche f four-day week; **viertägig** adj attr (*4 Tage dauernd*) four-day; (*4 Tage alt*) four-day old; **viertäglich** adj, adv every four days; **Viertakter** m -s, - (*inf*), **Viertaktmotor** m four-stroke (engine); **viertausend** num four thousand; **Viertausender** m -s, - (*Berg*) four-thousand-metre mountain.

vierte adj siehe **vierte(r, s)**.
vierteilen vt 1. insep (*Hist*) to quarter; 2. sep siehe **vierteln**; **vierteilig** adj (*mit vier einzelnen Teilen*) four-piece attr; Roman four-part attr, in four parts.

Viertel¹ ['fɪrtl] nt (*Sw auch* m) -s, - 1. (*Bruchteil*) quarter; (*inf*) (~pfund) ≈ quarter; (~liter) quarter-litre. **der Mond ist im ersten/letzten ~** the moon is in the first/last quarter; **ein ~ Wein/Butter** a quarter-litre of wine/quarter of butter.

2. (*Uhrzeit*) (**ein**) ~ **nach/vor sechs** (a) quarter past/to six; (**ein**) ~ **sechs** (a) quarter past five; **drei ~ sechs** (a) quarter to six; **es ist ~** it's (a) quarter past; **die Uhr schlug ~** the clock struck (a) quarter past or the quarter.

Viertel² ['fɪrtl] *nt* **-s,** - *(Stadtbezirk)* quarter, district.

viertel ['fɪrtl] *adj inv* quarter. **ein ~ Liter/ Pfund** a quarter (of a) litre/pound; **drei ~ Liter** three quarters of a litre.

Vierteldrehung *f* quarter-turn; **Viertelfinale** *nt* quarter-finals *pl*; **Viertelfinalspiel** *nt* quarter-final.

Vierteljahr *nt* three months *pl*, quarter *(Comm, Fin)*.

Vierteljahres- *in cpds* quarterly; **Vierteljahresschrift** *f* quarterly.

Vierteljahrhundert *nt* quarter of a century; **vierteljährig** *adj attr Kind* three-month-old; *Aufenthalt, Frist* three months'; **vierteljährlich I** *adj* quarterly; *Kündigung* three months' *attr*; **II** *adv* quarterly, every three months; **~ kündigen** to give three months' notice; **Vierteliter** *m* or *nt* quarter of a litre, quarter-litre.

vierteln ['fɪrtln] *vt (in vier Teile teilen)* to divide into four; *Kuchen, Apfel auch* to divide into quarters; *(durch vier teilen)* to divide by four; *Summe, Gewinn* to quarter, to divide by four.

Viertelnote *f* crotchet *(Brit)*, quarter note *(US)*; **Viertelpause** *f* crotchet/quarter- note rest; **Viertelpfund** *nt* ≃ quarter of a pound, quarter(-pound); **Viertelstunde** *f* quarter of an hour; **viertelstündig** *adj attr Abstand* quarter-hour, of a quarter of an hour; *Vortrag* lasting *or* of a quarter of an hour; **viertelstündlich I** *adj attr Abstand* quarter-hour, of a quarter of an hour; **II** *adv* every quarter of an hour, quarter-hourly; **Viertelton** *m* quarter tone.

viertens *adv* fourth(ly), in the fourth place.

Vierte(r) *mf decl as adj* fourth. **~r werden** to be *or* come fourth; **am ~n (des Monats)** on the fourth (of the month); **Karl IV** *or* **der ~** Charles IV *or* the Fourth.

vierte(r, s) *adj* fourth. **der ~ Oktober** the fourth of October; **den 4. Oktober** October 4th, October the fourth; **am ~n Oktober** on the fourth of October; **der ~ Stock** the fourth *(Brit)* or fifth *(US)* floor; **die V~ Welt** the least developed nations; **der ~ Stand** the Fourth Estate; **im ~n Kapitel/Akt** in the fourth chapter/act, in chapter/act four; **er war ~r im Rennen** he was *or* came fourth in the race; **als ~r durchs Ziel gehen** to be fourth at the finish; **du bist der ~, der mich das fragt** you're the fourth person to ask me that; **jeder ~ muß ...** every fourth person/boy *etc* has to ...

viertletzte(r, s) *adj* fourth (from) last.

Viertonner, 4tonner *m* **-s,** - ≃ four-ton truck, four-tonner; **Viertürer** *m (Aut)* four-door model; **viertürig** *adj* four- door *attr*, with four doors; **~ sein** to have four doors; **Vieruhrzug, 4-Uhr- Zug** *m* four o'clock (train); **vierundeinhalb** *num siehe* **viereinhalb**; **Vierundsechzigstelnote** *f* hemidemi- semiquaver *(Brit)*, sixty-fourth note *(US)*; **Vierundsechzigstelpause** *f* hemidemisemiquaver/sixty-fourth note rest; **vierundzwanzig** *num* twenty-

four.

Vierung *f (Archit)* crossing.

Viervierteltakt [-'fɪrtl-] *m* four-four *or* common time.

Vierwaldstätter See *m* Lake Lucerne.

vierwertig *adj (Chem)* quadrivalent, tetravalent; *(Ling)* four-place; **vierwöchentlich** *adj, adv* every four weeks; **vierwöchig** *adj* four-week *attr*, four weeks long.

vierzehn ['fɪrtseːn] *num* fourteen. **~ Uhr** 2 p.m.; *(auf Fahrplan, Mil)* fourteen hundred hours, 14.00; **~ Tage** two weeks, a fortnight *sing (Brit)*; **die V~ Punkte** *(Hist)* the Fourteen Points.

Vierzehnender *m (Hunt)* fourteen- pointer; **vierzehntägig** *adj* two-week *attr*, lasting two weeks; **nach ~er Dauer** after two weeks *or* a fortnight *(Brit)*; **vierzehntäglich** *adj, adv* fortnightly *(Brit)*, every two weeks.

Vierzehntel ['fɪrtseːntl] *nt* **-s,** - fourteenth; *siehe* **Vierzigstel.**

vierzehnte(r, s) ['fɪrtseːnta(r, s)] *adj* fourteenth; *siehe* **vierte(r, s).**

Vierzeiler *m* **-s,** - four-line poem; *(Strophe)* four-line stanza, quatrain; **vierzeilig** *adj* four-line *attr*, of four lines; **~ sein** to have four lines.

vierzig ['fɪrtsɪç] *num* forty. **mit ~ (km/h) fahren** to drive at forty (kilometres an hour); **etwa ~ (Jahre alt)** about forty (years old); *(Mensch auch)* fortyish *(inf)*; **mit ~ (Jahren), mit V~** at forty (years of age); **Mitte (der) V~** in one's mid-forties; **über ~** over forty; **der Mensch über V~** *or* **~** people *pl* over forty; **im Jahre ~** in forty; *(~ nach/vor Christi Geburt)* in (the year) forty (AD)/BC.

Vierzig ['fɪrtsɪç] *f* -, **-en** forty.

vierziger, 40er ['fɪrtsɪɡɐ] *adj attr inv* **die ~ Jahre** the forties; **ein ~ Jahrgang** *(Mensch)* a person born in nineteen for- ty; *(Wein)* a vintage forty.

Vierziger(in *f)* ['fɪrtsɪɡɐ, -ərɪn] *m* **-s,** - *(Mensch)* forty-year-old; *(Wein)* wine of vintage forty; *(Aus, S Ger: Geburtstag)* fortieth (birthday). **die ~** *pl (Menschen)* people in their forties; **er ist Mitte der ~** he is in his mid-forties; **er ist in den ~n** he is in his forties; **in die ~ kommen** to be getting on for forty.

Vierzigerjahre *pl* **die ~** one's forties; **vierzigerlei** *adv inv siehe* **viererlei** forty kinds *or* sorts of; forty different; forty different things; forty different kinds.

vierzigfach I *adj* forty-fold; **II** *adv* forty times; *siehe* **vierfach; vierzigjährig** *adj attr (40 Jahre alt)* forty-year-old; *(40 Jahre dauernd)* forty-year; **der ~e Gründungstag** the 40th anniversary (of the foundation); **ein V~er** a forty-year-old; **vierzigmal** *adv* forty times; **Vierzig- pfennigmarke, 40-Pfennig-Marke** *f* forty-pfennig stamp.

Vierzigstel ['fɪrtsɪçstl] *nt* **-s,** - fortieth. **ein ~ der Summe** a fortieth (part) of the amount.

vierzigstel ['fɪrtsɪçstl] *adj inv* fortieth. **eine ~ Minute** a *or* one fortieth of a minute.

vierzigste(r, s) ['fɪrtsɪçsta(r, s)] *adj* fortieth.

Vierzigstundenwoche [fɪrtsɪç-] f forty-hour week.

Vierzimmerwohnung f four-room flat (*Brit*) or apartment; **Vierzylindermotor** m four-cylinder engine; **vierzylindrig** adj four-cylinder attr.

Vietcong [vɪɛt'kɔŋ] m -, -(s) Vietcong.

Vietnam [vɪɛt'nam] nt -s Vietnam.

Vietnamese [vɪɛtna'me:zə] m -n, -n, **Vietnamesin** f Vietnamese.

vietnamesisch [vɪɛtna'me:zɪʃ] adj Vietnamese.

Vigil [vi'gi:l] f -, -ien [-iən] vigil.

Vignette [vɪn'jɛtə] f vignette.

Vikar(in f) [vi'ka:ɐ, -'ka:rɪn] m curate; (*Sw Sch*) supply teacher.

Vikariat [vika'ria:t] nt curacy.

Viktorianisch [vɪkto'ria:nɪʃ] adj Victorian.

Viktualienmarkt [vɪk'tua:liən-] m food market.

Villa ['vɪla] f -, **Villen** villa.

Villenviertel ['vɪlən-] nt exclusive residential area.

vinkulieren* vt [vɪŋku'li:rən] (*Fin*) to restrict transferability of.

Vinyl [vi'ny:l] nt -s, no pl (*Chem*) vinyl.

Viola ['vi:ola] f -, **Violen** 1. (*Mus*) viola. 2. (*Bot*) violet.

Violett [vio'lɛt] nt -s, - purple, violet.

violett [vio'lɛt] adj siehe n purple, violet; violet.

Violine [vio'li:nə] f violin.

Violinist(in f) [violi'nɪst(ɪn)] m violinist.

Violin- [vio'li:n-]: **Violinkonzert** nt violin concerto; (*Darbietung*) violin concert; **Violinschlüssel** m treble clef.

VIP [vɪp] (*inf*), **V.I.P.** ['vi:ai'pi:] m -, -s (*inf*) abbr of **Very Important Person** VIP.

Viper ['vi:pɐ] f -, -n viper, adder.

Viren ['vi:rən] pl of **Virus.**

Virginiatabak [vɪr'gi:nia-, vɪr'dʒi:nia-] m Virginia tobacco.

viril [vi'ri:l] adj virile.

Virilität [virili'tɛ:t] f virility.

Virologe [viro'lo:gə] m, **Virologin** f virologist.

Virologie [virolo'gi:] f virology.

virtuos [vɪr'tuo:s] adj virtuoso attr. ~ **spielen** to give a virtuoso performance, to play like a virtuoso.

Virtuose [vɪr'tuo:zə] m -n, -n, **Virtuosin** f virtuoso.

Virtuosität [vɪrtuozi'tɛ:t] f, no pl virtuosity.

virulent [viru'lɛnt] adj (*Med, fig*) virulent.

Virulenz [viru'lɛnts] f (*Med, fig*) virulence, virulency.

Virus ['vi:rʊs] nt or m -, **Viren** (*auch Comput*) virus.

Virus- ['vi:rʊs-]: **Virusinfektion** f viral or virus infection; **Viruskrankheit** f viral disease.

Visa ['vi:za] pl of **Visum.**

Visage [vi'za:ʒə, (*Aus*) vi'za:ʒ] f -, -n (*pej*) face; (ugly) mug (*inf*).

Visagist(in f) [viza:'ʒɪst(ɪn)] m make-up artist.

vis-à-vis [viza'vi:] (*dated*) **I** adv opposite (*von* to). **II** prep +dat opposite (to).

Visavis [viza'vi:] nt -, - (*dated*) person (sitting) opposite, vis-à-vis (*form*). **mein ~** the person opposite me.

Visen ['vi:zən] pl of **Visum.**

Visier [vi'zi:ɐ] nt -s, -e 1. (*am Helm*) visor. **mit offenem ~ kämpfen** to fight with an open visor (*fig*); (*fig*) to be open and above board (in one's dealings). 2. (*an Gewehren*) sight. **jdn/etw ins ~ bekommen** to get sb/sth in one's sights.

visieren* [vi'zi:rən] vi ~ **auf** (+acc) to take aim at.

Vision [vi'zio:n] f vision.

visionär [vizio'nɛ:ɐ] adj visionary.

Visionär(in f) [vizio'nɛ:ɐ, -'nɛrɪn] m visionary.

Visite [vi'zi:tə] f -, -n (*Med*) (*im Krankenhaus*) round; (*zu Hause*) visit, house call. **um 9 Uhr ist ~** the doctors do their rounds at 9 o'clock ; **~ machen** to do one's round; to do visits or house calls; (*dated inf*) to visit (*bei jdm* sb), to pay a visit (*bei* to).

Visitenkarte [vi'zi:tn-] f (*lit, fig*) visiting or calling (*US*) card.

viskos [vɪs'ko:s], **viskös** [vɪs'kø:s] adj viscous.

Viskose [vɪs'ko:zə] f -, no pl viscose.

Viskosität [vɪskozi'tɛ:t] f viscosity.

visuell [vi'zuɛl] adj visual.

Visum ['vi:zʊm] nt -s, **Visa** or **Visen** visa.

Visumzwang ['vi:zʊm-] m obligation to hold a visa. **für San Serife besteht ~** it is necessary to obtain a visa for San Serife.

Vita ['vi:ta] f -, **Viten** ['vi:tən] or **Vitae** ['vi:tɛ:] (*geh*) life.

vital [vi'ta:l] adj vigorous, energetic; (*lebenswichtig*) vital.

Vitalität [vitali'tɛ:t] f vitality, vigour.

Vitamin [vita'mi:n] nt -s, -e vitamin. **~ B** (*lit*) vitamin B; (*fig inf*) contacts pl.

Vitamin- [vita'mi:n-]: **vitaminarm** adj poor in vitamins; **~ leben/essen** to live on/have a vitamin-deficient diet; **Vitaminbedarf** m vitamin requirement; **Vitamin-C-haltig** adj containing vitamin C; **vitaminhaltig** adj containing vitamins; **~ sein** to contain vitamins; **Vitaminmangel** m vitamin deficiency; **Vitaminmangelkrankheit** f disease due to a vitamin deficiency; **vitaminreich** adj rich in vitamins; **Vitaminspritze** f vitamin injection; (*fig*) shot in the arm (*fig inf*); **Vitaminstoß** m (massive) dose of vitamins.

Vitrine [vi'tri:nə] f (*Schrank*) glass cabinet; (*Schaukasten*) showcase, display case.

Vitriol [vitri'o:l] nt -s, -e vitriol.

Vivisektion [vivizɛk'tsio:n] f vivisection.

vivisezieren* [vivize'tsi:rən] vti to vivisect.

Vize ['fi:tsə] m -s, - (*inf*) number two (*inf*), second-in-command; (*~meister*) runner-up.

Vize- ['fi:tsə-] in cpds vice-; **Vizekanzler(in** f) m vice-chancellor; **Vizekönig** m, **Vizekönigin** f viceroy/vicereine; **Vizemeister(in** f) m runner-up; **Vizepräsident(in** f) m vice-president.

Vlies [fli:s] nt -es, -e fleece.

V-Mann ['fau-] m siehe **Verbindungs-**

mann.

Vogel m -s, ⁼ (lit, fig) bird. **ein seltener ~** (lit, fig) a rare bird; **ein seltsamer ~** (inf) a queer bird (inf) or customer (inf); **ein lustiger ~** (inf) a lively character (inf); **~ friß oder stirb** (prov) do or die! (prov); **den ~ abschießen** (inf) to surpass everyone (iro); **einen ~ haben** (inf) to be crazy (inf), to have a screw loose (inf); **jdm den ~ zeigen** (inf) to tap one's forehead to indicate to sb that he's not quite right in the head, ≈ to give sb the V sign (Brit) or the finger (US).

Vogelbauer nt bird-cage; **Vogelbeere** f (auch Vogelbeerbaum) rowan(-tree), mountain ash; (Frucht) rowan(-berry).

Vögelchen, Vög(e)lein (liter) nt little bird.

Vogeldreck m bird droppings pl; **Vogelei** nt bird's egg; **Vogelfänger(in f)** m bird-catcher, fowler; **Vogelflug** m flight of birds; **Vogelfluglinie** f **in der ~** as the crow flies; **vogelfrei** adj (Hist) outlawed; **für ~ erklärt werden** to be outlawed or declared an outlaw/outlaws; **Vogelfutter** nt bird food; (Samen) birdseed; **Vogelhaus, Vogelhäuschen** nt bird house; **Vogelkäfig** m bird-cage; (auch Vogelhaus) aviary; **Vogelkunde** f ornithology; **Vogelmännchen** nt cock (bird), male bird.

vögeln vti (vulg) to screw (sl).

Vogelnest nt bird's nest; **Vogelperspektive, Vogelschau** f bird's-eye view; **(ein Bild von) Ulan Bator aus der ~** a bird's-eye view of Ulan Bator; **Vogelscheuche** f (lit, fig inf) scarecrow; **Vogelschutz** m protection of birds; **Vogel-Strauß-Politik** f head-in-the-sand or ostrich-like policy; **Vogeltränke** f bird bath; **Vogelwarte** f ornithological station; **Vogelweibchen** nt hen (bird), female bird; **Vogelzug** m (Wanderung) bird migration.

Vogesen [voˈgeːzən] pl Vosges pl.

Vöglein nt (liter) little bird.

Vogt m -(e)s, ⁼e (Hist) (Kirchen~) church advocate; (Reichs~) protector; (Land~) landvogt, governor; (von Burg, Gut) steward, bailiff.

Vokabel [voˈkaːbl] f -, -n or (Aus) nt -s, - word. **~n** pl vocabulary sing, vocab sing (Sch inf).

Vokabelschatz [voˈkaːbl-] m vocabulary.

Vokabular [vokabuˈlaːɐ] nt -s, -e vocabulary.

Vokal [voˈkaːl] m -s, -e vowel.

vokal [voˈkaːl] adj (Mus) vocal.

vokalisch [voˈkaːlɪʃ] adj (Ling) vocalic. **~e Anlaute/Auslaute** initial/final vowels.

Vokalist(in f) [vokaˈlɪst(ɪn)] m (Mus geh) vocalist.

Vokalmusik [voˈkaːl-] f vocal music.

Vokativ [ˈvoːkatiːf, vokaˈtiːf] m (Gram) vocative.

Volant [voˈlãː] m -s, -s 1. (Stoffbesatz) valance; (am Rock, Kleid) flounce. 2. auch nt (Aus, Sw, old: Lenkrad) steering wheel.

Volk nt -(e)s, ⁼er 1. no pl people pl; (Nation auch) nation; (Volksmasse auch) masses pl; (inf: Gruppe) crowd pl; (pej:

Pack) rabble pl. **viel ~** lots of people pl, crowds pl; **etw unters ~ bringen** Nachricht to spread sth; Geld to spend sth; **da verkehrt ein ~!** there's a really strange crowd there! **2.** (ethnische Gemeinschaft) people sing. **die ⁼er Afrikas** the peoples of Africa; **ein ~ für sich sein** to be a race apart. **3.** (Zool) colony.

Völkchen nt (inf: Gruppe) lot (inf), crowd. **ein ~ für sich sein** to be a race apart.

Völkerball m game for two teams where the object is to hit an opponent with a ball and thus put him out of the game; **Völkerbund** m (Hist) League of Nations; **Völkerkunde** f ethnology; **Völkerkundemuseum** nt museum of ethnology; **Völkerkundler(in f)** m -s, - ethnologist; **Völkermord** m genocide; **Völkerrecht** nt international law, law of nations; **völkerrechtlich I** adj Vertrag, Entscheidung, Anerkennung under international law; Frage, Thema, Hinsicht, Standpunkt of international law; Anspruch, Haftung international; **vom ~en Standpunkt** according to or under international law; **~e Anerkennung eines Staates** recognition of a state; **II** adv regeln, entscheiden by international law; klären according to international law; bindend sein under international law; **Völkerschlacht** f (Hist) Battle of the Nations; **Völkerverständigung** f international understanding; **Völkerwanderung** f (Hist) migration of peoples; (hum) mass migration or exodus.

völkisch adj (NS) term for a national (of Germany).

volkreich adj populous.

Volks- in cpds popular; (auf ein Land bezogen) national; (Pol, esp DDR) people's; **Volksabstimmung** f plebiscite; **Volksarmee** f (DDR) People's Army; **Volksarmist** m (DDR) soldier in the People's Army; **Volksausgabe** f popular edition; **Volksbefragung** f public opinion poll; **Volksbefreiungsarmee** f people's liberation army; **Volksbegehren** nt petition for a referendum; **Volksbelustigung** f public entertainment; **Volksbildung** f national education; (Erwachsenenbildung) adult education; **Volksbrauch** m national custom; **Volksbücherei** f public library; **Volkscharakter** m national character; **Volksdemokratie** f people's democracy; **Volksdichter(in f)** m poet of the people; **Volksdichtung** f folk literature/poetry; **volkseigen** adj (DDR) nationally-owned; (in Namen) People's Own; **Volkseigentum** nt (DDR) national property, property of the people; **Volkseinkommen** nt national income; **Volksempfinden** nt public feeling; **das gesunde ~** popular sentiment; **Volksentscheid** m referendum; **Volksetymologie** f folk etymology; **Volksfeind(in f)** m (NS) enemy of the people; **Volksfest** nt public festival; (Jahrmarkt) funfair; **Volksfront** f (Pol) popular front; **Volksgerichtshof** m (NS) People's Court; **Volksgesundheit** f public health; **Volksglaube(n)** m popular belief; **Volksgruppe** f ethnic group; (Minderheit) ethnic minority; **Volksheld(in** f) m popular hero/ heroine; (Held des Landes) national hero/heroine; **Volksherrschaft** f popular rule, rule of the people; **Volkshochschule** f adult education centre; **einen Kurs in der ~ machen** to do an adult education class; (am Abend auch) to do an evening class; **Volksjustiz** f popular justice; **Volkskammer** f (DDR) parliament in former East Germany; **Volkskrankheit** f widespread disease; **Volkskunde** f folklore; **Volkskundler(in** f) m -s, - folklorist; **volkskundlich** adj folkloristic; **Volkslauf** m (Sport) open cross-country race; **Volkslied** nt folk song; **Volksmärchen** nt folktale; **Volksmeinung** f public or popular opinion; **Volksmenge** f crowd, mob (pej); **Volksmund** m vernacular; **im ~ nennt man das ...** this is popularly called ..., in the vernacular this is called ...; **Volksmusik** f folk music; **Volksnähe** f **sie ist bekannt für ihre ~** she is renowned for her popular touch; **Volkspartei** f people's party; **Volkspoesie** f folk poetry; **Volkspolizei** f (DDR) People's Police; **Volkspolizist(in** f) m (DDR) member of the People's Police; **Volksrede** f (inf) (long) speech; **du sollst keine ~n halten!** (inf) I/we don't want any speeches!; **Volksrepublik** f people's republic; **Volkssage** f folk legend, folktale; **Volksschicht** f level of society, social stratum; **Volksschule** f (dated) ≃ elementary school (dated), school providing basic primary and secondary education; **Volksschüler(in** f) m (dated) pupil at elementary school (dated); **Volksschullehrer(in** f) m (dated) elementary school teacher (dated); **Volksseele** f soul of the people; **die kochende ~** the seething or angry populace; **Volksseuche** f epidemic; **Volkssouveränität** f (Pol) sovereignty of the people; **Volkssprache** f everyday language, vernacular; **Volksstamm** m tribe; **Volksstimme** f voice of the people; **Volksstück** nt dialect folk play; **Volkssturm** m (NS) Volkssturm, German territorial army; **Volkstanz** m folk dance; **Volkstheater** nt folk theatre; (Gattung auch) folk drama; **Volkstracht** f traditional costume; (eines Landes) national costume; **Volkstrauertag** m national day of mourning, ≃ Remembrance Day (Brit), Veterans' Day (US); **Volkstribun** m (Hist) tribune (of the people); **volkstümlich** adj folk attr, folksy (inf); (traditionell, überliefert) traditional; (beliebt) popular; **etw ~ darstellen/ausdrücken** to popularize sth/express oneself in plain language; **ein ~er König** a king with the common touch; **Volkstümlichkeit** f siehe adj folk character, folksiness (inf); tradition; popularity; (von Darstellungs-, Ausdrucksweise) popular appeal; (von König) common touch; **Volksverführer(in** f) m demagogue; **Volksverhetzung** f incitement (of the people); **Volksvermögen** nt national wealth; **Volksversammlung** f people's assembly; (Kundgebung) public gathering; **Volksvertreter(in** f) m representative or delegate of the people; **Volksvertretung** f representative body (of the people); **Volkswirt(in** f) m economist; **Volkswirtschaft** f national economy; (Fach) economics sing, political economy; **Volks- und Betriebswirtschaft** economics and business studies; **Volkswirtschaftler(in** f) m economist; **Volkswirtschaftslehre** f economics sing, political economy; **Volkszählung** f (national) census; **Volkszugehörigkeit** f ethnic origin.

voll I adj 1. (gefüllt) full. **~er +gen** full of; **~ (von** or **mit) etw** full of sth; (bedeckt mit) covered with sth; **~ des Lobes** full of praise; **mit ~em Mund** with one's mouth full; **aus dem ~en schöpfen** to draw on unlimited resources.

2. (ganz) full; Satz, Service, Erfolg complete; Woche, Jahr auch, Wahrheit whole. **ein ~es Dutzend** a full or whole dozen; **~e drei Jahre/Tage** three whole years/days, fully three years/days; **die Uhr schlägt nur alle ~en Stunden** the clock only strikes the full hour; **die ~e Summe bezahlen** to pay the full sum or the sum in full; **in ~er Fahrt/~em Galopp/~em Lauf** at full speed/gallop/ speed; **in ~er Größe** (Bild) life-size; (bei plötzlicher Erscheinung) large as life; **sich zu ~er Größe aufrichten** to draw oneself up to one's full height; **im ~en Tageslicht** in full daylight; **in ~er Uniform** in full dress or uniform; **den Mund ~ nehmen** (fig) to exaggerate, to overdo it; **jdn nicht für ~ nehmen** not to take sb seriously; **aus ~em Halse** or **~er Kehle** or **Brust singen** to sing at the top of one's voice; **etw mit ~em Recht tun** to be perfectly right to do sth; **mit dem ~en Namen unterschreiben** to sign one's name in full.

3. **~ sein** (inf) (satt) to be full (up); (betrunken) to be plastered (inf) or tight (inf); **~ wie ein Sack** or **eine Strandhaubitze** or **tausend Mann** absolutely plastered (inf), roaring drunk (inf).

4. (üppig) Gesicht, Busen full; Wangen chubby; Haar thick. **~er werden** to fill out.

5. Stimme, Ton full, rich; Farbton rich.

II adv fully; (vollkommen auch) completely. **~ und ganz** completely, wholly; **die Straße ist ~ gesperrt/wieder ~ befahrbar** the road is completely closed/ completely free again; **eine Rechnung ~ bezahlen** to pay a bill in full; **~ hinter jdm/etw stehen** to be or stand fully behind sb/sth; **jdn/etw ~ treffen** (mit Stein, Bombe) to score a direct hit on sb/sth; (ins Gesicht) to hit sb full in the face; **etw ~ ausnützen** to take full advantage of sth; **~ zuschlagen** (inf) to lam out (inf);

~ **drinstecken** (*inf*) (*bei Arbeit*) to be in the middle of it; (*in unangenehmer Situation*) to be right in it; ~ (**Stoff**) **gegen etw fahren** (*inf*) to run full tilt or slapbang (*inf*) into sth; **nicht** ~ **dasein** (*inf*) to be not quite with it (*inf*); ~ **dabeisein** (*inf*) to be totally involved.

volladen *vt sep irreg getrennt* **voll-laden** to load up. **vollgeladen** fully-laden.

voll|auf *adv* fully, completely. ~ **genug** quite enough; **das genügt** ~ that's quite enough; ~ **zu tun haben** to have quite enough to do (*mit* with).

vollaufen *vi sep irreg aux sein getrennt*: **voll-laufen** to fill up. **etw** ~ **lassen** to fill sth (up); **sich** ~ **lassen** (*inf*) to get tanked up (*inf*).

vollautomatisch *adj* fully automatic; **vollautomatisiert** *adj* fully automated; **Vollbad** *nt* (proper) bath; **Vollbart** *m* (full) beard; **vollberechtigt** *adj attr* with full rights; *Unterhändler* fully authorized; *Mitglied* full; **vollbeschäftigt** *adj* Arbeiter employed full-time; **Vollbeschäftigung** *f* full employment; **Vollbesitz** *m*: **im** ~ +*gen* in full possession of; **Vollbild** *nt* (*Med: von Krankheit*) full-blown form; **Vollbild-Aids** *nt* full-blown Aids.

Vollblut *nt, no pl* thoroughbred.

Vollblut- *in cpds* (*lit: Tier*) thoroughbred; (*fig*) full-blooded.

Vollblüter *m* -s, - thoroughbred; **vollblütig** *adj* thoroughbred; (*fig*) full-blooded.

Vollblutopportunist(in *f*) *m* full-blooded opportunist; **Vollblutpolitiker(in** *f*) *m* thoroughbred politician.

Vollbremsung *f* emergency stop; **vollbringen*** *vt insep irreg* (*ausführen*) to accomplish, to achieve; *Wunder* to work, to perform; **es ist vollbracht** (*Bibl*) it is done (*Bibl*); **vollbusig** *adj* full-bosomed, bosomy (*inf*).

Volldampf *m* (*Naut*) full steam. **mit** ~ at full steam or speed; (*inf*) flat out; **mit** ~ **voraus** full steam or speed ahead; (*inf*) full tilt.

Völlegefühl *nt* (unpleasant) feeling of fullness.

voll|elektronisch *adj* fully electronic.

voll|enden* *insep* I *vt* (*abschließen*) to complete; (*liter*) *Leben* to bring to an end; (*vervollkommnen*) to make complete; *Geschmack* to round off.
II *vr* (*zum Abschluß kommen*) to come to an end; (*vollkommen werden*) to be completed; (*Liebe*) to be fulfilled.

voll|endet *adj* (*vollkommen*) completed; *Tugend, Schönheit* perfect; *Mensch* accomplished. **nach** ~**em 18. Lebensjahr** upon completion of one's 18th year; ~ **Klavier spielen** to be an accomplished piano player.

vollends *adv* 1. (*völlig*) completely, altogether. 2. (*besonders*) especially.

Voll|endung *f, no pl* completion; (*Vervollkommnung, Vollkommenheit*) perfection; (*von Liebe*) fulfilment.

voller *adj siehe* **voll**.

Völlerei *f* gluttony.

Volley ['vɔli] *m* -s, -s volley.

Volleyball ['vɔli-] *m* volleyball.

vollfett *adj* full fat; **Vollfettkäse** *m* full fat cheese; **vollfressen** *vr sep irreg* (*pej inf*) to stuff oneself (*inf*).

vollführen* *vt insep* to execute, to perform; *Lärm*, (*fig*) *Theater* to create.

vollfüllen *vt sep* to fill (up); **Vollgas** *nt, no pl* full speed or throttle; ~ **geben** to open it right up; (*mit Auto auch*) to put one's foot hard down; **mit** ~ **fahren** to drive at full throttle; **mit** ~ (*fig inf*) full tilt; **Vollgefühl** *nt*: **im** ~ +*gen* fully aware of; **im** ~ **der Jugend** in the full bloom of youth; **im** ~ **der Lebensfreude** full of the joys of life; **Vollgenuß** *m*: **im** ~ +*gen* in full enjoyment of; **vollgießen** *vt sep irreg* (*auffüllen*) to fill (up); **sie hat sich** (*dat*) **den Rock vollgegossen/mit Kaffee vollgegossen** (*inf*) she spilt it/coffee all over her skirt; **Vollgummireifen** *m* solid rubber tyre; **Vollidiot(in** *f*) *m* (*inf*) complete idiot.

völlig I *adj* complete. **das ist mein** ~**er Ernst** I'm completely or absolutely serious.
II *adv* completely. **es genügt** ~ that's quite enough; **er hat** ~ **recht** he's absolutely right.

volljährig *adj* of age; ~ **werden/sein** to come/be of age; **sie hat drei** ~**e Kinder** she has three children who are of age; **Volljährige(r)** *mf decl as adj* major; **Volljährigkeit** *f* majority *no art*; **Volljurist(in** *f*) *m* fully qualified lawyer; **vollkaskoversichert** *adj* comprehensively insured; **Vollkasko(versicherung** *f*) *nt* fully comprehensive insurance; **vollklimatisiert** *adj* fully air-conditioned.

vollkommen I *adj* perfect; (*völlig*) complete, absolute. **sein Glück war** ~ his happiness was complete. II *adv* completely.

Vollkommenheit *f, no pl siehe adj* perfection; completeness, absoluteness.

Vollkornbrot *nt* coarse wholemeal bread.

vollmachen *sep* I *vt* 1. *Gefäß* to fill (up); *Zahl, Dutzend* to make up; *Sammlung, Set* to complete; 2. (*inf*) *Hosen, Windeln* to fill; **sich** (*dat*) **die Hosen** ~ (*fig inf*) to wet oneself (*inf*). II *vr* (*inf*) to get messed up or dirty; (*in die Hosen etc machen*) to fill one's pants/nappy/diaper.

Vollmacht *f* -, -en (legal) power or authority *no pl, no indef art*; (*Urkunde*) power of attorney. **jdm eine** ~ **erteilen** or **ausstellen** to give or grant sb power of attorney.

Vollmachtgeber *m* principal. ~ **und Vollmachtnehmer** principal and agent.

vollmast *adv* full mast; **auf** ~ at full mast; **Vollmatrose** *m* able-bodied seaman; **Vollmilch** *f* (full-cream) milk; **Vollmilchschokolade** *f* milk chocolate; **Vollmitglied** *nt* full member; **Vollmond** *m* full moon; **heute ist** ~ there's a full moon today; **Vollmondgesicht** *nt* (*inf*) moon-face; **Vollmondnacht** *f* night of a full moon; **vollmundig** *adj* Wein full-bodied; *Unterstützung, Versprechen* wholehearted; **etw** ~ **gutheißen** to support sth wholeheartedly;

etw ~ bestreiten to dispute sth vehemently; **Vollnarkose** f general anaesthetic; **vollpacken** vt sep (lit, fig) to pack full; **jdn** to load up; **Vollpension** f full board; **vollpfropfen** vt sep (inf) to cram full; **Vollrausch** m drunken stupor; **einen ~ haben** to be in a drunken stupor; **vollreif** adj fully ripe; **vollsaugen** vr sep reg or irreg to become saturated; **vollschenken** vt sep to fill; **vollschlagen** vr sep irreg (inf) **sich** (dat) **den Bauch ~** to stuff oneself with food (inf); **vollschlank** adj (euph) plump, stout; **Mode für ~e Damen** fashion for the fuller figure or for ladies with a fuller figure; **vollschreiben** vt sep irreg Heft, Seite to fill (with writing); Tafel to cover (with writing); **Vollspur** f (Rail) standard gauge, standard-gauge track; **vollspurig** (Rail) **I** adj standard-gauge; **II** adv on standard-gauge track.

vollständig (abbr **vollst.**) **I** adj complete. Sammlung, Satz auch entire attr; Adresse full attr. **nicht ~** incomplete; **etw ~ machen** to complete sth; **etw ~ haben** to have sth complete. **II** adv completely, entirely.

Vollständigkeit f, no pl completeness. **der ~ halber** to complete the picture; **keinen Anspruch auf ~ erheben** to make no claim to be exhaustive.

vollstopfen vt sep to cram full.

vollstreckbar adj enforceable, able to be carried out or executed. (Jur) **~e Urkunde** executory deed.

vollstrecken* vt insep to execute; Todesurteil to carry out; Pfändung to enforce. **~de Gewalt** executive (power); **ein Todesurteil an jdm ~** to execute sb.

Vollstrecker(in f) m -s, - executor; (Frau auch) executrix.

Vollstreckung f siehe vt execution; carrying out; enforcement.

Vollstreckungsbeamte(r) m, **Vollstreckungsbeamtin** f enforcement officer; **Vollstreckungsbefehl** m enforcement order, writ of execution.

volltanken vti sep to fill up; **bitte ~** fill her up, please; **volltönend** adj resonant, sonorous; **Volltreffer** m (lit, fig) bull's eye; **volltrunken** adj completely or totally drunk; **in ~em Zustand Auto fahren** to drive when drunk or in a drunken state; **Volltrunkenheit** f total inebriation; **Vollversammlung** f general assembly; (von Stadtrat) full meeting or assembly; **Vollwaise** f orphan; **Vollwaschmittel** nt detergent; **vollwertig** adj full attr; Stellung equal; Ersatz (fully) adequate; **jdn als ~ behandeln/betrachten** to treat/regard sb as an equal; **Vollwertkost** f wholefoods pl; **Vollzahler(in** f) m (für Fahrkarte) person paying full fare; **vollzählig** adj usu pred Satz, Anzahl, Mannschaft complete; (ausnahmslos anwesend) all present pred; **um ~es Erscheinen wird gebeten** everyone is requested to attend; **~ versammelt sein** to be assembled in full force or strength.

vollziehen* insep irreg **I** vt to carry out; Befehl auch to execute; Strafe, Urteil auch to execute, to enforce; Opferung, Trauung to perform; Bruch to make; (form) Ehe to consummate. **die ~de Gewalt** the executive (power).

II vr to take place; Trauung to be performed.

Vollziehung f 1. siehe vt carrying out; execution; enforcement; performance; making; consummation. 2. siehe vr completion; performance; fulfilment.

Vollzug m, no pl 1. (Straf~) penal system. **offener ~** daytime release for prisoners pending parole. 2. siehe **Vollziehung.**

Vollzugsanstalt f (form) penal institution; **Vollzugsbeamte(r)** m, **Vollzugsbeamtin** f (form) warder.

Volontariat [volɔnta'riaːt] nt 1. (Zeit) practical training. 2. (Stelle) post as a trainee.

Volontär(in f) [volɔn'tɛːɐ, -'tɛːərɪn] m trainee.

volontieren* [volɔn'tiːrən] vi to be training (bei with).

Volt [vɔlt] nt -(e)s, - volt.

Volte ['vɔltə] f -, -n 1. (Fechten, Reiten) volte. 2. (Cards) sleight of hand.

voltigieren* [vɔlti'ʒiːrən] vi to perform exercises on horseback; (im Zirkus) to do trick-riding.

Volt- ['vɔlt-]: **Voltmeter** nt voltmeter; **Voltzahl** f voltage.

Volumen [vo'luːmən] nt -s, - or **Volumina** 1. (lit, fig: Inhalt) volume. 2. (obs: Schriftrolle, Band) volume.

Volumgewicht [vo'luːm-] nt (Phys) volumetric weight.

voluminös [volumi'nøːs] adj (geh) voluminous.

vom contr of **von dem. ~ 10. September an** from the 10th September; **Bier ~ Faß** draught beer; **das kommt ~ Rauchen/Trinken** that comes from smoking/drinking; **ich kenne ihn nur ~ Sehen** I know him only by sight; **~ Kochen hat er keine Ahnung** he has no idea about cooking.

von prep +dat 1. (einen Ausgangspunkt angebend, räumlich, zeitlich) from. **der Wind kommt ~ Norden** the wind comes from the North; **nördlich ~** to the North of; **~ München nach Hamburg** from Munich to Hamburg; **~ weit her** from a long way away; **~ ... an** from ...; **~ Jugend/vom 10. Lebensjahr an** from early on/since he/she etc was ten years old; **~ diesem Tag/Punkt an** or **ab** from this day/point on(wards); **~ heute ab** or **an** from today; **Waren ~ 5 Mark an** or **ab** goods from 5 marks; **~ ... aus** from ...; **~ dort aus** from there; **etw ~ sich aus wissen/tun** to know sth by oneself/do sth of one's own accord; **~ ... bis** from ... to; **~ morgens bis abends** from morning till night; **~ ... zu** from ... to.

2. (~ ... weg) from. **etw ~ etw nehmen/abreißen** to take/tear sth off sth; **~ der Straßenbahn abspringen** to jump off the tram; **alles ~ sich werfen** to throw everything down or aside; **~ der Stelle weichen** to move from the spot.

3. in Verbindung mit adj, vb siehe

auch dort. (Ursache, Urheberschaft ausdrückend, im Passiv) by. **das Gedicht ist ~ Schiller** the poem is by Schiller; **ein Kleid ~ Dior** a Dior dress; **ein Kind ~ jdm kriegen** to have a child by sb; **das Kind ist ~ ihm** the child is his; **~ etw müde** tired from sth; **~ etw begeistert** enthusiastic about sth; **~ etw satt** full up with sth; **~ etw beeindruckt/überrascht** impressed/surprised by sth.

4. *(partitiv, anstelle von Genitiv)* of. **jeweils zwei ~ zehn** two out of every ten; **ein Riese ~ einem Mann** *(inf)* a giant of a man; **ein Prachtstück ~ einem Hund** *(inf)* a magnificent (specimen of a) dog; **dieser Dummkopf ~ Gärtner ...!** *(inf)* that idiot of a gardener ...!

5. *in Verbindung mit n, adj, vb siehe auch dort. (Beschaffenheit, Eigenschaft ausdrückend, bestehend aus)* of. **~ 50 m Länge** 50 m in length; **im Alter ~ 50 Jahren** at the age of 50; **Kinder ~ 10 Jahren** ten-year-old children; **~ Bedeutung sein** to be of significance; **~ Dauer sein** to be lasting; **das ist sehr freundlich ~ Ihnen** that's very kind of you; **frei ~ etw sein** to be free of sth.

6. *(in Titel)* of; *(bei deutschem Adelstitel)* von. **die Königin ~ England** the queen of England; **Otto ~ Bismarck** Otto von Bismarck; **~ und zu Falkenburg** von Falkenburg; **ein „~ (und zu)" sein** to have a handle to one's name; **sich „~" schreiben** *(lit)* to have a "von" before one's name.

7. *(über)* about. **er erzählte vom Urlaub** he talked about his holiday; **Geschichten vom Weihnachtsmann** stories about Father Christmas.

8. *(mit Fragepronomen)* from. **~ wo/wann/was** where/when/what ... from, from where/when/what *(form)*.

9. *(inf: in aufgelösten Kontraktionen)* **da weiß ich nichts ~** I don't know anything about it.

10. *(inf)* **~ wegen** no way! *(inf)*; **~ wegen der Karte/dem Buch** *(incorrect)* about the map/the book.

von|einander *adv* of each other *or* one another; from each other *or* one another. **etwas/nichts ~ haben** to see something/nothing of each other *or* one another; *(Zusammensein genießen)* to be able/not to be able to enjoy each other's company; *(ähnlich aussehen)* to look/not to look like each other; *(sich im Wesen ähnlich sein)* to have a lot/nothing in common; **sich ~ trennen** to part *or* separate (from each other *or* one another); **sie hatten ~ die Nase voll** *(inf)* they were fed up with each other *or* one another.

vonnöten *adj:* **~ sein** to be necessary.

vonstatten *adv:* **~ gehen** *(stattfinden)* to take place; **wie geht so etwas ~?** what is the procedure for that?; **es ging alles gut ~** everything went well.

Vopo ['foːpo] *m* **-s, -s** *(DDR)* *abbr of* **Volkspolizist**.

vor I *prep +acc or dat* **1.** *+dat (räumlich)* in front of; *(außerhalb von)* outside; *(~ Hintergrund)* against; *(in Gegenwart*

von) in front of; *(in jds Achtung)* in the eyes of; *(bei Reihenfolge)* before; *(bei Rangordnung)* before, ahead of. **der See/die Stadt lag ~ uns** the lake/town lay before us; **~ jdm herfahren/hergehen** to drive/walk in front of *or* ahead of sb; **~ der Kirche rechts abbiegen** turn right before the church; **~ der Stadt** outside the town; **~ einer Kommission/allen Leuten** before *or* in front of a commission/everyone; **~ Gott sind alle Menschen gleich** all people are equal before God *or* in God's sight; **sich ~ jdm/etw verneigen** *(lit, fig)* to bow before *or* to sb/sth; **~ allen Dingen/allem** above all.

2. *+acc (Richtung angebend)* in front of; *(außerhalb von)* outside. **ein Schlag ~ den Oberkörper** a blow on the chest.

3. *+dat (zeitlich)* before. **~ Christi Geburt** before Christ, BC; **zwanzig (Minuten) ~ drei** twenty (minutes) to three; **heute ~ acht Tagen** a week ago today; **das ist *or* liegt noch ~ uns** this is still to come; **ich war ~ ihm an der Reihe/da** I was in front of him/there before him; **~ einigen Tagen/langer Zeit/fünf Jahren** a few days/a long time/five years ago.

4. *+acc* **~ sich hin summen/lachen/sprechen** to hum/laugh/talk to oneself; **~ sich hin schreiben/arbeiten** to write/work away; **~ sich hin wandern** to wander on.

5. *+dat* **~ sich her** before one, in front of one; **er ließ die Schüler ~ sich her gehen** he let the pupils go in front (of him).

6. *+dat (Ursache angebend)* with. **~ Hunger sterben** to die of hunger; **~ Kälte zittern** to tremble with *or* from cold; **~ Schmerz laut schreien** to cry out with *or* in pain; **~ lauter Arbeit** for *or* because of work; **alles strahlt ~ Sauberkeit** everything is shining clean.

7. *in fester Verbindung mit n, vb, adj siehe auch dort.* **Schutz ~ jdm/etw suchen** to seek protection from sb/sth; **~ jdm/etw sicher sein** to be safe from sb/sth; **Achtung ~ jdm haben** to have respect for sb; **sich ~ jdm verstecken** to hide from sb.

II *adv* **1.** **~ und zurück** backwards and forwards; **alle kleinen Kinder ~!** all small children to the front!; **wer Karten will, ~!** come up and get your tickets!; **Borussia, ~, noch ein Tor!** come on Borussia, let's have another!

2. *siehe* **nach**.

3. *(N Ger inf: davor)* **da sei Gott ~** God forbid; **das wird nicht passieren, da bin ich ~** that won't happen, I'll see to it.

vor|ab *adv* to begin *or* start with. **lassen Sie mich ~ erwähnen ...** first let me mention ...

Vorabdruck *m* preprint; **Vorabend** *m* evening before; *(mit nachfolgendem Genitiv auch)* eve *(auch fig)*; **das war am ~** that was the evening before; **am ~ von Weihnachten** on the evening before Christmas; **am ~ der Revolution** *(fig)* on the eve of revolution; **Vorahnung** *f* presentiment, premonition.

voran *adv* 1. (*vorn, an der Spitze*) first. **ihm/ihr** ~ in front of him/her; **der Festzug mit der Kapelle** ~ the parade, led by the band; **mit dem Kopf** ~ **fallen** to fall head first.
2. (*vorwärts*) forwards. **nur** *or* **immer** ~ keep going; **immer langsam** ~! gently does it!

voran- *pref siehe auch* **voraus-**; **voranbringen** *vt sep irreg* to make progress with; **vorangehen** *vi sep irreg aux sein* 1. (*an der Spitze gehen*) to go first *or* in front; (*anführen auch*) to lead the way; (*fig: Einleitung*) to precede (*dat* sth); **jdm** ~ to go ahead of sb; 2. (*zeitlich vor jdm gehen*) to go on ahead; **sie war ihm vorangegangen** (*euph: gestorben*) she had passed on before him; **jdn** ~ **lassen** to let sb go first; 3. (*zeitlich*) **einer Sache** (*dat*) ~ to precede sth; **das Vorangegangene** what has gone before; 4. *auch wie* impers (*Fortschritte machen*) to come on *or* along, to make progress *or* headway; **es will mit der Arbeit nicht so richtig** ~ the work's not coming on *or* along very well; **vorangestellt** *adj* (*Gram*) preceding *attr*; ~ **sein** to precede; **vorankommen** *vi sep irreg aux sein* to get on *or* along, to make progress *or* headway; **im Leben/beruflich** ~ to get on in life/in one's job; **nur langsam** ~ to make slow progress *or* little headway.

Voranmeldung *f* appointment; (*von Telefongespräch*) booking; **ohne** ~ without an appointment/without booking; **Voranschlag** *m* estimate.

voranschreiten *vi sep irreg aux sein* (*geh*) (*lit*) to stride in front *or* ahead (*jdm* of sb); (*Zeit*) to march on; (*Fortschritte machen*) to progress; **voranstellen** *vt sep* to put *or* place in front (*dat* of); (*fig*) to give precedence (*dat* over).

Voranzeige *f* (*für Theaterstück*) advance notice; (*für Film*) trailer, preview (*US*); **Vorarbeit** *f* preparatory *or* preliminary work, groundwork; **gute** ~ **leisten** to do good groundwork, to prepare the ground well; **vorarbeiten** *sep* I *vi* (*inf*) to (do) work in advance; II *vt* to work in advance; III *vr* to work one's way forward; **Vorarbeiter(in** *f*) *m* foreman; forewoman.

vorauf *adv* (*rare*) *siehe* **voran, voraus**.

voraus *adv* 1. (*voran*) in front (+*dat* of); (*Naut, fig*) ahead (+*dat* of). **er ist den anderen Schülern/seiner Zeit** ~ he is ahead of the other pupils/his time. 2. (*vorher*) **im** ~ in advance.

vorausahnen *vt sep* to anticipate; **vorausberechnen*** *vt sep* to predict; *Wahlergebnis auch* to forecast; *Kosten* to estimate; **vorausbestimmen*** *vt sep* to predict, to forecast; **vorausblicken** *vi sep* to look ahead; **vorausblickend** I *adj* foresighted; II *adv* with regard to the future; **vorauseilen** *vi sep aux sein* (*lit, fig*) to hurry on ahead. **vorausfahren** *vi sep irreg aux sein* (*an der Spitze*) to drive/go in front (*dat* of); (*früher*) to drive/go on ahead; **vorausgehen** *vi sep irreg aux sein siehe* **vorangehen** 1.-3.;

vorausgesetzt *adj* ~, (**daß**) ... provided (that) ...; **vorhaushaben** *vt sep irreg* **jdm etw viel** ~ to have the advantage of sth/a great advantage over sb; **vorausplanen** *vti sep* to plan ahead; **vorausreiten** *vi sep irreg aux sein* (*an der Spitze*) to ride in front (*dat* of); **Voraussage** *f* prediction; (*Wetter*~) forecast; **voraussagen** *vt sep* to predict (*jdm* for sb); (*prophezeien auch*) to prophesy; *Wahlergebnisse auch, Wetter* to forecast; **jdm die Zukunft** ~ to foretell sb's future; **vorausschauend** *adj, adv siehe* **vorausblickend**; **vorausschicken** *vt sep* to send on ahead *or* in advance (*dat* of); (*fig: vorher sagen*) to say in advance (*dat* of); **voraussehen** *vt sep irreg* to foresee; **ich habe es ja vorausgesehen, daß** ... I knew that ...; **das war** ~**zusehen!** that was (only) to be expected!

voraussetzen *vt sep* to presuppose; (*als selbstverständlich, sicher annehmen*) *Interesse, Zustimmung, jds Liebe, Verständnis* to take for granted; (*erfordern*) *Qualifikation, Kenntnisse, Geduld* to require, to demand; **wenn wir einmal** ~, **daß** ... let us or if we assume that ...; **etw als selbstverständlich** ~ to take sth for granted; **etw als bekannt** ~ to assume that everyone knows sth.

Voraussetzung *f* prerequisite, condition, precondition; (*Qualifikation*) qualification; (*Erfordernis*) requirement; (*Annahme*) assumption, premise. **unter der** ~, **daß** ... on condition that ...; **eine Mitarbeit hat zur** ~, **daß** ... a requirement of cooperation is that ...

Voraussicht *f* foresight; (*Erwartung*) anticipation; **aller** ~ **nach** in all probability; **in der** ~, **daß** ... anticipating that ...; **in kluger** *or* **weiser** ~ with great foresight *or* forethought; **voraussichtlich** I *adj* expected; II *adv* probably; **er wird** ~ **gewinnen** he is expected to win; ~ **wird es keine Schwierigkeiten geben** we don't anticipate *or* expect any difficulties; **vorauszahlen** *vt sep* to pay in advance; **Vorauszahlung** *f* payment in advance, advance payment.

Vorbau *m* porch; (*Balkon*) balcony; (*Min*) advancing working. **sie hat einen ganz schönen** ~ (*hum: vollbusig*) she's well-stacked (*inf*).

vorbauen *vi sep* (*Vorkehrungen treffen*) to take precautions; **einer Sache** (*dat*) ~ to provide against sth.

Vorbedacht *m*: **mit/ohne** ~ (*Überlegung*) with/without due care *or* consideration; (*Absicht*) intentionally/unintentionally; (*Jur*) with/without intent.

Vorbedingung *f* precondition.

Vorbehalt *m* **-(e)s, -e** reservation. **unter dem** ~, **daß** ... with the reservation that ...

vorbehalten* *vt sep irreg* **sich** (*dat*) **etw** ~ to reserve sth (for oneself); *Recht* to reserve sth; **jdm etw** ~ to leave sth (up) to sb; **diese Entscheidung ist** *or* **bleibt ihm** ~ this decision is left (up) to him; **alle Rechte** ~ all rights reserved; **Änderun-**

gen (sind) ~ subject to alterations; **Irrtümer** ~ errors excepted.

vorbehaltlich, vorbehältlich *prep* +*gen* (*form*) subject to. ~ **Artikel 3** save as provided in paragraph 3 (*form*).

vorbehaltlos *adj* unconditional, unreserved. ~ **zustimmen** to agree without reservations.

vorbei *adv* **1.** (*räumlich*) past, by. **er möchte hier** ~ he wants to go past *or* by; ~ **an** (+*dat*) past; ~**!** (*nicht getroffen*) missed!

2. (*zeitlich*) ~ **sein** to be past; (*vergangen auch, beendet*) to be over *or* finished; (*Sorgen*) to be over; (*Schmerzen*) to be gone; **es ist schon 8 Uhr** ~ it's already past *or* after *or* gone 8 o'clock; **damit ist es nun** ~ that's all over now; ~ **die schöne Zeit!** gone are the days!; **aus und** ~ over and done; ~ **ist** ~ what's past is past; (*reden wir nicht mehr davon*) let bygones be bygones.

vorbei- *pref* (*vorüber*) past; (*zu Besuch*) over; **vorbeibringen** *vt sep irreg* (*inf*) to drop off *or* by *or* in; **vorbeidürfen** *vi sep irreg* (*inf*) to be allowed past; **dürfte ich bitte vorbei?** could I come *or* get past *or* by, please?; **vorbeifahren** *sep irreg* **I** *vi aux sein* (*an jdm/etw* sb/sth) to go/drive/sail past, to pass; **im V**~ in passing; **bei jdm** ~ (*inf*) to drop *or* call in on sb, to stop *or* drop by sb's house (*inf*); **II** *vt* **ich kann dich ja schnell dort/bei ihnen** ~ (*inf*) I can run *or* drive you over there/to their place; **vorbeigehen** *vi sep irreg aux sein* **1.** (*lit, fig*) (*an jdm/etw* sb/sth) to go past *or* by, to pass; **an etw** (*dat*) ~ (*fig: nicht beachten*) to overlook sth; **bei jdm** ~ (*inf*) to drop *or* call in on sb, to stop *or* drop by sb's house (*inf*); **eine Gelegenheit** ~ **lassen** to let an opportunity pass *or* slip by; **im V**~ (*lit, fig*) in passing; **2.** (*vergehen*) to pass; (*Laune, Zorn auch*) to blow over; **3.** (*danebengehen*) (*an etw* (*dat*) sth) to miss; (*fig auch*) to bypass; **das Leben geht an ihm vorbei** life is passing him by; **an der Wirklichkeit** ~ (*Bericht etc*) to miss the truth; (*Mensch*) to be unrealistic; **vorbeikommen** *vi sep irreg aux sein* **1.** (*an jdm/etw* sb/sth) to pass, to go past; (*an einem Hindernis*) to get past *or* by; **an einer Sache/Aufgabe nicht** ~ to be unable to avoid a thing/task; **wir kommen nicht an der Tatsache vorbei, daß ...** there's no escaping the fact that ...; **2. bei jdm** ~ (*inf*) to drop *or* call in on sb, to stop *or* drop by sb's house (*inf*); **komm doch mal wieder vorbei!** (*inf*) drop *or* call in again sometime!, stop *or* drop by again sometime! (*inf*); **vorbeikönnen** *vi sep irreg* to be able to get past *or* by (*an etw* (*dat*) sth); **vorbeilassen** *vt sep irreg* to let past (*an jdm/etw* sb/sth); **vorbeilaufen** *vi sep irreg aux sein* (*an jdm/etw* sb/sth) to run past; (*inf: vorbeigehen*) to go *or* walk past; **Vorbeimarsch** *m* march-past; **vorbeimarschieren*** *vi sep aux sein* to march past; **vorbeireden** *vi sep* **an etw** (*dat*) ~ to talk round sth; (*absichtlich*) to skirt sth; **aneinander** ~ to talk at cross

purposes; **vorbeischauen** *vi sep* (*inf*) **siehe** **vorbeikommen 2.**; **vorbeischießen** *vi sep irreg* **1.** *aux sein* (*an jdm/etw* sb/sth) to shoot past *or* by; (*an Kurve*) to overshoot; **2.** (*am Ziel*) to shoot wide (*an* +*dat* of), to miss (*an etw* (*dat*) sth); **vorbeischrammen** *vi* **am Konkurs/an der Niederlage** ~ to escape bankruptcy/defeat by the skin of one's teeth; **vorbeiziehen** *vi sep irreg aux sein* (*an jdm/etw* sb/sth) to file past; (*Truppen, Festzug etc*) to march past; (*Wolken, Rauch, Duft*) to drift past *or* by; **an jdm** *or* **vor jds innerem Auge** ~ to go through sb's mind; **vorbeizwängen** *vr sep* (*inf*) (*an jdm/etw* sb/sth) to squeeze past.

vorbelastet *adj* handicapped. **von den Eltern/vom Milieu her** ~ **sein** to be at a disadvantage because of one's parents/background; **dazu will ich mich nicht äußern, da bin ich** ~ I don't want to comment on that, I'm biased.

Vorbemerkung *f* introductory *or* preliminary remark; (*kurzes Vorwort*) (short) preface *or* foreword.

vorbereiten* *sep* **I** *vt* to prepare. **auf etw** (*acc*) **vorbereitet sein** to be prepared for sth; **jdn (schonend) auf etw** (*acc*) ~ to prepare sb for sth. **II** *vr* (*Mensch*) to prepare (oneself) (*auf* +*acc* for); (*Ereignisse*) to be in the offing (*inf*).

vorbereitend *adj attr* preparatory, preliminary.

Vorbereitung *f* preparation. ~**en (für** *or* **zu etw) treffen** to make preparations (for sth).

Vorbereitungs- *in cpds* preparatory; **Vorbereitungszeit** *f* preparation time.

Vorbesprechung *f* preliminary meeting *or* discussion; **vorbestellen*** *vt sep* to order in advance; *Platz, Tisch, Zimmer, Karten auch* to book (in advance); to reserve; **Vorbestellung** *f* advance order; (*von Platz, Tisch, Zimmer*) (advance) booking; **vorbestraft** *adj* previously convicted; **er ist schon einmal/dreimal** ~ he (already) has a previous conviction/three previous convictions; **Vorbestrafte(r)** *mf decl as adj* man/woman *etc* with a previous conviction *or* a record (*inf*); **vorbeten** *sep* **I** *vi* to lead the prayer/prayers; **II** *vr* **jdm etw** ~ (*lit*) to lead sb in sth; (*fig inf*) to keep spelling sth out for sb (*inf*); **Vorbeter(in** *f*) *m* prayer leader.

Vorbeugehaft *f* preventive custody.

vorbeugen *sep* **I** *vi* (*einer Sache* (*dat*) sth) to prevent; *einer Möglichkeit, Fehlinterpretation, einem Fehler auch* to preclude. ~ **ist besser als heilen** (*Prov*) prevention is better than cure (*prov*). **II** *vt Kopf, Oberkörper* to bend forward. **III** *vr* to lean *or* bend forward.

vorbeugend *adj* preventive.

Vorbeugung *f* prevention (*gegen, von* of). **zur** ~ (*Med*) as a prophylactic.

Vorbild *nt* model; (*Beispiel*) example. **das diente ihm als** *or* **war das** ~ **für seine Skulptur** his sculpture was modelled on this; **er/sein Verhalten kann uns zum** ~ **dienen** he/his behaviour is an example to us; **sich** (*dat*) **jdn zum ~ nehmen** to model oneself on sb; (*sich ein Beispiel nehmen an*) to take sb as an example; **jdn/ etw als ~/leuchtendes ~ hinstellen** to hold sb/sth up as an example/a shining example.

vorbildlich *adj* exemplary. **sich ~ benehmen** to be on one's best behaviour.

Vorbildung *f* previous experience; (*schulisch*) educational background; **Vorbörse** *f* before-hours market; **Vorbote** *m*, **Vorbotin** *f* (*fig*) herald.

vorbringen *vt sep irreg* **1.** (*inf: nach vorn bringen*) to take up *or* forward; (*Mil*) to take up to the front.

2. (*äußern*) to say; *Plan* to propose; *Meinung, Wunsch, Forderung* to express, to state; *Klage, Beschwerde* to make, to lodge; *Entschuldigung* to make, to offer; *Einwand* to make, to raise; *Argument, Beweis* to produce, to bring forward; *Grund* to put forward. **können Sie dagegen etwas ~?** have you anything to say against it?; **was hast du zu deiner Entschuldigung vorzubringen?** what have you to say in your defence?

Vorbühne *f* apron; **vorchristlich** *adj* pre-Christian; **das zweite ~e Jahrhundert** the second century before Christ; **Vordach** *nt* canopy; **vordatieren*** *vt sep* to postdate; *Ereignis* to predate, to antedate, to foredate.

vordem *adv* (*old*) in days of yore (*old, liter*), in olden days.

Vordenker(in *f*) *m* mentor; (*Prophet*) prophet.

Vorderachse *f* front axle; **Vorderansicht** *f* front view; **Vorderasien** *nt* Near East; **in ~** in the Near East; **Vorderbein** *nt* foreleg; **Vorderdeck** *nt* foredeck.

vordere(r, s) *adj* front. **die ~ Seite des Hauses** the front of the house; **der V~ Orient** the Near East.

Vorderfront *f* frontage; **Vorderfuß** *m* forefoot; **Vordergrund** *m* foreground; (*fig auch*) fore(front); **sich in den ~ schieben** *or* **drängen** to push oneself to the fore(front); **im ~ stehen** (*fig*) to be to the fore; **in den ~ treten** to come to the fore; (*Mensch auch*) to step into the limelight; **vordergründig** *adj* (*fig*) (*oberflächlich*) superficial; (*vorrangig*) *Probleme, Fragen* central; **vorderhand** *adv* for the time being, for the present; **Vorderhaus** *nt* front-facing house, front building; **Vorderlader** *m* **-s**, - muzzleloader; **vorderlastig** *adj* *Schiff, Flugzeug* front-heavy; **Vorderlauf** *m* (*Hunt*) foreleg; **Vordermann** *m*, *pl* **-männer** person in front; (*fig*) the person in front of him; **jdn auf ~ bringen** (*fig inf*) to get sb to shape up; (*gesundheitlich*) to get sb fighting fit (*inf*); **Vorderpfote** *f* front paw; **Vorderrad** *nt* front wheel; **Vorderradantrieb** *m* front-wheel drive; **Vorderschinken** *m* shoulder of ham; **Vorderseite** *f* front; (*von Münze*) head, obverse; **Vordersitz** *m* front seat.

vorderste(r, s) *adj superl of* **vordere(r, s)** front(most). **der/die V~ in der Schlange** the first man/woman in the queue (*Brit*) *or* line (*US*).

Vordersteven *m* (*Naut*) stem; **Vorderteil** *m or nt* front; **Vordertür** *f* front door; **Vorderzimmer** *nt* front room.

Vordiplom *nt* first diploma.

vordrängen *vr sep* to push to the front. **sich in einer Schlange ~** to jump a queue (*Brit*), to push to the front of a line (*US*).

vordringen *vi sep irreg aux sein* to advance; (*Mil, in den Weltraum auch*) to penetrate (*in* +*acc* into). **bis zu jdm/etw ~** to reach sb/sth, to get as far as sb/sth.

vordringlich *adj* urgent, pressing.

Vordruck *m* form.

vorehelich *adj attr* premarital.

voreilig *adj* rash. **~e Schlüsse ziehen** to jump to conclusions; **~ urteilen** to be rash in one's judgement.

voreinander *adv* (*räumlich*) in front of *or* before one another *or* each other; (*einander gegenüber*) face to face. **wir haben keine Geheimnisse ~** we have no secrets from each other; **Angst ~ haben** to be afraid of each other; **sie schämten sich ~** they were embarrassed with each other.

voreingenommen *adj* prejudiced, biased.

Voreingenommenheit *f*, *no pl* prejudice, bias.

vorenthalten* *vt sep irreg* **jdm etw ~** to withhold sth from sb; *Nachricht auch* to keep sth from sb.

Vorentscheidung *f* preliminary decision; (*Sport: auch* **~skampf**, **~srunde**) preliminary round *or* heat.

vorerst *adv* for the time being, for the moment *or* present.

vorexerzieren *vt* (*inf*) to demonstrate.

Vorfahr(in *f*) *m* **-en, -en** ancestor/ ancestress.

vorfahren *sep irreg* **I** *vi aux sein* **1.** to go *or* move forward, to move up; (*in Auto auch*) to drive forward.

2. (*ankommen*) to drive up. **den Wagen ~ lassen** to have the car brought (up), to send for *or* order the car.

3. (*früher fahren*) to go on ahead.

4. (*an der Spitze fahren*) to drive in front.

II *vt* **1.** (*weiter nach vorn fahren*) to move up *or* forward.

2. (*vor den Eingang fahren*) to drive up.

Vorfahrt *f* **-**, *no pl* right of way. **~ haben** to have (the) right of way; **die ~ beachten/nicht beachten** to observe/ ignore the right of way; **„~" (be)achten''** "give way" (*Brit*), "yield" (*US*); (*sich dat*) **die ~ erzwingen** to insist on one's right of way; **jdm die ~ nehmen** to ignore sb's right of way.

vorfahrtsberechtigt *adj* having (the) right of way; **Vorfahrtsregel** *f* rule on (the) right of way; **Vorfahrtsschild** *nt* give way (*Brit*) *or* yield (*US*) sign; **Vorfahrtsstraße** *f* major road; **Vorfahrtszeichen** *nt* give way (*Brit*) *or* yield (*US*) sign.

Vorfall *m* **1.** incident, occurrence. **2.** (*Med*) prolapse.

vorfallen *vi sep irreg aux sein* (*sich ereignen*) to occur, to happen. **was ist wäh-**

rend meiner Abwesenheit vorgefallen? what's been happening while I've been away?

Vorfeld *nt* (*Mil*) territory situated in front of the main battle-line; (*Aviat*) apron; (*fig*) run-up (+*gen* to); **im ~ der Wahlen/Verhandlungen** in the run-up to the elections/in the preliminary stages of the negotiations; **etw im ~ klären** to clear sth up beforehand; **vorfertigen** *vt sep* to prefabricate; **Vorfilm** *m* supporting film *or* programme, short; **Vorfinanzierung** *f* prefinancing; **vorfinden** *vt sep irreg* to find, to discover; **Vorfreude** *f* anticipation; **Vorfrühling** *m* early spring, foretaste of spring.

vorfühlen *vi sep* (*fig*) to put *or* send out (a few) feelers. **bei jdm ~** to sound sb out.

vorführen *vt sep* 1. *Angeklagten* to bring forward; *Zeugen auch* to produce. **den Angeklagten dem Richter ~** to bring the accused before the judge.

2. (*zeigen*) to present; *Film* to show; *Mode* to model; *Übung,* (*Vertreter*) *Modell, Gerät* to demonstrate (*dat* to); *Theaterstück auch, Kunststücke* to perform (*dat* to *or* in front of).

3. **er wurde vom Direktor regelrecht vorgeführt** the director really made him look small *or* silly.

Vorführer(in *f*) *m* projectionist.

Vorführraum *m* projection room.

Vorführung *f* presentation; (*von Angeklagten, Zeugen*) production *no pl*; (*von Filmen*) showing; (*von Mode*) modelling; (*von Geräten, Modellen, Übungen*) demonstration; (*von Theaterstück, Kunststücken*) performance.

Vorführwagen *m* demonstration model.

Vorgabe *f* handicap.

Vorgang *m* 1. (*Ereignis*) event, occurrence; (*Ablauf, Hergang*) series *or* course of events. **jdm den genauen ~ eines Unfalls schildern** to tell sb exactly what happened in an accident. 2. (*biologischer, chemischer, technischer Prozeß*) process. 3. (*form: Akten*) file, dossier.

Vorgänger(in *f*) *m* s, - predecessor.

Vorgarten *m* front garden.

vorgaukeln *vt sep* **jdm etw ~** to lead sb to believe in sth; **jdm ~, daß ...** to lead sb to believe that ...; **er hat ihr ein Leben im Luxus vorgegaukelt** he led her to believe that he lived in luxury.

vorgeben *vt sep irreg* 1. (*vortäuschen*) to pretend; (*fälschlich beteuern*) to profess. **sie gab Zeitmangel vor, um ...** she pretended to be pressed for time in order to ... 2. (*Sport*) to give (a start of). 3. (*inf: nach vorn geben*) to pass forward.

Vorgebirge *nt* foothills *pl*.

vorgeblich *adj siehe* **angeblich.**

vorgeburtlich *adj attr* prenatal.

vorgefaßt *adj Meinung* preconceived.

Vorgefühl *nt* anticipation; (*böse Ahnung*) presentiment, foreboding.

vorgehen *vi sep irreg aux sein* 1. (*handeln*) to act, to proceed. **gerichtlich/energisch gegen jdn ~** to take legal proceedings *or* action/assertive action against sb.

2. (*geschehen, vor sich gehen*) to go

on, to happen.

3. (*Uhr*) (*spätere Zeit anzeigen*) to be fast; (*zu schnell gehen*) to gain. **meine Uhr geht (zwei Minuten) vor** my watch is (two minutes) fast; **meine Uhr geht pro Tag zwei Minuten vor** my watch gains two minutes a day.

4. (*nach vorn gehen*) to go forward.

5. (*als erster gehen*) to go first; (*früher gehen*) to go on ahead.

6. (*den Vorrang haben*) to come first, to take precedence, to have priority.

Vorgehen *nt* **-s,** *no pl* action.

vorgelagert *adj* offshore; **es ist dem Kap ~** it lies off the Cape; **vorgenannt** *adj* (*form*) aforementioned, aforesaid; **vorgerückt** *adj Stunde* late; *Alter* advanced; **Vorgeschichte** *f* 1. (*eines Falles*) past history; 2. (*Urgeschichte*) prehistory, prehistoric times *pl*; **aus der ~** from prehistoric times; **vorgeschichtlich** *adj* prehistoric; **Vorgeschmack** *m* (*fig*) foretaste; **vorgeschritten** *adj* advanced; **im ~en Alter** at an advanced age; **zu ~er Stunde** at a late hour.

Vorgesetzte(r) *mf decl as adj* superior.

vorgestern *adv* the day before yesterday. **von ~** (*fig*) antiquated; *Methoden, Ansichten auch, Kleidung* old-fashioned; **~ abend/morgen** the evening/morning before last; **~ mittag** midday the day before yesterday.

vorgreifen *vi sep irreg* to anticipate (*einer Sache* sth); (*verfrüht handeln*) to act prematurely. **jdm ~** to forestall sb.

Vorgriff *m* anticipation (*auf* +*acc* of); (*in Erzählung*) leap ahead. **im ~ auf** (+*acc*) in anticipation of; **verzeihen Sie mir den ~ auf** (+*acc*) ... excuse me for leaping ahead to ...

vorhaben *vt sep irreg* to intend; (*geplant haben*) to have planned. **was haben Sie heute vor?** what are your plans for today?, what do you intend doing today?; **ich habe morgen nichts vor** I've nothing planned *or* no plans for tomorrow; **hast du heute abend schon etwas vor?** have you already got something planned *or* are you already doing something this evening?; **wenn du nichts Besseres vorhast ...** if you've nothing better *or* else to do ...; **etw mit jdm/etw ~** to intend doing sth with sb/sth; (*etw geplant haben*) to have sth planned for sb/sth; **was hast du jetzt wieder vor?** what are you up to now?

Vorhaben *nt* plan; (*Absicht*) intention.

Vorhalle *f* (*von Tempel*) portico; (*Diele*) entrance hall, vestibule; (*Foyer*) foyer; (*von Parlament*) lobby.

vorhalten *sep irreg* **I** *vt* 1. (*vorwerfen*) **jdm etw ~** to reproach sb with *or* for sth.

2. (*als Beispiel*) **jdm jdn/etw ~** to hold sb/sth up to sb.

3. (*vor den Körper halten*) to hold up; (*beim Niesen*) *Hand, Taschentuch* to put in front of one's mouth. **mit vorgehaltener Pistole** at gunpoint; **sich** (*dat*) **ein Handtuch ~** to hold up a towel in front of oneself.

II *vi* (*anhalten*) to last.

Vorhaltung *f usu pl* reproach. **jdm/sich (wegen etw)** ~**en machen** to reproach sb/oneself (with *or* for sth).

Vorhand *f* (*Sport*) forehand; (*von Pferd*) forehand; (*Cards*) lead.

vorhanden *adj* (*verfügbar*) available; (*existierend*) in existence, existing. **eine Dusche ist hier leider nicht** ~ I'm afraid there isn't a shower here; **davon ist genügend/nichts mehr** ~ there's plenty/ no more of that.

Vorhang *m* -s, **Vorhänge** curtain. **die Schauspieler bekamen 10 Vorhänge** the actors got *or* took 10 curtain calls.

Vorhängeschloß *nt* padlock.

Vorhangstange *f* (*zum Aufhängen*) curtain pole; **Vorhangstoff** *m* curtaining *no pl*, curtain(ing) material *or* fabric.

Vorhaus *nt* (*Aus*) hall; **Vorhaut** *f* foreskin, prepuce (*spec*).

vorher *adv* before(hand); (*früher*) before. **am Tage** ~ the day before, the previous day; **man weiß** ~ **nie, wie die Sache ausgeht** one never knows beforehand *or* in advance how things will turn out; **konntest du das nicht** ~ **sagen?** couldn't you have said that earlier?

vorherbestimmen* *vt sep* to determine *or* ascertain in advance; *Schicksal, Zukunft* to predetermine; (*Gott*) to preordain; **es war ihm vorherbestimmt ...** he was predestined ...; **vorhergehen** *vi sep irreg aux sein* to go first *or* in front, to lead the way; (*fig*) to precede; **vorhergehend** *adj Tag, Ereignisse* preceding, previous.

vorherig [fo:ɐ'he:rɪç, 'fo:ɐhe:rɪç] *adj attr* prior, previous; (*ehemalig*) former.

Vorherrschaft *f* predominance, supremacy; (*Hegemonie*) hegemony.

vorherrschen *vi sep* to predominate.

vorherrschend *adj* predominant; (*weitverbreitet*) prevalent; *Ansicht, Meinung auch* prevailing.

Vorhersage *f* forecast; **vorhersagen** *vt sep siehe* **voraussagen**; **vorhersehen** *vt sep irreg* to foresee.

vorhin *adv* just now, a little while ago.

vorhinein *adv*: **im** ~ in advance.

Vorhof *m* forecourt; (*Anat: von Herz, Ohr*) vestibule; **Vorhölle** *f* limbo; **in der** ~ in limbo; **Vorhut** *f* -, -en (*Mil*) vanguard, advance guard.

vorig *adj attr* (*früher*) *Besitzer, Wohnsitz* previous; (*vergangen*) *Jahr, Woche* last. **im** ~**en** (in the) above, earlier; **der/die/das** ~**e** the above(-mentioned); **die V**~**en** (*Theat*) the same.

Vorjahr *nt* previous year, year before; **Vorjahresergebnis** *nt* previous year's result; **Vorjahreswert** *m* previous year's value; **vorjährig** *adj* of the previous year *or* year before; **vorjammern** *vti sep* **jdm (etwas)** ~ to moan to sb (*von* about); **Vorkämpfer(in** *f*) *m* (*für* of) pioneer, champion; **vorkauen** *vt sep Nahrung* to chew; **jdm etw** (*acc*) ~ (*fig inf*) to spoon-feed sth to sb (*inf*); **Vorkaufsrecht** *nt* option of purchase *or* to buy.

Vorkehrung *f* precaution. ~**en treffen** to take precautions.

Vorkenntnis *f* previous knowledge *no pl*; (*Erfahrung*) previous experience *no pl*.

vorknöpfen *vt sep* (*fig inf*) **sich** (*dat*) **jdn** ~ to take sb to task; **den hat sich die Mafia vorgeknöpft** the Mafia vorgeknöpft him.

vorkommen *vi sep irreg aux sein* **1.** *auch vi impers* (*sich ereignen*) to happen. **so etwas ist mir noch nie vorgekommen** such a thing has never happened to me before; **daß mir das nicht noch einmal vorkommt!** don't let it happen again!; **das soll nicht wieder** ~ it won't happen again; **das kann schon mal** ~ it can happen, it has been known to happen; (*das ist nicht ungewöhnlich*) that happens; **so was soll** ~**!** that's life!

2. (*vorhanden sein, auftreten*) to occur; (*Pflanzen, Tiere*) to be found.

3. (*erscheinen*) to seem. **das kommt mir bekannt/merkwürdig vor** that seems familiar/strange to me; **sich** (*dat*) **überflüssig/dumm** ~ to feel superfluous/silly; **sich** (*dat*) **klug** ~ to think one is clever; **das kommt mir nur so vor** it just seems that way *or* like that to you; **wie kommst du mir eigentlich vor?** (*inf*) who do you think you are?

4. (*nach vorn kommen*) to come forward *or* to the front.

5. (*herauskommen*) to come out.

Vorkommen *nt* -s, - (*no pl: das Auftreten*) occurrence, incidence; (*Min*) deposit.

Vorkommnis *nt* incident, occurrence.

Vorkoster(in *f*) *m* taster; (*fig*) guinea-pig.

Vorkriegs- *in cpds* pre-war; **Vorkriegszeit** *f* pre-war period.

vorladen *vt sep irreg* (*bei Gericht*) to summons; *Zeugen auch* to subpoena.

Vorladung *f siehe* **vt** summons; subpoena.

Vorlage *f* -, -n **1.** *no pl* (*das Vorlegen*) (*von Dokument*) presentation, production; (*von Scheck, Schuldschein*) presentation; (*von Beweismaterial*) submission. **gegen** ~ **einer Sache** (*gen*) (up)on production *or* presentation of sth; **zahlbar bei** ~ payable on demand.

2. (*Muster*) (*zum Stricken*) pattern; (*Liter*) model. **etw von einer** ~ **abzeichnen/nach einer** ~ **machen** to copy sth.

3. (*Entwurf*) draft; (*Parl: Gesetzes*~) bill.

4. (*Ftbl*) through-ball. **das war eine tolle** ~ the ball was beautifully laid on.

5. (*Ski*) vorlage, forward lean (position).

Vorland *nt* (*der Alpen*) foothills *pl*; (*vor Deich*) foreshore.

vorlassen *vt sep irreg* **1.** (*inf*) **jdn** ~ (*nach vorn gehen lassen*) to let sb go in front; (*in der Schlange auch*) to let sb go first; **ein Auto** ~ (*einbiegen lassen*) to let a car in; (*überholen lassen*) to let a car pass, to let a car (go) past.

2. (*Empfang gewähren*) to allow in, to admit.

Vorlauf *m* **1.** (*Sport*) qualifying *or* preliminary heat/round. **2.** (*Chem: bei Destillation*) forerun. **3.** (*Tech: von Rad*) offset. **4.** (*von Film, Band*) leader; (*von Tonbandgerät*) fast-forward.

vorlaufen *vi sep irreg aux sein* (*inf*) (*vor-*

auslaufen) to run on ahead *or* in front; (*nach vorne laufen*) to run to the front.

Vorläufer(in *f*) *m* forerunner (*auch Ski*), precursor.

vorläufig I *adj* temporary; *Regelung auch* provisional; *Urteil* preliminary; *Verfügung des Gerichts* interim, provisional. **II** *adv* (*einstweilig*) temporarily; (*fürs erste*) for the time being, for the present, provisionally.

Vorlaufzeit *f* (*Sport*) qualifying time; (*Ind: Entwicklungszeit*) lead time.

vorlaut *adj* cheeky, impertinent.

Vorleben *nt* past (life).

vorlegen *sep* **I** *vt* **1.** to present; *Entwurf, Doktorarbeit auch* to submit; *Paß* to show, to produce; *Beweismaterial* to submit; *Zeugnisse, Bewerbungsunterlagen* to produce; *Schulzeugnis* to show; *Schularbeit auch* to hand in; (*Pol*) *Entwurf* to table (*Brit*), to introduce. **jdm etw zur Unterschrift ~** to give *or* present sth to sb for signature *or* signing; **etw dem Parlament ~** to lay sth before the house, to table sth (*Brit*); **jdm eine Frage ~** to put a question to sb; **ein schnelles Tempo ~** to go at a fast pace; **ein schnelleres Tempo ~** to speed up, to quicken the pace.

2. *Speisen* to serve; (*hinlegen*) *Futter* to put down (*dat* for).

3. *Riegel* to put across, to shoot (across); *Schloß, Kette* to put on; (*inf: davorlegen*) to put in front.

4. (*Ftbl*) **jdm den Ball ~** to lay the ball on for sb.

II *vr* to lean forward.

III *vi* (*Kellner*) to serve.

Vorleger *m* **-s,** - mat; (*Bett~ auch*) (bedside) rug.

vorlehnen *vr sep* to lean forward.

Vorleistung *f* (*Econ*) (*Vorausbezahlung*) advance (payment); (*finanzielle Aufwendung*) outlay *no pl* (*an +dat* on); (*vorausgehende Arbeit*) preliminary work; (*Pol*) prior concession.

vorlesen *vti sep irreg* to read aloud *or* out. **jdm (etw) ~** to read (sth) to sb.

Vorleser(in *f*) *m* reader.

Vorlesung *f* (*Univ*) lecture; (*Vorlesungsreihe*) course (of lectures), lectures *pl*. **über etw** (*acc*) **~en halten** to give (a course of) lectures on sth; **~en hören** to go to lectures.

Vorlesungsbetrieb *m* lectures *pl*; **vorlesungsfrei** *adj* **~e Zeit** free period(s *pl*); **Vorlesungsverzeichnis** *nt* lecture timetable.

vorletzte(r, s) *adj* last but one, penultimate. **im ~n Jahr** the year before last.

Vorliebe *f* predilection, special liking, preference. **etw mit ~ tun** to particularly like doing sth.

vorliebnehmen *vi sep irreg* **mit jdm/etw ~** to make do with sb/sth.

vorliegen *sep irreg* **I** *vi* (*zur Verfügung stehen: Beweise, Katalog, Erkenntnisse*) to be available; (*Urteil*) to be known; (*eingereicht, vorgelegt sein: Unterlagen, wissenschaftliche Arbeit*) to be in, to have come in; (*Pol*) (*Gesetzesvorlage*) to be before the house; (*Haushalt*) to be pub-

lished, to be out; (*vorhanden sein*) (*Irrtum, Schuld*) to be; (*Symptome*) to be present; (*Gründe*) to be, to exist. **jdm ~** (*Unterlagen, Akten*) to be with sb; **die Ergebnisse liegen der Kommission vor** the commission has the results; **das Beweismaterial liegt dem Gericht vor** the evidence is before the court; **etw liegt gegen jdn vor** sth is against sb; (*gegen Angeklagten*) sb is charged with sth.

II *vi impers* to be. **es liegen fünf Bewerbungen vor** there are *or* we have five applications; **es muß ein Irrtum ~** there must be some mistake.

vorliegend *adj attr Gründe* existing; *Akten, Unterlagen,* (*Typ*) *Auflage* on hand; *Frage* at issue; *Angelegenheit, Probleme* in hand; *Ergebnisse* available. **im ~en Fall** in this *or* in the present case; **die uns ~en Ergebnisse** the results we have to hand.

vorlügen *vt sep irreg* **jdm etwas ~** to lie to sb.

vormachen *vt sep* **1.** **jdm etw ~** (*zeigen*) to show sb how to do sth, to demonstrate sth to sb; (*fig: als Beispiel dienen*) to show sb sth.

2. (*fig*) **jdm etwas ~** (*täuschen*) to fool *or* kid (*inf*) sb; **ich lasse mir so leicht nichts ~** you/he *etc* can't fool *or* kid (*inf*) me so easily; **er läßt sich** (*dat*) **von niemandem etwas ~** nobody can fool him, he's nobody's fool; **mach mir doch nichts vor** don't try and fool *or* kid (*inf*) me; **sich** (*dat*) (*selbst*) **etwas ~** to fool *or* kid (*inf*) oneself.

3. (*inf*) *Kette, Schürze, Riegel* to put on; *Brett* to put across.

Vormacht(stellung) *f* supremacy (*gegenüber* over). **eine ~ haben** to have supremacy.

vormalig *adj attr* former.

vormals *adv* formerly.

Vormarsch *m* (*Mil*) advance. **im ~ sein** to be on the advance, to be advancing; (*fig*) to be gaining ground.

Vormast *m* foremast.

vormerken *vt sep* to note down, to make a note of; (*bei Bestellung auch*) to take an order for; *Plätze* to reserve, to book. **ich werde Sie für Mittwoch ~** I'll put you *or* your name down for Wednesday; **können Sie für mich 5 Exemplare ~?** can you put me down for 5 copies?, can you reserve 5 copies for me?

Vormittag *m* morning. **am ~** in the morning.

vormittag *adv* **heute/gestern/morgen ~** this/yesterday/tomorrow morning.

vormittags *adv* in the morning; (*jeden Morgen*) in the morning(s).

Vormund *m* **-(e)s, -e** *or* **Vormünder** guardian. **ich brauche keinen ~** (*fig*) I don't need anyone to tell me what to do.

Vormundschaft *f* guardianship, tutelage. **jdn unter ~ stellen** to place sb under the care of a guardian.

Vormundschaftsgericht *nt* court dealing with matters relating to guardianship.

vorn *adv* **1.** in front. **von ~** from the front; **nach ~** (*ganz nach ~*) to the front; (*weiter nach ~*) forwards; **von weit ~** from the very front; ~ **im Buch/in der Schlange/auf der Liste** at the front of the book/queue/at the top of the list; **sich ~ anstellen** to join the front of the queue (*Brit*) or line (*US*); ~ **im Bild** in the front of the picture; **nach ~ abgehen** (*Theat*) to exit at the front of the stage; **nach ~ laufen** to run to the front; ~ **bleiben** (*lit*) to stay in front; (*fig*) not to lag behind.

2. (*am Anfang*) **von ~** from the beginning; **wie schon ~ erklärt** as explained above; **von ~ anfangen** to begin at or to start from the beginning; (*von neuem*) to start (all) over again, to start from scratch; (*neues Leben*) to start afresh, to make a fresh start.

3. (*am vorderen Ende*) at the front; (*Naut*) fore. **von ~** to the front; **jdn von ~ sehen** to see sb's face; ~ **im Auto/Bus** in the front of the car/bus; **der Blinker ~** the front indicator; **nach ~** to the front; **fallen, ziehen** forwards.

4. (*auf der Vorderseite*) at the front. **das Buch ist ~ schmutzig** the front of the book is dirty; **ein nach ~ gelegenes Zimmer** a room facing the front; **ein Blick nach ~** a look to the front.

5. (*weit entfernt*) **das Auto da ~** the car in front or ahead there; **sie waren ziemlich weit ~** they were quite far ahead or quite a long way ahead; (*Läufer auch*) they were quite a long way (out) in front or quite a long way in the lead.

6. ich kann doch nicht ~ und hinten gleichzeitig sein I can't be everywhere at once; **sich von ~e bis** or **und hinten bedienen lassen** to be waited on hand and foot; **er betrügt sie von ~ bis hinten** he deceives her right, left and centre.

Vornahme f -, -n (*form*) undertaking.

Vorname m Christian name, first name.

vorne adv siehe **vorn.**

vornehm adj **1.** (*von hohem Rang*) Familie, Kreise distinguished, high-ranking; (*von adliger Herkunft*) aristocratic, noble; (*kultiviert*) Herr, Dame distinguished, posh (*inf*); Manieren, Art, Benehmen genteel, refined; (*edel*) Gesinnung, Charakter, Handeln noble. **die ~e Gesellschaft** high society; **ihr seid mir eine ~e Gesellschaft** (*iro*) you're a fine lot! (*inf*); **die ~e Welt, die V~en** fashionable society; **so was sagt/tut man nicht in ~en Kreisen** one doesn't say/do that in polite society; **ein ~er Besuch** a distinguished visitor; ~ **heiraten** to marry into high society; ~ **tun** (*pej inf*) to act posh (*inf*).

2. (*elegant, luxuriös*) Wohngegend fashionable, smart, posh (*inf*); Haus smart, posh (*inf*); Geschäft exclusive, posh (*inf*); Kleid, Äußeres elegant, stylish; Auto smart, posh (*inf*); Geschmack refined, exclusive.

3. (*dated*) **die ~ste Pflicht/Aufgabe** the first or foremost duty/task.

vornehmen vt sep irreg **1.** (*ausführen*) to carry out; Test, Untersuchung auch to do; Umfrage, Änderungen auch to make; Messungen to take.

2. (*in Angriff nehmen*) (**sich** dat) **etw ~** to get to work on sth.

3. sich (dat) **etw ~** (*planen, vorhaben*) to intend or mean to do sth; (*Vorsatz fassen*) to have resolved to do sth; **ich habe mir vorgenommen, das nächste Woche zu tun** I intend or mean to do that next week; **ich habe mir zuviel vorgenommen** I've taken on too much.

4. sich (dat) **jdn ~** (*inf*) to have a word with sb.

Vornehmheit f, no pl siehe adj **1.** high rank; nobility; distinguished ways or ref.; inement. **2.** smartness, poshness (*inf*); exclusiveness; elegance, stylishness.

vornehmlich I adv (*hauptsächlich, vor allem*) principally, especially, above all; (*vorzugsweise*) first and foremost. II adj principal, main, chief.

Vorneverteidigung f (*Mil*) forward defence.

vorn(e)weg adv ahead, in front, first; (*als erstes*) first. **er geht immer ~** he always walks on ahead or in front; **mit dem Mund ~ sein** (*inf*) to have a big mouth.

vornherein adv: **von ~** from the start or outset.

vornüber adv forwards; ~ **fallen** to fall (over) forwards; **vornweg** adv siehe **vorn(e)weg.**

Vor|ort m (*Vorstadt*) suburb.

Vor-Ort- in cpds on-site.

Vor|ortbahn f suburban line; (*für Berufsverkehr*) commuter line.

Vor-Ort-Kontrolle f on-site supervision.

Vorortverkehr m suburban traffic; (*von öffentlichen Verkehrsmitteln*) suburban service; **Vorortzug** m suburban train; (*im Berufsverkehr*) commuter train.

Vorplatz m forecourt; **Vorpommern** nt West Pomerania; **Vorposten** m (*Mil*) outpost; **Vorprämie** f (*St Ex*) call option; **Vorpreschen** vi sep aux sein (*lit, fig*) to press ahead; **Vorprogramm** nt supporting bill or programme; **im ~** on the supporting bill; **vorprogrammieren** * vt sep to preprogram; (*fig auch*) to precondition; **vorprogrammiert** adj Erfolg, Antwort automatic; Verhaltensweise preprogrammed; Weg predetermined, pre-ordained; **die nächste Krise ist ~** the seeds of the next crisis have been sown.

Vorrang m -(e)s, no pl **1.** ~ **haben** to have priority, to take precedence; **den ~ vor etw** (dat) **haben** to take precedence over sth; **jdm/einer Sache den ~ geben** or **einräumen** to give sb/a matter priority; **jdm/einer Sache den ~ streitig machen** to challenge sb's/sth's preeminence.

2. (*Aus: Vorfahrt*) right of way.

vorrangig I adj of prime importance, priority attr. II adv as a matter of priority. **eine Angelegenheit ~ erledigen/behandeln** to give a matter priority treatment.

Vorrangstellung f pre-eminence no indef art.

Vorrat m -(e)s, **Vorräte** (an +dat of) stock, supply; (*von Waren*) stocks pl; (*an Lebensmitteln auch*) store, provisions *pl*; (*an Atomwaffen*) stockpile; (*Geld*) reserves *pl*; (*an Geschichten, Ideen*) stock. **heimlicher ~** (secret) hoard; **etw auf ~ kaufen** to stock up with sth; **~ anlegen** *or* **anschaffen** *or* **ansammeln** to lay in a stock *or* stocks *pl*; **solange der ~ reicht** (*Comm*) while stocks last; **etw auf ~ haben** to have sth in reserve; (*Comm*) to have sth in stock.

vorrätig *adj* in stock; (*verfügbar*) available. **etw nicht mehr ~ haben** to be out (of stock) of sth.

Vorratskammer *f* store cupboard; (*für Lebensmittel*) larder; **Vorratsraum** *m* store room; (*in Geschäft*) stock room.

Vorraum *m* anteroom; (*Büro*) outer office; (*von Gericht*) lobby; (*von Kino, Theater*) foyer.

vorrechnen *vt sep* **jdm etw ~** to work out *or* reckon up *or* calculate sth for sb; **jdm seine Fehler ~** (*fig*) to enumerate sb's mistakes.

Vorrecht *nt* prerogative; (*Vergünstigung*) privilege.

Vorrede *f* (*Vorwort*) preface; (*Theat*) prologue; (*einleitende Rede*) introductory speech.

vorreden *vt sep* (*inf*) **jdm etwas ~** to tell sb a tale; **red mir doch nichts vor** don't give me that (*inf*).

Vorredner(in *f*) *m* (*vorheriger Redner*) previous speaker; (*einleitender Redner*) introductory speaker. **mein ~ hat gesagt ...** the previous speaker said ...

Vorreiter(in *f*) *m* **1.** forerunner. **den ~ für etw machen** to be the first to do sth. **2.** (*beim Reiten*) demonstrator.

Vorreiterrolle *f* **eine ~ für andere einnehmen** to make the running for others.

vorrennen *vi sep irreg aux sein* (*inf*) (*voraus*) to run *or* race (on) ahead; (*nach vorn*) to run forward.

Vorrichtung *f* device, gadget.

vorrücken *sep* **I** *vt* to move forward; *Schachfigur* to advance, to move on.

II *vi aux sein* to move *or* go forward; (*Mil*) to advance; (*Sport, im Beruf*) to move up; (*Uhrzeiger*) to move on. **mit dem Stuhl ~** to move one's chair forward; **in vorgerücktem Alter** in later life; **zu vorgerückter Stunde** at a late hour.

Vorruhestand *m* early retirement.

Vorruhestandler(in *f*) *m* person taking early retirement.

Vorruhestandsregelung *f* early retirement scheme.

Vorrunde *f* (*Sport*) preliminary *or* qualifying round; (*von Saison*) first part (of the season).

vorsagen *sep* **I** *vt* **jdm etw ~** *Gedicht* to recite sth to sb; (*Sch*) *Antwort, Lösung* to tell sb sth. **II** *vi* (*Sch*) **jdm ~** to tell sb the answer.

Vorsaison *f* low season, early (part of the) season.

Vorsänger(in *f*) *m* (*Eccl*) precentor; (*in Chor*) choir leader; (*fig*) leading voice.

Vorsatz *m* (firm) intention. **mit ~** (*Jur*) with intent; **den ~ haben, etw zu tun** to (firmly) intend to do sth; **den ~ fassen, etw zu tun** to make up one's mind to do sth, to resolve to do sth; **bei seinen Vor-**

sätzen bleiben, seinen Vorsätzen treu bleiben to keep to one's resolve *or* resolution.

Vorsatzblatt *nt* (*Typ*) endpaper.

vorsätzlich *adj* deliberate, intentional; *Lüge* deliberate; (*Jur*) wilful; *Mord* premeditated. **jdn ~ töten** to kill sb intentionally.

Vorsatzlinse *f* (*Phot*) ancillary lens.

Vorschau *f* preview; (*Film*) trailer; (*Wetter~*) forecast.

Vorschein *m*: **zum ~ bringen** (*lit: zeigen*) to produce; *Fleck* to show up; (*fig: deutlich machen*) to bring to light; **zum ~ kommen** (*lit: sichtbar werden*) to appear; (*fig: entdeckt werden*) to turn up, to come to light; (*Tatsachen*) to come to light, to come out.

vorschieben *vt sep irreg* **1.** (*davorschieben*) to push in front; *Riegel* to push across, to shoot (across); (*nach vorn schieben*) to push forward; *Unterlippe, Kinn* to stick out.

2. (*Mil*) *Truppen* to move forward. **vorgeschobener Posten** advance guard, advance party.

3. (*fig: vorschützen*) to put forward as a pretext *or* excuse. **vorgeschobene Gründe** pretexts *pl*, excuses *pl*.

4. **jdn ~** to put sb forward as a front man.

vorschießen *sep irreg* **I** *vt* **jdm Geld ~** to advance sb money. **II** *vi aux sein* to shoot forward.

Vorschiff *nt* forecastle, fo'c's'le.

Vorschlag *m* suggestion, proposal; (*Rat*) recommendation, advice; (*Angebot*) offer, proposition; (*Pol: von Kandidaten*) proposal. **auf ~ von** *or* **+gen** at *or* on the suggestion of; on the recommendation of; **das ist ein ~!** that's an idea!; **wäre das nicht ein ~?** how's that for an idea?

vorschlagen *vt sep irreg* to suggest, to propose. **jdn für ein Amt ~** to propose *or* nominate sb for a post; **jdm ~, daß er etw tut** to suggest that sb do(es) sth, to suggest to sb that he do(es) sth.

Vorschlaghammer *m* sledge-hammer.

Vorschlußrunde *f* (*Sport*) semi-final(s).

vorschnell *adj siehe* **voreilig**.

vorschreiben *vt sep irreg* **1.** (*befehlen*) to stipulate; (*gesetzlich, durch Bestimmungen, vertraglich auch*) to lay down; (*Med*) *Dosis* to prescribe. **jdm ~, wie/was ...** to dictate to sb how/what ...; **ich lasse mir nichts ~** I won't be dictated to; **vorgeschriebene Lektüre** (*Sch, Univ*) prescribed texts.

2. (*lit*) to write out (*dat* for).

vorschreiten *vi sep irreg aux sein* to progress, to make progress; *siehe* **vorgeschritten**.

Vorschrift *f* **-, -en** (*gesetzliche Bestimmung*) regulation, rule; (*Anweisung*) instruction, order, direction. **nach ~ des Arztes** according to doctor's orders *or* the doctor's instructions; **jdm ~en machen** to give sb orders, to dictate to sb; **ich lasse mir (von dir) keine ~en machen lassen** I won't be dictated to (by you), I won't take orders (from you);

Arbeit nach ~ work to rule; **das ist** ~ that's the regulation.

vorschriftsmäßig I adj regulation attr; Signal, Parken, Verhalten correct, proper attr; (Med) Dosis prescribed; **II** adv (laut Anordnung) as instructed or directed; according to (the) regulations; (Med) as directed; ~ **gekleidet sein** to be in regulation dress; **vorschriftswidrig** adj, adv contrary to (the) regulations; (Med) Dosis contrary to the prescription.

Vorschub m: **jdm** ~ **leisten** to encourage sb; **einer Sache** (dat) ~ **leisten** to encourage or foster sth.

Vorschul|alter nt pre-school age.

Vorschule f nursery school; (Vorschuljahr) pre-school years pl.

Vorschul|erziehung f pre-school education.

vorschulisch adj pre-school attr.

Vorschuß m advance. **jdm einen** ~ **leisten** to give sb an advance.

Vorschußlorbeeren pl premature praise sing; **Vorschußzinsen** pl (Fin) penalty interest on early settlement.

vorschützen vt sep to plead as an excuse, to put forward as a pretext; Krankheit auch to feign; Unwissenheit to plead. **er schützte vor, daß ...** he pretended that ...

vorschwärmen vti sep **jdm von jdm/etw** ~ to go into raptures over sb/sth; **jdm** ~, **wie schön etw ist** to go into raptures over how beautiful sth is.

vorschweben vi sep **jdm schwebt etw vor** sb has sth in mind.

vorschwindeln vt sep **jdm etwas** ~ to lie to sb; **jdm** ~, **daß ...** to lie to sb that ...

vorsehen sep irreg **I** vt (planen) to plan; (zeitlich auch) to schedule; (Gerät to design; (einplanen) Kosten, Anschaffungen to provide or allow for; Zeit to allow; Fall to provide or cater for; (im Gesetz, Vertrag) to provide for. **etw für etw** ~ (bestimmen) to intend sth for sth; Geld to earmark or destine sth for sth; **jdn für etw** ~ (beabsichtigen) to have sb in mind for sth; (bestimmen) to designate sb for sth; **er ist für dieses Amt vorgesehen** we have him in mind for this post; **was haben wir für heute vorgesehen?** what is on the agenda today?, what have we planned for today?; **der Plan sieht vor, daß das Projekt bis September abgeschlossen ist** the project is scheduled to be finished by September.

II vr (sich in acht nehmen) to be careful, to watch out, to take care. **sich vor jdm/etw** ~ to beware of sb/sth, to be wary of sb/sth; vor Hund auch to mind sth.

III vi (sichtbar sein) to appear. **hinter/unter etw** (dat) ~ to peep out from behind/under sth.

Vorsehung f, no pl Providence.

vorsetzen sep vt **1.** (nach vorn) to move forward; Fuß to put forward; Schüler to move (up) to the front.

2. (davorsetzen) to put in front. **etw vor etw** (acc) ~ to put sth in front of sth or before sth.

3. jdm etw ~ (geben) to give sb sth, to

put sth in front of sb; (anbieten) to offer sb sth; (fig inf) Lügen, Geschichte, Erklärung to serve or dish sth up to sb (inf).

II vr to (come/go and) sit in (the) front. **sich in die erste Reihe** ~ to (come/go and) sit in the front row.

Vorsicht f -, no pl care; (bei Gefahr) caution; (Überlegtheit) circumspection, prudence; (Behutsamkeit) guardedness, wariness. ~ **üben** to be careful; to exercise caution, to be cautious; to be circumspect or prudent; to be wary; **jdn zur** ~ **(er)mahnen** to advise sb to be careful/cautious/circumspect; **zur** ~ **raten** to advise caution; ~! watch or look out or mind out!; „~ **bei Einfahrt des Zuges"** "stand back when the train approaches the platform"; „~ **zerbrechlich"** "fragile — with care"; „~ **Glas"** "glass — with care"; „~ **nicht knicken"** "do not bend"; „~ **Stufe"** "mind the step"; **mit** ~ carefully; cautiously; prudently; guardedly, warily; **etw zur** ~ **tun** to do sth as a precaution, to do sth to be on the safe side; **was er sagt/dieser Artikel ist mit** ~ **zu genießen** you have to take what he says/this article with a pinch of salt (inf); **sie ist mit** ~ **zu genießen** she has to be handled with kid gloves; ~ **ist besser als Nachsicht** (Prov), ~ **ist die Mutter der Porzellankiste** (inf) better safe than sorry.

vorsichtig adj careful; (besonnen) cautious; (überlegt) prudent; Äußerung auch guarded, wary; (mißtrauisch) wary; Schätzung cautious, conservative.

vorsichtshalber adv as a precaution, to be on the safe side; **Vorsichtsmaßnahme, Vorsichtsmaßregel** f precaution, precautionary measure; ~**n treffen** to take precautions or precautionary measures.

Vorsilbe f prefix; **vorsingen** sep irreg **I** vti **1.** (vor Zuhörern) **jdm (etw)** ~ to sing (sth) to sb; **ich singe nicht gern vor** I don't like singing to people or in front of people; **2.** (als erster singen) to sing first; **II** vi (zur Prüfung) to have a singing test; (esp Theat: vor Einstellung) to audition; **vorsintflutlich** adj (inf) antiquated, prehistoric (hum), antediluvian.

Vorsitz m chairmanship; (Amt eines Präsidenten) presidency. **unter dem** ~ **von** under the chairmanship of; **den** ~ **haben** or **führen** (**bei etw**) to be chairman (of sth); (bei Sitzung) to chair sth; **den** ~ **übernehmen** to take the chair.

vorsitzen vi sep irreg **einer Versammlung/Diskussion** ~ to chair a meeting/discussion.

Vorsitzende(r) mf decl as adj chairman, chairperson; (von Firma auch) president (US); (von Verein) president; (von Partei, Gewerkschaft) leader. **der** ~ **Mao** Chairman Mao.

Vorsorge f, no pl (Vorsichtsmaßnahme) precaution; (vorherplanende Fürsorge) provision(s pl) no def art. **zur** ~ as a precaution; ~ **tragen** to make provisions; ~ **treffen** to take precautions; (fürs Alter) to make provisions.

vorsorgen *vi sep* to make provisions (*daß* so that). **für etw** ~ to provide for sth, to make provisions for sth.

Vorsorge|untersuchung *f* (*Med*) medical check-up.

vorsorglich I *adj* precautionary; *Mensch* cautious. **II** *adv* as a precaution, to be on the safe side.

Vorspann *m* **-(e)s, -e** (*Vorlauf: von Film, Tonband*) leader; (*Film, TV: Titel und Namen*) opening credits *pl*; (*Press*) introductory *or* opening paragraph.

vorspannen *vt sep Pferde* to harness; (*Elec*) to bias. **jdn** ~ (*fig*) to enlist sb's help, to rope sb in (*inf*).

Vorspeise *f* hors d'œuvre, starter.

vorspiegeln *vt sep* to feign, to sham; *Krankheit, Bedürftigkeit auch* to plead. **jdm** ~(, **daß** ...) to pretend to sb (that ...).

Vorspiegelung *f* pretence. **unter** ~ **von etw** under the pretence of sth; **das ist nur (eine)** ~ **falscher Tatsachen** (*hum*) it's all sham.

Vorspiel *nt* (*Einleitung*) prelude; (*Ouvertüre*) overture; (*Theat*) prologue; (*Sport*) preliminary match/game; (*bei Geschlechtsverkehr*) foreplay; (*von Musiker*) performance; (*bei Prüfung*) practical (exam); (*bei Einstellung*) audition.

vorspielen *sep* **I** *vt* **jdm etw** ~ (*Mus*) to play sth to *or* for sb; (*Theat*) to act sth to *or* for sb; (*fig*) to act out a sham of sth in front of sb; **jdm eine Szene** ~ to play a scene to *or* for sb; **jdm eine Komödie** ~ (*fig*) to play *or* act out a farce in front of sb; **jdm** ~, **daß** ... to pretend to sb that ...; **spiel mir doch nichts vor** don't try and put on an act, don't try and pretend to me. **II** *vi* (*vor Zuhörern*) to play; (*Mus, Theat*) (*zur Prüfung*) to do one's practical (exam); (*bei Einstellung*) to audition. **jdm** ~ (*Mus*) to play for sb; (*Theat*) to act (a role) for *or* in front of sb; **jdn** ~ **lassen** (*bei Einstellung*) to audition sb.

Vorsprache *f* (*form: Besuch*) visit (*bei, auf* + *dat* to).

vorsprechen *sep irreg* **I** *vt* to say first; (*vortragen*) to recite. **jdm etw** ~ to pronounce sth for sb, to say sth for sb; **wiederholt, was ich euch vorspreche** repeat after me. **II** *vi* **1.** (*form: jdn aufsuchen*) to call (*bei jdm* on sb). **bei** *or* **auf einem Amt** ~ to call at an office. **2.** (*Theat*) to audition. **jdn** ~ **lassen** to audition sb.

vorspringen *vi sep irreg aux sein* to jump *or* leap out; (*vorwärts*) to jump *or* leap forward; (*herausragen*) to jut out, to project; (*Nase*) to be prominent; (*Kinn*) to be prominent, to protrude. **vor etw** (*dat*) ~ to jump *or* leap (out) in front of sth.

vorspringend *adj* projecting; *Nase* prominent; *Kinn, Backenknochen* prominent, protruding.

Vorsprung *m* **1.** (*Archit*) projection; (*Fels*~) ledge; (*von Küste*) promontory. **2.** (*Sport, fig: Abstand*) lead (*vor* + *dat* over); (*Vorgabe*) start. **jdm 2 Meter/10 Minuten** ~ **geben** to give sb a 2-metre/a 10-minute start, to give sb 2 metres'/10 minutes' start; **einen** ~ **vor jdm haben** to be ahead of sb; (*Sport auch*) to be leading sb, to be in the lead; **einen** ~ **vor jdm gewinnen** to gain a lead over sb, to get ahead of sb.

Vorstadt *f* suburb; **vorstädtisch** *adj* suburban.

Vorstand *m* **1.** (*leitendes Gremium*) board; (*von Firma*) board (of directors); (*von Verein*) committee; (*von Partei*) executive; (*von Akademie*) board (of governors). **2.** (*Leiter*) chairman, managing director. **3.** (*Aus*) *siehe* **Vorsteher(in)**.

Vorstandsetage *f* boardroom; **Vorstandsmitglied** *nt siehe* **Vorstand 1.** member of the board; committee member; member of the executive; member of the board; **Vorstandssitzung** *f* (*von Firma*) board meeting; (*von Partei*) executive meeting; **Vorstandsvorsitzende(r)** *mf decl as adj* chairman *or* chair *or* chairperson of the board of directors; **Vorstandswahl** *f* (*in Firma*) elections *pl* to the board; (*in Partei*) elections *pl* to the executive.

vorstehen *vi sep irreg aux haben or sein* **1.** (*hervorragen*) to project, to jut out; *Zähne* to stick out, to protrude; *Backenknochen, Kinn* to be prominent, to protrude; *Nase* to be prominent. ~**de Zähne** protruding teeth, buck-teeth.
2. einer Sache ~ *dem Haushalt* to preside over sth; *einer Firma, einer Partei* to be the chairman of sth; *einer Schule* to be the head(master/mistress) (*Brit*) *or* principal (*US*) of sth; *einem Geschäft* to manage sth; *einer Abteilung* to be in charge of sth; *einem Amt* to hold sth.

Vorsteher(in *f*) *m* **-s, -** (*Kloster*~) abbot/abbess; (*Büro*~) manager; (*Gefängnis*~) governor; (*Gemeinde*~) chairman of parish council; (*dated Sch*) head(master/mistress) (*Brit*), principal (*US*); (*Bahnhofs*~) station-master.

Vorsteherdrüse *f* prostate (gland).

Vorstehhund *m* pointer; (*langhaariger*) setter.

vorstellbar *adj* conceivable, imaginable. **das ist nicht** ~ that is inconceivable *or* unimaginable.

vorstellen *sep* **I** *vt* **1.** (*nach vorn*) *Tisch, Stuhl, Auto* to move forward; *Bein* to put out; *Uhr* to put forward *or* on (*um* by).
2. (*inf: davorstellen*) **etw** (*vor etw acc*) ~ to put sth in front of sth; *Auto auch* to park sth in front of sth.
3. (*darstellen*) to represent; (*bedeuten*) to mean, to signify. **was soll das** ~? (*inf*) what is that supposed to be?; **etwas** ~ (*fig*) (*gut aussehen*) to look good; (*Ansehen haben*) to count for something.
4. (*bekannt machen*) **jdn jdm** ~ to introduce sb to sb.
5. (*bekanntmachen, vorführen*) to present; *Folgen, Gefahren* to point out (*jdm* to sb). **jdm etw** ~ to show sb sth.
II *vr* **1.** **sich** (*dat*) **etw** ~ to imagine

sth; **stell dir mal vor** just imagine; **das kann ich mir gut ~** I can imagine that well; **das muß man sich** (*dat*) **mal** (*bildlich or plastisch*) **~** just imagine *or* picture it!; **sich** (*dat*) **etw unter etw** (*dat*) **~ Begriff, Wort** to understand sth by sth; **darunter kann ich mir nichts ~** it doesn't mean anything to me; **das Kleid ist genau, was ich mir vorgestellt hatte** the dress is just what I had in mind; **was haben Sie sich (als Gehalt) vorgestellt?** what (salary) did you have in mind?; **ich kann sie mir gut als Lehrerin ~** I can just imagine *or* see her as a teacher; **stell dir das nicht so einfach vor** don't think it's so easy.

2. (*sich bekannt machen*) to introduce oneself (*jdm* to sb); (*bei Bewerbung*) to come/go for an interview; (*Antrittsbesuch machen*) to present oneself (*dat, bei* to).

vorstellig *adj* **bei jdm ~ werden** to go to sb; (*wegen Beschwerde*) to complain to sb, to lodge a complaint with sb.

Vorstellung *f* **1.** (*Gedanke*) idea; (*bildlich*) picture; (*Einbildung*) illusion; (*~skraft*) imagination. **in meiner ~ sah das größer aus** I imagined it bigger; **in meiner ~ ist Gott kein alter Mann** I don't picture God as an old man; **du hast falsche ~en** you are wrong (in your ideas); **es übertrifft alle ~en** it's incredible *or* unbelievable; **das entspricht ganz meiner ~** that is just how I imagined *or* saw it; **sich** (*dat*) **eine ~ von etw machen** to form an idea *or* picture of sth; **du machst dir keine ~, wie schwierig das ist** you have no idea how difficult that is.

2. (*Theat*) performance; (*Film auch*) showing.

3. (*das Bekanntmachen*) (*zwischen Leuten*) introduction; (*bei Hofe*) presentation (*bei* at); (*Vorführung: von Geräten, neuem Artikel*) presentation; (*bei Bewerbung, Antrittsbesuch*) interview (*bei* with).

Vorstellungsgespräch *nt* (job) interview; **Vorstellungskraft** *f* imagination; **Vorstellungsvermögen** *nt* powers of imagination *pl*.

Vorstopper(in *f*) *m* **-s, -** (*Ftbl*) centre-half.

Vorstoß *m* **1.** (*Vordringen*) venture; (*Mil*) advance, push; (*fig: Versuch*) attempt. **2.** (*Tech: an Rädern*) wheel rim; (*Sew*) edging; (*Litze*) braiding.

vorstoßen *sep irreg* **I** *vt* to push forward. **II** *vi aux sein* to venture; (*Sport*) to attack; (*Mil*) to advance. **ins All ~** (*Rakete, Mensch*) to venture into space.

Vorstrafe *f* previous conviction.

Vorstrafenregister *nt* criminal *or* police record; (*Kartei*) criminal *or* police records *pl*.

vorstrecken *vt sep* to stretch forward; *Arme* to stretch out; *Hand* to stretch *or* put out; *Krallen* to put out; (*fig*) *Geld* to advance (*jdm* sb).

Vorstufe *f* preliminary stage; (*von Entwicklung*) early stage.

Vortag *m* day before, eve. **am ~ der Konferenz** (on) the day before the conference, on the eve of the conference.

Vortagesschluß *m* (*St Ex*) close of trading on the previous day.

vortanzen *sep* **I** *vt* **jdm einen Tanz/die Schritte ~** to dance a dance/the steps for sb; (*zur Demonstration*) to demonstrate a dance/the steps for sb. **II** *vi* (*zur Demonstration*) to demonstrate a dance/step (*jdm* to sb); (*als Prüfung*) to dance (*jdm* in front of sb).

Vortänzer(in *f*) *m* leading dancer; (*Anführer eines Tanzes*) leader of the dance.

vortäuschen *vt sep Krankheit, Armut* to feign; *Schlag, Orgasmus* to fake.

Vortäuschung *f* pretence, fake. **die ~ einer Krankheit/eines Schlags** feigning an illness/faking a blow; **~ von Tatsachen** (*Jur*) misrepresentation of the facts; **unter ~ falscher Tatsachen** under false pretences.

Vorteil *m* **-s, -e** advantage (*auch Sport*). **die Vor- und Nachteile** the pros and cons; **auf den eigenen ~ bedacht sein** to have an eye to one's own interests; **jdm gegenüber im ~ sein** to have an advantage over sb; **von ~ sein** to be advantageous; **das kann für dich nur von ~ sein** it can only be to your advantage; **ich habe dabei an deinen ~ gedacht** I was thinking of your interests; **im ~ sein** to have the advantage (*jdm gegenüber* over sb); **~e aus etw ziehen** to benefit from sth, to gain advantage from sth.

vorteilhaft *adj* advantageous; *Kleider* flattering; *Geschäft* lucrative, profitable. **~ aussehen** to look one's best; **etw ~ verkaufen** (*finanziell*) to sell sth for a profit; **ein ~er Kauf** a good buy, a bargain.

Vortrag *m* **-(e)s, Vorträge 1.** (*Vorlesung*) lecture; (*Bericht, Beschreibung*) talk. **einen ~ halten** to give a lecture/talk; **halt keine Vorträge** (*inf*) don't give a whole lecture.

2. (*Darbietung*) performance; (*eines Gedichtes*) reading, recitation; (*Mus: Solo~*) recital.

3. (*Art des Vortragens*) performance. **4.** (*Fin*) balance carried forward.

vortragen *vt sep irreg* **1.** (*berichten*) to report; (*förmlich mitteilen*) *Fall, Angelegenheit* to present; *Forderungen* to present, to convey; *Beschwerde* to lodge; *Meinung* to express, to convey; *Wunsch* to express; (*einen Vortrag halten über*) to give a lecture/talk on.

2. (*vorsprechen*) *Gedicht* to recite; *Rede* to give; (*Mus*) to perform, to play; *Lied* to sing, to perform.

3. (*Fin*) to carry forward.

Vortragende(r) *mf decl as adj* lecturer; (*von Rede, Bericht*) speaker; (*von Musikstück, Lied*) performer.

Vortragsabend *m* lecture evening; (*mit Gedichten*) poetry evening; (*mit Musik*) recital; **Vortragsreihe** *f* series of lectures.

vortrefflich *adj* excellent, splendid, superb.

Vortrefflichkeit *f* excellence.

vortreten *vi sep irreg aux sein* **1.** (*lit*) to step forward, to come forward. **2.** (*hervorragen*) to project, to jut out; (*Au-*

gen) to protrude. **~de Backenknochen** prominent cheek-bones.

Vortritt *m, no pl* precedence, priority; (*Sw: Vorfahrt*) right of way. **in etw** (*dat*) **den ~ haben** (*fig*) to have precedence in sth (*vor +dat* over); **jdm den ~ lassen** (*lit*) to let sb go first; (*fig auch*) to let sb go ahead.

Vortrupp *m* advance guard, advance party.

Vorturner(in *f*) *m* demonstrator (of gymnastic exercises); (*fig sl*) front man/ woman.

vorüber *adv* **~ sein** (*räumlich, Jugend*) to be past; (*zeitlich auch, Gewitter, Winter, Kummer*) to be over; (*Schmerz*) to have gone.

vorüber- *pref siehe auch* **vorbei-;** **vorübergehen** *vi sep irreg aux sein* **1.** (*räumlich*) (*an etw* (*dat*) sth) to go past, to pass (by); **an jdm/etw ~** (*fig: ignorieren*) to ignore sb/sth; **2.** (*zeitlich*) to pass; (*Gewitter*) to blow over; **eine Gelegenheit ~ lassen** to let an opportunity slip; **3. an jdm ~** (*sich nicht bemerkbar machen*) to pass sb by; **an jdm nicht ~** (*Erlebnis*) to leave its/their mark on sb; **vorübergehend** *adj* (*flüchtig*) momentary, passing *attr*; *Krankheit* short; (*zeitweilig*) temporary.

Voruntersuchung *f* preliminary examination; (*Jur*) preliminary *or* initial investigation.

Vor|urteil *nt* prejudice (*gegenüber* against). **das ist ein ~** it's prejudice; **~e haben** *or* **hegen, in ~en befangen sein** to be prejudiced.

vor|urteilsfrei, vorurteilslos I *adj* unprejudiced; *Entscheidung, Verhalten auch* unbiased; **II** *adv* without prejudice; without bias; **Vor|urteilslosigkeit** *f* freedom from prejudice.

Vorväter *pl* forefathers, ancestors, forebears *all pl*; **Vorvergangenheit** *f* (*Gram*) pluperfect; **Vorverhandlung** *f* preliminary negotiations *or* talks *pl*; (*Jur*) preliminary hearing; **Vorverkauf** *m* (*Theat, Sport*) advance booking; **sich** (*dat*) **Karten im ~ besorgen** to buy tickets in advance; **Vorverkaufskasse, Vorverkaufsstelle** *f* advance booking office.

vorverlegen* *vt sep* **1.** *Termin* to bring forward. **2.** (*Mil*) to push forward. **das Feuer ~** to increase the range.

Vorvertrag *m* preliminary contract/ treaty; **Vorverurteilung** *f* prejudgement; **vorvorgestern** *adv* (*inf*) three days ago; **vorvorig** *adj* (*inf*) **~e Woche/~es Jahr** the week/year before last; **vorvorletzte(r, s)** *adj* last but two.

vorwagen *vr sep* (*lit*) to venture forward; (*fig auch*) to venture.

Vorwahl *f* **1.** preliminary election; (*US*) primary. **2.** (*Telec*) dialling *or* area (*US*) code.

vorwählen *vt sep* (*Telec*) to dial first.

Vorwahlnummer *f* dialling *or* area (*US*) code.

Vorwand *m* **-(e)s, Vorwände** pretext, excuse. **unter dem ~, daß ...** under the pretext that ...

vorwärmen *vt sep* to pre-heat; *Teller* to heat.

Vorwarnung *f* (prior *or* advance) warning; (*Mil: vor Angriff*) early warning.

vorwärts *adv* forwards, forward. **~!** (*inf*) let's go (*inf*); (*Mil*) forward march!; **weiter ~** further ahead *or* on; **~ und rückwärts** backwards and forwards; **etw ~ und rückwärts kennen** (*fig inf*) to know sth backwards, to know sth inside out; **wir kamen nur langsam ~** we made slow progress; **Rolle/Salto ~** forward roll/ somersault.

vorwärtsbringen *vt sep irreg* (*fig*) to advance; **jdn ~** to help sb to get on; **Vorwärtsgang** *m* forward gear; **vorwärtsgehen** *sep irreg aux sein* (*fig*) **I** *vi* to progress, to come on; (*Gesundheit*) to improve; **II** *vi impers* **es geht wieder vorwärts** things are looking up; **mit etw geht es vorwärts** sth is progressing *or* going well; **vorwärtskommen** *vi sep irreg aux sein* (*fig*) to make progress, to get on (*in, mit* with); (*beruflich, gesellschaftlich*) to get on; **im Leben/ Beruf ~** to get on in life/one's job; **Vorwärtsverteidigung** *f* (*Mil*) forward defence.

Vorwäsche *f*, **Vorwaschgang** *m* prewash.

vorwaschen *vt sep irreg* to prewash.

vorweg *adv* (*voraus, an der Spitze*) at the front; (*vorher*) before(hand); (*als erstes, von vornherein*) at the outset.

Vorwegnahme *f* **-, -n** anticipation; **vorwegnehmen** *vt sep irreg* to anticipate; **um das Wichtigste vorwegzunehmen** to come to the most important point first.

vorweisen *vt sep irreg* to show, to produce; *Zeugnisse* to produce. **etw ~ können** (*fig*) to have *or* possess sth.

vorwerfen *vt sep irreg* **1.** (*fig*) **jdm etw/ Unpünktlichkeit ~** (*anklagen*) to reproach sb for sth/for being unpunctual; (*beschuldigen*) to accuse sb of sth/of being unpunctual; **jdm ~, daß er etw getan hat** to reproach sb for having done sth; **jdm ~, daß er etw nicht getan hat** to accuse sb of not having done sth; **das wirft er mir heute noch vor** he still holds it against me; **ich habe mir nichts vorzuwerfen** my conscience is clear.

2. (*lit*) **Tieren/Gefangenen etw ~** to throw sth down for the animals/ prisoners.

Vorwerk *nt* (*von Gut*) outlying estate; (*von Burg*) outwork.

vorwiegend I *adj attr* predominant. **II** *adv* predominantly, mainly, chiefly.

Vorwissen *nt* previous knowledge; (*Vorherwissen*) foreknowledge.

vorwitzig *adj* (*keck*) cheeky; (*vorlaut*) forward, pert; (*dial: neugierig*) inquisitive.

Vorwort *nt* **-(e)s, -e** foreword; (*esp von Autor*) preface.

Vorwurf *m* **-(e)s, Vorwürfe** reproach; (*Beschuldigung*) accusation. **man machte ihm den ~ der Bestechlichkeit** he was accused of being open to bribery; **jdm/ sich große Vorwürfe machen, daß ...** to reproach sb/oneself for ...; **ich habe mir**

keine Vorwürfe zu machen my conscience is clear; **jdm etw zum ~ machen** to reproach sb with sth.

vorwurfsvoll adj reproachful.

vorzählen vt sep jdm etw ~ to count sth out to sb; (fig: auflisten) to enumerate sth (to sb).

vorzaubern vt sep jdm Kunststücke ~ to perform conjuring tricks for sb; **jdm etw ~** (fig) to conjure sth up for sb.

Vorzeichen nt (Omen) omen, sign; (Math) sign; (Mus) (Kreuz/b) sharp/flat (sign); (vor einzelner Note) accidental; (von Tonart) key-signature. **positives/ negatives ~** (Math) plus/minus (sign); **mit umgekehrtem ~** (fig) the other way round; **unter dem gleichen ~** (fig) under the same circumstances.

vorzeichnen vt sep Linien to sketch or draw (out). **jdm etw ~** (zum Nachmalen) to sketch or draw sth out for sb; (fig) to map or mark sth out for sb.

vorzeigbar adj presentable.

Vorzeige- in cpds token; **Vorzeigefrau** f token woman.

vorzeigen vt sep to show, to produce; Zeugnisse to produce. **jdm die Hände ~** to show sb one's hands.

Vorzeigeobjekt, Vorzeigestück nt showpiece.

Vorzeit f prehistoric times pl. **in der ~** in prehistoric times; (vor langem) in the dim and distant past.

vorzeiten adv (liter) in days gone by, in olden times.

vorzeitig adj early; Geburt, Altern premature.

Vorzeitigkeit f (Gram) anteriority.

vorzeitlich adj prehistoric; (fig) archaic.

Vorzelt nt awning.

vorziehen vt sep irreg **1.** (hervorziehen) to pull out; (nach vorne ziehen) Stuhl to pull up; Truppen to move up; (zuziehen) Vorhänge to draw, to close. **etw hinter/ unter etw** (dat) **~** to pull sth out from behind/under sth.

2. (fig) (lieber mögen) to prefer; (bevorzugen) jdn to favour. **etw einer anderen Sache ~** to prefer sth to sth else; **es ~, etw zu tun** to prefer to do sth; (allgemein gesehen) to prefer doing sth.

3. (zuerst behandeln, abfertigen) to give priority to.

4. Wahlen to bring forward. **vorgezogener Ruhestand** early retirement.

Vorzimmer nt anteroom; (Büro) outer office; (Aus: Diele) hall.

Vorzimmerdame f (dated) secretary; **Vorzimmerwand** f (Aus) hall stand.

Vorzug¹ m -(e)s, **Vorzüge** preference; (Vorteil) advantage; (gute Eigenschaft) merit, asset. **einer Sache** (dat) **den ~ geben** (form) to prefer sth, to give sth preference; (Vorrang geben) to give sth precedence; **den ~ haben, daß ...** to have the advantage that ...

Vorzug² m relief train.

vorzüglich [('fo:etsy:klıç] **I** adj excellent, superb; Qualität, Arbeit auch exquisite. **II** adv excellently, superbly; (vornehmlich) especially, particularly.

Vorzugsaktien pl (St Ex) preference shares pl; **Vorzugsbehandlung** f preferential treatment no indef art: **Vorzugsmilch** f milk with high fat content, ≃ gold-top milk (Brit); **vorzugsweise** adv preferably, by preference; (hauptsächlich) mainly, chiefly; **etw ~ trinken** to prefer to drink or drinking sth.

Vorzündung f (Aut) pre-ignition.

Voten ['vo:t(ə)n], **Vota** (geh) pl of Votum.

votieren* [vo'ti:rən] vi (geh) to vote.

Votiv- [vo'ti:f]: **Votivbild** nt votive picture; **Votivkapelle** f votive chapel; **Votivtafel** f votive tablet.

Votum ['vo:tom] nt -s, **Voten** or **Vota** (geh) vote.

Voyeur(in f) [voa'jø:ɐ, -'jø:rın] m voyeur.

VP [fau'pe:] f - abbr of **Volkspolizei.**

V-Pullover ['fau-] m V-neck pullover.

v.T. abbr of **vom Tausend.**

vulgär [vʊl'gɛ:ɐ] adj vulgar.

Vulgär|ausdruck [vʊl'gɛ:ɐ-] m vulgar expression, vulgarity.

Vulgarität [vʊlgari'tɛ:t] f vulgarity.

Vulgärlatein [vʊl'gɛ:ɐ-] nt Vulgar Latin.

Vulkan [vʊl'ka:n] m -(e)s, -e volcano. **auf einem ~ leben** (fig) to be living on the edge of a volcano.

Vulkanausbruch m volcanic eruption; **Vulkanfiber** f vulcanized fibre.

Vulkanisation [vʊlkaniza'tsio:n] f (Tech) vulcanization.

vulkanisch [vʊl'ka:nıʃ] adj volcanic.

Vulkanisier|anstalt [vʊlkani'zi:r-] f vulcanization plant.

vulkanisieren* [vʊlkani'zi:rən] vt to vulcanize.

Vulkanologe m, **Vulkanologin** f volcanologist.

Vulkanologie f volcanology.

v.u.Z. abbr of **vor unserer Zeitrechnung** BC.

V-Waffen ['fau-] pl Second World War German 'V1' and 'V2' rockets.

W

W, w [ve:] *nt* -, - W, w.
W *abbr of* **Westen.**
WAA [ve:|a:'|a:] *f abbr of* **Wiederaufberei-
tungsanlage.**
Waage *f* -, **-n 1.** (*Gerät*) scales *pl*; (*Fe-
der~, Apotheker~*) balance; (*für Last-
wagen, Autos*) weighbridge. **eine ~ a**
pair of scales; **sich** (*dat*) **die ~ halten**
(*fig*) to balance one another *or* each
other.
   2. (*Astron, Astrol*) **die ~** Libra; **er ist
(eine) ~** he's a (a) Libra.
   3. (*Sport: Stand~/Knie~*) horizontal
single leg/knee stand.
Waagebalken *m* (balance *or* scale) beam.
waag(e)recht *adj* horizontal, level; *Linie,
Ebene* horizontal; **Waag(e)rechte** *f*
horizontal; **etw in die ~ bringen** to make
sth horizontal *or* level.
Waagschale *f* (scale) pan, scale. **jedes
Wort auf die ~ legen** to weigh every
word (carefully); **jds Worte/etw auf die
~ legen** to take sb's words/sth literally;
sein ganzes Gewicht in die ~ werfen (*fig*)
to bring one's full weight to bear.
wabb(e)lig *adj* *Pudding, Gelee* wobbly;
Mensch flabby.
wabbeln *vi* to wobble.
Wabe *f* -, **-n** honeycomb.
wabenförmig *adj* honeycombed;
Wabenhonig *m* comb honey.
wabern *vi* (*geh*) to undulate; (*Nebel, Ge-
rüche*) to drift, to waft; (*Gerücht*) to
float.
wach *adj* awake *pred*; (*fig: aufgeweckt*)
alert, wide-awake; *Nacht* sleepless,
wakeful. **in ~em Zustand** in the waking
state; **sich ~ halten** to keep *or* stay
awake; **~ werden** to wake up; **~ liegen**
to lie awake; **jdn ~ schütteln/küssen** to
shake sb awake/to wake sb with a kiss.
Wachablösung *f* changing of the guard;
(*fig*) change of government; **Wach-
bataillon** *nt* guard battalion, guards *pl*;
Wachboot *nt* patrol boat; **Wachdienst**
m look-out, guard (duty); (*Mil*) guard
(duty); (*Naut*) watch; **~ haben** to be on
guard (duty); (*Naut*) to have the watch.
Wache *f* -, **-n 1.** *no pl* (*Wachdienst*) guard
(duty). **auf ~** on guard (duty); (**bei jdm**)
~ halten to keep guard *or* watch (over
sb); (*Kranken~*) to keep watch (at sb's
bedside), to watch over sb; (*Toten~*) to
watch over sb; **~ stehen** *or* **schieben** (*inf*)
to be on guard (duty); (*Dieb, Schüler*) to
keep a look-out.
   2. (*Mil*) (*Wachposten*) guard, sentry;
(*Gebäude*) guard-house; (*Raum*)
guard-room.
   3. (*Naut: Personen, Dauer*) watch. **~
haben** to be on watch.
   4. (*Polizei~*) (police) station.
wachen *vi* **1.** (*wach sein*) to be awake;
(*nicht schlafen können*) to lie awake. **2.**

(*Wache halten*) to keep watch. **bei jdm
~** to sit up with sb, to keep watch by sb's
bedside; **das W~ am Krankenbett**
sitting up with a/the patient *or* at a/the
sickbed; **über etw** (*acc*) **~** to (keep)
watch over sth; *über Verkehr* to supervise sth.
wachhabend *adj attr* duty; **Wachhaben-
de(r)** *mf decl as adj* (*Offizier*) duty officer; (*Naut*) watch; **wachhalten** *vt sep
irreg* (*fig*) *Interesse* to keep alive *or* up;
Wachheit *f* (*fig*) alertness; **Wachhund**
m (*lit, fig*) watchdog; (*lit auch*) guarddog; **Wachlokal** *nt* guard-room;
Wachmacher *m* (*Med inf*) stimulant;
Wachmann *m, pl* **-leute** watchman;
(*Aus*) policeman; **Wachmannschaft** *f*
men *or* squad on guard; (*Naut*) watch;
Wachoffizier *m* (*Naut*) officer of the
watch.
Wacholder *m* -s, - (*Bot*) juniper (tree).
Wacholderbeere *f* juniper berry; **Wa-
cholderbranntwein** (*form*), **Wachol-
derschnaps** *m* spirit made from juniper
berries, ≃ gin; **Wacholderstrauch** *m*
juniper tree.
Wachposten *m* sentry, guard; **wachrufen** *vt sep irreg* (*fig*) *Erinnerung* to call to
mind, to evoke; **wachrütteln** *vt sep* (*fig*)
to shake up, to (a)rouse; *Gewissen* to
stir, to (a)rouse; **jdn aus seiner Apathie
~** to shake sb out of his apathy.
Wachs [vaks] *nt* **-es, -e** wax. **weich wie ~**
as soft as butter; **meine Knie wurden
weich wie ~** my knees turned to jelly; **~
in jds Händen sein** (*fig*) to be putty in
sb's hands.
wachsam *adj* watchful, vigilant;
(*vorsichtig*) on one's guard. **ein ~es
Auge auf jdn/etw haben** to keep a watchful *or* sharp eye on sb/sth.
Wachsamkeit *f, no pl* watchfulness, vigi-
lance; (*Vorsichtigkeit*) guardedness.
Wachs- ['vaks-]: **Wachsbild** *nt* waxen
image; **wachsbleich** *adj* waxen;
Wachsbohne *f* wax bean; **Wachsbunt-
stift** *m* wax crayon.
Wachschiff *nt* patrol ship.
wachsen¹ ['vaksn] *pret* **wuchs** [vu:ks],
ptp **gewachsen** *vi aux sein* to grow;
(*Spannung, Begeisterung auch*) to
mount. **in die Breite/Länge ~** to broaden
(out)/to lengthen, to get *or* grow
broader/longer; **in die Höhe ~** to grow
taller; (*Kind*) to shoot up (*inf*); **sich
(*dat*) einen Bart/die Haare ~ lassen** to
grow a beard/to let one's hair grow *or* to
grow one's hair; **Sauerkraut kann ich
mit ~der Begeisterung essen** I can eat
sauerkraut till the cows come home
(*hum inf*); **gut gewachsen** *Baum* well-
grown; *Mensch* with *or* having a good
figure; **wie gewachsen** with fat and gristle
not removed; **er wächst mit** *or* **an seiner**

Verantwortung (*fig*) he grows with his responsibility.

wachsen² ['vaksn] *vt* to wax.

wächsern ['vɛksən] *adj* (*lit, fig*) waxen.

Wachs- ['vaks-]: **Wachsfarbe** *f* **1.** (*Farbstift*) wax crayon; **2.** (*Farbstoff*) wax dye; **Wachsfarbstift** *m* wax crayon; **Wachsfigur** *f* wax figure; **Wachsfigurenkabinett** *nt* waxworks *pl*; **Wachskerze** *f* wax candle; **Wachslicht** *nt* night light; **Wachsmalstift** *m*, **Wachsmalkreide** *f* wax crayon; **Wachsmaske** *f* wax mask; **Wachsmatrize** *f* stencil; **Wachspapier** *nt* waxed paper; **Wachsstift** *m* wax crayon; **Wachsstock** *m* wax taper.

Wachstube ['vax(t)tu:bə] *f* guard-room; (*von Polizei*) duty room.

Wachstuch ['vaks-] *nt* oilcloth.

Wachstum ['vakstu:m] *nt, no pl* growth. **im ~ zurückgeblieben** stunted.

Wachstumsaktie *f* growth stock; **Wachstumsbranche** *f* growth industry; **Wachstumsfonds** *m* growth fund; **wachstumshemmend** *adj* growth-inhibiting; **Wachstumshormon** *nt* growth hormone; **Wachstumspolitik** *f* growth policy; **Wachstumsrate** *f* (*Biol, Econ*) growth rate; **Wachstumsschmerzen** *pl* growing pains *pl*; **Wachstumsstörung** *f* disturbance of growth.

wachsweich ['vaksvaɪx] *adj* (as) soft as butter.

Wacht *f* -, -**en** (*obs, liter*) siehe **Wache**.

Wachtel *f* -, -**n** quail; (*fig inf: Frau*) silly goose (*inf*). **alte ~** (*inf*) (*unfreundlich*) old hen (*inf*); (*dumm*) silly old goose (*inf*).

Wächter *m* -**s**, - guardian; (*Nacht~*) watchman; (*Turm~*) watch; (*Museums~, Parkplatz~*) attendant.

Wachtmeister *m* **1.** (*old Mil*) sergeant. **2.** (*Polizist*) (police) constable (*Brit*), patrolman (*US*); **Herr ~** officer, constable (*Brit*).

Wachtposten *m* sentry, guard.

Wachtraum *m* daydream.

Wach(t)turm *m* watch-tower.

Wach- und Schließgesellschaft *f* security firm; **Wachwechsel** *m* (*lit, fig*) changing of the guard; **Wachzustand** *m* **im ~** in the waking state.

wack(e)lig *adj* wobbly; *Möbelstück auch* rickety; *Zahn, Schraube auch* loose; (*fig*) *Firma, Unternehmen* shaky. **~ auf den Beinen sein** (*inf*) (*Patient*) to be wobbly on one's legs, to be shaky; (*alter Mensch*) to be doddery.

Wackelkontakt *m* loose connection.

wackeln *vi* **1.** to wobble; (*zittern*) to shake; (*Zahn, Schraube*) to be loose; (*fig*) (*Thron*) to totter; (*Position*) to be shaky. **du hast gewackelt** you wobbled/shook; (*beim Fotografieren*) you moved; **mit den Ohren/Hüften/dem Kopf/Schwanz ~** to waggle one's ears/wiggle one's hips/wag one's head/its tail. **2.** *aux sein* (*langsam, unsicher gehen*) to totter; (*kleines Kind*) to toddle.

Wackelpeter *m* -**s**, - (*inf*) jelly.

wacker *adj* **1.** (*tapfer*) brave, valiant. **sich ~ halten** (*inf*) to stand *or* hold one's

ground; **sich ~ schlagen** (*inf*) to put up a brave fight. **2.** (*old: tüchtig*) upright.

Wade *f* -, -**n** calf.

Wadenbein *nt* fibula; **Wadenkrampf** *m* cramp in the/one's calf; **Wadenstrumpf** *m* half stocking; **Wadenwickel** *m* (*Med*) compress around the leg.

Waffe *f* -, -**n** (*lit, fig*) weapon; (*Schuß~*) gun; (*Mil: Waffengattung*) arm. **~n** (*Mil*) arms; **~n tragen** to carry arms; **zu den ~n rufen** to call to arms; **unter ~n (stehen)** (to be) under arms; **die ~n strecken** (*lit, fig*) to lay down one's arms, to surrender; **jdn mit seinen eigenen ~n schlagen** (*fig*) to beat sb at his own game *or* with his own weapons.

Waffel *f* -, -**n** waffle; (*Keks, Eis~*) wafer; (*Eistüte*) cornet.

Waffeleisen *nt* waffle iron; **Waffelstoff** *m* honeycomb cloth.

Waffen- *in cpds* arms; **Waffenbesitz** *m* possession of firearms; **Waffenbruder** *m* (*old*) comrade in arms (*old*); **Waffendienst** *m* (*old*) military service; **Waffenembargo** *nt* arms embargo; **Waffengang** *m* (*old Mil*) passage at arms, armed encounter; (*Univ*) round; **Waffengattung** *f* (*Mil*) arm of the service; **Waffengewalt** *f* force of arms; **mit ~** by force of arms; **Waffenhandel** *m* arms trade *or* traffic; (*illegal auch*) gunrunning; **Waffenhändler(in** *f*) *m* arms dealer; (*illegal auch*) gunrunner; **Waffenhilfe** *f* military assistance; **Waffenlager** *nt* (*von Armee*) ordnance depot; (*von Terroristen*) cache; **Waffenlieferung** *f* supply of arms; **Waffenruhe** *f* ceasefire; **Waffenschein** *m* firearms *or* gun licence; **Waffenschmied** *m* (*Hist*) armourer; **Waffenschmuggel** *m* gunrunning, arms smuggling; **Waffen-SS** *f* (*NS*) Waffen-SS; **waffenstarrend** *adj* bristling with weapons; **Waffenstillstand** *m* armistice; **Waffenstillstandsabkommen** *nt* armistice agreement; **Waffensystem** *nt* weapon system.

wägbar *adj* (*geh*) ponderable. **ein nicht ~es Risiko** an imponderable risk.

Wägelchen *nt dim of* **Wagen**.

Wagemut *m, no pl* (*geh*) (heroic) daring *or* boldness; **wagemutig** *adj* daring, bold.

wagen I *vt* to venture; (*riskieren*) hohen Einsatz, sein Leben to risk; (*sich getrauen*) to dare. **es ~,** **etw zu tun** to venture to do sth; to risk doing sth; to dare (to) do sth; **ich wag's** I'll risk it, I'll take the risk *or* plunge; **wer nicht wagt, der nicht gewinnt** (*Prov*) nothing ventured, nothing gained (*Prov*).

II *vr* to dare. **sich an etw** (*acc*) **~** to venture to do sth; **ich wage mich nicht daran** I dare not do it; **sich auf ein Gebiet ~** to venture into an area; **er wagt sich nicht mehr aus dem Haus** he doesn't venture out (of the house) any more, he doesn't dare leave the house any more.

Wagen *m* -**s**, - *or* (*S Ger, Aus*) ∸ **1.** (*Personen~*) car; (*Liefer~*) van; (*Plan~*) (covered) wag(g)on; (*Zirkus~, Zigeuner~*) caravan, wag(g)on; (*Pferde~*) wag(g)on, cart; (*Kutsche*) coach; (*Pup-

pen~, Kinder~) pram *(Brit)*, baby carriage *(US)*; *(Hand~)* (hand)cart; *(Kofferkuli, Einkaufs~)* trolley; *(Schreibmaschinen~)* carriage; *(Straßenbahn~, Seilbahn~)* car; *(Eisenbahn~)* coach *(Brit)*, car, carriage *(Brit)*. **jdm an den ~ fahren** *(fig)* to pick holes in sb; **sich nicht vor jds ~ spannen lassen** *(fig)* not to allow oneself to be used *or* made use of by sb.
2. *(Astrol)* **der Große/Kleine ~** the Plough *or* (Big) Dipper/the Little Dipper.

wägen *pret* **wog** *or* **wägte**, *ptp* **gewogen** *or* **gewägt** *vt (old, form)* to weigh; *(geh: bedenken auch)* to ponder.

Wagenbauer *m* coach builder; **Wagenburg** *f* barricade (of wag(g)ons); **Wagenführer(in** *f)* *m* driver; **Wagenheber** *m* jack; **Wagenladung** *f (von Lastwagen)* lorryload *(Brit)*, truckload; **Wagenlenker(in** *f)* *m (Hist)* charioteer; **Wagenpark** *m* fleet of cars/vans; **Wagenpflege** *f* care of the/one's car; **Wagenrad** *nt* cartwheel; *(hum: Hut)* picture hat; **Wagenrennen** *nt (Hist)* chariot racing; *(einzelner Wettkampf)* chariot race; **Wagenrücklauf** *m (an Schreibmaschine)* carriage return; **Wagenschlag** *m (von Kutsche)* carriage door; *(von Auto)* car door; **Wagenschmiere** *f* cart-grease; **Wagenwäsche** *f* car wash; *(das Waschen)* car washing.

Waggon [va'gõ:, va'gɔn] *m* **-s, -s** (goods) wag(g)on *(Brit)*, freight car *(US)*; *(Ladung)* wag(g)onload/carload.

waggonweise [va'gõ:-, va'gɔn-] *adv* by the wag(g)onload *(Brit)* or carload *(US)*.

Waghals *m* daredevil; **waghalsig** *adj* foolhardy, daredevil *attr*; **Waghalsigkeit** *f* foolhardiness.

Wagnerianer(in *f)* *m* **-s, -** Wagnerian.

Wagnis *nt* hazardous business; *(Risiko)* risk.

Wahl *f* **-, -en 1.** *(Auswahl)* choice. **die ~ fiel auf ihn/dieses Buch** he/this book was chosen; **aus freier ~** of one's own free choice; **wir hatten keine (andere) ~(, als)** we had no alternative *or* choice (but); **es gab/blieb keine andere ~(, als)** there was no alternative (but); **jdm die ~ lassen** to leave (it up to) sb to choose; **jdm etw zur ~ stellen** to give sb the choice of sth; **3 Farben stehen zur ~** there is a choice of 3 colours; **seine/eine ~ treffen** to make one's/a choice *or* selection; **du hast die ~** take your choice *or* pick; **sie hat die ~, ob sie ...** the choice is hers *or* it's up to her whether she ...; **wer die ~ hat, hat die Qual** *(Prov)* he is/you are *etc* spoilt for choice.
2. *(Pol)* election; *(Abstimmung)* vote; *(geheim)* ballot. **geheime/freie ~** secret ballot/free elections; **~ durch Handerheben** vote by (a) show of hands; **(die) ~en** (the) elections; **seine ~ in den Vorstand/zum Präsidenten** his election to the board/as president; **zur ~ gehen** to go to vote, to go to the polls; **jdn zur ~ aufstellen** *or* **vorschlagen** to propose sb *or* put sb up as a candidate (for elec-

tion); **sich zur ~ stellen** to stand (as a candidate *or* at the/an election), to run (for parliament/president *etc*); **zur ~ schreiten** to take a vote *or (geheim)* ballot; **die ~ annehmen** to accept the *or* one's election.
3. *(Qualität)* quality. **erste ~** top quality; *Gemüse, Eier* class *or* grade one; **zweite/dritte ~** second/third quality; *Gemüse, Eier* class *or* grade two/three; **Waren/Eier/Fleisch erster ~** top-quality goods/class- *or* grade-one eggs/prime meat.

Wahlakt *m* polling; **Wahlalter** *nt* voting age; **Wahlanalytiker(in** *f)* *m* election analyst; **Wahlaufruf** *m* election announcement; **Wahlauftrag** *m* election brief; **Wahlausgang** *m* outcome of an/the election, election results *pl*; **Wahlausschuß** *m* election committee.

Wahlautomatik *f (Telec)* automatic dialling *(Brit)* or dialing *(US)*.

wählbar *adj* eligible (for office), able to stand at an/the election.

Wahlbenachrichtigung, Wahlbenachrichtigungskarte *f* polling card; **wahlberechtigt** *adj* entitled to vote; **Wahlbeteiligung** *f* poll; **eine hohe ~ a** heavy poll, a high *or* good turnout (at an/the election); **Wahlbezirk** *m* ward; **Wahlbündnis** *nt* electoral pact; **Wahlbürger(in** *f)* *m (form)* voter.

wählen I *vt* **1.** *(aus from, out of)* to choose; *(aus~ auch)* to select, to pick. **seine Worte ~** to choose one's words, to select *or* pick one's words carefully; *siehe* **gewählt.**
2. *(Telec)* Nummer to dial.
3. *Regierung, Sprecher* to elect; *(sich entscheiden für)* Partei, Kandidaten to vote for. **jdn ins Parlament/in den Vorstand ~** to elect *or* return sb to Parliament/to elect *or* vote sb onto the board; **jdn zum Präsidenten ~** to elect sb president.
II *vi* **1.** *(auswählen)* to choose.
2. *(Telec)* to dial.
3. *(Wahlen abhalten)* to hold elections; *(Stimme abgeben)* to vote. **wann wird gewählt?** when are the elections?; **man darf ab 18 ~** you can vote at 18; **~ gehen** to go to the polls, to go to vote.

Wähler *m* **-s, - 1.** *(Pol)* elector, voter. **der** *or* **die ~** the electorate *sing or pl*, the electors *pl*. **2.** *(Tech)* selector.

Wähler|auftrag *m* mandate.

Wahl|ergebnis *nt* election result; *(Stimmenverteilung auch)* election returns *pl*.

Wählerin *f siehe* **Wähler 1.**

Wähler|initiative *f* pressure from the electorate.

wählerisch *adj* particular; *Geschmack, Kunde* discriminating. **sei nicht so ~!** don't be so choosy *(inf)* or fussy.

Wählerreservoir *nt* source of votes.

Wählerschaft *f, no pl* electorate *sing or pl*; *(eines Wahlkreises)* constituents *pl*.

Wählerschicht *f* section of the electorate; **Wählerschwund** *m* loss of voters; **Wählerstimme** *f* vote; **10% der ~n** 10% of the vote(s) *or* poll; **Wählerverzeichnis** *nt* electoral roll *or* register.

Wahlfach nt (Sch) option, optional subject, elective (US); **Wahlfeldzug** m election(eering) campaign; **Wahlforscher(in** f) m electoral researcher, psephologist; **wahlfrei** adj (Sch) optional; **~er Zugriff** (Comput) random access; **Wahlgang** m ballot; **Wahlgeheimnis** nt secrecy of the ballot; **Wahlgeschenk** nt pre-election present; **Wahlgesetz** nt electoral law; **Wahlheimat** f country of adoption or of (one's) choice, adopted country; **Wahlhelfer(in** f) m (im Wahlkampf) electoral or election assistant; (bei der Wahl) polling officer; **Wahlkabine** f polling booth; **Wahlkampf** m election(eering) campaign; **einen ~ führen** to conduct an election campaign; **Wahlkreis** m constituency; **Wahlleiter(in** f) m returning officer (Brit); **Wahllokal** nt polling station; **Wahllokomotive** f (inf) vote-puller; **wahllos I** adj indiscriminate; **II** adv at random, haphazardly; (nicht wählerisch) indiscriminately; **Wahlmann** m, pl **-männer** delegate; **Wahlmöglichkeit** f choice, option; **Wahlniederlage** f election defeat; **Wahlpflicht** f electoral duty; **seine ~ erfüllen** to use one's vote; **Wahlplakat** nt election poster; **Wahlpropaganda** f election propaganda; **Wahlrecht** nt 1. (right to) vote; **allgemeines ~** universal franchise or suffrage; **das aktive ~** the right to vote; **das passive ~** eligibility (for political office); **mit 25 bekommt man das passive ~** at 25 one becomes eligible for political office; 2. (Gesetze) electoral law no def art; **Wahlrede** f election speech; **Wahlreform** f electoral reform.

Wahlscheibe f dial.

Wahlsieg m electoral or election victory; **Wahlspruch** m 1. motto, watchword; 2. election slogan; **Wahlsystem** nt electoral system; **Wahltag** m election or polling day; **Wahlurne** f ballot box; **Wahlverfahren** nt electoral procedure; **Wahlverhalten** nt behaviour at the polls; **Wahlversammlung** f election meeting; **Wahlversprechungen** pl election promises pl; **Wahlverwandtschaft** f (fig) affinity (von between); **wahlweise** adv alternatively; **~ Kartoffeln oder Reis** (a) choice of potatoes or rice.

Wahlzeichen nt (Telec) dialling tone.

Wahlzelle f polling booth.

Wahn m - (e)s, no pl 1. illusion, delusion. **in dem ~ leben, daß ...** to labour under the delusion that ... 2. (Manie) mania.

Wahnbild nt delusion, illusion.

wähnen (geh) **I** vt to imagine (wrongly), to believe (wrongly). **wir wähnten ihn glücklich** we (wrongly) imagined or believed him (to be) happy. **II** vr **sich sicher/von allen verlassen ~** to imagine or believe oneself (to be) safe/abandoned by all.

Wahnsinn m, no pl 1. (old Psych) insanity, lunacy, madness. **in ~ verfallen** to go mad or insane.

2. (Unvernunft) madness, insanity. **das ist doch (heller) ~, so ein ~!** that's

sheer madness or idiocy!; **Mensch, ~ or einfach ~!** (sl: prima) way or far out! (sl).

3. **religiöser ~** religious mania.

wahnsinnig I adj 1. (old Psych) insane, mad.

2. (inf) (verrückt) mad, crazy; (toll, super) brilliant (inf), great (inf); (attr: sehr groß, viel) terrible, awful, dreadful. **eine ~e Arbeit/ein ~es Geld** a crazy or incredible amount of work/money; **wie ~** (inf) like mad; **das macht mich ~** (inf) it's driving me mad or crazy or round the bend (inf); **~ werden** to go mad or crazy or round the bend (inf); **ich werde ~!** it's mind-blowing! (sl).

II adv (inf) incredibly (inf). **~ verliebt** madly in love; **~ viele/viel** an incredible number/amount (inf).

Wahnsinnige(r) mf decl as adj madman/madwoman, lunatic.

Wahnsinnigwerden nt **zum ~** enough to drive you round the bend (inf).

Wahnsinnsarbeit f (inf) **eine ~** a crazy or ridiculous amount of work (inf).

Wahnvorstellung f delusion; **Wahnwitz** m, no pl utter or sheer foolishness; **wahnwitzig I** adj mad, crazy, lunatic attr; **II** adv terribly, awfully.

wahr adj Geschichte, Liebe, Glaube true; (echt) Kunst, Glück auch real, genuine; Freund, Freundschaft auch real; (attr: wirklich) real, veritable. **im ~sten Sinne des Wortes** in the true sense of the word; **daran ist kein ~es Wort** there's not a word of truth in it; **da ist etwas W~es daran** there's some truth in that; **da hast du ein ~es Wort gesprochen** (inf) that's very true, there's a lot of truth in that; **etw ~ machen** Pläne to make sth a reality; Versprechung, Drohung to carry out; **~ werden** to come true; (Hoffnung, Pläne auch) to become a reality; **so ~ mir Gott helfe!** so help me God!; **so ~ ich hier stehe** as sure as I'm standing here, as sure as eggs are eggs (inf); **das darf or kann doch nicht ~ sein!** (inf) it can't be true!; **das ist schon gar nicht mehr ~** (inf) that was ages ago; **das ist nicht der ~e Jakob or Otto** (inf), **das ist nicht das W~e** (inf) it's no great shakes (inf).

wahren vt 1. (wahrnehmen) Interessen, Rechte to look after, to protect, to safeguard.

2. (erhalten) Autorität, Ruf, Würde to preserve, to keep; Geheimnis to keep; gute Manieren to adhere to, to observe. **die Form/den Anstand ~** to adhere to correct form/to observe the proprieties.

währen vi (geh) to last. **was lange währt, wird (endlich) gut** (Prov) a happy outcome is worth waiting for.

während I prep +gen or dat during. **~ eines Zeitraums** over a period of time; **~ der ganzen Nacht** all night long, all during the night, throughout the night. **II** conj while; (wohingegen auch) whereas.

währenddem (inf), **währenddes** (geh), **währenddessen** adv meanwhile, in the meantime.

wahrhaben vt sep irreg **etw nicht ~ wollen**

not to want to admit sth; **wahrhaft I** *adj* (*ehrlich*) truthful; (*echt*) *Freund* true, real; *Enttäuschung* real; (*attr: wirklich*) real, veritable; **II** *adv* really, truly; **wahrhaftig I** *adj* (*geh*) (*aufrichtig*) truthful; *Gemüt* honest; *Worte* true; **der ~e Gott** the true God; **~er Gott!** (*inf*) strewth! (*inf*); **II** *adv* really; (*tatsächlich*) actually.

Wahrheit *f* truth. **in ~** in reality; **die ~ sagen** to tell the truth; **um die ~ zu sagen** to tell the truth; **das schlägt der ~ ins Gesicht** that's patently untrue; **er nimmt es mit der ~ nicht so genau** (*inf*) you have to take what he says with a pinch of salt.

Wahrheitsbeweis *m* (*Jur*) **den ~ antreten** to supply proof of the truth of a/one's statement; **Wahrheitsfindung** *f* establishment of the truth; **Wahrheitsgehalt** *m* substance; **wahrheitsgetreu** *adj Bericht* truthful; *Darstellung* faithful; **ein ~es Bild** (*fig*) a factual *or* true picture; **Wahrheitsliebe** *f* love of truth; **wahrheitsliebend** *adj* truth-loving; (*ehrlich*) truthful; **wahrheitswidrig** *adj* false.

wahrlich *adv* really, indeed, verily (*Bibl*); (*garantiert*) certainly, definitely.

wahrnehmbar *adj* perceptible, noticeable; **nicht ~** imperceptible, not noticeable; **mit bloßem Auge ~/nicht ~** visible/invisible to the naked eye; **wahrnehmen** *vt sep irreg* **1.** (*mit den Sinnen erfassen*) to perceive; (*bemerken*) *Vorgänge, Veränderungen* to be aware of; (*entdecken, erkennen*) *Geräusch, Licht auch* to distinguish; *Geruch* to detect; (*heraushören*) *Unterton, Stimmung* to detect, to discern; **2.** (*nutzen, vertreten*) *Frist, Termin* to observe; *Gelegenheit* to take; *Interessen, Angelegenheiten, Rechte* to look after; **Wahrnehmung** *f siehe vt* **1.** perception; awareness; detection; **2.** observing; taking; looking after; **Wahrnehmungsvermögen** *nt* perceptive faculty; **wahrsagen** *sep or insep* **I** *vi* to tell fortunes, to predict the future; **aus dem Kaffeesatz/aus den Karten ~** to read coffee grounds/cards; **jdm ~** to tell sb's fortune, to predict the future (to sb); **II** *vt* (**jdm**) **die Zukunft ~** to tell sb's fortune, to predict the future (to sb); **er hat mir wahrgesagt, daß ...** he predicted (to me) that ...; **Wahrsager(in** *f*) *m* **-s, -** fortuneteller, soothsayer (*old*); **Wahrsagerei** *f, no pl* fortunetelling; **wahrsagerisch** *adj* prophetic; **Wahrsagung** *f* prediction.

wahrscheinlich I *adj* probable, likely; (*glaubhaft*) plausible. **es liegt im Bereich des W~en** it is quite within the bounds of probability. **II** *adv* probably. **er kommt ~ erst später** he probably won't come till later, he won't come till later most likely.

Wahrscheinlichkeit *f* probability, likelihood *no pl*; (*Glaubhaftigkeit*) plausibility. **mit größer ~, aller ~ nach, in aller ~** in all probability *or* likelihood.

Wahrscheinlichkeitsrechnung *f* probability calculus, theory of probabilities).

Wahrung *f, no pl* **1.** (*Wahrnehmung*) protection, safeguarding. **2.** (*Erhaltung*) preservation; (*von Geheimnis*) keeping.

Währung *f* currency.

Währungs- *in cpds* currency, monetary; **Währungsblock** *m* monetary bloc; **Währungseinheit** *f* monetary unit; **Währungsfonds** *m* Monetary Fund; **Währungsparität** *f* mint par of exchange; **Währungsreform** *f* monetary *or* currency reform; **Währungsreserve** *f* monetary *or* currency reserve; **Währungsschlange** *f* (currency) snake; **Währungssystem** *nt* monetary system; **Währungsunion** *f* monetary union.

Wahrzeichen *nt* (*von Stadt, Verein*) emblem; (*Gebäude, Turm*) symbol.

Waid- *in cpds siehe* **Weid-.**

Waise *f* **-, -n** orphan.

Waisenhaus *nt* orphanage; **Waisenkind** *nt* orphan; **Waisenknabe** *m* (*liter*) orphan (boy); **gegen dich ist er ein ~ or Waisenkind** (*inf*) he's no match for you, you would run rings round him (*inf*); **Waisenrente** *f* orphan's allowance.

Wal *m* **-(e)s, -e** whale.

Wald *m* **-(e)s, ⁼er** wood(s *pl*); (*großer*) forest; (*no pl: ~land*) woodland(s *pl*), wooded country. **~ und Wiese/Feld or Flur** (*liter*) woods and meadows/fields; **ich glaub, ich steh im ~** (*inf*) I must be seeing/hearing things! (*inf*); **er sieht den ~ vor lauter Bäumen nicht** he can't see the wood for the trees (*Prov*); **wie es in den ~ hineinschallt or wie man in den ~ hineinruft, so schallt es wieder heraus** (*Prov*) you get as much as you give.

Waldameise *f* red ant; **Waldarbeiter(in** *f*) *m* forestry worker; (*Holzfäller*) lumberjack, woodman; **Waldbestand** *m* forest land; **Waldblume** *f* woodland flower; **Waldboden** *m* forest soil; **Waldbrand** *m* forest fire.

Wäldchen *nt dim of* **Wald** little wood.

Wald|erdbeere *f* wild strawberry; **Waldfrevel** *m* offence against the forest laws; **Waldhorn** *nt* (*Mus*) French horn.

waldig *adj* wooded, woody.

Waldland *nt* woodland(s *pl*); **Waldlauf** *m* cross-country running; (*einzelner Lauf*) cross-country run; **Waldlehrpfad** *m* nature trail; **Waldmeister** *m* (*Bot*) woodruff.

Waldorfsalat *m* (*Cook*) Waldorf salad; **Waldorfschule** *f* Rudolf Steiner School.

waldreich *adj* densely wooded; **Waldreichtum** *m* abundance of woods/forests; **Waldschaden** *m* damage to woods/forests; **Waldschneise** *f* lane, aisle; **Waldschrat** *m* wood gnome; **Waldsterben** *nt* dying of the forests (*due to pollution*).

Waldung *f* (*geh*) woodland(s *pl*).

Waldvogel *m* woodland bird; **Waldweg** *m* woodland/forest path; **Waldwiese** *f* glade.

Wales [weɪlz] *nt* - Wales.

Walfang *m* whaling; **Walfangboot** *nt* whaler, whaling boat; **Walfänger** *m* (*Schiff, Mensch*) whaler; **Walfisch** *m* (*inf*) whale.

Walhall(a) ['valhal, val'hal(a)] *f* **-, no pl** (*Myth*) Valhalla.

Waliser(in f) m -s, - Welshman; Welsh woman.

walisisch adj Welsh.

walken vt Felle, Leder to drum, to tumble; Wollgewebe to full, to mill; Blech to flex.

Walkie-talkie ['vɔːkiːˈtɔːkiː] nt -(s), -s walkie-talkie.

Walkman ® ['vɔːkmən] m -s, -s (Rad) walkman ®.

Walküre f -, -n (Myth, fig) Valkyrie.

Wall m -(e)s, -e embankment; (Mil) rampart; (fig) bulwark, rampart.

Wallach m -(e)s, -e gelding.

wallen vi (liter) (brodeln) to surge, to seethe; (fließen) to flow; (Dämpfe, Nebel) to surge; (fig: Blut) to boil.

wallfahren vi insep reg aux sein to go on a pilgrimage.

Wallfahrer(in f) m -s, - pilgrim.

Wallfahrt f pilgrimage.

Wallfahrtskirche f pilgrimage church; **Wallfahrtsort** m, **Wallfahrtsstätte** f place of pilgrimage.

Wallgraben m moat.

Wallis nt - Valais.

Walliser Alpen pl die ~ ~ the Valais Alps pl.

Wallone m -n, -n, **Wallonin** f Walloon.

Wallung f -, -en 1. (geh) das Meer war in ~ the sea was surging or seething; in ~ geraten (See, Meer) to begin to surge or seethe; (vor Leidenschaft) to be in a turmoil; (vor Wut) to fly into a rage or passion; sein Blut geriet in ~ his blood began to surge through his veins; jds Blut/jdn in ~ bringen to make sb's blood surge through his/her veins.
2. (Med) (hot) flush usu pl.

Walmdach nt (Archit) hipped roof.

Walnuß f walnut.

Walnußbaum m walnut (tree).

Walpurgisnacht f (Myth) Walpurgis Night, Walpurgisnacht.

Walroß nt -sses, -sse walrus; (pej: Mensch) baby elephant (inf). schnaufen wie ein ~ (pej) to puff like a grampus.

Walstatt f (obs) battlefield.

walten vi (geh) to prevail, to reign (in +dat over); (wirken: Mensch, Naturkräfte) to rule (over) sb/sth; über jdm/etw ~ to rule (over) sb/sth; Vernunft ~ lassen to let reason prevail; Vorsicht/Milde/Gnade ~ lassen to exercise caution/leniency/to show mercy; das W~ Gottes the workings of God; das walte Gott or (inf) Hugo amen (to that)!

Walz f (dated) auf die ~ gehen to go off on one's travels; auf der ~ sein to be on the road.

Walzblech nt sheet metal.

Walze f -, -n roller; (Schreibmaschinen~ auch) platen; (Drehorgel~) barrel; (von Spieluhr) cylinder, drum.

walzen I vt to roll. **II** vi **1.** aux sein or haben (dated: tanzen) to waltz. **2.** aux sein (old inf: wandern) to tramp, to hike.

wälzen I vt **1.** (rollen) to roll; (Cook) (in Ei, Mehl) to coat (in +dat with); (in Butter, Petersilie) to toss.
2. (inf) Akten, Bücher to pore over; Probleme, Gedanken, Pläne to turn over

in one's mind. die Schuld/Verantwortung auf jdn ~ to shift or shove (inf) the blame/responsibility onto sb.
II vr to roll; (vor Schmerzen) to writhe (vor +dat with); (schlaflos im Bett) to toss and turn; (fig: Menschenmenge, Wassermassen) to surge; (im Schlamm) to wallow.

walzenförmig adj cylindrical.

Walzer m -s, - waltz. Wiener ~ Viennese waltz; ~ tanzen to (dance the/a) waltz.

Wälzer m -s, - (inf) heavy or weighty tome (hum).

Walzermusik f waltz music; **Walzerschritt** m waltz step; **Walzertakt** m waltz time.

Walzstraße f rolling train; **Walzwerk** nt rolling mill.

Wampe f -, -n (dial) paunch.

Wams nt -es, ⁻er (old, dial: Jacke) jerkin; (unter Rüstung) gambeson; (dial: Weste) waistcoat (Brit), vest (US).

wand pret of winden¹.

Wand f -, ⁻e wall (auch Anat); (nicht gemauerte Trenn~) partition (wall); (von Gefäß, Behälter, Schiff) side; (Fels~) (rock) face; (Wolken~) bank of clouds; (Biol) septum (spec); (fig) barrier, wall. spanische ~ (folding) screen; etw an die ~ werfen to throw sth against or at the wall; ~ an ~ wall to wall; in seinen vier ⁻en (fig) within one's own four walls; weiß wie die ~ as white as a sheet; wenn die ⁻e reden könnten if walls could speak; man rennt bei denen gegen eine ~ with them you come up against a brick wall; mit dem Kopf gegen die ~ rennen (fig) to bang one's head against a brick wall; jdn an die ~ drücken (fig) to push or drive sb to the wall; jdn an die ~ spielen (fig) to outdo or outshine sb; (Theat) to steal the show from sb, to upstage sb; jdn an die ~ stellen (fig) to shoot sb, to send sb before the firing squad; er lachte/tobte, daß die ⁻e wackelten (inf) or zitterten (inf) he raised the roof (with his laughing/ranting and raving) (inf); die ~ or ⁻e hochgehen (inf) to go up the wall (inf).

Wandale m -n, -n (Hist) Vandal.

Wandalismus m siehe Vandalismus.

Wandbehang m wall hanging; **Wandbewurf** m plaster(ing); (Rauhputz) roughcast; **Wandbord, Wandbrett** nt (wall) shelf.

Wandel m -s, no pl change. im ~ der Zeiten throughout the ages or the changing times; im ~ der Jahrhunderte down the centuries.

Wandelanleihe f convertible loan; **wandelbar** adj changeable; **Wandelbarkeit** f, no pl changeability; **Wandelgang** m covered walk; **Wandelhalle** f foyer; (im Parlament) lobby; (im Kurhaus) pump room.

wandeln¹ vtr (ändern) to change.

wandeln² vi aux sein (geh: gehen) to walk, to stroll. ein ~des Wörterbuch (hum) a walking dictionary; er ist die ~de Güte he is goodness or kindness itself or personified.

Wanderausstellung f travelling or touring exhibition; **Wạnderbühne** *f* touring company; (*Hist*) strolling players *pl*; **Wạnderbursche** *m* (*obs*) journeyman; **Wạnderdüne** *f* shifting *or* drifting (sand) dune.

Wạnderer *m* **-s,** **-** hiker; (*esp Angehöriger eines Wandervereins*) rambler; (*old: Reisender*) traveller, wayfarer (*old*).

Wạnderfalke *m* peregrine (falcon); **Wạnderfeldbau** *m* shifting cultivation; **Wạnderheuschrecke** *f* migratory locust.

Wạnderin *f siehe* **Wanderer.**

Wạnderjahre *pl* years of travel; **Wạnderkarte** *f* map of walks *or* trails; **Wạnderkleidung** *f* hiking outfit; **Wạnderleben** *nt* roving *or* wandering life; (*fig*) unsettled life; **Wạnderleber** *f* floating liver; **Wạnderlied** *nt* hiking song; **Wạnderlust** *f siehe* **Wanderlust.**

wạndern *vi aux sein* **1.** (*gehen*) to wander, to roam; (*old: reisen*) to travel, to journey; (*Wanderbühne, Zigeuner*) to travel. **durchs Leben ~** (*liter*) to journey through life.

2. (*sich bewegen*) to move, to travel; (*Wolken, Gletscher*) to drift; (*Düne*) to shift, to drift; (*Med: Leber, Niere*) to float; (*Blick*) to rove, to roam, to wander; (*Gedanken*) to roam, to wander, to stray; (*weitergegeben werden*) to be passed (on).

3. (*Vögel, Tiere, Völker*) to migrate.

4. (*zur Freizeitgestaltung*) to hike; (*esp in Verein*) to ramble.

5. (*inf: ins Bett, in den Papierkorb, ins Feuer*) to go. **hinter Schloß und Riegel ~** to be put behind bars.

Wạnderniere *f* floating kidney; **Wạnderpokal** *m* challenge cup; **Wạnderprediger(in** *f*) *m* itinerant preacher; **Wạnderpreis** *m* challenge trophy; **Wạnderratte** *f* brown rat.

Wạnderschaft *f, no pl* travels *pl.* **auf (der) ~ sein** to be on one's travels; **auf ~ gehen** to go off on one's travels.

Wạnderschuhe *pl* walking shoes *pl.*

Wạndersmann *m, pl* **-leute** (*liter*) *siehe* **Wanderer.**

Wạnderstab *m* (*old*) staff; **Wạndertag** *m* day in German schools on which pupils go rambling; **Wạndertrieb** *m* (*von Tier*) migratory instinct; (*Psych*) urge to travel, dromomania (*spec*); (*fig*) wanderlust, passion for travel; **Wạndertruppe** *f* touring company; (*Hist*) strolling players *pl.*

Wạnderung *f* **1.** (*Ausflug*) walk. **eine ~ machen** to go on a walk *or* hike *or* ramble. **2.** (*old: Reise, von Handwerksgesellen, fig liter: durchs Leben*) journey. **3.** (*von Vögeln, Tieren, Völkern*) migration; (*Sociol: Wohnortwechsel*) shift (in the population), population shift.

Wạnderverein *m* rambling club; **Wạndervogel** *m* (*Hist*) member of the Wandervogel youth movement; (*begeisterter Wanderer*) hiker; (*fig inf*) bird of passage, rolling stone (*inf*); **Wạnderweg** *m* walk, trail, (foot)path; **Wạnderzirkus** *m* travelling circus.

Wạndgemälde *nt* mural, wall-painting;

Wạndkalender *m* wall calendar; **Wạndkarte** *f* wall map; **Wạndlampe** *f* wall lamp/light; **Wạndleuchter** *m* wall bracket, sconce.

Wạndlung *f* **1.** (*Wechsel, Wandel*) change; (*völlige Um~*) transformation. **~ zum Guten** change for the better; **eine ~ durchmachen** to undergo a change. **2.** (*Eccl*) transubstantiation; (*Teil der Messe*) consecration. **3.** (*Jur*) cancellation of sale contract.

wạndlungsfähig *adj* adaptable; *Schauspieler* versatile.

Wạndmalerei *f* mural painting; (*Bild*) mural, wall-painting.

Wạndrer(in *f*) *m* **-s,** **-** *siehe* **Wanderer.**

Wạndschirm *m* screen; **Wạndschrank** *m* wall cupboard; **Wạndtafel** *f* (black)-board.

wạndte *pret of* **wenden.**

Wạndteller *m* wall plate; **Wạndteppich** *m* tapestry, wall hanging; **Wạnduhr** *f* wall clock; **Wạndverkleidung** *f* wall covering; (*aus Holz*) panelling; **Wạndzeitung** *f* wall news-sheet.

Wạnge *f* **-,** **-n** **1.** (*geh*) cheek. **~ an ~** cheek to cheek. **2.** (*von Treppe*) stringboard.

Wạnkelmotor *m* Wankel engine.

Wạnkelmut *m*, **Wạnkelmütigkeit** *f* fickleness, inconstancy.

wạnkelmütig *adj* fickle, inconstant.

wạnken *vi* **1.** (*schwanken*) (*Mensch, Gebäude*) to sway; (*Knie*) to shake, to wobble; (*Boden*) to rock; (*fig: Thron, Regierung*) to totter; (*unsicher sein/ werden*) to waver, to falter; (*schwanken*) to vacillate. **nicht ~ und nicht weichen** not to move *or* budge an inch; **ins W~ geraten** (*lit*) to begin to sway/rock; (*fig*) to begin to totter/waver *or* falter/ vacillate; **etw ins W~ bringen** (*lit*) to cause sth to sway/rock; (*fig*) Thron, Regierung to cause sth to totter; Glauben, Mut to shake sth; Moral to throw doubt upon sth; **jds Entschluß ins W~ bringen** to make sb waver in his decision.

2. *aux sein* (*gehen*) to stagger; (*alter Mensch*) to totter.

wạnn *interrog adv* when. **~ ist er angekommen?** when did he arrive?; **~ kommt ihr?** when *or* (at) what time are you coming?; **~ (auch) immer** whenever; **bis ~ ist das fertig?** when will that be ready (by)?; **bis ~ gilt der Ausweis?** until when is the pass valid?, when is the pass valid until?; **seit ~ bist/hast du ...?** (*zeitlich*) how long have you been/had ...?; (*bezweifelnd, entrüstet*) since when are you/do you have ...?; **von ~ bis ~?** when?, during what times?

Wạnne *f* **-,** **-n** bath; (*Bade~ auch*) (bath)tub; (*Öl~*) reservoir; (*im Auto*) sump (*Brit*), oil pan (*US*).

Wạnnenbad *nt* bath.

Wạnst *m* **-(e)s,** **ẹe** (*Zool: Pansen*) rumen; (*inf: dicker Bauch*) paunch (*inf*), belly (*inf*). **sich** (*dat*) **den ~ vollschlagen** (*inf*) to stuff oneself (*inf*).

Wạnt *f* **-,** **-en** (*Naut*) shroud.

Wạnze *f* **-,** **-n** (*Zool, Comput, inf: Abhörgerät*) bug.

Wappen *nt* **-s**, - coat of arms; *(auf Münze)* heads *no art*. **etw im ~ führen** to have *or* bear sth on one's coat of arms; *(fig)* to have sth as one's trademark.

Wappenkunde *f* heraldry; **Wappenschild** *m or nt* shield; **Wappenseite** *f* heads side; **Wappentier** *nt* heraldic animal.

wappnen *vr* *(fig)* **sich (gegen etw) ~** to prepare (oneself) (for sth); **gewappnet sein** to be prepared *or* forearmed.

war *pret of* **sein**[1].

warb *pret of* **werben**.

ward *(old, liter) pret of* **werden I 3.** *and* **II**.

Ware *f* -, **-n** product; *(einzelne ~)* article; *(als Sammelbegriff)* goods *pl*, merchandise. **~n** *pl* goods *pl*; *(zum Verkauf auch)* merchandise *sing*, wares *pl* *(esp old, hum)*.

wäre *pret subjunc of* **sein**[1].

Warenangebot *nt* range of goods for sale; **Warenaufzug** *m* goods hoist; **Warenausfuhr** *f* export of goods *or* merchandise; **Warenaustausch** *m* exchange *or* *(bei Tauschgeschäft)* barter of goods; **Warenbegleitpapiere** *pl* shipping documents *pl*; **Warenbestand** *m* stocks *pl* of goods *or* merchandise; **Warenbörse** *f* commodity exchange; **Wareneinfuhr** *f* import of goods *or* merchandise; **Warenexport** *m* export of goods *or* merchandise; **Warenhaus** *nt* (department) store, emporium *(old)*; **Warenimport** *m* import of goods *or* merchandise; **Warenkorb** *m* *(Econ)* basket of goods; **Warenlager** *nt* warehouse; *(Bestand)* stocks *pl*; **Warenmuster** *nt*, **Warenprobe** *f* trade sample; **Warensendung** *f* trade sample *(sent by post)*; **Warenterminbörse** *f* commodity futures exchange; **Warentest** *m* test of goods; **Warenumsatz** *m* turnover of goods *or* merchandise; **Warenumsatzsteuer** *f* *(Sw)* value added tax, VAT; **Warenzeichen** *nt* trademark.

warf *pret of* **werfen**.

warm *adj comp* **⸚er**, *superl* **⸚ste(r, s)** *or adv* **am ⸚sten** *(lit, fig)* warm; *(Wetter auch, Getränk, Speise, (auf Wasserhahn) hot; (sl: homosexuell)* queer *(pej inf)*. **mir ist ~** I'm warm; **aus dem W~en in die Kälte kommen** to come out of the warm(th) into the cold; **das hält ~** it keeps you warm; **das macht ~** it warms you up; **das Essen ~ machen** to warm *or* heat up the food; **das Essen ~ stellen** to keep the food hot *or* warm; **nur einen ~en Händedruck bekommen** *(fig inf)* to get nothing for one's pains; **wie ~e Semmeln weggehen** *(inf)* to sell *or* go like hot cakes; **~ sitzen** to sit in a warm place; **sich ~ anziehen** to dress up warmly; **jdn/etw ~stens empfehlen** to recommend sb/sth warmly; **~ werden** *(fig inf)* to thaw out *(inf)*; **mit jdm ~ werden** *(inf)* to get close to sb; **mit etw ~ werden** *mit Stelle auch* to get used to sth; *mit Stadt auch* to get to know sth.

Warmblut *nt*, *pl* **Warmblüter** crossbreed; **Warmblüter** *m* **-s**, - *(Zool)* warm-blooded animal; **warmblütig** *adj* warm-blooded.

Wärme *f* -, *(rare)* **-n** *(lit, fig)* warmth; *(von Wetter Phys)* heat; *(Wetterlage)* warm weather. **10 Grad ~** 10 degrees above zero *or* above freezing; **ist das eine ~!** isn't it warm!; **komm in die ~** come into the warm(th); **mit ~** *(fig)* warmly.

Wärmebehandlung *f* *(Med)* heat treatment; **wärmebeständig** *adj* heat-resistant; **Wärmedämmung** *f* (heat) insulation; **Wärmeeinheit** *f* thermal unit, unit of heat; **Wärmeenergie** *f* thermal energy; **Wärmekraftwerk** *nt* thermal power station; **Wärmelehre** *f* theory of heat; **Wärmeleiter** *m* heat conductor; **Wärmemesser** *m* **-s**, - thermometer.

wärmen **I** *vt* to warm; *Essen, Kaffee* to warm *or* heat up. **II** *vi* *(Kleidung, Sonne)* to be warm; *(Ofen auch)* to provide warmth. **III** *vr* to warm oneself (up), to warm up. **sich gegenseitig ~** to keep each other warm.

Wärmepumpe *f* heat pump; **Wärmeregler** *m* thermostat; **Wärmeschutz** *m* heat shield; **Wärmespeicher** *m* storer of heat; *(Gerät)* heat storer *or* accumulator; **Wärmestau** *m* build-up of heat; *(Met)* greenhouse effect; **Wärmestrahlung** *f* thermal radiation, radiant heat; **Wärmetauscher** *m* heat exchanger; **Wärmetechnik** *f* heat technology; **Wärmeverlust** *m* heat loss.

Wärmflasche *f* hot-water bottle.

Warmfront *f* *(Met)* warm front; **warmhalten** *vt sep irreg* **sich** *(dat)* **jdn ~** *(fig inf)* to keep in with sb *(inf)*; **Warmhalteplatte** *f* hot plate; **warmherzig** *adj* warm-hearted; **Warmherzigkeit** *f* warm-heartedness; **warmlaufen** *vi sep irreg aux sein* to warm up; **Warmluft** *f* warm air; **Warmluftzufuhr** *f* inflow or influx of warm air; *(von Heizung)* warm air supply; **Warmmiete** *f* rent including heating costs; **Warmstart** *m* *(Comput)* warm start.

Warmwasserbereiter *m* **-s**, - water heater; **Warmwasserheizung** *f* hot-water central heating; **Warmwasserleitung** *f* hot-water pipe; **Warmwasserspeicher** *m* hot-water tank; **Warmwasserversorgung** *f* hot-water supply.

Warnanlage *f* warning system; **Warnblinkanlage** *f* flashing warning lights *pl*; *(an Auto)* hazard warning lights *pl*; **Warnblinkleuchte** *f* flashing warning light; **Warndreieck** *nt* warning triangle.

warnen *vti* to warn *(vor +dat of)*. **die Polizei warnt vor Schneeglätte** the police have issued a warning of snow and ice on the roads; **jdn (davor) ~, etw zu tun** to warn sb against doing sth, to warn sb not to do sth; **vor Taschendieben wird gewarnt!** beware of pickpockets!

Warnkreuz *nt* warning cross (before level crossing); **Warnmeldung** *f* warning (announcement); **Warnruf** *m* warning cry; **Warnschild** *nt* warning sign; **Warnschuß** *m* warning shot; **Warnsignal** *nt* warning signal; **Warnstreik** *m* token strike.

Warnung f warning. ~ **vor etw** warning about sth; **vor Gefahr** warning of sth.

Warnvorrichtung f warning system; **Warnzeichen** nt warning sign; (hörbar) warning signal.

Warschau nt -s Warsaw.

Warschauer adj attr Warsaw.

Warschauer(in f) m native of Warsaw; (Einwohner) inhabitant of Warsaw.

Warschauer Pakt m (Hist) Warsaw Pact.

Warschauer-Pakt-Staaten pl (Hist) Warsaw Pact states pl.

Warte f -, -n observation point; (fig) standpoint, viewpoint. **von jds** ~ **(aus)** (fig) from sb's point of view or sb's standpoint; **von seiner hohen** ~ **aus** (fig iro) from his lofty standpoint (iro).

Wartefrist f waiting period; (für Lieferung) delivery time; **Wartehalle** f waiting room; (im Flughafen) departure lounge; **Warteliste** f waiting list.

warten¹ vi to wait (auf +acc for). **warte mal!** hold on, wait a minute; (überlegend) let me see; **na warte!** (inf) just you wait!; **bitte** ~ (Telec) hold the line please; (Zeichen) please wait; **da kannst du** ~, **bis du schwarz wirst** (inf), **da(rauf) kannst du lange** ~ (iro) you can wait till the cows come home; **auf Antwort/Einlaß** ~ to wait for an answer/to be let in; **mit dem Essen auf jdn** ~ to wait for sb (to come) before eating; to wait with lunch/dinner for sb; **ich bin gespannt, was da auf mich wartet** I wonder what's waiting for me or what awaits me or what's in store for me there; **auf sie/darauf habe ich gerade noch gewartet!** (iro) she/that was all I needed!; **lange auf sich** ~ **lassen** to be a long time (in) coming; **nicht lange auf sich** ~ **lassen** to be not long in coming; **das lange W**~ **hatte ihn müde gemacht** the long wait had made him tired.

warten² vt Auto to service; Maschine auch to maintain.

Wärter(in f) m -s, - attendant; (Leuchtturm~, Tier~) keeper; (Kranken~) nurse, orderly; (Gefängnis~) warder/ wardress (Brit), guard.

Warteraum m waiting room; **Wartesaal** m waiting room; **Warteschleife** f (Aviat) holding pattern, stack. ~**n ziehen** or **drehen** to circle; **Wartezeit** f waiting period; (an Grenze) wait; **Wartezimmer** nt waiting room; **Wartezyklus** m (Comput) wait state.

Wartung f (von Auto) servicing; (von Maschine auch) maintenance.

wartungsfrei adj maintenance-free.

warum interrog adv why. ~ **nicht?** why not?; ~ **nicht gleich so!** that's better; **nach dem W**~ **fragen** to ask why.

Warze f -, -n wart; (Brust~) nipple.

Warzenhof m (Anat) areola (spec); **Warzenschwein** nt warthog.

was I interrog pron 1. what; (wieviel auch) how much. ~ **kostet das?** how much is that?, what does or how much does that cost?; ~ **ist** or **gibt's?** what is it?, what's up?; ~ **ist, kommst du mit?** well, are you coming?; **sie kommt nicht** — ~? she's

not coming — what?; ~ **hast du denn?**, ~ **ist denn los?** what's the matter?, what's wrong?; ~ **willst du denn?** what are you talking about?; ~ **denn?** (ungehalten) what (is it)?; (um Vorschlag bittend) but what?; ~ **denn, bist du schon fertig?** what, have you finished already?; **das ist gut,** ~? (inf) that's good, isn't it or what (dated)?; ~ **haben wir gelacht!** (inf) how we laughed!

2. (inf: warum) why, what … for. ~ **lachst du denn so?** what are you laughing for?, why are you laughing?

3. ~ **für** … what sort or kind of …; ~ **für ein Haus hat er?** what sort or kind of (a) house does he have?; ~ **für ein schönes Haus!** what a lovely house!; **und** ~ **für ein Haus!** and what a house!; ~ **für ein Wahnsinn!** what madness!

II rel pron (auf ganzen Satz bezogen) which. **das,** ~ … that which …, what …; **ich weiß,** ~ **ich/er tun soll** I know what I should do or what to do/what he should do; ~ **auch (immer)** whatever; **alles,** ~ … everything or all (that) …; **das Beste/ Schönste/wenige/einzige,** ~ **ich** … the best/prettiest/little/only thing (that) I …; **lauf,** ~ **du kannst!** (inf) run as fast as you can!; ~ **du immer hast!** you do go on!

III (inf) indef pron abbr of **etwas** something; (fragend, bedingend auch, verneint) anything; (unbestimmter Teil einer Menge) some; any. **(na,) so** ~! well I never!; **so** ~ **von Blödheit** such stupidity; **kann ich dir** ~ **helfen?** (inf) can I give you a hand?; **ist (mit dir)** ~? is something the matter (with you)?

Waschanlage f (für Autos) car-wash; (Scheiben~) wipers pl; (fig inf: für Geld) laundering facility; **Waschanleitung** f washing instructions pl; **Waschautomat** m automatic washing machine; **waschbar** adj washable; **Waschbär** m rac(c)oon; **Waschbecken** nt washbasin; (Schüssel) wash-bowl; **Waschbenzin** nt benzine; **Waschbrett** nt wash-board; **Waschbütte** f wash-tub.

Wäsche f -, no pl 1. washing; (Schmutz~, bei Wäscherei) laundry. **große/kleine** ~ **haben** (in bezug auf Menge) to have a large/small amount of washing (to do); **bei** or **in der** ~ **in the wash**; **in der** ~ **sein** to be in the wash; **etw in die** ~ **geben** to put sth in the wash.

2. (Bett~, Tisch~, Küchen~) linen; (Unter~) underwear. **dumm aus der** ~ **gucken** (inf) to look stupid.

Wäschebeutel m dirty clothes bag; (für Wäscherei) laundry bag.

wasch|echt adj Farbe fast; Stoff auch colourfast; (fig) genuine, real.

Wäschegeschäft nt draper's (shop); **Wäscheklammer** f clothes-peg; **Wäscheknopf** m linen-covered button; **Wäschekorb** m dirty clothes basket; **Wäscheleine** f (clothes-)line; **Wäschemangel** f mangle.

waschen pret **wusch**, ptp **gewaschen I** vt to wash; Gold to pan; (fig inf) Geld, Spenden to launder. **(Wäsche)** ~ to do the washing; **etw (acc) warm/kalt** ~ to

wash sth in hot/cold water; **sich** (*dat*) **die Hände/Haare ~** to wash one's hands/hair; **W~ und Legen** (*beim Friseur*) shampoo and set.
II *vr* (*Mensch, Tier*) to wash (oneself/itself); (*Stoff*) to wash. **das hat sich gewaschen** (*inf*) that really made itself felt, that really had an effect; **eine Geldbuße/Ohrfeige, die sich gewaschen hat** (*inf*) a really heavy fine/hard box on the ears (*inf*).

Wäschepuff *m* dirty clothes basket.
Wäscher *m* -s, - (*Gold~*) panner; (*Erz~*) washer. **~ und Plätter** launderer.
Wäscherei *f* laundry.
Wäscherin *f* washerwoman; (*Berufsbezeichnung*) laundress.
Wäschesack *m* laundry bag; **Wäscheschleuder** *f* spin-drier; **Wäscheschrank** *m* linen cupboard; **Wäschespinne** *f* revolving *or* rotary clothes dryer; **Wäscheständer** *m* clotheshorse; **Wäschestärke** *f* starch; **Wäschetinte** *f* marking ink; **Wäschetrockner** *m* (*Ständer*) clothes-horse; (*Trockenautomat*) drier.
Waschfrau *f* washerwoman; **Waschgang** *m* stage of the washing programme; **Waschgelegenheit** *f* washing facilities *pl*; **Waschhandschuh** *m* flannel mitt; **Waschhaus** *nt* wash-house, laundry; **Waschkessel** *m* (wash-)boiler, copper; **Waschküche** *f* wash-room, laundry; (*inf: Nebel*) pea-souper (*inf*); **Waschlappen** *m* flannel; (*fürs Gesicht auch*) facecloth; (*inf: Feigling*) sissy (*inf*), softy (*inf*); **Waschlauge** *f* suds *pl*; **Waschleder** *nt* chamois leather; **Waschmaschine** *f* washing-machine; **waschmaschinenfest** *adj* machine-washable; **Waschmittel** *nt* detergent; **Waschpulver** *nt* washing-powder; **Waschraum** *m* wash-room; **Waschsalon** *m* laundry; (*zum Selbstwaschen*) launderette; **Waschschüssel** *f* wash-bowl, wash-basin; **Waschstraße** *f* (*zur Autowäsche*) car wash; **Waschtag** *m* **~ haben** to have one's wash-day; **Waschtisch** *m*, **Waschtoilette** *f* washstand.
Waschung *f* (*Rel, Med*) ablution.
Waschwasser *nt* washing water; **Waschweib** *nt* (*fig pej*) washerwoman; **Waschzettel** *m* (*Typ*) blurb; **Waschzeug** *nt* toilet *or* washing things *pl*; **Waschzuber** *m* wash-tub; **Waschzwang** *m* (*Psych*) obsession with washing oneself.
Wasser *nt* -s, - **1.** *no pl* water. **bei ~ und Brot** (*euph*) behind bars, in prison; **das ist ~ auf seine Mühle** (*fig*) this is all grist to his mill; **bis dahin fließt noch viel ~ den Bach** *or* **den Rhein hinunter** a lot of water will have flowed under the bridge by then; **dort wird auch nur mit ~ gekocht** (*fig*) they're no different from anybody else (there); **ihr kann er nicht das ~ reichen** (*fig*) he can't hold a candle to her, he's not a patch on her; **~ lassen** (*Med*) to pass water.
2. *pl ~* (*Flüssigkeit*) (*Abwasch~*) water; (*medizinisch*) lotion; (*Parfüm*) co-

logne, scent; (*Urin*) water, urine; (*Med: in Beinen etc*) fluid; (*Ab~*) sewage *no pl*. **das ~ läuft mir im Mund zusammen** my mouth is watering.
3. (*~masse, im Gegensatz zu Land*) water. **etw unter ~ setzen** to flood sth; **unter ~ stehen** to be flooded, to be under water; **~ treten** (*beim Schwimmen*) to tread water; (*Med*) to paddle (*in cold water as a therapy*); **zu ~** on the water *or* (*Meer*) sea; (*auf dem ~weg*) by water/sea; **ein Boot zu ~ lassen** to launch a boat; **ins ~ fallen** (*fig*) to fall through; **nahe am/ans ~ gebaut haben** (*inf*) to be inclined to tears; **ins ~ gehen** (*euph*) to drown oneself; **sich über ~ halten** (*fig*) to keep one's head above water; **er ist mit allen ~n gewaschen** he is a shrewd customer, he knows all the tricks.
4. (*Gezeiten*) tide. **das ~ kommt/läuft ab** the tide is coming in/going out.
wasserabstoßend, wasserabweisend *adj* water-repellent; **Wasseranschluß** *m* mains water supply; (*auf Zeltplatz*) water point; **wasserarm** *adj* arid; **Wasserarmut** *f* aridity; **Wasseraufbereitung** *f* treatment of water; **Wasserbad** *nt* (*Cook*) **im ~** in a double boiler *or* bain-marie; **Wasserball** *m* **1.** (*no pl: Spiel*) water polo; **2.** (*Ball*) beach-ball; (*fürs Wasserballspiel*) water-polo ball; **Wasserbau** *m*, *no pl* hydraulic engineering; **Wasserbett** *nt* water-bed; **Wasserblase** *f* (water) blister; **Wasserbombe** *f* (*Mil*) depth charge; **Wasserburg** *f* moated castle.
Wässerchen *nt* (*Parfüm*) scent, perfume; (*kosmetisch*) lotion, potion. **er sieht aus, als ob er kein ~ trüben könnte** he looks as if butter wouldn't melt in his mouth.
Wasserdampf *m* steam; **wasserdicht** *adj* (*lit, fig*) watertight; *Uhr, Stoff* waterproof; **Wassereimer** *m* bucket, pail; **Wasserenthärter** *m* water-softener; **Wassererhitzer** *m* water-heater; **Wasserfahrzeug** *nt* water-craft; **Wasserfall** *m* waterfall; **wie ein ~ reden** (*inf*) to talk nineteen to the dozen (*inf*); **Wasserfarbe** *f* water-colour; **wasserfest** *adj* waterproof; **Wasserfloh** *m* water-flea; **Wasserflugzeug** *nt* seaplane; **Wasserfrosch** *m* aquatic frog; **Wassergas** *nt* water-gas; **Wassergehalt** *m* water content; **wassergekühlt** *adj* water-cooled; **Wasserglas** *nt* **1.** (*Trinkglas*) water glass, tumbler; **2.** *no pl* (*Chem*) water-glass; **Wasserglätte** *f* slippery roads due to surface water; **Wassergraben** *m* (*Sport*) water-jump; (*um Burg*) moat; **Wasserhahn** *m* tap, faucet (*US*); (*Haupthahn*) stopcock; **wasserhaltig** *adj* (*Chem*) aqueous; **~ sein** to contain water; **Wasserhärte** *f* hardness of water; **Wasserhaushalt** *m* (*Biol*) water balance; **Wasserhuhn** *nt* coot.
wässerig *adj* (*lit, fig*) watery; *Augen* pale-coloured; (*Chem*) aqueous. **jdm den Mund ~ machen** (*inf*) to make sb's mouth water.
Wasserjungfrau *f* (*Myth*) naiad; **Wasserkessel** *m* kettle; (*Tech*) boiler;

Wasserklosett nt water-closet; **Wasserkopf** m water on the brain no indef art, hydrocephalus no indef art (spec); (inf) big head; **bürokratischer** ~ (fig) top-heavy bureaucracy; **Wasserkraft** f water-power; **Wasserkraftwerk** nt hydroelectric power station; **Wasserkreislauf** m water cycle; **Wasserkresse** f watercress; **Wasserkühlung** f (Aut) water-cooling; **mit** ~ water-cooled; **Wasserlassen** nt (Med) passing water, urination; **Wasserlatte** f (vulg) early-morning erection or hard-on (sl); **Wasserlauf** m watercourse; **Wasserläufer** m (Vogel) shank, sandpiper; (Insekt) water-measurer or -skater; **Wasserleiche** f drowned body; **Wasserleitung** f (Rohr) water pipe; (Anlagen) plumbing no pl; (inf: Hahn) tap, faucet (US); **Wasserlilie** f (Bot) water-lily; **Wasserlinie** f (Naut) water-line; **Wasserloch** nt water-hole; **wasserlöslich** adj water-soluble, soluble in water; **Wassermangel** m water shortage; **Wassermann** m, pl **-männer** 1. (Myth) water sprite; 2. (Astrol) Aquarius no art, Water-carrier; ~ **sein** to be (an) Aquarius; **Wassermelone** f water-melon; **Wassermühle** f water-mill.

wassern vi (Aviat) to land on water or (im Meer auch) in the sea; (Space) to splash down.

wässern I vt Heringe, Erbsen to soak; (Phot) to rinse; (bewässern) Pflanzen, Felder to water. II vi (Augen) to water.

Wassernixe f (Myth) water-nymph; **Wasserorgel** f hydraulic organ; **Wasserpfeife** f hookah, hubble-bubble; **Wasserpflanze** f aquatic plant; **Wasserpistole** f water-pistol; **Wasserrad** nt water-wheel; **Wasserratte** f water-rat or -vole; (inf: Kind) water-baby; **wasserreich** adj Gebiet with plenty of water, abounding in water; Fluß containing a lot of water; **Wasserreservoir** nt reservoir; **Wasserrohr** nt water-pipe; **Wassersäule** f water column; **Wasserschaden** m water damage; **Wasserscheide** f watershed; **wasserscheu** adj scared of water; **Wasserscheu** f fear of water; (Psych) water phobia; **Wasserschildkröte** f turtle; **Wasserschlange** f 1. (Zool) water-snake; (Myth) (sea)serpent; 2. (Astron) Hydra; **Wasserschlauch** m (water) hose; (Behälter) skin; **Wasserschloß** nt castle surrounded by water; **Wasserschutzpolizei** f (auf Flüssen, wasserwegen) river police; (im Hafen) harbour police; (auf der See) coastguard service; **Wasserski** I m water-ski; II nt water-skiing; **Wasserspeier** m -s, - gargoyle; **Wasserspiegel** m (Oberfläche) surface of the water; (Wasserstand) water-level; **Wassersport** m der ~ water sports pl; **Wassersportfahrzeug** nt water sport craft; **Wassersportler(in** f) m water sportsman/ -woman; **Wasserspülung** f flush; Klosett mit ~ flush toilet, water-closet; **Wasserstand** m water-level; **niedriger/hoher** ~ low/high water; **Was-**

serstandsanzeiger m water-level indicator; **Wasserstandsmeldungen** pl water-level or (für Gezeiten) tide report.

Wasserstoff m hydrogen.

wasserstoffblond adj attr Haar peroxide blonde; **Wasserstoffbombe** f hydrogen bomb, H-bomb; **Wasserstoffsuperoxid, Wasserstoffsuperoxyd** nt hydrogen peroxide.

Wasserstrahl m jet of water; **Wasserstraße** f waterway; **Wassersucht** f dropsy; **Wassertank** m water-tank; (für WC) cistern; **Wassertier** nt aquatic animal; **Wasserträger(in** f) m water-carrier; **Wassertreten** nt (Sport) treading water; (Med) paddling (in cold water as therapy); **Wassertropfen** m water-drop, drop of water; **Wasserturm** m water-tower; **Wasseruhr** f (Wasserzähler) water-meter; (Hist) water-clock.

Wasserung f sea/water landing; (Space) splashdown.

Wasserverbrauch m water consumption no def art; **Wasserversorgung** f water-supply; **Wasserverunreinigung** f water pollution; **Wasservogel** m waterfowl; **Wasserwaage** f spirit-level; **Wasserweg** m waterway; **auf dem** ~ by water or (Meer) sea; **Wasserwelle** f shampoo and set; **Wasserwerfer** m water-cannon; **Wasserwerk** nt waterworks sing or pl; **Wasserwirtschaft** f water-supply (and distribution); **Wasserzähler** m water-meter; **Wasserzeichen** nt watermark.

wäßrig adj siehe **wässerig**.

waten vi aux sein to wade.

Waterkant f -, no pl coast (esp North Sea coast of Germany).

watscheln vi aux sein to waddle.

Watschen f -, - (Aus, S Ger inf) siehe **Ohrfeige**.

Watstiefel m wader.

Watt[1] nt -s, - (Elec) watt.

Watt[2] nt -(e)s, -en (Geog) mud-flats pl.

Watte f -, -n cotton wool, cotton (US); (zur Polsterung) padding, wadding. **jdn in** ~ **packen** (fig inf) to wrap sb in cotton wool.

Wattebausch m cotton-wool ball.

Wattenmeer nt mud-flats pl.

Wattepad [-ped] m cotton(-wool) pad; **Wattestäbchen** nt cotton bud.

wattieren* vt to pad; (füttern) to line with padding; (und absteppen) Stoff, Steppdecke to quilt. **wattierte Umschläge/ Jacken** padded envelopes/quilted jackets.

Wattierung f siehe vt padding; lining; quilting; (die Füllung) padding.

Wattsekunde f watt-second; **Wattzahl** f wattage.

wau wau interj bow-wow, woof-woof.

WC [ve:'tse:] nt -s, -s WC.

weben pret **webte** or (liter, fig) **wob**, ptp **gewebt** or (liter, fig) **gewoben** vti (lit, fig) to weave; Spinnnetz, Lügennetz to spin.

Weber(in f) m -s, - weaver.

Weberei f 1. no pl (das Weben) weaving. 2. (Betrieb) weaving mill. 3. (Zeug) woven article.

Weberknecht m (Zool) daddy-long-legs.

Webfehler m weaving flaw; **einen ~ haben** (fig inf) to have a screw loose (inf); **Webgarn** nt weaving yarn; **Webkante** f selvage, selvedge; **Webstuhl** m loom; **Webwaren** pl woven goods pl.

Wechsel ['vɛksl] m -s, - 1. (Änderung) change; (abwechselnd) alternation; (Geld~) exchange; (der Jahreszeiten, Agr: Frucht~) rotation. **ein ~ der Wohnung/Schule** a change of address/school; **der ~ von Tag und Nacht** the alternation of day and night; **im ~ der Zeiten** through the ages; **in buntem ~** in motley succession; **im ~** (abwechselnd) in turn, alternately.

2. (Sport) (Staffel~) (baton) change, change-over; (Ftbl) substitution.

3. (Fin) bill (of exchange); (inf: Geldzuwendung) allowance.

4. (Hunt) trail used by game.

Wechsel- ['vɛksl-]: **Wechselbad** nt alternating hot and cold baths pl; **~ der Gefühle** (fig) emotional roller-coaster; **jdn einem ~ aussetzen** (fig) to blow hot and cold with sb; **Wechselbalg** m changeling (child); (inf) little monster (inf); **Wechselbeziehung** f correlation, interrelation; **in ~ zueinander stehen** to be correlated or interrelated; **Wechselfälle** pl vicissitudes pl; **Wechselfieber** nt (old) malaria; **Wechselgeld** nt change; **Wechselgesang** m antiphonal singing; **Wechselgespräch** nt dialogue; **wechselhaft** adj changeable; Schicksal, Mensch auch fickle, capricious; **Wechseljahre** pl menopause sing, change of life sing; **in die ~ kommen/in den ~n sein** to start the menopause/be suffering from the menopause; **Wechselkurs** m rate of exchange.

wechseln ['vɛksln] **I** vt to change (in +acc into); (austauschen) to exchange; (Ftbl) to substitute (gegen for). **den Arzt ~** to change doctors or one's doctor; **den Tisch/die Schule/das Hemd ~** to change tables/schools/one's shirt; **die Farbe ~** to change colour; **Briefe ~** to correspond or be in correspondence (mit with); **die Wohnung ~** to move house; **den Wohnsitz ~** to move to another place; **können Sie (mir) 10 Mark ~?** can you change 10 marks (for me)?; **Wäsche zum W~** a change of underwear.

II vi 1. to change; (Sport auch) to change over; (einander ablösen) to alternate. **ich kann Ihnen leider nicht ~** I'm sorry, I don't have any change.

2. (Hunt) to pass by. **über die Straße ~** to cross the road; **über die Grenze ~** (Mensch) to cross the border.

wechselnd ['vɛkslnt] adj changing; (einander ablösend, ab~) alternating; Launen, Stimmungen changeable; Winde variable; Bewölkung variable, intermittent. **mit ~em Erfolg** with varying (degrees of) success; **~ bewölkt** cloudy with sunny intervals.

Wechsel ['vɛksl-]: **Wechselnehmer** m

payee of a bill; **Wechselplatte** f (Comput) floppy disk; **Wechselprotest** m protest of a bill; **Wechselrahmen** m clip-on picture frame; **Wechselschalter** m (Elec) change-over switch; **wechselseitig** adj reciprocal; (gegenseitig auch) mutual; **Wechselspiel** nt interplay; **Wechselstrom** m alternating current; **Wechselstube** f bureau de change, exchange; **wechselvoll** adj varied; **Wechselwähler(in** f) m floating voter; **wechselweise** adv in turn, alternately; **Wechselwirkung** f interaction; **in ~ stehen** to interact.

Wechsler ['vɛkslɐ] m -s, - 1. (Automat) change machine, change dispenser. 2. (Mensch) money-changer.

Weck m -(e)s, -e (dial) (bread) roll; (Aus: Brot) loaf.

Weckdienst m (Telec) alarm call service, wake-up service, early morning call service; (Mil) reveille.

Wecke f -, -n, **Wecken** m -s, - (dial) (bread) roll.

wecken vt to wake (up), to waken; (fig) to arouse; Bedarf to create; Erinnerungen to bring back, to revive. **sich ~ lassen** to have sb wake one up; (telefonisch) to get an alarm call.

Wecken nt -s, no pl waking-up time; (Mil) reveille. **Ausgang bis zum ~** overnight leave (until reveille).

Wecker m -s, - alarm clock. **jdm auf den ~ fallen** or **gehen** (inf) to get on sb's nerves or wick (sl), to drive sb up the wall (inf).

Weckglas ® nt preserving or Kilner ® jar; **Weckring** ® m rubber ring (for preserving jars).

Weckruf m (Telec) alarm call; (Mil) reveille; **Weckuhr** f alarm clock.

Wedel m -s, - fly whisk; (Fächer) fan; (Staub~ aus Federn) feather duster; (zum Besprengen) sprinkler; (Zweig) twig; (Eccl) ≈ palm leaf; (Bot: Blatt) frond.

wedeln **I** vi 1. (mit dem Schwanz) ~ (Hund) to wag its tail; **mit etw ~** (winken) to wave sth; **mit dem Fächer ~** to wave the fan. 2. (Ski) to wedel. **das W~** wedel(l)ing. **II** vt to wedel.

weder conj **~ ... noch ...** neither ... nor ...; **er ist ~ gekommen, noch hat er angerufen** he neither came nor phoned up; **~ das eine noch das andere** (als Antwort) neither.

weg adv (fort) **~ sein** (fortgegangen, abgefahren, verschwunden) to have or be gone; (nicht hier, entfernt) to be away; (inf: geistes abwesend) to be not quite with it (inf); (inf: eingeschlafen) to have dozed off (inf); (inf: tot) to be dead; (inf: begeistert) to be really taken, to be bowled over (von by); **über etw** (acc) **~ sein** (inf) to have got over sth; **er ist schon lange darüber ~** (inf) he got over it a long while ago; **weit ~ von hier** far (away) from here; **~ (von hier)!** get away from here!; **let's get away from here; ~ mit euch!** away with you!, scram! (inf); **nichts wie** or **nur ~ von hier!** let's scram (inf); **~ da!** (get) out of the way!; **immer ~ damit** throw *or* chuck (*inf*) it all out; **Hände ~!** hands off!; **~ vom Fenster sein** (*sl*) to be out of the game (*sl*).

Weg *m* -(e)s, -e **1.** (*Pfad, Geh~, fig*) path; (*Wald~, Wander~ auch*) track, trail; (*Straße*) road. **am ~e** by the wayside; **woher des ~(e)s?** (*old*) where have you come from?, whence comest thou? (*obs*); **wohin des ~(e)s?** (*old*) where are you going to?, whither goest thou? (*obs*); **des ~(e)s kommen** (*old*) to come walking/riding up; **jdm in den ~ treten**, **jdm den ~ versperren** *or* **verstellen** to block *or* bar sb's way; **jdm/einer Sache im ~ stehen** (*fig*) to stand in the way of sb/sth; **jdm Hindernisse** *or* **Steine in den ~ legen** (*fig*) to put obstructions in sb's way; **jdm nicht über den ~ trauen** (*fig*) not to trust sb an inch; **jdn aus dem ~ räumen** (*fig*) to get rid of sb; **etw aus dem ~ räumen** (*fig*) to remove sth; *Miß**verständnisse* to clear sth up; **neue ~e beschreiten** (*fig*) to tread new paths; **den ~ des geringsten Widerstandes gehen** to follow the line of least resistance.

2. (*lit, fig: Route*) way; (*Entfernung*) distance; (*Reise*) journey; (*zu Fuß*) walk; (*fig: zum Erfolg auch, Bildungs~*) road. **ich muß diesen ~ jeden Tag zweimal gehen/fahren** I have to walk/drive this stretch twice a day; **auf dem ~ zu jdm/nach einem Ort sein** to be on the *or* one's way to sb's/a place; **6 km = 6 kms away**; **noch zwei Stunden/ein Stück ~ vor sich haben** to still have two hours/some distance to travel; **jdn ein Stück ~(es) begleiten** (*geh*) to accompany sb part of the way; **mein erster ~ war zur Bank** the first thing I did was go to the bank; **jdn auf seinem letzten ~ begleiten** (*euph*) to pay one's last respects to sb; **seiner ~e gehen** (*geh*) (*lit*) to go on one's way; (*fig*) to go one's own way; **welchen ~ haben sie eingeschlagen?** (*lit*) what road did they take?; **einen neuen ~ einschlagen** (*fig*) to follow a new avenue; (*beruflich*) to follow a new career; **den falschen/richtigen ~ einschlagen** (*lit*) to follow the wrong/right path *or* road *or* (*fig*) avenue; **jdm etw mit auf den ~ geben** (*lit*) to give sb sth to take with him/her *etc*; **jdm einen guten Rat mit auf den ~ geben** to give sb good advice to follow in life; **jdm/einer Sache aus dem ~ gehen** (*lit*) to get out of sb's way/the way of sth; (*fig*) to avoid sb/sth; **jdm über den ~ laufen** (*fig*) to run into sb; **seinen ~ (im Leben/Beruf) machen** (*fig*) to make one's way in life/one's career; **seinen ~ nehmen** (*fig*) to take its/their course; **etw in die ~e leiten** to arrange sth; **jdm/sich den ~ verbauen** (*fig*) to ruin sb's/one's chances *or* prospects (*für* of); **auf dem besten ~ sein, etw zu tun** to be well on the way to doing sth.

3. (*Mittel, Art und Weise*) way; (*Methode*) method. **auf welchem ~ kommt man am schnellsten zu Geld?** what's the fastest way of making *or* to make money?; **auf diesem ~e** this way; **auf diplomatischem ~e** through diplomatic channels; **auf gesetzlichem** *or* **legalem ~e** legally, by legal means; **auf künstlichem ~e** artificially, by artificial means.

4. (*inf: Besorgung*) errand.

wegbekommen* *vt sep irreg* **1.** (*entfernen, loswerden*) to get rid of (*von* from); *Klebstoff, Fleck* to remove (*von* from), to get off; (*von bestimmtem Ort*) jdn, Hund to get away (*von* from). **2.** (*inf: erhalten*) to get; *Grippe* to catch.

Wegbereiter(in *f*) *m* precursor, forerunner; **~ einer Sache** (*gen*) *or* **für etw sein** to pave the way for sth; **~ für jdn sein** to prepare the way for sb; **Wegbiegung** *f* turn, bend.

wegblasen *vt sep irreg* to blow away; **wie weggeblasen sein** (*fig*) to have vanished; **wegbleiben** *vi sep irreg aux sein* to stay away; (*nicht mehr kommen*) to stop coming; (*Satz, Wort*) to be left out *or* omitted; **sein W~** his absence; **wegbringen** *vt sep irreg* to take away; (*zur Reparatur*) to take in; **wegdenken** *vt sep irreg*: **sich** (*dat*) **etw ~** to imagine *or* picture things/the place/one's life *etc* without sth; **die Elektrizität ist aus unserem modernen Leben nicht mehr wegzudenken** we cannot imagine life today without electricity; **wegdiskutieren*** *vt sep* to explain away; **dieses Problem läßt sich nicht ~** talking about it won't make the problem go away; **wegdürfen** *vi sep irreg* to be allowed to go *or* leave; (*inf: ausgehen dürfen*) to be allowed to go out.

Wegegeld *nt* (*Hist*) (road) toll.

Wegelagerer *m* -s, - highwayman; (*zu Fuß*) footpad.

wegen *prep* +*gen or* (*inf*) +*dat* because of, on account of; (*infolge auch*) due to. **jdn ~ einer Sache bestrafen/verurteilen/ entlassen** to punish/sentence/dismiss sb for sth; **von ~!** (*inf*) you've got to be kidding! (*inf*); (*Verbot auch*) no way! (*inf*), no chance! (*inf*); **... aber von ~!** (*inf*) ... but not a bit of it! (*inf*); **er ist krank – von ~ krank!** (*inf*) he's ill – since when? (*iro*), what do you mean "ill"? (*iro*); **~ mir** (*inf*) *or* **meiner** (*obs*) *siehe* meinetwegen.

Wegerich *m* -s, -e (*Bot*) plantain.

weg|essen *vt sep irreg* **jdm den Kuchen** *etc* **~** to eat sb's cake *etc*; **er hat (mir) alles weggegessen** he's eaten all my food.

wegfahren *sep irreg* **I** *vi aux sein* (*abfahren*) to leave; (*Auto, Bus, Fahrer*) to drive off *or* away; (*im Boot*) to sail away; (*zum Einkaufen, als Ausflug*) to go out; (*verreisen*) to go away. **II** *vt Menschen, Gegenstände* to take away; *Fahrzeug* to drive away; (*umstellen*) to move.

Wegfall *m, no pl* (*Einstellung*) discontinuation; (*Aufhören*) cessation (*form*); (*Streichung*) cancellation; (*Unterbleiben*) loss; (*Auslassung*) omission. **in ~ kommen** (*form*) to be discontinued; (*Bestimmung*) to cease to apply.

wegfallen *vi sep irreg aux sein* to be discontinued; (*Bestimmung, Regelung*) to cease to apply; (*unterbleiben*) to be lost;

(überflüssig werden) to become no longer necessary; *(ausgelassen werden)* to be omitted. ~ **lassen** to discontinue; *(auslassen)* to omit.

wegfegen vt sep *(lit, fig)* to sweep away; **wegfliegen** vi sep irreg aux sein to fly away or off; *(Hut)* to fly off; *(mit Flugzeug)* to fly out; **wann bist du denn in Frankfurt weggeflogen?** when did you fly out of Frankfurt?; **wegführen** sep **I** vt to lead away; **II** vi **das führt zu weit (vom Thema) weg** will lead or take us too far off the subject.

Weggabelung f fork (in the road), bifurcation *(form)*.

Weggang m departure, leaving.

weggeben vt sep irreg *(verschenken)* to give away; *(in Pflege geben)* to have looked after. **eine kaputte Uhr ~** to take in a broken watch; **seine Wäsche (zum Waschen) ~** to have one's washing done.

Weggefährte m, **Weggefährtin** f *(fig)* companion.

weggehen vi sep irreg aux sein to go, to leave; *(ausgehen)* to go out; *(inf: Fleck)* to come off; *(inf: Ware)* to sell. **aus Heidelberg/aus dem Büro/von der Firma ~** to leave Heidelberg/the office/the firm; **geh mir damit weg!** *(inf)* don't give me that! *(inf)*.

Weggenosse m, **Weggenossin** f *(lit, fig)* companion.

weggucken sep **I** vi to look away. **II** vt **es wird dir schon niemand was ~!** *(hum)* we/they etc won't be seeing anything we/they etc haven't seen before *(hum)*.

weghaben vt sep irreg *(inf)* *(bekommen, verstanden haben)* to have got; *(entfernt haben)* Fleck to have got rid of *(inf)*. **jdn/etw ~ wollen** *(inf)* to want to get rid of sb/sth; **der hat was weg** *(inf)* he's really clever; **darin hat er was weg** *(inf)* he's pretty good at that; **du hast deine Strafe/deinen Denkzettel weg** you have had your punishment; **einen ~** *(sl)* *(verrückt sein)* to be off one's head *(inf)*, to have a screw loose *(inf)*; *(betrunken sein)* to be tight *(inf)*.

weghelfen vi sep irreg **jdm über etw** *(acc)* **~** *(fig)* to help sb (to) get over sth; **wegholen** vt sep to take away; *(abholen)* to fetch; **weghören** vi sep not to listen; **wegjagen** vt sep to chase away, to drive away or off; Menschen auch to send packing *(inf)*; *(aus Land)* to drive out.

wegkommen vi sep irreg aux sein **1.** *(inf)* *(entfernt werden)* to go; *(abhanden kommen)* to disappear; *(weggehen können)* to get away; *(aus dem Haus)* to get out. **was ich nicht brauche, kommt weg** what I don't want can go; **das Buch ist mir weggekommen** the book has disappeared, I've lost the book; **mach, daß du wegkommst!** make yourself scarce! *(inf)*, hop it! *(inf)*; **gut/schlecht (bei etw) ~** to come off well/badly (with sth). **2.** *(dial: herkommen)* to come from.

Wegkreuz nt *(Kruzifix)* wayside cross; **Wegkreuzung** f crossroads.

wegkriegen vt sep *(inf)* siehe **wegbekom-**

men 1.; **weglassen** vt sep irreg *(auslassen)* to leave out; *(nicht benutzen)* not to use; *(inf: gehen lassen)* to let go; **ich lasse heute den Zucker im Kaffee weg** I won't have any sugar in my coffee today; **weglaufen** vi sep irreg aux sein to run away *(vor +dat* from); **seine Frau ist ihm weggelaufen** his wife has run away (from him) or run off (and left him); **das läuft (dir) nicht weg!** *(fig hum)* that can wait; **weglegen** vt sep *(in Schublade)* to put away; *(zur Seite, zum späteren Verbrauch)* to put aside; **wegleugnen** vt sep to deny.

wegmachen vt sep *(inf)* to get rid of. **sie ließ sich** *(dat)* **das Kind ~** *(sl)* she got rid of the baby *(inf)*. **II** vi aux sein or haben *(dial, inf)* to get away *(aus* from), to get out *(aus* of).

wegmüssen vi sep irreg to have to go; *(weggehen müssen auch)* to have to leave or be off *(inf)*; *(entfernt werden)* to have to be removed. **ich muß eine Zeitlang von/aus New York weg** I must get away from/get out of New York for a while; **du mußt da weg, du behinderst ja den ganzen Verkehr** you'll have to move (from there), you're blocking all the traffic.

wegnehmen vt sep irreg to take *(auch Chess)*; *(fortnehmen, entfernen, entziehen)* to take away; Fleck, Rost to get rid of, to remove; *(absorbieren)* Strahlen, Licht, Lärm to absorb; *(verdecken)* Licht, Sonne to block out; Aussicht, Sicht to block; *(beanspruchen)* Zeit, Platz to take up. **Gas ~** *(Aut)* to ease off the accelerator or gas *(US)*; **fünf Tage vom Urlaub ~** to take five days off the holiday; **die Bässe ~** to turn down or reduce the bass; **jdm seine Kinder/Frau ~** to take sb's children away from him/to steal sb's wife.

wegpacken vt sep to pack or put away; *(inf: essen)* to put away *(inf)*; **wegputzen** vt sep to wipe away or off; *(inf: essen)* to polish off; **wegraffen** vt sep to snatch away; *(liter: durch Tod)* to carry off.

Wegrand m wayside, side of the path/ road.

wegrasieren* vt sep to shave off; **er hat mir den vorderen Kotflügel wagrasiert** *(fig inf)* he took my front mudguard with him *(hum)*; **wegrationalisieren*** vt sep Arbeitsplätze to rationalize away; **wegräumen** vt sep to clear away; *(in Schrank)* to put away; **wegreißen** vt sep irreg to tear away *(jdm* from sb); Zweige to break off; *(inf)* Häuser to tear or pull down; **der Fluß hat die Brücke weggerissen** the river swept away the bridge; **wegrennen** vi sep irreg aux sein *(inf)* to run away; **wegretuschieren*** vt sep to spot out; **wegrücken** vti sep *(vi: aux sein)* to move away; **Wegrücker(in** f*)* m *(Pol)* politician who gives up his/her seat in a rotation procedure; **wegrufen** vt sep irreg to call away; **wegrutschen** vt sep aux sein *(aus der Hand)* to slip away; *(auf Eis)* to slide away; **mein Wagen ist mir weggerutscht** my car went into a skid; **wegschaffen** vt sep (beseitigen, loswerden) to get rid of; (wegräumen) to clear away; (wegtragen, wegfahren) to remove, to cart away (inf); (erledigen) Arbeit to get done; **wegschauen** vi sep siehe wegsehen; **wegschenken** vt sep (inf) to give away; **wegscheren** vr sep (inf) to clear out or shove off (inf); **wegschicken** vt sep Brief to send off or away; jdn to send away; (um etwas zu holen) to send off; **wegschleichen** vir sep irreg (vi: aux sein) to creep or steal away; **wegschleppen** sep I vt to drag or lug (inf) or haul away or off; (tragen) to carry off; II vr to drag or haul oneself away; **wegschließen** vt sep irreg to lock away; **wegschmeißen** vt sep irreg (inf) to chuck away (inf); **wegschnappen** vt sep (inf) jdm etw ~ to snatch sth (away) from sb; die andere Kundin hat mir das Kleid weggeschnappt the other customer snapped up the dress before I could; jdm die Freundin/den Job ~ to pinch sb's girl-friend/job (inf).

Wegschnecke f slug (of the genus Arionidae).

wegschütten vt sep to tip away; **wegschwemmen** vt sep to wash away; **wegsehen** vi sep irreg to look away; **über etw** (acc) ~ (lit) to look over sth; (fig inf) to overlook sth, to turn a blind eye to sth.

wegsetzen sep I vt to move (away); (wegstellen) to put away.

    II vr to move away. sich über etw (acc) ~ (inf) to ignore sth, to pay no attention to sth.

    III vi aux sein or haben über etw (acc) ~ to leap or jump over sth, to clear sth.

wegsollen vi sep irreg (inf) das soll weg that is to go; warum soll mein Auto da weg? why should my car be moved?; **wegspülen** vt sep to wash away; (in der Toilette) to flush away; (inf) Geschirr to wash up; **wegstecken** vt sep (lit) to put away; (inf) Niederlage, Kritik to take; Enttäuschung, Verlust to get over; **einen** ~ (sl) to have it off (sl); **wegstehlen** vr sep irreg to steal away; **wegstellen** vt sep to put away; (abstellen) to put down; **wegsterben** vi sep irreg aux sein (inf) to die off; jdm ~ to die on sb (inf); **wegstoßen** vt sep irreg to push or shove away; (mit Fuß) to kick away.

Wegstrecke f (rare) stretch of road; **schlechte** ~ poor road surface; **Wegstunde** f (old) hour.

wegtauchen vi sep aux sein to disappear; (inf: aus unangenehmer Situation) to duck out (inf); **wegtragen** vt sep irreg to carry away or off; **wegtreiben** sep irreg I vt Boot to carry away or off; (vertreiben) Tier to drive away or off; II vi aux sein to drift away; **wegtreten** vi sep irreg aux sein (rare) to step away or aside; (Mil) to fall out; (lassen Sie) ~! (Mil) dismiss!; er ist (geistig) weggetreten (inf) (geistesabwesend) he's miles away (inf); (schwachsinnig) he's soft in the head (inf), he's not all there (inf); **wegtun** vt sep irreg to put away; (wegwerfen) to throw away; (verstecken)

to hide away; **tu die Hände weg!** take your hands off!

Wegwarte f (Bot) chicory.

wegwehen vti sep (vi: aux sein) to blow away.

wegweisend adj pioneering attr, revolutionary, pathbreaking (US); **Wegweiser** m -s, - sign; (an einem Pfosten) signpost; (fig: Buch) guide.

Wegwerf- in cpds disposable, throwaway.

wegwerfen sep irreg I vt to throw away; **weggeworfenes Geld** money down the drain; II vr sich (an jdn) ~ to waste oneself (on sb), to throw oneself away (on sb); **wegwerfend** adj dismissive, disdainful; **Wegwerfgesellschaft** f throwaway society; **wegwischen** vt sep to wipe off; (fig) to dismiss; **wegwollen** vi sep irreg (verreisen) to want to go away; (weggehen: von Haus, Party) to want to leave or go; **wegzaubern** vt sep to make disappear (lit by magic/fig as if by magic).

Wegzehrung f (geh) provisions for the journey pl; (Eccl) viaticum.

wegziehen sep irreg I vt to pull away (jdm from sb); Vorhang to draw back. II vi aux sein to move away; (Vögel) to migrate.

Wegzug m move (aus, von (away) from).

weh I adj 1. (wund) sore; (geh: schmerzlich) aching attr. **sie verspürte ein ~es Gefühl** (geh) her heart ached; **mir ist so ~ zumute** or **ums Herz** (old, liter) my heart is sore (liter), I am sore of heart (old).

    2. ~ **tun** (lit, fig) to hurt; **mir tut der Rücken** ~ my back hurts or is aching; **mir tut mein verbrannter Finger** ~ my finger hurts or is sore where I burnt it; **sich/jdm** ~ **tun** (lit, fig) to hurt oneself/ sb; **was tut dir denn nun schon wieder** ~? what's the matter now?; **wo tut es denn** ~? (fig inf) what's your problem?, what's up? (inf).

    II interj (geh, liter) woe (old); (bedauernd) alas (liter), alack (old). **o** ~! oh dear!, oh, my goodness!; **(über jdn)** ~ **schreien** to lament (sb); ~ **mir!** woe is me! (liter); ~ **mir, wenn ...** woe betide me if ...

Weh nt -(e)s, -e (old, liter) woe; (dumpfes Gefühl) ache; (Leid, Gram) grief. **ein tiefes** ~ **erfüllte ihn** his heart ached.

wehe interj ~ (dir), wenn du das tust you'll be sorry or you'll regret it if you do that; **darf ich das anfassen? —** ~ (dir)! can I touch? — you dare! (inf) ~ **dem, der ...!** woe betide anyone who ...!

Wehe f -, -n 1. (Schnee~) drift. 2. (Geburts~) ~n pl (lit) (labour) pains pl, contractions pl; (fig) birth pangs; **in den** ~n liegen to be in labour; **die** ~n setzten **ein** labour or the contractions started, she went into labour.

wehen I vi 1. (Wind) to blow; (Fahne) to wave, to flutter; (Haare) to blow about. **der Geist der Aufklärung wehte durch Deutschland** (geh) the spirit of enlightenment was abroad or reigned in Germany; **es weht ein warmer Wind**

there's a warm wind (blowing), a warm wind is blowing.
2. *aux sein (Geruch, Klang)* to drift; *(Duft)* to waft.
II *vt* to blow *(von* off); *(sanft)* to waft.

Wehgeschrei *nt* wailing, cries *pl* of woe *(liter)*; **in ~ ausbrechen, ein ~ anstimmen** to start to wail, to give vent to one's woe *(geh)*; **Wehklage** *f (liter)* lament(ation); **wehklagen** *vi insep (geh)* to lament, to wail; **über etw** *(acc)* **w~** to lament (over) *or* bewail sth; **um jdn ~** to lament the loss of sb; **Wehlaut** *m (liter)* cry of pain; **wehleidig** *adj* oversensitive to pain; *(jammernd)* whining *attr*, snivelling *attr*; *(voller Selbstmitleid)* sorry for oneself, self-pitying; **tu** *or* **sei nicht so ~!** don't be such a sissy! stop feeling sorry for yourself; **Wehmut** *f -, no pl (geh)* melancholy; *(Sehnsucht)* wistfulness; *(nach Vergangenem)* nostalgia; **wehmütig, wehmutsvoll** *adj siehe n (geh)* melancholy; wistful; nostalgic.

Wehr¹ *f -, -en* **1.** *(Feuer~)* fire brigade *or* department (*US*). **2.** *(old) (Bollwerk)* defences *pl*; *(no pl: Widerstand)* defence. **mit ~ und Waffen** *(old)* in full panoply *(old)*; **sich zur ~ setzen** to defend oneself.

Wehr² *nt* **-(e)s, -e** weir.

Wehr- *in cpds* defence, defense (*US*); **Wehrbeauftragte(r)** *mf decl as adj* commissioner for the armed forces; **Wehrdienst** *m* military service; **seinen ~ (ab)leisten** to do one's military service; **jdn zum ~ einberufen** to call sb up, to draft sb (*US*); **wehr(dienst)pflichtig** *adj* liable for military service; **Wehr(dienst)pflichtige(r)** *mf decl as adj* person liable for military service; *(der schon eingezogen ist)* conscript, draftee (*US*); **Wehrdienstverweigerer** *m* conscientious objector.

wehren I *vr* to defend oneself; *(sich aktiv widersetzen)* to (put up a) fight. **sich gegen einen Plan ~** to fight (against) a plan; **dagegen weiß ich mich zu ~** I know how to deal with that.
II *vi* +*dat (geh)* to fight; *(Einhalt gebieten)* to check. **wehret den Anfängen!** these things must be nipped in the bud.

Wehrersatzdienst *m* alternative national service; **Wehretat** *m* defence budget; **Wehrexperte** *m*, **Wehrexpertin** *f* defence expert; **wehrfähig** *adj* fit for military service, able-bodied; **Wehrgang** *m* walk along the battlements; **wehrhaft** *adj (geh)* able to put up a fight; **Wehrkirche** *f* fortified church; **wehrlos** *adj* defenceless; *(fig: gegenüber Gemeinheiten)* helpless; **jdm ~ ausgeliefert sein** to be at sb's mercy; **Wehrlosigkeit** *f* defencelessness; helplessness; **Wehrmacht** *f* armed forces *pl*; *(Hist)* Wehrmacht; **Wehrmann** *m, pl -männer (Sw)* soldier; **Wehrpaß** *m* service record (book); **Wehrpflicht** *f* **(allgemeine) ~** (universal) conscription, compulsory military service; **wehrpflichtig** *adj siehe* **wehr(dienst)-pflichtig**; **Wehrsold** *m* (military) pay; **Wehrsportgruppe** *f* paramilitary

group; **Wehrturm** *m* fortified tower; **Wehrübung** *f* reserve duty training exercise.

Wehwehchen *nt (inf)* (minor) complaint. **seine tausend ~** all his little aches and pains.

Weib *nt* **-(e)s, -er** woman, female *(pej)*, broad (*US sl*); *(old, Bibl: Ehefrau)* wife; *(pej inf: Mann)* old woman. **~ und Kind** *(old)* wife and children; **sie ist ein tolles ~** *(inf)* she's quite a woman *or* quite a dame (*US inf*).

Weibchen *nt (Zool)* female; *(hum: Ehefrau)* little woman *(hum)*; *(pej: nicht emanzipierte Frau)* dumb female.

Weiberart *f (old, pej)* woman's way; **Weiberfastnacht** *f* day during the carnival period when women assume control; **Weiberfeind** *m* woman-hater, misogynist; **Weibergeschichten** *pl* sexploits *pl (hum)*; *(Affären auch)* womanizing *sing*; **Weibergeschwätz** *nt (pej)* women's talk; **Weiberhaß** *m (inf)* misogyny; **Weiberheld** *m (pej)* lady-killer, womanizer; **Weiberhengst** *m (sl)* womanizer *(inf)*; **Weiberkram** *m (pej)* women's stuff; **Weibervolk** *nt (obs)* womenfolk *pl*; *(pej)* females *pl (pej)*; **Weiberwirtschaft** *f (pej)* henhouse *(inf)*.

weibisch *adj* effeminate.

Weiblein *nt* little woman. **ein altes ~** a little old woman, an old dear *(inf)*.

weiblich *adj (Zool, Bot, von Frauen)* female; *(Gram, Poet, fraulich, wie Frauen)* feminine.

Weiblichkeit *f* femininity; *(Frauen)* women *pl*. **die holde ~** *(hum)* the fair sex.

Weibsbild *nt (old)* woman; *(junges ~)* wench *(old)*; *(pej auch)* female.

Weib(s)stück *nt (pej)* bitch *(inf)*, cow *(inf)*.

weibstoll ['vaips-] *adj* woman-mad.

weich *adj* soft *(auch fig, Ling, Phot)*; **Ei** soft-boiled; *Fleisch, Gemüse* tender; *Energietechnik* non-nuclear; *Währung* soft; *(geschmeidig) Bewegungen* smooth; *Mensch (nachgiebig)* soft; *(mitleidig)* soft-hearted. **~er Boykott** civil disobedience; **~ landen** to land softly; *(auf ~em Untergrund)* to have a soft landing; **~ werden** *(lit, fig)* to soften; **die Knie wurden mir ~** my knees turned to jelly, I went weak at the knees; **~ machen** to soften; **ein ~es Herz haben** to be soft-hearted, to have a soft heart; **eine ~e Birne** *or* **einen ~en Keks haben** *(sl)* to be soft in the head *(inf)*.

Weich- *in cpds* soft; **Weichbild** *nt* **im ~ der Stadt** within the city/town precincts.

Weiche¹ *f -, -n* **1.** *no pl siehe* **Weichheit. 2.** *(Seite)* side; *(von Tier auch)* flank.

Weiche² *f -, -n* **1.** *(Rail)* points *pl (Brit)*, switch (*US*). **die ~n stellen** *(lit)* to switch the points; *(fig)* to set the agenda. **2.** *(Ausweichstelle)* passing place.

weichen¹ *vti (vi: aux haben or sein)* to soak.

weichen² *pret* **wich,** *ptp* **gewichen** *vi aux sein* **1.** *(Mensch, Tier, Fahrzeug: weggehen)* to move; *(Armee, Mensch, Tier: zurück~)* to retreat *(dat, vor +dat* from); *(Platz machen, fig: nachgeben)* to give way (*dat* to). **(nicht) von jdm** *or* **jds Seite ~** (not) to leave sb's side; **er wich nicht** *or* **keinen Schritt vom Wege** he did not deviate an inch; **sie wich nicht von der Stelle** she refused to *or* wouldn't budge (an inch); **die Angst ist von ihr gewichen** her fear has left her *or* disappeared. **2.** (*Gefühl, Druck, Schmerz*) (*nachlassen*) to ease, to abate; (*verschwinden*) to go.

Weichensteller(in *f*) *m* **-s,** - pointsman/-woman (*Brit*), switchman/-woman (*US*); (*fig*) guiding spirit, moving force (+*gen* behind); **Weichenstellung** *f* (*lit*) chang- ing the points; (*fig*) setting the agenda.

weichgekocht *adj attr* **Ei** soft-boiled; *Fleisch, Gemüse* boiled until tender; *Nudeln* cooked until soft.

Weichheit *f, no pl siehe* **weich** softness; tenderness; smoothness; soft-heartedness, kindness.

weichherzig *adj* soft-hearted; **Weichherzigkeit** *f* soft-heartedness; **Weichholz** *nt* softwood; **Weichkäse** *m* soft cheese; **weichklopfen, weichkriegen** *vt sep* (*fig inf*) to soften up.

weichlich *adj* (*lit*) soft; (*fig*) weak; (*weibisch*) effeminate; (*verhätschelt*) soft. **ein Kind zu ~ erziehen** to mollycoddle a child.

Weichlichkeit *f* (*fig*) weakness; effeminacy; softness.

Weichling *m* (*pej*) weakling, softy (*inf*).

weichmachen *vt sep* (*fig*) to soften up; **Weichmacher** *m* (*Chem*) softener, softening agent; **weichschalig** *adj* softshelled; *Apfel* soft-skinned.

Weichsel ['vaiksl] *f* - Vistula.

weichspülen *vt sep* to condition; *Wäsche* to use (fabric) conditioner *or* softener on; **Weichspüler** *m* conditioner; (*für Wäsche auch*) (fabric) softener; **Weichteile** *pl* soft parts *pl*; (*sl: Geschlechtsteile*) privates *pl*, private parts *pl*; **Weichtier** *nt* mollusc; **Weichzeichner** *m* (*Phot*) soft-focusing lens.

Weide¹ *f* -, **-n** (*Bot*) willow.

Weide² *f* -, **-n** (*Agr*) pasture; (*Wiese*) meadow. **auf die** *or* **zur ~ treiben** to put out to pasture *or* to graze *or* to grass; **auf der ~ sein** to be grazing, to be out at pasture.

Weideland *nt* (*Agr*) pasture(land), grazing land, pasturage.

weiden I *vi* to graze. **II** *vt* to (put out to) graze, to put out to pasture. **seine Blicke** *or* **Augen an etw** (*dat*) **~** to feast one's eyes on sth. **III** *vr* **sich an etw** (*dat*) **~** (*fig*) to revel in; (*sadistisch auch*) to gloat over.

Weidenbaum *m* willow tree; **Weidenbusch** *m* willow bush; **Weidengerte** *f* willow rod *or* switch; (*zum Korbflechten*) osier, wicker; **Weidenkätzchen** *nt* (pussy) willow catkin; **Weidenkorb** *m* wicker basket; **Weidenlaubsänger** *m* (*Orn*) chiffchaff; **Weidenrost** *m* cattle grid.

Weideplatz *m* pasture; **Weidewirtschaft** *f* (*Econ*) pastural agriculture.

weidgerecht *adj* in accordance with hunting principles.

weidlich *adv* (*mit adj*) pretty. **sich über etw** (*acc*) **~ amüsieren** to be highly amused at sth; **etw ~ ausnutzen** to make full use of sth; **er hat sich ~ bemüht** he tried pretty hard.

Weidmann *m, pl* **-männer** (*liter*) huntsman, hunter; **weidmännisch I** *adj* huntsman's *attr*; **das ist nicht ~** that's not done in hunting; **II** *adv* in a huntsman's manner; **Weidmannsheil** *interj* (*Hunt*) good hunting; **Weidwerk** *nt* art of hunting.

weigern I *vr* to refuse. **II** *vt* (*old*) **jdm etw ~** to deny sb sth.

Weigerung *f* refusal.

Weigerungsfall *m* (*form*) **im ~** in case of refusal (*form*).

Weihbischof *m* suffragan bishop.

Weihe¹ *f* -, **-n** (*Orn*) harrier.

Weihe² *f* -, **-n 1.** (*Eccl*) consecration; (*Priester~*) ordination. **die niederen/höheren ~n** minor/major orders. **2.** (*Einweihung*) (*eines Gebäudes*) inauguration; (*einer Brücke*) (ceremonial) opening; (*eines Denkmals*) unveiling. **3.** (*Feierlichkeit*) solemnity. **4.** (*Ehre*) höhere ~n (*fig*) greater glory, greater things.

weihen I *vt* **1.** (*Eccl*) *Altar, Glocke, Kirche, Bischof* to consecrate; *Priester* to ordain. **jdn zum Bischof/Priester ~** consecrate sb bishop/ordain sb priest.

2. *Gebäude* to inaugurate; *Brücke* to open; *Denkmal* to unveil.

3. (*widmen*) **etw jdm/einer Sache ~** to dedicate sth to sb/sth; (*Eccl auch*), (*sehr feierlich*) to consecrate sth to sb/sth; **dem Tod(e)/Untergang geweiht** (*geh*) doomed (to die/fall).

II *vr* +*dat* (*liter*) to devote *or* dedicate oneself to.

Weiher *m* **-s,** - pond.

Weihestätte *f* holy place; **weihevoll** *adj* (*geh*) solemn.

Weihgefäß *nt* (*Rel*) votive vessel.

Weihnacht *f* -, *no pl siehe* **Weihnachten.**

Weihnachten *nt* -, - Christmas; (*geschrieben auch*) Xmas (*inf*). **fröhliche** *or* **gesegnete ~!** happy *or* merry Christmas!; **(zu** *or* **an) ~** at Christmas; **(zu** *or* **an) ~ nach Hause fahren** to go home for Christmas; **etw zu ~ bekommen/schenken** to get sth for Christmas/to give sth as a Christmas present; **weiße/grüne ~ (a)** white Christmas/(a) Christmas without snow; **das ist ein Gefühl wie ~** (*iro inf*) it's an odd feeling.

weihnachtlich *adj* Christmassy (*inf*), festive.

Weihnachts- *in cpds* Christmas; **Weihnachtsabend** *m* Christmas Eve; **Weihnachtsbaum** *m* Christmas tree; **Weihnachtsbutter** *f reduced-price butter at Christmas time*; **Weihnachtseinkäufe** *pl* Christmas shopping (*sing*); **Weihnachtsfeier** *f* Christmas celebration(s *pl*); **Weihnachts(feier)tag** *m* (*erster*) Christmas Day; (*zweiter*) Boxing Day; **Weihnachtsfest** *nt* Christmas;

Weihnachtsfreibetrag m Christmas tax allowance; **Weihnachtsgans** f Christmas goose; **jdn ausnehmen wie ~** (sl) to fleece sb (inf), to take sb to the cleaners (sl); **Weihnachtsgeld** nt Christmas money; (Weihnachtsgratifikation) Christmas bonus; (für Briefträger) Christmas box; **Weihnachtsgeschenk** nt Christmas present or gift; **Weihnachtsgeschichte** f Christmas story; **Weihnachtsgruß** m Christmas greeting; **Weihnachtsinsel** f Christmas Island; **Weihnachtskaktus** m (Bot) Christmas cactus; **Weihnachtskarte** f Christmas card; **Weihnachtslied** nt (Christmas) carol; **Weihnachtsmann** m, pl -**männer** Father Christmas, Santa Claus; (pej inf) clown (pej inf); **Weihnachtsmärchen** nt (Christmas) pantomime; **Weihnachtsmarkt** m Christmas fair; **Weihnachtsspiel** nt nativity play; **Weihnachtsstern** m 1. (Bot) poinsettia; 2. (Rel) star of Bethlehem; **Weihnachtstag** m siehe **Weihnachts(feier)tag**; **Weihnachtsteller** m plate of biscuits, chocolates, fruit and nuts; **Weihnachtstisch** m table for Christmas presents; **Weihnachtszeit** f Christmas (time), Yuletide (old, liter), Christmas season (esp Comm).

Weihrauch m incense; **Weihrauchfaß** nt censer, thurible (form); **Weihwasser** nt holy water; **Weihwasserbecken** nt stoup, holy-water font.

weil conj because.

weiland adv (obs, hum) formerly. **Botho von Schmettwitz, ~ Leutnant der Kürassiere** Botho von Schmettwitz, formerly or erstwhile or one-time lieutenant of the cuirassiers.

Weilchen nt **ein ~ a** (a little) while, a bit.

Weile f -, no pl while. **wir können eine ~ Karten spielen** we could play cards for a while; **vor einer (ganzen) ~, eine (ganze) ~ her** quite a while ago.

weilen vi (geh) to be; (bleiben) to stay, to tarry (poet). **er weilt nicht mehr unter uns** he is no longer with or among us.

Weiler m -s, - hamlet.

Weimarer Republik f Weimar Republic.

Wein m -(e)s, -e wine; (no pl: Weinstöcke) vines pl; (no pl: Weintrauben) grapes pl. **in Frankreich wächst viel ~** there is a lot of wine-growing in France; **wilder ~** Virginia creeper; **jdm reinen** or **klaren ~ einschenken** to tell sb the truth, to come clean with sb (inf); **im ~ ist Wahrheit** (Prov) in vino veritas (Prov).

Wein- in cpds (auf Getränk bezogen) wine; (auf Pflanze bezogen) vine; **Weinbau** m wine-growing, viniculture (form); **Weinbauer** m wine-grower; **Weinbeere** f grape; (Rosine) raisin; **Weinberg** m vineyard; **Weinbergschnecke** f snail; (auf Speisekarte) escargot; **Weinbrand** m brandy; **Weinbrennerei** f brandy distillery.

weinen vti to cry; (aus Trauer, Kummer auch) to weep (um for, über +acc over, aus, vor +dat with). **etw naß ~** to make sth wet with one's tears; **sich (dat) die Augen rot** or **aus dem Kopf ~** to cry one's eyes or heart out; **sich in den Schlaf ~** to cry oneself to sleep; **es ist zum W~!, man könnte ~!** it's enough to make you weep!, it makes you want to weep or cry!; **leise ~d** weeping or crying softly; (inf: kleinlaut) rather crestfallen or subdued; (inf: resigniert) resignedly; (iro inf: mir nichts, dir nichts) with a shrug of the shoulders.

weinerlich adj whining, whiny (inf).

Weinernte f grape harvest; **Weinessig** m wine vinegar; **Weinfaß** nt wine cask; **Weingarten** m vineyard; **Weingegend** f wine-growing area; **Weingeist** m spirits of wine (old), (ethyl) alcohol; **Weingummi** nt or m winegum; **Weingut** nt wine-growing estate; **Weinhändler(in** f) m wine dealer; (für Großhandel auch) vintner; **Weinhandlung** f wine shop (Brit) or store; **Weinhaus** nt wine tavern, wine bar; (Geschäft) wine shop; **Weinheber** m -s, - wine cradle or basket; **Weinjahr** nt **ein gutes/schlechtes ~** a good/bad year for wine; **Weinkarte** f wine list; **Weinkeller** m wine-cellar; (Lokal) wine bar or tavern; **Weinkelter** f wine press; **Weinkenner(in** f) m connoisseur of wine, wine connoisseur.

Weinkrampf m crying fit; (Med) uncontrollable fit of crying.

Weinkraut nt sauerkraut; **Weinküfer** m cellarman; **Weinkultur** f wine culture; (Weinbau) wine-growing, viniculture (form); **Weinlage** f vineyard location; **Weinlaub** nt vine leaves pl; **Weinlaube** f vine arbour or bower; **Weinlaune** f **in einer ~ beschlossen sie ...** after a few glasses of wine they decided ...; **Weinlese** f grape harvest, vintage; **Weinlokal** nt wine bar; **Weinmonat** m grape-harvesting month; (Oktober) (month of) October; **Weinpansscher** m wine-adulterator, wine-doctorer (inf); **Weinpanscherei** f wine-adulterating, wine-doctoring (inf); **Weinprobe** f wine-tasting; **Weinprüfer(in** f) m wine taster; **Weinrebe** f (grape)vine; **weinrot** adj wine-red, claret; **Weinsäure** f (Chem) tartaric acid; **Weinschlauch** m wineskin; **weinselig** adj merry with wine; **Weinsorte** f sort or type of wine; **Weinstein** m tartar; **Weinstock** m vine; **Weinstraße** f wine trail or route; **Weinstube** f wine tavern or bar; **Weintraube** f grape; **Weinzwang** m obligation to order wine; **in diesem Restaurant ist ~** you have to order wine in this restaurant.

weise adj (geh) wise. **die ~ Frau** (old) the midwife.

Weise f -, -n 1. (Verfahren) way, manner, fashion. **auf diese ~** in this way; **auf geheimnisvolle ~** in a mysterious way or manner or fashion, mysteriously; **auf jede (erdenkliche) ~** in every conceivable way; **in gewisser/keiner** or **keinster** (inf) **~** in a/no way; **in der ~, daß ...** in such a way that ...

2. (liter: Melodie) tune, melody.

weisen pret **wies**, ptp **gewiesen** (geh) I vt **jdm etw ~** (lit, fig) to show sb sth; **jdn**

aus dem Lande ~ to expel sb; **jdn aus dem Saal** ~ to eject sb (from the hall); **jdn vom Feld** or **Platz** ~ (Sport) to order sb off (the field); (als Strafe) to send sb off; **jdn von der Schule** ~ to expel sb (from school); **etw (weit) von sich** ~ (fig) to reject sth (emphatically); **jdn zur Ruhe/Ordnung** ~ (form) to order sb to be quiet/to behave himself.

II vi to point (nach to(wards), auf +acc at).

Weise(r) m decl as adj wise man; (Denker auch) sage. **die drei ~n aus dem Morgenland** the three Wise Men from the East; **die Fünf ~n** (BRD Pol) panel of five experts advising government on economic policy.

Weisheit f 1. no pl wisdom. **das war der ~ letzter Schluß** that was all they/we etc came up with; **das ist auch nicht der ~ letzter Schluß** that's not exactly the ideal solution; **er glaubt, er hat die ~ mit Löffeln gegessen** or **gefressen** he thinks he knows it all.

2. (weiser Spruch) wise saying, pearl of wisdom (usu iro). **eine alte ~** a wise old saying; **behalte deine ~(en) für dich!** keep your pearls of wisdom to yourself!

Weisheitszahn m wisdom tooth.

weismachen vt sep **jdm etw** ~ to make sb believe sth; **er wollte uns** ~, **daß ...** he would have us believe that ...; **wie konnten sie ihm** ~, **daß ...?** how could they fool him into believing that ...?; **das kannst du mir nicht** ~! you can't expect me to believe that.

weiß adj white. **ein ~es (Blatt) Papier** a blank or clean sheet of paper; **ein ~er Fleck (auf der Landkarte)** a blank area (on the map); **das W~e Haus** the White House; **das W~e Meer** the White Sea; **der W~e Nil** the White Nile; **W~er Sonntag** Low Sunday; **der ~e Sport** tennis; skiing; **der W~e Tod** death in the snow; ~ **werden** to go or turn white; (Sachen auch) to whiten; ~ **wie Kreide** or **die Wand** white as chalk or a sheet or a ghost; **das W~e des Eies** or **vom Ei/von drei Eiern** eggwhite/the white(s) of three eggs; **das W~e im Auge** the whites of one's/the eyes.

Weiß nt -(es), - white.

weissagen vt insep to prophesy, to foretell; **Weissager(in** f) m -s, - (geh) seer, prophet; **Weissagung** f prophecy.

Weißbier nt weissbier (light, fizzy beer made using top-fermentation yeast); **Weißbinder(in** f) m (dial) (Böttcher) cooper; (Anstreicher) house-painter; **weißblau** adj (inf: bayrisch) Bavarian; **Weißblech** nt tinplate; **weißblond** adj ash-blond(e); **Weißbluten** nt: **jdn bis zum** ~ **ausbeuten** to bleed sb white; **bis zum** ~ **zahlen müssen** to be bled white; **Weißbrot** nt white bread; (Laib) loaf of white bread, white loaf; **Weißbuch** nt (Pol) white paper; **Weißbuche** f (Bot) hornbeam; **Weißdorn** m (Bot) whitehorn.

Weiße f -, -n 1. (Weißheit) whiteness. 2. siehe **Berliner²**.

weißen vt to whiten; (weiß tünchen) to

whitewash.

Weiße(r) mf decl as adj white, white man/woman. **die ~n** the whites, white people pl.

Weißfisch m whitefish; **Weißfuchs** m white fox; **weißglühend** adj white-hot, incandescent; **Weißglut** f white heat, incandescence; **jdn zur** ~ **bringen, jdn bis zur** ~ **reizen** to make sb livid (with rage), to make sb see red (inf); **Weißgold** nt white gold; **weißhaarig** adj white-haired; **Weißherbst** m ≈ rosé; **Weißkäse** m (dial) (soft) curd cheese; **Weißkohl** m, **Weißkraut** nt (S Ger, Aus) white cabbage.

weißlich adj whitish.

Weißnäherin f (plain) seamstress; **Weißrusse** m, **weißrussisch** adj White Russian; **Weißrußland** nt White Russia; **Weißtanne** f (Bot) silver fir; **Weißwal** m white whale; **Weißwandreifen** m (Aut) whitewall (tyre); **Weißwaren** pl linen sing; **weißwaschen** vtr sep irreg (fig, usu pej) **sich/jdn** ~ to whitewash one's/sb's reputation; **Weißwein** m white wine; **Weißwurst** f veal sausage; **Weißzeug** nt linen.

Weisung f directive, instruction, direction; (Jur) ruling. **auf** ~ on instructions; **ich habe** ~, **keine Auskünfte zu geben** I have instructions not to give any details.

Weisungsbefugnis f authority to issue directives; **weisungsgebunden** adj subject to directives; **weisungsgemäß** adj according to or as per instructions, as instructed or directed.

weit siehe auch **weiter** **I** adj 1. wide; (fig) Begriff, Horizont broad; Pupille dilated; Meer open; Gewissen elastic; Herz big. ~**e Kreise** or **Teile (der Bevölkerung)** large sections or parts (of the population); **im ~eren Sinne** in the broader or wider sense; **das ist ein ~es Feld** (fig) that is a big subject.

2. (lang) Weg, Reise, Wurf long. **in ~en Abständen** widely spaced; (zeitlich) at long intervals; **man hat hier eine ~e Sicht** you can see a long way from here; **in ~er Ferne** far in the distance, in the far distance; **das liegt (noch) in ~er Ferne** it's still a long way away; (zeitlich auch) it's still in the distant future.

II adv 1. far. ~**er** further, farther; **am ~esten** (the) furthest, (the) farthest; **wie** ~ **ist Bremen?** how far is Bremen?; **es ist noch** ~ **bis Bremen** it's still a long way to Bremen, there's still a long way to go till Bremen; **3,60 m** ~ **springen** to jump 3m 60; **wie** ~ **bist du gesprungen?** how far did you jump?; ~ **und breit** for miles around; ~ **ab** or **weg (von)** far away (from); **ziemlich** ~ **am Ende** fairly near the end; **hast du es noch** ~ **(nach Hause)?** have you got a long way or far to go (to get home)?; **von** ~**em** from a long way away or off, from afar (liter); **von** ~ **her** from a long way away.

2. (breit) verzweigt, herumkommen, bekannt widely; offen, öffnen wide. **10 cm** ~ 10cm wide; ~ **verbreitet** widespread.

3. ~ **entfernt** far away *or* off, a long way away *or* off; ~**er entfernt** further *or* farther away *or* off; ~ **entfernt** *or* **gefehlt!** far from it!

4. (*in Entwicklung*) ~ **fortgeschritten** far *or* well advanced; **wie** ~ **bist du?** how far have you got?; **wie** ~ **ist das Essen?** how far have you/they *etc* got with the food?; **so** ~, **so gut** so far so good; **er wird es** ~ **bringen** he will go far; **er hat es** ~ **gebracht** he has come a long way, he has got on in the world; **es so** ~ **bringen, daß** ... to bring it about that ...; **sie hat es so** ~ **gebracht, daß man sie entließ** she drove them to the point of dismissing her; **jdn so** ~ **bringen, daß** ... to bring sb to the point where ...

5. (*zeitlich*) (**bis**) ~ **in die Nacht** (till) well *or* far into the night; ~ **zurückliegen** to be a long way back, to be far back in the past; ~ **nach Mitternacht** well *or* long after midnight.

6. (*fig: erheblich*) (*mit adj, adv*) far; (*mit vb*) by far. **das hat unsere Erwartungen** ~ **übertroffen** that far exceeded our expectations; ~ **über 60** well over 60; **bei** ~**em besser als** far better than, better by far than; **bei** ~**em der beste** far and away *or* by far the best; **bei** ~**em nicht so gut** (**wie** ...) not nearly as good (as ...), nowhere near as good (as ...); **bei** ~**em nicht!** not by a long shot (*inf*) *or* chalk (*inf*) *or* way!

7. (*fig: andere Wendungen*) **das ist nicht** ~ **her** (*inf*) that's not up to much (*inf*), that's nothing to write home about (*inf*); **damit/mit ihm ist es nicht** ~ **her** (*inf*) this/he isn't up to much (*inf*), this/ he isn't much use; **das würde zu** ~ **führen** that would be taking things too far; **zu** ~ **gehen** to go too far; **das Geld reicht nicht** ~ the money won't go far; **sein Einfluß reicht sehr** ~ his influence is far-reaching; **etw zu** ~ **treiben** to carry sth too far.

weitab *adv* ~**ab von** far (away) from; **weitaus** *adv* (*vor comp*) far; (*vor superl*) (by) far, far and away; **weitausholend** *adj Geste* expansive; (*fig*) *Erzählung* long-drawn-out, long-winded; **weitbekannt** *adj attr* widely known; **Weitblick** *m* (*fig*) vision, far-sightedness; **weitblickend** *adj* (*fig*) far-sighted.

Weite[1] *f* -, -n (*Entfernung, Ferne*) distance; (*Länge*) length; (*Größe*) expanse; (*Durchmesser, Breite*) width. **etw in der** ~ **ändern** to alter the width of sth; **in der** ~ **paßt das Hemd** the shirt fits as regards width.

Weite[2] *nt* -n, *no pl* distance. **ins** ~ **gehen** to go out into the distance; **das** ~ **suchen/gewinnen** (*geh*) to take to one's heels/to reach freedom.

weiten I *vt* to widen; (*durch Ziehen auch*) to stretch. **II** *vr* to widen, to broaden (*auch fig*); (*Pupille, Gefäße*) to dilate.

weiter I *comp of* **weit**.

II *adj* (*fig*) further; (*zusätzlich auch*) additional; (*andere*) other. ~**e Auskünfte** further information.

III *adv* (*noch hinzu*) further;

(*außerdem*) furthermore; (*sonst*) otherwise; (*nachher*) afterwards. **nichts** ~, ~ **nichts** (*darüber hinaus auch*) nothing further *or* more *or* else; ~ **nichts?** is that all?; **nichts** ~ *or* ~ **nichts als** ... nothing more than ..., nothing but ...; **ich brauche** ~ **nichts** that's all I need, I don't need anything else; **wenn es** ~ **nichts ist,** ... well, if that's all (it is), ...; **außer uns war** ~ **niemand** *or* **niemand** ~ **da** there was nobody else there besides us; **nicht** ~, ~ **nicht** (*eigentlich*) not really; **das stört** ~ **keinen** that doesn't really bother anybody; **das hat** ~ **nichts zu sagen** that doesn't really matter, that's neither here nor there; **das macht** ~ **nichts** it's not that *or* really important; **etw** ~ **tun** to continue to do *or* continue doing sth, to go *or* carry on doing sth; **immer** ~ on and on; (*Anweisung*) keep on (going); (**nur**) **immer** ~! keep at it!; **und** ~? and then?; **was geschah** (**dann**) ~? what happened then *or* next?; **und so** ~ and so on *or* forth, et cetera.

weiter- *pref* (~**machen mit**) to carry on *or* go on *or* continue +*prp*, to continue to +*infin*; (*nicht aufhören mit*) to keep on *or* go on +*prp*; (*bei Bewegung, Beförderung, Reise*) *vb*+ on.

Weiter- *pref mit n* further; (*bei Bewegung, Beförderung, Reise*) continuation of.

weiterarbeiten *vi sep* to carry on working, to work on; **an einer Sache** (*dat*) ~ to do some more work on sth; **weiterbefördern*** *vt sep* to send on; **weiterbestehen*** *vi sep irreg* to continue to exist, to survive; **weiterbilden** *vr sep* to continue one's education; **Weiterbildung** *f* continuation of one's education; (*an Hochschule*) further education; **weiterbringen** *vt sep irreg* to take further, to advance; **das bringt uns auch nicht weiter** that's not much help (to us), that doesn't get us any further; **weiterdenken** *sep irreg* **I** *vt* to think out (further); **II** *vi* to think it out; (*an Zukünftiges*) to think ahead; **weiterempfehlen*** *vt sep irreg* to recommend (to one's friends); **weiterentwickeln*** *sep* **I** *vt* to develop; *Idee* to develop (further); **II** *vr* to develop (*zu* into); **weitererzählen*** *vt sep* to carry on telling; *Geheimnis* to repeat, to pass on; **das hat er der ganzen Klasse weitererzählt** he told the whole class.

Weitere(s) *nt decl as adj* further details *pl*. **das** ~ **the rest;** **alles** ~ everything else, all the rest; **des w**~**n** in addition, furthermore; **bis auf w**~**s** for the time being; (*amtlich, auf Schildern*) until further notice; **im w**~**n** subsequently, afterwards.

weiterfahren *sep irreg* **I** *vt* to carry on driving, to keep on driving; **II** *vi aux sein* (*Fahrt fortsetzen*) to go on, to continue; (*durchfahren*) to drive on; (*weiter reisen*) to travel on; **Weiterfahrt** *f* continuation of the/one's journey; **weiterfliegen** *vi sep irreg aux sein* to fly on; **die Maschine fliegt in 10 Minuten weiter** the plane will take off again in 10 minutes; **Weiterflug** *m* continuation of the/one's flight; **Passagiere zum ~ nach ...** passengers continuing their flight to ...; **weiterführen** *sep* **I** *vt* to continue; *Gespräch auch* to carry on (with); **II** *vi* to continue, to lead on; **das führt nicht weiter** (*fig*) that doesn't lead *or* get us anywhere; **weiterführend** *adj Schule* secondary; **Weitergabe** *f* passing on; (*von Informationen, Erbfaktoren auch*) transmission; **weitergeben** *vt sep irreg* to pass on; to transmit; **weitergehen** *vi sep irreg aux sein* to go on; **bitte ~!** (*Polizist*) move along *or* on (there), please!; **so kann es nicht ~** (*fig*) things can't go on like this; **wie soll es nun ~?** what's going to happen now?; **weiterhelfen** *vi sep irreg* to help (along) (*jdm* sb); **weiterhin** *adv* (*außerdem*) furthermore, on top of that; **etw ~ tun** to carry on doing sth; **weiterkämpfen** *vi sep* to fight on; **weiterkommen** *vi sep irreg aux sein* to get further; (*fig auch*) to make progress *or* headway; **nicht ~** (*fig*) to be stuck *or* bogged down; **wir kommen einfach nicht weiter** we're just not getting anywhere; **weiterkönnen** *vi sep irreg* to be able to carry on *or* go on *or* continue; **ich kann nicht weiter** I can't go on; (*bei Rätsel, Prüfung*) I'm stuck; **weiterlaufen** *vi sep irreg aux sein* to run/walk on; (*Film*) to go on; (*Betrieb, Produktion*) to go on, to continue; (*Gehalt*) to continue to be paid; (*Motor*) to keep on running; **den Motor ~ lassen** to leave the engine running; **weiterleben** *vi sep* to live on, to continue to live; **weiterleiten** *vt sep* to pass on (*an +acc* to); (*weiterbefördern, senden*) to forward; **weitermachen** *vti sep* to carry on (*etw* with sth), to continue; **~!** (*Mil*) carry on!; **weiterreichen** *vt sep* to pass on; **weiterreichend** *adj* further-reaching; **Weiterreise** *f* continuation of the/one's journey; **ich wünsche Ihnen eine gute ~** I hope the rest of the journey goes well; **weiterrücken** *sep* **I** *vt* to move further along; **II** *vi aux sein* to move up, to move further along.

weiters *adv* (*Aus*) *siehe* **ferner**.

weitersagen *vt sep* to repeat, to pass on; **~!** pass it on!; **nicht ~!** don't tell anyone!; **weiterschlafen** *vi sep irreg* to sleep on, to go on sleeping; **weitersenden** *sep irreg* **I** *vti* (*Rad, TV*) to carry on broadcasting; **II** *vt* (*form*) to forward; **weiterverarbeiten*** *vt sep* to process; **weiterverbreiten*** *sep* **I** *vt* to spread (further), to repeat, to propagate (*form*); **II** *vr* to spread (further); **weiterverfolgen*** *vt sep Idee* to pursue further; **Weiterverkauf** *m* resale; **nicht zum ~ bestimmt** not for resale; **weiterverkaufen*** *vti sep* to resell; **weitervermieten*** *vt sep* to sublet; **weiterwissen** *vi sep irreg* **nicht (mehr) ~** not to know how to go on; (*bei Rätsel, Prüfung*) to be stuck; (*verzweifelt sein*) to be at one's wits' end; **weiterwollen** *vi sep irreg* to want to go on; **der Esel wollte einfach nicht weiter** the donkey simply wouldn't go any further.

weitestgehend I *adj superl of* **weitge-**

hend. **II** *adv* to the greatest possible extent.

weitgehend *comp* **weitgehender** *or* (*Aus*) **weitergehend**, *superl* **weitestgehend** *or* **weitgehendst I** *adj Vollmachten* far-reaching, extensive, wide; *Übereinstimmung* a large degree of; **er hatte viel ~ere Befürchtungen** his fears went a lot further than that; **II** *adv* to a great *or* large extent, largely; **weitgereist** *adj attr, comp* **weiter gereist**, *superl* **am weitesten gereist** widely travelled; **weitgesteckt** *adj attr* ambitious; **weitgreifend** *adj attr* far-reaching; **weither** *adv* (*auch von ~*) from a long way away, from far away, from afar (*liter*); **weithergeholt** *adj attr* far-fetched; **weitherzig** *adj* understanding, charitable; **weithin** *adv* over a long distance, for a long way; (*fig*) *bekannt, beliebt* widely; *unbekannt* largely; (*weitgehend*) to a large *or* great extent.

weitläufig *adj* **1.** *Park, Gebäude* spacious; (*verzweigt*) rambling; *Dorf* covering a wide area, sprawling *attr*; (*fig*) *Erzählung* lengthy, long-drawn-out, long-winded. **etw ~ erzählen** to tell sth at (great) length. **2.** *Verwandte* distant.

Weitläufigkeit *f siehe adj 1.* spaciousness; rambling nature; sprawling nature; length, long-windedness.

weiträumig *adj* wide-ranging; **ein Gelände ~ absperren** to cordon off a wide area around a site; **die Unfallstelle ~ umfahren** to keep well away from the scene of the accident; **weitreichend** *adj, comp* **weitreichender** *or* (*Aus*) **weiterreichend**, *superl* **weitestreichend** (*fig*) far-reaching; (*Mil*) long-range *attr*; **weitschauend** *adj* (*fig*) far-sighted; **weitschweifig** *adj* long-winded, circumlocutory, prolix (*form*); **Weitsicht** *f* (*fig*) far-sightedness; **weitsichtig** *adj* (*Med*) long-sighted, far-sighted (*esp US*); (*fig*) far-sighted; **Weitsichtigkeit** *f* (*Med*) long-sightedness, far-sightedness (*esp US*); **weitspringen** *vi sep* (*infin only*) (*Sport*) to do the long jump *or* broad jump (*US*); **Weitspringen** *nt* (*Sport*) long-jumping, broad-jumping (*US*); **Weitspringer**(*in*) *m* (*Sport*) long-jumper, broad-jumper (*US*); **Weitsprung** *m* (*Sport*) the long jump *or* broad jump (*US*); **weitum** *adv* for miles around; **weitverbreitet** *adj attr* widespread, common; *Ansicht auch* widely held; *Zeitung* with a wide circulation; **weitverzweigt** *adj attr Straßensystem* branching out in all directions; *Konzern* with many branches; **Weitwinkelobjektiv** *nt* wide-angle lens.

Weizen *m* **-s**, *no pl* wheat.

Weizenbier *nt* light, very fizzy beer made by using wheat, malt and top-fermentation yeast; **Weizenbrot** *nt* wheat(en) bread; **Weizenkeimöl** *nt* (*Cook*) wheatgerm oil; **Weizenmehl** *nt* wheat(en) flour.

welch I *interrog pron inv* **1.** (*geh: in Ausrufen*) what. **~ friedliches Bild!** what a peaceful scene!

2. (*in indirekten Fragesätzen*) **~ (ein)**

what.

II *rel pron inv* **X, Y und Z, ~ letzte-re(r, s) ...** (*obs, form*) X, Y and Z, the last of which/whom ...

welche(r, s) I *interrog pron* **1.** (*adjektivisch*) what; (*bei Wahl aus einer begrenzten Menge*) which. **~r Mensch könnte behaupten ...?** what person could claim ...?; **~s Kleid soll ich anziehen, das rote oder das grüne?** which dress shall I wear, the red one or the green one? **2.** (*substantivisch*) which (one). **~r von den beiden?** which (one) of the two?; **~s sind die Symptome dieser Krankheit?** what are the symptoms of this illness? **3.** (*in Ausrufen*) **~ Schande/Freude!** what a disgrace/what joy! **II** *indef pron* some; (*in Fragen, konditional auch, verneint*) any. **es gibt ~, die glauben ...** there are some (people) who think ...; **ich habe keine Tinte/Äpfel, haben Sie ~?** I don't have any ink/apples, do you have some *or* any? **III** *rel pron* (*rare*) (*Mensch*) who; (*Sache*) which, that. **~(r, s) auch immer** whoever/whichever/whatever.

welcherlei *interrog adj inv* (*geh*) what kind *or* sort of.

welches *pron siehe* **welche(r, s).**

Welfe *m* **-n, -n** (*Hist*) Guelph.

welk *adj Blume, Pflanze* wilted, faded; *Blatt* dead; (*fig*) *Schönheit* fading, wilting; *Haut, Gesicht* tired-looking; (*schlaff*) flaccid; *Hände* withered.

welken *vi aux sein* (*lit, fig*) to fade, to wilt; (*Haut, Gesicht*) to grow tired-looking; (*schlaff werden*) to sag.

Wellblech *nt* corrugated iron.

Welle *f* **-, -n 1.** wave (*auch fig, Phys, im Haar*); (*Rad: Frequenz*) wavelength. **sein Grab in den ~n finden** (*geh*) to go to a watery grave; **weiche ~** (*inf*) soft line; (*hohe*) **~n schlagen** (*fig*) to create (quite) a stir. **2.** (*fig: Mode*) craze. **die Neue ~** (*Film*) the nouvelle vague; (*Mus*) the New Wave. **3.** (*Tech*) shaft. **4.** (*Sport*) circle.

wellen I *vt Haar* to wave; *Blech* to corrugate. **II** *vr* to be/become wavy. **gewelltes Haar** wavy hair.

wellenartig *adj* wave-like; *Linie* wavy; **Wellenbad** *nt swimming-pool with artificially induced waves*; **Wellenbereich** *m* (*Phys, Telec*) frequency range; (*Rad*) waveband; **Wellenbrecher** *m* breakwater, groyne; **wellenförmig I** *adj* wave-like; *Linie* wavy; **II** *adv* in the form of waves; **Wellengang** *m, no pl* waves *pl*, swell; **starker ~** heavy sea(s) *or* swell; **leichter ~** light swell; **Wellenkamm** *m* crest (of a wave); **Wellenlänge** *f* (*Phys, Telec*) wavelength; **sich auf jds ~** (*acc*) **einstellen** (*inf*) to get on sb's wavelength (*inf*); **auf der gleichen ~ sein** *or* **liegen, die gleiche ~ haben** (*inf*) to be on the same wavelength (*inf*); **Wellenlinie** *f* wavy line; **Wellenreiten** *nt* (*Sport*) surfing; **Wellensalat** *m* (*Rad inf*) jumble of frequencies; **Wellenschlag** *m* breaking of the waves; (*sanft auch*) lapping of the waves; (*heftig auch*) pounding of the waves; **Wellenschliff** *m* (*am Messer*) serrated edge; **Wellensittich** *m* budgerigar, budgie (*inf*).

Wellfleisch *nt* boiled pork; **Wellhornschnecke** *f* whelk.

wellig *adj Haar* wavy; *Oberfläche, Fahrbahn* uneven; *Hügelland* rolling, undulating.

Wellpappe *f* corrugated cardboard.

Welpe *m* **-n, -n** pup, whelp; (*von Wolf, Fuchs*) cub, whelp.

Wels *m* **-es, -e** catfish.

welsch *adj* **1.** (*old*) Latin, Southern European; (*~sprachig*) Romance-speaking. **2.** (*Sw*) (Swiss-)French. **die ~e Schweiz** French Switzerland.

Welschland *nt* (*Sw*) French Switzerland; **Welschschweizer(in** *f*) *m* (*Sw*) French Swiss; **welschschweizerisch** *adj* (*Sw*) Swiss-French.

Welt *f* **-, -en** (*lit, fig*) world. **die ~ im Kleinen/Großen** the microcosm/macrocosm; **die (große) weite ~** the big wide world; **die ~ von heute/morgen** the world of today/tomorrow, today's/tomorrow's world; **die ~ des Theaters/Kindes** the world of the theatre/child, the theatre/child's world; **die Alte/Neue/Freie/Dritte ~** the Old/New/Free/Third World; **die große** *or* **vornehme ~** high society; **alle ~, Gott und die ~** everybody, the whole world, the world and his wife (*hum*); **eine ~ brach für ihn zusammen** his whole world collapsed about him *or* his ears, the bottom fell out of his world; **das ist doch nicht die ~** it isn't as important as all that; **davon** *or* **deswegen geht die ~ nicht unter** (*inf*) it isn't the end of the world; **das kostet doch nicht die ~** it won't cost the earth; **uns/sie trennen ~en, zwischen uns/ihnen liegen ~en** (*fig*) we/they are worlds apart; **auf der ~** in the world; **aus aller ~** from all over the world; **aus der ~ schaffen** to eliminate; **in aller ~** all over the world; **in alle ~ zerstreut** scattered all over the world *or* globe; **warum/wer in aller ~ ...?** why/who on earth *or* in the world ...?; **so geht es nun mal in der ~** that's the way of the world, that's the way things go; **in einer anderen ~ leben** to live in a different world; **in seiner eigenen ~ leben** to live in a world of one's own; **um nichts in der ~, nicht um alles in der ~** not for love (n)or money, not at any price, not for all the tea in China (*inf*); **ein Kind in die ~ setzen** to bring a child into the world; **ein Gerücht in die ~ setzen** to put about *or* spread a rumour; **ein Mann/eine Dame von ~** a man/woman of the world; **vor aller ~** publicly, in front of everybody, openly; **zur ~ bringen** to give birth to, to bring into the world; **auf die** *or* **zur ~ kommen** to come into the world, to be born.

Welt- *in cpds* world; **weltabgewandt** *adj* withdrawn; **Weltall** *nt, no pl* universe, cosmos; **Weltalter** *nt* age, epoch; **weltanschaulich** *adj* ideological; **Weltan-**

schauung f philosophy of life; (*Philos, Pol*) world view, weltanschauung; **Weltausstellung** f world exhibition, world's fair; **Weltbank** f World Bank; **weltbekannt** adj world-famous; **weltberühmt** adj world-famous; *Schriftsteller, Künstler auch* world-renowned; **Weltbeste(r)** mf world's best; **weltbeste(r, s)** adj attr world's best; **Weltbestleistung** f world's best performance, world best (*inf*); **Weltbevölkerung** f world population; **weltbewegend** adj world-shattering; **Weltbild** nt conception of the world; (*jds Ansichten*) philosophy, view of life; **Weltblatt** nt (*Press*) international (news)paper; **Weltbrand** m global conflagration; **Weltbürger(in** f**)** m citizen of the world, cosmopolitan.

Weltenbummler(in f**)** m globetrotter; **Weltenraum** m (*liter*) space.

Weltergewicht nt (*Boxen*) welterweight.

welterschütternd adj world-shattering; **weltfern** adj unrealistic, naïve; **Weltflucht** f flight from reality, escapism; **weltfremd** adj unworldly; **Weltfremdheit** f unworldliness; **Weltfriede(n)** m world peace; **Weltgeist** m (*Philos*) world spirit; **Weltgeistliche(r)** m secular priest; **Weltgeltung** f international standing, world-wide recognition; **Weltgericht** nt Last Judgement; **Weltgerichtshof** m International Court; **Weltgeschichte** f world history; **in der ~ herumfahren** (*inf*) to travel around all over the place; **weltgeschichtlich** adj **ein ~es Ereignis** an important event in the history of the world; **von ~er Bedeutung** of great significance in world history; **aus ~er Sicht** looked at from the point of view of world history; **Weltgesundheitsorganisation** f World Health Organization; **weltgewandt** adj sophisticated, well-versed in the ways of the world; **Weltgewandtheit** f sophistication, experience in the ways of the world; **Welthandel** m world trade; **Weltherrschaft** f world domination; **Welthilfssprache** f international auxiliary language; **Weltkarte** f map of the world; **Weltkirchenrat** m World Council of Churches; **Weltklasse** f **ein Hochspringer der ~** a world-class high-jumper; **~ sein** to be world-class; (*inf*) to be great (*inf*) or fantastic (*inf*); **Weltkrieg** m world war; **der erste** or **Erste** (*abbr* I.)/ **zweite** or **Zweite** (*abbr* II.) **~** World War One/Two (*abbr* I/II), the First/Second World War; **Weltkugel** f globe; **Weltlauf** m way of the world; **weltläufig** adj cosmopolitan; **weltlich** adj worldly, mundane; (*nicht kirchlich, geistlich*) secular; *Macht* temporal; **Weltliteratur** f world literature; **Weltmacht** f world power; **Weltmann** m, pl **-männer** man of the world; **weltmännisch** adj urbane, sophisticated; **Weltmarke** f name known all over the world; **Weltmarkt** m world market; **Weltmarktpreis** m world (market) price; **Weltmeer** nt ocean; **die**

sieben ~e the seven seas; **Weltmeister(in** f**)** m world or world's (*US*) champion; **England/die englische Mannschaft ist ~** England/the English team are (the) world or world's (*US*) champions; **Weltmeisterschaft** f world or world's (*US*) championship; (*Ftbl*) World Cup; **weltoffen** adj liberal-minded, cosmopolitan; **Weltoffenheit** f cosmopolitan attitudes pl; **Weltöffentlichkeit** f general public; **was meint die ~ dazu?** what is world opinion on this?, what does the world think about this?; **etw der ~ zugänglich machen** to make sth accessible to the world at large; **Weltordnung** f world order; **Weltpolitik** f world politics pl; **weltpolitisch** adj **eine/die ~e Entwicklung** a development in/the development of world politics; **von ~er Bedeutung** of importance in world politics; **~ gesehen, aus ~er Sicht** seen from the standpoint of world politics; **Weltrang** m **von ~** world-famous; **~ genießen** to have world status; **Weltrangliste** f world rankings pl.

Weltraum m (outer) space. **Weltraum-** in cpds space; **Weltraumabwehr** f space defence; **Weltraumbehörde** f space agency; **Weltraumfahrer(in** f**)** m space traveller; **Weltraumfahrt** f space travel; **Weltraumfahrzeug** nt spacecraft, spaceship; **Weltraumforschung** f space research; **weltraumgestützt** adj space-based; **Weltraumlabor** nt space laboratory; **Weltraumrüstung** f space weaponry; **Weltraumstation** f space station; **Weltraumwaffe** f space weapon.

Weltreich nt empire; **Weltreise** f world tour, journey round the world; **eine ~ machen** to go round the world; **Weltreisende(r)** mf globetrotter; **Weltrekord** m world or world's (*US*) record; **Weltrekordinhaber(in** f**)**, **Weltrekordler(in** f**)** m **-s**, - world or world's (*US*) record holder; **Weltreligion** f world religion; **Weltrevolution** f world revolution; **Weltruf** m world(-wide) reputation; **~ haben** to have a world(-wide) reputation; **Weltruhm** m world fame; **Weltschmerz** m world-weariness, weltschmerz (*liter*); **Weltsicherheitsrat** m (*Pol*) (United Nations) Security Council; **Weltsprache** f world language; **Weltstadt** f international or cosmopolitan city, metropolis; **weltstädtisch** adj cosmopolitan; **Weltumrundung** f (*Space*) orbit of the earth; (*Naut*) circumnavigation of the earth; **Weltumsegler(in** f**)** m **-s**, - circumnavigator (of the globe); (*Sport*) round-the-world yachtsman/-woman; **weltumspannend** adj world-wide, global; **Weltuntergang** m (*lit, fig*) end of the world; **Weltuntergangsstimmung** f apocalyptic mood; **Weltverbesserer** m starry-eyed idealist; **weltweit** adj world-wide, global; **Weltwirtschaft** f world economy; **Weltwirtschaftskrise** f world economic crisis; **Weltwunder** nt **die sieben ~** the Seven Wonders of the

World; **er starrte mich an wie ein ~** (*fig*) he stared at me as if I were from another planet *or* as if I were some kind of freak; **Weltzeituhr** *f* world clock.

wem *dat of* **wer I** *interrog pron* who ... to, to whom. **mit/von ~ ...** who ... with/ from, with/from whom; **~ von euch soll ich den Schlüssel geben?** which (one) of you should I give the key to?, to which (one) of you should I give the key?

II *rel pron* (*derjenige, dem*) the person (who ...) to, the person to whom ...; (*jeder, dem*) anyone to whom ..., anyone ... to. **~ ... auch (immer)** whoever ... to, no matter who ... to.

III *indef pron* (*inf: jemandem*) to/for somebody; (*mit prep, bestimmten Verben*) somebody; (*in Fragen, konditionalen Sätzen auch*) (to/for) anybody.

Wemfall *m* dative (case).

wen *acc of* **wer I** *interrog pron* who, whom. **an ~ hast du geschrieben?** who did you write to?, to whom did you write?; **~ von den Schülern kennst du?** which (one) of these pupils do you know?

II *rel pron* (*derjenige, den*) the person (who *or* whom); (*jeder, den*) anybody (who *or* whom). **~ ... auch immer** whoever ...

III *indef pron* (*inf: jemanden*) (*inf*) somebody; (*in Fragen, konditionalen Sätzen auch*) anybody.

Wende *f* -, -n turn; (*Veränderung*) change; (*~punkt*) turning point; (*Turnen: am Pferd*) face *or* front vault. **die ~ vom 19. zum 20. Jahrhundert** the transition from the 19th to the 20th century.

Wendefläche *f* (*Mot*) turning area; **Wendehals** *m* (*Orn*) wryneck; (*fig inf*) turncoat (*pej*); **er ist einer der Wendehälse** he's one of those who have done a (complete) U-turn; **Wendejacke** *f* reversible jacket.

Wendekreis *m* **1.** tropic. **der nördliche ~** (*Geog*), **der ~ des Krebses** (*Astrol*) the Tropic of Cancer; **der südliche ~** (*Geog*). **2.** (*Aut*) turning circle.

Wendel *f* -, -n spiral, helix; (*in Glühbirne*) filament.

Wendeltreppe *f* spiral staircase.

Wendemantel *m* reversible coat; **Wendemarke** *f* (*Sport*) turning mark.

wenden *pret* **wendete** *or* (*liter*) **wandte**, *ptp* **gewendet** *or* (*liter*) **gewandt I** *vt* **1.** to turn (*auch Sew*); (*auf die andere Seite*) to turn (over); (*in die entgegengesetzte Richtung*) to turn (round); (*Cook*) to toss. **bitte ~!** please turn over; **seinen Schritt gen Süden ~** (*liter*) to turn *or* bend one's steps southwards (*liter*); **sie wandte kein Auge von ihm** (*geh*) she did not take her eyes off him; **wie man es auch wendet ..., man kann die Sache or es drehen und ~, wie man will ...** (*fig*) whichever way you (care to) look at it ...

2. (*aufbringen*) **Geld/Zeit an etw** (*acc*) **~** (*geh*) to spend money/time on sth; **viel Mühe/Sorgfalt an etw** (*acc*) **~** (*geh*) to devote a lot of effort/care to sth.

II *vr* **1.** to turn (round); (*Wetter,*

Glück) to change, to turn. **sich nach links/zum Gehen/zur Tür ~** to turn to the left/to go/to the door; **sich ins Gegenteil ~** to become the opposite; **seine Liebe/Freude wendete sich ins Gegenteil** his love/joy turned to hate/despair; **sich von jdm ~** (*esp Bibl*) to turn from sb (*liter*); **sich zum Guten** *or* **Besseren/ Schlimmeren ~** to take a turn for the better/worse; **sich zum besten ~** to turn out for the best.

2. sich an jdn ~ (*um Auskunft*) to consult sb; (*um Hilfe*) to turn to sb; (*Buch, Fernsehserie*) to be directed at sb, to be (intended) for sb; **sich gegen jdn/etw ~** to come out against sb/sth, to oppose sb/sth.

III *vi* to turn (*auch Sport*); (*umkehren*) to turn round. **„~ verboten"** "no U-turns".

Wendeplatz *m* turning area *or* place; **Wendepunkt** *m* turning point; (*Geometry*) point of inflection.

wendig *adj* agile, nimble; *Auto* manoeuvrable; (*fig*) *Mensch* agile.

Wendigkeit *f* *siehe adj* agility, nimbleness; manoeuvrability; agility.

Wendung *f* **1.** turn (*auch Mil*); (*Veränderung*) change. **eine interessante/unerwartete ~ nehmen** (*fig*) to take an interesting/unexpected turn; **eine ~ zum Besseren** *or* **Guten/Schlechten nehmen** to take a turn for the better/worse, to change for the better/worse; **einer Sache** (*dat*) **eine unerwartete/neue ~ geben** to give sth an unexpected/new turn; **eine interessante ~ trat ein** there was an interesting turn of events.

2. (*Rede~*) expression, phrase.

Wenfall *m* accusative (case).

wenig *siehe auch* **weniger, wenigste(r, s) I** *adj, indef pron* **1.** *sing* little; (*unverändert alleinstehend*) not much. **ich habe ~** I have only a little; **(nur) ~ Geld** (only a) little money; **ich besitze nur ~** I only own a few things, I don't own much, I own little; **hast du Zeit? — ~!** have you got time? — not much; **das ist ~ that** isn't much; **so ~** so little; **du sagst so ~** you're not saying much; **darüber weiß ich ~** I don't know much about that, I know little about that; **mein ~es Geld** what little money I have; **das ~e Geld muß ausreichen** we'll have to make do with this small amount of money; **um ein ~es jünger (als)** (*geh*) a little younger (than); **es fehlte (nur) ~, und er wäre überfahren worden** he was very nearly run over; **wir haben nicht ~ Mühe damit gehabt** we had more than a little *or* no little difficulty with that; **er gibt sich mit ~(em) zufrieden** (*verlangt nicht viel*) he is satisfied with a little.

2. **~e** *pl* (*ein paar*) a few; (*einschränkend: nicht viele*) few; **da wir nur ~e sind** as there are only a few of us, as we are only a few; **er ist ein Freund, wie es nur ~e gibt** there are few friends like him; **in ~en Tagen** in (just) a few days; **es sind nur noch ~e Stunden, bis ...** there are only a few hours to go until ...; **einige ~e Leute** a few people.

3. (*auch adv*) **ein** ~ a little; **ein** ~ **Salz/besser** a little salt/better.

II *adv* little. **sie kommt (nur)** ~ **raus** she doesn't get out very often; **das überraschte ihn nicht** ~ he was more than a little surprised; ~ **besser** little better; ~ **bekannt** little-known *attr*, little known *pred*; ~ **mehr** little more, not much more; ~ **erfreulich** not very pleasant.

weniger *comp of* **wenig I** *adj, indef pron* less; *pl* fewer. ~ **werden** to get less and less; **mein Geld wird immer** ~ my money is dwindling away; ~ **wäre mehr gewesen** it's quality not quantity that counts.

II *adv* less. **die Vorlesung war** ~ **lehrreich als belustigend** the lecture was not so much instructive as amusing; **das finde ich** ~ **schön!** that's not so nice!; **ich kann seinen Brief kaum lesen, noch viel** ~ **verstehen** I can hardly read his letter much less understand it; **je mehr … desto** *or* **um so** ~ **…** the more … the less …; **ich glaube ihm um so** ~**, weil …** I believe him all the less because …

III *conj, prep* +*acc or gen* less. **sieben** ~ **drei ist vier** seven less three is four.

Wenigkeit *f* (*dated: Kleinigkeit*) little, small amount. **meine** ~ (*hum inf*) yours truly (*inf*); **und meine** ~ **hat er vergessen** and he forgot little me (*hum inf*).

wenigstens *adv* at least.

wenigste(r, s) *superl of* **wenig** *adj, indef pron, adv* **am** ~**n** least; *pl* fewest. **er hat von uns allen das** ~ *or* **am** ~**n Geld** he has the least money of any of us; **sie hat von uns allen die** ~**n** *or* **am** ~**n Sorgen** she has the fewest worries of any of us; **das konnte er am** ~**n vertragen** he could tolerate that least of all; **die** ~**n (Leute) glauben das** very few (people) believe that; **das ist (doch) das** ~**, was du tun könntest** that's the (very) least you could do; **das ist noch das** ~**!** (*inf*) that's the least of it!; **das am** ~**n!** that least of all!

wenn *conj* **1.** (*konditional, konzessiv bei Wünschen*) if. ~ **er nicht gewesen wäre, hätte ich meine Stelle verloren** if it had not been *or* had it not been for him, I'd have lost my job; **selbst** *or* **und** ~ even if; ~ **… auch …** even though *or* if …; ~ **… gleich …** (*geh*) although …, even though …; ~ **er auch noch so dumm sein mag, …** however stupid he may be, …; ~ **auch!** (*inf*) even so!, all the same!; ~ **schon!** (*inf*) what of it?, so what? (*inf*); ~ **es denn gar nicht anders geht** well, if there's no other way; ~ **es schon sein muß** well, if that's the way it's got to be; **es ist nicht gut,** ~ **man mit vollem Magen schwimmt** it's not good to swim on a full stomach; ~ **man bedenkt, daß …** when you consider that …, considering …; ~ **wir erst die neue Wohnung haben** once we get the new flat; ~ **ich doch** *or* **nur** *or* **bloß …** if only I …; ~ **er nur da wäre!** if only he were *or* was here!; **es ist, als** *or* **wie** (*inf*) ~ **…** it's as if …; **außer** ~ except if, unless; ~ **du das schon machen willst, (dann) mache es wenigstens richtig** if you want to do it at least do it properly.

2. (*zeitlich*) when. **jedesmal** *or* **immer** ~ whenever; **außer** ~ except when, unless.

Wenn *nt*: **ohne** ~ **und Aber** without any ifs and buts.

wenngleich *conj* (*geh*) although, even though; (*mit adj auch*) albeit (*form*).

wennschon *adv* (*inf*) **(na,)** ~**!** what of it?, so what? (*inf*); ~**, dennschon!** in for a penny, in for a pound!, if you're going to do something at all, you might as well do it properly!

wer I *interrog pron* who. ~ **von …** which (one) of …; ~ **da?** (*Mil*) who goes there?

II *rel pron* (*derjenige, der*) the person who; (*jeder, der*) anyone *or* anybody who; (*esp in Sprichwörtern*) he who. ~ **… auch (immer)** whoever …

III *indef pron* (*inf: jemand*) somebody, someone; (*in Fragen, konditionalen Sätzen auch*) anybody, anyone. **ist da** ~**?** is somebody *or* anybody there?; ~ **sein** to be somebody (*inf*).

Werbe- *in cpds* advertising; **Werbeabteilung** *f* publicity department; **Werbeagentur** *f* advertising agency; **Werbeaktion** *f* advertising campaign; **Werbeantwort** *f* business reply card; **Werbefachfrau** *f*, **Werbefachmann** *m* advertising woman/man; **Werbefeldzug** *m* advertising campaign; **Werbefernsehen** *nt* commercial television; (*Sendung*) TV advertisements *pl or* commercials *pl*; **Werbefilm** *m* advertising *or* promotional film; (*Spot*) (filmed) commercial; **Werbefritze** *m* (*pej inf*) PR man; **Werbefunk** *m* (programme of) radio commercials *pl*; **Werbegag** *m* publicity stunt *or* gimmick; **Werbegemeinschaft** *f* joint advertising arrangement; **Werbegeschenk** *nt* gift (*from company*); (*zu Gekauftem*) free gift; **Werbegrafiker(in** *f*) *m* commercial artist; **Werbekampagne** *f* publicity campaign; (*für Verbrauchsgüter*) advertising campaign; **werbekräftig** *adj Aufmachung* catchy; **ein** ~**er Slogan** an effective publicity slogan; **Werbeleiter(in** *f*) *m* advertising *or* publicity manager, head of advertising *or* promotions; **Werbematerial** *nt* advertising material; **Werbemittel** *nt* means of advertising.

werben *pret* **warb**, *ptp* **geworben I** *vt Mitglieder, Mitarbeiter* to recruit; *Kunden, Abonnenten, Stimmen* to attract, to win; *Soldaten* to recruit, to enlist.

II *vi* to advertise. **für etw** ~ to advertise sth, to promote sth; **für eine Partei** ~ to try to get support for a party; **um Unterstützung** ~ to try to enlist support; **um junge Wähler/neue Leser** ~ to try to attract *or* woo young voters/new readers; **um ein Mädchen** ~ (*dated*) to court *or* woo (*old*) a girl.

Werber *m* **-s,** - (*um Kunden, Wähler*) canvasser; (*um Mädchen*) suitor; (*für Mitglieder, Mil Hist*) recruiter, recruiting officer; (*inf: Werbefachmann*) advertising man, adman (*inf*).

Werberin *f* (*um Kunden, Wähler*)

canvasser; (*für Mitglieder*) recruiter; (*inf: Werbefachfrau*) adwoman.

werberisch I *adj* advertising *attr*, promotional. **II** *adv* publicity-wise.

Werbeschrift *f* publicity leaflet; (*für Verbrauchsgüter*) advertising leaflet; **Werbeslogan** *m* publicity slogan; (*für Verbrauchsgüter*) advertising slogan; **Werbespot** *m* commercial; **Werbetext** *m* advertising copy *no pl*; **~e verfassen** to write (advertising) copy; **Werbetexter(in** *f*) *m* (advertising) copywriter; **Werbetrommel** *f*: **die ~ (für etw) rühren** (*inf*) to beat the big drum (for sth) (*inf*), to push sth (*inf*); **werbewirksam** *adj* effective (for advertising purposes); **der Skandal erwies sich als äußerst ~** the scandal proved to be excellent publicity *or* to have excellent publicity value; **Werbewirksamkeit** *f* publicity value.

werblich *adj* advertising *attr*, promotional. **~ gesehen** from an advertising point of view.

Werbung *f* (*esp Comm*) advertising; (*Werbeabteilung*) publicity department; (*Pol: Propaganda*) pre-election publicity; (*von Kunden, Stimmen*) winning, attracting; (*von Mitgliedern*) recruitment, recruiting; (*um Mädchen*) courting (*um* of). **~ für etw machen** to advertise sth.

Werbungskosten *pl* (*von Mensch*) professional outlay *sing or* expenses *pl*; (*von Firma*) business expenses *pl*.

Werdegang *m, no pl* development; (*beruflich*) career.

werden *pret* **wurde**, *ptp* **geworden** *aux* sein **I** *v aux* **1.** (*zur Bildung des Futurs und Konjunktivs*) **ich werde/wir ~ es tun** I/we will *or* shall do it, I'll/we'll do it; **er wird/du wirst/ihr werdet es tun** he/you will do it, he'll/you'll do it; **ich werde das nicht tun** I shall not *or* shan't *or* will not *or* won't do that; **er wird das nicht tun** he will not *or* won't do that; **du wirst heute schön zu Hause bleiben!** you'll *or* you will stay at home today!; **es wird gleich regnen** it's going to rain; **wer wird denn gleich weinen!** you're not going to cry now, are you?; **wer wird denn gleich!** (*inf*) come on, now!; **er hat gesagt, er werde/würde kommen** he said he would *or* he'd come; **das würde ich gerne tun** I would *or* I'd gladly do that.

2. (*Ausdruck der Vermutung*) **sie wird wohl in der Küche sein** she will *or* she'll probably be in the kitchen; **er wird (wohl) ausgegangen sein** he will *or* he'll (probably) have gone out; **das wird etwa 20 Mark kosten** it will cost roughly 20 marks.

3. (*zur Bildung des Passivs*) *pret auch* **ward** (*old, liter*), *ptp* **worden geschlagen ~** to be beaten; **er ist erschossen worden** he was shot/he has been shot; **das Haus wird (gerade) renoviert** the house is being redecorated (just now); **es wurde gesungen** there was singing; **hier wird nicht geraucht!** there's no smoking here!; **in England wird links gefahren** in England people drive on the left; **mir wurde gesagt, daß ...** I was told

II *vi pret auch* **ward** (*old, liter*), *ptp* **geworden 1.** (*mit adj*) to become, to get; (*allmählich*) to grow. **verrückt/blind ~** to go crazy/blind; **rot/sauer/blaß/kalt ~** to turn *or* go red/sour/pale/cold; **es wird kalt/dunkel/spät** it's getting cold/dark/late; **mir wird kalt/warm** I'm getting cold/warm; **mir wird schlecht/wohl/besser** I feel bad/good/better; **anders ~** to change; **die Fotos sind gut geworden** the photos have turned *or* come out nicely; **es wird schon wieder (gut) ~** it'll turn out all right.

2. (*mit Gleichsetzungsnominativen, Pronomen*) to become; (*sich verwandeln in auch*) to turn into; (*sein werden*) to be going to be. **Lehrer ~** to become a teacher; **was willst du einmal ~?** what do you want to be when you grow up?; **ich will Lehrer ~** I want to be *or* become a teacher; **Erster ~** to come *or* be first; **er ist nichts (Rechtes)/etwas geworden** he hasn't got anywhere/he's got somewhere in life, he hasn't made anything/he has made something of himself; **das ist nichts geworden** it came to nothing; **das wird bestimmt ein guter Eintopf** the stew is going to turn out nicely; **was soll das ~?** — **das wird ein Pullover** what's that going to be? — it's going to be a pullover; **es wird sicher ein Junge (~)** it's bound to be a boy; **... es werde Licht! und es ward Licht** (*Bibl*) ... let there be light, and there was light.

3. (*mit Zeitangaben*) **es wird Zeit, daß er kommt** it's time (that) he came *or* (that) he was coming; **es wird Nacht** it's getting dark, night is falling; **es wird Tag** it's getting light, day is dawning; **es wird Winter** winter is coming; **es wurde 10 Uhr, und ...** 10 o'clock came, and ...; **es wird jetzt 13 Uhr** in a moment it will be 1 o'clock; **er wird am 8. Mai 36** he is *or* will be 36 on the 8th of May; **er ist gerade 40 geworden** he has just turned 40.

4. (*mit prep*) **was ist aus ihr geworden?** what has become of her?; **aus ihr ist eine große Schriftstellerin geworden** she has become a great writer; **aus ihm ist nichts (Rechtes)/etwas geworden** he hasn't got anywhere/has got somewhere in life; **daraus wird nichts** that won't come to anything, nothing will come of that; **was wird daraus (~)?** what will come of it?; **zu etw ~** to turn into sth, to become sth; **zu Staub ~** to turn to dust.

5. (*andere Wendungen*) **was nicht ist, kann noch ~** (*Prov inf*) every *etc* day will come; **was soll nun ~?** so what's going to happen now?, so what do we do now?; **es wird schon ~** (*inf*) it'll come out okay (*inf*) *or* all right in the end, everything'll turn out okay (*inf*) *or* all right; **es will einfach nicht ~** (*inf*) it's simply not working; **er wird mal wie sein Vater** he's going to be like his father; **wie sind die Fotos geworden?** how did the photos turn *or* come out?

Werden *nt* **-s**, *no pl* **1.** (*Entstehung*) development. **im ~ sein** to be in the making; **die lebenden Sprachen sind immer**

im ~ **begriffen** living languages are in a state of continual development. **2.** (*Philos*) Becoming.

werdend *adj* nascent, emergent. **~e Mutter** expectant mother, mother-to-be.

Werfall *m* nominative (case).

werfen *pret* **warf**, *ptp* **geworfen I** *vt* **1.** to throw (*auch beim Ringkampf*) (*nach* at), to cast (*liter, Bibl*); *Tor, Korb* to score. **Bomben** ~ (*von Flugzeug*) to drop bombs; **eine Münze** ~ to toss a coin; „**nicht** ~'' "handle with care"; **Bilder an die Wand** ~ to project pictures onto the wall; **etw auf jdn/etw** ~ to throw sth at sb/sth; **etw auf den Boden/das Dach** ~ to throw sth to the ground, to throw sth on(to) the ground/roof; **die Sonne warf ihre Strahlen auf den See** the sun cast its rays on the lake; **die Tischlampe wirft ihr Licht auf ...** the table-lamp throws its light on ...; **die Laterne wirft ein helles Licht** the lantern gives off a bright light; **billige Waren auf den Markt** ~ to dump cheap goods on the market; **jdn aus der Firma/dem Haus** ~ to throw or kick sb out (of the firm/house); **jdn ins Gefängnis** ~ to throw sb into prison; **etw in den Briefkasten** ~ to put sth in the letter box; **etw ins Gespräch/in die Debatte** ~ to throw sth into the conversation/debate; **etw aufs Papier** ~ (*geh*) to jot sth down.
2. (*Junge kriegen*) to have, to throw (*spec*).

II *vi* **1.** **mit etw (auf jdn/etw)** ~ to throw sth (at sb/sth); **mit Geld um sich** ~ (*inf*) to throw or chuck (*inf*) one's money about; **mit Komplimenten um sich** ~ to be free and easy or be lavish with one's compliments; **mit Fremdwörtern um sich** ~ to bandy foreign words about.
2. (*Tier*) to have its young; (*Katze, Hund auch*) to have a litter, to litter; (*bei einzelnen Jungen*) to have a pup *etc*.

III *vr* to throw oneself (*auf +acc* (up)on, at); (*Holz*) to warp; (*Metall, Asphalt*) to buckle. **sich auf eine Aufgabe** ~ to throw oneself into a task.

Werfer(in *f*) *m* -s, - thrower; (*Cricket*) bowler; (*Baseball*) pitcher.

Werft *f* -, -en shipyard; (*für Flugzeuge*) hangar.

Werft|arbeiter *m* shipyard worker.

Werg *nt* -(e)s, *no pl* tow.

Werk *nt* -(e)s, -e **1.** (*Arbeit, Tätigkeit*) work *no indef art*; (*geh: Tat*) deed, act; (*Schöpfung, Kunst~, Buch*) work; (*Gesamt~*) works *pl*. **ein** ~ **wie das verdient unsere Förderung** work such as that deserves our support; **das ist sein** ~ this is his doing; **das** ~ **vieler Jahrzehnte** the work of many decades; **das** ~ **jahrelanger Arbeit** the product of many years of work; **die** ~**e Gottes** the works of God; **gute** ~**e tun** to do good works; **ein gutes** ~ **(an jdm) tun** to do a good deed (for sb); **du tätest ein gutes** ~**, wenn ...** (*auch hum*) you'd be doing me/him *etc* a good turn if ..., you'd be doing your good deed for the day if ... (*hum*); **ein** ~ **der Nächstenliebe** an act of charity; **ans**

~ **gehen, sich ans** ~ **machen, zu** ~**e gehen** (*geh*) to set to or go to work; (*frisch*) **ans** ~**!** (*old, liter*) to work!; **am** ~ **sein** to be at work; **etw ins** ~ **setzen** (*geh*) to set sth in motion; **wir müssen vorsichtig zu** ~**e gehen** we must proceed cautiously.
2. (*Betrieb, Fabrik*) works *sing or pl*, factory, plant. **ab** ~ (*Comm*) ex works.

Werk- *in cpds* works, factory; *siehe auch* **Werk(s)-**; **Werkbank** *f* workbench.

werkeln *vi* (*dated inf*) to potter about or around.

werken I *vi* to work, to be busy; (*handwerklich*) to do handicrafts. **W~** (*Sch*) handicrafts. **II** *vt* to make.

werkgetreu *adj* true or faithful to the original; **Werkhalle** *f* factory building; **werkimmanent** *adj* (*Liter*) text-based; **etw** ~ **interpretieren** to make a text-based interpretation of sth; **Werklehrer(in** *f*) *m* woodwork/metalwork *etc* teacher, handicrafts teacher; **Werkleute** *pl* (*old, liter*) craftsmen *pl*, artisans *pl*; **Werkmeister(in** *f*) *m* foreman/-woman; **Werkschutz** *m* works or factory security service.

werkseigen *adj* company *attr*; ~ **sein** to be company-owned, to belong to the company; **Werksgelände** *nt* works or factory premises *pl*; **Werkskantine** *f* works or factory canteen; **Werksleiter(in** *f*) *m* works or factory director or manager; **Werksleitung** *f* works or factory management; **Werksschließung** *f* plant closure; **Werksspionage** *f* industrial espionage.

Werkstatt, Werkstätte *f* workshop (*auch fig*); (*für Autoreparaturen*) garage; (*von Künstler*) studio.

Werkstattwagen *m* breakdown truck, wrecker (*US*).

Werkstoff *m* material.

Werkstoffprüfer(in *f*) *m* materials tester; **Werkstoffprüfung** *f* materials testing.

Werkstück *nt* (*Tech*) workpiece; **Werkstudent(in** *f*) *m* working student; ~ **sein** to work one's way through college.

Werk(s)verkehr *m* company transport; **Werk(s)wohnung** *f* company flat (*Brit*) or apartment.

Werktag *m* working day, workday.

werktäglich I *adj attr Kleidung* workaday. ~**e Öffnung** opening on workdays or working days. **II** *adv* (*werktags*) on workdays or working days.

werktags *adv* on workdays or working days.

werktätig *adj* working.

Werktätige(r) *mf decl as adj* working man/woman. **die** ~**n** the working people *pl*.

Werktisch *m* work-table; **Werktreue** *f* faithfulness to the original; **Werkunterricht** *m* handicraft lessons *pl*, woodwork/metalwork *etc* instruction.

Werkzeug *nt* (*lit, fig*) tool.

Werkzeugkasten *m* toolbox; **Werkzeugmacher(in** *f*) *m* toolmaker; **Werkzeugmaschine** *f* machine tool; **Werkzeugstahl** *m* (*Tech*) tool steel.

Wermut *m* -(e)s, *no pl* **1.** (*Bot*) wormwood. **ein Tropfen** ~ (*fig geh*) a drop of bitterness. 2. (~*wein*) vermouth.

Wermutbruder (*inf*), **Wermutpenner** (*sl*) *m* wino (*sl*).

Wermutstropfen *m* (*fig geh*) drop of bitterness.

wert *adj* 1. (*old, form: Anrede*) dear. **Ihr ~es Schreiben** (*form*) your esteemed letter (*form*); **wie war doch gleich Ihr ~er Name?** (*form*) what was the name, sir/madam?

2. **etw ~ sein** to be worth sth; **nichts ~ sein** to be worthless *or* worth nothing; (*untauglich*) to be no good; **sie war ihm offenbar nicht viel ~** she obviously didn't mean all that much to him; **er ist £ 100.000 ~** (*Press sl*) he is worth £100,000; **Glasgow ist eine Reise ~** Glasgow is worth a visit; **einer Sache** (*gen*) **~ sein** (*geh*) to be worthy of sth; **es ist der Mühe ~** it's worth the trouble *or* it; **es ist nicht der Rede ~** it's not worth mentioning; **er ist es nicht ~, daß man ihm vertraut** he doesn't deserve to be trusted; **er ist (es) nicht ~, daß wir ihn unterstützen** he is not worthy of *or* he does not deserve our support.

3. (*nützlich*) useful. **ein Auto ist viel ~** a car is very useful; **das ist schon viel ~** (*erfreulich*) that's very encouraging.

Wert *m* -(e)s, -e value; (*esp menschlicher*) worth; (*von Banknoten, Briefmarken*) denomination; (*~sache*) article of value, valuable object. **~e** *pl* (*von Test, Analyse*) results *pl*; **einen ~ von DM 5 haben** to be worth DM 5, to have a value of DM 5; **im ~e von** to the value of, worth; **an ~ verlieren/zunehmen, im ~ sinken/steigen** to decrease/increase in value, to depreciate/appreciate (*esp Econ*); **eine Sache unter/über (ihrem wirklichen) ~ verkaufen** to sell sth for less/more than its true value; **~ auf etw** (*acc*) **legen** (*fig*) to set great store by sth, to attach importance to sth; **ich lege ~ darauf, festzustellen, daß ...** I think it important to establish that ...; **das hat keinen ~** (*inf*) there's no point.

Wertangabe *f* declaration of value; **Wertarbeit** *f* craftsmanship, workmanship; **Wertberichtigung** *f* (*Comm*) valuation adjustment; **wertbeständig** *adj* stable in value; **Wertbeständigkeit** *f* stability of value; **Wertbrief** *m* registered letter (*containing sth of value*).

Wertebewußtsein *nt* sense of right and wrong.

werten *vti* (*einstufen*) to rate (*als* as); *Klassenarbeit* to grade; (*beurteilen*) to judge (*als* to be); (*Sport*) (*als gültig ~*) to allow; (*Punkte geben*) to give a score. **ein Tor nicht ~** (*Ftbl*) to disallow a goal; **ohne (es) ~ zu wollen ...** without wanting to make any judgement (on it) ...

Wertesystem *nt* system of values; **Wertewandel** *m* change in values.

wertfrei *adj* unbias(s)ed, without prejudice. **etw völlig ~ beurteilen** to give a completely unbias(s)ed assessment of sth.

Wertgegenstand *m* object of value. **~e** *pl* valuables *pl*.

Wertigkeit *f* (*Chem, Ling*) valency.

Wertkarte *f* (*Aus Telec*) phonecard; **Wertkartentelefon** *nt* (*Aus*) card telephone; **wertlos** *adj* worthless, valueless; **Wertlosigkeit** *f* worthlessness; **Wertmarke** *f* ticket; (*zum Aufkleben*) stamp; **Wertmaßstab** *m*, **Wertmesser** *m* -s, - standard, yardstick; **Wertminderung** *f* reduction in value; **wertneutral** *adj* non-normative, value-free; **Wertobjekt** *nt* siehe **Wertgegenstand**; **Wertordnung** *f* system of values; **Wertpaket** *nt* registered parcel (*containing sth of value*); **Wertpapier** *nt* security, bond; **Wertpapiere** *pl* stocks and shares *pl*; **Wertpapierbörse** *f* stock exchange; **Wertsache** *f* siehe **Wertgegenstand**; **wertschätzen** *vt sep* (*geh*) to (hold in high) esteem; **Wertschätzung** *f* (*geh*) esteem, high regard; **Wertsendung** *f* registered consignment; **Wertsetzung** *f* scale of values; (*das Festsetzen*) fixing of values; **Wertsteigerung** *f* increase in value; **Wertstellung** *f* (*Fin*) value; **Wertstoff** *m* recyclable material; **Wertstoffcontainer** *m* container for recyclable material; **Wertsystem** *nt* system of values, value system.

Wertung *f* 1. evaluation, assessment; (*von Jury*) judging, scoring; (*Punkte*) score. **aus der ~ fallen** to be disqualified. 2. (*das Werten*) siehe *vti* rating; grading; judging; allowing; scoring.

Werturteil *nt* value judgement.

wert|urteilsfrei *adj* free from value judgements; **Wert|urteilsfreiheit** *f* non-normativity.

wertvoll *adj* valuable; (*moralisch*) *Mensch* worthy, estimable.

Wertvorstellung *f* moral concept; **Wertzeichen** *nt* (*form*) postage stamp.

Werwolf *m* werewolf.

wes *pron* (*old*) **I** *gen of* **wer** whose. **II** *gen of* **was** of which.

Wesen *nt* -s, - 1. *no pl* nature; (*Wesentliches*) essence. **es liegt im ~ einer Sache ...** it's in the nature of a thing ...; **das gehört zum ~ der Demokratie** it is of the essence of democracy.

2. *no pl* **sein ~ treiben** (*geh*) (*Dieb*) to be at work; (*Schalk*) to be up to one's tricks; (*Gespenst*) to be abroad; **viel ~s machen** (**um** *or* **von**) to make a lot of fuss (about).

3. (*Geschöpf*) being; (*tierisches ~ auch*) creature; (*Mensch*) person, creature. **das höchste ~** the Supreme Being.

Wesensart *f* nature, character; **wesensfremd** *adj* (*im Wesen verschieden*) different *or* dissimilar in nature; **das Lügen ist ihm völlig ~** lying is completely foreign *or* alien to his nature; **wesensverwandt** *adj* related in character; **Wesensverwandtschaft** *f* relatedness of character; **Wesenszug** *m* characteristic, trait.

wesentlich I *adj* (*den Kern der Sache betreffend, sehr wichtig*) essential; (*grundlegend*) fundamental; (*erheblich*) substantial, considerable, appreciable;

(*wichtig*) important. **das W~e** the essential part *or* thing; (*von dem, was gesagt wurde*) the gist; **im ~en** in essence, basically, essentially; (*im großen*) in the main.
II *adv* (*grundlegend*) fundamentally; (*erheblich*) considerably. **es ist mir ~ lieber, wenn wir ...** I would much rather we ...; **sie hat sich nicht ~ verändert** she hasn't changed much.

weshalb I *interrog adv* why. **II** *rel adv* which is why, for which reason. **der Grund, ...** the reason why ...; **das ist es ja, ~ ...** that is why ...

Wesir *m* **-s, -e** vizi(e)r.

Wespe *f* **-, -n** wasp.

Wespennest *nt* wasp's nest; **in ein ~ stechen** (*fig*) to stir up a hornets' nest; **das war ein Stich ins ~** (*fig*) that stirred up a hornets' nest; **Wespenstich** *m* wasp sting; **Wespentaille** *f* (*fig*) wasp waist.

wessen *pron* **I** *gen of* **wer 1.** *interrog* whose.
  2. *rel, indef* **~ Handschrift das auch (immer) sein mag, ...** no matter whose handwriting it may be, ...
  II *gen of* **was** (*liter*) **1.** *interrog* **~ hat man dich angeklagt?** of what have you been accused?
  2. *rel, indef* **~ man dich auch (immer) anklagt, ...** whatever they *or* no matter what they accuse you of ...

wessentwillen *interrog adv* (*geh*): **um ~** for whose sake.

Wessi *m* **-s, -s** (*inf*) Westerner, West German.

West *m* **-s,** *no pl* **1.** (*Naut, Met, liter*) west; *siehe* **Nord. 2.** (*liter: ~wind*) west wind.

West- *in cpds* (*in Ländernamen*) (*politisch*) West; (*geographisch auch*) the West of ..., Western; **Westafrika** *nt* West Africa; **Westaustralien** *nt* Western Australia; **West-Berlin** *nt* West Berlin; **westdeutsch** *adj* (*Geog*) Western German.

Weste *f* **-, -n** waistcoat, vest (*US*). **eine reine** *or* **saubere** *or* **weiße ~ haben** (*fig*) to have a clean slate.

Westen *m* **-s,** *no pl* west; (*von Land*) West. **der ~** (*Pol*) the West; (*im Gegensatz zum Orient auch*) the Occident; **aus dem ~, von ~ (her)** from the west; **gegen** *or* **gen** (*liter*) *or* **nach ~** west(wards), to the west; **im ~ der Stadt** in the west of the town; **weiter im ~** further west; **im ~ Frankreichs** in the west of France, in Western France.

Westentasche *f* waistcoat *or* vest (*US*) pocket. **etw wie seine ~ kennen** (*inf*) to know sth like the back of one's hand (*inf*).

Westentaschenformat *nt* (*hum*) **ein X im ~** a miniature X.

Western *m* **-(s), -** western.

Westeuropa *nt* Western Europe; **westeuropäisch** *adj* West(ern) European; **~e Zeit** Greenwich Mean Time, Western European Time (*rare*); **die W~e Union** the Western European Union.

Westfale *m* **-n, -n** Westphalian.

Westfalen *nt* **-s** Westphalia.

Westfälin *f* Westphalian (woman).

westfälisch *adj* Westphalian. **der W~e Friede** (*Hist*) The Treaty of Westphalia.

Westgeld *nt* (*inf*) Western currency; **westgermanisch** *adj* (*Hist, Ling*) West Germanic; **Westgoten** *pl* (*Hist*) Visigoths *pl*, West Goths *pl*; **Westindien** *nt* the West Indies *pl*; **westindisch** *adj* West Indian; **die ~en Inseln** the West Indies *pl*; **Westküste** *f* west coast.

Westler *m* **-s, -** (*DDR inf*) westerner; (*Hist*) westernist.

westlich I *adj* western; *Kurs, Wind, Richtung* westerly; (*Pol*) Western. **der ~ste Ort** the westernmost place. **II** *adv* (to the) west (*von* of). **III** *prep +gen* (to the) west of.

Westmächte *pl* (*Pol*) **die ~** the western powers *pl*; **Westmark** *f* (*inf*) West German mark; **Westnordwest** *m* west-north-west; **Westpolitik** *f* policy towards the west, western policy; **Westpreußen** *nt* West Prussia; **Westrom** *nt* (*Hist*) Western Roman Empire; **Westsüdwest** *m* west-south-west; **Westwall** *m* (*Hist*) Siegfried Line; **westwärts** *adv* westward(s), (to the) west; **Westwind** *m* west wind.

weswegen *interrog adv* why.

Wett|annahme(stelle) *f* betting office.

Wettbewerb *m* competition. **mit jdm in ~ stehen/treten** to be in/enter into competition with sb, to be competing/to compete with sb; **außer ~ teilnehmen** *or* **laufen** to take part hors concours *or* as a non-competitor.

Wettbewerber(in *f*) *m* competitor.

Wettbewerbsbeschränkung *f* restraint of trade; **wettbewerbsfähig** *adj* competitive; **Wettbewerbsfähigkeit** *f* competitiveness; **Wettbewerbsnachteil** *m* competitive disadvantage; **Wettbewerbsrecht** *nt* fair trading law; **Wettbewerbsteilnehmer(in** *f*) *m* competitor; **Wettbewerbsverzerrung** *f* distortion of competition; **Wettbewerbsvorteil** *m* competitive advantage *or* edge; **Wettbewerbswirtschaft** *f* competitive economy.

Wettbüro *nt* betting office.

Wette *f* **-, -n** bet (*auch Sport*); wager. **eine ~ machen** *or* **abschließen/annehmen** to make/take up *or* accept a bet; **eine ~ auf ein Pferd abschließen** to place a bet on a horse; **darauf gehe ich jede ~ ein** I'll bet you anything you like; **was gilt die ~?** what will you bet me?, what are you betting?; **die ~ gilt!** done!, you're on! (*inf*); **um die ~ laufen/schwimmen** to run/swim a race (with each other); **mit jdm um die ~ laufen** *or* **rennen** to race sb; **sie arbeiten/singen/schreien um die ~** they're working as hard as they can/ singing at the tops of their voices/having a screaming competition.

Wetteifer *m* competitive zeal, competitiveness.

wetteifern *vi insep* **mit jdm um etw ~** to compete *or* contend *or* vie with sb for sth.

wetten *vti* to bet (*auch Sport*); to wager. **(wollen wir) ~?** (do) you want to bet?; **~, daß ich recht habe?** (I) bet you I'm right!; **so haben wir nicht gewettet!** that's not part of the deal or bargain!; **auf etw** (acc) ~ to bet on sth; **mit jdm** ~ to bet with sb; **(mit jdm) (darauf)** ~, **daß ...** to bet (sb) that ...; **(mit jdm) um 5 Mark/ eine Flasche Bier** ~ to bet (sb) 5 marks/a bottle of beer; **wir wetteten um einen Kasten Sekt** we bet each other a case of champagne; **gegen etw** ~ to bet against sth; **ich wette 100 gegen 1 (darauf)(, daß ...)** I'll bet or lay (you) 100 to 1 (that ...); **ich wette meinen Kopf (darauf)(, daß ...)** I'll bet you anything (you like) (that ...).

Wetter[1] m -s, - better.

Wetter[2] nt -s, -. **1.** weather no indef art. **bei jedem** ~ in all weathers; **bei so einem** ~ in weather like this/that, in such weather; **das ist vielleicht ein** ~! (inf) what weather!; **was haben wir heute für** ~? what's the weather like today?; **wir haben herrliches** ~ the weather's marvellous; **ein** ~ **zum Eierlegen** (inf) fantastic weather; **übers** or **vom** ~ **sprechen** to talk about the weather; **(bei jdm) gut** ~ **machen** (inf) to make up to sb; **(jdn) um eines gutes** ~ **bitten** (inf) to try to smooth things over (with sb).
2. (Un~) storm.
3. usu pl (Min) air. **schlagende** ~ pl firedamp sing.

Wetter|**amt** nt weather or met(eorological) office; **Wetteraussichten** pl weather outlook sing or prospects pl; **Wetter**|**ballon** m weather or meteorological balloon; **Wetterbeobachtung** f meteorological observation; **Wetterbe**|**richt** m weather report; **Wetter**|**besserung** f improvement in the weather; **wetterbeständig** adj weatherproof; **wetterbestimmend** adj weatherdetermining; ~ **sein** to determine the weather.

Wetterchen nt (inf) **das ist ja heute ein** ~! the weather's really great or fantastic today! (inf).

Wetter|**dienst** m weather or meteorological service; **wetterempfindlich** adj sensitive to (changes in) the weather; **Wetterfahne** f weather vane; **wetter**|**fest** adj weatherproof; **Wetterfront** f front; **Wetterfrosch** m **1.** type of barometer using a frog; **2.** (hum inf) weatherman (inf); **wetterfühlig** adj sensitive to (changes in) the weather; **wet**|**tergeschützt** adj sheltered; **Wetter**|**gott** m weather god; **der** ~ (hum) the person up there who controls the weather (hum); **Wetterhahn** m weathercock; **Wetterhäuschen** nt weather house or box; **Wetterkarte** f weather map or chart; **Wetterkunde** f meteorology; **Wetterlage** f weather situation, state of the weather; **wetterleuchten** vi impers insep **es wetterleuchtet** there's sheet lightning; (fig) there's a storm brewing; **Wetterleuchten** nt -s, no pl sheet lightning; (fig) storm clouds pl; **Wettermeldung** f weather or meteorological report.

wettern vi to curse and swear. **gegen** or **auf etw** (acc) ~ to rail against sth.

Wetter|**prognose** f (Aus) weather forecast; **Wetterprophet** m (hum) weatherman (inf); **Wetterregel** f weather maxim or saying; **Wettersatellit** m weather satellite; **Wetterscheide** f weather or meteorological divide; **Wetterschiff** nt weather ship; **Wetterseite** f windward side, side exposed to the weather; **Wetterstation** f weather or meteorological station; **Wettersturz** m sudden fall in temperature and atmospheric pressure; **Wetterumbruch** (esp Sw), **Wetterumschlag**, **Wetterum**|**schwung** m sudden change in the weather; **Wetterverhältnisse** pl weather conditions pl; **Wetterverschlechte**|**rung** f deterioration in or worsening of the weather; **Wettervoraussage**, **Wet**|**tervorhersage** f weather forecast; **Wetterwarte** f weather station; **wetter**|**wendisch** adj (fig) changeable, moody; **Wetterwolke** f storm cloud.

Wettfahrt f race; **Wettkampf** m competition; **Wettkämpfer(in** f) m competitor; **Wettlauf** m race; **einen** ~ **machen** to run a race; **ein** ~ **mit der Zeit** a race against time; **Wettläufer(in** f) m runner (in a/ the race).

wettmachen vt sep to make up for; Verlust to make good; Rückstand to make up.

wettrennen vi (infin only) to run a race; **Wettrennen** nt (lit, fig) race; **ein** ~ **ma**|**chen** to run a race; **Wettrudern** nt boat race; **Wettrüsten** nt arms race; **Wettschein** m betting slip; **Wettschuld** f betting debt; **Wettschwimmen** nt swimming competition or contest; **Wettstreit** m competition (auch fig), contest; **mit jdm im** ~ **liegen** to compete with sb; **mit jdm in** ~ **treten** to enter into competition with sb.

wetzen I vt to whet. **II** vi aux sein (inf) to scoot (inf).

Wetzstahl m steel; **Wetzstein** m whetstone.

WEZ [veːʔeːˈtsɛt] abbr of **Westeuropäische Zeit** GMT.

WG [veːˈgeː] f -, -s abbr of **Wohngemein**|**schaft**.

WG-Bewohner(in f) m flat (Brit) or apartment (US) or house sharer; **WG-**|**Zimmer** nt room in a shared flat etc.

WGB [veːgeːˈbeː] abbr of **Weltgewerk**|**schaftsbund** WFTU.

Whirlpool [ˈwɜːlpuːl] m -s, -s whirlpool.

Whisky [ˈvɪskɪ] m -s, -s whisky, whiskey (US); (schottischer auch) Scotch; (irischer) whiskey; (amerikanischer Mais~ auch) bourbon (whisk(e)y); (amerikanischer Roggen~ auch) rye (whisk(e)y). ~ **mit Eis/(mit) Soda** whisky and ice or on the rocks/and soda.

wich pret of **weichen**[2].

Wichs [vɪks] m -es, -e, (Aus) f -, -en **in vollem** or (Aus) **voller** ~ (Univ) in full dress, in full regalia.

Wichse [ˈvɪksə] f -, -n **1.** (dated: Schuh~) shoe polish. **schwarze** ~ blacking (dated), black shoe polish. **2.** no pl (inf: Prügel) ~ **bekommen** to get a hiding (inf).

wichsen ['vɪksn] **I** vt **1.** auch vi (dated) Schuhe to polish; (mit schwarzer Wichse) to black (dated); Schnurrbart, Boden to wax; siehe **gewichst. 2.** (inf: prügeln) jdn (ganz schön) ~ to give sb a (good) hiding (inf). **II** vi (sl: onanieren) to jerk or toss off (sl), to (have a) wank (Brit vulg).

Wichser ['vɪksɐ] m -s, - (sl) wanker (Brit sl), jerk-off (US sl).

Wicht m -(e)s, -e (Kobold) goblin, wight (obs); (kleiner Mensch) titch (inf); (Kind) (little) creature. **ein armer** ~ a poor devil (inf) or wretch; (Kind) a poor little thing or creature.

Wichtel m -s, - **1.** (auch ~männchen) gnome; (Kobold) goblin, imp; (Heinzelmännchen) brownie. **2.** (bei Pfadfinderinnen) brownie.

wichtig adj important. **eine ~e Miene machen** to put on an air of importance; **sich ~ machen** or **tun** to be full of one's own importance, to be self-important or pompous; **er will sich nur ~ machen** he just wants to get attention; **sich selbst/ etw (zu) ~ nehmen** to take oneself/sth (too) seriously; **du hast's aber ~!** (inf) what's all the fuss about?; ~ **tun** (inf), **sich** (dat) ~ **vorkommen** to be full of oneself; **W~eres zu tun haben** to have more important things or better things to do; **nichts W~eres zu tun haben** to have nothing better to do; **das W~ste** (die ~ste Sache) the most important thing; (die ~sten Einzelheiten) the most important details.

Wichtigkeit f importance. **einer Sache** (dat) **große ~ beimessen** or **beilegen** to place great importance on sth.

Wichtigmacher(in f) (Aus), **Wichtigtuer(in** f) [-tuɐ, -ərɪn] m -s, - (pej) pompous ass (inf), stuffed shirt (inf).

Wichtigtuerei [-tu:ə'raɪ] f (pej) pomposity, pompousness.

wichtigtuerisch [-tu:ərɪʃ] adj pompous.

Wicke f -, -n (Bot) vetch; (Garten~) sweet pea.

Wickel m -s, - **1.** (Med) compress. **2.** (Rolle) reel, spool; (Locken~) roller, curler. **3.** (inf) jdn am or beim ~ **packen** or **nehmen** or **kriegen/haben** to grab/ have sb by the scruff of the neck; (fig) to give sb a good talking to (inf); (stärker) to have sb's guts for garters (inf).

Wickelbluse f wrap-around blouse; **Wickelgamasche** f puttee; **Wickelkind** nt babe-in-arms; (fig auch) baby; **Wickelkommode** f baby's changing unit.

wickeln I vt **1.** (schlingen) to wind (um round); (Tech) Spule, Transformator auch to coil; Verband to bind; Haare, Locken to put in rollers or curlers; Zigarren to roll; (umschlagen) to wrap. **sich** (dat) **eine Decke um die Beine ~** to wrap a blanket around one's legs; **wenn du das denkst, bist du schief gewickelt!** (fig inf) if you think that, you're very much mistaken.

2. (einwickeln) to wrap (in +acc in); (mit Verband) to dress, to bandage. **einen Säugling ~** to put on a baby's nappy

(Brit) or diaper (US); (frisch ~) to change a baby's nappy/diaper.

II vr to wrap oneself (in +acc in). **sich um etw ~** to wrap itself around sth; Schlange, Pflanze to wind itself around sth.

Wickelraum m (in Kaufhaus) mothers' (and babies') room, nursing room. **Wickelrock** m wrap-around skirt; **Wickeltisch** m baby's changing table.

Widder m -s, - (Zool) ram; (Astrol) Aries; (Mil, Hist) battering ram. **er/sie ist (ein) ~** (Astrol) he's/she's an Arian or (an) Aries; **der ~** (Astron, Astrol) Aries, the Ram.

wider prep +acc (geh) against; (entgegen auch) contrary to. ~ **Erwarten** contrary to expectations.

widerborstig adj contrary, perverse.

Widerborstigkeit f contrariness, perversity; **Widerdruck** m (Typ) perfecting.

widerfahren* vi, vi impers insep irreg aux sein +dat (geh) to happen (jdm to sb); (Unglück) to befall (jdm sb) (liter). **mir ist in meinem Leben schon viel Gutes ~** life has given me many good things.

Widerhaken m barb; (an größerer Harpune) fluke; **Widerhall** m echo, reverberation; **(bei jdm) keinen ~ finden** (Interesse) to meet with no response (from sb); (Gegenliebe) not to be reciprocated (by sb); **widerhallen** vi sep or (rare) insep to echo or reverberate (von with); **Widerklage** f counterclaim; **widerklingen** vi sep irreg to resound or ring (von with).

widerlegbar adj refutable, disprovable. **nicht ~** irrefutable.

widerlegen* vt insep Behauptung to refute, to disprove; jdn to prove wrong.

Widerlegung f refutation, disproving.

widerlich adj disgusting, revolting; Mensch repulsive; Kopfschmerzen nasty.

Widerlichkeit f (widerliche Sache) disgusting or revolting thing; (von Mensch) repulsiveness; (von Kopfschmerzen) nastiness. **die ~ des Anblicks/seines Benehmens** the disgusting or revolting sight/his disgusting or revolting behaviour.

Widerling m (pej inf) repulsive creep (inf).

widern vt, vt impers es/etw widert jdn sb finds it/sth disgusting or revolting.

widernatürlich adj unnatural; (pervers auch) perverted; **Widerpart** m (old, geh: Gegner) adversary, opponent; **widerrechtlich** adj unlawful, illegal; **etw ~ betreten** Gelände to trespass (up)on sth; Gebäude to enter sth unlawfully or illegally; **sich** (dat) **etw ~ aneignen** to misappropriate sth; ~ **geparkte Fahrzeuge** illegally parked vehicles; **Widerrede** f **1.** siehe **Gegenrede; 2.** (Widerspruch) contradiction, argument; **keine ~!** no arguing!, don't argue!; **er duldet keine ~e** he will not have any arguments about it; **ohne ~** without protest or demur.

Widerruf m siehe vb revocation, withdrawal, cancellation; retraction;

countermand; recantation. ~ **leisten** to recant; **bis auf** ~ until revoked *or* withdrawn *or* cancelled.

widerru̱fen* *insep irreg* **I** *vt Erlaubnis, Anordnung* to revoke (*auch Jur*), to withdraw, to cancel; *Aussage, Geständnis, Behauptung* to retract (*auch Jur*), to withdraw; *Befehl* to cancel, to countermand. **II** *vi* (*bei Verleumdung*) to withdraw; (*esp bei ketzerischen Behauptungen*) to recant.

widerru̱flich (*form*) **I** *adj* revocable, revokable. **II** *adv* until revoked *or* withdrawn.

Widersacher(in *f*) *m* **-s,** - adversary, antagonist, opponent; **Widerschein** *m* (*liter*) reflection; **widerse̱tzen*** *vr insep* **sich jdm/einer Sache** ~ to oppose sb/sth; *einem Polizisten, der Festnahme* to resist sb/sth; *einem Befehl, einer Aufforderung* to refuse to comply with sth; **widerse̱tzlich** *adj* contrary, obstreperous; *Befehlsempfänger* insubordinate; **Widersinn** *m, no pl* absurdity, illogicality; **widersinnig** *adj* absurd, nonsensical; **widerspenstig** *adj* unruly, wilful; (*störrisch*) stubborn; (*fig*) unmanageable; *Haar* unruly, unmanageable; **„der ~en Zähmung"** (*Liter*) "The Taming of the Shrew"; **Widerspenstigkeit** *f siehe adj* unruliness, wilfulness, stubbornness; unmanageableness; **widerspiegeln** *sep* **I** *vt* (*lit, fig*) to reflect; *Gegenstand auch* to mirror; **II** *vr* (*lit, fig*) to be reflected/mirrored; **Widerspieg(e)lung** *f* reflection; **Widerspiel** *nt* **das ~ der Kräfte** the play of forces.

widerspre̱chen* *insep irreg* **I** *vi* **jdm/einer Sache** ~ to contradict sb/sth; (*nicht übereinstimmen mit*) *den Tatsachen auch* to be inconsistent with sth; **da muß ich aber** ~ I've got to contradict you there; **das widerspricht meinen Grundsätzen** that goes *or* is against my principles.

II *vr* (*einander*) to contradict each other *or* one another; (*nicht übereinstimmen: Aussagen auch*) to be inconsistent, to conflict. **sich (selbst)** ~ to contradict oneself.

widerspre̱chend *adj* (**sich** *or* **einander**) ~ contradictory, conflicting, inconsistent.

Widerspruch *m* **1.** (*Gegensätzlichkeit*) contradiction (*auch Philos*); (*Unvereinbarkeit auch*) inconsistency. **ein** ~ **in sich selbst** a contradiction in terms; **in** *or* **im** ~ **zu** contrary to; **in** ~ **zu** *or* **mit etw geraten** to come into conflict with sth, to contradict sth; **sich in** ~ **zu jdm/etw setzen** to go against sb/sth; **in** *or* **im** ~ **zu** *or* **mit etw stehen** to conflict with sth, to stand in contradiction to sth, to be contrary to sth.

2. (*Widerrede*) contradiction, dissent; (*Protest*) protest; (*Ablehnung*) opposition. **kein** ~**!** don't argue!; **er duldet keinen** ~ he won't have any argument; **es erhob sich** ~ there was opposition (*gegen* to), there were protests (*gegen* against); ~ **erheben** to protest.

widersprüchlich *adj* contradictory; *Erzählung, Theorie auch, Verhalten* inconsistent.

Widersprüchlichkeit *f siehe adj* contradiction, contradictoriness; inconsistency.

Widerspruchsgeist *m* spirit of opposition; **widerspruchslos** **I** *adj* (*unangefochten*) *Zustimmung, Annahme* unopposed; (*ohne Einwände*) *Zuhören, Befolgen von Anordnung* without contradiction; (*folgsam*) *Kind, Gehorchen* unprotesting; (*nicht widersprüchlich*) *Theorie, Mensch, Verhalten* consistent; **II** *adv siehe adj* without opposition; without contradiction; without protest; consistently; **widerspruchsvoll** *adj* full of contradictions; (*voller Unvereinbarkeiten*) full of inconsistencies.

Widerstand *m* **-(e)s,** ⸚e resistance (*auch Pol, Elec*); (*im 2. Weltkrieg*) Resistance; (*Ablehnung*) opposition; (*Elec: Bauelement*) resistor. **zum** ~ **aufrufen** to call upon people to resist; **gegen jdn/etw** ~ **leisten** to resist sb/sth, to put up *or* offer (*form*) resistance to sb/sth; **seine inneren** ⸚e **überwinden** to overcome one's inhibitions; ~ **gegen die Staatsgewalt** obstructing an officer in the performance of his duties.

Widerstandsbeiwert *m* drag factor; **Widerstandsbewegung** *f* resistance movement; (*im 2. Weltkrieg*) Resistance movement; **widerstandsfähig** *adj* robust; *Pflanze* hardy; (*Med, Tech*) resistant (*gegen* to); **Widerstandsfähigkeit** *f siehe adj* robustness; hardiness; resistance (*gegen* to); **Widerstandskämpfer(in** *f*) *m* member of the resistance; (*im 2. Weltkrieg*) member of the Resistance, Resistance fighter; **Widerstandskraft** *f* (power of) resistance; **widerstandslos** *adj, adv* without resistance; **Widerstandsmesser** *m* **-s,** - (*Elec*) ohmmeter; **Widerstandsnest** *nt* (*Mil*) pocket of resistance.

widerste̱hen* *vi insep irreg* +*dat* to resist; (*standhalten*) to withstand. **einer Versuchung/einem Erdbeben** ~ **können** to be able to resist a temptation/ withstand an earthquake.

widerstre̱ben* *vi insep* +*dat* **jdm/einer Sache** ~ (*Mensch*) to oppose sb/sth; **etw widerstrebt einer Sache** sth conflicts with sth; **jds sittlichem Empfinden/jds Interessen** ~ to go against sb's moral sense/ sb's interests; **das widerstrebt mir** (*das möchte ich nicht tun*) I can't do things like that, I can't be like that; **es widerstrebt mir, so etwas zu tun** (*lehne ich ab*) it goes against the grain to do anything like that.

Widerstre̱ben *nt* **-s,** *no pl* reluctance. **nach anfänglichem** ~ after some initial reluctance.

widerstre̱bend *adj* (*gegensätzlich*) *Interessen* conflicting; (*widerwillig, zögernd*) reluctant. **mit** ~**en Gefühlen** with (some) reluctance.

Widerstreit *m* (*geh*) conflict. **im** *or* **in** ~ **zu etw stehen** to be in conflict with sth.

widerstre̱itend *adj* (*geh*) (**einander**) ~ conflicting.

widerwärtig *adj* offensive; (*ekelhaft*

auch) disgusting; *Aufgabe, Arbeit, Verhalten* objectionable. **etw ist jdm ~** sb finds sth offensive/disgusting/objectionable.

Wi̲derwille m (*Abscheu, Ekel*) disgust (*gegen* for), revulsion; (*Abneigung*) distaste (*gegen* for), aversion (*gegen* for); (*Widerstreben*) reluctance. **etw mit größtem ~n tun/trinken** to do sth with the greatest reluctance/drink sth with intense distaste.

wi̲derwillig adj reluctant, unwilling.

Wi̲derworte pl answering back *sing*. **~ geben** or **machen** to answer back; **er tat es ohne ~** he did it without protest.

wi̲dmen I vt **jdm etw ~** to dedicate sth to sb; (*schenken, verwenden auf*) to devote sth to sb.

II vr +*dat* to devote oneself to; (*sich kümmern um*) **den Gästen** to attend to; **einem Problem, einer Aufgabe** to apply oneself to, to attend to. **nun kann ich mich dir/dieser Aufgabe ganz ~** I can now give you/this task my undivided attention.

Wi̲dmung f (*in Buch*) dedication (*an* +*acc* to).

wi̲drig adj adverse; *Winde, Umstände auch* unfavourable.

wie̲ I interrog adv **1.** how. **~ anders ...?** how else ...?; **~ schwer/oft?** how heavy/often?; **~ viele?** how many?; **~ das?** how come?; **~ ist dir (zumute)?** how do you feel?; **aber frag (mich) nicht ~!** but don't ask me how!; **~ wär's (mit uns beiden/mit einem Whisky?)** (*inf*) how about (it/a whisky?)

2. (*welcher Art*) **~ war's bei der Party/in Italien?** what was it like at the party/in Italy?, what was the party/Italy like?; **~ ist er (denn)?** what's he like?; **~ war das Wetter?** what was the weather like?, how was the weather?; **~ ist es eigentlich, wenn ...?** what's the situation if ...?, what happens if ...?; **~ war das (noch mal genau) mit dem Unfall?** what (exactly) happened in the accident?; **Sie wissen ja, ~ das so ist** well, you know how it is.

3. (*was*) **~ heißt er/das?** what's he/it called?; **~ nennt man das?** what is that called?; **~? what?; ~ bitte?, ~ war das?** (*inf*), **~ meinen** or **belieben?** (*inf*) sorry?, pardon?, come again? (*inf*); **~ bitte?!** (*entrüstet*) I beg your pardon?!

4. (*in Ausrufen*) how. **und ~!, aber ~!** and how! (*inf*); **~ groß er ist!** how big he is!, isn't he big!; **~ schrecklich!** how terrible!; **~ haben wir gelacht, als ...** how we laughed when ...

5. (*nicht wahr*) eh. **das macht dir Spaß, ~?** you like that, don't you?; **das macht dir keinen Spaß, ~?** you don't like that, do you?

II adv **1.** (*relativ*) **die Art, ~ sie sich bewegt** the way (in which) she moves; **in dem Maße, ~ ...** to the same extent that ...; **es war ein Sonnenuntergang, ~ er noch nie einen gesehen hatte** it was a sunset the like of which he had never seen before.

2. (*in Verbindung auch*) **~ stark**

du auch sein magst however strong you may be; **~ auch immer du das machen wirst** however you *or* whatever way you are going to do it; **~ sie auch heißen** whatever they're called.

III conj **1.** (*vergleichend*) (*wenn sich Vergleich auf adj, adv bezieht*) as; (*wenn sich Vergleich auf n bezieht, bei Apposition*) like. **so ... ~ as ... as; so lang ~ breit** the same length and width, as long as it *etc* is wide; **weiß ~ Schnee** (as) white as snow; **mutig ~ ein Löwe** as brave as a lion; **eine Nase ~ eine Kartoffel** a nose like a potato; **ein Mann ~ er** a man like him, a man like he (*form*); **in einer Lage ~ diese(r)** in a situation like this *or* such as this; **er ist Lehrer, ~ sein Vater es war** he is a teacher like his father was (*inf*) *or* as was his father; **T ~ Theodor** "t" as in "Tommy"; (*bei Rundfunk*) t for Tommy; **~ gewöhnlich/ immer** as usual/always *or* ever; **ich fühlte mich ~ im Traum** I felt as if I were *or* was *or* like I (*inf*) was dreaming; **~ sie nun (ein)mal ist, mußte sie ...** the way she is she just had to ...; **~ du weißt/man sagt** as you know/they say; **~ noch nie** as never before.

2. (*zum Beispiel*) **~ (zum Beispiel** or **etwa**) such as (for example).

3. (*incorrect: als*) **größer/schöner ~** bigger/more beautiful than; **nichts ~ Ärger** nothing but trouble.

4. (*und*) as well as. **Alte ~ Junge** old and young alike.

5. (*inf*) **~ wenn** as if *or* though.

6. (*bei Verben der Gefühlsempfindung*) **er sah, ~ es geschah** he saw it happen; **sie spürte, ~ es kalt wurde** she felt it getting cold; **er hörte, ~ der Regen fiel** he heard the rain falling.

Wie̲ nt **-s**, no pl **das ~ und Wann werden wir später besprechen** we'll talk about how and when later.

Wie̲dehopf m **-(e)s, -e** hoopoe.

wie̲der adv **1.** again. **~ nüchtern/glücklich** sober/happy again; **immer ~, ~ und ~** again and again; **~ mal, (ein)mal ~** (once) again; **komm doch ~ mal vorbei** come and see me/us again; **~ ist ein Jahr vorbei** another year has passed; **~ was anderes** or **Neues** something else again, something quite different; **wie, schon ~?** what, again?; **~ da** back (again); **da bin ich ~!** I'm back!, here I am again!; **das ist auch ~ wahr** that's true; **da sieht man mal ~, ...** it just shows ...

2. (*in Verbindung mit vb*) again. **das fällt mir schon ~ ein** I'll remember it again; **das Boot tauchte ~ auf** the boat resurfaced; **wenn die Wunde ~ aufbricht** if the wound reopens.

Wie̲der- pref re; (*bei Verben*) (*erneut, noch einmal*) again; (*zurück*) back; **Wie̲derabdruck** m reprint; **wie̲deraufarbeiten*** vt sep siehe **wiederaufbereiten**; **Wie̲deraufarbeitung** f siehe **Wiederaufbereitung**; **Wie̲deraufarbeitungsanlage** f siehe **Wiederaufbereitungsanlage**; **Wie̲deraufbau** m (*lit, fig*) reconstruction, rebuilding; **der ~ nach dem Krieg/des Hauses** post-war reconstruction/the rebuilding of the house; **wiederaufbauen** *vti sep* to reconstruct, to rebuild; **wiederaufbereiten*** *vt sep* to recycle; *Atommüll* to reprocess; **Wiederaufbereitung** *f* recycling; *(von Atommüll)* reprocessing; **Wiederaufbereitungsanlage** *f* recycling plant; *(für Atommüll)* reprocessing plant; **wiederauferstehen*** *vi sep irreg aux sein* to rise from the dead, to be resurrected; **Wiederauferstehung** *f* resurrection; **wiederaufforsten** *vti sep, ptp* **wiederaufgeforstet** to reforest; **wiederaufladen** *vt sep irreg, ptp* **wiederaufgeladen** to recharge; **wiederaufleben** *vi sep aux sein* to revive; **Wiederaufleben** *nt* revival; *(von Nationalismus auch)* resurgence; **wiederauflegen** *vt sep* to republish; **Wiederaufnahme** *f* 1. *(von Tätigkeit, Gespräch)* resumption; *(von Beziehungen auch)* re-establishment; *(von Gedanken, Idee)* readoption; *(von Thema)* reversion *(gen* to); **die ~ des Verfahrens** *(Jur)* the reopening of proceedings; 2. *(von verstoßenem Menschen)* taking back; *(im Verein)* readmittance, re-acceptance; *(von Patienten)* readmission; **Wiederaufnahmeverfahren** *nt* *(Jur)* *(im Zivilrecht)* rehearing; *(im Strafrecht)* retrial; **wiederaufnehmen** *vt sep irreg, ptp* **wiederaufgenommen** 1. to resume; *Beziehungen auch* to re-establish; *Gespräch auch, Gedanken, Idee, Hobby* to take up again; *Thema* to revert to; *(Jur)* *Verfahren* to reopen; 2. *verstoßenen Menschen* to take back; *(in Verein)* to readmit, to reaccept; *Patienten* to readmit; **wiederaufrichten** *vt sep* *(fig)* jdn to give new heart to; **wiederaufrüsten** *vti sep* to rearm; **jdn moralisch ~** to raise sb's morale; **Wiederaufrüstung** *f* rearmament; **Wiederausfuhr** *f* re-export; **Wiederbeginn** *m* recommencement, restart; *(von Schule)* reopening; **wiederbekommen*** *vt sep irreg* to get back; **wiederbeleben*** *vt sep* to revive, to resuscitate; *(fig) Brauch* to revive, to resurrect; **Wiederbelebung** *f* resuscitation, revival; *(fig)* revival, resurrection; **Wiederbelebungsversuch** *m* attempt at resuscitation; *(fig)* attempt at revival; **~e bei jdm anstellen** to attempt to revive *or* resuscitate sb.

wiederbeschaffen* *vt sep* to replace; *(zurückbekommen)* to recover; **Wiederbeschaffung** *f siehe vt* replacement; recovery; **wiederbewaffnen*** *vr sep* to rearm; **Wiederbewaffnung** *f* rearmament; **wiederbringen** *vt sep irreg* to bring back; **Wiedereinfuhr** *f* reimport(ation); **wiedereinführen** *vt sep* to reintroduce; *Todesstrafe auch* to bring back; *(Comm) Waren* to reimport; **Wiedereinführung** *f* reintroduction; **wiedereingliedern** *vt sep* to reintegrate *(in +acc* into); **Wiedereingliederung** *f* reintegration; **wiedereinsetzen** *sep vt* to reinstate *(in +acc* in); **jdn als König ~** to restore sb to the throne; **Wiedereinsetzung** *f* reinstatement; *(von König)* restoration; **wiedereinstellen** *vt sep* to re-employ, to re-engage; *(nach ungerechtfertigter Entlassung)* to reinstate; **Wiedereinstellung** *f siehe vt* re-employment, re-engagement; reinstatement; **Wiedereintritt** *m* re-entry *(auch Space)* *(in +acc* into); **wiederentdecken*** *vt sep* *(lit, fig)* to rediscover; **Wiederentdeckung** *f* rediscovery; **wiederergreifen*** *vt sep irreg* to recapture; **Wiederergreifung** *f* recapture; **wiedererhalten*** *vt sep irreg* to recover; **wiedererkennen*** *vt sep irreg* to recognize; **das/er war nicht wiederzuerkennen** it/he was unrecognizable; **wiedererlangen*** *vt sep* to regain; *Eigentum* to recover; **Wiedererlangung** *f siehe vt* regaining; recovery; **wiederernennen*** *vt sep irreg* to reappoint *(zu etw* (as) sth); **Wiederernennung** *f* reappointment *(zu* as); **wiedereröffnen*** *vti sep* to reopen; **Wiedereröffnung** *f* reopening; **wiedererscheinen*** *vi sep irreg aux sein* to reappear; *(Buch)* to be republished; **wiedererstehen*** *vi sep irreg aux sein* to rise again; **wiedererwachen*** *vi sep aux sein* to reawake(n); **wiedererwecken*** *vt sep* to bring back to life, to revive *(auch fig)*; **wiederfinden** *sep irreg* **I** *vt* to find again; *(fig) Selbstachtung, Mut* to regain; **die Sprache ~** *(fig)* to find one's tongue again; **II** *vr (nach Schock)* to recover; **sich irgendwo ~** to find oneself somewhere; **sich** *or* **einander ~** to find each other again.

Wiedergabe *f -, -n* 1. *(von Rede, Ereignis, Vorgang)* account, report; *(Beschreibung)* description; *(Wiederholung: von Äußerung)* repetition.

2. *(Darbietung: von Stück)* rendering, rendition.

3. *(Übersetzung)* translation.

4. *(Darstellung)* representation.

5. *(Reproduktion)* *(von Gemälde, Farben, akustisch)* reproduction. **bei der ~** in reproduction.

6. *(Rückgabe)* return; *(von Rechten, Freiheit)* restitution.

Wiedergabegerät *nt* playback unit; **Wiedergabetreue** *f* fidelity of sound reproduction; **hohe ~** high fidelity.

wiedergeben *vt sep irreg* 1. *Gegenstand, Geld* to give back; *(fig) Rechte, Mut auch* to restore. **jdm ein Buch ~** to give a book back to sb, to give sb his/her book back; **jdm die Freiheit ~** to restore sb's freedom, to give sb back his freedom.

2. *(erzählen)* to give an account of; *(beschreiben)* to describe; *(wiederholen)* to repeat. **seine Worte sind nicht wiederzugeben** his words are unrepeatable.

3. *Gedicht* to recite; *Theaterstück, Musik* to perform.

4. *(übersetzen)* to render.

5. *(darstellen, porträtieren)* to represent.

6. *(reproduzieren)* *Gemälde, Farbe, Ton* to reproduce.

7. (*vermitteln*) *Bedeutung, Gefühl, Erlebnis* to convey.

wiedergeboren *adj* (*lit, fig*) reborn; ~ **werden** to be reborn; to be reincarnated; **Wiedergeburt** *f* (*lit, fig*) rebirth; reincarnation; **wiedergewinnen*** *vt sep irreg* (*lit, fig*) to regain; *jdn* to win back; *Land, Rohstoffe* to reclaim; *Geld, Selbstvertrauen* to recover; **wiedergrüßen** *vti sep* (**jdn**) ~ to return sb's greeting; (*einen ausgerichteten Gruß erwidern*) to send sb one's regards in return; **wiedergutmachen** *vt sep* to make good; *Schaden* to compensate for; *Fehler* to rectify; *Beleidigung* to put right; (*sühnen*) to atone for; (*Pol*) to make reparations for; (*Jur*) to redress; **wiederhaben** *vt sep irreg* (*inf*) to have (got) back; *etw* ~ **wollen** to want sth back; **wiederherstellen** *vt sep, ptp* **wiederhergestellt** *Gebäude, Ordnung, Frieden, jds Gesundheit* to restore; *Beziehungen* to re-establish; *Patienten* to restore to health; **Wiederherstellung** *f siehe vt* restoration; re-establishment; restoration of sb's health.

wiederholbar *adj* repeatable. **leicht/schwer** ~ easy/hard to repeat; **das ist nicht** ~ that can't be repeated.

wiederholen¹ *insep* **I** *vti* to repeat; (*zum zweiten Mal, mehrmals*) *Forderung* to reiterate; (*zusammenfassend*) to recapitulate; *Lernstoff* to revise, to review (*US*); (*Film*) *Szene auch* to retake; (*Sport*) *Elfmeter* to retake, to take again; *Spiel* to replay. **wiederholt, was ich euch vorsage** repeat after me; (**eine Klasse** *or* **ein Jahr**) ~ (*Sch*) to repeat a year.

II *vr* (*Mensch*) to repeat oneself; (*Thema, Ereignis*) to recur, to be repeated; (*Dezimalstelle*) to recur. **es wiederholt sich doch alles im Leben** life has a habit of repeating itself.

wiederholen² *vt sep* to get back.

wiederholt *adj* repeated. **zu ~en Malen** repeatedly, on repeated occasions; **zum ~en Male** once again.

Wiederholung *f* repetition; (*von Aufführung*) repeat performance; (*von Sendung*) repeat; (*in Zeitlupe*) replay; (*von Lernstoff*) revision; (*zum zweiten Mal, mehrmals: von Forderung*) reiteration; (*zusammenfassend*) recapitulation; (*von Filmszene*) retaking; (*Sport*) (*von Elfmeter*) retake; (*von Spiel*) replay.

Wiederholungskurs *m* refresher course; **Wiederholungsspiel** *nt* (*Sport*) replay; **Wiederholungstaste** *f* repeat key; **Wiederholungstäter(in** *f)* *m* (*Jur*) (*bei erster Wiederholung*) second offender; (*bei ständiger Wiederholung*) persistent offender, recidivist (*Psych*); **Wiederholungszeichen** *nt* (*Mus*) repeat (mark); **Wiederholungszwang** *m* (*Psych*) recidivism; (*Sprachfehler*) palilalia (*spec*).

Wiederhören *nt* (**auf**) ~! (*am Telefon*) goodbye!; (*im Hörfunk*) goodbye for now!; **wiederkäuen** *sep* **I** *vt* to ruminate, to chew again; (*fig inf*) to go over again and again; **II** *vi* to ruminate, to

chew the cud; (*fig inf*) to harp on; **Wiederkäuer** *m* **-s,** **-** ruminant.

Wiederkehr *f* **-,** *no pl* (*geh*) (*Rückkehr*) return; (*zweites, ständiges Vorkommen*) recurrence; (*von Datum, Ereignis*) anniversary. **die ewige** ~ the eternal recurrence.

wiederkehren *vi sep aux sein* (*zurückkehren*) to return; (*sich wiederholen, wieder vorkommen*) to recur, to be repeated.

wiederkehrend *adj* recurring. **regelmäßig/oft** ~ recurrent; **ein jährlich ~es Fest** an annual festival.

wiederkennen *vt sep irreg* (*inf*) to recognize; **wiederkommen** *vi sep irreg aux sein* (*lit, fig*) to come back, to return; **komm doch mal wieder!** you must come again!; **Wiederkunft** *f* **-,** *no pl* (*geh*) return; **die** ~ **Christi** the Second Coming; **Wiederschauen** *nt* (**auf**) ~! goodbye!, good day! (*form*); **wiedersehen** *vt sep irreg* to see again; (*wieder zusammentreffen mit auch*) to meet again; **wann sehen wir uns wieder?** when will we see each other *or* meet again?; **ich freue mich auf das W**~ **mit meinen Freunden/mit der Heimat** I'm looking forward to seeing my friends/being back home again; **sie hofften auf ein baldiges W**~ they hoped to see each other *or* meet again soon; (**auf**) **W**~! goodbye!; (**auf**) **W**~ **sagen** to say goodbye; **Wiedersehensfreude** *f* **unsere** ~ **war groß** we were very pleased to see each other again; **meine** ~ **war groß** I was very pleased to see him/her etc again; **Wiedertäufer(in** *f)* *m* (*Rel, Hist*) Anabaptist; **wiedertun** *vt sep irreg* to do again.

wiederum *adv* **1.** (*andrerseits*) on the other hand; (*allerdings*) though. **das ist** ~ **richtig, daran habe ich nicht gedacht** that's quite correct, I didn't think of that.

2. (*geh: nochmals*) again, anew (*liter*).

3. (*seinerseits etc*) in turn. **er** ~ **wollte** ... he, for his part, wanted ...

wiedervereinigen* *sep* **I** *vt Menschen, Fraktionen* to reunite; *Kirche auch, Land* to reunify; **II** *vr* to reunite, to come together again; **Wiedervereinigung** *f* reunification; **wiederverheiraten*** *vr sep* to remarry; **Wiederverheiratung** *f* remarriage; **wiederverkaufen*** *vt sep* to resell; (*Einzelhändler*) to retail; **Wiederverkäufer(in** *f)* *m* reseller; (*Einzelhändler*) retailer; **Wiederverkaufswert** *m* resale value; **wiederverwendbar** *adj* reusable; **wiederverwenden*** *vt sep* to reuse; **Wiederverwendung** *f* reuse; **wiederverwertbar** *adj* recyclable; **wiederverwerten*** *vt sep* to recycle; **Wiederverwertung** *f* recycling; **Wiederwahl** *f* re-election; **eine** ~ **ablehnen** to decline to run for re-election; **wenn es zu einer** ~ **der Partei kommt** if the party is returned again; **wiederwählen** *vt sep* to re-elect; **wiederzulassen** *vt sep irreg Auto* to relicense; **Wiederzulassung** *f* relicensing.

Wiege f -, -n (lit, fig, Tech) cradle. **seine ~ stand in Schwaben** (geh) his birthplace was Swabia; **es ist mir/ihm auch nicht an der ~ gesungen worden, daß ...** no-one could have foreseen that ...; **das ist ihm (schon** or **gleich) in die ~ gelegt worden** he inherited it; **damals lagst du noch in der ~** at that time you were still a babe-in-arms; **von der ~ bis zur Bahre** (geh) from the cradle to the grave.

Wiegemesser nt chopper, chopping knife.

wiegen¹ I vt 1. to rock; *Kopf* to shake (slowly); *Hüften, (Wind) Äste* to sway. **~de Bewegung** swaying motion; **einen ~den Gang haben** to sway one's hips when one walks.
  2. (*zerkleinern*) to chop up.
  II vr (*Boot*) to rock (gently); (*Mensch, Äste*) to sway. **sich im Tanz ~** to do an undulating dance; **sich in trügerischen Hoffnungen ~** to nurture false hopes; siehe **gewiegt**.

wiegen² pret **wog**, ptp **gewogen** vti to weigh. **ein knapp gewogenes Kilo** something short of a kilo; **wieviel wiegst du?** what weight are you?, what do you weigh?; **schwer ~** (fig) to carry a lot of weight; (*Irrtum*) to be serious; **gewogen und zu leicht befunden** (Bibl, fig) weighed and found wanting; siehe **gewogen**.

Wiegenfest nt (geh) birthday; **Wiegenkind** nt (liter) infant, babe-in-arms; **Wiegenlied** nt lullaby, cradle-song.

wiehern vi to neigh; (leiser) to whinny. **(vor Lachen) ~** to bray with laughter; **das ist ja zum W~** (inf) that's dead funny (inf).

Wien nt -s Vienna.

Wiener adj attr Viennese. **~ Würstchen** frankfurter, wiener (sausage) (esp US); **~ Schnitzel** Wiener schnitzel.

Wiener(in f) m -s, - Viennese.

wienerisch adj Viennese. **das W~e** Viennese, the Viennese accent/dialect.

wienern vti (inf) to polish.

wies pret of **weisen**.

Wiese f -, -n meadow; (inf: Rasen) grass, lawn. **auf der grünen ~** (fig) in the open countryside.

wiesehr conj (Aus) ~ ... auch however much.

Wiesel nt -s, - weasel. **schnell** or **flink wie ein ~** quick as a flash; **laufen** or **rennen wie ein ~** to run like a hare.

wieselflink I adj quick, quicksilver attr. II adv quick as a flash.

Wiesenblume f meadow flower; **Wiesengrund** m (poet) meadow, mead (poet); **Wiesenrain** m (liter) meadow's edge; **Wiesenschaumkraut** nt lady's smock.

Wiesn f -, - (dial) fair.

wieso interrog adv why; (aus welchem Grund auch) how come (inf). **~ gehst du nicht?** how come you're not going? (inf), why aren't you going?; **~ nicht** why not; **~ sagst du das?** why do you say that?; **~ weißt du das?** how do you know that?

wieviel interrog adv how much; (bei Mehrzahl) how many. **(um) ~ größer**

how much bigger.

wievielmal interrog adv how many times.

Wievielte(r) m decl as adj (bei Datum) **den ~n haben wir** or **der ~ ist heute?** what's the date today?; **am ~n (des Monats)?** what date?, what day of the month?

wievielte(r, s) interrog adj **das ~ Kind ist das jetzt?** how many children is that now?; **das ~ Kind bist du? — das zweite** which child are you? — the second; **der ~ Band fehlt?** which volume is missing?; **den ~n Platz hat er im Wettkampf belegt?** where did he come in the competition?; **als ~r ging er durchs Ziel?** what place did he come?; **das ~ Mal** or **zum ~n Mal bist du schon in England?** how often or how many times have you been to England?; **ich habe morgen Geburtstag! — der ~ ist es denn?** it's my birthday tomorrow! — how old will you be?

wieweit conj siehe **inwieweit**.

wiewohl conj (old) 1. siehe **obwohl**. 2. (dafür aber auch) and at the same time, as well as.

Wigwam m or nt -s, -s wigwam.

Wikinger m -s, - Viking.

Wikingerschiff nt longboat, Viking ship; **Wikingerzeit** f age of the Vikings, Viking age.

wild adj wild; *Stamm* savage; *Schönheit auch* rugged; *Kind auch, Haar* unruly; (laut, ausgelassen) boisterous; (heftig) *Kampf,* (zornig) *Blick* fierce, furious; (ungesetzlich) *Parken, Zelten* illegal; *Streik* wildcat attr, unofficial. **~es Fleisch** proud flesh; **den ~en Mann spielen** (inf) or **machen** (inf) to come the heavy (inf); **der W~e Westen** the Wild West; **~ wachsen** to grow wild; **~ ins Gesicht hängende Haare** wild, tousled hair hanging over one's face; **~ durcheinanderliegen** to be strewn all over the place; **dann ging alles ~ durcheinander** there was chaos then; **wie ~ rennen/arbeiten** to run/work like mad; **~ drauflosreden/drauflosschreiben** to talk nineteen to the dozen/to write furiously; **seid nicht so ~!** calm down a bit!; **jdn ~ machen** to make sb furious or mad (inf); (esp vor Vergnügen) to drive sb wild; **~ werden** to go wild (auch inf); (Kinder: ausgelassen werden) to run wild; **der Bulle wurde ~** (inf) the bull was enraged; **ich könnte ~ werden** (inf) I could scream (inf); **~ auf jdn/etw sein** (inf) to be wild or crazy or mad about sb/sth (inf); **das ist nicht so** or **halb so ~** (inf) never mind; **~ entschlossen** (inf) really or dead (inf) determined.

Wild nt -(e)s, no pl (Tiere, Fleisch) game; (Rot~) deer; (Fleisch von Rot~) venison. **ein Stück ~** a head of game.

Wildbach m torrent; **Wildbahn** f hunting ground or preserve; **auf** or **in freier ~** in the wild; **Wildbestand** m game population, stock of game; **Wildbraten** m roast venison; **ein ~** a roast of venison; **Wildbret** nt -s, no pl game; (von Rotwild) venison; **Wilddieb(in** f) m poacher; **Wilddiebstahl** m poaching; **Wildente** f wild duck.

Wilde(r) *mf decl as adj* (*pej*) savage (*pej*); (*fig*) madman, maniac. **die ~n** the savages.

Wilderei *f* poaching.

Wilderer *m* **-s,** **-** poacher.

wildern *vi* (*Mensch*) to poach; (*Hund*) to kill game. **~der Hund** dog which kills game.

Wildfang *m* **1.** (*Hunt*) (*Falke*) passage *or* wild-caught hawk; (*Tier*) animal captured in the wild; **2.** (*dated inf*) little rascal *or* devil, scamp; (*Mädchen*) tomboy; **Wildfleisch** *nt* game; (*von Rotwild*) venison; **Wildfraß** *m* damage caused by game; **wildfremd** *adj* (*inf*) completely strange; **~e Leute** complete strangers; **ein W~er, ein ~er Mensch** a complete stranger; **Wildfütterung** *f* feeding of game animals; **Wildgans** *f* wild goose; **Wildgehege** *nt* game enclosure *or* preserve; **Wildgeschmack** *m* gam(e)y taste; **Wildhüter(in** *f*) *m* gamekeeper; **Wildkaninchen** *nt* wild rabbit; **Wildkatze** *f* wildcat; **wildlebend** *adj attr* wild, living in the wild; **Wildleder** *nt* suede; **wildledern** *adj* suede.

Wildnis *f* (*lit, fig*) wilderness. **Tiere der ~** wild animals; **in der ~ leben/geboren werden** to live/be born in the wild.

Wildpark *m* game park; (*für Rotwild*) deer park; **Wildreservat** *nt* game reserve; **wildromantisch** *adj* terribly romantic; **Wildsau** *f* wild sow; (*fig sl*) pig (*inf*); **Wildschutzgebiet** *nt* game preserve; **Wildschwein** *nt* wild boar *or* pig; **wildwachsend** *adj attr* wild (-growing); **Wildwasser** *nt* white water; **Wildwasserboot** *nt* fast-water canoe; **Wildwasserrennen** *nt* fast-water canoe race; **Wildwechsel** *m* path used by game *or* wild animals; (*bei Rotwild*) deer path; „**~**" "wild animals"; **Wildwest** *no art* the wild west; **Wildwestfilm** *m* western; **Wildwestroman** *m* western; **Wildwuchs** *m* (*geh*) rank growth; (*fig*) proliferation.

Wilhelm ['vɪlhɛlm] *m* **-s** William. **falscher ~** (*inf*) toupee.

will *1. pers present of* **wollen²**.

Wille *m* **-ns,** *no pl* will; (*Absicht, Entschluß*) intention. **nach jds ~n** as sb wanted/wants; (*von Architekt*) as sb intended/intends; **wenn es nach ihrem ~n ginge** if she had her way; **das geschah gegen** *or* **wider meinen ~n** (*meinen Wünschen*) that was done against my will; **er mußte wider ~n lachen** he couldn't help laughing; **jds ~n tun** to do sb's will; **seinen ~n durchsetzen** to get one's (own) way; **auf seinem ~n bestehen** to insist on having one's way; **jdm seinen ~n lassen** to let sb have his own way; **seinen eigenen ~n haben** to be self-willed, to have a mind of one's own; **beim besten ~n nicht** not with all the will *or* with the best will in the world; **ich hätte das beim besten ~n nicht machen können** I couldn't have done that for the life of me; **es war kein** *or* **nicht böser ~** there was no ill-will intended; **etw aus freiem ~n tun** to do sth of one's own free will; **der gute ~** good will; **guten**

~ns sein to be full of good intentions; **alle Menschen, die guten ~ns sind** all people of good will; **jdm zu ~n sein** to comply with sb's wishes; (*Mädchen: sich hingeben*) to yield to sb, to let sb have his way with one; **sich** (*dat*) **jdn zu ~n machen** to bend sb to one's will, to force sb to do one's will; *Mädchen* to have one's way with sb; **wo ein ~ ist, ist auch ein Weg** (*Prov*) where there's a will there's a way (*Prov*).

willen *prep siehe* **um II**.

willenlos *adj* weak-willed, spineless; **völlig ~ sein** to have no will of one's own; **sich jdm ~ unterwerfen** to submit totally to sb; **jds ~es Werkzeug sein** to be sb's mere tool; **Willenlosigkeit** *f* weakness of will, spinelessness.

willens *adj* (*geh*) **~ sein** to be willing *or* prepared.

Willensakt *m* act of will; **Willensanstrengung** *f* effort of will; **Willensäußerung** *f* expression of will; **Willenserklärung** *f* professed intention; **Willensfreiheit** *f* freedom of will; **Willenskraft** *f* willpower, strength of mind; **Willensmensch** *m* (*inf*) very determined person; **willensschwach** *adj* weak-willed; **Willensschwäche** *f* weakness of will; **willensstark** *adj* strong-willed, determined; **Willensstärke** *f* willpower.

willentlich *adj* wilful, deliberate.

willfährig *adj* (*old, liter*) submissive, compliant. **jdm ~ sein** to submit to sb.

willig *adj* willing.

Willigkeit *f* willingness.

willkommen *adj* welcome. **du bist (mir) immer ~** you are always welcome; **jdn ~ heißen** to welcome *or* greet sb; **seid (herzlich) ~!** welcome, welcome!; **herzlich ~** welcome (*in* +*dat* to); **die Gelegenheit, das zu sagen/zu tun, ist mir ~** I welcome the opportunity of saying/ doing this.

Willkommen *nt* **-s,** **-** welcome. **ein herzliches ~!** welcome indeed!

Willkommensgruß *m* greeting, welcome; **Willkommenstrunk** *m* welcoming drink, cup of welcome (*old*).

Willkür *f* **-,** *no pl* capriciousness; (*politisch*) despotism; (*bei Entscheidungen, Handlungen*) arbitrariness. **sie sind seiner ~ schutzlos preisgegeben** *or* **ausgeliefert** they are completely at his mercy; **das ist reinste ~** that is purely arbitrary *or* just a whim; **ein Akt der ~** an act of caprice/a despotic act/an arbitrary act.

Willkürakt *m siehe* **Willkür** act of caprice; despotic act; arbitrary act; **Willkürherrschaft** *f* tyranny, despotic rule.

willkürlich *adj* **1.** arbitrary; *Herrscher* autocratic. **sie kann ~ Tränen produzieren** she can produce tears at will. **2.** *Muskulatur* voluntary.

Willkürmaßnahme *f* arbitrary measure.

wimmeln *vi* **1.** *auch vi impers* (*in Mengen vorhanden sein*) **der See wimmelt von Fischen, in dem See wimmelt es von Fischen** the lake is teeming with fish; **hier wimmelt es von Mücken/Pilzen/Menschen/Fehlern** this place is swarming with midges/overrun with mushrooms/ teeming with people/this is teeming with mistakes; **der Käse wimmelt von Maden** the cheese is crawling with maggots.

2. *aux sein* (*sich bewegen*) to teem; (*Menschen, Mücken, Ameisen auch*) to swarm.

wimmern *vi* to whimper.

Wimpel *m* -s, - pennant.

Wimper *f* -, -n **1.** (eye)lash. **ohne mit der ~ zu zucken** (*fig*) without batting an eyelid. **2.** (*Bot, Zool*) cilium.

Wimperntusche *f* mascara.

Wimpertierchen *nt* ciliate.

Wind *m* -(e)s, -e **1.** wind. **bei or in ~ und Wetter** in all weathers; **~ und Wetter ausgesetzt sein** to be exposed to the elements; **der ~ dreht sich** the wind is changing direction; (*fig*) the climate is changing; **wissen/merken, woher der ~ weht** to know/notice the way the wind is blowing; **daher weht der ~!** (*fig*) so that's the way the wind is blowing; **seither weht ein anderer/frischer ~** (*fig*) things have changed since then; **ein neuer ~ weht durch das Land** (*fig*) the wind of change is blowing in the country; **frischen** *or* **neuen ~ in etw** (*acc*) **bringen** (*fig*) to breathe new life into sth; **mach doch nicht so einen ~** (*inf*) don't make such a to-do (*inf*); **viel ~ um etw machen** (*inf*) to make a lot of fuss *or* to-do (*inf*) about sth; **vor dem/gegen den ~ segeln** (*lit*) to sail with the wind (behind one)/into the wind; **den Mantel** *or* **das Mäntelchen** *or* **die Fahne** *or* **das Fähnchen nach dem ~ hängen** *or* **drehen** *or* **richten** to trim one's sails to the wind, to swim with the tide; **jdm den ~ aus den Segeln nehmen** (*fig*) to take the wind out of sb's sails; **sich** (*dat*) **den ~ um die Nase** *or* **Ohren wehen lassen** to see a bit of the world; **etw in den ~ schlagen** *Warnungen, Rat* to turn a deaf ear to sth; *Vorsicht, Vernunft* to throw *or* cast sth to the winds; **in den ~ reden** to waste one's breath; **wer ~ sät, wird Sturm ernten** (*Prov*) sow the wind and reap the whirlwind (*prov*).

2. (*Himmelsrichtung*) wind (direction). **in alle (vier) ~e** to the four winds.

3. (*Med: Blähung*) wind. **einen ~ fahren** *or* **streichen lassen** to break wind.

4. (*Hunt*) wind. **von jdm/etw ~ nehmen** *or* **bekommen** to take *or* get the wind of sb/sth; **von etw ~ bekommen** *or* **kriegen/haben** (*fig inf*) to get/have wind of sth.

Windbeutel *m* cream puff; **Windbluse** *f* windcheater; **Windbö(e)** *f* gust of wind.

Winde¹ *f* -, -n (*Tech*) winch, windlass.

Winde² *f* -, -n (*Bot*) bindweed, convolvulus.

Windlei *nt* (*fig*) non-starter.

Windel *f* -, -n nappy (*Brit*), diaper (*US*). **damals lagst du noch in den ~n** you were still in nappies/diapers then; **noch in den ~n stecken** *or* **liegen** (*fig*) to be still in its infancy.

Windeleinlage, Windelfolie *f* nappy (*Brit*) *or* diaper (*US*) liner; **Windelhöschen** *nt* plastic pants *pl*.

windeln I *vt* **ein Baby ~** to put a baby's nappy (*Brit*) *or* diaper (*US*) on; (*neu ~*) to change a baby *or* a baby's nappy/ diaper.

II *vi* to put on nappies/a nappy (*Brit*) *or* diapers/a diaper (*US*).

windelweich *adj* **jdn ~ schlagen** *or* **hauen** (*inf*) to beat sb black and blue, to beat the living daylights out of sb.

winden¹ *pret* **wand**, *ptp* **gewunden I** *vt* to wind; *Kranz* to bind; (*hoch~*) *Eimer, Last* to winch. **jdm etw aus der Hand ~** to wrest sth out of sb's hand.

II *vr* (*Pflanze, Schlange*) to wind (itself); (*Bach*) to wind, to meander; (*Mensch*) (*durch Menge, Gestrüpp*) to wind (one's way); (*vor Schmerzen*) to writhe (*vor* with, in); (*vor Scham, Verlegenheit*) to squirm (*vor* with, in); (*fig: ausweichen*) to try to wriggle out. **sich ~ wie ein (getretener) Wurm** to squirm.

winden² *vi impers* **es windet (sehr)** the wind is blowing (hard).

Windlenergie *f* wind energy.

Windlenergielanlage *f* wind energy plant.

Windeseile *f* **etw in** *or* **mit ~ tun** to do sth in no time (at all); **sich in** *or* **mit ~ verbreiten** to spread like wildfire.

Windfahne *f* (*Met*) windvane; **Windfang** *m* draught-excluder; (*Raum*) porch; **Windfarm** *f* wind farm; **Windgenerator** *m* wind generator; **windgeschützt I** *adj* sheltered (from the wind); **II** *adv* in a sheltered place; **Windgeschwindigkeit** *f* wind speed; **Windhafer** *m* wild oat; **Windhauch** *m* breath of wind; **Windhose** *f* vortex; **Windhund** *m* **1.** (*Hund*) greyhound; (*Afghanischer~*) Afghan (hound). **2.** (*fig pej*) rake.

windig *adj* windy; (*fig*) *Bursche, Sache* dubious, dodgy (*inf*).

Windjacke *f* windcheater; **Windjammer** *m* -s, - (*Naut*) windjammer; **Windkanal** *m* wind-tunnel; (*an Orgel*) wind-trunk; **Windkraft** *f* wind power; **Windkraftanlage** *f*, **Windkraftwerk** *nt* wind power station; **Windlicht** *nt* lantern; **Windloch** *nt* (*Aviat*) air-pocket; **Windmühle** *f* windmill; **gegen ~n (an)kämpfen** (*fig*) to tilt at windmills; **Windmühlenflügel** *m* windmill sail *or* vane; **Windpocken** *pl* chickenpox *sing*; **Windrad** *nt* (*Tech*) wind turbine; **Windrose** *f* (*Naut*) compass card; (*Met*) wind rose; **Windsack** *m* (*Aviat*) windsock, airsock; (*an Dudelsack*) (pipe)bag; **Windschatten** *m* lee; (*von Fahrzeugen*) slipstream; **windschief** *adj* crooked; *Dach auch* askew *pred*; **Windschirm** *m* windbreak; **windschlüpf(r)ig, windschnittig** *adj* streamlined; **Windschutzscheibe** *f* windscreen (*Brit*), windshield (*US*) **Windseite** *f* windward side; **Windspiel** *nt* greyhound; **Windstärke** *f* strength of the wind; (*Met*) wind-force; **windstill** *adj* still, windless; *Platz, Ecke* sheltered; **wenn es völlig ~ ist** when there is no wind at all; **Windstille** *f* calm; **Windstoß** *m* gust of wind; **Windsurfbrett** *nt* sailboard, windsurfer; **Windsurfen** *nt* sailboarding, windsurfing; **windsurfen** *vi insep* to sailboard, to windsurf; ~ **gehen** to go sailboarding *or* windsurfing; **Windsurfer(in** *f)* *m* sailboarder, windsurfer; **Windturbine** *f* wind turbine.

Windung *f* (*von Weg, Fluß*) meander; (*von Schlange*) coil; (*Anat: von Darm*) convolution; (*Tech: von Schraube*) thread; (*eine Umdrehung*) revolution; (*Elec: von Spule*) coil.

Wink *m* **-(e)s, -e** (*Zeichen*) sign; (*mit der Hand*) wave (*mit* of); (*mit dem Kopf*) nod (*mit* of); (*Hinweis, Tip*) hint, tip. **er gab mir einen ~, daß ich still sein sollte** he gave me a sign to be quiet.

Winkel *m* **-s, -. 1.** (*Math*) angle.
2. (*Tech*) square.
3. (*Mil: Rangabzeichen*) stripe.
4. (*fig: Stelle, Ecke*) corner; (*Plätzchen: esp von Land, Wald*) place, spot. **jdn/etw in allen (Ecken und)** ~**n suchen** to look high and low for sb/sth.

Winkeladvokat(in *f) m* (*pej*) incompetent lawyer; **Winkeleisen** *nt* angle iron; **winkelförmig** *adj* angled; ~ **gebogen** bent at an angle; **Winkelfunktion** *f* (*Math*) trigonometrical function.

wink(e)lig *adj siehe* **winklig.**

Winkelmaß *nt* **1.** (*Astron*) Norma, the Level; **2.** (*Winkel*) square; **Winkelmesser** *m* **-s, -** protractor; **Winkelzug** *m* (*Trick*) dodge, trick; (*Ausflucht*) evasion.

winken *ptp* **gewinkt** *or* (*dial*) **gewunken**
I *vi* to wave (*jdm* to sb). **jdm ~, etw zu tun** to signal sb to do sth; **sie winkte mit einem Fähnchen/den Armen** she waved a flag/her arms; **einem Taxi ~** to hail a taxi; **jdm winkt etw** (*fig: steht in Aussicht*) sb can expect sth; **bei der Verlosung ~ wertvolle Preise** valuable prizes are being offered in the draw; **dem Sieger winkt eine Reise nach Italien** the winner will receive (the attractive prize of) a trip to Italy; **ihm winkt das Glück** fortune *or* luck is smiling on him, luck is on his side.

II *vt* to wave; (*esp Sport: anzeigen*) to signal; *Taxi* to hail; *Kellner* to call. **jdn zu sich ~** to beckon sb over to one.

Winker *m* **-s, -** (*Aut*) indicator, trafficator.

Winker|alphabet *nt* semaphore alphabet.

winklig *adj Haus, Altstadt* full of nooks and crannies; *Gasse* twisty, windy.

Winkzeichen *nt* signal; (*Mot*) hand signal; (*mit Fahne*) semaphore signal.

winseln *vti* to whimper; (*pej: um Gnade*) to grovel.

Winter *m* **-s, -** winter. **es ist/wird ~** winter is here *or* has come/is coming; **im/über den ~** in (the)/over the winter; **über den ~ kommen** to get through the winter; **der nukleare ~** nuclear winter.

Winter- *in cpds* **Winteranfang** *m* beginning of winter; **vor/seit ~** before/since the beginning of winter; **Winterdienst** *m* (*Mot*) winter road clearance; **Wintereinbruch** *m* onset of winter; **Winterfell** *nt* winter coat; **winterfest** *adj* hardy; *Saat* winter *attr*; **ein Auto ~ machen** to winterize a car

(*US*); **Wintergarten** *m* winter garden; **Wintergetreide** *nt* winter crop; **Winterhalbjahr** *nt* winter; **im ~** from September to March; **im ~ 1976/77** in the winter of 1976/77; **winterhart** *adj Pflanzen* hardy; **Winterkälte** *f* cold winter weather; **in der größten ~** in the depths of winter; **Winterkleid** *nt* winter dress; (*Zool*) winter coat; (*liter: von Landschaft*) winter covering (of snow); **Winterkleidung** *f* winter clothing; **Winterlandschaft** *f* winter landscape; **winterlich** *adj* wintry; *Wetter auch, Kleidung, Beschäftigung* winter *attr*; ~ **gekleidet** dressed for winter; **Wintermonat** *m* winter month.

wintern *vi impers* (*liter*) **es winterte schon** winter was coming.

Winterolympiade *f* Winter Olympics *pl*; **Winterpause** *f* winter break; **Winterreifen** *m* winter tyre.

winters *adv* in winter, in the wintertime.

Wintersaat *f* winter seed; **Wintersachen** *pl* winter clothes *pl*; **Winterschlaf** *m* (*Zool*) hibernation; (**den**) ~ **halten** to hibernate; **Winterschlußverkauf** *m* winter sale; **Wintersemester** *nt* winter semester; **Wintersonnenwende** *f* winter solstice; **Winterspiele** *pl* (**Olympische**) ~ Winter Olympic Games *or* Olympics *pl*; **Wintersport** *m* winter sports *pl*; (*Sportart*) winter sport; **in den ~ fahren** to go on a winter sports holiday.

wintersüber *adv* in winter; **Winterszeit** *f* (*liter*) wintertime.

Wintertag *m* winter('s) day; **Winterwetter** *nt* winter weather; **Winterzeit** *f* winter time; (*Jahreszeit*) wintertime.

Winzer(in *f) m* **-s, -** wine-grower; (*Weinleser*) grape-picker.

winzig *adj* tiny. **ein ~es bißchen** a tiny little bit; ~ **klein** minute, tiny little *attr*.

Winzigkeit *f* tininess.

Winzling *m* (*inf*) mite.

Wipfel *m* **-s, -** treetop. **in den ~n der Bäume** in the treetops *or* tops of the trees.

Wippe *f* **-, -n** (*zum Schaukeln*) seesaw.

wippen *vi* (*auf und ab*) to bob up and down; (*hin und her*) to teeter; (*Schwanz*) to wag; (*mit Wippe schaukeln*) to seesaw. **mit dem Schwanz ~** to wag its tail; **mit dem Fuß ~** to jiggle one's foot; **in den Knien ~** to give at the knees; ~**der Gang** bouncing gait.

wir *pers pron gen* **unser**, *dat* **uns**, *acc* **uns** we. ~ **alle/beide/drei** all/both *or* the two/the three of us; ~ **als Betroffene/Kollegen ...** as those affected/as colleagues, we ...; ~ **Armen/Kommunisten** we poor people/we Communists; **immer sollen ~'s gewesen sein** everyone always blames us; **wer war das?** — ~ **nicht** who was that? — it wasn't us; **wer kommt noch mit?** — ~/~ **nicht** who's coming along? — we are/not us; **wer ist da?** — ~ **(sind's)** who's there? — (it's) us; **trinken ~ erst mal einen** let's have a drink first; ~, **Wilhelm, Kaiser von ...** we, William, Emperor of ...

wirb *imper sing of* **werben.**

Wirbel *m* **-s, -. 1.** (*lit, fig*) whirl; (*in Fluß*) whirlpool, eddy; (*von Wind auch*) eddy; (*Drehung beim Tanz*) pirouette; (*der Gefühle, Ereignisse*) turmoil; (*Aufsehen*) to-do. **im ~ des Festes** in the whirl *or* hurly-burly of the party; (**viel/großen**) **~ machen/verursachen** to make/cause (a lot of/a big) commotion.

2. (*Haar~*) crown; (*nicht am Hinterkopf*) cowlick; (*auf Fingerkuppe, in Stein*) whorl.

3. (*Trommel~*) (drum) roll.

4. (*Anat*) vertebra.

5. (*an Saiteninstrument*) peg; (*an Fenster*) catch.

Wirbeldüse *f* water nozzle *or* jet.

wirb(e)lig *adj* (*temperamentvoll*) vivacious, lively; (*wirr*) dizzy.

wirbellos *adj* (*Zool*) invertebrate. **die W~en** the invertebrates.

wirbeln I *vi* **1.** *aux sein* (*Mensch, Wasser*) to whirl; (*Laub, Staub, Rauch auch*) to swirl. **2. mir wirbelt der Kopf** (*inf*) my head is spinning *or* reeling. **3.** (*Trommeln*) to roll. **II** *vt jdn, Wasser* to whirl; *Staub, Laub auch* to swirl.

Wirbelsäule *f* (*Anat*) spinal column; **Wirbelsturm** *m* whirlwind; **Wirbeltier** *nt* vertebrate; **Wirbelwind** *m* whirlwind; **wie der/ein ~** like a whirlwind.

wird *3. pers sing present of* **werden**.

wirf *imper sing of* **werfen**.

Wirform, Wir-Form *f* first person plural.

wirken¹ I *vi* **1.** (*geh: tätig sein*) (*Mensch*) to work; (*Einflüsse, Kräfte*) to be at work. **ich werde dahin ~, daß man ihn befördert** I will work for his promotion.

2. (*Wirkung haben*) to have an effect; (*erfolgreich sein*) to work. **als Gegengift/Katalysator ~** to work as an antidote/to act as a catalyst; **schalldämpfend/abführend ~** to have a soundproofing/laxative effect; **das wirkt auf viele als Provokation** many people see that as a provocation; **die Frau wirkt abstoßend auf mich** I find this woman repulsive; **eine stark ~de Droge** a strong drug.

3. (*einwirken*) **auf etw** (*acc*) **~** (*esp Chem*) to act on sth; **etw auf sich** (*acc*) **~ lassen** to take sth in.

4. (*erscheinen*) to seem, to appear. **nervös/ruhig (auf jdn) ~** to give (sb) the impression of being nervous/calm, to seem nervous/calm (to sb).

5. (*zur Geltung kommen*) to be effective. **neben diesen Gardinen wirkt das Muster nicht (richtig)** the pattern loses its effect next to those curtains; **ich finde, das Bild wirkt** I think the picture has something; **die Musik wirkt erst bei einer gewissen Lautstärke** you only get the full effect of the music when it's played loud.

II *vt* (*geh: tun*) *Gutes* to do; *Wunder* to work.

wirken² *vt* **1.** *Teppiche, Stoffe* to weave. **2.** (*spec*) *Maschinentextilien* to knit. **Goldfäden durch etw ~** to work gold threads into sth.

Wirken *nt* **-s**, *no pl* work.

wirklich I *adj* **1.** real; (*tatsächlich auch*) *Sachverhalt, Aussage, Meinung* actual.

im ~en Leben in real life.

2. (*echt*) real; *Freund auch* true.

II *adv* really. **ich wüßte gern, wie es ~ war** I would like to know what really happened; **ich war das ~ nicht** it really was not me; **~?/nein, ~?** (*als Antwort*) really?/what, really?; **er ist es ~** it really is him; **~ und wahrhaftig** really and truly.

Wirklichkeit *f* reality. **~ werden** to come true; **in ~** in reality; **in ~ heißt er anders** his real name is different.

Wirklichkeitsform *f* (*Gram*) indicative; **wirklichkeitsfremd** *adj* unrealistic; **wirklichkeitsgetreu, wirklichkeitsnah** *adj* realistic; **etw wirklichkeitsgetreu** *or* **wirklichkeitsnah abbilden/erzählen** to paint a realistic picture/give a realistic account of sth.

Wirkmaschine *f* knitting machine.

wirksam *adj* effective. **~ bleiben** to remain in effect; **mit (dem)/am 1. Januar ~ werden** (*form: Gesetz*) to take effect on *or* from January 1st.

Wirksamkeit *f* effectiveness.

Wirkstoff *m* (*esp Physiol*) active substance.

Wirkung *f* effect (*bei* on); (*von Tabletten*) effects *pl* **seine ~ tun** to have an effect; (*Droge*) to take effect; **ohne ~ bleiben** to have no effect; **an ~ verlieren** to lose its effect; **seine ~ verfehlen** not to have the desired effect; **mit ~ vom 1. Januar** (*form*) with effect from January 1st.

Wirkungsbereich *m* (*eines Menschen*) domain; (*von Atombombe, Golfstrom*) affected area; **der ~ des atlantischen Tiefs** the area affected by the Atlantic depression; **Wirkungsdauer** *f* period over which sth is effective; **Wirkungsfeld** *nt* field (of activity/interest *etc*); **Wirkungsgrad** *m* (degree of) effectiveness; **Wirkungskreis** *m* sphere of activity; **wirkungslos** *adj* ineffective; **Wirkungslosigkeit** *f* ineffectiveness; **Wirkungsstätte** *f* (*geh*) domain; **wirkungsvoll** *adj* effective.

Wirkwaren *pl* knitwear *sing*; (*Strümpfe auch*) hosiery *sing*.

wirr *adj* confused; *Blick* crazed; (*unordentlich*) *Haare, Fäden* tangled; *Gedanken, Vorstellungen* weird; (*unrealistisch, verstiegen*) wild. **er ist ~ im Kopf** (*geistig gestört*) he is confused in his mind; (*konfus*) he is confused *or* muddled; (*benommen: esp von Lärm*) his head is reeling *or* swimming; **mach mich nicht ~** don't confuse me; **alles lag ~ durcheinander** everything was in chaos; **das Haar hängt ihm ~ ins Gesicht** his hair is hanging all in tangles over his face; **sich ~ ausdrücken** to express oneself in a confused way.

Wirren *pl* confusion *sing*, turmoil *sing*.

Wirrkopf *m* (*pej*) muddle-head. **das sind alles ~e** they've all got crazy ideas.

Wirrwarr *m* **-s**, *no pl* confusion; (*von Stimmen*) hubbub; (*von Verkehr*) chaos *no indef art*; (*von Fäden, Haaren*) tangle.

Wirsing *m* **-s**, *no pl*, **Wirsingkohl** *m* savoy cabbage.

Wirt *m* -(e)s, -e (*Gastwirt, Untervermieter*) landlord; (*Biol*) host.

Wirtin *f* landlady; (*Gastgeberin*) hostess; (*Frau des Wirts*) landlord's wife.

Wirtschaft *f* 1. (*Volks~*) economy; (*Handel, Geschäftsleben*) industry and commerce; (*Finanzwelt*) business world. **freie ~** free market economy; **er ist in der ~ tätig** he works in industry; he's a businessman; **ein Mann der ~** a man of industry and commerce; **seitens der ~ können wir keine Unterstützung erwarten** we can expect no support from the business world.

2. (*Gast~*) ≃ pub (*Brit*), public house (*Brit form*), saloon (*US*). **~!** (*inf*) waiter!

3. (*dated: Haushalt*) household. **jdm die ~ führen** to keep house for sb; **er gründete eine eigene ~** he set up house on his own.

4. (*inf: Zustände*) state of affairs. **du hast vielleicht eine ~ in deinem Haus/auf deinem Schreibtisch** a fine mess *or* state your house/desk is in; **eine schöne/ saubere ~** (*iro*) a fine state of affairs.

wirtschaften I *vi* **1.** (*sparsam sein*) to economize. **gut ~ können** to be economical;. **sparsam ~** to economize, to budget carefully.

2. (*den Haushalt führen*) to keep house.

3. (*inf: sich betätigen*) to busy oneself; (*gemütlich*) to potter about; (*herumfummeln*) to rummage about.

II *vt* **jdn/etw zugrunde ~** to ruin sb/sth financially.

Wirtschafter(in *f*) *m* -s, - **1.** (*Verwalter*) manager. **2.** (*im Haushalt, Heim*) housekeeper. **3.** (*dial: Wirtschaftler*) economist.

Wirtschaftler(in *f*) *m* -s, - **1.** (*Wissenschaftler*) economist. **2.** (*Mann/Frau der Wirtschaft*) business man/woman.

wirtschaftlich *adj* **1.** (*die Wirtschaft betreffend*) economic. **jdm geht es ~ gut/ schlecht** sb is in a good/bad financial *or* economic position. **2.** (*sparsam*) economical; *Hausfrau* careful.

Wirtschaftlichkeit *f* economy; (*mit Genitiv*) economicalness.

Wirtschaftlichkeitsberechnung *f* evaluation of economic efficiency.

Wirtschafts- *in cpds* economic; **Wirtschaftsaufschwung** *m* economic upswing *or* upturn; **Wirtschaftsauskünfte** *pl* financial information *sing*; **Wirtschaftsauskunftei** *f* credit investigation agency; **Wirtschaftsausschuß** *m* economic committee; **Wirtschaftsberater(in** *f*) *m* business consultant; **Wirtschaftsbeziehungen** *pl* business relations *pl*; **Wirtschaftsdemokratie** *f* industrial democracy; **Wirtschaftsflüchtling** *m* economic refugee; **Wirtschaftsform** *f* economic system; **gemischte ~** mixed economy; **Wirtschaftsführer(in** *f*) *m* leading industrialist; **Wirtschaftsführung** *f* management; **Wirtschaftsgebäude** *nt* working quarters *pl*; **Wirtschaftsgefüge** *nt* economic framework; **Wirtschaftsgeld** *nt*

housekeeping (money); **Wirtschaftsgemeinschaft** *f* economic community; **Wirtschaftsgeographie** *f* economic geography; **Wirtschaftsgüter** *pl* economic goods *pl*; **Wirtschaftsgymnasium** *nt* grammar school which places emphasis on economics, law, management studies etc; **Wirtschaftshilfe** *f* economic aid; **Wirtschaftshochschule** *f* business school; **Wirtschaftskapitän** *m* (*inf*) captain of industry; **Wirtschaftskraft** *f* economic power; **Wirtschaftskrieg** *m* economic war/warfare; **Wirtschaftskriminalität** *f* white collar crime; **Wirtschaftskrise** *f* economic crisis; **Wirtschaftslage** *f* economic situation; **Wirtschaftsleben** *nt* business life; **Persönlichkeiten des ~s** business personalities; **Wirtschaftsmacht** *f* economic power; **Wirtschaftsminister(in** *f*) *m* minister of trade and commerce; **Wirtschaftsministerium** *nt* ministry of trade and commerce; **Wirtschaftsordnung** *f* economic order *or* system; **Wirtschaftspolitik** *f* economic policy; **wirtschaftspolitisch** *adj* political-economic; **~ ist es unmöglich ...** in terms of economic policy it is impossible ...; **Wirtschaftsprüfer(in** *f*) *m* accountant; (*zum Überprüfen der Bücher*) auditor; **Wirtschaftsraum** *m* **1.** (*Agr*) working area; **2.** (*Econ*) economic area; **Wirtschaftsrecht** *nt* commercial *or* business law; **Wirtschaftsspionage** *f* industrial espionage; **Wirtschaftssystem** *nt* economic system; **Wirtschaftsteil** *m* business *or* financial section; **Wirtschaftstheorie** *f* economic theory; **Wirtschaftsunion** *f* economic union; **Wirtschaftsverband** *m* business *or* commercial association; **Wirtschaftswachstum** *nt* economic growth; **Wirtschaftswissenschaft** *f* economics *sing*; **Wirtschaftswissenschaftler(in** *f*) *m* economist; **Wirtschaftswunder** *nt* economic miracle; **Wirtschaftszeitung** *f* financial *or* business (news)paper; **Wirtschaftszweig** *m* branch of industry.

Wirtshaus *nt* ≃ pub (*Brit*), saloon (*US*); (*esp auf dem Land*) inn; **Wirtshausschlägerei** *f* pub brawl; **Wirtsleute** *pl* landlord and landlady; **Wirtsprogramm** *nt* (*Comput*) host program; **Wirtsstube** *f* lounge; **Wirtstier** *nt* host (animal).

Wisch *m* -(e)s, -e (*pej inf*) piece of paper; (*mit Gedrucktem, Dokument*) piece of bumph (*inf*); (*Zettel mit Notiz*) note.

wischen I *vti* to wipe; (*mit Lappen reinigen*) to wipe clean. **mit einem Tuch über eine Schallplatte ~** to wipe a record with a cloth; **sie wischte ihm/sich den Schweiß mit einem Handtuch von der Stirn** she wiped the sweat from his/her brow with a towel; **Bedenken/Einwände (einfach) vom Tisch ~** (*fig*) to sweep aside thoughts/objections.

II *vi aux sein* (*sich schnell bewegen*) to whisk.

III *vt* (*inf*) **jdm eine ~** to clout sb one (*inf*); **einen gewischt bekommen** (*elektrischen Schlag*) to get a shock.

Wischer m -s, - (Aut) (windscreen) wiper.
Wischerblatt nt (Aut) wiper blade.
Wischiwaschi nt -s, no pl (pej inf) drivel (inf).
Wischlappen m cloth; (für Fußboden) floorcloth; (dial: für Geschirr) dishcloth; **Wischtuch** nt cloth; (dial: für Geschirr) dishcloth; **Wisch-Wasch-Automatik** f (Aut) wash-wipe.
Wisent m -s, -e bison.
Wismut nt or (Aus) m -(e)s, no pl (abbr **Bi**) bismuth.
wispern vti to whisper; (unverständlich auch) to mumble.
Wißbegier(de) f thirst for knowledge.
wißbegierig adj Kind eager to learn.
wissen pret **wußte**, ptp **gewußt I** vti **1.** (informiert sein) to know (über +acc, von about). **ich weiß (es) (schon)/nicht** know/don't know; **weißt du schon das Neuste?** have you heard the latest?; **das weiß alle Welt/jedes Kind** (absolutely) everybody/any fool knows that; **als ob ich das wüßte!** how should I know?; **ich weiß von ihr** or **über sie nur, daß sie ...** I only know that she ...; **von jdm/etw nichts ~ wollen** not to be interested in sb/sth; **er weiß es nicht anders/besser** he doesn't know any different/better; **er weiß zu genießen** he knows how to enjoy himself; **jdn/etw zu schätzen ~** to appreciate sb/sth; **das mußt du (selbst) ~** it's your decision; **das solltest du selber ~** you ought to know; **das hättest du ja ~ müssen!** you ought to have realized that; **man kann nie ~** you never know; **man weiß nie, wozu das (noch mal) gut ist** you never know when it will come in handy; **das ~ die Götter** (inf), **das weiß der Henker** (inf) God only knows; **weiß Gott** (inf) God knows (inf); **sich für weiß Gott was halten** (inf) to think one is the cat's whiskers (inf); **sie hält sich für wer weiß wie klug** (inf) she doesn't half think she's clever (inf); **... oder was weiß ich** (inf) ... or something; **... und was weiß ich noch alles** (inf) ... and whatever (inf); **er ist wieder wer weiß wo** (inf) goodness knows where he's got to again (inf); **(ja) wenn ich das wüßte!** goodness knows!; **wenn ich nur wüßte ...** if only I knew ...; **nicht, daß ich wüßte** not to my knowledge, not as far as I know; **gewußt wie/wo!** etc sheer brilliance!; **weißt du was?** (do) you know what?; **weißt du, ...** you know ...; **ja, weißt du** well, you see; **daß du es (nur) gleich) weißt** just so you know; **ich weiß sie in Sicherheit/glücklich** I know that she is safe/happy; **was ich/er** etc **nicht weiß, macht mich/ihn** etc **nicht heiß** (Prov) what the eye does not see the heart cannot grieve over (Prov).

2. (kennen) to know. **ich weiß keinen größeren Genuß, als ...** I know (of) no greater delight than ...

3. (erfahren) **jdn etw ~ lassen** to let sb know sth, to tell sb sth.

4. (sich erinnern) to remember; (sich vor Augen führen) to realize. **ich weiß seine Adresse nicht mehr** I can't remember his address; **weißt du noch, wie**

schön es damals war? do you remember how lovely things were then?; **weißt du noch, damals im Mai/in Stone?** do you remember that May/the times in Stone?; **du mußt ~, daß ...** you must realize that ...

II vi **um etw** (acc) **~** (geh), **von etw ~** to know of or about sth; **ich/er weiß von nichts** I don't/he doesn't know anything about it; **... als ob er von nichts wüßte ...** as if he didn't know a thing.

Wissen nt -s, no pl knowledge. **meines ~s** to my knowledge; **etw ohne jds ~ tun** to do sth without sb's knowledge; **etw gegen** or **wider** (geh) **(sein) besseres ~ tun** to do sth against one's better judgement; **nach bestem ~ und Gewissen** to the best of one's knowledge and belief; **mit jds ~ und Willen** with sb's knowledge and consent; **~ ist Macht** knowledge is power.

wissend adj Blick knowing.
Wissende(r) mf decl as adj (Eingeweihter) initiate. **die ~n schwiegen** those who knew kept silent.
Wissenschaft f science.
Wissenschaftler(in f), **Wissenschafter(in** f) m -s, - scientist; (Geistes~) academic.
wissenschaftlich adj scientific; (geistes~) academic. **W~er Assistent** assistant lecturer; **W~er Rat** lecturer, assistant professor (US); **~ arbeiten** to work scientifically.
Wissenschaftlichkeit f scientific nature or character; (in bezug auf Geisteswissenschaften) academic nature or character. **der Arbeit mangelt es an ~** this thesis lacks a scientific approach.
Wissenschaftslehre f epistemology.
Wissensdrang m, **Wissensdurst** m (geh) urge or thirst for knowledge; **Wissensstoff** m material; **das ist ~ der 3. Klasse** that's material learned in the 3rd form; **wissenswert** adj worth knowing; (Information auch) valuable; **das Buch enthält viel W~es** the book contains much valuable information.
wissentlich I adj deliberate. **II** adv knowingly, deliberately.
Witfrau f (old) widow.
Witmann m (old) widower.
wittern I vi (Wild) to sniff the air. **II** vt (Wild) to scent, to get wind of; (Riese, Teufel) to smell; (fig: ahnen) Gefahr to sense, to scent.
Witterung f **1.** (Wetter) weather. **bei günstiger/guter ~** if the weather is good. **2.** (Hunt) (Geruch) scent (von of); (Geruchssinn) sense of smell.
witterungsbeständig adj weather-proof; **Witterungslage** f weather; **Witterungsumschlag** m change in the weather.
Witwe f -, -n widow. **~ werden** to be widowed.
Witwenjahr nt year of mourning; **Witwenrente** f widow's pension; **Witwenschaft** f widowhood; **Witwenschleier** m (auch fig) widow's veil; **Witwenstand** m widowhood; **Witwentröster** m (pej inf) widow chaser (inf); **Witwen-**

verbrennung *f* suttee.

Witwer *m* -s, - widower.

Witz *m* -es, -e **1.** (*Geist*) wit.
2. (*Äußerung*) joke (*über* +acc
about). **einen ~ machen** *or* **reißen** (*inf*)
to make *or* crack a joke; **mach keine ~e!**
don't be funny; **ich mach' keine ~e** I'm
not being funny; **das soll doch wohl ein
~ sein, das ist doch wohl ein ~** that must
be a joke, he/you *etc* must be joking; **die
Prüfung/der Preis war ein ~** (*inf*) the
exam/price was a joke.
3. der ~ an der Sache ist, daß ... the
great thing about it is that ...; **das ist der
ganze ~** that's the thing.

Witzblatt *nt* joke book; **Witzblattfigur** *f*
(*fig inf*) joke figure; **Witzbold** *m* -(e)s,
-e (*unterhaltsamer Mensch*) com-
ic; **du bist vielleicht ein ~!** (*iro*) you're
a great one! (*iro*).

Witzelei *f* teasing *no pl*. **laß doch diese
blöde ~** stop teasing.

witzeln *vi* to joke (*über* +acc about).

Witzfigur *f* (*lit*) joke character; (*fig inf*)
figure of fun.

witzig *adj* funny.

witzlos *adj* (*inf: unsinnig*) pointless, futile.

WM [veː'|ɛm] *f* -, -s *abbr of* **Weltmeister-
schaft**.

WNW *abbr of* **Westnordwest** WNW.

wo I *interrog, rel adv* where; (*irgendwo*)
somewhere. **überall, ~** wherever; **~
könnte er anders** *or* **~ anders könnte er
sein als in der Kneipe?** where else could
he be but in the pub?; **~ immer ...** wherever ...; **der Tag/eine Zeit ~ ...** (*inf*) the
day/a time when ...; **ach** *or* **i ~!** (*inf*)
nonsense!
II *conj* **~ nicht/möglich** if not/
possible; **~ er doch wußte, daß ich nicht
kommen konnte** when he knew I
couldn't come; **~ du doch in die Stadt
gehst, könntest du ...?** (*inf*) seeing that
you're going into town, could you ...?;
~ ich gerade daran denke (*inf*) while I'm
thinking about it; **und das jetzt, ~ ich ...**
(*inf*) and that just when I ...

woanders *adv* somewhere else, elsewhere; **woandersher** *adv* from somewhere else *or* elsewhere; **woandershin**
adv somewhere else, elsewhere.

wob *pret of* **weben**.

wobei *adv* (*siehe auch* **bei**) **1.** *interrog* **~
ist das passiert?** how did that happen?;
~ hast du ihn erwischt? what did you
catch him at *or* doing?; **~ seid ihr gerade?** (*inf*) what are you doing just now?
2. *rel* in which. **ich erzähle mal, was
passiert ist, ~ ich allerdings das Unwich-
tige auslasse** I will tell you what happened but I will leave out all the
unimportant details; **~ man sehr aufpassen muß, daß man nicht betrogen wird/
keinen Sonnenstich bekommt** and you
have to be very careful that you don't
get cheated/don't get sunburnt; **~ mir
gerade einfällt** which reminds me; **das
Auto prallte gegen einen Baum, ~ der
Fahrer schwer verletzt wurde** the car hit
a tree severely injuring the driver.

Woche *f* -, -n week. **zweimal in der ~**

twice a week; **in dieser ~** this week.

Wochenarbeitszeit *f* working week; **welche ~ haben Sie?** what is your working
week?, how many hours a week do you
work?; **Wochenbericht** *m* weekly report; **Wochenbett** *nt* im **~ liegen** to be
lying in (*old*); **im ~ sterben** to die in the
weeks following childbirth; **Wochen-
bettfieber** *nt* puerperal fever. **Wochen|end-** *in* *cpds* weekend;
Wochen|endausgabe *f* weekend edi-
tion; **Wochen|endbeilage** *f* weekend
supplement.

Wochen|ende *nt* weekend. **schönes ~!**
have a nice weekend; **langes** *or* **verlängertes ~** long weekend.

Wochenfluß *m* (*Med*) lochia (*spec*);
Wochenkarte *f* weekly season ticket;
wochenlang *adj, adv* for weeks; **nach
~em Warten** after waiting for weeks,
after weeks of waiting; **Wochenlohn** *m*
weekly wage; **Wochenmarkt** *m* weekly
market; **Wochenschau** *f* newsreel;
Wochenschrift *f* weekly (periodical).
Wochentag *m* weekday (*including
Saturday*); **wochentags** *adv* on weekdays.

wöchentlich I *adj* weekly. II *adv* weekly;
(*einmal pro Woche*) once a week. **zwei
Vormittage ~ kommen** to come two
mornings a week; **~ zweimal** twice a
week; **sich ~ abwechseln** to take turns
every week.

Wochenzeitschrift *f* weekly (magazine *or*
periodical); **Wochenzeitung** *f* weekly
(paper).

Wöchnerin *f* woman who has recently
given birth, woman in childbed (*old*),
puerpera (*spec*).

Wodka *m* -s, -s vodka.

wodurch *adv* (*siehe auch* **durch**) **1.** *interrog* how. **2.** *rel* which. **alles, ~ sie glücklich geworden war ...** everything which
had made her happy ...

wofür *adv* (*siehe auch* **für**) **1.** *interrog* for
what, what ... for; (*warum auch*) why.
2. *rel* for which, which ... for.

wog *pret of* **wägen, wiegen²**.

Woge *f* -, -n wave; (*fig auch*) surge. **wenn
sich die Wogen geglättet haben** (*fig*)
when things have calmed down.

wogegen *adv* (*siehe auch* **gegen**) **1.** *interrog* against what, what ... against. **~ ist
dieses Mittel?** what's this medicine for?
2. *rel* against which, which ... against.

wogen *vi* (*liter*) to surge (*auch fig*);
(*Kornfeld*) to wave, to undulate; (*fig:
Kampf*) to rage; (*Busen*) to heave.

woher *adv* **1.** *interrog* where ... from. **~
weißt du das?** how do you (come to)
know that?; **~ kommt es eigentlich, daß
... how is it that ...?** (*inf*). **ach ~!** (*dial inf*) nonsense! **2.** *rel* from
which, where ... from.

wohin *adv* **1.** *interrog* where. **~, bitte?, ~
soll's gehen?** where to?, where do you
want to go?; **~ so eilig?** where are you
off to so fast *or* rushing off to?; **~ damit?** where shall I/we put it? **2.** *rel*
where. **~ man auch schaut** wherever
you look.

wohinein *adv siehe* **worein**.

wohingegen *conj* whereas, while.

wohl I *adv* 1. *comp* **-er**, *superl* **am -sten** (*angenehm zumute*) happy; (*gesund*) well. **sich ~/~er fühlen** to feel happy/ happier; (*wie zu Hause*) to feel at home/more at home; (*gesundheitlich*) to feel well/better; **bei dem Gedanken ist mir nicht ~** I'm not very happy at the thought; **~ oder übel** whether one likes it or not, willy-nilly; **~ dem, der ...** happy the man who ...; **es sich** (*dat*) **~ gehen/sein/ergehen lassen** to enjoy oneself.

2. (*gut*) *comp* **besser**, *superl* **bestens** *or* **am besten** well. **nun ~!** now then!; **ich wünsche ~ gespeist/geruht zu haben** (*dated*) I do hope you have enjoyed your meal/had a pleasant sleep; **laßt euch ~ schmecken!** I hope you like *or* enjoy it.

3. (*wahrscheinlich*) probably, no doubt; (*iro: bestimmt*) surely. **er ist ~ schon zu Hause** he's probably at home by now, no doubt he's at home by now; **das ist ~ nicht gut möglich** I should think it's unlikely; **es ist ~ anzunehmen, daß ...** it is to be expected that ...; **du bist ~ verrückt** you must be crazy!; **das ist doch ~ nicht dein Ernst!** surely you're not serious!, you can't be serious!

4. (*vielleicht*) perhaps, possibly; (*etwa*) about. **ob ~ noch jemand kommt?** I wonder if anybody else is coming?; **das mag ~ sein** that may well be; **willst du das ~ lassen!** I wish you'd stop (doing) that.

5. (*durchaus*) well. **das kann ~ mal vorkommen** that might well happen; **doch, das glaube ich ~** I certainly do believe it; **sehr ~ (der Herr)!** (*old*) very good (sir).

II *conj* (*zwar*) **er hat es ~ versprochen, aber ...** he may have promised, but ...; **~, aber ...** that may well be, but ...

Wohl *nt* **-(e)s**, *no pl* welfare, well-being. **das öffentliche ~ und das ~ des Individuums** the public good *or* common weal and the welfare of the individual; **der Menschheit zum ~e** for the benefit of mankind; **das ~ und Weh(e)** the weal and woe; **zu eurem ~** for your benefit *or* good; **zum ~!** cheers!; **auf dein ~!** your health!; **auf jds ~ trinken** to drink sb's health.

wohlan *interj* (*old, poet*) come *or* well now; **wohlanständig** (*geh*) *adj* respectable; *Benehmen* proper, correct; **wohlauf** I *adj pred* well, in good health; II *interj siehe* **wohlan; wohlausgewogen** *adj*, *comp besser* **ausgewogen**, *superl* **bestausgewogen** (well) balanced; **Wohlbefinden** *nt* well-being; **wohlbegründet** *adj*, *comp besser* **begründet**, *superl* **bestbegründet** well-founded; *Maßnahme, Strafe* well-justified; **Wohlbehagen** *nt* feeling of well-being; **wohlbehalten** *adj Mensch* safe and sound; *Gegenstand* intact; **wohlbekannt** *adj*, *comp besser* **bekannt**, *superl* **bestbekannt** well-known; **sie ist mir ~** I know her well;

wohlbeleibt *adj* (*hum*) stout, portly; **wohlberaten** *adj*, *comp* **besser beraten**, *superl* **bestberaten** well-advised; **wohldurchdacht** *adj*, *comp* **besser durchdacht**, *superl* **bestdurchdacht** well *or* carefully thought out; **Wohlergehen** *nt* **-s**, *no pl* welfare; **wohlerwogen** *adj*, *comp* **besser erwogen**, *superl* **besterwogen** well *or* carefully considered; **wohlerzogen** *adj*, *comp* **besser erzogen**, *superl* **besterzogen** (*geh*) well-bred; *Kind* well-mannered; **~ sein/sich ~ benehmen** to be well-bred/well-mannered.

Wohlfahrt *f* **-**, *no pl* 1. (*old geh: Wohlergehen*) welfare.

2. (*Fürsorge*) welfare. **bei der ~ arbeiten** to do welfare work.

Wohlfahrtsamt *nt* (*dated, inf*) *siehe* **Sozialamt; Wohlfahrtseinrichtung** *f* social service; **Wohlfahrtsmarke** *f* charity stamp; **Wohlfahrtsorganisation** *f* charity, charitable institution *or* organization; **Wohlfahrtspflege** *f* social *or* welfare work; **freie ~** voluntary social *or* welfare work; **Wohlfahrtsrente** *f* benefit pension; **Wohlfahrtsstaat** *m* welfare state; **Wohlfahrtsunterstützung** *f* (*dated*) *siehe* **Sozialhilfe.**

wohlfeil *adj* (*old, liter*) inexpensive; **wohlgeboren** *adj* (*obs*) **Eure** *or* **Euer ~** Sir; **Wohlgefallen** *nt* **-s**, *no pl* satisfaction, pleasure; **sein ~ an etw** (*dat*) **haben** to take pleasure in sth; **sich in ~ auflösen** (*hum*) (*Freundschaft, Argument*) to peter out; (*Plan, Problem*) to vanish into thin air; **wohlgefällig** *adj* (*geh*) (*gefallend*) pleasing; (*zufrieden, erfreut*) well-pleased; **Gott ~ sein** well-pleasing to God; **wohlgeformt** *adj*, *comp* **besser geformt**, *superl* **bestgeformt** (*geh*) well-shaped; *Körperteil* shapely; *Satz* well-formed; **Wohlgefühl** *nt* (*geh*) feeling *or* sense of well-being; **wohlgelitten** *adj*, *comp* **wohlgelittener**, *superl* **wohlgelittenste(r, s)** well-liked; **wohlgemeint** *adj*, *comp* **besser gemeint**, *superl* **bestgemeint** (*geh*) well-meant, well-intentioned; **wohlgemerkt** *adv* mark you, mind (you); **wohlgemut** *adj* (*geh*), *comp* **wohlgemuter**, *superl* **wohlgemuteste(r, s)** (*old, liter*) cheerful; **wohlgenährt** *adj*, *comp* **wohlgenährter**, *superl* **wohlgenährteste(r, s)** well-fed; **wohlgeordnet** *adj*, *comp* **besser geordnet**, *superl* **bestgeordnet** (*geh*) well-regulated; *Leben auch* well-ordered; **wohlgeraten** *adj*, *comp* **wohlgeratener**, *superl* **wohlgeratenste(r, s)** (*geh*) *Kind* fine; *Werk* successful; **Wohlgeruch** *m* (*geh*) pleasant smell; (*von Garten, Blumen auch*) fragrance; **Wohlgeschmack** *m* (*geh*) flavour, pleasant taste; **wohlgesinnt** *adj*, *comp* **wohlgesinnter**, *superl* **wohlgesinnteste(r, s)** (*geh*) well-disposed (*dat* towards); *Worte* well-meaning; **wohlgestaltet** *adj*, *comp* **wohlgestalteter**, *superl* **wohlgestaltetste(r, s)** (*geh*) well-shaped, well-proportioned; **wohlgetan** *adj* (*old, liter*) well done *pred*; **wohlhabend** *adj*, *comp*

wohlhabender, *superl* **wohlhabendste(r, s)** well-to-do, prosperous; **Wohlhabenheit** *f* (*geh*) prosperity, affluence.

wohlig *adj* pleasant; (*gemütlich*) cosy; *Ruhe* blissful. ~ **rekelte er sich in der Sonne** he stretched luxuriously in the sun.

Wohlklang *m* (*geh*) melodious sound; **wohlklingend** *adj, comp* **wohlklingender,** *superl* **wohlklingendste(r, s)** (*geh*) pleasant(-sounding), melodious; **Wohlleben** *nt* (*geh*) life of luxury; **wohlmeinend** *adj* (*geh*), *comp* **wohlmeinender,** *superl* **wohlmeinendste(r, s)** well-meaning; **wohlriechend** *adj, comp* **wohlriechender,** *superl* **wohlriechendste(r, s)** (*geh*) fragrant; **wohlschmeckend** *adj, comp* **wohlschmeckender,** *superl* **wohlschmeckendste(r, s)** (*geh*) palatable; **Wohlsein** *nt*: **zum/auf Ihr ~!** your health!

Wohlstand *m* -(e)s, *no pl* affluence, prosperity.

Wohlstandsbürger(in *f*) *m* (*pej*) member of the affluent society.

Wohltat *f* **1.** (*Genuß*) relief. **2.** (*Dienst, Gefallen*) favour; (*gute Tat*) good deed. **jdm eine ~ erweisen** to do sb a favour *or* a good turn.

Wohltäter(in *f*) *m* benefactor; benefactress.

wohltätig *adj* **1.** charitable. **2.** (*dial*) *siehe* **wohltuend.**

Wohltätigkeit *f* charity, charitableness.

Wohltätigkeitsbasar *m* charity bazaar; **Wohltätigkeitskonzert** *nt* charity concert; **Wohltätigkeitsverein** *m* charitable organization, charity; **Wohltätigkeitszweck** *m* charitable cause, good cause.

wohltemperiert *adj, comp* **besser temperiert,** *superl* **besttemperiert** *Wein, Bad, Zimmer* at the right temperature *no comp*; **wohltuend** *adj, comp* **wohltuender,** *superl* **wohltuendste(r, s)** (most) agreeable; **wohltun** *vi sep irreg* (*angenehm sein*) to do good (*jdm* sb), to be beneficial (*jdm* to sb); **das tut wohl** that's good; **wohlüberlegt** *adj, comp* **besser überlegt,** *superl* **bestüberlegt** well thought out; **etw ~ machen** to do sth after careful consideration; **wohlunterrichtet** *adj attr* well-informed; **wohlverdient** *adj Strafe* well-deserved; *Belohnung, Ruhe auch* well-earned; **Wohlverhalten** *nt* (*usu iro*) good conduct *or* behaviour; **wohlverstanden I** *adj attr* (*geh*) well-understood; **II** *adv* mark *or* mind you; **wohlweislich** *adv* very wisely; **ich habe das ~ nicht gemacht** I was careful not to do that; **Wohlwollen** *nt* -s, *no pl* goodwill; **selbst bei dem größten ~** with the best will in the world; **jdn mit ~ betrachten** to regard sb benevolently; **sich** (*dat*) **jds ~ erwerben** to win sb's favour; **wohlwollend** *adj, comp* **wohlwollender,** *superl* **wohlwollendste(r, s)** benevolent; **jdm gegenüber ~ sein** to be kindly disposed towards sb.

Wohnanhänger *m* caravan; **Wohnbau** *m, pl* **-ten** residential building; **Wohnbevölkerung** *f* residential population; **Wohnblock** *m, pl* **-s** block of flats, apartment house (*US*); **Wohncontainer** *m* Portakabin ®; **Wohndichte** *f* (*Sociol*) occupant density; **Wohndiele** *f* hall-cum-living-room; **Wohneinheit** *f* accommodation unit.

wohnen *vi* **1.** to live; (*vorübergehend*) to stay. **wo ~ Sie?** where do you live/are you staying?; **er wohnt (in der) Friedrichstraße 11** he lives at (number) 11 Friedrichstraße; **wir ~ sehr schön** we have a very nice flat/house *etc*; **wir ~ da sehr schön** it's very nice where we live; **hier wohnt es sich gut, hier läßt es sich gut ~** it's a nice place to live/stay.

2. (*fig liter*) to dwell (*liter*), to live.

Wohnfläche *f* living space; **Wohngebäude** *nt siehe* **Wohnbau**; **Wohngebiet** *nt*, **Wohngegend** *f* residential area; **Wohngeld** *nt* housing benefit; **Wohngemeinschaft** *f* (*Menschen*) people sharing a/the flat (*Brit*) or apartment/house; **unsere ~** the people I share a flat *etc* with; **in einer ~ leben** to share a flat *etc*; **Wohngift** *nt* poisonous substance found in the home; **wohnhaft** *adj* (*form*) resident; **Wohnhaus** *nt* residential building; **Wohnheim** *nt* (*esp für Arbeiter*) hostel; (*für Studenten*) hall (of residence), dormitory (*US*); (*für alte Menschen*) home; **Wohnkomfort** *m* comfort of one's home; **Wohnküche** *f* kitchen-cum-living-room; **Wohnkultur** *f* style of home décor; **keine ~ haben** to have no taste in home décor; **Wohnlage** *f* residential area; **unsere ~ ist schön/ungünstig** our house/apartment is nicely/awkwardly situated; **wohnlich** *adj* homely, cosy; **es sich** (*dat*) **~ machen** to make oneself comfortable; **Wohnlichkeit** *f* homeliness, cosiness; **Wohnmobil** *nt* dormobile ®, camper, motor caravan, RV (*US*); **Wohnobjekt** *nt* (*Aus form*) accommodation unit; **Wohnort** *m* place of residence; **Wohnqualität** *f* quality of housing; **Wohnraum** *m* living-room; (*no pl: Wohnfläche*) living space; **Wohn-Schlafzimmer** *nt* bed-sitter; **Wohnsiedlung** *f* housing estate (*Brit*) or scheme or development; **Wohnsilo** *m* (*pej*) concrete block; **Wohnsitz** *m* domicile; **ohne festen ~** of no fixed abode; **Wohnstube** *f siehe* **Wohnzimmer**; **Wohnturm** *m* tower block.

Wohnung *f* flat (*Brit*), apartment; (*liter: von Tieren*) habitation; (*Wohneinheit*) dwelling (*form*); (*Unterkunft*) lodging. **1.000 neue ~en** 1,000 new homes; **~ nehmen** (*form*) to take up residence (*form*); **freie ~ haben** to have free lodging.

Wohnungsamt *nt* housing office; **Wohnungsbau** *m, no pl* house building *no def art*; **Wohnungsbauprogramm** *nt* housing programme; **Wohnungsbedarf** *m* housing requirements *pl*; **Wohnungsbesetzer(in** *f*) *m* **-s,** squatter; **Wohnungsinhaber(in** *f*) *m* householder, occupant; (*Eigentümer auch*) owner-occupier; **wohnungslos** *adj* (*form*) homeless; **Wohnungsmakler(in** *f*) *m* estate agent, real estate agent (*US*); **Wohnungsmangel** *m* housing shortage; **Wohnungsmarkt** *m* housing market; **Wohnungsnot** *f* serious housing shortage *or* lack of housing; **Wohnungssuche** *f* flat-hunting (*Brit*); **auf ~ sein** to be looking for a flat (*Brit*) *or* apartment, to be flat-hunting (*Brit*); **Wohnungstausch** *m* exchange (of flats/houses); **Wohnungstür** *f* door (to the flat (*Brit*) *or* apartment); **Wohnungswechsel** *m* change of address; **Wohnungswesen** *nt* housing.

Wohnverhältnisse *pl* (*von Familie*) living conditions *pl*; (*im Stadt*) housing conditions *pl*; **Wohnviertel** *nt* residential area *or* district; **Wohnwagen** *m* caravan (*Brit*), trailer (*US*); **Wohnwert** *m* **einen hohen ~ haben** to be an attractive place to live in; **Wohnzimmer** *nt* living-room; **Wohnzwecke** *pl* residential purposes *pl*.

Wok *m* **-s, -s** (*Cook*) wok.

wölben I *vt* to curve; *Blech* to bend; *Dach* to vault.

    II *vr* to curve; (*Asphalt*) to bend *or* buckle; (*Tapete*) to bulge out; (*Brust*) to swell; (*Stirn*) to be domed; (*Decke, Brücke*) to arch.

Wölbung *f* curvature; (*kuppelförmig*) dome; (*bogenförmig*) arch; (*von Körperteil*) curve; (*von Straße*) camber; (*von Tapete*) bulge.

Wolf *m* **-(e)s, ¨e 1.** wolf. **ein ~ im Schafspelz** a wolf in sheep's clothing; **mit den ¨en heulen** (*fig*) to run with the pack.
    2. (*Tech*) shredder; (*Fleisch~*) mincer (*Brit*), grinder (*US*). **jdn durch den ~ drehen** (*fig*) to put sb through his paces.
    3. (*Med*) intertrigo *no art* (*spec*) (*inflammation of the skin between the buttocks*).

Wölfin *f* she-wolf.

wölfisch *adj* wolfish.

Wölfling *m* (*Pfadfinder*) cub (scout).

Wolfram *nt* **-s,** *no pl* (*abbr* W) tungsten, wolfram.

Wolfshund *m* Alsatian (*Brit*), German shepherd (*US*); **irischer ~** Irish wolfhound; **Wolfshunger** *m* (*fig inf*) ravenous hunger; **ich hatte einen ~** I was ravenous; **Wolfsmensch** *m* (*Werwolf*) werewolf; **Wolfsmilch** *f* (*Bot*) spurge; **Wolfsrachen** *m* (*Med*) cleft palate; **Wolfsrudel** *nt* pack of wolves; **Wolfsspinne** *f* wolf spider.

Wölkchen *nt dim of* Wolke.

Wolke *f* **-, -n** (*lit, fig*) cloud; (*in Edelstein*) flaw. **aus allen ~n fallen** (*fig*) to be flabbergasted (*inf*); **das ist 'ne ~** (*inf*) it's fantastic (*inf*).

Wolkenbank *f* cloudbank; **Wolkenbildung** *f* cloud formation; **es kann zu ~ kommen** it may become cloudy *or* overcast; **Wolkenbruch** *m* cloudburst; **wolkenbruchartig** *adj* torrential; **Wolkendecke** *f* cloud cover; **die Stadt liegt unter einer dichten ~** the town lies under a heavy layer of cloud; **Wolkenkratzer** *m*

skyscraper; **Wolkenkuckucksheim** *nt* cloud-cuckoo-land; **wolkenlos** *adj* cloudless; **Wolkenmeer** *nt* (*liter*) sea of clouds; **Wolkenschicht** *f* layer of cloud, cloud layer; **wolkenverhangen** *adj* overcast; **Wolkenwand** *f* cloudbank.

wolkig *adj* cloudy; (*fig*) obscure.

Wolldecke *f* (woollen) blanket.

Wolle *f* **-, -n** wool. **in der ~ gefärbt** (*fig*) dyed-in-the-wool; **mit jdm in die ~ kommen** *or* **geraten, sich mit jdm in die ~ kriegen** (*fig inf*) to start squabbling with sb; **sich mit jdm in der ~ haben** (*fig inf*) to be at loggerheads with sb.

wollen¹ *adj attr* woollen.

wollen² **1.** *pers present* **will,** *pret* **wollte,** *ptp* **gewollt** **I** *vi* **1.** (*Willen zeigen, haben*) **er kann schon, wenn er nur will** he can (do it) if he really wants (to); **man muß nur ~** you simply have to have the will; **da ist nichts zu ~** there is nothing we/you can do (about it).
    2. (*bereit, gewillt sein*) **wenn er will** if he wants to; **er will nicht so recht** he doesn't seem all that willing, he seems rather unwilling; **so Gott will** God willing.
    3. (*mögen*) to want to, to like. **wenn man so will, wenn du so willst** if you like, as it were; **ganz wie du willst** just as you like; **wenn du willst, machen wir das so** if you want to *or* if you like, we'll do it that way; **wer nicht will, der hat schon** if you don't/he doesn't like it, you/he can lump it (*inf*); **ob du willst oder nicht** whether you like it or not.
    4. (*an bestimmten Ort gehen*) to want to go. **ich will nach Hause/hier raus/weg** I want to go home/to get out of here/to get away; **er will unbedingt ins Kino** he is set on going *or* determined to go to the cinema; **wo willst du hin?** where do you want to go?; **zu wem ~ Sie?** whom do you want to see?
    II *vt* **1.** to want. **er will doch nur dein Bestes** he only wants the best for you; **~, daß jd etw tut** to want sb to do sth; **was wollten sie denn von dir?** what did they want then?; **was willst du (noch) mehr!** what more do you want!; **ich weiß nicht, was du willst, das ist doch ausgezeichnet** I don't know what you're on about, it's excellent; **er hat gar nichts zu ~** he has no say at all; **ohne es zu ~** without wanting to; **das wollte ich nicht** (*war unbeabsichtigt*) I didn't mean to (do that); **was ~ sie?** what do they want?; *siehe* **gewollt.**
    2. **etw lieber ~** to prefer sth; **etw unbedingt ~** to want sth desperately.
    3. (*bezwecken*) **etw mit etw ~** to want sth with sth, to want sth for sth; **was willst du mit dem Messer?** what are you doing with that knife?; **was ~ die Leute mit solchen Filmen?** what do people hope to achieve with films like that?
    4. (*brauchen*) to want, to need.
    III *modal aux vb ptp* **~ 1. etw haben ~** to want (to have) sth; **er will immer alles besser wissen** he thinks he knows it all; **was will man da schon machen/sagen?** what can you do/say?; **wenn man darauf**

noch **Rücksicht nehmen wollte** if one were to take that into account too.

2. (*beabsichtigen*) **etw gerade tun** ~ to be going to do sth; **wolltest du gerade weggehen?** were you just leaving?; **ich wollte schon gehen/gerade aufhören, als ...** I was just going to leave/just about to stop when ...

3. (*werden*) **das** ~ **wir doch erst mal sehen!** we'll have to see about that!

4. (*Anschein haben*) **es sieht aus, als wollte es regnen** it looks as if it's going to rain; **es will nicht besser/wärmer werden** it just won't get better/warmer; **es will und will nicht aufhören** it just goes on and on and on.

5. (*in bezug auf Behauptung*) **keiner wollte etwas gehört/gesehen haben** nobody will admit to having heard/seen anything; **keiner will es gewesen sein** nobody will admit to it; **der Zeuge will den Dieb beobachtet haben** the witness claims to have seen the thief; **und so jemand will Lehrer sein!** and he calls himself a teacher.

6. (*in Wunsch, Aufforderung*) **ich wollte, ich wäre ...** I wish I were ...; **das wolle Gott verhüten** heaven forbid; ~ **wir uns nicht setzen?** why don't we sit down?; **wir** ~ **beten!** let us pray; **wenn Sie bitte Platz nehmen** ~ if you would care to sit down please; **wenn er mir das doch ersparen wollte!** if only he would spare me that!; **na,** ~ **wir gehen?** well, shall we go?; **darauf** ~ **wir mal anstoßen!** let's drink to that; **wir** ~ **mal nicht übertreiben/in Ruhe überlegen** let's not exaggerate/let's think about it calmly.

7. komme, was da wolle come what may; **sei er, wer er wolle** whoever he may be.

8. *impers* **es will mir nicht einleuchten, warum** I really can't see why; **es will mir scheinen, daß ...** it seems to me that ...

9. (*müssen*) **das will alles genauestens überlegt sein/werden** it all has to be most carefully considered.

Wollfaser *f* wool fibre; **Wollfett** *nt* woolfat, lanolin; **Wollgarn** *nt* woollen yarn; **Wollgras** *nt* (*Bot*) cotton grass.

wollig *adj* woolly.

Wolljacke *f* cardigan; **Wollkämmerei** *f* **1.** (*Fabrik*) wool-carding shop; **2.** (*Tätigkeit*) wool-carding; **Wollknäuel** *nt* ball of wool; **Wollsachen** *pl* woollens *pl*; **Wollsiegel** *nt* Woolmark ®; **Wollstoff** *m* woollen material; **Wollstrumpf** *m* woollen stocking.

Wollust *f* -, *no pl* (*liter*) (*Sinnlichkeit*) sensuality, voluptuousness; (*Lüsternheit*) lust, lewdness, lasciviousness. ~ **empfinden** to be in ecstasy; **etw mit wahrer** ~ **tun** (*fig*) to delight in doing sth.

wollüstig *adj* (*geh*) (*sinnlich*) sensual; **Frau** *auch* voluptuous; (*lüstern*) lascivious, lusty; (*verzückt, ekstatisch*) ecstatic. **seine** ~**e Freude an etw** (*dat*) **haben** (*fig*) to go into ecstasies over sth; **jdn** ~ **anblicken** to give sb a lascivious look.

womit *adv* (*siehe auch mit*) **1.** *interrog* with what, what ... with. ~ **kann ich die-**

nen? what can I do for you?

2. rel with which; (*auf ganzen Satz bezüglich*) by which. **das ist es,** ~ **ich nicht einverstanden bin** that's what I don't agree with; ~ **ich nicht sagen will, daß ...** by which I don't mean *or* which doesn't mean to say that ...; ~ **man es auch versuchte ...** whatever they tried to do it with ...

womöglich *adv* possibly; *siehe* **wo**.

wonach *adv* (*siehe auch nach*) **1.** *interrog* after what, what ... after. ~ **sehnst du dich?** what do you long for?; ~ **riecht das?** what does it smell of?; ~ **sollen wir uns richten?** what should we go by?

2. rel das Land, ~ **du dich sehnst** the land for which you are longing *or* (which) you are longing for; **das war es,** ~ **ich mich erkundigen wollte** that was what I wanted to ask about.

Wonne *f* -, **-n** (*geh*) (*Glückseligkeit*) bliss *no pl*; (*Vergnügen*) joy, delight. **mit** ~ with great delight; **das ist ihre ganze** ~ that's all her joy; **die** ~**n der Liebe/**~(**n**) **des Paradieses** the joys *or* delights of love/delights of paradise; **das ist eine wahre** ~ it's a sheer delight.

Wonnegefühl *nt* blissful feeling; **Wonnemonat** *m* May; **im** ~ **Mai** in the merry month of May; **Wonneproppen** *m* (*hum inf*) bundle of joy; **Wonneschauer** *m* thrill of joy; **wonnevoll** *adj* **Gefühl** blissful; **Kind, Anblick** delightful; **Gesichtsausdruck** delighted.

wonnig *adj* (*geh*) delightful; **Gefühl, Ruhe** blissful.

wonniglich *adj* (*poet*) **Gefühl, Stunden** blissful; **Kind, Anblick** delightful.

woran *adv* (*siehe auch an*) **1.** *interrog* ~ **denkst du?** what are you thinking about?; **man weiß bei ihm nie,** ~ **man ist** you never know where you are with him; ~ **liegt das?** what's the reason for it?; ~ **ist er gestorben?** what did he die of?

2. rel (*auf vorausgehenden Satz bezogen*) by which. **das,** ~ **ich mich gerne erinnere** what I like to recall; **...,** ~ **ich schon gedacht hatte** ... which I'd already thought of; ~ **ich merkte, daß ...** which made me realize that ...; ~ **er auch immer gestorben ist ...** whatever he died of ...

worauf *adv* (*siehe auch auf*) **1.** *interrog* (*räumlich*) on what, what ... on. ~ **wartest du?** what are you waiting for?; ~ **sollte ich mich freuen?** what do I have to look forward to?

2. rel (*zeitlich*) whereupon. ~ **du dich verlassen kannst** of that you can be sure; **das ist etwas,** ~ **ich mich freue** that's something I'm looking forward to; ~ **er einen Wutanfall bekam** whereupon he flew into a rage; ~ **er sich auch beruft ...** whatever his arguments are ...

woraufhin *rel adv* whereupon.

woraus *adv* (*siehe auch aus*) **1.** *interrog* out of what, what ... out of. ~ **ist der Pullover?** what is the pullover made (out) of? ~ **schließt du das?** from what do you deduce that?

2. *rel* out of which, which ... out of. ~ **ich schließe/gelernt habe, daß ...** from which I conclude/have learned that ...; ~ **man das Öl auch gewinnt ...** whatever oil is obtained from ...

worden *ptp of* **werden I 3.**.

worin *adv* (*siehe auch* **in**) **1.** *interrog* in what, what ... in. ~ **war das eingewikkelt?** what was it wrapped in?; ~ **liegt der Unterschied/Vorteil?** what is the difference/advantage?

2. *rel* in which, which ... in, wherein (*form*). **das ist etwas, ~ wir nicht übereinstimmen** that's something we don't agree on; **dann sagte er ..., ~ ich mit ihm übereinstimme** then he said ..., which is where I agree with him.

Wort *nt* **-(e)s, -e 1.** *pl usu* **¨er** (*Vokabel*) word. **ein ~ mit sechs Buchstaben** a word with six letters, a six-letter word; ~ **für ~** word for word.

2. (*Äußerung*) word. **nichts als ~e** nothing but words *or* talk; **genug der ~e!** enough talk!; **das ist ein ~!** wonderful!; **in ~ und Schrift** in speech and writing; **er beherrscht die Sprache in ~ und Schrift** he has a command of the written and spoken language; **in ~ und Tat** in word and deed; **~en Taten folgen lassen** to suit the action to the word(s); **mit einem ~** in a word; **mit anderen/wenigen ~en** in other/a few words; **hast du/hat der Mensch (da noch) ~e!** it leaves you speechless; **kein ~ mehr** not another word; **kein ~ von etw sagen/erwähnen** not to say one word *or* a thing about sth; **ich verstehe kein ~!** I don't understand a word (of it); (*hören*) I can't hear a word (that's being said); **er sagte** *or* **sprach kein einziges ~** he didn't say a single word; **ein ~ mit jdm reden** to have a word with sb; **mit dir habe ich noch ein ~ zu reden!** I want a word with you!; **ein ernstes ~ mit jdm reden** to have a serious talk with sb; **kein ~ miteinander/ mit jdm sprechen** *or* **reden** not to say a word to each other/to sb; **hättest du doch ein ~ gesagt** if only you had said something; **davon hat man mir kein ~ gesagt** they didn't tell me anything about it; **man kann sein eigenes ~ nicht (mehr) verstehen** *or* **hören** you can't hear yourself speak; **ein ~ gab das andere** one thing led to another; **jdm das ~** *or* **die ~e im Mund (her)umdrehen** to twist sb's words; **du sprichst ein großes** *or* **wahres ~ gelassen aus** how true, too true; **die passenden/keine ~e für etw finden** to find the right/no words for sth; **das rechte ~ zur rechten Zeit** the right word at the right time; **jdn mit schönen ~en abspeisen** to fob sb off; **auf ein ~!** a word!; **jdm aufs ~ glauben** to believe sb implicitly; **das glaub ich dir aufs ~** I can well believe it; **ohne ein ~ (zu sagen)** without (saying) a word; **dein ~ in Gottes Ohr** let us hope so; **seine ~e galten dir** he meant you, he was talking about you.

3. *no pl* (*Rede, Recht zu sprechen*) **das ~ nehmen** to speak; (*bei Debatte auch*) to take the floor; **das große ~ haben** *or*

führen (*inf*) to shoot one's mouth off (*inf*); **einer Sache** (*dat*) **das ~ reden** to put the case for sth; **das ~ an jdn richten** to address (oneself to) sb; **jdm ins ~ fallen** to interrupt sb; **jdm das ~ abschneiden** to cut sb short; **zu ~ kommen** to get a chance to speak; **ums ~ bitten, sich zu ~ melden** to ask to speak; **er hat das ~** it's his turn to speak; (*bei Debatte auch*) he has the floor; **jdm das ~ erteilen** *or* **geben** to allow sb to speak; (*in Debatte auch*) to allow sb to take the floor; **er hat mir das ~ verboten** he forbade me to speak; (*bei jdm*) **im ~ stehen** *or* **sein** to have given one's word (to sb), to have made a commitment (to sb).

4. (*Ausspruch*) (*Zitat*) quotation; (*Rel*) Word. **ein ~, das er immer im Munde führt** one of his favourite sayings; **ein ~ aus der Bibel** a quotation from Goethe/the Bible.

5. (*Text, Sprache*) words *pl.* **in ~en** in words; **in ~ und Bild** in words and pictures; **etw in ~e fassen** to put sth into words; **das geschriebene/gedruckte/gesprochene ~** the written/printed/spoken word.

6. (*Befehl, Entschluß*) **das ~ des Vaters ist ausschlaggebend** the father's word is law; **das ~ des Königs** the king's command; **jdm aufs ~ gehorchen** *or* **folgen** to obey sb's every word; **dabei habe ich auch (noch) ein ~ mitzureden** *or* **mitzusprechen** I (still) have something to say about that too; **das letzte ~ ist noch nicht gesprochen** the final decision hasn't been taken yet.

7. *no pl* (*Versprechen*) word. **auf mein ~** I give (you) my word; **jdn beim ~ nehmen** to take sb at his word; **ich gebe mein ~ darauf** I give you my word on it; **sein ~ halten** to keep one's word.

Wortart *f* (*Gram*) part of speech; **Wortbedeutung** *f* meaning of a/the word; **Wortbildung** *f* (*Ling*) morphology; **Wortbruch** *m* **das wäre ein ~** that would be breaking your/my *etc* promise; **wortbrüchig** *adj* false; ~ **werden** to break one's word.

Wörtchen *nt dim of* **Wort** little word. **da habe ich wohl ein ~ mitzureden** (*inf*) I think I have some say in that; **mit ihm habe ich noch ein ~ zu reden** (*inf*) I want a word with him.

Wörterbuch *nt* dictionary; **Wörterverzeichnis** *nt* vocabulary; (*von Spezialbegriffen*) glossary.

Wortfeld *nt* (*Ling*) semantic field; **Wortfolge** *f* (*Gram*) word order; **Wortführer(in** *f)* *m* spokesman/-woman; **Wortgebühr** *f* (*Telec*) rate per word; **Wortgefecht** *nt* battle of words; **Wortgeplänkel** *nt* banter; **wortgetreu** *adj, adv* verbatim; **wortgewandt** *adj* eloquent; **Wortgut** *nt* vocabulary; **Worthülse** *f* (*pej*) hollow word; **wortkarg** *adj* taciturn; **Wortkargheit** *f* taciturnity; **Wortklauber(in** *f)* *m* **-s,** **-** caviller, quibbler; **Wortklauberei** *f* cavilling, quibbling; **Wortkunde** *f* lexicology; (*Vokabelsammlung*) vocabulary; **Wortlaut** *m* wording; **im ~** verbatim; **folgen-**

den ~ haben to read as follows.

Wörtlein *nt dim of* **Wort**; *siehe* **Wörtchen**.

wörtlich *adj Bedeutung* literal; *Übersetzung, Wiedergabe auch* word-for-word; *Rede* direct. **etw ~ wiedergeben/ abschreiben** to repeat/copy sth verbatim *or* word for word; **etw ~ übersetzen** to translate sth literally *or* word for word; **das darf man nicht so ~ nehmen** you mustn't take it literally; **das hat er ~ gesagt** those were his very *or* actual words.

wortlos I *adj* silent; **II** *adv* without saying a word; **Wortmeldung** *f* request to speak; **wenn es keine weiteren ~en gibt** if nobody else wishes to speak; **wortreich** *adj Rede, Erklärung* verbose, wordy; **sich ~ entschuldigen** to apologize profusely; **Wortreichtum** *m siehe adj* verbosity, wordiness; **Wortschatz** *m* vocabulary; **Wortschöpfung** *f* neologism; **Wortschwall** *m* torrent of words; **Wortsinn** *m* meaning of a/the word; **Wortspiel** *nt* pun, play on words; **Wortstamm** *m* (*Ling*) root (of a/the word); **Wortstellung** *f* (*Gram*) word order; **Wortverdrehung** *f* twisting of words; **Wortwahl** *f* choice of words; **Wortwechsel** *m* exchange (of words), verbal exchange; **wortweise** *adv* word for word; **Wortwitz** *m* pun; **wortwörtlich I** *adj* word-for-word; **II** *adv* word for word, quite literally.

worüber *adv* (*siehe auch* **über**) **1.** *interrog* about what, what ... about; (*örtlich*) over what, what ... over. **2.** *rel* about which, which ... about; (*örtlich*) over which, which ... over; (*auf vorausgehenden Satz bezogen*) which. **das Thema, ~ ich gerade einen Artikel gelesen habe** the subject I have just read an article about; **~ sie sich auch unterhalten, sie ...** whatever they talk about they ...

worum *adv* (*siehe auch* **um**) **1.** *interrog* about what, what ... about. **~ handelt es sich?** what's it about? **2.** *rel* about which, which ... about. **~ die Diskussion auch geht, ...** whatever the discussion is about ...

worunter *adv* (*siehe auch* **unter**) **1.** *interrog* under what, what ... under. **ich weiß nicht, ~ er leidet** I don't know what he is suffering from. **2.** *rel* under which, which ... under.

Wotan *m -s* (*Myth*) Wotan.

wovon *adv* (*siehe auch* **von**) **1.** *interrog* from what, what ... from. **~ hat er das abgeleitet?** what did he derive that from?

2. *rel* from which, which ... from; (*auf vorausgehenden Satz bezogen*) about which, which ... about. **das ist ein Gebiet, ~ er viel versteht** (*N Ger*) that is a subject he knows a lot about; **~ du dich auch ernährst, ...** whatever you eat ...

wovor *adv* (*siehe auch* **vor**) **1.** *interrog* (*örtlich*) before what, what ... before. **~ fürchtest du dich?** what are you afraid of?

2. *rel* before which, which ... before. **das Ereignis, ~ ich schon immer gewarnt habe** the event I have always

warned you about; **~ du dich auch fürchtest, ...** whatever you're afraid of ...

wozu *adv* (*siehe auch* **zu**) **1.** *interrog* to what, what ... to; (*warum*) why. **~ hast du dich entschlossen?** what have you decided on?; **~ soll das gut sein?** what's the point of that?; **~ denn das?** what for?; **~ denn?** why should I/you?

2. *rel* to which, which ... to. **das, ~ ich am meisten neige** what I'm most inclined to do; **..., ~ ich mich jetzt auch entschlossen habe ...** which I have now decided to do; **sie haben geheiratet, ~ ich nichts weiter sagen möchte** they have got married, and I shall say no more about that; **~ du dich auch entschließt, ...** whatever you decide (on) ...

Wrack *nt -s, -s or* (*rare*) **-e** wreck; (*fig*) (physical) wreck.

Wrasen *m -, -* (*esp N Ger*) vapour.

wringen, *pret* **wrang**, *ptp* **gewrungen** *vti* to wring.

WS [veː|ʔɛs] *nt* (*Univ*) *abbr of* **Wintersemester.**

WSW *abbr of* **Westsüdwest** WSW.

Wucher *m -s, no pl* profiteering; (*bei Geldverleih*) usury. **das ist doch ~!** that's daylight robbery!

Wucherer *m -s, -* profiteer; (*Geldverleiher*) usurer.

Wuchergeschäft *nt* profiteering *no pl*; usury *no pl*.

Wucherin *f siehe* **Wucherer.**

wucherisch *adj* profiteering; *Geldverleih, Zinsen* usurious; *Bedingungen, Preis, Miete* exorbitant, extortionate.

Wuchermiete *f* exorbitant *or* extortionate rent.

wuchern *vi* **1.** *aux sein or haben* (*Pflanzen*) to grow rampant, to proliferate; (*wildes Fleisch*) to proliferate; (*Bart, Haare*) to grow profusely.

2. (*fig: sich verbreiten*) to be rampant. **3.** (*Kaufmann*) to profiteer; (*Geldverleiher*) to practise usury. **mit seinen Talenten ~** (*fig*) to make the most of one's talents.

wuchernd *adj* proliferous; *Pflanzen auch* rampant.

Wucherpreis *m* exorbitant price. **~e bezahlen** to pay through the nose.

Wucherung *f* rank growth, proliferation; (*Med*) growth; (*wildes Fleisch*) proud flesh.

Wucherzins *m* exorbitant *or* usurious interest.

wuchs [vuːks] *pret of* **wachsen**[1].

Wuchs [vuːks] *m* **-es**, *no pl* (*Wachstum*) growth; (*Gestalt, Form*) stature; (*von Mensch*) build, stature.

Wucht *f -, no pl* **1.** force; (*von Angriff auch*) brunt; (*Stoßkraft auch*) momentum; (*fig auch*) power. **mit aller ~** with all one's force *or* might; **mit voller ~** with full force.

2. (*inf: Menge*) load (*inf*). **eine ~** (*Prügel*) a good hiding.

3. (*inf*) **er/das ist die** *or* **eine ~!** he's/ that's smashing! (*inf*).

wuchten *vti* to heave.

wuchtig *adj* massive, solid; *Schlag* heavy,

powerful; **Wein**, *(fig)* heavy.

Wühl|arbeit *f (fig pej)* subversive activities *pl*.

wühlen I *vi* 1. *(nach* for) to dig; *(Maulwurf)* to burrow; *(Schwein, Vogel)* to root. **im Bett ~** to toss and turn; **im Schmutz ~** *(fig)* to wallow in the mire. 2. *(suchen)* to rummage, to root *(nach etw* for sth). **in den Schubladen ~** to rummage *or* root through the drawers. 3. *(fig)* to gnaw *(in +dat* at). 4. *(inf: schwer arbeiten)* to slog *(inf)*. 5. *(Untergrundarbeit leisten)* to stir things up.
II *vt* to dig, to burrow. **er wühlte seinen Kopf in die Kissen** he buried his face in the pillows.
III *vr* **sich durch die Menge/das Gestrüpp ~** to burrow one's way through the crowd/the undergrowth.

Wühler(in *f) m* **-s, -** 1. *(pej: Aufrührer)* agitator, subversive. 2. *(inf: schwer Arbeitender)* slogger *(inf)*.

Wühlmaus *f* vole; *(fig pej)* subversive; **Wühltisch** *m (inf)* bargain counter.

Wulst *m* **-es,** ⁻e *or f* **-,** ⁻e bulge; *(an Reifen)* bead; *(Archit)* torus; *(Her)* wreath. **ein ~ von Fett** a roll of fat.

wulstig *adj* bulging; **Rand, Lippen** thick.

Wulstlippen *pl* thick lips *pl*; **Wulstreifen** *m* bead tyre.

wummern *vi (inf) (dröhnen)* to rumble; *(pochen)* to drum. **an** *or* **gegen die Tür ~** to hammer at the door.

wund *adj* sore. **etw ~ kratzen/scheuern** to make sth sore by scratching/chafing it; **das Pferd/ich war vom Reiten ~ gescheuert** the horse/I was saddle-sore; **ein Tier ~ schießen** to wound an animal; **sich** *(dat)* **die Füße/Fersen ~ laufen** *(lit)* to get sore feet/heels from walking; *(fig)* to walk one's legs off; **sich** *(dat)* **die Finger ~ schreiben** *(fig)* to write one's fingers to the bone; **ein ~er Punkt, eine ~e Stelle** a sore point.

Wundarzt *m (old)* surgeon; **Wundbenzin** *nt* surgical spirit; **Wundbrand** *m* gangrene.

Wunde *f* **-,** **-n** *(lit, fig)* wound. **alte ~n/eine alte ~ wieder aufreißen** *(fig)* to open up old sores; **an eine alte ~ rühren** *(fig geh)* to touch on a sore point; **(bei jdm) tiefe ~n schlagen** *(fig)* to scar sb; **den Finger auf die (brennende) ~ legen** *(fig)* to bring up a painful subject; **Salz in eine/jds ~ streuen** *(fig)* to turn the knife in the wound.

Wunder *nt* **-s, -** 1. *(übernatürliches Ereignis, Rel)* miracle; *(wunderbare Erscheinung)* wonder; *(Leistung auch)* marvel; *(erstaunlicher Mensch)* marvel. **~ tun** *or* **wirken** *(Rel)* to work miracles; **das grenzt an ein ~** it verges on the miraculous, it's almost a miracle; **durch ein ~** by a miracle; **nur durch ein ~ können sie noch gerettet werden** only a miracle can save them now; **die ~ der Natur/dieser Welt** the wonders of nature/this world; **ein architektonisches ~** an architectural miracle. 2. *(überraschendes Ereignis)* **~ tun** *or* **wirken** to do wonders; **es ist ein/kein ~,**

daß ... it's a wonder/no wonder *or* small wonder that ...; **ist es ein ~, daß er dick ist?** is it any wonder that he's fat?; **kein ~ no** wonder.

wunder *adv inv* **meine Eltern denken ~ was passiert ist/~ was über mein Privatleben** my parents think goodness knows what has happened/goodness knows what about my private life; **das hat er sich ~ wie einfach vorgestellt** he imagined it would be ever so easy; **er glaubt, ~ wer zu sein/~ was geleistet zu haben** he thinks he's marvellous/done something marvellous; **er bildet sich ~ was ein** he thinks he's too wonderful for words.

wunderbar *adj* 1. *(schön)* wonderful, marvellous. 2. *(übernatürlich, wie durch ein Wunder)* miraculous.

wunderbarerweise *adv* miraculously.

Wunderding *nt* marvellous thing; **Wunderdoktor(in** *f) m* wonder doctor; *(pej: Quacksalber)* quack; **Wunderdroge** *f (von Zauberer, Fee)* miracle drug; *(fig auch)* wonder drug; **Wunderglaube** *m* belief in miracles; **wundergläubig** *adj* **~ sein** to believe in miracles; **Wunderheiler(in** *f) m* wonder doctor; *(pej)* faith-healer; **Wunderhorn** *nt (liter, Myth)* magic horn; **wunderhübsch** *adj* wonderfully pretty, wondrously beautiful *(liter)*; **Wunderkerze** *f* sparkler; **Wunderkind** *nt* child prodigy; **Wunderknabe** *m (usu iro)* wonder boy *or* child; **Wunderlampe** *f* magic lamp *or* lantern; **Wunderland** *nt* wonderland; **wunderlich** *adj* 1. *(merkwürdig)* strange, odd; 2. *(wundersam)* wondrous; **Wundermittel** *nt* miracle cure; *(von Fee)* magic potion.

wundern I *vt, vi impers* to surprise. **es wundert mich** *or* **mich wundert, daß er noch nicht hier ist** I'm surprised *or* it surprises me that he is not here yet; **das wundert mich nicht** I'm not surprised, that doesn't surprise me; **das würde mich wundern** ~ I shouldn't be surprised.
II *vr* to be surprised *(über +acc* at). **du wirst dich ~!** you'll be amazed!; **du wirst dich noch einmal ~!** you're in for a shock *or* surprise!; **da wirst du dich aber ~!** you're in for a surprise; **ich muß mich doch sehr ~!** well, I am surprised *(at you/him etc)*; **ich wundere mich über gar nichts mehr** nothing surprises me any more; **dann darfst/brauchst du dich nicht ~, wenn ...** then don't be surprised if ...

wundernehmen *sep irreg* I *vi impers (geh)* to be surprising; II *vt impers* to surprise; **wundersam** *adj (liter)* wondrous *(liter)*; **wunderschön** *adj* beautiful, lovely; *(herrlich auch)* wonderful; **einen ~en guten Morgen/Tag** a very good morning/day to you; **Wundertäter(in** *f) m* miracle worker; **wundertätig** *adj* magic, miraculous; **Leben, Heilige** miracle-working; **~ wirken** to perform miracles; **Wundertier** *nt (hum)* weird and wonderful animal *(hum)*; **Wundertüte** *f* surprise packet; **wundervoll** *adj* wonderful, marvellous;

Wunderwaffe *f* wonder weapon; **Wunderwelt** *f* (*im Märchen*) magic world; (*zauberhafte Umgebung*) world of wonders; **die ~ der Mineralien** the wonderful world of minerals; **Wunderwerk** *nt* miracle, marvel.

Wundfieber *nt* traumatic fever; **wundgelegen** *adj* **ein ~er Patient** a patient with bedsores; **eine ~e Stelle** a bedsore; **~ sein** to have bedsores; **Wundheit** *f* soreness; **Wundinfektion** *f* wound infection; **wundliegen** *vr sep irreg* to get bedsores; **Wundmal** *nt* 1. (*Rel*) stigma; 2. (*liter*) scar; **Wundpflaster** *nt* adhesive plaster; **Wundrand** *m* edge (of a/the wound); **Wundsalbe** *f* ointment; **Wundsein** *nt* soreness; **Wundstarrkrampf** *m* tetanus; **Wundversorgung** *f* dressing a/the wound/wounds; **Wundwatte** *f* surgical wool.

Wunsch *m* **-(e)s, ¨e** 1. wish; (*sehnliches Verlangen*) desire; (*Bitte*) request. **ein Pferd war schon immer mein ~** I've always wanted a horse; **nach ~** just as he/she *etc* wants/wanted; (*wie geplant*) according to plan, as planned; (*nach Bedarf*) as required; **auf ~ der Eltern** as his/her *etc* parents wish/wished; **alles geht nach ~** everything is going smoothly; **von dem ~ beseelt sein, ...** to be filled with the desire ...; **hier ist der ~ der Vater des Gedankens** (*prov*) the wish is father to the thought (*prov*); **haben Sie (sonst) noch einen ~?** (*beim Einkauf*) is there anything else you would like or I can do for you?; **auf ~** by or on request; **auf jds (besonderen/ausdrücklichen) ~ hin** at sb's (special/express) request; **auf allgemeinen/vielfachen ~ hin** by popular request or demand; **jdm jeden ~ von** or **an den Augen ablesen** to anticipate sb's every wish.

2. *usu pl* (*Glückwunsch*) wish. **beste ~e zum Fest** the compliments of the season.

wünschbar *adj* (*Sw*) desirable.

Wunschbild *nt* ideal; **Wunschdenken** *nt* wishful thinking.

Wünschelrute *f* divining or dowsing rod.

Wünschelrutengänger(in *f*) *m* **-s, -** : diviner, dowser.

wünschen I *vt* 1. **sich** (*dat*) **etw ~** to want sth; (*den Wunsch äußern*) to ask for sth; (*im stillen: bei Sternschnuppe*) to wish for sth; **ich wünsche mir das** I would like that, I want that; **ich wünsche mir, daß du ...** I would like you to ...; **das habe ich mir von meinen Eltern zu Weihnachten gewünscht** I asked my parents to give me that for Christmas, I asked for that for Christmas from my parents; **ich wünsche einen Mantel von dir** I'd like a coat from you; **was wünschst du dir?** what do you want?, what would you like?; (*im Märchen*) what's your wish?; **du darfst dir was (zum Essen) ~** you can say what you'd like (to eat); **du darfst dir etwas ~** (*Wunsch frei haben*) you can make a wish; (*im Märchen auch*) I'll give you a wish; **sie haben alles, was man sich** (*dat*) **nur ~ kann** they have everything

you could possibly wish for.

2. **jdm etw ~** to wish sb sth; **jdm einen guten Morgen ~** to wish sb good morning; **wir ~ dir gute Besserung/eine gute Reise** we hope you get well soon/have a pleasant journey; **wir ~ gute Fahrt** we hope you have or we wish you a good journey; **jdm den Tod/die Pest an den Hals ~** (*fig inf*) to wish sb would die/drop dead (*inf*); **das würde ich meinem schlimmsten Feind nicht ~** (*prov*) I wouldn't wish that on my worst enemy.

3. (*ersehnen, hoffen*) to wish. **jdn fort/weit weg ~** to wish sb would go away/were far away; **es bleibt/wäre zu ~, daß ...** it is to be hoped that ...; **ich wünschte, ich hätte dich nie gesehen** I wish I'd never seen you.

4. (*begehren, verlangen*) to want. **was ~ Sie?** (*Diener*) yes, Sir/Madam?; (*in Geschäft*) what can I do for you?; (*in Restaurant*) what would you like?; **wen ~ Sie zu sprechen?** to whom would you like to speak?; **ich wünsche, daß du das machst** I want you to do that.

II *vi* (*begehren*) to wish. **Sie ~?** what can I do for you?; (*in Restaurant*) what would you like?; **ganz wie Sie ~** (just) as you wish or please or like; **zu ~/viel zu ~ übrig lassen** to leave something/a great deal to be desired.

III *vr* **sich in eine andere Lage/weit weg ~** to wish one were in a different situation/far away.

wünschenswert *adj* desirable.

Wunschform *f* (*Gram*) optative (mood); **wunschgemäß** I *adj* requested; (*erwünscht*) desired; (*geplant*) planned; II *adv* **siehe** *adj* as requested; as desired; as planned; **Wunschkandidat(in** *f*) *m* ideal candidate; **Wunschkind** *nt* planned child; **unser Töchterchen war ein ~** our little daughter was planned; **Wunschkonzert** *nt* (*Rad*) musical request programme; **Wunschliste** *f* **siehe Wunschzettel**; **wunschlos** *adj* **Mensch** content(ed); **Glück** perfect; **~ glücklich** perfectly happy; **Wunschpartner(in** *f*) *m* ideal partner; **Wunschsatz** *m* (*Gram*) optative clause; **Wunschsendung** *f* (*Rad*) request programme; **Wunschtraum** *m* dream; (*Illusion*) illusion; **das ist doch bloß ein ~** that's just a pipe-dream; **Wunschzettel** *m* wish list.

wupp (dich), wupps *interj* whoomph.

wurde *pret* of **werden**.

Würde *f* **-, -n** 1. *no pl* dignity. **~ bewahren** to preserve one's dignity; **unter aller ~ sein** to be beneath contempt; **unter jds ~ sein** to be beneath sb or sb's dignity; **etw mit ~ tragen** to bear sth with dignity. 2. (*Auszeichnung*) honour; (*Titel*) title; (*Amt*) rank.

würdelos *adj* undignified.

Würdelosigkeit *f* lack of dignity.

Würdenträger(in *f*) *m* **-s, -** dignitary.

würdevoll *adj* **siehe würdig 1.**

würdig *adj* 1. (*würdevoll*) dignified. **sich ~ verhalten** to behave with dignity.

2. (*wert*) worthy. **jds/einer Sache ~/nicht ~ sein** to be worthy/unworthy of sb/sth; **jdn einer Sache** (*gen*) **für ~ hal-**

ten (geh) to find sb worthy of sth.
würdigen vt 1. to appreciate; (lobend erwähnen) to acknowledge; (respektieren) to respect; (ehren) to pay tribute to. etw gebührend or nach Gebühr/richtig ~ to appreciate sth properly/fully; etw zu ~ wissen to appreciate sth.
   2. (geh: für würdig befinden) jdn einer Sache (gen) ~ to deem sb worthy of sth; jdn eines/keines Blickes/Grußes ~ to deign/not to deign to look at/greet sb.
Würdigkeit f, no pl 1. siehe Würde. 2. (Wertsein) merit.
Würdigung f 1. siehe vt appreciation; acknowledgement; respect. 2. (lobende Worte, Artikel) appreciation. 3. (Ehrung) honour.
Wurf m -(e)s, ⁻e 1. throw; (beim Kegeln) bowl; (gezielter ~, beim Handball auch) shot; (beim Baseball) pitch. drei ~ or ⁻e zwei Mark three goes or throws for two marks.
   2. no pl (das Werfen) throwing. beim ~ when throwing; zum ~ ansetzen/ausholen to get ready to throw.
   3. (fig: Erfolg) success, hit (inf). mit dem Film ist ihm ein großer ~ gelungen this film is a great success or big hit (inf) for him; einen großen/glücklichen ~ tun to be very successful or have great success.
   4. (Zool) litter; (das Gebären) birth.
   5. (Falten~) fall.
Würfel m -s, - 1. (auch Math) cube. etw in ~ schneiden to dice sth, to cut sth into cubes. 2. (Spiel~) dice, die (form). die ~ sind gefallen the die is cast; ~ spielen to play at dice.
Würfelbecher m shaker; **Würfelbrett** nt dice board; **würfelförmig** adj cube-shaped, cubic (esp Math).
würf(e)lig adj cubic. etw ~ schneiden to cut sth into cubes.
würfeln I vi to throw, to have a throw; (Würfel spielen) to play at dice. hast du schon gewürfelt? have you had your throw or go?; um etw ~ to throw dice for sth. II vt 1. to throw. 2. (in Würfel schneiden) to dice, to cut into cubes.
Würfelspiel nt (Partie) game of dice; (Spielart) dice; beim ~ at dice; **Würfelspieler(in** f) m dice player; **Würfelzucker** m cube sugar.
Wurfgeschoß nt projectile, missile; **Wurfhammer** m (Sport) hammer; **Wurfmal** nt (Baseball) pitcher's mound; **Wurfmaschine** f (Mil, Hist) catapult; (beim Tontaubenschießen) trap; **Wurfmesser** nt throwing knife; **Wurfpfeil** m dart; **Wurfring** m quoit; **Wurfsendung** f circular; Reklame durch ~en direct advertising; **Wurfspeer, Wurfspieß** m javelin; **Wurftaube** f (Sport) clay pigeon; **Wurftaubenschießen** nt (Sport) clay pigeon shooting; **Wurfweite** f throwing range; (von Geschütz) mortar range.
Würgeengel m siehe Würgengel; **Würgegriff** m (lit, fig) stranglehold; **Würgemal** nt strangulation mark.
würgen I vt jdn to strangle, to throttle; (fig: Angst) to choke.

II vi 1. (mühsam schlucken) to choke; (Schlange) to gulp. an etw (dat) ~ (lit) to choke on sth; (fig) (an Kritik) to find sth hard to swallow; (an Arbeit) to struggle over sth.
   2. (beim Erbrechen) to retch. ein W~ im Hals spüren to feel one is going to be sick.
   III vt impers es würgte sie (im Hals) she felt she was going to be sick; mit Hängen und W~ by the skin of one's teeth.
Würg|engel m Angel of Death.
Würger m -s, - 1. strangler. 2. (Orn) shrike.
Wurm m -(e)s, ⁻er 1. worm; (Made) maggot; (poet: Schlange) snake; (Myth: Lind~) dragon. da ist or steckt or sitzt der ~ drin (fig inf) there's something wrong somewhere; (seltsam) there's something odd about it; (verdächtig) there's something fishy about it (inf).
   2. auch nt (inf: Kind) (little) mite.
Würmchen nt dim of Wurm little worm; (inf: Kind) (poor) little mite or thing.
wurmen vt, vi impers (inf) to rankle with.
Wurmfortsatz m (Anat) vermiform appendix; **Wurmfraß** m, no pl worm damage.
wurmig adj wormeaten; (madig) Obst maggoty.
Wurmkrankheit f worm disorder, helminthiasis (spec); **Wurmkur** f worming treatment; eine ~ machen to have worm treatment; **Wurmloch** nt wormhole; **Wurmmittel** nt vermicide, vermifuge; **wurmstichig** adj Holz full of worm-holes; (madig auch) Obst maggoty.
Wurscht (inf) siehe Wurst.
Wurst f -, ⁻e sausage; (Salami) salami; (wurstförmiges Gebilde auch) roll; (inf: Kot von Hund) dog's mess (inf). jetzt geht es um die ~ (fig inf) the moment of truth has come (inf); mit der ~ nach der Speckseite or dem Schinken werfen (fig inf) to cast a sprat to catch a mackerel; es ist jdm ~ or Wurscht (inf) it's all the same to sb.
Wurstaufschnitt m assortment of sliced sausage/salami; **Wurstbrot** nt open sausage/salami sandwich; (zusammengeklappt) sausage/salami sandwich; **Wurstbrühe** f sausage stock.
Würstchen nt 1. dim of Wurst small sausage. heiße or warme ~ hot sausages; (in Brötchen) ≈ hot dogs; Frankfurter/Wiener ~ frankfurters/wiener-wursts. 2. (pej: Mensch) squirt (inf), nobody. ein armes ~ (fig) a poor soul.
Würstchenbude f, **Würstchenstand** m sausage stand; hot-dog stand.
Wurstelei f (inf) muddle.
wursteln vi (inf) to muddle along. sich durchs Leben/die Schule ~ to muddle (one's way) through life/school.
wursten vi to make sausages.
Wurstfinger pl (pej inf) podgy fingers pl.
wurstig adj (inf) devil-may-care attr, couldn't-care-less attr (inf). sei doch nicht so ~! don't be such a wet blanket! (inf).

Wurstigkeit f (inf) devil-may-care or couldn't-care-less (inf) attitude.

Wurstkonserve f tinned (Brit) or canned sausages; **Wurstring** m sausage ring; **Wurstsalat** m sausage salad; **Wurstwaren** pl sausages pl; **Wurstzipfel** m sausage-end.

Württemberg nt -s Württemberg.

Württemberger m (Wein) Württemberg wine.

Württemberger(in f) m native of Württemberg; (Einwohner) inhabitant of Württemberg.

württembergisch adj Württembergian.

Würze f -, -n 1. (Gewürz) seasoning, spice; (Aroma) aroma; (fig: Reiz) spice. **das gibt dem Leben die ~** that adds spice to life; 2. (von Bier) wort.

Wurzel f -, -n 1. (lit, fig) root; (Hand~) wrist; (Fuß~) ankle. **etw mit der ~ ausreißen** to pull sth out by the root; **etw mit der ~ ausrotten** (fig) to eradicate sth; **~n schlagen** (lit) to root; (fig: sich einleben) to put down roots; (an einem Ort hängenbleiben) to grow roots.
2. (Math) root; (~zeichen) radical sign. **~n ziehen to find the roots; die ~ aus einer Größe ziehen** to find the root of a number; (die) **~ aus 4 ist 2** the square root of 4 is 2; **die vierte ~ aus 16 ist 2** the fourth root of 16 is 2.
3. (N Ger) carrot.

Wurzelballen m (Hort) bale of roots, root bale; **Wurzelbehandlung** f (von Zahn) root treatment; **Wurzelbildung** f rooting; **Wurzelbürste** f (coarse) scrubbing brush; **Wurzelentzündung** f (an Zahn) inflammation of the root/roots; **Wurzelgemüse** nt root vegetables pl; **wurzellos** adj Pflanze without roots; (fig auch) rootless.

wurzeln vi 1. (lit, fig) to be rooted. **in etw** (dat) **~** (fig) to be rooted in sth; (verursacht sein) to have its/their roots in sth.
2. (rare: Wurzeln schlagen) to (take) root.

Wurzelresektion f (Zahnmedizin) root resection; **Wurzelsepp** m (inf) country bumpkin (inf); **Wurzelstock** m (Bot) rhizome; **Wurzelwerk** nt, no pl 1. root system, roots pl; 2. (Cook) flavouring greens pl; **Wurzelzeichen** nt (Math) radical sign; **Wurzelziehen** nt -s, no pl (Math) root extraction.

würzen vt to season; (fig) to add spice to. **eine Geschichte mit etw ~** to season a story with sth.

würzig adj Speise tasty; (scharf) spicy; Zigaretten, Tabak, Geruch aromatic; Luft fragrant, tangy; Wein, Bier full-bodied.

wusch prét of waschen.

Wuschelhaar nt (inf) mop of curly hair.

wusch(e)lig adj (inf) Tier shaggy; Haare fuzzy (inf).

Wuschelkopf m 1. (Haare) mop of curly hair, fuzz (inf). 2. (Mensch) fuzzy-head (inf).

wuselig adj (dial) (lebhaft) lively; (unruhig) fidgety; (bewegt) busy, bustling; Ameisenhaufen teeming.

wuseln vi (dial) 1. (belebt sein) to be teeming. 2. aux sein (sich schnell bewe-

gen) to scurry.

wußte pret of wissen.

Wust m -(e)s, no pl (inf) (Durcheinander) jumble; (Menge) pile; (unordentlicher Haufen) heap; (Kram, Gerümpel) junk (inf). **dieser ~ von Kleidern** this pile of clothes.

wüst adj 1. (öde) desert attr, waste, desolate. **die Erde war ~ und leer** (Bibl) the earth was without form, and void (Bibl).
2. (unordentlich) wild, chaotic; Aussehen, Haar wild. **~ aussehen** to look a real mess.
3. (ausschweifend) wild. **~ feiern** to have a wild party.
4. (rüde) Beschimpfung, Beleidigung vile. **jdn ~ beschimpfen** to use vile language to sb.
5. (arg) terrible, awful; Übertreibung auch wild.

Wüste f -, -n (Geog) desert; (Ödland) waste, wilderness (liter); (fig) waste(land), wilderness, desert. **die ~ Gobi** the Gobi Desert; **jdn in die ~ schicken** (fig) to send sb packing (inf).

wüsten vi (inf) **mit etw ~** to squander or waste sth; **mit seiner Gesundheit/seinen Kräften ~** to ruin one's health/strength.

Wüstenei f 1. (öde Gegend) wasteland, desert. 2. (fig: wildes Durcheinander) chaos.

Wüstenfuchs m desert fox; **Wüstenklima** nt desert climate; **Wüstenkönig** m (poet) king of the desert (poet); **Wüstenlandschaft** f desert landscape; **Wüstensand** m desert sand; **Wüstenschiff** nt (poet) ship of the desert (poet), camel.

Wüstling m (dated, iro) lecher.

Wut f -, no pl 1. (Zorn, Raserei) rage, fury; (fig: der Elemente) fury. **(auf jdn/etw) eine ~ haben** to be furious (with sb/sth), to be mad (at sb/sth); **eine ~ im Bauch haben** (inf) to be hopping mad (inf); **eine ~ haben/kriegen** or **bekommen** to be in/get into a rage; **in ~ geraten, von der ~ gepackt werden** to fly into a rage; **jdn in ~ bringen** or **versetzen** to infuriate sb.
2. (Verbissenheit) frenzy. **mit einer wahren ~** as if possessed, like crazy (inf).

Wutanfall m fit of rage; (esp von Kind) tantrum; **Wutausbruch** m outburst of rage or fury; (esp von Kind) tantrum.

wüten vi (lit, fig) (toben) to rage; (zerstörerisch hausen) to cause havoc; (verbal) to storm (gegen at); (Menge) to riot.

wütend adj furious, enraged; Tier enraged; Menge angry; Kampf, Elemente raging; (fig) Schmerz, Haß fierce. **~ raste der Stier auf ihn zu** the enraged bull raced towards him; **auf jdn/etw** (acc) **~ sein** to be mad at sb/sth; **über jdn/etw** (acc) **~ sein** to be furious about sb/sth.

wutentbrannt adj furious, enraged; **~ hinausgehen** to leave in a fury or rage.

Wüterich m brute.

Wutgeheul nt howl of fury; **Wutgeschrei** nt cries pl of rage.

wutsch interj whoosh.

wutschäumend adj foaming with rage;

wutschnaubend *adj* snorting with rage; **Wutschrei** *m* yell of rage; **wutverzerrt** *adj* distorted with rage.

Wutz *f* -, -en (*hum dial*) pig (*inf*).
Wz *abbr of* **Warenzeichen.**

X

X, x [ɪks] *nt* -, - X, x. **Herr X** Mr X; **jdm ein X für ein U vormachen** to put one over on sb (*inf*); **er läßt sich kein X für ein U vormachen** he's not easily fooled.

x-Achse ['ɪks-] *f* x-axis.

Xanthippe [ksan'tɪpə] *f* -, -n (*fig inf*) shrew.

X-Beine ['ɪks-] *pl* knock-knees *pl*. ~ **haben** to be knock-kneed.

x-beinig ['ɪks-] *adj* knock-kneed.

x-beliebig [ɪks-] *adj* any old (*inf*). **wir können uns an einem ~en Ort treffen** we can meet anywhere you like.

X-Chromosom ['ɪks-] *nt* X-chromosome.

Xenon *nt* -s, *no pl* (*abbr* **Xe**) xenon.

Xerographie [kserogra'fiː] *f* Xerox (copy).

xerographieren* [kserogra'fiːrən] *vti insep* to Xerox.

Xerokopie [kseroko'piː] *f* Xerox (copy).

xerokopieren* [kseroko'piːrən] *vti insep* to Xerox.

x-fach ['ɪks-] *adj* **die ~e Menge** (*Math*) n times the amount; **trotz ~er Ermahnungen** (*inf*) in spite of umpteen *or* n warnings (*inf*).

X-förmig ['ɪks-] *adj* X-shaped.

x-mal ['ɪks-] *adv* (*inf*) n (number of) times (*inf*), umpteen times (*inf*).

x-malig ['ɪks-] *adj* (*inf*) n number of (*inf*), umpteen (*inf*). **wenn ein ~er Weltmeister ...** when somebody who has been world champion n (number of) times *or* umpteen times ...

X-Strahlen ['ɪks-] *pl* (*dated*) X-rays *pl*.

x-te ['ɪkstə] *adj* (*Math*) nth; (*inf*) nth (*inf*), umpteenth (*inf*). **zum ~n Male, zum ~nmal** for the nth *or* umpteenth time (*inf*).

Xylophon [ksylo'foːn] *nt* -s, -e xylophone.

Y

Y, y ['ʏpsilɔn] *nt* -, - Y, y.

y-Achse ['ʏpsilɔn-] *f* y-axis.

Yacht [jaxt] *f* -, -en yacht.

Yankee ['jɛŋki] *m* -s, -s (*pej*) Yankee, Yank.

Yard [jaːɐt] *nt* -s, -s yard.

Y-Chromosom ['ʏpsilɔn-] *nt* Y-chromosome.

Yen [jɛn] *m* -(s), -(s) yen.

Yeti ['jeːti] *m* -s, -s Yeti, Abominable Snowman.

Yoga ['joːga] *m or nt* -(s), *no pl* yoga.

Yogi ['joːgi] *m* -s, -s yogi.

Yoghurt ['joːgʊrt] *m or nt* -s, -s yoghurt, yoghourt.

Ypsilon ['ʏpsilɔn] *nt* -(s), -s y; (*griechischer Buchstabe*) upsilon.

Ysop ['iːzɔp] *m* -s, -e (*Bot*) hyssop.

Ytong ® ['yːtɔŋ] *m* -s, -s breezeblock.

Ytterbium [ʏ'tɛrbiʊm] *nt*, *no pl* (*abbr* **Yb**) ytterbium.

Yttrium ['ʏtrium] *nt*, *no pl* (*abbr* **Y**) yttrium.

Yucca ['jʊka] *f* -, -s yucca.

Yuppie ['jʊpiː, 'japiː] *m* -s, -s yuppie.

Z

Z, z [tsɛt] *nt* -, - Z, z.
Zack *m* -s, *no pl* (*inf*) **auf ~ bringen** to knock into shape (*inf*); **auf ~ sein** to be on the ball (*inf*).
zack *interj* (*inf*) pow, zap (*inf*). **~, ~!** chop-chop! (*inf*); **sei nicht so langsam, mach mal ein bißchen ~, ~** don't be so slow, get a move on (*inf*); **bei uns muß alles ~, ~ gehen** we have to do everything chop-chop (*inf*).
Zacke *f* -, -n, **Zacken** *m* -s, - point; (*von Gabel*) prong; (*von Kamm*) tooth; (*Berg~*) jagged peak; (*Auszackung*) indentation; (*von Fieberkurve*) peak; (*inf: Nase*) conk (*inf*), beak (*inf*).
zacken *vt* to serrate; *Kleid, Saum, Papier* to pink; *siehe* **gezackt**.
Zackenlinie *f* jagged line; (*Zickzack*) zig-zag (line); **Zackenlitze** *f* ric-rac braid.
zackig *adj* **1.** (*gezackt*) jagged; *Stern* pointed.
  2. (*inf*) *Soldat, Bursche* smart; *Tempo, Musik* brisk; *Team, Manager* dynamic, zippy (*inf*). **bring mir meine Hausschuhe, aber ein bißchen ~!** fetch me my slippers, and make it snappy (*inf*)!
zag *adj* (*liter*) timid.
zagen *vi* (*liter*) to be apprehensive, to hesitate.
zaghaft *adj* timid.
Zaghaftigkeit *f* timidity.
zäh *adj* tough; (*dickflüssig*) glutinous; (*schleppend*) *Verkehr etc* slow-moving; (*ausdauernd*) dogged, tenacious. **mit ~em Fleiß** doggedly, with dogged application.
Zäheit ['tsɛːhait] *f*, *no pl* toughness.
zähflüssig *adj* thick, viscous; *Verkehr, Verhandlung* slow-moving.
Zähflüssigkeit *f* thickness, viscosity. **die ~ des Verkehrs** the slow-moving traffic.
Zähigkeit *f* siehe **zäh** toughness; glutinousness; doggedness, tenacity. **die ~ der Verhandlungen** the fact that the negotiations were so slow-moving.
Zahl *f* -, -en (*Math, Gram*) number; (*Verkaufs~, Maßangabe, bei Geldmengen auch*) figure; (*Ziffer auch*) numeral, figure. **~en nennen** to give figures; **wie waren die ~en im letzten Jahr?** what did the figures look like last year?; **sie hat ein gutes Gedächtnis für ~en** she has a good memory for figures or numbers; **eine fünfstellige ~** a five-figure number; **der ~ nach** numerically; **gut mit ~en umgehen können** to be good with figures, to be numerate; **die ~en stimmen nicht** the figures don't add up or tally; **~ oder Wappen** heads or tails; **100 an der ~** (*old*) 100 in number; **in großer ~** in large or great numbers; **die ~ ist voll** the numbers are complete; **in voller ~** in full number; **der Aufsichtsrat war**

in voller ~ versammelt there was a full turn-out for the meeting of the board; **ohne ~** (*geh*) without number; **Leiden/ Wonnen ohne ~** (*poet*) countless tribulations/joys.
zahlbar *adj* payable (*an +acc* to). **~ bei Lieferung** *or* **nach Erhalt** payable on *or* to be paid for on delivery *or* receipt.
zählbar *adj* countable.
Zahlbrett, Zählbrett *nt* money tray.
zählebig *adj* hardy, tough; (*fig*) *Gerücht, Vorurteil* persistent.
zahlen I *vi* to pay. **Herr Ober, (bitte) ~!** waiter, the bill (*Brit*) *or* check (*US*) please; **dort zahlt man gut/schlecht** the pay there is good/bad, they pay well/ badly; **wenn er nicht bald zahlt, dann ...** if he doesn't pay up soon, then ...
  II *vt* (*bezahlen*) to pay. **was habe ich (Ihnen) zu ~?** what do I owe you?; **einen hohen Preis ~** (*lit, fig*) to pay a high price; **ich zahle dir ein Bier** I'll buy you a beer; **ich zahle dir den Flug/das Kino** I'll pay for your flight/for you (to go to the cinema); **laß mal, ich zahl's** no no, I'll pay *or* it's on me *or* it's my treat (*inf*).
zählen I *vi* **1.** to count. **bis hundert ~** to count (up) to a hundred; **seine Verbrechen ~ nach Hunderten** (*geh*) his crimes run into hundreds.
  2. (*gehören*) **zu einer Gruppe/Menge ~** to be one of a group/set; **er zählt zu den besten Schriftstellern unserer Zeit** he ranks as one of the best authors of our time; **zu welcher Sprachengruppe zählt Gälisch?** to which language group does Gaelic belong?
  3. (*sich verlassen*) **auf jdn/etw ~** to count *or* rely on sb/sth.
  4. (*gelten*) to count.
  II *vt* to count. **jdn/etw zu einer Gruppe/Menge ~** to regard sb/sth as one of a group/set, to number *or* count sb/ sth among a group/set; **seine Tage sind gezählt** his days are numbered; **sie zählt 27 Jahre** (*liter*) she is 27 years old; **Stanford zählt 12 000 Studenten** Stanford numbers *or* has 12,000 students; **bei diesem Spiel zählt der König 5 Punkte** in this game the King counts as 5 points.
Zahlenakrobatik *f* (*inf*) juggling with statistics *or* figures, statistical sleight of hand; **Zahlenangabe** *f* figure; **Zahlenbeispiel** *nt* numerical example; **Zahlenfolge** *f* order of numbers; **Zahlengedächtnis** *nt* memory for numbers; **Zahlenlehre** *f* arithmetic; **Zahlenlotterie** *f*; **zahlenmäßig** *adj* numerical; **etw ~ ausdrücken** to express sth in figures; **Zahlenmaterial** *nt* figures *pl*; **Zahlenmystik** *f* number mysticism; (*Astrol*) numerology; **Zahlenrätsel** *nt* number *or* numerical puzzle; **Zahlenreihe** *f* sequence of numbers;

Zahlenschloß nt combination lock; **Zahlensinn** m head for figures; **Zahlensymbolik** f number symbolism; **Zahlentheorie** f (Math) theory of numbers, number theory; **Zahlenverhältnis** nt (numerical) ratio; **Zahlenverriegelung** f (Comput) numbers lock.

Zähler(in f) m -s, - payer.

Zähler m -s, - 1. (Math) numerator. 2. (Meßgerät) meter.

Zählerablesung f meter reading; **Zählerstand** m meter reading.

Zahlgrenze f fare stage; **Zahlkarte** f giro transfer form; **Zahlkellner(in** f) m waiter who presents the bill and collects payment.

zahllos adj countless, innumerable.

Zählmaß nt numerical measure, unit of measurement.

Zahlmeister(in f) m (Naut) purser; (Mil) paymaster; **Zahlmutter** f mother supporting a child.

zahlreich adj numerous. **wir hatten mit einer ~eren Beteiligung gerechnet** we had expected more participants.

Zählrohr nt (Phys) Geiger counter.

Zahlstelle f payments office; **Zahltag** m payday.

Zahlung f payment. **eine einmalige ~ leisten** to make a lump-sum payment; **in ~ nehmen** to take in part-exchange or as a trade-in; **in ~ geben** to trade in, to give in part-exchange; **gegen eine ~ von $ 500 erhalten Sie ...** on payment of $500 you will receive ...

Zählung f count; (Volks~) census.

Zahlungsabkommen nt payments agreement; **Zahlungsanweisung** f giro transfer order; **Zahlungsaufforderung** f request for payment; **Zahlungsaufschub** m extension (of credit), moratorium (Jur); **Zahlungsbedingungen** pl terms (of payment) pl; **Zahlungsbefehl** m order to pay; **Zahlungsbilanz** f balance of payments; **Zahlungsempfänger(in** f) m payee; **Zahlungserleichterung** f more convenient method of payment; **~en easy** terms; **zahlungsfähig** adj able to pay; Firma solvent; **Zahlungsfähigkeit** f ability to pay; solvency; **Zahlungsfrist** f time or period allowed for payment; **zahlungskräftig** adj wealthy; **Zahlungsmittel** nt means sing of payment; (Münzen, Banknoten) currency; **gesetzliches ~** legal tender; **zahlungspflichtig** adj obliged to pay; **Zahlungsschwierigkeiten** pl financial difficulties pl; **Zahlungssystem** nt method of payment; **Zahlungstermin** m date for payment; **zahlungsunfähig** adj unable to pay; Firma insolvent; **Zahlungsunfähigkeit** f inability to pay; insolvency; **Zahlungsverkehr** m payments pl, payment transactions pl; **Zahlungsverpflichtung** f obligation or liability to pay; **Zahlungsverzug** m default, arrears pl; **Zahlungsweise** f mode or method of payment; **Zahlungsziel** nt (Comm) period allowed for payment.

Zählwerk nt counter.

Zahlwort nt numeral; **Zahlzeichen** nt numerical symbol.

zahm adj (lit, fig) tame. **er ist schon ~ geworden** (inf) he has calmed down a bit (inf), he's a bit tamer now (inf).

zähmbar adj tam(e)able.

zähmen vt to tame; (fig) Leidenschaft, Bedürfnisse to control.

Zähmung f taming.

Zahn m -(e)s, -e 1. (Anat, Zacke) tooth; (von Briefmarke) perforation; (Rad~ auch) cog. **künstliche** or **falsche ~e** false teeth pl; **~e bekommen** or **kriegen** (inf) to cut one's teeth; **die ersten/zweiten ~e** one's milk teeth/second set of teeth; **die dritten ~e** (hum) false teeth; **diese Portion reicht** or **ist für den hohlen ~** (inf) that's hardly enough to satisfy a mouse (inf); **der ~ der Zeit** the ravages pl of time; **die ~e zeigen** (Tier) to bare one's teeth; (fig inf) to show one's teeth; **jdm einen ~ ziehen** (lit) to pull a tooth out, to extract a tooth; (fig) to put an idea out of sb's head; **ich muß mir einen ~ ziehen lassen** I've got to have a tooth out or extracted; **den ~ kannst du dir ruhig ziehen lassen!** (fig) you can put that idea right out of your head!; **jdm auf den ~ fühlen** (aushorchen) to sound sb out; (streng befragen) to grill sb, to give sb a grilling; **etw mit ~en und Klauen verteidigen** to defend sth tooth and nail.

2. (sl: Geschwindigkeit) **einen ~ draufhaben** to be going like the clappers (inf); **mit einem unheimlichen ~** at an incredible speed (inf).

Zahnarzt m, **Zahnärztin** f dentist; **Zahnarzthelferin** f dental nurse; **zahnärztlich** adj dental; **sich in ~e Behandlung begeben** (form) to have dental treatment; **Zahnbehandlung** f dental treatment; **Zahnbelag** m (dental) plaque; **Zahnbett** nt socket of a/the tooth; **Zahnbürste** f tooth brush; **Zahncreme** f toothpaste.

Zähnefletschen nt baring of teeth, snarling; **zähnefletschend** adj attr, adv snarling; **Zähneklappern** nt chattering of teeth; **zähneklappernd** adj attr, adv with teeth chattering; **Zähneknirschen** nt grinding one's teeth; (fig) gnashing of teeth; **zähneknirschend** adj attr, adv grinding one's teeth; (fig) gnashing one's teeth; **er fand sich ~ damit ab** he agreed with (a) bad grace.

zahnen vi to teethe, to cut one's teeth/a tooth. **das Z~** teething.

zähnen vt to tooth; Briefmarken to perforate.

Zahnersatz m dentures pl, set of dentures; **Zahnfäule** f tooth decay, caries sing; **Zahnfleisch** nt gum(s pl); **(nur noch) auf dem ~ gehen** or **kriechen** (inf) to be all-in (inf), to be on one's last legs (inf); **Zahnfleischbluten** nt bleeding of the gums; **Zahnfüllung** f filling; **Zahnhals** m neck of a tooth; **Zahnheilkunde** f dentistry; **Zahnklammer** f siehe Zahnspange; **Zahnklempner(in** f) m (hum) dentist; **Zahnklinik** f dental clinic or hospital; **Zahnkranz** m (Tech) gear rim; **Zahnkrone** f crown; **Zahnlaut**

(*Ling*) dental (consonant); **zahnlos** *adj* toothless; **Zahnlücke** *f* gap between one's teeth; **Zahnmedizin** *f* dentistry; **Zahnpasta** *f* toothpaste; **Zahnpflege** *f* dental hygiene; **Zahnprothese** *f* set of dentures; **Zahnputzglas** *nt* toothbrush glass; **Zahnrad** *nt* cogwheel, gear (wheel); **Zahnradbahn** *f* rack-railway (*Brit*), rack-railroad (*US*); **Zahnradgetriebe** *nt* gear mechanism; **Zahnscheibe** *f* (*Tech*) cog; **Zahnschein** *m* (*inf*) form for free dental treatment; **Zahnschmelz** *m* (tooth) enamel; **Zahnschmerz** *m usu pl* toothache *no pl*; **Zahnseide** *f* dental floss; **Zahnspange** *f* brace; **Zahnstein** *m* tartar; **Zahnstocher** *m* **-s**, **-** toothpick; **Zahnstummel** *m* stump; **Zahntechniker(in** *f*) *m* dental technician.

Zähnung *f* (*Zähne, Gezahntsein*) teeth *pl*; (*von Briefmarken*) perforations *pl*; (*das Zähnen*) toothing; perforation.

Zahnwechsel *m* second dentition (*form*); **Zahnweh** *nt* toothache; **Zahnwurzel** *f* root (of a/the tooth); **Zahnzement** *m* (dental) cement.

Zähre *f* **-, -n** (*old, poet*) tear.

Zaire [za'i:r] *nt* **-s** Zaire.

Zairer(in *f*) [za'i:rɐ, -ərɪn] *m* **-s, -** Zairean.

Zampano *m* **-s, -s** (*inf*) **der große ~** the big cheese (*inf*).

Zander *m* **-s, -** (*Zool*) pike-perch.

Zange *f* **-, -n** (*Flach~, Rund~*) (pair of) pliers *pl*; (*Beiß~*) (pair of) pincers *pl*; (*Greif~, Kohlen~, Zucker~*) (pair of) tongs *pl*; (*von Tier*) pincers *pl*; (*Med*) forceps *pl*; (*inf: Ringen*) double lock. **jdn in die ~ nehmen** (*Ringen*) to put a double lock on sb; (*Ftbl*) to sandwich sb; (*fig*) to put the screws on sb (*inf*); **ihn/das möchte ich nicht mit der ~ anfassen** (*inf*) I wouldn't touch him/it with a barge-pole (*Brit inf*) *or* a ten-foot pole (*US inf*).

Zangenbewegung *f* (*Mil*) pincer movement; **zangenförmig** *adj* pincer-shaped; **Zangengeburt** *f* forceps delivery; **Zangengriff** *m* (*Ringen*) double lock.

Zank *m* **-(e)s**, *no pl* squabble, quarrel, row. **zwischen ihnen gab es dauernd ~** they were continually squabbling *or* quarrelling *or* rowing; **~ und Streit** trouble and strife.

Zank|apfel *m* (*fig*) bone of contention.

zanken *vir* to quarrel, to squabble, to row. **wir haben uns gezankt** we've had a row, we've quarrelled; **(sich) um etw ~** to quarrel over sth.

Zankerei *f* quarrelling, squabbling.

zänkisch *adj* (*streitsüchtig*) quarrelsome; (*tadelsüchtig*) *Frau* nagging *attr*, shrewish.

Zäpfchen *nt dim of* **Zapfen** small plug *etc*; (*Gaumen~*) uvula; (*Suppositorium*) suppository. **~-R** (*Ling*) uvular "r".

Zapfen *m* **-s, -** (*Spund*) bung, spigot; (*Pfropfen*) stopper, bung; (*Tannen~, von Auge*) cone; (*Eis~*) icicle; (*Mech: von Welle, Lager*) journal; (*Holzverbindung*) tenon.

zapfen *vt* to tap, to draw. **dort wird das**

Pils frisch gezapft they have draught Pilsener *or* Pilsener on draught *or* tap there.

Zapfenstreich *m* (*Mil*) tattoo, last post (*Brit*), taps *sing* (*US*). **den ~ blasen** to sound the tattoo; **der Große ~** the Ceremonial Tattoo; **um 12 Uhr ist ~** (*fig inf*) lights out is at 12 o'clock.

Zapfer(in *f*) *m* **-s, -** (*dial*) barman/-woman, tapster (*old*).

Zapfhahn *m* tap; **Zapfpistole** *f* (petrol (*Brit*) *or* gas (*US*) pump) nozzle; **Zapfsäule** *f* petrol pump (*Brit*), gas pump (*US*).

zapp(e)lig *adj* wriggly; (*unruhig*) fidgety.

zappeln *vi* to wriggle; (*Hampelmann*) to jiggle; (*unruhig sein*) to fidget. **er zappelte mit Armen und Beinen** he was all of a fidget, he couldn't sit still; **jdn ~ lassen** (*fig inf*) to keep sb in suspense; **in der Schlinge ~** (*fig*) to be caught in the net.

Zappelphilipp *m* **-s, -e** *or* **-s** fidget(er).

zappenduster *adj* (*inf*) pitch-black, pitch-dark. **wie sieht es denn mit euren Plänen aus?** — **~** how are your plans working out? — grim; **dann ist es ~** you'll/we'll *etc* be in trouble *or* (dead) shtook (*sl*).

Zar *m* **-en, -en** tsar, czar.

Zarewitsch *m* **-(e)s, -e** tsarevitch.

Zarge *f* **-, -n** frame; (*von Geige*) rib; (*von Plattenspieler*) plinth.

Zarin *f* tsarina, czarina.

zaristisch *adj* tsarist *no adv*.

zart *adj* (*weich*) *Haut, Flaum, (leise) Töne, Stimme* soft; *Braten, Gemüse* tender; *Porzellan, Blüte, Gebäck, Farben, Teint, (schwächlich) Gesundheit, Kind* delicate; (*feinfühlig*) *Gemüt, Gefühle* sensitive, tender, delicate; (*sanft*) *Wind, Berührung* gentle, soft. **mit jdm/etw ~ umgehen** to treat *or* handle sb/sth gently; **etw nur ~ andeuten** to hint at sth only gently; **nichts für ~e Ohren** not for tender *or* sensitive ears; **im ~en Alter von …** at the tender age of …; **das ~e Geschlecht** the gentle sex; **~ besaitet sein** to be very sensitive.

zartbesaitet *adj attr* highly sensitive; **zartbitter** *adj* *Schokolade* plain; **zartblau** *adj* pale blue; **zartfühlend** *adj* sensitive; **Zartgefühl** *nt* delicacy of feeling, sensitivity; **zartgliedrig** *adj* dainty; **zartgrün** *adj* pale green.

Zartheit *f siehe adj* softness; tenderness; delicacy, delicateness; sensitivity; gentleness.

zärtlich *adj* tender, affectionate, loving.

Zärtlichkeit *f* 1. *no pl* affection, tenderness. 2. (*Liebkosung*) caress. **~en** (*Worte*) tender *or* loving words, words of love; **jdm ~en ins Ohr flüstern** to whisper sweet nothings in sb's ear.

Zaster *m* **-s**, *no pl* (*sl*) lolly (*inf*), loot (*inf*).

Zäsur *f* caesura; (*fig*) break.

Zauber *m* **-s, -** (*Magie*) magic; (*~bann*) (magic) spell; (*fig: Reiz*) magic, charm. **den ~ lösen** to break the spell; **fauler ~** (*inf*) humbug *no indef art*; **der ganze ~** (*inf*) the whole lot (*inf*); **warum der ganze ~?** (*inf: Getue*) why all the fuss?

Zauberbann m (magic) spell.
Zauberei f 1. no pl (das Zaubern) magic.
2. (Zauberkunststück) conjuring trick.
Zauberer m -s, - magician; (in Märchen auch) sorcerer, wizard; (Zauberkünstler auch) conjurer.
Zauberflöte f magic flute; **Zauberformel** f magic formula; **zauberhaft** adj enchanting; **Zauberhand** f: wie von or durch ~ as if by magic.
Zauberin f (female) magician; (in Märchen auch) enchantress, sorceress; (Zauberkünstlerin auch) (female) conjurer.
zauberisch adj (geh) siehe zauberhaft.
Zauberkraft f magic power; **Zauberkunst** f magic, conjuring; **Zauberkünstler(in** f) m conjurer, magician; **Zauberkunststück** nt conjuring trick; **Zaubermacht** f magical powers pl; **Zaubermittel** nt magical cure; (Trank) magic potion, philtre.
zaubern I vi to do or perform magic; (Kunststück vorführen) to do conjuring tricks. **ich kann doch nicht ~!** (inf) I'm not a magician!, I can't perform miracles! **II** vt 1. **etw aus etw ~** to conjure sth out of sth. 2. (fig) Lösung, Essen to produce as if by magic, to conjure up.
Zaubernuß f wych-hazel, witch-hazel; **Zauberreich** nt enchanted or magic realm; **Zauberspruch** m (magic) spell; **Zauberstab** m (magic) wand; **Zaubertrank** m magic potion, philtre; **Zaubertrick** m conjuring trick; **Zauberwesen** nt magical being; **Zauberwort** nt magic word; **Zauberwürfel** m Rubik's cube; **Zauberwurzel** f mandrake root.
Zauderer m -s, -, **Zauder(er)in** f vacillator, irresolute person.
zaudern vi to hesitate, to vacillate. **etw ohne zu ~ tun** to do sth without hesitating or any hesitation.
Zaum m -(e)s, **Zäume** bridle. **einem Pferd den ~ anlegen** to put a bridle on a horse; **jdn/etw im ~(e) halten** (fig) to keep a tight rein on sb/sth, to keep sb/sth in check; **sich im ~(e) halten** (fig) to control oneself, to keep oneself in check; **seine Ungeduld/seinen Zorn im ~e halten** (fig) to control or curb one's impatience/anger.
zäumen vt to bridle.
Zaumzeug nt bridle.
Zaun m -(e)s, **Zäune** fence. **einen Streit vom ~(e) brechen** to pick a quarrel, to start a fight.
Zauneidechse f sand lizard; **Zaungast** m sb who manages to get a free view of an event; **Zaunkönig** m (Orn) wren; **Zaunpfahl** m (fencing) post; **jdm einen Wink mit dem ~ geben** to give or drop sb a broad hint; **Zaunwinde** f (Bot) great bindweed.
Zausel m -s, -s (inf) codger (inf).
zausen I vt to ruffle; Haare to tousle. **II** vi **in etw** (dat) **~** (Wind) to ruffle sth.
z.B. [tsɛt'beː] abbr of **zum Beispiel** eg.
ZDF [tsɛtdeː'|ɛf] nt -s abbr of **Zweites Deutsches Fernsehen.**
ZDLer [tsɛtdeː'|ɛlɐ] m -s, - (inf) abbr of

Zivildienstleistende(r).
Zebra nt -s, -s zebra.
Zebrastreifen m zebra crossing (Brit), pedestrian crossing or crosswalk (US).
Zebu nt -s, -s zebu.
Zechbruder m boozer (inf); (Kumpan) drinking-mate (inf), drinking-buddy (inf).
Zeche f -, -n 1. (Rechnung) bill (Brit), check (US). **die (ganze) ~ (be)zahlen** (lit, fig) to foot the bill; **die ~ prellen** to leave without paying; **eine (hohe) ~ machen** to run up a (large) bill. 2. (Bergwerk) (coal-)mine, pit, colliery.
zechen vi to booze (inf); (Zechgelage abhalten) to carouse.
Zecher(in f) m -s, - boozer (inf); (bei einem Zechgelage) carouser, reveller.
Zecherei f booze-up (inf); (Zechgelage) carousal.
Zechgelage nt carousal; **Zechkumpan(in** f) m drinking-mate (inf), drinking-buddy (inf); **Zechpreller(in** f) m -s, - person who leaves without paying the bill at a restaurant, bar etc; **Zechprellerei** f leaving without paying the bill for drink or food consumed at a restaurant, bar etc; **Zechschwester** f drinking-mate (inf); **Zechtour** f (inf) pub-crawl (esp Brit inf).
Zeck m -(e)s, -en (Aus), **Zecke** f -, -n tick.
Zeder f -, -n cedar.
Zedern|öl nt cedarwood oil.
zedieren* vt (Jur) to cede, to assign, to transfer.
Zeh m -s, -en, **Zehe** f -, -n toe; (Knoblauch~) clove. **auf (den) ~en gehen/schleichen** to tiptoe, to walk/creep on tiptoe.
Zehennagel m toenail; **Zehenspitze** f tip of the toe; **auf (den) ~n** on tiptoe, on tippy-toes (US inf); **auf (den) ~n gehen** to tiptoe, to walk on tiptoe; **auf den ~n tanzen** to dance on one's toes.
zehn num ten. **(ich wette) ~ zu or gegen eins** (I bet) ten to one; siehe auch **vier.**
Zehn f -, -en ten.
Zehner m -s, - 1. (Math) ten. 2. (inf) (Zehnpfennigstück) ten-pfennig piece, ten; (Zehnmarkschein) tenner (inf).
Zehnerbruch m decimal (fraction); **Zehnerkarte** f (für Bus) 10-journey ticket; (für Schwimmbad) 10-visit ticket; **Zehnerpackung** f packet of ten; **Zehnerstelle** f ten's (place); **Zehnersystem** nt decimal system; **Zehnertastatur** f (Comput) numeric keypad.
Zehnfingersystem nt touch-typing method; **Zehnkampf** m (Sport) decathlon; **Zehnkämpfer(in** f) m decathlete; **zehnmal** adv ten times; **Zehnmarkschein** m ten-mark note; **Zehnmeterbrett** nt ten-metre board.
Zehnt m -en, -en, **Zehnte(n)** f m decl as adj (Hist) tithe.
zehntausend num ten thousand. **Z~e von Menschen** tens of thousands of people.
Zehntel nt -s, - tenth.
zehntel adj tenth.
zehntens adv tenth(ly), in the tenth place.
zehnte(r, s) adj tenth.

zehren vi 1. von etw ~ (lit) to live off or
on sth; (fig) to feed on sth. 2. an jdm/etw
~ an Menschen, Kraft to wear sb/sth
out; an Kraft auch to sap sth; an Nerven
to ruin sth; (Anstrengung) am Herzen to
weaken sth; (Kummer) to gnaw at sth;
an Gesundheit to undermine sth.

Zehrgeld nt (old) travelling monies pl
(old).

Zeichen nt -s, - sign; (Sci, algebraisch, auf
Landkarte) symbol; (Schrift~, Comput)
character; (An~: von Krankheit, Winter, Beweis: von Friedfertigkeit) sign, indication; (Hinweis, Signal) signal; (Er-
kennungs~) identification; (Lese~)
bookmark, marker; (Vermerk) mark;
(auf Briefköpfen) reference; (Satz~)
punctuation mark; (Waren~) trade
mark. wenn nicht alle ~ trügen if I'm/
we're not completely mistaken; es ist
ein ~ unserer Zeit, daß ... it is a sign of
the times that ...; die ~ erkennen to see
the writing on the wall; die ~ der Zeit
erkennen to recognize the mood of the
times; es geschehen noch ~ und Wunder! (hum) wonders will never cease!
(hum); als/zum ~ as a sign; ein ~ des
Himmels a sign from heaven; als ~ von
etw as a sign or indication of sth; zum ~,
daß ... as a sign that ..., to show that ...;
als ~ der Verehrung as a mark or token
of respect; jdm ein ~ geben or machen
to give sb a signal or sign, to signal to sb;
das ~ zum Aufbruch geben to give the
signal to leave; unser/Ihr ~ (form) our/
your reference; seines ~s (old, hum) by
trade; er ist im ~ or unter dem ~ des
Widders geboren he was born under the
sign of Aries; unter dem ~ von etw stehen (fig: Konferenz) to take place
against a background of sth.

Zeichenblock m drawing or sketch pad;
Zeichenbrett nt drawing-board; **Zei-
chendreieck** nt set-square; **Zeichen-
erklärung** f (auf Fahrplänen) key (to
the symbols); (auf Landkarte) legend;
Zeichenfeder f drawing-pen;
zeichenhaft adj symbolic; **Zeichenheft**
nt drawing-book; **Zeichenkarte** f
(Comput) graphics card; **Zeichenkette** f
(Comput) character string; **Zeichen-
kohle** f charcoal; **Zeichenlehrer(in** f) m
art teacher; **Zeichenmaterial** nt drawing materials; **Zeichenpapier** nt drawing paper; **Zeichensaal** m art-room;
Zeichensatz m (Comput) character set,
font; **Zeichensetzung** f punctuation;
Zeichensprache f sign language; **Zei-
chenstift** m drawing pencil; **Zeichensy-
stem** nt notation; (Ling) system of
signs; **Zeichentisch** m drawing table;
Zeichentrickfilm m (animated)
cartoon; **Zeichenunterricht** m art; (Unterrichtsstunde) drawing or art lesson.

zeichnen I vi to draw; (form: unter~) to
sign. an dem Entwurf hat er lange gezeichnet he has spent a long time drawing the blueprint; gezeichnet: XY signed,
XY.

II vt 1. (abzeichnen) to draw; (entwerfen) Plan, Grundriß to draw up, to
draft; (fig: porträtieren) to portray, to
depict.
2. (kennzeichnen) to mark. das Gefieder des Vogels ist hübsch gezeichnet the
bird's plumage has attractive markings.
3. (Fin) Betrag to subscribe; Aktien to
subscribe (for); Anleihe to subscribe to.

Zeichner(in f) m -s, - 1. artist. muß ein
Maler auch immer ein guter ~ sein?
must a painter always be a good
draughtsman too? 2. (Fin) subscriber
(von to).

zeichnerisch I adj Darstellung, Gestaltung
graphic(al). sein ~es Können his drawing ability. II adv ~ begabt sein to have
a talent for drawing; etw ~ erklären to
explain sth with a drawing.

Zeichnung f 1. (Darstellung) drawing;
(Entwurf) draft, drawing; (fig: Schilderung) portrayal, depiction. 2. (Muster)
patterning; (von Gefieder, Fell) markings pl. 3. (Fin) subscription.

zeichnungsberechtigt adj authorized to
sign; **Zeichnungsvollmacht** f authority
to sign.

Zeigefinger m index finger, forefinger.

zeigen I vi to point. nach Norden/rechts ~
to point north or to the north/to the
right; auf jdn/etw ~ to point at sb/sth;
(hinweisen auch) to point to sb/sth.

II vt to show; (Thermometer auch) to
be at or on, to indicate. jdm etw ~ to
show sb sth or sth to sb; ich muß mir mal
von jemandem ~ lassen, wie man das
macht I'll have to get someone to show
me how to do it; dem werd' ich's (aber)
~! (inf) I'll show him!; zeig mal, was du
kannst! let's see what you can do!, show
us what you can do!

III vr to appear; (Gefühle) to show.
sich mit jdm ~ to let oneself be seen
with sb; in dem Kleid kann ich mich
doch nicht ~ I can't be seen in a dress
like that; er zeigt sich nicht gern in der
Öffentlichkeit he doesn't like showing
himself or being seen in public; sich ~
als ... to show or prove oneself to be ...;
er zeigte sich befriedigt he was satisfied;
es zeigt sich, daß ... it turns out that ...;
es zeigt sich (doch) wieder einmal, daß
... it just goes to show; es wird sich ~,
wer recht hat time will tell who is right,
we shall see who's right; das zeigt sich
jetzt it's beginning to show.

Zeiger m -s, - indicator, pointer; (Uhr~)
hand. der große/kleine ~ the big/little
hand.

Zeiger|ausschlag m pointer or indicator
deflection.

Zeigestock m pointer.

Zeile f -, -n line; (Häuser~, Baum~ auch)
row. davon habe ich keine ~ gelesen I
haven't read a single word of it; zwischen den ~n lesen to read between the
lines; vielen Dank für Deine ~n many
thanks for your letter; jdm ein paar ~n
schreiben to write sb a few lines; (Brief
schreiben auch) to drop sb a line.

Zeilenabstand m line spacing; **Zeilen-
bauweise** f ribbon development; **Zei-
lenbefehl** (Comput) line command;
Zeilenfang m (TV) horizontal hold;
Zeilenhonorar nt payment per line; ~

bekommen to be paid by the line; **Zeilenlänge** f length (of a/the line); **Zeilenschalter** m line spacer; **Zeilenschaltung** f line spacing; **Zeilensetzmaschine** f Linotype ® machine; **Zeilenumbruch** f (automatischer) ~ (Comput) wordwrap; **Zeilenvorschub** m (Comput) line feed; **zeilenweise** adv in lines; (nach Zeilen) by the line.

Zeisig m -s, -e (Orn) siskin.

Zeit f -, -en 1. time; (Epoche) age. **die gute alte** ~ the good old days; **das waren noch ~en!** those were the days; **die ~en sind schlecht** times are bad; **die ~ Goethes** the age of Goethe; **die damalige ~ machte die Einführung neuer Methoden erforderlich** the situation at the time required the introduction of new methods; **wenn ~ und Umstände es erfordern** if circumstances demand it, if the situation requires it; **für alle ~en** for ever, for all time (liter); **etw für alle ~en entscheiden** to decide sth once and for all; **in seiner/ihrer besten** ~ at his/her/its peak; **mit der ~ gehen** to move with the times; **vor jds** (dat) ~ before sb's time; **die ~ wurde mir lang** time hung heavy on my hands; **eine Stunde ~ haben** to have an hour (to spare); **sich** (dat) **für jdn/etw ~ nehmen** to devote time to sb/sth; **dafür muß ich mir mehr ~ nehmen** I need more time for that; **du hast dir aber reichlich ~ gelassen** you certainly took your time; **hier bin ich die längste ~ gewesen** it's about time or high time I was going; **damit hat es noch ~** there's no rush or hurry, there's plenty of time; **das hat ~ bis morgen** that can wait until tomorrow; **laß dir ~** take your time; **... aller ~en** ... of all time, ... ever; **auf bestimmte** ~ for a certain length of time; **auf unbestimmte** ~ for an indefinite period; **in letzter** ~ recently; **die ganze ~ über** the whole time; **mit der** ~ gradually, in time; **nach** ~ **bezahlt werden** to be paid by the hour; **die** ~ **heilt alle Wunden** (Prov) time is a great healer (prov); **auf** ~ **spielen** (Sport, fig) to play for time; **es wird langsam** ~, **daß ...** it's about time that ...; **hast du (die) genaue** ~? do you have the exact time?; **in der** ~ **von 10 bis 12** between 10 and 12 (o'clock); **Vertrag auf** ~ fixed-term contract; **Beamter auf** ~ non-permanent civil servant; **Soldat auf** ~ soldier serving for a set time; **seit dieser** ~ since then; **zur** ~ or **zu ~en Königin Viktorias** in Queen Victoria's times; **zu der** ~, **als ...** (at the time) when ...; **alles zu seiner** ~ (Prov) all in good time; **von** ~ **zu** ~ from time to time; **zur** ~ at the moment.
2. (Ling) tense. **in welcher** ~ **steht das Verb?** what tense is the verb in?

zeit prep +gen ~ **meines/seines Lebens** in my/his lifetime.

Zeitabschnitt m period (of time); **Zeitalter** nt age; **das goldene** ~ the golden age; **in unserem** ~ nowadays, in this day and age; **Zeitangabe** f (Datum) date; (Uhrzeit) time (of day); **die** ~ **kommt vor der Ortsangabe** (Gram) time is given before place; **Zeitansage** f

(Rad) time check; (Telec) speaking clock; **Zeitarbeit** f temporary work/job; **Zeitaufnahme** f (Phot) time exposure; **Zeitaufwand** m time (needed to complete a task); **mit möglichst wenig** ~ taking as little time as possible; **dieses Dokument wurde unter großen** ~ **erstellt** it took an enormous amount of time to produce this document; **mit großem** ~ **verbunden sein** to be extremely time-consuming; **Zeitbegriff** m conception of time; **Zeitbestimmung** f (Gram) designation of the tense of a verb; **Zeitbombe** f time bomb; **Zeitdruck** m pressure of time; **unter** ~ under pressure; **Zeiteinheit** f time unit.

Zeitenfolge f (Gram) sequence of tenses; **Zeitenwende** f **nach/vor der** ~ anno Domini/before Christ.

Zeitersparnis f saving of time; **Zeitfahren** nt (Sport) time trial; **Zeitfrage** f question of time; **zeitgebunden** adj tied to or dependent on a particular time; Mode temporary; **Zeitgeist** m Zeitgeist, spirit of the times; **zeitgemäß** adj up-to-date; ~ **sein** to be in keeping with the times; **Zeitgenosse** m, **Zeitgenossin** f contemporary; **zeitgenössisch** adj contemporary; **Zeitgeschehen** nt events pl of the day; **Zeitgeschichte** f contemporary history; **Zeitgeschmack** m prevailing taste; **Zeitgewinn** m gain in time; **zeitgleich** I adj Erscheinungen contemporaneous; Läufer with the same time; (Film) synchronized, in sync(h) (inf); II adv at the same time; ~ **den ersten Platz belegen** to tie for first place; **Zeithistoriker(in** f) m contemporary historian.

zeitig adj, adv early.

zeitigen vt (geh) Ergebnis, Wirkung to bring about; Erfolg auch to lead to. **Früchte** ~ to bear fruit.

Zeitkarte f season ticket; **zeitkritisch** adj Aufsatz, Artikel full of comment on contemporary issues; **Zeitlang** f **eine** ~ a while, a time; **wir sind eine** ~ **dort geblieben** we stayed there (for) a while or for a time; **zeitlebens** adv all one's life.

zeitlich I adj temporal; (vergänglich auch) transitory; (chronologisch) Reihenfolge chronological. **in kurzem/großem** ~em **Abstand** at short/long intervals (of time); **das Z~e segnen** (euph: Mensch) to depart this life; (Sache) to bite the dust (inf).
II adv timewise (inf), from the point of view of time; (chronologisch) chronologically. **das kann sie** ~ **nicht einrichten** she can't fit that in (timewise inf), she can't find (the) time for it; **das paßt ihr** ~ **nicht** the time isn't convenient for her; ~ **zusammenfallen** to coincide; **die Uhren/Pläne** ~ **aufeinander abstimmen** to synchronize one's watches/plans.

Zeitlohn m hourly rate; ~ **bekommen** to be paid by the hour; **zeitlos** adj timeless; Stil auch which doesn't date; Kleidung auch classic; **Zeitlupe** f slow motion no art; **etw in (der)** ~ **zeigen** to show sth in slow motion; **Wiederholung in (der)** ~ slow-motion replay; **Zeitlupenaufnah-**

me f slow-motion shot; **Zeitlupentempo** nt slow speed; **im ~** (lit) in slow motion; (fig) at a snail's pace; **Zeitmangel** m lack of time; **aus ~** for lack of time; **Zeitmaschine** f time machine; **Zeitmaß** nt tempo; **Zeitmesser** m -s, - timekeeper; **Zeitmessung** f timekeeping (auch Sport), measurement of time; **zeitnah** adj contemporary; **Problem** auch of our age; Gottesdienst, Übersetzung auch modern; Bücher, Unterricht relevant to present times; **Zeitnähe** f siehe adj contemporary nature; modernness; relevance to present times; **Zeitnahme** f -, -n (Sport) timekeeping no pl; **Zeitnehmer(in** f) m (Sport, Ind) timekeeper; **Zeitnot** f shortage of time; **in ~ sein** to be pressed for or short of time; **Zeitplan** m schedule, timetable; **Zeitpunkt** m (Termin) time; (Augenblick auch) moment; **zu diesem ~** at that time; **den ~ für etw festlegen** to set a time for sth; **Zeitraffer** m -s, no pl time-lapse photography; **einen Film im ~ zeigen** to show a time-lapse film; **zeitraubend** adj time-consuming; **Zeitraum** m period of time; **in einem ~ von ...** over a period of ...; **Zeitrechnung** f calendar; **nach christlicher/jüdischer ~** according to the Christian/Jewish calendar; **vor/nach unserer ~** (abbr v.u.Z./n.u.Z.) before Christ/anno Domini (abbr BC/AD); **Zeitschrift** f (Illustrierte) magazine; (wissenschaftlich) periodical, journal; **Zeitsoldat** m regular soldier (who has signed up for a fixed period of time); **Zeitspanne** f period of time; **zeitsparend** adj time-saving; **Zeitstudie** f (Ind) time (and motion) study; **zeitsynchron** adj synchronized no adv, at the same time; **Zeittafel** f chronological table; **Zeittakt** m **1.** (Telec) unit length; **2.** timing; **im 10-minütigen ~** every 10 minutes; **Zeitumstellung** f **1.** (Zeitänderung) changing the clocks, putting the clocks back/forward; **2.** (Zeitunterschied) time difference.

Zeitung f (news)paper. **er hat bei der ~ gearbeitet** he worked for a newspaper.

Zeitungs- in cpds newspaper; **Zeitungsabonnement** nt subscription to a newspaper; **Zeitungsanzeige** f newspaper advertisement; (Familienanzeige) announcement in the (news)paper; **Zeitungsausschnitt** m newspaper cutting; **Zeitungsausträger(in** f) m ≃ paperboy/girl; **Zeitungsbeilage** f newspaper supplement; **Zeitungsdruckpapier** nt newsprint; **Zeitungsente** f (inf) canard, false newspaper report; **Zeitungsfrau** f (inf) newspaper carrier; **Zeitungshändler(in** f) m newsagent, newsdealer (US); **Zeitungsinserat** nt newspaper advertisement; **Zeitungsjargon** m journalese; **Zeitungsjunge** m paperboy; **Zeitungskiosk** m newspaper kiosk; **Zeitungskorrespondent(in** f) m newspaper correspondent; **Zeitungsladen** m paper shop; **Zeitungslesen** nt reading the (news)paper no art; **er war gerade beim ~**

he was just reading the paper/papers; **Zeitungsleser(in** f) m newspaper reader; **Zeitungspapier** nt newsprint; (als Altpapier) newspaper; **Zeitungsredakteur(in** f) m newspaper editor; **Zeitungsständer** m magazine or newspaper rack; **Zeitungsverleger(in** f) m newspaper publisher; **Zeitungswissenschaft** f journalism; **Zeitungszar** m press baron.

Zeitunterschied m time difference; **Zeitvergeudung** f waste of time; **Zeitverlust** m loss of time; **das bedeutet mehrere Stunden ~** this will mean wasting several hours; **ohne ~** without losing any time; **Zeitverschiebung** f **1.** (Zeitunterschied) time difference; **2.** (von Termin) rescheduling, change in timing; **Zeitverschwendung** f waste of time; **Zeitvertreib** m way of passing the time; (Hobby) pastime; **zum ~** to pass the time, as a way of passing the time; **Zeitvorgabe** f **1.** (Zeitbestimmung) time setting; **2.** (Vorsprung) head start; **zeitweilig** adj temporary; **zeitweise** adv at times; **und ~ Regen** with rain at times; **Zeitwert** m (Fin) current value; (Meßergebnis) time; **Zeitwort** nt verb; **Zeitzeichen** nt time signal; **Zeitzeuge** m, **Zeitzeugin** f contemporary witness; **Zeitzünder** m time fuse.

zelebrieren* vt to celebrate.

Zell|atmung f cellular respiration.

Zelle f -, -n cell (auch Sci, Pol); (Kabine) cabin; (Telefon~) (phone) box (Brit) or booth; (bei Flugzeug) airframe.

Zellgewebe nt cell tissue; **Zellkern** m nucleus (of a/the cell); **Zellkernteilung** f cell division, mitosis.

Zellophan nt -s, no pl cellophane.

Zellpräparat nt cell culture; **Zellstoff** m cellulose; **Zellstoffwindel** f disposable nappy (Brit) or diaper (US); **Zellteilung** f cell division.

Zellulartherapie f cell therapy.

Zelluloid [auch -'lɔyt] nt -s, no pl celluloid.

Zellulose f -, -n cellulose.

Zellverschmelzung f cell fusion; **Zellwand** f cell wall; **Zellwolle** f spun rayon.

Zelt nt -(e)s, -e tent; (Bier~, Fest~auch) marquee; (Indianer~) wigwam, te(e)pee; (Zirkus~) big top; (liter: des Himmels) canopy. **seine ~e aufschlagen/abbrechen** (fig) to settle down/to pack one's bags.

Zeltbahn f strip of canvas; **Zeltdach** nt tent-roof; (Dachform) pyramid roof.

zelten vi to camp. **Z~ verboten** no camping.

Zelter m -s, - (Hist: Pferd) palfrey.

Zelter(in f) m -s, - camper.

Zelthering m tent peg; **Zeltlager** nt camp; **Zeltmast** m tent pole; **Zeltmission** f evangelistic mission with a tent as its base; **Zeltpflock** m tent peg; **Zeltplane** f tarpaulin; **Zeltplatz** m camp site; **Zeltstange** f tentpole.

Zement m -(e)s, -e cement.

zementieren* vt to cement; (verputzen) to cement over; Stahl to carburize (*spec*); (*fig*) to reinforce; *Freundschaft* to cement.

Zement(misch)maschine *f* cement mixer.

Zen *nt* -s, *no pl* Zen (Buddhism).

Zenit *m* -(e)s, *no pl* (*lit, fig*) zenith. **die Sonne steht im ~** the sun is at its zenith.

zensieren* *vt* 1. *auch vi* (*benoten*) to mark. **einen Aufsatz mit „gut" ~** to mark an essay a "B". 2. (*Bücher*) to censor.

Zensor(in *f*) *m* censor.

Zensur *f* 1. (*no pl: Kontrolle*) censorship *no indef art*; (*Prüfstelle*) censors *pl*; (*esp bei Film*) board of censors. **eine ~ findet nicht statt** there is no censorship, it is/ they are not censored; **durch die ~ gehen/einer ~ unterliegen** to be censored.

2. (*Note*) mark. **der Plan erhielt von der Presse schlechte ~en** the plan got the thumbs-down from the press (*inf*).

Zensus *m* -, - (*Volkszählung*) census.

Zentaur *m* -en, -en centaur.

Zentigrad *m* hundredth of a degree; **Zentigramm** *nt* centigram(me); **Zentiliter** *m or nt* centilitre; **Zentimeter** *m or nt* centimetre; **Zentimetermaß** *nt* (metric) tape measure.

Zentner *m* -s, - (metric) hundredweight; (*Aus, Sw*) 100kg.

Zentnerlast *f* (*fig*) heavy burden; **mir fiel eine ~ vom Herzen** it was a great weight or load off my mind; **zentnerschwer** *adj* (*fig*) heavy; **~ auf jdm** *or* **jds Seele lasten** to weigh sb down; **zentnerweise** *adv* by the hundredweight.

zentral *adj* (*lit, fig*) central.

Zentral *in cpds* central; **Zentralbank** *f* central bank.

Zentrale *f* -, -n (*von Firma, Mil*) head office; (*für Taxis*) headquarters *sing or pl*; (*für Busse*) depot; (*Schalt~*) central control (office); (*Telefon~*) exchange; (*von Firma*) switchboard.

Zentraleinheit *f* (*Comput*) CPU, central processing unit; **Zentralheizung** *f* central heating.

Zentralisation *f* centralization.

zentralisieren* *vt* to centralize.

Zentralisierung *f* centralization.

Zentralismus *m* centralism.

zentralistisch *adj* centralist.

Zentralkomitee *nt* central committee; **Zentralnervensystem** *nt* central nervous system; **Zentralrechner** *m* (*Comput*) mainframe; **Zentralspeicher** *m* (*Comput*) central memory; **Zentralverriegelung** *f* (*Aut*) central (door) locking; **Zentralverschluß** *m* leaf shutter.

Zentren *pl of* **Zentrum.**

Zentrier|automatik *f* (*Comput*) automatic centering.

zentrieren* *vt* (*auch Comput*) to centre.

zentrifugal *adj* centrifugal.

Zentrifugalkraft *f* centrifugal force.

Zentrifuge *f* -, -n centrifuge.

zentripetal *adj* centripetal.

Zentripetalkraft *f* centripetal force.

Zentrum *nt* -s, **Zentren** (*lit, fig*) centre (*Brit*), center (*US*); (*Innenstadt*) (town)

centre; (*von Großstadt*) (city) centre. **sie wohnt im ~ (der Stadt)/von Chicago** she lives in the (town/city) centre/in the centre of Chicago, she lives downtown/ in downtown Chicago (*US*).

Zentrumspartei *f* (*Hist*) Centre party, German Catholic party representing the centre politically.

Zephir (*esp Aus*), **Zephyr** *m* -s, -e (*liter*) zephyr.

Zeppelin *m* -s, -e zeppelin.

Zepter *nt* -s, - sceptre. **das ~ führen** *or* **schwingen** (*inf*) to wield the sceptre; (*esp Ehefrau*) to rule the roost.

Zer *nt* -s, *no pl* (*abbr* Ce) cerium.

zerbeißen* *vt irreg* to chew; *Knochen, Bonbon, Keks* to crunch; (*beschädigen*) *Pantoffel* to chew to pieces; (*auseinanderbeißen*) *Kette, Leine* to chew through.

zerbersten* *vi irreg aux sein* to burst; (*Glas*) to shatter.

Zerberus *m* -, -se 1. *no pl* (*Myth*) Cerberus. 2. (*fig hum*) watchdog.

zerbeulen* *vt* to dent. **zerbeult** battered.

zerbomben* *vt* to flatten with bombs, to bomb to smithereens (*inf*); *Gebäude auch* to bomb out. **zerbombt** *Stadt, Gebäude* bombed out; **zerbombt werden** to be flattened by bombs.

zerbrechen* *irreg* I *vt* (*lit*) to break into pieces; *Glas, Porzellan* to smash, to shatter; *Ketten* (*lit, fig*) to break, to sever; (*fig*) *Widerstand* to break down; *Lebenswille* to destroy.

II *vi aux sein* to break into pieces; (*Glas, Porzellan etc*) to smash, to shatter; (*fig*) to be destroyed (*an +dat* by); (*Widerstand*) to collapse (*an +dat* in the face of). **er ist am Leben zerbrochen** he has been broken or destroyed by life.

zerbrechlich *adj* fragile; *Mensch auch* frail. **„Vorsicht ~!"** "fragile, handle with care".

Zerbrechlichkeit *f* fragility; (*von Mensch auch*) frailness.

zerbröckeln* *vti* to crumble.

zerdeppern* *vt* (*inf*) to smash.

zerdrücken* *vt* to squash, to crush; *Gemüse* to mash; (*zerknittern*) to crush, to crease, to crumple.

Zeremonie [tseremo'niː, -'moːniə] *f* ceremony.

Zeremoniell *nt* -s, -e ceremonial.

zeremoniell *adj* ceremonial.

Zeremonienmeister [-'moːniən-] *m* master of ceremonies.

zerfahren *adj* scatty; (*unkonzentriert*) distracted.

Zerfall *m* -(e)s, *no pl* disintegration; (*von Gebäude auch, von Atom*) decay; (*von Leiche, Holz*) decomposition; (*von Land, Kultur*) decline, decay, fall.

zerfallen* I *vi irreg aux sein* 1. to disintegrate; (*Gebäude auch*) to decay, to fall into ruin; (*Atomkern*) to decay; (*auseinanderfallen auch*) to fall apart; (*Leiche, Holz*) to decompose; (*Reich, Kultur, Moral*) to decay, to decline. **zu Staub ~** to crumble (in)to dust.

2. (*sich gliedern*) to fall (*in +acc* into).

II adj **1.** Haus tumble-down; Gemäuer auch crumbling.
2. (verfeindet) **mit jdm ~ sein** to have fallen out with sb; **mit sich** (dat) **und der Welt ~ sein** to be at odds with the world.

Zerfallserscheinung f sign of decay; **Zerfallsprodukt** nt daughter product.

zerfetzen* vt to tear or rip to pieces or shreds; Brief to rip up, to tear up (into little pieces); (Geschoß) Arm to mangle, to tear to pieces; (fig) to pull or tear to pieces.

zerfetzt adj Hose ragged, tattered; Arm lacerated.

zerfleddern*, zerfledern* vt (inf) to tatter, to get tatty (inf).

zerfleischen* **I** vt to tear limb from limb, to tear to pieces. **II** vt (fig) **er zerfleischt sich in (Selbst)vorwürfen** he torments or tortures himself with self-reproaches; **sich gegenseitig ~** to tear each other apart.

zerfließen* vi irreg aux sein (Tinte, Make-up) to run; (Eis, fig: Reichtum) to melt away. **in Tränen ~** to dissolve into tears; **vor Mitleid ~** to be overcome with pity.

zerfranst adj frayed.

zerfressen* vt irreg to eat away; (Motten, Mäuse) to eat; (Säure, Rost auch) to corrode; (fig) to consume. **die Säure hat ihr das Gesicht ~** the acid burnt into her face; **(von Motten/Würmern) ~ sein** to be moth-/worm-eaten.

zerfurchen* vt to furrow.

zergehen* vi irreg aux sein to dissolve; (schmelzen) to melt. **auf der Zunge ~** (Gebäck) to melt in the mouth; (Fleisch) to fall apart.

zergliedern* vt (Biol) to dissect; Satz to parse; (fig) to analyse.

Zergliederung f siehe vt dissection; parsing; analysis.

zerhacken* vt to chop up.

zerhauen* vt irreg to chop in two; (in viele Stücke) to chop up.

zerkauen* vt to chew; (Hund) Leine to chew up.

zerkleinern* vt to cut up; (zerhacken) to chop (up); (zerbrechen) to break up; (zermahlen) to crush.

zerklüftet adj rugged; Mandeln fissured. **tief ~es Gestein** rock with deep fissures, deeply fissured rock.

zerknautschen* vt (inf) to crease, to crumple.

zerknautscht adj (inf) Kleidung creased, crumpled; Gesicht (faltig) wizened.

zerknirscht adj remorseful, overcome with remorse.

Zerknirschtheit f remorse.

zerknittern* vt to crease, to crumple.

zerknittert adj **1.** Kleid, Stoff creased. **2.** (inf) (schuldbewußt) overcome with remorse.

zerknüllen* vt to crumple up, to scrunch up (inf).

zerkochen* vti (vi: aux sein) to cook to a pulp; (zu lange kochen auch) to overcook.

zerkratzen* vt to scratch.

zerkrümeln* vt to crumble; Boden to loosen.

zerlassen* vt irreg to melt.

zerlaufen* vi irreg aux sein to melt.

zerlegbar adj able to be taken apart.

zerlegen* vt to take apart or to pieces; Gerüst, Maschine auch to dismantle; Motor, Getriebe auch to strip down; Theorie, Argumente to break down; (Gram) to analyse; (Math) to reduce (in +acc to); (zerschneiden) to cut up; Geflügel, Wild to carve up; (Biol) to dissect. **etw in seine Einzelteile ~** to take sth to pieces; to dismantle sth completely; to strip sth down; to break sth down into its individual constituents; Satz to parse sth.

Zerlegung f, no pl siehe vt taking apart; dismantling; stripping down; breaking down; analysis; reduction; cutting up; carving up; dissection.

zerlesen adj well-thumbed.

zerlumpt adj ragged, tattered no adv.

zermahlen* vt to grind; (in Mörser) to crush.

zermalmen* vt (lit, fig) to crush; (mit den Zähnen) to crunch, to grind.

zermartern* vt sich (dat) **den Kopf** or **das Hirn ~** to rack or cudgel one's brains.

zermürben* vt (fig) **jdn ~** to wear sb down; **~d** wearing, trying.

Zermürbung f (eines Gegners) wearing down no pl, attrition.

Zermürbungskrieg m war of attrition; **Zermürbungstaktik** f tactics of attrition pl.

zernagen* vt to chew to pieces; (Nagetiere) to gnaw to pieces.

Zero ['ze:ro] f -, -s or nt -s, -s zero.

zerpflücken* vt (lit, fig) to pick to pieces.

zerplatzen* vi aux sein to burst; (Glas) to shatter.

zerquält adj tortured.

zerquetschen* vt to squash, to crush; (mit Gabel) Kartoffeln to mash.

Zerquetschte pl (inf) **10 Mark und ein paar ~** 10 marks something (or other), 10 marks odd; **Hundert und ein paar ~** a hundred odd.

zerraufen* vt to ruffle. **zerrauft** dishevelled.

Zerrbild nt (lit: in Spiegel) distorted picture or image; (fig auch) caricature; (von Verhältnissen, System, Gesellschaft auch) travesty.

zerreden* vt to flog to death (inf).

zerreiben* vt irreg to crumble, to crush; (in Mörser) to grind; (fig) to crush.

zerreißen* irreg **I** vt (aus Versehen) to tear; (in Stücke) to tear to pieces or shreds; Faden, Seil to break; (absichtlich) Brief to tear up; (zerfleischen) to tear apart or limb from limb; (plötzlich aufreißen, durchbrechen) Wolkendecke, Stille to rend (liter); (fig) Land to tear apart or in two; Bindungen to break. **es zerreißt mir das Herz** (liter) it is heart-breaking, it breaks my heart.

II vi aux sein (Stoff) to tear; (Band, Seil) to break.

III vr (fig) **ich könnte mich vor Wut ~** I'm hopping (mad) (inf); **ich kann mich doch nicht ~!** I can't be in two places at once; **sich ~, (um) etw zu tun** to go to no end of trouble to do sth.

Zerreißprobe f (lit) pull test; (fig) real test; **eine ~ für ihre Ehe** a crucial test of their marriage.

zerren I vt to drag; Sehne to pull, to strain. **jdm/sich die Kleider vom Leib ~** to tear the clothes from sb's body/to tear one's clothes off; **etw an die Öffentlichkeit ~** to drag sth into the public eye. **II** vi an etw (dat) ~ to tug or pull at sth; **an den Nerven ~** to be nerve-racking.

zerrinnen* vi irreg aux sein to melt (away); (fig) (Träume, Pläne) to melt or fade away; (Geld, Vermögen) to disappear. **jdm unter den Händen** or **zwischen den Fingern ~** (Geld) to run through sb's hands like water.

zerrissen adj (fig) Volk, Partei strife-torn, disunited; Mensch (inwardly) torn.

Zerrissenheit f siehe adj disunity no pl; (inner) conflict.

Zerrspiegel m (lit) distorting mirror; (fig) travesty.

Zerrung f (das Zerren: von Sehne, Muskel) pulling. **eine ~** a pulled ligament/muscle.

zerrupfen* vt to pick or pull to pieces.

zerrütten* vt to destroy, to ruin, to wreck; Ehe to break up, to destroy; Geist to destroy; Nerven to shatter. **eine zerrüttete Ehe/Familie** a broken marriage/home; **sich in einem zerrütteten Zustand befinden** to be in a very bad way.

Zerrüttung f destruction; (von Ehe) breakdown; (von Nerven) shattering; (Zustand) shattered state. **der Staat/ihre Ehe befindet sich im Zustand der ~** the state is in a bad way/their marriage is breaking down.

Zerrüttungsprinzip nt principle of irretrievable breakdown.

zersägen* vt to saw up.

zerschellen* vi aux sein (Schiff, Flugzeug) to be dashed or smashed to pieces; (Vase) to smash (to pieces or smithereens). **das zerschellte Schiff** the wrecked ship.

zerschießen* vt irreg to shoot to pieces; (durchlöchern) to riddle with bullets.

zerschlagen* irreg **I** vt **1.** (Mensch) to smash (to pieces or smithereens); (Stein auch) to shatter; (auseinanderschlagen) to break up.

2. (fig) Angriff, Widerstand, to crush; Hoffnungen, Pläne to shatter; Spionagering, Vereinigung to break.

II vr (nicht zustande kommen) to fall through; (Hoffnung, Aussichten) to be shattered.

III adj pred washed out (inf); (nach Anstrengung, langer Reise) shattered (inf), worn out. **ich wachte wie ~ auf** I woke up feeling washed out (inf).

Zerschlagung f (fig) suppression; (von Hoffnungen, Plänen) shattering.

zerschleißen pret **zerschliß**, ptp **zerschlissen** vti (usu ptp) to wear out. **zerschlissene Kleider** worn-out or threadbare clothes.

zerschmeißen* vt (inf) irreg to shatter, to smash (to pieces).

zerschmelzen* vi irreg aux sein (lit, fig) to melt.

zerschmettern* vt (lit, fig) to shatter; Feind to crush; (Sport) Gegner to smash.

zerschneiden* vt irreg to cut; (in zwei Teile) to cut in two; (in Stücke) to cut up; (verschneiden) Stoff to cut wrongly; (fig) Stille to pierce.

zerschnippeln* vt (inf) to snip to pieces.

zerschrammen* vt Haut, Möbel to scratch to pieces.

zersetzen* I vt to decompose; (Säure) to corrode; (fig) to undermine, to subvert. **II** vr to decompose; (durch Säure) to corrode; (fig) to become undermined or subverted.

zersetzend adj (fig) subversive.

Zersetzung f (Chem) decomposition; (durch Säure) corrosion; (fig: Untergrabung) undermining, subversion; (von Gesellschaft) decline (von in), decay.

Zersetzungserscheinung f (fig) sign of decline or decay.

zersiedeln* vt to spoil (by development).

Zersied(e)lung f overdevelopment.

zerspalten* vt to split; Gemeinschaft to split up.

zersplittern* I vt to shatter; Holz to splinter; (fig) Kräfte, Zeit to dissipate, to squander; Gruppe, Partei to fragment.

II vi aux sein to shatter; (Holz, Knochen) to splinter; (fig) to split up.

III vr to shatter; (Holz) to splinter; (fig) to dissipate or squander one's energies; (Gruppe, Partei) to fragment, to become fragmented. **der Widerstand ist zu zersplittert** the opposition is too fragmented.

Zersplitterung f siehe vb shattering; splintering; dissipation, squandering; fragmentation.

zersprengen* vt to burst; (fig) Volksmenge to disperse, to scatter.

zerspringen* vi irreg aux sein to shatter; (Saite) to break; (einen Sprung bekommen) to crack. **in tausend Stücke ~** to shatter in(to) a thousand pieces; **das Herz wollte ihr vor Freude fast ~** (liter) her heart was bursting with joy.

zerstampfen* vt (zertreten) to stamp or trample on; (zerkleinern) to crush; (im Mörser) to grind, to pound; Kartoffeln to mash.

zerstäuben* vt to spray.

Zerstäuber m -s, - spray; (Parfüm~ auch) atomizer.

zerstechen* vt irreg **1.** (Mücken) to bite (all over); (Bienen) to sting (all over). **2.** Material, Haut to puncture; Finger to prick.

zerstieben* vi irreg aux sein to scatter; (Wasser) to spray.

zerstörbar adj destructible. **nicht ~** indestructible.

zerstören* I vt (lit, fig) to destroy; Gebäude, Ehe, Glück auch to wreck; (verwüsten auch) to ruin; (Rowdys) to vandalize; Gesundheit to wreck, to ruin. **II** vi to destroy.

Zerstörer m -s, - (old Aviat) fighter; (Naut) destroyer.

Zerstörer(in *f)* *m* **-s,** - destroyer.
zerstörerisch *adj* destructive.
Zerstörung *f* **1.** *no pl siehe vt* destruction; wrecking; ruining; vandalizing. **2.** (*von Krieg, Katastrophe*) destruction *no pl*, devastation *no pl*.
Zerstörungslust *f* delight in destruction; **Zerstörungstrieb** *m* destructive urge *or* impulse; **Zerstörungswerk** *nt* work of destruction.
zerstoßen* *vt irreg* **1.** (*zerkleinern*) to crush; (*im Mörser*) to pound, to grind. **2.** (*durch Stoßen beschädigen*) to damage; *Leder, Schuh* to scuff.
zerstreiten* *vr irreg* to quarrel, to fall out.
zerstreuen* *I* *vt* **1.** to scatter (*in* +*dat* over); *Volksmenge auch* to disperse; *Licht* to diffuse; (*fig*) to dispel, to allay. **2.** **jdn** ~ to take sb's mind off things, to divert sb.
II *vr* **1.** (*sich verteilen*) to scatter; (*Menge auch*) to disperse; (*fig*) to be dispelled *or* allayed. **2.** (*sich ablenken*) to take one's mind off things; (*sich amüsieren*) to amuse oneself.
zerstreut *adj* (*fig*) *Mensch* absent-minded.
Zerstreutheit *f, no pl* absent-mindedness.
Zerstreuung *f* **1.** *no pl siehe vt* scattering; dispersal; diffusion; dispelling, allaying. **2.** (*Ablenkung*) diversion. **zur** ~ as a diversion.
zerstritten *adj* estranged. **mit jdm** ~ **sein** to be on very bad terms with sb.
zerstückeln* *vt* (*lit*) to cut up; *Leiche* to dismember; *Land* to divide *or* carve up; (*fig*) *Tag, Semester* to break up.
zerteilen* *vt* to split up; (*in zwei Teile auch*) to divide; (*zerschneiden*) to cut up; *Wogen, Wolken* to part.
Zertifikat *nt* certificate.
zertrampeln* *vt* to trample on.
zertrennen* *vt* to sever, to cut through; (*auftrennen*) *Nähte* to undo; *Kleid* to undo the seams of.
zertreten* *vt irreg* to crush (underfoot); *Rasen* to ruin. **jdn wie einen Wurm** ~ to grind sb into the ground.
zertrümmern* *vt* to smash; *Einrichtung* to smash up; *Gebäude auch, Hoffnungen, Ordnung* to wreck, to destroy; (*dated*) *Atom* to split.
Zervelatwurst [tsɛrvəˈlaːt-] *f* cervelat, German salami.
zervikal [tsɛrviˈkaːl] *adj* (*spec*) cervical.
zerwühlen* *vt* to ruffle up, to tousle; *Bett, Kopfkissen* to rumple (up); (*aufwühlen*) *Erdboden* to churn up; (*Wildschwein*) to churn *or* root up.
Zerwürfnis *nt* row, disagreement.
zerzausen* *vt* to ruffle; *Haar* to tousle.
zerzaust *adj* windswept; *Haare auch* dishevelled, tousled.
Zeter *nt:* ~ **und Mord(io) schreien** (*lit*) to scream blue murder (*inf*); (*fig*) to raise a hue and cry.
zetern *vi* (*pej*) to clamour; (*keifen*) to scold, to nag; (*jammern*) to moan.
Zett *nt* **-s,** *no pl* (*sl*) gaol, jail. **jdn zu 10 Jahren** ~ **verurteilen** to send sb down

for 10 years (*inf*).
Zettel *m* **-s,** - piece of paper; (*Notiz~*) note; (*Kartei~*) card; (*Anhänge~*) label; (*mit Angabe über Inhalt, Anschrift*) chit (*inf*), ticket; (*Bekanntmachung*) notice; (*Hand~*) leaflet, handbill (*esp US*); (*Formular*) form; (*Stimm~*) ballot paper; (*Bestell~*) coupon; (*Kassen~, Beleg*) receipt. **„~ ankleben verboten"** "stick no bills".
Zettelkartei *f* card index; **Zettelkasten** *m* file-card box; (*Zettelkartei*) card index; **Zettelkatalog** *m* card index; **Zettelwirtschaft** *f* (*pej*) **eine** ~ **haben** to have bits of paper everywhere.
Zeug *nt* **-(e)s,** *no pl* **1.** (*inf*) stuff *no indef art, no pl*; (*Ausrüstung auch*) gear (*inf*); (*Kleidung*) clothes *pl,* things *pl* (*inf*); (*mehrere Gegenstände auch, Getier*) things *pl.* **altes** ~ junk, trash; **... und solches** ~ ... and such things. **2.** (*inf: Unsinn*) nonsense, rubbish. **ein/dieses** ~ a/this load of nonsense *or* rubbish; **dummes** ~ **reden** to talk a lot of nonsense *or* drivel (*inf*) *or* twaddle (*inf*); **rede kein dummes** ~ don't talk nonsense. **3.** (*Fähigkeit, Können*) **das** ~ **zu etw haben** to have (got) what it takes to be sth (*inf*); **er hat nicht das** ~ **dazu** he hasn't got what it takes (*inf*). **4.** (*old*) (*Stoff*) material; (*Wäsche*) linen. **jdm etwas am** ~ **flicken** (*inf*) to tell sb what to do; **was das** ~ **hält** (*inf*) for all one is worth; *laufen* like mad; *fahren* like the blazes (*inf*); **sich für jdn ins** ~ **legen** (*inf*) to stand up for sb; **sich ins** ~ **legen** to go flat out; (*bei Arbeit auch*) to work flat out.
Zeuge *m* **-n, -n** (*Jur, fig*) witness (*gen* to). ~ **eines Unfalls/Gesprächs sein** to be a witness to an accident/a conversation; **sich als** ~ **zur Verfügung stellen** to come forward as a witness; **vor/unter** ~**n** in front of witnesses; **Gott ist mein** ~ as God is my witness; **die** ~**n Jehovas** Jehovah's witnesses.
zeugen¹ *vt* *Kind* to father; (*Bibl*) to beget; (*fig geh*) to generate, to give rise to.
zeugen² *vi* **1.** (*vor* +*dat so*) (*aussagen*) to testify; (*vor Gericht auch*) to give evidence. **für/gegen jdn** ~ to testify *or* give evidence for/against sb. **2.** **von etw** ~ to show sth.
Zeugenaussage *f* testimony; **Zeugenbank** *f* witness box, witness stand (*US*); **er sitzt auf der** ~ he's in the witness box *or* witness stand (*US*); **Zeugenbeeinflussung** *f* subornation of a witness/witnesses; **Zeugenstand** *m* witness box, witness stand (*US*); **in den** ~ **treten** to go into the witness box, to take the (witness) stand; **Zeugenvernehmung** *f* examination of the witness(es).
Zeughaus *nt* (*obs Mil*) arsenal, armoury.
Zeugin *f* witness.
Zeugnis *nt* **1.** (*esp liter: Zeugenaussage*) evidence. **für/gegen jdn** ~ **ablegen** to give evidence *or* to testify for/against sb; **für jds Ehrlichkeit** ~ **ablegen** to bear witness to sb's honesty; **falsches** ~ **able-**

gen, falsch ~ reden (*Bibl*) to bear false witness.
2. (*fig: Beweis*) evidence.
3. (*Schul~*) report.
4. (*Bescheinigung*) certificate; (*von Arbeitgeber*) testimonial, reference. **gute ~se haben** to have good qualifications; (*von Arbeitgeber*) to have good references.

Zeugnisabschrift *f* copy of one's report/certificate/testimonial; **Zeugnisheft** *nt* (*Sch*) report book; **Zeugnispapiere** *pl* certificates *pl*; testimonials *pl*; **Zeugnisverweigerungsrecht** *nt* right of a witness to refuse to give evidence.

Zeugs *nt -, no pl* (*pej inf*) *siehe* Zeug 1., 2.

Zeugung *f siehe* **zeugen**[1] fathering; begetting; generating.

Zeugungsakt *m* act of procreation; (*fig*) creative act; **zeugungsfähig** *adj* fertile; **Zeugungsfähigkeit**, **Zeugungskraft** (*geh*) *f* fertility; **Zeugungsorgan** *nt* (*spec*) male reproductive organ; **zeugungsunfähig** *adj* sterile; **Zeugungsunfähigkeit** *f* sterility.

Zeus *m* - (*Myth*) Zeus.

ZEVIS ['tseːvɪs] *nt abbr of* **Zentrales Verkehrsinformationssystem.**

z.H(d). *abbr of* **zu Händen** attn.

Zibebe *f -, -n* (*S Ger, Aus*) sultana.

Zichorie [tsɪˈçoːriə] *f* chicory.

Zicke *f -, -n* **1.** nanny goat. **2.** (*pej inf: Frau*) cow (*sl*), bitch (*sl*); (*prüde*) prude; (*albern*) silly thing.

Zicken *pl* (*inf*) nonsense *no pl.* **mach bloß keine ~!** no nonsense now!; **~ machen** to make trouble.

zickig *adj* (*albern*) silly; (*prüde*) prudish.

Zicklein *nt* (*junge Ziege*) kid; (*junges Reh*) fawn.

Zickzack *m* -(e)s, -e zigzag. **z~ or im ~ laufen** to zigzag; **~ nähen** to zigzag.

zickzackförmig *adj* zigzag; **~ verlaufen** to zigzag; **Zickzackkurs** *m* zigzag course; (*von Hase*) zigzag path; **im ~ fahren/laufen** to zigzag.

Ziege *f -, -n* **1.** goat; (*weiblich auch*) nanny-goat. **2.** (*pej inf: Frau*) cow (*sl*), bitch (*sl*).

Ziegel *m -s, -* (*Backstein*) brick; (*Dach~*) tile. **ein Dach mit ~n decken** to tile a roof.

Ziegelbau *m, pl -ten* brick building; **Ziegelbrenner(in** *f*) *m* brickmaker; (*von Dachziegeln*) tilemaker; **Ziegeldach** *nt* tiled roof.

Ziegelei *f* brickworks *sing or pl*; (*für Dachziegel*) tile-making works *sing or pl*.

ziegelrot *adj* brick-red; **Ziegelstein** *m* brick.

Ziegenbart *m* **1.** (*hum: Bart*) goatee (beard); **2.** (*Bot*) goat's-beard mushroom; **Ziegenbock** *m* billy goat; **Ziegenfell** *nt* goatskin; **Ziegenhirt(e)** *m*, **Ziegenhirtin** *f* goatherd; **Ziegenkäse** *m* goat's milk cheese; **Ziegenleder** *nt* kid (-leather), kidskin; **Ziegenmilch** *f* goat's milk; **Ziegenpeter** *m -s, -* mumps *sing*.

Ziehbrücke *f* drawbridge; **Ziehbrunnen** *m* well; **Zieheltern** *pl* foster parents *pl*.

ziehen *pret* **zog**, *ptp* **gezogen** I *vt* **1.** to pull; (*heftig auch*) to tug; (*schleppen*) to drag; (*dehnen auch*) to stretch; (*vom Kopf*) Hut to raise; Handbremse to put on; Choke, Starter to pull out. **den Ring vom Finger ~** to pull one's ring off (one's finger); **das Flugzeug nach oben/unten ~** to put the plane into a climb/descent; **jdn nach unten ~** to pull or (*fig*) drag sb down; **die Stirn kraus** or **in Falten ~** to knit one's brow; **Wein auf Flaschen ~** to bottle wine; **etw ins Komische ~** to ridicule sth; **mußt du immer alles ins Ironische ~?** must you always be so ironical?; **unangenehme Folgen nach sich ~** to have unpleasant consequences.
2. (*heraus~*) to pull out (*aus* of); Zahn auch to take out, to extract; Fäden to take out, to remove; Korken, Schwert, Revolver auch to draw; Los, Spielkarte, (*fig*) Schlüsse to draw; Vergleich to draw, to make; (*Math*) Wurzel to work out; Wasserproben to take. **die Pflanze zieht ihre Nahrung aus dem Boden** the plant gets or draws its nourishment from the soil; **Zigaretten (aus dem Automaten) ~** to get or buy cigarettes from the machine.
3. (*zeichnen*) Kreis, Linie to draw.
4. (*verlegen, anlegen*) Kabel, Leitung to lay; Graben, Furchen to dig; Grenze, Mauer to erect, to build. **Perlen auf eine Schnur ~** to thread pearls.
5. (*herstellen*) Draht, Kerzen, Kopien to make; (*züchten*) Blumen to grow; Tiere to breed. **Computerprogramme schwarz ~** to pirate computer programs.
6. die Mütze tiefer ins Gesicht ~ to pull one's hat further down over one's face; **die Vorhänge vors Fenster ~** to pull the curtains; **den Mantel übers Kleid ~** to put one's coat on over one's dress.
7. *in Verbindungen mit* siehe *auch* dort. **die Aufmerksamkeit** or **die Blicke auf sich** (*acc*) **~** to attract attention; **jds Haß auf sich** (*acc*) **~** to incur sb's hatred; **jdn ins Gespräch/in die Unterhaltung ~** to bring sb into the conversation.

II *vi* **1.** (*zerren*) to pull. **an etw** (*dat*) **~** to pull (on or at) sth; **ein ~der Schmerz** an ache, an aching pain.
2. *aux sein* (*sich bewegen*) to move, to go; (*Soldaten, Volksmassen*) to march; (*durchstreifen*) to wander, to roam; (*Wolken*) to drift; (*Gewitter*) to move; (*Vögel*) to fly; (*während des Vogelzugs*) to migrate. **durch die Welt ~** to wander through the world; **in den Krieg/die Schlacht ~** to go to war/battle; **heimwärts ~** to make one's way home; **laß mich ~** (*old, liter*) let me go.
3. *aux sein* (*um~*) to move. **nach Bayern/München ~** to move to Bavaria/Munich; **zu jdm ~** to move in with sb.
4. (*Feuer, Ofen, Pfeife*) to draw. **an der Pfeife/Zigarette ~** to pull or puff on one's pipe/cigarette.
5. (*mit Spielfigur*) to move; (*Cards*) to play; (*abheben*) to draw. **mit dem Turm**

~ to move the rook; **wer zieht?** whose move is it?

6. (*Cook*) (*Tee, Kaffee*) to draw; (*in Marinade*) to marinade; (*in Kochwasser*) to simmer.

7. (*Auto*) to pull.

8. (*inf: Eindruck machen*) **so was zieht beim Publikum/bei mir nicht** the public/I don't like that sort of thing; **so was zieht immer** that sort of thing always goes down well.

III *vi impers* **1.** **es zieht** there's a draught; **wenn es dir zieht** if you're in a draught, if you find it draughty; **mir zieht's im Nacken** there is *or* I can feel a draught round my neck; **in diesem Haus zieht es aus allen Ritzen** there are draughts everywhere in this house.

2. (*Schmerzen verursachen*) **mir zieht's im Rücken** my back hurts.

IV *vt impers* **mich zieht nichts in die Heimat** there is nothing to draw me home; **es zog ihn in die weite Welt** he felt drawn towards the big wide world.

V *vr* **1.** (*sich erstrecken*) to stretch; (*zeitlich*) to drag on (*in* +*acc* into). **dieses Thema zieht sich durch das ganze Buch** this theme runs throughout the whole book.

2. (*verlaufen*) **sich zickzackförmig durchs Land** ~ to zigzag through the countryside; **sich in Schlingen/Serpentinen durch etw** ~ to twist *or* wind its way through sth.

3. (*sich dehnen*) to stretch; (*Klebstoff*) to be tacky; (*Käse*) to form strings; (*Holz*) to warp; (*Metall*) to bend.

4. **sich an etw** (*dat*) **aus dem Schlamm/in die Höhe** ~ to pull oneself out of the mud/up on sth.

Ziehen *nt* -s, *no pl* (*Schmerz*) ache; (*im Unterleib*) dragging pain.

Ziehharmonika *f* concertina; (*mit Tastatur*) accordion; **Ziehkind** *nt* (*old*) foster-child; **Ziehmutter** *f* (*old*) foster-mother.

Ziehung *f* draw.

Ziehvater *m* (*old*) foster-father.

Ziel *nt* -(e)s, -e **1.** (*Reise~*) destination; (*von Expedition auch*) goal; (*von Absicht, Zweck*) goal, aim, objective; (*von Wünschen, Spott*) object. **mit dem** ~ with the aim *or* intention; **etw zum** ~ **haben** to have sth as one's goal *or* aim; **jdm/sich ein** ~ **stecken** *or* **setzen** to set sb/oneself a goal; **er hatte sich sein** ~ **zu hoch gesteckt** he had set his sights too high; **sich** (*dat*) **etw zum** ~ **setzen** to set sth as one's goal *etc*; **zum** ~ **kommen** *or* **gelangen** (*fig*) to reach *or* attain one's goal *etc*; **am** ~ **sein** to be at *or* to have reached one's destination; (*fig*) to have reached *or* achieved one's goal; **dieser Weg führte (ihn) nicht zum** ~ (*fig*) this avenue did not lead (him) to his goal.

2. (*Sport*) finish; (*bei Pferderennen auch*) finishing-post, winning-post; (*bei Rennen auch*) finishing-line. **durchs** ~ **gehen** to pass the winning- *or* finishing-post; to cross the finishing line.

3. (*Mil, Schießsport, fig*) target. **ins** ~ **treffen** to hit the target; **über das** ~ **hin-**

ausschießen (*fig*) to overshoot the mark.

4. (*Comm: Frist*) credit period. **mit drei Monaten** ~ with a three-month credit period.

Zielbahnhof *m* destination; **Zielband** *nt* finishing-tape; **zielbewußt** *adj* purposeful, decisive; **Zielbewußtsein** *nt* purposefulness, decisiveness; **mangelndes** ~ lack of purpose.

zielen *vi* **1.** (*Mensch*) to aim (*auf* +*acc, nach* at); (*Waffe, Schuß*) to be aimed (*auf* +*acc* at).

2. (*fig: Bemerkung, Tat*) to be aimed *or* directed (*auf* +*acc* at). **ich weiß, worauf deine Bemerkungen** ~ I know what you're driving at; **das zielt auf uns** that's aimed at *or* meant for us, that's for our benefit.

zielend *adj* (*Gram*) **Zeitwort** transitive.

Zielfernrohr *nt* telescopic sight; **Zielfluggerät** *nt* homing indicator; **Zielfoto** *nt*, **Zielfotografie** *f* photograph of the finish; **Ermittlung des Siegers durch** ~ photo-finish; **zielgenau** *adj* accurate; **Zielgenauigkeit** *f* accuracy; **Zielgerade** *f* home *or* finishing straight; **Zielgerät** *nt* (*Mil*) bomb-sight; **Zielgruppe** *f* target group; **Zielhafen** *m* port of destination; **Zielkonflikt** *m* conflict of aims; **Zielkurve** *f* final bend; **Ziellinie** *f* (*Sport*) finishing-line; **ziellos** *adj* aimless, purposeless; **Ziellosigkeit** *f* lack of purpose, purposelessness; **Zielort** *m* destination; **Zielrichter(in** *f*) *m* (*Sport*) finishing-line judge; **Zielscheibe** *f* target; (*von Spott auch*) object; **Zielsetzung** *f* target, objective; **zielsicher** *adj* unerring; *Handeln, Planen* purposeful; ~ **auf jdn/etw zugehen** to go straight up to sb/sth; **Zielsprache** *f* target language; **zielstrebig I** *adj* *Mensch, Handlungsweise* determined, single-minded; **II** *adv* full of determination; **Zielstrebigkeit** *f* determination, single-mindedness; **zielsuchend** *adj* target-seeking; **Zielvorstellung** *f* objective.

ziemen I *vr, vr impers* (*geh*) **es ziemt sich nicht** it is not proper *or* seemly; **das ziemt sich nicht (für dich)** it is not proper (for you). **II** *vi* (*old*) ~ to become sb.

ziemlich I *adj* **1.** (*old: geziemend*) proper, fitting.

2. *attr* (*beträchtlich*) *Anzahl, Strecke* considerable, fair; *Vermögen* sizable; *Genugtuung* reasonable. **das ist eine** ~**e Frechheit** that's a real cheek; **eine** ~**e Zeit/Anstrengung/Arbeit** quite a time/an effort/a lot of work; **sie unterhielten sich mit** ~**er Lautstärke** they were talking quite loudly; **mit** ~**er Sicherheit** pretty (*inf*) *or* fairly certainly; **sagen, behaupten** with a reasonable *or* fair degree of certainty, with reasonable certainty.

II *adv* **1.** (*beträchtlich*) rather, quite, pretty (*inf*); *sicher, genau* reasonably. **sie hat sich** ~ **anstrengen müssen** she had to make quite an effort; **wir haben uns** ~ **beeilt** we've hurried quite a bit; ~ **lange** quite a long time, a fair time; ~ **viel** quite a lot.

2. (*inf: beinahe*) almost, nearly. **so ~** more or less; **so ~ alles** just about everything, more or less everything; **so ~ dasselbe** pretty well (*inf*) *or* much the same.

ziepen I *vi* to chirp, to tweet, to cheep. **II** *vi impers* (*inf: weh tun*) **es ziept** it hurts. **III** *vt* (*inf: ziehen*) to pull, to tweak. **jdn an den Haaren ~** to pull *or* tug sb's hair.

Zier *f* -, *no pl* (*old, poet*) *siehe* **Zierde.**

Zierat *m* **-(e)s, -e** (*geh*) decoration.

Zierde *f* -, **-n** ornament, decoration; (*Schmuckstück*) adornment; (*fig: Tugend*) virtue. **zur ~** for decoration; **das alte Haus ist eine ~ der Stadt** the old house is one of the beauties of the town; **die ~ der Familie** (*fig*) a credit to the family.

zieren I *vt* to adorn; (*fig: auszeichnen*) to grace.

II *vr* (*sich bitten lassen*) to make a fuss, to need a lot of pressing; (*Mädchen*) to act coyly; (*sich gekünstelt benehmen*) to be affected. **du brauchst dich nicht zu ~,** es ist genügend da there's no need to be polite, there's plenty there; **er zierte sich nicht lange und sagte ja** he didn't need much pressing before he agreed; **ohne sich zu ~** without having to be pressed; **zier dich nicht!** don't be shy *or* silly (*inf*); *siehe* **geziert.**

Ziererei *f* -, *no pl siehe vr* pretended hesitance; coyness; affectedness.

Zierfarn *m* decorative fern; **Zierfisch** *m* ornamental fish; **Ziergarten** *m* ornamental garden; **Ziergewächs** *nt* ornamental plant; **Ziergras** *nt* ornamental grass; **Zierleiste** *f* border; (*an einem Auto*) trim; (*an Möbelstück*) edging; (*an Wand*) moulding.

zierlich *adj* dainty; *Frau auch* petite; *Porzellanfigur* delicate.

Zierpflanze *f* ornamental plant; **Zierrat** *m* *siehe* **Zierat; Zierschrift** *f* ornamental lettering; **Zierstich** *m* embroidery stitch; **Zierstrauch** *m* ornamental shrub.

Ziesel *m* **-s,** - ground-squirrel, suslik.

Ziffer *f* -, **-n 1.** (*abbr* **Ziff.**) (*Zahlzeichen*) digit; (*Zahl*) figure, number. **römische/arabische ~n** roman/arabic numerals; **eine Zahl mit drei ~n** a three-figure number; **etw in ~n schreiben** to write sth in figures *or* numbers. **2.** (*eines Paragraphen*) clause.

Zifferblatt *nt* (*an Uhr*) dial, (*clock*) face; (*von Armbanduhr*) (*watch*)face.

zig *adj* (*inf*) umpteen (*inf*).

zig- *pref* (*inf*) umpteen (*inf*). **~hundert** umpteen hundred (*inf*).

Zigarette *f* cigarette.

Zigaretten- *in cpds* cigarette; **Zigarettenanzünder** *m* (*in Auto*) cigar lighter; **Zigarettenautomat** *m* cigarette machine; **Zigarettenetui** *nt* cigarette case; **Zigarettenkippe** *f* cigarette end, fag-end (*Brit inf*); **Zigarettenlänge** *f* **auf** *or* **für eine ~ hinausgehen** to go out for a cigarette *or* smoke; **Zigarettenpapier** *nt* cigarette paper; **Zigarettenpause** *f* break for a cigarette *or* a smoke; **Zigarettenraucher(in** *f*) *m* ciga-

rette smoker; **Zigarettenschachtel** *f* cigarette packet *or* (*US*) pack; **Zigarettenspitze** *f* cigarette-holder; **Zigarettenstummel** *m* cigarette end, fag-end (*Brit inf*).

Zigarillo *m or nt* **-s, -s** cigarillo.

Zigarre *f* -, **-n 1.** cigar. **2.** (*inf: Verweis*) dressing-down. **jdm eine ~ verpassen** to give sb a dressing-down.

Zigarren- *in cpds* cigar; **Zigarrenabschneider** *m* **-s,** - cigar-cutter; **Zigarrenkiste** *f* cigar-box; **Zigarrenraucher(in** *f*) *m* cigar smoker; **Zigarrenspitze** *f* cigar-holder; **Zigarrenstummel** *m* cigar butt.

Zigeuner(in *f*) *m* **-s,** - gypsy, gipsy; (*pej inf*) vagabond.

Zigeunerleben *nt* gypsy life; (*fig*) vagabond *or* rootless life.

zigeunern* *vi aux haben or* (*bei Richtungsangabe*) *sein* (*inf*) to rove, to roam.

Zigeunerschnitzel *nt* (*Cook*) cutlet served in a spicy sauce with green and red peppers; **Zigeunersprache** *f* Romany, Romany *or* Gypsy language; **Zigeunerwagen** *m* gypsy caravan.

zigmal *adv* (*inf*) umpteen times (*inf*).

Zikade *f* cicada.

Zille *f* -, **-n** barge.

Zimbabwe [tsɪmˈbabve] *nt* **-s** Zimbabwe.

Zimbabwer(in *f*) *m* Zimbabwean.

zimbabwisch *adj* Zimbabwean.

Zimbal *nt* **-s, -e** *or* **-s** cymbals.

Zimbel *f* -, **-n** (*Mus*)) cymbal; (*Hackbrett*) cymbalom.

Zimmer *nt* **-s,** - room. **~ frei** vacancies.

Zimmerantenne *f* indoor aerial; **Zimmerbrand** *m* fire in a/the room; **Zimmerdecke** *f* ceiling.

Zimmerei *f* **1.** (*Handwerk*) carpentry. **2.** (*Werkstatt*) carpenter's shop.

Zimmer|einrichtung *f* furniture.

Zimmerer *m* **-s,** - carpenter.

Zimmerflucht *f* suite of rooms; **Zimmergeselle** *m* journeyman carpenter; **Zimmerhandwerk** *nt* carpentry, carpenter's trade.

Zimmerkellner *m* room-waiter; **~ bitte 5 wählen** dial 5 for room-service; **Zimmerlautstärke** *f* low volume; **Zimmerlehrling** *m* carpenter's apprentice, apprentice carpenter; **Zimmerlinde** *f* African hemp; **Zimmermädchen** *nt* chambermaid.

Zimmermann *m, pl* **-leute** carpenter. **jdm zeigen, wo der ~ das Loch gelassen hat** (*inf*) to show sb the door.

Zimmermannsbeil *nt* carpenter's hatchet; **Zimmermannsknoten, Zimmermannsstek** *m* timber-hitch.

Zimmermeister(in *f*) *m* master carpenter.

zimmern I *vt* to make *or* build *or* construct from wood; (*fig*) *Alibi* to construct; *Ausrede* to make up. **II** *vi* to do woodwork *or* carpentry. **an etw** (*dat*) **~** (*lit*) to make sth from wood; (*fig*) to work on sth.

Zimmernachweis *m* accommodation service; **Zimmerpflanze** *f* house plant; **Zimmersuche** *f* room hunting, hunting for rooms/a room; **auf ~ sein** to be looking for rooms/a room; **Zimmertempe-ratur** f room temperature; **Zimmertheater** nt small theatre; **Zimmervermittlung** f accommodation service.

zimperlich adj (überempfindlich) nervous (gegen about); (beim Anblick von Blut) squeamish; (prüde) prissy; (wehleidig) soft. **sei doch nicht so ~** don't be so silly; **du behandelst ihn viel zu ~** you're much too soft with him; **da ist er gar nicht (so) ~** he doesn't have any qualms about that; **da darf man nicht so ~ sein** you can't afford to be soft.

Zimt m -(e)s, -e 1. (Gewürz) cinnamon. 2. (fig inf: Kram) rubbish, garbage; (Unsinn auch) nonsense.

zimtfarben, zimtfarbig adj cinnamon-coloured; **Zimtstange** f stick of cinnamon; **Zimtzicke, Zimtziege** f (inf) stupid cow (sl).

Zink¹ nt -(e)s, no pl (abbr **Zn**) zinc.

Zink² m -(e)s, -e(n) (Mus) cornet.

Zinkblech nt sheet-zinc; **Zinkblende** f zinc-blende.

Zinke f -, -n (von Gabel) prong; (von Kamm, Rechen) tooth; (Holzzapfen) tenon.

Zinken m -s, - 1. (sl: Geheimzeichen) secret mark. 2. (inf: Nase) hooter (inf).

zinken vt Karten to mark.

Zinkfarbe f zinc(-based) paint; **zinkhaltig** adj containing zinc, ~ **sein** to contain zinc; **Zinksalbe** f zinc ointment; **Zinkweiß** nt Chinese white.

Zinn nt -(e)s, no pl 1. (Farbe) tin. 2. (Legierung) pewter. 3. (~produkte) pewter, pewterware.

Zinnbecher m pewter tankard.

Zinne f -, -n (Hist) merlon. ~**n** (von Burg) battlements; (von Stadt) towers; (von Gebirgsmassiv) peaks, pinnacles.

Zinnfigur f pewter figure or statuette; **Zinngeschirr** nt pewterware; **Zinngießer** m pewterer.

Zinnie [-iə] f zinnia.

Zinnkraut nt horsetail.

Zinnober m -s, no pl 1. (Farbe) vermilion, cinnabar. 2. (inf: Getue) fuss, commotion; (Kram) stuff (inf); (Unsinn) nonsense no indef art, rubbish no indef art. **macht keinen (solchen) ~** stop making such a fuss or commotion.

Zinnoberrot nt vermilion.

Zinnsoldat m tin soldier.

Zins¹ m -es, -e (Hist: Abgabe) tax; (S Ger, Aus, Sw) (Pacht~, Miet~) rent.

Zins² m -es, -en usu pl (Geld~) interest no pl. ~**en bringen** or **tragen** to earn interest; **Darlehen zu 10% ~en** loan at 10% interest; **Kapital auf ~en legen** to invest capital at interest; **jdm etw mit ~en** or **mit ~ und Zinseszins zurückgeben** (fig) to pay sb back for sth with interest.

Zinsbindung f pegging of interest rates.

zinsen vi (Hist: Abgaben zahlen) to pay one's tax; (Sw: Pacht zahlen) to pay one's rent.

Zinsenkonto nt interest account.

Zinseszins m compound interest.

Zinseszinsrechnung f calculation of compound interest.

zinsfrei adj 1. (frei von Abgaben) tax-free; (S Ger, Aus, Sw) (pachtfrei, mietfrei) rent-free; 2. Darlehen interest-free; **Zinsfuß** m interest rate, rate of interest; **Zinsgefälle** nt difference between interest levels; **zinsgünstig** adj at a favourable rate of interest; **Zinsknechtschaft** f (Hist) system of holding land in tenancy to a landlord; **zinslos** adj interest free; **Zinsniveau** nt level of interest rates; **Zinspflicht** f (Hist) obligation to pay tax; **zinspflichtig** adj (Hist) tax-paying; ~ **sein** to be obliged to pay tax; **Zinspolitik** f interest policies pl; **Zinsrechnung** f calculation of interest; **Zinssatz** m interest rate, rate of interest; (bei Darlehen) lending rate; **Zinssenkung** f reduction in the interest rate; **Zinstermin** m interest due date; **Zinswucher** m usury.

Zionismus m Zionism.

Zionist(in f) m Zionist.

zionistisch adj Zionist.

Zipfel m -s, - (von Tuch, Decke, Stoff) corner; (von Mütze) point; (von Hemd, Jacke) tail; (am Saum) dip (an +dat in); (von Wurst) end; (von Land) tip. **etw am** or **beim rechten ~ packen** (fig inf) to go about or tackle sth the right way.

zipf(e)lig adj uneven.

Zipfelmütze f pointed cap or hat.

zipfeln vi (Rock) to be uneven.

Zipperlein nt -s, no pl (old, hum) gout.

Zipp(verschluß) m (Aus) zip (fastener).

Zirbeldrüse f pineal body.

Zirbelkiefer f Swiss or stone pine.

zirka adv about, approximately; (bei Datumsangaben) circa, about.

Zirkel m -s, - 1. (Gerät) pair of compasses, compasses pl; (Stech~) pair of dividers, dividers pl. 2. (lit, fig: Kreis) circle.

Zirkeldefinition f circular definition; **Zirkelkasten** m compasses case.

zirkeln vi (genau abmessen) to measure exactly.

Zirkelschluß m circular argument.

Zirkon m -s, no pl zircon.

Zirkonium nt, no pl (abbr **Zr**) zirconium.

Zirkular nt -s, -e (old) circular.

Zirkulation f circulation.

zirkulieren* vi to circulate.

Zirkumflex m -es, -e (Ling) circumflex.

Zirkus m -, -se 1. circus. **in den ~ gehen** to go to the circus. 2. (inf: Getue, Theater) fuss, to-do (inf).

Zirkus- in cpds circus; **Zirkusartist(in** f) m circus performer or artiste; **Zirkuswagen** m circus caravan; **Zirkuszelt** nt big top.

Zirpe f -, -n cicada.

zirpen vi to chirp, to cheep.

Zirrhose [tsɪ'roːzə] f -, -n cirrhosis.

Zirrhose [tsɪ'roːzə] f -, -n cirrhosis.

Zirruswolke f cirrus (cloud).

zisch interj hiss; (Rakete, Schnellzug) whoosh.

zischeln vi to whisper.

zischen I vi 1. to hiss; (Limonade) to fizz; (Fett, Wasser) to sizzle. 2. aux sein (inf: ab~) to whizz.

II vt 1. (~d sagen) to hiss. 2. (inf: trinken) **einen ~** to have a quick one (*inf*).

Zischlaut *m* (*Ling*) sibilant.

ziselieren* *vti* to chase.

Ziselierer(in *f*) *m* **-s,** - engraver.

Zisterne *f* -, **-n** well.

Zisterzienser(in *f*) [tsɪster'tsiɛnzə, -ərɪn] *m* **-s,** - Cistercian (monk/nun).

Zitadelle *f* citadel.

Zitat *nt* **-(e)s, -e** quotation. **ein falsches ~** a misquotation; **~ ... Ende des ~s** quote ... unquote.

Zitatenlexikon *nt* dictionary of quotations; **Zitatensammlung** *f* collection of quotations; **Zitatenschatz** *m* store of quotations; (*Buch*) treasury of quotations.

Zither *f* -, **-n** zither.

zitieren* *vt* **1.** to quote; *Beispiel auch* to cite. **2.** (*vorladen, rufen*) to summon (*vor* +*acc* before, *an* +*acc, zu* to).

Zitronat *nt* candied lemon peel.

Zitrone *f* -, **-n** lemon; (*Getränk*) lemon drink; (*Baum*) lemon tree. **jdn wie eine ~ auspressen** *or* **ausquetschen** to squeeze sb dry.

Zitronenfalter *m* brimstone (butterfly); **zitronengelb** *adj* lemon yellow; **Zitronenlimonade** *f* lemonade; **Zitronenpresse** *f* lemon squeezer; **Zitronensaft** *m* lemon juice; **Zitronensäure** *f* citric acid; **Zitronenschale** *f* lemon peel; **Zitronenwasser** *nt* fresh lemon squash.

Zitrusfrucht *f* citrus fruit.

Zitteraal *m* electric eel; **Zittergras** *nt* quaking grass; **Zittergreis** *m* (*inf*) old dodderer (*inf*), doddering old man.

zitt(e)rig *adj* shaky.

zittern *vi* **1.** (*vor* +*dat* with) to shake, to tremble; (*vor Kälte auch*) to shiver; (*vor Angst auch*) to quake; (*Stimme auch*) to quaver; (*Lippen, Blätter, Gräser*) to tremble, to quiver; (*Pfeil*) to quiver. **an allen Gliedern** *or* **am ganzen Körper ~** to shake or tremble all over; **mir ~ die Knie** my knees are shaking or trembling. **2.** (*erschüttert werden*) to shake. **3.** (*inf: Angst haben*) to tremble or shake with fear. **vor jdm ~** to be terrified of sb; **sie zittert jetzt schon vor der Englischarbeit** she's already trembling or terrified at the thought of the English test.

Zittern *nt* **-s,** *no pl siehe vi* **1.** shaking, trembling; shivering; quaking; quivering. **ein ~ ging durch seinen Körper** a shiver ran through his body; **mit ~ und Zagen** in fear and trembling. **2.** shaking. **ein ~** a tremor.

Zitterpappel *f* aspen (tree); **Zitterpartie** *f* (*fig*) nail-biting event, nail-biter (*inf*); **Zitterrochen** *m* electric ray.

zittrig *adj siehe* **zitt(e)rig.**

Zitze *f* -, **-n** teat, dug; (*sl: Brustwarze*) tit (*sl*).

Zivi ['tsi:vi] *m* **-(s), -s** (*inf*) *abbr of* **Zivildienstleistende(r).**

zivil [tsi'vi:l] *adj* **1.** (*nicht militärisch*) civilian; *Schaden* non-military. **im ~en Leben** in civilian life, in civvy street (*inf*); **~er Ersatzdienst** community service (*as alternative to military service*); **~er Bevölkerungsschutz** civil defence.

2. (*inf: angemessen, anständig*) civil, friendly; *Bedingungen, Forderungen, Preise* reasonable.

Zivil [tsi'vi:l] *nt* **-s,** *no pl* (*nicht Uniform*) civilian clothes *pl*, civvies *pl* (*inf*). **in ~ Soldat** in civilian clothes *or* civvies; (*inf*) *Arzt* in mufti (*inf*); **Polizist in ~** plainclothes policeman.

Zivilberuf *m* civilian profession/trade; **Zivilbeschäftigte(r)** *mf decl as adj* civilian employee; **Zivilbevölkerung** *f* civilian population; **Zivilcourage** *f* courage (*to stand up for one's beliefs*); **der Mann hat ~** that man has the courage to stand up for his beliefs; **Zivildienst** *m* community service (*as alternative to military service*); **Zivildienstleistende(r)** *m decl as adj* person doing community service *or* work (*instead of military service*); **zivildienstpflichtig** *adj* liable for community work (*instead of military service*); **Zivilehe** *f* civil marriage.

Zivile(r) [tsi'vi:lə, tsi'vi:le] *mf decl as adj* (*inf*) plainclothes policeman/policewoman.

Zivilfahnder(in *f*) *m* plain-clothes policeman/-woman; **Zivilflughafen** *m* civil airport; **Zivilgericht** *nt* civil court; **Zivilgesetzbuch** *nt* (*Sw*) code of civil law.

Zivilisation [tsiviliza'tsio:n] *f* civilization (*especially its technological aspects*).

Zivilisations- [tsiviliza'tsio:nz-]: **zivilisationskrank** *adj* **~ sein** to suffer from an illness produced by a civilized society; **Zivilisationskrankheit** *f* illness produced by a civilized society *or* caused by civilization.

zivilisatorisch [tsiviliza'to:rɪʃ] **I** *adj* of civilization. **II** *adv* in terms of civilization.

zivilisieren* [tsivili'zi:rən] *vt* to civilize.

zivilisiert [tsivili'zi:rt] *adj* civilized.

Zivilist(in *f*) [tsivi'lɪst] *m* civilian.

Zivilkammer *f* civil division; **Zivilkleidung** *f siehe* **Zivil; Zivilleben** *nt* civilian life, civvy street (*inf*); **Zivilperson** *f* civilian; **Zivilprozeß** *m* civil action; **Zivilprozeßordnung** *f* (*Jur*) code of civil procedure; **Zivilrecht** *nt* civil law; **zivilrechtlich** *adj* civil law *attr, or* (*Jur*) civil law attr; **etw ~ klären** to settle sth in a civil court; **jdn ~ verfolgen/belangen** to bring a civil action against sb; **Zivilrichter(in** *f*) *m* civil court judge; **Zivilsache** *f* matter for a civil court; **Zivilschutz** *m* civil defence; **Zivilschutzbehörde** *f* Federal Emergency Agency, FEMA (*US*), Civil Defence Corps (*Brit*); **Zivilschutzraum** *m* civilian airraid shelter; **Zivilsenat** *m* (*Jur*) civil court of appeal; **Zivilstand** *m* civilian status; **Zivilstandsamt** *nt* (*Sw*) registry office; **Ziviltrauung** *f* civil marriage; **Zivilverfahren** *nt* civil proceedings *pl*.

ZK [tset'ka:] *nt* **-s, -s** *abbr of* **Zentralkomitee.**

Znüni *m* -, - (*Sw*) morning break, ≈ elevenses (*Brit*).

Zobel *m* **-s,** - **1.** (*Zool*) sable. **2.** (*auch* **~pelz**) sable (fur).

zockeln *vi aux sein* (*inf*) *siehe* **zuckeln.**

zocken vi (inf) to gamble.
Zocker(in f) m **-s, -** (inf) gambler.
Zofe f **-, -n** lady's maid; (von Königin) lady-in-waiting.
Zoff m **-s, no pl** (inf: Ärger) trouble. **dann gibt's ~** then there'll be trouble.
zog pret of **ziehen.**
zögerlich adj hesitant.
zögern vi to hesitate. **er tat es ohne zu ~** he did it without hesitating or hesitation; **er zögerte lange mit der Antwort** he hesitated (for) a long time before replying; **sie zögerte nicht lange mit ihrer Zustimmung** she lost little time in agreeing.
Zögern nt **-s, no pl** hesitation. **ohne ~** without hesitation, unhesitatingly; **nach langem ~** after hesitating a long time.
zögernd adj hesitant, hesitating.
Zögling m (old, hum) pupil.
Zölibat nt or m **-(e)s, no pl** celibacy. **im ~ leben** to be celibate, to practise celibacy.
Zoll¹ m **-(e)s, -** (old: Längenmaß) inch. **jeder ~ ein König, ~ für ~ ein König** every inch a king.
Zoll² m **-(e)s, ⁻e** 1. (Waren~) customs duty; (Brücken~, Straßen~) toll. **für etw ~ bezahlen** to pay (customs) duty on sth; **darauf liegt (ein) ~, darauf wird ~ erhoben** there is duty to pay on that. 2. (Stelle) der ~ customs pl.
Zoll|abfertigung f 1. (Vorgang) customs clearance. 2. (Dienststelle) customs post or checkpoint.
Zollager nt getrennt **Zoll-lager** bonded warehouse.
Zollamt nt customs house or office; **zollamtlich** adj customs attr; **~ geöffnet** opened by the customs; **Zollbeamte(r)** m, **Zollbeamtin** f customs officer or official; **Zollbegleitpapiere** pl customs documents pl; **Zollbehörde** f customs authorities pl, customs pl; **Zollbestimmung** f usu pl customs regulation; **zollbreit** adj one inch wide, inch-wide attr; **Zollbreit** m **-, -** inch; **keinen ~ zurückweichen** not to give or yield an inch; **Zolleinnehmer(in** f) m **-s, -** (old) siehe **Zöllner(in).**
zollen vt jdm **Anerkennung/Achtung/Bewunderung ~** to acknowledge/respect/admire sb; **jdm Beifall ~** to applaud sb, to give sb applause; **jdm Dank ~** to extend or offer one's thanks to sb; **jdm seinen Tribut ~** to pay tribute to sb.
Zollerklärung f customs declaration; **Zollfahnder(in** f) m customs investigator; **Zollfahndung** f customs investigation department; **zollfrei** adj duty-free; **etw ~ einführen** to import sth free of duty; **Zollgebühr** f (customs) duty, excise; **Zollgrenzbezirk** m customs and border district; **Zollgrenze** f customs border or frontier; **Zollinhaltserklärung** f customs declaration; **Zollkontrolle** f customs check.
Zöllner(in f) m **-s, -** (old, Bibl) tax collector; (inf: Zollbeamter) customs officer or official.
Zollpapiere pl customs documents pl; **zollpflichtig** adj dutiable; **Zollrecht** nt 1. (Hist) right to levy tolls; 2. (Jur) customs law; **Zollschranke** f customs barrier; **Zollstock** m ruler, inch rule; **Zolltarif** m customs tariff; **Zollunion** f customs union.
Zombie m **-(s), -s** (lit, fig) zombie.
zombig adj (inf) brilliant (inf), wicked (sl).
Zone f **-, -n** zone; (von Fahrkarte) fare stage; (fig: von Mißtrauen) area. **blaue ~** (in Straßenverkehr) restricted parking area; **die ~** (dated inf) the Eastern Zone, East Germany.
Zonengrenzbezirk m border district (with former East Germany); **Zonengrenze** f zonal border; **die ~** (inf) the border (with former East Germany); **Zonenrandgebiet** nt border area (with former East Germany); **Zonentarif** m (Fahrgeld) fare for a journey within a fare stage; (Post, Telec) zonal charge; **Zonenzeit** f zonal time.
Zoo [tso:] m **-s, -s** zoo. **gestern waren wir im ~** we went to the zoo yesterday.
Zoologe [tsoo'lo:gə] m **-n, -n, Zoologin** f zoologist.
Zoologie [tsoolo'gi:] f zoology.
zoologisch [tsoo'lo:gɪʃ] adj zoological.
Zoom [zu:m] m **-s, -s** zoom shot; (Objektiv) zoom lens.
zoomen ['zu:mən] **I** vt to zoom in on. **II** vi to zoom (in).
Zoom|objektiv ['zu:m-] nt zoom lens.
Zoon-politikon ['tso:ɔn-] nt **-, no pl** political animal.
Zoowärter(in f) m zoo keeper.
Zopf m **-(e)s, ⁻e** 1. (Haartracht) pigtail; (von Mädchen auch) plait, braid (esp US). **das Haar in ⁻e flechten** to plait one's hair; **ein alter ~ (, der abgeschnitten werden müßte)** (fig) an antiquated custom (that should be done away with). 2. (Gebäck) plait, plaited loaf.
Zopfband nt hair ribbon; **Zopfmuster** nt cable stitch; **Zopfspange** f clip.
Zorn m **-(e)s, no pl** anger, rage, wrath (liter). **der ~ Gottes** the wrath of God; **jds ~ fürchten** to fear sb's anger or wrath; **jds ~ heraufbeschwören** to incur sb's wrath; **jdn in ~ bringen** to anger or enrage sb; **wenn ihn der ~ überkommt** when he becomes angry or loses his temper; **in ~ geraten** or **ausbrechen** to fly into a rage, to lose one's temper; **der ~ packte ihn** he became angry, he flew into a rage; **im ~** in a rage, in anger; **in gerechtem ~** in righteous anger; **einen ~ auf jdn haben** to be furious with sb.
Zornesader f **auf seiner Stirn schwoll eine ~** he was so angry you could see the veins standing out on his forehead; **Zornesausbruch** m fit of anger or rage; **Zornesröte** f flush of anger.
zornig adj angry, furious. **(leicht) ~ werden** to lose one's temper (easily); **auf jdn ~ sein** to be angry or furious with sb; **ein ~er junger Mann** (fig) an angry young man.
Zote f **-, -n** dirty joke.
zotig adj dirty, filthy, smutty.
Zotte f **-, -n** 1. (Anat) villus. 2. (Haarsträhne) rat's tail (inf).
Zottel f **-, -n** (inf) rat's tail (inf); (an Mütze) pom-pom.

Zottelhaar nt (inf) shaggy hair.
zottelig adj (inf) Haar shaggy.
zotteln vi aux sein (inf) to amble.
zottig adj 1. Fell shaggy. 2. (Anat) villous, villose.
z.T. abbr of zum Teil.
Ztr. abbr of Zentner.
zu I prep + dat 1. (örtlich: Bewegung, Ziel) to. ~m Bahnhof to the station; ~m Bäcker/Arzt gehen to go to the baker's/ doctor's; bis ~ as far as; (bis) ~m Bahnhof sind es 5 km it's 5 kms to the station; ~m Theater gehen to go on the stage or into the theatre; ~m Militär gehen to join the army, to join up.
2. (örtlich: Richtung bezeichnend) ~m Fenster herein/hinaus in (at)/out of the window; ~r Tür hinaus/herein out of/in the door; ~m Himmel weisen to point heavenwards or up at the heavens; ~r Decke sehen to look (up) at the ceiling; ~ jdm/etw hinaufsehen to look up at sb/ sth; ~ jdm herüber/hinübersehen to look across at sb; sie wandte sich/sah ~ ihm hin she turned to(wards) him/ looked towards him; das Zimmer liegt ~r Straße hin the room looks out onto the street; ~m Meer hin towards the sea; ~r Stadtmitte hin towards the town/city centre.
3. (örtlich: Lage) at; (bei Stadt) in. ~ Frankfurt (old) in Frankfurt; der Dom ~ Köln the cathedral in Cologne, Cologne cathedral; der Reichstag ~ Worms (Hist) the Diet of Worms; ~ Hause at home; ~ seiner Linken saß ... (geh) on his left sat ...; ~ beiden Seiten (des Hauses) on both sides (of the house); ~ Lande und ~ Wasser on land and sea; jdm ~r Seite sitzen (geh) to sit at sb's side.
4. (bei Namen) der Graf ~ Ehrenstein the Count of Ehrenstein; Gasthof ~m goldenen Löwen the Golden Lion (Inn).
5. (Zusatz, Zusammengehörigkeit, Begleitung) with. Wein ~m Essen trinken to drink wine with one's meal; der Deckel ~ diesem Topf the lid for this pan; ~r Gitarre singen to sing to a/the guitar; Lieder ~r Laute songs accompanied by the lute; die Melodie ~ dem Lied the tune of the song; Vorwort/ Anmerkungen ~ etw preface/notes to sth; etw ~ etw legen to put sth with sth; sich ~ jdm setzen to sit down next to or beside sb; setz dich doch ~ uns (come and) sit with us; etw ~ etw tragen (Kleidung) to wear sth with sth.
6. (zeitlich) at. ~ früher/später Stunde at an early/late hour; ~ Mittag (am Mittag) at midday or noon; (bis Mittag) by midday or noon; ~ Ostern at Easter; letztes Jahr ~ Weihnachten last Christmas; (bis) ~m 15. April/Donnerstag/ Abend until 15th April/Thursday/(this) evening; (nicht später als) by 15th April/Thursday/(this) evening; der Wechsel ist ~m 15. April fällig the allowance is due on 15th April; ~m 31. Mai kündigen to give in one's notice for May 31st.
7. (Bestimmung) for. Stoff ~ einem Kleid material for a dress; die Tür ~m

Keller the door to the cellar; Milch ~m Kaffee milk for coffee.
8. (Zweck) for. Wasser ~m Waschen water for washing; Papier ~m Schreiben paper to write on, writing paper; ein Bett ~m Schlafen a bed to sleep in; der Knopf ~m Abstellen the off-button; die Luke ~m Einsteigen the entrance-hatch; das Zeichen ~m Aufbruch the signal to leave; etw ~r Antwort geben to say sth in reply; ~r Einführung ... by way of (an) introduction ...; ~ seiner Entschuldigung/~r Erklärung in apology/ explanation, by way of apology/ explanation; er sagte das nur ~ ihrer Beruhigung he said that just to set her mind at rest; ~ nichts taugen, ~ nichts zu gebrauchen sein to be no use at all, to be no earthly use (inf).
9. (Anlaß) etw ~m Geburtstag/~ Weihnachten bekommen to get sth for one's birthday/for Christmas; ein Geschenk ~m Hochzeitstag a wedding anniversary present; ~ Ihrem 60. Geburtstag on the occasion of your 60th birthday (form); jdm ~ etw gratulieren to congratulate sb on sth; jdn ~m Essen einladen to invite sb for a meal; ~ Ihrem schweren Verlust on your sad loss; Ausstellung ~m Jahrestag der Revolution exhibition to mark the anniversary of the revolution; ~ dieser Frage möchte ich folgendes sagen I should like to say the following to this question, on this I would like to say the following; ~m Thema Gleichberechtigung on the subject of equal rights; eine Rede ~m Schillerjahr a speech (up)on the anniversary of Schiller's death/birth; „Zum Realismusbegriff" "On the Concept of Realism"; jdn ~ etw vernehmen to question or examine sb about sth.
10. (Folge, Umstand) ~ seinem Besten for his own good; ~m Glück luckily; ~ meiner Schande/Freude to my shame/ joy; es ist ~m Lachen it's really funny; es ist ~m Weinen it's enough to make you (want to) weep.
11. (Art und Weise) ~ Fuß/Pferd on foot/horseback; ~ Schiff by ship or sea; ~ deutsch in German; etw ~ einem hohen Preis verkaufen/versteigern to sell sth at a high price/to bid up the price of sth.
12. in festen Verbindungen mit n siehe auch dort. ~m Beispiel for example; ~ Hilfe! help!; jdm ~ Hilfe kommen to come to sb's aid; ~ jds Gedächtnis, ~m Gedächtnis von jdm in memory of sb, in sb's memory; ~m Lobe von jdm/etw in praise of sb/sth; ~r Strafe/Belohnung/ Warnung as a punishment/reward/ warning; ~r Beurteilung/Einsicht for inspection; ~r Probe/Ansicht on trial or test/approval; ~r Unterschrift for signature or signing.
13. (Veränderung) into. ~ etw werden to turn into sth; (Mensch auch) to become sth; Leder ~ Handtaschen verarbeiten to make handbags out of leather; jdn/etw ~ etw machen to make sb/sth (into) sth; jdn ~m Manne machen to

make a man of sb; ~ **Asche verbrennen** to burn to ashes; **(wieder)** ~ **Staub werden** to (re)turn to dust; **etw** ~ **Pulver zermahlen** to grind sth (in)to powder; ~ **etw heranwachsen** to grow up into sth; **jdn** ~**m Major befördern** to promote sb to (the rank of) major.

14. (*als*) as. **jdn** ~**m König wählen** to choose sb as king; **jdn** ~ **etw ernennen** to nominate sb sth; **er machte mich** ~ **seinem Stellvertreter** he made me his deputy; **jdn** ~**m Freund haben** to have sb as a friend; **er machte sie** ~ **seiner Frau, er nahm sie** ~**r Frau** he made her his wife, he took her as his wife; **sich** (*dat*) **jdn/ etw** ~**m Vorbild nehmen** to take sb's/ etw as one's example, to model oneself on sb's/sth; ~**m Künstler geboren sein** to be born to be an artist.

15. (*Verhältnis, Beziehung*) **Liebe** ~ **jdm** love for sb; **aus Freundschaft** ~ **jdm** because of one's friendship with sb; **Vertrauen** ~ **jdm/etw** trust in sb/sth; **meine Beziehung** ~ **ihm** my relationship with him.

16. im Vergleich ~ in comparison with, compared with; **im Verhältnis** ~ in relation to, in proportion to; **im Verhältnis drei** ~ **zwei** (*Math*) in the ratio (of) three to two; **drei** ~ **zwei** (*Sport*) three-two; **das Spiel steht 3** ~ **2** (*geschrieben* 3:2) the score is 3-2 (*gesprochen* three-two); **wir haben 4** ~ **3** (*geschrieben* 4:3) **gewonnen** we won 4-3 or by 4 goals/ games *etc* to 3.

17. (*bei Zahlenangaben*) ~ **zwei Prozent** at two per cent; **wir verkaufen die Äpfel jetzt das Stück** ~ **50 Pfennig** we're selling the apples now at *or* for 50 pfennigs each; **fünf (Stück)** ~ **90 Pfennig** five for 90 pfennigs; ~ **zwei Dritteln (gefüllt)** two-thirds (full); ~**m halben Preis** at half price; **die Arbeit ist schon** ~**r Hälfte getan** the work is already half done; ~**m ersten Male** for the first time; ~**m ersten ..., ~m zweiten ...** (*Aufzählung*) first ..., second ...; ~**m ersten, ~m zweiten, ~m dritten** (*bei Auktionen*) for the first time, for the second time, for the third time.

18. (*mit Fragepronomen*) ~ **wem wollen/gehen/sprechen Sie?** who do you want/who are you going to see/who are you talking to?; ~ **was** (*inf*) (*Zweck*) for what; (*warum*) why.

19. (*inf: getrenntes „dazu"*) **da komme ich nicht** ~ I can't get round to it; *siehe* **da, dazu.**

II adv 1. (*allzu*) too. ~ **sehr** too much; **sie liebte ihn** ~ **sehr, als daß sie ihn verraten hätte** she loved him too much to betray him; **das war einfach** ~ **dumm!** (*inf*) it was so stupid!; **ich wäre** ~ **gern mitgekommen** I should have been only too pleased to come.

2. (*geschlossen*) shut, closed. **auf,** ~ (*an Hähnen*) on, off; **Tür** ~**!** (*inf*) shut the door; **die Geschäfte haben jetzt** ~ the shops are shut *or* closed now.

3. (*inf: los, weiter*) **dann mal** ~**!** right, off we go!; **du wolltest mir was vorsingen, dann mal** ~ you wanted to sing me

something? right then, go ahead; **immer** *or* **nur** ~**!** just keep on!; **mach** ~**!** hurry up!, get a move on!, come on!

4. (*zeitlich*) *siehe* **ab.**

5. (*örtlich*) towards. **nach hinten** ~ towards the back; **auf den Wald** ~ towards the forest; **dem Ausgang** ~ towards the exit.

III conj 1. (*mit Infinitiv*) to. **etw** ~ **essen** sth to eat; **er hat** ~ **gehorchen** he has to do as he's told, he has to obey; **jdm befehlen** *or* **den Auftrag erteilen, etw** ~ **tun** to order sb to do sth; **das Material ist noch/nicht mehr** ~ **gebrauchen** the material is still/is no longer usable; **diese Rechnung ist bis Montag** ~ **bezahlen** this bill has to be paid by Monday; ~ **stehen kommen** to come to a stop; ~ **liegen kommen** to come to rest; **ich habe** ~ **arbeiten** I have to do some work, I have some work to do; **ohne es** ~ **wissen** without knowing it; **um besser sehen** ~ **können** in order to see better; **ich komme, um mich** ~ **verabschieden** I've come to say goodbye.

2. (*mit Partizip*) **noch** ~ **bezahlende Rechnungen** outstanding bills; **nicht** ~ **unterschätzende Probleme** problems (that are) not to be underestimated; **der** ~ **prüfende Kandidat, der** ~ **Prüfende** the candidate to be examined.

IV adj (*inf*) **die** ~**(n)e Tür** (*strictly incorrect*) the shut door; *siehe* ~**sein.**

zu|allererst *adv* first of all; **zu|allerletzt** *adv* last of all.

zu|arbeiten *vi sep* **jdm** ~ to do sb's groundwork.

zubauen *vt sep* **Lücke** to fill in; *Platz, Gelände* to build up; *Blick* to block with buildings/a building.

Zubehör *nt or m* **-(e)s,** (*rare*) **-e** equipment *no pl*; (*Zusatzgeräte, Auto* ~) accessories *pl*; (~*teile*) attachments *pl*, accessories *pl*; (*zur Kleidung*) accessories *pl*. **Küche mit allem** ~ fully equipped kitchen.

Zubehörteil *nt* accessory, attachment.

zubeißen *vi sep irreg* to bite; (*beim Zahnarzt*) to bite (one's teeth) together. **der Hund faßte mich am Bein und biß zu** the dog got hold of my leg and sank his teeth into me.

zubekommen* *vt sep irreg* (*inf*) *Kleidung* to get done up; *Koffer auch, Tür, Fenster* to get shut *or* closed.

Zuber *m* **-s, -** (wash)tub.

zubereiten* *vt sep Essen* to prepare; *Arznei auch* to make up; *Cocktail* to mix.

Zubereitung *f* **1.** *siehe vt* preparation; making up; mixing.

2. (*Präparat*) preparation.

Zubettgehen *nt* **vor dem/beim/nach dem** ~ before (going to) bed/on going to bed/after going to bed.

zubilligen *vt sep* **jdm etw** ~ to grant sb sth, to allow sb sth; **jdm mildernde Umstände** ~ to recognize that there are/ were mitigating circumstances for sb.

zubinden *vt sep irreg* to tie up, to do up; *Schuhe auch* to lace up. **jdm die Augen** ~ to blindfold sb.

zubleiben *vi sep irreg aux sein* (*inf*) to stay

shut.

zublinzeln *vi sep* jdm ~ to wink at sb.

zubringen *vt sep irreg* **1.** (*verbringen*) to spend. **2.** (*inf: zumachen können*) *Knöpfe, Reißverschluß, Kleidung* to get done up; *Kiste, Koffer auch, Tür, Fenster* to get shut *or* closed.

Zubringer *m* -s, - **1.** (*Tech*) conveyor. **2.** *siehe* **Zubringerstraße**. **3.** ~(**bus**) shuttle (bus); (*zum Flughafen*) airport bus; ~(**flugzeug**) feeder plane.

Zubringerdienst *m* shuttle service; **Zubringerstraße** *f* feeder road.

Zubrot *nt* extra income. **ein kleines ~ verdienen** to earn *or* make a bit on the side (*inf*).

zubuttern *vt sep* (*inf*) (*zuschießen*) to contribute, to add on; (*zuzüglich bezahlen*) to pay out (on top).

Zucchini [tsʊˈkiːni] *f* -, - courgette (*Brit*), zucchini (*US*).

Zucht *f* -, -en **1.** (*Disziplin*) discipline. ~ **und Ordnung** discipline; **jdn in strenge ~ nehmen** (*liter*) to take sb firmly in hand; **jdn in ~ halten** to keep a tight rein on sb. **2.** *no pl* (*Aufzucht, das Züchten*) (*von Tieren*) breeding; (*von Pflanzen*) growing, cultivation; (*von Bakterien, Perlen*) culture; (*von Bienen*) keeping. **Tiere zur ~ halten** to keep animals for breeding; **die ~ von Bienen/Pferden** beekeeping/horse breeding. **3.** (~**generation**) (*von Tieren*) breed, stock; (*von Pflanzen*) stock, variety; (*von Bakterien, Perlen*) culture.

Zuchtbulle *m* breeding bull; **Zuchteber** *m* breeding boar.

züchten *vt Tiere* to breed; *Bienen* to keep; *Pflanzen* to grow, to cultivate; *Perlen, Bakterien* to cultivate; (*fig*) *Haß* to breed.

Züchter(in *f*) *m* -s, - (*von Tieren*) breeder; (*von Pflanzen*) grower, cultivator; (*von Bienen*) keeper; (*von Perlen, Bakterien*) culturist.

Zuchthaus *nt* (*Gebäude*) prison (*for capital offenders*), penitentiary (*US*). **zu 7 Jahren ~ verurteilt werden** to be sentenced to 7 years' in prison *or* 7 years' imprisonment; **dafür bekommt man ~, darauf steht ~** you'll go to prison for that.

Zuchthäusler(in *f*) *m* -s, - (*inf*) convict, con (*sl*).

Zuchthausstrafe *f* prison sentence.

Zuchthengst *m* stud horse, breeding stallion.

züchtig *adj* (*liter*) (*keusch, anständig*) *Mädchen* modest, chaste; *Benehmen* modest; (*tugendhaft*) virtuous.

züchtigen *vt* (*geh*) to beat; (*stärker, Jur*) to flog; *Schüler* to use corporal punishment on (*form*), ≃ to cane.

Züchtigkeit *f* (*liter*) modesty, chasteness.

Züchtigung *f siehe vt* beating; flogging; caning. **körperliche ~** corporal punishment.

Zuchtmeister(in *f*) *m* (*liter*) disciplinarian; **Zuchtmittel** *nt* (*old*) disciplinary measure; **Zuchtperle** *f* cultured pearl;

Zuchtrute *f* (*fig*) rod; **unter jds ~** (*dat*) **stehen** to be under sb's rod; **Zuchtstute** *f* broodmare, breeding mare; **Zuchttier** *nt* breeding animal, animal for breeding.

Züchtung *f* **1.** *siehe vt* breeding; keeping; growing; cultivation; culture. **2.** (*Zuchtart*) (*Pflanzen*) strain, variety; (*Tiere*) breed.

Zuchtvieh *nt* breeding cattle; **Zuchtwahl** *f* selective breeding; (*Evolution*) **natürliche ~** natural selection.

zuck *interj siehe* **ruck, zuck**.

Zuck *m* -s, *no pl* (*Körperbewegung*) sudden movement; (*mit Augenlidern*) flutter; (*beim Ziehen*) jerk, tug.

zuckeln *vi aux sein* (*inf*) to jog.

Zuckeltrab *m* jog trot. **im ~** at a jog trot.

zucken I *vi* **1.** (*nervös, krampfhaft*) to twitch; (*Augenlider auch*) to flutter; (*vor Schreck*) to start; (*vor Schmerzen*) to flinch; (*Fisch, verwundetes Tier*) to thrash about. **er zuckte ständig mit dem Mund** his mouth kept twitching; **mit den Schultern** *or* **Achseln ~** to shrug (one's shoulders); **es zuckte um ihre Mundwinkel** the corner of her mouth twitched; **es zuckte mir in den Fingern, das zu tun** (*fig*) I was itching to do that; **es zuckte mir in der Hand** (*fig*) I was itching to hit him/her. **2.** (*aufleuchten*) (*Blitz*) to flash; (*Flammen*) to flare up. **die ~den Flammen** the flames flaring up. **3.** (*weh tun*) **der Schmerz zuckte (mir) durch den ganzen Körper** the pain shot right through my body *or* me; **es zuckte mir im Knie** (*inf*) I had a twinge in my knee.

II *vt* **die Achseln** *or* **Schultern ~** to shrug (one's shoulders).

zücken *vt Degen, Schwert* to draw; (*inf: hervorziehen*) *Notizbuch, Bleistift, Brieftasche* to pull *or* take out.

Zucker *m* -s, *no pl* **1.** sugar. **ein Stück ~ a** lump of sugar, a sugar lump; **du bist doch nicht aus** *or* **von ~!** (*inf*) don't be such a softie! (*inf*). **2.** (*Med*) (~*gehalt*) sugar; (*Krankheit*) diabetes *sing*. **~ haben** (*inf*) to be a diabetic.

Zuckerbäcker(in *f*) *m* (*old, S Ger, Aus*) confectioner; **Zuckerbäckerstil** *m* wedding-cake style; **Zuckerbrot** *nt* (*obs*) sweetmeat (*old*); **mit ~ und Peitsche** (*prov*) with a stick and a carrot; **Zuckerdose** *f* sugar basin *or* bowl; **Zuckererbse** *f* mange-tout (pea); **zuckerfrei** *adj* sugar-free; **Zuckerguß** *m* icing, frosting (*esp US*); **mit ~ überziehen** to ice, to frost; **ein Kuchen mit ~** an iced *or* a frosted cake; **Zuckerhut** *m* sugarloaf; **der ~ in Rio** the Sugar Loaf Mountain in Rio.

zuck(e)rig *adj* sugary.

Zuckerkand(is *m* rock candy; **zuckerkrank** *adj* diabetic; **Zuckerkranke(r)** *mf decl as adj* diabetic; **Zuckerkrankheit** *f* diabetes *sing*.

Zuckerl *nt* -s, -(**n**) (*S Ger, Aus*) sweet (*Brit*), candy (*US*).

Zuckerlecken *nt*: **das ist kein ~** (*inf*) it's no picnic (*inf*); **Zuckermelone** *f* muskmelon.

zuckern *vt* to sugar, to put sugar in. **zu stark gezuckert sein** to have too much sugar in it.

Zuckerplätzchen *nt* sugar-coated biscuit (*Brit*) *or* cookie (*US*); **Zuckerpuppe** *f* (*dated inf*) sweetie (*inf*); (*als Anrede auch*) sugar (*inf*), sweetie-pie (*inf*); **Zuckerraffinade** *f* refined sugar; **Zuckerraffinerie** *f* sugar refinery; **Zuckerrohr** *nt* sugar-cane; **Zuckerrübe** *f* sugar beet; **Zuckerspiegel** *m* (*Med*) (blood) sugar level; **Zuckerstange** *f* stick of rock (*Brit*) *or* candy (*US*); **Zuckerstreuer** *m* sugar sprinkler; **zuckersüß** *adj* (*lit, fig*) sugar-sweet, as sweet as sugar; **Zuckertüte** *f siehe* **Schultüte**; **Zuckerwasser** *nt* sugar(ed) water; **Zuckerwatte** *f* candy floss; **Zuckerwerk** *nt* sweets *pl* (*Brit*), candies *pl* (*US*); **Zuckerzange** *f* sugar tongs *pl*.

zuckrig *adj siehe* **zuck(e)rig.**

Zuckung *f* (*nervöse* ~) twitch; (*stärker: krampfhaft*) convulsion; (*von Muskeln auch*) spasm; (*von Augenlidern auch*) flutter; (*von sterbendem Tier*) convulsive movement. **die letzten ~en** (*lit, fig*) the death throes.

Zudecke *f* (*dial*) cover (*on bed*).

zudecken *vt sep* to cover; *jdn, Beine auch* to cover up; (*im Bett*) to tuck up *or* in; *Gestorbenen, Grube, Fleck auch* to cover up *or* over. **jdn/sich (mit etw)** ~ to cover sb/oneself up (with sth); to tuck sb/oneself up (in sth).

zudem *adv* (*geh*) moreover, furthermore, in addition.

zudenken *vt sep irreg* (*geh*) **jdm etw** ~ to intend *or* destine sth for sb; **das Schicksal hatte mir schwere Schläge zugedacht** Fate had some cruel blows in store for me.

zudiktieren* *vt sep* (*inf*) *Strafe* to hand out.

zudrehen *sep* **I** *vt Wasserhahn* to turn off; (*zuwenden*) to turn (*dat* to). **II** *vr* to turn (*dat* to).

zudringlich *adj Mensch, Art* pushing, pushy (*inf*); *Nachbarn* intrusive. ~ **werden** (*zu einer Frau*) to make advances (*zu* to), to act improperly (*zu* towards).

Zudringlichkeit *f* pushiness (*inf*); intrusiveness; (*einer Frau gegenüber*) advances *pl.*

zudrücken *vt sep* to press shut; *Tür auch* to push shut. **jdm die Kehle** ~ to throttle sb; **einem Toten die Augen** ~ to close a dead person's eyes.

zueignen *vt sep* (*geh*) *Buch, Gedicht* to dedicate (*jdm* to sb).

Zueignung *f* (*geh*) (*von Gedicht, Buch*) dedication.

zueinander *adv* (*gegenseitig*) to each other, to one another; *Vertrauen* in each other, in one another; (*zusammen*) together. ~ **passen** to go together; (*Menschen*) to suit each other *or* one another, to be suited; **Braun und Grün passen gut** ~ brown and green go together well *or* go well together.

zueinanderfinden *vi sep irreg* to find common ground; (*sich versöhnen*) to be

reconciled; **zueinanderstehen** *vi sep irreg* (*geh*) *siehe* **zusammenhalten.**

zuerkennen* *vt sep irreg Preis* to award (*jdm* to sb); *Würde, Auszeichnung, Orden auch* to confer, to bestow (*jdm* on sb); *Sieg auch, Recht* to grant, to accord (*jdm etw* sb sth); (*vor Gericht*) *Entschädigung, Rente* to award (*jdm etw* sb sth). **ihm wurde der Preis zuerkannt** he was awarded the prize.

zuerst *adv* **1.** (*als erster*) first. **ich kam** ~ **an** I was (the) first to arrive, I arrived first; **wollen wir** ~ **essen?** shall we eat first?; ~ **an die Reihe kommen** to be first; ~ **bin ich Geschäftsmann, dann Privatmann** I am first and foremost a businessman, and only then a private individual; **das muß ich morgen früh** ~ **machen** I must do that first thing tomorrow (morning) *or* first thing in the morning.

2. (*zum ersten Mal*) first, for the first time.

3. (*anfangs*) at first. **er sprach** ~ **gar nicht** at first he didn't speak at all; ~ **muß man ...** to begin *or* start with you have to ...; **first (of all) you have to ...**

zuerteilen* *vt sep siehe* **zuerkennen.**

zufächeln *vt sep* (*geh*) to fan. **sich/jdm Kühlung** ~ to fan oneself/sb.

zufahren *vi sep irreg aux sein* **1. auf jdn** ~ to drive/ride towards sb; (*direkt*) to drive/ride up to sb; **auf etw** (*acc*) ~ to drive/ride towards sth, to head for sth; **er kam genau auf mich zugefahren** he drove/rode straight at *or* for me.

2. (*weiterfahren, losfahren*) **fahren Sie doch zu!** go on then!, get a move on then! (*inf*).

Zufahrt *f* approach (road); (*Einfahrt*) entrance; (*zu einem Haus*) drive(way). **„keine** ~ **zum Krankenhaus"** "no access to hospital".

Zufahrtsstraße *f* access road; (*zur Autobahn*) approach road.

Zufall *m* chance, accident; (*Zusammentreffen*) coincidence. **das ist** ~ it's pure chance; **durch** ~ (*quite*) by chance *or* accident; **per** ~ (*inf*) by a (pure) fluke; **per** ~ **trafen wir uns im Bus** we happened to meet on the bus; **ein merkwürdiger** ~ a remarkable *or* strange coincidence; **es war reiner** *or* **purer** ~**, daß ...** it was pure chance that ...; **es ist kein** ~**, daß ...** it's no accident that ...; **es war ein glücklicher** ~**, daß ...** it was lucky that ..., it was a stroke *or* bit of luck that ...; **welch ein** ~**!** what a coincidence!; **etw dem** ~ **überlassen** to leave sth to chance; **etw dem** ~ **verdanken** to owe sth to chance.

zufallen *vi sep irreg aux sein* **1.** (*sich schließen*) (*Fenster*) to close, to shut. **die Tür fiel laut zu** the door slammed *or* banged shut; **ihm fielen beinahe die Augen zu** he could hardly *or* scarcely keep his eyes open.

2. jdm ~ (*zuteil werden: Erbe*) to pass to *or* devolve upon (*Jur*) sb; (*Preis*) to go to sb, to be awarded to sb; (*Aufgabe, Rolle*) to fall to *or* upon sb.

zufällig **I** *adj* chance *attr*; *Ergebnis auch*

accidental; *Zusammentreffen auch* coincidental, accidental. **das war rein ~** it was pure chance *or* purely by chance; **es ist nicht ~, daß er ...** it's no accident that he ...; **das kann doch nicht ~ gewesen sein** that can't have happened by chance; **„Ähnlichkeiten mit lebenden Personen sind rein ~"** "any similarities with persons living or dead are purely coincidental".

II *adv* **1.** by chance; *(bei Zusammentreffen von Ereignissen auch)* coincidentally. **er ging ~ vorüber** he happened to be passing; **ich traf ihn ~ im Bus** I happened to meet him *or* I bumped *or* ran into him on the bus; **wir haben gestern darüber gesprochen, und heute habe ich ~ einen Artikel darüber gefunden** we were talking about it yesterday, and quite coincidentally I found an article on it; **wenn Sie das ~ wissen sollten** if you (should) happen to know; **~ auf ein Zitat stoßen** to chance upon *or* happen to find a quotation.

2. *(in Fragen)* by any chance. **kannst du mir ~ 10 Mark leihen?** can you lend me 10 marks by any chance?

zufälligerweise *adv siehe* **zufällig** II.

Zufälligkeit *f* **1.** *siehe adj* chance nature; accidental nature; coincidence. **2.** *(Statistik)* chance; *(Philos auch)* contingency.

Zufalls- *in cpds* chance; **Zufallsauswahl** *f* random selection; **Zufallsbekanntschaft** *f* chance acquaintance; **Zufallsglaube** *m* fortuitism; **Zufallstreffer** *m* fluke; **einen ~ machen** to make a lucky choice; **Zufallstor** *nt (Sport)* lucky *or* fluke *(inf)* goal.

zufassen *vi sep* **1.** *(zugreifen)* to take hold of it/them; *(Hund)* to make a grab; *(fig: schnell handeln)* to seize *or* grab an/the opportunity. **2.** *(helfen)* to lend a hand, to muck in *(inf)*.

zufliegen *vi sep irreg aux sein* **1. auf etw** *(acc)* **~** to fly towards *or (direkt)* into sth; **auf etw** *(acc)* **zugeflogen kommen** to come flying towards sth.

2. *+dat* to fly to. **der Vogel ist uns zugeflogen** the bird flew into our house/flat *etc*; **„grüner Wellensittich zugeflogen"** "green budgerigar found"; **alle Herzen flogen ihr zu** she won the heart(s) of everyone; **ihm fliegt alles nur so zu** *(fig)* everything comes so easily to him.

3. *(inf: Fenster, Tür)* to bang *or* slam shut.

zufließen *vi sep irreg aux sein* **+dat** to flow to(wards); *(Süßwasser, fig: Geld)* to flow into. **das Wasser wird nie warm, weil immer kaltes zufließt** the water never gets warm because cold water is constantly flowing into it; **jdm Geld ~ lassen** to pour money into sb's coffers.

Zuflucht *f* refuge *(auch fig)*, shelter *(vor +dat* from). **du bist meine letzte ~** *(fig)* you are my last hope *or* resort; **zu etw ~ nehmen** *(fig)* to resort to sth; **zu Lügen ~ nehmen** to take refuge in lying; **er findet ~ in seiner Musik** *(geh)* he finds refuge in his music.

Zufluchts|ort *m*, **Zufluchtsstätte** *f* place

of refuge; *(fig auch)* sanctuary.

Zufluß *m* **1.** *no pl (lit, fig: Zufließen)* influx, inflow; *(Mech: Zufuhr)* supply. **ein kalter Meeresluft** a stream of cold air from the sea. **2.** *(Nebenfluß)* affluent, tributary; *(zu Binnensee)* inlet.

zuflüstern *vti sep* **jdm (etw) ~** to whisper (sth) to sb; *(Theat)* to prompt sb (with sth).

zufolge *prep +dat or gen (form) (gemäß)* according to; *(auf Grund)* as a consequence *or* result of. **dem Bericht ~ , ~ des Berichtes** according to the report.

zufrieden *adj* contented, content *pred.* **ein ~es Gesicht machen** to look pleased; **~ lächeln** to smile contentedly; **mit jdm/etw ~ sein** to be satisfied *or* happy with sb/sth; **er ist nie ~** he's never content *or* satisfied; **er ist mit nichts ~** nothing pleases him, there's no pleasing him *(inf)*; **es ~ sein** *(old)* to be well pleased.

zufriedengeben *vr sep irreg* **sich mit etw ~** to be content *or* satisfied with sth; **gib dich endlich zufrieden!** can't you be content with what you have?; **Zufriedenheit** *f* contentedness; *(Befriedigtsein)* satisfaction; **zu meiner ~** to my satisfaction; **zur allgemeinen ~** to everyone's satisfaction; **zufriedenlassen** *vt sep irreg* to leave alone *or* in peace; **laß mich damit zufrieden!** *(inf)* shut up about it! *(inf)*; **zufriedenstellen** *vt sep* to satisfy; *Wünsche, Ehrgeiz auch* to gratify; *Kunden auch* to give satisfaction to; **schwer zufriedenzustellen sein** to be hard *or* difficult to please; **eine ~de Note** a satisfactory mark; **eine wenig ~de Antwort** a less than satisfactory answer.

zufrieren *vi sep irreg aux sein* to freeze (over).

zufügen *vt sep* **1.** *Kummer, Leid* to cause; *Verlust auch* to inflict. **jdm Schaden ~** to harm sb; **jdm etw ~** to cause sb sth; to inflict sth on sb; **jdm eine Verletzung (mit einem Messer) ~** to injure sb (with a knife); **was du nicht willst, daß man dir tu, das füg auch keinem andern zu** *(Prov)* do as you would be done by *(Prov)*. **2.** *(inf) siehe* **hinzufügen**.

Zufuhr *f* -, **-en** *(Versorgung)* supply *(in +acc, nach* to); *(Mil: Nachschub, von Stadt)* supplies *pl*; *(Met: von Luftstrom)* influx. **die ~ von Lebensmitteln** the supply of provisions, supplies of provisions; **jdm die ~ abschneiden** to cut off sb's supplies, to cut off supplies to sb.

zuführen *sep* **I** *vt* **+dat 1.** *(versorgen mit, beliefern)* to supply; *(Comput)* **Papier** to feed *(dat* to). **jdm etw ~** to supply sb with sth; **etw seiner Bestimmung** *(dat)* **~** to put sth to its intended use.

2. *(bringen, zur Verfügung stellen)* to bring. **einem Geschäft Kunden ~** to bring customers to a business; **dem Magen Nahrung ~** to supply food to the stomach; **jdn der gerechten Strafe ~** to give sb the punishment he/she deserves.

II *vi sep* **auf etw** *(acc)* **~** *(lit, fig)* to lead to.

Zuführung *f* **1.** *no pl (Versorgen, Beliefern)* supplying; *(Versorgung)* supply; *(Comput: von Papier)* feed. **2.** *(Zufüh-*

rungsleitung) feed-pipe; (*Comput: Einzelblatt~*) sheetfeed.

Zufußgehen *nt, no pl* walking *no art*.

Zug[1] *m* -(e)s, ⸚e **1.** *no pl* (*Ziehen*) (*an* +*dat* on, at) pull, tug; (*~kraft, Spannung*) tension.
2. *no pl* (*Fortziehen: von Zugvögeln, Menschen*) migration; (*der Wolken*) drifting. **im ~e** (*im Verlauf*) in the course (*gen* of); **einen ~ durch die Kneipen machen** to do the rounds of the pubs/bars; **das ist der ~ der Zeit** it's a sign of the times, that's the way things are today; **dem ~ seines Herzens folgen** to follow the dictates of one's heart.
3. (*Luft~*) draught (*Brit*), draft (*US*); (*Atem~*) breath; (*an Zigarette, Pfeife*) pull, puff, drag; (*Schluck*) gulp, mouthful, swig (*inf*). **einen ~ machen** (*an Zigarette*) to take a pull *etc*; **das Glas in einem ~ leeren** to empty the glass with one gulp *or* in one go, to down the glass in one (*inf*); **da ist kein ~ drin** (*fig inf*) there's no go in it (*inf*); **etw in vollen ~en genießen** to enjoy sth to the full; **in den letzten ~en liegen** (*inf*) to be at one's last gasp (*inf*) *or* on one's last legs; **er hat ~ abbekommen** *or* **gekriegt** (*inf*) he got a stiff neck from sitting in a draught.
4. (*beim Schwimmen*) stroke; (*beim Rudern*) pull (*mit* at); (*Feder~*) stroke (of the pen); (*bei Brettspiel*) move. **einen ~ machen** (*beim Schwimmen*) to do a stroke; **~ um ~** (*fig*) step by step, stage by stage; **(nicht) zum ~e kommen** (*inf*) (not) to get a look-in (*inf*); **du bist am ~** (*bei Brettspiel, fig*)it's your move *or* turn; **etw in großen ~en darstellen/umreißen** to outline sth, to describe/outline sth in broad *or* general terms.
5. (*~vorrichtung*) (*Klingel~*) bell-pull; (*Schnur am Anorak*) draw-string; (*bei Feuerwaffen*) groove; (*Orgel~*) stop.
6. (*Gruppe*) (*von Fischen*) shoal; (*Gespann von Ochsen*) team; (*von Vögeln*) flock, flight; (*von Menschen*) procession; (*Mil*) platoon; (*Abteilung*) section.
7. (*Feld~*) expedition, campaign; (*Fisch~*) catch, haul.

Zug[2] *m* -(e)s, ⸚e (*Eisenbahn~*) train; (*Last~*) truck and trailer. **mit dem ~ fahren** to go/travel by train; **jdn zum ~ bringen** to take sb to the station *or* train, to see sb off at the station; **im falschen ~ sitzen** (*fig inf*) to be on the wrong track, to be barking up the wrong tree (*inf*).

Zug[3] *m* -(e)s, ⸚e (*Gesichts~*) feature; (*Charakter~ auch*) characteristic, trait; (*sadistisch, brutal*) streak; (*Anflug*) touch. **das ist ein/kein schöner ~ von ihm** that's one of the nice things about him/that's not one of his nicer characteristics; **das war kein schöner ~ von dir** that wasn't nice of you.

Zugabe *f* extra, bonus; (*Comm: Werbegeschenk*) free gift; (*Mus, Theat*) encore. **~! ~!** encore! encore!, more! more!

Zugabstand *m* interval between trains; **Zugabteil** *nt* railway *or* train compart-

ment.

Zugang *m* **1.** (*Eingang, Einfahrt*) entrance; (*auf Schild auch*) way in; (*Zutritt*) admittance, access; (*fig*) access. **~ zu einem Tresor/Informationen haben** to have access to a safe/information; **er hat/findet keinen ~ zur Musik/Kunst** music/art doesn't mean anything to him; „**kein ~**" "no admittance *or* entry".
2. (*von Patienten*) admission; (*von Schülern*) intake; (*von Soldaten*) recruitment; (*von Waren*) receipt; (*von Büchern*) acquisition; (*von Abonnements*) new subscription. **in dieser Schule haben wir die meisten Zugänge im Herbst** our largest intake at school is in autumn.

zugange *adj pred* (*esp N Ger*) **~ sein** (*beschäftigt*) to be busy; (*aufgestanden*) to be up and about; to be carrying on (*inf*).

zugänglich *adj* (*dat, für* to) (*erreichbar*) *Gelände, Ort* accessible; (*verfügbar auch*) *Bücher, Dokumente* available; *öffentliche Einrichtungen* open; (*fig: umgänglich auch*) *Mensch, Vorgesetzter* approachable. **eine private Sammlung der Allgemeinheit ~ machen** to open a private collection to the public; **der Allgemeinheit ~ sein** open to the public; **er ist nur schwer ~**, **er ist ein schwer ~er Mensch** (*fig*) he's not very approachable; **für etw leicht/nicht ~ sein** to respond/not to respond to sth; **für Komplimente, Annäherungsversuche, guten Rat** *auch* to be/not to be amenable to sth.

Zugänglichkeit *f* (*Erreichbarkeit*) accessibility; (*Verfügbarkeit*) availability; (*Umgänglichkeit*) approachability. **die leichte ~ dieser Dokumente** the availability of these documents.

Zugbegleiter(in *f*) *m* (*Rail*) **1.** guard (*Brit*), conductor (*US*); **2.** (*Zugfahrplan*) train time-table; **Zugbegleitpersonal** *nt* (*Rail*) train crew; **Zugbrücke** *f* drawbridge.

zugeben *vt sep irreg* **1.** (*zusätzlich geben*) to give as an extra *or* bonus; (*bei Verkauf auch*) to throw in (*inf*). **jdm etw ~** to give sb sth extra *or* as a bonus, to throw sth in for sb (*inf*).
2. (*hinzufügen*) (*Cook*) to add; (*Mus, Theat*) to do *or* perform as an encore.
3. (*zugestehen, einräumen*) to admit, to acknowledge; (*eingestehen*) to admit (to), to own up to. **er gab zu, es getan zu haben** he admitted (to) having done it, he confessed *or* owned up to having done it; **jdm gegenüber etw ~** to confess sth to sb; **zugegeben** admittedly, granted; **gib's zu!** admit it!

zugedacht *adj* **jdm ~ sein** to be intended *or* destined *or* earmarked for sb; (*Geschenk*) to be intended *or* meant for sb.

zugegebenermaßen *adv* admittedly.

zugegen *adv* (*geh*) **~ sein** to be present; (*bei Versammlung, Konferenz auch*) to be in attendance (*form*).

zugehen *sep irreg aux sein* I *vi* **1.** (*Tür, Deckel*) to shut, to close. **der Koffer geht nicht zu** the case won't shut *or* close.
2. auf jdn/etw ~ to approach sb/sth, to

go towards sb/sth; **direkt auf jdn/etw ~** to go straight *or* right up to sb/sth; **es geht nun auf den Winter zu** winter is drawing in *or* near; **er geht schon auf die Siebzig zu** he's getting on for *or* nearing *or* approaching seventy; **dem Ende ~** to draw to a close, to near its end; (*Vorräte*) to be running out.

3. +*dat* (*form: Nachricht, Brief*) to reach. **mir ist gestern ein Brief zugegangen** I received a letter yesterday; **die Nachricht, die ich Ihnen gestern habe ~ lassen** the news I sent you yesterday; **der Polizei sind schon mehrere Hinweise zugegangen** the police have already received several clues.

4. (*inf: weiter-, losgehen*) to get a move on (*inf*).

II *vi impers* **1.** dort geht es ... zu things are ... there; **es ging sehr lustig/fröhlich zu** (*inf*) we/they *etc* had a great time (*inf*); **du kannst dir nicht vorstellen, wie es dort zugeht** you can't imagine what a carry-on it is there (*inf*).

2. (*geschehen*) to happen. **hier geht es nicht mit rechten Dingen zu** there's something odd going on here; **so geht es nun einmal zu in der Welt** that's the way of the world; **es müßte mit dem Teufel ~, wenn ...** it'll be very bad luck if ...

Zugehfrau *f* (*S Ger, Aus*) char(-woman) (*Brit*), cleaning woman.

zugehören* *vi sep irreg* +*dat* (*geh*) to belong to.

zugehörig *adj attr* **1.** (*geh*) (*dazugehörend*) accompanying; (*verbunden*) affiliated (*dat* to).

2. (*old: gehörend*) belonging to.

Zugehörigkeit *f* **1.** (*zu Land, Glauben*) affiliation; (*Mitgliedschaft*) membership (*zu* of). **2.** (*Zugehörigkeitsgefühl*) sense of belonging.

zugeknöpft *adj* (*fig inf*) *Mensch* close, reserved.

Zügel *m* **-s, -** rein (*auch fig*). **einem Pferd in die ~ fallen** to seize a horse by the reins, to seize a horse's reins; **die ~ anziehen** (*lit*) to draw in the reins; (*fig*) to keep a tighter rein (*bei* on); **die ~ fest in der Hand haben/behalten** (*fig*) to have/keep things firmly in hand *or* under control; **die ~ locker lassen** (*lit*) to slacken one's hold on the reins; (*fig*) to give free rein (*bei* to); **die ~ an sich** (*acc*) **reißen** (*fig*) to seize the reins; **seiner Wut/seinen Gefühlen die ~ schießen lassen** (*fig*) to give full vent *or* free rein to one's rage/feelings; **jds Übermut/seinen Begierden ~ anlegen** (*liter*) to curb sb's overexuberance/to curb *or* bridle one's desires.

zugelassen *adj* authorized; *Heilpraktiker* licensed, registered; *Kfz* licensed. **amtlich/staatlich ~ sein** to be authorized/to be state-registered; **er ist an allen/für alle Gerichte ~** he is authorized to practise in any court; **eine nicht ~e Partei** an illegal party; **als Kassenarzt ~ sein** ≃ to be registered as a GP; **für Personenbeförderung nicht ~** not licensed to carry passengers.

zügellos *adj* (*fig*) unbridled *no adv*, unre-

strained; **Zügellosigkeit** *f* (*fig*) lack of restraint, unrestraint; (*in sexueller Hinsicht*) promiscuity; (*esp Pol*) anarchy.

zügeln I *vt Pferd* to rein in; (*fig*) to curb, to check. **II** *vr* to restrain oneself.

Zügelung *f* **1.** *siehe vt* reining in; curbing, checking. **2.** *siehe vr* self-restraint.

zugenäht *adj*: **verflixt** *or* **verflucht und ~!** (*inf*) damn and blast! (*inf*).

Zugereiste(r) *mf decl as adj* (*S Ger*) newcomer.

zugesellen* *sep* **I** *vt* (*rare*) to give as a companion. **II** *vr* **sich jdm ~** (*Mensch*) to join sb; **seinem Bankrott gesellten sich dann noch familiäre Probleme zu** on top of his bankruptcy he had family problems.

zugestandenermaßen *adv* admittedly, granted.

Zugeständnis *nt* concession (*dat, an* +*acc* to). **er war zu keinem ~ bereit** he would make no concession(s).

zugestehen* *vt sep irreg* (*einräumen*) *Recht, Erlaß* to concede, to grant; (*zugeben*) (*einräumen*) to admit, to acknowledge. **jdm etw ~** (*einräumen*) to grant sb sth; **man gestand ihm zu, daß ...** it was admitted *or* acknowledged that ...; **zugestanden, Sie haben recht** you're right, I grant you (that), I admit you're right.

zugetan *adj* **jdm/einer Sache ~ sein** to be fond of sb/sth; **der dem Alkohol sehr ~e Major X** Major X who was very fond of alcohol; **der Hund war seinem Herrn sehr ~** the dog was very attached *or* devoted to his master.

Zugewanderte(r) *mf decl as adj* (*Admin*) newcomer.

zugewandt *adj* facing, overlooking. **der Zukunft** (*dat*) **~ sein** to be turned toward(s) the future.

Zugewinn *m* increase.

Zugezogene(r) *mf decl as adj* newcomer.

zugfest *adj* (*Mech*) tension-proof; *Stahl* high-tensile; **Zugfestigkeit** *f* (*Mech*) tensile strength; **Zugfolge** *f* (*Rail*) succession of trains; **Zugführer** *m* **1.** (*Rail*) (*auch ~in f*) chief guard (*Brit*) *or* conductor (*US*); **2.** (*Aus Mil*) platoon leader; **Zugfunk** *m* (*Rail*) train radio.

zugießen *vt sep irreg* (*hin~*) to add. **darf ich Ihnen noch (etwas Kaffee) ~?** may I pour you a little more (coffee)?; **er goß sich** (*dat*) **ständig wieder zu** he kept topping up his glass/cup.

zugig *adj* draughty (*Brit*), drafty (*US*).

zügig *adj* swift, speedy; *Tempo, Bedienung auch* brisk, rapid, smart; *Handschrift* smooth.

zugipsen *vt sep Loch* to plaster up, to fill (in).

Zugkraft *f* (*Mech*) tractive power; (*fig*) attraction, appeal; **zugkräftig** *adj* (*fig*) *Werbetext, Titel, Plakat* catchy, eye-catching; *Schauspieler* crowd-pulling *attr*, of wide appeal.

zugleich *adv* (*zur gleichen Zeit*) at the same time; (*ebenso auch*) both. **er ist ~ Gitarrist und Komponist** he is both a guitarist and a composer; **die älteste und ~ modernste Stadt des Landes** the country's oldest and at the same time most modern town.

Zugluft f draught (Brit), draft (US); **zuviel ~ bekommen** to be in too much of a draught; **Zugmaschine** f towing vehicle; (von Sattelschlepper) traction engine, tractor; **Zugnummer** f 1. (Rail) train number; 2. (fig) crowd puller, drawing card (US); **Zugpersonal** nt (Rail) train personnel; **Zugpferd** nt carthorse, draught (Brit) or draft (US) horse; (fig) crowd puller; **Zugpflaster** nt (Med) poultice.

zugreifen vi sep irreg 1. (schnell nehmen) to grab it/them; (fig) to act fast or quickly, to get in quickly (inf); (bei Tisch) to help oneself. **greifen Sie bitte zu!** please help yourself!
    2. (fig: einschreiten) to step in quickly, to act fast or quickly.
    3. (schwer arbeiten) to put one's back into it or one's work, to get down to it or to work.
    4. (Comput) **auf etw** (acc) **~** to access sth.

Zugrestaurant nt dining car.

Zugriff m 1. **durch raschen ~** by stepping in or acting quickly, by acting fast; **sich dem ~ der Polizei/Gerichte entziehen** to evade justice. 2. (Comput) access.

Zugriffszeit f access time.

zugrunde adv 1. **~ gehen** to perish; **jdn/ etw ~ richten** to destroy sb/sth; (finanziell) to ruin sb/sth; **er wird daran nicht ~ gehen** he'll survive; (finanziell) it won't ruin him.
    2. **einer Sache** (dat) **~ liegen** to form the basis of sth, to underlie sth; **diesem Lied liegt ein Gedicht von Heine ~** this song is based on a poem by Heine; **etw einer Sache** (dat) **~ legen** to take sth as a basis for sth, to base sth on sth.

Zugrundelegung f, no pl **unter/bei ~ dieser Daten** taking this data as a basis; **zugrundeliegend** adj attr underlying.

Zugs- in cpds (Aus) siehe **Zug-**.

Zugtier nt draught animal.

zugucken vi sep siehe **zusehen**.

Zug|unglück nt train accident.

zugunsten prep +gen (bei Voranstellung) or dat (bei Nachstellung) in favour of. **~ von** in favour of; **~ seines Bruders, seinem Bruder ~** in favour of his brother.

zugute adv **jdm etw ~ halten** to grant sb sth; (Verständnis haben) to make allowances for sth; **einer Sache/jdm ~ kommen** to come in useful for sth/to sb, to be of benefit to sth/sb; (Geld, Erlös) to benefit sth/sb; **das ist seiner Gesundheit ~ gekommen** his health benefited by or from it; **jdm etw ~ kommen lassen** to let sb have sth; **sich** (dat) **auf etw** (acc) **etwas ~ halten** or **tun** (geh) to pride or preen oneself on sth.

Zugverbindung f train connection; **Zugverkehr** m (Rail) rail or train services pl; **starker ~** heavy rail traffic; **Zugvieh** nt, no pl draught (Brit) or draft (US) cattle; **Zugvogel** m migratory bird; (fig) bird of passage; **Zugwagen** m towing vehicle; **Zugzwang** m (Chess) zugzwang; (fig) tight spot; **jdn in ~ brin-**

gen to put sb in zugzwang/on the spot; **in ~ geraten** to get into zugzwang/to be put on the spot; **unter ~ stehen** to be in zugzwang/in a tight spot.

zuhaben sep irreg (inf) I vi to be closed or shut.
    II vt irreg to keep closed or shut; Kleid, Mantel etc to have done up. **jetzt habe ich den Koffer endlich zu** I've finally got the case shut.

zuhaken vt sep to hook up.

zuhalten sep irreg I vt to hold closed or shut or to. **sich** (dat) **die Nase ~** to hold one's nose; **sich** (dat) **die Augen/Ohren/ den Mund ~** to put one's hands over one's eyes/ears/mouth, to cover one's eyes/ears/mouth with one's hands.
    II vi **auf etw** (acc) **~** to head or make straight for.

Zuhälter m -s, - pimp, procurer.

Zuhälterei f procuring, pimping.

Zuhältertyp m (pej) **mit so einem ~** with someone who looks like a pimp; **Zuhälterunwesen** nt (pej) procuring.

zuhanden adv (form: Sw, Aus) 1. (auch old) to hand. **es ist mir ~ gekommen** it came to hand, it came into my hands. 2. for the attention of. **~ (von) Herrn Braun** or **des Herrn Braun** (rare) for the attention of Mr Braun, attention Mr Braun.

zuhauen sep irreg I vt 1. Baumstamm to hew; Stein to trim, to pare. 2. (inf) Tür to slam or bang (shut). II vi 1. (mit Axt) to strike; (mit Fäusten, Schwert) to strike out. **hau zu!** let him etc have it! 2. (inf: Tür, Fenster) to slam or bang (shut).

zuhauf adv (old) in throngs, in droves. **~ liegen/legen** to lie/put in a heap or pile, to be piled up/to pile up.

zuhause adv, **zu Hause** siehe **Haus**.

Zuhause nt -s, no pl home.

Zuhausegebliebene(r) mf decl as adj he/ she/those who stay/stayed at home.

zuheilen vi sep aux sein to heal up or over.

Zuhilfenahme f: **unter ~ von** or +gen with the aid or help of.

zuhinterst adv right at the back, at the very back.

zuhöchst adv 1. (ganz oben) right at the top, at the very top. 2. (sehr) highly, extremely.

zuhören vi sep to listen (dat to); (lauschen, abhören auch) to listen in (dat on or to), to eavesdrop (dat on). **hör mal zu!** (drohend) now (just) listen (to me)!; **gut ~ können** to be a good listener; **hör mir mal genau zu!** now listen carefully to me.

Zuhörer(in f) m listener. **die ~** (das Publikum) the audience sing; (Radio~ auch) the listeners.

Zuhörerschaft f audience; (Rad auch) listeners.

zu|innerst adv deeply. **tief ~** in his/her etc heart of hearts, deep down.

zujubeln vi sep **jdm ~** to cheer sb.

zukaufen vt sep **etw ~** to buy more (of) sth; **Einzelstücke ~** to buy extra separate parts.

zukehren vt sep (*zuwenden*) to turn. **jdm das Gesicht** ~ to turn to face sb, to turn one's face to or towards sb; **jdm den Rücken** ~ (*lit, fig*) to turn one's back on sb.

zuklappen vti sep (vi aux sein) to snap shut; (*Tür, Fenster*) to click shut.

zukleben vt sep Loch to stick over or up; Briefumschlag to stick down; Brief to seal (up); (*mit Klebstoff, Klebeband*) to stick up.

zukleistern vt sep (*inf: lit, fig*) to patch up.

zuknallen vti sep (vi aux sein) (*inf*) to slam or bang (shut).

zukneifen vti sep irreg to pinch hard; Augen to screw up; Mund to shut tight(ly).

zuknöpfen vt sep to button (up). **siehe zugeknöpft.**

zuknoten vt sep to knot up.

zukommen vi sep irreg aux sein **1. auf jdn/etw** ~ to come towards or (*direkt*) up to sb/sth; **die Aufgabe, die nun auf uns zukommt** the task which is now in store for us, the task which now stands before or confronts us; **die Dinge/alles auf sich** (*acc*) ~ **lassen** to take things as they come/to let everything take its course.

2. jdm etw ~ **lassen** Brief to send sb sth; (*schenken auch*), Hilfe to give sb sth.

3. +dat (*geziemen, gebühren*) to befit, to become. **ein solches Verhalten kommt dir nicht zu** such behaviour doesn't become or befit you or ill becomes you; **es kommt Ihnen nicht zu, darüber zu entscheiden** it isn't up to you to decide this; **dieser Titel kommt ihm nicht zu** he has no right to this title; **diesem Treffen kommt große Bedeutung zu** this meeting is of (the) utmost importance.

zukriegen vt sep (*inf*) siehe **zubekommen.**

Zukunft f -, no pl **1. die** ~ the future; **in** ~ in future; **in ferner/naher** ~ in the remote or distant/near future; **das hat keine** ~ it has no future, there's no future in it; **unsere gemeinsame** ~ our future together; **in die** ~ **blicken** or **sehen** to look or see into the future; **wir müssen abwarten, was die** ~ **bringt** we must wait and see what the future holds or has in store; **das gilt für alle** ~ that applies without exception from now on; **das bleibt der** ~ (*dat*) **überlassen** that remains to be seen; **viel Glück für Ihre** ~**!** best wishes for the future!

2. (*Gram*) future (tense).

zukünftig I adj future. **der** ~**e Präsident/ Bischof** the president/bishop elect or designate; **meine Z**~**e** (*inf*)**/mein Z**~**er** (*inf*) my future wife/husband, my wife-/ husband-to-be, my intended (*hum*). **II** adv in future, from now on.

Zukunftsangst f (*vor der Zukunft*) fear of the future; (*um die Zukunft*) fear for the future; **Zukunftsberuf** m job for the future; **Zukunftsbranche** f new or sunrise (*inf*) industry; **Zukunftschancen** pl chances pl for the future, future chances pl; **Zukunftsfach** nt (*Univ*) new science; **Zukunftsforscher(in** f) m futurologist; **Zukunftsforschung** f futurology; **Zu-**

kunftsfrage f question about the future; **zukunftsfroh** adj (*rare*) optimistic (about the future); **Zukunftsgestaltung** f planning for the future; **Zukunftsglaube** m belief in the future; **zukunftsgläubig** adj believing in the future; **Zukunftsmusik** f (*fig inf*) pie in the sky (*inf*); **Zukunftsoptimismus** m optimism about the future; **zukunftsorientiert** adj forward looking, looking to the future, future-oriented; **Zukunftsperspektive** f future prospects pl; **Zukunftspläne** pl plans pl for the future; **Zukunftsroman** m (*lit*) science fiction novel; (*gesellschaftspolitisch*) utopian novel; **zukunftssicher** adj with a guaranteed future; **Zukunftssicherung** f safeguarding the future; **Zukunftsszenario** nt vision of the future; **Zukunftstechnik, Zukunftstechnologie** f new or sunrise (*inf*) technology; **zukunftsträchtig** adj with a promising future; **zukunftsweisend** adj forward-looking.

Zukurzgekommene(r) mf decl as adj loser. **die** ~**n in unserer Gesellschaft** those who have lost out in or the losers in our society.

zulächeln vi sep jdm ~ to smile at sb.

zulachen vi sep jdm ~ to give sb a friendly smile.

Zulage f **1.** (*Geld*~) extra or additional pay no indef art; (*Sonder*~ auch) bonus (payment); (*Gefahren*~) danger-money no indef art. **eine** ~ **von 100 Mark** an extra 100 marks pay; a bonus (payment) of 100 marks; 100 marks danger-money. **2.** (*Gehaltserhöhung*) rise (*Brit*), raise (*US*); (*regelmäßig*) increment.

zulande adv **bei uns/euch** ~ back home, where we/you come from or live, in our/your country.

zulangen vi sep **1.** (*inf*) (*Dieb, beim Essen*) to help oneself (*auch fig*). **2.** (*dial: reichen*) to do (*inf*). **es langt nicht zu** there's not enough.

zulänglich adj (*geh*) adequate.

Zulänglichkeit f (*geh*) adequacy.

zulassen vt sep irreg **1.** (*Zugang gewähren*) to admit.

2. (*amtlich*) to authorize; Arzt to register; Heilpraktiker to register, to license; Kraftfahrzeug to license; Rechtsanwalt to call (to the bar), to admit (as a barrister or to the bar); Prüfling to admit. **zugelassene Aktien** listed securities.

3. (*dulden, gestatten*) to allow, to permit. **das läßt nur den Schluß zu, daß ...** that leaves or allows only one conclusion: that ...; **eine Ausnahme** ~ (*Vorschriften*) to allow (of) or admit (of) or permit an exception; (*Mensch*) to allow or permit an exception; **sein Verhalten läßt keine andere Erklärung zu(, als daß)** there is no other explanation for his behaviour (but that); **das läßt mein Pflichtbewußtsein nicht zu** my sense of duty won't allow or permit or countenance that.

4. (*geschlossen lassen*) to leave or keep shut or closed.

zulässig *adj* permissible, permitted, allowed; (*amtlich auch*) authorized. ~e **Abweichung** (*Tech*) tolerance, permissible variation; ~es **Gesamtgewicht** (*Mot*) maximum laden weight; ~e **Höchstgeschwindigkeit** (upper) speed limit; ~e **Höchstbelastung** weight limit.

Zulassung *f* **1.** *no pl* (*Gewährung von Zugang*) admittance, admission.
2. *no pl* (*amtlich*) authorization; (*von Kfz*) licensing; (*als Rechtsanwalt*) call to the bar; (*von Prüfling*) admittance (*form*); (*als praktizierender Arzt*) registration. **Antrag auf ~ zu einer Prüfung** application to enter an examination; **seine ~ als Rechtsanwalt bekommen** to be called to the bar; **~ (von Aktien) zur Börse** listing on the Stock Exchange.
3. (*Dokument*) papers *pl*; (*von Kfz auch*) vehicle registration document; (*Lizenz*) licence.

Zulassungsbeschränkung *f* (*esp Univ*) restriction on admissions; **Zulassungsstelle** *f* registration office; **Zulassungsstopp** *m* (*esp Univ*) block on admissions.

Zulauf *m*, *no pl* **großen ~ haben** (*Geschäft, Restaurant*) to be very popular; (*Arzt auch*) to be much sought after *or* in great demand; **die Aufführung hat sehr großen ~ gehabt** the performance drew large crowds.

zulaufen *vi sep irreg aux sein* **1. auf jdn/etw ~** *or* **zugelaufen kommen** to run towards sb/sth, to come running towards sb/sth; (*direkt*) to run up to sb/sth.
2. *siehe* **spitz**.
3. (*Wasser*) to run in, to add. **laß noch etwas kaltes Wasser ~** run in *or* add some more cold water.
4. (*inf: sich beeilen*) to hurry (up). **lauf zu!** hurry up!
5. (*Hund*) **jdm ~** to stray into sb's house/place.

zulegen *sep* **I** *vt* **1.** (*dazulegen*) to put on. **legen Sie noch zwei Scheiben zu, bitte** please put on another two slices.
2. Geld to add; (*bei Verlustgeschäft*) to lose. **der Chef hat mir 200 DM im Monat zugelegt** the boss has given me DM 200 a month extra, the boss has given me an extra DM 200 a month; **die fehlenden 20 DM legte meine Mutter zu** my mother made up the remaining DM 20.
3. etwas Tempo *or* **einen Zahn** (*sl*) **~** (*inf*) to get a move on (*inf*); (*sich anstrengen*) to get one's finger out (*sl*).
4. (*inf: an Gewicht*) to put on. **die SPD konnte 5% ~** the SPD managed to put on *or* gain 5%.
II *vi* (*inf*) **1.** (*an Gewicht*) to put on weight.
2. (*inf*) (*sich mehr anstrengen*) to pull one's finger out (*sl*); (*sich steigern*) to do better; (*Sport*) to step up the pace (*inf*).
III *vr* **sich** (*dat*) **etw ~** (*inf*) to get oneself sth; **er hat sich** (*dat*) **eine teure Pfeife zugelegt** he has treated himself to an expensive pipe; **er hat sich eine/Freundin zugelegt** (*hum*) he has got himself a girlfriend.

zuleide *adv* (*old*) **jdm etwas ~ tun** to do sb harm, to harm sb; **was hat er dir ~ getan?** what (harm) has he done to you?; **wer hat dir etwas ~ getan?** who has harmed you?

zuleiten *vt sep* Wasser, Strom to supply; Schreiben, Waren to send on, to forward.

Zuleitung *f* (*Tech*) supply.

zuletzt *adv* **1.** (*schließlich, endlich, zum Schluß*) in the end. **~ kam sie doch** she came in the end; **wir blieben bis ~ we** stayed to the very *or* bitter end; **ganz ~** right at the last moment, at the very last moment.
2. (*als letzte(r, s), an letzter Stelle, zum letzten Mal*) last. **ich kam ~** I came last, I was last to come; **wann haben Sie ihn ~ gesehen?** when did you last see him?; **ganz ~** last of all; **nicht ~ dank/wegen** not least thanks to/because of.

zuliebe *adv* **etw jdm ~ tun** to do sth for sb's sake *or* for sb; **das geschah nur ihr ~** it was done just for her.

Zulieferbetrieb, **Zulieferer** *m* (*Econ*) supplier.

Zuliefer|industrie *f* (*Econ*) supply industry.

zulöten *vt sep* to solder.

Zulu[1] ['tsuːluː] *mf* -(s), -(s) Zulu.
Zulu[2] ['tsuːluː] *nt* -(s) (*Sprache*) Zulu.

zum *contr of* **zu dem 1.** (*räumlich*) **geht es hier ~ Bahnhof?** is this the way to the station?; **Z~ Löwen** The Lion Inn.
2. (*mit Infinitiv*) **~ Schwimmen/Essen gehen** to go swimming/to go and eat.
3. (*Folge*) **es ist ~ Verrücktwerden/Weinen** it's enough to drive you mad/make you weep.
4. (*Zweck*) **dies Gerät ist ~ Messen des Blutdrucks** this apparatus is for measuring (the) blood pressure.
5. *in Verbindung mit vb siehe auch dort.* **~ Spießbürger/Verräter werden** to become bourgeois/a traitor.

zumachen *sep* **I** *vt* (*schließen*) to shut, to close; Flasche to close; Brief to seal; (*inf: auflösen*) Laden to close (down). **II** *vi* (*inf*) **1.** (*den Laden ~*) to close (down), to shut up shop; (*fig*) to pack *or* jack it in (*inf*), to call it a day. **2.** (*sich beeilen*) to get a move on (*inf*), to step on it (*inf*).

zumal I *conj* **~ (da)** especially *or* particularly as *or* since. **II** *adv* (*besonders*) especially, particularly.

zumauern *vt sep* to brick up, to wall up.

zumeist *adv* mostly, in the main, for the most part.

zumessen *vt sep irreg* (*geh*) to measure out (*jdm* for sb), to apportion (*jdm* to sb); Essen to dish out (*jdm* to sb); Zeit to allocate (*dat* for); Schuld to attribute (*jdm* to sb). **ihm wurde eine hohe Strafe zugemessen** he was dealt a stiff punishment; **dem darf man keine große Bedeutung ~** one can't attach too much importance to that.

zumindest *adv* at least. **er hätte mich ~ anrufen können** he could at least have phoned me, he could have phoned me at least.

zumutbar *adj* reasonable. **jdm** *or* **für jdn**

~ **sein** to be reasonable for sb; **es ist ihm (durchaus) ~, daß er das tut** he can reasonably be expected to do that.

Zumutbarkeit f reasonableness.

zumute adv **wie ist Ihnen ~?** how do you feel?; **mir ist traurig/seltsam ~** I feel sad/strange; **mir ist lächerlich/gar nicht lächerlich ~** I'm in a silly mood/I'm not in a laughing mood; **ihm war recht wohl ~** he felt wonderful or good; **mir war dabei gar nicht wohl ~** I didn't feel right about it, I felt uneasy about it.

zumuten vt sep **jdm etw ~** to expect or ask sth of sb; **das können Sie niemandem ~** you can't ask or expect that of anyone; **sich** (dat) **zuviel ~** to take on too much, to overdo things, to overtax oneself; **seinem Körper zuviel ~** to overtax oneself.

Zumutung f unreasonable demand; (Unverschämtheit) cheek, nerve (inf). **das ist eine ~!** that's a bit much!

zunächst I adv **1.** (zuerst) first (of all). **~ einmal** first of all. **2.** (vorläufig) for the time being, for the moment. II prep +dat (rare) (neben) next to.

zunageln vt sep Fenster to nail up; (mit Brettern, Pappe) to board up; Sarg, Kiste to nail down.

zunähen vt sep to sew up.

Zunahme f -, -n (gen, an +dat in) increase; (Anstieg auch) rise.

Zuname m surname, last name.

Zündblättchen nt siehe **Zündplättchen**.

zündeln vi to play (about) with fire. **mit Streichhölzern ~** to play (about) with matches.

zünden I vi to catch light or fire, to ignite; (Pulver) to ignite; (Streichholz) to light; (Motor) to fire; (Sprengkörper) to go off; (fig) to kindle enthusiasm. **dieses Streichholz zündet nicht** this match won't light; **hat es endlich bei dir gezündet?** (inf) has the penny finally dropped?, have you finally cottoned on? (inf).

II vt to ignite, to set alight; Rakete to fire; Sprengkörper to set off, to detonate; Feuerwerkskörper to let off.

zündend adj (fig) stirring, rousing; Vorschlag exciting.

Zunder m -s, - tinder; (Schicht auf Metall) scale (oxide); (inf: Prügel) good hiding (inf), thrashing. **wie ~ brennen** to burn like tinder; **~ kriegen/jdm ~ geben** (inf) to get/to give sb a good hiding (inf) or thrashing.

Zünder m -s, - **1.** igniter; (für Sprengstoff, Bombe, Torpedo) fuse; (für Mine) detonator. **2.** (Aus, inf: Zündholz) match.

Zunderschwamm m (Bot) touchwood.

Zündflamme f pilot light; **Zündfunke** m (Aut) ignition spark; **Zündholz** nt match(stick); **ein ~ anreißen** to strike a match; **Zündhütchen** nt percussion cap; **Zündkabel** nt (Aut) plug lead; **Zündkapsel** f detonator; **Zündkerze** f (Aut) spark(ing) plug; **Zündplättchen** nt (für Spielzeugpistole) cap; **Zündschloß** nt (Aut) ignition lock; **Zündschlüssel** m (Aut) ignition key; **Zündschnur** f fuse; **Zündspule** f ignition or spark coil;

Zündstoff m inflammable or flammable (esp US) matter; (Sprengstoff) explosives pl, explosive material; (fig) inflammatory or explosive stuff.

Zündung f ignition; (Zündvorrichtung bei Sprengkörpern) detonator, detonating device. **die ~ ist nicht richtig eingestellt** (Aut) the timing is out or wrongly set; **die ~ einstellen** (Aut) to adjust the timing.

Zündverteiler m (Aut) distributor; **Zündvorrichtung** f igniting device, detonator; **Zündzeitpunkt** m moment of ignition.

zunehmen vi sep irreg I vi (an Zahl, beim Stricken) to increase; (anwachsen auch) to grow; (Tage) to draw out; (an Weisheit, Erfahrung) to gain (an +dat in); (Mensch: an Gewicht) to put on or gain weight; (Mond) to wax. **im Z~ sein** to be on the increase; (Mond) to be waxing; **der Wind nimmt (an Stärke) zu** the wind is increasing or getting up.

II vt (Mensch: an Gewicht) to gain, to put on. **ich habe 2 kg/viel zugenommen** I've gained or put on 2 kg/a lot of weight.

zunehmend I adj increasing, growing; Mond crescent. **bei or mit ~em Alter** with advancing age; **wir haben ~en Mond** there is a crescent moon; **in ~em Maße** to an increasing degree.

II adv increasingly. **~ an Einfluß gewinnen** to gain increasing influence.

zuneigen sep +dat I vi to be inclined towards. **ich neige der Ansicht zu, daß ...** am inclined to think that ...; **jdm zugeneigt sein** (geh) to be well disposed towards sb.

II vr to lean towards; (fig: Glück) to favour. **sich dem Ende ~** (geh) (Tag) to be drawing to a close; (knapp werden: Vorräte) to be running out.

Zuneigung f affection. **eine starke ~ zu jdm empfinden** to feel strong affection towards sb; **~ zu jdm fassen** to take a liking to sb, to grow fond of sb.

Zunft f -, ⸚e (Hist) guild; (hum inf) brotherhood. **die ~ der Bäcker/Fleischer** the bakers'/butchers' guild.

Zunftbrief m (Hist) guild charter; **Zunftgenosse** m guildsman; (fig pej) crony (pej).

zünftig adj **1.** (Hist) belonging to a guild. **2.** (fachmännisch) Arbeit expert, professional; Kleidung professional (-looking); (inf: ordentlich, regelrecht) proper; (inf: gut, prima) great. **eine ~e Ohrfeige** a hefty box on the ears.

Zunftmeister(in f) m (Hist) master of a/ the guild, guild master; **Zunftwesen** nt (Hist) guild system, system of guilds.

Zunge f -, -n tongue; (Mus: von Fagott, Akkordeon) reed; (von Waage) pointer; (geh: Sprache) tongue; (Zool: Seew~) sole. **mit der ~ anstoßen** to lisp; **das brennt auf der ~** that burns the tongue; **jdm die ~ herausstrecken** to put or stick one's tongue out at sb; **die ~ herausstrecken** (beim Arzt) to put out one's tongue; **eine böse** or **giftige/scharfe** or **spitze/lose ~ haben** to have an evil/a sharp/a loose tongue; **böse ~n behaupten, ...** malicious gossip has it ...; **eine feine ~ haben** to be a gourmet, to have a discriminating palate; **sich** (*dat*) **die ~ abbrechen** (*fig*) to tie one's tongue in knots; **das Wort liegt mir auf der ~** the word is on the tip of my tongue; **der Wein löste ihm die ~** the wine loosened his tongue; **mir hängt die ~ zum Hals heraus** (*inf*) my tongue is hanging out; **ein Lyriker polnischer** (*gen*) **~** a poet of the Polish tongue; **alle Länder arabischer** (*gen*) **~** all Arabic-speaking countries; **in fremden ~n reden** to speak in tongues.

züngeln *vi* (*Schlange*) to dart its tongue in and out; (*Flamme*) to lick.

Zungenbelag *m* coating of the tongue; **Zungenbrecher** *m* tongue-twister; **zungenfertig** *adj* (*geh*) eloquent, fluent; (*pej*) glib; **Zungenkuß** *m* French kiss; **Zungenlaut** *m* (*Ling*) lingual (sound); **Zungenpfeife** *f* (*Mus*) reed pipe; **Zungen-R** *nt* (*Ling*) trilled *or* rolled "r"; **Zungenrücken** *m* back of the tongue; **Zungenschlag** *m* (*durch Alkohol*) slur; (*Mus*) tonguing; **ein falscher ~** an unfortunate turn of phrase; **zwei Töne mit ~ spielen** to tongue two notes; **Zungenspitze** *f* tip of the tongue.

Zünglein *nt dim of* **Zunge** tongue; (*rare: der Waage*) pointer. **das ~ an der Waage sein** (*fig*) to tip the scales; (*Pol*) to hold the balance of power.

zunichte *adv* **~ machen/werden** (*geh*) to wreck, to ruin/to be wrecked, to be ruined; *Hoffnungen auch* to shatter, to destroy/to be shattered, to be destroyed.

zunicken *vi sep* **jdm ~** to nod to *or* at sb; **jdm freundlich/aufmunternd ~** to give sb a friendly/encouraging nod.

zunutze *adv* **sich** (*dat*) **etw ~ machen** (*verwenden*) to make use of, to utilize; (*ausnutzen*) to capitalize on, to take advantage of.

zuoberst *adv* on *or* at the (very) top, right on *or* at the top.

zuordnen *vt sep +dat* to assign to. **ein Tier einer Art ~** to assign an animal to a species; **jdn/etw jdm ~** to assign sb/sth to sb; **diesen Dichter ordnet man der Romantik zu** this poet is classified as a Romantic(ist); **wie sind diese Begriffe einander zugeordnet?** how are these concepts related (*to each other*)?

Zuordnung *f siehe vt* assignment; classification, relation.

zupacken *vi sep* (*inf*) **1.** (*zugreifen*) to make a grab for it *etc*. **2.** (*bei der Arbeit*) to knuckle down (to it), to get down to it. **3.** (*helfen*) **mit ~** to give me/them *etc* a hand.

zupackend I *adj Film, Theaterstück, Steuersystem* hard-hitting; (*forsch*) straightforward, direct; (*aggressiv*) vigorous; (*schnörkellos*) straightforward.
  II *adv* purposefully.

zupaß, zupasse *adv* (*geh*) **jdm ~ kommen** (*Mensch, Hilfe*) to have come at the right time; **dieser Holzblock kommt mir ~** this block of wood is just what I

needed.

zupfen *vti* to pick; *Saite auch* to pluck; *Unkraut* to pull (up); (*auseinanderziehen*) *Fäden, Maschen* to pull, to stretch. **jdn am Ärmel ~** to tug at sb's sleeve; **sich** (*dat or acc*) **am Bart/Ohr ~** to pull at one's beard/ear.

Zupfinstrument *nt* (*Mus*) plucked string instrument.

zuprosten *vi sep* **jdm ~** to raise one's glass to sb, to drink sb's health.

zur *contr of* **zu der**. **~ Schule gehen** to go to school; **jdn ~ Tür bringen** to see sb to the door; **~ See fahren** to go to sea; **Gasthof „Z~ Post"** The Post Inn; **~ Zeit** at the moment; **~ Weihnachtszeit** at Christmas time; **~ Orientierung** for orientation; **~ Abschreckung** as a deterrent.

zuraten *vi sep irreg* **jdm ~, etw zu tun** to advise sb to do sth; **er hat mich gefragt, ob er ins Ausland gehen soll, und ich habe ihm zugeraten** he asked me whether he should go abroad and I said he should; **ich will weder ~ noch abraten** I won't advise you one way or the other; **auf sein Z~ (hin)** on his advice.

zuraunen *vt sep* (*liter*) **jdm etw ~** to whisper sth to sb.

Zürcher(in *f*) *m* **-s, -** native of Zurich.

zurechnen *vt sep* **1.** (*inf: dazurechnen*) to add to. **2.** (*fig: zuordnen*) (*dat* with) to class, to include; *Kunstwerk* (*dat* to) to attribute, to ascribe.

zurechnungsfähig *adj* of sound mind; (*esp Jur, fig inf*) compos mentis *pred*; **Zurechnungsfähigkeit** *f* soundness of mind; **verminderte ~** diminished responsibility; **ich muß manchmal an seiner ~ zweifeln!** (*inf*) I sometimes wonder if he's quite compos mentis (*inf*).

zurechtfinden *vr sep irreg* to find one's way (*in +dat* around); **sich in der Welt nicht mehr ~** not to be able to cope with the world any longer; **ich finde mich in dieser Tabelle nicht zurecht** I can't make head nor tail of this table; **sich mit etw ~** to get the hang of sth (*inf*); (*durch Gewöhnung*) to get used to sth; **zurechtkommen** *vi sep irreg aux sein* **1.** (*rechtzeitig kommen*) to come in time; **2.** (*fig*) to get on; (*schaffen, bewältigen*) to cope; (*genug haben*) to have enough; **kommen Sie ohne das zurecht?** (*inf*) can you manage without it?; **er kam nie zurecht im Leben** he was never able to cope with life; **3.** (*finanziell*) to manage; **mit 20 Mark am Tag kann man gut ~** you can manage easily on 20 marks a day; **zurechtlegen** *vt sep irreg* to lay *or* get out ready; **sich** (*dat*) **etw ~** to lay *or* get sth out ready; (*fig*) to work sth out; **sich** (*dat*) **alle Argumente ~** to marshal all one's arguments; **das hast du dir (bloß) zurechtgelegt** (*gedeutet*) that's just your interpretation; (*erfunden*) you just made that up!; **zurechtmachen** *vt sep* (*inf*) **1.** *Zimmer, Essen* to prepare, to get ready; *Bett* to make up; **2.** (*anziehen*) to dress; (*schminken*) to make up; **sich ~** to get dressed *or* ready; to put on one's make-up; **zurechtrücken** *vt sep* Brille, Hut to adjust; *Stühle* to put straight (up), to put straight; *(fig)* to straighten out, to put straight; **zurechtschustern** *vt sep (inf)* to knock together; **zurechtsetzen** *sep* I *vt sich (dat)* den Hut/die Brille ~ to adjust *or* straighten one's hat/glass; *siehe* **Kopf**; II *vr* to settle oneself; **zurechtstutzen** *vt sep* to trim, to cut; *Hecke auch* to clip; *(fig)* to lick into shape; **zurechtweisen** *vt sep irreg (form)* to rebuke; *Schüler* to reprimand.

zureden *vi sep* jdm ~ *(ermutigen)* to encourage sb; *(überreden)* to persuade sb; **wenn du ihm gut zuredest, hilft er dir** if you talk to him nicely, he'll help you; **sie hat ihrem Vater so lange zugeredet, bis er ...** she kept on at her father till he ...; **auf mein Z~** *(hin)* with my encouragement; *(Überreden)* with my persuasion; **freundliches Z~** friendly persuasion.

zureichen *sep* I *vt* jdm etw ~ to hand *or* pass sth to sb. II *vi* to be enough *or* sufficient. **ein ~der Grund** a sufficient *or* adequate reason.

zureiten *sep irreg* I *vt* Pferd to break in. II *vi aux sein (weiterreiten)* to ride on; *(schneller)* to ride faster. **auf jdn/etw ~** *or* **zugeritten kommen** to ride toward(s) *or (direkt)* up to sb/sth.

Zureiter(in *f)* m **-s,** - roughrider; *(für Wildpferde auch)* broncobuster *(US)*.

Zürich nt **-s** Zurich.

Züricher(in *f)* m **-s,** - *siehe* **Zürcher(in).**

Zürichsee m Lake Zurich.

zurichten *vt sep* 1. *Essen* to prepare; *Stein, Holz* to square; *Leder, Pelz, Stoff* to finish, to dress; *(Typ)* to justify. 2. *(beschädigen, verunstalten)* to make a mess of; *(verletzen)* to injure. **jdn übel ~** to knock sb about, to beat sb up.

Zurichtung *f (Typ)* justifying, justification; *(von Geweben, Pelzen)* dressing, finishing.

zuriegeln *vt sep* to bolt (shut).

zürnen *vi (geh)* jdm ~ to be angry with sb; **dem Schicksal ~** to rage against fate.

zurren *vt (Naut)* to lash; *Decklladung, Beiboot* to lash down.

Zurschaustellung *f* display, exhibition.

zurück *adv* back; *(mit Zahlungen)* behind; *(fig: zurückgeblieben) (von Kind)* backward. **in Mathematik (sehr) ~ sein** *(fig)* to be (really) behind in maths; **fünf Punkte ~** *(Sport)* five points behind; **~ nach** to; **~! get back!; ~ an Absender** return to sender; **einmal München und ~** a return *(Brit) or* a round-trip ticket *(US)* to Munich; **ich bin in zehn Minuten wieder ~** I will be back (again) in 10 minutes; **ein paar Jahre ~** a few years back *or* ago; **hinter jdm ~ sein** *(fig)* to lie behind sb; **es gibt kein Z~ (mehr)** there's no going back.

zurückbehalten* *vt sep irreg* to keep (back); **er hat Schäden/einen Schock ~** he suffered lasting damage/lasting shock; **zurückbekommen*** *vt sep irreg* 1. to get back; 2. *(inf: heimgezahlt bekommen)* **das wirst du (von mir) ~!** I'll get my own back on you for that!; **zurückberufen*** *vt sep irreg* to recall;

zurückbeugen *sep* I *vt* to bend back; II *vr* to lean *or* bend back; **zurückbilden** *vr sep (Geschwür)* to recede; *(Muskel)* to become wasted, to atrophy; *(Biol)* to regress.

zurückbleiben *vi sep irreg aux sein* 1. *(an einem Ort)* to stay *or* remain behind; *(weiter hinten gehen)* to stay (back) behind.

2. *(übrigbleiben: Rest, Rückstand)* to be left; *(als Folge von Krankheit: Schaden, Behinderung)* to remain. **er blieb als Waise/Witwer zurück** he was left an orphan/a widower.

3. *(nicht Schritt halten, auch fig)* to fall behind; *(Uhr)* to lose; *(in Entwicklung)* to be retarded *or* backward; *(Sport)* to be behind. **20 Meter ~** to be 20 metres behind; **ihre Leistung blieb hinter meinen Erwartungen zurück** her performance did not come up to my expectations.

zurückblenden *vi sep (lit, fig)* to flash back *(auf +acc* to); **zurückblicken** *vi sep* to look back *(auf +acc* at); *(fig)* to look back *(als auf +acc* on); **zurückbringen** *vt sep irreg (wieder herbringen)* to bring back *(lit, fig)*; *(wieder wegbringen)* to take back; **zurückdatieren*** *vt sep* to backdate; **zurückdenken** *vi sep irreg* to think back *(an +acc* to); **so weit ich ~ kann** as far as I can recall *or* remember; **wenn man so zurückdenkt** when I think back; **zurückdrängen** *vt sep* to force *or* push back; *(Mil)* to drive back, to repel; *(fig: eindämmen)* to repress, to restrain; **zurückdrehen** *vt sep* to turn back; *Uhr* to put back; **die Uhr ~** to turn *or* put back the clock; **zurückdürfen** *vi sep irreg (inf)* to be allowed back; **zurückerhalten*** *vt sep irreg* to have returned; **zurückerinnern*** *vr sep* to remember, to recall *(an +acc* sth); **sich bis zu seinem 5. Lebensjahr/bis 1945 ~ können** to be able to remember being 5 years old/ as far back as 1945; **zurückerobern*** *vt sep (Mil)* to recapture, to retake, to reconquer; *(fig) Freund* to win back; **zurückerstatten*** *vt sep siehe* **rückerstatten; zurückerwarten*** *vt sep* jdn ~ to expect sb back; **zurückfahren** *sep irreg* I *vi aux sein* 1. to go back, to return; *(als Fahrer auch)* to drive back; 2. *(zurückweichen)* to start back; II *vt* 1. to drive back; 2. *Produktion* to cut back.

zurückfallen *vi sep irreg aux sein* to fall back; *(Sport)* to drop back; *(fig: Umsätze)* to fall, to drop (back); *(fig: an Besitzer)* to revert *(an +acc* to); *(in Leistungen)* to fall behind; *(Schande, Vorwurf)* to reflect *(auf +acc* on). **er fällt immer wieder in den alten Fehler zurück** he always lapses back into his old mistake; **das würde auf deine Eltern ~** that would reflect (badly) on your parents.

zurückfinden *vi sep irreg* to find the *or* one's way back; **findest du allein zurück?** can you find your own way back?; **er fand zu sich selbst/zu Gott zurück** he found himself again/he found his way back to God; **zurückfliegen** *vti sep irreg* (*vi aux sein*) to fly back; **zurückfließen** *vi sep irreg aux sein* (*lit, fig*) to flow back; **zurückfordern** *vt sep* etw ~ to ask for sth back; (*stärker*) to demand sth back; **zurückfragen** *sep* **I** *vt* etw ~ to ask sth back *or* in return; **II** *vi* to ask something *or* a question back; (*wegen einer Auskunft*) to check back.

zurückführen *sep* **I** *vt* **1.** (*zurückbringen*) to lead back. **2.** (*ableiten aus*) to put down to. etw auf seine Ursache ~ to put sth down to its cause; etw auf eine Formel/Regel ~ to reduce sth to a formula/rule; das ist darauf zurückzuführen, daß ... that can be put down to the fact that ... **3.** (*bis zum Ursprung zurückverfolgen*) to trace back.

II *vi* to lead back. es führt kein Weg zurück there's no way back; (*fig*) there's no going back.

zurückgeben *vt sep irreg* to give back, to return; *Wechselgeld* to give back; *Ball, Kompliment, Beleidigung* to return; (*erwidern*) to retort, to rejoin. er gab mir/der Bibliothek das Buch zurück he gave the book back *or* returned the book to me/returned the book to the library; dieser Erfolg gab ihm seine Zuversicht wieder zurück this success gave him back *or* restored his confidence.

zurückgeblieben *adj* geistig/körperlich ~ mentally/physically retarded.

zurückgehen *vi sep irreg aux sein* **1.** to go back, to return (*nach, in* +*acc* to); (*fig: in der Geschichte*) to go back (*auf* +*acc, in* +*acc* to); (*seinen Ursprung haben*) to go back to (*auf* +*acc* to). er ging zwei Schritte zurück he stepped back two paces, he took two steps back; Waren/Essen ~ lassen to send back goods/food; der Brief ging ungeöffnet zurück the letter was returned unopened. **2.** (*zurückweichen*) to retreat, to fall back; (*fig: abnehmen*) (*Hochwasser, Schwellung, Vorräte, Preise*) to go down; (*Geschäft, Umsatz*) to fall off; (*Seuche, Schmerz, Sturm*) to die down. im Preis ~ to fall *or* drop in price.

zurückgesetzt *adj* neglected; (*dial*) *Waren* reduced, marked down; **zurückgezogen** **I** *adj Mensch* withdrawn, retiring; *Lebensweise* secluded; **II** *adv* in seclusion; er lebt sehr ~ he lives a very secluded life; **Zurückgezogenheit** *f* seclusion; **zurückgreifen** *vi sep irreg* (*fig*) to fall back (*auf* +*acc* upon); (*zeitlich*) to go back (*auf* +*acc* to); da müßte ich weit ~ I would have to go back a long way; **zurückhaben** *vt sep irreg* (*inf*) to have (got *Brit*) back; ich will mein Geld ~ I want my money back; hast du das Buch schon zurück? have you got (*Brit*) or gotten (*US*) the book back yet?

zurückhalten *sep irreg* **I** *vt* (*daran hindern, sich zu entfernen*) to hold back; (*nicht durchlassen, aufhalten*) jdn to hold up, to detain; (*nicht freigeben*) *Manuskript, Film, Informationen* to withhold; (*eindämmen*) *Gefühle, Ärger* to restrain, to suppress; (*unterdrücken*) *Tränen, Orgasmus* to keep *or* hold back.

jdn von etw (*dat*) ~ to keep sb from sth. **II** *vr* (*sich beherrschen*) to contain *or* restrain oneself, to control oneself; (*reserviert sein*) to be retiring *or* withdrawn; (*im Hintergrund bleiben*) to keep in the background; (*bei Verhandlung, Demonstration*) to keep a low profile. ich mußte mich schwer ~ I had to take a firm grip on myself; Sie müssen sich beim Essen sehr ~ you must cut down a lot on what you eat.

III *vi* mit etw ~ (*verheimlichen*) to hold sth back.

zurückhaltend *adj* **1.** (*beherrscht, kühl*) restrained; (*reserviert*) reserved; (*vorsichtig*) cautious, guarded; *Börse* dull. sich ~ über etw (*acc*) äußern to be restrained in one's comments about sth; das Publikum reagierte ~ the audience's response was restrained. **2.** (*nicht großzügig*) sparing. mit Tadel *or* Kritik nicht ~ sein to be unsparing in one's criticism.

Zurückhaltung *f siehe adj 1.* restraint; reserve; caution; dullness; sich (*dat*) ~ auferlegen to exercise restraint; **zurückholen** *vt sep* to fetch back; *Geld* to get back; jdn ~ (*fig*) to ask sb to come back; **zurückkämmen** *vt sep* to comb back; **zurückkehren** *vi sep aux sein* to return *or* come back (*von, aus* from); to return *or* go back (*nach, zu* to); **zurückkommen** *vi sep irreg aux sein* (*lit, fig*) to come back, to return; (*Bezug nehmen*) to refer (*auf* +*acc* to); der Brief kam zurück the letter was returned *or* came back; ich werde später auf deinen Vorschlag/dieses Angebot ~ I'll come back to your suggestion/this offer later; **zurückkönnen** *vi sep irreg* (*inf*) to be able to go back; ich kann nicht mehr zurück (*fig*) there's no going back!; **zurückkriegen** *vt sep* (*inf*) siehe zurückbekommen; **zurücklassen** *vt sep irreg* **1.** (*hinterlassen*) to leave; (*liegenlassen*) to leave behind; (*fig: übertreffen*) to leave behind, to outstrip; (*Leichtathletik*) to leave behind, to outdistance; **2.** (*inf: zurückkehren lassen*) to allow back, to allow to come/go back *or* to return; **Zurücklassung** *f*: unter ~ all seiner Habseligkeiten leaving behind all one's possessions.

zurücklegen *sep* **I** *vt* **1.** to put back. **2.** *Kopf* to lay *or* lean back. **3.** (*aufbewahren, reservieren*) to put aside *or* to one side; (*sparen*) to put away, to lay aside. jdm etw ~ to keep sth for sb. **4.** *Strecke* to cover, to do. er hat schon ein ganzes Stück auf seinem Weg zum Diplomaten zurückgelegt he has already gone a long way towards becoming a diplomat.

II *vr* to lie back.

zurücklehnen *vtr sep* to lean back; **zurückleiten** *vt sep* to lead back; *Postsendung* to return; *Wasser* to feed back, to run back; **zurückliegen** *vi sep irreg* (*örtlich*) to be behind; der Unfall liegt etwa eine Woche zurück the accident was about a week ago, it is about a week since the accident; **es liegt zwanzig Jahre zurück, daß** ... it is twenty years since ...; **zurückmelden** *vtr sep* to report back; **zurückmüssen** *vi sep irreg (inf)* to have to go back; **Zurücknahme** *f -, -n* withdrawal *(auch Jur, Mil)*; *(von Entscheidung)* reversal; *(von Aussage auch)* retraction; **wir bitten um ~ dieser Sendung** we ask you to accept the return of this consignment.

zurücknehmen *vt sep irreg* to take back; *(Mil)* to withdraw; *Verordnung* to revoke; *Entscheidung* to reverse; *Angebot* to withdraw; *Auftrag, Bestellung* to cancel; *(Sport) Spieler* to bring *or* call back; *Schachzug* to go back on. **sein Wort/Versprechen ~** to go back on *or* break one's word/promise; **ich nehme alles zurück und behaupte das Gegenteil** I take it all back.

zurückpfeifen *vt sep irreg Hund* to whistle back; **jdn ~** *(fig inf)* to bring sb back into line; **zurückprallen** *vi sep aux sein* to rebound, to bounce back; *(Geschoß)* to ricochet; *(Strahlen, Hitze)* to be reflected; **von etw ~** to bounce/ricochet/be reflected off sth; **vor Schreck ~** to recoil in horror; **zurückreichen** *sep* I *vt Gegenstand* to hand *or* pass back; II *vi Erinnerung, Tradition* to go back *(in +acc* to); **zurückreisen** *vi sep aux sein* to travel back, to return; **zurückreißen** *vt sep irreg* to pull back; **zurückrollen** *vti sep (vi: aux sein)* to roll back; **zurückrufen** *vti sep irreg* to call back; *(am Telefon auch)* to ring back; *(aus Urlaub, Botschafter, fehlerhafte Autos)* to recall; **jdn ins Leben ~** to bring sb back to life; **jdm etw in die Erinnerung/ins Gedächtnis ~** to conjure sth up for sb; **sich** *(dat)* **etw in die Erinnerung/ins Gedächtnis ~** to recall sth, to call sth to mind; **zurückschallen** *vi sep* to re-echo, to resound; **zurückschalten** *vi sep* to change back; **zurückschaudern** *vi sep aux sein* to shrink back *or* recoil *(vor +dat* from); **zurückschauen** *vi sep (lit, fig)* to look back *(auf +acc lit* at, *(fig)* on); **zurückscheuen** *vi sep aux sein* to shy away *(vor +dat* from); **vor nichts ~** to stop at nothing; **zurückschicken** *vt sep* to send back; **jdm etw ~** to send sth back to sb, to send sb sth back; **zurückschieben** *vt sep irreg* to push back.

zurückschlagen *sep irreg* I *vt* 1. to knock away; *(mit Schläger) Ball* to return, to hit back; *Feind, Angriff* to beat back, to beat off, to repulse.

2. *(umschlagen) Gardinen* to pull back; *Decke* to fold back; *Kragen* to turn down; *Schleier* to lift; *Buchseiten* to leaf back.

II *vi (lit, fig)* to hit back; *(Mil, fig)* to retaliate, to strike back; *(Flamme)* to flare back; *(Pendel)* to swing back.

zurückschnellen *vi sep aux sein* to spring back; **zurückschrauben** *vt sep* to screw back; *(fig inf) Erwartungen* to lower; **seine Ansprüche ~** to lower one's sights; **zurückschrecken** *vi sep irreg aux sein or haben* to shrink back, to recoil; *(fig)*

to shy away *(vor +dat* from); **vor nichts ~** to stop at nothing; **zurücksehen** *vi sep irreg* to look back; **auf etw** *(acc)* **~** *(fig)* to look back on sth; **zurücksehnen** *vr sep* to long to return *(nach* to); **sich nach der guten alten Zeit ~** to long for the good old days; **zurücksenden** *vt sep irreg* to send back, to return.

zurücksetzen *sep* I *vt* 1. *(nach hinten)* to move back; *Auto* to reverse, to back.

2. *(an früheren Platz)* to put back.

3. *(dial) Preis, Waren* to reduce, to mark down.

4. *(fig: benachteiligen)* to neglect.

II *vr* to sit back. **er setzte sich zwei Reihen zurück** he sat two rows back.

III *vi (mit Fahrzeug)* to reverse.

Zurücksetzung *f (fig: Benachteiligung)* neglect; **von ~ der Mädchen kann keine Rede sein** there's no question of the girls being neglected; **zurücksinken** *vi sep irreg aux sein (lit, fig)* to sink back *(in +acc* into); **zurückspielen** *sep* I *vt (Sport)* to play back; *(Ftbl auch)* to pass back; II *vi* to play the ball back; *(Ftbl auch)* to pass back; **zurückspringen** *vi sep irreg aux sein* to leap *or* jump back; *(fig: Häuserfront)* to be set back; **zurückstecken** *sep* I *vt* to put back; II *vi* 1. *(weniger Ansprüche stellen)* to lower one's expectations; 2. *(weniger ausgeben)* to cut back; 2. *(nachgeben, einlenken)* to backtrack.

zurückstehen *vi sep irreg* 1. *(Haus)* to stand back.

2. *(an Leistung)* to be behind *(hinter jdm* sb).

3. *(verzichten)* to miss out; *(ausgelassen werden)* to be left out.

4. *(hintangesetzt werden)* to take second place. **hinter etw** *(dat)* **~** to take second place to sth; **sie muß immer hinter ihm ~** she always comes off worse than he does.

zurückstellen *vt sep* 1. *(an seinen Platz, Uhr)* to put back; *(nach hinten)* to move back.

2. *Waren* to put aside *or* by.

3. *(Aus: zurücksenden)* to send back, to return.

4. *(fig) Schüler* to keep down; *(Mil: vom Wehrdienst)* to defer. **jdn vom Wehrdienst ~** to defer sb's military service.

5. *(fig: verschieben)* to defer; *Pläne auch* to shelve; *Bedenken* to put aside; *Sport, Privatleben, Hobbys* to spend less time on. **persönliche Interessen ~** to put one's own interests last.

Zurückstellung *f* 1. *(Aus: Zurücksendung)* return; 2. *(Aufschub, Mil)* deferment; 3. *(Hintanstellung)* **unter ~ seiner eigenen Interessen** putting his own interests last *or* aside; **zurückstoßen** *sep irreg* I *vt* 1. *(wegstoßen)* to push back; *(fig)* to reject; 2. *(fig: abstoßen)* to put off; II *vti (Aut: zurücksetzen)* to reverse, to back; **zurückstrahlen** *sep* I *vt* to reflect; II *vi* to be reflected; **zurückstreichen** *vt sep irreg sich (dat)* **das Haar ~** to smooth one's hair back; **zurückstreifen** *vt sep Ärmel* to pull up;

zurückströmen *vi sep aux sein* to flow back; (*Menschen*) to stream back; **zurückstufen** *vt sep* to downgrade; **zurücktragen** *vt sep irreg* **1.** to carry *or* take back; **2.** (*inf*) *siehe* **zurückbringen**.

zurücktreten *sep irreg* **I** *vi aux sein* **1.** (*zurückgehen*) to step back. **bitte ~!** stand back, please!; **einen Schritt ~ to** take a step back.
2. (*Regierung*) to resign; (*von einem Amt*) to step down.
3. (*von einem Vertrag*) to withdraw (*von* from), to back out (*von* of). **von einem Recht ~** to renounce a right.
4. (*fig: geringer werden*) to decline, to diminish; (*Wald*) to recede; (*an Wichtigkeit verlieren*) to fade (in importance); (*im Hintergrund bleiben*) to come second (*hinter jdm/etw* to sb/sth).
II *vti* (*mit Fuß*) to kick back.

zurückübersetzen* *vt sep* to translate back; **zurückverfolgen*** *vt sep* (*fig*) to trace back, to retrace; **zurückverlangen*** *sep vt* to demand back; **zurückversetzen*** *sep* **I** *vt* **1.** (*in seinen alten Zustand*) to restore (*in +acc* to); (*in eine andere Zeit*) to take back (*in +acc* to); **wir fühlten uns ins 18. Jahrhundert zurückversetzt** we felt as if we had been taken back *or* transported to the 18th century; **2.** *Beamte* to transfer back; *Schüler* to move down (*in +acc* into); **II** *vr* to think oneself back (*in +acc* to); **zurückweichen** *vi sep irreg aux sein* (*vor +dat* from) (*erschrocken*) to shrink back; (*ehrfürchtig*) to stand back; (*nachgeben*) to retreat; (*vor Verantwortung, Hindernis*) to shy away; (*Mil*) to withdraw, to fall back; (*Hochwasser*) to recede, to subside; **zurückweisen** *vt sep irreg* to reject; *Geschenk, Angebot auch* to refuse; *Gäste, Bittsteller* to turn away; *Angriff* to repel, to repulse; (*Jur*) *Klage, Berufung auch* to dismiss; (*an der Grenze*) to turn back; **Zurückweisung** *f* *siehe vt* rejection; refusal; turning away; repulsion; dismissal; turning back; **zurückwerfen** *vt sep irreg* *Ball, Kopf* to throw back; *Feind* to repulse, to repel; *Strahlen, Schall* to reflect; (*fig: wirtschaftlich, gesundheitlich*) to set back (*um* by); **zurückwirken** *vi sep* to react (*auf +acc* upon); **zurückwollen** *vi sep* (*inf*) to want to go back; **zurückwünschen** *vt sep sich* (*dat*) *jdn/etw ~* to wish sb/sth back, to wish that sb/sth were back; **zurückzahlen** *vt sep* to repay, to pay back; *Schulden auch* to pay off; *Spesen* to refund; **das werde ich ihm ~!** (*fig*) I'll pay him back for that!

zurückziehen *sep irreg* **I** *vt* to pull *or* draw back; *Hand, Fuß* to pull *or* draw away *or* back; *Truppen* to pull back; (*rückgängig machen*) *Antrag, Bemerkung, Klage* to withdraw.
II *vr* to retire, to withdraw; (*sich zur Ruhe begeben*) to retire; (*Mil*) to withdraw, to retreat; (*vom Geschäft, von der Politik*) to retire (*von, aus* from). **sich von jdm ~** to withdraw from sb; **sich von der Welt ~** to retire from the world.
III *vi aux sein* to move back;

(*Truppen*) to march back; (*Vögel*) to fly back.

Zurückziehung *f* withdrawal, retraction; **zurückzucken** *vi sep aux sein* to recoil, to start back; (*Hand, Fuß*) to jerk back.

Zuruf *m* shout, call; (*aufmunternd*) cheer. **durch ~ abstimmen** *or* **wählen** to vote by acclamation; **~e** shouts.

zurufen *vti sep irreg* **jdm etw ~** to shout sth to *or* at sb; (*feierlich*) to call sth out to sb; **jdm anfeuernd ~** to cheer sb.

zurzeit *adv* (*Aus, Sw*) at present, at the moment.

Zusage *f* -, **-n 1.** (*Zustimmung*) assent, consent. **2.** (*Verpflichtung*) undertaking, commitment. **3.** (*Annahme*) acceptance; (*Bestätigung*) confirmation. **4.** (*Versprechen*) promise, pledge. **ich kann Ihnen keine ~n machen** I can't make you any promises.

zusagen *sep* **I** *vt* **1.** (*versprechen*) to promise; (*bestätigen*) to confirm. **er hat sein Kommen fest zugesagt** he has promised firmly that he will come.
2. jdm etw auf den Kopf ~ (*inf*) to tell sb sth outright; **ich kann ihm auf den Kopf ~, wenn er mich belügt** I can tell by his face when he's lying.
II *vi* **1.** (*annehmen*) (**jdm**) **~** to accept.
2. (*gefallen*) **jdm ~** to appeal to sb; **das will mir gar nicht ~** I don't like it one little bit.

zusammen *adv* together. **alle/alles ~** all together; **wir haben das Buch ~ geschrieben** we have written the book together *or* between us; **wir hatten ~ 100 Mark zum Ausgeben** between us we had 100 marks to spend; **wir bestellten uns eine Portion** we ordered one portion between us; **~ mit** together *or* along with; **das macht ~ 50 Mark** that comes to *or* makes 50 marks all together *or* in all; **er zahlt mehr als wir alle ~** he pays more than all of us *or* the rest of us put together.

Zusammenarbeit *f* co-operation; (*mit dem Feind*) collaboration; **in ~ mit** in co-operation with; **zusammenarbeiten** *vi sep* to co-operate, to work together; (*mit dem Feind*) to collaborate.

zusammenballen *sep* **I** *vt* *Schnee, Lehm* to make into a ball; *Papier* to screw up into a ball. **II** *vr* (*sich ansammeln*) to accumulate; (*Wolken*) to loom; (*Menge*) to mass (together); (*Mil*) to be concentrated *or* massed.

Zusammenballung *f* accumulation; **zusammenbauen** *vt sep* to assemble, to put together; **etw wieder ~** to reassemble sth; **zusammenbeißen** *vt sep irreg* **die Zähne ~** (*lit*) to clench one's teeth; (*fig*) to grit one's teeth; **zusammenbekommen*** *vt sep irreg* *siehe* **zusammenkriegen**; **zusammenbinden** *vt sep irreg* to tie *or* bind together; **zusammenbleiben** *vi sep irreg aux sein* to stay together; **zusammenbrauen** *sep* **I** *vt* (*inf*) to concoct, to brew (up); **II** *vr* (*Gewitter, Unheil*) to be brewing.

zusammenbrechen *vi sep irreg aux sein* (*Gebäude*) to cave in; (*Brücke auch*) to give way; (*Wirtschaft*) to collapse; (*Widerstand*) to crumble; (*zum Stillstand kommen*) (*Verkehr*) to come to a standstill *or* halt; (*Verhandlungen, Telefonverbindung, Mil: Angriff*) to break down; (*Elec: Spannung*) to fail; (*Comput: Rechner*) to crash; (*Mensch*) to break down; (*vor Erschöpfung*) to collapse.

zusammenbringen *vt sep irreg* **1.** (*sammeln*) to bring together, to collect; *Geld* to raise.

2. (*inf: zustande bringen*) to manage; *Gedanken* to collect; *Worte, Sätze* to put together; (*ins Gedächtnis zurückrufen*) to remember; (*zusammenkriegen, -bauen*) to get together.

3. (*in Kontakt bringen*) *Stoffe* to bring into contact with each other; *Menschen* to bring together. **wieder ~** (*versöhnen*) to reconcile, to bring back together.

Zusammenbruch *m* (*von Beziehungen, Kommunikation*) breakdown; (*Comput*) crash; (*fig*) collapse; (*Nerven~*) breakdown.

zusammendrängen *sep* **I** *vt Menschen* to crowd *or* herd together; (*fig*) *Ereignisse, Fakten* to condense.

II *vr* (*Menschen*) to crowd (together); (*Mil: Truppen*) to be concentrated *or* massed. **die ganze Handlung des Stücks drängt sich im letzten Akt zusammen** all the action of the play is concentrated into the last act.

zusammendrücken *vt sep* to press together; (*verdichten*) to compress; **zusammenfahren** *sep irreg* **I** *vi aux sein* **1.** (*zusammenstoßen*) to collide; **2.** (*erschrecken*) to start; (*vor Schmerz*) to flinch; **II** *vt* (*inf*) **1.** (*überfahren*) to run over; **2.** *Fahrzeug* to crash, to wreck; **Zusammenfall** *m* (*von Ereignissen*) coincidence.

zusammenfallen *vi sep irreg aux sein* **1.** (*einstürzen*) to collapse; (*Hoffnungen*) to be shattered. **in sich** (*acc*) **~** (*lit, fig*) (*Hoffnungen*) to collapse; to be shattered; (*Lügengebäude auch*) to fall apart. **2.** (*niedriger werden, sich senken*) to go down. **die Glut war (in sich) zusammengefallen** the fire had died down. **3.** (*durch Krankheit*) to wither away. **er sah ganz zusammengefallen aus** he looked very decrepit. **4.** (*Ereignisse*) to coincide.

zusammenfalten *vt sep* to fold up.

zusammenfassen *sep* **I** *vt* **1.** to combine (*zu* in); (*vereinigen*) to unite; (*Math*) to sum; (*Mil*) *Truppen* to concentrate. *Bericht* to summarize. **II** *vi* (*das Fazit ziehen*) to summarize, to sum up. **ein ~der Bericht** a summary, a résumé; **~d kann man sagen, ...** to sum up *or* in summary, one can say ...; **wenn ich kurz ~ darf** just to sum up.

Zusammenfassung *f* **1.** *siehe vt* **1.** combination; union; summing; concentration; **2.** (*Überblick*) summary, synopsis, résumé; (*von Abhandlung*) abstract; **zusammenfegen** *vt sep* to sweep together; **zusammenfinden** *vr sep irreg* to meet; (*sich versammeln*) to congre-

gate; **zusammenflicken** *vt sep* to patch together; (*inf*) *Verletzten* to patch up (*inf*); **zusammenfließen** *vi sep irreg aux sein* to flow together, to meet; (*Farben*) to run together; **Zusammenfluß** *m* confluence; **zusammenfügen** *sep* **I** *vt* to join together; (*Tech*) to fit together; **etw zu etw ~** to join/fit sth together to make sth; **II** *vr* to fit together; **sich gut ~** (*fig*) to turn out well; **zusammenführen** *vt sep* to bring together; *Familie* to reunite.

zusammengehen *vi sep irreg aux sein* **1.** (*sich vereinen*) to unite; (*Linien*) to meet; **2.** (*dial: einlaufen: Wäsche*) to shrink; **3.** (*inf: sich verbinden lassen*) to go together; **zusammengehören*** *vi sep* (*Menschen, Städte, Firmen*) to belong together; (*Gegenstände*) to go together, to match; (*als Paar*) to form a pair; (*Themen*) to go together; **zusammengehörig** *adj Kleidungsstücke* matching; (*verwandt*) related, connected; **~ sein** to match; to be related *or* connected; **Zusammengehörigkeit** *f* (*Einheit*) unity, identity; **Zusammengehörigkeitsgefühl** *nt* (*in Gemeinschaft*) communal spirit; (*esp Pol*) feeling of solidarity; (*in Mannschaft*) team spirit; (*in Familie*) sense of a common bond.

zusammengesetzt *adj* **aus etw ~ sein** to consist of sth, to be composed of sth; **~es Wort/Verb** compound (word)/verb; **~e Zahl** compound *or* complex number; **~er Satz** complex sentence.

zusammengewürfelt *adj* oddly assorted, motley; *Mannschaft* scratch *attr*; **ein bunt ~er Haufen** a motley crowd; **zusammengießen** *vt sep irreg* to pour together; **zusammenhaben** *vt sep irreg* (*inf*) **etw ~** to have got sth together; *Geld auch* to have raised sth; **Zusammenhalt** *m, no pl* (*Tech*) (cohesive) strength; (*einer Erzählung*) coherence, cohesion; (*fig: in einer Gruppe*) cohesion; (*esp Pol*) solidarity; (*fig: einer Mannschaft*) team spirit.

zusammenhalten *sep irreg* **I** *vt* **1.** to hold together; (*inf*) *Geld* to hold on to. **2.** (*nebeneinanderhalten*) to hold side by side. **II** *vi* to hold together; (*fig: Freunde, Gruppe*) to stick *or* stay together.

Zusammenhang *m* (*Beziehung*) connection (*von, zwischen* +*dat* between); (*Wechselbeziehung*) correlation (*von, zwischen* +*dat* between); (*Verflechtung*) interrelation (*von, zwischen* +*dat* between); (*von Ideen auch, von Geschichte*) coherence; (*im Text*) context. **etw mit etw in ~ bringen** to connect sth with sth; **im *or* in ~ mit etw stehen** to be connected with sth; **etw aus dem ~ reißen** to take sth out of its context; **nicht im ~ mit etw stehen** to have no connection with sth.

zusammenhängen *sep* **I** *vt Kleider in Schrank* to hang (up) together. **II** *vi irreg* to be joined (together); (*fig*) to be connected. **~d** *Rede, Erzählung* coherent; **das hängt damit zusammen, daß ...** that is connected with the fact that ...

zusammenhang(s)los I *adj* incoherent, disjointed; (*weitschweifig auch*) rambling; II *adv* incoherently.

zusammenhauen *vt sep irreg* (*inf*) 1. (*zerstören*) to smash to pieces; **jdn ~** to beat sb up (*inf*); 2. (*fig: pfuschen*) to knock together; *Geschriebenes* to scribble (down); **zusammenheften** *vt sep* (*mit Heftklammern*) to staple together; (*Sew*) to tack together; **zusammenheilen** *vi sep aux sein* (*Wunde*) to heal (up); (*Knochen*) to knit (together); **zusammenkauern** *vr sep* (*vor Kälte*) to huddle together; (*vor Angst*) to cower; **zusammenkehren** *vt sep* to sweep together; **zusammenketten** *vt sep* to chain together; (*fig*) to bind together; **Zusammenklang** *m* (*Mus, fig geh*) harmony, accord; **zusammenklappbar** *adj* folding; *Stuhl, Tisch auch* collapsible.

zusammenklappen *sep* I *vt Messer, Stuhl* to fold up; *Schirm* to shut. II *vi aux sein* 1. (*Stuhl*) to collapse. 2. (*fig inf*) to flake out (*inf*); (*nach vorne*) to double up.

zusammenklauben *vt sep* to gather (together), to collect; **zusammenkleben** *vti sep* (*vi: aux haben or sein*) to stick together; **zusammenkleistern** *vt sep* (*inf*) 1. to paste together; 2. (*fig*) to patch up *or* together; **zusammenklingen** *vi sep irreg* to sound together; (*fig: Farben*) to harmonize; **zusammenkneifen** *vt sep irreg Lippen* to press together; *Augen* to screw up; **zusammenknoten** *vt sep* to knot *or* tie together.

zusammenkommen *vi sep irreg aux sein* to meet (together), to come together; (*Umstände*) to combine; (*fig: sich einigen*) to agree, to come to an agreement; (*fig: sich ansammeln*) (*Schulden*) to mount up, to accumulate; (*Geld bei einer Sammlung*) to be collected. **er kommt viel mit Menschen zusammen** he meets a lot of people; **wir kommen zweimal jährlich zusammen** we meet *or* we get together twice a year; **heute kommt wieder mal alles zusammen** (*inf*) it's all happening at once today.

zusammenkoppeln *vt sep Anhänger, Wagen* to couple together; (*Space*) to dock; **zusammenkrachen** *vi sep aux sein* (*inf*) 1. (*einstürzen*) to crash down; (*fig: Börse, Wirtschaft*) to crash; 2. (*zusammenstoßen: Fahrzeuge*) to crash (into each other); **zusammenkrampfen** *vr* (*Hände*) to clench; (*Muskel*) to tense up; **da krampfte sich mein Herz zusammen** my heart nearly stopped; **zusammenkratzen** *vt sep* to scrape *or* scratch together; (*fig inf*) *Geld* to scrape together; **zusammenkriegen** *vt sep* (*inf*) to get together; *Wortlaut* to remember; *Geld, Spenden* to collect; **Zusammenkunft** *f* -, -**künfte** meeting; (*von mehreren auch*) gathering; (*zwanglos*) get-together; **zusammenläppern** *vr sep* (*inf*) to add *or* mount up; **zusammenlassen** *vt sep irreg* to leave together.

zusammenlaufen *vi sep irreg aux sein* 1. (*an eine Stelle laufen*) to gather;

(*Flüssigkeit*) to collect. 2. (*Flüsse*) to flow together, to meet; (*Farben*) to run together; (*Math*) to intersect, to meet; (*Straßen*) to converge; (*fig: Fäden*) to meet.

zusammenleben *sep* I *vi* to live together. II *vr* to learn to live with each other.

Zusammenleben *nt* living together *no art*; (*von Ländern*) co-existence. **das ~ der Menschen** the social life of man; **mein ~ mit ihm war ...** living with him was ...; **das menschliche ~** social existence.

zusammenlegen *sep* I *vt* 1. (*falten*) to fold (up). 2. (*stapeln*) to pile *or* heap together. 3. (*vereinigen*) to combine, to merge; *Grundstücke* to join; *Termine, Veranstaltungen* to hold together *or* at the same time; *Häftlinge, Patienten* to put together; *Termine* to combine; (*zentralisieren*) to centralize. **sie legten ihr Geld zusammen** they pooled their money, they clubbed together. II *vi* (*Geld gemeinsam aufbringen*) to club together, to pool one's money. **für ein Geschenk ~** to club together for a present.

Zusammenlegung *f* (*Vereinigung*) amalgamation, merging; (*von Grundstücken*) joining; (*Zentralisierung*) centralization; (*von Terminen*) combining; **die ~ aller Patienten auf eine Station** putting all the patients together in one ward; **zusammenleimen** *vt sep* to glue together; **zusammenlügen** *vt sep irreg* (*inf*) to make up, to concoct; **was der (sich dat) wieder zusammenlügt!** the stories he makes up!; **zusammennageln** *vt sep* to nail together; **zusammennähen** *vt sep* to sew *or* stitch together.

zusammennehmen *sep irreg* I *vt* to gather up *or* together; *Mut* to summon up, to muster up; *Gedanken* to collect. **alles zusammengenommen** all together, all in all.

    II *vr* (*sich zusammenreißen*) to pull oneself together, to get a grip on oneself; (*sich beherrschen*) to control oneself, to take a grip on oneself.

zusammenpacken *sep* I *vt* to pack up together; **pack (deine Sachen) zusammen!** get packed!; II *vi siehe* **einpacken** II; **zusammenpassen** *vi sep* (*Menschen*) to suit each other, to be suited to each other; (*Farben, Stile*) to go together; **gut/überhaupt nicht ~** to go well together/not to go together at all; **zusammenpferchen** *vt sep* to herd together; (*fig*) to pack together; **zusammenphantasieren*** *vt sep* (*sich dat*) *etw* **~** to dream sth up; (*inf: lügen*) to make sth up; **Zusammenprall** *m* collision; (*fig*) clash; **zusammenprallen** *vi sep aux sein* to collide; (*fig*) to clash; **zusammenpressen** *vt sep* to press *or* squeeze together; (*verdichten*) to compress; **zusammenraffen** *vt sep* 1. to bundle together; *Röcke* to gather up; 2. (*fig*) *Mut* to summon up, to muster (up); 3. (*fig pej: anhäufen*) to amass, to pile up; **zusammenrufen** *vr sep* to get it all together (*sl*), to achieve a viable working relationship; **zusammenrech-nen** vt sep to add or total up; **alles zusammengerechnet** all together; (fig) all in all.

zusammenreimen sep I vt (inf) **sich** (dat) **den Rest ~** to put two and two together; **das kann ich mir nicht ~** I can't make head or tail of this, I can't figure it out at all. II vr to make sense. **wie reimt sich das zusammen?** it doesn't make sense.

zusammenreißen sep irreg I vr to pull oneself together; II vt **die Hacken ~** to click one's heels; **zusammenrollen** sep I vt to roll up; II vr to curl up; (Igel) to roll or curl (itself) up (into a ball); (Schlange) to coil up; **zusammenrotten** vr sep (pej) (esp Jugendliche) to gang up (gegen against); (esp heimlich) to band together (gegen against); (in aufrührerischer Absicht) to form a mob; **Zusammenrottung** f 1. siehe vr ganging up; banding together, formation of a mob; 2. (Gruppe) (esp von Jugendlichen) gang; (in aufrührerischer Absicht) mob; (Jur) riotous assembly; **zusammenrücken** sep I vt Möbel to move closer together; (schreiben) Wörter to close up; II vi aux sein to move up closer, to move closer together; **zusammenrufen** vt sep irreg to call together; **zusammensacken** vi sep aux sein siehe **zusammensinken**; **in sich** (acc) **~** (lit) to collapse; (fig) (bei Nachricht) to seem to crumble; **zusammenscharen** vr sep to gather; (Menschen auch) to congregate; **Zusammenschau** f overall view; **erst in der ~ ...** only when you view everything as a whole ...; **zusammenscheißen** vt sep irreg (sl) **jdn ~** to give sb a bollocking (sl); **zusammenschießen** vt sep irreg to shoot up, to riddle with bullets, to shoot to pieces; (mit Artillerie) to pound to pieces.

zusammenschlagen sep irreg I vt 1. (aneinanderschlagen) to knock or bang or strike together; Becken to clash; Hacken to click; Hände to clap. 2. (falten) to fold up. 3. (verprügeln) to beat up; (zerschlagen) Einrichtung to smash up, to wreck. II vi aux sein **über jdm/etw ~** (Wellen) to close over sb/sth; (stärker) to engulf sb/sth; (fig: Unheil) to descend upon sb/sth, to engulf sb/sth.

zusammenschließen vr sep irreg to join together, to combine; (Comm) to amalgamate, to merge; **sich gegen jdn ~** to band together against sb; **Zusammenschluß** m siehe vr joining together, combining; amalgamation, merger; (von politischen Gruppen) amalgamation; **zusammenschnüren** vt sep to tie up; **dieser traurige Anblick schnürte mir das Herz zusammen** this pitiful sight made my heart bleed; **zusammenschrecken** vi sep irreg aux sein to start.

zusammenschreiben vt sep irreg 1. Wörter (orthographisch) to write together; (im Schriftbild) to join up. 2. (pej: verfassen) to scribble down. **was der für einen Mist zusammenschreibt** what a

load of rubbish he writes. 3. (inf: durch Schreiben verdienen) **sich** (dat) **ein Vermögen ~** to make a fortune with one's writing.

zusammenschrumpfen vi sep aux sein to shrivel up; (fig) to dwindle (auf +acc to); **zusammenschustern** vt sep (pej) to throw together; **zusammenschweißen** vt sep (lit, fig) to weld together; **zusammensein** vi sep irreg aux sein **mit jdm ~** to be with sb; (inf: befreundet) to be going out with sb; (euph: mit jdm schlafen) to sleep with sb; **Zusammensein** nt being together no art; (von Gruppe) get-together.

zusammensetzen sep I vt 1. Schüler to put or seat together.

2. Gerät, Gewehr to put together, to assemble (zu to make).

II vr 1. to sit together; (um etwas zu besprechen, zu trinken) to get together. **sich mit jdm (am Tisch) ~** to join sb (at their table); **sich gemütlich ~** to have a cosy get-together; **sich auf ein Glas Wein ~** to get together over a glass of wine.

2. **sich ~ aus** to consist of, to be composed or made up of.

Zusammensetzung f putting together; (von Gerät auch) assembly; (Struktur) composition, make-up; (Mischung) mixture, combination (aus of); (Gram) compound; **das Team in dieser ~** the team, in this line-up; **zusammensinken** vi sep irreg aux sein **(in sich) ~** to slump; (Gebäude) to cave in; **zusammengesunken** (vor Kummer) bowed; **Zusammenspiel** nt (Mus) ensemble playing; (Theat) ensemble acting; (Sport) teamwork; (fig auch) co-operation, teamwork; (von Kräften) interaction; **zusammenstauchen** vt sep (inf) to give a dressing-down (inf); **zusammenstecken** sep I vt Einzelteile to fit together; (mit Nadeln) to pin together; **die Köpfe ~** (inf) to put their/our etc heads together; (flüstern) to whisper to each other; II vi (inf) to be together; **immer ~** to be inseparable, to be as thick as thieves (pej inf); **zusammenstehen** vi sep irreg to stand together or side by side; (Gegenstände) to be together or side by side; (fig) to stand by each other.

zusammenstellen vt sep to put together; (nach einem Muster, System) to arrange; Bericht, Programm auch, (sammeln) Daten to compile; Liste, Fahrplan to draw up; Rede to draft; Sammlung auch, Gruppe to assemble; (Sport) Mannschaft to pick.

Zusammenstellung f 1. siehe vt putting together; arranging; compiling; drawing up; drafting; assembling; picking. 2. (nach Muster, System) arrangement; (von Daten, Programm) compilation; (Liste) list; (Zusammensetzung) composition; (Übersicht) survey; (Gruppierung) assembly, group; (von Farben) combination.

zusammenstoppeln vt sep (inf) to throw together; **sich** (dat) **eine Rede ~** to throw a speech together; **Zusammen-**

stoß *m* collision, crash; (*Mil, fig: Streit*) clash.

zusammenstoßen *sep irreg* **I** *vi aux sein* (*zusammenprallen*) to collide; (*Mil, fig: sich streiten*) to clash; (*sich treffen*) to meet; (*gemeinsame Grenze haben*) to adjoin. **mit jdm** ~ to collide with sb, to bump into sb; (*fig*) to clash with sb; **sie stießen mit den Köpfen zusammen** they banged *or* bumped their heads together; **mit der Polizei** ~ to clash with the police.
II *vt* to knock together. **er stieß sie mit den Köpfen zusammen** he banged *or* knocked their heads together.

zusammenstreichen *vt sep irreg* to cut (down) (*auf* +*acc* to); **zusammenströmen** *vi sep aux sein* (*Flüsse*) to flow into one another, to flow together; (*Menschen*) to flock *or* swarm together; **zusammenstückeln** *vt sep* to patch together; **zusammenstürzen** *vi sep aux sein* (*einstürzen*) to collapse, to tumble down; **zusammensuchen** *vt sep* to collect (together); **sich** (*dat*) **etw** ~ to find sth; **zusammentragen** *vt sep irreg* (*lit, fig*) to collect; (*Typ*) Bögen to collate; **zusammentreffen** *vi sep irreg aux sein* (*Menschen*) to meet; (*Ereignisse*) to coincide; **mit jdm** ~ to meet sb; **Zusammentreffen** *nt* meeting; (*esp zufällig*) encounter; (*zeitlich*) coincidence; **zusammentreten** *vi sep irreg aux sein* (*Verein*) to meet; (*Parlament auch*) to assemble; (*Gericht*) to sit; **zusammentrommeln** *vt sep* (*inf*) to round up (*inf*); **zusammentun** *sep irreg* **I** *vt* (*inf*) to put together; (*vermischen*) to mix; **II** *vr* to get together; **zusammenwachsen** *vi sep irreg aux sein* to grow together; (*zuheilen*: *Wunde*) to heal (up), to close; (*Knochen*) to knit; (*fig*) to grow close; **zusammengewachsen sein** (*Knochen*) to be joined *or* fused; **zusammenwerfen** *vt sep irreg* to throw together; (*fig*) (*durcheinanderbringen*) to mix *or* jumble up; (*in einen Topf werfen*) to lump together; **zusammenwirken** *vi sep* to combine, to act in combination; **zusammenzählen** *vt sep* to add up.
zusammenziehen *sep irreg* **I** *vt* **1.** to draw *or* pull together; (*verengen*) to narrow; *Augenbrauen* to knit. **ein Loch in einem Strumpf** ~ to mend a hole in a stocking (*by pulling the sides together and sewing it up*); **der saure Geschmack zog ihm den Mund zusammen** he screwed up his mouth at the bitter taste.
2. (*fig*) *Truppen, Polizei* to assemble.
3. (*Math*) *Zahlen* to add together; *mathematischen Ausdruck* to reduce.
II *vr* (*esp Biol, Sci*) to contract; (*enger werden*) to narrow; (*Wunde*) to close (up); (*Gewitter, Unheil*) to be brewing.
III *vi aux sein* to move in together. **mit jdm** ~ to move in (together) with sb.
zusammenzucken *vi sep aux sein* to start.
Zusatz *m* addition; (*Bemerkung*) additional remark; (*zu Gesetz, Vertrag*) rider; (*zu Testament*) codicil; (*Gram*) expression in opposition; (*Verb~*) se-

parable element; (*Beimischung auch*) admixture, additive. **durch/nach** ~ **von etw** by/after adding sth, with *or* by/after the addition of sth.
Zusatz- *in cpds* additional, supplementary; **Zusatzaktie** *f* bonus share; **Zusatzbestimmung** *f* supplementary provision; **Zusatzgerät** *nt* attachment; (*Comput*) peripheral (device), add-on.
zusätzlich I *adj* additional; (*weiter auch*) added *attr*, further *attr*; (*ergänzend auch*) supplementary. **II** *adv* in addition.
Zusatzmittel *nt* additive; **Zusatzplatine** *f* (*Comput*) daughterboard; **Zusatzstoff** *m* additive; **Zusatzversicherung** *f* additional *or* supplementary insurance; **Zusatzzahl** *f* additional number, *seventh number in Lotto*.
zuschalten *sep* **I** *vt* to switch on (in addition); *Rundfunk-, Fernsehanstalt* to link up with. **II** *vr* to come on; (*Rundfunk-, Fernsehanstalt*) to link into the network.
zuschaltbar *adj* connectible.
zuschanden *adv* (*geh*) ~ **machen** (*fig*) to ruin, to wreck; **ein Auto** ~ **fahren** to wreck a car; **ein Pferd** ~ **reiten** to ruin a horse; ~ **werden** (*fig*) to be wrecked *or* ruined.
zuschanzen *vt sep* (*inf*) **jdm etw** ~ to make sure sb gets sth.
zuschauen *vi sep siehe* **zusehen**.
Zuschauer(in *f*) *m* **-s, -** spectator (*auch Sport*); (*TV*) viewer; (*Theat*) member of the audience; (*Beistehender*) onlooker. **die** ~ *pl* the spectators *pl*; (*esp Ftbl auch*) the crowd *sing*; (*TV*) the (television) audience *sing*, the viewers; (*Theat*) the audience *sing*; **wieviele** ~ **waren da?** (*Sport*) how many spectators were there?; (*esp Ftbl auch*) how large was the crowd?
Zuschauerkulisse *f* (*Sport*) crowd; **Zuschauerraum** *m* auditorium; **Zuschauerterrasse** *f* (*Sport*) (spectators') stand; **Zuschauertribüne** *f* (*esp Sport*) stand; **Zuschauerzahl** *f* attendance figure; (*Sport auch*) gate.
zuschicken *vt sep* **jdm etw** ~ to send sth to sb *or* sb sth; (*mit der Post auch*) to mail sth to sb; **sich** (*dat*) **etw** ~ **lassen** to send for sth; **etw zugeschickt bekommen** to receive sth (by post), to get sth sent to one.
zuschieben *vt sep irreg* **1. jdm etw** ~ to push sth over to sb; (*heimlich*) to slip sb sth; (*fig: zuschanzen*) to make sure sb gets sth; **jdm die Verantwortung/Schuld** ~ to put the responsibility/blame on sb.
2. (*schließen*) *Tür, Fenster* to slide shut; *Schublade* to push shut.
zuschießen *sep irreg* **I** *vt* **1. jdm den Ball** ~ to kick the ball (over) to sb.
2. *Geld* to contribute. **Geld für etw** ~ to put money towards sth; **jdm 100 Mark** ~ to give sb 100 marks towards it/sth.
II *vi aux sein* (*inf*) **auf jdn** ~ *or* **zugeschossen kommen** to rush *or* shoot up to sb.
Zuschlag *m* **1.** (*Erhöhung*) extra charge, surcharge (*esp Comm, Econ*); (*auf Briefmarke*) supplement; (*Rail*) supple-

ment, supplementary charge.
2. (*Tech*) addition.
3. (*bei Versteigerung*) acceptance of a bid; (*Auftragserteilung*) acceptance of a/the tender. **jdm den ~ erteilen** (*form*) *or* **geben** to knock down the lot *or* item to sb; (*nach Ausschreibung*) to award the contract to sb; **er erhielt den ~** the lot went to him; (*nach Ausschreibung*) he obtained *or* was awarded the contract.

zuschlagen *sep irreg* **I** *vt* **1.** *Tür, Fenster* to slam (shut), to bang shut. **die Tür hinter sich** (*dat*) **~** to slam the door behind one.
2. (*Sport: zuspielen*) **jdm den Ball ~** to hit the ball to sb.
3. (*bei Versteigerung*) **jdm etw ~** to knock sth down to sb; **einer Firma einen Vertrag ~** to award a contract to a firm.
4. *Gebiet* to annex (*dat* to).
II *vi* **1.** (*kräftig schlagen*) to strike (*auch fig*); (*losschlagen*) to hit out. **schlag zu!** hit me/him/it *etc*!; **das Schicksal hat entsetzlich zugeschlagen** (*geh*) fate has struck a terrible blow.
2. *aux sein* (*Tür*) to slam (shut), to bang shut.

zuschlag(s)frei *adj Zug* not subject to a supplement; **Zuschlag(s)karte** *f* (*Rail*) supplementary ticket (*for trains on which a supplement is payable*); **zuschlag(s)pflichtig** *adj Zug* subject to a supplement.

zuschließen *sep irreg* **I** *vt* to lock; *Laden* to lock up. **II** *vi* to lock up.

zuschmeißen *vt sep irreg* (*inf*) *Tür* to slam (shut), to bang shut.

zuschmieren *vt sep* (*inf*) to smear over; *Löcher* to fill in.

zuschnallen *vt sep* to fasten, to buckle; *Koffer* to strap up.

zuschnappen *vi sep* **1.** (*zubeißen*) **der Hund schnappte zu** the dog snapped at me/him *etc*. **2.** *aux sein* (*Schloß*) to snap *or* click shut.

zuschneiden *vt sep irreg* to cut to size; (*Sew*) to cut out. **auf etw** (*acc*) **zugeschnitten sein** (*fig*) to be geared to sth; **auf jdn/etw genau zugeschnitten sein** (*lit, fig*) to be tailor-made for sb/sth.

Zuschneider(in *f*) *m* cutter.

zuschneien *vi sep aux sein* to snow in *or* up.

Zuschnitt *m* **1.** *no pl* (*Zuschneiden*) cutting. **2.** (*Form*) cut; (*fig*) calibre.

zuschnüren *vt sep* to tie up; *Schuhe, Mieder* to lace up. **die Angst schnürte ihm die Kehle zu** he was choked with fear; **jdm das Herz ~** to make sb's heart bleed.

zuschrauben *vt sep Hahn* to screw shut; *Deckel* to screw on. **eine Flasche ~** to screw on the top of a bottle.

zuschreiben *vt sep irreg* **1.** (*inf: hin~*) to add.
2. (*übertragen*) to transfer, to sign over (*dat* to).
3. (*fig*) to ascribe, to attribute (*dat* to). **das hast du dir selbst zuzuschreiben** you've only got yourself to blame; **das ist nur seiner Dummheit/ihrem Geiz zu-**

zuschreiben that can only be put down to his stupidity/her meanness.

Zuschrift *f* letter; (*auf Anzeige*) reply.

zuschulden *adv:* **sich** (*dat*) **etwas ~ kommen lassen** to do something wrong; **solange man sich nichts ~ kommen läßt** as long as you don't do anything wrong.

Zuschuß *m* subsidy, grant; (*nicht amtlich*) something towards it, contribution; (*esp regelmäßig von Eltern*) allowance. **einen ~ zu einer Sache gewähren** *or* **geben** to give a subsidy for sth; to make a contribution towards sth; **mit einem kleinen ~ von meinen Eltern kann ich ...** if my parents give me something towards it I can ...

Zuschußbetrieb *m* loss-making concern; **Zuschußgeschäft** *nt* loss-making deal; (*inf: Zuschußunternehmen*) loss-making business.

zuschustern *vt sep* (*inf*) **jdm etw ~** to make sure sb gets sth.

zuschütten *vt sep* to fill in *or* up; (*hin~*) to add.

zusehen *vi sep irreg* **1.** to watch; (*unbeteiligter Zuschauer sein*) to look on; (*etw dulden*) to sit back *or* stand by (and watch). **jdm/einer Sache ~** to watch sb/sth; **bei etw ~** to watch sth; (*etw dulden*) to sit back *or* stand by and watch sth; **jdm bei der Arbeit ~** to watch sb working; **ich habe nur zugesehen** I was only a spectator *or* an onlooker; **durch bloßes Z~** just by watching; **bei näherem Z~** when you watch/I watched *etc* more closely.
2. (*dafür sorgen*) **~, daß ...** to see to it that ...; to make sure (that) ...; **sieh mal zu!** (*inf*) see what you can do.

zusehends *adv* visibly; (*merklich auch*) noticeably, appreciably; (*rasch*) rapidly. **~ im Verfall begriffen sein** to be in rapid decline.

Zuseher(in *f*) *m* **-s, -** (*Aus TV*) viewer.

zusein *vi sep irreg aux sein* (*Zusammenschreibung nur bei infin und ptp*) (*inf*) to be shut *or* closed; (*sl: betrunken sein*) to have had a skinful (*inf*).

zusenden *vt sep irreg* to send, to forward; *Geld auch* to remit (*form*).

zusetzen *sep* **I** *vt* (*hinzufügen*) to add; (*inf: verlieren*) *Geld* to shell out (*inf*), to pay out. **er setzt immer** (*Geld*) **zu** (*inf*) he's always having to shell out (*inf*) *or* pay out; **er hat nichts mehr zuzusetzen** (*inf*) he has nothing in reserve.
II *vi* **jdm ~** (*unter Druck setzen*) to lean on sb (*inf*); (*dem Gegner, Feind* to harass sb, to press sb hard; (*drängen*) to badger *or* pester sb; (*schwer treffen*) to hit sb hard, to affect sb (badly); (*Kälte, Krankheit*) to take a lot out of sb.

zusichern *vt sep* **jdm etw ~** to assure sb of sth, to promise sb sth; **mir wurde zugesichert, daß ...** I was assured *or* promised that ...

Zusicherung *f* assurance, promise.

Zuspätkommende(r) *mf decl as adj* latecomer.

zusperren *vt sep* (*S Ger, Aus, Sw*) (*zuschließen*) to lock; *Haus, Laden* to lock up; (*verriegeln*) to bolt.

Zuspiel nt (*Sport*) passing.

zuspielen vt sep *Ball* to pass (*dat* to). **jdm etw ~** (*fig*) to pass sth on to sb; (*der Presse*) to leak sth to sb.

zuspitzen sep I vt *Stock* to sharpen. **zugespitzt** *Turm* pointed; (*fig*) exaggerated. II vr to be pointed; (*fig: Lage, Konflikt*) to intensify. **die Lage spitzt sich immer mehr zu** the situation is coming to a head.

Zuspitzung f (*fig*) worsening, aggravation.

zusprechen sep irreg I vt (*Jur*), *Preis, Gewinn* to award; *Kind* to award or grant custody of. **das Kind wurde dem Vater zugesprochen** the father was granted custody (of the child); **jdm Mut/Trost ~** (*fig*) to encourage/comfort sb.

    II vi 1. **jdm (gut/besänftigend) ~** to talk or speak (nicely/gently) to sb.

    2. **dem Essen/Wein tüchtig** or **kräftig ~** to tuck into the food/wine.

Zuspruch m, no pl 1. (*Worte*) words pl; (*Aufmunterung*) (words pl of) encouragement; (*Rat*) advice; (*tröstlich*) (words pl of) comfort.

    2. (*Anklang*) (**großen**) **~ finden** or **haben, sich großen ~s erfreuen** to be (very) popular; (*Stück, Film*) to meet with general acclaim; (*Anwalt, Arzt*) to be (very) much in demand.

Zustand m state; (*von Haus, Ware, Auto, Med*) condition; (*Lage*) state of affairs, situation. **Zustände** pl conditions; (*von Mensch*) fits; **in gutem/schlechtem ~** in good/poor condition; (*Mensch auch*) in good/bad shape; (*Haus*) in good/bad repair; **in ungepflegtem/baufälligem ~** in a state of neglect/disrepair; **in angetrunkenem ~** under the influence of alcohol; **eine Frau in ihrem ~ ...** a woman in her condition ...; **er war wirklich in einem üblen ~** he really was in a bad way; (*seelisch*) he really was in a state; **Zustände bekommen** or **kriegen** (*inf*) to have a fit (*inf*), to hit the roof (*inf*); **das ist doch kein ~** that's not right; **das sind ja schöne Zustände!** (*iro*) that's a fine state of affairs! (*iro*); **das sind ja Zustände!** (*inf*) it's terrible.

zustande adv 1. **~ bringen** to manage; *Arbeit* to get done; *Ereignis, Frieden* to bring about, to achieve; **es ~ bringen, daß jd etw tut** to (manage to) get sb to do sth. 2. **~ kommen** (*erreicht werden*) to be achieved; (*geschehen*) to come about; (*stattfinden*) to take place; (*Plan*) to materialize; (*Gewagtes, Schwieriges*) to come off.

Zustandekommen nt siehe **zustande** 2., gebrauche Verbalkonstruktion.

zuständig adj (*verantwortlich*) responsible; (*entsprechend*) *Amt* appropriate, relevant; (*Kompetenz habend*) competent (*form, Jur*). **dafür ist er ~** that's his responsibility; **der dafür ~e Beamte** the official responsible for or in charge of such matters; **~ sein** (*Jur*) to have jurisdiction.

Zuständigkeit f 1. (*Kompetenz*) competence; (*Jur auch*) jurisdiction; (*Verantwortlichkeit*) responsibility. 2. siehe

Zuständigkeitsbereich.

Zuständigkeitsbereich m area of responsibility; (*Jur*) jurisdiction, competence; **das fällt/fällt nicht in unseren ~** that is/isn't our responsibility; (*Jur*) that is within/outside our jurisdiction (*Jur*); **zuständigkeitshalber** adv (*Admin, form*) for reasons of competence.

zustatten adj **jdm ~ kommen** (*geh*) to come in useful for sb.

zustecken vt sep 1. *Kleid* to pin up or together. 2. **jdm etw ~** to slip sb sth.

zustehen vi sep irreg **etw steht jdm zu** sb is entitled to sth; **darüber steht mir kein Urteil zu** it's not for me or up to me to judge that; **es steht ihr nicht zu, das zu tun** it's not for her or up to her to do that.

zusteigen vi sep irreg aux sein to get on, to board; to join or board the train/flight/ship. **noch jemand zugestiegen?** (*in Bus*) any more fares, please?; (*in Zug*) tickets please!

Zustellbereich m postal district; **Zustelldienst** m delivery service.

zustellen vt sep 1. *Brief* to deliver; (*Jur*) to serve (*jdm etw* sb with sth). 2. *Tür* to block.

Zusteller(in f) m **-s, -** deliverer; (*Jur*) server; (*Briefträger*) postman.

Zustellgebühr f delivery charge.

Zustellung f delivery; (*Jur*) service (of a writ).

Zustellungs|urkunde f (*Jur*) writ of summons.

zusteuern sep I vi aux sein **auf etw** (*acc*) **~, einer Sache** (*dat*) **~** (*geh*) (*lit, fig*) to head for sth; (*beim Gespräch*) to steer towards sth. II vt (*beitragen*) to contribute (*zu* to).

zustimmen vi sep (*einer Sache dat*) **~** to agree (to sth); (*einwilligen*) to consent (to sth); (*billigen*) to approve (of sth); **jdm (in einem Punkt) ~** to agree with sb (on a point); **einer Politik ~** to endorse a policy; **dem kann man nur ~** I/we etc quite agree with you/him etc; **er nickte ~d** he nodded in agreement; **eine ~de Antwort** an affirmative answer.

Zustimmung f (*Einverständnis*) agreement, assent; (*Einwilligung*) consent; (*Beifall*) approval. **seine ~ geben/ verweigern** or **versagen** (*geh*) to give/ refuse one's consent or assent; **allgemeine ~ finden** to meet with general approval; **das fand meine ~** I agreed with it completely.

zustopfen vt sep to stop up, to plug; (*mit Faden*) to darn.

zustoßen sep irreg I vt *Tür* to push shut.

    II vi 1. to plunge a/the knife/sword etc in; (*Stier, Schlange*) to strike. **stoß zu!** go on, stab him/her etc !; **der Mörder hatte (mit dem Messer) dreimal zugestoßen** the murderer had stabbed him/her etc three times.

    2. (*passieren*) aux sein **jdm ~** to happen to sb; **wenn mir einmal etwas zustößt ...** (*euph*) if anything should happen to me ...; **ihm muß etwas zugestoßen sein** he must have had an accident, something must have happened to him.

Zustrom m, no pl (fig: Menschenmenge)
(hineinströmend) influx; (herbeiströ-
mend) stream (of visitors); (Andrang)
crowd, throng; (Met) inflow. **großen ~
haben** to be very popular, to have
crowds of people coming to it/them etc.

zustürzen vi sep aux sein **auf jdn/etw ~** or
zugestürzt kommen to rush up to sb/sth.

zutage adj **etw ~ fördern** to unearth sth
(auch hum); (aus Wasser) to bring sth
up; **etw ~ bringen** (fig) to bring sth to
light, to reveal sth; (offen) **~ liegen** to be
clear or evident; **~ kommen** or **treten**
(lit, fig) to come to light, to be revealed.

Zutaten pl (Cook) ingredients pl; (fig)
accessories pl, extras pl.

zuteil adv (geh) **jdm wird etw ~** sb is
granted sth, sb is granted sth; **mir
wurde die Ehre ~, zu ...** I was given or
had the honour of ...; **jdm etw/große Ehren ~ werden lassen** to give sb sth/
bestow great honours upon sb.

zuteilen vt sep (jdm to sb) (als Anteil)
Wohnung, Aktien to allocate; Rolle,
Aufgabe auch to allot; Arbeitskraft to
assign. **etw zugeteilt bekommen** to be
allocated sth; Aufgabe auch to be
assigned sth; Lebensmittel to be apportioned sth.

Zuteilung f siehe vt allocation; allotment;
assignment; apportionment. **Fleisch gab
es nur auf ~** meat was only available on
rations.

zutiefst adv deeply. **er war ~ betrübt** he
was greatly saddened.

zutragen sep irreg **I** vt to carry (jdm to
sb); (fig: weitersagen) to report (jdm to
sb). **II** vr (geh) to take place.

Zuträger(in f) m informer.

zuträglich adj good (dat for), beneficial
(dat to); (förderlich auch) conducive
(dat to). **ein für die Gesundheit ~es Klima** a
salubrious climate, a climate conducive
to good health.

zutrauen vt sep **jdm etw ~** (Aufgabe, Tat)
to believe or think sb (is) capable of
(doing) sth; **sich** (dat) **~, etw zu tun** to
think one can do sth or is capable of
doing sth; **sich** (dat) **zuviel ~** to overrate
one's own abilities; (sich übernehmen)
to take on too much; **sich** (dat) **nichts ~**
to have no confidence in oneself; **den
Mut/die Intelligenz (dazu) traue ich ihr
nicht zu** I don't credit her with or I don't
believe she has the courage/intelligence
to do it; **das hätte ich ihm nie zugetraut!**
I would never have thought him capable
of it!; (bewundernd auch) I never
thought he had it in him!; **jdm viel/wenig
~** to think/not to think a lot of sb, to
have/not to have a high opinion of sb;
ich traue ihnen viel or **einiges/alles zu**
(Negatives) I wouldn't put much/
anything past them; **das ist ihm zuzu-
trauen!** (iro) I can well believe it (of
him)!; (esp als Antwort auf Frage) I
wouldn't put it past him!

Zutrauen nt -s, no pl confidence (zu in).
zu jdm ~ fassen to begin to trust sb.

zutraulich adj Kind trusting; Tier
friendly.

Zutraulichkeit f siehe adj trusting nature;

friendliness.

zutreffen vi sep irreg (gelten) to apply (auf
+acc, für to); (richtig sein) to be accurate or correct; (wahr sein) to be true, to
be the case. **es trifft nicht immer zu, daß
... it doesn't always follow that ...; **das
trifft zu** that is so.

zutreffend adj (richtig) accurate; (auf etw
~) applicable. **Z~es bitte unterstreichen**
underline where applicable or appropriate.

zutreffendenfalls adv (form) if applicable
or appropriate.

zutreten vi sep irreg **1.** to kick him/it etc.
2. aux sein **auf jdn/etw ~** to step up to
sb/sth.

zutrinken vi sep irreg **jdm ~** to drink to
sb; (mit Trinkspruch) to toast sb.

Zutritt m, no pl (Einlaß) admission,
admittance, entry; (Zugang) access.
kein ~, ~ verboten no admittance or entry; **freien ~ zu einer Veranstaltung haben** to be admitted to an event free of
charge; **~ bekommen** or **erhalten, sich ~
verschaffen** to gain admission or
admittance (zu to); **jdm ~ gewähren**
(geh) to admit sb; **jdm den ~ verwehren**
or **verweigern** to refuse sb admission or
admittance.

zutun vt sep irreg **1. ich habe die ganze
Nacht kein Auge zugetan** I didn't sleep a
wink all night. **2.** (inf: hinzufügen) to
add (dat to).

Zutun nt, no pl assistance, help. **es geschah ohne mein ~** I did not have a hand
in the matter.

zuungunsten prep (vor n) +gen, (nach
n) +dat to the disadvantage of.

zuunterst adv right at the bottom.

zuverlässig adj reliable; (verläßlich)
Mensch auch dependable; (vertrauenswürdig auch) trustworthy. **aus ~er Quelle** from a reliable source; **etw ~ wissen**
to know sth for sure or for certain.

Zuverlässigkeit f siehe adj reliability; dependability; trustworthiness.

Zuversicht f, no pl confidence; (religiös)
faith, trust. **die feste ~ haben, daß ...** to
be quite confident that ..., to have every
confidence that ...; **in der festen ~, daß
... confident that ...

zuversichtlich adj confident.

Zuversichtlichkeit f confidence.

zuviel adj, adv too much; (inf: zu viele)
too many. **viel ~** much or far too much;
besser ~ als zuwenig better too much
than too little; **wenn's dir ~ wird, sag
Bescheid** say if it gets too much for you;
ihm ist alles ~ (inf) it's all too much for
him; **da krieg' ich ~** (inf) I blow my top
(inf); **einer/zwei ~** one/two etc too
many; **ein paar ~ trinken** (inf) to drink
or have (inf) one/a few too many; **was ~
ist, ist ~** that's just too much,
there's a limit to everything; **ein Z~ an
etw** (dat) an excess of sth.

zuvor adv before; (zuerst) beforehand. **im
Jahr ~** the year before, in the previous
year; **am Tage ~** the day before, on the
previous day.

zuvorderst adv right at the front.

zuvörderst adv (old) first and foremost.

zuvorkommen *vi sep irreg aux sein +dat* to anticipate; (*verhindern*) *einer Gefahr, unangenehmen Fragen* to forestall. **jemand ist uns zuvorgekommen** somebody beat us to it.

zuvorkommend *adj* courteous; (*gefällig*) obliging; (*hilfsbereit*) helpful.

Zuvorkommenheit *f, no pl siehe adj* courtesy, courteousness; obligingness; helpfulness.

Zuwachs ['tsu:vaks] *m* **-es, Zuwächse 1.** *no pl* (*Wachstum*) growth (*an* +*dat* of). **2.** (*Höhe, Menge des Wachstums*) increase (*an* +*dat* in). ~ **bekommen** (*inf: ein Baby*) to have an addition to the family.

zuwachsen ['tsu:vaksən] *vi sep irreg aux sein* **1.** (*Öffnung, Loch*) to grow over; (*Garten hum: Gesicht*) to become overgrown; (*Aussicht*) to become blocked (by trees); (*Wunde*) to heal. **2.** (*esp Econ, Gewinn*) to accrue (*jdm* to sb). **jdm wächst Autorität/Macht/Popularität zu** sb gains authority/power/popularity.

Zuwachs- ['tsu:vaks-]: **Zuwachsquote, Zuwachsrate** *f* rate of increase.

Zuwanderer *m,* **Zuwander(er)in** *f* immigrant.

zuwandern *vi sep aux sein* to immigrate.

Zuwanderung *f* immigration.

zuwarten *vi sep* to wait.

zuwege *adv* **etw ~ bringen** to manage sth; (*erreichen*) to achieve or accomplish sth; **es ~ bringen, daß jd etw tut** to (manage to) get sb to do sth; **gut/schlecht ~ sein** (*inf*) to be in good/bad or poor health.

zuwehen *sep vt* (*zudecken*) to block (up). **mit Schnee zugeweht werden** to become snowed up.

zuweilen *adv* (*geh*) (every) now and then, occasionally, from time to time.

zuweisen *vt sep irreg* to assign, to allocate (*jdm etw* sth to sb).

zuwenden *sep irreg* **I** *vt* **1.** (*lit, fig*) to turn (*dat* to, towards); (*fig: völlig widmen*) to devote (*dat* to). **jdm das Gesicht ~** to turn to face sb, to turn one's face towards sb; **jdm seine ganze Liebe ~** to bestow all one's affections on sb; **die dem Park zugewandten Fenster** the windows facing the park.

2. jdm Geld ~ to give sb money.

II *vr* **sich jdm/einer Sache ~** to turn to (face) sb/sth; (*fig*) to turn to sb/sth; (*sich widmen*) to devote oneself to sb/sth.

Zuwendung *f* **1.** (*fig: das Sichzuwenden*) turning (*zu* to); (*Liebe*) care. **2.** (*Geldsumme*) sum (of money); (*Beitrag*) financial contribution; (*Schenkung*) donation.

zuwenig *adj* too little, not enough; (*inf: zu wenige*) too few, not enough. **du schläfst ~** you don't get enough sleep; **einer/zwei ~** one/two too few; **ein Z~ an etw** a lack of sth.

zuwerfen *vt sep irreg* **1.** (*schließen*) *Tür* to slam (shut). **2.** (*auffüllen*) *Graben* to fill up. **3.** (*hinwerfen*) **jdm etw ~** to throw sth to sb; **jdm einen Blick ~** to cast a glance at sb; **jdm Blicke ~** to make eyes at sb.

zuwider *adj* **1. er/das ist mir ~** I find him/ that unpleasant; (*stärker*) I detest or loathe him/that; (*ekelerregend*) I find him/that revolting.

2. (*liter: entgegen*) **dem Gesetz ~** contrary to or against the law; **etw einem Befehl ~ tun** to do sth in defiance of an order.

zuwiderhandeln *vi sep +dat* (*geh*) to go against; *einem Verbot, Befehl auch* to defy; *dem Gesetz* to contravene, to violate; *einem Prinzip auch* to violate; **Zuwiderhandelnde(r)** *mf decl as adj* (*form*) offender, transgressor, violator (*esp US*); **Zuwiderhandlung** *f* (*form*) contravention, violation; **zuwiderlaufen** *vi sep irreg aux sein +dat* to run counter to, to go directly against.

zuwinken *vi sep* **jdm ~** to wave to sb; (*Zeichen geben*) to signal to sb.

zuzahlen *sep* **I** *vt* **10 Mark ~** to pay another 10 marks. **II** *vi* to pay extra.

zuzählen *vt sep* (*inf*) (*addieren*) to add; (*einbeziehen*) to include (*zu* in).

zuzeiten *adv* (*old*) at times.

zuziehen *sep irreg* **I** *vt* **1.** *Vorhang* to draw; *Tür* to pull shut; *Knoten, Schlinge* to pull tight, to tighten; *Arzt* to call in, to consult. **einen weiteren Fachmann ~** to get a second opinion.

2. sich (*dat*) **jds Zorn/Haß ~** to incur sb's anger/hatred; **sich** (*dat*) **eine Krankheit ~** (*form*) to contract an illness; **sich** (*dat*) **eine Verletzung ~** (*form*) to sustain an injury.

II *vr* (*Schlinge*) to tighten, to pull tight.

III *vi aux sein* to move in, to move into the area. **er ist kürzlich aus Berlin zugezogen** he has recently moved here from Berlin; **auf die Stadt ~** to move towards the town.

Zuzug *m* (*Zustrom*) influx; (*von Familie*) arrival (*nach* in), move (*nach* to).

zuzüglich *prep +gen* plus.

zuzwinkern *vi sep* **jdm ~** to wink at sb, to give sb a wink.

Zvieri ['tsfi:ri] *m or nt* **-s,** *no pl* (*Sw*) afternoon snack.

ZVS [tsetfau'|ɛs] *f abbr of* **Zentralstelle für die Vergabe von Studienplätzen** ≃ UCCA (*Brit*), SAT center (*US*).

zwang *pret of* **zwingen.**

Zwang *m* **-(e)s, ⁻e** (*Notwendigkeit*) compulsion; (*Gewalt*) force; (*Verpflichtung*) obligation; (*Hemmnis*) constraint. **einem inneren ~ folgen** to follow an inner compulsion; **das ist ~** that is compulsory; **der ~ der Ereignisse** the pressure of events; **gesellschaftliche ⁻e** social constraints; **unter ~** (*dat*) **stehen/ handeln** to be/act under duress; **etw ohne ~ tun** to do sth without being forced to; **auf jdn ~ ausüben** to exert pressure on sb; **sich** (*dat*) **~ antun** to force oneself to be something one isn't; (*sich zurückhalten*) to restrain oneself (*etw nicht zu tun* from doing sth); **tu dir keinen ~ an** don't feel you have to be polite; (*iro*) don't force yourself; **darf ich rauchen? — ja, tu dir keinen ~ an** may I smoke? — feel free; **sie tut ihren Gefühlen keinen ~ an** she doesn't hide her feelings;

dem Gesetz ~ antun to stretch the law; **der ~ des Gesetzes/der Verhältnisse** the force of the law/of circumstances; **allen ~ ablegen** to dispense with all formalities; **er brauchte sich** (*dat*) **keinen ~ aufzuerlegen** he didn't need to make a big effort.

zwängen *vt* to force; **mehrere Sachen** (*in Koffer*) to cram. **sich in/durch etw** (*acc*) **~** to squeeze into/through sth.

zwanghaft *adj* (*Psych*) compulsive; **zwanglos** *adj* (*ohne Förmlichkeit*) informal; (*locker, unbekümmert*) casual, free and easy; (*frei*) free; **in ~er Folge, ~** at irregular intervals; **da geht es recht ~ zu** (*im Hotel, Club*) things are very informal there; (*bei der Arbeit auch*) things are very relaxed there; **Zwanglosigkeit** *f siehe adj* informality; casualness; freeness.

Zwangsabgabe *f* (*Econ*) compulsory levy *or* charge; **Zwangsanleihe** *f* compulsory *or* forced loan; **Zwangsarbeit** *f* hard labour; (*von Kriegsgefangenen*) forced labour; **Zwangsbewirtschaftung** *f* (economic) control; (*von Wohnraum*) rent control; **die ~ aufheben** to decontrol the economy/rents; **Zwangseinweisung** *f* compulsory hospitalization; **Zwangsenteignung** *f* compulsory expropriation; **zwangsernähren*** *vt insep* to force-feed; **Zwangsernährung** *f* force feeding; **Zwangsgeld** *nt* (*Jur*) coercive fine *or* penalty; **Zwangsjacke** *f* (*lit, fig*) straitjacket; **jdn in eine ~ stecken** to put sb in a straitjacket, to straitjacket sb; **Zwangslage** *f* predicament, dilemma; **zwangsläufig** *adj* inevitable, unavoidable; **das mußte ja ~ so kommen** that had to happen, it was inevitable that that would happen; **Zwangsläufigkeit** *f* inevitability, unavoidability; **zwangsmäßig** *adj* (*form*) compulsory; **Zwangsmaßnahme** *f* compulsory measure; (*Pol*) sanction; **Zwangsmittel** *nt* means of coercion; (*Pol*) sanction; **Zwangsneurose** *f* obsessional neurosis; **Zwangspensionierung** *f* compulsory retirement; **Zwangsräumung** *f* (enforced) eviction; **zwangsumsiedeln** *vt, ptp* **zwangsumgesiedelt**, *infin, ptp only* to displace (by force); **Zwangsverkauf** *m* (en)forced sale; **zwangsverpflichtet** *adj* drafted (*zu* into); **Zwangsverschickung** *f* deportation; **zwangsversteigern*** *vt infin, ptp only* to put (sth) up for compulsory auction; **Zwangsversteigerung** *f* compulsory auction; **Zwangsvollstreckung** *f* execution; **Zwangsvorführung** *f* (*Jur*) enforced appearance in court; **Zwangsvorstellung** *f* (*Psych*) obsession, obsessive idea; **zwangsweise I** *adv* compulsorily; **II** *adj* compulsory; **Zwangswirtschaft** *f* Government *or* State control.

zwanzig *num* twenty; *siehe auch* **vierzig**.

Zwanzig *f* **-, -en** twenty; *siehe auch* **Vierzig**.

Zwanziger *m* **-s, -** (*Mann*) twenty-year-old; (*zwischen 20 und 30*) man in his twenties; (*inf: Geldschein*) twenty mark *etc* note.

Zwanzigerpackung *f* packet *or* pack (*US*) of twenty.

Zwanzigmarkschein *m* twenty mark note.

zwanzigste(r, s) *adj* twentieth; *siehe auch* **vierzigste(r, s)**.

zwar *adv* **1.** (*wohl*) **er war ~ Zeuge des Unfalls, kann sich aber nicht mehr so genau erinnern** he did witness the accident *or* it's true he witnessed the accident but he can't remember much about it any more; **sie ist ~ sehr schön/krank, aber** ... it's true she's very beautiful/ill but ..., she may be very beautiful/ill but ...; **ich weiß ~, daß es schädlich ist, aber** ... I do know it's harmful but ...

2. (*erklärend, betont*) **und ~** in fact, actually; **er ist tatsächlich gekommen, und ~ um 4 Uhr** he really did come, at 4 o'clock actually *or* in fact; **er hat mir das anders erklärt, und ~ so:** ... he explained it differently to me(, like this) ...; **und ~ einschließlich** ... inclusive of ...; **ich werde ihm schreiben, und ~ noch heute** I'll write to him and I'll do it today *or* this very day.

Zweck *m* **-(e)s, -e 1.** (*Ziel, Verwendung*) purpose. **einem ~ dienen** to serve a purpose; **einem guten ~ dienen** to be for *or* in a good cause; **Spenden für wohltätige ~e** donations to charity; **seinen ~ erfüllen** to serve its/one's purpose; **das entspricht nicht meinen ~en** that won't serve my purpose.

2. (*Sinn*) point. **was soll das für einen ~ haben?** what's the point of that?; **das hat keinen ~** there is no point in it, it's pointless; **es hat keinen ~, darüber zu reden** there is no point (in) talking about it, it's pointless talking about it; **es hat ja doch alles keinen ~ mehr** there is no point (in) *or* it's pointless going on any more; **das ist ja der ~ der Übung** that's the point of the exercise, that's what it's all about (*inf*).

3. (*Absicht*) aim. **zum ~ der Völkerverständigung** (in order) to promote understanding between nations; **zu welchem ~?** for what purpose?, to what end?; **zu diesem ~** to this end, with this aim in view; **einen ~ verfolgen** to have a specific aim.

Zweckbau *m, pl* **-ten** functional building; **zweckbedingt** *adj* determined by its function; **zweckdienlich** *adj* (*zwecksprechend*) appropriate; (*nützlich*) useful; **~e Hinweise** (any) relevant information.

Zwecke *f* **-, -n** tack; (*Schuh~*) nail; (*Reiß~*) drawing-pin (*Brit*), thumbtack (*US*).

zweckentfremden* *vt insep* to use sth in a way in which it wasn't intended to be used; **etw als etw ~** to use sth as sth; **Zweckentfremdung** *f* misuse; **zweckentsprechend** *adj* appropriate; **etw ~ benutzen** to use sth properly *or* correctly, to put sth to its proper *or* correct use; **zweckfrei** *adj* **Forschung** pure; **zweckgebunden** *adj* for a specific purpose, appropriated (*spec*) *no adv*; **Zweckgemeinschaft** *f* partnership of convenience; **zwecklos** *adj* pointless, useless, futile, of no use; **es ist ~, hierzubleiben** it's pointless *etc* staying here, there's no point (in) staying here; **Zwecklosigkeit** *f*, *no pl* pointlessness, uselessness, futility; **zweckmäßig** *adj* (*nützlich*) useful; (*wirksam*) effective; (*ratsam*) advisable, expedient (*form*); (*zweckentsprechend*) *Arbeitskleider* suitable; **Zweckmäßigkeit** *f siehe adj* usefulness; effectiveness, efficacy; advisability, expediency (*form*); suitability; **Zweckmäßigkeitserwägung** *f* consideration of expediency; **Zweckoptimismus** *m* calculated optimism; **Zweckpessimismus** *m* calculated pessimism; **Zweckpropaganda** *f* calculated propaganda.

zwecks *prep* +*gen* (*form*) for the purpose of. **~ Wiederverwendung** for re-use.

zweckwidrig *adj* inappropriate.

zwei *num* two. **wir ~** (**beiden** *inf*) the two of us, we two, us two (*inf*); **das ist so sicher wie ~ mal ~ vier ist** (*inf*) you can bet on that (*inf*); **dazu gehören ~** (*inf*) it takes two; **da kann man ~ draus machen** (*fig inf*) it's quite incredible; **~ Gesichter haben** (*fig*) to be two-faced; *siehe* **vier, Dritte(r).**

Zwei *f* -, **-en** two; *siehe auch* **Vier.**

Zwei- *in cpds siehe auch* **Vier-**; **Zweiachser** *m* -s, - two-axle vehicle; **zweiachsig** *adj* two-axled; **Zweiakter** *m* -s, - (*Theat*) two-act play *or* piece; **zweiarmig** *adj* (*Physiol*) with two arms; (*Tech*) with two branches; **zweiatomig** *adj* (*Phys*) diatomic; **Zweibeiner** *m* -s, - (*hum inf*) human being; **die ~** human beings, the bipeds (*hum*); **zweibeinig** *adj* two-legged, biped(al) (*spec*); **Zweibettzimmer** *nt* twin room; **zweideutig** *adj* ambiguous, equivocal; (*schlüpfrig*) suggestive; **~e Reden führen** to use a lot of doubles entendres; **Zweideutigkeit** *f* 1. *siehe adj* ambiguity, equivocalness; suggestiveness; risqué nature; 2. (*Bemerkung*) ambiguous *or* equivocal remark, double entendre; (*Witz*) risqué joke; **zweidimensional** *adj* two-dimensional; **Zweidrittelmehrheit** *f* (*Parl*) two-thirds majority; **zweieiig** *adj* Zwillinge non-identical, fraternal (*spec*).

Zweier *m* -s, - two; (*Sch dial*) good; (*Zweipfennigstück*) two pfennig piece; *siehe auch* **Vierer.**

Zweierbeziehung *f* relationship; **Zweierbob** *m* two-man bob; **Zweierkajak** *m or nt* (*Kanu*) double kayak; (*Disziplin*) kayak pairs; **Zweierkiste** *f* (*sl*) relationship.

zweierlei *adj inv* 1. *attr* Brot, Käse, Wein two kinds *or* sorts of; *Möglichkeiten, Größen, Fälle* two different. **auf ~ Art** in two different ways; **~ Handschuhe/ Strümpfe** odd gloves/socks. 2. (*substantivisch*) two different things; (*2 Sorten*) two different kinds.

Zweierreihe *f* two rows *pl.* **~n** rows of twos; **in ~n marschieren** to march two abreast *or* in twos.

zweifach *adj* double; (*zweimal*) twice. **in ~er Ausfertigung** in duplicate; **~ gesichert** doubly secure; **ein Tuch ~ legen** to lay a cloth double.

Zweifamilienhaus *nt* two family house; **Zweifarbendruck** *m* (*Typ*) two-colour print; (*Verfahren*) two-colour printing; **zweifarbig** *adj* two-colour, two-tone; **etw ~ anstreichen** to paint sth in two (different) colours.

Zweifel *m* -s, - doubt. **außer ~** beyond doubt; **im ~** in doubt; **ohne ~** without doubt, doubtless; **über allen ~ erhaben** beyond all (shadow of a) doubt; **da kann es gar keinen ~ geben** there can be no doubt about it; **es besteht kein ~, daß ...** there is no doubt that ...; **~ an etw** (*dat*) **haben** to have one's doubts about sth; **etw in ~ ziehen** to call sth into question, to challenge sth; **ich bin mir im ~, ob ich das tun soll** I'm in two minds *or* I'm doubtful whether I should do that.

zweifelhaft *adj* doubtful; (*verdächtig auch*) dubious. **von ~em Wert** of doubtful *or* debatable value; **es ist ~, ob ... it** is doubtful *or* questionable *or* debatable whether ...

zweifellos I *adv* without (a) doubt, undoubtedly, unquestionably; (*als Antwort*) undoubtedly. **er hat ~ recht** he is undoubtedly *or* unquestionably right, without (a) doubt he is right. II *adj* Sieger undisputed.

zweifeln *vi* to doubt. **an etw /jdm ~** to doubt sth/sb; (*skeptisch sein auch*) to be sceptical about sth/sb; **daran ist nicht zu ~** there's no doubt about it; **ich zweifle nicht, daß ...** I do not doubt *or* I have no doubt that ...; **ich zweifle noch, wie ich mich entscheiden soll** I am still in two minds about it.

Zweifelsfall *m* doubtful *or* borderline case; **im ~** in case of doubt, when in doubt; (*inf: gegebenenfalls*) if need be, if necessary; **zweifelsfrei** I *adj* unequivocal; II *adv* beyond (all) doubt; **zweifelsohne** *adv* undoubtedly, without (a) doubt.

Zweifingersuchsystem *nt* (*hum: beim Schreibmaschineschreiben*) peer and peck method (*hum*). **ich tippe im ~** I use two fingers, I type with two fingers.

Zweifler(in *f*) *m* -s, - sceptic.

zweiflerisch *adj* sceptical.

zweiflüg(e)lig *adj* Tür, Tor double; *Insekt* two-winged, dipterous (*spec*); **Zweiflügler** *m* -s, - (*Zool*) dipteran (*spec*).

Zweifrontenkrieg *m* war/warfare on two fronts.

Zweig *m* -(e)s, -e 1. (*Ast*) branch, bough (*liter*); (*dünner, kleiner*) twig. 2. (*fig*) (*von Wissenschaft, Familie, Rail*) branch; (*Abteilung*) department.

Zweigbahn *f* branch-line; **Zweigbetrieb** *m* branch.

zweigeschlechtig *adj* (*Biol*) hermaphroditic; **Zweigeschlechtigkeit** *f* (*Biol*) hermaphroditism; **Zweigespann** *nt* carriage and pair; (*fig inf*) duo, two-man band (*hum inf*); **zweigestrichen** *adj* (*Mus*) **das ~e C/A** the C (an octave) above middle C/the A an octave above middle C.

Zweiggeschäft nt branch.

zweigleisig adj double tracked, double-track attr; ~ **fahren** (lit) to be double-tracked; (fig inf) to have two strings to one's bow; ~ **argumentieren** to argue along two different lines; **zweigliedrig** adj (fig) bipartite; (Admin) System two-tier; (Math) binominal.

Zweiglinie f branch line; **Zweigniederlassung** f subsidiary; **Zweigpostamt** nt sub-post office; **Zweigstelle** f branch (office); **Zweigstellenleiter(in** f) m (branch) manager; **Zweigwerk** nt (Fabrik) branch.

zweihändig adj with two hands, two-handed; (Mus) for two hands; **zweihöck(e)rig** adj Kamel two-humped.

zweihundert num two hundred.

Zweihundertjahrfeier f bicentenary, bicentennial.

zweijährig adj 1. attr Kind two-year-old attr, two years old; (Dauer) two-year attr, of two years. mit ~er Verspätung two years late. 2. (Bot) Pflanze biennial.

zweijährlich I adj two-yearly attr, biennial, every two years. II adv biennially, every two years; every other year.

Zweikammersystem nt (Pol) two-chamber system; **Zweikampf** m single combat; (Duell) duel; **jdn zum ~** (her-aus)fordern to challenge sb to a duel; **zweiköpfig** adj two-headed; **Zweikreisbremse** f dual-circuit brake.

zweimal adv twice. ~ **jährlich** or im **Jahr/täglich** or am Tag twice yearly or a year/twice daily or a day; **sich** (dat) **etw ~ überlegen** to think twice about sth; **das lasse ich mir nicht ~ sagen** I don't have to be told twice.

zweimalig adj attr twice repeated. **nach ~er Aufforderung** after being told twice; **nach ~er Wiederholung konnte er den Text auswendig** after twice repeating the text he knew it (off) by heart.

Zweimannboot nt two-man boat; **Zweimarkstück** nt two-mark piece; **Zweimaster** m -s, - two-master; **zweimonatig** adj attr 1. (Dauer) two-month attr, of two months; 2. Säugling two-month-old attr, two months old; **zweimonatlich** I adj every two months, bimonthly (esp Comm, Admin); II adv every two months, bimonthly (esp Comm, Admin), every other month; **Zweimonatsschrift** f bimonthly; **zweimotorig** adj twin-engined; **Zweiparteiensystem** nt two-party system; **Zweipfennigstück** nt two-pfennig piece; **Zweiphasenstrom** m two-phase current; **zweipolig** adj (Elec) double-pole, bipolar; **Zweirad** nt (form) two-wheeled vehicle, two-wheeler; (Fahrrad) (bi)cycle; (für Kinder) two-wheeler, bicycle; **zweiräd(e)rig** adj two-wheeled; **Zweireiher** m -s, - double-breasted suit etc; **Zweisamkeit** f (geh, hum) togetherness; **zweischläfig, zweischläf(e)rig** adj double; **zweischneidig** adj two-edged, double-edged (auch fig); **das ist ein ~es Schwert** (fig) it cuts both ways; **zweiseitig** I adj

Vertrag bilateral, bipartite; Kleidungsstück reversible; (Comput) Diskette double-sided; II adv on two sides; **ein ~ tragbarer Anorak** a reversible anorak; **zweisilbig** adj disyllabic; **ein ~es Wort** a disyllable (spec), a disyllabic word; **Zweisitzer** m -s, - (Aut, Aviat) two-seater; **zweisitzig** adj two-seater attr; **zweispaltig** adj double-columned, in two columns; **Zweispänner** m -s, - carriage and pair; **zweispännig** adj drawn by two horses; ~ **fahren** to drive (in) a carriage and pair; **zweisprachig** adj Mensch, Wörterbuch bilingual; Land auch two-language attr; Dokument in two languages; **Zweisprachigkeit** f bilingualism; **zweispurig** adj double-tracked, double-track attr; Autobahn two-laned, two-lane attr; **zweistellig** adj Zahl two-digit attr, with two digits; **~er Dezimalbruch** number with two decimal places; **zweistimmig** adj (Mus) for two voices, two-part attr; ~ **singen** to sing in two parts; **zweistöckig** adj two-storey attr, two-storeyed; ~ **bauen** to build houses/offices etc with two storeys; **zweistrahlig** adj Flugzeug twin-jet attr; **Zweistromland** nt: **das ~** Mesopotamia; **zweistufig** adj two-stage; System auch two-tier; Plan auch two-phase; Scheibenwischer, Schaltgetriebe two-speed; **zweistündig** adj two-hour attr, of two hours; **zweistündlich** adj, adv every two hours, two-hourly.

zweit adv: **zu ~** (in Paaren) in twos; **wir gingen zu ~ spazieren** the two of us went for a walk; **ich gehe lieber zu ~ ins Kino** I prefer going to the cinema with somebody or in a twosome; **das Leben zu ~ ist billiger** two people can live more cheaply than one; **das Leben zu ~** living with someone; siehe auch **vier**.

zweitägig adj two-day attr, of two days; **Zweitakter** m -s, - (inf) two-stroke (inf); **Zweitaktgemisch** nt two-stroke mixture; **Zweitaktmotor** m two-stroke engine.

zweit|älteste(r, s) adj second eldest or oldest. **unser Z~r** our second (child or son).

zweitausend num two thousand; **das Jahr ~** the year two thousand; **Zweitausendjahrfeier** f bimillenary.

Zweitausfertigung f (form) copy, duplicate; **Zweitauto** nt second car; **zweitbeste(r, s)** adj second best.

zweiteilen vt sep, infin, ptp only to divide (into two); **Zweiteiler** m (Fashion) two-piece; **zweiteilig** adj Roman two-part attr, in two parts; Plan two-stage; Kleidungsstück two-piece; Formular two-part attr, in two sections; **Zweiteilung** f division.

zweitens adv secondly; (bei Aufzählungen auch) second.

zweite(r, s) adj second. ~ **Klasse** (Rail) second class; **~r Klasse fahren** to travel second(-class); **Bürger ~r Klasse** second-class citizen(s); **jeden ~n Tag** every other or second day; **jeder ~** (lit, inf: sehr viele) every other; **zum ~n** secondly; **ein ~r Caruso** another Caruso; **in ~r Linie** secondly; *siehe auch* **erste(r, s), vierte(r, s).**

Zweite(r) *mf decl as adj* second; (*Sport*) runner-up. **wie kein z~r** as no-one else can, like nobody else.

Zweitfrisur *f* wig; **Zweitgerät** *nt* (*Rad, TV*) second set; **zweitgrößte(r, s)** *adj* second biggest/largest; *Stadt auch* second; **zweithöchste(r, s)** *adj* second highest/tallest; (*fig: im Rang*) second most senior; **zweitklassig** *adj* (*fig*) second-class, second-rate (*esp pej*); **zweitletzte(r, s)** *adj* last but one *attr, pred*; (*in Reihenfolge auch*) penultimate; **zweitrangig** *adj siehe* **zweitklassig; Zweitschlüssel** *m* duplicate key; **Zweitschrift** *f* copy; **Zweitstimme** *f* second vote.

Zweitürer *m* -s, - (*Aut*) two-door; **zweitürig** *adj* (*Aut*) two-door.

Zweitwagen *m* second car; **Zweitwohnung** *f* second home.

Zwei|unddreißigstel *nt*, **Zwei|unddreißigstelnote** *f* (*Mus*) demisemiquaver (*Brit*), thirty-second note (*US*); **Zwei|unddreißigstelpause** *f* (*Mus*) demisemiquaver rest (*Brit*), thirty-second note rest (*US*).

Zweivierteltakt *m* (*Mus*) two-four time; **zweiwertig** *adj* (*Chem*) bivalent, divalent; (*Ling*) two-place; **zweiwöchentlich I** *adj* two-weekly, fortnightly (*Brit*); **II** *adv* every two weeks, fortnightly (*Brit*); **zweiwöchig** *adj* two-week *attr*, of two weeks; **Zweizeiler** *m* -s, - (*Liter*) couplet; **zweizeilig** *adj* two-lined; (*Typ*) *Abstand* double-spaced; **~ schreiben** to double-space; **Zweizimmerwohnung** *f* two-room(ed) flat (*Brit*) or apartment; **Zweizüger** *m* (*Chess*) -s, - two-mover; **Zweizylinder** *m* two-cylinder; **Zweizylindermotor** *m* two-cylinder engine.

Zwerchfell *nt* (*Anat*) diaphragm. **jdm das ~ massieren** (*hum inf*) to make sb split his/her sides (laughing) (*inf*).

zwerchfellerschütternd *adj* side-splitting (*inf*).

Zwerg(in *f*) *m* -(e)s, -e dwarf; (*Garten~*) gnome; (*fig: Knirps*) midget.

zwergenhaft *adj* dwarfish; (*fig*) diminutive, minute.

Zwerghuhn *nt* bantam; **Zwergpinscher** *m* pet terrier; **Zwergpudel** *m* toy poodle; **Zwergschule** *f* (*Sch inf*) village school; **Zwergstaat** *m* miniature state; **Zwergvolk** *nt* pygmy tribe; **Zwergwuchs** *m* stunted growth, dwarfism; **zwergwüchsig** *adj attr* dwarfish.

Zwetsche *f* -, -n plum.

Zwetschgenschnaps *m*, **Zwetschgenwasser** *nt* plum brandy.

Zwetschke *f* -, -n (*Aus*) 1. *siehe* **Zwetschge.** 2. **seine/die sieben ~n (ein)packen** (*inf*) to pack one's bags (and go).

Zwickel *m* -s, - (*Sew*) gusset; (*am Segel*) gore; (*Archit*) spandrel.

zwicken I *vt* (*inf, Aus*) (*kneifen*) to pinch; (*leicht schmerzen*) to hurt; (*esp S Ger: ärgern*) to bother. **II** *vi* to pinch; (*leicht schmerzen*) to hurt.

Zwicker *m* -s, - pince-nez.

Zwickmühle *f* (*beim Mühlespiel*) double

mill. **in der ~ sitzen** (*fig*) to be in a catch-22 situation (*inf*), to be in a dilemma.

Zwieback *m* -(e)s, -e *or* ̈e rusk.

Zwiebel *f* -, -n onion; (*Blumen~*) bulb; (*hum inf: Uhr*) watch; (*Haarknoten*) tight bun.

zwiebelförmig *adj* onion-shaped; **Zwiebelkuchen** *m* onion tart; **Zwiebelkuppel** *f* (*Archit*) imperial roof; **Zwiebelmuster** *nt* onion pattern.

zwiebeln *vt* (*inf*) jdn ~ to drive *or* push sb hard; (*schikanieren*) to harass sb; **er hat uns so lange gezwiebelt, bis wir das Gedicht konnten** he kept (on) at us until we knew the poem.

Zwiebelring *m* onion ring; **Zwiebelschale** *f* onion-skin; **Zwiebelsuppe** *f* onion soup; **Zwiebelturm** *m* onion dome.

zwiefach, zwiefältig *adj* (*old*) *siehe* **zweifach; Zwiegespräch** *nt* dialogue; **ein ~ mit sich selbst** an internal dialogue; (*laut*) a soliloquy; **Zwielicht** *nt, no pl* twilight; (*abends auch*) dusk; (*morgens*) half-light; **ins ~ geraten sein** (*fig*) to appear in an unfavourable light; **zwielichtig** *adj* (*fig*) shady.

Zwiespalt *m* (*pl rare*) (*der Natur, der Gefühle*) conflict; (*zwischen Menschen, Parteien*) rift, gulf; **ich bin im ~ mit mir, ob ich ...** I'm in conflict with myself whether to ...; **in ~ mit jdm geraten** to come into conflict with sb; **zwiespältig** *adj Gefühle* mixed, conflicting *attr*; **mein Eindruck war ~** my impressions were very mixed; **ein ~er Mensch** a man/ woman of contradictions; **Zwiesprache** *f* dialogue; **~ mit jdm/etw halten** to commune with sb/sth; **Zwietracht** *f* -, *no pl* discord; **~ säen** to sow (the seeds of) discord.

Zwille *f* -, -n (*N Ger*) catapult (*Brit*), slingshot (*US*).

Zwilling *m* -s, -e twin; (*Gewehr*) double-barrelled gun; (*Chem: Doppelkristall*) twin crystal. **die ~e** (*Astrol*) Gemini, the Twins; (*Astron*) Gemini; **~ sein** (*Astrol*) to be (a) Gemini.

Zwillingsbruder *m* twin brother; **Zwillingsformel** *f* (*Ling*) dual expression, set phrase with two elements; **Zwillingspaar** *nt* twins *pl*; **Zwillingsreifen** *m* (*Aut*) double *or* twin tyres; **Zwillingsschwester** *f* twin sister.

Zwingburg *f* (*Hist, fig*) stronghold, fortress.

Zwinge *f* -, -n (*Tech*) (screw) clamp; (*am Stock*) tip, ferrule; (*an Schirm*) tip; (*an Werkzeuggriff*) ferrule.

zwingen *pret* **zwang**, *ptp* **gezwungen I** *vt* **1.** to force, to compel. **jdn ~, etw zu tun** to force *or* compel sb to do sth; (*Mensch auch*) to make sb do sth; **jdn zu etw ~** to force sb to do sth; **sie ist dazu gezwungen worden** she was forced *or* compelled *or* made to do it; **ich lasse mich nicht (dazu) ~** I shan't be forced (to do it *or* into it), I shan't/shan't respond to force; **jdn zum Handeln ~** to force sb into action *or* to act; **jdn zum Gehorsam ~** to force *or* compel sb to obey, to make sb obey; **die Regierung**

wurde zum Rücktritt gezwungen the government was forced *or* compelled to step down; **man kann niemanden zu seinem Glück ~** you can't force people. **2.** (*inf: bewältigen*) *Essen, Arbeit* to manage.

II *vr* to force oneself. **sich ~, etw zu tun** to force oneself to do sth, to make oneself do sth.

III *vi* **zum Handeln/Umdenken ~** to force *or* compel us/them *etc* to act/rethink; **diese Tatsachen ~ zu der Annahme, daß ...** these facts force *or* compel one to assume that ...

zwingend *adj Notwendigkeit* urgent; (*logisch notwendig*) necessary; *Schluß, Beweis, Argumente* conclusive; *Argument* cogent; *Gründe* compelling. **daß B aus A resultiert, ist nicht ~** it isn't necessarily so *or* the case that B results from A; **etwas ~ darlegen** to present sth conclusively.

Zwinger *m* **-s, -** (*Käfig*) cage; (*Bären~*) bear-pit; (*Hunde~*) kennels *pl*; (*von Burg*) (outer) ward.

Zwingherr *m* (*Hist, fig*) oppressor, tyrant.

zwinkern *vi* to blink; (*um jdm etw zu bedeuten*) to wink; (*lustig*) to twinkle. **mit den Augen ~** to blink (one's eyes)/wink/twinkle.

zwirbeln *vt Bart* to twirl; *Schnur* to twist.

Zwirn *m* **-s, -e** (strong) thread, yarn.

zwirnen *vti* to twist. **dieses Handtuch ist gezwirnt** this towel is made of strong thread.

Zwirnsfaden *m* thread.

zwischen *prep +dat or* (*mit Bewegungsverben*) *+acc* between; (*in bezug auf mehrere auch*) among. **mitten ~** right in the middle *or* midst of; **die Liebe ~ den beiden** the love between the two of them; **die Kirche stand ~ Bäumen** the church stood among(st) trees.

Zwischenakt *m* (*Theat*) interval, intermission; **Zwischenakt(s)musik** *f* interlude; **Zwischenapplaus** *m* (*Theat*) spontaneous applause (*during the performance*); **Zwischenaufenthalt** *m* stopover; **Zwischenbemerkung** *f* interjection; (*Unterbrechung*) interruption; **wenn Sie mir eine kurze ~ erlauben** if I may just interrupt; **Zwischenbericht** *m* interim report; **Zwischenbescheid** *m* provisional notification *no indef art*; **Zwischenbilanz** *f* (*Comm*) interim balance; (*fig*) provisional appraisal; **eine ~ ziehen** (*fig*) to take stock provisionally; **zwischenblenden** *vt sep* to blend in; (*Film, Rad etc*) to insert; **Zwischenblutung** *f* (*Med*) breakthrough *or* intermenstrual (*spec*) bleeding; **Zwischenbuchhandel** *m* intermediate book trade; **Zwischendeck** *nt* (*Naut*) 'tween deck; **im ~** 'tween decks, between the decks; **Zwischendecke** *f* false ceiling; **Zwischending** *nt* cross (between the two), hybrid; **zwischendrin** *adv* (*dial*) **1.** *siehe* **zwischendurch**; **2.** *siehe* **dazwischen**; **zwischendurch** *adv* **1.** (*zeitlich*) in between times; (*inzwischen*) (in the) meantime; (*nebenbei*) on the side; **er macht ~ mal Pausen** he keeps

stopping for a break in between times; **das mache ich so ~** I'll do that on the side; **Schokolade für ~** chocolate for between meals; **2.** (*örtlich*) in between; **Zwischeneiszeit** *f* (*Geol*) interglacial period; **Zwischenergebnis** *nt* interim result; (*von Untersuchung auch*) interim findings; (*Sport*) latest score; **Zwischenfall** *m* incident; **ohne ~** without incident, smoothly; **es kam zu schweren Zwischenfällen** there were serious incidents, there were clashes; **Zwischenfinanzierung** *f* bridging *or* interim finance; **Zwischenfrage** *f* question; **Zwischenfutter** *nt* (*Sew*) interlining; **Zwischengas** *nt, no pl* (*Aut*) **~ geben** to double-declutch; **Zwischengericht** *nt* (*Cook*) entrée; **zwischengeschlechtlich** *adj* between the sexes; **Zwischengeschoß** *nt* mezzanine (floor); **Zwischenglied** *nt* (*lit, fig*) link; **Zwischengröße** *f* in-between size; **Zwischenhandel** *m* intermediate trade; **Zwischenhändler** *m* intermediate, middleman; **Zwischenhirn** *nt* (*Anat*) interbrain, diencephalon (*spec*); **Zwischenhoch** *nt* (*Met*) ridge of high pressure; **Zwischenkiefer(knochen)** *m* (*Anat*) intermaxillary (bone); **Zwischenlager** *nt* temporary store; **zwischenlagern** *vt insep inf and ptp only* to store (temporarily); **Zwischenlagerung** *f* temporary storage; **zwischenlanden** *vi sep aux sein* (*Aviat*) to stop over *or* off; **Zwischenlandung** *f* (*Aviat*) stopover; **Zwischenlauf** *m* (*Sport*) intermediate heat; **Zwischenlösung** *f* temporary *or* interim *or* provisional solution; **Zwischenmahlzeit** *f* snack (between meals); **zwischenmenschlich** *adj attr* interhuman; **Zwischenmusik** *f* interlude; **Zwischenprodukt** *nt* intermediate product; **Zwischenprüfung** *f* intermediate examination; **Zwischenraum** *m* gap, space; (*Wort-, Zeilenabstand*) space; (*zeitlich*) interval; **ein ~ von 5 m, 5 m ~** a gap/space of 5m, a 5m gap/space; **Zwischenring** *m* (*Phot*) adapter; **Zwischenruf** *m* interruption; **~e heckling; einen Redner durch ~e stören** to heckle a speaker; **Zwischenrufer(in** *f*) *m* **-s, -** heckler; **Zwischenrunde** *f* (*esp Sport*) intermediate round; **Zwischensaison** *f* low season; **Zwischensatz** *m* (*Gram*) inserted *or* parenthetic clause, parenthesis; **zwischenschalten** *vt sep* (*Elec*) to insert; (*fig*) to interpose, to put in between; **Zwischenschalter** *m* (*Elec*) interruptor; **Zwischenschaltung** *f* (*Elec*) insertion; (*fig*) interposition; **zwischenschieben** *vt sep irreg Termin etc* to fit *or* squeeze in; **Zwischensohle** *f* midsole; **Zwischenspeicher** *m* (*Comput*) cache (memory); **zwischenspeichern** *vt sep* (*Comput*) to store in a/the cache (memory); **Zwischenspiel** *nt* (*Mus*) intermezzo; (*Theat, fig*) interlude; **Zwischenspurt** *m* (*Sport*) short burst (of speed); **einen ~ einlegen** to put in a burst of speed; **zwischenstaatlich** *adj attr* international; (*zwischen Bundesstaaten*) interstate; **Zwischenstadium** *nt* intermediate stage; **Zwischenstation** *f* (intermediate) stop; **in London machten wir ~** we stopped off in London; **Zwischenstecker** *m* (*Elec*) adaptor (plug); **Zwischenstellung** *f* intermediate position; **Zwischenstück** *nt* connection, connecting piece; **Zwischenstufe** *f* (*fig*) *siehe* **Zwischenstadium**; **Zwischensumme** *f* subtotal; **Zwischentext** *m* inserted text; **Zwischentitel** *m* (*Film*) inserted text; **Zwischenton** *m* (*Farbe*) shade; **Zwischentöne** (*fig*) nuances; **Zwischenträger(in** *f*) *m* informer, telltale; **Zwischenurteil** *nt* (*Jur*) interlocutory decree; **Zwischenvorhang** *m* (*Theat*) drop scene; **Zwischenwand** *f* dividing wall; (*Stellwand*) partition; **Zwischenwirt** *m* (*Biol*) intermediate host; **Zwischenzähler** *m* (*Elec*) intermediate meter; **Zwischenzeit** *f* 1. (*Zeitraum*) interval; **in der ~** (in the) meantime, in the interim; 2. (*Sport*) intermediate time; **zwischenzeitlich** *adv* (in the) meantime; **Zwischenzeugnis** *nt* (*Sch*) end of term report.

Zwist *m* -es, -e (*geh*) discord, discordance; (*Fehde, Streit*) dispute, strife *no indef art.* **den alten ~ begraben** to bury the hatchet; **mit jdm über etw** (*acc*) **in ~** (*acc*) **geraten** to become involved in a dispute with sb about *or* over sth.

Zwistigkeit *f usu pl* dispute.

zwitschern *vti* to twitter, to chir(ru)p; (*Lerche*) to warble. **~d sprechen** to twitter; **Z~** twittering, chir(ru)ping; warbling; **einen ~** (*inf*) to have a drink.

Zwitter *m* -s, - hermaphrodite; (*fig*) cross (*aus* between).

Zwitterbildung *f* hermaphroditism; **Zwitterblüte** *f* (*Bot*) hermaphrodite; **zwitterhaft** *adj* hermaphroditic; **zwitt(e)rig** *adj* hermaphroditic; (*Bot auch*) androgynous.

zwo *num* (*Telec, inf*) two.

zwölf *num* twelve. **die ~ Apostel** the twelve apostles; **die Z~ Nächte** the Twelve Days of Christmas; **~ Uhr mittags/nachts** (12 o'clock) noon *or* midday/midnight; **fünf Minuten vor ~** (*fig*) at the eleventh hour; **davon gehen ~ aufs Dutzend** they're ten a penny (*inf*); *siehe auch* **vier**.

Zwölf- *in cpds siehe auch* **Vier-**; **Zwölfender** *m* -s, - (*Hunt*) royal; **zwölffach** *adj* twelve-fold; *siehe auch* **vierfach**; **Zwölffingerdarm** *m* duodenum; **ein Geschwür am ~** a duodenal ulcer; **Zwölfkampf** *m* (*Sport*) twelve-exercise event; **Zwölfmeilenzone** *f* twelve-mile zone.

Zwölftel *nt* -s, - twelfth; *siehe auch* **Viertel**[1].

zwölftens *adv* twelfth(ly), in twelfth place.

zwölfte(r, s) *adj* twelfth; *siehe auch* **vierte(r, s)**.

Zwölftöner(in *f*) *m* -s, - (*Mus*) twelve-tone composer.

Zwölftonlehre *f* twelve-tone system; **Zwölftonmusik** *f* twelve-tone music; **Zwölftonreihe** *f* twelve-tone series.

zwote(r, s) *adj* (*Telec, inf*) *siehe* **zweite(r, s)**.

Zyanid [tsya'ni:t] *nt* -s, -e cyanide.

Zyankali [tsya:n'ka:li] *nt* -s, *no pl* (*Chem*) potassium cyanide.

Zygote *f* -, -n (*Biol*) zygote.

Zykladen *pl* (*Geog*) Cyclades *pl*.

Zyklame *f* -, -n (*Aus*), **Zyklamen** *nt* -s, - (*spec*) cyclamen.

zyklisch I *adj* cyclic(al). II *adv* cyclically.

Zyklon[1] *m* -s, -e cyclone.

Zyklon[2] *nt* -s, *no pl* (*Chem*) cyanide-based poison, cyanide.

Zyklone *f* -, -n (*Met*) depression, low (-pressure area).

Zyklop *m* -en, -en (*Myth*) Cyclops.

Zyklotron ['tsy:klotro:n, 'tsʏk-] *nt* -s, -e (*Phys*) cyclotron.

Zyklus ['tsy:klʊs] *m* -, **Zyklen** ['tsy:klən] cycle.

Zykluszeit ['tsy:klʊs-] *f* (*Comput*) cycle time.

Zylinder *m* -s, - 1. (*Math, Tech*) cylinder; (*Lampen~*) chimney. 2. (*Hut*) top-hat, topper (*inf*).

Zylinderblock *m* (*Aut*) engine *or* cylinder block; **Zylinderdichtungsring** *m* (*Aut*) cylinder ring; **zylinderförmig** *adj siehe* **zylindrisch**; **Zylinderkopf** *m* (*Aut*) cylinder head; **Zylinderkopfdichtung** *f* cylinder head gasket; **Zylindermantel** *m* (*Tech*) cylinder jacket; **Zylinderschloß** *nt* cylinder lock.

zylindrisch *adj* cylindrical.

Zymbal ['tsʏmbal] *nt* -s, -e (*Mus*) cymbal.

Zyniker(in *f*) ['tsy:nikɐ, -ərɪn] *m* -s, - cynic.

zynisch ['tsy:nɪʃ] *adj* cynical.

Zynismus *m* cynicism.

Zypern ['tsy:pɐn] *nt* -s Cyprus.

Zypresse *f* (*Bot*) cypress.

Zypr(i)er(in *f*) ['tsy:priɐ, -ərɪn, 'tsy:priɐ, -iərɪn] *m* -s, - (*rare*), **Zypriot(in** *f*) *m* -en, -en Cypriot.

zypriotisch, **zyprisch** ['tsy:prɪʃ] *adj* Cyprian, Cypriot.

Zyste ['tsʏstə] *f* -, -n cyst.

Zytologie *f* (*Biol*) cytology.

Zytoplasma *nt* (*Biol*) cytoplasm; **Zytostatikum** *nt* -s, **-statika** cytostatic drug; **zytostatisch** *adj* cytostatic.

z.Z(t). *abbr of* **zur Zeit**.

Anhang

Appendix

German irregular verbs

The forms of compound verbs (beginning with the prefixes *auf-, ab-, be-, er-, zer-, etc*) are the same as for the simplex verb.

The past participle of modal auxiliary verbs (dürfen, müssen *etc*) is replaced by the infinitive form when following another infinitive form, eg ich habe gehen dürfen; non-modal use: ich habe gedurft.

The formation of the present subjunctive is regular, requiring the following endings to be added to the verb stem:

ich seh-e	ich sei
du seh-est	du seist, du seiest (*liter*)
er seh-e	er sei
wir seh-en	wir sei-en
ihr seh-et	ihr sei-et
sie seh-en	sie sei-en

Infinitive	Present Indicative 2nd pers sing; 3rd pers sing	Imperfect Indicative	Imperfect Subjunctive	Imperative sing; pl	Past Participle
backen	bäckst, backst; bäckt, backt	backte, buk (*old*)	backte, büke (*old*)	back(e); backt	gebacken
befehlen	befiehlst; befiehlt	befahl	beföhle, befähle	befiehl; befehlt	befohlen
beginnen	beginnst; beginnt	begann	begänne; begönne (*rare*)	beginn(e); beginnt	begonnen
beißen	beißt; beißt	biß	bisse	beiß(e); beißt	gebissen
bergen	birgst; birgt	barg	bärge	birg; bergt	geborgen
bersten	birst; birst	barst	bärste	birst; berstet	geborsten
bewegen (*veranlassen*)	bewegst; bewegt	bewog	bewöge	beweg(e); bewegt	bewogen
biegen	biegst; biegt	bog	böge	bieg(e); biegt	gebogen
bieten	bietest; bietet	bot	böte	biet(e); bietet	geboten
binden	bindest; bindet	band	bände	bind(e); bindet	gebunden
bitten	bittest; bittet	bat	bäte	bitt(e); bittet	gebeten
blasen	bläst; bläst	blies	bliese	blas(e); blast	geblasen
bleiben	bleibst; bleibt	blieb	bliebe	bleib(e); bleibt	geblieben
bleichen (*vi, old*)	bleichst; bleicht	blich (*old*)	bliche	bleich(e); bleicht	geblichen
braten	brätst; brät	briet	briete	brat(e); bratet	gebraten
brechen	brichst; bricht	brach	bräche	brich; brecht	gebrochen
brennen	brennst; brennt	brannte	brennte (*rare*)	brenn(e); brennt	gebrannt
bringen	bringst; bringt	brachte	brächte	bring(e); bringt	gebracht
denken	denkst; denkt	dachte	dächte	denk(e); denkt	gedacht
dingen	dingst; dingt	dang	dingte	ding; dingt	gedungen
dreschen	drischst; drischt	drosch, drasch (*old*)	drösche, dräsche (*old*)	drisch; drescht	gedroschen
dringen	dringst; dringt	drang	dränge	dring(e); dringt	gedrungen
dünken	dünkt, deucht (*old*)	dünkte, deuchte (*old*)	dünkte, deuchte (*old*)		gedünkt, gedeucht (*old*)

Infinitive	Present Indicative 2nd pers sing; 3rd pers sing	Imperfect Indicative	Imperfect Subjunctive	Imperative sing; pl	Past Participle
dürfen	*1st* darf; *2nd* darfst; *3rd* darf	durfte	dürfte		gedurft; (*after infin*) dürfen
empfangen	empfängst; empfängt	empfing	empfinge	empfang(e); empfangt	empfangen
empfehlen	empfiehlst; empfiehlt	empfahl	empföhle, empfähle (*rare*)	empfiehl; empfehlt	empfohlen
empfinden	empfindest; empfindet	empfand	empfände	empfind(e); empfindet	empfunden
essen	ißt; ißt	aß	äße	iß; eßt	gegessen
fahren	fährst; fährt	fuhr	führe	fahr(e); fahrt	gefahren
fallen	fällst; fällt	fiel	fiele	fall(e); fallt	gefallen
fangen	fängst; fängt	fing	finge	fang(e); fangt	gefangen
fechten	fichtst, fichst (*inf*); ficht	focht	föchte	ficht; fechtet	gefochten
finden	findest; findet	fand	fände	find(e); findet	gefunden
flechten	flichtst; flichst (*inf*); flicht	flocht	flöchte	flicht; flechtet	geflochten
fliegen	fliegst; fliegt	flog	flöge	flieg(e); fliegt	geflogen
fliehen	fliehst; flieht	floh	flöhe	flieh(e); flieht	geflohen
fließen	fließt; fließt	floß	flösse	fließ(e); fließt	geflossen
fressen	frißt; frißt	fraß	fräße	friß; freßt	gefressen
frieren	frierst; friert	fror	fröre	frier(e); friert	gefroren
gären	gärst; gärt	gor, gärte (*esp fig*)	gäre, gärte (*esp fig*)	gär(e); gärt	gegoren, gegärt (*esp fig*)
gebären	gebierst; gebiert	gebar	gebäre	gebier; gebärt	geboren
geben	gibst; gibt	gab	gäbe	gib; gebt	gegeben
gedeihen	gedeihst; gedeiht	gedieh	gediehe	gedeih(e); gedeiht	gediehen
gehen	gehst; geht	ging	ginge	geh(e); geht	gegangen
gelingen	gelingt	gelang	gelänge	geling(e) (*rare*); gelingt (*rare*)	gelungen
gelten	giltst; gilt	galt	gölte, gälte	gilt (*rare*); geltet (*rare*)	gegolten
genesen	genest; genest	genas	genäse	genese; genest	genesen
genießen	genießt; genießt	genoß	genösse	genieß(e); genießt	genossen
geschehen	geschieht	geschah	geschähe	geschieh; gescheht	geschehen
gewinnen	gewinnst; gewinnt	gewann	gewönne, gewänne	gewinn(e); gewinnt	gewonnen
gießen	gießt; gießt	goß	gösse	gieß(e); gießt	gegossen
gleichen	gleichst; gleicht	glich	gliche	gleich(e); gleicht	geglichen
gleiten	gleitest; gleitet	glitt	glitte	gleit(e); gleitet	geglitten
glimmen	glimmst; glimmt	glomm, glimmte (*rare*)	glömme, glimmte (*rare*)	glimm(e); glimmt	geglommen, geglimmt (*rare*)
graben	gräbst; gräbt	grub	grübe	grab(e); grabt	gegraben
greifen	greifst; greift	griff	griffe	greif(e); greift	gegriffen
haben	hast; hat	hatte	hätte	hab(e); habt	gehabt

Infinitive	Present Indicative 2nd pers sing; 3rd pers sing	Imperfect Indicative	Imperfect Sub-junctive	Imperative sing; pl	Past Participle
halten	hältst; hält	hielt	hielte	halt(e); haltet	gehalten
hängen	hängst; hängt	hing	hinge	häng(e); hängt	gehangen
hauen	haust; haut	haute, hieb	haute, hiebe	hau(e); haut	gehauen, gehaut (*dial*)
heben	hebst; hebt	hob, hub (*old*)	höbe, hübe (*old*)	heb(e); hebt	gehoben
heißen	heißt; heißt	hieß	hieße	heiß(e); heißt	geheißen
helfen	hilfst; hilft	half	hülfe, hälfe (*rare*)	hilf; helft	geholfen
kennen	kennst; kennt	kannte	kennte	kenn(e); kennt	gekannt
kiesen	kiest; kiest	kor, kieste	köre, kieste	kies(e); kiest	gekoren
klimmen	klimmst; klimmt	klomm, klimmte	klömme, klimmte	klimm(e); klimmt	geklimmt, geklommen
klingen	klingst; klingt	klang	klänge	kling(e); klingt	geklungen
kneifen	kneifst; kneift	kniff	kniffe	kneif(e); kneift	gekniffen
kommen	kommst; kommt	kam	käme	komm(e); kommt	gekommen
können	*1st* kann; *2nd* kannst; *3rd* kann	konnte	könnte		gekonnt; (*after infin*) können
kreischen	kreischst; kreischt	kreischte, krisch (*old, hum*)	kreischte, krische (*old, hum*)	kreisch(e); kreischt	gekreischt, gekrischen (*old, hum*)
kriechen	kriechst, kreuchst (*obs, poet*); kriecht, kreucht (*obs, poet*)	kroch	kröche	kriech(e); kriecht	gekrochen
küren	kürst; kürt	kürte, kor (*rare*)	kürte, köre (*rare*)	kür(e); kürt	gekürt, gekoren (*rare*)
laden[1]	lädst; lädt	lud	lüde	lad(e); ladet	geladen
laden[2]	lädst, ladest (*dated, dial*); lädt, ladet (*dated, dial*)	lud	lüde	lad(e); ladet	geladen
lassen	läßt; läßt	ließ	ließe	laß; laßt	gelassen; (*after infin*) lassen
laufen	läufst; läuft	lief	liefe	lauf(e); lauft	gelaufen
leiden	leidest; leidet	litt	litte	leid(e); leidet	gelitten
leihen	leihst; leiht	lieh	liehe	leih(e); leiht	geliehen
lesen	liest; liest	las	läse	lies; lest	gelesen
liegen	liegst; liegt	lag	läge	lieg(e); liegt	gelegen
löschen	lischst; lischt	losch	lösche	lisch; löscht	geloschen
lügen	lügst; lügt	log	löge	lüg(e); lügt	gelogen
mahlen	mahlst; mahlt	mahlte	mahlte	mahl(e); mahlt	gemahlen
meiden	meidest; meidet	mied	miede	meid(e); meidet	gemieden

Infinitive	Present Indicative 2nd pers sing; 3rd pers sing	Imperfect Indicative	Imperfect Subjunctive	Imperative sing; pl	Past Participle
melken	melkst, milkst; melkt, milkt	molk, melkte (old)	mölke	melk(e), milk; melkt	gemolken, gemelkt (rare)
messen	mißt; mißt	maß	mäße	miß; meßt	gemessen
mißlingen	mißlingt	mißlang	mißlänge		mißlungen
mögen	1st mag; 2nd magst; 3rd mag	mochte	möchte		gemocht; (after infin) mögen
müssen	1st muß; 2nd mußt; 3rd muß	mußte	müßte		gemußt; (after infin) müssen
nehmen	nimmst; nimmt	nahm	nähme	nimm; nehmt	genommen
nennen	nennst; nennt	nannte	nennte (rare)	nenn(e); nennt	genannt
pfeifen	pfeifst; pfeift	pfiff	pfiffe	pfeif(e); pfeift	gepfiffen
pflegen	pflegst; pflegt	pflegte, pflog (old)	pflegte, pflöge (old)	pfleg(e); pflegt	gepflegt, gepflogen (old)
preisen	preist; preist	pries	priese	preis(e); preis(e)t	gepriesen
quellen	quillst; quillt	quoll	quölle	quill (rare); quellt	gequollen
raten	rätst; rät	riet	riete	rat(e); ratet	geraten
reiben	reibst; reibt	rieb	riebe	reib(e); reibt	gerieben
reißen	reißt; reißt	riß	risse	reiß(e); reißt	gerissen
reiten	reitest; reitet	ritt	ritte	reit(e); reitet	geritten
rennen	rennst; rennt	rannte	rennte (rare)	renn(e); rennt	gerannt
riechen	riechst; riecht	roch	röche	riech(e); riecht	gerochen
ringen	ringst; ringt	rang	ränge	ring(e); ringt	gerungen
rinnen	rinnst; rinnt	rann	ränne, rönne (rare)	rinn(e); rinnt	geronnen
rufen	rufst; ruft	rief	riefe	ruf(e); ruft	gerufen
saufen	säufst; säuft	soff	söffe	sauf(e); sauft	gesoffen
saugen	saugst; saugt	sog, saugte	söge, saugte	saug(e); saugt	gesogen, gesaugt
schaffen	schaffst; schafft	schuf	schüfe	schaff(e); schafft	geschaffen
schallen	schallst; schallt	schallte, scholl (rare)	schallte, schölle (rare)	schall(e); schallt	geschallt
scheiden	scheidest; scheidet	schied	schiede	scheide; scheidet	geschieden
scheinen	scheinst; scheint	schien	schiene	schein(e); scheint	geschienen
scheißen	scheißt; scheißt	schiß	schisse	scheiß(e); scheißt	geschissen
schelten	schiltst; schilt	schalt	schölte	schilt; scheltet	gescholten
scheren	scherst; schert	schor, scherte (rare)	schöre	scher(e); schert	geschoren, geschert (rare)
schieben	schiebst; schiebt	schob	schöbe	schieb(e); schiebt	geschoben
schießen	schießt; schießt	schoß	schösse	schieß(e); schießt	geschossen

Infinitive	Present Indicative 2nd pers sing; 3rd pers sing	Imperfect Indicative	Imperfect Subjunctive	Imperative sing; pl	Past Participle
schinden	schindest; schindet	schindete, schund (*rare*)	schünde	schind(e); schindet	geschunden
schlafen	schläfst; schläft	schlief	schliefe	schlaf(e); schlaft	geschlafen
schlagen	schlägst; schlägt	schlug	schlüge	schlag(e); schlagt	geschlagen
schleichen	schleichst; schleicht	schlich	schliche	schleich(e); schleicht	geschlichen
schleifen	schleifst; schleift	schliff	schliffe	schleif(e); schleift	geschliffen
schleißen	schleißt; schleißt	schliß; (*vt auch*) schleißte	schlisse; schleißte	schleiß(e); schleißt	geschlissen; (*vt auch*) geschleißt
schließen	schließt; schließt	schloß	schlösse	schließ(e); schließt	geschlossen
schlingen	schlingst; schlingt	schlang	schlänge	schling(e); schlingt	geschlungen
schmeißen	schmeißt; schmeißt	schmiß	schmisse	schmeiß(e); schmeißt	geschmissen
schmelzen	schmilzt; schmilzt	schmolz	schmölze	schmilz; schmelzt	geschmolzen
schnauben	schnaubst; schnaubt	schnaubte, schnob (*old*)	schnaubte, schnöbe (*old*)	schnaub(e); schnaubt	geschnaubt, geschnoben (*old*)
schneiden	schneid(e)st; schneidet	schnitt	schnitte	schneid(e); schneidet	geschnitten
schrecken	schrickst; schrickt	schreckte, schrak	schreckte, schräke	schrick; schreckt	geschreckt, geschrokken (*old*)
schreiben	schreibst; schreibt	schrieb	schriebe	schreib(e); schreibt	geschrieben
schreien	schreist; schreit	schrie	schrie	schrei(e); schreit	geschrien, geschrieen
schreiten	schreitest; schreitet	schritt	schritte	schreit(e); schreitet	geschritten
schweigen	schweigst; schweigt	schwieg	schwiege	schweig(e); schweigt	geschwiegen
schwellen	schwillst; schwillt	schwoll	schwölle	schwill; schwellt	geschwollen
schwimmen	schwimmst; schwimmt	schwamm	schwömme, schwämme (*rare*)	schwimm(e); schwimmt	geschwommen
schwinden	schwindest; schwindet	schwand	schwände	schwind(e); schwindet	geschwunden
schwingen	schwingst; schwingt	schwang	schwänge	schwing(e); schwingt	geschwungen
schwören	schwörst; schwört	schwor	schwüre, schwöre (*rare*)	schwör(e); schwört	geschworen
sehen	siehst; sieht	sah	sähe	sieh(e); seht	gesehen; (*after infin*) sehen

Infinitive	Present Indicative 2nd pers sing; 3rd pers sing	Imperfect Indicative	Imperfect Sub-junctive	Imperative sing; pl	Past Participle
sein	*1st* bin; *2nd* bist; *3rd* ist; *pl 1st* sind; *2nd* seid; *3rd* sind	war	wäre	sei; seid	gewesen
senden	sendest; sendet	sandte, sendete	sendete	send(e); sendet	gesandt, gesendet
sieden	siedest; siedet	siedete, sott	siedete, sötte	sied(e); siedet	gesiedet, gesotten
singen	singst; singt	sang	sänge	sing(e); singt	gesungen
sinken	sinkst; sinkt	sank	sänke	sink(e); sinkt	gesunken
sinnen	sinnst; sinnt	sann	sänne	sinn(e); sinnt	gesonnen
sitzen	sitzt; sitzt	saß	säße	sitz(e); sitzt	gesessen
sollen	*1st* soll; *2nd* sollst; *3rd* soll	sollte	sollte		gesollt; (*after infin*) sollen
spalten	spaltest; spaltet	spaltete	spalte	spalt(e); spaltet	gespalten, gespaltet
speien	speist; speit	spie	spiee	spei(e); speit	gespie(e)n
spinnen	spinnst; spinnt	spann	spönne, spänne	spinn(e); spinnt	gesponnen
spleißen	spleißt; spleißt	spliß	splisse	spleiß(e); spleißt	gesplissen
sprechen	sprichst; spricht	sprach	spräche	sprich; sprecht	gesprochen
sprießen	sprießt; sprießt	sproß, sprießte	sprösse	sprieß(e); sprießt	gesprossen, gesprießt
springen	springst; springt	sprang	spränge	spring(e); springt	gesprungen
stechen	stichst; sticht	stach	stäche	stich; stecht	gestochen
stecken (*vi*)	steckst; steckt	steckte, stak	steckte, stäke (*rare*)	steck(e); steckt	gesteckt
stehen	stehst; steht	stand	stünde, stände	steh; steht	gestanden
stehlen	stiehlst; stiehlt	stahl	stähle, stöhle (*obs*)	stiehl; stehlt	gestohlen
steigen	steigst; steigt	stieg	stiege	steig; steigt	gestiegen
sterben	stirbst; stirbt	starb	stürbe	stirb; sterbt	gestorben
stieben	stiebst; stiebt	stob, stiebte	stöbe, stiebte	stieb(e); stiebt	gestoben, gestiebt
stinken	stinkst; stinkt	stank	stänke	stink(e); stinkt	gestunken
stoßen	stößt; stößt	stieß	stieße	stoß(e); stoßt	gestoßen
streichen	streichst; streicht	strich	striche	streich(e); streicht	gestrichen
streiten	streitest; streitet	stritt	stritte	streit(e); streitet	gestritten
tragen	trägst; trägt	trug	trüge	trag(e); tragt	getragen
treffen	triffst; trifft	traf	träfe	triff; trefft	getroffen
treiben	treibst; treibt	trieb	triebe	treib; treibt	getrieben
treten	trittst; tritt	trat	träte	tritt; tretet	getreten
triefen	triefst; trieft	triefte, troff (*geh*)	triefte, tröffe (*geh*)	trief(e); trieft	getrieft, getroffen (*rare*)
trinken	trinkst; trinkt	trank	tränke	trink; trinkt	getrunken
trügen	trügst; trügt	trog	tröge	trüg(e); trügt	getrogen

Infinitive	Present Indicative 2nd pers sing; 3rd pers sing	Imperfect Indicative	Imperfect Subjunctive	Imperative sing; pl	Past Participle
tun	*1st* tue; *2nd* tust; *3rd* tut	tat	täte	tu(e); tut	getan
verderben	verdirbst; verdirbt	verdarb	verdürbe	verdirb; verderbt	verdorben
verdrießen	verdrießt; verdrießt	verdroß	verdrösse	verdrieß(e); verdrießt	verdrossen
vergessen	vergißt; vergißt	vergaß	vergäße	vergiß; vergeßt	vergessen
verlieren	verlierst; verliert	verlor	verlöre	verlier(e); verliert	verloren
verzeihen	verzeihst; verzeiht	verzieh	verziehe	verzeih(e); verzeiht	verziehen
wachsen	wächst; wächst	wuchs	wüchse	wachs(e); wachst	gewachsen
wägen	wägst; wägt	wog, wägte (*rare*)	wöge, wägte (*rare*)	wäg(e); wägt	gewogen, gewägt (*rare*)
waschen	wäschst; wäscht	wusch	wüsche	wasche(e); wascht	gewaschen
weben	webst; webt	webte, wob (*liter, fig*)	webte, wöbe (*liter, fig*)	web(e); webt	gewebt, gewoben (*liter, fig*)
weichen	weichst; weicht	wich	wiche	weich(e); weicht	gewichen
weisen	weist; weist	wies	wiese	weis(e); weist	gewiesen
wenden	wendest; wendet	wendete, wandte (*geh*)	wendete	wend(e); wendet	gewendet, gewandt
werben	wirbst; wirbt	warb	würbe	wirb; werbt	geworben
werden	wirst; wird	wurde, ward (*old, liter*)	würde	werde; werdet	geworden; (*after ptp*) worden
werfen	wirfst; wirft	warf	würfe	wirf; werft	geworfen
wiegen	wiegst; wiegt	wog	wöge	wieg(e); wiegt	gewogen
winden	windest; windet	wand	wände	wind(e); windet	gewunden
winken	winkst; winkt	winkte	winkte	wink(e); winkt	gewinkt, gewunken (*dial*)
wissen	*1st* weiß; *2nd* weißt; *3rd* weiß	wußte	wüßte	wisse (*liter*); wisset (*liter*)	gewußt
wollen	*1st* will; *2nd* willst; *3rd* will	wollte	wollte	wolle (*liter*); wollt	gewollt; (*after infin*) wollen
wringen	wringst; wringt	wrang	wränge	wring(e); wringt	gewrungen
zeihen	zeihst; zeiht	zieh	ziehe	zeih(e); zeiht	geziehen
ziehen	ziehst; zieht	zog	zöge	zieh(e); zieht	gezogen
zwingen	zwingst; zwingt	zwang	zwänge	zwing(e); zwingt	gezwungen

A short guide to German grammar

Article

There are three genders in German: masculine, feminine and neuter. The article indicates the gender of a noun. The following diagram shows the articles and their declensions.

	definite article				indefinite article			
	m	f	nt	pl	m	f	nt	pl
nominative	der	die	das	die	ein	eine	ein	*plural form*
accusative	den	die	das	die	einen	eine	ein	*of nouns*
genitive	des	der	des	der	eines	einer	eines	*is used with-*
dative	dem	der	dem	den	einem	einer	einem	*out article*

Noun

There are three declensions for German nouns, i. e. the strong, the weak and the mixed declension. Some nouns are declined like adjectives.

Nouns which end in *s, sch, ß, z* always have an *-es* in the genitive singular, e. g. Hals – Halses, Busch – Busches, Kuß – Kusses, Reiz – Reizes.

Nouns ending in *ß* change this to *-ss* when it follows a short vowel, e. g. der Kuß – des Kusses – die Küsse but keep it after a long vowel, e. g. der Fuß – des Fußes – die Füße.

1. strong masculine and neuter nouns

	plural in ~ e	plural in ~̈ e	plural in ~ er	plural in ~̈ er
singular				
nominative	der Tag	der Traum	das Kind	das Dach
accusative	den Tag	den Traum	das Kind	das Dach
genitive	des Tag(e)s	des Traum(e)s	des Kind(e)s	des Dach(e)s
dative	dem Tag(e)	dem Traum(e)	dem Kind(e)	dem Dach(e)
plural				
nominative	die Tage	die Träume	die Kinder	die Dächer
accusative	die Tage	die Träume	die Kinder	die Dächer
genitive	der Tage	der Träume	der Kinder	der Dächer
dative	den Tagen	den Träumen	den Kindern	den Dächern

	plural in	plural without ending		
	~ s	¨	~	~
singular				
nominative	das Echo	der Vogel	der Tischler	der Lappen
accusative	das Echo	den Vogel	den Tischler	den Lappen
genitive	des Echos	des Vogels	des Tischlers	des Lappens
dative	dem Echo	dem Vogel	dem Tischler	dem Lappen
plural				
nominative	die Echos	die Vögel	die Tischler	die Lappen
accusative	die Echos	die Vögel	die Tischler	die Lappen
genitive	der Echos	der Vögel	der Tischler	der Lappen
dative	den Echos	den Vögeln	den Tischlern	den Lappen

2. strong feminine nouns

	plural in ¨ e	plural without ending	plural in ~ s
singular			
nominative	die Wand	die Mutter	die Bar
accusative	die Wand	die Mutter	die Bar
genitive	der Wand	der Mutter	der Bar
dative	der Wand	der Mutter	der Bar
plural			
nominative	die Wände	die Mütter	die Bars
accusative	die Wände	die Mütter	die Bars
genitive	der Wände	der Mütter	der Bars
dative	den Wänden	den Müttern	den Bars

3. weak masculine nouns

singular			
nominative	der Bauer	der Bär	der Hase
accusative	den Bauern	den Bären	den Hasen
genitive	des Bauern	des Bären	des Hasen
dative	dem Bauern	dem Bären	dem Hasen
plural			
nominative	die Bauern	die Bären	die Hasen
accusative	die Bauern	die Bären	die Hasen
genitive	der Bauern	der Bären	der Hasen
dative	den Bauern	den Bären	den Hasen

4. weak feminine nouns

singular				
nominative	die Uhr	die Feder	die Gabe	die Ärztin
accusative	die Uhr	die Feder	die Gabe	die Ärztin
genitive	der Uhr	der Feder	der Gabe	der Ärztin
dative	der Uhr	der Feder	der Gabe	der Ärztin
plural				
nominative	die Uhren	die Federn	die Gaben	die Ärztinnen
accusative	die Uhren	die Federn	die Gaben	die Ärztinnen
genitive	der Uhren	der Federn	der Gaben	der Ärztinnen
dative	den Uhren	den Federn	den Gaben	den Ärztinnen

5. mixed masculine and neuter nouns

decline as strong nouns in the singular and weak nouns in the plural.

singular				
nominative	das Auge	das Ohr	der Name	das Herz
accusative	das Auge	das Ohr	den Namen	das Herz
genitive	des Auges	des Ohr(e)s	des Namens	des Herzens
dative	dem Auge	dem Ohr(e)	dem Namen	dem Herzen
plural				
nominative	die Augen	die Ohren	die Namen	die Herzen
accusative	die Augen	die Ohren	die Namen	die Herzen
genitive	der Augen	der Ohren	der Namen	der Herzen
dative	den Augen	den Ohren	den Namen	den Herzen

6. nouns declined as adjectives

masculine		
singular		
nominative	der Reisende	ein Reisender
accusative	den Reisenden	einen Reisenden
genitive	des Reisenden	eines Reisenden
dative	dem Reisenden	einem Reisenden
plural		
nominative	die Reisenden	Reisende
accusative	die Reisenden	Reisende
genitive	der Reisenden	Reisender
dative	den Reisenden	Reisenden

feminine		
singular		
nominative	die Reisende	eine Reisende
accusative	die Reisende	eine Reisende
genitive	der Reisenden	einer Reisenden
dative	der Reisenden	einer Reisenden
plural		
nominative	die Reisenden	Reisende
accusative	die Reisenden	Reisende
genitive	der Reisenden	Reisender
dative	den Reisenden	Reisenden

neuter		
singular		
nominative	das Neugeborene	ein Neugeborenes
accusative	das Neugeborene	ein Neugeborenes
genitive	des Neugeborenen	eines Neugeborenen
dative	dem Neugeborenen	einem Neugeborenen
plural		
nominative	die Neugeborenen	Neugeborene
accusative	die Neugeborenen	Neugeborene
genitive	der Neugeborenen	Neugeborener
dative	den Neugeborenen	Neugeborenen

7. Declension of proper names

The genitive of the proper names of people, cities, countries etc takes two forms.
1. When used with an article the word remains unchanged, e. g. **des Aristoteles, der Bertha, des schönen Berlin.**
2. When used without an article an 's' is added to the noun, e. g. **die Straßen Berlins, Marias Hut, Olafs Auto.** When the noun ends in *s, ß, x* or *z* an apostrophe is added, e. g. **Aristoteles' Schriften, die Straßen Calais'.**
In cases where there are several names the -s is added to the last one, e. g. **Johann Wolfgang Goethes.**
Where the name is preceded by a noun only the name is declined, e. g. **Kaiser Wilhelms.**

Words in apposition following the name are declined like the noun, e. g. **Karl der Große,** *acc* **Karl den Großen,** *gen* **Karls des Großen,** *dat* **Karl dem Großen.**

Family names have an -s in the plural, e. g. **die Schnorrs.** When they end in *s, ß, x, z* and -ens is added, e. g. **die Schmitzens.**
Names of roads, buildings, companies, ships, newspapers and organisations are always declined.

Adjectives

Most adjectives have an undeclined basic form and declined forms where endings are added to the basic form according to number, gender, article and case.

There are three declensions for adjectives, i. e. the strong, the weak and the mixed declension.

1. The strong declension

is used where there is no article or pronoun or the adjective is not preceded by a word which shows the case (e. g. *manch(e), mehrere* etc), or after cardinal numbers and *ein paar, ein bißchen*.

	m	f	nt
singular			
nominative	guter Wein	schöne Frau	liebes Kind
accusative	guten Wein	schöne Frau	liebes Kind
genitive	guten Wein(e)s	schöner Frau	lieben Kindes
dative	gutem Wein(e)	schöner Frau	liebem Kind(e)
plural			
nominative	gute Weine	schöne Frauen	liebe Kinder
accusative	gute Weine	schöne Frauen	liebe Kinder
genitive	guter Weine	schöner Frauen	lieber Kinder
dative	guten Weinen	schönen Frauen	lieben Kindern

2. The weak form

is used where there is a definite article or after any word which adequately shows the case of the noun (e. g. *diese(r, s), folgende(r, s)* etc).

	m	f	nt
singular			
nominative	der gute Wein	die schöne Frau	das liebe Kind
accusative	den guten Wein	die schöne Frau	das liebe Kind
genitive	des guten Wein(e)s	der schönen Frau	des lieben Kindes
dative	dem guten Wein(e)	der schönen Frau	dem lieben Kind(e)
plural			
nominative	die guten Weine	die schönen Frauen	die lieben Kinder
accusative	die guten Weine	die schönen Frauen	die lieben Kinder
genitive	der guten Weine	der schönen Frauen	der lieben Kinder
dative	den guten Weinen	den schönen Frauen	den lieben Kindern

3. The mixed form

is used in the singular with masculine and neuter *ein, kein,* and the possessive pronouns *mein, dein, sein, unser, euer, ihr*.

	m	nt
singular		
nominative	ein guter Wein	ein liebes Kind
accusative	einen guten Wein	ein liebes Kind
genitive	eines guten Wein(e)s	eines lieben Kindes
dative	einem guten Wein(e)	einem lieben Kind

4. Adjectives ending in *-abel, -ibel, -el*

drop the *-e-* when declined.

	miserabel	penibel	heikel
singular			
nominative	ein miserabler Stil	eine penible Frau	ein heikles Problem
accusative	einen miserablen Stil	eine penible Frau	ein heikles Problem
genitive	eines miserablen Stils	einer peniblen Frau	eines heiklen Problems
dative	einem miserablen Stil	einer peniblen Frau	einem heiklen Problem
plural			
nominative	miserable Stile	penible Frauen	heikle Probleme
accusative	miserable Stile	penible Frauen	heikle Probleme
genitive	miserabler Stile	penibler Frauen	heikler Probleme
dative	miserablen Stilen	peniblen Frauen	heiklen Problemen

5. Adjectives ending in *-er, -en*

usually keep the *-e-* when declined, except:
in an elevated literary style,

finster   **seine finstren Züge**

and in adjectives of foreign origin.

makaber   **eine makabre Geschichte**

integer   **ein integrer Beamter**

6. Adjectives ending in *-auer, -euer*

usually drop the *-e-* when declined.

teuer   **ein teures Geschenk**

sauer   **saure Gurken**

7. Adjectives ending in *-ß*

change *ß* to *ss* in the declined forms when it follows a stressed short vowel

kraß   **ein krasser Fehler**

naß   **eine nasse Hose**

but keeps *ß* after stressed long vowel.

groß   **mein großer Bruder**

bloß   **eine bloße Formalität**

Comparison

1. Adjectives and adverbs add *-er* for the comparative before the declensional endings.

schön – schöner

eine schöne Frau – eine schönere Frau

2. Most adjectives add *-ste(r, s)* for the superlative.

> schön – schönste(r, s)
>
> ein schöner Tag – der schönste Tag

3. Adjectives and adverbs of one syllable or with the stress on the final syllable add *-e* before the superlative ending:

always if they end in *-s, -ß, -st, -x, -z,*
usually if they end in *-d, -t, -sch.*

spitz	*adj* **spitzeste(r, s)**
	adv **am spitzesten**
gerecht	*adj* **gerechteste(r, s)**
	adv **am gerechtesten**

The same applies if they are used with a prefix or in compounds, regardless of where the stress falls.

unsanft	*adj* **unsanfteste(r, s)**
	adv **am unsanftesten**

4. Monosyllabic adjectives with the root vowels *a, o, u* usually take an umlaut in the comparative and superlative.

> arm – ärmer – ärmste(r, s)
>
> groß – größer – größte(r, s)
>
> klug – klüger – klügste(r, s)

There is never an umlaut in the comparative and superlative of adjectives

● with a diphtong

> faul – fauler – faulste(r, s)

● with the endings *-e, -el, -en, -er*

> lose – loser – loseste(r, s)
>
> heikel – heikler – heikelste(r, s)
>
> offen – offener – offenste(r, s)
>
> lecker – leckerer – leckerste(r, s)

● with the suffixes *-bar, -haft, -ig, -lich, -sam*

> dankbar – dankbarer – dankbarste(r, s)
>
> schwatzhaft – schwatzhafter – schwatzhafteste(r, s)
>
> schattig – schattiger – schattigste(r, s)
>
> stattlich – stattlicher – stattlichste(r, s)
>
> sorgsam – sorgsamer – sorgsamste(r, s)

● which are participles

> überraschend – überraschender – überraschendste(r, s)
>
> überrascht – überraschter – überraschteste(r, s)

● which are foreign loan words.

> banal – banaler – banalste(r, s)
>
> interessant – interessanter – interessanteste(r, s)
>
> famos – famoser – famoseste(r, s)

5. Irregular comparison of adjectives and adverbs

gut	besser	beste(r, s)
viel	mehr	meiste(r, s)
gern	lieber	am liebsten
bald	eher	am ehesten

Irregular comparative and superlative forms are given in the German-English section of the dictionary, including those of adjectives and adverbs with the vowels *-a, -o, -u* which take an umlaut.

Adverb

For the adverbial use of adjectives the unchanged basic form of the adjective is used.

er singt gut
sie schreibt schön
er läuft schnell

The comparative of the adverb follows the rules given for the adjective.

er singt besser
sie schreibt schöner
er läuft schneller

Most adverbs form the superlative according to the pattern *am...sten.*

er singt am besten
sie schreibt am schönsten
er läuft am schnellsten

Verbs

Present Tense

1. Regular verbs (weak conjugation)

	machen	legen	sagen	vierteln
ich	mache	lege	sage	viertele
du	machst	legst	sagst	viertelst
er				
sie	macht	legt	sagt	viertelt
es				
wir	machen	legen	sagen	vierteln
ihr	macht	legt	sagt	viertelt
sie	machen	legen	sagen	vierteln

Verbs where the stem ends in *s, ss, ß, z*

	rasen	hassen	küssen	rußen	reizen
ich	rase	hasse	küsse	ruße	reize
du	rast	haßt	küßt	rußt	reizt
er					
sie	rast	haßt	küßt	rußt	reizt
es					
wir	rasen	hassen	küssen	rußen	reizen
ihr	rast	haßt	küßt	rußt	reizt
sie	rasen	hassen	küssen	rußen	reizen

Verbs where the stem ends in *d, t*, consonant + *m*, consonant + *n* add an *-e* in the 2nd person singular

	reden	wetten	atmen	trocknen
ich	rede	wette	atme	trockne
du	redest	wettest	atmest	trocknest
er				
sie	redet	wettet	atmet	trocknet
es				
wir	reden	wetten	atmen	trocknen
ihr	redet	wettet	atmet	trocknet
sie	reden	wetten	atmen	trocknen

Verbs where the stem ends in an unstressed *-el* or *-er* omit the *-e-* in the first person singular

angeln – ich angle
zittern – ich zittre

2. Irregular verbs (strong conjugation) often change their radical vowel

	tragen	blasen	laufen	essen
ich	trage	blase	laufe	esse
du	trägst	bläst	läufst	ißt
er				
sie	trägt	bläst	läuft	ißt
es				
wir	tragen	blasen	laufen	essen
ihr	tragt	blast	lauft	eßt
sie	tragen	blasen	laufen	essen

Irregular forms are given in the dictionary section and in the list of irregular verbs.

Imperfect Tense

1. Regular verbs

	machen	vierteln	hassen	rußen	reizen
ich	machte	viertelte	haßte	rußte	reizte
du	machtest	vierteltest	haßtest	rußtest	reiztest
er					
sie	machte	viertelte	haßte	rußte	reizte
es					
wir	machten	viertelten	haßten	rußten	reizten
ihr	machtet	vierteltet	haßtet	rußtet	reiztet
sie	machten	viertelten	haßten	rußten	reizten

Verbs where the stem ends in *d, t,* consonant + *m,* consonant + *n*

	reden	wetten	atmen	trocknen
ich	redete	wettete	atmete	trocknete
du	redetest	wettetest	atmetest	trocknetest
er				
sie	redete	wettete	atmete	trocknete
es				
wir	redeten	wetteten	atmeten	trockneten
ihr	redetet	wettetet	atmetet	trocknetet
sie	redeten	wetteten	atmeten	trockneten

2. Irregular verbs

	tragen	blasen	laufen	essen
ich	trug	blies	lief	aß
du	trugst	bliest	liefst	aßt
er				
sie	trug	blies	lief	aß
es				
wir	trugen	bliesen	liefen	aßen
ihr	trugt	bliest	lieft	aßt
sie	trugen	bliesen	liefen	aßen

Irregular forms are given in the dictionary section and in the list of irregular verbs.

Perfect Tense

The perfect tense is formed from the present tense of the auxiliary verbs *haben* or *sein* and the past participle.

1. **sein** is used with verbs of motion and verbs that indicate a transition from one state into another.

	radeln	fahren	verdummen	sterben
ich	bin geradelt	bin gefahren	bin verdummt	bin gestorben
du	bist geradelt	bist gefahren	bist verdummt	bist gestorben
er				
sie	ist geradelt	ist gefahren	ist verdummt	ist gestorben
es				
wir	sind geradelt	sind gefahren	sind verdummt	sind gestorben
ihr	seid geradelt	seid gefahren	seid verdummt	seid gestorben
sie	sind geradelt	sind gefahren	sind verdummt	sind gestorben

2. **haben** is used with transitive, reflexive and impersonal verbs and most intransitive verbs when they indicate the duration of a state.

	legen	sich freuen	regnen	leben
ich	habe gelegt	habe mich gefreut		habe gelebt
du	hast gelegt	hast dich gefreut		hast gelebt
er				
sie	hat gelegt	hat sich gefreut	es hat geregnet	hat gelebt
es				
wir	haben gelegt	haben uns gefreut		haben gelebt
ihr	habt gelegt	habt euch gefreut		habt gelebt
sie	haben gelegt	haben sich gefreut		haben gelebt

All German verbs which take *sein* as the auxiliary are marked *aux sein* in the dictionary section. Where the auxiliary is not stated *haben* is used.

Pluperfect

The pluperfect is formed from the preterite form of *haben* or *sein* and the past participle. For the use of *haben* or *sein* the same rules apply as for the perfect tense.

	fahren	sterben	legen	leben
ich	war gefahren	war gestorben	hatte gelegt	hatte gelebt
du	warst gefahren	warst gestorben	hattest gelegt	hattest gelebt
er				
sie	war gefahren	war gestorben	hatte gelegt	hatte gelebt
es				
wir	waren gefahren	waren gestorben	hatten gelegt	hatten gelebt
ihr	wart gefahren	wart gestorben	hattet gelegt	hattet gelebt
sie	waren gefahren	waren gestorben	hatten gelegt	hatten gelebt

Auxiliary verbs

Present Tense

	sein	haben	werden
ich	bin	habe	werde
du	bist	hast	wirst
er			
sie	ist	hat	wird
es			
wir	sind	haben	werden
ihr	seid	habt	werdet
sie	sind	haben	werden

Imperfect Tense and Past Participle

	sein	haben	werden
ich	war	hatte	wurde
du	warst	hattest	wurdest
er			
sie	war	hatte	wurde
es			
wir	waren	hatten	wurden
ihr	wart	hattet	wurdet
sie	waren	hatten	wurden
Participle	bin gewesen	habe gehabt	bin geworden

Modal Auxiliaries

Present Tense

	können	dürfen	mögen	müssen	sollen	wollen
ich	kann	darf	mag	muß	soll	will
du	kannst	darfst	magst	mußt	sollst	willst
er						
sie	kann	darf	mag	muß	soll	will
es						
wir	können	dürfen	mögen	müssen	sollen	wollen
ihr	könnt	dürft	mögt	müßt	sollt	wollt
sie	können	dürfen	mögen	müssen	sollen	wollen

Imperfect Tense

	können	dürfen	mögen	müssen	sollen	wollen
ich	konnte	durfte	mochte	mußte	sollte	wollte
du	konntest	durftest	mochtest	mußtest	solltest	wolltest
er						
sie	konnte	durfte	mochte	mußte	sollte	wollte
es						
wir	konnten	durften	mochten	mußten	sollten	wollten
ihr	konntet	durftet	mochtet	mußtet	solltet	wolltet
sie	konnten	durften	mochten	mußten	sollten	wollten

Perfect Tense

können	ich habe gekonnt
dürfen	ich habe gedurft
mögen	ich habe gemocht
müssen	ich habe gemußt
sollen	ich habe gesollt
wollen	ich habe gewollt

The past participle of modal auxiliaries is replaced by the infinitive form when it follows another infinitive form, e. g. ich habe gehen können, ich habe fragen dürfen etc.

Present Participle

The present participle is formed by adding -d to the infinitive, e. g. **singend, lachend, küssend, rußend, trocknend.**

Past Participle

The past participle of regular verbs is formed by adding the prefix *ge-* and the ending *-t* to the stem.

machen	**– gemacht**
legen	**– gelegt**
sagen	**– gesagt**
vierteln	**– geviertelt**
rasen	**– gerast**
hassen	**– gehaßt**
küssen	**– geküßt**
rußen	**– gerußt**
reizen	**– gereizt**
reden	**– geredet**
wetten	**– gewettet**
trocknen	**– getrocknet**

Verbs which end in *-ieren* and compound verbs with the prefixes *be-, em-, ent-, er-, ver-, zer-* omit the *ge-*. They are marked in the German-English section with an asterisk*.

manövrieren*	**– manövriert**
betreuen*	**– betreut**
empören*	**– empört**
entgiften*	**– entgiftet**
ersetzen*	**– ersetzt**
vertrösten*	**– vertröstet**
zerreden*	**– zerredet**

Inseparable compound verbs also omit the *ge-*. They are marked *insep* and with an asterisk*.

übersetzen*	**– übersetzt**
durchwaten*	**– durchwatet**
unterlegen*	**– unterlegt**
umarmen*	**– umarmt**

The past participle of separable compound verbs is formed by adding *ge-* between prefix and stem and the ending *t* to the stem.

anbeten	**– angebetet**
durchmachen	**– durchgemacht**
überschnappen	**– übergeschnappt**
umdeuten	**– umgedeutet**

All German verbs beginning with a prefix which can be used separably are marked *sep* or *insep* as appropriate in the dictionary section. Irregular forms are given with the simplex verb. All irregular forms of simplex verbs are given in the dictionary section and in the list of irregular verbs.

Future Tense

The future tense is formed with the conjugated forms of the auxiliary *werden* and the infinitive.

	legen	fahren	sein	haben	können
ich	werde legen	werde fahren	werde sein	werde haben	werde können
du	wirst legen	wirst fahren	wirst sein	wirst haben	wirst können
er					
sie	wird legen	wird fahren	wird sein	wird haben	wird können
es					
wir	werden legen	werden fahren	werden sein	werden haben	werden können
ihr	werdet legen	werdet fahren	werdet sein	werdet haben	werdet können
sie	werden legen	werden fahren	werden sein	werden haben	werden können

Subjunctive

The present subjunctive is formed by adding *-e, -est, -e, -en, -et, -en* to the stem of the verb.

	legen	hassen	küssen	reden
ich	lege	hasse	küsse	rede
du	legest	hassest	küssest	redest
er				
sie	lege	hasse	küsse	rede
es				
wir	legen	hassen	küssen	reden
ihr	leget	hasset	küsset	redet
sie	legen	hassen	küssen	reden

Irregular verbs which have an umlaut or change of vowel in their indicative forms do not change in the subjunctive

indicative:	**du fällst, du gibst**
subjunctive:	**du fallest, du gebest**

Auxiliary verbs *sein, haben, werden*

	sein	haben	werden
ich	sei	habe	werde
du	seist	habest	werdest
er			
sie	sei	habe	werde
es			
wir	seien	haben	werden
ihr	seiet	habet	werdet
sie	seien	haben	werden

Modal auxiliary verbs

	können	dürfen	mögen	müssen	sollen	wollen
ich	könne	dürfe	möge	müsse	solle	wolle
du	könnest	dürfest	mögest	müssest	sollest	wollest
er						
sie	könne	dürfe	möge	müsse	solle	wolle
es						
wir	können	dürfen	mögen	müssen	sollen	wollen
ihr	könn(e)t	dürf(e)t	mög(e)t	müss(e)t	soll(e)t	woll(e)t
sie	können	dürfen	mögen	müssen	sollen	wollen

The imperfect subjunctive

1. The forms for regular verbs are identical to the imperfect indicative forms.

2. Irregular verbs
   with *i* or *ie* in the imperfect indicative keep it in the imperfect subjunctive

	gehen/ging	rufen/rief	greifen/griff
ich	ginge	riefe	griffe
du	ging(e)st	rief(e)st	griff(e)st
er			
sie	ginge	riefe	griffe
es			
wir	gingen	riefen	griffen
ihr	ging(e)t	rief(e)t	griff(e)t
sie	gingen	riefen	griffen

Verbs which have the vowels *a, o, u* in the imperfect indicative add an umlaut

	singen/ sang	fliegen/ flog	fahren/ fuhr	sein/ war	haben/ hatte	werden/ wurde
ich	sänge	flöge	führe	wäre	hätte	würde
du	säng(e)st	flög(e)st	führ(e)st	wär(e)st	hättest	würdest
er						
sie	sänge	flöge	führe	wäre	hätte	würde
es						
wir	sängen	flögen	führen	wären	hätten	würden
ihr	säng(e)t	flög(e)t	führ(e)t	wär(e)t	hättet	würdet
sie	sängen	flögen	führen	wären	hätten	würden

The imperfect subjunctive of all irregular verbs is given in the list of irregular verbs.

Conditional

The conditional is formed from the imperfect subjunctive of *werden* and the infinitive.

	legen	fahren
ich	würde legen	würde fahren
du	würdest legen	würdest fahren
er		
sie	würde legen	würde fahren
es		
wir	würden legen	würden fahren
ihr	würdet legen	würdet fahren
sie	würden legen	würden fahren

Passive

The passive is formed from *werden* and the past participle.

present tense	ich werde geliebt	ich werde geschlagen
preterite	ich wurde geliebt	ich wurde geschlagen

Imperative

1. The imperative of **regular verbs** for the familiar form of address *(du, ihr)* is usually formed in the singular by adding an *-e* and in the plural by adding a *-t* to the stem of the verb. (The plural form is identical to the 2nd person plural present tense).
   For the polite form of address *(Sie)* the inversion of the normal word order is used.

infinitive	singular	plural	polite form
schreiben	schreibe	schreibt	schreiben Sie
singen	singe	singt	singen Sie
trinken	trinke	trinkt	trinken Sie
atmen	atme	atmet	atmen Sie
reden	rede	redet	reden Sie

Verbs with the ending *-eln, -ern* may omit the *-e* in the singular.

infinitive	singular	plural	polite form
sammeln	samm(e)le	sammelt	sammeln Sie
fördern	förd(e)re	fördert	fördern Sie
handeln	hand(e)le	handelt	handeln Sie

Verbs where the stem ends in *m* or *n* preceded by *m, n, r, l, h* may omit the final *-e* in the singular.

infinitive	singular	plural	polite form
kämmen	kämm(e)	kämmt	kämmen Sie
rennen	renn(e)	rennt	rennen Sie
lernen	lern(e)	lernt	lernen Sie
qualmen	qualm(e)	qualmt	qualmen Sie
rühmen	rühm(e)	rühmt	rühmen Sie

Where *m* or *n* is preceded by another consonant, the final *-e* is obligatory, e. g. **atme, rechne**.

2. **Irregular verbs** which do not have a vowel change to *-i* or *-ie* in the present tense follow the same rules given for the regular verbs. The imperatives are given in the list of irregular verbs.

Vowel change to *-i* or *-ie*

infinitive	singular	plural
lesen	lies	lest
werfen	wirf	werft
sterben	stirb	sterbt
essen	iß	eßt
sehen	sieh	seht

Auxiliary verbs *sein, haben, werden*

infinitive	singular	plural
sein	sei	seid
haben	habe	habt
werden	werde	werdet

Personal pronouns

nominative	accusative	genitive	dative
ich	mich	meiner	mir
du	dich	deiner	dir
er	ihn	seiner	ihm
sie	sie	ihrer	ihr
es	es	seiner	ihm
wir	uns	unser	uns
ihr	euch	euer	euch
sie	sie	ihrer	ihnen

Reflexive pronouns

ich wasche mich	wir waschen uns
du wäscht dich	ihr wascht euch
er wäscht sich	sie waschen sich
sie wäscht sich	
es wäscht sich	

Possessive Pronouns

1. adjectival

	m	f	nt	pl
1st pers sing				
nominative	mein	meine	mein	meine
accusative	meinen	meine	mein	meine
genitive	meines	meiner	meines	meiner
dative	meinem	meiner	meinem	meinen
2nd pers sing	dein	deine	dein	deine
		declined like mein		
3rd pers sing m	sein	seine	sein	seine
		declined like mein		
3rd pers sing f	ihr	ihre	ihr	ihre
		declined like mein		
3rd pers sing nt	sein	seine	sein	seine
		declined like mein		
1st pers pl				
nominative	unser	uns(e)re	unser	uns(e)re
accusative	uns(e)ren, unsern	uns(e)re	unser	uns(e)re
genitive	uns(e)res	uns(e)rer	uns(e)res	uns(e)rer
dative	uns(e)rem, unserm	uns(e)rer	uns(e)rem, unserm	uns(e)ren, unsern
2nd pers pl				
nominative	euer	eure	euer	eure
accusative	euren	eure	euer	eure
genitive	eures	eurer	eures	eurer
dative	eurem	eurer	eurem	euren
3rd pers pl				
nominative	ihr	ihre	ihr	ihre
accusative	ihren	ihre	ihr	ihre
genitive	ihres	ihrer	ihres	ihrer
dative	ihrem	ihrer	ihrem	ihren

2. substantival

referring to	m	f	nt	pl
1st pers sing	meiner	meine	mein(e)s	meine
2nd pers sing	deiner	deine	dein(e)s	deine
3rd pers sing m, nt	seiner	seine	sein(e)s	seine
3rd pers sing f	ihrer	ihre	ihr(e)s	ihre
1st pers pl	uns(e)rer	uns(e)re	uns(e)res	uns(e)re
2nd pers pl	eurer	eure	eures, euers	eure
3rd pers pl	ihrer	ihre	ihr(e)s	ihre

Demonstrative Pronouns

	m	f	nt	pl
nominative	dieser	diese	dieses	diese
accusative	diesen	diese	dieses	diese
genitive	dieses	dieser	dieses	dieser
dative	diesem	dieser	diesem	diesen
nominative	jener	jene	jenes	jene
accusative	jenen	jene	jenes	jene
genitive	jenes	jener	jenes	jener
dative	jenem	jener	jenem	jenen
nominative	derjenige	diejenige	dasjenige	diejenigen
accusative	denjenigen	diejenige	dasjenige	diejenigen
genitive	desjenigen	derjenigen	desjenigen	derjenigen
dative	demjenigen	derjenigen	demjenigen	denjenigen
nominative	derselbe	dieselbe	dasselbe	dieselben
accusative	denselben	dieselbe	dasselbe	dieselben
genitive	desselben	derselben	desselben	derselben
dative	demselben	derselben	demselben	denselben

The definite article *der, die, das* is also used as a demonstrative pronoun.

Relative Pronouns

	m	f	nt	pl
nominative	welcher	welche	welches	welche
accusative	welchen	welche	welches	welche
genitive	dessen	deren	dessen	deren
dative	welchem	welcher	welchem	welchen

Instead of *welche(r, s)*, especially in less formal contexts, *der, die, das* is frequently used in relative clauses. *Wer* and *was* can also be used as relative pronouns.

Interrogative Pronouns

	persons	things
nominative	wer	was
accusative	wen	was
genitive	wessen	wessen
dative	wem	–

	m	f	nt	pl
nominative	welcher	welche	welches	welche
accusative	welchen	welche	welches	welche
genitive	welches	welcher	welches	welcher
dative	welchem	welcher	welchem	welchen

Prepositions

The prepositions **bis, durch, betreffend, für, gegen, je, ohne, pro, um, wider** are always used with the accusative case.

The prepositions **ab, aus, außer, bei, binnen, entgegen, entsprechend, gegenüber, gemäß, mit, nach, nächst, nahe, nebst, samt, seit, von, zu, zufolge, zuwider** are always used with the dative case. *Gegenüber, entgegen, and entsprechend* can be placed before or after the noun or pronoun.

The prepositions **an, auf, entlang, hinter, in, neben, über, unter, vor, zwischen** are used with either the accusative or the dative case.
The accusative is used where motion, change of position or movement in a certain direction is implied in the sentence.

Er legte sich ins Bett.

The dative is used where a stationary position is implied.

Er lag im Bett.

It is shown throughout the dictionary section which cases are to be used.

Numerals – Zahlwörter

1. Cardinal numbers – Grundzahlen

0 nought, cipher, zero *null*
1 one *eins*
2 two *zwei*
3 three *drei*
4 four *vier*
5 five *fünf*
6 six *sechs*
7 seven *sieben*
8 eight *acht*
9 nine *neun*
10 ten *zehn*
11 eleven *elf*
12 twelve *zwölf*
13 thirteen *dreizehn*
14 fourteen *vierzehn*
15 fifteen *fünfzehn*
16 sixteen *sechszehn*
17 seventeen *siebzehn*
18 eighteen *achtzehn*
19 nineteen *neunzehn*
20 twenty *zwanzig*
21 twenty-one *einundzwanzig*
22 twenty-two *zweiundzwanzig*
23 twenty-three *dreiundzwanzig*
30 thirty *dreißig*
31 thirty-one *eindunddreißig*
32 thirty-two *zweiunddddreißig*
33 thirty-three *dreiunddreißig*
40 forty *vierzig*

41 forty-one *einundvierzig*
50 fifty *fünfzig*
51 fifty-one *einundfünfzig*
60 sixty *sechzig*
61 sixty-one *einundsechzig*
70 seventy *siebzig*
71 seventy-one *einundsiebzig*
80 eighty *achtzig*
81 eighty-one *einundachtzig*
90 ninety *neunzig*
91 ninety-one *einundneunzig*
100 one hundred *hundert*
101 hundred and one *hundert(und)eins*
102 hundred and two *hundert(und)zwei*
110 hundred and ten *hundert(und)zehn*
200 two hundred *zweihundert*
300 three hundred *dreihundert*
451 four hundred and fifty-one *vierhundert(und)einundfünfzig*
1 000 a (*or* one) thousand *tausend*
2 000 two thousand *zweitausend*
10 000 ten thousand *zehntausend*
1 000 000 a (*or* one) million *eine Million*
2 000 000 two million *zwei Millionen*
1 000 000 000 (*Brit*) a (*or* one) thousand million, (*US*) billion *eine Milliarde*
1 000 000 000 000 (*Brit*) a (*or* one) billion, (*US*) trillion *eine Billion*

2. Ordinal numbers – Ordnungszahlen

1. first *erste*
2. second *zweite*
3. third *dritte*
4. fourth *vierte*
5. fifth *fünfte*
6. sixth *sechste*
7. seventh *sieb(en)te*
8. eighth *achte*
9. ninth *neunte*
10. tenth *zehnte*
11. eleventh *elfte*
12. twelfth *zwölfte*
13. thirteenth *dreizehnte*
14. fourteenth *vierzehnte*
15. fifteenth *fünfzehnte*
16. sixteenth *sechzehnte*
17. seventeenth *siebzehnte*
18. eighteenth *achtzehnte*
19. nineteenth *neunzehnte*

20. twentieth *zwanzigste*
21. twenty-first *einundzwanzigste*
22. twenty-second *zweiundzwanzigste*
23. twenty-third *dreiundzwanzigste*
30. thirtieth *dreißigste*
31. thirty-first *einunddreißigste*
40. fortieth *vierzigste*
41. forty-first *einundvierzigste*
50. fiftieth *fünfzigste*
51. fifty-first *einundfünfzigste*

60. sixtieth
sechzigste
61. sixty-first
einundsechzigste
70. seventieth
siebzigste
71. seventy-first
einundsiebzigste
80. eightieth
achtzigste
81. eighty-first
einundachtzigste
90. ninetieth
neunzigste
100. (one) hundredth
hundertste
101. hundred and first
hundertunderste

200. two hundredth
zweihundertste
300. three hundredth
dreihundertste
451. four hundred and fifty-first
vierhundert(und)einundfünfzigste
1000. (one) thousandth
tausendste
1100. (one) thousand and (one) hundreth
tausend(und)einhundertste
2000. two thousandth
zweitausendste
100 000. (one) hundred thousandth
einhunderttausendste
1 000 000. millionth
millionste
10 000 000. ten millionth
zehnmillionste

3. Fractions — Bruchzahlen

$\frac{1}{2}$ one (*or* a) half *ein halb*
$\frac{1}{3}$ one (*or* a) third *ein Drittel*
$\frac{1}{4}$ one (*or* a) fourth (*or* a quarter) *ein Viertel*
$\frac{1}{5}$ one (*or* a) fifth *ein Fünftel*
$\frac{1}{10}$ one (*or* a) tenth *ein Zehntel*
$\frac{1}{100}$ one hundredth *ein Hundertstel*
$\frac{1}{1000}$ one thousandth *ein Tausendstel*
$\frac{1}{1\,000\,000}$ one millionth *ein Millionstel*
$\frac{2}{3}$ two thirds *zwei Drittel*

$\frac{3}{4}$ three fourths, three quarters *drei Viertel*
$\frac{2}{5}$ two fifths *zwei Fünftel*
$\frac{3}{10}$ three tenths *drei Zehntel*
$1\frac{1}{2}$ one and a half *anderthalb*
$2\frac{1}{2}$ two and a half *zwei(und)einhalb*
$5\frac{3}{8}$ five and three eighths *fünf drei achtel*
1,1 one point one (1.1) *eins Komma eins*

4. Multiples — Vervielfältigungszahlen

single *einfach*
double *zweifach*
threefold, treble, triple *dreifach*
fourfold, quadruple *vierfach*
fivefold *fünffach*
(one) hundredfold *hundertfach*

German Weights and Measures

Amtliche deutsche Maße und Gewichte

		Symbol	multiple of unit
Linear measures	**Längenmaße**	Zeichen	Vielfaches der Einheit
nautical mile	*Seemeile*	sm	1852 m
kilometre	*Kilometer*	km	1000 m
metre	*Meter*	m	Grundeinheit
decimetre	*Dezimeter*	dm	0,1 m
centimetre	*Zentimeter*	cm	0,01 m
millimetre	*Millimeter*	mm	0,001 m
Square measures	**Flächenmaße**		
square kilometre	*Quadratkilometer*	km²	1 000 000 m²
hectare	*Hektar*	ha	10 000 m²
are	*Ar*	a	100 m²
square metre	*Quadratmeter*	m²	1 m²
square decimetre	*Quadratdezimeter*	dm²	0,01 m²
square centimetre	*Quadratzentimeter*	cm²	0,0001 m²
square millimetre	*Quadratmillimeter*	mm²	0,000 001 m²
Cubic and dry measures	**Kubik- und Hohlmaße**		
cubic metre	*Kubikmeter*	m³	1 m³
hectolitre	*Hektoliter*	hl	0,1 m³
cubic decimetre	*Kubikdezimeter*	dm³	0,001 m³
litre	*Liter*	l	
cubic centimetre	*Kubikzentimeter*	cm³	0,000 001 m³
Weights	**Gewichte**		
ton	*Tonne*	t	1000 kg
–	*Doppelzentner*	dz	100 kg
kilogramme	*Kilogramm*	kg	1000 g
gramme	*Gramm*	g	1 g
milligramme	*Milligramm*	mg	0,001 g

Temperature conversion

Temperaturumrechnung

Fahrenheit — Celsius

°F	°C
0	−17.8
32	0
50	10
70	21.1
90	32.2
98.4	37
212	100

subtract 32 and multiply by ⅝
zur Umrechnung 32 abziehen und mit ⅝ multiplizieren

Celsius — Fahrenheit

°C	°F
−10	14
0	32
10	50
20	68
30	86
37	98.4
100	212

multiply by ⅝ and add 32
zur Umrechnung mit ⅝ multiplizieren und 32 addieren

Federal Republic of Germany – Bundesrepublik Deutschland

Länder and their capitals – Länder und Hauptstädte

Baden-Württemberg	Stuttgart
Bayern	München
Berlin	Berlin
Brandenburg	Potsdam
Bremen	Bremen
Hamburg	Hamburg
Hessen	Wiesbaden
Mecklenburg-Vorpommern	Schwerin
Niedersachsen	Hannover
Nordrhein-Westfalen	Düsseldorf
Rheinland-Pfalz	Mainz
Saarland	Saarbrücken
Sachsen	Dresden
Sachsen-Anhalt	Magdeburg
Schleswig-Holstein	Kiel
Thüringen	Erfurt

Austria – Österreich

Bundesländer and their capitals – Bundesländer und Hauptstädte

Burgenland	Eisenstadt
Kärnten	Klagenfurt
Niederösterreich	Wien (administrative seat, Verwaltungssitz)
Oberösterreich	Linz
Salzburg	Salzburg
Steiermark	Graz
Tirol	Innsbruck
Vorarlberg	Bregenz
Wien	Wien

Switzerland – Schweiz

Cantons and their principal towns – Kantone und Hauptorte

Aargau	Aarau
Appenzell Außerrhoden	Herisau
Appenzell Innerrhoden	Appenzell
Basel-Landschaft	Liestal
Basel-Stadt	Basel
Bern	Bern
Freiburg	Freiburg
Genf	Genf
Glarus	Glarus
Graubünden	Chur
Jura	Delémont
Luzern	Luzern
Neuenburg	Neuenburg
Sankt Gallen	Sankt Gallen
Schaffhausen	Schaffhausen
Schwyz	Schwyz
Solothurn	Solothurn
Tessin	Bellinzona
Thurgau	Frauenfeld
Unterwalden nid dem Wald (Nidwalden)	Stans
Unterwalden ob dem Wald (Obwalden)	Sarnen
Uri	Altdorf
Waadt	Lausanne
Wallis	Sitten
Zug	Zug
Zürich	Zürich

Common Forenames and their shortened forms
Geläufige Vornamen und ihre Kurzformen

Women's names — Frauennamen

Adele
Adelheid
Agathe
Agnes
Alexandra
Amalie [-iə]
Amanda
Andrea
Angelika [aŋ'ge:lika]
Anita
Anja
Anke
Anna, Anne
Anneliese
Annemarie
Anette
Antje
Antonie [-iə]
Astrid
Ate
Barbara
Bärbel (von *Barbara*)
Beate
Bert(h)a
Bettina
Bianca
Birgit
Brigitte
Brunhilde
Cäcilie [tsɛ'tsi:liə]
Carina
Carola
Charlotte [ʃar'lɔtə]
Christa
Christel (von *Christiane*)
Christiane
Claudia
Cordula
Corinna
Cornelia
Dagmar
Daniela
Daphne
Diana
Dietlinde
Dora
Doris
Dorothea
Dorothee
Edda
Edith

Eleonore
Elfriede
Elisabeth
Elke
Ellen
Elsa, Else
Elvira [ɛl'vi:ra]
Emilie [-iə]
Emma
Erika
Erna
Esther
Eva ['e:fa, 'e:va]
Evelin(e) ['e:vəli:n]
Franziska
Frieda
Friedel
Friederike
Gabi (von *Gabriele*)
Gabriele
Genoveva [geno'fe:fa]
Gerda
Gerlinde
Gertraud(e)
Gertrud(e)
Gisela
Grete(l) (von *Margarete*)
Gudrun
Gundula
Hanna (von *Johanna*)
Hannelore
Hedwig
Heide, Heidi
Heidrun
Heike
Helene
Helga
Henriette
Hermine
Hert(h)a
Hilde, Hilda
Hildegard
Ida
Ilona
Ilse (von *Elisabeth*)
Ina
Ines
Inge (von *Ingeborg*)
Ingeborg
Ingrid
Irene

Iris
Irma (von *Irmgard*)
Irmgard
Isabella
Jakobine
Johanna
Josefa
Josefine
Judith
Julia
Jutta (von *Judith*)
Kamilla
Karin
Karla
Karoline
Katharina
Käthe (von *Katharina*)
Katja
Kerstin
Kirsten
Klara
Klementine
Klothilde
Konstanze
Laura
Lea
Lena, Lene (von *Magdalene, Helene*)
Leonore
Leopoldine
Liesa, Lieschen ['li:sçən], Liese (von *Elisabeth*)
Lieselotte
Lilli
Lore (von *Eleonore*)
Lotte, Lotti (von *Charlotte*)
Luise
Luzia
Lydia ['ly:dia]
Magda (von *Magdalena*)
Magdalena
Manuela
Margarete
Margit (von *Margarete*)
Margot
Maria
Marianne
Marie
Marion
Marlene
Martha
Martina
Mathilde
Mechthild(e)

Melanie
Michaela
Mirjam
Monika
Nadine
Nadja
Natalie [-iə]
Nicole [ni'kɔl]
Nora
Olga
Ottilie [-iə]
Pamela
Patrizia
Paula
Petra
Pia
Regine
Renate
Rita
Rosa
Rosalinde
Rose
Rosemarie
Roswitha
Ruth
Sabine
Sandra
Sara(h)
Sibylle [zi'bɪlə]
Sieglinde
Sigrid
Silvia ['zɪlvia]
Sofie
Sonja
Stefanie, Stephanie
Susanne
Sylvia ['zɪlvia]
Tanja
Thea
Thekla
Therese, Theresia
Trude (von *Gertrud*)
Ulla (von *Ursula, Ulrike*)
Ulrike
Ursel (von *Ursula*)
Ursula
Ute
Vera ['ve:ra]
Verena [ve're:na]
Veronika [ve'ro:nika]
Viktoria [vɪk'to:ria]
Waltraud
Wiltrud

Men's names — Männernamen

Abel
Abraham
Achim
Adam
Adolf
Albert
Alexander
Alfons
Alfred
Alois
Andreas
Anton
Armin
Arno
Arnold
Art(h)ur
Axel
August
Benedikt
Benjamin
Benno
Bernd (von *Bernhard*)
Bernhard
Bert(h)old
Bodo
Bruno
Burkhard
Christian
Christoph
Clemens
Daniel ['da:niɛl]
David ['da:vɪt, -fɪt]
Detlef
Dieter
Dietmar
Dietrich
Dominik
Eberhard
Eckart
Eckehard
Edgar
Edmund
Eduard
Egon
Ehrhard
Elmar
Emil
Erhard
Erich
Ernst
Erwin
Eugen
Ewald
Felix
Ferdinand

Florian
Franz
Fridolin
Friedel
Frieder
Friedrich
Fritz
Gebhard
Georg
Gerd (von *Gerhard*)
Gerhard
Gernot
Gottfried
Gotthold
Gottlieb
Götz (von *Gottfried*)
Gregor
Guido [*oder* 'gi:do]
Gunter
Günter
Gustav
Hannes (von *Johannes*)
Hans (von *Johannes*)
Hänschen ['hɛnsçən]
Harald
Hartmut
Heiner (von *Heinrich*)
Heini (von *Heinrich*)
Heino (von *Heinrich*)
Heinrich
Heinz (von *Heinrich*)
Helmut(h)
Herbert
Hermann
Hieronymus [hie'ro:nymʊs]
Horst
Hubert
Hugo
Ingo ['ɪŋgo]
Jakob
Jan
Jason
Jens
Joachim
Jochen (von *Joachim*)
Johannes
Jonas
Jonathan
Jörg (von *Georg*)
Josef
Julius
Jürgen
Karl
Karlheinz
Kasimir

Kạspar
Kịlian
Klaus (von *Nikolaus*)
Klẹmens
Knụt
Kọnrad
Kọnstantin
Kụnibert
Kụrt
Lẹo
Lẹonhard
Lẹopold
Lọrenz
Lọthar
Lụdwig
Lụtz (von *Ludwig*)
Mạnfred
Mạrio
Mạrkus
Mạrtin
Matthạ̈us
Matthịas
Max (von *Maximilian*)
Maximịlian
Michael ['mıçaɛl]
Mịchel (von *Michael*)
Mọritz
Nịkolaus
Nịls (von *Nikolaus*)
Nọrbert
Ọlaf
Oliver ['o:livɐ]
Ọskar
Ọswald
Ọt(t)mar
Ọtto
Ọttokar
Pạrzival
Pạtrick
Paul
Pẹter
Phịlip(p)
Raimund
Raïner
Rạlf
Reiner
Reïnhold
Reïnold

Rịchard
Rọbert
Rọland
Rọlf (von *Rudolf*)
Rụdi (von *Rudolf*)
Rụ̈diger
Rụdolf
Sạmson
Samuel ['za:muɛl]
Sebạstian
Siegfried
Siegmund
Sịmon
Stẹfan, Stẹphan
Sven [svɛn]
Thẹo (von *Theobald, Theodor*)
Thẹobald
Thẹodor
Thịlo (von *Dietrich*)
Thọmas
Tobịas
Tọni
Tọrsten
Trịstan
Ụdo
Ụlf
Ụli (von *Ulrich*)
Ụlrich
Ụrban
Ụwe
Valentin ['valɛnti:n]
Viktor ['vıktɔr]
Vinzenz ['vıntsɛnts]
Vọlker
Wạldemar
Wạlt(h)er
Wẹrner
Wịlfried
Wịlhelm
Wịlli (von *Wilhelm*)
Wịllibald
Wịnfried
Wọlf
Wọlfgang
Wọlfram
Xaver ['ksa:vɐ]
Zacharịas

The German Alphabet – Das deutsche Alphabet

	pronunci-ation Aussprache	German deutsch	international international	aviation Luftfahrt	NATO NATO
A	a:	Anton	Amsterdam	Alfa	Alfa
Ä	ɛ:	Ärger	–	–	–
B	be:	Berta	Baltimore	Bravo	Bravo
C	tse:	Cäsar	Casablanca	Coca	Charlie
CH	'tse:ha:	Charlotte	–	–	–
D	de:	Dora	Danemark	Delta	Delta
E	e:	Emil	Edison	Echo	Echo
F	ɛf	Friedrich	Florida	Foxtrot	Foxtrot
G	ge:	Gustav	Gallipoli	Golf	Golf
H	ha:	Heinrich	Havana	Hotel	Hotel
I	i:	Ida	Italia	India	India
J	jɔt	Julius	Jerusalem	Juliet	Juliet
K	ka:	Kaufmann	Kilogramme	Kilo	Kilo
L	ɛl	Ludwig	Liverpool	Lima	Lima
M	ɛm	Martha	Madagaskar	Metro	Mike
N	ɛn	Nordpol	New York	Nectar	November
O	o:	Otto	Oslo	Oscar	Oscar
Ö	ø:	Ökonom	–	–	–
P	pe:	Paula	Paris	Papa	Papa
Q	ku:	Quelle	Quebec	Quebec	Quebec
R	ɛr	Richard	Roma	Romeo	Romeo
S	ɛs	Samuel	Santiago	Sierra	Sierra
Sch	'ɛstse:ha:	Schule	–	–	–
T	te:	Theodor	Tripoli	Tango	Tango
U	u:	Ulrich	Upsala	Union	Uniform
Ü	y:	Übermut	–	–	–
V	fau	Viktor	Valencia	Victor	Victor
W	ve:	Wilhelm	Washington	Whisky	Whisky
X	ɪks	Xanthippe	Xanthippe	Extra	X-ray
Y	'ʏpsilɔn	Ypsilon	Yokohama	Yankee	Yankee
Z	tsɛt	Zacharias	Zürich	Zulu	Zulu

When using the phonetic alphabet one says: D wie Dora
Bei der Benutzung des Buchstabieralphabets wird gesagt:

Notes

Notizen

Notes

Notizen

Notes

Notizen

Notes
Notizen

Notes   Notizen

Notes

Notizen

Notes

Notizen

Notes

Notizen

Notes

Notizen

Notes

Notizen

Notes

Notizen

Notes

Notizen

Notes

Notizen

Notes

Notizen

Abbreviations

Abkürzungen

abbr	abbreviation	*Abkürzung*	
acc	accusative	*Akkusativ*	
adj	adjective	*Adjektiv*	
Admin	administration	*Verwaltung*	
adv	adverb	*Adverb*	
Agr	agriculture	*Landwirtschaft*	
Anat	anatomy	*Anatomie*	
Archeol	archaeology	*Archäologie*	
Archit	architecture	*Architektur*	
art	article	*Artikel*	
Art	art	*Kunst*	
Astrol	astrology	*Astrologie*	
Astron	astronomy	*Astronomie*	
attr	attributive	*attributiv*	
Aus	Austrian	*österreichisch*	
Austral	Australian	*australisch*	
Aut	automobiles	*Kraftfahrzeug-* *wesen*	
aux	auxiliary	*Hilfsverb*	
Aviat	aviation	*Luftfahrt*	
baby-talk		*Kindersprache*	
Bibl	biblical	*biblisch*	
Biol	biology	*Biologie*	
Bot	botany	*Botanik*	
BRD	Federal Republic of Germany	*Bundesrepublik Deutschland*	
Brit	British	*britisch*	
Build	building	*Hoch- und Tiefbau*	
Cards		*Kartenspiel*	
Chem	chemistry	*Chemie*	
Chess		*Schach*	
Comm	commerce	*Handel*	
comp	comparative	*Komparativ*	
Comput	computing	*Computer*	
conj	conjunction	*Konjunktion*	
contr	contraction	*Zusammen-* *ziehung*	
Cook	cooking	*Kochen*	
cpd	compound	*Kompositum*	
dat	dative	*Dativ*	
dated		*altmodisch*	
DDR	German Democratic Republic	*Deutsche Demokratische Republik*	
decl	declined	*dekliniert*	
def	definite	*bestimmt*	
dem	demonstrative	*demonstrativ*	
dial	dialect	*Dialekt*	
dim	diminutive	*Verkleinerung*	
dir obj	direct object	*Akkusativob-* *jekt*	
Eccl	ecclesiastic	*kirchlich*	
Econ	economics	*Volkswirtschaft*	
Elec	electricity	*Elektrizität*	
emph	emphatic	*betont*	
esp	especially	*besonders*	
etw	something	*etwas*	
euph	euphemism	*Euphemismus*	
f	feminine	*Femininum*	
fashion		*Mode*	
fig	figurative	*figurativ*	
Fin	finance	*Finanzen*	
Fishing		*Fischerei*	
Forest	forestry	*Forstwesen*	
form	formal	*förmlich*	
Ftbl	football	*Fußball*	
geh	elevated	*gehoben*	
gen	genitive	*Genitiv*	
Geog	geography	*Geographie*	
Geol	geology	*Geologie*	
Gram	grammar	*Grammatik*	
Her	heraldry	*Heraldik*	
Hist	history	*Geschichte*	
Hort	horticulture	*Gartenbau*	
hum	humorous	*scherzhaft*	
Hunt	hunting	*Jagd*	
imper	imperative	*Imperativ*	
impers	impersonal	*unpersönlich*	
Ind	industry	*Industrie*	
indef	indefinite	*unbestimmt*	
indir obj	indirect object	*Dativobjekt*	
inf	informal	*umgangs-* *sprachlich*	
infin	infinitive	*Infinitiv*	
insep	inseparable	*untrennbar*	
Insur	insurance	*Versicherungs-* *wesen*	
interj	interjection	*Interjektion*	
interrog	interrogative	*interrogativ*	
inv	invariable	*unveränderlich*	
Ir	Irish	*irisch*	
iro	ironical	*ironisch*	
irreg	irregular	*unregelmäßig*	
jd, jds, *jdm, jdn*	somebody, somebody's	*jemand, jeman-* *des, jemandem,* *jemanden*	
Jur	law	*Rechtswesen*	
Ling	linguistics	*Sprachwissen-* *schaft*	
lit	literal	*wörtlich*	
liter	literary	*literarisch*	
Liter	literature	*Literatur*	
m	masculine	*Maskulinum*	
Math	mathematics	*Mathematik*	
Measure		*Maß*	
Mech	mechanics	*Mechanik*	
Med	medicine	*Medizin*	
Met	meteorology	*Meteorologie*	